श्रीवाजसनेयि-माध्यन्दिन-
शतपथब्राह्मणम्

THE
ŚATAPATHABRĀHMAṆA

ACCORDING TO
THE MĀDHYANDINA RECENSION

श्रीवाजसनेयि-माध्यन्दिन-

शतपथब्राह्मणम्

श्रीमत्सायणाचार्यविरचित-
वेदार्थप्रकाशाख्यव्याख्यासमेतम्
उपयुक्तभाष्यानुपलब्धिस्थाने
श्रीहरिस्वामिभाष्यसमेतम्

"प्रथमखण्डात् पंचमखण्डपर्यन्तं"

प्रथमो भागः
प्रथमद्वितीयकाण्डात्मकः

GIAN

ज्ञानपब्लिशिंगहाउस
देहली-११०००२ (भारतम्)

ज्ञानपब्लिशिंगहाउस
देहली-११०००२ (भारतम्)

प्रथमं पुनर्मुद्रणं १९८७ तमे वर्षे

भारते मुद्रितम्

इदं पुस्तकं ज्ञानपब्लिशिंगहाउस कृते गायत्रीगर्गमहाभागया
देहली ११०००२ तः प्रकाशितम् तथा गोयलआफसेटमुद्रणालय
देहली ११००३५ तः मुद्रितम् ।

THE ŚATAPATHABRĀHMAṆA

ACCORDING TO
THE
MĀDHYANDINA RECENSION
WITH
THE VEDARAPRAKĀŚA BHĀṢYA
OF
SĀYAṆĀCĀRYA
SUPPLEMENTED BY THE COMMENTARY
OF
HARISVĀMIN

VOLUME I
CHAPTERS 1-2

GYAN PUBLISHING HOUSE
New Delhi - 110002

॥ श्रीशः शरणम् ॥

अथ उपोद्घातः ॥

प्रारंभे कुलदेवतामिह महालक्ष्मीयुतां रेणुकां, भक्ताभीष्टकरीं मतिस्मृतियशोऽर्थायुःपरानन्ददाम् ॥
प्रत्यूहौघविदारणक्षममथो द्वैमातुरं शारदां, सूर्यं शुक्लयजुःप्रवर्तकमृषिं श्रीयाज्ञवल्क्यं नुमः ॥ १ ॥

अज्ञानवार्धिं परिशोष्य यन्मे ज्ञानं त्वदादाच्छ्रुतितन्त्रयुग्मम् ॥
यत्क्षोणिवृन्दारकवृन्दवन्द्यं नित्यं नमामो गुरुमंडलं तत् ॥ २ ॥
ॐ नमः श्रीमत्सद्गुरुदयानन्दसरस्वतीचरणंकमलेभ्यः ॥
पुराण इत्येव न सर्ववित्स्यान्नव्यो गुणी ज्ञः किमु नार्चनीयः ॥
चेदस्ति नव्येऽपि हि दोषलेशो नोपास्यते धूमयुतः किमग्निः ॥ ३ ॥
श्रुतिं शातपथीं शुक्लां वाजिमाध्यन्दिनीयकाम् ॥
उद्दिश्य वक्ष्यते कश्चिदुपोद्घातः समासतः ॥ ४ ॥

धर्मं जिज्ञासमानानां प्रमाणं परमं श्रुतिः । मनुः अ. २ । १३.

विदितचरमेव वः सर्वेषां वेदशास्त्रविद्यारण्यसंचरिष्णूनां विद्वत्केसरिणां, तथा तत्र विहर्तुकामानां विद्यार्थिसार्थानां च । यच्छिरोनिर्दिष्टमनुवचसा धर्मं जिज्ञासमानैः परमप्रमाणत्वेन परमविज्ञानैकखनिर्धर्मार्थकाममोक्षहेतुः कर्मोपास्तिब्रह्मकाण्डत्रयात्मिका सर्वतन्त्रस्वतन्त्रा श्रुतिरेव सम्माननीयेति । यत् इह खल्वसारे संसारे संभूय महताऽभ्युदयेन विविधान् भोगानुपभुक्तवतां सतामपि ततो विमुच्य निश्रेयसस्य संलिप्साविषया धर्मार्थकाममोक्षाख्यचतुर्विधपुरुषार्थमुपजीव्यैव प्रयतमानानां धर्म एव परमसाधनत्वेनाभिमतः । अत एव च जैमिनिः "चोदनालक्षणोऽर्थो धर्मः" (पू. मी. १ अ. १ पा. २ अ.) इत्येवं धर्मलक्षणमसूत्रयत् । तथा ह्यस्य सूत्रस्य द्विधाऽभिव्यक्तिः चोदनेति क्रियायाः प्रवर्तकं वाक्यम् । चोदना—उपदेशः—विधिः—इति चानर्थान्तरम् । लक्ष्यते ज्ञायतेऽनेनेति लक्षणम् । इत्थं च चोदनैव लक्षणं करणं यद्विषयकज्ञानस्य तत्त्वे सत्यर्थवत्त्वं धर्मस्य लक्षणम् । अर्थवत्त्वं च सुखाधिकदुःखाजनकत्वमिति । अस्य सूत्रस्य—'यो धर्मः स चोदनाप्रमाणकः' इति शाब्दिको बोधः । 'यश्चोदनालक्षणकः स धर्मः' इत्यार्थिको बोधः । शाब्दिकबोधस्यापि "धर्मे चोदनैव प्रमाणं" "चोदना प्रमाणमेव" इत्येवं द्वौ प्रकारौ भवतः । आद्येन प्रत्यक्षानुमानवादिबुद्धादिमतनिरासः । द्वितीयेन वेदाप्रामाण्यनिरासः, इत्यन्यत्र विस्तरः । अत्र तु किंचित्संक्षेपतो दर्श्यते । तत्र प्रथमं धर्मस्य प्रत्यक्षादिप्रमाणागम्यत्वमुच्यते ॥

धर्मस्य प्रमाणं प्रत्यक्षं न ।

तथाहि—ननु—प्रत्यक्षमेव धर्मे प्रमाणं मन्तव्यं तस्यान्यानपेक्षत्वाच्छब्दस्य सर्वदा प्रमाणांतरप्रमितविषयत्वादिति चेन्न, प्रत्यक्षं हि संयुक्तविषयत्वेन विद्यमानवस्तुन एवोपलंभकमतो न भविष्यति धर्मे प्रमाणं जायते । धर्मस्य तदानीमसत्त्वेनेन्द्रियागोचरत्वादिति भावः । तथाच श्लोकवार्तिके भट्टकुमारिलचरणाः—"भविष्यति न

१—"धर्मे सामान्यतः सिद्धे प्रमाणं चोदनोच्यते । स्वरूपादेस्ततः सिद्धिः स्वरूपं चेह सूच्यते ॥ १ ॥ द्वयमेकेन सूत्रेण श्रुत्यर्थाभ्यां विलक्ष्यते । स्वरूपे च हि तत्त्वोक्ते प्रामाण्यं कथ्यतेऽर्थतः ॥ २ ॥" इति श्लोकवार्तिके चोदनासूत्रे ॥

दृष्टं च प्रत्यक्षस्य मनागपि " इति । यद्यपि व्रीह्यादिद्रव्याणां प्रणीताप्रणयनादिक्रियाणां प्राक्प्रवणत्वादि-गुणानां च फलसाधनत्वाद्धर्मशब्देन व्यवहारो नापूर्वादीनामित्यादि श्रेयस्करभाष्ये शबरस्वामिभिरभिहितं, तथापि तेषां फलसाधनांश एव धर्मत्वात्फलस्य च जन्मांतरकालांतरादिभावित्वान्न स्वरूपतो धर्मत्वमतो न धर्मस्य प्रत्यक्षविषयत्वस्य संभावनेति । तदुक्तं भट्टैः श्लोकवार्तिके प्रतिज्ञासूत्रे-" द्रव्यक्रियागुणादीनां धर्मत्वं स्थापयिष्यते ॥ तेषामैन्द्रियकत्वेऽपि न ताद्रूप्येण धर्मता ॥ श्रेयःसाधनता ह्येषां नित्यं वेदात्प्रतीयते ॥ ताद्रूप्येण तु धर्मत्वं तस्मान्नेन्द्रियगोचरः " इति । अत एव च यागांगाग्नीषोमीयादिपशुहिंसादेः स्वरूपतो हिंसात्मकत्वेऽपि परिणामेऽभीप्सितफलजनकतयेष्टानुबंधित्वाच्च धर्मत्वं, श्येनादीनां विधिबोधितत्वेन स्वरूपतो धर्मत्वेऽपि परिणामेऽभीप्सितशत्रुवधलक्षणहिंसाजन्यानभीप्सितनरकरूपफलाक्रांतत्वादधर्मत्वमिति सर्वतन्त्रविदां राद्धांतः । तदेव स्पष्टीकृतं याज्ञवल्क्येन-" अस्वर्ग्यं लोकविद्विष्टं धर्ममप्याचरेन्न तु " इति । अ. १ । १५६ ॥

योगिप्रत्यक्षमपि धर्मे प्रमाणं न ।

नच भावनाबलजन्यं योगिप्रत्यक्षं यत्तद्भविष्यति धर्मे प्रमाणं भवेदिति वाच्यम् । भावना नाम, येषां योगाभ्यासजनितसंस्कारविशेषाद्यन्मानसप्रत्यक्षं जायते तदित्युच्यते । तस्या अनुभूतविषयत्वान्नियतानुभूतेषु वस्तुष्वेव निश्चयरूपस्मृतिजनकतया स्मृतिष्वेवांतर्भवनात्तत एवोपरतिर्नातीन्द्रिये धर्मे प्रवृत्तिः । अत एवाह जैमिनिः-" सत्संप्रयोगे पुरुषस्येन्द्रियाणां बुद्धिजन्म तत्प्रत्यक्षमनिमित्तं विद्यमानोपलंभनत्वात् " इति । तथाच श्रुतिरप्याह-" नेंद्रियाणि नानुमानं वेदा एवैनं वेदयन्ति तस्मादाहुर्वेदाः " इति । एनं नाम धर्ममिति । तत्सिद्धं धर्मो न प्रत्यक्षस्य भूमिरिति ॥

अनुमानमपि धर्मे प्रमाणं न ।

प्रत्यक्षपूर्वकत्वाच्चानुमानादेरपि । अनुमानं च व्याप्तिग्रहाधीनम् । व्याप्तिग्रहश्च कार्यकारणगतविशेषज्ञानावलंबी यदि च स्वतो धर्म एव लोकतो नावबुध्यते । कुतस्तरां तस्यान्येन सह कार्यकारणभावः सामान्यविशेषभावो वा लोकतोऽवबुध्येत । तथाच श्लोकवार्तिकं चोदनासूत्रे-" सामर्थ्यं नानुमानादेर्लिंगादिरहिते क्वचित् " इति । ततश्च धर्मो नानुमानगम्य इति सिध्यति ॥

उपमानमपि धर्मे प्रमाणं न ।

नाप्युपमानं तत्र क्रमते । तस्य सादृश्यज्ञानसापेक्षत्वात् । सादृश्यज्ञानं च प्रत्यक्षमूलमेव । प्रत्यक्षं तु धर्मे सर्वथा न प्रवर्तत इत्युक्तमेव । ततश्चातीन्द्रियो धर्मो न प्रत्यक्षानुमानोपमानेति प्रमाणत्रितयेनाप्यवगम्यत इति ॥

धर्मस्य वेदा एव प्रमाणम् ।

किंतु धर्मस्य शब्दमूलत्वमेवाभिमन्यते शास्त्रकारैः । तथाच जैमिनिः-" औत्पत्तिकस्तु शब्दस्यार्थेन संबंधः, तस्य ज्ञानमुपदेशोऽव्यतिरेकश्चार्थेऽनुपलब्धे तत्प्रमाणं, बादरायणस्यानपेक्षत्वात् " (जै. सू. १।१।५।५) इति । अर्थेन सहौत्पत्तिकतसम्बन्धवता शब्देन बोधितस्य धर्मस्य प्रमाणं विध्यादिरूपः शब्द एव । स चाबाधितेऽनुपलब्धे चार्थे प्रमाणं भवत्यन्यप्रमाणनिरपेक्षत्वात् । बादरायणाचार्यस्याभिमतमेतदिति । अतश्च प्रतिज्ञातं जैमिनिनैव-"चोदनालक्षणोऽर्थो धर्मः" इति । शब्दः, चोदना, विधिः, उपदेशः, इति चानर्थान्तरम् । उक्तं च श्लोकवार्तिके-" चोदना चोपदेशश्च विधिश्चैकार्थवाचिनः " इति । तेन चात्रोपदेशशब्देन विध्याद्यात्मको वेदो विवक्षितः ॥

अत्रार्थे सम्मतयः ।

अत एव च मनुर्जगौ " वेदोऽखिलो धर्ममूलम्, 'धर्मं जिज्ञासमानानां प्रमाणं परमं श्रुतिः " इति

(२ । ६-१३) । गौतमोऽप्याह-" वेदो धर्ममूलम् " इति (१ । १) । किंच " यो हि पूर्वमुत्पन्नः सोऽनन्तरमुत्पत्स्यमानस्य ग्राहको भवति " इति न्यायेन वेद एव धर्मस्य यथार्थग्राहकं मूलं भवितुमर्हति । कुत एतत् ? यावत्सृष्टेर्वेदप्रभवत्वश्रवणात् । तथा च " शब्द इति चेन्नातः प्रभवात्प्रत्यक्षानुमानाभ्याम् " (ब्र. सू. अ. १ । ३ । ८ । २८) इत्यस्मिन्सूत्रे भाष्ये च श्रीमच्छंकराचार्यैः सुस्पष्टं निरूपितमित्यास्तां तावत् । किंच लौकिकशब्दस्यानाप्तप्रणीतत्वे प्रमाणांतरसंवादेनाप्तप्रणीतत्वे च तत्प्रमाणांतरापेक्षया यथा प्रामाण्यं, न तथा वैदिकशब्दस्यापौरुषेयत्वेनोभयानपेक्षत्वात् । तथाच श्लोकवार्तिके औत्पत्तिके सूत्रे-" स्वप्रत्ययान्तरापेक्षा स्यादनाप्तनरोक्तिषु । आप्तोक्तिषु परापेक्षा नोभयं चोदनासु तत् " इति । एवं च वेद एव धर्मस्य मुख्यं प्रमाणमिति निर्गलितोऽर्थः । इति ॥

वेदा ह्यपौरुषेयाः ।

ननूक्तं वैदिकशब्दस्यापौरुषेयत्वं तत्कथं संघटत इति चेदुच्यते । तथाहि-अध्येतृपरंपरयाऽध्ययनाध्यापनसंप्रदायस्याविच्छेदे सत्यपि कर्तुरस्मरणादात्मवत् । नच प्रलये संप्रदायविच्छेदः संभवतीति वाच्यम् । सृष्टिप्रलयमंगीकुर्वाणाः पूर्वतन्त्रज्ञा हि वेदाध्ययनविषयिणीं गुरुशिष्यप्रणालीमविच्छिन्नामनादिं च वर्णयन्ति तस्मात् । तदुक्तं श्लोकवार्तिके वाक्याधिकरणे-" वेदस्याध्ययनं सर्वं गुर्वध्ययनपूर्वकम् । वेदाध्ययनसामान्यादधुनाऽध्ययनं यथा" इति । ननु-भारतेऽप्येवं वक्तुं शक्यते इति चेन्न, तत्र व्यासः कर्तेति "को ह्यन्यः पुंडरीकाक्षान्महाभारतकृद्भवेत् " इत्यनया स्मृत्या महाभारतकर्तुः स्मर्यमाणत्वात् ॥

अथ वेदस्य पुरुषास्वातन्त्र्यमात्रमपौरुषेयत्वम् ।

किंच ये तु श्रुतिस्मृतिपुराणेतिहासवशात्सृष्टिप्रलयावंगीकृत्य " शास्त्रयोनित्वात् " इत्यस्मिन्वैयासिकसूत्रे श्रीमच्छंकराचार्यैर्दर्शितदिशा " अस्य महतो भूतस्य निश्वसितमेतद्यदृग्वेदः " (बृ. २।४।१० ।) इत्यादिश्रुतेः सर्वज्ञं सर्वविदं च परमात्मानं नित्यस्यापि वेदस्य योनिमिच्छन्ति तेऽपि वेदेषु परमात्मनः स्वातंत्र्यं न मन्यन्ते । तथाहि " धाता यथापूर्वमकल्पयत् " (ऋ. सं. १०।१९०।३) " यः कल्पः स कल्पपूर्वः " इत्यादिश्रुत्या न्यायतश्चेतरसृष्टिवद्वेदस्यापि पूर्वकल्पानुसारेण स्वाध्यायाध्ययनमभ्युदयनिश्रेयसकारणं तदेवान्यथाकरणेऽनर्थकारणम् अश्वमेधादयो यागाः पुण्यहेतवो ब्रह्महत्यादयश्च नरकहेतवः इत्यादिनियतानुपूर्व्या एव स्मरणेन पुरुषनिश्वासवदप्रयत्नेन विरचनात् । भट्टकुमारिलपादा अपि वेदस्य पुरुषास्वातंत्र्यमात्रमपौरुषेयत्वमभिलषंति । तदुक्तं श्लोकवार्तिके शब्दनित्यत्वाधिकरणे-" यत्नतः प्रतिषेध्या नः पुरुषाणां स्वतन्त्रता " इति । यदि सर्वज्ञस्य सर्वशक्तिमतः पुराणपुरुषस्यापि वेदे न स्वातन्त्र्यं तर्ह्यस्मादृशां पुंसां कुतस्तदिति ॥

अथ प्रकारांतरेण पौरुषेयत्वाक्षेपपरिहारौ ।

नन्वीश्वरस्य वेदं प्रति न केवलं निश्वासवदुपलब्धिनिमित्तत्वं, किंतु " प्रजापतिर्वेनमसृजत् " इति (श. प. ब्रा. ११) " तस्माद्यज्ञात्सर्वहुतऽ ऋचः सामानि जज्ञिरे । छंदांसि जज्ञिरे तस्माद्यजुस्तस्मादजायत " इति वाजसनेयश्रुतौ पुरुषमेधे । " प्रजापतिर्वा इदमेक आसीत् । स तपोऽतप्यत । तस्मात्तेपानात्त्रयो देवा असृज्यन्ताग्निर्वायुरादित्यः । ते तपोऽतप्यन्त । तेभ्यस्तेपानेभ्यस्त्रयो वेदा असृज्यन्त । अग्नेर्ऋग्वेदो वायोर्यजुर्वेद आदित्यात्सामवेदः " इति । " स [प्रजापतिः] चतुर्होत्राऽतप्यत । सोऽताम्यत् । स भूरिति व्याहरत् । स भूमिमसृजत । अग्निहोत्रं दर्शपूर्णमासौ यजूꣳषि । स द्वितीयमतप्यत । सोऽताम्यत् । स भुव इति व्याहरत् । सोऽन्तरिक्षमसृजत । चातुर्मास्यानि सामानि । स तृतीयमतप्यत् । सोऽताम्यत् । स सुवरिति व्याहरत् । स

दिवमसृजत। अग्निष्टोममुक्थ्यमतिरात्रमृचः। एता वै व्याहृतय इमे लोकाः। इमान्खलु वै लोकाननु प्रजाः पशवश्छन्दांसि प्रजायन्ते" (तै. ब्रा. २। २। ४) इत्यादिभिः श्रुतिभिर्जनकत्वमपि श्रूयत इति चेन्न। अत्रत्यानि 'असृजत्' 'जज्ञिरे' 'अजायत' 'असृज्यन्त' इतीमान्यपि आख्यातपदानि श्रुत्यन्तरैकवाक्यतया निश्वासवदुपलब्धिनिमित्तमात्रपरतयैव व्याख्येयानि भूयसीनामन्यासां श्रुतिस्मृतीनामनुग्रहात् ॥

अत्रार्थे श्रुतिस्मृतीनां सम्मतयः।

तथाहि-"यो ब्रह्माणं विदधाति पूर्वं यो वै वेदांश्च प्रहिणोति तस्मै" इति श्वेताश्वतरश्रुतिः (६। १८)। तया ब्रह्मणो वेदोपलब्धिरुपदेशद्वारेणैव निर्दिष्टा। किंच 'यज्ञेन वाचः पदवीयमायन्। तामन्वविन्दन्नृषिषु प्रविष्टाम्" इति ऐतरेयश्रुत्या वेदस्य लब्धिरेव निर्दिष्टा। तथा "ऋचामग्निर्दैवतम्। तदेव ज्योतिः। गायत्रं छन्दः। पृथिवी स्थानम्। अग्निमीळे पुरोहितं यज्ञस्य देवमृत्विजम्। होतारं रत्नधातमम्॥ इत्येवमादिं कृत्वा ऋग्वेदमधीयते। यजुषां वायुर्दैवतम्। तदेव ज्योतिः। त्रैष्टुभं छन्दः। अन्तरिक्षं स्थानम्। इषे त्वोर्जे त्वा वायव स्थ देवो वः सविता प्रार्पयतु श्रेष्ठतमाय कर्मणे॥ इत्येवमादिं कृत्वा यजुर्वेदमधीयते। साम्नामादित्यो दैवतम्। तदेव ज्योतिः। जागतं छन्दः। द्यौः स्थानम्। अग्न आयाहि वीतये गृणानो हव्यदातये। नि होता सत्सि बर्हिषि॥ इत्येवमादिं कृत्वा सामवेदमधीयते। अथर्वणां चन्द्रमा दैवतम्। तदेव ज्योतिः। सर्वाणि छंदांसि। आपः स्थानम्। शन्नो देवीरभिष्टये। इत्येवमादिं कृत्वाऽथर्ववेदमधीयते" इति (गोपथब्रा. १। २९) इत्यस्मिन्गोपथब्राह्मणे क्रमादृग्यजुःसामाथर्ववेदानां पृथिव्यन्तरिक्षं द्यौरापः स्थानानि, अग्निवाय्वादित्यचन्द्रमसो दैवतानीति वर्णितम्। अर्थात्तदभिधायकमंत्रानारभ्यैव ऋग्यजुःसामाथर्वलक्षणमाविर्बभूवेति तात्पर्यम्। अत एव च "वाचा विरूपया नित्यया" इति (ऋ. ८। ६४। ६) इत्यस्यां श्रुतौ च नित्यत्वाम्नानं संगच्छते। तथा स्मृतयोऽपि "अनादिनिधना नित्या वागुत्सृष्टा स्वयंभुवा। आदौ वेदमयी दिव्या यतः सर्वाः प्रवृत्तयः" इति (ऐत. ब्रा. साय. भाष्ये उप.) अस्यां स्मृतौ वेदवाण्या निश्वासवदुत्सर्जनमेव स्पष्टमभिहितम्। तथा "युगान्तेऽन्तर्हितान्वेदान्सेतिहासान्महर्षयः। लेभिरे तपसा पूर्वमनुज्ञाताः स्वयंभुवा" इति (ऐत. ब्रा. साय. भाष्ये उप.) अनया स्मृत्या वेदानां लाभ एवोपदिष्टः। अत्रेतिहासः श्रुत्यन्तर्भूत एव मंतव्यः सहत्वोक्तेः। तथा "अग्निवायुरविभ्यस्तु त्रयं ब्रह्म सनातनम्। दुदोह यज्ञसिद्ध्यर्थमृग्यजुःसामलक्षणम्" इति (मनुः १। २३) अत्र च दोहनं नामाध्यापनमेव। दोहनमध्यापनं च परसंक्रांतिसामान्येनेति मेधातिथिना व्याख्यातत्वात्। तथा "न कश्चिद्वेदकर्ता स्याद्वेदस्मर्ता चतुर्मुखः। वेदो नारायणः साक्षात्स्वयंभूरिति शुश्रुम" इति पराशरः। अत्र च स्पष्टः कर्तृनिषेधः। वस्तुतस्तु-उक्तश्रुतिस्मृतीनामर्थवादपरत्वान्न कर्तृत्वादिप्रतिपादकत्वं संभवति। तदुक्तं श्लोकवार्तिके वाक्याधिकरणे-"वेदेऽपि तत्स्मृतिर्या तु साऽर्थवादनिबन्धना।। पारंपर्येण कर्तारं नाध्येतारं स्मरंति हि॥ तेषामनेवमात्मत्वाद्भ्रान्तिः सेति च वक्ष्यते" इति॥

अथ पुनः प्रकारांतरेण पौरुषेयत्वाक्षेपपरिहारौ।

ननु-काठकं कालापकं तैत्तिरियकं कौथुमं माध्यंदिनीयकं इत्यादि समाख्याश्च कर्तृनिमित्ताः। ततश्च कृतकत्वाद्वेदानां पौरुषेयत्वमिति चेन्न, समाख्यानां हि योग्यतासत्त्वेऽपि कर्तृस्मरणलक्षणानुपलब्ध्या साधिते कर्त्रभावे प्रवचननिमित्तत्वेनाप्युपपद्यमानत्वात्। संभवति च प्रवचनादिद्वारा संप्रदायप्रवर्तकविषयत्वेनासाधारण्यमिति नोक्तविशेषणत्वानुपपत्तिः। अथवा कठादिशब्दानां नित्यानां तच्छाखाविशेषाणामभिधायकत्वात्तच्छाखीयैः पुरुषैः परंपरया अधीयमानाः शाखाः कठादिशब्दवाच्याः। ततोऽपि न विशेषणत्वानुपपत्तिः। तदुक्तं श्लोकवार्तिके वेदनित्यताधिकरणे "नित्यमेव निमित्तं वा कठत्वं जातिरस्ति नः। काठकादिप्रवृत्त्यर्थं व्यावृत्तं चरणान्तरात्"-इति॥

अथ पुनः प्रकारान्तरेण पौरुषेयत्वाक्षेपपरिहारौ।

ननु—जननमरणवतां बबरादीनां "बबरः प्रावाहणिरकामयत। कुसुरुविन्द औदालकिरकामयत। हरिश्चन्द्रो राजा बभूव ह। कुशिकस्य सूनुः, आर्ष्टिषेणो होत्रमृषिभिर्निषीदन्" इत्यादिमन्त्रब्राह्मणयोरुभयत्र श्रवणात्तेभ्योऽर्वाक्तनत्वं वेदानामतस्ते पौरुषेया इति चेन्न, बबरादीनां पुरुषादिव्यक्तेरनभिमतत्वात्। तथाहि "परं तु श्रुतिसामान्यमात्रम्" (जै. सू. १।१।८।३१) इत्यस्मिन्सूत्रे शबरः प्राह—"यच्च प्रावाहणिरिति। तन्न, प्रवाहणस्य पुरुषस्यासिद्धत्वात्। नापि प्रवाहणस्यापत्यं प्रावाहणिः। प्रशब्दः प्रकर्षे सिद्धो वहतिश्च प्रापणे न त्वस्य समुदायः कचित्सिद्धः। इकारस्तु यथैवापत्ये सिद्धस्तथा क्रियायामपि कर्तरि। तस्माद्यः प्रवाहयति स प्रावाहणिः। बबर इति शब्दानुकृतिः। तेन यो नित्योऽर्थस्तमेवैतौ शब्दौ वदिष्यतः। अत उक्तं "परं तु श्रुतिसामान्यमात्रम्" इति। एवमेवान्यासां श्रुतीनां संगतिरूह्या" इति॥

समाधानान्तरम्।

अथवा ऋतुलिंगन्यायेन प्रतियुगमनुवर्तमाना बबरादयः प्रवाहनित्यतया नित्याः, अतो न वेदस्यानित्यत्वं तन्मूलकं पौरुषेयत्वं वा प्रापयन्तीति। तथाच दर्शितं स्मृतिवशाच्छ्रीमदाचार्यचरणैः—"समाननामरूपत्वाच्चावृत्तावप्यविरोधो दर्शनात्स्मृतेश्च" (ब्र. सू. १।३।९।३०) इत्यस्मिन्सूत्रे देवताऽधिकरणे। सा च स्मृतिरेवंरूपा स्मर्यते—"ऋषीणां नामधेयानि याश्च वेदेषु दृष्टयः। शर्वर्यन्ते प्रसूतानां तान्येवैभ्यो ददात्यजः। यथर्त्त्वृतुलिंगानि नानारूपाणि पर्यये। दृश्यन्ते तानि तान्येव तथा भावा युगादिषु। यथाऽभिमानिनोऽतीतास्तुल्यास्तैः सांप्रतैरिह। देवा देवैरतीतैर्हि रूपैर्नामभिरेव च" इति। शर्वर्यन्ते प्रलयांते। पर्यये घटीयन्त्रवदावृत्तौ। मनुरपि "सर्वेषां तु स नामानि कर्माणि च पृथक् पृथक्। वेदशब्देभ्य एवादौ पृथक्संस्थाश्च निर्ममे" (म. स्मृ. १।२१) इति। अयं भावः। वेदे याः संज्ञास्ता एव तदुत्तरं उत्पन्नेभ्यो दत्ताः। यथेदानीन्तना दशरथपुत्रे दृष्टां श्रीरामेतीमां संज्ञां स्वपुत्रेभ्यो ददति तथेति॥

अथ पुनः प्रकारान्तरेण पौरुषेयत्वाक्षेपपरिहारौ।

ननु—पदसंघातानि वाक्यानि तानि खल्वमूनि पुरुषकृतानि दृश्यन्ते। वेदा अपि वाक्यसमुदायात्मका एव। ततश्चैषां पौरुषेयत्वमिति चेत्तदपि न, औत्पत्तिकसूत्रेण पदपदार्थयोरनादिवृद्धपरंपरया "सोऽयं गकारः" इत्यादिप्रत्यभिज्ञाबलेन च नित्यत्वस्य साधितत्वाद्वाक्यवाक्यार्थयोस्तन्मूलकत्वेनैव नित्यत्वस्यार्थसिद्धत्वान्न तन्मूलकं पौरुषेयत्वमुत्प्रेक्षितुं शक्यम्। आक्रांतं चात्र बहुभिः पूर्वाचार्यैः सूरिभिश्चेत्युपरम्यते॥

निष्कर्षस्तु—

प्रमीयमाणकर्तृकत्वरूपं स्मरणगोचरकर्तृकत्वरूपं वा पौरुषेयत्वं न कर्तुरस्मरणादेः। न सजातीयोच्चारणानपेक्षोच्चारणविषये पुरुषबुद्धेः स्वातन्त्र्यरूपं पूर्वकल्पीयवेदानुपूर्वीसजातीयानुपूर्व्यां स्मरणपूर्वकं परमात्मना प्रवर्तमानत्वात्। नापि काठकादिसमाख्यामूलं पौरुषेयत्वं तासां प्रवचनादिनोपपत्तेः। नापि जनिमृतिवत्पुरुषश्रवणमूलकं पौरुषेयत्वं तेषामनित्यत्वेऽपि तत्संज्ञानां पूर्वकल्पीयवेदोद्भूतत्वात्। नाप्यनित्यशब्दमूलकं पौरुषेयत्वं शब्दनित्यत्वस्य "सोऽयं गकारः" इति प्रत्यभिज्ञया साधितत्वात्। नापि वाक्यत्वसामान्यात्तन्निमित्तं पौरुषेयत्वं नित्ययोः पदपदार्थयोर्द्वारा वाक्यवाक्यार्थयोरपि नित्यत्ववर्णनात्। नापि पुरुषादुत्पन्नत्वरूपं वा प्रमाणान्तरेणार्थमुपलभ्य तत्प्रकाशनाय नूतनानुपूर्व्या रचितत्वरूपं पौरुषेयत्वं निश्वासादिश्रुत्या दोहनादिस्मृत्या च स्वयंप्रादुर्भूतत्वप्रतिपादनात्। सिद्धे चैवं सर्वथा पौरुषेयत्वाभावे वेदा अपौरुषेया इति यदुक्तं तत्सर्वं निरवद्यम्॥ इति॥

वेदाः स्वतः प्रमाणम्।

यदि वेदा अपौरुषेयाश्चेति तदा नास्ति तेषां प्रमाणान्तरैः प्रयोजनं प्रत्यक्षवत्। अत उक्तं भगवता जैमिनिना—

" तत्प्रमाणं बादरायणस्यानपेक्षत्वात् " इति । यतो नास्ति वेदानां स्वबोध्यार्थबोधने प्रमाणान्तरापेक्षा । अतस्ते स्वतःप्रमाणम् । अत एव चाहुः सर्वदर्शनसंग्रहे जैमिनीये माधवाचार्याः-" वेदवादिनः प्रमाणत्वं स्वतः प्राहुः परतश्चाप्रमाणता " इति । स्वतःप्रामाण्यं चात्र " कारणगुणसंवाद्यर्थक्रियाज्ञानानधीनत्वे सति कारणदोषबाधकदोषवर्जितत्वे सति चानधिगताबाधितार्थबोधकत्वम् । प्रामाण्यप्रतियोगिकमप्रामाण्यं च परतो बोध्यम् । परतस्त्वं कुत इति चेद् बाधकज्ञानकारणदोषविसंवादिज्ञानाधीनत्वात्तस्य । ननु-कथं कारणगुणसंवाद्यर्थक्रियाज्ञानानधीनत्वं प्रतिपाद्यत इति चेदत्रोच्यते-" प्रत्यक्षेणानुमित्या वा यस्तूपायो न बुध्यते । एनं विन्दति वेदेन तस्माद्वेदस्य वेदता " इति । इमां निरुक्तिमाश्रित्य-वेदा ज्ञानलक्षणाः इति आस्तिकपथे वर्तमानैः सर्वैः शास्त्रकृद्भिः स्वीकृतो राद्धान्तः । यदि च वेदा ज्ञानलक्षणास्तर्हि यावज्ज्ञानं प्रकाशकत्वसाधर्म्यात्स्वतः प्रमाणं रविरिव रूपविषये जायते । ज्ञाने हि स्वविषयस्य याथार्थ्येनाभिद्योतने उपादाने वा या विशिष्टा शक्तिरास्ते तस्याः स्वोत्पत्तिसहकृतत्वात् । नचात्माश्रयत्वदोषप्रसक्तिरिति वाच्यम् । तस्याः सवितुरुत्पत्तिशिष्टप्रकाशकत्वशक्तिवद्गुणत्वाभ्युपगमात् । वेदानां सृष्टेः प्राक्तनत्ववर्णनेन प्राथम्यात्तेषु आत्माश्रयत्वदोषप्रसरानवसराच्च ॥

ननु-च सैषा शक्तिः कारणगुणसंवाद्यर्थक्रियाविशिष्टज्ञानादिभिरुत्पाद्यत इति चेन्न । उक्तविशिष्टज्ञानस्याप्यन्यविशिष्टज्ञानस्यापेक्षा, तस्यापीतरविशिष्टज्ञानस्याप्यन्यविशिष्टज्ञानस्यापेक्षा । एवमनवस्थापरंपरापातप्रसंगात् । तां च परंपरां प्रतिरोद्धुं बलवत्तरकारणानुपलंभान्मूलतः प्रामाण्योच्छित्तिर्दुर्निवारैव स्यात् । तथा चाभ्यधायि शास्त्रदीपिकायां पार्थसारथिमिश्रैः-" प्रसिद्धानि प्रत्यक्षादीनि प्रमाणानि तदन्तर्गतं च शास्त्रम् । अतस्तदपि प्रमाणमेव । नच प्रसिद्धमन्येन परीक्षितव्यम् । स्वत एव तस्य स्वविषयोपस्थापने सामर्थ्यात् । यदि च परीक्ष्येत ततो येन परीक्ष्येत तस्याप्यन्येन परीक्ष्येत तस्याप्यन्येनेत्यनवस्था स्यात् " इति ॥

नन्विदं प्रामाण्यस्य स्वतस्त्वमुक्तयोग्यतासत्त्वेऽपि बाधकज्ञानकारणैर्भ्रमकरुणाविप्रलिप्सामिथ्यावादित्वापाटवादिदोषैरपहन्यत इति चेत्तदपि न संभाव्यते । कुत इति चेत्तत्रोच्यते-इमे पुरुषावलंबिनो दोषाश्च वेदानामपौरुषेयत्वेन सर्वथा पुरुषबुद्धिसंस्पर्शाभावात्तेषु न प्रसज्यन्ते । अत एव श्लोकवार्तिके औत्पत्तिकसूत्रे प्रत्यपादि भट्टचरणैः-" औत्पत्तिकगिरा दोषः कारणस्य निवार्यते । अबाधोऽव्यतिरेकेण स्वतस्तेन प्रमाणता । सर्वस्यानुपलब्धेऽर्थे प्रामाण्यं स्मृतिरन्यथा" इति । अत एव च बृहदारण्यकोपनिषद्भाष्यवार्तिके द्वितीयाध्याये-" न च वेदोक्तितो वेदः श्रद्धेयार्थ इहेष्यते । कित्वमानत्वहेतूनां वेदवाक्येष्वसंभवात् । प्रामाण्यं वेदवाक्यानां न च मानान्तराश्रयात् । अक्षादेरपि मानत्वं यथोक्तादेव कारणात् " इति सुरेश्वराचार्यैरुक्तं संगच्छते । तत्सिद्धं वेदाः स्वतः प्रमाणमित्येतन्नापह्नोतुं शक्यमिति ॥

वेदाश्च नित्या एव ।

यथा च वेदाः स्वतः प्रमाणं तथा नित्या अपि संति । तथा च सूत्रितं देवताधिकरणे बादरायणाचार्येण-" अत एव च नित्यत्वम् " (ब्र. सू. १ । ३ । ९ । १९) इति । तत्कथमुपपद्यत इति चेदत्र वदामः । सायणाचार्योक्तदिशा स्वीकर्तव्या नित्यतेति । तथा च तैः प्रतिपादितमैतरेयब्राह्मणभाष्योपक्रमे-" नित्यत्वस्य व्यावहारिकत्वात् । सृष्टेरूर्ध्वं संहारात्पूर्वो व्यवहारकालस्तस्मिन्नुत्पत्तिविनाशादर्शनात् । कलाकाष्ठादयो यथा नित्या एवं वेदोऽपि व्यवहारे कालिदासवाक्यवत्पुरुषविरचितत्वाभावान्नित्यः । आदिसृष्टौ तु कलाकाष्ठादिवद्वेदोत्पत्तिराम्नायते इत्यन्यदेतत्" इति । वस्तुतस्तु मीमांसकाः सृष्टिमनादिमेव मन्यन्ते बीजांकुरन्यायेनाखंडप्रवाहन्यायेन वा । तस्मात् " शब्द इति चेन्नातः प्रभवात्प्रत्यक्षानुमानाभ्याम् " इति वैयासिकसूत्रे दर्शितदृशा सृष्टिधारकाः किं बहुना सृष्ट्युत्पादका वेदा अपि उक्तन्यायद्वयेनैव नित्याः स्युरेवेति सिध्यतीति पृथग्वक्तव्यं नैव भवति ॥

वेदा एवान्तिमं प्रमाणम् ।

तात्पर्यन्तु यथा व्यवहारे कुत्रचन प्रमाणस्य परा सीमा मंतव्या भवति तां विना विवादास्पदवस्तुनो निर्णयासंभवात् । तथैव धर्मशास्त्रस्य निर्णयेऽपि परमं प्रमाणं वेदा एव । तेषां प्रागुक्तापौरुषेयत्वस्वतःप्रमाणत्वनित्यत्वेति गुणत्रयवैशिष्ट्यात्प्रमाणप्रमेयशास्त्ररूपत्वाच्च । प्रमाणशास्त्रत्वं धर्माधर्मनिर्णायकतया, प्रमेयशास्त्रत्वं च धर्माधर्मस्वरूपनिरूपकतया चेति । अत एव च " कदाचिदपि वयं वेदोदितमुपपादयितुं शक्नुमः, परं तु न वेदभंगांशतोऽपि पर्यनुयोक्तुं प्रभवामः " इति धर्मशास्त्रविदां घंटाघोष इति दिक् ॥

वेदानां वेदत्वम् ।

वेदशब्दश्च ' विद ज्ञाने ' इति धातोः सकाशात्करणार्थीयघञ्प्रत्यययोगतोऽभवत् । वेद्यन्ते बोध्यन्ते प्रमाणांतरैरनधिगताबाधिताः दृष्टफलका अदृष्टफलकाः कचिच्च दृष्टादृष्टफलकाः क्रियाकलापा एभिरिति वेदा इति करणव्युत्पत्त्या वेदशब्दोऽयं सर्वत्र व्युत्पादितः । कचिच्च " नन्दिग्रहिपचादिभ्यो ल्युणिन्यचः " (३ । १ । १३४) इति पाणिनीयसूत्रविहिताच्प्रत्यययोगतः " वेदयति कर्म ब्रह्म च यः स वेदः " इत्येवं व्युत्पादितो दृश्यते । अत्र वेदशब्दविषये श्रीमदाचार्यपादानां भाष्यमत्यन्तं दर्शनीयमस्ति । तथाहि–" एकस्य वेदस्य वेद्यमिदं रूपमनिदं वेदरूपं, वेदनं वेदो ज्ञानम्, एकस्याद्वितीयस्य संविद्रूपस्येत्यर्थः । तस्यैकवेदस्य ब्रह्मणोऽनवगमादृगादयो वेदा बहवोऽभवन् । अत्र ऋगादिवेदास्तत्प्रतिपत्त्यर्थं विचारं कुर्वन्तीति वेदाख्यामवाप्नुयुः । अथवा सद्भावं साधयन्तीति वेदाः । अथवा विदन्ति वेदनभूता इति वा वेदाः । अथवा ब्रह्माधीनं परमात्मानं लभन्त इति वेदाः । अथवा ब्रह्मादीनामात्मानं लभन्त इति वेदाः । ब्रह्मण आवृतस्य लाभहेतव इति वा वेदाः । विद विचारणे; विद सत्तायां; विद ज्ञाने; विद्लृ लाभे; एतेषां धातूनां विषये वर्तन्ते यस्मात्ततो वेदा इत्युक्ताः । स एको वेदः । सत्सत्यस्य वेदस्वरूपस्य ब्रह्मणोऽनवगमाद्वेदा बहवः ख्याताः सर्वे वेदास्तदर्थदर्शनहेतवः " इति सनत्सुजातीये । अत एव चोच्यते " प्रत्यक्षेणानुमित्या वा यस्तूपायो न बुध्यते । एनं विदंति वेदेन तस्माद्वेदस्य वेदता " इति । श्रुतावपि–" नेन्द्रियाणि, नानुमानं, वेदा एवैनं वेदयन्ति तस्मादाहुर्वेदाः " इति । एनं नाम धर्ममिति । धर्ममित्युपलक्षणम् । तेन च तदादिकं पुमर्थचतुष्टयं बोध्यम् ॥

वेदशब्दो ग्रंथवाची ।

स च वेदशब्दोऽलौकिकाबाधितानधिगतार्थबोधकवाक्यराशिलक्षणग्रंथवचनोऽपि भवति । तथाहि– " अस्य महतो भूतस्य निश्वसितमेतद्यदृग्वेदो यजुर्वेदः सामवेदोऽथर्वाङ्गिरसः " इति निश्वासाद्यनेकश्रुतेः । " वेदांश्चैके सन्निकर्षं पुरुषाख्याः " (जै. सू. १ । १ । ८ । २७) " वेदो वाऽप्रायदर्शनात् " (जै. सू. ३ । । ।) इत्यादिसूत्रेऽनेकशः प्रवृत्तेः । " श्रुतिः स्त्री वेद आम्नायः " इत्यादिकोशाच्च ॥

वेदशब्दस्य यज्ञियपदार्थविशेषवाचकत्वम् ।

अन्यच्च वेदशब्दो दर्भमुष्टिवचनः । ' वेदं कृत्वा वेदिं करोति कुशमुष्टिं सव्यावृत्तं वत्सजानुं त्रिवृतमूतकार्यम् " (का. श्रौ. सू १ ।) इति कातीयसूत्रात् ॥

वेदशब्दस्य स्वावांतरावयवसमुदायवाचकत्वम् ।

अपरश्च वेदशब्दो यः " ऋग्वेदो यजुर्वेदः सामवेदोऽथर्ववेदः " इत्यादिषु ऋग्यजुःसामाथर्वभिः सह समस्तः स ऋग्यजुःसमाथर्वणां समूहवाचको भवति । " यदेतन्मण्डलं तपति तन्महदुक्थं ता ऋचः स ऋचां लोकोऽथ

यदेतदर्चिर्दीप्यते तन्महाव्रतं तानि सामानि स साम्नां लोकोऽथ य एष एतस्मिन्मण्डले पुरुषः सोऽग्निस्तानि यजूंषि स यजुषां लोकः सैषा त्रय्येव विद्या तपति" (शत. १०।५।२।१) इति । "अस्य महतो भूतस्य निश्वसितमेतद्यदृग्वेदो यजुर्वेदः सामवेदोऽथर्वाङ्गिरस इतिहासः पुराणं विद्या उपनिषदः श्लोकाः सूत्राण्यनुव्याख्यानानि व्याख्यानान्यस्यैवेतानि निश्वसितानि" (बृ. उप. २।४।१०) इति । "एवमिमे सर्वे वेदा निर्मिताः सरहस्याः सब्राह्मणाः" (गोपथब्रा. पू. २।१) इत्यादिश्रुतिगतवेदशब्दोऽजहत्स्वार्थलक्षणया स्वस्वावान्तरावयवसमुदायवचनो भवतीति प्रोक्तश्रुतिवचोनिकरस्वरसात्प्रतीयते ॥

पूर्वं वेदस्य यजुर्वेद इति संज्ञा ।

पुरा तेषां ऋग्यजुःसामाथर्वसमूहानामेकराशिभावेन स्थितत्वाद्यजुर्वेद इतीयं संज्ञाऽऽसीदनन्तरं श्रीवेदव्यासेन तेषां यज्ञप्रकरणपुरोवेन व्यसनादृगादिवेदसंज्ञा बभूवुः । स चेतिहासः "एक एवासीद्यजुर्वेदस्तं चतुर्धा व्यकल्पयत् । चातुर्होत्रमभूत्तस्मिंस्तेन यज्ञमकल्पयत् ॥ आध्वर्यवं यजुर्भिस्तु ऋग्भिर्हौत्रमेव च । औद्गात्रं सामभिश्चक्रे ब्रह्मत्वं चाप्यथर्वभिः ॥ ब्रह्मत्वमकरोद्यज्ञे वेदेनाथर्वणेन तु । ततः स ऋचमुद्धृत्य ऋग्वेदं समकल्पयत् ॥ होतृकं कल्प्यते तेन यज्ञवाहं जगद्धितम् । सामभिः सामवेदं च तेनौद्गात्रमरोचयत् । राज्ञस्त्वथर्ववेदेन सर्वकर्माण्यकारयत्" इत्यादिभिर्वायुपुराणे सुस्पष्टः । अत्रार्थे श्रुतिसम्मतिरप्यास्ते—"तदाहुः—यदृचा हौत्रं क्रियते यजुषाऽऽध्वर्यवं साम्नोद्गीथोऽथ केन ब्रह्मत्वमित्यनया त्रय्या विद्ययेति ह ब्रूयात्" इति (शत. ब्रा. ११।५।८।७)। सीतोपनिषद्यपि—"ऋचो यजूंषि सामानि अथर्वाङ्गिरसस्तथा । चातुर्होत्रप्रधानत्वाल्लिङ्गादित्रितये त्रयी ॥ अथर्वाङ्गिरसं रूपं सामऋग्यजुरात्मकम् । तथाऽऽदिशन्त्याभिचारसामान्येन पृथक्पृथक्" इति । अत्र अथर्ववेदे ऋग्यजुःसाम्नां त्रयाणामप्यन्तर्भावात्त्रय्या विद्ययेत्युक्तमिति न श्रुतिपुराणयोर्विरोधः । तत इयं ऋग्वेदो यजुर्वेदः सामवेदोऽथर्ववेद इत्येषा वेदचतुष्टयी प्रसिद्धा समजनि ।

वेदो द्विविधः ।

स च वेदो द्विविधः । मन्त्ररूपो ब्राह्मणरूपश्चेति । "मन्त्रब्राह्मणयोर्वेदनामधेयम्" इति कात्यायनापस्तम्बादिभिः प्रतिज्ञातत्वाच्च ॥

मन्त्राणामनेकविधत्वम् ।

तत्र प्रथमं मन्त्रस्वरूपमुच्यते । तथाच कातीयश्रौतसूत्रीये प्रथमे परिभाषाऽध्याये निरूपितं, तद्यथा "ऋचो यजूंषि सामानि निगदा मन्त्राः" (का. श्रौ. सू. १।) इति । अस्यार्थः—'नियतपादाक्षरावसाना ऋचः' 'अनियतपादाक्षरावसनानि यजूंषि' 'गीतिविशिष्टा ऋच एव सामानि' 'परसम्बोधनार्थाः प्रैषादयः' निगदाः । एते हि अवयवा मन्त्रा इत्युच्यन्ते । प्रायो हीमे ऋग्यजुःसामरूपास्त्रयोऽवयवाः ऋग्यजुःसामाथर्वेषु चतुर्ष्वपि वेदेषु संदृश्यन्ते । अत एव वेदस्त्रयीशब्दवाच्यः । 'त्रयी' इत्यत्रावयवार्थे तयप् प्रत्ययो न तु संख्यार्थे । किंच ऋग्वेदादिषु "यज्ञैरथर्वा प्रथमः पथस्तते" (ऋ. १।८३।५) "चत्वारि शृंगा त्रयो अस्य पादाः" (मा. सं. १७।९१) "अस्य यज्ञस्य तत्साधनभूतवेदस्य चत्वारि शृंगा शृंगाणि ब्रह्मोद्गातृहोत्रध्वर्य्वाख्यानि, त्रयः पादाः ऋग्यजुःसामलक्षणाः" इति उवटमहीधराभ्यां व्याख्यातम् । "वेदा वा एते उक्ताः" (निरु. परि. १।७) इति यास्कोऽपि बभाषे । तेनाथर्ववेदः पश्चात्संजातस्तस्य च यज्ञसंस्थायां घटकत्वेनानुप्रवेशो नास्ति, इत्याद्यनुमातनानामैतिहासिकपरिपाट्याऽनुमिताः कुकल्पनाः परास्ता भवन्तीति । पुनरेषां

मन्त्राणां पंचविधत्वम्। १ करणमन्त्राः, २ क्रियमाणानुवादिनो मन्त्राः, ३ अनुमंत्रणमंत्राः, ४ जपस्तुतिरूपादिमन्त्राः, ५ वस्तुतत्त्वाख्यापकमन्त्राश्चेत्यादिभेदात्। तेषु केचन मन्त्राः प्रत्यक्षाः, केचन परोऽक्षाः, केचनाध्यात्मिका भवंति। तथोक्तं निरुक्ते—"तास्त्रिविधा ऋचः परोऽक्षकृताः प्रत्यक्षकृता आध्यात्मिक्यश्च। तत्र परोऽक्षकृताः सर्वाभिर्नामविभक्तिभिर्युज्यन्ते प्रथमपुरुषैश्चाख्यातस्य। अथ प्रत्यक्षकृता मध्यमपुरुषयोगास्त्वमिति चैतेन सर्वनाम्ना। अथाध्यात्मिक्य उत्तमपुरुषयोगा अहमिति चैतेन सर्वनाम्ना" इति (निरु. ७। २। ६। १-३)। स्पष्टार्थमेतदिति न पुनर्विविच्यते। एषां सर्वेषां मन्त्राणां चातुर्होत्रे यज्ञे प्रयोगकालिकपदार्थोपस्मारकतया श्रवणमननाद्युपकारकतया चोपयोग इत्यन्यत्र विस्तरः॥

ब्राह्मणभागः।

तत्र प्रथमं ब्राह्मणपदं निरुच्यते—"ब्रह्मणो वेदस्य मन्त्रराशेरिदं नाम यज्ञक्रियावस्तुतत्त्वादिनिरूपकं प्रवचनं ब्राह्मणम्" इति ब्राह्मणपदस्य निर्वचनम्। ब्रह्मशब्दस्य मन्त्ररूपोऽर्थस्तु वेदेनैव दर्शितः। तथाहि—"ब्रह्म वै मन्त्रः" (श. प. ब्रा. ७। १। १। ५) इति। यथा "पवित्रे करोति" इत्यत्र "पवित्रे स्थो वैष्णव्यौ" (वा. सं. १। १२) इत्यमुं मन्त्रमादाय "यज्ञो वै विष्णुर्यज्ञिये स्थ इत्येवैतदाह" (श. प. ब्रा. १। १। ३। १) इति च तस्य प्रवचनलक्षणं ब्राह्मणम्। एवमन्यदप्युदाहार्यम्। किञ्च भाष्यकारैरपि सर्वत्र एतदनुगुणतया स्वस्वभाष्ये ब्राह्मणपदं व्याख्यातम्। तथाहि—"ब्राह्मणं नाम कर्मणस्तन्मन्त्राणां च व्याख्यानग्रन्थः" (तै. सं. १। ५। १) इत्यत्र भट्टभास्करः। "तत्र शतपथब्राह्मणस्य मंत्रव्याख्यानरूपत्वाद्व्याख्येयमन्त्रप्रतिपादकः संहिताग्रन्थः पूर्वभावित्वात्प्रथमो भवति" इति कण्वसंहिताभाष्ये सायणः। "यद्यपि मन्त्रब्राह्मणात्मको वेदस्तथापि ब्राह्मणस्य मन्त्रव्याख्यानरूपत्वान्मंत्रा एवादौ समाम्नाताः" इति च तैत्तिरीयसंहिताभाष्ये सायणः। "नैरुक्त्यं यस्य मन्त्रस्य विनियोगः प्रयोजनम्। प्रतिष्ठानं विधिश्चैव ब्राह्मणं तदिहोच्यते" इति वाचस्पतिमिश्राः। "तच्चोदकेषु मन्त्राख्या"—"शेषे ब्राह्मणशब्दः" (पू. मी. सू. २। १। ७। ३२-३३) इति च जैमिन्याचार्यो निरवोचत्। इति॥

ब्राह्मणभागस्य वेदत्वम्।

ननु—मन्त्रराशिर्वेदत्वेनानादिकालमारभ्याद्यावधि यथा प्रसिद्धः सर्ववादिसम्मतश्च, न तथा ब्राह्मणराशिस्तद्विषये वादिविप्रतिपत्तिसंभवात्।

स्वामिदयानंदप्रभृतिवादिमतप्रत्याख्यानम्।

तथा च स्वामिदयानन्देन स्वर्ग्वेदादिभाष्यभूमिकायां वेदसंज्ञाविचाराख्यप्रकरणे "मन्त्रा एव वेदपदवाच्या न ब्राह्मणानि" इत्यभाणि। तत्समर्थनाय च बहवो हेत्वाभासा अप्युपक्षिप्ताः। तेषां सर्वेषां यथावदुद्धरणपूर्वकं खण्डनं महामोहविद्रावणग्रन्थकर्त्राऽत्यर्थं सूक्ष्मेक्षिकयाऽकारि। स च महामोहविद्रावणस्थाक्षेपतत्परिहाररूपोंऽशः सनातनधर्मप्रदीपे प्रमाणप्रकाशे विस्तरतः प्रतिपादितोऽस्ति। स तत्रैव द्रष्टव्यः। विस्तरभिया नात्रोद्ध्रियते। तथा पंडितश्रेष्ठसारस्वतदीनानाथशास्त्रिमहोदयैरपि स्वामिदयानन्दस्य षडपि हेत्वाभासाः मर्मस्पृशा पाण्डित्येन सर्वथा सम्यक्तया खण्डिताः। स च खण्डनांशोऽस्माभिः संपाद्याग्रे पृथक् संयोजयिष्यते, सोऽवश्यमालोचनीयः। पुनश्च स्वामिदयानन्दस्य हेत्वाभासान्द्रढयितुकामेन लाहोरनिवासिप्रो. भगवद्दत्तमहोदयेन स्वीयवैदिकवाङ्मयेतिहासस्य द्वितीयभागे 'क्या ब्राह्मण वेद है ?' इति शीर्षकांकितमेकं प्रकरणं विलिख्य महानट्टहासो व्यधायि। तदीयाल्पस्वल्पमहत्सुमहदाद्याक्षेपाणां खण्डनायाग्रिममेवोत्तरं प्रभवि-

भवति। तथाहि-"अस्य महतो भूतस्य निश्वसितमेतदृग्वेदो यजुर्वेदः सामवेदोऽथर्वांगिरस इतिहासः पुराणं विद्या उपनिषदः श्लोकाः सूत्राण्यनुव्याख्यानानि व्याख्यानान्यस्यैवैतानि निश्वसितानि" (बृ. उ. २।४।१०) इति। अत्र श्रीशंकराचार्याः-"इतिहास इत्युर्वशीपुरूरवसोः संवादारूप उर्वशी हाप्सरा इत्यादि ब्राह्मणमेव। पुराणमसद्वा इदमग्र आसीदित्यादि। विद्या देवजनविद्या सोऽयमित्याद्या। उपनिषदः प्रियमित्येनदुपासीतेत्याद्याः। श्लोका ब्राह्मणप्रभवा मन्त्रास्तदेते श्लोका इत्यादयः। सूत्राणि वस्तुसंग्रहवाक्यानि वेदे यथाऽऽत्मेत्येवोपासीतेत्यादीनि। अनुव्याख्यानानि मन्त्रविवरणानि। व्याख्यानान्यर्थवादाः। अथवा वस्तुसंग्रहवाक्यविवरणान्यनुव्याख्यानानि। यथा चतुर्थाध्याये आत्मेत्येवोपासीतेत्यस्य यथा वाऽन्योऽसावन्योऽहमस्मीति न स वेद यथा पशुरेवमित्यस्यायमेवाध्यायशेषः। मन्त्रविवरणानि व्याख्यानानि। एवमष्टविधं ब्राह्मणम्। एवं मन्त्रब्राह्मणयोरेव ग्रहणम्। नियतरचनावतो विद्यमानस्यैव वेदस्याभिव्यक्तिः पुरुषनिश्वासवत्न च पुरुषबुद्धिप्रयत्नपूर्वकः। अतः प्रमाणनिरपेक्ष एव स्वार्थे। तस्माद्यत्तेनोक्तं तत्तथैव प्रतिपत्तव्यम्, आत्मनः श्रेय इच्छद्भिर्ज्ञानं वा कर्म वा इति"। इति अस्यां हि श्रुतौ संहिता ब्राह्मणमित्युभावपि वेदभागौ ब्रह्मणो निश्वसितमित्युक्तम्। "अस्य महतो भूतस्य निश्वसितम्" "अस्यैवैतानि निश्वसितानि" इत्युपक्रमोपसंहाराभ्यां मध्येऽभ्यस्ता इतिहासपुराणादयो वेदान्तर्भूता एवेत्यवश्यं मन्तव्यं भवति। अत एव च श्रीशंकराचार्यैः स्वभाष्ये "एवमष्टविधं ब्राह्मणम्" "एवं मन्त्रब्राह्मणयोर्ग्रहणम्" इत्युपसंहृतम्। अस्यां च श्रुतौ "ऋग्वेदो यजुर्वेदः सामवेदोऽथर्वाङ्गिरसः" इति ऋगाद्युक्तवेदशब्देन मन्त्रब्राह्मणयोर्द्वयोरपि ग्रहणमुपदर्शितं तदेव युक्तम्। तेन च प्रोफेसरमहाशयैः स्वं पक्षमुपोद्बलयितुं यत्प्रमाणसर्वस्वं "एवमिमे सर्वे वेदा निर्मिताः सब्राह्मणाः" इत्यादिगोपथब्राह्मणमुपन्यस्तं तदपि उपर्युपनिविष्टा बृहदारण्यकश्रुतिश्च विषयैक्यतया न भिन्नार्थे। "शब्दोपात्तानुमितयोरर्थयोः शब्दोपात्तोऽर्थो ज्यायान्" इति न्यायेन प्रोफेसरमहाभागैर्गोपथश्रुतितोऽनुमितोऽर्थः प्रत्यक्षया बृहदारण्यकश्रुत्या तत्समानार्थिकया स्वाश्रयभूतया गोपथश्रुत्या च बाधितत्वाद्धेत्वाभास एवेति सुस्पष्टम्। एवमेव प्रोफेसरमहाभागानामितरेऽप्याक्षेपाः आनुमानिका इति पूर्ववदेव श्रुतिबाधितत्वादकिंचित्करा इति स्थालीपुलाकन्यायेन बोध्यम्। विस्तरभिया नाधिकमाक्रम्यतेऽत्र विषये। तदेतत्सकलमस्मत्सूत्रभाष्यकाराणां दृक्पथे आसीदत एव तैस्तत्र तत्र स्वस्वसूत्रभाष्यादौ मंत्रब्राह्मणयोर्वेदसंज्ञा प्रतिज्ञाता। तथाहि-"मंत्रब्राह्मणयोर्वेदनामधेयम्" (का. प्र. परि. सू. १।१) (आप. श्रौ. सू. २४।१।३१) (सत्या. श्रौ. सू. १।१।७) "मंत्रब्राह्मणं वेद इत्याचक्षते" (बौ. गृ. सू. २।६।३) (बौ. ध. सू. २।९।७) "आम्नायः पुनर्मंत्राश्च ब्राह्मणानि च" (कौ. सू. १।३) "मंत्राश्च ब्राह्मणं च वेदः" (शबरस्वामी २।१।३३) "मंत्रब्राह्मणयोर्वेदनामधेयम्" (भट्टकुमा. तंत्रवा. १।३।१०) "वेदशब्देन ऋग्यजुःसामानि ब्राह्मणसहितान्युच्यन्ते" (मेधातिथिः मनु. २।६) "वेदो मंत्रब्राह्मणाख्यो ग्रंथराशिः" (मस्करिः तै. सं. भा. १।१) "मंत्रब्राह्मणात्मको वेदः" (सायणाचार्यः तै. सं. भा. उप. १।१) "ऋग्वेदादिगिरोच्यन्ते ऋग्यजुःसामलक्षणाः। अथर्वाङ्गिरसस्तद्वन्मंत्राः स्युर्ब्राह्मणोद्भूतरूपा निहासादिसंभेदभिन्नं ब्राह्मणमेव तु। प्राह्यमत्र प्रसिद्धस्तु नेतिहासादिरिष्यते॥ मंत्रब्राह्मणयोर्वेदनामधेयत्वकारणात्। मंत्रादिगिरा तस्मान्मंत्रब्राह्मणयोर्ग्रहः" (सुरेश्वराचार्यः बृ. उप. भा. वा. २।४)। "तच्चोदकेषु मंत्राख्या शेषे ब्राह्मणशब्दः" (जैमिनिः २।१।३३) इत्यादि। तेन सिद्धं यन्मंत्रब्राह्मणे उभे अपि वेदपदभाजी इति।

ब्राह्मणस्य स्वगतवैविध्यम्।

ब्राह्मणमपि स्वगतविषयनिर्वचनभेदेन वैविध्यमावहति "विधिर्निन्दा प्रशंसाऽध्यात्ममधियज्ञमधिदैवतमधिभूत-

मनुवचनं परकृतिः पुराकल्पः सृष्टिरिति ब्राह्मणम् " इति प्रतिज्ञापरिशिष्टे कात्यायनः ब्राह्मणं दशधा दर्शितवान् । " हेतुर्निर्वचनं निन्दा प्रशंसा संशयो विधिः । परक्रिया पुराकल्पो व्यवधारणकल्पना ॥ उपमानं दशैते तु विधयो ब्राह्मणस्य तु " इति मीमांसाभाष्ये (२।१।८) त्रयीविख्याताः शबरस्वामिनोऽपि दशधा प्रोचुः । " इतिहासः पुराणं विद्या उपनिषदः श्लोकाः सूत्राण्यनुव्याख्यानानि व्याख्यानानि " इति बृहदारण्यकोपनिषदि (२।४।१०) तु श्रुत्या स्वयमष्टधात्वं प्रत्यपादि । " विधिर्विधेयस्तर्कश्च वेदः " (पार. गृ. सू. २।६) इति विधितर्कात्मकौ द्वावेव भागौ पारस्कराचार्यो व्यकल्पयत् । इत्यादि ब्राह्मणस्य विभक्तीकरणं स्वयं श्रुत्या कात्यायनादिभिश्च व्यधायि । एतेषामुदाहरणानि त्वग्रे स्पष्टीभविष्यन्ति ।

ब्राह्मणशब्दस्य ग्रंथवाचकत्वम् ।

एवमुपर्युक्तदिशा ब्राह्मणशब्दः स्वावयवानुक्त्वा तत्समुदायमपि निर्वक्ति । यथा वेदशब्दो ग्रन्थवचनस्तथैतेन ब्राह्मणशब्दोऽप्येतत्प्रतिपादकग्रन्थाभिधायको भवतीति सुव्यक्तम् । स च ब्राह्मणशब्दः नपुंसकलिंगत्वेन रूढः । जातिवाचकब्राह्मणशब्दस्तु पुंल्लिंगत्वेन यथाऽऽहुर्मेदिनीकोशकाराः—" ब्राह्मणं ब्रह्मसंघाते वेदभागे नपुंसकम् " इति । ब्रह्माणि नाम मन्त्राः संहन्यन्ते स्पष्टीक्रियन्ते व्याख्यायन्ते वा यस्मिंस्तादृशे वेदभागे ब्राह्मणशब्द इत्यर्थः । ब्राह्मणेष्वपि तत्र तत्र " दूरोहणं रोहति तस्योक्तं ब्राह्मणम् " (ऐ. ब्रा. ६।२२) " यद्गौरवीतं तस्योक्तं ब्राह्मणम् " (ऐ. ब्रा. ८।२) " यद्वाकोवाक्यं ब्राह्मणं तदेवैतेनाप्नुवन्ति " (शत. ब्रा. ४।६।९।२०) " षष्टिश्च ह वै त्रीणि च शतानि संवत्सरस्याहोरात्रे इति च ब्राह्मणं समासेन " " सप्त च वै शतानि विंशतिश्च संवत्सरस्याहोरात्रा इति च ब्राह्मणं विभागेन विभागेन " (निरु. ४।२७) इति नपुंसकलिंग्येव ब्राह्मणशब्दः प्रयुक्तो दृश्यते । क्वचित् " मन्त्राः सब्राह्मणाः प्रोक्तास्तदर्थं ब्राह्मणं स्मृतम् । कल्पना च तथा कल्पाः कल्पश्च ब्राह्मणस्तथा " (विष्णुधर्मोत्तरे खं. ३ अ. ७) इत्यत्र विष्णुधर्मोत्तरादौ उभयलिंग्यपि दृक्पथमेति । महाभारते उद्योगपर्वण्यपि " य इमे ब्राह्मणाः प्रोक्ता मन्त्रा वै प्रोक्षणे गवाम् । एते प्रमाणं भवत उताहो नेति वासव " (अ. १६) इति ब्राह्मणशब्दः पुंल्लिंग्येव नियुक्तो व्यासेन । यद्यप्येवं ग्रन्थवाचकब्राह्मणशब्दस्योभयलिंगत्वेन व्यवहारो विलोक्यते तथापि तत्रापि विशेषतः नपुंसकलिंग्येव बाहुल्येन दृश्यते, तत्रैतदेव कारणं स्याद्यत् पुंल्लिंगी ब्राह्मणशब्दो यथा ग्रन्थवाचकस्तथा जातिवाचकोऽपीति तस्मिन्नुच्चरिते को वाऽर्थः प्रतिपत्तव्य इति सन्देहे प्रकरणादिकमालोच्यानन्तरं विवक्षितार्थोपलब्धिः । एवं विलंबो मा भूत्किन्तु झटित्यर्थोपस्थापकत्वं भवतु । इत्येतेनैव हेतुना जातिवाचको ब्राह्मणशब्दः पुंल्लिंगी, ग्रन्थवाचको ब्राह्मणशब्दो नपुंसकलिंगी इत्येवं व्यवस्थया रूढिमापद्यते स्मेति प्रतिभाति ।

वेदे सम्प्रदायद्वयम् ।

वेदे तावत् द्वौ सम्प्रदायौ—एको ब्रह्मसम्प्रदायोऽपरश्चादित्यसम्प्रदायः । कल्पादौ भगवता श्रीविष्णुना शंखासुरापरनामानं हयग्रीवदैत्यं व्यापाद्य तदाहृतो वेदो तत आनीय ब्रह्मणे प्रददे । ब्रह्मा च तं द्वेधा विभज्यैकं भागं भगवत्यादित्ये निहितवान् । अन्यं च भागं स्वपुत्रादिभ्यो वसिष्ठाङ्गिरोमरीच्यत्रिप्रभृतिभ्योऽध्ययनविधिना प्रायच्छत् । तेऽपि स्वपुत्रपौत्रप्रपौत्रशिष्यप्रशिष्येभ्यः प्रायच्छन् । ततोऽग्रे द्वापरान्ते भगवान्वेदव्यासोऽल्पप्रज्ञानल्पशक्तींल्लोकाननुजिघृक्षुः एकं वेदं ऋग्यजुःसामाथर्वभिदा चतुर्धा व्यस्य क्रमात्पैलवैशंपायनजैमिनिसुमन्तून्ध्यापयामास । तैश्चैते वेदा अग्रे शाखाप्रभेदादिना परंपरया विस्तारं नीताः । सैषा वेदचतुष्टयी ब्रह्मसम्प्रदायः इति प्रसिद्धिं लेभे ।

१–इयं चाख्यायिका वराहपुराणादौ प्रसिद्धा ।

भगवान्योगीश्वरो याज्ञवल्क्योऽप्यस्यां ब्रह्मपरंपरायामेव तिष्ठमानः सन्महर्षेर्विदग्धशाकल्यादृग्वेदमधिजगे । परन्तु केनचिदाकस्मिककारणेन गुरुणा सह विवदमानः सन्गुरोः शापभिया ततोऽधीतं वेदं तत्याज । ततो वेदविवर्जितो याज्ञवल्क्यः स्वमातामहं महर्षिं वैशंपायनमुपेत्य यजुर्वेदमधीतवान् । परं च दैवदुर्विलासादत्रापि गुरुणा सह कलहे संवृत्ते तदधीतं वेदं त्यक्तवान् । ततश्च पुनरपि वेदवर्जितो याज्ञवल्क्य इदानीमहं मानुषमाचार्यं नोपैमीति निश्चयपूर्वकं सुदृढं तपस्तप्त्वा भगवन्तं त्रयीमयमादित्यं सन्तोष्य च तस्माच्चतुरो वेदानृग्यजुःसामाथर्वाख्यांश्चाधिजगे । गुर्वनुज्ञया च तान् शाखाप्रशाखादिभिदा परम्परया वितेने । सैषा वेदचतुष्टयी—**आदित्यसंप्रदायः** इति प्रसिद्धिमापन्ना ॥

ननु—याज्ञवल्क्येन तु रवेः केवलं यजूंष्येव समधिगतानीति श्रीमद्भागवतादिषु प्रसिद्धेर्भवद्भिः कथमुच्यते स चतुरो वेदानधिजग इति, किं वाऽत्र प्रमाणमिति चेत् ? मैवं शंक्यताम् । प्रमाणमपि दीयते शृणुत ! "स तथेति प्रतिज्ञाय प्रविश्यादित्यवाजिनः । कर्णेऽपठत्ततो वेदांश्चतुरोऽपि च तन्मुखात्" इति (स्कांदे नागरखण्डे अ. २७८) तथा "इत्युक्तो भगवान्सूर्यो याज्ञवल्क्यं महामुनिम् । वेदान्षडंगसहितान्रहस्यादिसमन्वितान् । चतुरोऽध्यापयामास स्थापयित्वा रथे निजे" इति (आत्मपुराणे अ. ७ । ३८–४०) तथा "अथ ह याज्ञवल्क्यः स्वमेव ब्रह्मचारिणमुवाचैता गाः सौम्योदज सामश्रवा३ इति ता होदाचकार" इति (शतपथब्राह्मणे बृहदारण्यकोपनिषदि) । अत्र श्रीमच्छंकराचार्यभाष्यं—"अथ ह याज्ञवल्क्यः स्वमात्मीयमेव ब्रह्मचारिणमन्तेवासिनमुवाचैता गाः हे सौम्य ! उदजोद्गमयास्मद्गृहान्प्रति हे सामश्रवः ! सामविधिं हि शृणोत्यतोऽर्थाच्चतुर्वेदो याज्ञवल्क्यः" इति (बृ. आ. उप. भाष्ये ३ । १ । २) तदेतैः प्रमाणैः स्पष्टमभवद्याज्ञवल्क्येन रवेस्त्रयी चतुष्टयी लब्धेति ॥

एवं वेदे वेदचतुष्टय्या द्वित्वेन संप्रदायद्वितयत्वम् ।

तच्च स्पष्टमभिहितं जाबालसंहितायां—"ब्रह्मणः संप्रदायोऽयं व्याससंदर्शितोऽभवत् । विभक्तस्यैव वेदस्य संप्रदायो द्विधा मतः । ब्रह्मणः संप्रदायस्तु आदित्यस्य तथा मतः । अयातयामसंज्ञोऽयं कृत्स्नकर्मप्रकाशकः । यावद्ब्रह्मप्रकाशको रविरूपश्च यो मतः । ब्रह्मणः संप्रदायस्तु मिश्रत्वान्न तथा मतः" इति (जा. सं. अ. १)॥

शुक्लकृष्णत्वे कारणानि ।

तत्रादित्यसम्प्रदायः शुक्लः, ब्रह्मणः सम्प्रदायः कृष्णः इत्युच्यते । शुक्लत्वे च कारणं मन्त्रब्राह्मणयोः पार्थक्येनाभिधानं, कृष्णत्वे च कारणं तयोर्व्यामिश्रत्वम् । एतच्चेदानीमेवानुपदोक्तजाबालसंहितावचोभिः स्पष्टं प्रतीयते । यद्यप्यत्र जाबालसंहितावचोभिः शुक्लत्वकृष्णत्वे सामान्येन संप्रदायद्वयस्य मते तथापि ते उभयसम्प्रदायगतयजुर्वेदविषयके इत्यवधेयमन्यभूयःप्रमाणांतरसंवादात् । तथाहि—"प्रवर्तितः खण्डशस्तैर्न सम्यग्बुध्यते नृभिः । आध्वर्यवं क्वचिद्धौत्रं क्वचिदित्यव्यवस्थया ॥ बुद्धिमालिन्यहेतुत्वात्तद्यजुः कृष्णमीरितम् । याज्ञवल्क्यस्ततः सूर्यमाराध्यास्मादधीतवान् ॥ व्यवस्थितप्रकरणं यजुः शुक्लं तदीर्यते । पौराणिकीं कथामेतां वेदव्याख्यान आदरात्" इति (कण्वसंहिताभाष्योपक्रमे श्रीसायणाचार्याः प्राहुः) । किं चार्यविद्यासुधाकराख्यवैदिकवाङ्मयेतिहासे पं. यज्ञेश्वरभट्टा अपि श्रीसायणाचार्योक्तिमेवानुवदंति स्म । वैयासिकचरणव्यूहभाष्यकारैस्तु अन्यदेव कारणमुट्टंकितं तद्यथा—"एतत्सखिलं सशुक्रियं मध्याह्ने शुक्लवर्णेन सूर्येण दत्तं तच्छुक्लयजुः परिसंख्यातमित्यर्थः । वेदोपक्रमणे चतुर्दशीयुक्तपूर्णिमाग्रहणात् शुक्लयजुः, तैत्तिरीयकैर्वेदोपक्रमणे औदयिकपर्वग्रहणादर्थात्कृष्णप्रतिपद्विद्धपौर्णमासीग्रहणात्कृष्णयजुरिति वा" इति । आत्मपुराणे चान्यदेवं

१–इयं च कथा श्रीमद्भागवतात्मपुराणादौ अंशांशतः प्रसिद्धा ।

कारणमुक्तं तद्यथा–"शुक्लं कृष्णं यजुर्द्वेधा कृष्णं स्यात् तैत्तिरीयकम् । शुक्लं वाजसनेयिनामिति कात्यायनोऽब्रवीत् ॥ वांत्या च भक्षणेनापि कृष्णान्यासन्यजूंष्यपि" (आत्मपु. अ. १० । २६) इति । शतपथब्राह्मणे तु–" आदित्यानीमानि शुक्लानि यजूंषि वाजसनेयेन याज्ञवल्क्येनाख्यायन्ते "–(श. प. १४ । ९ । ४ । ३३) इति ॥ यजूंषि शुक्लानि, अर्थात्तदितराणि कृष्णानीति गम्यते । केवलं शुक्लत्वमुक्तं तत्र कारणं तु नोक्तम् । आदित्यादागतानि आदित्यानि ॥

यातयामत्वमयातयामत्वं च।

एतेन यातयामत्वायातयामत्वे च निरुक्ते भवतः । तथा चोक्तं देवीभागवते–" अयातयामानि तु भानुप्राप्तान्यन्यानि जातानि तु नीरसानि । यजूंषि तेषामथ याज्ञवल्क्यो ह्ययातयामानि रवेरवाप " इति (दे. भा. स्कं. ९ अ. ९) । " वांतोच्छिष्टत्वं यातयामत्वम् " इति निरुक्ते यास्को निरवोचत् । यातयामत्वाद्भिन्नमयातयामत्वमित्यर्थान्निर्गच्छति । एतदेव च प्रकृत्य चिंतितं भगवता कात्यायनेन–" यजुर्वेदः कल्पतरुः शुक्लः कृष्ण इति द्विधा । सत्त्वप्रधानाच्छुक्लाख्यो यातयामत्ववर्जितात् ॥ ६० ॥ कृष्णस्तु तित्तिरेर्भक्षात्तामसाद्यातयामतः ॥ अतः शुक्लस्य यजुषो नोपाकुर्यान्न चोत्सृजेत् ॥ ६१ ॥ तदुपाकर्म चोत्सर्गः किन्त्वध्यापनतो भजेत् । कृष्णस्य तद्यातयामनिवृत्त्यर्थं हि चोच्यते " इति मन्त्रभ्रांतिहरापरपर्यायसूत्रमन्त्रप्रकाशिकायाम् । एतेन कात्यायनमते तु सत्त्वप्रधानमयातयामत्वं शुक्लत्वे, तमःप्रधानं यातयामत्वं कृष्णत्वे च हेतुरित्युक्तं भवति । केनापि कारणेन भवतु यजुर्वेदे शुक्लः कृष्ण इति द्विविधत्वमस्ति इति यावत् ॥

प्रतिवेदं शाखाभेदाः।

महाभाष्यकृता पतंजलिना " सर्वे देशान्तरे " एतद्वार्तिकव्याख्यानावसरे प्रतिवेदं शाखाभेदा दर्शिताः । ते च यथा–" चत्वारो वेदाः सांगाः सरहस्या बहुधा भिन्ना एकशतमध्वर्युशाखाः सहस्रवर्त्मा सामवेद एकविंशतिधा बाह्वृच्यं नवधाऽथर्वणो वेदः " इति । तथा कौर्मेऽपि–"एकविंशतिभेदेन ऋग्वेदं कृतवान्पुरा । शाखानामेकशतेन यजुर्वेदमथाकरोत् ॥ सामवेदं सहस्रेण शाखानां च विभेदतः । आथर्वणमथो वेदं बिभेद नवकेन तु " इति (कूर्मपुराणे ४९।५१–५२) । तथा " एकविंशत्यध्वयुक्तमृग्वेदमृषयो विदुः । सहस्राध्वा सामवेदो यजुरेकशताध्वकम् । नवाध्वाऽऽथर्वणोऽन्ये तु प्राहुः पंचदशाध्वकम्" इति सर्वानुक्रमणिकाभाष्ये षड्गुरुशिष्यो बभाषे । एवमुक्तप्रमाणत्रितयेन वेदचतुष्टय्यामुभयसम्प्रदायं मिलित्वा ऋग्वेदे एकविंशतिशाखाः, यजुर्वेदे एकशतं शाखाः, सामवेदे सहस्रशाखाः, आथर्वणवेदे नव शाखाः सन्ति । " ऋग्वेदस्य तु शाखाः स्युरेकविंशतिसंख्यकाः । नवाधिकशतं शाखा यजुषो मरुदात्मज ॥ सहस्रसंख्यया जाताः शाखाः साम्नः परंतप । आथर्वणस्य शाखाः स्युः पञ्चाशद्भेदतो हरे ॥ १२–१३ " (इति मुक्तिकोपनिषदि) तथा " एकविंशतिशाखायामृग्वेदः परिकीर्तितः । शतं च नव शाखासु यजुषामेव जन्मनाम् ॥ साम्नः सहस्रशाखाः स्युः पंच शाखा ह्यथर्वणः " (इति सीतोपनिषदि) इति । ताश्चैता मुक्तिकोपनिषत्सीतोपनिषदुक्ताः एकशतादुपरितना अष्टौ शाखाः " स उ एव यजुस्तेजाः । यजुरेकशतविधो यानि पंचाशत्प्रथमानि यजूꣳषि यानि चोत्तमानि । ताः शतं विधाः । अथ यान्येतदन्तरेण यजूꣳषि क्रियन्ते । सैवैकशततमी विधा । एवमु सतविध एकशतविधो भवति " (शत. ब्रा. १० । २ । ६ । १२) इत्येतच्छतपथश्रुतिविरुद्धा । अतो न प्रामाणिका इत्याभाति । तथाऽऽथर्वणिकाऽपि पंच वा पंचाशदिति वा शाखाभेदसंख्या न प्रमाणान्तरसंवादिनी भवति किं तूक्तप्रमाणविरुद्धैवेति । कदाचिदियं संख्याऽऽथर्वणे बहुवेदनसंकुलत्वात्तत्तद्विषयसूत्रभेदमूलिकाऽपि स्यादिति सम्भाव्यते । चरणव्यूहे तु–" ऋग्वेदस्य

पंच शाखाः, यजुर्वेदस्य कृष्णस्य षडशीतिर्भेदाः, शुक्लानां वाजसनेयिनां सप्तदश भेदाः, सामवेदस्याखिल-सहस्रभेदा आसन्नथर्ववेदस्य नव भेदाः " इति उक्तम् चरणव्यूहकारैस्तु ऋग्वेदे पंचैव शाखाः यजुर्वेदैकदेशे शुक्ले द्वे शाखे अधिके इति न्यूनाधिकभावेन या संख्या प्रतिपादिता । तत्र ऋग्वेदशाखानां पंचसंख्योक्तिस्तु तदानींतनकालीयविलुप्तशाखा वर्जयित्वा विद्यमानशाखा उद्दिश्य च स्यादिति सुदृढं सम्भाव्यते । निरुक्ते शुक्लयजुषोऽधिके द्वे शाखे अर्थात्ते गृहीत्वा सप्तदशसंख्योक्तिस्तु प्रागुक्तशतपथश्रुतिविरोधिनी, तथा " शुक्लस्य यजुषः पंचदशशाखाश्च ताः स्मृताः । कृष्णस्य यजुषः शाखाः षडशीतिरुदाहृताः ॥ एवमेकोत्तरं शतं शाखाः प्रोक्ता हि याजुषे " ॥ (१३ । १४) इति मन्त्रभ्रान्तिहरापरपर्यायसूत्रमन्त्रप्रकाशिकास्थकात्यायनवचनविरोधिनी चैवेत्युपेक्षणीये इति दिक् ॥

ताः एताः शाखाः संख्यया कोष्ठकतो विन्यस्य स्फुटतरं दर्शयामि ।

शाखाभेदसंख्यादर्शनकोष्ठकम् ।

ग्रन्थनाम.	ऋग्वेदे.	यजुर्वेदे.	सामवेदे.	अथर्ववेदे.	संकलनं.
महाभाष्ये.	२१	१०१	१०००	९	११३१
कूर्मपुराणे	२१	१०१	१०००	९	११३१
षड्गुरुभाष्ये	२१	१०१	१०००	९	११३१
मुक्तिकोपनिषदि.	२१	१०९	१०५९	५०	११८०
सीतोपनिषदि.	२१	१००	१०००	९	११८०
चरणव्यूहे.	५	१०३	१०००	९	१११७

उक्तशाखाभेदेषु काः शाखा आदित्यसंप्रदाये काश्च शाखा ब्रह्मसंप्रदाये तासां नामानि च कानि ताश्च कथं कया प्रणाड्या प्रवृत्ताः ? इत्यादि सर्वं विस्तरभिया न प्रपंच्यते किंतु तत्सर्वं वंशपट्टेषु संक्षिप्य दर्श्यते ततोऽवगंतव्यम् ॥

शाखापदार्थविमर्शः ।

शाखा नाम वेदैकदेशः । प्रागुक्ततत्तद्वेदगतभेदेष्वन्यतमैकेति यावत् । यथा यजुर्वेदे शुक्ले प्रभागे पंचदशस्वन्यतमा माध्यन्दिनीति । " ममाम्रे " इत्यस्य सूत्रस्य व्याख्यानावसरे " तथैकदेशाध्ययनेनापि अधिकारं स्मरंति " इत्यनेन ज्ञापितं च कर्कोपाध्यायैः शाखाशब्दो वेदैकदेशवाची इति । ननु—शाखाशब्दस्य वेदावयववाचित्वे 'एकस्याः शाखाया अन्यस्याः शाखायाः । तस्या अप्यन्यस्यास्तस्या अप्यन्यस्या एवं परंपरयाऽन्योन्यमपेक्षणात्सर्वासां शाखानामर्थात्तद्घटितस्य समग्रस्यैकवेदस्याध्ययनमेकस्मिञ्जन्मनि महाप्रज्ञावताऽपि कर्तुं न पार्यते । ततश्च " स्वाध्यायोऽध्येतव्यः " (शत. ब्रा. ११ । ३ । ८ । ३) इत्यध्ययनविधेरचरितार्थता

स्यादिति चेन्न; कुत इति चेदुच्यते । स्वाध्यायो वेदश्चेत्यनर्थान्तरम् । आभ्यां शब्दाभ्यां नैकशाखाप्रशाखाप्रभिन्नो वेद इत्यर्थोऽभिधीयते, असति बाधके वाच्यार्थस्य परित्यागायोगात् । अत एव च "वेदानधीत्य वेदौ वा वेदं वाऽपि यथाक्रमम्" (म.स्मृ. ३।२) "वेदं समाप्य स्नायात्" (पार.गृ.सू. २।६।१) इत्यादौ वेदशब्दप्रयोगदर्शनात् । किंच–"सहस्रं शाखाः (साम्नः) ह्यर्यतो वेदशबरः" इति मीमांसाभाष्यकृतः शबरस्वामिनः प्रसिद्धिरप्यमुमेवार्थं पुष्णाति । अपि च–एकवेदगतानां सर्वासामपि शाखानां परस्परं साकांक्षत्वमस्त्येव । नो चेत्कर्मणोऽसिद्धिः स्यात् । यथा दर्शपूर्णमासयागीयो मन्त्रकदंबको माध्यंदिनशाखायां यो नासीत्सः "यस्ते प्राणः पशुषु प्रविष्टः आप्यायतां ध्रुवा हविषा, ततोऽसि तंतुरसि " इत्यादिः कण्वादिशाखात उपसंहृत्य पूरितः सूत्रकृता । एवं न्याय इतरेषामपि कर्मणाम् । अत एव च "सर्वशाखाप्रत्ययमेकं कर्म" इति जैमिनिऋषिणा शाखोपसंहारः सूत्रितः । तथा तत्तत्कल्पकारैः शाखोपसंहारं कृत्वैव स्वस्वसूत्रजातं प्राणायि । तथाच–"ममाग्ने वर्चः" (का.श्रौ.सू. २।३) इत्यत्र सूत्रे कर्कोपाध्यायाः "स्मरंति हि पंचदशशाखोपनिबन्धनं कृतमाचार्येणेति । शाखाद्वयमधिकृत्य तात्पर्येणानुप्रवृत्त आचार्यः" इत्यादि स्पष्टं प्रोचुः । यदा चाचार्यैः कल्पाः प्रणीतास्तदा तु शाखानां परस्परं नैराकांक्ष्यं सम्पन्नम् । तदेव नैराकांक्ष्यमादाय "समुदायेषु हि वृत्ताः शब्दा अवयवेष्वपि वर्तन्ते" इति महाभाष्योक्तन्यायेन स्वाध्यायः, वेदः, इत्यादिशब्दाः स्वावयवभूतासु शाखास्वपि प्रवर्तितास्तदुत्तराचार्यैर्विचक्षणप्रवरैश्च । तदपि दर्शितं कर्कोपाध्यायैरुक्तसूत्रव्याख्याने एवाग्रे "अथ सर्वशाखाप्रत्ययकर्मोपसंहारेणैवाधिक्रियेत । तथा सति अशक्यशब्दार्थोपदेशात्सर्वशाखानामानर्थक्यमेव स्यात् । स्मर्यते हि एकशतमध्वर्युशाखानामिति । तथैकदेशाध्ययनेनापि अधिकारं स्मरंति–"वेदानधीत्य वेदौ वा वेदं वाऽपि यथाक्रमम् । अविप्लुतब्रह्मचर्यो गृहस्थाश्रममावसेत्" (म. स्मृ. २।३) इति । तथाच लिंगम्–"यो वै ज्ञातोऽनूचानस्तमवकाशयेत्" इति (९।७)। सर्वशाखाप्रत्ययत्वे ह्यनूचानो न कश्चित्स्यादिति" इति । एतदाशयेनैवोक्तां मनुस्मृतिं कुल्लूको व्याचख्यौ । तथाहि–"वेदशब्दोऽयं भिन्नवेदशाखापरः । स्वशाखाध्ययनपूर्वकं वेदशाखात्रयं द्वयमेकां वा शाखां मन्त्रब्राह्मणक्रमेणाधीत्य गृहस्थाश्रममनुतिष्ठेत्" इति । तथा "उपनीय तु यः शिष्यं वेदमध्यापयेद्द्विजः । सकल्पं सरहस्यं च तमाचार्यं प्रचक्षते" इत्यत्रापि "यो ब्राह्मणः शिष्यमुपनीय कल्परहस्यसहितां वेदशाखामेकामध्यापयति तमाचार्यं पूर्वे मुनयो वदन्ति" इति । इत्याचार्यलक्षणकथनावसरे मन्वादिभिस्तद्व्याख्यातृभिः सूत्रभाष्यकारैश्चैकशाखाध्ययनपक्षेऽपि केवलं मन्त्रब्राह्मणात्मकमध्ययनं न विवक्षितं किंतु तत्सहैव कल्पाध्ययनमप्यावश्यकत्वेन दर्शितं तदैव च सर्वा शाखाऽधीता भवति । कल्पेऽधीते च स्वशाखातो विशेषतया भिन्नशाखास्ववस्थितपदार्थोपसारकं मन्त्राध्ययनं क्रियाप्रख्यापकं ब्राह्मणाध्ययनं च कृतं भवति । तेन च यथा कथंचित्सकलशाखासमन्वितो वेदोऽप्यधीतो भवति इति न स्वाध्यायविधेरचारितार्थ्यम् । चिंतायाः प्रयोजनं तु शाखापदार्थो भिन्नो वेदपदार्थो भिन्नश्चैवं सत्यप्यध्येतृशक्त्यशक्त्यपेक्षया कदाचन तौ परस्परचारितार्थ्यनिर्वाहकौ भवतः । एतेन च सत्यां शक्तौ सर्वशाखायुक्तः समग्रो वेदोऽध्येतव्यः । असत्यां च तस्यां कल्पेन सहकृतां शाखामधीत्यैव यथाकथंचित्समग्रं वेदाध्ययनं संपादयितव्यमिति । ततश्च पितृपितामहादिपारम्पर्येण वाऽऽचार्यपारम्पर्येण वा यच्छाखाध्ययनं यस्य कुले समागतं सा तस्य स्वीया शाखा । एतदपि ज्ञापितं कात्यायनाचार्येण मन्त्रार्थातिहरे "यच्छाखाऽध्ययनं यस्य पारम्पर्यागतं भवेत् । तच्छाखीया श्रुतिस्तस्य स्वीया स्यादितरा परा" (१९)" इति ।

शुक्लयजुःशाखाः ।

तत्सिद्धं शाखा नाम संहिता, ब्राह्मणं, कल्पाश्चेति । तत्र संहिताविषये किंचिदुच्यते । संहितापदार्थः पाणिनियास्काभ्यां लक्षितः "परः सन्निकर्षः संहिता" (पा. सू. १।४।१०९) (निरु. १।६।११) अस्यार्थः–अर्थानां

अभिप्रहतौ च परस्परं स्वभावतोऽर्धमात्रात्किंचिदधिककालव्यवधानेनोच्चारणमिति । पुनरन्यत्र ऋक्प्रातिशाख्ये निरुक्ते च " पदप्रकृतिः संहिता " (निरु. १ । ६ । १२) एतत्सूत्रं तु द्विधा व्याख्यातं वृत्तिकृद्भिः, एकदा ' पदानां संधीयमानानां एकत्रीकरणमूलकारणं प्रकृतिः संहिता " इति तत्पुरुषः कृतः । अन्यदा " पदान्येव प्रकृतिर्यस्याः सा " इति बहुव्रीहिः कृतः । उभावपि समासावुक्तार्थमेव द्रढयतः । अर्वाक्तनैरैतिहासिकैस्तु-" संहन्यन्ते एकत्रीक्रियन्ते भिन्नर्षिकृताः मंत्राः सूक्तानि वा यस्यां सा संहिता " इत्येवं संहिताशब्दं विगृह्य ' ऋषयो मन्त्रकर्तारो न तु द्रष्टारः " इति स्वाभिप्रेतमर्थमुपवर्णयंति । तदेतदुक्तलक्षणप्रतिहतत्वात्तुच्छम् । किंच ऋषयो न मन्त्रकर्तारः किं तु द्रष्टारः, द्रष्टृत्वमपि न मन्त्राणां सूक्तानां वाऽऽविर्भावे " यो ब्रह्माणं विदधाति पूर्वं यो वै वेदांश्च प्रहिणोति तस्मै " इति श्वेताश्वतरश्रुतेर्विरोधात् । तर्हि तत्तेषां विनियोगे प्रयोज्यप्रयोजककार्यकारणभावादौ चेति स्पष्टं ब्रवीति मुण्डकोपनिषत्-" तदेतत्सत्यं मन्त्रेषु कर्माणि कवयो यान्यपश्यंस्तानि त्रेतायां बहुधा सन्ततानि " इति (मुण्ड. उप. २।१) " संहन्यन्ते एकत्रीक्रियन्ते पदानि यस्यां सा संहिता " इति श्रुत्यनुगुणायां व्युत्पत्तौ सम्भाव्यमानायां सत्यां क्लृप्तस्य बाधेऽक्लृप्तस्य परिकल्पने प्रयासस्तुषावघातावलम्बनः । ताश्च संहिताः तथा तत्प्रवचनरूपाणि ब्राह्मणानि च शुक्लयजुःशाखीयानां पंचदश भवन्ति । तन्मध्ये इदानीं माध्यन्दिनीया, काण्वीया, चेति द्वे संहिते उपलभ्येते । अन्यास्त्रयोदशाध्ययनतो ग्रन्थतश्च विलुप्ताः । तासां मध्ये कासांचनोल्लेखः समागच्छति वैदिके वाङ्मये । तथाहि-" वायुर्वा त्वा मनुर्वा त्वा गन्धर्वाः " (निरु. १ । ५ । १) अनुष्टुबेषा (यजु. ९ । ७) वाजपेयेऽश्वयोजने विनियुक्ता इयं चोक्तानुपूर्व्या माध्यंदिनीयसंहितायां कण्वसंहितायां च नास्ति । उक्ता तु शुक्लयजुष्ट्वेन ततोऽनुमीयते ताभ्यामितरस्यां कस्यांचिच्छाखायां वर्तत इति । तथा " ओषधे त्रायस्व स्वधितेऽरनं मा हिꣳसीः " "घृतेन यज्ञं प्रतिदेवय(ड्) द्भ्यः" इमावपि पाठौ सूत्रभाष्यादौ पंचदशशाखीयान्यतरशाखीयत्वेनोदाहृतौ । एतावपि पाठौ माध्यन्दिनकण्वा न पठंति । ततोऽनुमीयते तदितरशाखीयाविति । एते ह्यस्पष्टा उल्लेखाः । स्पष्टा उल्लेखास्तु-" नाशे च" इति (प्राति. सू. ३।४) प्रातिशाख्यसूत्रभाष्ये अनंतदेव आह " दुः नाशं " "दुर्णाशं सख्यं तव" इति शाबीयादिशाखीयमिति । गोपीनाथभट्टयां तापनीयश्रुतिरपि, " सतद्वीपवती भूमिर्दक्षिणार्थं न कल्पते " इति तापनीयश्रुतिरुल्लिखिता । " अरुणपाराशरशाखाब्राह्मणस्य कल्परूपत्वात् " (न्या. म. भाष्ये ४ । २ । ६०) (भट्टकुमारिलतन्त्रवार्तिके च) इत्यत्र पाराशरशाखा उल्लिखिता । "नववतीश्चर्कार्षेदिति जाबालिः " इति (हौत्रसूत्रे) " न मन्तु स्तोममभ्रथ " इत्यादि जाबालसंहितामन्त्रा उद्धृताः । " स यदा राजानमुनेतोल्यति । अथैनस्विन उपतिष्ठन्ते । अत उपब्रुवते । इत्थं ब्राह्मणमवाधिषमित्थं गुरोर्जायामभ्यगामिति । निरुक्तमेनो यथा तानृत्विजो राजा च ब्रूयुरश्वमेधावभृथपूता भवथेति । तेऽपोऽभ्यवयन्ति । यथाऽहिस्त्वचो निर्मुच्यते । एवं सर्वस्मात्पाप्मनो निर्मुच्यन्ते । तान्न जुगुप्सेयुः । स यावन्तमश्वमेधेनेष्ट्वा लोकं जयति । त्रिस्तावंतं जयति । यस्यैवं विदुष एवमेनस्विनोऽवभृथमभ्यवयन्ति । " इति याज्ञवल्क्यस्मृतेः(३।२६७) विश्वरूपाचार्यकृतव्याख्यायां जाबालब्राह्मणमप्युल्लिखितम् । " ततोऽग्न्यागारकरणं समचतुरस्रं पंचारत्नि दक्षिणपूर्वे द्वारे द्व्यरत्निके " इति जाबालश्रुतेर्नामाद्युपलब्धम् एवं जाबालब्राह्मणस्योल्लेखो भर्तृयज्ञानुसारिस्थपतिगर्गपद्धतावावसथ्याधानप्रकरणे समागतः । " गालवा एव ह्रस्वान्प्रयुंजीरन् " इति व्याकरणमहाभाष्ये (१ । १ । ४४) गालवशाखोपवर्णिता । सोमप्रकरणे " सावित्रनिवृत्तिः श्रुतिविरोधाभ्याम् " इत्यातिथ्येष्टिविषयकसूत्रव्याख्याने "एवं च बैजवापायनाचार्येण सूत्रितं न सावित्रमाहेतीति" पितृभूतिभाष्यात् । "उदवसानीयायामाग्नेयः । पंचकपालः समारूढनिर्मथिते " इति पितृभूतिकर्कानन्तदेवैर्बैजवापीया शाखा निर्दिष्टा । " औज्जिहायनकैर्माध्यन्दिनमतानुसारिभिः । अवग्रहो यदा नीच उच्चगो मध्यतः क्वचित् ॥ ताथाभाव्यो भवेत्कंपस्तन्नूनञ्चेति दर्शनम् । पदपाठे तु भवति कंप इति " इति प्रातिशाख्यदीपिकायामौखेयशाखोल्लेखः ।

" समुद्रो वा एष यदहोरात्रस्तस्यैतेऽगाधतीर्थे यत्सन्धी तस्मात्सन्धौ होतव्यमिति कात्यायनब्राह्मणं भवति। नक्षत्रं दृष्ट्वा प्रदोषे निशायां वा सायम्। " इत्यश्विनौयानमीमांसायां कात्यायनब्राह्मणमुद्धृतम्। एवं प्रतिशाखं संहिता ब्राह्मणानि च पृथक्पृथगेव सन्ति ॥

कल्पाश्च प्रामुख्येन त्रिविधाः-गृह्यं, श्रौतं, धर्मश्चेति। शुक्लयजुषां पंचदशशाखीयानां पारस्करापरनामधेय-कात्यायनचरणैः प्रणीतं पारस्करगृह्यसूत्रं कात्यायनश्रौतसूत्रं धर्मांशपूरकं यज्ञपार्श्वादि चैकमेव न प्रतिशाखं पृथक्पृथगिति। एतत्कल्पांशत्रयपूरकतया बहूनि परिशिष्टसूत्राणि श्रीयाज्ञवल्क्यतनुजनुषा भगवता कात्यायनेन प्रणीतानि। संहितायां सूत्रेषु च के के विषयाः, का वाऽऽनुपूर्वी, अन्तर्विभागाश्च कथं, इत्यादिः प्रपंचोऽस्मदीये प्रकाशिते महाराष्ट्रभाषामये याज्ञवल्क्यचरित्रे उत्तरार्धे वैदिकवाङ्मयपरिचयेंऽशे विलोक्यताम्। नात्र विस्तर-भिया प्रपंच्यते ॥

शतपथब्राह्मणम्।

शुक्लयजुषां ब्राह्मणान्यपि संहितावत्पंचदश भवन्ति। तेषामुल्लेखास्तूपरि दर्शिता एव। तेषां सर्वेषामपि शतपथ-ब्राह्मणमिति सामुदायिकी संज्ञाऽऽस्ते यथा सर्वासां संहितानां वाजसनेयी श्रुतिः, वाजसनेयी संहिता, इति सामु-दायिकी संज्ञा भवति तथेति। अपि चैषां संहिताब्राह्मणानां स्वस्वशाखाप्रदर्शकमन्यन्यन्नाम कण्वब्राह्मणं, माध्य-न्दिन ब्राह्मणं, जाबालब्राह्मणं, इत्यादि वर्तते। तथा च ज्ञापितं श्रीसायणाचार्यैः कण्वसंहिताभाष्योपक्रमे-"यद्यप्ययं वेदः स्वयम्भूपरमेष्ठ्यादिपरम्परया प्राप्त आदित्यशिष्येण याज्ञवल्क्येन बहुभ्यः शिष्येभ्य उपदिष्टः, तथापि महता तपसाऽऽराधितस्येश्वरस्यानुग्रहात्कण्वसम्बन्धितयैव लोके प्रख्यायते। तमेतं काण्ववेदमधीयते विदन्ति वेति व्युत्पत्त्या कण्वशिष्यप्रशिष्यादिपरंपरया वर्तमानाः सर्वेऽपि काण्वा इत्युच्यन्ते। एवं ज्ञात्वा जाबालादिषु द्रष्टव्यम्। " इति। एषु च ब्राह्मणेषु इदानीं माध्यन्दिनशतपथब्राह्मणं कण्वशतपथब्राह्मणं चेति द्वे एव ब्राह्मणे उपलभ्येते। अन्यानि तु संहितावदध्ययनतो ग्रन्थतश्च विलुप्तानि दृश्यन्ते ॥

शुक्लयजुर्वेदे द्वौ समाम्नायौ।

पंचदशसु शाखासु प्राधान्येनेमे द्वे शाखे एवाधिकृत्य मध्ये मध्येऽन्यशाखा उपसंहृत्य च भगवान्कात्यायनः सूत्राण्यरीरचत्। एतच्च स्पष्टमुक्तं कर्कोपाध्यायैः " ममाग्ने वर्चः " (का. श्रौ. सू. २ । ३.) इति सूत्र-व्याख्यायां-" शाखाद्वयमधिकृत्य तात्पर्येणानुप्रवृत्त आचार्यः " इत्यादिना। तेन च शुक्लयजुःपंचदश-शाखासु माध्यंदिनी काण्वी चेति द्वे शाखे प्रधानतमे स्तः। उर्वरितासु त्रयोदशसु च काश्चन शाखा माध्यं-दिनानुगाः काश्चन शाखाः काण्वानुगाश्च संति। अनुगत्वं च समाम्नायाश्रयेण, समाम्नायो नामाध्ययनधर्मः क्रतुधर्मश्च। ननु-कोऽयमध्ययनधर्मः क्रतुधर्मश्च कथं प्रवृत्त इत्यपेक्षायां कथ्यते। यदा याज्ञवल्क्येन भगवत-स्त्रयीतनोर्वेदाः संप्राप्तास्तदा कृष्णयजुषः श्रुतर्षेर्बौधायनस्यात्मभूर्महामुनिः कण्वो याज्ञवल्क्यं शिष्यत्वेनोपगम्य तस्माच्छुक्लयजूंष्यधिगतवान्। परंतु स्वपितृकुलस्याभिमानवशेन यकारखकारोच्चारणाद्यध्ययनधर्मं याज्ञवल्क्यस्य न स्वीचक्रे। तथा मातुलसुतोद्वाहाद्या आचाराः तथाऽवभृथादौ दशाहुतिपक्षादिक्रतुधर्माः स्वपितृकुल्या एवांगी-कृताः। अयं च कथांश आदित्यपुराणे-" बौधायनपितृत्वाच्च प्रशिष्यत्वाद्विवस्पतेः। शिष्यत्वाद्याज्ञवल्क्यस्य कण्वोऽभून्महतां महान् " इत्यादिना सूचितः। तात्पर्यं तु-शुक्लयजुःपंचदशशाखाप्रवर्तकश्रुतर्षीणां मध्ये येऽङ्गिरःकुलोत्पन्नास्ते कण्वसमाम्नायिनः। ये च विश्वामित्रगणोत्पन्नास्ते माध्यंदिनसमाम्नायिनः। एतच्च " सोऽहं कौशिकपक्षः शिष्यः कात्यायनः " इति प्रतिज्ञापरिशिष्टस्थकात्यायनवचसा, " ता वाऽएताः षडाहुतयो भवंति। षड्वा ऋतवः संवत्सरस्य। संवत्सरो वरुणः। तस्मात्षडाहुतयो भवंति ॥ १८ ॥ एतदादित्याना-

मयनम् । आदित्यानीमानि यजूंषीति वा आहुः । स यावदस्य वशः स्यात्—एवमेव चिकीर्षेत् । यद्युऽएनमित-रथा यजमानः कर्तवै ब्रूयात् । इतरथो तर्हि कुर्यात् । एतानेव चतुरः प्रयाजानपबर्हिषो यजेत् । द्वावाज्यभागौ । वरुणमग्नीवरुणौ । द्वावनुयाजावपबर्हिषौ । तद्दश । दशाक्षरा वै विराट् । विराडु वै यज्ञः । तद्विराजमेवैतद्यज्ञम-भिसंपादयति ॥ १९ ॥ एतदंगिरसामयनम् । अतोऽन्यतरत्कृत्वा " इत्यादिशतपथब्राह्मण (४ । ४ । ५ । १९-२१) निर्वचनेन च स्पष्टं दरीदृश्यते । अयं च शाखाभेदस्त्वध्ययनधर्ममात्रभेदेन, न तु कर्मणा प्रयोग-कल्पानामैक्यात् । एवमन्येष्वपि वेदेषु भिन्नभिन्नसमाम्नाया वर्तंते त इह विस्तरभिया न प्रपंच्यन्ते । जिज्ञासु भिरस्मत्प्रकाशिते याज्ञवल्क्यचरित्रे महाराष्ट्रभाषामये द्रष्टव्याः ॥

कण्वशतपथब्राह्मणे काण्डादिकम् ।

काण्डांकः	काण्डनामानि.	अध्यायाः	ब्राह्मणानि.	कण्डिकाः
१	एकपात्काण्डम्.	६	२२	३७६
२	हविर्यज्ञकाण्डम्.	८	३२	५३२
३	उद्धारिकाण्डम्.	२	१२	१२४
४	अध्वरम्.	९	३६	६४९
५	ग्रहनाम.	८	३८	५७४
६	वाजपेयकाण्डम्.	२	७	७००
७	राजसूयकाण्डम्.	५	१९	२८९
८	उषासंभरणम्.	८	२७	५११
९	हस्तिघटकाण्डम्.	५	१६	२५७
१०	चितिकाण्डम्	५	२०	२४३
११	साग्निचितिः.	७	२०	४३७
१२	अग्निरहस्यम्.	६	२८	२८६
१३	अष्टाध्यायी.	८	३१	२४१
१४	मध्यमम्.	९	२८	३९२
१५	अश्वमेधकाण्डम्.	८	४४	३०८
१६	प्रवर्ग्यकाण्डम्.	२	८	१९२
१७	बृहदारण्यकम्.	६	४७	२९९
१७	०	१०४	४३५	६८०६

माध्यंदिनशतपथब्राह्मणे काण्डादिकम् ।

काण्डाङ्कः	काण्डनामानि.	अध्यायाः	प्रपाठकाः	ब्राह्मणानि.	कण्डिकाः
१	हविर्यज्ञम्.	९	७	३७	८३७
२	एकपादिका (एकवै)	६	५	२४	५४९
३	अध्वरम्.	९	७	३७	८५९
४	ग्रहनाम	६	५	३९	६४८
५	सवम्	५	४	२५	४७१
६	उषासम्भरणम्	८	५	२७	५३०
७	हस्तिघटम्. (षट्)	५	४	१२	३९८
८	चितिः	७	४	२७	४३७
९	संचितिः	५	४	१५	४०२
१०	अग्निरहस्यम्	६	४	३१	३६९
११	अष्टाध्यायी (संग्रहः)	८	४	४२	४३७
१२	मध्यमम्. (सौत्रामणी)	९	४	२९	४५९
१३	अश्वमेधम्.	८	४	४३	४३२
१४	बृहदारण्यकम्	९	७	५०	७९६
१४	१४	१००	६८	४३८	७६२४
संकलनया.		श्लोकसंख्या. २४०००		अक्षरसंख्या. ७६८०००	

एवमुभयत्र काण्डाध्यायप्रपाठकब्राह्मणकण्डिकाख्यैरन्तर्भेदैर्ग्रंथविभागो वर्तते । स च ब्रह्मयज्ञादिनित्यस्वाध्यायादिविधावध्ययनाध्यापनाद्यौपयिकतयेष्ट इति सूत्रकारैः "ॐकारमुक्त्वा त्रिश्च सावित्रीमध्यायादीन्प्रब्रूयात्" (पार. गृ. सू. २।१०।१८) "क्षपणं प्रवचनं च पूर्ववत्" (पार. गृ. सू. २।१२।४) इत्युपाकर्मोत्सर्जनसूत्राभ्यां ज्ञापितम् । तत्र माध्यन्दिनशतपथे प्रपाठकात्मको विभागोऽस्ति काण्वीये शतपथे तु स सुतरां नास्ति । तेन प्रपाठकात्मको विभागो वैदिकैरेव समग्रं ग्रन्थं कण्ठस्थीकर्तुं प्रकल्पित इति समापतति । अतः सोऽनार्ष इत्यप्याभाति । तथा शतपथान्तर्वर्त्तिनां ब्राह्मणानां स्वस्वप्रतिपाद्यविषयापेक्षया सृष्टिब्राह्मणं, संभारब्राह्मणं, नक्षत्रब्राह्मणं, उद्गीथब्राह्मणं, प्राणविद्याब्राह्मणं, मण्डलब्राह्मणं, इत्याद्याः संज्ञा भाष्यकृद्भिर्व्यवहारार्थं दत्तास्ताः सर्वा अत्र विस्तरभिया दातुं न शक्नुमः । जिज्ञासुभिस्ता भाष्ये ऋज्वपाठादौ चैव तत्र तत्र द्रष्टव्याः ॥

माध्यन्दिनकण्वशतपथयोर्विषयक्रमः ।

माध्यन्दिनशतपथे प्रथमकाण्डमारभ्य नवमकाण्डपर्यन्तं एकं पिण्डपितृयज्ञं वर्जयित्वा प्रायः माध्यन्दिनसंहितायाः क्रमेण विषयाः समागताः । संहितायां पिण्डपितृयज्ञो दर्शपूर्णमासानन्तरमस्ति ब्राह्मणे त्वाधानानन्तरमित्येतावान्भेदः । अवशिष्टेषु दशमादिकाण्डेषु संहिताक्रमेणैव विषयक्रमो दृश्यते । काण्वमाध्यन्दिनयोः संहितायाः प्रारंभो दर्शपूर्णमासयागमारभ्यैव वर्तते । परंतु शतपथब्राह्मणारंभ उभयोरपि भिन्नः । माध्यंन्दिनशतपथप्रारंभो दर्शपूर्णमासमारभ्य काण्वशतपथप्रारंभस्त्वाधानमारभ्य वर्तते । अर्थान्माध्यंदिनकण्वशतपथयोः प्रथमद्वितीययोः परस्परं विपर्ययः । अन्यत्सर्वं प्रायः समानं क्वचित्कचिद्विषयक्रमवैपरीत्यमप्यास्ते । तच्चोभयब्राह्मणयोरग्रिमयोः स्थूलविषयसूच्योर्दर्शनेन सहजतया ज्ञायेत ॥

माध्यंदिनशतपथे ।

काण्डांकः विषयाः

१—दर्शपूर्णमासेष्टिः ॥

२—आधानपुनराधाने, अग्निहोत्रं, उपस्थानं, प्रवत्स्यदुपस्थानं, आगतोपस्थानादि, पिण्डपितृयज्ञः, आग्रयणं, दाक्षायणयज्ञः, चातुर्मास्ययागः ॥

३—सोमयागो दीक्षाभिषवपर्यंतः ॥

४—सोमयागे सवनत्रयगतं कर्म, षोडशीप्रभृतिसोमसंस्थाः, द्वादशाहयागः, त्रिरात्राहीन—दक्षिणा, सत्रधर्माः ॥

५—वाजपेययागः, राजसूययागः ॥

६—उखासम्भरणम्, विष्णुक्रमः, वात्सप्रोपस्थानम्, वनीवाहनकर्म ॥

७—चयनयागः, गार्हपत्यचयनं, निर्ऋतिचयनम्, अग्निक्षेत्रसंस्कारः, दर्भस्तम्बाद्युपस्थासादनान्तं कर्म ॥

८—प्राणभृत्सादनादि, चयनसमाप्तिः ॥

९—शतरुद्रियहोमादि, धिष्ण्यचयनम्, पुनश्चितिः, चित्युपस्थानम् ॥

१०—चितिसम्पत्तिः, चयनयागस्तुतिः, चित्यपक्षपुच्छविचारः, चित्याग्निवेदिमानम्, तत्सम्पत्तिः, चयनकालादिकम्, चित्याग्नेश्छन्दोऽवयवसम्पत्, संवत्सरतदवयवसम्पत्, यजुष्मतीलोकम्पृणादिकयोः संख्या, उपनिषद्रूपेणाग्नेरुपासना, मनःसृष्टिः, लोकादिरूपेणाग्न्युपासना, अग्नेः सर्वतोमुखत्वम्, संप्रदायप्रवर्तकऋषिवंशः, इत्यादि ॥

११—आधानकालः, दर्शपूर्णमासदाक्षायणयज्ञयोरवधिः, दाक्षायणयज्ञः, पथिकृदिष्टिः, अभ्युदितेष्टिः, दर्शपूर्णमासीयपदार्थानामर्थवादाः, अग्निहोत्रीयार्थवादः, ब्रह्मचारिणः कर्तव्यम्, मित्रविन्देष्टिः, हविःसमृद्धिः, चातुर्मास्यार्थवादः, पञ्चमहायज्ञाः, स्वाध्यायप्रशंसा, प्रायश्चित्तानि, अश्वदाम्यग्रहौ, अध्यात्मविद्या, पशुबन्धप्रशंसा, हविर्यज्ञसवविधयोर्लक्षणम्, षड्ढोतृहोमः ॥

१२—सत्रे दीक्षाक्रमः, सत्राणि, पृष्ठ्याभिप्लवस्वरसामविषुवन्महाव्रतप्रभृतीनां निरूपणम्, गवामयनम्, अग्निहोत्रप्रायश्चित्तम्, सौत्रामणीयागः मृतकाग्निहोत्रम्, मृतकदाहः, ॥

१३—अश्वमेधः, तद्गतप्रायश्चित्तम्, पुरुषमेधः, सर्वमेधः, दशरात्रः, पितृमेधः ।

१४–प्रवर्ग्यकर्म, घर्मः, महावीरः, प्रवर्ग्योत्सादनम्, प्रवर्ग्यकर्तृनियमाः, ब्रह्मविद्या, कार्म्य श्रीमन्थपुत्रमन्थादिकम्, वंशः इत्यादि ।

कण्वशतपथे ।

काण्डांकः	विषयाः
१	आधानपुनराधाने, अग्निहोत्रम्, आग्रयणम्, पिण्डपितृयज्ञः, दाक्षायणयज्ञः, उपस्थानादि, चातुर्मास्ययागः ।
२	दर्शपूर्णमासेष्टिः ।
३	अग्निहोत्रीयोऽर्थवादः, दर्शपूर्णमासीयोऽर्थवादः ।
४	सोमयागदीक्षा, अभिषवादि कर्म च ।
५	सोमयागः, सवनत्रयगतं कर्म, षोडशीप्रभृतिसोमसंस्थाः, द्वादशाहयागः, त्रिरात्राहीनदक्षिणा, चतुस्त्रिंशद्धोमः, सत्रधर्माः ।
६	वाजपेययागः ।
७	राजसूययागः ।
८	उषासम्भरणम् ।
९–१२	चयनयागः ।
१३	आधानकालः, पथिकृदिष्टिः, प्रयाजानुमन्त्रणम्, शंयुवाकः, पत्नीसंयाजः, ब्रह्मचर्यम्, दर्शपूर्णमासशेषः, पशुबन्धः ।
१४	दीक्षाक्रमः, पृष्ठ्याभिप्लवादि, सौत्रामणीयागः, अग्निहोत्रप्रायश्चित्तम्, मृतकाग्निहोत्रम् ।
१५	अश्वमेधः ।
१६	सांगोपांगं प्रवर्ग्यकर्म ।
१७	ब्रह्मविद्या ।

शतपथब्राह्मणस्य स्वरूपम् ।

सामान्यस्वरूपं तु पूर्वं प्रपंचितम् । इदानीं विशेषस्वरूपं निगद्यते । तथा च तदुक्तं कात्यायनेन–"विधिर्निन्दा प्रशंसाऽध्यात्ममधिदेवतमधिभूतमनुवचनं परकृतिः पुराकल्पः सृष्टिरिति ब्राह्मणम्" (का.तृ.प्र.प. सूत्रे) क्रमेणैषामुदाहरणानि १–विधिः–"स एष उभयत्राच्युत आग्नेयोऽष्टाकपालः पुरोडाशो भवति" (श. प. १ । ६ । १ । ६) इति । २–निन्दा–"तदु ह स्माहापि वर्कुर्वार्ष्णो माषान्मे पचत, न वा एतेषां हविर्गृह्णन्तीति तदु तथा न कुर्यात्" (श. प. १ । १ । १ । १०) इति । ३–प्रशंसा–"अग्निर्वै देवानां मृदुहृदयतमः । यं वै मृदुहृदयतमं मन्येत तमुपधावेत् । तस्मादग्नय एव" (श. प. १ । ६ । २ । १०) इति । ४–अध्यात्मम्–"अथाध्यात्मम् । प्राणो वा अर्कः । तस्यान्नमेव कम् । अन्नं हि प्राणाय कम् । इति नु एवार्कस्य" (श. प. १० । ६ । २ । ७) इति । ५–अधियज्ञम्–"अथाधियज्ञम्–यदेवाग्नावन्नमुपधीयते–तदन्नम् । या आपस्तत्पानम् । परिश्रित एव श्रीः" इत्यादि (श. प. १० । २ । ६ । १७) इति । ६–अधिदेवतम्–"अथाधिदेवतम्–या वै सा वागग्निरेव सः । यत्तच्चक्षुः–असौ स आदित्यः" इत्यादि (श. प. १० । ३ । ३ । ७) इति । ७–अधिभूतम्–"तस्मादाहुर्यावती वेदिस्तावती पृथिवी, इति" इत्यादि (श. प. १ । २ । ५ । ७) इति । अथवा "अयं वाव लोक एषोऽग्निश्चितः । तस्याप एव परिश्रितः"

इत्याद्यभिधायान्ते "एनं भूतमेतत्सर्वममिसम्पद्यते" (श. प. १० । ५ । ४ । १) इति । ८—अनुवचनम्—"अग्निर्वै हिमस्य भेषजम्" (श. प. १३ । ६ । १ । १) इति । ९—परकृतिः—"पुरुषो ह नारायणोऽकामयत" इत्यादि (श. प. १३ । ५ । ४ । २) इति । १०—पुराकल्पः—"एतेन हेन्द्रोतो दैवापः शौनको जनमेजयं पारिक्षितं याजयाञ्चकार" इत्यादि (श. प. १३ । ५ । ४ । २) इति । ११—सृष्टिः—"असद्वा इदमग्र आसीत्" इत्यादि (श. प. ६ । १ । १ । १) इत्येवमेकादशधा स्वरूपेण शतपथब्राह्मणे प्रवचनशैली कात्यायनेन प्रत्यभिज्ञापिता । वाचस्पतिमिश्रैस्त्वन्यथा प्रत्यभिज्ञापिता । तथाहि "नैरुक्त्यं यस्य मन्त्रस्य विनियोगः प्रयोजनम् । प्रतिष्ठानं विधिश्चैव ब्राह्मणं तदिहोच्यते । इत्येवं याज्ञवल्क्यस्य ब्राह्मणस्य तु लक्षणम्" इति । अस्योदाहरणम्—"अथाभ्याधाय जपति"—"सूर्यस्त्वा पुरस्तात्पातु कस्याश्चिदभिशस्त्यै" (वा. सं. २ । ५) इति । "गुप्त्यै वाऽअभितः परिधयो भवंति । अथैतंत्सूर्यमेव पुरस्ताद्गोप्तारं करोति । नेत्पुरस्तान्नाष्ट्रा रक्षांस्यभ्यवचरानिति । सूर्यो हि नाष्ट्राणां रक्षसामपहन्ता" (श. प. १ । ३ । ४ । ८) इति । अत्र वाचस्पतिमिश्रोक्ताः सर्वेऽप्यंशाः सुस्पष्टाः प्रतीयन्ते । बृहदारण्यकोपनिषच्छ्रुत्या तु इतोऽन्यथैव प्रत्यभिज्ञापिता । सा चेत्थम्—"इतिहासः पुराणं विद्या उपनिषदः श्लोकाः सूत्राण्यनुव्याख्यानानि व्याख्यानानि" (बृ. उ. २ । ४ । १०) इति । क्रमेणैषामुदाहरणानि—१—इतिहासः "उर्वशी हाप्सराः" (श. प. ११ । ५ । १ । १) इति । २—पुराणम्—"असद्वा इदमग्र आसीत्" (श. प. ६ । १ । १ । १) इति । ३—विद्या—"देवजनविद्या वेदः सोऽयमिति" (श. प. १३ । ४ । ३ । १०) इति । ४—उपनिषदः—"प्रियमित्येनदुपासीत" (श. प. १४ । ६ । १० । ३) इति । ५—श्लोकाः—ब्राह्मणप्रभवा मन्त्राः—"तदप्येते श्लोकाः—अणुः पंथा विततः" इत्यादयः (श. प. बृ. १४ । ४ । २ । ११) इति । ६—सूत्राणि वस्तुसंग्राहकवाक्यानि वेदे—"आत्मेत्येवोपासीत" (श. प. बृ. १४ । ४ । २ । २८) इति । ७—अनुव्याख्यानानि मन्त्रविवरणानि । अथवा, वस्तुसंग्राहकवाक्यानां विवरणवाक्यानि—"प्राणा वै सत्यम्" (श. प. १४ । ५ । १ । २३ ॥ १४ । ५ । २ । ३) इत्यादि शिशुमूर्तामूर्तब्राह्मणे । ८—व्याख्यानानि—अर्थवादाः । अथवा, "मेधया हि तपसाऽजनयत्पिता" (श. प. १४ । ४ । ३ । २) इत्यादीनि मन्त्रविवरणानि । एवं त्रिविधा प्रवचनशैली दृश्यते । सा विषयपार्थक्यानुरोधेनेष्टैव भवति, न परस्परोपमर्दं सहते । ये तु विध्यादीनां सूक्ष्माः उत्पत्तिविधिरधिकारविधिर्विनियोगविधिरित्याद्या भेदा मीमांसानुशासने प्रसिद्धास्ते सर्ववेदतद्गतशाखासाधारणाः इति विस्तरभिया नात्र प्रपंच्यन्ते । ते तत एवावगन्तव्याः । तथा प्रकृतशतपथस्थविविधविषयाणामवगाहनं तदध्ययनाध्यापनेनैव कर्तव्यम् । नात्र विस्तरभिया तदपि प्रपंच्यते । यदि प्रपञ्चयिष्यामि तदा न जानेऽयमुपोद्घातः कियतीं वृद्धिं गमिष्यति । अतस्ततो विराम एव श्रेयस्कर इति मन्ये ।

शतपथब्राह्मणस्य संज्ञाऽन्वर्थक्यम् ।

"शतपथब्राह्मणम्" इतीयं संज्ञा च तस्य शताध्यायात्मकत्वात् । तथाच शतपथव्युत्पत्तिरपि "शतं पन्थानो मार्गा नामाध्याया यस्य तच्छतपथम्" इति तदनुगुणैव जायते । तदुक्तं स्पष्टतया भाषिकसूत्रभाष्ये "शतपथवत्ताण्ड्यभाल्लविनां ब्राह्मणस्वराः" इत्येतत्सूत्रव्याख्यानावसरे "शतपथश्च शताध्यायैः" इति । यद्यपि काण्वशतपथस्य चतुरुत्तरशताध्यायाः सन्ति तथापि तस्य "छत्रिणो यान्ति" इति न्यायेन शतपथसंज्ञा चरितार्था भावयितव्या तत्रापि शतपथसंज्ञाया रूढत्वात् इति । किञ्च तृतीये प्रतिज्ञापरिशिष्टे कात्यायनेन शतपथब्राह्मणे "षष्टिपथोऽशीतिपथोऽनवद्यः सम्मितः पंचदशपथः" इत्यनेन 'षष्ट्यध्यायसंमितो भागः षष्टिपथः, अशीत्यध्यायसंमितो भागोऽशीतिपथः, पञ्चदशाध्यायसंमितो भागः पञ्चदशपथः' इतीमा अवान्तर-

विभागसंज्ञाः प्रतिपादिताः। प्रथमं द्वितीयं च काण्डं पञ्चदशाध्यायाः, एतदन्तेन ग्रन्थेन हविर्यज्ञियापरनामकमैष्टिकं याज्ञिकं सर्वं निरूपितम्। तेनैतत्प्रकरणस्य पञ्चदशपथसंज्ञा सार्थका भवति। प्रथमहविर्यज्ञकाण्डादारम्य संचितिनामनवमकाण्डपर्यंतं षष्ट्यध्यायाः तृतीयकाण्डादारम्य एतदन्तेन ग्रन्थेन आध्वरिकापरनामकं सौमिकं याज्ञिकं सर्वं निरूपितमित्येतत्प्रकरणपर्यन्तस्य ग्रन्थस्य षष्टिपथसंज्ञा युक्तैव भवति। प्रथमकाण्डादारम्य द्वादशकाण्डीयषडध्याय्यन्तमशीत्यध्यायाः, अग्निरहस्याख्यदशमकाण्डमारम्य मध्यमसंज्ञकद्वादशकाण्डीयषडध्याय्यन्तेन ग्रन्थेन उत्तरक्रतुयाज्ञिकं सर्वं निरूपितम्। तेनैतत्प्रकरणपर्यन्तस्य ग्रन्थस्याशीतिपथसंज्ञा युक्तियुक्ता भवति। अवशिष्टैरध्यायैः सौत्रामण्यश्वमेधादियागाः पूर्वमनुक्तास्ते ब्रह्मविद्या चेति निरूपितम्। तेन परिशेषोत्तरभागनिरूपकग्रन्थांते प्राग्दर्शितया आदितोऽध्यायगणनया पद्धत्या समग्रो ग्रन्थः शतपथसंज्ञकः इति।

एतदध्ययनपद्धतिः।

शतपथषष्टिपथशब्दाभ्यां "क्रतूक्थादिसूत्रान्ताट्ठक्" (पा. सू. ४।२।६०) इति सूत्रस्थेन "शतषष्टेः षिकन्पथः" "शतशब्दात्षष्टिशब्दाच्च परो यः पथिन्शब्दस्तदन्तात् षिकन्वाच्यः" इति वार्तिकेन षिकन्प्रत्यये विहिते 'शतपथमधीते शतपथिकः, षष्टिपथमधीते षष्टिपथिकः' इति शब्दौ सिध्यतः। आशीतिपथः पांचदशपथः इतीमौ शब्दौ तु अध्येत्रणन्तौ संगमनीयौ। तथा "अव्ययं विभक्तिसमीप०" (पा. सू. २।१।६) एतत्सूत्रस्थांतशब्दोदाहरणे "अग्निग्रन्थपर्यन्तमधीते साग्निः" "अग्निशब्दश्च तद्बोधके ग्रन्थे वर्तते" इति तद्व्याख्यातारः। अग्निशब्देन चयनयागो रूढ्या विवक्षणीयः तदन्तग्रन्थस्याध्ययनं साग्नीति यावत्। पूर्वमेतदुक्तप्रणाल्या शतपथाध्ययनपरिपाटी आसीदिति प्रतीयते। इयं च पद्धतिरिदानीं लुप्तैव। यत्र कुत्रचन वैरल्येन शतपथाध्ययनपरम्पराऽऽस्ते सा एतद्विसदृशी। तथा च श्रीक्षेत्रनाशिके बडोदाराजधान्यां मुल्हेरक्षेत्रे च शतपथाध्ययनपरम्पराऽद्याप्यास्ते परंतु सा चतुर्दशकाण्डमध्यात्कांश्चिद्विशिष्टानष्टौ प्रपाठकान्विचित्य तावन्तः कंठस्थीकरणीया इत्येवंरूपा प्रवर्तमानाऽस्ति। ते चाष्टौ प्रपाठका इमे—प्रथमकाण्डस्थाः क्रमेणादितस्त्रयः, द्वितीयकाण्डस्थौ क्रमेण द्वौ, तृतीयकाण्डस्थ एकः प्रथमः, पञ्चमकाण्डस्थ एकः प्रथमः, एकादशकाण्डस्थ एकः प्रथमः, एवमष्टौ। इति। अस्तु, वैदिकैरियमनार्षी पाठप्रणालीं त्यक्त्वा पुनरार्षी उपरि दर्शिता प्रणाली प्रवर्तनीयेति तान्प्रत्यस्माकं विज्ञप्तिः॥

यथा शतपथस्योपरितना विभागाः कात्यायनेन विभाजिताः तथा महाभारतेऽपि श्रीव्यासमुनिना केचन विभागाः कृता दृश्यन्ते। तथा चोक्तं तेन "ततः षष्टिपथं कृत्स्नं सरहस्यं ससंग्रहम्। चक्रे सपरिशेषं च सोत्तरं च प्रहर्षतः" इति (महाभारते शांतिपर्वणि मोक्षधर्मे ४३ अ. १६ श्लो.) प्रथमकाण्डादारम्य नवमकाण्डपर्यन्तानि काण्डानि षष्टिपथ इति पूर्वं प्रोक्तमेव। दशमं काण्डं रहस्यमर्थादग्निरहस्यसंज्ञकं प्रागुक्तकर्मणां रहस्यप्रतिपादकत्वात्तत्सहितम्। एकादशं काण्डं संग्रहं प्रागुक्तकर्मापेक्षितानुक्तसंग्राहकत्वात्तत्सहितम्। द्वादशत्रयोदशकाण्डे चतुर्दशकाण्डान्तर्गतप्रवर्ग्यकाण्डं च परिशेषः उक्तकर्मणां अवशिष्टकर्माभिधायकत्वात्तत्सहितम्। चतुर्दशकाण्डान्तर्गता षडध्यायी मधुयाज्ञवल्क्यखिलकाण्डत्रयवती बृहदारण्यकोपनिषत् उत्तरं कर्मोत्तरकालिकज्ञानकाण्डप्रतिपादकत्वात्तत्सहितम्। एतादृशषष्टिपथमर्थात्समग्रं शतपथं याज्ञवल्क्यः चक्रे प्रवचनविषयीचकारेति तदर्थः॥

प्रो. एग्लिंगप्रभृतिकृताक्षेपप्रत्याख्यानम्।

अत्र च द्वादशकाण्डस्य मध्यममिति नामधेयाश्रयेण प्रो. एग्लिंगप्रभृतयः स्वीयशतपथभूमिकायां बहुतरकल्पनाजालं निर्ममिरे। तेषामाशयस्तु—"यतो द्वादशकाण्डस्य 'मध्यमं काण्डम्' इति संज्ञाऽतस्तदानी-

न्तनदिष्टे १०–१४ इमान्येव पञ्चकाण्डानि प्रधानानि प्राचीनानि च समासन् । तदनन्तरं च अर्वाक्तनानि १–९ काण्डानि संयोजितानि स्युः " इति । परन्तु नैतद्युक्तियुक्तमुत्पश्यामः । महाभारते एतद्वैपरीत्येन १–९ काण्डानि प्रधानानि तदितराणि १०–१४ तत्परिपोषकानि इति मंम्यन्तरेण प्रतिपादितत्वात् । द्वादशकाण्डस्य मध्यमसंज्ञा तु तद्गतप्रतिपाद्यविषयसाधारण्येनास्ति । नैतत्तिरोहितं विपश्चिताम् । तात्पर्यन्तु—उपर्युक्तमहाभारतविरोधेन प्रतिहतत्वादुपेक्ष्यमेव किल तद्वचः । यच्चान्यत्तेन प्रोच्यते—" माध्यन्दिनशब्दो मध्यमवाचकः,तेनेयं माध्यन्दिनी शाखाऽप्यतिप्राचीना स्यादिति न निश्चेतुं शक्यम्" इति । एतदपि न संगच्छते । कुतः माध्यन्दिनशब्दो मध्यमवाचीति क्वापि संस्कृतवाङ्मये न केनापि प्रायुज्जि । नाप्ययमर्थस्तस्माद्रूढ्या योगेन योगरूढ्या वा निर्गच्छति । प्रत्युत यथा " कण्वेन महर्षिणा दृष्टा शाखा काण्वी " इत्युच्यते तथा " मध्यन्दिनेन मुनिना दृष्टा शाखा माध्यन्दिनी " इति वक्तव्या । एतदर्थकयोगबलसहकृतया रूढ्या शाखाविशेषे रूढः । यद्यपीयं शाखा प्राचीनाऽस्ति, तथापि तत्त्वे कारणमन्यदेव । नेदं कारणम् । तच्च दर्शितं शाखाविभागरूपं पूर्वमेव ॥

किंच—शतपथब्राह्मणे ६–१० काण्डेषु महर्षिशाण्डिल्यस्योल्लेखो बहुवारमायातस्तावता पाश्चात्यपण्डितै र्वेबर–एग्लिंग्प्रभृतिभिस्तदनुवक्तृभिः प्रो. भगवद्दत्तमहाशयैरेवमनुमीयते यत् " ६–१० इमानि काण्डानि शाण्डिल्यमहर्षिप्रणीतानि स्युः " इति । एतच्च तेषामनुमानमसदेव । उक्तकाण्डेषु शाण्डिल्याचार्याणां मतं तन्नामोल्लेखपूर्वकमनूदितं तथा दशमकाण्डे तन्नाम्ना प्रख्याता शाण्डिल्याग्निविद्या च प्रतिपादिता । नहि तावतोपरिन्यस्तमनुमानं कर्तुं शक्यते ॥

किंच—ज्ञानकोशे डॉ. श्रीधर व्यंकटेश केतकर महोदयैरेवमाक्षिप्यते यत्—शतपथब्राह्मणे ये शुक्लयजुर्वेदाचार्या उल्लिखितास्ते अमुक्यमुक्या अमुकोऽमुकः पुत्र इति जननीप्राधान्येन वर्णिता इति । अत्रैतावदेव वक्तुमिष्यते—यदियं वंश परम्परा न जन्यपुत्रपौत्रवंशपरंपरा, किन्तु शिष्यप्रशिष्यात्मिका विद्यावंशपरंपरा इति । तस्याश्च स्त्रीप्राधान्येन वर्णने कारणं श्रीमच्छंकराचार्येण दर्शितं तदेव योग्यम् । तथा चोक्तं तैः " अथेदानीं समस्तप्रवचनवंशः । स्त्रीप्राधान्याद्गुणवान्पुत्रो भवतीति प्रस्तुतम् । अतः स्त्रीविशेषणेनैव पुत्रविशेषणादाचार्यपरम्परा कीर्त्यते " इति (बृह. उप. भाष्ये अन्ते) ॥

अपिच डॉ. महोदयैरुच्यते—षकारस्य खकारः, "यकारस्य जकारः, अतिशयोक्तिपूर्णः वकारादिगतद्वित्वयुक्तः स्पष्टोच्चारः इत्यादिनियमविधायकशुक्लयजुःप्रातिशाख्यत एवमपि कल्प्यते यदेषां नवीनानां ब्राह्मणानां वैदिकमन्त्रोच्चारणे काठिन्यं समापन्नमासीत् " इति । अत्रोच्यते—डॉ. महोदयैः पुराणा ब्राह्मणाः, नवीना ब्राह्मणाः इति स्वकपोलकल्पितं भेदं मत्वोक्ताक्षेपः कृतः, परंतु—अयं भेदः प्रमाणशून्यः । केन प्रमाणेनायं भेदस्तैः प्रतिपाद्यते तन्न जानीमहे । यो ब्राह्मणः " यज्ञेन यज्ञमयजन्त " इत्यत्र 'अयजन्त' अत्रत्यस्य यकारस्य यकारमुच्चारयितुं शक्नोति तस्य 'यज्ञेन' अथवा 'यज्ञम्' अत्रत्ययकारस्य यत्वेनोच्चारो दुर्घटः किम् ? अथवा यो ब्राह्मणः यस्मिन्क्षणे 'षडस्य विष्ठाः' इत्यादिस्थले 'ष्ठा' इति संयुक्ताक्षरे षकारं षत्वेनैवोच्चारयति तस्मिन्नेव क्षणे तस्य 'षट्' अत्रत्यः षकारः षत्वेनोच्चारयितुं दुर्घटः किम् ? । कदाऽपि नैवं वक्तुं शक्यते । 'पद्भ्यां शूद्रो अजायत' इत्यादौ श्रुतोऽन्तिमोऽकारो बह्वृचैर्यथाऽध्ययनधर्मं इति कृत्वा दीर्घः पठ्यते तथा शुक्लयजुर्वेदिभिरपि षकारः खकारत्वेन यकारो जकारत्वेनाध्ययनधर्मं मत्वा पठ्यते इति जानन्तु डॉ. महोदयं प्रति श्रद्धालवो जनाः । कृष्णयजुर्वेदतः शुक्लयजुर्वेदस्य पार्थक्यं दर्शयितुं वा तस्याः स्वातन्त्र्यं प्रख्यापयितुं प्रातिशाख्यकृता वकारगतद्वित्वादिपरिभाषा संकलिता । साऽपि पूर्ववदध्ययनधर्मं मत्वा प्रयुज्यते तैः । एतावता डॉ. महोदयानामाक्षेपा असमंजसा इति स्पष्टमभवत् ॥

शतपथब्राह्मणान्तर्भूता बृहदारण्यकोपनिषत् ।

बृहदारण्यकोपनिषदि—एकमागमप्रधानं मधुकाण्डम्, द्वितीयमुपपत्तिप्रधानं याज्ञवल्क्यकाण्डम् । तृतीयमुभयशेषभूतं खिलकाण्डम्, एवं काण्डत्रितयं वर्तते । इयं चोपनिषद् ग्रन्थतोऽर्थतश्च महत्त्वात्तथाऽस्या ब्रह्मविद्याया विस्तरशः प्रतिपादकत्वात् बृहत्त्वम् । अरण्येऽनूच्यमानत्वादारण्यकत्वम् । ब्रह्मविद्याद्वारा ब्रह्मभावापादकत्वादुपनिषदिति सार्थकं नामधेयमिति । अस्याः कण्वपाठे आदिमे द्वे ब्राह्मणे माध्यन्दिनपाठे न स्तः । ते तु माध्यन्दिनीयपाठे दशमकाण्डे एवान्ते प्रतिपादिते इति वैलक्षण्यं दर्शनीयम् । अन्यदपि आनुपूर्व्यां पौर्वापर्यरूपं वैलक्षण्यमस्ति, तत्तु पाठतोऽवगन्तव्यम् । विषयसाधारण्यं तूभयोः । सर्वासूपनिषत्सु इयमुपनिषत्स्वं प्राधान्यं प्रख्यापयति सार्वात्म्येन ब्रह्मविद्यायाः प्रतिपादकत्वात् । इति ।

शतपथब्राह्मणस्य महत्त्वम् ।

तात्पर्यन्तु—यः शतपथब्राह्मणं मर्मज्ञतया समग्रमध्येष्यते स यज्ञविद्यायां ब्रह्मविद्यायां तदुपोद्बलकासु बहुलासु विद्यासु सर्वश्रेष्ठतमः पण्डितः सम्पत्स्येत । सम्यक्तयाऽधीते च शतपथब्राह्मणे सर्वेषां वेदानामर्थावगमः सहजतया जायेत । तत्सहैव विविधं वैदिकविषयकं ज्ञानम्, प्राचीनादर्शेतिहासज्ञानं चोत्कृष्टतया भविष्यति नात्र संशयलेशस्याप्यवसरः । एतत्साक्ष्यं शतपथब्राह्मणभाष्योपक्रमकारकाः सायणीयाः श्लोका दास्यन्ति । तथाहि—" विजितारातिव्रातो वीरः श्रीहरिहरः क्षमाधीशः । धर्मब्रह्माध्वन्यः समादिशत्सायणाचार्यम् ॥ ऋग्यजुःसामशाखानामेकैका व्याकृता त्वया । तावता तत्समानार्था ज्ञातुं शक्यास्ततः पराः ॥ वासना विशदा यत्र मन्त्रार्थानामशेषतः । प्रायेणाध्वर्यवं कर्म पूर्णं शाखान्तरैर्विना ॥ करामलकवद्यत्र परं तत्त्वं प्रकाशितम् । या काचित्तादृशी शाखा त्वया व्याख्यायतामिति ॥ सर्वतः सायणाचार्यो विमृश्योदीरितान्गुणान् । माध्यन्दिने शतपथे ब्राह्मणे व्याकरोति तत् " ॥ इति ॥

शतपथब्राह्मणस्य कालः ।

शतपथब्राह्मणस्य वेदत्वाविशेषादेव सृष्ट्यारम्भककालिकत्वमर्थतः सिद्धमेव । सृष्टेर्वेदप्रभवत्वं च प्रागुपन्यस्तमेव । तथाप्यर्वाचां मतमालोच्य कालविषये किंचिद्विविच्यते । यः काल आधुनिकैरुत्पत्तिकालत्वेन स्वीक्रियते सोऽस्माभिः वेदव्यसनैतिह्यालोचनेनाभिव्यंजककालत्वेनोरीक्रियते । एतावदेव वैषम्यमर्वाचां प्राचां च मध्ये इति प्रथममवधेयम् । स चाभिव्यक्तिकालः पं. दीनानाथशास्त्रिचुलेटमहाभागाः स्वे वेदकालनिर्णयाख्यपुस्तके "समे शंकुं निखाय" (का.शु.सू.१।१।२) इति कातीयशुल्बसूत्रस्थस्य "दक्षिणायने तु चित्रां यावदादित्य उपसर्पति । उदगयने स्वातिमेति विषुवतीये त्वहनि चित्रास्वात्योर्मध्य एवोदयः" इति कर्कभाष्यस्याधारेण वसंतसंपातगणनया कर्ककाल इतः पूर्वं १९००० प्राक्तन इति निश्चितवन्तः । अर्थादेतत्पूर्वं सूत्रकालः । अर्थाच्छकपूर्वं २३-६७९ वर्षात्प्रागेव सूत्राणि समभवन् । ततः पूर्वं ब्राह्मणकालः । अर्थाद्यानि ब्राह्मणान्युपजीव्य श्रौतसूत्राणि जातानि तानि ब्राह्मणानि तत्पूर्वाणि अर्थात्तेषां मते शकपूर्वं ९४००० वर्षात्प्राग्ब्राह्मणकालः सिध्यति । पं. शंकरबाळकृष्णदीक्षितमहोदयाः स्वे भारतीयज्योतिःशास्त्राख्ये ग्रन्थे " कृत्तिकास्वादधीत । एता ह वै प्राच्यै दिशो न च्यवन्ते । सर्वाणि ह वा अन्यानि नक्षत्राणि प्राच्यै दिशश्च्यवन्ते " (श. प. २।१।२।२) इत्यादि शतपथान्तर्गतप्रमाणेन नक्षत्रगतिविषयकगणितपद्धत्या स्थूलमानतो ब्राह्मणकालः शकपूर्वं ३००० वर्षात्प्राङ्निश्चितवन्तः । अयमेव कालः भारताचार्यचिंतामणिरायवैद्यमहोदयाः स्वे महाभारतोपसंहारे समादृतवंतः । नक्षत्रविज्ञाने ज्योतिषाचार्यव्यंकटेशबापूजीकेतकरमहोदयैरितः पूर्वं ४९०० वर्षात्प्राक्तनो निश्चितः । स्वनामधन्यबाळगंगाधरटिळकमहाभागैः स्वे वेदकालनिर्णये इतः पूर्वं ६००० वर्षात्प्राक्तनो निश्चितः ।

अन्यैरपि विद्वद्भिः सर्वैरयमेवादतः । तथाऽस्माभिरयमेव कालः प्रकारान्तरेण प्रदर्श्यते । तथाहि-" एतेन हेन्द्रोतो दैवापः शौनको जनमेजयं पारिक्षितं याजयाञ्चकार " (श. प. १३ । ५ । ४ । ७) इति जनमेजयस्योल्लेखो भूतकालविशिष्टो दृश्यते । अयं च युधिष्ठिरात्पूर्वं द्वाचत्वारिंशत्तमस्तत्पूर्वजः पुरुषः । युधिष्ठिरप्रपौत्रो जनमेजयस्त्वस्माद्भिन्नः । तस्यात्र न कोऽपि सम्बन्धः । युधिष्ठिरकालस्तु इतः पूर्वं ५०४० वर्षात्प्राक्तनः । ततः पूर्वं ' प्रतिपुरुषं विंशतिवर्षाणि ' इत्येवं द्वाचत्वारिंशत्पुरुषवर्षगणनया ८४० वर्षाणि भवन्ति । इयं च गणना वंशमाने स्थूला परंतु सर्वसाधारणेति सर्वैः समादृता । एतेन ५०४०–८४० मिलित्वा ५८८० वर्षात्प्राक्तनः कालः शतपथब्राह्मणाभिव्यक्तेः, इति सिध्यति । स्वल्पान्तरस्यादोषत्वादुक्तम् ६००० वर्षाणीति । इतोऽप्यधिकतरं विवरणं अस्मत्प्रकाशिते याज्ञवल्क्यचरित्रे द्रष्टव्यम् । नात्र विस्तरभिया विव्रियते ।

संक्षेपेण याज्ञवल्क्यचरितम् ।

१–महामुनिर्याज्ञवल्क्यः–चमत्कारपुरं, वृद्धनगरं (वडनगर इति उत्तरगुजराथप्रान्ते प्रसिद्धम्) वा अधिवसति स्म । यदा च जनकराजस्य देशिकपदमंगीचकार तदानीं मिथिलामध्युषितवान् ।

२–अयं च ६००० कालात्पूर्वं संजातः ।

३–असौ विश्वामित्रवंश्यः चारायणः, देवरातः, महारातः, यज्ञवल्क्यः, वाजसनिः इत्याद्यनेकनामभिः प्रख्यातस्य ऋषेः पुत्रः ।

४–अयं च श्रीशंकरानुमतसावित्रीशापाद्ब्रह्मणस्त्रिगुणात्मकस्यादित्यस्य राजसोंऽशश्चारायणमुनेस्तपसा सन्तुष्टः संस्तत्प्रार्थनया यज्ञियाग्नेरवतीर्णः ।

५–अस्य मातुर्नाम सुनंदा इति ।

६–अस्य जन्मवासरः केषांचिन्मते ज्येष्ठशुक्लदशमी, केषांचिन्मते कार्तिकशुक्लनवमी, केषांचिन्मते फाल्गुनशुक्लपंचमी, इमाः सर्वास्तिथयो यथार्थप्रमाणविधुरा इति कृत्वा न सर्वसंमताः । अस्मन्मते तु श्रावणशुक्लचतुर्दशीविद्धपूर्णिमायां मध्याह्ने याज्ञवल्क्याय वेदाः श्रीसूर्येण दत्ताः । अतः सा तिथिरेवोत्सवादौ समादरणीयेति ।

७–याज्ञवल्क्येन पूर्वं कुलपतेः श्रीशाकल्यमुनेर्ऋग्वेदोऽधीतः । परंतु आनर्तराजस्य कृते गुरुणाऽत्यन्तं भर्त्सितोऽन्ते तच्छापभीत्या तदाज्ञया तदधीतमृग्वेदं तत्याज ।

८–ततः स्वमातामहान्महामुनेर्वृद्धाद्वैशम्पायनाद्यजुर्वेदमधीतवान् । परन्तु तत्रापि गुरुणा स्वोक्तमन्यथा गृहीत्वा भर्त्सिते सति अंते च तच्छापात्तदाज्ञयैव यजुर्वेदाध्ययनमपि तत्याज ।

९–ततो मानुषं गुरुमिदानीं नोपैमीति प्रतिज्ञाय चतुर्विंशलक्षसंख्याकगायत्रीमन्त्रपुरश्चरणादितपस्यया भगवंतं त्रयीमयमादित्यं तोषयित्वा तस्माच्चतुरो वेदानधीतवान् ॥

१०–ततो गुरुदक्षिणां दत्त्वा संन्यासार्थं प्रवृत्तो याज्ञवल्क्यो गुरोरादेशादेव कियत्कालपर्यंतं संन्यासग्रहणं सन्निरुध्य मैत्रेयीकात्यायनीभ्यां सह क्रमादुद्वाहं कृत्वा गृही समभवत् ॥

११–तत्र च गृहस्थाश्रमे आदित्याल्लब्धवेदचतुष्टय्यां शिष्यप्रशिष्यद्वाराऽनेकाः शाखाः विस्तारिताः । शतपथब्राह्मणं चाभिव्यक्तिं नीतम् । याज्ञवल्क्यस्मृतिर्याज्ञवल्क्यगीता च प्रणीता । जनकसभायां महान्तम्ब्रह्मवादं कृत्वा सर्वजित्समभवत् । तेन जनकराजदेशिकत्वं स्वीकृत्य तस्मै ब्रह्मज्ञानमुपदिदेश श्रीसूर्यलब्धसामर्थ्येन स्वविरोधिनं शाकल्यं मृत्युपथं नीतवांश्च । अनेकेषु यज्ञेष्वार्त्विज्यं विधाय स्वयमप्यनेकान्यज्ञानकार्षीत् । कात्यायन्यां श्रीकात्यायननामकं पुत्रं च संजनयामास ॥

१२–पिप्पलादमुनिसंबन्धिन्या कयाचिदप्रतर्कितघटनया याज्ञवल्क्यो भगवन्तं सदाशिवं शरणमन्वित्य तस्माद्योगीश्वरपदवीं सम्पादयामास ॥

१३–महामुनिना पारस्करापरनाम्ना कात्यायनाचार्येण स्वपित्रा श्रीयोगीश्वरयाज्ञवल्क्येन प्रतिष्ठापितस्यादित्यसंप्रदायस्य स्मार्तश्रौतसूत्रतत्परिशिष्टादिविविधग्रन्थप्रणयनं कृत्वा तद्द्वारा सर्वतः परिपोष्य सर्वविधा संधारणा व्यधायि। अयमेवांते संयोजितसूत्रद्वयस्य कर्तेति ॥

१४–अन्ते च ज्येष्ठभार्यायै ब्रह्मवादिन्यै मैत्रेय्यै स्वनिष्ठं ब्रह्मविद्याधनं कनिष्ठायै सधोवध्वै कात्यायन्यै गृहपश्वादिलौकिकं धनं प्रदाय स्वयं संन्यस्य ब्रह्मभावं समाययौ।

१५–निर्वाणवासरस्तु नोपलब्धः।

एवं संक्षेपतः सिद्धांतमार्गेण श्रीयाज्ञवल्क्यचरितमत्र विवृतम्। विस्तारः प्रमाणजातं कात्यायनकृता ग्रन्थाश्च सर्वमस्मत्प्रकाशिते याज्ञवल्क्यचरित्रे विलोकनीयम्। अतिविस्तरभिया नात्र विवृतम् ॥

शतपथब्राह्मणभाष्यकाराः।

हरिस्वामी।

माध्यन्दिनशतपथब्राह्मणे श्रीमदाचार्यहरिस्वामिनां भाष्यं वर्तते। स च स्वीये भाष्ये प्रत्यध्यायमन्ते श्लोकद्वयं श्लोकत्रयं वा लिलेख। तथाहि–" नागस्वामिसुतोऽवन्त्यां पाराशर्यो वसन्हरिः। श्रुत्यर्थं दर्शयामास शक्तितः पौष्करीयकः। श्रीमतोऽवन्तिनाथस्य विक्रमार्कस्य भूपतेः। धर्माध्यक्षो हरिस्वामी व्याख्यच्छातपथीं श्रुतिम् ॥ भूभर्त्रा विक्रमार्केण क्लृप्तां कनकवेदिकाम्। दानाध्यक्षस्य कृतवान् श्रुत्यर्थविवृतिं हरिः " ॥ " इति श्रीसर्वविद्यानिधानकवीन्द्राचार्यसरस्वतीनां श्रीहरिस्वामिनां कृतौ माध्यन्दिनीयशतपथब्राह्मणभाष्ये प्रथमे हविर्यज्ञकाण्डे नवमोऽध्यायः समाप्तः। " ॥ एतच्छ्लोकानां पर्यालोचनेनायं हरिस्वामी पाराशरगोत्रोद्भवस्य पुष्करणाब्राह्मणकुलावतंसस्य वा पुष्करक्षेत्रवासिनो नागस्वामिनः सूनुः। स चोज्जयिन्यपराभिधावन्तीक्षेत्रमध्युष्य महाराजस्य श्रीविक्रमार्कस्य धर्माध्यक्षपदं दानाध्यक्षपदं चाधिष्ठाय माध्यन्दिनशतपथब्राह्मणे " श्रुत्यर्थविवृतिः " इत्याख्यं भाष्यमकरोत्। अस्य च सर्वविद्यापारदृक्त्वनिदर्शकं " सर्वविद्यानिधानकवीन्द्राचार्यसरस्वती " इत्युपपदमप्यासीत्। अयं च विक्रमार्कसमयेऽर्थादितः पूर्वं १९९६ वर्षात्प्रागिमां भूमिं भूषयामास। अस्य च समग्रं भाष्यं नोपलभ्यते। यदुपलभ्यते तदपि लेखकप्रमादादशुद्धिबहुलम्। अस्य भाष्यं तु अतीव गभीरमस्ति। तस्योपलब्धौ संशोधने च विद्वद्भिरवश्यं प्रयतितव्यमिति ॥

सायणाचार्यः।

अनेन च स्वज्येष्ठभ्रात्रा श्रीमाधवाचार्येण प्रेरितस्य श्रीपरमेश्वरवैदिकमार्गप्रवर्तकस्य सम्राजः श्रीहरिहरमहाराजस्याज्ञया चतुर्ष्वपि वेदेषु भाष्याणि विलिख्य तानि ज्येष्ठभ्रातुरादरार्थं ' माधवीयानि ' इति विशेषणेन भूषयित्वा प्रसिद्धिं नीतानि, इति " स प्राह नृपतिं राजन्सायणार्यो ममानुजः। सर्वं वेत्त्येष वेदानां व्याख्यातृत्वेन युज्यताम्। इत्युक्तो माधवार्येण वीरबुक्कमहीपतिः। अन्वगात्सायणाचार्यं वेदार्थस्य प्रकाशने " ॥ आभ्यां श्लोकाभ्यां ज्ञायते। वीरबुक्क इति श्रीहरिहरमहाराजस्य नामान्तरम्। तेषु वेदभाष्येषु मध्ये ऋग्यजुःसामवेदानामेकैकस्याः शाखाया वेदस्य भाष्यं कृत्वाऽनंतरं माध्यन्दिनशतपथब्राह्मणे सायणाचार्येण भाष्यं व्यरचीति " ऋग्यजुःसामशाखानामेकैका व्याकृता त्वया। तावता तत्समानार्था ज्ञातुं शक्यास्ततः पराः ॥ वासना विशदा यत्र मन्त्रार्थानामशेषतः। प्रायेणाध्वर्यवं कर्म पूर्णं शाखान्तरैर्विना ॥ करामलकवद्यत्र परं तत्त्वं

प्रकाशितम् । या काचित्तादृशी शाखा त्वया व्याख्यायतामिति ॥ सर्वतः सायणाचार्यो विमृश्योदीरितान्गुणान् । माध्यन्दिने शतपथे ब्राह्मणे व्याकरोति तत् " इति तदीयभाष्योपक्रमस्थश्लोकैः स्पष्टं भवति । अस्य भाष्यस्य च नाम ' वेदार्थप्रकाशः ' इति प्रत्यध्यायस्थसमाप्तिलेखोल्लिखितेन " माधवीये वेदार्थप्रकाशे माध्यन्दिनशतपथब्राह्मणभाष्ये " इति भाष्यविशेषणेन स्पष्टीभवति । तथैवैतत्समाप्तिलेखोल्लिखितेन " श्रीहरिहरसाम्राज्यधुरन्धरेण " इति स्वस्मै दत्तविशेषणेन श्रीहरिहरमहाराजस्यायं प्रधानतमोऽमात्य आसीदित्यपि प्रतीयते । अयं च आत्मपुराणगीताव्याख्यादिग्रन्थकर्तृत्वेन विश्रुतयशसः श्रीशंकरानन्दापरनामधेयविद्यातीर्थस्य गुरोः शिष्य इत्यपि " यस्य निश्वसितं वेदा यो वेदेभ्योऽखिलं जगत् । निर्ममे तमहं वन्दे विद्यातीर्थमहेश्वरम् ॥ वेदार्थस्य प्रकाशेन तमो हार्दं निवारयन् । पुमर्थांश्चतुरो देयाद्विद्यातीर्थमहेश्वरः " इति प्रत्यध्यायस्यादिमान्तिमश्लोकाभ्यामवबुध्यते । अयं च विजयनगरसाम्राज्यस्य प्रधानतमोऽमात्य आसीदित्यनेनैव विक्रमार्कसंवत् १३७२–१४२९ मिते काले इमां भारतवसुन्धरामलंचकारेत्युक्तं भवति । अयं च संन्यस्य श्रीशंकराचार्यपदमप्यधिष्ठितवान् । संन्यासाश्रमे तु " विद्यारण्यस्वामी " इति नाम्ना प्रथितोऽभूत् । अनेन च भारतीयवाङ्मये प्रतिश्रेण्यां बह्वी ग्रन्थसम्पत्तिर्निरमायि । अयं च भारतेऽभूतपूर्वः पण्डितः समजनि । अस्य च सकलं चरित्रं बहुत्र प्रसिद्धमतो नात्र विस्तरभिया वितन्यते ॥

पाठकोपाभिधो गणेशशास्त्री ।

अनेनापि माध्यंदिनशतपथब्राह्मणे ' स्वरप्रकाशाख्यं ' भाष्यं व्यलेखि । अयं च शांडिल्यगोत्रोत्पन्नस्य पाठकोपाभिधस्य श्रीरंगनाथस्य सूनुः । अयं च मूलतः पश्चिमखान्देशांतर्गतपाह्लोळाग्रामनिवासी पश्चाच्छ्रीमतो यशवंतरायमहाराजस्य धारानरेशस्याश्रयेण धारानगरीमध्युवास, अग्रे तृतीयस्य श्रीमतोऽनंदरायमहाराजस्य राज्यसमये तदीयो दानाध्यक्षश्चासीत् । अनेनेदं भाष्यं संवत् १९२९–१९४० मिते समये विरचितमस्ति । एतस्य भाष्यस्यैका प्रतिकृतिर्धारानगर्यां तदीयपौत्रस्य श्री. रघुनाथमुकुंदपाठकइत्येतस्य सविधेऽस्ति । प्रकृतग्रन्थप्रकाशनाय यदा प्रवृत्ता एतत्प्रेसस्वामिनस्तदा मया पं. मुकुंदशास्त्रीपाठकमहोदयाः बहुवारं प्रार्थिताः यदेतद्भाष्यं मह्यं दीयतामहं सायणभाष्येण साकमिदं भाष्यमपि संयोज्य प्रकाशयिष्ये । परं च तैर्न दत्तम् । तैरुक्तं धाराधिपतिर्यदा प्रकाशयिष्यति तदा प्रकाशितं स्यात्, नान्यदा । आस्तां नाम । एतस्य भाष्यस्य विशेषस्तावत्तदीयैरेवांतिमश्लोकैः प्रथितो भवति । तथाहि–"प्रयोगसिद्ध्यै स्वरसाधनाय यत्कल्पितं क्वापि धिया बुधास्तत् । विरुध्यते चेत्रिमुनिप्रणीतशास्त्रेण सोढव्यमिदं तथापि ॥ छन्दसि दृष्टानुविधिर्बाहुलकं व्यत्ययः परादिरिति । संज्ञासु धातुरूपाणीत्यादिवचोभिरभ्यनुज्ञानात् ॥ यत्कृतमिह साहसमिदमखिलं क्षंतव्यमेव विद्वद्भिः । अपुरोभागिभिरस्य च गुणग्रहणकौतुकान्वितैः पुरुषैः ॥ व्याख्यानपौनरुक्त्यं दूरस्थस्य स्मृतिप्रलंभाय । त्यक्तं न गौरवभिया यावच्छक्यं लाघवं व्यरचि ॥ गुरुतया न चकार च भाष्यकृच्छतपथे स्वरलेखनमित्यदः । व्यरचि तत्कृतिवीक्षणलब्धया निजधिया परिशिष्टमिदं मया ॥ इति श्रीपाठकोपनामकरंगनाथसुतगणेशविरचितं शतपथव्याख्यानं स्वरप्रकाशाख्यं सम्पूर्णम् । " इति ।

महाभारतव्याख्याता नीलकण्ठः ।

सुप्रसिद्धस्य महाभारतव्याख्यातुश्चतुर्धरवंशविभूषणगोविंदसूनोः श्रीनीलकण्ठस्य काण्वीये शतपथे भाष्यमस्तीति महाभारते वनपर्वणि अ. १६३ श्लो. ११ इत्यत्र–टीकायां " तामिस्रं प्रथमं पक्षम् । केचित्तु–इत एव प्रथमशब्दान्मासारम्भे कृष्णपक्षस्य प्राथम्यमिच्छंति । तदसत् " इत्याद्युपक्रम्य " सूर्यामासौ विचरतो दिवीव " मंत्रवर्णात् । सूर्यामासौ सूर्यचन्द्रमसावित्यर्थः । निपुणतरमुपपादितमेतदस्माभिः काण्वशतपथभाष्ये एकपादिकाकाण्डे " इति । अस्माल्लेखात्प्रतीयते । नेदमिदानीं भाष्यमुपलभ्यते । अयं च प्रायः इतः पूर्वं ५०० वर्षात्प्राक् महाराष्ट्रभूमिं मण्डयति स्म ॥ इति ॥

बृहदारण्यकोपनिषद्भाष्याणि ।

बृहदारण्यकोपनिषदि श्रीसायणाचार्यकृतं भाष्यं तथा श्रीहरिस्वामिकृतं भाष्यं नोपलब्धम् । अस्ति तूभयोरपि भाष्यं परं च लुप्तप्रायमेव । तल्लब्धौ संशोधकमाहाभागैर्यतितव्यमवश्यमेव ॥

प्रकृतभाष्यकर्ता-वासुदेवब्रह्मभगवान् ।

अनेन माध्यन्दिनपाठमाश्रित्य बृहदारण्यकोपनिषदि वासुदेवप्रकाशिकाख्यं भाष्यं कृतम् । अयं च श्रीपाठकाभिधस्य पुत्रः श्रीहृषीकेशब्रह्मभगवत्पूज्यपादस्य शिष्यः परमहंस आसीदिति तदीयभाष्यसमाप्तिलेखतो दृश्यते । अयं च कदा कां भूमिं भूषितवानित्यादि तदीयैतिह्यं नोपलब्धम् ॥

द्विवेदगंगः ।

अनेनापि माध्यन्दिनपाठमाश्रित्यैव बृहदारण्यकोपनिषदि मुख्यार्थप्रकाशिकानामकं भाष्यं कृतम् । अयं च विद्वज्जनतिलकपदमण्डितस्य द्विवेदश्रीनारायणस्य सुतः । अयं च गुर्जरनागरब्राह्मण इति प्रसिद्धः । इदं च भाष्यं जर्मनदेशे मुद्रितपुस्तके संगृहीतमस्ति ॥

नित्यानन्दाश्रममुनिः ।

अयं च पुरुषोत्तमाश्रमपूज्यपादशिष्यत्वेनात्मानं प्रथयति । अनेन कण्वपाठमाश्रित्य बृहदारण्यकोपनिषदि मिताक्षरानामकं व्याख्यानमकारि । तच्च पुण्यपत्तनस्थानन्दाश्रमे मुद्रणालये मुद्रितमेव ॥

प्राय इदं व्याख्यानत्रयमन्योऽन्यसादृश्यमावहति । त्रयाणामपि कालानुपलब्ध्या कः पूर्वः को मध्यः क उत्तरः केन किं व्याख्यानमुपजीव्य स्वं व्याख्यानं निर्मितमिति विमृष्टेऽपि न निश्चेतुं शक्यते ॥

दिगंबरानुचरः ।

अनेन बृहदारण्यकोपनिषदि बृहदारण्यकार्थप्रकाशाख्यं व्याख्यानं कृतम् ॥

श्रीमच्छंकराचार्याः ।

आचार्यपादानां काण्वपाठाश्रितं बृहदारण्यकोपनिषद्भाष्यं सर्वविश्रुतम् । तेषां चारित्रमपि सर्वविदितम् ॥

आनंदगिरिः ।

अनेन त्वाचार्यभाष्यं विवृतम् । स्वातन्त्र्येण मूलं न विवृतम् ॥

सुरेश्वराचार्यः ।

एतेनाप्याचार्यभाष्यमुपजीव्यैव बृहदारण्यकोपनिषदि वार्तिकं व्यरचि । अस्यापरं नाम मण्डनमिश्र इति । अस्य सकलं चरित्रमाचार्यपादचरित्रेण सहैव सर्वविश्रुतम् ॥

भर्तृप्रपंचः ।

बृहदारण्यकोपनिषदि अस्यापि भाष्यमस्ति । अयं च श्रीमच्छंकराचार्येभ्यः प्राचीनः "तस्या इयमल्पग्रन्था वृत्तिरारभ्यते" इत्याचार्यभाष्यव्याख्यायाः "तस्या इति । भर्तृप्रपंचभाष्याद्विशेषान्तरमाह । अल्पग्रन्थेति ।" इत्यानन्दगिर्युक्तेर्भाति । अयं भर्तृप्रपंचः कात्यायनश्रौतस्मार्तसूत्रव्याख्याता भर्तृयज्ञश्च एको भिन्नो वेति विद्वद्भिर्निश्चेतव्यम् । मन्मते त्वेक एवाभाति ॥

उपनिषद्भाष्यम् ।

यथा भागवते चूर्णिका तथैव इदं च बृहदारण्यकोपनिषदि चूर्णिकेति मन्तव्यम् । इदं च मत्सविधेऽस्ति । अत्र कर्तृनामाद्युल्लेखो नास्ति ॥

इतराण्यपि बहूनि भाष्याणि ।

१-सिद्धान्तदीपिका, २-रघूत्तमकृता परब्रह्मप्रकाशिका, ३-गंगाधरेन्द्रकृता दीपिका, ४-मथुरानाथकृता लघुविवृतिः, ५-नारायणकृता दीपिका, ६-विज्ञानभिक्षुकृतं भाष्यम्, ७-बृहदारण्यकविवेकः, ८-बृहदारण्यकविषयनिर्णयः, ९-राघवेन्द्रकृतः बृहदारण्यकोपनिषत्खण्डार्थोऽथवा बृहदारण्यकोपनिषदर्थसंग्रहः, १०-व्यासतीर्थकृतं भाष्यं, ११-आनन्दतीर्थकृतं भाष्यं, १२-आनन्दतीर्थकृता शांकरभाष्यटीका, १३-श्रीमद्रामानुजाचार्यकृतं भाष्यं, १४ श्रीमद्वल्लभाचार्यकृतं भाष्यं, १५ श्रीमन्मध्वाचार्यकृतं भाष्यं, १६-एवमेव भिन्नभिन्नसंप्रदायान्तर्गतशिष्यप्रशिष्यादीनां व्याख्यानोपव्याख्यानानि बहूनि सन्ति ।

तेषु कानिचित्प्रसिद्धानि कानिचिदप्रसिद्धानि । सर्वेषामत्र विवरणं ग्रन्थगौरवमावहेदतो न क्रियते ॥

शतपथब्राह्मणोक्तकर्मणां प्रकृतिविकृतिविमर्शः ।

अथ शतपथोक्तकर्मजातसंबंधि विषयावगाहनं सुगमतया भवत्वेतदर्थं श्रौतकर्मणां प्रकृतिविकृतिभावविषये किंचिद्विमृश्यते । तथाहि—

कर्म्मणां प्रकृतीरनुक्रमिष्यामः । कर्मणां वैकृतानां कर्मणां विध्यादिविध्यंतवती प्रकृतिः, यत्र पुनर्विध्यादिमात्रमस्ति विध्यंतो नास्ति सा विकृतिः, इति " गृह्यस्थालीपाकानां कर्म " (पा. गृ. सू. १ । १ । १) इति सूत्रभाष्ये कर्कः । ताः प्रकृतीः क्रमेण कथयामः ।

अथातः प्रकृतयः । अथेति मन्त्रब्राह्मणविवरणानन्तर्ये । अत इति हेत्वर्थे, अग्रे यज्ञानां वक्ष्यमाणतया तत्प्रकृतीनामावश्यकं कथनम् ॥

पूर्णाहुतिराहुतीनाम् । पूर्णाहुतिरिति कर्मणो नामधेयं तत्स्वरूपमग्न्याधेये आचार्येण प्रदर्शितं -"निरूप्याज्यं गार्हपत्येऽधिश्रित्य स्रुक्स्रुवं च संमृज्योद्वास्योत्पूयावेक्ष्य गृहीत्वाऽन्वारब्ध एव९ सर्वत्र स्वाहेति " (का. श्रौ. सू. ४ । २४७) एव९ सर्वत्रेति यत्राऽव्यक्ता जुहोतिचोदना तत्राधिश्रयणादि प्रवर्तते । कुत एतत् जुहोतिशब्दात् अव्यक्ततासामान्याच्चेति तत्रैव कर्कः । पूर्णाहुतिधर्माश्च अनुद्धृताभ्यस्तमयाहुतौ विहिताः । तथाच श्रुतिः-" तदाहुर्यस्याहवनीयमनुद्धृतमादित्योऽभ्यस्तमियात्किं तत्र कर्म का प्रायश्चित्तिः " इत्युपक्रम्य-" तमुपसमाधाय प्रतिपरेत्य गार्हपत्य आज्यमधिश्रित्योद्वास्योत्पूयावेक्ष्य चतुर्गृहीतमाज्यं गृहीत्वा समिधमुपसंगृह्य प्राङुदाद्रवत्यधाहवनीये समिधमभ्याधाय दक्षिणं जान्वाच्य जुहोति विश्वेभ्यो देवेभ्यः स्वाहेति " (श. प. १२ । ४ । ६ । ६) इयं तु विहितधर्मका अग्न्याधेयोक्ता तु अविहितधर्मका, ततश्चोदनासारूप्येण ततो धर्मान् गृह्णाति । अत आचार्येण तदीया धर्मा इहोपदिष्टाः । तत्रान्वारंभणवरदाने न विहिते, अतस्तयोरनतिदेशः । वाग्यमोऽपि चेहैवेति, नातिदिश्यते इति " तत्रैव वरं ददामीति वाग्विसर्जनम् " (का. श्रौ. सू. ४ । २४८) इति सूत्रभाष्ये कर्कः । इति पूर्णाहुतिस्वरूपम् । सा पूर्णाहुतिः अव्यक्तजुहोतिचोदनानामाहुतीनां प्रकृतिर्बोध्या ॥

दर्शपूर्णमासाविष्टीनां दर्वीहोमानां च । तथाच श्रौतसूत्रं " दर्शपूर्णमासधर्मा इष्टिपशुषु सामर्थ्याद्दर्शनाच्चेति " (का. श्रौ. सू. ४ । ३ । २ । ३) " दर्वीहोमाः पौर्णमासधर्मा जुहोत्यविशेषाज्जुहूदर्शनाच्चेति च " (का. श्रौ. सू. ६ । १० । १७ । १८) पौर्णमासशब्दश्च दर्शस्याप्युपलक्षणम् । दर्वीहोमानामिति अव्यक्तचोदनानां यजतीनामुपलक्षणम् । तथा चात्रैव सूत्रे कर्कः पौर्णमासशब्दश्च दर्शस्याप्युपलक्षणम् । पयःसाधनकेऽपि द्रव्यसामान्यात्साणाय्यधर्मा इष्यंते । कुत एतत्, पौर्णमासधर्मा इति जुहोत्यविशेषात् । जुहोतियजत्यो-

र्यतः अविशेषः। उभयत्र हि द्रव्यदेवतावत्त्वं, "त्रैय्यंबकान्निर्वपति रौद्रान्" इति निर्वपतिशब्देनौषधमवगम्यते, सौर्यादिषु दृष्टत्वात्, तथाऽन्यत्र धानाभिर्जुहोति सक्तुभिर्जुहोति लाजैर्जुहोतीति द्रव्यविधानं, मान्त्रवर्णिक्यो देवताः, तेनोभयत्र द्रव्यदैवतावत्त्वात् यजतिजुहोत्योरविशेषः, अधर्मकाश्च दर्वीहोमाः, धर्मापेक्षायां च सत्यां द्रव्यदेवतावत्त्वसामान्यात् पौर्णमासधर्मो इति युक्तरूपता, मारुतानि प्रकृत्य श्रूयते, "कथमस्यैते पुरोऽनुवाक्यवन्तो याज्यवन्तो वषट्कृते स्रुचा हुता भवन्ति" इति प्रश्नपूर्वकमाह–"एतेषां वै सप्तपदानां मारुतानां यानि त्रीणि प्रथमानि पदानि सा त्रिपदा गायत्री पुरोऽनुवाक्याऽथ यानि चत्वार्युत्तमानि सा चतुष्पदा त्रिष्टुब् याज्येदमेव कपुच्छलमयं दंडः स्वाहाकारो वषट्कार एवमु हास्यैते पुरोऽनुवाक्यवंतो याज्यवन्तो वषट्कृते स्रुचा हुता भवन्तीति" (श. प. ९। ३। १। १७) चयनप्रकरणे। श्रुत्यर्थः–एतेषां सप्तपदानां मारुतानामित्यत्र मारुतशब्देन तद्धोमसाधनभूताः शुक्रज्योतिश्चेत्यादयो मन्त्रा विवक्ष्यन्ते, ते च सप्तपदा भवन्ति "अतश्च तेषां मन्त्राणां यानि प्रथमानि त्रीणि पदानि संति सा त्रिपदा गायत्री, इयमेव पुरोऽनुवाक्या भवति, अथ यानि चत्वार्युपरितनानि सन्ति तानि चतुष्पदा त्रिष्टुप्, सैव याज्या भवति" इदमेवेति प्रस्तुतिरभिनयेन प्रदर्श्यते। कपुच्छलमिति स्रुङ्मुखमुच्यते। अयमिति बाहुदंडः प्रदर्श्यते। एवं बाहुरेव स्रुग् इत्युक्तं भवति, स्वाहाकार एव वषट्कारो भवति। इत्थमुक्तप्रकारेण अस्याग्नेः यजमानस्य वा संबंधिनः एते मारुताः पुरोनुवाक्यायाज्यावन्तो वषट्कृते स्रुचा हुता भवन्ति इदमेव कपुच्छलमयं दंड इति स्रुगनुग्रहः। एतेषां च पौर्णमासदृष्टानामनुग्रहं ब्रुवन् पौर्णमासधर्मित्वं दर्शयतीति कर्कः॥

दर्शः पयोद्रव्याणाम्–पयःसाधनकेषु हि द्रव्यसामान्यात्सान्नाय्यधर्मा इष्यन्ते, इति "दर्शपौर्णमासधर्मा इष्टिपशुषु" (का. श्रौ. सू. ४। ८०) इति सूत्रभाष्यस्थकर्कात्॥

पशुश्चाग्नीषोमीयः पशूनामैंद्राग्नसौर्यप्राजापत्यानां च। ज्योतिष्टोमान्तर्गतः अग्नीषोमीयः पशुः ऐन्द्राग्नसौर्यप्राजापत्येति विकल्पितदैवतनिरूढपशोः तदितरेषां सौत्रामण्यादिसर्वश्रौतपशूनां च प्रकृतिः। प्रकारः समुच्चयार्थः। यत्तु दर्शपूर्णमासधर्मा इष्टिपशुष्विति सूत्रेण चास्य निरूढपशोः दर्शपूर्णमासप्रकृतित्वमुक्तं, तत्तु निरूढपशोर्हविर्यज्ञत्वसामान्यात्। कुत एतत् निरूढपशुर्द्विविधः, हविर्यज्ञविधः सवविधश्चेति। तथाच श्रुतिः "हविर्यज्ञविधो वान्यः पशुबन्धः सवविधोऽन्यः स हैष हविर्यज्ञविधो यस्मिन् व्रतमुपनयति यस्मिन्नपः प्रणयति यस्मिन् पूर्णपात्रं निनयति यस्मिन् विष्णुक्रमान् क्रमयत्यथ हैष सवविधो यस्मिन्नेतानि न क्रियन्ते" इति, (श. प. ११-७ २-१) इत्येवं निरूढपशोर्द्वैविध्यं, अतोऽस्य च प्राणिसाधनकत्वसामान्यात् अग्नीषोमीयविध्यन्तग्राहकत्वमिति कर्कोऽपि निरूढपशौ आद्यसूत्रविवरणात्प्रथमं उभयप्रकृतित्वं सिद्धांतितवान्। अतः कर्कपादैर्दर्शपूर्णमासधर्मा इष्टिपशुष्विति सूत्रे इष्टिषु पशौ चेति द्रष्टव्यम्। पश्वन्तरेषु हि अग्नीषोमीयधर्मप्राप्तिं वक्ष्यति अग्नीषोमीयदर्शनादिति (का. श्रौ. सू. ६–१०–१४)।

स्मार्तपशूनामपि अग्नीषोमीय एव प्रकृतिः। तथाच श्रौतकल्पे, "अग्नीषोमीयात्पशुषु" इति सर्वत्र श्रौतस्मार्तपशुषु अग्नीषोमीयप्रकृतिमुक्त्वा स्मार्तपशुषु शाखानियोजनं, वपां हुत्वा त्रीणि पंच सर्वाणि वा अवद्यति न सर्वाण्येवेति सर्वाभावे शेषात्स्विष्टकृतः इत्याद्यपवादमाचार्यो वदति (का. श्रौ. सू. ६।१०।२९।३२) यत्तु निरूढपशुबन्धमुरीकृत्य अग्नीषोमीयधर्मानुकथनं कृतमाचार्येण तदुक्तरूपम्। अग्नीषोमीयधर्माणां हि सौमिकैर्धर्मैरत्यंतव्यतिषंगादिति कर्कः। अग्नीषोमीयः पशुः सर्वपशूनां प्रकृतिभूतोऽपि स्वयं सान्नाय्यविकृतिः, तत्रापि पयोविकृतिभूतः।

सौत्य एकादशिनानाम्। सौत्य अग्निष्टोमीयसवनीयः पशुः एकादशिना वा विहृताः (का. श्रौ. सू. ११ ९।१४) इति द्वादशाहविहृतादीनां सर्वेषामेकादशिनानां पशूनां प्रकृतिः॥

एकादशिनः पशुगणानाम् । सूत्रत्रय्यामेकादशिनशब्दोऽकारांतः पुमान्, एकादशिनेतिशब्देनाप्यवक्तव्याः अनेके यत्र पशवस्ते पशुगणाः, तेषां एकादशिनः पशुः प्रकृतिः । यथा वाजपेये सप्तदशप्राजापत्यपशुगणः । एवमित्तरेषां पशुगणानाम् ।

वैश्वदेवं चातुर्मास्यानाम् । तथाहाचार्यः " वैश्वदेवधर्माश्चातुर्मास्येषु वचनप्रवृत्तिभ्यामिति " (का. श्रौ. सू. ४।२।४।) ॥

सोमावभृथोऽवभृथानाम् । तथाहाचार्यः " सोमाच्चावभृथे सामप्रतिषेधात् " (का. श्रौ. सू.४।२।९) अवभृथ इति जातावेकवचनं,ततश्च वरुणप्रघाससौत्रामण्याद्यवभृथाः सर्वे सर्वेषामवभृथानां सौमिकोऽवभृथः प्रकृतिः॥

प्रातःसवनं सवनानाम् । " सर्पणादिमाध्यंदिनम् " (का. श्रौ. सू. १०।१।१) " समन्वारब्धनिष्क्रमादि करोत्यग्नीदग्नीनिति प्रैषात् " (का. श्रौ. सू. १० । १ । १४) अत्र सर्पणमादित्यग्रहस्य प्राक् तृतीयसवनश्रुतेः " (का. श्रौ. सू. १० । ४ । १३) " प्रातःसवनप्रभृत्यासेवादाच्छुतेः शामित्रनुशासनप्रभृतीशांतं कृत्वा पुरोडाशादि चेडाभक्षात् " (का. श्रौ. सू. १० । ९ । ७) इत्यादि, प्रातःसवनधर्माणामितरयोः सवनयोः समाम्नानात् प्रातःसवनं प्रकृतिः । ऋतूनां भूयस्त्वापेक्षया सवनानामिति बहुवचनम् ।

अंश्वदाभ्यौ ग्रहाणाम् । द्वादशाहे विहितौ " अपो निधायाऽश्वदाभ्यग्रहणम् " (का. श्रौ. सू.१२।१।९) " बुभूषतोऽदाभ्यं गृह्णाति " (का. श्रौ. सू.१२।५।१५) इति सन्नियोगशिष्टौ एतत्संज्ञौ ग्रहौ, अंशुश्चादाभ्यश्चेति द्वंद्वः। अनयोर्ग्रहणं सत्रादिषु विहितम्। तथाच द्वादशाहे सूत्रं "सत्र–सहस्र-सर्ववेदस–वाजपेय–राजसूय–विश्वजित–सर्वपृष्ठेषु–ग्रहणमवकाश्यश्चेत्" (का. श्रौ. सू. १२।५।१३ ।) इति। एतौ अग्रिमग्रहाणां प्रकृतिः।

सुपर्णश्चित्यानाम् । श्रौतकल्पे षोडशसप्तदशाष्टादशेति अध्यायत्रिकोक्तः सुपर्णचित्यः गरुडाकृतिचित्योऽग्निः एकशतविधानां चित्याग्नीनां प्रकृतिः । तथाच तत्रैव-" उत्तरेषु पुरुषोच्चयेनैकशतविधानात् " " यथाग्निवेदीष्टकाप्रमाणं " " अन्तःपात्यगार्हपत्ययोरिच्छन्निति " (का. श्रौ. सू. १९ । ८ । २०–२२) इति ॥

ज्योतिष्टोम एकाहानां द्वादशाहानां च । तथाऽऽहाचार्यः–" ज्योतिष्टोमधर्माः एकाहद्वादशाहयोस्तद्गुणदर्शनात् " (का. श्रौ. सू. १२ । १ । १) उत्पत्तिवाक्ये देवताऽनभिधानतया अव्यक्तचोदनाचोदितो ज्योतिष्टोमः अव्यक्तचोदनाचोदितोद्भिदादिवैकृतयागानां अव्यक्तत्वसामान्यात् प्रकृतिः । तत्रैतावान् विशेषः– एकाहेषु चत्वारो व्रात्यस्तोमाः, षट् सायस्काः, चत्वारोऽग्निष्टुतश्च, तत्र प्रथमे व्रात्यस्तोमे, सायस्के, अग्निष्टुति च ज्योतिष्टोमः प्रकृतिः । द्वितीयादित्रिषु व्रात्यस्तोमेषु प्रथमो व्रात्यस्तोमः प्रकृतिः । एवं द्वितीयादिसायस्केषु प्रथमः सायस्कः प्रकृतिः । त्रिष्वग्निष्टुत्सु प्रथमोऽग्निष्टुत्प्रकृतिः । तथाऽऽहाचार्यः–" प्रथमस्य व्रात्यस्तोमसायस्केषु वचनात् " (का. श्रौ. सू. १२ । १ । २) " अग्निष्टुत्सु चैके " (का. श्रौ. सू. १२ । १ । ३) एके इति पूजार्थं, न तु विकल्पार्थम् । वचनादिति उच्यते अनेनेति वचनं नामातिदेशोऽयम् ॥

पूर्वं उत्तरेषाम् । अग्निष्टोमाः सप्त ७ । अग्निष्टोमः १ अत्यग्निष्टोमः २ उक्थ्यः ३ षोडशी ४ वाजपेयः ५ अतिरात्रः ६ अप्तोर्यामः ७ । एषां मध्ये यः पूर्वः प्रथमः अग्निष्टोमः स उत्तरेषां षण्णां सोमानां प्रकृतिः। षडुत्तरे अग्निष्टोमविकाराः । तथाऽऽहाचार्यः–" एष प्रथमः सोमः " (का. श्रौ. सू. १० । ९ । २९) " षडुत्तरेऽत्यग्निष्टोम उक्थ्यः षोडशी वाजपेयोऽतिरात्रोऽप्तोर्यामः " (का. श्रौ. सू. १० । ९ । २७) इति एष प्रथमः सोम इति अग्निष्टोमस्य प्राथम्यात् उत्तरेषां षण्णामग्निष्टोमानुष्ठित्यनन्तरमनुष्ठानं, न ततः प्राक् ।

षडुत्तरे इति विकारप्रकृतिः, न तु क्रमबोधः । तेन षडुत्तरे षट् विकारा इत्यर्थः । तथाच तत्रैव कर्कः–उत्तरो हि विकारो भवति प्रकृत्यपेक्षया प्रकृतिश्च पूर्वेति । तत्रापि उत्तरेषां षण्णां मध्ये केषांचित् क्रतुविकारत्वेऽपि संस्थाविकारत्वम् । उक्थ्यषोडश्यतिरात्रात्यग्निष्टोमानामग्निष्टोमविकारत्वम् । वाजपेयः षोडशिक्रतुपशूनां दर्शनात् षोडशिविकारः । अप्तोर्यामः अतिरात्रक्रतुतिरोह्वानां दर्शनात् अतिरात्रविकारः । अतः सोमविकृतित्वं संस्थाविकृतित्वं च । तेन स्वप्रकृत्यपेक्षया क्रतुत्वम् । ततश्च स्वातन्त्र्येणैषां क्रतुत्वेनानुष्ठानं क्रियते ॥

ज्योतिरतिरात्राणाम् । अग्निष्टोमसंस्थः सौमिकदक्षिणो ज्योतिर्नामा द्वितीय एकाहः नवसप्तदशादिसर्व्वस्तोमातानां त्रयोदशानामहीनानामपि एकाहधर्मिणां अतिरात्राणां प्रकृतिः ॥

द्वादशाहः सत्राहीनानाम् । तथा च श्रौतं सूत्रं–"द्वादशाहधर्मः सत्रेषु तद्गुणदर्शनात्" (का. श्रौ. सू. १२ । १ । १) द्वादशरात्रादीनां शतोक्थ्यान्तानां संवत्सरावराणां सत्राणां द्वादशाहः प्रकृतिरिति । "अभिप्लवं पूर्वं पुरस्ताद्विषुवत उपयन्ति पृष्ठ्यमुत्तरमिति" (का. श्रौ. सू. १२ । २ । ३ । ४) तथा "पृष्ठ्यमुपरिष्टाद्विषुवतः पूर्व्वमुपयन्तीति चेति" (का. श्रौ. सू. १२ । ३ । ४) पौर्वापर्यविधिपरे वाक्ये द्वादशाहिकपृष्ठ्यदर्शनादहीनानां च प्रकृतिः ।

गवामयनं सांवत्सरिकादीनाम् । गवामयनं संवत्सरसाध्यानां संवत्सरत्रयसाध्यानां महासत्राणां सारस्वतसत्राणां च प्रकृतिः, तथाच श्रौतसूत्रं, "संव्वत्सरप्रभृतीनि गवामयनप्रकृतीनि तद्गुणदर्शनादिति" (का. श्रौ. सू. २४ । ४ । २) ॥

इति प्रकृतिविकृतिविमर्शः ।

शतपथस्य बहुगुणवचनत्वम् ।

निरुक्ते हि–"बहुभक्तिवादीनि ब्राह्मणानि भवन्ति । पृथिवी वैश्वानरः, सम्वत्सरो वैश्वानरो, ब्राह्मणो वैश्वानर इति" ॥ (निरु. ७ । ७ । २४) भक्तिर्नाम गुणकल्पना, येन केनचिद्गुणेन ब्राह्मणं सर्वं सर्वथा ब्रवीति । तत्र तत्तत्त्वमन्वेष्टव्यम्भवति । एवमादि किमपि ब्राह्मणेन बहु वैश्वानरशब्देनोच्यते । एवं ब्राह्मणग्रन्थे–एकशब्देन गुणवचनत्वं दर्शितम् । तदेतच्छतपथेऽपि सम्भवति । तथा चोदाहरणम्–"मेध्या वाऽ आपः" (मा. श. प. १ । १ । १ । १) "वज्रो वाऽ आपः" (मा. श. प. १ । १ । १ । १७) "योषा वाऽ आपः" (मा. श. प. १ । १ । १ । १८) "शान्तिरापः" (मा. श. प. १ । २ । २ । ११) एवमन्यदप्युन्नेयम् । इति ॥

शतपथब्राह्मणस्याध्ययनप्रकाराः ।

"वेदस्वीकरणं पूर्वं विचारोऽभ्यसनं जपः । तद्दानं चैव शिष्येभ्यो वेदाभ्यासो हि पंचधा" इति मिताक्षरायाम् । १-द्विजैः पूर्वं गुरोः सकाशादक्षराद्यानुपूर्व्या वेदस्य स्वीकरणं नाम–अपूर्वमध्ययनम् । २–ततो गृहीतस्य वेदस्य विचारो नाम–अर्थावगतिसम्पादनम् । ३–ततोऽभ्यसनं नाम–कण्ठस्थीकरणम् । ४–ततो जपो नाम–ब्रह्मयज्ञाख्यो नित्यः स्वाध्यायः, पारायणादिको नैमित्तिकः स्वाध्यायश्च । ५–ततः शिष्येभ्यो दानं नाम–अध्यापनं प्रवचनं च । इत्येवं पञ्चप्रकारो वेदो यदाऽधीयते तदैव स्वाध्यायविधिश्चरितार्थ इति ध्येयम् । ब्रह्मयज्ञपारायणविध्यादयस्त्वन्यतो ज्ञेयाः । तेषामतिविस्तृतत्वान्नात्रोद्ध्रियन्ते ॥

अध्ययनादेः फलम् ।

अथास्य स्वाध्यायादिकरणे फलं तु स्वयं श्रुत्यैव दर्शितम् । "अथातः स्वाध्यायप्रशंसा । प्रिये स्वाध्यायप्रवचने भवतः । युक्तमना भवति । अपराधीनोऽहरहरर्थान्साधयते । सुखं स्वपिति । परमचिकित्सक आत्मनो

भवति । इन्द्रियसंयमश्च । एकारामता च । प्रज्ञावृद्धिः । यशोलोकपक्तिः । प्रज्ञा वर्धमाना चतुरो धर्मान्ब्राह्मणमभिनिष्पादयति । ब्राह्मण्यं प्रतिरूपचर्यां यशोलोकपक्तिम् । लोकः पच्यमानश्चतुर्भिर्धर्मैर्ब्राह्मणं भुनक्ति—अर्चया च दानेन चाज्येयतया चावध्यतया च " इति (श. प. ११ । ५ । ७ । १) । स्फुटार्था चेयं श्रुतिः । इतोऽप्यधिकं प्रशंसनमुक्तस्थले मूलग्रन्थे एव विलोकनीयं जिज्ञासुभिः । इति शिवम् ॥

प्रख्याते भुवि भारते क्षितिरसख्यालेन्दु १८६१ संज्ञे शके स्वब्देऽस्मिन् दुरितप्रमाथिनि नभःशुक्ले दशम्यां गुरौ ॥
प्रस्तावोऽभिनवः श्रुतेः शतपथाख्याया व्यलेखि प्रगे संतुष्येयुरनल्पसूक्ष्ममतयो निर्मत्सराः कोविदाः ॥ १ ॥
दूरमुत्सार्य मात्सर्यं सदसद्व्यक्तिकारणाः । शास्त्रं गृह्णन्तु संशोध्य प्रार्थयामीति सादरम् ॥ २ ॥
श्रीगोदातटगार्य्यनासिकगतो गाध्यन्दिनाम्नायवित् श्रौतस्मार्तविधानकौशलमतिव्यार्षेयपाराशरः ॥
वारे इत्युपनामसत्कुलजनिर्जैरामपौत्रः सुधीरात्याजीसुत आस्त वेदतिलकः श्रीश्रीमदण्णाभिधः ॥ ३ ॥
श्रौतस्मार्तविधौ कुशाग्रधिषणो धर्मागमे मर्मभित् मीमांसानयकोविदः श्रुतिकृती वेदार्थबद्धादरः ॥
काव्ये तीर्थपदं दधद्विजवरः श्रीश्रीधरस्तत्सुतः सद्विद्याभरणेत्युपाधिसहितः प्रास्ताविकं व्यालिखत् ॥ ४ ॥

इति श्रीगोदातटिनीतटनिकटवर्तिश्रीमन्नासिकमहाक्षेत्रवासिना " वारे " इत्युपनाम्ना ज्योतिर्विजयरामप्रपौत्र-भट्टात्याजीसूरिपौत्रश्रीमज्जगद्गुरुशंकराचार्यदत्त " वैदिकतिलक " पदसंभूषितश्रीमदण्णाशास्त्रिसूनुना काव्यतीर्थ-मीमांसक-विद्याभरणेत्युपाधिमता श्रीधरशर्मणा श्रीशुक्लयजुर्वेदीयमाध्यन्दिनशतपथब्राह्मण-मधिकृत्य प्रणीतोऽल्पतर उपोद्घातश्चरमवर्णध्वंसमगात् । इति ॥

निवेदनम् ।

अस्य माध्यन्दिनशतपथब्राह्मणस्य मुद्रणमद्यावधि द्वित्रिवारं जातम् । एकं मुद्रणं प्रुष्यजनपदे (जर्मनदेशे) बर्लिननगर्यां संवत् १८५५ मध्ये प्रो. अल्बेर्तेन बेबरमहोदयेन सम्पादितम् । अस्मिंश्च मुद्रणे आदौ तत्तत्काण्डस्य सस्वरं मूलं पश्चात्तत्तत्काण्डस्य सायणभाष्यं सायणभाष्यानुपलब्धौ क्वचिद्धरिस्वामिभाष्यमुपनिषद्भागे द्विवेदगङ्गकृतं मुख्यार्थप्रकाशिकाख्यं भाष्यं च संक्षिप्य संगृहीतम् । तत्र केषुचित्काण्डेषु भाष्यं सर्वथा नास्ति । इदं च शुद्धमस्ति । अपरं मुद्रणं कलकत्तानगर्यां सन् १९०१ मध्ये पं. सत्यव्रतसामाश्रमिणा कलकत्ताएशियाटिकसोसायटीकृते संपादितम् । एतच्च संस्करणं प्रथमद्वितीयतृतीयपंचमषष्ठकाण्डात्मकमेव । एतदपि प्रतिकाण्डमादौ मूलं ततः संपूर्णं सायणभाष्यं सायणभाष्यानुपलब्धिस्थले हरिस्वामिभाष्यं चेत्येवंरूपेण संस्कृतं सम्यक् शोधितं चास्ते । तृतीयं मुद्रणं अजमेरनगरीस्थवैदिकयन्त्रालये मूलमात्रं संपादितं वर्तते । इदानीं श्रीकाश्यां पण्डितप्रवरमहामीमांसकश्रीचिन्नस्वामिशास्त्रिवर्यैः कण्वशतपथब्राह्मणं मूलमात्रं कतिचित्काण्डात्मकं मुद्रापितमिति श्रूयते । इमानि च मुद्रणान्यसंपूर्णान्यतो नित्यस्वाध्यायादौ तदर्थपरिशीलनादौ चानुपयुक्तानि सन्ति ॥

प्रकृतं संस्करणं चोपरिनिर्दिष्टां क्षतिं परिहर्तुकामैः बंबईनगरस्थश्रीवेङ्कटेश्वरस्टीम्यन्त्रालयस्य तथा कल्याणनगरीस्थश्रीलक्ष्मीवेंकटेश्वरमुद्रणयन्त्रालयस्याध्यक्षैरस्मदादिद्वारा सम्पादितम् । अस्मिंश्च संस्करणे पाठकमहाभागानां तदर्थमधिगन्तुमनसां च सौकर्यार्थं प्रथमं सर्वस्मादुपरि सस्वरं वैदिकपरिभाषया संस्कृतं मूलं, तदधो वैदिकपरिभाषाविहीनोऽथसुलभत्वाय मूलपाठस्य ऋजुपाठः, तदधो भाष्यं, तदधः क्वचिद्विषमतापरिहाराय क्वचित्स्पष्टप्रतिपत्तये क्वचित्पाठान्तरबोधनाय क्वचिद्विरोधपरिहाराय क्वचित्तत्समानार्थकस्थलान्तरस्थविषयबोधनायेत्येवं विविधप्रयोजननिर्वर्तयित्रीभिष्टिप्पणीभिः परिष्करणमित्येवंलक्षणा पद्धतिः समादृता । मध्ये मध्ये विविधयज्ञविहारबोधकाः पट्टा आवश्यकानि विविधप्रसंगबोधकानि चित्राण्यपि

संयोजितानि। तथाऽन्ते वैदिकपरिभाषास्वरयोर्विज्ञानाय श्रीमत्कात्यायनकृतं प्रतिज्ञासूत्रं भाषिकसूत्रं च सभाष्यं संग्रथितम्। तृतीयकाण्डादौ पश्ववदानविवेकोऽपि सन्निवेशितः। भाष्यसंकलने तु यत्र श्रीसायणाचार्यभाष्यं न सम्प्राप्तं तत्रार्थात्प्रथमकाण्डे सप्तमाध्यायस्य चतुर्थब्राह्मणमारभ्य काण्डसमाप्ति यावत्, तथा चतुर्थकाण्डेऽन्तिमेऽध्यायत्रये, तथाऽष्टमकाण्डे चतुर्थाध्यायस्य चतुर्थब्राह्मणमारभ्य काण्डसमाप्ति यावत्, तथा द्वादशे त्रयोदशे च काण्डे श्रीहरिस्वामिभाष्यं, दशमकाण्डेऽन्तिमे ब्राह्मणद्वये श्रीमच्छंकराचार्यभाष्यं, तथा चतुर्दशे काण्डे बृहदारण्यकोपनिषदि श्रीवासुदेवब्रह्मभगवत्कृतं भाष्यं, तथा दशमकाण्डस्थमण्डलब्राह्मणे सायणभाष्येण सहैव पंडितमण्डनसंज्ञकं द्वितीयं सुविस्तृतं भाष्यं च सन्निवेशितम्। अनेन च भाष्यविवर्जितः कोऽप्यंशो नोर्वरितः। आदौ चायमुपोद्घातस्तथा पण्डितश्रेष्ठदीनानाथशास्त्रिसारस्वतप्रणीतः 'ब्राह्मणभागस्यापि वेदता' इति शीर्षकांकितः प्रबन्धश्च संस्थापितः। तदुभयमपि प्रेक्षावत्प्रवृत्तिं पुरस्करिष्यतीति सुदृढो विश्वासः। अनया सरण्या संस्कृतोऽयं महान् शुक्लयजुर्वेदीयमाध्यन्दिनशतपथब्राह्मणग्रन्थ इति बोध्यम्।

अस्य च संस्करणस्य संशोधनावसरेऽत्र उपक्षिप्तानां पुस्तकानां साहाय्यं समभवत्।

१–प्रो. वेबरमहाशयसंपादितं शुद्धं सभाष्यं मुद्रितं पुस्तकम्।

२–पं. सत्यव्रतसामाश्रमिसंपादितं शुद्धं सभाष्यं मुद्रितं पुस्तकम्।

३–अस्मदीयसंग्रहस्थं मूलमात्रं शुद्धं हस्तलिखितं पुस्तकम्।

४–मामकीनं प्रथमद्वितीयतृतीयदशमैकादशकाण्डात्मकं भाष्यमात्रं प्रायः शुद्धं हस्तलिखितं पुस्तकम्।

५–श्रीक्षेत्रकाशीवासिनां श्रौतस्मार्तपारदृश्वनां स्वर्वासं गतानां गौरीनाथदीक्षितजावजीभट्टमहोदयानां संग्रहस्थं तदीयपुत्रभ्रातृव्याभ्यां विद्वद्वराभ्यां श्रीसखारामदीक्षित-गणेशदीक्षितमहाशयाभ्यां दत्तं द्वादशकाण्डोपनिषद्भागवर्जितं समग्रं भाष्यमात्रं हस्तलिखितं प्रायः शुद्धं पुस्तकम्।

६–बिकानेरदरबारालयप्रेरीत आनीतं चतुर्थषष्ठाष्टमकाण्डात्मकं भाष्यमात्रं हस्तलिखितमत्यन्ताशुद्धं पुस्तकम्।

७–पुण्यपत्तनस्थभाण्डारकरओरिएन्टल्रिसर्चइन्स्टिट्यूटनामकसंस्थातः समानीतं पंचमाध्यायस्य पंचमब्राह्मणान्तमुपनिषद्भाष्यमात्रं शुद्धं हस्तलिखितं पुस्तकम्।

८–बडोदाराजधानीस्थओरिएन्टल्लायब्रेरीतः समानीतं समग्रमुपनिषद्भाष्यमात्रं शुद्धं हस्तलिखितं पुस्तकम्।

किञ्चास्य ग्रन्थस्य संशोधनायामत्पूर्वं स्वर्गतैः पं. गोविंदशास्त्रिरावेरकरमहोदयैस्तथा जयपुरराजधानीस्थपण्डितैः महामहोपाध्यायैः विद्यावारिधि-मधुसूदनजीओझा इत्येतैः तथा स्वर्गतैः पं. रंगाचार्यशास्त्रिवर्यैर्यन्त्रालयस्थितैश्च कतिचित्काण्डेषु प्रयतितम्। यदा चैतत्संस्करणमस्मद्धस्ते संशोधनाय समायातं तदानीमपि बहुभिर्विद्वद्भिरस्मत्साहाय्यं कृतम्। तन्मध्ये विशेषत आदितोऽन्तपर्यन्तं पलशानल (पलश्शन) ग्रामवासिभिः पं० श्रीवैद्यलिंगशास्त्रिसूनुभिः पं० श्रीहरिहरशास्त्रिभिः सूक्ष्मेक्षिकया दृशा विद्वत्तापूर्णं साहाय्यमकारीति सानंदं प्रकाशयामि।

किञ्चास्मिन्संस्करणे संशोधने प्रेसकॉपीकरणे टिप्पणीसंयोजने तत्तद्यागीयविहारपट्टनिबंधने च मासत्रयादर्वागेव कैलासावासमापन्नानां प्रातःस्मरणीयानां स्वनामधन्यानां वैदिकतिलकानां 'श्रीमदण्णाशास्त्रिवारे' इत्येतेषामस्मत्पूज्यपितृपादानां महीयांसः परिश्रमा आयुषोऽन्तिमक्षणपर्यन्तमासन्न कदापि तानहं विस्मरामि॥

धन्यवादाः।

एवमुपरिदर्शितैर्यैर्यैर्महाभागैः संस्थाभिश्च पुस्तकप्रदानादिना साहाय्यमाचरितं तथा संशोधनादिकार्येऽपि यत्सुमहत्साचिव्यं चाचरितं तेषां सर्वेषामहमधमर्णोऽस्मि।

विशेषतोऽस्य महतो ग्रन्थस्य सर्वांगसुन्दरतया प्रकाशनाय भूयोद्रव्यव्ययं कृत्वा वैकुण्ठपदमधितिष्ठत स्वपितृचरणानां श्रीक्षेमराजश्रीकृष्णदासश्रेष्ठिवर्याणां पूर्वसंकल्पितं कार्यं पूर्णतां नीतवद्भ्यां बंबईकल्याणोभय-नगरीस्थश्रीवेङ्कटेश्वरमुद्रणयन्त्रालयश्रीलक्ष्मीवेंकटेश्वरमुद्रणयन्त्रालयसंचालकाभ्यां परमोदारचरिताभ्यां धार्मिकग्रन्थ-प्रकाशनवासनात्रासितान्तःकरणाभ्यां वैदिकधर्मश्रद्धालुभ्यां वैश्यकुलावतंसाभ्यां सुगृहीतनामधेयाभ्यां श्रीमद्भ्यां रंगनाथक्षेमराजश्रेष्ठि श्रीनिवासक्षेमराजश्रेष्ठिमहोदयाभ्यां भ्रातृभ्यां बहून्धन्यवादानानन्दसन्दोहपुरःसरं वितरामि ॥

क्वाप्येतन्न किलाप्यते शतपथं शुद्धं जनैः पुस्तकं
स्याच्चेदप्यथ नैव यास्यति बहिर्हस्तान्निजस्वामिनः ।
ईदृक्पुस्तकदौर्लभ्यमधुना विद्राव्य मुद्रापणे
सन्नद्धौ सुकृतार्थिनौ विदधिपौ धन्यावमू श्रेष्ठिनौ ॥

अन्ते चेयं विज्ञापना ।

एतादृक्प्रभूतपरिश्रमेण विहितेऽस्मिन्संस्करणे मितमतिमानुषस्वभावसुलभतया प्रमादात् दृग्दोषाद्वा यत्स्खलितं तन्निर्मत्सरा गुणैकपक्षपातिनो विचक्षणवरेण्याः संशोध्य कृपयाऽस्मत्कर्णपथं नेष्यन्ति येन पुनर्मुद्रणावसरे तान्दोषान्परिमार्जयामि, इति तान्दयार्द्रदृष्टीन्विबुधवरान्मुहुर्मुहुः साञ्जलिबन्धं सप्रश्रयं विज्ञाप्य विरमामि ।

कल्याणनगर्याम्
श्रावणशुक्लदशमी
गुरुवासरः शकः १८९१
ता. २४।८।१९३९

विद्वद्वशंवदः
श्रीक्षेत्रनासिकवासी वारे इत्युपाह्वः
वैदिकतिलकश्रीमदण्णाशास्त्रिसूनुः
श्रीधरशर्मा.

ब्राह्मणभागस्यापि वेदता।

५।

निबन्धा—श्रीदीनानाथशर्म्मा शास्त्री सारस्वतः।

('मुलतान' स्थ–स० ध० संस्कृतकालेजोपाध्यायः)

पाठकानां करकमले सायणभाष्यसंवलितं 'शतपथब्राह्मणम्' विराजते। इदं वेदस्य ब्राह्मणभागनाम्ना आख्यायते। यस्य च शुक्लयजुर्वेदस्य इदं ब्राह्मणम्, स मन्त्रभागनाम्ना आख्यायते। इमावुभौ भागौ सम्भूय 'वेद' नाम्ना व्यवह्रियेते। यथा मन्त्रभागो वेदस्य भागत्वाद् वेदोऽस्ति; तथैव ब्राह्मणभागोऽपि वेदस्य भागत्वाद् वेदोऽस्ति।

परं केचिद् अकृतविशिष्टविचारा वादिनो मन्त्रभागमात्रं वेदं मन्यन्ते, न ब्राह्मणभागम्। ते उपोद्बलकरूपेण 'छन्दोब्राह्मणानि च तद्विषयाणि' ४।२।६६ इति पाणिनिसूत्रम् 'एवमिमे सर्वे वेदा निर्मिताः.... सब्राह्मणाः' १।२।१० इति गोपथकण्डिकाञ्चोदाहरन्ति। तेषामिदमभिप्रेतं यद्—यदि ब्राह्मणभागोऽपि वेदोऽभविष्यत्; तर्हि उक्तपाणिनिसूत्रे 'छन्दो' ग्रहणेनैव ब्राह्मणभागस्यापि स्वयमेव ग्रहणमभविष्यत्। पृथग्ग्रहणेन सिध्यति यद्—ब्राह्मणभागो न वेदः। एवं द्वितीयप्रमाणेऽपि 'वेदाद्' ब्राह्मणशब्दो भिन्नतया स्थापित इति।

अस्मिन्नाक्षेपे इदं प्रत्युच्यते यद्—वेदशब्दः छन्दश्शब्दो वा समुदायवाचकोऽस्ति शब्दः। परन्तु समुदायशब्दोऽवयववाचकोऽपि भवति। तथा च महाभाष्ये पस्पशाह्निके—"समुदायेषु हि वृत्ताः शब्दा अवयवेष्वपि वर्त्तन्ते, पूर्वे पञ्चाला उत्तरे पञ्चालाः, घृतं भुक्तं तैलं भुक्तमित्यादि"। एवं वेदान्तदर्शनस्य ३।३।९ सूत्रस्य शाङ्करभाष्येऽप्युक्तम्—"समुदायेषु हि प्रवृत्ताः शब्दा अवयवेष्वपि प्रवर्त्तमाना दृष्टाः पटग्रामादिषु" इति

फलतश्छन्दश्शब्दोऽथवा वेदशब्दः केवलमन्त्रभागस्यापि वाचकः, केवलब्राह्मणभागस्यापि, उभयस्यापि च। इदानीमेतद् वक्तुरिच्छायामवलम्बितं यत्—स समुदितशब्दमवयवपरकत्वेन स्थापयतु समुदायपरकत्वेन वा। एतत्सिद्धान्तानुसारं श्रीपाणिनिना उक्तसूत्रे 'छन्दः' शब्दो मन्त्रभागमात्रवाचको निहितः। यथा पाणिनिनात्र केवलमन्त्रभागपरकश्छन्दश्शब्दो निहितः, तथा तेनैव 'मन्त्रे श्वेतवह' ३।२।७१ 'विजुपे छन्दसि' ३।२।७३ अत्र च्छन्दश्शब्दः केवलब्राह्मणभागवाचको निहितः, यतो मन्त्रभागस्य तु अनुवृत्तिः ७१ सूत्राद् वर्त्तते एव। ततोऽग्रिमसूत्रे उपात्तश्छन्दःशब्दो ब्राह्मणभागमात्रपरः। अत एवात्र सूत्रे काशिकायामुक्तम्—"छन्दोग्रहणं ब्राह्मणार्थम्" इति।

एवं 'जुष्टार्पिते च च्छन्दसि' ६।१।२०९ 'नित्यं मन्त्रे' ६।१।२१० अस्मिन् सूत्रेऽपि छन्दश्शब्दः केवलब्राह्मणभागवाचकः, यतो 'नित्यं मन्त्रे' इति २१० सूत्रे 'मन्त्रभागः' साक्षाद् गृहीतः। एवं यदि 'छन्दो ब्राह्मणानि च' ४।२।६६ इति छन्दश्शब्दात् पृथग् ग्रहणेन ब्राह्मणभागस्य वेदभिन्नत्वं वादिजनमतेन; तथाऽस्मत्प्रदर्शितेषु सूत्रेष्वपि वादिमतानुसारं मन्त्रभागस्यापि वेदभिन्नता स्यात्। यदि अयं पक्षो वादिजनसम्मतो न; तथा पूर्वस्तदीयपक्षोऽपि न युक्तिसहः।

'छन्दो ब्राह्मणानि च' इति सूत्रसदृक्षमेव पाणिनेरन्यदपि सूत्रं जागर्त्ति। तत् खल्विदम्—'तनादिकृञ्भ्य उः' ३।१।७९ तनादिधातुषु कृञपि पठ्यते। पुनरपि सूत्रे पाणिनिना कृञ् तनादितः पृथक् तस्य वैशिष्ट्याय स्थापितः। एवं प्राक्तनसूत्रेऽपि छन्दःशब्देन गृह्यमाणस्यापि ब्राह्मणस्य तद्वैशिष्ट्यद्योतनार्थं

पृथक् प्रयोगः । तदैव तु उक्तसूत्रस्य काशिकावृत्तावुक्तम्—" ब्राह्मणग्रहणं किम्, यावता छन्द एवं तद् (ब्राह्मणम्) ! । " एतत्प्रश्नस्य तत्रेदमुक्तम्—" ब्राह्मणविशेषप्रतिपत्त्यर्थम्, इह तद्विषयता मा भूद्—याज्ञवल्क्येन प्रोक्तानि ब्राह्मणानि याज्ञवल्कानि " इति ।

एवं वैयाकरणमूर्धन्येन कैयटेनापि १ । ३ । १० सूत्रस्य महाभाष्ये प्रदीपे एतत्सूत्रकृते प्रोक्तम्—" गोबलीवर्दन्यायेन छन्दश्शब्देन मन्त्राणां ग्रहणम्, यथा—' जुष्टार्पिते च छन्दसि ' इति सूत्रे छन्दःपदेन ब्राह्मणानां ग्रहणम् ' नित्यं मन्त्रे ' इति मन्त्रग्रहणात् । च्छन्दोग्रहणेनैव तु ब्राह्मणानां ग्रहणे सिद्धे ब्राह्मणविशेषप्रतिपत्त्यर्थं पुनर्ब्राह्मणग्रहणं कृतम् । तेन याज्ञवल्कानि ब्राह्मणानीति तद्विषयता न भवति " । एतेन स्पष्टं यद्—ब्राह्मणभागोऽपि वेदः । ' छन्दो ब्राह्मणानि च ' इत्यत्र ब्राह्मणभागस्य वैशिष्ट्यद्योतनार्थं ' ब्राह्मणवसिष्ठ ' न्यायेन पृथगुपादानं कृतम्, नतु तस्य च्छन्दोऽभावत्वद्योतनार्थम्, अन्यथा पाणिनिवचनान्तराणां व्याकोपात् । नहि ' ब्राह्मणा आयाताः, वसिष्ठोऽपि चाऽऽयातः ' इति वाक्ये वसिष्ठस्य अब्राह्मणत्वं केनापि मुग्धेनापि मन्येत ।

ईदृक्षमेवोत्तरं ' सर्वे वेदा निर्मिताः .... सब्राह्मणाः ' इति गोपथप्रमाणेऽपि ज्ञेयम् । अत्रापि स्पष्टतायै ब्राह्मणं वेदाद् भिन्नमुक्तं विशिष्टतायै वा । 'स होवाच—ऋग्वेदं भगवोऽध्येमि यजुर्वेदꣳ सामवेदमाथर्वणं चतुर्थम्, इतिहासपुराणं पञ्चमं वेदानां वेदम् ' छान्दोग्य० ७ । १ । २ एतदादिप्रमाणेषु च वेदशब्देनैव ब्राह्मणभागो गृह्यते स्वयमेव ।

'सर्वे वेदा निर्मिताः....सब्राह्मणाः' इति गोपथप्रमाणे यथा वेदशब्दः केवलमन्त्रभागवाचकः, तथा वेदशब्दः केवलब्राह्मणभागवाचकोऽपि भवति । तथाच—' तेऽवरेभ्योऽसाक्षात्कृतधर्म्मभ्य उपदेशेन मन्त्रान् सम्प्रादुः । उपदेशाय ग्लायन्तोऽवरे बिल्मग्रहणाय इमं ग्रन्थं समाम्नासिषुर्वेदञ्च वेदाङ्गानि च ' निरुक्ते १ । २० । २ अत्र वेदशब्दो ब्राह्मणभागवाचकः, यतोऽमन्त्रभागस्य साक्षान्नाम प्रागागतमेव ।

एवं ' पुरुषविद्याऽनित्यत्वात् कर्म्मसम्पत्तिर्मन्त्रो वेदे ' निरुक्ते १ । २ । ७ अत्रापि मन्त्रात् पृथग् गृहीतो वेदशब्दो ब्राह्मणभागवाचकः । यतः कर्म्मसम्पादकमन्त्रा ब्राह्मणभागे समाम्नाता नतु मन्त्रभागे । मन्त्रभागे तु कर्म्मोपासनाज्ञानसम्पादकास्त्रिविधा मन्त्राः । त्रिपुत्रस्त्रिपुत्र एव कथ्यते, न खल्वेकपुत्रः । ब्राह्मणभागे यज्ञोपयुक्तकेवलकर्म्मकाण्डसम्पादकमन्त्रसमाम्नानवशात् ' कर्म्मसम्पत्तिर्मन्त्रो वेदे समाम्नातः ' इति कथनमुपपद्यते ।

एतेन सिद्धं यद्—ब्राह्मणभागोऽपि वेदः । यथा श्रीयास्केन निरुक्ते ' ओषधे ! त्रायस्वैनम् ' यजुः ४ । १ इत्ययं मन्त्रः ' आम्नायवचनात् ' १ । १६ । ६ । ६ इति आम्नायो मतः, तथैव ' एतद् रोहात् प्रत्यवरोहश्चिकीर्षितः ' एतद् ब्राह्मणमपि " आम्नायवचनाद् एतद् भवति " निरु० ७ । २४ । ४ इत्यादिना आम्नायत्वेन मतम् । आम्नायशब्दो वेदे रूढ इति " इति माहेश्वराणि " इति दीक्षितवचनस्य व्याख्यानावसरे लघुशब्देन्दुशेखरे उक्तम् । तथाच—' आम्नायसमाम्नायशब्दौ वेदे एव रूढौ ' ।

एवं निरुक्ते २।३।१ 'यस्मात्परं नापरमस्ति किञ्चित् .... तेनेदं पूर्णं पुरुषेण सर्वम्, इत्यपि निगमो भवति' इति कृष्णयजुर्वेदीय 'श्वेताश्वतर' कण्डिकाऽपि ३।९ निगमो (वेदो) मतः । आर्यसमाजप्रवर्त्तकेन स्वा. दयानन्देनोक्तम्—'छन्दोवेदनिगमश्रुतीनां पर्यायवाचकत्वात् ' ऋग्वेदादिभाष्यभूमिकायां ७९ पृष्ठे । ' तथा व्याकरणेऽपि' मन्त्रे घस ' 'छन्दसि लुङ् ' ' वा षपूर्वस्य निगमे ' अत्रापि छन्दोमन्त्रनिगमाः पर्यायवाचिनः सन्ति । एवं छन्दआदीनां पर्यायसिद्धेर्यो भेदं ब्रूते तद्वचनमप्रमाणमेवास्तीति विज्ञायते ' ऋ० भा०भू०पृ८० । उपनिषद्भागः प्रायो ब्राह्मणभागान्तर्गतः । तेन तस्यापि वेदत्वं सिद्धं निरुक्तरीत्या । एवं ३ । १ । ७ सूत्रस्य महाभाष्ये ' शृणोत ग्रावाणः ' १।६।१२।१ इति कृष्णयजुर्वेदोऽपि श्रीपतञ्जलिना ऋषिः (वेदः) मतः । एवं ' माङ्

वद दक्षिणतः' इति ऋग् निरुक्ते ९।१९।१ उद्धृता। नैषा वर्त्तते वर्त्तमानशाखासु। तेन शाखान्तराणामपि वेदता सिद्धा।

यत्तु—आर्यसमाजप्रवर्त्तकेन स्वा. दयानन्देन ऋग्वेदादिभाष्यभूमिकायां वेदसंज्ञाविचारप्रकरणे एव ८६ पृष्ठे निम्नस्तर्काभास उपस्थापितो ब्राह्मणभागस्य अवेदत्वे; तत्र मीमांसामहे। स खल्वयं तर्काभासस्तदीयः "लौकिकास्तावद् गौरश्वः पुरुषो हस्ती शकुनिर्मृगो ब्राह्मण इति। वैदिकाः खल्वपि 'शं नो देवीरभिष्टये। इषे त्वोर्जे त्वा। अग्निमीळे पुरोहितम्। अग्न आयाहि वीतये इति। यदि ब्राह्मणग्रन्थानामपि वेदसंज्ञाऽभीष्टाऽभूत्, तर्हि तेषामप्युदाहरणमदाद् महाभाष्यकारः। अत एव महाभाष्यकारेण मन्त्रभागस्यैव वेदसञ्ज्ञां मत्वा प्रथममन्त्रप्रतीकानि वैदिकेषु शब्देषूदाहृतानि। किन्तु यानि गौरश्व इत्यादीनि लौकिकोदाहरणानि दत्तानि, तानि ब्राह्मणादिग्रन्थेष्वेव घटन्ते। कुतः? तेष्वीदृशशब्दव्यवहारदर्शनादिति"।

धन्यो मस्करिमहाभागः। यदि अस्य तर्कस्य हेतोः सः 'तर्कधीवरः' इति पदव्या विभूष्येत; तर्हि मस्करितायाः शोभाऽत्यर्थं वर्धेत। अयि मस्करिमहोदय! महाभाष्यकृत् तु मन्त्रभागं ब्राह्मणभागञ्चोभयमेव वेदं मन्यते। अत एव स मन्त्रभागोपलक्षणेनैव ब्राह्मणभागमुदाहृतं मेने। अन्यथा इमे उद्धृतमन्त्रा एव अथर्ववेदयजुर्वेदऋग्वेदसामवेदा मन्तव्याः स्युः। तदग्रिममन्त्राणां तु लौकिकत्वमेव मन्तव्यं स्यात्। अन्या च महती त्रुटिरियं यत्—स्वा. दयानन्दो यां शौनकीयशाखामथर्ववेदसंहितां मन्यते, तस्या आदिममन्त्रः—'ये त्रिषप्ताः परियन्ति' इति वर्त्तते, न तु 'शं नो देवी' रिति। एवं सति स्वाजमेरीयवैदिकयन्त्रालयमुद्रिताया अथर्ववेदसंहितायाः स्वा. दयानन्देन वेदत्वाद् बहिष्कारः कर्त्तव्यः स्यात्। अथवा महाभाष्यकारसम्मतः 'शं नो देवी' रित्यादिममन्त्रधारी अथर्ववेदोऽवैदिको मन्तव्यः स्यात्। अथवा 'पैप्पलादादिभिन्नशाखा अपि वेदा मन्तव्याः स्युः।

अयं तर्कोऽपि स्वा. दयानन्दस्याऽद्भुतो यद्—'गौरश्वः' आदि लौकिकोदाहरण ब्राह्मणग्रन्थोंमें घटते हैं' बत!!! किं 'गौः, अश्वः' इत्यादयः कस्यचिद् ब्राह्मणस्य आदौ सन्ति यद्—महाभाष्यकारेण ते प्रतीकरूपेण धृताः?। यदि न, तर्हि कथमेषां शब्दानां ब्राह्मणभागेन सह सम्बन्धो योजितः स्वामिना?। किमिमे शब्दा मन्त्रभागे न सन्ति? अवधीयतां क्रमशः—

'गौः' 'अश्वः'—इमौ शब्दौ यजुर्वेदे ३१.।८ मन्त्रे आगच्छतः। 'पुरुष' शब्दो यजुषि ३१।१ द्रष्टव्यः। 'हस्ति' शब्दोऽथर्ववेदे ३।२२।६ द्रष्टव्यः। 'शकुनि' शब्द ऋग्वेदे २।४२।१ द्रष्टव्यः। 'मृग' शब्द ऋग्वेदे १०।१८०।२ विलोकनीयः। 'ब्राह्मण' शब्दो यजुर्वेदे २२।२२ द्रष्टव्यः। तर्हि किं स्वा० दयानन्दो मन्त्रभागमपि लौकिकं मंस्यते तत्र एतदादिशब्ददर्शनात्?। यदि न, तर्ह्येतेन ब्राह्मणभागेऽपि न काऽप्यवैदिकताऽऽपतति। न च भाष्यकृतस्तथाऽभिप्रेतम्।

अधुनाऽस्माभिः स्वा० दयानन्दमान्यस्य महाभाष्यकृतस्तानि प्रमाणानि समुपस्थाप्यन्ते येषु तेन ब्राह्मणभागोऽपि वेदो मतः। अवधीयताम्—

पस्पशाह्निके 'वेदे खल्वपि—' इत्युक्त्वा 'पयोव्रतो ब्राह्मणो यवागूव्रतो राजन्यः' इत्यादि 'बैल्वः खादिरो वा यूपः स्यात्' 'अग्नौ कपालान्यधिश्रित्य अभिमन्त्रयते' इमा ब्राह्मणकण्डिकाः शास्त्रस्य धर्म्मनियमप्रकरणे वेदस्योदाहरणे दत्ताः। स्वा० दयानन्दस्य संस्कारविधेः (७९ पृष्ठ) कथनानुसारं 'पयोव्रतः' इति शतपथब्राह्मणवचनम्। 'बैल्वः खादिरो वा' इति ऐतरेयब्राह्मणस्य द्वितीयपञ्चिकारम्भे। एवमन्यत्। परं भाष्यकारेण एतदादिकवचनं वेदस्य मतम्। सुतरां तन्मते ब्राह्मणभागोऽपि वेदः सिद्धः।

तत्रैव आह्निके शब्दस्य ज्ञानतो धर्म्म इति पक्षस्य निराकरणप्रकरणे "आचारे पुनर्ऋषिः (वेदः) नियमं वेदयते—'तेऽसुरा हेलयो' इत्यादि"। एतदपि ब्राह्मणं महाभाष्यकृता वेदनाम्ना दत्तम्। अग्रे च ज्ञानप्रयोगेत्यु-

मयतो धर्म्माख्यायकवार्त्तिकसिद्धान्तपक्षप्रदर्शनाऽवसरे 'शास्त्रपूर्वके प्रयोगे अभ्युदयस्तत्तु तुल्यं वेदशब्देन' एतद्वार्त्तिकस्य वेदोदाहरणं 'योऽग्निष्टोमेन यजते' एतदादिब्राह्मणकण्डिकया दत्तम्।

द्वितीये प्रत्याहाराह्निके 'ऋलृक्' सूत्रे 'अनुकरणं शिष्टाऽशिष्टाप्रतिषिद्धेषु' यथा लौकिकवैदिकेषु' अत्र वैदिकोदाहरणे 'य एवं विश्वसृजः सत्राण्यध्यासते' इदं ब्राह्मणमेवोद्धृतम्। लौकिकोदाहरणं च महाभाष्यकृताऽन्येन वा केनापि प्राचा ब्राह्मणभागप्रमाणं न दत्तमिति विशेषतोऽवधेयम्।

तृतीयाह्निके १।१।१ सूत्रे 'यथा लौकिकवैदिकेषु' इति वार्त्तिकस्य वैदिकोदाहरणे 'वेदेऽपि याज्ञिकाः सञ्ज्ञां कुर्वन्ति स्फ्यो यूपश्चषाल इति, तत्रभवतामुपचाराद् अन्येऽपि जानन्ति इयमस्य सञ्ज्ञेति' इत्यादिब्राह्मणभाग एवोदाहृतः। अग्रे १।१।५६ सूत्रस्य भाष्ये 'वेदेऽपि सोमस्य स्थाने पूतिकतृणान्यभिषुणुयादित्युच्यते' इदं मन्त्रभागस्थोदाहरणं न, किन्तु ब्राह्मणभागस्य।

५।२।९४ सूत्रे 'सन्मात्रे चर्षिदर्शनात्' इति वार्त्तिकस्य विवरणे भाष्यकृता लिखितम्—'सन्मात्रे च पुनर्ऋषिः (वेदः) दर्शयति मतुपम्—'यवमतीभिरद्भिर्यूपं प्रोक्षतीति'। अयं पाठोऽपि ब्राह्मणभागस्य। ऋषिरित्यनेन वेदो गृह्यते यथा शतपथे—'तस्मादेतद् ऋषिणाऽभ्यनूक्तम्' १४।१।१।२५ एवं 'सम्बुद्धौ शाकल्यस्येतावनार्षे' १।१।१६ अत्र सूत्रेऽपि आर्षशब्दो वैदिकवाचकः।

६।१।८४ सूत्रे भाष्ये लिखितम्—"वेदे खल्वपि वसन्ते ब्राह्मणोऽग्निष्टोमादिभिः क्रतुभिर्यजेतेति'। अत्रापि भाष्यकृता ब्राह्मणं वेदत्वेन मतम्। अन्यदपि दृश्यताम्—'चतुर्थ्यर्थे बहुलं छन्दसि' २।३।६२ इति वार्त्तिकस्य वैदिकोदाहरणे भाष्यकारेण श्रीपतञ्जलिना 'या खर्वेण पिबति तस्यै खर्वो जायते' इत्यादि ब्राह्मणभाग एव उदाहृतः।

अत्र भाष्यकृतः प्रमाणान्तराण्यपि दातुं शक्यन्ते, परं विस्तरभयाद् उपेक्ष्यते। जिज्ञासवः स्वयं महाभाष्यपारायणं कुर्वन्तु। छन्दस उदाहरणे तेन क्वचिद् मन्त्रभागः क्वचिच्च ब्राह्मणभाग उदाहृतः। यथा—'छन्दसि निष्टर्क्यं ३।१।१२३ सूत्रस्य भाष्ये पतञ्जलिमुनिना 'निष्टर्क्यं चिन्वीत पशुकामः' इति ब्राह्मणं छन्दस उदाहरणं दत्तम्। एवमन्यत्र। फलतो यस्य भाष्यकारस्य वचसा स्वा० दयानन्देन ब्राह्मणभागस्य वेदभिन्नता दर्शिता, तेनैव भाष्यकारेण स्वा० दयानन्दमतं कीदृगारभटया खण्डितम्।

यत्तु स्वपक्षपोषणार्थं स्वा० दयानन्देन पाणिनिमतं दर्शितं तद् यथा—"द्वितीया ब्राह्मणे २।३।६०, चतुर्थ्यर्थे बहुलं छन्दसि" २।३।६२ इत्यष्टाध्याय्यां सूत्राणि। अत्रापि पाणिन्याचार्य्यैः वेदब्राह्मणयोर्भेदेनैव प्रतिपादनं कृतमस्ति। यद्यत्र छन्दोब्राह्मणयोर्वेदसंज्ञाऽभीष्टा भवेत्; तर्हि 'चतुर्थ्यर्थे बहुलं छन्दसि' इत्यत्र छन्दोग्रहणं व्यर्थं स्यात् कुतः? द्वितीया ब्राह्मणेति (१) ब्राह्मणशब्दस्य प्रकृतत्वात्। अतो विज्ञायते न ब्राह्मणग्रन्थानां वेदसञ्ज्ञाऽस्तीति" ऋग्वेदादिभाष्यभू० पृ० ८६-८७ अत्रापि स्वा० दयानन्दस्य महती भ्रान्तिः स्पष्टा। श्रीपाणिनिरपि ब्राह्मणभागं वेदं मन्यते। अवधीयताम्—'द्वितीया ब्राह्मणे' २।३।६० इदं सूत्रं केवलं ब्राह्मणभागकृते निर्म्मितम्, न खलु मन्त्रब्राह्मणेत्युभयभागकृते। ततोऽग्रिमं सूत्रं 'चतुर्थ्यर्थे बहुलं छन्दसि' २।३।६२ इति सूत्रं तु मन्त्रब्राह्मणयोरुभयोरेव भागयोः कृते प्रणीतम्। अत एव छन्दोग्रहणमत्र सार्थकम्। यद्यत्र 'छन्दसि' इति नाऽस्थापयिष्यत, किन्तु 'ब्राह्मणे' इत्यस्यैवाऽनुवृत्तिरपेक्षिताऽभविष्यत्; तर्हि एष विधिः केवलं 'ब्राह्मणभागे' अभविष्यत्। यद्यत्र 'मन्त्रे' इत्यस्थापयिष्यत; तर्हि भिन्नसूत्रत्वाद् मन्त्रभागमात्रे एवाऽभविष्यदेष विधिः। * अत एवोभयोरुपादानाय अत्र 'छन्दसि'

---

* यतः पाणिनिर्यदा कञ्चिद् विधिं मन्त्रभागमात्रे चिकीर्षति, तत्र 'मन्त्रे' इति वक्ति। यदा च ब्राह्मणभागमात्रे चिकीर्षति, तदा 'ब्राह्मणे' इति वक्ति। यदा चोभयोश्चिकीर्षति, तदा 'छन्दसि' इति वक्ति। क्वचिच्च स 'छन्दः' पदेन केवल-

इत्युपन्यस्तं पाणिनिना; यतो 'ब्राह्मणे' इति 'मन्त्रे' इति च वेदस्य भिन्नभिन्नभागस्य नाम; तेन नैकेन उभयोर्ग्रहणसम्भवः । 'छन्दसि' इत्यनेन 'वेदे' 'निगमे' इत्यनेन वा तु उभयोरेव वेदत्वाद् उभयोर्ग्रहणसम्भवः । अत एवाऽत्र 'छन्दसि' इत्युपात्तं प्राक्तने सूत्रे 'ब्राह्मणे' इत्यस्य विद्यमानतायामपि । यतः प्राक्तनसूत्रं केवलं ब्राह्मणभागे विधानार्थं वर्त्तते नोभयत्र विधानार्थम् । यदि 'चतुर्य्यर्थे बहुलं छन्दसि' २।३।६२ एतत्स्थेन 'छन्दसि' इत्यनेन वादिमतानुसारं केवलं मन्त्रभागमात्रमभिसन्धित्सितमभविष्यद् न खलु ब्राह्मणभागोपादानमपि; तर्ह्यस्य सूत्रस्य छान्दसवार्त्तिकोदाहरणे महाभाष्यकृद् 'या खर्वेण पिबति तस्यै खर्वः' इति ब्राह्मणभागं नोद्धरिष्यत् ।

यत्तु-ऋग्वेदादिभाष्यभूमिकायाः ३७७ पृष्ठे स्वा० दयानन्देन अयं व्याजः कृतो यद्-"भाष्यकारेण छन्दोवन्मत्वा ब्राह्मणानामुदाहरणानि प्रयुक्तानि । अन्यथा ब्राह्मणग्रन्थस्य प्रकृतत्वाच्छन्दोग्रहणमनर्थकं स्यादिति" सोऽसङ्गतः । एतदीयमुत्तरं दत्तचरमेव । महाभाष्यकृता ब्राह्मणं वेदवन्न मतम्, किन्तु वेदत्वेन मतमित्यस्माभिः साधितचरम् । ये विधयः 'छन्दसि' इत्यादिना वेदेऽभिधीयन्ते पाणिनिना, ते उभयत्रैव भवन्ति, न तु मन्त्रभागमात्रे । यथा-'सुपां सुलुक्' ७।१।३९ इति छान्दससूत्रेण यथा 'सविता प्रथमेऽहन्' यजुः ३९।६ इति मन्त्रे ङेर्लुक्, तथा 'यश्चाऽयं दक्षिणेऽक्षन् पुरुषः' शतपथ० १४।६।८।३ इति ब्राह्मणभागेऽपि अनङन्तेऽक्षिशब्दे ङेर्लुक्कृतः । उभयत्रैव छान्दसत्वाद् 'न ङिसम्बुद्ध्योः ८।२।८ इति नलोपाऽभावः ।

'प्रथमायाश्च द्विवचने भाषायाम्' ७।२।८८ इति आकारस्य प्रत्युदाहरणं यथा भाषा (लोक) भिन्ने मन्त्रभागे 'युव९ सुराममश्विना' यजुः २०।७६ इत्यादिना दृश्यते, तथैव ब्राह्मणभागेऽपि मन्त्रभागवद् 'युवाम्' इति लौकिकप्रयोगभिन्नो 'युवम्' इति प्रयोगो दृश्यते । तथाच-'युवं वै ब्रह्माणौ भिषजौ' शतपथे. ८।२।१।३, ९।९।४।२९ 'युवमिदं निष्कुरुतम्' ऐतरेये २।२८ । एतेन स्पष्टं जातं यद्-ब्राह्मणभागो न वेदवत्, किन्तु साक्षाद् वेदः । पाणिनिना स क्वापि वेदवन्न मतः; किन्तु वेदो मतः । अर्थात् स नाऽऽतिदेशिकवेदत्ववान्, किन्तु साक्षादेव वेदः ।

यदि स्वा. दयानन्दस्याऽयमभिप्रायः स्याद् यद्-'ब्राह्मणे' इति कथनेनाऽप्युभयोर्वेदत्वाद् उभयोः सदा समानो विधिर्भवेत् । एवं 'मन्त्रे' इत्यभिधानेनापि उभयोः समानकार्य्यं भवेदिति, परं मन्दमेतत् । इमे नाम्नी तु भागमात्रस्य सत्त्वाद् ऐकदेशिके । तेन ऐकदेशिकनामग्रहणेन तत्कार्य्यं सार्वदेशिकतायां न भवतीत्युक्तचरम् । ऋगादयश्चत्वारः स्वा. द. मतेनापि वेदाः; तर्हि किमेषु सदा सर्वे समाना एव भवन्ति विधयः ? । अथवा वेदेषु सर्वः समानो विधिरिष्यते, अन्यथा वेदता न भविष्यतीति' किं स्वामी मनुते व्याप्तिमिमाम् ? । यद्येवं तर्हि यजुःसामवेदयोरनुस्वारस्य र-श-ष-स-हेषु वर्णेषु परेषु ॰कारो भवति, परन्तु ऋग्वेदाऽथर्ववेदयोस्तु न ।

-'मन्त्रभागम्' आचष्टे, क्वचिच्च 'छन्दः' पदेन केवलं 'ब्राह्मणभागमाचष्टे । तथाहि-'द्वितीया ब्राह्मणे' २।३।६० इत्यनेन पाणिनिर्दिवस्तदर्थस्य कर्मणि द्वितीयां ब्राह्मणभागे करोति, न मन्त्रभागे । अत एव 'छन्दसि' इत्यनुक्त्वा 'ब्राह्मणे' इत्याचष्टे । एवं सः 'मन्त्रे श्वेतवह' ३।२।७१ इति मन्त्रभागे ण्विनं करोति न तु ब्राह्मणभागे अत एव 'छन्दसि' इत्यनुक्त्वा 'मन्त्रे' इत्याचष्टे । यदा च मन्त्रब्राह्मणयोरुभयोः कार्य्यं कार्य्यम्भवति, तदा स खलु 'मन्त्रे च ब्राह्मणे च' इति पार्थक्येन अनुक्त्वा 'छन्दसि' इत्याचष्टे । यथा 'चतुर्थ्यर्थे बहुलं छन्दसि' २।३।६२ । अत एव महाभाष्ये एतदुदाहरणे 'या खर्वेण पिबति' इति ब्राह्मणभागोदाहरणमपि सङ्गच्छते । एवं केवलं मन्त्रभागमपि पाणिनिश्छन्द आचष्टे क्वचित् । यथा— 'छन्दो ब्राह्मणानि च तद्विषयाणि' ४।२।६६ एवं केवलब्राह्मणभागमपि सः 'छन्द' आचष्टे क्वचित् । यथा—'जुष्टार्पिते च च्छन्दसि' ६।१।२०९ इति जुष्टशब्दस्य छन्दसि विकल्पेन आद्युदात्तोमतः । 'नित्यं मन्त्रे' ६।१।२१० इति । पूर्वाऽव्यवहिते सूत्रे मन्त्रभागे नित्याद्युदात्तत्वविधानात् 'छन्दसि' इतीदं 'ब्राह्मणभागस्य' कृते निहितम् । एवमन्यत्र । इति हृदयम् ।

तर्हि किं यजुःसामवेदौ वेदौ न भविष्यतः ? । 'देवसुम्नयोर्यजुषि काठके' ७।४। ३८ इदं यजुर्वेदस्य कठशाखायामाकारविधायकसूत्रम्। परन्त्वयं विधिर्ऋग्वेदीयकठशाखायां वेदान्तरे च न भवति।

'प्रकृत्याऽन्तःपादम्' ६।१।११५ 'यजुष्युरः' ६।१।११७ अयं प्रकृतिभाव ऋग्यजुर्भिन्ने वेदे न भवति। एवम् 'ऋचि तुनुघ' ६।३। १३३ 'ऋचि त्रेरुत्तर (वा. ६।१।३४) इत्यादिषु ऋगादयः शब्दाः साभिप्रायाः, तेन एतदादिविधय ऋचो भिन्ने मन्त्रे न भवन्ति; तर्हि किं समानविधित्वाऽभावान्मन्त्रभागोऽपि स्वामिना वेदो न मंस्यते ?। यद्येवं न; तर्हि क्वचिद् मन्त्रभागब्राह्मणभागयोर्मध्ये असमानविधित्वाद्, ब्राह्मणभागस्य वेदभिन्नता न भाविनी। अत्र ऐकदेशिकनामकारणादेव उभयोः समानविधिर्न भवति । यथा च ऋग्यजुरादिनामानि मन्त्रभागस्यैकदेशिकानि; तेषु च मिथोभिन्नभिन्नविधिरपि दृश्यते; तथैव 'मन्त्रो, ब्राह्मणम्' इति नाम्नी अपि वेदस्य ऐकदेशिके, अतस्तयोरपि भवति भिन्नभिन्नविधिर्जातु । परं नैतेन अन्यतरस्याऽवेदता भवितुमर्हति।

यदि स्वा. दयानन्दस्य विलक्षणतर्कानुसारं ६० सूत्रे ब्राह्मणशब्दस्य, तथा ६२ सूत्रे छन्दःशब्दस्य उपादानेन ब्राह्मणभागः छन्दसो (वेदाद्) भिन्नो मन्येत; तर्हि तु तत्तर्कस्यैवानुसारं 'मन्त्रे श्वेत' ३।२।७१ अत्र ७१ सूत्रे मन्त्रभागस्य ग्रहणाद् 'विजुपे छन्दसि' ३।२।७३ इति ७३ सङ्ख्याके च सूत्रे छन्दश्शब्दस्य ग्रहणाद्, मन्त्रभागोऽपि वेदत्वाद् भिन्नो मन्येत। धन्यः स्वामी !-परपक्षं प्रत्याचक्षाणः-'यच्चोक्तं छन्दोमन्त्रयोर्भेदोऽस्ति, इति, तदप्यसङ्गतम्। कुतः ? छन्दोवेदनिगममन्त्रश्रुतीनां पर्य्यायवाचकत्वात्' ऋग्वेदादिभाष्यभू. पृ. ७९ 'तथा व्याकरणेऽपि 'मन्त्रे घस' 'छन्दसि लुङ्' 'वा षपूर्वस्य निगमे' अत्रापि छन्दोमन्त्रनिगमाः पर्यायवाचिनः सन्ति। एवं छन्दआदीनां पर्यायसिद्धेर्यो भेदं ब्रूते, तद्वचनमप्रमाणमेवास्तीति विज्ञायते' ऋग्वेदादिभू. पृ. ८० इति स्वपक्षमपि प्रत्याचष्ट । वस्तुतः कृत्रिमतायामेवं भवत्येव। तेन एतदादिकैः प्रागुक्तैश्च पाणिनिसूत्रैरपि ब्राह्मणभागस्यापि वेदता सिद्धैव।

यत्तु-स्वा०दयानन्देन ऋग्वेदादिभाष्यभूमिकायाः ८७ पृष्ठे ब्राह्मणभागस्य वेदत्वखण्डने 'ऋषिभिरुक्तत्वाद्' इति हेतुर्दत्तः। तत्र च 'पुराणप्रोक्तेषु ब्राह्मणकल्पेषु' ४ ।३ ।१०५ इति पाणिनिसूत्रं प्रमाणीकृत्य 'प्राचीनैर्ब्रह्माद्यृषिभिः (?) प्रोक्ता ब्राह्मणकल्पग्रन्थाः' इति व्याख्याय च ब्राह्मणभागस्य ऋषिप्रोक्तता अतएव वेदभिन्नता च पिशुनिता, साऽप्यत्यन्तं मान्द्यं वहति । यतो ब्राह्मणभागवन्मन्त्रभागोऽपि ऋषिप्रोक्तः। तथा च-'ये एव मन्त्र-ब्राह्मणस्य द्रष्टारः प्रवक्तारश्च' न्यायदर्शने ४।१।६२ अत्र मन्त्रब्राह्मणेत्युभयभागस्यैव द्रष्टारः प्रवक्तारश्च मताः। प्रोक्तत्वेन 'कृत' त्वं न जायते।

सत्यार्थप्रकाशे १२५-१२६ पृष्ठयोः स्वयं मेने स्वामी यद्-ऋषिभिः परमात्मस्वरूपे × समाधियोजितः; तर्हि तैर्मन्त्रा अपि प्राप्तास्तदर्थां ब्राह्मणरूपा अपि। तेन स्वा. दयानन्दस्य उक्तहेतुरसङ्गतः। स्वामिना ब्राह्मणभागस्य ऋषिप्रोक्तत्वं दर्शितम्; तत्र प्रोक्तशब्देन नाऽस्मन्मतहानिः। वयं 'मन्त्रकृत्' इत्येवं 'कृत्' शब्दं दर्शयामः, तर्हि किं स्वामी मन्त्रभागमपि ऋषिकृतं मंस्यते ? । द्रष्टव्यम्-'सूर्य्य ऋषिर्मन्त्रकृत्' ऐतरेयब्राह्मणे ६।१ 'यत्र धीरा मनसा वाचमक्रत' ऋ० १०।७१।२ 'ऋषिः कुत्सो भवति, कर्त्ता स्तोमानामित्यौपमन्यवः' निरुक्ते। ३।२।९ 'ऋषे! मन्त्रकृतां स्तोमैः' ऋग्वेदे ९।११४।२ किमेतदादिप्रमाणैः स्वा० दयानन्दो मन्त्रभागमपि लौकिकं मंस्यते 'कृत्' शब्दे साक्षाद् विद्यमानेऽपि ?। यदि न, तर्हि 'ऋषिप्रोक्त' शब्देन ब्राह्मणभागोऽपि ऋषिदृष्ट एव सेत्स्यति न तु ऋषिप्रणीतः।

× क्यन्तघुत्वात् समाधिः पुंसि।

ब्राह्मणभागस्याऽवेदत्वे तत्रैव ८० पृष्ठे स्वामिनोक्तः ‘ अनीश्वरोक्तत्वाद् ’ इति हेतुः स्वयं स्वामिनो विरुद्धः। यतः स्वामी ब्राह्मणभागं मन्त्रभागस्य व्याख्यानं मन्यते । सत्यार्थप्रकाशे स ऋषीणां परमात्मद्वारैव मन्त्रप्राप्तिं परमात्मद्वारैव च तदर्थप्राप्तिं मेने। अत एव ईश्वरोक्तता सिद्धाऽस्य मन्त्रभागवद् । नचाऽप्यस्य हेतोस्साधनार्थं तेन किमपि प्रमाणं दत्तम्, तेन साध्यकोटिकत्वादयं हेत्वाभास एव ।

यत्तु तत्रैव ग्रन्थे ८६ पृष्ठे स्वामिना “ ब्राह्मणानि तु वेदव्याख्यानान्येव सन्ति नैव वेदाख्यानीति ” हेतुरुक्तः, स तु प्रामादिकः। कीदृशी तुच्छयुक्तिर्यद्–वेदस्य परमात्मप्रोक्तमेव व्याख्यानं वेदो नेति । किञ्चिद् विविच्यताम्–स्वा० दयानन्देन मूलर्ग्वेदादिभाष्यभूमिका संस्कृते लिखिता, तदयाश्च स्वयं हिन्दीव्याख्यानमपि कृतम्; तर्हि किं तद् हिन्दीव्याख्यानमधुना ‘ ऋग्वेदादिभाष्यभूमिका ’ न भविष्यति ? तत् किं पुनः सा ‘ बाइबल ’ ‘ कुरान ’ नामिका भविष्यति ? हन्त ! ! !

अन्यद् दृश्यताम्। महाभाष्यं व्याकरणस्य व्याख्यानम्; तर्हि किं तद् व्याकरणं नाख्यास्यते ?। अत्र स्वा०दयानन्दस्यैव साक्ष्यं श्रूयताम्–‘ मैथिल पण्डितने कहा–महाभाष्य तो व्याकरणही नहीं ’। स्वामीजीने उठते हुए कहा कि–‘यह एक विलक्षण सभा है जिसमें महाभाष्य व्याकरण नहीं माना जाता। और यह पण्डितजीभी एक विचित्र बुद्धिके धनी हैं, जो भाष्यकी गणना व्याकरणमें नहीं करते ’ श्रीमद्दयानन्दप्रकाशे गङ्गाकाण्ड दूसरा सर्ग ७१ पृष्ठ। इत्थमयं स्वामिनो हेत्वाभासः स्वामिन एव स्वयुक्त्या खण्डितः।

अथ चात्र प्रष्टव्योऽसौ भस्करी यद्–यदि परमात्मकर्तृकं व्याख्यानं वेदो न; तर्हि वेदस्य व्याख्यानं केन कृतम् ?। यदि ऋषिभिरिति, तर्हि तैर्ऋषिभिस्तेऽर्थाः कुतोऽधिगताः ? । ईश्वरादृते तदीयवेदस्यार्थं कः कर्तुं शक्नुयात् ?। एवं स्पष्टं जातं यथा ईश्वरेण ऋषीणां मनसि मन्त्राः प्रादुर्भाविताः, तथा तदीया अर्था ब्राह्मणरूपा अपि। ‘ स पूर्वेषामपि गुरुः ’ योगदर्शनसमाधिपादे २६ सूत्रे । यथा ऋषिभिः समाधिद्वारा दृष्टा मन्त्रा ऋषिकृता नोच्यन्ते किन्तु ऋषिदृष्टा एव; तथा ऋषिभिः समाधिद्वारा दृष्टा मन्त्रार्था ब्राह्मणरूपा अपि ऋषिदृष्टा एव, न किल ऋषिप्रणीताः। प्रणेता च तेषामपीश्वर एव। तर्हि मूलं पुस्तकं तद् व्याख्यानपुस्तकं च समानकर्तृकत्वे समानविषयकमेव भवति, न भिन्नविषयकम् । उभयोर्मन्त्रब्राह्मणेति भिन्ननामत्वेऽपि वेदविषयतया उभयोर्वेदतैव ।

यत्तु केचिद् ब्राह्मणभागस्य मन्त्रभागभाष्यतया मन्त्रभागतः पश्चान्निर्मितत्वात् तदेककालिकत्वाऽभावेन तस्य अवेदत्वमाचक्षते; तदपि यत् किञ्चित्। अन्यथा ऋग्यजुःसामाथर्वात्मके मन्त्रभागेऽपि क्रमदर्शनेन यजुरादीनामपि ऋगादिभ्यः पश्चात् प्रणीतत्वेन तेषामप्यवेदताप्रसङ्गः। एवन्तु ऋग्वेदस्य द्वितीयादिमण्डलानामपि प्रथममण्डलोत्तरं प्रणीतत्वेन अवशिष्टमण्डलानामप्यवेदत्वप्रसङ्गः। प्रत्युत ‘ अग्निमीळे पुरोहितं ’ ऋ०१।१।१ एतदुत्तरमन्त्राणामेतदुत्तरकालप्रणीतत्वेन सर्वेषामपि मन्त्राणां वेदत्वाभावप्रसङ्गः। यद्येषु यौगपद्यम्; तर्हि मन्त्रभाग ब्राह्मणभागयोरपि यौगपद्यं ज्ञेयम्। शब्दानामर्थेन सम्बन्धो नित्यो भवति ।

अन्यो हेतुर्दत्तः स्वामिना ब्राह्मणभागस्याऽवेदत्वे पुराणेतिहाससञ्ज्ञकत्वादिति । तत्र च ऋग्वेदादिभाष्यभूमिकायां ८४–८९ पृष्ठयोर्न्यायदर्शनस्य तदीयश्रीवात्स्यायनभाष्यस्य च प्रमाणं दत्तं तत्तु सर्वथा व्यर्थमेव। यतो न्यायदर्शनकर्त्ता श्रीगोतमस्तद्भाष्यकर्त्ता वात्स्यायनश्च–उभावेव ब्राह्मणभागं वेदं मन्येते। पुराणेतिहासं च तौ ब्राह्मणभागाद् भिन्नं मन्येते। तथाहि–

‘ तदप्रामाण्यमनृतव्याघातपुनरुक्तेभ्यः ’ न्यायदर्शने२।१।५७ अनेन सूत्रेण श्रीगौतमेन वेदप्रामाण्यं द्रढयितुं × स्थूणानिखननन्यायेन शङ्का कृता। अस्मिन् सूत्रे अनृतव्याघातपुनरुक्ताख्यास्त्रयो दोषा वेदे आसञ्जिताः।

× द्रढयितुम्। अत्र णेरिष्ठवत्त्वाद् ‘ र ऋतो ’- इति ऋकारस्य रेफः।

अत्र उद्धरणानि ब्राह्मणभागस्य दत्तानि । 'पुत्रकामः पुत्रेष्ट्या यजेत' । 'उदिते होतव्यम्' ऐतरेय ब्रा० ५।५।२९। 'श्यावोऽस्याहुतिमभ्यवहरति य उदिते जुहोति' । 'त्रिः प्रथमामन्वाह त्रिरुत्तमाम्' ऐत० १ । ३ । १३, शतप० ११।२।१।४ इमानि त्रीण्यपि प्रमाणानि ब्राह्मणभागस्य ।

ये खलु ब्राह्मणशब्दस्य वेदशब्दवाच्यतां दृष्ट्वा तत्स्तुतिमात्रं मन्वते, न वास्तविकताम्, तेऽत्र दृष्टिपातमवश्यं कुर्वन्तु । केवलं स्तुतिमात्रेणैव ब्राह्मणानां वेदशब्दव्यपदेशे मते, वेदोदाहरणे प्रदातव्ये ब्राह्मणोदाहरणं कथमपि न न्यायतां कलयितुमर्हति । यदि च वेदोदाहरणे प्रदेये ब्राह्मणभागस्य वाक्यमुद्ध्रियते प्राचीनैः, तर्हि तेनेदं सिद्धं यद्—ब्राह्मणानां वेदशब्दवाच्यता वास्तविक्येव, न खलु स्तुतिमात्रफलिका । अन्यथा नैष न्यायो यत्—खण्डनं चिकीर्ष्येत वेदस्य, महिमा वा प्रदिदर्शयिष्येत * वेदस्य; तत्र प्रमाणं दीयेत ब्राह्मणभागस्य । तेन तस्य वेदता सिद्धैव । स्तुतिकल्पना तु वादिनां स्वपक्षरक्षणार्थं व्याजमात्रमेव । अन्यथा कश्चिन्मन्त्रभागस्यापि परमात्मप्रणीतत्वे स्तुतिमात्रं मन्येत, तर्हि किं वादिनस्तथा मन्येरन् ! ।

यदि भाष्यकारो वात्स्यायनमुनिर्ब्राह्मणभागं वेदं नाऽमंस्यत; तर्हि कोऽयं न्याय आसीद् यत्—खण्डनीयो भवेद् वेदः, तत्खण्डनार्थं चोद्धरणं दीयेत ब्राह्मणभागस्य । अत एव स्पष्टं यत्—श्रीवात्स्यायनो ब्राह्मणभागमपि मन्त्रभागवद् वेदं मेने । केवलं वात्स्यायनस्यैव नैव, प्रत्युत सूत्रकारस्य श्रीगोतमस्याऽपि अयमेव पक्षः । तदैव तु स पुत्रेष्ट्यनृतताया उत्तरे 'न, कर्मकर्तृसाधनवैगुण्यात्' २।१।५८ इति सूत्रं जग्रन्थ । 'उदिते होतव्यम्' इत्यादिव्याघातस्योत्तरे 'अभ्युपेत्य कालभेदे दोषवचनात्' २।१।५९ इति सूत्रयामास । 'त्रिः प्रथमामिति' पुनरुक्तस्योत्तरे 'अनुवादोपपत्तेश्च' २ । १ । ६० इति सूत्रं निर्ममे । अतो यदा सूत्रकारभाष्यकारौ उभावेव ब्राह्मणभागं वेदं मन्येते; तर्हि स्वा० दयानन्देन तद्वैपरीत्यं प्रदर्श्य जनता कथं प्रतारिता ? ।

प्रत्युत भाष्यकारः श्रीवात्स्यायनस्तु मन्त्रभागं ब्राह्मणभागं च समकक्षं मेने, पुराणेतिहासं च ब्राह्मणभागाद् भिन्नं मेने । श्रूयतां तदीयं स्पष्टं प्रमाणम्—

"विषयव्यवस्थापनाच्च यथाविषयं प्रामाण्यम् । अन्यो मन्त्रब्राह्मणस्य विषयः, अन्यश्चेतिहासपुराण-धर्मशास्त्राणाम् ।" ४ । १ । ६२ हन्त मस्करिन् ! श्रीवात्स्यायनस्तु ब्राह्मणभागस्य विषयमन्यमादिशति, पुराणेतिहासस्य च विषयं तद्भिन्नमामनति । मन्त्रब्राह्मणयोश्च विषयं समं मन्यते । स्वे स्वे विषये च स मन्त्रं, ब्राह्मणं, पुराणेतिहासं, धर्म्मशास्त्रञ्च एतत्सर्वं स्वतः प्रमाणं मनुते । दृश्यतामग्रे श्रीवात्स्यायनस्य स्पष्टवचनम् ।

"यज्ञो मन्त्र-ब्राह्मणस्य' लोकवृत्तमितिहासपुराणस्य, लोकव्यवहारव्यवस्थापनं धर्म्मशास्त्रस्य विषयः । तत्र एकेन न सर्वं व्यवस्थाप्यते—इति यथाविषयमेतानि प्रमाणानि इन्द्रियादिवदिति" ४।१।६२ ।

अत्र श्रीवात्स्यायनेन कथं स्पष्टरूपेण मन्त्रब्राह्मणयोः समानविषयः प्रतिपादितः, इतिहासपुराणस्य च ताभ्यां भिन्नो विषयः स्पष्टं प्रतिपादितः । तेनैव तत्सूत्रभाष्यं इदमप्युक्तम्—"प्रमाणेन खलु ब्राह्मणेन इतिहासपुराणानां प्रामाण्यमभ्यनुज्ञायते" । अत्र ब्राह्मणानां प्रामाण्येन इतिहासपुराणानां प्रामाण्यं मतम् । यदि ब्राह्मणान्येव इतिहासपुराणानि स्युः; तदा स्वेन स्वसिद्धिः कथं भवेत् ? नहि पटुरपि बटुः स्वस्कन्धमारोढुं पटुः । नहि 'ब्राह्मणेन' 'ब्राह्मणप्रामाण्यं कथमपि भवितुमर्हति' । नहि साक्षी अभियुक्तश्च कदाचित् समानौ भवतः । तेनाऽप्येषां ब्राह्मणपुराणेतिहासानां मिथो भिन्नता सिध्यति ।

---

* प्रदिदर्शयिष्येत । ण्यन्तसन्नन्तस्य कर्मण्ययं प्रयोगो लिङि ॥

इत्थं यदा न्यायदर्शनस्य सूत्र-भाष्य-कारौ ब्राह्मणस्य पुराणेतिहासस्य च परस्परं भेदं मन्वाते; तर्हि स्वा० दयानन्देन यत् तदीयसूत्रभाष्याणि उद्धृतानि, तानि प्रयासमात्रफलकत्वाद् व्यर्थानि। यतस्तेषु स्वामिनोऽभीष्टवर्ण्णनस्य गन्ध एव नेति न्यायमर्म्मज्ञुषां विदुषां प्रत्यक्षम्। तेन च ब्राह्मणभागस्य वेदता स्पष्टा।

यत्तु–'प्रमाणं शब्दो यथा लोके विभागश्च ब्राह्मणवाक्यानां त्रिविधः' इति वात्स्यायनभाष्यं ८४ पृष्ठे उद्धृत्य तदग्रे–'अयमभिप्रायः–ब्राह्मणग्रन्थशब्दा लौकिका एव न वैदिकाः' इति स्वा० दयानन्देन लिखितम्, तत्र स्पष्टं छलं कृतम्। यतः–"प्रमाणं शब्दो यथा लोके" एतत्पाठपर्य्यन्तं २।१।६० सूत्रस्य भाष्यं समाप्तं भवति। अग्रे "विभागश्च ब्राह्मणवाक्यानां त्रिविधः" इति तु २।१।६१ सूत्रस्य अवतरणिकाऽस्ति। स्वा० दयानन्देन इमे वाक्ये यौगपद्येन संहृत्य साधारणजनतादृष्टौ धूलिप्रक्षेपः कृतः। अत एव तत्प्रदर्शितोऽभिप्रायोऽपि निर्म्मूल एव।

यदि लोकस्य दृष्टान्तं दत्त्वा मन्त्रभागः परिपोष्येत; तर्हि किं मन्त्रभागोऽपि मस्करिणो मतेन लौकिको भविष्यति ? । हन्त दूरदर्शिते !!! "न भिद्यते लौकिकाद् वाक्याद् वैदिकं वाक्यं प्रेक्षापूर्वकारिपुरुषप्रणीतत्वेन" ४।१।६० तर्हि किमेतन्न्यायभाष्यकथनेन मस्करी वैदिकवाक्यमपि लौकिकं मंस्यते ? । यास्कमुनिना निरुक्ते १।१६।१–४–७–९ कौत्समतखण्डनावसरे यत्र मन्त्रभागस्य सार्थक्यं साधितम्, तत्र सर्व्वे लौकिका एव दृष्टान्ता दत्ताः। तर्हि किं मन्त्रभागोऽपि लौकिकोऽथवा वेदो भवेन्मस्करिनयेन ? । एवं तर्हि धन्यो मस्करी।

'प्रमाणं शब्दो यथा लोके' इति वात्स्यायनभाष्यस्य अयमर्थो यत् शब्दः–वेदः प्रमाणम्, यथा लौकिकवाक्यं प्रमाणं भवति। (एतदेव निरुक्ते यास्केन कथितम्–'अर्थवन्तः शब्दसामान्यात्' १।१६।१ अत्र दुर्गाचार्यः–"य एव गोशब्दो लोके स्वरसंस्कारसंयुक्तः स एव मन्त्रेष्वपि"।) ततस्तदग्रे वात्स्यायनेन अग्रिमसूत्रस्य अवतरणिका दत्ता यद् ब्राह्मणवाक्यानि त्रिधा भवन्ति इति। अनेन स्पष्टं ब्राह्मणभागस्य शब्दता (वेदता) सिद्धा। अथ च 'प्रमाणं शब्दो यथा लोके' अत्र 'यथा' शब्द उपमावाचकः। अत्र वाक्यगता श्रौती उपमा। उपमा च भिन्नवस्तुनोः साधर्म्ये एव भवति। 'चन्द्रवन्मुखम्' अत्रोपमानोपमेये मिथो भिन्ने एव। अत उक्तं काव्यप्रकाशे–'साधर्म्यमुपमा भेदे' दशमे उल्लासे। तेन लौकिकप्रामाण्योपमया ब्राह्मणभागस्य लोकतो भिन्नता सिद्धा। अन्यथा वेदप्रकरणे प्रचलति सति ब्राह्मणभागवर्ण्णनमप्रकृतं स्यात्।

विध्यर्थवादानुवादवचनविनियोगात् न्यायदर्शने २।१।६२ इति सूत्रे श्रीगोतमेन ब्राह्मणभागस्य प्रकारत्रयं निर्दिष्टम्। ततः क्रमशः–'विधिर्विधायकः' २।१।६३ स्तुतिर्निन्दा परकृतिः पुराकल्प इत्यर्थवादः २।१।६४ विधिविहितस्याऽनुवचनमनुवादः' २।१।६५ इति सूत्रेषु उक्तभेदत्रयस्य लक्षणमुक्तम्। तद्भाष्ये च 'अग्निहोत्रं जुहुयात् स्वर्गकामः' 'सर्वजितो वै देवाः सर्वमजयन्' 'एतेनाऽनिष्ट्वाऽन्येन यजते गर्ते पतति' इत्याद्युदाहरणानि विध्यादीनां दर्शितानि।

ततः ६९ सूत्रस्य भाष्ये श्रीवात्स्यायनेन एषां ब्राह्मणवाक्यानां सार्थक्याय लौकिकोदाहरणानि दत्तानि। तानि यथा–"लोकेऽपि च विधिरर्थवादोऽनुवाद इति च त्रिविधं वाक्यम्। 'ओदनं पचेत' इति विधिः। 'आयुर्वर्चो बलं सुखं प्रतिभानञ्चाऽन्ने प्रतिष्ठितम्' इति अर्थवादः। पचतु पचतु भवान् इत्यभ्यास इत्यनुवादः। एवं लौकिकवाक्यानामुदाहरणं दत्त्वा श्रीवात्स्यायनोऽग्रे 'अग्निहोत्रं जुहुयाद्' इत्यादिब्राह्मणवाक्यानां सामञ्जस्यं घटयति–"यथा लौकिके वाक्ये (ओदनं पचेद् इत्यादिके) विभागेन अर्थग्रहणात् प्रमाणत्वम्, एवं वेदवाक्यानामपि ('अग्निहोत्रं जुहुयाद् इत्यादिप्रागुक्तब्राह्मणवाक्यानां) विभागेन अर्थग्रहणात् प्रमाणत्वं भवितुमर्हति" २।१।६९।

हन्त ! कियती स्पष्टता । अत्र यावन्ति लौकिकवाक्यानि भाष्यकृता वात्स्यायनेन उदाहृतानि, तेषु ब्राह्मणभागस्यैकमपि वाक्यं नास्ति । वेदवाक्यानि च यानि तेनोद्धृतानि, तानि ब्राह्मणभागस्यैव, मन्त्रभागस्यैकमपि नोद्धरणममुत्र । तत्रैव ब्राह्मणप्रकरणे "एवं वेदवाक्यानामपि विभागेनाऽर्थग्रहणात् प्रमाणत्वं भवितुमर्हति" इत्यादिना वेदवाक्यनाम्ना उपसंहाराद्, उपक्रमोपसंहारयोश्चैक्यस्य प्रसिद्धत्वाद् न्यायसूत्र-भाष्य-कारयोर्मतानुसारं तानि वेदवाक्यानि सिद्धानि। तेन तन्मते ब्राह्मणभागस्य स्पष्टं वेदता सिद्धा ।

स्वा० दयानन्देन साधारणजनतायाः प्रतारणार्थमेव न्यायदर्शनस्य सूत्रभाष्याण्युद्धृतानि । तत्र स्वा० दयानन्दस्य कोऽप्यभीष्टसिद्धान्तो न सिध्यतीति समेरीनादमस्माभिर्जोघुष्यते । विज्ञपाठकाः स्वयमृग्वेदादिभाष्यभूमिकायाः ८४-८९ पृष्ठे पश्यन्तु । लौकिकोदाहरणप्रदर्शनमुखेन तु ब्राह्मणभागस्य प्रामाण्यसाधनेन यदि ब्राह्मणभागस्य वेदत्वाऽभावं कश्चिद् वक्तुमुत्सहेत; तर्ह्यसौ दूरत एव नमस्कर्त्तव्यः । अन्यथा निरुक्ते मन्त्रभागस्य लौकिकोदाहरणोपन्यासमुखेन प्रामाण्ये मन्त्रभागस्याऽप्यवेदताऽऽपत्तिः स्यादिति अनुपदमुक्तम् । एवं 'मन्त्रायुर्वेदप्रामाण्यवच्च तत्प्रामाण्यम्' २ । १ । ६८ इति न्यायसूत्रेण लौकिकायुर्वेददृष्टान्तमुखेन वेदस्य प्रामाण्ये साध्यमाने वादिनां मते वेदो लौकिकोऽवेदो वा मन्तव्यः स्यात; परं वादिनामनिष्टमेतत् । अथ च ब्राह्मणभागस्य वेदत्वाऽभावे वेदप्रकरणे ब्राह्मणभागस्य वर्णनमप्रकृततां वहेत् । ब्राह्मणभागप्रकरणे च ६९ सूत्रे 'एवं वेदवाक्यानामपि प्रमाणत्वं भवितुमर्हति' इत्युपसंहरणमपि अप्रकृतं स्यात् । परं नैवमस्ति । अत एव सिद्धा ब्राह्मणभागस्य वेदता न्यायमतेऽपि ।

यत्तु मुण्डिना ऋग्वेदादिभाष्यभूमिकायाः ८९ पृष्ठे 'न चतुष्ट्वमैतिह्यार्थापत्तिसम्भवाऽभावप्रामाण्यात्' २ । २ । १ इति न्यायसूत्रमुद्धृत्य 'न चत्वार्येव प्रमाणानि, किं तर्हि—ऐतिह्यमर्थापत्तिः सम्भवोऽभाव इत्येतान्यपि प्रमाणानि' इति तद्वात्स्यायनभाष्यमुद्धृत्य, ततो वात्स्यायनभाष्यस्थम् 'इति होचुरित्यनिर्दिष्टप्रवक्तृकं प्रवादपारम्पर्यमैतिह्यम्' इत्यैतिह्यलक्षणमुल्लिख्य तदग्रे "अनेन प्रमाणेनापीतिहासादिनामभिर्ब्राह्मणान्येव गृह्यन्ते नाऽन्यदिति" इति स्वसंस्कृतं लिखितम्, अत्र तेन सुमहच्छलं कृतम् । अहो ! एतावत् साहसम् ! यद्—यत्र प्रमाणे क्वापि ब्राह्मणभागस्य चर्चैव न, न च ब्राह्मणभागप्रकरणम्, तत्र स्वकपोलकल्पनया 'अस्मिन् प्रमाणे ब्राह्मणमितिहासग्रन्थो मतो न वेदः' इति वचनं कियच्छलं सूचयति । हन्त मुण्डिन् ! एतत्प्रत्यक्षाऽसत्यं लिखन् भवान् ईश्वरादपि न बिभाय ? ।

यत्तु स्वपुस्तकस्य ८१ पृष्ठे दण्डिना ब्राह्मणभागे एव दण्डः प्रक्षिप्तो यद्-"यथा ब्राह्मणग्रन्थेषु मनुष्याणां नामलेखपूर्वका लौकिका इतिहासाः सन्ति, न चैवं मन्त्रभागे इति" । एतदपि स्वच्छमसत्यम् । मन्त्रभागेऽपि बहव इतिहासाः । ब्राह्मणभागे ये इतिहासास्ते मन्त्रभागकथितेतिहासस्य विवरणरूपाः सन्ति, न स्वतन्त्राः । अस्माभिर्मन्त्रभागाद् बहव इतिहासाः सङ्कलिताः, तत्र वादिनामाक्षेपा अपि निराकृताः । दिदृक्षवोऽस्मत्प्रणीते 'श्रीसनातनधर्म्मालोके' पश्यन्तु ।

अग्रे स्वा० दयानन्दस्य 'त्र्यायुषं जमदग्नेः कश्यपस्य त्र्यायुषम् । यद् देवेषु त्र्यायुषं तन्नो अस्तु त्र्यायुषम्' यजुः ३ । ६२ अत्र मन्त्रे स्वयमितिहासस्य शङ्का समजनि । परं 'चक्षुर्वै जमदग्निर्ऋषिः' एतच्छतपथप्रमाणात् स्वामिना जमदग्नेरर्थपरिवर्त्तनं कृतम् । एवमन्यत् । परन्तु 'जमदग्नेः' चक्षुरिति गौणोऽर्थः, यतो वेदे आध्यात्मिकाधिदैविकाधिभौतिकास्त्रयो गाथा गदन्ति । अतस्तत्र ऋषिविशेषार्थोऽपि नापसारयितुं शक्यः ।

अन्यथा—'त्रयो वेदा एते एव, वागेवर्ग्वेदः, मनो यजुर्वेदः, प्राणः सामवेदः' १४ । ४ । ३ । १२ इति शतपथब्राह्मणानुसारं 'तस्माद् यज्ञात् सर्वहुत ऋचः सामानि जज्ञिरे । छन्दाꣳसि जज्ञिरे तस्माद् यजुस्तस्मादजायत' यजुः ३१ । ७ इत्यादिमन्त्रेष्वपि ऋग्यजुःसाम्नां वाङ्मनःप्राणार्थः कर्त्तव्यः स्यात् । तदा किं स्वा० दयानन्दः स्वर्ग्वेदादिभाष्यभूमिकायाः ९ पृष्ठे कृतं प्रकृतमन्त्रस्य "तस्माद् यज्ञात्—सच्चिदानन्दादि-

लक्षणात् पूर्णात् पुरुषाद् ऋग्वेदो यजुर्वेदः सामवेदोऽथर्ववेदश्च, चत्वारो वेदास्तेनैव प्रकाशिता इति वेद्यम्" इति स्वकृतं वेदेतिहासप्रदर्शकमर्थं शतपथानुसारमशुद्धं मन्तुमुद्यतो भवेत् ? । यदि न; तर्हि 'त्र्यायुषं जमदग्नेः' इत्यादौ मन्त्रेऽपि जमदग्निप्रभृतिपदानामृषिविशेषार्थोऽपि नाऽपासयितुं शक्यते।

परन्तु पक्षपातावरणोपेतः स्वा. दयानन्दः कथमेतद् विवेक्तुं प्रभवेद् यद्—ब्राह्मणभागस्य शैली एव ईदृशी यद्—एकशब्दस्य तत्र बहवोऽर्थाः क्रियन्ते । तथा चात्र निरुक्तकारस्यापि साक्ष्यम् 'बहुभक्तिवादीनि हि ब्राह्मणानि भवन्ति, अग्निर्वैश्वानरः, संवत्सरो वैश्वानरः, ब्राह्मणो वैश्वानरः' ७ । २४ । ६ ।

ब्राह्मणभागे केषाञ्चित् पदानाम् 'आयुर्वै घृतम्' इतीव महत्त्वमपि ख्यापितम्। तर्हि किं वादिनो 'घृतम्' आयुषः पर्य्यायवाचकमर्थं वा मंस्यन्ते ? यदि न, तर्हि तैस्तथाऽत्रापि ज्ञेयम् । 'चक्षुर्वै जमदग्निर्ऋषिः' अत्र जमदग्नेश्चक्षुर्वच्छ्रेष्ठत्वं मतम्। यथा 'आयुर्वै घृतम्' अत्र घृतस्य आयुष्ट्वं मतम्। नैतेन जमदग्नेरभावो मन्तव्यः, अन्यथा घृतस्यापि आयुर्व्यतिरिक्तत्वं न मन्येत। कार्य्यकारणभावादिसम्बन्धानामभेदव्यवहारः प्रसिद्ध एव, लुप्तोपमाऽलङ्कारश्च मस्करिणोऽतिशयपरिचित एव। तेन मस्करिणा उक्तपूर्वा कल्पना निर्मूलैव कृता।

'त्र्यायुषम्' इति मन्त्रस्य स्वा. दयानन्देनैवमर्थः कृतः–'हे जगदीश्वर! भवत्कृपया नोऽस्माकं जमदग्नि-सञ्ज्ञकस्य चक्षुषः कश्यपाख्यस्य प्राणस्य च त्र्यायुषं–त्रिगुणमर्थात् त्रीणि शतानि वर्षाणि यावत्, तावदायु-रस्तु। देवेषु–विद्वत्सु यद् विद्याप्रभावयुक्तं त्रिगुणमायुर्भवति, तन्नो अस्तु त्र्यायुषम्' इत्यादि. पृ. ८१ हन्त ! यजुष्कण्डिकयाऽनया सह कीदृशं बलात्कृतं मस्करिणा इति खेदविषयः । पूर्वार्धे 'नः अस्तु' इत्यनयोः सम्बन्धो बलाद्योजितः। वस्तुतस्तु मन्त्रभागाद् इतिहासमपासयितुमेव मस्करिणा इयं कृत्रिमकल्पना कृता । स्वामिनाऽत्र देवपदस्याऽर्थो विद्वानिति कृतः। यद्यपि स न युक्तः; तथापि तदयुक्तत्वमप्रकृतमियाऽनुपन्यस्य इत्थं पृच्छ्यते यत्–स्वामिनाऽत्र विदुषां ३०० वर्षाणामथवा ४०० वर्षाणामायुर्मतम् । तत्र प्रष्टव्यम्, यत्–स्वा. दयानन्दस्यानुयायिनः स्वा. तुलसीरामपूर्णानन्ददर्शनानन्दप्रभृतय आर्यसमाजस्य स्वर्गीयनेतारो विद्वांस आसन् नो वा ? । यदि आसन्; तर्ह्येषां ३००–४०० वर्षाण्यायुः कुतो न जातम् ? । यदि एते विद्वांसो नासन्; तर्हि किमिमे शूद्रा आसन् ? एतन्निर्धारणं तत्समाजाधीनम्।

मन्त्रेऽत्र येषां विदुषां ३००–४०० वर्षायुर्निर्दिष्टम्, ते विद्वांसोऽस्मान्मन्त्रात् पश्चाज्जाताः ? एतन्मन्त्रात्पूर्व्वं वा ? । यदि पूर्व्वं तर्हि मन्त्रभागोऽपि तत्पाश्चात्यः सिद्धः, यतः स्वामिना स्वयमेव लिखितं यद्–'इतिहास जिसका हो उसके जन्मके पश्चात् लिखा जाता है, वह ग्रन्थ भी उसके जन्मके पश्चात् होता है' सत्यार्थ प्र. ७ पृ. १२७। यदि ते मन्त्रभागतः पाश्चात्त्याः; तर्हि मन्त्रभागेऽपि भविष्यदितिहासः सिद्धः । पुनरितिहासागमनेन ब्राह्मणभाग एव कथमवेदः स्यात् ? ।

स्वा. दयानन्देन 'अग्ने! देवेषु प्रवोचः' ऋ. १ । २७ । ४ मन्त्रस्य भाष्ये लिखितम्–'अग्ने!–अनन्त-विद्यामय जगदीश्वर! देवेषु सृष्ट्यादौ जातेषु पुण्यात्मसु अग्निवाय्वादित्याङ्गिरस्सु मनुष्येषु प्रवोचः–प्रोक्तवान्'। अधुना कथ्यताम्–अयमर्थः शुद्धो वाऽशुद्धो वा ? यद्यशुद्धः तर्हि स्वा. दयानन्दो वादिनां मतेऽप्यशुद्धार्थकर्त्ता सिद्धः। तेन तदर्थमात्रेण मन्त्रभागे इतिहासो वारयितुं न शक्यः। यदि उक्तमन्त्रार्थः स्वामिनः शुद्धो मन्येत; तर्हि मन्त्रभागेऽपि इतिहासः सिद्धः । तदा मन्त्रभागस्य यथा वेदता साधयिष्यते, तथा ब्राह्मणभागस्यापि साधयितु सुशका।

अन्यद् दृश्यताम्–ऋग्वेदादिभाष्यभूमिकायाः ३१९ पृष्ठे स्वामिना लिखितम्–"ननु इमं मे गङ्गे यमुने सरस्वतीति गङ्गादिनदीनां वेदे प्रतिपादनं कृतमस्ति त्वया कथं न मन्यते ? । अत्रोच्यते–मन्यते तु मया तासां नदीसञ्ज्ञेति। ता गङ्गादयो नद्यः सन्ति। ताभ्यो यथायोग्यं जलशुद्ध्यादिगुणैर्यावानुपकारो भवति, तावत् तासां मान्यं करोमि' अत्र प्रष्टव्यं यद्–ऋग्वेदस्थः 'इमं मे गङ्गे! यमुने! सरस्वति।' १० । ७५ । ५ ।

इति मन्त्रो गङ्गादिनदीनां प्राकट्योत्तरं प्रणीतः ? प्राग् वा ? । यदि प्रागिति, तर्हि यदि मन्त्रे जमदग्निकश्यपादीनां नामापि परमात्मना तत्तज्जन्मतः प्राक् प्रतिपादितम् । तर्हि तदर्थपरीवर्त्तस्य काऽऽवश्यकता ? । तथा ब्राह्मणभागेऽपि मन्तव्यम् ।

अग्रे वयं स्वा० दयानन्दस्यैकं स्पष्टं प्रमाणमस्मिन् विषये लिखामः । तेन ऋग्वेदादिभाष्यभूमिकाया अस्मिन्नेव प्रकरणे ८२-८३ पृष्ठयोर्लिखितम्-" तमितिहासश्च पुराणं च गाथाश्च नाराशंसीश्च अनुव्यचलन् " अथर्व० १५ । ३० । १ ' इतिहासस्य च.... वै स पुराणस्य च प्रियं धाम भवति य एवं वेद ' अ० १५ । ३० । ४ (षष्ठपर्याये १२) एतैः प्रमाणैः ब्राह्मणग्रन्थानामेव ग्रहणं जायते न श्रीमद्भागवतादीनामिति " ।

अत्र मस्करी प्रष्टव्यो यद्-यदि भवन्मतानुसारमत्र अथर्ववेदस्य इतिहासपुराणशब्दैर्ब्राह्मणग्रन्थानां ग्रहणं तर्ह्ययं मन्त्रो ब्राह्मणभागनिर्म्माणोत्तरं प्रणीत आहोस्वित् ततः प्राक् ? अत्र स्वामिनो यदुत्तरं तदेव ब्राह्मणभागस्येतिहासस्यापि ज्ञेयम् । यदि स्वामी ब्राह्मणभागमितिहासत्वाद् वेदत्वात् पृथक् करोति, तयैव दिशा तेन मन्त्रभागोऽपि वेदत्वात् पृथक् कर्त्तव्यः स्यात् । यदि नैवं तर्हि ब्राह्मणानां पुराणेतिहाससञ्ज्ञकत्वादिति अवेदत्वे दत्तो हेतुर्निरस्तः । 'आश्वलायनगृह्यसूत्रे अ० ३ पञ्चयज्ञप्रकरणे 'ऋचो यजूंषि सामान्यथर्वाङ्गिरसो ब्राह्मणानि.... इतिहास-पुराणानि ' अत्र पुराणेतिहासा ब्राह्मणेभ्यः पृथङ् निर्दिष्टाः । ' तैत्तिरीयारण्यके २ प्र० ९ अनु० २ मं०-'ब्राह्मणानीतिहासान् पुराणानि....' अत्रापि ब्राह्मणेभ्यः पृथगेवेतिहासपुराणानि निर्दिष्टानि । गोपथब्राह्मणे 'एवमिमे सर्वे वेदा निर्मिताः....सब्राह्मणाः सेतिहासाः सपुराणाः ' १ । २ । १० अत्रापि ब्राह्मणेभ्य इतिहासपुराणानि पृथक् कीर्तितानि । न्यायदर्शनप्रमाणश्चैतद्विषये प्राग्दत्तमेवेति स्वामिनः पुराणेतिहाससञ्ज्ञकत्वादिति हेतुर्निष्पिष्ट एव ।

' कात्यायनभिन्नैर्ऋषिभिर्वेदसंज्ञायामस्वीकृतत्वात् ' इति ब्राह्मणभागस्याऽवेदत्वे स्वा. दयानन्देन दत्तो हेतुरपि तदीयाऽल्पश्रुतत्वख्यापकः । १-कात्यायनस्य ब्राह्मणभागस्य वेदतायां साक्ष्यं स्वयं स्वामिना स्वीकृतम् । ततो न्यायदर्शनसूत्रकारभाष्यकारयोः २-३-अष्टाध्यायीसूत्रकार-वार्त्तिककार-महाभाष्यकाराणां ४-५-६-च तत्र साक्ष्यमस्माभिर्निर्दिष्टचरमेव । अधुनाऽन्यदीयानि साक्ष्याण्यपि अत्र समुपस्थाप्यन्ते ।

७-' तच्चोदकेषु मन्त्राख्या' २ । १ । ३२ इति मीमांसादर्शने वेदैकदेशमन्त्रभागलक्षणमाचक्षाणस्य जैमिनिमुनेः ' शेषे ब्राह्मणशब्दः ' २ । १ । ३३ इति ब्राह्मणभागलक्षणे-' मन्त्रभागादवशिष्टे वेदैकदेशे ब्राह्मणशब्दः ' इत्यर्थकं ' शेषे ' इति पदं सङ्गच्छते । तेन तन्मतेऽप्युभयोरेव वेदस्य भागत्वम् । अन्यथा ' शेष ' पदं व्यर्थं स्यात् । न हि ' नलचम्वाः ' शेषः ' उत्तरमीमांसा ' भवति । एवञ्च नहि ब्राह्मणभागो वेदाद् अन्यस्य शेषो भवितुमर्हति ।

केचिदनेनैव लक्षणेन ब्राह्मणं वेदभिन्नं मन्यते शेषशब्ददर्शनात् । तदसत् । यदि प्राक्तनसूत्रे वेदलक्षणं निर्दिष्टमभविष्यद्, द्वितीयसूत्रे च ब्राह्मणलक्षणम्; तदा तु कथञ्चिद् ब्राह्मणस्य वेदभिन्नताऽभविष्यत् । परं मीमांसाकृता तु वेदस्य उभयोरेव भागयोर्मन्त्रब्राह्मणयोः पृथक् पृथग् लक्षणं कृतम् । यद्येतेन द्वितीयो भागो वेदभिन्नो मन्यते; तर्हि प्रथमोऽपि भागो वेदभिन्नो मन्तव्यः स्यात्, समानन्यायात् ।

८-जैमिनिसूत्राणां विख्यातव्याख्याता भाष्यकारः शबरस्वाम्यप्याह-' मन्त्राश्च ब्राह्मणञ्च वेदः । तत्र मन्त्रलक्षणे उक्ते परिशेषसिद्धत्वाद् ब्राह्मणलक्षणमवचनीयम् । मन्त्रलक्षणवचनेनैव सिद्धम् ' मीमांसा० २।१ । ३३।

९-' आम्नायः पुनर्मन्त्राश्च ब्राह्मणानि च ' इत्यथर्ववेदीयकौशिकसूत्रम् १ । ३ ।

१०-' मन्त्रब्राह्मणं वेद इत्याचक्षते ' ' मन्त्रब्राह्मणयोर्वेदनामधेयम् ' बौधायनीयगृह्यसूत्रे । २ । ६ । २-३, ३ । २ । ६३ । ११-' मन्त्रब्राह्मणयोर्वेदनामधेयम ' आपस्तम्बश्रौतसूत्रे २४ । १ । ३१ । १२-मन्त्रब्राह्मणयोर्वेदनामधेयम् ' सत्याषाढश्रौतसूत्रे १ । १ । ७ । १३-मन्त्रब्राह्मणयोराहुर्वेदशब्दं महर्षयः ' इति सर्वा-

नुक्रमणिकावृत्तिभूमिकायां षड्गुरुशिष्यः। १४–मन्त्रब्राह्मणात्मकत्वं तावद् वेदस्याऽदुष्टं लक्षणम्, इति ऋग्वेदभाष्योपोद्घाते सायणः। १५–यास्कस्य प्रमाणानि निर्दिष्टचराण्येव।

१६–'स्याद् वाऽऽम्नायधर्मित्वाच्छन्दसि नियमः' १।४ इति वाजसनेयिप्रातिशाख्यसूत्रस्य व्याख्यानावसरे उवटः–'आम्नायो वेदः' इत्युक्त्वा 'ब्राह्मणं विध्यर्थवादरूपम्, मन्त्रस्तु कर्माङ्गभूतद्रव्यदेवतास्मारकः' इत्युभयस्यैव आम्नायत्वं प्रोक्तवान्।

१७–'साक्षात्कृतधर्माण ऋषयो बभूवुः। तेऽवरेभ्योऽसाक्षात्कृतधर्मभ्य उपदेशेन मन्त्रान् सम्प्रादुः उपदेशाय ग्लायन्तोऽवरे बिल्मग्रहणाय इमं ग्रन्थं समाम्नासिषुः, वेदञ्च वेदाङ्गानि च' इति निरुक्तपाठे श्रीसत्यव्रतसामाश्रमी–"यतोऽत्र 'मन्त्रान् सम्प्रादुः' इति कथनानन्तरमेव पुनरुक्तं 'वेदञ्च' इति, अतो–ज्ञायते नेह वेदशब्देन मन्त्राणां बोधोऽपि तु तदतिरिक्तभागानां ब्राह्मणानामेव' निरुक्तालोचने२९१०।

१८–'उदितेऽनुदिते चैव समयाध्युषिते तथा। सर्वथा वर्तते यज्ञ इतीयं वैदिकी श्रुतिः' मनु०२।१५ इति मनुनापि ऐतरेयादिब्राह्मणभाग (पञ्चि० ५।२९) मात्रोपलभ्यमानोदितादिहोमस्य 'वैदिकी श्रुतिः' इति कथनेन ब्राह्मणभागस्य वेदता मेने। एवं 'राज्ञश्च दद्युरुद्धारमित्येषा वैदिकी श्रुतिः' ७।९७ एषा श्रुतिर्ब्राह्मणभागे सुलभा न मन्त्रभागे। स्वा. दयानन्दो मनुस्मृतिं सृष्टेरादौ प्रणीतामाचष्ट। तथा च तदीयाः शब्दाः–'यह मनुस्मृति जो सृष्टिकी आदिमें हुईहै उसका प्रमाण है' सत्यार्थप्रकाशे ११ समुल्लासारम्भे १७२ पृष्ठे। यदा खलु तन्मते मनुस्मृतिः सृष्टयादौ प्रणीता सिद्धा; तर्हि ब्राह्मणभागे वेदत्वव्यवहारोऽपि सृष्टयादिकालिकः सिद्धः। मनुं केवलं स्वा०दयानन्दः सृष्ट्यादिभवं मेने–इति नास्ति, किन्तु तन्मान्यः श्रीमान् यास्कोऽपि स्वनिरुक्ते–'विसर्गादौ (सृष्ट्यादौ) मनुः स्वायम्भुवोऽब्रवीत्' ३।४।२ इति मनुं सृष्ट्यादिकालिकं मेने। तेन ब्राह्मणभागे वेदत्वव्यवहारोऽपि तात्कालिकः सिद्धः। मनुस्मृतिप्रवक्ता भृगुरपि सृष्ट्यादिकालिक एव इति मनु० १।३५ पद्ये द्रष्टव्यम्।

१९–शुक्रनीतौ–'मन्त्रब्राह्मणयोर्वेदनाम प्रोक्तमृगादिषु' ४। २७१ शुक्रनीतिं स्वा० दयानन्दः प्रमाणयति। २०'बुद्धिपूर्वा वाक्यकृतिर्वेदे' वैशेषिकदर्शने ६।१।१ इति सूत्रभाष्ये 'स्वर्गकामो यजेत' इति ब्राह्मणवाक्यस्य वेदनाम्नाऽऽख्यानात् कणभक्षपक्षेऽपि ब्राह्मणभागस्य वेदता सिद्धा।

२०–'श्रुतेस्तु शब्दमूलत्वाद्' वेदान्तदर्शने २।१।२७ इत्यादौ बहुत्र श्रुतिप्रमाणे ब्राह्मणभागस्तदन्तर्गतो वा उपनिषन्निकर एव उपोद्धृतः। 'श्रुतिस्तु वेदो विज्ञेयः' मनु०२।१०।

२१–अथ च 'वेदोऽखिलो धर्ममूलम्' २।६ इति मनुवचनात्। 'श्रुतिप्रमाणो धर्मः स्यात्' महाभारत० वन० २०६।४१ इति वचनाच्च सर्व्वस्य वेदस्य धर्म्ममूलकता निर्दिष्टा। धर्म्मस्य लक्षणं 'चोदनालक्षणो धर्मः' मीमांसादर्शने १।१।२ विहितकर्म्मजन्यो धर्म इति तर्कसंग्रहे गुणनिरूपणम्। 'स्वर्गकामो यजेत, अहरहः सन्ध्यामुपासीत, अष्टवर्षं ब्राह्मणमुपनयीत' इत्यादिविधिवाक्यान्येव च चोदना। मन्त्रभागे तु 'कुर्यात् क्रियेत कर्तव्यं भवेत् स्यादिति पञ्चमम्। एतत् स्यात् सर्ववेदेषु नियतं विधिलक्षणम्' मीमांसादर्शन० ४।३।३ इति विधीनां सत्त्वैव न। प्रायः प्रार्थनास्तत्र दृश्यन्ते। विधीनां तु ब्राह्मणभागे सद्भावः। तर्हि मन्त्रभागे विधीनामभावाद् 'वेदोऽखिलो धर्ममूलम्' मनु० २।६ एतत् स्यात् सर्ववेदेषु नियतं विधिलक्षणम्' मीमांसादर्शने ४।३।३ 'श्रुतिस्मृत्युदितं धर्ममनुतिष्ठन् हि मानवः। ....प्रेत्य चानुत्तमां गतिम्' मनु० २।९ इत्यभियुक्तोक्तिर्निर्विषयतामानर्थक्यं वाऽऽपद्येत यदि ब्राह्मणभागोऽपि वेदो न स्वीक्रियेत। अत एव 'धर्मं जिज्ञासमानानां प्रमाणं परमं श्रुतिः" २।१३ इति मनुपद्ये श्रुतिशब्देन वेदभागस्य ब्राह्मणस्यैव ग्रहणम्, धर्म्मस्य (विधेः) तस्मिन्नेव सत्त्वात् एतेनापि ब्राह्मणानां वेदत्वं सिद्धम्।

मीमांसादर्शनं साक्षाद् वेदव्यवस्थापनपरं मन्यते । तत्र 'अथातो धर्मजिज्ञासा १।१।१ इत्यत आरभ्य 'अन्वाहार्ये च दर्शनात्' १२।४।४२ इति सूत्रान्तं द्वादश सन्त्यध्यायाः । तत्र तृतीयषष्ठदशमाध्यायेषु अष्टावष्टौ पादाः सन्ति, इतरत्र तु चत्वारश्चत्वारः पादाः प्रत्यध्यायं सन्ति । इत्थं ६० पादात्मकेऽस्मिन् दर्शने प्रायो नवशतमधिकरणानि सन्ति । एषु प्रायो ब्राह्मणभागवाक्यान्येव उदाहृतानि । मन्त्रभागवाक्यानि त्वत्र अंगुलिगणनीयानि ।

मीमांसादर्शनेऽत्र पौरुषेयव्यपदेश्यानां स्मृतीतिहासादीनां न मीमांसा, किन्तु अपौरुषेयवेदवाक्यार्थविचार एवाऽमुत्र । यदि ब्राह्मणभागस्य वेदता नाऽभविष्यत्; तर्हि 'मीमांसा नाम वेदविचारः ! ' एवं वेदवाक्यान्येव एभिर्व्याख्यास्यन्ते' मीमांसादर्शन० १ । १ । १ इत्यादिपरिभाषणं नाऽभविष्यत् । उत्तरमीमांसायाम् (वेदान्तदर्शने) अपि प्रायो ब्राह्मणभाग एव प्रमाणित उदाहृतश्च । तेन स्पष्टं यद्—ब्राह्मणभागो वेद एव । अन्यथा वेदव्यवस्थाप्रकाशनार्थमवलम्बितब्राह्मणभागा दार्शनिकमुनयः प्रमत्ता मन्येरन् ।

'आम्नायस्य क्रियार्थत्वात्' १ । २ । १ इति मीमांसासूत्रे अर्थवादात्मकब्राह्मणभाग आम्नायत्वेन मतः । एवम् 'औदुम्बरो यूपो भवति' १ । २ । १९ इति सूत्रभाष्ये उक्ता विधिवन्निगदा अर्थवादाः १ । २ । २० सूत्रभाष्ये 'तद्वद् वेदेऽपि भविष्यति' इति वेदशब्देनोदिताः । 'वेदे व्यक्तमसंवादः, ऊर्जोऽवरुद्ध्यै इत्यप्रसिद्धं वचनम्. ऊर्ग्वा उदुम्बर इति हेतुत्वञ्चाऽप्रसिद्धम्' मी० १ । २ । २१ वेदे इत्युक्त्वा ब्राह्मणभाग उदाहृतः । 'शूर्पेण जुहोति, तेन ह्यन्नं क्रियते—सत्यमेवं लोके, विधायिष्यते तु वचनेन वेदे' मीमांसा० १।२। २६ अत्रापि ब्राह्मणस्य वेदता कथिता । 'उक्तं हि समाम्नायैदमर्थ्यम्' १ । ४ । १ अत्र विध्यर्थवादयुक्तं ब्राह्मणं समाम्नायत्वेन प्रोक्तम् । एवं '....तत्सामर्थ्यं समाम्नाये' १ । ४ । १७ अत्र 'वैश्वानरं द्वादशकपालं निर्वपेत्' इति ब्राह्मणस्य समाम्नायता प्रोक्ता ।

'श्वस्त्वेकेषां तत्र प्राक् श्रुतिर्गुणार्था' मी० ३ । ६ । २० अत्र सूत्रे 'आग्नेयं पशुमालभते' इति ब्राह्मणं श्रुतित्वेन मतम् । 'श्रुतितो व्यपदेशाच्च' ४ । ४ । २४ इति सूत्रे 'दर्शपूर्णमासाभ्यां स्वर्गकामो यजेत' इति ब्राह्मणं श्रुतित्वेन मतम् । 'कर्तुर्वा श्रुतिसंयोगात्' ६ । १ । ९ अत्र ब्राह्मणभागस्य विधिवाक्यानि श्रुतिशब्देन कीर्तितानि ।

'वेदे हि त्रयाणां निर्देशो भवति—वसन्ते ब्राह्मणमुपनयीत, ग्रीष्मे राजन्यं, वर्षासु वैश्यम्' ६ । १ । ३३ इति ब्राह्मणवचनं वेदवचनं मतम् । 'विधौ तु वेदसंयोगात्' ६ । ७ । २९ अत्र 'माषान्मे पचत' इति ब्राह्मणं वेदशब्देन निर्दिष्टम् । 'आम्नायवचनं तद्वत्' ११।२।४१ अत्र 'यदेवाऽध्वर्युः करोति' इति ब्राह्मणमाम्नायवचनं मतम् 'आम्नायवचनाच्च' १२।४।३२ अस्मिन्नपि मीमांसादर्शनसूत्रे 'यो वै सत्रे बहूनां यजमानानां गृहपतिः' इत्यादि ब्राह्मणवचनमाम्नायत्वेन मतम् ३ । ४ । २८ सूत्रे 'पौण्डरीकेऽश्वसहस्रं दक्षिणा ज्योतिष्टोमे गौश्चाऽश्वश्च' इति वैदिकोऽश्वप्रतिग्रहो निर्दिष्टः, नचायं मन्त्रभागे किन्तु ब्राह्मणभागे । अस्तु ।

यस्तु खलु स्वा० दयानन्देन ब्राह्मणभागस्य वेदत्वनिषेधः कृतः, सोऽपि ब्राह्मणभागस्य वेदत्वे प्रमाणम् । तत्र । प्रष्टव्योऽसौ यद् भवता यो ब्राह्मणभागस्य वेदत्वनिषेधः कृतः, स तस्य वेदत्वप्राप्तौ सत्यां कृतः, अथवा तदप्राप्तौ ? अप्राप्ताविति चेत् कृतं धार्ष्ट्येन, प्राप्तौ सत्यामेव निषेधात् । कथमन्यथा स गृह्यसूत्रमनुस्मृत्यादीनामपि वेदत्वं न पृथक्तया स्पष्टं प्रत्याचष्ट । प्राप्तावेव ब्राह्मणभागस्य वेदत्वनिषेधोऽस्माभिः कृत इति चेत्, तत्र प्रष्टव्यः स्वामी यत्-तत्प्राप्तिः कुत उपलब्धा भवता ? । यदि लोकव्यवहारस्तत्र कारणमित्युच्येत, तर्हि स व्यवहारः प्राचीनोऽर्वाचीनो वा ? । अर्वाचीन इति व्यर्थम्, तत्र प्रमाणाऽभावात् । यतस्तत्प्राचीनताऽस्माभिः साधितपूर्व्वैव । यदि च प्राचीनः परम्परीणश्च स व्यवहार इति चेत् स्वामिपक्षः खण्डितः ।

यदि कथ्येत यद्—आपस्तम्बकात्यायनादिभिः 'मन्त्रब्राह्मणयोर्वेदनामधेयम्' इत्यादिवाक्येन स व्यवहारः प्रचालित इति, एतदपि यत् किञ्चित्। एतदादिवाक्ये नेदमभिहितं यद् मन्त्रब्राह्मणयोर्वेदनाम इति स्यादिति, प्रत्युत तत्र एतदुक्तं यत्—तयोर्नाम वेद इति वर्त्तते प्राचीनकालाद्, नतु अस्माभिरर्वाचीनतया प्रचालितः स व्यवहार इति। यद्येतन्न मन्येत स्वामी तदनुयायी वा कश्चित्; तर्हि मन्त्रेऽपि वेदव्यवहारोऽप्राचीनतामर्थाद् अर्वाचीनतां स्प्रक्ष्यति, उभयोरेवोक्तवाक्ये सध्रीचीनतया उक्तत्वात्। तेन सिद्धं यद्—आर्यसमाजप्रवर्त्तक स्वा० दयानन्दात् प्राक्तनकालपर्य्यन्तं मन्त्रभागवद् ब्राह्मणभागोऽपि वेदो मन्यते स्म। परं स्वा० दयानन्दकालादेव सनातनधर्म्मस्य सङ्कोचनार्थं ब्राह्मणभागस्याऽवेदताकथा प्रचलिता। तेनाऽयमेव व्यवहारोऽर्वाचीनोऽस्त एवाऽश्रद्धेयोऽसिध्यत्।

वस्तुतस्तु स्वा. दयानन्दाधीनस्य ईश्वरस्यापि मते ब्राह्मणभागो वेदः। स्वामी सत्यार्थप्रकाशे २९ पृष्ठे वक्ति—'कुलीन शूद्र हो तो उसको **मन्त्रसंहिता छोडके** सब शास्त्र पढाने'। पुनरसौ ४४ पृष्ठे ईश्वरप्रमाणेन शूद्राणामपि वेदाधिकारमाचष्टे। पूर्वं शूद्राणां मन्त्रभागे निषेधसूचनाद् अत्र च वेदे शूद्राधिकारनिरूपणात् स्वामिपरतन्त्रेश्वरस्यापि वेदोऽत्र ब्राह्मणभाग एवेष्टः। अन्यथा ईश्वरस्य का शक्तिर्यत्-स्वाम्यनुसारं मन्त्रभागानधिकृते शूद्रे मन्त्रभागाधिकारं दद्यात्। अन्यथा साकारत्वादिव निराकारत्वादपि रहितमीश्वरं कृत्वा तदस्तित्वमपि नाशयेत् स्वामी।

अन्तिमो हेतुः स्वा. दयानन्दस्य ऋग्वेदादिभाष्यभूमिकायां वर्त्तते 'मनुष्यबुद्धिरचितत्वाच्चेति' ब्राह्मणभागस्याऽवेदत्वे परन्तु ब्राह्मणभागे का सा मनुष्यबुद्धिः, मन्त्रभागे च सा का न इति स्वामिना न साधितम्। तेनाऽयं हेतुः साध्यकोटिकोऽस्त एव हेत्वाभासः सिद्धः। एवं तदीयानां षण्णां हेतूनां सम्यगुपमर्दाद् ब्राह्मणभागस्यापि मन्त्रभागवद् वेदता स्पष्टं सिद्धा।

यत्तु ऋग्वेदादिभिः सह वेदशब्दः संहिताशब्दो वा प्रयुज्यते न शतपथादिना, अत एव न ब्राह्मणभागो वेद इत्युच्यते, तदपि मन्दम्। अन्यथा 'आयुर्वेद—सर्पवेद—पिशाचवेद—पुराणवेद—सुश्रुतसंहिता चरकसंहिताऽत्रिसंहितादीनामपि वेदसंहितादिपदसध्रीचीनताकारणाद् एतेषामपि वेदता मन्तव्या स्याद् वादिभिः। मन्त्रभागे "तस्माद् यज्ञात् सर्वहुत ऋचः' यजुः ३१। ७ इत्यादौ ऋगादिनामभिः सह 'वेद' शब्दप्रयोगाऽदर्शनात्, प्राचीनकाले च एकमेव ऋग्वेदयजुर्वेदसामवेदाथर्ववेदानां शाकल्य-माध्यन्दिनी (वाजसनेयी) कौथुमी—शौनकी—शाखानाम्ना ख्यातत्वेन 'वेद' शब्दराहित्याद् मन्त्रभागस्यापि अवेदता मन्तव्या स्याद्। यदा खलु प्राचीनैर्मन्त्रभागवद् ब्राह्मणभागोऽपि ऋषिराख्यायते, वेदे उदाहर्त्तव्ये स उदाह्रियते, आम्नायत्वेन कीर्त्यते, तदा तस्य वेदता स्पष्टैव।

स्वा० दयानन्दादिभिः प्रयुज्यमानो ब्राह्मणभागे 'भाग' शब्द एव तस्य वेदत्वसाधकः। भागस्य भागी अवश्यं भवति। ब्राह्मणभागस्य भागी मन्त्रभागो नास्ति, यतः सोऽपि 'भाग' शब्दवाच्यः। तेन मन्त्रभागो ब्राह्मणभागश्च--इत्युभौ भागौ सिद्धौ। भागी तु वेदः सिद्धः। अर्थाद्--इमौ भागौ सम्भूयैव वेदतां स्पृशतः। तेन यदि मन्त्रभागो वेद इत्यत्र वादिनामविवादः, तर्हि ब्राह्मणभागोऽपि वेद इति निर्विवादं सिद्धम्।

अथ चैतत् प्रागुक्तं यत्--छान्दसकार्य्याणि यदा ब्राह्मणभागेऽपि भवन्ति; तदा स्पष्टमसौ वेदः सिद्धः। अत्र केचिदाचक्षते—छान्दसकार्य्याणि तु पाणिनिसूत्रेष्वप्युपलभ्यन्ते, पुराणेतिहासेष्वपि दृश्यन्ते, अत एव 'आर्षोऽयं प्रयोगः इति तत्र समाधीयते, एवं काव्येष्वपि दृश्यन्ते छान्दसप्रयोगाः; तथापि यथा पाणिनिसूत्राणि पुराणेतिहासाश्च वेदनाम्ना नाख्यायन्ते किन्तु वेदाङ्गनाम्ना; तथा ब्राह्मणभागेऽपि 'आर्षा इमे प्रयोगाः' इति समाधाय तेषां लौकिकताऽभिमतिरेव ज्यायसी। आम्—तदीयवेदाङ्गताऽङ्गीकारे नास्माकमापत्तिरिति, अत्रोच्यते—

पाणिन्यादिसूत्राणां कृते तु 'छन्दोवत् सूत्राणि भवन्ति' इति परिभाषा निबद्धा वर्त्तते तदीयातिदेशिकच्छन्दस्त्वमात्रनिरूपणेन कचित् छान्दसकार्य्याणि विधातुम्, एवं 'छन्दोवत् कवयः कुर्वन्ति' इति पुराणेतिहासादीनामपि कृते भाष्यकारेष्टिर्विद्यते, अत एव नेमे वेदा इति स्पष्टीभूतम् । परं 'छन्दोवत् सूत्राणि भवन्ति' 'छन्दोवत् कवयः कुर्वन्ति' इतीव 'छन्दोवद् ब्राह्मणानि भवन्ति' इति कापि परिभाष्य तेषामातिदेशिकं छन्दस्त्वं नाऽमानि किन्तु साक्षादेव स भागो वेदो मतः । तदीयाऽऽतिदेशिकच्छन्दस्त्ववचनस्य कचिदपि अप्राप्तत्वाद्, क्वापि वा नद्यादिसञ्ज्ञावत् तत्कृते सञ्ज्ञासूत्रस्य परिभाषासूत्रस्य वाऽप्रणयनाद् ब्राह्मणभागः स्पष्टं वेदः सिद्धः । तस्मिन्नितिहासपुराणादिवत् काचित्का न सन्ति छान्दसप्रयोगाः, किन्तु 'मन्त्रे' इति विहाय 'छन्दसि निगमे' इत्यादिना विहितास्सर्वे एव वैदिकादेशास्तस्मिन्नादिश्यन्ते दृश्यन्ते च । प्रत्युत 'मन्त्रे घस ह्वर' २।४।८० इति च्लिविधायकसूत्रस्य मन्त्रविषयत्वेऽपि एतत्सूत्रस्थजनधातोरुदाहरणे मन्त्रोपलक्षणेन 'अक्रत वा अस्य दन्ताः' इति ब्राह्मणोदाहरणमपि स्वीकृतम् । तर्हि कः कथयितुमीष्टे विना पक्षपातोपनेत्रधारिणं यद्-ब्राह्मणभागे स्तुत्या वेदशब्दप्रयोगः १ । तेन स्पष्टं यद्-ब्राह्मणभागे वेदत्वव्यवहारो नाऽधिकार्थवचनरूपोऽर्थवादः, नचापि वा पारिभाषिकः, नापि वा पारिषदकृतिः, न चाप्यैकदेशिकः, किन्तु मन्त्रभागस्य वेदत्वव्यवहारेणैव सध्रीचीनः, प्राचीनः, सार्व्वत्रिको वास्तविकश्च ।

यत्तु खलु स्वा. दयानन्देन तदनुयायिभिर्वा ब्राह्मणभागस्याऽवेदत्वे प्रयत्नः कृतः क्रियते च, तस्य मूलकारणमेतद् यद्-ब्राह्मणभागेन सनातनधर्म्मस्य बहव एव सिद्धान्ताः सिध्यन्ति । तेषां वैदिकता मा भूदिति वेदमार्गसङ्कोचनार्थं सनातनधर्मविद्विषा (शत्रुणा) तेन ब्राह्मणभागस्याऽवेदत्वसाधने पराक्रान्तम्, नान्यत् किमपि कारणान्तरम् । तेन 'स्वार्थी दोषान् न पश्यति' इति तेनाऽनुपपत्तयो दृष्टा अपि न दृष्टाः । अस्माभिस्तद्विवरणं विज्ञपाठकानां समक्षं स्थापितमेव । आशास्यते—तैः प्रणिधानेन तत्र विचारे कृते स्वयमेव ब्राह्मणभागस्य वेदता मन्येत । अन्यथा तैर्ज्ञेयं यद्-ब्राह्मणभागस्य वेदत्वाऽभावे मते सन्ध्याशिखायज्ञोपवीतादिविविधविधीनां मन्त्रभागे स्पष्टतयाऽवर्ण्णनात् तेषामवैदिकतैव मन्तुमापतेत; तदा चैतावत्प्रयोजनानां तृतीयजनानां स्वार्थसिद्धिरस्मदीयप्राचीनधर्म्मस्य च महिष्ठा क्षतिर्भवेद्—इति किं बहुना ।

स एव वेदस्तस्यापि शतपथब्राह्मणं सायणभाष्यसंवलितं नासिकवास्तव्यैः 'वारे' पं० श्रीधर अण्णाशास्त्रिभिः प्रयत्नेन सम्पादितं पाठकानां करकमले समुपस्थाप्यते । ते चेदं प्राप्य प्रसीदन्तुतमामित्युदीर्य्याऽत्र विरम्यते । अधिकमेतद्विषये दिदृक्षवो मत्प्रणीतग्रन्थं 'श्रीसनातनधर्म्मालोकं' पश्यन्तु ।

निवेदकः—

मुल्तानसिटी.
८-८-३१.

दीनानाथशर्म्मा शास्त्री सारस्वतः,
शुजाबादाभिजनः,
सनातनधर्म्मसंस्कृतकालेजोपाध्यायः ।

अथ ब्रह्मसंप्रदाय [परंपरा] द्योतकः

वंशपटः ❀

१ ब्रह्मा

२ वसिष्ठः

३ शक्तिः

४ पराशरः

+५ व्यासः

×६ पैलः	७ वैशंपायनः	८ जैमिनिः	९ सुमंतुः
ऋग्वेदी	यजुर्वेदी	सामवेदी	अथर्ववेदी

❀ अस्मिन्वंशपटे एकः पुत्रवंशोऽपरो विद्यावंशः, तद्वंशद्वयानुक्रमेण च शाखाप्रवर्तनं सम्पन्नमिति ॥

+ ब्रह्माणमारभ्य व्यासपर्यन्तं पुत्रपरम्परया वेदप्रवृत्तिः ॥

× एते च पैलादयो व्यासशिष्याः । एतदादितः शिष्यपरम्परया शाखाप्रवृत्तिर्जाता ॥

ब्रह्मसंप्रदाय ऋग्वेदवंशपटः ।

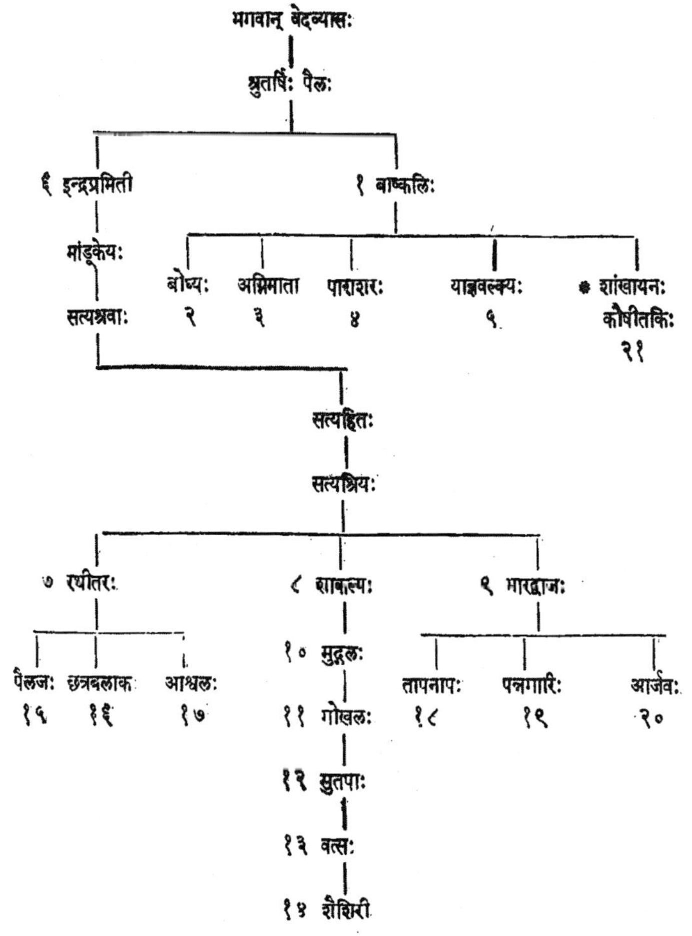

---

* एतल्लक्ष्मवती शाखाऽऽदित्यसम्प्रदायिनी, तदितरा लक्ष्मवर्जिताः सर्वाः शाखा ब्रह्मसम्प्रदायगता इति ज्ञेयम् ॥

ब्रह्मसंप्रदायगतः कृष्णयजुर्वेदशाखापटः ॥

१ वैशंपायनः
२ लौहित्यः
३ शावधः
४ पलांडुः
५ आलंबिः
६ कलिंगः (पलः)
७ कमलाहः
८ ऋचाभः
९ आरुणिः
१० तंडी
११ श्यामायनः
१२ कठः
१३ कलापः
१४ चुलमिः
१५ सुमतिः
१६ देववरः
१७ अनुकृष्णः
१८ आयुः
१९ अनुभूमिः
२० आप्रीतः
२१ कृशाश्वः
२२ सुमूलिः
२३ बाष्कलिः
२४ शुकः
२५ लौकिः
२६ भूरिश्रवाः
२७ सोमाविः
२८ आतुनांतक्यः
२९ धौम्यः
३० काश्यपः
३१ औख्यः
३२ इलकः
३३ उपमन्युः
३४ विदः
३५ भार्गवः
३६ मधुकः
३७ पिंगः
३८ श्वेतकेतुः
३९ प्रजादर्पः
४० कहोडः
४१ याज्ञवल्क्यः
४२ शौनकः
४३ आनंगः
४४ उनिरः
४५ तालः
४६ यास्कः (पैंगिः)
४७ खांडायनः कठांतेवासी
४८ पिंजुलकठः क्रौंचद्वीपे
४९ औदलकठः शाकद्वीपे
५० सपिच्छवकठः "
५१ मुद्गलकठः काश्मीरदेशे.
५२ श्रृंगलकठः सुजदेशे
५३ सौभरकठः सिंहलदेशे
५४ मौरसकठः कुशद्वीपे
५५ चुचुककठः यवनदेशे
५६ योगकठः "
५७ हापिलकठः "
५८ दौसलकठः सिंहलदेशे
५९ घोषकठः क्रौंचद्वीपे
६० जृंभककठः श्वेतद्वीपे

४८–६० इति त्रयोदश कठाः वेदवृक्षपटे ।

६१ चरकः
६२ आह्वरकः
६३ भ्राजिष्ठवकठः
प्राक्कपिष्ठलकठः
६४ प्राच्यकठः
६५ कापिष्ठलकठः
६६ वारायणः
६७ चारायणः
६८ श्वेतः
६९ श्वेताश्वतरः (उपमन्युः)
७० पातांडिः
७१ मैत्रेयः

६१–७१ इति चरणव्यूहे चरकाणां द्वादश भेदाः ।

७२ मनुः
७३ वराहः
७४ दुंदुभिः
७५ एकिः
७६ हारिद्रुः
७७ श्यामः
श्यामायनः

७२–७७ इति चरणव्यूहे मैत्रायणीयानां सप्त भेदाः ।

७८ हारिद्रुणः
७९ छगलिः
८० तुंबुरुः
८१ उलपिः

७८–८१ इति कलापानां चत्वारो भेदाः पातञ्जलमहाभाष्ये तत्त्वबोधिन्यां च

८२ आसुरिः
८३ गार्गः
८४ शार्कराक्षः
८५ मृगः
८६ वसवः

८२–८६ इति हारिद्रुविणां पंच भेदाः चरणव्यूहे ।

ब्रह्मसंप्रदायगतः सामवेदशाखावंशपटः।

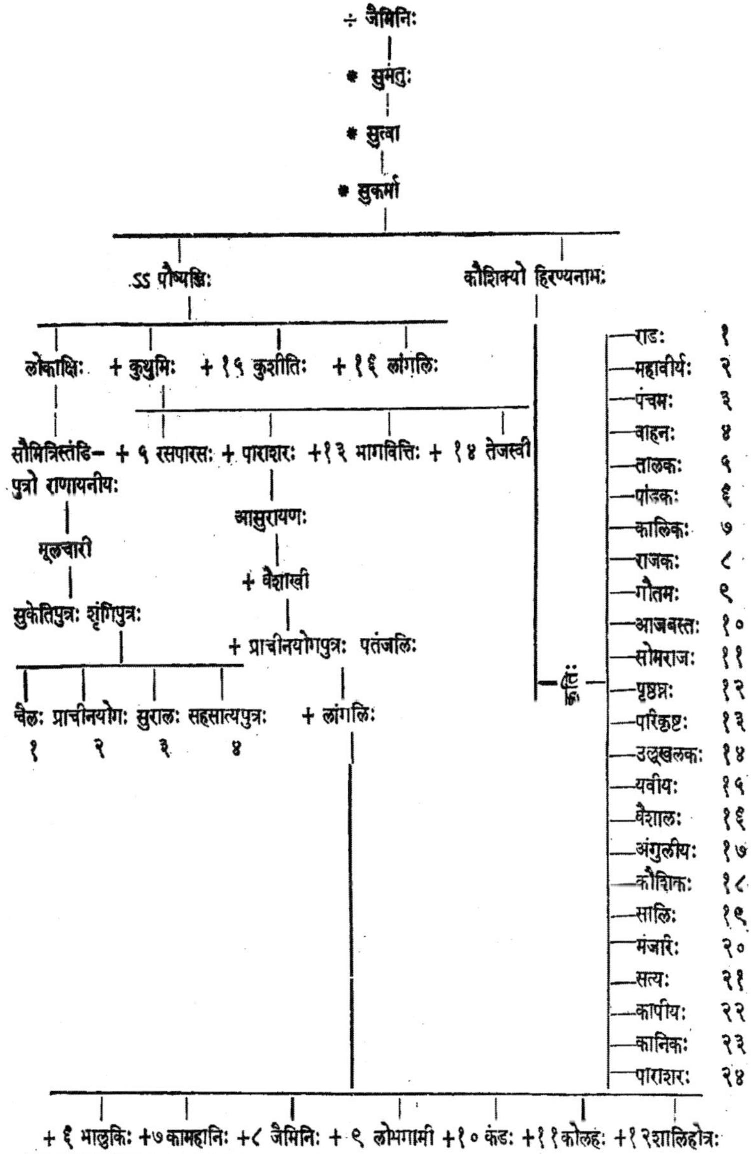

÷ सम्प्रदायद्वयेऽप्येतावतीनां शाखानां नामान्युपलब्धानि। एषु काश्चन विद्यमानाः काश्चन नाममात्रावशिष्टाः ॥

* एतल्लक्ष्मांकिता ऋषिपुत्राः। SS निरंका निश्चिह्नास्तत्तच्छाखाध्येतारः शिष्यभूता ऋषयः, न तु शाखाप्रवर्तकाः। + एतच्चिह्नांकिताः शाखाः आदित्यसम्प्रदायिन्यस्तदितरा ब्रह्मसम्प्रदायिन्य इति ज्ञेयम्।

ब्रह्मसंप्रदायगतोऽथर्ववेदशाखा–

वंशपटः

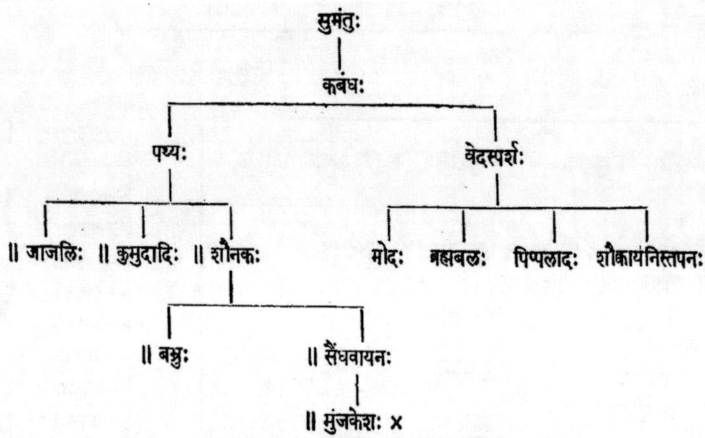

॥ एतल्लक्ष्म यस्य नाम्न आदौ वर्तते सा तत्प्रवर्तिता शाखाऽऽदित्यसम्प्रदायांतर्गतेति बोध्यम् । तदितराः शाखा ब्रह्मसम्प्रदायान्तर्गता बोद्धव्याः ॥

×–मुंजकेशस्य संहिता द्विप्रकारा । एका संहितेति प्रसिद्धा । अन्या नक्षत्रकल्पः, वैतानकल्पः, अंगिराकल्पः, शान्तिकल्पः, इति कल्पचतुष्टयत्वेन प्रसिद्धा ॥

आदित्यसंप्रदाय [परंपरा] द्योतकः

वंशपटः । (६)

आदित्यः

|

योगीश्वर-याज्ञवल्क्यः

शांखायनः	कण्वमाध्यंदिनादिः	सामश्रवाः [कौथुमः]	शौनकप्रभृतिः
ऋग्वेदी.	यजुर्वेदी.	सामवेदी.	अथर्ववेदी.

आदित्यसंप्रदाय ऋग्वेदवंशपटः । (७)

योगीश्वर-याज्ञवल्क्यः

|

(शांखायनः कौषीतकी)

आदित्यसंप्रदायगः शुक्लयजुर्वेदपंचदशशाखा-वंशपटः। (८)

योगीश्वरयाज्ञवल्क्यः

१ जाबालाः	नार्मदाः वैदर्भदेशे (वऱ्हाडप्रांते)।
२ बौधेयाः	रणावटाः दक्षिणे देशे आभीरे गुर्जरे (ओझा)।
* ३ कण्वाः	क्वचित्कर्णावटा इत्यपि ख्याताः कर्णाटके द्राविडे महाराष्ट्रे
४ माध्यंदिनाः	प्रायः सर्वत्र (उत्तरप्रदेशे शरयूपारीणा इति) श्रुताः।
५ शापेयाः	नागराः गुर्जरदेशे।
६ तापायनीयाः	नारमदेवाः नर्मदातीरे (नेमाडप्रांते)।
७ कपोलाः	भृगुगौडाः गुर्जरदेशे (भगोरा, भार्गव इति) श्रुताः।
* ८ पौंड्रवत्साः	त्रिवाडीमेवाडा इति ख्याता गुर्जरदेशे।
९ आवटिकाः	श्रीमाळवी इति ख्याता गुर्जरदेशे।
१० परमावटिकाः	आद्यगौडाः मरुदेशे (मारवाडप्रांते)।
११ पाराशराः	गुर्जरदेशे मरुदेशे च प्रसिद्धाः।
* १२ वैनधेयाः	कंकराः बौध्यपर्वते।
१३ गालवाः	माळवी इति ख्याताः वैदर्भे सौराष्ट्रे च (काठीयावाडप्रांते)।
१४ कात्यायनाः	कास्ताः वैदर्भे नर्मदासंगमे महाराष्ट्रे च।
१५ बैजवापाः	नारायणसरोवरप्रदेशे (काठीयावाडप्रांते)।

---

* एतच्चिह्नाङ्किताः शाखाः कण्वसमाम्नायानुगास्ततोऽन्या माध्यन्दिनसमाम्नायानुगाश्चेति विज्ञेयम्।

आदित्यसंप्रदायगतः सामवेदशाखा–

❀ वंशपटः । (९)

- योगीश्वर–याज्ञवल्क्यः
  - * सामश्रवाः कुथुमिः
    - रसपारसः
    - पाराशरः
      - आसुरायणः
        - वैशाखी
          - प्राचीनयोगपुत्रः पतंजलिः
            - लांगलिः
              - भालुकिः
              - कामहानिः
              - शालिहोत्रः
                - कंडः
                - कोल्हः
              - जैमिनिः
              - लोमगामी
    - भागवित्तिः
    - तेजस्वी

× एतस्मिन्वंशपटे निर्दिष्टशाखास्वपि बह्वयः शाखा अनुपलब्धाः सन्ति ।

* इमौ न भिन्नव्यक्तौ किंतु एकैव व्यक्तिः । सामश्रवा इत्येतन्नाम बृहदारण्यकोपनिषदि समागतम्, कुथुमिनाम्न उल्लेखस्तथा कियान्कथांशः स्कांदे नागरखण्डे समागतः ।

आदित्यसंप्रदायगतोऽथर्ववेदशाखा–

वंशपटः । (१०)

- योगीश्वर–याज्ञवल्क्यः
  - शौनकः
    - कुमुदादिः
    - जाजलिः–जाबालः
    - सैंधवायनः
      - × मुंजकेशः
    - बभ्रुः

---

* मुंजकेशस्य संहिता द्विप्रकारा । एका संहिता इति प्रसिद्धा । अन्या नक्षत्रकल्पः, वैतानकल्पः, आंगिरसकल्पः, शान्तिकल्पः इति कल्पचतुष्टयत्वेन प्रसिद्धा इति ज्ञेयम् ॥

श्रीशः शरणम् ।

दर्शपूर्णमासादियज्ञोपयुक्तपात्राणि ।

यज्ञभाजनानि यथोक्तानि कात्यायनसूत्रे–" वैकङ्कतानि पात्राणि खादिरः स्रुवः स्फ्यश्च पालाशी जुहूर्भवति (आश्वत्थ्युपभृत्) वारणान्यहोमसंयुक्तानि बाहुमात्र्यः स्रुचः पाणिमात्रपुष्करास्त्वग्बिला हंसमुखप्रसेका मूलदण्डा भवन्त्यरत्निमात्रः स्रुवोऽङ्गुष्ठपर्ववृत्तपुष्करः स्फ्योऽस्याकृतिरादर्शाकृतिः प्राशित्रहरणं चमसाकृति वा ॥"

यथा–उलूखलमुसलकूर्चेडापात्रीपिष्टपात्रीपुरोडाशपात्रीशम्यागृतावदानाभ्र्युपवेषान्तर्धानकटप्राशित्रहरणषडवत्तब्रह्मयजमानासनहोतृषदनादीनि, एतानि वारणान्यहोमसंयुक्तानि । होमसंयुक्तानि तु वैकङ्कतादीनि भवन्ति ॥

आज्यस्थाली. चरुस्थाली. पुरोडाशपात्री. प्रणीता.

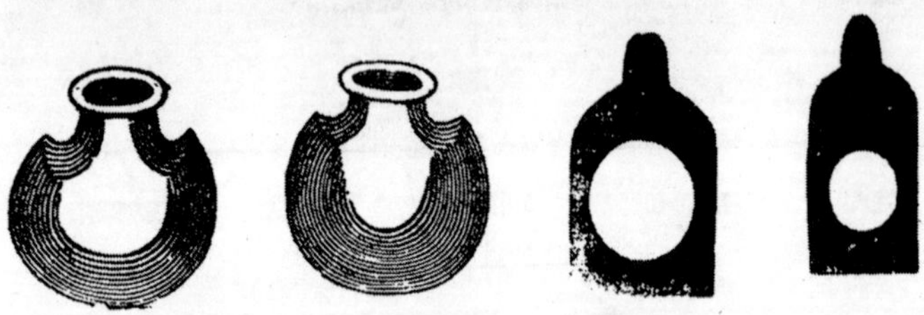

आज्यस्थाल्यादीनामाकृतयः–" आज्यस्थाली तैजसी वा मृन्मयी वा प्रकीर्तिता । द्वादशाङ्गुलविस्तीर्णा प्रादेशोच्चा शुभा स्मृता ॥ आज्यस्थालीप्रमाणेन चरुस्थाली प्रशस्यते ॥ पुरोडाशस्य पात्री तु चतुरस्रा समानतः । खातेन वर्तुलेनैव युता यज्ञे प्रशस्यते ॥ प्रणीता वारणा[1] ग्राह्या द्वादशाङ्गुलसंमिता । खातेन हस्ततलवदाकृत्या पद्मपत्रवत् ॥

जुहूः स्रुक् उपभृत्स्रुक् ध्रुवास्रुक् पुष्करस्रुक् अग्निहोत्रहवनी वैकंकतः स्रुवः

खादिरो बाहुमात्रस्तु जुहूस्रुक्संज्ञकः स्रुवः । अरत्निमात्रो हंसास्यो वर्तुलोऽङ्गुष्ठपर्ववत् । अर्धपर्वप्रणाल्या च युक्तो नासाकृतिर्भवेत् ॥ उपभृत्स्रुक् ध्रुवा स्रुक् च पुष्करस्रुक् तथैव च । अग्निहोत्रस्य हवनी तथा वैकङ्कतः स्रुवः ॥ एते चान्ये च बहवः स्रुवभेदाः प्रकीर्तिताः । वर्तुलास्याः [illegible] [illegible] [illegible] ॥

१–वारणा, वरणवृक्षकाष्ठविर्निर्मिता ।

उलूखलम् मुसलम् शूर्पम् शम्या स्फ्यः

उलूखलं च मुसलं स्वायते सुदृढे तथा । इच्छाप्रमाणे भवतः शूर्पं वैणवमेव च ॥ अन्यच्च–" खादिरं मुसलं कार्यं पालाशः स्यादुलूखलः । यद्वोभौ वारणौ कार्यौ तदभावेऽन्यवृक्षजौ ॥ " शम्या प्रादेशमात्रा स्यात्खादिरः स्फ्यः प्रकीर्तितः । खड्गाकारोऽरत्निमात्रो वज्ररूपो मखे स्मृतः ॥

शृतावदानम्. उपवेषः. मकराकारकूर्चः. दृषत्. उपलः.

अंगुष्ठपर्वमात्रं तु तीक्ष्णाग्रं पृथुवक्त्रकम् । शृतावदानं प्रादेशमात्रं दीर्घमुदाहृतम् ॥ उपवेषोऽरत्निमात्रो हस्ताकारस्तु खादिरः । कौशः कूर्चो बाहुमात्रो मकराकार उच्यते । इच्छाप्रमाणा तु दृषत्प्रोक्ता पाषाणसंभवा । उपलो वर्तुलः प्रोक्तो वितस्तिपरिमाणकः ॥

षडवत्तम्. अग्निः. अधरारणिः. उत्तरारणिः चात्रम्. ओविली.

षडंगुलप्रमाणं तु षडवत्तं युगात्मकम् । तथा चोभयतःखातं वारणं तत्प्रचक्षते ॥ अग्निस्तीक्ष्णमुखा ज्ञेया खादिराऽरत्निसंमिता । अश्वत्थो यः शमीगर्भः प्रशस्तोर्वीसमुद्भवः ॥ तस्य या प्राङ्मुखी शाखा उदीची चोर्ध्वगाऽपि वा । अरणिस्तन्मयी प्रोक्ता तन्मध्ये चोत्तरारणिः ॥ संसक्तमूलो यः शम्या स शमीगर्भ उच्यते ॥ अलाभे त्वशमीगर्भादाहरेदविलम्बितः । चतुर्विंशतिरंगुष्ठदैर्घ्यं षडपि पार्थिवम् ॥ चत्वार उच्छ्रये मानमरण्योः परिकीर्तितम् । सारवदारवं चात्रमोविली च प्रशस्यते ॥

प्रमन्थः

नेत्रम् अथवा रज्जुः.

अष्टांगुलः प्रमन्थः स्यान्नेत्रं स्याद्द्वादशांगुलम् । ओविली द्वादशैव स्यादेतन्मन्थनयन्त्रकम् । अंगुष्ठांगुलमानं तु यत्र यत्रोपदिश्यते ॥ तत्र तत्र बृहत्पर्वग्रन्थिभिर्मिनुयात्सदा ॥ गोवालैः शणसंमिश्रैस्त्रिवृत्तममलात्मकम् । व्यामप्रमाणं नेत्रं स्यात्प्रमथ्यस्तेन पावकः ॥ मूर्धाक्षिकर्णवक्त्राणि कन्धरा चापि पञ्चमी । अंगुष्ठमात्राण्येतानि द्व्यगुंष्ठं वक्ष उच्यते ॥ अंगुष्ठमात्रं हृदयं त्र्यंगुष्ठमुदरं स्मृतम् । एकांगुष्ठा कटिर्ज्ञेया द्वौ बस्तौ द्वौ च गुह्यकम् ॥ ऊरू जङ्घे च पादौ च चतुस्त्र्येकैर्यथाक्रमम् । अरण्यवयवा ह्येते याज्ञिकैः परिकीर्तिताः ॥ यत्तद्गुह्यमिति प्रोक्तं देवयोनिस्तु सोच्यते । अस्यां यो जायते वह्निः स कल्याणकृदुच्यते ॥

अन्तर्धानकटः

हविर्धानपात्री.

प्राशित्रहरणम्.

चमसः.

इडापात्री.

अन्तर्धानकटः प्रोक्तो द्वादशांगुलसंमितः । अर्धचन्द्रसमाकारः किञ्चिदुच्छ्रितदीर्घकः ॥ प्रोक्ता हविर्धानपात्री विपुला द्वादशांगुला । पिष्टपात्री च सैवोक्ता चतुरस्रा प्रकीर्तिता ॥ प्राशित्रहरणं चान्यत्कीर्तितं द्वादशांगुलम् । चमसानां तु वक्ष्यामि दण्डाः स्युश्चतुरंगुलाः ॥ त्र्यंगुलस्तु भवेत्स्कन्धो विस्तारश्चतुरंगुलः । पलाशाद्वा वटाद्वाऽन्यवृक्षाद्वा चमसाः स्मृताः ॥ इडापात्री तथा चान्याऽरत्निमात्रा प्रकीर्तिता ॥

यजमानासनम्.

पत्न्यासनम्.

होत्रासनम्.

ब्रह्मासनम्.

यजमानासनं पत्न्या आसनं च पृथक्पृथक् ॥ होत्रासनं तथा ब्रह्मासनं विस्तारयोगतः । अरत्निमात्राण्येतानि कथितानि मनीषिभिः ॥

यजमानपात्री.

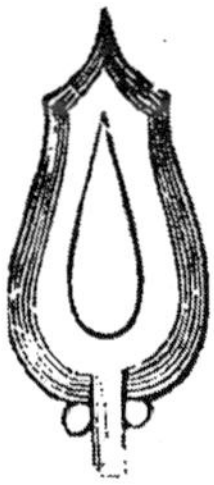

पत्नीपात्री.

कृष्णाजिनम्.

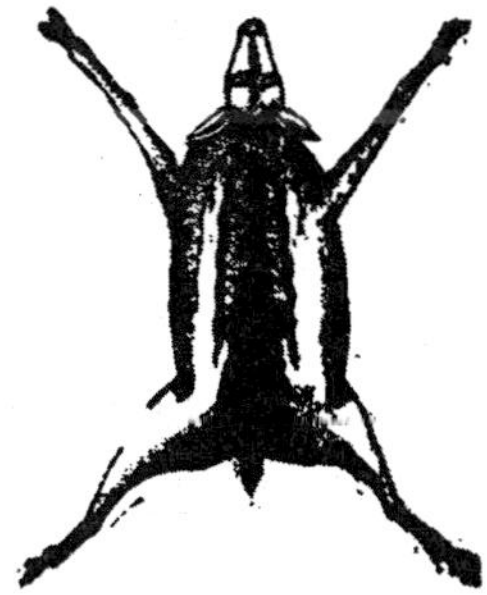

यजमानस्य पात्री च पत्नीपात्री तथैव च । मखे कृष्णाजिनं ग्राह्यं तदखण्डं विशिष्यते ॥ "

इति यज्ञपात्राणि ॥

अथ माध्यन्दिनशतपथब्राह्मणस्य-अध्ययनोपक्रमः ।

अस्य श्रीमध्यन्दिनशतपथब्राह्मणस्य, योगीश्वरो याज्ञवल्क्यः श्रुतर्षिः, सर्वं यजुः क्वचित्-न्तराऽन्तरोद्धृतानि गायत्र्यादीनि छन्दांसि, भगवांस्त्रयीमय आदित्यो देवता, अपूर्ववेदस्वीकरणादि-पञ्चविधस्वाध्यायाध्ययने, विनियोगः ।

हरिः + ॐ १ ।

* भूर्भुवः स्वः । तत्सवितुर्वरेण्यम्भर्गो देवस्य धीमहि ।
धियो यो नः प्रचोदयात् ॥ १ ॥

१–" आदित्यानीमानि शुक्लानि यजूंषि वाजसनेयेन याज्ञवल्क्येनाख्यायन्ते " (श. प. १४ । ९ । ४ । ३३) इति श्रुतेः । " सौराणि ब्राह्मणानि च " इत्यादिसर्वानुक्रमसूत्राच्च ॥

+ " प्रणवं प्राक्प्रयुञ्जीत व्याहृतीस्तदनन्तरम् । सावित्रीं चानुपूर्व्येण ततो वेदादिमारभेत् " इति याज्ञवल्क्यशिक्षावचनात् ॥

* अभ्यासार्थे द्रुतां वृत्तिं प्रयोगार्थे तु मध्यमाम् । शिष्याणामुपदेशार्थं कुर्याद्वृत्तिं विलम्बिताम् " इति । इत्यपि विशेषो धर्मोऽत्र याज्ञवल्क्यशिक्षावचनाद्बोध्यः । अन्यत्किमजातं तत्रैव याज्ञवल्क्यशिक्षायां द्रष्टव्यम् ॥

श्रीशः शरणम् ।

अथ माध्यन्दिनशतपथब्राह्मणस्य विषयानुक्रमणिका ।

प्रथमे हविर्यज्ञकाण्डे दर्शपूर्णमासयागः ।

ब्रा० विषयाः — पृष्ठाङ्काः

अथ प्रथमोऽध्यायः ।

इति प्रथमोऽध्यायः ।

अथ द्वितीयोऽध्यायः ।

इति षष्ठोऽध्यायः ।

अथ सप्तमोऽध्यायः ।

अथ द्वितीय एकपादिकाकाण्डे-

अग्न्याधानम् ।

ब्रा० विषयाः — पृष्ठाङ्काः

प्रथमोऽध्यायः ।

इति द्वितीयेकपादिकाकाण्डम् ।

श्रीशः शरणम् ।

माध्यन्दिनशतपथब्राह्मणगतविशिष्टनाम्नाम्

अकाराद्यनुक्रमेण सूची ।

नामानि	अ. ब्रा. क.
प्रथमकाण्डे–	
अग्निः (देवानां दूतः)	४ । १ । ३४
अत्रिः (ऋषिः)	४ । ५ । १३
अररुः (असुरविशेषः)	२।४।१७-१८
अर्वावसुः (देवानां होता)	५ । १ । २४
आकुलिः (असुरपुरोहितः)	१ । ४ । १६
आस्याः	२ । २ । १८
आरुणिः	१ । ३ । ११
आषाढः सावयसः	१ । १ । ७
आसुरिः	६ । ३ । २६
इडः	५।३।११, ४।३
ऋषभः	१ । ४ । १४
औपोदितेयः (वैयाघ्रपद्यः)	९ । ३ । १६
कः (ब्रह्मा)	१ । १ । १३
किलातः (असुरपुरोहितः)	१।४।१४-१६
कुरुः पाञ्चालः (देशविशेषः)	७ । २ । ८
गोतमः राहूगणः	४ । १ । १०
जातवेदाः	४ । २ । १७
तनूनपात्	५।३।८ इत्यादि ५।४।२
त्रितो द्वित एकतश्च.	२ । ३ । १
दनायूः	६ । ३ । ९
दनुः	६ । ३ । ९
दर्शपूर्णमासः	१ । १ । ०
दानवः (वृत्रासुरः)	६ । ३ । ९
द्यावापृथिवी	८।१।२९,८।३।१२ ७९।१।४
नराशंसः	५।१।२०, ८।२।१२
रावसुः	५ । १ । २३
श्वि: ऋषिः	२ । ५ । ९
र्णोर्ष्णः ऋषिः	१ । १ । १०
	७ । ४ । ६

नामानि	अ. ब्रा. क.
भवः (रुद्रः—अग्निः)	७ । ३ । ८
माल्लवेयः (इन्द्रद्युम्नो राजा)	७ । ३ । १९
भृगुः (अङ्गिराः)	२ । १ । १३
मनावी (मनुपत्नी	१ । ४ । १६
मनुः	१।४।१४ इत्यादि ८।१।८
महेन्द्रः	६ । ४ । २१
मातरिश्वा	७ । १ । ११
याज्ञवल्क्यः	१।१।९, ३।१।२१–२६, ९।३।१६
रक्षः	१ । १ । १६
राहूगणः (गोतमः)	४ । १ । १०
वामदेव्यं (सामविशेषः)	८ । १ । १९
वास्तव्यः (रुद्रः)	७ । ३ । १
विदेघो माथवः (राजा)	४।१।१० इत्यादि.
विश्वरूपः (त्वष्टुः पुत्रस्त्रिशीर्षा)	२।३।२, १।६।३
शंयुः शम्युर्वा (बृहस्पतेः पुत्रः)	९।१।२४–२९
शर्वः (रुद्रः)	७ । ३ । ८
सहरक्षाः (असुराणां दूतः)	४ । १ । ३४
हिरण्यस्तूपः (आङ्गिरसः)	६ । ४ । २
द्वितीयकाण्डे–	
अनश्नन् (साङ्गमनः सम्याग्निः)	३ । २ । १
अर्जुनी (फल्गुनीनक्षत्रम्)	१ । २ । ११
अरुणः (औपवेशिर्गोतमः)	९ । २ । २०
असत्पांसवः (भस्मोद्वापः)	३ । २ । १
आग्रयणेष्टिः (यागविशेषः)	४ । ३ । १
आसुरिः	१।४।२७, ६।१।९
उक्थ्यम् (महदुक्थ्यम्)	३ । ३ । २०
औपवेशिः (अरुणो गोतमः)	२ । २ । २०
करीराणि (फलविशेषाः)	५ । २ । ११
कहोडः (कौषीतकी) ऋषिः	४ । ३ । १
कुरवः (देशविशेषाः)	४ । ४ । ५

नामानि	अ. ब्रा. क.
कृत्तिका (नक्षत्रम्)	१ । २ । १
चित्रा (नक्षत्रम्)	१ । २ । १३
जीवलः (चैलकिः) ऋषिः	३ । १ । ३४
तृष्णा	३ । १ । ३१
दक्षः (प्रजापतिः)	४ । ४ । १
दक्षः (पार्वतिः) ऋषिः	४ । ४ । ६
दक्षिणाग्निः (अग्निविशेषः)	५ । २ । २५
दाक्षायणः (यज्ञविशेषः)	४ । ४ । २
देवभागः (श्रौतर्षः) ऋषिः	४ । ४ । ५
नड्डो नैषधः (दक्षिणाग्निविशेषः)	३ । २ । १–२
पाविः ऋषिः	१ । ४ । २७
पिण्डपितृयज्ञः	४ । २
पितृयज्ञः	४ । २ ।, ६ । १
पुनराधेयम्	१।२।१०, २।३।
पुनर्वसू	१ । २ । १०
प्रतीदर्शः (श्वैक्नः) ऋषिः	४ । ४ । ३
मालवेयः (इन्द्रद्युम्नो राजा)	१ । ४ । ६
महेन्द्रः	५ । ४ । ९
माधुकिः (पैङ्ग्यः) ऋषिः	१ । ४ । २७
मूजवन्तः	६ । २ । १७
मृगशीर्षम् (नक्षत्रम्)	१।२।८–९
याज्ञवल्क्यः	४।३।२, ३।१।२१
रोहिणी (नक्षत्रम्)	१ । २ । ६
वसिष्ठः (यागविशेषः)	४ । ४ । २
शुनासीरीयः	६ । ३ ।
सप्तर्षिः	१ । २ । ४
सरस्वती (देवताविशेषः)	५ । ४ । ६
सुल्वा (सार्ञ्जयः) ऋषिः	४ । ४ । ४–५
हस्तम् (नक्षत्रम्)	१ । २ । १२

इति विशिष्टनाम्नां सूची।

ॐ

श्रीमद्वाजसनेयिमाध्यन्दिन-

शतपथब्राह्मणम् ।

सायणभाष्यसमेतम् ।

तत्र

प्रथमं काण्डम् १ ।

तत्र

(सप्तमाध्यायस्य चतुर्थब्राह्मणादाकाण्डान्तं
हरिस्वामिभाष्यसंवलितम् ।)

ॐ

श्रीशुक्लयजुर्वेदमाध्यन्दिनकल्पतरुः ।

सन्मूलो यजुराख्यवेदविटपी
जीयात्स माध्यन्दिनी,
शाखा यत्र युगेन्दुकाण्डसहिता
यत्रास्ति सा संहिता ॥
यत्रार्थाऽखिलता[४०] भवन्ति शरशै-
लाङ्केन्दुभी[१९७५] ऋग्बलैः,
पञ्चेन्द्वीषुनभोऽङ्कवर्णमधुपैः[१०५३५]
स्रोगन्यर्कगुंगुञ्जितैः[१२३०] ॥ १ ॥

इति कल्पतरौ ।

अथ सायणाचार्यकृत-वेदार्थप्रकाशाख्यभाष्य-सहितं

माध्यन्दिन-

शतपथ-ब्राह्मणम् ।

॥ श्रीगणेशाय नमः ॥ श्रीपरब्रह्मणे नमः ॥

सायणभाष्यम् । *

वागीशाद्याः सुमनसः सर्वार्थानामुपक्रमे । यं नत्वा कृतकृत्याः स्युस्तं नमामि गजाननम् ॥१॥
यस्य निःश्वासितं वेदा यो वेदेभ्योऽखिलं जगत् । निर्ममे तमहं वन्दे विद्यातीर्थमहेश्वरम् ॥ २ ॥
तत्कटाक्षेण तद्रूपं दधतो बुक्कभूपतेः । कृतावतरणः क्षीरसागरादिव चन्द्रमाः ॥ ३ ॥
विजितारातिव्रातो वीरः श्रीहरिहरः क्ष्माधीशः । धर्मब्रह्माध्वन्यः समादिशत्सायणाचार्यम् ॥४॥
ऋग्यजुःसामशाखानामेकैका व्याकृता त्वया । तावता तत्समानार्था ज्ञातुं शक्यास्ततः पराः ॥५॥
वासना विशदा यत्र मन्त्रार्थानामशेषतः । प्रायेणाध्वर्यवं कर्म पूर्णं शाखान्तरैर्विना ॥ ६ ॥
करामलकवद्यत्र परं तत्त्वं प्रकाशितम् । या काचित्तादृशी शाखा त्वया व्याख्यायतामिति ॥७॥
सर्वतः सायणाचार्यो विमृश्योदीरितान् गुणान् । माध्यन्दिने शतपथे ब्राह्मणे व्याकरोति तत् ॥८॥
संचारः पदवाक्यार्थन्यायानां दर्शितः पुरा[१] । वेदानामर्थवत्त्वादि यच्चान्यदुपयुज्यते ॥
सर्वशाखासमत्वेन विज्ञेयं तदिहाखिलम् ॥ ९ ॥ यच्च संदिग्धमज्ञातमत्र तद्विवरिष्यते ।
संमत्या कल्पसूत्राणां ब्राह्मणानां च संग्रहात् ॥ १० ॥

इह हि चरमे चतुर्दशे काण्डे करतलामलकवत् परतत्त्वं प्रकाशितम् । ततः प्राक्तनैश्च त्रयोदशभिः काण्डैस्त्रेता[३]ग्निसाध्यो धर्मः प्राधान्येन प्रतिपादितः । अग्नयश्चाधानपवमानेष्टिभिर्निष्पाद्याः । पवमानेष्टयश्च दर्शपूर्णमासविकृतितया तदधिगमसापेक्षज्ञाना इति प्रथमे काण्डे दर्शपूर्णमासौ प्रतिपाद्येते । तदनुष्ठानारम्भश्च पूर्णमासपूर्वकः; अतश्च तस्य पूर्णमासस्य प्रथमं[४]यदङ्गं व्रतोपायनं, तदङ्गत्वेनापामुपस्पर्शनं विधत्ते—

---

* क्वचित्पुस्तके एतदनन्तरमेष श्लोकोऽधिकः—"श्रुतिपद्मार्यलक्ष्मीं यो विकासयति ह्यतः । स पायात्सच्चिदानन्दः सूर्यमण्डलगो हरिः" इति । १—अर्थवशादत्र षड्भिः पादैरेकः श्लोकः पूर्यते । २—बृहदारण्यकोपनिषदि । ३—गार्हपत्याहवनीयदक्षिणाग्नयस्त्रेतेति समाख्यायन्ते । तथा चामरकोषः—"दक्षिणाग्निर्गार्हपत्याहवनीयौ त्रयोऽग्नयः । अग्नित्रयमिदं त्रेता प्रणीतः संस्कृतोऽनलः"—इति । २. ७. २० । "त्रेता त्वग्नित्रये" इति च तत्रैव ३.३.६८ । ४—व्रतोपायनं=व्रतग्रहणं । व्रतशब्देन कर्माङ्गभूताः शाश्वतो नियमा उच्यन्ते । "कर्माङ्गभूतयमानियमा व्रतम् । तदुपगमार्थो "अग्ने व्रतपते" इत्ययं मन्त्रः" इत्युक्तं तन्त्ररत्ने इति (का. २. १. ११. सू. वृ.) । तच्च दर्शपौर्णमासयोरग्न्यन्वाधानानन्तरं भवति पशौ तु ब्रह्मवरणानन्तरमिति विशेषः । विहितश्चैतत्कात्यायनेन "अपराह्णे व्रतोपायनीयमश्नीतः सर्पिषा सुहितौ" इत्यादिसूत्रद्वयेन (२. १. १०. ११) । व्याख्यातमेतत् सूत्रभाष्ये कर्कस्त्वेवमाह—"व्रतोपायनीयमिति । व्रतं भोजनमुच्यते यथाऽन्यत्र व्रतितः स्यात् । पयोव्रतयतीति च । तदनेनोपेयते भक्षणादिना तद्व्रतोपायनीयम्" इति ॥

प्रथमे काण्डे प्रथमः प्रपाठकः ।

प्रथमोऽध्यायः प्रारभ्यते ।

तत्र प्रथमं ब्राह्मणम् ।

हरिः ओ३म् । व्रतमुपैष्यन् । (न्नु) अन्तरेणाहवनीयञ्च गार्हपत्यञ्च प्राङ् तिष्ठन्नपऽउपस्पृशति तद्यदपऽ उपस्पृशत्यमेध्यो वै पुरुषो यदनृतं वदति तेन पूतिरन्तरतो मेध्या वाऽआपो मेध्यो भूत्वा व्रतमुपायानीति पवित्रं वा ऽआपः पवित्रपूतो व्रतमुपायानीति तस्माद्वाऽअपऽ उपस्पृशति ॥ १ ॥

ऋजुपाठः ।

अथ दर्शपूर्णमासप्रारम्भः ।

व्रतोपायनम् ।

व्रतमुपैष्यन्नन्तरेणाहवनीयं च गार्हपत्यं च प्राङ् तिष्ठन्नप उपस्पृशति । तद्यदप उपस्पृशति । अमेध्यो वै पुरुषो यदनृतं वदति, तेन पूतिरन्तरतः । मेध्या वा आपः । मेध्यो भूत्वा व्रतमुपायानीति । पवित्रं वा आपः । पवित्रपूतो व्रतमुपायानीति । तस्माद्वा अप उपस्पृशति ॥ १ ॥

व्रतमुपैष्यन्निति । पूर्णमासस्य प्राथम्यम्, अत्रैवाग्रे[1] पौर्णमासप्रयोगमभिधाय पश्चाद् दर्शप्रयोगाभिधानात् । कात्यायनेनापि तथाभिधाय "पौर्णमासवदन्यत्" (श्रौ. सू. ४ अ. ७३ सू.) इति पौर्णमासतन्त्रस्य दर्शेऽतिदेशात् । तथैव ब्राह्मणे प्रजापतिपर्वसन्धानप्रस्तावे "पौर्णमासेन चैवामावास्येन च, पौर्णमासीं चामावास्यां च तत्पर्वाभिषज्यन्" (श. ब्रा. १.६.३.३६) इति पौर्णमासप्राथम्यम् । तथा तैत्तिरीयके—"पौर्णमास ५ हविरिदमेषां मय्यामावास्य ५ हविरिदमेषां मयि" (तै. ब्रा. ३.७.४.८) इत्यन्वाधानानुमन्त्रणयोर्यजमानमन्त्रयोः पाठक्रमादपि पौर्णमासप्राथम्यमवगम्यते ।

ननु पूर्वोऽयं पाठक्रमः । श्रुत्यैव तु पौर्णमासप्राथम्यं प्रतिषिध्यते श्रुतिश्च पाठाद्बलीयसी, श्रुत्यर्थपाठमुख्यस्थानप्रवृत्तीनां क्रमप्रमाणानामपि श्रुतेः प्राथम्येन प्राबल्यात्[2] । श्रूयते हि पौर्णमासप्राथम्यस्य निन्दा—"यत्पौर्णमासीं पूर्वामालभेत, प्रतिलोममेवैनावालभेत" (तै. सं. ३.५.१.५) इति । न । तस्य वाक्यस्य "सारस्वतौ होमौ पुरस्ताज्जुहुयादमावास्या वै सरस्वत्यनुलोममेवैनावालभते" (तै. सं. ३. ५. १. ६) इति सारस्वतहोमविधिशेषत्वेन पौर्णमासप्राथम्यनिन्दार्थवादात् । अत उक्तरीत्या पौर्णमासप्राथम्यमुपपन्नम् ।

१–अत्रैव प्रथमकाण्डे ६ । ३ । ३६ द्रष्टव्यम् । २–अत्र च "श्रुतिलक्षणमानुपूर्व्यं तत्प्रधानत्वात्" (मी. सू. ५ । १ । १) इत्यादिपांचमिकप्रयोगविधिसहकारिभूतानां षण्णां प्रमाणानां प्रपञ्चोऽनुसंधेयः । तथा "स्याद्वाऽऽनुपूर्व्यनियमः श्रुत्यर्थक्रमेभ्यः" "विरोधेऽर्थस्तत्परत्वात्" "श्रुतिः क्रमादानुमानिकत्वात्" इत्यादि (१ । ५ । ५ । १ । ३ । ७) कात्यायनीया परिभाषाऽप्यनुसंधेयेति ।

उपस्पर्शनं चेहाचमनं विवक्षितम् । नन्वापस्तम्बेन—" अप आचामत्युपस्पृशति वा " (आप. श्रौ. सू. ४. ३. २. ९) इत्याचमनप्रतिद्वन्द्विभावेनोपस्पर्शनाभिधानात् स्पर्शनमात्रं तत्प्रतिभाति । सत्यं तत्र तथा । इह तु " तेन पूतिरन्तरतः " इति वाक्यशेषादपोऽश्नात्यन्तरत एव मेध्यो भवतीति वदताऽऽचमनमेव । यथा " अक्ताः शर्करा उपदधाति " इत्यत्र घृततैलादिव्यञ्जनसाधनत्वेन संदिह्यमानेषु " तेजो वै घृतम् " (तै. ब्रा. ३. १२. ९. १२.) इति वाक्यशेषाद् घृतमिति निश्चयः, तद्वत् । सूत्रितं हि—" संदिग्धेषु वाक्यशेषात् " (मी. सू. १. ४. २९) इति । तस्य च व्रतोपायनाङ्गत्वम्, उपैष्यन्निति ' शतृ ' प्रत्ययेन व्रतोपायनस्याचमनं प्रति हेतुत्वाभिधानात्; " लक्षणहेत्वोः क्रियायाः " (पा. सू. ३. २. १२६) इति स्मृतेः । प्रधानं हि स्वनिष्पत्त्यर्थमङ्गमनुष्ठापयत् तदनुष्ठाने हेतुर्भवति । न च लक्षणेऽपि शतुर्विधानात् कथं हेत्वर्थनिश्चय इति वाच्यम् । तदा हि भविष्यता व्रतेन लक्षितो हि यस्तत्पूर्वकालः तत्सम्बन्धमाचमनस्य विधातुं व्रतमुपैष्यन्नित्येतत्स्यात् । तत्कालसम्बन्धस्त्वाचमनानन्तरं व्रतोपायनस्य विधानात् पाठादपि सिध्यतीति लक्षणार्थस्वीकारे वचनमनर्थकमिति । ननु व्रतोपायनादपि प्रथममाहवनीयप्रणयनमन्वाधानं च । अत एवापस्तम्बः—" प्रातरग्निहोत्रं हुत्वान्यमाहवनीयं प्रणीयाग्नीनन्वादधाति " (आप. श्रौ. सू. १. १. २) इति । कात्यायनस्त्वप्रणीतस्याहवनीयादेरन्वाधानासंभवादर्थसिद्धं प्रणयनं मत्वा अन्वाधानमेव प्रथममाह—" अग्न्यन्वाधानमध्वर्युर्यजमानो वा " (श्रौ. सू. २. २.) इति । ब्राह्मणं तु तदनभिधाय ततः पराचीनं व्रतोपायनं तदङ्गमाचमनं वा कथं प्रथममभिदधाति । अत्राभिधीयते । नियमेन याजमानानां मध्ये व्रतोपायनमेव प्रथमम् । अग्न्यन्वाधानं हि नियमेन न याजमानम् । अध्वर्युर्यजमानो वेति (का. श्रौ. सू. २. २) कात्यायनोक्तेः ॥ नन्वन्वाधानमन्त्रस्य " ममाग्ने वर्चः " (तै. सं. ४. ७. १४. १.) इत्यस्य प्रत्यगाशीष्ट्वान्नियमेन याजमानत्वं युक्तम् । यथा " आयुर्दा अग्नेऽस्यायुर्मे देहि " (तै. सं. १. ५. ५. १३) इत्यादेः । तस्य हि समाख्ययाऽऽध्वर्यवत्वप्राप्तावपि प्रत्यगाशीष्ट्वलिङ्गेन प्रबलेन समाख्यां बाधित्वा याजमानत्वं निर्णीतम्—" मन्त्राश्च कर्मकरणास्तद्वत् " (मी. सू. ३. ८. १९.) इति । सत्यम् । अकरणमन्त्रत्वात्तत्र तथाऽस्तु, ममाग्ने वर्च इति तु करणमन्त्रत्वादाध्वर्यवक्रियायां विनियुक्तत्वाद् यजमानेन प्रयोगे तत्प्रतिपादनासामर्थ्यादध्वर्युणैव प्रयोज्यमित्युक्तमुत्तराधिकरणे—" करणेष्वर्थवत्त्वात् " (मी. सू. ३. ८. २९) इति । अत उक्तयुक्तेस्तत्करणमन्वाधानमप्यध्वर्युणैवानुष्ठेयम् । यत्तु कात्यायनेनाध्वर्युर्यजमानो वेत्युक्तम्, तत्र याजमानत्वं शाखान्तरमूलम् । एतच्छाखानुसारेण त्वापस्तम्बादिभिः केवलाध्वर्यवत्वमुक्तमिति विभागः । अथवा । यथाऽप्रणीतस्यान्वाधानानुपपत्त्या प्रणयनमप्यन्वाधानविधिनैव संगृहीतं कात्यायनसूत्रे, तथा ' अन्तरेणाहवनीयं च गार्हपत्यं च प्राङ् तिष्ठन् ' इति वचनादेवाग्निप्रणयनं तत्प्रबलीकरणरूपमन्वाधानं चार्थसिद्धत्वादनुक्तमित्युच्यमानाङ्गमध्ये व्रतोपायनस्य प्राथम्यमविरुद्धम् ।

विहितमुपस्पर्शनमनूद्य प्रशंसति—तद्यदिति । ' तत् ' प्रकृतं ' यत् ' उपस्पर्शनं तेनान्तरतः ' पूतिः ' पवित्रता भवति । अनृतवदनेन हि पुरस्तात् संभावितमपवित्रत्वमिति । ननूपस्पर्शनस्य फलमेवेदं पवित्रत्वं किं न विधीयते ? कथमपि सम्बन्धाभावेऽपि हि फलविधित्वं दृष्टम्, यथा—" प्रतितिष्ठन्ति य एता रात्रीरुप-

१—कर्कोपाध्यायसिद्धान्तस्तु—नाचमनं किंत्वालम्भमात्रम् । तद्भाष्यं च " आलंभमात्रं वा । आचमनानुपदेशात् । तस्य च नैमित्तिकत्वात् । शब्दसामर्थ्याच्च । अप उपस्पृशतीति लिङ्गमर्थवादमात्रं दीक्षास्नानवदिति " इति (का. श्रौ. सू. अ. २ । ११) तथा निगमे कात्यायनः " पिबत्याचामति—स्पृशत्युपस्पृशति " इति । खं. ८ ॥ २—मन्वानोऽन्वाधानमिति पा० । ३—यजमानसम्बन्धिकर्मणामित्यर्थः । ४—" ममाग्ने वर्चो विहवेष्वस्तु वयन्त्वेन्धानास्तन्वं पुषेम । मह्यं नमन्तां प्रदिशश्चतस्रस्त्वयाध्यक्षेण पृतना जयेम " इत्याहवनीये समिधमादधाति (श्रौ. सू. २. ३) । ५—कर्कसिद्धान्तस्तु—कातीयसूत्रे प्रतिपाद्यमानं सर्वं याजमानं शुक्लयजुःपञ्चदशशाखामूलम् । तद्भाष्यं च " एवं हि स्मरन्ति—या एव काश्चन पञ्च दश वा शाखा उपनिबध्यन्ते । तत्रैव नैयमिकाङ्गप्रधानकर्मोपसंहारः संभाव्यते । किमुत पञ्चदशशाखोपनिबन्धन इति " इति (का. श्रौ. सू. २-२) ।

सोऽग्निमेवाभीक्षमाणो व्रतमुपैति । (त्यु) अग्ने व्रतपते व्रतञ्चरिष्यामि तच्छकेयन्तन्मे राध्यतामित्यग्निर्वै देवानांव्रतपतिस्तस्माऽएवैतत् प्राहव्रतञ्चरिष्यामि तच्छकेयन्तन्मे राध्यतामिति नात्र तिरोहितमिवास्ति ॥ २ ॥

सोऽग्निमेवाभीक्षमाणो व्रतमुपैति–"अग्ने व्रतपते व्रतं चरिष्यामि तच्छकेयं तन्मे राध्यताम्" (१ अ. ५ मं.) इति । अग्निर्वै देवानां व्रतपतिः, तस्मा एवैतत्प्राह–व्रतं चरिष्यामि तच्छकेयम्, तन्मे राध्यतामिति । नात्र तिरोहितमिवास्ति ॥ २ ॥

यन्ति" इति रात्रिसत्रे । अत्रोच्यते । रात्रिसत्रस्य हि अनन्यशेषत्वेन स्वतन्त्रतया विधीयमानस्य युक्तं यदर्थवादोऽप्यपेक्षितं फलं समर्पयतीति । उपस्पर्शनस्य तु संस्कारतया संस्कार्येणैव प्रयोजनेन निरपेक्षितस्य कथमपेक्षितं फलं समर्थोऽर्थवादः समर्पयितुम् ? यथा–"यदाङ्क्ते चक्षुरेव भ्रातृव्यस्य वृङ्क्ते" (तै. सं. ६. १. १. १७) इति । अत्र ह्यञ्जनस्य संस्कारतया फलमनपेक्षमाणस्य भ्रातृव्यचक्षुर्वर्जनं न फलमिति । सूत्रितं च–"द्रव्यसंस्कारकर्मसु परार्थत्वात्फलश्रुतिरर्थवादः स्यात्" (मी. सू. ४. ३. १) इति । ननु साध्यसाधनेतिकर्तव्यतालक्षणेंऽशत्रयेऽनुप्रविष्टं कंचिदप्यर्थमनभिदधानस्य वाक्यस्यानर्थक्यमेव प्राप्तम्, "आम्नायस्य क्रियार्थत्वादानर्थक्यमतदर्थानाम्" (मी. सू. १. २. १) इति । तत्रैव कस्यचिदंशस्य स्तुत्यापि भवत्यर्थवत्तेति चेत् न । प्रवृत्तिविशेषमकुर्वाणया किं स्तुत्या । अपि च यः स्तुतश्चास्तुतश्च तावानेव सोऽर्थः । अत्रोच्यते । इह लिङादियुक्तेषु वाक्येषु द्वे भावने–शब्दात्मिका चार्थात्मिका च । उक्तं च–

"अभिधां भावनामाहुरन्यामेव लिङादयः ।
अर्थात्मभावना त्वन्या सर्वाख्यातेषु गम्यते" इति ।

एकैका च सा साध्यसाधनेतिकर्त्तव्यतामिस्त्रिभिरंशैरंशत्रयवती । अर्थभावनायां हि स्वर्ग एकः साध्योंऽशः, तत्करणमाग्नेयादिः साधनम्, प्रयाजादिरितिकर्तव्यतारूपः । तत्रैवार्थभावनायां पुरुषप्रवृत्तिः शब्दभावनाया भाव्यम्, लिङादिस्तद्व्यापारो वा करणम्, आर्थवादिकी स्तुतिरितिकर्तव्यता । तत्रार्थभावनाया अंशत्रयानभिधानेऽपि शब्दभावनेतिकर्तव्यताभूतां स्तुतिं ब्रुवाणोऽर्थवादः कथमनर्थकः स्यात् । यदाह सूत्रकारः–"विधिना त्वेकवाक्यत्वात् स्तुत्यर्थेन विधीनां स्युः" (मी. सू. १. २. ७) इति । स्तुतिविरहे ह्यंशवैकल्यादपरिपूर्णशब्दभावनया न प्रवृत्तिरर्थभावनायां पुरुषस्येति तस्या अप्यानर्थक्येन मूलोच्छेदप्रसङ्ग इति कथमनर्थिका स्तुतिः स्यात् । यत्त्वर्थवादरहितं केवलं विधिवाक्यम्, तत्र विधिरेव स्तुतिमाक्षिपतीति नोक्तदोषावतारः, इह प्रत्यक्षश्रुतायां स्तुतौ सत्यां किमाक्षेपक्लेशेनेत्यलम् । अयं च विचार उत्तरत्र सर्वेष्वेवार्थवादेषु द्रष्टव्य इति । अनृतवदननिमित्ताशुद्धिपरिहारेणोपस्पर्शनस्य प्राशस्त्यमभिधाय तत्साधनभूतानामपां स्वतः शुद्धत्वात्स्वसंबन्धिशुद्धिहेतुत्वाच्च तत्प्रशस्तमित्याह–**मेध्या वा** इति ॥ १ ॥

इदानीमग्निदर्शनलक्षणेनाङ्गान्तरेण सहितं समन्त्रकं व्रतोपायनं विधत्ते–**सोऽग्निमिति** । 'सः' यजमानः 'अग्निम्' आहवनीयम् । मन्त्रार्थस्तु–हे व्रतस्य पालक ! अग्ने ! अनृतवदनत्यागादिरूपं 'व्रतं' चरिष्यामि । तत्कर्तुं शक्तो भूयासम् । शक्नोतेर्लिङ्याशिष्ययम् । मदीयं 'तद्' व्रतं समृद्धं भवत्विति ।

व्रतपतिपदं व्याकरोति–**अग्निर्वै देवानामिति** । उभयवाक्यस्याव्याख्येयत्वमत्र–शकेयं राध्यतामिति । तत्र च हेतुमाह–**नात्रेति** । 'तिरोहितम्' अविस्पष्टार्थं पदम् ॥ २ ॥

१–"द्वादशरात्रादीनि रात्रिसत्राणि" इति (का. श्रौ. सू. २४।१।१) ताण्ड्यब्राह्मणे सत्रकाण्डे च ।
२–अतोऽत्र अविस्पष्टार्थं पदं नास्ति, अतो व्याख्याने प्रयोजनाभाव इति ।

(स्त्यु) अथ सꣳस्थिते विसृजतेऽग्ने व्रतपते व्रतमचारिषन्तदशकन्तन्मेराधीत्यशकद्ध्येतद्यो यज्ञस्य सꣳस्थामगन्नराधि ह्यस्मै यो यज्ञस्य सꣳस्थामगन्नेतेन न्वेव भूयिष्ठा ऽइव व्रतमुपयन्त्यनेन त्वेवोपेयात् ॥३॥

(द्व) द्वयं वा ऽइदन्न तृतीयमस्ति । सत्यञ्चैवानृतञ्च सत्यमेव देवा ऽअनृतम्मनुष्या ऽइदमहमनृतात्सत्यमुपैमीति तन्मनुष्येभ्यो देवानुपैति ॥ ४ ॥

स वै सत्यमेव वदेदेतद्ध वै देवा व्रतञ्चरन्ति यत्सत्यन्तस्मात्ते यशो यशो ह भवति य ऽएवं विद्वान्त्सत्यं वदति ॥ ५ ॥

अथ संस्थिते विसृजते–" अग्ने व्रतपते व्रतमचारिषं तदशकं तन्मेऽराधि " (२ अ. २८ मं.) इति । अशकद्ध्येतद्–यो यज्ञस्य संस्थामगन् । अराधि ह्यस्मै–यो यज्ञस्य संस्थामगन् ॥ एतेन न्वेव भूयिष्ठा इव व्रतमुपयन्ति, अनेन त्वेवोपेयात् ॥ ३ ॥

द्वयं वा इदं न तृतीयमस्ति–सत्यं चैवानृतं च सत्यमेव देवाः, अनृतं मनुष्याः । " इदमहमनृतात्सत्यमुपैमि " (१ अ. ५ मं.) इति । तन्मनुष्येभ्यो देवानुपैति ॥ ४ ॥

स वै सत्यमेव वदेत् । एतद्ध वै देवा व्रतं चरन्ति–यत् सत्यम्; तस्मात्ते यशः । यशो ह भवति–य एवं विद्वान् सत्यं वदति ॥ ५ ॥

स्वीकृतस्य व्रतस्य यागसमाप्तिपर्यन्ततामाह–**अथेति** । ' संस्थिते ' यागे पर्यवसिते । विसर्जनमन्त्रमाह–**अग्ने व्रतपते व्रतमचारिषमिति** । अत्राशकमराधीति पूर्वमन्त्राद् वैलक्षण्यम् । तत्र हेतुमाह–**अशकद्धीति** । यो यज्ञस्य पर्यवसानं प्राप्तवान्, ' एतत् ' कर्म कर्तुम् ' अशकत् ' शक्तोऽभूत् । तस्मै तेन कर्मणा 'अराधि ' सिद्धम्, तत्कर्म असिद्धवदित्यर्थः । अगन्निति गमेर्लुङि " मन्त्रे घसेति " (पा. सू. २. ४. ८०) च्लेर्लुकि, हल्ङ्यादिलोपे " मो नो धातोः " (पा. सू. ८. २. ६४.) इति मकारस्य नकारः । अत्र व्रतोपायने मन्त्रान्तरं विधातुं पूर्वमन्त्रात्तस्यैव विशेषमाह–**एतेनेति** । यतः ' एतेन ' वक्ष्यमाणेनेदमहमित्यादिना बहवो व्रतमुपयन्ति अतस्तु हेतोरनेनैवोपेयात् । एवकारेणैष मन्त्रः प्रशस्यते, न तु पूर्वो निषिध्यते । अत एव कात्यायनो द्वयमप्याह–"अग्ने व्रतपते " ' इदमहमिति वा ' (श्रौ. सू. २. ११) इति ॥ ३ ॥

इदमहमिति मन्त्रे कर्मत्वेनापादानत्वेन च सत्यानृतयोरुभयोरेवोपादाने कारणमाह–**द्वयं वा इति** । यद् ' इदं ' जगत् तत्सर्वमनृतं सत्यं वेति कोटिद्वयमेव, न तृतीया कोटिरस्ति । सत्यमेव देवाः, चिरावस्थानात्, नियमेन सत्यवादित्वाद्वा । अनृतं मनुष्याः, स्वप्नदृष्टवदल्पकालावस्थानात् प्रायेणानृतवादित्वाद्वा । तथा च देवमनुष्याणां सत्यानृतवादित्वमैतरेयकेऽप्याम्नातम्–" सत्यसंहिता वै देवा अनृतसंहिता मनुष्याः" (ऐ. ब्रा. १. १. ६) इति । सत्यानृतवदनसाहित्यं हि तत्र विवक्षितोऽर्थः;–"तस्माद्दीक्षितेन सत्यमेव वदितव्यम्" इति वाक्यशेषात् । यदनेन मन्त्रेणोच्यते ' तन्मनुष्येभ्यो देवानुपैति' इत्येवमात्मकमिममर्थमयं मन्त्र आहेत्यर्थः ॥ ४ ॥

अनेन मन्त्रेण व्रतमुपेयुषो नियममाह–**स वा इति** । ' सः ' इत्थं कृतव्रतोपायनः ' सत्यमेव ' इत्येवकारकरणादनृतं न वदेदित्यर्थः । असत्येवकारे यद्यत् सत्यं, तत्तदवश्यं वक्तव्यं स्यात्,–ग्रहं संमार्ष्टीतिवदेकत्वस्याविवक्षितत्वात्; अनृतवचनं चाप्रतिषिद्धं स्यात्, इष्यते च तन्निषेधः । अत एव तैत्तिरीयके दर्शपौर्णमासप्रकरणे

१–इदमहमिति वक्ष्यमाणेन मन्त्रेण वा व्रतग्रहणं कुर्यादित्यर्थः । २–' अन्तरेणापराग्नी गत्वा परेणाहवनीयं प्राङ् तिष्ठन्निमीक्षमाणोऽप उपस्पृश्य व्रतमुपैत्यग्ने व्रतपत इदमहमिति वा ' (श्रौ. सू. २. ११) ।

(त्यु) अ॒थ सु॒ᳪ᳭स्थि॑ते॒ व्वि॑सृजते । इ॒दम॒हं य॒ ऽए॒वास्मि॒ सो॑ऽस्मी॒त्यु॒मा-

अथ संस्थिते विसृजते–"इदमहं य एवास्मि सोऽस्मि" (२ अ. २८ मं.) इति । अमानुष

समाम्नायते–" तस्यैतद् व्रतं–नानृतं वदेत् " (तै. सं. २. ५. ५. ११) इति । यद्यप्याहिताग्निमात्रस्यानृतवदनमन्यत्र प्रतिषिध्यते–" तस्मादाहिताग्निर्नानृतं वदेत् " इति, तथाप्यनृतवदनवर्जनस्य दर्शपूर्णमासाङ्गत्वसिद्ध्ये पुनरिह वक्तव्यमेव, इतरथा ह्यनृतवदनेऽपि पुरुष एव प्रत्यवेयात्, क्रतुः पुनरविगुण एव स्यात्–" को नाम क्रतुमध्यस्थः कलञ्जादीनि भक्षयेत् । न क्रतोस्तत्र वैगुण्यं यथा चोदितसिद्धितः ॥ " इति न्यायात् । नन्वनेनापि वचनेन कथमनृतवदननिषेधस्य कर्माङ्गत्वसिद्धिः ? वदेदिति प्रत्ययार्थस्य कर्तुः प्राधान्यात् तदर्थ एवायं प्रतिषेध इति हि युक्तम् । कर्मप्रकरणात् कर्माङ्गतेति चेत्, न; प्रतिषेध्यपाठादपि क्रियायास्तावत्कर्तृशेषता पदश्रुत्या प्रतीयते, तदर्थं प्रतिषेध्यम्; तादर्थ्येनैव प्रतिषेधोऽपि चाभिधीयते इति श्रौतेन पुरुषार्थत्वेन प्रबलेन प्राकरणिकी दर्शपूर्णमासार्थता बाध्यते । ननु न वदेदिति पदद्वयगम्यप्रतिषेधस्य कर्तुः संबन्धः, पदद्वयं वाक्यमिति कथं प्रतिषेधस्य कर्तुः संबन्धः । श्रौत इति चेत्, न; यथा ग्रहं संमार्ष्टीति पदद्वयगम्यसंमार्गस्य ग्रहशेषता, तथापि द्वितीयायाः क्रियासामान्यं प्रति ग्रहस्य शेषत्वाभिधानात् तद्विशेषस्य संमार्गस्य पदान्तरेणोपस्थापनेऽपि शेषशेषिभावस्य श्रौतता, तद्वत् । अत इह पुरुषार्थो निषेधो विधीयते । स्मृत्यैव विहित इति चेत्, तथापि हि तस्या एषैव श्रुतिर्मूलं भविष्यति; द्वयोरर्थसाम्यात् । अतो युक्तः श्रुत्या प्रकरणबाध इति । अथ मतम्--अविरोधे न दुर्बलं प्रबलेन निराक्रियते, न तु स्वयं प्रबलमित्येव दुर्बलस्य हिंसा न्याय्या । न चेह प्रकृतक्रियया कर्तुः संबन्धे प्रकरणबाधः, अतो न केवलक्रत्वर्थतेति । ननु पुरुषमात्रार्थोऽनृतनिषेधः स्मृत्यैव सिद्धः, स एव क्रतुगतपुरुषार्थोऽपि भविष्यतीति किमनेन विशेषनिषेधेन ? न च तस्याः स्मृतेरियं श्रुतिर्मूलमिति युक्तम्; सामान्यविशेषतया मूलमूलिभावासंभवात् । एवं तर्हि सर्वविशेषगामिना सामान्येन स्मृतिसिद्धस्य निषेधस्य प्रकरणाबाधायात्र क्रतुगतपुरुषविशेषेऽनुवादोऽस्तु, तस्य प्रत्ययार्थत्वेन प्राधान्यादित्युक्तम् । स्यादेवं यदि कर्तुः प्रत्ययार्थत्वं स्यात्, न त्वेतदस्ति । अनन्यलब्धस्यैव शब्दार्थत्वात् । अवश्याभिधातव्यया भावनयैवाक्षेपात् कर्तुः प्रतीतेः । न च " लः कर्मणि च " (पा. सू. ३. ४. ६९) इति स्मृतिबलात् कर्तुः प्रत्ययार्थता । तस्याः स्मृतेः " द्व्येकयोः " (पा. सू. १. ४. २२) इत्यनेनैकवाक्यत्वे प्रत्ययाभिधेयत्वेनोच्यमानयोर्द्वित्वैकत्वयोर्व्यावर्तकत्वेनैव कर्तुः समर्पणात्; कर्तृद्वित्वे द्विवचनं कर्त्रेकत्व एकवचनमिति । अतो भावनया रांख्यया वाक्षेपादेव कर्तुः प्रतीतिः सिद्धेति न स प्रधानतया प्रत्ययार्थः । अतः क्रियाया एव प्राधान्यात् तस्या एवाङ्गत्वेनानृतनिषेधो विधीयते । न च स्मृत्या पुरुषार्थतया विहितस्यानृतवदननिषेधस्य कथमिह प्रकरणात् क्रत्वर्थतेति वाच्यम्; " खादिरो यूपो भवति" "खादिरं वीर्यकामस्य" (ऐ. ब्रा. २. १. १.) इतिवत् संयोगपृथक्त्वेनोभयार्थत्वसिद्धेः । उक्तं हि–"एकस्य तूभयत्वे संयोगपृथक्त्वम्" (मी. सू. ४. ३. ५) इति । अतः सत्यमेव वदेदिति दर्शपूर्णमासांगत्वेनानृतप्रतिषेधस्य विधिरयमिति सिद्धम् । तदाह कात्यायनः "इदमहमिति वा सत्यवाद्यतः; " कर्माङ्गमुत्तरे सत्यवदनम् " (श्रौ. सू. २. ११. १३.) इति । **तस्मात्ते यश** इति । यशस्विनां देवानां यशोऽपि यशः प्रतिपादनाय प्रशस्तम्–'एवम्' ॥ ५ ॥

"अग्ने व्रतपते" इति मन्त्रवत् मन्त्रेणाभ्युपेतस्य व्रतस्य प्रसङ्गाद्विसर्जनमाह--**अथ संस्थित** इति । अत्रत्य-

१–" नवाऽऽहिताग्निनाऽनृतं वदितव्यम् " इत्यग्रेऽत्रैव (२ । २ । २ । २०) ज्ञेयम् ।
२–अस्मिन्नेव ब्राह्मणे ३ । ६ । २ । १२ इत्यत्रास्ति ।

नुष ऽइव वा ऽएतद्भवति यद्व्रतमुपैति न हि तदवकल्पते यद्ब्रूयादिदमहꣳ सत्यादनृतमुपैमीति तदु खलु पुनर्मानुषो भवति तस्मादिदमहं य ऽएवास्मि सोऽस्मीत्येव व्रतं विसृजेत ॥ ६ ॥

(ता) अथातोऽशनानशनस्यैव । तदु हाषाढः सावयसोऽनशनमेव व्रतं मेने मनो ह वै देवा मनुष्यस्याजानन्ति त ऽएनमेतद्व्रतमुपयन्तं विदुः प्रातर्नो यक्ष्यत ऽइति तेऽस्य विश्वे देवा गृहानागच्छन्ति तेऽस्य गृहेषूपवसन्ति स ऽउपवसथः ॥ ७ ॥

(स्तु) तन्न्वेवानवक्लृप्तम् । यो मनुष्येष्वनश्नत्सु पूर्वोऽश्नीयादथ किमु यो देवेष्वनश्नत्सु पूर्वोऽश्नीयात्तस्मादु नैवाश्नीयात् ॥ ८ ॥

इव वा एतद् भवति–यद् व्रतमुपैति । न हि तदवकल्पते यद् ब्रूयाद्–'इदमहं सत्यादनृतमुपैमि'–इति, तदु खलु पुनर्मानुषो भवति । तस्मादिदमहं य एवास्मि सोऽस्मीत्येव व्रतं विसृजेत ॥ ६ ॥

अथातोऽशनानशनस्यैव । तदु हाषाढः सावयसोऽनशनमेव व्रतं मेने । मनो ह वै देवा मनुष्यस्याऽऽजानन्ति, त एनमेतद् व्रतमुपयन्तं विदुः–'प्रातर्नो यक्ष्यते' इति । तेऽस्य विश्वेदेवा गृहानागच्छन्ति, तेऽस्य गृहेषूपवसन्ति–स उपवसथः ॥ ७ ॥

तन्वेवानवक्लृप्तम्–यो मनुष्येष्वनश्नत्सु पूर्वोऽश्नीयात्, अथ किमु–यो देवेष्वनश्नत्सु पूर्वोऽश्नीयात् । तस्मादु नैवाश्नीयात् ॥ ८ ॥

विसर्जनमन्त्रेऽस्यायमर्थः । व्रतोपायनात् प्रागहं य एव मनुष्योऽस्मि, व्रतं मुक्त्वा स एव मनुष्यः 'इदमस्मि'; न तु व्रतसमय इव देवः । इदमिति क्रियाविशेषणत्वान्नपुंसकम् । नन्वसौ मनुष्यो व्रतसमयेऽपि मनुष्य एव, तत्किमुच्यते य एव मनुष्योऽस्मि स एवेदमस्मीति ? तत्राह--अमानुष इवेति । मनुष्योऽपि हि तदाऽन्यात्मकत्वात् सत्यवदनाद्वा देव इवेत्युक्तम्, व्रतत्यागे तु कृते व्रतारम्भात् प्रागिव स्वभावसिद्धं मनुष्यत्वमेवेति । ननु यथा व्रतोपायनेऽनृतात् सत्यमुपैमीत्युक्तम्, एवं तत्त्यागे सत्यादनृतमुपैमीति किं नोक्तमित्यत आह–नहीति । महत उत्कृष्टाद्देवत्वात् प्रच्युतत्वेनात्यन्तनिकृष्टमानुषत्वप्राप्तिकथनस्य परुषत्वादनवकल्पनं, तदाह--तदु खल्विति ॥ ६ ॥

व्रतप्रसङ्गादागतं तद्विसर्जनं समाप्य पूर्वेद्युर्यजमानेन व्रतानन्तरं यत् कर्त्तव्यं तत् प्रतिजानीते--अथात इति । यतो व्रतानन्तरमशनानशनापरनामकमारण्याद्यशनमेव यजमानेन कर्तव्यम्, 'अतः' तदनन्तरमेव तस्य निरूपणं क्रियत इत्यर्थः । प्रतिज्ञातस्याशनानशनपक्षस्य प्रशंसार्थं केवलानशनपक्षं निरसितुमपन्यस्यति--तदु हेति । 'तत्' तस्मिन्नशनानशनविषये सवयसः पुत्रः 'सावयसः' 'अषाढ' नामकः सर्वात्मनाऽशनत्यागमेव व्रतं मेने । तथा मन्यमानस्याषाढस्याशयमाह--मनो हेत्यादि । अनुपन्यस्तमपि मनुष्यस्य मनः'आ' समन्तात् [देवाः] जानन्ति । अतो योऽसौ यजमानो व्रतमुपैति, एष नः प्रातरवश्यं यक्ष्यते इति ज्ञात्वा 'विश्वे' सर्वे ते देवाः व्रतदिवसे यजमानस्य गृहानागच्छन्ति उपवसथनामनिर्वचनेन देवानामागमनं द्रढयति--तेऽस्येति । 'उप' समीपे यजमानस्य वसन्ति देवा अस्मिन्निति पर्वदिवस 'उपवसथ'–नामक इत्यर्थः ॥ ७ ॥

अस्तु किं ततः ? इति चेत्--मनुष्येष्विति । गृहे मनुष्येष्वागतेषु अनश्नत्सु 'यः' कश्चिद् यजमानः स्वयं

१–" व्रतं विसृजते येनोपेयात् " इति (का. श्रौ. सू. ३ । ८ । २९) पूर्वं हि व्रतग्रहणे द्वौ मन्त्रावुक्तौ "अग्ने व्रतपते–इदमहमिति वे"ति (का. श्रौ. सू. २ । १ । ११) अत्रेदमहमित्येव मंत्रः श्रुतिसंमतः इति हरिस्वामिनः । श्रुतिश्चेहैवाग्रे (१ । ९ । ३ । २३) द्रष्टव्या ।

(तु) तदु होवाच याज्ञवल्क्यः। (ल्क्यो) यदि नाश्नाति पितृदेवत्यो भवति यद्यु ऽअश्नाति देवानुत्यश्नातीति स यदेवाशितमनशितन्तदश्नीयादिति यस्य वै हविर्न गृह्णन्ति तदशितमनशितꣳ स यदश्नाति तेनापितृदेवत्यो भवति यद्यु तदश्नाति यस्य हविर्न गृह्णन्ति तेनो देवान्नात्यश्नाति॥९॥

स वा ऽआरण्यमेवाश्नीयात्।(या) या वा ऽआरण्या ऽओषधयो यद्वा व्वृक्ष्यं तदु ह स्माहापि व्वर्कुर्व्वार्ष्णो माषान्मे पचत न वा ऽएतेषाꣳ हविर्गृह्णन्तीति तदु तथा न कुर्याद्व्रीहियवयोर्व्वा ऽएतदुपचं यच्छमीधान्यं तद्व्रीहियवावेवैतेन भूयाꣳसौ करोति तस्मादारण्यमेवाश्नीयात्॥ १० ॥

तदुहोवाच याज्ञवल्क्यः। यदि नाश्नाति—पितृदेवत्यो भवति, यद्यु अश्नाति—देवानत्यश्नाति, इति। स यदेवाशितमनशितं तदश्नीयाद्—इति। यस्य वै हविर्न गृह्णन्ति तदशितम्—अनशितम्। स यदश्नाति—तेनापितृदेवत्यो भवति। यद्यु तदश्नाति—यस्य हविर्न गृह्णन्ति तेनो देवान् नात्यश्नाति॥९॥

स वा आरण्यमेवाश्नीयात्। या वा आरण्या ओषधयः, यद्वा वृक्ष्यम्। तदु ह स्माऽऽहापि वर्कुर्वार्ष्णः—'माषान्मे पचत, न वा एतेषां हविर्गृह्णन्तीति' तदु तथा न कुर्यात्। व्रीहियवयोर्वा एतदुपचम्—यच्छमीधान्यम्, तद् व्रीहियवावेवैतेन भूयांसौ करोति। तस्मादारण्यमेवाश्नीयात्॥१०॥

पूर्वं भुञ्जीतेति यत् तदेवानुचितमिति वितर्कयामः। अथ यः कश्चिद् देवेष्वनश्नत्सु पूर्वोऽश्नीयादिति यत्, तस्यानवक्लृप्तिः किमु वक्तव्या? कैमुतिकन्यायफलमाह--तस्माद्धिति। 'उ' इत्यसन्देहे तस्मादेव हेतोरशनवर्जनलक्षणेऽर्थे नास्ति सन्देह इत्यर्थः॥ ८॥

अषाढेन चेन्मुनिना निर्णीतोऽनशनपक्षः, तर्हि स एव परमार्थः; कथमशनानशनपक्षः? इति चेत्, अस्यापि मुनिनैव याज्ञवल्क्येन सोपपत्तितो निर्णीतत्वादित्याह--तदुहेति। 'तदु' तस्मिन्नप्यशनानशनपक्षे याज्ञवल्क्य उपपत्तिम् 'उवाच' आह। अशनानशनलक्षणस्वमतसमर्थनाय प्रत्येकपक्षौ दूषयति—यदीति। दैविके हि कर्मणि देवान् प्रत्युद्दिष्टस्यैव हविषः प्रथममनुपयोगः, काममन्यस्य। पित्र्ये पुनरतिनियमाद्धविषोऽन्यदप्यनुपयोज्यमिति पितृदेवत्यतामापादयतीति याज्ञवल्क्यस्याशयः। तर्हि दैविके कर्मणि प्रागपि भोक्तव्यमिति यत्तमाशयमजानानः शङ्कते, तं प्रत्याह—यद्यु इति। 'यद्यु' यदि त्वश्नाति, तदा अशिशिषतो देवानतिक्रम्य स्वयं भुक्तवान् स्यात्। अशनानशनपक्षयोरुभयोरपि दोषश्चेत् का गतिः? इति तत्राह—स यदिति। यद् द्रव्यमशितमप्यनशितवद् भवति तदश्नीयात्। किं तदिति तदाह—यस्येति। 'यस्य' द्रव्यस्य संबन्ध्यन्नं "हविः" देवा न गृह्णन्ति तदशितमपि सदनशितवद् भवति। तथात्वे यथोदीरितदोषद्वयाभावमाह—स यदिति। अशनादेव न पितृदेवतात्वम्; अश्यमानस्य देवायोग्यत्वादेव न देवानामतिक्रमः॥ ९॥

अथ किं तादृक् प्राश्यद्रव्यम्? इति तदाह—स वा इति। आरण्यग्रहणं प्रकृतदर्शपूर्णमासहविर्व्यतिरिक्तोपलक्षणम्। 'वृक्ष्यं' वृक्षोद्भवं फलम्। भुक्तौपलक्षणत्वे मुनिविशेषव्यवहारं प्रमाणयति—तदु हेति। वृषा नाम कश्चित्, तस्य पुत्रो 'वार्ष्णः' तस्य नाम 'वर्कुः' इति। मुनेर्मतमपवदति—तदु तथेति। तत्र हेतुः—व्रीहियवयोरिति। 'शमीधान्यं' तिलमाषादि। उपचिनोतीति 'उपचम्'। अल्पेनापि माषपिष्टेन मिश्रितं

१-अस्यैव विशेषतया संपत्तिः (कां. ११ अ. १ प्र.१ ब्रा. ७) इत्यत्र प्रतिपादिता।

(११) स ऽआहवनीयागारे वैताᳬं रात्रिᳬं शयीत । गार्हपत्यागारे वा देवान्वा ऽएष ऽउपावर्त्तते यो व्रतमुपैति स यानेवोपावर्त्तते तेषामेवैतन्मध्ये शेतेऽधः शयीताधस्तादिव हि श्रेयस ऽउपचारः ॥ ११ ॥

स वै प्रातरप ऽएव । प्रथमेन कर्मणाभिपद्यतेऽपः प्रणयति यज्ञो वा ऽआपो यज्ञमेवैतत्प्रथमेन कर्मणाभिपद्यते ताः प्रणयति यज्ञमेवैतद्वितनोति ॥ १२ ॥

स आहवनीयागारे वैतां रात्रिं शयीत, गार्हपत्यागारे वा । देवान् वा एष उपावर्तते-यो व्रतमुपैति । स यानेवोपावर्तते-तेषामेवैतन्मध्ये शेते । अधः शयीत । अधस्तादिव हि श्रेयस उपचारः ॥ ११ ॥

अपां प्रणयनम् ।

स वै प्रातरप एव प्रथमेन कर्मणाभिपद्यते । अपः प्रणयति । यज्ञो वा आपः-यज्ञमेवैतत् प्रथमेन कर्मणाभिपद्यते । ताः प्रणयाति-यज्ञमेवैतद् वितनोति ॥ १२ ॥

व्रीहिपिष्टं त्रिचतुरान् यामानपि स्थापितम् 'उपचितं' बहु भवति इति प्रसिद्धं तदाह-**व्रीहियवाविति** । अतो माषोपयोगे व्रीहियवावेव यत उपयुक्तौ स्याताम्, अतस्तथा न कुर्यात् । अतो युक्तमारण्यमेवाश्नीयादिति । तदेवं व्यवस्थितं सकृदशनम् ॥ १० ॥

स आहवनीयेति । तां रात्रिमाहवनीयागारे गार्हपत्यागारे वा शयीत । तत्रैव शयने हेतुः-**देवान् वा** इति । 'उपावर्तते' समीपे शेते । 'अधः शयीत' । न पुनः खट्वाद्युपरि । यत उपरि स्थितं श्रेयांसमध एव स्थिता उपचरन्ति ॥ ११ ॥

अथ प्रभातेऽध्वर्योः कर्तव्यतामाह-**स वा** इति । 'सः' प्रसिद्धोऽध्वर्युः प्रथमेन कर्मणाऽप एवाभिमुख्येन प्राप्नोति । किं तत्प्रथमं कर्म ? तदाह-**अपः प्रणयतीति** । एतच्चापां प्रणयनम् "अथै संयौति" इति वक्ष्यमाणसंयवनार्थम् । अतः संयवनात् प्राक् प्रणीतानां नाशे पुनः प्रणयनं कार्यम्, कृते तु संयवने तन्नाशेऽपि प्रयोजनस्य जातत्वान्न पुनः प्रणेतव्यम् । ननु अन्तर्वेदि प्रणीता निनयति-इत्युपरितननिनयनार्थं पुनः कस्मान्न प्रणयनमिति चेत्, न; संयवनप्रसक्तौ तासामेवापां प्रतिपत्तिमात्रम्, अतो न तदपां प्रणयनस्य प्रयोजकम्; न हि चात्वाले प्राशनं कृष्णविषाणां प्रयुङ्क्ते । अथोभयं साधयतः प्रणयनस्य कथं संयवनमेव प्रयोजनम्, न तु अन्तर्वेदि निनयनमिति चेत् (न ।) "पूर्णपात्रं निनयति" इति द्वितीययाऽपां संस्कारकर्मत्वप्रतीतेर्निनयनस्योपयुक्तसंस्कारतया प्राशनवत् प्रतिपत्तित्वात् । संयवने तु समानप्रकरणे शाखान्तरे "प्रणीताभिः

१-"वृक्षारण्यौषधीनामश्नीयाद्वा" (श्रौ. सू. २. १४.) । २-"आहवनीयगृहशाय्यथो गार्हपत्यस्य वा" (श्रौ. सू. २. १५.) । ३-'उपस्थितं श्रेयांसः अध उपस्थिता' इति पा. । ४-इहैवाग्रे २. २. ३. द्रष्टव्यम् । ५-कर्कसिद्धान्तस्तु-प्रणीताः सर्वार्था एव न संयवनार्थाः । तद्भाष्यं च "तत्र केचित्प्रणीताभिः संयौतीति वाक्यसामर्थ्यात्संयवनार्थतामाहुः । द्रव्यप्रकॢप्तेः परार्थत्वात्तत्र चाविशेषात्सर्वार्थत्वादनुवादोऽयमित्यपरे । किंचाग्नीषोमीयप्रतिषेधानुपपत्तेः । संयवनार्थत्वे हि तदभावादेव प्रणीता न स्युर्व्यर्थः प्रतिषेध इति । निरूढे च प्रतिप्रसवानुपपत्तेः । तत्रापि हि नैव संयवनमस्ति । सर्वार्थत्वे पुनः प्रतिषेधप्रतिप्रसवावुपपद्येते । सूत्रकारप्रस्थानाच्च प्रणीताद्युपसदिति । तस्मात्सर्वार्थाः" इति । (का. श्रौ. अ. २-५) । ६-अत्रैव ब्राह्मणे (२ । २ । २) । (का. श्रौ. सू.) "श्रपणस्य पश्चादुपविशत्यन्तर्वेदि वा-उपसर्जनीरानयत्यन्यः" इति (२ । ५ । ११ । १२) ॥ ७-अत्रैवाग्रे ९ । ३ । १ द्रष्टव्यम् ।

स प्रणयति। कस्त्वा युनक्ति स त्वा युनक्ति कस्मै त्वा युनक्ति तस्मै त्वा युनक्तीत्येताभिरनिरुक्ताभिर्व्याहृतिभिरनिरुक्तो वै प्रजापतिः प्रजापतिर्यज्ञस्तत्प्रजापतिमेवैतद् यज्ञं युनक्ति ॥ १३ ॥

यद्वेवापः प्रणयति। (त्य) अद्भिर्वा ऽइदꣳ सर्वमाप्तन्तत्प्रथमेनैवैतत्कर्मणा सर्वमाप्नोति ॥ १४ ॥

स प्रणयति–"कस्त्वा युनक्ति, स त्वा युनक्ति, कस्मै त्वा युनक्ति, तस्मै त्वा युनक्ति" (१ अ. ६. मं) इति–एताभिरनिरुक्ताभिर्व्याहृतिभिः। अनिरुक्तो वै प्रजापतिः; प्रजापतिर्यज्ञः–तत्प्रजापतिमेवैतद् यज्ञं युनक्ति ॥ १३ ॥

यद्वेवापः प्रणयति। अद्भिर्वा इदं सर्वमाप्तम्। तत्प्रथमेनैवैतत्कर्मणा सर्वमाप्नोति ॥ १४ ॥

(हवींषि) संयौति" (आप. श्रौ. सू. १. २४. ३.) इति तृतीययाऽपां संयवनं प्रति गुणत्वप्रतीतेः। अतः संयवनार्थमेव प्रणयनम्। उक्तं प्रणयनं प्रशंसति–**यज्ञो वा** इति। अपां यज्ञसाधनतया यज्ञरूपत्वात्तद्विस्तारात्मकस्य प्रणयनस्य यज्ञविस्ताररूपत्वात् प्राशस्त्यम् ॥ १२ ॥

उक्तं प्रणयनमनूद्य कस्त्वेति व्याहृतिचतुष्टयात्मकं मन्त्रं विधत्ते–**स प्रणयती**ति। हे प्रणीतोदक! को नाम त्वां यज्ञेन 'युनक्ति' योक्तुं समर्थः? यः समर्थः 'सः' युनक्ति। "कस्मै" त्वा प्रयोजनाय युनक्ति? यस्मै युनक्ति, तस्मै युनक्ति। योजने कर्ता प्रयोजनं च दुर्ज्ञातमित्यर्थः। व्याह्रियन्त इति व्याहृतयो मन्त्राः, दुर्ज्ञानत्वाभिधानादनिश्चित्य वचनाच्च 'अनिरुक्ताः'। व्याहृतिविशेषणस्यानिरुक्तत्वस्य प्रयोजनमाह–**अनिरुक्तो वा** इति। अनिर्ज्ञातो हि पदार्थः क इति पर्यनुयुज्यते। अतोऽसावनिरुक्तः प्रजापतिश्च 'कः' इत्युच्यते। "को ह वै नाम प्रजापतिः" (तै. ब्रा. २. २. १०) इति श्रुतिः। अतः श्रुतिसाम्यात् प्रजापतेरनिरुक्तत्वम्। अथवा वाचकमन्त्रोच्चारणमन्तरेण मनसैव प्रजापतेर्होमादपि प्रजापतिरनिरुक्तः। "यत्तूष्णीं तत्प्राजापत्यं स मनसा जुहोति, मन इव हि प्रजापतिः" (तै. सं. ६. ६. १०. ३) इति श्रुतेः। अस्त्वनिरुक्तः प्रजापतिः, प्रस्तुते किमायातमित्यत आह–**प्रजापतिर्यज्ञ** इति। "प्रजापतिर्यज्ञमसृजत" (तै. ब्रा. १. ७. १. ४.) इति यज्ञस्रष्टृत्वश्रुतेः कार्यस्य कारणादभेदात्। तथा "एष वै सप्तदशः प्रजापतिर्यज्ञमन्वायत्तः" (तै. सं. १. ६. ११. १) इति सप्तदशसमुदायात्मकस्य प्रजापतेः सकलयज्ञानुगमश्रुतेः। अनुगच्छतश्च सामान्यादेर्लोके न पृथग् अनुगन्तव्यः। व्यक्तावभिमानदर्शनात्। यस्मात् प्रजापतिर्यज्ञः, अतोऽनिरुक्ताभिर्व्याहृतिभिः प्रणयनादनिरुक्तप्रजापत्यात्मकतया निरुक्तं यज्ञमेव 'युनक्ति' प्रारभत इत्यर्थः ॥ १३ ॥

प्रशब्दोपात्तप्रकर्षसूचितप्राथम्यद्वारा प्रणयनं प्रागस्तावीत्–**यज्ञो वा** इति। तच्च नयतिपदोपात्तप्रापणात्मकविस्तारद्वारत इति 'अथापः'–इत्यस्यावयवार्थपर्यालोचनयापि द्विर्वा स्तौति–**यद्वेवे**ति। अनियोग एवकारः। न नियोगेन प्रागुक्तरीत्या स्तुतिः, किं त्वेवमप्यस्तीत्यर्थः। आप्नुवन्ति सकलं जगदित्यापः। तादृशामपां प्रणयनात् प्रथममेव सर्वमाप्तं स्यादित्यपि प्रशस्तं तत्प्रणयनमित्यर्थः ॥ १४ ॥

१–"अनिरुक्तं वा उपांशु" इति, "अनिरुक्तं हि मनोऽनिरुक्तं एतद्यत्तूष्णीम्" इति चैतैव (१।३।५।१०=२।४।४।५)। २–(ऐ. ब्रा. ७।४।१)। ३–इदं पदं क्वचिन्नास्ति।

यद्धेवास्यात्र । होता वाध्वर्युर्वा ब्रह्मा वाग्नीध्रो वा स्वयं वा यजमानो नाभ्यापयति तदेवास्यैतेन सर्वमाप्तम्भवति ॥ १५ ॥

यद्धेवापः प्रणयति । देवान् ह वै यज्ञेन यजमानाँस्तानसुररक्षसानि ररक्षुर्न यक्ष्यध्व ऽइति तद्यदरक्षँस्तस्माद्रक्षाᳬंसि ॥ १६ ॥

ततो देवा ऽएतं वज्रन्ददृशुः । (यं) यदपो वज्रो वा ऽआपो वज्रो हि वा ऽआपस्तस्माद् येनैता यन्ति निम्नङ्कुर्वन्ति यत्रोपतिष्ठन्ते निर्दहन्ति तत्त ऽएतं वज्रमुदयच्छँस्तस्याभयेऽनाष्ट्रे निवाते यज्ञमतन्वत तथो ऽएवैष ऽएतं वज्रमुद्यच्छन्ति तस्याभयेऽनाष्ट्रे निवाते यज्ञन्तनुते तस्मादपः प्रणयति ॥ १७

यद्धेवास्यात्र होता वा अध्वर्युर्वा ब्रह्मा वा अग्नीध्रो वा स्वयं वा यजमानो नाभ्यापयति--तदेवास्यैतेन सर्वमाप्तं भवति ॥ १५ ॥

यद्धेवापः प्रणयति । देवान् ह वै यज्ञेन यजमानांस्तानसुररक्षसानि ररक्षुः--'न यक्ष्यध्व' इति । तद् यदरक्षन् तस्माद्रक्षांसि ॥ १६ ॥

ततो देवा एतं वज्रं ददृशुः--यदपः । वज्रो वा आपः । वज्रो हि वा आपस्तस्माद् येनैता यन्ति, निम्नं कुर्वन्ति; यत्रोपतिष्ठन्ते, निर्दहन्ति । तत एतं वज्रमुदयच्छन् । तस्याभयेऽनाष्ट्रे निवाते यज्ञमतन्वत । तथो एवैष एतं वज्रमुद्यच्छन्ति । तस्याभयेऽनाष्ट्रे निवाते यज्ञं तनुते । तस्मादपः प्रणयति ॥ १७ ॥

अथवाऽस्य कर्मणो यदेवाङ्गं प्रापयितव्यमध्वर्य्वादयः प्रमादान्न प्रापयन्ति, तद्वैकल्यमुदकाचमनप्रोक्षणादिना परिहरन्त आपयन्ति, अतोऽप्याप इति तत्प्रणयनं प्रशस्तम् ॥ १५ ॥

न केवलमवयवार्थपर्यालोचनया, उदकप्रभावपर्यालोचनयापि प्राशस्त्यं वक्तुमारभते--**देवान् ह**ेति । असुराश्च रक्षांसि च 'असुररक्षसानि'। "अनसन्तान्नपुंसकाच्छन्दसि" (पा. सू. ५. ४. १०३.) इत्यसन्तत्वात् समासान्तः । 'न यक्ष्यध्व इति' यष्टुं न लभध्वं यूयमिति वदन्तो 'ररक्षुः' प्रतिबन्धयेयुरित्यर्थः[1] ॥ १६ ॥

ततो देवा इति । इत्थं प्रतिबद्धा देवाः 'एतम्' अब्लक्षणं वज्रं ददृशुः । अपां वज्रत्वं 'ता एता आपो वज्री भूत्वा' (तै.ब्रा. १. ७. १. ६. ७.) इत्यादिश्रुत्यन्तरे प्रसिद्धम्[2] । तदाह--**वज्रो वा** इति । न केवलं प्रसिद्धिबलाद्वज्रत्वम्, उपपत्तिबलाच्चेत्याह--**वज्रो ही**ति । उपपत्तेः प्रसिद्धिं वैशब्द आह । तां प्रसिद्धामुपपत्तिं दर्शयति--**तस्मा**दिति । यस्मादापो वज्रः, तस्मादेता आपः 'येन' पथा गच्छन्ति, तं पन्थानं 'निम्नं' गर्तं कुर्वन्ति । गत्वा वा 'यत्र' तृणगुल्मादावुपतिष्ठन्ते, तत् 'निर्दहन्ति' निःसारं कुर्वन्ति । ते देवाः 'एतम्' उदकलक्षणं वज्रम् 'उदयच्छन्' उक्तप्रकारप्रणयनात्मकमुद्यमनं तस्य कृतवन्त इत्यर्थः । 'तस्य' वज्रस्य संबन्धिनि 'अभये' तेन वज्रेण परिहृतभये 'अनाष्ट्रे' नाशयन्तीति नाष्ट्राण्यसुररक्षसानि--तद्रहिते 'निवाते' तत्संस्पृष्टेन वातेनापि रहिते, स्थाने । यथा देवाः कृतवन्तः, तथैवैषामध्वर्युः ॥ १७ ॥

१--प्रतिबबन्धुरिति क्वचित्पाठः । २--"अपां फेनेन नमुचेः शिर इन्द्रोदवर्तयः ।" (माध्यं. सं. अ. १९-७१) (ऋ.सं.८।१४।१३)।

ता ऽउत्सिच्योत्तरेण गार्हपत्यꣳसादयति योषा वा ऽआपो व्वृषाग्निर्गृहा वै गार्हपत्यस्तद् गृहेष्वेवैतन्मिथुनम्प्रजननं क्रियते व्वज्रं व्वा ऽएष ऽउद्यच्छति योऽपः प्रणयति यो वा ऽअप्रतिष्ठितो व्वज्रमुद्यच्छति नैन ꣳ शक्नोत्युद्यन्तुꣳ स ꣳ हैन ꣳ शृणाति ॥ १८ ॥

स यद्गार्हपत्ये सादयति । गृहा वै गार्हपत्यो गृहा वै प्रतिष्ठा तद्गृहेष्वेवैतत्प्रतिष्ठायाम्प्रतितिष्ठति तथो हैनमेष व्वज्रो न हिनस्ति तस्माद्गार्हपत्ये सादयति ॥ १९ ॥

ता ऽउत्तरेणाहवनीयम्प्रणयति । योषा वा ऽआपो व्वृषाग्निर्मिथुनमेवैतत्प्रजननं क्रियत ऽएवमिव हि मिथुनं क्लृप्तमुत्तरतो हि स्त्री पुमाꣳसमुपशेते ॥ २० ॥

ता उत्सिच्योत्तरेण गार्हपत्यं सादयति । योषा वा आपः, वृषाग्निः । गृहा वै गार्हपत्यः । तद् गृहेष्वेवैतन्मिथुनं प्रजननं क्रियते । वज्रं वा एष उद्यच्छति—योऽपः प्रणयति । यो वा अप्रतिष्ठितो वज्रमुद्यच्छति—नैनं शक्नोत्युद्यन्तुम्, सं हैनं शृणाति ॥ १८ ॥

स यद् गार्हपत्ये सादयति । गृहा वै गार्हपत्यः, गृहा वै प्रतिष्ठा, तद् गृहेष्वेवैतत् प्रतिष्ठायां प्रतितिष्ठति । तथो हैनमेष वज्रो न हिनस्ति । तस्माद् गार्हपत्ये सादयति ॥ १९ ॥

ता उत्तरेणाहवनीयं प्रणयति । योषा वा आपः, वृषाग्निः—मिथुनमेवैतत्प्रजननं क्रियते एवमिव हि मिथुनं क्लृप्तम्—उत्तरतो हि स्त्री पुमांसमुपशेते ॥ २० ॥

प्रणयनप्रकारमाह—ता उत्सिच्येति । चमसादिपात्रस्योपरि सिक्त्वा पूरयित्वा । न पुनस्तेन पात्रेण कुतश्चिज्जलाशयादुद्धृत्य । गार्हपत्यस्योत्तरभागे स्थापयेत् । आपस्तम्बस्तु स्थापितपात्रस्य समन्त्रकं पूरणमाह, इह ब्राह्मणे पूरितस्य स्थापनम् । अतस्तथैवोक्तं कात्यायनेन—"गार्हपत्यमुत्तरेणोदपात्रं निधाय" (श्रौ. सू. २. ३. १.) इति ॥ अवश्यं प्राङ्नेतव्यानामपां किं गार्हपत्यस्योत्तरदेशे स्थापनेनेत्याशङ्क्य तत्प्रयोजनकथनेन स्तौति—योषा वा आप इति । अप्शब्दस्य स्त्रीलिङ्गत्वात् । वृषेति । अग्निशब्दस्य पुँल्लिङ्गत्वात् । "गृहपतिना संयुक्ते ञ्यः" (पा. सू. ४. ४. ९०.) इत्यग्निविशेषो गार्हपत्यः । तदावास इह लक्षणया गार्हपत्य उच्यते । अत एव तस्य गृहत्वमुक्तम्—गृहा वै गार्हपत्यः—इति । उदपात्रस्थापनं प्रयोजनान्तरेण स्तौति—वज्रं वा इति । अप्रतिष्ठितः असंबद्धः । नैनमिति । तमेनमशक्तम्, अनुद्यन्तारं 'संशृणाति' हिनस्ति । "शॄ हिंसायाम्" (क्र्या. प. १६) "प्वादीनां ह्रस्वः" (पा. सू. ७. ३. ८०.) अतो हिंसापरिहाराय स्वयं संनद्ध एवोद्यच्छेत ॥ १८ ॥

उद्यन्तुः प्रतिष्ठामुक्त्वा उद्यन्तव्यस्यापि प्रतिष्ठामाह—स यदिति । गृहा वै प्रतिष्ठेति । कोशे स्थापितस्यासेरिव वातादिस्पर्शविरहात्तैक्ष्ण्यस्याविनाशो वज्रस्य प्रतिष्ठा । तीक्ष्णीभूतः स वज्रः स्वप्रयोक्तुरभिमतफलनिष्पादनात् तद्विरहदुःखात्मिकां हिंसामस्य न करोतीत्याह—तथो हेति । गार्हपत्योपश्लिष्टे तदुत्तरभागे । 'वटे गावः सुशेरते' इतिवदौपश्लेषिकाधिकरणे सप्तमी ॥ १९ ॥

सादितानामपां प्रणयनमाह—ता उत्तरेणेति । आहवनीयस्य संनिहितोत्तरभागे 'प्रणयति' नीत्वां

१—(आप. श्रौ. ४।१।४)। २—एता एवापः प्रणीता इत्युच्यन्ते उपरिष्टात् अष्टाविंशतितमे (२८) पृष्ठे तृतीया टिप्पणी द्रष्टव्या। ३—[illegible] (५।१।१८)।४ (पा. सू १।४।४५)। "औपश्लेषिको वैषयिकोऽभिव्यापकश्चेत्याधारस्त्रिधा" इति सि. कौ.।

ता नान्तरेण सञ्चरेयुः । (नें) नेन्मिथुनं चर्यमाणमन्तरेण सञ्चरानिति ता नातिहृत्य सादयेन्नो ऽअनाप्ताः सादयेत्स यदतिहृत्य सादयेदस्ति वा ऽअग्नेश्चापां च विभ्रातृव्यमिव स यथैव ह तदग्नेर्भवति यत्रास्याप ऽउपस्पृशन्त्यग्नौ ह्याधि भ्रातृव्यं वर्द्धयेद्यदतिहृत्य सादयेद्यद्यु ऽअनाप्ताः सादयेन्नो हाभिस्तं काममभ्यापयेद्यस्मै कामाय प्रणीयन्ते तस्मादु सम्प्रत्येवोत्तरेणाहवनीयम्प्रणयति ॥ २१ ॥

ता नान्तरेण संचरेयुः—नेन्मिथुनं चर्यमाणमन्तरेण संचरानिति । ता नातिहृत्य सादयेत्, नो अनाप्ताः सादयेत् । स यदतिहृत्य सादयेत्—अस्ति वा अग्नेश्चापां च विभ्रातृव्यमिव । स यथेव ह तदग्नेर्भवति यत्रास्याप उपस्पृशन्ति, अग्नौ ह्याधि भ्रातृव्यं वर्द्धयेत्—यदतिहृत्य सादयेत् । यद्यु अनाप्ताः सादयेत्—नो हाऽऽभिस्तं काममभ्यापयेद्—यस्मै कामाय प्रणीयन्ते । तस्मादु संप्रत्येवोत्तरेणाहवनीयं प्रणयति ॥ २१ ॥

सादयति । "एनबन्यतरस्यामदूरेऽपञ्चम्याः" (पा. सू. ५. ३. ३५)—इत्यनेन 'एनप्' । "एनपा द्वितीया" (पा. सू. २. ३. ३१)—इति षष्ठ्यर्थे द्वितीया । अपामग्नेश्च मिथुनतामुपपादयति—**एवमिव हि मिथुनं क्लृप्तमिति** ॥ २० ॥

ता नान्तरेणेति । अन्तरेणेति बलादग्निमिति लभ्यते । तासामपामग्नेश्च मध्ये न संचरेयुरित्यर्थः । तत्र कारणमाह—**नेदिति** । नेदिति परिभये । "अथापि नेत्येष इदित्येतेन संप्रयुज्यते परिभये" (१. ३. ६) इति हि निरुक्तम् । संचारे हि चर्यमाणं मिथुनमन्तरेण परस्परं संगतयोः स्त्रीपुंसयोर्मध्ये संचारान्मिथुनविच्छेद-लक्षणा भीतिः 'संचरात्' संचरेयुरिति । हेतुहेतुमद्भावरूपे लिङर्थे 'लेट्' । झेरन्तादेशः, "इतश्च लोपः" (पा. सू. ३. ४. ९७) इतीकारलोपे संयोगान्तलोपः, तस्यासिद्धत्वान्नलोपाभावः ॥ साक्षादुत्तरभागे आहवनीयप्रणयनं विवक्षितमिति दर्शयितुं ततः प्राक् प्रत्यगासादनं निषेधति—**ता नातिहृत्येति** । 'अतिहृत्य' उत्तरभागमतीत्य प्राग्भागे । 'अनाप्ताः' उत्तरभागमप्राप्ताः, प्रत्यगपि नासादयेत् । तदतिहरण-पक्षमनुवदति—**स यदिति** ॥ तत्र दोषं वक्तुमुपोद्घातमाह—**अस्ति वा** इति । "व्यन्सपत्ने" (पा. सू. ४. १. १४५) इति स्मृतेः 'भ्रातृव्यः' शत्रुः, तस्य भावो भ्रातृव्यं शात्रवम्, युवादित्वाद् भावेऽण् । विशिष्टं भ्रातृव्यम् । अग्नेरपां च परस्परविनाशकत्वान्महदस्ति वैरमित्यर्थः । अस्तु, किं तत इत्याह—**स यथेवेति** । 'तत्' अद्भिः सह महद्वैरमग्नेर्यथा 'भवति' स्वकार्यनिर्वापणरूपमुपद्रवं कर्तुं प्रभवति, तथा 'सः' अतिहरन्नध्वर्युः कुर्यादित्यर्थः । तथाऽकरणे का हानिः ? तत्राह—**यत्रेति** । 'यत्र' कर्मणि 'अस्य' प्रणयन-पात्रस्य संबन्धिनीरप 'उपस्पृशन्ति' ऋत्विग्यजमानाः । तत्रोपस्पर्शनमग्नौ 'भ्रातृव्यम्' शत्रुमुदकलक्षणम् 'वर्धयेत्' उत्तेजयेत् । अतिहरणस्य वैरकरणसंबन्धार्थः प्रथमोऽनुवादः, चरमस्तु भ्रातृव्यवर्द्धनसमर्थनार्थ

१—"अनुज्ञात उत्तरेणाहवनीय १७ सम्प्रति निदधाति कस्त्वेति" (२।३।२) । २—"नान्तरेण गच्छेयुः" (का. श्रौ. सू. ९।३।१४) । ३—(पा. सू. ३।३।१५६) । ४—(पा. सू. ३।४।७) । ५—(पा. सू. ८।२।२३) । ६—(पा. सू. ८।२।१) । ७—"हायनान्तयुवादिभ्योऽण्" इति (पा. सू. ५।१।१३०) ।

(त्यु) अथ तृणैः परिस्तृणाति । द्वन्द्वम्पात्राण्युदाहरति शूर्पञ्चाग्निहोत्रहवणीञ्च स्फ्यञ्च कपालानि च शम्याञ्च कृष्णाजिनञ्चोलूखलमुसले दृषदुपले तद्दश दशाक्षरा वै विराड्विराड् वै यज्ञस्तद्विराजमेवैतद्यज्ञमभिसम्पादयत्यथ यद्द्वन्द्वं द्वन्द्वं वै वीर्यं यदा वै द्वौ सᳬरभेतेऽथ तद्वीर्यम्भवति द्वन्द्वं वै मिथुनम्प्रजननम्मिथुनमेवैतत्प्रजननं क्रियते ॥ २२ ॥

इति प्रथमकाण्डे प्रथमप्रपाठके प्रथमाध्याये वा प्रथमं ब्राह्मणम् ।

पात्रासादनम् ।

अथ तृणैः परिस्तृणाति । द्वन्द्वं पात्राण्युदाहरति–शूर्पं चाग्निहोत्रहवणीं च । स्फ्यं च कपालानि च । शम्यां च कृष्णाजिनं च । उलूखलमुसले । दृषदुपले । तद्दश । दशाक्षरा वै विराट् । विराड् वै यज्ञः । तद्विराजमेवैतद्यज्ञमभि संपादयति । अथ यद् द्वन्द्वम् । द्वन्द्वं वै वीर्यम् । यदा वै द्वौ संरभेते–अथ तद्वीर्यं भवति । द्वन्द्वं वै मिथुनं प्रजननम् । मिथुनमेवैतत्प्रजननं क्रियते ॥ २२ ॥

इत्यपौनरुक्त्यम् ॥ अतिहरणपक्षे दोष उक्तः । अनातिपक्षे दोषमाह–यद्यु इति । स्वसमयेऽप्राप्तत्वात् तासामपां कामप्रापकत्वं दूरापास्तमित्यर्थः । इत्थं तमुपोद्घातमुक्त्वौपोद्घातिकमाह–तस्मादिति । 'संप्रत्येव' सम्यगुत्तरभाग एव, न पुरतो न पश्चात् । अत उक्तं कात्यायनेन–" उत्तरेणाहवनीयᳬसप्र ति निदधाति " (श्रौ. सू. २. ३. ३) इति ॥ २१ ॥

प्रणीताप्रणयनानन्तरं परिस्तरणं पात्रासादनं चाह–अथ तृणैरित्यादि । 'द्वन्द्वं' द्वे द्वे । " द्वन्द्वं रहस्यमर्यादावचनव्युत्क्रमणयज्ञपात्रप्रयोगाभिव्यक्तिषु " (पा. सू. ८. १. १५) इति निपातितम् । पात्रपदं यज्ञनिर्वर्तकानां स्फ्यादीनामप्युपलक्षकम् । अर्थतः प्राप्तां संख्यामनूद्य प्रशंसति–तद्दशेति । तस्मिन् प्रयोग एवं पारिगणने कृते दश संपद्यन्ते । विराजश्छन्दसोऽक्षरेषु दशत्वमस्ति । प्रथमश्च यज्ञो ज्योतिष्टोमः । " एष वाव प्रथमो यज्ञो यज्ञानां यज्ज्योतिष्टोमः " (तै. सं. ७. ४. १०. ११) इति श्रुतेः । तत्र च नवत्युत्तरशतसंख्याकाः स्तोत्रियाः । तास्वेकोनविंशतिसंख्यया विभज्यमानासु दश लभ्यन्त इत्यस्ति तत्रापि दश संख्या । अतो दशसंख्यायोगाद् विराड्यज्ञयोरेकत्वादिह दशसंख्यासंपत्त्या विराडात्मको यज्ञ एव साकल्येन संपादितो भवति । एवं दशत्वं स्तुत्वा द्विशः प्रयोगमनूद्य स्तौति–अथ यदिति । 'संरभेते' 'रभ राभस्ये' (भ्वा. आ. ९९९.) राभस्यं कार्योपक्रमः, किमपि कार्यं कर्तुमुपक्रमेते ॥ २२ ॥

इति सायणाचार्यविरचिते माधवीये वेदार्थप्रकाशे माध्यन्दिनशतपथभाष्ये
प्रथमाध्याये प्रथमं ब्राह्मणम् ।

१–" तृणसंज्ञास्तु ये दर्भा एकपत्राः स्मृतास्तु ये । ते बर्हिःसंज्ञका दर्भा रत्निमात्राधिकाश्च ये " इति कातीये यज्ञपार्श्वे ।
२–उपलक्षणमिति क्वचित्पाठः । ३–(ऐ. ब्रा. ३ । ४ । ५) (ताण्ड्य. ब्रा. १६ । १) ।

अथ द्वितीयं ब्राह्मणम्।

अथ शूर्प्पञ्चाग्निहोत्रहवणीञ्चादत्ते। कुर्म्मणे वां व्वेषाय वामिति यज्ञो वै कुर्म यज्ञाय हि तुस्मादाह कुर्मणे वामिति व्वेषाय वामिति व्वेवेष्टीव हि यज्ञम् ॥ १ ॥

(मु) अथ व्वाचं यच्छति। वाग्वै यज्ञोऽविक्षुब्धो यज्ञं तनवाऽइत्यथ प्रतपति प्रत्युष्टꣳरक्षः प्रत्युष्टाऽअरातयो निष्टप्तꣳरक्षो निष्टप्ताऽअरातयऽइति वा ॥ २ ॥

अथ शूर्पं चाग्निहोत्रहवणीं चादत्ते–" कर्म्मणे वां वेषाय वाम् " (१ अ. ६ मं.) इति। यज्ञो वै कर्म्म, यज्ञाय हि। तस्मादाह–कर्मणे वामिति, वेषाय वामिति; वेवेष्टीव हि यज्ञम् ॥ १ ॥

अथ वाचं यच्छति। वाग् वै यज्ञः। अविक्षुब्धो यज्ञं तनवा इति। अथ प्रतपति " प्रत्युष्टꣳ रक्षः प्रत्युष्टा अरातयो निष्टप्तꣳरक्षो निष्टप्ता अरातयः " (१ अ. ७ मं.) इति वा ॥ २ ॥

पात्रासादनानन्तरं कर्त्तव्यमाह–**अथ शूर्प**मिति। एतच्चादानं हविर्निर्वापार्थम्। वामिति मन्त्रगतद्विवचनलिङ्गादुभे सहादीयेते। अत एव सूत्रे–"शूर्पाग्निहोत्रहवण्यादाय" (श्रौ. सू. २. ३. १०.) इति। इतरेतरयोगद्वन्द्वः। **यज्ञो वा** इत्यादि। यज्ञाय हि तदादानम्; अतः कर्मशब्दः कर्ममात्रपरोऽपि तद्विशेषं यज्ञमेव ब्रूते। इज्यतेऽनेनेति 'यज्ञः' हविः; तदिह निर्वापकाले व्रीहिरूपम्। तदग्निहोत्रहवण्या शूर्पे निर्वपन् 'वेवेष्टीव' परिवेषणं करोतीव, यथान्नं दर्व्या भोजनपात्रे। अतो वेषाय वामित्युक्तम्। वेवेष्टीत्यत्र परिरूपोपसर्गो लुप्तो निर्दिष्टः। " विष्लृ व्याप्तौ " (जु. उ. १३) " निजां त्रयाणां गुणः श्लौ " (पा. सू. ४. ४. ७९.) इत्यभ्यासस्य गुणः। **अथ शूर्प**मित्यथशब्दादनुष्ठेयपदार्थपौर्वापर्यलक्षणं क्रममाहुः। अतस्तद्विशिष्टाः पदार्था विधीयन्ते। ननु चैष चेदनुष्ठेयलक्षणः क्रमः, स च सर्वेषु पदार्थेष्वेक एव, नैकैकपदार्थग इति तद्विशेषणतया तद्विधिभिः कथं विधातुं शक्यते? तर्हि संघातविशेषणतया तद्विधानेनैव विधीयतामिति चेत्, न, संघातस्याविधेयत्वात्, तस्य चैकत्वेन नियमेनानेकपदार्थाश्रितस्य क्रमस्यासम्भवात्। नैष दोषः। यथा संयोगादय एकैकवस्तुन्यपर्यवसिता अपि वस्त्वन्तरमपेक्ष्यैकत्रापि पर्यवस्यन्तस्तद्विशेषणतया तद्विधिभिर्विधीयन्ते, तद्वत् क्रमोपि किं न विधीयते? न च शब्देनानभिधानादविधानमिति मन्तव्यम्। प्राकृतोपकारवदनभिहितस्यापि वैतत्यलक्षणक्रमस्यार्थाद्बुद्धावुपस्थितस्य विधिसम्भवात्। न चावश्यं वैतत्यलक्षण एव क्रमः; अस्ति ह्यसावानुपूर्व्यलक्षणोऽपि। तथा च यथा–अध्वर्युर्गृहपतिं दीक्षयित्वा ब्रह्माणं दीक्षयतीति 'क्त्वा'-प्रत्ययेनाभिहितः पौर्वापर्यलक्षणः क्रम एवार्थविशेषणतया विधीयते, एवमत्र अथशब्दैरभिहितो विधीयत इति किमुपपन्नम्? तदुक्तं जैमिनिना–"श्रुतिलक्षणमानुपूर्व्यं तत्प्रधानत्वात्" (मी. सू. ५. १. १. इति ॥ १ ॥

वाग्वै यज्ञ इति। यच्छति–पदसन्निधानान्नियम्यमानैवेह वाग विवक्षिता, तस्याश्च यज्ञसाधनत्वाद्यज्ञसाध-

---

१–" कर्मणे वामिति शूर्पाग्निहोत्रहवण्यादाय वाचं यच्छति " (श्रौ. सू. २. ५५)। २–' निर्वपति ' इति पाठान्तरम्। ३–' एकैकत्र वस्तुनि ' इति ज.। ' एकैकपर्यवसिता अपि वस्त्वन्तरमपेक्ष्यैकत्राप्यपर्यवस्यन्तः ' इति पाठान्तरम्। ४–इहैवोपरिष्टाद्दीक्षाप्रकरणं समाम्नातं (कां. १२ प्र. १)।

देवा ह वै यज्ञं तन्वानाः । (स्ते) तेऽसुररक्षसेभ्य आसङ्गाद्बिभयाञ्चक्रुस्तद्य-ज्ञमुखादेवैतन्नाष्ट्रा रक्षाᳬस्यतोऽपहन्ति ॥ ३ ॥

(न्त्य) अथ प्रैति । (त्यु) उर्वन्तरिक्षमन्वेमीत्यन्तरिक्षं वाऽ अनु रक्षश्च-रत्यमूलमुभयतः परिच्छिन्नं यथायं पुरुषोऽमूलऽउभयतः परिच्छिन्नोऽन्त-रिक्षमनुचरति तद्ब्रह्मणैवैतदन्तरिक्षमभयमनाष्ट्रं कुरुते ॥ ४ ॥

देवा ह वै यज्ञं तन्वानाः । तेऽसुररक्षसेभ्य आसङ्गाद्बिभयाञ्चक्रुः । तद्यज्ञमुखादेवैतन्नाष्ट्रा रक्षांस्यतोऽपहन्ति ॥ ३ ॥

अथ प्रैति—"**उर्वन्तरिक्षमन्वेमि**" (१ अ० ७ मं०) इति । अन्तरिक्षं वा अनु रक्षश्चरत्य-मूलमुभयतः परिच्छिन्नं यथाऽयं पुरुषोऽमूल उभयतः परिच्छिन्नोऽन्तरिक्षमनुचरति । तद्—ब्रह्मणै-वैतदन्तरिक्षमभयमनाष्ट्रं कुरुते ॥ ४ ॥

नतामुपपादयति—**अविक्षुब्ध** इति । वाङ्नियमे हि चित्तविक्षोभहेतोर्वाग्व्यवहारस्याभावात्तदैकाग्र्ये सत्यविकलो यज्ञो यतः संपद्यते । क्षुभेरुदात्तोपदेशत्वेऽप्यागमानुशासनस्यानित्यत्वादिडभावः । "क्षुब्धस्वान्त--" (पा. सू. ७. २. १८) इति ज्ञापकात् । शूर्पञ्चाग्निहोत्रहवणीं च प्रतपति--**अथ प्रतपतीति** । शूर्पमग्निहोत्रहवणीं चेत्य-नुषङ्गात्तदुभयमित्यर्थः । **निष्टप्ता अरातय इति वेति** । व्रीह्यनुष्ठानपक्षे यववाक्यस्य--प्राप्तप्रामाण्यत्यागः, आप्राप्ताप्रामाण्यस्वीकारः, पुनर्यवानुष्ठाने स्वीकृताप्रामाण्यस्य त्यागः, त्यक्तप्रामाण्यस्वीकारश्चेति चत्वारो दोषाः । इत्थं व्रीहिवाक्येऽपि चत्वार इत्यष्टौ दोषा यद्यपि, तथापि गत्यभावाद्विकल्प इत्युक्तं भट्टाचार्यैः—

"एवमेषोऽष्टदोषोऽपि यद्व्रीहियववाक्ययोः ।
विकल्प आश्रितस्तत्र गतिरन्या न विद्यते" (मी. भ. १२. अ. ३. पा.) इति ।

इह पुनर्वाशब्देनाधम्यादप्यनुकृष्टेन मन्त्रद्वयपाक्षिकत्वस्य श्रुत्यैवाभिधानान्नैकोऽपि दोषः । एतदर्थमेव च "एकार्थास्तु विकल्पेरन्" (मी. सू. १२. ३. १०.) इति व्रीहियववदेव न्यायप्राप्तस्यापि विकल्पस्य, वेति स्वशब्देनोपादानम् ॥ २ ॥

मन्त्रकरणकतायै साध्यस्य निरासस्योपयोगसिद्धये निरसनीयानां प्रसक्तिमाह—**देवा ह वा** इति । 'असुर-रक्षसेभ्यः—' इति षष्ठ्यर्थे चतुर्थी । तेषाम् 'आसङ्गात्' संसर्गाद्भीताः । बिभेतेर्लिटि "भीह्रीभृहुवाम्" (पा. सू. ३. १. ३९.) इत्याम्प्रत्ययः, श्लुभावश्च । नाशयन्तीति 'नाष्ट्राः' आसुर्यः प्रजाः, ताश्च रक्षांसि च 'तत्' अतो 'यज्ञमुखात्' यज्ञप्रारम्भादपहन्ति । 'एतत्' इति क्रियाविशेषणम् ॥ ३ ॥

अथ प्रैतीति । शूर्पप्रतपनानन्तरमुर्विति मन्त्रेण हविर्निर्वापार्थं शकटसमीपं 'प्रैति' प्रगच्छेत् । मन्त्रप्रयो-जनमाह—**अन्तरिक्षं वेति** । यथा वृक्षो मूलैः पृथिवीमनुप्रविष्टस्तिष्ठत्येव, न च गच्छति; यथा व्याघ्रादिरमितः पाशाभ्यां बद्ध्वा ध्रियमाणः; नैवं पुरुषो मूलवान्, नाप्युभयतः केनचित् संसर्गेण प्रतिबद्धः, किन्तु

१—"आगमशास्त्रमनित्यम्" (प. शे. ९५) (म. मा. ८ । ४ । १६) । २—अतोऽग्रे क्षुब्धेति निपातितम् इति क्वचित् पुस्तके-ऽधिकमुपलभ्यते । ३—" प्रतपनं प्रत्युष्टं निष्टप्तमिति वा " (श्रौ. सू. २. ५६.) । ४—यस्तुतस्तु—" मन्त्राणां सन्निपातित्वादेकार्थानां विकल्पः स्यात्" इति (मी. सू. १२।३।२९) सूत्रस्यैवायं विषयः । ५ " गच्छत्युर्वन्तरिक्षमिति अपथस्य पश्चादवतिष्ठन्समाङ्गि " (श्रौ. सू. २. ५७) ॥

स वाऽ अनस एव गृह्णीयात्। (द्) अनो ह वाऽ अग्रे पश्चेव वाऽ इदं यच्छालꣳ स यदेवाग्रे तत्करवाणीति तस्मादनस एव गृह्णीयात् ॥ ५ ॥

(द्धू) भूमा वाऽअनः। (नो) भूमा हि वाऽ अनस्तस्माद्यदा बहु भवत्यनोवाह्यमभूदित्याहुस्तद्भूमानमेवैतदुपैति तस्मादनस एव गृह्णीयात् ॥ ६ ॥

(द्य) यज्ञो वाऽ अनः। (नो) यज्ञो हि वाऽ अनस्तस्मादनस एव यजूꣳषि सन्ति न कौष्ठस्य न कुम्भ्यै भस्त्रायै ह स्मर्षयो गृह्णन्ति तदृषीन्प्रति भस्त्रायै यजूꣳष्यासुस्तान्येतर्हि प्राकृतानि यन्न्वायज्ञं निर्मिमीऽइति तस्मादनस एव गृह्णीयात् ॥ ७ ॥

स वा अनस एव गृह्णीयात्। अनो ह वा अग्रे, पश्चेव वा इदम्—यच्छालं; स यदेवाग्रे तत् करवाणीति। तस्मादनस एव गृह्णीयात् ॥ ५ ॥

भूमा वा अनः। भूमा हि वा अनस्तस्माद्—यदा बहु भवति, अनोवाह्यमभूदित्याहुः। तद् भूमानमेवैतदुपैति। तस्मादनस एव गृह्णीयात् ॥ ६ ॥

यज्ञो वा अनः। यज्ञो हि वा अनस्तस्माद्—अनस एव यजूंषि सन्ति। न कौष्ठस्य न कुम्भ्यै।

'परिच्छिन्नः' प्रतिबन्धकासंसृष्टः सन् अन्तरिक्षे विश्रम्भं चरति। तथैव निर्वप्स्यमानेहविरादानार्थं रक्षोऽप्युक्तविशेषणविशिष्टं सत् तं निर्वप्स्यन्तं पुरुषमनुगच्छेत् अतस्तदेतत्पुरुषेण गम्यमानमन्तरिक्षप्रदेशे 'ब्रह्मणा' उर्वित्यनेनैव मन्त्रेण 'अनाष्ट्रम्' हिंसाकररहितम्। अत एवामयं कुरुते। 'उरु' विस्तीर्णं प्रतिबन्धकशैलक्षणमूर्त्तद्रव्यविरहादिति हि मन्त्रार्थः ॥ ४ ॥

अनस एव सकाशाद् ग्रहणे कारणमाह—**अनो ह वा** इति। अन एव हि प्रथमं धान्यस्याधिकरणम्। अनसः सकाशान्नीयमानं धान्यं 'पश्चेव' पश्चादेव। किं तत्? यत् 'शालम्' एतच्छालागतं भवति। "पश्च पश्चा च च्छन्दसि" (पा. सू. ५. ३. ३३.) इति निपातितम्। शा शब्दाच्छान्दसत्वेन छस्य विकल्पितत्वादण्। यत् 'अग्रे' गृहप्रवेशात्प्रागनसि स्थितम्। अत एव गृहिणामाशयानुपहतं तदेव यज्ञसाधनं करवाणीति योग्यत्वे हेतुः। तस्मादनस एव सकाशात् सोऽध्वर्युर्गृह्णीयान्न शालातः ॥ ५ ॥

अथानसोऽप्यग्रे खलादानीयमानं मूतस्थमेव किं न निरूप्यते? इत्यत आह—**भूमा वा** इति। मूतस्थ ह्येवाल्पम्, ततो निरूप्यमाणं हविर्हिंसितभिक्षावद्देवा न गृह्णीयुः। अपि स्मर्यते हि—

"आत्मानं पीडयित्वा तु भिक्षां यः संप्रयच्छति।
सा भिक्षा हिंसिता ज्ञेया न सा ग्राह्या कदाचन" इति ॥

बहोर्भावः 'भूमा' भवितरि भावोपचारोऽतिशयार्थः। मूर्तिभूतं ब्रह्मण्यमेवायं पुनातीतिवत्। अतो बहुतरं भूमा अन इत्यर्थः। तस्यार्थे लोकप्रसिद्धिमाह—**भूमा हीति**। प्रसिद्धिं लोकव्यवहारेण साधयति—'अनोवाह्यम्' अनसा वोढुमहम्। **तदित्यादि**। तदेतदनस्स्थं हविरुपयच्छन् भूयिष्ठमेवोपैति। अतो हिंसितभिक्षा निराकृता ॥ ६ ॥

अनस एव ग्रहणे हेत्वन्तरमाह—**यज्ञो वा** इति। यज्ञसाधनत्वादनसि साधनस्तुत्यै यज्ञत्वोपचारः।

१–'निर्ममा' इति पा. भाष्यसम्मतश्च। २–निर्वर्त्यमान इ. पा.। ३–मूतं बद्धम्। मूतस्थं बद्धावस्थमित्यर्थः।

(द्रु) उतो पात्र्यै गृह्णन्ति । (न्त्यु) अनन्तरायमु तर्हि यजूंषि जपेत्स्फ्यमु तर्ह्यधस्तादुपोह्य गृह्णीयाद्यतो युनजाम ततो विमुञ्चामेति यतो ह्येव युञ्जन्ति ततो विमुञ्चन्ति ॥ ८ ॥

भस्त्रायै ह स्मर्षयो गृह्णन्ति । तद्वृषीन् प्रति भस्त्रायै यजूंष्यासुः । तान्येतर्हि प्राकृतानि—यज्ञाद्यज्ञं निर्मिमा इति । तस्मादनस एव गृह्णीयात् ॥ ७ ॥

उतो पात्र्यै गृह्णन्ति । अनन्तरायमु तर्हि यजूंषि जपेत् । स्फ्यमु तर्ह्यधस्तादुपोह्य गृह्णीयात्—यतो युनजाम ततो विमुञ्चामेति । यतो ह्येव युञ्जन्ति ततो विमुञ्चन्ति ॥ ८ ॥

इज्यतेऽनेनेति करण एव वा 'नङ्'[1] प्रत्ययः । वै—शब्दस्तस्य विधिश्रुतिसिद्धं यज्ञसाधनत्वं स्तोतुं स्मारयति । न केवलं श्रुतिसिद्धं तस्य तत्साधनत्वम्, अपि तु प्रत्यक्षादिप्रमाणैरपि तस्य साधनत्वं सिद्धमित्याह—**यज्ञो** हीति । अनसोऽसाधारण्ये हेत्वन्तरमाह—**तस्मादि**ति । यस्मादनस एव ग्रहणम्, तस्माद्ग्रहणमन्त्राः "धूरसि" (वा. सं. १. ८.) "अह्रुतमसि हविर्धानम्—" (वा. सं. १. ९.) इत्यादयोऽनोऽवयवलिङ्गा दृश्यन्ते । न पुनः कोष्ठ[2]गतस्य—कुम्भी[3]गतस्य वा धान्यस्य । कुम्भी—शब्दस्तन्निष्ठधान्यं लक्षयति, मञ्चाः क्रोशन्तीतिवत् । लुप्तनिर्दिष्टा षष्ठी । ऋषिमतमाह—**भस्त्रा**[4]**या** इति । षष्ठ्यर्थे चतुर्थी । तस्मिन् पक्षे भस्त्रायाः के मन्त्रा इत्याह—**तद्वृषीनि**ति । उस्त्वर्थे । तदा तु तान्येव यजूंषि भस्त्रायाः प्रतिपादकानि स्युरित्यर्थः । अनःपक्षे हे अनः ! यत् त्वं 'धूरसि' त्वमुद्धृतमतुलं हविर्धानमसीति । भस्त्रापेक्षे तु हे भस्त्रे ! इत्येव विशेषः । मन्त्रदारिद्र्य इव कस्मात्तान्येव ? अन्यानि चेत्, भस्त्रायाः के मन्त्रा इत्यत आह—**तान्येतर्ही**ति । तैरेव यजुर्भिर्ग्रहणे यानि यजूंषि प्रकृतावनस्यासन्, तान्येवैवं सति विकृतौ भस्त्रायामपि स्युः । तथात्वस्यापि किं फलमिति चेत्तत्राह—**यज्ञादि**ति । यज्ञसाधनमनं आश्रित्य सकृत्प्रयुज्य तत इदमुक्त्वैव यज्ञं भस्त्रादिकं 'निर्ममै' अनुतिष्ठानि, इत्येवमनुष्ठातुराशय इत्यर्थः । ननु प्रकृतावेव पक्षान्तरं भस्त्रा, यथा यवः; तत् किमुच्यते प्राकृतानीति ? सत्यम् । प्राकृतमुपदिश्यमानं यथा प्रथमम्, वैकृतन्त्वतिदेशाच्चरमं प्रतीयते; एवं स्वशब्देनाभिधानात्प्रथमप्रतिपत्तेरेव प्राकृतमुच्यते । तल्लक्षितापूर्वसाधनत्वात्तु पश्चात्प्रतीतेर्भस्त्रा विकृतिवद्विकृतिः । अतो भस्त्रायामपि यववद्रूपदेशादेव धर्मसंबन्धो नातिदेशात् । व्रीहीनवहन्तीति अपूर्वं व्रीहयः प्रकृतिद्रव्यमपहन्तीति यथा, तथाऽनेन पदेनापि भस्त्राविपरिग्रह इति ॥ ७ ॥

पात्रीतो ग्रहणे धर्मविशेषमाह—**उतो पात्र्या**[5] इति । 'उतो' अपि तु यदि पात्र्यां[6] गृह्णीयात्, तदा धूरीषाद्यभावेन तदुपस्थानविरहादननुष्ठानकृतं व्यवधानमन्तरायमन्तरेण तत्प्रकाशकयजूंषि "धूरसि" "देवानामसि" इत्यादीनि जपेत् । तत्रैव धर्मान्तरमाह—**स्फ्यमु तर्ही**ति । तस्मिन् पात्रीपक्षे तस्या अध-

---

१—पा. सू. ३-३-९० । २—यत्र प्रभूतं धान्यं चिरं निधायापि न विक्रीयते तादृग्धान्यसंरक्षकप्रबन्धविशेषः कोष्ठपदवाच्यः । लोके हिन्दीभाषायां 'खलियान' महाराष्ट्रभाषायां 'कोठा' 'कणगा' इति प्रसिद्धम् । ३—एकसंवत्सरपर्याप्तं धान्यं क्रीत्वा सुगुप्त्यै भस्ममिश्रं च कृत्वा यत्र पात्रे निधीयते तत्पात्रं कुम्भीपदवाच्यम् । लोके हिन्दीभाषायां 'झाल' 'मटकी' 'पातली' महाराष्ट्रभाषायां 'खारी' 'पंचपात्र' इति प्रसिद्धम् । ४—संवत्सरादधिककालपर्याप्तं धान्यं क्रीत्वा यत्रेष्टकादिनिर्मिते स्थाने निधीयते तत्स्थानं भस्त्रापदवाच्यं भवति । लोके हिन्दीभाषायां 'कुठारी' महाराष्ट्रभाषायां 'पेव' 'बळद' इति प्रसिद्धम् । ५—एतच्च पक्षद्वयं (का. श्रौ. सू. २ । ३ । ३८) द्रष्टव्यम् । ६—पात्र्याम् इति कुत्रचित्पाठः । वस्तुतस्तु—पात्र्या इति षष्ठ्यर्थे चतुर्थी । (का. सू. वृ. २ । ३ । २८) इति ।

तुस्य वा॒ऽ एतस्या॒नसः। (सोऽग्नि) अ॒ग्निरेव धूरग्निर्हि वै धूर॒थ य॒ऽ एनद्वह॑न्त्य॒ग्निद॒ग्धमि॑वैषां व्वुहं भवत्यथ य॒ज्जघनेन कस्त॒म्भीं प्र॒ऽउगं व्वेदि॑रे॒वास्य सा नीड॒ऽएव हविर्द्धानम् ॥ ९ ॥

तस्य वा एतस्यानसोऽग्निरेव धूः । अग्निर्हि वै धूः । अथ य एनद् वहन्ति–अग्निदग्धमिवैषां वहं भवति । अथ यं जघनेन कस्तम्भीं, प्रउगं–वेदिरेवास्य सा । नीड एव हविर्द्धानम् ॥ ९ ॥

स्तात् स्फ्यमुपनिधाय गृह्णीयात् । यदाह कात्यायनः–"पात्र्यां वा स्फ्योपहितायां धूरीषारोहणानि पात्रीबिले जपति" (श्रौ. सू. २. ७२. ७३) इति । अनसो ग्रहणे स्फ्योपहितपात्रीतो ग्रहणेऽतिशयितं प्रयोजनमाह–**यतो युनजामेति** । योऽयं स्फ्यमाश्रित्य 'युनजाम' यज्ञेन योगं प्राप्नवाम, ततस्तस्मिन्नेव स्फ्ये 'विमुञ्चाम–'इति वियोगमपि करवाम । (इति) योगवियोगसामानाधिकरण्यसिद्धिः । स्फ्योपहितपात्रीतो ग्रहणपक्षे अनःपक्षादतिशय इत्यर्थः । अयमत्राभिप्रायः–अनसो निर्वापपक्षे हि जुहूपभृतौ शकटस्य धुरोर्निदध्यात् । पात्रीतः पुनर्निर्वापे तदाधारभूते स्फ्ये तयोर्निधानं विमोकः । तदुक्तं कात्यायनेन–"घृताचीऽ इति धुरि निदधात्यनसि चेद्ग्रहणम्" "स्फ्ये पात्र्यां चेत्" (श्रौ.सू.२.१३७.१३८) इति। तथाऽयां प्रणयनं च स्फ्येन सहेत्युक्तमापस्तम्बेन–"स्फ्येनोपसंगृह्याविषिञ्चन् हरति" (आ. श्रौ. सू. १. १६. ८) इति । एवं च स्फ्येनैव योगः, स्फ्य एव वियोगात्मको विमोकोऽपीति पात्रीतो ग्रहणे योगवियोगयोः सामानाधिकरण्यलाभोऽतिशय इति । अथ तयोर्वैयधिकरण्यात् सामानाधिकरण्योक्तोऽतिशय इत्याशङ्क्य लोकप्रसिद्ध्यनुसरणमतिशय इत्याह–**यतो ह्येवेति** । सार्वविभक्तिकस्तसिः । यत्रैव योगः, तत्रैव वियोगो न्याय्यः; न हि कर्णे युक्तः कटयां विमुच्यत इत्यर्थः ॥ ८ ॥

अथ धुरः समन्त्रकमभिमर्शनं विधास्यंस्तदुपोद्घातत्वेन देवतारूपतां तस्याः प्रतिपादयति–**तस्येत्यादिना** । अग्निरेव धूरिति यद्धुरोऽग्न्यात्मकत्वं प्रतिज्ञातम्, तस्योपपादनम्–**अग्निर्हि वा** इत्यादि । अनसो या धूर्बलीवर्दवहनस्थानम्, तस्याग्न्यात्मकत्वमन्वयव्यतिरेकाभ्यां लोकप्रसिद्धमिति 'हि'–शब्दार्थः । तामेव प्रसिद्धिं दर्शयति–**अथ य एनदिति** । 'एनद्' धुराक्षम्, अनसो योगे खलु बलीवर्दा वहन्ति एषाम् 'वहम्' वहनसाधनं कन्धरूपमङ्गमग्निदग्धमिव दृश्यते । अतो नूनम् 'धूर्' वोढव्या धूरग्न्यात्मिकेत्यवसीयत इत्यर्थः । शकटान्निर्वापस्य प्राशस्त्यातिशयं द्योतयितुं तस्मिन् वेदिहविर्द्धानयोः संपत्तिमाह–**अथ यज्जघनेनेति** । शकटस्याधःपतनं वारयितुमीषादण्डप्रोत्तम्भनार्थो मेथी 'कस्तम्भी' । ईषाद्वयं यत्र संहतं ततः प्रत्यग्भागः, तयोरीषयोर्मध्यदेशः 'प्रउगम्' । तच्च पश्चाद्विस्तृतम्, पुरस्ताद्ध्रसीयः । 'वेदिः' अपि तथाविधा, "त्रिंशत्पदानि पश्चात्तिरश्ची भवति, षट्त्रिंशत्प्राची, चतुर्विंशतिः पुरस्तात् तिरश्ची" (तै. सं. ६. २. ९. ८) इति श्रुतेः ।

१–स्फ्यो नाम बाहुमात्रः खड्गाकारकाष्ठविशेषः । इति (तै. सं. १।६।८।२.) सा. भाष्ये । तथा का. श्रौ. सू. 'स्फ्योऽस्याकृतिः' (१।३।३९) 'खादिरः स्फ्यः' इति चोक्तैव (३।६।३।१२)। २–तथाऽत्र वैद्यनाथमिश्रास्तु "स्फ्योपहितायां–स्फ्यस्य उप समीपे हितायामिति' सूत्रार्थप्रतीतेः । अन्यथा–उपशब्दो व्यर्थः स्यादिति । न चैवं वाच्यं "स्फ्यमुत्तरमधस्तादुपोह्य" ति श्रुतिगतोऽधःशब्दो व्यर्थो भविष्यतीति। स तु स्फ्यस्यानसो लघुत्वात्पात्र्या उपर्यपि निधानं प्राप्नोतीति तद्वारणेन सार्थक इति । अधःस्थतादधस्तादिव हि श्रेयसोऽपचार इतिवत् । अतएव सूत्रकृत् अधःशब्दं तत्याज । सूत्रकृता त्यक्तत्वादेव श्रुतिरुपेक्ष्यैव वरुणप्रघासमार्जनवदिति । ३–"युगस्य प्रान्तौ धूःशब्देनोच्येते, यावनड्वत्स्कन्धयोरुपरि निधीयेते" इति (का. श्रौ. सू. २।३।१३ वृ.)।

(३) स धुरमभिमृशति । धूरसि धूर्व धूर्वन्तं धूर्व तं योऽस्मान्धूर्वति तं धूर्व यं वयं धूर्वाम इत्यग्निर्वाऽ एष धुर्यस्तमेतदत्येष्यन्भवति हविर्ग्रहीष्यंस्तस्माऽ एवैतान्निह्नुते तथो हैतमेषोऽतियन्तमग्निर्धुर्यो न हिनस्ति ॥ १० ॥
तद्ध स्मैतदारुणिराह । (४) अर्द्धमासशो वाऽ अहꣳ सपत्नान्धूर्वामीत्येतद्ध स्म स तदभ्याह ॥ ११ ॥

(५) अथ जघनेन कस्तम्भीमीषामभिमृश्य जपति । देवानामसि वह्नितमꣳ सस्नितमं पप्रितमं जुष्टतमं देवहूतमम् ॥ अह्रुतमसि हविर्धानं दृꣳहस्व

स धुरमभिमृशति–"धूरसि, धूर्व धूर्वन्तं, धूर्व तं–योऽस्मान् धूर्वति, तं धूर्व–यं वयं धूर्वामः" (१ अ० ८ मं०) इति । अग्निर्वा एष धुर्यः, तमेतदत्येष्यन् भवति–हविर्ग्रहीष्यन् । तस्मा एवैतान् निह्नुते । तथो हैतमेषोऽतियन्तमग्निर्धुर्यो न हिनस्ति ॥ १० ॥
तद्ध स्मैतदारुणिराह–'अर्द्धमासशो वा अहं सपत्नान् धूर्वामि'–इति । एतद्ध स्म स तदभ्याह ॥ ११ ॥
अथ जघनेन कस्तम्भीमीषामभिमृश्य जपति–"देवानामसि वह्नितमꣳ सस्नितमं पप्रि-

---

अतस्तत्सारूप्यात्प्रउगस्य वेदित्वव्यपदेशः । **नीड एवेति** । धान्यनिधानाय परिश्रितप्रदेशो नीडः' । हविर्धानमपि परिश्रितम् । परिश्रयणसाम्यान्नीडस्य हविर्धानत्वम् ॥ ९ ॥

औपोद्घातिकं समन्त्रकमभिमर्शनं विधत्ते–**स धुरमिति** । अस्याभिमर्शस्य प्रयोजनमाह–**अग्निर्वा** इति । युगस्य धुरि भवोऽग्निः 'धुर्यः' । "भवे च्छन्दसि" (पा. सू. ४. ४. ११०) इति यत् । हविर्ग्रहणाय शकटस्य 'परिश्रितप्रदेशम्' पश्चाद्भागं यास्यन्, 'तं' धुर्यं पौरस्त्यमग्निमतिक्रमिष्यन् भवति । तदतिक्रमे च स क्रुध्येत् । तस्य प्रसादनाय 'एतद्' धूरसीति मन्त्रोच्चारणेन 'तस्मै' एवाग्नये 'निह्नुते' अपनयति । अतिक्रमजनितं स्वापराधं प्रशमय्य प्रसादयति । "ह्नुङ् अपनयने" धातुः (अदा. आ. ७२.) । "श्लाघह्नुङ्स्थाशपाम्–" (पा. सू. १. ४. ३४) इति तच्छब्दाच्चतुर्थी । यश्चास्माकं हिंसिता, योऽप्यस्माभिर्हिंस्यः, 'तं' द्विविधं शत्रुमेव 'धूर्व' हिंस्याः, योऽस्मानिति हि मन्त्रार्थः । तथा सत्येवं प्रार्थितोऽग्निरतिक्रामन्तमप्यध्वर्युं न बाधत इत्यर्थः ॥ १० ॥

तन्मन्त्रोच्चारणेन शत्रुहिंसनं महर्षिव्यवहारेण संवादयति–**तद्धेति** । 'तत्' तत्राभिमर्शनविषये 'एतदारुणिराह स्म' । एतच्छब्दपरामृश्यं दर्शयति–**अर्द्धमासश** इति । मासस्यार्द्धमर्द्धमासः । "अर्द्धं नपुंसकम्" (पा. सू. २. २. २) इत्येकदेशिसमासः । अर्द्धमासेऽर्द्धमासे; पौर्णमास्यां दर्शे च । "सङ्ख्यैकवचनाच्च वीप्सायाम्" (पा. सू. ५. ४. ४३) इति शस्प्रत्ययः । 'एतद्ध स्म'–इति ऋषेरभिप्रायकथनम् । 'एतत्' इति धूरसीत्यभिमर्शनमित्यर्थः ॥ ११ ॥

अथ समन्त्रकमीषाभिमर्शनं विधत्ते–**अथ जघनेनेति** । 'कस्तम्भी' व्याख्याता । **अन एवेति** । यद्यप्ययं

१–शकटस्योपस्तम्भः पश्चाद्भागः । (का. श्रौ. सू. ७ । ९ । ६ । वृ.) । २–(का. श्रौ. सू. ८ । ३ । २१ । इति) । ३–"धूरसीति धूरभिमर्शनम्" श्रौ. सू. २. ५८ ॥ ४–'पौरस्त्यम्' इति 'पौरेयम्' इति च पाठान्तरम् । ५–शकटस्य दीर्घे काष्ठमीषा, तदग्रस्य भूमिस्पर्शो मा भूदिति तदाधारत्वेन स्थापितं काष्ठमुपस्तम्भनम् । तस्य पश्चाद्भागे तामीषां स्पृशेदित्यर्थः । ६–"देवानामित्युपस्तम्भनस्य पश्चादीषाम्" (का. श्रौ. सू. २ । ५९) ।

मा ह्वारित्यन ऽएवैतदुपस्तौत्युपस्तुताद्घ्रातमनसो हविर्गृहानीति मा ते यज्ञपतिर्ह्वार्षीदिति यजमानो वै यज्ञपतिस्तद्यजमानायैवैतदह्वलामाशास्ते ॥ १२ ॥

(स्तेऽथा) अथाक्रमते । विष्णुस्त्वाक्रमतामिति यज्ञो वै विष्णुः स देवेभ्य इमां विक्रान्तिं विचक्रमे यैषामियं विक्रान्तिरिदमेव प्रथमेन पदेन पस्पाराथेदमन्तरिक्षं द्वितीयेन दिवमुत्तमेनैताम्वेवैष ऽएतस्मै विष्णुर्यज्ञो विक्रान्तिं विक्रमते ॥ १३ ॥

(तेऽथ) अथ प्रेक्षते । (तऽ) उरु वातायेति प्राणो वै वातस्तद्ब्रह्मणैवैतत्प्राणाय वातायोरुगायं कुरुते ॥ १४ ॥

त्तमं जुष्टतमं देवहूतमम् ” (१ अ० ८ मं०) “ अह्रुतमसि हविर्द्धानं, दृꣳहस्व, मा ह्वाः ” (१ अ० ९ मं०) इति अन एवैतदुपस्तौति–‘ उपस्तुताद्घ्रातमनसो हविर्गृह्णानि’–इति । “ मा ते यज्ञपतिर्ह्वार्षीत् ” (१ अ० ९ मं०) इति । यजमानो वै यज्ञपतिः । तद्यजमानायैवैतदह्वलामाशास्ते ॥ १२ ॥

अथाक्रमते–“विष्णुस्त्वाक्रमताम्” (१ अ० ९ मं०) इति । यज्ञो वै विष्णुः । स देवेभ्य इमां विक्रांतिं विचक्रमे । यैषामियं विक्रान्तिः । इदमेव प्रथमेन पदेन पस्पार, अथेदमन्तरिक्षं द्वितीयेन, दिवमुत्तमेन । एतामु–एवैष एतस्मै विष्णुर्यज्ञो विक्रान्तिं विक्रमते ॥ १३ ॥

अथ प्रेक्षते–“ उरु वाताय ” (१ अ० ९ मं०) इति । प्राणो वै वातः, तद्ब्रह्मणैवैतत्प्राणाय वातायोरुगायं कुरुते ॥ १४ ॥

मन्त्र ईषाभिमर्शने जप्यः, तथाप्यवयविस्तुत्यावयवोऽपि स्तुतो भवतीत्यभिप्रेत्यैतन्मन्त्रवाक्यं वोढृतमत्वादिगुणकथनेनान एवोपस्तौति । अभिमृष्टव्येषापरित्यागेन तदवयवि शकटं स्तुवतोऽभिप्रायमाह–**उपस्तुतादि**त्यादिना । ‘ घ्रातं ’ तृप्तम् । देवानां तृप्तिजनने पर्याप्तमित्यर्थः । “ घ्रै तृप्तौ ”–इति भौवादिको (९३२) धातुः । **अह्वलामाशास्ते** इति । ‘यज्ञपतिर्मा ह्वार्षीत्’ कुटिलगतिर्मा भवत्विति मन्त्रवाक्ये प्रतिपादनात् ह्वरणनिषेध एव ‘ अह्वला–’ शब्दार्थः ॥ १२ ॥

शकटस्यारोहणं विधत्ते–**अथाक्रमत** इति । हे शकट ! त्वां विष्णुरेवाक्रमताम्, नाहमिति मन्त्रार्थः । विष्णोरेवाक्रमणं किमिति प्रार्थ्यते ? इति चेत्, तत्राह–**यज्ञो वा** इत्यादि । विष्णोर्यज्ञस्य च व्यापनसामान्यात्तादात्म्यव्यपदेशः ‘ एषाम् ’ देवानामर्थे या ‘ इयम् ’ वैष्णवी विक्रान्तिः, इमामिति पूर्वत्रान्वयः । का पुनरियमिति ? तां दर्शयति–**इदमेवे**त्यादिना । त्रैविक्रमसमये ‘ इदमेव ’ परिदृश्यमानं पृथिव्याख्यं स्थानं प्रथमेन पादनिधानेनाक्रममाणः ‘ पस्पार ’ पालयामास । “ स्पृ प्रीतिपालनयोः ” (स्वा. प. ३३) इति धातुः । निगदसिद्धमन्यत् ॥ १३ ॥

पुरोडाशीयानां व्रीहीणां समन्त्रकमवेक्षणं विधत्ते–**अथ प्रेक्षत** इति । **प्राणो वा** इति । “ वायुः प्राणो

१–‘ रातं ’···इति पा. । मूलपुस्तकेषु च सर्वत्र रातमित्येवोपलभ्यते । “ रा दाने ” अ. प. “ रै. शब्दे ” भ्वा. प. ।
२–‘ ह्वरनिषेधे ’ इति पा. । ३–‘ ह्वलह्वल चलने ’ भ्वा. प. । ४–“ विष्णुस्त्वेत्यारोहणम् ” (श्रौ. सू. २. ६०) ।
५–पुनरिहोपरिष्टात्–(९. ३. ९) द्रष्टव्यम् । ६–“ प्रेक्षत उरुवातायेति हविष्यान् ” (श्रौ. सू. २. ६१) ।

(तेऽथा) अथापास्यति । (त्यु) अपहतꣳ रक्ष इति यद्यत्र किञ्चिदापन्नं भवति यद्यु नाभ्येव मृशेत्तन्नाष्ट्रा एवैतद्रक्षाꣳस्यतोऽपहन्ति ॥ १५ ॥

(न्त्यु) अथाभिपद्यते । यच्छन्तां पञ्चेति पञ्च वाऽ इमा अङ्गुलयः पाङ्क्तो वै यज्ञस्तद्यज्ञमेवैतदत्र दधाति ॥ १६ ॥

(त्यु) अथ गृह्णाति । देवस्य त्वा सवितुः प्रसवेऽश्विनोर्बाहुभ्यां पूष्णो हस्ताभ्यामग्नये जुष्टं गृह्णामीति सविता वै देवानां प्रसविता तत्सवितृप्रसूत एवैतद्गृह्णात्यश्विनोर्बाहुभ्यामित्यश्विनावध्वर्यू पूष्णो हस्ताभ्यामिति पूषा

अथापास्यति–"अपहत ५ रक्षः" (१ अ० ९ मं०) इति । यद्यत्र किञ्चिदापन्नं भवति, यद्यु नाभ्येव मृशेत्, तन्नाष्ट्रा एवैतद्रक्षांस्यतोऽपहन्ति ॥ १५ ॥

अथाभिपद्यते–"यच्छन्तां पंच" (१ अ० ९ मं०) इति । पञ्च वा इमा अङ्गुलयः, पाङ्क्तो वै यज्ञः । तद्यज्ञमेवैतदत्र दधाति ॥ १६ ॥

अथ गृह्णाति–"देवस्य त्वा सवितुः प्रसवेऽश्विनोर्बाहुभ्यां पूष्णो हस्ताभ्यामग्नये जुष्टं गृह्णामि" (१ अ० १० मं०) इति । सविता वै देवानां प्रसविता । तत्सवितृप्रसूत एवै-

---

भूत्वा नासिके प्राविशत्" (ऐ. आ. १. ४. २. ४) इति श्रुतेः प्राणवातयोरेकत्वम् । 'तत्' तथा सति 'ब्रह्मणा' मन्त्रेणैव प्राणात्मकाय 'वाताय' एतत् 'उरुगायम्' ऊरुभवनं कीर्त्तनं कुरुत इत्यर्थः ॥ १४ ॥

यद्यत्रेति । 'अत्र' पुरोडाशीयेषु व्रीहिषु यदि किञ्चित्तृणादिकम् 'आपन्नम्' क्षिप्तं भवेत्, तत् "अपहतम्" इति मन्त्रेण निरस्येदित्यर्थः । यदि तु तत्र तृणादिकं न भवेत्, तदा पुरोडाशीयं व्रीहिसमूहमेवानेन मन्त्रेणाभिमृशेदित्यर्थः ॥ १५ ॥

हविर्ग्रहणाय समन्त्रकं स्पर्शनं विधत्ते–**अथाभिपद्यत** इति । 'अभिपद्यते' आलभते, स्पृशति । हविर्ग्रहीतुं बध्नन्तु पञ्चाङ्गुलय इत्यर्थः । मन्त्रगतपञ्चशब्दार्थमाह–**पाङ्क्तो वा** इति । "पञ्चपदा पङ्क्तिः" (ऐ. ब्रा. ६. ४. ४.) यज्ञोऽपि धानाकरम्भादिपञ्चहविष्क इति पञ्चसंख्यायोगसाम्यात् 'पाङ्क्तः' । तथा च तैत्तिरीयकम्–"धानाः करम्भः परिवापः पुरोडाशः पयस्या, तेन पङ्क्तिराप्यते; तद्यज्ञस्य पाङ्क्तत्वम्" (तै. सं. ६. ५. ११. ८.) इति । 'तत्' तथा सति 'एतत्' एतेन पञ्चशब्दोपेतमन्त्रोच्चारणेन 'अत्र' अस्मिन् शकटे 'पाङ्क्तम्' यज्ञमेव धारयतीत्यर्थः ॥ १६ ॥

अथ समन्त्रकं हविर्ग्रहणं विधत्ते–**अथ गृह्णाती**ति । अनुष्ठेयहविर्ग्रहणानुगुण्यं मन्त्रस्य दर्शयति–**सविता वा** इत्यादिना । 'देवानाम्' मध्ये 'सविता' खलु 'प्रसविता' स्वस्वव्यापारेषु सर्वस्य लोकस्य प्रेरयिता । "सर्वे

१–"अपहतमिति निरस्यत्यन्यत्" "अविद्यमानेऽभिमृशेत्" श्रौ. सू. २. ६२. ६३ । २–"यच्छन्तामित्यालभते" (श्रौ. सू. २. ६४) । ३–"हस्तेनालम्भनमिति" निगमेऽष्टमखण्डे कात्यायनः । ४–(पिङ्गलछन्दःसूत्रे ५ । ६ । १२ ।) 'पञ्च पदानि परिमाणमस्येत्यर्थे" (पा. सू. ५ । १ । ५९) । ५–"भृष्टा धाना यवाः, आज्यसंयुक्ताः सक्तवः करम्भः, व्रीहिजन्या लाजाः परिवापः, पिष्टविकारः पुरोडाशः, क्षीरविकारः पयस्या" इति तै. सं. १ । ४ । २८ । सा. भाष्ये । ६–'देवस्य त्वेति गृह्णात्यमेवं चतुरो मुष्टीन्' इति (का. श्रौ. सू. २. ३. २०) ।

भागदुघोऽशनं पाणिभ्यामुपनिधाता सत्यं देवा अनृतं मनुष्यास्तत्स-त्येनैवैतद्गृह्णाति ॥ १७ ॥

(त्य) अथ देवताया आदिशति । सर्वा ह वै देवता अध्वर्युꣳ हविर्ग्रही-ष्यन्तमुपतिष्ठन्ते मम नाम ग्रहीष्यति मम नाम ग्रहीष्यतीति ताभ्य एवै-तत्सहसतीभ्योऽसमदं करोति ॥ १८ ॥

यद्देव देवताया आदिशति । यावतीभ्यो ह वै देवताभ्यो हवीꣳषि गृह्यन्त ऋणमु हैव तास्तेन मन्यन्ते यदस्मै तं कामꣳ समर्द्धयेयुर्यत्काम्या गृह्णाति तस्माद्वै देवताया आदिशत्येवमेव यथापूर्वꣳ हवीꣳषि गृहीत्वा ॥ १९ ॥

तद् गृह्णाति । आश्विनोर्बाहुभ्यामिति । अश्विनावध्वर्यू । पूष्णो हस्ताभ्यामिति । पूषा भागदुघः, अशनं पाणिभ्यामुपनिधाता । सत्यं देवाः, अनृतं मनुष्याः, तत्सत्येनैवैतद् गृह्णाति ॥ १७ ॥

अथ देवताया आदिशति । सर्वा ह वै देवता अध्वर्युं हविर्ग्रहीष्यन्तमुपतिष्ठन्ते–' मम नाम ग्रही-ष्यति, मम नाम ग्रहीष्यति'–इति । ताभ्य एवैतत् सहसतीभ्योऽसमदं करोति ॥ १८ ॥

यद्देव देवताया आदिशति । यावतीभ्यो ह वै देवताभ्यो हवींषि गृह्यन्ते, ऋणमु हैव तास्तेन

प्रेरयतीति सविता " (निघ. ५. ४. २०.)–(निरु. ७. ७. ९.) इति तन्नामव्युत्पत्तेः । **अश्विना-वध्वर्यू** इति । पुरा खलु देवकर्तृके यज्ञेऽश्विनावध्वर्यू अभूताम्, अतस्तयोरेव बाहुभ्यां हविर्गृह्णामीत्यस्यार्थस्य प्रतिपादको मन्त्रभागो युक्त इत्यर्थः । **पूषा भागदुघ** इति । भागं दोग्धीति ' भागदुघः ' भागप्रद इत्यर्थः । " दुहः कब् घश्च " (पा. सू. ३. २. ७०.) इति कब्घत्वे । तादृशः पूषा पाणितलाभ्यां सर्वस्य जनस्य ' अशनम् ' भोज्यमन्नम् ' उपनिधाता ' उपनिधातुमुपस्थापयितुं शीलवान् । ताच्छीलिकस्तृन् । " न लोका-व्ययनिष्ठा–" (पा. सू. २. ३. ६९) इति कर्मणि षष्ठ्याः प्रतिषेधः । तथा च पूषदेवताया हस्ताभ्यां हविर्ग्रहणं युक्ततरमिति भावः । इतोऽप्याश्विनोर्बाहुभ्यामित्यादिकं युक्तमित्याह–**सत्यं देवा** इति । ' देवाः ' इति यत् । तत् ' सत्यम् '; अमरणत्वेन विनाशाभावात् । मनुष्यास्तु तद्वैपरीत्यादनृतरूपाः । तस्मादश्विनोर्बाहुभ्यामि-त्यादिमन्त्रभागोच्चारणाद्देवतारूपेण ' सत्येनैव ' तद्धविर्ग्रहणं कृतं भवतीत्यर्थः ॥ १७ ॥

" अग्नये जुष्टम् "–इति देवतादेशनस्यावश्यकर्तव्यतां प्रतिपादयति–**सर्वा ह वा** इत्यादिना । स्वस्वनाम-ग्रहणसंभावनयोपास्थितानां मध्ये कस्याश्चिदग्न्यादिदेवताया आदेशने सति सहवर्तमानाः । ताभ्यः षष्ठ्यर्थे चतुर्थी[3] । तासां देवतानाम् ' असमदम् ' अकलहं परस्परमविरोधं करोति ॥ १८ ॥

प्रकारान्तरेणापि देवतादेशनस्य कर्तव्यतां प्रतिपादयति–**यावतीभ्य** इति । यत्परिमाणविशिष्टाभ्य इत्यर्थः । **ऋणमु हैवेति** । स्वस्वनामोद्देशेन गृहीतं हविर्ऋणमेव ' ताः ' सर्वा देवता मन्यन्ते । कुत इद-मवगतम् ? इति चेदुच्यते–' यत्काम्या ' यस्य फलस्येच्छया हविर्गृह्णाति, ' तं कामम् ' काम्यमानं फलविशेषम् ' अस्मै ' यजमानाय ' यद् ' यस्मात् समर्द्धयेयुः । तेन कारणेन हविष ऋणरूपत्वमवगतमित्यर्थः । यत्का-म्येति यच्छब्दादिच्छार्थे " काम्यच्च " (पा. सू. ३. १. ९.) इति काम्यच्, तदन्तादकारप्रत्यये तृती-

---

१–(पा. सू. ३ । २ । १३५) । २–(माध्यं. सं. १ । १० । २) (का. श्रौ. सू. २ । ३ । २१) । ३–(पा. सू. २ । ३ । ६२ । वा. षष्ठ्यर्थे चतुर्थी वाच्या) । ४–(पा. सू. ३ । ३ । १०२) ।

(त्वाथा) अथाभिमृशति । भूताय त्वा नारातयऽ इति तद्यतऽएव गृह्णाति तदेवैतत्पुनराप्याययति ॥ २० ॥

(त्य) अथ प्राङ्प्रेक्षते । स्वराभिविख्येषमिति परिवृतमिव वाऽएतदनो भवति तदस्यैतच्चक्षुः पाप्मगृहीतमिव भवति यज्ञो वै स्वरहर्देवाः सूर्य्य-स्तत्स्वरेवैतदतोऽभिविपश्यति ॥ २१ ॥

मन्यन्ते—यदस्मै तं कामं समर्द्धयेयुः, यत्काम्या गृह्णाति । तस्माद्वै देवताया आदिशति । एवमेव यथापूर्वं हवींषि गृहीत्वा ॥ १९ ॥

अथाभिमृशति—"भूताय त्वा नारातये" (१ अ० ११ मं०) इति । तद्यत एव गृह्णाति—तदेवैतत्पुनराप्याययति ॥ २० ॥

अथ प्राङ् प्रेक्षते—"स्वरभिविख्येषम्" (१ अ० ११ मं०) इति । परिवृतमिव वा एत-दनो भवति । तदस्यैतच्चक्षुः पाप्मगृहीतमिव भवति । यज्ञो वै स्वरहर्देवाः सूर्यः । तत्स्वरेवैतद-तोऽभिविपश्यति ॥ २१ ॥

याया लुक्। (पा. सू. ७।१।३९)। तस्माद्वैति । 'तस्मात्' हविषि देवतानामृणत्वाभिमानात् । फल-प्रदानेन तत्प्रत्यर्पणार्थं तत्र देवतानामावश्यमादेष्टव्यमित्यर्थः । अग्नीषोमीयादिहविरन्तरेऽप्युक्तमतिदिशति—एवमेवेति । 'एवमेव' आग्नेयवदेव 'यथापूर्वम्' यथाक्रमम्, अग्नीषोमीयादीनि 'हवींषि' गृह्णीयादित्यर्थः । अत एव मन्त्रकाण्डे आग्नेयहविर्ग्रहणमन्त्रानन्तरम् "अग्नीषोमाभ्यां जुष्टं गृह्णामि" (वा. सं. १. १०) इति ग्रहणमन्त्रशेष आम्नातः । कात्यायनोऽप्यसूत्रयत्—"एवमग्नीषोमीयम्" यथादेवतमन्यत्" (श्रौ. सू. २. ६६ ६७.) इति ॥ १९ ॥

निरुप्तशेषस्य समन्त्रकमभिमर्शनं विधत्ते—अथेति । तद्यत एवेति । 'तत्' तत्र शकटे 'यत एव' यस्मादेव स्थानाद् गृह्णाति, 'तदेव' तत्स्थानमेवानेन मन्त्रेण पुनः 'आप्याययति' वर्द्धयति । 'भूताय' प्रभू-ताय समृद्ध्यर्थं त्वामभिमृशामि 'अरातये' अदानायासमृद्धये नाभिमृशामि, इत्यस्यार्थस्य मन्त्रेण प्रतिपादनात् । सूत्रितं हि—"भूताय त्वेति शेषाभिमर्शनम्" (श्रौ. सू. २. ६. ८) इति ॥ २० ॥

अथ समन्त्रकं प्रागवेक्षणं विधत्ते—अथ प्राङिति । परिवृतमिव वेत्यादि । परिवेष्टितमेव खल्वनो भवति, धान्यनिधानार्थम् । तन्मध्येऽवस्थितस्याध्वर्योश्चक्षुः 'पाप्मगृहीतमिव' काचकामलादिदोषदूषितमिव द्रष्टुं न समर्थं भवति, तत्र सहकारिण आलोकस्याभावात् । कथं तस्य दर्शनोपायः इति, तदुच्यते—अवेक्षणमन्त्र-गत-स्वरितिशब्देन स्वर्गवाचिना तत्साधनभूतो यज्ञोऽभिधीयते; अहरादीनि च तेन लक्षणया प्रतिपाद्यन्ते । अत एव 'स्वर्'—शब्दस्य सूर्यनामत्वमुक्तं यास्केन—"स्वरादित्यो भवति" इति । "सु अरणः, सु ईरणः" (निरु० १. ४. २) इति । 'तत्' तथा सत्येतन्मन्त्रकरणकेन प्रेक्षणेन स्वर्-शब्दप्रति-

---

१—अत्र कर्काशयस्तु—"साकाङ्क्षत्वान्मन्त्रस्य परिशेषयामीत्यध्याहारः । न ह्यत्राभिमर्शनक्रियापदमेकवाक्यतामुपैति । किमिति । भूताय प्रभवायाविच्छेदाय नारातये अदानाय कृपणतया परिशेषयामीत्येकवाक्यता । न ह्यस्याविच्छेदायाभिमर्शनं परिशेषणं वाऽविच्छेदाय भवति । तस्माद्यथोक्त एव वाक्यशेषः" इति । २—"स्वरिति प्राङीक्षते" इति (का. श्रौ. सू. २।३।२४)।

(त्य) अथावरोहति । दृ꣡ꣳह꣡न्तां दु꣡र्य्याः पृथि꣡व्यामि꣡ति गृ꣡हा वै दु꣡र्य्यास्ते꣡ हैत꣡ ईश्वरो꣡ गृ꣡हा यज꣡मानस्य यो꣡ऽस्यैषो꣡ऽध्वर्यु꣡र्यज्ञेन च꣡रति तं꣡ प्रय꣡न्तमनु प्र꣡च्यो꣡तोस्तस्ये꣡श्वरः कु꣡लं विक्षो꣡ब्धोस्ता꣡नेवैत꣡दस्यां꣡ पृथि꣡व्यां दृꣳह꣡ति त꣡था नानुप्र꣡च्यवन्ते त꣡था न वि꣡क्षोभन्ते त꣡स्मादाह दृꣳह꣡न्तां दु꣡र्य्याः पृथि꣡व्या-मि꣡त्यथ प्रै꣡त्युर्व꣡न्तरिक्षम꣡न्वेमी꣡ति सो꣡ऽसावेव ब꣡न्धुः ॥ २२ ॥

स य꣡स्य गा꣡र्हपत्ये हवी꣡ꣳषि श्रप꣡यन्ति । गा꣡र्हपत्ये त꣡स्य पा꣡त्राणि स꣡ꣳसादयन्ति ज꣡घनेनो त꣡र्हि गा꣡र्हपत्यꣳ सादयेद्य꣡स्याहवनी꣡ये हवी꣡ꣳषि श्रप꣡यन्त्याहवनी꣡ये त꣡स्य पा꣡त्राणि स꣡ꣳसादयन्ति ज꣡घनेनो त꣡र्ह्याहवनी꣡यꣳ सादयेत्पृथि꣡व्यास्त्वा ना꣡भौ सादया꣡मी꣡ति म꣡ध्यं वै ना꣡भिर्म्म꣡ध्यमभयं त꣡स्मा-दाह पृथि꣡व्यास्त्वा ना꣡भौ सादयामी꣡त्य꣡दित्या꣡ऽ उप꣡स्थऽ इ꣡त्युप꣡स्थऽ इवै꣡नद-

अथावरोहति--" दृꣳहन्तां दुर्याः पृथिव्याम् "--(१ अ० ११ मं०) इति । गृहा वै दुर्याः । ते हैत ईश्वरो गृहा यजमानस्य--योऽस्यैषोऽध्वर्युर्यज्ञेन चरति--तं प्रयन्तमनु प्रच्योतोः, तस्येश्वरः कुलं विक्षोब्धोः; तानेवैतदस्यां पृथिव्यां दृंहति । तथा नानुप्रच्यवन्ते, तथा न विक्षोभन्ते; तस्मादाह दृꣳहन्तां दुर्याः पृथिव्यामिति । अथ प्रैति--" उर्वन्तरिक्षमन्वेमि "--(१ अ० ११ मं०) इति । सोऽसावेव बन्धुः ॥ २२ ॥

स यस्य गार्हपत्ये हवींषि श्रपयन्ति गार्हपत्ये तस्य पात्राणि संसादयन्ति । जघनेनो तर्हि

पादितं यज्ञादिचतुष्टयमर्थजातं प्राच्यां दिशि प्रथमत उपलभ्यमानम् ' अतः ' अस्माच्छकटस्थानात् ' अभिविपश्यति ' अवलोकयति ॥ २१ ॥

अथ समन्त्रकं शकटादवरोहणं विधत्ते--अथावरोहतीति । ते हैत इत्यादि । ' अस्य ' यजमानस्य य एषोऽध्वर्युः ' यज्ञेन चरति ' हविर्ग्रहणादिकं यज्ञसाधनमनुतिष्ठति, तं ' प्रयन्तम् ' शकटस्थानात् प्रगच्छन्तम् ' अनु '--सृत्य यजमानस्य ' ते ' गृहाः ' इतः ' अस्माद्भूलोकात् ' प्रच्योतोरीश्वराः ' प्रच्युतिं प्राप्तुं समर्थाः । तथा ' तस्य ' यजमानस्य कुलं ' विक्षोब्धोः ' विक्षोभयितुं समर्थाः । " ईश्वरे तोसुन्कसुनौ " (पा० सू० ३. ४. १३.) इति च्यवतेः क्षुभेश्च तोसुन् प्रत्ययः । अनेन मन्त्रेणावरोहन्नध्वर्युः ' तानेव ' यजमानस्य गृहान् ' अस्याम् ' पृथिव्याम् ' दृंहति ' दृढीकरोति । " दृह--दृहि वृद्धौ " (भ्वा. प० ७३४, ७३५) इति धातुः । एवं सत्युक्तदोषनिवृत्तिमाह--तथेति । निरुप्तेन हविषा सहाग्निसमीपगमनं विधत्ते--अथ प्रैतीति । उर्वेति मन्त्रस्य प्रागाम्नातं ब्राह्मणमत्रातिदिशति--सोऽसाविति । अन्तरिक्षं वा अनुरक्षश्चरति "--इत्यादिको यो वाक्यशेषः, ' सोऽसावेव ' अत्राम्नातस्यापि तस्य मन्त्रस्य ' बंधुः ' अनुकूलः, अतोऽत्राप्यनुषज्य योजनीय इत्यर्थः ॥ २२ ॥

आहृतस्य हविषः सादनं विधत्ते--स यस्येत्यादिना । गार्हपत्य आहवनीये वा यस्मिन्नग्नौ श्रपणम् । तस्य पश्चात् ' पात्रासादनम् ' निरुप्तस्य हविषः सादनं च कर्त्तव्यमित्यर्थः । सादनमन्त्रगत--' नाभि '--शब्दस्या-

१--" दृंहन्तामित्यवरोहति " इति श्रौ० सू० २. ७०. । २--" प्रच्यावयितुं समर्थाः " इति पा० । ३--" गच्छन्त्युर्वन्तरिक्षमिति श्रपणस्य पश्चात्सादयति पृथिव्यास्त्वेति "--इति श्रौ. सू. २. ७१. । ४--इहैव ब्रा. पूर्वं (१।२।४) द्रष्टव्यम् ।

भार्षुरिति वाऽआहुर्यत्सुगुप्तं गोपायन्ति तस्मादाहादित्याऽ उपस्थ इत्यग्ने हव्य ꣳ रक्षेति तदग्नये चैवैतद्धविः परिददाति गुप्त्याऽअस्यै च पृथिव्यै तस्मादाहाग्ने हव्य ꣳ रक्षेति ॥ २३ ॥ २ ॥

इति प्रथमकाण्डे प्रथमप्रपाठके प्रथमाध्याये वा द्वितीयं ब्राह्मणम् ॥१॥२॥

गार्हपत्यं सादयेत् । यस्याहवनीये हवींषि श्रपयन्ति, आहवनीये तस्य पात्राणि संसादयन्ति । जघनेनो तर्ह्याहवनीयं सादयेत्–"**पृथिव्यास्त्वा नाभौ सादयामि**"–(१ अ. ११ मं.) इति । मध्यं वै नाभिर्मध्यमभयं तस्मादाह–पृथिव्यास्त्वा नाभौ सादयामीति । "**अदित्याऽउपस्थे**–" (१ अ. ११ मं.) इति उपस्थ इवैनदभार्षुरिति वा आहुर्यत्सुगुप्तं गोपायन्ति, तस्मादाह–अदित्याऽउपस्थ इति । "**अग्ने हव्यꣳरक्ष**–" (१ अ. ११ मं.) । इति । तदग्नये चैवैतद्धविः परिददाति गुप्त्या, अस्यै च पृथिव्यै; तस्मादाह–अग्ने हव्य ꣳ रक्षेति ॥ २३ ॥ २ ॥ (१।२)

भिप्रेतमर्थमाह–**मध्यं वा** इति । मनुष्यादिशरीरेषु नाभेर्मध्यदेशेऽवस्थानात् पृथिव्या नाभिरिति मध्यमेवोच्यते । तच्च मध्यम् ' अभयम् ' भयरहितम् ; प्रान्तदेशे हि चौरव्याघ्रादिभयम् । अतः पृथिव्याः संबन्धिनि राक्षसादि-भयरहिते स्थाने त्वां सादयामि इति मन्त्रभागस्यार्थः । " अदित्या उपस्थे " इति मन्त्रस्य द्वितीयभागं व्याचष्टे–**उपस्थ इवे**ति । ' यद् ' वस्तु ' सुगुप्तम् ' सुष्ठु रक्षितं यथा भवति तथा ' गोपायन्ति ' रक्षन्ति । एतत् ' उपस्थ इव ' उत्सङ्ग इव । उदरमध्य इव वा । ' अभार्षुः ' भृतवन्त इति खलु वदन्ति लौकिकाः । अतश्च यस्मिन् स्थाने सादितं हविः सुगुप्तं भवति । तत् स्थानमुपस्थशब्देन मन्त्रगतेन विवक्षितम् । अभार्षुरिति " भृञ् भरणे " (भ्वा. उ. ९२३) इत्यस्माल्लुङि सिचि वृद्धिः (पा. सू. ७. २. १.) ' गोपायन्ति ' इति " गुपूधूपविच्छि " (पा. सू. ३. १. २८.) इति आयप्रत्ययः । अन्तिमं भागमाचष्टे–**अग्ने हव्य**मिति । " इयं वा अदितिः " (ऐ. ब्रा. ३. ६. ७.) (तै. सं ३. २. ४. ७.) इति श्रुतेः । अदितिर्हि पृथ्वी तस्याश्चाधिपतिरग्निः; स चात्र गार्हपत्यरूप आहवनीयरूपो वा तस्मै च ' अग्नये ' तेनाधिष्ठितायै पृथिव्यै च रक्षणार्थम् । ' एतद्धविः ' अनेन मन्त्रभागेन दत्तं भवतीत्यर्थः ॥ २३ ॥ २ ॥

इति श्रीसायणाचार्यविरचिते माधवीये वेदार्थप्रकाशे माध्यन्दिनशतपथभाष्ये
प्रथमाध्याये द्वितीयं ब्राह्मणम् ॥ १ ॥ २ ॥

१–" पतिः पृथिव्याः " (माध्यं. सं. ३ । १२) (निरु. ७ । २ । १; ३ । १) ।

अथ तृतीयं ब्राह्मणम्।

पवित्रे करोति। पवित्रे स्थो व्वैष्णव्व्याविति यज्ञो वै व्विष्णुर्यज्ञियेस्थऽ-इत्येवैतदाह ॥ १ ॥

ते वै द्वे भवतः। (तोऽ) अयं वै पवित्रं योऽयं पवते सोऽयमेकऽइवैव पवते सोऽयं पुरुषेऽन्तः प्रविष्टः प्राङ् च प्रत्यङ् च ताविमौ प्राणोदानौ तदेतस्यैवानुमात्रां तस्माद्द्वे भवतः ॥ २ ॥

प्रोक्षणम्।

पवित्रे करोति—"पवित्रे स्थो वैष्णव्यौ" (१ अ. १२ मं.) इति। यज्ञो वै विष्णुः। यज्ञिये स्थ इत्येवैतदाह ॥ १ ॥

ते वै द्वे भवतः। अयं वै पवित्रम्—योऽयं पवते। सोऽयमेक इवैव पवते। सोऽयं पुरुषेऽन्तः प्रविष्टः प्राङ् च, प्रत्यङ् च। ताविमौ प्राणोदानौ। तदेतस्यैवानुमात्राम्। तस्माद् द्वे भवतः ॥ २ ॥

पवित्रकरणमन्त्रगतस्य वैष्णव्याविति पदस्य तात्पर्यमाह—**यज्ञो वा** इति। वेवेष्टि व्याप्नोतीति व्युत्पत्त्या यज्ञ एव विष्णुः। तथा च मन्त्रगतस्य वैष्णव्याविति शब्दस्य, हे दर्भनाड्यौ ! युवां यज्ञसम्बन्धिन्यावेव भवथ इत्ययमर्थः प्रतिपादितो भवतीत्यर्थः ॥ १ ॥

संख्यान्तरं वारयितुं पवित्रयोर्द्वित्वं विधत्ते—**ते वा** इति। तदेतदुपपादयति—**अयं वा** इति। 'यः' पवमानो वायुः, अयमेव 'पवित्रम्' पवनसाधनम्। शुद्धिहेतुः। "पुवः संज्ञायाम्" (पा. सू. ३. २. १८९.) इति करण इत्रप्रत्ययः। "पन्थानश्च विशुद्ध्यन्ति सोमसूर्यांशुमारुतैः" इत्यादिस्मृतेः (नि. सं. २३. ४०.) वायोः शुद्धिहेतुत्वम्। **एक इवैवेति**। 'सः' च बाह्ये वर्तमानो वायुरेकरूप एव वाति, 'सः' एव पुरुषशरीरानुप्रविष्टः सन् वृत्तिभेदेन 'प्राङ् च प्रत्यङ् च चरति'। इडापिङ्गलादिनाडीद्वारा बहिर्निर्गच्छन् प्राणः प्राङित्युच्यते, तयैव द्वारा पुनरन्तः प्रविशन् प्रत्यङ्ङिति; तावेतौ वृत्तिभेदौ 'प्राणोदानौ'—इत्युच्येते। तत्र प्राङ् संचरन् प्राणः 'उद्' ऊर्द्ध्वदेशादानयति, अन्तः प्रविश्यानुगुणं चेष्टत इति 'उदानः'। तस्य 'च' शब्देन प्रत्यङ्मुखोऽपानो विवक्षितः, न तूत्क्रान्तिहेतुरुदानवृत्तिरिति; तस्या ऊर्द्ध्वमुखत्वेन प्रत्यङ्त्वक्रमानुपपत्तेः। अत एव तैत्तिरीयके समानप्रकरणे पवित्रयोः प्राणापानरूपत्वमाम्नायते— "प्राणापानौ पवित्रे यजमान एव प्राणापानौ दधाति" (२. १. १०. २.) इति। एवं द्विधाभिन्नस्यैतस्यैव वाय्वाख्यस्य पवित्रस्य 'मात्राम्' परिमाणम् 'अनु'—सृत्य, तत्पवित्रयोर्द्वित्वम् ॥ २ ॥

१—वैष्णवे इति प्राप्ते 'व्यत्ययो बहुलम्' इति (पा. सू. ३। १। ८५) स्त्रीत्वम्। इति मही. भा.। २—(निघ. ३. १७। १२) (निरु. १२। १। ७)। ३—'विष्णुर्वै यज्ञः' इति (तै. सं. २। १। ८। ३), (ऐ. ब्रा. १। ३। ४)।

(तोऽथो) अथो ऽअपि त्रीणि स्युः । (व्य्वा) व्यानो हि तृतीयो द्वे त्वेव भवतस्ताभ्यामेताः प्रोक्षणीरुत्पूय ताभिः प्रोक्षति तद्यदेताभ्यामुत्पुनाति ॥ ३ ॥

वृत्रो ह वाऽ इद ँ सर्व्वं वृत्वा शिश्ये । यदिदमन्तरेण द्यावापृथिवी स यदिद ँ सर्व्वं वृत्वा शिश्ये तस्माद्वृत्रो नाम ॥ ४ ॥

अथो अपि त्रीणि स्युः । व्यानो हि तृतीयः । द्वे त्वेव भवतः । ताभ्यामेताः प्रोक्षणीरुत्पूय ताभिः प्रोक्षति । तद्यदेताभ्यामुत्पुनाति ॥ ३ ॥

वृत्रो ह वा इदं सर्वं वृत्वा शिश्ये—यदिदमन्तरेण द्यावापृथिवी । स यदिदं सर्वं वृत्वा शिश्ये—तस्माद् वृत्रो नाम ॥ ४ ॥

त्रित्वपक्षमभ्युपन्यस्यति--**अथोऽअपी**ति । पक्षान्तरद्योतकः ' अथो अपि ' शब्दः । तत्रोपपत्तिः-**व्यानो हीति** । मुख्यपवित्रस्य वायोः प्राणोदानवद् व्यानाख्यो वृत्तिभेदस्तृतीयः 'हि' यस्माद् विद्यते तस्मात्पवित्रत्रित्वमप्युक्तमित्यर्थः । द्वित्वपक्षमेव निगमयति-**द्वे त्वेवे**ति । " अथ यः प्राणापानयोः सन्धिः, स व्यानः " (छा. उ. १. ३. ३.) इति श्रुतेर्व्यानस्य सन्धिरूपतया तदुभयानतिरिक्तत्वाद् द्वित्वपक्ष एव श्रेयानित्यर्थः । कात्यायनस्तु पक्षद्वयमपि सूत्रयामास-" कुशौ समावप्रशीर्णाग्रावनन्तर्गर्भौ कुशैश्छिनत्ति पवित्रे स्थ इति " " त्रीन् वा " (श्रौ. सू. २. ७५. ७६) इति । अथोत्पवनं विधत्ते-**ताभ्यामि**ति । प्रोक्षत्याभिरिति ' प्रोक्षण्यः ' आपः । करणे ल्युट् (पा. सू. ३. ३. ११७) । ' ताभिः प्रोक्षति ' इत्युत्पवनस्य प्रयोजनकथनम्; न तु प्रोक्षणविधिः । यस्मादुत्पूताभिरद्भिः प्रोक्षणं कर्तव्यम्, तस्मात् पवित्राभ्यां तासामुत्पवनं कार्यमित्यर्थः । तदेतदुत्पवनं स्तोतुमनुवदति-**तद्यदि**ति ॥ ३ ॥

उत्पवननिवर्त्यामशुद्धिं दर्शयितुमितिहासमुदाहरति-**वृत्रो** हेति । **वृत्वा शिश्ये** इति । आवृत्य शयनं कृतवान् । शीङो लिटि (अदा. आ.) "एरनेकाचः-" (पा. सू. ६. ४. ८२.) इति यण् । **द्यावापृथिवी** इति । द्यौश्च पृथिवी च द्यावापृथिव्यौ (पा. सू. ६ । ३ । ३०) इति द्यावादेशः । " अन्तरान्तरेण " (पा. सू. २. ३. ४.) इति द्वितीया । द्यावापृथिव्योर्मध्य इत्यर्थः । वरणाद् ' वृत्र ' इति नाम निर्वक्ति-**स यदि**ति ॥ ४ ॥

१-" स वा अयं प्राणस्त्रेधा विहितः प्राणोऽपानो व्यान इति " (ऐ. आ. २. ४. ५.) । २-" हविर्ग्रहण्यामपः कृत्वा ताभ्यामुत्पुनाति सवितुर्व इति " " ताः स्थानं तयोः " (श्रौ. सू. २. ७७. ७८.) । ३-" प्रणीताः, प्रोक्षणीः, उपसर्जनीः, मदन्तीः, वसतीवरीः, पान्नेजनीयाः, निग्राभ्याः, अभिषेचनीयाः इत्यपां पर्यायशब्दाः " इति निगमे सामखण्डे कात्यायनः । ४-"ताभ्यामेताः प्रोक्षणीरुत्पूय ताभिः प्रोक्षति " इति श्रुतेः पवित्रयोः प्रोक्षण्युत्पवन एव प्रोक्षणीनामेव च प्रोक्षणे च विधानाच्च पवित्राभ्यां प्रोक्षणं हविःपात्रादीनामिति वैद्यनाथमिश्राः । ५-"यदिमाँल्लोकानवृणोत्, तद् वृत्रस्य वृत्रत्वम् "-इति (तै. सं. २. ४. १२.२.) । " वृत्रो वृणोतेर्वा, वर्ततेर्वा, वर्द्धतेर्वा " इत्यादिनिरु. २ । ५ । ३ । " तत्को वृत्रः ? मेघ इति नैरुक्ताः, त्वाष्ट्रोऽसुर इत्यैतिहासिकाः, अपाञ्च ज्योतिषश्च मिश्रीभावकर्मणो वर्षकर्म जायते, तत्रोपमार्थे न युद्धवर्णा भवन्ति " इत्यादि च तत्रैव २ । ५ । २ ।

तमिन्द्रो जघान । स हतः पूतिः सर्वतऽएवापोऽभिप्रसुस्राव सर्वत इव ह्ययꣳ समुद्रस्तस्मादु हैका आपो बीभत्साञ्चक्रिरे ताऽउपर्युपर्यतिपुप्लुविरेऽत इमे दर्भास्ता हैताऽअनापूयिता आपोऽस्ति वाऽइतरासु सꣳसृष्टमिव यदेना वृत्रः पूतिरभिप्रास्रवत्तदेवासामेताभ्यां पवित्राभ्यामपहन्त्यथ मेध्याभिरेवाद्भिः प्रोक्षति तस्माद्वाऽएताभ्यामुत्पुनाति ॥ ५ ॥

सऽउत्पुनाति । सवितुर्वः प्रसवऽउत्पुनाम्यच्छिद्रेण पवित्रेण सूर्यस्य रश्मिभिरिति सविता वै देवानां प्रसविता तत्सवितृप्रसूतऽएवैतदुत्पुनात्यच्छिद्रेण पवित्रेणेति यो वाऽ अयं पवतऽ एषोऽच्छिद्रं पवित्रमेतेनैतदाह

तमिन्द्रो जघान । स हतः पूतिः सर्वत एवापोऽभिप्रसुस्राव । सर्वत इव ह्ययं समुद्रः । तस्मादु हैका आपो बीभत्साञ्चक्रिरे । ता उपर्युपर्यतिपुप्लुविरे । अत इमे दर्भाः । ता हैता अनापूयिता आपः । अस्ति वा इतरासु संसृष्टमिव–यदेना वृत्रः पूतिरभिप्रास्रवत् । तदेवासामेताभ्यां पवित्राभ्यामपहन्ति । अथ मेध्याभिरेवाद्भिः प्रोक्षति । तस्माद्वा एताभ्यामुत्पुनाति ॥ ५ ॥

स उत्पुनाति–" **सवितुर्वः प्रसव उत्पुनाम्यच्छिद्रेण पवित्रेण सूर्यस्य रश्मिभिः** " (१ अ० १२ मं०) इति । सविता वै देवानां प्रसविता, तत्सवितृप्रसूत एवैतदुत्पुनाति–अच्छिद्रेण

स हत इत्यादि । पूतिर्दुर्गन्धः । सर्वत एवापोऽभिलक्ष्य प्रस्रुतोऽभूत् । अत एव खल्वयमपि समुद्रः, सर्वतः सर्वमावृत्त्य वर्तते । ' तस्माद् ' दुर्गन्धात् स्रुताद् वृत्रादिमा आपो ' बीभत्साञ्चक्रिरे ' जुगुप्सन्ते स्म । " मान्बधदान्शान्भ्यः "–(पा. सू. ३. १. ६) इति बधेर्वैरूप्ये सन्-प्रत्ययः । बीभत्समानाः ' ताः ' आपः तत्संस्पर्शं परिहर्तुमुपर्युपरि वर्तमानाः ' अतिपुप्लुविरे[1] ' जलाशयमतिक्रम्य तीरदेशं प्राप्ता आसन् । "प्लुङ् गतौ" (भ्वा. आ. ९८३) इति धातुः । प्लुताश्च ' ताः ' आपो दर्भात्मना परिणताः । अयमर्थस्तैत्तिरीयकेऽपि विस्पष्टमाम्नातः–"इन्द्रो वृत्रमहन्त्सोऽपोऽभ्यम्रियत, तासां यन्मेध्यं यज्ञियꣳ सदेवमासीत्; तदपोदक्रामत्, ते दर्भा अभवन् " (तै० ब्रा० ३. २. ५. १) इति । **अनापूयिता** इति । ' आ ' समन्तात् पूयं दौर्गन्ध्यं प्राप्ता आपूयिताः, न आपूयिताः ' अनापूयिताः ' । "पूयी विशरणे दुर्गन्धे च–" (भ्वा. आ. ४८९) इत्यस्मात् पार्तरि निष्ठायां छान्दस इट् । यद्वा ' आ ' समन्तात् पूयमासां संजातमिति ' आपूयिताः ' । " तदस्य सञ्जातम्–" (पा० सू० ५. २. ३६) इति तारकादित्वादितच् । **इतरास्विति** । दर्भात्मना परिणतजलव्यतिरिक्तासु अमेध्यत्वापादकं किञ्चित्संसृष्टमिव भवति । अत्र हेतुः–**यदेना** इति । एवमनापूयितापूविकारदर्भमयाभ्याम् ' आसाम् ' अपामुत्पवनं कुर्वन् पूयसंसर्गकृतम् ' तद् ' अमेध्यत्वमपहन्ति । ततश्च विधास्यमानं प्रोक्षणं च ' मेध्याभिः ' मेधार्हाभिः शुद्धाभिरेवाद्भिः कृतं भविष्यतीत्यर्थः । ' तस्माद् '–इत्युत्पवननिगमनम् ॥ ५ ॥

विहितमुत्पवनमनूद्य मन्त्रं विधत्ते–**स** इति । सविता वा इत्यादि पूर्ववत्[2] । अच्छिद्रशब्दार्थमाह–**यो वा**

१–' पुप्लुविरे ' इति भाष्यसम्मतः पाठः । २–" देवानां मध्ये सविता खलु प्रसविता । स्वस्वव्यापारेषु सर्वस्य लोकस्य प्रेरयिता " सूते प्रेरयतीति सविता " इति तन्नामव्युत्पत्तेः । " इहैव ब्राह्मणे पूर्वं (१ । २ । १७ सा० भाष्ये) ।

सूर्य॑स्य र॒श्मिभि॒रि॒त्ये॒ते वा॒ऽउ॒त्प॒वि॒तारो॒ यत्सूर्य॑स्य र॒श्मय॒स्तस्मा॑दाह॒ सूर्य॑स्य र॒श्मिभि॒रि॒ति ॥ ६ ॥

ता॒: स॒व्ये॒ पा॒णौ कृ॒त्वा । द॒क्षि॒णे॒नो॒दि॒ङ्गय॑त्यु॒प॒स्तौ॒त्ये॒वै॒ना॒ऽए॒तन्म॑हय॒त्ये॒व दे॒वी॒रा॒पो॒ऽअ॒ग्रे॒गु॒वो॒ऽअ॒ग्रे॒पु॒व॒ऽइ॒ति दे॒व्यो॒ ह्या॒प॒स्त॒स्मा॒दा॒ह॒ दे॒वी॒रा॒प॒ऽ इ॒त्य॒ग्रे॒गु॒व॒ऽ इ॒ति ता॒ य॒त्स॒मु॒द्रं ग॒च्छ॒न्ति॒ ते॒ना॒ग्रे॒गु॒वो॒ऽग्रे॒पु॒व इ॒ति ता॒ य॒त्प्र॒थ॒मा॒: सो॒म॒स्य रा॒ज्ञो॒ भ॒क्ष॒य॒न्ति॒ ते॒ना॒ग्रे॒पु॒वो॒ऽग्र॒ऽ इ॒म॒म॒द्य य॒ज्ञं न॒य॒ता॒ग्रे॒ य॒ज्ञ॒प॒ति॒ᳬ सु॒धा॒तुं य॒ज्ञ॒प॒तिं दे॒व॒यु॒व॒मि॒ति सा॒धु य॒ज्ञᳬ सा॒धु य॒ज॒मा॒न॒मि॒त्ये॒वै॒त॒दा॒ह ॥ ७ ॥

पवित्रेणेति । यो वा अयं पवते—एषोऽच्छिद्रं पवित्रम् । एतेनैतदाह—सूर्यस्य रश्मिभिरिति । एते वा उत्पवितारः—यत्सूर्यस्य रश्मयः । तस्मादाह—सूर्यस्य रश्मिभिरिति ॥ ६ ॥

ताः सव्ये पाणौ कृत्वा दक्षिणेनोदिङ्गयति, उपस्तौत्येवैनाः, एतन्महयत्येव—"**देवीरापो ऽअग्रेगुवोऽअग्रेपुवः**" (१ अ० १२ मं०) इति । देव्यो ह्यापः तस्मादाह—देवीराप इति । अग्रेगुव इति । ता यत्समुद्रं गच्छन्ति, तेनाग्रेगुवः । अग्रेपुव इति । ता यत्प्रथमाः सोमस्य राज्ञो भक्षयन्ति तेनाग्रेपुवः । "**अग्र इममद्य यज्ञं नयताग्रे यज्ञपतिᳬ सुधातुं यज्ञपतिं देवयुवम्**" (१ अ० १२ मं०) इति । साधु यज्ञं साधु यजमानम्—इत्येवैतदाह ॥ ७ ॥

इति । योऽयं वायुः पवते, एष खल्वविच्छेदेन सर्वत्र वर्तमानश्छिद्ररहितं पवनसाधनम् । **एते वा** इति । 'एते' सूर्यस्य रश्मयः, 'उत्' उत्कृष्टम्, पवितारः' शोधकाः, अतस्तैः करणभूतैरुत्पवनं युक्तमित्यर्थः ॥ ६ ॥

उत्पवनानन्तरं कर्तव्यं विधत्ते—**ता** इति । 'ताः' प्रोक्षणीरपोऽग्निहोत्रहवण्या पात्रेण साकं सव्ये पाणौ धारयन् "देवीरापः" इति मन्त्रेण दक्षिणेन हस्तेन 'उदिङ्गयति' ऊर्ध्वं सेचनेन चालयति । "इगि रिगि लिगि गत्यर्थाः" (भ्वा० प० १५३--१५५) इति धातुः । मन्त्रतात्पर्यमाह—**उपस्तौती**ति । 'एतत्' एतेन, देवीराप इति मन्त्रपठनेन 'एनाः' अपः प्रशंसत्येव । तेन च प्रशंसनेन 'महयति' पूजयत्येव । कस्तर्ह्यासां स्तावकस्तथाविधो मन्त्र इति तं दर्शयति—**देवीरि**ति । स्तुतिरूपतामुपपादयति—**देव्य** इत्यादिना । अपां देवतारूपत्वेन देवीत्वं प्रसिद्धमिति 'हि'—शब्दार्थः ।

ता यदित्यादि । 'अग्रे' पुरतो वर्तमानं समुद्रं गच्छन्तीति 'अग्रेगुवः' । अग्रेगूशब्दस्य समुद्रगामित्वं विवक्षितमिति भावः । "ऊङ् च गमादीनाम्' इति गमेरूकारः (पा. सू. ६ । ४ । ४० । अत्रत्यं वार्तिकम् १) । **ता यत्प्रथमा** इति । आपः खल्वभिषवार्थमासिच्यमाना यष्टव्यदेवताभ्यः पूर्वं सोमरसमास्वादयन्ति । तेन सोमपानेन 'अग्रे' प्रथमं स्वात्मानं पुनन्तीति 'अग्रेपुवः' । उभयत्र "तत्पुरुषे कृति बहुलम्" पा० सू. ६. ३. १४) इति अग्रशब्दात् सप्तम्या अलुक् ।

साधु यज्ञमित्यादि । 'अग्र इणग्' इत्यत्र 'अग्र'—शब्दः प्राशस्त्यवाची । 'अग्रे' प्रशस्ते 'अद्य' अस्मिन् काले 'इमम्' यज्ञं प्रापयतेति प्रतिपादयता मन्त्रेण 'साधु यज्ञं नयत'—इत्येवोक्तं भवति, प्राशस्त्यं

१—" सव्ये कृत्वा दक्षिणेनोदिङ्गयति देवीराप इति " इति श्रौ० सू० २. ७६. । २—'आपो देवी' रित्यादि—तै० सं० १. १. ५. २. तै० ब्रा० ३. २. ५ । ३—पुनातिश्च गमादेरन्तर्गतः ।

युष्माऽ इन्द्रो ऽवृणीत व्वृत्रतूर्यंऽ इति । (त्ये) एताऽ उ हीन्द्रो ऽवृणीत व्वृत्रेण स्पर्द्धमानऽ एताभिर्ह्येनमहंस्तस्मादाह युष्माऽ इन्द्रो ऽवृणीत व्वृत्रतूर्यंऽ इति ॥ ८ ॥

यूयमिन्द्रमवृणीध्वं व्वृत्रतूर्यंऽ इति । (त्ये) एताऽ उ हीन्द्रमवृणत व्वृत्रेण स्पर्द्धमानमेताभिर्ह्येनमहंस्तस्मादाह यूयमिन्द्रमवृणीध्वं व्वृत्रतूर्यंऽइति ॥ ९ ॥

प्रोक्षिताः स्थेति । तदेताभ्यो निह्नुतेऽथ हविः प्रोक्षत्येको वै प्रोक्षणस्य बन्धुर्मेध्यमेवैतत्करोति ॥ १० ॥

" युष्माऽइन्द्रोऽवृणीत वृत्रतूर्ये "–(१ अ० १३ मं०) इति । एता उ हीन्द्रोऽवृणीत वृत्रेण स्पर्द्धमानः । एताभिर्ह्येनमहन्, तस्मादाह–युष्मा इन्द्रोऽवृणीत वृत्रतूर्ये इति ॥ ८ ॥

" यूयमिन्द्रमवृणीध्वं वृत्रतूर्ये " (१ अ० १३ मं०) इति । एता उ हीन्द्रमवृणत वृत्रेण स्पर्द्धमानम् । एताभिर्ह्येनमहन्, तस्मादाह–यूयमिन्द्रमवृणीध्वं वृत्रतूर्ये इति ॥ ९ ॥

" प्रोक्षिताः स्थ "–(१ अ० १३ मं०) इति । तदेताभ्यो निह्नुते । अथ हविः प्रोक्षति । एको वै प्रोक्षणस्य बन्धुः–मेध्यमेवैतत्करोति ॥ १० ॥

प्राप्तस्य साधुत्वनियमात् । यज्ञस्य पतिः यज्ञपतिः, तमिति । यज्ञशब्देन यजमानो विवक्षित इति व्याचष्टे–**साधु यजमान**मिति । अत्रापि पूर्ववत् ' अग्रे ' शब्दव्याख्यानम् । साध्विति विशेषणम् ॥ ७ ॥

युष्मा इन्द्र इति । हे आपः ! युष्मान् वृत्रं हन्तुकाम इन्द्रः साहाय्यकरणार्थं प्रार्थयामास । ताश्च यूयं वृत्रशरीरनिरुद्धा विस्रम्भगमनार्थं वृत्रं हन्तुमिन्द्रं प्रार्थितवत्यः । अत ईदृग्विधं परस्परप्रार्थनं युष्मा इन्द्र इत्यादिना मन्त्रभागेन प्रतिपाद्यत इत्यर्थः ॥ ८ ॥ ९ ॥

तदेताभ्य इति । यद्यपि प्रोक्षणीनामपां स्वातिरिक्तजलेन शुद्ध्यर्थं प्रोक्षणं नास्ति, तथापि " प्रोक्षिताः स्थ "–इति स्वात्मनैव प्रोक्षिता भवतीति मन्त्रेण प्रतिपादनात् प्रोक्षणवत्त्वसिद्धेः ' तत् ' तेन मन्त्रपाठेनाप्रोक्षणजनितमपराधम् ' एताभ्यः ' प्रोक्षणीभ्यः ' निह्नुते ' अपनयति । प्रोक्षणपात्रगतेनैवोदकेन तात्पत्रगतमुदकमनेन मन्त्रेण प्रोक्षितव्यमिति तात्पर्यार्थः । अत एवोक्तं सूत्रकृता कात्यायनेन–" प्रोक्षिताः स्थेति तासां प्रोक्षणम् " (श्रौ० सू० २. ८०) इति । तैत्तिरीयकश्रुतिस्तु एतन्मन्त्रपठनमेवासां प्रोक्षणं मेने, यदाह–" प्रोक्षिताः स्थेत्याह तेनापः प्रोक्षिता " इति (तै. सं. १ । १ । ५ । २ ।, तै. ब्रा. ३ । २ । ५ ।) एवं संस्कृताभिरद्भिर्हविषः प्रोक्षणं विधत्ते–**अथ हवि**रिति । वक्ष्यमाणस्य हविःप्रोक्षणविधिशेषार्थवादस्य सर्वप्रोक्षणविधिसाधारण्यमाह–**एको वा** इति । ' बन्धुः ' अनुकूलं स्तावकमर्थवादवाक्यम्, सर्वस्यापि प्रोक्षणस्य ' एको वै ' एकविधमेव; अतस्तत्सर्वत्र योजनीयमिति भावः । किंपुनस्तदित्याह–**मेध्य**मिति ॥ १० ॥

१–तैत्तिरीयपाठस्तु ' युष्मानिन्द्रो '–इति । (सं. १ । १ । ५ ।) (ब्रा. ३ । २ । ५) । २–यद्यप्ययं संहितायां कण्डिकान्तरगतत्वात्पृथङ्मन्त्र एव बुध्यते, तथापि–एतद्ब्राह्मणविधितो ' देवीराप ' इति मन्त्रस्यैवांशविशेष इति स्वीकार्यः; अतएव नास्य विनियोगान्तरं दर्शितं कात्यायनेनेति । ३–' तत् तेन ' इत्यारभ्य ' तात्पर्यार्थः '–इत्यन्तस्य स्थाने " प्रोक्षणपात्रगतेनैवोदकेन तत्पात्रगतमुदकं प्रोक्षयित्वा तत्तेन मन्त्रपाठेन प्रोक्षणजनितमपराधमेताभ्यः प्रोक्षणीभ्यो निह्नुते अपनयति " इति क्वचित्पुस्तके पाठः । ४–प्रणीतवारिणा कर्कः स्वैकदेशेन याज्ञिकाः । मन्त्रोच्चारणमात्रेण प्रोक्षणं केचिदूचिरे " इति वैद्यनाथमिश्राः ।

स प्रोक्षति । (त्य) अग्नये त्वा जुष्टं प्रोक्षामीति तद्यस्यै देवतायै हविर्भवति तस्यै मेध्यं करोत्येवमेव यथापूर्वꣳ हवीꣳषि प्रोक्ष्य ॥ ११ ॥

(क्ष्या) अथ यज्ञपात्राणि प्रोक्षति । दैव्याय कर्मणे शुन्धध्वं देवयज्यायाऽइति दैव्याय हि कर्मणे शुन्धति देवयज्यायै यद्वोऽशुद्धाः पराजघ्नुरिदं वस्तच्छुन्धामीति तद्यदेवैषामत्राशुद्धस्तक्षा वान्यो वामेध्यः कश्चित्पराहन्ति तदेवैषामेतदद्भिर्मेध्यं करोति तस्मादाह यद्वोऽशुद्धाः पराजघ्नुरिदं वस्तच्छुन्धामीति ॥ १२ ॥

इति प्रथमकाण्डे प्रथमप्रपाठके प्रथमाध्याये वा
तृतीयं ब्राह्मणम् ॥ १ ॥ ३ ॥

स प्रोक्षति-" अग्नये त्वा जुष्टं प्रोक्षामि "-(१ अ. १३ मं.) इति । तद् यस्यै देवतायै हविर्भवति-तस्यै मेध्यं करोति । एवमेव यथापूर्वं हवींषि प्रोक्ष्य ॥ ११ ॥

अथ यज्ञपात्राणि प्रोक्षति-" दैव्याय कर्मणे शुन्धध्वं देवयज्यायै " (१ अ. १३ मं.) इति । दैव्याय हि कर्मणे शुन्धति देवयज्यायै-" यद्वोऽशुद्धाः पराजघ्नुरिदं वस्तच्छुन्धामि "-(१ अ. १३ मं.) इति । तद्यदेवैषामत्राशुद्धस्तक्षा वा, अन्यो वाऽमेध्यः कश्चित् पराहन्ति-तदेवैषामेतदद्भिर्मेध्यं करोति । तस्मादाह-यद्वोऽशुद्धाः पराजघ्नुरिदं वस्तच्छुन्धामीति ॥ १२ ॥ १।३

विहितं प्रोक्षणमनूद्य मन्त्रं विधत्ते-**स प्रोक्षतीति** । **अग्नय** इति मन्त्रे देवतादेशनस्य प्रयोजनमाह-**तद्यस्या** इति । उक्तमन्यत्रादिशति-**एवमिति** । ' एवं ' अनेनैव प्रकारेण, यस्यै देवतायै हविर्गृहीतं भवति, तत्तन्नामचतुर्थ्यन्तेनादिशेदित्यर्थः ॥ ११ ॥

हविःप्रोक्षणानन्तरं यज्ञपात्राणां समन्त्रकं प्रोक्षणं विधत्ते-**अथेति** । **दैव्यायेति** । देवानामिदं ' दैव्यम् ' । " देवाद्यञञौ " (पा. सू. ४ । १ । ८३ ।, ४ । १ । ८५. वा. २ ।) इति प्राग्दीव्यतीयो यञ् । 'शुन्धति' शोधयति । ' शुन्ध-विशुद्धौ ' (भ्वा. प. ७४) इति धातुः । **देवयज्यायै**-इति । देवयजनरूपाय कर्मणे इत्यर्थः । मन्त्रस्यापरभागमनूद्य व्याचष्टे-**यद्व** इति । ' तक्षा ' वर्द्धकिः, ' अन्यः ' तद्व्यतिरिक्तो वृषलादिः; स सर्वोऽप्यशुद्धत्वात् ' अमेध्यः ' । तत्संस्पर्शकृतं यत् ' तत् ' ' एषां ' पात्राणां दोषजातम्, ' एतत् ' अनेन प्रोक्षणेनैषां निवर्तयन्, ' तत् ' सर्वं पात्रं यज्ञार्हं करोति । अत ईदृग्विधस्यार्थस्य प्रत्यायनाय यद्व इति मन्त्रभागः पठितव्य इत्युपसंहरति-**तस्मादिति** । **पराजघ्नुरिति** । पराहतं दूषितं चक्रुरित्यर्थः ॥ १२ ॥ (१ । ३)

इति श्रीसायणाचार्यविरचिते माधवीये वेदार्थप्रकाशे माध्यन्दिनशतपथभाष्ये
प्रथमाध्याये तृतीयं ब्राह्मणम् ॥ १ ॥ ३ ॥

१-" हविश्चाग्नये त्वाग्नीषोमाभ्यां त्वेति ". " यथादेवतमन्यत्-" (श्रौ. सू. २. ८१-८२.) । २-" पात्राणि दैव्यायेति "-(श्रौ. सू. २. ८३) ।

अथ चतुर्थं ब्राह्मणम्।

अथ कृष्णाजिनमादत्ते। यज्ञस्यैव सर्वत्वाय यज्ञो ह देवेभ्योऽपचक्राम स कृष्णो भूत्वा चचार तस्य देवाऽअनुविद्य त्वचमेवावच्छायाजहुः ॥ १ ॥

(स्त) तस्य यानि शुक्लानि च कृष्णानि च लोमानि। तान्यृचां च साम्नां च रूपं यानि शुक्लानि तानि साम्नाꣳ रूपं यानि कृष्णानि तान्यृचां यदि वेतरथा यान्येव कृष्णानि तानि साम्नाꣳ रूपं यानि शुक्लानि तान्यृचां यान्येव बभ्रूणीव हरीणि तानि यजुषाꣳ रूपम् ॥ २ ॥

(ꣳ) सैषा त्रयी विद्या यज्ञः। (स्त) तस्या एतच्छिल्पमेष वर्णस्तद्यत्कृष्णाजिनं भवति यज्ञस्यैव सर्वत्वाय तस्मात्कृष्णाजिनमधिदीक्षन्ते यज्ञस्यैव सर्वत्वाय तस्मादध्यवहननमधिपेषणं भवत्यस्कन्नꣳहविरस-

---

पुरोडाशकरणम्।

अथ कृष्णाजिनमादत्ते यज्ञस्यैव सर्वत्वाय। यज्ञो ह देवेभ्योऽपचक्राम, स कृष्णो भूत्वा चचार। तस्य देवा अनुविद्य त्वचमेवावच्छायाऽऽजहुः ॥ १ ॥

तस्य यानि शुक्लानि च कृष्णानि च लोमानि–तान्यृचां च साम्नां च रूपम्। यानि शुक्लानि तानि साम्नां रूपम्, यानि कृष्णानि तान्यृचाम्। यदि वेतरथा–यान्येव कृष्णानि तानि साम्नां रूपम्, यानि शुक्लानि तान्यृचाम्। यान्येव बभ्रूणीव हरीणि तानि यजुषां रूपम् ॥ २ ॥

सैषा त्रयी विद्या यज्ञः। तस्या एतच्छिल्पम्–एष वर्णः। तद्यद् कृष्णाजिनं भवति। यज्ञस्यैव

अथ निर्लेस्तव्रीहि-आवहननार्थं[2] कृष्णाजिनादानं विधत्ते–**अथेति**। सर्वत्वाय इति। अवयवकार्त्स्न्यायेत्यर्थः। कथं कृष्णाजिनादानेन यज्ञस्य कार्त्स्न्यमित्येतदुपपादयितुं पुरावृत्तमुदाहरति–**यज्ञो हे**त्यादिना। 'कृष्णो भूत्वा–' इति, कृष्णमृगस्य रूपमास्थाय। 'अवच्छाय'–इति, अपच्छिद्येत्यर्थः। "छो छेदने" (दि० प० ४०) इत्यस्मात् क्त्वो ल्यप् (पा. सू. ७। १। ३७) ॥ १ ॥

तस्य कृष्णाजिनस्य यज्ञरूपतां वक्तुं त्रयीमयत्वं प्रतिपादयति–**तस्य यानी**त्यादिना। शुक्लकृष्णलोम्नां संग्रहात् ऋक्सामात्मकतामुक्त्वा विभज्यापि दर्शयति–**तस्य यानि शुक्लानी**ति। 'यदि वा' इति पक्षान्तरकथनम्। 'इतरथा' उक्तवैपरीत्येनेत्यर्थः। तदेव दर्शयति–**यान्येवे**ति। एवं कृष्णाजिनस्य ऋक्सामतामुक्त्वा यजूरूपत्वमप्याह–**यान्येव बभ्रूणी**ति। पिङ्गलवर्णानीव यानि लोमानि 'हरीणि' हरितवर्णानि, तानि यजुषां रूपम्[3] ॥ २ ॥

अस्त्वेवमृक्सामयजुरात्मकत्वं कृष्णाजिनस्य, तदादानेन कथं यज्ञस्य कार्त्स्न्यमित्यत आह–**सैषे**ति। यैषा

१–'मेवावत्सायाजहुः'–इति कुत्रचित्पाठः। २–'व्रीह्यवहननार्थं'–इति पा०। ३–(तै० सं० १. २. २, ७.) द्रष्टव्यम्।

द्विति तद्यदेवात्र तण्डुलो वा पिष्टं वा स्कुन्दात्तद्यज्ञे यज्ञः प्रतितिष्ठादिति तुस्माद्ध्यवहुननमधिपेषणं भवति ॥ ३ ॥ [अर्धप्रपाठकः॥६०॥]

(त्यु) अथ कृष्णाजिनमादत्ते । शर्मासीति चर्म वाऽ एतत्कृष्णस्य तुदस्य तन्मानुष छ्ँ शर्म देवत्रा तुस्मादाह शर्मासीति तदवधूनोत्यवधूत छ्ँ रक्षोऽवधूताऽअरातयऽइति तन्नाष्ट्रा एवैतद्रक्षाꣳ स्यतोऽपहन्त्यतिनुत्येव पात्राण्युवधूनोतिं यद्धचस्यामेध्यमभूत्तद्धचस्यैतदवधूनोति ॥ ४ ॥

सर्वत्वाय । तस्मात्कृष्णाजिनमधिदीक्षन्ते-यज्ञस्यैव सर्वत्वाय । तस्माद्ध्यवहननमधिपेषणं भवति-अस्कन्नं हविरसदिति । तद्यदेवात्र तण्डुलो वा पिष्टं वा स्कन्दात्-तद्यज्ञे यज्ञः प्रतितिष्ठादिति । तस्माद्ध्यवहननमधिपेषणं भवति ॥ ३ ॥

अथ कृष्णाजिनमादत्ते- " **शर्मासि** "-(१ अ० १४ मं०) इति । चर्म्म वा एतत्कृष्णस्य, तदस्य तन्मानुषम्, शर्म्म देवत्रा । तस्मादाह-शर्म्मासीति । तदवधूनोति-" **अवधूत ꣳ रक्षोऽवधूता अरातयः** "-(१ अ० १४ मं०) इति । तन्नाष्ट्रा एवैतद्रक्षांस्यतोऽपहन्ति । अतिनत्येव पात्राण्यवधूनोति । यद्धचस्यामेध्यमभूत्-तद्धचस्यैतदवधूनोति ॥ ४ ॥

ऋग्यजुस्सामात्मिका त्रयी विद्या, सैव यज्ञः; तत्साध्यत्वात् । य एष शुक्लकृष्णादिलक्षणो वर्णः, एतत्तस्यास्त्रय्या उक्तरीत्या 'शिल्पम्' चित्रं रूपम् । अत एवोपरिष्टात् सोमप्रकरणे मन्त्र आम्नास्यते-" ऋक्सामयोः शिल्पे स्थः "-(४ अ० ९ मं०)-इति । एवमपक्रान्तस्य यज्ञरूपस्य कृष्णाजिनस्यादानं यज्ञस्य कात्स्न्र्याय भवतीत्यर्थः । **कृष्णाजिनमधिदीक्षन्ते** इति । यस्मादेवं कृष्णाजिनं त्रयीरूपत्वेन यज्ञरूपम्, 'तस्मात्' सोमाङ्गभूता दीक्षापि कृष्णाजिनस्योपरि क्रियते । कृष्णाजिनादानस्य प्रयोजनान्तरमाह-**तस्मादधी**ति । 'अधि' उपर्यर्थः । कृष्णाजिनस्योपर्यवहननं पेषणं च कर्तव्यम् । तथा सति तद्धविः 'अस्कन्नम्' स्कन्नरहितम् 'असद्' भवेदिति बुद्धया यदि भूम्यामेवावहननादिकं कुर्यात्, तदा तस्य हविषोऽवश्यं स्कन्नदोष[1] इत्यभिप्रायः । एतदेव विवृणोति-**तद्यदेवे**ति । अवहननसमये तण्डुलो वा पेषणसमये पिष्टं वात्र कृष्णाजिने 'यदि' नाम 'स्कन्दात्' स्कन्देत् । लेटयाडागमः । (पा. सू. ३।४।९४) 'तत्' तदा यज्ञ एव यज्ञः प्रतितिष्ठेत्; न तु तस्य स्कन्नदोष इत्यर्थः ॥ ३ ॥

उक्तमादानमनूद्य मन्त्रं विधत्ते[2]-**अथे**ति । मन्त्रगत 'शर्म' शब्दस्य तात्पर्यमाह-**चर्म वा** इति । यत् 'एतत्' कृष्णस्य 'चर्म' आजिनम्, 'अस्य' यज्ञस्यैतदजिनं 'तत्' लोकप्रसिद्धचर्मशब्दाभिधेयं सत् 'मानुषम्' मनुष्यसंबन्धि रूपं भवति । एतदेव 'देवत्रा' देवेषु, सुखकरत्वात् शर्मेत्युच्यते । अतो वैदिके कर्मणि 'शर्मासीति' तत्स्तुतिरुपपन्ना । देवत्रेति " देवमनुष्य "(पा० सू० ५. ४. ५६) इत्यादिना त्राप्रत्ययः । उपात्तस्य कृष्णाजिनस्यावधूननं विधत्ते[3]-**तदवधूनोती**ति । **तन्नाष्ट्रा** इति । 'तत्' तेन समन्त्रकावधूननेन । गतमन्यत् । कृष्णाजिनवत् प्रसक्तमवधूननं पात्राणां निषेधति-**अतिनत्येवे**ति । न केवलमवधूननस्य

---

१ 'स्कन्दनदोष' इति पा. । २-" शर्मासीति कृष्णाजिनादानम् "-इति (श्रौ० सू० २ । ८५) । ३-" अपेत्यपात्रेभ्योऽवधूनोत्यवधूतमिति "-(श्रौ० सू० २. ८६.) ।

तत्प्रतीचीनग्रीवमुपस्तृणाति । (त्यु) अदित्यास्त्वगसि प्रतित्वादितिर्वेत्त्वितीयं वै पृथिव्यदितिस्तस्याऽअस्यै त्वग्यदिदमस्यामधि किं च तस्मादाहादित्यास्त्वगसीति प्रतित्वादितिर्वेत्त्विति प्रति हि स्वः संजानीते तत्संज्ञामेवैतत्कृष्णाजिनाय च वदति नेदन्योन्यꣳ हिनसातऽइत्यभिनिहितमेव सव्येन पाणिना भवति ॥ ५ ॥

(त्यु) अथ दक्षिणेनोलूखलमाहरति । नेदिह पुरा नाष्ट्रा रक्षाꣳस्याविशानिति ब्राह्मणो हि रक्षसामपहन्ता तस्मादभिनिहितमेव सव्येन पाणिना भवति ॥ ६ ॥

तत्प्रतीचीनग्रीवमुपस्तृणाति–"आदित्यास्त्वगसि प्रतित्वादितिर्वेत्तु"–(१ अ० १४ मं०) इति । इयं वै पृथिव्यदितिः । तस्या अस्यै त्वग्–यदिदमस्यामधि किञ्च । तस्मादाह–अदित्यास्त्वगसीति । प्रतित्वादितिर्वेत्त्विति । प्रति हि स्वः सञ्जानीते । तत्संज्ञामेवैतत्कृष्णाजिनाय च वदति । नेदन्योन्यं हिनसात इति । अभिनिहितमेव सव्येन पाणिना भवति ॥ ५ ॥

अथ दक्षिणेनोलूखलमाहरति । नेदिह पुरा नाष्ट्रा रक्षांस्याविशानिति । ब्राह्मणो हि राक्षसामपहन्ता, तस्मादभिनिहितमेव सव्येन पाणिना भवति ॥ ६ ॥

रक्षोपहननमेव प्रयोजनं किं तु अयज्ञियविक्षेपोऽपीत्याह–यद्वचस्येति । रक्षःप्रकृतिसंपर्कात् यत् खलु 'अस्य' कृष्णाजिनस्य 'अमेध्यम्' मेधानर्हमयज्ञियरूपमभूत्, तदेवास्यैतेन मन्त्रेण 'अवधूनोति' निरस्यति ॥ ४ ॥

तस्य समन्त्रकं प्रकारविशिष्टं स्तरणं विधत्ते–तदिति । 'प्रतीचीना' प्रत्यग्दिशि स्थिता ग्रीवा यथा भवति तथा । **इयं वा** इत्यादि । 'दितिः' खण्डनं न विद्यतेऽस्या इति व्युत्पत्त्या अत्र मन्त्रगतादितिशब्देनेयमेव पृथिवी विवक्षिता । कथमन्यदीया त्वगन्यस्य त्वग्भवतीत्याशंक्याह–**तस्या** इति । 'अस्याम्' भूम्यां 'अधि' उपरिभागे 'यदिदं किं च' किमपि वस्त्ववस्थितम् 'तस्यै–अस्यै' पृथिव्यै, सा 'त्वक्' कृष्णाजिनमप्युपर्यवस्थानात् तस्या एव त्वगिति स्तुतिः । मन्त्रस्य द्वितीयं भागमनूद्य व्याचष्टे–**प्रतीति** । 'स्वः' स्वकीयो जन आत्मीयं जनं प्रति 'संजानीते' परस्परानुकूल्यं प्रकटयितुं संज्ञां करोति । 'तत्' तथा कृष्णाजिनभूम्योः समानज्ञानतामेषायं मन्त्रभागो वदति । संज्ञानस्य प्रयोजनमाह–**नेदिति** । परस्परानुकूल्यज्ञानाभावे ह्यन्यमन्यो हिंस्यात् । नैव तादृश्यन्योऽन्यहिंसा भवत्वित्यनेनाभिप्रायेणेत्यर्थः ॥ उलूखलनिधानपर्यन्तं कृष्णाजिनस्यानुत्सर्जनं विधत्ते–**अभिनिहितमिति** ॥ ५ ॥

सव्येन स्पृशतोऽभिप्रायमाह–**नेदिति** । यदि ह्युलूखलनिधानात् प्रागेव कृष्णाजिनस्पर्शमुत्सृजेत्, 'तत्' तदा 'इह' अस्मिन् कृष्णाजिने राक्षसादिकं प्रविशेत्, तन्नैव भवत्विति । 'विशान्'–इति विशतेर्लेटि बहुवचने

१–कृष्णाजिनास्तरणं चोभाभ्यां हस्ताभ्याम् । अभिनिहितमेव सव्येन पाणिनेति श्रुतिस्थ एवकारोऽन्यथा न समर्थः स्यात् । एकहस्तेन स्तरणाशक्यत्वाच्चेति वैद्यनाथमिश्राः । कर्कोपाध्यायैरपि–"अभिन्यस्यत्यभीदुत्करमररोदिवम्" इत्यस्मिन्सूत्रे अभिन्यासश्च हस्तद्वयेन भवति नैकेन पाणिना । कुत एतत् । लिङ्गात् । "अभिनिहित एव सव्येन पाणिना भवत्यथ दक्षिणेन जुहूं परिगृह्णाति" इति । एवमन्यत्रापि ज्ञेयम् । २–प्रत्यग्ग्रीवमास्तृणात्यदित्यास्त्वगिति"–(श्रौ. सू. २. ८७) । ३–(निघ० १. १. १४) (निरु० ४. ४. १) द्रष्टव्यम् ।

(त्यु) अथोलूखलं निदधाति । (त्यु) अद्रिरसि व्वानस्पत्यो ग्रावासि पृथुबुध्नऽइति वा तद्यथैवादः सोमꣳ राजानं ग्रावभिरभिषुण्वन्त्येवमेवैतदुलूखलमुसलाभ्यां दृषदुपलाभ्याꣳ हविर्यज्ञमभिषुणोत्यद्रयऽ इति वै तेषामेकं नाम तस्मादाहाद्रिरसीति व्वानस्पत्यऽ इति व्वानस्पत्योह्येष ग्रावासि पृथुबुध्नऽ इति ग्रावा ह्येष पृथुबुध्नो ह्येष प्रति त्वादित्यास्त्वग्वेत्त्विति तत्संज्ञामेवैतत्कृष्णाजिनाय च व्वदति नेदन्योन्यꣳ हिनसातऽ इति ॥ ७ ॥

अथोलूखलं निदधाति—" अद्रिरसि व्वानस्पत्यो ग्रावासि पृथुबुध्नः " (१ अ० १४ मं०) इति वा । तद्यथैवादः सोमं राजानं ग्रावभिरभिषुण्वन्ति,--एवमेवैतदुलूखलमुसलाभ्यां दृषदुपलाभ्यां हविर्यज्ञमभिषुणोति । अद्रय इति वै तेषामेकं नाम । तस्मादाह--अद्रिरसीति । वानस्पत्य इति । वानस्पत्यो ह्येषः । ग्रावासि पृथुबुध्न इति । ग्रावा ह्येषः, पृथुबुध्नो ह्येषः । " प्रति त्वादित्यास्त्वग् वेत्तु " (१ अ० १४ मं०) इति । तत्संज्ञामेवैतत्कृष्णाजिनाय च वदति—नेदन्योन्यं हिनसात इति ॥ ७ ॥

आडागमः (पा. सू. ३ । ४ । ९४) झेरन्तादेशे (पा. सू. ७ । १ । ३) " इतश्च लोपः " (पा. सू. ३. ४. ९७)—इतीकारलोपः । ननु स्पर्शेऽपि उलूखलनिधानात् पुरा कुतो रक्षांसि न प्रविशन्ति तत्राह—**ब्राह्मण** इति । ' हि ' यस्माद् ब्राह्मणो रक्षसामपहन्ता मन्त्रप्रभावेण, तस्मात् तेन स्पृश्यमानं राक्षसादिर्न प्रवेष्टुं शक्नोतीति भावः ॥ ६ ॥

अथ समन्त्रकमुलूखलस्य निधानं विधत्ते—**अथे**ति । ग्रावासीति वैकल्पिको मन्त्रः । अत एव सूत्रकृतोक्तम्—" सव्याशून्ये निदधात्युलूखलमद्रिरसि ग्रावासीति वा " (श्रौ० सू० २. ८८) इति । तत्राद्यमन्त्रस्याभिप्रायमाह—**तद्यथे**ति । ' अदः '—शब्दो लुप्तविभक्तिकः, अमुत्र सोमयागे यथा यागसाधनस्य सोमस्य ग्रावभिरभिषवः, एवमेवोलूखलादिभिर्हविर्यज्ञसाधनं व्रीह्यादिकम् ' अभिषुणोति ' वितुषीकरणादिभिः संस्करोति । कुत एतदित्याह—**अद्रय इती**ति । ' तेषां ' सोमाभिषवहेतूनां ग्राव्णाम्, पुरोडाशनिष्पत्तिहेतूनामुलूखलादीनां च अद्रय इत्येतत् साधारणं नाम; अतो नामसाम्यात् उलूखलादिसाध्यमवहननादिकं ग्रावसाध्येन सोमाभिषवेण तुल्यमित्यर्थः । एवं च हे उलूखल ! त्वम् ' अद्रिरसि ' सोमाभिषवहेतुः । ग्रावासीति ग्रावत्वारोपणं मन्त्रेण विवक्षितमिति व्याख्यातं भवति । वनस्पतिविकारत्वं प्रसिद्धमिति वानस्पत्यपदतात्पर्यमाह—**वानस्पत्यो ही**ति । वैकल्पिकं मन्त्रमनूद्य व्याचष्टे—**ग्रावासी**ति । **पृथुबुध्नो ही**ति । उलूखलस्य विस्तीर्णमूलत्वं प्रसिद्धमित्यर्थः । प्रतित्वेत्यादिकं मन्त्रद्वयपक्षमनूद्य व्याचष्टे—**तदि**ति । कृष्णाजिनोलूखलयोरन्योऽन्यं हिंसा मा भूदिति पृथिवीकृष्णाजिनयोरिवैकमत्यप्रार्थनं वदतीत्यर्थः ॥ ७ ॥

१-पञ्चमीकण्डिकान्तर्गत " कृष्णाजिनमप्युपर्यवस्थानादित्यारभ्य—सोमाभिषवहेतुः " इत्यन्तो भाष्यग्रन्थो वेवरमहोदयेन संपादितपुस्तके नास्ति । तेन न दृष्ट इति तल्लेखतो ज्ञायते । २-" प्रतित्वेत्युभयोः " (श्रौ० सू० २ । ८९) ।

(त्ख) अथ हविरावपति। (त्य) अग्नेस्तनूरसि वाचो विसर्जनमिति यज्ञो हि तेनाग्नेस्तनूर्वाचो विसर्जनमिति यां वा ऽअमूं हविर्ग्रहीष्यन्वाचं यच्छत्यत्र वै तां विसृजते तद्यदेतामत्र वाचं विसृजतऽ एष हि यज्ञऽ उलूखले प्रत्यष्ठादेष हि प्रासारि तस्मादाह वाचो विसर्जनमिति ॥ ८ ॥

स यदि पुरा मानुषीं वाचं व्याहरेत्। (द) तत्रो वैष्णवीमृचं वा यजुर्वा जपेद्यज्ञो वै विष्णुस्तद्यज्ञं पुनरारभते तस्यो हैषा प्रायश्चित्तिर्देववीतये त्वा गृह्णामीति देवानवदित्यु हि हविर्गृह्यते ॥ ९ ॥

अथ हविरावपति–" अग्नेस्तनूरसि वाचो विसर्जनम् " (१ अ० १९ मं०) इति। यज्ञो हि। तेनाग्नेस्तनूः। वाचो विसर्जनमिति। यां वा अमूं हविर्ग्रहीष्यन् वाचं यच्छति–अत्र वै तां विसृजते। तद्यदेतामत्र वाचं विसृजते–एष हि यज्ञ उलूखले प्रत्यष्ठात्। एष हि प्रासारि। तस्मादाह–वाचो विसर्जनमिति ॥ ८ ॥

स यदि पुरा मानुषीं वाचं व्याहरेत्–तत्रो वैष्णवीमृचं वा यजुर्वा जपेत्। यज्ञो वै विष्णुः। तद्यज्ञं पुनरारभते। तस्यो हैषा प्रायश्चित्तिः–" देववीतये त्वा गृह्णामि "–(१ अ० १९ मं०) इति। देवानवदित्यु हि हविर्गृह्यते ॥ ९ ॥

उलूखले हविषः प्रक्षेपणं समन्त्रकं विधत्ते–अथेति। यज्ञो हीति। यस्माद् 'यज्ञः' यज्ञसाधनं हविः, अतोऽग्नेः शरीरमेवं तदित्यर्थः। यां वा इत्यादि। हविर्ग्रहणार्थम्, " अथ वाचं यच्छति " इति 'या वाग् नियमिता' 'अत्र' अस्मिन्समये तामेवानेन मन्त्रभागेन 'विसृजते'। अतो विसृज्यते अनेनेति 'विसर्जनम्' हविरिति मन्त्रपाठस्यार्थः। एतद्वाग्विसर्जनमुपपादयति–तद्यदिति। 'एतां वाचमत्र विसृजते' इति यत, तद्युक्तम्; 'हि' यस्मादेषः 'यज्ञः' यज्ञसाधनं हविः, उलूखले 'प्रत्यष्ठात्' प्रतिष्ठितमभूत्, यस्माच्च 'एषः' यज्ञः 'प्रासारि' प्रसारितो विस्तारितोऽभूत्; अतो हेतोर्वाग्यमनस्य प्रयोजनं नास्तीति तद्विसर्जनमेव युक्तमित्यभिप्रायः ॥ ८ ॥

हविरावपनात् पूर्वं लौकिकवाग्व्यवहारे प्रायश्चित्तमाह–स यदीति। 'वैष्णवीमृचम्' इति, "इदं विष्णुर्विचक्रमे" (वा० सं० ५ अ० १५ मं०) इत्यादिकाम्। यजुरपि वैष्णवमेव जप्यम्। 'देववीतये' इति मन्त्रशेषस्याभिप्रायमाह–देवानवदितीति। यष्टव्यान् देवान् 'अवत्' अवतु तर्पयत्विति। अनेनैवाभिप्रायेण हि हविर्गृह्यते, अतः 'देववीतये' देवानां तृप्तये इति मन्त्रपदाभिप्रायः ॥ ९ ॥

१–" हविरावपत्यग्नेस्तनूरिति "–(श्रौ० सू० २.९०)। २–इहैव ब्राह्मणे पूर्वं १। १। २। २ ॥ ३–' मन्त्रपदस्यार्थः '–इति पा०। ४–" वाचं विसृजते, यजमानश्च " (श्रौ० सू० २. ९१. ९२.) अग्ने च विशेष उक्तः–" हविष्कृता वा, नानाबीजेष्वन्ते सामर्थ्यात् " (श्रौ० सू० २. ९३. ९४।) ५–"अंघ्रिणा विष्णो मात्वावक्रमिषं " (माध्यं. सं. अ. २। ८)। " विष्णो हव्य रक्ष " (माध्यं. सं. अ. १। ४) इति वा। ६–'पितृयज्ञे–पितृवीतये'–इति ऊहमाह याज्ञिकदेवः।

(तेऽथ) अथ मुसलमादत्ते । बृहद्ग्रावासि व्वानस्पत्यऽ इति बृहद्ग्रावाह्येषु व्वानस्पत्यो ह्येष तदवदधाति सऽ इदं देवेभ्यो हविः शमीष्व सुशमि शमीष्वेति सऽ इदं देवेभ्यो हविः सꣳस्कुरु साधु सꣳस्कृत ꣳ सꣳस्कुर्व्वित्येवैतदाह ॥ १० ॥

(ह्रा) अथ हविष्कृतमुद्वादयति । हविष्कृदेहि हविष्कृदेहीति व्वाग्वै हविष्कृद्वाचमेवैतद्विसृजते व्वागु वै यज्ञस्तद्यज्ञमेवैतत्पुनरुपह्वयते ॥ ११ ॥

तानि वाऽ एतानि । चत्वारि व्वाच एहीति ब्राह्मणस्यागह्याद्रवेति व्वैश्यस्य च राजन्यबन्धोश्चाधावेति शूद्रस्य स यदेव ब्राह्मणस्य तदाहैतद्धि यज्ञियतममेतदु ह वै व्वाचः शान्ततमं यदेहीति तस्मादेहीत्येव ब्रूयात् ॥ १२ ॥

अथ मुसलमादत्ते-" बृहद्ग्रावासि वानस्पत्यः "-(१ अ० १९ मं०) इति । बृहद्ग्रावा ह्येषः । वानस्पत्यो ह्येषः । तदवदधाति-" स इदं देवेभ्यो हविः शमीष्व सुशमि शमीष्व "-(१ अ० १९ मं०) इति । स इदं देवेभ्यो हविः संस्कुरु, साधु संस्कृतं संस्कुरु-इत्येवैतदाह॥१०॥

अथ हविष्कृतमुद्वादयति-"हविष्कृदेहि हविष्कृदेहि "-(१ अ० १९ मं०) इति । वाग्वै हविष्कृत् । वाचमेवैतद् विसृजते । वागु वै यज्ञः--तद्यज्ञमेवैतत्पुनरुपह्वयते ॥ ११ ॥

तानि वा एतानि चत्वारि वाचः । एहीति-ब्राह्मणस्य । आगह्याद्रवेति-वैश्यस्य च राजन्यबन्धोश्च ।

समन्त्रकं मुसलादानं विधत्ते-**अथ मुसलमादत्त** इति । **बृहद्ग्रावासी**ति । सोमसंस्कारकग्राववत् मुसलस्यापि हविस्संस्कारकत्वसाम्याद्ग्रावत्वम्, दीर्घत्वाच्च बृहत्त्वमिति 'बृहद्ग्राव'-शब्दाभिधेयता मुसलस्य प्रसिद्धेत्यर्थः । तस्य मुसलस्योलूखले प्रक्षेपणं समन्त्रकं विधत्ते-**तदवदधाती**ति । 'शमीष्व '-इति पदस्यार्थमाह-**हविः संस्कुरु**-इति । ' शमीष्व ' शमय; दोषोपशमनेन हविः संस्कुर्वित्यभिप्रायः । सुशमि शमीष्वेति मन्त्रस्याभिप्रायमाह-**साधु संस्कृतमि**ति ॥ १० ॥

हविष्कृत आह्वानं विधत्ते-**अथ हविष्कृतमि**ति । ' उद्वादयति ' उच्चैराह्वयतीत्यर्थः । हविष्कृदेहीति मन्त्रस्य द्विः पाठो मन्त्रकाण्डे[3] द्विराम्नानात् । हविष्कृच्छब्दार्थमाह-**वाग्वै हविष्कृदि**ति । निर्तापावौ मन्त्ररूपाया वाचो हविष्करणसाधनत्वाद् वागेव हविष्कृत्; अतस्तामनेनैव मन्त्रेणाह्वयन् हविर्ग्रहणकाले नियमितां वाचं विसृजेत् । अत एव कात्यायनेन " अग्नेस्तनूरसि " इति मन्त्रेण, " हविष्कृदेहि " इति मन्त्रेण वा वाग्विसर्जनं कर्तव्यमिति विकल्पेन सूत्रितम् ।-" अग्नेस्तनूरिति-वाचं विसृजते " (श्रौ० सू० २. ९१) " यजमानश्च " (श्रौ. सू. २ । ९२) "हविष्कृता वा-"(श्रौ० सू० २. ९३) इति । **वागु वा** इति । या वाग् हविष्कृत सैव खलु यज्ञः, तस्य तन्निर्वर्त्यत्वात् । ' तत् ' तथा सति ' एतत् ' एतेन वागात्मिकाया हविष्कृत आह्वानेन यज्ञमेव पुनराह्वयते ॥ ११ ॥

ब्रह्मक्षत्रादिवर्णभेदोपजीवनेन हविष्कृदाह्वानमन्त्रं विशेषमाह-**तानि वा एतानि चत्वारी**ति । ' वाचः '

१-'बृहद्ग्रावेति मुसलमादत्ते '-(श्रौ० सू० २. ९५.) । २-" स इदमित्यवदधाति "-(श्रौ० सू० २. ९६) । पितृयज्ञे-'स इदं पितृभ्य ' इति विपरिणम्यत इति याज्ञिकदेवः । ३-मन्त्रकाण्डे संहितापाठे । तत्र न त्रिराम्नानं न तु द्विः । महीधरोऽपि ' त्रिवारमुक्तमर्थं देवा मन्यन्त इति त्रिराम्नानम् '-इत्याह । कात्यायनोऽपि-" हविष्कृदेहीति त्रिराह्वयति "-इति २. ९७ ॥

(१३) तद्ध स्मैतत्पुरा । जायैव हविष्कृदुपोत्तिष्ठति तदिदमप्येतर्हि य एव कश्चोपोत्तिष्ठति स यत्रैष हविष्कृतमुद्वादयति तदेको दृषदुपले समाहन्ति तद्युदेतामत्र व्वाचं प्रत्युद्वादयन्ति ॥ १३ ॥

मनोर्ह वाऽ ऋषभऽआस । तस्मिन्नसुरघ्नी सपत्नघ्नी व्वाक्प्रविष्टा स तस्य ह स्म श्वसथाद्रवथादसुररक्षसानि मृद्यमानानि यन्ति ते हासुराः सम्मूदिरे पापं बत नोऽयमृषभः सचते कथं न्विमं दभ्नुयामेति किलाताकुलीऽ इति हासुरब्रह्मावासतुः ॥ १४ ॥

आधावेति--शूद्रस्य । स यदेव ब्राह्मणस्य--तदाह, एतद्धि यज्ञियतमम् । एतद्ध ह वै वाचः शान्ततमम्--यदेहीति । तस्मादेहीत्येव ब्रूयात् ॥ १२ ॥

तद्ध स्मैतत्पुरा जायैव हविष्कृदुपोत्तिष्ठति । तदिदमप्येतर्हि य एव कश्चोपोत्तिष्ठति । स यत्रैष हविष्कृतमुद्वादयति--तदेको दृषदुपले समाहन्ति । तद्यदेतामत्र वाचं प्रत्युद्वादयन्ति ॥ १३ ॥

मनोर्ह वा ऋषभ आस । तस्मिन्नसुरघ्नी सपत्नघ्नी वाक् प्रविष्टा स तस्य ह स्म श्वसथाद् रवथाद्ध असुररक्षसानि मृद्यमानानि यन्ति । ते हासुराः सम्मूदिरे--पापं बत नोऽयमृषभः सचते, कथं न्विमं दभ्नुयामेति । किलाताकुली--इति हासुरब्रह्मावासतुः ॥ १४ ॥

संबन्धीनि ' चत्वारि ' रूपाणि । कानि पुनस्तानीत्याह--एहीत्यादि[1] । ' वैश्यस्य ' हविष्कृदागहीति मन्त्रः । ' राजन्यबन्धोः ' क्षत्रियजातेः " हविष्कृदाद्रवेति । आपस्तम्बस्तु राजन्यवैश्ययोर्वैपरीत्येनासूत्रयत्--" हविष्कृदेहीति ब्राह्मणस्य, हविष्कृदागहीति राजन्यस्य, हविष्कृदाद्रव इति वैश्यस्य, हविष्कृदाधावेति शूद्रस्य " (आ० श्रौ० सू० १. १९. ९)--इति ।

एवं पूर्वपक्षतया ब्राह्मणक्षत्रादिवर्णप्रयुक्तं विशेषमुपन्यस्य स्वमतं निगमयति--**स यदेव ब्राह्मणस्येति** । **एतद्धीति** । ' एहीति ' एतत् खलु ' यज्ञियतमम् ' अतिशयेन यज्ञार्हम्; " इड एह्यदित एहि "--(३ अ० २७ मं०) इत्यादावन्यत्रापि यज्ञे प्रयोगात् । " शान्ततमम् " इति, आगह्याद्रवेत्यादेः सकाशादेहीत्येतदेवातिशयेन शान्तम्; प्रार्थनावाक्येष्वेहीत्येव सर्वत्र प्रयोगादागह्यादीनां च निकृष्टप्रेषणरूपत्वाच्चेत्यर्थः ॥ १२ ॥

कोऽसौ हविष्कृदिति तं दर्शयति--**तद्धेति** । पुरा खल्वेतदाह्वानानन्तरं ' जायैव हविष्कृदुपोत्तिष्ठति ' अतस्तदानीं जायैव हविष्कृदभूत् । ' तत् ' तस्मादिदानीमप्येतदाह्वानानन्तरं जाया वा, अन्यः[2] ' कोऽपि ' ऋत्विग्वोपोत्तिष्ठति, स एव हविष्कृदित्यर्थः । तदप्युक्तं सूत्रकृता--" हविष्कृदेहीति त्रिराह्वयति; अतः पत्न्यवहन्त्यन्यो वा " (श्रौ० सू० २. ९७--९८.) इति । हविष्कृदाह्वानसमये दृषदुपलयोः शम्यया समाहननं विधत्ते--" **स यत्रैष हविष्कृतमुद्वादयति** " इति । समाहननजनितां वाचं प्रशंसितुमनुवदति--**तद्यदिति**[3] ॥ १३ ॥

अथ यज्ञायुधध्वनेर्यज्ञविघातकासुरराक्षसादिनिवृत्तिहेतुतामुपपादयितुमितिहासमुदाहरति--**मनोर्ह वा इति** । पुरा किल मनोः सबन्धिन ऋषभस्य प्रश्वासाद् रवाच्च यज्ञविघातिनोऽसुरराक्षसादयो बाध्यमाना गताः । ते च परस्परं संवादं कृतवन्तः । 'ह'--इति खेदे । ' अयम् ' ऋषभः ' नः ' अस्माकम् ' पापम् ' निकर्ष--

---

१--एते तु मन्त्रा इहैवाम्नाताः । २--'अन्यशब्देनाग्नीध्रस्य ग्रहणं' इति कर्कदेवादयः । ३ समाहननजनिताया वाच इत्यर्थः ।

(स्तौ) तौ होचतुः । श्रद्धादेवो वै मनुरावं नु वेदावेति तौ हागत्योचतुर्मनो याजयाव त्वेति केनेत्यनेनर्षभेणेति तथेति तस्यालब्धस्य सा वागपचक्राम ॥ १५ ॥

सा मनोरेव जायां मनावीं प्रविवेश । तस्यै ह स्म यत्र वदन्त्यै शृण्वन्ति ततो ह स्मैवासुररक्षसानि मृद्यमानानि यन्ति ते हासुराः समूदिरऽ इतो वै नः पापीयः सचते भूयो हि मानुषी वाग्वदतीति किलाताकुली हैवोचतुः श्रद्धादेवो वै मनुरावं न्वेव वेदावेति तौ हागत्योचतुर्मनो याजयाव त्वेति केनेत्यनयैव जाययेति तथेति तस्याऽआलब्धायै सा वागपचक्राम ॥ १६ ॥

तौ होचतुः–श्रद्धादेवो वै मनुः,–आवं नु वेदावेति । तौ हागत्योचतुः–मनो ! याजयाव त्वेति । केनेति–अनेनर्षभेणेति । तथेति । तस्यालब्धस्य सा वागपचक्राम ॥ १५ ॥

सा मनोरेव जायां मनावीं प्रविवेश । तस्यै ह स्म यत्र वदन्त्यै शृण्वन्ति, ततो ह स्मैवासुररक्षसानि मृद्यमानानि यन्ति । ते हासुराः समूदिरे–इतो वै नः पापीयः सचते, भूयो हि मानुषी वाग् वदतीति । किलाताकुली हैवोचतुः–श्रद्धादेवो वै मनुः आवं न्वेव वेदावेति । तौ हागत्योचतुः–मनो ! याजयाव त्वेति । केनेति । अनयैव जाययेति । तथेति । तस्या आलब्धायै सा वागपचक्राम ॥ १६ ॥

पराजयम् ' सचते ' प्रापयति, कथं खल्विमं हिंस्यामेति । एवं संवादे कृते ' किलातश्चाऽऽकुलिश्च ' द्वावसुरपुरोहितौ बभूवतुः ॥ १४ ॥

तयोर्व्यापारमाह–**तौ होचतुरिति** । श्रद्धैव देवो यस्य सः ' श्रद्धादेवः ' श्रद्धालुरित्यर्थः । **आवं नु वेदाव** इति । आवामस्य मनोरभिप्रायं जानावहे इत्यर्थः । " प्रथमायाश्च द्विवचने भाषायाम् " (पा० सू० ७. २. ८८.) इति भाषायामेवात्वविधानादावमिति ह्रस्वोच्चारणम् । " विद ज्ञाने " (अ० प० ५४) इत्यस्मा-ल्लोटयुत्तमद्विवचने वेदावेति रूपम् । **मनो याजयावे**त्यादि । हे मनो ! त्वामनेन–ऋषभेण याजयावेति । श्रद्धालुं मनुं विप्रलभ्य तमृषभमवधिष्यामिति तात्पर्यार्थः ॥ १५ ॥

सा मनोरेव जायां मनावीं प्रविवेश–इति । मनोर्भार्या मनावी । " मनोरौ वा " (पा० सू० ४. १. ३९.) इत्यौत्वम् । पुंयोगलक्षणे ङीप् । (पा. सू. ४. २. ४८.) । **तस्यै ह स्म यत्र वदन्त्यै शृण्वन्ति**–इति । ' तस्यै ' षष्ठ्यर्थे चतुर्थी (पा. सू. २. ३. ६२. अ. वा. १) ' यत्र ' यस्मिन् देशे वदन्त्यास्तस्याः शब्दं शृण्वन्ति ' ततः ' तस्मात् स्थानादसुरादयो बाधिताः पलायन्त इत्यर्थः । **पापीयः सचत** इति । तिर्यग्जातेर्ऋषभस्य ध्वनेः श्रवणात् प्रागस्माकं निकर्षमात्रं प्राप्तम्, इदानीं तु मनुष्यशरीरान्निर्गतवाचः श्रवणादस्माकं ' पापीयः ' अतिशयितं पापम्, पराजयं प्राप्नोति । इममेवातिशयमुपपादयति–**भूयो हि मानुषी वाग् वदतीति** । तिर्यग्वाचः सकाशात् ' भूयः ' बहुतरं हि मानुषी वाग्वदति वर्णपदवाक्यात्मना कस्यचिदर्थस्य प्रतिपादकत्वात् । एतदाकर्ण्य तावेव पुरोहितावस्यापि प्रतिक्रियां चक्रतुरित्याह–**किलाताकुली हैवोचतुरिति** ॥ १६ ॥

१–' इत्यस्मादस्मयुत्तमद्विवचने ' इति पा. । २–' तस्माद्वदनात् ' इति पा. ।

सा यज्ञमेव यज्ञपात्राणि प्रविवेश । ततो हैनां न शेकतुर्निहन्तुꣳ सैषा-
सुरघ्नी सपत्नघ्नी वागुद्वदति स यस्य हैवंविदुषऽएतामत्र वाचं प्रत्युद्वा-
दयन्ति पापीयाꣳसो हैवास्य सपत्ना भवन्ति ॥ १७ ॥

स समाहन्ति । कुक्कुटोऽसि मधुजिह्वऽइति मधुजिह्वो वै स देवेभ्य
ऽआसीद्विषजिह्वोऽसुरेभ्यः स यो देवेभ्यऽआसीः स नऽएधीत्येवैतदाहेष-
मूर्जमा वद त्वया वयꣳ सङ्घातꣳ सङ्घातं जेष्मेति नात्र तिरोहितमि-
वास्ति ॥ १८ ॥

(स्त्यु) अथ शूर्पमादत्ते । वर्षवृद्धमसीति वर्षवृद्धꣳ ह्येतद्यदि नडानां
यदि वेणूनां यदीषीकाणां वर्षमु ह्येवैता वर्द्धयति ॥ १९ ॥

सा यज्ञमेव यज्ञपात्राणि प्रविवेश। ततो हैनां न शेकतुर्निहन्तुम्। सैषासुरघ्नी सपत्नघ्नी वागुद्वदति।
यस्य हैवं विदुष एतामत्र वाचं प्रत्युद्वादयन्ति, पापीयांसो हैवास्य सपत्ना भवन्ति ॥ १७ ॥

स समाहन्ति–"कुक्कुटोऽसि मधुजिह्वः"–(१ अ० १६ मं०) इति। मधुजिह्वो वै स देवेभ्य
आसीद्, विषजिह्वोऽसुरेभ्यः। स यो देवेभ्य आसीः स न एधीत्येवैतदाह–"इषमूर्जमा वद त्वया
वयꣳ सङ्घातꣳ सङ्घातं जेष्म"–(१ अ० १६ मं०) इति। नात्र तिरोहितमिवास्ति ॥ १८ ॥

अथ शूर्पमादत्ते–"वर्षवृद्धमसि"–(१ अ० १६ मं०) इति। वर्षवृद्धं ह्येतत्। यदि नडानां
यदि वेणूनां यदीषीकाणाम्। वर्षमु ह्येवैता वर्द्धयति ॥ १९ ॥

सा यज्ञमेवेति । असुरघ्नी या वाक्, क्रमेण मनोर्ऋषभे जायायां चासीत्, 'सा' तयोर्हननान्निरा-
या सती यज्ञमेवाश्रयितुम् 'यज्ञपात्राणि प्रविवेश ।' 'ततः' तेभ्यो यज्ञपात्रेभ्यः सकाशात् 'एनाम्' वाचम्
नि(र्)हन्तुम्' निर्गमयितुं न शेकतुरसुरपुरोहितौ । 'सैषा' यज्ञपात्रगताऽसुरघ्नी वाक् शम्यया समाहननादुद्व-
दति । एवं यज्ञपात्रध्वनेरसुरराक्षसादिनिवृत्तिहेतुतां प्रतिपादितामुपसंहरति–**स यस्येति** ॥ १७ ॥

विहितं समाहननमनूद्य मन्त्रं विधत्ते–**स समाहन्ति कुक्कुटोऽसीति** । 'मधुजिह्व' इति विशेषणस्याभि-
प्रायमाह–**स यो देवेभ्य** इति । 'स' खलु–ऋषभो देवानां 'मधुजिह्वः' मधुरवागासीत्, जयहेतुत्वात् ।
असुरेभ्यस्तु 'विषजिह्वः' विषवागासीत्, पराजयहेतुत्वात् । एवं च मधुजिह्व इति विशेषणस्यायमभिप्रायः,
देवानां यादृश आसीः अतोऽस्माकं तादृशो भवेति । इषमूर्जमावदेत्यादिमन्त्रशेषस्य स्पष्टार्थतामाह–**नात्रेति** ।
'अत्र' अस्मिन् मन्त्रे किमपि तिरोहितं नैवास्ति, अतो न व्याख्यायत इत्यर्थः ॥ १८ ॥

अथ समन्त्रकं शूर्पादानं विधत्ते–**अथेति** । शूर्पस्य वर्षवृद्धत्वमुपपादयति–**यदि नडानां यदि वेणूनां**

१–"गदया सदृशी बाहुपरिमिता शम्या" इति सा (तै० सं० १. २. १२.) "द्वात्रिंशदंगुला शम्या"–इति श्रौ० सू० ५.७६ ।
आह्वयत्याहन्त्यन्यो दृषदुपले कुक्कुटोऽसीति त्रिः शम्यया द्विर्दृषदं सकृदुपलाम्" श्रौ० सू० २. ९९ । ३–"असुराः
क–इति तान् हन्तुमिच्छन् योऽटति–सर्वत्र सञ्चरति स कुक्कुटः । यद्वा कुकं–कुत्सितशब्दं कुटति–तनोतीति कुक्कुटः । यद्वा
कुक्कुटाख्यपक्षिवद् ध्वनिविशेषमसुरभीत्यर्थं तनोतीति कुक्कुट इत्युपचर्यते" इति महीधरभाष्यम् । ४–'सोऽस्माकम्' इति पा० ।
–यतोऽत्राविस्पष्टार्थं पदं नास्ति, अतो व्याख्याने प्रयोजनाभाव इत्यर्थः । ६–'वर्षवृद्धमसीति शूर्पमादत्ते" श्रौ० सू० २. १०० ।

(त्यु) अथ हविर्निर्वपति । प्रति त्वा वर्षवृद्धं वेत्त्विति वर्षवृद्धा उ ह्येवैते यदि व्रीहयो यदि यवा वर्षमु ह्येवैतान्वर्द्धयति तत्संज्ञामेवैतच्छूर्पाय च वदति नेदन्योऽन्यꣳ हिनसातऽ इति ॥ २० ॥

(त्यु) अथ निष्पुनाति । परापूतꣳ रक्षः परापूताऽ अरातयऽ इत्यथ तुषान्प्रहन्त्यपहतꣳ रक्षऽ इति तन्नाष्ट्राऽ एवैतद्रक्षाꣳस्यतोऽपहन्ति ॥ २१ ॥

(न्त्य) अथापविनक्ति । वायुर्वो विविनक्त्वित्ययं वै वायुर्योऽयं पवतऽ एष वाऽ इदꣳ सर्वं विविनक्ति यदिदं किञ्च विविच्यते तदेनानेषऽ एवैतद्विविनक्ति स यदैतऽ एतत्प्राप्नुवन्ति यत्रैनानध्यपविनक्ति ॥ २२ ॥

अथ हविर्निर्वपति–" प्रतित्वा वर्षवृद्धं वेत्तु "–(१ अ० १६ मं०) इति । वर्षवृद्धा उ ह्येवैते यदि व्रीहयो यदि यवाः । वर्षमु ह्येवैतान् वर्द्धयति तत्संज्ञामेवैतच्छूर्पाय च वदति–नेदन्योन्यं हिनसात इति ॥ २० ॥

अथ निष्पुनाति–" परापूतꣳ रक्षः परापूता अरातयः "–(१ अ. १६ मं०) इति । अथ तुषान् प्रहन्ति–" अपहतꣳ रक्षः "–(१ अ० १६ मं०) इति । तन्नाष्ट्रा एवैतद्रक्षांस्यतोऽपहन्ति ॥ २१ ॥

अथापविनक्ति–" वायुर्वो विविनक्तु "–(१ अ० १६ मं०) इति । अयं वै वायुः–योऽयं पवते । एष वा इदं सर्वं विविनक्ति–यदिदं किञ्च विविच्यते । तदेनानेष एवैतद्विविनक्ति । स यदैत एतत्प्राप्नुवन्ति यत्रैनानध्यपविनक्ति ॥ २२ ॥

यदीषीकाणामिति । जलप्रान्ते वर्तमानास्तृणविशेषा नडाः । नलादीनि द्रव्याणि शूर्पस्योपादानभूतानि । 'वर्षम्' उदकवृष्टिरेव हि 'एताः' नडाद्या ओषधीर्वर्द्धयति, अतो वर्षवृद्धत्वाच्छूर्पस्य 'वर्षवृद्धमसि'–इति व्यपदेशः ॥ १९ ॥

तस्मिन् शूर्पेऽवहतानां व्रीहीणां प्रक्षेपं विधत्ते–अथ हविर्निर्वपतीति । 'निर्वपति' उलूखलान्निष्कृष्य अवहतान् व्रीहीन् प्रक्षिपतीत्यर्थः । हे हविः ! वर्षवृद्धं त्वां शूर्पं प्रति 'वेत्तु' आत्मन उपर्यवस्थानं जानात्विति मन्त्रार्थः । हविषो वर्षवृद्धत्वमुपपादयति–वर्षवृद्धा उ हीति । व्रीहियवयोरन्यतरो हि हविष उपादानम्; " व्रीहिभिर्यजेत " " यवैर्यजेत "–इति विकल्पेन यागसाधनत्वश्रवणात् । व्रीहियवाद्योषधयश्च वृष्ट्या वर्द्धन्त इति प्रसिद्धमित्यर्थः । "प्रतित्वा"–इत्यस्याभिप्रायमाह–तत्संज्ञामेवैतच्छूर्पायेति । शूर्पहविषोरन्योन्यं हिंसा मा भवेदिति । 'शूर्पाय च' इति चशब्दाद्धविषे च । 'संज्ञां' संज्ञानम् । समानज्ञानत्वमेव मन्त्रो वदतीत्यर्थः ॥ २० ॥

तुषाणामपनयनं समन्त्रकं विधत्ते–अथ निष्पुनातीति । तुषाणां राक्षसभागत्वात् तैस्तन्निरसनं विधत्ते–अथ तुषान्–प्रहन्त्यपहतमिति । 'प्रहन्ति' प्रक्षिपन्ति । एतन्मन्त्रद्वयस्य प्रयोजनमाह–तन्नाष्ट्रा एवैतादिति ॥ २१ ॥

वितुषीकृतानां तण्डुलानां व्रीहीणां च पृथक्करणं विधत्ते–अथापविनक्तीति । मन्त्रगतवायुशब्दस्यार्थ-

---

१–" प्रति त्वेति हविरुद्वपति " श्रौ० सू० २. १०१ । २–मनुसंहिता अ० २ श्लो० १४, "श्रुतिद्वैधं तु यत्र स्यात्तत्र धर्मावुभौ स्मृतौ । उभावपि हि तौ धर्मौ सम्यगुक्तौ मनीषिभिः ॥ " " तुल्यबलविरोधे विकल्पः " इति च गौतमः । " एकार्थास्तु विकल्पेरन् " इत्यादिजैमिनीयसूत्राणि नेक्षितव्यानि । जै० सू० १२. ३. १०. १५ । ३–" परापूतमिति निष्पुनाति " " अपहतमिति तुषान्निरस्यति " श्रौ० सू० २, १०२, १०३ । ४–" वायुर्व इति विविनक्ति "–(श्रौ० सू० २, १०४.) । ५–एतच्च विविक्तीकरणं तुषनिरसनात्पूर्वं प्रतिपत्तव्यं सामर्थ्यादशेषपनिरसनञ्चैवं सति भवति । उक्तंच ' विरोधेऽर्थस्तत्परत्वात् ' इति । सूत्रक्रमश्च यथाश्रुतीत्यदोषः । इति का० श्रौ० सू० २ । १०९ भाष्ये कर्कः । तथा " पाठक्रमादर्थक्रमो बलीयान् " इत्येष मीमांसान्यायोऽप्यनुसंधेयः । इति ।

(त्त्य) अथानुमन्त्रयते–देवो वः सविता हिरण्यपाणिः प्रतिगृभ्णात्वच्छिद्रेण पाणिना सुप्रतिगृहीताऽअसन्नित्यथ त्रिः फलीकरोति त्रिवृद्धि यज्ञः २३

(स्त) तद्धैके देवेभ्यः शुन्धध्वं देवेभ्यः शुन्धध्वमिति फलीकुर्वन्ति । तदु तथा न कुर्यादादिष्टं वाऽ एतद्देवतायै हविर्भवत्यथैतद्वैश्वदेवं करोति यदाह देवेभ्यः शुन्धध्वमिति तत्समदं करोति तस्मादु तूष्णीमेव फलीकुर्यात् ॥ २४ ॥ ४ ॥

इति प्रथमकाण्डे प्रथमप्रपाठके प्रथमाध्याये वा चतुर्थं ब्राह्मणम् ॥१॥४॥ प्रथमोऽध्यायश्च समाप्तः ॥१॥

अथानुमन्त्रयते–" देवो वः सविता हिरण्यपाणिः प्रतिगृभ्णात्वच्छिद्रेण पाणिना "–(१ अ० १६ मं०) । सुप्रतिगृहीता असन्निति । अथ त्रिः फलीकरोति–त्रिवृद्धि यज्ञः ॥ २३ ॥

तद्धैके–" देवेभ्यः शुन्धध्वं देवेभ्यः शुन्धध्व " मिति फलीकुर्वन्ति । तदु तथा न कुर्यात् । आदिष्टं वा एतद्देवतायै हविर्भवति । अथैतद्वैश्वदेवं करोति यदाह–देवेभ्यः शुन्धध्वमिति । तत्समदं करोति । तस्मादु तूष्णीमेव फलीकुर्यात् ॥ २४ ॥

माह–**अयं वै वायुर्योऽयं पवत** इति । तस्य विवेचनसामर्थ्यमुपपादयति–**एष वा इद ँ सर्वं विविनक्ति**–इति । ' तत् ' तस्मात् सर्वस्यास्य विवेचकत्वात् ' एष एव ' वायुः ' एनान् ' व्रीहींस्तण्डुलांश्च ' विविनक्ति ' पृथक् करोति, अतस्तत्प्रार्थनं युक्तमित्यर्थः । **स यदैत** इति । ' यदा ' यस्मिन् काले ' एते ' व्रीहितण्डुलाः ' एतद् ' विवेचनं प्राप्नुवन्ति, तस्मिन् समये ' यत्र ' यस्यां पात्र्याम् ' अधि ' उपर्येतानपविनक्ति ॥ २२ ॥

तत्पात्रीगतस्य हविषः समन्त्रकमनुमन्त्रणं विधत्ते–**अथानुमन्त्रयते**–इति । यथा चैते तण्डुलाः ' अच्छिद्रेण ' छिद्ररहितेन पाणिना ' सुप्रतिगृहीताः ' शोभनं प्रतिगृहीता भवेयुः, तथा प्रतिगृह्णात्विति मन्त्रार्थः । फलीकरणं विधत्ते–**अथे**ति । तस्य त्रित्वं प्रशंसति–**त्रिवृद्धि यज्ञः** इति । सवनत्रयादिरूपेण त्रिरावृत्तो हि यज्ञः, अतस्तदनुसारेण फलीकरणमपि त्रिः कर्त्तव्यमित्यर्थः ॥ २३ ॥

तस्मिन् फलीकरणे शाखान्तरीयं मन्त्रविधिमनुवदति–**तद्धैके देवेभ्य** इति । तं निषधति–**तदु तथा न कुर्या**दिति । एतदुपपादयति–**आदिष्टं वा एतद्देवतायै**–इति । " अग्नये जुष्टं गृह्णामि " इत्येवमग्न्यादिदेवतायै–आदिष्टमेवैतद्धविर्भवति । अत्र तु " देवेभ्यः शुन्धध्वम् "–इत्यनेन मन्त्रेण ' एतद् ' हविः ' वैश्वदेवम् ' विश्वदेवसम्बन्धि करोति । अतो देवानामेतन्मन्त्रप्रयोगे ' समदं ' परस्परं कलहं करोति । अतो वैश्वदेवत्वापादकं मन्त्रं परित्यज्य तूष्णीमेव फलीकर्त्तव्यमिति निगमयति तस्मादु तूष्णीमेव फलीकुर्यादिति ॥ २४ ॥ ४ ॥

वेदार्थस्य प्रकाशेन तमो हार्दं निवारयन् । पुमर्थांश्चतुरो देयाद् विद्यातीर्थमहेश्वरः ॥

इति श्रीमद्राजाधिराजपरमेश्वरवैदिकमार्गप्रवर्त्तकश्रीवीरहरिहरमहाराजसाम्राज्यधुरन्धरेण सायणाचार्येण विरचिते माधवीये वेदार्थप्रकाशे माध्यन्दिनशतपथब्राह्मणभाष्ये प्रथमकाण्डे प्रथमप्रपाठके प्रथमाध्याये चतुर्थं ब्राह्मणम् । प्रथमाध्यायश्च समाप्तः ॥ १ ॥

१–" देवो व इति पात्र्यामोप्याभिमन्त्रयते "–श्रौ० सू० २. १०. ५. ॥ २–" अंगुल्यग्रेणानुमन्त्रण " मिति निगमं कात्यायनः । ३–" त्रिः फलीकरोति देवेभ्यः शुन्धध्वं देवेभ्यः शुन्धध्वमित्येके "–(श्रौ० सू० १. १०६) । ४–शाखान्तरीयोऽयं मन्त्रः । ५–" शैत्याच्छादकदोषापनयनं फलीकरणम् " इति तै. सं. १. १०५. भाष्ये सायणः । इह तु " उलूखले हविष्करणम, कण्डनं, ऋद्वापः, निष्पवनं, विवेचनं, कणनिष्कासनं " तदिति बोध्यम् ।

अथ प्रथमकाण्डे प्रथमप्रपाठके पञ्चमं ब्राह्मणं द्वितीयाध्याये च प्रथमं ब्राह्मणम् ।

स वै कपालान्येवान्यतर ऽउपदधाति । दृषदुपले ऽअन्यतरस्तद्वा ऽएतदुभयꣳसह क्रियते तद्यदेतदुभयꣳसह क्रियते ॥ १ ॥

शिरो ह वा ऽएतद्यज्ञस्य यत्पुरोडाशः । स यान्येवेमानि शीर्ष्णः कपालान्येतान्येवास्य कपालानि मस्तिष्क ऽएव पिष्टानि तद्वा ऽएतदेकमङ्गमेकꣳसह करवाव समानं करवावेति तस्माद्वा एतदुभयꣳ सह क्रियते ॥ २ ॥

स यः कपालान्युपदधाति । स ऽउपवेषमादत्ते धृष्टिरसीति स यदेनेनाग्निं धृष्णिववोपचरति तेन धृष्टिरथ यदेनेन यज्ञ ऽउपालभत ऽउपेव वा ऽएनेनैतद्वेवेष्टि तस्मादुपवेषो नाम ॥ ३ ॥

स वै कपालान्येवान्यतर उपदधाति, दृषदुपले अन्यतरः । तद्वा एतदुभयं सह क्रियते । तद्यदेतदुभयं सह क्रियते ॥ १ ॥

शिरो ह वा एतद्यज्ञस्य—यत्पुरोडाशः । स यान्येवेमानि शीर्ष्णः कपालानि—एतान्येवास्य कपालानि, मस्तिष्क एव पिष्टानि । तद्वा एतदेकमङ्गम् । एकं सह करवाव, समानं करवावेति । तस्माद्वा एतदुभयं सह क्रियते ॥ २ ॥

स यः कपालान्युपदधाति, स उपवेषमादत्ते—"धृष्टिरसि"—(१ अ० १७ मं०) इति । स

यस्य निःश्वसितं वेदा यो वेदेभ्योऽखिलं जगत् । निर्ममे, तमहं वन्दे विद्यातीर्थमहेश्वरम् ॥ १ ॥

एवं प्रथमाध्याये व्रतोपायनादिं तण्डुलकरणान्तं प्रयोगजातमुक्तम्, अथ द्वितीये कपालोपधानादिरभिधीयते । तत्र कपालोपधानपेषणयोर्युगपदनुष्ठानं विधत्ते—(का. श्रौ. सू. २ । १०८) **स वै कपालानी**ति । 'अन्यतरः' ऋत्विजां मध्ये एक आग्नीध्रः 'सः' कपालानामुपधाता । 'अन्यतरः' अध्वर्युः, 'सः' पेषणार्थं दृषदुपले उपदध्यात् । उक्तं कर्तृभेदमुपपादयति—**तद्वा एतदुभयꣳ सह क्रियते**—इति । एककर्तृकत्वे हि पर्यायेणानुष्ठानं स्यात्, एतच्चोभयं सहानुष्ठेयम्; अतो विभिन्नावेव कर्त्तारौ युगपत् कुर्य्यातामित्यर्थः । एतत्सहानुष्ठानमुपपादयितुमनुवदति— **तद्यदि**ति ॥ १ ॥

उपपादयति—**शिरो ह वा एतद् यज्ञस्य यत् पुरोडाश** इति । पुरोडाशस्य प्रतिज्ञातं यज्ञशिरस्त्वं संपादयति—**स यान्येवेमानी**ति । **मस्तिष्क एवे**ति । शिरःकपालान्तर्गतं मांसम् 'मस्तिष्कः' । **तद्वा एतदि**ति । 'तत्' एतत् कपालं मस्तिष्करूपं मिलितं सच्छिरःसंज्ञकमेकमङ्गं प्रसिद्धं लोके । तथात्रापि शिरःकपालमस्तिष्कसंस्तुयोः कपालपिष्टयोः सह प्रयोगात्पुरोडाशात्मकस्य यज्ञशिरस एकीकरणं सेत्स्यतीत्यभिप्रायः ॥ २ ॥

तत्र कपालान्युपदधतः कृत्यमाह—**स उपवेषमादत्ते धृष्टिरसी**ति । अङ्गारविभजनार्थं काष्ठमुपवेषः ।

१—'वचनविरोधाभ्यामन्यः' एष न्यायोऽप्यत्रानुसंधेयः । २—इयं श्रुतिर्मस्तिष्कश्रुतिरुच्यते । "उत्तानत्वं कपालानां मस्तिष्कश्रुतिदर्शनात् । अतः शीर्ष्णो हि मस्तिष्को न बहिरिति निश्चयः" इति यज्ञपार्श्वे कात्यायनकृतान्मस्तिष्कश्रुतिनाम्ना व्यवहारात् । ३—'उपवेश'—इति तालव्यपाठोऽपि बहुत्र । एवमुत्तरत्राप्यवसेयम् । ४—"धृष्टिरसीत्युपवेषमादाय" (श्रौ० सू० २. १०९) । ५—'पलाशशाखाया मूलदेशे छिन्नः काष्ठभाग उपवेष'—इति महीधरः । अयं च यत्र सान्नाय्यं तत्रैव । गौरोढाशिके तु हस्ताकृतिसदृशः काष्ठविशेषः । तथाऽत्र कर्कः "उपवेषोऽङ्गारापोहनसमर्थकाष्ठम् । का. श्रौ. सू. २ । १०९ ।

तेन प्राचोऽङ्गारानुदूहति। (त्यु) अपाग्ने अग्निमामादं जहि निष्क्रव्याद्ꣳ सेधेत्ययं वा ऽआमाद्येनेदं मनुष्याः पक्त्वाश्नन्त्यथ येन पुरुषं दहन्ति स क्रव्यादेतावेवैतदुभावतो ऽपहन्ति ॥ ४ ॥

(न्त्य) अथाङ्गारमास्कौति। (त्या) आ देवयजं वहेति यो देवयाट् तस्मिन्हवीꣳषि श्रपयाम तस्मिन्यज्ञं तनवामहा ऽइति तस्माद्वा ऽआस्कौति ॥ ५ ॥

तं मध्यमेन कपालेनाभ्युपदधाति। देवा ह वै यज्ञं तन्वानास्ते ऽसुररक्षसेभ्य ऽआसङ्गाद्बिभयाञ्चक्रुर्नेन्नोऽधस्तान्नाष्ट्रा रक्षाꣳस्युपोत्तिष्ठानित्य-

---

यदेनेनाग्निं धृष्णिवोपचरति, तेन धृष्टिः। अथ यदेनेन यज्ञ उपालभते, उपेव वा एनेनैतद्वेवेष्टि। तस्मादुपवेषो नाम ॥ ३ ॥

तेन प्राचोऽङ्गारानुदूहति–"अपाग्ने अग्निमामादं जहि निष्क्रव्यादꣳसेध" (१ अ० १७मं०) इति। अयं वा आमाद्–येनेदं मनुष्याः पक्त्वा अश्नन्ति। अथ येन पुरुषं दहन्ति, स क्रव्यात्। एतावेवैतदुभावतोऽपहन्ति ॥ ४ ॥

अथाङ्गारमास्कौति–"आ देवयजं वह"–(१ अ० १७ मं०) इति। यो देवयाट्, तस्मिन् हवींषि श्रपयाम; तस्मिन् यज्ञं तनवामहा–इति। तस्माद्वा आस्कौति ॥ ५ ॥

तं मध्यमेन कपलेनाभ्युपदधाति। देवा ह वै यज्ञं तन्वानास्ते असुररक्षसेभ्य आसङ्गाद् बिभ-

---

धृष्टिशब्दं निर्वक्ति–स यदेनेनेति। 'धृष्णिव'–इति क्रियाविशेषणम्। "ञिधृषा प्रागल्भ्ये" (स्वा० प. २३) इत्यस्माद् धृष्णोत्यनेनेति धृष्टिरिति करणे क्तिन्नित्यर्थः। अत एवैतदुपवेषस्य संज्ञान्तरम्। तथा चान्यत्र श्रूयते–"धृष्टिरुपवेष–"[1] इति। अथेत्यादुपवेषस्य निर्वचनम्। अथ यज्ञे 'एतेन' काष्ठेन 'यत्' अङ्गारादिकम् 'उपालभते' प्राप्नोति। 'तत्' एतत् 'एतेन' उपवेषेण 'वेवेष्टीव'। "विष्लृ व्याप्तौ" (जु. उ. १३) इत्यस्मात् करणसाधनो घञन्त उपवेषशब्दः ॥ ३ ॥

अग्निगताशुद्धांशस्य निरसनं विधत्ते–तेनेति[2]। 'प्राचः'–इति विधेयविशेषणम्। प्राग्दिग्गतानित्यर्थः। मन्त्रगतयोरामात्क्रव्याच्छब्दयोर्विवक्षितमर्थमाह–अयं वा इति। आममपक्वमत्तीति 'आमात्', मनुष्याणामोदनपाकादिहेतुरग्निः। क्रव्यं पललमत्तीति 'क्रव्यात्' (इति) शवदहनोऽग्निः[3] ॥ ४ ॥

एवमयज्ञियमग्निं मन्त्रेण निर्हृत्य[4] शुद्धादग्नेः पुरोडाशश्रपणार्थमङ्गाराहरणं विधत्ते–अथेति[5]। 'आस्कौति' विभजतीत्यर्थः। "स्कुञ् आप्रवणे" (क्र्या. उ. ६) इति धातुः। इत्थं कुर्वतामभिप्रायमाह–य इति। देवान् यजतीति 'देवयाट्' 'यः' अग्निः तस्मिन् हविःश्रपणादिकं करवामहै–इत्यनेनाभिप्रायेणेत्यर्थः ॥ ५ ॥

तस्मिन्नङ्गारे मध्यमकपालस्योपधानं विधत्ते[6]–तमिति। अङ्गारस्योपरि विहितं कपालोपधानं प्रशंसति–

१–धृष्टेरुपवेषवाचकत्वम् (श्रौ० सू० २६।२।१५।३।९।७।२८) द्रष्टव्यम्। २–"अपाग्न इत्यङ्गारान् प्राचः करोति" श्रौ० सू० २. १०९। ३–'शवदाहकोऽग्निः' इति पा०। ४–'निर्हृत्य' इति पा.। ५–"आदेवयजमित्यङ्गारानाहृत्य" श्रौ० सू० २. ११०। ६–"कपालेनावच्छादयति ध्रुवमसीति" (श्रौ० सू० २–११०–१११–११२)।

ग्निर्हि रक्षसामपहन्ता तस्मादेवमुपदधाति तद्यदेषऽ एव भवति नान्यऽएष हि यजुष्कृतो मेध्यस्तस्मान्मध्यमेन कपालेनाभ्युपदधाति ॥ ६ ॥

सऽ उपदधाति । ध्रुवमसि पृथिवीं दृꣳहेति पृथिव्याऽ एव रूपेणैतदेव दृꣳहत्येतेनैव द्विषन्तं भ्रातृव्यमवबाधते ब्रह्मवनि त्वा क्षत्रवनि सजातवन्युपदधामि भ्रातृव्यस्य वधायेति बह्वी वै यजुःष्वाशीस्तद्ब्रह्म च क्षत्रं चाशास्तऽ उभे वीर्ये सजातवनीति भूमा वै सजातास्तद्भूमानमाशास्त ऽउपदधामि भ्रातृव्यस्य वधायेति यदि नाभिचरेद्यद्युऽ अभिचरेदमुष्य वधायेति ब्रूयादभिनिहितमेव सव्यस्य पाणेरङ्गुल्या भवति ॥ ७ ॥

याश्चक्रुः, नेन्नोऽधस्तान्नाष्ट्रा रक्षांस्युपोत्तिष्ठानिति । अग्निर्हि रक्षसामपहन्ता । तस्मादेवमुपदधाति । तद्यदेष एव भवति, नान्यः । एष हि यजुष्कृतो मेध्यः । तस्मान्मध्यमेन कपालेनाभ्युपदधाति॥ ६॥

स उपदधाति–"ध्रुवमसि पृथिवीं दृꣳह"–(१ अ० १७ मं०) इति । पृथिव्या एव रूपेणैतदेव दृंहति । एतेनैव द्विषन्तं भ्रातृव्यमवबाधते–"ब्रह्मवनि त्वा क्षत्रवनि सजातवन्युपदधामि भ्रातृव्यस्य वधाय"–(१ अ० १७ मं०) इति । बह्वी वै यजुःष्वाशीः, तद् ब्रह्म च क्षत्रं चाशास्ते । उभे वीर्ये । सजातवनीति । भूमा वै सजाताः, तद् भूमानमाशास्ते । उपदधामि भ्रातृव्यस्य वधायेति–यदि नाभिचरेत् । यद्यु अभिचरेत्–अमुष्य वधायेति ब्रूयात् । अभिनिहितमेव सव्यस्य पाणेरङ्गुल्या भवति ॥ ७ ॥

देवा ह वा इति । **नेन्न** इति । 'नः' अस्माकं हविषो भागेनैव राक्षसादय उपोत्तिष्ठेयुरित्यनेनाभिप्रायेणाङ्गारस्योपरि कपालोपधानं कृतवन्त इत्यर्थः । एवं सत्युक्तभयनिवृत्तिमाह--**अग्निर्हीति** । "आ देवयजम्" इति मन्त्रेण स्थापितस्यैवाङ्गारस्योपरि कपालोपधानं प्रशंसति--**तद्यदिति** । यजुषा मन्त्रेण संस्कृतत्वादेष एव हि कपालोपधाने मुख्यो नान्य इत्यर्थः ॥ ६ ॥

विहितमुपधानमनूद्य मन्त्रं विधत्ते–**स उपदधातीति** । **पृथिवीं दृꣳहेति** । पृथिवीसंबन्धश्रवणात् तत्संबन्धिरूपेणैतदेव कपालं दृढं करोति । दृढेन चैतेन कपालेन विद्वेषणं कुर्वन्तं शत्रुमवबाधते । एतन्मन्त्रशेषमनूद्य व्याचष्टे–**ब्रह्मवनीति** । **बह्वी वा** इत्यादि । यजुष्षु यजुर्मन्त्रेषु बहुविधा खलु 'आशीः', फलप्रार्थना, अतो बहुविधं ब्रह्मक्षत्रादिसम्भजनमनेन प्रतिपाद्यत इत्यर्थः । मन्त्रगतयोर्ब्रह्मक्षत्रशब्दयोर्लक्षणया तद्वीर्यपरत्वं विवक्षितमिति व्याचष्टे–**उभे वीर्ये** इति । **भूमा वा** इति । समानं जायन्त इति 'सजाताः' ज्ञातयः । तेषु च बहुभावस्य दर्शनात् धर्मिवाचिना सजातशब्देन तद्धर्मो विवक्षित इत्यर्थः । **अभिचरतो** विशेषं वक्तुमुक्तं नित्यपक्षमनुवदति–**उपदधामि भ्रातृव्यस्येति** । तमेव विशेषं दर्शयति--**यद्यु अभिचरेदिति** । अभिचरणपक्षे 'भ्रातृव्यस्य वधाय--' इति स्थाने 'अमुष्य' वधाय--इतिश त्रोर्नाम षष्ठ्यन्तं निर्दिश्य ब्रूयादित्यर्थः । उपहितस्य कपालस्योपर्यङ्गुल्या अभिनिधानं विधत्ते--**अभिनिहितमेवेति** ॥ ७ ॥

१–" अमुष्येति द्विषन्तच्छन्देऽभिचरन् " "अन्वत्रापि" श्रौ० सू० २. १११, ११२. ।

(त्य) अथाङ्गारमास्कौति । नेदिह पुरा नाष्ट्रा रक्षाᳬंस्याविशानिति ब्राह्मणो हि रक्षसामपहन्ता तस्मादभिनिहितमेव सव्यस्य पाणेरङ्गुल्या भवति ॥ ८ ॥

(त्य) अथाङ्गारमध्यूहति (त्यु) अग्ने ब्रह्म गृभ्णीष्वेति नेदिह पुरा नाष्ट्रा रक्षाᳬंस्याविशानित्यग्निर्हि रक्षसामपहन्ता तस्मादेवमध्यूहति ॥ ९ ॥

(त्यु) अथ यत्पश्चात्तदुपदधाति । धरुणमस्यन्तरिक्षं दृᳬह इत्यन्तरिक्षस्यैव रूपेणैतदेव दृᳬहत्येतेनैव द्विषन्तं भ्रातृव्यमवबाधते ब्रह्मवनि त्वा क्षत्रवनि सजातवन्युपदधामि भ्रातृव्यस्य वधायेति ॥ १० ॥

(त्यु) अथ यत्पुरस्तात्तदुपदधाति । धर्त्रमसि दिवं दृᳬहेति दिवऽएव रूपेणैतदेव दृᳬहत्येतेनैव द्विषन्तं भ्रातृव्यमवबाधते ब्रह्मवनि त्वा क्षत्रवनि सजातवन्युपदधामि भ्रातृव्यस्य वधायेति ॥ ११ ॥

अथाङ्गारमास्कौति । नेदिह पुरा नाष्ट्रा रक्षांस्याविशानिति । ब्राह्मणो हि रक्षसामपहन्ता । तस्मादभिनिहितमेव सव्यस्य पाणेरङ्गुल्या भवति ॥ ८ ॥

अथाङ्गारमध्यूहति--"अग्ने ब्रह्म गृभ्णीष्व"--(१ अ० १८ मं०) इति । नेदिह पुरा नाष्ट्रा रक्षांस्याविशानिति । अग्निर्हि रक्षसामपहन्ता । तस्मादेवमध्यूहति ॥ ९ ॥

अथ यत्पश्चात्तदुपदधाति--"धरुणमस्यन्तरिक्षं दृंह"--(१ अ० १८ मं०) इति । अन्तरिक्षस्यैव रूपेणैतदेव दृंहति । एतेनैव द्विषन्तं भ्रातृव्यमवबाधते--"ब्रह्मवनि त्वा क्षत्रवनि सजातवन्युपदधामि भ्रातृव्यस्य वधाय"--(१ अ० १८ मं०) इति ॥ १० ॥

अथ यत्पुरस्तात्तदुपदधाति--"धर्त्रमसि दिवं दृंह"--(१ अ० १८ मं०) इति । दिव एव

दक्षिणहस्तेनान्यस्याङ्गारस्याहरणं विधत्ते--अथेति । नेदिहेत्यादि । यदि सव्यपाण्यङ्गुल्या अभिनिधानं न कुर्यात्, तदा 'इह' अस्मिन् कपाले उपर्यङ्गारनिधानात् पुरस्तादेव [राक्षसाः प्रविशेयुः; नैव तथा स्यादित्यङ्गुल्या] अभिनिहितमेव भवेदित्यर्थः । तथा सत्युक्तदोषनिवृत्तिमाह--ब्राह्मणो हीति । अग्निर्यथा दाहेन रक्षांसि हिनस्ति, एवं ब्राह्मणोऽपि मन्त्रसामर्थ्येन तेषां हिंसकः । अतोऽङ्गाराध्यूहनपर्यन्तमङ्गुल्याभिनिहितमेव भवेदित्यर्थः ॥ ८ ॥

समन्त्रकं कपालस्योपर्यङ्गाराध्यूहनं विधत्ते--अथेति । नेदिह पुरेति । 'पुरा' पुरोडाशाधिश्रयणात् प्रागित्यर्थः । अन्यत् पूर्ववत् ॥ ९ ॥

पाश्चात्यकपालस्योपधानं विधत्ते--अथेति । मध्यमकपालस्योपधानानन्तर्यमथशब्दार्थः । अन्यत् सर्वं पूर्ववद् व्याख्येयम् ॥ १० ॥

मध्यमकपालात् पूर्वदेशे स्थाप्यस्य कपालस्योपधानं विधत्ते--अथ यदिति । दिव एव रूपेणेति । दिवः संबन्धिना रूपेण 'एतत्' तृतीयं कपालं दृढीकरोतीत्यर्थः ॥ ११ ॥

१-"सव्याङ्गुल्या शून्येऽङ्गारं निदधात्यग्ने ब्रह्मेति" श्रौ० सू० २, ११३ । २-कोष्ठान्तर्गतस्यांशस्य स्थाने 'राक्षसाः प्रविशेयुः, अतः कपालस्योपर्यङ्गाराध्यूहनपर्यन्तमङ्गुल्या' इति पाठान्तरं क्वचित् । ३-श्रौ० स० २. ११३ । ४-"धरुणमिति पश्चात्" श्रौ० सू० २. ११४ । ५-"पुरस्ताद्धर्त्रमिति" श्रौ० सू० २. ११५ ।

(त्यु) अथ यद्दक्षिणतस्तदुपदधाति । विश्वाभ्यस्त्वाशाभ्यऽउपदधामीति स यदिमाँल्लोकानति चतुर्थमस्ति वा न वा तेनैवैतद्द्विषन्तं भ्रातृव्यमवबाधतेऽनद्धा वै तद्यदिमाँल्लोकानति चतुर्थमस्ति वा न वानद्धो तद्यद्विश्वाऽआशास्तस्मादाह विश्वाभ्यस्त्वाशाभ्यऽ उपदधामीति तूष्णीं वै वेतराणि कपालान्युपदधाति चितस्स्थोर्ध्वचितऽ इति वा ॥ १२ ॥

(वाथु) अथाङ्गारैरभ्यूहति । भृगूणामङ्गिरसां तपसा तप्यध्वमित्येतद्वै तेजिष्ठं तेजो यद्भृग्वङ्गिरसां सुतप्तान्यसन्निति तस्मादेवमभ्यूहति ॥ १३ ॥

रूपेणैतदेव दृंहति । एतेनैव द्विषन्तं भ्रातृव्यमवबाधते–" ब्रह्मवनि त्वा क्षत्रवनि सजातवन्युपदधामि भ्रातृव्यस्य वधाय "–(१ अ० १८ मं०) इति ॥ ११ ॥

अथ यद्दक्षिणतस्तदुपदधाति–" विश्वाभ्यस्त्वाशाभ्य उपदधामि "–(१ अ० १८ मं०) इति । स यदिमाँल्लोकानति चतुर्थमस्ति वा न वा । तेनैवैतद् द्विषन्तं भ्रातृव्यमवबाधते । अनद्धा वै तद्–यदिमाँल्लोकानति चतुर्थमस्ति वा न वा । अनद्धो तद्–यद् विश्वा आशाः । तस्मादाह–' विश्वाभ्यस्त्वाशाभ्य उपदधामि'–इति । तूष्णीं वैवेतराणि कपालान्युपदधाति । " चितस्स्थोर्ध्वचितः "–(१ अ० १८ मं०) इति वा ॥ १२ ॥

अथाङ्गारैरभ्यूहति–" भृगूणामङ्गिरसां तपसा तप्यध्वम् "–(१ अ० १८ मं०) इति । एतद्वै तेजिष्ठं तेजो यद् भृग्वङ्गिरसाम् । सुतप्तान्यसन्निति–तस्मादेवमभ्यूहति ॥ १३ ॥

दक्षिणभागस्थितस्य कपालस्योपधानं विधत्ते[1]–**अथ यदि**ति । मन्त्रस्य तात्पर्यमाह–**स यदि**त्यादिना । पूर्वं हि त्रिभिरुपहितैः कपालैः पृथिव्यादिलोकत्रयसंकाशाच्छत्रोर्बाधः प्रतिपादितः; इदानीं तु ' इमान् ' त्रीँल्लोकान् ' अति ' अतिक्रम्य यत् ' चतुर्थम् ' स्थानम्, तदस्ति वा न वेति संदिग्धमेव; लोकत्रयवत् प्रसिद्ध्यभावात् । अतो मन्त्रे लोकवाचिशब्दविशेषं परित्यज्य " विश्वाभ्यस्त्वाशाभ्य "–इति सर्वशब्दपर्यायस्य विश्वशब्दस्य प्रयोगात् संदिह्यमानात् सर्वस्मादेव स्थानात् ' द्विषन्तम् ' शत्रुं ' सः ' यजमानः ' तेन ' चतुर्थकपालोपधानेन बाधत इत्यर्थः । " विश्वाभ्यः " इति मन्त्रस्य लोकत्रयातिरिक्तपरत्वमुपपादयति–**अनद्धा वा** इत्यादि । लोकत्रयातिवर्तिनश्चतुर्थस्य सद्भावोऽसद्भावश्च ' अनद्धा वै ' अस्माकमप्रत्यक्ष एव; यद् ' विश्वा आशाः ' सर्वा दिशः, तदप्यनद्धा ' अनद्धैव ' अप्रत्यक्षमेव, लोकत्रयवत् प्रसिद्ध्यभावात् । अतोऽप्रत्यक्षदिग्वाचिना ' विश्वाभ्य आशाभ्य ' इति पदद्वयेन लोकत्रयव्यतिरिक्तं सकलमेवाप्रत्यक्षं विवक्षितमित्यर्थः । एवं कपालचतुष्टयस्य मन्त्रेणोपधानं प्रतिपाद्यावशिष्टकपालोपधाने पक्षद्वयमाह[2]–**तूष्णीं वैवे**ति ॥ १२ ॥

उपहितेषु कपालेष्वङ्गाराध्यूहनं विधत्ते[3]–**अथे**ति । मन्त्रे भृगूणामङ्गिरसामिति तपसो यद् विशेषणं तद् व्याचष्टे–**एतद्वा** इति । यद् ' भृग्वङ्गिरसाम् ' महर्षीणां तपोविशेषजनितं तेजः, ' एतत् ' खल्वग्न्यादितेजो-

---

१–" विश्वाभ्य इति दक्षिणतः " श्रौ० सू० २. ११६ । २–" समं विभज्य द्वे दक्षिणतः एवमुत्तरतश्चितस्स्थेति " तूष्णीं । वा " श्रौ० सू० २-११७, ११८ । तदग्रे च " एवमेकादशाग्नीषोमीयस्य " " अधिकं दक्षिणतः " श्रौ० सू० २, ११९, १२० । स्मार्तं चैतत्कर्मेति तद्भाष्यम् । ३–" भृगूणामित्यङ्गारैरभ्यूहति "–श्रौ० सू० २. १२१ ।

(त्र) अथ यो दृषदुपले उपदधाति । स कृष्णाजिनमादत्ते शर्म्मासीति तदवधूनोत्यवधूतꣳ रक्षोऽवधूताऽ अरातय इति सोऽसावेव बन्धुस्तत्प्रतीचीनग्रीवमुपस्तृणात्यदित्यास्त्वगसि प्रति त्वादितिर्वेत्त्विति सोऽसावेव बन्धुः ॥ १४ ॥

(द) अथ दृषदमुपदधाति । धिषणासि पर्वती प्रति त्वादित्यास्त्वग्वेत्त्विति धिषणा हि पर्वती हि प्रति त्वादित्यास्त्वग्वेत्त्विति तत्संज्ञामेवैतत्कृष्णाजिनाय च वदति नेदन्योऽन्यꣳ हिनसातऽ इतीयमेवैषा पृथिवी रूपेण ॥ १५ ॥

अथ यो दृषदुपले उपदधाति—स कृष्णाजिनमादत्ते—"शर्म्मासि"—(१ अ० १९ मं०) इति । तदवधूनोति—"अवधूतꣳ रक्षोऽवधूता अरातयः"—(१ अ० १९ मं०) इति । सोऽसावेव बन्धुः । तत् प्रतीचीनग्रीवमुपस्तृणाति—"अदित्यास्त्वगसि प्रति त्वादितिर्वेत्तु"—(१ अ० १९ मं०) इति । सोऽसावेव बन्धुः ॥ १४ ॥

अथ दृषदमुपदधाति—"धिषणासि पर्वती प्रति त्वादित्यास्त्वग् वेत्तु"—(१ अ० १९ मं०) इति । धिषणा हि, पर्वती हि, प्रति त्वादित्यास्त्वग् वेत्त्विति । तत्संज्ञामेवैतत् कृष्णाजिनाय च वदति—नेदन्योन्यं हिनसात इति । इयमेवैषा पृथिवी रूपेण ॥ १५ ॥

न्तरात् 'तेजिष्ठम्' तेजस्वितमम्, अतिशयेन दीप्तम् । तेजस्विशब्दादिष्ठनि "विन्मतोर्लुक्" (पा० सू० ५. ३. ६५) इति लुक् । एवं वदतो मन्त्रस्याभिप्रायमाह—सुतप्तानीति । एतान्युपहितानि कपालानि भृग्वङ्गिरसां तपसा सुष्ठु—अतिशयेन तप्तानि भवेयुरित्यनेनाभिप्रायेणेत्यर्थः । 'असन्'—इत्यस्तेः (पा. सू. ३ । ४ । ७) पञ्चमलकारे रूपम् ॥ १३ ॥

एवं सहानुष्ठेययोः कपालोपधानमभिधाय पेषणं विधातुमारभते—अथेति । अवहननवत् पेषणेऽस्यापि कृष्णाजिनस्योपरिकर्तव्यतामभिप्रेत्य तदादानं विधत्ते—स कृष्णाजिनमिति । सोऽसावेवेति । अवहननप्रकरणे कृष्णाजिनावधूननविधिशेषो यः प्रागाम्नातः—"तन्नाष्ट्रा एवैतद्रक्षांस्यतोऽपहन्तीति—" स एवात्राप्यनुषज्य योजनीय इत्यतिदेशः । तस्य कृष्णाजिनस्य स्तरणं विधत्ते—तदिति । "इयं वै पृथिव्यदितिः—" इत्यादिना यत् प्रागाम्नातमेतन्मन्त्रव्याख्यानम्, तदत्रातिदिशति—सोऽसावेवेति ॥ १४ ॥

तस्य कृष्णाजिनस्योपरि दृषदः समन्त्रकमुपधानं विधत्ते—अथेति । धिषणा हीत्यादि । पेषधारणात् 'धिषणा' पर्वतावयवत्वात् 'पर्वती'—इत्येतदुभयं प्रसिद्धमिति 'हि'—शब्दयोरर्थः इयमेवेति । पार्थिवेन धारणाख्येन रूपेण योगात् 'एषा' दृषदियमेव पृथिवीस्तुतिः ॥ १५ ॥

१–इहैव ब्राह्मणे पूर्वं–१ । ४ । ४ । द्रष्टव्यम् । २–"कृष्णाजिनमादत्ते पूर्ववत्प्रतिकृष्णाजिनम्"–श्रौ० सू० ३–१ । ४ । ५ ॥ ४–"तस्मिन् दृषदं धिषणासीति"–श्रौ० सू० २. १२४. ।

(ण) अथ शम्यामुदीचीनाग्रामुपदधाति । दिवस्कम्भनीरसीत्यन्तरिक्षमेव रूपेणान्तरिक्षेण हीमे द्यावापृथिवी विष्टब्धे तस्मादाह दिवस्कम्भनीरसीति ॥ १६ ॥

(त्य) अथोपलामुपदधाति । धिषणासि पार्वतेयी प्रति त्वा पर्वती वेत्त्विति कनीयसी ह्येषा दुहितेव भवति तस्मादाह पार्वतेयीति प्रति त्वा पर्वती वेत्त्विति प्रति हि स्वः सञ्जानीते तत्संज्ञामेवैतद्दृषदुपलाभ्यां वदति नेदन्योऽन्यꣳ हिनसातऽ इति द्यौरेवैषा रूपेण हनूऽ एव दृषदुपले जिह्वैव शम्या तस्माच्छम्यया समाहन्ति जिह्वया हि वदति ॥ १७ ॥

अथ शम्यामुदीचीनाग्रामुपदधाति—" **दिवस्कम्भनीरसि** "—(१ अ० १९ मं०) इति । अन्तरिक्षमेव रूपेण । अन्तरिक्षेण हीमे द्यावापृथिवी विष्टब्धे । तस्मादाह—दिवस्कम्भनीरसीति॥ १६॥

अथोपलामुपदधाति—"**धिषणासि पार्वतेयी प्रति त्वा पर्वती वेत्तु** "—(१ अ० १९ मं०) इति । कनीयसी ह्येषा दुहितेव भवति । तस्मादाह पार्वतेयीति । प्रति त्वा पर्वती वेत्त्विति । प्रति हि स्वः संजानीते । तत् संज्ञामेवैतद्दृषदुपलाभ्यां वदति नेदन्योन्यं हिनसात इति । द्यौरेवैषा रूपेण । हनू एव दृषदुपले । जिह्वैव शम्या । तस्माच्छम्यया समाहन्ति । जिह्वया हि वदति ॥ १७ ॥

अथ दृषदः पश्चाद्भागे शम्याया उपधानं विधत्ते—**अथ शम्यामिति** । 'उदीचीनम्' उदगवस्थितमग्रे यस्याः सा तथोक्ता । कात्यायनोऽप्याह स्म—"पश्चाच्छम्यामुपोहत्युदीचीं दिव इति "(श्रौ० सू० २. १२९.) इति । शम्याया द्युलोकस्तम्भनहेतुत्वं वक्तुमन्तरिक्षरूपतामाह—**अन्तरिक्षमेवेति** । द्यावापृथिव्यात्मना संस्तुतयोर्दृषदुपलयोर्मध्येऽवस्थानलक्षणेन रूपेण 'अन्तरिक्षमेव' अन्तरिक्षलोकात्मिकैव 'शम्या' इमे च द्यावापृथिव्यावन्तरिक्षेण हि यस्माद् 'विष्टब्धे' विविधमधस्तादुपरिष्टाच्च धारिते, अतोऽन्तरिक्षात्मिका शम्यापि दिवस्कम्भनीरसीति स्तूयते ॥ १६ ॥

दृषद उपर्युपलायाः स्थापनं समन्त्रकं विधत्ते—**अथेति** । 'पार्वतेयी' शब्दं व्याचष्टे—**कनीयसीत्यादिना** । यस्मादेषोपलाऽतिशयेन दृषदः सकाशादल्पपरिमाणा, अतः 'एषा' दृषदः 'दुहितेव भवति' दुहिता हि लोके मातुरल्पीयसी भवति । तस्मादेषा पर्वत्याः पुत्री 'पार्वतेयी'—इति "स्त्रीभ्यो ढक्"(पा० सू० ४. १. १२०.) इति ढक् । 'प्रति त्वा पर्वती वेत्तु'—इति मन्त्रशेषेण परस्परहिंसापरिहारार्थं दृषदुपलयोर्मैत्रीकरणमर्थ इति व्याचष्टे—**प्रति हीति** । उपर्यवस्थानलक्षणेन रूपेण 'एषा' उपला 'द्यौरेव' द्युलोकात्मिकैवेत्यर्थः । तदेको

१-यद्यप्यत्र सायणाचार्यैः श्रुत्यनुरोधेन शम्याया दृषदुपलयोर्मध्येऽवस्थानं प्रत्यपादि । तथापि " पश्चाच्छम्यामुपोहत्युदीचीं दिव इति " सूत्रकारप्रस्थानात् दृषदोऽधस्तात्पश्चाद्भागे शम्याया उपधानं कर्तव्यम् । प्राक्प्रवणतासम्पत्तये । तथा चात्र कर्कः- " उपरिस्थाद्वाक्यशेषात् । हनू एव दृषदुपले जिह्वैव शम्येति जिह्वासंस्तुतिरन्तरालवृत्तिसामान्येन । नवा विरोधात् । विरुध्यते ह्युपरि शम्ययोपहितया पेषणम् । किंचान्यदधस्तादुपहिता दृषदः प्राक्प्रवणतामुपजनयतीति निश्चलीकरोत्यतो दृष्टार्थत्वादधस्तादुपधानम् । लिङ्गाच्च " सय जघनेन शम्याम्पिष्यमाणानामवशीयन्ते पिष्टानि वा तण्डुला वेति । अधस्तादुपहिताया एतद्भवति नोपरि । जिह्वासंस्तुतिरुपधानक्रमापेक्षया । " इति " पेषणार्थत्वादुपलाया दृषद्येवोपधानम्प्राप्नोति । अभिहितन्यायसंसूचनार्थं दृषद्ग्रहणम् " इति का० श्रौ० सू० भा० २, १२५-१२६ । इति । २-" दृषदुपलां धिषणासीति " श्रौ० सू० २. १२६. ।

(त्यु) अथ हविरधिवपति । धान्यमसि धिनुहि देवानिति धान्यꣳ हि देवान्धिनवदित्यु हि हविर्गृह्यते ॥ १८ ॥

(तेऽथ) अथ पिनष्टि । प्राणाय त्वोदानाय त्वा व्यानाय त्वा दीर्घामनुप्रसितिमायुषे धामिति प्रोहति देवो वः सविता हिरण्यपाणिः प्रतिगृभ्णात्वच्छिद्रेण पाणिना चक्षुषे त्वेति ॥ १९ ॥ (शतम् १००)

तद्यदेवं पिनष्टि । जीवं वै देवानाꣳ हविरमृतममृतानामथैतदुलूखलमुसलाभ्यां दृषदुपलाभ्याꣳ हविर्यज्ञं घ्नन्ति ॥ २० ॥

अथ हविरधिवपति–"धान्यमसि धिनुहि देवान्"–(१ अ० २० मं०) इति । धान्यं हि देवान् धिनवदित्यु हि हविर्गृह्यते ॥ १८ ॥

अथ पिनष्टि–"प्राणाय त्वोदानाय त्वा व्यानाय त्वा दीर्घामनुप्रसितिमायुषे धाम्"–(१ अ० २० मं०) । इति । प्रोहति–"देवो वः सविता हिरण्यपाणिः प्रतिगृभ्णात्वच्छिद्रेण पाणिना चक्षुषे त्वा"–(१ अ० २० मं०) इति ॥ १९ ॥

तद्यदेवं पिनष्टि । जीवं वै देवानां हविरमृतममृतानाम् । अथैतदुलूखलमुसलाभ्यां दृषदुपलाभ्यां हविर्यज्ञं घ्नन्ति ॥ २० ॥

दृषदुपले समाहन्तीति प्राग् यत्तयोः समाहननं विहितम्, तत्र शम्यायाः साधनत्वं प्रसङ्गादुपपादयति–हनू एवेति । दृषदुपलयोरुभयत्रावस्थानाद्धनूत्वम् । तन्मध्येऽवस्थानाच्छम्याया जिह्वात्वम् । यस्माच्च जिह्वया लोको वदति तस्माज्जिह्वास्थानीयया शम्ययैव समाहननं कुर्यादित्यर्थः ॥ १७ ॥

अथ पेषणार्थं दृषद उपरि समन्त्रकं तण्डुलप्रक्षेपं विधत्ते–अथ हविरिति । मन्त्रगतधान्यशब्दस्याभिप्रायमाह–देवान् धिनवदिति । "धिवि प्रीणनार्थः" (भ्वा. प. ५९४) इति धातुः । यष्टव्यानग्न्यादिदेवान् 'धिनवत्' प्रीणयेदित्यनेनैवाभिप्रायेण हि हविर्गृह्यते, अतो धिनोति प्रीणयतीति 'धान्यम्' । यत एवमतो देवान् धिनुहीति मन्त्रार्थः ॥ १८ ॥

समन्त्रकं पेषणं विधत्ते–अथेति । 'पिनष्टि' संचूर्णयति । "पिष्लृ संचूर्णने" (रु. प. १५) इति धातुः । प्रकर्षेण–अनिति चेष्टत इति नासिकाभ्यां बहिर्निर्गच्छन्–श्वासरूपो वायुः 'प्राणः' । 'उत्' ऊर्द्ध्वादधोदेशं प्रत्यनिति चेष्टत इति 'उदानः' नासिकाभ्यां देहे पुनः प्रविशन् वायुः । अन्नपानादिरसं विविधं सर्वासु नाडीष्वनिति प्रेरयतीति 'व्यानः'; ऊर्द्ध्वाधोवृत्तिविलक्षणो मध्यवृत्तिर्वायुः । एतन्मन्त्रार्थ उत्तरमन्त्रसापेक्ष इति तदुभयं समुच्चित्य व्याख्यातुमुत्तरमन्त्रं विनियुङ्क्ते–प्रोहति देवो व इति । अनेन मन्त्रेण कृष्णाजिने प्रक्षिपतीत्यर्थः । यत्तु प्रकारान्तरेण कात्यायनेन सूत्रप्रणयनम् तद् ब्राह्मणान्तरमूलम् । स ह्येवं सूत्रयाम्बभूव–"पिनष्टि प्राणाय त्वेति प्रतिमन्त्रम्", "दीर्घामिति कृष्णाजिने प्रोहति", "चक्षुषे त्वेतीक्षते" (श्रौ. सू. २. १२७–१२८–१२९)–इति ॥ १९ ॥

प्राणायेति मन्त्रस्याभिप्रायमाविष्कर्तुमुक्तं पेषणमनुवदति–तद्यदिति । 'अमृताना मरणरहितानां देवानां

१–अत्र हि कण्डिकानां शतसंख्या पूर्णा भवतीति तस्यैवायं संकेतः, एवमुत्तरत्रापि ज्ञेयम् । २–इहैव ब्राह्मणे पूर्वं १।४।१३। ३–"धान्यमसीति तण्डुलानोप्य" इति श्रौ० सू० २ । १२७ । ४–'ऊर्ध्वाधोवृत्ति'–इति पा० । ५–'कात्यायनसूत्रप्रमाणं तत् शाखान्तरमूलम्' इति पा० । ६–एतद्ब्राह्मणनये तु आयुषेधामित्यन्तः पेषणमन्त्रः । देवोव इत्यादिरेव प्रोहणमन्त्र इति विशेषः । वस्तुतस्त्वत्र श्रुतौ "प्राणायत्वोदानाय त्वा व्यानायत्वा" इत्येतावन्तमेव मन्त्रम्मत्वा पेषणे विनियुक्तः–

स यदाह । प्राणाय त्वोदानाय त्वेति तत्प्राणोदानौ दधाति व्यानाय त्वेति तद्व्यानं दधाति दीर्घामनुप्रसितिमायुषे धामिति तदायुर्दधाति देवो वः सविता हिरण्यपाणिः प्रतिगृभ्णात्वच्छिद्रेण पाणिना सुप्रतिगृहीतान्यसन्निति चक्षुषे त्वेति तच्चक्षुर्दधात्येतानि वै जीवतो भवन्त्येवमु हैतज्जीवमेव देवानाᳫं हविर्भवत्यमृतममृतानां तस्मादेवं पिनष्टि पि ᳫं षन्ति पिष्टान्यभीन्धते कपालानि ॥ २१ ॥

(न्य) अथैकऽ आज्यं निर्वपति । यद्वा ऽआदिष्टं देवतायै हविर्गृह्यते यावद्देवत्यं तद्भवति तदितरेण यजुषा गृह्णाति न वाऽ एतत्कस्यैचन देवतायै

स यदाह—प्राणाय त्वोदानाय त्वेति, तत्प्राणोदानौ दधाति । व्यानाय त्वेति, तद् व्यानं दधाति । दीर्घामनुप्रसितिमायुषेधामिति, तदायुर्दधाति । देवो वः सविता हिरण्यपाणिः प्रतिगृभ्णात्वच्छिद्रेण पाणिना, सुप्रतिगृहीतान्यसन्निति । चक्षुषे त्वेति, तच्चक्षुर्दधाति । एतानि वै जीवतो भवन्ति । एवमु हैतज्जीवमेव देवानां हविर्भवत्यमृतममृतानाम् । तस्मादेवं पिनष्टि । पिंषन्ति पिष्टानि, अभीन्धते कपालानि ॥ २१ ॥

अथैक आज्यं निर्वपति । यद्वा आदिष्टं देवतायै हविर्गृह्यते—यावद्देवत्यं तद् भवति । तदितरेण यजुषा गृह्णाति । न वा एतत्कस्यैचन देवतायै हविर्गृह्णन्नादिशति—यदाज्यम् । तस्मादनिरुक्तेन

हविः ' जीवम् ' प्राणधारणं युक्तमेव सत् ' अमृतम् ' मरणसाधनं न भवति । अथैवं सत्येतद्यज्ञसाधनं हविरवहननपेषणाभ्यामृत्विजो मारयन्ति । तथा सति निर्जीवत्वात् तस्यामृतत्वसाधनत्वं न युक्तमिति भावः ॥ २० ॥

मन्त्रप्रयोगेणास्य परिहारं दर्शयति—स यदाहेति । पेषणसमये प्राणाय त्वेत्यादिमन्त्रं प्रयुञ्जानः प्राणादीनेव पुनरस्मिन् हविषि स्थापयतीत्यर्थः । गतमन्यत् । एतानि वै जीवत इत्यादि । ' एतानि ' प्राणोदानधारणादीनि ' जीवतः ' पुरुषस्य लिङ्गानि । ' एवम् ' अनेन मन्त्रप्रयोगेण प्राणोदानादिस्थापने सति हविरपि सजीवमेवेति युक्तं तस्यामृतत्वसाधनमित्यभिप्रायः । पिंषन्तीति । एवं समन्त्रकमध्वर्युणा पेषणे कृते सति यजमानपरिचारिका अवशिष्टं सर्वं चूर्णीकुर्युः । तथोपहितानि च कपालानि ' अभीन्धते ' अङ्गारैः प्रदीप्तानि कुर्युरित्यर्थः ॥ २१ ॥

पेषणसमय एवाज्यस्य निर्वापं विधत्ते—अथैक इति । यदा चाध्वर्युः पिनष्टि, ' अथ ' तस्मिन्नेव समये ' एकः ' अन्य आग्नीध्रादिराज्यं निर्वपति । अत एव सूत्रकृता पेषणाज्यनिर्वापयोः समसमयवर्तित्वं सूत्रितम्,—

—"दीर्घामनुप्रसितिमायुषेधाम्" "देवोवः सविता० पाणिना चक्षुषेत्वा" इत्येतन्मन्त्रद्वयं च प्रोहणे विनियुक्तम् । कात्यायनाचार्यैस्तु,—"ॐ प्राणायत्वा पिनष्मि ॐ उदानायत्वा पिनष्मि ॐ व्यानायत्वा पिनष्मि ॐ दीर्घामनु० पाणिना ॐ चक्षुषेत्वा" "ईक्षे" इत्यध्याहारः । इत्येव मंत्रपंचकं मत्वा विनियुक्तः । तदेतत्सर्वम्ब्राह्मणान्तरमूलम् । तच्च वाजसनेयप्रभेदनाशाखीयशतपथब्राह्मणेष्वन्यतमं विज्ञेयम् । इति ।

१-प्राणादीनेवेत्यस्य स्थाने ' मन्त्रप्रयोगेण तस्य निर्जीवत्वं परिहरन् प्राणादीनेव '—इति पा० । २-" दासी पिनष्टि, पत्नी वा, अपि वा पत्न्यवहन्ति, शूद्रा पिनष्टि "—इति (आ० श्रौ० सू० १. २१. ८. ९.) । ३-' आग्नीध्रादिरित्यर्थः ' इति पा० । तथा " यदत्रान्यशब्देन आग्नीध्रो विवक्षितः" तन्न कर्काशयेन सह विरुध्यते । तथाच तद्भाष्यम्—"अत्रान्यशब्देन कश्चिद्यजमानोऽभिधातुमिष्यते । अध्वर्य्वग्नीधौ हि पेषणोपधानयोर्व्यापृतौ । इति । तथा च सूत्रकारप्रस्थानं "निरुप्याज्यं वेदोऽसीति यजमानो वेदं करोति"—

हविर्गृह्णन्नादिशति यदाज्यं तस्मादनिरुक्तेन यजुषा गृह्णाति महीनां पयोऽसीति मह्य इति ह वा ऽएतासामेकं नाम यद्गवां तासां वा ऽएतत्पयो भवति तस्मादाह महीनां पयोऽसीत्येवमु हास्यैतत्खलु यजुषैव गृहीतं भवति तस्माद्वेवाह महीनां पयोऽसीति ॥ २२ ॥ ५ ॥

इति प्रथमप्रपाठके पञ्चमं ब्राह्मणम् ॥ २–१ ॥

यजुषा गृह्णाति–"महीनां पयोऽसि"–(१ अ० २० मं०) इति । मह्य इति ह वा एतासामेकं नाम–यद् गवाम् । तासां वा एतत् पयो भवति । तस्मादाह–महीनां पयोऽसीति । एवमु हास्यैतत् खलु यजुषैव गृहीतं भवति । तस्माद्वेवाह–महीनां पयोऽसीति ॥ २२ ॥

"पिष्यमाणेषु निर्वपत्यन्यो महीनामित्याज्यम्" (श्रौ. सू. २. १३०.)–इति । तच्चाज्यं प्रसिद्धदेवतावाच्यग्न्यादिशब्दरहितेन मन्त्रेण ग्रहीतव्यमिति विधित्सुराह–यद्वा इति । 'यत्' खलु हविः "अग्नये जुष्टं गृह्णामी"त्येवं देवतायै निर्दिष्टं भवति, 'तद्' ग्रहणसाधनं यजुश्च यावद्देवत्यं भवति, तावद्देवत्यमेव 'तत्' हविर्भवति । आज्यं च सर्वदेवतासाधारणमिति देवतादेशनरहितेनैव यजुषा गृह्णीयादित्यर्थः । तथा चाज्यस्य सर्वदेवतासाधारण्यं, सेत्स्यतीत्याह–न वा इति । एवमनिरुक्तयजुषा ग्रहणमुपपाद्य तद् विधत्ते–तस्मादिति । देवतानाम निःशेषेणोक्तं यस्मिन् तत् निरुक्तम्, तद्विलक्षणमनिरुक्तम् । तादृशं च "महीनामित्यादि यजुः", तत्र प्रसिद्धदेवतावाचिपदस्यानुपलम्भात् ॥

अथैतन्मन्त्रं व्याचष्टे–मह्य इति । "मह पूजायाम्" (भ्वा. प. ७३१)–मह्यन्ते पूज्यते इति 'मह्यः' एतच्च 'एतासां' गवाम् 'एकं' साधारणं नाम । आज्यस्य पयःकार्यत्वात् 'पयोऽसीति' विकारे प्रकृतिशब्द इत्यर्थः । ग्रहीतव्याज्यप्रकाशकत्वात् 'असि'–मन्त्रः प्रयोक्तव्य इत्याह–एवमु हेति । 'एवम्' अनेनैव मन्त्रेणाज्ये निरुक्ते सति तस्य तत्प्रकाशनसमर्थत्वात् । यजुषैव 'तत्' आज्यं गृहीतं भवतीत्यर्थः ॥ २२ ॥ ५ (२. १) ॥

इति श्रीसायणाचार्यविरचिते माधवीये वेदार्थप्रकाशे माध्यन्दिनशतपथभाष्ये
द्वितीयाध्याये प्रथमं ब्राह्मणम् ॥

–इति । परकारणं यत्किंनिदिह कर्तव्यं तत्सर्वमृत्विग्भिः, परिक्रीतत्वादृत्विजाम् । अतोऽन्यशब्देन ब्रह्माऽभिधीयते । अन्य इत्यध्वर्युसन्निकर्षादित्विगेव ग्रहीतुं स्यादध्वो न यजमानः । सूत्रकारप्रस्थानाच्च । वचनविरोधाभ्यामन्य इति । यत्पुनरुक्तं–"निरुप्याज्यं वेदोऽसीति यजमानो वेदं करोतीति" तत्रापि न समानकर्तृकतार्थः क्त्वाप्रत्ययादेशः । नह्यत्राज्यनिर्वापविधानमन्यत्र विहितत्वात् । तेनानिर्ज्ञातकालस्य वेदकरणस्य कालं लक्षयितुं क्त्वाप्रत्ययविकारो ल्यप्प्रयुक्तः । यथाऽन्यत्र निरुप्याज्यं प्रातर्दोहमन्यास्मिन्निति । तस्माद्ब्रह्मैवाज्यं निर्वपेत् । निर्वापश्च पात्रान्तरे प्रक्षेपणम् । इति । का० श्रौ० सू० २ । १३० ।

अथ प्रथमकाण्डे प्रथमप्रपाठके षष्ठं ब्राह्मणं द्वितीयाध्याये च द्वितीयं ब्राह्मणम् ।

पवित्रवति संवपति । पात्र्यां पवित्रेऽअवधाय देवस्य त्वा सवितुः प्रसवेऽश्विनोर्बाहुभ्यां पूष्णो हस्ताभ्याᳫँ संवपामीति सोऽसावेवैतस्य यजुषो बन्धुः ॥ १ ॥

(३) अथान्तर्वेद्युपविशति । (त्य) अथैकऽउपसर्जनीभिरैतिताऽआनयति ताः पवित्राभ्यां प्रतिगृह्णाति समापऽओषधीभिरिति सᳫं ह्येतदाप ओषधिभिरेताभिः पिष्टाभिः सङ्गच्छन्ते समोषधयो रसेनेति सᳫं ह्येतदोषधयो रसेनैताः पिष्टाऽअद्भिः सङ्गच्छन्त ऽआपो ह्येतासाᳫं रसः सᳫँ रेवतीर्जगतीभिः पृच्यन्तामिति रेवत्यऽआपो जगत्यऽओषधयस्ता उ ह्येतदुभय्यः सम्पृच्यन्ते सम्मधुमतीर्म्मधुमतीभिः पृच्यन्तामिति सᳫँ रसवत्यो रसवतीभिः पृच्यन्तामित्येवैतदाह ॥ २ ॥

पवित्रवति संवपति, पात्र्यां पवित्रेऽअवधाय–" **देवस्य त्वा सवितुः प्रसवेऽश्विनोर्बाहुभ्यां पूष्णो हस्ताभ्याᳫं संवपामि** "–(१ अ० २१ मं०) इति। सोऽसावेवैतस्य यजुषो बन्धुः॥ १॥

अथान्तर्वेद्युपविशति । अथैक उपसर्जनीभिरैति । ता आनयति ताः पवित्राभ्यां प्रतिगृह्णाति–" **समाप ओषधीभिः** "–(१ अ० २१ मं०) इति । सं ह्येतदाप ओषधिभिरेताभिः पिष्टाभिः सङ्गच्छन्ते । " **समोषधयो रसेन** "–(१ अ० २१ मं०) इति । सं ह्येतदोषधयो रसेनैताः पिष्टा अद्भिः सङ्गच्छन्ते । आपो ह्येतासां रसः । " **सᳫं रेवतीर्जगतीभिः पृच्यन्ताम्** "–(१ अ० २१ मं०) इति । रेवत्य आपः, जगत्य ओषधयः; ता उ ह्येतदुभय्यः सम्पृच्यन्ते ।

अथ पिष्टानां पिण्डकरणार्थं पात्र्यां संवापं विधत्ते–**पवित्रवती**ति । सामान्योपक्रमान्नपुंसकनिर्देशः । पवित्रयुक्ते पात्रे–इत्यर्थः । तदेव विवृणोति–**पात्र्यां पवित्रेऽअवधाये**ति । **सोऽसावेवैतस्ये**ति । सविता वै देवानां प्रसवितेत्यादिना ग्रहगप्रकरणे प्रागाम्नात एव वाक्यशेषोऽस्यापि यजुषः शेषत्वेन योजनीय इत्यर्थः ॥ १ ॥

अथान्तर्वेदीति । यद्याहवनीये हविःश्रपणं गार्हपत्ये वा, उभयथापि वेदिमध्ये–उपविशेदित्यर्थः । कात्यायनस्तु ब्राह्मणान्तराभिप्रायेण विकल्पमाह–" श्रपणस्य पश्चादुपविशेत्यन्तर्वेदि वा " (श्रौ. सू. २. १३२.) इति । **अथैक** इति । ' एकः ' अन्य आग्नीध्रादिः । उपसृजत्याभिरिति व्युत्पत्त्या पिष्टसंसर्जनार्था आपः ' उपसर्जन्यः ' ताभिः सहागच्छेदित्यर्थः । अथ तासां तूष्णीमासेचनं विधत्ते–**ता आनयती**ति। **ताः पवित्रा**-

---

१–' मावापम् '–इति पा. । २–" पात्र्यां सपवित्रायां पिष्टान्यावपति देवस्य त्वेति " श्रौ० सू० २. १३१. । ३–इहैव ब्राह्मणे पूर्व १ । २ । १७ । इत्यत्र द्रष्टव्यम् । ४–सौकर्यादेवोपवेशनमिति तत्र याज्ञिकदेवः । ५–" उपसर्जनीरानयत्यन्यः " का. श्रौ. सू. २ । ५ । १२ ।

(ह्य) अथ संयौति । जनयत्यै त्वा संयौमीति यथा श्रियेऽन्नाद्यायेमाः प्रजा यजमानाय यच्छेदेवं वै तत्संयौत्यधिवक्ष्यन्नु वै संयौति यथा वाऽधिवृक्तोऽग्नेरधिजायेतैवं वैतत्संयौति ॥ ३ ॥

(त्य) अथ द्वेधा करोति । यदि द्वे हविषी भवतः पौर्णमास्यां वै द्वे हविषी

"सं मधुमतीर्म्मधुमतीभिः पृच्यन्ताम्"–(१ अ० २१ मं०) इति । सं रसवत्यो रसवतीभिः पृच्यन्तामित्येवैतदाह ॥ २ ॥

अथ संयौति–" जनयत्यै त्वा संयौमि "–(१ अ० २२ मं०) इति । यथा–श्रियेऽन्नाद्यायेमाः प्रजा यजमानाय यच्छेत्–एवं वै तत् संयौति । अधिवक्ष्यन्नु वै संयौति । यथा वा अधिवृक्तोऽग्नेरधिजायेत, एवं वै तत् संयौति ॥ ३ ॥

अथ द्वेधा करोति–यदि द्वे हविषी भवतः। पौर्णमास्यां वै द्वे हविषी भवतः । स यत्र पुनर्न संहरि-

भ्यामित्यादि । आनीयमानाः ' ताः ' " समाप " इति मन्त्रेण पिष्टानामुपरि पवित्राभ्यां प्रतिगृह्णीयादित्यर्थः । मन्त्रतात्पर्यमाह–सं ह्येतदिति । ' एतत् ' एतर्हि, एता आनीयमानाः ' आपः ' पिष्टरूपेणावस्थिताभिः ' ओषधिभिः ' सङ्गच्छन्ते । अतो मन्त्रगतौषधिशब्देन तद्विकाराः पिष्टा विवक्षिताः । समित्युपसर्गश्रवणाद् योग्यक्रियाध्याहार इत्यर्थः । एवमपामोषधिभिः सङ्गतिं प्रतिपाद्य, व्यतिहारेणोषधीनामद्भिः सङ्गतिः प्रतिपाद्यत इति व्याचष्टे–समोषधय इति । पूर्ववदत्राप्योषधिशब्दः पिष्टपरः, रसशब्देन चापो विवक्षिता इत्याह–एताः पिष्टा अद्भिरिति । आपो हीति । उपष्टम्भकाप्यावयवयुक्ताः खल्वोषधय आर्द्रा रसवत्यो भवन्ति, अतस्तासामुदकमेव रस इत्यर्थः । मन्त्रगतरेवतीशब्दस्यार्थमाह–रेवत्य आप इति । रयिर्धनमासामस्तीति रेवत्य आपः । धनमूलत्वं च तासां नदीतटाकादिष्ववस्थितानां प्रसिद्धम् । अतो मन्त्रे रेवतीशब्देनापो विवक्षिताः । " रयेर्मतौ बहुलम् " (पा. सू. ६ । १ । ३४ वा. ४४७२) इति सम्प्रसारणे " उगितश्च " (पा. सू. ४ १. ४६.) इति ङीप् । गम्यन्ते, सर्वैः प्राणिभिः प्राप्यन्त इति व्युत्पत्त्या जगतीशब्दोऽप्योषधिवाचक इति व्याचष्टे–जगत्य इति । सम्मधुमतीरित्यादि । अत्र मधुशब्देन माधुर्यरसो विवक्षित इत्याह–स᳚ꣳरसवत्य इति ॥ २ ॥

आसिक्तजलेन पिष्टानां समन्त्रकं मिश्रीकरणं विधत्ते–अथेति । ' संयौति ' सम्यङ् मिश्रीकरोतीति । " युं मिश्रणे " (अ. प. २३) इति धातुः । मन्त्रतात्पर्यकथनेनैतत् संयवनं प्रशंसति–यथेति । यथा खलु ' इमाः प्रजा यजमानाय ' षष्ठ्यर्थे चतुर्थी । (पा. सू. २ । ३ । ६१ । वा. १५०९) यजमानस्य श्रियै सम्पदर्थमन्नाद्यर्थं च नियच्छेद्, एवमेतदनुकूलमेव तत्पिष्टसंयवनमित्यर्थः । मन्त्रगत–' जनयत्यै ' शब्दस्य जननायेति ह्यर्थः । तमुपजीव्य प्रशंसति–अधिवक्ष्यन्निति । अधिवर्जनं पुरोडाशस्याग्नावधिश्रयणं करिष्यन् खलु संयौति । यथा खल्वधिश्रितः पुरोडाशोऽग्नेः सकाशात् जायेत, एवं तदनुगुणमेव तत् संयवनं ' जनयत्यै ' इति जननलिङ्गवतो मन्त्रस्य प्रयोगादित्यर्थः ॥ ३ ॥

अथ द्वेधेत्यादिविभागविधिः । कुत्र तर्हि हविर्द्वयमिति तद्दर्शयति–पौर्णमास्यामिति । ' पौर्णमासी '–

१–" पवित्राभ्यां प्रतिगृह्णाति समाप इति " श्रौ० सू० २. १३४ । २–ह्रस्वान्तोऽप्योषधिशब्दो दीर्घप्रतिशब्दत्वेनेहाश्रितः । ३–" संयौति जनयत्यै त्वेति "–श्रौ० सू० २. १३५ । ४–' युमिश्रणामिश्रणयोरिति धा. पा. ' ।

भवतः स यत्र पुनर्न सꣳहरिष्यन्त्स्यात्तदभिमृशतीदमग्नेरिदमग्नीषोमयो-रिति नाना वा ऽएतदग्रे हविर्गृह्णन्ति तत्सहावघ्नन्ति तत्सह पिꣳषन्ति तत्पु-नर्नाना करोति तस्मादेवमभिमृशत्यधिवृणक्त्येवैष पुरोडाशमधिश्रयत्य-सावाज्यम् ॥ ४ ॥

(न्त) तद्वा ऽएतत् । (दु) उभयꣳसह क्रियते तद्यदेतदुभयꣳसह क्रियते ऽर्द्धो ह वा ऽएष ऽआत्मनो यज्ञस्य यदाज्यमर्द्धो यदिह हविर्भवति स यथासावर्द्धो य उ चायमर्द्धस्ता ऽउभावग्निं गमयावेति तस्माद्वा ऽएत-दुभयꣳसह क्रियत ऽएवमु हैष आत्मा यज्ञस्य सन्धीयते ॥ ५ ॥

ष्यन्त्स्यात् । तदभिमृशति–" इदमग्नेरिदमग्नीषोमयोः "–(१ अ० २२ मं०) इति । नाना वा एतदग्रे हविर्गृह्णन्ति । तत् सहावघ्नन्ति । तत् सह पिंषन्ति । तत् पुनर्नाना करोति । तस्मादेवमभि-मृशति–अधिवृणक्त्येवैष पुरोडाशम्, अधिश्रयत्यसावाज्यम् ॥ ४ ॥

तद्वा एतदुभयं सह क्रियते । तद्यदेतदुभयं सह क्रियते । अर्द्धो ह वा एष आत्मनो यज्ञस्य यदा-

---

शब्देन कालवाचिना तत्कालानुष्ठेयं कर्म विवक्षितम् । तत्र ह्याग्नेयोऽष्टाकपालः, अग्नीषोमीय एकादशकपाल इति 'द्वे हविषी' विहिते इत्यर्थः । एवं द्वेधा विभज्य, विभक्तयोस्तयोर्मन्त्राभिमर्शनं विधत्ते–स यत्रेति । 'सः' खल्वध्वर्युः 'यत्र' यस्मिन् काले 'तत्' हविर्द्वयं 'पुनर्न संहरिष्यन्त्स्यात्' संहरणमेकीकरणम्, तत् करिष्यन् न भवेत्, 'तत्' तदानीम् "इदमग्नेः"–इत्येकं भागमभिमृशति, "इदमग्नीषोमयोः"–इत्य-परम् । तावेतौ यथासङ्कल्पमाग्नेयाग्नीषोमीयपुरोडाशावित्यर्थः । कथं पुनरनयोर्द्वित्वम्, कुत्र वा तयोः संहरणम्, यद्व्यावृत्तये "न संहरिष्यन्"–इति विशेष्यत इति, तत् सर्वं दर्शयति–नाना वा इत्यादिना । अग्नेर्निर्वाप-समये "अग्नये जुष्टं गृह्णामि" "अग्नीषोमाभ्यां जुष्टं गृह्णामि"–इति पृथक् पृथग् देवतादेशनाद् ग्रहणस्य नानात्वम् । अवहननादिसंस्कारे सहैवानुष्ठिते सति तद्धविरस्मिन् समये पुनरनेन मन्त्रेण यथास्वं विभजतीत्यर्थः ।

पुरोडाशकपालस्याज्याधिश्रयणस्य च समानकालतां विवक्षुः कर्तृभेदमाह–अधिवृणक्तीति । 'एषः' अध्वर्युः पुरोडाशम् 'अधिवृणक्ति' अग्नेरुपर्यधिश्रयति । अथैक आज्यं निर्वपति–इति प्रागन्यशब्दपर्यायेणै-कशब्देन य आग्नीध्र आज्यनिर्वापे कर्तृतया प्रतिपादितः, सोऽत्र 'असौ'–इत्यदःशब्देन विप्रकृष्टवाचिना परामृश्यते । पुरोडाशाधिश्रयणसमये 'असौ' आग्नीध्रः 'आज्यम्' अधिश्रयेदित्यर्थः ॥ ४ ॥

तदेतदुभयोः सहानुष्ठानमुपपादयति–अर्द्धो ह वा एष इत्यादिना । आज्यं यज्ञशरीरस्यार्द्धभागः,

---

१–"समं विभज्यासंहारिष्यन्नालभत इदमग्नेरिदमग्नीषोमयोरिति"–(श्रौ० सू० २. १३६) । २–"यथादेवतमन्यत्"–(श्रौ० सू० २. १३७) । ३–इहैव ब्राह्मणे पूर्वं २ । १ । २२ । ४–अत्रापि अन्यशब्देन पूर्ववदग्नीध्र प्राप्तो न स्वामीति । तथा चात्र कर्कः–"अन्यश्चात्र ब्रह्माभिधीयते । पुरोडाशयोरध्वर्युर्व्यापृतौ व्यापृतौ । ऋत्विक्कर्तृत्वं च कर्मणः परिक्रयाम्नानादित्युक्तम् । यजमानं च पारिभाषितमेव । प्रधानं २ स्वामी फलयोगात् । इत्येवमादि । विरोधाच्च प्राप्त एव ब्रह्मणि यदन्यग्रहणं करोति तद-विरोधेऽप्युपसदादौ ब्रह्मैव यथा स्यादित्येवमर्थमिति संप्रदायः । अपरे त्वन्य इति न्याय्यसूक्ष्ममाहुः । विरोधादेव अन्यप्राप्तेः । एवं ह्याह । तद्वा एतदुभय २ सह क्रियत इति प्रकृत्यार्धो ह वा एष आत्मनो यज्ञस्य यदाज्यमर्द्धो यदि हविर्भवति । स यथासावर्द्धो य उ चायमर्द्धस्ता उभावग्निं गमयावेति । एवं चाविरोधेऽध्वर्युरेवाधिश्रयणं स्यात्" का० श्रौ. सू. २ । १३९ इत्यत्र भाष्ये ।

सोऽसावाज्यमधिश्रयति । (ती) इषे त्वेति वृष्ट्यै तदाह यदाहेषे त्वेति तत्पुनरुद्वासयत्यूर्जे त्वेति यो वृष्टादूर्ग्रसो जायते तस्मै तदाह ॥ ६ ॥

(ह्यु) अथ पुरोडाशमधिवृणक्ति घर्म्मोऽसीति यज्ञमेवैतत्करोति यथा घर्म्मं प्रवृञ्ज्यादेवं प्रवृणक्ति विश्वायुरिति तदायुर्दधाति ॥ ७ ॥

तं प्रथयति । (त्यु) उरुप्रथाऽउरु प्रथस्वेति प्रथयत्येवैनमेतदुरु ते यज्ञपतिः प्रथतामिति यजमानो वै यज्ञपतिस्तद्यजमानायैवैतदाशिषमाशास्ते ॥ ८ ॥

ज्यम् । अर्द्धो यदिह हविर्भवति । स यश्चासावर्द्धो य उ चायमर्द्धः, ता उभावग्निं गमयावेति । तस्माद्वा एतदुभयं सह क्रियते । एवमु हैष आत्मा यज्ञस्य सन्धीयते ॥ ५ ॥

सोऽसावाज्यमधिश्रयति--" इषे त्वा "-(१ अ० २२ मं०) इति । वृष्ट्यै तदाह--यदाह ' इषे त्वेति ' । तत्--पुनरुद्वासयति । ' ऊर्जे त्वेति ' । यो वृष्टादूर्गू रसो जायते तस्मै तदाह ॥ ६ ॥

अथ पुरोडाशमधिवृणक्ति--" घर्म्मोऽसि "-(१ अ० २२ मं०) इति । यज्ञमेवैतत् करोति । यथा घर्म्मं प्रवृञ्ज्यात्--एवं प्रणवृक्ति । "विश्वायुः"-(१ अ० २२ मं०) इति । तदायुर्दधाति ॥७॥

तं प्रथयति-" उरुप्रथा उरुप्रथस्व "-(१ अ० २२ मं०) इति । प्रथयत्येवैनमेतत् । " उरु ते यज्ञपतिः प्रथताम् "-(१ अ० २२ मं०) इति । यजमानो वै यज्ञपतिः । तद्यजमानायैवैतदाशिषमाशास्ते ॥ ८ ॥

उपस्तरणाभिघारयोः प्रयाजादीनां च तत्साध्यत्वात् । इतरोऽर्द्धः पुरोडाशादिहविः । सहाधिश्रयणेन तदर्द्धद्वयमेकीकृत्याग्निं प्रापयावेत्यध्वर्योराग्नीध्रस्य चाभिप्रायः । **एवमु ह** इति । आज्यहविषोरुभयोः सहाधिश्रयणे सत्यर्द्धद्वयस्यैकीकरणाद् यज्ञशरीरं सन्धीयते इत्यर्थः ॥ ५ ॥

विहितमाज्याधिश्रयणमनूद्य मन्त्रं विवृत्ते-**सोऽसाव**िति । इष्यत इति ' इट् ' इति व्युत्पत्त्या-इट्-शब्देन वृष्टिर्विवक्षितेति व्याचष्टे-**वृष्ट्या** इति । **वृष्टादूर्ग्रस** इति । तस्मात् ' वृष्टात् ' उदकाज्जायमानो यो बलकरोऽन्नरसो जायते, स ' ऊर्क् '-शब्देन विवक्षितः ॥ ६ ॥

अधिवृणक्तीति । अग्नावुपरि ' वृणक्ति ' वर्जयति, श्रपणार्थं स्थापयतीत्यर्थः । **यज्ञमेवैता**दिति । घर्म्मोऽसीति घर्म्मतादात्म्यस्तवनात्, घर्मस्य च सोमयागाङ्गत्वात् तदात्मकमेवैतत्करोति । घर्मस्य यत् प्रवृञ्जनं सोमे, तत्सदृशमेवैतत् पुरोडाशस्य प्रवृञ्जनमित्यर्थः ॥ ७ ॥

तं प्रथयतीति । उपहितेषु कपालेषु विस्तारयतीत्यर्थः । प्रथयत्येवैनमेतदिति विहितस्य प्रशंसा । 'प्रथयति' पृथु विस्तीर्णं प्रभूतं करोतीत्यर्थः ॥ ८ ॥

१-" आद्यन्तयोराज्यम् " (श्रौ० सू० १. २३०) । २-" इषे त्वेत्याज्यमधिश्रयत्यन्यः " (श्रौ० सू० २. १३८) । ३-गार्हपत्ये । रजोदोषप्रसवप्रवासादिनाऽसन्निहितपत्नीकस्य मृतपत्नीकस्य चाहवनीयेऽधिश्रयणमाह कात्यायनः-" अपत्नीकस्याहवनीये तच्छ्रापिणः " (श्रौ० सू० २. १३९) । ४-" घर्मोऽसीति पुरोडाशौ युगपत् "-(श्रौ० सू० २. १४०) । ५-" उरुप्रथा इति प्रथयति । यावत्कपालमनतिपृथुम् " (श्रौ० सू० २. १४१) ।

तं नु सत्रा पृथुं कुर्यात् । (न्मा) मानुषꣳ ह कुर्याद्युत्पृथुं कुर्याद्व्यृद्धं वै तुद्यज्ञस्य युन्मानुषं नेद्व्यृद्धं युज्ञे करवाणीति तुस्मान्न सत्रा पृथुं कुर्यात्॥९॥
(द) अश्वशफमात्रं कुर्यादित्यु हैक ऽआहुः । कस्तुद्वेद युावानश्वशफो युावन्तमेवु स्वयं मुनसा नु सत्रा पृथुं मुन्येतैवुं कुर्यात् ॥ १० ॥
(त्तु) तुमद्भिरभिमृशति । सकृद्वा त्रिर्वा तद्युदेवास्युात्रावघ्नन्तो वा पिꣳषुन्तो वा क्षण्वुन्ति वा वि वा व्वृहन्ति शान्तिरापस्तुदद्भिः शान्त्या शमयति तुदद्भिः सुन्दधाति तुस्मादद्भिरभिमृशति॥ ११ ॥
सोऽभिमृशति । (त्य) अग्निष्टे त्वचं मा हिꣳसीदित्यग्निना वा ऽएनमेतदभितप्स्युन्भवत्येषु ते त्वचं मा हिꣳसीदित्युैवैतदाह ॥ १२ ॥

तं न सत्रा पृथुं कुर्यात् । मानुषं ह कुर्यात्—यत् पृथुं कुर्यात् । व्यृद्धं वै तद् यज्ञस्य—यन्मानुषम् । नेद् व्यृद्धं यज्ञे करवाणीति, तस्मान्न सत्रा पृथुं कुर्यात् ॥ ९ ॥

अश्वशफमात्रं कुर्यादित्यु हैक आहुः । कस्तद्वेद यावानश्वशफः । यावन्तमेव स्वयं मनसा न सत्रा पृथुं मन्येत, एवं कुर्यात् ॥ १० ॥

तमद्भिरभिमृशति—सकृद्वा त्रिर्वा । तद्यदेवास्यात्रावघ्नन्तो वा पिंषन्तो वा क्षण्वन्ति वा वि वा वृहन्ति, शान्तिरापः; तदद्भिः शान्त्या शमयति । तदद्भिः सन्दधाति । तस्मादद्भिरभिमृशति ॥ ११ ॥

सोऽभिमृशति—"अग्निष्टे त्वचं मा हिꣳसीत"—(१ अ० २२ मं०) इति । अग्निना वा एनमेतदभितप्स्यन् भवति । एष ते त्वचं मा हिंसीदित्येवैतदाह ॥ १२ ॥

पुरोडाशस्य स्वाभिमतपरिमाणं विधित्सुः परिमाणान्तरं निषेधति—**तन्नेति**। सत्रेति निपातोऽनेकार्थत्वादत्रातिशयार्थः । 'सत्रा पृथुम्' अतिपृथुं न कुर्यात् । विपक्षे बाधमाह—**मानुषं हेति**। अस्तु मानुषत्वं को दोष इत्यत आह—**व्यृद्धं वा** इति । 'व्यृद्धम्' विगतर्द्धिकमित्यर्थः ॥ ९ ॥

पक्षान्तरमुपन्यस्यति—**अश्वशफेति**। अयमपि पक्षो दुर्ज्ञातत्वान्न साधुरित्याह—**कस्तादिति**[1] । स्वाभिमतं पुरोडाशपरिमाणमाह—**यावन्तमिति**। यत्परिमाणविशिष्टमेव पुरोडाशं स्वयं मनसैवातिपृथुं न मन्येत, किन्तु दैवतसौविष्टकृतेडाद्यवदानपर्याप्तमेव मन्येत, तत्परिमाणविशिष्टं कुर्यादित्यर्थः[2] ॥ १० ॥

पुरोडाशस्याद्भिरभिमशनं विधत्ते—**तमिति**। 'क्षण्वन्ति' हिंसन्ति । "क्षणु हिंसायाम्" (त० प० ३)—इति धातुः । 'विवृहन्ति' विश्लेषयन्ति । "वृहू उद्यमने" (तु० प० ६७) इति धातुः । **शान्तिराप इति**[3] । दाहतृष्णादिशमनहेतुत्वेनापां शान्तिरूपता ॥ ११ ॥

सोऽभिमृशतीत्यादिविहिताभिमर्शनानुवादेन मन्त्रविधिः । मन्त्रेणाहिंसाप्रार्थनं युक्तमिति व्याचष्टे—**अग्निना वा इति**। **अभितप्स्यन्निति**। आभितः सर्वतस्तपनं करिष्यन्नित्यर्थः ॥ १२ ॥

१–'दुर्ज्ञेयत्वात्' इति प्रतिभाति । २–" षडङ्गुलवृत्ता कपालचितिर्यथा सम्पद्यते, तथा कपालपरिमाणमात्रवर्णीयम्" श्रौ० सू० २. १४१ वृत्तौ याज्ञिकदेवः । ३–" अग्निष्ट इत्यद्भिरभिमृशति सकृत् त्रिर्वा"–(श्रौ० सू० २. १४२)।

तं पुर्य्यग्निं करोति । (त्यु) अुच्छिद्रमेवैनमेतुदग्निना पुरिगृह्णाति नेदेनं नाष्ट्रा रक्षाᳩसि प्रमृशानित्यग्निर्हि रक्षसामपहन्ता तुस्मात्पुर्य्यग्निं करोति ॥ १३ ॥

तुᳩ श्रपयति । देवुस्त्वा सविता श्रपयत्विति न वा ऽएतुस्य मनुष्यः श्रपयिता देवो ह्येष तुदेनं देवुऽएवु सविता श्रपयति वुर्षिष्ठेऽधिनाक इति देवुत्रोऽ एतुदाह यदाह वर्षिष्ठेऽधिनाक ऽइति तुमभिमृशति श्रृतं वेदानीति तुस्माद्वा ऽअभिमृशति ॥ १४ ॥

सोऽभिमृशति मा भेर्मा संविक्था इति मा त्वं भैषीर्मा संविक्था यत्त्वाहमुमानुषᳩ सन्तं मानुषोऽभिमृशामीत्येवैतुदाह ॥ १५ ॥

तं पर्यग्निं करोति । अच्छिद्रमेवनैमेतदग्निना परिगृह्णाति—नेदेनं नाष्ट्रा रक्षांसि प्रमृशानिति । अग्निर्हि रक्षसामपहन्ता—तस्मात् पर्यग्निं करोति ॥ १३ ॥

तं श्रपयति—"देवस्त्वा सविता श्रपयतु"—(१ अ० २२ मं०) इति । न वा एतस्य मनुष्यः श्रपयिता । देवो ह्येषः, तदेनं देव एव सविता श्रपयति । "वर्षिष्ठेऽधिनाके"—(१ अ० २२ मं०) इति । देवत्रो एतदाह यदाह—वर्षिष्ठेऽधिनाक इति । तमभिमृशति—श्रृतं वेदानीति । तस्माद्वा अभिमृशति ॥ १४ ॥

सोऽभिमृशति—"मा भेर्मा संविक्थाः"—(१ अ० २३ मं०) इति । मा त्वं भैषीर्मा संविक्थाः—यत्त्वाहममानुषं सन्तं मानुषोऽभिमृशामीत्येवैतदाह ॥ १५ ॥

पर्यग्निकरणं विधत्ते—तमिति । परितोऽग्निर्यस्य सः 'पर्यग्निः' परितोऽग्निमन्तं पुरोडाशं करोतीत्यर्थः । तस्य प्रयोजनमाह—अच्छिद्रमिति । राक्षसादिसंस्पर्शाभावार्थं प्राकारवन्नीरन्ध्रमग्निना वेष्टनं कृतवान् भवतीत्यर्थः ॥ १३ ॥

समन्त्रकं श्रपणं विधत्ते—तमिति । वर्षिष्ठेऽधिनाक इति । मन्त्रपाठे 'देवत्रो' देवान् प्रत्येवैतदाह । 'वर्षिष्ठे' वृद्धतमे 'नाके' स्वर्गे 'देवः' सविता श्रपयत्विति हि मन्त्रार्थः । तथा च तल्लोकवासिनो देवान् प्रत्येवैतद्वचनम् । "देवमनुष्यपुरुषपुरुमर्त्येभ्यः" (पा. सू. ५. ४. ५६.)—इति द्वितीयार्थे 'त्रा'—प्रत्ययः । श्रपणानन्तरं तस्याभिमर्शनं विधत्ते—तमिति । अभिमृशतोऽभिप्रायमाह—श्रृतमिति । 'श्रृतम्' पक्वं जानामीत्यर्थः । "श्रा पाके"—(अ. प. ४३) इत्यस्मान्निष्ठायाम् "श्रृतं पाके" (पा. सू. ६. १. २७.) इति निपातितम् । 'वेदानि'—इति "विद ज्ञाने" (अ. प. ५४) इत्यस्माल्लोटयुत्तमैकवचनम् ॥ १४ ॥

विहितमभिमर्शनमनूद्य मन्त्रं विधत्ते—सोऽभीति । मन्त्रगतम् 'भेः' इत्येतत्पदं व्याचष्टे—मा त्वं भैषीरिति । 'मा संविक्थाः'—इति मा च कम्पिष्ठा इत्यर्थः । भयकम्पयोः कारणमाह—यत्त्वेति ॥ १५ ॥

१–पर्यग्निकरणमन्त्रस्तु "अन्तरितं रक्षोऽन्तरिता अरातयः"—इति (तै० सं० १. १. ८. १.) । तथा च कात्यायनः "पर्यग्निकरोत्यन्तरितं रक्षोऽन्तरिता अरातय इति सहाज्यम्"—(श्रौ० सू० २. १४३) । अयं च मंत्रः सूत्रकृता वाजसनेयपंचदशशाखास्वन्यतरशाखीय उपसंहृतः इति । २–"देवस्त्वेति श्रपणम्"—(श्रौ० सू० २. १४४) । ३–'देवत्रा–उ' इति छेदः । एवाबोंऽत्र वकारदः । ४–"मा भेरित्यालभते"—(श्रौ० सू० २. १४५) ।

यद्वा शृतोऽथाभिवासयति । नेदेनमुपरिष्टान्नाष्ट्रा रक्षाᳬंस्यवपश्यानिति नेद्धेव नग्नऽइव मुषितऽइव शयाता ऽइत्यु चैव तस्माद्वा ऽअभिवासयति ॥ १६ ॥

सोऽभिवासयति । (त्य) अतमेरुर्यज्ञोऽतमेरुर्यजमानस्य प्रजा भूयादितिनेदेतदनु यज्ञो वा यजमानो वा ताम्याद्यदिदमभिवासयामीति तस्मादेवमभिवासयति ॥ १७ ॥

(त्य) अथ पात्रीनिर्णेजनम् । (म) अङ्गुलिप्रणेजनमाप्त्येभ्यो निनयति तद्यदाप्त्येभ्यो निनयति ॥ १८ ॥

इति प्रथमप्रपाठके षष्ठं संलग्नब्राह्मणम् ६ (कण्डिकाः १२१)
(२.२.) ॥ समाप्तश्च प्रथमः प्रपाठकः ॥ १ ॥

यदा शृतः, अथाभिवासयति—नेदेनमुपरिष्टान्नाष्ट्रा रक्षांस्यवपश्यानिति । नेद्धेव नग्न इव मुषित इव शयाता इत्यु चैव, तस्माद्वा अभिवासयति ॥ १६ ॥

सोऽभिवासयति—"अतमेरुर्यज्ञोऽतमेरुर्यजमानस्य प्रजा भूयात्"—(१ अ० २३ मं०) इति । नेदेतदनु यज्ञो वा यजमानो वा ताम्याद्—यदिदमभिवासयामीति । तस्मादेवमभिवासयति ॥ १७ ॥

अथ पात्रीनिर्णेजनमङ्गुलिप्रणेजनमाप्त्येभ्यो निनयति । तद्यदाप्त्येभ्यो निनयति ॥ १८ ॥

यदा शृत इति । 'यदा' यस्मिन् काले स पुरोडाशः शृतः पक्वो भवति, 'अथ' अनन्तरमेव तस्योपरि 'अभिवासयति' साङ्गारेण भस्मनाच्छादयतीत्यर्थः । तस्य प्रयोजनमाह—**नेदि**ति । प्रयोजनान्तरं सदृष्टान्तमाह—**नेद्धेवे**ति । नग्नः स्वभावतो विवसनः । मुषितः चौरादिभिरपहृतवसनः । तावुभौ यथा निरावरणौ 'शयाते' तद्वत् पुरोडाशोऽप्यभिवासनाभावे निरावरणः शयीत । नैव तथा शयीतेत्यनेनैवाभिप्रायेणाभिवासनं कर्त्तव्यमित्यर्थः ॥ १६ ॥

सोऽभिवासयतीत्यादिर्मन्त्रविधिः । 'अतमेरुः' अतमनशीलः । इज्यतेऽनेनेति 'यज्ञः' पुरोडाशः, स ग्लानिरहितोऽभूत् । अतो यजमानस्य पुत्रादिरपि तथा भूयादिति मन्त्रार्थः । इममर्थं प्रतिपादयति—**नेदेत**दिति । यदिदमभिवासनम्, 'एतदनु' एतस्यानन्तरमित्यर्थः । **तस्मा**दिति । अतमेरुरिति—मन्त्रप्रयोगेणाभिवासनकृततमनाभावादित्यर्थः ॥ १७ ॥

पात्र्यङ्गुलिप्रक्षालनोदकस्य निनयनं विधत्ते—**अथे**ति । निर्णिज्यते शोध्यतेऽनेनेति 'निर्णेजनम्' अङ्गुलिप्रक्षालनम्, पात्रीनिर्णेजनं चोदकम् । अद्भ्यो जातत्वात् 'आप्त्याः' त्रितादयस्तेभ्यो निनयेदित्यर्थः । विहितं निनयनं स्तोतुमनुवदति—**तद्या**दिति ॥ १८ ॥ ६ । (२. २)

इति श्रीसायणाचार्यविरचिते माधवीये वेदार्थप्रकाशे माध्यन्दिनशतपथभाष्ये प्रथमकाण्डे
द्वितीयाध्याये द्वितीयं ब्राह्मणम्, प्रपाठकश्च प्रथमः समाप्तः ।

१–'साङ्गारेण भस्मना' इति का. श्रौ. सू. २ । ५ । २५ । याज्ञिकदेवः । २–"अतमेरुरिति शृतावभिवासयति भस्मना वेदेनोपवेषेण वा"–(श्रौ० सू० २. १४६.) ३–"पात्र्यङ्गुलिप्रक्षालनमाप्त्येभ्यो निनयत्यभितप्य प्रत्यगसंस्यन्दमानं त्रितायत्वेति प्रतिमन्त्रम्"–(श्रौ० सू० २. १४७.) । ४–त्रितादयस्त्वेते–त्रितः, द्वितः, एकतः इति । "अस्यां ध्रुवायां मध्यमायां प्रतिष्ठायां दिशि साध्याश्चाप्त्याश्च देवाः" इति (ऐ० ब्रा० ८. ३. ३.) । ५–इतोऽग्रे–"व्रतावरणमारभ्य पात्रीनिर्णेजनान्ततः । कर्मोक्तं प्राक् प्रपाठके ऽन्यत्तु द्वितीयेऽभिधीयते ॥ श्लोक एष क्वचित् पुस्तक एवोपलभ्यते ॥

अथ द्वितीयप्रपाठके प्रथमं ब्राह्मणं द्वितीयाध्याये च तृतीयं ब्राह्मणम् ।

चतुर्द्धा विहितो ह वा ऽअग्रेऽग्निरास । स यमग्रेऽग्निꣳहोत्राय प्रावृणत स प्राधन्वद्यं द्वितीयं प्रावृणत स प्रैवाधन्वद्यं तृतीयं प्रावृणत स प्रैवाधन्वदथ योऽयमेतर्ह्यग्निः स भीषा निलिल्ये सोऽपः प्रविवेश तं देवा ऽअनुविद्य सहसैवाद्भ्यऽआनिन्युः सोऽपोऽभितिष्ठेवावष्ठ्यूता स्थ या ऽअप्रपदनꣳस्थ याभ्यो वो मामकामं नयन्तीति ततऽ आप्त्याः सम्बभूवुस्त्रितो द्वित एकतः ॥ १ ॥

चतुर्धा विहितो ह वा अग्रेऽग्निरास । स यमग्रेऽग्निं होत्राय प्रावृणत—स प्राधन्वत् । यं द्वितीयं प्रावृणत—स प्रैवाधन्वत् । यं तृतीयं प्रावृणत—स प्रैवाधन्वत् । अथ योऽयमेतर्ह्यग्निः—स भीषा निलिल्ये । सोऽपः प्रविवेश । तं देवा अनुविद्य सहसैवाद्भ्य आनिन्युः । सोऽपोऽभि तिष्ठेव—

निर्णेजननिनयनस्याप्त्यभागत्वमुपपादयितुं तावत्तेषामुत्पत्तिमाह—**चतुर्द्धा** इत्यादिना । पुरा[1] खल्वग्निः शरीरचतुष्टयधारणेन चतुर्विधो बभूव । तत्र 'यम्' अग्निं 'सः' अध्वर्युः 'होत्राय' होतृकर्म्मणे 'प्रावृणत' प्रवृतवान् । व्यत्ययेन बहुवचनम्; (पा. सू. ३।१।८९। इहास्ति चेयं कारिका—"सुप्तिङुपग्रहलिङ्गनराणां, कालहलच्स्वरकर्तृयङां च । व्यत्ययमिच्छति शास्त्रकृदेषां सोऽपि च सिध्यति बाहुलकेन" इति।) यद्वा सुपां सुपो भवन्तीति तच्छब्दाज्जसः स्थाने सुः, (पा. सू. ७।१।३९) ते देवा इत्यर्थः । 'सः' अग्निः 'प्राधन्वत्' प्रागच्छत्, अम्रियतेत्यर्थः । "धवि गमने" (भ्वा० प० ५९७)—इति धातुः । **अथ योऽयमि**त्यादि । एवं त्रिष्वप्यग्निषु प्रगतेषु 'अथ' अनन्तरभावी 'योऽयम्' इदानीन्तनश्चतुर्थोऽग्निः 'सः' अयम्[2] 'भीषा' पूर्वाग्निवन्मरणभयेन 'निलिल्ये' निलीनोऽन्तर्हितो बभूव । स निलीय चापः प्रविवेश । 'तम्' अप्सु प्रविष्टं देवाः 'अनुविद्य' ज्ञात्वा, 'सहसैव' बलात् 'अद्भ्यः' सकाशात् 'आनिन्युः' आजह्रुः । 'सः' च बलादानीयमानोऽग्निरपः 'अभि'—लक्ष्य 'तिष्ठेव' ष्ठीवनं कृतवान् । "ष्ठिवु निरसने" (भ्वा० प० ५६१)—इत्यस्माल्लिट् । केनाभिप्रायेण ष्ठीवनमिति तं दर्शयति—हे आपः ! 'याः' यूयं भीतस्य मम 'अप्रपदनं स्थ' अनाश्रयभूताः[3] स्थ, 'याभ्यः' च 'वः' पञ्चम्यर्थे चतुर्थी, (पा. सू. ३।१।८९) युष्मत्सकाशात् 'अकामम्' इच्छारहितं मां बलान्नयन्ति, ता यूयम् 'अवष्ठ्यूताः स्थ' ष्ठीवनेन दूषिता भव-

---

१—पूर्वप्रपाठकान्ते "आप्त्येभ्यो निनयति"—(१।१।६।१८) इत्युक्तत्वादाप्त्यो..पत्तिमाह—"**चतुर्द्धेति**"—इति पुस्तकान्तरेष्ववतरणम् । २—अस्मादारभ्य—'योऽयमित्यादि' इत्येतदन्तस्य ग्रन्थस्य स्थाने—'ह'—"वै"—इति निपातो वेदप्रसिद्ध्यर्थे । अग्नेरेकस्मात्सकाशात्—अग्निश्चतुर्द्धा 'विहितः' कृतः 'आस' बभूव—इत्ययमर्थो वेदप्रसिद्धः । 'सः' प्रजापतिः 'अग्रे' सृष्ट्यारम्भे पूर्वकल्पे वा 'यम्' अग्निं 'होत्राय' होतृकर्मणे 'प्रावृणत' प्रकर्षेण वृतवान्, स 'प्राधन्वत्' मृतोऽभवत् । यं द्वितीयं प्रावृणत, स एव सोऽपि प्राधन्वत् । यं तृतीयं—'सोऽपि मृतोऽभवत्"—इति पुस्तकान्तरेषूपलभ्यते । ३—'अनाशयभूताः' इति पाठान्तरम् ।

(स्त) तऽइन्द्रेण सह चेरुः । (य॒) यथेदं ब्राह्मणो राजानमनुचरति स यत्र त्रिशीर्षाणं त्वाष्ट्रं विश्वरूपं जघान तस्य हैतेऽपि वध्यस्य विदाञ्चक्रुः शश्वद्धैनं त्रितऽएव जघानात्यह तदिन्द्रोऽमुच्यत देवो हि सः ॥ २ ॥

(स तऽ) तऽउ हैत ऽऊचुः । (रु) उपैवेम ऽएनो गच्छन्तु येऽस्य वध्यस्यावेदिषुरिति किमिति यज्ञऽएवैषु मृष्टामिति तदेष्वेतद्यज्ञो मृष्टे यदेभ्यः पात्रीनिर्णेजनमङ्गुलिप्रणेजनं निनयन्ति ॥ ३ ॥

अवष्ठ्यूता स्थ—या अप्रपदनं स्थ, याभ्यो वो मामकामं नयन्तीति । तत आप्त्याः सम्बभूवुः—त्रितो, द्वित, एकतः ॥ १ ॥

त इन्द्रेण सह चेरुः यथेदं ब्राह्मणो राजानमनुचरति । स यत्र त्रिशीर्षाणं त्वाष्ट्रं विश्वरूपं जघान—तस्य हैतेऽपि वध्यस्य विदाञ्चक्रुः । शश्वद्धैनं त्रित एव जघान । अत्यह तदिन्द्रोऽमुच्यत । देवो हि सः ॥ २ ॥

त उ हैत ऊचुः—उपैवेम एनो गच्छन्तु येऽस्य वध्यस्यावेदिषुरिति । किमिति । यज्ञ एवैषु मृष्टामिति। तदेष्वेतद्यज्ञो मृष्टे—यदेभ्यः पात्रीनिर्णेजनमङ्गुलिप्रणेजनं निनयन्ति ॥ ३ ॥

तेति । यथा लोके परैः प्रार्थितं कार्य्यं कर्तुमक्षमः ष्ठीवनेन निन्द्यते, तद्वदपां निन्दा विवक्षिता । **तत** इत्यादि । ‘ ततः ’ निष्ठीवनलक्षणवीर्यधारणात् ताभ्योऽद्भ्यः सकाशात् त्रितादिसंज्ञका आप्त्या उत्पन्नाः । अद्भ्यो जातत्वाच्च तेषाम् ‘ आप्त्य ’ इति संज्ञा ॥ १ ॥

अथ तेषां पात्रीनिर्णेजनोदकं भाग इत्येतत्प्रतिपादनायाह—**त इन्द्रेणे**ति । यथेदानीम् ‘ ब्राह्मणः ’ पुरोहितो देशाधिपतिं ‘ राजानम् ’ ‘ अनु ’—सृत्य चरति, तद्वदेव ‘ ते’ त्रितादयोऽपीन्द्रेण सार्द्धं तदनुसारेणावस्थिता इत्यर्थः । ‘ सः ’ चेन्द्रः ‘ यत्र ’ यस्मिन् समये सोमपानादिसाधनैस्त्रिभिः शिरोभिरुपेतं त्वष्टुः पुत्रं ‘ विश्वरूपं ’ जघान, तस्मिन् समये ते त्रितादयोऽपि ‘ तस्य वध्यस्य ’ कर्मणि षष्ठी, (पा० सू० २. ३. ५०) तं ‘ वध्यम् ’ वधार्हम् ‘ विदाञ्चक्रुः ’ ज्ञातवन्तः । “ उषविदजागृभ्योऽन्यतरस्याम् ” (पा० सू० ३. १. ३८)—इति विदेर्ज्ञानार्थादाम् प्रत्ययः । अनन्तरं च ‘ एनम् ’ विश्वरूपं त्रित एवेन्द्रसहायार्थं जघान । इन्द्रश्च ‘ तत् ’ हननजनितात्पापात् ‘ अत्यमुच्यत ’ अतिमुक्तोऽभवत् । तत्र हेतुमाह—**देवो** हीति। यस्मात् स इन्द्रो देवः, अतोऽस्मिन् पापसंश्लेषो न युक्त इत्यर्थः ॥ २ ॥

एवं विश्वरूपहननानन्तरं जनैः कृतं संवादं दर्शयति—**त उ है**ति । ‘ ते ’ लौकिका जना विश्वरूपहननानन्तरमेतदूचुः । एतच्छब्दपरामृश्यं दर्शयति—**उपैवे**ति । ये खल्वस्य वध्यस्य ‘ अवेदिषुः’ अज्ञासिषुः, इमे ‘ एनः ’ पापमुपगच्छन्तु । एवमुपगन्तव्यं तदेनः किंरूपमिति प्रश्नपूर्वकमाह—**किमिती**ति । ‘ एषु ’ त्रितादिषु ‘ यत् ’ विश्वरूपवधजनितमेनः, यज्ञ एव ‘ तत् ’ एनः ‘ मृष्टाम्’ मृजीत, अश्लेषयादित्यर्थः । अतः ‘ यत् ’ एषां त्रयाणां पात्रीनिर्णेजनादि निनयनम्, ‘ एतत् ’ एतेन ‘ एषु ’ त्रितादिषु ‘ तत् ’ विश्वरूपहननजनितमेनो यज्ञः ‘ विमृष्टे ’ संश्लेषयति । तस्मादवहननपेषणादिजनितस्यैनसो रूपं पात्र्यादिनिर्णेजनमाप्त्येभ्यो निनेतव्यमित्यर्थः ॥ ३ ॥

तु ऽउ हाप्त्युाऽ ऊचुः । (३) अत्येव वयमिदमस्मत्परो नयामेति कम-भीति यऽएवादक्षिणेन हविषा यजाता ऽइति तस्मान्नादक्षिणेन हविषा यजेताप्त्येषु ह यज्ञो मृष्ट ऽआप्त्या ऽ उ ह तस्मिन्मृजते योऽदक्षिणेन हविषा यजते ॥ ४ ॥

ततो देवाः । (५) एतां दर्शपूर्णमासयोर्दक्षिणामकल्पयन्यदन्वाहार्यं नेद-दक्षिणꣳ हविरसदिति तन्नाना निनयति तथैभ्योऽसमदं करोति तदभि-तपति तथैषाꣳ शृतं भवति स निनयति त्रिताय त्वा द्विताय त्वैक-ताय त्वेति पशुर्हं वा ऽएष आलभ्यते यत्पुरोडाशः ॥ ५ ॥

त उ हाप्त्या ऊचुः—अत्येव वयमिदमस्मत्परो नयामेति । कमभीति । य एवादक्षिणेन हविषा यजाता इति । तस्मान्नादक्षिणेन हविषा यजेत । आप्त्येषु ह यज्ञो मृष्टे । आप्त्या उ ह तस्मिन् मृजते—योऽदक्षिणेन हविषा यजते ॥ ४ ॥

ततो देवा एतां दर्शपूर्णमासयोर्दक्षिणामकल्पयन्—यदन्वाहार्यम् । नेददक्षिणं हविरसदिति । तन्नाना निनयति । तथैभ्योऽसमदं करोति । तदभितपति—तथैषां शृतं भवति । स निनयति—"त्रिताय त्वा द्विताय त्वैकताय त्वा"—(१ अ० २३ मं०) इति। पशुर्हं वा एष आलभ्यते—यत्पुरोडाशः ॥ ५ ॥

अथ तस्यैनसस्तैरपि कृतां निष्कृतिं दर्शयन् दक्षिणावतैव यागेन यष्टव्यं नादक्षिणेनेति प्रसङ्गादाह—**त उ हेति** । वयमपि 'इदम्' एनः 'परः' परस्तादन्यत्राधारान्तरे 'असमत्' अस्मत्तो नयामेति योजना । **कमभीति** । 'कम्' पुरुषम्—अभिलक्ष्येत्यर्थः । य एव दक्षिणारहितेन हविषा यजेत, तस्मिन्निति शेषः । अदक्षिणयागनिषेधं विपक्षबाधोपन्यासेनोपपादयति—**आप्त्येष्विति** । **मृष्टे**—इति । "मृजू शुद्धौ" (अ० उ० ६६) इत्यस्माल्लट् अदादित्वाच्छपो लुक् (पा० सू० २. ४. ७२) ॥ ४ ॥

का तर्हि दर्शपूर्णमासयोर्दक्षिणेति तामाह—**तत इति** । दर्शपौर्णमासिकं हविर्दक्षिणारहितं नैव भवेदित्यन्वा-हार्यरूपां दक्षिणामकल्पयन्नित्यर्थः । अन्वाहरति—यज्ञसम्बन्धिदोषजातं परिहरत्यनेनेति व्युत्पत्त्याऽन्वाहार्यो नाम-ऋत्विग्भ्यो देय ओदनः । तथा च तैत्तिरीयकम्—"यद्वै यज्ञस्य क्रूरं यद्विलिष्टं, तदन्वाहार्येणान्वाहरति, तदन्वा-हार्यस्यान्वाहार्यत्वम्"—(तै० सं० १. ७. ३. ९.) इति । **तन्नानेति** । 'तत्' आप्त्यानां निनयनं पृथक् पृथगसंसृष्टमेव कर्तव्यम् । 'तथा' सति 'एभ्य' आप्त्येभ्यः 'असमदम्' अकलहं करोति । संसर्गे हि मदीयं त्वदीयमिति कलहः स्यादित्यभिप्रायः । निनीतस्योदकस्याङ्गारेण प्रतपनं विधत्ते—**तदभितपतीति** । 'तथा' सत्येषां 'तत्' जलं 'शृतम्' पक्वं भवतीत्यर्थः । विहितं निनयनमनूद्य मन्त्रं विधत्ते—**स इति** । एवं संस्कृतं पुरोडाशं पशुत्वेन स्तौति—**पशुर्हेति** ॥ ५ ॥

१—"अन्यत्रास्मत्तो नयामीति" "अस्मत्तोऽन्यत्र नयामेति"—इति च पा० । २—"यज्ञस्य हीनमन्वाहरतीति अन्वाहार्यः । अध्वर्युरन्वाहार्यसंज्ञकं दक्षिणार्थं तण्डुलरूपमोदनं चतुर्णामृत्विजां तृप्तिर्यावता सम्भाव्यते तत्परिमाणं ततोऽधिकं वा" इत्यादि का. श्रौ. २ । ५ । २७ सू० भा० । एष चौदनो दक्षिणाग्नौ पच्यत इति तस्याग्नेरपरं नाम अन्वाहार्यपचन इति । ३—निनीतस्येति वदद्भिः सायणाचार्यैः पूर्वं निनयनं पश्चात्तदभितपनं च उक्तं । परं च तत्सूत्रभाष्यविरुद्धम् । तथा च सूत्रं "पात्र्यङ्गुलिप्रक्षालनमाप्त्येभ्यो निनयत्यभितप्य प्रत्यगसꣳस्यन्दमानं त्रितायत्वेति प्रतिमन्त्रम्" का० श्रौ० सू० २ । १४७ । अत्र कर्कः "अभितप्येति । पात्रीस्थमेवोल्मुकया तापयित्वा इत्यादि निनयामीति वाक्यशेष इत्येवमन्तम् । इति । ४—तृतीयटिप्पन्यामुद्धृतं सूत्रं २ । १४७

पुरुष ँ ह वै देवाः । (ऽ) अग्रे पशुमालेभिरे तस्यालब्धस्य मेधोऽपचक्राम सोऽश्वं प्रविवेश तेऽश्वमालभन्त तस्यालब्धस्य मेधोऽपचक्राम स गां प्रविवेश ते गामालभन्त तस्यालब्धस्य मेधोऽपचक्राम सोऽविं प्रविवेश तेऽविमालभन्त तस्यालब्धस्य मेधोऽपचक्राम सोऽजं प्रविवेश तेऽजमालभन्त तस्यालब्धस्य मेधोऽपचक्राम ॥ ६ ॥

स इमां पृथिवीं प्रविवेश । तं खनन्त ऽ इवान्वीषुस्तमन्वविन्दंस्तताविमौ व्रीहियवौ तस्मादप्येतावेतर्हि खनन्त इवैवानुविन्दन्ति स यावद्वीर्यवद्ध वाऽअस्यैते सर्वे पशव आलब्धाः स्युस्तावद्वीर्यवद्धास्य हविर्हविरेव भवति य एवमेतद्वेदात्रो सा सम्पद्यदाहुः पाङ्क्तः पशुरिति ॥ ७ ॥

पुरुषं ह वै देवा अग्रे पशुमालेभिरे । तस्यालब्धस्य मेधोऽपचक्राम । सोऽश्वं प्रविवेश । तेऽश्वमालभन्त । तस्यालब्धस्य मेधोऽपचक्राम । स गां प्रविवेश । ते गामालभन्त । तस्यालब्धस्य मेधोऽपचक्राम । सोऽविं प्रविवेश । तेऽविमालभन्त । तस्यालब्धस्य मेधोऽपचक्राम । सोऽजं प्रविवेश । तेऽजमालभन्त । तस्यालब्धस्य मेधोऽपचक्राम ॥ ६ ॥

स इमां पृथिवीं प्रविवेश । तं खनन्त इवान्वीषुः । तमन्वविन्दन् । ताविमौ व्रीहियवौ । तस्मादप्येतावेतर्हि खनन्त इवैवानुविन्दन्ति । स यावद्वीर्यवद्ध वा अस्यैते सर्वे पशव आलब्धाः स्युः, तावद्वीर्यवद्धास्य हविः । हविरेव भवति—य एवमेतद् वेद । अत्रो सा सम्पद्—यदाहुः पाङ्क्तः पशुरिति ॥ ७ ॥

अस्य पशुरूपतामुपपादयितुमितिहासमुदाहरति—**पुरुष ँ हेति** । **मेधोऽपचक्रामेति** । याज्ञियः सारांशो ' मेधः ' ' तस्य ' संज्ञप्तस्य पुरुषस्य सकाशादपक्रान्तो बभूवेत्यर्थः ॥ ६ ॥

स इमामित्यादि । एवं पुरुषाश्वादिपशुष्वालब्धेषु ततस्ततो निष्क्रान्तः ' सः ' मेधोऽन्ततत इमां पृथिवीं प्रविष्टवान् । ' तम् ' मेधं पृथिवीं ' खनन्तः ' विदारयन्त इव ' अन्वीषुः ' देवा अन्वैच्छन् । " इषु इच्छायाम्—" (तु० प० ७१)—इत्यस्माल्लिट । ईदृग्विधं मेधं पृथिव्यां देवा अलभन्त । **ताविमौ व्रीहियवाविति** । स एव मेधो व्रीहियवरूपेण परिणत इत्यर्थः । **तस्मादपीत्यादि** । ' तस्मात् ' मेधपरिणामरूपत्वादेव, इदानीमपि ' एतौ ' व्रीहियवौ मेधवत्कर्षणलक्षणेन खननेन लभन्ते कर्षकाः । अतः खननप्राप्यत्वदर्शनान्मेधपरिणामरूपत्वं व्रीहियवयोः स्वध्यवसानमित्यर्थः । एतज्ज्ञानस्य फलमाह—**स यावदिति** । स इति पूर्ववद् बह्वर्थे—एकवचनम् । ' अस्य ' यजमानस्य ते ' एते ' पुरुषादयः सर्वे पशव आलब्धाः सन्तो यत्परिमाणविशिष्टवीर्यवद् हविः ' स्युः ' भवेयुः ' अस्य ' व्रीहियवयोः सर्वपशुसारत्वं विदुषो यजमानस्य तन्निष्पादितं पुरोडाशादिकं ' हविः ' तावद्वीर्यवद् ' हविरेव ' भवति । एवं सर्वपशुसारत्वात् पुरोडाशः पशुरूप एव संस्क्रियत इत्यर्थः । इत्थं सर्वपशुसारतया पुरोडाशस्य पशुत्वं प्रतिपाद्य सम्पत्त्यापि तद्दर्शयति—**अत्रो सेति** । लोमत्वगादिपञ्चावयवयोगात् ' पाङ्क्तः पशुः '—इति यदाहुरभिज्ञाः ' सा ' पाङ्क्तसंपत् ' अत्रो ' अत्रापि पुरोडाशे विद्यत इत्यर्थः ॥ ७ ॥

१–व्यत्ययेनेति यावत् । यथा प्रवृतवानित्यत्र प्रावृणत तथेत्यर्थः । २–'लोमत्वगादिपञ्चावयवयोगाद्या पशौ पांक्तसंपदभिज्ञैरुच्यते, साऽत्रापि पुरोडाशे विद्यते '–इति पा० ।

यदा पिष्टान्यथ लोमानि भवन्ति । यदाप आनयत्यथ त्वग्भवति यदा संयौत्यथ माᳬ सं भवति सन्तत इव हि स तर्हि भवति सन्ततमिव हि माᳬ सं यदा शृतोऽथास्थि भवति दारुण इव हि स तर्हि भवति दारुणमिव ह्यस्थ्यथ यदुद्वासयिष्यन्नभिघारयति तं मज्जानं दधात्येषो सा सम्पद्यदाहुः पाङ्क्तः पशुरिति ॥ ८ ॥

स यं पुरुषमालभन्त । स किम्पुरुषोऽभवद्यावश्वं च गां च तौ गौरश्च गवयश्चाभवतां यमविमालभन्त सऽउष्ट्रोऽभवद्यमजमालभन्त स शरभोऽभवत्तस्मादेतेषां पशूनां नाशितव्यमपक्रान्तमेधा ह्येते पशवः ॥ ९ ॥ १ ॥

इति द्वितीयप्रपाठके प्रथमं द्वितीयाध्याये तृतीयंच ब्राह्मणम् ।(२.३.)

यदा पिष्टानि, अथ लोमानि भवन्ति । यदाप आनयति, अथ त्वग् भवति । यदा संयौति, अथ मांसं भवति । सन्तत इव हि स तर्हि भवति, सन्ततमिव हि मांसम् । यदा शृतः, अथास्थि भवति । दारुण इव हि स तर्हि भवति, दारुणमिव ह्यस्थि । अथ यदुद्वासयिष्यन्नभिघारयति– तं मज्जानं दधाति । एषो सा सम्पद्– यदाहुः पाङ्क्तः पशुरिति ॥ ८ ॥

स यं पुरुषमालभन्त– स किम्पुरुषोऽभवत् । यावश्वं च गाञ्च तौ गौरश्च गवयश्चाभवताम् । यमविमालभन्त– स उष्ट्रोऽभवत् । यमजमालभन्त– स शरभोऽभवत् । तस्मादेतेषां पशूनां नाशितव्यम् । अपक्रान्तमेधा ह्येते पशवः ॥ ९ ॥ (इति पुरोडाशप्रकरणम् ।)

तामेव सम्पत्तिं दर्शयति–**यदे**त्यादिना । यदा खलु पुरोडाशस्य पिष्टावस्था, 'अथ' अनन्तरमेव पिष्टेषु लोमसम्पत्तिः; लोमवत् पिष्टानां सूक्ष्मत्वाद्, बहुत्वाच्च । यदा खलु संयवनार्थमप आनयति, अथ तस्मिन् समये पुरोडाशस्य त्वग् भवति; त्वचीव श्लक्ष्णीभावदर्शनात् । संयवनावस्थायां मांसधातूत्पत्तिः । संयवनावस्थस्य पुरोडाशस्य, लौकिकमांसस्य च साम्यमाह–**संतत इवे**ति । शृतावस्थस्य पुरोडाशस्यास्थ्युत्पत्तिः, तामुत्पत्तिं लौकिकास्थिसादृश्येन प्रतिपादयति–**दारुण इवे**ति । शृतावस्थो हि पुरोडाशः 'दारुणः' कठिन इव हि तस्मिन् समये भवति । लौकिकमप्यस्थि कठिनम् । अतः शृतावस्थायां पुरोडाशोऽस्थिमान् भवतीत्यर्थः । **उद्वासयिष्यन्नि**ति । उद्वासनकाले यत् पुरोडाशस्य 'अभिघारणम्' अस्थ्यन्तर्गतं मज्जाख्यं धातुमेव तेन स्थापयतीत्यर्थः । उक्तां पाङ्क्तत्वसम्पत्तिं निगमयति–**एषो** इति । 'एषा उ' एषैव ॥ ८ ॥

देवैरालब्धानामपक्रान्तमेधानां पुरुषादिपशूनां परिणामविशेषं दर्शयंस्तस्य प्रसङ्गादभक्ष्यतामाह–**स यमि**त्यादिना । 'स'– इति पूर्ववद् बहुवचनस्थाने एकवचनम्; ते देवा इत्यर्थः । **एतेषामि**ति । किम्पुरुषादीनां पशूनां मांसं 'नाशितव्यं' न भक्षितव्यम् । तत्र हेतुमाह–**अपक्रान्ते**ति । अपक्रान्तमेधत्वेनायज्ञियत्वादित्यर्थः ॥९॥ १ (२. ३.)

इति श्रीसायणाचार्यविर०माधवीये वेदार्थप्र०माध्यन्दिनशतपथभाष्ये प्रथमकाण्डे द्वितीयाध्याये तृतीयं ब्राह्मणम् ॥

१– इह तु 'एतेषां' पुरुषादिपशूनामित्येवार्थः कथं न भवतीत्यपि विचार्यम्; तेषामेव ह्यालम्भनेन अपक्रान्तमेधत्वं श्रूयतेऽत्र षष्ठकण्डिकायाम् । तथाच पुरोडाशो नाम पिष्टकविशेषस्य मांसप्रतिनिधित्वं प्रकल्प्य हिंसाराहित्ये एव श्रुतितात्पर्यं पर्यवस्येत । इति पं० सत्यव्रतसामश्रमिभिः स्वीयसंपादितपुस्तके । वस्तुतस्तु अस्याः श्रुतेस्तात्पर्यमपुरोडाशप्रशंसायामेवास्तीति । २– एतत्पूर्वश्रुतस्यैव ब्राह्मणस्योपसंहाररूपमिदं ब्राह्मणम् । इहाग्न्यानामुत्पत्तिनिदानं वर्णितम् । तन्निनयनमन्त्राश्च विहिताः । अपि प्रसंगतः किम्पुरुष–गवय–गौर–उष्ट्र–शरभ–मांसानामभक्ष्यत्वं च दर्शितम् ।

अथ चतुर्थं ब्राह्मणम् ।

इन्द्रो ह यत्र वृत्राय वज्रं प्रजहार । स प्रहृतश्चतुर्धाऽभवत्तस्य स्फ्य-
स्तृतीयं वा यावद्वा यूपस्तृतीयं वा यावद्वा रथस्तृतीयं वा यावद्वाथ यत्र
प्राहरत्तच्छकलोऽशीर्यत स पतित्वा शरोऽभवत्तस्माच्छरो नाम यदशीर्य-
तैवमु स चतुर्द्धा वज्रोऽभवत् ॥ १ ॥

(त्तु) ततो द्वाभ्यां ब्राह्मणा यज्ञे चरन्ति । द्वाभ्याँ राजन्यबन्धवः सं-
व्याधे यूपेन च स्फ्येन च ब्राह्मणा रथेन च शरेण च राजन्य-
बन्धवः ॥ २ ॥

स यत्स्फ्यमादत्ते । यथैव तदिन्द्रो वृत्राय वज्रमुदयच्छदेवमेवैष एतं
पाप्मने द्विषते भ्रातृव्याय वज्रमुद्यच्छति तस्माद्वै स्फ्यमादत्ते ॥ ३ ॥

वेदिकाकरणम् ।

इन्द्रो ह यत्र वृत्राय वज्रं प्रजहार । स प्रहृतश्चतुर्द्धाऽभवत् । तस्य स्फ्यस्तृतीयं वा यावद्वा, यूपस्तृतीयं वा यावद्वा, रथस्तृतीयं वा यावद्वा । अथ यत्र प्राहरत्तच्छकलोऽशीर्यत । स पतित्वा शरोऽभवत् । तस्माच्छरो नाम—यदशीर्यत । एवमु स चतुर्द्धा वज्रोऽभवत् ॥ १ ॥

ततो द्वाभ्यां ब्राह्मणा यज्ञे चरन्ति । द्वाभ्यां राजन्यबन्धवः संव्याधे । यूपेन च स्फ्येन च ब्राह्मणाः, रथेन च शरेण च राजन्यबन्धवः ॥ २ ॥

स यत् स्फ्यमादत्ते—यथैव तदिन्द्रो वृत्राय वज्रमुदयच्छत्, एवमेवैष एतं पाप्मने द्विषते भ्रातृव्याय वज्रमुद्यच्छति । तस्माद्वै स्फ्यमादत्ते ॥ ३ ॥

अथ वेदिकरणार्थं स्फ्यादानविधिमनुसृत्य स्फ्यस्य वज्ररूपत्वं वक्तुमितिहासं[1]समाचष्टे—**इन्द्रो** हेति । **तस्ये**त्यादि । ' तस्य ' चतुर्द्धा विभक्तस्य वज्रस्य स्फ्यस्तृतीयोंऽशः । न्यूनाधिकराहित्येन तृतीयांशत्वज्ञानं दुर्लभमित्यभिप्रेत्य पक्षान्तरमाह—**यावद्वे**ति । तृतीयात् भागान्न्यूनमधिकं वा यावदेव किञ्चित्तावानेव स्फ्य इत्यर्थः । एवं यूपस्तृतीयमित्यादौ योजना । चतुर्थभागस्य परिणामप्रकारमाह—**अथ यत्रे**ति । **तच्छकल** इति । ' तत् ' तत्र देशे प्रहृतः स वज्रः शकलो भूत्वा ' अशीर्यत ' शीर्णोऽभूत् । स च शीर्णो भूमौ पतित्वा शरात्मना परिणत इत्यर्थः । शरशब्दं निर्वक्ति—**तस्मादि**ति । चतुर्द्धाभवनमुपसंहरति—**एवमि**ति ॥ १ ॥

तेषां वज्रावयवानां स्फ्यादीनां ब्राह्मणराजन्ययोर्व्यवस्थया विनियोगमाह—**तत** इति । ' राजन्यबन्धवः ' क्षत्रियजातीयाः ' संव्याधे ' युद्धे चरन्तीत्यनुषङ्गः । द्वाभ्यामिति सङ्गृह्योक्तं विभजति—**यूपेन चे**ति ॥ २ ॥

अथ तस्य स्फ्यादानं विधत्ते—**स यदि**ति । तच्छब्दयच्छब्दाभ्यां प्रसिद्धिरभिधीयते । ' सः ' प्रसिद्धोऽध्वर्युरित्यर्थः । **एवमेवैष** इत्यादि । वृत्रवधार्थमिन्द्रवद् विद्वेषणशीलं पापरूपं शत्रुं हन्तुं स्फ्यलक्षणं वज्रमुद्यच्छतीत्यर्थः ॥ ३ ॥

१—' सं व्याचष्टे ' इति पा० ।

तमादत्ते । देवस्य त्वा सवितुः प्रसवेऽश्विनोर्बाहुभ्यां पूष्णो हस्ताभ्यामा-
ददेऽध्वरकृतं देवेभ्य इति सविता वै देवानां प्रसविता तत्सवितृप्रसूतऽ
एवैनमेतदादत्तेऽश्विनोर्बाहुभ्यामित्यश्विनावध्वर्यू तत्तयोरेव बाहुभ्यामा-
दत्ते न स्वाभ्यां पूष्णो हस्ताभ्यामिति पूषा भागदुघस्तत्तस्यैव हस्ता-
भ्यामादत्ते न स्वाभ्यां वज्रो वा एष तस्य न मनुष्यो भर्त्ता तमेताभि-
र्देवताभिरादत्ते ॥ ४ ॥

(त्त आ) आददेऽध्वरकृतं देवेभ्य इति । (त्य) अध्वरो वै यज्ञो यज्ञ-
कृतं देवेभ्य इत्येवैतदाह तꣳसव्ये पाणौ कृत्वा दक्षिणेनाभिमृश्य जपति
सꣳश्यत्येवैनमेतद्यज्जपति ॥ ५ ॥

स जपति । (ती) इन्द्रस्य बाहुरसि दक्षिण ऽइत्येष वै वीर्य्यवत्तमो य

तमादत्ते–"देवस्य त्वा सवितुः प्रसवेऽश्विनोर्बाहुभ्यां पूष्णो हस्ताभ्यामाददेऽध्वरकृतं देवेभ्यः"–(१ अ० २४ मं०) इति । सविता वै देवानां प्रसविता, तत्सवितृप्रसूत एवैनमेतदादत्ते–अश्विनोर्बाहुभ्यामिति । अश्विनावध्वर्यू, तत्तयोरेव बाहुभ्यामादत्ते; न स्वाभ्याम् । पूष्णो हस्ताभ्यामिति । पूषा भागदुघः, तत्तस्यैव हस्ताभ्यामादत्ते; न स्वाभ्याम् । वज्रो वा एषः । तस्य न मनुष्यो भर्त्ता । तमेताभिर्देवताभिरादत्ते ॥ ४ ॥

आददेऽध्वरकृतं देवेभ्य इति । अध्वरो वै यज्ञः, यज्ञकृतं देवेभ्य इत्येवैतदाह । तं सव्ये पाणौ कृत्वा दक्षिणेनाभिमृश्य जपति । संश्यत्येवैनमेतद्–यज्जपति ॥ ५ ॥

स जपति–"इन्द्रस्य बाहुरसि दक्षिणः"–(१ अ० २४ मं०) इति । एष वै वीर्यवत्तमो य

विहितमादानमनूद्य मन्त्रं विधत्ते–**तमादत्त** इति । देवस्य त्वेति मन्त्रस्य प्रागाम्नातमपि ब्राह्मणं विधेयविशेषे योजयितुं पुनराम्नायते–**सविता वा** इत्यादिना । **न स्वाभ्यामिति** । देवसम्बन्धिभ्यामेव बाहुभ्यां स्फ्यादानम्, न तु स्वकीयाभ्याम् । युक्तश्चैतदित्याह–**वज्रो वा** इति । एष स्फ्यो वज्रः; तत्परिणामत्वात् । न हि मनुष्यस्तद्वज्रं भर्तुं शक्नोति, अतो देवस्य त्वेति मन्त्रं प्रयुञ्जानस्तं स्फ्यलक्षणं वज्रं सवित्राख्यादिदेवताभिरेव 'आदत्ते' आदानं कृतवान् भवति ॥ ४ ॥

आदद इति । **अध्वरो वा** इति । 'ध्वरः' हिंसापत्यवायो न विद्यतेऽस्मिन्नित्यध्वरशब्दस्य यज्ञोऽर्थः । अध्वरं करोतीति 'अध्वरकृत्' । तथा च यज्ञकृतं देवेभ्य आदद इत्युक्तं भवतीत्यर्थः । **संश्यत्येवैनमिति** । वक्ष्यमाणं[३] मन्त्रं जपतीति यत्, 'एतत्' एतेनैनं 'संश्यत्येव' सम्यक् तनूकरोति, तीक्ष्णीकरोत्येव । "शो तनूकरणे–" (दिवा० प० ३९)–इति धातुः । "ओतः श्यनि–" (पा० सू० ७. ३. ७१.) इत्योकारलोपः ॥ ५ ॥

विहितं जपमनूद्य मन्त्रं विधत्ते–**स** इति । इन्द्रस्य दक्षिणो बाहुरतिशयेन वीर्यवान्, वृत्राख्यासुरवधकारि-

---

१–"देवस्य त्वेति स्फ्यमादाय"–(श्रौ. सू. २.१५५.) २–इहैव ब्राह्मणे पूर्वं १।२।१७। ३–"इन्द्रस्य बाहु"रिति मन्त्रम् । ४–"सतृणं सव्ये कृत्वा दक्षिणेनालभ्य जपतीन्द्रस्य बाहुरिति" (श्रौ० सू० २. १५५ ।)

इन्द्रस्य बाहुर्दक्षिणस्तस्मादाहेन्द्रस्य बाहुरसि दक्षिण इति सहस्रभृष्टिः शततेजाऽ इति सहस्रभृष्टिर्व्वै स व्वज्रऽ आसीच्छततेजा यं तं व्वृत्राय प्राहरत्तमेवैतत्करोति ॥ ६ ॥

व्वायुरसि तिग्मतेजा इति । (त्ये) एतद्वै तेजिष्ठं तेजो यदयं योऽयं पवतऽ एष हीमाँल्लोकांस्तिर्य्यङ्ङनुपवते सꣳश्यत्येवैनमेतद्द्विषतो व्वध इति यदि नाभिचरेद्यद्यु ऽअभिचरेदमुष्य व्वध इति ब्रूयात्तेन सꣳशितेन नात्मानमुपस्पृशति न पृथिवीं नेदनेन व्वज्रेण सꣳशितेनात्मानं वा पृथिवीं वा हिनसानीति तस्मान्नात्मानमुपस्पृशति न पृथिवीम् ॥ ७ ॥

इन्द्रस्य बाहुर्दक्षिणः । तस्मादाह–इन्द्रस्य बाहुरसि दक्षिण इति । "सहस्रभृष्टिः शततेजाः"–(१ अ० २४ मं०) इति । सहस्रभृष्टिर्वै स वज्र आसीच्छततेजाः । यं तं वृत्राय प्राहरत्, तमेवैतत् करोति ॥ ६ ॥

" **वायुरसि तिग्मतेजाः** "– (१ अ० २४ मं०) इति । एतद्वै तेजिष्ठं तेजः–यदयं योऽयं पवते । एष हीमाँल्लोकांस्तिर्यङ्ङनुपवते । संश्यत्येवैनमेतद्–"**द्विषतो वधः**"– (१ अ० २४ मं०) इति, यदि नाभिचरेद् यद्यु अभिचरेद् अमुष्य वध इति ब्रूयात् तेन संशितेन नात्मानमुपस्पृशति, न पृथिवीम्; नेदनेन वज्रेण संशितेनात्मानं वा पृथिवीं वा हिनसानीति । तस्मान्नात्मानमुपस्पृशति, न पृथिवीम् ॥ ७ ॥

त्वात् । अतः स एव त्वमसीति स्फ्यस्य स्तुतिरिति व्याचष्टे–**एष वा** इति । द्वितीयं भागमनूद्य व्याचष्टे–**सहस्रभृष्टिरि**ति । सहस्रं भृष्टयोऽश्रयः, यद्वा भर्जनानि हिंसाविशेषा वृत्रवधादिषु येन क्रियन्ते स वज्रः ' सहस्रभृष्टिः ' । यः ' शततेजाः ' अपरिमितदीप्तिः, तादृशो वज्रः । स एव त्वमसीति स्फ्यस्तुतिः । वज्रस्येमां प्रसिद्धिं द्योतयितुं ' वै '–शब्दः । **यं तमि**ति । ' तम् ' उक्तविधं ' यं ' वज्रं वृत्रवधार्थमिन्द्रः प्राहरत्, ' तमेव ' तदात्मकमेवानेन मन्त्रभागेन करोतीत्यर्थः ॥ ६ ॥

तृतीयभागमनूद्य व्याचष्टे–**वायुरसी**ति । यः ' तिग्मतेजाः ' वायुः, स एव त्वमसीति स्तुतिः । वायोस्तिग्मतेजस्त्वमुपपादयति–**एतद्वा** इति । यः ' अयं ' वायुः ' पवते ' अन्तरिक्षे चरति, एतत् खलु तेजसां मध्ये तेजस्वितमं तेजः । इममेवातिशयमुपपादयति–**एष ही**ति । अग्न्यादितेजोऽन्तरं हि कुत्रचिदेव परिच्छिन्नम्, ' एष हि ' वायुरिमान् सर्वान्–लोकान् अनुक्रमेण तिर्यग्वृत्तिः ' पवते ' युगपद्व्याप्नोतीत्यर्थः । अस्य प्रयोजनमाह–**संश्यती**ति । ' एतत् ' एतेनोक्तविधवायुतादात्म्यप्रतिपादनेनेत्यर्थः । **अमुष्य वध** इति । अभिचारप्रयोगे " द्विषतो वधः"–इत्यस्य स्थाने ' अमुष्य ' देवदत्तस्य वध इति शत्रोर्नाम निर्दिशेदित्यर्थः । एतेन मन्त्रजपात्तीक्ष्णीकृतेन स्फ्येनात्मनोऽन्यस्य च संस्पर्शं निषेधति–**तेने**ति । ' हिनसानि ' हिंसितं करवाणीत्यर्थः । " हिसि हिंसायाम् "– (रु० प० १९)–इत्यस्माल्लोटि रूपम् ॥ ७ ॥

१–" भृष्टिर्भर्जनं पाको मारणमिति यावत् । सहस्रसंख्याकानां शत्रूणां भृष्टिर्यस्य स सहस्रभृष्टिः " इति महीधरः ।
२–" नोपस्पृशेत्पृथिव्यात्मानौ तेन स्तम्बयजुर्हरिष्यन् " (श्रौ० सू० २. १५६) ।

देवाश्च वाऽअसुराश्च । (श्रो) उभये प्राजापत्याः पस्पृधिरे ते ह स्म यद्दे-
वाऽअसुराञ्जयन्ति ततो ह स्मैवैनान्पुनरुपोत्तिष्ठन्ति ॥ ८ ॥

ते ह देवाऽऊचुः । (जं) जयामो वाऽअसुरांस्ततस्त्वेव नः पुनरुपोत्ति-
ष्ठन्ति कथं न्वेनाननपजय्यं जयेमेति ॥ ९ ॥

स हाग्निरुवाच । (चो) उदञ्चो वै नः पलाय्य मुच्यन्तऽ इत्युदञ्चो ह
स्मैवैषां पलाय्य मुच्यन्ते ॥ १० ॥

स हाग्निरुवाच । (चा) अहमुत्तरतः पर्यैष्याम्यथ यूयमित उपसꣳ
रोत्स्यथ तान्त्सꣳ रुध्यैभिश्च लोकैरभिनिधास्यामो यदु चेमाँल्लोकानति
चतुर्थं ततः पुनर्न सꣳ हास्यन्तऽइति ॥ ११ ॥

देवाश्च वा, असुराश्च; उभये प्राजापत्याः पस्पृधिरे । ते ह स्म यद्देवा असुरान् जयन्ति—ततो ह स्मैवैनान् पुनरुपोत्तिष्ठन्ति ॥ ८ ॥

ते ह देवा ऊचुः—जयामो वा असुरांस्ततस्त्वेव नः पुनरुपोत्तिष्ठन्ति, कथं न्वेनाननपजय्यं जयेमेति ॥ ९ ॥

स हाग्निरुवाच—उदञ्चो वै नः पलाय्य मुच्यन्त इति । उदञ्चो ह स्मैवैषां पलाय्य मुच्यन्ते ॥ १० ॥

स हाग्निरुवाच—अहमुत्तरतः पर्यैष्यामि, अथ यूयमित उपसंरोत्स्यथ । तान् संरुध्यैभिश्च लोकैरभिनिधास्यामः—यदु चेमाँल्लोकानति चतुर्थम् । ततः पुनर्न संहास्यन्त इति ॥ ११ ॥

अथ स्तम्बयजुर्हरणं विधित्सुस्तस्यासुरनिर्हरणलक्षणं प्रयोजनं वक्तुमाख्यायिकामाह—देवाश्चेति । प्रजापतेर्हि द्वे स्त्रियौ—दितिरदितिश्च । तत्रादितेः पुत्रा देवाः, दितेः पुत्रा असुराः; अतः 'उभये' अपि 'प्राजापत्याः' प्रजापतेः पुत्राः । ते 'पस्पृधिरे' स्पर्द्धां कृतवन्तः । यदा खलु 'ते' देवा असुरान् जयन्ति, 'ततः' अनन्तरक्षणमेव 'एनान्' देवानभिलक्ष्य पुनरसुरा उत्तिष्ठन्ति । "उदोऽनूर्ध्वकर्मणि" (पा० सू० १. ३. २४.)—इति पर्युदासादिह चोर्ध्वकर्मत्वादात्मनेपदाभावः ॥ ८ ॥

अथ देवैः कृतं जयोपायचिन्तनमुपन्यस्यति—ते हेति । 'अनपजय्यं' जेतुमशक्यम्[1] 'एनान्' असुरान् केन खलु प्रकारेण पुनरुत्थानरहितं जयेमेत्येवं विचारितवन्त इत्यर्थः । "क्षय्यजय्यौ शक्यार्थे" (पा० सू० ६. १. ८१)—इति जयतेर्यति निपात्यते ॥ ९ ॥

अथाग्निनोपदिष्टं जयप्रकारं दर्शयति—स हेति । 'नः' अस्माकं सकाशादुदङ्मुखाः सन्तः 'पलाय्य' पलायनं कृत्वा "अय गतौ" (भ्वा० आ० ४७९)—इत्यस्मात् क्त्वो ल्यप्, (पा. सू. ७. १. ३७) "उपसर्गस्यायतौ" —(पा० सू० ८. २. १९)—इति लत्वम् । अग्निनोक्तं वाक्यं सत्यमिति श्रुतिः स्वयमेवानुवदति—उदञ्चो हेति[2] ॥ १० ॥

एवमुत्तरतोऽवस्थितानसुरान् जेतुमग्निरेवोपायं देवान् प्रत्युपदिशति—स हेति । इत इत्यादि । 'इतः' अस्माद् वेदिलक्षणात्[3] स्थानात् 'उपसंरोत्स्यथ' उपसंरुद्धान् प्रतिबन्धगतानसुरान् करिष्यथ । 'अथ' अन-

---

१–'जेतुमशक्यान्' । २–परराष्ट्राश्रितत्वादित्यर्थः । ३–आर्यावर्तलक्षणादित्यर्थः स्यादैतिहासिकानां दृष्ट्येति ज्ञेयम् ।

सोऽग्निरुत्तरतः पुर्य्यैत् । (दु) अथेमऽइतऽउपसमरुन्धंस्तान्त्सꣳरुध्यै-भिश्च लोकैरभिन्युदधुर्य्यदु चेमांल्लोकानति चतुर्थं ततः पुनर्न्न समजिहत तदेतन्निदानेन यत्स्तम्बयजुः ॥ १२ ॥

स योऽसावग्नीदुत्तरतः पर्य्येति । (त्य) अग्निरेवैष निदानेन तानध्वर्यु-रेवेतऽउपसꣳरुणद्धि तान्त्सꣳरुध्यैभिश्च लोकैरभिनिदधाति यदु चेमांल्-लोकानति चतुर्थं ततः पुनर्न सञ्जिहते तस्मादप्येतर्ह्यसुरा न सञ्जिहते येन ह्येवैनान्देवाऽअवाबाधन्त तेनैवैनानप्येतर्हि ब्राह्मणा यज्ञेऽवबाधन्ते ॥ १३ ॥

सोऽग्निरुत्तरतः पर्य्यैत् । अथेम इत उपसमरुन्धन् । तान् संरुध्यैभिश्च लोकैरभिन्यदधुः—यदु चेमाँल्लोकानति चतुर्थम् । ततः पुनर्न समजिहत । तदेतन्निदानेन यत् स्तम्बयजुः ॥ १२ ॥

सः—योऽसावग्नीद् उत्तरतः पर्येति । अग्निरेवैष निदानेन । तानध्वर्युरेवेत उपसंरुणद्धि । तान् संरुध्यैभिश्च लोकैरभिनिदधाति—यदु चेमाँल्लोकानति चतुर्थम् । ततः पुनर्न सञ्जिहते । तस्मादप्येतर्ह्यसुरा न सञ्जिहते । येन ह्येवैनान् देवा अवाबाधन्त, तेनैवैनानप्येतर्हि ब्राह्मणा यज्ञेऽवबाधन्ते ॥ १३ ॥

न्तरमेव वयं 'एभिः' पुरोवर्तिभिः पृथिव्यादिभिस्त्रिभिर्लोकैः 'अभिनिधास्यामः' अभितः सर्वतो निरुद्ध गतीन् निहितान् करिष्यामः । यद्वा, अभितो नितरां क्षिप्तान् त्याजितान् करिष्यामः । इमान् लोकान् 'अति' अतिक्रम्य यच्चतुर्थं लोकजातमस्ति, अस्माकमप्रत्यक्षम्, तेनापि त्याजितान् करिष्यामः । 'ततः' अनन्तरमसुराः पुनः 'न संहास्यन्ते' सङ्गता न भविष्यन्ति । विशीर्णा बाधिता एव भवेयुरित्यर्थः । "ओहाङ् गतौ"—(जु० आ० ७) इति धातुः ॥ ११ ॥

इत्थमग्निनोक्तं वाक्यं श्रुत्वा तथैव तैर्देवैः कृतं श्रुतिरुपबध्नाति—**सोऽग्निरि**ति । अग्निः 'उत्तरतः' उत्तरस्यां दिशि 'पर्य्यैत्' पर्य्यगच्छत् । अग्निवाक्ये हि चिकीर्षितार्थोपदेशनाद् भविष्यदर्थवाचिनो लृटः प्रयोगः श्रुतिवाक्ये तु निर्वृत्तार्थप्रतिपादनाद् भूतानद्यतनवाचिनो लङः प्रयोग इत्येतावान् भेदः । (पा. सू. ३।२।१३ ३।२।१११) । **तदेतादि**त्यादि । यदत्र स्तम्बयजुर्हरणं करिष्यते, एतत् 'निदानेन' मूलकारणेन निरूप्यमाणं सद् देवैः कृतं 'तत्' असुरनिरसनम् । अतो यज्ञविघातकासुरनिर्हरणार्थं स्तम्बयजुर्हरणमिति विधिरुन्नेयः ॥ १२ ॥

स योऽसाविति । स्तम्बयजुर्हरणसमये 'योऽसौ' आग्नीध्रो वेदेरुत्तरतः परीत्य वर्तते । 'एषः' 'निदानेन' मूलकारणेन निरूप्यमाणः सन् 'अग्निरेव' । योऽग्निः पुरा असुरान्निरोद्धुमुदक् पर्य्यैत्, तदात्मक एवाग्नीध्र इत्यर्थः । ननु तत्रोपसंरोधका देवाः तत्स्थानीय ऋत्विजां मध्ये कः ? इति तं दर्शयति—**तानध्वर्युरि**ति । येनोपायेन पुरा देवा असुरानबाधिषत, तेनैवोपायेन यज्ञानुष्ठानसमये तद्विघातिनोऽसुरा बाधितव्या इति निगमयति—**तस्मादि**ति ॥ १३ ॥

१—ऐतिह्याविदां मतेनात्रार्थान्तरमूह्यम् ।

य उऽ एव यजमानायारातीयति । यश्चैनं द्वेष्टि तमेवैतदेभिश्च लोकैरभिनिदधाति यदु चेमाँल्लोकानति चतुर्थꣳ स वा ऽएभिश्च लोकैरभिनिदधद्यदु चेमाँल्लोकानति चतुर्थमस्या ऽएव सर्वꣳ हरत्यस्याꣳ हीमे सर्वे लोकाः प्रतिष्ठिताः किꣳ हि हरेद्यदन्तरिक्षꣳ हरामि दिवꣳ हरामीति हरेत्तस्मादस्या ऽएव सर्वꣳ हरति ॥ १४ ॥

(त्य) अथ तृणमन्तर्द्धाय प्रहरति । नेदनेन वज्रेण सꣳ शितेन पृथिवीꣳ हिनसानीति तस्मात्तृणमन्तर्द्धाय प्रहरति ॥ १५ ॥

य उ एव यजमानायारातीयति, यश्चैनं द्वेष्टि; तमेवैतदेभिश्च लोकैरभिनिदधाति—यदु चेमाँल्लोकानति चतुर्थम् । स वा एभिश्च लोकैरभिनिदधद्—यदु चेमाँल्लोकानति चतुर्थम् , अस्या एव सर्वं हरति । अस्यां हीमे सर्वे लोकाः प्रतिष्ठिताः । किं हि हरेद्—यदन्तरिक्षं हरामि, दिवं हरामीति हरेत्; तस्मादस्या एव सर्वं हरति ॥ १४ ॥

अथ तृणमन्तर्द्धाय प्रहरति—नेदनेन वज्रेण संशितेन पृथिवीं हिनसानीति । तस्मात्तृणमन्तर्द्धाय प्रहरति ॥ १५ ॥

न केवलं स्तम्बयजुषोऽसुरनिर्हरणं प्रयोजनम्, शत्रुनिर्हरणमपि तत्प्रयोजनमिति प्रतिपादयति—**य उ एवेति** । ‘ अरातीयति ’ अरातिरिवाचरति “ उपमानादाचारे ” (पा० सू० ३. १. १०)—इति क्यच् । यश्च ‘ एनं ’ यजमानं साक्षादेव ‘ द्वेष्टि ’ बाधते । ‘ तम ’ उभयविधं शत्रुम् । अन्यत् पूर्ववत् । पृथिव्या एव सकाशात् स्तम्बयजुर्हरणं कर्तव्यम्, नान्तरिक्षादेरित्यभिप्रेत्याह—**स वा इति** । पृथिव्यादिभिस्त्रिभिर्लोकैस्तदतिरिक्तेन चान्येन चतुर्थेन लोकेनासुरान्निरस्यन् ‘ असौ ’ अध्वर्युः ‘ अस्याः ’ पृथिव्या एव सकाशात् ‘ सर्वं ’ स्तम्बयजुर्हरति, नान्तरिक्षादेः । ‘हि’ यस्मात् ‘ अस्याम् ’ एव भूम्यां ‘ इमे ’ अन्तरिक्षादयः, सर्वे लोकाः प्रतिष्ठिताः, तस्मात् स्तम्बयजुर्हरणस्य प्रथमपर्यायवद् द्वितीयादिपर्यायाणामपि पृथिव्या एव सकाशाद्धरणं युक्तमित्यर्थः । एतदेव व्यतिरेकमुखेनोपपादयति—**किं हीति** । ‘ यत् ’ यदि “ अन्तरिक्षं हरामि ” “ दिवं हरामि ”—इत्येवं स्तम्बयजुर्हरेत्, तदा ‘ किं ’ नाम ‘ हरेत् ’ ? अन्तरिक्षद्युलोकयोर्हर्तव्यस्य स्तम्बस्याभावान्न तत्र तद्धरणं सम्भवतीत्यर्थः । **तस्मादिति** । प्रागुक्तनिगमनं स्तम्बयजुर्हरणार्थम् ॥ १४ ॥

तृणान्तर्द्धानविशिष्टं स्फ्येन प्रहरणं विधत्ते—**अथेति** । तृणान्तर्द्धानस्य प्रयोजनमाह—**न हिनसानीति** । तृणानन्तर्द्धाने हि तीक्ष्णेन स्फ्य—रूपापन्नेन वज्रेण पृथिवी हिंसिता स्यात्, तद्धिंसानिवृत्तये प्रहरणसमये तृणमन्तर्द्धाय तस्योपरि प्रहर्तव्यमित्यर्थः ॥ १५ ॥

१—स्तम्बयजुर्हरणं हि प्रहरणादि पुरीषनिवपनान्तम् । इति का० श्रौ० २ । १५६ सूत्रे कर्कः । २—“ वेद्यां तृणं निदधात्युदक्प्रविमं वर्मासीति ” श्रौ० सू० २. १५७.) । ३—“ प्रहरणं च वेद्यां तृणे अन्तर्हितं इति सूत्रितत्वात् । इतरथा हि तृणे प्रहरतीत्येवमवक्ष्यत् । अथ पुनरन्तर्धानवचनात्तादर्थ्यमेव तृणस्य न प्रहरणाधिकरणता । तृण एव प्रहरणमिति सम्प्रदायः ” इति का० श्रौ० २ । १५८ सूत्रे कर्कः ।

स प्रहरति । पृथिवि देवयजन्योषध्यास्ते मूलं मा हि ँ सिषमित्युत्तरमूलामिव वाऽएनामेतत्करोत्याददानस्तामेतदाहौषधीनां ते मूलानि मा हि ँ सिषमिति व्रजं गच्छ गोष्ठानमित्यभिनिधास्यन्नेवैतदनपक्रमि कुरुते तद्ध्यनपक्रमि यद्व्रजेऽन्तस्तस्मादाह व्रजं गच्छ गोष्ठानमिति वर्षतु ते द्यौरिति यत्र वाऽअस्यै खनन्तः क्रूरीकुर्वन्त्यपघ्नन्ति शान्तिरापस्तदद्भिः शान्त्या शमयति तदद्भिः सन्दधाति तस्मादाह वर्षतु ते द्यौरिति बधान देवसवितः परमस्यां पृथिव्यामिति देवमेवैतत्सवितारमाहान्धे तमसि बधानेति यदाह परमस्यां पृथिव्यामिति शतेन पाशैरित्यमुचे तदाह योऽस्मान्द्वेष्टि यञ्च वयं द्विष्मस्तमतो मा मौगिति यदि नाभिचरेद्यद्युऽअभिचरेदमुमतो मा मौगिति ब्रूयात् ॥ १६ ॥

स प्रहरति–"पृथिवि देवयजन्योषध्यास्ते मूलं मा हि ँ सिषम्"–(१ अ. २५ मं.) इति । उत्तरमूलामिव वा एनामेतत्करोत्याददानः । तामेतदाह–ओषधीनां ते मूलानि मा हिंसिषमिति । "व्रजं गच्छ गोष्ठानम्"–(१ अ. २५ मं.) इति । अभिनिधास्यन्नेवैतदनपक्रमि कुरुते । तद्ध्यनपक्रमि यद् व्रजेऽन्तः । तस्मादाह–व्रजं गच्छ गोष्ठानमिति । "वर्षतु ते द्यौः"–(१ अ. २५ मं.) इति । यत्र वा अस्यै खनन्तः क्रूरीकुर्वन्ति–अपघ्नन्ति । शान्तिरापः, तदद्भिः शान्त्या शमयति, तदद्भिः सन्दधाति । तस्मादाह–वर्षतु ते द्यौरिति । "बधान देव सवितः परमस्यां पृथिव्याम्"–(१ अ. २५ मं.) इति । देवमेवैतत्सवितारमाह । अन्धे तमसि बधानेति–यदाह–परमस्यां पृथिव्यामिति । "शतेन पाशैः"–(१ अ. २५मं.) इति । अमुचे–तदाह–"योऽस्मान् द्वेष्टि यञ्च वयं द्विष्मस्तमतो मा मौक्"–(१ अ. २५ मं.) इति, यदि नाभिचरेद् । यद्यु अभिचरेद् अमुमतो मा मौगिति ब्रूयात् ॥ १६ ॥

विहितं प्रहरणमनूद्य मन्त्रं विधत्ते–**स प्रहरतीति** । ओषध्यास्त इति मन्त्रभागं व्याचष्टे–**उत्तरमूलामिति** । स्फ्यमाददानोऽध्वर्युः 'एनां' पृथिवीम् 'उत्तरमूलाम्' उपरिभागावस्थितमूलयुक्तामिव खल्वेतत् करोति । अत उत्तरमूलत्वेन प्रहरणात्तद्धिंसाशंकायां तदभावोऽनेन प्राथ्यर्त इत्यर्थः । मन्त्रगतौषधिशब्दस्य जात्यभिप्रायेणैकवचनान्तता (पा. सू. १ । २ । ५८) इत्यभिप्रेत्य व्याचष्टे–**ओषधीनामिति** । प्रहरणनिष्पन्नस्य सतृणस्य पांसोरादानमन्त्रमनूद्य व्याचष्टे–**व्रजं गच्छेति** । 'अभिनिधास्यन्' अभितो निक्षेप्स्यन् खल्वध्वर्युः 'एतत्' असुरजातम् 'अनपक्रमि' अपक्रमणरहितमितस्ततो गमनरहितं कुरुते । तत् खल्वनपक्रमि यत् 'व्रजे' गोष्ठेऽन्तर्निरुध्यते, अतोऽस्य मन्त्रप्रयोगस्यापक्रमणाभावः प्रयोजनमित्यर्थः ।

वेदिप्रेक्षणमन्त्रमनूद्य तात्पर्यमाह–**वर्षत्विति** । 'अस्यै' षष्ठ्यर्थे चतुर्थी (पा. सू. २ । ३ । ६२ । वा. १५०९) । 'अस्याः' पृथिव्याः सम्बन्धिनि 'यत्र' स्थाने वेद्यर्थं खनन्तः 'क्रूरं' निष्ठुरं कुर्वन्ति; तेन च

१–"पृथिवि देवयजनीति तृणेऽन्तर्हिते प्रहरति" (श्रौ० सू० २. १५८.)

(द) अथ द्वितीयं प्रहरति । (त्यु) अपाररुं पृथिव्यै देवयजनाद्वध्यासमित्यरु-
रुर्हं वै नामासुररक्षसमास तं देवा ऽअस्या ऽअपाघ्नत तथोऽएवैनमेतद्देषोऽ-
स्याऽअपहते व्व्रजं गच्छ गोष्ठानं व्वर्षतु ते द्यौर्बधान देव सवितः परमस्यां
पृथिव्याᳩं शतेन पाशैर्य्योऽस्मान्द्वेष्टि यञ्च व्वयं द्विष्मस्तमतो मा मौगिति॥ १७

तमग्नीदभिनिदधाति । (त्यु) अररो दिवं मा पप्त इति यत्र वै देवाऽअररु-
मसुररक्षसमपाघ्नत स दिवमपिपतिषत्तमग्निरभिन्यदधादररो दिवं मा पप्त
इति स न दिवमपतत्तथोऽएवैनमेतदध्वर्युरेवास्माल्लोकादन्तरेति दिवोऽ-
ध्यग्नीत्तस्मादेवं करोति ॥ १८ ॥

अथ द्वितीयं प्रहरति–" अपाररुं पृथिव्यै देवयजनाद् वध्यासम् "–(१ अ. २६ मं.) इति । अररुर्ह वै नामासुररक्षसमास । तं देवा अस्या अपाघ्नत । तथो एवैनमेतदेषोऽस्या अपहते । " व्रजं गच्छ गोष्ठानं वर्षतु ते द्यौर्बधान देव सवितः परमस्यां पृथिव्यां शतेन पाशैर्योऽस्मान् द्वेष्टि यञ्च वयं द्विष्मस्तमतो मा मौक् "–(१ अ. २६ मं.) इति । १७ ॥

तमग्नीदभिनिदधाति–अररो ! दिवं मा पप्त इति । यत्र वै देवा अररुमसुररक्षसमपाघ्नत, स दिवमपिपतिषत् । तमग्निरभिन्यदधात्–अररो ! दिवं मा पप्त इति । स न दिवमपतत् । तथो एवैनमेतदध्वर्युरेवास्माल्लोकादन्तरेति । दिवोऽध्यग्नीत्–तस्मादेवं करोति ॥ १८ ॥

तां पृथिवीम् ' अपघ्नन्ति' हिंसन्ति; अतः खननजनितां हिंसामनेन मन्त्रप्रयोगेण शान्तिरूपाभिरेवाद्भिः पुनः प्रशमय्य सन्दधातीत्यर्थः । व्रजं गच्छेत्यादिमन्त्राणां कात्यायनः स्पष्टं विनियोगमसूत्रयत्–" व्रजं गच्छेति पुरीषमादत्ते " " वर्षतु त इति वेदिं प्रेक्षते" " बधानेत्युत्करोति " (श्रौ० सू० २. १५९–१६०–१६१)–इति । उत्करे निधानमन्त्रस्याभिप्रायमाविष्करोति–**देवमेवैतादि**त्यादिना । " परमस्यां पृथिव्याम् "–इत्यस्य व्याख्यानम्–**अन्धे तमसी**ति । सर्वप्रकाशरहितेऽतिशयिते तमसि, यस्मिन् बद्धो न पुनरावर्तते, तादृशे स्थान इत्यर्थः । '**अमुचे**'–इति, अमोचनायेत्यर्थः । न हि शतसङ्ख्याकैः पाशैर्बद्धः स्वात्मानं मोचयितुमीष्ट इत्यभिप्रायः ॥

अभिचरतः प्रयोगे विशेषमाह–**यद्यु** इति । अनभिचरतः प्रयोगे मन्त्रगतस्तमिति यः शब्दः, तस्य स्थाने ' अभिचरतः ' यजमानस्य, शत्रुनाम द्वितीयया निर्दिश्य मन्त्रः प्रयोक्तव्य इत्यर्थः ॥ १६ ॥

एवं स्तम्बयजुर्हरणस्य प्रथमपर्यायमभिधाय द्वितीयपर्यायार्थं प्रहरणादिकं समन्त्रकं विधत्ते–**अथे**ति । मन्त्रप्रतिपादितमररुवधप्रार्थनमुपपादयति–**अररुर्हे**ति । ' अररुः ' नामासुररक्षसम्, सुराणां विरोधि रक्षो बभूव । ' रक्षः '–शब्दात् " अनसन्तात् "–(पा. सू. ५. ४. १०३.)–इत्यकारः समासान्तः । देववदेवेदानीन्तनोऽध्वर्युरप्यपाररुमित्यनेन मन्त्रेण पृथिव्याः सकाशादपहन्ति । व्रजं गच्छेत्यादिकस्य सर्वस्य द्वितीयपर्याये प्रयोज्यस्यापि प्रागुक्त एवार्थः इत्यभिप्रेत्यानुवदति–**व्रजं गच्छे**ति ॥ १७ ॥

उत्करे न्युप्तस्य स्तम्बयजुषोऽभिधानं समन्त्रकं विधत्ते–**तामि**ति । ' अभिनिदधाति ' उपरि हस्तनिधानेनाधस्तात् क्षिपतीत्यर्थः । ' मा पप्तः ' (पा. सू. १ वा० प. ८४५) इति पतनाभावप्रार्थनं समर्थयितुं पुरावृत्त-

---

१–" अपाररुमिति द्वितीयं प्रहरणादि " (श्रौ० सू० २. १६३) । २–" अभिन्यस्यत्यग्नीदुत्करमररो दिवमिति " श्रौ० सू० २. १६४ उत्करश्च–" प्रहृतप्रदेशादुद्धृतस्तृणधूल्यादिराशिरुत्करः " इति ।

(त्यु) अथ तृतीयं प्रहरति । द्रप्सस्ते द्यां मा स्कन्नित्ययं वाऽअस्यै द्रप्सो यमस्या इम ᳪ रसं प्रजा उपजीवन्त्येष ते दिवं मा पप्तदित्येवैतदाह व्रजं गच्छ गोष्ठानं वर्षतु ते द्यौर्बधान देव सवितः परमस्यां पृथिव्या ᳪ शतेन पाशैर्योऽस्मान्द्वेष्टि यं च वयं द्विष्मस्तमतो मा मौगिति ॥ १९ ॥

स वै त्रिर्यजुषा हरति । त्रयो वाऽइमे लोकाऽएभिरेवैनमेतल्लोकैरभिनिदधात्यद्धा वै तद्यदिमे लोकाऽअद्धो तद्यद्यजुस्तस्मात्त्रिर्यजुषा हरति॥२०॥

अथ तृतीयं प्रहरति–द्रप्सस्ते द्यां मा स्कन्निति । अयं वा अस्यै द्रप्सः–यमस्या इमं रसं प्रजा उपजीवन्ति । एष ते दिवं मा पप्तदित्येवैतदाह–" **व्रजं गच्छ गोष्ठानं वर्षतु ते द्यौर्बधान देव सवितः परमस्यां पृथिव्या ᳪ शतेन पाशैर्योऽस्मान् द्वेष्टि यं च वयं द्विष्मस्तमतो मा मौक्** "–(१ अ. २६ मं.) इति ॥ १९ ॥

स वै त्रिर्यजुषा हरति । त्रयो वा इमे लोकाः । एभिरेवैनमेतल्लोकैरभिनिदधाति । अद्धा वै तद्–यदिमे लोकाः, अद्धो तद्–यद्यजुः; तस्मात् त्रिर्यजुषा हरति ॥ २० ॥

मुदाहरति–**यत्र वा** इति । **स दिवामिति** । ' सः ' देवैरपहतोऽररुः ' अपिपतिषत् ' दिवं पतितुं गन्तुमैच्छत् । ' तं ' तथाविधं पिपतिषुमररुम्, उत्तरतः परिगतः ' अग्निः ' अभिन्यदधात् उपरि हस्तनिधानेनाधस्तात् प्रेरितवान् । किं ब्रुवन् ? हे अररो ! ' दिवं ' द्युलोकं ' मा पप्तः ' मा प्राप्नुहीति । " पत्लृ गतौ "–(भ्वा० प० ८७०) इत्यस्माल्लुङि लृदित्वादङ्, (पा. सू. ३ । १ । ५५) " पतः पुम् " (पा० सू० ७. ४. १९) इति पुमागमः । ' एवमग्निनाभिनिधाने कृते सति, सोऽररुर्दिवं न प्राप्नोत् । तद्वदेवेदानीमप्यध्वर्युः स्तम्बयजुर्हरन् ' अस्माद् ' भूलोकात् ' एनम् ' अररुम् ' अन्तरेति ' अन्तरितं व्यवहितं करोति । आग्नीध्रश्चैतन्मन्त्रकरणकेनोत्कराभिनिधानेन ' दिवः ' अन्तरिक्षात्तमसुरमन्तरितं करोतीत्यर्थः ॥ १८ ॥

अथ तृतीयपर्यायं विधत्ते–**अथेति** । मन्त्रं व्याचष्टे–**अयं वा** इति । ' अस्याः ' पृथिव्याः सम्बन्धिनं ' यमिमं ' मधुरादिरसं सर्वाः प्रजा उपजीवन्ति, अयं खल्वस्याः पृथिव्याः ' द्रप्सः ' । तथा च हे पृथिवि ! ' ते ' त्वदीयः ' एषः ' रसः ' दिवं ' द्युलोकं ' मा पप्तत् ' मा पतत्विति ' इमम् ' अर्थम् ' एषः ' मन्त्रो ब्रूत इत्यर्थः । अस्मिन् तृतीयेऽपि पर्याये व्रजं गच्छेत्यादिकं सर्वं पूर्ववत् प्रयोक्तव्यमित्यभिप्रेत्य तत्पठति–**व्रजमिति** ॥ १९ ॥

उक्तं समन्त्रकं त्रिर्हरणमनूद्य प्रशंसति–**स वा** इति । ' इमे ' पृथिव्यादयः प्रसिद्धास्त्रयो लोकाः । तथा च त्रिष्कृत्वो हरणेन ' एभिः ' त्रिभिरेव लोकैः ' एनम् ' अररुम् ' अभिनिदधाति ' अभितो निक्षिपति, बाधत इति यावत् । यजुर्मन्त्रेण हरणस्य लोकत्रयस्य च साम्यमाह–**अद्धा वा** इति । ' इमे ' पृथिव्यादयः ' लोकाः ' इति यत्, तत् ' अद्धा वै ' प्रत्यक्षमेव खलु यदेतद्धरणसाधनं यजुः, तदपि ' अद्धो ' अद्धैव प्रत्यक्षमेव; अनुष्ठेयार्थस्य साक्षात् प्रतिपादकत्वात् । अतो यजुषो लोकानां च प्रत्यक्षत्वसाम्यात्, त्रिवारं यजुषा हरणेन लोकत्रयादेवास्याररोर्बाधो युक्त इति निगमयति–**तस्मादिति** ॥ २० ॥

१–" द्रप्सस्त इति तृतीयम् " (श्रौ० सू० २. १६५) । २–" प्रतिबाधते "–इति पा० ।

तूष्णीं चतुर्थम् । स युदिमाँल्लोकानति चतुर्थमस्ति वा न वा तेनैवैतद्
द्विषन्तं भ्रातृव्यमवबाधतेऽनद्धा वै तद्यदिमाँल्लोकानति चतुर्थमस्ति वा न
वानद्धो तद्यत्तूष्णीं तस्मात्तूष्णीं चतुर्थम् ॥ २१ ॥ २ ॥

इति द्वितीयप्रपाठके द्वितीयं ब्राह्मणम् । (२. ४.)

देवाश्च वाऽअसुराश्च । (श्रो) उभये प्राजापत्याः पस्पृधिरे ततो देवाऽ
अनुव्यमिवासुरथ हासुरा मेनिरेऽस्माकमेवेदं खलु भुवनमिति ॥ १ ॥

तूष्णीं चतुर्थम् । स यदिमाँल्लोकानति चतुर्थमस्ति वा न वा, तेनैवैतद् द्विषन्तं भ्रातृव्यमवबाधते । अनद्धा वै तद्—यदिमाँल्लोकानति चतुर्थमस्ति वा न वा, अनद्धो तद्—यत् तूष्णीम्, तस्मात्तूष्णीं चतुर्थम् ॥ २१ ॥

देवाश्च वा असुराश्च—उभये प्राजापत्याः पस्पृधिरे । ततो देवा अनुव्यमिवासुः । अथ हासुरा मेनिरे अस्माकमेवेदं खलु भुवनमिति ॥ १ ॥

अमन्त्रकं चतुर्थं[1] पर्यायं विधत्ते—**तूष्णीमिति** । तस्य प्रयोजनमाह **स यदि**ति । 'इमान्' प्रागुक्तान् त्रीन्—लोकानतिक्रम्य, यत् 'चतुर्थं' लोकजातम्, तत् 'अस्ति वा न वा' इति सन्दिग्धम्; अत्यन्तविप्रकृष्टत्वेनानुभवपथानवतारात् । एतच्चतुर्थहरणात्तेनैव सन्दिह्यमानेन लोकजातेन विद्वेषणं कुर्वन्तं शत्रुमवबाधते । एतदुपपादयितुं तूष्णीं—हरणस्य लोकत्रयव्यतिरिक्तस्य चतुर्थस्थानस्य च साम्यमाह—**अनद्धा वा** इति । 'अनद्धा' असत्पक्षमित्यर्थः । तूष्णीं हरणमप्यनुष्ठेयार्थप्रतिपादकमन्त्रप्रयोगाभावादस्पष्टत्वेन 'अनद्धा' अप्रत्यक्षमेवेति ॥ २१ ॥ ४ ॥

इति श्रीसायणाचार्यविरचिते माधवीये वेदार्थप्रकाशे माध्यन्दिनशतपथभाष्ये प्रथमकाण्डे
द्वितीयाध्याये चतुर्थं ब्राह्मणम् ॥ २ ॥ ४ ॥

इत्थं स्तम्बयजुर्हरणं[2] विधाय वेदिपरिग्रहं वक्तुमितिहासमुपन्यस्यति—**देवाश्चे**ति । 'पस्पृधिरे' स्पर्द्धां कृतवन्तः । "अपस्पृधेथामानृचुरानृहुः" (पा० सू० ६. १. ३६.) इति सम्प्रसारणनिपातनस्योपलक्षणत्वमभिप्रेत्य लिटयपि सम्प्रसारणं कृतम् । स्पर्द्धमानानां तेषां मध्ये 'देवाः' 'ततः' तेभ्योऽसुरेभ्यः 'अनुव्यम्' अनुगमनं न्यग्भूतिं[3] प्राप्ता इव बभूवुः । 'अथ ह' अनन्तरमेव तेऽसुरा मन्यन्ते स्म । किमिति ? 'इदम्' सर्वं जगदस्माकमेवेति ॥ १ ॥

१—"तूष्णीं चतुर्थं सतृणम्" (श्रौ० सू० २. १६६) । २—"यजुर्मन्त्रको दर्भः 'स्तम्बयजुः' । तच्च स्तम्बरूपं स्फ्येन भित्त्वोत्करदेशे हरेत्"—इति तै० ब्रा० ३. २. ९. सा० भा० । (तै० सं० १. १. ९.) । "यजुषा मन्त्रेण हरणीयः पांसुसहितः स्तम्बः 'स्तम्बयजुः' तस्य हरणम्"—इति तै० सं० २. ६. ४. सा० भा० । तत्रैव "वेदिस्थानात्सतृणस्य पांसोर्मन्त्रेणान्यत्र हरणम्"—इत्यपि । ३—'न्यक्कृतिम्'—इति पा० ।

ते होचुः। (हं) हन्तेमां पृथिवीं विभजामहै तां विभज्योपजीवामेति तामौक्ष्णैश्चर्म्मभिः पश्चात्प्राञ्चो विभजमानाऽअभीयुः ॥ २ ॥

(स्त) तद्वै देवाः शुश्रुवुः। (विं) विभजन्ते ह वाऽइमामसुराः पृथिवीं प्रेत तदेष्यामो यत्रेमामसुरा विभजन्ते के ततः स्याम यदस्यै न भजेमहीति ते यज्ञमेव विष्णुं पुरस्कृत्येयुः ॥ ३ ॥

(स्ते) ते होचुः। (उ) अनु नोऽस्यां पृथिव्यामाभजतास्त्वेव नोऽप्यस्यां भागऽइति ते हासुराऽअसूयन्तऽइवोचुर्यावदेवैष विष्णुरभिशेते तावद्वो दद्मऽइति ॥ ४ ॥

ते होचुः-हन्तेमां पृथिवीं विभजामहै, तां विभज्योपजीवामेति। तामौक्ष्णैश्चर्म्मभिः पश्चात् प्राञ्चो विभजमाना अभीयुः ॥ २ ॥

तद्वै देवाः शुश्रुवुः विभजन्ते ह वा इमामसुराः पृथिवीम्, प्रेत तदेष्यामो यत्रेमामसुरा विभजन्ते, के ततः स्याम-यदस्यै न भजेमहीति। ते यज्ञमेव विष्णुं पुरस्कृत्येयुः ॥ ३ ॥

ते होचुः-अनु नोऽस्यां पृथिव्यामाभजत, अस्त्वेव नोऽप्यस्यां भाग इति। ते हासुरा असूयन्त इवोचुः-यावदेवैष विष्णुरभिशेते, तावद्वो दद्म इति ॥ ४ ॥

एवमुक्त्वा किमुक्तवन्त इति तद्दर्शयति-ते हेति। 'हन्त' इति हर्षे। यत एवं देवा [1]न्यग्भूताः, अतो निष्प्रत्यूहं वयम् 'इमाम्' पृथिवीं विभजामहै। विभज्य च तां यथाभागमुपजीवामेति। एवमुक्त्वा किं कृतवन्त इति तदाह-तामिति। 'औक्ष्णैः' उक्ष्णोऽनडुहः सम्बन्धिभिश्चर्म्मभिः। उक्षन्-शब्दात् "तस्येदम्" (पा० सू० ४. ३. १२०) इत्यणि "षपूर्वहन्धृतराज्ञाम्" (पा० सू० ६. ४. १३५) इत्यल्लोपः। तैश्चर्मभिः 'पश्चात्' प्रतीचीं दिशमारभ्य 'प्राञ्चः' प्राङ्मुखा विभजमानाः 'अभीयुः' अभिजग्मुरित्यर्थः ॥ २ ॥

असुरेष्वेवं कृतवत्सु देवाः किं कृतवन्त इति तदाह-तद्वा इति। प्रेतेत्यादि। अस्माकं तूष्णीमवस्थानमनुचितम्, अस्माभिरपि तद्विषये प्रयतितव्यमिति, परस्परमभिमुखीकृत्येत्यर्थः प्रतिपाद्यते-हे देवाः! यूयं 'प्रेत' गच्छत, प्रोत्सहध्वमिति यावत्। यस्मिन् स्थानेऽसुराः पृथिवीं विभजन्ते, तत् स्थानं गमिष्यामः। गत्वा च 'यत्' यदि 'अस्यै' षष्ठ्यर्थे चतुर्थी (पा. सू. २। ३। ६२। वा० १५०९) 'अस्याः' पृथिव्याः सम्बन्धि स्थानं न प्राप्नुयामः, ('ततः' तर्हि वयमभागिनो भवेम; यदि तु प्राप्नुयामः तदा) भागिनः 'स्याम' भवेमेत्यर्थः। एवमालोच्य देवैः कृतं दर्शयति-त इति। यज्ञात्मकमेव 'विष्णुम्' पुरतो धारयित्वा 'ईयुः' गतवन्त इत्यर्थः ॥ ३ ॥

गत्वा चासुरान् प्रति किमुक्तवन्त इति, तदाह-ते हेति। 'अस्याम्' पृथिव्याम् 'नः' अस्मान् 'अन्वाभजत' संयोजयत। 'नः' अस्माकमप्यस्यां भागो भवत्विति। असुरैः कृतं प्रतिवचनं दर्शयति-ते हेति। 'असूयन्त इव' असूयां कुर्वन्त इव, असहमाना इति यावत्। यावन्तं देशं विष्णुर्व्याप्य वर्तते, तत्परिमाणं स्थानं युष्मभ्यं प्रयच्छाम इति ॥ ४ ॥

---

[1]-'न्यक्कृता' इति पा०।

व्वामनो ह व्विष्णुरास। तद्देवा न जिहीडिरे महद्वै नोऽदुर्य्ये नो यज्ञसम्मितमदुरिति ॥ ५ ॥

ते प्राञ्चं व्विष्णुं निपाद्य। च्छन्दोभिरभितः पर्य्यगृह्णन्गायत्रेण त्वा च्छन्दसा परिगृह्णामीति दक्षिणतस्त्रैष्टुभेन त्वा च्छन्दसा परिगृह्णामीति पश्चाज्जागतेन त्वा च्छन्दसा परिगृह्णामीत्युत्तरतः ॥ ६ ॥

(स्तं) तं छन्दोभिरभितः परिगृह्य । (ह्या) अग्निं पुरस्तात्समाधाय तेनार्चन्तः श्राम्यन्तश्चेरुस्तेनेमाᳪं सर्व्वां पृथिवीᳪं समविन्दन्त तद्यदेनेनेमाᳪं सर्व्वाᳪं समविन्दन्त तस्माद्वेदिर्नाम तस्मादाहुर्य्यावती व्वेदिस्तावती पृथिवीत्येतया हीमाᳪं सर्व्वाᳪं समविन्दन्तैवᳪं ह वाऽइमाᳪं सर्व्वाᳪं सपत्नानाᳪं संवृङ्क्ते निर्भजत्यस्यै सपत्नान्यऽएवमेतद्वेद ॥ ७ ॥

वामनो ह विष्णुरास। तद्देवा न जिहीडिरे–महद्वै नोऽदुर्ये नो यज्ञसम्मितमदुरिति ॥ ५ ॥

ते प्राञ्चं विष्णुं निपाद्य छन्दोभिरभितः पर्यगृह्णन्–"गायत्रेण त्वा छन्दसा परिगृह्णामि"–(१ अ. २७ मं.) इति, दक्षिणतः। "त्रैष्टुभेन त्वा छन्दसा परिगृह्णामि"–(१ अ. २७ मं.) इति पश्चात्। "जागतेन त्वा छन्दसा परिगृह्णामि" (१ अ. २७ मं.) इति, उत्तरतः ॥ ६ ॥

तं छन्दोभिरभितः परिगृह्य, अग्निं पुरस्तात् समाधाय, तेनार्चन्तः श्राम्यन्तश्चेरुः। तेनेमां सर्वां पृथिवीं समविन्दन्त। तद् यदेनेनेमां सर्वां समविन्दन्त, तस्माद्वेदिर्नाम। तस्मादाहुः–यावती वेदिः, तावती पृथिवीति–एतया हीमां सर्वां समविन्दन्त। एवं ह वा इमां सर्वां सपत्नानां संवृङ्क्ते। निर्भजत्यस्यै सपत्नान्–य एवमेतद्वेद ॥ ७ ॥

असुरैरभिहिते देवास्तदङ्गीचक्रुरित्याह–**वामनो** हेति। विष्णुर्हि तदानीम् 'वामनः' खर्वो बभूव। अत एवासुरास्तेनाक्रान्तं स्थानं प्रयच्छाम इत्यब्रुवन्। अथापि 'तत्' असुरैरुक्तं देवाः; 'न जिहीडिरे' न ह्यनादृतं चक्रुः, किन्त्वाद्रियन्ते स्मेत्यर्थः। "हेडृ अनादरे" (भ्वा० आ० २८९) इति धातुः। आदरणप्रकारमाह–**महदि**ति। विष्णुर्हि यज्ञः, अतो 'यज्ञसम्मितम्' स्थानमस्मभ्यं दत्तवन्त इति यत्, तत् 'नः' अस्माकम् 'महत्' अधिकम् ॥ ५ ॥

एवं विचार्य्य देवैः कृतं दर्शयति–**त** इति। यज्ञात्मकम् 'विष्णुम्' 'प्राञ्चम्' प्राक्शिरसं निपात्य (द्य) दक्षिणतः, पश्चात्, उत्तरतश्च गायत्र्यादिच्छन्दोभिः सर्वतः पर्यगृह्णन् ॥ ६ ॥

तमिति। 'तम्' विष्णुं गायत्र्यादिभिश्छन्दोभिः सर्वतः परिगृह्य, पूर्वस्यां दिशि-आहवनीयाख्यम् 'अग्निम्' प्रज्वाल्य, 'तेन' विष्ण्वात्मकेन यज्ञेन 'अर्चन्तः' पूजयन्तः, 'श्राम्यन्तः' कर्मानुष्ठानजनितं श्रमं प्राप्नुवन्तः 'चेरुः' पूर्ववद् ववृतिरे। चरित्वा च 'तेन' यज्ञात्मकस्य विष्णोराधारभूतेन स्थानेन देवाः सर्वामेवेमां पृथिवीं सम्यगलभन्त। अतो विद्यते लभ्यते अनेनेति यज्ञस्थानस्य 'वेदि'–नामधेयं निर्वक्ति–**तद्यदि**ति। उक्तं वेद्याः सर्वपृथिवीलाभरूपत्वम्, इदानीं वेदिपृथिव्योस्तादात्म्यविषयामभियुक्तप्रसिद्धिमुदाहरति–**तस्मादि**ति। यत्परिमाणविशिष्टा खलु वेदिः, तत्परिमाणैव पृथिवी कुत इत्यत आह–**एतये**ति। 'हि' यस्मात् 'एतया'

सोऽयं विष्णुर्ग्लानः । (श्छ) छन्दोभिरभितः परिगृहीतोऽग्निः पुरस्ता-
न्नापक्रमणमास स ततऽएवौषधीनां मूलान्युपमुम्लोच ॥ ८ ॥
ते ह देवाऽऊचुः । क्व नु विष्णुरभूत्क्व नु यज्ञोऽभूदिति ते होचुश्छन्दो-
भिरभितः परिगृहीतोऽग्निः पुरस्तान्नापक्रमणमस्त्यत्रैवान्विच्छतेति तं
खनन्तऽइवान्वीषुस्तं त्र्यङ्गुलेऽन्वविन्दंस्तस्मात्त्र्यङ्गुला वेदिः स्यात्तदु हापि
पाञ्चिस्त्र्यङ्गुलामेव सौम्यस्याध्वरस्य वेदिं चक्रे ॥ ९ ॥

सोऽयं विष्णुर्ग्लानः, छन्दोभिराभितः परिगृहीतः, अग्निः पुरस्तात् नापक्रमणमास । स तत एवौषधीनां मूलान्युपमुम्लोच ॥ ८ ॥

ते ह देवा ऊचुः—क्व नु विष्णुरभूत्, क्व नु यज्ञोऽभूदिति । ते होचुः—छन्दोभिराभितः परिगृहीतः, अग्निः पुरस्तात्, नापक्रमणमस्ति; अत्रैवान्विच्छतेति । तं खनन्त इवान्वीषुः । तं त्र्यंगुलेऽन्वविन्दन् । तस्मात् त्र्यंगुला वेदिः स्यात् । तदु हापि पाञ्चिः त्र्यंगुलामेव सौम्यस्याध्वरस्य वेदिं चक्रे ॥ ९ ॥

वेद्या इमाम् सर्वां पृथिवीमलभन्त, अतस्तल्लाभहेतुत्वात् ततोऽनन्येत्यर्थः । इत्थं पुरावृत्तमुदाहृत्य प्रकृते योजयति—**एवं हेति** । यथैव हि वेदिपरिग्रहाद्देवा असुरसकाशात् कृत्स्नां पृथिवीमपहृतवन्तः, एवमेवायं यजमानोऽपि शत्रुसम्बन्धिनीं सर्वां भूमिमपहरति । तांश्च शत्रून् ‘ अस्याः ’ पृथिव्याः ‘ निर्भजति ’ निर्भक्तान् भागरहितान् करोतीत्यर्थः । तस्माद् गायत्रेणेत्यादिभिर्मन्त्रैः स्फ्येन वेदिं दक्षिणतः पश्चादुत्तरतश्च रेखया परिगृह्णीयादित्यर्थः॥ ७॥

अथ वेदेः खननं विधित्सुः प्रकृतमितिहासशेषमनुक्रामति—**सोऽयमिति** । ‘ सः ’ यज्ञात्मको ‘ विष्णुः ’ दक्षिणतः पश्चादुत्तरतश्च छन्दोभिः परिगृहीतत्वात् पूर्वस्यां दिशि चाग्नेरवस्थानादितस्ततश्चलितुमशक्यत्वेन ‘ ग्लानः ’ श्रान्तः सन् ‘ अपक्रमणम् ’ अपगमनम् ‘ नास ’ न जगाम । “ अस गतिदीप्त्यादानेषु ”—(भ्वा० उ० ९११)—इत्यस्माल्लिटि रूपम् । यद्वा—अस्तेरेव लिटि च्छान्दसो भूभावाऽभावः[3] । ग्लानस्य तस्य विष्णोरपगमनं न बभूवेत्यर्थः । स च सर्वतः परिगृहीतो विष्णुः ‘ तत एव ’ तस्मिन्नेव स्थाने—ओषधीनां मूलान्युपेत्य भूम्यन्तर्गतः सन् ‘ मुम्लोच ’ अस्तङ्गतः, अदृश्यो बभूव ॥ ८ ॥

अनन्तरं न ते देवास्तत्र विष्णुमपश्यन्तो वितर्कितवन्तः, किमित्याह—**ते ह देवा** इति । विष्णुः ‘ क्व ’ कुत्राभूत् ? तदात्मको यज्ञश्च क्व वाऽभूदिति । एवं वितर्क्य तैर्निर्णीतमर्थं दर्शयति—**ते होचुरिति** । **अत्रैवेति** । चतसृष्वपि दिक्षु परिवृतत्वेन गमनासम्भवात् ‘ अत्रैव ’ स्थाने तस्य विष्णोरन्वेषणं कुरुतेत्यर्थः । इत्थं परस्परं निश्चित्य भूमिं खनन्त इव ‘ तम् ’ विष्णुमन्विष्टवन्तः । अन्विष्य तं भूम्यन्तस्त्र्यङ्गुले ‘ अन्वविन्दन् ’ अलभन्त । यत एवम्, अत इदानीमपि यज्ञलाभाय वेदेस्त्र्यङ्गुलमात्रखननं कर्तव्यमिति विधत्ते—**तस्मादिति** । त्र्यङ्गुलपरिमाणेन खाता वेदिर्भवेदित्यर्थः । वेदेस्त्र्यङ्गुलखननमृषिसंवादेन द्रढयति—**तदु हेति** । ‘ पाञ्चिः ’ नाम कश्चित्, स खलु सोमयागस्यापि वेदिं त्र्यङ्गुलखातामेव कृतवान् । अतोऽत्रापि त्र्यङ्गुलखाता वेदिर्युक्तेति भावः ॥ ९ ॥

१-“ पूर्वं परिग्रहं परिगृह्णाति दक्षिणतः पश्चादुत्तरतश्च स्फ्येन गायत्रेणेति प्रतिमन्त्रम् ” (श्रौ० सू० २. १६७) । २—एष एव पूर्वपरिग्रह उच्यते । ३-“ असभुवि ” अदा० प० ५५ । “ आर्द्धधातुके ” पा० सू० २ । ४ । ३५ । इत्यधिकृत्य “ अस्तेर्भूः ” इति २ । ४ । ५२ । भूभावः प्राप्त इति भावः ।

तदु तथा न कुर्यात्। (२) ओषधीनां वै स मूलान्युपाम्लोचत्तस्मा-दोषधीनामेव मूलान्युच्छेत्तवै ब्रूयाद्यन्न्वेवात्र विष्णुमन्वविन्दंस्तस्मा-द्वेदिर्नाम ॥ १० ॥

तमनुविद्योत्तरेण परिग्रहेण पर्यगृह्णन्। (न्तसु) सुक्ष्मा चासि शिवा चासीति दक्षिणतऽइमामेवैतत्पृथिवीꣳ संविद्य सुक्ष्माꣳशिवामकुर्वत स्योना चासि सुषदा चासीति पश्चादिमामेवैतत्पृथिवीꣳ संविद्य स्योनाꣳ सुषदा-मकुर्वतोर्जस्वती चासि पयस्वती चेत्युत्तरतऽइमामेवैतत्पृथिवीꣳ संविद्य रसवतीमुपजीवनीयामकुर्वत ॥ ११ ॥

स वै त्रिः पूर्वं परिग्रहं परिगृह्णाति। त्रिरुत्तरं तत्षट्कृत्वः षड्वाऽऋतवः

तदु तथा न कुर्यात्। ओषधीनां वै स मूलान्युपाम्लोचत्–तस्मात्–ओषधीनामेव मूलान्युच्छेत्तवै ब्रूयात्। यन्न्वेवात्र विष्णुमन्वविन्दन्–तस्माद्वेदिर्नाम ॥ १० ॥

तमनुविद्योत्तरेण परिग्रहेण पर्यगृह्णन्–"**सुक्ष्मा चासि शिवा चासि**"–(१ अ. २७ मं.) इति। दक्षिणत इमामेवैतत् पृथिवीं संविद्य सुक्ष्मां शिवामकुर्वत। "**स्योना चासि सुषदा चासि**"–(१ अ. २७ मं.) इति। पश्चादिमामेवैतत् पृथिवीं संविद्य स्योनां सुषदामकुर्वत। "**ऊर्जस्वती चासि पयस्वती च**"–(१ अ. २७ मं.) इति। उत्तरत इमामेवैतत् पृथिवीं संविद्य रसवतीमुपजीवनीयामकुर्वत ॥ ११ ॥

स वै त्रिः पूर्वं परिग्रहं परिगृह्णाति, त्रिरुत्तरम्। तत् षट्कृत्वः, षड् वा ऋतवः संवत्सरस्य। संवत्सरो यज्ञः प्रजापतिः; स यावानेव यज्ञो यावत्यस्य मात्रा तावन्तमेवैतत् परिगृह्णाति ॥ १२ ॥

तमिमं पक्षं निषिध्य पक्षान्तरमाह–**तदु तथे**ति। 'सः' विष्णुरोषधीनां खलु मूलान्युपेत्यान्तर्हितोऽभवत्। तस्माद् यावति देशे भूम्यामन्तरोषधीनां मूलानि प्रसरन्ति, तावत्पर्यन्तं खात्वा तन्मूलान्येवोच्छेत्तुं ब्रूयात्। "तुमर्थे सेसेन:"–(पा० सू० ३. ४. ९)–इति तवैप्रत्ययः। पूर्वं कृत्स्नपृथिवीलाभहेतुतया वेदिनाम निरुक्तम्, यज्ञात्मकस्य विष्णोर्लाभाधिकरणतयापि तन्निर्वक्ति–**यन्न्वेवे**ति ॥ १० ॥

अथ वेदेरुत्तरपरिग्रहः[1] कर्तव्य इतीतिहासमुखेन विधिमुन्नयति–**तमि**त्यादिना। 'तम्' विष्णुम् 'अनुविद्य' लब्ध्वोत्तरपरिग्रहेण पर्यगृह्णन्। गायत्रेण त्वेत्यादिभिः प्राक् कृतः पूर्वपरिग्रहस्तदपेक्षयास्योत्तरत्वम्। तस्य स्वरूपमाह–**सुक्ष्मा**[2] **चासी**त्यादिना। 'दक्षिणतः' वेदेर्दक्षिणस्यां दिशि "सुक्ष्मा चासि"–इति यजुषा स्फ्येन लेखया परिगृह्णीयात्। मन्त्रतात्पर्यमाह–**इमामि**ति। एवमुत्तरत्रापि योज्यम्। तृतीयमन्त्रे 'ऊर्क्'–शब्देन बलकरो रसो विवक्षित इति व्याचष्टे–**रसवतीमि**ति। पयस्वतीत्यस्य व्याख्यानम्–**उपजीवनीयामि**ति। पयस्विनी हि गौर्लोके–उपजीव्यते ॥ ११ ॥

पूर्वोत्तरपरिग्रहयोः संख्यां समुच्चित्य प्रशंसति–**स वा** इत्यादिना। षड्तुसमुदायात्मको यः संवत्सरः, तदा-

---

१–"उत्तरं परिग्रहं परिगृह्णाति सुक्ष्मास्योनोर्जस्वतीति प्रतिमन्त्रं पूर्ववत्" (श्रौ० सू० २. १७२) अस्मात् प्राक् लेखादिका वेदिसंस्काराः प्रोक्ताः कात्यायनेन। २–शोभना क्ष्मा–सुक्ष्मेति महीधरः।

संवत्सरस्य संवत्सरो यज्ञः प्रजापतिः स यावानेव यज्ञो यावत्यस्य मात्रा तावन्तमेवैतत्परिगृह्णाति ॥ १२ ॥

षड्भिर्व्याहृतिभिः । पूर्वं परिग्रहं परिगृह्णाति षड्भिरुत्तरं तद्द्वादशकृत्वो द्वादश वै मासाः संवत्सरस्य संवत्सरो यज्ञः प्रजापतिः स यावानेव यज्ञो यावत्यस्य मात्रा तावन्तमेवैतत्परिगृह्णाति ॥ १३ ॥

व्याममात्री पश्चात्स्यादित्याहुः । (१) एतावान्वै पुरुषः पुरुषसम्मिता हि त्र्यरत्निः प्राची त्रिवृद्धि यज्ञो नात्र मात्रास्ति यावतीमेव स्वयं मनसा मन्येत तावतीं कुर्यात् ॥ १४ ॥

षड्भिर्व्याहृतिभिः पूर्वं परिग्रहं परिगृह्णाति, षड्भिरुत्तरम् । तद् द्वादशकृत्वः । द्वादश वै मासाः संवत्सरस्य, संवत्सरो यज्ञः प्रजापतिः । स यावानेव यज्ञो यावत्यस्य मात्रा तावन्तमेवैतत् परिगृह्णाति ॥ १३ ॥

व्याममात्री पश्चात् स्यादित्याहुः । एतावान् वै पुरुषः, पुरुषसम्मिता हि । त्र्यरत्निः प्राची । त्रिवृद्धि यज्ञः । नात्र मात्रास्ति, यावतीमेव स्वयं मनसा मन्येत तावतीं कुर्यात् ॥ १४ ॥

त्मकः प्रजापतिः, संवत्सरकालभरणेन जातत्वादभेदोपचारः । आम्नास्यते ह्यग्रे बृहदारण्यके–"तमेतावन्तं कालमबिभर्यावान्संवत्सरस्तमेतावतः कालस्य परस्तादसृजत"–(१. २. ४) इति । यज्ञश्चाऽऽश्रावयेत्यादि-सप्तदशाक्षरसाध्यत्वात् "एष वै सप्तदशः प्रजापतिर्यज्ञमन्वायत्तः" (तै० सं० १. ६. ११) इति श्रुतेः प्रजापत्यात्मकः । एवम् 'सः' यज्ञः 'यावान्' यत्परिमाणविशिष्टः, 'अस्य' च यज्ञस्य 'मात्रा' परिमाणं च यावत्, तत्परिमाणविशिष्टमेवैतं यज्ञं षट्सङ्ख्यासंपादनेन 'परिगृह्णाति' स्वीकरोतीत्यर्थः ॥ १२ ॥

पूर्वोत्तरपरिग्रहयोर्मन्त्रावयवसंख्यामनूद्य समुच्चित्य प्रशंसति–**षड्भिरि**ति । व्याह्रियन्त इति–व्याहृतयो मन्त्रावयवाः, ते च पूर्वपरिग्रहे षट् । गायत्रेण त्वेत्यादिकास्त्वान्तास्त्रयः, गृह्णाम्यन्तास्त्रयः उत्तरपरिग्रहे च सुक्ष्मा चासीत्येवमस्यन्ताः षड् व्याहृतयः साष्टाः । अन्यत् पूर्ववत् ॥ १३ ॥

गार्हपत्याहवनीययोर्मध्ये सा वेदिरायामतो यजमानमात्री; सा च पश्चाद् विस्तृत्या चतुररत्निः, पुरस्तात् त्र्यरत्निः कार्येति विधत्ते–**व्याममात्री**ति । 'व्यामः' प्रसारितकरद्वयान्तराललक्षणः । 'पश्चात्' प्रत्यग्-भागे–इत्यर्थः । **त्र्यरत्निः प्राची**ति । त्रिभिररत्निभिर्विस्तृता प्राग्भागे वेदिः कार्येत्यर्थः । **त्रिवृद्धी**ति । सवनत्रयादिरूपेण यज्ञस्य त्रिवृत्त्वम् । पक्षान्तरमाह–**नात्रे**ति । 'अत्र' वेद्यां परिमाणं नैवास्ति । 'यावतीम्' यत्परिमाणविशिष्टामेव वेदिं स्वयं मनसा हविरासादनादिकार्यपर्याप्तां मन्येत, तत्परिमाणविशिष्टां वेदिं कुर्यात् । कात्यायनोऽपीमं पक्षद्वयमसूत्रयत्–"त्र्यरत्नीं प्राचीमपरिमितां वा"–इति ॥ १४ ॥

१–तत्रैव "आश्रावयेति चतुरक्षरमस्तु श्रौषडिति चतुरक्षरं यजेति द्व्यक्षरं ये यजामहे इति पंचाक्षरं द्व्यक्षरो वषट्कारः" इति च तै० सं० १।६।११। २–'गायत्रेण त्वा' 'त्रैष्टुभेन त्वा' 'जागतेन त्वा' इति त्वान्ताः। ३–'छन्दसा परि-गृह्णामि' इति त्रिवारम्। ४–'असि' शब्दान्ताः। ५–"अपरेणाहवनीयं वेदिं खनति त्र्यङ्गुलखातां व्याममात्रीं पश्चात् त्र्यरत्नीं प्राचीमपरिमितां वा प्राक्प्रवणामुदग्वा मध्यसंगृहीतामभिमभितोऽसौ" श्रौ० सू० २. १५०।

(द) अभितोऽग्निम॒ ꣳ सा॑ऽ उ॒न्नयति । योषा॒ वै वे॒दिर्वृषा॒ग्निः परिगृह्य॒ वै योषा॒ वृषा॑ण॒ ꣳ शेते मिथुनमे॒वैतत्प्रज॒ननं क्रियते त॒स्मादभितो॒ऽग्निम॒ ꣳ सा॑ऽ उ॒न्नयति ॥ १९ ॥

सा वै प॒श्चाद्वरीयसी स्यात् । (न्म) म॒ध्ये स॒ꣳ ह्वारिता पु॒नः पु॒रस्तादु॒र्व्येव॒मिव हि यो॒षां प्र॒श॒ꣳसन्ति पृ॒थुश्रो॒णिर्वि॑मृष्टान्तरा॒ꣳसा म॒ध्ये संग्रा॒ह्येति जु॒ष्टामे॒वैनामेतद्दे॒वेभ्यः करोति ॥ १६ ॥

सा वै प्रा॒क्प्रवणा स्यात् । (त्रा) प्रा॒ची हि देवा॒नां दिगथो॒ ऽउ॒दक्प्रव॒णोदी॑ची हि म॒नुष्या॒णां दिग्दक्षिणतः पु॒रीषं प्र॒त्युदूहत्येषा वै दि॒क्पितृणा॒ꣳ सा य॒द्दक्षिणाप्रवणा स्यात्क्षि॒प्रे ह य॒जमानो॒ऽमुं लो॒कमियात्त॒थो ह य॒जमा॑नो ज्योग्जीवति त॒स्माद्दक्षिणतः पु॒रीषं प्र॒त्युदूहति पु॒रीषवतीं कुर्वीत प॒शवो॒ वै पु॒रीषं प॒शुमतीमे॒वैनामेतत्कुरुते ॥ १७ ॥

अभितोऽग्निमंसावुन्नयति । योषा वै वेदिः, वृषाग्निः । परिगृह्य वै योषा वृषाणं शेते । मिथुनमेवैतत्प्रजननं क्रियते । तस्मादभितोऽग्निमंसा उन्नयति ॥ १९ ॥

सा वै पश्चाद्वरीयसी स्यात्, मध्ये संह्वारिता, पुनः पुरस्तादुर्वी । एवमिव हि योषां प्रशंसन्ति—पृथुश्रोणिः, विमृष्टान्तरांसा, मध्ये संग्राह्येति । जुष्टामेवैनामेतद्देवेभ्यः करोति ॥ १६ ॥

सा वै प्राक्प्रवणा स्यात्—प्राची हि देवानां दिक् । अथो उदक्प्रवणा—उदीची हि मनुष्याणां दिक् । दक्षिणतः पुरीषं प्रत्युदूहति—एषा वै दिक् पितृणाम् । सा यद्दक्षिणाप्रवणा स्यात्—क्षिप्रे ह यजमानोऽमुं लोकमियात् । तथो ह यजमानो ज्योग् जीवति । तस्माद्दक्षिणतः पुरीषं प्रत्युदूहति । पुरीषवतीं कुर्वीत—पशवो वै पुरीषं, पशुमतीमेवैनामेतत् कुरुते ॥ १७ ॥

वेद्यंसयोराहवनीयस्य स्पर्शं विधत्ते—**अभित** इति । ' अग्निमभितः ' आहवनीयस्य दक्षिणोत्तरपार्श्वयोर्वेद्यंसौ ' उन्नयति ' ऊर्ध्वं प्रापयति । तदेतत् प्रशंसति—**योषा वा** इति । लोके हि योषित् पुमांसमंसाभ्यां परिष्वज्य शेते; अतो वेदेरप्यंसाभ्यामग्नेः परिष्वङ्गो युक्त इति भावः ॥ १९ ॥

" योषा वै "—इति सिद्धवदुक्तं स्त्रीत्वं लौकिकस्त्रीसामान्येनोपपाद्य प्रशंसति—**सा वा** इति । ' वरीयसी ' उरुतरा, विस्तीर्णतरा । उक्तं हि " व्याममात्री पश्चात् स्यादिति " । मध्ये प्रत्यग्भागानन्तरभाविनि मध्यदेशे ' संह्वारिता ' सङ्कुचिता । ' पुरः ' पूर्वभागे ' उर्वी ' विस्तीर्णा । त्र्यरत्निः प्राचीति विधानात् । एवं वेदिस्वरूपमभिधाय तत्साम्यं स्त्रियां योजयति **एवमिति** । **विमृष्टान्तरांसे**ति । श्रोणितो विमृष्टं न्यूनमन्तरमवकाशो ययोस्तौ ' विमृष्टान्तरौ ' तथाविधावंसौ यस्याः सा तथोक्ता । **संग्राह्ये**ति । मध्यदेशे हस्तेन संग्रहीतुं शक्या, कृशोदरीति यावत् । एवम् ' एनाम् ' प्रशस्तयोषिदाकारां वेदिं कुर्वन् देवेभ्यः प्रियां करोति ॥ १६ ॥

अथ सा वेदिः प्राक्प्रवणोदक्प्रवणा वा कार्येति विधत्ते—**सा वा** इति । ' प्राक् ' प्राच्यां दिशि ' प्रवणम् ' निम्नं यस्याः सा तथोक्ता । प्राच्या दिशो देवसम्बन्धित्वम्; दिग्विभजनसमये देवैरात्मीयतया स्वीका-

---

१-' तदेव ' इति पा० । २-अस्मिन्नेव ब्राह्मणे १४ कण्डिकायाम् । आप० श्रौ० सू० २ । २ । ९ । १० । इत्यत्र द्रष्टव्यम् ।

तां प्रतिमार्ष्टि । देवा ह वै संग्रामꣳ सन्निधास्यन्तस्ते होचुर्हन्त यदस्यै पृथिव्या ऽअनामृतं देवयजनं तच्चन्द्रमसि निदधामहै स यदि न ऽइतोऽसुरा जयेयुस्तत ऽ एवार्चन्तः श्राम्यन्तः पुनराभिभवेमेति स यदस्यै पृथिव्या ऽ अनामृतं देवयजनमासीत्तच्चन्द्रमसि न्यदधत तदेतच्चन्द्रमसि कृष्णं तस्मा-दाहुश्चन्द्रमस्यस्यै पृथिव्यै देवयजनमित्युपि ह वा ऽअस्यैतास्मिन्देव-यजनऽइष्टं भवति तस्माद्वै प्रतिमार्ष्टि ॥ १८ ॥

तां प्रतिमार्ष्टि । देवा ह वै संग्रामं सन्निधास्यन्तस्ते होचुः–हन्त यदस्यै पृथिव्या अनामृतं देवयजनं तच्चन्द्रमसि निदधामहै । स यदि न इतोऽसुरा जयेयुः, तत एवार्चन्तः श्राम्यन्तः पुनरभिभवेमेति । स यदस्यै पृथिव्या अनामृतं देवयजनमासीत्तच्चन्द्रमसि न्यदधत। तदेतच्चन्द्रमसि कृष्णम् । तस्मादाहुः–चन्द्रमस्यस्यै पृथिव्यै देवयजनमिति । अपि ह वा अस्यैतस्मिन् देवयजन इष्टं भवति । तस्माद्वै प्रतिमार्ष्टि ॥ १८ ॥

सत् । श्रूयते हि तैत्तिरीयके–"देवमनुष्या दिशो व्यभजन्त प्राचीं देवाः "–(६. १. १. १.) इति, इमां प्रसिद्धिं द्योतयितुमत्र 'हि'–शब्दः । 'अथो'–इति पक्षान्तरं द्योत्यते । अत एव कात्यायनोऽपि पक्षद्वयमसूत्रयत्–"प्राक्प्रवणामुदग् वा "–(श्रौ० सू० २. १५०) इति । आपस्तम्बस्तु प्रागुदगुक्तोपजी-वनेन विकल्पमसूत्रयत्–"प्राक्प्रवणां प्रागुदक्प्रवणां वा"– (आ० श्रौ० सू० २. २. ९.) इति। उदीच्या मनुष्यसम्बन्धः; शान्तरूपत्वात् । अत एवान्यत्राम्नायते–" एषा वै देवमनुष्याणाꣳ शान्ता दिग् "–(तै० ब्रा० २. १. ३. ५.) इति । वेदेर्दक्षिणभागस्य पांसुभिरौन्नत्यकरणं विधत्ते–**दक्षिणत** इति । 'पुरीषम्' खातं पांसुं 'प्रत्युदूहति' प्रतिक्षिपति । विहितमर्थमुपपादयितुं विपक्षे बाधमुपन्यस्यति–**एषा वा** इति । 'एषा' दक्षिणा दिक् पितृणां स्वभूता । तथा च 'सा' वेदिर्यदि 'दक्षिणप्रवणा स्यात्' दक्षिणतो निम्ना भवेत्, तदा तत्रासिक्तोदकवद् यजमानोऽपि दक्षिणतोऽवस्थितं पितृलोकम् 'क्षिप्रे' क्षिप्रम् 'इयात्' प्राप्नुयात् । प्राचीनप्रवणायां तु वेद्यां नैष दोष इत्याह–**तथो ह** इति । तथा सति 'सः' यजमानः 'ज्योक्' चिरं जीवेत् । खाता वेदिर्नाद्भिः श्लक्ष्णीकरणीया, किन्तु पांसुलैव कार्येति विधत्ते–**पुरीषवतीम्** इति । तत् प्रशंसति–**पशवो वा** इति । पशुप्राप्तिहेतुत्वात् पुरीषस्य पशुत्वम् । 'पुरीषैः' पांसुभिः युक्तां वेदिं कुर्वन् पशुभिर्युक्तामेवैनां कुरुत इत्यर्थः ॥ १७ ॥

"पुरा क्रूरस्य" इति मन्त्रेण यद्वेदेर्मार्जनम्, तद् विधत्ते–**ताम्** इति । एतत्प्रशंसार्थमितिहासमाह–**देवा ह** इति । पुरा खलु देवा असुरैः सह योत्स्यमाना एवमवोचन् । किमिति–अस्याः पृथिव्याः सम्बन्धि । 'अना-मृतम्' आ समन्तान्मृतम्, सर्वदा नश्वरम् 'आमृतम्' तद्विपरीतम् 'अनामृतम्' सर्वदा बाधविधुरम् । ईदृग्विधं यद् 'देवयजनम्' देवयागाधिकरणभूतं स्थानम्, तत् 'चन्द्रमसि' चन्द्रमण्डलमध्ये निक्षिपाम । 'सः'–इति व्यत्ययेनैकवचनम् । तेऽसुरा यदि 'नः' अस्मान् 'इतः' अस्मात् स्थानात्–जयेयुः तदा वय-

---

१–"दक्षिणा पितरः प्रतीचीं मनुष्या उदीचीꣳ रुद्राः" इति तच्छेषः । २–"पुरा क्रूरस्येत्यनुमार्ष्टि"–(श्रौ० सू० २. १७३.) इति द्रष्टव्यम् । ३–पा० सू० ३ । १ । ८५ ।

स प्रतिमार्ष्टि । पुरा क्रूरस्य विसृपो विरप्शिन्निति संग्रामो वै क्रूर सꣳ संग्रामे हि क्रूरं क्रियते हतः पुरुषो हतोऽश्वः शेते पुरा ह्येतत्संग्रामान्न्यु-दधत तस्मादाह पुरा क्रूरस्य विसृपो विरप्शिन्नित्युदादाय पृथिवीं जीवदानुमित्युदादाय हि यदस्यै पृथिव्यै जीवमासीत्तच्चन्द्रमसि न्युदधत तस्मादाहोदादाय पृथिवीं जीवदानुमिति यामैरयꣳश्चन्द्रमसि स्वधाभिरिति यां चन्द्रमसि ब्रह्मणादधुरित्येवैतदाह तामु धीरासो ऽअनुदिश्य यजन्त ऽइत्येतेनो ह तामनुदिश्य यजन्तेऽपि ह वा ऽअस्यैतस्मिन्देवयजन ऽइष्टं भवति य ऽएवमेतद्वेद ॥ १९ ॥

स प्रतिमार्ष्टि–“ पुरा क्रूरस्य विसृपो विरप्शिन् ”–(१ अ० २८ मं०) इति। संग्रामो वै क्रूरम् । संग्रामे हि क्रूरं क्रियते–हतः पुरुषः, हतोऽश्वः शेते । पुरा ह्येतत्संग्रामान्न्यदधत । तस्मा-दाह–पुरा क्रूरस्य विसृपो विरप्शिन्निति । “ उदादाय पृथिवीं जीवदानुम् ”–(१ अ० २८ मं०) इति । उदादाय हि यदस्यै पृथिव्यै जीवमासीत्, तच्चन्द्रमसि न्यदधत । तस्मादाह–उदादाय पृथिवीं जीवदानुमिति । “ यामैरयꣳश्चन्द्रमसि स्वधाभिः ”–(१ अ० २८ मं०) इति । यां चन्द्रमसि ब्रह्मणादधुरित्येवैतदाह–“ तामु धीरासोऽअनुदिश्य यजन्ते ”–(१ अ० २८ मं०) इति। एतेनो ह तामनुदिश्य यजन्ते। अपि ह वा अस्यैतस्मिन् देवयजन इष्टं भवति–य एवमेतद्वेद ॥ १९ ॥

मेतत् स्थानं परित्यज्य ‘ तत एव ’ चन्द्रमसि निहिते तस्मिन् स्थान एव, पुनर्यज्ञं कुर्वाणास्तेन यज्ञेनासुरान् पुनरभिभवेमेति । ईदृग्विधोपायजनितहर्षद्योतको ‘ हन्त ’–शब्दः । एवं विचार्य तथैव देवैः कृतमिति दर्शयति–स यदिति । व्यत्ययेन पुँल्लिङ्गता[1] । तद्यदस्याः पृथिव्याः सम्बन्धीत्यर्थः । ‘ न्यदधत ’ निहितवन्तो निक्षिप्त-वन्तः । ‘ तत् निहितं देवयजनम्, ‘ एतद् ’ इदानीं चन्द्रमसि कृष्णवर्णं सत् कलङ्कात्मतया दृश्यते । उक्तेऽर्थे लोकप्रसिद्धिमुदाहरति–तस्मादिति । यस्मादेवं पृथिव्या अनामृतं देवयजनं चन्द्रमसि निक्षिप्तम्, तस्मादेव कारणादस्याः पृथिव्याः सम्बन्ध्युदीरितलक्षणं देवयजनं चन्द्रमसि विद्यत इत्यभिज्ञाः कथयन्ती-त्यर्थः । यदीदृग्विधं देवयजनम्, एतस्मिन्नेव “ पुरा क्रूरस्य ”–इति मन्त्रेण प्रतिमार्जनं कुर्वतः ‘ अस्य ’ यजमानस्यापि यज्ञेनेष्टं भवतीत्यर्थः ॥ १८ ॥

विहितं प्रतिमार्जनमनूद्य मन्त्रं विधत्ते–स इति । मन्त्रगतक्रूरपदस्यार्थमाह–संग्रामो वै क्रूरमिति । कथं संग्रामस्य क्रूरशब्दाभिधेयतेत्याशङ्क्योपपादयति–संग्रामे हीति । क्रूरकरणमपि कथं संग्रामे विद्यत इत्यत आह–हतः पुरुष इति । पुरुषाश्वादेश्चतुरङ्गबलस्य तत्र हननलक्षणात् क्रूरकरणात् तदधिकरणभूतः संग्रामो-ऽप्यत्र क्रूरशब्देन प्रतिपाद्यत इत्यर्थः । पदार्थमुक्त्वा वाक्यार्थमुपपादयति–पुरा हीति। ‘ क्रूरस्य ’ संग्रामस्य ‘ विसृपः ’ विसर्पणादागमनात्पुरेति मन्त्रवाक्यार्थ इत्यभिप्रायः । मन्त्रस्य द्वितीयं भागमनूद्य ‘ जीवदानु ’–

१–पा० सू० ३।१।८५। तथा च कारिका–“ सुप्तिङुपग्रहलिङ्गनराणां कालहलच्स्वरकर्तृयङां च । व्यत्ययमिच्छति शास्त्रकृदेषां सोऽपि च सिध्यति बाहुलकेन ” इति ।

(दा) अथाह प्रोक्षणीरासादयेति । वज्रो वै स्फ्यो ब्राह्मणश्चेमं पुरा यज्ञमभ्य- जूगुपतां वज्रो वा ऽआपस्तद्वज्रमेवैतदभिगुप्त्या ऽआसादयति स वा ऽउपर्युपर्येव प्रोक्षणीषु धार्यमाणास्वथ स्फ्यमुद्यच्छत्यथ यन्निहित ऽएव स्फ्ये प्रोक्षणीरासादयेद्वज्रौ ह समृच्छेयातां तथो ह वज्रौ न समृच्छेते तस्मादुपर्युपर्य्येव प्रोक्षणीषु धार्य्यमाणास्वथ स्फ्यमुद्यच्छति ॥ २० ॥

अथाह–" प्रोक्षणीरासादय "–(१ अ० २८ मं०) इति । वज्रो वै स्फ्यः, ब्राह्मणश्च; इमं पुरा यज्ञमभ्यजूगुपताम् । वज्रो वा आपः । तद् वज्रमेवैतदभिगुप्त्यै–आसादयति । स वा उपर्युपर्येव प्रोक्षणीषु धार्यमाणास्वथ स्फ्यमुद्यच्छति । अथ यन्निहित एव स्फ्ये प्रोक्षणीरासादयेद्–वज्रौ ह समृच्छेयाताम् । तथो ह वज्रौ न समृच्छेते । तस्मादुपर्युपर्येव प्रोक्षणीषु धार्यमाणास्वथ स्फ्यमुद्यच्छति २०

पदस्य विवक्षितमर्थं दर्शयन् व्याचष्टे–**उदादायेति** । अस्याः पृथिव्याः ' जीवम् '–जीवनरूपं जीवात्मभूतं वा यदनामृतं देवयजनमासीत्, तदित्यर्थः । तथा च ' जीवदानुम् ' जीवनप्रदां जीवभूतां पृथिवीमिति मन्त्रपदाभिप्रायो वर्णितो भवति । वैयाकरणास्तु " जीवे रदानुक् " इति जीरदानुपदं व्युत्पादयन्ति । तथैव तैत्तिरीयकैराम्नातम् । मन्त्रस्य भागान्तरमनूद्य व्याचष्टे–**यामिति** । 'ब्रह्मणा' मन्त्रेण । एतच्च स्वधाभिरित्यस्य व्याख्यानम् । मन्त्रस्यान्तिमं भागमनूद्य व्याचष्टे–**तामिति** । ' एतेन ' इदानीन्तनेन देवयजनेन, ' ताम् ' चन्द्रमस्यवस्थिताम्, अनामृतां पृथिवीम् 'अनुदिश्य' तदेवमिति तादात्म्येनानुसन्धायेत्यर्थः । एतद्वेदनं प्रशंसति–**अपि हेति** ॥ १९ ॥

वेदिकरणानन्तरं कर्तव्यं विधत्ते–**अथेति** । प्रोक्षणीरासादयेत्यादिकं संप्रैषं ब्रूयादित्यर्थः । प्रोक्षत्याभिरिति ' प्रोक्षण्यः ' आपः; तासामासादनं यज्ञरक्षार्थमिति व्याचष्टे–**वज्रो वा** इति । स्फ्यस्तावद् वज्रः; तदंशपरिणामरूपत्वात् । तथैव प्रागाम्नातम्–" तस्य स्फ्यस्तृतीयं वा यावद् वा "–इति । (का० १ प्र० २ ब्रा० २ कं० १ ।) ब्राह्मणोऽपि वज्रात्मकः; तद्वन्मन्त्रसामर्थ्येन रक्षसां हन्तृत्वात् । तौ खलु पुरेमं यज्ञम् ' अभ्यजूगुपताम् ' अभितोऽरक्षिष्टाम् । " गुपू रक्षणे " (भ्वा० प० ३९५) इत्यस्माल्लुङि, " गुपेश्छन्दसि "–(पा० सू० ३. १. ५०) इति चङि रूपम् । तत्र हि " आयादय आर्धधातुके वा " (पा० सू० ३. १. ३१)–इत्याय–प्रत्ययो विकल्प्यते । **वज्रो वा** इत्यादि । " तस्माद् येनैता यन्ति निम्नं कुर्वन्ति " इत्यपां वज्रत्वं प्रागेव (का० १ प्र० १ ब्रा० १ कं० १७ ।) श्रुत्या प्रतिपादितम् । वज्ररूपाणां तासामासादनं यज्ञस्याभितो रक्षायै सम्पद्यत इत्यर्थः । प्रोक्षणीनामासादनसमये–आग्नीध्रकर्तृकं स्फ्यस्योद्यमनं विधत्ते–**स वा** इति । " उपर्यध्यधसः सामीप्ये "–(पा० सू० ८. १. ७)–इत्युपरिशब्दस्य द्विर्वचनम् । ' उपर्युपरि ' समीपे–उपरि देशे । आसाद्यमानासु ' प्रोक्षणीषु ' ' धार्यमाणासु ' सतीषु ' अथ ' अनन्तर-

---

१–तदेवं जीवं ददातीति विग्रहोऽत्रास्य ब्राह्मणकारस्येष्टः । " आशेमाणजीरदानुरिति वर्णलोपात् "–इति पा० सू० ६ । १ । ६६ । वा० । २–'जीवदानु ' इति क्वचित्पाठः । ३–अभिन्नो घर्मो जीरदानु ' इत्यादि तै० सं० १. ५. १०. ४ द्रष्टव्या । तत्र च भाष्येऽप्येवमाह सायणः–" जीरं जीवनं पुरोडाशद्वारेण यज्ञस्य ददातीति जीरदानुः " । इह तु जीवदानुशब्द एवमर्थकः । ४–' अभ्यावेदिं प्रोक्षणीर्धारयति ' ' अन्योऽय स्फ्यमुद्यम्याह–प्रोक्षणीरासादयेध्मं बर्हिरुपसादय स्रुचः संमृड्ढि पत्नीं सन्नह्याज्येनोदेहीति यदीच्छेत् ' (श्रौ० सू० २. १७४, १७५) अग्रे च तत्रैतत्कर्तृनिर्णयात्रिभिः सूत्रैः । ५–स्फ्यलक्षणं १९ तमे पृष्ठे प्रथमटिप्पण्यां द्रष्टव्यम् ।

(त्यु) अथैतां वाचं वदति । प्रोक्षणीरासादयेध्मं बर्हिरुपसादय स्रुचः सम्मृड्ढि पत्नीꣳ सन्नह्याज्येनोदेहीति सम्प्रैषऽएवैष स यदि कामयेत ब्रूयादेतद्यद्यु कामयेतापि नाद्रियेत स्वयमु ह्येवैतद्वेदेदमतः कर्म कर्त्तव्यमिति ॥ २१ ॥

अथैतां वाचं वदति–प्रोक्षणीरासादय, (१ अ. २८ मं.) इध्मं बर्हिरुपसादय, स्रुचः सम्मृड्ढि, पत्नीं सन्नह्याज्येनोदेहि; इति । संप्रैष एवैषः । स यदि कामयेत–ब्रूयादेतत् । यद्यु कामयेत–अपि नाद्रियेत । स्वयमु ह्येवैतद् वेद–इदमतः कर्म कर्त्तव्यमिति ॥ २१ ॥

मासादनसमकालमेववाग्नीध्रः स्फ्यम् 'उद्यच्छति' धारयति । विपक्षे बाधमाह–अथ यदिति । उद्यमनमकृत्वा पूर्वं वेदिमध्ये निहितस्य स्फ्यस्योपरि सादने स्फ्याब्लक्षणौ 'वज्रौ' सङ्गतौ भवेताम् । तथा च वज्रद्वयसंगमाद् यजमानस्य बाधः स्यादित्याशयः । "समो गम्यृच्छिभ्याम्"–(पा० सू० १. ३. २९)–इत्यात्मनेपदम् । अस्य दोषस्याभावं स्वपक्षे दर्शयति–तथो हेति । 'तथो' तथा च स्फ्यस्य वेदेः सकाशादुद्यमने सतीत्यर्थः । 'तस्मादिति' प्रतिपादितार्थनिगमनम् ॥ २० ॥

प्रतिकग्रहणेन विहितं सम्प्रैषमन्त्रं साकल्येनानुवदति–अथैतामिति । हे आग्नीध्र ! प्रोक्षणार्था अप आसादय । अग्निसमिन्धनार्थम् 'इध्मम्' वेदिस्तरणार्थम् 'बर्हिः' च, आहवनीयसमीपे–आसादय । जुह्वाद्याः 'स्रुचः' सम्मार्जनसंस्कारेण संस्कुरु । यजमानस्य या पत्नी, तां योक्त्रेण 'सन्नह्य' यत् प्रागग्न्यावधिश्रितमाज्यम्, तेन 'उदेहि' आगच्छेति संप्रैषमन्त्रार्थः । एवमेष मन्त्रः परप्रत्यायनार्थप्रयुक्तत्वात् सम्प्रैष एव; न तु मन्त्रान्तरवददृष्टैकप्रयोजन इत्याह–सम्प्रैष इति । स यदीत्यादि । प्रोक्षण्यासादनादिकमाग्नीध्रेण कारयितुं यदि कामयेत, तदा 'एतत्' सम्प्रैषवाक्यं ब्रूयात्; यदि च तथा न कामयेत,–स्वयमेव कुर्यामित्येवमेव कामयेत, तदा 'तत्' सम्प्रैषवचनं नाद्रियेतापि, तद्विषयमादरमपि न कुर्यात् । तत्रोपपत्तिमाह–स्वयमिति । 'अतः' अस्मात् कर्मणोऽनन्तरमिदं कर्म कर्त्तव्यमिति 'हि' यस्मात् स्वयमेवैतद्वेद, तस्मात्परं प्रत्यज्ञातज्ञापनार्थः सम्प्रैषो निरर्थक इत्यर्थः ॥ २१ ॥

१–'विवक्षितं'–इति पा० । २–यच्चात्र सायणाचार्यैः "हे आग्नीध्र ! प्रोक्षणार्था अप आसादय" "प्रोक्षण्यासादनादिकमाग्नीध्रेण कारयितुं यदि कामयेत" इत्येवं व्याख्याकरणेन प्रैषकरणमध्वर्योः प्रैषार्थकरणं चाग्नीधः प्रत्यपादि । तत्कातीयसूत्रभाष्यविसंवाद्येव । तथा च सूत्रं "यथाप्रेषितमन्यः पराधिकारात्"–"स्वयं वाऽविरोधात्"–"सम्प्रैषावचनाच्च" २ । ६ । २७, २८, २९ । अत्रायं भाष्यसारांशः–"यथाप्रेषितमन्यः करोति । अन्यशब्दोऽग्नीद्विषयः पराधिकारात् । सामर्थ्यादेव च परप्राप्तौ परशब्दो जघन्यविषयः । परं हि जघन्यं निकृष्टमधिकृत्य प्रैषः प्रवर्तते । अपिच निकृष्टेनोत्कृष्टस्य प्रेषणं विरुध्यते । तस्मादध्वर्युः प्रैषेऽग्नीध्र प्रैषार्थे । एवं प्राप्ते उच्यते । स्वयं वाऽध्वर्युः प्रैषार्थङ्करोति सामर्थ्यादग्नीत्प्रेषयति । प्रैषार्थस्य प्राधान्यात् अन्तरंगं प्रैषार्थो बहिरंगम्प्रैषः । प्रैषार्थेन व्यवहितत्वात् । ततश्च यदन्तरङ्गं प्रधानं च तदध्वर्युः करोति । बहिरंगं गुणभूतं चाग्नीध्रादिः इति न्याय्यम् । ननु च विरुध्यत एतदुक्तम् । नहि निकृष्ट उत्कृष्टं प्रेषयितुमलमित्यत आह–अविरोधात् स्यादयं विरोधो यद्ययं प्रैषः स्यात् । अध्येषणा त्वेषा अग्नीदध्वर्युमधीच्छति । प्रेषणाध्येषणयोः को विशेष इति चेन्निकृष्टविषयम्प्रेषणमुत्कृष्टविषयमध्येषणमिति । न च संप्रैषवचनमस्ति । यथाऽन्यत्राग्नीदग्नीन्विहरेति । किं तर्ह्यध्येषणमिति । ततश्च न विरोधः । तस्मादध्वर्युः प्रैषार्थेऽग्नीध्र प्रैष इति । तथा च लिंगं "प्रैषवचनं हि प्रकृत्याम्नायते" "स यदि कामयेत ब्रूयादेतद्यद्यु कामयेतापि नाद्रियेत–स्वयमु ह्येवैतद्वेदेदमतः कर्मेति" । अध्वर्युम्प्रैषार्थस्य कर्तारं दर्शयति । सूत्रकारानुप्रवृत्तेश्चायमेवार्थोऽवसीयत इति कर्कोपाध्यायपादाः । विस्तरस्तु तद्भाष्य एव विलोकनीयः । इति ।

(त्य) अथोदञ्चꣳस्फ्यं प्रहरति । (त्य) अमुष्मै त्वा वज्रं प्रहरामीति यद्यभिचरेद्वज्रो वै स्फ्यस्तृणुते हैवैनेन ॥ २२ ॥

(त्रा) अथ पाणी ऽअवनेनिक्ते । यद्वचस्यै क्रूरमभूत्तद्वचस्या ऽएतदुहार्षीत्तस्मात्पाणी ऽअवनेनिक्ते ॥ २३ ॥

स ये हाग्र ऽईजिरे । ते ह स्मावमर्शं यजन्ते ते पापीयाꣳꣳस आसुरथ ये नेजिरे ते श्रेयाꣳꣳसऽ आसुस्ततोऽश्रद्धा मनुष्यान्विवेद ये यजन्ते पापीयाꣳꣳसस्ते भवन्ति यऽउ न यजन्ते श्रेयाꣳꣳसस्ते भवन्तीति तत ऽइतो देवान्हविर्न जगामेतः प्रदानाद्धि देवा उपजीवन्ति ॥ २४ ॥

अथोदञ्चं स्फ्यं प्रहरति–अमुष्मै त्वा वज्रं प्रहरामीति–यद्यभिचरेद् । वज्रो वै स्फ्यः, तृणुते हैवैनेन ॥ २२ ॥

अथ पाणी अवनेनिक्ते। यद्वचस्यै क्रूरमभूत्–तद्वचस्या एतदहार्षीत्। तस्मात् पाणी अवनेनिक्ते॥२३॥

स ये हाग्र ईजिरे, ते ह स्मावमर्शं यजन्ते, ते पापीयांस आसुः । अथ ये नेजिरे ते श्रेयांस आसुः । ततोऽश्रद्धा मनुष्यान् विवेद–ये यजन्ते पापीयांसस्ते भवन्ति; य उ न यजन्ते श्रेयांसस्ते भवन्तीति । तत इतो देवान् हविर्न जगाम–इतः प्रदानाद्धि देवा उपजीवन्ति ॥ २४ ॥

"द्विषतो वधः"–इति मन्त्रेण स्फ्यस्य बहिर्वेद्युदङ् निरसनं विधत्ते–अथेति । अभिचरतो विशेषमाह–**अमुष्मा** इति । अस्मिन् मन्त्रे 'अमुष्मै' इति शत्रोर्नाम चतुर्थ्या निर्दिशेदित्यर्थः ॥ २२ ॥

हस्तप्रक्षालनं विधत्ते–**अथेति** । 'अवनेनिक्ते' शोधयति, प्रक्षालयेदित्यर्थः । "णिजिर् शौचपोषणयोः" (जु० उ० ११)–इति धातुः । "णिजां त्रयाणाम्"–(पा० सू० ७. ४. ७५)–इत्यभ्यासस्य गुणः । अवनेजनस्य प्रयोजनमाह–**यद्धी**ति । यत् 'खलु अस्याः' वेदेः खननादिकं 'क्रूरम्' कर्माऽभूत्, तदनेन स्फ्यस्योदङ्निरसनेन 'अस्याः' वेदेः 'अहार्षीत्' निरास्यत् । 'तस्मात्' पाण्योः क्रूरकर्मसंश्लेषादवनेजनेन शुद्धिः कार्येत्यर्थः ॥ २३ ॥

श्रृतानां हविषां यागात् प्राग् निर्मिताया वेदेश्च बर्हिस्तरणात् पूर्वं स्पर्शनिषेधं विधित्सुस्तत्सिद्ध्यर्थमितिहासमाचष्टे–**स ये हे**ति । पूर्ववद् बहुवचनस्थाने स इत्येकवचनम्, ते–' ये ' प्रसिद्धा यजमानाः 'अग्रे' पुरा ह 'ईजिरे' इष्टवन्तः, 'ते' खलु यागसमये श्रृतानि हवींषि क्लृप्तां वेदिं च 'अवमर्शम्' अवमृश्य संस्पृश्य यजन्ते; 'ते' च तेनावमर्शजनितेन दोषेण 'पापीयांसः' पापिष्ठा निकृष्टा बभूवुः । यागमकुर्वाणास्त्ववमर्शजनितदोषविरहात्–श्रेष्ठा एव बभूवुः । 'ततः' अनन्तरमेवावमर्शनस्य दोषहेतुत्वमजानानान् 'मनुष्यान्' 'अश्रद्धा' यागविषयाऽरुचिः 'विवेद' प्राप्नोति । तामेवाश्रद्धां दर्शयति–**य** इति । यागस्यानर्थहेतुतामज्ञासिषुरित्यर्थः । **तत** इत्यादि । 'ततः' अश्रद्धाप्राप्त्यनन्तरं केनचिदपि यागस्याननुष्ठानात् 'इतः' अस्माद् भूलोकाद् देवान् प्रति चरुपुरोडाशादिकम् 'हविः' न जगाम । ननु मागमद्धविः; अमृतोपजीविनां देवाना-

---

१–"द्विषतो वध इति स्फ्यमुदञ्चं प्रहरति"–(श्रौ० सू०२.१८३) "द्विषतो वधोऽसि" (१ अ० २८ मं०) इति मन्त्रभागो ब्राह्मणे तु न व्याख्यातः । २–" अवनिज्य पाणी "–(श्रौ० सू० २. १८४)। ३–८३ तमे पृष्ठे प्रथमा टिप्पणी द्रष्टव्या ।

ते ह देवाऽऊचुः । (बृ॒) बृहस्पतिमाङ्गिरसमुश्रद्धा वै मनुष्यानविदत्तेभ्यो विधेहि यज्ञमिति स हेत्योवाच बृहस्पतिराङ्गिरसः कथा नु यजध्व ऽइति ते होचुः किंकाम्या यजेमहि ये यजन्ते पापीयाᳪँसस्ते भवन्ति यऽउ न यजन्ते श्रेयाᳪँसस्ते भवन्तीति ॥ २५ ॥

स होवाच । बृहस्पतिराङ्गिरसो यद्वै शुश्रुम देवानां परिषूतं तदेष यज्ञो भवति यच्छृतानि हवीᳪँषि क्लृप्ता वेदिस्तेनावमर्शमचारिष्ट तस्मात्पापीयाᳪँसोऽभूत तेनानवमर्शं यजध्वं तथा श्रेयाᳪँसो भविष्यथेत्याक्रियत ऽइत्या बर्हिषस्तरणादिति बर्हिषा ह वै खल्वेषा शाम्यति स यदि पुरा बर्हिषस्तरणात्किञ्चिदापद्येत बर्हिरेव तत्स्तृणन्नुपास्येदथ यदा बर्हिस्तृणन्त्यपि पदाभितिष्ठन्ति स यो हैवं विद्वाननवमर्शं यजते श्रेयान्हैव भवति तस्मादनवमर्शमेव यजेत ॥ २६ ॥ ३ ॥

इति प्रथमकाण्डे द्वितीयप्रपाठके तृतीयं ब्राह्मणम् (२. ९.)

समाप्तश्च द्वितीयोऽध्यायः ।

ते ह देवा ऊचुर्बृहस्पतिमाङ्गिरसम्—अश्रद्धा वै मनुष्यानविदत्, तेभ्यो विधेहि यज्ञमिति । स हेत्योवाच बृहस्पतिराङ्गिरसः—कथा न यजध्व इति । ते होचुः—किंकाम्या यजेमहि, ये यजन्ते पापीयांसस्ते भवन्ति, य उ न यजन्ते—श्रेयांसस्ते भवन्तीति ॥ २५ ॥

स होवाच बृहस्पतिराङ्गिरसः—यद्वै शुश्रुम देवानां परिषूतं तदेष यज्ञो भवति । यच्छृतानि हवींषि, क्लृप्ता वेदिस्तेनावमर्शमचारिष्ट तस्मात्पापीयांसोऽभूत । तेनानवमर्शं यजध्वम्, तथा श्रेयांसो भविष्यथेति । आक्रियत इति । आ बर्हिषस्तरणादिति । बर्हिषा ह वै खल्वेषा शाम्यति । स यदि पुरा बर्हिषस्तरणात् किञ्चिदापद्येत, बर्हिरेव तत् स्तृणन्नुपास्येत् । अथ यदा बर्हिस्तृणन्ति—अपि पदाभितिष्ठन्ति । स यो हैवं विद्वाननवमर्शं यजते, श्रेयान् हैव भवति । तस्मादनवमर्शमेव यजेत ॥ २६ ॥

मनेन किं प्रयोजनमित्यत आह—इतः प्रदानाद्धीति । 'इतः' अस्माद् लोकात् प्रदीयमानं यद्धविः, तस्मादित्यर्थः । "कृत्यल्युटो बहुलम्"—(पा० सू ३. ३. ११३)—इति प्रपूर्वाद् ददातेः कर्मणि ल्युट् ॥ २४ ॥

तत्रेतिहासमाह—ते हेति । हविरागमनाभावेन निराहाराः 'ते' देवा अङ्गिरसः पुत्रं बृहस्पतिमुक्तवन्तः । किमिति, 'अश्रद्धा' यागविषया मनुष्यान् 'प्राप्नोति । तत्तोऽङ्गिरस्य तेभ्यो 'यज्ञम्' 'विधेहि' यजध्वमिति विधिं कुर्या इत्यर्थः । स च बृहस्पतिरागत्योक्तवान्—हे मनुष्याः ! 'कथा' कथं—कस्माद्धेतोर्न यजध्वे—इति । "था हेतौ च च्छन्दसि"—(पा० सू० ९. ३. २६)—इति था—प्रत्ययः । एवं पृष्टैस्तैरुक्तं यागाननुष्ठानकारणमुपन्यस्यति—किङ्काम्या—इति । किं कामनया ? कस्य फलस्येच्छयेत्यर्थः ॥ २५ ॥

एवं यागानुष्टानत्यागकारणमुक्तवत्सु तेषु बृहस्पतिरयथानुष्ठानजनितमेव तत् पापीयस्त्वम्, न तु सम्यग्-

---

१–तदिति पदं क्वचिन्नास्ति ।

यागानुष्ठानजमिति बोधयंस्तेषां विपर्यस्ततां निरस्यति—**स होवाचेति** । **यद्वै शुश्रुमेति** । ' यत् ' खलु वस्तु देवानामर्थम् ' परिभूतम् ' परिगृहीतं शुश्रुम, ' तत् ' एतदात्मक एष यज्ञः; तत्साध्यत्वात् । सामान्योक्तं विशिनष्टि—**यच्छृतानीति** । ' शृतानि ' पक्वानि पुरोडाशादीनि ' हवींषि ' पूर्वपरिग्रहादिभिः ' क्लृप्ता ' निर्मिता वेदिरिति यदस्ति, एतत्साध्यो हि देवार्थो यज्ञः, ' तेन ' एवंदृग्विधेन यज्ञेन हे मनुष्याः ! यूयम् ' अवमर्शम् ' अवमृश्य यागात् प्राक् पक्वानि हवींषि, बर्हिस्तरणात् पूर्वं वेदिं च संस्पृश्य, ' अचारिष्ट ' आचरणं कृतवन्तः; यागसाधनस्य च मनुष्यसंस्पर्शो न युक्तः; अतस्तस्मादेवावमर्शनात् हे मनुष्याः ! यूयं पापीयांसोऽभूत, न तु यागात् । अतोऽवमर्शं परित्यज्य तेन यज्ञेन यजध्वम् । तथा च श्रेष्ठयं वो भविष्यतीति बृहस्पतिना बोधितेऽवमर्शनपरित्यागस्यावधिं पृच्छति—**आ कियत इति** । कियत्कालपर्यन्तमेवावमर्शनपरित्याग इत्यर्थः । तस्योत्तरमाह—**बर्हिष इति** । बर्हिःस्तरणपर्यन्तम्, संस्कृतां वेदिं न स्पृशेदित्यर्थः । एतच्च हविषामप्युपलक्षणम्; अतः पक्वानि हवींष्यपि यागात् पूर्वं न स्प्रष्टव्यानीति द्रष्टव्यम् । अत एव सूत्रितं कात्यायनेन—" प्राक् स्तरणाद् वेदिं नावमृशेत् " " शृतानि च हवींष्याप्रचरणात् "—(श्रौ० सू० २. १७९–१८०) इति । युक्तं चैतदित्याह—**बर्हिषेति** । बर्हिषः स्तरणात् पूर्वमशान्ता सती सा वेदिः स्तीर्यमाणेन ' बर्हिषा ' खलु शान्ता भवति । अतोऽशान्तायाः स्पृष्टौ प्रागुक्तो दोषो युज्यत इत्यर्थः । **स यदीत्यादि** । बर्हिषः स्तरणात् पूर्वं यदि वेदिमध्ये ' किञ्चित् ' तृणादिकमापद्येत, तदा तन्निरासार्थमपि न स्पृशेत् । किन्तु ' बर्हिः स्तृणन् ' स्तरणसमये बर्हिषः स्तरणं कुर्वन्नेव ' तत् ' तृणादिकं निरस्येत् । स्तरणप्रभृति वेदिस्पर्शो न दोषायेत्यभिप्रेत्याह—**अथेति** । ' यदा ' यस्मिन् काले बर्हिर्मुष्टिं स्तृणन्त्यध्वर्यवः, तदानीम् ' पदा ' पादेनाप्यभितिष्ठन्ति; अतस्तस्मिन् समये स्पर्शो न दुष्यतीति भावः । एवमितिहासमुखेन प्रतिपादितमर्थमिदानीमप्यनुष्ठेयत्वेन विधत्ते—**स य इति** । ' एवं विद्वान् ' उक्तमितिहासं जानन्नित्यर्थः ॥ २६ ॥ ३ ॥ (२. ५.)

वेदार्थस्य प्रकाशेन तमो हार्दं निवारयन् ॥ पुमर्थांश्चतुरो देयाद् विद्यातीर्थमहेश्वरः ॥ १ ॥

इति श्रीमद्राजाधिराजपरमेश्वरवैदिकमार्गप्रवर्तकश्रीवीरहरिहरमहाराजसाम्राज्यधुरन्धरेण
सायणाचार्येण विरचिते माधवीये वेदार्थप्रकाशे माध्यन्दिनशतपथब्राह्मणभाष्ये
प्रथमकाण्डे द्वितीयाध्याये पञ्चमं ब्राह्मणं द्वितीयाध्यायश्च समाप्तः ॥ २ ॥

१–' विपर्ययग्रस्तताम् '–इति पा० । २–एवंविधस्थानेषु सविसर्गनिर्विसर्गपाठौ सर्वत्र ज्ञेयौ । इति । ३–' नावमृशेद् ' इति पा० । ४–' बर्हिषः स्तरणसमये ' इति पा० । ५–" आपन्नं तृणन्निरस्येत् " इति । (श्रौ० सू० २. १८२.) ।

अथ तृतीयाध्याये प्रथमं ब्राह्मणम् ।

स वै स्रुचः सम्मार्ष्टि । तद्यत्स्रुचः सम्मार्ष्टि यथा वै देवानां चरणं तद्वा ऽअनु मनुष्याणां तस्माद्यदा मनुष्याणां परिवेषणमुपक्लृप्तं भवति ॥ १ ॥

(त्यु) अथ पात्राणि निर्णेनिजति । तैर्निर्णिज्य परिवेविषत्येवं वा ऽएष देवानां यज्ञो भवति यच्छृतानि हवीꣳषि क्लृप्ता वेदिस्तेषामेतान्येव पात्राणि यत्स्रुचः ॥ २ ॥

स यत्सम्मार्ष्टि । निर्णेनेक्त्येवैना ऽएतन्निर्णिक्ताभिः प्रचराणीति तद्वै द्वयेनैव देवेभ्यो निर्णेनिजत्येकेम मनुष्येभ्योऽद्भिश्च ब्रह्मणा च देवेभ्य ऽआपो हि कुशा ब्रह्म यजुरेकेनैव मनुष्येभ्योऽद्भिरेवैवमेतन्नाना भवति ॥ ३ ॥

अथ द्रव्यसंस्काराः ।

स वै स्रुचः सम्मार्ष्टि । तद्यत् स्रुचः सम्मार्ष्टि–यथा वै देवानां चरणं तद्वा अनु मनुष्याणाम् । तस्माद् यदा मनुष्याणां परिवेषणमुपक्लृप्तं भवति ॥ १ ॥

अथ पात्राणि निर्णेनिजति । तैर्निर्णिज्य परिवेविषति । एवं वा एष देवानां यज्ञो भवति–यच्छृतानि हवींषि, क्लृप्ता वेदिः, तेषामेतान्येव पात्राणि–यत्स्रुचः ॥ २ ॥

स यत्सम्मार्ष्टि–निर्णेनेक्त्येवैना एतत्–निर्णिक्ताभिः प्रचराणीति । तद्वै द्वयेनैव देवेभ्यो निर्णे-

---

यस्य निःश्वसितं वेदा यो वेदेभ्योऽखिलं जगत् ॥ निर्ममे, तमहं वन्दे विद्यातीर्थमहेश्वरम् ॥ १ ॥

प्रोक्षणीरासादयेति प्रैषमन्त्रानुसारेण प्रथमं प्रोक्षणीनामासादनमुक्तम् । इध्माबर्हिषोरुपसादनमपि विशेषवक्तव्याभावात् सिद्धमित्यभिप्रेत्य क्रमप्राप्तं स्रुक्सम्मार्जनं विधत्ते–स वा इति । यथा वा इत्यादि । 'यत्' खलु देवानां वर्त्तनम्, तदनुसार्येव मनुष्यवर्त्तनम्; तत्कार्यत्वात् । मनुष्याणां च भोज्यान्नसूपशाकादौ पक्वे सति भोजनस्थाने शोधिते, तत्परिवेषणसाधनानि दर्व्यादीनि पात्राणि–अद्भिः प्रक्षालनेन शोध्यन्ते । अतो मानुषव्यवहारनिदानत्वाद् देवव्यवहारस्य देवानामन्ने हविषि पक्वे वेद्यां च संस्कृतायां तत्परिवेषणसाधनानां स्रुचां सम्मार्जनं युक्तमिति " यत् स्रुच "–इत्येवमन्तस्य वाक्यसन्दर्भस्याभिप्रेतोऽर्थः ॥ १ ॥

अथेति । निर्णेनिजतीति । " अदभ्यस्तात् " (पा० सू० ७ । १ । ४)–इति झस्यादादेशः । " परिवेविषति "–इत्यत्राप्येवम् ॥ २ ॥

[3]ननु मानुषपात्रवद् देवपात्राणां स्रुचामप्यद्भिः प्रक्षालनेन भवितव्यम्, किमनेन सम्मार्जनेनेत्याह–स यदिति । ' निर्णिक्ताभिः ' प्रक्षालिताभिः स्रुग्भिः प्रचराणीत्यनेनाभिप्रायेण सम्मार्जनेन प्रक्षालनमेव करोती-

---

१–" दधिपयआदिगणपाठनिपातनाद्दीर्घः " पा. सू. २ । ४ । १४ । २–" बाहुमात्र्यः स्रुचः पाणिमात्रपुष्करास्त्वग्बिला हंसमुखप्रसेका मूलदण्डाः " का. श्रौ. सू. १ । ३ । ३७ । स्रुचास्तिस्रः–जुहूपभृद्ध्रुवाः । तत्र " पालाशीजुहूः " इति । " आश्वत्थी उपभृत् " का. श्रौ. सू. १ । ३ । ३४ । ३५ । " ध्रुवा तु वैकंकती भवति " का. श्रौ. सू. १ । ३ । ३१ । इति । ३–'देवपात्राणां स्रुचां न मानुषपात्रवदद्भिः प्रक्षालनं केवलं करोति किन्तु सम्मार्जनेनैव सहितं प्रक्षालनमित्याह ' इति क्वचित्पाठः ।

(त्यु) अथ स्रुवमादत्ते। तं प्रतपति प्रत्युष्टꣳ रक्षः प्रत्युष्टा ऽअरातयो निष्टप्तꣳ रक्षो निष्टप्ता ऽअरातय ऽ इति वा॥ ४॥

देवा ह वै यज्ञं तन्वानाः। (स्ते) तेऽसुररक्षसेभ्य ऽआसङ्गाद्बिभयाञ्चक्रुस्तद्यज्ञमुखादेवैतन्नाष्ट्रा रक्षाꣳस्यतोपहन्ति॥ ५॥ [अर्धप्रपाठकः]

स वा ऽइत्यग्रेरन्तरतः सम्मार्ष्टि। (ष्टर्च्ये) अनिशितोऽसि सपत्नक्षिदिति यथानुपरतो यजमानस्य सपत्नान्क्षिणुयादेवमेतदाह वाजिनन्त्वा वाजेध्यायै सम्माज्मीति यज्ञियन्त्वा यज्ञाय सम्माज्मीत्येवैतदाहैतेनैव सर्वाः स्रुचः सम्मार्ष्टि वाजिनीन्त्वेति स्रुचं तूष्णीं प्राशित्रहरणम्॥ ६॥

निजति, एकेन मनुष्येभ्यः। अद्भिश्च ब्रह्मणा च देवेभ्यः। आपो हि कुशाः, ब्रह्म यजुः। एकेनैव मनुष्येभ्यः–अद्भिरेव। एवम्वेतन्नाना भवति॥ ३॥

अथ स्रुवमादत्ते। तं प्रतपति–"प्रत्युष्टꣳ रक्षः प्रत्युष्टा अरातयो निष्टप्तꣳ रक्षो निष्टप्ता अरातयः"–(१ अ० २९ मं०) इति वा॥ ४॥

देवा ह वै यज्ञं तन्वानाः। तेऽसुररक्षसेभ्य आसङ्गाद् बिभयाञ्चक्रुः, तद्यज्ञमुखादेवैतन्नाष्ट्रा रक्षांस्यतोऽपहन्ति॥ ५॥

स वा इत्यग्रेरन्तरतः सम्मार्ष्टि–"अनिशितोऽसि सपत्नक्षित"–(१ अ० २९ मं०) इति। यथाऽनुपरतो यजमानस्य सपत्नान् क्षिणुयाद्, एवमेतदाह–"वाजिनन्त्वा वाजेध्यायै

त्यर्थः। देवपात्रस्य शोधने मानुषपात्राद् विशेषमाह–**तद्वा** इति। द्वयेनैकेनेति सामान्योक्तं विवृणोति–**अद्भिश्च ब्रह्मणा चेति**। **आपो हि कुशा** इति। अपां यज्ञियांशपरिणामरूपा हि कुशाः; तथैव हि प्राग्गाम्नातम्–"ता उपर्युपर्यतिपुप्लुविरेऽत इमे दर्भास्ता हैता अनापूयिता आपः"–इति। अतः कुशैः सम्मार्जनाद् यज्ञियाभिरद्भिरेव प्रक्षालनं कृतवान् भवतीत्यर्थः। **एवम्वेतदि**ति। द्वयेनैकेनेत्येवं साधनभेदकृतं दैवमानुषपात्रसंस्काराणां नानात्वं भवतीत्यर्थः॥ ३॥

प्रथमं स्रुवस्य सम्मार्जनं विधातुं तस्यादानप्रतपने विधत्ते–**अथे**ति॥ ४॥

देवा इति। 'देवा ह वा–' इत्यादिकं समन्त्रकस्य प्रतपनस्य प्रयोजनप्रतिपादकम्। तच्च निर्वापप्रकरणे प्रागेव व्याख्यातम्॥ ५॥

अथ तस्य प्रतप्तस्य स्रुवस्य समन्त्रकं सम्मार्जनं विधत्ते–**स वा इती**ति। स्रुवस्यान्तरतो बिलमध्ये वेदाग्रैरिति प्राक् सम्मार्ष्टि। सम्मार्जनप्रकाराभिनयार्थ 'इति'–शब्दः। स च प्रकारः कात्यायनेन सूत्रितः "वेदाग्रैरन्तरतः प्राक् सम्मार्ष्टी" ति (श्रौ० सू० २। १८८)। मन्त्रस्य प्रयोजनमाह–**यथे**ति। यथा खल्वयं स्रुवः 'अनुपरतः' उपरतिमप्राप्तः सन् यजमानस्य शत्रून् 'क्षिणुयात्' हिंस्यात्। "रि क्षि–

१–इहैव ब्राह्मणे पूर्वं १ का. १ प्र. ३ ब्रा. ५ कंडिकाद्वयं। इति। २–"खादिरः स्रुवः" इति–"अरत्निमात्रः स्रुवोऽङ्गुष्ठपर्ववृत्तपुष्करः" इति च का. श्रौ. सू. १। ३। ३२। ३८। ३–"स्रुवं प्रतप्य पूर्ववत्"–श्रौ० सू० २। १८८। ४–इहैव काण्डे पूर्वं १ प्र. २ ब्रा० ३ कं. इत्यत्र।

स वा ऽइत्यग्रैरन्तरतः सम्मार्ष्टीति। मूलैर्बाह्यत ऽइतीव वा ऽअयं प्राण ऽइतीवोदानः प्राणोदानावेवैतद्दधाति तस्मादितीवेमानि लोमानीतीवेमानि॥७॥

सम्मार्ज्मि "–(१ अ० २९ मं०) इति। यज्ञियन्त्वा यज्ञाय सम्माज्मीत्येवैतदाह। एतेनैव सर्वाः स्रुचः सम्मार्ष्टि। वाजिनीन्त्वेति स्रुचम्। तूष्णीं प्राशित्रहरणम्॥ ६॥

स वा इत्यग्रैरन्तरतः सम्मार्ष्टि, इति मूलैर्बाह्यतः। इतीव वा अयं प्राणः, इतीवोदानः। प्राणोदानावेवैतद्दधाति। तस्मादितीवेमानि लोमानि, इतीवेमानि॥ ७॥

हिंसायाम् "–(स्वा० प० ३०) इति धातुः। एवमेवैतन्मन्त्रवाक्यमाह–सपत्नानिति। सपत्नान् क्षिणोतीति 'सपत्नक्षित्'–इति मन्त्रपदस्याभिप्राय इति भावः। मन्त्रशेषमनूद्य व्याचष्टे–वाजिनं त्वेति। 'वाजः' हविर्लक्षणमन्नम्, तदेव यज्ञस्तदर्हत्वेन; तद्वन्तं त्वां 'वाजेध्यायै' वाजस्यान्नस्येन्धनं दीपनम्, भूयःकरणमनेन क्रियत इति 'वाजेध्या' यज्ञः तस्यै सम्मार्ज्मीति मन्त्रशेषस्यार्थः। तदेतदाह–याज्ञियन्त्वेति। यज्ञमर्हतीति यज्ञियः। "यज्ञर्त्विग्भ्याम्"–(पा० सू० ५। १। ७१)–इति घः। जुह्वादीनां स्रुचां सम्मार्जनं विधत्ते–एतेनैवेति। अनिशितोऽसीति योऽयं स्रुवसम्मार्जनमन्त्रः, 'एतेनैव' अनिशितासीति स्त्रीलिङ्गत्वेन विपरिणमितेनेत्यर्थः। अत एव सूत्रकृतोक्तम्–"अनिशितेति स्रुचः"–(श्रौ० सू० २। १९०) इति। स्रुचः स्त्रीत्वेन तत्प्रकाशनाय वाजिनं त्वेत्यस्यापि पुँल्लिङ्गशब्दस्य स्थाने वाजिनीं त्वेति स्त्रीलिङ्गतया प्रयोक्तव्यमित्याह–वाजिनीं त्वेति। सम्मार्जनक्रियापेक्षया 'स्रुचम्' इति द्वितीया। जुह्वादिवत् समन्त्रकसंमार्जनस्य प्रसक्तस्य निवृत्त्यर्थमाह–तूष्णीमिति। प्राशित्राख्यो यो भागः, स ह्रियत अनेनेति 'प्राशित्रहरणं' गोकर्णाकृति पात्रम्, तत् तूष्णीं सम्मार्ष्टीत्यर्थः। तदुक्तं कात्यायनेनापि–"तूष्णीं प्राशित्रहरणम्"–(श्रौ० सू० २। १९१) इति। आपस्तम्बस्तु समन्त्रकपक्षमप्यसूत्रयत्–" प्राशित्रहरणं तूष्णीं वा"–(आप० श्रौ० सू० २। ४। ८।) इति॥ ६॥

स्रुचां सम्मार्जनप्रकारमभिनयेन दर्शयति–स वा इति। अनेन प्रकारेण 'प्रागपवर्गं' वेदाग्रैर्बिलमध्ये सम्मार्जनम्। 'इति' अनेन प्रकारेण 'प्रत्यपवर्गम्' आत्माभिमुखम् 'बाह्यतः' पृष्ठभागे वेदाग्रमूलैः सम्मार्जनं कार्यमित्यर्थः। तथैव सूत्रितम्–"वेदाग्रैरन्तरतः प्राक् सम्मार्ष्ट्यनिशित इति विपर्यस्य बहिर्मूलैः" इति (श्रौ० सू० २। १८८)। यदेतदन्तरतो बाह्यतश्च द्विविधं सम्मार्जनम्, तत् प्राणोदानात्मना प्रशंसति–इतीवेति। 'इति'–शब्दोऽप्यभिनयार्थः। 'अयम्' प्राणवृत्त्यात्मको वायुः, 'इतीव' अनेनैव खलु प्रकारेण प्राक् सञ्चरति। उदानशब्दस्यापानवृत्त्यभिधायकत्वं प्राँक् प्रतिपादितम्। अपानवृत्त्यात्मको वायुः 'इतीव' अनेन प्रकारेण प्रत्यक् सञ्चरति। अतः प्राक्–प्रत्यक्–सम्मार्जनाभ्यां स्रुक्षु प्राणापानावेव स्थापयतीत्यर्थः। तस्मादित्यादि। यस्मात् स्रुचामुपरिभागस्य सम्माजन प्राचीनम्, पृष्ठभागस्य च प्रतीचीनम्, 'तस्मात्' अरत्नेरुपरिभागस्य लोमानि 'इतीव' एवमेव प्राचीनानि भवन्ति। पृष्ठभागस्य च लोमानि 'इतीव' इत्थं प्रतीचीनानि भवन्तीत्यर्थः। अयमर्थस्तैत्तिरीयके विस्पष्टमाम्नायते–"तस्मादरत्नौ प्राञ्च्युपरिष्टाल्लोमानि प्रत्यञ्च्यधस्तात्"–(तै० ब्रा० ३। ३। १। ४) इति॥ ७॥

१–"प्राशित्रहरणं वारणं प्रादेशमात्रम् आदर्शाकृति (वर्तुलं) चमसाकृति (चतुरस्रं) वा भवति" का. श्रौ. सू. १। ३। ३६। ४०। ४१। २–तन्मन्त्रश्च तत्रैव–"रूपं वर्णम्पशूनां मामिर्मृक्षं वाजि सपत्नसाहं सम्मार्ज्मि" इति। ३–इहैव पूर्वं १ कां. १ प्र. ५ ब्रा. १९ कं. भाष्ये।

स वै सम्मृज्य सम्मृज्य प्रतप्य प्रतप्य प्रयच्छति। यथावमर्शं निर्णिज्यानवमर्शमुत्तमं परिक्षालयेदेवं तत्तस्मात्प्रतप्य प्रतप्य प्रयच्छति ॥ ८ ॥

स वै स्रुवमेवाग्रे सम्मार्ष्टि।(र्ष्टे) अथेतराः स्रुचो योषा वै स्रुग्वृषा स्रुवस्तस्माद्यद्यपि बह्व्य इव स्त्रियः सार्द्धं यन्ति य ऽएव तास्वपि कुमारक ऽइव पुमान्भवति स ऽएव तत्र प्रथम ऽएत्यनूच्य ऽइतरास्तस्मात्स्रुवमेवाग्रे सम्मार्ष्ट्यथेतराः स्रुचः ॥ ९ ॥

स वै तथैव सम्मृज्यात्।(द्) यथाग्निं नाभिव्युक्षेद्यथा यस्मा ऽअशनमाहरिष्यन्त्स्यात्तं पात्रनिर्णेजनेनाभिव्युक्षेदेवं तत्तस्माद् तथैव सम्मृज्याद्यथाग्निं नाभिव्युक्षेत्प्राङिवैवोत्क्रम्य ॥ १० ॥

स वै सम्मृज्य-सम्मृज्य, प्रतप्य-प्रतप्य प्रयच्छति । यथावमर्शं निर्णिज्यानवमर्शमुत्तमं परिक्षालयेत्-एवं तत् । तस्मात् प्रतप्य-प्रतप्य प्रयच्छति ॥ ८ ॥

स वै स्रुवमेवाग्रे सम्मार्ष्टि, अथेतराः स्रुचः । योषा वै स्रुग्, वृषा स्रुवः--तस्मात् । यद्यपि बह्व्य इव स्त्रियः सार्द्धं यन्ति, य एव तास्वपि कुमारक इव पुमान् भवति-स एव तत्र प्रथम एति, अनूच्य इतराः । तस्मात् स्रुवमेवाग्रे सम्मार्ष्टि, अथेतराः स्रुचः ॥ ९ ॥

स वै तथैव सम्मृज्याद् यथाग्निं नाभिव्युक्षेत् । यथा यस्मा अशनमाहरिष्यन्त्स्यात्, तं पात्रनिर्णेजनेनाभिव्युक्षेत्-एवं तत् । तस्माद् तथैव सम्मृज्याद्-यथाग्निं नाभिव्युक्षेत् । प्राङिवैवोत्क्रम्य ॥ १० ॥

संमार्जनानन्तरं प्रतपनपुरस्सरं प्रदानं विधत्ते-स वा इति । 'सः' खल्वाग्नीध्रस्तत्तत्सम्मार्गानन्तरमेव सम्मृष्टं पात्रं पुनरग्नौ प्रतप्याध्वर्यवे दद्यादित्यर्थः । तदेतत्पुनः प्रतपनं लौकिकदृष्टान्तेनोपपादयति-यथेति । यथा खलु कांस्यादिकं लौकिकं पात्रमवमृश्यावमृश्य निर्णिज्य प्रक्षाल्य, 'उत्तमम्' चरमं क्रियाविशेषणमेतत् । अन्ततः 'अनवमर्शम्' अवमर्शनमकृत्वैव केवलमुदकेनैव 'परितः' अन्तरतो बाह्यतश्च सर्वतः क्षालयेत्, एवं तत्सम्मार्जनानन्तरं पुनः प्रतपनमित्यर्थः ॥ ८ ॥

स्रुवसम्मार्जनस्य प्राथम्यं स्रुक्सम्मार्जनस्य तदानन्तर्यञ्च प्रागुक्तं लौकिकदृष्टान्तेन प्रशंसितुमनुवदति-स वा इति । योषा वा इत्यादि । स्रुक् स्त्रीलिङ्गत्वाद् योषित्; स्रुवस्तु पुँल्लिङ्गत्वात् सेचनसमर्थः पुमान् । यस्मादेवम् 'वृष्णः' स्रुवस्य सम्मार्जने प्राथम्यम्, 'तस्मात्' एव कारणात् बह्व्योऽपि स्त्रियः सम्भूय गच्छन्त्यो बालमपि पुमांसं पुरस्कृत्य तस्य पश्चात् प्रयन्ति । तस्माद् दृष्टानुसारेण स्रुवस्य प्रथमं सम्मार्जनं युक्तम्, पश्चाच्च स्रुचामित्येतद् युक्तमित्यर्थः ॥ ९ ॥

सम्मार्जने धर्मविशेषमाह-स वा इति । 'यथा' येन प्रकारेण सम्मार्जनसमये 'अग्निमभि न व्युक्षेत्' अग्नेरुपरि सम्मार्जनसाधनं कुशोदकादिकं न पतेत्, तथैव सम्मृज्यात् । तदेतल्लौकिकदृष्टान्तेनोपपादयति-

---

१-"प्रतप्य प्रतप्य प्रयच्छति"-इति श्रौ० सू० २ । १८९ । २-'सम्मार्जनानन्तर'-इति पा. । ३-"पुनः पुनः" इति क्वचित् पा. । ४-'संमार्जनमुक्तम्' इति पा. ।

तद्धैके । स्रुक्सम्मार्जनान्यग्नावभ्यादधति वेदस्याहाभूवन्त्स्रुचऽएभिः सममार्ज्जिषुरिदं वै किञ्चिद्यज्ञस्य नेदिदं बहिर्द्धा यज्ञाद्भवदिति तदु तथा न कुर्याद्यथा यस्मा ऽअशनमाहरेत्तं पात्रनिर्णेजनं पाययेदेवं तत्तस्मादु परास्येदेवैतानि ॥ ११ ॥

(न्यु) अथ पत्नीᳬ सन्नह्यति । जघनार्द्धो वा ऽएष यज्ञस्य यत्पत्नी प्राङ्मे यज्ञस्तायमानो यादिति युनक्त्येवैनामेतद्युक्ता मे यज्ञमन्वासाता ऽइति ॥ १२ ॥

तद्धैके–स्रुक्सम्मार्जनान्यग्नावभ्यादधति । वेदस्याहाभूवन्–स्रुचः । एभिः सममार्जिषुः । इदं वै किञ्चिद् यज्ञस्य । नेदिदं बहिर्द्धा यज्ञाद् भवदिति । तदु तथा न कुर्यात् । यथा यस्मा अशनमाहरेत्–तं पात्रनिर्णेजनं पाययेद्–एवं तत् । तस्मादु परास्येदेवैतानि ॥ ११ ॥

अथ पत्नीं सन्नह्यति । जघनार्द्धो वा एष यज्ञस्य–यत्पत्नी । प्राङ् मे यज्ञस्तायमानो यादिति । युनक्त्येवैनामेतत्–युक्ता मे यज्ञमन्वासाता इति ॥ १२ ॥

यथेति–यस्य खलु भोजनार्थमन्नमाहरति, तं भुक्त्यर्थपात्रप्रक्षालनोदकेन यथाभ्युक्षेत्[1], एवमेव तदग्नेरभ्युक्षणम् । अग्नेर्होमार्थं हि हविः; स्रुक्स्रुवादीनि च पात्राणि तत्साधनानि; अतस्तत्प्रक्षालनोदकेन तस्याभ्युक्षणं तादृगेव स्यात् । न हि लोके पात्रप्रक्षालनोदकेन भोक्ताऽभ्युक्ष्यते । अतः पात्रसम्मार्जनोदकेनाग्नेरभ्युक्षणं न कार्यमित्यर्थः । कथं तर्हि सम्मार्जनं कार्यमित्याह–प्राङिवेति[2] । प्राङ्मुख एवाग्नेः सकाशादुत्क्रम्य गत्वा–अग्नेरुपरि यथा न पतति तथा सम्मृजीतेत्यर्थः ॥ १० ॥

स्रुक्सम्मार्जनानां वेदाग्राणामाहवनीये प्रहरणं शाखान्तराभिमतमुपन्यस्यति–तद्धैक इति । स्रुचः सम्मृज्यन्ते एभिरिति 'स्रुक्सम्मार्जनानि' वेदाग्राण्यग्नावभ्यादधति । दधतामभिप्रायमाह–वेदस्येति । यज्ञसाधनो हि 'वेदः' वेदस्य सम्मार्जनादावुपयुक्तत्वात् । एतानि च वेदाग्राणि तस्यावयवा अभूवन् । 'अह'–इत्यवधारणे । न केवलं वेदावयवत्वादेव वेदाग्राणां यज्ञियत्वम्, अपि तु–एभिर्वेदाग्रैः स्रुचः 'सममार्जिषुः' सम्मृष्टवन्त ऋत्विजः, अत इदं वेदाग्रजातं यज्ञसम्बन्धि किञ्चिदङ्गम् । यदि 'चेत्' अग्नेरन्यत्र निरस्येत्, तदा तद्यज्ञाद् 'बहिर्धा' बाह्यतो भवेत्; अग्नौ प्रक्षिप्तं हि यज्ञेऽन्तर्भवति, नैवेत्थं भवेदित्यनेनाभिप्रायेणाग्नौ प्रक्षिपन्तीत्यर्थः । स्वमतं दर्शयितुमेकीयं मतं निषेधति–तदु तथेति । एतल्लौकिकदृष्टान्तेनोपपादयति–यथेति । यथा खलु भोजनायोपविष्टं भोक्तारं ततः प्रागेव पात्रप्रक्षालनोदकं पाययेत्, एवमेव तद्धोमात् प्राक् सम्मार्जनतृणानामग्नौ प्रहरणम्; अतो नैतद्युक्तमित्यर्थः । स्वमतमुपन्यस्यति–तस्मादिति । यस्मादेकीयमते–उक्तरीत्या दोषः, 'तस्मात्' एतानि सम्मार्जनानि तृणानि–उत्करे प्रक्षिपेदित्यर्थः । पक्षद्वयमपि कात्यायनः सूत्रयामास–"सम्मार्जनान्यप्यस्यति" । "आहवनीये प्रासनमेके"–इति (श्रौ० सू० २ । १९२–१९३) ॥ ११ ॥

प्रैषक्रमप्राप्तं पत्नीसन्नहनं[3] विधत्ते–अथेति । जघनार्द्धो वा इत्यादि । गार्हपत्यानुष्ठेयेषु[4] पत्नीसंयाजादिषु पत्न्याः सम्बन्धात् सा यज्ञस्यापरार्द्धः । किं ततः ? इत्याह–प्रागिति । मदीयो यज्ञः प्रागपवर्गम् 'तायमानः'

१–'व्युक्षेत्' इति क्वचित् । २–"प्राङुत्क्रम्य"–इति (श्रौ० सू० २. १८८) । ३–"पत्नीं संनह्यति प्रत्यग् दक्षिणत उपविष्टां गार्हपत्यस्य मुञ्जयोक्त्रेण त्रिवृतापरिहरत्यधिवासोऽदितेरिति" । इति–(श्रौ० सू० २ । १९४) । ४–'गार्हपत्येऽनुष्ठेयेषु' इति क्वचित् पा. ।

योक्त्रेण सन्नह्यति । योक्त्रेण हि योग्यं युञ्जन्त्यस्ति वै पत्न्या ऽअमेध्यं यदवाचीनं नाभेरथैतदाज्यमवेक्षिष्यमाणा भवति तदेवास्या ऽएतद्योक्त्रेणान्तर्दधात्यथ मेध्येनैवोत्तरार्द्धेनाज्यमवेक्षते तस्मात्पत्नी सन्नह्यति ॥ १३

स वा ऽअभिवासः सन्नह्यति । (त्यो) ओषधयो वै वासो वरुण्या रज्जुस्तदोषधीरेवैतदन्तर्दधाति तथो हैनामेषा वरुण्या रज्जुर्न हिनस्ति तस्मादभिवासः सन्नह्यति ॥ १४ ॥

स सन्नह्यति । (त्य) अदित्यै रास्नासीतीयं वै पृथिव्यदितिः सेयं देवानां पत्न्येषा वा ऽएतस्य पत्नी भवति तदस्या ऽ एतद्रास्नामेव करोति न रज्जुं ह्रिरो वै रास्ना तामेवास्या ऽ एतत्करोति ॥ १५ ॥

योक्त्रेण सन्नह्यति । योक्त्रेण हि योग्यं युञ्जन्ति । अस्ति वै पत्न्या अमेध्यं यदवाचीनं नाभेः । अथैतदाज्यमवेक्षिष्यमाणा भवति । तदेवास्या एतद्योक्त्रेणान्तर्दधाति, अथ मेध्येनैवोत्तरार्द्धेनाज्यमवेक्षते । तस्मात् पत्नीं सन्नह्यति ॥ १३ ॥

स वा अभिवासः सन्नह्यति । ओषधयो वै वासः, वरुण्या रज्जुः । तदोषधीरेवैतदन्तर्दधाति । तथो हैनामेषा वरुण्या रज्जुर्न हिनस्ति । तस्मादभिवासः सन्नह्यति ॥ १४ ॥

स सन्नह्यति–"अदित्यै रास्नासि" (१ अ० ३० मं०) इति । इयं वै पृथिवी–अदितिः, सेयं

विस्तार्यमाणो 'यात्' गच्छेत् । अतः परार्द्धमारभ्य यज्ञो विस्तारयितव्य इत्यनेनाभिप्रायेण पत्नीं सन्नह्येदित्यर्थः । यदेतत्सन्नहनं तदेतद्रथे–अश्वादीनामिव पत्न्या यज्ञेन सार्द्धं योजनं बन्धनमित्याह–**युनक्तीति** । **युक्ता म** इति । योक्तुरभिप्रायाविष्करणम् । युक्ता च सा मदीयं यज्ञमनुलक्ष्य यज्ञसमाप्तिपर्यन्तम् 'आसाते' आसीत, न ह्ययुक्तोऽश्वादी रथे नियमेनास्त इत्यर्थः ॥ १२ ॥

एवं विहितं सन्नहनं प्रशस्य तत्साधनं विधत्ते–**योक्त्रेणेति** । रथाद्यवयवस्य युगस्य धुरि बलीवर्दादियोजनार्थं दाम 'योक्त्रम्' तेन सन्नह्येदित्यर्थः । लौकिकोदाहरणेनैतद् द्रढयति–**योक्त्रेणेति** । 'योग्यम्' योजनीयमनडुदश्वादिकमित्यर्थः । तच्च सन्नहनं नाभिप्रदेशे कार्यमित्यभिप्रेत्याह–**अस्ति वा** इति । 'अयज्ञियस्य' पत्न्या नाभेरधोभागस्य, 'यज्ञियस्य' उपरिभागस्य च मध्ये सन्नहनेन साङ्कर्यनिवारणाद् यज्ञियेनैवोपरिभागेन विधास्यमानमाज्यावेक्षणं साधुकृतं भविष्यतीत्यर्थः ॥ १३ ॥

परिहितस्य वाससः उपरि तत्सन्नहनं कार्यमिति विधत्ते–**स वा** इति । योक्त्र–पत्नीशरीरयोर्वाससा व्यवधानं प्रशंसति–**ओषधय** इति । ओषधिकार्यत्वाद् वाससस्तत्तादात्म्यव्यपदेशः । **वरुण्येति** । वरुणसम्बन्धिनी, वरुणपाशात्मिका रज्जुः । स च वरुणपाशो निग्रहहेतुरिति तस्य व्यवधानेन केनचिद् भवितव्यमिति वासोलक्षणौषधिभिरन्तर्धानं युक्तमित्यर्थः । तस्य प्रयोजनमाह–**तथो** हेति ॥ १४ ॥

विहितं सन्नहनमनूद्य मन्त्रं विधत्ते–**स** इति । मन्त्रं व्याचष्टे–**इयं वा** इति । 'अदितिः' अखण्डना या देवानां पत्नी या पृथिवी 'सा[३]' चैषापि 'योषित' यजमानस्य पत्नी भवति । 'तत्' तस्मात् पृथिव्या

१–अग्रेऽष्टादश कण्डिकायाम् । २–"मुञ्जयोक्त्रेण त्रिवृता परिहरत्यधिवासोऽदित्यै रास्नेति" (श्रौ० सू० २. १९४) । ३–'सैवेषापि' इति क्वचित् पा० ।

स वै नु ग्रन्थिं कुर्वीत् । (द्व) व्वरुण्यो वै ग्रन्थिर्व्वरुणो ह पत्नीं गृह्णी-
याद्युद्ग्रन्थिं कुर्यात्तुस्मान्न ग्रन्थिं करोति ॥ १६ ॥

(त्यू) ऊर्ध्वमेवोद्गूहति । व्विष्णोर्व्वेष्योऽसीति सा वै नु पश्चात्प्राची देवानां यज्ञमुन्वासीतेयं वै पृथिव्युदितिः सेयं देवानां पत्नी सा पश्चात्प्राची देवानां यज्ञमुन्वास्ते तुद्धेमामभ्यारोहेत्सा पत्नी क्षिप्रेऽमुं लोकमियात्तुथो ह पत्नी ज्योग्जीवति तुदस्या ऽएवैतन्निह्नुते तथो हैनामियं नु हिनस्ति तस्माद्दु दक्षिणत ऽइवैवान्वासीत ॥ १७ ॥

देवानां पत्नी । एषा वा एतस्य पत्नी भवति । तदस्या एतद्रास्नामेव करोति न रज्जुम् । हिरो वै रास्ना, तामेवास्या एतत्करोति ॥ १५ ॥

स वै न ग्रन्थिं कुर्यात् । वरुण्यो वै ग्रन्थिः । वरुणो ह पत्नीं गृह्णीयात्-यद् ग्रन्थिं कुर्यात् । तस्मान्न ग्रन्थिं करोति ॥ १६ ॥

ऊर्द्ध्वमेवोद्गूहति-"विष्णोर्वेष्योऽसि" (१ अ. ३० मं.) इति । सा वै न पश्चात् प्राची देवानां यज्ञमन्वासीत । इयं वै पृथिवी-अदितिः, सेयं देवानां पत्नी । सा पश्चात् प्राची देवानां यज्ञमन्वास्ते, तद्धेमामभ्यारोहेत् । सा पत्नी क्षिप्रेऽमुं लोकमियात् । तथो ह पत्नी ज्योग् जीवति, तदस्या एवैतन्निह्नुते । तथो हैनामियं न हिनस्ति । तस्माद्दु दक्षिणत इवैवान्वासीत ॥ १७ ॥

इवास्याः 'रास्नाम्' रशनामलङ्कारार्थां मणिमुक्तादिखचितां मेखलामेव बध्नाति; नरज्जुमिति । मन्त्रप्रयोगाभिप्रायः उक्तार्थपरतां 'रास्ना'-शब्दस्य दर्शयति हिर इति । 'हिर'-शब्दो मेखलापर्यायः ॥ १५ ॥

योक्त्रस्य सन्नहनसमये ग्रन्थिकरणं निषेधति-स वा इति । विपक्षे बाधमाह-वरुण्य इति । वरुणपाशो हि ग्रन्थिमान्, अतो ग्रन्थिरपि वरुणसम्बन्धी; तत्करणे वरुणः पत्नीं गृह्णीयाद् बाधेतेत्यर्थः ॥ १६ ॥

ननु ग्रन्थिकरणाभावे योक्त्रं विस्रस्तं स्यादित्यत आह-ऊर्द्ध्वमिति । योक्त्रस्य मूलाग्रे संयोज्यैकीकृत्य 'ऊर्द्ध्व-मुद्गूहेत' उपरिष्टाल्लम्बयेदित्यर्थः । तथा चोक्तं सूत्रकृता-"दक्षिणं पाशमुत्तरे प्रतिमुच्योर्द्ध्वमुद्गूहति"-(श्रौ० सू० २ । १९९) इति । सन्नहनसमये गार्हपत्यस्य नैर्ऋत्यां दिशि पत्न्या अन्वासनं विधित्सुः साक्षात् पश्चात् प्राङ्मुखोपवेशनं निषेधति-सा वा इति । तदुपपादयति-इयं वा इति । 'इयम्' हि पृथिवी देवानां पत्नी; सा गार्हपत्यस्य पश्चात् प्राङ्मुखी सर्वदोपविशति; अतः तत्रान्वासीना इमामेव देवपत्नीमभ्यारोहेत । तथा च यो बाधस्तं दर्शयति-सेति । 'क्षिप्रे' अल्पकाल इत्यर्थः । तथो हेति । पश्चादुपवेशन-परित्यागे सति-उक्तदोषाभावाच्चिरकालं पत्नी जीवेत् । तेन पश्चादासनपरित्यागेन 'अस्याः' देवपत्न्याः

१-"विष्णोर्वेष्य" इत्यत्र "विष्लृव्याप्तौ" (जुहो. प. १३) इति धातोः "पा-नी-विषिभ्यः पः" (३१०) । इत्यौणादिकसूत्रेण पप्रत्यये वेष्प इति रूपं निष्पद्यते । अत्र वेष्य इति पाठकल्पनम् एतदौणादिकसूत्राज्ञानमूलम् । पवर्गीयघटितपाठस्य आसेतु-हिमाचलं संप्रदायसिद्धत्वात् । अन्तस्थघटितलेखस्य लेखकप्रमादेन भाष्यादिपुस्तकेषु च संजातत्वात् । एतद्व्युत्पादनं च लखनऊ-मुद्रितभाष्ये स्पष्टमुपलभ्यते इति ततो निरसनीयः संशयः संदिहानैरिति कातीयश्रौतसूत्रस्य सरलाख्यवृत्त्यां पं. वेदाचार्यविद्याधर-मिश्राः । २-"न ग्रन्थिं करोति" श्रौ० सू० २. १९.६ । ३-"तत्रासीना" इति पा. । ४-"मभ्यारोहेत" इति पा. ।

(ता) अथाज्यमुवेक्षते। योषा वै पत्नी रेत ऽआज्यं मिथुनमेवैतत्प्रजननं क्रियते तस्मादाज्यमवेक्षते ॥ १८ ॥

सावेक्षते। (तेऽद) अदब्धेन त्वा चक्षुषावपश्यामीत्यनार्त्तेन त्वा चक्षुषावपश्यामीत्येवैतदाहाग्नेर्जिह्वासीति यदा वा ऽएतदग्नौ जुह्वत्यथाग्नेर्जिह्वा ऽइवोत्तिष्ठन्ति तस्मादाहाग्नेर्जिह्वासीति सुहूर्देवेभ्य ऽइति साधु देवेभ्यऽइत्येवैतदाह धाम्ने धाम्ने मे भव यजुषे यजुष ऽइति सर्वस्मै मे यज्ञायैधीत्येवैतदाह ॥ १९ ॥

अथाज्यमवेक्षते। योषा वै पत्नी, रेत आज्यम्। मिथुनमेवैतत् प्रजननं क्रियते। तस्मादाज्यमवेक्षते ॥ १८ ॥

सावेक्षते-"**अदब्धेन त्वा चक्षुषावपश्यामि**" (१ अ. ३० मं.) इति। अनार्त्तेन त्वां चक्षुषावपश्यामीत्येवैतदाह। "**अग्नेर्जिह्वासि**" (१अ०३०मं०) इति। यदा वा एतदग्नौ जुह्वति, अथाग्नेर्जिह्वा इवोत्तिष्ठन्ति। तस्मादाह-अग्नेर्जिह्वासि-इति। "**सुहूर्देवेभ्यः**" (१ अ० ३० मं०) इति। साधु देवेभ्य इत्येवैतदाह। "**धाम्ने धाम्ने मे भव यजुषे यजुषे**" (१ अ० ३० मं०) इति सर्वस्मै मे यज्ञायैधीत्येवैतदाह ॥ १९ ॥

यदुपवेशनस्थानं तत् 'निह्नुते' अपलपति, तत्स्थानवर्जनेन तां प्रीणयतीत्यर्थः। तथा चेयं पृथिव्यपि 'एनाम्' पत्नीम् 'न हिनस्ति' न बाधते। इदानीं स्थानविशेषे तस्या उपवेशनं विधत्ते-**तस्मा**दिति। 'तस्मात्' देवपत्नीस्थानात् 'दक्षिणतः' दक्षिणभागे, गार्हपत्यस्य नैर्ऋत्यां दिशीत्यर्थः। अत एव सूत्रितं कात्यायनेन-"पत्नीं सन्नह्यति प्रत्यग् दक्षिणत उपविष्टां गार्हपत्यस्य मुञ्जयोक्त्रेण"-(श्रौ० सू० २। १९.४) इति ॥ १७ ॥

पत्न्या आज्यावेक्षणं विधत्ते-**अथे**ति। रेतसः पुरुषोपभुक्ताज्यपरिणामत्वात् कारणकार्ययोरभेदोपचारात्तादात्म्यम् ॥ १८ ॥

विहितमवेक्षणमनूद्य मन्त्रं विधत्ते-**से**ति। मन्त्रगतमदब्धेनेति पदं व्याचष्टे-**अनार्त्तेने**ति। आर्त्तिर्हिंसा, तद्रहितेनेत्यर्थः। "अग्नेर्जिह्वासि" इति प्रतिपादितमाज्यस्य जिह्वारूपत्वमुपपादयति-**यदा वा** इति। जिह्वासदृशज्वालाहेतुत्वादाज्यं जिह्वेत्युच्यत इत्यर्थः। मन्त्रगतं सुहूरिति पदं व्याचष्टे-**साध्वि**ति। सुष्ठु हूयमानत्वात् 'सुहूः'। अनेन च होमानुगुण्येन साधुत्वं लक्ष्यत इत्यर्थः। "धाम्ने धाम्ने" इति मन्त्रशेषं व्याचष्टे-**सर्वस्मा** इति। 'धाम्ने-धाम्ने' तत्तद्देवताशरीराय, 'यजुषे यजुषे' तत्तद्ग्रहणमन्त्राय च पर्याप्तं भवेति मन्त्रार्थः। अतः सर्वस्मै यज्ञाय 'एधि' भवेति तदर्थप्रतिपादनं ब्राह्मणेन क्रियते ॥ १९ ॥

१-'अनेकपत्नीके सर्वासाम्' इति याज्ञिकदेवः। २-"आज्यावेक्षणात्प्रागाज्योद्वासनं कार्यं विहितं तत्र मन्त्रः वा. सं. १। ३०। ३। "ऊर्जेत्वेत्याज्यमुद्वास्य पत्नीमवेक्षयत्यदब्धेनेति" श्रौ० सू० २. १९७।

अथाज्यमादाय प्राङुदाद्रवति । तदाहवनीयेऽधिश्रयति यस्याहवनीये हवीꣳषि श्रपयन्ति सर्वो मे यज्ञ आहवनीये शृतोऽसदित्यथ यदमुत्राग्रेऽधिश्रयति पत्नीꣳ ह्यवकाशयिष्यन्भवति न हि तदवकल्पते यत्सामि प्रत्यग्घरेत्पत्नीमवकाशयिष्यामीत्यथ यत्पत्नीं नावकाशयेदन्तरियाद्ध यज्ञात्पत्नीं तथो ह यज्ञात्पत्नीं नान्तरेति तस्मादु सार्द्धमेव विलाप्य प्रागुदाहरत्यवकाश्य पत्नीं यस्यो पत्नी न भवत्यग्र एव तस्याहवनीयेऽधिश्रयति तच्छृत आदत्ते तदन्तर्वेद्यासादयति ॥ २० ॥

अथाज्यमादाय प्राङुदाद्रवति । तदाहवनीयेऽधिश्रयति, यस्याहवनीये हवींषि श्रपयन्ति—सर्वो मे यज्ञ आहवनीये शृतोऽसदिति । अथ यदमुत्राग्रेऽधिश्रयति, पत्नीं ह्यवकाशयिष्यन् भवति । न हि तदवकल्पते—यत्सामि प्रत्यग् हरेत्—पत्नीमवकाशयिष्यामीति । अथ यत्पत्नीं नावकाशयेत्—अन्तरियाद्ध यज्ञात्पत्नीम् । तथो ह यज्ञात्पत्नीं नान्तरेति । तस्मादु सार्द्धमेव विलाप्य प्रागुदाहरति—अवकाश्य पत्नीम् । यस्यो पत्नी न भवति, अग्र एव तस्याहवनीयेऽधिश्रयति । तच्छृत आदत्ते, तदन्तर्वेद्यासादयति ॥ २० ॥

पुरस्ताद्धरणं विधत्ते—**अथे**ति । पत्न्यवेक्षणानन्तर्य्यम् 'अथ'—शब्दार्थः । पुनस्तस्याहवनीयेऽधिश्रयणं विधत्ते—**तदि**ति । हविः—श्रपणं हि—आहवनीयगार्हपत्ययोर्विकल्पितम् । तत्राहवनीये श्रपणपक्षे पत्न्यवेक्षणानन्तरमेवाज्यं पुरस्ताद्धृत्वा—आहवनीयेऽधिश्रयेदित्यर्थः । एवं कुर्वतोऽभिप्रायमाह—**सर्व** इति । यागसाधनत्वाद्धविरत्र 'यज्ञ'—शब्दार्थः । आज्यपुरोडाशादिलक्षणं सर्वमपि मदीयं 'हविः' आहवनीये संस्कृतं भवेदित्यनेनाभिप्रायेणेत्यर्थः । अस्मिन्नपि पक्षे प्रथमतो गार्हपत्याधिश्रयणे कारणमाह—**अथ यदमुत्रे**ति । 'अमुत्र' गार्हपत्ये, 'अग्रे' पशुपुरोडाशाधिश्रयणकाले 'पत्नीमवकाशयिष्यन्' पत्न्यावेक्षणाद्धेतोस्तत्सन्निधानाय गार्हपत्येऽधिश्रयणं कर्त्तव्यमित्यर्थः । प्रथमत एवाज्यस्याहवनीयेऽधिश्रयणे दोषमाह—**न ही**ति । पुरोडाशाधिश्रयणकाल एवाऽऽहवनीये यद्याज्यमधिश्रयेत्; तदा गार्हपत्यसमीपेऽन्वासीनायाः पत्न्यास्तदवेक्षणं न घटते; भिन्नदेशत्वात् । यदि च पत्नीम् 'अवकाशयिष्यामि' अवेक्षयिष्यामि 'इति' तदर्थं 'सामि' संस्कारमध्ये तत् 'प्रत्यक्' पश्चात् पत्न्याः समीपं हरेत्, तदा संस्कारविघातः स्यादिति तदपि न युज्यते । अथैतद्दोषपरिजिहीर्षया पत्नीं नावेक्षयेत्, तस्याः पत्न्या यज्ञादन्तरायो भवति । एतदुक्तं भवति । गार्हपत्ये हविःश्रपणपक्षे ह्याज्यमपि तत्रैवाधिश्रीयत इति तत्समीपोपविष्टायाः पत्न्यास्तदवेक्षणं घटत इति न काप्यनुपपत्तिः । आहवनीयश्रपणपक्षे प्रथमत एवाज्यस्यापि तत्रैवाधिश्रयणे हीदृग्विधो दोषः प्रसज्जेतेति । कथं तर्हि तस्मिन् पक्षे कार्यमिति चेत् उच्यते । प्रथमतो गार्हपत्येऽधिश्रित्य पत्न्यवेक्षणानन्तरमाहवनीयसमीपं नीत्वा तत्राधिश्रयेत् । तथा सत्युक्तदोषाभावमाह—**तथो** इति । **तस्मादि**त्यादि । यस्मादेवमाहवनीये प्रथमतोऽधिश्रयणे दोषः, 'तस्मात्' पत्न्या सार्द्धं गार्हपत्ये प्रथममाज्यस्य विलापनमित्यर्थः । यस्य तु पत्न्या रजोदर्शनादिनिमित्तेनासन्निधानात् तदीयकर्माण्याज्यावेक्षणादीनि न क्रियन्ते, तस्योक्तदोषाभावात् प्रथमत एवाहवनीये आज्याधिश्रयणं कार्यमित्याह—**यस्यो** इति ॥ २० ॥

तदाहुः । (र्नां) नान्तर्व्वेद्यासादयेदतो वै देवानां पत्नीः संयाजयन्त्यवसभा ऽअह देवानां पत्नीः करोति परःपुᳬँसो हास्य पत्नी भवतीति तदु होवाच याज्ञवल्क्यो यथादिष्टं पत्न्या ऽअस्तु कस्तदाद्रियेत यत्परःपुᳬँसा वा पत्नी स्याद्यथा वा यज्ञो व्वेदिर्व्यज्ञ ऽआज्यं यज्ञाद्यज्ञं निर्मिमा ऽइति तस्मादन्तर्व्वेद्येवासादयेत् ॥ २१ ॥

(त्रो) प्रोक्षणीषु पवित्रे भवतः । (स्ते) ते तत ऽआदत्ते ताभ्यामाज्यमुत्पुनात्येको वा ऽउत्पवनस्य बन्धुर्मेध्यमेवैतत्करोति ॥ २२ ॥

तदाहुः–नान्तर्वेद्यासादयेत्–अतो वै देवानां पत्नीः संयाजयन्ति, अवसभा अह देवानां पत्नीः करोति, परःपुंसा-उ-हास्य पत्नी भवतीति तदु होवाच याज्ञवल्क्यः–यथादिष्टं पत्न्या अस्तु । कस्तदाद्रियेत–यत्परःपुंसा वा पत्नी स्यात् । यथा वा यज्ञो वेदिः, यज्ञ आज्यम्–यज्ञाद्यज्ञं निर्मिमा इति । तस्मादन्तर्वेद्येवासादयेत् ॥ २१ ॥

प्रोक्षणीषु पवित्रे भवतः । ते तत आदत्ते [1]ताभ्यामाज्यमुत्पुनाति । एको वा उत्पवनस्य बन्धुः–मेध्यमेवैतत्करोति ॥ २२ ॥

तस्याज्यस्यान्तर्वेद्यासादनं केषाञ्चिन्मतेन निषेधति–तदाहुरिति । निषेधाभिप्रायमाह–अत इति । 'अतः' अस्मादेव खल्वाज्याद् देवपत्नीनां यागः, अतस्तत्सम्बद्धस्याज्यस्यान्तर्वेद्यासादने सति तदैव देवपत्नीः 'अवसभाः' अवगतजनसमूहाः करोति; यष्टव्यदेवसंघस्य वेद्यामवस्थानात् । 'अह' इति निपातो विनिग्रहे । अस्तु तथात्वं देवपत्नीनां किं तत इत्यत आह–पर इति । देवपत्नीनां सभाप्रापणात् । 'अस्य' यजमानस्य पत्न्यपि 'परःपुंसा' भवति । 'परस्'–इत्ययं सकारान्तः, परस्तादित्यर्थे । स्वपुरुषादन्यत्र राजवीथ्यादौ पुरुषसमूहं प्राप्ता 'परःपुंसा'–इत्युच्यते । अचतुरादिसूत्रे (पा० सू० ५ । ४ । ७७)–स्त्रीपुंसेति निपातितत्वात् परःपुंसेत्युपपदान्तरेऽपि समासान्तोऽच्प्रत्ययो द्रष्टव्यः । 'इति'–शब्द एकीयमतसमाप्त्यर्थः । याज्ञवल्क्यमतेनान्तर्वेद्यासादनमेव निगमयति–तदिति । 'यथादिष्टम्' यथादेशनं यथाशास्त्रम्, 'पत्न्याः' संबन्धि कार्यम्, 'अस्तु' भवतु; अतः पत्नीसंयाजार्थमन्तर्वेद्यनासादनमिति न युक्तम् । पत्न्यपि 'परःपुंसा वा' भवतु, प्रयता 'यथा तथा वा' भवतु, तयापि किं प्रयोजनम् अतः परःपुंसेत्येतदपि दूषणं को वा आद्रियेतेत्यर्थः । एवमुक्तदूषणं निरस्य वेद्यासादनपक्षमुपपादयति–यज्ञो वेदिरिति । वेदिराज्यं चोभयमपि यज्ञसाधनत्वात् 'यज्ञः' तथा च वेद्यासादने वेदिरूपाद् यज्ञादाज्यरूपं यज्ञं 'निर्मिमे' निर्मितवान् भवतीत्यनेनाभिप्रायेण तत्रैवासादयेदित्यर्थः । 'तस्मात्'–इति उक्तार्थनिगमनम् ॥ २१ ॥

तस्याज्यस्योत्पवनं विधत्ते–प्रोक्षणीष्विति । प्रोक्षण्युत्पवनं याभ्यां पवित्राभ्यां कृतम्, ते तत आदाय ताभ्यामेवाज्यस्योत्पवनं कार्यमित्यर्थः । उत्पवनविधिस्तावक "वृत्रो ह वा इदं सर्वम्" इत्यादिकं [2]प्रागाम्नातं ब्राह्मणम्, आज्यस्योत्पवनस्यापि समानमित्यत आह–एको वा इत्यादि । उत्पवनसंस्कारेण पर्यवसितमर्थमाह–मेध्यमिति ॥ २२ ॥

१–"सवितुस्त्वेत्याज्यमुत्पुनाति"–(श्रौ०सू०२.२००) । २–इहैव ब्राह्मणे पूर्वं १ का. १ प्र. ३ ब्रा. ४ कं. इत्यत्र द्रष्टव्यम् ।

स ऽउत्पुनाति । सवितुस्त्वा प्रसव ऽउत्पुनाम्युच्छिद्रेण पवित्रेण सूर्यस्य रश्मिभिरिति सोऽसावेव बन्धुः ॥ २३ ॥ [शतम् २००]

(र) अथाज्यलिप्ताभ्यां पवित्राभ्याम् । (म्प्रो) प्रोक्षणीरुत्पुनाति सवितुर्व्वः प्रसव ऽउत्पुनाम्युच्छिद्रेण पवित्रेण सूर्यस्य रश्मिभिरिति सोऽसावेव बन्धुः ॥ २४ ॥

(स्त) तद्यदाज्यलिप्ताभ्यां पवित्राभ्याम् । (म्प्रो) प्रोक्षणीरुत्पुनाति तदप्सु पयो दधाति तदिदमप्सु पयो हितमिद ँ हि यदा व्वर्षत्यथौषधयो जायन्तऽओषधीर्ज्जग्ध्वापः पीत्वा तत ऽएष रसः सम्भवति तस्मादु रसस्यो चैव सर्व्वत्वाय ॥ २५ ॥

स उत्पुनाति-"सवितुस्त्वा प्रसव उत्पुनाम्यच्छिद्रेण पवित्रेण सूर्यस्य रश्मिभिः" (१ अ० ३१ मं०) इति । सोऽसावेव बन्धुः ॥ २३ ॥

अथाज्यलिप्ताभ्यां पवित्राभ्यां प्रोक्षणीरुत्पुनाति-" सवितुर्वः प्रसव उत्पुनाम्यच्छिद्रेण पवित्रेण सूर्यस्य रश्मिभिः " (१ अ० ३१ मं०) इति । सोऽसावेव बन्धुः ॥ २४ ॥

तद्यदाज्यलिप्ताभ्यां पवित्राभ्यां प्रोक्षणीरुत्पुनाति, तदप्सु पयो दधाति । तदिदमप्सु पयो हितम् । इदं हि यदा वर्षति, अथौषधयो जायन्ते; ओषधीर्जग्ध्वापः पीत्वा तत एष रसः सम्भवति । तस्मादु रसस्यो चैव सर्वत्वाय ॥ २५ ॥

विहितमुत्पवनमनूद्य मन्त्रं विधत्ते-स उत्पुनातीति । आज्यस्यैकत्वात् ' त्वा '-इत्येकवचनान्ततैव प्रोक्षण्युत्पवनमन्त्रतोऽस्य विशेषः; अतस्तन्मन्त्रव्याख्यानरूपं " सविता वै देवानां प्रसविता " इत्यादिकं ब्राह्मणमत्रातिदिशति-सोऽसाविति ॥ २३ ॥

आज्योत्पवनानन्तरं ताभ्यामेव लेपसहिताभ्यां पवित्राभ्यां पुनः प्रोक्षण्युत्पवनं विधत्ते-अथेति । प्रागाम्नातमेव मन्त्रं पठित्वा तद्ब्राह्मणमप्यतिदिशति-सवितुर्व इति ॥ २४ ॥

आज्यलेपसहिताभ्यां पवित्राभ्यां प्रोक्षण्युत्पवनमुपपादयति-तद्यदिति । ' तत् ' तत्र ' यत् ' इदमाज्यलिप्ताभ्यां पवित्राभ्यामपामुत्पवनम्, तेन पय एवाप्सु ' दधाति ' स्थापयति संयोजयति; आज्यस्य पयः-कार्यत्वात् । अप्सु हि परम्परया तत्कार्यत्वात् पयः प्रतिष्ठितम् । एतदेव पारंपर्येणोपपादयति-इदं हीति । ' जग्ध्वा ' भक्षयित्वा । " अदो जग्धिर्ल्यप्ति किति " (पा० सू० २ । ४ । ३६)-इत्यदेर्जग्धादेशः । तस्मादिति । यस्मादेवं गव्यं पयः परम्परयोदकरसपरिणामरूपम्, ' तस्मात् ' कारणात् तत्कार्यस्याज्यस्यापां च यदुत्पवने संसर्जनम्, तद्रसस्यैव ' सर्वत्वाय ' सम्पूर्णत्वाय कार्त्स्न्याय भवतीत्यर्थः ॥ २५ ॥

१-इहैव ब्राह्मणे पूर्वं १ कां. १ प्र. ३ ब्रा. ६ कं. इत्यत्र द्रष्टव्यम् । २-" प्रोक्षणीश्च पूर्ववत् " (श्रौ. सू. २. २००) । ३-पूर्वं १ कां. १ प्र. ३ ब्रा. ६ कं. ।

(याथा) अथाज्यमुवेक्षते । तद्धैके यजमानमुवख्यापयन्ति तुदु होवाच याज्ञवल्क्यः कथन्नु नु स्वयमध्वर्यवो भुवन्ति कथᳫं स्वयं नान्वाहुर्य्यत्र भूयस्य ऽइवाशिषः क्रियुन्ते कथं न्वेषामुत्रैवु श्रद्धा भवतीति यां वै कां च यज्ञ ऽऋत्विज ऽआशिषमाशासते यजमानस्यैव सा तुस्मादध्वर्युरेवावेक्षेत ॥२६॥

सोऽवेक्षते । सत्यं वै चुक्षुः सत्यᳫं हि वै चुक्षुस्तुस्माद्यदिदानीं द्वौ विवुदमानावेयातामहुमदर्शमहुमश्रौषमिति यु ऽएवु ब्रूयादहुमदर्शमिति तुस्मा ऽएव श्रुद्दध्याम तुत्सत्येनैवैतत्सुमर्द्धयति ॥ २७ ॥

अथाज्यमवेक्षते । तद्धैके यजमानमवख्यापयन्ति । तदु होवाच याज्ञवल्क्यः—कथं नु न स्वयमध्वर्यवो भवन्ति, कथं स्वयं नान्वाहुः, यत्र भूयस्य इवाशिषः क्रियन्ते । कथं न्वेषामत्रैव श्रद्धा भवतीति । यां वै कां च यज्ञ ऋत्विज आशिषमाशासते—यजमानस्यैव सा । तस्मादध्वर्युरेवावेक्षेत ॥२६॥

सोऽवेक्षते । सत्यं वै चक्षुः । सत्यं हि वै चक्षुस्तस्मात्—यदिदानीं द्वौ विवदमानावेयाताम्—'अहमदर्शम्' 'अहमश्रौषम्' इति, य एव ब्रूयात् 'अहमदर्शम्' इति—तस्मा एव श्रद्दध्याम । तत्सत्येनैवैतत्समर्द्धयति ॥ २७ ॥

अध्वर्योराज्यावेक्षणं विधत्ते—अथेति । एकीयमतमुपन्यस्य निरस्यति—तद्धैक इति । 'अवख्यापयन्ति' ख्यातिरत्र पश्यतिकर्मा; (निघ. ३ । ११ । १ । ९ । निरु. ३ भा. ४ । ११२ ।) अवेक्षयन्तीत्यर्थः । याज्ञवल्क्यस्य मतमुपन्यस्यति—तादिति । य एवं यजमानमवेक्षयन्ति, ते स्वकीये यज्ञे 'कथम्' कस्मादेव 'स्वयम्' यजमाना एव सन्तोऽध्वर्यवो न भवन्ति ? कथं वा स्वयमेव होतारो भूत्वा याज्यानुवाक्यादीनि नानुब्रूयुः ? तेषामाध्वर्यवादिकरणे हेतुमाह—यत्रेति । 'यत्र' खल्वाध्वर्यवादौ तत्करणमन्त्रैर्बहुतरा इव 'आशिषः' फलप्रार्थनाः क्रियन्ते, तादृक्फलप्रतिपादकमन्त्रविशिष्टमाध्वर्यवादिकं कस्मान्न कुर्युः ? तत्परित्यज्य 'एषाम्' एकेषां शाखिनामत्रैवावेक्षणं यजमानेनैव कर्त्तव्यमिति कस्मात् कारणाच्छ्रद्धा जातेत्यर्थः । एवं यजमानावेक्षणादि प्रहस्याध्वर्युणैव तदवेक्षणं कार्यमिति प्रतिपादयति—यां वा इति । दक्षिणाभिः परिक्रीतत्वादृत्विग्भिर्यत्फलमाशास्यते, तद् यजमानस्यैवेति न तेन पृथगाशासनं कार्यम् । अतोऽध्वर्युरेवाज्यमवेक्षेतेत्यर्थः ॥ २६ ॥

तदवेक्षणमनूद्य प्रशंसति—स इति । अवेक्षणस्य करणं हि चक्षुः; तच्च यथाभूतमेव वस्तु विषयीकरोतीति 'सत्यम्' । एतदेव लोकव्यवहारेण संवादयन् द्रढयति—तस्मादिति । यस्मादेवं चक्षुः सत्यम्, तस्मादेव कारणात्—विवदमानयोर्मध्ये यश्चक्षुषा दृष्टवानस्मीति वदति, तद्वचनमेव श्रद्धार्हम्, न त्वितरस्य श्रुतवानस्मीति वचनमित्यर्थः ॥ २७ ॥

१—" आज्यमवेक्षते तेजोऽसीति यजमानो वा " (श्रौ. सू. २. २०१.) ।

सो॒ऽवेक्षते। ते॒जोऽसि शु॒क्रम॒स्यमृ॒तमसी॒ति स॒ऽएष॒ सत्य॒ऽएव म॒न्त्रस्ते॒जो ह्ये॒तच्छु॒क्र॒ꣳ ह्ये॒तद॒मृ॒त॒ꣳ ह्ये॒तत्त॒त्सत्ये॒नै॒वैतत्स॒मर्द्धयति ॥ २८ ॥

इति द्वितीयप्रपाठके चतुर्थं ब्राह्मणम् ॥ २-४ ॥

पु॒रु॒षो वै॒ य॒ज्ञः। पु॒रु॒षस्तेन यज्ञो य॒देनं पु॒रु॒षस्तनु॒त॒ ऽएष वै॒ ता॒यमानो या॒वानेव पु॒रु॒षस्ता॒वान्वि॒धीयते त॒स्मात्पु॒रु॒षो यज्ञः ॥ १ ॥

(स्तु) त॒स्येय॒मेव॒ जु॒हूः। (रि) इ॒य॒मुप॒भृदा॒त्मैव॒ ध्रुवा त॒द्वा ऽआत्म॒न ऽए॒वेमा॒नि स॒र्वा॒ण्य॒ङ्गा॒नि प्र॒भवन्ति त॒स्माद॒ ध्रु॒वाया॒ऽएव स॒र्वो यज्ञः प्रभवति २

सोऽवेक्षते-"तेजोऽसि शुक्रमस्यमृतमसि"-(१ अ० ३१ मं०) इति। स एष सत्य एव मन्त्रः।-तेजो ह्येतत्, शुक्रं ह्येतद्, अमृतं ह्येतत्, तत्सत्येनैवैतत्समर्द्धयति ॥ २८ ॥

पुरुषो वै यज्ञः। पुरुषस्तेन यज्ञः-यदेनं पुरुषस्तनुते। एष वै तायमानो यावानेव पुरुषस्तावान् विधीयते, तस्मात्पुरुषो यज्ञः ॥ १ ॥

तस्येयमेव जुहूः, इयमुपभृत्; आत्मैव ध्रुवा। तद्वा आत्मन एवेमानि सर्वाण्यङ्गानि प्रभवन्ति। तस्माद् ध्रुवाया एव सर्वो यज्ञः प्रभवति ॥ २ ॥

विहितमवेक्षणमनूद्य मन्त्रं विधत्ते-स इति। योऽयं "तेजोऽसी" ति मन्त्रः, 'स एषः' 'सत्यः' यथार्थ एव। कुत इत्यत आह-तेजो हीति। 'हि' यस्मात् 'एतत्' आज्यम् 'तेजः' तद्धेतुत्वात्, तथा 'शुक्रम्' निर्मलम्, 'अमृतं' यागादिद्वारा-अमरणसाधनम्; यद्वा-अमृतवत्पुष्टिकरम्। 'एवम्' आज्यस्यैवंरूपत्वात्, विद्यमानार्थप्रकाशकत्वान्मन्त्रः सत्य इत्यर्थः ॥ २८ ॥ ४ ॥ (३. १) ॥

इति श्रीसायणाचार्यविरचिते माधवीये वेदार्थप्रकाशे माध्यन्दिनशतपथभाष्ये प्रथमकाण्डे तृतीयाध्याये प्रथमं ब्राह्मणम् ॥

अथ जुहूपभृद्ध्रुवास्वेतस्याज्यस्य स्रुवेण ग्रहणं विधित्सुस्तत्समुदायस्य पुरुषावयवकल्पनया स्तुत्यर्थं तत्साध्यस्य यज्ञस्य पुरुषतादात्म्यमाह-पुरुषो वा इति। तादात्म्यमुपपादयति-पुरुषस्तेनेति। पुरुषप्रयत्ननिर्वर्त्यत्वाद् यज्ञस्य पुरुषत्वमित्यर्थः। एष वा इत्यादि। यत एवं यज्ञः पुरुषः, अतः 'एषः' यज्ञो विस्तार्यमाणः, यदवयवपरिमाणविशिष्टः पुरुषः, तादृगवयवपरिमाणविशिष्ट एव विधीयते ॥ १ ॥

तादृगवयवक्लृप्तिमभिनयेन दर्शयति-तस्येति। या 'जुहूः' सा 'इयम्' अयम्, दक्षिणो बाहुरित्यर्थः। तथा या 'उपभृत्' सा 'इयम्' वामबाहुः। ध्रुवा 'आत्मा' मध्यदेह इत्यर्थः। अत एव तैत्तिरीयके विस्पष्टमाम्नायते-"जुहूर्दक्षिणो हस्तः, उपभृत् सव्यः, आत्मा ध्रुवेति" (तै. ब्रा. ३।३।१)। ध्रुवाया आत्मत्वमुपपादयति-तद्वा इति। 'आत्मनः' मध्यदेहादेव 'इमानि' परितो वर्तमानानि हस्तपादादीन्यङ्गानि सर्वाणि 'प्रभवन्ति' उत्पद्यन्ते। यस्मादेवं लोके 'तस्मात्' ध्रुवाया आत्मत्वात्, तस्या एव सकाशात् कृत्स्नोऽपि यज्ञः 'प्रभवति' उत्पद्यते। ध्रुवास्थस्याज्यस्य सर्वयागसाधारण्यमनेन प्रतिपादितं भवति ॥ २ ॥

१-"खादिरः स्रुवो भवति, पर्णमयी जुहूर्भवति, आश्वत्थी उपभृत्, वैकङ्कती ध्रुवा भवति, एतद्वै स्रुचां रूपम्" (तै०सं० ३.५.७.)

प्राण ऽएव स्रुवः । सोऽयं प्राणः सर्व्वाण्यङ्गान्यनुसञ्चरति तस्मादु स्रुवः सर्व्वा ऽअनु स्रुचः सञ्चरति ॥ ३ ॥

तस्यासावेव द्यौर्जुहूः । (र) अथेदमन्तरिक्षमुपभृदियमेव ध्रुवा तद्वा ऽअस्या ऽएवेमे सर्व्वे लोकाः प्रभवन्ति तस्मादु ध्रुवाया ऽएव सर्व्वो यज्ञः प्रभवति ॥ ४ ॥

(त्य) अयमेव स्रुवो योऽयं पवते । सोऽयमिमान्त्सर्व्वाँल्लोकाननुपवते तस्मादु स्रुवः सर्व्वा अनु स्रुचः सञ्चरति ॥ ५ ॥

सऽएष यज्ञस्तायमानः । (नो) देवेभ्यस्तायत ऽऋतुभ्यश्छन्दोभ्यो यद्धविस्तद्देवानां यत्सोमो राजा यत्पुरोडाशस्तत्तदादिश्य गृह्णात्यमुष्मै त्वा जुष्टं गृह्णामीत्येवमु हैतेषाम् ॥ ६ ॥

प्राण एव स्रुवः । सोऽयं प्राणः सर्वाण्यङ्गान्यनुसञ्चरति । तस्मादु स्रुवः सर्वा अनु स्रुचः सञ्चरति ॥ ३ ॥

तस्यासावेव द्यौर्जुहूः, अथेदमन्तरिक्षमुपभृत्, इयमेव ध्रुवा । तद्वा अस्या एवेमे सर्वे लोकाः प्रभवन्ति । तस्मादु ध्रुवाया एव सर्वो यज्ञः प्रभवति ॥ ४ ॥

अयमेव स्रुवो योऽयं पवते । सोऽयमिमान् सर्वान् लोकाननुपवते । तस्मादु स्रुवः सर्वा अनु स्रुचः सञ्चरति ॥ ५ ॥

स एष यज्ञस्तायमानो देवेभ्यस्तायते । ऋतुभ्यः, छन्दोभ्यः । यद्धविः, तद्देवानाम् । यत्सोमो

जुह्वादिषु सर्वासु स्रुक्षु स्रुवस्य संचरणमुपपादयितुं तस्य प्राणरूपतामाह—**प्राण एवेति**। देहमध्येऽवस्थितः प्राणवायुर्यस्मात् सर्वाण्यङ्गानि नाडीभिः क्रमेण व्याप्नोति, तस्मात्तदात्मकः स्रुवोऽपि जुह्वाद्याः सर्वाः ' स्रुचः ' ' अनु '—लक्ष्य क्रमेण संचरति ॥ ३ ॥

एवं पुरुषानयनादिकल्पनया जुह्वादिसमुदायं प्रशस्य, लोकतादात्म्यप्रतिपादनेनापि तं प्रशंसति—**तस्येति** । ' तस्य ' यज्ञस्य ' असौ ' दूरदेशेऽवस्थिता द्यौरेव जुहूः; इदमेवान्तरिक्षमुपभृत्; ' इयमेव ' भूमिर्ध्रुवा; जुह्वादयो लोकत्रयात्मिका इत्यर्थः । अस्त्वेवं किं तत इत्याह—**तद्वा इति** । ' तत् ' तथा सति ' अस्याः ' भूम्या एव सकाशाद् यस्मादिमे सर्वे लोकाः ' प्रभवन्ति ' उत्पद्यन्ते, तस्मादेव कारणात् पृथिव्यात्मिकाया ध्रुवाया एव सर्वो यज्ञः प्रभवति । इतोऽपि ध्रुवास्थमाज्यं सर्वयागसाधारणमित्यर्थः ॥ ४ ॥

अस्मिन्नपि पक्षे स्रुवस्य सर्वासु स्रुक्षु संचरणमुपपादयति—**अयमेवेति** । ' योऽयं ' लोकत्रये वायुः ' पवते ' वाति, तदात्मक एव स्रुवः । स च बाह्यो वायुः, यथा सर्वान् लोकान् संचरति, तथैव तदात्मकस्य स्रुवस्यापि लोकत्रयात्मिकासु स्रुक्षु सञ्चरणं युक्तमित्यर्थः ॥ ५ ॥

अथ तासु स्रुक्षु—आज्यग्रहणं विधित्सुस्तस्य पुरोडाशादिहविरन्तरवत्प्रसक्तं देवतादेशनपूर्वकत्वं निवारयितुमाह—**स एष इति** । ' तायमानः ' विस्तार्यमाणो यज्ञः, प्रथममग्न्यादिभ्यः प्रधानभूतेभ्यो ' देवेभ्यः ' तादर्थ्ये चतुर्थी,

---

१—आध्यात्मिकभावेनेत्यर्थः; छां० उप. १ । २ द्रष्टव्यम् । २—इदं व्याख्यानमाधिदैविकम्; छां. उप. १ । ३ द्रष्टव्यम् ।

(मु) अथ यान्याज्यानि गृह्यन्ते । (न्त ऽ) ऋतुभ्यश्चैव तानि च्छन्दोभ्यश्च गृह्यन्ते तत्तदनादिश्याज्यस्यैव रूपेण गृह्णाति स वै चतुर्जुह्वां गृह्णात्यष्टौ कृत्व उपभृति ॥ ७ ॥

स यच्चतुर्जुह्वां गृह्णाति । (त्य) ऋतुभ्यस्तद्गृह्णाति प्रयाजेभ्यो हि तद् गृह्णात्यृतवो हि प्रयाजास्तत्तदनादिश्याज्यस्यैव रूपेण गृह्णात्यजामितायै जामि ह कुर्याद्यद्वसन्ताय त्वा ग्रीष्माय त्वेति गृह्णीयात्तस्मादनादिश्याज्यस्यैव रूपेण गृह्णाति ॥ ८ ॥

राजा, यत्पुरोडाशः, तत्तदादिश्य गृह्णाते–अमुष्मै त्वा जुष्टं गृह्णामीति । एवमु हैतेषाम् ॥ ६ ॥

अथ यान्याज्यानि गृह्यन्ते–ऋतुभ्यश्चैव तानि, छन्दोभ्यश्च गृह्यन्ते । तत्तदनादिश्य–आज्यस्यैव रूपेण गृह्णाति । स वै चतुर्जुह्वां गृह्णाति, अष्टौ कृत्व उपभृति ॥ ७ ॥

स यच्चतुर्जुह्वां गृह्णाति–ऋतुभ्यस्तद् गृह्णाति, प्रयाजेभ्यो हि तद् गृह्णाति । ऋतवो हि प्रयाजाः तत्तदनादिश्य–आज्यस्यैव रूपेण गृह्णाति–अजामितायै । जामि ह कुर्याद्–यद्वसन्ताय त्वा ग्रीष्माय त्वेति गृह्णीयात् तस्मादनादिश्य–आज्यस्यैव रूपेण गृह्णाति ॥ ८ ॥

(पा. सू. १ । ४ । ४४ । वार्तिक १) देवतार्थं 'तायते' विस्तार्यते । "तनु विस्तारे" (त. उ. १)–इत्यस्मात् कर्मणि यकि, (पा. सू. ३ । १ । ६७) "तनोतेर्यकि"–(पा० सू० ६ । ४ । ४४) इत्यात्वम् । ततः 'ऋतुभ्यः' वसन्तादिभ्यः प्रयाजदेवताभ्यः, 'छन्दोभ्यः' गायत्र्यादिभ्योऽनुयाजदेवताभ्यश्च; तायत इति शेषः । तत्र पुरोडाशादिलक्षणं 'यद्धविः' तद्देवानां स्वभूतम्, अतस्तद्देवानामादेशपुरःसरं ग्रहीतव्यम् । कुत एतदित्यत आह–एवमिति । एवमेव हि 'तेषाम्' अग्न्यादिदेवतानां दर्शपूर्णमासादिषु सोमयागादिषु च नामादेशविशिष्टा मन्त्राः समाम्नाताः । "अग्नये त्वा जुष्टं गृह्णामि" (वा. सं. १ । १०)–इति "अग्नीषोमाभ्यां त्वा जुष्टं गृह्णामि" (वा. सं. ७ । ८)–इति पुरोडाशनिर्वापे; सोमरसग्रहणेष्वैन्द्रवायवादिषु "उपयामगृहीतोऽसि वायव इन्द्रवायुभ्यां त्वा" (वा. सं. ७ । ८ । १ । २)–इति ॥ ६ ॥

अथेति । अथ तस्मिन् यज्ञे यदाज्यग्रहणम्, तत्प्रयाजानुयाजदेवतार्थम्; 'च'–शब्दादेत्र स्विष्टकृद्यागार्थं[1] च । 'तत्' तथा सति 'तत्' आज्यं देवतानाम् 'अनादिश्य' अनुक्त्वा–आज्यसम्बन्धिनैव रूपेण[2] गृह्णाति । आज्यसम्बन्धि रूपं च देवताया अनादेशनम्, न वा एतत्कस्मैचन देवतायै हविर्गृह्णन्नादिशति–यदाज्यम् इत्यनादेशनस्य तद्धर्मतया प्रागाम्नातत्वात् (श० प० १ । २ । १ । २२) ॥

अथ जुहूपभृतोराज्यग्रहणं विधत्ते–स वा इति । (का. श्रौ. सू. २ । २०२—२०४) । जुह्वां चतुर्वारं स्रुवेणाज्यं गृह्णीयात्; उपभृत्यष्टवारम् ॥ ७ ॥

तत्र जुहूस्थमाज्यं किमर्थमित्याशङ्क्य तत्प्रयोजनमाह–स यदिति । के पुनस्त ऋतवः, येभ्यो जुहूस्थमाज्यं भाग इत्यत आह–प्रयाजेभ्य इति । प्रयाजदेवता हि–ऋतवो वसन्ताद्याः । तेषां च नामादेशनरहित-

---

१–'अवशिष्टकृत्स्नयागार्थं च' इति पाठान्तरम् । २–'आज्यस्वरूपसम्बन्धिनैव रूपेण' इति क्वचित्पाठः ।

(त्यु) अथ यदष्टौ कृत्व ऽउपभृति गृह्णाति । च्छन्दोभ्यस्तद्गृह्णात्यनुयाजेभ्यो हि तद्गृह्णाति च्छन्दाᳪँसि ह्यनुयाजास्तत्तदनादिश्याज्यस्यैव रूपेण गृह्णात्यजामितायै जामि ह कुर्याद्यद्गायत्र्यै त्वा त्रिष्टुभेत्वेति गृह्णीयात्तस्मादनादिश्याज्यस्यैव रूपेण गृह्णाति ॥ ९ ॥

(त्यु) अथ यच्चतुर्ध्रुवायां गृह्णाति । सर्व्वस्मै तद्यज्ञाय गृह्णाति तत्तदनादिश्याज्यस्यैव रूपेण गृह्णाति कस्मा ऽउ ह्यादिशेद्यतः सर्व्वाभ्य ऽएव देवताभ्योऽवद्यति तस्मादनादिश्याज्यस्यैव रूपेण गृह्णाति ॥ १० ॥

यजमान एव जुहूमनु । योऽस्मा ऽअरातीयति स ऽउपभृतमन्वत्तैव जुहूमन्वाद्य ऽ उपभतमन्वत्तैव जुहूराद्य ऽउपभृत्स वै चतुर्जुह्वां गृह्णात्यष्टौ कृत्व ऽउपभृति ॥ ११ ॥

अथ यदष्टौ कृत्व उपभृति गृह्णाति–छन्दोभ्यस्तद् गृह्णाति, अनुयाजेभ्यो हि तद् गृह्णाति । छन्दांसि ह्यनुयाजाः । तत्तदनादिश्य–आज्यस्यैव रूपेण गृह्णाति–अजामितायै । जामि ह कुर्याद्–यद् गायत्र्यै त्वा त्रिष्टुभे त्वेति गृह्णीयात् । तस्मादनादिश्य–आज्यस्यैव रूपेण गृह्णाति ॥ ९ ॥

अथ यच्चतुर्ध्रुवायां गृह्णाति–सर्वस्मै तद् यज्ञाय गृह्णाति । तत्तदनादिश्य–आज्यस्यैव रूपेण गृह्णाति । कस्मा उ ह्यादिशेत्–यतः सर्वाभ्य एव देवताभ्योऽवद्यति । तस्मादनादिश्य–आज्यस्यैव रूपेण गृह्णाति ॥ १० ॥

यजमान एव जुहूमनु । योऽस्मा अरातीयति–स उपभृतमनु । अत्तैव जुहूमनु, आद्य उपभृतमनु । अत्तैव जुहूः, आद्य उपभृत् । स वै चतुर्जुह्वां गृह्णाति, अष्टौ कृत्व उपभृति ॥ ११ ॥

मेवाज्यं ग्रहीतव्यमित्युक्तम्; तदिदानीमनूद्य तस्य प्रयोजनमाह–तदिति । 'तत्' तथा सति 'तत्' अनादिश्य ग्रहणम् 'अजामितायै' जामितादोषराहित्याय सम्पद्यते; हविर्ग्रहणाज्यग्रहणयोर्देवतादेशने सत्येकरूपेणाजामिता स्यात् । तमिमं दोषं विपक्षे दर्शयति–जामि हेति ॥ ८ ॥

औपभृताज्यस्य विनियोगमाह–अथेति । अत्र छन्दसां कः प्रसङ्ग इत्यत आह–अनुयाजेभ्य इति । गायत्र्यादिच्छन्दोरूपा ह्यनुयाजदेवताः; अतोऽनुयाजेभ्य एवोपभृति तदाज्यग्रहणम् । अत्रापि देवतानादेशनं पूर्ववज्जामितादोषराहित्यायेत्याह–तदिति । पूर्ववद्विपक्षे बाधमुपन्यस्यानादेशनमुपपादयति–जामि हेति ॥ ९ ॥

ध्रुवायां चतुर्ग्रहणविधिपुरःसरं तत्प्रयोजनमाह–अथेति–(का. श्रौ. सू. २ । २०८) । ध्रौवाज्यग्रहणमप्याज्यधर्मेण देवतानादेशनलक्षणेन कर्त्तव्यमित्युक्त्वाऽत्र देवतादेशनस्य प्रसक्तिरेव नास्तीत्याह–कस्मा उ ह्यादिशेदिति । 'यतः' यस्मात् कारणात् ध्रुवास्थमाज्यं यज्ञे यावत्यो देवताः सन्ति, तावतीभ्यः सर्वाभ्य एव देवताभ्यः 'अवद्यति' विभज्य गृह्णाति, 'अतः' सर्वदेवतासाधारण्यात्–देवताविशेषस्योद्देशनं न संभवतीत्यर्थः । अत एव तैत्तिरीयके समाम्नायते–"यज् जुह्वां गृह्णाति प्रयाजेभ्यस्तद्, यदुपभृति प्रयाजानूयाजेभ्यस्तत्, सर्वस्मै वा एतद् यज्ञाय गृह्यते यद् ध्रुवायामाज्यम्"–इति (तै० ब्रा. ३ । ३ । ५ । ५) ॥ १० ॥

अथ जुहूपभृतोराज्यग्रहणस्य चतुष्ट्वादिसंख्याविशेषमुपपादयितुमाह–यजमान एवेति । 'यजमान एव जुहूमनु' भागी, तस्य जुहूर्भाग इत्यर्थः । "लक्षणेत्थंभूताख्यानभागवीप्सासु"–(पा० सू० १।४।९०)–

स यच्चतुर्जुह्वां गृह्णाति । (त्य) अत्तारमेवैतत्परिमिततरं कनीयाᳬंसं करोत्यथ यदष्टौ कृत्व ऽ उपभृति गृह्णात्याद्यमेवैतदपरिमिततरं भूयाᳬंसं करोति तद्धि समृद्धं यत्रात्ता कनीयानाद्यो भूयान् ॥ १२ ॥

(न्त्स) स वै चतुर्जुह्वां गृह्णन् । (न्भू) भूय ऽ आज्यं गृह्णात्यष्टौ कृत्व ऽउपभृति गृह्णन्कनीय ऽआज्यं गृह्णाति ॥ १३ ॥

स यच्चतुर्जुह्वां गृह्णन् । (न्भू) भूय ऽआज्यं गृह्णात्यत्तारमेवैतत्परिमिततरं कनीयाᳬंसं कुर्वंस्तस्मिन्वीर्यं बलं दधात्यथ यदष्टौ कृत्व ऽउपभृति गृह्णन्कनीय ऽआज्यं गृह्णात्याद्यमेवैतदपरिमिततरं भूयाᳬंसं कुर्वंस्तमवीर्य-

---

स यच्चतुर्जुह्वां गृह्णाति—अत्तारमेवैतत्परिमिततरं कनीयांसं करोति । अथ यदष्टौ कृत्व उपभृति गृह्णाति—आद्यमेवैतदपरिमिततरं भूयांसं करोति। तद्धि समृद्धम्—यत्रात्ता कनीयान्, आद्यो भूयान् १२

स वै चतुर्जुह्वां गृह्णन् भूय आज्यं गृह्णाति, अष्टौ कृत्व उपभृति गृह्णन्—कनीय आज्यं गृह्णाति १३

स यच्चतुर्जुह्वां गृह्णन् भूय आज्यं गृह्णाति—अत्तारमेवैतत् परिमिततरं कनीयांसं कुर्वंस्तस्मिन् वीर्यं बलं दधाति । अथ यदष्टौ कृत्वा उपभृति गृह्णन् कनीय आज्यं गृह्णाति—आद्यमेवैतदपरिमित-

---

इत्यनोः कर्मप्रवचनीयत्वम्; "कर्मप्रवचनीययुक्ते" (पा० सू० २ । ३ । ८)—इति द्वितीया । तथा यश्च 'अस्मै' यजमानाय 'अरातीयति' अरातिः शत्रुरिवाचरति, सः 'उपभृतमनु' उपभृत् तस्य भाग इत्यर्थः । अत एव तैत्तिरीयकम्—"यजमानदेवत्या वै जुहूः भ्रातृव्यदेवत्योपभृत्"—इति (तै. ब्रा. ३ । ९ । ४) । तथा भोक्तुर्भोग्यस्य च क्रमेण जुहूपभृतौ भागावित्याह—**अत्तैव जुहूमिति** । तद्भागत्वेन तत्तादात्म्यमाह—**अत्तैव जुहूरिति** । प्राग्विहितं तयोराज्यग्रहणं स्तुत्यर्थमनुवदितुमनुसन्धत्ते—**स वा** इति ॥ ११ ॥

तत्र जुह्वां चतुर्ग्रहणमनूद्य संख्याल्पीयस्त्वं प्रशंसति—**स यदिति** । जुह्वा अत्तृरूपत्वादष्टसंख्यातश्चतुःसंख्याया अल्पीयस्त्वेनात्तारमेव परिमिततरम्, अतः 'कनीयांसं' अल्पीयांसम् करोति । उपभृति—आज्यग्रहणसंख्यामनूद्य तद्भूयस्त्वं प्रशंसति—**अथ यदिति** । आद्यरूपा ह्युपभृत्, तत्र भोक्तृरूपजुहूः संख्याबाहुल्यात् 'आज्यं' भोग्यवस्तुजातमेव 'अपरिमिततरम्' अधिकतरम् । अत एव 'भूयांसं' बहुतरम्, अतिशयेन बहुलं करोति । **तद्धि समृद्धमित्यादि** । यत् खलु भोक्तॄणामल्पीयस्त्वम्, भोग्यवस्तुजातस्य च भूयस्त्वम्, तत् खलु समृद्धमित्यर्थः ॥ १२ ॥

जुहूपभृतोराज्यग्रहणे प्रतिनियतं धर्मविशेषं विधत्ते—**स वा** इति । 'भूयः' बहुतरमधिकमाज्यं जुह्वां यथा भवति तथा सम्यक् पूर्णेन स्रुवेण कर्त्तव्यम्; 'कनीयः' अल्पतरमुपभृति गृह्यमाणमाज्यं यथा भवति तथाऽर्द्धपूर्णस्रुवेण कार्यमित्यर्थः ॥ १३ ॥

जौहवाज्यस्य विहितं भूयस्त्वमनूद्य प्रशंसति—**स यदिति** । ग्रहणसंख्याह्रासेन भोक्तारं भोग्यजातादल्पीयांसं कुर्वन् भूयोग्रहणेन 'तस्मिन्' भोक्तरि—अधिकं 'वीर्यं' सामर्थ्यं तद्धेतुभूतं 'बलं' च स्थापयति । औपभृताज्यस्य विहितमल्पीयस्त्वमनूद्य प्रशंसति—**अथ यदिति** । संख्याधिक्येन भोग्यपदार्थमपरिमितं कुर्वन्, अल्पी-

मबलीयाᳪंसं करोति तस्मादुत राजापारां विशं प्रावसायाप्येकवेश्मनैव जिनाति त्वद्यथा त्वत्कामयते तथा सचत ऽएतेनो ह तद्वीर्येण यज्जुह्वां भूय ऽआज्यं गृह्णाति स यज्जुह्वां गृह्णाति जुह्वैव तज्जुहोति यदुपभृति गृह्णाति जुह्वैव तज्जुहोति ॥ १४ ॥

तदाहुः। कस्मा ऽउ तर्ह्युपभृति गृह्णीयाद्यदुपभृता न जुहोतीति स यद्धोपभृता जुहुयात्पृथग्घैवेमाः प्रजाः स्युर्नैवात्ता स्यान्नाद्यः स्यादथ यत्तज्जुह्वैव समानीय जुहोति तस्मादिमा विशः क्षत्रियाय बलिᳪं हरन्त्यथ यदुपभृति गृह्णाति तस्मादु क्षत्रियस्यैव वशे सति वैश्यं पशव ऽउपतिष्ठन्ते ऽथ यत्तज्जुह्वैव समानीय जुहोति तस्माद्यदोत क्षत्रियः कामयते ऽथाह वैश्यमपि यत्ते परो निहितं तदाहरेति तं जिनाति त्वद्यथा त्वत्कामयते तथा सचत ऽएतेनो ह तद्वीर्येण ॥ १५ ॥

तरं भूयांसं कुर्वंस्तमवीर्यमबलीयांसं करोति। तस्मादुत राजाऽपारां विशं प्रावसाय, अप्येकवेश्मनैव जिनाति। त्वद्यथा त्वत्कामयते तथा सचते–एतेनो ह तद्वीर्येण–यज्जुह्वां भूय आज्यं गृह्णाति। स यज्जुह्वां गृह्णाति–जुह्वैव तज्जुहोति, यदुपभृति गृह्णाति–जुह्वैव तज्जुहोति ॥ १४ ॥

तदाहुः–कस्मा उ तर्ह्युपभृति गृह्णीयात् यदुपभृता न जुहोतीति। स यद्धोपभृता जुहुयात्—पृथग्घैवेमाः प्रजाः स्युः–नैवात्ता स्यात्, नाद्यः स्यात्। अथ यत्तज्जुह्वैव समानीय जुहोति–तस्मादिमा विशः क्षत्रियाय बलिं हरन्ति। अथ यदुपभृति गृह्णाति–तस्मादु क्षत्रियस्यैव वशे सति वैश्यं पशव उपतिष्ठन्ते। अथ यत्तज्जुह्वैव समानीय जुहोति–तस्माद्यदोत क्षत्रियः कामयते–अथाह वैश्यम्–'अपि यत्ते परो निहितम्, तदाहरेति' तं जिनाति। त्वद्यथा त्वत्कामयते तथा सचते–एतेनो ह तद्वीर्येण ॥ १५ ॥

यस आज्यस्य ग्रहणेन 'तम्' भ्रातृव्यम् 'अवीर्यं' वीर्यरहितं बलरहितं च करोति। **तस्मादिति**। यस्मादेवमाद्यवर्गो बलरहितः 'अबलीयान्' तस्मादेव कारणात्, सार्वभौमो 'राजा' 'अपारां' निरवधिकां 'विशं' राज्यं 'प्रावसाय' प्राप्यापि 'एकवेश्मनैव' एकगृहात्मनैव 'जिनाति' जयति स्वाधीनं करोति। तत्र च 'त्वत्–त्वत्' एकमेकं वस्तु यथा कामयते तथा 'सचते' समवैति, प्राप्नोति। 'त्वत्'–शब्द एकशब्द–समानार्थः। "उत त्वः पश्यन्न ददर्श वाचम्"–(ऋ. सं. मं. १० । ७१ । ४) इत्यादौ तथा दृष्टत्वात्। यद्वा त्वदिति निपातश्चार्थे; (निरु. १ । ३ । ९) जिनाति च, यथा च 'कामयते'–इति योज्यम्। तदेतद्राज्ञः सामर्थ्यम्, एतेनैव वीर्येण जनितम्; 'यद्' वीर्यं जुह्वां भूयोग्रहणेन भोक्तुर्निष्पन्नमित्यर्थः। जुहूपभृद्धृतयोराज्ययोर्जुह्वैव होमः कर्त्तव्य इति विधत्ते–**स यदिति** ॥ १४ ॥

उपभृतो होमसाधनत्वाभावे तत्राज्यग्रहणं किमर्थमित्याक्षिपति–**तदाहुरिति**। उपभृति ग्रहणं समर्थयिष्यंस्तावत्तस्या होमसाधनत्वे दोषमाह–**स यद्धोपभृतेति**। होमसाधनत्वे जुहूवदुपभृतोऽपि स्वातन्त्र्यादन्नस्थानीयाः 'इमाः' सर्वाः प्रजाः राज्ञः सकाशात् 'पृथक्' स्वतन्त्रा एव भवेयुः; तथा च राजा नैवात्ता स्यात्,

तानि वा ऽएतानि । छन्दोभ्य ऽआज्यानि गृह्यन्ते स यच्चतुर्जुह्वां गृह्णाति गायत्र्यै तद्गृह्णात्यथ यदष्टौ कृत्व ऽउपभृति गृह्णाति त्रिष्टुब्जगतीभ्यां तद्गृह्णात्यथ यच्चतुर्ध्रुवायां गृह्णात्यनुष्टुभे तद्गृह्णाति वाग्वा ऽअनुष्टुब्वाचो वा ऽइदꣳ सर्व्वं प्रभवति तस्मादु ध्रुवाया ऽएव सर्व्वो यज्ञः प्रभवतीयं वा ऽअनुष्टुबस्यै वा ऽइदꣳ सर्व्वं प्रभवति तस्मादु ध्रुवाया ऽएव सर्व्वो यज्ञः प्रभवति ॥ १६ ॥

तानि वा एतानि छन्दोभ्य आज्यानि गृह्यन्ते । स यच्चतुर्जुह्वां गृह्णाति–गायत्र्यै तद् गृह्णाति । अथ यदष्टौ कृत्व उपभृति गृह्णाति–त्रिष्टुब्जगतीभ्यां तद् गृह्णाति । अथ यच्चतुर्ध्रुवायां गृह्णाति अनुष्टुभे तद् गृह्णाति । वाग् वा अनुष्टुप् । वाचो वा इदं सर्वं प्रभवति । तस्मादु ध्रुवाया एव सर्वो यज्ञः प्रभवति । इयं वा अनुष्टुप्, अस्यै वा इदं सर्वं प्रभवति । तस्मादु ध्रुवाया एव सर्वो यज्ञः प्रभवति ॥ १६ ॥

राज्यमपि नैव भोग्यं भवेदित्यर्थः । औपभृतमाज्यं जुह्वामानीय, तयैव होमे तु नोक्तदोष इत्याह–**अथ यदिति**। होमाभावे चोपभृति कस्माद् ग्रहणमित्यस्योत्तरमाह–**अथ यदिति**। यस्मादेव होमाय जुह्वमपेक्षमाणायामुपभृत्याज्यं गृह्यते, तस्मादेव कारणात् 'क्षत्रियस्य वशो' रक्षार्थं क्षत्रियाधीनत्वे सत्येव, वैश्यं 'पशवः' गवाद्याः 'उपतिष्ठन्ते' उपभृति ग्रहणाद्वैश्यस्य धनसमृद्धिर्भवतीत्यर्थः ।

-**अथ यदित्यादि** । यस्मादौपभृतमाज्यं समानीय जुह्वैव जुहोति, नोपभृता; तस्माद्यदेव स क्षत्रियः कामयते 'अथ' अनन्तरमेतं वैश्यं ब्रूते । कथमिति ? हे वैश्य ! 'ते' तव 'परः' परस्तादन्यत्र गोप्यस्थाने निहितं 'यत्' धनमस्ति, तदाहरेति। एवमुक्त्वा 'तं' वैश्यं 'जिनाति' धनापहारेण हीनं करोति । अन्यत् पूर्ववत् । **एतेनो ह तद्वीर्येणेति** । औपभृताज्यस्य जुहूसमानयनजनितवीर्येणेत्यर्थः ॥ १५ ॥

ध्रौवस्याज्यस्य प्रागुक्तं सर्वयज्ञसाधारण्यं द्रढयितुं जुह्वादिष्वाज्यग्रहणं प्रकारान्तरेण प्रशंसति–**तानि वा इति** । सामान्योक्तं विवृणोति–**स यदिति** । प्राथम्यसाम्यात् पादचतुष्टयोपेतत्वेन चतुःसंख्यासाम्याच्च जुह्वां ग्रहणं गायत्र्यर्थमित्यर्थः । ननु त्रिपदा गायत्री, कथमस्याश्चतुःसंख्यायोगः ? सत्यम् । अष्टाक्षरैः पादैस्त्रिपदा, षडक्षरैः पादैश्चतुष्पदापि भवति । अत एवान्यत्राम्नायते–"सैषा चतुष्पदा षड्विधा गायत्री"–इति (सा० व्रां० ब्रा० ९ । १२ । ९ ।) त्रिष्टुब्जगत्योर्मिलितयोः पादानामष्टसंख्या भवति । तथा चोपभृत्यष्टकृत्वो ग्रहणं ताभ्यामर्थे संपद्यते, एवमेव पादसंख्यासाम्यात् ध्रुवायां चतुर्ग्रहणमनुष्टुबर्थं भवतीत्यर्थः । अनेन ध्रुवाया अनुष्टुबर्थत्वोपजीवनेन तत्स्थस्याज्यस्य सर्वयज्ञसाधारण्यमभिप्रेत्याह-- **वाग् वा इति**। "अनुष्टुप् च वै सप्तदशश्च समभवताꣳसानुष्टुप् चतुरुत्तराणि छन्दाꣳस्यसृजत षडुत्तरान्त्स्तोमान्त्सप्तदशः"–इति सामब्राह्मणे (ताण्ड्य० ब्रा० १० प्र० २ खण्डे) सर्वेषां छन्दसामनुष्टुप्सकाशात् सृष्टेराम्नातत्वात् सा वागात्मिका । **वाचो वा इत्यादि** । 'वाचः' शब्दस्य सकाशात् 'इदं' सर्वमर्थजातं प्रभवति । अत एव जगतः शब्दविवर्त्तत्वमाहुः–

"[1]अनादिनिधनं ब्रह्म शब्दतत्त्वं यदक्षरम् । विवर्ततेऽर्थभावेन प्रक्रिया जगतो यतः" इति ॥

तथाऽन्यत्रापि शब्दानुवेधात्तत्कार्यत्वमर्थप्रपञ्चस्योक्तम्–

"[2]न सोऽस्ति प्रत्ययो लोके यः शब्दानुगमादृते । अनुविद्धमिव ज्ञानं सर्वं शब्देन गम्यते"--इति ।

१–हरिकारिकेयम् । २–इदं वाक्यपदीये ।

स गृह्णाति । धाम नामासि प्रियं देवानामित्येतद्वै देवानां प्रियतमं धाम यदाज्यं तस्मादाह धाम नामासि प्रियं देवानामित्यनाधृष्टं देवयजनमसीति वज्रो ह्याज्यं तस्मादाहानाधृष्टं देवयजनमसीति ॥ १७ ॥

स एतेन यजुषा । सकृज्जुह्वां गृह्णाति त्रिस्तूष्णीमेतेनैव यजुषा सकृदुपभृति गृह्णाति सप्तकृत्वस्तूष्णीमेतेनैव यजुषा सकृद्ध्रुवायां गृह्णाति त्रिस्तूष्णीं तदाहुस्त्रिस्त्रिरेव यजुषा गृह्णीयात्त्रिवृद्धि यज्ञ इति तदु नु सकृत्सकृदेवात्रो ह्येव त्रिर्गृहीतं सम्पद्यते ॥ १८ ॥ ५ ॥

इति द्वितीयप्रपाठके पञ्चमं ब्राह्मणम् (३. २.) ॥

स गृह्णाति-"धाम नामासि प्रियं देवानाम्"-(१अ०३१मं०) इति । एतद्वै देवानां प्रियतमं धाम-यदाज्यम् । तस्मादाह-धाम नामासि प्रियं देवानामिति । "अनाधृष्टं देवयजनमसि" (१ अ० ३१ मं०) इति । वज्रो ह्याज्यम् । तस्मादाह-अनाधृष्टं देवयजनमसीति ॥ १७ ॥

स एतेन यजुषा सकृज्जुह्वां गृह्णाति, त्रिस्तूष्णीम् । एतेनैव यजुषा सकृदुपभृति गृह्णाति, सप्तकृत्वस्तूष्णीम् । एतेनैव यजुषा सकृद् ध्रुवायां गृह्णाति, त्रिस्तूष्णीम् । तदाहुः-त्रिस्त्रिरेव यजुषा गृह्णीयात्-त्रिवृद्धि यज्ञ इति । तदु नु सकृत्सकृदेव अत्रो ह्येव त्रिर्गृहीतं संपद्यते ॥ १८ ॥

यस्मादेवं वाचः सर्वजगदुत्पत्तिहेतुत्वम्, तस्मात् तत्सम्बन्धिन्या ध्रुवाया अपि सर्वयज्ञहेतुत्वं युक्तमित्यर्थः । इतोऽपि ध्रुवायाः सर्वयज्ञहेतुत्वमित्याह-इयं वा अनुष्टुप्-इति ॥ १६ ॥

विहितमाज्यग्रहणमनूद्य मन्त्रं विधत्ते-स इति । मन्त्रगतस्य धामशब्दस्य विवक्षितमर्थमाह-एतद्वा इति । धामशब्दस्तेजोवाची, (निरु० ९ । ३ । ७) तद्धेतुत्वादाज्यमपि धामेत्युच्यत इत्यर्थः । मन्त्रशेषमनूद्य तत्रानाधृष्टपदस्य तात्पर्यगम्यमर्थमाह-अनाधृष्टमिति । 'हि' यस्मात् 'आज्यं वज्रः' "घृतं खलु वै देवा वज्रं कृत्वा सोममघ्नन्"-इति श्रुतेः । वज्रश्च धर्षितुमशक्यत्वात् 'अनाधृष्टः' अतस्तदात्मकत्वादाज्यमप्यनाधृष्टमित्यर्थः ॥ १७ ॥

अनेन मन्त्रेण ग्रहणे विशेषमाह-स एतेनेति । पक्षान्तरमाह-तदाहुरिति । 'तत्' तत्र ग्रहणविषये ब्रह्मवादिनः 'आहुः' अनेन मन्त्रेण जुह्वादिषु 'त्रिस्त्रिः' गृह्णीयात् । तथा च समन्त्रकग्रहणस्य प्रत्येकं त्रिरावृत्तत्वाद् यज्ञस्य त्रिवृत्त्वं सिध्यतीति तेषामाशयः । सकृत्त्वपक्षं निगमयति-तदु न्विति । सर्वास्वपि स्रुक्षु सकृत्सकृदेव मन्त्रेण गृह्णीयात् । अत्र सकृद्ग्रहणपक्षेऽपि हि ग्रहणस्य त्रित्वसंख्या समाहारेण सम्पद्यत इत्यर्थः ॥ १८ ॥ ५ (३. २.)

इति श्रीसायणाचार्यविरचिते माधवीये वेदार्थप्रकाशे माध्यन्दिनशतपथभाष्ये तृतीयाध्याये द्वितीयं ब्राह्मणम् ॥ २ ॥

१-संहितायामत्र प्रथमाध्यायः सम्पूर्णः । २-"स्रुवेणाज्यग्रहणं चतुर्जुह्वां धामनामेति सकृन्मन्त्रः । अष्टौ उपभृत्यल्पीयोऽनुयाजार्थं । ध्रुवायां च जुहूवत ।" का. श्रौ. सू. २ । ७ । ९ । १० । १५ । ३-उपरिष्टादिहैव ४ । १ । ४ । ८ । ४-कर्मपरत्वेनात्र पक्षापक्षविचारतात्पर्यं का. श्रौ. सू. २ । ७ । १३-१७ । पर्यालोच्यम् ।

प्रोक्षणीरध्वर्युरादत्ते। स इध्ममेवाग्रे प्रोक्षति कृष्णोऽस्याखरेष्ठोऽग्नये त्वा जुष्टं प्रोक्षामीति तन्मेध्यमेवैतदग्नये करोति ॥ १ ॥

(त्य) अथ वेदिं प्रोक्षति। वेदिरसि बर्हिषे त्वा जुष्टां प्रोक्षामीति तन्मेध्यामेवैतद्बर्हिषे करोति ॥ २ ॥

(त्यु) अथास्मै बर्हिः प्रयच्छति। तत्पुरस्ताद्ग्रन्थ्यासादयति तत्प्रोक्षति बर्हिरसि स्रुग्भ्यस्त्वा जुष्टं प्रोक्षामीति तन्मेध्यमेवैतत्स्रुग्भ्यः करोति ॥ ३ ॥

(त्यु) अथ याः प्रोक्षण्यः परिशिष्यन्ते। ताभिरोषधीनां मूलान्युपनिनयत्यदित्यै व्युन्दनमसीतीयं वै पृथिव्यदितिस्तदस्या एवैतदोषधीनां मूलान्युपोनत्ति ता इमा आर्द्रमूला ओषधयस्तस्माद्यद्यपि शुष्काण्यग्राणि भवन्त्यार्द्राण्येव मूलानि भवन्ति ॥ ४ ॥

इध्माबर्हिषोः प्रोक्षणस्तरणपूर्वकं परिधिपरिधानम्।

प्रोक्ष[1] णीरध्वर्युरादत्ते। स इध्ममेवाग्रे प्रोक्षति–"कृष्णोऽस्याखरेष्ठोऽग्नये त्वा जुष्टं प्रोक्षामि"–(२ अ. १ मं.) इति। तन्मेध्यमेवैतदग्नये करोति ॥ १ ॥

अथ वेदिं प्रोक्षति–"वेदिरसि बर्हिषे त्वा जुष्टां प्रोक्षामि"–(२ अ. १ मं.) इति। तन्मेध्यामेवैतद् बर्हिषे करोति ॥ २ ॥

अथास्मै बर्हिः प्रयच्छति। तत्पुरस्ताद्ग्रन्थ्यासादयति। तत् प्रोक्षति–"बर्हिरसि स्रुग्भ्यस्त्वा जुष्टं प्रोक्षामि"–(२ अ. १ मं.) इति तन्मेध्यमेवैतत् स्रुग्भ्यः करोति ॥ ३ ॥

अथ याः प्रोक्षण्यः परिशिष्यन्ते, ताभिरोषधीनां मूलान्युपनिनयति–"अदित्यै व्युन्दनमसि"–(२ अ. २. मं.) इति। इयं वै पृथिवी–अदितिः, तदस्या एवैतदोषधीनां मूलान्युपो-

---

अथेध्मादीनां प्रोक्षणं विधत्ते–**प्रोक्षणीरध्वर्युरादत्त** इत्यादिना। **अग्नये करोती**ति। अग्नौ हीध्म आधास्यते, अतोऽग्न्यर्थं प्रोक्षणेनेध्मं मेध्यं कृतवान् भवतीत्यर्थः ॥ १ ॥

अथ वेदिमिति। **बर्हिषे करोती**ति। 'बर्हिषे त्वा'–इति मन्त्रलिङ्गात् स्तरिष्यमाणबर्हिरर्थं वेदिं शुद्धां करोति। प्रोक्षणेन बर्हिस्तरणयोग्यतां वेदेरापादयतीत्यर्थः ॥ २ ॥

अथेति। **पुरस्ताद्ग्रन्थी**ति 'पुरस्तात्' पूर्वभागे सन्नहनरज्जोर्ग्रन्थिर्यथा भवति तथाऽऽसादयतीत्यर्थः। **स्रुग्भ्यः करोती**ति। बर्हिष उपरि स्रुचामासाद्यमानत्वात् तद्योग्यतामेतन्मन्त्रकरणकेन प्रोक्षणेन बर्हिषः संपादयतीत्यर्थः ॥ ३ ॥

अवशिष्टानां प्रोक्षणीनां विनियोगमाह–**अथे**ति। **ओषधीनामि**ति। स्तरणार्थमाहृतबर्हिर्लक्षणानामोषधीनामित्यर्थः। सूत्रितं हि कात्यायनेन–शेषं मूलेषूपसिञ्चत्यदित्यै व्युन्दनमिति (श्रौ. सू. २. २१०)। मन्त्रस्य

१–' इध्मं प्रोक्षति विस्रंस्य वेदिं च बर्हिः प्रतिगृह्य वेधां कृत्वा पुरस्ताद् ग्रन्थिं कृष्णोऽसीति प्रतिमन्त्रम् " (श्रौ. सू. २. २०९) तथा " इध्मः समिन्धनात् " इति निरु. ८। २। १। २–" त्रेधा बर्हिः सन्नह्य पुनरेकधा " का. श्रौ. सू. ५। १ २५। " बर्हिः परिबर्हणात् " इति निरुक्त ८। २। ५। ३–एतत्संज्ञकानामपामित्यर्थः।

(न्त्यु)अथ विस्र्ठ्ठंस्य ग्रन्थिम् । (म्पु)पुरस्तात्प्रस्तरं गृह्णाति विष्णोस्तुपोऽसीति यज्ञो वै विष्णुस्तस्येयमेव शिखा स्तुप ऽएतामेवास्मिन्नेतद्दधाति पुरस्ताद्गृह्णाति । पुरस्ताद्ध्ययठ्ठँ स्तुपस्तस्मात्पुरस्ताद्गृह्णाति ॥ ५ ॥

(त्यु) अथ सन्नहनं विस्र ठ्ठँ सयति । प्रक्लृप्त ठ्ठँ हैवास्य स्त्री विजायत ऽइति तस्मात्सन्नहनं विस्र ठ्ठँ सयति तद्दक्षिणायाठ्ठँ श्रोणौ निदधाति नीविर्हैवास्यैषा दक्षिणत ऽइव ह्रीयं नीविस्तस्माद्दक्षिणायाठ्ठं श्रोणौ निदधाति तत्पुनरभिच्छादयत्यभिच्छन्नेव ह्रीयं नीविस्तस्मात्पुनरभिच्छादयति ॥ ६ ॥

न्ति । ता इमा आर्द्रमूला ओषधयः । तस्माद्यद्यपि शुष्काण्यग्राणि भवन्ति–आर्द्राण्येव मूलानि भवन्ति ॥ ४ ॥

अथ विस्रंस्य ग्रन्थिं पुरस्तात् प्रस्तरं गृह्णाति–"विष्णोस्तुपोऽसि" (२ अ. २ मं.) इति । यज्ञो वै विष्णुः, तस्येयमेव शिखा स्तुपः । एतामेवास्मिन्नेतद्दधाति । पुरस्ताद् गृह्णाति । पुरस्ताद्ध्ययं स्तुपः, तस्मात् पुरस्ताद् गृह्णाति ॥ ५ ॥

अथ सन्नहनं विस्रंसयति । प्रक्लृप्तं हैवास्य स्त्री विजायत इति । तस्मात् सन्नहनं विस्रंसयति । तद्दक्षिणायां श्रोणौ निदधाति । नीविर्हैवास्यैषा । दक्षिणत इव ह्रीयं नीविः । तस्माद्दक्षिणायां श्रोणौ निदधाति । तत्पुनरभिच्छादयति । अभिच्छन्नेव ह्रीयं नीविः । तस्मात्पुनरभिच्छादयति ॥ ६ ॥

प्रयोजनमाह–**इय वा** इति । पृथिव्याः संबन्धिन्यो या व्रीहियवाद्या ओषधयः, तासामेव मूलानि–आर्द्रीकरोति । "उन्दी क्लेदने" (रु. प. २) इति धातुः । अनेनोदकेन ता इमा ओषधयः आर्द्रमूला भवन्ति; यस्मादेवं तस्मादेव कारणादोषधीनामग्रभागेषु शुष्केष्वपि मूलभागा आर्द्रतयैव दृश्यन्त इत्यर्थः ॥ ४ ॥

प्रस्तरस्य ग्रहणं विधत्ते–**अथेति** । बर्हिःसन्नहनरज्जोर्ग्रन्थिं विमुच्य 'पुरस्तात्' पूर्वदिग्भागे करोति । "विष्णोः '–इति मन्त्रेण प्रस्तरं गृह्णीयात् । मन्त्रस्य प्रयोजनमाह–**यज्ञो वा** इति । आवहनीयसाध्यस्य यज्ञात्मकस्य 'विष्णोः' प्रस्तरमुष्टिरेव शिखारूपः 'स्तुपः' केशसंघातः । आहवनीयनिकटे तद्ग्रहणाच्छिखामेव तस्मिन् स्थापितवान् भवतीत्यर्थः । पुरस्ताद् ग्रहणमनूद्य प्रशंसति–**पुरस्तादिति** । 'अयं' पिण्डीभावेन बद्धो मानुषः 'स्तुपः' केशसङ्घातः शिरसः पूर्वभागे हि भवति; अतो यज्ञस्यापि पूर्वभागे स्तुपधारणाय पुरस्ताद् ग्रहणं युज्यत इत्यर्थः ॥ ५ ॥

सन्नहनरज्जोर्विस्रंसनं विधाय[3] प्रशंसति–**अथेति** । सन्नहनस्य विस्रंसने सति 'अस्य' यजमानस्य स्त्री 'प्रक्लृप्तं' प्रकर्षेण क्लृप्तं दशमाससंपूर्णावयवमपत्यं 'विजायते' प्रसूयते । 'इति'–शब्दो हेतौ । यस्मादेवं तस्मादित्यर्थः । तस्याः सन्नहनरज्जोर्देशविशेषे स्थापनं विधत्ते–**तादिति** । **नीविर्हैवेति** । 'अस्य' यजमानस्य

१–" कुशप्रस्वः प्रस्तर उपसन्नद्धं बर्हिः " का. श्रौ. सू. ५ । १ । २६ । पुष्पितदर्भमञ्जर्यो बर्हिषः समीपे बद्धः प्रस्तरो भवतीत्यर्थः । प्रस्तरो दर्भमुष्टिरूपः । इति महीधरः । २–' पवित्रे निधाय प्रणीतासु बर्हिर्विस्रंस्य पुरस्तात्प्रस्तरग्रहणं विष्णोरिति ' (श्रौ. सू. २. २११)। ३–'अग्नये प्रदाय सन्नहनं विस्रंस्य–' (श्रौ. सू. २. २१२)। ४–' वेदिश्रोणौ निधाय–'(श्रौ. सू. २. २१२.)।

(त्य) अथ बर्हि स्तृणाति । (त्य) अयं वै स्तुपः प्रस्तरोऽथ यान्यवाञ्चि लोमानि तान्येवास्य यदितरं बर्हिस्तान्येवास्मिन्नेतद्दधाति तस्माद्बर्हि स्तृणाति ॥ ७ ॥

योषा वै वेदिः । (स्ता) तामेतद्देवाश्च पर्यासते ये चेमे ब्राह्मणाः शुश्रुवाꣳसोऽनूचानास्तेष्वेवैनामेतत्पर्यासीनेष्वनग्नां करोत्यनग्नताया ऽएव तस्माद्बर्हि स्तृणाति ॥ ८ ॥

यावती वै वेदिः । (स्ता) तावती पृथिव्योषधयो बर्हिस्तदस्यामेवैतत्पृथिव्यामोषधीर्दधाति ता ऽइमा ऽअस्यां पृथिव्यामोषधयः प्रतिष्ठितास्तस्माद्बर्हि स्तृणाति ॥ ९ ॥

तद्वै बहुलꣳ स्तृणीयादित्याहुः । (र्यं) यत्र वा ऽअस्यै बहुलतमा ऽओषधयस्तदस्या ऽउपजीवनीयतमं तस्माद्बहुलꣳ स्तृणीयादिति तद्वै

अथ बर्हिस्तृणाति । अयं वै स्तुपः प्रस्तरः । अथ यान्यवाञ्चि लोमानि, तान्येवास्य; यदितरं बर्हिः; तान्येवास्मिन्नेतद्दधाति । तस्माद् बर्हिस्तृणाति ॥ ७ ॥

योषा वै वेदिः । तामेतद्देवाश्च पर्यासते, ये चेमे ब्राह्मणाः शुश्रुवांसोऽनूचानाः । तेष्वेवैनामेतत् पर्यासीनेष्वनग्नां करोति—अनग्नताया एव । तस्माद्बर्हिस्तृणाति ॥ ८ ॥

यावती वै वेदिः, तावती पृथिवी; ओषधयो बर्हिः । तदस्यामेवैतत् पृथिव्यामोषधीर्दधाति । ता इमा अस्यां पृथिव्यामोषधयः प्रतिष्ठिताः । तस्माद्बर्हिस्तृणाति ॥ ९ ॥

तद्वै बहुलं स्तृणीयादित्याहुः । यत्र वा अस्यै बहुलतमा ओषधयः, तदस्या उपजीवनीयतमम् ।

' एषा ' रज्जूर्नीविरेव भवतीत्यर्थः । नीविरूपत्वं दृष्टान्तेनोपपादयति—**दक्षिणत इवेति** । लोके हि वाससः परिधाने दक्षिणपार्श्व एव हि नीविः परिकल्प्यते, तस्माद् दक्षिणश्रोणौ सन्नहनरज्जुनिधानं नीविपरिकल्पनमेव भवतीत्यर्थः । सन्नहनस्योपरि दर्भान्तरैश्छादनं विधत्ते—**तत्पुनरिति** । तदुपपादयति—**अभिच्छन्नेवेति** । उपरि वाससा ' छन्नेव ' आवृतेव हि लौकिकी नीविर्भवति, तस्मादभिच्छादनं कार्यमित्यर्थः ॥ ६ ॥

बर्हिषः स्तरणं विधत्ते—**अथेति** । ' स्तृणातीति ' वेदिं छादयतीत्यर्थः; तत् स्तरणं प्रशंसति—**अयं वा इति** । यः ' अयं ' प्रस्तरः स ऊर्ध्वबद्धकेशसंघातात्मकः स्तुपः; अथ तद्व्यतिरिक्तानि श्मश्रुप्रभृतीनि यान्यवाङ्मुखानि लोमानि,—स्तीर्यमाणेन बर्हिषा ' अस्य ' यज्ञस्य तान्येव सम्पाद्यन्त इत्यर्थः ॥ ७ ॥

योषा वा इत्यादि । हविर्ग्रहणायागत्य ये देवा वेदेरुपरित उपविशन्ति, ये च ' शुश्रुवांसः ' प्रयोगाभिज्ञानाः ' अनूचानाः ' अनुष्ठातृरूपा ऋत्विग्रूपा ब्राह्मणाः समीपे वर्त्तन्ते; स्त्रीरूपा इयं वेदिः स्वयमत्रानावृता सती तेभ्यो लज्जाविशिष्टा भवति; अतस्तस्या बर्हिषाच्छादनमनग्नतायै सम्पद्यत इत्यर्थः ॥ ८ ॥

प्रकारान्तरेण स्तरणं प्रशंसति—**यावती वा** इति ॥ ९ ॥

स्तरणस्य श्लक्ष्णतां विधत्ते—**तद्वा** इति । ' बहुलं ' निरन्तरं यथा भूमिर्न दृश्यते तथा स्तृणीयादित्यभिज्ञाः

१–'अन्यैरवच्छाद्य '–(श्रौ. सू. २. २१२) । २–' वेदिं स्तृणात्यूर्णम्रदसमिति त्रिवृत् '–(श्रौ. सू. २. २१२) ।

तदाहर्त्तर्येवाधि त्रिवृत्स्तृणाति त्रिवृद्धि यज्ञोऽथो ऽअपि प्रवर्हꣳ स्तृणीयात्स्तृणन्ति बर्हिरानुषगित्यृषिणाभ्यनूक्तमधरमूलꣳ स्तृणात्यधरमूला ऽइव हीमा ऽअस्यां पृथिव्यामोषधयः प्रतिष्ठितास्तस्मादधरमूलꣳ स्तृणाति ॥ १० ॥

स स्तृणाति । (त्यू) ऊर्णम्रदसं त्वा स्तृणामि स्वासस्थां देवेभ्य ऽइति साध्वीं देवेभ्य ऽइत्येवैतदाह यदाहोर्णम्रदसं त्वेति स्वासस्थां देवेभ्य ऽइति स्वासदां देवेभ्य ऽइत्येवैतदाह ॥ ११ ॥

तस्माद् बहुलं स्तृणीयादिति । तद्वै तदाहर्त्तर्येवाधि । त्रिवृत् स्तृणाति, त्रिवृद्धि यज्ञः । अथो अपि प्रवर्हं स्तृणीयात्–" स्तृणन्ति बर्हिरानुषगिति "[2] ऋषिणाभ्यनूक्तम् । अधरमूलं स्तृणाति[3] अधरमूला इव हीमा अस्यां पृथिव्यामोषधयः प्रतिष्ठिताः । तस्मादधरमूलं स्तृणाति ॥ १० ॥

स स्तृणाति–" ऊर्णम्रदसं त्वा स्तृणामि स्वासस्थां देवेभ्यः "–(२ अ० २ मं०) इति ।

कथयन्तीत्यर्थः । एवं वदतामभिप्रायमाह–**यत्र वा** इति । ' अस्यै ' षष्ठ्यर्थे चतुर्थी (पा० सू० २ । ३ । ६ वा० १) ' अस्याः ' पृथिव्याः सम्बन्धिनि ' यत्र ' यस्मिन् स्थाने ओषधीनां बाहुल्यमस्ति तदेव स्थानं सर्वैः प्राणिभिरतिशयेनोपजीवनीयं भवति, तस्मादुपजीवनीयत्वसिद्धये बहुलं स्तरणं कर्तव्यमित्यनेनाभिप्रायेणे-त्यर्थः । अस्तु भूमेरुपजीवनीयतमत्वम्, तावता यजमानस्य को लाभः ? तत्राह–**तद्वा** इति । ' तस्य ' बर्हिषो यः ' आहर्त्ता ' यजमानः, तस्मिन्नेव ' तद् ' बहुलस्तरणकृतमुपजीवनीयतमत्वलक्षणं फलं भवति; अनुष्ठेयक्रियाफलस्य कर्तृगामित्वात् । अत एव जैमिनिः सूत्रयामास–" शास्त्रफलं प्रयोक्तरि तल्लक्षणत्वात् " इति (३ । ७ । १८; अ. मा. ३ । ७ । ८ ।) ' आहर्त्तर्येवाधि '–इत्यधिशब्दो विभक्त्यर्थानुवादी ॥

स्तरणस्य त्रिवृत्त्वं विधत्ते–**त्रिवृत् स्तृणातीति** । त्रिभिर्मुष्टिभिर्बर्हिस्त्रिधा यथा भवति तथा वेदिं छादयेत् । तत्रैकं मुष्टिं वेदेः पूर्वभागे स्तीर्त्वा, द्वितीयं मुष्टिं तन्मध्यमभागे पूर्वमुष्टिना सम्बद्धं स्तृणीयात् । ततस्तृतीयं मुष्टिमपि वेदेरपरार्द्धे द्वितीयमुष्टिना सम्बद्धं स्तृणीयादिति । एवं स्तरणं प्रत्यक्परिसमाप्तिरित्येकः पक्षः[1] । पक्षान्तरमाह–**अथो** इति । ' प्रवर्हं ' प्रबृह्य प्रबृह्य प्रथममुष्टिं वेद्यपरार्द्धे स्तीर्त्वा, तस्याग्रमुद्यम्याधस्तात् तत्सम्बद्धं द्वितीयं मुष्टिं स्तृणीयात्, एवमेव तृतीयमपि। एवं मुष्टित्रयस्य परस्परसम्बन्धं ऋङ्मन्त्रपादोदाहरणेन द्रढयति–**स्तृणन्तीति** । ' आनुषक् ' अनुषक्तं परस्परसम्बद्धं बर्हिरध्वर्यवः स्तृणन्तीति ऋक्पादस्यार्थः । ' अतः ' अस्मान्मन्त्रलिङ्गात् पूर्वं मुष्टिं प्रबृह्य तस्याधस्तात् तत्संसक्तमेवापरं मुष्टिं स्तृणीयादिति भावः । अस्मिन् पक्षे स्तरणस्य प्रागपवर्गता ।

कात्यायनः पक्षद्वयमपि सूत्रयामास–"पश्चादपवर्गम्" (श्रौ. सू. २. २१६) "प्रवृहन् वा" (श्रौ. सू. २. २१७) इति । अस्मिन् पक्षद्वयेऽपि बर्हिर्मूलस्याधरत्वं विधाय प्रशंसति–**अधरमूलमिति** ॥ १० ॥

विहितं स्तरणमनूद्य मन्त्रं विधत्ते–**स स्तृणातीति** । ऊर्णम्रदसमिति मन्त्रपदस्य पर्यवसितमर्थमाह–**साध्वीमिति** । ऊर्णासूत्रनिर्मितकम्बलवन्मृदुभूतां त्वां हे वेदे ! स्तृणामीति हि तस्यार्थः । तथा च ' साध्वीं ' शोभनां

१–' समाप्यत इत्येकः ' इति प्रतिभाति । २–ऋ. सं. ८ । ४५ । १ निरु. ६ । ३ । ५ । वा. सं. ७ । ३२ । इत्यत्र द्रष्टव्योऽयमृक्पादः । ३–' अधरमूलम् ' (श्रौ. सू. २. २१५) ।

अथाग्निं कल्पयति । शिरो वै यज्ञस्याहवनीयः पूर्वार्द्धो वै शिरः पूर्वार्द्धमेवैतद्यज्ञस्य कल्पयत्युपर्युपरि प्रस्तरं धारयन्कल्पयत्ययं वै स्तुपः प्रस्तर ऽएतमेवास्मिन्नेतत्प्रतिदधाति तस्मादुपर्युपरि प्रस्तरं धारयन् कल्पयति ॥ १२ ॥

(त्यु) अथ परिधीन्परिदधाति । तद्यत्परिधीन्परिदधाति यत्र वै देवा ऽअग्रेऽग्निं ᳫँ होत्राय प्रावृणत तद्धोवाच न वा अहमिदमुत्सहे यद्वो होता स्यां यद्वो हव्यं वहेयं त्रीन्पूर्वान्प्रावृद्वं ते प्राधन्विषुस्तान्नु मेऽवकल्पयताथवा

साध्वीं देवेभ्य इत्येवैतदाह–यदाहोर्णम्रदसं त्वेति । स्वासस्थां देवेभ्य इति–स्वासदां देवेभ्य इत्येवैतदाह ॥ ११ ॥

अथाग्निं कल्पयति । शिरो वै यज्ञस्याहवनीयः । पूर्वार्द्धो वै शिरः–पूर्वार्द्धमेवैतद्यज्ञस्य कल्पयति । उपर्युपरि प्रस्तरं धारयन् कल्पयति । अयं वै स्तुपः प्रस्तरः । एतमेवास्मिन्नेतत् प्रतिदधाति । तस्मादुपर्युपरि प्रस्तरं धारयन् कल्पयति ॥ १२ ॥

अथ परिधीन् परिदधाति । तद् यत्परिधीन् परिदधाति–यत्र वै देवा अग्रेऽग्निं होत्राय प्रावृणत, तद्धोवाच–न वा अहमिदमुत्सहे, यद्वो होता स्याम्, यद्वो हव्यं वहेयम्; त्रीन् पूर्वान् प्रावृद्ध्वम् ।

देवेभ्यः प्रीतिकरीमित्ययमर्थः सम्पद्यत इत्यर्थः । मन्त्रस्य द्वितीयभागमनूद्य व्याचष्टे–**स्वासस्था**मिति । सुखेनासितुमुपवेष्टुं योग्यां ' स्वासस्थाम् ' । एतस्य पदस्याभिप्रायकथनं ' स्वासदाम् '– इति । सुखेनासितुम् आसदनमुपवेशनं कर्तुं शक्या ' स्वासदा ' तामित्यर्थः ॥ ११ ॥

अग्नेः प्रबलीकरणं विधत्ते–**अथाग्नि**मिति । ' कल्पयति ' क्लृप्तं हविर्दहनसमर्थं करोतीत्यर्थः । तच्च कल्पनमाहवनीयस्यैवेति प्रतिपादयति–**शिरो वा** इति । देहस्य पूर्वभागो हि शिरः । अत आहवनीयोऽपि वेदेः पूर्वभागेऽवस्थानात् ' यज्ञस्य शिरः ' । तथा च यज्ञस्य पूर्वार्द्धमाहवनीयं कल्पयन् शिर एव कल्पयति । तस्मिन् समये प्रस्तरस्योपरि धारणं विधत्ते–**उपर्युपरी**ति । अग्नेरत्यन्तसन्निकृष्टोपरिभाग इत्यर्थः । " उपर्यध्यधसः सामीप्ये " (पा० सू० ८ । १ । ७) इति द्विर्वचनम् । तद्धारणं प्रशंसति–**अयं वा** इति । योऽयं ' स्तुपः ' केशसङ्घातः शिरसि दृश्यते, अयमेव खलु प्रस्तरः । यज्ञशिरस आहवनीयस्योपरि प्रस्तरं धारयन्, ' एतमेव ' केशसङ्घातं तस्मिन् ' प्रतिदधाति ' सन्दधाति ॥ १२ ॥

परिधिपरिधानं विधत्ते[3]–**अथे**ति । परितो धीयन्त इति ' परिधयः ' " उपसर्गे घोः किः " (पा० सू० ३. ३. ९२)–इति कर्मणि किप्रत्ययः । तदेतत् परिधानमुपपादयितुमनुवदति–**तद्यदि**ति । इतिहास-

---

१–' इध्मात्समिधमादायाहवनीयं कल्पयत्युपर्युपरि प्रस्तरं धारयन् ' (श्रौ. सू. २. २१९) । २–दर्भसङ्घातरूपत्वात्केशसङ्घातरूपा शिखेवेति महीधरः । ३–' परिधीन् परिदधात्यार्द्रानिकक्षीयान् बाहुमात्रान् पालाशवैकङ्कतकार्ष्मर्यबैल्वान् पूर्वालाभे पूर्वालाभ उत्तरान् खदिरोदुम्बरान् वा मध्यमदक्षिणोत्तरान् गन्धर्व इति प्रतिमन्त्रम् ' (श्रौ. सू. २-२२१) । ४–" परितः समंततः स्थाप्यन्ते " इति परिधयः । " परितः सर्वतः चतुर्दिक्षु निधानात्परिधयः " इति पक्षे तु परिधित्रित्वे दोषः स्यात् । अस्ति च परिधित्रित्वं परिधिचतुष्टुं चेति सम्प्रदायः । तथाहि " बाहुमात्राः परिधय ऋजवः सत्वचोऽव्रणाः । त्रयो भवन्त्यशीर्णाग्रा एकेषान्तु चतुर्दिशम् । क. प्र. २ । ५ । १९ ।

ऽअहमेतदुत्साक्ष्ये युद्धो होता स्यां युद्धो हव्यं वुहेयमितिति तथेति तानस्मा ऽएतानुवाकल्पयंस्तु ऽएते परिधयः ॥ १३ ॥

स होवाच । व्वज्रो वै तान्वषट्कारः प्रावृणग्वुज्राद्वै व्वषट्काराद्बिभेमि युन्मा व्वज्रो व्वषट्कारो न प्रवृञ्ज्यादेतैरेव मा परिधत्त तथा मा व्वज्रो व्वषट्कारो न प्रवक्ष्यतीति तथेति तमेतैः पर्यदधुस्तन्न व्वज्रो व्वषट्कारः प्रावृणक्तद्धस्मैवैतदग्नये नह्यति यदेतैः परिदधाति ॥ १४ ॥

त ऽउ हैत ऽऊचुः । (रि) इदमु चेदस्मान्यज्ञे युङ्क्थास्त्वेवास्माकमपि यज्ञे भाग ऽइति ॥ १५ ॥

ते प्राधन्विषुः; तान्नु मेऽवकल्पयत । अथ वा अहमेतदुत्साक्ष्ये—यद्धो होता स्याम्, यद्धो हव्यं वहेयमिति । तथेति । तानस्मा एतानवाकल्पयन्—त एते परिधयः ॥ १३ ॥

स होवाच—वज्रो वै तान् वषट्कारः प्रावृणक् । वज्राद्वै वषट्काराद्बिभेमि, यन्मा वज्रो वषट्कारो न प्रवृञ्ज्यात् । एतैरेव मा परिधत्त, तथा मा वज्रो वषट्कारो न प्रवक्ष्यतीति । तथेति । तमेतैः पर्यदधुः । तन्न वज्रो वषट्कारः प्रावृणक् । तद्धस्मैवैतदग्नये नह्यति—यदेतैः परिदधाति ॥१४॥

त उ हैत ऊचुः—इदमु चेदस्मान् यज्ञे युङ्क्थ, अस्त्वेवास्माकमपि यज्ञे भाग इति ॥ १५ ॥

मुखेनैतत्परिधानमुपपादयति—**यत्र वा** इति । यत्रेमम् ‘ अग्निं ’ पुरा[1] ‘ होत्राय ’ होतृकर्मणे देवाः ‘ प्रावृणत ’ प्रवृत्तवन्तः; ‘ तत् ’ तदानीं सोऽग्निः ‘ उवाच ’ उक्तवान् । कथमिति, तदुच्यते—“ न खल्वहमिदानीमुत्साहं करोमि, ‘ वः ’ युष्माकं होता स्यां हव्यं च वहेयम् ”—इति । यदेतद्धोतृत्वहव्यवहनादिलक्षणं कार्यं युष्माभिः प्रार्थ्यते, तत्कर्तुं नोत्सह इत्यर्थः ।

अनुत्साहकारणमुपन्यस्यति—**त्रीन् पूर्वानिति** । “ हे देवाः ! यूयं मदीयान् पूर्वपुरुषान् त्रीन् ‘ प्रावृढ्वम् ’ प्रवृतवन्तः स्थ; ते च तत एव प्रवरणात् ‘ प्राधन्विषुः ’ प्रागमन्; प्राम्रियतेत्यर्थः । एतच्च प्रागाम्नातम्—“ चतुर्द्धा विहितो ह वा अग्रेऽग्निरास ”—(श० प० १ । २ । ३ । १) इत्यत्र । **तान्न्वित्यादि** ; प्राग्गतान् ‘ तान् ’ मदीयान् पूर्वम् ‘ अवकल्पयत ’ अवक्लृप्तान् मूर्तिसामर्थ्ययुक्तान् कुरुत; ‘ अथ ’ अनन्तरमेव होता स्यामित्यादि ‘ यदेतदुत्साक्ष्येऽहम् ’ एतद्विषयमुत्साहं करिष्ये । ते च देवाः ‘ तथेति ’ अङ्गीकृत्य ‘ एतानवाकल्पयन् ’ समर्थान् मूर्त्यादियुक्तानकुर्वन् ।‘ ते ’ चेमे ‘ परिधयः ’ सञ्जाताः ॥ १३ ॥

एवमाख्यायिकया परिधीनामुत्पत्तिं प्रतिपाद्य, तैरग्नेः परिधानं कार्यमित्येतदपि प्रतिपादयति—**स** हेति । एतद्देवान् प्रत्यग्निरुवाच ‘ प्रावृणक् ’ प्रकर्षेणावर्जयत् । वषट्काराद् भीतं मां ‘ यत् ’ येन परिधानेन हेतुना वषट्कारात्मको वज्रो न हिंस्यात्, तदेतत्परिधानं मम कुरुत; तथा च वषट्कारात्मको वज्रो मां ‘ न प्रवक्ष्यति ’ न हिंसिष्यति । एवमग्निनोक्ते देवा अपि ‘ तथेति ’ अङ्गीकृत्य तं परिधिभिः पर्यदधुः । ‘ अतः ’ देवैः परिधानकरणात् ‘ तम् ’ अग्निं वज्रात्मको वषट्कारो नावाधिष्ट । अतः परिधिपरिधानमग्नेः कवचबन्धनमेव भवति । तस्मादवश्यं तत्कर्त्तव्यमिति भावः ॥ १४ ॥

अथ प्रसङ्गाद् “ भुवपतये स्वाहा ”—इत्यादिर्मन्त्रैः[2] स्कन्नस्य हविषोऽभिमर्शनं विधित्सुः, परिधिरूपेणावस्थि-

---

१—“ यत्र खल्विमं हव्यवाहम् अग्निं पुरा ” इति क्वचित्पुस्तके पाठः । २—ते च मन्त्रा वा. सं. २ । २ । ४ । ५ । ६ ।

तथेति देवा ऽअब्रुवन् । (न्यु) यद्बहिष्परिधि स्कन्त्स्यति तद्युष्मासु हुत-
मथ यद्व उपर्युपरि होष्यन्ति तद्वोऽविष्यत्यथ यदग्नौ होष्यन्ति तद्वोऽविष्य-
तीति स यदग्नौ जुह्वति तदेनानवत्यथ यदेनानुपर्युपरि जुह्वति तदेनानव-
त्यथ यद्बहिष्परिधि स्कन्दति तदेतेषु हुतं तस्मादु ह नाऽऽग इव स्कन्नꣳ
स्यादिमां वै ते पृथिवीं प्राविशन्यद्वा ऽइदं किञ्च स्कन्दत्यस्यामेव तत्सर्वं
प्रतितिष्ठति ॥ १६ ॥

स स्कन्नमभिमृशति भुवपतये स्वाहा भुवनपतये स्वाहा भूतानां पतये

तथेति देवा अब्रुवन्—यद्बहिष्परिधि स्कन्त्स्यति तद्युष्मासु हुतम्, अथ यद्व उपर्युपरि होष्यन्ति तद्वोऽविष्यति । अथ यदग्नौ होष्यन्ति—तद्वोऽविष्यतीति स यदग्नौ जुह्वति—तदेनानवति, अथ यदेनानुपर्युपरि जुह्वति तदेनानवति, अथ यद्बहिष्परिधि स्कन्दति—तदेतेषु हुतम् । तस्मादु ह नाऽऽग इव स्कन्नं स्यात् । इमां वै ते पृथिवीं प्राविशन् । यद्वा इदं किञ्च स्कन्दति—अस्यामेव तत्सर्वं प्रतितिष्ठति ॥ १६ ॥

स स्कन्नमभिमृशति—" भुवपतये स्वाहा भुवनपतये स्वाहा भूतानां पतये स्वाहा "—

त्तानां भुवपत्यादिसंज्ञकानां तेषामग्नीनां स्कन्नद्रव्यभाक्त्वं प्रतिपादयति—त उ हेत्यादिना । ते परिधिरूपेणावस्थिताः पूर्वाग्नयः ' एतद् ' वक्ष्यमाणम् ' ऊचुः ' उक्तवन्तः । अस्माँश्चेद् ' इदम् ' इदानीं यज्ञे पुनः ' युङ्क्थाः ' युक्तान् कुरुथ, तर्ह्यस्माकमपि यज्ञे कश्चिद् भागोऽस्त्विति ॥ १५ ॥

तथेत्यादि । देवाश्च ' तथेति ' प्रत्यशृण्वन्, प्रतिश्रुत्य चैवमब्रुवन् । कथमिति—' बहिष्परिधि ' परिधीनां बाह्यदेशे ' यद् ' हविः ' स्कन्त्स्यति ' स्कन्नं भविष्यति, ' तद् युष्मासु हुतम् ' अस्तु; तत् स्कन्नं हविरसाधारणो युष्मद्भागो भवत्वित्यर्थः । अथ च ' वः ' युष्माकम् ' उपर्युपरि ' अत्यन्तसमीपोपरिभागे ' यद् ' हविः होष्यन्ति, तद् ' वः ' युष्मान् ' अविष्यति ' तृप्तान् करिष्यतीति, अवतिरत्र—तृप्त्यर्थः । " अव[1] रक्षणगतिकान्तिप्रीतितृप्त्यवगमेषु "—(भ्वा० प० ६००) इति पठितत्वात् । यच्चाग्नौ होष्यन्ति, तदपि युष्माकं तृप्तिकरमस्त्विति । एवं देवैः तेषामग्नीनां भागो दत्तः । यस्मादेवं तस्मादिदानीमप्यग्नौ हवनादिकमेनांस्तर्पयतीत्याह—स यदिति । ' सः '—इति व्यत्ययेन बह्वर्थे एकवचनम्, (पा. सू. ३ । १ । ८५ ।) तथा च बहिष्परिधि ' यत् ' हविः स्कन्दति, तत् ' एतेषु ' अग्निषु हुतमेव भवति ।

स्कन्नस्य च तद्भागत्वं प्रत्यक्षतो दर्शयति—तस्मादु हेति । यस्मादेवं परिधिरूपाग्नीनां स्कन्नं हविर्भागत्वेन परिकल्पितम्, तस्मादेव कारणात्—हविः स्कन्नं स्यादिति यत्तत् ' आगः ' अपराधो न भवति । कुत इत्यत आह—इमामिति । ' ते ' प्रगता अग्नयः, ' इमां ' भूमिं खलु प्रविष्टाः यच्चाज्यादिकं किमपि हविः स्कन्दति, तत्सर्वं पृथिव्यामेव प्रतितिष्ठति । एवं च तेन स्कन्नेन तत्रत्यानामग्नीनां सम्बन्धात् तृप्तिर्भविष्यतीति न स्कन्नदोषः ॥ १६ ॥

एवंभूतं स्कन्नं हविः परिधिरूपेणावस्थितानां भूमौ प्रविष्टानामग्नीनां भाग इत्युपपाद्य तत्तदग्निनामधेययुक्ते-

---

१—धातुपाठे तु ' अव रक्षणगतिकान्तिप्रीतितृप्त्यवगमप्रवेशश्रवणस्वाम्यर्थयाचनक्रियेच्छादीप्त्यवाप्त्यालिङ्गनहिंसादानभागवृद्धिषु ' इत्युपलभ्यते ।

स्वाहेत्येतानि वै तेषामग्नीनां नामानि यद्भुवपतिर्भुवनपतिर्भूतानां पतिस्तद्यथा वषट्कृत ँ हुतमेवमस्यैतेष्वग्निषु भवति ॥ १७ ॥

तद्धैके । (क॰ऽ) इध्मस्यैवैतान्परिधीन्परिदधति । तदु तथा न कुर्यादनवक्लृप्ता ह तस्यैते भवन्ति यानिध्मस्य परिदधात्यभ्याधानाय ह्येवेध्मः क्रियते तस्यो हैवैतेऽवक्लृप्ता भवन्ति यस्यैतानन्यानाहरन्ति परिधय ऽइति तस्मादन्यानेवाहरेयुः ॥ १८ ॥

(स्ते) ते वै पालाशाः स्युः । (ब्रं) ब्रह्म वै पलाशो ब्रह्माग्निरग्नयो हि तस्मात्पालाशाः स्युः ॥ १९ ॥

(२ अ० २ मं०) इति । एतानि वै तेषामग्नीनां नामानि–यद् भुवपतिः, भुवनपतिः, भूतानां पतिः । तद् यथा वषट्कृतं हुतम्–एवमस्यैतेष्वग्निषु भवति ॥ १७ ॥

तद्धैके–इध्मस्यैवैतान् परिधीन् परिदधति । तदु तथा न कुर्यात् । अनवक्लृप्ता ह तस्यैते भवन्ति–यानिध्मस्य परिदधाति । अभ्याधानाय ह्येवेध्मः क्रियते । तस्यो हैवैतेऽवक्लृप्ता भवन्ति–यस्यैतानन्यानाहरन्ति–परिधय इति । तस्मादन्यानेवाहरेयुः ॥ १८ ॥

ते वै पालाशाः स्युः । ब्रह्म वै पलाशः, ब्रह्माग्निः । अग्नयो हि । तस्मात्पालाशाः स्युः ॥१९॥

मन्त्रैस्तस्याभिमर्शनं विधत्ते–**स स्कन्नमिति** । 'तत्' तत्रैवं नामोद्देशेनाभिमर्शने कृते सति, यथा 'वषट्कृतं' वषट्कारेण प्रत्तं हविस्तस्यै देवतायै हुतं भवति, एवमेव 'अस्य' यजमानस्य 'एतेषु' भुवपत्यादिनामकेषु परिधिरूपाग्निषु तत् स्कन्नं हविर्हुतमेव भवतीत्यर्थः ॥ १७ ॥

तेषां परिधीनामिध्मावयवत्वं केचिन्मन्यन्ते, तेषां मतमुपन्यस्य निरस्यन्ति–**तद्धैक** इत्यादिना । 'इध्मस्य'–इत्यवयवावयविसम्बन्धार्था षष्ठी । (पा. सू. २ । ३ । ५० भाष्यं द्रष्टव्यम्) इध्मस्यावयवभूतानित्यर्थः । अग्निसमिन्धनाय हीध्मः क्रियते, अतस्तदवयवानां समिन्धनसामर्थ्यमेव, न तु परिधानसामर्थ्यमस्तीत्यनवक्लृप्तिः । तदेतदाह–**अनवक्लृप्ता** इति । **तस्यो हैवे**त्यादि । 'यस्य' यजमानस्य परिधय इत्येवंरूपेणेध्मान् पृथक्, तानेवाहरन्त्यध्वर्यवः, तस्यैव यजमानस्यैते 'अवक्लृप्ताः' परिधानलक्षणकार्यक्षमा भवन्तीत्यर्थः । यस्मादेवं तस्मात् इध्मानन्तर्भूतान् 'अन्यान्' एव परिधीनाहरेयुरिति विधत्ते–**तस्मादि**ति ॥ १८ ॥

परिध्युपादानभूतान् वृक्षानुत्तरोत्तराननुकल्पतयोपादेयान् विधत्ते–**ते वा** इति । 'ते' खलु परिधयः पलाशवृक्षजा भवेयुः । "ब्रह्म वै" इत्यादि तत्प्रशंसा । ब्रह्मविषयस्य रहस्यस्य श्रवणात् पलाशवृक्षस्तावद् ब्रह्मात्मकः, तथा च तैत्तिरीयकम्–"देवा वै ब्रह्मन्नवदन्त तत् पर्ण उपाशृणोदिति" (तै० सं० ३ । ५ । ७ । २) । अग्निवाय्वादित्यरूपेण हिरण्यगर्भस्य ब्रह्मण एवावस्थानादग्निरपि–ब्रह्मात्मकः । तादृगग्न्यात्मकत्वं च परिधीनां प्रतिपादितम् । अतोऽग्निरूपब्रह्मात्मकानां परिधीनां पलाशरूपब्रह्मविकारत्वं युक्तमित्यर्थः ॥ १९ ॥

(धं) यदि पालाशान्न विन्देत् । (ङ) अथो ऽअपि वैकङ्कताः स्युर्यदि वैकङ्कतान्न विन्देदथो ऽअपि कार्ष्मर्यमयाः स्युर्यदि कार्ष्मर्यमयान्न विन्देदथो ऽअपि बैल्वाः स्युरथो खादिरा ऽअथो ऽऔदुम्बराऽएते हि वृक्षा यज्ञियास्तस्मादेतेषां वृक्षाणां भवन्ति ॥ २० ॥ ६ ॥

इति द्वितीयप्रपाठके षष्ठं संलग्नब्राह्मणम् (२–६) द्वितीयप्रपाठकश्च समाप्तः ॥ २ ॥ कण्डिकासङ्ख्या ॥ १२२ ॥

ते वा ऽआर्द्राः स्युः । (रे) एतद्ध्येषां जीवमेतेन सतेजस ऽएतेन वीर्यवन्तस्तस्मादार्द्राः स्युः ॥ १ ॥

स मध्यममेवाग्रे परिधिं परिदधाति । गन्धर्वस्त्वा विश्वावसुः परिदधातु विश्वस्यारिष्ट्यै यजमानस्य परिधिरस्यग्निरिड ऽईडित ऽइति ॥२॥

यदि पालाशान् न विन्देत्–अथो अपि वैकङ्कताः स्युः । यदि वैकङ्कतान् न विन्देत्–अथो अपि कार्ष्मर्यमयाः स्युः । यदि कार्ष्मर्यमयान् न विन्देत्–अथो अपि बैल्वाः स्युः । अथो खादिराः, अथो औदुंबराः । एते हि वृक्षा यज्ञियाः । तस्मादेतेषां वृक्षाणां भवन्ति ॥ २० ॥

ते वा आर्द्राः स्युः । एतद्ध्येषां जीवम्, एतेन सतेजसः, एतेन वीर्यवन्तः । तस्मादार्द्राः स्युः ॥ १ ॥

स मध्यममेवाग्रे परिधिं परिदधाति–"**गन्धर्वस्त्वा विश्वावसुः परिदधातु विश्वस्यारिष्ट्यै यजमानस्य परिधिरस्यग्निरिड ईडितः**"–(२ अ० ३ मं०) इति ॥ २ ॥

स्पष्टमन्यत् ॥ २० ॥ ६ ॥ (३. ३.)

इति श्रीसायणाचार्यविरचिते माधवीये वेदार्थप्रकाशे माध्यन्दिनशतपथब्राह्मणभाष्ये प्रथमकाण्डे तृतीयाध्याये तृतीयं ब्राह्मणम् ॥ ३ ॥ ३ ॥

इति प्रथमकाण्डे द्वितीयप्रपाठकः समाप्तः ।

अथ परिधीनामार्द्रतां विधाय प्रशंसति–**ते वा** इति । 'एतद्' आर्द्रत्वं खलु 'एषां' जीवतां जीवनलिङ्गम् । स्थावरजङ्गमादिशरीरे यत्र खल्वार्द्रत्वमस्ति, 'तेन' ते 'सतेजसः' अवयवकान्तिलक्षणेन तेजसा युक्ताः, 'वीर्यवन्तः बलवन्तश्च भवन्ति । अतः सतेजस्त्वादिसिद्ध्ये 'ते' परिधयोऽपि 'आर्द्राः' भवेयुरित्यर्थः । आर्द्रस्य च सजीवत्वं शुष्कस्य च निर्जीवत्वं छन्दोगैराम्नायते–"अस्य सोम्य ! महतो वृक्षस्य यो मूलेऽभ्याहन्याज्जीवन् स्रवेद्, ...अस्य यदेकां शाखां जीवो जहात्यथ सा शुष्यति" इति सा० छां० ब्रा० (८।११।१।२।३)॥१॥

आहवनीयस्य पश्चिमभागे मध्यमपरिधिरेव प्रथमं परिधातव्य इति विधत्ते–**स** इति । मन्त्रः स्पष्टार्थ इत्यभिप्रेत्य ब्राह्मणेन न व्याख्यायते । अस्मिन् मन्त्रे, दक्षिणोत्तरपरिधिमन्त्रयोश्च, यद् "अग्निरिड ईडितः" इति तादात्म्यप्रतिपादनम्, तावन्मात्रं व्याख्यास्यते । अस्माभिस्तु संहितायामेव मन्त्रा व्याख्याता इति न पुनस्तेऽत्र व्याख्यातव्याः ॥ २ ॥

१–काण्वसंहितायामिति ज्ञेयम् ।

(त्यु) अथ दुक्षिणं पुरिदधाति । (ती) इन्द्रस्य बाहुरसि दुक्षिणो व्विश्वस्यारिष्ट्यै युजमानस्य परिधिरस्यग्निरिडु ऽईडित ऽइति ॥ ३ ॥

(त्य) अथोत्तरं पुरिदधाति । मित्रावुरुणौ त्वोत्तरतः पुरिधत्तां ध्रुवेण धुर्म्मणा व्विश्वस्यारिष्ट्यै युजमानस्य परिधिरस्यग्निरिडु ऽईडित ऽइत्य-ग्नयो हि तुस्मादाहाग्निरिडु ऽईडित ऽइति ॥ ४ ॥

(त्यु) अथ समिधमभ्यादधाति । सु मध्यमुमेवाग्रे परिधिमुपस्पृशति तेनैतानुग्रे सुमिन्धेऽथाग्नावभ्यादधाति तेनो ऽअग्निं प्रत्यक्ष ँ्ँ सुमिन्धे ॥५॥

सोऽभ्यादधाति । व्वीतिहोत्रं त्वा कवे द्युमन्त ँ्ँ समिधीमहि । अग्ने बृहन्तमध्वर ऽइत्येतया गायत्र्या गायत्रीमेवैतत्समिन्धे सा गायत्री समिद्धान्यानि च्छन्दा ँ्ँसि सुमिन्धे च्छन्दा ँ्ँसि सुमिद्धानि देवेभ्यो यज्ञं व्वहन्ति ॥ ६ ॥

अथ दक्षिणं परिदधाति–"**इन्द्रस्य बाहुरसि दक्षिणो विश्वस्यारिष्ट्यै यजमानस्य परिधिरस्यग्निरिड ईडितः**"–(२ अ० ३ मं०) इति ॥ ३ ॥

अथोत्तरं परिदधाति–"**मित्रावरुणौ त्वोत्तरतः परिधत्तां ध्रुवेण धर्मणा विश्वस्यारिष्ट्यै यजमानस्य परिधिरस्यग्निरिड ईडितः**"–(२ अ. ३ मं.) इति । अग्नयो हि । तस्मादाह–अग्निरिड ईडित इति ॥ ४ ॥

अथ समिधमभ्यादधाति । स मध्यममेवाग्रे परिधिमुपस्पृशति, तेनैतानग्रे समिन्धे । अथाग्नावभ्यादधाति, तेनो अग्निं प्रत्यक्षं समिन्धे ॥ ५ ॥

सोऽभ्यादधाति–"**वीतिहोत्रं त्वा कवे द्युमन्तं समिधीमहि । अग्ने बृहन्तमध्वरे**"–(२ अ. ४ मं.) इत्येतया गायत्र्या । गायत्रीमेवैतत् समिन्धे । सा गायत्री समिद्धान्यानि छन्दांसि समिन्धे । छन्दांसि समिद्धानि देवेभ्यो यज्ञं वहन्ति ॥ ६ ॥

दक्षिणोत्तरपरिध्योरपि समन्त्रकं परिधानं विधत्ते–**अथ दक्षिणमि**त्यादिना । **अग्नयो ही**त्यादि । यस्मात् प्रागुक्तरीत्या परिधयः 'अग्नयः' 'तस्मात्' कारणात् "अग्निरिड ईडितः"–इत्यग्निशब्देन परिधिरभिधीयत इत्यर्थः ॥ ३ ॥ ४ ॥

पूर्वाघारसमिधोऽभ्याधानं विधत्ते–**अथ समिधमि**ति । वायव्यां दिशमारभ्याग्नेयदिग्भागपर्यन्तमविच्छिन्नधारया होमः पूर्वाघारः, स च यत्र परिसमाप्यते, तत्रैकां 'समिधम्' आदध्यादित्यर्थः । तत्र धर्मविशेषमाह–**स मध्यममेवे**ति । 'अग्रे' अभ्याधानात्पूर्वं 'मध्यमं परिधिं' तया समिधा संस्पृशेदित्यर्थः । तस्य प्रयोजनमाह–**तेनैताने**ति । 'तेन' उपस्पर्शनेन परिधिरूपान् 'एतान्' अग्नीन् प्रथमं 'समिन्धे', 'अग्नौ' अभ्याधानेन 'तेन' आहवनीयरूपेण प्रत्यक्षस्याग्नेः समिन्धनमित्यर्थः ॥ ५ ॥

विहितमभ्याधानमनूद्य मन्त्रं विधत्ते–**स** इति । 'अस्य' अभ्याधानसाधनमन्त्रस्य गायत्रीच्छन्दस्कत्वात्

१–"प्रथमं परिधिं समिधोपस्पृश्य वीतिहोत्रमित्यादधाति" का. श्रौ. सू. २ । २२२ ।

(न्त्यु) अथ यां द्वितीयाᳪं समिधमभ्यादधाति । वसन्तमेव तया समिन्धे स वसन्तः समिद्धोऽन्यानृतून्त्समिन्धऽऋतवः समिद्धाः प्रजाश्च प्रजनयन्त्योषधीश्च पचन्ति सोऽभ्यादधाति समिदसीति समिद्धि वसन्तः ॥७

(न्तोऽथा) अथाभ्याधाय जपति । सूर्य्यस्त्वा पुरस्तात्पातु कस्याश्चिदभिशस्त्याऽइति गुप्त्यै वा ऽअभितः परिधयो भवन्त्यथैतत्सूर्य्यमेव पुरस्ताद्गोप्तारं करोति नेत्पुरस्तान्नाष्ट्रा रक्षाᳪंस्यभ्यवचरानिति सूर्य्यो हि नाष्ट्राणाᳪं रक्षसामपहन्ता ॥ ८ ॥

अथ यां द्वितीयां समिधमभ्यादधाति वसन्तमेव तया समिन्धे । स वसन्तः समिद्धोऽन्यानृतून् समिन्धे । ऋतवः समिद्धाः प्रजाश्च प्रजनयन्ति, ओषधीश्च पचन्ति । सोऽभ्यादधाति–"समिदसि"–(२ अ. ९ मं.) इति । समिद्धि वसन्तः ॥ ७ ॥

अथाभ्याधाय जपति–"सूर्यस्त्वा पुरस्तात्पातु कस्याश्चिदभिशस्त्यै" (२ अ. ५ मं.)–इति । गुप्त्यै वा अभितः परिधयो भवन्ति । अथैतत्सूर्यमेव पुरस्ताद् गोप्तारं करोति–नेत् पुरस्तान्नाष्ट्रा रक्षांस्यभ्यवचरानिति । सूर्यो हि नाष्ट्राणां रक्षसामपहन्ता ॥ ८ ॥

छन्दसां मध्ये गायत्र्याख्यमपि छन्दः प्रथमं 'समिन्धे' सन्दीपयति । समिद्धा च 'सा गायत्री' उष्णिगादीनि 'अन्यानि' चतुरुत्तराणि 'छन्दांसि' सन्दीपयति; समिद्धायाश्चतुर्विंशत्यक्षराया गायत्र्यास्तत्र सर्वत्रानुगमात् । गायत्र्या 'समिद्धानि' तानि च 'छन्दांसि' 'देवेभ्यः' 'यज्ञं' 'वहन्ति' प्रापयन्ति ॥ ६ ॥

अथोत्तराघारसमिधोऽभ्याधानं विधत्ते–अथ यामिति । द्वितीयाघारो हि नैर्ऋतिं दिशमारभ्यैशानीं दिशं प्रत्यनवच्छिन्नधारया होमः; स यत्र परिसमाप्यते, तत्रैकां समिधमादध्यात् । पूर्वाघारसमिदपेक्षया 'द्वितीयाम्'–इति व्यपदेशः । 'तया' च समिधा 'वसन्तः' ऋतुः सन्दीप्यते । निगदसिद्धमन्यत् ।

अभ्याधानमनूद्य मन्त्रं विधत्ते–स इति । समिद्धीति । "समिधो यजति"–इति तद्विधानात् । ईदृशी प्रसिद्धिरत्र 'हि'–शब्देन प्रतिपाद्यते ॥ ७ ॥

एवमाघारसमिदभ्याधानानन्तरं मन्त्रविशेषस्य जपं विधत्ते–अथाभ्याधायेति । मन्त्रस्य प्रयोजनमाह–गुप्त्यै वा इति । राक्षसादिसञ्चरणनिरसनं गोपनम् । गुप्त्यर्थं हि परिधिपरिधानम् । पूर्वस्यां दिशि परिधिर्नास्ति, तथा च 'एतत्' एतेन "सूर्यस्त्वा"–इति मन्त्रोच्चारणेन तमुद्यन्तं 'सूर्यमेव' यज्ञस्य रक्षितारं करोति । शिष्टं स्पष्टम् । इममर्थं तैत्तिरीयके विस्पष्टमामनन्ति । "परिधीन्परिदधाति रक्षसामपहत्यै, संस्पर्शयति रक्षसामनन्ववचाराय, न पुरस्तात् परिदधात्यादित्यो ह्येवोद्यन् पुरस्ताद्रक्षा ऽस्यपहन्ति" इति (तै. ब्रा. ३ । ३ । ७)॥८॥

१–"चतुरश्चतुरः प्राजापत्यायाः" इति पि. छं. सू. ३ । ११ । २–"अनुपस्पृश्य द्वितीया ऽ समिदसीति" का. श्रौ. सू. २ । २२३ । ३–(तै. सं. २ । ६ । १ ।) ४–"सूर्यस्त्वेति जपस्त्वाहवनीयसमीक्षमाणस्तद्वचनत्वात्" का. श्रौ. सू. २। २२४ ।

(न्तुाथ) अुथ यामेवामूं तृतीयाᳫं समिुधमभ्याद्धाति । (त्य) अनु-याजेषु ब्राह्मणमेव तुया सुमिन्धे सु ब्राह्मणः सुमिद्धो देवेभ्यो यज्ञं वहति ॥ ९ ॥

(त्यु) अुथ स्तीर्णां व्वेदिमुपावर्त्तते । स द्वे तृणे ऽआदाय तिरुश्ची निद्-धाति सवितुर्बाहू स्थऽइत्ययं वै स्तुपः प्रस्तरोऽथास्यैते भ्रुवावेव ऽतिरुश्ची निदधाति तुस्मादिमे तिरुश्च्यौ भ्रुवौ क्षत्रं व्वै प्रस्तरो व्विशऽइतरं बर्हिः क्षत्रस्य चैव विशश्च व्विधृत्यै तुस्मात्तिरुश्ची निदधाति तुस्माद्वेव व्विधृती नाम ॥ १० ॥

अथ यामेवामुं तृतीयां समिधमभ्यादधाति–अनुयाजेषु, ब्राह्मणमेव तया समिन्धे । स ब्राह्मणः समिद्धो देवेभ्यो यज्ञं वहति ॥ ९ ॥

अथ स्तीर्णां वेदिमुपावर्त्तते । स द्वे तृणे आदाय तिरश्ची निदधाति–"**सवितुर्बाहू स्थः**"–(२ अ. ९ मं.) इति । अयं वै स्तुपः प्रस्तरः । अथास्यैते भ्रुवावेव तिरश्ची निदधाति । तस्मादिमे तिरश्च्यौ भ्रुवौ । क्षत्रं वै प्रस्तरः, विश इतरं बर्हिः । क्षत्रस्य चैव विशश्च विधृत्यै । तस्मात्तिरश्ची निदधाति । तस्माद्वेव विधृती नाम ॥ १० ॥

अनुयाजप्राक्कालेऽभ्याधानायैका समिदवशेषयितव्येत्यभिप्रेत्य तस्याः समिधोऽभिधास्यमानमभ्याधानमनूद्य प्रसङ्गात्तस्य प्रयोजनमाह–**अथ यामिति** । **अमूमिति** । 'अदः' शब्दो विप्रकृष्टार्थवाची । विप्रकृष्टेऽनुयाज-प्राक्कालेऽभ्याधानमित्यर्थः । **ब्राह्मणमेव तयेति** । "एषा तेऽग्ने समित्"–इत्यादिना (वा. सं. २ । १४ । १) मन्त्रेण यजमानगामिनो वर्द्धनाप्यायनादिलक्षणफलस्य प्रतिपादनात् तेनाभ्याहितया समिधा यजमानरूपं ब्राह्मण-मेव 'समिन्धे' सन्दीपयति । गतमन्यत् ॥ ९ ॥

एवमाहवनीये कर्तव्याः परिधिपरिधानादयो विहिताः; अथ वेद्यां हविरासादनार्थं प्रस्तरस्तरणं विधित्सु-स्तदर्थं विधृत्योः सादनं विधत्ते–**अथेति** । बर्हिषा 'स्तीर्णां वेदिम्, उपलक्ष्याऽऽहवनीयसमीपादुपावर्त्ततेत्यर्थः । उपावृत्य च बर्हिषः सकाशाद् 'द्वे तृणे आदाय' बर्हिष उपरि 'तिरश्ची' तिर्यगग्रे 'निदधाति' "सवितुः"–इति मन्त्रेण । तदेतत् तृणनिधानं प्रशंसति–**अयं वा** इति । 'प्रस्तरः' हि यज्ञस्य 'स्तुपः' केशसङ्घातः । बर्हींषि श्मश्रुप्रभृतीनि लोमानि । तथा च प्रस्तरबर्हिषोर्मध्ये तिर्यङ्निहिते 'एते' तृणे 'भ्रुवावेव' भ्रूस्थानीये इत्यर्थः । लोकप्रसिद्ध्यैतद् द्रढयति–**तस्मादिति** । यस्मादेवं यज्ञे केशश्मश्रुरूपेण संस्तुतयोः प्रस्तर-बर्हिषोर्मध्ये संस्थिते तृणे तिर्य्यङ् निधीयेते, 'तस्मात्' कारणात् पुरुषशरीरस्य 'भ्रुवौ' 'तिरश्च्यौ' दृश्येते इत्यर्थः । तिर्यङ्निधानस्य प्रयोजनमाह–**क्षत्रं वा** इति । क्षत्रियवैश्यजातिस्थानीये प्रस्तरबर्हिषी; अतस्तयोर्विविधं धारणाय

१–(तै. सं. २ । ६ । ९ । १) । २–"आवृत्य वेदिं बर्हिषस्तृणे तिरश्ची निदधाति सवितुरिति" इति का. श्रौ. सू. २ । २२५ । ३–अत्र "उपावृत्य च बर्हिषः सकाशाद् द्वे तृणे आदाय" तीयं सायणाचार्योक्तिः कात्यायसूत्रभाष्यविरोधिन्येव । तथा च सूत्रं "अन्ये वायुक्तत्वात्" २ । २२६ । अत्र कर्कः–"अन्ये वा तृणे उपादाय न वेदिसम्बन्धिनी । कुत एतत् । अयुक्तत्वादन्येषामित रेषां न बर्हिस्तृणानां वेदिस्तरणे विनियुक्तत्वात् । न च विनियुक्तं वचनमन्तरेणार्थान्तरे विनियोगमर्हतीत्येवमादिः–तस्मादप्रकृते तृणे-आदाय वेद्यां निदधातीति सूत्रार्थः" इत्येवमन्तः इति । ४–'भ्रूसंस्थिते' इति पा. ।

तत्प्रस्तरꣳ स्तृणाति । (त्यू) ऊर्णम्रदसं त्वा स्तृणामि स्वासस्थं देवेभ्य ऽइति साधुं देवेभ्य ऽइत्येवैतदाह–यदाहोर्णम्रदसं त्वेति स्वासस्थं देवेभ्य ऽइति स्वासदं देवेभ्य ऽइत्येवैतदाह ॥ ११ ॥

तमभिनिदधाति । (त्यु) आ त्वा वसवो रुद्रा ऽआदित्याः सदन्त्वित्येते वै त्रया देवा यद्वसवो रुद्रा ऽआदित्या ऽएते त्वासीदन्त्वित्येवैतदाहाभिनिहित ऽएव सव्येन पाणिना भवति ॥ १२ ॥

(त्यु) अथ दक्षिणेन जुहूं प्रतिगृह्णाति । नेदिह पुरा नाष्ट्रा रक्षाꣳस्याविशानिति ब्राह्मणो हि रक्षसामपहन्ता तस्मादभिनिहित ऽएव सव्येन पाणिना भवति ॥ १३ ॥

तत् प्रस्तरं स्तृणाति–"ऊर्णम्रदसं त्वा स्तृणामि स्वासस्थं देवेभ्यः"–(२ अ० ५ मं.) इति । साधुं देवेभ्य इत्येवैतदाह–यदाहोर्णम्रदसं त्वेति । स्वासस्थं देवेभ्य इति–स्वासदं देवेभ्य इत्येवैतदाह ॥ ११ ॥

तमभिनिदधाति–" आ त्वा वसवो रुद्रा आदित्याः सदन्तु–" (२ अ. ५ मं.) इति । एते वै त्रया देवाः-यद्वसवो रुद्रा आदित्याः । एते त्वासीदन्त्वित्येवैतदाह । अभिनिहित एव सव्येन पाणिना भवति ॥ १२ ॥

अथ दक्षिणेन जुहूं प्रतिगृह्णाति--नेदिह पुरा नाष्ट्रा रक्षांस्याविशानिति । ब्राह्मणो हि रक्षसामपहन्ता । तस्मादभिनिहित एव सव्येन पाणिना भवति ॥ १३ ॥

तत्तिर्यक् तृणनिधानं सम्पद्यते; इतरथा हि प्रस्तरबर्हिषोः साङ्कर्यात् क्षत्रियवैश्ययोरपि साङ्कर्यं स्यात् । यस्मादेवमेते तृणे तिर्यङ्निहिते विधारणप्रयोजने, तस्मादनयोः 'विधृती' इति 'नाम' सम्पद्यत इति निर्ब्रूते–**तस्मादिति**॥ १०॥

प्रस्तरस्य समन्त्रकं स्तरणं विधत्ते–**तदिति** । ' तत् ' तत्र विधृत्योरुपरीत्यर्थः । प्रस्तरस्तरणमन्त्रस्तु बर्हिस्तरणमन्त्रवत् । तत्र स्तीर्यमाणाया वेदेरभिधेयत्वात् ' साध्वीं देवेभ्यः '–इत्येवं स्त्रीलिङ्गतया व्याख्यातः; अत्र तु प्रस्तर एवाभिधेय इति ' साधुं देवेभ्य ' इति पुँल्लिङ्गतया व्याख्यायत इत्येतावानेव विशेषः । अन्यत् पूर्ववद्[2] योज्यम् ॥ ११ ॥

स्तीर्णस्य प्रस्तरस्योपरि स्पर्शनं विधत्ते[3]–**तमभीति** " आ त्वा "–इति मन्त्रेण प्रस्तरस्योपरि हस्तं निदध्यादित्यर्थः । मन्त्रव्याख्यानं सुगमम् । जुह्वादीनां सादनपर्यन्तं प्रस्तरस्यान्वारम्भं विधत्ते–**अभिनिहित एवेति** । सव्यहस्तेन प्रस्तरः ' अभिनिहितः ' संस्पृष्टः ' एव ' भवेत् ॥ १२ ॥

अथेति । ' अथ ' अनन्तरमेव ' दक्षिणेन ' हस्तेन ' जुहूं ' प्रतिगृह्णीयात् । जुहूसादनपर्यन्तं प्रस्तरविमोको न युक्त इत्यर्थः । तस्य प्रयोजनमाह–**नेदिहेति** । उक्ताभिप्रायमेतत् ॥ १३ ॥

१–" तयोः प्रस्तर ऽस्तृणात्यूर्णम्रदसमिति " का. श्रौ. सू. २ । २३० । २–१ कां. २ प्र. ६ ब्रा. १ कं. इत्यत्र द्रष्टव्यम् ।
३–" अभिनिदधात्यात्वावसव इतिं " इति का. श्रौ. सू. २ । २३१ ।

(त्यु) अथ जुहूं प्रतिगृह्णाति । घृताच्यसि जुहूर्नाम्नेति घृताची हि जुहूर्हि नाम्ना सेदं प्रियेण धाम्ना प्रिय ꣳ सद ऽआसीदेति घृताच्यस्युपभृन्नाम्नेत्युपभृतं घृताची ह्युपभृद्धि नाम्ना सेदं प्रियेण धाम्ना प्रिय ꣳ सद ऽआसीदेति घृताच्यसि ध्रुवा नाम्नेति ध्रुवां घृताची हि ध्रुवा हि नाम्ना सेदं प्रियेण धाम्ना प्रिय ꣳ सद ऽआसीदेति प्रियेण धाम्ना प्रिय ꣳ सद आसीदेति यदन्यद्धविः ॥ १४ ॥

स वा ऽउपरि जुहू ꣳ सादयति । (त्य) अथ ऽइतराः स्रुचः क्षत्रं वै जुहूर्विश ऽइतराः स्रुचः क्षत्रमेवैतद्विश ऽउत्तरं करोति तस्मादुपर्य्यासीनं क्षत्रियमधस्तादिमाः प्रजा ऽउपासते तस्मादुपरि जुहू ꣳ सादयत्यध इतराः स्रुचः ॥ १५ ॥

अथ जुहूं प्रतिगृह्णाति–" **घृताच्यसि जुहूर्नाम्ना** "–(२ अ. ६ मं.) इति । घृताची हि जुहूर्हि, नाम्ना । " **सेदं प्रियेण धाम्ना प्रिय ꣳ सद आसीद** " (२ अ. ६ मं.) इति । " **घृताच्यस्युपभृन्नाम्ना** "–(२ अ. ६ मं.) इत्युपभृतम् । घृताची हि, उपभृद्धि नाम्ना । " **सेदं प्रियेण धाम्ना प्रिय ꣳ सद आसीद** "–(२ अ. ६ मं.) इति । " **घृताच्यसि ध्रुवा नाम्ना** "–(२ अ. ६ मं.) इति ध्रुवाम् । घृताची हि, ध्रुवा हि नाम्ना । " **सेदं प्रियेण धाम्ना प्रिय ꣳ सद आसीद**–" (२ अ. ६ मं.) इति–यदन्यद्धविः ॥ १४ ॥

स वा उपरि जुहू ꣳ सादयति, अथ इतराः स्रुचः । क्षत्रं वै जुहूः, विश इतराः स्रुचः । क्षत्रमेवैतत्–विश उत्तरं करोति । तस्मादुपर्यासीनं क्षत्रियमधस्तादिमाः प्रजा उपासते । तस्मादुपरि जुहूं सादयति, अध इतराः स्रुचः ॥ १५ ॥

अथ जुह्वाः सादनं विधत्ते–**अथ जुहूमिति** । जुहूमादायानेन मन्त्रेण प्रस्तरे सादयेन्न तु ग्रहणमात्रम्; मन्त्रस्य सादनलिङ्गत्वात् । अत एवोक्तं कात्यायनेन–" सव्या शून्ये जुहूं प्रतिगृह्य निदधाति, घृताचीति " " एवमितरे उत्तराभ्यां प्रतिमन्त्रम् । बर्हिष्युपभृतं ध्रुवायां चावकृष्टेऽनुपूर्वम् " इति–(का० श्रौ० सू० २ । २३२–२३३) । **घृताची हीति** । घृतमञ्चति प्राप्नोतीति ' घृताची ' । घृताचीत्येतत् प्रसिद्धमिति हेरर्थः; ' नाम्ना ' नामधेयेन, एषा स्रुक् ' जुहूर्हि ' न केवलं होमसाधनत्वादित्यभिप्रायः । मन्त्रशेषो निगदसिद्ध इत्यभिप्रेत्यानुवदति–**सेदमिति** । अथोपभृतः सादनं विधत्ते–**घृताच्यस्युपभृन्नाम्नेत्युपभृतमिति** । वाक्यशेषः पूर्ववद् योज्यः । ध्रुवायाः सादनं विधत्ते–**घृताच्यसि ध्रुवा नाम्नेति ध्रुवामिति** । अन्यत् पूर्ववत् । स्रुग्गताज्यव्यतिरिक्तस्य हविषः सादनं विधत्ते–**प्रियेणेति** । ' यद् ' आज्यात् ' अन्यद्धविः ' पुरोडाशादिकम् । " प्रियेण " इति मन्त्रेण तत् सादयेदिति शेषः ॥ १४ ॥

जुह्वादीनां सादने विशेषमाह–**स वा** इति । प्रस्तरस्योपरि जुहूमेव सादयेत् । तस्याधस्ताद् बर्हिषि ' इतराः ' उपभृदाद्याः ' स्रुचः ' सादयेदित्यर्थः । अत एवोक्तं सूत्रकृता–" बर्हिष्युपभृतं ध्रुवायां च "

सोऽभिमृशति । ध्रुवा ऽअसदन्निति ध्रुवा ह्यसदन्नृतस्य योनाविति यज्ञो वा ऽऋतस्य योनिर्यज्ञे ह्यसदंस्ता विष्णो पाहि पाहि यज्ञं पाहि यज्ञपतिमिति तद्यजमानमाह पाहि मां यज्ञन्यमिति तदुप्यात्मानं यज्ञान्नान्तरेति यज्ञो वै विष्णुस्तद्यज्ञायैवैतत्सर्वं परिददाति गुप्त्यै तस्मादाह ता विष्णो पाहीति ॥ १६ ॥ १ ॥ (३. ४)

इति तृतीयप्रपाठके प्रथमं ब्राह्मणम् ॥ ३–१) ॥

सोऽभिमृशति–**" ध्रुवा असदन् "**–(२ अ. ६ मं.) इति । ध्रुवा ह्यसदन् । **" ऋतस्य योनौ "**–(२ अ. ६ मं.) इति । यज्ञो वा ऋतस्य योनिः, यज्ञे ह्यसदन् । **"ता विष्णो पाहि, पाहि यज्ञं, पाहि यज्ञपतिम्"**–(२अ. ६मं.) इति । तद्यजमानमाह । **"पाहि मां यज्ञन्यम्"**–(२ अ. ६ मं.) इति । तदप्यात्मानं यज्ञान्नान्तरेति । यज्ञो वै विष्णुः, तद्यज्ञायैवैतत्सर्वं परिददाति गुप्त्यै । तस्मादाह–ता विष्णो पाहीति ॥ १६ ॥

(श्रौ० सू० २. २३३) इति । तदेतदुपर्यवःसादनमुपपादयति–**क्षत्रं वा** इति । स्वातन्त्र्येण होमसाधनत्वाद्–जुहूः क्षत्रियजातिः । उपभृदादीनां तु जुहूवद्धोमे स्वातन्त्र्याभावात्, प्रत्युत तत्स्थस्याज्यस्य जुह्वामानेयत्वात् ता वैश्यजातिस्थानीयाः । निगदसिद्धः शेषः ॥ १५ ॥

समन्त्रकमासन्नानां हविषामभिमर्शनं विधत्ते–**सोऽभिमृशतीति** । मन्त्रप्रतीकस्यार्थः प्रसिद्ध इति 'हि'–शब्देन व्याचष्टे–**ध्रुवा हीति** । कर्म्मसमाप्तिपर्यन्तं नैश्चल्येन वेद्यां जुह्वाद्या उपसन्ना इत्यर्थः ।

" ऋतस्य योनौ "–इत्यस्य विवक्षितमर्थमाह–**यज्ञो वा** इति । ' ऋत ' शब्दः सत्यशब्दपर्यायः । सत्यफलकारणत्वात्, ऋतस्य योनिः 'यज्ञः' । तादृगर्थपरत्वं युज्यत इत्याह–**यज्ञे हीति** । 'यज्ञे' खल्वेता जुह्वाद्याः ' असदन् ' आसादिताः स्थापिताः, अतः " ऋतस्य योनौ "–इत्यनेन यज्ञप्रतिपादनं युक्तमित्यर्थः । मन्त्रशेषमनूद्य व्याचष्टे–**ता विष्णो** इति । फलभोक्तृतया स्वामित्वाद् यज्ञपतिशब्देन यजमानो विवक्षित इत्याह–**तद्यजमानमिति** । यज्ञं नयति निष्पादयतीति ' यज्ञनीः ' अध्वर्युः । अतो यज्ञन्यमिति पदस्याध्वर्युपरतां व्याचष्टे–**तदप्यात्मानमिति** । ' तत् ' येन ' यज्ञन्यमिति ' अनेनाध्वर्युः स्वात्मानं यज्ञसकाशात् ' नान्तरेति ' अन्तरितं वियुक्तं न करोति । सिद्धप्रायमन्यत् ॥ १६ ॥ १ ॥ (३. ४.)

इति श्रीसायणार्यविरचिते माधवीये वेदार्थप्रकाशे माध्यन्दिनशतपथभाष्ये
तृतीयाध्याये चतुर्थं ब्राह्मणम् ॥

१–" प्रियेण धाम्नेति हवी २ षि वेद्यां कृत्वा ध्रुवा असदन्निति सर्वाण्यालभते" का. श्रौ. सू. २ । २३९ । २–'मन्त्रगतध्रुवाशब्दस्यार्थः ' इति पा० । ३–" पाहि मामित्यात्मानम् " का. श्रौ. सू. २ । २४० ।

इन्धे ह वा ऽएतदध्वर्युः । (रि) इध्मेनाग्निं तस्मादिध्मो नाम समिन्धे सामिधेनीभिर्होता तस्मात्सामिधेन्यो नाम ॥ १ ॥

स ऽआह । (हा) अग्नये समिध्यमानायानुब्रूहीत्यग्नये ह्येतत्समिध्यमानायान्वाह ॥ २ ॥

तदु हैक ऽआहुः । (र) अग्नये समिध्यमानाय होतरनुब्रूहीति तदु तथा न ब्रूयादहोता वा ऽएष पुरा भवति यदैवैनं प्रवृणीतेऽथ होता तस्मादु ब्रूयादग्नये समिध्यमानायानुब्रूहीत्येव ॥ ३ ॥

सामिधेन्यनुवचनम् ।

इन्धे ह वा एतदध्वर्युरिध्मेनाग्निम्--तस्मादिध्मो नाम । समिन्धे सामिधेनीभिर्होता--तस्मात् सामिधेन्यो नाम ॥ १ ॥

स आह--"अग्नये समिध्यमानायानुब्रूहि" इति । अग्नये ह्येतत् समिध्यमानायान्वाह ॥२॥

तदु हैक आहुः--अग्नये समिध्यमानाय होतरनुब्रूहीति । तदु तथा न ब्रूयात् । अहोता वा एष पुरा भवति । यदैवैनं प्रवृणीते--अथ होता । तस्मादु ब्रूयात्--अग्नये समिध्यमानायानुब्रूहीत्येव॥३॥

अथेध्माधानाग्निसमिन्धनहेतुभूताः सामिधेनीर्विधास्यन् तासां नाम निर्वक्ति--**इन्धे ह वा** इति । पञ्चदशसमिदात्मकेनानेन 'इध्मेन' अध्वर्युः 'अग्निम्' 'इन्धे ह वै' सन्दीपयति खलु । 'एतद्'--इति क्रियाविशेषणम् । 'तस्मात्' इन्धनसाधनत्वात्, तस्य 'इध्मः'--इति 'नाम' संपन्नम् । 'होता' च 'सामिधेनीभिः' "प्रवो वाजा" इत्यादिभिर्ऋग्भिरग्निं 'समिन्धे' अतः समिन्धनसाधनत्वात् तासामपि 'सामिधेन्यः'--इति 'नाम' निष्पन्नम् । एवं नामनिर्वचनव्याजेनेध्मेन सामिधेनीभिश्च अग्निसमिन्धनं कार्यमिति प्रतिपादितं भवति ॥ १ ॥

अथ सामिधेनीर्वाचयितुरध्वर्योः संप्रैषमन्त्रोच्चारणं विधत्ते--**स आहेति** । इध्मेन संदीप्यमानाय 'अग्नये' तत्समिन्धनार्था या ऋचो वक्तव्याः, ताः सामिधेनीः 'अनुब्रूहि' इति सम्प्रैषार्थः । तमिममर्थं श्रुतिः स्वयं दर्शयति--**अग्नये ह्येतादिति** ॥ २ ॥

एकीयं मतमुपन्यस्य निरस्यति--**तदु हैक** इति । एकेषां मते "होतः ! अनुब्रूहि"--'इति' कर्तुरुपादानं विशेषः । "होतरिति चैके" (का० श्रौ० सू० ३ । २) । ननु युक्तमेवैतत्, किमिति "न ब्रूयादिति" निषिध्यते ? तत्राह--**अहोतेति** । प्रवरणात् पूर्वं सामिधेनीरनुब्रुवाणस्य होतृत्वं नास्ति; यदा खल्वेनं प्रवृणीते--"अग्निर्देवो दैव्यो होता" इति, 'अथ' अनन्तरमेवासौ 'होता' भवति; अतः सामिधेन्यनुवचनसमये होतृत्वाभावात् "होतरनुब्रूहि"--'इति' अपार्थकम् ॥ ३ ॥

१--"इध्मः समिन्धनात्" निरु. ८ । २ । १ । २--३ ब्रा. ७--९ । तै. ब्रा. ३ । ५ । २ । १ । १२ । तै. सं. २ । ५ । ७ । २ । ३--"होतृषदनं कृत्वा परेण वेदिं श्रोणिं वोत्तरेणेध्मात्समिधमादायाग्नये समिध्यमानायानुब्रूहीत्याह" का. श्रौ. सू. ३ । १ । ४--तै. सं. ६ । ३ । ५ । ९ । पुनस्तत्रैव ७ । १ । एवं ऐ. ब्रा. १ । ३ । ५ । ५--प्रैषार्थपरिचयस्तु ऐ. ब्रा. ३ । १ । ९ इत्यत्र द्रष्टव्यः । ६--सोऽयं मन्त्र इहैवोपरिष्टात् ४ प्र. २ ब्रा. ५ कं. इत्यत्र द्रष्टव्यः ।

(वा) आग्नेयीरन्वाह । स्वयैवैनमेतद्देवतया समिन्धे गायत्रीरन्वाह गायत्रं वा ऽअग्नेश्छन्दः स्वेनैवैनमेतच्छन्दसा समिन्धे व्वीर्यं गायत्री ब्रह्म गायत्री व्वीर्येणैवैनमेतत्समिन्धे ॥ ४ ॥

एकादशान्वाह । (हे) एकादशाक्षरा वै त्रिष्टुब्ब्रह्म गायत्री क्षत्रं त्रिष्टुबेताभ्यामेवैनमेतदुभाभ्यां व्वीर्याभ्याᳬ समिन्धे तस्मादेकादशान्वाह ॥५॥

स वै त्रिः प्रथमामन्वाह । त्रिरुत्तमां त्रिवृत्प्रायणा हि यज्ञास्त्रिवृदुदयनास्तस्मात्त्रिः प्रथमामन्वाह त्रिरुत्तमाम् ॥ ६ ॥

आग्नेयीरन्वाह । स्वयैवैनमेतद्देवतया समिन्धे । गायत्रीरन्वाह । गायत्रं वा अग्नेश्छन्दः । स्वेनैवैनमेतच्छन्दसा समिन्धे । वीर्यं गायत्री, ब्रह्म गायत्री; वीर्येणैवैनमेतत्समिन्धे ॥ ४ ॥

एकादशान्वाह । एकादशाक्षरा वै त्रिष्टुब् । ब्रह्म गायत्री, क्षत्रं त्रिष्टुब्-एताभ्यामेवैनमेतदुभाभ्यां वीर्याभ्यां समिन्धे- तस्मादेकादशान्वाह ॥ ५ ॥

स वै त्रिः प्रथमामन्वाह, त्रिरुत्तमाम् । त्रिवृत्प्रायणा हि यज्ञाः, त्रिवृदुदयनाः । तस्मात्-त्रिः प्रथमामन्वाह, त्रिरुत्तमाम् ॥ ६ ॥

देवताविशेषविशिष्टानां सामिधेनीनामनुवचनं विधत्ते-**आग्नेयीरि**ति । अग्निदेवत्या[1] ऋचः सामिधेनीरनुब्रूयादित्यर्थः । तदेतदग्निदेवत्यत्वं प्रशंसति-**स्वयैवैनमि**ति । विहितमनुवचनमनूद्य छन्दोविशेषं विधाय प्रशंसति-**गायत्रीरि**ति । अग्नेर्गायत्र्याश्च प्रजापतिमुखादुत्पन्नत्वादग्निसम्बन्धिच्छन्दो गायत्रम् । प्रजापतिमुखात् सहोत्पत्तिश्च तैत्तिरीयकैराम्नाता-" तमग्निर्देवतान्वसृज्यत गायत्रं छन्दः "-(तै. सं. ७ । १ । १ । ६ ।) इति । प्रकारान्तरेण प्रशंसति-**वीर्यं गायत्री**ति । त्रिष्टुब्जगतीभ्यां कर्तुमशक्यस्य सोमाहरणलक्षणस्य वीर्यस्य करणाद्[2] ' गायत्री ' वीर्यात्मिका । तथा सा ' गायत्री ' ब्रह्मरूपा । ब्रह्मशब्देन ब्राह्मणजातिर्विवक्षिता । तस्याश्च गायत्रीछन्दसश्च प्रजापतिमुखादुत्पत्तिसाधारण्यात्तादात्म्यम्[3] ॥ ४ ॥

सामिधेनीनां सङ्ख्याविशेषं विधाय प्रशंसति-**एकादशे**ति । **उभाभ्यां वीर्याभ्यामि**ति । छन्दोद्वारा ये निर्दिष्टे ब्रह्मक्षत्रे, तयोर्यद् ब्राह्मं क्षात्रं चोभे वीर्ये, ताभ्यामित्यर्थः ॥ ५ ॥

प्रथमोत्तमयोस्त्रिरुच्चारणं विधत्ते[4]-**स वै त्रिरि**ति । विहितं त्रिरुच्चारणं स्तौति-**त्रिवृत्प्रायणा ही**त्यादि । " त्रिषत्यो[5] हि देवाः " (तै० सं० ६ । ३ । १० । ३ । तै० ब्रा० ३ । २ । ३ । ८) इति श्रुतेः, तदीया यज्ञाः प्रारम्भपरिसमाप्त्योस्त्रिरावृत्तियुक्ताः । अत एव ज्योतिष्टोमस्याज्यप्रउगादिशस्त्रेषु प्रथमोत्तमयोस्त्रिरावृत्तिर्दृश्यते । प्रारम्भपरिसमाप्त्योस्त्रिरावर्त्तनस्य यज्ञलिङ्गत्वादत्रापि प्रथमोत्तमयोस्त्रिरावृत्तिः कार्येत्यभिप्रायः ॥६॥

१-"साऽस्य देवता" (पा. सू. ४ । २ । २४) इत्यधिकारे " अग्नेर्ढक् " (पा. सू. ४ । २ । ३३) इति ढकि रूपम् आग्नेयीत्युच्यते अग्निदेवत्या इति । २-ऐ. ब्रा. ३ । १ । १ । इत्यत्र द्रष्टव्यम् । ३-ऐ. ब्रा. ५ । ५ । ७ इत्यत्रापि द्रष्टव्यम् । ४-" त्रिः प्रथमां त्रिरुत्तमां ताः पञ्चदश भवन्ति- एवमृग्गणेषु च त्रिः प्रथमोत्तमे " इति का. हौ. अ. १ । १ । २ । ३ । ५-" त्रिवृता हि देवाः " इति क्वचित्पाठः ।

ताः पुञ्चदश सामिधेन्यः सुम्पद्यन्ते । पञ्चदशो वै व्वुज्रो व्वीर्यं व्वुज्रो व्वीर्यमुेवैतत्सामिधेनीराभि सुंपादयति तुस्मादेताुस्वनूच्यमानासु युं द्विष्या-त्तुमङ्गुष्ठाभ्यामुवबाधेतेदमहमुमुवबाध ऽइुति तुदेनमेतुेन व्वुज्रेणाव-बाधते ॥ ७ ॥

पुञ्चदश वा ऽअर्द्धमासुस्य रात्रयः । (योऽर्धं) अर्धमासशो वुै संव्वत्सरो भुवन्नेति तद्रात्रीराप्नोति ॥ ८ ॥

पञ्चदशानाम्ु वैु गायत्रीणाम् । (त्री) त्रीणि च शतानि षष्टिश्चाक्षुराणि त्रीणि च वैु शतानि षष्टिश्च संव्वत्सरस्याहानि तदुहान्याप्नोति तुद्वेवु संवत्सरमाप्नोति ॥ ९ ॥

ताः पञ्चदश सामिधेन्यः सम्पद्यन्ते । पञ्चदशो वै वज्रः, वीर्यं वज्रः, वीर्यमेवैतत्सामिधेनीरभि-सम्पादयति । तस्मादेतास्वनूच्यमानासु यं द्विष्यात् तमङ्गुष्ठाभ्यामवबाधेत–" **इदमहममुमव-बाधे** " इति । तदेनमेतेन वज्रेणावबाधते ॥ ७ ॥

पञ्चदश वा अर्धमासस्य रात्रयः । अर्द्धमासशो वै संवत्सरो भवन्नेति, तद्रात्रीराप्नोति ॥ ८ ॥

पञ्चदशानाम्ु वै गायत्रीणां त्रीणि च शतानि षष्टिश्चाक्षराणि । त्रीणि च वै शतानि षष्टिश्च संवत्सरस्याहानि । तदहान्याप्नोति, तद्वेव संवत्सरमाप्नोति ॥ ९ ॥

ताः पञ्चदशेति । **पञ्चदशो वै वज्र** इति । पञ्चदशस्तोमस्येन्द्रस्य च सह प्रजापतिबाहुसकाशादुत्पत्ते-रिन्द्रसम्बन्धाद् वज्रोऽपि पञ्चदशस्तोमात्मकः । **सामिधेनीरभीति** । " अभिरभागे "–(पा० सू० १. ४. ९१) इति लक्षणे अभेः कर्मप्रवचनीयत्वात् " कर्मप्रवचनीययुक्ते " (पा० सू० २. ३. ८) इति द्वितीया । शिष्टं सुगमम् ।

अङ्गुष्ठाभ्यामवबाधेतेति । द्वेष्यं मनसा स्मृत्वा " इदमहम् " (तै० सं० १. ६. ६. ३) इति मन्त्रेण पादाङ्गुष्ठाभ्यां भूमौ पीडयेदित्यर्थः ।' अमुम् ' इत्यदःशब्दस्य स्थाने द्वितीयया तन्नाम निर्देष्टव्यम् ॥ ७ ॥

पञ्चदशसंख्यां प्रकारान्तरेण प्रशंसति–**पञ्चदश वा** इति । **अर्द्धमासशो वा** इत्यादि । एकैकेनैवार्द्धमासेन हि ' संवत्सरः ' ' भवन् ' वर्द्धमानः ' एति ' आगच्छति । एवमर्द्धमासरात्रिद्वारा संवत्सरसम्बन्धिन्यो या रात्रयः, ताः सर्वा आप्नोतीत्यर्थः ॥ ८ ॥

सामिधेनीनामक्षरसङ्ख्योपजीवनेन संवत्सरसम्बन्धिनामह्नां प्राप्तिं दर्शयति–**पञ्चदशानामिति** । एवं सामिधे-नीभिः संवत्सरसंबन्धिनामहोरात्राणां प्राप्तत्वात्तत्समुदायात्मकः कृत्स्न एव संवत्सरः प्राप्तो भवतीत्याह–**तद्वेवेति** ॥ ९ ॥

१–ऐ. ब्रा. ५ । ५ । ७ । इत्यत्र द्रष्टव्यम् । २–" अंगुष्ठाभ्यां चावबाधते पादाभ्यां वेदमहममुमवबाध इति द्वेष्यम् " " अभावे-द्विषन्तं भ्रातृव्यमिति वा " " यावत्सामिधेनीर्वदेदमहं तावतिथेन वज्रेणेति " का. श्रौ. सू. ३ । ७ । ८ । ९ । इति ।

सप्तदश सामिधेनीः । (११) इष्ट्या ऽनुब्रूयादुपाꣳशु तस्यै देवतायै यजति यस्या ऽइष्टिं निर्व्वपति द्वादश वै मासाः संवत्सरस्य पञ्चर्त्तव ऽएष ऽएव प्रजापतिः सप्तदशः सर्व्वं व्वै प्रजापतिस्तत्सर्व्वेणैव तं काममनपराधꣳ राध्नोति यस्मै कामायेष्टिं निर्व्वपत्युपाꣳशु देवतां यजत्यनिरुक्तं वा ऽउपाꣳशु सर्व्वं वा ऽअनिरुक्तं तत्सर्व्वेणैव तं काममनपराधꣳ राध्नोति यस्मै कामायेष्टिं निर्व्वपत्येष ऽइष्टेरुपचारः ॥ १० ॥

(२८) एकविꣳशतिꣳ सामिधेनीः । (३) अपि दर्शपूर्णमासयोरनुब्रूया-दित्याहुर्द्वादश वै मासाः संव्वत्सरस्य पञ्चर्त्तवस्त्रयो लोकास्तद्विꣳशतिरेष

सप्तदश सामिधेनीरिष्ट्या अनुब्रूयात् । उपांशु तस्यै देवतायै यजति यस्या इष्टिं निर्वपति । द्वादश वै मासाः संवत्सरस्य, पञ्चर्तवः । एष एव प्रजापतिः सप्तदशः । सर्वं वै प्रजापतिः । तत्सर्वेणैव तं काममनपराधं राध्नोति—यस्मै कामायेष्टिं निर्वपति । उपांशु देवतां यजति । अनिरुक्तं वा उपांशु । सर्वं वा अनिरुक्तम् । तत्सर्वेणैव तं काममनपराधं राध्नोति—यस्मै कामायेष्टिं निर्वपति । एष इष्टेरुपचारः ॥ १० ॥

एकविंशतिं सामिधेनीरपि दर्शपूर्णमासयोरनुब्रूयादित्याहुः । द्वादश वै मासाः संवत्सरस्य, पञ्चर्तवः,

---

साप्तदश्यं विधत्ते—सप्तदश सामिधेनीरिष्ट्या अनुब्रूयादिति । उपरिष्टाद् "दर्शपूर्णमासयोः"—इति विशेषणाद्, वाक्यशेषे च "तं काममनपराधं राध्नोति"—इति कामप्राप्तिश्रवणात्तद्विकृतिभूता काम्येष्टिरत्रेष्टि-शब्देन विवक्षिता । अत एवापस्तम्बो, दर्शपूर्णमासव्यतिरिक्तेष्टिपशुबन्धानां सामिधेनीसाप्तदश्यं सूत्रयामास-"पञ्चदश सामिधेन्यो दर्शपूर्णमासयोः; सप्तदशेष्टिपशुबन्धानाम्" (इति आप. श्रौ. सू. २ । १२ । २ । य. प. सू. ११३ । ११४) अथ तासां काम्येष्टीनां प्रधानयागस्योपांशुत्वं विधत्ते—उपांश्विति । सामिधेनी-साप्तदश्यस्य कामप्राप्तिसाधनतामुपपादयति—द्वादश वा इत्यादिना । हेमन्तशिशिरयोरेकीकरणेन 'संवत्सरस्य पञ्चर्त्तव, एवं मासर्त्वात्मको यः संवत्सरः 'एष एव प्रजापतिः' कथमनयोरैक्यमित्यत आह—सप्तदश इति । यतो मासर्तुरूपेण सप्तदशावयवसमुदायात्मकः संवत्सरः, प्रजापतिश्च "आश्रावय"—इत्यादि—सप्तदशाक्षरसमु-दायात्मकः । अतस्तयोः सप्तदशावयवोपेतत्वसाम्यात्तादात्म्यम् । अस्त्वेवं किं तत इत्याह—सर्वं वा इति । 'अनपराधम्'—अविकलम् । एवं साप्तदश्यं प्रशस्य विहितं यागस्योपांशुत्वमप्यनूद्य प्रशंसति—उपांश्विति । उपांशूच्चारणस्य पार्श्वस्थानामर्थविशेषाप्रत्यायकत्वादनिरुक्तत्वम्, अनिरुक्तं च विशेषनिरुक्तिविरहात् सर्वात्मकम् । तेन च सर्वात्मकेनानिरुक्तेनोपांशुत्वेन कार्त्स्न्येन कामप्राप्तिर्भवतीत्यर्थः । प्रतिपादितस्यार्थस्य सर्वेष्टिसाधारण्यमभिप्रेत्याह—एष इति । यत् सामिधेनीसाप्तदश्यमुपांशुयजनं च 'एषः' सर्वस्याः 'इष्टेः' धर्म इत्यर्थः ॥ १० ॥

दर्शपूर्णमासयोरेव पक्षान्तरं विधाय प्रशंसति—एकविंशतिमिति । सैषा गतिरित्यादि । मासाद्यपेक्षया 'यः'

१—"अथातः काम्यप्रायश्चित्तेष्टीनां" "सप्तदशसामिधेन्यः' इति का. श्रौ. सू. २ । ५ । १–२ । तथा "सप्तदश सामिधेन्यः समिध्यमानसमिद्धवत्यावन्तरेण पृथुपाजवत्यौ दधाति" इति तत्रैव । २–१ कां. ३ प्र. १ ब्रा. १० कं. इत्यत्र द्रष्टव्यम् । ३—"हेमन्तशिशिरयोः समासेन" ऐ. ब्रा. १ । १ । १ । ४—"आ श्रावय (४), अस्तु श्रौषट् (४), यज (२), ये यजामहे (५), वौषट् (२)" इत्येष सप्तदशाक्षरः (१७) छन्दस्यः ॥

ऽएवैकवि ꣳ शो य एष तपति सैषा गतिरेषा प्रतिष्ठा तदेतां गतिमेतां प्रतिष्ठां गच्छति । तस्मादेकवि ꣳ शतिमनुब्रूयात् ॥ ११ ॥

(ता) ता हैता गतश्रेरेवानुब्रूयात् । (य) य इच्छेन्न श्रेयान्त्स्यान्न पापीयानिति यादृशाय हैवं स तेऽन्वाहुस्तादृङ् वा हैव भवति पापीयान्वा यस्यैवं विदुष ऽएता ऽअन्वाहुः सो ऽएषा मीमा ꣳ सैव न त्वेवैता अनूच्यन्ते ॥ १२ ॥

त्रिरेव प्रथमां त्रिरुत्तमामनवानन्ननुब्रूयात्) (त्र) त्रयो वा ऽइमे लोकास्तदिमानेवैतल्लोकान्त्सन्तनोतीमाँल्लोकान्त्स्पृणुते त्रय ऽइमे पुरुषे प्राणा एतमेवास्मिन्नेतत्संततमव्यवच्छिन्नं दधात्येतदनुवचनम् ॥ १३ ॥

त्रयो लोकाः–तद्विंशतिः । एष एवैकविंशो य एष तपति । सैषा गतिः, एषा प्रतिष्ठा । तदेतां गतिमेतां प्रतिष्ठां गच्छति । तस्मादेकविंशतिमनुब्रूयात् ॥ ११ ॥

ता हैता गतश्रेरेवानुब्रूयात् । य इच्छेन्न श्रेयान् स्यान्न पापीयानिति । यादृशाय हैव स तेऽन्वाहुः–तादृङ् वा हैव भवति, पापीयान्वा–यस्यैवं विदुष एता अन्वाहुः । सो एषा मीमांसैव, नत्वेवैता अनूच्यन्ते ॥ १२ ॥

त्रिरेव प्रथमां त्रिरुत्तमामनवानन्ननुब्रूयात् । त्रयो वा इमे लोकाः, तदिमानेवैतल्लोकान् सन्तनोति,

---

'एकविंशः' सूर्यः, 'एषः' एव 'सा' प्रसिद्धा 'गतिः' । यागदानादिभिर्धर्मैर्यद्गन्तव्यतया प्रतिपाद्यते तदात्मक इत्यर्थः । तथा 'एषा' एव 'प्रतिष्ठा' ; सर्वस्यापि लोकस्याश्रयभूत इत्यर्थः । तथा च सामिधेनीनामेकविंशतिसङ्ख्यया गतिप्रतिष्ठारूपं सूर्य्यमेव प्राप्नोतीत्यर्थः ॥ ११ ॥

इमं पक्षमधिकारिविशेषे नियच्छति–**ता हैता** इति । गता प्राप्ता यस्य श्रीः, तस्यैव यजमानस्यैकविंशतिसामिधेनीरनुब्रूयात् ; नान्यस्येत्यर्थः । गतश्रीव्यतिरिक्तस्यापीमं पक्षं कर्त्तव्यत्वेनाशङ्क्य निरस्यति–**य इच्छेदि**ति । 'यः' यजमानः श्रैष्ठ्यं नैकृष्ट्यं च न कामयेत, 'सः' यजमानः 'तादृङ् वा भवति' ; 'यादृशाय' यथोपलब्धप्रकारेण नियतेम 'ते' होतारः सामिधेनीः 'अन्वाहुः' तत्प्रकारविशिष्ट एव भवतीत्यर्थः । तादृक्–शब्देन सामान्येन प्रतिपादितं विशिनष्टि–**पापीयान्** वेति । 'यस्य' खलु 'एवम्' अनियतमनुवचनप्रकारं 'विदुषः' यजमानस्य 'एताः' एकविंशतिसामिधेनीः 'अन्वाहुः', 'सः' 'पापीयान् वा' श्रेयान् वा भवतीत्यर्थः । य इच्छेन्न श्रेयानित्यादिना योऽर्थः प्रतिपादितः, सा 'एषा' 'मीमांसैव' विचार एव केवलम्, न तु तथाऽनुवचनं कार्यमित्यर्थः ॥ १२ ॥

कथं तर्ह्यनुवक्तव्यमित्यत आह–**त्रिरेव प्रथमा**मिति । एवशब्दो भिन्नक्रमः । प्रथमोत्तमयोः 'त्रिः' अनुवचनं कुर्वन् 'अनवानन्नेव' अनुच्छ्वसन्नेव 'अनुब्रूयात्' । तत्तिसृणामृचां सन्तानं लोकत्रयसन्तत्यै भवतीति स्तौति–**त्रयो वा** इति । 'सन्तनोति' संदधाति । ततश्च 'इमान् लोकान्' परस्परसंयुक्तान् 'स्पृणुते' प्रीणयति, बलयति वा । "स्पृ प्रीतिबलयोः"–(स्वा० प० १३) इति । प्राणापानव्यानात्मकाः 'त्रयः' प्राणभेदाः '

१–'हैव सते' 'हैव साति'–'हैव सते'–इति कुत्रचित् टिप्पण्याम् । अत्र संहितापाठे ऋजुपाठे च 'स' 'ते'–इति विच्छिद्य पाठो भाष्यानुरोधेनाक्रियत । वस्तुतस्तु–"सते"–इत्यैकपद्ये चतुर्थ्यन्ते एवार्थस्वारस्यं पश्यामः । २–"इति संततमनुब्रूयात्" इति का. श्रौ. सू. १ । ३ । २ । ३–कौमुद्यान्तु 'स्पृ प्रीतिपालनयोः' 'प्रीतिचलनयोरित्यन्ये–' इति दृश्यते ।

(१४) स यावदस्य वशः स्यात् । (दे) एवमेवानुविवक्षेत्तस्यैतस्य परिचक्षोत साम्यवान्यादनवानन्ननुविवक्षंस्तत्कर्म विवृह्येत सा परिचक्षा ॥ १४ ॥
स यद्येतन्नोदाशंसेत । (ता) अप्येकैकामेवानवानन्ननुब्रूयात्तदेकैकयैवेमाँल्लोकान्त्सन्तनोत्येकैकयेमाँल्लोकान्त्स्पृणुतेऽथ यत्प्राणं दधाति गायत्री वै प्राणः स यत्कृत्स्नां गायत्रीमन्वाह तत्कृत्स्नं प्राणं दधाति तस्मादेकैकामेवानवानन्ननुब्रूयात् ॥ १५ ॥

इमान् लोकान् स्पृणुते । त्रय इमे पुरुषे प्राणाः । एतमेवास्मिन्नेतत्संततमव्यवच्छिन्नं दधाति । एतदनुवचनम् ॥ १३ ॥

स यावदस्य वशः स्यात्—एवमेवानुविवक्षेत् । तैस्यतस्य परिचक्षा,उत साम्यवान्याद्,अनवानन्ननुविवक्षँस्तत्कर्म विवृह्येत । सा परिचक्षा ॥ १४ ॥

स यद्येतन्नोदाशंसेत अप्येकैकामेवानवानन्ननुब्रूयात् । तदेकैकयैवेमाँल्लोकान् सन्तनोति । एकैकयेमाँल्लोकान् स्पृणुते । अथ यत्प्राणं दधाति—गायत्री वै प्राणः, स यत् कृत्स्नां गायत्रीमन्वाह—तत् कृत्स्नं प्राणं दधाति । तस्मादेकैकामेवानवानन्ननुब्रूयात् ॥ १५ ॥

प्राणापानव्यानलक्षणवृत्तित्रयविशिष्टं प्राणमेव अनवानमनुब्रुवन् ' सन्ततं ' परस्परसंबद्धम्, ' अव्यवच्छिन्नं ' विच्छेदरहितं ' दधाति ' । एवमेवानुवचनं कर्त्तव्यमित्यभिप्रेत्य निगमयति—**एतदिति** ॥ १३ ॥

तिस्र ऋचः सन्ततमनुवक्तुं यो न शक्नोति, तेन कथमनुवक्तव्यमिति, तदाह—**स यावदिति** । ' अस्य ' होतुः ' यावत् ' अनुवक्तुं ' से वशः स्यात् ', सा अनुवचनशक्तिः यावती, तावदित्यर्थः । ' एवमेव ' ' अनुविवक्षेत् ' अनुवक्तुमिच्छेत् । शक्त्यनुरूपमेवानुच्छ्वसनम्; शक्त्यभावे हि ऋङ्मध्येऽवसाने चोच्छ्वासे नास्ति दोष इत्यभिप्रायः । तदेतत्पक्षं निरस्यति—**तस्येति** । ' तस्यैतस्य ' पक्षस्य ' परिचक्षा ' निन्दा विद्यते । तामेव दर्शयति—**उत साम्यवान्यादिति** । अनवानन् अनुच्छ्वसन्, ' अनुविवक्षन् ' अनुवक्तुमिच्छन्, होता ' उत ' अपि ' सामि ' ऋङ्मध्ये ' अवान्यात् ' उच्छ्वासं कुर्यात्; तदा ' तत्कर्म ' ' विवृह्येत ' विश्लिष्येत, शिथिलं भवतीत्यर्थः । **सा परिचक्षेति** । यथाशक्त्यनुवचनपक्षे एषैव निन्देत्यर्थः ॥ १४ ॥

तिस्र ऋचः सन्ततमनुवक्तुमशक्तस्य कस्तर्ह्युपाय इति तं दर्शयति—**स यदीति** । ' एतद् 'अनन्तरोक्तं यथाशक्त्यनुवचनं निन्दायुक्तत्वात् ' सः ' होता ' न ' कामयेत, तदा ' एकैकाम् ' ऋचमनुच्छ्वसन्ननुब्रूयात् । अस्मिन्नपि पक्षे पूर्वोक्तलोकत्रय-प्राणत्रय-सन्तानमुपपादयति—**तदेकैकयेति** । त्रिपदा ह्येताः सामिधेन्यः; अत एकैकस्यामृचि पादत्रयस्य-सन्ततत्वात् ' एकैकयैव ' ऋचा त्रीन् ' लोकान् ' सन्तनोति । **गायत्री वै प्राण इति** । गायत्र्यास्त्रिपात्वात्, प्राणस्य प्राणापानव्यानलक्षणवृत्तित्रयात्मकत्वात्, त्रित्वसङ्ख्यायोगसाम्यात्तादात्म्यम् । तथा च कृत्स्नगायत्र्याः संततानुवचनात् कृत्स्नप्राणसंतानमपि सिद्ध्यतीत्यर्थः ॥ १५ ॥

१—' स्ववशः स्यात् ' ' स्ववशः शक्तिः स्यात् ' इत्यपि क्वचित्पाठः ।

ता वै सन्तताऽअव्यवच्छिन्ना ऽअन्वाह संव्वत्सरस्यैवैतदहोरात्राणि संतनोति तानीमानि संव्वत्सरस्याहोरात्राणि सन्ततान्यव्यवच्छिन्नानि परिप्लवन्ते द्विषत ऽउ चैवैतद्भ्रातृव्याय नोपस्थानं करोत्युपस्थानᳪ᳖ह कुर्याद्यदसन्तताऽअनुब्रूयात्तस्माद्वै सन्तताऽअव्यवच्छिन्नाऽअन्वाह ॥ १६ ॥ २ ॥

इति तृतीयप्रपाठके द्वितीयं ब्राह्मणम् (३. ५.)॥
तृतीयोऽध्यायश्च समाप्तः ॥ (१--३)

ता वै सन्तता अव्यवच्छिन्ना अन्वाह । संवत्सरस्यैवैतदहोरात्राणि संतनोति । तानीमानि संवत्सरस्याहोरात्राणि सन्ततान्यव्यवच्छिन्नानि परिप्लवन्ते द्विषत उ चैवैतद् भ्रातृव्याय नोपस्थानं करोति । उपस्थानं ह कुर्याद्—यदसन्तता अनुब्रूयात् । तस्माद्वै सन्तता अव्यवच्छिन्ना अन्वाह ॥ १६ ॥

एवमनुवचनस्यानवानलक्षणं धर्मविशेषं विधाय सान्तत्यादिकं विधत्ते—**ता वै सन्तता** इति । 'ताः' एताः सामिधेनीः 'सन्तताः' परस्परसंबद्धाः, अत एव 'अव्यवच्छिन्नाः' विच्छेदरहिताः 'अन्वाह' । **संवत्सरस्ये**त्यादि । सामिधेनीनां संवत्सरसंबन्ध्यहोरात्ररूपता प्राक् प्रतिपादिता; अतस्तत्सान्तत्येन 'अहोरात्राणि' अप्येवं 'सन्ततानि' परस्परसंबद्धानि कृतवान् भवतीत्यर्थः । तदेतद् दृष्टानुसारेण द्रढयति—**तानीमानी**ति । यस्मादेवं सामिधेनीसान्तत्येन संवत्सरसंबन्धीनि 'अहोरात्राणि सन्ततानि' तस्मादेवेदानीमपि 'तानि सन्ततानि अव्यवच्छिन्नानि' पर्यावर्त्तन्त इत्यर्थः । सन्ततानुवचनस्य प्रयोजनान्तरमाह—**द्विषत** इति । 'द्विषते' द्वेषणं कुर्वते शत्रवे 'उपस्थानं न करोति' सन्ततानुवचनेन छिद्ररहितत्वात् । छिद्रान्वेषणशीलाय राक्षसादये प्रवेशोपायभूतं द्वारं न प्रयच्छतीत्यर्थः । विपक्षे बाधमाह—**उपस्थानं ह**ेति । उपतिष्ठते प्राप्नोत्यनेनेति 'उपस्थानं' प्राप्तिसाधनद्वारम् ॥ १६ ॥ २ ॥ (३. ५.) ॥

इति श्रीसायणाचार्यविरचिते माधवीये वेदार्थप्रकाशे माध्यन्दिनशतपथब्राह्मणभाष्ये
प्रथमकाण्डे तृतीयाध्याये पञ्चमं ब्राह्मणम् ॥

वेदार्थस्य प्रकाशेन तमो हार्दं निवारयन् । पुमर्थांश्चतुरो देयाद्विद्यातीर्थमहेश्वरः ॥ ३ ॥

ब्रह्माण्डं गोसहस्रं कनकहयतुलापूरुषौ स्वर्णगर्भम्, सप्ताब्धीन् पञ्चसीरीं त्रिदशतरुलतां धेनुसौवर्णभूमीः ।
रत्नोस्रां रुक्मवाजिद्विपमहितरथौ सायणिः सिङ्गणार्यो, व्यश्राणीद्विश्वचक्रं प्रथितविधिमहाभूतयुक्तं घटं च ॥
धान्याद्रिं धन्यजन्मा तिलभवमतुलः स्वर्णजं वर्णमुख्यः, कार्पासीयं कृपावान् गुडकृतमजडो राजतं राजपूज्यः ।
आज्योत्थं प्राज्यजन्मा लवणजमनृणः शार्करं चार्कतेजाः, रत्नाढ्यो रत्नरूपं गिरिमकृत मुदा पात्रसात्सिङ्गणार्यः ॥

इति श्रीमद्राजाधिराजपरमेश्वरवैदिकमार्गप्रवर्त्तकश्रीहरिहरमहाराजसाम्राज्यधुरन्धरेण
सायणाचार्येण विरचिते माधवीये वेदार्थप्रकाशे माध्यन्दिनशतपथब्राह्मण
भाष्ये प्रथमकाण्डे तृतीयाध्यायः समाप्तः ॥ ३ ॥

अथ चतुर्थाध्याये प्रथमं ब्राह्मणम् ।

हिङ्कृत्यान्वाह । नासामा यज्ञोऽस्तीति वा ऽआहुर्न्न वा ऽअहिङ्कृत्य साम गीयते स यद्धिङ्करोति तद्धिङ्कारस्य रूपं क्रियते प्रणवेनैव साम्नो रूपमुपगच्छत्यो ३ मो ३ मित्येतेनो हास्यैष सर्व्व एव ससामा यज्ञो भवति ॥ १

यद्वेव हिङ्करोति । प्राणो वै हिङ्कारः प्राणो हि वै हिङ्कारस्तस्मादपिगृह्य नासिके न हिङ्कर्तुꣳ शक्नोति व्वाचा वा ऽऋचमन्वाह व्वाक्च वै प्राणश्च मिथुनं तदेतत्पुरस्तान्मिथुनं प्रजननं क्रियते सामिधेनीनां तस्माद्वै हिङ्कृत्यान्वाह ॥ २ ॥

स वा ऽउपाꣳशु हिङ्करोति । (त्यु) अथ यदुच्चैर्हिङ्कुर्यादन्यतरदेव कुर्या-द्वाचमेव तस्मादुपाꣳशु हिङ्करोति ॥ ३ ॥

हिङ्कृत्यान्वाह । नासामा यज्ञोऽस्तीति वा आहुः । न वा अहिङ्कृत्य साम गीयते । स यद्धिङ्करोति, तद्धिङ्कारस्य रूपं क्रियते । प्रणवेनैव साम्नो रूपमुपगच्छति--ओ ३ म् ओ ३ म् इति । एतेनो हास्यैष सर्व एव ससामा यज्ञो भवति ॥ १ ॥

यद्वेव हिङ्करोति । प्राणो वै हिङ्कारः । प्राणो हि वै हिङ्कारः, तस्माद्--अपिगृह्य नासिके न हिङ्कर्तुं शक्नोति । वाचा वा ऋचमन्वाह । वाक् च वै प्राणश्च मिथुनम् । तदेतत्पुरस्तान्मिथुनं प्रजननं क्रियते सामिधेनीनाम् । तस्माद्वै हिङ्कृत्यान्वाह ॥ २ ॥

स वा उपांशु हिङ्करोति । अथ यदुच्चैर्हिङ्कुर्यात्, अन्यतरदेव कुर्यात्; वाचमेव । तस्मादुपांशु हिङ्करोति ॥ ३ ॥

यस्य निःश्वसितं वेदा यो वेदेभ्योऽखिलं जगत् । निर्ममे, तमहं वन्दे विद्यातीर्थमहेश्वरम् ॥

अथ तस्मिन् सामिधेन्यनुवचने धर्मविशेषं विवक्ते--**हिङ्कृत्येति** । 'हिं'--इति शब्दमुच्चार्येत्यर्थः । **नासामे-त्यादि** । सामरहितस्यायज्ञत्वात्, हिङ्कारप्रणवयोः सामावयवत्वात्[1], सामिधेनीषु तत्करणेन सामिधेनीयुक्तः सर्वोऽपि सामवान् यज्ञः संपद्यत इत्यर्थः । 'ओ३म्--ओ३म्'--इति वीप्सया सर्वासु सामिधेनीषु स्थितस्य प्रणवस्यानुकरणम् ॥ १ ॥

यद्वेवेत्यादिः हिङ्कारस्तुतिः । तस्य प्रतिज्ञातं प्राणात्मकत्वमुपपादयति--**प्राणो वा** इति । हिङ्कृत्यानुवच-नम्, मिथुनसंपत्त्या स्तौति--**वाचा वा** इत्यादिना । नासिकास्थप्राणात्मको हिङ्कारः, तन्निवर्त्यत्वात्, ऋक् च वागात्मिका, तयोच्चार्यमाणत्वात्, 'प्राणश्च वाक् च' 'एतत्' एकं 'मिथुनम्'; स्त्रीपुंसरूपत्वात् । अतः सामिधेनीनां 'पुरस्ताद्' यजमानस्य पुत्रपौत्रादिप्रजननिमित्तं 'हिङ्कृत्य' अनुवचनेन 'मिथुनमेव क्रियते' इत्यर्थः ॥ २ ॥

अन्यतरदेवेति । उच्चैर्हिङ्कारस्योच्चारणे हि सोऽपि वाचैव निवर्त्येत--इति तदात्मक एव स्यान्न प्राणात्मकः । तथा च मिथुनसंपत्तिर्न स्यादित्यर्थः ॥ ३ ॥

१--"हु ३ म्"--इति सहिङ्कारः" इति सा. छां. ब्रा. ४।८।१।२ । २--"लोकेषु पञ्चविधं सामोपासीत" इत्यादि ४ प्र. २--७ खं. । अथ सप्तविधस्य "वाचि सप्तविधं सामोपासीत" इत्यादि च ४ प्र. ८--२१ खं. सा. छां. ब्रा. । ३--"प्राणो हिङ्कारः" सा. छां. ब्रा. ४।७।१।४--सा. छां. ब्रा. ४।१२।१।२ इत्यत्र द्रष्टव्यम् ।

स वा ऽएति च प्रेति चान्वाह । गायत्रीमेवैतदर्वाचीं च पराचीं च युनक्ति पराच्यह देवेभ्यो यज्ञं वहत्यर्वाची मनुष्यानवति तस्माद्वा ऽएति च प्रेति चान्वाह ॥ ४ ॥

यद्वेवेति च प्रेति चान्वाह । प्रेति वै प्राणऽएत्युदानः प्राणोदानावेवैतद्दधाति तस्माद्वा ऽएति च प्रेति चान्वाह ॥ ५ ॥

यद्वेवेति च प्रेति चान्वाह । प्रेति वै रेतः सिच्यत ऽएति प्रजायते प्रेति पशवो वितिष्ठन्त ऽएति समावर्तन्ते सर्वं वा ऽइदमेति च प्रेति च तस्माद्वा ऽएति च प्रेति चान्वाह ॥ ६ ॥

स वा एति च प्रेति चान्वाह । गायत्रीमेवैतदर्वाचीं च पराचीं च युनक्ति । पराच्यह देवेभ्यो यज्ञं वहति, अर्वाची मनुष्यानवति, तस्माद्वा एति च प्रेति चान्वाह ॥ ४ ॥

यद्वेवेति च प्रेति चान्वाह । प्रेति वै प्राणः, एत्युदानः; प्राणोदानावेवैतद्दधाति । तस्माद्वा एति च प्रेति चान्वाह ॥ ५ ॥

यद्वेवेति च प्रेति चान्वाह । प्रेति वै रेतः सिच्यते, एति प्रजायते । प्रेति पशवो वितिष्ठन्ते । एति समावर्त्तन्ते । सर्वं वा इदमेति च प्रेति च । तस्माद्वा एति च प्रेति चान्वाह ॥ ६ ॥

सामिधेनीनां लिङ्गविशेषं विधत्ते—**स वा एति चे**ति । आ इति 'एति'; प्र इति 'प्रेति' । अत्र 'इति'-शब्देन प्रकृतविपर्यासकृता एतौ शब्दावर्थपरत्वात् प्रच्याव्य अर्वाची-शब्दपरतया व्यवस्थाप्येते । तथा च आङुपसर्गयुक्ताः प्रोपसर्गयुक्ताश्चर्चोऽनुब्रूयादित्यर्थः ।

तदेतल्लिङ्गद्वयं प्रयोजनकथनेन प्रशंसति—**गायत्रीमेवे**ति । आङुपसर्गो ह्याभिमुख्ये वर्तते[१] । अतस्तेन 'अर्वाचीम्' अभिमुखीं युनक्ति । परेतः प्रेत इति पर्यायदर्शनात् प्रशब्दस्य पराङ्मुखत्वेऽपि वृत्तिरस्ति[२], अतोऽत्र प्रशब्देन पराङ्मुखत्ववाचिना पराङ्मुखीमेव तां 'युनक्ति'—इत्यर्थः ।

एवमुभयथा योजनस्य प्रयोजनमाह—**पराच्यहे**ति । यतो देवयजनान्निष्क्रम्य 'पराची' पराङ्मुखी, अनिवर्त्तमानैव[३] गायत्री द्युलोकं प्रति 'यज्ञं' वोढुं शक्नोति नार्वाची । सा तु सन्निधानात् 'मनुष्यान्' रक्षितुं शक्नोति । अतो लिङ्गद्वययुक्ता एतानुवक्तव्याः ॥ ४ ॥

तदेतल्लिङ्गद्वयं विधाय प्रशंसति—**यद्वेवे**त्यादिना । **प्रेति वै प्राण** इति । प्रशब्दस्य परागञ्चनार्थत्वात्, प्राणस्य च परागवृत्तित्वादुभयोस्तादात्म्यम् । **एत्युदान** इति । आकारस्याभिमुख्यार्थत्वादुदानस्यान्तःप्रवेशवृत्तिरूपत्वात्तादात्म्यम् ॥ ५ ॥

यद्वेवेति चेति । **प्रेति वै रेतः सिच्यत** इति । सिच्यमानस्य रेतसः पराङ्मुखप्रवृत्तेः प्र-शब्दस्य तस्य च तादात्म्यम् । अपत्यरूपेण जायमानस्याभिमुखमावर्त्तनादाभिमुख्यवाचिन आकारस्य तादात्म्यम् । **प्रेति पशव** इत्यादि । पशूनां तृणादिभक्षणाय यद्वनं प्रति पराग् गमनम्, तत् प्रशब्दार्थः । यच्च सायं समागमनम्, तदाकारस्यार्थः । किं बहुना 'सर्वम्' अपि 'इदम्' जगत् प्रगमनस्वभावमावर्त्तनस्वभावं च । तस्मादेतल्लिङ्गद्वयमनुवचने संपादनीयमित्यर्थः ॥ ६ ॥

१-निरु० १ । १ । ५; १ । २ । ३; ३ । ३ । ४; ५ । ५ । ६ । २-" प्रपरेत्येतस्य प्रातिलोम्यम् " इति निरु० १ । १ । ५ । ३-' प्रवर्तमानैव ' इति क. पा. । ४-निघ० ४ । २ । ३२ ।

सोऽन्वाह । (हा) अग्निं दूतं वृणीमहऽइति देवाश्च वा ऽअसुराश्चो-भये प्राजापत्याः पस्पृधिरे तान्त्स्पर्द्धमानान्गायत्र्यन्तरा तस्थौ या वै सा गायत्र्यासीदियं वै सा पृथिवीयᳬंहैव तदन्तरा तस्थौ तऽउभय ऽएव विदाञ्चक्रुर्यतरान्वै न इयमुपावर्त्स्यति ते भविष्यन्ति परेतरे भविष्यन्तीति तामुभय ऽएवोपमन्त्रयाञ्चक्रिरेऽग्निरेव देवानां दूतऽआस सहरक्षाऽइत्य-सुररक्षसमसुराणाᳬंसाग्निमेवानुप्रेयाय तस्मादन्वाहाग्निं दूतं वृणीमहऽइति स हि देवानां दूतऽआसीद्धोतारं विश्ववेदसमिति ॥ ३४ ॥

सोऽन्वाह–"अग्निं दूतं वृणीमहे" इति। देवाश्च वा असुराश्च उभये प्राजापत्याः पस्पृधिरे। तान् स्पर्द्धमानान् गायत्र्यन्तरा तस्थौ। या वै सा गायत्र्यासीद्–इयं वै सा पृथिवी। इयं हैव तदन्तरा तस्थौ। त उभय एव विदाञ्चक्रुः–'यतरान् वै न इयमुपावर्त्स्यति, ते भविष्यन्ति, परेतरे भविष्यन्ति' इति। तामुभय एवोपमन्त्रयाञ्चक्रिरे। अग्निरेव देवानां दूत आस, सहरक्षा इत्यसुररक्षसमसुराणाम्। साग्निमेवानुप्रेयाय। तस्मादन्वाह–अग्निं दूतं वृणीमह इति। स हि देवानां दूत आसीद्। "होतारं विश्ववेदसम्" इति ॥ ३४ ॥

'वृषन्'–शब्देनेन्द्रोऽप्युपस्थाप्यते, 'वृषन्'–शब्दस्य तन्नामधेयत्वात्। अतो 'वृषन्'–शब्दयुक्तस्य तृचस्या-नुवचनादितरयज्ञवत् सामिधेनीनामपीन्द्रसम्बन्धः सिद्ध्यतीत्यर्थः ॥ ३३ ॥

सामिधेन्यन्तरस्यानुवचनं विधत्ते–**सोऽन्वाहेति**। अग्नेर्देवदूतत्वमुपपादयितुमितिहासमाह–**देवाश्च वा इति**। 'तान्' मिथः स्पर्द्धमानान् देवासुरान् 'अन्तरा' तेषामुभयेषां मध्यत इत्यर्थः। "अन्तरान्तरेण–" (पा० सू० २। ३। ४)–इति द्वितीया। **इयं वा** इत्यादि। योत्स्यमानांस्तानुभयविधान् निवारयितुं गायत्री मध्ये प्रादुर्भूता 'सेयं पृथिव्येव' इयमेव खलु पृथिवी तेषामुभयेषां मध्यवर्त्तिनी। युक्तं चैतत्;– मेरोरग्रभागे हि अमरावती नाम नगरी, तस्यां हि देवाः, तथा मेरोरधस्ताद्भागे च यदिरामुखं नाम नगरम्, तस्मिन् ह्यसुरा निवसन्ति। तयोर्मध्ये पृथिवी वर्त्तत इति 'ह'–शब्दयोगादस्ति शास्त्रप्रसिद्धिः। **यतरान् वा इति**। "किंयत्तदोर्निर्धारणे"–(पा० सू० ५। ३। ९२) इति यच्छब्दात् डतरच्। 'उपावर्त्स्यति' उपावृत्ता भविष्यति। 'उपमन्त्रयाञ्चक्रे' रहस्यं दूतमुखेनाहूतवन्त इत्यर्थः। "मन्त्रि गुप्तपरिभाषणे"–(चुरा. आ. १४६) इति धातुः; लिट्प्रत्ययान्तत्वादाम्प्रत्ययः (पा. सू. ३। १। ३५–३६)। तस्मि-न्नुपमन्त्रणे देवानां को दूतः, को वा असुराणामित्युभयं विविनक्ति–**अग्निरेवेति**। 'सहरक्षाः' नाम यत् 'असुर-रक्षसम्' सुरविरोधि रक्षः। समासान्तो 'अ'–प्रत्ययः[२]। 'रक्षः'–शब्दस्य नियतनपुंसकत्वात् समासान्त-स्यापि तथात्वम्। **स हि देवानामिति**। 'हि' यस्मादुक्तरीत्या 'अग्निं दूतं वृणीमहे'–इति अनुवचनं युक्तमित्यर्थः। द्वितीयपादमनूद्य तत्र पाठान्तरमुपन्यस्य दूषयति–**होतारमित्यादिना** ॥ ३४ ॥

१–अवैदिकमिदं वर्णनमिति सुधीभिः खलूपेक्षणीयमेवेति पं. सत्यव्रतसामाश्रमिभिः स्वयं संस्कृते पुस्तके टिप्पणमुट्टङ्कित-मिति ज्ञेयम्। २–"अनसन्तान्नपुंसकाच्छन्दसि" इति पा. सू. ५। ४। १०३।

ऽइत्यन्नं वै व्वाजा ऽअन्नमेवैतदभ्यनूक्तमभिद्यव ऽइत्यर्धमासा वा ऽअभिद्यवोऽर्धमासानेवैतदभ्यनूक्त ꣳ हविष्मन्त ऽइति पशवो वै हविष्मन्तः पशूनेवैतदभ्यनूक्तम् ॥ ९ ॥

घृताच्येति । व्विदेघो ह माथवोऽग्निं व्वैश्वानरं मुखे बभार तस्य गोतमो राहूगण ऋषिः पुरोहित ऽआस तस्मै ह स्मामन्त्र्यमाणो न प्रतिशृणोति नेन्मेऽग्निर्व्वैश्वानरो मुखान्निष्पद्याता ऽइति ॥ १० ॥

तमृग्भिर्ह्वयितुं दध्रे । व्वीतिहोत्रं त्वा कवे द्युमन्त ꣳ समिधीमहि । अग्ने बृहन्तमध्वरे व्विदेघेति ॥ ११ ॥

तदभ्यनूक्तम् । अभिद्यव इति। अर्धमासा वा अभिद्यवः, अर्धमासानेवैतदभ्यनूक्तम् । "हविष्मन्त" इति । पशवो वै हविष्मन्तः, पशूनेवैतदभ्यनूक्तम् ॥ ९ ॥

"घृताच्या" इति । विदेघो ह माथवोऽग्निं वैश्वानरं मुखे बभार । तस्य गोतमो राहूगण ऋषिः पुरोहित आस। तस्मै ह स्मामन्त्र्यमाणो न प्रतिशृणोति—नेन्मेऽग्निर्वैश्वानरो मुखान्निष्पद्याता इति ॥ १०

तमृग्भिर्ह्वयितुं दध्रे—" वीतिहोत्रं त्वा कवे द्युमन्तं समिधीमहि । अग्ने बृहन्तमध्वरे-विदेघ " इति ॥ ११ ॥

'वाजाः' इति पदेनान्नं विवक्षितम्, वाजयति बलयतीति तच्छब्दव्युत्पत्तेः । अतः एतत्पदोच्चारणेन 'अन्नमेव' 'अभ्यनूक्तम्' अभिलक्ष्यानुवचनं कृतं भवति । "वस्तोः द्यौः भानुः वासरम्" इत्यहर्नामसु पाठात् "द्यु"-शब्दो दिनवचनः । (निघ. १ अ. ९ खं. । १ । २ । ३ । ४ ।) द्यून् दिवसान् अभिगता इति व्युत्पत्त्या 'अभिद्यव' इत्यनेनार्धमासा उच्यन्त इति व्याचष्टे—**अर्धमासा वा अभिद्यवः**—इति । **पशवो वै हविष्मन्तः**—इति । क्षीरदध्याज्यादिहविर्जनकत्वाद् भाविना हविषा तद्वन्त इत्यर्थः ॥ ९ ॥

घृताच्येति । घृतशब्दोच्चारणस्याग्निसमिन्धनेऽतिशयितमानुकूल्यमाख्यायिकया दर्शयति—**विदेघो ह माथव** इत्यादिना । 'माथवः' मथुनाम्नः पुत्रो 'विदेघः' नाम राजा । स च स्वमुखे विध्नरहितम् 'अग्निं' धारयामास । रहूगणस्य पुत्रो 'गोतमः' नाम ऋषिः, तस्य राज्ञः 'पुरोहितः' । स च राजा तेन ऋषिणा आहूयमानः 'तस्मै' न प्रत्युत्तरं ददौ । केनाभिप्रायेणेति चेद्, उच्यते—यद्यहं वदिष्यामि, मदीयात् 'मुखान्' सोऽग्निर्निष्पद्येत, नैव निष्पद्यतामित्यनेनाभिप्रायेणेत्यर्थः ॥ १० ॥

तमृग्भिरित्यादि । स च ऋषिः ऋङ्मन्त्रैस्तस्य मुखगतमग्निं स्तुवन् 'तं' विदेवमाह्वातुं निश्चितवान्, निश्चित्य च "वीतिहोत्रम्" (वा.सं.३.४.) इति मन्त्रेणाजुहाव । एवं स्तुतोऽप्यग्निस्तन्मुखे तूष्णीमेव स्थितवान् ॥ ११ ॥

१- क्वचित् 'माधवः' इति पाठो दृश्यते स न युक्त इति भाति । २-शतपथेऽन्यत्र तु सर्वत्रैव 'विदेहः' इति शब्दः श्रुतः । (१ । ४ । १ । १७: १४ । ६ । ११ । ६; ७ । २ । २० । केवलमत्रैव श्रूयते विदेघ इति ।

स न प्रतिशुश्राव । (सो) उदग्ने शुचयस्तव शुक्रा भ्राजन्त ऽईरते । तव ज्योतीᳬंष्यर्चयो विदेघा ३ ऽइति ॥ १२ ॥

स ह नैव प्रतिशुश्राव । तन्त्वा घृतस्नवीमह ऽइत्येवाभिव्याहरदथास्य घृतकीर्तावेवाग्निर्वैश्वानरो मुखादुज्जज्वाल तन्न शशाक धारयितुᳬं सोऽस्य मुखान्निष्पेदे स ऽइमां पृथिवीं प्रापादः ॥ १३ ॥

(स्तु) तर्हि विदेघो माथव आस । सरस्वत्याᳬं स तत ऽएव प्राङ्दहन्नभीयायेमां पृथिवीं तं गोतमश्च राहूगणो विदेघश्च माथवः पश्चाद्दहन्तमन्वीयतुः स ऽइमाः सर्वा नदीरतिददाह सदानीरेत्युत्तराद्गिरेर्निर्द्धावति ताᳬं हैव नातिददाह ताᳬं ह स्म तां पुरा ब्राह्मणा न तरन्त्यनतिदग्धाग्निना वैश्वानरेणेति ॥ १४ ॥

स न प्रतिशुश्राव—“ उदग्ने शुचयस्तव शुक्रा भ्राजन्त ईरते । तव ज्योतींष्यर्चयो-विदेघा ३” इति ॥ १२ ॥

स ह नैव प्रतिशुश्राव । “ तन्त्वा घृतस्नवीमहे ” इत्येवाभिव्याहरत्–अथास्य घृतकीर्तावेवाग्निर्वैश्वानरो मुखादुज्जज्वाल । तं न शशाक धारयितुम् । सोऽस्य मुखान्निष्पेदे । स इमां पृथिवीं प्रापादः ॥ १३ ॥

तर्हि विदेघो माथव आस सरस्वत्याम् । स तत एव प्राङ् दहन्नभीयायेमां पृथिवीम् । तं गोतमश्च राहूगणो विदेघश्च माथवः पश्चाद्दहन्तमन्वीयतुः । स इमाः सर्वा नदीरतिददाह । सदानीरेत्युत्तराद् गिरेर्निर्द्धावति, तां हैव नातिददाह । तां ह स्म तां पुरा ब्राह्मणा न तरन्ति, अनतिदग्धाऽग्निना वैश्वानरेणेति ॥ १४ ॥

स न इति । “ सः ’ विदेघोऽपि ‘ न ’ प्रत्युवाच । पुनरपि ‘ सः ’ ऋषिः “ उदग्ने शुचयः ” (तै. सं. १. ३. १४. २८; ४. ४६. १३; ९. ९. १२; २. ४. १४. ११) इति मन्त्रेणाग्निं स्तुवन् क्रोधेन विदेघमाकारयामास । ‘ विदेघा ३ ’–इति प्लुतिरसूयार्था ॥ १२ ॥

स ह नैवेति । एवमपि प्रतिश्रवणाभावे “ तन्त्वा घृतस्नवीमहे ”–‘ इति ’ इमामेवर्चम्. (ऋ. सं० ५।२६।२) अग्निमभिलक्ष्योक्तवान् । ‘ सः ’ चाग्निर्मन्त्रगतघृतशब्दोच्चारणसमये एव माथवस्य मुखसकाशादूर्द्ध्वं ज्वलितोऽभूत् । ‘ तम् ’ अग्निं ‘ धारयितुं ’ सोऽपि ‘ न शशाक ’ ज्वालाधिक्येन दाहकत्वात् । ‘ स ’ च मुखान्निर्गतः सन् ‘ पृथिवीं ’ प्राप्तवान् ॥ १३ ॥

तर्हीति । तस्मिन् समये माथवश्च तापशमनाय ‘ सरस्वत्यां ’ नद्यां निमग्नोऽभूत् । ‘ सः ’ अग्निस्तस्मात् स्थानादारभ्य ‘ प्राङ् दहन् ’ ‘ इमां ’ सर्वां ‘ पृथिवीम् ’ अभितो व्याप्नोत् । माथवगोतमावुभावपि ‘ दहन्तं ’ ‘ तम् ’ अग्निं ‘ पश्चात् ’ अनुजग्मतुः । ‘ सः ’ च दहन्नग्निः पृथिव्यां यावत्यो नद्यः सन्ति, ताः ‘ सर्वा

१–भाष्ये तु धारयतीति व्याख्यातम् । २–पा. सू. ८ । २ । १०३ ।

तत ऽएतर्हि । प्राचीनं बहवो ब्राह्मणास्तद्धाक्षेत्रतरमिवास स्रावितरमिवा-
स्वदितमग्निना वैश्वानरेणेति ॥ १५ ॥

तदु हैतर्हि । क्षेत्रतरमिव ब्राह्मणा ऽउ हि नूनमेनद्यज्ञैरसिष्वदन्त्सापि जघन्ये नैदाघे समिवैव कोपयति तावच्छीतानतिदग्धा ह्यग्निना वैश्वानरेण ॥ १६ ॥

स होवाच । विदेघो माथवः क्वाहं भवानीत्यत एव ते प्राचीनं भुवन-
मिति होवाच सैषाप्येतर्हि कोसलविदेहानां मर्यादा ते हि माथवाः ॥ १७ ॥

तत एतर्हि प्राचीनं बहवो ब्राह्मणाः । तद्धाक्षेत्रतरमिवास, स्रावितरमिवास्वदितमग्निना वैश्वानरेणेति ॥ १५ ॥

तदु हैतर्हि क्षेत्रतरमिव । ब्राह्मणा उ हि नूनमेनद्यज्ञैरसिष्वदन् । सापि जघन्ये नैदाघे समिवैव कोपयति तावत्, शीताऽनतिदग्धा ह्यग्निना वैश्वानरेण ॥ १६ ॥

स होवाच विदेघो माथवः—क्वाहं भवानीति । अत एव ते प्राचीनं भुवनमिति होवाच । सैषाप्येतर्हि कोसलविदेहानां मर्यादा । ते हि माथवाः ॥ १७ ॥

नदीः ' अतिशयेन ' ददाह ' शोषयामास । प्राचीनं दहतोऽस्य पुरस्तात् ' सदानीरा ' नाम नदी ' उत्तरात् ' उदक्प्रवाहा ' एति ' गच्छति । तया च व्यवहितः सोऽग्निः । एनमग्निम्, सापि निःशेषेण धारयति, इतस्ततो गमनं निवार्य धारितवतीत्यर्थः । स चाग्निः, ' तां ' नदीमितरनदीवत्, ' नातिददाह ' । अत एव सदा—सर्वदा नीरं जलमस्यामस्तीति व्युत्पत्त्या ' सदानीरा '—इत्युच्यते । तथा च निघण्टुः—" करतोया सदानीरा बाहुदा सैतवाहिनी " इति । ' तां ह ' नदीं ' पुरा ' तद्दहनोत्तरकाले ' ब्राह्मणाः ' ' न तरन्ति ' न स्पृशन्ति । अग्निदाहाभावेनाविशुद्धत्वादिति हेतुमाह—**अनतिदग्धेति** ॥ १४ ॥

तत एतर्हीति । 'ततः' तस्या नद्याः 'प्राचीनं' प्राग्देशम् । ' एतर्हि ' इदानीं ' बहवो ब्राह्मणाः ' निवसन्ति । अत्यन्तसंयोगे द्वितीया (पा. सू. २।१।२९।) प्राग्देशः सर्वोऽपि ब्राह्मणवास इत्यर्थः । ' तत् ' च स्थानम् । ' अक्षेत्रतरमिव ' अतिशयेन निवासायोग्यमिव ' आस ' बभूव । तथा ' स्रावितरं ' भग्नभाण्डे निक्षिप्तनीरवत्तद्देशेऽनुष्ठितं यज्ञदानादिकमतिशयेन ' स्रावि ' स्रवणशीलं फलप्रदानासमर्थं बभूवेत्यर्थः । तत्र हेतुमाह—**अस्वदितमिति** । यतो ' वैश्वानरेणाग्निना ' ' अस्वदितम् ' अनास्वादितम्, अतस्तत्स्थानमपवित्रमित्यर्थः ॥ १५ ॥

अस्य दोषस्य परिहारमाह—**तदु हेति** । ' एतर्हि ' एतस्मिन् समये ' तद् ' अपि स्थानं ' क्षेत्रतरं ' निवासयोग्यमेव भवति । कुत इत्यत आह—**ब्राह्मणा उ हीति** । ' नूनम् ' इति निश्चये; ' हि ' यस्मात् 'एनत्' स्थानं ब्राह्मणा ' यज्ञैरसिष्वदन् ' यज्ञानुष्ठानैरग्निनाऽऽस्वादितमकुर्वत, तस्मादित्यर्थः । ' सा ' च नदी ' जघन्ये ' निकृष्टे सर्वरसवर्जिते ' नैदाघे ' ग्रीष्मसंबन्धिकालेऽपि सम्यक् ' कोपयति ' बहुजलतया प्रकुपिता भवति । ' तावत् ' पर्यन्ते हि काले ' वैश्वानरेणाग्निना ' ' दग्धा ' तदा च तं निवारयितुं तस्याः प्रकोपो जात इत्यर्थः ॥ १६ ॥

स होवाचेति । एवं सर्वेषु देशेषु दग्धेषु ' सः ' च माथवोऽग्निमेव प्रतीक्ष्य ' उवाच '—' क्व ' कुत्र देशे

१—' कोशः ' इति पा. । दृश्यते च पद्यार्द्धमिदममरकोशे १ । १० । ३३ । इत्यत्रैव । २—" नूनमिति विचिकित्सार्थीयः " इति निरु० १ । २ । ४ ।

(८) अथ होवाच । गोतमो राहूगणः कथन्नु न ऽआमन्त्र्यमाणो न प्रत्यश्रौषीरिति स होवाचाग्निर्मे व्वैश्वानरो मुखेऽभूत्स नेन्मे मुखान्निष्पद्यातै तस्मात्ते न प्रत्यश्रौषमिति ॥ १८ ॥

तदु कथमभूदिति । यत्रैव त्वं घृतस्नवीमह ऽइत्यभिव्याहार्षीस्तदेव मे घृतकीर्तावग्निर्वैश्वानरो मुखादुदज्वालीत्तं नाशकं धारयितु ँ स मे मुखान्निरपादीति ॥ १९ ॥

स यत्सामिधेनीषु घृतवत् । (त्सा) सामिधेनमेव तत्समेवैनं तेनेन्धे व्वीर्य्यमेवास्मिन्दधाति ॥ २० ॥

तदु घृताच्येति । देवाञ्जिगाति सुम्नयुरिति यजमानो वै सुम्नयुः स हि देवाञ्जिगीषति स हि देवाञ्जिघा ँ सति तस्मादाह देवाञ्जिगाति सुम्नयुरिति सैषाग्नेयी सत्यनिरुक्ता सर्व्वं वा ऽअनिरुक्त ँ सर्व्वेणैवैतत्प्रतिपद्यते ॥ २१ ॥

अथ होवाच गोतमो राहूगणः--कथन्नु न आमन्त्र्यमाणो न प्रत्यश्रौषीरिति । स होवाच--अग्निर्मे वैश्वानरो मुखेऽभूत्, स नेन्मे मुखान्निष्पद्यातै, तस्मात्ते न प्रत्यश्रौषमिति ॥ १८ ॥

तदु कथमभूदिति । यत्रैव त्वं ' घृतस्नवीमहे ' इत्यभिव्याहार्षीः ' तदेव मे घृतकीर्तावग्निर्वैश्वानरो मुखादुदज्वालीत्; तन्नाशकं धारयितुम्, स मे मुखान्निरपादीति ॥ १९ ॥

स यत्सामिधेनीषु घृतवत्--सामिधेनमेव तत् । समेवैनं तेनेन्धे, वीर्यमेवास्मिन् दधाति ॥ २० ॥

तदु घृताच्येति । " देवाञ् जिगाति सुम्नयुः "--इति । यजमानो वै सुम्नयुः, स हि देवाञ् जिगीषति स हि देवाञ् जिघांसति । तस्मादाह--देवाञ् जिगाति सुम्नयुरिति । सैषाग्नेयी सत्यनिरुक्ता । सर्वं वा अनिरुक्तम्, सर्वेणैवैतत्प्रतिपद्यते ॥ २१ ॥

' अहं भवानि ' निवसेयम् ? ' इति ' पृष्टे सोऽप्यग्निरेनम् ' उवाच ' । किमिति । ' अतः ' अस्याः नद्याः ' प्राचीनं ' यद् ' भुवनं ' भूमिः, एतदेव ' ते ' तव निवासोऽस्त्विति । अत एव कारणात्, एतस्मिन्नपि काले ' सैषा ' सदानीरा नदी कोसलदेशस्य च विदेहस्य च मर्यादात्वेन दृश्यते । ' हि ' यस्मादेवं माथवाग्निरदात्, तस्मात्ते विदेहदेशा अपि माथवा इत्युच्यन्ते ॥ १७ ॥

उक्तं वृत्तान्तं गोतमेन पृष्टः सन् विदेहोऽनुवदति--अथ होवाचेत्यादिना । परोक्षत्वात्पूर्वं श्रुतिवाक्ये लिट्-प्रयोगः । (पा. सू. ३ । २ । ११५ ।) गोतममाथवयोः प्रश्नप्रतिवचनरूपवाक्ये तु भूताद्यतनत्वाल्लुङ्-प्रयोगो (पा. सू. ३ । २ । ११० ।) विशेषः ॥ १८ ॥ १९ ॥

एवं प्रासङ्गिकं परिसमाप्य प्रकृते योजयति--स यदिति । यस्माद् घृतशब्दोच्चारणेनाग्निः प्रज्वलितो बभूव, तस्मात् कारणात् ' सामिधेनीषु ' ' यद् ' घृतप्रातिपदिकयुक्तं पदम् ' तत् ' ' सामिधेनमेव ' अग्निसमिन्धनहेतुर्भवतीत्यर्थः ॥ २० ॥

तस्माद् घृताच्यैतत्पदं सामिधेनीषु युक्ततरमिति निगमयति--तद्विति । तैत्तिरीयकेऽपि नृमेधपरुच्छेपसंवादोदाहरणे घृतवत्पदस्याग्निजननहेतुत्वं प्रतिपादितम्--" यत्समावद्विद्व कथा त्वमग्निमजीजनो नाहमिति; सामिधेनीना-

(तेऽग्न) अग्न ऽआयाहि वीतय ऽइति । तद्धोति भवति वीतय ऽइति समन्तिकमिव ह वा ऽइमेऽग्रे लोका ऽआसुरित्युन्मृश्या हैव द्यौरास ॥ २२ ॥

ते देवा ऽअकामयन्त । कथन्नु न इमे लोका वितराᳪं स्युः कथन्न इदं वरीय ऽइव स्यादिति तानेतैरेव त्रिभिरक्षरैर्व्यनयन्वीतय ऽइति त ऽइमे विदूरं लोकास्ततो देवेभ्यो वरीयोऽभवद्वरीयो ह वा ऽअस्मै भवति यस्यैवं विदुष ऽएतामन्वाहुर्वीतय ऽइति ॥ २३ ॥

गृणानो हव्यदातय ऽइति । यजमानो वै हव्यदातिर्गृणानो यजमानाये-त्येवैतदाह नि होता सत्सि बर्हिषीत्यग्निर्वै होतायं लोको बर्हिरस्मिन्नेवैत-

---

"**अग्न आयाहि वीतये**"–इति । तद्धेति भवति । वीतय इति–समन्तिकमिव ह वा इमेऽग्रे लोका आसुः, इत्युन्मृश्या हैव द्यौरास ॥ २२ ॥

ते देवा अकामयन्त–कथन्नु न इमे लोका वितरां स्युः, कथन्नु इदं वरीय इव स्यादिति । तानेतै-रेव त्रिभिरक्षरैर्व्यनयन्–वीतय इति । त इमे विदूरं लोकाः, ततो देवेभ्यो वरीयोऽभवत् वरीयो ह वा अस्मै भवति–यस्यैवं विदुष एतामन्वाहुर्वीतय इति ॥ २३ ॥

"**गृणानो हव्यदातये**" इति । यजमानो वै हव्यदातिः । गृणानो यजमानायेत्येवैतदाह । "**नि होता सत्सि बर्हिषि**" इति । अग्निर्वै होता, अयं लोको बर्हिः । अस्मिन्नेवैतल्लोकेऽग्निं दधाति ।

मेवाहं वर्णं वेदेत्यब्रवीद्; यद् घृतवत्पदमनूच्यते, स आसां वर्णः "–(तै. सं. २ । ५ । ८ । ५) इति । **यजमानो वा** इत्यादि । 'सुम्नं' सुखं स्वर्गादिलक्षणमात्मन इच्छतीति (पा. सू. ३ । १ । ८) सुम्नयुः यजमानः । जिगातीत्यस्याभिप्रायमाह–**जिगीषती**ति । जेतुमिच्छतीत्यर्थः ॥

ननु " गा स्तुतौ "–(जुहो. प. २३) इति धातुः । कथं तस्य जिगीषतीति व्याख्यानमित्यत आह–**स हीति** । 'हि' यस्माद् यजमानो देवान् स्तुत्या 'जिघांसति, हन्तुं प्राप्तुमिच्छति । हन्तिरत्र गत्यर्थः । 'तस्मात्' जिगीषतीति युज्यत इत्यर्थः । " अज्झनगमां सनि "–(पा. सू. ३।४।१६)–इति सनि दीर्घत्वम् । **सर्वं वा अनिरुक्तमि**ति । पदनामविशेषैरनिरुक्तम्, तत्सर्वात्मकमित्यर्थः ॥ २१ ॥

अग्न आयाहीति । " वीतये "–इति पदं व्याख्यातुमितिहासमाह–**समन्तिकमिवे**ति । सन्निकृष्टतरमि-वेत्यर्थः । सन्निकर्षमेवाभिनयेन दर्शयति–**इत्युन्मृश्ये**ति । यथोर्ध्वबाहुना शाखाग्रं स्पृश्यते 'इति' एवमेव द्यौरपि हस्तस्पृश्येव बभूवेत्यर्थः ॥ २२ ॥

ते देवा इति । **वितरां स्युरि**ति । अतिशयेन विप्रकृष्टा भवेयुरित्यर्थः । **वरीय इवे**ति । उरुतरं विस्तीर्ण-तरमेवैतत्, त्रिरूपं स्थानं केन प्रकारेण स्यादित्यर्थः । विश्लिष्टा इतिः–वीतिः । तथा च वीतये–इत्यस्य विविध-मानायेत्यर्थो भवति । एतदक्षरत्रयप्रयोगात् त्रयः 'इमे लोकाः' परस्परं 'विदूरं' विप्रकर्षं प्राप्ता इत्यर्थः । **एतामन्वाहुरि**ति । 'वीतये'–इति पदेन युक्ताम् 'अग्न आयाहि " इत्यादिकामित्यर्थः ॥ २३ ॥

अस्या ऋचो द्वितीयं पादमनूद्य व्याचष्टे–**गृणान** इति । हविषो दानाद् 'हव्यदातिः' यजमानः । अस्या ऋचोऽनुवचनं भूलोकजयहेतुत्वेन प्रशंसति–**अग्निर्वै होते**त्यादिना ॥ २४ ॥

ल्लोकेऽग्निं दधाति सोऽयमस्मिँल्लोकेऽग्निर्हितः सैषेममेव लोकमभ्यनूक्तेममेवैतया लोकं जयति यस्यैवं विदुष एतामन्वाहुः ॥ २४ ॥

(स्तं) तन्त्वा समिद्भिरङ्गिर इति । समिद्भिर्ह्येतमङ्गिरस ऐन्धताङ्गिर इत्यङ्गिरा उ ह्यग्निर्घृतेन वर्द्धयामसीति तत्सामिधेनं पद ँ समेवैनं तेनेन्धे वीर्यमेवास्मिन्दधाति ॥ २५ ॥ [शतं ३००]

बृहच्छोचा यविष्ठ्येति । बृहद् ह्येष शोचति समिद्धो यविष्ठ्येति यविष्ठो ह्यग्निस्तस्मादाह यविष्ठ्येति सैषैतमेव लोकमभ्यनूक्तान्तरिक्षलोकमेव तस्मादाग्नेयी सत्यनिरुक्तानिरुक्तो ह्येष लोक एतमेवैतया लोकं जयति यस्यैवं विदुष एतामन्वाहुः ॥ २६ ॥

सोऽयमस्मिंल्लोकेऽग्निर्हितः । सैषेममेव लोकमभ्यनूक्ता, इममेवैतया लोकं जयति यस्यैवं विदुष एतामन्वाहुः ॥ २४ ॥

" तन्त्वा समिद्भिरङ्गिरः " इति । समिद्भिर्ह्येतमङ्गिरस ऐन्धत । " अङ्गिर " इति । अङ्गिरा उ ह्यग्निः । " घृतेन वर्द्धयामसीति " । तत्सामिधेनं पदम् । समेवैनं तेनेन्धे, वीर्यमेवास्मिन्दधाति ॥ २५ ॥

"बृहच्छोचा यविष्ठ्य " इति । बृहद् ह्येष शोचति समिद्धः । यविष्ठ्येति—यविष्ठो ह्यग्निः, तस्मादाह यविष्ठ्येति । सैषा एतमेव लोकमभ्यनूक्ता—अन्तरिक्षलोकमेव । तस्मादाग्नेयी सत्यनिरुक्ता । अनिरुक्तो ह्येष लोकः । एतमेवैतया लोकं जयति—यस्यैवं विदुष एतामन्वाहुः ॥ २६ ॥

तृतीयां सामिधेनीमनूद्य व्याचष्टे--तन्त्वेति । 'अङ्गिरसः' महर्षयो यत् 'समिद्भिः' 'अग्निम्' 'ऐन्धन्त'[1] समिद्धमकुर्वन्, तस्मादग्निरपि 'अंगिर इति सम्बोध्यते । तदेतन्नाम अग्नेः प्रसिद्धमित्याह—अंगिरा उ हीति । "इतरे येऽङ्गारा आसंस्तेऽङ्गिरसोऽभवन्निति[4]" अङ्गिरसामङ्गारपरिणामरूपत्वात् 'अङ्गिरः'—शब्दाभिधेयता । अग्निरप्यङ्गाररूप इति युक्तं तस्याप्यङ्गिरस्त्वमित्यर्थः ॥ २५ ॥

बृहच्छोचेति । यविष्ठो ह्यग्निरिति । 'यविष्ठः' युवतमो नित्यतरुणः; अजरामरत्वात् । अस्या ऋचोऽनुवचनमन्तरिक्षलोकजयहेतुत्वेन प्रशंसति—सैषेति । " एतमेव "—इति सामान्योक्तं विवृणोति—अन्तरिक्षेति । ऋचोऽन्तरिक्षलोकस्य साम्यमाह—तस्मादिति ॥ २६ ॥

१–अयं 'ऐन्धते' ति पाठश्छांदसो मंतव्यः । व्याकरणदृष्ट्या तु भाष्ये धृतः 'ऐन्धन्त' इत्याकारकः पाठो युक्त इति भाति । २–तै. ब्रा. ३।५।२। ३सं. २।५।८। १–११ । ३–तेषां वर्णनं ऐ. ब्रा. ६।५। ८–९ खण्डयोर्द्रष्टव्यम् । वस्तुतः "एतमु एवाङ्गिरसं मन्यन्तेऽङ्गानां यद्रसः" इति सा. छां. ब्रा. ३।२।१०। ४–ऐ. ब्रा. ३।३।९। निरु० ।३।५ निघ० ५।५।११। ५–'नित्यतरुणः—अजरणः ।' इति पा. ।

स नः पृथु श्रवाय्यमिति । (त्य) अदो वै पृथु यस्मिन्देवाऽएतच्छ्रवाय्यं यस्मिन्देवाऽअच्छा देव विवाससीत्यच्छ देव विवासस्येतन्नो गमयेत्येवैतदाह ॥ २७ ॥

बृहदग्ने सुवीर्यमिति । (त्य) अदो वै बृहद्यस्मिन्देवाऽएतत्सुवीर्यं यस्मिन्देवाः सैषैतमेव लोकमभ्यनूक्ता दिवमेवैतमेवैतया लोकं जयति यस्यैवं विदुषऽएतामन्वाहुः ॥ २८ ॥

सोऽन्वाह । (हे) ईडेन्यो नमस्य ऽइतीडेन्यो ह्येष नमस्यो ह्येष तिरस्तमाᳪंसि दर्शत ऽइति तिरऽइव ह्येष तमाᳪंसि समिद्धो ददृशे समग्निरिध्यते वृषेति सᳪंहीध्यते वृषा वृषो ऽअग्निः समिध्यत ऽइति सᳪंहीध्यते ॥ २९ ॥

" स नः पृथु श्रवाय्यम् " इति । अदो वै पृथु—यस्मिन् देवाः । एतत् श्रवाय्यम्—यस्मिन् देवाः । " अच्छा देव विवाससि " इति । अच्छ देव विवाससि—एतन्नो गमय—इत्येवैतदाह ॥ २७ ॥

" **बृहदग्ने सुवीर्यम्**" इति । अदो वै बृहद्—यस्मिन् देवाः, एतत् सुवीर्यम्—यस्मिन् देवाः । सैषा एतमेव लोकमभ्यनूक्ता—दिवमेव । एतमेवैतया लोकं जयति—यस्यैवं विदुष एतामन्वाहुः ॥ २८ ॥

सोऽन्वाह—" **ईडेन्यो नमस्यः**— " इति । ईडेन्यो ह्येषः, नमस्यो ह्येषः । " **तिरस्तमांसि दर्शतः** "—इति । तिर इव ह्येष तमांसि समिद्धो ददृशे । " **समग्निरिध्यते वृषा** " इति । सं हीध्यते वृषा । " **वृषो अग्निः समिध्यते**—" इति । सं हीध्यते ॥ २९ ॥

चतुर्थीं सामिधेनीमनूद्य द्युलोकजयहेतुत्वेन व्याचष्टे—**स नः** इत्यादिना । ' अदः ' विप्रकृष्टं द्युस्थानं खलु ' पृथु ' विस्तीर्णम् । तद्विशिनष्टि—**यस्मिन्निति** । ' यस्मिन् ' लोके ' देवाः ' सर्वे वसन्ति, तत् स्थानमत्र पृथुशब्दवाच्यम् । देवनिवासत्वादेव ' एतत् ' ' श्रवाय्यं ' श्रवणीयं प्रशस्यम् । पादान्तरमनूद्य व्याचष्टे—**अच्छा देवेति** । देवोषितं द्युलोकरूपं स्थानम् ' अच्छ ' अभिलक्ष्य ' विवाससि ' प्रकाशयेत्यर्थः । प्रकाशनं च प्राप्त्यर्थमित्यभिप्रेत्य व्याचष्टे—**एतन्नो गमयेति** ॥ २७ ॥

बृहदग्न इति । **अदो वा** इति । सर्वत्र हि विशेष्यरहित इदंशब्दो भूलोकवचनः, अदःशब्दश्च द्युलोकवचनः ॥ २८ ॥

ऋगन्तरस्यानुवचनं विधत्ते—**सोऽन्वाहेति** । ' ईडेन्यः ' स्तोतव्यः, ' नमस्यः ' नमस्कर्त्तव्य इत्ययमर्थः प्रसिद्ध इति हेरर्थः । द्वितीयं पादमनूद्य व्याचष्टे—**तिरस्तमांसीति** । ' एष ' खल्वग्निः समिद्धः **सन्** ' तमांसि ' तिरस्कृत्येव दृश्यते । अनेन ' दर्शतः '—इति पदस्य कर्म्मणि व्युत्पत्तिर्दर्शिता । ' समग्निरिध्यते ' इत्यादि निगदसिद्धम् ॥ २९ ॥

१—तै. ब्रा. ३ । ५ । २ । ४ । सं. २ । ५ । ८ । १—११ । २—तै. ब्रा. ३ । ५ । २ । ४ । सं. २ । ५ । ८ । १—११ ।

(तेऽश्वो) अश्वो न देववाहन इति । (त्य) अश्वो ह वा ऽएष भूत्वा देवेभ्यो यज्ञं वहति यद्वै नेत्यृच्योमिति तत्तस्मादाहाश्वो न देववाहनऽइति ३०
तꣳ हविष्मन्त ऽईडत ऽइति । हविष्मन्तो ह्येतं मनुष्याऽईडते तस्मादाह तꣳहविष्मन्तऽईडत ऽइति ॥ ३१ ॥

वृषणं त्वा वयं वृषन्वृषणः समिधीमहीति । सꣳ ह्येनमिन्धतेऽग्ने दीद्यतं बृहदिति दीदयेव ह्येष बृहत्समिद्धः ॥ ३२ ॥ [अर्धप्रपाठकः ।]

तं वा एतम् । वृषण्वन्तं त्रिचमन्वाहाग्नेय्यो वा ऽएताः सर्वाः सामिधेन्यो भवन्तीन्द्रो वै यज्ञस्य देवतेन्द्रो वृषैतेनो हास्यैताः सेन्द्राः सामिधेन्यो भवन्ति तस्माद्वृषण्वन्तं त्रिचमन्वाह ॥ ३३ ॥

"अश्वो न देववाहनः"-इति । अश्वो ह वा एष भूत्वा देवेभ्यो यज्ञं वहति । यद्वै नेति ऋचि-ओमिति तत् । तस्मादाह--अश्वो न देववाहन इति ॥ ३० ॥

" तं हविष्मन्त ईडते"--इति । हविष्मन्तो ह्येतं मनुष्या ईडते । तस्मादाह--तं हविष्मन्त ईडत इति ॥ ३१ ॥

" वृषणं त्वा वयं वृषन् वृष (षा) णः समिधीमहि "-इति । सं ह्येनमिन्धते । " अग्ने दीद्यतं बृहद् "-इति । दीदयेव ह्येष बृहत् समिद्धः ॥ ३२ ॥

तं वा एतं वृषण्वन्तं त्रिचमन्वाह—आग्नेय्यो वा एताः सर्वाः सामिधेन्यो भवन्ति । इन्द्रो वै यज्ञस्य देवता, इन्द्रो वृषा एतेन उ ह अस्यैताः सेन्द्राः सामिधेन्यो भवन्ति । तस्माद् वृषण्वन्तं त्रिचमन्वाह ॥ ३३ ॥

अश्वो नेति । " अश्वो न देववाहनः "—इत्यत्र ' न '—शब्दस्य निषेधार्थत्वमाशङ्क्य विवक्षितमर्थं दर्शयति-**यद्वा** इति । ' ऋचि ' ऋङ्मन्त्रे ' यत् ' ' न-- ' इति पदम्, तत् ' ओमिति ' अङ्गीकारार्थतया प्रतिपत्तव्यम् । " एवम्परमोम्पदं "—इति हि निघण्टुः (१) ' अश्वो ह वा एष भूत्वा ' अश्वरूपमास्थायेति यावत् ॥ ३० ॥

तं हविष्मन्त इति । **हविष्मन्तो ह्येतमित्यादि** । चरुपुरोडाशादीनि ' हवींषि ' संपाद्य, तद्युक्ता ऋत्विग्-यजमानास्तानि हवींषि देवान् प्रापयितुमग्निं स्तुवन्तीत्यर्थः । " ईड स्तुतौ " (अदा. आ.९) इति धातुः ॥ ३१ ॥

वृषणंत्वेत्यादि । निगदसिद्धम् । " दीद्यतं बृहत् "—इत्यत्र दीद्यच्छब्दस्याभिप्रायमाह--**दीदयेवेति** । 'दीदयतिः ' दीप्तिकर्मा, छान्दसो धातुः ।(निघ. १ । १६ । ४ । निरु. १० । २ । ६) । पूर्वाभिः समिद्धः स च ' एषः ' अग्निरस्मिन् समये ' बृहत् ' अधिकं ' दीदयेव ' दिदीप--इतीव हि यतो ' दीद्यतं ' दीप्यमानं त्वामित्यग्निविशेषणं युक्तमित्यर्थः ॥ ३२ ॥

" ईडेन्य "—इत्यस्य तृचस्य वृषण्वच्छब्दायातमुपजीव्य प्रशंसति—**तं वा** इत्यादि । अग्निविशेषणभूतेनापि

१-" ओमेवंपरमं मते " इत्यमरकोषे ३ । ४ । १२ तथा " ओ३ मित्यृचः प्रतिगर एवं तथेति गाथा या ओमिति वै दैवं तथेति मानुषम्" ऐ. ब्रा. ७ । ३ । ६ । २-तै. ब्रा. ३ । ५ । ३ । ७ । सं. २।५।८।१-११ । ३-' दीदेतिः दीप्तिकर्मा ' इति पा० ।

सोऽन्वाह । (हा) अग्निं दूतं वृणीमहऽइति देवाश्च वा ऽअसुराश्चो-
भये प्राजापत्याः पस्पृधिरे तान्त्स्पर्द्धमानान्गायत्र्यन्तरा तस्थौ या वै सा
गायत्र्यासीदियं वै सा पृथिवीयᳬं हैव तदन्तरा तस्थौ तऽउभय ऽएव
विदाञ्चक्रुर्यतरान्वै न इयमुपावर्त्स्यति ते भविष्यन्ति परेतरे भविष्यन्तीति
तामुभय ऽएवोपमन्त्रयाञ्चक्रिरेऽग्निरेव देवानां दूतऽआस सहरक्षाऽइत्य-
सुररक्षसमसुराणाᳬं साग्निमेवानुप्रेयाय तस्मादन्वाहाग्निं दूतं वृणीमह
ऽइति स हि देवानां दूतऽआसीद्धोतारं विश्ववेदसमिति ॥ ३४ ॥

सोऽन्वाह—"अग्निं दूतं वृणीमहे" इति। देवाश्च वा असुराश्च उभये प्राजापत्याः पस्पृधिरे। तान् स्पर्द्धमानान् गायत्र्यन्तरा तस्थौ। या वै सा गायत्र्यासीद्—इयं वै सा पृथिवी। इयं हैव तदन्तरा तस्थौ। त उभय एव विदाञ्चक्रुः—'यतरान् वै न इयमुपावर्त्स्यति, ते भविष्यन्ति, परेतरे भविष्यन्ति' इति। तामुभय एवोपमन्त्रयाञ्चक्रिरे। अग्निरेव देवानां दूत आस, सहरक्षा इत्यसुररक्षसमसुराणाम्। साग्निमेवानुप्रेयाय। तस्मादन्वाह—अग्निं दूतं वृणीमह इति। स हि देवानां दूत आसीद्। "होतारं विश्ववेदसम्" इति॥ ३४॥

'वृषन्'—शब्देनेन्द्रोऽप्युपस्थाप्यते, 'वृषन्'—शब्दस्य तन्नामधेयत्वात्। अतो 'वृषन्'—शब्दयुक्तस्य तृचस्यानुवचनादितरयज्ञवत् सामिधेनीनामपीन्द्रसम्बन्धः सिद्ध्यतीत्यर्थः॥ ३३॥

सामिधेन्यन्तरस्यानुवचनं विधत्ते—सोऽन्वाहेति। अग्नेर्देवदूतत्वमुपपादयितुमितिहासमाह—**देवाश्च वा** इति। 'तान्' मिथः स्पर्द्धमानान् देवासुरान् 'अन्तरा' तेषामुभयेषां मध्यत इत्यर्थः। "अन्तरान्तरेण—" (पा० सू० २।३।४)—इति द्वितीया। **इयं वा** इत्यादि। योत्स्यमानांस्तानुभयविधान् निवारयितुं गायत्री मध्ये प्रादुर्भूता 'सेयं पृथिव्येव' इयमेव खलु पृथिवी तेषामुभयेषां मध्यवर्त्तिनी। युक्तं चैतत्;—मेरोरग्रभागे हि अमरावती नाम नगरी, तस्यां हि देवाः, तथा मेरोरधस्ताद्भागे च यदिरामुखं नाम नगरम्, तस्मिन् ह्यसुरा निवसन्ति। तयोर्मध्ये पृथिवी वर्त्तत इति 'ह'—शब्दयोगादस्ति शास्त्रप्रसिद्धिः। **यतरान्न्वा** इति। "किंयत्तदोर्निर्धारणे"—(पा० सू० ५।३।९२) इति यच्छब्दात् डतरच्। 'उपावर्त्स्यति' उपावृत्ता भविष्यति। 'उपमन्त्रयाञ्चक्रे' रहस्यं दूतमुखेनाहूतवन्त इत्यर्थः। "मन्त्रि गुप्तपरिभाषणे"—(चुरा. आ. १४६) इति धातुः; लिट्प्रत्ययान्तत्वादाम्प्रत्ययः (पा. सू. ३।१।३५–३६)। तस्मिन्नुपमन्त्रणे देवानां को दूतः, को वा असुराणामित्युभयं विविनक्ति—**अग्निरेवेति**। 'सहरक्षाः' नाम यत् 'असुररक्षसम्' सुरविरोधि रक्षः। समासान्तो 'अ'—प्रत्ययः। 'रक्षः'—शब्दस्य नियतनपुंसकत्वात् समासान्तस्यापि तथात्वम्। **स हि देवानामिति**। 'हि' यस्मादुक्तरीत्या 'अग्निं दूतं वृणीमहे'—इति अनुवचनं युक्तमित्यर्थः। द्वितीयपादमनूद्य तत्र पाठान्तरमुपन्यस्य दूषयति—**होतारमि**त्यादिना॥ ३४॥

१–अवैदिकमिदं वर्णनमिति सुधीभिः खलूपेक्षणीयमेवेति पं. सत्यव्रतसामश्रमिभिः स्वयं संस्कृते पुस्तके टिप्पण्यामुट्टङ्कितमिति ज्ञेयम्। २–"अनसन्तान्नपुंसकाच्छन्दसि" इति पा. सू. ५।४।१०३।

तदु हैकेऽन्वाहुः । (हौं) होता यो विश्ववेदस इति नेदरमित्यात्मानं ब्रवाणीति तदु तथा न ब्रूयान्मानुषँ ह ते यज्ञे कुर्वन्ति व्यृद्धं वै तद्यज्ञस्य यन्मानुषं नेद्व्यृद्धं यज्ञे करवाणीति तस्माद्यथैवर्चाऽनूक्तमेवमेवानुब्रूयाद्धोतारं विश्ववेदसमित्येवास्य यज्ञस्य सुक्रतुमित्येष हि यज्ञस्य सुक्रतुर्यदग्निस्तस्मादाहास्य यज्ञस्य सुक्रतुमिति सेयं देवानुपावववर्त ततो देवाऽअभवन्पराऽसुरा भवति ह वा ऽआत्मना पराऽस्य सपत्ना भवन्ति यस्यैवं विदुषऽएतामन्वाहुः ॥ ३९ ॥

(स्तां) तां वा ऽअष्टमीमनुब्रूयात् । (द्रां) गायत्री वा ऽएषा निदानेनाष्टाक्षरा वै गायत्री तस्मादष्टमीमनुब्रूयात् ॥ ३६ ॥

तदु हैकेऽन्वाहुः–' होता यो विश्ववेदसः ' इति । नेद् अरमित्यात्मानं ब्रवाणीति । तदु तथा न ब्रूयाद् । मानुषं ह ते यज्ञे कुर्वन्ति, व्यृद्धं वै तद् यज्ञस्य–यन्मानुषम्; नेद् व्यृद्धं यज्ञे करवाणीति । तस्माद्यथैवर्चाऽनूक्तमेवमेवानुब्रूयाद्–' होतारं विश्ववेदसम् ' इत्येव । " **अस्य यज्ञस्य सुक्रतुम्** " इति । एष हि यज्ञस्य सुक्रतुः–यदग्निः । तस्मादाह–अस्य यज्ञस्य सुक्रतुमिति । सेयं देवानुपाववर्त ततो देवा अभवन्, पराऽसुराः । भवति ह वा आत्मना, परा अस्य सपत्ना भवन्ति–यस्यैवं विदुष एतामन्वाहुः ॥ ३९ ॥

तां वा अष्टमीमनुब्रूयात् । गायत्री वा एषा निदानेन–अष्टाक्षरा वै गायत्री । तस्माद् अष्टमीमनुब्रूयात् ॥ ३६ ॥

तदिति । " होता यो विश्ववेदस इति " पाठान्तरमनुब्रुवतामभिप्रायमाह–यद्यपि होतारमिति ' होतृ '–शब्दो द्वितीयान्तः; तथापि ' होता अरम् ' इत्यपि श्रुतिसामान्यात् प्रतीयते । स च ' अरं '–शब्दः 'अलं'–शब्दपर्यायः । " बाल–मूल–लघ्वलमङ्गुलीनाम् "–(पा० सू० ८ । २ । १८ वा० २ " वा लो रमापद्यते ") इति लत्वस्य विकल्पितत्वात् । ' अरं '–शब्दोऽत्र निवारणार्थः । ' आत्मानं ' निवारणविशिष्टं ' नेत् ' नैव ' ब्रवाणि '–इत्यनेनाभिप्रायेणेत्यर्थः । "होता यः"–इति पाठे तु नेदृशी विरुद्धा प्रतिपत्तिरस्ति ॥

तत्पक्षनिराकरणं–**तदु तथे**त्यादि । स्पष्टम् । " होतारम् "–इत्यार्षपाठं परित्यज्य " होता यः "–इति पाठविपरिणामस्य मनुष्यबुद्धिप्रभवतया मानुषत्वम् । यथैव वेदे पठितम्, तथैवानुवक्तव्यमित्युपसंहरति–**तस्मादि**ति । कीदृग्विधं तर्हि वेदे पठितमिति तदाह–**होतारमि**ति । एवकारः पक्षान्तरव्युदासार्थः । प्रकृतमितिहासशेषमुपसंहरति–**सेयमि**ति । देवासुराणां मध्ये वर्तमाना या गायत्री, ' सेयं ' रहस्यमाहूता सती ' देवान् ' एव ' उपाववर्त ' उपाजगाम । ' ततः ' गायत्र्या उपावर्त्तनात् ' देवाः ' ' अभवन् ' अजयन् । ' असुरास्तु ' तत्संबन्धविरहात् ' पराभूताः ' । उक्तेतिहासज्ञानपुरःसरमेतां गायत्रीं प्रयुञ्जानस्य फलमाह–**भवतीति** । ' आत्मना ' स्वयं ' भवति ' भूष्णुः, समर्थो भवति । ' अस्य ' च शत्रवः 'पराभवन्ति' इत्यर्थः॥ ३९॥

अष्टसङ्ख्योपजीवनेन प्रशंसति–**तां वा** इति । ' निदानेन ' मूलकारणेन विचार्यमाणा ऋगक्षरात्मिका

१–तदित्थं मन्त्रेषु स्वाभिमतप्रार्थनादिप्रकाशनाय अपि वैदिकशब्दानां परिवर्तनादिकं सर्वत्रैव निषिद्धमिति सूचितम् ।

(त्त) तद्धैके । पुरस्ताद्धाय्ये दधत्यन्नं धाय्ये मुखत ऽइदमन्नाद्यं दध्म इति व्वदन्तस्तदु तथा न कुर्यादनवक्लृप्ता ह तस्यैषा भवति यः पुरस्ताद्धाय्ये दधाति दशमी वा हि तर्ह्येकादशी वा सम्पद्यते तस्यो हैवैषावक्लृप्ता भवति यस्यैतामष्टमीमन्वाहुस्तस्मादुपरिष्टादेव धाय्ये दध्यात् ॥३७॥

समिध्यमानो ऽअध्वर ऽइति । (त्य) अध्वरो वै यज्ञः समिध्यमानो यज्ञ ऽइत्येवैतदाहाग्निः पावक ईड्य इति पावको ह्येष ऽईड्यो ह्येषु शोचिष्केशस्तमीमह ऽइति शोचन्तीव ह्येतस्य केशाः समिद्धस्य समिद्धो

तद्धैके पुरस्ताद् धाय्ये दधति–' अन्नं धाय्ये, मुखत इदमन्नाद्यं दध्म ' इति वदन्तः । तदु तथा न कुर्याद् । अनवक्लृप्ता ह तस्यैषा भवति–यः पुरस्ताद्धाय्ये दधाति । दशमी वा हि तर्हि एकादशी वा सम्पद्यते । तस्यो ह एवैषा अवक्लृप्ता भवति–यस्यैतामष्टमीमन्वाहुः । तस्मादुपरिष्टादेव धाय्ये दध्यात् ॥ ३७ ॥

"समिध्यमानो अध्वरे" इति । अध्वरो वै यज्ञः । समिध्यमानो यज्ञे–इत्येवैतदाह । "अग्निः

' एषा गायत्री ' सापि प्रतिपादम् ' अष्टाक्षरा '; या चाष्टसङ्ख्या, तत्पूर्त्तिहेतुत्वादप्येषा विशेषतो ' गायत्री '–इति । ताम् ' अष्टमीमनुब्रूयात् ' इत्यर्थः ॥ ३६ ॥

यत्र सप्तदश सामिधेन्यः, तत्र " पृथुपाजाः " " तं सबाधः "–इति द्वे धाय्याख्ये ऋचौ सामिधेनीषु प्रक्षेप्तव्ये । तयोः स्थानं पूर्वोत्तरपक्षाभ्यां दर्शयति–**तद्धैक** इति । ' पुरस्तात् ' अष्टम्याः पूर्वमित्यर्थः । तथा कुर्वतामभिप्रायमाह–**मुखत** इति । अन्नं च तदाद्यं च ' अन्नाद्यम् ' ' इदं ' धाय्यारूपं ' मुखतः ' मुखप्रदेश एव ' दध्मः ' धारयामः ' इति वदन्तः ' ॥

तदेतदेकीयं मतं दूषयति–**तदु तथे**ति । ' अनवक्लृप्ता ' असमर्था, ऊर्ध्वं द्वयोर्धाय्ययोः प्रक्षेपात्–" अग्निं दूतम् "–इत्यष्टमी, ' दशमी ' संपद्यते; तथा चाष्टमीत्वभङ्गेन " गायत्री वा एषा निदानेन "–इति प्रतिपादितगायत्रीति[3] पदविरहादसमर्था स्यात् । तथा समिद्ध्यमानवती–समिद्धवत्योर्मध्ये हि धाय्ये प्रक्षेप्तव्ये; सा न सप्तदशे तूत्कर्षात् ' एकादशी ' ' सम्पद्यते ' । उभयत्र ' वा ' शब्दश्चार्थे । कथं तर्हि, अवक्लृप्तिरित्यत आह–**तस्यो** हेति । ' यस्य ' यजमानस्य सा सामिधेनीषु " अग्निं दूतम् "–इत्येषा अष्टमी । ' तस्यैषा ' ' अवक्लृप्ता ') अवक्लृप्तिः समर्था ' भवति ' इत्यर्थः । कुत्र तर्हि धाय्ययोः प्रक्षेप इति तदाह–**तस्मा-दि**ति । अष्टम्याः ' उपरिष्टात् ' समिध्यमानवती–समिद्धवत्योर्मध्ये एव ' धाय्ये ' प्रक्षिपेत् । उक्तं ह्यापस्तम्बेन–" समिद्ध्यमानवतीं समिद्धवतीं चान्तरेण पृथुपाजवत्यौ धाय्ये दधाति "–(श्रौ. सू. २ । १२ । ९ ।) इति । आश्वलायनोऽप्यसूत्रयत्–" तृतीयस्यां सामिधेन्यावावपते प्रागुपोत्तमायाः पृथुपाजा अमर्त्य इति द्वे धाय्ये इत्युक्त एते प्रतीयात् "–इति (श्रौ. सू. २ । १ । २६ । ऋ. सं. ३ । २७ । ५ । ६ ।) ॥ ३७ ॥

एवमष्टमीं विधाय प्रशंसति–**समिद्ध्यमान** इति । निगदसिद्धमेतत् । **शोचन्तीव ह्येतस्ये**ति । दीप्य-

१–" पाय्य-सान्नाय्य-निकाय्य-धाय्या मानहविर्निवाससामिधेनीषु "–इति पा. सू. ३ । १ । १२९ । " धीयतेऽन्यः समिदिति धाय्या ऋक् " इति तत्र कौ. । ऐ. ब्रा. ३ । २ । ७ । १३; ३ । ७ । तै. सं. २ । २ । १० । २ । २–ऋ. सं. ३ । २७ । ५ । ६ । ३–' प्रतिपादितं गायत्रीत्वमसमर्थं स्यात् ' इति पा. । ४–' सा च समिध्यमानवती पाञ्चदश्ये नवमी साप्तदश्ये अष्टम्या सहोत्कर्षात् एकादशी संपद्यते ' एवमेव च प्रतिभाति । ५–तै. ब्रा. ३ । ५ । २ । १; खं. २ । ५ । ८ । १-११ ।

ऽअग्न ऽआहुतेत्यतः प्राचीनꣳ सर्वमिध्ममभ्यादध्याद्यदन्यत्समिधोऽ पवृ-
ङ्क्त ऽइव ह्येतद्धोता यद्वा ऽअन्यत्समिध ऽइध्मस्यातिरिच्यतेऽतिरिक्तं
तद्यद्वै यज्ञस्यातिरिक्तं द्विषन्तꣳ हास्य तद्भ्रातृव्यमभ्यतिरिच्यते तस्मा-
दतः प्राचीनꣳ सर्वमिध्ममभ्यादध्याद्यदन्यत्समिधः ॥ ३८ ॥

(धो) देवान्यक्षि स्वध्वरेति । (त्य)अध्वरो वै यज्ञो देवान्यक्षि सुयज्ञिये-
त्येवैतदाह त्वꣳ हि हव्यवाडसीत्येष हि हव्यवाड्यदग्निस्तस्मादाह त्वꣳ
हि हव्यवाडसीत्याजुहोता दुवस्यताग्निं प्रयत्यध्वरे वृणीध्वꣳ हव्यवाहन-
मिति सम्प्रेष्यत्येवैतया जुहुत च यजत च यस्मै कामाय समैन्धिद्वं तत्कुरु-
तेत्येवैतदाहाग्निं प्रयत्यध्वर ऽइत्यध्वरो वै यज्ञोऽग्निं प्रयति यज्ञ ऽइत्येवैत-
दाह वृणीध्वꣳ हव्यवाहनमित्येष हि हव्यवाहनो यदग्निस्तस्मादाह
वृणीध्वꣳ हव्यवाहनमिति ॥ ३९ ॥

पावक ईड्यः" इति । पावको ह्येषः, ईड्यो ह्येषः । "**शोचिष्केशस्तमीमहे**" इति । शोचन्तीव हि एतस्य केशाः समिद्धस्य । "**समिद्धो अग्न आहुत**" इति । अतः प्राचीनं सर्वमिध्ममभ्या दध्याद्–यदन्यत्समिधः । अपवृङ्क्त इव ह्येतद् होता । यद्वा अन्यत्समिध इध्मस्यातिरिच्यते–अति-रिक्तं तद् । यद्वै यज्ञस्यातिरिक्तं–द्विषन्तं हास्य तद् भ्रातृव्यमभ्यतिरिच्यते । तस्माद् अतः प्राचीनं सर्वमिध्ममभ्यादध्याद्–यदन्यत्समिधः ॥ ३८ ॥

"**देवान् यक्षि स्वध्वर**" इति । अध्वरो वै यज्ञः । देवान् यक्षि सुयाज्ञिय इत्येवैतदाह । "**त्वं हि हव्यवाडसि**" इति । एष हि हव्यवाड् यदग्निः । तस्मादाह–त्वं हि हव्यवाडसीति ।

मानस्याग्नेर्ये ऊर्ध्वमुखा ज्वालाविशेषाः, ते केशाः; ते च 'शोचन्ति' दीप्यन्ते । इवशब्दोऽवधारणे; शोचिषः–दीप्यमानाः केशा यस्येति 'शोचिष्केशः' इत्यर्थः । दशम्याः सामिधेन्याः प्रागेवेध्मशेषस्य सर्व-स्याग्नावभ्याधानं विधत्ते–**समिद्धो अग्न** इत्यादिना । तस्या दशम्याः सामिधेन्याः 'प्राचीनं' प्राक् । "विभाषाऽञ्चेरदिक् स्त्रियाम्"–(पा० सू० ५ । ४ । ८) इति स्वार्थिकः ख–प्रत्ययः । **यदन्यत्समिध** इति । अनुयाजार्थायाः 'समिधः' यदन्यत् तत्सर्वमित्यर्थः । अस्मिन्नेव समये इध्मशेषस्य सर्वस्याभ्याधानं कुतो हेतोरित्याशङ्क्य हेतुमाह–**अपवृङ्क्त इवेति** । 'एतत्' एतर्हि अस्मिन् समये होता 'अपवृङ्क्त इव' अग्नेः समिन्धनं परिसमापयतीव । "समिद्धो अग्न आहुतेति"–समिन्धनस्य भूतत्वप्रतिपत्तेः । समिन्धनहेतुत्वाच्च सर्वस्येध्मस्य समिद्धावस्थायाः प्रागेवाभ्याधानं युक्तमित्यर्थः । प्रागनभ्याधाने दोषमाह–**यद्वा अन्यदिति** । अनु-याजसमिद्व्यतिरिक्तं 'यत्' इध्मसंबन्धि काष्ठं समिद्धावस्थायां वर्त्तते 'तदतिरिक्तम्' तच्च शत्रुवर्द्धनहेतु-रित्यपि । "समिद्धो अग्न आहुत"–इत्यतः प्रागेवेध्मशेषः सर्वोऽपि प्रक्षेप्यः । अत एव कात्यायनेनोक्तम्–"समिद्ध इति प्रागतः सर्वमिध्ममेकवर्जमनुयाजार्थेत्" (श्रौ० सू. ३ । १ । ११) इति ॥ ३८ ॥

देवान् यक्षीत्यादि । निगदसिद्धम् । अन्तिमां सामिधेनीमनूद्य व्याचष्टे–**आ जुहोतेति** । " आ जुहोत

१–तै. ब्रा. ३ । ५ । २ । १० । सं. २ । ५ । ८ । १–११ ।

तं वा ऽएतम् । (म) अध्वरवन्तं त्रिचमन्वाह देवान्ह वै यज्ञेन यजमानान्त्सपत्नाऽअसुरा दुधूर्षाञ्चक्रुस्ते दुधूर्षन्तऽएव न शेकुर्धूर्वितुं ते पराबभूवुस्तस्माद्यज्ञोऽध्वरो नाम दुधूर्षन्ह वाऽएनꣳ सपत्नः पराभवति यस्यैवं विदुषोऽध्वरवन्तं त्रिचमन्वाहुर्यावद्धेव सौम्येनाध्वरेणेष्ट्वा जयति तावज्जयति ॥ ४० ॥ ३ ॥

इति तृतीयप्रपाठके तृतीयं ब्राह्मणम् । (४. १.)

" आजुहोता दुवस्यत । अग्निं प्रयत्यध्वरे । वृणीध्वं हव्यवाहनम् " इति । सम्प्रेष्यत्येवैतया—आजुहुत च, यजत च, यस्मै कामाय समैन्धिढ्वं तत्कुरुतेत्येवैतदाह । " अग्निं प्रयत्यध्वर" इति । अध्वरो वै यज्ञः । अग्निं प्रयति यज्ञ इत्येवैतदाह । "वृणीध्वं हव्यवाहनम्" इति । एष हि हव्यवाहनो—यदग्निः । तस्मादाह—वृणीध्वं हव्यवाहनमिति ॥ ३९ ॥

तं वा एतम् अध्वरवन्तं त्रिचमन्वाह । देवान् ह वै यज्ञेन यजमानान् सपत्ना असुरा दुधूर्षाञ्चक्रुः । ते दुधूर्षन्त एव न शेकुर्धूर्वितुम्, ते पराबभूवुः । तस्माद्यज्ञोऽध्वरो नाम । दुधूर्षन् ह वा एनं सपत्नः पराभवति—यस्यैवं विदुषोऽध्वरवन्तं त्रिचमन्वाहुः । यावद्धेव सौम्येनाध्वरेणेष्ट्वा जयति तावज्जयति ॥ ४० ॥

दुवस्यतेति " अध्वर्युप्रमुखा ऋत्विजः संबोध्य हवनादिकार्ये प्रेर्यन्ते; अतः प्रोक्षणीरासादयेत्यादिवदयं मन्त्रः संप्रैषरूप एव । आजुहोत दुवस्यतेति—पदयोरर्थमाह—**जुहुत च यजत चे**ति । जुहुतेत्यत्र । ' त '—शब्दस्य " तप्तनप्तनथनाश्च " (पा० सू० ७. १. ४५) इति तबादेशे गुणे च सति जुहोतेति रूपं भवति । ' दुवस्यतिः ' परिचरणार्थः (निघ० ३ अ० ५ खं० ५ पदम्) । ' दुवस्यत ' परिचरत, यजतेत्यर्थः ।

तात्पर्यार्थमाह—**यस्मै कामा**येति । फलसाधनतया काम्यमानाय ' यस्मै ' यागहोमादिकर्मणे, हे ऋत्विजः ! ' समैन्धिढ्वम् ' अग्निसमिन्धनमकृद्वम् । सोऽग्निः समिद्धः संपन्नः; अतोऽस्मिन् समये 'तत्कुरुतेत्येव' एवंरूपमर्थं मन्त्रो ब्रूत इत्यथः । अग्निं प्रयतीत्यादि स्पष्टम् ॥ ३९ ॥

तृचस्याध्वरशब्दयुक्तत्व प्रशंसितुमनुवदति—**तं वा** इति । " समिध्यमानो अध्वरे "—इत्यादिकमृक्—त्रयमध्वरशब्दोपेतमनुब्रूयात् । **दुधूर्षाञ्चक्रु**रिति । धूर्वितुमिच्छां कृतवन्त इत्यर्थः । " धुर्वी हिंसायाम् "—(भ्वा० प० ५७३) इत्यस्मात् सनि, वलोपे, प्रत्ययान्तत्वादाम्—प्रत्ययः । 'दुधूर्षन्तः' ' ते ' असुरा देवान् ' धूर्वितुं ' हिंसितुं ' न शेकुः ' न शक्ताः प्रत्युत पराहता एव बभूवुः ' तस्मात् ' अहिंसाहेतुत्वाद् ' अध्वरः '—इति यज्ञस्य नाम संपन्नम् ।

एवं पुरावृत्तमुदाहृत्यैतद्विदुषः फलमाह—**दुधूर्षन् हे**ति । **यावद्धे**वेति । अध्वरशब्दो हि सोमयागे रूढः; स चात्र दर्शपूर्णमासविषये मन्त्रेण प्रस्तूयत इति सोमयागेन यावदेव फलं प्राप्नोति, तावद्दर्शपूर्णमासयागेनापि प्राप्नोतीत्यर्थः ॥ ४० ॥ ३ ॥ (४. १.)

इति श्रीसायणाचार्यविरचिते माधवीये वेदार्थप्रकाशे माध्यन्दिनशतपथब्राह्मणभाष्ये

प्रथमकाण्डे चतुर्थाध्याये प्रथमं ब्राह्मणम् ॥

१–' तृच ' इति सायणीयपाठः, कात्यायनवार्तिकसम्मतश्च (पा. सू. ६ । १ । ३४ वा. १) वस्तुतः शतपथे कातीयश्रौते च सर्वत्रैव ' त्रिच ' इत्येव पाठः । २–तै. ब्रा. ३ । ५ । २ । ११ । सं. २ । ५ । ८ । १ । ११ । ३–पा. सू. ३ । १ । ७ सन । ६ । १ । ६६ वलोपः । ३ । १ । ३५ आम ।

एतद्ध वै देवाऽअग्निं गरिष्ठे युञ्जन्। (न्यु) यद्धोतृत्वऽइदन्नो हव्यं वहेति तमेतद्गरिष्ठे युक्त्वोपामदन्वीर्यवान्वै त्वमस्यलं वै त्वमेतस्माऽअसीति वीर्यं समादधतो यथेदमप्येतर्हि ज्ञातीनां यं गरिष्ठे युञ्जन्ति तमुपमदन्ति वीर्यवान्वै त्वमस्यलं वै त्वमेतस्माऽअसीति वीर्यं समादधतः स यद्अत ऊर्ध्वमन्वाहोपस्तौत्येवैनमेतद्वीर्यमेवास्मिन्दधाति ॥ १ ॥

(न्यु) अग्ने महा २॥ऽअसि ब्राह्मण भारतेति। ब्रह्म ह्यग्निस्तस्मादाह ब्राह्मणेति भारतेत्येष हि देवेभ्यो हव्यं भरति तस्माद्भरतोऽग्निरित्याहुरेष उ वाऽइमाः प्रजाः प्राणो भूत्वा बिभर्त्ति तस्माद्वेवाह भारतेति ॥ २ ॥

निगदानुवचनम्।

एतद्ध वै देवा अग्निं गरिष्ठे युञ्जन्–यद्धोतृत्वे 'इदं नो हव्यं वह' इति। तमेतद् गरिष्ठे युक्त्वं पामदन् 'वीर्यवान् वै त्वमसि, अलं वै त्वमेतस्मा असि' इति–वीर्यं समादधतः। यथेदमप्येतर्हि ज्ञातीनां यं गरिष्ठे युञ्जन्ति, तमुपमदन्ति–वीर्यवान्वै त्वमसि, अलं वै त्वमेतस्मा असीति वीर्यं समादधतः। स यदत ऊर्ध्वमन्वाह–उपस्तौत्येवैनमेतत्, वीर्यमेवास्मिन् दधाति ॥ १ ॥

"अग्ने महा २॥ असि ब्राह्मण भारत"–इति। ब्रह्म ह्यग्निः। तस्मादाह–ब्राह्मणेति "भारतेति"। एष हि देवेभ्यो हव्यं भरति, तस्माद् भरतोऽग्निरित्याहुः। एष उ वा इमाः प्रजा प्राणो भूत्वा बिभर्त्ति, तस्माद्वेवाह–भारतेति ॥ २ ॥

सामिधेन्यनुवचनानन्तरमग्ने महाँ असीति निगदस्यानुवचनं [illegible]प्रायायाः प्रशंसायाः कर्त्तव्यतां तदुपोद्धातत्वेन प्रतिपादयति–एतद्ध वा इति। 'गरिष्ठे' गुरुत[illegible] यर"–(पा० सू० ६. ४. १५७) इत्यादिना गुरुशब्दस्य गरादेशः। हविर्वहनार्थं गुरुतमे तस्मिन् होतृत्वे योजयित्वा तस्योत्साहं जनयितुम् 'उपामदन्' अस्तुवन्। "वीर्यवान् वै" इत्यादिः स्तुतिप्रकारः। अनया च स्तुत्या 'तम्' अग्निं 'वीर्ये' सम्यक् स्थापितवन्तः। इदं लौकिकेन दृष्टान्तेन प्रतिपादयति–यथेदमिति। निगदस्यानुवचनं विधत्ते–स यदिति। 'अतः' अस्मात् सामिधेन्यनुवचनादित्यर्थः ॥ १ ॥

अनुवक्तव्यं निगदं पठित्वा पदशो व्याचष्टे–अग्ने महानित्यादिना। "स त्रेधात्मानं व्यकुरुताग्निं तृतीयं वायुं तृतीयम्"–इत्यादिश्रुतेरग्निवाय्वादित्यात्मना ब्रह्मणस्त्रेधावस्थानात् "ब्रह्म ह्यग्निः"–इति तादात्म्यप्रतिपादनम्। 'तस्मात्' ब्रह्मणो जातत्वाद् 'ब्राह्मणेति' अग्निः स्तूयत इत्यर्थः। 'भारत' इति पदमनूद्य द्वेधा निर्ब्रूते–एष हीत्यादिना ॥ २ ॥

१–तै. ब्रा. ३।५।३।१। सं. २।५।९।१। २–निगदानां यजुष्ट्वाधिकरणं–मी. द. २ अ. १ पा. ३८–४५ सू.। न्या. मा. २।१।१२ अधि. द्रष्टव्यम्। ३–इहैवोपरिष्टात् १०।६।५।३।

(त्यु) अथार्षेयं प्रवृणीते । (तऽ) ऽऋषिभ्यश्चैवेनमेतद्देवेभ्यश्च निवेदयत्ययं महावीर्यो यो यज्ञं प्रापदिति तस्मादार्षेयं प्रवृणीते ॥ ३ ॥

परस्तादर्वाक्प्रवृणीते । परस्ताद्ध्यर्वाच्यः प्रजाः प्रजायन्ते ज्यायसस्पतय ऽउ चैवैतं निह्नुत ऽइदᳩ हि पितैवाग्रेऽथ पुत्रोऽथ पौत्रस्तस्मात्परस्तादर्वाक्प्रवृणीते ॥ ४ ॥

स ऽआर्षेयमुक्त्वाह । देवेद्धो मन्विद्ध ऽइति देवा ह्येतमग्र ऽऐन्धत तस्मादाह देवेद्ध ऽइति मन्विद्ध ऽइति मनुर्ह्येतमग्र ऽऐन्ध तस्मादाह मन्विद्ध ऽइति ॥ ५ ॥

(त्स्रु) ऋषिष्टुत ऽइति । (त्य) ऋषयो ह्येतमग्रेऽस्तुवंस्तस्मादाहर्षिष्टुत ऽइति ॥ ६ ॥

विप्रानुमदित ऽइति । (त्ये) एते वै विप्रा यदृषय ऽएते ह्येतमन्वमदंस्तस्मादाह विप्रानुमदित ऽइति ॥ ७ ॥

आर्षेयानुवचनम् ।

अथार्षेयं प्रवृणीते । ऋषिभ्यश्चैवेनमेतद्देवेभ्यश्च निवेदयति ' अयं महावीर्यो—यो यज्ञं प्रापदिति ' । तस्मादार्षेयं प्रवृणीते ॥ ३ ॥

परस्तादर्वाक् प्रवृणीते । परस्ताद्ध्यर्वाच्यः प्रजाः प्रजायन्ते, ज्यायसस्पतय उ चैवैतं निह्नुते, इदं हि—पितैवाग्रे, अथ पुत्रः, अथ पौत्रः तस्मात्परस्तादर्वाक् प्रवृणीते ॥ ४ ॥

निवित्पाठः ।

स आर्षेयमुक्त्वाह—" देवेद्धो मन्विद्धः "—(तै. ब्रा. ३. ५. ३. १) इति । देवा ह्येतमग्र ऐन्धत । तस्मादाह—देवेद्ध इति । मन्विद्ध इति । मनुर्ह्येतमग्र ऐन्ध । तस्मादाह—मन्विद्ध इति ॥ ५ ॥

" ऋषिष्टुतः "—(३. ५. ३. २) इति । ऋषयो ह्येतमग्रेऽस्तुवन् । तस्मादाह—ऋषिष्टुत इति ॥ ६ ॥

" विप्रानुमदितः "—(३. ५. ३. ३) इति । एते वै विप्राः—यदृषयः । एते ह्येतमन्वमदन् । तस्मादाह—विप्रानुमदित इति ॥ ७ ॥

आर्षेयमित्यादि । होतृकर्तृकप्रवरविधिः ॥ ३ ॥

तत्र धर्मविशेषमाह—**परस्तादर्वागि**ति । तस्मिन्नार्षेयप्रवरणे कूटस्थमृषिमारभ्य तत्पुत्रपौत्रादिक्रमेणार्वाचीनं वरणं कर्तव्यम् । यथा आङ्गिरसबार्हस्पत्यभारद्वाजेत्यादि । तथा च ' ज्यायसः ' भावपरो निर्देशः; ज्यैष्ठ्यस्य ' पतय एवैतं निह्नुते ' अनेन प्रवरणेन निवेदयति । स्पष्टमन्यत् ॥ ४ ॥

' देवेद्धः ' इत्यादिनिवित्पदानामनुवचनं विधत्ते—**स आर्षेयमुक्त्वे**ति । तानि पदानि क्रमेण व्याचष्टे—

१–' एवैतत् निह्नुते ' क. पा. । २–कृष्णयजुर्निवित्पदानि एकादश, ऋङ्निवित्पदानि तु द्वादश । सन्ति च ऋग्यजुषोः पाठभेदाः ; ऋङ्निवित्पदानि ऋक्परिशिष्टीयनिविदध्याये पठितानि । (१ । १ । १२) ऐ. ब्रा. २ । ५ । १ । २ प्रपठितानि । कृष्णयजुर्निवित्पदानि तु तै. ब्रा. ३ । ५ । ३ । १–११ प्रपठितानि । तै. सं. २ । ५ । ९ । २–१२ । अत्रापि प्रपठितानि । अस्मिन्ब्राह्मणे तु–

कविशस्त ऽइति। (त्ये) एते वै कवयो यदृषय ऽएते ह्येतमशꣳसंस्तस्मादाह कविशस्त ऽइति ॥ ८॥

ब्रह्मसꣳशित ऽइति। ब्रह्मसꣳशितो ह्येष घृताहवन ऽइति घृताहवनो ह्येषः ॥ ९॥

प्रणीर्यज्ञानाꣳ रथीरध्वराणामिति। (त्ये) एतेन वै सर्व्वान्यज्ञान्प्रणयन्ति ये च पाकयज्ञा ये चेतरे तस्मादाह प्रणीर्यज्ञानामिति ॥ १०॥

रथीरध्वराणामिति। रथो ह वा एष भूत्वा देवेभ्यो यज्ञं वहति तस्मादाह रथीरध्वराणामिति ॥ ११॥

(त्य) अतूर्त्तो होता तूर्णिर्हव्यवाडिति। न ह्येतꣳ रक्षाꣳसि तरन्ति तस्मादाहातूर्त्तो होतेति तूर्णिर्हव्यवाडिति सर्व्वꣳ ह्येष पाप्मानं तरति तस्मादाह तूर्णिर्हव्यवाडिति ॥ १२॥

(त्या) आस्पात्रं जुहूर्देवानामिति। देवपात्रं वा ऽएष यदग्निस्तस्मादग्नौ सर्व्वेभ्यो देवेभ्यो जुह्वति देवपात्रꣳ ह्येष प्राप्नोति ह वै तस्य पात्रं यस्य पात्रं प्रेप्सति य एवमेतद्वेद ॥ १३ ॥

"कविशस्तः"–(३. ५. ३. ४) इति। एते वै कवयो यदृषयः। एते ह्येतमशंसन्। तस्मादाह–कविशस्त इति ॥ ८ ॥

"ब्रह्मसꣳशित" (३. ५. ३. ५) इति। ब्रह्मसंशितो ह्येषः। "घृताहवनः"–(३. ५. ३. ६) इति। घृताहवनो ह्येषः ॥ ९ ॥

"प्रणीर्यज्ञानाꣳरथीरध्वराणाम्"–(३. ५. ३. ७) इति। एतेन वै सर्वान् यज्ञान् प्रणयन्ति, ये च पाकयज्ञाः, ये चेतरे। तस्मादाह–प्रणीर्यज्ञानामिति ॥ १० ॥

रथीरध्वराणामिति। रथो ह वा एष भूत्वा देवेभ्यो यज्ञं वहति। तस्मादाह–रथीरध्वराणामिति॥ ११॥

"अतूर्त्तो होता तूर्णिर्हव्यवाट्"–(३. ५. ३. ८) इति। न ह्येतं रक्षांसि तरन्ति। तस्मादाह–अतूर्त्तो होतेति। तूर्णिर्हव्यवाडिति। सर्वं ह्येष पाप्मानं तरति। तस्मादाह–तूर्णिर्हव्यवाडिति १२

"आस्पात्रं जुहूर्देवानाम्"–(तै० ब्रा० ३. ५. ३. ९) इति। देवपात्रं वा एष यदग्निः।

देवा ह्येतमित्यादिना। स्पष्टोऽर्थः। ५। ६। ७। ८। ९। १०। ११। १२॥

आस्पात्रमिति। आस्यरूपं पात्रम् 'आस्पात्रम्'। देवपात्रं वा इति। अग्नौ प्रक्षिप्तस्य हविषो

–निवित्पदानि पञ्चदश विहितानि। तथा च का. हौ सू. "पञ्चदश वा निविदः सम्पादयन्" इति। १। २। ३। शुक्लयजुषां तु दर्शपूर्णमासमारभ्य पशुबन्धपर्यन्तं हौत्रे पक्षद्वयम्, आर्ग्वेदिकं याजुर्वेदिकं वा तत्र याजुर्वेदिकं शुक्लयजुःपंचदशशाखात उपसंहृत्य कात्यायनेनोपनिबद्धम्। तेन च सायणभाष्ये तत्र तत्र संसूचितानि संहिताब्राह्मणस्थतत्तद्धौत्रमंत्रस्थलानि तु कण्वमाध्यंदिनव्यतिरिक्तशाखानामनुपलंभत्वाद्दर्शितानि न तु वस्तुतः मूलभूतानि वक्तविरोधात्।। एवं सर्वत्रापि विज्ञेयम् ॥ इति ॥

चमसो देवपान ऽइति । चमसेन ह वा ऽएतेन भूतेन देवा भक्षयन्ति तस्मादाह चमसो देवपान ऽइति ॥ १४ ॥

(त्य) अरा २ँ॥ ऽइवाग्ने नेमिर्देवांस्त्वं परिभूरसीति । यथाराँन्नेमिः सर्व्वतः परिभूरेवं त्वं देवान्त्सर्व्वतः परिभूरसीत्येवैतदाह ॥ १५ ॥

(ह्य) आवह देवान्यजमानायेति तदस्मै यज्ञाय देवानावोढवा ऽआहाग्निमग्न ऽआवहेति तदाग्नेयायाज्यभागायाग्निमावोढवा ऽआह सोममावहेति तत्सौम्यायाज्यभागाय सोममावोढवा ऽआहाग्निमावहेति तद्य ऽएष ऽउभयत्राच्युत ऽआग्नेयः पुरोडाशो भवति तस्माऽअग्निमावोढवा ऽआह ॥ १६ ॥

तस्मादग्नौ सर्वेभ्यो देवेभ्यो जुह्वति । देवपात्रं ह्येषः । प्राप्नोति ह वै तस्य पात्रम्–यस्य पात्रं प्रेप्सति, य एवमेतद्वेद ॥ १३ ॥

"**चमसो देवपानः**"–(३. ९. ३. १०) इति । चमसेन ह वा एतेन भूतेन देवा भक्षयन्ति । तस्मादाह–चमसो देवपान इति ॥ १४ ॥

"**अरा २ँ॥ इवाग्ने नेमिर्देवांस्त्वं परिभूरसि**"–(३. ९. ३. ११) इति । यथाऽरान्नेमिः सर्वतः परिभूः, एवं त्वं देवान् सर्वतः परिभूरसि–इत्येवैतदाह ॥ १५ ॥

देवतावाहनम् ।

"**आवह देवान्यजमानाय**"–(तै. ब्रा. ३. ५. ३) इति । तदस्मै यज्ञाय देवानावोढवा आह ॥ १ ॥ "**अग्निमग्न आवह**"–(३. ५. ३) इति । तदाग्नेयायाज्यभागायाग्निमावोढवा आह ॥ २ ॥ "**सोममावह**"–(३. ५. ३) इति । तत्सौम्यायाज्यभागाय सोममावोढवा आह "**अग्निमावह**"–(३. ५. ३) इति । तद्य एष उभयत्राच्युत आग्नेयः पुरोडाशो भवति ॥ ३ ॥ तस्मा अग्निमावोढवा आह ॥ ४ ॥ ॥ १६ ॥

देवैरद्यमानत्वादग्नेर्देवपात्रत्वम् । एतद्वेदितुः फलमाह–**प्राप्नोति** हेति । 'यस्य' खलु भोज्यस्य वस्तुनः सम्बन्धि 'पात्रं' 'प्रेप्सति' प्राप्तुमिच्छति, तद्वस्तुसंबन्धि 'पात्रं' 'प्राप्नोति' एवं वेदितेत्यर्थः ॥ १३ ॥ १४ ॥

अरा २ँ॥ इवेति । **यथारान्नेमिरिति** । यथा चक्रस्य नाभौ नेम्यां च संयोजिताः कीलकाः 'अराः' तान् 'यथा' 'नेमिः' परितो वर्त्तमानान् व्याप्नोति' तद्वद् 'देवान्' अग्निरपि संव्याप्नोतीत्यर्थः ॥ १५ ॥

निवित्पदानन्तरं वक्तव्यमावाहननिगदमप्यनूद्य पदशो व्याचष्टे–**आवह देवानित्यादिना** । **देवानावोढवा** इति । आङ्पूर्वाद्वहतेः स्वार्थे तवैन्–प्रत्ययः (पा. सू. ३ । ४ । ९ ।) यष्टव्यान् देवान् आवोढुमानेतुमित्यर्थः । "आवह देवान्"–इति सामान्योक्तस्याऽऽवाहनस्य विवरणम् "अग्निमग्न आवह"–इत्यादि निगदसिद्धम् ॥ १६ ॥

१–प्रमादपतितं पदमिदमत्र प्रतिभाति । २–आवाहननिगदमंत्रास्तु तैत्तिरीयब्राह्मणे ३ । ५ । ३ सं० २ । ५ । ९ । ७ । ८ । त्रयोदश आम्नाताः ।

(ह्य) अथ यथादेवतम् । देवा ३ँ ॥ऽआज्यपा ३ँ॥ऽआवहेति तत्प्रयाजा-
नुयाजानावोढवा ऽआह प्रयाजानुयाजा वै देवा ऽआज्यपाऽअग्निᳬँ होत्रा-
यावहेति तदग्नि ᳬँ होत्रायावोढवा ऽआह स्वं महिमानमावहेति तत्स्वं महि-
मानमावोढवा ऽआह वाग्वा ऽअस्य स्वो महिमा तद्वाचमावोढवाऽआहा
च वह जातवेदः सुयजा च यजेति तद्याऽएवैतद्देवता ऽआवोढवाऽआह
ता ऽएवैतदाहा चैना वहानुष्ठ्या च यजेति यदाह सुयजा च यजेति॥१७॥
स वै तिष्ठन्नन्वाह । (ह्य) अन्वाह ह्येतदसौ ह्यनुवाक्या तदसावेवैतद्भूत्वा-
न्वाह तस्मात्तिष्ठन्नन्वाह ॥ १८ ॥

अथ यथादेवतम् ॥ ५ ॥ "देवा ३ँ॥ आज्यपा ३॥ आवह "–(३. ५. ३) इति । तत्प्र-
याजानुयाजानावोढवा आह । प्रयाजानुयाजा वै देवा आज्यपाः ॥६॥ "अग्निᳬँ होत्रायावह "–
(३. ५. ३) इति । तदग्निं होत्रायावोढवा आह ॥७॥ "स्वं महिमानमावह (३. ५. ३)" इति ।
तत्स्वं महिमानमावोढवा आह । वाग् वा अस्य स्वो महिमा । तद्वाचमावोढवा आह ॥८॥ "आ च
वह जातवेदः सुयजा च यज "–(३. ५. ३) इति । तद्या एवैतद्देवता आवोढवा आह,
ता एवैतदाह । आ चैना वहानुष्ठ्या च यजेति । यदाह–सुयजा च यजेति ॥ ९ ॥ १७ ॥
स वै तिष्ठन्नन्वाह । अन्वाह ह्येतद्, असौ ह्यनुवाक्या, तदसावेवैतद्‌ भूत्वाऽन्वाह । तस्मात्तिष्ठ-
न्नन्वाह ॥ १८ ॥

अथ यथादेवतमिति । दर्शपूर्णमासयोरुभयत्र योऽग्निः पुरोडाशदेवता; तदावाहनानन्तरं निर्वापसमये यस्यै यस्यै देवतायै येन क्रमेण निरुप्तम्, तेनैव क्रमेण तस्याः सर्वस्या देवतायाः " अग्नीषोमावावह "–इत्यादि-वाक्यैरावाहनं कार्यमित्यर्थः । **देवा३॥ ऽआज्यपानिति** । प्रयाजानुयाजदेवतावाहनं विवक्षितमिति व्याचष्टे–**तत्प्रयाजानुयाजानिति** । कर्मवाचिना प्रयाजानुयाजशब्देन तत्संबन्धिनो देवा लक्ष्यन्ते । ते हि हविर्भागा-ङ्गीकाराय वोढव्याः । तेषामाज्यमेव हि भागः; " यज्जुह्वां गृह्णाति प्रयाजेभ्यस्तत्, यदुपभृति प्रयाजानुयाजे-भ्यस्तत् "–(शत. ब्रा. १ कां. ३ प्र. ९ ब्रा. ८–९ कं. इत्यत्र द्रष्टव्यम्) इति जौहवौपभृतयोराज्ययो-स्तद्धविष्ट्वश्रवणात् । " अग्निं होत्राय "–इत्यनेन स्विष्टकृतोऽग्नेरावाहनं विवक्षितम् । **स्वं महिमानमिति** । देवताया अग्नेः स्वभूतो वाग्रूपो ' महिमा '; तस्यावाहनम् । " आवह जातवेदः " इति वाक्येन । प्राक्प्रति-पादितस्याज्यभागादिदेवतानां सर्वासामावाहनस्य निगमनम्–" **सुयजा च यजेति** "–इति । अस्य व्याख्यानम्–"**अनुष्ठ्या च यजेति**" इति । ' अनुष्ठ्या ' अनुक्रमेण सम्यगित्यर्थः ॥ १७ ॥

यदेतत्सामिधेन्यादिकमनुवचनादि, तत्सर्वं तिष्ठतैव वक्तव्यमिति विधत्ते–**स वा इति** । कुत इत्यत

१–" त्रयस्त्रिंशद्वै देवाः सोमपाः, त्रयस्त्रिंशद्वै असोमपाः । अष्टौ वसवः एकादश रुद्राः द्वादशादित्याः प्रजापतिश्च वषट्कारश्च देवाः सोमपाः; ' एकादश प्रयाजाः, एकादशानुयाजाः, एकादशोपयाजाः,–एतेऽसोमपाः पशुभाजनाः ' इत्यैतरेयब्राह्मणे (२।२।८।) प्रयाजानां देवत्वमुक्तं द्रष्टव्यम् ।

(ह्य) आसीनो याज्यां यजति । इय ᳝ँ हि याज्या तस्मान्न कश्चन तिष्ठन्याज्यां यजतीय ᳝ँ हि याज्या तदियमेवैतद्भूत्वा यजति तस्मादासीनो याज्यां यजति ॥ १९ ॥ ४ ॥

इति तृतीयप्रपाठके चतुर्थं ब्राह्मणम् ॥ (४. २.) ॥

यो ह वा ऽअग्निः सामिधेनीभिः समिद्धः । (द्धोऽतिं) अतितरा᳝ँ ह वै स इतरस्मादग्नेस्तपत्यनवधृष्यो हि भवत्यनवमृश्यः ॥ १ ॥

स यथा हैवाग्निः । सामिधेनीभिः समिद्धस्तपत्येव᳝ँ हैव ब्राह्मणः सामिधेनीर्विद्वाननुब्रुवंस्तपत्यनवधृष्यो हि भवत्यनवमृश्यः ॥ २ ॥

आसीनो याज्यां यजति । इयं हि याज्या, तस्मान्न कश्चन तिष्ठन् याज्यां यजति । इयं हि याज्या, तदियमेवैतद् भूत्वा यजति । तस्मादासीनो याज्यां यजति ॥ १९ ॥

शान्तिकर्म ।

यो ह वा अग्निः सामिधेनीभिः समिद्धः, अतितरां ह वै स इतरस्मादग्नेस्तपति, अनवधृष्यो हि भवति, अनवमृश्यः ॥ १ ॥

स यथा हैवाग्निः सामिधेनीभिः समिद्धस्तपति, एवं हैव ब्राह्मणः सामिधेनीर्विद्वाननुब्रुवंस्तपति । अनवधृष्यो हि भवति, अनवमृश्यः ॥ २ ॥

आह–**अन्वाह ह्येतदि**ति । अनुवाक्या हि द्युलोकरूपा, तिष्ठतश्च द्युलोकसंबन्धो भवति । अतोऽनुवाक्या तावत्तिष्ठतैवानुवक्तुं योग्या । अनुवचनसाम्यात्सामिधेन्यादिकमपि तिष्ठतैव पठितुं युक्तमित्यर्थः ॥ १८ ॥

याज्यायां विशेषमाह–**आसीनो याज्यामि**ति । 'हि' यस्मात् 'इयं' पृथिव्यात्मिकैव 'याज्या' तस्मात् याज्यापाठस्तिष्ठता न कर्तव्यः, 'आसीनश्च' सन्निकर्षविशेषात् पृथिवीरूपापन्नो भवति; तदियमित्युक्तम्–**इयमेवैतद् भूत्वे**ति ॥ १९ ॥ ४ ॥ (४. २.) ॥

इति श्रीसायणाचार्यविरचिते माधवीये वेदार्थप्रकाशे माध्यन्दिनीयशतपथब्राह्मणभाष्ये प्रथमकाण्डे चतुर्थाध्याये द्वितीयं ब्राह्मणम् ॥

सामिधेनीभिर्ऋग्भिः समिद्धस्याग्नेः लौकिकाग्निसकाशादतिशयमाह–**यो ह वा** इति । यस्मादतिशयेन 'तपति' अतः राक्षसादिभिः 'धर्षितुं' हिंसितुं मर्शितुं स्प्रष्टुं न शक्य इत्यर्थः ॥ १ ॥

समिद्धाग्निदृष्टान्तेन एवं वेदितुर्होतुरपि तद्वदनुवचनं कुर्वतो यथोक्तविशेषापत्तिर्भवतीत्याह–**स यथे**ति । 'अनवधृष्यः' 'अनवमृश्यः' इत्युभयत्र धृषेर्मृशेश्च–(धा. पा. प. १४२ । आमर्शनं स्पर्शः–इति सि. कौ.) ऋदुपधाच्चाक्लृपिचृतेः"–(पा. सू. ३. १. ११०) इति कर्मणि क्यप् ॥ २ ॥

१–"सर्वेषामग्रेऽग्रेऽनुवाक्यास्ततो याज्याः" इति आश्व. श्रौ. सू. ३ । ७ । ३ । "पुरस्ताल्लक्ष्मा पुरोऽनुवाक्या भवति । जातानेव भ्रातृव्यान्प्रणुदते । उपरिष्टाल्लक्ष्मा याज्या जनिष्यमाणानेव प्रतिनुदते" इति तै. सं. २ । ६ । २ । ३ । "मन्त्रप्रतिपाद्याया देवताया नामधेयं लक्ष्म तद्यस्यामृचि पूर्वार्द्धे विद्यते सा पुरोऽनुवाक्या, तन्नाम यस्यामुत्तरार्द्धे विद्यते सा याज्या । तद्यथा–'अग्निर्मूर्धा' इति पूर्वार्द्धेऽग्निशब्दः । 'जिह्वामग्ने चकृषे' इत्युत्तरार्द्धेऽग्निशब्दः' इति च तत्र सा. भा. । ह्वयति वा अनुवाक्यया, प्रयच्छति याज्यया; सा या पुरस्ताल्लक्षणा सानुवाक्या स्यात्; अथ योपरिष्टाल्लक्षणा सा याज्या स्यात्" इति चैद्वैवोपरिष्टात् ७ । २ । १७–१९ । "पुरोऽनुवाक्या देवतास्मरणार्था, याज्या च हविःप्रदानार्था"–इति हि का. श्रौ. सू. १ । ८ । ९ सू. वृ. ।

सोऽन्वाह । प्रव ऽइति प्राणो वै प्रवान्प्राणमेवैतया समिन्धेऽग्न ऽआयाहि
व्वीतय ऽइत्यपानो वा ऽएतवानपानमेवैतया समिन्धे बृहच्छोचा यविष्ठ्ये-
त्युदानो वै बृहच्छोचा ऽउदानमेवैतया समिन्धे ॥ ३ ॥

स नः पृथु श्रवाय्यमिति श्रोत्रं वै पृथु श्रवाय्यꣳ श्रोत्रेण हीदमुरु पृथु
शृणोति श्रोत्रमेवैतया समिन्धे ॥ ४ ॥

(न्ध५) ईडेन्यो नमस्य ऽइति । व्वाग्वा ईडेन्या व्वाग्घीदꣳ सर्व्वमीट्टे
व्वाचेदꣳ सर्व्वमीडितं व्वाचमेवैतया समिन्धे ॥ ५ ॥

सोऽन्वाह–"प्रवः"इति । प्राणो वै प्रवान्, प्राणमेवैतया समिन्धे । "अग्न आयाहि वीतये" इति । अपानो वा एतवान्, अपानमेवैतया समिन्धे । "बृहच्छोचा यविष्ठ्य"–इति । उदानो वै बृहच्छोचाः, उदानमेवैतया समिन्धे ॥ ३ ॥

"स नः पृथु श्रवाय्यम्"–इति । श्रोत्रं वै पृथु श्रवाय्यम्, श्रोत्रेण हीदमुरु पृथु शृणोति श्रोत्रमेवैतया समिन्धे ॥ ४ ॥

"ईडेन्यो नमस्यः"–इति । वाग् वा ईडेन्या, वाग्घीदं सर्वमीट्टे । वाचेदं सर्वमीडितम् । वाचमेवैतया समिन्धे ॥ ५ ॥

अथैताः सामिधेनीः प्रत्येकं तत्तल्लिंगोपन्यासेन प्राणापानश्रोत्रादिकरणग्रामविशिष्टात्मसंस्कारहेतुतया प्रशंसति–**सोऽन्वाहे**त्यादिना । **प्राणो वै प्रवा**निति । प्रगमनयुक्तत्वात् 'प्राणः' प्रशब्दवान् । प्राणवृत्तिर्हि इडांपिङ्गलाभ्यां प्राचीनं निर्गच्छति, अतः 'एतया' प्रशब्दोपेतया प्रथमया सामिधेन्यो प्रगमनवन्तं 'प्राणमेव' 'समिन्धे' दीपयति । एवमुत्तरत्रापि योज्यम् । **अपानो वा एतवा**निति । बहिर्निर्गतस्य वायोरात्माभिमुखी वृत्तिर्ह्यपानः । अतः आगमनविशिष्टत्वाद् 'अपानः' आकारोपसर्गवानित्यर्थः । **उदानो वै बृहच्छोचा**–इति । 'बृहत्' अधिकं 'शोचते' दीप्यत इति 'बृहच्छोचाः' अग्निः । उदानवायुरपि देहस्योत्क्षेपणात् अधिकतेजोयुक्तः । अतो 'बृहच्छोचा'–इति शब्देन 'उदानः' उपस्थाप्यते ॥ ३ ॥

स न इति । **श्रोत्रं वै पृथु श्रवाय्य**मिति । 'पृथु' विस्तीर्णं श्रवणासधनं पृथु श्रवाय्यम् । अनेन शब्देन श्रोत्रेन्द्रियं विवक्षितमित्याह–**श्रोत्रेण** हीति । 'उरु'–इति पृथुशब्दव्याख्यानम् ॥ ४ ॥

ईडेन्य इति । **वाग्वा ईडेन्ये**ति । "ईडेन्यो नमस्य" इत्यृचि 'ईडेन्य'–शब्देन वाग् विवक्षिता । कथमेतदित्याशङ्क्योपपादयति–**वा**गिति । 'वाग्' एव खल्विदं 'सर्वं' जगत् 'ईट्टे' स्तौति । "ईड स्तुतौ"—(अदा० आ० ९) इति धातुः । यत्राप्यन्यः स्तोता, तत्रापि वाचैव करणभूतया सर्वमीडितं भवति । ईट्टे, ईड्यते अनयेति वा कर्तृकरणव्युत्पत्त्या 'ईडेन्य'–शब्दस्य वाग्वाचकत्वमवगन्तव्यमित्यर्थः ॥ ५ ॥

१–द्रढयतीत्यधिकं क्वचित् । २–'प्रवोवाजा' इति प्रथमा सामिधेनी 'प्रवती' 'प्रेतिलिङ्गा' वा । तै. ब्रा. ३ । ५ । २ । १ । ३–'अग्न आयाहि' इति द्वितीया सामिधेनी 'आवती' 'एतिलिङ्गा' वा. तै. ब्रा. ३ । ५ । २ । २ । ४–'तं त्वा' इति तृतीया सामिधेनी 'गीर्वती' तै. ब्रा. ३ । ५ । २ । ३ । ५–'सनः पृथु' इति चतुर्थी सामिधेनी 'पृथुवती' तै. ब्रा. ३ । ५ । २ । ४ । ६–'ईडेन्यो नमस्यः' इति पंचमी सामिधेनी 'नमस्वती' तै. ब्रा. ३ । ५ । २ । ५ ।

(न्धेऽश्वो) अश्वो नु देववाहन ऽइति । मनो वै देववाहनं मनो हीदं मनस्विनं भूयिष्ठं व्वनीवाह्यते मन ऽएवैतया समिन्धे ॥ ६ ॥

अग्ने दीद्यतं बृहदिति । चक्षुर्वै दीदयेव चक्षुरेवैतया समिन्धे ॥ ७ ॥

(न्धेऽग्निं) अग्निन्दूतं वृणीमह ऽइति । य एवायं मध्यमः प्राण ऽएतमेवैतया समिन्धे सा हैषान्तस्था प्राणानामतो ह्यन्य ऽ ऊर्द्ध्वाः प्राणाऽअतोऽन्येऽवाञ्चोऽन्तस्था ह भवत्यन्तस्थामेनं मन्यन्ते य एवमेतामन्तस्थां प्राणानां व्वेद ॥ ८ ॥

शोचिष्केशस्तमीमह ऽइति । शिश्नं वै शोचिष्केशꣳ शिश्नꣳहीदꣳ शिश्निनं भूयिष्ठꣳशोचयति शिश्नमेवैतया समिन्धे ॥ ९ ॥

"अश्वो न देववाहनः"–इति । मनो वै देववाहनम् । मनो हीदं मनस्विनं भूयिष्ठं वनीवाह्यते मन एवैतया समिन्धे ॥ ६ ॥

" अग्ने दीद्यतं बृहत "–इति । चक्षुर्वै दीदयेव । चक्षुरेवैतया समिन्धे ॥ ७ ॥

"अग्निं दूतं वृणीमहे"–इति । य एवायं मध्यमः प्राणः एतमेवैतया समिन्धे । सा हैषान्तस्था प्राणानाम्, अतो ह्यन्य ऊर्द्ध्वाः प्राणाः, अतोऽन्येऽवाञ्चः । अन्तस्था ह भवति । अन्तस्थामेनं मन्यन्ते, य एवमेतामन्तस्थां प्राणानां वेद ॥ ८ ॥

" शोचिष्केशस्तमीमहे "–इति । शिश्नं वै शोचिष्केशम्, शिश्नं हीदं शिश्निनं भूयिष्ठं शोचयति । शिश्नमेवैतया समिन्धे ॥ ९ ॥

अश्वो न इति । **मनो वै देववाहनमिति** । " अश्वो न देववाहनः " इति देववाहन-शब्दो मनस उपलक्षकः । ' हि ' यस्मात् ' मनः ' ' मनस्विनं ' पुरुषं ' भूयिष्ठम् ' अत्यधिकं ' वनीवाह्यते ' भृशं वहति देवान् शीघ्रं प्रापयति । अतो देववाहनं मन इत्यर्थः ॥ ६ ॥

अग्ने दीद्यतमिति । चक्षुर्वै दीदयेवेति । ' चक्षुः ' इन्द्रियं हि रूपादिप्रकाशकत्वाद् " अग्ने दीद्यतम् "–इति दीद्यच्छब्देन दीप्तिवाचिनोपस्थाप्यते । अतोऽनया चक्षुःसमिन्धनम् ॥ ७ ॥

अग्निं दूतमिति । य एवायं मध्यमः प्राण इति । प्राणापानादिपञ्चवृत्त्याश्रयभूतो ' यः ' क्रियाशक्त्यात्मको देहमध्येऽवस्थितः ' प्राणः ' तस्य समिन्धनम् " अग्निं दूतम् "–इत्यनया । दूतो ह्यग्निः सर्वेषां देवानां मुखम् । तथा प्राणोऽपीति । तेन समिन्धनस्योपपत्तिः । **सा हैषान्तस्थे**त्यादि । ' सैषा ' ' अग्निं दूतं वृणीमहे ' इति सामिधेनी, मध्यमप्राणरूपेण प्राणापानादिसंस्तुतानामन्यासामृचाम् ' अन्तस्था ' अन्तरवस्थिता भवति । ' अन्ये ' हि ' प्राणाः ' चक्षुःश्रोत्रादयः ' अतः ' अस्मात्प्राणादारभ्य ' ऊर्द्ध्वाः ' चरन्ति । पायूपस्थादयः ' अन्ये ' प्राणाः ' अतः ' अस्मान्मध्यमात्प्राणादेवारभ्य ' अवाञ्चः ' अवाङ्मुखा अन्तरवस्थिता भवन्ति । एवं वेदितुः फलमाह–**अन्तस्थामिति** । ' अन्तस्थाम् ' अन्तरवस्थितां प्राणदेवतामित्यर्थः ॥ ८ ॥

के पुनरेतेषां मध्येऽवाञ्चोऽन्तस्थाः प्राणा इति, तान् दर्शयति–**शोचिष्केशस्तमीमह** इत्यादिना ।

१–' वृषो अग्निः ' इति षष्ठी सामिधेनी ' हविष्मती ' तै. ब्रा. ३ । ५ । २ । ६ । २–" वृषणं त्वा " इति सप्तमी सामिधेनी ' वृषण्वती ' तै. ब्रा. ३ । ५ । २ । ७ । ३–' अग्निं दूतं ' इत्यष्टमी सामिधेनी ' दूतवती ' तै. ब्रा. ३ । ५ । २ । ८ । ४–" समिध्यमानो " इति नवमी समिध्यमानवती, तै. ब्रा. ३ । ५ । २ । ९ ।

सुमिद्धो ऽअग्न ऽआहुतेति । यऽएवायमुवाङ्प्राण एतुमेवैतया सुमिन्ध आजुहोता दुवस्यतेति सुर्व्वमात्मानꣳसुमिन्धे ऽआनखेभ्योऽथोलोमभ्यः १०
स यद्येनं प्रथमायाꣳसामिधेन्यामनुव्याहुरेत् । (त्तं) तं प्रति ब्रूयात्प्राणं व्वाऽ एतदात्मनोऽग्नावाधाः प्राणेनात्मनऽआर्त्तिमारिष्यसीति तथा हैव स्यात् ११
(य्यु) यदि द्वितीयस्यामनुव्याहरेत् । (त्तं) तं प्रति ब्रूयादपानं व्वाऽएतदात्मनोऽग्नावाधा अपानेनात्मनऽआर्तिमारिष्यसीति तथा हैव स्यात् १२
(य्यु) यदि तृतीयस्यामनुव्याहरेत् ।(त्तं) तं प्रतिब्रूयादुदानं व्वाऽएतदात्मनोऽग्नावाधा उदानेनात्मन आर्त्तिमारिष्यसीति तथा हैव स्यात् ॥ १३ ॥

"समिद्धो अग्न आहुत"–इति । य एवायमवाङ् प्राणः, एतमेवैतया समिन्धे । "आजुहोता दुवस्यत"–इति । सर्वमात्मानं समिन्धे–आ नखेभ्योऽथो लोमभ्यः ॥ १० ॥

स यद्येनं प्रथमायां सामिधेन्यामनुव्याहरेत्, तं प्रति ब्रूयात्–"प्राणं वा एतदात्मनोऽग्नावाधाः, प्राणेनात्मन आर्त्तिमारिष्यसि" इति । तथा हैव स्यात् ॥ ११ ॥

यदि द्वितीयस्यामनुव्याहरेत्, तं प्रति ब्रूयात्–"अपानं वा एतदात्मनोऽग्नावाधाः, अपानेनात्मन आर्त्तिमारिष्यसि" इति । तथा हैव स्यात् ॥ १२ ॥

यदि तृतीयस्यामनुव्याहरेत्, तं प्रति ब्रूयात्–"उदानं वा एतदात्मनोऽग्नावाधाः, उदानेनात्मन आर्त्तिमारिष्यसि" इति । तथा हैव स्यात् ॥ १३ ॥

शिश्नं वै शोचिष्केशमिति । तदुपपादनम्--**शिश्नं** हीति । अभिलषितस्त्रीविरहे अतिशयेन शोकहेतुत्वात् शोचिष्केश--शब्देन 'शिश्नं' पुंव्यञ्जनं लक्ष्यते । तथा चैतच्छब्दोपेतयर्चा आनन्दनव्यापारस्य उपस्थाख्यस्येन्द्रियस्य समिन्धनं कृतं भवतीत्यर्थः ॥ ९ ॥

समिद्धो अग्न[2] इति । **य एवायमवाङ् प्राण** इति । प्राण–शब्द इन्द्रियवचनोऽवाङ्मुखः; अपानाख्यमिन्द्रियमित्यर्थः । **सर्वमात्मानमिति** । उक्तेन्द्रियसंघातमापादमस्तकव्याप्तं जीवात्मानमेवोत्तमया सामिधेन्या[3] 'समिन्धे' । तस्या आत्मनश्चोक्तरीत्या सर्वोपरि वर्त्तनं साम्यम् ॥ १० ॥

एवमेकादश सामिधेनी[4]: प्रत्यृचं लिङ्गविशेषोपन्यासेन प्राणापानादीनां समिन्धनहेतुतया प्रशस्य तत्र तदनुवचनसमये शपतो द्वेष्यस्य प्राणापानादिवियोजनहेतुत्वेन प्रशंसति–**स यद्येनमिति** । 'प्रथमायां सामिधेन्याम्' अनूच्यमानायाम् 'एनं' होतारं 'यदि' द्वेष्यः 'अनुव्याहरेत्' शपेत् । "अनुव्याहारः शापः"–इति हि धूर्त्तस्वामी भाष्यकारै[5]: । 'तम्' अनुव्याहरन्तं 'प्रति' होता 'ब्रूयात्'–'एतत्' एतर्हि 'आत्मनः' स्वसंबन्धिनं 'प्राणं' हे शत्रो ! 'अग्नौ' 'आधाः' निहितवानसि । 'ते' तव 'प्राणेन' निमित्तेन 'आत्मनः' स्वात्मनः 'आर्त्तिं' पीडां प्राप्स्यसीति[6] । एवं होत्रा प्रतिवचने कृते तस्य द्वेष्यस्य यथोक्तं

---

१ –'न्द्ध' इति पा. एवमन्यत्रापि । २–'समिद्धो अग्न' इति दशमी सामिधेनी 'समिद्धवती' इति तै. ब्रा. ३ । ५ । २ । १० । ३–'आजुहोता' इति एकादशी सामिधेनी 'उत्तमा' तै. ब्रा. ३ । ५ । २ । ११ । ४–'आसामेव सामिधेनीनां व्याख्यानानि पुरस्तादाम्नातानि तृतीयब्राह्मणे । ५–'आपस्तम्बीययज्ञपरिभाषादिश्रौतसूत्रेषु एतत्कृतभाष्याणि त्वद्यापि पापठ्यन्त एव, शतपथस्याप्येतत्कृतं भाष्यं सायणादिभिरवलोकितं स्यात् । इहैवोपरिष्टात् पुनरपि ६ । १ । १८ । पुनः ४ । ५ । २ । १३ । कातीयश्रौतव्याख्यानेऽप्येवमेव २५ । १० । १५ । इति । ६–'आरिष्यसी' त्यस्य व्याख्यानमिदम् ।

(य्) यदि चतुर्थ्यामनुव्याहरेत्। (त्तं) तं प्रति ब्रूयाच्छ्रोत्रं वा ऽएतदात्मनोऽग्नावाधाः श्रोत्रेणात्मन ऽआर्त्तिमारिष्यसि बधिरो भविष्यसीति तथा हैव स्यात् ॥ १४ ॥

(य्) यदि पञ्चम्यामनुव्याहरेत्। (त्तं) तं प्रति ब्रूयाद्वाचं वा ऽएतदात्मनोऽग्नावाधा व्वाचात्मन ऽ आर्त्तिमारिष्यसि मूको भविष्यसीति तथा हैव स्यात् ॥ १५ ॥

(य्) यदि षष्ठ्यामनुव्याहरेत्। (त्तं) तं प्रति ब्रूयान्मनो वा ऽएतदात्मनोऽग्नावाधा मनसात्मन ऽआर्त्तिमारिष्यसि मनोमुषिगृहीतो मोमुघश्चरिष्यसीति तथा हैव स्यात् ॥ १६ ॥

(य्) यदि सप्तम्यामनुव्याहरेत्। (त्तं) तं प्रति ब्रूयाच्चक्षुर्वा ऽएतदात्मनोऽग्नावाधाश्चक्षुषात्मन ऽआर्त्तिमारिष्यस्यन्धो भविष्यसीति तथा हैव स्यात् ॥ १७ ॥

(य्) यद्यष्टम्यामनुव्याहरेत्। (त्तं) तं प्रति ब्रूयान्मध्यं वा ऽएतत्प्राणमात्मनोऽग्नावाधा मध्येन प्राणेनात्मन ऽआर्त्तिमारिष्यस्युद्ध्माय मरिष्यसीति तथा हैव स्यात् ॥ १८ ॥

यदि चतुर्थ्यामनुव्याहरेत्, तं प्रति ब्रूयात्—"श्रोत्रं वा एतदात्मनोऽग्नावाधाः, श्रोत्रेणात्मन आर्त्तिमारिष्यसि बधिरो भविष्यसि" इति। तथा हैव स्यात् ॥ १४ ॥

यदि पञ्चम्यामनुव्याहरेत्, तं प्रति ब्रूयात्—"वाचं वा एतदात्मनोऽग्नावाधाः, वाचात्मन आर्तिमारिष्यसि मूको भविष्यसि" इति। तथा हैव स्यात् ॥ १५ ॥

यदि षष्ठ्यामनुव्याहरेत्, तं प्रति ब्रूयात्—"मनो वा एतदात्मनोऽग्नावाधाः मनसात्मन आर्तिमारिष्यसि मनोमुषिगृहीतो मोमुघश्चरिष्यसि" इति। तथा हैव स्यात् ॥ १६ ॥

यदि सप्तम्यामनुव्याहरेत्, तं प्रति ब्रूयात्—"चक्षुर्वा एतदात्मनोऽग्नावाधाश्चक्षुषात्मन आर्तिमारिष्यस्यन्धो भविष्यसि"—इति। तथा हैव स्यात् ॥ १७ ॥

यद्यष्टम्यामनुव्याहरेत्, तं प्रति ब्रूयात्—"मध्यं वा एतत्प्राणमात्मनोऽग्नावाधाः, मध्येन प्राणेनात्मन आर्तिमारिष्यस्युद्ध्माय मरिष्यसि"—इति। तथा हैव स्यात् ॥ १८ ॥

'तथैव' सत्यं भवेत्। ऋचां च प्राणापानादिप्रतिपादकत्वं प्रागेव प्रतिपादितम्। एवमुत्तरत्रापि योजना। अर्थो निगदसिद्धः ॥ ११ ॥ १२ ॥ १३ ॥ १४ ॥ १५ ॥

यदि षष्ठ्यामिति। मनोमुषिगृहीत इति। मनसो मोषणं विपरिलोपः तेन गृहीतः, अत एवातिशयेन मूढश्चरिष्यसीत्यर्थः ॥ १६ ॥ १७ ॥

यद्यष्टम्यामिति। उद्ध्मायेति। 'उद्ध्मानम्' ऊर्द्ध्वं श्वसनम्। तत्प्राप्येत्यर्थः ॥ १८ ॥ १९ ॥

(य) यदि नवम्यामनुव्याहरेत्। (त्तं) ऽतं प्रतिब्रूयाच्छिश्नं वा ऽएतदात्मनोऽग्नावाधाः शिश्नेनात्मन ऽआर्त्तिमारिष्यसि क्लीबो भविष्यसीति तथा हैव स्यात् ॥ १९ ॥

(य) यदि दशम्यामनुव्याहरेत्। (त्तं) तं प्रति ब्रूयादवाञ्चं वा ऽएतत्प्राणमात्मनोऽग्नावाधा ऽअवाचा प्राणेनात्मन आर्त्तिमारिष्यस्यपिनद्धो मरिष्यसीति तथा हैव स्यात् ॥ २० ॥

(य) यद्येकादश्यामनुव्याहरेत्। (त्तं) तं प्रति ब्रूयात्सर्व्वं वा ऽएतदात्मानमग्नावाधाः सर्व्वेणात्मनार्त्तिमारिष्यसि क्षिप्रेऽमुं लोकमेष्यसीति तथा हैव स्यात् ॥ २१ ॥

(त्स) स यथा हैवाग्निꣳ सामिधेनीभिः समिद्धमापद्यार्त्तिं न्येत्येवꣳ हैव ब्राह्मणꣳ सामिधेनीर्व्विद्वाꣳसमनुब्रुवन्तमनुव्याहृत्यार्त्तिं न्येति ॥२२॥

इति तृतीयप्रपाठके पञ्चमं ब्राह्मणम् ॥ ५ ॥ (४. ३.)

यदि नवम्यामनुव्याहरेत्, तं प्रति ब्रूयात्–"शिश्नं वा एतदात्मनोऽग्नावाधाः, शिश्नेनात्मन आर्त्तिमारिष्यसि क्लीबो भविष्यसि" इति। तथा हैव स्यात् ॥ १९ ॥

यदि दशम्यामनुव्याहरेत्, तं प्रति ब्रूयात्–"अवाञ्चं वा एतत्प्राणमात्मनोऽग्नावाधाः, अवाचा प्राणेनात्मन आर्त्तिमारिष्यस्यपिनद्धो मरिष्यसि" इति। तथा हैव स्यात् ॥२०॥

यद्येकादश्यामनुव्याहरेत्, तं प्रति ब्रूयात्–"सर्वं वा एतदात्मानमग्नावाधाः; सर्वेणात्मनाऽऽर्त्तिमारिष्यसि क्षिप्रेऽमुं लोकमेष्यसि" इति। तथा हैव स्यात् ॥ २१ ॥

स यथा हैवाग्निं सामिधेनीभिः समिद्धमापद्यार्त्तिं न्येति, एवं हैव ब्राह्मणं सामिधेनीर्विद्वांसमनुब्रुवन्तमनुव्याहृत्यार्त्तिं न्येति ॥ २२ ॥

यदि दशम्यामिति। अपिनद्धो मरिष्यसीतीति। 'अपिनद्धः' बन्धनयुक्त इत्यर्थः ॥ २० ॥

यद्येकादश्यामिति। क्षिप्रेऽमुं लोकमिति। 'क्षिप्रे' अल्प एव काले, कालविलम्बमन्तरेण 'अमुं' द्युलोकं गमिष्यसीत्यर्थः ॥ २१ ॥

एवं सामिधेनीरनुब्रुवतो होतुराग्निसमानत्वात्तद्दृष्टान्तत्वेन होतृशापकारिणः प्रतिपादितामार्तिं निगमयति–स यथेति। 'सामिधेनीभिः करणैः 'समिद्धमग्निं' प्राप्य 'यथा आर्त्तिं' 'न्येति' नितरां प्राप्नोति, तथैव 'सामिधेनीः' विदुषो होतुर्द्वेष्यश्च तदनुव्याहारनिमित्तामुक्तविधां पीडां प्राप्नोतीत्यर्थः ॥ २२ ॥५ (४.३.)॥

इति श्रीसायणाचार्यविरचिते माधवीये वेदार्थप्रकाशे माध्यन्दिनशतपथब्राह्मणभाष्ये प्रथमकाण्डे चतुर्थाध्याये तृतीयं ब्राह्मणम् ॥

तं व्वा ऽएतमग्निᳬं समैन्धिषत । समिद्धे देवेभ्यो जुहवामेति तस्मिन्नेते ऽएव प्रथमेऽआहुती जुहोति मनसे चैव व्वाचे च मनश्च ह वै व्वाक्च युजौ देवेभ्यो यज्ञं व्वहतः ॥ १ ॥

स यदुपाᳬंशु क्रियते । तन्मनो देवेभ्यो यज्ञं व्वहत्यथ यद्वाचा निरुक्तं क्रियते । तद्वाग्देवेभ्यो यज्ञं वहत्येतद्वाऽ इदं द्वयं क्रियते तदेते ऽएवैतत्सन्तर्प्पयति तृप्ते प्रीते देवेभ्यो यज्ञं व्वहात ऽइति ॥ २ ॥

स्रुवेण तमाघारयति । यं मनस ऽआघारयति व्वृषा हि मनो व्वृषा हि स्रुवः ॥ ३ ॥

स्रुचा तमाघारयति । यं व्वाच ऽआघारयति योषा हि व्वाग्योषा हि स्रुक् ४ ॥

(क्तू) तूष्णीं तमाघारयति । यं मनस ऽआघारयति न स्वाहेति चनानिरुक्तᳬं हि मनोऽनिरुक्तᳬं ह्येतद्यत्तूष्णीम् ॥ ५ ॥

आघारयोर्निदानम् ।

तं वा एतमग्निं समैन्धिषत–" समिद्धे देवेभ्यो जुहवाम "–इति । तस्मिन्नेते एव प्रथमे आहुती जुहोति–मनसे चैव वाचे च । मनश्च ह वै वाक् च युजौ देवेभ्यो यज्ञं वहतः ॥ १ ॥

स यदुपांशु क्रियते–तन्मनो देवेभ्यो यज्ञं वहति । अथ यद्वाचा निरुक्तं क्रियते–तद् वाग् देवेभ्यो यज्ञं वहति । एतद्वा इदं द्वयं क्रियते; तदेते एवैतत् सन्तर्पयति । तृप्ते प्रीते देवेभ्यो यज्ञं वहात इति ॥ २ ॥

स्रुवेण तमाघारयति–यं मनस आघारयति । वृषा हि मनः, वृषा हि स्रुवः ॥ ३ ॥

स्रुचा तमाघारयति–यं वाच आघारयति । योषा हि वाक्, योषा हि स्रुक् ॥ ४ ॥

तूष्णीं तमाघारयति–यं मनस आघारयति, न स्वाहेति चन । अनिरुक्तं हि मनः, अनिरुक्तं ह्येतद्–यत्तूष्णीम ॥ ५ ॥

अथाघाराख्यौ होमौ विधातुं सिद्धमर्थमनुवदति–तं वा एतमिति । 'तमेतम्' प्रकृतमाहवनीयम् 'अग्निम्' 'समैन्धिषत' सम्यग् दीप्तमकुर्वन् । केनाभिप्रायेणेति तमाह–समिद्ध इति । 'तस्मिन्' संदीप्तेऽग्नौ 'एते एव' मुख्ये आघाररूपे 'आहुती' वाङ्मनसयोरर्थे 'जुहोति' । कुतः ? 'मनश्च वाक् च' इत्युभौ 'युजौ' मिथुनीभूतौ सन्तौ 'देवेभ्यः' यज्ञसंबन्धि हविः प्रापयत इति ॥ १ ॥

तयोः क्रमेण हविःप्रापणमुच्यते–स यदिति । 'यत्' एतद् इदम् 'उपांशु' निरुक्तरूपमाहुतिद्वयं 'क्रियते' तदेव 'तत्' आहुतियुग्मम् 'एते' मनोवाचौ सन्तर्पयति । शेषं सुगमम् ॥ २ ॥

स्रुवस्रुग्भ्यां क्रमेणाघारौ कर्त्तव्याविति विधत्ते–स्रुवेणेति । मनसो हि कामोत्पत्तिद्वारा वृषत्वम्, इति तयोः साम्यम । अतो मनःसंबन्धिन आघारस्य स्रुवसाध्यत्वम्; वाक्स्रुचोः स्त्रीत्वं समानम् । अतो वाक्संबन्धिन आघारस्य स्रुक्साध्यत्वं युक्तमित्यर्थः ॥ ३ ॥ ४ ॥

अथैतयोराघारयोः क्रमेणामन्त्रकत्व–समन्त्रकत्व–लक्षणौ गुणौ विधत्ते–तूष्णीमित्यादिना । स्वाहेति

मन्त्रेण तमाघारयति । यं वाच ऽआघारयति निरुक्ता हि वाङ्निरुक्तो हि मन्त्रः ॥ ६ ॥

(ऽ)आसीनस्तमाघारयति । यं मनस ऽआघारयति तिष्ठस्तं यं वाचे मनश्च ह वै वाक्च युजौ देवेभ्यो यज्ञं वहतो यतरो वै युजोर्ह्रसीयान्भव-त्युपवहं वै तस्मै कुर्व्वन्ति वाग्वै मनसो ह्रसीयस्यपरिमिततरमिव हि मनः परिमिततरेव हि वाक्तद्वाच ऽएवैतदुपवहं करोति ते सयुजौ देवेभ्यो यज्ञं वहतस्तस्मात्तिष्ठन्वाचऽआघारयति ॥ ७ ॥

देवा ह वै यज्ञं तन्वानाः । (स्ते) तेऽसुररक्षसेभ्य ऽआसङ्गाद्बिभयां-चक्रुस्त ऽएतद्दक्षिणतः प्रत्युदश्रयन्नुच्छ्रितमिव हि वीर्यं तस्माद्दक्षिणत-स्तिष्ठन्नाघारयति स यदुभयत ऽआघारयति तस्मादिदं मनश्च वाक्च समानमेव सन्नानेव शिरो ह वै यज्ञस्यैतयोरन्यतर आघारयोर्मूलमन्यतरः ८॥

मन्त्रेण तमाघारयति–यं वाच आघारयति । निरुक्ता हि वाक्, निरुक्तो हि मन्त्रः ॥ ६ ॥

आसीनस्तमाघारयति–यं मनस आघारयति, तिष्ठंस्तम्–यं वाचे । मनश्च ह वै वाक् च, युजौ देवेभ्यो यज्ञं वहतः । यतरो वै युजोर्ह्रसीयान् भवति–उपवहं वै तस्मै कुर्वन्ति । वाग् वै मनसो ह्रसीयसी । अपरिमिततरमिव हि मनः, परिमिततरेव हि वाक् । तद्वाच एवैतदुपवहं करोति । ते सयुजौ देवेभ्यो यज्ञं वहतः । तस्मात् तिष्ठन् वाच आघारयति ॥ ७ ॥

देवा ह वै यज्ञं तन्वानाः । तेऽसुररक्षसेभ्य आसङ्गाद् बिभयाञ्चक्रुः । त एतद्दक्षिणतः प्रत्युदश्र-यन् । उच्छ्रितमिव हि वीर्यम् । तस्माद्दक्षिणतस्तिष्ठन्नाघारयति । स यदुभयत आघारयति–तस्मा-

---

चनेति । 'चन'–शब्दोऽप्यर्थे; स्वाहेत्यपि शब्दं न ब्रूयादित्यर्थः । मनोदेवतस्याघारस्य तूष्णीकत्वं युक्तमिति प्रतिपादयति–**अनिरुक्तं हीति** । निगदसिद्धमन्यत् ॥ ९ ॥ ६ ॥

उपवेशनावस्थानलक्षणौ गुणौ क्रमेणाघारयोर्विधत्ते–**आसीनस्तमिति** । **तिष्ठँस्तं यं वाच** इति । 'आघारयति'–इत्युभयत्रानुषङ्गः । स्रुचोवारस्य तिष्ठता होतव्यत्वमुपपादयति–**मनश्च ह वै वाक् चे**त्यादिना । 'युजौ' रथावयवे युगेऽश्वादिवद् युक्तौ भूत्वेत्यर्थः । **यतरो वा** इत्यादि । लोके हि रथादिषु युक्तयोरश्वयोर्मध्ये 'यतरः' खलु 'ह्रसीयान्' अतिशयेन ह्रस्वोऽल्पकायो 'भवति' तस्य साम्येन वहनाय 'उपवहं' वहः स्कन्धप्रदेशस्तस्योपरि श्लिष्टमौन्नत्यकरं दारुमयं स्थूलपीठकादिकं लौकिकाः कुर्वन्ति । यस्मादेवं लोके, तस्मादल्पविषयत्वेनापरिमितविषयान्मनसो ह्रसीयस्या वाचः स्थितिक्रियाविशिष्टाघारेणौन्नत्यकरम् 'उपवह-मिव' एतद् भवति । अतः 'ते' वाङ्मनसे उभे अपि 'सयुजौ' समानवहनप्रदेशे भवत इत्यर्थः ॥ ७ ॥

स्रुग्व्याघारस्याऽऽहवनीय–दक्षिणभाग–स्थितिलक्षण–धर्मविशेषं विदधाति–**देवा ह वा** इत्यादिना ।

१–'स्रुगव्याघारस्य' इति पा० ।

स्रुवेण तमाघारयति । यो मूलं यज्ञस्य स्रुचा तमाघारयति यः शिरो यज्ञस्य ॥ ९ ॥

तूष्णीं तमाघारयति । यो मूलं यज्ञस्य तूष्णीमिव हीदं मूलं नो ह्यत्र व्वाग्वदति ॥ १० ॥

मन्त्रेण तमाघारयति । यः शिरो यज्ञस्य व्वाग्घि मन्त्रः शीर्ष्णो हीय-मधि व्वाग्वदति ॥ ११ ॥

(त्या) आसीनस्तमाघारयति । यो मूलं यज्ञस्य निषण्णमिव हीदं मूलं तिष्ठंस्तमाघारयति यः शिरो यज्ञस्य तिष्ठतीव हीदᳫँ शिरः ॥ १२ ॥

दिदं मनश्च वाक् च समानमेव सन्नानेव । शिरो ह वै यज्ञस्यैतयोरन्यतर आघारयोः, मूल-मन्यतरः ॥ ८ ॥

स्रुवेण तमाघारयति—यो मूलं यज्ञस्य । स्रुचा तमाघारयति—यः शिरो यज्ञस्य ॥ ९ ॥

तूष्णीं तमाघारयति—यो मूलं यज्ञस्य । तूष्णीमिव हीदं मूलम्, नो ह्यत्र वाग् वदति ॥ १० ॥

मन्त्रेण तमाघारयति—यः शिरो यज्ञस्य । वाग्घि मन्त्रः । शीर्ष्णो हीयमधि वाग् वदति ॥ ११ ॥

आसीनस्तमाघारयति—यो मूलं यज्ञस्य । निषण्णमिव हीदं मूलम् । तिष्ठंस्तमाघारयति—यः शिरो यज्ञस्य । तिष्ठतीव हीदं शिरः ॥ १२ ॥

दक्षिणतः प्रतीति । आहवनीयस्य दक्षिणभागेऽसुरान् प्रत्युच्छ्रितवन्तः[1] । कथमुच्छ्रायस्तेषामित्यत आह—**उच्छ्रितमिव हीति** । 'उच्छ्रितं' पर्वतादिकम्[2], तमिव वीर्यमपि दुरासदम् । तादृशवीर्ययोगात्तेषामुच्छ्रितत्व-मित्यर्थः । अथाघारयोर्दक्षिणोत्तरपरिधिसन्धिमारभ्यैवोभयतः करणं विधत्ते—**स यादि**ति । 'उभयतः' दक्षिणत उत्तरतश्चेत्यर्थः । **समानमेव सन्नानेवे**ति । मनश्च वाक् चेत्येतदुभयं समानविषयं समानाश्रयमेव 'सद्' भवदपि 'नानेव' भिन्नमिव भवतीत्यर्थः ।

स्रुवेण तमाघारयतीत्यादिकं प्राग्विहितं प्रकारान्तरेण स्तौति—**शिरो ह वै यज्ञस्ये**त्यादिना । अर्थो निगदसिद्धः ॥ ८ ॥ ९ ॥

मूलत्वेन शिरस्त्वेन स्रुक्स्रुवयोस्तदुपजीवनेन तूष्णीकत्वं निरुक्तत्वं च प्राग्विहितमनूद्य प्रशंसति—**तूष्णीं तमि**त्यादिना । **तूष्णीमिव हीति** । लोके हि यद् वृक्षादीनां मूलं तत् 'तूष्णीमिव हि' अदृश्यमानत्वात् । एतदेवोपपादयति—**नो ह्यत्रे**ति । 'न' 'उ' खलु 'अत्र' मूलविषये शब्दव्यापारोऽप्यस्ति, दूरे दृष्टिविषय-त्वम् । अतो मूलभूताघारस्य लौकिकमूलवत् तूष्णीकत्वं युक्तमित्यर्थः ॥ १० ॥

मन्त्रेणेति । **वाग्घि मन्त्र** इत्यादि । वागिन्द्रियसाध्यत्वात् तदात्मको मन्त्रः । सा च वाक् 'शीर्ष्णः' उपरि ताल्वोष्ठपुटादिव्यापारेण शब्दमुच्चारयति, अतो वागात्मकस्य 'यज्ञस्य' शिरःश्रुतावाघारसम्बन्धो[3] युक्त इत्यर्थः ॥ ११ ॥

प्राग्विहितयोरासीनस्थितयोरपि मूलशिरस्त्वोपजीवनेन प्रशंसा क्रियते—**आसीनस्तमि**त्यादिना । **निषण्ण-**

१–'प्रत्युत्थितवन्तः' पा. । २–'पर्वतादिकमिव वीर्यमपि' पा. । ३–'शिरःस्तुतौ' पा. ।

स स्रुवेण पूर्वमाघारमाघार्याह । (हा) अग्निमग्नीत्सम्मृड्ढीति यथा धुर-
मध्यूहेदेवं तद्यत्पूर्वमाघारमाघारयत्यध्युह्य हि धुरं युञ्जन्ति ॥ १३ ॥
(न्त्यु) अथ सम्मार्ष्टि । युनक्त्येवैनमेतद्युक्तो देवेभ्यो यज्ञं वहादिति
तस्मात्सम्मार्ष्टि परिक्रामꣳ सम्मार्ष्टि परिक्रामꣳ हि योग्यं युञ्जन्ति
त्रिस्त्रिः सम्मार्ष्टि त्रिवृद्धि यज्ञः ॥ १४ ॥
स सम्मार्ष्टि । (ष्टर्चं) अग्ने वाजजिद्वाजं त्वा सरिष्यन्तं वाजजितꣳ
सम्मार्ज्मीति यज्ञं त्वा वक्ष्यन्तं यजियꣳ सम्मार्ज्मीत्येवैतदाहाथोपरिष्टा-

---

अग्निसंमार्जनम् ।

स स्रुवेण पूर्वमाघारमाघार्याह—"अग्निमग्नीत्सम्मृड्ढि"—इति । यथा धुरमध्यूहेदेवं तत्-यत्पूर्वमाघारमाघारयति । अध्युह्य हि धुरं युञ्जन्ति ॥ १३ ॥

अथ सम्मार्ष्टि—युनक्त्येवैनमेतद्, युक्तो देवेभ्यो यज्ञं वहादिति । तस्मात् सम्मार्ष्टि । परिक्रामं सम्मार्ष्टि । परिक्रामं हि योग्यं युञ्जन्ति । त्रिस्त्रिः सम्मार्ष्टि । त्रिवृद्धि यज्ञः ॥ १४ ॥

स सम्मार्ष्टि—" अग्ने वाजजिद्वाजं त्वा सरिष्यन्तं वाजजितꣳ सम्मार्ज्मि"—(२ अ.

मिव हीदमिति । ' इदं ' वृक्षादिमूलं ' निषण्णमिव हि ' एकत्रोपविष्टमिव हि भवति खातत्वेन चाञ्चल्य-विरहात् । अतो मूलभूतस्याघारस्यासनसंबन्धो युक्त इत्यर्थः । **तिष्ठतीव हीदमिति** । ' हि ' यतः ' इदं ' मनुष्यादीनां ' शिरः ' ' तिष्ठतीव ' अस्तीति, स्थितिक्रियाविशिष्टमिवोर्ध्वमिव दृश्यते । अतः शिरःसंस्तुतस्या-घारस्य तिष्ठता कर्त्रा निष्पादनं युक्तमित्यर्थः ॥ १२ ॥

एवमाघारयोः प्रतिनियतधर्मान् विधायाऽनुष्ठानक्रममाह—**स स्रुवेणेति** । पूर्वाघारानन्तरं, नोत्तराघारः, अपि तु " अग्निमग्नीत् "—इति, आग्नीध्रं प्रति सम्प्रैषं ब्रूयात् । तस्य चायमर्थः—हे ' अग्नीत् ' आग्नीध्र ! आहव-नीयाख्यम ' अग्निं ' ' सम्मृड्ढि ' सम्मार्जनं कुर्विति ।

विधित्सितस्य सम्मार्जनस्याघारानन्तर्य्यमुपपादयति—**यथेति** । अनडुहः स्कन्धदेशे ' यथा ' ' धुरम् ' युगधुरम् ' अध्यूहेत् ' योजयेत्, एवमग्नौ धुरोऽध्यूहनमेव पूर्वाघारहोमेन क्रियते । अस्मिन्नर्थे लोकप्रसिद्धि-माह—**अध्युह्येति** । ' हि ' यतो रथादिवहनेऽनडुदश्वादिकं योज्यमानास्तदीयस्कन्धस्योपरि युगधुरम् ' अध्युह्य' पश्चात् पाशैः 'युञ्जन्ति' बध्नन्ति; अतो धुरोऽध्यूहनस्थानीयः पूर्वाघारहोम इत्यर्थः । (का० श्रौ० सू० ३।१२) ॥ १३॥

अग्निसम्मार्जनं विधाय प्रशंसति—**अथेति** । ' एनम् ' अग्निं हविर्वहनाय सम्मार्जनेन युनक्तीत्यर्थः । सम्मार्जने धर्मविशेषं विधत्ते—**परिक्राम**मिति । परिक्रम्य परिक्रम्य—तत्तत्परिधिदेशं गत्वा तदनुसारेणाग्निं ' सम्मार्ष्टि ' । अत एवोक्तं कात्यायनेन—" इध्मसन्नहनैरनुपरिधि सम्मार्ष्टयग्ने वाजजिदिति त्रिस्त्रिः परिक्रामम् "—(श्रौ० सू० ३. १३) इति । तत्रापि लोकप्रसिद्धिमुदाहरति—**परिक्रामं हीति** । एकैकस्मिन् परिधौ सम्मार्जनस्य त्रिरावृत्तिं विधाय प्रशंसति—**त्रिस्त्रिरिति** । " नित्यवीप्सयोः " (पा० सू० ८. १. ४.) इति द्विर्वचनम् ॥ १४ ॥

विहितं सम्मार्जनमनूद्य मन्त्रं विधत्ते—**स सम्मार्ष्टीति** । मन्त्रस्याभिप्रायमाह—**यज्ञं त्वेति** । यज्ञसाधनत्वा-

---

१–" स्रुवेण पूर्वाघारमाघार्याहाऽग्निमग्नीत्सम्मृड्ढि " इति का. श्रौ. सू. ३ । १ । १२ । प्रजापतिर्देवता तेनात्र न स्वाहाकार इति कर्कः । २–सम्मार्जनेन विरजस्कमुज्ज्वलं करोतीत्यर्थः ।

तूष्णीं त्रिस्तद्यथा युक्त्वा प्राजेत्प्रेहि व्वहेत्येवमेवैतत्कशयोपक्षिपति प्रेहि देवेभ्यो यज्ञं व्वहेति तस्मादुपरिष्टात्तूष्णीं त्रिस्तद्यदेतदन्तरेण कर्म क्रियते तस्मादिदं मनश्च व्वाक्च समानमेव सन्नानेव ॥ १५ ॥ ६ ॥

इति तृतीयप्रपाठके षष्ठं संलग्नब्राह्मणम् (४. ४.) ॥
तृतीयप्रपाठकः समाप्तः ॥ कण्डिकासंख्या ॥ १२८ ॥

अथ प्रथमकाण्डे चतुर्थप्रपाठके प्रथमं ब्राह्मणम् ।

स स्रुचोत्तरमाघारमाघारयिष्यन् । (न्पू) पूर्वेण स्रुचावञ्जलिं निदधाति नमो देवेभ्यः स्वधा पितृभ्य इति तद्देवेभ्यश्चैवैतत्पितृभ्यश्चार्त्विज्यं करिष्य-

---

७ मं.) इति । यज्ञं त्वा वक्ष्यन्तं यज्ञियं सम्मार्ज्मि, इत्येवैतदाह । अथोपरिष्टात् तूष्णीं त्रिः । तद्यथा युक्त्वा प्राजेत्–प्रेहि वहेति, एवमेवैतत्कशयोपक्षिपति–प्रेहि देवेभ्यो यज्ञं वहेति । तस्मादुपरिष्टात्तूष्णीं त्रिः । तद्यदेतदन्तरेण कर्म क्रियते तस्मादिदं मनश्च वाक् च समानमेव सन्नानेव ॥ १५॥

उत्तराघारः ।

स स्रुचोत्तरमाघारमाघारयिष्यन् पूर्वेण स्रुचावञ्जलिं निदधाति–" नमो देवेभ्यः स्वधा पितृभ्यः "–(२ अ. ७ मं.) इति । तद्देवेभ्यश्चैवैतत् पितृभ्यश्चार्त्विज्यं करिष्यन् निह्नुते ।

हविरत्र यज्ञशब्दाभिधेयम् । यज्ञसाधनं हविर्लक्षणमन्नं देवेभ्यो ' वक्ष्यन्तं ' वहनं करिष्यन्तमिति " वाजं सरिष्यन्तम् "–इति पदद्वयस्यार्थः । ' वाजजितम् '–इत्यस्य व्याख्या 'यज्ञियम्'–इति । वाजं यज्ञसाधनं हविर्लक्षणमन्नं जयतीति ' वाजजित् ' तथा च ' यज्ञं ' यज्ञसाधनं हविरर्हतीति ' यज्ञियम् ' इति शब्दार्थः सम्पद्यते ।

उपरिष्टात् सम्मार्जनं विधत्ते–अथेति । परिधित्रयानुसारेण परितोऽग्निं सम्मृज्य, तदनन्तरमग्नेः 'उपरिष्टात्' ' तूष्णीं ' ' त्रिः ' सम्मृज्यात् । तदेतत् स्तौति–तद्यथेति । ' तत् ' तथा सति ' यथा ' खलु लोके युगधुरेऽनड्वाहं संयोज्य ' प्रेहि ' प्रगच्छ, वोढव्यं भारं ' वह ' इत्येवं वदन् ' कशया ' ताडनेन ' प्राजेत् ' प्रेरयेत् एवं कशयोपक्षेपणमेव तदुपरि सम्मार्जनमित्यर्थः । स्पष्टमन्यत् । स्रौवस्रुग्व्याघारयोर्मध्येऽनुष्ठानं सम्मार्जनस्य प्रशंसति–तद्यदिति । मनोवाक्संस्तुतयोरनयोराघारयोर्मध्ये सम्मार्जनस्य करणात् तद्व्यवधाने सति ' मनश्च वाक् च ' एतदुभयं (समानमेव) समानविषयं समानाश्रयमपि ' नानेव ' भिन्नमिव भवति ॥१५॥६॥ (४।४)

इति श्रीसायणाचार्यविरचिते माधवीये वेदार्थप्रकाशे माध्यन्दिनशतपथब्राह्मणभाष्ये
प्रथमकाण्डे चतुर्थाध्याये चतुर्थं ब्राह्मणम् ॥ ४ ॥ ४ ॥
इति प्रथमकाण्डे तृतीयप्रपाठकः समाप्तम् ॥

अथ स्रुच्याघारस्य प्रयोगः प्रतिपाद्यते–स स्रुचेत्यादिना । पूर्वेण स्रुचाविति । जुहूपभृतोः पूर्वभाग

१–" तूष्णीमुपरि " इति का. श्रौ. सू. २।१।१४। २–नास्तीदं क्वचित्। ३–' स्रुचाघारस्य ' ' स्रुवाघारस्य ' इति क० पा० ।

न्निह्नुते सुयमे मे भूयास्तमिति स्रुचावादत्ते सुभरे मे भूयास्तं भर्त्तुं वा७ शकेयमित्येवैतदाहास्कन्नमद्य देवेभ्य आज्य७ँ सम्भ्रियासमित्यविक्षुब्ध-मद्य देवेभ्यो यज्ञं तनवा ऽइत्येवैतदाह ॥ १ ॥

(ह्वा)अङ्घ्रिणा विष्णो मा त्वावक्रमिषमिति। यज्ञो वै विष्णुस्तस्मा ऽएवै-तन्निह्नुते मा त्वावक्रमिषमिति वसुमतीमग्ने ते छायामुपस्थेषमिति साध्वीमग्ने ते छायामुपस्थेषमित्येवैतदाह ॥ २ ॥

"**सुयमे मे भूयास्तम्**"–(२ अ० ७ मं०) इति। स्रुचावादत्ते–सुभरे मे भूयास्तम्। भर्त्तुं वां शकेयमित्येवैतदाह–"**अस्कन्नमद्य देवेभ्य आज्यं सम्भ्रियासम्**"–(२ अ० ८ मं०) इति। अविक्षुब्धमद्य देवेभ्यो यज्ञं तनवा इत्येवैतदाह ॥ १ ॥

"**अङ्घ्रिणा विष्णो मा त्वावक्रमिषम्**"–(२ अ० ८ मं०) इति। यज्ञो वै विष्णुः, तस्मा एवैतन्निह्नुते–मा त्वावक्रमिषमिति। "**वसुमतीमग्ने ते छायामुपस्थेषम्**"–(२ अ० ८ मं०) इति। साध्वीमग्ने ते छायामुपस्थेषमित्येवैतदाह ॥ २ ॥

इत्यर्थः। समन्त्रकस्य अञ्जलिनिधानस्य प्रयोजनमाह–**तद्देवेभ्यश्चेति**। 'आर्त्विज्यं करिष्यन्' तदतिक्रमजनित-मपराधं तन्नमस्कारेण "निह्नुते" शमयतीत्यर्थः। समन्त्रकं जुहूपभृतोरादानं विधत्ते–**सुयमे** इति (का० श्रौ० सू० ३। १६)। एतस्य मन्त्रभागस्य विवक्षितमर्थमाह–**सुभरे** इति। सुखमनुनियन्तुं भर्तुं शक्ये 'सुयमे' हे जुहूपभृतौ! युवामीदृश्यौ 'भूयास्तम्' 'भर्त्तुं वां शकेयम्'–इति तात्पर्यार्थकथनम्। मन्त्रस्य द्वितीयभाग-मनूद्य व्याचष्टे–**अस्कन्नमद्येति**। यत् जुहूपभृतोः स्थितमाज्यं तत् 'अस्कन्नं' यथा भवति तथा 'सम्भ्रि-यासम्' सम्भर्त्तुं शक्तो भूयासमिति मन्त्रवाक्यस्यार्थः। तदिदमाह–**अविक्षुब्धमद्येति**। आज्यस्य स्कन्दने हि यज्ञस्य विक्षोभः स्यात्, स च मा भूदित्येवं प्राथ्यंत इत्यर्थः ॥ १ ॥

लिङ्गादेवातिक्रमणे विनियोगः सिद्ध इत्यभिप्रेत्य केवलं मन्त्रमनूद्य व्याचष्टे–**अङ्घ्रिणेति**। हवीरूपेण वेद्यामवस्थितो यज्ञोऽत्र 'विष्णु'–शब्देन विवक्षितः। दक्षिणातिक्रमवेलायां तस्यातिक्रमशङ्का मा भूदिति तदभावः प्रतिपाद्यते–हे 'विष्णो' हवीरूप यज्ञ! 'त्वा' त्वां 'मा अवक्रमिषम्' अवज्ञया त्वां नातिक्रमामि। अपि तु होमार्थं तत्रापराधो यथा न भवति तथैव सञ्चरदेशे नातिक्रमामीत्यर्थः। एतल्लिङ्गकल्पितमेव विनियोगं कात्यायनः सूत्रयामास–"दक्षिणातिक्रामत्यङ्घ्रिणा विष्णविति, (३। १। १६।) "परिधीनपरेण सञ्चरो होष्यतः"–इति "सव्येनेतो दक्षिणेनामुतः" (का० श्रौ० सू० ३। १६–१८)। स्रुग्व्या-घारहोमार्थं यद्दक्षिणतोऽवस्थानम्, तदपि मन्त्रलिङ्गसिद्धमित्यभिप्रेत्य तं मन्त्रमनूद्य व्याचष्टे–**वसुमतीमिति**। 'वसुमतीं' धनवतीं वासयोग्यां 'साध्वीं' त्वदीयां 'छायां' हे अग्ने! 'उपस्थेषम्' उपेत्य तिष्ठेयमित्यर्थः ॥ २ ॥

१–"अपरमाहवनीयादञ्जलिङ्करोति नमो देवेभ्यः स्वधा पितृभ्य इति दक्षिणत उत्तानम्" इति का० श्रौ० सू० ३। १। १५। २–"अप उपस्पृश्य सुयमे म इति जुहूपभृतावादायोत्तरां जुहूं कृत्वा" इति का० श्रौ० सू० ३। १। १६। ३–सर्वार्थोऽयं सञ्चरो नोत्तराघारमात्रे।

विष्णो स्थानमसीति । यज्ञो वै विष्णुस्तस्यैव ह्येतदन्तिकं तिष्ठति तस्मादाह विष्णो स्थानमसीतीत ऽइन्द्रो वीर्यमकृणोदित्यतो हीन्द्रस्तिष्टन्दक्षिणतो नाष्ट्रा रक्षांस्यपाहंस्तस्मादाहेत इन्द्रो वीर्यमकृणोदित्यूर्ध्वोऽध्वरऽआस्थादित्यध्वरो वै यज्ञऽऊर्ध्वो यज्ञ ऽआस्थादित्येवैतदाह ॥ ३॥

(द्वा)अग्ने वेर्होत्रं वेर्दूत्यमिति । (त्यु) उभयं वा ऽएतदग्निर्देवानाᳫं होता च दूतश्च तदुभयं विद्धि यद्देवानामसीत्येवैतदाहावतां त्वां द्यावापृथिवी ऽअव त्वं द्यावापृथिवी ऽइति नात्र तिंरोहितमिवास्ति स्विष्टकृद्देवेभ्यऽइन्द्रऽआज्येन हविषाभूत्स्वाहेतीन्द्रो वै यज्ञस्य देवता तस्मादाहेन्द्र आज्येनेति वाचे वा ऽएतमाघारमाघारयतीन्द्रो वागित्यु वा ऽआहुस्तस्माद्वेवाहेन्द्रऽआज्येनेति ॥ ४॥

" विष्णो स्थानमसि " (२ अ० ८ मं०) इति । यज्ञो वै विष्णुः, तस्यैव ह्येतदन्तिकं तिष्ठति; तस्मादाह–विष्णो स्थानमसीति । " इत इन्द्रो वीर्यमकृणोत "–(२ अ० ८ मं०) इति । अतो हीन्द्रस्तिष्ठन् दक्षिणतो नाष्ट्रा रक्षांस्यपाहन् , तस्मादाह–इत इन्द्रो वीर्यमकृणोदिति । " ऊर्ध्वोऽध्वर आस्थात "–(२ अ० ८ मं०) इति । अध्वरो वै यज्ञः, ऊर्ध्वो यज्ञ आस्थादित्येवैतदाह ॥ ३ ॥

" अग्ने वेर्होत्रं वेर्दूत्यम् "–(२ अ० ९ मं०)इति । उभयं वा एतदग्निर्देवानाम्–होता च दूतश्च । तदुभयं विद्धि–यद्देवानामसीत्येवैतदाह । "अवतां त्वां द्यावापृथिवी अव त्वं द्यावापृथिवी"–(२ अ० ९ मं०) इति । नात्र तिरोहितमिवास्ति । "स्विष्टकृद् देवेभ्य इन्द्र आज्येन हविषाभूत स्वाहा "–(२ अ० ९ मं०) इति । इन्द्रो वै यज्ञस्य देवता, तस्मादाह–इन्द्र आज्येनेति । वाचे वा एतमाघारमाघारयति । इन्द्रो वागित्यु वा आहुः । तस्माद्वेवाह–इन्द्र आज्येनेति॥४॥

मन्त्रशेषमनूद्य व्याचष्टे विष्णोरिति । तस्यैव ह्येतादिति । यज्ञात्मको हि विष्णुरित्याहवनीये निष्पद्यते । यत्र स्थित्वा अध्वर्युर्जुहोति । तत्र तस्यान्तिकमिति नेर्दीयत्वव्यपदेशः[1], एतल्लिङ्गसिद्धमवस्थाने मन्त्रस्य विनियोगं कात्यायनः सूत्रितवान्–" वसुमतीमित्यवस्थाय "–इति (का० श्रौ० सू० ३ । १ । १९.) । इत इन्द्र इत्यादेः स्वाहान्तस्य मन्त्रस्य होमे विनियोगो लिङ्गसिद्ध इत्यभिप्रेत्य तं मन्त्रं भागशोऽनूद्य व्याचष्टे–इत इन्द्र इति । ' हि ' यस्मादस्मिन् स्थाने तिष्ठन्निन्द्रो दक्षिणदिगवस्थितान् राक्षसादीन् ' अपाहन् ' अतः कारणात् ' इत इन्द्रो वीर्यमकृणोदिति ' मन्त्रभागे इन्द्रस्तुतिः । द्वितीयभागमनूद्य व्याचष्टे–ऊर्ध्वोऽध्वर इति । इन्द्रवीर्येण राक्षसादीनां बाधितत्वान्निर्विघ्नः ' यज्ञः ' ऊर्द्ध्वं प्रवृत्त इत्यर्थः ॥ ३ ॥

भागान्तरमनूद्य व्याचष्टे–अग्ने वेरिति । हे अग्ने! ' होत्रं ' होतृकर्म 'वेः' बुध्यस्व । तथा । 'दूत्यं' दूतकर्म ' वेः ' बुध्यस्व ' इति ' मन्त्रवाक्यार्थः । " विद् ज्ञाने "–(अ० प० ५४) इत्यस्माच्छान्दसो लङ्,

---

१–' नेदीयस्त्व ' इति क० पा० स एव युक्तो भाति ।

(त्य) अथासᳬस्पर्शयन्त्स्रुचौ पर्य्यैत्य । ध्रुवया समनक्ति शिरो वै यज्ञस्योत्तर आघार ऽआत्मा वै ध्रुवा तदात्मन्येवैतच्छिरः प्रतिदधाति शिरो वै यज्ञस्योत्तर ऽआघारः श्रीर्वै शिरः श्रीर्हि वै शिरस्तस्माद्योऽर्द्धस्य श्रेष्ठो भवत्यसावमुष्यार्द्धस्य शिर इत्याहुः ॥ ९ ॥

(सं) यजमान एव ध्रुवामनु । योऽस्मा ऽअरातीयति स ऽउपभृतमनु

अथासंस्पर्शयन्त्स्रुचौ पर्येत्य ध्रुवया समनक्ति । शिरो वै यज्ञस्योत्तर आघारः । आत्मा वै ध्रुवा । तदात्मन्येवैतच्छिरः प्रतिदधाति । शिरो वै यज्ञस्योत्तर आघारः । श्रीर्वै शिरः । श्रीर्हि वै शिरस्तस्माद्-योऽर्द्धस्य श्रेष्ठो भवति, असावमुष्यार्द्धस्य शिर इत्याहुः ॥ ९ ॥

यजमान एव ध्रुवामनु । योऽस्मा अरातीयति स उपभृतमनु । स यद्धोपभृता समञ्ज्याद्-यो

(पा. सू. ३ । ४ । ६) सिपि " दश्च " (पा० सू० ८. २. ७५) इति दकारस्य रुत्वे वेरिति रूपम् । इममर्थमाह–**उभयं वा** इत्यादिना । 'देवानाम्' अर्थे आत्मनो यद् दूतत्वं होतृत्वं चाङ्गीकृतवान् 'असि' 'तदुभयं' 'विद्धि' जानीहीत्यर्थः । अवतान्त्वेत्यादि निगदसिद्धम् । अन्तिमं भागमनूद्य व्याचष्टे–**स्विष्टकृदिति** । 'देवेभ्यः' देवानामर्थे सोऽग्निः 'स्विष्टकृत्' शोभनयागस्य कर्त्ता । हे अग्ने ! त्वं यस्मादेवं भवसि, तस्मादनेन 'आज्येन हविषा' आहुतेन 'इन्द्रः' सङ्गतः 'अभूत्' भवतु, 'स्वाहा' स्वाहुतमिदमाज्यमस्त्विति मन्त्रवाक्यार्थः । इन्द्रो वै यज्ञस्येत्यादि स्पष्टम् । ननु 'मनसे चैव वाचे च' इति द्वितीयाघारस्य वाग्देवतार्थत्वं प्रागाम्नातम् (श० प० १ । ४ । ४ । १) । तदिन्द्रार्थत्वे विरुद्ध्यत इत्याशङ्क्य, तयोस्तादात्म्यमाह–**इन्द्रो वागित्यु वा आहुरिति** । वाच इन्द्रेण व्याकृतत्वात् तत्तादात्म्यम् । अत एव तैत्तिरीयके " इमां नो वाचं व्याकुरु " इत्युपक्रम्याम्नातम्–" तामिन्द्रो मध्यतोऽवक्रम्य व्याकरोत् " (तै० सं० ६. ४. ७, ९.) इति । एषा प्रसिद्धिरत्र 'वै'–शब्देन द्योत्यते । **तस्माद्धेवाहेति** । वाच इन्द्रस्य भेदाभावादपीत्यर्थः । अस्य मन्त्रस्य लिङ्गसिद्धे होमे विनियोगमसूत्रयत् कात्यायनः–" इत इन्द्र इति जुहोत्युत्तराघारम् " इति (का० श्रौ० सू० ३ । २ । १९ ।) इति ॥ ४ ॥

होमानन्तरं प्रत्याक्रम्य ध्रुवासमञ्जनं विधत्ते–**अथेति** । **ध्रुवयेति** । ध्रुवामित्यर्थः । तदाह कात्यायनः–"आघार्यासᳬस्पर्शयन्त्स्रुचावेत्य जुह्वा ध्रुवाᳬ समनक्ति सञ्ज्योतिषेति" इति (का० श्रौ० सू० ३ । २ । २०) । तदेतत् समञ्जनं प्रशंसति–**शिरो वा** इति । उत्तराघारस्य यज्ञशिरस्त्वं प्राक्–(शत. १ कां. ३ प्र. ६ ब्रा. १२ कं.) प्रतिपादितम् । ध्रुवास्थस्याज्यस्य सर्वयज्ञसाधारण्याद् यज्ञस्य मध्यदेह एव ध्रुवा; आघारशेषस्य तस्यां समञ्जनात् 'शिरः' एव तस्मिन् 'प्रतिदधाति' इत्यर्थः । यज्ञशिरस्त्वमुपजीव्य श्रीरूपत्वेनाघारं प्रशंसति–**शिरो वा** इति । शिरसः श्रीत्वोपपादनम्–**श्रीर्हि वै** इति । 'हि'–शब्दद्योतितां प्रसिद्धिं लोके श्रीमिति[1] शिरस्त्वं व्यवहारेणाविष्करोति । **तस्मादिति** । 'अर्द्धस्य' देशभागस्य ग्रामादेः 'यः श्रेष्ठो भवति' 'अमुष्य' ग्रामादेः 'असौ' देवदत्तः 'शिरः' 'इति' लौकिकाः कथयन्ति, अतः शिरसः श्रीरूपत्वम् ॥ ९ ॥

किं तत इत्याह–**यजमान एवेत्यादिना** । 'ध्रुवामनु'–अनोः कर्मप्रवचनीयत्वम्, (पा. सू. १ । ४ ।

१–शिरःपदेन श्रीमतो व्यवहारमाविष्करोतीति तात्पर्यम् ।

स सुद्धोपभृता समभ्ज्याद्यो युजमानायारातीयति तुस्मिञ्छ्रियं दध्यात्तद्य-
जमान ऽएवैतच्छ्रियं दधाति तुस्माद्ध्रुवया सुमनक्ति ॥ ६ ॥

स सुमनक्ति । सञ्ज्योतिषा ज्योतिरिति ज्योतिर्वा ऽइतरस्यामाज्यं
भुवति ज्योतिरितरस्यां ते ह्येतदुभे ज्योतिषी सङ्गच्छेते तुस्मादेव १९
सुमनक्ति ॥ ७ ॥

(त्तय) अथातो मुनसश्चैव व्वाचुश्च । (श्वा) अहंभद्र ऽउदितं मुनश्च ह
वै व्वाक्चाहं भद्र ऽऊदाते ॥ ८ ॥

तुद्ध मुन ऽउवाच । (चा) अहुमेव त्वच्छ्रेयोऽस्मि न वै मुया त्वं किञ्च
नानभिगतं व्वदसि सा यन्मुम त्वं कृतानुकरानुवर्त्मास्यहुमेव त्वच्छ्रे-
योऽस्मीति ॥ ९ ॥

यजमानायारातीयति । तस्मिञ्छ्रियं दध्यात्, तद्यजमान एवैतच्छ्रियं दधाति; तस्माद् ध्रुवया समनक्ति ॥ ६ ॥

स समनक्ति । "संज्योतिषा ज्योतिः"–(२ अ० ९ मं०) इति । ज्योतिर्वा इतरस्यामाज्यं भवति, ज्योतिरितरस्याम् । ते ह्येतदुभे ज्योतिषी सङ्गच्छेते । तस्मादेवं समनक्ति ॥ ७ ॥

अथातो मनसश्चैव वाचश्चाहंभद्र उदितम् । मनश्च ह वै वाक् चाहंभद्र ऊदाते ॥ ८ ॥

तद्ध मन उवाच–अहमेव त्वच्छ्रेयोऽस्मि, न वै मया त्वं किञ्चनानभिगतं वदसि सा यन्मम त्वं कृतानुकरानुवर्त्मासि, अहमेव त्वच्छ्रेयोऽस्मीति ॥ ९ ॥

(४ ।) "कर्मप्रवचनीययुक्ते"–(पा० सू० २. ३. ८) इति द्वितीया । ध्रुवाभागो यजमान इत्यर्थः । 'अस्मै' यजमानाय 'यः' 'अरातीयति' अरातिः शत्रुरिवाचरति । 'सः' उपभृद्भागः । 'उपभृता'–इति द्वितीयार्थे तृतीया (पा. सू. ३ । १ । ८९) । स्पष्टमन्यत् ॥ ६ ॥

विहितं समञ्जनमनूद्य मन्त्रं विधत्ते–स समनक्तीति । सञ्ज्योतिषा ज्योतिरिति मन्त्रगतज्योतिःशब्दद्वयस्यार्थ-माह–ज्योतिर्वा इति । ध्रुवापेक्षया 'इतरा' जुहूः, तस्यां यद् 'आज्यम्' तत् तृतीयान्तज्योतिःशब्दार्थः । जुह्वपेक्षया 'इतरा' ध्रुवा तस्यां यद् 'आज्यम्' तत् प्रथमान्तज्योतिःशब्दार्थः । एते चाज्यज्योतिषी क्रमेण सूर्याग्न्यात्मके; तदुभये समञ्जनेन 'सङ्गच्छेते' सङ्गते एव भवत इत्यर्थः ॥ ७ ॥

प्राजापत्यस्य पूर्वाघारस्योपांशुत्वं प्रतिपादयितुं मनोवाग्भ्यां कृतं संवादमुपन्यसितुं प्रतिजानीते–अथात इति । 'अथ'–शब्दोऽधिकारार्थः । 'अतः' परम् 'अहं–भद्रे' निमित्ते,–अहमेव भद्रः, अहमेव भद्र इति स्वस्वोत्कर्षविषये, 'मनसो वाचश्च' यदुक्तं वचनं तदधिक्रियत इत्यर्थः । तमेवेतिहासमुदाहरति–मनश्चेति । 'अहं–भद्रे' आत्मीयोत्कर्षविषये 'ऊदाते' विवादं चक्रतुः । वदेः किति लिटि यजादित्वात् (पा० सू० ६ । १ । १५) सम्प्रसारणम् ॥ ८ ॥

तत्र मनसो वाक्यमुदाहरति–तद्धेति । श्रेयस्त्वकारणमाह–न वा इति । हे वाक् ! 'त्वं' 'मया' मनसा

१–जुह्वा ध्रौवाज्यमध्ये बिन्दुम्पातयतीत्यर्थः । २–"गच्छता" मित्यध्याहार इति कर्कमहीधरौ ।

(त्यु) अथ ह वागुवाच। (चा) अहमेव त्वच्छ्रेयस्यस्मि। यद्वै त्वं वेत्थाहं तद्विज्ञपयाम्यह ँ संज्ञपयामीति ॥ १० ॥

ते प्रजापतिं प्रति प्रश्नमेयतुः। स प्रजापतिर्मनस ऽएवानूवाच मनऽएव त्वच्छ्रेयो मनसो वै त्वं कृतानुकरानुवर्त्मासि श्रेयसो वै पापीयान्कृतानुकरोऽनुवर्त्मा भवतीति ॥ ११ ॥

सा ह वाक्परोक्ता विसिष्मिये। तस्यै गर्भः पपात सा ह वाक्प्रजापतिमुवाचाहव्यवाड्वाहं तुभ्यं भूयासं यां मा परावोच ऽइति तस्माद्यत्किञ्च प्राजापत्यं यज्ञे क्रियत ऽउपांश्वेव तत्क्रियतेऽहव्यवाड्धि वाक्प्रजापतय ऽआसीत् ॥ १२ ॥

अथ ह वागुवाच–अहमेव त्वच्छ्रेयस्यास्मि यद्वै त्वं वेत्थ–अहं तद्विज्ञपयामि, अहं संज्ञपयामीति ॥ १०

ते प्रजापतिं प्रति प्रश्नमेयतुः। स प्रजापतिर्मनस एवानूवाच–मन एव त्वच्छ्रेयः, मनसो वै त्वं कृतानुकरानुवर्त्मासि; श्रेयसो वै पापीयान् कृतानुकरोऽनुवर्त्मा भवतीति ॥ ११ ॥

सा ह वाक् परोक्ता विसिष्मिये। तस्यै गर्भः पपात। सा ह वाक् प्रजापतिमुवाच–अहव्यवाडेवाहं तुभ्यं भूयासम्, यां मा परावोच इति। तस्माद् यत्किञ्च प्राजापत्यं यज्ञे क्रियते, उपांश्वेव तत् क्रियते। अहव्यवाड्धि वाक् प्रजापतय आसीत् ॥ १२ ॥

अविषयीकृतं 'किम्' अपि 'न वदसि'; अतो विषयीकृतमेव वदसि। 'सा त्वं' 'मम' 'कृतानुकरा' मया यत्कृतं तदेवानुकुर्वती 'अनुवर्त्मा' अनुगन्त्री भवसीत्यर्थः ॥ ९ ॥

अथैतस्य प्रत्युत्तरमाह–अथ वागुवाचेति। हे मनः! 'अहमेव' त्वत्तः सकाशात् 'श्रेयसी' कुतः? 'यद्वै त्वं' यद्वस्तु त्वं 'वेत्थ' जानासि। 'अहं तद् विज्ञपयामि' तदन्तर्गतविषयं परेषां विविधं प्रतिपादयामि। तत् 'सञ्ज्ञपयामि' सम्यग् ज्ञपयामि, प्रतिपादयामि। यतो विज्ञापन–सञ्ज्ञापन–साध्यं ममैव, अतस्त्वत्तः श्रेयसीत्यर्थः ॥ १० ॥

ते प्रजापतिमिति। एवं विवदमाने 'ते' मनश्च वाक् च 'प्रश्नं प्रति प्रजापतिम्' 'एयतुः' जग्मतुः। 'सः' च 'मनस एव' अनुकूलम् 'उवाच' तद्वाक्यमुदाहरति–मन एवेति। कृतानुकरत्वस्य निकर्षहेतुत्वं लोकप्रसिद्ध्या दर्शयति–श्रेयसो वा इति ॥ ११ ॥

सा हेति। एवं प्रजापतिनोक्ते 'सा' वाक् पराजितत्वेन 'उक्ता' 'विसिष्मिये' विगतस्मया भग्नवीर्या बभूव। तस्मात् पराभवात् तस्या वाचो यो 'गर्भः' देवमनुष्यादीनामुत्पत्तिहेतुः, सोऽपि 'पपात'। 'सा वाक्' पराजयेन खिन्ना सती 'प्रजापतिम्' 'उवाच' उक्तवती। किमिति? हे प्रजापते! 'तुभ्यमहम्' 'अहव्यवाड्' हव्यवहनस्याहेतुभूतैव 'भूयासम्' 'यां मा' पराजितत्वेनोक्तवानसि। यस्मादेवं वाचोक्तम्, 'तस्मात्' एव कारणात्, यज्ञसंबन्धि यत् किमपि प्रजापतिदेवताकं कर्म, 'तत्' सर्वं वाग्व्यापारविरहेण 'उपांश्वेव क्रियते' अहव्यवाड्धि–इति प्रागुक्तार्थस्मारणम् ॥ १२ ॥

१–"वाक्च मनश्चार्तीयेतामहं देवेभ्यो हव्यं वहामीति वागब्रवीत्" इत्यादि चात्रोपाख्यानमाम्नातम्। तै. सं. २।५।११।

(ञु) तुद्धैतुद्देवाः । (०) रेतश्चुर्मन्वा युस्मिन्वा वभ्रुस्तद्ध स्म पृच्छन्त्यु-त्रैवत्या३ दिति ततोऽत्रिः सुम्बभूव तुस्मादुप्यात्रेय्या योषितैनुस्व्येतुस्यै हि योषायै व्वाचो देवुताया ऽएते सुम्भूताः ॥ १३ ॥ १ ॥

इति चतुर्थप्रपाठके प्रथमं ब्राह्मणम् । (४. ५.)

चतुर्थोऽध्यायश्च समाप्तः ॥ (२-४) ॥

तद्धैतद्देवा रेतश्चर्मन् वा यस्मिन् वा बभ्रुः । तद्ध स्म पृच्छन्ति–अत्रैव त्या ३ दिति । ततोऽत्रिः सम्बभूव । तस्मादप्यात्रेय्या योषितैनस्वी । एतस्यै हि योषायै वाचो देवताया एते सम्भूताः॥१३॥

स पतितो वाचो गर्भः कथमासीदिति तदिदानीमनुसन्धत्ते–तद्धैतदिति । ' तत् ' ' ह ' खलु ' एतत् ' वाचः सकाशात् पतितं ' रेतः ' ' चर्मन् ' चर्मणि ' अन्यस्मिन् वा ' यस्मिन् कस्मिंश्चित्पात्रे देवाः ' बभ्रुः ' धृतवन्तः भूत्वा च ' तत् ' प्रतिदिवसं ' पृच्छन्ति '–अत्रैव त्या ३ दिति । ' अत्र ' अस्मिन् पात्रे किं 'त्या३त्' एतत्प्रसिद्धं रेतः कथंभूतम् ? ' इति ' विचारयन्त इत्यर्थः । " विचार्यमाणानाम् "–(पा० सू० ८. २. ९७) इति प्लुतिः । यस्माद्देवैर्विचारितम्, ' ततः ' तस्मात् स गर्भः ' अत्रिः ' सम्बभूव । अत्रैव त्यदित्यत्रिरिति शब्दव्युत्पत्तिरित्यर्थः । यतो गर्भाशयात् स्रुतो गर्भोऽत्रिः संपन्नः, तस्मात् स्रुतगर्भा रजस्वला स्त्री नाम्ना ' आत्रेयी '–इत्याख्यायते । तया ' योषिता ' सह सम्भाषणादिकं कुर्वन् पुरुषः ' एनस्वी ' भवति । तैत्तिरीयकेऽप्याम्नातम्–" तस्मान्मलवद्वाससा न संवदेत, न सहासीत "–(तै० सं० २. ५. १. ५.) इति ।

ननु यस्या गर्भोऽत्रिः संजातः, सैव वागात्रेयी; सर्वस्त्रीणां कथमात्रेयीत्वमित्यत आह–एतस्या इति । ' एतस्यै ' स्त्रीरूपधारिण्या एतस्याः खलु वाग्देवताया ' एते ' लौकिकाः सर्वे गर्भाः ' सम्भूताः ' । गर्भाशयलक्षणे चर्मणि धृतं रेतो हि गर्भात्मना परिणमति, तच्च वाक्संबन्ध्येवेति सिद्धं सर्वासामात्रेयीत्वमित्यर्थः ॥ १३ ॥ ९ ॥ (४. १.)

इति श्रीसायणाचार्यविरचिते माधवीये वेदार्थप्रकाशे माध्यन्दिनशतपथब्राह्मणभाष्ये प्रथमकाण्डे चतुर्थाध्याये पञ्चमं ब्राह्मणम् ॥

वेदार्थस्य प्रकाशेन तमो हार्दं निवारयन् । पुमर्थांश्चतुरो देयाद् विद्यातीर्थमहेश्वरः ॥ ४ ॥

ब्रह्माण्डं गोसहस्रं कनकहयतुलापूरुषौ स्वर्णगर्भं,
सप्ताब्धीन्पञ्चसीरीस्त्रिदशतरुलताधेनुसौवर्णभूमीः ।
रत्नोस्रां रुक्मवाजिद्विपमहितरथौ सायणिः सिङ्गणार्यो,
व्यश्राणीद्विश्वचक्रं प्रथितविधिमहाभूतयुक्तं घटं च ॥
धान्याद्रिं धन्यजन्मा तिलभवमतुलः स्वर्णजं वर्णमुख्यः,
कार्पासीयं कृपावान्गुडकृतमजडो राजतं राजपूज्यः ।
आज्योत्थं प्राज्यजन्मा लवणजमनृणः शार्करं चार्कतेजा,
रत्नाढ्यो रत्नरूपं गिरिमकृत मुदा पात्रसात्सिङ्गणार्यः ॥

इति श्रीमद्राजाधिराजपरमेश्वरवैदिकमार्गप्रवर्त्तकश्रीहरिहरमहाराजसाम्राज्यधुरन्धरेण सायणाचार्येण विरचिते माधवीये वेदार्थप्रकाशे माध्यन्दिनशतपथब्राह्मणभाष्ये प्रथमकाण्डे चतुर्थोऽध्यायः समाप्तः ॥ ४ ॥

१–अत्रैव त्या ३ दिति यस्माद्देवैर्विचारितम्–इति क० पा० युक्तं चैतदेव । २–" आत्रेयी च रजस्वला ऋतुस्नातोच्यते " तथा च वसिष्ठः–" रजस्वलामृतुस्नातामात्रेयीम् " इति ।

अथ प्रथमकाण्डे पञ्चमाध्याये प्रथमं ब्राह्मणम् ।

स वै प्रवरायाश्रावयति । तद्यत्प्रवरायाश्रावयति यज्ञो वाऽआश्रावणं यज्ञमभिव्याहृत्याथ होतारं प्रवृणा ऽइति तस्मात्प्रवरायाश्रावयति ॥ १ ॥

स इध्मसन्नहनान्येवाभिपद्याश्रावयति । स यद्धानारभ्य यज्ञमध्वर्युराश्रावयेद्वेपनो वा ह स्यादन्यां वार्तिमार्च्छेत् ॥ २ ॥

(त्त) तद्धैके । व्वेदेस्तीर्णायै बर्हिरभिपद्याश्रावयन्तीध्मस्य वा शकलमपच्छिद्याभिपद्याश्रावयन्तीदं वै किञ्चिद्यज्ञस्येदं यज्ञमभिपद्याश्रावयाम ऽइति व्वदन्तस्तदु तथा न कुर्यादेतद्वै किञ्चिद्यज्ञस्य यैरिध्मः सन्नद्धो भवत्यग्निं सम्मृजन्ति तद्धैव खलु यज्ञमभिपद्याश्रावयति तस्मादिध्मसन्नहनान्येवाभिपद्याश्रावयेत् ॥ ३ ॥

होतृप्रवरणम् ।

स वै प्रवरायाश्रावयति । तद्: यत् प्रवरायाश्रावयति—यज्ञो वा आश्रावणम्, यज्ञमभिव्याहृत्याथ होतारं प्रवृणे-इति । तस्मात्प्रवरायाश्रावयति ॥ १ ॥

स इध्मसन्नहनान्येवाभिपद्य--आश्रावयति । स यद् ह अनारभ्य यज्ञमध्वर्युराश्रावयेद्--वेपनो वा ह स्याद् अन्यां वाऽऽर्तिमार्च्छेत् ॥ २ ॥

तद्धैके वेदेः स्तीर्णायै बर्हिरभिपद्याश्रावयन्ति, इध्मस्य वा शकलमपच्छिद्याभिपद्याश्रावयन्ति—'इदं वै किञ्चिद् यज्ञस्य; इदं यज्ञमभिपद्याश्रावयामः' इति वदन्तः । तदु तथा न कुर्यात् । एतद्वै किञ्चिद् यज्ञस्य—यैरिध्मः सन्नद्धो भवति; अग्निं संमृजन्ति; तद्धैव खलु यज्ञमभिपद्याश्रावयति; तस्मादिध्मसन्नहनान्येवाभिपद्याश्रावयेत् ॥ ३ ॥

यस्य निःश्वसितं वेदा यो वेदेभ्योऽखिलं जगत् । निर्ममे, तमहं वन्दे विद्यातीर्थमहेश्वरम् ॥

चतुर्थे सामिधेन्यादिराघारान्तः प्रदर्शितः । प्रयोगः, पञ्चमेऽथास्मिन् प्रवरादिर्निरूप्यते ॥

तत्र दैवहोत्रार्षेयमानुषहोतॄणां वरणं विवक्षुरादौ तदङ्गतया आश्रावणं विधत्ते—**स वै प्रवरायाश्रावयतीति** । 'सः' अध्वर्युः प्रवरार्थम् 'आश्रावयति' आश्रावयेत् । विहितमाश्रावणं प्रशंसति—**तद्यत् प्रवरायेत्यादिना** । आश्रावणस्य यज्ञनिर्वर्त्तकत्वाद्यज्ञत्वम् । **अथ होतारमिति** । दैवं होतारम् अग्निमित्यर्थः ॥ १ ॥

आश्रावणाङ्गत्वेध्मबन्धनदर्भाणां ग्रहणं विधत्ते—**स इध्मसन्नहनान्येवेति** । एवकारो वक्ष्यमाणपक्षद्वयनिरासार्थः ।

विपक्षे बाधमाह—**स यद्धेति** । यज्ञावयवस्य कस्यचिदनन्वालम्भे सति निरालम्बनत्वेन 'वेपनः' कम्पनशीलो 'वा स्यात्' 'अन्यां वा' पतनादिलक्षणाम् 'आर्तिम्' प्राप्नुयात् ॥ २ ॥

तत्र केषांचित् पक्षमुपन्यस्यति—**तद्धैक इति** । स्तीर्णाया इति षष्ठ्यर्थे चतुर्थी (पा०सू०२।३।६२वा.१) । तेषामभिप्रायमाविष्करोति—**इदं वा इति** । स्तरणसमिन्धनलक्षणस्य कार्यस्य करणात् 'इदं' बर्हिरादिकं 'यज्ञस्य'

(त्मु) सुऽआश्राव्य । सु एुव देवाना१ँ होता तुमेवाग्रे प्रवृणीतेऽग्निमेव तुदग्नये चैवैतुद्देवेभ्यश्च निह्नुते यदहाग्रेऽग्निं प्रवृणीते तुदग्नये निह्नुतेऽथ यो देवाना१ँ होता तमुग्रे प्रवृणीते तुदु देवेभ्यो निह्नुते ॥ ४ ॥

सु ऽआह । (हा) अग्निर्देवो दैव्यो होतेुत्यग्निर्हि देवाना१ँ होता तुस्मादाहाग्निर्देवो दैव्यो होतेति तुदग्नये चैवैतुद्देवेभ्यश्च निह्नुते यदहाग्रेऽग्निमाह तुदग्नये निह्नुतेऽथ यो देवाना१ँ होता तमुग्र ऽआह तदु देवेभ्यो निह्नुते ॥५॥

स आश्राव्य–य एव देवानां होता, तमेवाग्रे प्रवृणीते–अग्निमेव । तद् अग्नये चैवैतद् देवेभ्यश्च निह्नुते । यदहाग्रेऽग्निं प्रवृणीते–तद् अग्नये निह्नुते, अथ यो देवानां होता, तमग्रे प्रवृणीते; तद् देवेभ्यो निह्नुते ॥ ४ ॥

स आह–"अग्निर्देवो दैव्यो होता"–इति । अग्निर्हि देवानां होता, तस्मादाह–अग्निर्देवो दैव्यो होतेति । तद् अग्नये चैवैतद् देवेभ्यश्च निह्नुते । यदहाग्रेऽग्निमाह–तदग्नये निह्नुते । अथ यो देवानां होता–,तमग्रे आह–तद्दु देवेभ्यो निह्नुते ॥ ५ ॥

'किञ्चिद्' अङ्गम् । स्पष्टमन्यत् । तन्निराकरोति–**तदु तथे**ति । पक्षान्तरादस्य विशेषमाह–**एतद्वा** इति । इध्मसन्नहनाग्निसम्मार्जनलक्षण–कार्यद्वयकरणाद् 'एतत्' इध्मसन्नहनात्मकमेव 'यज्ञस्य' 'किञ्चित्' प्रशस्तमङ्गम्; अतस्तद्धारणपक्ष एव श्रेयानित्यर्थः । अत एव कात्यायनः आदाविध्मसन्नहनान्येवाभिधाय पश्चात् पक्षान्तरं निर्दिदेश–"इध्मसन्नहनान्यादायो श्रावयेत्याहास्तु श्रौषडित्यग्नीद् वेदिर्बर्हिरिध्मशकलमपच्छिद्यैके" (का० श्रौ० सू० ३ । २१–२३) इति ॥ ३ ॥

अथ देवहोतुरग्नेर्वरणं विधत्ते–**स आश्राव्ये**ति । 'अग्रे' आर्षेयहोतृवरण–मानुषहोतृवरणाभ्यां पूर्वम् । देवहोतारं विशिनष्टि–**अग्निमेवे**ति ॥

वरणस्य प्रयोजनमाह–**तदग्नय** इति । 'निह्नुते' 'निःह्नुङ्–अपनयने (धा० पा० अ० आ० ११९६) अपनेतव्यश्चात्र तदसत्कारप्रयुक्तोऽपराधः । तस्य क्रियमाणत्वादग्नेर्निह्नवः । कथं देवानां निह्नवः स्यादिति तं प्रकारं विभज्य दर्शयति–**यदहाग्रेऽग्निमि**त्यादिना । अग्नेर्देवहोतृत्वेन देवसम्बन्धात् तद्वरणेन तेषामपि निह्नव इत्यर्थः ॥ ४ ॥

अत्र मन्त्रपाठ एवाग्नेर्वरणमित्याह–**स आहे**ति । तथैव कात्यायनोऽप्याह–"अथ प्रवृणीतेऽग्निर्देवो दैव्यो होतेत्यादिना" (का० श्रौ० सू० ३. २९) प्रवरविधिशेषार्थवादे यो देवानां निह्नवः सङ्ग्रहविवरणाभ्यामुक्तः, तं मन्त्रपदतात्पर्याभिधानद्वारेणापि प्रतिपादयति–**अग्निर्ही**त्यादिना, अग्नेर्देवहोतृत्वसमर्थनेन ॥ ५ ॥

१–अग्निर्देवो दैव्यो होतेत्यादयः प्रवरणमन्त्राः संहितायामत्र न दृश्यन्ते । २–आश्रावण प्रत्याश्रावणं चाध्वर्य्वग्नीधोः संमुखयोः सतोरेवोक्तिप्रत्युक्तिदर्शनात् । एवं च प्रयाजादिप्रत्याश्रावणे दक्षिणामुखता न विरुद्धा अध्वर्युसंमुखतार्थं । तथा चाश्वलायनः–"प्रत्याश्रावयेदग्नीध्र उत्करदेशे तिष्ठन्स्फ्यामिध्मसन्नहनानीत्यादायदक्षिणामुख इति" आ० श्रौ० सू० १ अ० ३ कं० । ३–" होता–देवान् यक्षद्विद्वाँश्चिकित्वान्मनुष्वद्भरतवत् " इति पूर्णो मन्त्रः कातीयसूत्रपाठे ।

देवान्यक्षद्विद्वांश्चिकित्वानिति । (त्ये) एष वै देवाननु विद्वान्यदग्निः स एनाननु विद्वाननुष्ठ्या यक्षदित्येवैतदाह ॥ ६ ॥

मनुष्वद्भरतवदिति । मनुर्ह वा ऽअग्रे यज्ञेनेजे तदनुकृत्येमाः प्रजा यजन्ते तस्मादाह मनुष्वदिति मनोर्यज्ञ ऽइत्यु वा ऽआहुस्तस्माद्वेवाह मनुष्वदिति ७॥

भरतवदिति । (त्ये) एष हि देवेभ्यो हव्यं भरति तस्माद्भरतोऽग्निरित्याहुरेषु ऽउ वा ऽइमाः प्रजाः प्राणो भूत्वा बिभर्त्ति तस्माद्वेवाह भरतवदिति ॥ ८ ॥

(त्यु) अथार्षेयं प्रवृणीते । (तऽ) ऋषिभ्यश्चैवैनमेतद्देवेभ्यश्च निवेदयत्ययं महावीर्यो यो यज्ञं प्रापदिति तस्मादार्षेयं प्रवृणीते ॥ ९ ॥

"देवान्यक्षद्विद्वांश्चिकित्वान्"–इति । एष वै देवाननु विद्वान्–यदग्निः । स एनाननु विद्वान् अनुष्ठ्या यक्षद्–इत्येवैतदाह ॥ ६ ॥

" मनुष्वद् भरतवद् "–इति । मनुर्ह वा अग्रे यज्ञेनेजे; तदनुकृत्येमाः प्रजा यजन्ते; तस्मादाह मनुष्वादिति । मनोर्यज्ञः–इत्यु वा आहुः, तस्माद्वेवाह–मनुष्वदिति ॥ ७ ॥

भरतवदिति–एष हि देवेभ्यो हव्यं भरति, तस्माद्भरतोऽग्निरित्याहुः । एष उ वा इमाः प्रजाः प्राणो भूत्वा बिभर्ति, तस्माद्वेवाह–भरतवदिति ॥ ८ ॥

अथार्षेयं प्रवृणीते । ऋषिभ्यश्चैवैनम्–एतद् देवेभ्यश्च निवेदयति–' अयं महावीर्यो यो यज्ञं प्रापद् ' इति, तस्मादार्षेयं प्रवृणीते ॥ ९ ॥

द्वितीयं मन्त्रभागमनूद्य व्याचष्टे--**देवान् यक्षादिति** । विद्वान्--इत्यनेन यष्टव्यदेवतापरिज्ञानम्, ' चिकित्वान् '--इति परिज्ञातस्यार्थस्याविस्मरणम् । अग्नेस्तथाविधज्ञानवत्त्वं "विद्वाँ आ वक्षि विदुषो निषत्सि" इत्यादिमन्त्रेषु (ऋ० सं० ३. १४. २) प्रसिद्धम् । ' अनुष्ठ्या ' अनुक्रमेणेत्यर्थः ॥ ६ ॥

मनुष्वदिति तृतीयमन्त्रभागगतस्य ' मनुष्वत् ' पदस्य सामर्थ्यलब्धोऽर्थः–**तदनुकृत्ये**त्यादि । अयमर्थः–यथा मनुः स्वकीये यज्ञे देवान् अनुक्रमेणेष्टवान्, एवम् ' इमाः प्रजाः ' अपि ' यजन्ते ' तद्वदग्निरपि होता भूत्वा यजत्वित्यर्थः । तस्यैवाभिप्रायान्तरमाह–**मनोर्यज्ञ** इत्यादिना । ' इति'–शब्दोऽप्यर्थे, ' वै '–शब्दः प्रसिद्धौ । अस्मिन् पक्षे ' मनुष्वत् '–इति " तत्र तस्येव " (पा०सू० ५. १. ११६) इति षष्ठ्यर्थे वतिः । यस्मात् ' मनोर्यज्ञ इति ' आहुः ' सर्वे जनाः, अतो मनोर्यागकर्तृत्वम् मनोर्यज्ञ इवास्मिन् यज्ञेऽपि देवान् यजत्वित्यर्थः । " नभोऽङ्गिरोमनुषां वत्युपसङ्ख्यानम् "–(पा० सू० १ । ४ । १८ वा० ३) इति भसञ्ज्ञया पदसञ्ज्ञा[२]या रुत्वाभावः ॥ ७ ॥

भरतवदितीति । भरतशब्दस्याग्न्यभिधायकत्वे द्वेधा व्युत्पत्तिं दर्शयति–**एष ही**त्यादिना ॥ ८ ॥

यजमानस्यार्षेयवरणं विधत्ते–**अथार्षेयमि**ति । ' अथ ' दैवहोतृवरणानन्तरम् , ' आर्षेयम् ' ऋषीणां

१–" अनुष्ठु " इत्येतदव्ययं सम्यक्शब्दसमानार्थं सुष्ठ्विति यथा । सम्यगनुक्रमेण । ' अपदुःसुषु स्थः ' (उ. १ । २५) इति विधीयमानः कुप्रत्ययो बहुलवचनात्तिष्ठतेरनुपूर्वादपि भवति इति ऋ० सं० १ । ५४ । ३ भाष्ये सायणः । ' अनुष्ठुया ' 'सुपां सुलुगिति' (पा० सू० ७ । १ । ३९) तृतीयाया याजादेश इति च ऋ० सं० ४ । ४ । १५ भाष्ये स एवाह । २–बाधादिति पदं त्रुटितं प्रतिभाति ।

परुस्तादर्वाक्प्रवृणीते । पर्स्ताद्ध्यर्वाच्यः प्रजाः प्रजायन्ते ज्यायसस्पतय ऽउ चैवैतन्निह्नुत ऽइदᳫ᳖ हि पितैवाग्रेऽथ पुत्रोऽथ पौत्रस्तुस्मात्परुस्तादर्वाक्प्रवृणीते ॥ १० ॥

स ऽआर्षेयमुक्त्वाह । ब्रह्मण्वदिति ब्रह्म ह्यग्निस्तुस्मादाह ब्रह्मण्वदित्या च व्वक्षदिति तद्या ऽएवैतद्देवता ऽआवोढवा ऽआह ताऽएवैतदाहा च व्वक्षदिति ॥ ११ ॥

ब्राह्मणा ऽअस्य यज्ञस्य प्रावितार ऽइति । (त्ये) एते वै ब्राह्मणा यज्ञस्य प्रावितारो येऽनूचाना ऽएते ह्येनं तन्वत ऽएत ऽएनं जनयन्ति तदु तेभ्यो निह्नुते तस्मादाह ब्राह्मणा ऽअस्य यज्ञस्य प्रावितारऽइति ॥ १२ ॥

परस्तादर्वाक् प्रवृणीते । परस्ताद्धि अर्वाच्यः प्रजाः प्रजायन्ते, ज्यायसस्पतय उ चैवैतन्निह्नुते । इदं हि–पितैवाग्रे, अथ पुत्रः, अथ पौत्रः । तस्मात्परस्तादर्वाक् प्रवृणीते ॥ १० ॥

स आर्षेयमुक्त्वा आह–' ब्रह्मण्वद् ' इति । ब्रह्म ह्यग्निः, तस्मादाह–ब्रह्मण्वदिति । 'आ च वक्षद्' इति । तद्या एवैतद् देवता आवोढ्वा आह ता एवैतदाह–आ च वक्षदिति ॥ ११ ॥

"ब्राह्मणा अस्य यज्ञस्य प्रावितारः"–इति । एते वै ब्राह्मणा यज्ञस्य प्रावितारो येऽनूचानाः ।

मन्त्रन्धिनं तमध्वर्युः ' वृणीते ' वरणं कुर्यात् । " अमुवदमुवत् " इति (का० श्रौ० सू० ३. २६) कीर्तयेत् । तत्प्रयोजनमाह–ऋषिभ्यश्चेति । ' यः ' यष्टुमुपक्रान्तवान् ' अयं ' यजमानः शारीरश्रुताध्ययनसम्पत्त्या हि महासामर्थ्यवानित्येतदमुवदमुवदिति पुरातनप्रसिद्धऋषिदृष्टान्तेन गम्यते, अतस्तेभ्योऽस्य यजमानस्य सामर्थ्यमावेदितं भवति । अत्रान्वाधाने देवतापरिग्रहात् तत्सन्निधानं सिद्धमित्यभिप्रेत्य ' ऋषिभ्यश्चैवैनमेतद्देवेभ्यश्च '–इत्युक्तम् ॥ ९ ॥

विहितमार्षेयवरणमवरोहेण कर्तव्यमिति विधत्ते–**परस्तादर्वागि**त्यादिना । **ज्यायसस्पतय**–इति । ' ज्यायान् ' वृद्धः पूर्वमित्यर्थः, तस्य पतिः ततोऽपि ज्येष्ठः पूर्वपुरुषः । प्रत्येकविवक्षयैकवचनप्रयोगः, यः पूर्वः–पूर्वस्तस्मै–तस्मै तत्तन्नामग्रहणेन निह्नवं कृतवान् भवतीत्यर्थः ॥

परस्तादर्वाग्वरणमुपपादयति–**इदं हीति** । पिता, पुत्रः, पौत्रः, इत्यनेनैव क्रमेणोत्पत्तिरिति यत्, ' इदं हि ' लोकसिद्धम्, अतस्तदनुसारेण आर्षे वरणेऽपि पूर्वपूर्वपुरुषमारभ्य अर्वाक्त्वमेव युक्तमित्यर्थः । तथा च कात्यायनः प्रवराभिधानसमये अवरोहक्रमेणैव वरणमाह–" भृगुवच्च्यवनवदप्नवानवदौर्ववज्जमदग्निवदित्यादिना " ॥ १० ॥

आर्षेयमिति । प्रवरशेषस्य प्रथमभागमनूद्य व्याचष्टे–**ब्रह्मण्वदिति** । ' ब्रह्म ' परिवृढं कर्म, । तत्साधकत्वाद् 'अग्निः' अपि ' ब्रह्म ' स यथा आवहति, तद्वदित्यर्थः । **आ च वक्षदिति** । ' या एव देवताः ' आवोढुम् आह्वातुम् " अग्निमग्न आ वह "–इत्यादिना ' आह ' होता, ' ता एव ' आवहत्विति ॥ ११ ॥

तन्मन्त्रवाक्यमाह–**ब्राह्मणा** इति । साङ्गवेदाध्यायिनः ' अनूचानाः ' ' ये ' सन्ति, त एवात्र

१–" अमुवदमुवदित्यत्र सर्वनामस्थाने यजमानसम्बन्धीनि पूर्वजभूतानि परस्तात्पितृस्थानीयादर्वाक् पितृतत्पुत्रतत्पौत्ररूपाणि त्रीण्यार्षेयाणि ऋषेरपत्यानि वृणीते" इति या० दे० भाष्ये । २–प्रवराध्यायसूत्रे इति बोध्यम् । ३–"ब्रह्मण्वदाचन्वक्षद्ब्राह्मणा अस्य यज्ञस्य प्रावितारः " इति का० श्रौ० सू० ३ । ३१ । ४–निरुक्तकारोऽप्याह ' ब्रह्म परिवृढं सर्वतः ' इति (१. ३. ३.) ।

(त्य) असौ मानुषऽइति । तदिमं मानुषꣳ होतारं प्रवृणीतेऽहोता हैष पुराथैतर्हि होता ॥ १३ ॥

स प्रवृतो होता जपति । देवता ऽउपधावति यथानुष्ठ्या देवेभ्यो वषट्कुर्याद्यथानुष्ठ्या देवेभ्यो हव्यं वहेद्यथा न ह्वलेदेवं देवता ऽउपधावति ॥ १४ ॥

तत्र जपति । (त्ये) एतत्त्वा देव सवितर्वृणत ऽइति तत्सवितारं प्रसवायोपधावति स हि देवानां प्रसविताग्निꣳ होत्रायेति तदग्नये चैवैतद्देवेभ्यश्च

एते ह्येनं तन्वते, एत एनं जनयन्ति । तद्ु तेभ्यो निह्नुते । तस्मादाह–ब्राह्मणा अस्य यज्ञस्य प्रावितार इति ॥ १२ ॥

'असौ मानुषः' इति तदिमं मानुषं होतारं प्रवृणीते[1]। अहोता हैष पुरा; अथैतर्हि होता ॥ १३ ॥

स्वस्त्ययनजपः ।

स प्रवृतो होता जपति, देवता उपधावति । यथानुष्ठ्या देवेभ्यो वषट्कुर्याद्, यथानुष्ठ्या देवेभ्यो हव्यं वहेद्, यथा न ह्वलेद्–एवं देवता उपधावति ॥ १४ ॥

तत्र जपति–" **एतत्त्वा देव सवितर्वृणते** "–इति । तत्सवितारं प्रसवायोपधावति । स हि

'ब्राह्मण'–शब्दाभिधेया ऋत्विजः; ते 'प्रावितारः' कर्तारः । अवतिरत्र क्रियावचनः । 'तन्वते'–इत्यस्य तात्पर्याभिधानं 'जनयन्ति' इति । यस्मादेतद्भागपाठात् तेभ्यो निह्नवः कृतो भवति, तस्मादयं मन्त्रभागः पठनीय इत्यर्थः ॥ १२ ॥

आर्षेयवरणानन्तरं मानुषहोतृवरणं कर्तव्यम्, तत्र मन्त्रपाठ एव तद्वरणमित्याह–**असाविति** । 'तत्' तेन 'असौ'–इति मन्त्रपाठेन । असावित्यत्र होतुर्नाम प्रथमान्तं निर्दिशेत् । तथा च कात्यायनः–" असौ मानुष इति होतृनामग्रहणम् "–(का० श्रौ० सू० ३. ३१. ३२) इति । 'अहोता'–इति च्छेदः । 'एतर्हि' एतस्मिन् मन्त्रलक्षणे वरणे सति[2] ॥ १३ ॥

इत्थमध्वर्युकर्तृकं होतृवरणमभिधाय तस्य स्वं जपं विधत्ते–**स प्रवृतो होता जपतीति** । 'देवता उपधावतीति' जपप्रयोजनकथनम्; 'तस्मात्' मन्त्रे सति पित्रग्न्यादीनां श्रवणात् । उपधावनप्रकारं योजयित्वा दर्शयति–**यथानुष्ठ्येति** । यथा याज्यासमये होता वषट्कर्तव्यदेवता अनुदिश्य अनुदिश्य वषट्करोति[3], यथा वा अग्निस्तं तं देवमुद्दिश्य हव्यं वहति, तथा च स यज्ञो यथा 'न ह्वलेत्' न चलेत्, न भ्रंश्येत; एवं स होता देवेभ्य उपधावनं कृतवान् भवति ॥ १४ ॥

तत्र जपतीति । 'तत्र' तस्मिन् वरणाख्ये कर्मणि । मन्त्रभागस्यायमर्थः–हे 'सवितः !' सकलकर्मानुज्ञातः ! 'देव' 'एतत्' एतेन मम वरणेन मद्व्याजेन 'त्वा' त्वामेव 'वृणते' अध्वर्यवः । 'तत्' तेन

१–'प्रवृणीतेऽहोता' इति मूल इति ज्ञेयम् । २–" अत्राध्वर्युकर्तृकं होतृवरणं श्रुत्या प्रतिपादितमत एव कात्यायनेन 'होतरेहि' इत्याश्वलायनवत् 'एहि होतः' इति शांखायनवच्च होतुरामन्त्रणप्रैषोऽध्वर्युसूत्रे नोपनिबद्धो न वा हौत्रसूत्रेऽपि दार्शितः । अ[illegible] च याजुर्वेदिकहौत्रपक्षे होतुरामन्त्रणप्रैषमनुष्ठापयन्त इदानींतनाः श्रौतकर्मकरा उपेक्ष्या एव, तेषामत्वारस्यैतद्विषयकाज्ञानमूल[illegible]र्दित । ३–'अनुदिश्य वषट्करोति' इति पा०।

निह्नुते यदहाग्रेऽग्निमाह तुदग्नये निह्नुतेऽथ यो देवाना ॅं होता तमग्र ऽआह तुदु देवेभ्यो निह्नुते ॥ १९ ॥

सह पित्रा व्वैश्वानरेणेति । संव्वत्सरो वै पिता व्वैश्वानरः प्रजापतिस्तुत्संव्वत्सरायैवैतत्प्रजापतये निह्नुतेऽग्ने पूषन्बृहस्पते प्र च व्वद प्र च यजेत्यनुवक्ष्यन्वा ऽएतद्यक्ष्यन्भवति तदेताभ्य ऽएवैतद्देवताभ्यो निह्नुते यूयमनुब्रूत यूयं यजतेति ॥ १६ ॥ [शतम् ४००]

व्वसूना ॅं रातौ स्याम । रुद्राणामुर्व्वायां ॅं स्वादित्या ऽअदितये स्यामानेहस ऽइत्येते वै त्रया देवा यद्वसवो रुद्रा ऽआदित्या ऽएतेषामभिगुप्तौ स्यामेत्येवैतदाह ॥ १७ ॥

देवनां प्रसविता । " अग्निं होत्राय "—इति । तदग्नये चैवैतद् देवेभ्यश्च निह्नुते । यदहाग्रेऽग्निमाह—तद् अग्नये निह्नुते । अथ यो देवानां होता तमग्रे आह—तद्‌ देवेभ्यो निह्नुते ॥ १९ ॥

" सह पित्रा वैश्वानरेण "—इति । संवत्सरो वै पिता वैश्वानरः प्रजापतिः । तत्संवत्सरायैव एतत्प्रजापतये निह्नुते—" अग्ने पूषन् बृहस्पते प्र च वद, प्र च यज " इति । अनुवक्ष्यन् वा एतद् यक्ष्यन् भवति; तदेताभ्य एवैतद् देवताभ्यो निह्नुते—' यूयमनुब्रूत, यूयं यजत ' इति १६

" वसूनां रातौ स्याम, रुद्राणाम् उर्वायाम्, स्वादित्या अदितये स्यामानेहसः "—इति । एते वै त्रया देवाः—यद् वसवो रुद्रा आदित्याः । एतेषामभिगुप्तौ स्याम—इत्येवैतदाह ॥१७॥

मन्त्रपाठेन सवितुरनुज्ञा लब्धा भवति । ' हि '—शब्देन " सविता वै प्रसवानामीशे " (ऐ० ब्रा० १. ३. ९) इत्यादिश्रुतिप्रसिद्धिर्द्योत्यते । अग्निं [१] होत्रायेतीति । होतुः कर्म ' होत्रं ' स्व–स्व–मन्त्रपाठादि; तत् होत्रं कर्तुम् ' अग्निं ' वृणते; न तु मामित्यर्थः । मन्त्रगतं यदग्नि—पदम्, यच्च तद्विशेषणं देवहोतृपदम्, तदुभयं पूर्ववद् विभज्य प्रशंसति—तदग्नय इत्यादिना ॥ १९ ॥

सह पित्रेत्यादि । विश्वे च ते नराश्च विश्वनराः, तेषां सम्बन्धी वैश्वानरः; स च पालनात् 'पिता' उच्यते; तेन सह, अग्निं वृणत इति पूर्वत्र सम्बन्धः । वैश्वानरात्मकं देवमग्निं च वृणत इत्यर्थः । वैश्वानरशब्दस्याग्नौ प्रसिद्धेश्चाभिमतमर्थमाह—संवत्सरो वा इति । " संवत्सरो वै प्रजापतिः " (ऐ० ब्रा० ३. २. ७.) इति श्रुतेः । संवत्सरस्य प्रजापतित्वम्, तस्यैव सकलमनुष्योत्पादकत्वेन सम्बन्धाद् वैश्वानरत्वम् । अग्ने पूषन्निति मन्त्रभागस्याभिप्रायमाह—अनुवक्ष्यन् वा इति । होता ह्यनुवाक्याः पठिष्यन्, याज्याभिः ' यक्ष्यन् ' च ' भवति ' ' तत् ' एतदनुवचनं यजनस्यैव ' एताभ्यः ' अग्न्यादिदेवताभ्यः । निह्नवाय भवति । ' प्र च वद ' ' प्र च यजेति ' प्रवचनयजनयोस्तेष्वारोपः । इमामेव निह्नुतिं विशदयति—यूयमिति ॥ १६ ॥

वसूनामिति । रातिर्दानम्, तस्यां भवेम; धनं लभेमहीत्यर्थः । ' रुद्राणाम् ' ' उर्वायाम् '—इति उरुत्वे, तेषां यन्महत्त्वम्—तस्मिन् स्यामेति सम्बन्धः । ' स्वादित्याः ' तेषामुपसदनेन सुप्रीताः आदित्याः वयम् ' अदि-

---

[१]—मन्त्रस्त्वयमिहैवाम्नातो बोध्यः । तथा शुक्लयजुःपञ्चदशशाखानामन्यतमशाखायां च पठितः स्यात् । परंचेदानीं तासामनुपलब्धेः । एवमग्रेऽपि ।

जुष्टामद्य देवेभ्यो व्वाचमुद्यासमिति । जुष्टमद्य देवेभ्योऽनूच्यासमित्येवैतदाह तद्धि समृद्धं यो जुष्टं देवेभ्योऽनुब्रवत् ॥ १८ ॥

(जु) जुष्टां ब्रह्मभ्य ऽइति । जुष्टमद्य ब्राह्मणेभ्योऽनूच्यासमित्येवैतदाह तद्धि समृद्धं यो जुष्टं ब्राह्मणेभ्योऽनुब्रवत् ॥ १९ ॥

(जु) जुष्टां नराशꣳसायेति । प्रजा वै नरस्तत्सर्व्वाभ्यः प्रजाभ्यऽआह तद्धि समृद्धं यश्च व्वेद यश्च न साध्वन्ववोचत्साध्वन्ववोचदित्येव व्विसृज्यन्ते यदद्य होतृवर्य्ये जिह्मं चक्षुः परापतत् अग्निष्टत्पुनराभ्रियाज्जातवेदा व्विचर्षणिरिति यथा यानग्रेऽग्नीन्होत्राय प्रावृणत ते प्राधन्वन्नेवं यन्मेऽत्र प्रवरेणामायि तन्मे पुनराप्याययेत्येवैतदाह तथो हास्यैतत्पुनराप्यायते ॥ २० ॥

" जुष्टामद्य देवेभ्यो वाचमुद्यासम् "—इति । जुष्टमद्य देवेभ्योऽनूच्यासमित्येवैतदाह । तद्धि समृद्धं—यो जुष्टं देवेभ्योऽनुब्रवत् ॥ १८ ॥

" जुष्टां ब्रह्मभ्यः "—इति । जुष्टमद्य ब्राह्मणेभ्योऽनूच्यासमित्येवैतदाह । तद्धि समृद्धं—यो जुष्टं ब्राह्मणेभ्योऽनुब्रवत् ॥ १९ ॥

"जुष्टां नराशꣳसाय"—इति । प्रजा वै नरः । तत्सर्वाभ्यः प्रजाभ्य आह । तद्धि समृद्धम् । यश्च वेद, यश्च न, साध्वन्ववोचत्—साध्वन्ववोचत्—इत्येव विसृज्यन्ते । " यदद्य होतृवर्ये जिह्मं चक्षुः परापतत्, अग्निष्टत् पुनराभ्रियाज्जातवेदा विचर्षणिः "—इति । यथा यानग्रेऽग्नीन् होत्राय प्रावृणत—ते प्राधन्वन्; एवं यन्मेऽत्र प्रवरेणामायि, तन्मे पुनराप्यायय—इत्येवैतदाह । तथो हास्यैतत्पुनराप्यायते ॥ २० ॥

तये ' देवमात्रे, एतन्नामिकायै देवतायै वा ' अनेहसः ' अपापिनः—अनपराधिनो भवेम, अथ वा दितिः खण्डनं नाशः, तदभावाय चिरकालजीवनाय भवेमेत्यर्थः ।

अत्र सङ्घविवक्षया " त्रया देवाः "—इत्युक्तम् । पृथक् पृथक् प्रार्थनायाः पर्यवसितं फलमाह—एतेषामिति ॥ १७ ॥

मन्त्रभागे विशेष्यभूतस्य वाक्शब्दस्यार्थे ' उद्यासम् ' इत्यत्र वदिधातुनैव उपात्तमित्यभिप्रेत्य तद्विशेषणीभूतं जुष्टामिति पदं क्रियाविशेषणतया व्याचष्टे—जुष्टामित्यादिना । अत्र केवलोऽपि वदिरुच्चारणार्थे वर्तते । किमनेन वाचो जुष्टत्वप्रार्थनयेति तदुपपादयति—तद्धीति । ' यो जुष्टम् ' ' अनुब्रवत् ' अनुब्रूयात्, ' तत् ' तदीयं कर्म ' समृद्धम् ' इत्यर्थः । ब्रूञो (धा० पा० अ० उ० ३४) लेटयडागमः । (पा० सू० ३ । ४ । ९४) एवमुत्तरवाक्ययोरपि योजना ॥ १८ ॥

' ब्रह्मभ्य '—इति ब्रह्मशब्दस्य ब्राह्मणजातिरर्थ इति व्याचष्टे—जुष्टां ब्रह्मभ्य इति ॥ १९ ॥

जुष्टां नराशंसायेति । यथा सर्वेऽपि नराः 'आ' सर्वतः शंसन्ति, तथाविधशंसनाय 'जुष्टां' प्रियामित्यर्थः । अत्र साधारण्येन नराणां यो जोष आशंसितः; स युक्त एवेत्याह—प्रजा वै नर इत्यादिना । न केवलं तद्धि

१—निरु० ४ । ४ । १ । २; ११ । ३ । १ । २ । २—तद्धोत्रशानामेव इति क० पा० ।

(तुऽथा) अथाध्वर्युं चाग्नीध्रं च सम्मृशति । मनो वा ऽअध्वर्युर्व्वाग्घोता तन्मनश्चैवैतद्वाचं च सन्दधाति ॥ २१ ॥

तत्र जपति । षण्मोर्व्वीरꣳहसस्पान्त्वग्निश्च पृथिवी चापश्च व्वाजश्चाहश्च रात्रिश्चेत्येता मा देवता ऽआर्तेर्गोपायन्त्वित्युवैतदाह तदाह तस्यो हि न ह्वलास्ति यमेता देवता ऽआर्तेर्गोपायेयुः ॥ २२ ॥

अथाध्वर्युं चाग्नीध्रं च संमृशति । मनो वा अध्वर्युः, वाग् होता । तन्मनश्चैवैतद् वाचं च सन्दधाति ॥ २० ॥

तत्र जपति–" षण् मोर्वीरंहसस्पान्तु–अग्निश्च पृथिवी च आपश्च वाजश्च अहश्च रात्रिश्च "–इति । एता मा देवता आर्तेर्गोपायन्तु–इत्येवैतदाह । तस्यो हि न ह्वलास्ति–यमेता देवता आर्तेर्गोपायेयुः ॥ २२ ॥

होत्रज्ञानामेव संलापोऽपेक्षितः, अपि तु यो जुष्टां वाचं जानाति, यश्च न, स सर्वैरप्ययं साधु उक्तवानित्येवंरूपया वाचा ' विसृज्यन्ते ' उच्चार्यन्ते, तदेव समृद्धमित्यर्थः ।

इमानि मन्त्रवाक्यानि व्याख्याय ऋगात्मकं मन्त्रं व्याख्यातुं साकल्येनानुवदति–यद्वेति । मन्त्रस्यायमर्थः–' होतृवर्ये ' होतृवरणे निमित्तभूते सति ' यत् ' ' चक्षुः ' अङ्गम् ' जिह्मम् ' अंशोपरोधेन कुटिलम् 'परापतत्' सन्निपतेत् ' तत् ' विशेषेण द्रष्टा 'अग्निः' पुनरामरतु । चक्षुर्वत् प्रधानं होत्रस्याङ्गं यद्भ्रष्टमभूत्, तदग्निः समादधात्विति तात्पर्यार्थः । मन्त्रस्य तात्पर्यार्थः प्रदर्श्यते–यथेत्यादिना । पुरा 'यान् अग्नेऽग्नीन् होत्राय' वृतवन्तः, ' ते ' 'प्राधन्वन्' प्रगता नष्टा अभवन्; 'एवम्' इदानीं ' मे ' मदङ्गम् 'प्रवरेण' निमित्तेन 'अमायि ' हिंसितमभूत्; तत् समाधत्स्वेत्युक्तमिति ॥ १० ॥

अथ वृतस्य होतुः सम्मर्शनं विधत्ते–अथाध्वर्युमिति । सम्मर्शनेनेष्टं विवक्षुरनयोः सम्मर्शने कारणमाह–मनो वा इति । अध्वर्योः कर्तव्यविषयस्य मनोव्यापारस्य बाहुल्यात् मनोरूपत्वाभिधानम् । याज्यापुरोनुवाक्यादिकेवलवागव्यापाराद् होतुर्वागात्मकता, तदुभयात्मकत्वाद् यज्ञस्य; तयोः सम्मर्शनेन मनोवाचोः सन्धानं कृतं भवति । संस्पर्शनप्रकारमाश्वलायन आह–" अंसेऽध्वर्युमन्वारभेत पार्श्वस्थेन पाणिना आग्नीध्रमङ्कदेशेन " इति (आश्व० श्रौ० सू० १. ३. २१. २१) ॥ ११ ॥

तत्र जपतीति । अन्वारब्धेन जपितव्यं मन्त्रं सतात्पर्यमाह–षण्मोर्वीरित्यादिना । अग्न्यादीनामुरुत्वं लोकसिद्धम् । 'एताः' मां दुरितात् पान्त्विति तस्यार्थः । अंहःशब्दस्य तात्पर्याभिधानम्–आर्तेरिति । आर्तिर्नाशः । अग्न्यादीनां प्रत्यक्षदेवतात्वात् तद्रक्षितस्य नाशाभावः प्रसिद्ध इत्याह–तस्यो हीति ॥ २२ ॥

१– होतृवर्ये ' इति ऋ० सं० १ । ३१ । ३ । " होत्रावियंत इति होतृवर्योयज्ञः " इति तत्र सा० मा० । २–यद्यप्यत्र श्रुतौ पूर्वं होतृकर्तृकमध्वर्योरग्नीधश्च संमर्शनं पश्चादात्मालंभ उक्तस्तथापि हौत्रकल्पे कात्यायनेन " षण्मोर्वीरꣳहसस्पात्वग्निश्चेत्यनेन मंत्रेण आत्मानमालभते " " इन्द्रमन्वारभ इत्यनेन मन्त्रेण दक्षिणयोरंसयोरध्वर्युमग्नीधं च संमृशति " हौ० सू० खं. २ । १४ । १५ । इति । सूत्रादनुरोधेन प्रयोगो बोध्यः । अतएव च " प्रयोग–साधनं कल्पो न श्रुतिस्तस्य साधनम् । श्रुतिस्तु विद्यानुपाख्यायः " इति सोमयागे वैद्यनाथमिश्राः प्राहुः । एवमग्रेऽपि बोध्यम् । ३–" सव्येन वेति " तच्छेषः । अयं चाश्वलायनोक्तः संमर्शनप्रकार आर्ग्वेदिकहौत्रपक्षे । याजुर्वेदिकहौत्रपक्षे तु प्रथमटिप्पण्योक्तहौत्रसूत्रगतः कातीय एवेति । ४–यद्यप्यत्र सायणाचार्येण ' तत्र जपति ' इति श्रुत्यनुरोधेनास्य मन्त्रस्य अन्वारंभे विनियोग उक्तः । तथापि कात्यायनेन प्रथमटिप्पण्योक्तहौत्रसूत्रेऽस्य मंत्रस्यात्मालंभे विनियोगो दर्शितः । अन्वारंभे तु ' इन्द्रमन्वारभ ' इत्यस्य विनियोगः कृतः । स च मंत्रोऽपि तत्रैवोक्तः । इयं च श्रुतिर्माध्यंदिनमात्रा । सूत्रं तु पंचदशशाखोपनिबन्धनमतस्तदेवादरणीयम् ।

(रु) अथ होतृषदनमुपावर्तते । स होतृषदनादेकं तृणं निरस्यति निरस्तः परावसुरिति परावसुर्ह वै नामासुराणाꣳ होता स तमेवैतद्धोतृषदना-न्निरस्यति ॥ २३ ॥

(त्यु) अथ होतृषदन उपविशति । (ती) इदमहमर्वावसोः सदने सीदामीत्यर्वावसुर्वै नाम देवानाꣳ होता तस्यैवैतत्सदने सीदति ॥२४॥

तत्र जपति । विश्वकर्मस्तनूपा असि मा मोदोषिष्टं मा मा हिꣳसिष्ट-मेष वां लोक इत्युदङ्ङेजत्यन्तरा वा एतदाहवनीयं च गार्हपत्यं चास्ते तदु ताभ्यां निह्नुते मा मोदोषिष्टं मा मा हिꣳसिष्टमिति तथा हैनमेतौ न हिꣳस्तः ॥ २५ ॥

अथ होतृषदनमुपावर्तते । स होतृषदनादेकं तृणं निरस्यति—"निरस्तः परावसुः"—इति । परावसुर्ह वै नामासुराणां होता, स तमेवैतद् होतृषदनाद् निरस्यति ॥ २३ ॥

अथ होतृषदने उपविशति 'इदमहमर्वावसोः सदने सीदामि' इति । अर्वावसुर्वै नाम देवानां होता, तस्यैवैतत् सदने सीदति ॥ २४ ॥

तत्र जपति—"**विश्वकर्मस्तनूपा असि । मा मोदोषिष्टम् । मा मा हिंसिष्टम् एष वां लोकः**"—इति उदङ् एजति । अन्तरा वा एतद्—आहवनीयं च गार्हपत्यं चास्ते । तदु ताभ्यां निह्नुते—मा मोदोषिष्टम्—मा मा हिंसिष्टम्—इति । तथा हैनमेतौ न हिंस्तः ॥ २५ ॥

अथेति । सम्मर्शनदेशात् 'होतृषदनं' प्रत्यागच्छेत् । उत्तरवेदिश्रोणेर्होतृषदनम्[1] । 'सः' होता तस्मात् सदनात् 'एकं तृणं' "निरस्त"—इति मन्त्रेण निरस्येत् । परावसोर्निरसने कारणमाह—**परावसुर्हेति** । 'परा' परागतं 'वसु' यज्ञाख्यं धनं यस्मात्, स[2] तथोक्तः ॥ २३ ॥

"**अथ होतृषदन** इति । उपवेशन[3]मन्त्रमाह—**इदमहमिति** । 'अर्वा' अर्वाक्—अभिमुखं 'वसु' यज्ञाख्यं धनं यस्य, स तथोक्तः । 'तस्य'; सीदत्यत्रेति 'सदनं' स्थानम् । तत्र संस्थितिभावनया स्वयमपि तत्सदृशो भवतीत्यभिप्रायः ॥ २४ ॥

तत्रोपविष्टस्य मन्त्रजपं विधत्ते—**तत्रेति** । हे विश्वकर्मन् ! कृत्स्नविषयव्यापारं करोतीति विश्वकर्मा, 'तनूपाः' तनोः पाता, महादेव ! त्वं शरीरस्य पाता भवसि । उपवेशनस्थानादीषदुत्तरतश्चलनं समन्त्रकं विधत्ते—**मा मेति** । तस्यायमर्थः—हे उभा अग्नी ! युवां 'मा' माम् 'उत्' उत्कृष्टमाधिक्येन 'मा उषिष्टं' दाहं मा कार्ष्टम् । "उष दाहे"—इति (धा. पा. भ्वा. प. ६९६) धातुः । अस्यैव तात्पर्यमाह—'**मा हिंसिष्टम्**' इति । यतः 'एषः' 'लोकः' 'वां' सम्बन्धि स्थानम्, अतो हेतोर्मा मा हिंसिष्टमिति प्रार्थना युक्ता । होतृषदनाद् 'उदङ्' उदङ्मुखः 'एजति' । "एजृ—कम्पने" (धा. पा. भ्वा. प. २३४) जपन् कम्पते । 'अन्तरा वा' इत्यादिना दाहप्रसङ्गप्रदर्शनम् ॥ २५ ॥

1—आरम्भादेवास्मिन् ब्राह्मणे श्रूयमाणा इमे मन्त्रा इहैवाम्नाता द्रष्टव्याः, न तु संहितायां श्रुताः प्रायेण । 2—सांख्या. श्रौ. सू. १ । ६ । ६ । 'पराग्वसुः' इति कौषी. ३ । १३७ । 3—'सम्मृष्टा उपविशतः' (श्रौ० सू० ३. ३३) ।

(स्तोऽथा) अथाग्निमीक्षमाणो जपति । विश्वेदेवाः शास्तन मा यथेह होता वृतो मनवै यन्निषद्य । प्र मे ब्रूत भागधेयं यथा वो येन पथा हव्यमा वो वहानीति यथा येभ्यः पक्वᳬ स्यात्तान्ब्रूयादनु मा शास्त यथा व ऽआहरिष्यामि यथा वः परिवेक्ष्यामीत्येवमेवैतद्देवेषु प्रशासनमिच्छतेऽनु मा शास्त यथा वोऽनुष्ठ्या व्वषट्कुर्यामनुष्ठ्या हव्यं व्वहेयमिति तस्मादेवं जपति ॥ २६ ॥ २ ॥

इति चतुर्थप्रपाठके द्वितीयं ब्राह्मणम् (५. १.) ॥

अग्निर्होता व्वेत्त्वग्नेर्हौत्रमिति । (त्य) अग्निरिदᳬ होता व्वेत्त्वित्येवैतदाहाग्नेर्हौत्रमिति तस्यो हि हौत्रं व्वेत्तु प्रावित्रमिति यज्ञो वै प्रावित्रं व्वेत्तु

अथाग्निमीक्षमाणो जपति–" विश्वेदेवाः शास्तन मा यथेह होता वृतो मनवै यन्निषद्य । प्र मे ब्रूत भागधेयं यथा वो येन पथा हव्यमा वो वहानि "–(ऋ० सं० १०. ५२. १) इति । यथा येभ्यः पक्वं स्यात्, तान् ब्रूयाद्–' अनु मा शास्त–यथा वऽआहरिष्यामि, यथा वः परिवेक्ष्यामि ' इति । एवमेवैतद् देवेषु प्रशासनमिच्छते–' अनु मा शास्त,–यथा वोनुष्ठ्या वषट् कुर्याम्, अनुष्ठ्या हव्यं वहेयम् ' इति । तस्मादेवं जपति ॥ २६ ॥

पञ्च प्रयाजयागाः ।

" तत्र स्रुगादापननिगदः । "

" अग्निर्होता वेत्त्वग्नेर्होत्रम् "–इति । अग्निरिदं होता वेत्तु–इत्येवैतदाह । अग्नेर्होत्रामिति ।

अथ समन्त्रकं जपं विधत्ते–**अथाग्निमित्यादिना** । मन्त्रस्यायमर्थः–हे ' विश्वेदेवाः ! ' ' इह ' यज्ञे होतृत्वेन ' वृतः ' अहं ' यथा ' येन प्रकारेण, ' यथा ' येन ' च ' पथा ' मार्गेण, ' वः ' ' हव्यम् ' ' आ ' समन्ताद् ' वहानि ' प्रापयानि; तदुभयं ' मे ' अज्ञाय मह्यम् ' प्रब्रूत ' । एतन्मन्त्रस्यार्थं लोकदृष्टान्तप्रदर्शनपुरःसरं विशदयति–**यथा येभ्य** इत्यादिना । ' यथा ' लोके कश्चित् पाचकः तत्स्वामिनं पृच्छति–' पक्वम् ' अन्नं यथाऽऽनेष्यामि, यथा वानीतं पात्रे समर्पयामीति । एवम्प्रकारप्रश्नस्य लोके दृष्टत्वाद् उक्तमनुशासनप्रार्थनमित्यर्थः । दार्ष्टान्तिके योजयति–**एवमेवैतदि**ति । ' अनुष्ठया ' आनुपूर्व्येण ' वषट्कुर्याम् ' वषडिति शब्दं ब्रूयाम् । वषट्–शब्दो हविःप्रदानसाधनः । " स्वाहाकारेण वा वषट्कारेण वा देवेभ्योऽन्नं प्रदीयते "–इति श्रुतेः । सिद्धमन्यत् ॥ २६ ॥ २ [५. १.]

इति श्रीसायणाचार्यविरचिते माधवीये वेदार्थप्रकाशे माध्यन्दिनशतपथब्राह्मणभाष्ये प्रथमकाण्डे पञ्चमाध्याये प्रथमं ब्राह्मणम् ॥

अथ स्रुगादापननिगदं नवधा विभज्य व्याचिख्यासुराद्यं भागमनूद्य तस्यार्थमाह–**अग्निर्होतेति** । वेदितव्यस्य

१–' दनुमा ' क० पा० । २–' हौत्र ' मिति भाष्यकाराभिमतः पाठः प्रतिभाति । ३–' अग्निर्होतेति स्रुगादापनं प्रयाजेषु सन्निधेः ' (श्रौ० सू० ३. ३४)

यज्ञमित्येवैतदाह साधु ते यजमान देवतेति साधु ते यजमान देवता यस्य तेऽग्निर्होतेत्येवैतदाह घृतवतीमध्वर्यो स्रुचमास्यस्वेति तदध्वर्युं प्रसौति स यद्देकामिवाह ॥ १ ॥

यजमान ऽएव जुहूमनु । योऽस्माऽअरातीयति सऽउपभृतमनु स यद्द्वे ऽइव ब्रूयाद्यजमानाय द्विषन्तं भ्रातृव्यं प्रत्युद्यामिनं कुर्यादत्रैव जुहूमन्वाद्य उपभृतमनु स यद्द्वेऽइव ब्रूयादत्रऽआद्यं प्रत्युद्यामिनं कुर्यात्तस्मादेकामिवैवाह ॥ २ ॥

तस्यो हि होत्रम् । " वेत्तु प्रावित्रम् "–इति । यज्ञो वै प्रावित्रम् । वेत्तु यज्ञमित्येवैतदाह । ' साधु ते यजमान! देवता '–इति । साधु ते यजमान देवता यस्य ते अग्निर्होता इत्येवैतदाह । ' घृतवतीमध्वर्यो ! स्रुचमास्यस्व '–इति । तदध्वर्युं प्रसौति । स यदेकामिवाह ॥ १ ॥

यजमान एव जुहूमनु, योऽस्मा अरातीयति–स उपभृतमनु । स यद् द्वे इव ब्रूयाद् यजमानाय द्विषन्तं भ्रातृव्यं प्रत्युद्यामिनं कुर्यात् । अत्रैव जुहूमनु, आद्य उपभृतमनु । स यद् द्वे इव ब्रूयाद्–अत्र आद्यं प्रत्युद्यामिनं कुर्यात् । तस्मादेकामिवैवाह ॥ २ ॥

मन्त्रेऽनिर्देशात् ' इदम् '–इति तत्कर्मप्रदर्शनम् । दैव्यो ' होता ' ' अग्निः ' ' इदम् ' अनुष्ठेयं कर्म ' वेत्तु ' जानातु । एतन्मन्त्रवाक्यम् । ' वेत्त्विति ' किम् ? आह–इदं ' हौत्रं ' कर्म जानात्वित्याह । किं तद्वेदनेनेति ? तस्य हौत्रेण प्रतिनियतं सम्बन्धमाह–अग्नेरिति । ' तस्य उ हि ' तस्यैव हि । स च सम्बन्धनियम एवकारार्थेन ' उ '–शब्देन द्योत्यते । द्वितीयभागे प्रावित्रशब्दार्थमाह–यज्ञो वा इति । प्रकर्षेणावतीति ' प्रावित्रः ' यज्ञः । अवतेरित्रप्रत्ययः (उणा. ४ । १७१) । यज्ञापरिज्ञाने हौत्रज्ञानमपि व्यर्थमिति तज्ज्ञानमाशास्यते ।

तृतीयभागे सामान्येन निर्दिष्टां यजमानदेवतां विशिष्य व्याचष्टे–साधु त इति । हे ' यजमान ! ' ते तव ' देवता ' ' साधु ' साध्वी । कथं साधुत्वम् ? कैषा सा ? तदाह–यस्य त इति । होतृत्वगुणकोऽग्निरेव तव देवतेत्याह स्म मन्त्रवाक्यम् ।

चतुर्थभागे वाक्यार्थस्य स्पष्टत्वात्तात्पर्यमाह–घृतवतीमिति । घृतपूर्णां ' स्रुचम् ' ' आस्यस्व ' हस्ते धारयेत्यर्थः । अनेनाध्वर्यवेऽनुज्ञां दत्तवान् भवति (का. श्रौ. सू. ३ । ३१) । " उपसर्गादस्यत्यूह्योर्वा वचनम् " (पा. सू. ७ । १ । ७ वा. २)–इत्यात्मनेपदम् । मन्त्रे ' स्रुचम् '–इत्येकस्या एव निर्देशं द्वित्वनिर्देशपक्षनिन्दापुरःसरं द्रढयति–स यदित्यादिना । ' सः ' होता ' एकामिः ' स्रुचमित्येकामेव ब्रूयात् ॥ १ ॥

यजमान एवेति । ' जुहूमनु ' जुह्वा अनुकूलः, तदभिमानीत्यर्थः । ' यः ' च यजमानस्य ' अरातीयति ' शात्रवमिच्छति, ' सः ' ' उपभृतमनु ' उपभृतोऽनुकूलः । यत एवमतो होता यदि ' द्वे इव ' जुहूपभृतावास्यस्वेत्येवं ' ब्रूयात् ', तदा ' यजमानाय ' द्वेष्टारं शत्रुं ' प्रत्युद्यामिनं ' प्रतिकूलोद्योगवन्तं ' कुर्यात् ' । तथा च तैत्तिरीयकम्–" यजमानदेवत्या वै जुहूः, भ्रातृव्यदेवत्योपभृत् "–(तै. सं. २. ६. ९. ३)

१–तन्त्रश्चैष तैत्तिरीयके श्रुतः । ' यजमानदेवता ' इति मन्त्रभागस्याग्रे योऽग्निं होतारमवृथा इत्येतावान् मन्त्रभागोऽन्यत्र दृश्यते । २–" घृतवतीमित्युक्ते स्रुचावादायातिक्रम्याश्राव्याह समिधो यजेति पञ्च प्रयाजान्समिद्धतमे " का. श्रौ. सू. ३ । ३५ ।

देवयुवं विश्ववारामिति । (त्यु) उपस्तौत्येवैनामेतन्महयत्येव यदाह देवयुवं विश्ववारामितीडामहै देवा३ँ ॥ ऽईडेन्यान्नमस्याम नमस्यान्युजाम यज्ञियानितीडामहै तान्देवान्यु ऽईडेन्या नमस्याम तान्ये नमस्या युजाम यज्ञियानिति मनुष्या वा ऽईडेन्याः पितरो नमस्या देवा यज्ञियाः ॥ ३ ॥

(५) या वै प्रजा यज्ञेऽनन्वाभक्ताः । पराभूता वै ता ऽएवमेवैतद्या ऽइमाः प्रजाऽ अपराभूतास्ता यज्ञ ऽआभजति मनुष्याननु पशवो देवाननु वयाᳬस्योषधयो वनस्पतयो यदिदं किञ्चैवमु तत्सर्वं यज्ञ ऽआभक्तम् ॥ ४ ॥

" **देवयुवं विश्ववाराम्** "–इति । उपस्तौत्येवैनामेतद्, महयत्येव–यदाह, देवयुवं विश्ववारा-मिति । " **ईडामहै देवा ३ँ ॥ ईडेन्यान्, नमस्याम नमस्यान्, यजाम यज्ञियान्** "–इति । ईडामहै तान् देवान्–य ईडेन्याः, नमस्याम तान्–ये नमस्याः, यजाम यज्ञियान्–इति । मनुष्या वा ईडेन्याः, पितरो नमस्याः, देवा याज्ञियाः ॥ ३ ॥

या वै प्रजा यज्ञे अनन्वाभक्ताः–पराभूता वै ताः । एवमेवैतद्–या इमाः प्रजा अपराभूताः–ता यज्ञ आभजति । मनुष्यान् अनु पशवः, देवान् अनु वयांस्यौषधयो वनस्पतयो यदिदं किञ्च एवमु तत्सर्वं यज्ञे आभक्तम् ॥ ४ ॥

इति । दोषान्तरोपन्यासेनापि द्विवचनं निषेधति–**अत्तैवे**ति । ' आद्यः ' अदनीयो व्रीहियवादिपदार्थः; तम् ' अश्नं ' यजमानाय प्रतिकूलं कुर्यात् ॥ २ ॥

देवयुवमिति । देवानिच्छतीति ' देवयुः ' " क्याच्छन्दसि " (पा. सू. ३. २. १७०)–इत्युप्रत्ययः । विश्वैरपि देवैर्वरणीया ' विश्ववारा ' । आभ्यां सम्विशेष्यते । ' एनां ' स्रुचम् एतद् ' उपस्तौत्येव श्लाघयत्येव । अत्र न कश्चिदपूर्वोऽर्थोऽभिधीयत इति । सापि किमथ स्तूयत इत्यत आह–' एतत् ' ' महयत्येव ' पूजयत्येव । ' यदाह ' यदेतद्वाक्यं मन्त्र आहेत्यर्थः ।

निगदस्य सप्तमादिभागत्रयं पृथक्–पृथग् व्याख्यातुमनुवदति–**ईडामहा** इत्यादि । ' ये ' देवाः ' ईडेन्याः ' स्तुत्याः, स्तुतिभाजना इत्यर्थः ' ये ' च 'नमस्याः' नमस्कारमिच्छन्ति; ये च ' यज्ञियाः ' यष्टव्याः हविर्भाजः, तान् सर्वान् अविशेषेण स्तुति–नमस्कार–यागैः ' ईडामहे ' पूजयामहे–इति संग्रहार्थः । ' ईडेन्यान् '–इति " ईड–स्तुतौ " (अदा. आ. ९) इत्यस्य ' केन्य ' प्रत्ययः । ईडेन्यादीन् प्रशंसति–**मनुष्या वा** इत्या-दिना । कुशलादिस्तुतिमात्रेण प्रायेण परितुष्यन्त इति ' ईडेन्याः ' मनुष्याः; " नमस्कारो हि पितृणाम् " (तै. ब्रा. ३. ३. १०. ८) इति श्रुतेः 'नमस्याः' पितरः, हविःप्रदानमन्तरेणापरितोषाद् 'देवाः' यज्ञियाः ॥ ३ ॥

यजाम यज्ञियानितीति कीर्तने यज्ञस्य शुद्धिस्तुतयाँ यागं तदनुप्रवेशेन प्रशंसति–**या वा** इत्यादिना । देव-मनुष्यात्मकासु प्रजासु मध्ये ' याः ' प्रजाः यष्टव्यत्वेन यज्ञमन्वभजन्, तत्प्रकारमाह–**मनुष्यानन्वि**ति । ' मनुष्यान् ' अनुसृत्य ' पशवः ' गवाद्याः क्षीरोधस्साधनत्वेनानुप्रविष्टाः । ' देवान् ' अनुसृत्य ' वयांसि ' पक्षिणोऽनुप्रविष्टाः; " वसन्ताय कपिञ्जलानालभते " (वा. सं. २४. २०. १) इति श्रुतेः । अथ वा

१–परितोषात्–पा० । २–' औणादिक एन्यप्रत्ययः'–इति ऋ. सं. १ । ७९ । ५ इत्यत्र सा. भाष्ये । ३– शुद्धिस्तुत्येति भवेत् ।

ता वा ऽएताः । (०) नव व्याहृतयो भवन्ति नवेमे पुरुषे प्राणा ऽएतानेवास्मिन्नेतद्दधाति तस्मान्नव व्याहृतयो भवन्ति ॥ ५ ॥

यज्ञो ह देवेभ्योऽपचक्राम । तं देवा ऽअन्वमन्त्रयन्ता नः शृणूप न आवर्तस्वेति सोऽस्तु तथेत्येव देवानुपाववर्त तेनोपावृत्तेन देवा ऽअयजन्त तेनेष्ट्वैतदभवन्यदिदं देवाः ॥ ६ ॥

स यदाश्रावयति । यज्ञमेवैतदनुमन्त्रयत ऽआ नः शृणूप न आवर्तस्वेत्यथ यत्प्रत्याश्रावयति यज्ञ ऽएवैतदुपावर्ततेऽस्तु तथेति तेनोपावृत्तेन

ता वा एता नव व्याहृतयो भवन्ति । नवेमे पुरुषे प्राणाः–एतानेवास्मिन् एतद् दधाति । तस्मान्नव व्याहृतयो भवन्ति ॥ ५ ॥

" आश्रावणप्रत्याश्रावणनिगदः । "

यज्ञो ह देवेभ्योऽपचक्राम । तं देवा अन्वमन्त्रयन्त–' आ नः शृणु, उप न आवर्तस्व ' इति । सः ' अस्तु तथा ' इत्येव देवानुपाववर्त । तेनोपावृत्तेन देवा अयजन्त । तेनेष्ट्वा एतद् अभवन्–यदिदं देवाः ॥ ६ ॥

स यदाश्रावयति–यज्ञमेवैतदनुमन्त्रयते–' आ नः शृणु; उप न आवर्तस्व ' इति । अथ यत्प्र-

---

एकहायनप्रभृति–पञ्चदशहायनान्ताः ' पशवो वयांसि ', तान्यनुप्रविष्टानीत्यर्थः । तान्यनुप्रवेशाच्चरुपुरोडाशाः, यूपादियज्ञसाधनद्वारेणौषधिवनस्पत्यादयः । किं बहुना ' यत् किं चेदं ' प्रतीयमानं वस्तु अस्ति, ' तत् ' ' सर्वम् उ ' सर्वमप्येवमेव द्वारि द्वारया यज्ञमनुप्रविष्टमेव । अतो यज्ञसंस्पर्शवतां न कदाचित् पराभवोऽस्ति, तदसंस्पृष्टं च न किञ्चिदस्तीति यज्ञस्तुतिः ॥ ४ ॥

निगदविभागगतां नवसंख्यां प्रशंसति–**ता वा** इति । ' व्याहृतयः ' उक्तवाक्यानि । तानि च ' नव '[1]। सप्त शीर्षण्याः[2] (ऐ. ब्रा. १ । ३ । ६; ३ । १ । ३) द्वाववाञ्चाविति[3] (ऐ. ब्रा. १ । ३ । ६) प्राणा अपि नैव[4] (तै. सं ३ । ५ । १० । ५) । तदेतेन नवविभागकरणेन अस्मिन् यजमाने ' पुरुषे ' ' एतान् ' प्राणान्[5] ' नव ' स्थापितवान् भवति ॥ ५ ॥

अथाश्रावणप्रत्याश्रावणे विधातुमाख्यायिकामाह–**यज्ञो हे**ति । पुरा किल ' यज्ञः ' केनचिद्व्याजेन ' देवेभ्यः ' अपक्रान्तवान् । ' तं देवाः ' ' अन्वमन्त्रयन्त ' अनुनयेनाह्वयन्त ।–हे यज्ञ ! ' नः ' अस्माकं वचनं ' शृणु ' ' नः ' अस्मान् ' उपावर्त्तस्व ' प्रतिनिवर्त्तस्व । उपावर्त्तेति[6] गुणश्छान्दसः । यद्वा उपावर्तनमुपावर्त्तः । आवर्तनाभावे यागासम्भवात्तस्य साधनत्वव्यपदेशः । देवाः यजमानाः ' अजयन्त ' भाविगत्या तेषां देवत्वव्यवहारः । ' देवाः ' इति ' यदिदं ' देवत्वमस्ति, ' एतत् ' तस्यानुष्ठानेन ' अभवन् ' प्राप्तवन्त इत्यर्थः ॥ ६ ॥

इदानीमाश्रावणं विधत्ते–**स यदि**ति । यस्मादेवं, तस्मात् ' सः ' अध्वर्युराश्रावयेत्[7] । ' एतत् ' एतेन यज्ञ-

---

१–" अग्निर्होता नव " इति तै. ब्रा. ३ । ५ । ४ । २–" सप्त वै शीर्षन्प्राणाः " इति ऐ. ब्रा. १ । ३ । ६; ३ । १ । ३ । ३–" अवाञ्चः " नाभेरधस्ताद्वर्तमानः अपानवाय्वादयः " इति ऐ. ब्रा. १ । ३ । ६ इति सा० भा० । ४–" नव वै पुरुषे प्राणाः " इति तै. सं. ३ । ५ । १० । ५ । " शिरोऽवस्थितेषु सप्तसु छिद्रेषु अधोऽवस्थितयोश्च द्वयोश्छिद्रयोः सञ्चरन्तः प्राणा नवसंख्याकाः " इति तत्रैव सा. भा. । ५–प्राणानेव स्थापितवान् भवति–पा० । ६–मूले तु न दृश्यत उपावर्त–इति पदम्,–उपावृत्तेनेत्यस्य स्थाने उपावर्त्तेनेति भाष्यसंमतः पाठः स्यादिति तु प्रतिभाति । ७–' ओ ३ श्रावय ' इत्यस्याश्रावणसंज्ञा ।

रेतसा भूतेनर्त्विजः सम्प्रदायं चरन्ति यजमानेन परोक्षं यथा पूर्णपात्रेण सम्प्रदायं चरेयुरेवमनेनर्त्विजः सम्प्रदायं चरन्ति तद्वाचैवैतत्सम्प्रदायं चरन्ति वाग्घि यज्ञो वागु हि रेतस्तदेतेनैवैतत्सम्प्रदायं चरन्ति ॥ ७ ॥

सोऽनुब्रूहीत्येवोक्त्वाध्वर्युः । (नो) नापव्याहरेन्नो ऽएव होतापव्याहरेदा-श्रावयत्यध्वर्युस्तदग्नीधं यज्ञ ऽउपावर्तते ॥ ८ ॥

सोऽग्नीन्नापव्याहरेत् । (दा) आ प्रत्याश्रावणात्प्रत्याश्रावयत्यग्नीत्तत्पु-नरध्वर्युं यज्ञ ऽउपावर्तते ॥ ९ ॥ [काण्डस्यार्धम्]

त्याश्रावयति—यज्ञ एवैतदुपावर्तते ' अस्तु तथा ' इति । तेनोपावृत्तेन रेतसा भूतेन ऋत्विजः संप्रदायं चरन्ति; यजमानेन परोक्षम् । यथा पूर्णपात्रेण सम्प्रदायं चरेयुः—एवमनेन ऋत्विजः सम्प्रदायं चरन्ति । तद्वाचैवैतत् संप्रदायं चरन्ति, वाग् हि यज्ञः, वाग् उ हि रेतः; तदेतेनैवैतत् संप्रदायं चरन्ति ॥ ७ ॥

सः ' अनुब्रूहि ' इत्येवोक्त्वा अध्वर्युर्नापव्याहरेत्, नो एव होतापव्याहरेत् । आश्रावयति अध्वर्युः तदग्नीधं यज्ञ उपावर्तते ॥ ८ ॥

सोऽग्नीन्नापव्याहरेत्-आ प्रत्याश्रावणात् । प्रत्याश्रावयत्यग्नीत्-तत् पुनरध्वर्युं यज्ञ उपावर्तते ॥९॥

मेवानुमन्त्रितवान् भवतीति तत्प्रकारप्रदर्शनम् । **आ न** इति । यत एतदेवं तस्मात् । " आनः शृणु" इत्यस्य आश्रावणार्थत्वात् । अथ प्रत्याश्रावणं विधत्ते—**अथ यदिति** । तेनाग्नीध्रकर्तृकेन प्रत्याश्रावणेन ' तथास्त्विति ' प्रतिनिवृत्तिः कृता भवति प्रत्याश्रवणशब्दत्या उक्तार्थप्रतीतेः । आश्रावणादिवषट्कारान्तमध्वर्य्वादेः स्व-स्व-समये मौनं विधित्सुराह—**तेनेति** । 'तेन' प्रत्यावृत्तेन 'रेतसा भूतेन' बीजभूतेन स्वर्गाख्यफलोदयाद् बीजत्वं यज्ञस्य । ' ऋत्विजः ' अध्वर्य्वादयः स्वस्मिन्नाश्रितं यज्ञं ' सम्प्रदायं ' सम्यक् प्रदाय—प्रदाय, एकोऽन्यस्मै सोऽप्यन्यस्मा इत्येवं प्रकारेण ' चरन्ति ' अनुतिष्ठन्ति । ' यजमानेन ' ' परोक्षं ' तमनपेक्ष्य तस्य तत्र व्यापाराभावात् । परस्परसमर्पणे दृष्टान्तमाह—**यथेति** । यथा जलैरापूर्णं घटादिपात्रं गृहान्तर्गतप्रभूतभाण्डपूरणसमये परस्परहस्तेन सञ्चरन्ति, तद्वत् । एतदेव विशिनष्टि—**तद्वाचैवेति** । ' तत् ' तदा ' वाचैव ' वाग्रूपेणैव, आश्रावणादिवाप-मन्तरेण यज्ञासिद्धेस्तस्या यज्ञत्वव्यपदेशः । अस्त्वेवं किं तत आह—**वाग्घीति** । वाचा मन्त्रात्मिकया यज्ञस्यो-त्पत्तेस्तस्या रेतस्त्वम्, तदित्याद्युपसंहारः ॥ ७ ॥

अथ सङ्ग्रहेणोक्तं यज्ञसम्प्रदानं विशिंषन्नध्वर्य्वादेः स्व-स्व-कालेषु मौनं विधत्ते—**सोऽनुब्रूही**त्यादिना । ' सो-ऽध्वर्युः ' होतारं प्रति ' अनुब्रूहीत्युक्त्वैवं ' तत्समनन्तरमेव ' नापव्याहरेत् ' प्रस्तुतानुपयोगि वचनं न ब्रूयात् । ' होता ' अपि अनुवचनद्वारेणं वाग्रूपयज्ञस्य स्वस्मिन् समावेशात् ' नो एव अपव्याहरेत् ' पुनः ' अग्नीधं ' प्रति ' अध्वर्युः ' यदा ' आश्रावयति ' तदानीं स वाग्यज्ञः तं प्राप्नोति ॥ ८ ॥

अतः ' सः ' अपि ' न व्याहरेत् ' स्वप्रत्याश्रावणावधि । सः ' अग्नीत् ' यदा ' अध्वर्युं ' प्रति प्रत्याश्रावयेत्, तदैव ' यज्ञः ' पुनः आगच्छेत् ॥ ९ ॥

१–इदाम्नात एष एव आश्रावणार्थोऽनुवाक्यामंत्रः । २–' अस्तु श्रौ ३ षट् ' इत्यस्य प्रत्याश्रावणसंज्ञा । ३–' अनुब्रूहि ' इत्यनुवाक्यापाठार्थो होत्रे प्रैषः । ४–अनुवाक्यापाठेनेत्यर्थः ।

सोऽध्वर्युर्नापव्याहरेत् । (ह) आ यजेति व्वक्तोर्यजेत्येवाध्वर्युर्होत्रे यज्ञꣳ सम्प्रयच्छति ॥ १० ॥

स होता नापव्याहरेत् । (ह) आ वषट्कारात्तं व्वषट्कारेणाग्नावेव योनौ रेतोभूतꣳ सिञ्चत्यग्निर्वै योनिर्यज्ञस्य स ततः प्रजायत ऽइति नु हविर्यज्ञेऽथ सौम्येऽध्वरे ॥ ११ ॥

स वै ग्रहं गृहीत्वाध्वर्युः । (नी) नापव्याहरेदोपाकरणादुपावर्तध्वमित्ये-वाध्वर्युरुद्गातृभ्यो यज्ञꣳ सम्प्रयच्छति ॥ १२ ॥

त ऽउद्गातारो नापव्याहरेयुः । (रो) ओत्तमाया ऽएषोत्तमेत्येवोद्गातारो होत्रे यज्ञꣳ सम्प्रयच्छन्ति ॥ १३ ॥

सोऽध्वर्युर्नापव्याहरेत्–आ ' यज ' इति वक्तोः । यजेत्येवाध्वर्युर्होत्रे यज्ञं सम्प्रयच्छति ॥ १० ॥

स होता नापव्याहरेत्–आ वषट्कारात् । तं वषट्कारेणाग्नावेव योनौ रेतोभूतं सिञ्चति । अग्निर्वै योनिर्यज्ञस्य–स ततः प्रजायते इति नु हविर्यज्ञे । अथ सौम्येऽध्वरे ॥ ११ ॥

स वै ग्रहं गृहीत्वाध्वर्युर्नापव्याहरेद्–आ उपाकरणाद् । ' उपावर्तध्वम् ' इत्येवाध्वर्युरुद्गातृभ्यो यज्ञं सम्प्रयच्छति ॥ १२ ॥

त उद्गातारो नापव्याहरेयुः–आ उत्तमायाः । ' एषोत्तमा ' इत्येवोद्गातारो होत्रे यज्ञं सम्प्रयच्छन्ति ॥ १३ ॥

अतः ' सः ' अपि ' अध्वर्युः ' ' आ यजेति ' यजेतिवचनावधि ' न ' अपव्याहरेत् ' । अथ पुनः ' अध्वर्युः ' यदा ' यजेति ' स्व-वाग्यज्ञं ' होत्रे ' सम्प्रयच्छति ॥ १० ॥

तदा प्राप्तयज्ञः ' सः ' ' होता ' वषट्कारपर्यन्तं ' नापव्याहरेत् ' । **स वषट्कारेणेति** । ' सोऽध्वर्युः ' होतृकृतेन ' वषट्कारेण ' हविःप्रदानसाधनेन ' अग्नौ ' योनिभूते ' रेतोभूतं ' हविः ' सिञ्चति ' प्रयच्छति । यस्माद्य उत्पद्यते तत्तस्य योनिरिति प्रसिद्धिः ' वै '–शब्देन उच्यते । उक्तं वाङ्नियमं विषयविशेषे व्यवस्थापयति–न्विति । अत्र सूत्रम्–" अनुब्रूहीत्युक्त्वा नापव्याहरेद्धोता चाऽऽश्रावणात् " (का. श्रौ. सू. ३. ९६.) "आश्राविते ऽग्नीदाप्रत्याश्रावणात्" (का. श्रौ. सू. ३. ९७) "प्रत्याश्राविते ऽध्वर्युराहोतृप्रैषात्" (का. श्रौ. सू. ३. ९८) "होतावषट्कारादिति" (का. श्रौ. सू. ३. ९९) । अथ सोमविषयं वाङ्नियमं प्रतिजानीते–**अथ सौम्येऽध्वरे** इति ॥ ११ ॥

स वा इत्यादि । ' अध्वर्युः ' ग्रहग्रहणादनन्तरम् ' आ उपाकरणात्[३] ' । यदा चोद्गातारः स्तोत्रं प्रारभेरन्, तावत् ' नापव्याहरेत् ' । यदा ' अध्वर्युः ' उपावर्तध्वमिति ब्रूयात्, तदानीं तस्य यज्ञस्तान् ' उद्गातॄन् ' प्राप्नोति ॥ १२ ॥

' ते उद्गातारः ' अपि ' आ उत्तमायाः ' ' नापव्याहरेयुः ' । तत्प्रभृत्युत्तमस्तोत्रीयापर्यन्तं न वदेयुः । यदा च ' एषा ' अन्तिमा स्तोत्रीयेति ' उद्गातारः ' प्रज्ञापयन्ति ॥ १३ ॥

१–'यज' इति याज्यावषट्कारपाठार्थो होत्रे प्रैषः । २–अपव्याहारो नाम लौकिकवदनमिति भावः । ३–" प्राग्वाचं प्रवदतोः प्रातरनुवाकोपकरणं देवेभ्यः प्रातर्यावभ्योऽनुब्रूहीति सामिधमादधत् " का० श्रौ० सू० ९ । १ । १० । इति । ४–तिसृषु ऋक्षु एकं स्तोत्रियं साम गीयते सामगैः । तत्रान्त्या ऋगुत्तमा स्तोत्रिया भवति ।

स होता नापव्याहरेत् । (ठा) आ वषट्कारात्तं वषट्कारेणाग्नावेव योनौ रेतोभूतᳫँसिञ्चत्यग्निर्वै योनिर्यज्ञस्य स ततः प्रजायते ॥ १४ ॥

स यद्ध सोऽपव्याहरेत् । (ह्यं) यं यज्ञ ऽउपावर्त्तते यथा पूर्णपात्रं परासिञ्चेदेवᳫँह स यजमानं परासिञ्चेत्स यत्र हैवमृत्विजः संविदाना यज्ञेन चरन्ति सर्व्वमेव तत्र कल्पते न मुह्यति तस्मादेवमेव यज्ञो भर्तव्यः ॥ १५ ॥

(स्ता) ता वा ऽएताः । पञ्च व्याहृतयो भवन्त्यो श्रावयास्तु श्रौषड्यज ये यजामहे वौषडिति पाङ्क्तो यज्ञः पाङ्क्तः पशुः पञ्चर्त्तवः संवत्सरस्यैषैका यज्ञस्य मात्रैषा सम्पत् ॥ १६ ॥

स होता नापव्याहरेत्—आ वषट्कारात् । तं वषट्कारेणाग्नावेव योनौ रेतोभूतं सिञ्चति । अग्निर्वै योनिर्यज्ञस्य—स ततः प्रजायते ॥ १४ ॥

स यद् ह सोऽपव्याहरेत्—यं यज्ञ उपावर्त्तते; यथा पूर्णपात्रं परासिञ्चेद्—एवं ह स यजमानं परासिञ्चेत् । स यत्र हैवमृत्विजः संविदाना यज्ञेन चरन्ति—सर्वमेव तत्र कल्पते, न मुह्यति । तस्मादेवमेव यज्ञो भर्तव्यः ॥ १५ ॥

ता वा एताः पञ्च व्याहृतयो भवन्ति—' ओ श्रावय, ' ' अस्तु श्रौषड्, ' ' यज, ' ' ये यजा-

---

' होता ' अपि तदा प्रभृति ' नापव्याहरेत् ' ' आवषट्कारात् ' । तं वषट्कारेणेत्यादि पूर्ववत् । अत्र सूत्रम्—" सोमे च ग्रहं गृहीत्वोपाकरणात् " (का. श्रौ. सू. ३. ६०) इति । " उत्तमस्तोत्रीयां प्रस्तुत्य होतुरेवेति ब्रुवन्त उद्गातारः"[1] (का. श्रौ. सू. ३ । ६१, ६२) शंसिष्यते होत्रे यज्ञं प्रयच्छन्ति[2], तदा प्रभृति वषट्कारपर्यन्तं होता[3] नापव्याहरेत् ॥ १४ ॥

उक्तवाङ्नियमाभावे बाधमाह—स यद्धेति । सोमयागे तस्य ग्रहणादि—प्रदानावधिकाले ' यं यज्ञ उपावर्तते, ' ' सः ' ' यद् ' यदि ' अपव्याहरेत्, ' ' सः ' ' यजमानं परासिञ्चेत् ' । अत्र दृष्टान्तः—' यथा ' ' पूर्णपात्रम् ' अभिमतप्रदेशे घटादिषु प्रक्षेपमकृत्वा अन्यत्र ' परासिञ्चेत् ' तादृगेव तत् । अपव्याहारेण यज्ञभ्रंशे सति स्वर्गाख्यफलभ्रंशाद् यजमान एव परासिक्तो भवति । उक्तवैपरीत्ये को गुण इत्याह—स यत्रेति । एवं सर्वेऽध्वर्य्वादयः क्रमेण ' यत्र ' यज्ञे ' संविदानाः ' ऐकमत्यं प्राप्ताः स्व—स्व—कर्तव्यमेकाग्र्येण जानन्तोऽनुतिष्ठन्ति, ' तत्र ' तस्मिन् यज्ञे ' सर्वमेव ': अङ्गजातं ' कल्पते ' फलजननसमर्थं भवति । एवं सत्येकोऽप्यृत्विक् ' न मुह्यति ' स्वानुष्ठेयं न विस्मरति; अपव्याहारात्मकविक्षेपासम्भवात् । निगमयति—तस्मादिति । ' एवमेव ' अध्वर्य्वादिभिः यज्ञसम्प्रदानक्रमेण ' यज्ञः ' ' भर्तव्यः ' पोषयितव्यः ॥ १५ ॥

आश्रावणादिपञ्चकमनूद्य प्रशंसति—ता वा इति । व्याह्रियन्त इति ' व्याहृतयः ' वाक्यानि । तानि आश्रा-

---

१–उद्गातृप्रस्तोतृप्रतिहर्तार इत्यर्थः । २–" उपाकृत उद्गातार आहोतृप्रैषात् " इति का० श्रौ० सू० ३ । ३ । १८ । ३–" होतावषट्कारात् " इति का० श्रौ० सू० ३ । ३ । १९ ।

(त्ता) तासा१ँ सप्तदशाक्षराणि । सप्तदशो वै प्रजापतिः प्रजापतिर्यज्ञ ऽएषैका यज्ञस्य मात्रैषा सम्पत् ॥ १७ ॥

(दो) ओ श्रावयेति वै देवाः । पुरोवात१ँ ससृजिरेऽस्तु श्रौषडित्यभ्राणि समप्लावयन्यजेति विद्युतं ये यजामह ऽइति स्तनयित्नुं वषट्कारेणैव प्रावर्षन् ॥ १८ ॥

(न्तम) स यदि वृष्टिकामः स्यात् । (द्य) यदीष्ट्या वा यजेत दर्शपूर्णमासयोर्वैव ब्रूयाद्वृष्टिकामो वा अस्मीति तत्रो ऽध्वर्यु ब्रूयात्पुरोवा-

महे,' 'वौषट्' इति। पाङ्क्तो यज्ञः, पाङ्क्तः पशुः, पञ्चऽर्तवः संवत्सरस्य। एषैका यज्ञस्य मात्रा, एषा सम्पत् ॥ १६ ॥

तासां सप्तदशाक्षराणि । सप्तदशो वै प्रजापतिः । प्रजापतिर्यज्ञः । एषैका यज्ञस्य मात्रा, एषा सम्पत् ॥ १७ ॥

'ओ श्रावय' इति वै देवाः पुरोवातं ससृजिरे । 'अस्तु श्रौषड्' इति अभ्राणि समप्लावयन् । 'यज' इति विद्युतम् । 'ये यजामहे' इति स्तनयित्नुम् । वषट्कारेणैव प्रावर्षन् ॥ १८ ॥

स यदि वृष्टिकामः स्यात्, यदीष्ट्या वा यजेत,—दर्शपूर्णमासयोर्वैव ब्रूयाद्—"वृष्टिकामो वा

वयेत्यादिकानि। पञ्चसंख्यास्ति, यज्ञोऽपि 'पाङ्क्तः'; धानाः करम्भ—इत्यादिहविर्गतपञ्चसङ्ख्यायोगात् । अतः सङ्ख्यासाम्यद्वारा व्याहृतिपञ्चको यज्ञोऽस्तु, ततः किमित्यत आह—**पाङ्क्तः पशुरि**त्यादिना । चत्वारः पादाः, शिर एकमिति वा, लोमत्वङ्मांसास्थिमज्जभेदेन वा—पशोः पाङ्क्तत्वम् । हेमन्तशिशिरयोरेकत्वेन 'पञ्चर्तवः संवत्सरस्य' अयं यज्ञो व्याहृतिपञ्चकद्वारा पशुसंवत्सररूपाभ्यां शब्दाभ्यां परिमितो भवतीत्यर्थः । 'एषा' पशुसंवत्सरात्मिका 'यज्ञस्य' 'एका' 'मात्रा' इयत्ता। प्रकारान्तरमपेक्ष्योक्तम्—**एषा सम्पदि**ति । सङ्ख्याद्वारा सम्पादितसमृद्धिर्यज्ञस्य विभुत्वमित्यर्थः ॥ १६ ॥

आश्रावणादिकं स्ववाक्यगतसङ्ख्याद्वारेण प्रशस्य, तद्गताक्षरसङ्ख्ययापि प्रशंसति—**तासामिति** । "ओ श्रावयेति चतुरक्षरम्, अस्तु श्रौषडिति चतुरक्षरम्, यजेति द्व्यक्षरम्, ये यजामह इति पञ्चाक्षरम्, द्व्यक्षरो वषट्कारः" इति सप्तदशाक्षरता; प्रजापतिरपि मासर्तुगतसङ्ख्यया सप्तदशः । यज्ञस्रष्टृत्वात्सोऽपि यज्ञः । 'एषा' अक्षरसङ्ख्या प्राप्ता प्रजापत्यात्मकत्वलक्षणा 'यज्ञस्य' सम्पत् ॥ १७ ॥

विहितेष्वाश्रावणादिषु वृष्ट्याख्यफलाय तत्र विशेषं विवक्षुस्तदुपोद्घातमाह—**ओ श्रावयेतीति** । 'अस्तु श्रौषट्'—'इति' अनेन 'अभ्राणि' उदक-सञ्चरणसमर्थान् मेघान् 'समप्लावयन्' सर्वत्र-व्याप्तानकुर्वन् । 'ससृजिरे'—इति सर्वत्र सम्बन्धः । एवमुत्तरत्रापि उद्देशिनामनुद्देशिनां च पूर्वपूर्वभाव उत्तरोत्तरानुदयात् कार्यकारणभावाभिधानम् । अत उक्तवैपरीत्ये न तथा शङ्कनीयम् । स्तनयित्नुशब्दः स्तनयतीति व्युत्पत्त्या मेघवाची, तथाऽपि तस्य पृथगभिधानादत्र स्तननमात्रमभिधत्ते ॥ १८ ॥

अथौपोद्घातिकमाह—**स यदीति** । 'सः' यजमानो 'यदि वृष्टिकामः स्यात्'; स एव 'यदीष्ट्या' सौर्या-

१–पञ्चसंख्यानीति युक्तं प्रतिभाति । २–"धानाः, करम्भः, परिवापः, पुरोडाशः, पयस्येत्येष वै यज्ञो हविष्पङ्क्तिः" इति (ऐ० ब्रा० २. ३. ६) ३–"सप्तदशो वै प्रजापतिः द्वादश मासाः पंचर्तवो हेमन्तशिशिरयोः समासेन तावान्संवत्सरः संवत्सरः प्रजापतिः" इति ऐ. ब्रा. १।१।१।४–उ० ३।२९। पा० सू० ६।४।५५।

तुञ्च विद्युतञ्च मनसा ध्यायेत्यभ्राणि मनसा ध्यायेत्यग्नीधꣳस्तनयित्नुञ्च
व्वर्षञ्च मनसा ध्यायेति होतारꣳ सर्व्वाण्येतानि मनसा ध्यायेति ब्रह्माणं
व्वर्षति हैव तत्र यत्रैवमृत्विजः संविदाना यज्ञेन चरन्ति ॥ १९ ॥

(न्त्यो) ओ श्रावयेति वै देवाः । (०) विराजमभ्याजुहुवुरस्तु श्रौषडिति
व्वत्समुपावासृजन्यजेत्युदनयन्ये यजामह ऽइत्युपासीदन्वषट्कारेणैव
विराजमदुहतेयं वै विराडस्यै वा एष दोह ऽएवꣳ ह वा ऽअस्मा ऽइयं
विराट्सर्व्वान्कामान्दुहे य ऽएवमेतं विराजो दोहं व्वेद ॥ २० ॥ ३ ॥

इति चतुर्थप्रपाठके तृतीयं ब्राह्मणम् (५. २.) ॥

अस्मि" इति । तत्रो अध्वर्युं ब्रूयात्—'पुरोवातं च विद्युतं च मनसा ध्याय' इति । 'अभ्राणि मनसा ध्याय' इति अग्नीधम् । 'स्तनयित्नुं च वर्षं च मनसा ध्याय' इति होतारम् । 'सर्वाण्येतानि मनसा ध्याय' इति ब्रह्माणम् । वर्षति हैव तत्र—यत्रैवम् ऋत्विजः संविदाना यज्ञेन चरन्ति ॥ १९ ॥

'ओ श्रावय' इति वै देवाः विराजमभ्याजुहुवुः । 'अस्तु श्रौषड्' इति वत्समुपावासृजन् । 'यज' इति उदनयन् । 'ये यजामहे' इति उपासीदन् । वषट्कारेणैव विराजमदुहत । इयं वै विराड्, अस्यै वा एष दोहः । एवं ह वा अस्मै इयं विराट् सर्वान् कामान् दुहे—य एवमेतं विराजो दोहं वेद ॥२०॥

दिकया फलान्तरसाधनभूतया 'यजेत', तत्र प्रकृतिभूतयोः 'दर्शपूर्णमासयोर्वा एव ब्रूयात्' ऋत्विजः 'वृष्टिकामः' अहम् 'अस्मीति' । कं प्रति किं ब्रूयादिति तद्विभज्याह—तत्रो इत्यादिना । 'तत्र' तेष्वेव कर्मसु 'अध्वर्युम्' 'ब्रूयात्', आश्रावणसमये पुरोवातविद्युतोर्ध्यानं 'मनसा कुर्यात्' इति । मनोव्यतिरेकेण ध्यानासम्भवाद्, एकाग्रमना इत्यर्थः । एवमुत्तरवाक्येष्वपि योज्यम् । आग्नीध्रहोत्रोः प्रत्येकस्य व्याहृतिद्वये सम्भवाद् एकैकस्य द्वयोर्द्वयोर्ध्यानम् । "सर्वैर्ब्रह्मा"—इति (ऐ० ब्रा० ५ । ५ । ८) ब्रह्मणः सर्वकर्तव्यानुसन्धानस्मरणात् सर्वविषयध्यानाभिधानम् । एवमङ्गेषु ध्याने सति वृष्टिफलं नियतमेवेत्याह—वर्षति हैवेति । 'संविदानाः' फलविषये परस्परमैकमत्यं प्राप्ताः ॥ १९ ॥

प्रकारान्तरेणाश्रावणादिपञ्चकं प्रशंसति—ओ श्रावयेतीति । चरुपुरोडाशादिना विशेषेण राजत इति 'विराट्' वेद्यात्मिका पृथिवी, सा धेनुत्वेन प्रकल्प्यते; "सा मे धुक्ष्व यजमानाय कामान्"—इत्यादिमन्त्रेषु दोहनसाधनत्वश्रवणात् । तां विराड्धेनुम् ओ श्रावयेत्यनेनाभिमुखमाह्वयन् । 'वत्समुपावासृजन्' स्तनपानाय वत्सस्य कण्ठगतं पाशं व्यश्लेषयन् । 'यजेति' अनेन तम् 'उदनयन्' अपरित्वीतं वत्समूर्द्ध्वमूधसोऽभिमुखमनयन् । 'उपासीदन्' दोहाय गोः समीपे स्थिताः । 'वषट्कारेण' हविःप्रदानसाधनेन ताम् 'अदुहत' दोहनेनेमं यज्ञमुदपादयन्नित्यर्थः । विराट्शब्दमाह[2]—इयं वा इति । 'इयं' पृथिव्येव खलु 'विराट्' उक्तमर्थं समर्थयते—अस्यै वा इति । 'एषः' उक्तो 'दोहः' 'अस्यै वै' अस्या वेद्यात्मिकायाः पृथिव्याः सम्बन्धी खलु, चरुपुरोडाशादियज्ञसाधनानां तस्या एवोत्पत्तेः । उक्तार्थवेदनं प्रशंसति—एवं ह वा इति । 'यः' एतदाश्रावणादिकम् 'एवं' दोहात्मकतया 'वेद' जानाति 'अस्मै' अस्याः उक्तार्थं वेदित्रे 'इयं विराट्' पृथिवी 'सर्वान्' धनादिकान् 'कामान्' 'दुहे' प्रयच्छतीति ॥ २० ॥ ३ ॥ (५ । २)

इति श्रीसायणाचार्यवि० माधवीये वेदार्थप्र० माध्यन्दिनशतपथब्रा० प्रथमकाण्डे पञ्चमाध्याये द्वितीयं ब्राह्मणम् ॥

१–कुर्यां इतीति युक्तं प्रतिभाति । २–शब्दार्थमाहेति युक्तं प्रतिभाति ।

ऋतवो ह वै प्रयाजाः । (स्तु) तस्मात्पञ्च भवन्ति पञ्च ह्यृतवः ॥ १ ॥
(वो) देवाश्च वा ऽअसुराश्च । (श्चो) उभये प्राजापत्याः पस्पृधिरऽएतस्मिन्यज्ञे प्रजापतौ पितरि संवत्सरेऽस्माकमयं भविष्यत्यस्माकमयं भविष्यतीति ॥ २ ॥

ततो देवाः । (ऽ) अर्चन्तः श्राम्यन्तश्चेरुस्त ऽएतान्प्रयाजान्ददृशुस्तैरयजन्त तैर्ऋतून्त्संवत्सरं प्राजयन्नृतुभ्यः संवत्सरात्सपत्नानन्तरायंस्तस्मात्प्रजयाः प्रजया ह वै नामैतद्यत्प्रयाजा ऽइति तथो ऽएवैष ऽएतैर्ऋतून्त्संवत्सरं प्रजयत्यृतुभ्यः संवत्सरात्सपत्नानन्तरेति तस्मात्प्रयाजैर्यजते ३

" प्रयाजबन्धुः । "

ऋतवो ह वै प्रयाजाः । तस्मात्पञ्च भवन्ति, पञ्च हि ऋतवः ॥ १ ॥

देवाश्च वा असुराश्च उभये प्राजापत्याः पस्पृधिरे–एतस्मिन् यज्ञे प्रजापतौ पितरि संवत्सरे ' अस्माकमयं भविष्यति, अस्माकमयं भविष्यति' इति ॥ २ ॥

ततो देवा अर्चन्तः श्राम्यन्तश्चेरुः, त एतान् प्रयाजान् ददृशुः–तैरयजन्त । तैर्ऋतून् संवत्सरं प्राजयन्–ऋतुभ्यः संवत्सरात् सपत्नानन्तरायन्; तस्मात्प्रजयाः । प्रजया ह वै नामैतद्–यत्प्रयाजाः–इति । तथो एवैष एतैर्ऋतून् संवत्सरं प्रजयति, ऋतुभ्यः संवत्सरात्सपत्नानन्तरेति । तस्मात् प्रयाजैर्यजते ॥ ३ ॥

प्रयाजानुपरिष्टाद् विवास्यति; तत्रादौ तद्गतां सङ्ख्यां विधत्ते–ऋतवो ह वा इति । यस्माद् ' ऋतवः ' हेमन्तशिशिरयोरैक्येन ' पञ्च ' अतस्तदात्मका अपि ' प्रयाजाः ' ' पञ्च ' कर्तव्याः ॥ १ ॥

निर्वचनद्वारेण प्रशंसितुमाख्यायिकामाह–देवाश्चेति । स्पर्धाया विषयं दर्शयति–एतस्मिन्निति– । 'एतस्मिन्' दर्शपूर्णमासात्मके ' यज्ञे '' प्रजापतौ '; आश्रावयास्तु श्रौषडित्यादिसप्तदशात्मकस्य प्रजापतेर्यज्ञरूपत्वाद्–यज्ञे प्रजापतौ–इति सामानाधिकरण्यम् । स च सर्वोत्पादकत्वात् 'पिता'; तस्य च ' संवत्सरः प्रजापतिः' "सोऽस्य सर्वस्य प्रजनयिता" च इति श्रुतेः (ऐ. ब्रा. २।२।७; २।९।७) संवत्सरात्मकत्वम् । उक्तरूपे प्रजापतौ 'अयमस्माकमेव भविष्यति, अस्माकमेवेति ' स्पर्द्धामकुर्वन् ॥ २ ॥

तत इति । ते 'देवाः' 'अर्चन्तः' तत्पूजयन्तः, ' श्राम्यन्तः ' आत्मानं क्लेशयन्तः ' चेरुः ' अन्वतिष्ठन् ,–तत्साधनमन्वतिष्ठन् । '' तत एतान् प्रयाजान् ' प्रजापतिजयलाभोपायत्वेन दृष्ट्वा, ' तैः ' इष्ट्वा; तत्फलभूतान् ' ऋतून् ' , तद्द्वारा ' संवत्सरं ' च प्राजयन् । जितेभ्यस्तेभ्यः सकाशात् स्वसपत्नान् असुरान् विरहितान् अकुर्वन् । ' तस्मात् ' प्रजयसाधनत्वादेते ' प्रजयाः–प्रजयाः' इत्येतदस्ति, एतन्नामतः ' प्रयाजाः ' खलु । यथा देवाः, ' तथा ' एव ' एषः ' इदानीन्तनोऽपि यजमानः ' एतैः ' प्रयाजैः ऋतुसंवत्सरजयद्वारा स्वशत्रून् ऋतुसंवत्सरैर्व्यवहितान् करोति ॥ ३ ॥

१–समिधः, तनूनपात्, इडः, बर्हिः, स्वाहाकारः–इति पञ्च प्रयाजाः । द्वादशस्वाप्रीदेवतासु पञ्चैताः प्रयाजा उच्यन्ते ॥

ते वा ऽआज्यहविषो भवन्ति । व्वज्रो वा ऽआज्यमेतेन वै देवा व्वज्रेणाज्येनऽर्तूंन्त्संवत्सरं प्राजयन्नृतुभ्यः संव्वत्सरात्सपत्नानन्तरायंस्तथो ऽएवैष ऽएतेन व्वज्रेणाज्येनर्तूंन्त्संव्वत्सरं प्रजयत्यृतुभ्यः संव्वत्सरात्सपत्नानन्तरेति तस्मादाज्यहविषो भवन्ति ॥ ४ ॥

(न्त्ये) एतद्वै संव्वत्सरस्य स्वं पयः । (यो) यदाज्यं तत्स्वेनैवैनमेतत्पयसा देवाः स्व्यकुर्वत तथो ऽएवैनमेष ऽएतत्स्वेनैव पयसा स्वीकुरुते तस्मादाज्यहविषो भवन्ति ॥ ५ ॥

स यत्रैव तिष्ठन्प्रयाजेभ्य ऽआश्रावयेत् । (न्तु) तत ऽएव नापक्रामेत्सङ्ग्रामो वा ऽएष सन्निधीयते यः प्रयाजैर्यजते यतरो वै संयत्तयोः पराजयतेऽप वै स क्रामत्यभितरामु वै जयन्क्रामति तस्मादभितरामभितरामेव क्रामेदभितरामभितरामाहुतीर्जुहुयात् ॥ ६ ॥

ते वा आज्यहविषो भवन्ति । वज्रो वा आज्यम्, एतेन वै देवा वज्रेणाज्येन ऋतून् संवत्सरं प्राजयन्–ऋतुभ्यः संवत्सरात् सपत्नान् अन्तरायन्, तथो एवैष एतेन वज्रेणाज्येन ऋतून् संवत्सरं प्रजयति–ऋतुभ्यः संवत्सरात् सपत्नान् अन्तरेति । तस्मादाज्यहविषो भवन्ति ॥ ४ ॥

एतद्वै संवत्सरस्य स्वं पयः–यदाज्यम् । तत् स्वेनैवैनमेतत्पयसा देवाः स्व्यकुर्वत । तथो एवैनमेष एतत् स्वेनैव पयसा स्वीकुरुते । तस्मादाज्यहविषो भवन्ति ॥ ५ ॥

स यत्रैव तिष्ठन् प्रयाजेभ्य आश्रावयेत्, तत एव नापक्रामेत् । सङ्ग्रामो वा एष सन्निधीयते–यः प्रयाजैर्यजते; यतरो वै संयत्तयोः पराजयते–अप वै स क्रामति, अभितरामु वै जयन् क्रामति । तस्मादभितरामभितरामेव क्रामेद्, अभितरामभितरामाहुतीर्जुहुयात् ॥ ६ ॥

ते वा इति । हूयत इति ' हविः ' द्रव्यम्, तत्तेषामाज्यात्मकं कर्तव्यत् । सपत्नघातकत्वात् तदाज्यस्य वज्रत्वम् । वैशब्देन सूचितां वज्रत्वप्रसिद्धिमुपपादयति-- यतः ' एतेन ह्याज्येन प्रयाजयागद्वारा सपत्नानजयन्, अतोऽस्य वज्रत्वं सिद्धमित्यर्थः । " तथो "–इत्यादिर्दृष्टान्तः ॥ ४ ॥

प्रकारान्तरेणाज्यद्रव्यकत्वं प्रशंसति–एतद्वा इति । आज्यमिति यदस्ति, ' एतत् ' खलु संवत्सरस्य ' स्वं पयः ' । प्रतिनियतवत्सरूपं क्षीरम् ; पयःकार्यत्वादाज्यमपि पयः; गोमहिष्यादीनां संवत्सरपर्यन्तं प्रायेण दोहात्मत्वम्[2] । ' तत् ' तस्माद् ' देवाः ' पूर्वम् ' एनं ' प्रजापतिं ' स्वेनैव ' स्वद्रव्यभूतेनैव ' पयसा ' ' स्व्यकुर्वत ' स्वकीयधनवत्तामगमयन् । ' तथा ' एवेदानीमपि यजमानः प्रयाजानाज्येन यजन् प्रजापतिमेव स्वद्रव्यतां करोति । अतस्तेषामाज्यहविष्कत्वं प्रशस्तम् ॥ ५ ॥

प्रयाजहोमविषये स्थाननियममाह–स यत्रैवेति । ' प्रयाजेभ्यः ' प्रयाजार्थं ' यत्रैव ' प्रदेशे स्थितः ' आश्रावयेत् ' ' ततः ' पश्चात् ' नापक्रामेत् ' । अनपक्रमे कारणमाह–सङ्ग्रामो वेति । ' यः प्रयाजैर्यजते ' अयं युद्धाय

१–" आज्येन प्रयाजा इज्यन्त आज्येन पत्नीसंयाजाः । पंच प्रयाजा इज्यन्ते चत्वारः पत्नीसंयाजाः " इति तै० सं. २।६।१०।

२–दोहात्मकत्वम्–इति पा० ।

(ग) तदु तथा न कुर्यात् । (घ) यत्रैव तिष्ठन्प्रयाजेभ्य ऽआश्रावयेत्तत ऽएव नापक्रामेद्यत्रो ऽएव समिद्धतमं मन्येत तदाहुतीर्जुहुयात्समिद्धहोमेन ह्येव समृद्धा ऽआहुतयः ॥ ७ ॥

स ऽआश्राव्याह । समिधो यजेति तद्वसन्त ँ समिन्धे स वसन्तः समिद्धो ऽन्यानृतून्त्समिन्ध ऽऋतवः समिद्धाः प्रजाश्च प्रजनयन्त्योषधीश्च पचन्ति तद्वेव खलु सर्वानृतून्निराहाथ यज-यजेत्येवोत्तरानाहाजामितायै जामि ह कुर्याद्यत्तनूनपातं यजेडो यजेति ब्रूयात्तस्माद्यज-यजेत्येवोत्तरानाह ॥ ८ ॥

तदु तथा न कुर्यात् । यत्रैव तिष्ठन् प्रयाजेभ्य आश्रावयेत्—तत एव नापक्रामेद्; यत्रो एव समिद्धतमं मन्येत—तदाहुतीर्जुहुयात् । समिद्धहोमेन ह्येव समृद्धा आहुतयः ॥ ७ ॥

" उत्तरः प्रैषः । "

स आश्राव्य आह—'समिधो यज' इति । तद् वसन्तं समिन्धे, स वसन्तः समिद्धो अन्यान् ऋतून् समिन्धे, ऋतवः समिद्धाः प्रजाश्च प्रजनयन्ति, ओषधीश्च पचन्ति । तद्वेव खलु सर्वानृतून् निराह । अथ 'यज यज' इत्येव उत्तरानाह—अजामितायै । जामि ह कुर्याद्—यत् 'तनूनपातं यज, इडो यज' इति ब्रूयात् । तस्माद्यज यजेत्येवोत्तरानाह ॥ ८ ॥

'सङ्ग्रामः सन्निधीयते' अतो युद्धाय 'सङ्गतयोः' मध्ये 'यः पराजयते', 'सोऽपक्रामति' पश्चात् पलायते । तस्मादपक्रमणं न युक्तमित्यर्थः ।

अथ पुरोऽभिक्रमणपक्षमुपन्यस्य निराकरोति—अभितरामिवेति । 'जयन्' कश्चिज्जिगीषुः 'अभितरामु वै' शत्रोरत्यन्तमभिमुखं खलु 'क्रामति' यस्मादेवं 'तस्मात्' प्रयाजमभिमुखमभिमुखमीषदीषत्पुरस्तादाक्रामेत् । आक्रमणानुसारेणाग्नावपि ईषदीषत्पुरस्तादाक्रम्य 'जुहुयात्' ॥ ६ ॥

अमुं पक्षं निषेधति—तद्विति । तर्हि कथमित्याशङ्क्य पूर्वोक्तमेव पक्षं निगमयति—यत्रैवेति । आश्रावणस्य प्रदानाङ्गतया तयोः प्रदेशैक्यलाभादित्यभिप्राय. । पक्षान्तरमाह—यत्रो एवेति । आहवनीयमध्ये यस्मिन्नेव प्रदेशेऽग्निं प्रज्वलितं मन्येत, तत्र पश्चापि 'आहुतीर्जुहुयात्' । 'हि' यस्मात् समिद्धाग्निदेशहोमात् 'आहुतयः' अपि 'समिद्धाः' प्रदीप्ताः, फलजननसमर्थाः स्युः, अतोऽयमेव पक्षः श्रेयान् ॥ ७ ॥

आश्रावणानन्तरं कर्तव्यमाह—स इति । हे होतः ! समिन्नामिका अग्निमूर्तीः प्रति तासां यागाय याज्यां पठेति प्रैषार्थः । तेन प्रैषेण साक्षाद् 'वसन्तम्' एव 'समिन्धे' दीप्तं करोति । न केवलं तस्यैव समिन्धनम् अपि तु तद्वारा सर्वेषामप्यृतूनां समिन्धनं कृतं भवति । तथा च सति सर्वे ऋतवः स्व-स्व-कालोचिताः 'प्रजाः' सर्वा अप्युत्पादयन्ति, तदुपजीवनाय 'ओषधीश्च पचन्ति' । तद्वेवेति । यस्मादेव कारणात् वसन्तसमिन्धनेन स्वयमपि समिद्धाः सन्तः प्राण्युत्पादनमोषधिपाकं चैव कुर्वन्ति, तस्माद्वसन्तः समिद्धोऽन्यान् ऋतून् समिन्ध इति 'सर्वान् ऋतून् निराह' । समिद्यागवदितरेषामपि नामनिर्देशपूर्वकत्वप्रसक्तौ तन्निवारयति—अथ यजयजेति । तदनिर्देशस्य प्रयोजनमाह—अजामितायाः इति । अनतिरेकाय । " जाम्यातिरेकनाम "—इति यास्कः

१—'ध्रुववतिष्ठन्'(श्रौ० सू० ३. ३७) 'पूर्वं पूर्वं वाभिक्रामम्' (श्रौ० सू० ३. ३८) । २—पुनरुक्तनामेत्यर्थः । इति वृत्तिः । " जामि वा एतद्यज्ञे क्रियते यत्समानीभ्यामृग्भ्यां समानेऽहन्यजति " इति ऐ. ब्रा. ३ । ५ । २ ।

स वै समिधो यजति । व्वसन्तो वै समिद्वसन्तमेव तद्देवा ऽअवृञ्जत व्वसन्तात्सपत्नानन्तरायन्वसन्तम्वेवैष ऽएतद्वृङ्क्ते व्वसन्तात्सपत्नानन्तरेति तस्मात्समिधो यजति ॥ ९ ॥

(त्यु) अथ तनूनपातं यजति । ग्रीष्मो वै तनूनपाद्ग्रीष्मो ह्यासां प्रजानां तनूस्तपति ग्रीष्ममेव तद्देवा ऽअवृञ्जत ग्रीष्मात्सपत्नानन्तरायन्ग्रीष्मम्वेवैष ऽएतद्वृङ्क्ते ग्रीष्मात्सपत्नानन्तरेति तस्मात्तनूनपातं यजति ॥ १० ॥

(त्य) अथेडो यजति । व्वर्षा वा ऽइड इति हि व्वर्षा ऽइडो यदिदं क्षुद्रꣳ

"प्रयाजब्राह्मणम्"।

स वै (१) "**समिधो**" यजति । वसन्तो वै समिद् । वसन्तमेव तद्देवा अवृञ्जत–वसन्तात् सपत्नानन्तरायन् । वसन्तमु एवैष एतद् वृङ्क्ते–वसन्तात् सपत्नानन्तरेति । तस्मात्समिधो यजति॥९॥

अथ (२) "**तनूनपातं**" यजति । ग्रीष्मो वै तनूनपाद्–ग्रीष्मो हि आसां प्रजानां तनूस्तपति । ग्रीष्ममेव तद्देवा अवृञ्जत–ग्रीष्मात् सपत्नानन्तरायन् । ग्रीष्ममु एवैष एतद् वृङ्क्ते–ग्रीष्मात् सपत्नानन्तरेति । तस्मात्तनूनपातं यजति ॥ १० ॥

अथ (३) "**इडो**" यजति । वर्षा वा इडः । इति हि वर्षा इडः–यदिदं क्षुद्रं सरीसृपं

(निरु. ४. ३. ४.) एकस्मिन् प्रथमे समिद्यागे नामनिर्देशे सतीतरेषामप्यूहयितुं शक्यत्वेन निर्देशप्रायत्वात् पुनर्नामनिर्देशे 'जामि' भवेत् । जामित्वपक्षमुदाहृत्य प्रदर्शयति–**जामि** हेति । अतस्तनूनपात्प्रभृतीन् 'यज–यजेति' एवं ब्रूयात् ॥ ८ ॥

"ऋतवो ह वै" इत्यत्र सङ्ख्यशो विहिताः पञ्च[3] प्रयाजाः, तेष्वेकैकं विधाय प्रशंसति–**स वै समिध** इत्यादिना । अत्र समिदादीनां वसन्ताद्यात्मतया स्तुतौ सङ्ख्यासाम्यमेव साधारणम्, कारणविशेषस्तु तत्र प्रदर्श्यते–**वसन्तो वा** इत्यादि । वसन्तेऽपि निखिलवृक्षाणां कुसुमाद्युद्गमेन प्रदीप्तताऽस्तीति समिधो वसन्तत्वाभिधानम् । अतः 'तत्' तेन समिद्यागेन 'वसन्तमेव अवृञ्जत' स्वैर्लब्धत्वादसुरेभ्यस्तंवर्जितमकुर्वन् । तस्माद् 'वसन्तात्' 'सपत्नान्' असुरान् अन्तरायन् । यदेषां नास्ति, तेन तेऽन्तर्हिता इति प्रसिद्धम् ।

पुरातनवृत्तान्तप्रदर्शनस्य प्रयोजनमाह–**वसन्तम्विति** । 'उ' अपि च, इदानीमपीत्यर्थः । 'एतत्' एतेन समिद्यागेन 'वसन्तमेव वृङ्क्ते' वर्जयति, स्वसपत्नेभ्य[4] इत्यर्थः । सिद्धमन्यत् । एवमुत्तरवाक्यान्यपि योज्यानि॥९॥

अथ तनूनपातमित्यादि । ग्रीष्मस्य तनूनपात्साम्यं दर्शयति–**ग्रीष्मो हीति** । अस्य सकलप्रजाशरीरतापकत्वेन तनूनां पालकत्वात् तनूनपात्त्वम् ; अतोऽर्थतः साम्याद् ग्रीष्मस्तनूनपात्[5] । शिष्टं पूर्ववत् ॥ १० ॥

अथेड इत्यादि । इड इत्येतद्देवता यजेत । इडो वर्षात्वेनोपचारे स्त्रीत्वं बहुत्वञ्च बीजम् । उक्तं

१–"क्षुल्लक ९" इति भाष्यसंगतः पाठः । २–'यजयजेति शेषन्' (श्रौ० सू० ३. २६) । ३–'पञ्च प्रयाजान्यजतीयं पञ्चसंख्या प्रयाजानामुत्पत्तिशिष्टा । नवप्रयाजान्यजतीति, एकादश प्रयाजान्यजतीति, नवैकादशसंख्ययाबाधा योगाद्विकृती संख्या अभ्यासेनैव पूरणीया" इति या० वृ० (का० श्रौ० सू० ३ । ३ । ८) ४–अत्रत्यसमिद्व्याख्यामाह यास्कः "यज्ञेध्म इति कात्थक्यः अग्निरिति शाकपूणिः" निरु० ८ । २ । २ । ५–'तनूनपाद्व्याख्यायामाह यास्कः "आज्यमिति कात्थक्यः अग्निरिति शाकपूणिः" इति निरु० ८ । २ । २ ।

सरीसृपं ग्रीष्महेमन्ताभ्यां नित्यक्तं भवति तद्वर्षा ऽईडितमिवान्नमिच्छमानं चरति तस्माद्वर्षा ऽइडो व्वर्षा ऽएव तद्देवा ऽअवृञ्जत व्वर्षाभ्यः सपत्नानन्तरायन्वर्षा ऽउ ऽएवैषु ऽएतद्वृङ्क्ते व्वर्षाभ्यः सपत्नानन्तरेति तस्मादिडो यजति ॥ ११ ॥

(त्यु) अथ बर्हिर्यजति । शरद्वै बर्हिरिति हि शरद्बर्हिर्या ऽइमा ऽओषधयो ग्रीष्महेमन्ताभ्यां नित्यक्ता भवन्ति ता व्वर्षा व्वर्द्धन्ते ताः शरदि बर्हिषो रूपं प्रस्तीर्णाः शेरे तस्माच्छरद्बर्हिः शरदमेव तद्देवा ऽअवृञ्जत शरदः सपत्नानन्तरायञ्छरदम्वेवैषु ऽएतद्वृङ्क्ते शरदः सपत्नानन्तरेति तस्माद्बर्हिर्यजति ॥ १२ ॥

(त्यु) अथ स्वाहा-स्वाहेति यजति । (त्यु) अन्तो वै यज्ञस्य स्वाहा-

---

ग्रीष्महेमन्ताभ्यां नित्यक्तं भवति—तद् वर्षा ईडितमिवान्नमिच्छमानं चरति—तस्माद्वर्षा इडः। वर्षा एव तद् देवा अवृञ्जत—वर्षाभ्यः सपत्नानन्तरान् । वर्षा उ एवैष एतद् वृङ्क्ते—वर्षाभ्यः सपत्नानन्तरेति। तस्मादिडो यजति ॥ ११ ॥

अथ (४) बर्हिः यजति । शरद्वै बर्हिः । इति हि शरद् बर्हिः—या इमा ओषधयो ग्रीष्महेमन्ताभ्यां नित्यक्ता भवन्ति, ता वर्षा वर्द्धन्ते, ताः शरदि बर्हिषो रूपं प्रस्तीर्णाः शेरे—तस्मात् शरद्बर्हिः । शरदमेव तद्देवा अवृञ्जत—शरदः सपत्नानन्तरायन् । शरदम्वेवैष एतद् वृङ्क्ते—शरदः सपत्नानन्तरेति । तस्माद्बर्हिर्यजति ॥ १२ ॥

अथ (५) "स्वाहा—स्वाहा"—इति यजति । अन्तो वै यज्ञस्य स्वाहाकारः, अन्त ऋतूनां

साम्यं समर्थयते—इति हीति । 'हि' एवं खलु 'इडो वर्षाः' । कथमिति तत्राह—'यदिदं क्षुल्लकम्' प्राणिजातमित्यर्थः । 'सरीसृपं' कृकलासगोधादिकम् । 'ग्रीष्महेमन्ताभ्यां' निमित्ताभ्यां 'नित्यक्तं' नितरां परित्यक्तशरीरं क्षीणं 'भवति' ; हिमे सर्वपदार्थानां शैतिनार्त्तत्वात्, ग्रीष्मे रसानां शोषणादिति भावः । 'तत्' सर्वं 'वर्षाः' द्वितीयाबहुवचनं, ताः ताः—प्रति 'ईडितमिव' अहो क्लिष्टप्रायं सदिदानीं पुनश्चेष्टत इति सर्वैः प्रशंसितमिव 'अन्नं' स्वोचितं तृणजलादिरूपम् 'इच्छमानम्' इच्छां कुर्वत्, इतस्ततः 'चरति'; वर्षासु तृणजलादिसमृद्धिसम्भवात् । यस्मादेवं 'तस्माद्' वर्षाणामिड्रूपत्वमुक्तमित्यर्थः । इष्यत इतीडिति—इट्शब्दव्युत्पत्तेर्वर्षास्वपि सम्भवात् । शिष्टं पूर्ववत् ॥ ११ ॥

अथ बर्हिरित्यादि । वषा इति । उक्तप्रकारेण विनष्टाः, ता 'ओषधयः' वर्षासु प्रवृद्धाः सत्यः 'शरदि' प्राप्तायां 'बर्हिषः' आस्तीर्णस्य 'रूपम्' प्राप्नुवन्ति । तत् कुत इत्यत आह—'आस्तीर्णाः' अनुक्रमणसामान्येनाऽऽस्तृतदर्भवत् 'शेरे' शेरते । 'तस्माद्' उपपादिताद्धेतोः; शरद् बर्हिः ॥ १२ ॥

अथ स्वाहेत्यादि । अन्त्यप्रयाजे 'स्वाहाग्निम्' 'स्वाहा सोमम्' इति (तै. ब्रा. ३।९।९।९)

१—इड्व्याख्यायामाह यास्कः "इळ ईट्टेः स्तुतिकर्मणइन्धतेर्वा" इति निरु० ८।२।४। २—बर्हिर्व्याख्यायामाह यास्कः "बर्हिः परिबर्हणात्" इति निरु० ८।२।५।

कारोऽन्त ऋतूना ऌँ हेमन्तो व्वसन्ताद्धि पराद्ध्यौऽन्तेनैव तदन्तं देवा ऽअवृञ्जतान्तेनान्तात्सपत्नानन्तरायन्नन्तेनो ऽएवैष ऽएतदन्तं वृङ्क्तेऽन्ते-नान्तात्सपत्नानन्तरेति तस्मात्स्वाहा-स्वाहेति यजति ॥ १३ ॥

तद्वा ऽएतत् । (द्व) व्वसन्त ऽएव हेमन्तात्पुनरसुरेतस्माद्धयेष पुनर्भ-वति पुनर्ह वा ऽअस्मिँल्लोके भवति य ऽएवमेतद्वेद ॥ १४ ॥

स वै व्यन्तु व्वेत्विति यजति । (त्य) अजामितायै जामि ह कुर्याद्य-द्व्यन्तु व्यन्त्विति वैव यजेद्वेतु व्वेत्विति वा व्यन्त्विति वै योषा व्वेत्विति व्वृषा मिथुनमेवैतत्प्रजननं क्रियते तस्माद्व्यन्तु व्वेत्विति यजति ॥ १५ ॥

हेमन्तः-वसन्ताद्धि पराद्ध्यः । अन्तेनैव तदन्तं देवा अवृञ्जत-अन्तेनान्तात् सपत्नानन्तरायन् । अन्तेनो एवैष एतदन्तं वृङ्क्ते-अन्तेनान्तात् सपत्नानन्तरेति। तस्मात् स्वाहा-स्वाहेति यजति॥१३॥

तद्वा एतद्-वसन्त एव हेमन्तात् पुनरसुः, एतस्माद्धयेष पुनर्भवति । पुनर्ह वा अस्मिन् लोके भवति-य एवमेतद् वेद ॥ १४ ॥

स वै 'व्यन्तु, वेतु' इति यजति-अजामितायै । जामि ह कुर्याद्-यद् 'यन्तु-व्यन्तु'-इति वैव यजेद्; 'वेतु' वेतु इति वा । व्यन्तु-इति वै योषा, वेतु-इति वृषा; मिथुनमेवैतत् प्रजननं क्रियते । तस्माद् व्यन्तु वेतु-इति यजति ॥ १५ ॥

स्वाहाकृतिरस्ति; तां देवतां यजेति स्वाहाकारेण हविःप्रदानात्, तत्प्रदानस्य च यागत्वात्, तस्य तद्देवत्वम् । हेमन्तोऽपि वसन्ताद्यृतूनामन्तिमः । तदेवोपपादयति-'हि' यस्माद् 'वसन्तात्' 'पराद्ध्यः' परस्मिन्-अर्द्धे भागे भवः । 'अन्तेन' स्वाहाकारेण 'अन्तं' हेमन्तमसुरेभ्यः 'अवृञ्जत' । गतमन्यत् ॥ १३ ॥

हेमन्तस्यान्तिमत्वं प्रकारान्तरेण प्रशंसति-तद्वा इति । 'तद्' वक्ष्यमाणप्रकारं 'वै' खलु 'एतत्', तदिदमपि हेमन्तप्राशस्त्यमस्तीत्यर्थः । किं तदेतत् ? 'वसन्त एव' 'पुनः' ऋत्वारम्भे आवर्तमानः सन्, 'हेमन्तात्' स्वपूर्वभाविनः सकाशात् 'पुनरसुः' पुनः प्राप्तप्राणो 'भवति' । कथमित्यत आह-एतस्मादिति । उक्तार्थवेदनं प्रशंसति-पुनर्ह वा इति ॥ १४ ॥

प्रयाजमन्त्रेषु तद्देवताबहुत्वैकत्वप्रयुक्तं 'व्यन्तु'-'वेतु'-इति बहुत्वमेकत्वं वाऽस्ति, तदनूद्य प्रशंसति-स वै व्यन्त्विति । उक्तो जामिशब्दार्थोऽसकृत् । ऐकरूप्येण व्यन्त्विति वा वेत्विति वा पाठे सति शृण्वतां मनसि अनादरः स्यात्, अतस्तद् 'जामि' अधिकं भवति । प्रकारान्तरेण तदेव प्रशंसति-व्यन्त्विति वा इति । एकस्य पुंसो जायाबहुत्वसम्भवेऽपि स्त्रियास्त्वेक एव पतिरिति नियमाद् व्यन्तु-वेतु इति योषावृषणौ, अत 'एतत्' एतेन तथाविधपाठेनास्य पुत्रस्योत्पादनं 'मिथुनमेव' सम्पादितवान् भवति ॥ १५ ॥

१-स्वाहाकृतिव्याख्यायामाह यास्कः " स्वाहाकृतयः। स्वाहेत्येतत्-सु आहेति वा, स्वावागाहेतिवा, स्वंप्राहेति वा, स्वाहुतं हविर्जुहोतिवा " इति निरु० ८ । ३ । ५ । २-योषावृषौ-इति क० पा० ।

(त्यु) अथ चतुर्थे प्रयाजे समानयति बर्हिषि । प्रजा वै बर्ही रेत ऽआज्यं तत्प्रजास्वेवैतद्रेतः सिच्यते तेन रेतसा सिक्तेनेमाः प्रजाः पुनरभ्यावर्तं प्रजायन्ते तस्माच्चतुर्थे प्रयाजे समानयति बर्हिषि ॥ १६ ॥

सङ्ग्रामो वा ऽएष सन्निधीयते । यः प्रयाजैर्यजते यतरं वै संयत्तयोर्म्मित्रमागच्छति स जयति तदेतदुपभृतोऽधि जुहूं मित्रमागच्छति तेन प्रजयति तस्माच्चतुर्थे प्रयाजे समानयति बर्हिषि ॥ १७ ॥

यजमान ऽएव जुहूमनु योऽस्मा ऽअरातीयति स ऽउपभृतमनु यजमानायैवैतद्द्विषन्तं भ्रातृव्यं बलिꣳहारयत्यत्तैव जुहूमन्वाद्य ऽउपभृतमन्वत्त्रऽएवैतदाद्यं बलिꣳहारयति तस्माच्चतुर्थे प्रयाजे समानयति ॥ १८ ॥

अथ चतुर्थे प्रयाजे समानयति बर्हिषि । प्रजा वै बर्हिः, रेत आज्यम् । तत् प्रजास्वेवैतद् रेतः सिच्यते । तेन रेतसा सिक्तेनेमाः प्रजाः पुनरभ्यावर्तं प्रजायन्ते । तस्माच्चतुर्थे प्रयाजे समानयति बर्हिषि ॥ १६ ॥

सङ्ग्रामो वा एष संनिधीयते—यः प्रयाजैर्यजते । यतरं वै संयत्तयोर्मित्रमागच्छति-स जयति । तदेतद्—उपभृतोऽधि जुहूं मित्रमागच्छति—तेन प्रजयति। तस्माच्चतुर्थे प्रयाजे समानयति बर्हिषि॥१७॥

यजमान एव जुहूमनु योऽस्मा अरातीयति-स उपभृतमनु । यजमानायैवैतद् द्विषन्तं भ्रातृव्यं

तैत्तिरीयके "यदुपभृति प्रयाजानुयाजेभ्यस्तदिति" (तै. ब्रा. ३. ३. ६.) यदुभयार्थमाज्यग्रहणमुक्तम्, तस्य विभागमाह—अथ चतुर्थ इति । 'चतुर्थे' बर्हिराख्ये 'प्रयाजे' होतव्ये सति, उपभृतः सकाशात् जुह्वां 'समानयति' आज्यम् ("उपभृतो जुह्वामानयति" इति का. श्रौ. सू. ३ । ३९) एतत् प्रशंसति—प्रजा वा इत्यादिना । प्रजानां पुत्रादिद्वारा उपरिबर्हणसम्भवाद् बर्हिष्ट्वम् । तस्यास्य वृष्टिद्वारा प्रजादिरूपेणोत्पत्तेराज्यं रेतः; अतो बर्हिष्यानयनात् 'प्रजासु' 'रेतः' सिक्तं भवति । 'सिक्तेन रेतसा' रेतोभूतेनाज्येन 'इमाः' परिदृश्यमानाः 'प्रजाः' 'अभ्यावर्तम्' अभ्यावृत्याभ्यावृत्य कर्मवशाद् देहसम्बन्धं प्राप्नुवन्ति । तस्मादित्युपसंहारः ॥ १६ ॥

जुह्वामुपभृतः प्राप्तमाज्यं मित्रप्राप्त्यात्मना प्रशंसति—सङ्ग्राम इति । 'यः' च 'प्रयाजैः' संसृष्टोऽध्वर्युः तेन सङ्ग्राम एवं सन्निधापितो भवति । अतः 'संयत्तयोः' युद्धाय प्रयतमानयोर्मध्ये 'यतरम्' एव योद्धारं 'मित्रं' सखायं साहाय्यं कर्तुम् 'आगच्छति' 'स जयति' इति लोके प्रसिद्धम्; एवम् 'उपभृतः' सकाशाद् 'जुहूं' जुहूगतमाज्यं 'मित्रं' सद् 'आगच्छति;' 'तेन' मित्रप्राप्तिकारणेन 'जयति' । 'तस्मात् समानयति' ॥ १७ ॥

यजमान एव जुहूमिति । "अत्तैव जुहूम्"--इत्याज्यानयनार्थवादद्वयम् । "अध्वर्यो ! स्रुचमास्यस्व"—इत्येतस्य ब्राह्मणवद् व्याख्येयम् । उपभृतः सकाशादाज्यस्य आनेताऽध्वर्युः, शत्रोः सकाशात् 'बलिम्' उपायनद्रव्यमदनीयमन्नं च अत्रे यजमानाय प्रदापितवान् भवतीति सङ्ग्रहार्थः ॥ १८ ॥

१-इहापि पूर्वं २ प्र० ५ ब्रा० इत्यत्राम्नातं द्रष्टव्यम् । २-पुरस्तादिहैव १ कां० ४ प्र० ५ अ० २ ब्रा० २ कं० द्रष्टव्यम् ।

स वा ऽअनवमृशन्त्समानयति । स यद्धावमृशेद्यजमानं द्विषता भ्रातृव्ये-
णाऽवमृशेदत्तारमाद्येनावमृशेत्तस्मादनवमृशन्त्समानयति ॥ १९ ॥

(त्य) अथोत्तरां जुहूमध्यूहति । यजमानमेवैतद्द्विषति भ्रातृव्येऽध्यूहत्य-
त्तारमाद्येऽध्यूहति तस्मादुत्तरां जुहूमध्यूहति ॥ २० ॥

देवा ह वा ऽऊचुः । (हुं) हन्त विजितमेवानु सर्व्वं यज्ञꣳ सꣳस्थाप-
याम यदि नोऽसुररक्षसान्यासजेयुः सꣳस्थित ऽएव नो यज्ञः स्यादिति॥२१

त ऽउत्तमे प्रयाजे । स्वाहाकारेणैव सर्व्वं यज्ञꣳ समस्थापयन्त्स्वाहा-
ग्निमिति तदाग्नेयमाज्यभागꣳ समस्थापयन्त्स्वाहा सोममिति तत्सौ-

बलिं हारयाति । अत्तैव जुहूमनु, आद्य उपभृतमनु । अत्र एवैतद्-आद्यं बलिं हारयाति । तस्मात् चतुर्थे प्रयाजे समानयति ॥ १८ ॥

स वा अनवमृशन् समानयति । स यद्धावमृशेद्-यजमानं द्विषता भ्रातृव्येणावमृशेत्; अत्तारमाद्येनावमृशेत् । तस्मादनवमृशन् समानयति ॥ १९ ॥

अथोत्तरां जुहूमध्यूहति । यजमानमेवैतद् द्विषति भ्रातृव्येऽध्यूहति; अत्तारमाद्येऽध्यूहति । तस्मादुत्तरां जुहूमध्यूहति ॥ २० ॥

देवा ह वा ऊचुः-हन्त विजितमेवानु सर्वं यज्ञं संस्थापयाम, यदि नोऽसुररक्षसान्यासजेयुः-'संस्थित एव नो यज्ञः स्याद्' इति ॥ २१ ॥

त उत्तमे प्रयाजे स्वाहाकारेणैव सर्वं यज्ञं समस्थापयन् । 'स्वाहाग्निम्' इति तदाग्नेयमाज्यभागं

आज्यसमानयनसमये उपभृदवमर्शनं विपक्षे बाधदर्शनेन निषेधति[1]-**स वा** इत्यादिना । **अत्तारमाद्येनेति** । अत्तुरन्नस्यावमर्शो युक्तः, तद्वैपरीत्येन 'आद्येन' अन्नेनावमर्शने भोक्तुर्यजमानस्य प्रतिकूलं कृतवान् भवति ॥ १९ ॥

अथोत्तरामिति । 'उत्तराम्' उपभृदुपरितनीं कृत्वा 'जुहूम्' 'अध्यूहति' विधारयेत् । स्पष्टमन्यत्॥२०॥

आज्यभागादिदेवतां तदनुक्रमेण निर्दिश्य स्वाहाकारेण तत्र स्तोतुमाख्यायिकामाह-**देवा ह** वेति । कृत्स्नयज्ञसमाप्त्युपायपरिज्ञानद्योतनार्थो निष्प्रत्यूहं प्रयाजलाभहर्षद्योतनार्थो वा हन्तशब्दः । 'हन्त ! विजितमेव' प्रयाजपञ्चकमपि असुरविघातमन्तरेण स्वाधीनं कृतमेव । 'अनु' तदनुसृत्य एतस्मिन्नेवान्त्यप्रयाजे 'सर्वं' प्रयाजव्यतिरिक्तं सकलमपि 'यज्ञं' 'संस्थापयाम' इति । तेषामभिप्रायं दर्शयन्ति-**यदि न** इति । 'यदि' समापनात् प्रागेव असुरा राक्षसाश्च 'नः' अस्माकम् यज्ञमागच्छेयुः, नहि तस्य भङ्गः स्यात्; अतः प्रागेव समापित एवास्त्विति तेषामभिप्रायः ॥ २१ ॥

त इति । एवं विचार्य 'उत्तमे प्रयाजे' 'स्वाहाकारेणैव' स्वाहा-स्वाहेत्युक्त्यैव 'सर्वम्' अवशिष्टं 'यज्ञं'

१-'अनवमृशंश्चतुर्थम्' (का. श्रौ. सू. ३. ३९) २-'उत्तरां जुहूमध्युह्य प्राचीमवहृत्य जुहोति (श्रौ. सू. ३. ४२) 'एवं सर्वत्र' (श्रौ. सू. ३. ४३) 'नाभिदेशे धारणम्' (३. ४४) इति च ।

म्यमाज्यभाग ऽँ समस्थापयन्त्स्वाहाग्निमिति तद्य ऽएष ऽउभयत्राच्युत ऽआग्नेयः पुरोडाशो भवति त ऽँ समस्थापयन् ॥ २२ ॥

(न्न) अथ यथादेवत ऽँ स्वाहा देवा ऽआज्यपा ऽइति तत्प्रयाजानुयाजान्त्समस्थापयन्प्रयाजानुयाजा वै देवा ऽआज्यपा जुषाणो ऽअग्निराज्यस्य व्येत्विति तदग्नि ऽँ स्विष्टकृत ऽँ समस्थापयन्नग्निर्हि स्विष्टकृत्स ऽएषोऽप्येतर्हि तथैव यज्ञः सन्तिष्ठते यथैवैनं देवाः समस्थापयंस्तस्मादुत्तमे प्रयाजे स्वाहा-स्वाहेति यजति यावन्ति हवी ऽँ षि भवन्ति विजितमेवैतदनु सर्व्वं यज्ञ ऽँ स ऽँ स्थापयति तस्माद्यदत ऽऊर्ध्वं विलोम-यज्ञे क्रियेत न तदाद्रियेत स ऽँ स्थितो मे यज्ञ ऽइति ह विद्यात्स हैष यज्ञो यातयामेवास यथा वषट्कृत ऽँ हुत ऽँ स्वाहाकृतम् ॥ २३ ॥

समस्थापयन् । 'स्वाहा सोमम्' इति तत् सौम्यमाज्यभागं समस्थापयन् । स्वाहाग्निमिति–तद्य एष उभयत्राच्युत आग्नेयः पुरोडाशो भवति–तं समस्थापयन् ॥ २२ ॥

अथ यथादेवतम् । 'स्वाहा देवा आज्यपाः' इति–तत् प्रयाजानुयाजान् समस्थापयन्; प्रयाजानुयाजा वै देवा आज्यपाः । "जुषाणो अग्निराज्यस्य वेतु"–(तै. ब्रा. ३. ५. ६. २) इति तदग्निं स्विष्टकृतं समस्थापयन्, अग्निर्हि स्विष्टकृत् । स एषोऽप्येतर्हि तथैव यज्ञः संतिष्ठते–यथैवैनं देवाः समस्थापयन् । तस्मादुत्तमे प्रयाजे स्वाहास्वाहेति यजति । यावन्ति हवींषि भवन्ति,–विजितमेवैतद्–अनु सर्वं यज्ञं संस्थापयति । तस्माद् यदत ऊर्ध्वं विलोम यज्ञे क्रियेत–न तदाद्रियेत; 'संस्थितो मे यज्ञः' इति ह विद्यात् । स ह एष यज्ञो यातयामेवास–यथा वषट्कृतम्, हुतम्, स्वाहाकृतम् ॥ २३ ॥

'समस्थापयन्' । तत्प्रकारं विभज्य दर्शयति–**स्वाहाग्निमिती**त्यादिना । **उभयत्राच्युत आग्नेयः पुरोडाशः** इति । "यदाग्नेयोऽष्टाकपालोऽमावास्यायां च पौर्णमास्यां चाच्युतो भवति" इति श्रुत आग्नेयोऽष्टाकपालः पुरोडाशो दर्शे पौर्णमास्यां च नित्य इत्यर्थः ॥ २२ ॥

अथ यथादेवतमिति । पौर्णमास्याममावास्यायां च विष्णुः[1], अग्नीषोमौ, प्रजापतिश्चेति विकल्पिता उपांशुयाजदेवताः (का. श्रौ. सू. ३ । ६७) एकादशकपालदेवताः; अग्नीषोमौ अमावास्यायां चोभयत्र साधारणोऽष्टाकपालदेवोऽग्निः, इन्द्राग्नी–एकादशकपालदेवता, दधिपयोदेवते इन्द्रमहेन्द्राविति या दर्शपूर्णमास–प्रधानदेवताः सन्ति, ता अनतिक्रम्य (तत्तद्देवता अनतिक्रम्य) तत्तद्देवताकं यागं समस्थापयन्नित्यर्थः । अत्र देवतानामनियतत्वात् यथादेवतमिति सङ्ग्रहेणाभिधानम् । 'आज्यपाः' 'प्रयाजानुयाजा देवाः' (ऐ. ब्रा. २ । २ । ८) समिदाद्याः स्वाहान्ताः (ऐ. ब्रा. २ । १ । ४) तेभ्य इदं हविः स्वाहुतमस्त्विति तस्यार्थः । "जुषाणो अग्निः" (तै. ब्रा. ३ । ५ । ६ । २ । ३) निरु. ८ । २ । ३ ।

१–"विष्णुर्वाऽऽमावास्याया २ हौत्राम्नानात्" का. श्रौ. सू. ३ । ३ । २५ । व्यवस्थितविकल्पोऽयम् "सन्नयतोऽग्नीषोमौ असन्नयतो विष्णुरिति" इति शांखा. १ । ३ । १६–१८ । साम्नाय्ये दार्शिके दधिपयसी तदनुतिष्ठन्सन्नयन्निति ।

(न्ते) ते देवा ऽअकामयन्त । कथं न्विमं यज्ञं पुनराप्याययेमायातयामानं कुर्याम तेनायातयाम्ना प्रचरेमेति ॥ २४ ॥

स यज्जुह्वामाज्यं परिशिष्टमासीत् । (ह्ये) येन यज्ञꣳ समस्थापयंस्तेनैव यथापूर्वꣳ हवीꣳष्यभ्यघारयन्पुनरेवैनानि तदाप्याययन्नयातयामान्यकुर्वन्नयातयाम ह्याज्यं तस्मादुत्तमं प्रयाजमिष्ट्वा यथापूर्वꣳ हवीꣳष्यभिघारयति पुनरेवैनानि तदाप्याययत्ययातयामानि करोत्ययातयाम ह्याज्यं तस्माद्यस्य कस्य च हविषोऽवद्यति पुनरेव तदभिघारयति

ते देवा अकामयन्त–' कथं न्विमं यज्ञं पुनराप्याययेम, अयातयामानं कुर्याम, तेनायातयाम्ना प्रचरेम ' इति ॥ २४ ॥

स यद् जुह्वामाज्यं परिशिष्टमासीत्–येन यज्ञं समस्थापयन्;–तेनैव यथापूर्वं हवींष्यभ्यघारयन्, पुनरेवैनानि तदाप्याययन्, अयातयामान्यकुर्वन् । अयातयाम ह्याज्यम् । तस्मादुत्तमं प्रयाजमिष्ट्वा

निघ० ६ । ३ । २ । १३ । इत्यत्र ' स्विष्टकृदग्निः ' विवक्षितः, स्विष्टकृत्त्वाभावे जोषस्यैवासम्भवात् । तेन ' स्विष्टकृतमग्निं ' तद्देवताकं यागं ' समस्थापयन् ' इत्यर्थः, सकलकर्मन्यूनातिरेकपरिहारायाग्नौ स्विष्टकृद्धोमस्यानुष्ठेयत्वात् । सैषा प्रसिद्धिः " अग्निर्हीति " ' हि '–शब्देनोच्यते ।

विभज्यान्वाख्यानस्य तात्पर्यमाह–**यथैवेति** । ' यथा ' कृत्स्नोऽपि ' यज्ञः ' समाप्तो भवति, तथा ' देवाः ' प्रतिपादितप्रकारेणान्त्यप्रयाज एव ' समस्थापयन् ' । यदर्थमाख्यायिकाऽत्र प्रपञ्चिता, तदिदानीं सार्थवादमाह–**तस्मादिति** । यावन्ति ' हवींषि ' आज्यभागादिस्विष्टकृदन्तानि, तानि सर्वाणि प्रयाजयागेनैव सम्पादितवान् भवति । समापनफलमाह–**तस्माद्यदत ऊर्ध्वमिति** । ' तस्मात् ' समापनाद्धेतोः ' अतः ' अन्त्यप्रयाजाद् ' ऊर्ध्वं ' ' विलोम ' न्यूनं विपरीतप्रकारं वा, यदि ' क्रियेत ' तद्विषयमादरं न कुर्यात्, तत्कथं समादध्यामिति चिन्तां न कुर्यादित्यर्थः । किन्तु ' यज्ञः संस्थितः ' एव ' इति ' जानीयात् । -' स एष ' उक्तविधो ' यज्ञः ', ' अयातयामेव ' अगतसार एव; ' यथा ' अपेक्षानतिक्रमेणैव यतो वषट्कारादिना उक्त आसीत्, अतो यातयामत्वशङ्का नास्तीत्यर्थः । अथवाऽपेक्षितस्य वषट्कारादेरसत्त्वात् ' स एष ' शिष्टः ' यज्ञः ' ' यातयाम एव ' निर्गतसार एव ॥ २३ ॥

अथ देवैः कृतमवशिष्टस्य यातयामत्वपरिहारं दर्शयति–**ते देवा** इति । केवलेनाङ्गेन फलानिष्पत्तेरवश्य प्रधानमनुष्ठेयम्; तच्च गतसारमभूत्; अतः कथं तत्परिह्रियत इति तेषां कामना; गतसारं हि ' पुनराप्याययेम ' इति कस्तस्य प्रसङ्ग इति ? तमाह–**अयातयामानमिति** । यामपर्यन्तमवस्थितमशनादिकं यथा नीरसं भवति, एवमयमपीति; गतरसत्वसाम्यादस्यापि यातयामत्वम् ॥ २४ ॥

अत्र तैर्दृष्टमुपायं दर्शयति–**स यदिति** । ' सः '–इत्यनर्थको वाक्यालङ्कारार्थः । ' आज्यं ' जुह्वां ' परिशिष्टं ' प्रयाजहोमेभ्योऽवशिष्टमभूत्, उपयुक्तादन्यः शेषः; अतोऽस्याज्यस्य क्वचिदुपयोग इति तं दर्शयति–**येनेति** । यं प्रति यस्य रसो निर्गतः, तस्य तत एव हि आप्यायनमुचितमिति संस्थापितावशेषाज्योपादानाभिधानम् । **यथापूर्वमिति** । आग्नेयोऽग्नीषोमीयादिति हविषा पूर्वपूर्वमनतिक्रम्येत्यर्थः ।

स्विष्टकृत ऽएव तत्पुनराप्याययत्ययातयाम करोत्यथ यदा स्विष्टकृते-ऽवद्यति न ततः पुनरभिघारयति नो हि ततः काञ्चन हविषोऽग्रावाहुतिꣳ होष्यन्भवति ॥ २९ ॥ ४ ॥

इति चतुर्थप्रपाठके चतुर्थं ब्राह्मणम् ॥ (५. ३)

स वै समिधो यजति । प्राणा वै समिधः प्राणानेवैतत्समिन्धे प्राणैर्ह्ययं पुरुषः समिद्धस्तस्मादभिमृशेति ब्रूयाद्यद्युपतापी स्यात्स यद्युष्णः स्यादेव

यथापूर्वं हवींष्यभिघारयति, पुनरेवैनानि तदाप्याययति, अयातयामानि करोति । अयातयाम ह्याज्यम् । तस्माद् यस्य कस्य च हविषोऽवद्यति-पुनरेव तदभिघारयति, स्विष्टकृत एव तत् पुनराप्याययति, अयातयाम करोति । अथ यदा स्विष्टकृतेऽवद्यति-न ततः पुनराभिघारयति । नो हि ततः कांचन हविषोऽग्रावाहुतिं होष्यन् भवति ॥ २९ ॥

'प्रयाजावृत् ।'

स वै (१) "**समिधो**"-यजति । प्राणा वै समिधः, प्राणानेवैतत्समिन्धे । प्राणैर्ह्ययं पुरुषः

अभिघारमेवाप्यायनमित्याह-**पुनरेवेति** । आज्येनाप्यायनमेवायातयामत्वकरणम् । आज्यस्यायातयामत्व-प्रसिद्धिः 'हि'-शब्देनोच्यते । यदर्थं पुरावृत्ताभिधानम्, तदिदानीं विधत्ते-**तस्मादुत्तममिति** । "एत्य ध्रुवा-ऽभिघारणं ध्रुवाया हविष उपभृतश्च" इति (का. श्रौ. सू. ३।९२) । अन्यत्रावत्तशेषस्य यातयामत्वपरिहारार्थं पुनरभिघारणप्रदर्शनेनाज्यस्यायातयामत्वं समर्थ्यते-**तस्मादिति** । **यस्य कस्य चेति** । चरोः पुरोडाशस्य वा आज्यव्यतिरिक्तस्य 'हविषः' अवत्तमिति शेषः, तमवत्तशेषमित्यर्थः । अवशिष्टस्य स्विष्टकृत्युपयोगात् 'तत्' तेनाभिघारणेन स्विष्टकृतमेवाप्यायितवान् भवति, आप्यायनेन तदवशिष्टम् 'अयातयामं करोति'; शेषाभिघारण-स्यावत्तहविषोऽभिघारणात् ।

साधारणत्वशङ्कां व्युदसितुं व्यतिरेकमाह-**अथ यदेति** । 'स्विष्टकृति' स्विष्टकृदर्थं 'यदा' एतत्साधारणं स्यात्, तदा 'ततः' स्विष्टकृतोऽवशिष्टस्याभिघारणात् न तानि आप्याययेदित्यर्थः ।

अनभिघारणे हेतुमाह-**नो हीति** । ततः हविषः सकाशात् 'काञ्चन' प्रधानस्याङ्गस्य वा सम्बन्धिनीम् 'आहुतिम्' अध्वर्युः 'होष्यन्' भवति । अतोऽभिघारणस्याप्यायनार्थत्वमिति सिद्धम् ॥ २९ ॥ ४ ॥ (५. ३.) ॥

इति श्रीसायणाचार्यविरचिते माधवीये वेदार्थप्रकाशे माध्यन्दिनशतपथब्राह्मणभाष्ये प्रथमकाण्डे पञ्चमाध्याये तृतीयं ब्राह्मणम् ॥

अथ प्रयाजान् प्रकारान्तरेणानूद्य प्रशंसति-**स वा** इत्यादिना । '**एतत्**' एतेन समिद्यागेन यजमानस्य 'प्राणानेव' समिन्धितवान् भवति । प्राणानां समिद्धत्वमुपपादयति-**प्राणैर्हीति** । 'अयं पुरुषः' क्षेत्रज्ञः । प्राणोपाध्यभावे शरीरसम्बन्धायोगात् तेषां पुरुषसमिन्धनहेतुत्वम् । सैषा प्रसिद्धिः 'हि'-शब्देनोच्यते । समिधः प्राणत्वसमर्थनाय प्रासङ्गिकं नैमित्तिकमभिमर्शनमाह-**तस्मादिति** । यजमानो ज्वरादिना उपतापवान्

---

१ पशोः-इति क्वचित् पाठः । २-प्राणित्वधर्मसमर्थनाय-इति क० पा० ।

तावच्छꣳसेत समिद्धो हि स तावद्भवति यद्यु शीतः स्यान्नाशꣳसेत तत्प्राणानेवास्मिन्नेतद्दधाति तस्मात्समिधो यजति ॥ १ ॥

(त्यु) अथ तनूनपातं यजति । रेतो वै तनूनपाद्रेत ऽएवैतत्सिञ्चति तस्मात्तनूनपातं यजति ॥ २ ॥

(त्य) अथेडो यजति । प्रजा वा ऽइडो यदा वै रेतः सिक्तं प्रजायतेऽथ तदीडितमिवान्नमिच्छमानं चरति तत्प्रैवैतज्जनयति तस्मादिडो यजति ॥ ३ ॥

समिद्धः । तस्मादभिमृशेति ब्रूयाद्-यद्युपतापी स्यात् । स यद्युष्णः स्याद्-एव तावत् शंसेत समिद्धो हि स तावद् भवति । यद्यु शीतः स्यात्-नाशंसेत । तत्प्राणानेवास्मिन्नेतद्दधाति, तस्मात् समिधो यजति ॥ १ ॥

अथ (२) " **तनूनपातं** "-यजति । रेतो वै तनूनपात् । रेत एवैतत् सिञ्चति । तस्मात् तनूनपातं यजति ॥ २ ॥

अथ (३) " **इडो** "-यजति । प्रजा वा इडः । यदा वै रेतः सिक्तं प्रजायते-अथ तदीडितमिवान्नमिच्छमानं चरति; तत् प्रैवैतज्जनयति-तस्मादिडो यजति ॥ ३ ॥

' यदि स्यात् ' तदाऽध्वर्युः समिद्यागसमये प्राणप्राबल्यायात्मना 'अभिमृशेति' यजमानं 'ब्रूयात्' । ' स यदि उष्णः ' औष्ण्यवानित्यर्थः । ' तावत्-आशंसेत ' अस्योपतापः शाम्यत्विति; समियागेषु प्राणदेवतामनुध्यायन् कामयेत् । ' तावता ' तदाशंसनमात्रेणैव ' समिद्धः ' प्रबलप्राणो गतोपतापो ' भवति ' एव । तापभावे तत्र कर्तव्यमित्याह-**यदीति** । यस्मादेवं तस्मात् ' प्राणा एव समिधः '-इति सिद्धमित्यर्थः **तत्प्राणानि**त्याद्युपसंहारः ॥ १ ॥

अथ तनूनपातमिति । ' रेतसः सप्तमधातोः शरीरावष्टम्भकत्वेन तनूनां पालनात् तनूनपात्त्वम्; अतस्तद्यागेन स-प्राणे यजमाने ' रेत एव ' स्थापितवान् भवति ॥ २ ॥

अथेड इति । इड्यन्तीडोऽन्नानि; तदुपजीवनेन प्रजानामिड्रूपत्वम् । एतदेवोपपादयति ' यद् ' 'आसिक्तः ' 'प्रजायते'-उत्पद्यते, 'तद् ' एव 'ईडितं' सर्वैः प्रशस्यमानम् ' अन्नम् ' इच्छत् ' चरति', ' तत् ' तद्यागेन ' एतत् ' रेतः ' जनयति' प्राणिरूपेणोत्पादितवान् भवति ॥ ३ ॥

१-अत्र यद्यपि शतपथे अविशेषेण श्रुतं " अथ तनूनपातं यजति " इति । परंतु शाखान्तरेऽत्रास्ति विशेषोऽपि । तथाहि वसिष्ठशुनकवाध्र्यश्वसंकृतिराजन्यवैश्यकण्वात्रिकश्यपप्रजापशुकामानां द्वितीयो नराशंसस्तनूनपादन्येषाम् " इति का. सू. १ । ३ । २५ । इत्युपसंहृतम् । " नराशंसो अग्न आज्यस्य वेत्विति द्वितीयो वसिष्ठशुनकानामत्रिवाध्र्यश्वानां कण्वसंकृतिराजन्यानां प्रजाकामानां च " इति शांखा. १ । ७ । ३ । " तान्येतान्येकादशाप्रीसूक्तानि तेषां वासिष्ठमात्रेयं वाध्र्यश्वं गार्त्समदमिति नाराशंसवन्ति । मैधातिथं दैर्घतमसं प्रैषिकमित्युभयवन्ति अतोऽन्यानि तनूनपान्तिवति " इति चाह यास्कः (निरु० ८ । २ । ७) आपस्तंबस्तु " नराशंसो द्वितीयः प्रयाजो वसिष्ठशुनकानां तनूनपादितरेषां गोत्राणां " इत्येवाह श्रौ. सू. १ । आश्वलायनेन त्विह बहून्युक्तानि तानि तत्रैव द्रष्टव्यानि । (श्रौ. सू. ३ । २ । १ । ८) प्रयाजयागदेवताविचारोऽप्यस्ति । तत्र यास्केन-" किंदेवताः प्रयाजानुयाजाः " इत्युपक्रम्य बहुविचारानंतरं " आग्नेया इति तु स्थितिः " इति निर्णीतम् । (निरु० ८ । ६ । ७ ।) एतदवलम्ब्य मीमांसादर्शनेऽपि बहूनि सूत्राणि रचितानि (२ । २ । २ ॥ ३ । १ । १९-२० ॥ ३ । ३ । ११ । १ । ३३-४१ ॥ ५ । २ । ३६ ॥ ९ । २ । ५६-६० ॥ १० । १ । १४-१५ ।) एतान्येवावलम्ब्याष्टावधिकरणान्यरचितानि माधवाचार्येण जैमिनीयन्यायमालायाम् ॥ इति ॥

(त्यु) अथ बर्हिर्यजति । भूमा वै बर्हिर्भूमानमेवैतत्प्रजनयति तस्माद्बर्हिर्यजति ॥ ४ ॥

(त्यु) अथ स्वाहास्वाहेति यजति । हेमन्तो वा ऽऋतूनाᳪंस्वाहाकारो हेमन्तो हीमाः प्रजाः स्वं वशमुपनयते तस्माद्धेमन्म्लायन्त्योषधयः प्र वनस्पतीनां पलाशानि मुच्यन्ते प्रतितरामिव वयाᳪंसि भवन्त्यधस्तरामिव वयाᳪंसि पतन्ति विपतितलोमेव पापः पुरुषो भवति हेमन्तो हीमाः प्रजाः स्वं वशमुपनयते स्वी ह वै तमर्द्धं कुरुते श्रियेऽन्नाद्याय यस्मिन्नर्द्धे भवति य ऽएवमेतद्वेद ॥ ५ ॥

देवाश्च वा ऽअसुराश्च । (श्रो) उभये प्राजापत्याः पस्पृधिरे ते दण्डैर्धनुर्भिर्न व्यजयन्त ते हाविजयमाना ऽऊचुर्हन्त वाच्येव ब्रह्मन्विजिगीषा-

---

अथ (४) बर्हिर्यजति । भूमा वै बर्हिः । भूमानमेवैतत् प्रजनयति; तस्माद् बर्हिर्यजति ॥ ४ ॥

अथ (५) "स्वाहास्वाहा"–इति यजति । हेमन्तो वा ऋतूनां स्वाहाकारः । हेमन्तो हीमाः प्रजाः स्वं वशमुपनयते । तस्माद्धेमन् म्लायन्त्योषधयः, प्र वनस्पतीनां पलाशानि मुच्यन्ते, प्रातितरामिव वयांसि भवन्ति, अधस्तरामिव वयांसि पतन्ति । विपतितलोमेव पापः पुरुषो भवति–हेमन्तो हीमाः प्रजाः स्वं वशमुपनयते । स्वी ह वै तमर्द्धं कुरुते श्रियेऽन्नाद्याय–यस्मिन्नर्द्धे भवति–य एवमेतद्वेद ॥ ५ ॥

'प्रयाजानुमन्त्रणम् ।'

देवाश्च वा असुराश्चोभये प्राजापत्याः पस्पृधिरे । ते दण्डैर्धनुर्भिर्न व्यजयन्त । ते हाविजयमाना

अथ बर्हिरिति । बृंहतेर्वृद्ध्यर्थाद् बर्हिःशब्दः; अतो 'बर्हिर्भूमा' खलु, अतः प्रजायमानमेतेन बर्हिर्यागेन बहुकृतमुत्पादयति ॥ ४ ॥

अथ स्वाहेत्यादि । यः स्वाहाकाराख्यः प्रयाजः, स 'ऋतूनां हेमन्तः' अन्तिमत्वसाम्यात् । 'हेमन्तः' खलु 'इमाः' सर्वा अपि 'प्रजाः' स्वकीयं 'वशं' प्रापयति; इतरर्तुषु तथाविधप्रजापीडाभावात् । अत एव च यास्को हेमन्तपर्यायं हिमशब्दमिच्छन् व्युदपादयत्–"हिमं पुनर्हन्तेर्वा हिनोतेर्वा" (निरु. ४. ४. ६.) । वशीकरणप्रकारं स्पष्टं प्रदर्शयति–तस्मादित्यादिना । वशीकृतत्वाद्धेतोः 'हेमन्' हेम्नि, हेमन्ते हिमोपघातेन 'ओषधयः' वनस्पतयश्च म्लाना गलितपर्णाश्च भवन्ति । तथा 'वयांसि' पक्षिणः 'प्रतितरामिव' अ[illegible]न्तं प्रतिकूला इव, हिमोपहतपक्षत्वादुपक्षीणा इवेत्यर्थः । 'अधस्तरामिव' पत्राणां प्रच्यवनादूर्ध्वङ्गन्तुमशक्ता इव अधः आपतन्ति । 'पुरुषः' सर्वोऽपि 'विपतितलोमेव' प्रलुप्तलोमेव कदर्थिताङ्गो 'भवति' ॥ ४ ॥

उपसंहरति–हेमन्तो हीति । 'य एवमेतत्' कृत्स्नस्यापि हिमवशीकृतत्वं 'वेद' 'सः' वेदिता यस्मिन् 'अर्द्धे' अर्द्धभागे देशे 'भवति' सः 'तम्' 'अर्द्धं' देशं श्रियेऽन्नाद्याय च स्वीकुरुते खलु; स देशो धनकनकादिश्रिया, अन्नेन च समृद्धस्तदधीनो भवतीत्यर्थः ॥ ५ ॥

इत्थं प्रयाजान् प्रशस्य तदनुमन्त्रणमन्त्रान् विधातुमाख्यायिकामाह–देवाश्च वा असुराश्चेति । 'प्राजा-

महै स यो नो व्वाचं व्याहृतां मिथुनेनु नानुनिक्रामात्स सर्व्वं पराजयाता ऽअथ सर्व्वमितरे जयानिति तथेति देवा ऽअब्रुवंस्ते देवा ऽइन्द्रमब्रुवन्व्याहरेति ॥ ६ ॥

स ऽइन्द्रोऽब्रवीत् । (द्वे) एको ममेत्यथास्माकमेकेतीतरेऽब्रुवंस्तदु तन्मिथुनमेवाविन्दन्मिथुनꣳ ह्येकश्चैका च ॥ ७ ॥

द्वौ ममेतीन्द्रोऽब्रवीत् । (द्व) अथास्माकं द्वे ऽइतीतरेऽब्रुवंस्तदु तन्मिथुनमेवाविन्दन्मिथुनꣳ हि द्वौ च द्वे च ॥ ८ ॥

त्रयो ममेतीन्द्रोऽब्रवीत् । (द्व) अथास्माकं तिस्र ऽइतीतरेऽब्रुवंस्तदु तन्मिथुनमेवाविन्दन्मिथुनꣳ हि त्रयश्च तिस्रश्च ॥ ९ ॥

ऊचुः—' हन्त वाच्येव ब्रह्मन् विजिगीषामहै, स यो नो वाचं व्याहृतां मिथुनेन नानुनिक्रामात्—स सर्वं पराजयातै, अथ सर्वमितरे जयान् ' इति । ' तथा ' इति देवा अब्रुवन् । ते देवा इन्द्रमब्रुवन् ' व्याहर ' इति ॥ ६ ॥

स इन्द्रोऽब्रवीत्—' एको मम ' इति । अथ—' अस्माकमेका ' इतीतरेऽब्रुवन् । तदु तन्मिथुनमेवाविन्दन् । मिथुनं हि—एकश्च एका च ॥ ७ ॥

' द्वौ मम ' इतीन्द्रोऽब्रवीत् । अथ ' अस्माकं द्वे ' इतीतरेऽब्रुवन् । तदु तन्मिथुनमेवाविन्दन् । मिथुनं हि—द्वौ च द्वे च ॥ ८ ॥

' त्रयो मम ' इतीन्द्रोऽब्रवीत् । अथ ' अस्माकं तिस्रः ' इतीतरेऽब्रुवन् । तदु तन्मिथुनमेवाविन्दन् । मिथुनं हि—त्रयश्च तिस्रश्च ॥ ९ ॥

पत्याः ' प्रजापतेः पुत्राः ' देवाः असुराश्च उभये ' स्पर्धित्वा, परस्परं दण्डधनुरादिभिर्हननसाधनैर्विजयं नालभन्त; सामर्थ्यस्य समानत्वात् । जयोपायपरिज्ञानहर्षद्योतनार्थो हन्तशब्दः, विजयप्राप्त्यै इत्थम् 'ऊचुः'—'वाच्येव ब्रह्मन् विजिगीषामहै ' । वाग्रूपे एव मन्त्रे विवदमानाः जेतुमिच्छामहै इति । 'नः' अस्माकम् ' वाचम् ' अस्माभिरुक्ताम् पुँल्लिङ्गवचनं ' मिथुनेन ' स्त्रीलिङ्गान्तप्रतिवचनाभिधानेन मिथुनं कृत्वा ' न अनुनिक्रामात् ' अनुक्रमेण न निष्क्रामेत्, नितरां न आक्रामति ' स सर्वं ' ' पराजयातै ' पराजयं प्राप्नुयात् । ' अथ ' ' सर्वं ' जेतव्यम् ' इतरे ' मिथुनेन वक्तारः, जेतृपक्षादन्ये सर्व्वेऽपि ' जयान् ' जयेयुः । एवं सङ्केते कृते सति ' तथेति ' अङ्गीकृत्य श्रेष्ठत्वाद् ' इन्द्रं व्याहर इत्यब्रुवन् ' ॥ ६ ॥

स इन्द्र इति । ' सः ' एवमुक्तः ' इन्द्रोऽब्रवीत् '—' एकः ' पुत्रो ' ममेति ' अस्त्विति शेषः । ' अथ ' ' इतरे ' असुराः ' अब्रुवन् '—' अस्माकमेका इति ' लिङ्गसामर्थ्यात् पुत्रीति गम्यते । अथ श्रुतिस्तेषां वचनप्रतिवचनस्य तात्पर्यमाह—' तदु ' तदा ' तत् ' तेन एवमभिहितत्वात् ' मिथुनमेव ' प्रतिज्ञाऽविरोधेन ' अविन्दन् ' लब्धवन्तः । तत्कथमिति, तदुच्यते—' एकश्चैका च ' मिलित्वा 'मिथुनं हि', लोके स्त्रीपुरुषयोर्मिथुनत्वव्यवहारात् ॥ ७ ॥

द्वौ ममेत्यादि—त्रयः पर्याया एवमेव योज्याः ॥ ८ ॥ ९ ॥ १० ॥

१–अस्माभिरुक्तम् इ. क. पा. । २–अनुक्रमेण नितरां न आक्रामतीत्येव क० पा० ।

चत्वारो ममेतीन्द्रोऽब्रवीत् (दु) अथास्माकं चतस्र इतीतरेऽब्रुवंस्तदु तन्मिथुनमेवाविन्दन्मिथुनꣳ हि चत्वारश्च चतस्रश्च ॥ १० ॥

पञ्च ममेतीन्द्रोऽब्रवीत् । (तु) तत इतरे मिथुनं नाविन्दन्नो ह्युत ऽऊर्ध्वं मिथुनमस्ति पञ्च-पञ्चेति ह्येवैतदुभयं भवति ततोऽसुराः सर्वं पराजयन्त सर्वस्माद्देवा ऽअसुरानजयन्त्सर्वस्मात्सपत्नानसुरान्निरभजन् ॥ ११ ॥

(जंस्तु) तस्मात्प्रथमे प्रयाज ऽइष्टे ब्रूयात्। (दे) एको ममेत्येका तस्य यमहं द्वेष्मीति यद्यु न द्विष्याद्योऽस्मान्द्वेष्टि यञ्च व्वयं द्विष्म ऽइति ब्रूयात् ॥१२॥

(द्वौ) द्वौ ममेति द्वितीये प्रयाजे। द्वे तस्य योऽस्मान्द्वेष्टि यञ्च व्वयं द्विष्म इति ॥ १३ ॥

त्रयो ममेति तृतीये प्रयाजे । तिस्रस्तस्य योऽस्मान्द्वेष्टि यञ्च व्वयं द्विष्म ऽइति ॥ १४ ॥

'चत्वारो मम' इतीन्द्रोऽब्रवीत् । अथ 'अस्माकं चतस्रः' इतीतरेऽब्रवन् । तदु तन्मिथुनमेवाविन्दन् । मिथुनं हि–चत्वारश्च चतस्रश्च ॥ १० ॥

पञ्च मम' इतीन्द्रोऽब्रवीत् । तत इतरे मिथुनं नाविन्दन्, नो ह्युत ऊर्ध्वं मिथुनमस्ति–पञ्च–पञ्च इति ह्येवैतदुभयं भवति । ततोऽसुराः सर्वं पराजयन्त, सर्वस्माद् देवा असुरानजयन् । सर्वस्मात्सपत्नानसुरान् निरभजन् ॥ ११ ॥

तस्मात् प्रथमे प्रयाज इष्टे ब्रूयाद्–'एको मम इति । एका तस्य यमहं द्वेष्मि' इति । यद्यु न द्विष्याद्–'योऽस्मान् द्वेष्टि, यं च वयं द्विष्मः' इति ब्रूयात् ॥ १२ ॥

'द्वौ मम' इति द्वितीये प्रयाजे–'द्वे तस्य–योऽस्मान् द्वेष्टि, यं च वयं द्विष्मः' इति ॥ १३ ॥

'त्रयो मम' इति तृतीये प्रयाजे–'तिस्रस्तस्य–योऽस्मान् द्वेष्टि, यं च वयं द्विष्मः' इति ॥१४॥

पञ्च ममेतीति । अथ 'इन्द्रः' 'पञ्च ममेत्यब्रवीत्'; 'ततः' 'इतरे' असुराः 'मिथुनं' 'नाविन्दन्'; लिङ्गद्वयेऽपि रूपाविशेषात्। अलाभे कारणं श्रुतिरेवाह–**नो हीति**। हिशब्दसूचितमर्थमाह–**पञ्च-पञ्चेति** । स्त्रियाः पुंसश्चोभयोरप्यभिधानं पञ्च पञ्चेत्येव, न व्यावर्तको रूपभेदोऽस्ति; 'ततः' पञ्चप्रभृतीनां मिथुनत्वस्यालाभात् 'असुराः' 'सर्वं' विवादास्पदं जेयम् 'पराजयन्त' जेतुं नाशक्नुवन्नित्यर्थः। अतो 'देवाः' 'सर्वस्माद्' अपि जयविषयात् 'असुरान् अजयन्' । जयशब्दार्थमाह–**सर्वस्मात्सपत्नानसुरान्निरभजन्निति** ॥ ११ ॥

इदानीमर्थवादसिद्धं प्रयाजानुमन्त्रणमन्त्रान् प्रतिप्रयाजं विभज्य योजयति–**तस्मादित्यादिना** । यस्मादिन्द्रेणैको ममेत्युक्तम्, असुरैरेका ममेत्युक्तम्, 'तस्मात्' 'प्रथमे प्रयाजे' 'एको मम'–इत्यादि 'ब्रूयात्'। एवं द्वितीयादिष्वपि–'द्वौ मम', 'द्वे तस्य' इत्यादि द्रष्टव्यम्। 'यं' च 'अहं' 'द्वेष्मि' अहं यस्य द्वेषं करोमि, 'तस्य' एका पुत्री स्यादिति ब्रूयादिति प्रथमप्रयाजानुमन्त्रणमन्त्रशेषस्यार्थः । पुत्र्या रक्षणप्रदानादौ बहुतरदुःखसम्भवात् तच्छत्रोराशा स्यात् । यदि कस्मैचिदपि द्वेषं न कुर्यात्, तदा 'योऽस्मानित्यादि

१–"एको मम एका तस्य योऽस्मान्द्वेष्टि यञ्च व्वयं द्विष्म इत्येवं मिथुनैर्यथासंख्यम्" इति का. श्रौ. सू. ३ । ३ । ३ । एते च मंत्रा भाषिकस्वरेण पठनीयाः मंत्रत्वादिति केचित् ।

चत्वारो ममेति चतुर्थे प्रयाजे । चतस्रस्तस्य योऽस्मान्द्वेष्टि यञ्च व्वयं द्विष्म ऽइति ॥ १५ ॥

पञ्च ममेति पञ्चमे प्रयाजे । न तस्य किञ्चन योऽस्मान्द्वेष्टि यञ्च व्वयं द्विष्म ऽइति स पञ्च--पञ्चेत्येव भवन्पराभवति तथास्य सर्व्वꣳ संवृङ्क्ते सर्व्वस्मात्सपत्नान्निर्भजति य ऽएवमेतद्वेद ॥ १६ ॥ ५ ॥

इति चतुर्थप्रपाठके पञ्चमं ब्राह्मणम् [५।४]

पञ्चमोऽध्यायः समाप्तः ॥ ५ ॥

'चत्वारो मम' इति चतुर्थे प्रयाजे–'चतस्रस्तस्य–योऽस्मान् द्वेष्टि, यं च वयं द्विष्मः' इति ॥१५॥

'पञ्च मम' इति पञ्चमे प्रयाजे–'न तस्य किंचन–योऽस्मान् द्वेष्टि, यं च वयं द्विष्मः' इति । स पञ्च पञ्चेत्येव भवन् पराभवति। तथास्य सर्वं संवृङ्क्ते–सर्वस्मात् सपत्नान् निर्भजति–य एवमेतद्वेद॥१६

ब्रूयात् । वस्तुतो द्वेषाभावेऽपि रागादिभिर्द्वेषाचरणात् तन्निबन्धनं द्वेषमभिप्रेत्य 'यं च वयं द्विष्मः' इत्यभिधानम् ॥ १२–१५ ॥

पञ्च ममेतीति । 'पञ्चमे प्रयाजे पञ्च ममेति' ब्रूयात् । पूर्ववद् द्वेष्टरि विपरीतफलकामनायां प्राप्तायामाह–**न तस्य किञ्चने**ति । तस्य' द्वेषकृतः शत्रोः 'किञ्चन' पञ्च पुत्राः पञ्च कन्या वा स्युरिति 'न' ब्रूयादित्यर्थः । असुरैः पञ्चसङ्ख्यायां मिथुनरूपस्य वचनस्यादर्शनादिति भावः । उक्तार्थज्ञानं प्रशंसति–**पञ्चपञ्चेत्येवे**ति । 'सर्वं' 'संवृङ्क्ते' वर्जयति, स्वयं तत्प्राप्नोतीत्यर्थः ॥ १६ ॥ ५ ॥ [५. ४.]

इति श्रीसायणाचार्यविरचिते माधवीये वेदार्थप्रकाशे माध्यन्दिनशतपथब्राह्मणभाष्ये प्रथमकाण्डे पञ्चमाध्याये चतुर्थं ब्राह्मणम् ॥

वेदार्थस्य प्रकाशेन तमो हार्दं निवारयन् । पुमर्थांश्चतुरो देयाद्विद्यातीर्थमहेश्वरः ॥ ५ ॥

ब्रह्माण्डं गोसहस्रं कनकहयतुलापूरुषौ स्वर्णगर्भं;
सप्ताब्धीन् पञ्चसीरीस्त्रिदशतरुलताधेनुसौवर्णभूमीः ।
रत्नोस्रां रुक्मवाजिद्विपमहितरथौ सायणिः सिङ्गणार्यो;
व्यश्राणीद्विश्वचक्रं प्रथितविधिमहाभूतयुक्तं घटञ्च ॥
धान्याद्रिं धन्यजन्मा तिलभवमतुलः स्वर्णजं वर्णमुख्यः;
कार्पासीयं कृपावान् गुडकृतमजडो राजतं राजपूज्यः ।
आज्योत्थं प्राज्यजन्मा लवणजमनृणः शार्करं चार्कतेजा;
रत्नाढ्यो रत्नरूपं गिरिमकृत मुदा पात्रसात्सिङ्गणार्यः ॥

इति श्रीमद्राजाधिराजपरमेश्वरवैदिकमार्गप्रवर्तकश्रीहरिहरमहाराजसाम्राज्यधुरन्धरेण सायणाचार्येण विरचिते माधवीये वेदार्थप्रकाशे माध्यन्दिनशतपथब्राह्मणभाष्ये प्रथमकाण्डे पञ्चमाध्यायः समाप्तः ॥ ५ ॥

१–उक्तमिदं सर्वं कात्यायनेनापि–'प्रयाजानुमन्त्रणमेको ममैका तस्य योऽस्मान् द्वेष्टि यं च वयं द्विष्म इति' (श्रौ. सू. ३।४५) 'एवं मिथुनैर्यथासंख्यम्' (श्रौ. सू. ३।४६) 'न तस्य किंचनेति पञ्चमे' (श्रौ. सू. ३।४७) अग्रे चात्रानुक्तः काम्यप्रयाजानुमन्त्रणविधिरपि–'रिरिषिमानपचितिमान्यशस्वी ब्रह्मवर्चस्व्यन्नाद इति च' (श्रौ. सू. ३.४८) इति । अत्र च भूयासमित्यध्याहार उक्तो वृत्तिकारेण । २–श्लोका इमेऽत्र न सन्ति क्वचित् पुस्तके ।

अथ प्रथमकाण्डे षष्ठाध्याये प्रथमं ब्राह्मणम् ।

ऋतुवो ह वै देवेषु यज्ञे भागमीषिरे । आ नो यज्ञे भजत मा नो यज्ञाद-
न्तर्गतास्त्वेव नोऽपि यज्ञे भाग ऽइति ॥ १ ॥

तद्धै देवा नु जज्ञुः । (स्तु) तु ऽऋतवो देवेष्वजानत्स्वसुरानुपावर्तन्ताप्रिया-
न्देवानां द्विषतो भ्रातृव्यान् ॥ २ ॥

(व्यांस्तु) तु हैतामेधतुमेधांचक्रिरे । यामेषामेतामनुश्शृण्वन्ति कृषन्तो
ह स्मैव पूर्वे वपन्तो यन्ति लुनन्तोऽपरे मृणन्तः शश्वद्धैभ्योऽकृष्टपच्या
ऽएवौषधयः पेचिरे ॥ ३ ॥

" प्रयाजानामिष्टौ प्राथम्यम् " ।

ऋतवो ह वै देवेषु यज्ञे भागमीषिरे, आ नो यज्ञे भजत, मा नो यज्ञादन्तर्गत. अस्त्वेव नोऽपि यज्ञे भाग इति ॥ १ ॥

तद्धै देवा न जज्ञुः । त ऋतवो देवेष्वजानत्स्वसुरानुपावर्तन्त--अप्रियान् देवानां द्विषतो भ्रातृव्यान् २
ते हैतामेधतुमेधाञ्चक्रिरे--यामेषामेतामनुश्शृण्वन्ति । कृषन्तो ह स्मैव पूर्वे वपन्तो यन्ति लुनन्तोऽपरे मृणन्तः, शश्वद्धैभ्योऽकृष्टपच्या एवौषधयः पेचिरे ॥ ३ ॥

यस्य निःश्वसितं वेदा यो वेदेभ्योऽखिलं जगत् । निर्ममे, तमहं वन्दे विद्यातीर्थमहेश्वरम् ॥ १ ॥

अथ वसन्तादिप्रयाजदेवेषु कथमग्नेः सम्बन्ध इति तदुपपादनायाख्यायिकामाह--**ऋतवो ह वा** इति । 'ऋतवः' पुरा दर्शपूर्णमासादियज्ञे 'भागम्' 'ईषिरे' ऐच्छन् । ते देवान् प्रति अस्मानपि 'यज्ञे' भागिनः कुरुत । 'यज्ञाद्' अस्मान् 'अन्तरितान्' 'मा' कुरुत । अतोऽस्माकम् 'अपि' यज्ञे भागोऽस्त्वित्यब्रुवन् ॥ १ ॥

तद्धै देवा नेति । 'तत्' कार्यं 'देवाः' 'न' प्राजानन् । तेषु 'अजानत्सु' कथमेतैः सह वासेनेति तद्वैरिभूतान् द्वेषकारिणः 'असुरान्' उपागत्य--॥ २ ॥

ते हैतामिति । तेषु 'याम्' ऋद्धिं देवाः श्रुत्वा व्यथन्ते, तादृशीम् 'एधतुम्' ऋद्धिमसुरेषु प्रवर्द्धयाञ्चक्रुः । तेषु प्रवर्द्धितेषु सत्सु असुराः केचन वपनात्पूर्वभागिनः सन्तः वृष्टिबाहुल्यात् 'कृषन्तो' 'यन्ति,' किल, केचन कृष्टे क्षेत्रे बीजानि 'वपन्तो' यन्ति, उप्तबीजाश्च केचन सस्यानि सम्यक् फलितानीति परस्परमुच्चारयन्तः परिणतानि सस्यानि 'लुनन्तो' यन्ति, केचन लूनानि व्रीहिफलानि 'मृणन्तः' प्रहरन्तः खले बलीवर्दाक्रमणादिना स्तम्बाद्धान्यं पृथक्कुर्वन्तः; तथा असुरदेशे खलु कर्षणानपेक्षिता नीवारादयो मुहुर्मुहुः सर्वदा परिपक्का आसन् ॥ ३ ॥

१-देवेषु अन्वायन्ते-इति पाठान्तरम् ।

तद्धै देवानामाग ऽआस । कुनीय ऽइन्न्वुतो द्विषन्द्विषुतेऽरातीयति किम्वे-
तावन्मात्रमुपजानीत युथेदमितोऽन्यथासदिति ॥ ४ ॥

ते होचुः । (ऋं) ऋतूनेवानुमन्त्रयामहा ऽइति केनेति प्रथमानेवैनान्यज्ञे
यजामेति ॥ ५ ॥

स हाग्निरुवाच । (चा) अथ यन्मां पुरा प्रथमं यजथ क्वाहं भवानीति न
त्वामायतनाच्च्यावयाम ऽइति ते यदृतूनभिह्वयमाना अथाग्निमायतनान्ना-
च्च्यावयंस्तुस्मादग्निरच्युतो न ह वा ऽआयतनाच्च्यवते यस्मिन्नायतते
भवति य ऽएवमेतमग्निमच्युतं वेद ॥ ६ ॥

ते देवा ऽअग्निमब्रुवन् । (न्पु) परे ह्येनांस्त्वमेवानुमन्त्रयस्वेति स हेत्या-

---

तद्धै देवानामाग आस । ' कनीय इन्न्वतो द्विषन्, द्विषतेऽरातीयति; किमु एतावन्मात्रमुपजानीत—यथेदमितोऽन्यथाऽसदिति ' ॥ ४ ॥

ते होचुः--' ऋतूनेवानुमन्त्रयामहै'--इति । केनेति । ' प्रथमानेवैनान् यज्ञे यजाम ' इति ॥ ५ ॥

स हाग्निरुवाच--' अथ यन्मां पुरा प्रथमं यजथ, क्वाहं भवानि ' इति । ' न त्वामायतनात् च्यावयाम ' इति । ते यदृतूनभिह्वयमाना अथाग्निमायतनात्--नाच्यावयन्--तस्मादग्निरच्युतः । न ह वा आयतनाच्च्यवते--यस्मिन्नायतते, भवति--य एवमेतमग्निमच्युतं वेद ॥ ६ ॥

ते देवा अग्निमब्रुवन्--' परेहि, एनांस्त्वमेवानुमन्त्रयस्व ' इति । स हेत्याग्निरुवाच--' ऋतवः !

तद्धै देवानामिति । एवं वैरिष्वसुरेषु समृद्धेषु सत्सु ' देवानां ' मनसि ' आगः ' आसीत् । कथमिति तदुच्यते--' अतः ' अस्मात्, इन्नु--इति अतिक्रमाद्धेतोः ' द्विषन् ' द्वेषकार्येवासुरसंघो ' द्विषते ' देवसङ्घाय 'अरातीयति' शात्रवमाचरितुमिच्छति । एतत् ' कनीयः इन्नु ' निकृष्टं खलु । ' अतः ' प्रवृद्धैः सह कलहो न कार्यः । किन्तु 'इदम्' ऋत्वतिक्रमलक्षणं विच्छिन्नं कार्यम् ' इतः ' अस्मात् इदानीं प्रवृत्तप्रकारात् ' अन्यथा ' प्रकारान्तरेण समाहितात्मना 'असत्' भवेत् । ' एतावन्मात्रम् ' अवबुद्धयध्वमिति परस्परमब्रुवन् ॥ ४ ॥

ते होचुरिति । उक्त्वा च, ' ऋतूनेव अनुमन्त्रयामहे '—इति निश्चित्य तेषामुक्तो वः (?) ' केन ' इतरदेवेभ्यः ' प्रथमानेव ' ' यज्ञे ' यजनमङ्गीचक्रुः ॥ ५ ॥

अथ प्राथम्ये तेभ्योऽवक्लृप्ते सत्याह—स हाग्निरिति । ' अग्निः ' पूर्वं ' माम् ' एव ' प्रथमम् ' इष्टवन्तः इदानीं ते प्रथमं यष्टव्याश्चेत् ' अहं ' कुत्र स्थाने यज्ञे ' भवानीति ' अब्रवीत् । अथ तेनोक्तास्ते तमग्निं स्वस्थानात् 'न च्यावयाम इति' प्रतिश्रुत्य, ऋत्वाह्वानसमये ' अग्निं ' स्वस्थानात् प्रच्युतं न चक्रुः । ' तस्मात् ' ' अग्निः ' स्वस्थानात् ' अच्युतः ' अभूत् । ' एवं ' ' यः ' कोऽपि अग्नेरच्युतत्वप्रकारं जानाति, सोऽपि स्वस्थानान्न च्यवत इति उक्तार्थज्ञानफलम् ॥ ६ ॥

ते देवा इति । अथ ' ते देवा ' अग्नेः स्थानस्य पालनदाक्षिण्यात्तदनुमन्त्रणे अग्निमेव प्रेरयामासुः ।

१-पा० सू० ३।१।१०।

ग्निरुवाचर्तवोऽविदं वै वो देवेषु यज्ञे भागमिति कथं नोऽविद इति प्रथमानेव वो यज्ञे यक्ष्यन्तीति ॥ ७ ॥

त ऋतवोऽग्निमब्रुवन् । (आ) आ वयं त्वामस्मासु भजामो यो नो देवेषु यज्ञे भागमविद इति स एषोऽग्निर्ऋतुष्वाभक्तः समिधोऽअग्ने तनूनपादग्न इडो अग्ने बर्हिरग्ने स्वाहाग्निमित्याभक्तो ह वै तस्यां पुण्यकृत्यायां भवति यामस्य समानो ब्रुवाणः करोत्यग्निमते ह वा अस्मा अग्निमन्त ऋतव ओषधीः पचन्तीदꣳ सर्वं य एवमेतमग्निमृतुष्वाभक्तं वेद ८

तदाहुः । (य) यदुत्तमान्प्रयाजानावाहयन्त्यथ कस्मादेनान्प्रथमान्यजन्तीत्युत्तमान्ह्येनान्यज्ञेऽवाकल्पयन्प्रथमान्वो यजामेत्यब्रुवंस्तस्मादुत्तमानावाहयन्ति प्रथमान्यजन्ति ॥ ९ ॥

अविदं वै वो देवेषु यज्ञे भागमिति'। 'अथ नोऽविदः' इति, 'प्रथमानेव वो यज्ञे यक्ष्यन्ति' इति॥७॥

त ऋतवोऽग्निमब्रुवन्–' आ वयं त्वामस्मासु भजामो यो नो देवेषु यज्ञे भागमविद ' इति। स एषोऽग्निर्ऋतुष्वाभक्तः–" समिधोऽअग्ने "–" तनूनपादग्ने "–" इडोऽअग्ने" " बर्हिरग्ने " स्वाहाग्निम् " (तै. ब्रा. ३. ९. ९) इति। आभक्तो ह वै तस्यां पुण्यकृत्यायां भवति, यामस्य समानो ब्रुवाणः करोति, अग्निमते ह वा अस्मा अग्निमन्त ऋतव ओषधीः पचन्तीदं सर्वम्, य एवमेतमग्निमृतुष्वाभक्तं वेद ॥ ८ ॥

तदाहुः—' यद् उत्तमान् प्रयाजानावाहयन्ति-अथ कस्मादेनान् प्रथमान् यजन्ति ' इति।

' सः ' तथेत्यङ्गीकृत्य ऋतूनागत्य ' उवाच ' आह। **ऋतव** इति। ' वः ' युष्माकं 'यज्ञे' 'देवेषु' मध्ये ' भागं ' बुद्धवानस्मि ' इति '। केन प्रकारेणेति पृष्टः, ' प्रथमानेव ' सतो युष्मान् ' यक्ष्यन्ति '—' इति 'अब्रवीत्॥७॥

त **ऋतव** इति। अथ सन्तुष्टाः ' ऋतवः ' हे अग्ने! त्वं ' यज्ञे ' अस्माकं प्रथमम् ' अविदः ; ' अतः ' त्वाम् ' ' अस्मासु ' मध्ये ' आभजामः '–इति ' अब्रुवन् '। यत एवमतः ' अग्निः ' ' ऋतुषु ' भागं लब्धवान्। ' समिधो अग्ने '–'तनूनपादग्ने '–' इडः ' इत्याद्याभजनप्रकारप्रदर्शनम्। उक्तार्थज्ञानं प्रशंसति–**आभक्तो ह वा** इति। ' अस्य ' ज्ञातुरहं ' समानः ' इति स्वात्मानं ' ब्रुवाणः ' कश्चित्पुरुषो ' यां पुण्यकृत्यां ' यत्पुण्यं कर्म दर्शपूर्णमासादिकं ' करोति ' तत्रासावपि भागवान् भवति; तथा ' एवम् ' उक्तप्रकारेण ' अग्निमृतुष्वाभक्तं ' ' यो वेद ' ' अस्मै ' अग्निमते उक्तार्थज्ञानसामर्थ्येन यागस्यावश्यं लाभादग्निमान् भवत्येव। अतोऽस्मै खलूक्तप्रकारेणाग्निना सहिता ' ऋतवः ' ' ओषधीः ' व्रीहियवादिकाः स्व-कालोचिताः पाकं कुर्वन्ति। कथं पक्तव्या ओषधयः? कियन्तः? इति, तत्राह–**इदं सर्वमिति**। यद्यल्लोके परिदृश्यमानं तदिदं सर्वमोषधिजातमित्यर्थः॥ ८ ॥

प्रयाजदेवतानां प्राथम्यं ब्रह्मवादिनां चोद्यमुखेन प्रशंसति–**तदाहुरिति**। आवाहनक्रमेणैव सर्वत्र यागो दृष्टः; अत्र कथं वैलक्षण्यमिति तेषामाशयः। तैर्दृष्टं तत्कारणं दर्शयति–**उत्तमान् हीति**। ' हि ' यस्मात् प्रथमभाग-

---

१–समिध इत्यादीनि प्रयाजमन्त्रप्रतीकानि। ते च मन्त्राः का. हौ. सू. उक्ताः। तथा तै. ब्रा. ३। ३। ५ तै. सं० २। ६।१। अत्रापि विहिताः सन्तीति।

चतुर्थेन वै प्रयाजेन देवाः । (०) यज्ञमाप्नुवंस्तं पञ्चमेन समस्थापयन्नथ यदत ऽऊर्ध्वमसꣳस्थितं यज्ञस्य स्वर्गमेव तेन लोकꣳसमाश्नुवत ॥ १० ॥

ते स्वर्गं लोकं यन्तः । (न्तोऽ) असुररक्षसेभ्य ऽआसङ्गाद्विभयाञ्चक्रुस्ते-ऽग्निं पुरस्तादकुर्वत रक्षोहणꣳ रक्षसामपहन्तारमग्निं मध्यतोऽकुर्वत रक्षोहणꣳ रक्षसामपहन्तारमग्निं पश्चादकुर्वत रक्षोहणꣳ रक्षसामपहन्तारम् ॥ ११ ॥

(ꣳ) स यद्येनान्पुरस्तात् । (द) असुररक्षसान्यासिसङ्क्षन्नग्निरेव तान्यु-पाहन्रक्षोहा रक्षसामपहन्ता यदि मध्यत ऽआसिसङ्क्षन्नग्निरेव तान्युपाहन्र-क्षोहा रक्षसामपहन्ता यदि पश्चादासिसङ्क्षन्नग्निरेव तान्युपाहन्रक्षोहा रक्षसाम-पहन्तात ऽएवꣳ सर्वतोऽग्निभिर्गुप्यमानाः स्वर्गं लोकꣳसमाश्नुवत ॥ १२ ॥

'उत्तमान् ह्येनान् यज्ञेऽवाकल्पयन्–प्रथमान् वो यजाम'–इत्यब्रुवन्–तस्मादुत्तमानावाहयन्ति, प्रथमान् यजन्ति ॥ ९ ॥

चतुर्थेन वै प्रयाजेन देवा यज्ञमाप्नुवन्, तं पञ्चमेन समस्थापयन्, अथ यदत ऊर्ध्वमसंस्थितं यज्ञस्य स्वर्गमेव तेन लोकं समाश्नुवत ॥ १० ॥

ते स्वर्गं लोकं यन्तोऽसुररक्षसेभ्य आसङ्गात् बिभयाञ्चक्रुः । तेऽग्निं पुरस्तादकुर्वत–रक्षोहणं रक्षसामपहन्तारम्, अग्निं मध्यतोऽकुर्वत–रक्षोहणं रक्षसामपहन्तारम्, अग्निं पश्चादकुर्वत रक्षोहणं रक्षसामपहन्तारम् ॥ ११ ॥

स यद्येनान् पुरस्तादसुररक्षसान्यासिसङ्क्षन्–अग्निरेव तान्यपाहन्–रक्षोहा रक्षसामपहन्ता । यदि मध्यत आसिसङ्क्षन्–अग्निरेव तान्यपाहन्–रक्षोहा रक्षसामपहन्ता । यदि पश्चादासिसङ्क्षन्–अग्निरेव तान्यपाहन्–रक्षोहा रक्षसामपहन्ता । त एवं सर्वतोऽग्निभिर्गुप्यमानाः स्वर्गं लोकं समाश्नुवत ॥ १२ ॥

कल्पनासमये 'एनान्' 'उत्तमान्' चरमभाविन एव देवताः कल्पितवन्तः, पश्चादपगतानां तेषां पुनरागमनाय यतो 'वः' युष्मान 'प्रथमान्' यजाम इत्यब्रुवन्' 'तस्मात्' उक्तविधं वैलक्षण्यं सञ्जातमिति । अत्रैषामावाहना-स्तिमन्त्रे "देवा २ आज्यपा २ आ वह" इत्यभिधानाद् द्रष्टव्यम । आज्यपाः खलु प्रयाजानुयाजदेवाः ॥ ९ ॥

आदिमध्यावसानेष्वनुष्ठेयानामाज्यभागप्रधानस्विष्टकृद्यागानामग्निदेवताकत्वमभिधातुमाह–चतुर्थेनेति । चतुर्थ-प्रयाजेनैव पुरा 'देवाः' दर्शपूर्णमासाख्यं 'यज्ञम्' आप्त्वा 'तं पञ्चमेन समस्थापयन्' तत्र यष्टव्यान् देवान् क्रमेणोद्दिश्य स्वाहाकृतत्वात् । 'यदत ऊर्ध्वं' 'यज्ञस्य' अवशिष्टमाज्यभागाद्यस्ति, तेन स्वर्गं लोकं 'समाश्नुवन' ॥ १० ॥

ते स्वर्गमिति । असुरेभ्यो राक्षसेभ्यश्च तेषाम् 'आसङ्गाद्' निरोधाद्भीता आसन्; तत्परिहाराय 'रक्षोहन्तारम्' 'अग्निं' 'पुरस्तात्' पूर्वभागे रक्षसां वधाय स्थापितवन्तः । तथा मध्ये पश्चाच्च–अग्निमेव रक्षोहन्तारं चक्रुः ॥ ११ ॥

स यद्येनानिति । अतः कारणात् 'सः' 'रक्षोहा' 'अग्निः', स्वर्गं प्रति गच्छतः 'एनान्' देवान् असुर-राक्षसाश्च 'पुरस्तात्' पूर्वदेशे 'आसिसङ्क्षन्' आसङ्गं प्रतिबन्धमैच्छन्, 'तानि' असुररक्षांसि चापहतवान् एवं मध्ये, पश्चाद्देशे च ॥ १२ ॥

तथो ऽएवैष ऽएतत् । (च) चतुर्थेनैव प्रयाजेन यज्ञमाप्नोति तं पञ्चमेन सᳯंस्थापयत्यथ यदत ऽऊर्द्ध्वमसᳯंस्थितं यज्ञस्य स्वर्गमेव तेन लोकᳯं समश्नुते ॥ १३ ॥

स यदाग्नेयमाज्यभागं यजति । (त्व) अग्निमेवैतत्पुरस्तात्कुरुते रक्षोहणᳯं रक्षसामपहन्तारमथ यदाग्नेयः पुरोडाशो भवत्यग्निमेवैतन्मध्यतः कुरुते रक्षोहणᳯं रक्षसामपहन्तारमथ यदग्निᳯं स्विष्टकृतं यजत्यग्निमेवैतत्पश्चात्कुरुते रक्षोहणᳯं रक्षसामपहन्तारम् ॥ १४ ॥

(१५) स यद्येनं पुरस्तात् । (द) असुररक्षसान्यासिसङ्क्षन्त्यग्निरेव तान्यपहन्ति रक्षोहा रक्षसामपहन्ता यदि मध्यत ऽआसिसङ्क्षन्त्यग्निरेव तान्यपहन्ति रक्षोहा रक्षसामपहन्ता यदि पश्चादासिसङ्क्षन्त्यग्निरेव तान्यपहन्ति रक्षोहा रक्षसामपहन्ता स ऽएवᳯं सर्वतोऽग्निभिर्गुप्यमानः स्वर्गं लोकᳯं समश्नुते ॥ १५ ॥

तथो एवैष एतच्चतुर्थेनैव प्रयाजेन यज्ञमाप्नोति, तं पञ्चमेन संस्थापयति, अथ यदत ऊर्ध्वमसंस्थितं यज्ञस्य—स्वर्गमेव तेन लोकं समश्नुते ॥ १३ ॥

स यदाग्नेयमाज्यभागं यजति—अग्निमेवैतत् पुरस्तात्कुरुते—रक्षोहणं रक्षसामपहन्तारम् । अथ यदाग्नेयः पुरोडाशो भवति—अग्निमेवैतन्मध्यतः कुरुते—रक्षोहणं रक्षसामपहन्तारम् । अथ यदग्निं स्विष्टकृतं यजति—अग्निमेवैतत् पश्चात्कुरुते—रक्षोहणं रक्षसामपहन्तारम् ॥ १४ ॥

स यद्येनं पुरस्तादसुररक्षसान्यासिसङ्क्षन्ति—अग्निरेव तान्यपहन्ति—रक्षोहा रक्षसामपहन्ता । यदि मध्यत आसिसङ्क्षन्ति—अग्निरेव तान्यपहन्ति—रक्षोहा रक्षसामपहन्ता । यदि पश्चादासिसङ्क्षन्ति—अग्निरेव तान्यपहन्ति—रक्षोहा रक्षसामपहन्ता । स एवं सर्वतोऽग्निभिर्गुप्यमानः स्वर्गं लोकं समश्नुते १५

तथो एवैष इति । अत्र सर्वत्राग्निभिरादिमध्यान्तस्थितै रक्षिताः स्वर्गलोकं प्राप्ता यथा देवास्तथैवेत्थमनीन्तनोऽपि यजमानः, चतुर्थेन प्रयाजेन यज्ञं स्वाधीनं कृत्वा पञ्चमेन समाप्य तदूर्ध्वभाविना असंस्थितेनावशिष्टेन यज्ञेन पुरस्तान्मध्ये पश्चाच्चाग्निनैव यज्ञविघातकान् घातयित्वा निर्बाधं स्वर्गमश्नुते ॥ १३ ॥

अग्नेः पुरस्तान्मध्ये पश्चाच्च स्थापनप्रकारं दर्शयति—**स यदाग्नेयमि**त्यादिना । सौम्यस्याप्याज्यभागस्य संभवाद् ' आग्नेयम् '—इति विशेषितम् । प्रथममाज्यभागमाग्नेयं कृतवान् यजमानः स्वर्गप्राप्तिसमये ' अग्निमेव ' रक्षोहननाय ' पुरस्तात् ' कृतवान् भवति । अनेन प्रथममाग्नेयाज्यभागं कुर्यादिति ह लभ्यते । एवमाग्नेयेनाष्टाकपालयागेनाग्निं मध्यतः कुरुते आग्नेयेन स्विष्टकृता च पश्चात् ॥ १४ ॥

त्रिष्वपि यागेष्वाग्नेयत्वकरणस्य प्रयोजनमाह—**स यद्येनं पुरस्तादि**त्यादिना । एतत्पूर्ववाक्यवद् व्याख्येयम् ॥ १५ ॥

१—द्वादशकण्डिकावद्व्यर्थः ।

स यद्येनं पुरस्ताद् । (द्य) यज्ञस्यानुव्याहरेत्तं प्रति ब्रूयान्मुख्यामार्ति-मारिष्यस्यन्धो वा बधिरो वा भविष्यसीत्येता वै मुख्या ऽआर्तयस्तथा हैव स्यात् ॥ १६ ॥

यदि मध्यतो यज्ञस्यानुव्याहरेत् । (त्तं) तं प्रति ब्रूयादप्रजा ऽअपशुर्भ-विष्यसीति प्रजा वै पशवो मध्यं तथा हैव स्यात् ॥ १७ ॥

यद्यन्ततो यज्ञस्यानुव्याहरेत् । (त्तं) तं प्रति ब्रूयादप्रतिष्ठितो दरिद्रः क्षिप्रेऽमुं लोकमेष्यसीति तथा हैव स्यात्तस्मादु ह नानुव्याहारीव स्यादुत ह्येवंवित्परो भवति ॥ १८ ॥

स यद्येनं पुरस्ताद् यज्ञस्यानुव्याहरेत्–तं प्रति ब्रूयाद्–'मुख्यामार्तिमारिष्यसि–अन्धो वा बधिरो वा भविष्यसि ' इति । एता वै मुख्या आर्तयः । तथा हैव स्यात् ॥ १६ ॥

यदि मध्यतो यज्ञस्यानुव्याहरेत्–तं प्रति ब्रूयाद्–' अप्रजा अपशुर्भविष्यसि ' इति । प्रजा वै पशवो मध्यम्, तथा हैव स्यात् ॥ १७ ॥

यद्यन्ततो यज्ञस्यानुव्याहरेत्–तं प्रति ब्रूयाद्–'अप्रतिष्ठितो दरिद्रः क्षिप्रेऽमुं लोकमेष्यसि' इति । तथा हैव स्यात् । तस्मादु ह नानुव्याहारीव स्यात् । उत ह्येवंवित्परो भवति ॥ १८ ॥

" स एवं सर्वतोऽग्निभिर्गुप्यमानः "–इति यदग्निरक्षणमुक्तम्, तत्प्रशंसनाय कञ्चिद् दृष्टं प्रयोजनमाह–**स यद्येनमि**ति । ' सः ' अनुव्याहारी निन्दकः ' एनम् ' अग्निना रक्षितं यजमानं ' यज्ञस्य ' ' पुरस्तात् ' पूर्व-भागं ' अनुव्याहरेत् ' वैकल्यविषयं वाक्यं ब्रूयात्, ' तं ' निन्दकं ' प्रति ' स यजमानोऽपि ' ब्रूयात् '–' मुख्यामार्त्तिमारिष्यसि,–अन्धो वा बधिरो वा भविष्यसीति ' । एषैव मुख्याऽऽर्त्तिरित्याह–' एताः ' अन्ध-बधिरादयः, ज्वरशिरोव्यथादितात्कालिकीमार्त्तिमपेक्ष्यैतासां मुख्यत्वम् ॥ १६ ॥

यदि मध्यत इत्यादि । स्पष्टम् ॥ १७ ॥

यद्यन्तत इति ' क्षिप्रे ' अविलम्बितस्वकाले भूमौ प्रतिष्ठारहितो ' दरिद्रः ' सन् ' अमुं लोकम् ' स्वर्गम् ' एष्यसि ' ' इति ' । अत्र स्वर्गस्य नाशात्मकत्वात् ' अमुं लोकम् ' इत्येतदस्माल्लोकात्प्रच्युतिमात्रे पर्य-वस्यति । किमेवमभिधानमात्रेण तथाविधाऽसुखप्राप्तिः सिद्धा स्यादित्याशङ्क्योक्तम्–**तथा हैव स्यादि**ति । उक्तप्रकारः स्यादेवेत्यर्थः । यस्मादेवमवश्यं फलम्, ' तस्माद् ' ' अनुव्याहारीव न स्यात् ' यज्ञस्य निन्दको न भवेदिति वि[illegible] । उक्तार्थज्ञं प्रशंसति–न केवलं यष्टैव; अपि तु ' एवंविद् ' अपि स्वदूषकात् स्वयं ' परः ' उत्कृष्टो ' भवति ' । अथवा–एवं वेदनायां तात्पर्य्यवान् भवेदिति व्याख्येयम् । तस्मादाज्यभागादीनामाग्नेयत्व-करणं प्रशस्तमिति तात्पर्यार्थः ॥ १८ ॥

१–वयं तु ब्रूमः । नेह मुख्यशब्दः प्रधानार्थः । किन्तु मुखे मुखप्रदेशे भवा पीडा मुख्या । यज्ञस्य मुखेऽनुव्याहरणादनुव्याहर्तु-रपि मुखभागस्थेष्वक्षिकर्णादिष्वेव पीडा जायते–इति तात्पर्यम् ॥

संवत्सरꣳ ह वै प्रयाजैर्जयञ्जयति । स ह त्वेवैनं जयति योऽस्य द्वाराणि
वेद किꣳ हि स तैर्गृहैः कुर्याद्यानन्तरतो न व्यवविद्याद्यथायथास्य ते
भवन्ति तस्य वसन्त एव द्वारꣳ हेमन्तो द्वारं तं वा एतꣳ संवत्सरꣳ
स्वर्गं लोकं प्रपद्यते सर्वं वै संवत्सरः सर्वं वा ऽअक्षय्यमेतेनो हास्याक्ष-
य्यꣳ सुकृतं भवत्यक्षय्यो लोकः ॥ १९ ॥

(स्तु) तदाहुः । किन्देवत्यान्याज्यानीति प्राजापत्यानीति ह ब्रूयादनिरुक्तो
वै प्रजापतिरनिरुक्तान्याज्यानि तानि हैतानि यजमानदेवत्यान्येव यजमानो
ह्येव स्वे यज्ञे प्रजापतिरेतेन ह्युक्ता ऽऋत्विजस्तन्वते तं जनयन्ति ॥ २० ॥

स ऽआज्यस्योपस्तीर्य । द्विर्हविषोऽवदायाथोपरिष्टादाज्यस्याभिघारयति

संवत्सरं ह वै प्रयाजैर्जयन् जयति । स ह त्वेवैनं जयति—योऽस्य द्वाराणि वेद । किं हि स तैर्गृहैः कुर्याद्—यानन्तरतो न व्यवविद्याद्—यथा यथास्य ते भवन्ति । तस्य वसन्त एव द्वारम्, हेमन्तो द्वारम् । तं वा एतं संवत्सरं स्वर्गं लोकं प्रपद्यते । सर्वं वै संवत्सरः, सर्वं वा अक्षय्यम् । एतेनो हास्याक्षय्यं सुकृतं भवति, अक्षय्यो लोकः ॥ १९ ॥

तदाहुः—' किंदेवत्यान्याज्यानि ' इति । ' प्राजापत्यानि '—इति ह ब्रूयात् । अनिरुक्तो वै प्रजापतिः, अनिरुक्तान्याज्यानि । तानि हैतानि यजमानदेवत्यान्येव, यजमानो ह्येव स्वे यज्ञे प्रजापतिः-एतेन ह्युक्ता ऋत्विजस्तन्वते-तं जनयन्ति ॥ २० ॥

स आज्यस्योपस्तीर्य, द्विर्हविषोऽवदाय, अथोपरिष्टादाज्यस्याभिघारयति । सैषाज्येन मिश्राहुति-

---

प्रयाज एव किञ्चिद्वेदितव्यमित्याह—**संवत्सरं हेति** । ' प्रयाजैः ' साधनैः साध्यं ' जयन् ' संवत्सरं खलु ' जयति ' जितप्रकारः पूर्वाध्याये " देवाश्च वा असुराश्च " इत्यत्र " ऋतून् संवत्सरं प्राजयन् " इत्यादिनोक्तः (श. १ कां. ५ अ. ३ ब्रा. ३ कं. इत्यत्र) । ' यः ' ' अस्य ' संवत्सरस्य ' द्वाराणि ' जानाति—' सः ' खल्वेव ' एनं ' संवत्सरं ' जयति ' नानभिज्ञः । ' यान् ' प्रयाजान् ' अन्तरतः ' मध्यतो ' हि ' ' न ' व्यवजानाति—' ते ' च ' यथा ' येन प्रकारेण ' अस्य ' उपकारका ' भवन्ति '—' सः ' अनुष्ठाता ' तैः ' गृह्यमाणैरनुष्ठेयैः प्रयाजैः ' किं कुर्यात् ' किं साधयेत् । ' संवत्सरः ' यदेकैकं तत् क्षयिष्णु, यत् ' सर्वं ' तदपरिच्छेदात् तावदक्षयि । एतत्परिज्ञानेन च ' सुकृतं ' तत्फलभूतं पुण्यलोकश्च—उभावप्यक्षय्यौ भवतः ॥ १९ ॥

अथाज्यद्रव्यं प्राजापत्यत्वेन प्रशंसितुमाह—**तदाहुरिति** । प्रजापतेः सकलदेवतासमष्ट्यात्मकत्वेनायमसाविति निर्वक्तुमशक्यत्वादनिरुक्तत्वम् । अतः ' आज्यानि प्राजापत्यानीति ब्रूयात् ' । आहुतिभेदेन व[illegible]चनम् । प्रजापतिशब्दस्यात्र विवक्षितमर्थमाह-**तानि हेति** । ' तानि एतानि ' प्रयाजादियागसाधनद्रव्याण्याज्यानि ' यजमानदेवत्यानि ' । एवकारेण प्रसिद्धः प्रजापतिरपोह्यते । एतदुपपादयति—**यजमानो हीति** । इतरेषामपरोऽस्त्येवेत्याशङ्क्याह—**एतेनेति** । ऋत्विजां दक्षिणादिदानेन पालनात् प्रजापतित्वम् । ' ऋत्विजः ' तु ' एतेन ' नियुक्ता एव यज्ञं ' तन्वते ' स्व—स्वभागं विस्तारयन्ति । तदेवाह—**तं जनयन्तीति** । ' तं ' यज्ञम् ॥ २० ॥

इदमाज्य यजमानदेवताकत्वेन प्रशस्तम्, अतस्तेनोपस्तरणाभिघारणादि कर्त्तव्यमित्याह—**स आज्यस्येति** ।

सैषाज्येन मिश्राहुतिर्हूयते यजमानेन हैवैषैतन्मिश्रा हूयते। यदि ह वाऽअपि दूरे सन्यजते यद्यन्तिके यथा हैवान्ते सत ऽइष्टꣳ स्यादेवꣳ हैवैवंविदुष ऽइष्टम्भवति यद्यु हापि बह्विव पापं करोति नो हैव बहिर्द्धा यज्ञाद्भवति य ऽएवमेतद्वेद ॥ २१ ॥ ६ ॥

इति चतुर्थप्रपाठके षष्ठं ब्राह्मणम् (॥ ६ ॥१॥)

इति चतुर्थः प्रपाठकः ॥ ४ ॥

हूयते । यजमानेन हैवैषैतन्मिश्राहूयते । यदि ह वा अपि दूरे सन् यजते, यद्यन्तिके—यथा हैवान्ते सत इष्टं स्यात्, एवं हैवैवंविदुष इष्टं भवति । यद्यु हापि बह्विव पापं करोति—नो हैव बहिर्द्धा यज्ञाद्भवति–य एवमेतद् वेद ॥ २१ ॥

'सः' अध्वर्युः 'आज्यस्य उपस्तीर्य' पुरोडाशस्थापनदेशमाज्येनास्तृतं कृत्वा, 'हविषः' हविः–पुरोडाशादि 'द्विरवदाय' अवत्तस्य 'आज्यस्य' 'उपरि' आज्यम् 'अभिघारयति' 'सैषा' उपस्तृताभिघारिता 'आज्येन मिश्रा' सती अध्वर्युणा 'हूयते,' आज्यस्य यजमानदेवताकत्वस्य प्रतिपादितत्वात् 'यजमानेन एव मिश्रा हूयते'। यत एवमत आज्येनोपस्तरणाभिघारणे कृत्वा जुहुयादित्यर्थः ॥

उक्तार्थज्ञं प्रशंसति–**यदि** हेति । 'यथा हैव' यथैव खलु 'अन्तेसतः' सदसो देवयजनस्य सन्निधौ 'इष्टं' साङ्गं 'स्यात्,' 'एवम्' आज्यस्य यजमानदेवत्यत्वप्रकारं जानतो यजमानस्य देशान्तरस्थस्यापि 'इष्टं भवति' व्यवधानदोषो नास्तीत्यर्थः । न केवलं विप्रकर्षदोषाभावः किन्तु वैकल्यदोषोऽपि नास्तीत्याह–**यद्यु** हेति । 'य एतदेवं वेद' सः 'पापम्' अङ्गभ्रंशादिलक्षणं 'यदि' 'बहु अपि' कुर्य्यात्, स 'यज्ञात्' साङ्गात् 'नैव' 'बहिर्द्धा' बाह्यो 'भवति'। अथवा–उक्तार्थज्ञानेन बहुपापोऽपि यज्ञाधिकारी भवेदित्यर्थः ॥ २१ ॥ ६ ॥ (६.१) ॥

इति श्रीसायणाचार्यविरचिते माधवीये वेदार्थप्रकाशे माध्यन्दिनशतपथब्राह्मणभाष्ये प्रथमकाण्डे षष्ठाध्याये प्रथमं ब्राह्मणम् ॥

१–'पापः' पातापेयानां पापत्यमानोऽवाङेव पततीति वा पापत्यतेर्वा स्यात् " इति निरु. ५ । १ । २ । पुनः 'न पापासो मनामहे' ऋ. स. ६ । ४ । ३७ । ६ इत्यस्य व्याख्यायां 'न पापा मन्यामहे। अस्त्यस्मासु ब्रह्मचर्यमध्ययनं तपोदानकर्मेत्यृषिरवोचदिति च तत्रैव ६ । ५ । २ । इति ॥

अथ पञ्चमप्रपाठके प्रथमं ब्राह्मणम् ।

अपि वा—

षष्ठाध्याये द्वितीयं ब्राह्मणम् ।

यज्ञेन वै देवाः । (ऽ) इमां जितिं जिग्युर्यैषामियं जितिस्ते होचुः कथं न ऽइदं मनुष्यैरनभ्यारोह्यᳪं स्यादिति ते यज्ञस्य रसं धीत्वा यथा मधु मधुकृतो निर्धयेयुर्विदुह्य यज्ञं यूपेन योपयित्वा तिरोऽभवन्नथ यदेने-नायोपयंस्तस्माद्यूपो नाम तद्धा ऋषीणामनुश्रुतमास ॥ १ ॥

यज्ञेन ह वै देवाः । (ऽ) इमां जितिं जिग्युर्यैषामियं जितिस्ते होचुः कथं न ऽइदं मनुष्यैरनभ्यारोह्यᳪं स्यादिति ते यज्ञस्य रसं धीत्वा यथा मधु मधुकृतो निर्धयेयुर्विदुह्य यज्ञं यूपेन योपयित्वा तिरोऽभव-न्निति तमन्वेष्टुं दध्रिरे ॥ २ ॥

(आवाप-प्रदेशः ।)

यज्ञेन वै देवा इमां जितिं जिग्युः—यैषामियं जितिः । ते होचुः—' कथं न इदं मनुष्यैरनभ्यारोह्यं स्याद् ' इति । ते यज्ञस्य रसं धीत्वा—यथा मधु मधुकृतो निर्धयेयुः—विदुह्य यज्ञं, यूपेन योपयित्वा तिरोऽभवन् । अथ यदेनेनायोपयन्—तस्माद् यूपो नाम । तद्धा ऋषीणामनुश्रुतमास ॥ १ ॥

' यज्ञेन ह वै देवा इमां जितिं जिग्युः—यैषामियं जितिः । ते होचुः—'कथं न इदं मनुष्यैरनभ्यारोह्यं स्याद्' —इति । ते यज्ञस्य रसं धीत्वा—यथा मधु मधुकृतो निर्धयेयुः—विदुह्य यज्ञं यूपेन योपयित्वा तिरोऽभवन्, इति । तमन्वेष्टुं दध्रिरे ॥ २ ॥

आग्नेयं पुरोडाशं विधातुमाख्यायिकामाह—**यज्ञेन वा** इत्यादिना । पुरा किल ' देवाः ' ' इमां जितिम् ' इदानीं परिदृश्यमानप्रकारं स्वर्गजयं ' यज्ञेन ' एव साधनेन ' जिग्युः ' (अलभन्त) ; ' ते ' देवाः स्वैर्जितं स्वर्ग-स्थानं तुच्छमनुष्यैः ' कथम् ' आरोहणार्हं न स्यादिति परस्परमुक्त्वा, ' यज्ञस्य रसं ' ' धीत्वा ' पीत्वा ' यथा ' सरघाः ' मधु ' निःशेषेणाकृष्य गतसारमेव परिशेषयन्ति—एवं ' यज्ञं ' । ' विदुह्य ' विदोहं कृत्वा तं ' यूपेन ' आच्छाद्य तिरोहिताः ' अभवन् ' । अतो योपनसाधनत्वाद् यूपस्य ' यूप ' नाम संपन्नम् । ' तत् ' देवैः कृतं यज्ञविदोहनम् ' ऋषीणामनुश्रुतमास ' ऋषयोऽन्वश्रृण्वन्नित्यर्थः ॥ १ ॥

अनुश्रुतप्रकारं पुनरनुवदति[३] **यज्ञेन ह वै देवा** इति । ' ते ' यूपेन योपितं यज्ञम्, ऋषयः ' अन्वेष्टुम् ' अन्वेषणं मतिं कृत्वा ॥ २ ॥

१— यथोक्तदेवताः प्रति उद्दिश्यत्वेन प्रदेयद्रव्यरूपः पक्वः पिष्टपिण्डः पुरोडाश इत्युच्यते ' इत्यैतरेयब्राह्मणभाष्ये (२. १. १.) सायणेनोक्तम् । २—" यज्ञेन वै देवा ऊर्ध्वाः स्वर्गं लोकमायंस्तेऽबिभयुरिमन्नो दृष्ट्वा मनुष्याश्च ऋषयश्चानु प्रज्ञास्यन्तीति ते वै यूपेन-यायोपयन्त यद्यूपेनायोपयंस्तद्यूपस्य यूपत्वम् " इति ऐ. ब्रा. २ । १ । १ । ३—" यज्ञेन वै देवा इमां जितिं ... तस्माद्यूपो नाम । तद्ध ऋषीणामनुश्रुतमास " इत्यादि काण्वोपरिष्टात् (३ । २ । २ । १९-१२) इत्यत्र द्रष्टव्यम् इति ॥

तेऽर्च्चन्तः श्राम्यन्तश्चेरुः । श्रमेण ह स्म वै तद्देवा जयन्ति यदेषां जय्य-मासऽर्षयश्च तेभ्यो देवा वैव प्ररोचयाञ्चक्रुः स्वयं वैव दध्रिरे प्रेत तद्देष्यामो यतो देवाः स्वर्गं लोकꣳ समाश्नुवतेति ते किं प्ररोचते किं प्ररोचत ऽइति चेरुरेतत्पुरोडाशमेव कूर्म्मं भूत्वा सर्प्पन्तं ते ह सर्व्व ऽएव मेनिरेऽयं वै यज्ञ ऽइति ॥ ३ ॥

ते होचुः । (२) अश्विभ्यां तिष्ठ सरस्वत्यै तिष्ठेन्द्राय तिष्ठेति स सस-र्प्पैवाग्नये तिष्ठेति ततस्तस्थावग्नये वा ऽअस्थादिति तमग्नावेव परिगृह्य सर्व्वहुतमजुहवुराहुतिर्हि देवानां तत ऽएभ्यो यज्ञः प्रारोचत तमसृजन्त तमतन्वत सोऽयं परोऽवरं यज्ञोऽनूच्यते पितैव पुत्राय ब्रह्मचारिणे ॥ ४ ॥

तेऽर्चन्तः श्राम्यन्तश्चेरुः । श्रमेण ह स्म वै तद्देवा जयन्ति–यदेषां जय्यमास–ऋषयश्च । तेभ्यो देवा वैव प्ररोचयाञ्चक्रुः, स्वयं वैव दध्रिरे; प्रेत तद्देष्यामः–यतो देवाः स्वर्गं लोकं समाश्नुवतेति । ते–' किं प्ररोचते किं प्ररोचते ' इति चेरुः । एतत् पुरोडाशमेव कूर्मं भूत्वा सर्पन्तम् । ते ह सर्वे एव मेनिरे–' अयं वै यज्ञः ' इति ॥ ३ ॥

ते होचुः ' अश्विभ्यां तिष्ठ, सरस्वत्यै तिष्ठ, इन्द्राय तिष्ठ ' इति, स ससर्पैव । ' अग्नये तिष्ठ ' इति–ततस्तस्थौ । अग्नये वा अस्थाद्–इति तमग्नावेव परिगृह्य सर्वहुतमजुहवुः । आहुतिर्हि देवा-नाम् । तत एभ्यो यज्ञः प्रारोचत, तमसृजन्त, तमतन्वत, सोऽयं परोऽवरं यज्ञोऽनूच्यते–पितैव पुत्राय ब्रह्मचारिणे ॥ ४ ॥

तेऽर्च्चन्त इति । तदन्वेषणेन ' अर्चन्तः ' अन्वेष्टव्यं पूजयन्तः, अन्वेषणप्रयासेनात्मानं खेदयन्त इतस्ततः संचेरुः । कथमित्याशङ्कयाह–**श्रमेणे**ति । देवा ऋषयश्च पूर्वं जेतुं शक्यमर्थं[1] श्रमेणैव 'जयन्ति' अतः श्राम्यन्तश्चेरुरित्येतद् युक्तमित्यर्थः । अथ तदन्वेषण एतेषां देवा अपि रुच्युत्पादनमकुर्वन् । तेऽपि स्वयमपि तदर्थं गतिं कृत्वा परस्परं मूपं प्रगच्छन्तः यस्मात् स्वर्गं लोकं देवाः प्राप्ताः, ' तत् ' साधनम् ' एष्यामः ' ' इति ' उक्त्वा इदमन्वेषणं कार्यं ' किं प्ररोचते किं प्ररोचते ' किं तव मतम्, किं तव मतम् ' इति ' ब्रुवाणाः ' चेरुः ' । परिभ्रम्य च ' पुरोडाशमेव ' कूर्मरूपं धृत्वा ' सर्पन्तम् ' (पुरोडाशम्)[2] ' आ इत् ' आ–इत्युपसर्गश्रुतेर्योग्यक्रियाध्याहारः; तमाजग्मुरेवेत्यर्थः । ' ते सर्वे ' अपि ' अयं ' कूर्म एवास्माभिरन्वेष्टव्यो ' यज्ञ इति ' निश्चिताः ॥ ३ ॥

ते होचुरिति । ' ते ' " हे यज्ञावयव–पुरोडाश ! ' त्वम् ' ' अश्विभ्याम् ' अर्थाय ' तिष्ठ ' स्थितिं कुरु–मा पलायिष्ट " इति ' ऊचुः ' । तथापि (तथैव) ' सरस्वत्यै ' तिष्ठ इति ' इन्द्राय तिष्ठ '–इति चाब्रु-वन् । तस्मिन् सर्पति सति ' अग्नये तिष्ठेति ' ऊचुः । ' ततः ' स स्थितवान् । अथ ते " अयं पुरोडाशोऽग्नये

१–' क्षय्यजय्यौ शक्यार्थे ' (पा. सू. ६. १. ८१) इति जय्यशब्दस्य शक्यार्थ एव साधुत्वबोधनात् । २–'अनुङ्गमनपूपाकृतिं कूर्मस्येव प्रतिकृतिमश्वशफमात्रं करोति यावन्तं वा मन्यते ' इति पुरोडाशविषये आपस्तम्बः । आप. श्रौ. सू. १ । २५ । ४ । ५ ॥ ३–( ) चिह्नान्तर्गतः पाठः क्वचिन्नास्ति ।

यद्वा ऽएनमुपधावेत् । (दि) इष्ट्या मा याजयेत्येतयैव याजयेद्यत्कामा वा ऽएतमृषयो ऽजुहवुः स ऽएभ्यः कामः समर्द्ध्यत यत्कामो ह वा ऽएतेन यज्ञेन यजते सो ऽस्मै कामः समृद्ध्यते यस्यै वै कस्यै च देवतायै हविर्गृह्यते ऽग्नौ वै तस्यै जुहृत्यग्ना ऽउ चेद्धोष्यन्त्स्यात्किमन्यस्यै देवताया आदिशेत्तस्मादग्नय ऽएव ॥ ७ ॥

(वा) अग्निर्वै सर्वा देवताः । (ऽ) अग्नौ हि सर्वाभ्यो देवताभ्यो जुहृति तद्यथा सर्वा देवता ऽउपधावेदेवं तत्तस्मादग्नय ऽएव ॥ ८ ॥

यद्वा एनमुपधावेत्--' इष्ट्या मा याजय' इति-एतयैव याजयेत् । यत्कामा वा एतमृषयोऽजुहवुः-स एभ्यः कामः समर्द्ध्यत । यत्कामो ह वा एतेन यज्ञेन यजते-सोऽस्मै कामः समृद्ध्यते। यस्यै वै कस्यै च देवतायै हविर्गृह्यते-अग्नौ वै तस्यै जुहृति । अग्ना उ चेद्धोष्यन् स्यात्-किमन्यस्यै देवताया आदिशेत् । तस्मादग्नय एव ॥ ७ ॥

अग्निर्वै सर्वा देवताः-अग्नौ हि सर्वाभ्यो देवताभ्यो जुहृति । तद्यथा सर्वा देवता उपधावेद्-एवं तत् । तस्मादग्नय एव ॥ ८ ॥

तिष्ठन्ति, तदा ' नेत् ' परिभयं भवति । " नेत्येष इदित्येतेन सम्प्रयुज्यते परिभये" (निरु. १-२-६) इति हि निर्वचनेन खल्वभिप्रायेण ' पौर्णमासस्य ' ' आमावास्यस्य ' च यागस्य ' पुरस्तात् ' पूर्वकाले ' क्रियेते ' । ' यस्माद् ' दर्शे पौर्णमास्यां च यस्मात्कारणादनुष्ठीयते, ' तत् ' तत्कारणम् ' एतन्नु ' उभयं निमित्तं खलु ॥६॥

अस्यैवाग्नेयस्य ऋद्धिफलाथ पृथक्-प्रयोक्तव्यतामाह-**यद्वा** इति । ' एनम् ' अध्वर्युम् । ' एतयैव ' । आग्नेयेष्ट्यैव । **यत्कामा वा** इति । पुरा ' एतम् ' आग्नेयाष्टाकपालपुरोडाशम् ' ऋषयः ' यं काममपेक्ष्य ' अजुहवुः ' अन्वतिष्ठन्, 'एभ्यः' ' स कामः ' समृद्धोऽभूत् । अत इदानीमपि यः ' एतेन यजते ' ' अस्मै ' अपि ' स कामः ' भवत्येव ।

यत्सम्बन्धादष्टाकपालेष्टिरेतंविधसामर्थ्याऽभूत्-तमग्निं बहुधा प्रशंसति-**यस्यै वै कस्यै** चेत्यादिना । यां काञ्चिद्देवतामुद्दिश्याज्यसोमादि ' हविः ' ' गृह्यते ' तत् ' अग्नौ ' एव ' जुहृति ' नान्यत्र; अतः सर्वं त्रा सर्वस्य ' अग्नाऽउ ' अग्नावेव ' होष्यन् ' यदि भवेत्, तर्हि किमर्थम् ' अन्यस्यै ' इन्द्रादिदेवतायै-अमुष्या इदमिति ' आदिशेत् '; ' तस्माद् ' अग्नौ होमस्यावश्यकत्वाद् ' अग्नय एव ' होमः प्रशस्त इति शेषः ॥ ७ ॥

इतोऽप्यग्नय एव प्रदानं युक्तमित्याह-**अग्निर्वा** इति । उक्तप्रकारेण अग्नावेव सर्वदेवतार्थहवनात्तद्रूपत्वाविशेषत्वात् ' सर्वाः ' अग्निः ' एव । ' तत् ' तस्मात् सर्वदेवतोपधावनाद् यद्भवति, तदग्नेरुपधावनेनैव स्यात् । ' तस्मादग्नय एव ' हविरादेशः प्रशस्तः ॥ ८ ॥

---

१ समृद्ध्यति इति पाठो युक्त इति भाति ॥ २-" यज्ञ एव " स उभयकालोऽपि तयोः पूर्वकाले क्रियते " इति क्वचित्पाठः ॥
३-' अस्या आग्नेयेष्टेः ' इति क्वचित्पाठः ।

स वा ऽएभ्यस्तत्पुरोऽदाशयत्। (छ) स य एभ्यो यज्ञं प्रारोचयत्तस्मात्पुरोदाशः पुरोदाशो ह वै नामैतद्यत्पुरोडाश ऽइति स ऽएष ऽउभयत्राच्युत ऽआग्नेयोऽष्टाकपालः पुरोडाशो भवति ॥ ५ ॥

स न पौर्णमासꣳ हविः। (नी) नामावास्यमग्नीषोमीय ऽएव पौर्णमासꣳ हविः सान्नाय्यमामावास्यं यज्ञ ऽएवैष ऽउभयत्रावक्लृप्तो नेद्यज्ञादयानीति न्वेव पुरस्तात्पौर्णमासस्य क्रियत ऽएवम्वामावास्यस्यैतन्नु तद्यस्मादत्र क्रियते ॥ ६ ॥

स वा एभ्यस्तत् पुरोऽदाशयत्—य एभ्यो यज्ञं प्रारोचयत्, तस्मात्पुरोदाशः, पुरोदाशो ह वै नामैतद्—यत् पुरोडाश इति। स एष उभयत्राच्युत आग्नेयोऽष्टाकपालः पुरोडाशो भवति ॥ ५ ॥

स न पौर्णमासं हविः, नामावास्यम्। अग्नीषोमीय एव पौर्णमासं हविः, सान्नाय्यमामावास्यम्। यज्ञ एवैष उभयत्रावक्लृप्तः, 'नेद् यज्ञादयानि' इति न्वेव पुरस्तात् पौर्णमासस्य क्रियते, एवम्वामावास्यस्य। एतन्नु तद्—यस्मादत्र क्रियते ॥ ६ ॥

स्थितः" इति 'त्वम्' अग्न्यर्थमेव 'परिगृह्य' यथा देवतान्तरसम्बन्धराहित्येन सः 'अग्नये' एव 'अस्थात्', तथा 'सर्वहुतमजुहवुः'। किमेकस्मै सर्वस्यापि प्रदानमिति तत्राह—**आहुतिर्हि देवानामिति**। प्रियेति शेषः। यतः प्रियस्य वस्तुनोऽसाकल्येन प्रदानमनुचितम्, अतः सर्वहोमो युक्त इत्यर्थः। 'ततः' अग्नेः प्रदानात् कारणात् 'एभ्यः' ऋषिभ्यो मनुष्येभ्यः 'प्रारोचत' रुचिमुदपादयत्। 'तम्' 'असृजन्त' उदपादयन्, 'तम्' एव 'अतन्वत' अङ्गकलापैर्विस्तारितवन्तः। 'सोऽयं' यज्ञः 'परोऽवरम् अनूच्यते' यथा परभावी सन् कस्यचिदुपादिष्टः सन्मुखादन्यस्योपदेशनात् अयमेव 'अवरः' पश्चाद्भावी भवति, तथाऽनुक्रमेणोच्यत इत्यर्थः। तदेवाह—**पितेव पुत्रायेति**। 'ब्रह्मचारिणे' उपनीतस्यैव वेदविद्याधिकारात् ब्रह्मचारिण इत्युक्तम् ॥ ४ ॥

अथ पुरोडाशं नामनिर्वचनद्वारेण स्तौति—**स वा इति**। यतः 'सः' कूर्मरूपेणाच्छन्नो मनुष्यैर्दृष्टः, 'तत्' तत्रै: यागसमये 'पुरः' पूर्वस्मिन् काले यज्ञमुखे 'अदाशयत्' फलमदापयत्। तथा 'यः' पुरोडाशः 'एभ्यः' मनुष्येभ्योऽर्थं 'यज्ञं प्रारोचयत्', यस्मात् पुरोऽदाशयत्, 'तस्मात्' सः 'पुरोदाशः' वस्तुतः एतन्नाम। 'यत्' सर्वैरिदानीन्तनैः 'पुरोडाश इति' व्यवह्रियते[2]।

इत्थमर्थवादेन प्रशस्येदानीं तं विधत्ते—**स एष इति**। 'सः' देवैराच्छादितः 'एषः' मनुष्यैर्लब्धः 'पुरोडाशः' 'आग्नेयः' अग्निदेवताकः[3]। 'सः' 'उभयत्र' दर्शे पौर्णमास्यां च 'अच्युतः' नित्यं कर्त्तव्यः, 'भवति' ॥ ५ ॥

उभयसाधारण्यमेव स्थापयति—**स नेति**। पौर्णमास्यां भवं 'पौर्णमासम्' एवं 'आमावास्यम्' उभयात्मकस्यान्यतरत्वाभावात् ते हि प्रतिनियतैकहविषी इति—ते आह—**अग्नीषोमीय एवेत्यादिना**। उभयत्रापि नियमेनानुतिष्ठतामभिप्रायमाह—**यज्ञ एवैष इति**। यज्ञसाधनत्वात्, 'एषः' पुरोडाशः 'यज्ञ एव'। स उभयकालोऽपि नियमेन देवैः 'अयानि'—'इति' उभयत्रावक्लृप्तमतिक्रम्य नैव गच्छानि, यदा अन्यदनु-

---

१–तत्रेति क्वचित्। २–पा. सू. ३।२।३१॥ ८।२।६७॥ वा. २० ३६॥ २०३८॥ य. वा. प्रा. २। ४३॥
३–"साऽस्य देवता" "अमेर्ढक्" इति पा० सू० ४। २।२४। ३३॥

(वा) अग्निर्वै देवानामद्धातमाम् । यं वा ऽअद्धातमां मन्येत तमुपधावेत्तस्मादग्नय एव ॥ ९ ॥

(वा) अग्निर्वै देवानां मृदुहृदयतमः । (मां) यं वै मृदुहृदयतमं मन्येत तमुपधावेत्तस्मादग्नय ऽएव ॥ १० ॥

(वा) अग्निर्वै देवानां नेदिष्ठम् । यं वै नेदिष्ठमुपसर्तव्यानां मन्येत तमुपधावेत्तस्मादग्नय ऽएव ॥ ११ ॥

स यदीष्टिं कुर्व्वीत । सप्तदश सामिधेनीरनुब्रूयादुपा७ंशु देवतां यजति तद्धीष्टिरूपं मूर्द्धन्वत्यौ याज्यानुवाक्ये स्यातां वार्त्रघ्नावाज्यभागौ विराजौ संयाज्ये ॥ १२ ॥ १ ॥

इति पञ्चमप्रपाठके प्रथमं ब्राह्मणम् ॥ (६ । २)

अग्निर्वै देवनामद्धातमाम् । यं वा अद्धातमां मन्येत–तमुपधावेत् । तस्मादग्नय एव ॥ ९ ॥
अग्निर्वै देवानां मृदुहृदयतमः । यं वै मृदुहृदयतमं मन्येत–तमुपधावेत् । तस्मादग्नय एव ॥ १० ॥
अग्निर्वै देवानां नेदिष्ठम् । यं वै नेदिष्ठमुपसर्तव्यानां मन्येत–तमुपधावेत् । तस्मादग्नय एव ॥ ११ ॥
स यदीष्टिं कुर्वीत–सप्तदश सामिधेनीरनुब्रूयाद् । उपांशु देवतां यजति–तद्धीष्टिरूपम । मूर्द्धन्वत्यौ याज्यानुवाक्ये स्याताम्, वार्त्रघ्नावाज्यभागौ, विराजौ संयाज्ये ॥ १२ ॥

अग्निर्वै देवानामिति । किं यथा लोके यम् ' अद्धातमाम् ' अतिशयेन प्रत्यक्षफलदं मन्येत; ' तम् ' एव ' उपधावेत् ', एवमग्नेः प्रत्यक्षदेवत्वात् ' अग्नय एव ' ॥ ९ ॥

तथा–इतरदेवताभ्योऽग्नेरेव शीघ्रं प्रसादाय मृदुहृदयत्वात् प्रत्यक्षदेवत्वेन समीप एव सेव्यत्वाच्चाग्नेय एव होमो युक्त इत्याह–**अग्निर्वै देवानां मृदुहृदयतम** इति । **अग्निर्वै देवानां नेदिष्ठमिति** च ॥ १० ॥ ११ ॥

अथ पृथक्प्रयोक्तव्याया आग्नेयेष्टेर्वैशेषिकमङ्गजातमाह–**स यदीत्यादिना** । ' यदि ' ' इष्टिं ' दर्शपूर्णमासात् पृथगेव ' कुर्वीत, ' ' सः ' ' सामिधेनीः ' ' सप्तदश ' ' अनुब्रूयात् '; तथा प्रधानदेवता उपांशु यजेत । ' तद् ' उपांशुत्वं काम्येष्टिरूपं खलु; उपांशु काम्या इष्टयः क्रियन्ते इति । एवं ' मूर्द्धन्वत्यौ ' " अग्निर्मूर्द्धा,-भुवो यज्ञस्य (य. सं. १३–१४, १९) " इत्येते मूर्द्धशब्दवत्यौ प्रधानस्य याज्ये स्विष्टकृद्याज्यापुरोनुवाक्ये, ' विराजौ ' विराट्छन्दस्के " प्रेद्धो अग्न, इमो अग्ने (य. सं. १७, ७६) " इत्येते भवतः ॥१२॥१॥[६.२]

इति श्रीसायणाचार्यविरचिते माधवीये वेदार्थप्रकाशे माध्यन्दिनशतपथब्राह्मणभाष्ये
प्रथमकाण्डे षष्ठाध्याये द्वितीयं ब्राह्मणम् ॥

१–अद्धा इत्यव्ययं सत्यनामसु निघण्टौ पठितम् । निघ. ३।१०।४। इहोत्तरत्रापि बहुत्र २.३।१।२५॥३।१। ४।११॥ इति ॥
२–अत्र सामिधेन्याः सप्तदशत्वाख्यानं मतान्तराभिप्रायेणोक्तम्, वस्तुतस्तु पञ्चदशैव सामिधेनीरनुब्रूयादिति सिद्धान्तः । " सो एषा मीमांसैव न त्वेवैता अनूच्यन्ते " (श. प १ । ३ । ५ । १२) इति वाक्यशेषेण सप्तदशसंख्याया एकविंशतिसंख्यायाश्च प्रागेव प्रत्याख्यातत्वात् । ३–पुरस्तात् (३।५।१०) इत्यत्र द्रष्टव्यम् । ४–" वयस्य। सुमूर्ध्नोमतुप् " इति पा. सू. ४।४।१२७। ५–संयाज्यशब्दार्थस्त्वैतरेयब्राह्मणभाष्ये (१.१.५.) "स्विष्टकृत्सम्बन्धिन्यौ याज्यानुवाक्ये इत्यर्थः" इत्येवं माधवेन निरूपितम् ।

त्वष्टुर्ह वै पुत्रः। (स्त्रि) त्रिशीर्षा षडक्ष ऽआस तस्य त्रीण्येव मुखान्यासुस्त-
द्यदेवꣳ रूप ऽआस तस्माद्विश्वरूपो नाम ॥ १ ॥
तस्य सोमपानमेवैकं मुखमास । सुरापाणमेकमन्यस्मा ऽअशनायैकं
तमिन्द्रो दिद्वेष तस्य तानि शीर्षाणि प्रचिच्छेद ॥ २ ॥
स यत्सोमपानमास । ततः कपिञ्जलः समभवत्तस्मात्स बभ्रुक ऽइव बभ्रु-
रिव हि सोमो राजा ॥ ३ ॥
(ऽथ) अथ यत्सुरापाणमास । ततः कलविङ्कः समभवत्तस्मात्सोऽभि-
माद्यत्क ऽइव व्वदत्यभिमाद्यन्निव हि सुरां पीत्वा व्वदति ॥ ४ ॥

त्वष्टुर्ह वै पुत्रस्त्रिशीर्षा षडक्ष आस । तस्य त्रीण्येव मुखान्यासुः । तद्यदेवंरूप आस—तस्माद् विश्वरूपो नाम ॥ १ ॥

तस्य सोमपानमेवैकं मुखमास, सुरापाणमेकम्, अन्यस्मा अशनायैकम् । तमिन्द्रो दिद्वेष—तस्य तानि शीर्षाणि प्रचिच्छेद ॥ २ ॥

स यत् सोमपानमास—ततः कपिञ्जलः समभवत् । तस्मात् स बभ्रुक इव । बभ्रूरिव हि सोमो राजा ॥ ३ ॥

अथ यत् सुरापाणमास—ततः कलविङ्कः समभवत् । तस्मात् सोऽभिमाद्यत्क इव वदति—अभिमाद्यन्निव हि सुरां पीत्वा वदति ॥ ४ ॥

अग्नीषोमीयमेकादशकपालं विधातुमाख्यायिकामाह—**त्वष्टुर्ह[1] वै पुत्र** इति । पुरा किल 'त्वष्टुः' शिरस्त्रयेण[3] युक्तः कश्चिद् 'पुत्रः' बभूव । यतोऽयमुक्तरीत्या बहुरूपः, अतः सः 'विश्वरूपः' इत्यन्वर्थनामा अभूत् ॥ १ ॥

तस्येति । 'तस्य' शिरस्त्रयगतेषु मुखत्रयेषु मध्ये 'एकं मुखं' 'सोमपानं' सोमः पीयतेऽनेनेति करणे ल्युट्, (पा. सू. ३ । ३ । ११७) सोमपानायाभूत् । अन्यन्मुखं 'सुरापाणं' सुरापानसाधनम् । 'वा भावकरणयोः' (पा. सू. ८-४-१०) इति णत्वम् । 'अन्यस्मै' पानव्यतिरिक्ताय 'अशनाय' भोजनाय 'एकं मुखमासीत्' 'तं' विश्वरूपं दृष्ट्वा 'इन्द्रः' 'दिद्वेष' द्वेषमकरोत् । द्वेषकारणं तैत्तिरीयके समाम्नातम् "स प्रत्यक्षं देवेभ्यो भागमवदत् । परोक्षमसुरेभ्यः" (तै. सं. २. ५. १. १.) इति । स क्रुद्ध इन्द्रः—'तानि' त्रीण्यपि शिरांसि प्रचिच्छेद ॥ २ ॥

स यत्सोमपान इति । तेषु त्रिषु मुखेषु मध्ये 'यत्' सोमपानाय मुखं 'ततः' 'कपिञ्जलः' पक्षी 'समभवत्' "कपिञ्जलः कपिरिव जीर्णः, कपिरिव जवते, ईषत्पिङ्गलो वा[4]" (नि. ३, ४, १) इति यास्कः । उक्तार्थविश्वासाय पक्षिणः सोमस्य च साम्यमाह—**तस्मात् स बभ्रुक इवेति** ॥ ३ ॥

अथ यत् सुरापाणमिति । तथा कलविङ्कोऽपि शब्दयति, अतः—ततस्तदुत्पत्तिर्युक्ता ॥ ४ ॥

१–एतदारभ्याष्टमकण्डिकास्थ 'न पुत्राय' इत्यन्तं ग्रन्थजातं पुनः पञ्चमे काण्डेऽपि श्रुतं ५ । ५ । ४ । २ । ८ ॥
२–अस्य निर्वचनम् 'त्वष्टा तूर्णमश्नुत इति नैरुक्ताः, त्विषेर्वा स्याद् दीप्तिकर्मणः, त्वक्षतेर्वा स्यात् करोतिकर्मणः' इति यास्केनाभिहितम्–(निरु. ८–२–१०) अन्यदप्येतदितिहासविषये तत्रतत्रोक्तं निरुक्ते । ३–त्रिशिरोवर्णनं कृतं सायणाचार्येण ऋ. सं. १ म. २ अ. १ सूक्तारम्भे । विशेषतस्तु 'त्रिशीर्षाणं' ०–०त्रितोगाः' इत्यादौ द्रष्टव्यम् । ऋ. सं. १० । ८ । ८ । ९९ । ६ ॥
४–"अथ लुप्तोपमान्यर्थोपमानीत्याचक्षते" इत्यधिकारे द्रष्टव्यम् । तत्र "कमनीयं शब्दं पिञ्जयतीति वा" इति च तच्छेषः ॥

(त्यु) अथ यदन्यस्मा ऽअशनायास । ततस्तित्तिरिः समभवत्तस्मात्स विश्वरूपतम ऽइव सन्त्येव घृतस्तोका ऽइव त्वन्मधुस्तोका ऽइव त्वत्पर्णेष्वाश्चुतिता ऽएव ᳫँ रूपमिव हि स तेनाशनमावयत् ॥ ५ ॥

(त्स) स त्वष्टा चुक्रोध । कुविन्मे पुत्रमवधीदिति सोऽपेन्द्रमेव सोममाजह्रे स यथायᳫँ सोमः प्रसुत ऽएवमपेन्द्र ऽएवास ॥ ६ ॥

(से) इन्द्रो ह वा ऽईक्षाञ्चक्रे । (क्र८) इदं वै मा सोमादन्तर्यन्तीति स यथा बलीयानबलीयसऽएवमनुपहूत ऽएव यो द्रोणकलशे शुक्र ऽआस तं भक्षयाञ्चकार स हैनं जिहिᳫँस सोऽस्य विष्वङ्ङेव प्राणेभ्यो दुद्राव मुखाद्धै-

---

अथ यदन्यस्मा अशनायास–ततस्तित्तिरिः समभवत् । तस्मात्स विश्वरूपतम इव । सन्त्येव घृतस्तोका इव त्वत्, मधुस्तोका इव त्वत् पर्णेष्वाश्चुतिताः । एवंरूपमिव हि स तेनाशनमावयत् ॥ ५ ॥

स त्वष्टा चुक्रोध–' कुविन्मे पुत्रमवधीद् '–इति । सोऽपेन्द्रमेव सोममाजह्रे । स यथायं सोमः प्रसुत, एवमपेन्द्र एवास ॥ ६ ॥

इन्द्रो ह वा ईक्षाञ्चक्रे–' इदं वै मा सोमादन्तर्यन्ति ' इति । स यथा बलीयानबलीयसः–एवमनुपहूत एव–यो द्रोणकलशे शुक्र आस–तं भक्षयाञ्चकार । स हैनं जिहिंस । सोऽस्य विष्वङ्ङेव

अथ यदन्यस्मा । इति ' अथ ' पानात् ' अन्यस्मा ' ' अशनाय ' यन्मुखम्, 'ततस्तित्तिरिः' । यतो बहुरूपादन्नभक्षकान्मुखात् सम्बभूव; अतः सोऽत्यन्तं बहुरूपवान् दृश्यते । कथं तस्य तथात्वमिति तद्दर्शयति–**सन्त्येवेति** । त्वच्छब्दस्त्वशब्दसमानार्थः सर्वनामसु विकल्पेन पठितः, ' त्वत् ' एकस्मिन्नङ्गे ' घृतस्तोका इव ' घृतबिन्दवः परिदृश्यन्ते । तथा ' त्वत् ' एकत्राङ्गे मधोर्बिन्दव इव । एतदपि कुत इत्यत आह–' पर्णेषु ' चटकपक्षेषु ' आश्चुतिता ' आक्षरं प्राप्ताः, बहुरूपाणि दृश्यन्ते । कार्यगतं वैरूप्यं तत्कारणेऽपि संभावयति–' एवंरूपमिव ' घृतस्तोकादिरूपमिव खलु ' सः '–' तेन ' मुखेन ' अशनं ' ' जठरम् ' ' आवयत् ' अवेतिरत्र गत्यर्थः (धा. पा. भ्वा. प. ६००) अगमयत् ॥ ५ ॥

स त्वष्टेति । एवं पुत्रशिरस्सु छिन्नेषु ' स त्वष्टा ' असाविन्द्रो ' मे ' ' पुत्रं ' ' कुवित् ' बहुप्रकारम् ' अवधीत् '–' इति ' क्रुद्धो भूत्वा ' अपेन्द्रमेव ' इन्द्रेण विरहितमेव ' सोममाजह्रे ' । ' सः ' च ' सोमः ' ' यथा ' अपेन्द्रः ' प्रसुतः ' ' एवं ' प्रदानेऽपि ' अपेन्द्र एव ' अभूत् ॥ ६ ॥

इन्द्रो ह वा इति । स च ' इन्द्रः ' ' इदम् ' एव सर्वेऽपि ' मा ' ' सोमात् ' व्यवहितं कुर्वत ' इति ' विचार्य–' यथा ' प्रबलो दुर्बलस्य धनमननुज्ञात एवापहरति,–' एवम् ' ' अनुपहूत एव ' द्रोणकलशे शोधितं

१–' तित्तिरिस्तरणात् ' ' तिल्मात्रचित्र इति वा ' इति निरुक्तम् (३. ४. १.) २–एवंविधेषु पदेषु प्रथमं मत्वर्थीयेन प्रत्ययेन भाव्यम् । ततः समासः । अतएव " न कर्मधारयान्मत्वर्थीयो बहुव्रीहिश्चेत्तदर्थप्रतिपत्तिकरः " इति नात्र विरुध्यते । ३–अन्यार्थ इति यावत । ४–केषाञ्चिन्मतेऽकारान्तावेव द्वावपि त्वशब्दौ, केषाञ्चित्तु तान्तोऽपीति विकल्पार्थः । ग. पा. १।१।१ (१।१। २७ सू.) इति ॥ ५–अयतिरत्रेति क्वचित्पाठः । ६–' इमेऽपि च सर्वेऽपि मां सोमाद् व्यवहितं कुर्वन्तीति विचार्य ' इति क. पा. । ७–द्रोणकलशो द्रुममयः कलशाकारो वैकङ्कतः सोमरसपात्रविशेषः । अस्योपर्येव धाराग्रहा गृह्यन्ते । का.श्रौ.सू. ८।७।५। द्रष्टव्यम् ।

वास्य नु दुद्राुवाथ सुर्व्वेभ्योऽन्येभ्यः प्राणेभ्योऽद्रवत्तुददः सौत्रामणीतीष्टि-स्तुस्यां तद्व्याख्यायते युथैनं देवा ऽअुभिषज्यन् ॥ ७ ॥

(न्स)स त्वुष्टा चुक्रोध । कुविन्मेऽनुपहूतः सोममुबभक्षदिति सु स्वयुमेवु यज्ञवेशसुं चक्रे स यो द्रोणकलशे शुक्रः परिशिष्ट ऽआस तुं प्रवर्त्तयाञ्चका-रेन्द्रशत्रुर्व्वर्द्धस्वेति सोऽग्निमेव प्राप्य सुम्बभूवान्तुरैव सुम्बभूवेत्यु हैक ऽआहुः सोऽग्नीषोमावुेवाभिसुम्बभूव सुर्व्वा विद्याः सुर्व्वं युशः सुर्व्वमन्त्रा-द्यॅ्ँसुर्व्वाॅ्ँ श्रीम् ॥ ८ ॥

प्राणेभ्यो दुद्राव, मुखाद्धैवास्य न दुद्राव—अथ सर्वेभ्योऽन्येभ्यः प्राणेभ्योऽद्रवत् । तददः ' सौत्रा-मणी ' इतीष्टिः, तस्यां तद् व्याख्यायते—यथैनं देवा अभिषज्यन् ॥ ७ ॥

स त्वष्टा चुक्रोध-' कुविन् मेऽनुपहूतः सोममबभक्षद् ' इति । स स्वयमेव यज्ञवेशसं चक्रे । स—यो द्रोणकलशे शुक्रः परिशिष्ट आस—तं प्रवर्त्तयाञ्चकार ' इन्द्रशत्रुर्वर्धस्व ' इति । सोऽग्निमेव प्राप्य संबभूव । अन्तरैव संबभूवेत्यु हैक आहुः । सोऽग्नीषोमावेवाभिसंबभूव—सर्वा विद्याः, सर्वं यशः, सर्वमन्नाद्यम्, सर्वां श्रीम् ॥ ८ ॥

सोमममक्षयत् । ' सः ' च भक्षितः सोमः सात्म्यमप्राप्नुवन् तमेव ' जिहिंस ' हिंसितवान्—पीडामकरोत् । ततः सर्वतो नासाद्युगुल्पप्राणे मुखव्यतिरिक्तेभ्यश्च्युतोऽभूत् । अथ कर्कन्ध्वादिपदार्थरूपेण सृतेभ्यस्तेभ्यः सकाशात् ' सौत्रामणी ' सुत्राम्णः संबन्धिनी इष्टिः ' निष्पन्ना । सोमे सृते येन प्रकारेण तमिन्द्रं सृतसोमं ' देवाः ' विचिकित्सितवन्तः ' तत् ' सर्वं सौत्रामणीप्रकरणे विस्पष्टमाम्नायतं ॥ ७ ॥

स त्वष्टेति । अथ ' सः त्वष्टा ' मम ' सोमम् ' अतिप्रसूतमनाकारितमेवापिबदिति क्रुद्धः सन् ' स्वयमेव ' नष्टस्य यज्ञस्य ' यज्ञवेशसं ' यज्ञहिंसापरिहारं कृतवान् । कथं ? ' यो द्रोणकलशे ' शुक्रः ' सोमः ' परिशिष्टः ' आसीत्, ' तम '—आदाय प्रवर्तयामास—" इन्द्रशत्रुर्वर्द्धस्व—" इत्युच्चार्य हुतवान् । ' सः ' च हुतः सोमः—अग्निप्राप्तिसमकाल एव पुरुषरूपेण ' सम्बभूव ' केचित् प्रवर्तनसामर्थ्यादग्निमस्पृशन्नेव मध्ये ' संबभूव ' इति ' आहुः ' ' सः ' च संभवन् ' अग्नीषोमावेव ' अभिव्याप्नुवन् भक्षयन् संबभूव । न केवलं जगत्कारणभूतौ तावेव किन्तु लोके याः ' विद्याः ' यद् ' यशः ' यद् अदनीयमन्नम्, या च ' श्रीः ' तानि सर्वाण्यभिलक्ष्य भक्षयन् ' सम्बभूव ' ॥ ८ ॥

१–"ते देवा अब्रुवन् सुत्रातं वतैनमत्रासतामिति तस्मात्सौत्रामणीनाम " इति (५ । ५ । ४ । १२) नाम निर्वचनम् । " सूत्रा तं बतैनं पाप्मनोऽत्रास्महीति " इत्यादिचोपरिष्टादिहैव । (५ । ५ । ४ । १२ ॥ १२ । ७ । १ । १४ ॥) ॥ २–इहैवोत्तर भागे द्रष्टव्यं । उत्तरभागेहि अष्टाध्यायिसौत्रामण्यश्वमेधाख्यं काण्डत्रयं चतुर्थम्बृहदारण्यं ब्रह्मप्रतिपादकमिति ॥ ३–' अभिप्रसूतमनाकारित एवापिबद् ' इति क. पा. ।

(९) स यद्वर्तमानः समभवत्। (च) तस्माद्वृत्रोऽथ यदपात्समभवत्तस्मादहिस्तं दनुश्च दनायूश्च मातेव च पितेव च परिजगृहतुस्तस्माद्दानव इत्याहुः ॥ ९ ॥

(१) अथ यदब्रवीदिन्द्रशत्रुर्वर्द्धस्वेति। तस्मादु हैनमिन्द्र एव जघानाथ यद्ध शश्वदवक्ष्यदिन्द्रस्य शत्रुर्वर्द्धस्वेति शश्वदु ह स एवेन्द्रमहनिष्यत् ॥ १० ॥

(२) अथ यदब्रवीद्वर्द्धस्वेति। तस्मादु ह स्मेषुमात्रमेव तिर्यङ् वर्द्धत इषुमात्रं प्राङ्क्सोऽवैवावरँ समुद्रं दधावव पूर्वँ स यावत्स आस सहैव तावदन्नाद आस ॥ ११ ॥

स यद् वर्त्तमानः समभवत्-तस्माद् वृत्रः, अथ यदपात् समभवत्-तस्मादहिः। तं दनुश्च दनायुश्च मातेव च पितेव च परिजगृहतुः-तस्माद् 'दानव' इत्याहुः ॥ ९ ॥

अथ यदब्रवीद् 'इन्द्रशत्रुर्वर्धस्व' इति-तस्मादु हैनमिन्द्र एव जघान, अथ यद्ध शश्वदवक्ष्यद् 'इन्द्रस्य-शत्रुर्वर्धस्व' इति-शश्वदु ह स एवेन्द्रमहनिष्यत् ॥ १० ॥

अथ यदब्रवीद् 'वर्धस्व' इति-तस्मादु ह स्मेषुमात्रमेव तिर्यङ् वर्धते, इषुमात्रं प्राङ्। सोऽवैवावरं समुद्रं दधौ, अव पूर्वम्। स यावत् स आस, सहैव तावदन्नाद आस ॥ ११ ॥

स यद् वर्त्तमान इति। तथा 'सः' सम्भवन् 'वर्त्तमानः सर्वं व्याप्नुवन्नेव यतः 'समभवत्' 'तस्मात्' तस्य नाम-सर्वं व्याप्य वर्तत इति व्युत्पत्त्या 'वृत्रः[1]' 'इति' संपन्नम्। तथा यस्माद् 'अपात्' अपादः सन् सम्भूतः-'तस्मात्' अतः सर्पणसाम्याद् 'अहिः[2]' इत्यपि तन्नामासीत्। 'तं' 'दनुश्च दनायूश्च' मातृ-पितृ-स्थानीयौ भूत्वा रक्षणाय 'परिजगृहतुः' यस्मात्ताभ्यां परिजगृहतुः 'तस्माद्दानव इत्याहुः' सर्वे जनाः ॥ ९ ॥

अथ यदब्रवीदिति। तथा स त्वष्टा ग्रहप्रचारसमये (इन्द्रशत्रुरिति पूर्वपदोदात्ततया-) इन्द्रः शत्रुर्यस्येति बहुव्रीहिसमासं कृत्वा ("बहुव्रीहौ प्रकृत्या पूर्वपदम्" इति पा. सू. ६।२।१।) मन्त्रं प्रयुक्तवान्, अतः तम्, 'इन्द्रो जघान'। यद्यसौ-अन्तोदात्ततया-तत्पुरुषसमासेन वा 'इन्द्रस्य शत्रुः'-इति व्यस्तनिर्देशेन वा ब्रूयात्, तदा निश्चितमेव 'स इन्द्रं' हन्यात् ॥ १० ॥

अथ यदिति। तथा वर्द्धस्वेति प्रयोगसामर्थ्यात्। 'सः' वृत्रः 'इषुमात्रम्-इषुमात्रम्' धनुषः सका-

---

१-'वृत्रो वृणोतेर्वा, वर्त्ततेर्वा, वर्द्धतेर्वा, यदवृणोत्तद्वृत्रस्य वृत्रत्वमिति विज्ञायते यदवर्तत तद्वृत्रस्य वृत्रत्वमिति विज्ञायते, यदवर्द्धत तद्वृत्रस्य वृत्रत्वमिति विज्ञायते" इति निरुक्ते (२।५।३।) इति ॥ २-"अहिरयनात्" एत्यन्तरिक्षे। अयमपीतरोऽहिरेतस्मादेव। निर्ह्रसितोपसर्ग आहन्तीति" इति निरु. २।५।३॥ ३-"इन्द्रशत्रुः। इन्द्रोऽस्य शमयिता वा शातयिता वा तस्मादिन्द्रशत्रुः" इति निरु. २।५।२॥ ४-"अन्तोऽवत्याः" "समासस्य" इति पा. सू. ६।१।२२०-२२३॥ ५-"इन्द्रस्य शातयिता इन्द्रशत्रुरिति विवक्षायां तत्पुरुषसमासस्यान्तोदात्तत्वेन भवितव्यम्। आद्युदात्तस्त्वयं शब्दः प्रयुक्तः। स च बहुव्रीहितां द्योतयति। बहुव्रीहौ प्रकृत्या पूर्वपदमिति पूर्वपदाद्युदात्तत्वविधानात्। सति बहुव्रीहौ इन्द्रः शातयिता यस्येत्यर्थो भवति। सोऽयं मन्त्रगतः स्वरापराधः। इति तै. सं. २।४।१२। सा. भा.। अतएवाह पस्पशायां "दुष्टः शब्दः स्वरतो वर्णतो वा मिथ्याप्रयुक्तो न तमर्थमाह। स वाग्वज्रो यजमानं हिनस्ति यथेन्द्रशत्रुःस्वरतोऽपराधात्" इति. पा. म. भा. १।१।१ आ.।

तस्मै ह स्म पूर्वाह्णे देवाः । (ऽ) अशनमभिहरन्ति मध्यन्दिने मनुष्या ऽअपराह्णे पितरः ॥ १२ ॥

स वा ऽइन्द्रस्तथैव नुत्तश्चरन् । (न्न) अग्नीषोमा ऽउपमन्त्रयाञ्चक्रेऽग्नीषोमौ युवं वै मम स्थो युवयोरहमस्मि न युवयोरेष किञ्चन कं म ऽइमं दस्युं व्वर्द्धयथ ऽउप मा व्वर्त्तेथामिति ॥ १३ ॥

तौ होचतुः । किमावयोस्ततः स्यादिति ताभ्यामेतमग्नीषोमीयमेकादशकपालं पुरोडाशं निरवपत्तस्मादग्नीषोमीय ऽएकादशकपालः पुरोडाशो भवति ॥ १४ ॥

तस्मै ह स्म पूर्वाह्णे देवा अशनमभिहरन्ति, मध्यन्दिने मनुष्याः, अपराह्णे पितरः ॥ १२ ॥

स वा इन्द्रस्तथैव नुत्तश्चरन्नग्नीषोमावुपमन्त्रयाञ्चक्रे–"अग्नीषोमौ ! युवं वै मम स्थो, युवयोरहमस्मि न युवयोरेष किञ्चन, कं म इमं दस्युं वर्धयथ । उप मावर्तेथाम्" इति ॥ १३ ॥

तौ होचतुः–"किमावयोस्ततः स्याद्" इति । ताभ्यामेतमग्नीषोमीयमेकादशकपालं पुरोडाशं निरवपत् । तस्मादग्नीषोमीय एकादशकपालः पुरोडाशो भवति ॥ १४ ॥

शाद् बलात्प्रमुक्तेषुर्यावद् दूरं गच्छति तावन्मात्रं प्रतिक्षणं 'तिर्यङ्' उभयपार्श्वतः 'ववृते'। 'प्राङ्' हि 'इषुमात्रम्' अवर्द्धत ! एतत् पश्चाद्वृद्धेरप्युपलक्षणम् । 'अवरं' 'पूर्वं' च 'समुद्रं' तथा प्राक्पश्चात्समुद्रावपि 'अवदधौ' शरीरवृद्धया–अवाक् चकारेत्यर्थः । यावद्यावत् प्रवृद्ध आस, तावत्तावत् प्रवृद्धोऽन्नभक्षक एवाभूत् ॥ ११ ॥

तस्मै ह स्मेति । एवं बह्वाशिने 'तस्मै' 'देवाः' 'मनुष्याः' 'पितरश्च' पूर्वमध्यन्दिनापराह्णेषु क्रमेण सर्वतः 'अशनम्' प्रयच्छन्ति ॥ १२ ॥

स वा इन्द्र इति । इन्द्रस्तु वृत्रशरीरवृद्धिक्रमानुसारेणैवेषदीषत्प्रणुन्नो दूरे एव 'चरन्' ओदनमसहमानो वृत्रमनुगतौ 'अग्नीषोमौ' इच्छन्नुपमन्त्रयामास । कथं ? हे 'अग्नीषोमौ !' युवां 'मम' स्वं भवथः, युवयोरहं स्वं भवामि । यथाऽहं युवयोस्तथा 'एषः' वृत्रो 'न किञ्चन' किमपि न भवति । अतः 'कम्' कीदृङ्महत्त्वोपेतं 'दस्युं' 'वर्द्धयथ' ? अतोऽमुं परित्यज्य मां प्रति 'उपावर्त्तेथाम्' । 'इति'– शब्दः उपमन्त्रणप्रकारसमाप्त्यर्थः ॥ १३ ॥

तौ होचतुरिति । अथ 'तौ' इन्द्रम्' 'ऊचतुः–'ततः' वृत्रवदननिर्गमनात् 'आवयोः' 'किं' फलं लब्धं 'स्यात्' ?" 'इति' । स एवमुक्तः 'ताभ्याम्' 'एतम्' इदानीं विधीयमानम् 'एकादशकपालं पुरोडाशम्' अग्नीषोमदेवताकं कृत्वा निरुप्त (क्त) वान्,–तयोरिदमिति कल्पितवानित्यर्थः ।

इदानीं तं यागं विधत्ते–**तस्मादि**ति । अग्नीषोमौ देवते यस्य सः 'अग्नीषोमीयः[2]', एकादशसु कपालेषु संस्कृतः पुरोडाशः 'एकादशकपालः[3]' स भवेत्, पौर्णमास्यां कर्त्तव्यः ॥ १४ ॥

१–तैत्तिरीयसंहितायामप्यत्रैव प्रजापतेर्वज्रलाभादिकमप्याम्नातम् (२. ५. २) । २–"साऽस्य देवता" (४ । २ । २४) इत्यधिकारे द्यावापृथिवीशुनासीरमरुत्वदग्नीषोमवास्तोष्पतिगृहमेधाच्छ च" इति पा. सू. ४ । २ । ३२ । "देवताद्वन्द्वे च" पा. सू. ६ । ३ । २६ । इति "अग्नेः स्तुत्स्तोमसोमाः (८ । ३ । ८२) इति ॥ ३–"संस्कृतं भक्षाः" इति पा. सू. ४ । २ । १६ ॥

तावेनमुपावर्वृततुः। (स्ता) तावनु सर्वे देवाः प्रेयुः सर्वा विद्याः सर्वं यशः सर्वमन्नाद्य ँ सर्वा श्रीस्तेनेष्ट्वेन्द्र ऽएतदभवद्यदिदमिन्द्र एष उ पौर्णमासस्य बन्धुः स यो हैवं विद्वान्पौर्णमासेन यजत ऽएता ँ हैव श्रियं गच्छत्येवं यशो भवत्येवमन्नादो भवति ॥ १५ ॥

तद्वेव खलु हतो वृत्रः। स यथा दृतिर्निष्पीत ऽएव ँ संल्लीनः शिश्ये यथा निर्धूतसक्तुर्भस्त्रैव ँ संल्लीनः शिश्ये तमिन्द्रोऽभ्यादुद्राव हनिष्यन्। १६

(न्त्स) स होवाच। मा नु मे प्रहार्षीस्त्वं वै तदेतदर्हसि यदहं व्येव मा

तावेनमुपावर्वृततुः, तावनु सर्वे देवाः प्रेयुः सर्वा विद्याः, सर्वं यशः, सर्वमन्नाद्यम्, सर्वा श्रीः। तेनेष्ट्वेन्द्र एतदभवद्—यदिदमिन्द्रः। एष उ पौर्णमासस्य बन्धुः। स यो हैवं विद्वान् पौर्णमासेन यजते—एतां हैव श्रियं गच्छाति, एवं यशो भवति, एवमन्नादो भवति ॥ १५ ॥

तद्वेव खलु हतो वृत्रः, स यथा दृतिर्निष्पीतः,—एवं संल्लीनः शिश्ये। यथा निर्धूतसक्तुर्भस्त्रा—एवं संल्लीनः शिश्ये। तमिन्द्रोऽभ्यादुद्राव हनिष्यन् ॥ १६ ॥

स होवाच—" मा नु मे प्रहार्षीः, त्वं वै तदेतदर्हसि—यदहम्; व्येव मा कुरु, मामुया भूवम् "

तावेनमिति। अथ 'तौ' 'एनम्' इन्द्रं प्रत्युपावृत्तावभूताम्। 'तावनु' 'सर्वे' अपि वृत्रमुखान्तर्गताः 'देवाः' 'प्रेयुः' निरीयुः। तथा वृत्रेण भक्षिता विद्यायशोऽन्नश्रियः 'सर्वाः' अपीन्द्रं प्रति निर्गताः। 'यत्' 'इदम्' इदानीं परिदृश्यमानप्रकारमिन्द्रस्य सर्वाधिपत्यमस्ति, तत् 'तेन' अग्नीषोमीयैकादशकपालयागेन 'इष्ट्वा' 'अभवत्'। उक्तमर्थं निगमयति—**एष उ** इति। 'एष' एव "त्वष्टुर्ह वै—" इत्याद्युपक्रम्य "तेनेष्ट्वेन्द्र एतदभवत्"—इत्यन्तेनोक्त एव 'पौर्णमासस्य' पौर्णमास्यामसाधारण्येनानुष्ठेयस्य हविषो 'बन्धुः' बन्धकोऽर्थनियामकः। एतदेव ब्राह्मणमित्यर्थः। विहितमर्थमनूद्य प्रशंसति—**यो हैवं विद्वानिति**। अत्र यद्यपि पौर्णमासीशब्देन कालवाचिना तत्कालक्रियमाणं सर्वं कर्माश्रयणीयम्। तथाप्याग्नेयाष्टाकपालस्य साधारण्याद्, वाक्यशेषे श्रीप्रभृतेरेव फलत्वेन श्रवणाच्चाग्नीषोमीय एकादशकपाल एव परिगृह्यते। 'यः' यजमानः 'एवम्' उक्तमर्थं 'विद्वान् जानन्, 'पौर्णमासेन' पौर्णमास्यां क्रियमाणेनाग्नीषोमीयेन 'यजते' अनुतिष्ठति 'सः' 'एताम्' इन्द्रेणानुभूतां 'श्रियम्' तथाविधं यशोऽन्नं च प्राप्नोति ॥ १५ ॥

तद्वेव खल्विति। अथ तदानीमग्नीषोमादिनिर्गमनानन्तरमेव 'वृत्रो' 'हतः', निष्पीतो दृतिरिव चर्मनिर्मितपात्रमिव, सः यथा 'संल्लीनः'[1] सङ्कुचितकुक्षिरिति[2], एवं संल्लीनो भूमावशयिष्ट, यथा 'निर्धूतसक्तुका भस्त्रा' चर्ममयी संल्लीना, 'तद्वत्' 'संल्लीनः' शेते; कुक्षिगतानां सक्तुस्थानीयानां देवानाम्,—उदकस्थानीयानामसृगादीनां च स्रावात् दृष्टान्तद्वयाभिधानम्। अथ[3] शयानं वृत्रं हननेच्छयेन्द्रः शीघ्रमाजगाम ॥ १६ ॥

स होवाचेति। तं दृष्ट्वा वृत्रोऽब्रवीत्—" इदानीमेतत् सर्वं त्वमेव भवसि, पूर्वं यदहं सर्वमभवम्; अतो

१—'संलीनः' इति क. पा. एवमग्रेऽपि। २—'संकुचितकुक्षितनुः पतति' इति पा.। ३—'अथ रिक्तं शयानं हननेच्छया' इति क. पा.।

कुरु मामुया भूवमिति स वै मेऽन्नमेधीति तथेति तं द्वेधान्वभिनत्तस्य यत्सौम्यं न्यक्तमास तं चन्द्रमसं चकाराथ यदस्यासुर्यमास तेनेमाः प्रजा ऽउदरेणाविध्यत्तस्मादाहुर्वृत्र ऽएव तर्ह्यन्नाद ऽआसीद्वृत्र ऽएतर्हीतीदꣳ हि यदसावापूर्यतेऽस्मादेवैतल्लोकादाप्यायतेऽथ यदिमाः प्रजा ऽअशनमिच्छन्तेऽस्मा ऽएवैतद्वृत्रायोदराय बलिꣳ हरन्ति स यो हैवमेतं वृत्रमन्नादं वेदान्नादो हैव भवति ॥ १७ ॥

ता ऽउ हैता देवता ऽऊचुः (याः) या ऽइमा ऽअग्नीषोमावन्वाजग्मुरग्नी-

---

इति । स वै "मेऽन्नमेधि" इति । "तथा" इति । तं द्वेधाऽन्वभिनत्, तस्य यत् सौम्यं न्यक्त-मास—तं चन्द्रमसं चकार । अथ यदस्यासुर्यमास—तेनेमाः प्रजा उदरेणाविध्यत् । तस्मादाहुः—'वृत्र एव तर्ह्यन्नाद आसीद्, वृत्र एतर्हि' इति । इदं हि यदसावापूर्यते—अस्मादेवैतल्लोकादाप्यायते । अथ यदिमाः प्रजा अशनमिच्छन्ते—अस्मा एवैतद् वृत्रायोदराय बलिं हरन्ति । स यो हैव-मेतं वृत्रमन्नादं वेद—अन्नादो हैव भवति ॥ १७ ॥

ता उ हैता देवता ऊचुः—या इमा अग्नीषोमावन्वाजग्मुः "अग्नीषोमौ ! युवं वै नो भूयिष्ठभाजौ स्थः, ययोर्वामिदम् । युवयोरस्मानन्वाभजतम्" इति ॥ १८ ॥

व्याकुर्वेव शरीरं विविधम्; आ सर्वतो भग्न[1]पर्यन्तं कुरु, विदारयेत्यर्थः । 'अमुया' इदानीमनुभूयमानप्रकारया स्थित्या 'मा भूतम्' सर्वदा न भवामि, 'इति' । 'सः' एवमुक्तः इन्द्रः, "तर्हि ममान्नं भव" इत्युवाच । 'तथा' अस्तु 'इति' उक्तम् । 'तम्' इन्द्रो 'द्वेधा' 'अन्वभिनत्' तदनुक्रमेण व्यदारयत् । तेन 'येत्[2]' सौम्यं श्रेष्ठं स्रुतमासीत्, 'तं चन्द्रमसं चकार' प्रतिनिर्देशापेक्षया[3] पुँल्लिङ्गता । 'यत्' 'असुर्यम्' असुरेभ्यो हितम्[4]—उच्छिष्टमासीत्, 'तेन' 'इमाः' सर्वा अपि प्रजा उदरप्रदेशेन अयुज्यत्[5]—तद्रूपेणोप-स्थापयामासेत्यर्थः । यस्मादेवं 'तस्माद्' यः कश्चिद् यदि बह्वन्नं भक्षयेत्, 'तर्हि' तदा सर्वेऽपि जनाः इदानीं वृत्र एतर्हि—अन्नाद आसीद्—' इत्याहुः' । प्रसिद्धेः सार्वत्रिकत्वप्रदर्शनाय दृष्टान्तः । उक्तमर्थं समर्थयते—एतर्हीति । 'असौ' चन्द्रः पूर्वपक्षे 'आपूर्यते'—इति यत् तत् 'इदं हि' किमिदम् ? तदाह—'अस्मात्' 'लोकादेव' चन्द्रः 'आप्यायते' अस्माल्लोकाच्चन्द्रस्याप्यायनप्रकारमुपरिष्टाद् वक्ष्यते—"तदेनमद्भ्य ओष-धिभ्यः सम्भृत्याहुतिभ्योऽधिजनयति, स एष आहुतिभ्यो जातः पश्चाद्ददृशे[6]"—इति । यदा 'इमाः' बुभु-क्षिताः 'प्रजाः' 'अशनमिच्छन्ति' तदा 'अस्मा एव वृत्राय' षष्ठ्यर्थे चतुर्थी[7] । वृत्ररूपाय 'उदरायैव' 'बलिं हरन्ति' । अतो वृत्रभागविशेषस्यान्नरूपेण स्थापनं युक्तमित्यर्थः । 'स यो हैवमिति' ज्ञानफलम् ॥ १७॥

प्रयाजानन्तरमाज्यभागौ वक्तव्यावन्तरितौ, अतस्तावग्नीषोमीयपुरोडाशप्रसङ्गेन विधातुमाह—ता उ हेति ।

१–"भग्नं कुरु" इति क्वचित् पा. । २–'यद्वस्तु सौम्यं' इत्यादि पा. । ३–विधेयस्य चन्द्रमसोऽपेक्षयेत्यर्थः । 'उद्दिश्यमानप्रति-निर्दिश्यमानयोरैक्यमापादयन्ति सर्वनामानि पर्यायेण तत्तल्लिङ्गमुपाददते' इति न्यायादिति भावः । ४–असुरशब्दस्य गवादिषु पाठात् । "तस्मै हितं" (पा. सू. ५ । १ । ५) इत्यर्थे "उगवादिभ्यो यत्" (पा. सू. ५ । १ । २) इति यत् । वस्तुतोऽत्र "असुरस्य स्वं" (पा. सू. ४ । ४ । १२३) इति यदित्येव स्यात्सुवचम् ॥ ५–अयुध्यत्–इति पा. । ६–इहैवाग्रे (६–४–१५) इत्यत्र द्रष्टव्यम् । ७–पा. सू. २ । ३ । ६२ । वा. १ (१५०९) ।

षोमौ युवं वै नो भूयिष्ठभाजौ स्थो युयोर्वामिदं युवयोरस्मानन्वाभजतमिति ॥ १८ ॥

तौ होचतुः । किमावयोस्ततः स्यादिति यस्यै कस्यै च देवतायै हविर्न्निर्व्वपांस्तद्वां पुरस्तादाज्यस्य यजानिति तस्माद्यस्यै कस्यै च देवतायै हविर्न्निर्व्वपन्ति तत्पुरस्तादाज्यभागावग्नीषोमाभ्यां यजन्ति तन्न सौम्येऽध्वरे नु पशौ यस्यै कस्यै च देवतायै हविर्न्निर्व्वपानिति ह्यब्रुवन् ॥ १९ ॥

(न्तसु) स हाग्निरुवाच । मय्येव वः सर्व्वेभ्यो जुह्वतु तद्वोऽहं मय्याभजामीति तस्मादग्नौ सर्व्वेभ्यो देवेभ्यो जुह्वति तस्मादाहुरग्निः सर्व्वा देवता ऽइति ॥ २० ॥

(त्यु) अथ ह सोम ऽउवाच । मामेव वः सर्व्वेभ्यो जुह्वतु तद्वोऽहं मय्या-

---

तौ होचतुः–" किमावयोस्ततः स्याद् " इति । " यस्यै कस्यै च देवतायै हविर्निर्वपान्–तद् वां पुरस्तादाज्यस्य यजान् " इति । तस्माद् यस्यै कस्यै च देवतायै हविर्निर्वपन्ति–तत्पुरस्तादाज्यभागावग्नीषोमाभ्यां यजन्ति । तत्र सौम्येऽध्वरे, न पशौ । ' यस्यै कस्यै च देवतायै हविर्निर्वपान् ' इति ह्यब्रुवन् ॥ १९ ॥

स हाग्निरुवाच–" मय्येव वः सर्वेभ्यो जुह्वतु, तद्वोऽहं मय्याभजामि " इति । तस्मादग्नौ सर्वेभ्यो देवेभ्यो जुह्वति–तस्मादाहुः–' अग्निः सर्वा देवताः ' इति ॥ २० ॥

अथ ह सोम उवाच–" मामेव वः सर्वेभ्यो जुह्वतु, तद्वोऽहं मय्याभजामि " इति । तस्मात् सोमं सर्वेभ्यो देवेभ्यो जुह्वति, तस्मादाहुः–' सोमः सर्वा देवताः ' इति ॥ २१ ॥

वृत्रदेहाद् ' अग्नीषोमावनु ' निर्गताः सर्वाः ' देवताः ' ' तौ ' अग्नीषोमौ प्रतीदमब्रुवन्–" यतो वृत्रदेहान्निर्गतयोर्युवयोरिदं पुरोडाशद्रव्यं प्रातिस्विकमभूत्[1], अतो युवामेव प्रभूतभागभाजौ भवथः, ' युवयोः ' मध्ये ' अस्मान् ' अपि ' अन्वाभजतम् ", इति ॥ १८ ॥

तौ होचतुरिति । अथ ' तावूचतुः '–" ' ततः ' युष्मदनुप्रवेशाद् ' आवयोः ' ' किं, ' स्यात् ? ' " ' इति ' उक्ता देवतास्तयोः–" हे अग्नीषोमौ ! लोके यष्टारो ' यस्यै कस्यै च देवतायै ' इन्द्रादिदेवतानां मध्ये यां कांचिद्देवतां प्रति ' हविः ' ' निर्वपान् ' निर्वपेयुः, तत्र च निरुप्तप्रधानदेवताभ्यः पूर्वम् ' आज्यस्य ' आज्यं[2] ' यजान् ' यजेयुः " इदानीं विधत्ते–**तस्मादिति** । ' तस्माद् ' देवैर्दत्तत्वाद् यत्र निर्वपति, तत्र ' आज्यभागावग्नीषोमाभ्याम् ' अनुष्ठेयौ । आज्यभागौ प्रशंसति–**तत्र सौम्ये** इति । पशुसोमयोराज्यभागौ ' न ' कुर्यात् । निर्वापाभावादेव पशुसोमयोरप्राप्तस्याज्यभागस्य पुनर्निषेधेनैष्टिकमाज्यभागविधानं स्तूयते । यथा दशमाध्यायस्याष्टमे पादे द्वितीयाधिकरणे–' न सौम्येऽध्वर इत्यत्र किं निषिध्यते, उत पर्युदस्यते, अथार्थवादः ? ' इति त्रेधा विकल्प्यार्थवाद इति राद्धान्तितम्[3] । सोमपश्वोस्तदप्राप्तौ कारणमाह–**यस्यै कस्यै** चेति । ' निर्वपानिति ह्यब्रुवन् ' इति निर्वापस्य विशेषितत्वात्, तयोस्तदभावादिति भावः ॥ १९ ॥

इदानीं ताभ्यां देवताभ्यः कृतमुपकारं दर्शयति **तहाग्निरित्यादिना**, **अथ ह सोम** इत्यादिना च । अग्निः

१–" प्रातिस्विकमसाधारणधर्मे " इति त्रिकाण्डशेषकोषः ॥ २–' आज्यभागम् ' क०० पाठः । ३–" अपूर्वत्वार्थवादःस्यात् " इत्यत्र मीमांसादर्शने १०-८-५ ।

भजामीति तस्मात्सोमꣳ सर्व्वेभ्यो देवेभ्यो जुह्वति तस्मादाहुः सोमः सर्व्वा देवता ऽइति ॥ २१ ॥

(त्यु) अथ यदिन्द्रे सर्व्वे देवास्तत्स्थानाः। (स्तु) तस्मादाहुरिन्द्रः सर्व्वा देवताऽइन्द्रश्रेष्ठा देवा ऽइत्येतद्ध वै देवास्त्रेधैकदेवत्या ऽअभवन्त्स यो हैवमेतद्वेदैकधा हैव स्वानाꣳ श्रेष्ठो भवति ॥ २२ ॥

द्वयं व्वा ऽइदं न तृतीयमस्ति । (स्त्या) आर्द्रञ्चैव शुष्कञ्च यच्छुष्कं तदाग्नेयं यदार्द्रं तत्सौम्यमथ यदिदं द्वयमेवाथ किमेतावत्क्रियत ऽइत्यग्नीषोमयोरेवाज्यभागावग्नीषोमयोरुपाꣳशुयाजोऽग्नीषोमयोः पुरोडाशो यदत एकतमेनैवेदꣳ सर्व्वमाप्नोत्यथ किमेतावत्क्रियता ऽइत्यग्नीषोमयोर्हैवैतावती व्विभूतिः प्रजातिः ॥ २३ ॥

अथ यदिन्द्रे सर्वे देवास्तत्स्थानास्तस्मादाहुः--'इन्द्रः सर्वा देवताः, इन्द्रश्रेष्ठा देवाः' इति । एतद्ध वै देवास्त्रेधैकदेवत्या अभवन् । स यो हैवमेतद् वेद, एकधा हैव स्वानां श्रेष्ठो भवति ॥ २२ ॥

द्वयं वा इदं न तृतीयमस्ति-आर्द्रं चैव, शुष्कं च । यच्छुष्कं-तदाग्नेयम्, यदार्द्रं तत्सौम्यम् । अथ यदिदं द्वयमेव--अथ किमेतावत् क्रियते ? इति । अग्नीषोमयोरेवाज्यभागौ, अग्नीषोमयोरुपांशुयाजः, अग्नीषोमयोः पुरोडाशः । यदत एकतमेनैवेदं सर्वमाप्नोति--अथ किमेतावत् क्रियता ? इति । अग्नीषोमयोर्हैवैतावती विभूतिः-प्रजातिः ॥ २३ ॥

सर्वदेवार्थमाहुत्याधारतालक्षणम्--सोमस्तु सर्वदेवतानामाहुतिलक्षणम्, उपकारं कृतवन्तौ । यस्मादेवं 'तस्माद्' वेदवादिनः--अग्नेः सोमस्य च सर्वदेवतात्मकताम् 'आहुः' ॥ २० ॥ २१ ॥

अथ यदिन्द्र इति । 'यद्' यस्माच्च 'इन्द्रे' सर्वे देवाः । 'तत्स्थानाः' स्थितवन्तः, अतः 'इन्द्रः सर्वा देवताः' अत्र कारणमाह--इन्द्रज्येष्ठा देवा इतीति । ज्येष्ठत्वं तु "तावेनमुपावब्रूततुस्तावत्तु सर्वे देवाः"--इत्यादिनोक्तत्वादवगन्तव्यम् । 'एतद्ध' एतेनैव खलु कारणेन सर्वेऽपि 'देवाः' 'त्रेधा' त्रिप्रकारेण अग्निसोमेन्द्रात्मकाः 'एकदेवत्याः' एकैकदेवतार्थाः । 'अभवन्' तादर्थ्ये यत् । उक्तार्थज्ञं प्रशंसति--स य इति । अग्न्यादीनामेकदेवत्वलक्षणश्रेष्ठत्वपरिज्ञानेन स्वयमपि स्वकीयानां मध्ये एक एव 'श्रेष्ठो भवति' ॥ २२ ॥

आज्यभागोपांशुयाजपुरोडाशानां यदग्नीषोमदेवताकत्वमस्ति, तत् प्रशंसितुमाह--द्वयं वा इत्यादि । लोके पदार्थाः सर्वेऽपि शुष्कार्द्रभावेन द्विविधाः, अतः, तृतीयविधस्याभावाद्--'यच्छुष्कं तदाग्नेयम्' भविष्यति, यच्चार्द्रं 'तत्सौम्यम्' अतो लोके विद्यमानं वस्तुद्वयमेव, अस्मादेव कारणात्--अग्नीषोमयोर्योगेन समाप्तं भविष्यति । 'किम्' 'एतावद्' बहु 'क्रियते' 'इति' ब्रह्मवादिनां चोद्यम् । एतावदिति संग्रहेणोक्तस्य विवरणम्--अग्नीषोमयोरिति । अग्नीषोमयोरेवाज्यभागावित्यादित्रयाणामपि प्रदानस्योपपत्तिमाह--अग्नीषोमयोर्है-

---

१-'इन्द्रज्येष्ठा' इति 'भाष्यसंमतः पाठः । २-'श्रेष्ठत्वं तावेनमुपावब्रूततुः' इत्यादि पाठः । ३-अस्मिन्नेव ब्राह्मणे पुरस्तात् १५ कंडिका द्रष्टव्या ।

सूर्यऽएवाग्नेयः । (श्च) चन्द्रमाः सौम्योऽहरेवाग्नेयꣳ रात्रिः सौम्या य ऽएवापूर्यतेऽर्द्धमासः स ऽआग्नेयो योऽपक्षीयते स सौम्यः ॥ २४ ॥

(ऽ) आज्यभागाभ्यामेव । सूर्याचन्द्रमसावाप्नोत्युपाꣳशुयाजेनैवाहोरात्रे ऽआप्नोति पुरोडाशेनैवार्द्धमासावाप्नोतीत्यु हैक ऽआहुः ॥ २५ ॥

(स्तु) तदु होवाचासुरिः । (रा) आज्यभागाभ्यामेवातो यतमे वा यतमे वा द्वे ऽआप्नोत्युपाꣳशुयाजेनैवातो यतमे वा यतमे वा द्वे ऽआप्नोति पुरोडाशेनैवातो यतमे वा यतमे वा द्वे ऽआप्नोति सर्व्वं म ऽआप्तमसत्सर्वं जितꣳसर्व्वेण वृत्रꣳहनानि सर्व्वेण द्विषन्तं भ्रातृव्यꣳहनानीति तस्माद्वा ऽएतावत्क्रियत ऽइति ॥ २६ ॥

सूर्य एवाग्नेयश्चन्द्रमाः सौम्यः (१) । अहरेवाग्नेयम्, रात्रिः सौम्या (२) । य एवापूर्यते अर्द्ध-मासः स आग्नेयोऽपक्षीयते स सौम्यः (३) ॥ २४ ॥

आज्यभागाभ्यामेव सूर्याचन्द्रमसावाप्नोति, उपांशुयाजेनैवाहोरात्रे आप्नोति, पुरोडाशेनैवार्द्ध-मासावाप्नोति,–इत्यु हैक आहुः ॥ २५ ॥

तदु होवाचासुरिः–आज्यभागाभ्यामेवातो यतमे वा यतमे वा द्वे आप्नोति । उपांशुयाजेनैवातो यतमे वा यतमे वा द्वे आप्नोति । पुरोडाशेनैवातो यतमे वा यतमे वा द्वे आप्नोति । सर्वं मे आप्त-मसत्, सर्वं जितम्, सर्वेण वृत्रं हनानि, सर्वेण द्विषन्तं भ्रातृव्यं हनानि, इति । तस्माद् वा एतावत् क्रियते–इति ॥ २६ ॥

त्यादिना । 'एतावती' सूर्यचन्द्रादिभेदेन त्रेधा 'विभूतिः' विभवो बहुभावः । विभूतिरित्यस्य व्याख्यानं प्रजातिरिति । 'प्रजातिः' प्रकर्षेणोत्पत्तिः ॥ २३ ॥

सूर्यादियुगलत्रयस्याग्नीषोमात्मकतां विभज्य योजयति–सूर्य एवेति । सूर्याह्नोश्चन्द्ररात्र्योश्चाग्निसोमात्मकताया-मुष्णत्वशीतत्वे हेतू । आपूर्यमाणपक्षस्याग्नेयत्वमग्नेर्भिन्नस्य सवितुः किरणानामनुक्रमेण चन्द्रमस्यनुप्रवेशात्; अप-क्षीयमाणपक्षस्य सौम्यत्वं च क्रमेण सूर्यांशापनये सति स्वकीयकिरणोपवापादिति द्रष्टव्यम् ॥ २४ ॥

अस्त्वेवं किं तत इत्यत आह–आज्यभागाभ्यामेवेति । अतस्त्रिविधविभूत्याप्तये त्रयाणामपि यागानामग्नी-षोमीयत्वं युक्तमिति केचिदाहुः ॥ २५ ॥

तदु होवाचेति । 'आसुरिः' त्वेवम् 'उवाच' उभयेषु त्रिषु यागेष्वाज्यभागाभ्यामेव सूर्याहोऽर्द्धमास-युगलत्रयात्मिकासु त्रिविधासु विभूतिषु 'यतमे वा यतमे वा' 'द्वे' वस्तुनी, 'यतमे वा' अहोरात्ररूपे वा, शुक्लकृष्णपक्षरूपे वा, द्वे 'आप्नोति' वीप्सया त्रिविधान्यपि युगलानि परिगृह्यन्ते । आज्यभागपुरोडाशाभ्या-मग्नीषोमाग्नीषोमदेवताकानामप्येवं त्रिष्वपि यागेष्वेकैकेनैव त्रिविधामप्यग्नीषोमयोर्विभूतिमाप्तवान् भवतीत्यासुरि-

---

१–विभावः इति क्वचित्पाठः । २–स्वकीयकारणोपवापाद्–इति क्वचित्पाठः । ३–'आसुरिराचार्यस्त्वेवं मन्यते' इति क. पा. ।

तदाहुः । किमिदं जामि क्रियतेऽग्नीषोमयोरेवाज्यस्याग्नीषोमयोः पुरोडाशस्य यदनन्तर्हितं तेन जामीत्यनेन ह त्वेवाजाम्याज्यस्येतरं पुरोडाशस्येतरं तदन्यदिवेतरमन्यदिवेतरं भवत्यृचमनूच्य जुषाणेन यजत्यृचमनूच्यर्चा यजति तदन्यदिवेतरमन्यदिवेतरं भवत्यनेन ह त्वेवाजाम्युपांश्वाज्यस्य यजत्युच्चैः पुरोडाशस्य स यदुपांशु तत्प्राजापत्यꣳ रूपं तस्मात्तस्यानुष्टुभमनुवाक्यामन्वाह वाग्घ्यनुष्टुब्वाग्घि प्रजापतिः ॥ २७ ॥

तदाहुः–किमिदं जामि क्रियते–अग्नीषोमयोरेवाज्यस्य, अग्नीषोमयोः पुरोडाशस्य, यदनन्तर्हितं तेन जामि–इति । अनेन ह त्वेवाजामि-आज्यस्येतरम्, पुरोडाशस्येतरम्-तदन्यदिवेतरमन्यदिवेतरं भवति । ऋचमनूच्य जुषाणेन यजति, ऋचमनूच्य ऋचा यजति–तदन्यदिवेतरमन्यदिवेतरं भवति । अनेन ह त्वेवाजामि–उपांश्वाज्यस्य यजति, उच्चैः पुरोडाशस्य । स यदुपांशु–तत् प्राजापत्यं रूपम् । तस्मात्तस्यानुष्टुभमनुवाक्यामन्वाह । वाग् ह्यनुष्टुब्, वाग् हि प्रजापतिः ॥ २७ ॥

राचार्यो मन्यते । आसुरिपक्षं निगमयति–तस्मादिति । 'तस्माद्' यस्मादेकैकेन सर्वविभूतिराप्ता भवति, तस्मात् कारणाद् 'एतावत्' यागत्रयमप्यग्नीषोमीयमेव 'क्रियते' ॥ २६ ॥

अथाज्यभागादियागत्रयद्रव्ययोराज्यपुरोडाशयोरेकदेवतात्वप्रयुक्तं जामितादोषमाक्षिप्य द्रव्यमन्त्रधर्माणां भेदेन तत्परिहरति[1]–तदाहुरित्यादिना । आज्यपुरोडाशस्य, प्रदानमिति शेषः । अथवा 'आज्यस्य' 'पुरोडाशस्य' वा पक्षावपि 'अग्नीषोमयोः' एव दीयत इत्यर्थः । कथमेतावता जामितेति, तत्राह–यदिति । एकरूपं 'यद्' वस्तुद्वयं तद्विलक्षणेन वस्त्वन्तरेणाव्यवहितम्, 'तेन' अव्यवधानेन तद्वस्तु 'जामि' भवति । अत्र तु व्यवधानमाश्रयेन 'अनेन' वक्ष्यमाणेन च खल्वजामि । केनेति–उच्यते–'आज्यस्य' द्रव्यस्य 'इतरम्' इतरत् कर्म–उपांशुयाजाख्यम्, तथा 'पुरोडाशस्येतरम्' आज्याख्यम्; अन्योन्यापेक्षयोरुभयोरितरत्वम् । अन्यदिवेति । द्रव्यभेदादेकदेवत्यमपि कर्मद्वयम् 'अन्यदिवान्यदिव' भवतीत्यर्थः, अतोऽन्ययोर्न जामिताऽस्ति । द्वितीयः परिहारः[2]–आज्यभागः प्रधानद्वयं चेति कोटिद्वयं विषयीकृत्य प्रवृत्त इति द्रष्टव्यम् । (मन्त्रभेदेन[3] चाज्यभाग प्रधानद्वययोरजामित्वम्,) प्रधानद्वययोः 'जुषाणः'–इत्यस्यासम्भवात् । यद्यप्याज्यभागप्रधानयोर्दैवतैक्यम्, तथाप्याज्यभागस्य 'ऋचम्' "अग्निर्वृत्राणि"–(वा. सं. ३३ । ९ ।) "त्वं सोमासि"–इत्यादिकामनुवाक्यां कृत्वा "जुषाणो अग्निराज्यस्य वेतु"–"जुषाणः सोमः"–(तै० ब्रा० ३ । ५ । ६ । १, २) इति 'जुषाणेन यजति;' प्रधानाभ्यां तु क्रमेण "अग्नीषोमा यो अद्य वाम्" (ऋ० १. ९–३, २.) "अग्नीषोमा सवेदसा"–(ऋ. सं. १. ९३. ९ । तै. ब्रा. ३. ५. ७. ४.) इत्यनूच्य[4], "आन्यं दिवो मातरिश्वा जभार–" (ऋ. १. ९३. ६) "युवमेतानि"–(ऋ. सं. १. ९३. ५ । तै. ब्रा. ३. ५. । ७. ४) इत्यृग्भ्यां यजति । अन्यदिवेत्यादि । पूर्ववन्न दोषः । तथाऽऽज्यपुरोडाशयोरुपांशुत्वोच्चैस्त्वभेदादप्यजामित्वम् । "तावब्रूतामग्नीषोमावाज्यस्यैव तावुपांशु पौर्णमास्यां यजन्निति"–श्रुत्यन्तरादुपांशुत्वविधानं युक्तम् । विहितमाज्यस्योपांशुत्वं प्रशंसति–

१–'त्रेधा तत्परिहरति' इति क. पा. । २–'द्वितीयः परिहारः'–इत्यादिकं नास्ति क्वचित् । ३–नास्त्येतत् क्वचित् । ४–'इत्यनयर्चा 'अग्नीषोमावान्यं दिवो मातरिश्वा जभार' 'अग्नीषोमौ युवमेतानि'. इत्यृग्भ्यां यजति' इति क्वचित्पाठः ।

(२) एतेन वै देवाः । (ऽ) उपांशुयाजेन यं यमसुराणामकामयन्त तमुपत्सर्य[1] वज्रेण वषट्कारेणाघ्नंस्तथो ऽएवैष ऽएतेनोपांशुयाजेन पाप्मानं द्विषन्तं भ्रातृव्यमुपत्सर्य वज्रेण वषट्कारेण हन्ति तस्मादुपांशुयाजं यजति ॥ २८ ॥

स वा ऽऋचमनूच्य जुषाणेन यजति । तदन्विमा ऽअन्यतरतोदन्ताः प्रजाः प्रजायन्तेऽस्थि ह्यृगस्थि हि दन्तोऽन्यतरतो ह्येतदस्थि करोति ॥ २९ ॥

(त्य) अथर्चमनूच्यर्चा यजति । तदन्विमा ऽउभयतोदन्ताः प्रजाः प्रजायन्तेऽस्थि ह्यृगस्थि हि दन्त ऽउभयतो ह्येतदस्थि करोत्येता वा

एतेन वै देवा उपांशुयाजेन यं यमसुराणामकामयन्त–तमुपत्सर्य वज्रेण वषट्कारेणाघ्नन्, तथो एवैष एतेनोपांशुयाजेन पाप्मानं द्विषन्तं भ्रातृव्यमुपत्सर्य वज्रेण वषट्कारेण हन्ति । तस्मादुपांशुयाजं यजति ॥ २८ ॥

स वा ऋचमनूच्य जुषाणेन यजति, तदन्विमा अन्यतरतोदन्ताः प्रजाः प्रजायन्ते । अस्थि हि ऋग्, अस्थि हि दन्तः, अन्यतरतो ह्येतदस्थि करोति ॥ २९ ॥

अथ ऋचमनूच्यर्चा यजति, तदन्विमा उभयतोदन्ताः प्रजाः प्रजायन्ते । अस्थि हि ऋग्, अस्थि

स यद्धुपांश्विति । उपांशुत्वस्यानिरुक्तत्वात्–प्रजापतेरपि सर्वात्मकत्वेन तथात्वात्प्रजापतिरूपत्वम् । 'तस्मात्'–उपांशोः प्रजापतिरूपत्वात् 'तस्य' प्रजापतेरुचितामनुष्टुप्छन्दस्काम् "अग्नीषोमा यो अद्य वाम्"–इत्येताम्, 'अनुवाक्याम्' अनुब्रूते । एतावता कथं साम्यप्रतीतिरित्यत आह–**वाग्घीति** । "अनुष्टुप् च वै सप्तदशश्च समभवतां सानुष्टुप् चतुरुत्तराणि छन्दांस्यसृजत"–इति सामब्राह्मणे (१ प्र. २ ख.) श्रवणादनुष्टुभो वाग्रूपत्वम् । ततोऽपि किमित्यत आह–**वाग्घि प्रजापतिरिति** । "आश्रावयास्तु श्रौषडित्यादि"–"एष वै सप्तदशः प्रजापतिरिति" श्रुतेः–(तै. सं. १ । ६ । ११)–प्रजापतिरूपत्वम् ॥ २७ ॥

सिद्धवद् व्यवहृतमुपांशुयाजमिदानीं सार्थवादं विदधाति–**एतेन वै देवा** इति । 'एतेन' उपांशुयाजेन, 'असुराणां' मध्ये 'यं–यम्' असुरं हन्तुमैच्छन्, 'तं–तम्' उपत्सार्य उप पार्श्वे च गत्वा, उच्चैरुच्चार्यमाणेन वषट्काराख्येन च 'वज्रेण' 'अघ्नन्' । वषट्कारस्य वृत्रशिरश्छेदनसाधनत्वाद्वज्रत्वम् । **तथो एवे**त्यादि स्पष्टम् । तस्माद्–उपांशुयाजं यजेदिति विधिः । उपांश्विज्यते देवता अत्र यागे इति 'उपांशुयाजः' ॥ २८ ॥

आज्यभागोपांशुयाजयोर्जामितापरिहाराय याज्यापुरोऽनुवाक्ययोर्वैलक्षण्यमुक्तम्, तदेव विधाय प्रशंसति–**स वा ऋचमनूच्य जुषाणेने**त्यादिना । उदाहृतौ जुषाणशब्दयुक्तौ मन्त्रौ, 'तत्' तादृगनुष्ठानम् 'अनु' तत्सामर्थ्यादित्यर्थः । 'अन्यतरतः' तयोरन्यत्र ऋक्करणादेतत् कर्म्म 'अन्यतरतः' 'अस्थि' अस्थिवद् दृढं करोति । तस्मादन्यतरत ऋक्करणं युक्तमित्यर्थः ॥ २९ ॥

अथर्चमनूच्यर्चेति । एवम् 'ऋचमनूच्य ऋचा'–इत्येतद् व्याख्येयम् । 'उभयतोदन्ताः' पुरुषाश्वादयः

१–'उपत्सर्य्य' 'उपत्सार्य्य'–इति वा पाठो लभ्यते । सायणभाष्यसंमत्या तु 'उपोत्सार्य्य'–इति पाठो युक्तः प्रतीयते । अथवा–उपोपसृष्टो वैदिकः प्रकृते 'त्सृ'–धातुः स्यात् । त्सरुः खड्गादिमुष्टिरित्यादौ तद्धातुप्रयोगस्य दृष्टत्वात् ॥

ऽइमा द्वय्यः प्रजा ऽअन्यतरतोदन्ताश्चैवोभयतोदन्ताश्च स यो हैवं विद्वा-
नग्नीषोमयोः प्रजातिं यजति बहुर्हैव प्रजया पशुभिर्भवति ॥ ३० ॥

स वै पौर्णमासेनोपवत्स्यन् । न सत्रा सुहित ऽइव स्यात्तेनेदमुदरमसुर्य्यँ
विलनात्याहुतिभिः प्रातर्दैवमेष ऽउ पौर्णमासस्योपचारः ॥ ३१ ॥

स वै सम्प्रत्येवोपवसेत् । (त्स) सम्प्रति वृत्रᳬं हनानि सम्प्रति द्विषन्तं
भ्रातृव्यᳬं हनानीति ॥ ३२ ॥

स वा ऽउत्तरामेवोपवसेत् । (त्सु) समिव वा ऽएष क्रमते यः सम्प्रत्युप-
वसत्यनद्धा वै संक्रान्तयोर्यदीतरो वेतरमभिभवतीतरो वेतरमथ य ऽउत्तरा-
मुपवसति यथा पराञ्चमावृत्तᳬं सम्पिᳬंष्यादप्रत्यालभमानᳬं सोऽन्यतो-
घात्येव स्यादेवं तद्य ऽउत्तरामुपवसति ॥ ३३ ॥

हि दन्तः—उभयतो ह्येतदस्थि करोति । एता वा इमा द्वय्यः प्रजाः—अन्यतरतोदन्ताश्चैवोभयतो-
दन्ताश्च । स यो हैवं विद्वानग्नीषोमयोः प्रजातिं यजति—बहुर्हैव प्रजया पशुभिर्भवति ॥ ३० ॥

पूर्णमासोपचारः ।

स वै पौर्णमासेनोपवत्स्यन्न सत्रा सुहित इव स्यात्—तेनेदमुदरमसुर्यं विलनात्याहुतिभिः प्रातर्दैवम् ।
एष उ पौर्णमासस्योपचारः ॥ ३१ ॥

स वै संप्रत्येवोपवसेत्—संप्रति वृत्रं हनानि, संप्रति द्विषन्तं भ्रातृव्यं हनानीति ॥ ३२ ॥

स वा उत्तरामेवोपवसेत् । समिव वा एष क्रमते—यः सम्प्रत्युपवसति; अनद्धा वै संक्रान्तयोर्यदी-
तरो वेतरमभिभवति, इतरो वेतरम् । अथ य उत्तरामुपवसति—यथा पराञ्चमावृत्तं संपिंष्यादप्रत्या-
लभमानम्—सोऽन्यतोघात्येव स्याद्, एवं तद्,—य उत्तरामुपवसति ॥ ३३ ॥

प्रसिद्धाः । द्विविधप्रजाव्यतिरेकेण प्रजान्तराभावात् सर्वप्रजालाभाय याज्यानुवाक्यायुगलयोरुक्तं वैलक्षण्यम् ।
उक्तार्थज्ञानपूर्वकानुष्ठानं प्रशंसति—**स य** इति । अग्नीषोमयोः प्रजापतिसूर्यसोमादिरूपं त्रिविधवैभवम्, तदाप्ति-
कारणमाज्यभागोपांशुयाजाग्नीषोमीयपुरोडाशाख्यं यागत्रयमनुतिष्ठतीत्यर्थः ॥ ३०–३२ ॥

पक्षान्तरमाह—**स वा उत्तरामिति** । न पूर्वां पौर्णमासीमुपवसेत् 'उत्तरामेव' । उत्तरोपवासपक्षे
गुणमाह—**अथ य उत्तरामिति** । यथा कश्चित्परराष्ट्रं प्राप्य प्रतिमुखं पलायमानं हननोद्योगरहितं सम्यक्
चूर्णितं करोति, तदुत्तरं पेषणमप्येवं भवति; प्रतिनिवृत्तस्योत्तरपक्षस्याक्रान्तप्रायत्वात् । 'य उत्तराम्' इति
पुनरुपसंहारः ॥ ३३ ॥

१–"पूर्वां पौर्णमासीमुत्तरां वोपवसेत्" का. श्रौ. सू. २ । १ । १ । इति ॥ २–पक्षान्तरमाहेत्याद्येतत्पर्यन्तो ग्रन्थो नास्ति
क्वचित् । ३–'तदुत्तरं पोषणम्' इत्यादि पा. ।

स वै सम्प्रत्येवोपवसेद् । (य) यथा वा ऽअन्यस्य हतꣳसम्पिꣳष्यादेवं तद्य ऽउत्तरामुपवसति सोऽन्यस्यैव कृतानुकरोऽन्यस्योपावसायी भवति तस्मादु सम्प्रत्येवोपवसेत् ॥ ३४ ॥

(त्य) प्रजापतेर्ह वै प्रजाः ससृजानस्य । पर्व्वाणि विसस्रꣳसुः स वै संव्वत्सर ऽएव प्रजापतिस्तस्यैतानि पर्व्वाण्यहोरात्रयोः सन्धी पौर्णमासी चामावास्या चर्त्तुमुखानि ॥ ३५ ॥

स विस्रस्तैः पर्व्वभिः । (न) न शशाक सꣳहातुं तमेतैर्हविर्यज्ञैर्देवा ऽअभिषज्यन्नग्निहोत्रेणैवाहोरात्रयोः सन्धी तत्पर्व्वाभिषज्यंस्तत्समदधुः पौर्णमासेन चैवामावास्येन च पौर्णमासीं चामावास्यां च तत्पर्व्वाभिषज्यंस्तत्समदधुश्चातुर्म्मास्यैरेवर्तुमुखानि तत्पर्व्वाभिषज्यंस्तत्समदधुः ॥ ३६ ॥

स वै संप्रत्येवोपवसेत् । यथा वा अन्यस्य हतं संपिंष्याद्; एवं तद्—य उत्तरामुपवसति । सोऽन्यस्यैव कृतानुकरः, अन्यस्योपावसायी भवति; तस्मादु संप्रत्येवोपवसेत् ॥ ३४ ॥

प्रजापतेर्ह वै प्रजाः ससृजानस्य पर्वाणि विसस्रंसुः । स वै संवत्सर एव प्रजापतिः, तस्यैतानि पर्वाणि—अहोरात्रयोः सन्धी, पौर्णमासी च अमावास्या च ऋतुमुखानि ॥ ३५ ॥

स विस्रस्तैः पर्वभिर्न शशाक संहातुम्, तमेतैर्हविर्यज्ञैर्देवा अभिषज्यन्—अग्निहोत्रेणैवाहोरात्रयोः सन्धी, तत्पर्वाभिषज्यन्—तत्समदधुः । पौर्णमासेन चैवामावास्येन च पौर्णमासीं च अमावास्यां च, तत्पर्वाभिषज्यन्—तत् समदधुः । चातुर्मास्यैरेवर्तुमुखानि तत्पर्वाभिषज्यन्—तत् समदधुः ॥३६॥

इत्थं पक्षान्तरं सोपपत्तिकमभिधाय प्रथमं पक्षं सिद्धान्तयितुं पुनरुपादत्ते—**स वै सम्प्रत्येवोपवसेदिति** । ननु द्वितीयपक्षानादरे किं कारणमिति तदाह—**यथा वा अन्यस्येति** । ' यथा ' कश्चिन्मन्दोऽन्येन पूर्वमेव पातितम्, पुनः स्वयम् ' पिंष्यात् ', ' एवं ' ' तद् ' उत्तरपेषणं भवति । स्वत एव प्रतिनिवृत्तस्य पक्षस्य स्वेनाक्रान्तत्वात् । उत्तरानादरे कारणान्तरमाह—**सोऽन्यस्यैवेति** । किञ्च उत्तरोपवासी ' अन्यस्य ' अन्येन यत्कृतं कार्यं तस्य ' अनुकरः ' अनुकारी—कृतस्यैव कार्यस्य पुनः करणशीलो भवति । तथा ' अन्यस्य उपावसायी ' अन्येनाप्युपवसितस्य पुनरप्युपवसायी ' भवति ' । साम्प्रत्युपवसन्तं दृष्ट्वा, तदनुकर्तुं स्वयमपि परेद्युररावुपवसतीत्येवं प्रतिभानात् । ' तस्मादु ' संप्रति—इति स्वपक्षनिगमनम् ॥ ३४ ॥

सम्प्रति—पक्षमेव सिद्धान्तयितुमाख्यायिकामाह—**प्रजापतेर्हेति** । पुरा ' प्रजाः ' सृष्टवतः ' प्रजापतेः ' सन्धयो विस्रस्ता आसन् किल । ननु कः प्रजापतिः ? कानि पर्वाणि ? इति, उच्यते—संवत्सरे सकलप्रजोत्पत्तेः ' स संवत्सर एव प्रजापतिः, ' ' तस्य ' कालात्मकस्य ' पर्वाणि ' ' अहोरात्रयोः सन्धी ' प्रातस्सायङ्कालौ तथा एतौ ' सन्धी ' ' पौर्णमासी च अमावास्या च ' कालौ । ' ऋतुमुखानि ' वसन्तादीनि, तानि विस्रस्तानि ॥ ३५ ॥

स विस्रस्तैरिति । ' सः ' विस्रस्तपर्वा ' संहातुं ' सङ्गतो भवितुं शक्तो नाभूत् । ' तम् ' अशक्तं ' एते-

स स॒ᳫँ हि॑तैः प॒र्व्व॑भिः । (रि) इ॒दम॒न्नाद्य॑म॒भ्यु॒त्त॒स्थौ य॒दि॒दं प्र॒जा॒प॒तेर॒न्नाद्य॒ᳫँ स यो॒ है॒वं॒वि॑द्वान्त्स॒म्प्र॒त्यु॒प॒व॒स॑ति स॒म्प्र॒ति है॒व प्र॒जा॒प॒तेः प॒र्व्व भि॑षज्य॒त्यव॑ति हैवं प्र॒जा॒प॒तिः स॒ ऽए॒व॒मे॒वा॒न्ना॒दो भ॑वति य॒ ऽए॒वं वि॒द्वान्त्स॒म्प्र॒त्यु॒प॒व॒स॑ति त॒स्मा॑दु स॒म्प्र॒त्ये॒वो॒प॑वसे॑त् ॥ ३७ ॥

(त्रु) च॒क्षु॒षी ह॒ वा॒ ऽए॒ते य॒ज्ञ॒स्य य॒दा॒ज्य॒भा॒गौ । त॒स्मा॒त्पु॒र॒स्ता॒ज्जु॒हो॑ति पु॒र॒स्ता॒द्धी॒मे च॒क्षु॒षी त॒त्पु॒र॒स्ता॒दे॒वै॒तच्च॒क्षु॒षी द॑धाति त॒स्मा॒दि॒मे पु॒र॒स्ता॒च्च॒क्षु॒षी ॥ ३८ ॥

स संहितैः पर्वभिरिदमन्नाद्यमभ्युत्तस्थौ–यदिदं प्रजापतेरन्नाद्यम् । स यो हैवं–विद्वान् संप्रत्युपवसति-संप्रति हैव प्रजापतेः पर्व भिषज्यति; अवति हैनं प्रजापतिः, स एवमेवान्नादो भवति–य एवं विद्वान् सम्प्रत्युपवसति । तस्मादु सम्प्रत्येवोपवसेत् ॥ ३७ ॥

चक्षुषी ह वा एते यज्ञस्य–यदाज्यभागौ तस्मात्पुरस्ताद् जुहोति । पुरस्ताद्धीमे चक्षुषी तत्पुरस्तादेवैतच्चक्षुषी दधाति–तस्मादिमे पुरस्ताच्चक्षुषी ॥ ३८ ॥

हविर्यज्ञैः' 'देवाः' 'अभिषज्यन्' भेषजमकुर्वन् । सोमव्यतिरिक्ताज्यपुरोडाशादिसाध्याः 'हविर्यज्ञाः' । विभज्य योजयति–सायं प्रातश्च–क्रियमाणेनाग्निहोत्रेण 'अहोरात्रयोः' 'सन्धी' एतदात्मकं प्रजापतेः 'तत् पर्व' अचिकित्सन्, 'समदधुः' समाहितमकुर्वन् । तथा 'पौर्णमासीं चामावास्यां च' पौर्णमास्यमावास्यारूपे पर्वणी । वैश्वदेवादि–चातुर्मास्यैरेव वसन्ताद्यृतुमुखानि 'समदधुः' ॥ ३६ ॥

स सᳫँहितैरिति । 'सः' एव कालात्मकः प्रजापतिः दृढपर्वा संवत्सरमध्ये यदन्नं व्रीह्यादिरूपं पक्वं भवति–तत् सर्वमभिलक्ष्य भोक्तुमुत्थितवान् । कालावयवानां विच्छेदाभावात् तत्तत्कालोचितमन्नं भोगयोग्यमासीदित्यर्थः ।

इदानीमुपवासयोग्यं पर्व विधत्ते–**सम्प्रती**ति । 'सम्प्रति' 'हैव' पर्वविस्रंसनसमकाल एव 'प्रजापतेः पर्व' सम्प्रति उपवसन् चिकित्सितवान् भवति । तथैव सम्प्रत्युपवासिनं रक्षति; प्रजापतिवत् स्वयमपि सर्वान्नादो भवति 'य एवं विद्वान्'–इत्युपसंहारः । तस्मादिति स्वाभिमतपक्षनिगमनम् । कात्यायनस्तु ब्राह्मणे सोपपत्तिकाभिधानमभिप्रेत्य पक्षद्वयमपि विकल्पेनोवाच–"पूर्वां पौर्णमासीमुपवसेत्, उत्तरां वा"—(का. श्रौ. सू. २. १) इति ॥ ३७ ॥

आज्यभागस्थाननियममाह–**चक्षुषी ह वा** इति । 'यत्' यतः 'आज्यभागौ' चक्षुःस्थानीयौ–अतः 'पुरस्तात्' कर्तव्यौ; तयोः पुरस्तात्करणेन 'यज्ञस्य चक्षुषी' 'पुरस्तात्' कृतवान् भवति । यतो यज्ञे ते 'पुरस्तात्' क्रियेते, अत इदानीमपि प्राणिनां चक्षुषी' पुरस्ताद् वर्तेते ॥ ३८ ॥

१–'सोमव्यतिरिक्तपुरोडाशादि' इत्येव क्वचित् । २–'पश्चात्स दृढपर्वा संवत्सरमध्ये' इत्यादि क. पा. ।

उत्तरार्द्धपूर्वार्द्धे हैके (क८) आग्नेयमाज्यभागं जुह्वति दक्षिणार्द्धपूर्वार्द्धे सौम्यमाज्यभागमेतत्पुरस्ताच्चक्षुषी दध्म ऽइतिव्वदन्तस्तदु तदाविज्ञान्यमिव हवीꣳषि ह वा ऽआत्मा यज्ञस्य स यदेव पुरस्ताद्धविषां जुहोति तत्पुरस्ताच्चक्षुषी दधाति यत्रो ऽएव समिद्धतमं मन्येत तदाहुतीर्जुहुयात्समिद्धहोमेन ह्येव समृद्धा ऽआहुतयः ॥ ३९ ॥

स वा ऋचमनूच्य जुषाणेन यजति । तस्मादिमे ऽअस्थन्त्सत्यनस्थिके चक्षुषी ऽआश्लिष्टे ऽअथ यदृचमनूच्यऽर्चा यजेदस्थि हैव कुर्यान्न चक्षुः ॥ ४० ॥

(ष्टे) ते वा ऽएते । अग्नीषोमयोरेव रूपमन्वायत्ते यच्छुक्लं तदाग्नेयं

उत्तरार्द्धपूर्वार्द्धे हैके आग्नेयमाज्यभागं जुह्वति, दक्षिणार्द्धपूर्वार्द्धे सौम्यमाज्यभागम्—एतत्पुरस्ताच्चक्षुषी दध्मः—इति वन्दन्तः । तदु तदा अविज्ञान्यमिव । हवींषि ह वा आत्मा यज्ञस्य । स यदेव पुरस्ताद्धविषी जुहोति—तत्पुरस्ताच्चक्षुषी दधाति । यत्रो एव समिद्धतमं मन्येत तदाहुतीर्जुहुयात् । समिद्धहोमेन ह्येव समृद्धा आहुतयः ॥ ३९ ॥

स वा ऋचमनूच्य जुषाणेन यजाति । तस्मादिमे अस्थन् सत्यनस्थिके चक्षुषी आश्लिष्टे । अथ यदृचमनूच्यर्चा यजेद्—अस्थि हैव कुर्याद् न चक्षुः ॥ ४० ॥

ते वा एते अग्नीषोमयोरेव रूपमन्वायत्ते । यत् शुक्लम्—तद् आग्नेयम्, यत् कृष्णं तत् सौम्यम् ।

अत्र केषाञ्चित् पक्षमाह—**उत्तरार्द्धपूर्वार्द्धे** इति । तेषामभिप्रायमाह—**एतदिति** । ‘ एतत् ’ एतेन—पूर्वभागेऽप्युत्तरदक्षिणभागयोर्होमेन ‘ पुरस्तात् ’ साक्षात् ‘ चक्षुषी ’ स्थान एव स्थापयाम इति । अस्य पक्षस्य दुरवगमत्वमाशङ्क्य पूर्वोक्तमेव पक्षं सिद्धान्तयति—**तदु तदे**त्यादिना । ‘ अविज्ञान्यमिव ’ विज्ञानेन हीनमिव, वैषम्याभावेन साक्षात् स्थानविज्ञानस्याशक्यत्वात् । तस्य कस्य पुरस्तादित्यत आह—**हवींषीति** । यागशरीररूपस्य द्रव्यत्यागात्मकत्वाद् यत्र प्रधानानि हवींषि हूयन्ते,—तेषां पुरोभागमात्रहवनात् स्वस्थाने चक्षुःस्थानं भवतीत्यर्थः । उक्तपुरोभागविशेषमाह—**यत्रो एवेति** । उत्तरपूर्वार्द्धादिस्थानमनपेक्ष्य प्रधानहविःपुरोभागे, यत्रकुत्राग्नौ समिद्धे होतव्यम्; तथा सति ‘ आहुतयः ’ अपि ‘ समृद्धाः ’ स्युः । अत्र कात्यायनः—“ आग्नेयमुत्तरपूर्वार्द्धे, दक्षिणपूर्वार्द्धे सौम्यम्, समिद्धतमे वा ”—इति (श्रौ. सू. ३।३।१७।२०।२१।२२) ॥ ३९ ॥

आज्यभागयाज्यानुवाक्ययोर्यादृग् जुषाणवैलक्षण्यं पूर्वमुक्तम्, तदपि तयोश्चक्षुष्ट्वप्रयुक्तमित्याह—**स वा ऋचमनूच्येति** । ‘ अस्थन् ’ अस्थनि,—मुखेऽस्थिमये सति ऋग्जुषयोः[1] काठिन्यमृदुत्वात् साम्यादस्थ्यनस्थ्यात्मता । यद्वै यज्ञस्य समाम्नातेन यजुषा क्रियते, तत् शिथिलितम्; यदृचा तद् दृढमिति । ‘ ऋचा ’ “ अग्निर्वृत्राणि ”—इत्यादिकया; ‘ यजुषा ’ “ जुषाणो अग्निर्जुषाणः सोमः ”—इति, ऋग्यजुषोश्च मृदुशिथिलत्वे समाम्नाते । उक्तप्रकारतामेर्थान्यभावे[2] दोषदर्शनेन समर्थयते—**यदृचमनूच्येति** । अप्यृचावेव कुर्वन् प्राणिनां यज्ञस्य वा ‘ अस्थि ’ अस्थिस्थानं मुखं केवलं ‘ कुर्यात्, ’ ‘ न चक्षुः ’ चक्षुस्तु वर्जयत्येव ॥ ४० ॥

आग्नेयसौम्ययोराज्यभागयोर्यज्ञचक्षुष्ट्वं लौकिकचक्षुस्साम्येन समर्थयते—**ते वा एते** इति । ‘ ते ’ चक्षुषी

१-‘ ऋग्जुषाणयोः ’ ‘ ऋग्यजुषोः ’ इति च क्वचित्पाठः । २-मन्यथान्यभावे-क. पा. ।

यत्कृष्णं तत्सौम्यं यदि वेतरथा यदेव कृष्णं तदाग्नेयं यच्छुक्लं तत्सौम्यं यदेव वीक्षते तदाग्नेयꣳ रूपꣳ शुष्के ऽइव हि वीक्षमाणस्याक्षिणी भवतः शुष्कमिव ह्याग्नेयं यदेव स्वपिति तत्सौम्यꣳ रूपमार्द्रे इव हि सुषुपुषोऽक्षिणी भवत ऽआर्द्र ऽइव हि सोम आजरसꣳ ह वाऽस्मिँल्लोके चक्षुष्मान्भवति सचक्षुरमुष्मिँल्लोके सम्भवति य ऽएवमेतौ चक्षुषी ऽआज्यभागौ वेद ॥ ४१ ॥ २ ॥

इति पञ्चमप्रपाठके द्वितीयं ब्राह्मणम् [६ । २] ॥

इन्द्रो ह यत्र वृत्राय वज्रं प्रजहार । सोऽबलीयान्मन्यमानो नास्तृषीतीव बिभ्यन्निलयाञ्चक्रे स पराः परावतो जगाम देवा ह वै विदाञ्चक्रुर्हतो वै वृत्रोऽथेन्द्रो न्यलेष्टेति ॥ १ ॥

यदि वेतरथा—यदेव कृष्णं तदाग्नेयम्, यत् शुक्लं तत् सौम्यम् । यदेव वीक्षते तदाग्नेयं रूपम्—शुष्के इव हि वीक्षमाणस्याक्षिणी भवतः, शुष्कमिव ह्याग्नेयम् । यदेव स्वपिति तत्सौम्यं रूपम्—आर्द्रे इव हि सुषुपुषोऽक्षिणी भवतः, आर्द्रं इव हि सोमः । आ-जरसं ह वा अस्मिन् लोके चक्षुष्मान् भवति, सचक्षुरमुष्मिन् लोके संभवति—य एवमेतौ चक्षुषी आज्यभागौ वेद ॥ ४१ ॥

दर्शोपचारः ।

इन्द्रो ह यत्र वृत्राय वज्रं प्रजहार । सोऽबलीयान् मन्यमानो नास्तृषीतीव बिभ्यन्निलयाञ्चक्रे । स पराः परावतो जगाम । देवा ह वै विदांचक्रुः—हतो वै वृत्रः—अथेन्द्रो न्यलेष्टेति ॥ १ ॥

प्रत्येकम् 'अग्नीषोमयोः रूपम्' 'अन्वायत्ते' अनुप्राप्ते । कथम्? चक्षुषि 'यच्छुक्लं तदाग्नेयम्' सितभास्वरत्वसाम्यात्; चन्द्रमसि कार्ष्ण्यस्य वृद्ध्यनुसारेण स्फुटं प्रतिभासाद् 'यत्कृष्णं तत् सौम्यम्' । अथ "आग्नेयः कृष्णग्रीवः"—(य० वा० सं० २९. २८.) इत्यादिषु कार्ष्ण्यस्याग्नेयत्वश्रवणादक्षिमध्यस्य प्रकाशकाग्निधर्मत्वाच्च सोमे भूयसः शौक्ल्यस्य दर्शनाच्च—उक्तवैपरीत्यमाशङ्क्याह—**यदि वेतरथेति** । इदानीं दर्शनादर्शनांशभेदेनाग्नीषोमात्मकतामाह—**यदेव वीक्षत** इति । 'यदेव' चक्षुरुन्मीलनकाले सर्वं पश्यति । एतदुपपादयति—**शुष्के इवेति** । सर्वमपि वस्त्वग्निसम्बन्धे शुष्कं भवतीति प्रसिद्धम् । स्वपितिरप्यदर्शनमुपलक्षयति—**यदेवेति** । दर्शनं न करोतीत्यर्थः, 'सुषुपुषः' सुप्तवतः—स्वपेः क्वसुः (पा० सू० ३ । २ । १०७, ६ । १ । १९) सोमोऽप्यार्द्रप्रसवः आप्यमण्डलत्वात् । वेदितुः प्रशंसा—**आ—जरसमिति** । वयोहानिपर्यन्तं 'चक्षुष्मान् भवति' इत्यर्थः । 'अमुष्मिन्' स्वर्गलोकेऽपि 'सचक्षुः' एव 'सम्भवति' । आज्यभागयोश्चक्षुष्ट्ववेदिता ॥ ४१ ॥ २ ॥ [६. ३] ॥

इति श्रीसायणाचार्यविरचिते माधवीये वेदार्थप्रकाशे माध्यन्दिनशतपथब्राह्मणभाष्ये
प्रथमकाण्डे षष्ठाध्याये तृतीयं ब्राह्मणम् ॥

अथामावास्यानि हवींषि विधातुमाख्यायिकामाह—**इन्द्रो ह यत्रेति** । 'यत्र' यस्मिन् देशे '**इन्द्रः**'

तमन्वेष्टुं दध्रिरे। (रे॒ऽग्नि) अ॒ग्निर्दे॑वता॒नाꣳ हिर॑ण्यस्तूप॒ ऽऋषी॒णां बृ॑ह॒ती च्छन्द॑सां॒ तम॒ग्निर॑नुवि॒वेद॒ तेनै॒ताꣳ रात्रि॒ꣳ स॒हाज॑गाम॒ स वै दे॒वानां॒ व्वसु॒र्व्वीरो॒ ह्ये॑षाम्॥ २॥

ते दे॒वा ऽअ॑ब्रुवन्। (न्न) अमा॒ वै नो॑ऽद्य व्वसु॒र्व्वस॑ति॒ यो नः॑ प्रा॒वात्सी॒दिति॒ ता॒भ्याम॒तद्य॒था ज्ञा॒तिभ्यां वा स॒खिभ्यां वा स॒हाग॑ता॒भ्याꣳ समा॒नु-मोद॑नं प॒चेद॒जं वा त॒दह॒ मा॒नु॒षꣳ ह॒विर्दे॒वाना॑मे॒वमा॒भ्याम॒तत्स॑मा॒नꣳ ह॒विर्न्निर॑वप॒न्नैन्द्रा॒ग्नं द्वाद॑शकपालं पुरो॒डाशं॒ तस्मा॒दैन्द्रा॒ग्नो द्वाद॑शकपालः पुरो॒डाशो॑ भवति॥ ३॥

तमन्वेष्टुं दध्रिरे—अग्निर्देवतानां, हिरण्यस्तूप ऋषीणां, बृहती छन्दसाम्। तमग्निरनु विवेद। तेनैतां रात्रिं सहाजगाम। स वै देवानां वसुः, वीरो ह्येषाम्॥ २॥

ते देवा अब्रुवन्—अमा वै नोऽद्य वसुर्वसति, यो नः प्रावात्सीदिति। ताभ्यामेतद्—यथा ज्ञातिभ्यां वा सखिभ्यां वा सहागताभ्यां समानमोदनं पचेदजं वा। तदह मानुषं हविः। देवानामेवमाभ्यामेतत् समानं हविर्निरवपन्—ऐन्द्राग्नं द्वादशकपालं पुरोडाशम्। तस्मादैन्द्राग्नो द्वादशकपालः पुरोडाशो भवति॥ ३॥

'वृत्राय' वृत्रवधार्थम् 'वज्रम्' 'प्रजहार' तदा स्वयं बलवान् सन्नपि 'अबलीयान्' अहमिति मत्वा 'नास्तृषि'। "स्तृञ् हिंसायाम्" ("स्तृणाति इत्यस्य वधकर्मसु पाठात्" निघ० २। ११। १२) लुङ् (पा. सू. ३। २। ११० ॥ ३। ४। ६।) अहं न हिंसितवानस्मीति भीतः सन् पुनर्बाधशङ्कया निलीनोऽभूत्। एतदेवाह—'पराः परावतो जगाम' अत्यन्तं विप्रकृष्टदेशं गतवान्। परावदिति दूरनाम (निघण्टु ३। २६। ५। निरु. ७। ७। ४ ॥ ११। ४। १४)। तस्य "उपसर्गाच्छन्दसि धात्वर्थे" (पा० सू० ५. १. ११८.) इति मतुप्। ततो 'देवाः' वृत्रे हते 'इन्द्रः' तज्जीवनशङ्कया कुत्र विलीनः 'इति' विदित्वा, अन्वेषणे मतिं कृत्वा देवऋषिच्छन्दसां मध्ये अग्निहिरण्यस्तूपबृहत्याख्यास्त्रयोऽप्यन्वैषिषुः। तत्र 'अग्निः' 'अनुविवेद' अनुसृत्य लब्धवान्। लब्धेनेन्द्रेण सह 'एताम्' रात्रिम्। रात्रिशब्दो दिनस्योपलक्षणः। अत्यन्तसंयोगे द्वितीया[3]। कृष्णमप्यमावास्यादिवसं सहोषितवान्। किं कारणं तत्र तस्य वास इति, तदाह—**स वा** इति। 'सः' इन्द्रो 'देवानाम्' 'वसुः' धनरूपः, (या० निरु० ६। २। ४) वासयिता वा (या० निरु० १२। ४। ७) एवं 'हि' यतः 'एषाम्' देवानां मध्ये 'वीरः,' अतस्तदागमनायाग्नेर्विलम्बो युक्तः। "इन्द्रो हि देवानां वसु"—इति तैत्तिरीयके समान-प्रकरणेऽभिधानात् "स वै"—इति तच्छब्देनेन्द्र एव परामष्टव्यः॥ १॥ २॥

ऐन्द्राग्नं द्वादशकपालं विधातुमाह—**ते देवा** इति। 'ते देवाः' 'नः' अस्माकं सम्बन्धी 'यः' इन्द्रः प्रवासमकरोत्, सः 'नः' 'वसुः' 'अद्य' 'अमा' अग्निना सह 'वसति'—'इति' उक्त्वा, 'ताभ्याम्' सखिभावेन सह वसद्भ्यामिन्द्राग्निभ्याम्, द्वादशकपालं हविरिति शेषः; प्रयच्छाम इत्यर्थः।

१–एतदग्रे–(॥ १ ॥**तमन्वेष्टुमिति**।) इति क्वचित् पुस्तकेऽधिकमुपलभ्यते। २–निरुक्तम् १२. ४. ७ द्रष्टव्यम्।
३–"कालाध्वनोरत्यन्तसंयोगे" इति पा. सू. २। ३। ५॥

स इन्द्रोऽब्रवीत् । (य) यत्र वै वृत्राय वज्रं प्राहरं तद्व्यस्मये स कृश इवास्मि न वै मेदं धिनोति यन्मा धिनवत्तन्मे कुरुतेति तथेति देवा अब्रुवन् ॥ ४ ॥

(वँस्ते) ते देवा अब्रुवन् । (न) न वा इममन्यत्सोमाद्धिनुयात्सोममेवास्मै सम्भरामेति तस्मै सोमँ समभरन्नेष वै सोमो राजा देवानामन्नं यच्चन्द्रमाः स यत्रैष एतां रात्रिं न पुरस्तान्न पश्चाद्ददृशे तदिमं लोकमागच्छति स इहैवापश्चौषधीश्च प्रविशति स वै देवानां वस्वन्नँ ह्येषां तद्यदेष एतां रात्रिमिहामा वसति तस्मादमावास्या नाम ॥ ५ ॥

स इन्द्रोऽब्रवीत् । यत्र वै वृत्राय वज्रं प्राहरं, तद् व्यस्मये । स कृश इवास्मि । न वै मेदं धिनोति । यन्मा धिनवत् तन्मे कुरुतेति । तथेति देवा अब्रुवन् ॥ ४ ॥

ते देवा अब्रुवन् । न वा इममन्यत् सोमाद्धिनुयात् । सोममेवास्मै संभरामेति । तस्मै सोमं समभरन् । एष वै सोमो राजा देवानामन्नं—यच्चन्द्रमाः । स यत्रैष एतां रात्रिं न पुरस्तान्न पश्चाद्ददृशे, तदिमं लोकमागच्छति । स इहैवापश्चौषधीश्च प्रविशति । स वै देवानां वसु, अन्नं ह्येषाम् । तद् यदेष एतां रात्रिमिहामा वसति—तस्मादमावास्या नाम ॥ ५ ॥

ननु देवताभेदेन हविर्भेदः किं न स्यात् ? इत्यत आह—**यथा ज्ञातिभ्यामिति** । परस्परगुच्छिष्टता नास्तीत्यवगमयितुं ज्ञातिसख्योरुपन्यासः । ‘ समानम् ’ एकमेव पचति; पक्त्वा समानं प्रयच्छतीत्यर्थः । ‘ मानुषम् ’ मनुष्येभ्यः कर्तव्यं सत्, उपकरणमिति शेषः । अस्त्वेवं देवानां किमायातमित्याह—**हविर्देवानामिति** । ‘ देवानां ’ तु सहागतानां ‘ हविः समानमेव ’ उपकरणमित्यर्थः । एवं पूर्वाचारानुसारेणैव इदानीं विधत्ते—**तस्मादैन्द्राग्न** इति ॥ ३ ॥

अथ सान्नाय्यं विधातुमाह—**स इन्द्र** इत्यादिना । ‘ यत्र ’ यस्मिन्काले ‘ वज्रम् ’ ‘ प्राहरम् ’ प्राक्षिपम्, ‘ तत् ’ तदा ‘ व्यस्मये ’ विस्मितोऽभवम्, विगतप्रबले स्मयदर्शनात् । यतः ‘ कृशोऽस्मि ’ तस्मात् ‘ इदं ’ कठिनं पुरोडाशम् ‘ मा ’ मां ‘ न धिनोति ’ न प्रीणयति अतो मम प्रीतिकरं हविः सम्पादयत ‘ इति ’ ॥४॥

ते देवा इति । उक्ता ‘ देवाः ’ ‘ इमम् ’ इन्द्रं प्रीणयितुं ‘ सोमादन्यत् ’ ‘ न ’ शक्नोतीति विचार्य, तस्मै ‘ सोममेव ’ सम्भृतवन्तः । कथं सम्भरेयुरिति तत्प्रकार उच्यते—**चन्द्रमा** इति । ‘ यत् ’ योऽस्ति ‘एषः’ एवाभिषूयमाणः ‘ सोमो राजा ’ ‘ सः ’ एवोभयतश्चन्द्रदर्शनरहितायां सम्पूर्णामावास्यायां भूलोकमागत्याप्स्वोषधीषु च प्रविशति । ‘ सः ’ प्रविष्ट एव चन्द्रमाः ‘ देवानां वसु ’ देवधनम् । कुतः ? यतः ‘ एषाम् ’ व्रीहियवसोमादिरूपेण ‘ अन्नम् ’ भवति, अतो वसुरित्यर्थः । चन्द्रमसोऽब्‍ओषधिसहवासप्रसङ्गात् ‘ अमावास्या ’—शब्दं निर्वक्ति—**तद्यदेष** इति । ‘इह’ भूलोके ‘ एतां रात्रिम् ’ अपरिदृष्टचन्द्रायां रात्रौ साकल्येन ‘ अमा वसति ’ अमा सह वसति; अब्‍ओषधिचन्द्रमसामस्यां तिथौ सहवासात् सा तिथिः ‘अमावास्या नाम’ अभवत् ॥ ५ ॥

तं गोभिरनुविष्ठाप्य समभरन्। (न्य) यदोषधीराश्नंस्तदोषधिभ्यो यद-
पोऽपिबंस्तदद्भ्यस्तमेव ꣳ सम्भृत्यातच्य तीव्रीकृत्य तमस्मै प्रायच्छन् ॥६॥
(न्त्सो) सोऽब्रवीत्। (द्धि) धिनोत्येव मेदं नेव तु मयि श्रयते यथेदं मयि
श्रयातै तथोपजानीतेति त ꣳ शृतेनैवाश्रयन् ॥ ७ ॥
(यँस्त) तद्वा ऽएतत्। (त्स) समानमेव सत्पय ऽएव सदिन्द्रस्यैव सत्त-
त्पुनर्नानेवाचक्षते। यदब्रवीद्धिनोति मेति तस्माद्दध्यथ यदेन ꣳ शृतेने-
वाश्रयंस्तस्माच्छृतम् ॥ ८॥ [अर्धप्रपाठकः]
(ꣳ) स यथाꣳशुराप्यायेत। (तै) एवमाप्याययताप पाप्मान ꣳ हरिमाणमह-

---

तं गोभिरनु विष्ठाप्य समभरन्। यदोषधीराश्नन्—तदोषधिभ्यः। यदपोऽपिबन्—तदद्भ्यः। तमेवं संभृत्यातच्य तीव्रीकृत्य तमस्मै प्रायच्छन् ॥ ६ ॥

सोऽब्रवीत्। धिनोत्येव मेदं, नेव तु मयि श्रयते। यथेदं मयि श्रयातै, तथोपजानीतेति। तं शृतेनैवाश्रयन् ॥ ७ ॥

तद्वा एतत् समानमेव सत्, पय एव सद्, इन्द्रस्यैव सत्, तत् पुनर्नानेवाचक्षते। यदब्रवीद्-धिनोति मेति। तस्माद्दधि। अथ यदेनं शृतेनैवाश्रयन्—तस्माच्छृतम् ॥ ८ ॥

स यथांशुराप्यायेत, एवमाप्यायत, अप पाप्मानं हरिमाणमहत। एष उ आमावास्यस्य बन्धुः। स यो हैवं विद्वान् संनयति, एवं हैव प्रजया पशुभिराप्यायते। अप पाप्मानं हते। तस्माद्वै संनयेत्॥९॥

तं गोभिरिति। 'तम्' अनुप्रविष्टं सोमं 'गोभिः' अनुक्रमेण विविधं स्थापयित्वा धारयित्वैव 'समभरन्'। तत्प्रकारमाह—यदोषधीरिति। 'ओषधीः' 'आश्नन्' अभक्षयन् गावः, 'तत्' तेन 'ओषधिभ्यः' सोममभरन्। तथा—अनुप्रविष्टसोमा अपः पिबन्ति गावः, तेन 'अद्भ्यः'। अबुपलक्षितानां तृणपयसां क्षीरतया परिणामादिति भावः। एवंप्रकारेण सम्भरणमेव सोमस्य तीव्रीकरणम्। अथवा 'तीव्रीकृत्य' अन्यदातञ्चनं कृत्वेत्यर्थः। अथ 'तम्' सम्भृतम् 'अस्मै' इन्द्राय 'प्रायच्छन्' ॥ ६ ॥

सोऽब्रवीदिति। 'सः' इन्द्रः स्वीकृत्येदम् 'अब्रवीत्'। 'इदम्' हविः 'मा' मां 'धिनोत्येव', 'तु' परन्तु 'मयि' 'नैव श्रयते' न तिष्ठति, न सात्म्यं भजत इत्यर्थः। अतो 'मयीदं' 'यथा' 'श्रयातै' श्रयेत, 'तथा' उपायं बुध्यध्वमिति। तेऽपि 'तं' इन्द्रं 'शृतेनैव' पक्वक्षीरेणैव 'अश्रयन्'। यद्यपि तैत्तिरीयके प्रथमं शृतं पश्चाद् दधीति क्रमः तथाप्यत्र सायम्प्रातर्दोहाभ्यां दधिपयसोः सम्भवोदनेन क्रमेणाभिधानमिति द्रष्टव्यम् ॥ ७ ॥

तत् प्रशंसति—तद्वा एतदिति। 'तत्' प्रथमतश्चन्द्रात्मकम् 'एतत्' शृतरूपेण परिणतम्, वस्तुतः 'समानमेव' एकरूपमेव ॥ ८ ॥

सान्नाय्यस्य सोमात्मकतामभिधाय, आप्यायनसाम्यादपि तदात्मकतामाह—स यथांशुरिति। 'अंशुः'

१–"शृतेन प्रातःसवने श्रीणीयाद्दध्ना मध्यन्दिने नीतमिश्रेण तृतीयसवने" इति तै० ब्रा० १।४।८।६ ॥ इति द्रष्टव्यम् ॥

२–पूर्वं सायं दोहेन दधि सम्पाद्यते, ततो यागदिने प्रातर्दोहेन शृतम् ॥ इति ॥

तेषु ऽउ ऽआमावास्युस्य बुन्धुः स यो हैवं विद्वान्त्सन्नुयत्येवु ँहैवु प्रजया पशुभिरुप्यायतेऽप पाप्मान ँहते तस्माद्वै सन्नयेत् ॥ ९ ॥

(त्तु) तदाहुः। (र्गु) नासोमयाजी सन्नयेत्सोमाहुतिर्व्वा ऽएषा सानव-रुद्धा सोमयाजिनस्तस्मान्नासोमयाजी सन्नयेदिति ॥ १० ॥

तदु समेवु नयेत्। (न्न) नन्वत्रान्तरेण शुश्रुम सोमेन नु मा याजयताथ म ऽएतदाप्यायन ँसम्भरिष्यथेत्यब्रवीदिति न वै मेदं धिनोति यन्मा धिनवत्तन्मे कुरुतेति तस्माऽएतदाप्यायन ँसमभरंस्तस्मादप्यसोमयाजी समेवु नयेत् ॥ ११ ॥

(द्वा) व्वार्त्रघ्नं वै पौर्णमासम्। (भ्रि) इन्द्रो ह्येतेन व्वृत्रमहन्नथैतदेवु व्वृत्र-हत्यं यदामावास्यं व्वृत्र ँह्यस्मा ऽएतज्जघ्नुप ऽआप्यायनमकुर्व्वन् ॥ १२ ॥

तदाहुः। नासोमयाजी संनयेत्। सोमाहुतिर्वा एषा। साऽनवरुद्धा सोमयाजिनः। तस्मान्नासोम-याजी संनयेदिति ॥ १० ॥

तदु समेव नयेत्, नन्वत्रान्तरेण शुश्रुम-सोमेन नु मा याजयत, अथ म एतदाप्यायनं संभरि-ष्यथेति। अब्रवीदिति-न वै मेदं धिनोति, यन्मा धिनवत् तन्मे कुरुतेति। तस्मा एतदाप्यायनं समभरन्। तस्मादप्यसोमयाजी समेव नयेत् ॥ ११ ॥

वार्त्रघ्नं वै पौर्णमासम्। इन्द्रो ह्येतेन वृत्रमहन्। अथैतदेव वृत्रहत्यं, यदामावास्यम्। वृत्रं ह्यस्मा एतज्जघ्नुप आप्यायनमकुर्वन् ॥ १२ ॥

सोमः, 'स यथा' आप्याययेत्, 'एवम्' सान्नाय्यमपि। तथा पीतवतां 'पाप्मानम्' 'अप' 'हन्ति' 'हरिमाणं', शरीरहरितत्वमपहन्तीति। प्राकरणिकमर्थमुपसंहरति—**एष उ** इति। 'एषः' इन्द्रो ह यत्र वृत्रायेत्यादिकः 'आमावास्यस्य' कर्मणः 'बन्धुः' ब्राह्मणम्। उक्तार्थज्ञानप्रशंसापूर्वकं सान्नाय्यं विधत्ते—**स यो हैवं विद्वानिति** ॥ ९ ॥

विहितस्य सान्नाय्यस्याधिकारितां निश्चेतुं केषांचिन्मतमाह—**तदाहुरिति**। 'तत्' तत्र सान्नाय्यविषये '**आहुः**' ब्रुवते। तेषामभिप्रायमाह—**सोमाहुतिरिति**। सान्नाय्याहुतिः परम्परया 'सोमाहुतिः' खलु; 'सा एषा' पूर्वं सोमेनानिष्टत्वात् 'अनवरुद्धा' न सम्पन्ना[1]; अतः 'असोमयाजी न सन्नयेदिति' ॥ १० ॥

स्वाभिमतं पक्षं प्रतिजानीते—**तद्विति**। असन्नयने कारणं स्मारयन् पुनराक्षिपति—**नन्वत्रान्तरेणेति**। '**ननु**' 'अत्र' विषये 'अन्तरेण' मध्ये एव श्रुतवन्तः स्म। कथम्? 'तु' निश्चयेन 'मा' मामिन्द्रं '**सोमेन**' 'याजयत', 'अथ' पश्चात् 'मे' मम, 'एतत्' सान्नाय्यलक्षणम् 'आप्यायनम्' 'भरिष्यथ'[2]—'इति' इन्द्रे-णोक्तं वचनमिति। स्वाभिमतसन्नयनपक्षे पूर्वोदाहृतं वाक्यं प्रमाणत्वेन पुनः श्रावयन्निगमयति—**न वै मेदमित्या-दिना**। पूर्ववद्व्याख्येयम्[3]। अतः सन्नयेदिति स्वपक्षनिगमनम् ॥ ११ ॥

अमावास्योपवासस्य कालं विधित्सुः पुराकल्पमाह—**वार्त्रघ्नं वा** इति। पौर्णमास्यां क्रियमाणं यद्धविरस्ति,

---

१—'तस्या 'अनवरुद्धा' न संपन्ना, अतो न संनयेदिति' इति क० पा०। २—मूले तु 'संभरिष्यथ' इत्येवोपलभ्यते। ३—अस्मिन्नेव ब्राह्मणे सप्तमी कण्डिका द्रष्टव्या।

(ख॑स्त) तद्वा ऽएतदेव व्वार्त्रघ्नम् । यत्पौर्णमासमथैष ऽएव व्वृत्रो यच्च-न्द्रमाः स यत्रैष ऽएताᳬं रात्रिं न पुरस्तान्न पश्चाद्ददृशे तदेनमेतेन सर्व्वं हन्ति नास्य किञ्चन परिशिनष्टि सर्व्वᳬं ह वै पाप्मानᳬं हन्ति न पाप्मनः किञ्चन परिशिनष्टि य एवमेतद्वेद ॥ १३ ॥

तद्धैके दृष्ट्वोपवसन्ति । श्वो नोदेतेत्यदो हैव देवानामविक्षीणमन्नं भवत्यथैभ्यो व्वयमित ऽउप प्रदास्याम ऽइति तद्धि समृद्धं यदक्षीण ऽएव पूर्व्वस्मिन्नन्नेऽथापरमन्नमागच्छति स ह बह्वन्न ऽएव भवत्यसोमयाजी तु क्षीरयाज्यदो हैव सोमो राजा भवति ॥ १४ ॥

तद्वा एतदेव वार्त्रघ्नं, यत् पौर्णमासम् । अथैष एव वृत्रो, यच्चन्द्रमाः । स यत्रैष एतां रात्रिं न पुरस्तान्न पश्चाद्ददृशे, तदेनमेतेन सर्वं हन्ति, नास्य किञ्चन परिशिनष्टि । सर्वं ह वै पाप्मानं हन्ति, न पाप्मनः किञ्चन परिशिनष्टि-य एवमेतद्वेद ॥ १३ ॥

तद्धैके दृष्ट्वोपवसन्ति । श्वो नोदेतेति । अदो हैव देवानामविक्षीणमन्नं भवति, अथैभ्यो वयमित उपप्रदास्याम इति । तद्धि समृद्धं यदक्षीण एव पूर्वस्मिन्नन्नेऽथापरमन्नमागच्छति । स ह बह्वन्न एव भवति । असोमयाजी तु क्षीरयाजी । अदो हैव सोमो राजा भवति ॥ १४ ॥

तद् 'वार्त्रघ्नं' वृत्रहननसम्बन्धि; वृत्रहननाय तदन्तर्गतनिगमनावसरम् एकादशकपालोपांशुयाजहविषोः प्रदानात् । हननसाधनत्वमेव दर्शयति-इन्द्रो हीति । आमावास्यन्तु हविः 'वृत्रहत्यं' वृत्रहननमेव; वृत्रं हतवत इन्द्रस्याप्यायनार्थं कृतत्वात् ॥ १२ ॥

वक्ष्यमाणोपायेन वृत्रशब्दार्थमाह-तद्वा एतादिति । उक्तप्रकारेण 'पौर्णमासं' हविः 'वार्त्रघ्नम्' । चन्द्रमा इति । स यथास्थित एव 'वृत्रः' "तस्य यत् सौम्यंन्यक्तमास, तं चन्द्रमसं चकार" इति प्रागुक्तत्वात् । स उक्तरूपो वृत्रः 'यत्र' यस्मिन् दिवसे 'पुरस्तात् पश्चात्' च 'न' दृश्यते, 'तत्' तेन 'एनं' वृत्रम् एतेन हविषा 'सर्वं' साकल्येन 'हन्ति', 'न किञ्चन', अवशेषयति । अतः सर्वपापक्षयाय चन्द्रदर्शनरहितायां शुद्धामावस्यायामेवोपवसेदित्यर्थः । उक्तार्थज्ञानं प्रशंसति-सर्वं ह वा इति ॥ १३ ॥

उपवासतिथिविषये केषाञ्चित् पक्षमाह-तद्धैक इति । केचन चन्द्रदर्शनयुक्तायां चतुर्दशीयुक्तामावास्यायामेवोपवसन्ति । एषामभिप्रायमाह-'श्वः' परस्मिन्नहनि 'नोदेतेति' अव्यवहित एव भविष्यति काल उदयं न प्राप्नोतीति; अतोऽदर्शनोपवासपक्षो न युक्त इत्यभिप्रायः । तत्पक्षे को लाभ इत्यत आह-अदो हैवेति । 'अदः' अविप्रकृष्टं प्रत्यक्षं चन्द्राख्यं खलु 'देवानामविक्षीणमन्नं भवति'; अतो यथा न विक्षीणं भवेत्, तथा कर्तव्यम् । 'अथ' चन्द्रक्षयसमनन्तरमेव 'एभ्यः' देवेभ्यः 'वयम्' 'इतः' लोकात् 'प्रदास्याम इति' अविक्षीणत्वमेव दर्शयति-तद्धीति । पूर्वार्जितान्नेऽवशिष्टे पुनरन्नसञ्चये सत्यन्नसातत्यात् 'तत् समृद्धम्' तथाविधान्न एव प्रवृद्धान्नो भवति । तस्मात् चन्द्रदर्शनयुक्ततिथावेवोपवासो युक्त इति ।

१-अत्रैव पूर्वं ५ प्र. २ ब्रा. ६ अ. ३ ब्रा. १७ कं० द्रष्टव्यम् ॥

(त्यु) अथ यथैव पुरा । केवलीरोषधीरश्नन्ति केवलीरपः पिबन्ति ताः केवलमेव पयो दुह्रऽएवं तदेष वै सोमो राजा देवानामन्नं यच्चन्द्रमाः स यत्रैष ऽएताᳫं रात्रिन्न पुरस्तान्न पश्चाद्ददृशे तदिमं लोकमागच्छति स ऽइहापश्चौषधीश्च प्रविशति तदेनमद्ध्य ऽओषधिभ्यः सम्भृत्याहुतिभ्योऽधि जनयति स ऽएष ऽआहुतिभ्यो जातः पश्चाद्ददृशे ॥ १५ ॥

तद्वा ऽएतद् । (द) अविक्षीणमेव देवानामन्नाद्यं परिप्लवतेऽविक्षीणᳫं ह वा ऽअस्यास्मिँल्लोकेऽन्नं भवत्यक्षय्यममुष्मिँल्लोके सुकृतं य ऽएवमेतद्वेद ॥ १६

अथ यथैव पुरा केवलीरोषधीरश्नन्ति, केवलीरपः पिबन्ति, ताः केवलमेव पयो दुहे; एवं तत् । एष वै सोमो राजा देवानामन्नं, यच्चन्द्रमाः । स यत्रैष एतां रात्रिं न पुरस्तान्न पश्चाद्ददृशे, तादिमं लोकमागच्छति । स इहापश्चौषधीश्च प्रविशति । तदेनमद्ध्य ओषधिभ्यः संभृत्याहुतिभ्योऽधि जनयति । स एष आहुतिभ्यो जातः पश्चाद्ददृशे ॥ १५ ॥

तद्वा एतदविक्षीणमेव देवानामन्नाद्यं परिप्लवते । अविक्षीणं ह वा अस्यास्मिँल्लोकेऽन्नं भवति अक्षय्यममुष्मिन् लोके सुकृतं, य एवमेतद्वेद ॥ १६ ॥

दृष्टोपवासपक्षे दोषाभिधानपुरःसरमदर्शनोपवासमेव समर्थयते–**असोमयाजी त्वित्यादिना** । 'तु'–शब्दः पक्षं व्यावर्त्तयति । 'असोमयाजी क्षीरयाजी भवति'; "समेव नयेत्"–इति निगमितत्वात् । 'अदो हैव' आहुतं क्षीरमेव लोकान्तरवर्त्ति सत्, 'सोमो राजा भवति;' "स एष आहुतिभ्यो जातः पश्चाद्ददृशे"–इति वक्ष्यमाणत्वात् ॥ १४ ॥

अस्तु, ततः किमित्यत आह–**अथ यथैवेति** । 'यथा' 'पुरा' चन्द्रस्यौषध्युदकेषु प्रवेशरहितकाले, अमावास्यातः पूर्वदिवस इत्यर्थः । तत्र यथा गावः 'केवलीः' चन्द्रानुप्रवेशरहिताः 'ओषधीः' 'अपः' चाहारं कृत्वा, 'केवलं' चन्द्ररहितम् 'एव' 'पयो दुहे' दुहते । (धा० पा० अदा. उ. २०४) "लोपस्त आत्मनेपदेषु"–(पा० सू० ७. १. ४१.) इति तलोपः, "बहुलं छन्दसि" (पा० सू० ७. १. ८.) इति रुट् । 'एवम्' 'तत्' क्षीरयजनं भवति; चन्द्रानुप्रवेशरहितं फलं भवतीत्यर्थः । अतो दृष्टोपवासे चन्द्रस्यौषधीष्वननुप्रवेशेन केवलत्वात् तदानीं क्षीरस्य चन्द्रात्मकान्नत्वाभावात् स पक्षो न युक्त इत्यर्थः । अस्तु, को दोष इत्याशङ्क्यावश्यं चन्द्रानुप्रवेशवता क्षीरेण भवितव्यमित्याह–**एष वा** इति । एतत् सान्नाय्यब्राह्मणवद्[2] व्याख्येयम् । 'एनम्' अमावास्यायामप्स्वोषधीष्वनुप्रविष्टम्–ताभ्यः 'आहुतिभ्यः' सकाशात् क्षीर[3]रूपेण 'सम्भृत्य' 'अधिजनयति' पुनरुत्पादयति क्षीरयाजी । 'स एषः' अमुं लोकमागतः, पुनराहुतिद्वारा अन्तरिक्षे उत्पन्नः 'पश्चात्' प्रतीच्यां दिशि 'ददृशे' दृश्यते ॥ १५ ॥

तद्वा एतदिति । 'तद्' एतच्चन्द्राख्यमन्नं 'परिप्लवते' परिभ्रमति । उक्तार्थज्ञानं प्रशंसति–**अविक्षीणं ह वा अस्यास्मिन्निति** ॥ १६ ॥

१–एतदग्रिमकण्डिकायामेवेति शेषः । २–इहैव ब्राह्मणे पञ्चमी कण्डिका तद्व्याख्या च द्रष्टव्या । ३–'क्षीररूपेण' 'संभृत्य' 'आहुतिभ्यः' 'सकाशात्' इति क. पा. ।

तद्वा ऽएता ᳫँ रात्रिम् । देवेभ्योऽन्नाद्यं प्रच्यवते तदिमं लोकमागच्छति ते देवा ऽअकामयन्त कथन्नु नऽइदं पुनरागच्छेत्कथन्न ऽइदं परागेव न प्रणश्येदिति तद्य ऽएव सन्नयन्ति तेष्वाशाᳫँसन्त ऽएत ऽएव नः सम्भृत्य प्रदास्यन्तीत्याह वा ऽअस्मिन्त्स्वाश्च निष्टयाश्च शᳫँसन्ते य ऽएवमेतद्वेद यो वै परमतां गच्छति तस्मिन्नाशᳫँसन्ते ॥ १७ ॥

तद्वा ऽएष ऽएवेन्द्रः । (न्द्रो) य ऽएष तपत्यथैष ऽएव वृत्रो यच्चन्द्रमाः सोऽस्यैष भ्रातृव्यजन्मेव तस्माद्यद्यपि पुरा विदूरमिवोदितोऽथैनमेताᳫँ रात्रिमुपैव न्याप्लवते सोऽस्य व्यात्तमापद्यते ॥ १८ ॥

तद्वा एतां रात्रिं देवेभ्योऽन्नाद्यं प्रच्यवते । तदिमं लोकमागच्छति । ते देवा अकामयन्त । कथं नु न इदं पुनरागच्छेत् । कथं न इदं परागेव न प्रणश्येदिति । तद् य एव संनयन्ति तेष्वाशंसन्त एत एव नः संभृत्य प्रदास्यन्तीति । आ ह वा अस्मिन् स्वाश्च निष्टयाश्च शंसन्ते य एवमेतद्वेद । यो वै परमतां गच्छति । तस्मिन्नाशंसन्ते ॥ १७ ॥

तद्वा एष एवेन्द्रो य एष तपति । अथैष एव वृत्रो यच्चन्द्रमाः । सोऽस्यैव भ्रातृव्यजन्मेव । तस्माद् यद्यपि पुरा विदूरमिवोदितः, अथैनमेतां रात्रिमुपैव न्याप्लवते । सोऽस्य व्यात्तमापद्यते ॥ १८ ॥

अन्नस्याविक्षीणत्वाच्च सान्नाय्यस्यावश्यं दातव्यतामाह—**तद्वा एतां रात्रिमिति** । चन्द्रोपक्षय एवान्नप्रच्यवः; च्युतस्य च भूलोकप्रवेश उक्तः; प्रच्युतञ्च तदन्नं तथैव प्रणाशमप्राप्य यथा पुनरागच्छेदिति कामयित्वा सान्नाय्ययाजिष्वेतेऽस्माकं क्षीररूपेण पुनः सम्पाद्य दास्यन्तीत्याशंसां कुर्वन्ति । अतोऽवश्यं चन्द्रदर्शनरहिततिथौ सान्नाय्यं कर्तव्यमित्यर्थः ॥

उक्तार्थज्ञं प्रशंसति—**आह वा** इति । 'निष्टयाः' नीचाः, "समानीयश्च निष्टयः" (तै० ब्रा० २. ४. ३. २.) इत्यादिमन्त्रवर्णात् । उक्तार्थज्ञान्निकृष्टतराः । तं ज्ञानिनमयमशनाच्छादनादिकं प्रयच्छतीत्याशंसनीयत्वं युक्तमेवेत्याह—**यो व** इति ॥ १७ ॥

चन्द्रस्य क्षयोदयकारणाभिधानव्याजेन चन्द्रदर्शनरहिताममावास्यां प्रशंसति—**तद्वा एष एवेन्द्र** इत्यादिना । तपन्नादित्य एवेन्द्रः, परमैश्वर्ययोगात् । चन्द्रस्य वृत्रत्वं प्रतिपादितम् । 'स चन्द्रमाः' 'अस्य' सूर्यस्य शत्रुजन्मेव भवति । अनेन सूर्याचन्द्रमसोरिन्द्रवृत्रत्वे समर्थिते भवतः । भ्रातृव्यत्वं समर्थयते—**तस्मादि**ति । यस्मादयं तस्य भ्रातृव्यः, 'तस्मात्' 'पुरा' अमावास्यातः पूर्वदिवसेषु अत्यन्तं दूरं यथा भवति तथा 'उदितः' अपि 'अथैनं' सूर्याख्यमिन्द्रं प्रति 'एतां रात्रिम्' अमुममावास्यादिवसं प्रति 'उपैव' समीप एव 'न्याप्लवते' आगच्छति । अथ 'सः' एव 'अस्य' इन्द्रस्य 'व्यात्तं' विवृतं मुखं प्राप्नोति ॥ १८ ॥

१—वृत्रपदार्थनिर्णये त्वेवमुक्तं यास्केन "तत्को वृत्रः मेघ इति नैरुक्ताः । त्वाष्ट्रोऽसुर इत्यैतिहासिकाः । अपां च ज्योतिषश्च मिश्रीभावकर्मणो वर्षकर्म जायते तत्रोपमार्थेन युद्धवर्णा भवन्त्यहिवत्तु खलु मन्त्रवर्णा ब्राह्मणवादाश्च विवृद्ध्या शरीरस्य स्रोतांसि निवारयाञ्चकार तस्मिन् हते प्रसस्यन्दिर आपः" इत्यादि निरुक्ते २ । १६ । ३ ॥ इति ॥

तं ग्रसित्वोदेति। स न पुरस्तान्न पश्चाद्ददृशे ग्रसते ह वै द्विषन्तं भ्रातृव्य-मयमेवास्ति नास्य सपत्नाः सन्तीत्याहुर्य एवमेतद्वेद ॥ १९ ॥

तं निर्द्धीय निरस्यति। स एष धीतः पश्चाद्ददृशे स पुनराप्यायते स एतस्यैवान्नाद्याय पुनराप्यायते यदि ह वा अस्य द्विषन्भ्रातृव्यो वणिज्यया वा केनचिद्वा सम्भवत्येतस्य हैवान्नाद्याय पुनः सम्भवति य एवमेतद्वेद ॥ २० ॥

तद्धैके। महेन्द्रायेति कुर्वन्तीन्द्रो वा एष पुरा वृत्रस्य वधादथ वृत्रꣳ हत्वा यथा महाराजो विजिग्यान एवं महेन्द्रोऽभवत्तस्मान्महेन्द्रायेति तद्विन्द्रायेत्येव कुर्यादिन्द्रो वा एष पुरा वृत्रस्य वधादिन्द्रो वृत्रं जघ्निवांस्तस्माद्विन्द्रायेत्येव कुर्यात् ॥ २१ ॥ ३ ॥

इति पञ्चमप्रपाठके तृतीयं ब्राह्मणम् (६. ४.) ॥

तं ग्रसित्वोदेति । स न पुरस्तान्न पश्चाद् ददृशे । ग्रसते ह वै द्विषन्तं भ्रातृव्यम्—अयमेवास्ति, नास्य सपत्नाः सन्तीत्याहुर्य एवमेतद्वेद ॥ १९ ॥

तं निर्द्धीय निरस्यति । स एष धीतः पश्चाद्ददृशे, स पुनराप्यायते । स एतस्यैवान्नाद्याय पुनराप्यायते । यदि ह वा अस्य द्विषन् भ्रातृव्यो वणिज्यया वा केनचिद् वा सम्भवति, एतस्य हैवान्नाद्याय पुनः संभवति य एवमेतद्वेद ॥ २० ॥

तद्धैके महेन्द्रायेति कुर्वन्ति । इन्द्रो वा एष पुरा वृत्रस्य वधात् । अथ वृत्रं हत्वा यथा महाराजो विजिग्यान एवं महेन्द्रोऽभवत् । तस्मान्महेन्द्रायेति तद्विन्द्रायेत्येव कुर्य्यात् । इन्द्रो वा एष पुरा वृत्रस्य वधात् । इन्द्रो वृत्रं जघ्निवान् । तस्माद्विन्द्रायेत्येव कुर्य्यात् ॥ २१ ॥

तं ग्रसित्वेति । 'तं' मुखान्तर्गतं शत्रुं गिरन्नेव सूर्य उदेति । 'सः' तस्मिन्दिवसे 'न पुरस्तात्' दृश्यते । रक्तार्थं प्रशंसति—**ग्रसते ह वा** इति । चन्द्राख्यभ्रातृव्यस्यात्यन्तमदर्शनात् तद्रात्रौ 'सपत्ना न सन्ति' ए' ' इत्याहुः' ॥ १९ ॥

एवं सपत्नं चन्द्रं निःशेषेण पीत्वा पुनर्निर्गमयति—**तं निर्द्धीये**ति । पूर्वस्यां दिशि भक्षितः, 'पश्चात्' भागे निर्गतो रेखामात्रो दृश्यते; 'सः' च 'पुनः' कलाक्रमेण तस्यैव सूर्यस्यान्नत्वाय प्रवर्द्धते ।

ज्ञातुः फलमाह—**यदि हे**ति । 'अस्य' शत्रुरपि अनेन हृतधनोऽपि कृषिवाणिज्यादिकया कयाचिद्वृत्त्या समृद्धो भवन् 'एतस्य' ज्ञातुरन्नार्थमेव वर्द्धते ॥ २० ॥

सान्नाय्यस्येन्द्रत्वमाख्यायिकया प्रतिपादितम्, तत्र केषाञ्चित्पक्षमुपन्यस्य पुनरिन्द्रत्वमेव सिद्धान्तयति—**तद्धैक** इति । 'तत्' सान्नाय्यम् । महेन्द्रत्वे कारणमाह—**एष पुरे**ति । पूर्वं केवलमिन्द्रः सन्नपि यथा कश्चिद्राजमात्रः सन् पश्चाच्छत्रून् जित्वा महाराजतां प्राप्नोति । यत एवं वृत्रं हत्वा महेन्द्रोऽभवत्, अत एवं युक्त-

अथ प्रथमकाण्डे सप्तमाध्याये प्रथमं ब्राह्मणम् ।

स वै पर्णशाखया वत्सानपाकरोति । तद्यत्पर्णशाखया वत्सानपाकरोति यत्र वै गायत्री सोममच्छापतत्तदस्या ऽआहरन्त्या ऽअपादस्ताभ्यायत्य पर्णं प्रचिच्छेद गायत्र्यै वा सोमस्य वा राज्ञस्तत्पतित्वा पर्णोऽभवत्तस्मात्पर्णो नाम तद्यदेवात्र सोमस्य न्यक्तं तदिहाप्यसदिति तस्मात्पर्णशाखया वत्सानपाकरोति ॥ १ ॥

सान्नाय्यसंपादनम् ।

स वै पर्णशाखया वत्सानपाकरोति । तद्यत्पर्णशाखया वत्सानपाकरोति यत्र वै गायत्री सोममच्छापतत्, तदस्या आहरन्त्या अपादस्ताभ्यायत्य पर्णं प्रचिच्छेद गायत्र्यै वा सोमस्य वा राज्ञः ।

मित्यर्थः । स्वपक्षे युक्तिमाह—**वृत्रस्य वधा**दिति । वृत्रवधात् प्राक् यतोऽयं केवलः 'इन्द्रः', तथाविध एव स 'वृत्रं हतवान्; अतः पश्चादागतं महत्त्वमप्रयोजकमिति 'इन्द्रायेत्येव कुर्यात्' इति ॥ २१ ॥ ३ ॥ [६. ४.]॥

इति श्रीसायणाचार्यविरचिते माधवीये वेदार्थप्रकाशे माध्यन्दिनशतपथब्राह्मणभाष्ये
प्रथमकाण्डे षष्ठाध्याये चतुर्थं ब्राह्मणम् ॥

वेदार्थस्य प्रकाशेन तमो हार्दं निवारयन् । पुमर्थांश्चतुरो देयाद् विद्यातीर्थमहेश्वरः ॥ ६ ॥

ब्रह्माण्डं गोसहस्रं कनकहयतुलापूरुषौ स्वर्णगर्भं
सप्ताब्धीन् पञ्चसीरींस्त्रिदशतरुलतांधेनुसौवर्णभूमीः ।
रत्नोस्रां रुक्मवाजिद्विपमहितरथौ सायणिः सिङ्गणार्यो
व्यश्राणीद्विश्वचक्रं प्रथितविधिमहाभूतयुक्तं घटञ्च ॥
धान्याद्रिं धन्यजन्मा तिलभवमतुलः स्वर्णजं वर्णमुख्यः
कार्पासीयं कृपावान् गुडकृतमजडो राजतं राजपूज्यः ।
आज्योत्थं प्रज्यजन्मा लवणजमनृणः शार्करं चार्कतेजा
रत्नाढ्यो रत्नरूपं गिरिमकृत मुदा पात्रसात्सिङ्गणार्यः ॥

इति श्रीमद्राजाधिराजपरमेश्वरवैदिकमार्गप्रवर्त्तकश्रीहरिहरमहाराजसाम्राज्यधुरन्धरेण सायणाचार्येण विरचिते माधवीये वेदार्थप्रकाशे माध्यन्दिनशतपथब्राह्मणभाष्ये प्रथमकाण्डे षष्ठाध्यायः समाप्तः ॥ ६ ॥

प्रधानयागः सकलः साख्यानः सम्प्रकीर्तितः । प्राधान्येनाथ तद्धर्मा निरूप्यन्तेऽथ सप्तमे ॥ ७ ॥

तत्रादौ सन्निहितत्वात् सान्नाय्यधर्माः प्रथममुच्यन्ते । तत्र वत्सापाकरणाय शाखाच्छेदं विधास्यन् तदुचितं शाखायाः पर्णत्वं सार्थवादमाह—**स वै पर्णशाखये**ति । 'सः' वत्सानामपाकर्ता । शाखायाः पर्णत्वं प्रशंसितु-

---

१—"सम्यङ्नीयते होमार्थमग्निं प्रति इति सान्नाय्यं हविर्विशेषः" इति (पा. सू. ३ । १ । १२९) सूत्रवृत्तौ दीक्षितः ॥ 'तच्च दधिपयोलक्षणम्' इति चात्रैव (११ । २ । ६ । ६) भाष्ये सायणः ॥ 'सान्नाय्यं' दुग्धदधिरूपं हविरिति (का. श्रौ. सू. ४ । २ । १७) सूत्रवृत्तौ याज्ञिकदेवश्च । सान्नाय्यविधानादिकं सर्वमेतः पूर्वस्मिन्ब्राह्मणे ४ । ११ कण्डिकायां द्रष्टव्यम् ॥

तामाच्छिनत्ति । (त्ती) इषे त्वोर्ज्जे त्वेति व्वृष्ट्यै तदाह यदाहेषे त्वेत्यूर्ज्जे त्वेति यो व्वृष्टादूर्ग्रसो जायते तस्मै तदाह ॥ २ ॥

(द्वा) अथ मातृभिर्व्वत्सान्त्समवार्ज्जन्ति । स व्वत्सᳬं शाखयोपस्पृशति व्वायव स्थेत्ययं वै व्वायुर्योऽयं पवत ऽएष वा ऽइदᳬं सर्व्वं प्प्याययति यदिदं किञ्च व्वर्षत्येष वाऽएतासां प्प्याययिता तस्मादाह व्वायव स्थेत्युपायव स्थेत्यु हैक आहुरुप हि द्वितीयोऽयतीति तदु तथा न ब्रूयात् ॥ ३ ॥

तत् पतित्वा पर्णोऽभवत् । तस्मात् पर्णो नाम । तद् यदेवात्र सोमस्य न्यक्तं तदिहाप्यसदिति—तस्मात् पर्णशाखया वत्सानपाकरोति ॥ १ ॥

तामाच्छिनत्ति—'इषे त्वा' 'ऊर्जे त्वा'—(वा. सं. १ । १) इति । वृष्ट्यै तदाह यदाह इषे त्वेति । ऊर्जे त्वा इति । यो वृष्टादूर्ग्रसो जायते तस्मै तदाह ॥ २ ॥

अथ मातृभिर्वत्सान्त्समवार्जन्ति । स वत्सं शाखयोपस्पृशति—"वायवः स्थ"—(वा. सं. १. १)

मनुवदति—तद्यत्पर्णशाखयेति । 'यत्र' यस्मिन् देशे 'गायत्री' पक्षिरूपेण 'सोमम्' अभिलक्ष्य आनयनाय अगच्छत्, 'तत्' 'अस्या आहरन्त्याः' 'अपाधस्ता' अधस्तात् प्रदेशे 'अभ्यायत्य' यत् 'पर्णं' तत् 'प्रचिच्छेद' । कस्येत्याह—गायत्र्यै वा सोमस्य वा राज्ञ इति । 'वा'—शब्दश्चार्थे, 'गायत्र्याः' 'सोमस्य' चेत्यर्थः; अननुष्ठानत्वेन विकल्पस्यानुचितत्वात् । पतितात् पर्णात् उत्पन्नः पलाशः, तस्य 'पर्णत्वम्' । अस्त्वेवं तथाप्यस्यैव शाखाकरणे कोऽभिप्राय इत्यत आह—तद्यदेवेति । 'तस्मात्' सोमांशस्यैव सम्पादितप्रायत्वात् 'पर्णशाखया' एव मातृभ्यः सकाशात् 'वत्सान्' 'अपाकुर्यात्' पृथक्कुर्यात् । कात्यायनस्तु शमीशाखामपि विकल्पेनात्रावोचत्—"पर्णशाखां छिनत्ति शामीलीं वा" इति (का. श्रौ. सू. ४. ३०) "शम्याः ष्लञ्" इति (पा. सू. ४. ३. १४२) विकारे ष्लञि ॥ १ ॥

इदानीं छेदने मन्त्रं विधत्ते—तामिति । तदिति । इष्यत इतीट् । यदिट्, तद्वाक्यमित्यर्थः । पृथग्योगस्य विवक्षितत्वात् वाक्ययोरपि पौर्वापर्यं विवक्षितमिति गम्यते । स्पष्टमन्यत् ।

सूत्रकारस्तु मन्त्रभेदपक्षमप्यङ्गीकृत्य शाखाच्छेदे एव विकल्पितम्, छेदनसन्नमनयोर्वेति योगभिन्नतां चाह—"पर्णशाखां छिनत्ति शामीलीं वेषे त्वेति, ऊर्जे त्वेति वा" (का. श्रौ. सू. ४. ३०) "छिनद्मीति वोभयोः साकाङ्क्षत्वात्" (का. श्रौ. सू. ४. ३१) "सन्नमयामीति वोत्तरे" (का. श्रौ. सू. अ. ४. सू. ३२) इति ॥ २ ॥

अथ वत्सानां मातृसंयोजनम् । तत्रैकस्य शाखया समन्त्रकमुपस्पर्शनञ्चाह—अथ मातृभिरिति । 'समवार्जन्ति' संयोजयन्ति । हे वत्स ! गावश्च ! यूयं 'वायवः स्थ' प्रवर्द्धकत्वेन वायुसम्बन्धाद् यूयमपि वायवो भवथेति मन्त्रार्थः । (का[3]. श्रौ. सू. ४. ३६) कथमेतेषां वायुत्वव्यवहार इति तत्समर्थनायाह—अयं वा

१—"आनयनायागच्छन्नाहरन्त्या" इति क. पा. । २—"अपादस्ता" इति बहुषु पुस्तकेषु पाठः । स एव साधुः । अपअदस्तम्—अनुपक्षीणमित्यर्थः । तै. आ. ४ । १ । २ तै. ब्रा. ३ । २ । ३ । १२ द्रष्टव्यम् । ३ "मातृभिर्वत्सान्त्समवार्जन्ति स वत्सं शाखयोपस्पृशति वायवस्थेति" इति ।

(द) अथ मातॄणामेकाᳫं शाखयोपस्पृशति । वत्सेन व्याकृत्य देवो वः सविता प्रार्प्पयत्विति सविता वै देवानां प्रसविता सवितृप्रसूता यज्ञᳫं सम्भरानिति तस्मादाह देवो वः सविता प्रार्प्पयत्विति ॥ ४ ॥

श्रेष्ठतमाय कर्मण ऽइति । यज्ञो वै श्रेष्ठतमं कर्म्म यज्ञाय हि तस्मादाह श्रेष्ठतमाय कर्मण ऽइति ॥ ५ ॥

(त्वा) आप्यायध्वमघ्न्या ऽइन्द्राय भागमिति । तद्यथैवादो देवतायै हविर्गृह्णन्नादिशत्येवमेवैतद्देवताया ऽआदिशति यदाहाप्यायध्वमघ्न्या ऽइन्द्राय भागमिति ॥ ६ ॥

इति । अयं वै वायुर्योऽयं पवते । एष वा इदं सर्वं प्रप्याययति यदिदं किञ्च वर्षति । एष वा एतासां प्रप्याययिता । तस्मादाह–वायवः स्थ–इति । " **उपायवः स्थ** "–इत्यु हैक आहुः । उप हि द्वितीयोऽयतीति–तदु तथा न ब्रूयात् ॥ ३ ॥

अथ मातृणामेकां शाखयोपस्पृशति वत्सेन व्याकृत्य–" **देवो वः सविता प्रार्प्पयतु** "–(वा० सं० १ । १) इति । सविता वै देवानां प्रसविता । सवितृप्रसूता यज्ञं सम्भरान्–इति–तस्मादाह–" देवो वः सविता प्रार्प्पयतु "–इति ॥ ४ ॥

" **श्रेष्ठतमाय कर्मणे** "–(वा० सं० १ । १) इति । यज्ञो वै श्रेष्ठतमं कर्म्म । यज्ञाय हि । तस्मादाह–" श्रेष्ठतमाय कर्मणे "–इति ॥ ५ ॥

" **आप्यायध्वमघ्न्या इन्द्राय भागम्** "–(वा० सं० १ । १) इति । तद्यथैवादो देवतायै हविर्गृह्णन्नादिशति । एवमेवैतद्देवतया आदिशति–यदाह–" आप्यायध्वमघ्न्या इन्द्राय भागम् "–इति ॥ ६ ॥

इत्यादि । वायोर्गवां वर्द्धकत्वसमर्थनाय सर्वजगद्वर्धकतामाह–**एष वा इदं सर्वमिति** । एतन्मन्त्रशेषत्वेन शाखान्तरे पठितं (तै. सं. १ । १ । १) (तै. ब्रा. ३ । २ । १) मन्त्रमनूद्य निराचष्टे–**उपायवस्थेत्यु हैक** इति (तै. सं. १. १. ३.) " उपायवस्थेति चैके " (का. श्रौ. सू. ४. ३७) । यदेनं भागं ब्रूयात्, यजमानस्य 'द्वितीयः' शत्रुरुपागच्छति, अतो 'न ब्रूयात्' ॥ ३ ॥

प्रस्तुतानां गवां मध्ये एकस्या वत्सात् पृथक् स्पर्शनम्, तन्मन्त्रं (" देवो व इति मातॄणामेकां व्याकृत्य " का. श्रौ. सू. ४. ३८) चाह–**अथ मातृणामिति** । 'वत्सेन' 'व्याकृत्य' पृथक्कृत्य । प्रेषणकर्मणि सवितुः प्रयोजकत्वे कारणमाह–**सविता वा** इति । 'यज्ञं' यज्ञसाधनं क्षीरम्, तत् 'सम्भरान्' सम्भरेयुः ॥ ४ ॥

किं तत् श्रेष्ठतमं कर्म ? इति, तदाह–**यज्ञो वा** इति । साक्षात्स्वर्गसाधनत्वादितरकर्मभ्यः 'श्रेष्ठतमत्वम्' ॥५॥

मन्त्रभागे यद्देवताविशेषनामनिर्देशपूर्वकमादेशनम्, तत्प्रशंसति–**आप्यायध्वमघ्न्या** इति । यथा अग्नये हविर्ग्रहणादौ अग्नये जुष्टमितीति (श. अ. १. ब्रा. २ कं. १७) नामविशेषतो देवतादेशनं क्रियते, तद्वदिदमपि पाठेनैव कृतं भवतीत्यर्थः (" ऐन्द्रम्भवति माहेन्द्रं वा " का. श्रौ. सू. ४. ३९) ॥ ६ ॥

प्रजावतीरनमीवा ऽअयक्ष्मा ऽइति । नात्र तिरोहितमिवास्ति मा वस्तेन ऽईशत माघशꣳस ऽइति मा वो नाष्ट्रा रक्षाꣳसीशतेत्येवैतदाह ध्रुवा ऽअस्मिन्गोपतौ स्यात बह्वीरित्यनपक्रमिण्योऽस्मिन्यजमाने बह्व्यः स्यातेत्येवैतदाह ॥ ७ ॥

(ह्वा) अथाहवनीयागारस्य वा पुरस्तात् । (द्वा) गार्हपत्यागारस्य वा शाखामुपगूहति यजमानस्य पशून्पाहीति तद्ब्रह्मणैवैतद्यजमानस्य पशून्परिददाति गुप्त्यै ॥ ८ ॥

तस्यां पवित्रं करोति । वसोः पवित्रमसीति यज्ञो वै वसुस्तस्मादाह वसोः पवित्रमसीति ॥ ९ ॥

" **प्रजावतीरनमीवा अयक्ष्माः** "–(वा० सं० १ । १) इति । नात्र तिरोहितमिवास्ति । " **मा वस्तेन ईशत माघशंसः** "–(वा० सं० १ । १) इति । मा वो नाष्ट्रा रक्षांसीशत–इत्येवैतदाह । " **ध्रुवा अस्मिन् गोपतौ स्यात बह्वीः** "–(वा० सं० १ । १) इति । अनपक्रमिण्योऽस्मिन् यजमाने बह्व्यः स्यात–इत्येवैतदाह ॥ ७ ॥

अथाहवनीयागारस्य वा पुरस्ताद् गार्हपत्यागारस्य वा शाखामुपगूहति । " **यजमानस्य पशून् पाहि** "–(वा० सं० १ । १) इति । तद् ब्रह्मणैवैतद्यजमानस्य पशून् परिददाति गुप्त्यै ॥ ८ ॥

तस्यां पवित्रं करोति–" **वसोः पवित्रमसि** "–(वा० सं० १ । २) इति । यज्ञो वै वसुः । तस्मादाह–" वसोः पवित्रमसि "–इति ॥ ९ ॥

प्रजावतीरित्यादि । स्पष्टार्थतामाह–**नात्रे**ति । 'मा वः' इत्यस्य मन्त्रभागस्य तात्पर्यमाह–**नाष्ट्रे**ति । 'नाष्ट्रा' नाष्ट्राणि नाशकारीणि, 'रक्षांसि' रक्षन्ति याभ्य इति रक्षणापादानभूतानि स्तेनव्याघ्रादीनि 'नाष्ट्रा' । ध्रुव–शब्दगोपतिशब्दयोरर्थमाह–**ध्रुवा अस्मिन्नि**ति ॥ ७ ॥

शाखागूहप्रदेशविशेषम्, तत्र समन्त्रकं गूहनञ्चाह–**अथाहवनीयागारस्ये**ति । अग्निपुरोदेशे स्थापयन्नध्वर्युः अमुं मन्त्रं ब्रूयात्–**यजमानस्ये**ति (का. श्रौ. सू. ४. ४०) । हे शाखे ! त्वं 'यजमानस्य पशून्' रक्ष । एतन्मन्त्रपाठतात्पर्यमाह–**तद्ब्रह्मणैवे**ति । एतन्मन्त्रपाठेन शाखायै पशूनां परिदानं तदधीनत्वेन रक्षणार्थम् ॥ ८ ॥

इदानीं दोहनार्थं शाखायां समन्त्रकं पवित्रबन्धनं विधत्ते–**तस्यां पवित्रमि**ति । (दोहनार्थं) 'तस्यां' शाखायां 'पवित्रं' कुशद्वयात्मकं त्रिवृतं वा 'करोति'. बध्नीयात् । तथा च सूत्रम्–" वसोः पवित्रमिति पवित्रमस्यां बध्नाति कुशौ " (का. श्रौ. सू. ४. ४४.) " त्रिवृद्वा " इति (का. श्रौ. सू. ४. ४९.) । 'वसु' शब्दार्थमाह–**यज्ञो वा** इति । पुनात्यनेनेति (पा. सू. ३. २. १८९) पवित्रम्' तस्मिन्नित्यर्थः ॥ ९ ॥

१–" यजमानस्य पशूनित्यन्यगारस्यान्यतरस्य पुरस्ताच्छाखामुपगूहति " इति । २–" त्रिवृद्दर्भमयं पवित्रम् " इत्यापस्तम्बः । 'हस्तप्रादेशमात्रं तु त्रिवृत्कृत्वा पवित्रकम्' । पवित्रं वेण्याकारमिति केचित् । नवकुशवेणीमिति श्रीअनंतः । वस्तुतो द्वे साग्रे दर्भतृणे पवित्रं कर्तुं शाखायां बध्नाति । कुशत्रयस्य रज्ज्वाकारं कृत्वा वा बध्नातीति सम्प्रदायः ॥

(त्यु) अथ यवाग्वैताꣳ रात्रिमग्निहोत्रं जुहोति । (त्यु) आदिष्टं वा ऽएतद्देवतायै हविर्भवति यत्पयः स यत्पयसा जुहुयाद्यथान्यस्यै देवतायै हविर्गृहीतं तदन्यस्यै जुहुयादेवं तत्तस्माद्यवाग्वैताꣳ रात्रिमग्निहोत्रं जुहोति जुह्वत्यग्निहोत्रमुपक्लृप्तोखा भवत्यथाहोपसृष्टां प्रब्रूतादिति यदा प्राहोपसृष्टेति ॥ १० ॥

(त्यु) अथोखामादत्ते । द्यौरसि पृथिव्यसीत्युपस्तौत्येवैनामेतन्महयत्येव यदाह द्यौरसि पृथिव्यसीति मातरिश्वनो घर्मोऽसीति यज्ञमेवैतत्करोति यथा घर्म्मं प्रवृञ्ज्यादेवं प्रवृणक्ति विश्वधा ऽअसि परमेण धाम्ना

अथ यवाग्वैतां रात्रिमग्निहोत्रं जुहोति । आदिष्टं वा एतद्देवतायै हविर्भवति यत् पयः । स यत् पयसा जुहुयाद्-यथाऽन्यस्यै देवतायै हविर्गृहीतं तदन्यस्यै जुहुयाद्-एवं तत् । तस्माद्यवाग्वैतां रात्रिमग्निहोत्रं जुहोति । जुह्वत्यग्निहोत्रम्-उपक्लृप्तोखा भवति-अथाह-" उपसृष्टां प्रब्रूतात् " इति । यदा प्राह-उपसृष्टेति ॥ १० ॥

अथोखामादत्ते-"द्यौरसि पृथिव्यसि"-(वा० सं० १।२) इति । उपस्तौत्येवैनामेतत्, महयत्येव, यदाह-" द्यौरसि पृथिव्यसि "-इति । " मातरिश्वनो घर्मोऽसि "-(वा० सं० १ । २) इति । यज्ञमेवैतत् करोति । यथा घर्मं प्रवृञ्ज्याद्-एवं प्रवृणक्ति । " विश्वधा असि परमेण

अमावास्यायां रात्रौ सन्नयतः क्षीरस्यान्नार्थत्वेन नियोगादग्निहोत्रस्य द्रव्यान्तरं विधत्ते-**अथ यवाग्वेति** । एतच्छब्दार्थमाह-**यत्पय** इति । विपक्षबाधपुरःसरं स्वपक्षमुपसंहरति-**स यत्पयसेति** । इन्द्रार्थस्य दुग्धस्य आन्यर्थत्वस्याप्युक्तत्वात् । यद् यवाग्वैव होतव्यम् । "यवाग्वाऽग्निहोत्रहोमः सन्नयतः"-(का. श्रौ. सू. ४ अ. ४६ सू.) इति कात्यायनः । **जुह्वत्यग्निहोत्रमिति** । दोहकालोपलक्षणार्थम्, जुह्वति समकालम्; तद्धोमे परिसमाप्त एव ' उखा ' सान्नाय्यस्थाली सा अध्वर्युणा श्रपणप्रदेशे ' उपक्लृप्ता ' भवति । तस्याः समानयनानन्तरम् ' उपसृष्टां ' वत्सेन सङ्गताम् ' प्रब्रूतात् '-' इति ' दोग्धारं प्रत्यध्वर्युः प्राह ' यदा ' उपसृष्टा, तदा ' उपसृष्टेति ' दोग्धा ' प्राह ' ब्रूयादित्यर्थः । दोग्धा च शूद्रव्यतिरिक्तो भवेत्; " वाग्यतो दोहयत्यशूद्रेण "-(का. श्रौ. सू. ४ । ५१ सू.) इति सूत्रात् ॥ १० ॥

अध्वर्योः समन्त्रकं स्थाल्योदानं विधत्ते-**अथोखामिति** । उखायाः द्यु-पृथिव्यात्मकत्वस्य कदाचिदप्यसम्भवात् उपस्तुतिमात्रमिदमित्याह-**उपस्तौत्येवेति** । सापि किमर्थेत्यत आह-**महयत्येवेति** । स्तुत्या पूजनं लोके प्रसिद्धम् । अधिश्रयणे मन्त्रमाह-**मातरिश्वन** इति । ' मातरि ' अन्तरिक्षे श्वयतीति ' मातरिश्वा '

१-यो यवाग्वैव नित्यमग्निहोत्रं जुहोति न तस्या एतद्विधीयते, अपि तु यः पयसा नित्यमग्निहोत्रं जुहोति तस्य दर्शेष्ट्याः पूर्वेद्युरमायां पयसः स्थाने यवागूर्विधीयते । येन द्रव्येणाग्निहोत्रमुपक्रमते तेनैव हविर्द्रव्येण यावज्जीवनं जुहुयादिति नियमस्यानेन शास्त्रेणापवादः । २-तण्डुलैः शिथिलपक्वा यवागूरित्युच्यते । ३-वत्सेन संगता इत्यर्थः । ४-शूद्रपर्युदासात्क्षत्रियवैश्ययोरभ्यनुज्ञा इति कर्कः । त्रैवर्णिकेनेति भाष्यकः । ५-" प्रोक्ष्य द्यौरसीति स्थाल्यादानं " इति का. श्रौ. सू. ४ । ४८ । ६-" मातरिश्वन इत्यधिश्रयति " का. श्रौ. सू. ४ । ४९ ।

दृꣳह्स्व माह्वारिति दृꣳहत्येवैनामेतदशिथिलां करोति मा ते यज्ञ-पतिर्ह्वार्षीदिति यजमानो वै यज्ञपतिस्तद्यजमानायैवैतदह्वलामाशास्ते ॥ ११ ॥

(स्तेऽथ) अथ पवित्रं निदधाति । तद्धै प्राङ्निदध्यात्प्राची हि देवानां दिगथो ऽउदगुदीची हि मनुष्याणां दिगयं वै पवित्रं योऽयं पवते सोऽय-मिमाँल्लोकांस्तिर्यङ्ङनुपवते तस्मादुदङ्ङ्निदध्यात् ॥ १२ ॥

(त्त) तद्यथैवादः । सोमꣳराजानं पवित्रेण सम्पावयन्त्येवमेवैतत्सम्पा-वयत्युदीचीनदशं वै तत्पवित्रं भवति येन तत्सोमꣳराजानꣳसम्पाव-यन्ति तस्मादुदङ्ङ्निदध्यात् ॥ १३ ॥

धाम्ना दृंहस्व मा ह्वाः"– (वा० सं० १ । २) इति । दृंहत्येवैनामेतद्–अशिथिलां करोति । "मा ते यज्ञपतिर्ह्वार्षीद्"–(वा० सं० १ । २) इति–यजमानो वै यज्ञपतिः । तद् यजमानायै-वैतदह्वलामाशास्ते ॥ ११ ॥

अथ पवित्रं निदधाति । तद्धै प्राङ् निदध्यात् । प्राची हि देवानां दिक् । अथो उदक् । उदीची हि मनुष्याणां दिक् । अयं वै पवित्रम्, योऽयं पवते । सोऽयमिमाँल्लोकांस्तिर्यङ्ङनुपवते । तस्मादु-दङ् निदध्यात् ॥ १२ ॥

तद्यथैवादः सोमं राजानं पवित्रेण सम्पावयन्ति–एवमेवैतत् सम्पावयति । उदीचीनदशं वै तत् पवित्रं भवति–येन तत् सोमं राजानं सम्पावयन्ति । तस्मादुदङ् निदध्यात् ॥ १३ ॥

वायुरादित्यो वा (निरुक्त. ७ । ७ । ४) तस्य घर्मस्त्वमसि; तेन दीप्यमानत्वात् एतत्पाठेन 'यज्ञमेव' कृतवान् भवति । तत्कथमिति, तदुपपादयति–यथेति । यज्ञे 'यथा' 'घर्मं' प्रवर्ग्यं 'प्रवृञ्ज्यात्', 'एवं' स्थाल्यधिश्रयणेन 'प्रवृणक्ति' प्रवर्ग्यं कृतवान् भवति; अतो यज्ञसम्पादनम् । "विश्वधायाः"–इति मन्त्र-भागस्य तात्पर्याभिधानं स्पष्टम् । "मा ते"–इति मन्त्रभागे 'यज्ञपति'–शब्दार्थमाह–यजमानो वा इति । 'ह्वला' नाशः, तदभावम् 'आशास्ते'–'मा ह्वार्षीत्'–इत्यनेन । "ह्वृ–कौटिल्ये" (धा. पा. भ्वा. प. ९२१) इति धातुः ॥ ११ ॥

अथ पवित्रस्थापनं तदग्रनियमञ्चाह–अथ पवित्रमिति । वत्सापाकरणानन्तरं यत् शाखापवित्रं कृतम्, तत् प्रागग्रं स्थाल्यां 'निदध्यात्' । दैव्यस्य पवित्रस्य देवदिगाभिमुख्यं युक्तम्; प्राच्या इन्द्राधिष्ठितत्वात्, इन्द्रस्य च सर्वदेवतात्मकत्वात्, तद्दैवत्यं पवित्रम् । दिगन्तरमाह–अथो ऽउदगुदीची हीति । उत्तरस्यां प्रायेण मनुष्य-प्राचुर्यात् । किञ्च यस्माज्जगत्पवित्रभूतो वायुरपि 'तिर्यङ्ङनुपवते' तिर्यग् गच्छति; अतोऽस्यापि पवित्रत्वात् तत्सौम्याय 'उदङ् निदध्यात्' ॥ १२ ॥

सान्नाय्यस्य सोमात्मकत्वात् तत्पवनसाधनदशापवित्रवदस्याप्युदगग्रत्वं युक्तमिति सदृष्टान्तमाह–तद्य-थैवाद इति ॥ १३ ॥

१–"वसोः पवित्रमिति पवित्रमस्यां करोत्युदग्वा" इति का. श्रौ. सू. ४ । ५० ॥

(त्त) तन्निदधाति व्वसोः पवित्रमसीति । यज्ञो वै व्वसुस्तस्मादाह व्वसोः पवित्रमसीति शतधारꣳ सहस्रधारमित्युपस्तौत्येवैनदेतन्महयत्येव यदाह शतधारꣳ सहस्रधारमिति ॥ १४ ॥

(त्थ) अथ वाचंयमो भवति । (त्था) आ तिसृणां दोग्धोर्व्वाग्वै यज्ञो ऽविक्षुब्धो यज्ञं तनवा ऽइति ॥ १५ ॥

तदानीयमानमभिमन्त्रयते । देवस्त्वा सविता पुनातु व्वसोः पवित्रेण शतधारेण सुप्वेति तद्यथैवादः सोमꣳ राजानं पवित्रेण सम्पावयन्त्येवमेवैतत्सम्पावयति ॥ १६ ॥

(त्थ) अथाह कामधुक्ष ऽइति । (त्य) अमूमिति सा व्विश्वायुरित्यथ द्वितीयां पृच्छति कामधुक्ष ऽइत्यमूमिति सा व्विश्वकर्मेत्यथ तृतीयां पृच्छति कामधुक्ष ऽइत्यमूमिति सा व्विश्वधाया इति तद्यत्पृच्छति व्वीर्या-

---

तन्निदधाति–" वसोः पवित्रमसि "–(वा० सं० १ । ३) इति । यज्ञो वै वसुः । तस्मादाह–" वसोः पवित्रमसि " इति । " शतधारं सहस्रधारम् "–(वा. सं० १ । ३) इति । उपस्तौत्येवैनदेतद्, महयत्येव, यदाह–" शतधारं सहस्रधारम् " इति ॥ १४ ॥

अथ वाचंयमो भवति–आ तिसृणां दोग्धोः । वाग्वै यज्ञः । अविक्षुब्धो यज्ञं तनवा–इति ॥१५॥

तदानीयमानमभिमन्त्रयते–" देवस्त्वा सविता पुनातु वसोः पवित्रेण शतधारेण सुप्वा "–(वा० सं० १ । ३) इति । तद् यथैवादः सोमं राजानं पवित्रेण सम्पावयन्ति–एवमेवैतत् सम्पावयति ॥ १६ ॥

अथाह–" कामधुक्षः "–(वा. सं. १ । ३) इति । अमूमिति । " सा विश्वायुः "–(वा० सं० १ । ४) इति । अथ द्वितीयां पृच्छति–कामधुक्ष–इति । अमूम्–इति । "सा विश्वकर्मा"–(वा० सं० १ । ४) इति । अथ तृतीयां पृच्छति–" कामधुक्ष "–इति । अमूमिति । " सा

पवित्रनिधानस्य मन्त्रमाह–तन्निदधाति वसोरिति (का. श्रौ. सू. ४ अ. ९२ सू.) ॥ १४ ॥

मौनकालनियमावधिमाह–अथेति । ' तिसृणां दोग्धोः ' तिसृणां गवां दोहावधि । ' वाचा ' मन्त्रेण साध्यत्वात् ' वाग्–यज्ञः ' । अथ वाक्शब्देन नियता वाग् विवक्षिता । वाचि यज्ञोपयोगिन्यां सत्यां मनसि विक्षेपो भवति, तत्परिहाराय वाङ्नियमविधानम् ॥ १५ ॥

पयस आसेचनसमये अध्वर्योर्जपं विधत्ते–तदानीयमानमिति । ' अभिमन्त्रणम् ' आभिमुख्येन जपः; "स्थाल्यन्वारब्धे देवस्त्वा"–इति–" आसिच्यमाने जपति " इति सूत्रात् (का. श्रौ. सू. ४ अ. ९२ सू.) ' सुप्वा ' सुष्ठु पवित्रेण पावयित्वा । स्पष्टमन्यत् ॥ १६ ॥

अथाहेति । अध्वर्युः प्रथमायां गवि दुग्धायां ' कां ' गाम् ' अधुक्षः ' दुग्धवानसीति (" कामधुक्ष इति प्रश्नः " इति का. श्रौ. सू. ४. अ. ९३ सू.) ब्रूयात् । सोऽपि दोग्धा गङ्गां गौरीमिति दुग्धाया गोर्नाम

ण्येवास्वेतुद्दधाति तिस्रो दोग्धि त्रयो वा ऽइमे लोका ऽएभ्य ऽएवैनदेतु-ल्लोकेभ्यः सुम्भरत्युथ कामं व्वदति ॥ १७ ॥

(त्यु) अथोत्तमां दोहयित्वा । येन दोहयति पात्रेण तुस्मिन्नुदस्तोकु-मानीय पल्यङ्ग्य प्रत्यानयति यदुत्र पयसोऽहायि तुदिहाप्यसदिति रुसस्यो चैवु सर्व्वत्वायेद ऽ हि यदा व्वर्षत्यथौषधयो जायन्त ऽओषधीर्जग्ध्वापुः पीत्वा तुत ऽएष रुसः सुम्भवति तुस्मादु रुसस्यो चैवु सर्व्वत्वाय तुदुद्वा-स्यातनक्ति तीव्रीकरोत्येवैनदेतत्तस्मादुद्वास्यातनक्ति ॥ १८ ॥

विश्वधायाः"–(वा० सं० १।४)इति । तद्द यत्पृच्छति–वीर्याण्येवास्वेतद्दधाति । तिस्रो दोग्धी । त्रयो वा इमे लोकाः । एभ्य एवैनदेतल्लोकेभ्यः सम्भरति, अथ कामं वदति ॥ १७ ॥

अथोत्तमां दोहयित्वा येन दोहयति पात्रेण–तस्मिन्नुदस्तोकमानीय, पल्यङ्ग्य, प्रत्यानयति । यदत्र पयसोऽहायि तदिहाप्यसदिति । रसस्यो चैव सर्वत्वाय । इदं हि यदा वर्षति–अथौषधयो जायन्ते । ओषधीर्जग्ध्वा, अपः पीत्वा, तत एष रसः सम्भवति । तस्मादु रसस्यो चैव सर्वत्वाय । तदुद्वास्यातनक्ति । तीव्रीकरोत्येवैनदेतत् । तस्मादुद्वास्यातनक्ति ॥ १८ ॥

'अमूम्' इति निर्दिशेत् । अथ सोऽध्वर्युस्तां 'सा विश्वायुः'–'इति' ब्रूयात् । ("प्रोक्ते सा विश्वायुरित्याह" इति । का. श्रौ. सू. ४. ५४) एवमुत्तरयोरपि व्याख्या । 'विश्वायुः' बहुन्ना, बहुक्षीरेत्यर्थः । 'विश्वकर्मा' बहुतृप्तिसाधनदोहकर्मोपेता ("एवमितरे उत्तराभ्यां प्रतिमन्त्रम्" इति का. श्रौ. सू. ४. ५५) 'विश्वधायाः' धीयत इति 'धायाः' अन्नम् बहुन्ना (का. श्रौ. सू. ४ अ. ५९ सू.) एवं प्रश्नपूर्वकं तासां गुणकथनेन तासु वीर्यमवस्थापयति । दोग्धव्यगवां सङ्ख्यां ब्रूते–**तिस्रो दोग्धीति** । तिसृभ्यः क्षीरसम्भर्ता त्रिभ्यो लोकेभ्य एव सम्भृतवान् भवति, अतः तिस्रो दुह्यात् । अत्र "यावत् स्वमधिकारात्" (का. श्रौ. सू. ४ अ. ५७ सू.) "तिस्रो वा नित्यत्वात्" इत्यादि (का. श्रौ सू. ४ अ. ५८–६० सूत्रं) द्रष्टव्यम् । अतः परं वाङ्नियमं विसृजेदित्याह–**अथ कामं वदतीति** ॥ १७ ॥

दोहनपात्रक्षालनोदकस्य पुनः क्षीरे समर्पणमाह–**अथोत्तमामिति** 'उदस्तोकम्' उदकबिन्दुधारामित्यर्थः । 'पल्यङ्ग्य' परितो गमयित्वा, दोहपात्र उदकमासिच्य प्रक्षाल्येत्यर्थः । 'पयसः' अवशिष्टं 'यत्' 'अहायि' हृतमभूत् । **तदिहापीति** । 'अपि'–शब्दो भिन्नक्रमः,–तदपीह 'असत्' भवेदिति । एतत् सङ्क्षालनोदकानयनप्रयोजनम् । तदपि किमर्थमित्यत आह–**रसस्यो चैवेति** । 'उ च, एव' इति निपातत्रयम् । 'रसस्य' क्षीरस्यैव 'सर्वत्वाय' कार्त्स्न्याय । अस्तु नाम क्षीरांशेन सर्वत्वम्, तत्संयुक्तेन क्षालितोदकेन कथं सर्वत्वमित्युदकस्यापि क्षीरोपादानतामाह–**इदं हि यदेति** । परिक्षालनानयनमन्त्रः (तै. सं. १ कां. १ प्र. ३. १) सूत्रे दर्शितः–"परिक्षालनमानयति सम्पृच्यध्वमृतावरी" रित्यादिना (का. श्रौ. सू. ४ अ. ६१) । **तदुद्वास्येत्यादि** । आतञ्चनेनैतत् क्षीरं तीव्रीकृतवान् भवति । तीव्रीकरणं सारत्वकरणम् । क्षीरादपि दध्नो बलकरत्वं लोके दृष्टम्,–"यन्मा भिनत्तन्मे तुरुक्त"–इति श्रुतम् (श. ब्रा. ६ अ. ४ ब्रा ११ कं.) । आतञ्चनद्रव्यं सूत्रकार आह–"प्राग्धुतशेषेण" (का. श्रौ. सू. ४ अ. ६२ सू.) यथान्वेत्यर्थः ॥ १८ ॥

स ऽआतनक्ति । (क्ती) इन्द्रस्य त्वा भागꣳसोमेनातनच्मीति तद्यथैवादो देवतायै हविर्गृह्णन्नादिशत्येवमेवैतद्देवताया ऽआदिशति यदाहेन्द्रस्य त्वा भागमिति सोमेनातनच्मीति स्वदयत्येवैनदेतद्देवेभ्यः ॥ १९ ॥

(भ्युोऽथो) अथोदकवतोत्तानेन पात्रेणापिदधाति । नेदेनदुपरिष्टान्नाष्ट्रा रक्षाꣳस्यवमृशानिति वज्रो वा ऽ आपस्तद्वज्रेणैवैतन्नाष्ट्रा रक्षाꣳस्यतोऽपहन्ति तस्मादुदकवतोत्तानेन पात्रेणापिदधाति ॥ २० ॥

सोऽपिदधाति । विष्णो हव्यꣳरक्षेति यज्ञो वै विष्णुस्तद्यज्ञायैवैतद्धविः परिददाति गुप्त्यै तस्मादाह विष्णो हव्यꣳ रक्षेति ॥ २१ ॥ ४ ॥

इति पञ्चमप्रपाठके चतुर्थं ब्राह्मणम् । [७. १.]

स आतनक्ति–" इन्द्रस्य त्वा भागं सोमेनातनच्मि "–(वा० सं० १ । ४) इति । तद्यथैवादो देवतायै हविर्गृह्णन्नादिशति–एवमेवैतद्देवताया आदिशति–यदाह–" इन्द्रस्य त्वा भागम् "–इति । " सोमेनातनच्मि "–इति । स्वदयत्येवैनदेतद्देवेभ्यः ॥ १९ ॥

अथोदकवतोत्तानेन पात्रेणापिदधाति । नेदेनदुपरिष्टान्नाष्ट्रा रक्षांस्यवमृशानिति । वज्रो वा आपः । तद्वज्रेणैवैतन्नाष्ट्रा रक्षांस्यतोऽपहन्ति । तस्मादुदकवतोत्तानेन पात्रेणापिदधाति ॥ २० ॥

सोऽपिदधाति–" विष्णो हव्यं रक्ष "–(वा० सं० १ । ४) इति । यज्ञो वै विष्णुः । तद्यज्ञायैवैतद्धविः परिददाति गुप्त्यै । तस्मादाह–" विष्णो हव्यं रक्ष "–इति ॥ २१ ॥

तत्र मन्त्रमाह–**स आतनक्ति इन्द्रस्य त्वेति** । मन्त्रे देवतानामनिर्देशं प्रशंसति–**तद्यथेति**। पूर्ववद्व्याख्येयम् (श. ब्रा. ७ अ. १ ब्रा. ६ कं.) सोमस्य देवतानामतिप्रियत्वात् कीर्तितेन एतद्धव्यं तेभ्यः स्वादु कृतवान् भवति ॥ १९ ॥

अथोदकवतेति । पिधानपात्रस्योदकपूर्णत्वे प्रयोजनमाह–**नेदि**ति । ' नेत् '–इति परिभये (" नेत्येष इदित्येतेन सम्प्रयुज्यते परिभये " इति निरु० १ । ३ । ६) यद्युदकपूर्णं न कुर्यात्, 'एनत्' क्षीरमुपरिभागे, ' रक्षांसि ' ' अवमृशान् ' अवमृशेयुः; एतद्भयावहमित्यर्थः । सोदकत्वे कथं तत्परिहार इति तदाह–**वज्रो वा आप इति** ॥ २० ॥

सोऽपिदधातीति । पिधानमन्त्रे (" सोदकेनापिदधात्यमृण्मयेन विष्णो हव्यमिति " इति का. श्रौ. सू. ४ अ. ६३ सू.) विष्णुशब्दार्थमाह–**यज्ञो वा इति** । स च त्र्यात्मना व्यापित्वात् ' यज्ञो विष्णुः ' ॥ २१ ॥ ४ ॥ (७. १)

इति श्रीसायणाचार्यविरचिते माधवीये वेदार्थप्रकाशे माध्यन्दिनीये शतपथब्राह्मणभाष्ये प्रथमकाण्डे सप्तमाध्याये प्रथमं ब्राह्मणम् ॥ (१ –७– १) ॥

१–यदिमृण्मयंस्यात्तृणं दारुंवाऽन्तर्दधाति ॥

ऋणꣳ ह वै जायते योऽस्ति । स जायमान ऽएव देवेभ्य ऽऋषिभ्यः पितृभ्यो मनुष्येभ्यः ॥ १ ॥

स यदेव यजेत । तेन देवेभ्य ऽऋणं जायते तद्ध्येभ्य ऽएतत्करोति यदेनान्यजते यदेभ्यो जुहोति ॥ २ ॥

(त्यु) अथ यदेवानुब्रुवीत । तेनऽर्षिभ्य ऽऋणं जायते तद्ध्येभ्य ऽएतत्करोत्यृषीणां निधिगोप इति ह्यनूचानमाहुः ॥ ३ ॥

(ङ) अथ यदेव प्रजामिच्छेत । तेन पितृभ्य ऽऋणं जायते तद्ध्येभ्य ऽएतत्करोति यदेषाꣳ सन्तताव्यवच्छिन्ना प्रजा भवति ॥ ४ ॥

अवदानक्लृप्तिः ।

ऋणं ह वै जायते योऽस्ति । स जायमान एव देवेभ्य ऋषिभ्यः पितृभ्यो मनुष्येभ्यः ॥ १ ॥

स यदेव यजेत–तेन देवेभ्य ऋणं जायते । तद्ध्येभ्य एतत् करोति–यदेनान् यजते, यदेभ्यो जुहोति ॥ २ ॥

अथ यदेवानुब्रुवीत–तेन ऋषिभ्य ऋणं जायते । तद्ध्येभ्य एतत् करोति–ऋषीणां निधिगोपः–इति ह्यनूचानमाहुः ॥ ३ ॥

अथ यदेव प्रजामिच्छेत–तेन पितृभ्य ऋणं जायते । तद्ध्येभ्य एतत् करोति–यदेषां सन्तताऽव्यवच्छिन्ना प्रजा भवति ॥ ४ ॥

अवदानस्वरूपं (श. प. ब्रा. ७।२।६) विवक्षुराख्यायिकामाह–**ऋणं हे**ति । 'यः' द्विजातिः 'स जायमान एव' देवादिभ्यश्चतुर्भ्योऽपि 'ऋणवान्' अधमर्णिको 'जायते'[२] ऋणित्वे जननमेव निमित्तमित्यर्थः ॥ १ ॥

सङ्ग्रहोक्तं विवृणोति–**स यदेवे**ति ।' यजेत '–इति 'यत्' 'तेन' कारणेन यागेन निमित्तेन 'देवेभ्यः' 'तद् ऋणं जायते' । 'हि' यस्माद् यागकर्मभ्यः 'एभ्यः' देवेभ्यः 'एतत्' इदानीं 'करोति' अतस्तेभ्यः तद् ऋणमित्यर्थः । तच्छब्दार्थमाह–**यदेनानि**ति । यागहोमावुभावपि नियमेन देवार्थमेव यतः क्रियते; अतस्तेषां तौ स्वम्, तस्यावश्यप्रदानत्वादृणी जायत इत्यर्थः । एवमुत्तरवाक्यान्यपि योज्यानि ॥ २ ॥

अथेति । 'अनुब्रुवीत' अनुवचनं कुर्यात्, अधीयेतेत्यर्थः । **निधिगोप इती**ति । उपभुज्यमानोऽपि यो न विनश्यति, स 'निधिः' । तादृशः ऋषीणां सम्बन्धी यो वेदाख्यो निधिः, तस्य गोपायिता 'इति' वेदम् 'अनूच्यमानम्' 'आहुः' बुधाः । अतस्तेषां प्रवचनं धनमिति गम्यते ॥ ३ ॥ ४ ॥

१–"मध्यात्पूर्वार्धाच्चासम्भिन्दन्नङ्गुष्ठपर्वमात्रमवदानम्" इति का. श्रौ. सू. १।९।६ ॥ २–"जायमानो वै ब्राह्मणस्त्रिभिर्ऋणवा जायते ब्रह्मचर्येण ऋषिभ्यो यज्ञेन देवेभ्यः प्रजया पितृभ्य एष वा अनृणो यः पुत्री यज्वा ब्रह्मचारिवासी" (तै. सं. ६. ३. ११. १३) मं. सं. ६. ३५–३७; ४. २५७ । रामा. २. ४. १३ । म. भा. १. ४६ । ५६ । ५८ ।

(त्यु) अ॒थ य॒दे॒व॒ व्वा॒सु॒येत । ते॒न म॒नु॒ष्ये॒भ्य ऽऋ॒णं जा॒यते तु॒द्ध्येभ्य
ऽएतु॒त्क॒रो॒ति य॒दे॒ना॒न्व्वा॒सु॒यते य॒दे॒भ्यो॒ऽश॒नं दु॒दा॒ति स य॒ ऽए॒तानि
सु॒र्व्वा॒णि क॒रो॒ति स कृ॒त॒क॒र्मा तु॒स्य सु॒र्व्व॒मा॒प्त॒ꣳ सु॒र्व्वं जि॒तम् ॥ ५ ॥
(ए॒ꣳ) स य॒ेन दे॒वे॒भ्य ऽऋ॒णं जा॒यते । तु॒दे॒नां॒स्त॒दु॒व॒दयते य॒द्यज॒तेऽथ
य॒द॒ग्नौ जु॒हो॒ति तु॒दे॒नां॒स्त॒दु॒व॒दयते तु॒स्मा॒द्यत्कि॒ञ्चा॒ग्नौ जु॒ह्व॒ति तु॒द॒व॒-
दा॒नं ना॒म ॥ ६ ॥

त॒द्वै च॒तु॒र॒व॒त्तं भ॒व॒ति । (ती) इ॒दं वा॒ ऽअ॒नु॒वा॒क्या॒थ या॒ज्या॒थ व्व॒ष॒ट्का॒रो-
ऽथ सा॒ दे॒व॒ता च॒तु॒र्थी य॒स्यै दे॒व॒ता॒यै ह॒वि॒र्भ॒व॒त्ये॒व॒ꣳ हि दे॒व॒ता॒ऽअ॒व-
दा॒ना॒न्य॒न्वा॒य॒त्ता ऽअ॒व॒दा॒ना॒नि वा दे॒व॒ता ऽअ॒न्वा॒य॒त्ता॒न्यु॒ति॒रि॒क्त॒ꣳ ह
तु॒द॒व॒दा॒नं य॒त्प॒ञ्च॒मं कु॒स्मा ऽउ हि तु॒द॒व॒द्ये॒त्तु॒स्मा॒च्च॒तु॒र॒व॒त्तं भ॒व॒ति ॥ ७ ॥

अथ यदेव वासयेत–तेन मनुष्येभ्य ऋणं जायते । तद्ध्येभ्य एतत् करोति–यदेनान् वासयते, यदेभ्योऽशनं ददाति । स य एतानि सर्वाणि करोति, स कृतकर्मा, तस्य सर्वमाप्तं, सर्वं जितम् ॥५॥

स येन देवेभ्य ऋणं जायते–तदेनांस्तदवदयते–यद् यजते । अथ यदग्नौ जुहोति–तदेनांस्तदवदयते । तस्माद् यत् किञ्चाग्नौ जुह्वति तदवदानं नाम ॥ ६ ॥

तद्वै चतुरवत्तं भवति । इदं वा अनुवाक्या, अथ याज्या, अथ वषट्कारः, अथ सा देवता चतुर्थी यस्यै देवतायै हविर्भवति । एवं हि देवता अवदानान्यन्वायत्ता । अवदानानि वा देवता अन्वायत्तानि । अतिरिक्तं ह तदवदानम्, यत् पञ्चमम् । कस्मा उ हि तदवद्येत् । तस्माच्चतुरवत्तं भवति ॥ ७ ॥

अथ यदेवेति । 'वासयेत' गृहे; अन्नादिप्रदानेनेदानीमवकाशं प्रयच्छेत् । 'यः' जायमानो ब्राह्मणः 'एतानि' यागानुवचनादीनि 'सर्वाणि' अपि 'करोति' । 'सः' 'कृतकर्मा' कृतकृत्यः । तस्मात् आप्तव्यं 'सर्वमाप्तं' भवति, देवादिसर्वस्थानं 'सर्वं' जेतव्यं 'जितं' भवति ॥ ५ ॥

स येनेति । इत्थं तेषामृणत्वं प्रति तेन 'अवदयते' दयतिर्दानार्थः; (धा. पा. भ्वा. आ. ४८१) अव-प्रत्यर्पणम्, देवानां स्वभूतमृणम्, विभज्य दत्तवान् भवति । तच्छब्दार्थमाह–**यद्यजत** इति । यदस्ति तत्तेन यागेनेत्यर्थः; एवं होमेनापि । 'यस्मादेवं' तस्मात् 'यत् किञ्च' चरुपुरोडाशादिकं 'अग्नौ जुह्वति,' 'तत्' अवत्तं हविः '**अवदानम्**'–इति प्रसिद्धं भवति ॥ ६ ॥

तस्यावदेयस्य चतुष्ट्वं विधत्ते–**तद्वा** इति । तत्र कारणमाह–**इदं वा** इति । 'इदं वा' अनुवाक्यात्मकमिदं खलु प्रथमम्; 'अथ' पश्चाद् 'याज्या,' 'अथ' प्रधानसाधनो 'वषट्कारः' । पश्चाद्धविस्स्वामिनी 'देवता' 'चतुर्थी' भवति । 'एवं' क्रमेण पुरोऽनुवाक्यायाश्चतस्रो 'देवताः', क्रमेण चत्वारि 'अवदानानि अन्वायत्ताः' । 'हि'–शब्दश्चार्थे ("हीत्येषोऽनेककर्मा" इति निरु. १. २. ४., १. ४. ३); अवदानानि च चत्वारि, चतस्रः पुरोऽनुवाक्यायाज्यादिदेवताः 'अन्वायत्तानि' अनुप्राप्तानि । अत उभयेषां समसङ्ख्याकत्वात् तन्न्यूनाधिकभावो न युक्त इत्यर्थः । चतसृभ्योऽवदानचतुष्टयस्यावश्यकत्वात् न्यूनसङ्ख्या-

(त्यु) उतो पञ्चावत्तमेव भवति । पाङ्क्तो यज्ञः पाङ्क्तः पशुः पञ्चऽर्त्तवः संवत्सरस्यैषो पञ्चावत्तस्य सम्पद्बहुर्हैव प्रजया पशुभिर्भवति यस्यैवं विदुषः पञ्चावत्तं क्रियत ऽएतद्ध न्वेव प्रज्ञातं कौरुपाञ्चालं यच्चतुरवत्तं तस्माच्चतुरवत्तं भवति ॥ ८ ॥

स वै यावन्मात्रमिवैवावद्येत् । (न्मा) मानुषᳬ ह कुर्याद्यन्महदवद्येद्व्यृद्धं वै तद्यज्ञस्य यन्मानुषं नेद्व्यृद्धं यज्ञे करवाणीति तस्माद्यावन्मात्रमिवैवावद्येत् ॥ ९ ॥

(त्स) स ऽआज्यस्योपस्तीर्य । द्विर्हविषोऽवदायाथोपरिष्टादाज्यस्याभिघारयति द्वे वा ऽआहुती सोमाहुतिरेवान्याज्याहुतिरन्या तत ऽएषा केवली

उतो पञ्चावत्तमेव भवति । पाङ्क्तो यज्ञः, पाङ्क्तः पशुः, पञ्चर्तवः, संवत्सरस्य एषो पञ्चावत्तस्य संपत् । बहुर्हैव प्रजया पशुभिर्भवति—यस्यैवं विदुषः पञ्चावत्तं क्रियते । एतद्ध न्वेव प्रज्ञातं कौरुपाञ्चालं यच्चतुरवत्तं, तस्माच्चतुरवत्तं भवति ॥ ८ ॥

स वै यावन्मात्रमिवैवावद्येत् । मानुषं ह कुर्याद्—यन्महदवद्येद् । व्यृद्धं वै तद् यज्ञस्य—यन्मानुषं, नेद् व्यृद्धं यज्ञे करवाणीति । तस्माद् यावन्मात्रमिवैवावद्येत् ॥ ९ ॥

स आज्यस्योपस्तीर्य द्विर्हविषोऽवदायाथोपरिष्टादाज्यस्याभिघारयति । द्वे वा आहुती—सोमाहुति-

---

कत्वं न शक्यम् । अधिकत्वदोषात् पञ्चममाशङ्क्य परिहरति—**अतिरिक्तं** हेति । अतिरेकमेव दर्शयति—**कस्मा** इति । 'कस्मै' प्रयोजनाय 'पञ्चमम् अवद्येत्?' तदभिमानिन्याः पञ्चम्या देवताया अभावादिति भावः ॥७॥

अथाभ्युपगम्याधिक्यदोषं यज्ञादिसम्पत्तिलाभाय पञ्चावदानपक्षमप्याह—**उतो**—इति । यज्ञस्य पाङ्क्तत्वं धाना-करम्भादिहविःपञ्चकादिनाऽवगन्तव्यम्[1] (तै. सं. ६. ५. ११) । ऐतरेयकेऽपि—"यो वै यज्ञम्" इत्यादिना (ऐ. ब्रा. २. ३. ६.) हविरक्षरसङ्ख्यादिभिर्बहुधा[2] यज्ञस्य पाङ्क्तत्वमुपपादितम् । पशोः पाङ्क्तत्वं लोमत्वगा-दिभिरिति प्रागुक्तम् । (श. प. १।२।३।७) हेमन्तशिशिरयोरैक्याभिप्रायेण संवत्सरः पाङ्क्तः । (ऐ. ब्रा. १. १. १) एवन्तु पञ्चावत्ते सति तद्गतपञ्चसङ्ख्याद्वारा 'सम्पत्' यज्ञात्मकं धनं सम्पद्यत इत्यर्थः ॥

एतज्ज्ञानपूर्वकानुष्ठानफलमाह—**बहुर्हैवे**ति ॥

अथ पुनश्चतुरवत्तमेव स्थापयति—**एतदि**ति । एतदेव 'चतुरवत्तं' 'कौरुपाञ्चलं' कुरुपञ्चालदेशे प्रसिद्धम्; अतस्तत्र प्रज्ञातत्वादनुष्ठानसम्प्रदायानुरोधेन 'चतुरवत्तम्' एव कर्तव्यम् ॥ ८ ॥

अवदानस्येयत्तां विवक्ते—**स वा** इति । 'यावन्मात्रमिव' 'इव'—शब्दोऽनर्थको वाक्यालङ्कारे ("इवशब्दो-ऽपि दृश्यते" इत्यादि निरु. १. ३. ९.) 'यावन्मात्रमिव' अङ्गुष्ठपर्वमात्रमेवेत्यर्थः ।

आधिक्ये दोषमाह—**मानुषं ह** इति । मनुष्याणां शरावादिपरिमितत्वादाधिक्यं मानुषत्वकरणम् ॥ ९ ॥

इदानीं चतुरवदानप्रकारं दर्शयति—**स आज्यस्ये**ति । पुरोडाशांशौ द्वौ; तदध उपरि चोपस्तृताभिघारिता-भ्याम् (श. प. ६ अ. १ ब्रा. २१ कं.) चतुरवत्तत्वम् ।

१—'धानाः, करम्भः, परिवापः पुरोडाशः, पयस्या' इति । २—हविष्पङ्क्तिः, अक्षरपङ्क्तिः, नराशंसपङ्क्तिः, सवनपङ्क्तिः इति ।

यत्सोमाहुतिरथैषाज्याहुतिर्यद्धविर्यज्ञो यत्पशुस्तदाज्यमेवैतत्करोति तस्मा-
दुभयत आज्यं भवत्येतद्वै जुष्टं देवानां यदाज्यं तज्जुष्टमेवैतद्देवेभ्यः करोति
तस्मादुभयत ऽआज्यं भवति ॥ १० ॥

(त्य) असौ वा ऽअनुवाक्येयं याज्या । ते ऽउभे योषे तयोर्मिथुनमस्ति
वषट्कार एव तद्वा ऽएष एव वषट्कारो य ऽएष तपति स ऽउद्यन्नेवा-
मूमधिद्रवत्यस्तं यन्निमामधिद्रवति तदेतेन वृष्णेमां प्रजातिं प्रजायते
यैनयोरियं प्रजातिः ॥ ११ ॥

रेवान्या—आज्याहुतिरन्या । तत एषा केवली यत् सोमाहुतिः । अथैषाज्याहुतिः—यद्धविर्यज्ञः, यत् पशुः । तदाज्यमेवैतत् करोति—तस्मादुभयत आज्यं भवति । एतद्वै जुष्टं देवानां यदाज्यम्, तज्जुष्टमेवैतद् देवेभ्यः करोति—तस्मादुभयत आज्यं भवति ॥ १० ॥

हवनक्लृप्तिः ।

असौ वा अनुवाक्या, इयं याज्या—ते उभे योषे । तयोर्मिथुनमस्ति वषट्कार एव । तद्वा एष एव वषट्कारः—य एष तपति । स उद्यन्नेवामूमधिद्रवति, अस्तं यन्निमामधिद्रवति । तदेतेन वृष्णेमां प्रजातिं प्रजायते—यैनयोरियं प्रजातिः ॥ ११ ॥

पुरोडाशस्योभयत आज्यकरणं प्रशंसितुमाह—**द्वे वा** इति । सर्वाप्याहुतिः सोमाज्यभेदेन द्विविधा; तत्र सोमस्य स्वरूपेणाहुतित्वादाज्यापेक्षैव नास्ति; अवशिष्टौ हविर्यज्ञपशुयज्ञावाज्याहुतिकौ भवितव्यौ; अतस्तत्र तयोः 'एतत्' एतेनोपस्तरणाभिघारणेन आज्यमेव कृतवान् भवति । 'एतद्वै जुष्टम्'—इत्यादि स्पष्टम् ॥ १० ॥

अवदानाय धर्ममुक्त्वा प्रधानधर्मं विधातुमाह—**असौ वा** इति । अनुवाक्या—याज्ययोः क्रमेण देवताह्वानहविः-प्रदानसाधनत्वं वक्ष्यते (श. प. ब्रा. ७ अ. २ ब्रा. १७ कं) आह्वातव्यानां देवानां द्युलोकसम्बन्धात्, प्रदानस्यैवैतल्लोकसम्बन्धात्, तयोः क्रमेण द्युभ्वात्मकता । तयोः स्त्रीलिङ्गत्वाद् द्वन्द्वे, वषट्कारस्य पुँल्लिङ्गत्वात् सह मिथुनताऽस्ति । उभयोरन्तराले तपन्नादित्य एव वषट्कारः स चोदयास्तमयसमये दिवं पृथिवीं चाधिकृत्य गच्छति (ऐ. ब्रा. ३. ४. ६) । 'तत्' तस्मात् 'एतेन वृष्णा' अनेन वर्षकेण, आदित्येन सह सङ्गते सत्यौ, ते एवमिदानीं प्रसिद्धाम् 'इमां प्रजातिं' 'प्रजायेते'; सर्वेषामप्युत्पद्यमानानां भावानां तत्रैवोत्पत्तेः, उत्पद्यमानपदार्थात्मना ते एव प्रकृष्टे जायेते इत्यर्थः ॥ ११ ॥

१—"अग्निष्टोमोऽत्यग्निष्टोम उक्थः षोडशिमांस्ततः । वाजपेयोऽतिरात्रश्चाप्तोर्यामोऽत्र सप्तमः । इत्येते सुत्याः" इति गो० ब्रा. १. ५. २३ । सुत्याः सोमसंस्थाः सोमयज्ञाः इत्येतेऽभिन्नार्थाः । २—"अग्न्याधेयमग्निहोत्रं पौर्णमास्यममावास्ये । नवेष्टिश्चातुर्मास्यानि पशुबन्धोऽत्र सप्तमः ॥ इत्येते हविर्यज्ञाः" इति गो. ब्रा. १. ५. २३. "अष्टका पार्वणः श्राद्धं श्रावण्याग्रहायणी चैत्र्याश्वयुजीति सप्त-पाकयज्ञसंस्थाः" गौ. ध. सू. ८ । ५ ॥ अत्र—अष्टका, पार्वणः, श्राद्धम्, श्रावण्याग्रहायणी, चैत्र्याश्वयुजीति सप्त पाकयज्ञसंस्थाः इत्येवमासां सप्तानामपि पाकयज्ञसंस्थानां पशुयज्ञसंस्थात्वं ब्रुवन् सत्यव्रतसामश्रमिर्नितान्तं बभ्राम । "तत्रापि पाकयज्ञेनेजे स घृतं दधि मस्त्वामिक्षामित्यप्सु जुहवांचकार" इति (श. प. १ । ८ । १ । ७) शतपथश्रुत्या घृतदध्यादिद्रव्यसाधनयज्ञस्य पाकयज्ञतयाऽऽख्यानात्, पशुपुरोडाशकयज्ञस्य पशुयज्ञतया अन्यत्राख्यानाच्च पाकयज्ञपशुयज्ञयोर्भेदस्य सुप्रसिद्धत्वात् । विशेषस्त्वत्र "आर्य-सर्वस्व"—ग्रन्थस्य द्वितीये यज्ञविभागाध्याये द्रष्टव्यः । ३—"स वा एष न कदाचनास्तमेति नोदेति । तं यदस्तमेतीति मन्यतेऽह्न एव तदन्तमित्वाथात्मानं विपर्यस्यते । रात्रीमेवावस्तात्कुरुतेऽहः परस्तात्" इत्यादि । ऐ. ब्रा. ३ । ४ । ६ ॥

सोऽनुवाक्यामनूच्य । याज्यामनुद्रुत्य पश्चाद्वषट्करोति पश्चाद्वै परीत्य वृषा योषामधिद्रवति तदेने ऽउभे पुरस्तात्कृत्वा वृष्णा वषट्कारेणाधिद्रावयति तस्मादुसह वैव वषट्कारेण जुहुयाद्वषट्कृते वा ॥ १२ ॥

देवपात्रं वा एष यद्वषट्कारः । (स्त) तद्यथा पात्र उद्धृत्य प्रयच्छेदेवं तदथ यत्पुरा वषट्काराज्जुहुयाद्यथाधो भूमौ निदिग्धं तदमुया स्यादेवं तत्तस्मादु सह वैवं वषट्कारेण जुहुयाद्वषट्कृते वा ॥ १३ ॥ [शतम् ६००]

तद्यथा योनौ रेतः सिञ्चेत् । (दे) एवं तदथ यत्पुरा वषट्काराज्जुहुयाद्यथा योनौ रेतः सिक्तं तदमुया स्यादेवं तत्तस्मादु सह वैव वषट्कारेण जुहुयाद्वषट्कृते वा ॥ १४ ॥

सोऽनुवाक्यामनूच्य, याज्यामनुद्रुत्य, पश्चाद् वषट्करोति । पश्चाद्वै परीत्य वृषा योषामधिद्रवति । तदेने उभे पुरस्तात् कृत्वा वृष्णा वषट्कारेणाधिद्रावयति । तस्मादु सह वैव वषट्कारेण जुहुयाद्, वषट्कृते वा ॥ १२ ॥

देवपात्रं वा एष यद्वषट्कारः । तद्यथा पात्र उद्धृत्य प्रयच्छेत्—एवं तत् । अथ यत्पुरा वषट्काराज्जुहुयाद्—यथाधो भूमौ निदिग्धं तदमुया स्यात्—एवं तत् । तस्मादु सह वैव वषट्कारेण जुहुयाद्, वषट्कृते वा ॥ १३ ॥

तद् यथा योनौ रेतः सिञ्चेत्—एवं तत् । अथ यत्पुरा वषट्काराज्जुहुयाद्—यथा योनौ रेतः सिक्तं तदमुया स्यात्—एवं तत् । तस्मादु सह वैव वषट्कारेण जुहुयात्, वषट्कृते वा ॥ १४ ॥

पुरोऽनुवाक्यायाज्यानां द्युभ्वात्मकताभिधानस्य प्रयोजनमाह—**सोऽनुवाक्या**मिति । तयोः समनन्तरं वषट् कुर्यादिति विधिः । उक्तेऽर्थे लोकाचरणं प्रमाणयति—**पश्चाद्वा** इति । 'पश्चात् परीत्य' स्त्रियाः पश्चाद्देशादागत्य 'अधिद्रवति' अभिगच्छति । 'तत्' तेन याज्यापुरोऽनुवाक्यानन्तरं वषट्कारकरणेन 'एने उभे' द्यावापृथिव्यात्मिके याज्यापुरोऽनुवाक्ये 'पुरस्तात् कृत्वा' 'वृष्णा' सेक्त्रा 'वषट्कारेण' तत्सूर्यात्मकेन द्रवणमाकारितवान् भवति । "तस्मात्"—इति स्पष्टम् । वौषडित्युच्चारणकाले वा, समनन्तरं वा प्रदानमस्तु; सर्वथा वषट्कारात् प्राङ् न जुहुयादित्यर्थः । अनेनैव पुरोऽनुवाक्यायाज्ययोर्वषट्कारात् पूर्वभावित्वं सिद्धम् ॥ १२

प्रदानस्य वषट्कारानन्तरत्वं प्रकारान्तरेणोपपादयति—**देवपात्रं वा** इति । पिबन्त्यनेन देवा इति 'देवपात्रं' 'वषट्कारः' । 'तत्' वषट्कारावसानं प्रदानम् 'एवं' भवति, पात्रोद्धारपूर्वकप्रदानमिव भवति । उक्तवैपरीत्ये दोषमाह—**अथ यत्पुरे**ति । 'अधोभूमौ निदिग्धम्' भूमौ प्रास्तं दुष्टत्वेनोपयोगाभावात् दग्धमित्युपचर्यते 'अमुया' अनेन वषट्कारात्पूर्वकालहोमेन 'स्यात्' दग्धं स्यादित्यर्थः । 'तस्माद्'—इत्युपसंहारः ॥ १३ ॥

तद्यथा योनौ—इत्यादि स्पष्टम् ॥ १४ ॥

(वाऽसौ) असौ वा ऽअनुवाक्येयं याज्या । सा वै गायत्रीयं त्रिष्टुबसौ स वै गायत्रीमन्वाह तदमूमनुब्रुवन्नसौ ह्यनुवाक्येमामन्वाहेय५ँ हि गायत्री ॥ १५
(त्र्यु) अथ त्रिष्टुभा यजति तदनया यजन्निय५ँ हि याज्यामुष्या ऽअधि व्वषट्करोत्यसाऽ उ हि त्रिष्टुप्तदेने सयुजौ करोति तस्मादिमे सम्भुञ्जाते ऽअनयोरनुसम्भोगमिमाः सर्व्वाः प्रजा ऽअनुसम्भुञ्जते ॥ १६ ॥
स वा अह्वयन्निवैवानुवाक्यामनुब्रूयात् । (द) असौ ह्यनुवाक्या बृहद्वचसौ बार्हत५ँ हि तद्रूपं क्षिप्र ऽएव याज्यया त्वरेतेय५ँ हि याज्या रथ-

---

असौ वा अनुवाक्या, इयं याज्या । सा वै गायत्रीयम्, त्रिष्टुबसौ । स वै गायत्रीमन्वाह । तदमूमनुब्रुवन्–" असौ ह्यनुवाक्या "–इमामन्वाह । इयं हि गायत्री ॥ १५ ॥

अथ त्रिष्टुभा यजति । तदनया यजन्–" अयं हि याज्या "–अमुष्या अधिवषट्करोति । असौ उ हि त्रिष्टुप् । तदेने सयुजौ करोति । तस्मादिमे सम्भुञ्जाते । अनयोरनुसम्भोगमिमाः सर्वाः प्रजा अनुसम्भुञ्जते ॥ १६ ॥

स वा अह्वयन्निवैवानुवाक्यामनुब्रूयात् । असौ ह्यनुवाक्या, बृहद्वचसौ । बार्हतं हि तद्रूपम् । क्षिप्र एव याज्यया त्वरेत । इयं हि याज्या, रथन्तरं हीयम्, राथन्तरं हि तद्रूपम् । ह्वयति वा

पुरोऽनुवाक्यायाज्ये गायत्रीत्रिष्टुभौ कर्तव्ये इति विधातुमाह–असौ वा इति । ' अनुवाक्या ' ' असौ ' द्युलोकः, तत्स्थाना; ' याज्या ' तु ' इयम् ' भूः । ' सेयं ' पृथिवी गायत्र्यात्मिका, ' असौ ' द्युलोकः त्रिष्टुबात्मकः । तथा सति " गायत्रीमन्वाह "–इति यत्, ' तत् ' तेन अनुवाक्यात्मकम् ' अनुब्रुवन् ' गायत्रीछन्दोद्वारा ' इमां ' पृथिवीमेवोक्तवान् भवति । द्युलोकस्य कथमनुवक्तव्यतेत्याशङ्क्य अनुवाक्यात्मकत्वं वाक्यमध्य एव स्मारयति । पृथिव्या अप्यनुवक्तव्यत्वं गायत्र्यात्मकत्वादित्याह–इयं हीति । इत्थमनुवाक्याया गायत्रीत्वे द्यावापृथिव्यावुभे अपि योजितवान् भवतीत्युक्तम् ॥ १५ ॥

याज्यायास्त्रिष्टुप्त्वसम्पादनेऽपि तथैव योजितवान् भवतीत्याह–अथेति । ' त्रिष्टुभा यजति ' त्रैष्टुभं याज्यां कुर्यात् । तत्र याज्यया ऋचा यजतीति यत्, ' तत् ' तेन ' अनया ' पृथिव्यैव यजति । तत्कथमित्यत आह–तदिति । ' तत् ' तेन त्रिष्टुप्त्वकरणेनानया यजति । एतां भुवमेव याज्यां कृतवान् भवतीत्यर्थः । उक्तार्थसमर्थनाय पूर्वोक्तं स्मारयति–इयं हि याज्येति । अतः ' अमुष्या अधि ' द्युलोकस्योपरि एव ' वषट् '–कृतवान् भवति । एतत्समर्थनायाह–त्रिष्टुबिति । ' तत् ' तेन, पुरोऽनुवाक्यायाज्ययोर्गायत्रीत्रिष्टुप्त्वकरणेनानेन ' एने ' द्यावापृथिव्यौ प्रतिपादितप्रकारेण ' सयुजौ ' परस्परं संयुक्तौ कृतवान् भवति । ' तस्मात् ' सायुज्यात् ' इमे ' सहाभ्यवहरतः, " द्यावापृथिवीभ्यां स्वाहा "–इति (ऐ० ब्रा० १. ३. ५ । तै. ब्रा. २ । १ । ७ । १ ॥ ८ । २) सहप्रदानात् । अथवा वृष्ट्यन्नयोः परस्परसापेक्षत्वात् (श० प० कां० १ अ० ९ ब्रा० ३ कं० ५ । १७ । ७ । ३ । १ । ३०) सहभागः । अतस्तयोः सहभागम् ' अनु ' ' सर्वाः ' अपि ' प्रजाः ' तत्सम्बन्धिन्यः ' अनुसम्भुञ्जते ' अनुसृत्य भुञ्जते । अत उभयोः समानलोकात्मकत्वात्, तयोश्च परस्परसाहित्याद् याज्यानुवाक्ययोः साहित्येनापि भवितव्यमित्यर्थो लभ्यते ॥ १६ ॥

अथानुवाक्याया उच्चारणधर्ममाह–स वा अह्वयन्निवैवेति । ' अह्वयन्निव ' वर्णानालोड्यन्निव शनैरनुवाक्यां

न्तरꣳ ह्यीयꣳ राथन्तरꣳ हि तद्रूपꣳ ह्वयति वा ऽअनुवाक्यया प्रय-
च्छति याज्यया तस्मादनुवाक्यायै रूपꣳ हुवे हवामह ऽआगच्छेदम्बर्हिः
सीदेति यद्ध्वयति हि तया प्रयच्छति याज्यया तस्माद्याज्यायै रूपं वीहि
हविर्जुषस्व हविराव्वृषायस्वाद्धि पिब प्रेति यत्प्र हि तया यच्छति ॥ १७ ॥

सा या पुरस्ताल्लक्षणा । सानुवाक्या स्यादसौ ह्यनुवाक्या तस्या
ऽअमुष्या ऽअवस्ताल्लक्ष्म चन्द्रमा नक्षत्राणि सूर्यः ॥ १८ ॥

अनुवाक्यया, प्रयच्छति याज्यया । तस्मादनुवाक्यायै रूपम्–हुवे, हवामहे, आगच्छ, इदम्बर्हिः सीद–इति । यद् ह्वयति हि तया । प्रयच्छति याज्यया–तस्माद् याज्यायै रूपम्–वीहि, हविर्जुषस्व, हविरावृषायस्व, अद्धि, पिब, प्र, इति यत्प्र हि तया यच्छति ॥ १७ ॥

सा या पुरस्ताल्लक्षणा–सानुवाक्या स्यात् । असौ ह्यनुवाक्या । तस्या अमुष्या अवस्ताल्लक्ष्म,–चन्द्रमा नक्षत्राणि सूर्यः ॥ १८ ॥

ब्रूयात् । अङ्गुतिर्गत्यर्थः ' पर्यङ्गुयाते ' (ऋ० मं० १० सू० १६ ऋ० ७) । उक्तविधानुवचनं ' बृहत् ' साम्ना (सा० सं० आ० गा० १. १. २७) स्तौति–**असौ** **ह्ीति** । ' अनुवाक्या ' ' असौ ' द्यौः, एवं ' बृहत् ' सामापि द्यौः (ता० ब्रा० १६ । ११ ।) (तै० ब्रा० ३. ९. १३) । ' हि ' यतो द्युभागोऽनुवाक्या बृहत्साम, ' तत् ' तस्मात् तद्गतं मन्द्रत्वं ' बार्हतं ' बृहतीसम्बन्धि ' रूपम् ' ॥

याज्याया उच्चारणे धर्ममाह–**क्षिप्र एव याज्ययेति** । ' याज्यया ' निमित्तया उच्चारणे वर्णविषयां त्वरां कुर्यात् । **इयं हीत्यादि** (सा० सं० आ० गा० २. १. २१ ।) (तै० ब्रा० ३. ९. १३ ।) पूर्वापेक्षया त्वरतीति ' तत् ' क्षिप्रोच्चारणं ' राथन्तरम् ' (ता० ब्रा० १६. ११) ।

अथ पुरोनुवाक्यायाज्ययोर्लक्षणान्यन्यानि वक्तुं कार्यभेदमाह–**ह्वयति वा** इति । ' अनुवाक्यया ' यष्टव्यदेवान् आह्वयति, तानेव ' याज्यया ' यजति । ' तस्मात् ' आह्वानार्थत्वात्, आह्वानार्थं यल्लिङ्गम्, तत् ' अनुवाक्याया रूपम् ' तानि लिङ्गानि दर्शयति–**हुव** इत्यादिना । ' हि ' यस्मात् ' तया ' अनुवाक्यया यष्टव्यदेवान् आह्वयति, तस्मादाह्वानप्रकाशकं " हुवे "–इत्यादि यल्लिङ्गजातम्, तद्वत्येव सर्वत्रानुवाक्या कार्येत्यर्थः ॥

प्रयच्छति याज्ययेत्यादि । यस्माद् याज्या हविःप्रदानसाधनम्, ' तस्मात् ' अस्याः तत्प्रदानप्रकाशकं लिङ्गं ' रूपम् ' । अभिहितलिङ्गानि दर्शयति–**वीहीति** । ' हि ' यस्मात् ' तया ' याज्यया प्रयच्छति हविः, ' तस्मात् ' प्रदानप्रकाशकं यद् " वीहि "–इत्यादिलिङ्गम्, तद्वत्येव सर्वत्र याज्या कार्येत्यर्थः ॥ १७ ॥

लक्षणान्तरमाह–**सा या पुरस्ताल्लक्षणेति** । ' पुरस्तात् ' मन्त्रस्य पुरोभागे ' लक्षणं ' यष्टव्यदेवनाम यस्यां ' सा ' ' अनुवाक्या ' पुरोऽनुवाक्या । तस्या अधस्ताल्लक्षणत्वे कारणमाह–**तस्या** इति । ' तस्याः ' पुरोऽनुवाक्यायाः ' अमुष्याः ' " असौ हि अनुवाक्या " इत्युक्तत्वात् (श० प० कां० १. अ० ७. ब्रा० २. कं० १७)

१–शांखायनब्राह्मणमप्यत्रानुसंधेयं " बार्हतराथन्तरं वषट्कुर्यात्–पुरस्ताद्दीर्घमुपरिष्ठाद्ध्रस्वं–यद्ध्रस्वं तद्रथन्तरं–यद्दीर्घं तद्बृहत्–अथो इयं वै रथन्तरं–असौ बृहत् । अनयोरेव तत्प्रतितिष्ठति–एतावान्वै वाचो विकारः–सर्वेणैव तद्वाचो विकारेण देवेभ्यो हविः प्रयच्छति " इति । शां. ब्रा. अ ३. सं ५ ।

(ओंऽथु) अथ योपरिष्टाल्लक्षणा सा याज्या स्यादियं हि याज्या तस्या ऽअस्या ऽउपरिष्टाल्लक्ष्मौषधयो व्वनस्पतय ऽआपोऽग्निरिमाः प्रजाः १९

सा ह न्वेव समृद्धानुवाक्या। यस्यै प्रथमात्पदाद्देवतामभिव्याहरति सो ऽएव समृद्धा याज्या यस्या ऽउत्तमात्पदाद्देवताया अधिव्वषट्करोति व्वीर्यं वै देवत ऽर्चस्तदुभयत ऽएवैतद्वीर्येण परिगृह्य यस्यै देवतायै हविर्भवति तस्यै प्रयच्छति ॥ २० ॥

स वै व्वौगिति करोति व्वाग्वै व्वषट्कारो वाग्रेतो रेत ऽएवैतत्सिञ्चति षडित्यृतवो वै षट् तदृतुष्वेवैतद्रेतः सिच्यते तदृतवो रेतः सिक्तमिमाः प्रजाः प्रजनयन्ति तस्मादेवं व्वषट्करोति ॥ २१ ॥

अथ योपरिष्टाल्लक्षणा—सा याज्या स्यात्। इयं हि याज्या। तस्या अस्या उपरिष्टाल्लक्ष्म—ओषधयः, वनस्पतयः, आपः, अग्निः, इमाः प्रजाः ॥ १९ ॥

सा ह न्वेव समृद्धानुवाक्या—यस्यै प्रथमात् पदाद्देवतामभिव्याहरति। सो एव समृद्धा याज्या—यस्या उत्तमात् पदाद्देवताया अधि वषट्करोति। वीर्यं वै देवतर्चः। तदुभयत एवैतद् वीर्येण परिगृह्य यस्यै देवतायै हविर्भवति-तस्यै प्रयच्छति ॥ २० ॥

स वै वौगिति करोति। वाग्वै वषट्कारः, वाग्रेतः, रेत एवैतत्सिञ्चति। षडिति। ऋतवो वै षट्। तदृतुष्वेवैतद्रेतः सिच्यते। तदृतवो रेतः सिक्तमिमाः प्रजाः प्रजनयन्ति। तस्मादेवं वषट्करोति ॥२१॥

सामानाधिकरण्यम्। तस्याः चन्द्रनक्षत्रसूर्याः 'अवस्ताल्लक्ष्म' अधस्ताल्लक्ष्माणि; अधोभागे तेषां परिभ्रमणात्। अतोऽस्या अपि तथात्वं युक्तम् ॥ १८ ॥

अथ योपरिष्टाल्लक्षणेति वाक्यं पूर्ववाक्यवद्व्याख्येयम्। 'तस्याः' याज्यारूपायाः 'अस्याः' भूम्याः ॥१९॥

उक्तं पुरस्तादुपरिष्टाल्लक्षणत्वं विशिनष्टि—सा ह न्वेवेति। 'यस्यै' यस्या अनुवाक्यायाः 'प्रथमात् पदात्' "अग्निः प्रत्नेन सोमगीर्भिः" इत्यादिलक्षणाद् (ऋ० सं० ८. ४४. १२. तै० ब्रा० ३. ५. ६. ३। तै०सं० २. ६. २. २) यष्टव्यदेवता ब्रूयात्, 'सा एव समृद्धा ह्यनुवाक्या'। 'याज्या' तु सा समृद्धा, 'यस्या उत्तमात् पदात्' "जिह्वा अग्ने चकृषे" इत्यादिकात् (ऋ० सं० १०. ८. ६.। तै० ब्रा० ३. ५. ७. २। तै० सं० २. ६. २. ८) तैरभिहितायाः 'देवतायाः' उपरि 'वषट्करोति'। ननु कथं देवतासद्भावमात्रेण समृद्धत्वमिति, तदाह—वीर्यं वा इति। 'देवता वै वीर्यम्' ऋगाम्नानस्य तत्प्रकाशनार्थत्वात् (ऋ० सं० १. ९९. ३.) ॥ २० ॥

अथ याज्यानन्तरभाविनं वषट्कारं विभज्य विधाय प्रशंसति—स वै वौगितीति। 'वौगिति' उच्चारणं कुर्यात्। तत्प्रशंसति—वाग्वा इति। 'वौग्'—इत्येतदौकारस्थाने आकारे कृते 'वाग्'—इति भवति, अतो 'वषट्कारो वाक्'। सा च 'वाक्' 'रेतः' सेचनसाधनत्वात्। उच्चारणमेव तत्सेकः। तथा षडिति करो-

देवाश्च वा ऽअसुराश्च । (श्चो) उभये प्राजापत्याः प्रजापतेः पितुर्दाय-मुपेयुरेतावेवार्द्धमासौ य ऽएवापूर्य्यते तं देवा ऽउपायन्यो ऽपक्षीयते तमसुराः २२

(स्ते) ते देवा ऽअकामयन्त । कथं न्विममपि संवृञ्जीमहि यो ऽयमसुरा-णामिति तेऽर्चन्तः श्राम्यन्तश्चेरुस्त ऽएतꣳ हविर्यज्ञं ददृशुर्यद्दर्शपूर्ण-मासौ ताभ्यामयजन्त ताभ्यामिष्ट्वैतमपि समवृञ्जत ॥ २३ ॥

य ऽएषो ऽसुराणामासीद् । (द्य) यदा वा ऽएता ऽउभौ परिप्लवेते ऽअथ मासो भवति मासशः संव्वत्सरः सर्व्वं वै संव्वत्सरः सर्व्वमेव तद्देवा ऽअसुराणाꣳ समवृञ्जत सर्व्वस्मात्सपत्नानसुरान्निरभजन्त्सर्व्वम्वेवैष ऽएत-

---

दर्शपूर्णमासनिर्वचनम् ।

देवाश्च वा असुराश्च–उभये प्राजापत्याः प्रजापतेः पितुर्दायमुपेयुः–एतावेवार्द्धमासौ । य एवा-पूर्यते–तं देवा उपायन् । योऽपक्षीयते तमसुराः ॥ २२ ॥

ते देवा अकामयन्त–" कथं न्विममपि संवृञ्जीमहि, योऽयमसुराणामिति " । तेऽर्चन्तः श्राम्यन्त-श्चेरुः । त एतं हविर्यज्ञं ददृशुः–यद्दर्शपूर्णमासौ । ताभ्यामयजन्त । ताभ्यामिष्ट्वैतमपि समवृञ्जत॥२३॥

य एषोऽसुराणामासीत् । यदा वा एता उभौ परिप्लवेते–अथ मासो भवति । मासशः संवत्सरः ।

तीत्यनुषज्यते, ब्रूयादित्यर्थः । सङ्ख्याया ऋतुष्वपि सम्भवात् ' ऋतवः ' एव ' षट् '–इत्यनेन विवक्षिताः; प्राक् षडित्यतः वौगित्येतस्य स्थापनात् । तेन ' सिक्तं ' ' रेतः ' ' इमाः ' सर्वाः ' प्रजाः ' उत्पादयन्ति । ' तस्मात् ' ' एवं ' वौषडिति ' वषट् ' कुर्यात् ॥ २१ ॥

इत्थं दर्शपूर्णमासोभयसाधारणमवदानादिकं वषट्कारान्तं धर्ममभिधाय तत्प्रसङ्गाद्यवादिशब्दाभिधानद्वारेण दर्शपूर्णमासयागं प्रशंसति–**देवाश्च वा असुराश्चे**त्यादिना । ' प्राजापत्याः ' प्रजापतेः पुत्राः ' दायं ' पैतृकं वित्तम् (मं० सं० ९. १६४ । ऋ० सं० १० । ११४ । १० । ऐ० ब्रा० ७ । ३ । ९ ता० ब्रा० १६ । ४ । तै० सं० ३ । १ । ९ । ४ ।) ' उपेयुः ' । किं तत् ? ' एतावेव ' प्रसिद्धावेव ' अर्धमासौ ' मासस्यार्द्धौ शुक्लकृष्णपक्षौ । " अर्द्धं नपुंसकम् " (पा० सू० २ । २ । २ ।) इत्येकदेशिसमासः । विभज्याह–**य एवा-पूर्यत** इति । प्रजापतेः कालात्मकत्वादनयोस्तद्दत्त्वम् ॥ २२ ॥

एवं विभागे सति ' देवाः ' ' कथम् ' असुरेभ्यः, तदीयमपि भागं ' संवृञ्जीमहि ? ' अपहरेमहि । एवं कामयित्वा तत्साधनं प्रयासेनान्विष्य ' दर्शपूर्णमासौ ' यागावेवापश्यन् । ' ताभ्यां ' ' एतमपि ' कृष्ण-पक्षमपि स्वयमलभन्त ॥ २३ ॥

तद्द्वारा तदुभयावर्तनात्मकं मासम्, तदावर्तनात्मकं संवत्सरं च असुरेभ्यः ' समवृञ्जत ' स्वाधीनं कृतवन्तः । अतो न्यूनाधिककालावयवानां संवत्सरेऽन्तर्भावात् ' संवत्सरः सर्वम् ' संवत्सरात्मकात् ' सर्वस्मात् ' कालात्

त्सपत्नानाᳫँ संवृङ्क्ते सर्व्वस्मात्सपत्नान्निर्भजति य ऽएवमेतद्वेद ॥ २४॥
स यो देवानामासीत् । (त्स) स यवायुवत हि तेन देवा योऽसुराणाᳫँ सोऽयवा न हि तेनासुरा ऽअयुवत ॥ २५ ॥

(ता) अथो ऽइतरथाहुः । (यं) य ऽएव देवानामासीत्सोऽयवा न हि तमसुराऽअयुवत योऽसुराणाᳫँ स यवायुवत हि तं देवाः सब्दमहः सगरा रात्रिर्यव्या मासाः सुमेकः संवत्सरः स्वेको ह वै नामैतद्यत्सुमेकऽइति

सर्वं वै संवत्सरः । सर्वमेव तद्देवा असुराणां समवृञ्जत, सर्वस्मात्सपत्नानसुरान् निरभजन् । सर्वम्वेवैष एतत्सपत्नानां संवृङ्क्ते, सर्वस्मात्सपत्नान्निर्भजति—य एवमेतद्वेद ॥ २४ ॥

स यो देवानामासीत् स यवा । अयुवत हि तेन देवाः । योऽसुराणां सोऽयवा । न हि तेनासुरा अयुवत ॥ २५ ॥

अथो इतरथाहुः । य एव देवानामासीत सोऽयवा । न हि तमसुरा अयुवत । योऽसुराणां स यवा । अयुवत हि तं देवाः । सब्दमहः । सगरा रात्रिः । यव्या मासाः । सुमेकः संवत्सरः । स्वेको

' सपत्नान् असुरान् ' भागरहितान् अकुर्वन् । ' निरभजन् '—इति तात्पर्याभिधानम् । ' सर्वम् एव एषः '—इति वेदितुः फलम् । अतो दर्शपूर्णमासानुष्ठानं सपत्नसर्वस्वहरणमिति प्रशंसा ॥ २४ ॥

स यो देवानामिति । ' सः यः ' इति वाक्यालङ्कारे । ' सः ' आपूर्यमाणपक्षः पुरा ' देवानामासीत् ' । ' सः ' ' यवायुवत ' । यौतीति " यु मिश्रणेऽमिश्रणे च " (धा० पा० अदा० प० २२ ।) यवः, तस्य यवेति नाम । कथम् ? ' हि ' यस्मात् ' तेन ' आपूर्यमाणपक्षेण सह ' देवाः ' ' अयुवत ' समसृज्यन्त । 'असुराणां' कृष्णपक्षस्तु ' अयवा ' । कथम् ? ' हि ' यस्मात् ' तेन ' कृष्णपक्षेण सह ' नायुवत ' तस्य देवैरपहृतत्वात् ॥ २५ ॥

शुक्लकृष्णपक्षयोर्नामधेयव्यत्यासमाह—अथो इति । ' देवानां ' स्वभूतो ' यः ' असौ ' अयवा ', देवानां प्रतिनियतस्वभूतत्वेनासुरसम्बन्धाभावात् । अतोऽयवनादमिश्रणादयवा शुक्लपक्षः । ' असुराणां ' स्वभूतः कृष्णपक्षो ' यवा ', उपायेनापहृत्य देवैर्मिश्रितत्वात् ।

अनयोरेवावयवावयवप्रशंसार्थमहोरात्रमाससंवत्सराणामपि नाम दर्शयति—सब्दमित्यादिना । यवशब्दाभिधेयान् शुक्लकृष्णपक्षान् अर्हतीति (यवशब्दात् ' दण्डादिभ्यो यत् ' इत्यर्हत्यर्थे यत्स्यात् । स्याच्च—दण्डादेराकृतिगणत्वं मन्तव्यम्) (पा० सू० ५ अ० १ पा० ६६ सू०) ' मासः यव्यः ' ' स्वेकः '—इत्यस्य मकारोपजनेन ' सुमेकः '—इति संवत्सरस्य नाम सम्पन्नम् । ' सु ' सुष्ठु ' एकः ' ' स्वेकः ' । " सर्वं वै संवत्सरः"—इत्युक्तत्वेन (श० प० ७ अ० २ ब्रा० २४ कं.) सर्वस्यापि कालस्य तत्रैवान्तर्भावात् संवत्सर एक एव कालः । अतस्तस्यैतन्नाम युक्तम्, तस्यैव परोक्षेण " परोक्षप्रिया इव हि देवाः "(तै० ब्रा० १ । ५ । ९ । २ । ऐ० ब्रा० ३ । ३ । ९ ।) ' सुमेकः '—इति व्यवहारः ।

यु॒वा च॑ हि वा॒ ऽअ॑यवा य॒वे॒ती॒वा॒थ ये॒नै॒ते॒षा॒ᳪं᳭ हो॒ता भ॒वति॑ त॒द्या॒वि॒हो॒त्र॒मि॒त्या॒च॒क्ष॒ते ॥ २६ ॥ ५ ॥

इति पञ्चमप्रपाठके पञ्चमं ब्राह्मणम् (७ । २) ॥

पञ्चमः प्रपाठकः समाप्तः ॥ ५ ॥

ह वै नामैतत्—यत्सुमेक इति । यवा च हि वा अयवा—यवेतीव । अथ येनैतेषां होता भवति, तद्याविहोत्रमित्याचक्षते ॥ २६ ॥

प्रसङ्गादहरादिनामाभिधाय प्रकृतमुपसंहरति—**यवा चेति** । 'यवा अयवा च हि' 'यवेतीव' यवेत्येव भवति, यवनस्योभयानुगतत्वात् । अथवा देवैरेवायवात्मकस्य कृष्णपक्षस्यापि यवनात् पक्षद्वयमपि 'यवा' । अतः 'एतेषां' यवादीनां मध्ये 'येन' निमित्तेन 'होता' भवेत्, 'तत्' कार्यं 'याविहोत्रम्' । तैत्तिरीयकेऽपि "ऋतव्या उपदधाति"—इत्यत्र (तै०सं०५.३.१.२.) चयनप्रकरणे यवादयो व्याख्याताः॥२६॥(७.२)

इति श्रीसायणाचार्यविरचिते माधवीये वेदार्थप्रकाशे माध्यन्दिनशतपथब्राह्मणभाष्ये
प्रथमकाण्डे सप्तमाध्याये द्वितीयं ब्राह्मणम् ॥ (७-२)॥

॥ इति प्रथमकाण्डे पञ्चमप्रपाठकः समाप्तः ॥ (१-५)

१–'कल्पः'—यावा अयावा इति सप्तर्तव्याः । पाठस्तु "यावा, अयावा, एवा, ऊमाः सब्दः, सगरः, सुमेकः" इति यावाद्याः षट् शब्दा वसन्ताद्यृतुवाचिनः । सुमेकशब्दः संवत्सरवाची । हे इष्टके त्वं त्वद्रूपाऽसीति योज्यम् । इति तै० सं० ४ । ४ । ८ । २३–२९ । सा० भा० ॥

अथ प्रथमकाण्डे षष्ठप्रपाठके प्रथमं ब्राह्मणम् ।

अपि वा ।

सप्तमाध्याये तृतीयं ब्राह्मणम् ।

यज्ञेन वै देवाः । (०) दिवमुपोदक्रामन्नथ योऽयं देवः पशूनामीष्टे स इहाहीयत तस्माद्वास्तव्य इत्याहुर्वास्तौ हि तदहीयत ॥ १ ॥

स येनैव देवा दिवमुपोदक्रामन् (न्ते) तेनो एवार्चन्तः श्राम्यन्तश्चेरुरथ योऽयं देवः पशूनामीष्टे स इहाहीयत ॥ २ ॥

स ऽऐक्षत । (ता) अहास्य हान्तर्यन्त्यु मा यज्ञादिति सोऽनूच्चक्राम स ऽआयतयोत्तरत ऽउपोत्पेदे स ऽएष स्विष्टकृतः कालः ॥ ३ ॥

(न्ते) ते देवा ऽअब्रुवन् । (न्मा) मा विस्रक्षीरिति ते वै मा यज्ञान्मान्तर्गताहुतिं मे कल्पयतेति तथेति स समबृहत्स नास्यत्स न कञ्चनाहिनत् ॥ ४ ॥

स्विष्टकृदाहुतिः ।

यज्ञेन वै देवा दिवमुपोदक्रामन् । अथ योऽयं देवः पशूनामीष्टे स इहाहीयत । तस्माद्वास्तव्य इत्याहुः । वास्तौ हि तदहीयत ॥ १ ॥

स येनैव देवा दिवमुपोदक्रामन्, तेनो एवार्चन्तः श्राम्यन्तश्चेरुः । अथ योऽयं देवः पशूनामीष्टे–य इहाहीयत ॥ २ ॥

स ऐक्षत–" अहास्य हान्तर्यन्त्यु मा यज्ञाद् " इति । सोऽनूच्चक्राम । स आयतयोत्तरत उपोत्पेदे य एष स्विष्टकृतः कालः ॥ ३ ॥

ते देवा अब्रुवन्–मा विस्रक्षीरिति । ते वै मा यज्ञान्मान्तर्गतः; आहुतिं मे कल्पयतेति । तथेति । स समबृहत, स नास्यत्, स न कञ्चनाहिनत् ॥ ४ ॥

अथाग्नये स्विष्टकृद्यागम्, तस्य प्रधानयागसमानन्तर्यञ्च विधातुमाख्यायिकामाह–यज्ञेन वा इति । पुरा खलु ' देवाः ' ' यज्ञेन ' साधनेन ' दिवं ' प्राप्ताः; तथा पश्वभिमानी ' देवः ' रुद्रः ' इह ' यज्ञवास्तावुषित्वा द्युलोकाद्धीनोऽभूत् । अत एव ' वास्तौ ' एव स्थितत्वाद्रुद्रो ' वास्तव्य इति ' वेदविदः कथयन्ति ॥ १ ॥

रुद्रस्येहैव हीनभावे कारणाभिधानायाह–स येनैवेति । ' अथ ' रुद्राः ' देवाः ' ' येन ' यज्ञेन साधनेन ' दिवं ' गताः, ' तेनैव ' साधनेन । तत्साधयितुं साधनमतिदुस्सम्पादमिति ब्रुवन् आत्मानमन्तरेण क्लेशापनयनाय स्वर्गसाधनमन्वतिष्ठत् [१] ॥ २ ॥

स ऽऐक्षतेति । स चाहं देवैस्त्यक्तोऽभूवम् । मां यज्ञादेते व्यवहितं कुर्वन्तीत्येवेति विचार्य स्वयं यज्ञप्रदेशं प्रत्युच्चक्राम । स क्रुद्धो भूत्वोत्तरस्यां दिशि स्विष्टकृत्काले यज्ञं प्रतिरोद्धुमुत्तस्थौ ॥ ३ ॥

तथा च सति–ते देवा अब्रुवन्निति । ' ते देवाः ' अमुं यज्ञं विसृष्टं मा कार्षीरित्यब्रुवन् । अथ सः

१–' प्रत्युत्तमासमृद्धः ' इति क. पा. ।

(त्ते) ते देवा ऽअब्रुवन् । (न्या) यावन्ति नो हवीꣳषि गृहीतान्यभूव-न्त्सर्व्वेषां तेषाꣳ हुतमुपजानीत यथास्मा ऽआहुतिं कल्पयामेति ॥ ५ ॥

तेऽध्वर्युमब्रुवन् । (न्य) यथापूर्व्वꣳ हवीꣳष्यभिघारयैकस्मा ऽअवदानाय पुनराप्याययायातयामानि कुरु तत ऽएकैकमवदानमवद्येति ॥ ६ ॥

सोऽध्वर्युः । (र्य) यथापूर्व्वꣳ हवीꣳष्यभ्यघारयदेकस्मा ऽअवदानाय पुनराप्याययदयातयामान्यकरोत्तत ऽएकैकमवदानमवाद्यत्तस्माद्वास्तव्य ऽइत्याहुर्व्वास्तु हि तद्यज्ञस्य यद्धुतेषु हविष्षु तस्माद्यस्यै कस्यै च देवतायै हविर्गृह्यते सर्व्वत्रैव स्विष्टकृदन्वाभक्तः सर्व्वत्र ह्येवैनं देवा ऽअन्वाभजन् ॥ ७ ॥

ते देवा अब्रुवन् "यावन्ति नो हवींषि गृहीतान्यभूवन्, सर्वेषां तेषां हुतमुपजानीत, यथास्मा आहुतिं कल्पयाम"–इति ॥ ५ ॥

तेऽध्वर्युमब्रुवन्–"यथापूर्वं हवींष्यभिघारय, एकस्मा अवदानाय पुनराप्यायय, अयातयामानि कुरु, तत एकैकमवदानमवद्य"–इति ॥ ६ ॥

सोऽध्वर्युर्यथापूर्वं हवींष्यभ्यघारयत्, एकस्मा अवदानाय पुनराप्याययत्, अयातयामान्यकरोत्, तत एकैकमवदानमवाद्यत्। तस्माद्वास्तव्य इत्याहुः। वास्तु हि तद् यज्ञस्य–यद्धुतेषु हविष्षु। तस्माद्यस्यै कस्यै च देवतायै हविर्गृह्यते, सर्वत्रैव स्विष्टकृदन्वाभक्तः, सर्वत्र ह्येवैनं देवा अन्वाभजन् ॥ ७ ॥

रुद्रोऽपि हे देवाः ! 'ते' यूयं 'मा' मां 'यज्ञात्' अन्तर्हितं 'मा' कार्ष्ट, अत एव आहुतिं 'मे' मदर्थं 'कल्पयतेति' उक्तवान् । तैः 'तथा' अस्तु 'इति' उक्ते 'सः' रुद्रो यज्ञं 'समबृहत्' ऊर्द्ध्वं प्रापयत्; न च हविरादिकं बहिः क्षिप्तवान् । तथा 'कश्चन' किमपि यज्ञावयवं न हिंसितवान् ॥ ४ ॥

ते देवा इति । अथ 'ते देवाः' परस्परमित्थम् 'अब्रुवन्' अस्माकं प्रदानाय 'यावन्ति हवींषि गृहीतानि', 'तेषां' पूर्वमाहुतानां 'हुतं' शिष्टम् 'उपजानीत' 'यथा' येन प्रकारेण द्रव्येण 'अस्मै' रुद्राय 'आहुतिं कल्पयाम' 'इति' ॥ ५ ॥

एवमुक्त्वा, "तेऽध्वर्युमब्रुवन्" इति । हे अध्वर्यो ! त्वमस्माकमवत्तानि 'हवींषि' आग्नेयादिक्रमेण अभिघारणं कुरु । तथा चैकस्मै, ततोऽप्यवशिष्टायावदानाय, 'पुनः' तदवत्तशेषम्, 'पुनः' अभिघारणेन 'आप्यायय', ततः अयातयामं कृत्वा सर्वाण्यप्यवत्तशेषाणि अगतसाराणि कुरु 'ततः' 'एकैकं' यावन्तः प्रधानशेषास्तेष्वेकैकमवदानं कुरु ॥ ६ ॥

देवैरभिहितमर्थमध्वर्युणा तथैवानुष्ठितमर्थं श्रुतिर्भूतार्थेन लेटाऽनुवदति–**सोऽध्वर्युरित्यादिना** । इदानीमवशिष्टभाक्त्वेन रुद्रस्य वास्तव्यत्वप्रसिद्धिमाह–**तस्मादिति** । आख्यायिकासिद्धमर्थमिदानीं विधत्ते **तस्माद् यस्यै कस्यै चेति** । हविर्ग्रहणवत्सर्वप्रदेशेष्वपि स्विष्टकृतो नियतत्वे कारणाभिधानं–**सर्वत्र हीति** । रुद्रः 'अन्वाभक्तः' ॥ ७ ॥

(जंस्त) तद्वा ऽअग्नय ऽइति क्रियते । (तेऽग्नि) अग्निर्वै स देवस्तस्यै-
तानि नामानि शर्व्व ऽइति यथा प्राच्या ऽआचक्षते भव ऽइति यथा
बाहीकाः पशूनाम्पती रुद्रोऽग्निरिति तान्यस्याशान्तान्येवेतराणि नामान्य-
ग्निरित्येव शान्ततमं तस्मादग्नय ऽइति क्रियते स्विष्टकृत ऽइति ॥ ८ ॥

ते होचुः । (र्यं) यत्त्वय्यमुत्र सत्ययक्ष्महि तन्नः स्विष्टं कुर्व्विति तदेभ्यः
स्विष्टमकरोत्तस्मात्स्विष्टकृत ऽइति ॥ ९ ॥

सोऽनुवाक्यामनूच्य सम्पश्यति । ये तथाग्निꣳ स्विष्टकृतमयाडग्निरग्नेः
प्रिया धामानीति तदाग्नेयमाज्यभागमाहायाट्सोमस्य प्रिया धामानीति

तद्वा अग्नय इति क्रियते । अग्निर्वै स देवः । तस्यैतानि नामानि शर्व इति यथा प्राच्या आचक्षते भव इति यथा बाहीकाः पशूनां पती रुद्रः, अग्निरिति । तान्यस्याशान्तान्येवेतराणि नामानि, अग्निरित्येव शान्ततमम् । तस्मादग्नय इति क्रियते स्विष्टकृत इति ॥ ८ ॥

ते होचुः–" यत्त्वय्यमुत्र सत्ययक्ष्महि तन्नः स्विष्टं कुर्विति " । तदेभ्यः स्विष्टमकरोत् । तस्मात् स्विष्टकृत इति ॥ ९ ॥

सोऽनुवाक्यामनूच्य संपश्यति–ये, तथाऽग्निं स्विष्टकृतम् । "अयाडग्निरग्नेः प्रिया धामानि" इति तदाग्नेयमाज्यभागमाह । " अयाट् सोमस्य प्रिया धामानि "–इति तत्सौम्यमाज्य-

---

कथमग्नये स्विष्टकृति क्रियत इत्याशङ्क्याह–**तद्वा अग्नय इतीति** । प्राच्यादिदेशभेदेन शर्वादिनामभेदेऽपि देवतैकैवेत्यर्थः । यद्येवं तर्हि अन्यन्नाम किन्न स्यादित्यत आह–**तान्यस्येति** । ' अस्य ' रुद्रस्य अग्निनामाभिधेयस्य पावकादिनाम; सर्वलोकोपकारित्वात् ' तस्मात् ' तत्र सर्वत्र ' अग्नये–इति क्रियते ' ॥ ८ ॥

अथ किमर्थं स्विष्टकृत इति विशेषणं हविर्दातृभिः क्रियते ?[1] तत्र कारणमाह–**ते होचुरिति** । ' यद् ' यस्मात् ' त्वयि ' ' अमुत्र ' आहवनीयदेशे आहुत्याधारभूते ' सति ' ' अयक्ष्महि ' इष्टवन्तः, तस्मात् । अथवा ' यत् ' हविर्जातम् ' अयक्ष्महि ' ' तत् ' सर्वं ' स्विष्टम् ' अवैकल्येनेष्टं ' कुरु '; यथा साङ्गं फलवद्भवति, तथा कुर्वित्यर्थः । यस्मादूचुः, 'तस्मात्' स तथैव ' स्विष्टमकरोत् ' सर्वत्रापि विशेषणत्वेन ' स्विष्टकृत इति ' क्रियते । तस्मात् " अग्नये स्विष्टकृते " इति स्विष्टकृद्यागसमयं ब्रूयादित्यर्थः ॥ ९ ॥

अथ स्विष्टकृन्निगदमभिधातुमाह–**सोऽनुवाक्यामिति** । ' सः ' होता । स्विष्टकृदनुवाक्यानन्तरं ' ये ' आनन्तर्येण प्रयाजाज्यभागादिदेवाः स्विष्टाः, तान्, तं ' स्विष्टकृतमग्निं ' च ' सम्पश्यति ' संस्मरेत् सम्भूयानुवदेदित्यर्थः । सन्दर्शनप्रकारमनूद्य क्रमेण व्याचष्टे–**अयाडग्निरित्यादिना** । ' अयं ' स्विष्टकृत् ' अग्निः ' ' अग्नेः ' प्रथमाज्यभागदेवस्य ' प्रिया ' प्रियाणि ' धामानि ' ' इति ' निःशेषाणि ' अयाट् ' इष्टवान् । ' तत् '

१–' स्विष्टकृत इति विशेषणस्य कारणमाह ' इति क० पाठः ।

२–स एव निगदः–अग्निꣳ स्विष्टकृतमित्यारभ्य–जातवेदाजुषताꣳहविरित्यन्तः वा० सं० २१ अ० ४७ कंडिका मन्त्रे द्रष्टव्यः ॥

तत्सौम्यमाज्यभागमाहायाडग्नेः प्रिया धामानीति तद्य ऽएष ऽउभयत्राच्युत ऽआग्नेयः पुरोडाशो भवति तमाह ॥ १० ॥

(ह्रा) अथ यथादेवतम् । (मु) अयाड्देवानामाज्यपानां प्रिया धामानीति तत्प्रयाजानुयाजानाह प्रयाजानुयाजा वै देवा आज्यपा यक्षदग्नेर्होतु प्रिया धामानीति तदग्निꣳ होतारमाह तदस्मा ऽएतां देवा आहुतिं कल्पयित्वाथैनेनैतद्भूयः समशाम्यन्प्रिय ऽएनं धामन्नुपाह्वयन्त तस्मादेवꣳ सम्पश्यति ॥ ११ ॥

तद्धैके । देवतां पूर्वां कुर्वन्त्ययाट्कारादग्नेरयाट् सोमस्यायाडिति तद्
तथा न कुर्याद्विलोम ह ते यज्ञे कुर्वन्ति ये देवतां पूर्वां कुर्वन्त्ययाट्

भागमाह । " अयाडग्नेः प्रिया धामानि "—इति । तद्य एष उभयत्राच्युत आग्नेयः पुरोड भवति तमाह ॥ १० ॥

अथ यथादेवतम् । " अयाड् देवानामाज्यपानां प्रिया धामानि "—इति तत्प्रयाज याजानाह । प्रयाजानुयाजा वै देवा आज्यपाः । " यक्षदग्नेर्होतुः प्रिया धामानि "— तदग्निं होतारमाह । तदस्मा एतां देवा आहुतिं कल्पयित्वाथैनेनैतद्भूयः समशाम्यन् । प्रिय धामन्नुपाह्वयन्त । तस्मादेवं संपश्यति ॥ ११ ॥

तद्धैके देवतां पूर्वां कुर्वन्त्ययाट्कारात्—अग्नेरयाट्, सोमस्यायाडिति । तद्ु तथा न कुर्या विलोम ह ते यज्ञे कुर्वन्ति—ये देवतां पूर्वां कुर्वन्त्ययाट्कारात् । इदं हि प्रथममभिव्याहरन्नयाट् मेवाभिव्याहरति । तस्मादयाट्कारमेव पूर्वं कुर्यात् ॥ १२ ॥

तेनैतन्मन्त्रभागपाठेन प्रथमम् ' आज्यभागं ' स्विष्टं कृतवानित्युक्तवान् भवति । एवमितरवाक्यान्यपि योज्या एष स्विष्टकृन्निगद आवाहननिगदेनैव व्याख्यातप्रायः (श. प. ४ अ. २ ब्रा. १६ कं०) ॥ १० ॥

संपश्यता चात्र स्विष्टकृदग्निरपान्तरदेवतारिवष्टीकर्तव्यत्वेनोक्तः, सोऽभिधीयते—यक्षदग्नेर्होतुः धामानीत्यनेन । अत्राज्यभागादिदेवेभ्योऽपियक्षितत्वादयाडिति भूतार्थे प्रयोगात् स्विष्टकृदग्नेः स्वस्येत यष्टव्यत्वम् । यक्षदिति विध्यर्थः पञ्चमलकारः (पा० सू० ३ । ४ । ७ ।) **अग्निं होतारमाहे** होमाधारमग्निमाह । स एव स्विष्टकृदग्निः, " त्वय्यमुत्र सत्ययक्ष्महीत्युक्तत्वात् (श० प० ७ अ० ३ ९ कं०) " किमेतत्संदर्शनमात्रेणाग्निः कथं स्विष्टं कुर्यादित्याशङ्क्य तस्य प्रीत्युत्पादनप्रकारं दर्शयति—कथं इति । ' तत् ' तस्मात् ' अस्मै ' स्विष्टकृतेऽग्नये पूर्वम् ' एतामाहुतिं कल्पयित्वा ' ' अथ ' इदानीम् ' एष अनेन यक्षदग्नेरिति भागेन ' भूयः समशाम्यन् ' भूयसीं प्रीतिमुदपादयन् । **तस्मादिति** । सर्वथाग्नेः चात्र त्वाय स्विष्टकृत्त्वकरणस्य प्रकाशनादेवं सम्पश्येदित्यर्थः ॥ ११ ॥

अयाट्कारात् प्राग् देवतानामनिर्देशमेकीयपक्षत्वेनोपन्यस्य निराचष्टे—**तद्धैक** इति । तत् स्वयमेव (यति—**अग्नेरयाट् सोमस्यायाडिति** । अग्नेः सोमस्य च यानि धामानि, तानि स्विष्टकृदग्निः सम्यग्

कारादिदं हि प्रथममभिव्याहरन्नयाट्कारमेवाभिव्याहरति तस्मादयाट्कारमेव पूर्वं कुर्यात् ॥ १२ ॥

(द्वि) यक्षत्स्वं महिमानमिति । यत्र वा ऽअदो देवता ऽआवाहयति तदपि स्वं महिमानमावाहयति तदतः प्राङ्नैव किंचन स्वाय महिम्न ऽइति क्रियते तदत्र तं प्रीणाति तथो हास्यैषोऽमोघायावाहितो भवति तस्मादाह यक्षत्स्वं महिमानमिति ॥ १३ ॥

(त्या) आ यजतामेज्या ऽइष ऽइति । प्रजा वा ऽइषस्ता ऽएवैतद्यायजूकाः करोति ता ऽइमाः प्रजा यजमाना ऽअर्चन्त्यः श्राम्यन्त्यश्चरन्ति ॥ १४ ॥

" यक्षत् स्वं महिमानम् "–इति । यत्र वा अदो देवता आवाहयति, तदपि स्वं महिमानमावाहयति । तदतः प्राङ् नैव किंचन स्वाय महिम्न इति क्रियते । तदत्र तं प्रीणाति । तथो हास्यैषोऽमोघायावाहितो भवति । तस्मादाह–यक्षत् स्वं महिमानमिति ॥ १३ ॥

" आ यजतामेज्या इषः "–इति । प्रजा वा इषः । ता एवैतद्यायजूकाः करोति । ता इमाः प्रजा यजमाना अर्चन्त्यः श्राम्यन्त्यश्चरन्ति ॥ १४ ॥

नित्यर्थः । ' विलोम ' विरुद्धम्, स्विष्टीकरणस्यैवाभ्यर्हितत्वेन प्रथमनिर्देष्टव्यत्वात् । अतः ' प्रथममभिव्याहरन् ' पुरुषोऽयाट्कारमेव प्रथममभिव्याहरेत् ॥ १२ ॥

स्वं महिमानमित्यस्य तात्पर्यमाह–**यक्षत् स्वं महिमानमिति** । अयं स्विष्टकृदग्निः ' स्वं महिमानं ' स्वकीयं दैवतारूपमपि ' यक्षत् ' यजेत । स्विष्टकृत इदानीमपि अकृतत्वादयाडिति नोच्यत इत्यभिप्रायः । ' यत्र ' यष्टव्यदेवताः ' आवाहयति ' तत्रापि ' स्वं महिमानं ' महत्त्वस्य विग्रहमप्यावाहयति । अतो यथा आवाहिता देवताः सर्वा अपीष्टाः, एवं स्वमहिमार्थमपि यष्टव्यम् । यतः, अतः ' प्राक् ' ' किंचन ' ' स्वाय महिम्ने ' इदं हविः ' इति ' ' न क्रियते ', तस्माद् ' अत्र ' स्विष्टकृन्निगदाभिधानसमये ' तत् ' तेन स्वं महिमानमित्यनेन ' तम् ' अग्नेर्महिमानं प्रीणितवान् भवति । अत एव यक्षदग्नेरित्येतद् अग्नेरपि यागानुज्ञाप्रदानादेव पूर्वं प्रागावाहनसमये आवाहितः स्वो महिमा । ' तथो ह ' तथैव सति ' अस्य ' यजमानस्य ' अमोघाय ' साफल्याय ' आवाहितो ' भवेत् । तस्मादित्युपसंहारः ॥ १३ ॥

आ यजतेति । ' आ यजतामेज्या इषः '–इति भागस्य तात्पर्यमाह–इट्शब्देनान्नमुच्यते; तदुपजीवित्वात् ' प्रजाः ' अपि ' इषः '; ' एज्याः ' पुनः पुनरिज्याः, अत एतत्पाठेन यजमानरूपाः प्रजाः ' यायजूकाः ' इष्टिशीलाः ' करोति ' । अतः कारणात् ' ता इमाः ' सर्वा यजमानरूपाः प्रजा इदानीम् ' अर्चन्त्यः ' बहुकर्म कुर्वन्त्यः ' श्राम्यन्त्यः ' आत्मानं व्यापारैः क्लेशयन्त्यः ' चरन्ति ' यागाननुतिष्ठन्ति ॥ १४ ॥

१–देवता देवतानामपूर्वामयाट्कारात् प्राक् । तद्विरुद्धं स्विष्टकिरणस्यैवानभ्यर्हितत्वेन प्रथमं निर्देष्टव्यत्वात् । इति क. पाठः ।

सो ऽअध्वरा जातवेदा जुषताᳬं हविरिति । तद्यज्ञस्यैवैतत्समृद्धिमाशास्ते यद्धि देवा हविर्जुषन्ते तेन हि महज्जयति तस्मादाह जुषताᳬं हविरिति ॥ १५ ॥

तद्यदेते ऽअत्र । याज्यानुवाक्ये ऽअवक्लृप्ततमे भवतस्तृतीयसवनं वै स्विष्टकृद्वैश्वदेवं वै तृतीयसवनं पिप्रीहि देवाँ३ ऽउशतो यविष्ठेति तदनुवाक्यायै वैश्वदेवमग्ने यदद्य विशो ऽअध्वरस्य होतरिति तद्याज्यायै वैश्वदेवं तद्यदेते ऽएवᳬं रूपे भवतस्तेनो ऽएते तृतीयसवनस्य रूपं तस्माद्वा ऽएते ऽअत्र याज्यानुवाक्ये ऽअवक्लृप्ततमे भवतः ॥ १६ ॥

(स्ते) ते वै त्रिष्टुभौ भवतः । (तो) वास्तु वा ऽएतद्यज्ञस्य यत्स्विष्ट-

---

"सोऽध्वरा जातवेदा जुषतां हविः"—इति । तद्यज्ञस्यैवैतत् समृद्धिमाशास्ते । यद्धि देवा हविर्जुषन्ते तेन हि महज्जयति । तस्मादाह जुषतां हविरिति ॥ १५ ॥

तद्यदेते अत्र याज्यानुवाक्ये अवक्लृप्ततमे भवतः। तृतीयसवनं वै स्विष्टकृत् । वैश्वदेवं वै तृतीयसवनम् । "पिप्रीहि देवा ३ उशतो यविष्ठ"—इति । तदनुवाक्यायै वैश्वदेवम् । "अग्ने यदद्य विशो अध्वरस्य होतः"—इति । तद्याज्यायै वैश्वदेवम् । तद्यदेते एवंरूपे भवतः—तेनो एते तृतीयसवनस्य रूपम् । तस्माद्वा एते अत्र याज्यानुवाक्ये अवक्लृप्ततमे भवतः ॥ १६ ॥

ते वै त्रिष्टुभौ भवतः । वास्तु वा एतद्यज्ञस्य—यत् स्विष्टकृत् । अवीर्यं वै वास्तु । इन्द्रियं वीर्यं त्रिष्टुप् । इन्द्रियमेवैतद्वीर्यं वास्तौ स्विष्टकृति दधाति । तस्मात्त्रिष्टुभौ भवतः ॥ १७ ॥

सो ऽध्वरेति । सो अध्वरेत्यस्य तात्पर्यमाह—**तद्यज्ञस्यैवैतदिति** । 'हविः' सौविष्टकृतम्, 'जातवेदाः' आहुत्याधारः स्विष्टकृदग्निः । 'यत्' 'हविः' सौविष्टकृतं 'देवाः' सेवन्ते, 'तेन' सेवितेन हविषा 'महत्' उत्तमं स्थानं 'जयति' यजमानः, अतः समृद्धेर्हविषोऽधीनत्वादेतत्पाठो युक्तः ॥ १५ ॥

इत्थं स्विष्टकृन्निगदं व्याख्याय तस्य याज्यां पुरोऽनुवाक्याञ्चाह—**तद्यदिति** । 'अत्र' स्विष्टकृति । 'तद्यत्' तस्मात् 'एते' वक्ष्यमाणे एव 'याज्यानुवाक्ये' 'अवक्लृप्ततमे' अत्यन्तं योग्ये भवतः । तयोरवक्लृप्तत्वमाह—**तृतीयसवनं वा** इति । अयं 'स्विष्टकृद्'—यागः 'तृतीयसवनं' तत्स्थानीयः; अन्तिमत्वसाम्यात् । तच्च 'तृतीयसवनं' 'वैश्वदेवं' विश्वेदेवास्तस्याभिमानिनः; अतः सर्वथा वैश्वदेवेन भवितव्यम् । तत्रापि "**पिप्रीहि**"—इति (ऋ० सं० १० । २ । १) (तै० सं० ४ । ३ । १३ । १–३) या ऋगस्ति, 'तत्' 'अनुवाक्यायै' अनुवाक्यायाः 'वैश्वदेवं' रूपम्; तत्र "**देवान्**"—इति देवानां बहुत्वश्रवणात् । "अग्ने यदद्य" इत्येतत् (ऋ० सं० ६ । १५ । १४) (तै० सं० ४ । ३ । १३ । १४) 'याज्यायै' याज्यायाः वैश्वदेवत्वम्; अत्र "विशः"—इति बहुवचनलिङ्गात् । 'एते' ऋचौ 'एवंरूपे' वैश्वदेवलिङ्गके "पिप्रीहि देवान्"—"अग्ने यदद्य विशः"—इत्येवंरूपे; 'तेन उ' तेनैव कारणेन 'एते' द्वे ऋचौ 'तृतीयसवनस्य रूपम्' ॥ १६ ॥

तयोर्यत् त्रिष्टुप्त्वम्, तत्प्रशंसति—**ते वै त्रिष्टुभाविति** । स्विष्टकृतो हुतान्शिष्टरूपत्वात् 'एतद्' 'यज्ञस्य'

कुदवीर्यं वै व्वास्त्विन्द्रियं व्वीर्यं त्रिष्टुबिन्द्रियमेवैतद्वीर्यं व्वास्तौ स्विष्टकृति दधाति तस्मात्त्रिष्टुभौ भवतः ॥ १७ ॥

(ऽ) उतो ऽअनुष्टुभावेव भवतः। (तो) व्वास्त्वनुष्टुब्व्वास्तु स्विष्टकृद्वास्तावेवैतद्वास्तु दधाति पेसुकं वै व्वास्तु पिस्यति ह प्रजया पशुभिर्यस्यैवं व्विदुषोऽनुष्टुभौ भवतः ॥ १८ ॥

(स्तु) तदु ह भाल्लवेयः। (योऽ) अनुष्टुभमनुवाक्यां चक्रे त्रिष्टुभं याज्यामेतदुभयं परिगृह्णामीति स रथात्पपात स पतित्वा बाहुमपि शश्रे स परिममृशे यत्किमकरं तस्मादिदमापादिति स हैतदेव मेने यद्विलोम यज्ञेऽकरमिति तस्मान्न विलोम कुर्यात्सच्छन्दसावेव स्यातामुभे वैवानुष्टुभाऽउभे वा त्रिष्टुभौ ॥ १९ ॥

उतो अनुष्टुभावेव भवतः। वास्त्वनुष्टुप्। वास्तु स्विष्टकृत्। वास्तावेवैतद्वास्तु दधाति । पेसुकं वै वास्तु। पिस्यति ह प्रजया पशुभिः—यस्यैवं विदुषोऽनुष्टुभौ भवतः ॥ १८ ॥

तदु ह भाल्लवेयोऽनुष्टुभमनुवाक्यां चक्रे, त्रिष्टुभं याज्याम्—एतदुभयं परिगृह्णामीति। स रथात् पपात, स पतित्वा बाहुमपि शश्रे। स परिममृशे—यत् किमकरम्, तस्मादिदमापदिति। स हैतदेव मेने—यद्विलोम यज्ञेऽकरमिति। तस्मान्न विलोम कुर्यात्। सच्छन्दसावेव स्याताम्—उभे वैवानुष्टुभौ, उभे वा त्रिष्टुभौ ॥ १९ ॥

'वास्तु' वास्तु–स्थानीयम्। तत्र वास्तु 'अवीर्यं' निस्सारम्; उपयुक्तशेषत्वात्। त्रिष्टुप्प्रजापतेः बलवद्भ्यः उरोबाहुभ्यः सकाशादिन्द्रेण सहोत्पन्नत्वात् 'त्रिष्टुबिन्द्रियम्' अत एव 'वीर्यम्' अतः पुरोऽनुवाक्यायात्त्रिष्टुप्त्वकरणेन अवले 'स्विष्टकृति' 'इन्द्रियं वीर्यमेव' स्थापितवान् भवति ॥ १७ ॥

पक्षान्तरमाह—उतो अनुष्टुभावेवेति। स्विष्टकृतः प्रधानेभ्योऽतिरिक्तत्वेनाधिकत्वात् 'वास्तु' 'अनुष्टुप्' अपि गायत्र्यादिसवनच्छन्दसोऽतिरिक्तत्वाद् 'वास्तु'; अत एव 'वास्तावेव' 'वास्तु' स्थापितवान् भवति। तत्र वास्तु 'पेसुकम्' अभिवर्द्धनशीलम्; अत एव तज्ज्ञानवान् यः 'अनुष्टुभौ' याज्यानुवाक्ये कुर्यात् सोऽपि 'प्रजया पशुभिः' च पिस्यति' (निघ. २। १४। २१।) "पिसृ पेसृ गतौ" (धा० पा० भ्वा० प० ७२०) अभिवृद्धो भवति ॥ १८ ॥

याज्यानुवाक्ययोर्विलक्षणच्छन्दस्त्वपक्षं निराकर्तुमाख्यायिकामाह—तदु हेति। भाल्लवेयस्तूक्तोभयपक्षोक्तफलावरोधाय 'अनुष्टुभमनुवाक्यां', 'त्रिष्टुभं याज्याम्' अकरोत्। 'सः' विलक्षणानुष्ठानदोषेण कदाचित् सञ्चारसमये 'रथात् पपात'। पतन्नेकं 'बाहुं' भूमौ प्रसारितवान्; स बाहुर्विस्रस्तोऽभूदित्यभिप्रायः। 'सः' च विचार्य किञ्चिदविहितं कृतवानस्मि, 'तस्मात्' 'इदं' रथात्पतनं 'आपत्' प्राप्तमभूदिति निश्चित्य, "यदनन्तरं यद्भवति, तत्तस्य कारणम्"—इति न्यायादिदं विपरीतानुष्ठानमेव कारणं बुद्धवान्।

१–अत्र व्यत्ययेन श्यन्। २–'शश्रे'–इत्यस्यैवायमर्थः।

स वाऽउत्तरार्द्धादवद्यति । (त्यु) उत्तरार्द्धे जुहोत्येषा ह्येतस्य देवस्य दिक्तस्मादुत्तरार्द्धादवद्यत्युत्तरार्द्धे जुहोत्येतस्यै वै दिश ऽउदपद्यत तं तत ऽएवाशमयंस्तस्मादुत्तरार्द्धादवद्यत्युत्तरार्द्धे जुहोति ॥ २० ॥

स वाऽअभ्यर्द्ध ऽइवेतराभ्य ऽआहुतिभ्यो जुहोति । (ती) इतरा ऽआहुतीः पशवोऽनुप्रजायन्ते रुद्रियः स्विष्टकृद्रुद्रियेण पशून्प्रसजेद्यदितराभिराहुतिभिः सᳪं सृजेत्तेऽस्य गृहाः पशव ऽउपमूर्य्यमाणा ऽईयुस्तस्मादभ्यर्द्ध ऽइवेतराभ्य आहुतिभ्यो जुहोति ॥ २१ ॥

स वा उत्तरार्द्धादवद्यति । उत्तरार्द्धे जुहोति । एषा ह्येतस्य देवस्य दिक् । तस्मादुत्तरार्द्धादवद्यति, उत्तरार्द्धे जुहोति । एतस्यै वै दिश उदपद्यत, तं तत एवाशमयन्—तस्मादुत्तरार्द्धादवद्यति, उत्तरार्द्धे जुहोति ॥ २० ॥

स वा अभ्यर्द्ध इवेतराभ्य आहुतिभ्यो जुहोति । इतरा आहुतीः पशवोऽनुप्रजायन्ते । रुद्रियः स्विष्टकृत् । रुद्रियेण पशून् प्रसजेत्—यदितराभिराहुतिभिः संसृजेत् । तेऽस्य गृहाः पशव उपमूर्य्यमाणा ईयुः । तस्मादभ्यर्द्ध इवेतराभ्य आहुतिभ्यो जुहोति ॥ २१ ॥

यस्मादेवं 'तस्मात्' सर्वत्र विपरीतं 'न' अनुतिष्ठेत् । अतः 'उभे' याज्यानुवाक्ये 'अनुष्टुभावेव वा त्रिष्टुभावेव वा'; स्विष्टकृद्याज्यानुवाक्ये 'सच्छन्दसौ' समानच्छन्दस्के भवेताम् ॥ १९ ॥

स्विष्टकृदवदानहोमप्रदेशयोर्विशेषमाह—स वा उत्तरार्द्धादिति । 'उत्तरपूर्वदिशो' लोकपालत्वेन रुद्रसम्बन्धः सर्वशास्त्रप्रसिद्धः; तेन कारणेनापि उत्तरार्द्धादेवावदानं, तत्रैव होमश्च कर्तव्य इत्याह—एतस्यै वै दिश इति । स्विष्टकृद्यागविधानसमये "उत्तरतः उपोत्पेदे" इत्युक्तत्वात् (श० प० ७ अ० ३ ब्रा० ३ कं०); "यत उत्पद्यते, 'तं तत एव' शमयितव्यम्"—इति नियमात् उत्तरतोऽवदानहोमौ कर्तव्यौ । तथा च कात्यायनः— "यावद्धविरुत्तरार्द्धात् स्विष्टकृतस्तत एव होमः" इति (का० श्रौ० सू० ३ अ० ६८—६९) ॥ २० ॥

उत्तरदेशे प्रदानेऽपि प्रधानहविषा सहासंस्पर्शं विधत्ते—स वा अभ्यर्द्ध इवेति । 'इतराभ्यः' प्रधान— 'आहुतिभ्यः' सकाशात् 'अभ्यर्द्धे' सन्निहितप्रदेश एव; न तासां स्थाने । विपक्षे बाधमाह—इतरा इति । 'इतरा आहुतीरनु' यजमानस्य 'पशवः' 'प्रजायन्ते'; ताः पशुफलजनका इत्यर्थः । स्विष्टकृद्यागश्च 'रुद्रियः' रुद्रदेवत्यः । एवं सति यदि ताभिः सह स्विष्टकृदाहुतिमासंयोजयेत्, तदा रुद्रेण सह 'पशून्' 'प्रसजेद्' योजयेत् । अत एतेनापराधेन यजमानस्य गृहावस्थिताः 'पशवः' 'उपमूर्यमाणाः' समीप एव म्रियमाणाः प्राप्नुयुः । तस्मादितराभ्यो नातिदूरे जुहुयात् । तथा च सूत्रम्—"असंसृष्टामाहुतिभिः" इति (का० श्रौ० सू० ३—७१) ॥ २१ ॥

१—"इन्द्रो वह्निः पितृपतिर्नैर्ऋतो वरुणो मरुत् । कुबेर ईशः पतयः पूर्वादीनां दिशां क्रमात्" अम० १ । ३ । २ ॥

(त्ये) एष वै सु यज्ञः । (ज्ञो) येन तद्देवा दिवमुपोदक्रामन्नेषु ऽआहवनीयोऽथ यु ऽइहाहीयत स गार्हपत्यस्तस्मादेतं गार्हपत्यात्प्राञ्चमुद्धरन्ति ॥ २२ ॥

तं वा ऽअष्टासु विक्रमेष्वादधीत । (ता) अष्टाक्षरा वै गायत्री गायत्र्यैवैतद्दिवमुपोत्क्रामति ॥ २३ ॥

(त्ये) एकादशस्वादधीत । (तै) एकादशाक्षरा वै त्रिष्टुप्त्रिष्टुभैवैतद्दिवमुपोत्क्रामति ॥ २४ ॥

द्वादशस्वादधीत । द्वादशाक्षरा वै जगती जगत्यैवैतद्दिवमुपोत्क्रामति नात्र मात्रास्ति यत्रैव स्वयं मनसा मन्येत तदादधीत स यद्वा ऽअप्यल्पकमिव प्राञ्चमुद्धरति तेनैव दिवमुपोत्क्रामति ॥ २५ ॥

" यज्ञपरिशिष्टम् । "

एष वै स यज्ञो येन तद्देवा दिवमुपोदक्रामन्-एष आहवनीयः । अथ य इहाहीयत-स गार्हपत्यः । तस्मादेतं गार्हपत्यात् प्राञ्चमुद्धरन्ति ॥ २२ ॥

तं वा अष्टासु विक्रमेष्वादधीत । अष्टाक्षरा वै गायत्री । गायत्र्यैवैतद्दिवमुपोत्क्रामति ॥ २३ ॥

एकादशस्वादधीत । एकादशाक्षरा वै त्रिष्टुप् । त्रिष्टुभैवैतद्दिवमुपोत्क्रामति ॥ २४ ॥

द्वादशस्वादधीत । द्वादशाक्षरा वै जगती । जगत्यैवैतद्दिवमुपोत्क्रामति । नात्र मात्राऽस्ति । यत्रैव

आहवनीयगार्हपत्ययोरन्यतरस्मिन् हविः-श्रपणं विधास्यति, तदर्थं तयोराधानप्रदेशपरिमाणं विधातुमाह-**एष वा** इति । ' येन ' साधनेन ' तद्देवाः ' ' दिवं ' गताः, ' स एष यज्ञः ' खलु । एष यज्ञ इत्येतद्विशिनष्टि-**एष आहवनीय** इति । यज्ञसाधनत्वादाहवनीयस्य यज्ञत्वम् । यस्त्विह भूमावेवावशिष्टः, ' स गार्हपत्यः ' । ' तस्मात् ' इदानीमपि दिवङ्गन्तुकामाः ' एतम् ' आहवनीयं यज्ञसाधनं ' गार्हपत्यात् ' ' प्राञ्चं ' प्राग्देशं प्रति ' उद्धरन्ति ' यजमानायोद्धरेयुरित्यर्थः ॥ २२ ॥

उद्धृत्य प्राच्यां कियत्पुर आदध्यात् ? इत्यत्र बहून् पक्षानाहुः-**तमष्टास्वित्या**दिना । विक्रमशब्देनात्र विक्रम्यते अनेनैवेति व्युत्पत्त्यैकपादप्रक्षेपपरिमितोंऽश उच्यते ' क्रमु पादविक्षेपे ' (धा० पा० भ्वा० प० ४७३) अन्यत्र यजमानसम्मानस्य करणात् । गार्हपत्यमवधीकृत्य तथाविधेषु अष्टसु प्रक्रमेषु[1] गतेष्वाहवनीयमादधीत । तथा सति तद्द्वारा अष्टसंख्यायुक्त-' गायत्र्यैव ' ' दिवं ' प्राप्तवान् भवति । तस्माद्गायत्रीसाम्यलाभादष्टप्रक्रमपरिमाणाधानं प्रशस्तमित्यर्थः ॥ २३ ॥

एवमुत्तरवाक्यान्यपि योज्यानि ॥ २४ ॥

क्रियासौकर्यानपह्नवेनान्यान् पक्षानभिधाय कर्मणो यावन्मात्रं पर्याप्तमिति मन्यते, तावन्मात्रमेव कुर्यादित्याह-**नात्रे**ति । ' अत्र ' आधानविषये अष्टत्वादि-' मात्रा ' ' नास्ति ' शास्त्रतः । अतः स्वेच्छया ' यत्रैव ' देशे

---

[1] " प्रकर्षेण क्रमणं प्रक्रमः । क्रमणेनारत्निमात्रः प्रक्रमो भवति " तस्मात्प्राङ् प्रक्रामति त्रीन्विक्रमान् " इत्यादिश्रुतेः (३ । ५ । १ । १) अरत्निस्तु पुरुषपञ्चमांशः । तस्माद्द्विपदः प्रक्रमः । इति सत्यव्रतसामाश्रमिणः । परं चायं द्विपदः प्रक्रमो ज्योतिष्टोम एव । आधाने तु एकपद एवेति । तदुक्तं कात्यायनेन श्लोकशुल्बे "आधाने पदिकं कुर्याद्द्विपदः सौमिको भवेत् । अग्नौ च त्रिपदं कुर्यात्प्रक्रमं याज्ञिको बुधः " इति शुल्ब सूत्रे ७ कं. ३४ श्लो. ।

तदाहुः । (रा) आहवनीये हवीꣳषि श्रपयेयुरतो वै देवा दिवमुपोदक्रामंस्तेनो ऽएवार्चन्तः श्राम्यन्तश्चेरुस्तस्मिन्हवीꣳषि श्रपयाम तस्मिन्यज्ञं तनवामहा ऽइत्यपस्खल ऽइव ह स हविषां यद्गार्हपत्ये श्रपयेयुर्यज्ञ ऽआहवनीयो यज्ञे यज्ञं तनवामहा ऽइति ॥ २६ ॥

(त्यु) उतो गार्हपत्य ऽएव श्रपयन्ति । (न्त्या) आहवनीयो वा ऽएष न वा ऽएष तस्मै यदस्मिन्नशृतꣳ श्रपयेयुस्तस्मै वा ऽ एष यदस्मिञ्छृतं जुहुयुरित्यतो यतरथा कामयेत तथा कुर्यात् ॥ २७ ॥

स्वयं मनसा मन्येत तदादधीत । स यद्वा अप्यल्पकमिव प्राञ्चमुद्धरति, तेनैव दिवमुपोत्क्रामति ॥२५॥

तदाहुः । आहवनीये हवींषि श्रपयेयुः । अतो वै देवा दिवमुपोदक्रामन् । तेनो एवार्चन्तः श्राम्यन्तश्चेरुः—तस्मिन् हवींषि श्रपयाम, तस्मिन् यज्ञं तनवामहा इति । अपस्खल इव ह स हविषां—यद् गार्हपत्ये श्रपयेयुः । यज्ञ आहवनीयः, यज्ञे यज्ञं तनवामहा इति ॥ २६ ॥

उतो गार्हपत्य एव श्रपयन्ति । आहवनीयो वा एषः । न वा एष तस्मै—यदस्मिन्नश्यतं श्रपयेयुः । तस्मै वा एष—यदस्मिञ्छृतं जुहुयुरिति । अतो यतरथा कामयेत तथा कुर्यात् ॥ २७ ॥

आहवनीय आहिते कर्म सुकरं भवतीति 'स्वयं मनसैव मन्येत' निश्चिनुयात्, तत्र 'आदधीत'; तस्मात् 'अल्पकमिव' अल्पकमपि, अष्टप्रक्रमादत्यल्पमपि 'प्राञ्चं' दिशं प्रत्युद्धरेत् । तेनैव' आत्मनैव 'दिवं' प्राप्नोत्येव । अत्र कात्यायनः—"पुरस्तादाहवनीयस्याष्टासु प्रक्रमेष्वेकादशसु द्वादशसु मत्या वा"—इति (का० श्रौ० सू० ४ २१३) ॥ २५ ॥

इदानीं हविः—श्रपणविषये केषाञ्चित्पक्षमाह—**तदाहुरि**ति । आहवनीय एव श्रपयतामभिप्रायमाह—**अतो वा** इति । 'अतः' अस्मादाहवनीयात् 'देवाः' 'दिवं' प्राप्ताः, अतोऽस्माभिरपि तत्रैव श्रपणं कर्तव्यमिति तेषामाशयः । उपोत्क्रमणसाधनत्वमेव कुत इत्यत आह—**तेनो एवे**ति । तेनैवाहवनीयेन साधनेन प्रयासात्मकं हविः—प्रदानादि सकलं कर्मान्वतिष्ठन्; अतस्तस्योपोत्क्रमणसाधनत्वम् । अतो वयमपि अन्यत्र श्रपणमन्यत्र जुहवाम इति वैयधिकरण्यं मा भूदिति तस्मिन्नेव आहवनीये श्रपणं यागञ्च करवामेति । वैयधिकरण्ये दोषमाह—**अपस्खल इवे**ति । 'गार्हपत्ये श्रपयेयुः' इति यत् 'सोऽपस्खल इव' अपस्खलनमिव 'हविषां' भवति । फलितानां व्रीह्यादीनां तुषविमोकादिसम्पादनप्रदेशः 'स्खलः'। यथा व्रीह्यादिराशिः खलाद्[1] बहिरपि प्राप्तो व्यर्थो भवति, एवमन्यत्र श्रपणमपि । अतः प्रागुक्तप्रकारेण आहवनीय एव 'यज्ञे', 'यज्ञं' यज्ञसाधनत्वात् श्रप्यमाणं हविरपि यज्ञः ॥ २६ ॥

अन्येषां पक्षमाह—**उतो** इति । प्रथमपक्षोक्तमाहवनीये श्रपणमत्रापि सम्भावयति—**आहवनीयो वा** इति । आहवनीयस्य इतः प्रणीतत्वात् । किमुपचरितेनाहवनीयेन, साक्षात्तस्मिन्नेव श्रपणमस्त्वित्याशङ्क्य तस्य श्रपणायोग्यत्वमाह—**न वा एष** इति । 'एषः' आहवनीयः शृतश्रपणाय 'न वै' मोचितः खल्वित्यर्थः । तर्हि

१—'स्खलाद्' इति पाठान्तरम् । वस्तुतो निःसकार एव पाठः साधुः । "खल वत्सरवेदिः"—इति का० श्रौ० सू० २२ अ० ११४ सू० ॥ का० श्रौ० सू० २२ अ० १६६. सू० । आप० श्रौ० सू० ७ । १३ । १४ । "खलात् क्षेत्रादगाराद्वा" इति । ११. १७. मनुनोक्तेश्च ।

(२८) स हैष यज्ञ उवाच । नग्नताया वै बिभेमीति का तेऽनग्नतेत्यभित एव मा परिस्तृणीयुरिति तस्मादेतदग्निमभितः परिस्तृणन्ति तृष्णाया वै बिभेमीति का ते तृप्तिरिति ब्राह्मणस्यैव तृप्तिमनुतृप्येयमिति तस्मात्सꣳस्थिते यज्ञे ब्राह्मणं तर्प्पयितवै ब्रूयाद्यज्ञमेवैतत्तर्प्पयति ॥२८॥१॥

इति षष्ठप्रपाठके प्रथमं ब्राह्मणम् । (७. ३.)

प्रजापतिर्ह वै स्वां दुहितरमभिदध्यौ । दिवं वोषसं वा मिथुन्येनया स्यामिति ताꣳ सम्बभूव ॥ १ ॥

स हैष यज्ञ उवाच । नग्नताया वै बिभेमीति । का तेऽनग्नतेति । अभित एव मा परिस्तृणीयुरिति । तस्मादेतदग्निमभितः परिस्तृणन्ति । तृष्णाया वै बिभेमीति । का ते तृप्तिरिति । ब्राह्मणस्यैव तृप्तिमनुतृप्येयमिति । तस्मात् संस्थिते यज्ञे ब्राह्मणं तर्प्पयितवै ब्रूयात् । यज्ञमेवैतत् तर्प्पयति ॥ २८ ॥

ब्रह्मणः प्राशित्रहरणम् ।[1]

प्रजापतिर्ह वै स्वां दुहितरमभिदध्यौ—दिवं वा, उषसं वा मिथुन्येनया स्यामिति । तां संबभूव ॥१॥

कस्मा उचित इति तत्राह—**तस्मै वा** इति । असौ शृतस्य होमायोचित इत्यर्थः । अथवा एवं व्याख्येयम् । " आहवनीयो वा एष " इति मुख्य आहवनीय एवोच्यते । यस्मात् ' एष आहवनीयः ' आहवनार्हः, अत एष पक्वस्य हविषो होमाय योग्यः; न त्वामस्य पाकायेति अग्निद्वयपक्षेऽप्युपपत्तिसम्भवाच्छ्रपणस्यैच्छिकत्वमाह—**अतो यतरथेति** । यथा कामयते, तथैव कुर्यात् ॥ २७ ॥

अथाग्नेः परिस्तरणं विधातुमाह—**स हैष** इति । ' यज्ञः ' अग्निः; एष आहवनीय इत्युक्तत्वात् । ' नग्नता ' प्रावरणराहित्यम् । अग्नेर्नग्नत्वपरिहारमजानानाः पृच्छन्ति—**का त** इति । ' अनग्नता '—इति च्छेदः । **तस्मादिति.** परिस्तरणविधिः । इष्ट्यङ्गभूतब्राह्मणसंतर्पणं विधातुमाह—**तृष्णाया** इति । भीत्युपन्यासस्तस्यावश्यपरिहर्तव्यत्वद्योतनार्थः । कः परिहारस्तृष्णाया इति पृष्ट आह—**ब्राह्मणस्यैवेति** । ' एव '—कारेण स्वतर्पणादपि ब्राह्मणतर्पणमेव श्रेय इत्ययमर्थो द्योतते । ' ब्राह्मणस्य '—इति जातावेकवचनम् (पा. सू. १ । २ । ५८) ब्राह्मणमित्यभिधानात् । **तस्मादिति** । ' ब्राह्मणं तर्पयितवै ब्रूयात् ' यजमान इति शेषः ' एतत् ' एतेन । ब्राह्मणतर्पणेन ' यज्ञमेव ' अग्निमेव ॥ २८ ॥ १ ॥ (७. ३) ॥

इति श्रीसायणाचार्यविरचिते माधवीये वेदार्थप्रकाशे माध्यन्दिनशतपथब्राह्मणभाष्ये प्रथमकाण्डे सप्तमाध्याये तृतीयं ब्राह्मणम् ॥ *

(प्राशित्रावदानविध्यर्थमाख्यायिकामाह—**प्रजापतिर्हेति** । दिवमिति केचिदाहुरुषसमित्यपरे । तथा चैतरेयब्राह्मणम् (ऐ. ब्रा. ३ । ३ । ९) " दिवमित्यन्य आहुरुषसमित्यन्ये "—इति । **प्रजापतिर्ह वै** । प्राशित्रब्राह्मणमेतत् । तत्र रौद्रस्येषोरनीकं प्रजापतेर्यज्ञस्य शल्यात्मकं निरवदेयम् । ब्रह्मणा च सवितृप्रसूतेन बृहस्पतिरूपेण प्राशनीयमित्येतदाख्यानेन दर्शयते । ' प्रजापतिः ' प्राणपिण्डलोककालयज्ञात्मा, अभि-

---

१—" प्राशित्रं ब्रह्मणो भागावदानम् । तत् ह्रियते येन पात्रेण तत्पात्रं प्राशित्रहरणम् । तच्च आदर्शसदृशं वर्तुलं चमससदृशं चतुरस्रं वा खातवच्च भवति । का. श्रौ. सू. १ । ३ । ४०–४१ । द्रष्टव्ये ।

*—उपलब्धेषु सर्वेष्वपि पुस्तकेषु शतपथब्राह्मणीयप्रथमकाण्डस्यैतदन्तमेव सायणभाष्यं दृश्यते । अप्येतदारभ्य काण्डसमाप्तिपर्यन्तं हरिस्वामिकृतं भाष्यमेव सर्वत्र विद्यते । अतस्तदेव संगृह्यते । " काण्डस्यावशिष्टं सायणीयं भाष्यं लुप्तकल्पतामुपगतामिति मंतव्य तदन्वेषणे च यावच्छक्यं प्रयतनीयं प्राच्यवैदिकवाङ्मयसंशोधकैः ॥ इति ॥

तद्वै देवानामाग ऽआस । य ऽइत्थꣳ स्वां दुहितरमस्माकꣳ स्वसारं करोतीति ॥ २ ॥

ते ह देवा ऊचुः । (योऽयं) योऽयं देवः पशूनामीष्टेऽतिसन्धं वा ऽअयं चरति य ऽइत्थꣳ स्वां दुहितरमस्माकꣳ स्वसारं करोति विध्येममिति तꣳ रुद्रोऽभ्यायत्य विव्याध तस्य सामि रेतः प्रचस्कन्द तथेन्नूनं तदास ॥ ३ ॥

तस्मादेतदृषिणाभ्यनूक्तम् । पिता यत्स्वां दुहितरमधिष्कन्क्ष्मया रेतः सञ्जग्मानो निषिञ्चदिति तदाग्निमारुतमित्युक्थं तस्मिंस्तद्व्याख्यायते यथा तद्देवा रेतः प्राजनयँस्तेषां यदा देवानां क्रोधोव्यैदथ प्रजापतिमभिषज्यंस्तस्य तꣳ शल्यं निरकृन्तन्त्स वै यज्ञ ऽएव प्रजापतिः ॥ ४ ॥

तद्वै देवानामाग आस—य इत्थं स्वां दुहितरमस्माकं स्वसारं करोतीति ॥ २ ॥

ते ह देवा ऊचुर्योऽयं देवः पशूनामीष्टे—"अतिसन्धं वा अयं चरति—य इत्थं स्वां दुहितरमस्माकं स्वसारं करोति, विध्येममिति" । तं रुद्रोऽभ्यायत्य विव्याध । तस्य सामि रेतः प्रचस्कन्द, तथेन्नूनं तदास ॥ ३ ॥

तस्मादेतदृषिणाभ्यनूक्तम्—"पिता यत् स्वां दुहितरमधिष्कन् क्ष्मया रेतः सञ्जग्मानो निषिञ्चत्" इति । तदाग्निमारुतमित्युक्थम् । तस्मिंस्तद्व्याख्यायते—यथा तद्देवा रेतः प्राजनयन् । तेषां

ध्यातवान्, 'दिवं वा उषसं वा' लोकात्मना दिवम्; कालात्मना उषसम्; प्राणपिण्डात्मना ऋक्षेभ्यो मृगो रोहितम्, रोहिणी नाम नक्षत्रम्[1], यज्ञात्मना वाचम् । कथमभिदध्यौ ? 'मिथुनी' मिथुनवान् 'एनया' 'स्यामिति' 'तां' सम्बभूव' सङ्गतः ॥ १ ॥

तद्वै देवानाम् । 'तद्' दुहितृगमनं 'देवानां' चेतसि 'आगः' अपराधो बभूव । अपराधी सर्वमेवं 'करोतीति' ॥ २ ॥

ते ह देवाः । 'योऽयं देवः पशूनामीष्टे तम् 'ऊचुः'—'अतिसन्धं' सन्धा सन्धानं मर्यादा व्यवस्था, "दुहिता न गन्तव्या"—इति; अतीत्य सन्धानं तमतिसन्धं संचरणम् । मर्यादामतीत्य 'अयं चरति' ततश्चापराधित्वान्निप्रहार्ह इति 'विध्य इमम्' । "व्यध—ताडने" (धा. पा. दि. प. ७९) ताडयेषुणेति । यज्ञाङ्गसृष्टिभवितव्यताप्रसक्तानां चेष्टितम् 'तं' 'रुद्रः' आकृष्य इषुं विद्धवान् । "तथेन्नूनम्" । इच्छब्दोऽवधारणार्थः (निरु. १ । ३ । ९) 'नूनं'—शब्दो यस्मादर्थे (निरु. १ । २ । ४) यस्मात् तथैव 'तदास' ॥ ३ ॥

तस्मादेतत् । 'तस्माद्' तत् 'ऋषिणा' मन्त्रेण 'अभ्यनूक्तम्' । 'पिता' प्रजापतिः 'स्वां दुहितरम्' 'अधिष्कन्' अधिस्कन्नः, तथा च 'सञ्जग्मानः' सङ्गतः सन्, 'क्ष्मया' क्ष्मायां पृथिव्यां यत् 'रेतः' 'निषिञ्चत्' अभिषिक्तवान् । तस्माद्रेतसः "साध्योऽजनयन् ब्रह्म देवा वास्तोष्पतिं व्रतपां निरतक्षन्"—इति (ऋ. सं. १० । ६१ । ७) (ऐ. ब्रा. ३ । ३ । ९) 'तदाग्निमारुतमिति' नाम्ना 'उक्थं' शस्त्रम्[2] ।

१—"तस्यर्श्यो भूत्वा रोहितं भूत्वा०—० या रोहित्सा रोहिणी" इत्यादि ऐ० ब्रा० ३ । ३ । ९ । २—"येषा रौद्री शस्यते" इत्यादि ऐ० ब्रा० ३ । ३ । १० ।

(स्ते) ते होचुः । (रु) उपजानीत यथेदं नाम्युपासत्कनीयो ह्याहुतेर्यथेदꣳ स्यादिति ॥ ५ ॥

ते होचुः । (र्भ) भगायैनद्दक्षिणत ऽआसीनाय परिहरत तद्भगः प्राशिष्यति तद्यथाहुतमेवं भविष्यतीति तद्भगाय दक्षिणत ऽआसीनाय पर्याजहुस्तद्भगोऽवेक्षाञ्चक्रे तस्याक्षिणी निर्ददाह तथेन्नूनं तदास तस्मादाहुरन्धो भग इति ॥ ६ ॥

ते होचुः । (नौं) नो न्वेवात्राशमत्पूष्ण ऽएनत्परिहरतेति तत्पूष्णे पर्याजहुस्तत्पूषा प्राश तस्य दतो निर्जघान तथेन्नूनं तदास तस्मादाहुरदन्तकः पूषेति तस्माद्यं पूष्णे चरुं कुर्वन्ति प्रपिष्टानामेव कुर्वन्ति यथादन्तकायैवम् ७

(न्ते) ते होचुः । (नौं) नो न्वेवात्राशमद्बृहस्पतय ऽएनत्परिहरतेति तद्बृहस्पतये पर्याजहुः स बृहस्पतिः सवितारमेव प्रसवायोपाधावत्सविता वै देवानां प्रसवितेदं मे प्रसुवेति तदस्मै सविता प्रसविता प्रासुवत्तदेनꣳ सवितृप्रसूतं नाहिनत्ततोऽर्वाचीनꣳ शान्तं तदेतन्निदानेन यत्प्राशित्रम् ॥ ८ ॥

यदा देवानां क्रोधोऽव्यैद्-अथ प्रजापतिमभिषज्यन् । तस्य ते शल्यं निरकृन्तन्, स वै यज्ञ एव प्रजापतिः ॥ ४ ॥

ते होचुः-उपजानीत यथेदं नाम्युपासत्, कनीयो ह्याहुतेर्यथेदं स्यादिति ॥ ५ ॥

ते होचुः-भगायैनद्दक्षिणत आसीनाय परिहरत, तद्भगः प्राशिष्यति, तद्यथाहुतमेवं भविष्यतीति । तद्भगाय दक्षिणत आसीनाय पर्याजहुः; तद्भगोऽवेक्षाञ्चक्रे, तस्याक्षिणी निर्ददाह, तथेन्नूनं तदास । तस्मादाहुरन्धो भग इति ॥ ६ ॥

ते होचुः-नो न्वेवात्राशमत्, पूष्ण एनत् परिहरतेति । तत् पूष्णे पर्याजह्रुः, तत् पूषा प्राश, तस्य दतो निर्जघान, तथेन्नूनं तदास । तस्मादाहुरदन्तकः पूषेति । तस्माद्यं पूष्णे चरुं कुर्वन्ति, प्रपिष्टानामेव कुर्वन्ति, यथा अदन्तकाय-एवम् ॥ ७ ॥

ते होचुः-नो न्वेवात्राशमत्, बृहस्पतय एनत् परिहरतेति । तद् बृहस्पतये पर्याजहुः । स बृहस्पतिः सवितारमेव प्रसवायोपाधावत् । सविता वै देवानां प्रसविता । इदं मे प्रसुवेति । तदस्मै सविता

'तस्मिन्' 'तद्' विभज्याख्यायते । 'यथा' 'तत्' 'रेतः' 'देवाः' प्रजनितवन्त इत्याख्यानशेषे योजना । यज्ञस्य कृत्स्नतायै 'स वै यज्ञ एव' इत्याख्यानस्य प्रकृतसम्बन्धोपक्षेपः ॥ ४ ॥

ते होचुः । यथेदमिति । यत् "इदम्" इषोरनीकं यज्ञरसविलिप्तम्, तद् 'यथा' 'न' वृथा स्यात् 'यथा' च प्रधानाहुतेर्न महत् स्यात्, तथा उपायं जानीतेति 'ते' देवाः 'ऊचुः' ॥ ५ ॥ १ ॥

ते होचुर्नो न्वेव । प्रायः प्रसन्न एव ब्राह्मणशेषः, किञ्चित्तु वक्ष्यामः । 'नो'-इति प्रतिषेधः (निरु. १ । ४ । ३७ ॥ वा. १३ । ४ । ९); 'नु'-इति वाक्यपूरणः (निरु. १ । २ ।) "नु इत्येषोऽनेककर्मा" 'अशमत्' न शान्तम् । 'दतः' दन्तान् । 'प्रपिष्टानां' तण्डुलानामिति शेषः ॥ ७ ॥

'न अहिनत्' । हिनोतिर्हिंसाकर्मणः (निघं. ४ । २ । ९४) । न हतवान् 'ततोऽर्वाचीनम्' । बृ

(१०) यत्प्राशित्रमवद्यति । यदेवात्राविद्धं यज्ञस्य यद्रुद्रियं तदेवैतन्निर्मिमीतेऽथाप ऽउपस्पृशति शान्तिरापस्तदद्भिः शमयत्यथेडां पशून्त्समवद्यति ॥ ९ ॥

स वै यावन्मात्रमिवैवावद्येत् (त्तु) तथा शल्यः प्रच्यवते तस्माद्यावन्मात्रमिवैवावद्येदन्यतरत ऽआज्यं कुर्यादधस्ताद्वोपरिष्टाद्वा तथा खदन्निस्सरणवद्भवति तथा निस्रवति तस्मादन्यतरत ऽआज्यं कुर्यादधस्ताद्वोपरिष्टाद्वा ॥ १० ॥

स ऽआज्यस्योपस्तीर्य । द्विर्हविषोवदायाथोपरिष्टादाज्यस्याभिघारयति तद्यथैव यज्ञस्यादानमेवमेव तत् ॥ ११ ॥

प्रसविता प्रासुवत् । तदेनं सवितृप्रसूतं नाहिनत् । ततोऽर्वाचीनं शान्तम् । तदेतन्निदानेन—यत् प्राशित्रम् ॥ ८ ॥

स यत् प्राशित्रमवद्यति । यदेवात्राविद्धं यज्ञस्य—यद्रुद्रियं, तदेवैतन्निर्मिमीते । अथाप उपस्पृशति । शान्तिरापः । तदद्भिः शमयति ॥

इडाकर्म ।

अथेडां पशून् समवद्यति ॥ ९ ॥

स वै यावन्मात्रमिवैवावद्येत् । तथा शल्यः प्रच्यवते । तस्माद्यावन्मात्रमिवैवावद्येत् । अन्यतरत आज्यं कुर्यात्—अधस्ताद् वा, उपरिष्टाद् वा । तथा खदन्निस्सरणवद्भवति, तथा निस्रवति । तस्मादन्यतरत आज्यं कुर्यात्—अधस्ताद् वोपरिष्टाद् वा ॥ १० ॥

स आज्यस्योपस्तीर्य, द्विर्हविषोऽवदाय, अथोपरिष्टादाज्यस्याभिघारयति । तद्यथैव यज्ञस्यावदानम्—एवमेव तत् ॥ ११ ॥

स्पतिप्रशमनादर्वाक् 'शान्तम्' । **तदेतन्निदानेनेति** । इतिहासमुपसंहृत्याधिदैवज्ञानाय प्राशिता प्राशोऽस्येति 'प्राशित्रम्' । "अण्प्रकरणे अग्निपदादिभ्य उपसंख्यानम्"—इति (पा. सू. ५ । १ । ९७ वा. १) हि स्मरन्ति ॥ ८ ॥

स यत् । यदेवात्रेति । संसारस्वभावाद् यदत्र किञ्चिदशान्तं 'तत्' 'निर्मिमीते' बहिष्करोति, निष्कर्षतीत्यर्थः । 'अथ' 'अप उपस्पृशति' अध्वर्युः । **अथेडां पशूनिति** । पशुत्वमिडायाः प्रसिद्धम् । (ऐ. ब्रा. २ । ४ । ६) (तै. सं. २ । ६ । ७ । ३ ।) पशवश्च रुद्राद्रक्षणीयाः; अतो रुद्रिये प्राशित्रे दत्ते अप उपस्पृश्य 'इडामवद्यति' ॥ ९ ॥

स वै । इडावदानार्थतामुपस्पर्शनस्य दर्शयति—'खदत्' । "खद—स्थैर्ये हिंसायाञ्च" (धा. पा. भ्वा. प. ५०) अल्पतरत्वादस्थिरमगाढबलम्, 'निस्सरणवद्भवति' इतरथा तु चतुर्गृहीतं महत्त्वाद्गाढं स्यादित्यभिप्रायः ॥ १० ॥

स आज्यस्य ।—इति वचनात् विकल्पः पूर्वेण सह ॥ ११ ॥

१—"अप उपस्पृश्येडां पञ्चावत्तामित्यादि" का. श्रौ. सू. ३ । ७४ ॥

(त्त) तन्न पूर्वेण परिहरेत् । (त्पू) पूर्वेण हैके परिहरन्ति पुरस्ताद्वै प्रत्यञ्चो यजमानं पशव उपतिष्ठन्ते रुद्रियेण ह पशून्प्रसजेद्यत्पूर्वेण परिहरेत्तेऽस्य गृहाः पशव उपमूर्यमाणा ईयुस्तस्मादित्येव तिर्यक्प्रजिहीत तथा ह रुद्रियेण पशून्न प्रसजति तिर्यगेवैनं निर्मिमीते ॥ १२ ॥

तत्प्रतिगृह्णाति । देवस्य त्वा सवितुः प्रसवेऽश्विनोर्बाहुभ्यां पूष्णो हस्ताभ्यां प्रतिगृह्णामीति ॥ १३ ॥

तद्यथैवादो बृहस्पतिः । सवितारं प्रसवायोपाधावत्सविता वै देवानां प्रसवितेदं मे प्रसुवेति तदस्मै सविता प्रसविता प्रासुवत्तदेनꣳ सवितृप्रसूतं नाहिनदेवमेवैष एतत्सवितारमेव प्रसवायोपधावति सविता वै देवानां प्रसवितेदं मे प्रसुवेति तदस्मै सविता प्रसविता प्रसौति तदेनꣳ सवितृप्रसूतं न हिनस्ति ॥ १४ ॥

तत्प्राश्नाति । (त्य) अग्नेष्ट्वास्येन प्राश्नामीति न वा अग्निं किञ्चन हिनस्ति तथो हैनमेतन्न हिनस्ति ॥ १५ ॥

तन्न पूर्वेण परिहरेत् । पूर्वेण हैके परिहरन्ति । पुरस्ताद्वै प्रत्यञ्चो यजमानं पशव उपतिष्ठन्ते । रुद्रियेण ह पशून् प्रसजेत्–यत् पूर्वेण परिहरेत्, तेऽस्य गृहाः पशव उपमूर्यमाणा ईयुः । तस्मादित्येव तिर्यक् प्रजिहीत । तथा ह रुद्रियेण पशून्न प्रसजति । तिर्यगेवैनं निर्मिमीते ॥ १२ ॥

तत् प्रतिगृह्णाति–" देवस्य त्वा सवितुः प्रसवेऽश्विनोर्बाहुभ्यां पूष्णो हस्ताभ्यां प्रतिगृह्णामि "–(वा. सं. २ । ११) इति ॥ १३ ॥

तद्यथैवादो बृहस्पतिः सवितारं प्रसवायोपाधावत् । सविता वै देवानां प्रसविता–इदं मे प्रसुवेति, तदस्मै सविता प्रसविता प्रासुवत् । तदेनं सवितृप्रसूतं नाहिनत् । एवमेवैष एतत्सवितारमेव प्रसवायोपधावति । सविता वै देवानां प्रसविता–इदं मे प्रसुवेति । तदस्मै सविता प्रसविता प्रसौति । तदेनं सवितृप्रसूतं न हिनस्ति ॥ १४ ॥

तत् प्राश्नाति–" अग्नेष्ट्वास्येन प्राश्नामि "–(वा. सं. २ । ११) इति । न वा अग्निं किञ्चन हिनस्ति, तथो हैनमेतन्न हिनस्ति ॥ १५ ॥

तन्न पूर्वेण । ' इत्येव '–इत्यभिनयेन अध्वर्युसञ्चरं दर्शयति । एवमेवाध्वर्युसञ्चरेण ' तिर्यक् प्रजहीत ' । [1]" ओहाङ्–गतौ " (धा. पा. जु. आ. ७)–प्रगच्छेत् प्राशित्रम् ॥ १२ ॥

तत्प्रतिगृह्णाति ।–इत्यत आरभ्य ब्रह्मत्वं प्राय आध्यायसमाप्तेः ॥ १३ ॥ १४ ॥ १५ ॥ १६ ॥

१–" अध्वर्युः सञ्चरेण ब्रह्मणे प्रदाय पूर्वेणैके " का. श्रौ. सू. ३ । ७४ ॥ २–" देवस्य त्वेति प्रतिगृह्णाति, " का. श्रौ. सू. २ । ३७ । ३८ । ३९ । ४० इत्यादीनि द्रष्टव्यानि ।

तन्न दद्भिः खादेत् । (भ्रे) नेन्म ऽइदᳬं रुद्रियं दतो हिनुसदिति तस्मान्न दद्भिः खादेत् ॥ १६ ॥

(दु) अथाप ऽआचामति । शान्तिरापस्तदद्भिः शान्त्या शमयतेऽथ परिक्षाल्य पात्रम् ॥ १७ ॥

(म्रु) अथास्मै ब्रह्मभागं पर्याहरन्ति । ब्रह्मा वै यज्ञस्य दक्षिणत ऽआस्तेऽभिगोप्ता स ऽएतं भागं प्रतिविदान ऽआस्ते यत्प्राशित्रं तदस्मै पर्याहार्षुस्तत्प्राशीदथ यमस्मै ब्रह्मभागं पर्याहरन्ति तेन भागी स यदत ऽऊर्ध्वमसᳬंस्थितं यज्ञस्य तदभिगोपायति तस्माद्वा ऽअस्मै ब्रह्मभागं पर्याहरन्ति ॥ १८ ॥

स वै व्वाचंयम ऽएव स्याद् । (वृ) ब्रह्मन्प्रस्थास्यामीत्यैतस्माद्वचसो व्विवृहन्ति वा ऽएते यज्ञं क्षण्वन्ति ये मध्ये यज्ञस्य पाकयज्ञिययेडया चरन्ति ब्रह्मा वा ऽऋत्विजां भिषक्तमस्तद्ब्रह्मा सन्दधाति न ह सन्दध्याद्यद्वावद्यमान ऽआसीत तस्माद्वाचंयम ऽएव स्यात् ॥ १९ ॥

तन्न दद्भिः खादेत्, नेन्म इदं रुद्रियं दतो हिनसदिति । तस्मान्न दद्भिः खादेत् ॥ १६ ॥

अथाप आचामति । शांतिरापः । तदद्भिः शान्त्या शमयते । अथ परिक्षाल्य पात्रम् ॥ १७ ॥

अथास्मै ब्रह्मभागं पर्याहरन्ति । ब्रह्मा वै यज्ञस्य दक्षिणत आस्तेऽभिगोप्ता । स एतं भागं प्रतिविदान आस्ते यत् प्राशित्रम् । तदस्मै पर्याहार्षुः । तद् प्राशीत् । अथ यमस्मै ब्रह्मभागं पर्याहरन्ति, तेन भागी सः । यदत ऊर्ध्वमसंस्थितं यज्ञस्य, तदभिगोपायति । तस्माद्वा अस्मै ब्रह्मभागं पर्याहरन्ति ॥ १८ ॥

स वै वाचंयम एव स्याद्—"ब्रह्मन् प्रस्थास्यामि"— इत्यैतस्माद् वचसः । विवृहन्ति वा एते, यज्ञं क्षण्वन्ति—ये मध्ये यज्ञस्य पाकयज्ञिययेडया चरन्ति । ब्रह्मा वा ऋत्विजां भिषक्तमः । तद् ब्रह्मा सन्दधाति । न ह सन्दध्याद्—यद्वावद्यमान आसीत । तस्माद्वाचंयम एव स्यात् ॥ १९ ॥

अथापः । 'अथ परिक्षाल्य पात्रं' "नाभिमालभते"—इति शाखान्तरात् तच्छेषः ॥ १७ ॥

अथास्मै ब्रह्मभागम्[२] ।—इत्याध्वर्यवम् । 'प्रतिविदानः' जानन्, एष मे भाग इत्याशयः । पूर्वम् 'आस्ते' । 'पर्याहार्षुः' पर्याहृतवन्तः । 'प्राशीत्' प्राशितवान् । अनेन तु ब्रह्मभागेन 'भागी' । स्वीकृतेनैव यज्ञशेषं 'गोपायति' ॥ १८ ॥

स वै वाचंयमः । वाचं यच्छतीति "वाचि यमो व्रते" इति (पा. सू. ३ । २ । ४०) "वाचंयमपुरन्दरौ च" इति पा. सू. ६ । ३ । ६९) 'वाचंयमः' असम्बन्धवचनादुपरमयति, एतद्व्रतो वाचंयमः,

---

१—"प्रक्षाल्य पात्रं नाभिमालभते" इत्यादि का. श्रौ. सू. २ । ४ । १ । २—"भागमस्मै परिहरति" का. श्रौ. सू. ३ । ६ ।
३—'वाग्यत आनुयाजप्रसवात्' 'भागपरिहरणादि वा'—आवृताऽवषट्कारात्तु इति का. श्रौ. २ । २५ । २६ । २७ ।

(त्त) स युदि पुरा मानुषीं व्वाचं व्याहरेत् । (च) तत्रो व्वैष्णवीमृचं वा यजुर्वा जपेद्यज्ञो वै व्विष्णुस्तद्यज्ञं पुनरारभते तस्यो हैषा प्रायश्चित्तिः॥२०

स यत्राह-ब्रह्मन्प्रस्थास्यामीति तद्ब्रह्मा जपत्येतं ते देव सवितर्यज्ञं प्राहुरिति तत्सवितारं प्रसवायोपधावति स हि देवानां प्रसविता बृहस्पतये ब्रह्मण ऽइति बृहस्पतिर्व्वै देवानां ब्रह्मा तद्य ऽएव देवानां ब्रह्मा तस्मा ऽएवैतत्प्राह तस्मादाह बृहस्पतये ब्रह्मण ऽइति तेन यज्ञमव तेन यज्ञपतिं तेन मामवेति नात्र तिरोहितमिवास्ति ॥ २१ ॥

मनो जूतिर्जुषतामाज्यस्येति । मनसा वा इदꣳ सर्वमाप्तं तन्मनसैवैतत्सर्व्वमाप्नोति बृहस्पतिर्यज्ञमिमं तनोत्वरिष्टं यज्ञꣳ समिमं दधात्विति

स यदि पुरा मानुषीं वाचं व्याहरेत्—तत्रो वैष्णवीमृचं वा, यजुर्वा जपेत् । यज्ञो वै विष्णुः । तद्यज्ञं पुनरारभते, तस्यो हैषा प्रायश्चित्तिः ॥ २० ॥

स यत्राह "ब्रह्मन् प्रस्थास्यामीति"—तद् ब्रह्मा जपति—"एतं ते देव सवितर्यज्ञं प्राहुः"—(वा० सं० २ । १२) इति । तत्सवितारं प्रसवायोपधावति । स हि देवानां प्रसविता । "बृहस्पतये ब्रह्मणे"— (वा० सं० २ । १२) इति । बृहस्पतिर्वै देवानां ब्रह्मा । तद् एव देवानां ब्रह्मा तस्मा एवैतत् प्राह । तस्मादाह बृहस्पतये ब्रह्मण इति । "तेन यज्ञमव, तेन यज्ञपतिं, तेन मामव"—(वा० सं० २ । १२) इति । नात्र तिरोहितमिवास्ति ॥ २१ ॥

"मनो जूतिर्जुषतामाज्यस्य"—(वा०सं०२।१३) इति । मनसा वा इदं सर्वमाप्तम् । तन्मनसैवैतत्सर्वमाप्नोति। "बृहस्पतिर्यज्ञमिमं तनोत्वरिष्टं यज्ञं संमिमं दधातु"—(वा०सं०२।१३)

ब्रह्मा स्यात् । कियन्तं कालम् ? 'ब्रह्मन् ! प्रस्थास्यामीति 'आ एतस्मात्' 'वचसः' अध्वर्युवचनात् । अभिविधावाङ् न मर्यादायाम्; कुतः ? सन्धानवचनात् । 'विवृहन्ति' विच्छिन्दन्ति । 'श्रृण्वन्ति' हिंसन्ति । 'ये मध्ये यज्ञस्य' 'पाकयज्ञीयया' पाकयज्ञार्हया विलक्षणया 'इडया' 'चरन्ति' । पाकयज्ञेषु हुतशेषो भक्ष्यते, इडाहुतशेषो भक्ष्यते; तेन पाकयज्ञार्हेत्युच्यते । "ब्रह्मा वा ऋत्विजां भिषक्तमः" अतिशयेन यज्ञस्य चिकित्सिता; स हि प्रायश्चित्तैर्यज्ञं भिषज्यतीत्यभिप्रायः । ततः किम् ? यद् वाचंयमो भवति, 'तत्' तेन 'ब्रह्मा' यज्ञं 'सन्दधाति'; अन्यथा तु नैव सन्दध्यात् । 'यद्' यदि 'वावदमानः' पुनःपुनर्वदमानः 'आसीत्' ॥ १९॥

स यदि पुरा ।—इति प्रायश्चित्तविधिः ॥ २० ॥

स यत्राह । इत्यनुयाजप्रसवविधिः । नात्र तिरोहितमिति । विस्पष्ट एवार्थः । कथं सविता ? उच्यते—यस्मात् 'ते' तुभ्यम् 'एते' अध्वर्यवो 'यज्ञं प्राहुः', 'बृहस्पतये' च; न मह्यं मनुष्याय, 'तेन' कारणेन त्वमनुज्ञया यज्ञादीनव पालय (का. श्रौ. सू. २ । ४२) ॥२१॥

मनो जूतिः । 'मनः' च देवानां 'जूतिः' गन्त्री' 'जुषताम्' प्रीयतां तृप्यत्वाज्येन । 'बृहस्पतिः'

१-" एतं त इति समिद्धामन्त्रितः प्रसौतिं " प्रतिष्ठेति ब्रूयाद्वा " इति का. श्रौ. सू. २ । ४२-४३ ।

यद्विवृढं तत्सन्दधाति व्विश्वे देवास ऽइह मादयन्तामिति सर्व्वं वै व्विश्वे देवाः सर्व्वेणैवैतत्सन्दधाति स यदि कामयेत ब्रूयात्प्रतिष्ठेति यद्यु कामयेतापि नाद्रियेत ॥ २२ ॥ २ ॥

इति षष्ठप्रपाठके द्वितीयं ब्राह्मणम् [७. ४.] ॥

इति । यद्विवृढम्, तत्सन्दधाति । " विश्वे देवास इह मादयन्ताम् "–(वा० सं० २ । १३) इति । सर्वं वै विश्वेदेवाः । सर्वेणैवैतत् सन्दधाति । स यदि कामयेत ब्रूयात्–" प्रतिष्ठा "–(वा० सं० २ । १३) इति । यद्यु कामयेतापि नाद्रियेत ॥ २२ ॥

च ' यज्ञं ' ' तनोतु, सन्दधातु ' च । ' विश्वे ' च ' देवाः ' तृप्यन्तु, त्वयाऽनुज्ञातेऽध्वर्यौ । तस्मादनुजानीहीत्यभिप्रायमालक्ष्य सवितुः, स्वयं ब्रह्मा आह–सार्वात्म्यादहमेव सविता, ततश्च ' प्रतिष्ठा ' अध्वर्यौ । अतिसर्जने लोट् (पा. सू. ३ । ३ । १६३) ॥ २२ ॥ २ (७. ४.)

इत्याचार्यहरिस्वामिनः कृतौ शतपथभाष्ये सप्तमाध्याये चतुर्थं ब्राह्मणम् ॥

नागस्वामिसुतोऽवन्त्यां पाराशर्यो वसन् हरिः ।
श्रुत्यर्थं दर्शयामास शक्तितः पौष्करीयकः ॥
श्रीमतोऽवन्तिनाथस्य विक्रमार्कस्य भूपतेः ।
धर्माध्यक्षो हरिस्वामी व्याख्यच्छातपथीं श्रुतिम् ॥

इति श्रीमदाचार्यहरिस्वामिनः कृतौ शतपथभाष्ये सप्तमोऽध्यायः समाप्तः ॥ ७ ॥

अथ प्रथमकाण्डे अष्टमाध्याये प्रथमं ब्राह्मणम् ।

मनवे ह वै प्रातः । (२) अवनेग्यमुदकमाजहुर्यथेदं पाणिभ्यामवनेजनायाहरन्त्येवं तस्यावनेनिजानस्य मत्स्यः पाणी ऽआपेदे ॥ १ ॥

स हास्मै व्वाचमुवाद । बिभृहि मा पारयिष्यामि त्वेति कस्मान्मा पारयिष्यसीत्यौघ ऽइमाः सर्व्वाः प्रजा निर्व्वोढा ततस्त्वा पारयितास्मीति कथं ते भृतिरिति ॥ २ ॥

स होवाच । यावद्वै क्षुल्लका भवामो बह्वी वै नस्तावन्नाष्ट्रा भवत्युत मत्स्य ऽएव मत्स्यं गिलति कुम्भ्यां माग्रे बिभरासि स यदा तामतिव्वर्द्धा ऽअथ कर्षूं खात्वा तस्यां मा बिभरासि स यदा तामतिव्वर्द्धा ऽअथ मा समुद्रमभ्यवहरासि तर्हि वा ऽअतिनाष्ट्रो भवितास्मीति ॥ ३ ॥

मनवे ह वै प्रातरवनेग्यमुदकमाजहुः,–यथेदं पाणिभ्यामवनेजनायाहरन्ति–एवम् । तस्यावनेनिजानस्य मत्स्यः पाणी आपेदे ॥ १ ॥

स हास्मै वाचमुवाद–" बिभृहि मा, पारयिष्यामि त्वा " इति । ' कस्मान्मा पारयिष्यसि ' इति । ' औघ इमाः सर्वाः प्रजा निर्वोढा; ततस्त्वा पारयितास्मि ' इति । कथं ते भृतिरिति ॥ २ ॥

स होवाच–" यावद् वै क्षुल्लका भवामः,–बह्वी वै नस्तावन्नाष्ट्रा भवति,–उत मत्स्य एव मत्स्यं

मनवे ह वै । इडाब्राह्मणमेतत् । तत्रेडायां मानवीमिडां देवतां वक्तुं " मानवी घृतपदी मैत्रावरुणी " इत्येतानि च निगदपदानि व्याख्यातुमितिहासः प्रवृत्तः । स चेतिहासः प्रसन्न एव, किञ्चित्तु दर्शयामः ' ' मनवे ' वैवस्वताय, तादर्थ्ये चतुर्थी, (पा. सू. २ । ३ । १३ । वा. १) अवनेज्यते हस्ताद्यनेनेत्यवनेग्यम् । करणे कृत्यः । (पा. सू. ३ । ४ । ७०) ' आजहुः ' आनीतवन्तः, परिचारकाः । 'यथा' 'इदं' अधुना ' पाणिभ्याम् ' हस्तार्थं यदवनेजनं तस्मै ' आहरन्ति '–तथा आजहुः । ' तस्य ' मनोः प्रक्षालयतः ' मत्स्यः ' ' पाणी ' प्राप्तः । भाविनोऽर्थस्य सिद्ध्यर्थं देवतैव मत्स्यरूपेणाजगाम ॥ १ ॥

स हास्मै । ' सः ' मत्स्यः ' अस्मै ' मनवे ' वाचम् ' उदितवान् कीदृशीम् ? ' बिभृहि ' पुषाण (पुष्णीहि) ' मा ' माम् । किमर्थम् ? ' पारयिष्यामि '–"पाल–रक्षणे"–(चु. प. ५५) रक्षिष्यामि ' त्वा ' ' इति ' । ' कस्मात् ' ? इति भयहेतुप्रश्नः (पा. सू. १ । ४ । २५) । वहतीति ' औघः ' उदकसङ्घातः, स इमा भारतवर्षनिवासिनीः ' प्रजाः ' निःशेषं वोढा–देशान्तरं प्रापयिता; तस्माद्भयहेतोस्त्वा पालयितास्मि ' इति ' मत्स्यवचः । ' कथम् ' ? इति मनोः प्रश्नः–कथं तव ' भृतिः ' भरणम्–पुष्टिः ' इति ' ॥ २ ॥

स होवाच । ' क्षुल्लकाः ' क्षुद्रकाः–अल्पकाः ' नाष्ट्रा '–इति । ' गिलति ' " गॄ निगरणे " (तु. प. १२९) निगिरति । ' बिभरासि ' अध्येषणायां (पा. सू. ३।३।१६१) लिङर्थे लेट्, (पा. सू. ३ । ४ । ७)

१–रलयोरभेदात् ' पालयिष्यामि ' इत्येव तु क्वचित्पाठः ।–" पार तीर कर्म–समाप्तौ " इति चास्ति चु. प. ३७८ धा. ॥

शश्वद्ध झष ऽआस । स हि ज्येष्ठं वर्द्धतेऽथेतिथीᳬं समां तदौघ ऽआगन्ता तन्मा नावमुपकल्प्योपासासै स ऽऔघ ऽउत्थिते नावमापद्यासै ततस्त्वा पारयितास्मीति ॥ ४ ॥

तमेवं भृत्वा समुद्रमभ्यवजहार । स यतिथीं तत्समां परिदिदेश ततिथीᳬं समां नावमुपकल्प्योपासाञ्चक्रे स ऽऔघ उत्थिते नावमापेदे तᳬं स मत्स्य ऽउपन्यापुप्लुवे तस्य शृङ्गे नावः पाशं प्रतिमुमोच तेनैतमुत्तरं गिरिमतिदुद्राव ॥ ५ ॥

गिलति, कुम्भ्यां माग्रे बिभरासि । स यदा तामतिवर्द्धै, अथ कर्षूं खात्वा तस्यां मा बिभरासि । स यदा तामतिवर्द्धै, अथ मा समुद्रमभ्यवहरासि । तर्हि वा अतिनाष्ट्रो भवितास्मि" इति ॥ ३ ॥

शश्वद्ध झष आस,–स हि ज्येष्ठं वर्द्धते । "अथ इतिथीं समां तदौघ आगन्ता,–तन्मा नावमुपकल्प्योपासासै, स औघ उत्थिते नावमापद्यासै, ततस्त्वा पारयितास्मि" इति ॥ ४ ॥

तमेवं भृत्वा समुद्रमभ्यवजहार । स यतिथीं तत्समां परिदिदेश–ततिथीं समां नावमुपकल्प्योपासाञ्चक्रे । स औघ उत्थिते नावमापेदे । तं स मत्स्य उपन्यापुप्लुवे । तस्य शृङ्गे नावः पाशं प्रतिमुमोच । तेनैतमुत्तरं गिरिमतिदुद्राव ॥ ५ ॥

बिभृयाः–पुष्णीयाः । एवमेव 'अभ्यवहरसि,' 'उपासासै' 'आपद्यासै' इति व्याख्येयानि । 'अतिवर्द्धै' अतिरिच्य वर्द्धितास्मीति प्राप्ते "यदायद्योर्लिङ उपसंख्यानम्" (पा. सू. ३. ३. १४७. वा.) ततश्च 'लिङर्थे लेट्' (पा. सू. ३ । ४ । ७) इति यदायोगे लेट् । 'कर्षूः' (निघं. ३ । २३ । ६) खातिकाः । अतीतो नाष्ट्रान् नाशयितॄन्–इति 'अतिनाष्ट्रः' ॥ ३ ॥

शश्वद्ध । शश्वच्छब्दोऽत्र सामर्थ्यात् क्षिप्रवचनः । 'झषः' महामत्स्यः, क्षिप्रमेव महामत्स्योऽत्रावर्त्ततेत्यर्थः । अथ कस्मात्स शीघ्रमेव महामत्स्यः संवृत्तः ? 'हि' यस्मात् 'सः' 'ज्येष्ठं' बृहत्तमं 'वर्द्धते'; सर्व एव हि जलचरा अतिशयेन वर्द्धन्ते, स तु मत्स्यत्वादनाष्ट्रत्वाच्च बृहत्तमं वर्द्धत इति श्रुतिवचनम् । 'अथेतिथीम्' इति मत्स्यवचनम्–अयमपि समुद्रमभ्यवहृते 'इतिथीम्' इत्यभिनयः, तेन सङ्ख्येयां समां दर्शितवान्; इयतीनां दशानां द्वादशानां वा पूरणी–इतिथी–इदम इशादेशश्छान्दसः; (पा. सू. ५ । २ । ३ ।) टित्वात् ङीप् (पा. सू. ४ । १ । १५ ।) इयत्यस्तिथयो यस्यां सा–इतिथीति केषुचित्कोषेषु,–तेष्वपि इयतिथीं यावतिथीं तावतिथीमिति प्राप्ते छान्दसो यशब्दवशब्दलोपः । समा संवत्सरः, ताम् 'समाम्' समायामित्यर्थः; 'तत्' स इति लिङ्गव्यत्ययः–स पूर्वोक्तः 'औघः' 'आगन्ता,' 'तत्' तदा 'नावम्' उपकल्प्य' माम् 'उपासासै' उपासीथाः । 'औघे' चोत्थिते तां 'नावम्' त्वम् 'आपद्यासै' आरोहेरित्यर्थः ॥ ४ ॥

तमेवं भृत्वा । यावतीनां पूरणीं 'यतिथीं' 'परिदिदेश' परिदिष्टवान्–आख्यातवान्, 'ततिथीं' तावतीनां पूरणीं 'समाम्' 'नावमुपकल्प्य' मत्स्यमुपासितवान् । 'औघे' च 'उत्थिते' 'नावम्' अधिरूढः 'तं' च मनुं 'स मत्स्यः' 'उप'–समीपे नीचैः–एनमुपकर्ष्यमिति सम्बन्धः, 'आपुप्लुवे' आगतः । 'तस्य' मत्स्यस्य 'शृंगे' भवितव्यतयैव निष्पादिते 'नावः पाशं' प्रतिबद्धवान् । 'तेन' पाशेन सह मत्स्यः 'एतम्' 'उत्तरं गिरिम्' हिमवन्तमधिजगाम ॥ ५ ॥

स होवाच। (चा) अपीपरं वै त्वा वृक्षे नावं प्रतिबध्नीष्व तं तु त्वा मा गिरौ सन्तमुदकमन्तश्छैत्सीद्यावद्यावदुदकꣳसमवायात्तावत्तावदन्ववसर्पासीति स ह तावत्तावदेवान्ववससर्प्प तदप्येतदुत्तरस्य गिरेर्मनोरवसर्प्पणमित्यौघो ह ताः सर्व्वाः प्रजा निरुवाहाथेह मनुरेवैकः परिशिशिषे ॥ ६ ॥ [अर्धप्रपाठकः]

सोऽर्च्चञ्छ्राम्यंश्चचार प्रजाकामः। (स्त) तत्रापि पाकयज्ञेनेजे स घृतं दधि मस्त्वामिक्षामित्यप्सु जुहवाञ्चकार ततः संव्वत्सरे योषित्सम्बभूव सा ह पिब्दमानेवोदेयाय तस्यै ह स्म घृतं पदे सन्तिष्ठते तया मित्रावरुणौ सञ्जग्माते ॥ ७ ॥

ताꣳ होचतुः कासीति। मनोर्दुहितेत्यावयोर्ब्रूष्वेति नेति होवाच स

स होवाच–"अपीपरं वै त्वा, वृक्षे नावं प्रतिबध्नीष्व, तं तु त्वा मा गिरौ सन्तमुदकमन्तश्छैत्सीद्, यावद् यावदुदकं समवायात् तावत् तावदन्ववसर्पासि" इति। स ह तावत् तावदेवान्ववससर्प। तदप्येतदुत्तरस्य गिरेर्मनोरवसर्पणमिति। औघो ह ताः सर्वाः प्रजाः निरुवाह; अथेह मनुरेवैकः–परिशिशिषे ॥ ६ ॥

सोऽर्चन् श्राम्यंश्चचार प्रजाकामः। तत्रापि पाकयज्ञेनेजे। स घृतं दधि मस्तु आमिक्षाम्–इत्यप्सु जुहवाञ्चकार। ततः संवत्सरे योषित् सम्बभूव। सा ह पिब्दमानेवोदेयाय। तस्यै ह स्म घृतं पदे सन्तिष्ठते। तया मित्रावरुणौ सञ्जग्माते ॥ ७ ॥

तां होचतुः–"का असि" इति। "मनोर्दुहिता" इति। "आवयोर्ब्रूष्व" इति। "न" इति

स होवाच। मत्स्यवचनम्–पालितवानस्मि त्वाम्; अधुनाऽत्र 'वृक्षे' 'नावं प्रतिबध्नीष्व'; किञ्चापरम्–'गिरौ' सन्तं 'त्वा' त्वाम् 'उदकम्' 'अन्तश्छैत्सीद्' तद्देशमध्यं भित्त्वा पृथगकार्षीद्, इदमस्माद्देशादित्यर्थः। कथं पुनस्तां नावं छिनत्ति? 'यावद् यावद्' अध्वनः 'उदकं समवायात्' एकीभावाय,–अव–अधः, अयात्–गच्छेत्–अवतरेदित्यर्थः; 'तावत्तावत्' त्वमपि तदेवोदकम् 'अनु' 'अवसर्पासि' अवतरेः। 'सः' मनुः प्राप्ते काले 'तावत् तावदेव' अन्ववसृप्तः। येन च वर्त्मना मनुरवसृप्तः, 'तद्' अद्यत्वे 'अपि' "एतद्' 'उत्तरस्य गिरेः मनोरवसर्पणम्' 'इति' आहुरिति शेषः। अवसृप्तोऽनेनेत्यवसर्पणम् ॥ ६ ॥

सोऽर्चञ्छ्राम्यन्। तपस्तप्तवान् 'प्रजाकामः'। तत्रापि' 'सः' मनुः 'पाकयज्ञेन' अनेन 'ईजे' इष्टवान्–घृतादिभिः। 'ततः' तस्मात्पाकयज्ञादेव 'संवत्सरे' पूर्णे 'योषित्' मिश्रीभावात्मिका सम्भूता। 'सा' योषित् 'पिब्दमाना' पाकधर्मात्मिका "पिष–क्षरणे" (धा. भ्वा. प. १२८) आ–दकारप्रत्ययः, तत्त्वेन साक्षादात्मगामिफलत्वादात्मनेपदम्। पिंषतेर्दकारप्रत्यययोगाद् बत्वम्; घृतप्रभवत्वाद् घृतं स्रवन्ती इव 'उदेयाय' उद्गता; उदकादुत्थिता। एवञ्च सुस्निग्धा पिब्दमाना येन 'तस्यै' तस्याः 'पदे घृतं सन्तिष्ठते' 'स्म' तया च 'मित्रावरुणौ कथमपि संगतौ ॥ ७ ॥

ताꣳ होचतुः। आवयोर्दुहितेति 'ब्रूष्व' 'इति' ऊचतुः। 'अपि त्वं' भागः, तं प्रार्थितवन्तौ।

ऽएव मामजीजनत तस्यैवाहमस्मीति तस्यामपि त्वमीषाते तद्वा जज्ञौ
तद्वा न जज्ञावति त्वेवेयाय सा मनुमाजगाम ॥ ८ ॥

ताᳪं ह मनुरुवाच कासीति । तव दुहितेति कथं भगवति मम दुहि-
तेति या ऽअमूरप्स्वाहुतीरहौषीर्घृतं दधि मस्त्वामिक्षां ततो मामजीज-
नथाः साशीरस्मि तां मा यज्ञेऽवकल्पय यज्ञे चेद्वै मावकल्पयिष्यसि बहुः
प्रजया पशुभिर्भविष्यसि यामु मया काञ्चाशिषमाशासिष्यसे सा ते सर्वा
समर्द्धिष्यत ऽइति तामेतन्मध्ये यज्ञस्यावाकल्पयन्मध्यᳪं ह्येतद्यज्ञस्य
यदन्तरा प्रयाजानुयाजान् ॥ ९ ॥

(जाँस्त) तयार्चञ्छ्राम्यँश्चचार प्रजाकामः । (स्तु) तयेमां प्रजातिं
प्रजज्ञे येयं मनोः प्रजातिर्याम्वेनया काञ्चाशिषमाशास्त सास्मै सर्वा
समार्द्ध्यत ॥ १० ॥

होवाच–“य एव मामजीजनत, तस्यैवाहमस्मि” इति । तस्यामपि त्वमीषाते । तद्वा जज्ञौ, तद्वा न जज्ञावति त्वेवेयाय, सा मनुमाजगाम ॥ ८ ॥

तां ह मनुरुवाच–“का असि” इति । “तव दुहिता” इति । “कथं भगवति ! मम दुहिता” इति । “या अमूरप्स्वाहुतीरहौषीः घृतं, दधि, मस्तु, आमिक्षाम्–ततो मामजीजनथाः, साशीरस्मि, तां मा यज्ञेऽवकल्पय; यज्ञे चेद् वै मावकल्पयिष्यसि–बहुः प्रजया पशुभिर्भविष्यसि, यामु मया काञ्चाशिषमाशासिष्यसे–सा ते सर्वा समर्द्धिष्यते” इति । तामेतन्मध्ये यज्ञस्यावाकल्पयत् । मध्यं ह्येतद् यज्ञस्य–यदन्तरा प्रयाजानुयाजान् ॥ ९ ॥

तयार्चन् श्राम्यंश्चचार–प्रजाकामः । तयेमां प्रजातिं प्रजज्ञे येयं मनोः प्रजातिः, याम्वेनया काञ्चाशिषमाशास्त–सास्मै सर्वा समार्द्ध्यत ॥ १० ॥

‘तद्’ भागित्वं ‘वा जज्ञौ’ वाशब्दश्चशब्दार्थे, जानातिश्च प्रतिपूर्वो द्रष्टव्य; प्रतिज्ञातवती च ‘न’ च प्रतिज्ञातवतीति । यावता मैत्रावरुणीति व्यपदिश्यते, तावत्प्रतिज्ञातवती; यत्र तस्याः किंचित्ताभ्यां हूयेतेति,–एवं न प्रतिज्ञातवती ॥ ८ ॥

तां ह मनुः । ‘अजीजनथाः’ ‘जनितवानसि । ‘आशीरस्मि’ आशीर्हेतुत्वादाशीः । ‘अवकल्पय’ साङ्गतया समर्थय, समर्थां कुरु । ‘मया’ हेतुभूतया–मय्युपहूयमानायाम् “उपहूतोऽयं यजमानः”–इत्येतेन होतृवचनेन ‘याम् आशिषम्–आशासिष्यसे’ इति ‘ताम्’ ‘एतत्’ एतां मैत्रावरुणीं मानवीं घृताचीं ‘मध्ये यज्ञस्य’ यज्ञस्यान्तः, समर्थयन् ‘प्रयाजानुयाजान् अन्तरा’ । इति इडायागः[1] ॥ ९ ॥

तयार्चन् । ‘तया’ सह दर्शपूर्णमासयोर्देवार्चनव्रतलक्षणं ‘तपः’ ‘श्राम्यन्’ कुर्वन् ‘चचार’

१–इडशब्देनेडायामवत्तं पुरोडाशादिहविर्द्रव्यमुच्यते ।

सैषा निदानेन यदिडा। स यो हैवं विद्वानिडया चरत्येताᳬं हैव प्रजातिं प्रजायते यां मनुः प्राजायत याम्वेनया काञ्चाशिषमाशास्ते सास्मै सर्व्वा समृद्ध्यते ॥ ११ ॥

सा वै पञ्चावत्ता भवति। पशवो वा ऽइडा पाङ्क्ता वै पशवस्तस्मात्पञ्चावत्ता भवति ॥ १२ ॥

स समवदायेडाम्। पूर्व्वार्द्धे पुरोडाशस्य प्रशीर्य पुरस्ताद्ध्रुवायै निदधाति ताᳬं होत्रे प्रदाय दक्षिणात्येति ॥ १३ ॥

स होतुरिह निलिम्पति। तद्धोतौष्ठयोर्निलिम्पते मनसस्पतिना ते हुतस्याश्नामीषे प्राणायेति ॥ १४ ॥

(त्यु) अथ होतुरिह निलिम्पति। तद्धोतौष्ठयोर्निलिम्पते व्वाचस्पतिना ते हुतस्याश्नाम्यूर्ज ऽउदानायेति ॥ १५ ॥

सैषा निदानेन–यदिडा। स यो हैवं विद्वानिडया चरति–एतां हैव प्रजातिं–यां मनुः प्राजायत; याम्वेनया काञ्चाशिषमाशास्ते–सास्मै सर्वा समृद्ध्यते ॥ ११ ॥

सा वै पञ्चावत्ता भवति। पशवो वा इडा, पाङ्क्ता वै पशवः। तस्मात् पञ्चावत्ता भवति ॥ १२ ॥

स समवदायेडाम्, पूर्वार्द्धे पुरोडाशस्य प्रशीर्य, पुरस्ताद् ध्रुवायै निदधाति; तां होत्रे प्रदाय दक्षिणात्येति ॥ १३ ॥

स होतुरिह निलिम्पति। तद्धोतौष्ठयोर्निलिम्पते–'मनसस्पतिना ते हुतस्याश्नामीषे प्राणायेति' १४

अथ होतुरिह निलिम्पति। तद्धोतौष्ठयोर्निलिम्पते–'वाचस्पतिना ते हुतस्याश्नामि–ऊर्जे उदानाय' इति ॥ १५ ॥

'तया' हेतुभूतया,–'इमाम् प्रजातिम्'–प्रजायत इति प्रजातिः,–ततो 'याम्वेनया'–इत्यादि तत्करणफलम् ॥ १० ॥ ११ ॥

सा वै पञ्चावत्ता। उपस्तरणादिविशेषः शाखान्तरात्। 'पशवो वा इडा' पशुप्रभवघृतादिप्रभवत्वात् "पशव इडा" (तै. सं. २।६।७।३।) (ऐ. २।४।६) ॥ १२ ॥

स समवदाय। प्रसन्ना ॥ १३ ॥

स होतुरिह। इहेत्यभिनयेन प्रदेशिनीपर्वमध्यमं दर्शयति, शाखान्तरात् ॥ १४ ॥

अथ होतुरिह। 'इह'–इति हेत्वन्तरम्; शाखान्तरादेव। ओष्ठयोरिति। अत्राविशेषेण 'निलिम्पते'

१–"इडां पञ्चावत्तां" इत्यादि का. श्रौ. सू. ३।७४। २–"यजमानभागं पूर्वार्द्धाद्दीर्घम्प्रशीर्य पुरस्ताद् ध्रुवायाः करोति" "इडा २ होत्रे प्रदायाविसृजन्दक्षिणातिक्रामति" इति का. श्रौ. सू. ३। ७५–७६ ॥ ३–"इडाम्प्रतिगृह्य होतुरङ्गुलिपर्वणी अनक्ति" इति का. श्रौ. सू. ३।७७। ४–"प्रदेशिन्याः पर्वणी उत्तमे अंजयित्वौष्ठयोरभ्यात्मं निमार्ष्टि" इति आश्व० श्रौ. सू. १ अ. ७. खं. ॥

(त्ये) एतद्ध वै मनुर्बिभयाञ्चकार । (रे) इदं वै मे तनिष्ठं यज्ञस्य यदि-यमिडा पाकयज्ञिया यद्वै म ऽइह रक्षाᳬसि यज्ञं न हिᳬस्युरिति तामेत-त्पुरा रक्षोभ्यः पुरा रक्षोभ्य ऽइत्येव प्राशयत तथो ऽएवैनामेष ऽएतत्पुरा रक्षोभ्यः पुरा रक्षोभ्य ऽइत्येव प्राशयतेऽथ यत्प्रत्यक्षं न प्राश्नाति नेदनुप-हूतां प्राश्नानीत्येतदेवैनां प्राशयते यदोष्ठयोर्निलिम्पते ॥ १६ ॥

(तेऽथ) अथ होतुः पाणौ समवद्यति । समवत्तामेव सतीं तदेनां प्रत्यक्षᳬ होतरि श्रयति तयात्मन्श्रितया होता यजमानायाशिषमाशास्ते तस्मा-द्धोतुः पाणौ समवद्यति ॥ १७ ॥

(त्यु) अथोपाᳬशूपह्वयते । (तऽ) एतद्ध वै मनुर्बिभयाञ्चकारेदं वै मे तनिष्ठं यज्ञस्य यदियमिडा पाकयज्ञिया यद्वै म ऽइह रक्षाᳬसि यज्ञं न हन्युरिति तामेतत्पुरा रक्षोभ्यः पुरा रक्षोभ्य ऽइत्येवोपाᳬशूपाह्वयत तथो ऽएवैनामेष ऽएतत्पुरा रक्षोभ्यः पुरा रक्षोभ्य ऽइत्येवोपाᳬशूपह्वयते ॥ १८ ॥

एतद्ध वै मनुर्बिभयाञ्चकार–' इदं वै मे तनिष्ठं यज्ञस्य–यदियमिडा पाकयज्ञिया; यद्वै म इह रक्षांसि यज्ञं न हिंस्युः ' इति । तामेतत् ' पुरा रक्षोभ्यः पुरा रक्षोभ्य–इत्येव प्राशयत । तथो एवै-नामेष एतत् पुरा रक्षोभ्यः पुरा रक्षोभ्य–इत्येव प्राशयते । अथ यत् प्रत्यक्षं न प्राश्नाति–नेदनुप-हूतां प्राश्नानि–इति । एतदेवैनां प्राशयते–यदोष्ठयोर्निलिम्पते ॥ १६ ॥

अथ होतुः पाणौ समवद्यति । समवत्तामेव सतीं तदेनां प्रत्यक्षं होतरि श्रयति । तयात्मन्-श्रितया होता यजमानायाशिषमाशास्ते तस्माद्धोतुः पाणौ समवद्यति ॥ १७ ॥

अथोपांशूपह्वयते । एतद्ध वै मनुर्बिभयाञ्चकार–' इदं वै मे तनिष्ठं यज्ञस्य–यदियमिडा पाक-

---

निलिम्पेदिति श्रुतिः शाखान्तरे तु–अधरमधर उत्तरमुत्तरे । किं पुनर्निलिम्पते ? द्रवत्वात्, सन्निधानाद्, अदनी-यत्वाच्च आज्यम् । तत्रापि " एतदेवैनां प्राशयते " इतीडानिष्क्रमणवचनादिडागेवाज्यमिति गम्यते ॥ १६ ॥

एतद्ध वै मनुः । निर्लेपार्थवादोऽयम् । ' बिभयाञ्चकार ' भीतः । ' तनिष्ठम् ' तनुतमम्, ' पाकयज्ञिया ' पाकयज्ञार्हा, मनुष्यप्रधानत्वान्मन्दतरवीर्येत्यभिप्रायः । ' यद् ' ' इयम् इडा ' । ' यत् ' ' इह ' तनिष्ठे देशे ' यज्ञं न हिंस्युः ' महत् स्यादिति शेषः । एवं भीतः बिभ्यत् । **तामेतादिति** । ' ताम् ' इडाम् ' एतद् ' यद् " ओष्ठयोर्निलिम्पते "–इति वक्ष्यते, तत् ' पुरा रक्षोभ्यः ' यावदेवोच्चैरुपह्वानं श्रुत्वा रक्षांसि नागच्छन्ति–तावत् ' प्राशयत '–" प्राणेष्वेव हूयते "–इति वक्ष्यते–तं प्राणदेशं प्रापितवान् । ' पुरा रक्षोभ्यः, पुरा रक्षोभ्यः ' इति द्विर्वचनं प्रयोगान्तरव्याप्त्यभिप्रायम् (पा. सू. ८ । १ । १ वा. ४) ॥ १६ ॥

अथ होतुः । अवान्तरेडावदानमेतत्[२] ॥ १७ ॥

अथोपाᳬशु । अत ऊर्ध्वं हौत्रमिडोपह्वानं विधीयते, तदपि द्विविधम्–उपांशु चोच्चैश्च । तत्र प्रथमं ताव-

---

१–एतन्मन्त्रस्तद्व्याख्यानं च तै. सं. २ । ६ । ८ । इत्यत्र द्रष्टव्यम् । २–" अवान्तरेडामादधाति पूर्ववत् "–" इडाश्च " इति का. श्रौ. सू. ३ । ७८–७९ ॥ ऐ. ब्रा. २ । ४ । ६ ॥ इति ॥

स उपह्वयते । (त॒ऽ) उ॒प॒हू॒त॒ꣳ र॑थन्त॒रꣳ स॒ह पृ॑थि॒व्योप॒ मा॒ꣳ र॑थन्त॒रꣳ स॒ह पृ॑थि॒व्या ह्व॑यता॒मुप॑हूतं वामदे॒व्यꣳ स॒हान्त॒रिक्षे॒णोप॒ मां वा॑मदे॒व्यꣳ स॒हान्त॒रिक्षे॑ण ह्वयता॒मुप॑हूतं बृ॒हत्स॒ह दि॒वोप॒ मां बृ॒हत्स॒ह दि॒वाह्व॑यता॒मिति त॒दे॑ता॒मे॒वैत॒दुप॑ह्वयमान ऽइ॒मांश्च लो॒का॒नुप॑ह्वयत ऽए॒ता॒नि च सा॒मा॒नि॒ ॥१९॥

(न्यु॒) उ॒प॒हू॒ता गाव॑ः स॒ह॒ऽर्ष॑भा ऽइ॒ति । प॒श॑वो॒ वा ऽइ॒डा त॒दे॑नां प॒रो॒ऽक्षमु॒पह्व॑यते स॒ह॒ऽर्ष॑भा ऽइ॒ति स॒मि॒थु॒ना॒मे॒वै॒ना॒मे॒त॒दु॒पह्व॑यते ॥ २० ॥

(त॒ऽ) उ॒प॒हू॒ता स॒प्त॒हो॒त्रेति । त॒दे॑ना॒ꣳ स॒प्त॒हो॒त्रा सौ॒म्ये॒ना॒ध्व॒रे॒णो॒प॒ह्व॑यते ॥ २१ ॥

(त॒ऽ) उ॒प॒हू॒ते॒डा त॒तु॒रि॒रि॒ति । त॒दे॑नां प्र॒त्य॒क्षमु॒पह्व॑यते त॒तु॒रि॒ति स॒र्व॒ꣳ ह्ये॒षा पा॒प्मा॒नं त॒र॒ति त॒स्मा॒दा॒ह त॒तु॒रि॒रि॒ति ॥ २२ ॥

यज्ञियाः यद्धै म इह रक्षांसि यज्ञं न हन्युः' इति । तामेतत्पुरा रक्षोभ्यः–पुरा रक्षोभ्य–इत्येवोपांशूपाह्वयत । तथो एवैनामेष एतत् पुरा रक्षोभ्यः–पुरा रक्षोभ्य–इत्येवोपांशूपह्वयते ॥ १८ ॥

स उपह्वयते । "उपहूतं रथन्तरं सह पृथिव्या, उप मां रथन्तरं सह पृथिव्या ह्वयताम् । उपहूतं वामदेव्यं सहान्तरिक्षेण, उप मां वामदेव्यं सहान्तरिक्षेण ह्वयताम्, उपहूतं बृहत सह दिवा, उप मां बृहत सह दिवा ह्वयताम्–इति । तदेतामेवैतदुपह्वयमान इमांश्च लोकानुपह्वयते–एतानि च सामानि ॥ १९ ॥

उपहूता गावः सहर्षभा इति । पशवो वा इडा । तदेनां परोक्षमुपह्वयते । सहर्षभा इति–समिथुनामेवैनामेतदुपह्वयते ॥ २० ॥

"उपहूता सप्तहोत्रा"–इति–तदेनां सप्तहोत्रा सौम्येनाध्वरेणोपह्वयते ॥ २१ ॥

"उपहूतेडा ततुरिः"–इति–तदेनां प्रत्यक्षमुपह्वयते । ततुरिरिति । सर्वं ह्येषा पाप्मानं तरति–तस्मादाह ततुरिरिति ॥ २२ ॥

दुपांशूपह्वानं युज्यते । उपपूर्वो ह्वयतिरभ्यनुज्ञायां वर्तते–उपांश्वनुजानीत इत्यर्थः । एतादिति , 'बिभयाञ्चकार' भीतः–बिभ्यत्, पूर्ववद्व्याख्या । इयं हि इडा सर्वैः ऋत्विग्यजमानैर्विभज्य भक्षणीया, तत्र चोनातिरेकाशङ्कानिवृत्तये परस्परमनुज्ञातव्यम्; तच्चैतत्साधारणमेवानुज्ञातं मध्यमस्थानीयो होता सर्वैरन्वारब्धः करोति ॥ १८ ॥

स उपह्वयते । यदीडाऽनुज्ञातव्या, रथन्तरादीनां किमापतितम् ? अत आह–तदेतामेवैतादिति । इडाया एवैतानि रथन्तरादीनि पृथिव्यादीनि च रूपाणि, ततश्च तस्यामुपहूतायां तान्युपहूतानि भवन्ति,–तेषु चोपहूतेषु सोपहूता भवतीत्याधिदैविकीं विभूतिं ख्यापयितुं तद्द्वारेणैवोपह्वयते । तथा च कश्चिदाह–"तदेनां परोक्षमुपह्वयते" इति । **उप मां रथन्तरमिति** । सर्वत्र रथन्तरादिमयी इडा देवता, तां नार्हन्त्यननुज्ञाता मनुष्या भक्षयितुम्; अतः साऽनुज्ञाप्यते–मामिति । एतच्च तुल्यहेतुत्वात्सर्वेषामृत्विग्यजमानानां प्रदर्शनार्थम् ॥ १९ ॥

उपहूता गावः । प्रसन्नाक्षरम् । 'प्राणः' 'शरीरम्' इडाया एतद् द्रष्टव्यम् ॥२०॥२१॥२२॥२३॥

(त्यु) उ॒पहू॑तः स॒खा भ॒क्ष ऽइ॒ति । प्रा॒णो वै स॒खा भ॒क्षस्त॒त्प्रा॒णमु॒पह्व॑-
यत ऽउ॒पहू॑तᳪं᳖हे॒गि॒ति तच्छ॒रीरमु॒पह्व॑यते तत्स॒र्व्वमु॒पह्व॑यते ॥ २३ ॥

(ते॒ऽथ) अथ॒ प्रति॑पद्यते । (त॒ऽ) इ॒डोप॑हू॒तोप॑हूते॒डोपो॒ ऽअ॒स्माँ३
ऽइडा ह्वयता॒मिडोप॑हू॒तेति त॒दु॒पहू॑ता॒मे॒वैना॑मे॒तत्स॒तीं प्र॒त्य॒क्षमु॒पह्व॑यते या
वै सा॒सीद्गौर्वै॒ सा॒सीच्च॒तु॒ष्पदी॒ वै गौस्त॒स्माच्च॒तु॒रु॒पह्व॑यते ॥ २४ ॥

स वै॒ च॒तु॒रु॒पह्व॒यमानः । (नो॒ऽ) अथ॒ ना॒नेवोप॑ह्वयते॒ऽजामि॑तायै॒ जामि॒ ह
कु॒र्याद्य॒दि॒डोप॑हू॒ते॒डोप॑हू॒ते॒त्ये॒वोप॑ह्वये॒तोप॑हू॒ते॒डेति व्वे॒डोप॑हू॒तेति त॒द॒र्व्वाची॑-
मु॒पह्व॑यत ऽउ॒पहू॑ते॒डेति त॒त्प॒राची॑मु॒पो ऽअ॒स्माँ३ ऽइ॒डाह्व॑यता॒मिति त॒दा-
त्मान॒ञ्चै॒वै॒त॒न्नान्त॒रे॒त्य॒न्य॒थे॒व च॒ भ॒वतीडोप॑हू॒तेति त॒त्पु॒नर॒र्व्वाची॑मु॒पह्व॑यते
त॒द॒र्व्वाची॑ञ्चै॒वैना॑मे॒तत्प॒राची॑ञ्चो॒पह्व॑यते ॥ २५ ॥

मान॒वी घृ॒त॒प॒दीति । म॒नु॒र्ह्ये॒ता॒म॒ग्रे॒ऽजनयत त॒स्मादा॑ह मान॒वीति घृ॒त-
प॒दीति य॒दे॒वास्यै॒ घृ॒तं प॒दे स॒म॒ति॒ष्ठ॒त त॒स्मादा॑ह घृ॒त॒प॒दीति ॥ २६ ॥

उ॒त मै॒त्रा॒व॒रु॒णीति य॒दे॒व मि॒त्रा॒व॒रु॒णा॒भ्याᳪं᳖ स॒म॒ग॒च्छ॒त स॒ ऽए॒व मै॒त्रा-
व॒रु॒णो न्य॒ङ्गो ब्र॒ह्म दे॒व॒कृ॒तो॒प॑हू॒तेति ब्र॒ह्म ह्ये॒षां दे॒व॒कृ॒तो॒प॑हू॒तो॒प॑हू॒तो

" उपहूतः सखा भक्षः "–इति । प्राणो वै सखा भक्षः–तत् प्राणमुपह्वयते । " उपहूतं हेग् "–इति । तत् शरीरमुपह्वयते । तत् सर्वामुपह्वयते ॥ २३ ॥

अथ प्रतिपद्यते " इडोपहूता–(१) उपहूतेडा–(२) उपो अस्माब इडा ह्वयताम्–(३) इडोपहूता–(४) "–इति । तद्रुपहूतामेवैनामेतत् । सतीं प्रत्यक्षमुपह्वयते । या वै सासीद्–गौर्वै सासीद् । चतुष्पदी वै गौः । तस्माच्चतुरुपह्वयते ॥ २४ ॥

स वै चतुरुपह्वयमानः–अथ नानेवोपह्वयते अजामितायै । जामि ह कुर्याद्–यद्–' इडोपहूता इडोपहूता '–इत्येवोपह्वयेत उपहूतेडेति वा । इडोपहूतेति–तदर्वाचीमुपह्वयते । उपहूतेडा–इति तत् पराचीम् । उपो अस्मानिडा ह्वयतामिति तदात्मानञ्चैवैतन्नान्तरेति, अन्यथेव च भवति । इडोपहूतेति–तत् पुनरर्वाचीमुपह्वयते । तद् अर्वाचीञ्चैवैनामेतत् पराचीञ्चोपह्वयते ॥ २५ ॥

" मानवी घृतपदी "–इति,–मनुर्ह्येतामग्रेऽजनयत, तस्मादाह–' मानवी '–इति । घृतपदी–इति,–यदेवास्यै घृतं पदे समातिष्ठत, तस्मादाह ' घृतपदी '–इति ॥ २६ ॥

"उत मैत्रावरुणी"–इति । यदेव मित्रावरुणाभ्यां समगच्छत । स एव मैत्रावरुणो न्यङ्गः

अथ प्रतिपद्यते । " अथोपांशूपह्वयते " इति यदुक्तम्, तस्यावच्छेदार्थम् [1] ' अथ प्रतिपद्यते ' इत्याह । तेनेत ऊर्ध्वं यथाप्राप्तमुच्चैर्वक्तव्यम् ॥ २४ ॥

प्रसन्नाश्वतरोऽतः परम् । " वत्सा वै देव्या अध्वर्यवः "–इति सान्नाय्यं हविः संभवति–अध्वर्युव-

---

१–' तस्य विच्छेदार्थम् ' ' तस्याविच्छेदार्थम् ' इत्यपि क्वचित् पाठः ।

दैव्या ऽअध्वर्युव ऽउपहूता मनुष्या ऽइति तद्देवांश्चैवैतदध्वर्यूननुपह्वयते ये च मानुषा व्वत्सा वै दैव्या ऽअध्वर्यवोऽथ य ऽइतरे ते मानुषाः ॥ २७ ॥

(०) य ऽइमं यज्ञमवान्ये च यज्ञपतिं व्वर्द्धानिति। (त्ये) एते वै यज्ञमवन्ति ये ब्राह्मणाः शुश्रुवाँसोऽनूचाना ऽएते ह्येनं तन्वत ऽएत ऽएनं जनयन्ति तदु तेभ्यो निह्नुते व्वत्सा ऽउ वै यज्ञपतिं व्वर्द्धन्ति यस्य ह्येते भूयिष्ठा भवन्ति स हि यज्ञपतिर्व्वर्द्धते तस्मादाह ये च यज्ञपतिं व्वर्द्धानिति ॥ २८ ॥

(त्यु) उपहूते द्यावापृथिवी पूर्व्वजे ऽऋतावरी देवी देवपुत्रे ऽइति। तदिमे द्यावापृथिवी ऽउपह्वयते ययोरिदꣳ सर्व्वमध्युपहूतोऽयं यजमान ऽइति तद्यजमानमुपह्वयते तद्यदत्र नाम न गृह्णाति परोऽक्षꣳ ह्यत्राशीर्यदिडायां मानुषꣳ ह कुर्याद्यन्नाम गृह्णीयाद्व्यृद्धं वै तद्यज्ञस्य यन्मानुषं नेद्व्यृद्धं यज्ञे करवाणीति तस्मान्न नाम गृह्णाति ॥ २९ ॥

" ब्रह्मा देवकृतोपहूतेति "–ब्रह्मा ह्येषां देवकृतोपहूता। "उपहूता दैव्या अध्वर्यवः, उपहूता मनुष्याः "–इति। तद् दैवांश्चैवैतद् अध्वर्यूनुपह्वयते, ये च मानुषाः। वत्सा वै दैव्या अध्वर्यवः, अथ य इतरे–ते मानुषाः ॥ २७ ॥

" य इमं यज्ञमवान्, ये च यज्ञपतिं वर्द्धान् "–इति,–एते वै यज्ञमवन्ति–ये ब्राह्मणाः शुश्रुवांसोऽनूचानाः। एते ह्येनं तन्वते, एत एनं जनयन्ति,–तदु तेभ्यो निह्नुते। वत्सा उ वै यज्ञपतिं वर्द्धन्ति–यस्य ह्येते भूयिष्ठा भवन्ति–स हि यज्ञपतिर्वर्द्धते। तस्मादाह–ये च यज्ञपतिं वर्द्धानिति॥२८॥

" उपहूते द्यावापृथिवी पूर्वजे ऋतावरी देवी देवपुत्रे"–इति। तदिमे द्यावापृथिवी उपह्वयते–ययोरिदं सर्वमधि। " उपहूतोऽयं यजमानः "–इति, तद् यजमानमुपह्वयते। तद्यदत्र नाम न गृह्णाति–परोक्षं ह्यत्राशीः–यदिडायाम्। मानुषं ह कुर्याद्–यन्नाम गृह्णीयात्। व्यृद्धं वै तद्यज्ञस्य–यन्मानुषम्, नेद् व्यृद्धं यज्ञे करवाणि–इति। तस्मान्न नाम गृह्णाति ॥ २९ ॥

दित्यभिप्रायः। इडां च भक्ष्यां भक्ष्यत्वेनानुज्ञाय भक्षयितॄननुजानीते–**उपहूता दैव्या अध्वर्यव** इत्यादिना ॥ २५ ॥ २६ ॥ २७ ॥ २८ ॥

तत्राप्यविशेषेणानुज्ञाय विशेषत आग्नीध्रमनुजानीते–**उपहूते द्यावापृथिवी** इति। स हि द्यावापृथिव्योरधिदैवरूपेणानुज्ञायते। **उपहूतोयं यजमानः** इति। यजमानस्य विशेषोपह्वानम्; परोक्षं ह्यत्राशीरिति। कथं परोक्षम्? उत्तरस्यां देवयज्यायामुपहूत–इत्यनुज्ञामात्रमिह श्रूयते, नाशास्त इति; 'यत्त्वाशास्यते, तदनुज्ञातव्यम्' इति अनुज्ञया आशीर्गम्यत इत्यभिप्रायः। ततश्च यजमानोऽपि सामान्यरूपेणैव–यजमान इति वाच्यः, न विशेषरूपेण–देवदत्तो, यज्ञदत्त इति। तद् विस्पष्टं प्रत्यक्षं मानुषमित्यभिप्रायः ॥ २९ ॥

(त्यु) उत्तरस्यां देवयज्यायामुपहूत इति । तदस्मा ऽएतज्जीवातुमेव परोऽक्षमाशास्ते जीवन्हि पूर्वमिष्ट्वाथापरं यजते ॥ ३० ॥

तदस्मा ऽएतत्प्रजामेव परोऽक्षमाशास्ते । यस्य हि प्रजा भवत्यमुं लोकमात्मनैत्यथास्मिँल्लोके प्रजा यजते तस्मात्प्रजोत्तरा देवयज्या ॥ ३१ ॥

तदस्मा ऽएतत्पशूनेव परोऽक्षमाशास्ते । यस्य हि पशवो भवन्ति स पूर्वमिष्ट्वाथापरं यजते ॥ ३२ ॥

भूयसि हविष्करण ऽउपहूत ऽइति । तदस्मा ऽएतज्जीवातुमेव परोऽक्षमाशास्ते जीवन्हि पूर्वमिष्ट्वाथ भूयोभूय ऽएव हविष्करोति ॥ ३३ ॥

तदस्मा ऽएतत्प्रजामेव परोऽक्षमाशास्ते । यस्य हि प्रजा भवत्येक ऽआत्मना भवत्यथोत दशधा प्रजया हविष्क्रियते तस्मात्प्रजा भूयो हविष्करणम् ॥ ३४ ॥

तदस्मा ऽएतत्पशूनेव परोऽक्षमाशास्ते । यस्य हि पशवो भवन्ति स पूर्वमिष्ट्वाथ भूयोभूय ऽएव हविष्करोति ॥ ३५ ॥

"उत्तरस्यां देवयज्यायामुपहूतः"—इति, तदस्मा एतद् जीवातुमेव, परोक्षमाशास्ते । जीवन् हि पूर्वमिष्ट्वाऽथापरं यजते ॥ ३० ॥

तदस्मा एतत्प्रजामेव परोक्षमाशास्ते । यस्य हि प्रजा भवति—अमुं लोकमात्मनैति । अथास्मिन् लोके प्रजा यजते । तस्मात् प्रजोत्तरा देवयज्या ॥ ३१ ॥

तदस्मा एतत् पशूनेव परोक्षमाशास्ते । यस्य हि पशवो भवन्ति—स पूर्वमिष्ट्वाथापरं यजते ॥ ३२ ॥

" भूयसि हविष्करण उपहूतः "—इति, तदस्मा एतद् जीवातुमेव परोक्षमाशास्ते । जीवन् हि पूर्वमिष्ट्वाथ भूयोभूय एव हविष्करोति ॥ ३३ ॥

तदस्मा एतत्प्रजामेव परोक्षमाशास्ते । यस्य हि प्रजा भवति—एक आत्मना भवति,—अथोत दशधा प्रजया हविष्क्रियते । तस्मात्प्रजा भूयो हविष्करणम् ॥ ३४ ॥

तदस्मा एतत्पशूनेव परोक्षमाशास्ते । यस्य हि पशवो भवन्ति—स पूर्वमिष्ट्वाथ भूयो भूय एव हविष्करोति ॥ ३५ ॥

उत्तरस्याम् । यदिडायामुपहूतः, तद् ' उत्तरस्यां देवयज्यायामुपहूतः ' साऽपि इडाया एव विभूतिरित्यभिप्रायः । **तदस्मा एतदिति** । जीवनादीनामुत्तरेज्याहेतुत्वादुत्तरया देवेज्यया जीवनादीनि लक्ष्यन्ते—इति दर्शयति। यत्राशास्यते तत्रोपह्वान युक्तमिति गम्यमानामाशिषं ' परोक्षमाशास्ते' इति दर्शयति । एतेन ' भूयो हविष्करणम् ' आशास्त इति व्याख्यातम्॥ ३० ॥ ३१ ॥ ३२ ॥ ३३ ॥ ३४ ॥ ३५ ॥

एषा वा ऽआशीः । (जी॒) जी॒वेयं प्रजा मे स्याच्छ्रियं गच्छेयमि॒ति तद्य॒त्पशू॒नाशास्ते तच्छ्र्य॒माशास्ते श्रीर्हि॒ पशवस्तदे॒ताभ्यामे॒वैतदा॒शीर्भ्या॒ᳬ सर्व॑माप्तं त॒स्माद्वा ऽएते ऽअत्र द्वे ऽआशिषौ क्रियेते ॥ ३६ ॥

देवा म ऽइदᳬ ह॒विर्जु॒षन्ता॒मि॒ति । त॒स्मिन्नु॒पहूत ऽइ॒ति त॒द्यज्ञस्यै॒वैत॒त्समृद्धिमा॒शास्ते यद्धि देवा ह॒विर्जु॒षन्ते तेन हि महज्जयति त॒स्मादाह जु॒षन्ता॒मिति ॥ ३७ ॥ [शतम् ७००] ॥

तां वै प्रा॒श्नन्त्येवं । नाग्नौ जुह्वति पशवो वा ऽ इडा नेत्पशू॒नग्नौ प्रवृ॒णजामेति त॒स्मान्नाग्नौ जु॒ह्वति ॥ ३८ ॥

प्राणेष्वेव हूयते । होतरि त्वद्य॒जमाने त्वदध्वर्य्यौ त्वदथ य॒त्पूर्वार्द्धं

एषा वा आशीः—जीवेयम्, प्रजा मे स्यात्, श्रियं गच्छेयम्—इति । तद्यत्पशूनाशास्ते—तच्छ्रियमाशास्ते । श्रीर्हि पशवः । तदेताभ्यामेवैतदाशीर्भ्यां सर्वमाप्तम् । तस्माद् वा एते अत्र द्वे आशिषौ क्रियेते ॥ ३६ ॥

"देवा म इदं हविर्जुषन्ताम्"—इति । तस्मिन् उपहूतः—इति तद्यज्ञस्यैवैतत्समृद्धिमाशास्ते । यद्धि देवा हविर्जुषन्ते—तेन हि महज्जयति । तस्मादाह—जुषन्तामिति ॥ ३७ ॥

तां वै प्राश्नन्त्येव, नाग्नौ जुह्वति । पशवो वा इडा—नेत् पशूनग्नौ प्रवृणजाम इति । तस्मान्नाग्नौ जुह्वति ॥ ३८ ॥

प्राणेष्वेव हूयते—होतरि त्वद्, यजमाने त्वद्, अध्वर्यौ त्वद् । अथ यत्पूर्वार्द्धं पुरोडाशस्य—प्रशीर्य

एषा वा आशीः । एषैव, नातोऽधिकाऽस्तीत्यभिप्रायः । तद्यत्पशूनिति । पशुग्रहणं श्रियुपलक्षणार्थमित्यभिप्रायः । तदेताभ्यामिति । यद्यपि जीवनादिलक्षणमेकमुभयत्राभिन्नम्, तथापि स्वरूपेणोत्तरस्या इज्याया बहुहविष्करणं भिद्यते; अल्पेनापि हविषा उत्तरस्या देवयज्याया उपपत्तेः ॥ ३६ ॥

देवा म इदं हविः । 'देवा मे इदं हविः' 'जुषन्ताम्' सेवन्ताम् । यो मनोरथो यजमानस्य तस्य 'तस्मिन्' अयमनुज्ञातः, सोऽस्य समृद्ध्यतामित्यर्थः । तद्यज्ञस्यैवैतादिति । हविर्जोषणद्वारेण यज्ञसमृद्धिफलमाशास्त इति दर्शयति ॥ ३७ ॥

तां वै प्राश्नन्त्येव । प्रसन्न ॥ ३८ ॥

प्राणेष्वेव । त्वच्छब्दः समुच्चयार्थः । होत्रादिग्रहणं प्रदर्शनार्थम्, ब्रह्माग्नीध्रयोरपि;[2] "पञ्च प्राश्नन्ति"—

१–इदमिह पुरोडाशप्राशममाशीराशासनञ्च संहितापाठे विपर्ययेणाम्नायेते । संहितायां तु–(१) संज्योतिषा ज्योतिरिति स्रुचोर्ध्रुवया समञ्जनमन्त्रमाम्नाय–(२) मयीदमिन्द्र इत्याशीर्मन्त्रः, तदनन्तरम्–(३) उपहूता पृथिवी–इति पुरोडाशप्राशनमन्त्रः, ततः–(४) देवस्य त्वा इत्यादिः प्राशित्रप्रतिग्रहप्राशनमन्त्रः, ततः–(५) एतं ते इत्यादिर्ब्रह्मजपमन्त्रः, ततः–(६) एषा ते इति होत्रनुमन्त्रणमन्त्र आम्नायते । इत्थं कतिचित्प्रयोगेषु व्यत्यासो दृश्यते तथा स्रुचोर्ध्रुवया समञ्जनप्रयोगादूर्ध्वं येऽत्र शतपथे प्रयोगमन्त्रा आख्यातास्ते पुरोडाशप्राशनात् प्राचीनाः केऽपि संहितायां न दृश्यन्त इति संहिताशतपथयोः प्रयोगविभेदः । २–'ब्रह्माग्नीध्रयोरपि ग्रहणे पञ्चसंख्या संगता' इतीहाधिकं क. पाठः ।

पुरोडाशस्य प्रशीर्षं पुरस्ताद्ध्रुवायै निदधाति यजमानो वै ध्रुवा तद्यजमानस्य प्राशितं भवत्यथ यत्प्रत्यक्षं न प्राश्नाति नेदसꣳस्थिते यज्ञे प्राश्नानीत्येतदेवास्य प्राशितं भवति सर्वे प्राश्नन्ति सर्वेषु मे हुतासदिति पञ्च प्राश्नन्ति पशवो वा ऽइडा पाङ्क्ता वै पशवस्तस्मात्पञ्च प्राश्नन्ति ॥ ३९ ॥

(न्त्यु) अथ यत्र प्रतिपद्यते । तच्चतुर्द्धा पुरोडाशं कृत्वा बर्हिषदं करोति तदत्र पितृणां भाजनेन चतस्रो वा ऽअवान्तरदिशोऽवान्तरदिशो वै पितरस्तस्माच्चतुर्द्धा पुरोडाशं कृत्वा बर्हिषदं करोति ॥ ४० ॥

पुरस्ताद्ध्रुवायै निदधाति–यजमानो वै ध्रुवा, तद्यजमानस्य प्राशितं भवति । अथ यत्प्रत्यक्षं न प्राश्नाति–' नेदसंस्थिते यज्ञे प्राश्नानि ' इति । एतदेवास्य प्राशितं भवति । सर्वे प्राश्नन्ति–सर्वेषु मे हुतासदिति । पञ्च प्राश्नन्ति । पशवो वा इडा, पाङ्क्ता वै पशवः–तस्मात् पञ्च प्राश्नन्ति ॥ ३९ ॥

अथ यत्र प्रतिपद्यते–तच्चतुर्धा पुरोडाशं कृत्वा बर्हिषदं करोति । तदत्र पितृणां भाजनेन । चतस्रो वा अवान्तरादिशः । अवान्तरदिशो वै पितरः । तस्माच्चतुर्धा पुरोडाशं कृत्वा बर्हिषदं करोति ॥ ४० ॥

इति वचनात् । **अथ यत्पूर्वार्द्धमिति** । पुनर्वचनं यजमानभागत्वज्ञापनार्थम् । **नेदसंस्थित** इति । नो संस्थिते; प्राश्नातीति वचनाद्गम्यते । ' अस्य ' यजमानस्य ' प्राशितं भवति ' इति । अग्नौ हुत्वाथ भक्षयति । " दैवो वा अस्यैष आत्मा मानुषोऽयम् "–इत्यनेन दर्शनेनावश्यं यजमानेन प्राशनीयमित्यभिप्रायः । **अथ यत्प्रत्यक्षमिति** । यजमानभागमनुपहूतं न प्राश्नाति; इडां तु विशेषत उपहूतां प्राश्नात्येवं । **नेदसंस्थिते** इति । अद्यापि अनुयाजपत्नीसंयाजदेवता नेज्यन्ते; तास्वनिष्टास्वयुक्तं स्वयमशनमित्यभिप्रायः । **एतदेवास्येति** । होमानन्तरमेव प्राशितं भवतीत्यभिप्रायः । अन्ते तु प्रत्यक्षमेव प्राशिष्यति; अप्राश्यमाने यजमाने भागत्वव्यपदेशानुपपत्तेः । " सर्वे प्राश्नन्ति " इडामिति सम्बध्यते ॥ ३९ ॥

अथ यत्र प्रतिपद्यते । ' यत्र ' काले होता ' प्रतिपद्यते ' " इडोपहूता "–इत्येतं निगदम् ' तत् ' तदा ' चतुर्द्धा कृत्वा पुरोडाशम् ' आग्नेयम्; " आग्नेयं चतुर्द्धा करोति "–इति शाखान्तरात् । बर्हिषि सीदतीति ' बर्हिषत् ' । यथा बर्हिषद् भवति, तथा करोति; बर्हिषि सादयतीत्यर्थः । (तच्चतुर्द्धाकरणमाग्नेयस्य पुरोडाशस्य ब्रह्महोत्रध्वर्य्वग्नीधां भक्ष इति । एवं चतुःप्रकारं चतुर्द्धा, अयजमानाश्चत्वारः प्राश्नन्तीत्येव न पञ्च प्राश्नन्तीति विरोधः) ' तत् ' चतुर्द्धा कृतस्य बर्हिषः सादनम्, ' अत्र ' दर्शपूर्णमासयोः ' पितृणां भाजनेन हेतुना, क्रियत इति शेषः । पितृणां संविभागार्थ इत्यर्थः । किं तत् पितृभ्यो दीयते ? नेत्याह । किन्तर्हि ? चतुस्सङ्ख्यासामान्याद् बर्हिस्सम्बन्धाच्चात्र भक्तिमात्रमेतत् । तदाह–**चतस्रो वा** इति । **अवान्तरदिशो वै पितर** इति । तासु हि पितृयज्ञेन तेभ्यो दीयते । **तस्मादिति** निगमः ॥ ४० ॥

१–" उपहूताम्प्राश्नन्ति युक्ता यजमानश्च" इति का. श्रौ. सू. ३ । ४ । २२–२३ ॥ २–" इडोपहूतेत्युच्यमाने आग्नेयं बर्हिषदं करोति " इत्यादि–तं चतुर्धा कृत्वा बर्हिषि ऋत्विग्भ्य आदिशति–उभौ वाऽविशेषात् " इति का. श्रौ. सू. ३।८१–८२–८३–८४॥ ३–बन्धनीधृतः पाठः क्वचिदेवोपलभ्यते । ४–" अत्र पितर इति यजमानो जपति " इत्यादि का. श्रौ. सू. ३ । ८५–९० ॥

(त्य) अथ यत्राहोपहूते द्यावापृथिवी ऽइति । तदग्नीध आदधाति तदग्नीत्प्राश्नात्युपहूता पृथिवी मातोप मां पृथिवी माता ह्वयतामग्निराग्नीध्रात्स्वाहोपहूतो द्यौष्पितोप मां द्यौष्पिता ह्वयतामग्निराग्नीध्रात्स्वाहेति द्यावापृथिव्यो वा ऽएष यदाग्नीध्रस्तस्मादेवं प्राश्नाति ॥ ४१ ॥

(त्य) अथ यत्राशिषमाशास्ते । तज्जपति मयीदमिन्द्र इन्द्रियं दधात्वस्मान्रायो मघवानः सचन्ताम् ॥ अस्माकꣳसन्त्वाशिषः सत्या नः सन्त्वाशिष ऽइत्याशिषामेवैष प्रतिग्रहस्तया ऽएवात्रऽर्त्विजो यजमानायाशिष ऽआशासते ता ऽएवैतत्प्रतिगृह्यात्मन्कुरुते ॥ ४२ ॥

अथ यत्राह—' उपहूते द्यावापृथिवी ' इति । तदग्नीध आदधाति, तदग्नीत् प्राश्नाति । " उपहूता पृथिवी माता, उप मां पृथिवी माता ह्वयताम्, अग्निराग्नीध्रात् स्वाहा "–(वा० सं० २।१०) " उपहूतो द्यौः पिता, उप मां द्यौः पिता ह्वयताम्, अग्निराग्नीध्रात् स्वाहा "–(वा० सं० २ । ११) इति । द्यावापृथिव्यो वा एषः–यदाग्नीध्रः, तस्मादेवं प्राश्नाति ॥ ४१ ॥

अथ यत्राशिषमाशास्ते–तज्जपति–' मयीदमिन्द्र इन्द्रियं दधातु, अस्मान् रायो मघवानः सचन्ताम् । अस्माकं सन्त्वाशिषः, सत्या नः सन्त्वाशिषः '–(वा० सं० २।१०) इति । आशिषामेवैष प्रतिग्रहः । तया एवात्रर्त्विजो यजमानायाशिष आशासते–ता एवैतत्प्रतिगृह्यात्मन् कुरुते ॥ ४२ ॥

अथ यत्राहोपहूते । ' तदग्नीध आदधाति ' । आङ्पूर्वो दधातिः (धा. जु. उ. १०) अन्यत्र स्थापने प्रयुक्तोऽत्र तर्पणे द्रष्टव्यः ।

न चैष इडाभागः; किं तर्हि ? अन्य एवायमग्नीद्भागः; प्राशित्रञ्चेडा च, यच्चाग्नीध आदधातीतीडाया भेदेन व्यपदेशात् । एतेन ब्रह्मभागयजमानभागयोरपीडाव्यतिरेकः सिद्धः । ' द्यावापृथिव्यो वा एष यदाग्नीध्रः ' । अग्निमिन्धे दीपयति सम्मार्गेणेति ' अग्नीत् ' । अग्निसमिन्धनादियोगादाग्नीध्रस्य तत्परत्वम् । स इन्द्रः द्यावापृथिव्यौ तर्पयति । " धूमेनामूं वृष्ट्येमाम् "–(ऋ. सं. १ । १६४ । ५१ ।) इति । धूमेन ' अमूं ' द्याम्, वृष्ट्या ' इमां ' पृथिवीमिति द्यावापृथिव्यौ आग्नीध्रः; तस्मिन् भक्षणादिना प्रीते सिद्धे, सिद्धा द्यावापृथिव्योः प्रीतिरिति ॥ ४१ ॥

अथ यत्राशिषम् । ' यत्र ' काले ' आशिषम् ' " उपहूतोऽयं यजमान उत्तरस्यां देवयज्यायाम् " इति होता ' आशास्ते ', ' तत् ' तदा जपति[२] । कः ? यजमानः, आशिषां तदर्थत्वात् । " तया एवात्रर्त्विजो यजमानायाशिषः आशासते, ता एवैतत् प्रतिगृह्यात्मन् कुरुते "–इति वाक्यशेषात् ॥ ४२ ॥

१–" प्राश्नात्युपहूता पृथिवी इति " इति का. श्रौ. सू. ३ । ८९ । २–" आशासने मयीदमिति यजमानो जपति " इति का. श्रौ. सू. ३ । ९० ॥

(तेऽथ) अथ पवित्रयोर्मार्जयन्ते। पाकयज्ञिययेव वा ऽएतादिडयाचारिषुः पवित्रपूता यदत ऽऊर्ध्वमसꣳस्थितं यज्ञस्य तत्तनवामहा ऽइति तस्मात्पवित्रयोर्मार्ज्जयन्ते ॥ ४३ ॥

(न्तेऽथ) अथ ते पवित्रे प्रस्तरेऽपिसृजाति। यजमानो वै प्रस्तरः प्राणोदानौ पवित्रे यजमाने तत्प्राणोदानौ दधाति तस्मात्ते पवित्रे प्रस्तरेऽपिसृजति ॥ ४४ ॥ ३ ॥

इति षष्ठप्रपाठके तृतीयं ब्राह्मणम् ॥ (८। १)

ते वा ऽएते ऽउल्मुके ऽउदूहन्ति। (न्त्य) अनुयाजेभ्यो यातयामेव वा ऽएतदग्निर्भवति देवेभ्यो हि यज्ञमूहिवान्भवत्ययातयाम्न्यनुयाजांस्तनवामहा ऽइति तस्माद्वा ऽएते ऽउल्मुके ऽउदूहन्ति ॥ १ ॥

अथ पवित्रयोर्मार्जयन्ते। पाकयज्ञिययेव वा एतादिडयाचारिषुः—पवित्रपूता—यदत ऊर्ध्वमसंस्थितं यज्ञस्य—तत्तनवामहा इति। तस्मात्पवित्रयोर्मार्जयन्ते ॥ ४३ ॥

अथ ते पवित्रे प्रस्तरेऽपिसृजाति। यजमानो वै प्रस्तरः, प्राणोदानौ पवित्रे; यजमाने तत् प्राणोदानौ दधाति। तस्मात्ते पवित्रे प्रस्तरेऽपिसृजति ॥ ४४ ॥

अथानुयाजकर्म।

ते वा एते उल्मुके उदूहन्ति—अनुयाजेभ्यः। यातयामेव वा एतदग्निर्भवति—देवेभ्यो हि यज्ञमूहिवान् भवति; अयातयाम्न्यनुयाजांस्तनवामहै—इति। तस्माद्वा एते उल्मुके उदूहन्ति ॥ १ ॥

अथ पवित्रयोः। 'पवित्रयोः' पवित्राभ्यामिति विभक्तिव्यत्ययः। कुतः ? 'पवित्रपूता यदतऽऊर्ध्वमसंस्थितं यज्ञस्य तत्तनवामहै'—इति वाक्यशेषात्। मार्जयन्ते[1] "मृजू शौचालङ्कारयोः" (चुरा. उभ. ३१९)। चौरादिकत्वाण्णिच् (पा. सू. ३। १। २५)। शोभयन्त्यात्मानमित्यर्थः ॥ ४३ ॥

अथ ते पवित्रे। 'यजमानो वै प्रस्तरः' इतरस्माद्बर्हिष उत्कृष्टतरत्वात्। 'प्राणोदानौ पवित्रे, द्वित्वात्। अपिसृजति 'संसृजति'[2] ॥ ४४ ॥ ३ ॥ (८। १)

श्रीमतोऽवन्तिनाथस्य विक्रमार्कक्षितीशितुः।
धर्माध्यक्षो हरिस्वामी व्याख्यच्छातपथीं श्रुतिम् ॥

इत्याचार्य–श्रीहरिस्वामिनः कृतौ शतपथभाष्ये हविर्यज्ञेषु अष्टमाध्याये प्रथमं ब्राह्मणम्।

ते वा एते उल्मुके। अनुयाजब्राह्मणमेतत्। 'अथाग्निं कल्पयति'—इत्यस्मिन् (श. प. ब्रा. १। ३। १२) क्रमे उल्मुके[3] द्वे 'उदूहन्ति' ऊर्ध्वं नयन्ति—अग्नितः पृथक् कुर्वन्ति,—ऋत्विग्यजमानाः। साक्षादध्वर्युः,

---

१–"पवित्रयोर्मार्जयन्ते परेण वेदिं सुमित्रियान इति" का. श्रौ. सू. ३। ९२ ॥ २–"ते प्रस्तरे करोति" इति का. श्रौ. सू. ३। ९३ ॥ ३–'उल्मुकं प्रज्वलत्काष्ठम्' इत्यमरः २। ९। ३० ॥

ते पुनरनुसꣳस्पर्शयन्ति पुनरेवैतदग्निमाप्याययन्त्ययातयामानं कुर्व्व-न्त्ययातयाम्नि यद्वत ऽऊर्द्ध्वमसꣳस्थितं यज्ञस्य तत्तनवामहा ऽइति तस्मात्पुनरनुसꣳस्पर्शयन्ति ॥ २ ॥

(न्त्य) अथ समिधमभ्यादधाति । समिन्ध ऽएवैनमेतत्समिद्धे यद्वत ऊर्द्ध्वमसꣳस्थितं यज्ञस्य तत्तनवामहा ऽइति तस्मात्समिधमभ्यादधाति ॥ ३ ॥

ताꣳ होतानुमन्त्रयते । (तऽ) एषा ते ऽअग्ने समित्तया व्वर्द्धस्व चा च प्यायस्व ॥ व्वर्द्धिषीमहि च व्वयमा च प्यासिषीमहीति तद्यथैवादः समिद्ध्यमानायान्वाहैवमेवैतदन्वाह तदेतद्धोतुः कर्म स यदि मन्येत न होता व्वेदेत्यपि स्वयमेव यजमानोऽनुमन्त्रयेत ॥ ४ ॥

ते पुनरनुसंस्पर्शयन्ति, पुनरेवैतदग्निमाप्याययन्ति–अयातयामानं कुर्वन्ति; अयातयाम्नि यद्वत ऊर्ध्वमसंस्थितं यज्ञस्य–तत्तनवामहै–इति । तस्मात् पुनरनुसंस्पर्शयन्ति ॥ २ ॥

अथ समिधमभ्यादधाति–समिन्ध एवैनमेतत् । समिद्धे–यद्वत ऊर्ध्वमसंस्थितं यज्ञस्य–तत्तनवामहै–इति । तस्मात् समिधमभ्यादधाति ॥ ३ ॥

तां होताऽनुमन्त्रयते–" एषा ते अग्ने समित्–तया वर्द्धस्व चा च प्यायस्व, वर्द्धिषीमहि च वयमा च प्यासिषीमहि "–(वा० सं० २ । १४) इति । तद्यथैवादः समिध्यमानायान्वाह–एवमेवैतदन्वाह । तदेतद्धोतुः कर्म । स यदि मन्येत–' न होता वेद ' इति, अपि स्वयमेव यजमानोऽनुमन्त्रयेत ॥ ४ ॥

इतरे तदनुज्ञानेन । अथ कस्मान्न बहव एव साक्षादुद्वहन्ति ? एकेनोद्वहनेनैकस्यैव कर्त्तुरपेक्षितत्वात् । यथा चानुयाजयजने तेषां स्वव्यापारापेक्षं बहुत्वम्, एवमुद्वहनेऽपीति गम्यते । किमर्थमुद्वहन्ति ? ' अनुयाजेभ्यः ' अनुयाजार्थम् । कोऽनुयाजेषु तयोरुपयोगः ? इति चेत्, ' यातयामा ' गतरसः, गतवीर्यः 'एतत्' एतस्मिन्ननुयाजकाले अग्निर्भवति; ' देवेभ्यः ' यस्माद् ' यज्ञमूढवान् भवति ' ततश्च गतवीर्यत्वादनुयाजेष्वक्षमः स्यात् । आभ्यां प्रागुन्नीताभ्यां पुनः संसृष्टाभ्यामगतवीर्यो भविष्यतीत्यभिप्रायः । अत एवाग्निकल्पनकाले उद्वहन्तीति गम्यते । अनुयाजेभ्यः उल्मुके उत्सार्य देवयागायाग्निं कल्पयतीति हि तत्र युज्यते ॥ १ ॥

ते पुनरनु । अनुयाजेभ्य उल्मुके उत्सार्य देवयागेऽतीते पश्चात् ' संस्पर्शयन्ति ' सङ्गमयन्ति ॥ २ ॥

अथ समिधमभ्यादधाति । उल्मुकसमासेन पुनर्नवीकृतोऽग्निः ॥ ३ ॥

ताꣳ होता । समिधा सामिधेनीस्थानीयया च " एषा ते "–इत्यनयर्चा " एषा त इति होताऽनुमन्त्रयते " इति (का. श्रौ. सू. ३ । ६ । २) " समिध्यते "–इत्येतदादिभ्यां द्वाभ्यामाह । तदेतदिति । यस्मादेवमनुमन्त्रणात्मकं कर्म होतुः, नाध्वर्योः । ' स यजमानः ' ' होता न वेद इति मन्येत ', तदा स्वयमप्यनुमन्त्रयेत ॥ ४ ॥

(ता) अथ सम्मार्ष्टि । युनक्त्येवैनमेतद्युक्तो यदुत ऊर्ध्वमसᳬस्थितं यज्ञस्य तद्वहादिति तस्मात्सम्मार्ष्टि सकृत्सकृत्सम्मार्ष्टि त्रिस्त्रिर्वा ऽअग्रे देवेभ्यः सम्मृजन्ति नेत्तथा करवाम यथा देवेभ्य ऽइति तस्मात्सकृत्सकृत्सम्मार्ष्ट्यजामितायै जामि ह कुर्याद्यत्त्रिः पूर्वं त्रिरपरं तस्मात्सकृत्सकृत्सम्मार्ष्टि ॥ ५ ॥

स सम्मार्ष्टि । (ष्टर्च्च) अग्ने वाजजिद्वाजं त्वा ससृवाᳬसं वाजजितᳬ सम्मार्ज्मीति सरिष्यन्तमिति वा ऽअग्र ऽआह सरिष्यन्निव हि तर्हि भवत्यथात्र ससृवाᳬसमिति ससृवेव ह्यत्र भवति तस्मादाह ससृवाᳬसमिति ॥ ६ ॥

(त्यु) अथानुयाजान्यजति । या वा ऽएतेन यज्ञेन देवता ह्वयति याभ्य ऽएष यज्ञस्तायते सर्वा वै तत्ता ऽइष्टा भवन्ति तद्यत्तासु सर्वास्विष्टास्वथैतत्पश्चेवानुयजति तस्मादनुयाजा नाम ॥ ७ ॥

अथ सम्मार्ष्टि—युनक्त्येवैनमेतद्, युक्तो यदुत ऊर्ध्वमसंस्थितं यज्ञस्य—तद्वहाद्—इति । तस्मात् संमार्ष्टि । सकृत् सकृत् संमार्ष्टि । त्रिस्त्रिर्वा अग्रे देवेभ्यः संमृजन्ति, नेत्तथा करवाम—यथा देवेभ्यः—इति—तस्मात् सकृत् सकृत् संमार्ष्टि—अजामितायै । जामि ह कुर्याद्—यत् त्रिः पूर्वं त्रिरपरम् । तस्मात् सकृत् सकृत् संमार्ष्टि ॥ ५ ॥

स संमार्ष्टि—"अग्ने वाजजिद् वाजं त्वा ससृवांसं वाजजितं संमार्ज्मि"—(वा०सं० २ । १४) इति । सरिष्यन्तमिति वा अग्र आह—सरिष्यन् इव हि तर्हि भवति । अथात्र—ससृवांसम्—इति—ससृवेव ह्यत्र भवति । तस्मादाह ससृवांसमिति ॥ ६ ॥

अथानुयाजान् यजति । या वा एतेन यज्ञेन देवता ह्वयति—याभ्य एष यज्ञस्तायते, सर्वा वै तत्ता इष्टा भवन्ति । तद् यत्तासु सर्वासु इष्टासु अथैतत् पश्चेवानुयजति, तस्मादनुयाजा नाम ॥ ७ ॥

अथ सम्मार्ष्टि । सम्मार्गो द्वाभ्यामुच्यते ॥ ५ ॥

स सम्मार्ष्टि । 'ससृवान्' ससृतवानिति प्राप्ते तकारलोपः ॥ ६ ॥

अथानुयाजान् । 'अत्रानुयाजविधिरुपक्रान्तः, तस्मात् "अनुयाजान् यजति"—इत्युपसंहरिष्यते । 'या वा एतेन'—इति निर्वचनम् ॥ ७ ॥

१–"सम्मार्ष्टि पूर्ववदपरिक्रामःसकृत्सकृत्ससृवाᳬसमिति" इति का. श्रौ. सू. ३ । १०४ । २–'ससृवांसं सरन्तम् ।" सृ गतौ इत्यस्माल्लिट् । तस्य क्वसुः' इति ससृवांसः प्राप्तवन्तः । इति च ऋ. सं. सा. भा. । ३–'इह पूर्वं ' न चैष इडाभागः, किं तर्ह्यन्य (एव) एवायमग्नीद्भागः–प्राशित्रं च इडा च यजमानीय आदध्यात्' इति पूर्वतनः पाठः पुनः काचित्कत्वेन धृतः ' इति ॥

(मा) अथ यदनुयाजान्यजति । छन्दाᳬंसि वा ऽअनुयाजाः पशवो वै देवानां छन्दाᳬंसि तद्यथेदं पशवो युक्ता मनुष्येभ्यो वहन्त्येवं छन्दाᳬंसि युक्तानि देवेभ्यो यज्ञं वहन्ति तद्यत्र छन्दाᳬंसि देवान्त्समतर्पयन्नथ छन्दाᳬंसि देवाः समतर्पयंस्ततस्तत्प्रागभूद्यच्छन्दाᳬंसि युक्तानि देवेभ्यो यज्ञमवाक्षुर्यदेनान्त्समतीतृपन् ॥ ८ ॥

(न्नु) अथ यदनुयाजान्यजति । छन्दाᳬंसि वा ऽअनुयाजाश्छन्दाᳬंस्येवैतत्सन्तर्पयति तस्मादनुयाजान्यजति तस्माद्येन वाहनेन धावयेत्तद्विमुच्य ब्रूयात्पाययतैनत्सुहितं कुरुतेत्येष ऽउ वाहनस्यापह्नवः ॥ ९ ॥

स वै खलु बर्हिः प्रथमं यजति । तद्वै कनिष्ठं छन्दः सद्गायत्री प्रथमा छन्दसां युज्यते तदु तद्वीर्येणैव यच्छ्येनो भूत्वा दिवः सोममाहरत्तद्यथायथं मन्यन्ते यत्कनिष्ठं छन्दः सद्गायत्री प्रथमा छन्दसां युज्यतेऽथात्र यथायथं देवाश्छन्दाᳬंस्यकल्पयन्ननुयाजेषु नेत्पापवस्यसमसदिति ॥ १० ॥

अथ यदनुयाजान् यजति,—छन्दांसि वा अनुयाजाः, पशवो वै देवानां छन्दांसि। तद् यथेदं पशवो युक्ता मनुष्येभ्यो वहन्ति—एवं छन्दांसि युक्तानि देवेभ्यो यज्ञं वहन्ति। तद् यत्र छन्दांसि देवान् समतर्पयन्, अथ छन्दांसि देवाः समतर्पयन्। तदतस्तत् प्रागभूत्—यच्छन्दांसि युक्तानि देवेभ्यो यज्ञमवाक्षुः—यदेनान् समतीतृपन् ॥ ८ ॥

अथ यदनुयाजान् यजति—छन्दांसि वा अनुयाजाः, छन्दांस्येवैतत् संतर्पयति—तस्मादनुयाजान् यजति। तस्माद् येन वाहनेन धावयेत्—तद्विमुच्य ब्रूयात्—'पाययतैनत्, सुहितं कुरुत' इति। एष उ वाहनस्यापह्नवः ॥ ९ ॥

स वै खलु बर्हिः प्रथमं यजति। तद् वै कनिष्ठं छन्दः सद् गायत्री प्रथमा छन्दसां युज्यते। तदु

अथ यदनुयाजान् इति अर्थवादसम्बन्धार्थः पुनरुपन्यासः। छन्दाᳬंसीति । यदा छन्दोभिर्देवास्तर्पिताः, अथोत्तरकालं देवैश्छन्दांसि, तार्पितानीतीतिहासः । तमाधियज्ञे योजयति—'तद्' 'अतः' अनुयाजेभ्यः 'प्राग्' वृत्तमधियज्ञम् । किं तत् ? यच्छन्दोभिर्देवास्तर्पितास्तस्यैतद्यज्ञे रूपं दर्शितम् । प्रयाजादौ स्विष्टकृदन्त इत्यर्थः ॥ ८ ॥

यस्तु द्वितीयो वृत्तान्तो देवैश्छन्दसां तर्पणम, स यज्ञे दर्शनीयः; तदर्थमनुयाजा इज्यन्त इति दर्शयन्नाह—अथ यदनुयाजान् यजतीति ॥ ९ ॥

स वै खलु । उत्तरस्यां कण्डिकायां बर्हिषो जगतीत्वं वक्ष्यते, अस्यां तु जगत्या अनुयाजेषु प्राथम्यकारणमाह—तद्वै इति । तत्र सामिधेनीषु 'कनिष्ठम्' अक्षरसङ्ख्ययाऽल्पतमं 'छन्दः' 'गायत्री' 'प्रथमा छन्दसां'

स वै खलु बर्हिः प्रथमं यजति । (त्य) अयं वै लोको बर्हिरोषधयो बर्हिरस्मिन्नेवैतल्लोक ऽओषधीर्दधाति ता ऽइमा ऽअस्मिँल्लोक ऽओषधयः प्रतिष्ठितास्तदिदꣳसर्व्वं जगदस्यां तेनेयं जगती तज्जगतीं प्रथमामकुर्व्वन् ११

(ब्र) अथ नराशꣳसं द्वितीयं यजति । (त्य) अन्तरिक्षं व्वै नराशꣳसः प्रजा वै नरस्ता इमा अन्तरिक्षमनु वावद्यमानाः प्रजाश्चरन्ति यद्वै व्वदति शꣳसतीति वै तदाहुस्तस्मादन्तरिक्षं नराशꣳसोऽन्तरिक्षमु वै त्रिष्टुप्त्रिष्टुभं द्वितीयामकुर्व्वन् ॥ १२ ॥

तद् वीर्येणैव–यत् श्येनो भूत्वा दिवः सोममाहरत् । तद् अयथायथं मन्यन्ते यत्कनिष्ठं छन्दः सद् गायत्री प्रथमा छन्दसां युज्यते । अथात्र यथायथं देवाश्छन्दांस्यकल्पयन्–अनुयाजेषु; नेत् पापवस्यसम् असद्–इति ॥ १० ॥

स वै खलु बर्हिः प्रथमं यजति । अयं वै लोको बर्हिः, ओषधयो बर्हिः; अस्मिन्नेवैतल्लोके ओषधीर्दधाति । ता इमा अस्मिन् लोके ओषधयः प्रतिष्ठिताः, तदिदं सर्वं जगदस्याम् । तेनेयं जगती । तज्जगतीं प्रथमामकुर्वन् ॥ ११ ॥

अथ नराशंसं द्वितीयं यजति अन्तरिक्षं वै नराशंसः, प्रजा वै नरः–ता इमा अन्तरिक्षमनु वावद्य-

---

यज्ञेषु 'युज्यते' । 'तत्' तेन 'वीर्येण' 'यच्छ्येनो भूत्वा दिवः सोममाहरत्' । यच्च 'अयथायथं' अयथास्थं स्थानविपर्यासं 'मन्यन्ते' विद्वांसः । 'यद्' जगत्यां परिमाणतो ज्येष्ठायामेव तिष्ठमानायामल्पाक्षरा 'गायत्री प्रथमा युज्यते', तद् 'यथायथं' कर्तुमिह 'अनुयाजेषु' 'देवाः' जगतीं प्रथमाम 'अकल्पयन्' । सा च जगती बर्हिरित्यभिप्रायः । किमर्थम् ? 'नेत् पापवस्यसमसत्' 'पापं' ज्येष्ठापेक्षया कनिष्ठम्, तत् पापमेवं, 'वस्यसम्' प्रशस्यतरम्, यत् 'नेत्–असत्'; तदनुकाराच्च प्रजास्वपि यत्पापं वित्तबन्धुकर्मादिना, तद् 'वस्यसम्' वसुतरं, प्रशस्यतरमितरस्मादपापान्मा भूदिति ॥ १० ॥

यदि देवा यथायथमत्राकल्पयन्, एवं तर्हि जगती प्रथमं यष्टव्या, किं बर्हिषा ? एतदाशङ्क्य बर्हिषो जगतीत्वं वक्तुं बर्हिःशब्दप्रयोगे च कारणं वक्तुं पुनराह–**स वै खलु** इति । 'अयं वै लोको बर्हिः' येयं बर्हिराख्या देवताऽत्रेज्यते, एषा अयं लोकः । कथम् ? परिवृद्धो हि सः । एवमपि जगतीशब्देनैव युक्तम्, 'अयं लोको 'बर्हिः' यष्टुम्, किं बर्हिः–शब्देन ? अत आह–**ओषधयो बर्हिरस्मिन्नेवैतल्लोक ओषधीर्दधाती**ति । 'बर्हिः–शब्देन जगत्यामपीज्यमानायामयं गुणो लभ्यत इत्यभिप्रायः । यद्ययं लोको बर्हिः, बर्हिश्च प्रथममिज्यते, ततः कथं यथायथं छन्दांसि कल्पितानि भवन्तीत्यत आह–**तदिदमि**ति । अयमेव लोको जगत्सम्बन्धाद् 'जगती'; ततश्चास्मिन् लोके बर्हिषीज्यमाने जगती छन्दसां प्रथममिष्टा भवतीत्ययथायथपरिहारः । **तज्जगतीं प्रथमामि**ति । "यद्बर्हिः प्रथममयजन् देवाः, तज्जगतीं प्रथमामकुर्वन्नेवं यथायथमकुर्वन्"–इतीतिहासशेषस्य पूर्वेण सम्बन्धः । 'तथो एवैष यद्बर्हिर्यजति, तज्जगतीं प्रथमां करोति । ततश्चापापवस्यसं यथायथं करोति'–इति चोपसंहार इतिहासस्य द्रष्टव्यः ॥ ११ ॥

अथ नराशंसम् । नरः प्रजाः शंसन्ति वदन्त्यस्मिन्निति 'अन्तरिक्षं नराशंसः' । 'अन्तरिक्षमु वै

१–'पापमेव सद् वस्यः–प्रशस्यतरम्–यज्ञे नेदमसत्'–इति क. पा. ।

(अ) अथाग्निरुत्तमः । (ब्रो) गायत्री वा अग्निस्तद्गायत्रीमुत्तमामकुर्वन्नेवं यथायथेन क्लृप्तेन छन्दाᳮसि प्रत्यतिष्ठंस्तस्मादिदमुपापवस्यसम् ॥ १३ ॥

देवान्यजेत्येवाध्वर्युराह । देवन्देवमिति सर्वेषु होता देवानां वै देवाः सन्ति छन्दाᳮस्येव पशवो ह्येषां गृहा हि पशवः प्रतिष्ठो हि गृहाश्छन्दाᳮसि वा ऽअनुयाजास्तस्माद्देवान्यजेत्येवाध्वर्युराह देवन्देवमिति सर्वेषु होता ॥ १४ ॥

मानाः प्रजाश्चरन्ति, यद्वै वदति–शसंतीति वै तदाहुः । तस्मादन्तरिक्षं नराशंसः । अन्तरिक्षमु वै त्रिष्टुप्–तत् त्रिष्टुभं द्वितीयामकुर्वन् ॥ १२ ॥

अथाग्निरुत्तमः । गायत्री वा अग्निः, तद्गायत्रीमुत्तमामकुर्वन् । एवं यथायथेन क्लृप्तेन छन्दांसि प्रत्यतिष्ठन्, तस्मादिदमपापवस्यसम् ॥ १३ ॥

'देवान् यज' इत्येवाध्वर्युराह, देवं देवमिति सर्वेषु होता । देवानां वै देवाः सन्ति छन्दांस्येव–पशवो ह्येषाम् । गृहा हि पशवः, प्रतिष्ठो हि गृहाः; छन्दांसि वा अनुयाजाः । तस्माद्–देवान् यजेत्येवाध्वर्युराह, देवं देवमिति सर्वेषु होता ॥ १४ ॥

त्रिष्टुप्'; मध्यमत्वादेकादशभागत्वाच्च । दश दिशः, आत्मनैकादश । रुद्रसम्बन्धाद्वा–इहापि तथैवेतिहासोऽवियज्ञे उपसंहारार्थः ! 'यन्नराशंसमयजन्, तत् त्रिष्टुभं द्वितीयामकुर्वन्; 'यन्नराशंसं यजति, तत् त्रिष्टुभं द्वितीयां करोति'–इति ॥ १२ ॥

अथाग्निरुत्तमः । अत्र यष्टव्य इति शेषः । गायत्री वा अग्निः' आग्नेयी[3] हि ॥ १३ ॥

देवान् यजेत्येव । बर्हिरादिषु यष्टव्येषु बर्हिर्यजेत्यादिरूपेन्द्रयाज्यावचने[3] चेदमुच्यते । 'देवान्'–इति बहुवचनान्तेन देवशब्देनाध्वर्युः प्रेष्यति; न बर्हिर्यजेत्यादिना । होतापि सर्वत्र 'देवंदेवमिति' आह, न बर्हिरादेव केवलमित्यर्थः[4] ।

ननु चोत्तरयोर्देवो देव इत्याह, न देवं देवमिति[5] ? सत्यमेवम् । यथा प्राप्ते त्वनुवदितव्ये देवंशब्दाद्वीप्साद्विर्वचनमेतत् (पा. सू. ३ । ३ । ११३) प्रातिपदिकनिर्देशमात्रपरं द्रष्टव्यम् । किं पुनः कारणं बर्हिरादिषु वक्तव्येषु देवान् आह ? यस्माच्छन्दोदेवत्या अनुयाजाः, 'छन्दांसि' च 'देवानां देवाः', परोक्षत्वाच्च देवशब्दः प्रशस्ततरः । अतः छन्दो वा गायत्र्यादिर्वा, तस्माद् देवान् यजेत्येवाध्वर्युराह–इत्येतमर्थं '**देवानां वै देवाः सन्ति**'–इत्यादिना दर्शयति । 'पशवो हि' इति देवत्वोपपत्तिः । पशूनाञ्च साक्षाद्देवत्वमसिद्धमिति 'गृहा हि पशवः' इत्याह । गृहभोगाः पशुमर्तं[6] एवेति 'गृहाः' पशवः । गृहाणामप्यसिद्धं देवत्वमिति 'प्रतिष्ठो हि गृहाः'–इत्याह । प्रतितिष्ठन्त्यस्यामिति 'प्रतिष्ठा' शरणम्, गतिरित्यर्थः । यश्च यस्य शरणं गतिरत्यन्तोपकारी, स तस्य देव इति प्रसिद्धम् । "**तस्माद् देवान् यजेत्याह**" इत्युपसंहारः ॥ १४ ॥

१–एकादश हि रुद्रा मध्यमस्थानाश्चेत्यभिहितं निरुक्तादौ, तत्सम्बन्धात्तच्छन्दसोऽन्तीरक्षत्वमभिहितमित्याशयः । २–अग्निच्छन्दोगायत्र्येवात्राग्निपदेनोक्तेति भावः । ३–' बर्हिर्यजेत्यादिना होतापि सर्वत्र देवं देवमित्याह–इत्येतावन्मात्रम् क्वचित्पुस्तके । ४–" अतिक्रम्याश्राव्याह देवान्यजेति, यज यजेत्युत्तरौ, देवान्देवानिति वा सर्वत्र नियमशब्दाद्विकृतिदर्शनाच्च " इति का. श्रौ. सू. ३ । ५ । ६–९ ॥ ५–' इह प्रथमो बर्हिर्यागः–तत्र देवं इति समाम्नातम् । द्वितीयो नराशंसयागः–तृतीयः स्विष्टकृद्यागः, तत्रोभयत्रैव–देवः–इत्याम्नातम् । ६–पशुमन्त इति तु क्वाचित्कोऽपपाठ एवाभाति ।

व्वसुवने व्वसुधेयस्येति । देवताया ऽएव व्वषट्क्रियते देवतायै हूयते न वा ऽअत्र देवतास्त्यनुयाजेषु देवम्बर्हिरिति तत्र नाग्निर्नेन्द्रो न सोमो देवो नराशꣳस ऽइति नात ऽएकश्चन यो वा ऽअत्राग्निर्गायत्री स निदानेन ॥ १५ ॥

(ना) अथ यद्वसुवने व्वसुधेयस्येति यजति ।(त्य) अग्निर्वै व्वसुवनिरिन्द्रो व्वसुधेयोऽस्ति वै छन्दसां देवतेन्द्राग्नी ऽएवैवमु हैतद्देवताया ऽएव व्वषट्क्रियते देवतायै हूयते ॥ १६ ॥

"वसुवने वसुधेयस्येति"—देवताया एव वषट् क्रियते, देवतायै हूयते । न वा अत्र देवताऽस्ति—अनुयाजेषु—"देवं बर्हिः"—इति । तत्र नाग्निः, नेन्द्रः, न सोमो देवो "नराशंसः"—इति । नात एकंचन । यो वा अत्राग्निः—गायत्री स निदानेन ॥ १५ ॥

अथ यद् 'वसुवने' 'वसुधेयस्य' इति यजति । अग्निर्वै वसुवनिः, इन्द्रो वसुधेयः । अस्ति वै छन्दसां देवता—इन्द्राग्नी एव । एवमु हैतद् देवताया एव वषट्क्रियते, देवतायै हूयते ॥ १६ ॥

वसुवने वसुधेयस्येति । अनुयाजेषु सर्वेषु होता हेति सम्बन्धः । **देवताया एवेति** । कण्डिकाद्वयेनास्य पदद्वयस्यान्तरार्थव्याख्यानम्[1] । तस्योपक्रमः—सर्वत्रैव यागे 'देवतायै एव' होत्रा 'वषट् क्रियते' । 'देवतायै' एवाध्वर्युणा 'हूयते' एतदुचितम् । 'अत्र' तु 'अनुयाजेषु' प्रसिद्धा 'देवता' 'न अस्ति;' बर्हिर्नराशंसयोर्देवतात्वेनाप्रसिद्धेः, अग्नेश्च गायत्रीप्रधानत्वात् । तेन 'वसुवने' 'वसुधेयस्य'—इति शब्दाभ्यामग्निमिन्द्रञ्चोपादाय, ताभ्यां बर्हिरादीनुपलक्ष्य इन्द्राग्न्यात्मकेभ्यो बर्हिरादिभ्यो वषट् करोति होता, अध्वर्युश्च तदात्मकेभ्य एव जुहोतीत्युपसंहारः ॥ १५ ॥

अथ यद् । **अग्निर्वै वसुवनिः** । वसु हविर्लक्षणं वनति भजति, इतरद्वा यजमानेभ्यो ददद्भजतीति 'वसुवनिः' । 'इन्द्रो वसुधेयः' । वसूनि हवींषि धीयन्तेऽस्मिन्निति 'वसुधेयः', वसूनि वा दधाति ददातीति वा 'वसुधेयः' । "कृत्यल्युटो बहुलम्"—(पा. सू. ३. ३. ११३) इति कर्तर्यधिकरणे वा कृत्यः ! ततः किम् ? देवतायै वषट् क्रियत इत्यभिप्रायः । ननु चात्र जगत्यादिभ्यश्छन्दोभ्यो बर्हिरादिशब्दकेभ्यो वषट् कर्तव्यमिन्द्राग्न्योः किमापतितम् ? नैष दोषः । इन्द्राग्निभ्यां प्रसिद्धदेवतारूपप्रतिपत्तये जगत्यादीन्येव लक्षयिष्यन्ते, यथा बर्हिरादिभिः । कथं पुनरिन्द्राग्निभ्यां जगत्यादीनि लक्ष्यन्तेऽसम्बद्धाभ्यामित्यत आह—**अस्ति वै छन्दसामिति** । प्राणेनेन्द्रेणाधिष्ठितया वाचा छन्दांस्यभिव्यज्यन्त इति 'इन्द्राग्नी एव देवता छन्दसाम्' । ततश्चाधिष्ठात्र्या देवतया शक्यान्यात्मरूपापन्नानि जगत्यादीनि लक्षयितुम् । एवमपि 'वसुवने' इत्यामन्त्रितान्तम्, 'वसुधेयस्य'—

१—विशेषव्याख्या, साधारणव्याख्या चेति व्याख्याद्वैविध्यमिहाभिप्रेतम् । तदिह विशेषव्याख्योपक्रान्ताऽपरकण्डिकायां समापयिष्यते । ततस्तस्या एव भाष्यान्ते साधारणव्याख्या चाभिधास्यते ॥

(ते॒ऽथो) अ॒थो॒त्त॒म॒म॒नु॒या॒ज॒मि॒ष्ट्वा स॒मा॒नी॒य जु॒हो॒ति प्र॒या॒जा॒नु॒या॒जा वा॒ऽए॒ते त॒द्य॒थै॒वा॒दः प्र॒या॒जे॒षु य॒ज॒मा॒ना॒य द्वि॒ष॒न्तं भ्रा॒तृ॒व्यं ब॒लि॒ᳪ हा॒र॒य॒त्य॒त्रा॒ऽआ॒द्यं ब॒लि॒ᳪ हा॒र॒य॒त्ये॒व॒मे॒वै॒त॒द॒नु॒या॒जे॒षु ब॒लि॒ᳪ हा॒र॒य॒ति १७॥४॥

इति षष्ठप्रपाठके चतुर्थं ब्राह्मणम् । [८ । २]

षष्ठः प्रपाठकः ॥ ६ ॥ कण्डिका ॥ १११ ॥

अथोत्तममनुयाजमिष्ट्वा समानीय जुहोति । प्रयाजानुयाजा वा एते, तद् यथैवादः प्रयाजेषु यजमानाय द्विषन्तं भ्रातृव्यं बलिं हारयति–अत्रा आद्यं बलिं हारयति–एवमेवैतदनुयाजेषु बलिं हारयाति ॥ १७ ॥

इति षष्ठ्यन्तम्; ते कथम् ' बर्हिर्वेतु '–इति प्रथमान्तेन बर्हिरादिना सम्बद्ध्येते ? नैष दोषः । **एव मु हैतादिति** । ध्रुवं द्वे अप्येते विभक्ती व्यत्ययेन (पा. सू. ३ । १ । ८९) चतुर्थ्यर्थवृत्ते दर्शयति । तथापि च नैव सामानाधिकरण्येन सम्बन्धः । कथं तर्हि ? बर्हिर्वेतु वसुवनि–वसुधेयाभ्यां वौषडिति बर्हिरात्मिका जगती पिर्वेत्वाज्यम्,–तस्यै एवेन्द्राग्निरूपायै वषडित्यर्थः । ननु चात्र याज्यायामुपपद्येताप्ययमर्थः, प्रैषे तु वषट्कार एव नास्ति–" देवं बर्हिः ०–० वसुवने वसुधेयस्य यज " (का. श्रौ. सू. १९ । ६ । १२) इति, तत्र कथमेकवाक्यता स्यात् ? नैष दोषः; तस्यापि हि यास्काचार्येण " वसुवननाय च वसुधानाय च " (निरु. ९. ४. १०)–इति तादर्थ्यचतुर्थ्या एकवाक्यतां दर्शितां । अथवा विनैव विभक्तिव्यत्ययादर्थो वक्तव्यः । हे भगवन् ! ' वसुवने ' अग्ने ! छन्दसो देवतां त्वदात्मकं त्वदनुगृहीतमेतद् देवं बर्हिःशब्दकं छन्दः ' वसुधेयस्य ' इन्द्रस्य स्वरूपमधिष्टाय ' वेतु ' इति । एवमपि चेन्द्राग्निसम्बन्धकीर्तनमात्रादेव देवतायै वषट् क्रियत इत्यभिप्रायः । एवं तावदन्तरोऽर्थः । हे 'वसुवने' अग्ने ! वसुधेयस्य प्रशस्यस्याज्यभागस्य 'वेतु' 'देवं बर्हिः'–इति बाह्योऽर्थः ॥ १६ ॥

अथोत्तमम् । प्रयाजानुयाजा वा एत इति । प्राणादनपेतः ' प्रयाजः ' अपानादनपेतः ' अनुयाजः ' । इति " प्राणा वै प्रयाजा अपाना अनुयाजाः " (निरु. ८ । ३ । ७) इति प्राणापाननिवृत्तौ समानयनेन भवितव्यमित्यभिप्रायः ॥ १७ ॥ ४ ॥ (८ । २)

श्रीमतोऽवन्तिनाथस्य विक्रमादित्यभूपतेः ।
धर्माध्यक्षो हरिस्वामी व्याख्यच्छातपथीं श्रुतिम् ॥ १ ॥

इत्याचार्यश्रीहरिस्वामिनः कृतौ शतपथब्राह्मणभाष्ये हविर्यज्ञेषु अष्टमाध्यायस्य द्वितीयं ब्राह्मणम् ॥ (८–२) ॥

इति षष्ठप्रपाठकः समाप्तः ॥ ६ ॥

१–इत्येते मन्त्राः तै. ब्रा. ३ । ५ । ९ । १–३ । तै. सं. २ । ६ । ९ । ११ । इत्यत्र द्रष्टव्याः । २–मन्त्रस्थस्य ' वेतु ' पदस्यार्थोऽयम् । यास्कस्तु ' वीतां ' इत्यस्य ' पिबेतां कामयेतां वा ' इति द्विविधमर्थमुक्तवान् । निरु. ९ । ४ । १० ॥ ३–' यजेति सम्प्रैषः ' इति तत्र सङ्क्षेपः । ४–प्राणापाना एत इति सूचयति । तैश्च सदृशैरेव भवितव्यमित्यभिप्रायः–इत्येतावन्मात्रमेतत्कण्डिकाव्याख्यानं क्वचित् पुस्तके ।

अथ प्रथमकाण्डे सप्तमप्रपाठके प्रथमं ब्राह्मणम् ।

स वै स्रुचौ व्यूहति । (त्य) अग्नीषोमयोरुज्जितिमनूज्जेषं वाजस्य मा प्रसवेन प्रोहामीति जुहूं प्राचीं दक्षिणेन पाणिनाग्नीषोमौ तमपनुदतां यो-ऽस्मान्द्वेष्टि यं च वयं द्विष्मो वाजस्यैनं प्रसवेनापोहामीत्युपभृतं प्रतीचीꣳ सव्येन पाणिना यदि स्वयं यजमानः ॥ १ ॥

(नो)यद्यु ऽअध्वर्युः । (र) अग्नीषोमयोरुज्जितिमनूज्जयत्वयं यजमानो वाजस्यैनं प्रसवेन प्रोहाम्यग्नीषोमौ तमपनुदतां यमयं यजमानो द्वेष्टि यश्चैनं द्वेष्टि वाजस्यैनं प्रसवेनापोहामीति पौर्णमास्यामग्नीषोमीयꣳहि पौर्णमासꣳ हविर्भवति ॥ २ ॥

(त्य) अथामावास्यायाम् । (मि) इन्द्राग्न्योरुज्जितिमनूज्जेषं वाजस्य मा प्रसवेन प्रोहामीन्द्राग्नी तमपनुदतां योऽस्मान्द्वेष्टि यं च वयं द्विष्मो वाज-स्यैनं प्रसवेनापोहामीति यदि स्वयं यजमानः ॥ ३ ॥

सूक्तवाक-शंयुवाक-कर्मारम्भः ।

स वै स्रुचौ व्यूहति-" अग्नीषोमयोरुज्जितिमनूज्जेषम्, वाजस्य मा प्रसवेन प्रोहामि"-(वा. सं. २ । १५) इति-जुहूं प्राचीं दक्षिणेन पाणिना । " अग्नीषोमौ तमपनुदतां-यो-ऽस्मान् द्वेष्टि, यं च वयं द्विष्मो, वाजस्यैनं प्रसवेनापोहामि "-(वा. सं. २ । १५) इति-उपभृतं प्रतीचीं सव्येन पाणिना-यदि स्वयं यजमानः ॥ १ ॥

यद्यु अध्वर्युः-" अग्नीषोमयोरुज्जितिमनूज्जयत्वयं यजमानो, वाजस्यैनं प्रसवेन प्रोहामि, अग्नीषोमौ तमपनुदतां यमयं यजमानो द्वेष्टि, यश्चैनं द्वेष्टि, वाजस्यैनं प्रसवेनापोहामि"-इति पौर्णमास्याम् । अग्नीषोमीयं हि पौर्णमासं हविर्भवति ॥ २ ॥

अथामावास्यायाम् । " इन्द्राग्न्योरुज्जितिमनूज्जेषम्, वाजस्य मा प्रसवेन प्रोहामि ।

स वै स्रुचौ व्यूहति ॥ (" एत्य जुहूपभृतौ व्यूहति "इत्यादि का. श्रौ. सू. ३ । ११७) । 'ऊह-वितर्के' (भ्वा. आ. ६४९) प्रेरणे त्वत्र द्रष्टव्यः । अन्योऽन्यविपरीतं नामयतीत्युपन्यासमधिकर्तुं व्यूहनस्य प्रेरकता-द्यनेकगुणश्रुतेस्त्वेन्तावेव विधी मन्तव्यौ। अग्नीषोमयोरिति । (का. श्रौ. सू. ३ । ११७) । लिङ्गक्रमाख्याप्राप्त-मन्त्रानुवादः । ' जुहूं प्राचीं दक्षिणेन पाणिना ' व्यूहतीत्यनुवर्तते । एष तावदेको विधिः, अपरोऽपि-' **उपभृतं प्रतीचीं सव्येन पाणिना** ' इति (का. श्रौ. सू. ३ । ११७) । ' यदि स्वयं यजमानः '-इति, लिङ्गात् प्राप्तस्य यजमानस्यानुवादः ॥ १ ॥

एवमेव ' यद्यु अध्वर्युः ' इति (" अध्वर्युर्वानूज्जयत्वयं " इत्यादि का. श्रौ. सू. ३ । ११९) मन्त्रोत्पत्ति-

---

१-' नामयतीत्युपन्यासमात्रमेतत्, अप्रानेक (प्राप्तानेक) गुणश्रुतेस्तूत्तरावेव विधी मन्तव्यौ ' इति क. पु. पाठः ।

(नो) यद्यु ऽअध्वर्युः। (रि) इन्द्राग्न्योरुज्जितिमनूज्जयत्वयं यजमानो व्वाजस्यैनं प्रसवेन प्रोहामीन्द्राग्नी तमपनुदतां यमयं यजमानो द्वेष्टि यश्चैनं द्वेष्टि व्वाजस्यैनं प्रसवेनापोहामीत्यमावास्यायामैन्द्राग्नꣳ ह्यामावास्यꣳ हविर्भवत्येवं यथादेवतं व्यूहति तद्यदेवं व्यूहति ॥ ४ ॥

यजमान ऽएव जुहूमनु। योऽस्मा ऽअरातीयति स ऽउपभृतमनु प्राञ्चमेवैतद्यजमानमुदूहत्यपाञ्चं तमपोहति योऽस्मा ऽअरातीयत्यत्तैव जुहूमन्वाद्य ऽउपभतमनु प्राञ्चमेवैतदत्तारमुदूहत्यपाञ्चमाद्यमपोहति ॥ ५ ॥

तद्वा ऽएतत्। (त्स) समान ऽएव कर्म्मन्व्याक्रियते तस्माद समानादेव पुरुषादत्ता चाद्यश्च जायेते ऽइदꣳ हि चतुर्थे पुरुषे तृतीये सङ्गच्छामहऽइति व्विदेवं दीव्यमाना जात्याऽआसत ऽएतस्माद तत् ॥ ६ ॥

इन्द्राग्नी तमपनुदतां–योऽस्मान् द्वेष्टि, यं च वयं द्विष्मः,–वाजस्यैनं प्रसवेनापोहामि" (वा. सं २। १९) इति–यदि स्वयं यजमानः ॥ ३ ॥

यद्यु अध्वर्युः–'इन्द्राग्न्योरुज्जितिमनूज्जयत्वयं यजमानो–वाजस्यैनं प्रसवेन प्रोहामि। इन्द्राग्नी तमपनुदतां यमयं यजमानो द्वेष्टि, यश्चैनं द्वेष्टि,–वाजस्यैनं प्रसवेनापोहामि"–इति अमावास्यायाम्। ऐन्द्राग्नं ह्यामावास्यं हविर्भवति। एवं यथादेवतं व्यूहति। तद्यदेवं व्यूहति ॥ ४ ॥

यजमान एव जुहूमनु। योऽस्मा अरातीयति स उपभृतमनु। प्राञ्चमेवैतद् यजमानमुदूहति, अपाञ्चं तमपोहति–योऽस्मा अरातीयति। अत्तैव जुहूमनु। आद्य उपभृतमनु। प्राञ्चमेवैतद् अत्तारमुदूहति, अपाञ्चमाद्यमपोहति ॥ ५ ॥

तद्वा एतत् समान एव कर्मन् व्याक्रियते। तस्माद् समानादेव पुरुषाद् अत्ता चाद्यश्च जायेते। इदं हि–चतुर्थे पुरुषे तृतीये संगच्छामहे–इति विदेवं दीव्यमाना जात्या आसते–एतस्माद् तत् ॥ ६ ॥

परोऽध्वर्योरनुवादः। अनुवादे च सति यदि कालवचनः पौर्णमासीशब्दः, यदि वा कर्मवचनः–प्रयोगे न कश्चित् कर्मणि विशेषः ॥ २ ॥ ३ ॥

एवं यथादेवतं व्यूहतीत्यर्थवत्त्वाय विधिः। ततश्च "अग्नेरग्नीषोमयोरिति पौर्णमास्याम्", "अग्नेर्विष्णोरिन्द्ररपेति" सान्नाय्ययाजिनोऽमावास्यायां प्रयोगः सिद्धः। ननु च या–या यत्र–यत्र देवता तां–तां तत्र–तत्रेत्यस्मिन्नर्थे अयमव्ययीभावः समासो यथादेवतमिति, ततश्च प्रयाजादिदेवताभिरपि व्यूहनं प्राप्नोति ? नैष दोषः। प्रधानदेवते अग्निषोमाविन्द्राग्नी याजकस्य। एवंशब्देन प्रधानदेवतालक्षणमिति प्रकारमतिदिशति। ततश्च प्रधानदेवताभिरेव व्यूहनम्, नान्याभिः; असर्वाभिरित्यर्थः ॥ ४ ॥

यजमानः। प्रसन्ना ॥ ५ ॥

तद्वा एतत्। यस्माद् 'एतत्' 'समाने' अभिन्ने, व्यूहनकर्मणि विलक्षणम् 'आक्रियते' अभिव्यज्यते,

---

१–'इति पौर्णमास्यामित्याद्यपि लैङ्गिक्या एव व्यवस्थाया अनुवादः' इत्यधिकं क. पु.। २–तयोरनुकरणस्य–क. पु.। ३–प्रकारमीतिदिश्यते–पा.। ४–'व्यूहेत। न सर्वाभिरित्यर्थः' क. पु. पा.।

भोक्तृत्वं भोग्यत्वञ्च; तस्माद्यज्ञानुकारेण भूतेष्वपि 'समानाद्' अभिन्नात् पुरुषाद् 'अत्ता च' भोक्ता च, 'आद्यश्च' भोग्यश्च–भर्ता च भार्या च 'जायेते'। यथा समाने कर्मणि जुह्वप्रभृतौ तथैवं।

ननु समानजातीययोर्विवाह एव नास्ति, कुतो भोक्तृभोग्यभावः ? पशुन्यायेन सति सापि कश्चिद्वर्तेत, न स यज्ञानुकारः स्यात्; किं तर्हि ? यजमानैकतानुकारः स्यात् ? सत्यम्; एवं व्यवहारस्य अन्याय्यस्यापि यज्ञमूलत्वात्। तमेव व्यवहारं दर्शयति–इदं हीति। (यस्मादि 'इदं' प्रत्यक्षं विलक्षणम् 'आसते' अधुनापि 'जात्याः' समानजातीयाः), 'दीव्यमानाः' रममाणाः परितुष्टान्तःकरणाः नाकार्य्यकारिण इवापरिद्यूनाः 'आसते' कथं दीव्यमानाः ? 'विदेवम्' दिवेर्व्यवहारार्थस्य (दिवा. पर. १) अन्योन्यं भोक्तारो भोग्यैः सह, भोग्या भोक्तृभिः सह 'दीव्यामहे' व्यवहृत्य व्यवहृत्य। कथं व्यवहृत्य ? व्यवहर्तृणामभिप्रायेण। व्यवहारं दर्शयति– 'इदं' प्रत्यक्षमेव–विवाहेन वयं सङ्गच्छामहे। एकस्मादेव पुरुषान्मूलतः उत्पद्य, पुनरेव कुटुम्बारम्भेण समानापत्यारम्भेण च संयुज्यामह इति भर्तृणां भार्याणां चाभिप्रायवचनम्। एवं व्यवहारं दीव्यमाना आसते। ते क्व पुनः सङ्गच्छामह इत्याहुः, किमनन्तर एव पुरुषे ? नेत्याह–'**चतुर्थे तृतीये**'। वा–शब्दोऽत्र लुप्तनिर्दिष्टो द्रष्टव्यः; चतुर्थे वा तृतीये वेत्यर्थः। तथा च काण्वानां "तृतीये चतुर्थे वा"–इति श्रूयते। (तृतीये पुरुषे संगच्छामह इति, चतुर्थे सङ्गच्छामह इति च युज्यते।) चतुर्थे सङ्गच्छामह इति सौराष्ट्राणां व्यवहारः। तृतीये सङ्गच्छामह इति दाक्षिणात्यानाम्। ते हि मातुलदुहितृषु पितृष्वसृपुत्रेषु सङ्गच्छन्ते। ते च मूलपुरुषाद् गण्यमानास्तृतीया भवन्ति। तत्रैतस्माल्लिङ्गादेव दीव्यमाना आसत इति।। तच्च न जात्याः न जातीयाः, सदृशाः, श्रेयसः कर्म्मणश्चतुरन्तरस्याभ्यन्तरा इत्यर्थः। ततः किम् ? एतस्मादेव स्रुग्व्यूहनात् कारणात् तथा भवतीति शेषः॥

एवं चानुष्ठिते कथं विवहनमिति समुदये श्रुतितो निर्णयः। स्थाली चाङ्गाराश्चैकम्, स्रुक् च स्रुवश्चेत्येकम्, आहवनीयश्च समिच्चेत्येकम्; आहुतिश्च स्वाहाकारश्चेत्येकम्; इत्थं चत्वारः। चतुर्थे निवृत्ते तृतीये च निवृत्ते वयं सङ्गच्छामह इति शिष्टानां समुदयः। चतुर्थे प्रयाजे समानीय, पञ्चमेऽनुयाजे च समानीय, ततो व्यूहनमिति देशव्यवहृत्यनुसारात्; न शास्त्रप्रवृत्तेः। यथा "मातुलस्य सुतां केचित् पितृस्वसृसुतादिकाम्। विवहन्ति क्वचिद्देशे सङ्कोच्यापि सपिण्डताम्" (निर्ण. सि. धृतशातातपः) इति। "आयाहीन्द्र पथिभिरीळितेभिर्यज्ञमिमं नो भागधेयं जुषस्व। तृप्तां जुहुर्मातुलस्येव योषा भागस्ते पैतृष्वसेयी वपामिव"–(ऋ.सं.१०।१०।९) इति ऋग्वेदे विवहनमेव। "असपिण्डा च या मातुरसगोत्रा च या पितुः। सा प्रशस्ता द्विजातीनां दारकर्मणि मैथुने॥" (मनुसं. ३ अ. ५ श्लो.) इति मनोः सङ्गत्या मूलतः षण्मिथुनान्यतीत्य विवहेदिति श्रौतं विवहनम्। "यो ह वा अग्निहोत्रे षण्मिथुनानि वेद, मिथुनेन मिथुनेन ह प्रजायते"–(श. प. ११।२।५।१) इति षण्मिथुनानि। इत्थं मिथुनसंगत्या परिणयनमिति जात्याः। न चेयं श्रुतिर्विवाहविषया, किन्त्वियत्सन्तानावध्य-

१–जुहूस्थानापन्नानां च शूर्पार्कपर्णदोहनौदुम्बरस्रुवादीनामपि व्यूहनं भवति। वसाहोमहवन्याश्च पृषदाज्योपभृतश्च उपभृत्स्थानापन्नात्वात्। का. श्रौ. सू. ३।५।१३ इत्यस्य वृत्तिर्द्रष्टव्या। २–'पश्वान्न्यायेन सतिसापिण्डये कश्चिद्वर्तेत–न स यज्ञानुकारी' इति क. पु. पाठः। ३–'किं तर्हि ? समानजातीयेऽपि कश्चित् दीवनादि व्यवहारं' इति क. पु. पा.। ४–'इदमासते–कथमासते ?' इत्येव बन्धनीधृतपाठस्थाने क. पा.। ५–काण्वानां तृतीये पुरुषे संगच्छामह इति श्रूयते, चतुर्थे संगच्छामह इति युज्यते पा.। ६–बन्धनीभूतः पाठो नास्त्येव क्वचित्। ७–इतः परमयं षष्ठकण्डिकान्तो ग्रन्थो नास्ति क.। ८–मातुलकन्याद्युद्वाहनिषेधोऽपि तत्रैव म. सं. ११ अ. १७१–१७२ श्लो०॥ ९–(१ मि.) यजमानः, पत्नी च। (२ मि.) वत्सः, अग्निहोत्री च। (३ मि.) स्थाली, अङ्गाराश्च। (४ मि.) स्रुक्, स्रुवश्च। (५ मि.) आहवनीयः, समिच्च। (६ मि.) आहुतिः स्वाहाकारश्च॥ १०–"सर्ववर्णेषु तुल्यासु पत्नीष्वक्षतयोनिषु। आनुलोम्येन सम्भूता जात्या ज्ञेयास्त एव ते" इति म. सं. १० अ. ५ श्लो०॥ ११–केचनानया शतपथश्रुत्या "मातुलस्य सुतामूढ्वा" इत्यादि शातातपप्रभृतिस्मृतिभिः प्रतिपादितस्य मातुल–

(दु) अथ जुह्वा परिधीन्त्समनक्ति । यया देवेभ्योऽहौषीद्यया यज्ञᳪं समतिष्ठिपत्तयैवैतत्परिधीन्प्रीणाति तस्माज्जुह्वा परिधीन्त्समनक्ति ॥ ७ ॥

स समनक्ति । वसुभ्यस्त्वा रुद्रेभ्यस्त्वादित्येभ्यस्त्वेत्येते वै त्रया देवा यद्वसवो रुद्रा ऽआदित्या ऽएतेभ्यस्त्वेत्येवैतदाह ॥ ८ ॥

(हु) अथ परिधिमभिपद्याश्रावयति । परिधिभ्यो ह्येतदाश्रावयति यज्ञो वा ऽआश्रावणं यज्ञेनैवैतत्प्रत्यक्षं परिधीन्प्रीणाति तस्मात्परिधिमभिपद्याश्रावयति ॥ ९ ॥

अथ जुह्वा परिधीन् समनक्ति । यया देवेभ्योऽहौषीद् यया यज्ञं समतिष्ठिपत्–तयैवैतत् परिधीन् प्रीणाति । तस्माद् जुह्वा परिधीन् समनक्ति ॥ ७ ॥

स समनक्ति–" वसुभ्यस्त्वा रुद्रेभ्यस्त्वादित्येभ्यस्त्वा "–(वा. सं. २ । १६ ।) इति । एते वै त्रया देवाः–यद् वसवो रुद्रा आदित्याः । एतेभ्यस्त्वेत्येवैतदाह ॥ ८ ॥

अथ परिधिमभिपद्याश्रावयति । परिधिभ्यो ह्येतदाश्रावयति । यज्ञो वा आश्रावणम्–यज्ञेनैवैतत् प्रत्यक्षं परिधीन् प्रीणाति–तस्मात्परिधिमभिपद्याश्रावयति ॥ ९ ॥

विभागप्रशंसा । यथा जुहूपभृतौ चिरकालं सह स्थिते, तथा तृतीयचतुर्थसन्तानावधि सह स्थितिः । ततः किम् ? ' एतस्माद् ' एवम्प्रकारेण स्रुग्व्यूहनात् ' तद् ' विवहनम् । ' उ ' इति " अथाप्युकार एतस्मिन्नेवार्थे उत्तरेण " (निरु. १. २. ४.) इति यास्कभणितेरुकारो विनिग्रहार्थीयः । एवं चात्र विनिग्रहार्थः । यथा–मूलात् षडतीत्य ततो विवहनम् । मूलात् षष्टे च पञ्चातीत्य, इत्येवं प्रदर्शनपरम् स्त्रीमिथुने पुम्मिथुने चेति 'तत्' तथा भवतीति विशेषः ॥ ६ ॥

अथ जुह्वा । ' समनक्ति ' संस्नेहयति । जुह्वा ' स्रुक्–पात्रेण, अर्थात्तद्गतेनाज्येन । **यया देवेभ्य** इति । परिधयोऽपि ह्यग्नयो देवाः , तेऽपि देवपात्रेण देवान्नमर्हन्ति; पालयित्वा तु न समग्रमित्यभिप्रायः ' अहौषीत् ' हुतवानध्वर्युः । ' समतिष्ठिपत् ' संस्थापितवान् ॥ ७ ॥

स समनक्ति । त्रय एते मन्त्राः । एषामेकैकेन एकैकमुपधानक्रमेण यथाक्रममनक्ति । ' एतेभ्यस्त्वेत्येवैतदाह इत्यपि प्रत्येकाभिप्रायम् । वसुभ्यो देवेभ्योऽर्थाय त्वामनज्मि । त्वयि पार्थिवाग्न्यात्मके तृप्ते पार्थिवा वसवस्तृप्यन्ते; वस्वर्थं त्वामनज्मीत्यर्थः । एवमुत्तरत्रापि योज्यम् ॥ ८ ॥

अथ परिधिम् । ' अभिपद्य ' अभिगम्य, हस्तेनालभ्येत्यर्थः[२] ।

परिधिभ्यो हीति । ननु सूक्तवाकप्रैषार्थैतदाश्रावयति, तद्द्वारेण च सूक्तवाकदेवताभ्यः, प्रस्तराय वा, परिधीनां किमापतितम् ? सत्यमेतत् । तद्देवत्वाद्यज्ञार्हाः परिधयः, तेन प्रसिद्धयज्ञोपकरणेनाश्रावणेन परार्थेनारो-

---

–कन्यामातुलगोत्रजकन्यापरिणयननिषेधस्य बाधमिच्छन्ति । परं तत्तेषामज्ञानं वा स्वीयानाचारस्य शास्त्रीयत्वस्थापनार्थं बुद्धिपूर्वको दुराग्रहः । यतः अस्याः शतपथश्रुतेर्लौकिकार्थवादघटितत्वेन तादृशार्थवादकल्पितश्रुत्या प्रत्यक्षस्मृतिबाधस्यानुचितत्वात् । अलौकिकार्थवादश्रुत्याकल्पितश्रुत्यैव स्मृतिबाध इति पूर्वतन्त्रराद्धान्तात् ॥

१–" अभ्युक्ष्य जुह्वा परिधीननक्ति यथापूर्वं वसुभ्य इति प्रतिमन्त्रं " इति का. श्रौ. सू. ३ । ५ । २० ॥ २–" प्रथमं परिधिं गृहीत्वाऽऽश्राव्याहेषितेति " इत्यादि का श्रौ. सू. ३ । ६ । २ ॥

स ऽआश्राव्याह । (हे) इषिता दैव्या होतार ऽइति दैव्या वा ऽएते होतारो यत्परिधयोऽग्नयो हीष्टा दैव्या होतार ऽइत्येवैतदाह यदाहेषिता दैव्या होतार ऽइति भद्रवाच्यायेति स्वयं वा ऽएतस्मै देवा युक्ता भवन्ति यत्साधु वदेयुर्यत्साधु कुर्युस्तस्मादाह भद्रवाच्यायेति प्रेषितो मानुषः सूक्तवाकायेति तदिमं मानुषꣳ होतारꣳ सूक्तवाकाय प्रसौति ॥ १० ॥

(त्यु) अथ प्रस्तरमादत्ते । यजमानो वै प्रस्तरस्तद्यत्रास्य यज्ञोऽगं-स्तदेवैतद्यजमानꣳ स्वगाकरोति देवलोकं वा ऽअस्य यज्ञोऽगन्देवलोक-मेवैतद्यजमानमपिनयति ॥ ११ ॥

स यदि वृष्टिकामः स्यात् । (दे) एतेनैवाददीत सञ्जानाथां द्यावापृथिवी ऽइति यदा वै द्यावापृथिवी सञ्जानातेऽथ वर्षति तस्मादाह सञ्जानाथां द्यावापृथिवी ऽइति मित्रावरुणौ त्वा वृष्ट्यावतामिति तद्यो वर्षस्येष्टे स

स आश्राव्याह—" इषिता दैव्या होतारः "—इति । दैव्या वा एते होतारो—यत्परिधयः; अग्नयो हीष्टा दैव्या होतारः—इत्येवैतदाह—यदाह—'इषिता दैव्या होतारः' इति । "भद्रवाच्याय"—इति । स्वयं वा एतस्मै देवा युक्ता भवन्ति—यत् साधु वदेयुः—यत्साधु कुर्युः—तस्मादाह—भद्रवाच्यायेति । " प्रेषितो मानुषः, सूक्तवाकाय "—इति । तदिमं मानुषं होतारं सूक्तवाकाय प्रसौति ॥ १० ॥

अथ प्रस्तरमादत्ते । यजमानो वै प्रस्तरः । तद् यत्रास्य यज्ञोऽगन्—तदेवैतद् यजमानं स्वगाकरोति । देवलोकं वा अस्य यज्ञोऽगन्,—देवलोकमेवैतद् यजमानमपि नयति ॥ ११ ॥

स यदि वृष्टिकामः स्यात्—एतेनैवाददीत—" संजानाथां द्यावापृथिवी "—(वा. सं. २. १६)

प्यालभ्य क्रियमाणेन लेशतो गज्ञगाजः कृता भवन्तीत्युपकारमात्रलक्षणार्थो तादर्थ्ये चतुर्थी प्रयुक्ता । प्रत्यक्षम-व्यभिचारि यज्ञरूपमाश्रावणम्, तेन ' एतत् प्रत्यक्षम् ' यो यज्ञः; जुह्वस्तु होमेष्वपि यज्ञेष्वपि भवतीति तत्र तथा प्रत्यक्षः जुह्वाञ्जने यज्ञः ॥ ९ ॥

स आश्राव्याह । ' दैव्या वा एते होतारो यत्परिधयः ' इति प्रतिज्ञा । ' अग्नयो ही ' ति हेतुवचनम् । ' इष्टाः ' इति इषितव्याः इच्छायाः स्थानम् ' अधीष्टाः '—सान्विता इत्यर्थः ॥ १० ॥

अथ प्रस्तरम् । ' स्वगा '[1] अव्ययमेतत्, स्वस्थानगामिवचनम्, स्वस्थानगामिनं करोतीत्यर्थः । ' अगन् ' अगमत्, गत इत्यर्थः । ' अपिनयति ' सन्नयति[2] ॥ ११ ॥

स यदि वृष्टिकामः । काम्यतया मन्त्रं विधाय नित्यतयापि तमेव विवक्ते—**तमेतेनैवाददीतेति** । **यदा**

१–स्वगाशब्दः स्वागतार्थो वैदिकभाषाशब्दः । स्वगा—करोति—स्वागतं करोतीत्यर्थः ॥ " स्वगा स्वाधीनं तै. सं. १ । ४ । ४४ । ५ सा. भा. ॥ २–" सञ्जानाथामिति प्रस्तरादानं " इति का. श्रौ. सू. ३ । ६ । ४ ।

त्वा व्वृष्ट्यावत्त्वित्यैवैतदाहायं वै व्वर्षस्येष्टे योऽयं पवते सोऽयमेक इवैव पवते सोऽयं पुरुषेऽन्तः प्रविष्टः प्राङ्च प्रत्यङ्च ताविमौ प्राणोदानौ प्राणोदानौ वै मित्रावरुणौ तद्य एव व्वर्षस्येष्टे स त्वा व्वृष्ट्यावत्त्वित्यैवैतदाह तमेतेनैवाददीत यदा ह्येव कदा च व्वृष्टिः समिव तमनक्त्याहुतिमेवैतत्करोत्याहुतिर्भूत्वा देवलोकं गच्छादिति ॥ १२ ॥

स वा ऽअग्रं जुह्वामनक्ति । मध्यमुपभृति मूलं ध्रुवायामग्रमिव हि जुहूर्मध्यमिवोपभृन्मूलमिव ध्रुवा ॥ १३ ॥

सोऽनक्ति । व्यन्तु व्वयोक्तꣳरिहाणा ऽइति व्वय ऽएवैनमेतद्भूतमस्मान्मनुष्यलोकाद्देवलोकमभ्युत्पातयति तन्नीचैरिव हरति द्वयं तद्यस्मान्नीचैरिव हरेद्यजमानो वै प्रस्तरोऽस्या एवैनमेतत्प्रतिष्ठायै नोद्धन्तीहो एव व्वृष्टिं नियच्छति ॥ १४ ॥

इति । यदा वै द्यावापृथिवी संजानाते–अथ वर्षति । तस्मादाह–' संजानाथां द्यावापृथिवी ' इति । " मित्रावरुणौ त्वा वृष्ट्यावताम् "–(वा. सं. २. १६) इति । तद्यो वर्षस्येष्टे–स त्वा वृष्ट्यावतु–इत्येवैतदाह । अथ वै वर्षस्येष्टे योऽयं पवते । सोऽयमेक इवैव पवते, सोऽयं पुरुषेऽन्तः प्रविष्टः प्राङ् च प्रत्यङ् च । ताविमौ प्राणोदानौ; प्राणोदानौ वै मित्रावरुणौ । तद्य एव वर्षस्येष्टे स त्वा वृष्ट्यावतु–इत्येवैतदाह । तमेतेनैवाददीत । यदा ह्येव कदा च वृष्टिः समिव तमनक्ति–आहुतिमेवैतत् करोति । आहुतिर्भूत्वा देवलोकं गच्छाद्–इति ॥ १२ ॥

स वा अग्रं जुह्वामनक्ति, मध्यमुपभृति, मूलं ध्रुवायाम् । अग्रमिव हि जुहूः, मध्यमिवोपभृत्, मूलमिव ध्रुवा ॥ १३ ॥

सोऽनक्ति–" व्यन्तु वयोऽक्तं रिहाणाः "–(वा. सं. २. १६) इति । वय एवैनमेतद् भूतम् । अस्माद् मनुष्यलोकाद् देवलोकमभ्युत्पातयति तन्नीचैरिव हरति, द्वयं तद्–यस्मान्नीचैरिव हरेत्; यजमानो वै प्रस्तरः–अस्या एवैनमेतत् प्रतिष्ठायै नोद्धन्ति–इहो एव वृष्टिं नियच्छति ॥ १४ ॥

ह्येवेति । सर्वदैव वृष्टिः सुखम्, ततश्च सर्व एव वृष्टिकाम इत्यभिप्रायः । ततश्च स्वर्गादिकामेनाप्यविरुद्धत्वात् प्रयोक्तव्य एवैषः । आहुतिमेवैतदिति । अञ्जनेनायं होमयोग्यो भवतीत्यभिप्रायः ॥ १२ ॥

स वा अग्रम् । ' अग्रं ' अग्रमिव जुहूः सा ह्युपभृतं हित्वाहवनीयं यावद्याति । ' मध्यम् ' मध्यमिवोपभृत्; सापि हि वेदेर्यजतिस्थानं यावदुत्क्रामति । ' मूलम् ' मूलमिव ध्रुवा, न हि सा चलति क्वचित् ॥ १३ ॥

सोऽनक्ति । ' व्यन्तु ' खादन्तु इमं प्रस्तरं देवाः येभ्यो होष्यते । कीदृशम् ? वयः पक्षिभूतं गतं सत्, तेनाहवनीयं द्युलोकं वा–इत्येवं मन्त्रार्थं ' वय एवैनम् '–इति दर्शयति ॥ १४ ॥

१–" अग्रञ्जुह्वामुपभृति मध्यम्मूलमितरस्याम् " इति का. श्रौ. सू. ३ । ६ । ६ । ७ ॥

सु हरति । मुरुतां पृषतीर्गच्छेति देवलोकं गच्छेत्येवैतुदाह यदाह मुरुतां पृषतीर्गच्छेति व्वशा पृश्निर्भूत्वा दिवं गच्छ तुतो नो व्वृष्टिमावहेतीयं वै व्वशा पृश्निर्यदिदुमस्यां मूलि चामूलं चान्नाद्यं प्रतिष्ठितं तेनेयं व्वशा पृश्निरियं भूत्वा दिवं गच्छेत्येवैतुदाह तुतो नो व्वृष्टिमा वहेति व्वृष्टाद्वा ऽऊर्ग्रसः सुभूतं जायते तुस्मादाह तुतो नो व्वृष्टिमावहेति ॥ १९ ॥

(त्य) अथैकं तृणमुपगृह्णाति । यजमानो वै प्रस्तरः स यत्कृत्स्नं प्रस्तरमनुप्रहरेत्क्षिप्रे ह यजमानोऽमुं लोकमियात्तथो ह यजमानो ज्योग्जीवति यावद्धेवास्येह मानुषमायुस्तुस्मा ऽएवैतदुपगृह्णाति ॥ १६ ॥

तन्मुहूर्त्तं धारयित्वानुप्रहरति । तद्यत्रास्येतर ऽआत्मागंस्तदेवास्यैतद्गमयत्यथ यन्नानुप्रहरेदन्तरियाद्ध यजमानं लोकात्तथो ह यजमानं लोकान्नान्तरेति ॥ १७ ॥

स हरति–" मरुतां पृषतीर्गच्छ "–(वा. सं. २. १६) इति । देवलोकं गच्छ–इत्येवैतदाह– यदाह–' मरुतां पृषतीर्गच्छ ' इति । " वशा पृश्निर्भूत्वा दिवं गच्छ ततो नो वृष्टिमावह "–(वा. सं. २. १६) इति । इयं वै वशा पृश्निः–यदिदमस्यां मूलि चामूलं चान्नाद्यं प्रतिष्ठितम् । तेनेयं वशा पृश्निः । इयं भूत्वा दिवं गच्छ–इत्येवैतदाह । ततो नो वृष्टिमावह–इति । वृष्टाद्वा ऊर्ग्रसः, सुभूतं जायते; तस्मादाह–ततो नो वृष्टिमावह–इति ॥ १९ ॥

अथैकं तृणमपगृह्णाति । यजमानो वै प्रस्तरः । स यत्कृत्स्नं प्रस्तरमनुप्रहरेत्–क्षिप्रे ह यजमानोऽमुं लोकमियात्; तथो ह यजमानो ज्योग् जीवति–यावद्ध एवास्येह मानुषमायुः–तस्मा एवैतदपगृह्णाति ॥ १६ ॥

तन्मुहूर्तं धारयित्वाऽनुप्रहरति । तद्यत्रास्येतर आत्मागन्, तदेवास्यैतद्गमयाति । अथ यन्नानुप्रहरेद्-अन्तरियाद्ध यजमानं लोकात्; तथो ह यजमानं लोकान्नान्तरेति ॥ १७ ॥

स हरति । 'इयं भूत्वेति । यथेयं पृथिवी मूल्यमूला अन्नसंपृष्टा ' पृश्निः ', तद्योगाच्च वशा वश्या काम्या; एवं त्वमपि दर्भमयत्वान्मूलिनान्तेनोपेतः, घृतेन वा मूलेन; ततश्च ' इयमिव भूत्वा '–इत्येतमर्थमनेनाह । ' वृष्टाद्वा ऊर्ग्रसः ' ' सुभूतं ' भूतानां समृद्धिः–' जायते ' इति वृष्ट्यावाहनप्रयोजनम् ॥ १९ ॥

अथैकं तृणम् । यदेकं तृणमपगृह्णाति,[२] तथा क्रियमाणे ' यजमानः ' ' ज्योक् ' चिरं ' जीवति ' । एवं तावत् कृत्यानुप्रहरणकृतदोषपरिहारायापगृह्णाति इत्युक्तम्, अधुना त्वन्यकृतोऽप्यायुषः क्षयोऽत्र तेनापग्रहणेन रक्ष्यत इत्याह–यावद्धेवेति । उ–शब्दश्चार्थे । ' यावत् ' च ' इह ' लोके, ' अस्य ' ' मानुषम् ' पूर्वकर्मोपात्तम् ' आयुः ' ' तस्मै एव एतदपगृह्णाति' इति । एवशब्दः समुच्चये ॥ १६ ॥

तन्मुहूर्तम् । प्रसक्ता ॥ १७ ॥

१–" मरुतामिति नीचैर्हृत्वा " इति का० श्रौ० सू० ३।६।७ ॥ २–" तृणमादायानुप्रहरति " इति का० श्रौ० सू० ३।६।७॥

तं प्राञ्चमनुसमस्यति। प्राची हि देवानां दिगथो ऽउदञ्चमुदीची हि मनुष्याणां दिक्तमङ्गुलिभिरेव योयुप्येरन्न काष्ठैर्दारुभिर्वा ऽइतरᳪ शवं व्यृषन्ति नेत्तथा करवाम यथेतरᳪ शवमिति तस्मादङ्गुलिभिरेव योयुप्येरन्न काष्ठैर्यदा होता सूक्तवाकमाह ॥ १८ ॥

(ह्य) अथाग्नीदाहानुप्रहरेति। तद्यत्रास्येतर ऽआत्मागंस्तद्देवास्यैतद्गमयेत्येवैतदाह तूष्णीमेवानुप्रहृत्य चक्षुष्पा ऽअग्नेऽसि चक्षुर्म्मे पाहीत्यात्मानमुपस्पृशति तेनो ऽअप्यात्मानं नानुप्रवृणक्ति ॥ १९ ॥

(त्त्यु) अथाह संवदस्वेति । संवादयैनं देवैरित्येवैतदाहागानग्नीदित्युगन्खल्वित्येवैतदाहागन्नित्तीतरः प्रत्याह श्रावयेति तं वै देवैः श्रावय तमनुबोधयेत्येवैतदाह श्रौषडिति विदुर्वा ऽएनमनुवा ऽएनमभुत्सतेत्येवैतदाहैवमध्वर्युश्चाग्नीच्च देवलोकं यजमानमुपिनयतः ॥ २० ॥

तं प्राञ्चमनुसमस्यति-प्राची हि देवानां दिक्। अथो उदञ्चम्-उदीची हि मनुष्याणां दिक्। तमङ्गुलिभिरेव योयुप्येरन्-न काष्ठैः। दारुभिर्वा इतरं शवं व्यृषन्ति। नेत्तथा करवाम-यथेतरं शवमिति। तस्मादङ्गुलिभिरेव योयुप्येरन्-न काष्ठैः। यदा होता सूक्तवाकमाह ॥ १८ ॥

अथाग्नीदाह-' अनुप्रहर ' इति । तद्यत्रास्येतर आत्मागन्-तद्देवास्यैतद्गमय-इत्येवैतदाह। तूष्णीमेवानुप्रहृत्य-" चक्षुष्पा अग्नेऽसि, चक्षुर्मे पाहि "-(वा. सं. २. १६) इति। आत्मानमुपस्पृशति। तेनो अप्यात्मानं नानुप्रवृणक्ति ॥ १९ ॥

अथाह-' संवदस्व '-इति । संवादयैनं देवैरित्येवैतदाह । ' अगानग्नीत् ' इति-अगन्

तं प्राञ्चमनु। ' तं ' प्रकृतं प्रस्तरं ' प्राञ्चं ' प्रागग्रं सूक्तवाके उक्तप्राये ' अनु ' पश्चात् ' समस्यति ' समग्रमेव प्रक्षिपति । ' तमङ्गुलिभिरेव योयुप्येरन् '। " युप रुप लुप विमोहने " (दिवा. प. १२९-१३१) पुनः-पुनस्तं मूर्च्छयेयुः, ' न काष्ठैः ', हस्तेनोपक्षिपेयुरित्यर्थः। किं कारणम् ? " दारुभिर्वा इतरं मानुषं शवं व्यृषन्ति " ऋष-ऋषी-गतौ (तुदा. पर. ७) नयनेऽत्र द्रष्टव्यः । विस्तारयन्ति, सुगन्धित्वायेत्यर्थः[1]। तदुपचाराच्चास्य यज्ञियस्य विलक्षणेनोपचारेण भवितव्यमिति । नेत्तथेति। ' नेत् '-इति परिभये। तत्तथेत्याह ॥ १८ ॥

अथाग्नीदाह। प्रसन्ना[2] ॥ १९ ॥

अथाह। [3]संवदस्वेत्यादीनां व्याहृतीनां बाह्यस्तावदर्थः। अग्नीदध्वर्युं प्रेष्यति-' संवदस्व ' त्वं मया सह शंयुवाकप्रैषार्थमिति। तमध्वर्युः पृच्छति-' अगानग्नीत् ' हे अग्नीत् ! किमगमत् प्रस्तरशरीरो यज-

---

१-सुदग्धत्वायेत्यर्थः-क० पा०। २-" अग्नीदाहानुप्रहरेति " इति का० श्रौ० सू० ३। १३२॥ " प्रास्य तृणं चक्षुष्पा इत्यात्मानमालभते " इति का० श्रौ० सू० ३।१३३ ॥ ३-" संवदस्वागानग्नीदगञ्छ्रावयेत्यादि " इति का० श्रौ०सू० ३।१३४॥

(तो) अथाह स्वगा दैव्या होतृभ्य ऽइति। दैव्या वा ऽएते होतारो यत्परिधयोऽग्नयो हि तानेवैतत्स्वगाकरोति तस्मादाह स्वगा दैव्या होतृभ्य इति स्वस्तिर्मानुषेभ्य ऽइति तदस्मै मानुषाय होत्रेऽह्वलामाशास्ते ॥ २१ ॥

(स्तेऽथ) अथ परिधीननुप्रहरति। स मध्यममेवाग्रे परिधिमनु प्रहरति यं परिधिं पर्यधत्था ऽअग्ने देव पणिभिर्गुह्यमानः ॥ तं त ऽएतमनु-

---

खल्वित्येवैतदाह। 'अगन्'–इतीतरः प्रत्याह। 'श्रावय' इति, तं वै देवैः श्रावय, तमनुबोधयेत्येवैतदाह। 'श्रौषट्' इति–विदुर्वा एनम्, अनु वा एनमभुत्सत–इत्येवैतदाह। एवमध्वर्युश्चाग्नीच्च देवलोकं यजमानमपिनयतः ॥ २० ॥

अथाह–'स्वगा दैव्या होतृभ्यः'–इति। दैव्या वा एते होतारो यत्परिधयः। अग्नयो हि। तानेवैतत् स्वगा करोति। तस्मादाह–स्वगा दैव्या होतृभ्य–इति। 'स्वस्तिर्मानुषेभ्यः' इति–तदस्मै मानुषाय होत्रेऽह्वलामाशास्ते ॥ २१ ॥

अथ परिधीननुप्रहरति। स मध्यममेवाग्रे परिधिमनुप्रहरति–"यं परिधिं पर्यधत्था अग्ने

मानः स्वर्गं लोकम्? किं दग्धः प्रस्तर इत्यर्थः। अग्नीत्तु 'अगन्' इति प्रतिवचनं ददाति। गतो यजमानः, दग्धः प्रस्तर इत्यर्थः। अध्वर्युस्त्वाह–यद्येवम्, ततः शंयुवाकपरिधिप्रहरणयोः कालो वर्तते, ततश्च 'श्रावय' होतारम्, आकर्णयेत्यर्थः। अग्नीच्चाह–'श्रौषट्' शृणोत्येवायमवहितः, ब्रूहि त्वं यद्विवक्षितमिति।

'स्वगा दैव्या होतृभ्यः' इति शंयुवाकप्रैषः। हे होतः! शंयोर्बार्हस्पत्यस्य ऋषेरार्षम् ब्रूहि। 'स्वगा' स्वस्थानगामिनं त्वां 'दैव्या' देवेभ्यो 'होतृभ्यः' परिधिशरीरेभ्योऽत्र हूयन्ताम् परिधय इत्यर्थः। 'मानुषेभ्यः' तु होतृभ्यः 'स्वस्ति' अविनाशोऽस्त्वित्येवंरूपं वाक्यं 'ब्रूहि' इति। श्रुतिस्तु साङ्केतिकं गूढतरमर्थं व्याचष्टे–तत्र च यथैव प्रहरणसम्बन्धशंयुवाकप्रैषसंबद्धमाश्रावणमनुषङ्गतः परिधीनामुपकारकमित्युक्तम्; तथेहापि परिधिप्रहरणसम्बन्धशंयुवाकप्रैषसम्बद्धा व्याहृतयोऽनुषङ्गात् प्रस्तरवृत्तान्तं प्रकाशयन्तीति दर्शयति। **संवादयैनं देवैरिति**। प्रियमिवातिथिमागतैर्देवैः सम्भाषयेत्यर्थः। णिचो लोपमत्र दर्शयति–**अगानग्नीदिति**। गमनप्रदर्शने। तमेवाग्नीधं पृच्छति–किं गतोऽयं यजमानो येन संवाद्यते? न गत इतीतरेणोक्तेऽध्वर्युराह–तमेव तर्हि मद्वचनेन श्रावयैतमिति। अग्नीत्वाह–श्रौषडिति। 'विदुर्वा एनमिति' जानन्त्येवैनं देवाः; उपकारित्वादनाख्यातमपीत्यर्थः। **अनु वा एनमभुत्सतेति**। पूर्वमेवायं बुद्धो देवैरित्ययं वा श्रौषडित्यस्यार्थः ॥ २० ॥

"**अथाह स्वगा**"। "तदस्मै मानुषाय"–इति प्रयोगे बहूनां मानुषाणां होतॄणामभावादेकवचनस्थाने एवैतद्बहुवचनमिति दर्शयति ॥ २१ ॥

अथ परिधीन्। प्रसन्ना ॥ २२ ॥

१–"स्वगा दैव्या होतृभ्यः स्वस्तिर्मानुषेभ्यः शंयोर्ब्रूहि" इति का. श्रौ. सू. ३।६।१६।

जोषं भराम्येष नेत्त्वुदपचेतयाता ऽइत्यग्नेः प्रियं पाथोऽपीतमितीतरावनु समस्यति ॥ २२ ॥

(त्यु) अथ जुहूञ्चोपभृतं च सम्प्रगृह्णाति । (त्य) अदो हैवाहुतिं करोति यदनक्त्याहुतिर्भूत्वा देवलोकं गच्छादिति तस्माज्जुहूञ्चोपभृतञ्च सम्प्रगृह्णाति ॥ २३ ॥

स वै विश्वेभ्यो देवेभ्यः सम्प्रगृह्णाति । यद्वा अनादिष्टं देवतायै हविर्गृह्यते सर्वा वै तस्मिन्देवता अपित्विन्यो मन्यन्ते न वा ऽएतत्कस्यैचन देवतायै हविर्गृह्णन्नादिशति यदाज्यं तस्माद्विश्वेभ्यो देवेभ्यः सम्प्रगृह्णात्येतदु वैश्वदेवं हविर्यज्ञे ॥ २४ ॥

स सम्प्रगृह्णाति । सꣳस्रवभागा स्थेषा बृहन्त ऽइति सꣳस्रवो ह्येव खलु

देव पणिभिर्गुह्यमानः । तं त एतमनुजोषं भरामि–एष नेत् त्वदपचेतयातै "–(वा. सं. २. १७) इति । " अग्नेः प्रियं पाथोऽपीतम् "–(वा. सं. २. १७) इतीतरावनुसमस्यति ॥ २२ ॥

अथ जुहूं चोपभृतं च संप्रगृह्णाति । अदो हैवाहुतिं करोति–यदनक्ति । आहुतिर्भूत्वा देवलोकं गच्छाद्–इति । तस्माद् जुहूं चोपभृतं च संप्रगृह्णाति ॥ २३ ॥

स वै विश्वेभ्यो देवेभ्यः सम्प्रगृह्णाति । यद्वा अनादिष्टं देवतायै हविर्गृह्यते–सर्वं वै तस्मिन् देवता अपित्विन्यो मन्यन्ते । न वा एतत् कस्यैचन देवतायै हविर्गृह्णन्नादिशति–यदाज्यम् । तस्माद् विश्वेभ्यो देवेभ्यः सम्प्रगृह्णाति । एतदु वैश्वदेवं हविर्यज्ञे ॥ २४ ॥

स सम्प्रगृह्णाति । " संस्रवभागा स्थेषा बृहन्तः "–(वा. सं. २. १८) संस्रवो ह्येव खलु

अथ जुहूम् । ' सम्प्रगृह्णाति ' सङ्गतं उद्गृह्णाति–संस्रवहोमाय, आज्यशेषस्य स्वगाकाराय च । कुत एतत् ? मन्त्रवर्णाद् वाक्यशेषाच्च । आहुतिर्भूत्वेति । ' एतेन प्रस्तरमनुसमस्यति ' ' परिधीननुप्रहरति '– इत्येते (श० प० ८ । ३ । २८ । २२) (का० श्रौ० सू० ३ । १३५) अपि होमचोदने एव वक्तव्ये । " अदो हैवाहुतिम् "–इति परिधिसंस्कारशंकां निवर्तयति । एवं ह्याशङ्क्यते–" यद्वै हविरभ्यक्तं यदभिघारितं तज्जुष्टं तन्मेध्यम् "–इति वचनाद् हविरभिघारणीयम्, अनन्तरमेव च हुताः परिधयः; तेऽभिघारिताः आहुतिर्भवन्ति, अतस्तेषामाहुतित्वायैते स्रुचौ सम्प्रगृह्येते, न पृथगेव संस्रवहोमः कर्मेति; तन्निराकरोति । अत एव परिधय आहुतिकृता ये ते आज्येन जौहवेनाक्तास्तस्मान्न तेषामाहुतित्वाय स्रुचौ सम्प्रगृह्येते, किं तर्हि ? आहुतिर्भूत्वा इदमेवाज्यं ' देवलोकं ' गच्छेदित्येवमर्थं ' सम्प्रगृह्णाति ' । यथैव प्रस्तरपरिधीनां स्वगाकारो ह्युक्तः, एवमाज्यशेषस्यापि विलग्नस्येत्यभिप्रायः ॥ २३ ॥

स वै विश्वेभ्यः । ' अपित्विन्यः ' भागिन्यः; अत्र वयमपीत्येवं मन्यन्ते ॥ २४ ॥

स सम्प्रगृह्णाति । (का० श्रौ० सू० ३ । १३६) संस्रवो ह्येवेति । यदा यः परिशिष्टः संस्रवः,

---

१–" परिधीननु प्रहरति यम्यारिधिमिति प्रथममितरा च युगपदग्नेः प्रियमिति " इति का. श्रौ. सू. ३ । १३५ । २–" स्रुचौ प्रगृह्णाति संस्रवभागा इति संस्रवं जुहोति " इति का. श्रौ. सू. ३ । १३६ ॥

परिशिष्टो भवति प्रस्तरेष्ठाः परिधेयाश्च देवा ऽइति प्रस्तरश्च हि परिधयश्चानुप्रहृता भवन्तीमां वाचमभिविश्वे गृणन्त ऽइत्येतदु वैश्वदेवं करोत्यासद्यास्मिन्बर्हिषि मादयध्वꣳस्वाहा वाडिति तद्यथा वषट्कृतꣳहुतमेवमस्यैतद्भवति ॥ २५ ॥

स यस्यानसो हविर्गृह्णन्ति । (न्त्यु) अनसस्तस्य धुरि विमुञ्चन्ति यतो युनजाम ततो विमुञ्चामेति यतो ह्येव युञ्जन्ति ततो विमुञ्चन्ति यस्यो पात्रे स्फ्ये तस्य यतो युनजाम ततो विमुञ्चामेति यतो ह्येव युञ्जन्ति ततो विमुञ्चन्ति ॥ २६ ॥

युजौ ह वा ऽएते यज्ञस्य यत्स्रुचौ । ते ऽएतद्युङ्क्ते यत्प्रचरति स यं निधायावद्येद्यथा वाहनमवाच्छेँदेवं तत्ते ऽएतत्स्विष्टकृति विमोचनमागच्छतस्ते तत्सादयति तद्विमुञ्चति ते ऽएतत्पुनः प्रयुङ्क्ते ऽनुयाजेषु सोऽनुयाजै-

---

परिशिष्टो भवति । " प्रस्तरेष्ठाः परिधेयाश्च देवाः "–(वा. सं. २ । १८) इति । प्रस्तरश्च हि परिधयश्चानुप्रहृता भवन्ति । " इमां वाचमभिविश्वे गृणन्तः "–(वा. सं. २ । १८) इति । एतदु वैश्वदेवं करोति । " आसद्यास्मिन् बर्हिषि मादयध्वं स्वाहावाट् "–(वा. सं.२।१८) इति । तद्यथा वषट्कृतं हुतम्–एवमस्यैतद्भवति ॥ २५ ॥

स यस्यानसो हविर्गृह्णन्ति–अनसस्तस्य धुरि विमुञ्चन्ति–यतो युनजाम ततो विमुञ्चाम इति । यतो ह्येव युञ्जन्ति ततो विमुञ्चन्ति । यस्यो पात्रे स्फ्ये तस्य–यतो युनजाम ततो विमुञ्चाम इति । यतो ह्येव युञ्जन्ति ततो विमुञ्चन्ति ॥ २६ ॥

युजौ ह वा एते यज्ञस्य–यत्स्रुचौ । ते एतद्युङ्क्ते–यत् प्रचरति । स यं निधायावद्येद्, यथा वाहनमवाच्छेँद्–एवं तत् । ते एतत् स्विष्टकृति विमोचनमागच्छतः । ते तत्सादयति, तद्विमुञ्चति, ते

तदा तद्भाजः संस्रवभागा एव भवन्तीत्यभिप्रायः । प्रस्तरश्च हीति । प्रस्तरे परिधिषु च हुतेषु तदिन्धनोऽग्निः शरीरं येषां ते, ' प्रस्तरेष्ठाः परिधेयाश्च ' भवन्त्येवेत्यभिप्रायः ॥ २५ ॥

स यस्यानसः । विमुञ्चन्ति ' जुहूपभृतौ । यतो युनजामेति व्याख्यातम् ॥ २६ ॥

युजौ ह वा एते । विमोचनार्थवादोऽयम् । तत्र च " यज्ञं वा अनु प्रजाः "–इत्यधिभूतं वक्ष्यते, (श० प० ८ अ० ३ ब्रा० २७ कं०) तदुपक्रमार्थं ' युजौ ' योक्तव्यावस्थौ ' एते यज्ञस्य यत् स्रुचौ '–इत्याह । **स यं निधायावद्येदिति** । प्रसङ्गेनार्थप्राप्तं चरकश्रुतिप्राप्तं च निधायावदानं प्रतिषेधति । ' वाहनं ' वाहयति तदेभिरिति वाहनमश्वादि, यथा तत् ' अवाच्छेँत् ' अधः पतेत् वाह्यमानं, ' एवं ' निधानं स्रुचोः प्राग्विमोकादधश्चलनम्, ' तत् ' यज्ञस्य स्यादित्यर्थः । **ते एतत् स्विष्टकृतीति** । ये चरतां युङ्क्ते, ' ते ' ' स्विष्टकृति ' अर्तीते इति शेषः । ' वि ' अपरिसमाप्तोऽर्थः (निरु० १ । १ । ९) । विमुच्यतेऽस्मिन्निति ' विमोचनम् ' स्थानम्, तत् ' आगच्छतः ' । ' ते ' ' तत् ' तत्र ' सादयति ' अध्वर्युः, ' तत् ' तत्र ' विमु-

श्चरित्वैतद्विमोचनमागच्छति ते तत्सादयति तद्विमुञ्चति ते ऽएतत्पुनः प्रयुङ्क्ते यत्सम्प्रगृह्णाति तद्यां गतिमभियुङ्क्ते तां गतिं गत्वा विमुञ्चते यज्ञं वा ऽअनुप्रजास्तस्मादयं पुरुषो युङ्क्तेऽथ विमुञ्चतेऽथ युङ्क्ते तद्यां गतिमभियुङ्क्ते तां गतिं गत्वान्ततो विमुञ्चते स सादयति घृताची स्थो धुर्यौ पातꣳ सुम्ने स्थः सुम्ने माधत्तमिति साध्व्यौ स्थः साधौ माधत्तमित्युवैतदाह ॥२७॥

इति सप्तमप्रपाठके प्रथमं ब्राह्मणम् ॥ ७-१ ॥

एतत्पुनः प्रयुङ्क्तेऽनुयाजेषु। सोऽनुयाजैश्चरित्वैतद्विमोचनमागच्छति। ते तत्सादयति, तद्विमुञ्चति, ते एतत् पुनः प्रयुङ्क्ते—यत् सम्प्रगृह्णाति। तद्यां गतिमभियुङ्क्ते, तां गतिं गत्वा विमुञ्चते। यज्ञं वा अनु प्रजाः। तस्मादयं पुरुषो युङ्क्ते, अथ विमुञ्चते, अथ युङ्क्ते, तद्यां गतिमभियुङ्क्ते तां गतिं गत्वाऽन्ततो विमुञ्चते। स सादयति—"घृताची स्थो धुर्यौ पातं, सुम्ने स्थः सुम्ने मा धत्तम्"—(वा. सं. २। १९) इति। साध्व्यौ स्थः। साधौ मा धत्तमित्येवैतदाह ॥ २७ ॥

ञ्चति'। विश्रामार्थम् 'पुनः' च 'अनुयाजेषु' प्रयुङ्क्ते। तदन्ते च विश्रामार्थमेव पुनः 'विमुञ्चति'। 'पुनः' च 'सम्प्रगृह्णाति' 'प्रयुङ्क्ते'; तदन्ते च कृतार्थः सन् ''गतिं' गतं 'अभियुंक्ते' करोति। मन्त्रेण देशनियमेन च गम्यत इति 'गतिः' अध्वा गन्तव्यः। 'यां गतिं' यमध्वानं 'अभि' गन्तुं 'युङ्क्ते', 'तां गतिं' तमध्वानं 'गत्वा' विमुञ्चते। "यज्ञं वा अनुप्रजाः" इत्यधियाज्ञिकयोर्योगविमोकयोरधिभूतवचनम्। 'साध्व्यौ'—इति 'सुम्ने'—इत्यस्य व्याख्यानम्; 'साधौ'—इति च 'सुम्ने'—इत्यस्य 'सुम्नं' सुखम्, तत्र साध्वित्यभिप्रायः "घृताची इति धुरि निदधाति—अनसि चेद्ग्रहणं" "सव्ये पात्र्यावेत्"(का० श्रौ० सू० ३। १३७–१३८।) ॥ २७ ॥ १ ॥ (८. ३.) ॥

इत्याचार्यहरिस्वामिनः कृतौ शतपथभाष्येऽष्टमस्य तृतीयं ब्राह्मणम्।

नागस्वामिसुतोऽवन्त्यां पाराशर्यो वसन् हरिः।
श्रुत्यर्थं दर्शयामास शक्तितः पौष्करीयकः॥
श्रीमतोऽवन्तिनाथस्य विक्रमार्कस्य भूपतेः।
धर्माध्यक्षो हरिस्वामी व्याख्यच्छातपथीं श्रुतिम् ॥

इति श्रीमदाचार्यहरिस्वामिनः कृतौ शतपथभाष्येऽष्टमोऽध्यायः समाप्तः ॥ ८ ॥

अथ प्रथमकाण्डे नवमाध्याये प्रथमं ब्राह्मणम् ।

स यत्राह । इषिता दैव्या होतारो भद्रवाच्याय प्रेषितो मानुषः सूक्तवाकायेति यदुतो होतान्वाह सूक्तैव तदाह यजमानायैवैतदाशिषमाशास्ते तद्वा ऽएतदुपरिष्टाद्यज्ञस्याशिषमाशास्ते द्वयं तद्यस्मादुपरिष्टाद्यज्ञस्याशिषमाशास्ते ॥ १ ॥

यज्ञं वा ऽएष जनयति । यो यजत ऽएतेन ह्युक्ता ऽऋत्विजस्तन्वते तं जनयन्त्यथाशिषमाशास्ते तामस्मै यज्ञ ऽआशिषꣳसन्नमयति यामाशिषमाशास्ते यो माजीजनतेति तस्माद्वा ऽउपरिष्टाद्यज्ञस्याशिषमाशास्ते ॥ २ ॥

देवान्वा ऽएष प्रीणाति । यो यजत ऽएतेन यज्ञेनऽर्ग्भिरिव त्वद्यजुर्भिरिव त्वदाहुतिभिरिव त्वत्स देवान्प्रीत्वा तेष्वपित्वी भवति तेष्वपित्वी

स यत्राह–' इषिता दैव्या होतारो भद्रवाच्याय प्रेषितो मानुषः सूक्तवाकायेति ' । यदुतो होतान्वाह–सूक्तैव तदाह । यजमानायैवैतदाशिषमाशास्ते । तद्वा एतदुपरिष्टाद् यज्ञस्याशिषमाशास्ते । द्वयं तद्, यस्मादुपरिष्टाद् यज्ञस्याशिषमाशास्ते ॥ १ ॥

यज्ञं वा एष जनयति–यो यजते । एतेन ह्युक्ता ऋत्विजस्तन्वते, तं जनयन्ति, अथाशिषमाशास्ते । तामस्मै यज्ञ आशिषं सन्नमयति–यामाशिषमाशास्ते, यो माऽजीजनतेति । तस्माद्वा उपरिष्टाद् यज्ञस्याशिषमाशास्ते ॥ २ ॥

देवान्वा एष प्रीणाति–यो यजते । एतेन यज्ञेनर्ग्भिरिव त्वद्, यजुर्भिरिव त्वत्, आहुतिभिरिव

स यत्राह । आध्वर्यवः सूक्तवाकप्रैषः शंयुवाकप्रैषश्चावस्तादुक्तः (श० प० ब्रा० अ० ८ । ब्रा० ३ । कं० १०) तत्प्रसङ्गात् सूक्तवाकशंयुवाकयोर्हौत्रयोरेतद्ब्राह्मणम् । तत्रापि सूक्तवाकस्य प्रयोजनं विवक्षुः–कालसामन्वागतमुपादाय प्रयोजनमाह–स यत्राहेति । यस्मिन् कालेऽध्वर्युराह–" इषिता दैव्या "–इत्यादि, (का० श्रौ० सू० । ३ । १२१ सू०) ' अतः ', अत इति सर्वनामव्यत्ययो द्रष्टव्यः, तत ऊर्द्ध्वं ' होता ' ' यदाह ' " इदं द्यावापृथिवी "–इत्यादि, (श० प० अ० ९ । ब्रा० १ । कं० ४) ' तत् ' ' सूक्तैवान्वाह ' । इति सूक्तवाकशब्दनिर्वचनम् । शोभनार्थत्वाच्छोभनादिवचनानि सूक्तानि, ततश्च सूक्तानां वाकः वाचको ग्रन्थः सूक्तवाक इत्येवं सूक्तवाकशब्दो निर्वाच्य इत्यभिप्रायः । यजमानायेति सूक्तवाकस्य संक्षेपार्थाभिधानम् । यदपि चात्रातीतार्थकीर्तनं तदपि आशीःपरमेवेति दर्शयिष्यति " तद्यज्ञस्यैवैतत्समृद्धिमाशास्ते "–इति (श. प. अ. ९ । ब्रा. १ । कं. १०) तद्वा एतदिति कारणविवक्षयोपन्यासः ॥ १ ॥

यज्ञं वा । ' एषः ' ' यः ' यजमानः ' मा ' ' अजीजनत ' जनितवान्, ' अस्मै ' तस्मै ' आशिषं ' सन्नमयामीति मन्यमानो ' यज्ञः ' यजमानमुत्तरकालं ' सन्नमयति ', न प्रागित्यभिप्रायः ॥ २ ॥

देवान्वा एषः । त्वच्छब्दः समुच्चये; ऋग्भिश्च यजुर्भिश्चाहुतिभिश्चेत्यर्थः । ' देवान् ' ' प्रीत्वा ' तर्पयित्वा,

भूत्वाथाशिषमाशास्ते तामस्मै देवा आशिषꣳ संनमयन्ति यामाशिषमा-
शास्ते यो नोऽप्रैषीदिति तस्माद्वा ऽउपरिष्टाद्यज्ञस्याशिषमाशास्ते ॥ ३ ॥

(स्तुतेऽथ) अथ प्रतिपद्यते । इदं द्यावापृथिवी भद्रमभूदिति भद्रꣳ ह्यभूद्यो
यज्ञस्य सꣳस्थामगन्नाध्र्म सूक्तवाकमुत नमोवाकमित्युभयं वाऽएतद्यज्ञ
ऽएव यत्सूक्तवाकश्च नमोवाकश्चारात्स्म यज्ञमविदाम यज्ञमित्येवैतदाहाग्ने
त्वꣳ सूक्तवागस्युपश्रुती दिवस्पृथिव्योरित्यग्निमेवैतदाह त्वꣳ सूक्तवाग-
स्युपश्रृण्वत्योरनयोर्द्यावापृथिव्योरित्योमन्वती तेऽस्मिन्यज्ञे यजमान द्यावा-
पृथिवी स्तामित्यन्नवत्यौ तेऽस्मिन्यज्ञे यजमान द्यावापृथवी स्तामि-
त्येवैतदाह ॥ ४ ॥

त् स देवान् प्रीत्वा तेष्वपित्वी भवति । तेष्वपित्वीं भूत्वाथाशिषमाशास्ते । तामस्मै देवा आशिषं
न्नमयन्ति—यामाशिषमाशास्ते, यो नोऽप्रैषीदिति । तस्माद्वा उपरिष्टाद् यज्ञस्याशिषमाशास्ते ॥ ३॥

अथ प्रतिपद्यते । " इदं द्यावापृथिवी भद्रमभूदिति " । भद्रं ह्यभूद्—यो यज्ञस्य संस्था-
गन् । " आर्ध्म सूक्तवाकमुत नमोवाकम् "—इति । उभयं वा एतद्यज्ञ एव—यत् सूक्तवा-
श्च नमोवाकश्च । अरात्स्म यज्ञम्, अविदाम यज्ञमित्येवैतदाह । " अग्ने त्वं सूक्तवागस्यु-
श्रुती दिवस्पृथिव्योरिति "। अग्निमेवैतदाह । त्वं सूक्तवागसि, उपश्रृण्वत्योरनयोर्द्यावापृथिव्यो-

---

ास्त्रपरिषदीवें सन्तप्रश्ने (?) सन्दत्त्वा, ' तेषु ' देवेषु, तेषां मध्ये ' अपित्वी ' भागी भवति । भागी हि
गं प्रार्थयमानो लभते, नाभागीत्यभिप्रायः । ' यो नः ' ' अप्रैषीद् ' तर्पितवान् ' तस्मै ' ' आशिषं ' सन्न-
याम इति मन्यमाना ' देवाः ' ' सन्नमयन्ति ' । तच्चोर्द्ध्वं यज्ञात्, न प्रागित्यभिप्रायः ॥ ३ ॥

अथ प्रतिपद्यते । होता वक्तुमारभत इत्यर्थः । " इदं द्यावापृथिवी "—इत्यादिसूक्तवाकः (तै० ब्रा० ३ ।
। १० ।) तत्रादौ तावत् हे ' द्यावापृथिव्यौ ! ' ' इदं ' तावद् युवयोः प्रसादादस्माकं कल्याणं जातमेव ।
ऋम् १ ' आर्ध्म ' ऋद्धवन्तः, ' सूक्तवाकं ' देवान् स्तुतवन्तो वयमित्यर्थः । ' उत ' अपि ' नमोवाकम् '
न्नदानवचनं च प्राप्तवन्तः । यज्ञेन द्वयमपि भवेदिति देवता इष्टा अस्माभिरित्यर्थः । अधुना युवयोरेव
सादादिदं ' सूक्तोच्यं ' सूक्तवचनमृद्ध्यास्मेत्याशीः । ' अग्ने त्वम् '—इति अग्निं होतारमुपस्थापयति । हे भग-
न् ! ' अग्ने ! ' ' त्वम् ' एव सूक्तानां वक्ता ' असि '; नाहं मानुष इति विदित्वा मामधिष्ठातुमर्हसीत्यभि-
ायः । ' उपशृण्वत्योः ' ' द्यावापृथिव्योरिति ' एकान्तमनक्तमपि कुर्यात्, न जनसंसदीत्यभिप्रायः ।
'ओमन्वती "—इत्याशीर्यजमानं प्रत्यक्षीकृत्य । " तयोराविदि, अग्निरिदमित्यादि " (तै०ब्रा० ३ । ५ । १०)
मेथो हेतुवचनम्,—यस्माद्—द्यावापृथिव्योरनुमन्यमानयोरग्न्यादयो हवींष्यजुषन्त, तस्माद् द्यावापृथिव्यौ ओम-
वदादिगुणौ स्तामिति सम्बन्धः । **अस्या मृधेदिति** । परोक्षीकृत्य यजमानं तस्मा आशिष आशास्ते ।

१—" नमोवाकमृध्यास्म सूक्तोच्यमग्ने त्वं सूक्तवागसि " इति यः पाठः स आश्वलायनानां शांखायनानां च बोध्यः । तत्सूत्रयो-
तथा पाठात् ॥ २—' शास्त्रपद्धत्या तर्पणीयं दत्त्वा ' इति युक्तः पाठः ।

शुङ्क्वी जीवदानू ऽइति । शुङ्क्वी ते जीवदानू स्तामित्येवैतदाहात्रस्नू ऽअप्रवेदे ऽइति माह कस्माच्चन प्रत्रासीम्मों त ऽइदं पुष्टं कश्चन प्रविदतेत्येवैतदाह ॥ ५ ॥

(हो) उरुगव्यूती अभयं कृताविति । (त्यु) उरुगव्यूती तेऽभये स्तामित्येवैतदाह वृष्टिद्यावा रीत्यापेति वृष्टिमत्यौ ते स्तामित्येवैतदाह ॥ ६ ॥

रिति । " ओमन्वती तेऽस्मिन् यज्ञे यजमान द्यावापृथिवी स्तामिति " । अन्नवत्यौ तेऽस्मिन् यज्ञे यजमान ! द्यावापृथिवी स्तामित्येवैतदाह ॥ ४ ॥

" शङ्क्वी जीवदानू "–इति । शङ्क्वी ते जीवदानू स्तामित्येवैतदाह । " अत्रस्नू अप्रवेदे "–इति । मा ह कस्माच्चन प्रत्रासीः । मो त इदं पुष्टं कश्चन प्रविदतेत्येवैतदाह ॥ ५ ॥

" उरुगव्यूती अभयं कृताविति " । उरुगव्यूती तेऽभये स्तामित्येवैतदाह । " वृष्टिद्यावा रीत्यापेति " । वृष्टिमत्यौ ते स्तामित्येवैतदाह ॥ ६ ॥

उत्तरां देवयज्यामित्यादि । यदनेन हविषेत्याशिष एव समाप्ते " इदञ्च नमो देवेभ्य " इति याचितेभ्यो निह्नवः । एतमेवार्थं 'भद्रं ह्यभूत्'–इत्यादि विवृण्वन् दर्शयति । 'अरात्स्म यज्ञम्'–इति तत् " आर्ध्म सूक्तवाकमित्यस्य पर्यायवचनम् 'अरात्स्म'–इत्यस्यापि 'अविदाम'–इत्येतत्पर्यायवचनं संसाधितवन्तो लब्धवन्तो यज्ञं, वयमित्यर्थः । 'उपश्रुती' । उपशृणोतीत्युपश्रुतिः, ततः सप्तमीद्विवचने उपश्रुत्योरिति प्राप्तम्, ततश्छान्दसः पूर्वसवर्णः 'उपश्रुती'–इति; उपशृण्वत्योरिति तद् दर्शयति । **दिवस्पृथिव्योः**–इत्यस्य शब्दसमाधिः 'द्यावापृथिव्योः' इति । **ओमन्वती** । अवति तर्पयति इति 'ओमन्' (निरु. ६ । १ । ५) अन्नम् तद्वती, ओमन्वत्यौ 'अन्नवत्यौ'–इति समाधिः ॥ ४ ॥

शङ्क्वी । शञ्च ते गावौ च शङ्ग्व्याविति प्राप्ते पूर्वसवर्णः । **जीवदानू**[1] जीवनस्य दात्र्यौ । अत्रसनशीले " अत्रस्नू " । अत्रस्नू च ते देवते उपासीनो न त्रस्यतीति देवधर्मं यजमाने दर्शयति–**मा ह कस्माच्चन प्रत्रासी**रिति । " अप्रवेदे " प्रवेदनं प्रलाभः, नास्ति प्रवेदनमेतयोः 'अप्रवेदे' दुर्लभे; तादृश्यो चोपासीनस्य । 'पुष्टम्' पुष्टिरित्येतद् दुर्लभता न भवतीत्येतत् 'मो त इदं पुष्टं' 'कश्चन' कश्चिदपि 'प्रविदत' प्रालभत इत्यतिदिशति ॥ ५ ॥

उरुगव्यूती । गावः अवन्ति तृप्यन्त्यस्यामिति 'गव्यूतिः' गोप्रचारः; सा च क्षेम उर्वी भवति । व्याघ्रादिभये त्रसन्ति, न दूरं ग्रामाद्गावो गच्छन्तीत्यनुर्वी गव्यूतिर्भवति । तेन गवां क्षेमहेतू द्यावापृथिव्यौ स्तामित्यर्थः । **अभयं कृता**विति । सामान्येनाभयङ्करे स्यातामिति । 'वृष्टिद्यावा' वृष्टेर्दात्र्यौ । ददातेर्वनिप् (पा० सू० ३ । २ । ७४) यकारश्चागमः " आतो यक् "–इति (पा० सू० ७ । ३ । ३३) वृष्टिदातारा विति प्राप्ते । " रीत्यापा " । 'रीतिस्तृप्तिस्तामापत इति 'रीत्यापा'; सुष्ठु वर्षवत्यावित्यर्थः ॥ ६ ॥

१–जीवदानु–जीरदानु–शब्दावभिन्नार्थौ । संहिताभेदाद्भिन्नरूपौ श्रूयेते । एतत्तादर्थ्यपर्यमेव वार्तिककृता " रकि ज्यः सम्प्रसारणं " इति पठितम् । (पा. सू. १।१।४) तत्र 'रकि जीवेरपि सिद्धं भवतीति च भाष्येष्टिः । तै. ब्रा. 'जीरदानू' (३।५।१०)

शम्भुवौ मयोभुवावुिति। शम्भुवौ ते मयोभुवौ स्तामित्येवैतदाहोर्ज्जस्वती च पयस्वती चेति रसवत्यौ त ऽउपजीवनीये स्तामित्येवैतदाह ॥७॥

सूपचरणा च स्वधिचरणा चेति। सूपचरणाह तेऽसावस्तु यामधस्तादुपचरसि स्वधिचरणो त ऽइयमस्तु यामुपरिष्टादधिचरसीत्येवैतदाह तयोराविदीति तयोरनुमन्यमानयोरित्येवैतदाह ॥ ८ ॥

(ह्रा) अग्निरिदꣳ हविः। (र) अजुषतावीवृधतमहो ज्यायोऽक्रुतेति तदाग्नेयमाज्यभागमाह सोम ऽइदꣳ हविरजुषतावीवृधतमहो ज्यायोऽक्रुतेति तत्सौम्यमाज्यभागमाहाग्निरिदꣳ हविरजुषतावीवृधतमहो ज्यायोऽक्रुतेति तद्य एष ऽउभयत्राच्युत आग्नेयः पुरोडाशो भवति तमाह ॥ ९ ॥

'शम्भुवौ मयोभुवाविति'। शम्भुवौ ते मयोभुवौ स्तामित्येवैतदाह। 'ऊर्जस्वती च पयस्वती चेति'। रसवत्यौ त उपजीवनीये स्तामित्येवैतदाह ॥ ७ ॥

'सूपचरणा च स्वधिचरणा चेति'। सूपचरणा ह तेऽसावस्तु यामधस्तादुपचरसि। स्वधिचरणो त इयमस्तु–यामुपरिष्टादधिचरसीत्येवैतदाह। 'तयोराविदीति' तयोरनुमन्यमानयोरित्येवैतदाह ॥ ८ ॥

"अग्निरिदं हविरजुषतावीवृधतमहो ज्यायोऽक्रुतेति"। तदाग्नेयमाज्यभागमाह। "सोम इदं हविरजुषतावीवृधतमहो ज्यायोऽक्रुतेति"। तत्सौम्यमाज्यभागमाह। "अग्निरिदं हविरजुषतावीवृधतमहो ज्यायोऽक्रुतेति"। तद् य एष उभयत्राच्युत आग्नेयः पुरोडाशो भवति तमाह ॥ ९ ॥

शम्भुवौ। दुःखोपशमनं 'शम्' भावयत इति 'शम्भुवौ' स्यातामिति सर्वेण प्रार्थ्यते। 'मयः' सुखम्, अनुकूलवेदनीयम्, तद्भावयतः 'मयोभुवौ'। 'ऊर्जस्वती' (तै० सं० २। ६। ९।) "ऊर्ज–बलप्राणनयोः" (धा० पा० चु० प० १९) ऊर्जयतीति 'ऊर्ग्' रसः, सोऽनयोरस्तीत्यूर्जस्वत्यौ। ऊर्जो मतुप्यसुगागमः। मकारस्य वत्वम् (पा० सू० ८। २। ९।) 'एतदाह'–**रसवत्यौ ते स्तामित्याहेति**। 'पयः' आप्यायनं स्थावरजङ्गमानां नोपघातकम्, तद्वत्यौ; तदाह–**उपजीवनीये स्तामित्येवैतदाहेति** ॥७॥

सूपचरणा। अकृच्छ्रेणोपचर्यत इति सूपचरणा द्यौः; सा ह्यविरुद्धा अकृच्छ्रेणैवोपचर्यते। एवं 'स्वधिचरणा' पृथिवी; तस्यां हि दृढायामकृच्छ्रेण चरन्ति। "छन्दसि गत्यर्थेभ्यः"–इति (पा० सू० ३। ३। २१९) खलर्थे युच्प्रत्ययः। एतदाह–**सूपचरणा ह तेऽसावस्त्वित्यादिना**। आवेदनम् 'आवित्'। आवेदनेनात्र यज्ञविषया मतिर्लक्ष्यते। यस्य जानतः शक्तस्य यत् क्रियते, स तदनुमन्यत इति गम्यते ॥ ८ ॥

अग्निरिदꣳ हविः। तदाग्नेयमिति समस्तार्थवचनम्। यदेतदग्निना हविषः सेचनमतीतं कीर्त्यते एवं तावद् आग्नेयाज्यभागं याग इत्याह। अथवा आज्यश्चासौ भागश्चेत्याज्यभागः; आज्यमेव होतव्यमिति भागशब्दार्थं दर्शयति। एवं पुरोडाशेन वैलक्षण्यं भवति; इतरथा तत्र पुरोडाशेन यागो लक्ष्यते। 'अजुषत'–इत्यादींस्तु शब्दानग्रे व्याख्यास्यति ॥ ९ ॥

(ह्रा) अथ यथादेवतम् । (तं) देवा ऽआज्यपा आज्यमजुषन्तावीवृधन्त मुहो ज्यायोऽक्रतेति तत्प्रयाजानुयाजानाह प्रयाजानुयाजा वै देवाऽआज्यपा ऽअग्निर्होत्रेणेदꣳहविरजुषतावीवृधत मुहो ज्यायोऽकृतेति तदग्निꣳ होत्रेणाजुषतेत्येवं याऽ इष्टा देवता भवन्ति ताः सम्पश्यत्यसौ हविरजुषतासौ हविरजुषतेति तद्यज्ञस्यैवैतत्समृद्धिमाशास्ते यद्धि देवा हविर्जुषन्ते तेन हि महज्जयति तस्मादाहाजुषतेत्यवीवृधतेति यद्वै देवा हविर्जोषयन्ते तदपि गिरिमात्रं कुर्व्वते तस्मादाहावीवृधतेति ॥ १० ॥

मुहो ज्यायोऽकृतेति । यज्ञो वै देवानां महस्तꣳह्येतज्ज्यायाꣳसमिव कुर्व्वते तस्मादाह मुहो ज्यायोऽकृतेति ॥ ११ ॥

अथ यथादेवतम् । " देवा आज्यपा आज्यमजुषन्तावीवृधन्तमहो ज्यायोऽक्रतेति "—तत् प्रयाजानुयाजानाह । प्रयाजानुयाजा वै देवा आज्यपाः । " अग्निर्होत्रेणेदं हविरजुषतावीवृधतमहोज्यायोऽकृतेति "—तदग्निं होत्रेणाजुषतेति । एवं या इष्टा देवता भवन्ति ताः संपश्यति—असौ हविरजुषत असौ हविरजुषतेति । तद्यज्ञस्यैवैतत्समृद्धिमाशास्ते । यद्धि देवा हविर्जुषन्ते—तेन हि महज्जयति । तस्मादाह,—अजुषतेति, अवीवृधतेति । यद्वै देवा हविर्जोषयन्ते तदपि गिरिमात्रं कुर्वते । तस्मादाह—अवीवृधतेति ॥ १० ॥

महो ज्यायोऽकृत इति । यज्ञो वै देवानां महः । तं ह्येतज्ज्यायांसमिव कुर्वते । तस्मादाह—महो ज्यायोऽकृतेति ॥ ११ ॥

अथ यथादेवतम् । या या देवता यष्टव्या, तां तामाहेति वर्तन्ते । प्रयाजानुयाजा वै देवा आज्यपाः इति । प्रयाजानुयाजदेवता देवानामाज्यपा इत्यर्थः । ' अग्निः ' ' होत्रेण ' । " इत्थंभूतलक्षणे तृतीया " (पा० सू० २ । ३ । २१) ' होत्रेण ' देवताह्वानेन कर्म्मणा युक्तः ' अग्निः ' हविः अजुषत ' स्विष्टकृदित्यर्थः । एवं या इष्टा इत्येतया यथादेवतस्यार्थं स्फुटीकरोति । ततश्चेष्टदेवतावाचिनामेव देवतापदानामस्मिन् प्रदेशे मन्त्रत्वावगते विकृतावूहविधी सेत्स्यतः । प्रकृतौ च पौर्णमास्यमावास्यादेवतापदानां व्यवस्था भविष्यति । ' समृद्धिमाशास्ते ' इत्येतदनुपपन्नम्; भूतानुवादस्वरूपत्वात् । अजुषतेत्यस्य यदपि हेतुवचनं यद्धि देवा हविर्जुषन्ते, तेन हि महज्जयतीति, तदप्याशीस्त्वं न साधयति; किन्तर्हि—" ओमन्वती तेऽस्मिन् यज्ञे यजमान द्यावापृथिवी स्तामिति " (श० प० ९ अ० १ ब्रा० ४ कं०) अत्राशिषो हेतुत्वेनोच्यते—अग्निरजुषतेति । ततश्च यस्माद् द्यावापृथिव्योराविदि अग्निरजुषत, तस्माद् द्यावापृथिव्यौ ओमन्वती स्तामित्याशीःपरमेवार्तातजोषणकीर्तनमित्युपपन्नं यज्ञसमृद्ध्याशीर्वचनम् । ' यद्वै देवा हविर्जोषयन्ते '—इति । स्वैरनुचरैः सेव्यन्ते; तेषां हि बहूनां तृतये यत् स्तोकमपि यजमानेन दत्तम्, तद् बहु कुर्वन्तीत्यर्थः ॥ १० ॥

महो ज्यायोऽकृतेति । पूर्वमेकवचनान्तं व्याख्याय इदं बहुवचनान्तं व्याचष्टे । व्याख्यानश्चाज्ञापितज्ञापनार्थम् । यज्ञो वै देवानां महः । महनं महः, पूजा, विभूतिः । सा च यज्ञं देवा वृद्धतरं प्रशस्यतरं वा प्रागवस्थानं कुर्वन्ति ॥ ११ ॥

१–होत्रेणाहाजुषतेति इति क. पा. ।

(त्य) अस्यामृधेद्धोत्रायां देवङ्गमायामिति । (त्य) अस्याॅं राध्नोतु होत्रायां देवङ्गमायामित्येवैतदाहाशास्तेऽयं यजमानोऽसाविति नाम गृह्णाति तदेनं प्रत्यक्षमाशिषा सम्पादयति ॥ १२ ॥

दीर्घायुत्वमाशास्त ऽइति । सा यामुत्रोत्तरा देवयज्या तदिह प्रत्यक्षं दीर्घायुत्वम् ॥ १३ ॥

(५ॅं) सुप्रजास्त्वमाशास्त ऽइति । तद्यदमुत्र भूयो हविष्करणं तदिह प्रत्यक्ष५ॅं सुप्रजास्त्वं प्रशासन५ॅं स कुर्याद्य ऽएवं कुर्यादुत्तरां देवयज्यामाशास्त ऽइति त्वेव ब्रूयात्तदेव जीवातुं तत्प्रजां तत्पशून् ॥ १४ ॥

(न्भू) भूयो हविष्करणमाशास्त ऽइति । तद्धेव तत्सजातवनस्यामाशास्त ऽइति प्राणा वै सजाताः प्राणैर्हि सह जायते तत्प्राणानाशास्ते ॥ १५ ॥

"अस्यामृधेद्धोत्रायां देवङ्गमायामिति"। अस्यां राध्नोतु होत्रायां देवङ्गमायामित्येवैतदाह। "आशास्तेऽयं यजमानोऽसाविति"–नाम गृह्णाति। तदेनं प्रत्यक्षमाशिषा सम्पादयति ॥ १२॥

"दीर्घायुत्वमाशास्ते"–इति सा यामुत्रोत्तरा देवयज्या तदिह प्रत्यक्षं दीर्घायुत्वम् ॥ १३॥

"सुप्रजास्त्वमाशास्त" इति। तद्यदमुत्र भूयो हविष्करणं तदिह प्रत्यक्षं सुप्रजास्त्वम्। प्रशासनं स कुर्याद्–य एवं कुर्यात्। "उत्तरां देवयज्यामाशास्त"–इति त्वेव ब्रूयात्, तदेव जीवातुं, तत्प्रजां तत्पशून् ॥ १४ ॥

"भूयो हविष्करणमाशास्ते" इति तद्धेव तत्। "सजातवनस्यामाशास्ते" इति। प्राणा वै सजाताः। प्राणैर्हि सह जायते। तत् प्राणानाशास्ते ॥ १५ ॥

अस्यामृधेत्। तदेनं प्रत्यक्षमिति। श्रुतया आशिषा विशेषेण 'आशास्ते' 'अयं यजमानः' इति। स 'ऋधेत्' 'राध्नोतु'। 'देवङ्गमायां' देवप्रापणशीलायाम्। यच्चेडायाम् "उपहूतोऽयं यजमानः" इति (श० प० ८ अ० १ ब्रा० २९ कं०) आशीःशब्दाभावान्नामाभावाच्च परोक्षम् आशिषा सम्पादयति॥ १२॥

दीर्घायुत्वमाशास्ते। 'अमुत्र' इडायाम्। 'उत्तरा देवयज्या' "उपहूतोऽयं यजमान उत्तरस्यां देवयज्यायाम्" इति, (श० प० ८ अ० १ ब्रा० ३० कं०) 'तदिह' 'प्रत्यक्षं' श्रौतं 'दीर्घायुत्वम्' आशास्त इति दीर्घजीवित्वमुपदिश्यत इत्यर्थः ॥ १३॥

सुप्रजास्त्वमाशास्ते। 'प्रशासनं' प्रशास्यन्तेऽनेन देवाः प्रार्थ्यमाना इति प्रशासनम्, पुरुषस्य साक्षात् स्वार्थपरत्वं 'कुर्यात्' इत्यर्थः। "उत्तरां देवयज्याम्"–इत्येवं देवार्थाशीःपूर्वकान् स्वार्थानासीरन् यजमानाः। यजनीयदेवानां भवति च यथा जीवनादित्रयमन्तर्गतम्, तथोक्तमेव (श०प० १।८।१।३१–३३) ॥ १४॥

भूयो हविष्करणमाशास्ते। तद्धेव तदिति। यदेवैतत् पूर्वं जीवनादित्रय देवपुरःसरम् "उत्तरां देवयज्याम्" इत्युक्तम् (तै० ब्रा० ३।५।१०)। तदेतद् 'भूयो हविष्करणमिति। किमर्थं तर्हि? तदेवोच्यते–**तद्धेव तदिति;** अर्थभेदात्। अन्या हि उत्तरा देवेज्या, पुनर्यागमात्रमन्यद् 'भूयः' बहु 'हवि-

दिव्यं धामाशास्त ऽइति । देवलोके मेऽप्यसदिति वै यजते यो यजते तद्देवलोक ऽएवैनमेतदपित्विनं करोति यदनेन हविषाशास्ते तदश्यात्तदृध्यादिति यदनेन हविषाशास्ते तदस्मै सर्वं समृद्ध्यतामित्येवैतदाह ॥ १६ ॥

ता वा ऽएताः । पञ्चाशिषः करोति तिस्र ऽइडायां ता ऽअष्टावष्टाक्षरा वै गायत्री वीर्यं गायत्री वीर्यमेवैतदाशिषोऽभिसम्पादयति ॥ १७ ॥

नातो भूयसीः कुर्यात् । (ड) अतिरिक्तं ह कुर्याद्यदतो भूयसीः कुर्याद्यद्वै यज्ञस्यातिरिक्तं द्विषन्तं हास्य तद्भ्रातृव्यमभ्यतिरिच्यते तस्मान्नातो भूयसीः कुर्यात् ॥ १८ ॥

(द)अपीद्वै कनीयसीः सप्त । तदस्मै देवा रासन्तामिति तदस्मै देवा ऽअनुमन्यन्तामित्येवैतदाह तदग्निर्देवो देवेभ्यो वनुतां वयमग्नेः परिमानुषा

" दिव्यं धामाशास्ते "–इति । देवलोके मेऽप्यसदिति वै यजते–यो यजते । तद्देवलोक एवैनमेतदपित्विनं करोति–यदनेन हविषाशास्ते । " तदश्यात, तदृध्याद् "–इति । यदनेन हविषाशास्ते–तदस्मै सर्वं समृद्ध्यतामित्येवैतदाह ॥ १६ ॥

ता वा एताः पञ्चाशिषः करोति । तिस्र इडायाम् । ता अष्टौ । अष्टाक्षरा वै गायत्री । वीर्यं गायत्री । वीर्यमेवैतदाशिषोऽभिसम्पादयति ॥ १७ ॥

नातो भूयसीः कुर्यात् । अतिरिक्तं ह कुर्याद्–यदतो भूयसीः कुर्याद् । यद्वै यज्ञस्यातिरिक्तं–द्विषन्तं हास्य तद्भ्रातृव्यमभ्यतिरिच्यते । तस्मान्नातो भूयसीः कुर्यात् ॥ १८ ॥

अपीद्वै कनीयसीः सप्त । " तदस्मै देवा रासन्ताम् "–इति । तदस्मै देवा अनुमन्यन्ता-

---

ष्करणम्;' प्रयोगबाहुल्यात्मकमनल्पहविष्कत्वञ्चेत्यपौनरुक्त्यम् । सजाता भ्रातरः, आत्मिकास्तु प्राणास्तेषाञ्च तस्य सम्भक्तिस्तैरवियोगः ' सजातवनस्या ' (तै० सं० २ । ६ । ९) । ' वनस् '–शब्दः कण्ड्वादिषु द्रष्टव्यः ; " कण्ड्वादिभ्यो यक् " (पा० सू० ३ । १ । २७) वननं वनस्या ॥ १५ ॥

दिव्यं धाम । दिवि भवं ' दिव्यम् ' । **देवलोके मेऽपीति ।** ' यो यजते ' स एवमर्थ इह तावन्नामास्त्येव, येन कार्यं देवलोकेऽपि मे कथं नाम स्यादिति तत्र स्थानमात्मन आशास्त इत्यभिप्रायः । ' अश्यात् ' " अशू व्याप्तौ " (धा० पा० स्वा० प० १७) प्राप्नोतु । ' ऋध्यात् ' समृद्ध्यताम् ॥ १६ ॥

ता वा ऽएताः । ' पञ्चाशिषः ' उत्तरदेवयज्या, भूयो हविष्करणम्, सजातवनस्या, दिव्यं धाम, यदनेनेति च कर्मफलं समीहितम्; एताः पंच । ' तिस्र इडायां ' देवयज्याहविष्करणम् " देवा म इदं हविर्जुषताम् " इति (श० प० १ का० ८ । १ । ३०–३७) । " वीर्यं गायत्री " वीर्यवती सा, यद्गायत्री श्येनो हि भूत्वा दिवः सोममाहरत् ॥ १७ ॥

नातो भूयसीः । शाखान्तराधीतानां प्रतिषेधः ॥ १८ ॥

अपीद्वै कनीयसीः । कनीयस्त्वे कारणं प्रदेशान्तरे उक्तम् " न्यूनाद्वा ऽइमाः प्रजाः प्रजायन्ते तच्छुः–

१–" सजाताः प्राणानेव नान्तरेति " ।

ऽइति तदग्निर्देवो देवेभ्यो वनुतां वयमग्नेरध्यस्मा ऽएतद्वनवामहा ऽइत्येवैतदाह ॥ १९ ॥

(हे) इष्टश्च वित्तश्चेति । (त्यै) ऐषिषुरिव वा ऽएतद्यज्ञन्तमविदंस्तस्मादाहेष्टश्च वित्तश्चेत्युभे चैनं द्यावापृथिवी ऽअँ हसस्पातामित्युभे चैनं द्यावापृथिवी आर्त्तेर्गोपायतामित्येवैतदाह ॥ २० ॥

तदु हैक ऽआहुः ॥(रु) उभे च मेति तथा होताशिष ऽआत्मानं नान्तरेतीति तदु तथा नु ब्रूयाद्यजमानस्य वै यज्ञ ऽआशीः किन्तु तत्रर्त्विजां यां वै काश्च यज्ञ ऋत्विज ऽआशिषमाशासते यजमानस्यैव सा नु ह सऽएतां कचनाशिषं प्रतिष्ठापयति य ऽआहोभे च मेति तस्मादु ब्रूयादुभे चैनमित्येव ॥ २१ ॥

मित्येवैतदाह । "तदग्निर्देवो देवेभ्यो वनुतां वयमग्नेः परिमानुषा" इति । तदग्निर्देवो देवेभ्यो वनुतां वयमग्नेरध्यस्मा एतद्वनवामहा इत्येवैतदाह ॥ १९ ॥

"इष्टश्च वित्तश्चेति"। ऐषिषुरिव वा एतद्यज्ञम्, तमविदन्,-तस्मादाह-इष्टश्च वित्तश्चेति । "उभे चैनं द्यावापृथिवी अंहसस्पाताम्"- इति । उभे चैनं द्यावापृथिवी आर्त्तेर्गोपायतामित्येवैतदाह ॥ २० ॥

तदु हैक आहुः-'उभे च मा' इति । तथा होताशिष आत्मानं नान्तरेतीति । तदु तथा न ब्रूयात् । यजमानस्य वै यज्ञ आशीः किन्तु तत्रर्त्विजाम् । यां वै काश्च यज्ञ ऋत्विज आशिषमाशासते-यजमानस्यैव सा । न ह स एतां कचनाशिषं प्रतिष्ठापयति-य आह-उभे च मा-इति । तस्मादु ब्रूयादु-'उभे चैनम्'-इत्येव ॥ २१ ॥

श्रेयसमुत्तरावत्" (श० प० २ । १ । १ । १३) इति । 'रासन्ताम्' "रासृ दाने" (धा० पा० भ्वा० आ० ६२७) ददतु; कर्मभिरिज्यमाना देवा अनुमन्यन्तामिति भावः । 'तत्' 'अग्निः' होता 'देवः' 'देवेभ्यः' 'वनुताम्' "वनु याचने" (धा० पा० त० आ० ८) याचताम् । 'वयं' च मानुषहोतारः । आत्मनि बहुवचनम्[१] । 'अग्नेः' 'अधि'-शब्दोऽत्राग्निरित्यस्य पञ्चम्यन्तत्वद्योतनार्थः । अनेकपञ्चम्यर्थसम्भवेऽपादानार्थत्वद्योतकः (पा० सू० २ अ० ३ पा० १८ सू० भा०) ॥ १९ ॥

इष्टश्च वित्तश्च । 'उभे च द्यावापृथिवी' 'एनम्' यजमानयज्ञं 'गोपायताम्' इति सम्बन्धः । 'इष्टं' कर्म, यज्ञः, सर्वकालं मनोरथैर्वाञ्छितमित्यर्थः । 'वित्तं' तदेव लब्धम् । देवेषु 'ऐषिषुः' प्रार्थितवन्तः ऋत्विग्यजमानाः । 'यज्ञम् तमविदन्' "विद्लृ लाभे" (धा० पा० तु० उ० १६१) लब्धवन्तः ॥ २० ॥

तदु हैकऽआहुः । 'उभे च मा' मां द्यावापृथिवी इत्येवं होता ब्रूयात् । एके आहुः-"यजमानस्य वै यज्ञ आशीः; किन्तु तत्रर्त्विजाम्"-इति; न काश्चिदप्याशिष ऋत्विजामित्यर्थः । कथम् ? 'यां काश्च'

१-"नैकवचनं युञ्जीत गुरावात्मनि चेश्वरे" इति ॥

(वे) इह गुतिर्व्वामस्येति । तद्युदेवु यज्ञस्य साधु तुदेवास्मिन्नेतद्दधाति तुस्मादाहेह गुतिर्वामस्युेति ॥ २२ ॥

(ती) इदं च नुमो देवेभ्य ऽइति । तद्यज्ञस्यैवैतत्स७ँस्थां गत्वा नुमो देवेभ्यः करोति तुस्मादाहेदश्च नमो देवेभ्य ऽइति ॥ २३ ॥

(त्यु) अथ शंय्योराह । शंयुर्हु वै बार्हस्पत्योऽञ्जसा यज्ञस्य स७ँस्थां व्विदाञ्चकार स देवलोकमपीयाय तत्तुदन्तुर्हितमिव मनुष्येभ्यऽआस॥२४॥

तद्धा ऽऋषीणामनुश्रुतमास । शंयुर्हु वै बार्हस्पत्योऽञ्जसा यज्ञस्य स७ँस्थां व्विदाञ्चकार स देवलोकमपीयायेति ते तामेव यज्ञस्य स७ँस्था-

---

" इह गतिर्वामस्य "–इति । तद्यदेव यज्ञस्य साधुः तदेवास्मिन्नेतद्दधाति, तस्मादाह–इह गतिर्वामस्येति ॥ २२ ॥

" इदं च नमो देवेभ्यः "–इति । तद् यज्ञस्यैवैतत् संस्थां गत्वा नमो देवेभ्यः करोति । तस्मादाह–' इदश्च नमो देवेभ्य ' इति ॥ २३ ॥

अथ शंयोराह । शंयुर्ह वै बार्हस्पत्योऽञ्जसा यज्ञस्य संस्थां विदाञ्चकार, स देवलोकमपीयाय, तत्तदन्तर्हितमिव मनुष्येभ्य आस ॥ २४ ॥

तद्धा ऋषीणामनुश्रुतमास–'शंयुर्ह वै बार्हस्पत्योऽञ्जसा यज्ञस्य संस्थां विदाञ्चकार, स देवलोक-

---

सर्वामित्यर्थः; ' आशिषमाशासते ', ' यजमानस्यैव सा ' भवति न त्वृत्विजाम् । ततश्च य एव सार्थो भवति, ' न ' ' सः ' ' क्वचन ' कश्चिदपि ' एतामाशिषं प्रतिष्ठापयति ' । कथम् ? यत्र तया प्रतिष्ठातव्यो यजमानः, तत्र शंसन्नाह । यश्चाहात्मनि, तत्र स न प्रतितिष्ठतीति । " **तस्माद् ब्रूयादुभे चैनमित्येव** "–इति । उभे च मेतीत्येतच्छब्दस्यार्थः ॥ २१ ॥

इह गतिः । ' इह ' यजमाने ' गतिः ' प्रतिष्ठा ' वामस्य ' वननीयस्य (निरु० ९ ४ । ४ । ६) ' साधु ' अस्तीति शेषः । तद्यदेव यज्ञस्य साध्विति । असाध्वपि-किञ्चिदस्यास्ति, तद् यजमाने मा भूदित्यर्थः ॥ २२ ॥

इदश्च नमः । इदमिति नमस्करणं प्रत्यक्षम्, तदाह–' नमस्करोति '–इति । होता ' देवेभ्यः ' 'वैगुण्याशङ्का-निह्नवाय, यज्ञकृतकदर्थननिह्नवाय वा वदेदित्यभिप्रायः ॥ २३ ॥

अथ शंयोः । शंयुर्नाम बृहस्पतेः पुत्रः । स यावदत्र लोके आस्ते, तावत्तादृशी यज्ञस्य संस्था न भवति, यादृशीं ' स विदाञ्चकार '; द्युलोकगते तु शंयौ तत्समानवीर्या कनीयसी संस्था सम्भवतीत्येतदितिहासेनाह–**शंयोर्वाकमि**ति । विशेषत आह होता अध्वर्युणा प्रेषितः सन् ' अञ्जसा ' ऋजु, सम्यगित्यर्थः । ' सः ' च कश्चित्काले ' देवलोकम् ' ' अपीयाय ' अपिगतः । ' तत् ' तदा ' तद् ' विज्ञान भवितव्यतावशादेव ' अन्तर्हितं ' तिरोहितं ' मनुष्येभ्यः ' बभूव ॥ २४ ॥

तद्धा ऋषीणाम् । कथं तस्याः संस्थायाः प्रतिसन्धेयम्, तदृषिभिस्तत्काले श्रुतावानीय तस्याश्च कालं

१–इत आरभ्य शंयुपाकमन्त्रव्याख्यानम् । तत्पाठस्तु । तै० ब्रा० ३ । ५ । ११ अनुवाकः समग्रः । तद्व्याख्यानन्तु तै, सं० २।६।१०। २–' शम्युः ' शंयुः–इत्युभयविधः पाठो दृश्यते । बृहस्पतिपुत्राणामेकस्यैतन्नामधेयमृग्वेदप्रसिद्धम् ।

सुपायन्याᳬँ शं युर्बार्हस्पत्यो ऽवेद्यच्छंयोरब्रुवंस्तामेवैष ऽएतद्यज्ञस्य सᳬँ स्थामुपेति याᳬँ शंयुर्बार्हस्पत्योऽवेद्यच्छंयोराह तस्माद्वै शंयोराह ॥ २५ ॥

स प्रतिपद्यते । तच्छंयो रावृणीमह ऽइति तां यज्ञस्य सᳬँस्थामावृणीमहे याᳬँ शंयुर्बार्हस्पत्योऽवेदित्येवैतदाह ॥ २६ ॥

गातुं यज्ञाय गातुं यज्ञपतय ऽइति । गातुᳬँ ह्येष यज्ञायेच्छति गातुं यज्ञपतये यो यज्ञस्य सᳬँस्थां दैवी स्वस्तिरस्तु नः स्वस्तिर्मानुषेभ्य ऽइति स्वस्ति नो देवत्रास्तु स्वस्ति मनुष्यत्रेत्येवैतदाहोर्ध्वं जिगातु भेषजमित्यूर्ध्वो नोऽयं यज्ञो देवलोकं जयत्वित्येवैतदाह ॥ २७ ॥

शन्नो ऽअस्तु द्विपदे शं चतुष्पद ऽइति । (त्ये) एतावद्वा ऽइदᳬँ सर्वं यावद्द्विपाच्चैव चतुष्पाच्च तस्मा ऽएवैतद्यज्ञस्य सᳬँस्थां गत्वा शं करोति तस्मादाह शन्नो ऽअस्तु द्विपदे शं चतुष्पद ऽइति ॥ २८ ॥

मपीयाय' इति। ते तामेव यज्ञस्य संस्थामुपायन्—यां शंयुर्बार्हस्पत्योऽवेद्—यच्छंयोरब्रुवन् । तामेवैष एतद् यज्ञस्य संस्थामुपैति—यां शंयुर्बार्हस्पत्योऽवेद्—यच्छंयोराह । तस्माद्वै शंयोराह ॥ २५ ॥

स प्रतिपद्यते—" तच्छंयोरावृणीमहे " इति । तां यज्ञस्य संस्थामावृणीमहे—यां शंयुर्बार्हस्पत्योऽवेदित्येवैतदाह ॥ २६ ॥

" गातुं यज्ञाय गातुं यज्ञपतये "—इति । गातुं ह्येष यज्ञायेच्छति, गातुं यज्ञपतये—यो यज्ञस्य संस्थाम् । " दैवी स्वस्तिरस्तु नः स्वस्तिर्मानुषेभ्यः "—इति । स्वस्ति नो देवत्रास्तु, स्वस्ति मनुष्यत्रा—इत्येवैतदाह । " ऊर्ध्वं जिगातु भेषजम् "—इति । ऊर्ध्वः नोऽयं यज्ञो देवलोकं जयत्वित्येवैतदाह ॥ २७ ॥

" शन्नोऽअस्तु द्विपदे शं चतुष्पदे "—इति । एतावद्वा इदं सर्वं यावद् द्विपाच्चैव चतुष्पाच्च । तस्मा एवैतद् यज्ञस्य संस्थां गत्वा शं करोति । तस्मादाह ' शन्नो अस्तु द्विपदे शं चतुष्पदे ' इति ॥ २८ ॥

विदित्वा तामथोऽपरारितवन्तः । तस्याश्चान्यूनवीर्यतायै आह—ते तामेवेति । यच्छंयोर्वाक्यमब्रुवन् ॥ २५ ॥

स प्रतिपद्यते । यत् ' शंयोः ' सम्बन्धि संस्थानं शंयुना दृष्टम्, 'तत्' ' आवृणीमहे ' प्रार्थयामहे ॥२६॥

गातुं यज्ञाय । कीदृशम्? ' गातुं ' गमनं ' यज्ञाय ' द्युलोकगमनम्, 'यज्ञपतये' अपि च, यज्ञे यजमाने च ' दैवी ' देवेषु भवा ' स्वस्तिः ' अविनाशः 'नः' अस्माकम् 'अस्तु'; ' स्वस्तिः ' च ' मानुषेभ्यः ' मानुषेषु च ' नः ' अविनाशोऽस्तु । न इति ब्रुवन् स्वामिनं व्यपदिशति । 'ऊर्ध्वं' देवलोकं ' जिगातु ' जयतु, ' भेषजं ' संसारव्याधिविनाशनं यज्ञाख्यं कर्म । यज्ञेन हि यो जितः स यजमानेन जित एव भवतीत्यभिप्रायः ॥ २७ ॥

शन्नोऽअस्तु । यज्ञे गच्छति तदनुकारेण द्विपदादेरपि गमनं मा भूदिति 'शं' सुखमाशास्ते । एवमेव मन्त्रार्थं ब्राह्मणं व्याचष्टे, तत्प्रसन्नमेव ॥ २८ ॥

(त्यु) अथानयेत्युपस्पृशति । (त्यु) अमानुष ऽइव वा ऽएतद्भवति यदार्त्विज्ये प्रवृत ऽइयं वै पृथिवी प्रतिष्ठा तदस्यामेवैतत्प्रतिष्ठायां प्रतितिष्ठति तदु खलु पुनर्मानुषो भवति तस्मादनयेत्युपस्पृशति ॥ २९ ॥

इति सप्तमप्रपाठके द्वितीयं ब्राह्मणम् ॥७।२॥ (९. १.) (अर्धप्रपाठकः ॥)

ते वै पत्नीः संयाजयिष्यन्तः प्रतिपरायन्ति । जुहूं च स्रुवं चाध्वर्युरादत्ते व्वेदꣳहोताज्यविलापनीमग्नीत् ॥ १ ॥

(त्त) तद्धैकेषामध्वर्युः । पूर्वेणाहवनीयं पर्येति तदु तथा न कुर्याद्बहिर्द्धा ह यज्ञात्स्याद्यत्तेनेयात् ॥ २ ॥

अथानयेत्युपस्पृशति । अमानुष इव वा एतद् भवति—यदार्त्विज्ये प्रवृतः। इयं वै पृथिवी प्रतिष्ठा । तदस्यामेवैतत् प्रतिष्ठायां प्रतितिष्ठति। तदु खलु पुनर्मानुषो भवति। तस्मादनयेत्युपस्पृशति ॥२९॥

" अथ पत्नीसंयाजः । "

ते वै पत्नीः संयाजयिष्यन्तः प्रतिपरायन्ति । जुहूं च स्रुवं चाध्वर्युरादत्ते, वेदं होता आज्यविलापनीमग्नीत् ॥ १ ॥

तद्धैकेषामध्वर्युः पूर्वेणाहवनीयं पर्येति। तदु तथा न कुर्याद्। बहिर्द्धा ह यज्ञात् स्यात्—यत्तेनेयात् २

अथानया । 'अनया' दक्षिणस्य पाणेः कनिष्ठिकया 'इति' एवमित्यभिनयेन ('ओवृणीमहे' इत्यादौ ऋत्विक्त्वे यतः प्रवृत्तो व्यावृत्तः) पृथिव्या उपदर्शनं दर्शयति । " इयं—वै पृथिवीति वाक्यशेषादन्यत्त्वनयेत्येवमन्तं मन्त्रं मन्यन्ते;—अनयेत्येतेन मन्त्रेणोपस्पृशति । किम् ? वाक्यशेषात् पृथिवीमिति । तेषामेव कनिष्ठिकया पृथिवीमुपस्पृशतीति काण्वश्रुत्युपरोधः । कः पुनरुपस्पृशति ? " यदतो होतान्वाह " इति (श० प० १।९।१।१) उत्तरत्र होतृशब्दश्रवणादध्वर्युरुपस्पृशति । " अमानुष इव वाऽएतत् "—इति " अग्निर्देवो दैव्यो होता " (श० प० १।५।१।५)—इति ध्रियमाणोऽग्निभावं चित्तेनोपगतः स पृथिवीस्पर्शनेनाभिनयेन मानुषायतनं पृथिवीमुपगतोऽस्तीति दर्शयति । पृथिव्युपगमेनापि तत्स्थमानुषभावोपगममुपलक्ष्य । योनिविमोचने वक्ष्यत्येतद्—" यद्धि युक्तं न विमुच्यते, प्र तद्ध्वते "—इति (श० प० ६।७।४।८), तस्मात् सर्वगतेषु युक्तं विमोक्तव्यम् । एवं प्रासङ्गिकं होतृब्राह्मणं समाप्तम् ॥ २९ ॥ (९. १)

श्रीमतोऽवन्तिनाथस्य विक्रमार्कस्य शासितुः । धर्माध्यक्षो हरिस्वामी व्याख्यच्छातपथीं श्रुतिम् ॥

इत्याचार्यहरिस्वामिनः कृतौ **शतपथभाष्ये हविर्यज्ञेषु** नवमाध्यायस्य प्रथमं ब्राह्मणम् ॥

ते वै पत्नीः । पत्नीसंयाजब्राह्मणमेतत्[२] । 'ते' वक्ष्यमाणा अध्वर्य्वादयः 'पत्नीः' देवानां 'संयाजयिष्यन्तः' देवैः सह संगता याजयिष्यन्तः । यजमानः संयजते, न यजमानेन समिज्यमानास्ते ऋत्विजः संयाजयन्ति । संयाजनार्थं 'प्रति' यस्मादेव गार्हपत्यदेशाद्गताः, तमेव 'परियन्ति' गमनप्रतिलोम आहवनीयात्परास्तमभिमुखमायन्ति । आगच्छन्तश्चेदं कुर्वन्ति—"**जुहूं च स्रुवं चाध्वर्युरादत्ते**"—इत्यादि ॥ १ ॥

तद्धैकेषाम् । 'बहिर्द्धा' बहिरेव बहिर्द्धा, 'यज्ञात्स्यात्' साधनम् । शरीरी यज्ञः, न चाहवनीयात् प्राक् साधनं किञ्चिदस्ति, ततश्चाध्वर्युणा यज्ञाङ्गेन यज्ञशरीरं मोक्तव्यमित्यभिप्रायः ॥ २ ॥

१—" नास्तीत्येव बन्धनांस्थः पाठः क्वचित्पुस्तके । २—" पत्नीसंयाजेभ्यो गार्हपत्यं गच्छन्ति " इत्यादीनि सूत्राण्यालोच्यानि का. श्रौ. सू. ३ । १४०—१४३ ॥

(ज्ञ) जघनेनो हैव पत्नीम् । (मे) एकेषामध्वर्युरेति नो ऽएव तथा कुर्यात्पूर्वार्द्धो वै यज्ञस्याध्वर्युर्जघनार्द्धः पत्नी यथा भसत्तः शिरः प्रतिदध्यादेवं तद्बहिर्द्धा हैव यज्ञात्स्याद्यत्तेनेयात् ॥ ३ ॥

(दु) अन्तरेणो हैव पत्नीम् । (मे) एकेषामध्वर्युरेति नो ऽएव तथा कुर्यादन्तरियाद्ध यज्ञात्पत्नीं यत्तेनेयात्तस्मादु पूर्व्वेणैव गार्हपत्यमन्तरेणाहवनीयञ्चैति तथा ह न बहिर्द्धा यज्ञाद्भवति यथो ऽएवादः प्रचरन्नन्तरेण सञ्चरति स ऽउ ऽएवास्यैष सञ्चरो भवति ॥ ४ ॥

(त्यु) अथ पत्नीः संयाजयन्ति । यज्ञाद्वै प्रजाः प्रजायन्ते यज्ञात्प्रजायमाना मिथुनात्प्रजायन्ते मिथुनात्प्रजायमाना ऽ अन्ततो यज्ञस्य प्रजायन्ते तदेना ऽएतदन्ततो यज्ञस्य मिथुनात्प्रजननात्प्रजनयति तस्मान्मिथुनात्प्रजननादन्ततो यज्ञस्येमाः प्रजाः प्रजायन्ते तस्मात्पत्नीः संयाजयन्ति ॥ ५ ॥

जघनेनो हैवं पत्नीमेकेषामध्वर्युरेति, नो एव तथा कुर्यात् । पूर्वार्द्धो वै यज्ञस्याध्वर्युः, जघनार्द्धः पत्नी । यथा भसत्तः शिरः प्रतिदध्याद्—एवं तत् । बहिर्द्धा हैव यज्ञात् स्याद्—यत्तेनेयात् ॥ ३ ॥

अन्तरेणो हैव पत्नीमेकेषामध्वर्युरेति । नो एव तथा कुर्याद्ध । अन्तरियाद्ध यज्ञात् पत्नीम्—यत्तेनेयात् । तस्माद्धु पूर्वेणैव गार्हपत्यमन्तरेणाहवनीयञ्चैति । तथा ह न बहिर्द्धा यज्ञाद् भवति । यथो एवादः प्रचरन्नन्तरेण सञ्चरति—स उ एवास्यैष सञ्चरो भवति ॥ ४ ॥

अथ पत्नीः संयाजयन्ति । यज्ञाद्वै प्रजाः प्रजायन्ते । यज्ञाद्—प्रजायमाना मिथुनात् प्रजायन्ते । मिथुनात्प्रजायमाना अन्ततो यज्ञस्य प्रजायन्ते । तदेना एतदन्ततो यज्ञस्य मिथुनात् प्रजन-

---

जघनेनो । गार्हपत्यमुत्तरेणातीत्य पत्नी चापरेण । पत्नीदक्षिणपार्श्वे स्थितो यज्ञादित्यपरे शाखिन आहुः । भसदुत्सर्गायतनम् ' भसत्तः ' यथा भसदि शिरः संयोजयेत्, तथायुक्तमित्यभिप्रायः ॥ ३ ॥

अन्तरेणो । ' गार्हपत्यमन्तरेण ' अतीत्य गार्हपत्यस्य पत्न्याश्चान्तरालेनेत्यपरे ॥ ४ ॥

अथ पत्नीः । " यज्ञाद्वै प्रजाः "—इत्यस्मिन् काले पत्नीषु संयाज्यमानासु ' यज्ञस्य ' जघनार्द्धे मिथुनं प्रजननं कृतं भवतीत्याह । प्रजापतिभावाय यज्ञसम्पादनाय युक्तः सन् सर्गस्य हेतुर्भवति । सोऽपि न च सर्वात्मना किं तर्हि ? यदाधियज्ञिकं मिथुनं तेनांशेन प्रजासर्गस्य साक्षात्कारणं भवति । तदाह—यज्ञात् प्रजायमाना मिथुनात् प्रजायन्ते न स्वतः, एवं च तदपि मिथुनं यद्यज्ञस्यान्ते वर्त्तते, तस्मात् ' प्रजाः प्रजायन्ते ' । स हि यज्ञपुरुषस्य जघनार्द्धभागित्यभिप्रायः । ततश्च यदेताः पत्नीः सह देवैर्यजति, 'तदेनाः' प्रजाः एतदन्ततो यज्ञस्य ' मिथुनात् प्रजननात् प्रजनयति ' यस्माच्चैवमधियज्ञं क्रियते, 'तस्माद्' यज्ञानुकारिणो ' मिथुनाद् ' एव लिङ्गद्वयात् 'प्रजननादन्ततः' जघनभावाद् ' यज्ञस्य'. यज्ञकार्यपुरुषस्य ' इमाः ' ' प्रजायन्ते ' तस्मान्नियमनम् ॥ ५ ॥

चतस्रो देवता यजति । चतस्रो वै मिथुनं द्वन्द्वं वै मिथुनं द्वे द्वे हि खलु भवतो मिथुनमेवैतत्प्रजननं क्रियते तस्माच्चतस्रो देवता यजति ॥ ६ ॥

ता वा ऽआज्यहविषो भवन्ति । रेतो वा ऽआज्यꣳरेत ऽएवैतत्सिञ्चति तस्मादाज्यहविषो भवन्ति ॥ ७ ॥

तेनोपाꣳशु चरन्ति । तिर ऽइव वै मिथुनेन चर्यते तिर ऽइवैतद्यदुपाꣳशु तस्मादुपाꣳशु चरन्ति ॥ ८ ॥

(न्त्यु) अथ सोमं यजति । रेतो वै सोमो रेत ऽएवैतत्सिञ्चति तस्मात्सोमं यजति ॥ ९ ॥

(त्यु) अथ त्वष्टारं यजति । त्वष्टा वै सिक्तꣳ रेतो विकरोति तदेषु ऽएवैतत्सिक्तꣳरेतो विकरोति तस्मात्त्वष्टारं यजति ॥ १० ॥

नात् प्रजनयति । तस्मान्मिथुनात् प्रजननादन्ततो यज्ञस्येमाः प्रजाः प्रजायन्ते । तस्मात् पत्नीः संयाजयन्ति ॥ ५ ॥

चतस्रो देवता यजति । चतस्रो वै मिथुनम् । द्वन्द्वं वै मिथुनम् । द्वे द्वे हि खलु भवतः । मिथुनमेवैतत् प्रजननं क्रियते । तस्माच्चतस्रो देवता यजति ॥ ६ ॥

ता वा आज्यहविषो भवन्ति । रेतो वा आज्यम् । रेत एवैतत्सिञ्चति । तस्मादाज्यहविषो भवन्ति ७

तेनोपांशु चरन्ति । तिर इव वै मिथुनेन चर्यते । तिर इवैतद्—यदुपांशु । तस्मादुपांशु चरन्ति ८

अथ सोमं यजति (१) । रेतो वै सोमः—रेत एवैतत् सिञ्चति । तस्मात् सोमं यजति ॥ ९ ॥

अथ त्वष्टारं यजति (२) । त्वष्टा वै सिक्तं रेतो विकरोति । तस्मात् त्वष्टारं यजति ॥ १० ॥

चतस्रो देवताः । चतस्र इति[१] । देवानां पत्न्यो यद्यपि बह्व्यः (श० प० ११ कां० १ अ० ६ ब्रा० २७ क०) तथाप्येकैव सा हविर्भागदेवतेत्यभिप्रायः । **द्वे द्वे हीति** । द्वाभ्यां देवताभ्यां मिथुनम्, अपराभ्यामपरं मिथुनम्, ताभ्यामपि मिथुनाभ्यामपरं मिथुनमित्येतद्दर्शयति ॥ ६ ॥

ता वा आज्यहविषः । 'रेत आज्यम्' सारत्वात्, कारणद्रव्यत्वस्नेहैश्च । रेत एवैतदग्नियज्ञं 'सिञ्चति' प्रजार्थम् ॥ ७ ॥

तेनोपांशु । उपांशुचरणशब्देन सर्वं ("उपाꣳशु चरति" "चरणशब्दे सर्वं देवताऽन्यत्र" इति (का० श्रौ० सू० ३ । १४४ १४५ । १४६) होत्राध्वर्यत्वमेव श्राव्यं 'तिरः' अन्तर्हितमप्रकाशं 'मिथुनेन' लिङ्गद्वयेन 'चर्यते' लोके तेन यज्ञपूर्वकेन भवनीयम् 'उपांशु' चाप्रकाशम् । तस्मादुपांश्वित्युपसंहारः ॥८॥

अथ सोमम् । यद्यप्याज्येनैव रेतोऽर्थः सिद्धः, तथापि देवलोकमपि तत्सम्पाद्यमिति 'सोमं' यजति ("यजति सोमं त्वष्टारं देवानां पत्नीरग्निं गृहपतिमिति" का० श्रौ० सू० ३ । १४६) ॥ ९ ॥

अथ त्वष्टारम् । मिथुनोपपादनाय यत्र क्वचन पुंसि यष्टव्ये मिथुनात् त्रिगुण एवाश्रयणीय इत्यभिप्रायः ।

१–" चतस्रोऽवान्तरदिशः, त एव चत्वारः पत्नीसंयाजाः" इत्यादि–द्वैधोपरिष्टात् (११ । १ । ६ । २७) इत्यत्र द्रष्टव्यम् ॥

(त्वु) अथ देवानां पत्नीर्यजति । पत्नीषु वै योनौ रेतः प्रतिष्ठितं ततः
प्रजायते तत्पत्नीष्वेवैतद्योनौ रेतः सिक्तं प्रतिष्ठापयति ततः प्रजायते
तस्माद्देवानां पत्नीर्यजति ॥ ११ ॥

स यत्र देवानां पत्नीर्यजति । तत्पुरस्तात्तिरः करोत्युप ह वै तावद्देवता
ऽआसते यावन्न समिष्टयजुर्जुह्वतीदं नु नो जुह्वत्विति ताभ्यऽएवैतत्तिरः
करोति तस्मादिमा मानुष्यः स्त्रियस्तिरऽइवैव पुꣳसो जिघत्सन्ति या
ऽइव तु ता ऽइवेति ह स्माह याज्ञवल्क्यः ॥ १२ ॥

(त्क्येऽथा) अथाग्निं गृहपतिं यजति । (त्य) अयं वा ऽअग्निर्लोक
ऽइममेवैतल्लोकमिमाः प्रजा ऽअभिप्रजनयति ता ऽइमं लोकमिमाः प्रजा
ऽअभिप्रजायन्ते तस्मादग्निं गृहपतिं यजति ॥ १३ ॥

अथ देवानां पत्नीर्यजति (२)। पत्नीषु वै योनौ रेतः प्रतिष्ठितं, ततः प्रजायते । तत्पत्नीष्वेवैतद्योनौ रेतः सिक्तं प्रतिष्ठापयति ततः प्रजायते । तस्माद् देवानां पत्नीर्यजति ॥ ११ ॥

स यत्र देवानां पत्नीर्यजति—तत्पुरस्तात्तिरः करोति । उप ह वै तावद्देवता आसते—यावन्न समिष्टयजुर्जुह्वति—इदं नु नो जुह्वत्विति । ताभ्य एवैतत्तिरः करोति । तस्मादिमा मानुष्यः स्त्रियस्तिर इवैव पुंसो जिघत्सन्ति । या इव तु ता इवेति ह स्माह याज्ञवल्क्यः ॥ १२ ॥

अथाग्निं गृहपतिं यजति (४)। अयं वा अग्निर्लोकः । इममेवैतल्लोकमिमाः प्रजा अभि-

---

'त्वष्टा' वायुः सोऽध्यात्ममवस्थितः सिक्तमात्रमेव 'रेतः' यावन्त्यस्थीनि यस्य प्राणिनः, तावन्ति तस्य सूक्ष्मविभागानि खण्डितानि करोति । तद्वाधियज्ञानुकारेण, नान्यथेति यज्ञेऽपि मिथुने त्वष्टा विकुर्वन् दर्शनीयः सोऽय यक्ष्यत इति तदेष एवैतदित्याह ॥ १० ॥

अथ देवानां पत्नीः । पत्नीषु वै योनाविति । पत्न्या एव 'योनिः' प्रजाधारणस्थानम्, तस्मिन्नेव 'रेतः' 'प्रतिष्ठितम्' । 'ततः' एव च 'प्रजायते' अपत्यरूपेण; पत्नीनां योनेरेव विकृतरेतसः प्रसूतिर्भवति । 'तत्पत्नीष्वेव' योनिभूतासु 'सिक्तं रेतः' प्रतिष्ठापयति । 'ततः' 'ताभ्यो' देवानां पत्नीभ्यः 'प्रजायते' सर्वाः; योषितोऽनुलक्ष्येत्यभिप्रायः ॥ ११ ॥

स यत्र देवानाम्पत्नीः । तत्पुरस्तात्तिरः करोति अन्तर्द्धानैमाहवनीयात् । ताभ्य एवैतत् 'तिरः' अन्तर्द्धानं 'करोति' । 'तस्मात्' हेतोः 'मानुष्यः स्त्रियः' 'तिर इव' 'पुंसः' "अन्तर्द्धौ येनादर्शनमिच्छति"—इत्यपादानात्पञ्चमी (पा. सू. १ । ४ । २८) 'पुंसः'—इति । पुंसः अन्तर्हिता, पुंसः अदृश्यमाना 'जिघत्सन्ति' भक्षयितुमिच्छन्ति । 'या इव'—इत्यनुकारः । याः पुंसः पुरो जिघत्सन्त्यश्नन्ति स्त्रियः, 'ता इव' । अस्माद्यज्ञाङ्गानुकारात् 'इत्याह याज्ञवल्क्यः' । क्षुद्रयोषितस्तु पुंसः समक्षमप्यन्तेऽश्नन्ति; तथैवातोऽनुकारादित्यभिप्रायः ॥ १२ ॥

अथाग्निं गृहपतिम् । 'अयं लोकोऽग्निः' गृहपतिः । गार्हपत्यो हि गृहपतिः; "अयमग्निर्गार्हपत्यः"—

१-निरु. ८ । २ । १०, ११, १२; १० । ३ । १० इत्येतेषु खण्डेषु व्याख्यातः । २-"तृतीयेऽन्तर्द्धानं पुरस्तात्" पत्न्यन्वारभतेऽध्वर्यु" का. श्रौ. सू. ३ । १४७ । १४८ ॥

तादिडान्तं भवति । न ह्युत्र परिधयो भवन्ति न प्रस्तरो यत्र वा ऽअदुः प्रस्तरेण यजमानꣳ स्वगाकरोति पतिं वा ऽअनुजाया तदेवास्यापि पत्नी स्वगाकृता भवतीयसितꣳ ह कुर्याद्यत्प्रस्तरस्य रूपं कुर्यात्तस्मादिडान्तमेव स्यादुतो प्रस्तरस्यैव रूपं क्रियते ॥ १४ ॥

स यदि प्रस्तरस्य रूपं कुर्याद् । (य) यथैवादः प्रस्तरेण यजमानꣳ स्वगाकरोत्येवमेवैतत्पत्नीꣳ स्वगाकरोति ॥ १५ ॥

स यदि प्रस्तरस्य रूपं कुर्यात् । (द्वे) वेदस्यैकं तृणमाच्छिद्याग्रं जुह्वामनक्ति मध्यꣳ स्रुवे बुध्नꣳ स्थाल्याम् ॥ १६ ॥

प्रजनयाति । ता इमं लोकमिमाः प्रजा अभिप्रजायन्ते । तस्मादग्निं गृहपतिं यजाति ॥ १३ ॥

तादिडान्तं भवति । नह्यत्र परिधयो भवन्ति, न प्रस्तरः । यत्र वा अदः प्रस्तरेण यजमानं स्वगाकरोति, पतिं वा अनुजाया–तदेवास्यापि पत्नी स्वगाकृता भवति । इयसितं ह कुर्याद्–यत्प्रस्तरस्य रूपं कुर्यात् । तस्मादिडान्तमेव स्यात् । उतो प्रस्तरस्यैव रूपं क्रियते ॥ १४ ॥

स यदि प्रस्तरस्य रूपं कुर्याद्–यथैवादः प्रस्तरेण यजमानं स्वगाकरोति–एवमेवैतत् पत्नीं स्वगाकरोति ॥ १५ ॥

स यदि प्रस्तरस्य रूपं कुर्याद्–वेदस्यैकं तृणमाच्छिद्याग्रं जुह्वामनक्ति, मध्यं स्रुवे, बुध्नं स्थाल्याम् १६

इति वचनात्; गार्हपत्यश्चायं लोकः । ततश्च यत् 'अग्निं' 'गृहपतिं यजति' तत् 'इमं लोकम्' लोकोपलक्षिते देशे 'प्रजाः प्रजनयति' । ततश्च यज्ञानुकारेण तथैव 'ताः प्रजायन्ते' ॥ १३ ॥

तादिडान्तम् । इडान्तवत् 'इडान्तम्' । 'इडान्तं' यजनान्तमित्यभिप्राये, तद् इडा पत्नीसंयाजेषु विधीयते । तस्याश्च पूर्वोक्त एव विधिः । अर्थवादोऽपि च पूर्वोक्त एवेति नोक्तः । तस्माद्यज्ञेऽवकल्पयेत्यादि यथैव हि देवेष्विडाऽवक्लृप्ता, तथा स्त्रीष्वपि देवेष्वित्यभिप्रायः । "न ह्यत्र परिधयः"–इत्यादिस्तु इडाया अन्तत्वेऽर्थवादः । तत्राभिप्रायः । अत्रापि पत्नीयज्ञे । यथैव इडा देवयज्ञे भवत्येवं सूक्तवाक–शंयुवाकाभ्यामपि भवितव्यमित्यत आह–**न ह्यत्र परिधयो भवन्तीति** । परिधिप्रस्तरसम्बन्धौ सूक्तवाक–शंयुवाकौ तदभावेऽनुपपन्नावित्यभिप्रायः । ननु च प्रस्तरप्रहरणेन यजमानः स्वगाकृतो देवयज्ञः, अत्रापि यज्ञे पत्नी तथा स्वगाकर्तव्या; इतरथा तु स्वर्गाल्लोकात्साऽन्तारितैव स्यात् ? इत्यत आह–**प्रस्तरेणेति** । प्रस्तरकरणे 'इयसितं ह कुर्यात्' 'इयस्'–शब्दोऽवसानवचनः, कण्ड्वादिषु (ग.पा. ३ । १ । २७–३४) पठ्यते । अवसन्नमवसादं पत्न्याः कुर्याद्;–यजमाने गच्छति स्वर्गं लोकं पत्नी न गता, अत्रैवावसन्ना सा, अधुना यातीत्येतत्कुर्याद्; न च युक्तम्; पतिं ह्यनु च जायेत्यभिप्रायः ॥ १४ ॥

स यदि प्रस्तरस्य । 'प्रस्तरस्य' 'रूपं' प्रतिनिधिं 'कुर्यात्', अध्वर्युणा ततः **यथैवाद** इति । स्वेनैव महिम्ना यजमानवत् । तां 'स्वगाकरोति' नाभिदघ्नामानयतीत्यर्थः ॥ १५ ॥

स यदि । प्रसन्ना ॥ १६ ॥

१–" शंय्वन्तं भवतीडान्तं वा " इति का. श्रौ. सू. ३ । १४९ ॥

(मु) अथाग्नीदाहानुप्रहरेति । तूष्णीमेवानुप्रहृत्य चक्षुष्पा ऽअग्ने ऽसि चक्षुर्मे पाहीत्यात्मानमुपस्पृशति तेनो ऽअप्यात्मानं नानुप्रवृणक्ति ॥ १७ ॥

(त्य) अथाह संवदस्वेति । (त्य) अगानग्नीदगन्श्रावय श्रौषट् स्वगा दैव्या होतृभ्यः स्वस्तिर्मानुषेभ्यः शंयोर्ब्रूहीति ॥ १८ ॥

(त्य) अथ जुहूं च स्रुवञ्च सम्प्रगृह्णाति । (त्य) अदो हैवाहुतिं करोति यदनक्त्याहुतिर्भूत्वा देवलोकं गच्छादिति तस्माज्जुहूञ्च स्रुवञ्च सम्प्रगृह्णाति ॥ १९ ॥

स वा ऽअग्नये सम्प्रगृह्णाति । (त्यु) अग्ने ऽदब्धायो ऽशीततमेत्यमृतो ह्यग्निस्तस्मादाहादब्धायवित्यशीतमेत्यशिष्टो ह्यग्निस्तस्मादाहाशीतमेति पाहि मा दिद्योः पाहि प्रसित्यै पाहि दुरिष्ट्यै पाहि दुरद्मन्या ऽइति सर्वाभ्यो मार्तिभ्यो गोपायेत्येवैतदाहाविषं नः पितुं कृणिवत्यन्नं वै पितुरनमीवं न

अथाग्नीदाह–"अनुप्रहरेति"। तूष्णीमेवानुप्रहृत्य–"चक्षुष्पा अग्नेऽसि, चक्षुर्म्मे पाहि"–इत्यात्मानमुपस्पृशति। तेनो अप्यात्मानं नानुप्रवृणक्ति ॥ १७ ॥

अथाह–"संवदस्वेति–अगानग्नीद्, अगन्। श्रावय, श्रौषट्। स्वगा दैव्या होतृभ्यः स्वस्तिर्मानुषेभ्यः, शंयोर्ब्रूहि"–इति ॥ १८ ॥

अथ जुहूं च स्रुवञ्च सम्प्रगृह्णाति। अदो हैवाहुतिं करोति यदनक्ति। आहुतिर्भूत्वा देवलोकं गच्छादिति तस्माज्जुहूञ्च स्रुवञ्च सम्प्रगृह्णाति ॥ १९ ॥

स वा अग्नये सम्प्रगृह्णाति–"अग्नेऽदब्धायोऽशीतम" इति। अमृतो ह्यग्निः। तस्मादाह–अदब्धायो–इति। अशीतम–इति। अशिष्टो ह्यग्निस्तस्मादाह–अशीतम–इति। "पाहि मा दिद्योः पाहि प्रसित्यै, पाहि दुरिष्ट्यै पाहि दुरद्मन्यै"–इति। सर्वाभ्यो मा आर्तिभ्यो गोपायेत्ये

अथाग्नीदाह। स प्रस्तररूपवचनात् सूक्तवाको मा प्रापदित्याह–अथाग्नीदाहेति। यावदुक्तमेव भवति; प्रैषसामर्थ्यात्; न सूक्तवाकमाह ॥ १७ ॥

अथाह संवदस्व। प्रसन्ना ॥ १८ ॥

अथ जुहूं च स्रुवं च सम्प्रगृह्णातीति। होतुं तत्स्थमाज्यम्; न तु चरुवत् तृणस्याहुतिकरणार्थत्वम्। किं कारणम्? 'अद एव' तृणमध्वर्युः 'आहुतिं करोति'। 'यत्' तत् 'अनक्ति' अग्रं जुह्वामित्यादि। किमर्थं जुहूञ्च स्रुवञ्च सम्प्रगृह्णाति, किमर्थं वाऽनक्ति? 'आहुतिर्भूत्वा' इदमाज्यं 'देवलोकं गच्छादिति' ॥ १९ ॥

स वा अग्नये। '[1]अशीतमः' भोक्तृतमः (धा० पा० क्र्या० ५१) 'अनमीवम्' अमीवा व्याधिः,

---

1–'अश्नाति भुंक्ते इत्यशी अतिशयेनाशी आशितमः। दीर्घश्छान्दस' इति वा. सं. २। २० महीधरभाष्योक्तेः। "अग्नय संवेशपतये स्वाहा। सरस्वत्यै यशोभगिन्यै स्वाहा"–मन्त्रस्त्वेतावन्मात्रः।

ऽइदमकिल्बिषमन्नं कुर्वित्येवैतदाह सुषदा योनावित्यात्मन्येतदाह स्वाहा वाडिति तद्यथा व्वषट्कृतᳫँ हुतमेवमस्यैतद्भवति ॥२०॥ [शतम् ८००]

(त्यु) अथ व्वेदं पत्नी व्विस्रᳫँसयति । योषा वै व्वेदिर्वृषा व्वेदो मिथुनाय वै व्वेदः क्रियतेऽथ यदेनेन यज्ञऽउपालभते मिथुनमेवैतत्प्रजननं क्रियते ॥ २१ ॥

(तेऽथ) अथ यत्पत्नी विस्रᳫँसयति । योषा वै पत्नी वृषा व्वेदो मिथुनमेवैतत्प्रजननं क्रियते तस्माद्वेदं पत्नी व्विस्रᳫँसयति ॥ २२ ॥

सा व्विस्रᳫँसयति । व्वेदोऽसि येन त्वं देव व्वेद देवेभ्यो व्वेदोऽभवस्तेन मह्यं व्वेदो भूया ऽइति यदि यजुषा चिकीर्षेदेतेनैव कुर्यात् ॥ २३ ॥

वैतदाह । "अविषं नः पितुं कृणु"–इति । अन्नं वै पितुः अनमीवं न इदमकिल्बिषमन्नं कुर्वित्ये-वैतदाह । "सुषदा योनौ"–इति । आत्मन्येतदाह । "स्वाहा वाड्" (वा०सं० २।२०)–इति । तद्यथा वषट्कृतं हुतम्–एवमस्यैतद्भवति ॥ २० ॥

अथ वेदं पत्नी विस्रंसयति । योषा वै वेदिः । वृषा वेदः । मिथुनाय वै वेदः क्रियते । अथ यदेनेन यज्ञ ऽउपालभते, मिथुनमेवैतत्प्रजननं क्रियते ॥ २१ ॥

अथ यत्पत्नी विस्रंसयति । योषा वै पत्नी, वृषा वेदः । मिथुनमेवैतत्–प्रजननं क्रियते । तस्माद्वेदं पत्नी विस्रंसयति ॥ २२ ॥

सा विस्रंसयति–" वेदोऽसि; येन त्वं देव वेद, देवेभ्यो वेदोऽभवः, तेन मह्यं वेदो भूयाः"–इति । यदि यजुषा चिकीर्षेद्–एतेनैव कुर्यात् ॥ २३ ॥

स यस्य कार्यतया नास्ति, तदनमीवम् । 'आत्मनि' अग्नौ; दक्षिणाग्निहोमादि शाखान्तरात्[1] ॥ २० ॥

अथ वेदं । (" पत्नी वेदं प्रमुञ्चति वेदोऽसीति योक्त्रं च " इत्यादि का० श्रौ० सू० ३ । १५६) । विस्रंसनमुपन्यस्तमेव, अर्थवादस्तु " यद्धि युक्तं न विमुच्यते प्र तद्ह्वलते "–इति (श० प० ६ का० ७ अ० ४ ब्रा० ८ कं०) गम्यमान एवेति नोक्तः । पत्न्यास्तु कर्तृत्वेऽर्थवादं वक्ष्यति–" अथ यत्पत्नी विस्रंसयति "–इति, (श० प० १ कां० ९ । २ । २२) अधुना विस्रंसनप्रसङ्गादुपरि–विनियोगौ वेदस्याह । तत्रो-त्पत्तिस्तावद् योषा वै वेदिरिति । विनियोगः–' अथ यत् । ' एतेन ' वेदेन ' यज्ञे ' किञ्चित् ' उपाल-भते ' उपगृह्णाति, गृहीतमपि सत् ' उपचर्याय ' उपकाराय सुगृहीतत्वाद् यद् गृह्णाति; यत् ' मिथुनं क्रियते '; उपग्राह्यस्य च वेदस्येत्युपग्रहणे[3] विनियोगः । स च एकद्रव्ये इत्येतन्मिथुनवचनादेव गम्यते; नैक-द्रव्ये हि कर्मणि आवृत्तौ अन्योन्यमिव मिथुनं सिद्धम् । तदपि साज्ये कर्मणि संस्रवहोमादौ वेदेनोपग्रहणम्, न सर्वत्रेत्येतच्छाखान्तरात् ॥ २१ ॥

अथ यत् पत्नी । प्रसन्ना ॥ २२ ॥

सा विस्रंसयति । ' यदि यजुषा ' कर्तुमिच्छेदिति ' यदि '–शब्दात् पाक्षिकं वेदस्य यजुषा करणमिति

१–" शंय्वन्ते स्रुक्स्रुवं प्रगृह्णात्यग्नेदब्धायविति " इति का. श्रौ. सू. ३ । १५३ ॥ २–" सव्येनावृत्य दक्षिणाग्नौ जुहोत्यग्नये सरस्वत्या इति च " इति का. श्रौ. सू. ३ । ५४ ॥ " पिष्टलेपाञ्जुहोति " का. श्रौ. सू. ३ । १५५ ॥ इत्यादि ॥

३–" एकद्रव्ये साज्ये वेदेनोपग्रहणं "–" स्फ्येनान्यत्र "–" कुशैरसत्सु " का. श्रौ. सू. १ । १० । ६ । ७ । ८ ।

(त्त) तमा वेदेः सꣳस्तृणाति । योषा वै वेदिर्वृषा वेदः पश्चाद्वै परीत्य वृषा योषामधिद्रवति पश्चादेवैनामेतत्परीत्य वृष्णा वेदेनाधिद्रावयति तस्मादा वेदेः सꣳस्तृणाति ॥ २४ ॥

(त्थ) अथ समिष्टयजुर्जुहोति । प्राङ्मे यज्ञोऽनुसन्तिष्ठाता ऽइत्यथ यद्धुत्वा समिष्टयजुः पत्नीः संयाजयेत्प्रत्यङ्ङु हैवास्यैष यज्ञः सन्तिष्ठेत तस्माद्वा ऽएतर्हि समिष्टयजुर्जुहोति प्राङ्मे यज्ञोऽनुसन्तिष्ठाता ऽइति ॥ २५ ॥

(त्य) अथ यस्मात्समिष्टयजुर्नाम । या वा ऽएतेन यज्ञेन देवता ह्वयति याभ्य एष यज्ञस्तायते सर्वा वै तत्ताः समिष्टा भवन्ति तद्यत्तासु सर्वासु समिष्टास्वथैतज्जुहोति तस्मात्समिष्टयजुर्नाम ॥ २६ ॥

(त्र) अथ यस्मात्समिष्टयजुर्जुहोति । या वा ऽएतेन यज्ञेन देवता ह्वयति याभ्य एष यज्ञस्तायत ऽउप ह वै ता ऽआसते यावन्न समिष्टयजुर्जुह्वतीदं

तमा वेदेः संस्तृणाति । योषा वै वेदिः । वृषा वेदः । पश्चाद्वै परीत्य वृषा योषामधिद्रवति । पश्चादेवैनामेतत् परीत्य वृष्णा वेदेनाधिद्रावयति । तस्मादा वेदेः संस्तृणाति ॥ २४ ॥

(अथ समिष्टयजुः ।)

अथ समिष्टयजुर्जुहोति–'प्राङ्मे यज्ञोऽनुसन्तिष्ठाता' इति । अथ यद्धुत्वा समिष्टयजुः पत्नीः संयाजयेत्–प्रत्यङ्ङु हैवास्यैष यज्ञः सन्तिष्ठेत । तस्माद्वा एतर्हि समिष्टयजुर्जुहोति–प्राङ्मे यज्ञोऽनुसन्तिष्ठाता इति ॥ २५ ॥

अथ यस्मात्समिष्टयजुर्नाम । या वा एतेन यज्ञेन देवता ह्वयति–याभ्य एष यज्ञस्तायते, सर्वा वै तत्ताः समिष्टा भवन्ति । तद् यत् तासु सर्वासु समिष्टासु–अथैतज्जुहोति । तस्मात्समिष्टयजुर्नाम २६

अथ यस्मात्समिष्टयजुर्जुहोति । या वा एतेन यज्ञेन देवता ह्वयति–याभ्य एष यज्ञस्तायते, उप ह वै ता आसते–यावन्न समिष्टयजुर्जुह्वति–'इदं नु नो जुह्वतु' इति । ता एवैतद् यथायथं व्यवसृजति–

गम्यते । अथ यजुषा करणचिकीर्षाऽनुपपन्नेति सामर्थ्यात् पतिः कुर्यादिति । तच्च करणमाज्यनिर्वापकाले विपर्यस्ति । कः पुनः कुर्यात्? यजमानः; शाखान्तरात् " मह्यं भूयाः " इति मन्त्रलिङ्गाच्च ॥ २३ ॥

तमा वेदेः । " स्तृणात्या वेदेः " इति (का० श्रौ० सू० ३ । १९७) । 'आङ्' अत्राभिविधौ, संस्तृणाति वेदिं व्याप्येति । " योषा वै वेदिर्वृषा वेदः "–इति शेषात् । वेदिं संस्तृणोति समाख्यानादध्वर्युः; हौत्रे तु[3] विशेषवचनाद्धोता संस्तृणाति ॥ २४ ॥

अथ समिष्टयजुः । " ध्रौवेण समिष्टयजुर्जुहोति देवा गातुविद इति " इति (का० श्रौ० सू० ३ । १९८) प्रसन्नाक्षतरः ॥ २९–२८ ॥

१–' इति वचनादाशीर्योगः ' इत्यधिकं क्वचित् । २–शांखायणे तूत्तरेण गार्हपत्यमा बर्हिषस्तीर्त्वेति । (१ । १५ । १५) ।
३–" स होता आवेदेः स्तृणातीति " (३ । १५७) इत्यत्र कातीयश्रौतसूत्रभाष्ये कर्कः ।

नु नो जुहवित्विति ता ऽएवैतद्यथायथं व्युवसृजति यत्रयत्रासां चरणं तदनु यज्ञं वा ऽएतदजीजनत यदेनमतत तं जनयित्वा यत्रास्य प्रतिष्ठा तत्प्रतिष्ठापयति तस्मात्समिष्टयजुर्जुहोति ॥ २७ ॥

स जुहोति । देवा गातुविद ऽइति गातुविदो हि देवा गातुं वित्त्वेति यज्ञं वित्त्वेत्येवैतदाह गातुमितेति तदेतेन यथायथं व्युवसृजति मनसस्पत ऽइमं देवयज्ञꣳ स्वाहा वाते धा ऽइत्ययं वै यज्ञो योऽयं पवते तदिमं यज्ञꣳ सम्भृत्यैतस्मिन्यज्ञे प्रतिष्ठापयति यज्ञेन यज्ञꣳ सन्दधाति तस्मादाह स्वाहा वाते धा ऽइति ॥ २८ ॥

(त्यु) अथ बर्हिर्जुहोति । (त्य) अयं वै लोको बर्हिरोषधयो बर्हिरस्मिन्नेवैतल्लोक ऽओषधीर्दधाति ता ऽइमा ऽअस्मिँल्लोक ऽओषधयः प्रतिष्ठितास्तस्माद्बर्हिर्जुहोति ॥ २९ ॥

तां वा ऽअतिरिक्तां जुहोति । समिष्टयजुर्ह्येवान्तो यज्ञस्य यद्धचूर्ध्वꣳ समिष्टयजुषोऽतिरिक्तं तद्यदा हि समिष्टयजुर्जुहोत्यथैताभ्यो जुहोति तस्मादिमा ऽअतिरिक्ता ऽअसम्मिता ऽओषधयः प्रजायन्ते ॥ ३० ॥

यत्र यत्रासां चरणं तदनु । यज्ञं वा एतदजीजनत—यदेनमतत, तं जनयित्वा यत्रास्य प्रतिष्ठा तत्प्रतिष्ठापयति । तस्मात्समिष्टयजुर्जुहोति ॥ २७ ॥

स जुहोति—"देवा गातुविदः"—इति । गातुविदा हि देवाः । "गातुं वित्वा"—इति । यज्ञं वित्वेत्येवैतदाह । "गातुमित"—इति । तदेतेन यथायथं व्यवसृजति । "मनसस्पत इमं देवयज्ञं स्वाहा वातेधाः"—(वा० सं० २ । २१) इति । अयं वै यज्ञो योऽयं पवते । तमिमं यज्ञं सम्भृत्यैतस्मिन् यज्ञे प्रतिष्ठापयति । यज्ञेन यज्ञं सन्दधाति । तस्मादाह—स्वाहा वाते धाः—इति २८

अथ बर्हिर्जुहोति । अयं वै लोको बर्हिः । ओषधयो बर्हिः । अस्मिन्नेवैतल्लोक ओषधीर्दधाति । ता इमा अस्मिँल्लोक ओषधयः प्रतिष्ठिताः । तस्माद्बर्हिर्जुहोति ॥ २९ ॥

तां वा अतिरिक्तां जुहोति । समिष्टयजुर्ह्येवान्तो यज्ञस्य । यद्धचूर्ध्वं समिष्टयजुषः—अतिरिक्तं तत् । यदा हि समिष्टयजुर्जुहोति—अथैताभ्यो जुहोति । तस्मादिमा अतिरिक्ता असम्मिता ओषधयः प्रजायन्ते ॥ ३० ॥

अथ बर्हिः ("बर्हिः सम्बर्हिरिति" इति का० श्रौ० सू० ३ । १९९) । 'अयं वै लोको बर्हिः' "बृहि वृद्धौ" (धा० पा० भ्वा० प० ७३७) परिवृद्धोऽयं लोकः । ततः कियदेतद्बर्हिःशब्दवाच्यता च ओषधिवाच्यता च ? बर्हिःशब्दताच्छ्यांशेन 'तद् बर्हिरयं लोकः' तस्यापि बर्हिःशब्दकत्वात्, ओषधित्वांशेन तत्सर्वा 'ओषधयः' । ततश्च यद् 'बर्हिः' अधियज्ञं 'जुहोति', तत् 'एतल्लोके' 'ओषधीः' बर्हिष ओषध्यात्मकत्वात् 'दधाति'; तत्रेदं तथैव दृश्यते ॥ २९ ॥

तां वा अतिरिक्ताम् । बर्हिराहुतिं यज्ञात् 'अतिरिक्तां जुहोति' । कथम् ? 'समिष्टयजुर्ह्येवान्तो

स जुहोति । सुम्बर्हिरङ्क्ताᳬ हविषा घृतेन सुमादित्यैर्व्वसुभिः सुम्मरुद्भिः॥ समिन्द्रो विश्वेदेवेभिरङ्क्तां दिव्यं नभो गच्छतु यत्स्वाहेति ॥ ३१ ॥

(त्यु) अथ प्रणीता दक्षिणतः परीत्य निनयति । युङ्क्ते वा ऽएतद्यज्ञं यदेनं तनुते स यन्न निनयेत्पराङ् हाविमुक्त ऽएव यज्ञो यजमानं प्रक्षिणीयात्तथो ह यज्ञो यजमानं न प्रक्षिणाति तस्मात्प्रणीता दक्षिणतः परीत्य निनयति ॥ ३२ ॥

स निनयति । कस्त्वा विमुञ्चति स त्वा विमुञ्चति कस्मै त्वा विमुञ्चति तस्मै त्वा विमुञ्चति पोषायेति तत्पुष्टिमुत्तमां यजमानाय निराह स

स जुहोति–" सं बर्हिरङ्क्तां हविषा घृतेन, समादित्यैर्वसुभिः सम्मरुद्भिः । समिन्द्रो विश्वेदेवेभिरङ्क्तां दिव्यं नभो गच्छतु यत स्वाहा "–(वा० सं० २ । २२) इति ॥३१॥

अथ प्रणीता दक्षिणतः परीत्य निनयति । ' युङ्क्ते वा एतद् यज्ञम् '–यदेनं तनुते । स यन्न निनयेत्–पराङ् हाविमुक्त एव यज्ञो यजमानं प्रक्षिणीयात् । तयो ह यज्ञो यजमानं न प्रक्षिणाति । तस्मात्प्रणीता दक्षिणतः एव परीत्य निनयति ॥ ३२ ॥

स निनयति–" कस्त्वा विमुञ्चति स त्वा विमुञ्चति, कस्मै त्वा विमुञ्चति तस्मै त्वा

यज्ञस्य; तद्धि देवताविसर्जनार्थमित्यभिप्रायः । ततश्च या ' ऊर्द्ध्वं समिष्टयजुषः ' साऽतिरिक्ता, तृप्तासु गतासु च देवतासु । ' यदा हि '–'हि' शब्दः 'च'–शब्दार्थे; यदा च ' समिष्टयजुर्जुहोति ', ' अथ ' अनन्तरम् ' एताभ्यः ' ओषधिभ्यः । " तादर्थ्ये चतुर्थी " (पा० सू० २ । ३ । १३ वा ० १) ओषधयोऽस्मिँल्लोके कथं नाम भविष्यन्तीत्येवमर्थं ' जुहोति ' ॥ ३० ॥

स जुहोति । प्रसन्ना ॥ ३१ ॥

अथ प्रणीताः । (१२ । ५ । २ । ७ इत्यत्र प्रणीताप्रणयनं वक्ष्यति) अध्वर्युरुत्तरपार्श्वाद् दक्षिणपार्श्वं वेदेः (आहवनीयं प्रदक्षिणतो) गत्वा स्वदेशेऽवस्थिता एव ' प्रणीताः ' ' निनयति ' नीचैर्नयति, भूमौ पर्यस्यतीत्यर्थः । ' युङ्क्ते वा ' इति निनयनार्थवादः । ' दक्षिणतः ' इत्येतस्य तु " तथा ह्युदग् भवति " इत्यर्थवादं वक्ष्यति (श० प० १ । ९ । ३ । १) ' पराङ् ' अनावृत्तो ' यज्ञो यजमानं प्राक्षिणीयात् ' " क्षि हिंसायाम् " (क्र्या० प० २८) हिंस्यात् । ' तथा ' नीयमानासु प्रणीतासु ' न प्रक्षिणाति ' न हिनस्ति॥ ३२॥

स निनयति । (" वेद्यां प्रणीतानि नयति परीत्य कस्त्वेति " इति का० श्रौ० सू० ३ । १६०) **तत्पुष्टिमुत्तमामिति** । पुष्टेर्हेतुरापः, तासु निरस्यमानासु मा भूत् पुष्टेर्निरासस्तेन पुष्टिं निराह–**उत्तमामिति** ।

१–समिष्टयजुर्होमेनैव यज्ञसमाप्तिः । अत एतत्प्रातिपत्तिकर्मेत्युच्यते । अथेहोपरिष्टादाहुतिपरिगणनानुसारतः सामिधेनीसंख्या चेत्थं श्रुता " ताः पंचदश सामिधेन्यः, द्वावाघारौ, पंच प्रयाजाः, इडात्रयोऽनुयाजाः, सूक्तवाकश्च शंयोर्वाकश्च तास्त्रयो दशाहुतयोऽथ यदन्यदः पत्नीसंयाजेषु सम्प्रगृह्णाति समिष्टयजुश्च ताः पंचदशाहुतयः इत्यादि ११ । २ । ९ । ५ । ६ ॥

येनैव प्रणयति तेन निनयति येन ह्येव योग्यं युञ्जन्ति तेन विमुञ्चन्ति योक्त्रेण हि योग्यं युञ्जन्ति योक्त्रेण विमुञ्चन्त्यथ फलीकरणान्कपालेनाधोऽधः कृष्णाजिनमुपास्यति रक्षसां भागोऽसीति ॥ ३३ ॥

देवाश्च वाऽअसुराश्च । (श्रो) उभये प्राजापत्याः पस्पृधिर ऽएतस्मिन्यज्ञे प्रजापतौ पितरि संवत्सरेऽस्माकमयम्भविष्यत्यस्माकमयम्भविष्यतीति ॥ ३४ ॥

ततो देवाः । सर्वं यज्ञꣳ संवृज्याथ यत्पापिष्ठं यज्ञस्य भागधेयमासीत्तेनैनान्निरभजन्नस्ना पशोः फलीकरणैर्हविर्यज्ञात्सुनिर्भक्ता ऽअसन्नित्येष वै सुनिर्भक्तो यं भागिनं निर्भजन्त्यथ यमभागं निर्भजन्त्यैव स

विमुञ्चति, पोषाय "–इति । तत्पुष्टिमुत्तमां यजमानाय निराह । स येनैव प्रणयति–तेन निनयति । येन ह्येव योग्यं युञ्जन्ति–तेन विमुञ्चन्ति । योक्त्रेण हि योग्यं युञ्जन्ति–योक्त्रेण विमुञ्चन्ति । अथ फलीकरणान् कपालेनाधोऽधः कृष्णाजिनमुपास्यति । "रक्षसां भागोऽसि "–(वा० सं० २ । २३ ।) इति ॥ ३३ ॥

देवाश्च वा असुराश्च–उभये प्राजापत्याः पस्पृधिरे एतस्मिन्यज्ञे प्रजापतौ पितरि संवत्सरे–'अस्माकमयम्भविष्यत्यस्माकमयम्भविष्यति' इति ॥ ३४ ॥

ततो देवाः सर्वं यज्ञं संवृज्य, अथ यत् पापिष्ठं यज्ञस्य भागधेयमासीत्–तेनैनान्निरभजन्–अस्ना पशोः फलीकरणैर्हविर्यज्ञात्–सुनिर्भक्ता असन्निति । एष वै सुनिर्भक्तो यं भागिनं निर्भजन्ति ।

आध्वर्यवस्यान्ते इत्यर्थः । आध्वर्यवे शिष्टम् तच्च रक्षोनिरासप्रधानयागादि; ततश्च निनयनमेवाध्वर्योर्यज्ञे उक्तमित्यभिप्रायः । **स येनैव प्रणयतीति** । कस्त्वेत्येताभिरनिरुक्ताभिर्व्याहृतिभिरित्यभिप्रायः । **अथ फलीकरणान् कपालेनाधोऽधः** । फलीक्रियन्ते तण्डुला एभिरिति फलीकरणा अङ्गीभवन्ति तण्डुलनिष्पत्तौ " अभूततद्भावे " (पा० सू० ५ । ४ । ५० । वा० १.) " कृभ्वस्तियोगे सम्पद्यकर्तरि च्विः "– (पा० सू० ५ । ४ । ५०) ' फलीकरणान् ' तण्डुलादीन् ' उपास्यति ' उत्क्षिपति उत्करे । ' कपालेन ' मध्यमेन प्रथमं मातिक्रामेदिति ' अधोऽधः ' अधस्तान्नातिदूरे ' कृष्णाजिनम् '–इति, ' अधोऽध इत्येतद्योगनिमित्ता द्वितीया–(पा० सू० २ । ३ । वा० ३) । कृष्णाजिनस्याधस्तात्, समीप इत्यर्थः " पुरोडाशकपालेन कणानपास्यत्यधः कृष्णाजिनꣳरक्षसामिति " (का० श्रौ० सू० ३ । १६१) ॥ ३३ ॥

देवाश्च वै । प्रसन्ना ॥ ३४ ॥

ततो देवाः । ' सर्वं यज्ञं ' हविर्यज्ञाख्यम्, ' संवृज्य ' समाप्तिपूर्वं संहृत्य । **अथेति** । ' अथ ' अनन्तरम् । ' भागधेयं ' भाग एव भागधेयम्; स्वार्थिको धेयः " भागरूपनामभ्यो धेयः " इति (पा० सू० ६ । ४ ।

१–एष एव पाठः साधीयान्प्रतीयते । शंसेराङ्पूर्वस्येच्छार्थकत्वात् " आशंसते "–इति पदस्यैव प्रकृते प्रयोक्तुमौचित्यात् । एवकारोऽप्याङः परतः प्रयुक्तः साधुरवकल्पते । पदादुत्तरस्यैव तत्प्रयोगस्य व्यावहारिकत्वात् । वाक्यादौ तत्प्रयोगस्यानौचित्यात् । भाष्यनुरोधात्तु मूलपाठे " एकार "–एवात्र निर्दिष्ट इति भाष्यम् ॥

तावच्छꣳसत उत हि वशे लब्ध्वाह किं मा बभक्थेति स यमेवैभ्यो देवा भागमकल्पयंस्तमेवैभ्य एष एतद्भागं करोत्यथ यदधोऽधः कृष्णाजिनमुपास्यत्यनग्नावेवैभ्य एतदन्धे तमसि प्रवेशयति तथो एवासृक्पशो रक्षसां भागोऽसीत्यनग्नावन्धे तमसि प्रवेशयति तस्मात्पशोस्तेदनीं न कुर्वन्ति रक्षसाꣳ हि स भागः ॥ ३९ ॥ ३ ॥

इति सप्तमप्रपाठके तृतीयं ब्राह्मणम् ॥ [९।२]

सꣳस्थिते यज्ञे । दक्षिणतः परीत्य पूर्णपात्रं निनयति तथा ह्युदग्भवति तस्माद्दक्षिणतः परीत्य पूर्णपात्रं निनयति देवलोके मेऽप्यसदिति वै

अथ यम् अभागं निर्भजन्ति—ऐव स तावच्छंसते । उत हि वशे लब्ध्वाह—' किं मा बभक्थ ' इति । स यमेवैभ्यो देवा भागमकल्पयन्—तमेवैभ्य एष एतद्भागं करोति । अथ यदधोऽधः कृष्णाजिनमुपास्यति—अनग्नावेवैभ्य एतदन्धे तमसि प्रवेशयति । तथो एवासृक् पशोः "रक्षसां भागोऽसि"—इति—अनग्नावन्धे तमसि प्रवेशयति । तस्मात् पशोस्तेदनीं न कुर्वन्ति । रक्षसां हि स भागः ॥ ३९ ॥

अथ याजमानो विष्णुक्रमः ।

संस्थिते यज्ञे दक्षिणतः परीत्य पूर्णपात्रं निनयति । तथा ह्युदग् भवति । तस्माद्दक्षिणतः परीत्य

---

३६ । वा० २) । ' तेन ' भागधेयेन पापिष्ठेन ' एनान् ' असुरान् ' निरभजन् ' निर्भक्तवन्तः; बहिर्यज्ञाद् कृतवन्तः । केन, कस्मात् ? आह—" अस्ना पशोः " । असृक्शब्दस्य असन्नादेशः (पा०सू० ६ । १ । ६३), ' अस्ना ' लोहितेन ' पशोः ' ' निरभजन् ' । ' फलीकरणैः ' पाण्डुरभागैः ' हविर्यज्ञात् निर्भजन्तोऽभूवन् ' एष सुनिर्भक्तः ' ' भागिनं ' स्वल्पभागेनापि भक्तम् । ' अभागं ' भागमदत्त्वा यं ' निर्भजन्ति ' ' सः ' भागी प्रथमम् ' शंसते ' एव । ' उत ' अपि । अबलो हि बलवतां वशे भवति । ' लब्ध्वा ' आसाद्य ' आह ' ब्रूते—कुतश्चित्कालपर्यायात् । ' किं ' त्वं ' मा ' मां ' बभक्थ ', मनसि किं मह्यं त्वया दत्तमित्यर्थः । यं ' भागम् ' ' एभ्यः ' रक्षोभ्यः ' देवाः ' ' अकल्पयन् ' कल्पितवन्तः । ' उपास्यति ' समीपे प्रक्षिपति । अग्निहीने ' अन्धे तमसि ' ' प्रवेशयति ' ' तथा ' ' पशोः असृक् ' अपि । **तस्मादिति** । तेदनाकरणाभावेन रक्षोभागः । तेदनीकरणेन लोहितं सिद्धम् ॥ ३९ ॥ ३ । [९. २] ॥

श्रीमतोऽवन्तिनाथस्य विक्रमादित्यभूपतेः । धर्माध्यक्षो हरिस्वामी व्याख्यच्छातपथीं श्रुतिम् ॥

इत्याचार्यहरिस्वामिनः कृतौ शतपथभाष्ये हविर्यज्ञेषु नवमाध्यायस्य द्वितीयं ब्राह्मणम् ।

संस्थिते यज्ञे । याजमानकर्माभिधायि ब्राह्मणमेतत् । ' दक्षिणतः परीत्य ' अध्वर्युः ' निनयति ' ' हि ' यतः, ' तथा ' कृते ' उदग् भवति ', परीत्येत्युक्ते दक्षिणादागत्य निनयनायोदगागमनं भवति । उदपात्र-

यजते यो यजते सोऽस्यैष यज्ञो देवलोकमेवाभिप्रैति तदनूची दक्षिणा यां ददाति सैति दक्षिणामन्वारभ्य यजमानः ॥ १ ॥

स ऽएष देवयानो वा पितृयाणो वा पन्थाः । (स्तु) स्तदुभयतोऽग्निशिखे समोषन्त्यौ तिष्ठतः प्रति तमोषतो यः प्रत्युष्योऽत्यु तँ सृजेते योऽति-सृज्यः शान्तिरापस्तदेतमेवैतत्पन्थानँ शमयति ॥ २ ॥

पूर्णपात्रं निनयति । ' देवलोके मेऽप्यसद् ' इति वै यजते—यो यजते । सोऽस्यैष यज्ञो देवलोकमेवा-भिप्रैति । तदनूची दक्षिणा—यां ददाति, सैति । दक्षिणामन्वारभ्य यजमानः ॥ १ ॥

स एष देवयानो वा पितृयाणो वा पन्था: । तदुभयतोऽग्निशिखे समोषन्त्यौ तिष्ठतः । प्रति तमोषतो—यः प्रत्युष्यः, अत्यु त सृजेते योऽतिसृज्यः । शान्तिरापः । तदेतमेवैतत्पन्थानं शमयति ॥ २ ॥

निनयनस्यानुवादो न सर्वतो विधिः । कुतः ? "अथ विष्णुक्रमान् क्रमते"—इति (श०प० १ । ९।३।८) परतः ' अथ '—शब्देनानन्तर्यवचनं संयुज्य पदार्थान्तराणां विधानात् । तथा ह्युदगित्ययं दक्षिणतः परीत्येत्यर्थ-वादोऽयम् । पूर्णनिनयने **देवलोके मेऽप्यस**दित्यादि । अयं यज्ञः ' असत् ' भवतु । एवमर्थं यजमानो 'यजते' ' यो यजते ' स यज्ञोऽस्य यजमानस्य देवलोकमेवाभिप्रैति ' । मां संस्कृतवानसौ, अतो मया प्रत्युपकरणीयमि-त्यभिप्रायः । ' तदनूची ' दक्षतेः समृद्ध्यर्थस्य (भ्वा० आ० धा०पा०६०९) दक्षिणारूपम् । यज्ञसमृद्ध्यर्थं यज्ञमनु विलग्ना दक्षिणेति । 'दक्षिणामन्वारभ्य ' सा हि परिक्रमार्था; ऋत्विङ्निष्पादिता परिक्रीयते, यथान्य-त्रापि परिक्रयसम्बद्धः परिक्रेता, एवमत्रापि ॥ १ ॥

* [**संस्थिते** यागाख्ये यज्ञे पूर्णपात्रासादितं जलं निनयति अर्थादध्वर्युर्यजमानाञ्जलौ । यजमानोऽपि तदञ्जलिना प्रतिगृह्णातीति वक्ष्यति । यो दर्शपूर्णमासात्मना यजते, मम यज्ञोऽयं देवलोकेऽपि असत् । लेट् लिङर्थे, स्यादित्यर्थः । एष यज्ञोऽस्य देवलोक-मेव, आभिमुख्येन एति । तस्मादन्वगच्छनशीलामन्वाहार्यलक्षणशीलां यां दक्षिणां ददाति सा देवलोकमेति । ततो दक्षिणां समृद्धि-स्वरूपामन्वारभ्य यजमानो देवलोकमेत्येव ॥ १ ॥]

स एष देवयानः । आत्मयाजिनस्तस्य कुणपादिमोक्षप्राप्तेः, देवयाजिनः पितृलोकः पन्थाः । एवञ्च केवल-कर्मिणः पुनरावृत्तिर्दर्शिता । यतस्त्वत्रायमेव ' अन्वावर्त्तते '—इत्युपसंहारः (श० प० १ । ९ । ३ । २०) अपि हि न ऋषेर्वचः श्रुतम्—"द्वे सृती अशृणवं पितॄणाम्" इत्युपक्रम्य, ज्ञानसमुच्चितकर्मिणः पुनरावृत्तिर्दर्शिता— " ते य एवमेतद्विदुः "—इत्यादिना (श० प० १४ । ९ । १ । ४–१९) । ' वा '—शब्दो व्यवस्थितः ' तदुभयतः ' ' अग्निशिखे ' अग्निज्वाले ' ओषन्त्यौ ' भस्मसात्कुर्वन्त्यौ ' सन्तिष्ठतः ' । दहनान्मुक्तिरित्यर्थः । ज्ञानसहकारिकर्मकारी यजमानः ' अतिसृज्यः ' । ज्ञानिनश्चोष्णं पन्थानञ्च उष्णशमनसमर्थाभिरद्भिः शमयति । शान्तिसाधनं ' शान्तिः ' । ज्ञानसमुच्चितकर्मफलमलक्षालकं भवतीति सम्मतम् । केवलस्य स्वर्गादिफलं तु कार्यारम्भादौपचारिकमिति यदि फलभोगाय देवलोकं यजमानो याति, स देव एव । स एष देवफलभोगार्थं

---

* **परिशिष्टम्**—कतिचित्पुस्तकेषु—एतत्काण्डस्यान्तिमब्राह्मणगतानामेतासां कण्डिकानां हरिस्वामिकृतं भाष्यमन्यथा दृश्यते । तत्तत्कण्डिकानामधोऽत्र परिशिष्टरूपेण विद्वद्वराणां समालोचनार्थं संगृह्यते ॥

१–' इत्यस्मात् पूर्वं (मां कोकिलग्रहेणैव गच्छन्तीति यतस्तेऽतः किम् । ') इति पाठः क्वचित् पुस्तकेऽस्ति ।

पूर्णं निनयति । सर्व्वं वै पूर्णꣳ सर्व्वेणैवैनमेतच्छमयति सन्ततमव्यवच्छिन्नं निनयति सन्ततेनैवैनमेतदव्यवच्छिन्नेन शमयति ॥ ३ ॥

यद्वेव पूर्णपात्रं निनयति । यद्वै यज्ञस्य मिथ्या क्रियते व्यस्य तद्वृहन्ति क्षण्वन्ति शान्तिरापस्तदद्भिः शान्त्या शमयति तदद्भिः सन्दधाति ॥ ४ ॥

पूर्णं निनयति । सर्व्वं वै पूर्णꣳ सर्व्वेणैवैतत्सन्दधाति सन्ततमव्यवच्छिन्नं निनयति सन्ततेनैवैतदव्यवच्छिन्नेन सन्दधाति ॥ ५ ॥

पूर्णं निनयति । सर्वं वै पूर्णम् । सर्वेणैवैनमेतच्छमयति । सन्ततमव्यवच्छिन्नं निनयति । सन्ततेनैवैनमेतदव्यवच्छिन्नेन शमयति ॥ ३ ॥

यद्वेव पूर्णपात्रं निनयति । यद्वै यज्ञस्य मिथ्या क्रियते–व्यस्य तद्वृहन्ति, क्षण्वन्ति । शान्तिरापः । तदाद्भिः शान्त्या शमयति, तदद्भिः संदधाति ॥ ४ ॥

पूर्णं निनयति । सर्वं वै पूर्णम् । सर्वेणैवैतत्संदधाति । सन्ततमव्यवच्छिन्नं निनयति । सन्ततेनैवैतदव्यवच्छिन्नेन संदधाति ॥ ५ ॥

देवानेति; " देवो भूत्वा देवानप्येति " इति वचनात् । पितॄंश्च केवलात्कर्मणः । ' तदुभयतः ' तत्र उभयतः, उभयोरपि मार्गयोः ' अग्निशिखे ' सूर्यरश्मयः ' ओषतः ' दहतः । योऽकृतंकृत्यः, तमोषतः; यस्तु कृतनियतकर्मा, तमतिसृजतः । परन्त्वनेन पूर्णसेकेन शान्ते जाते ' यः ' ' प्रत्युष्यः ' " उष दाहे " (धा० पा० भ्वा० प० ६९७) प्रतिदहनार्हः ' तं ' ' प्रत्योषतः ' प्रतिदहतः । यथा दर्शितयज्ञादावेष एवाग्निसंयोगो निमित्तमिति, एवं तदपि ते प्रदीप्ते दहतः । ' अतिसृजेते ' अतिसर्जनम् विसर्जनम् ॥ २ ॥

[देवलोकप्राप्तौ प्रसंगान्मार्गान्तरं श्रुतिरेवाह–**स एषः** । स यज्ञो देवयानः देवैः प्रापणीयः, पितृभिः प्रापणीयः पितृयाणः । देवयानोऽग्निहोत्रिणामध्वा स्वर्गगमनाय; पितृयाणोऽन्यमनुष्याणामध्वा । तदुभयतः अग्नेराहवनीयादेः देवयानपितृयाणौ शिखे ऊर्ध्वज्वाले ओषन्त्यौ सन्तिष्ठतः । अपां शान्तिस्वरूपत्वात् तन्निनयनेन शान्तो भवति देवपथः ॥ २ ॥]

पूर्णम् । अपां पूर्णम्; ' शान्तिरापः'–इति वचनात् (श. प. १ कां. ९ अ. ३ ब्रा. २ कं.) उदकस्यैवं तावदाधिदैविकं निनयनस्य प्रयोजनम् (कौ. श्रौ. सू. ३ । १६२) ॥ ३ ॥

[**पूर्णम्** । अर्थाञ्जलेन निनयनकर्माच पूर्णम् । सन्ततमव्यवच्छिन्नम्, अनवखण्डितेन धारानिनयनेन ॥ ३ ॥]

अधियज्ञं दर्शयन्नाह–**यद्वेवेति** । ' यद्वै मिथ्या क्रियते यज्ञस्य' अकरणमन्यथाकरणञ्च, ' तद्विवृहन्ति ' व्यर्थं कुर्वन्ति 'यज्ञीया आपः क्षण्वन्ति, 'क्षणु हिंसायाम्' (धा०पा०त० उ०३) हिंसन्ति, दुःखायन्तीत्यर्थः ॥४॥५॥

[**यद्वेव** । यज्ञस्य यत्किञ्चिन्मिथ्या प्रमादादिना क्रियते । व्यस्य तदिति । अस्य यजमानस्य तन्मिथ्याकृतं विवृहन्ति विनाशयति, यज्ञः सम्पूर्णो भवति; क्षण्वन्ति हिंसन्ति, तत् मिथ्यादि न दुःखायतीत्यर्थः । शान्तिराप इति समानम् ॥ ४ ॥]

[**पूर्णम्** । एतत् मिथ्याकृतं सन्दधाति सन्धितं करोति । सन्ततमनवखण्डितम् । तेन यज्ञस्यानुसन्धानं भवतीति शेषः ॥ ५ ॥]

१–" पूर्णपात्रं निनयति परीत्य संततं यजमानोऽञ्जलिना प्रतिगृह्णाति संवर्चसेति " इति ॥

तदञ्जलिना प्रतिगृह्णाति । सं वर्च्चसा पयसा सन्तनूभिरगन्महि मनसा सᳬं शिवेन ॥ त्वष्टा सुदत्रो विदधातु रायोऽनुमार्ष्टु तन्वो यद्विलिष्टमिति यद्विवृढं तत्संदधाति ॥ ६ ॥

(त्यु) अथ मुखमुपस्पृशते । द्वयं तद्यस्मान्मुखमुपस्पृशतेऽमृतं वा ऽआपोऽमृतेनैवैतत्सᳬंस्पृशत ऽएतदु चैवैतत्कर्म्मात्मन्कुरुते तस्मान्मुखमुपस्पृशते ॥ ७ ॥

तदञ्जलिना प्रतिगृह्णाति-" **सं वर्च्चसा पयसा सन्तनूभिरगन्महि मनसा सं शिवेन । त्वष्टा सुदत्रो विदधातु रायोऽनुमार्ष्टु तन्वो यद्विलिष्टम्** "-(वा० सं० २ । २४ ।) इति। यद्विवृढं तत् संदधाति ॥ ६ ॥

अथ मुखमुपस्पृशते । द्वयं तद्-यस्मान्मुखमुपस्पृशते । अमृतं वा आपः । अमृतेनैवैतत्संस्पृशते । एतदु चैव-एतत्कर्म्मात्मन् कुरुते । तस्मान्मुखमुपस्पृशते ॥ ७ ॥

तदञ्जलिना । (का० श्रौ० सू० ३ । १६२) यद्यपि " अनुमार्ष्टु तन्वो यद्विलिष्टम् "-इति, लिङ्गात् मुखोपस्पर्शनाङ्गता मन्त्रस्य प्रतिभाति तथापि वाक्यात्प्रतिग्रहणांगता । तथाहि " यद्विवृढं तत्सन्दधाति " इति ग्रहणार्थवाद एव परतो दृश्यते, अर्थवादान्तराभावात्; अथशब्देन च मुखोपस्पर्शनस्य व्यवधानार्थवादान्तरदर्शनाच्च । लिङ्गं चाविरुद्धमेव; मुखबद्धस्तयोरपि शरीरैकदेशत्वात् । **यद्विवृढमिति** । यजमानस्यैव यज्ञो वर्तते; तत्रैव स्थितस्य ' यद्विवृढं तत्सन्दधाति '-इत्यभिप्रायः । कण्वानान्तु " तदञ्जलिना प्रतिगृह्णाति-तत्र जपति संवर्चसेति " । गृह्णतो यज्ञवीर्यमत्र च जप्यमानः प्रतिग्रहणाय स्पर्शनेऽपि प्रकाशयिष्यति । कः पुनः प्रतिगृह्णाति ? यजमानः; अध्वर्योर्निनयने व्यापृतत्वात्, अन्यः कोऽपीति सिद्धे आशीर्लिङ्गत्वान्मन्त्रस्य यजमान एव । तथाच यज्ञस्य " यद्विवृढं तत्सन्दधातीति " उपपत्त्या, अत उत्तरत्र च (श. प. १ कां ९ अ. ३ ब्रा. ७ कं.) " एतदु चैवैतत् कर्म कुरुते "-इति मन्त्रवाक्यशेषैरेन न रावमेवातः परं याजमानमित्यवसीयते ॥ ६ ॥

अथ मुखम् । "मुखं विमृष्टे"(का० श्रौ० सू० ३।१६३) । "एतदु चैवैतत्कर्मात्मन् कुरुते "-इति शेषाद्यजमान आत्मीयमेव मुखमद्भिरुपस्पृशत इति गम्यते । यस्मात् कारणान्मुखं स्पृशति, ' तद् द्वयम् ' द्वे ते कारणे इत्यर्थः । तत्रैकं तावत्-' अमृतेनैवैतदात्मानं संस्पृशते '-इति । कथमद्भिः संस्पृश्यमाने अमृतेन संस्पृश्यते ? तदाह-**अमृतं वा आपः** इति । यत्ते देवानामन्नममृतम्, ता आपः; आप एव हि शुद्धतमा अमृतमित्यभिप्रायः । अमृतसंस्पर्शनं यजमानेन कर्तव्यमित्येकं कारणम् । अपरमपि-एतत्कर्म आत्मनि ' कुरुते ' यजमानः । कथम् ? यज्ञो वा आपः; आपश्च संश्लेषणहेतुरित्यभिप्रायः ॥ ७ ॥

१-कण्वशाखीयानां प्रतिग्रहोत्तरं मन्त्रजपं प्रतिजानानेन भाष्यकृता प्रकृतस्यैतस्य शतपथश्रुतिपाठस्य माध्यन्दिनशाखीयत्वं सूच्यते । किन्तु माध्यन्दिनसंहितात्वेन प्रसिद्धस्य यजुर्वेदसंहितापाठस्य मन्त्रपाठक्रमानुसारिणीयं प्रकृता शतपथश्रुतिर्नास्तीत्यन्यत्र सुविशदं प्रदर्शितम् ।

(तेऽथ) अथ विष्णुक्रमान्क्रमते । देवान्वा ऽएष प्रीणाति यो यजत ऽएतेन यज्ञेनऽर्ग्भिरिव त्वद्यजुर्भिरिव त्वदाहुतिभिरिव त्वत्स देवान्प्रीत्वा तेष्वपित्वी भवति तेष्वपित्वी भूत्वा तानेवाभिप्रक्रामति ॥ ८ ॥

यद्वेव विष्णुक्रमान्क्रमते । यज्ञो वै विष्णुः स देवेभ्य ऽइमां विक्रान्तिं विचक्रमे यैषामियं विक्रान्तिरिदमेव प्रथमेन पदेन पस्पाराथेदमन्तरिक्षं द्वितीयेन दिवमुत्तमेनैतामेवैष ऽएतस्मै विष्णुर्यज्ञो विक्रान्तिं विक्रमते तस्माद्विष्णुक्रमान्क्रमते तद्वा ऽइत ऽएव पराचीनं भूयिष्ठा ऽइव क्रमन्ते ॥ ९ ॥

तदु तत्पृथिव्यां विष्णुर्व्यक्रंस्त । गायत्रेण छन्दसा ततो निर्भक्तो योऽस्मान्द्वेष्टि यं च वयं द्विष्मोऽन्तरिक्षे विष्णुर्व्यक्रंस्त त्रैष्टुभेन छन्दसा ततो निर्भक्तो योऽस्मान्द्वेष्टि यञ्च वयं द्विष्मो दिवि विष्णुर्व्य-

---

अथ विष्णुक्रमान् क्रमते । देवान्वा एष प्रीणाति—यो यजते—एतेन यज्ञेन—ऋग्भिरिव त्वद्, यजुर्भिरिव त्वद्, आहुतिभिरिव त्वत् । स देवान् प्रीत्वा तेष्वपित्वी भवति । तेष्वपित्वी भूत्वा तानेवाभिप्रक्रामति ॥ ८ ॥

यद्वेव विष्णुक्रमान् क्रमते । यज्ञो वै विष्णुः । स देवेभ्य इमां विक्रान्तिं विचक्रमे—यैषामियं विक्रान्तिः । इदमेव प्रथमेन पदेन पस्पार, अथेदमन्तरिक्षं द्वितीयेन, दिवमुत्तमेन, एतामेवैष एतस्मै विष्णुर्यज्ञो विक्रान्तिं विक्रमते । तस्माद्विष्णुक्रमान् क्रमते । तद्वा इत एव पराचीनं भूयिष्ठा इव क्रमन्ते ॥ ९

तदु तत् " पृथिव्यां विष्णुर्व्यक्रंस्त गायत्रेण छन्दसा । ततो निर्भक्तो योऽस्मान् द्वेष्टि, यं च वयं द्विष्मः । अन्तरिक्षे विष्णुर्व्यक्रंस्त त्रैष्टुभेन छन्दसा । ततो निर्भक्तो योऽस्मान् द्वेष्टि यं च वयं

अथ विष्णुक्रमान् । (का० श्रौ० सू० ३ । १६४ ।) विष्णोः यज्ञस्य सम्प्रवेशमिव दत्त्वा ' देवान् प्रीत्वा ', देवेषु मध्ये ' अपित्वी ' भागी ' भूत्वा ' च उपैति विष्णुक्रमैर्देवयाजीत्यर्थः । " अनुपसर्गाद्वा ' इति (पा० सू० १ । ३ । ४३) क्रमेरात्मनेपदम् ॥ ८ ॥

[अथ विष्णुक्रमान् । विष्णोर्यज्ञस्य क्रमणं विष्णुक्रमस्तं विष्णुप्रवेशमेव कुरुते । देवान्वा । देवानेतान् एष यजमानः प्रीतान् करोति, यो हविर्यज्ञं संस्थापयति । त्वच्छब्दः समुच्चये । ऋगादिभिर्देवान् प्रीत्वा तेषु देवेषु मध्ये भागवान् भवति । भागित्वं प्राप्य तान् विष्णुक्रमणेन सर्वतोगमनेन प्रकामति ॥ ८ ॥]

यद्वेव विष्णुक्रमान् । यजमानशरीरस्थ एव ' यज्ञो विष्णुः ' यजमानार्थं ' विक्रमते ' । ' तद्वै ' तत्र ' इत एव ' लोकात् ' पराचीनम् ' ऊर्ध्वम्, अन्तरिक्षं दिवमित्येवं ' भूयिष्ठा इव ' बहुतमा इव ' क्रमन्ते ' ॥ ९ ॥

[विष्णुरेव देवेभ्योऽर्थायेमां विष्णुक्रमलक्षणां विक्रान्तवान् । प्रथमेन पादेन पृथिवीं क्रमलक्षणेन पस्पार । " स्पृ प्रीतिचलनयोः " लिट् । द्वितीयेन पादेनान्तरिक्षं विक्रान्तवान् । उत्तमेन दिवि क्रमणात्मकेन, एतां विष्णुक्रमात्मिकां यज्ञो विक्रमते । तस्माद्धेतोः विष्णुक्रमान् क्रमते इति ॥ ९ ॥]

विष्णुक्रमणे मन्त्राः—" तदु तत् पृथिव्याम् "—इति प्रसन्ना । " इत्येवमिमाँल्लोकान् "—इति उत्तर-

---

१—" विष्णुक्रमान्क्रमते दिवि विष्णुरिति प्रतिमन्त्रं पृथिव्यामितीत ऊर्ध्वा वा " इति ॥ का. श्रौ. सू. ३ । १६४ ॥

क्रꣳस्त जागतेन च्छन्दसा ततो निर्भक्तो योऽस्मान्द्वेष्टि यं च वयं द्विष्म ऽइत्येवमिमाँल्लोकान्त्समारुह्याथैषा गतिरेषा प्रतिष्ठा य ऽएष तपति तस्य ये रश्मयस्ते सुकृतोऽथ यत्परं भाः प्रजापतिर्वा स स्वर्गो वा लोकस्तदेवमिमाँल्लोकान्त्समारुह्याथैतां गतिमेतां प्रतिष्ठां गच्छति परस्तात्त्वेवार्वाङ् क्रमेत य ऽइतोऽनुशासनं चिकीर्षेद्द्वयं तद्यस्मात्परस्तादर्वाङ्क्रमते ॥ १० ॥

(तेऽप) अपसरणतो ह वा ऽअग्रे देवा जयन्तोऽजयन् । (न्दि) दिवमेवाग्रेऽथेदमन्तरिक्षमथतोऽनपसरणात्सपत्नाननुदन्त तथो ऽएवैष एतदपसरणत ऽएवाग्रे जयञ्जयति दिवमेवाग्रेऽथेदमन्तरिक्षमथेतोऽनपसरणात्सपत्नान्नुदत ऽइयं वै पृथिवी प्रतिष्ठा तदस्यामेवैतत्प्रतिष्ठायां प्रतितिष्ठति ॥ ११ ॥

द्विष्मः । दिवि विष्णुर्व्यक्रंस्त जागतेन च्छन्दसा । ततो निर्भक्तो योऽस्मान् द्वेष्टि यञ्च वयं द्विष्मः "— इत्येवमिमाल्ँलोकान्त्समारुह्य—अथैषा गतिः, एषा प्रतिष्ठा—य एष तपति । तस्य ये रश्मयः—ते सुकृतः, अथ यत्परं भाः—प्रजापतिर्वा सः, स्वर्गो वा लोकः । तदेवमिमाँल्लोकान्त्समारुह्य—अथैतां गतिमेतां प्रतिष्ठां गच्छति । परस्तात् त्वेवार्वाङ् क्रमेत—य इतोऽनुशासनं चिकीर्षेत् । द्वयं तद्—यस्मात् परस्तादर्वाङ् क्रमते ॥ १० ॥

अपसरणतो ह वा अग्रे देवा जयन्तोऽजयन्—दिवमेवाग्रे, अथेदमन्तरिक्षम्, अथेतोऽनपसरणात्सपत्नाननुदन्त । तथो एवैष एतदपसरणत एवाग्रे जयन् जयति—दिवमेवाग्रे, अथेदमन्तरिक्षम्, अथेतोऽनपसरणात्सपत्नान्नुदते । इयं वै पृथिवी प्रतिष्ठा । तदस्यामेवैतत्प्रतिष्ठायां प्रतितिष्ठति ॥ ११

पक्षस्यार्थवादः । गम्यत इति ' गतिः ', प्रतितिष्ठन्त्यस्यामिति ' प्रतिष्ठा ' ' तस्य ' आदित्यस्य ' ये रश्मयः ' कदम्बकेसरवदनन्तभेदाः, ' ते सुकृतः ' ये पूर्वे यजमानाः तेजःशरीराः । उपरितनमेव ' यद् ' यज्ञरूपः ' प्रजापतिः ', ' स्वर्गो वा लोकः अज्ञानानां कर्मकर्तॄणां प्रजानां पतिः, ज्ञानिनामुपभोग्यं स्थानम्, ' तत् ' तत्र; ते गच्छन्तीत्यभिप्रायः । ' भाः ' प्रकाशमात्रं सूर्यरूपम् । (पक्षान्तरोपन्यासः) " परस्तात् त्वेव " । ' तु ' शब्दः स्वशब्दार्थे ' ' एव '—इत्यवधारणार्थः । ' इतः ' अस्मादेव लोकात् ' अनुशासनम् ' अस्मिन्नेव लोके फलोपभोगं बहुकालमाशास्ते, सः ' अर्वाङ् ' विक्रमणेनैव ' यस्मात् ' अध्वर्यवः ' परस्तात् ' क्रमेत, ' तद्द्वयं ' कारणम् ॥ १० ॥

[**तदु तत् पृथिव्यां** । प्रसन्ना । इमान् पृथिव्यन्तरिक्षद्युसंज्ञकान्, एवं समारूढान् कृत्वा अनन्तरम् । विष्णुक्रमणस्यार्थवादः— एषा गतिः । गम्यत इति गतिः, प्रतिकूलं तिष्ठत्यस्यामिति प्रतिष्ठा । य एष आदित्यः तस्यादित्यस्य ये रश्मयः किरणकदम्बाः ते सुकृत इति । अथेति । परमुत्कृष्टं भासनं प्रजापतिर्वा, स एव स्वर्गो लोको निरुपद्रवत्वात् । एवम्प्रकारेण, यज्वा एतां गतिं प्रतिष्ठां प्राप्नोति । परस्तात्तु अर्वाङ् अर्वाञ्चनशीलः क्रमेत । इतो लोकादनुशासनं कर्तुमिच्छेत् । द्वयमिहामुत्रालक्षणमर्वाञ्चनञ्चेति ॥ १० ॥]

अपसरणतो ह । जितापसरणेन जितवन्तो द्युलोकाद्यग्, अस्माल्लोकादपसृत्य असुरान् हतवन्तो देवाः । द्वितीयञ्च फलोपभोगानन्तरं प्रतिष्ठायां प्रच्युतानां स्वर्गाल्लोकान्निरुपद्रवात् । ततश्च यदितः पराचीनं क्रमेत, तदेतां गतिं गत्वा ' प्रतिष्ठायां प्रतितिष्ठति ' ॥ ११ ॥

[**अपसरणतः** । जयन्तो देवा दिवमग्रे, ततोऽन्तरिक्षम् । इतः अपसरणात् एतदाचरणादेव सम्पन्नाञ्छत्रून् व्यथितवन्तः । एवमस्याचरणस्यापि भवति । इयं वै इति । अतिरोहितम् ॥ इति ॥ ११ ॥]

तदु तद्दिवि विष्णुर्व्यक्रꣳस्त । जागतेन च्छन्दसा ततो निर्भक्तो योऽस्मान्द्वेष्टि यञ्च वयं द्विष्मोऽन्तरिक्षे विष्णुर्व्यक्रꣳस्त त्रैष्टुभेन च्छन्दसा ततो निर्भक्तो योऽस्मान्द्वेष्टि यञ्च वयं द्विष्मः पृथिव्यां विष्णुर्व्यक्रꣳस्त गायत्रेण च्छन्दसा ततो निर्भक्तो योऽस्मान्द्वेष्टि यञ्च वयं द्विष्मोऽस्मादन्नादस्यै प्रतिष्ठाया ऽइत्यस्याꣳह्यीदꣳ सर्व्वमन्नाद्यं प्रतिष्ठितं तस्मादाहास्मादन्नादस्यै प्रतिष्ठाया ऽइति ॥ १२ ॥

(त्यु) अथ प्राङ्प्रेक्षते । प्राची हि देवानां दिक्तस्मात्प्राङ्प्रेक्षते ॥ १३ ॥

स प्रेक्षते । (तेऽग) अगन्म स्वरिति देवा वै स्वरगन्म देवानित्येवैतदाह संज्योतिषाभूमेति सं देवैरभूमेत्येवैतदाह ॥ १४ ॥

तद्वु तद् "दिवि विष्णुर्व्यक्रंस्त जागतेन च्छन्दसा—ततो निर्भक्तो योऽस्मान् द्वेष्टि यञ्च वयं द्विष्मः । अन्तरिक्षे विष्णुर्व्यक्रंस्त त्रैष्टुभेन च्छन्दसा—ततो निर्भक्तो योऽस्मान् द्वेष्टि यञ्च वयं द्विष्मः । पृथिव्यां विष्णुर्व्यक्रंस्त गायत्रेण च्छन्दसा—ततो निर्भक्तो योऽस्मान् द्वेष्टि यञ्च वयं द्विष्मः । अस्मादन्नादस्यै प्रतिष्ठायै"—इति । अस्यां हीदं सर्वमन्नाद्यं प्रतिष्ठितम् । तस्मादाह—अस्मादन्नादस्यै प्रतिष्ठाया इति ॥ १२ ॥

अथ प्राङ् प्रेक्षते । प्राची हि देवानां दिक् । तस्मात् प्राङ् प्रेक्षते ॥ १३ ॥

स प्रेक्षते—"अगन्म स्वः"—इति । देवा वै स्वः । अगन्म देवानित्येवैतदाह । "सं ज्योतिषाभूम"—(वा० सं० २ । २५) इति । सं देवैरभूमेत्येवैतदाह ॥ १४ ॥

तदु तद्दिवि । (का. श्रौ. सू. ३ । १६५–१६६) यद्धि स्वर्गे अन्नाद्यम्, तदप्यस्मिन्नेव लोके प्रतिष्ठितम्; चन्द्रमसोऽप्याप्यायनं प्रतिपदि सान्नाय्येन क्रियते; अतः 'अस्मादन्नात्' निष्कासने द्विषन् सर्वस्मान्निष्कासितो भवति ॥ १२ ॥

[इत ऊर्ध्वा वेदीति तत्प्रकारमाह–तदु तद्दिति । दिवि–अन्तरिक्षे पृथिव्यामस्मादन्नाद्भागलक्षणात् । अस्यै प्रतिष्ठाया वेदेः । "यावती वै वेदिस्तावती पृथिवीति" ॥ १२ ॥]

अथ प्राङ् प्रेक्षते । "अगन्म स्वारिति प्राक्" इति (का. श्रौ. सू. ३ । १६७) प्राङ् निरीक्षणेन सन्तर्पिता गच्छन्तो देवा निरीक्षिता भवन्तीत्यप्रायः ॥ १३ ॥

स प्रेक्षते । ("संज्योतिषेत्याहवनीयं" इति का. श्रौ. सू. ३ । १६८) मञ्चाः क्रोशन्तीतिवत् 'स्वर्देवाः' तेजःशरीरत्वात् ज्योतिर्देवाः । 'समभूम' तद्देवत्वं प्राप्ता इत्यर्थः ॥ १४ ॥

[स प्रेक्षते । स्वारिति । यज्ञो ह वै स्वारिति यज्ञदेवसूर्याः स्वःशब्दवाच्याः अत्र देवा अभिप्रेताः । देवानगन्मेति । इति ॥ १४ ॥]

१–"अस्मादन्नादिति भागमवेक्षते" "अस्यै प्रतिष्ठाया इति भूमिं" का. श्रौ. सू. ३ । १६५–१६६ ॥

(ङा) अथ सूर्यमुदीक्षते । सैषा गतिरेषा प्रतिष्ठा तदेतां गतिमेतां प्रतिष्ठां गच्छति तस्मात्सूर्यमुदीक्षते ॥ १५ ॥

स ऽउदीक्षते । स्वयम्भूरसि श्रेष्ठो रश्मिरित्येष वै श्रेष्ठो रश्मिर्यत्सूर्यस्तस्मादाह स्वयम्भूरसि श्रेष्ठो रश्मिरिति वर्चोदा ऽअसि वर्चो मे देहीति त्वेवाहं ब्रवीमीति ह स्माह याज्ञवल्क्यस्तद्ध्येव ब्राह्मणेनैष्टव्यं यद्ब्रह्मवर्चसी स्यादित्युतो ह स्माहौपोदितेय ऽएष वाव मह्यं गा दास्यति गोदा गा मे देहीत्येवं यं कामं कामयते सोऽस्मै कामः समृद्ध्यते ॥ १६ ॥

(तेऽथा) अथावर्तते । सूर्यस्यावृतमन्वावर्त ऽइति तदेतां गतिमेतां प्रतिष्ठां गत्वैतस्यैवावृतमन्वावर्तते ॥ १७ ॥

अथ सूर्यमुदीक्षते । सैषा गतिः, एषा प्रतिष्ठा । तदेतां गतिमेतां प्रतिष्ठां गच्छति । तस्मात्सूर्यमुदीक्षते ॥ १५ ॥

स उदीक्षते—"स्वयम्भूरसि श्रेष्ठो रश्मिः"—(वा.सं. २।२६) इति । एष वै श्रेष्ठो रश्मिः—यत्सूर्यः—तस्मादाह—'स्वयम्भूरसि श्रेष्ठो रश्मिः' इति । "वर्चोदा असि वर्चो मे देहि"—वा. सं. २।२६) इति त्वेवाहं ब्रवीमि—इति ह स्माह याज्ञवल्क्यः । तद्ध्येव ब्राह्मणेनैष्टव्यम्—यद् ब्रह्मवर्चसी स्यादिति । उतो ह स्माहौपोदितेयः—एष वाव मह्यं गा दास्यति । गोदा गा मे देहीति । एवं यं कामं कामयते सोऽस्मै कामः समृद्ध्यते ॥ १६ ॥

अथावर्तते—"सूर्यस्यावृतमन्वावर्ते"—(वा. सं. २ । २६) इति । तदेतां गतिमेतां प्रतिष्ठां गत्वा, एतस्यैवावृतमन्वावर्त्तते ॥ १७ ॥

अथ सूर्यमुदीक्षते । "स्वयम्भूरिति सूर्यम्" इति । "वर्चोदा इति ये वा कामं कामयते" इति (का. श्रौ. सू. ३ । १६९–१७०) सूर्यः खलु यज्ञकर्तॄणां गन्तव्यं प्रतिष्ठा च ॥ १५ ॥

स उदीक्षते (का. श्रौ. सू. ३ । १६९–१७०) तेजोघनो रश्मिशब्देनोच्यते । एषः तेषामतिशयः । 'याज्ञवल्क्य इत्याह स्म'—'वर्चोदा असि वर्चो मे देहीति' (एतदेवाशास्महे वयम्) 'अहमिति ब्रवीमि' । 'ब्राह्मणेन तदेष्टव्यम्' 'यत्' अहं ब्राह्मण्ययुक्तः स्यामिति तु 'आह स्म' उक्तवान् 'औपोदितेयः' । उपगम्य उदिता पितुरुपोदिता; "स्त्रीभ्यो ढक्" (पा. सू. ४ । १ । १२०) उपोदिताया अपत्यमिति विग्रहः । 'गा दास्यति' इति गो-प्रार्थना 'एवं' प्रजादिष्वपि वक्तव्यम् ॥ १६ ॥

[स उदीक्षते । प्रसन्ना । 'इति त्वेवाहं इत्येवाहं' ब्रवीमि । तन्न एव याचते ब्राह्मणेन तद्धि एष्टव्यमेव यतो ब्रह्मवर्चसी स्यात् । उप समीपे उदित आदित्यो यस्या इत्युपोदिता तस्या अपत्यमौपोदितेयः । एष राजा मह्यं सम्प्रदानभूताय गाः पयस्वतीः दास्यति । हे गोदाः मे मह्यं गा देहि । एवमित्याद्याशीः इति ॥ १६ ॥]

अथावर्त्तते । प्रदक्षिणमावर्त्तते । एवं हि तस्य सूर्यस्यावृत्तिः "सूर्यस्येत्यावर्तते प्रदक्षिणं" इति (का. श्रौ. सू. ३ । १७१) ॥ १७ ॥

(तेऽथ) अथ गार्हपत्यमुपतिष्ठते । द्वयं तद्यस्माद्गार्हपत्यमुपतिष्ठते गृहा वै गार्हपत्यो गृहा वै प्रतिष्ठा तद्गृहेष्वेवैतत्प्रतिष्ठायां प्रतितिष्ठति यावद्वे-
वास्येह मानुषमायुस्तस्मा ऽएवैतदुपतिष्ठते तस्माद्गार्हपत्यमुपतिष्ठते ॥ १८ ॥
स ऽउपतिष्ठते । (तेऽग्ने) अग्ने गृहपते सुगृहपतिस्त्वयाग्नेऽहं गृहपतिना भूयासꣳ सुगृहपतिस्त्वं मयाग्ने गृहपतिना भूया ऽइति नात्र तिरोहितमि-
वास्त्यस्थूरि णौ गार्हपत्यानि सन्त्वित्यनार्त्तानि नौ गार्हपत्यानि सन्त्वि-
त्येवैतदाह शतꣳ हिमा ऽइति शतं वर्षाणि जीव्यासमित्येवैतदाह तदप्ये-
तद्ब्रुवन्नाद्रियेतापि हि भूयाꣳसि शताद्वर्षेभ्यः पुरुषो जीवति तस्मादु-
प्येतद्ब्रुवन्नाद्रियेत ॥ १९ ॥

अथ गार्हपत्यमुपतिष्ठते । द्वयं तद्—यस्माद्गार्हपत्यमुपतिष्ठते । गृहा वै गार्हपत्यः । गृहा वै प्रतिष्ठा । तद्गृहेष्वेवैतत् प्रतिष्ठायां प्रतितिष्ठति । यावद्वेवास्येह मानुषमायुः—तस्मा एवैतदुपतिष्ठते । तस्माद्गार्हपत्यमुपतिष्ठते ॥ १८ ॥

स उपतिष्ठते—"अग्ने गृहपते सुगृहपतिस्त्वयाग्नेऽहं गृहपतिना भूयासम्, सुगृहपतिस्त्वं मयाग्ने गृहपतिना भूयाः"—(वा. सं. २।२७) इति । नात्र तिरोहितमिवास्ति । "अस्थूरि णौ गार्हपत्यानि सन्तु"—इति । अनार्त्तानि नौ गार्हपत्यानि सन्तु—इत्येवैतदाह । "शतं हिमाः"—इति । शतं वर्षाणि जीव्यासमित्येवैतदाह । तदप्येतद्ब्रुवन्नाद्रियेत—अपि हि भूयांसि शताद्वर्षेभ्यः पुरुषो जीवति तस्मादप्येतद् ब्रुवन्नाद्रियेत ॥ १९ ॥

अथ गार्हपत्यम् । "गार्हपत्यमुपतिष्ठते" इत्यादि—(का. श्रौ. सू. ३ । १७३) कारणद्वयं तस्याप्युपस्थाने । सूर्योपस्थानादिना स्वर्गतिः, गार्हपत्योपस्थानेन स्वगृहे प्रतितिष्ठति । द्वितीयश्च 'यावद्वेवास्येह' मानुषायुषः 'उपतिष्ठते' ॥ १८ ॥

[**अथ गार्हपत्यम्** । द्वयं गतिप्रतिष्ठात्मकं गार्हपत्योपस्थानादवाप्यते । गृहा वै इत्याद्याशीः प्रवर्तनार्था । **यावद्वेति** । उ इति अनेककर्मा निपातः । यावत्प्रमाणमस्य पुरुषस्य आयुर्जीवनं तस्मै एतदायुषे उपतिष्ठते । तस्मादिति निगमः । इति ॥ १८ ॥]

स उपतिष्ठते । 'अस्थूरि' 'णौ' असहायगोवाह्यः स्थूरः, तत्रासहायमात्रं लक्ष्यते; स्थूरोऽस्मिन्नस्तीति स्थूरि, न स्थूरि अस्थूरि, ससहायि 'नौ' तव गार्हपत्ये कर्मणि प्रवृत्ते अहमिन्धनादिना पालकः, अस्थूरी गृहपतिः; त्वं कर्मणाम् अत आह—**अनार्त्तानी**ति । अस्थूरित्वेन च सामर्थ्यादाक्षिप्तं यजमानस्य जीवितमिति "शतं वर्षाणि जीव्यासमित्याह"—इति (का० श्रौ० सू० । ३ । १७३ ।) विवृणोति ॥ १९ ॥

[**स उपतिष्ठते** । **अग्ने इति** । गृहपत्योः परस्परमाशंसनं स्फुटतरमेव । अस्थूरि असहायगोवाह्यः स्थूरः, तत्रासहायमात्रं लक्ष्यते; स्थूरोऽस्मिन्नस्तीति स्थूरि, अस्थूरि सहाययुक्तः त्वम् । अत आहानार्त्तानीति । अस्थूरित्वेन च सामर्थ्याक्षिप्तं यजमानस्य

१—"अस्थूरि" 'अस्थूरिणि' एकाश्वयुक्तः शकटः स्थूरिरित्युच्यते, तद्विपरीतो बहुभिरश्वैरुपेतः शकटोऽस्थूरिः तेन च सम्पूर्णता लक्ष्यते । इति ऋ. सं. ६ । १५ । १९ सा. भा. । एकपार्श्वे बलीवर्दयुक्तं शकटं स्थूरि—न स्थूरि—अस्थूरि लुप्तोपमानं इति वा. सं. २ । २७ । १ इत्यत्र महीधरः । इहोत्तरत्रापि पुनः श्रोष्यति ३ । ७ । ४ । १०॥

(ताथा) अथावर्त्तते । सूर्यस्यावृतमन्वावर्त्त ऽइति तदेतां गतिमेतां प्रतिष्ठां गत्वैतस्यैवावृतमन्वावर्त्तते ॥ २० ॥

(तेऽथ) अथ पुत्रस्य नाम गृह्णाति । (ती) इदं मेऽयं व्वीर्य्यं पुत्रोऽनुसन्तनवदिति यदि पुत्रो न स्यादप्यात्मन ऽएव नाम गृह्णीयात् ॥ २१ ॥

(ढु) अथाहवनीयमुपतिष्ठते । प्राङ्मे यज्ञोऽनुसन्तिष्ठाता ऽइति तूष्णीमुपतिष्ठते ॥ २२ ॥

अथावर्त्तते—" सूर्यस्यावृतमन्वावर्त्ते "—(वा० सं० २ । २७) इति । तदेतां गतिमेतां प्रतिष्ठां गत्वा—एतस्यैवावृतमन्वावर्त्तते ॥ २० ॥

अथ पुत्रस्य नाम गृह्णाति । इदं मेऽयं वीर्यं पुत्रोऽनुसन्तनवदिति । यदि पुत्रो न स्याद्—अथात्मन एव नाम गृह्णीयात् ॥ २१ ॥

अथाहवनीयमुपतिष्ठते ' प्राङ्मे यज्ञोऽनुसन्तिष्ठातै ' इति । तूष्णीमुपतिष्ठते ॥ २२ ॥

जीवितमाशास्ते—शतं हिमाः वर्षाणि शतसंख्याकानि जीव्यासम् । इत्याहेति विवृणोति—एतदब्रुवन्नपि नाद्रियेत । तेनापि पर्येभ्यः शतात् वर्षशतगतीत्यापि पुरुषो जीवति । तस्मादिति निगमनम् इति ॥ १९ ॥]

अथावर्त्तते । " सूर्यस्येत्यावर्तते प्रदक्षिणम् " इति (का० श्रौ० सू० ३ । १७४) मन्त्रवर्णात् प्रादक्षिण्यञ्च; सूर्यस्यावृतमन्विति मन्त्रे दृश्यते, सूर्यो हि प्रादक्षिण्येन गच्छति " गच्छति प्राङुरुविष्णविति " इति (का० श्रौ० सू० ३ । १७५) ' एतस्यैव ' सूर्यस्य ॥ २० ॥

[**अथावर्तते** । सूर्यस्यावर्तनमावृत्—तामन्वावर्तते । तदेतामिति । निगदव्याख्यातम् । श्रुत्या मन्त्रवर्णात्प्रदक्षिणं समावृत्याशिषं गृह्णीयात् इति ॥ २० ॥]

अथ पुत्रस्य । " ततोऽसितन्तुरस्यनुमंत्यादि०—०पुत्रनाम गृह्णाति " इति (का. श्रौ. सू. ३ । १७६) कथं पुनर्गृह्णाति ? " ततोऽसि तन्तुरसि "—इत्येतस्मिन्मन्त्रे " आत्मनोऽविद्यमाने ततेवे त्वा ज्योतिषे त्वेति वा " इति—(का. श्रौ. सू. ३ । १७७ ।) तत्पदैरेकवाक्यभूतं गृह्णाति । कुतः ? काण्वसमाम्नानात् । ' इदं मे कर्म, इदं वीर्यम्, पुत्रो देवदत्तोऽनुसन्तनवत् '—इति । किमर्थं नाम गृह्णाति ? ' इदं मे ' ' वीर्यं ' विक्रमम्, ' पुत्रः ' देवदत्तादिः ' अयम् ' ' अनुसन्तनवत् ' अनुसन्तनोतु । कथम् ? ' मे ' मम ' इदं वीर्यमनुसन्तनवदिति ' मा विच्छिन्द्यादित्येवमर्थम् । पक्षान्तरमाह—' यदि पुत्रो न स्यात् " कथञ्चित् पुत्ररहितश्चेत्, अजातपुत्रो मृतपुत्रो वा तदा ' आत्मनो नाम गृह्णीयात् ' । तथा च ' इदं मे कर्मेदं वीर्य देवदत्तोऽहं सन्तनवानि '—इति नामग्रहणम् ॥ २१ ॥

अथाहवनीयम् । " आहवनीयमुपतिष्ठते तूष्णीम् " इति (का. श्रौ. सू. ३ । १७८) गार्हपत्योपस्थानादिकर्मणा यत्पदं न प्राप्नोति, अत उपस्थानयज्ञक्रिया प्रत्यक्संस्था जाता; सा च जघन्या, अधोगतित्वात्; अत आहवनीयोपस्थानं विधत्ते प्राक्संस्थित्यै । अपि च प्रत्यग्गमनशब्दो हि नरकपातवाचकः; एवञ्चाधोगतिर्यज्ञस्य स्यात् । तूष्णीमिति । सामर्थ्यान्मन्त्रे प्राप्ते तूष्णीमुपस्थानं विधेयमिति मन्त्रनिवृत्तिः क्रियते ॥ २२ ॥

[**अथाहवनीयम्** । प्राक्संस्थं यज्ञस्याशास्ते । तूष्णीमेवोपस्थानम् इति ॥ २२ ॥]

१—" अनेकेषु पुत्रेषु सर्वेषां ज्येष्ठस्य पुत्रस्य नामाभिव्याहृत्य " इति सांख्यायनः २।१२।११ " प्रियस्य पुत्रस्य नाम गृह्णाति " इत्यापस्तम्बः । ४ । १६ । ४ । २—"तूष्णीमिति लौकिकवागुच्चारणनिषेधः क्रियते; मन्त्राभावात् । एवं च तत्समीपे स्थित्वा तं विलोकयत्येव " इति हि याज्ञिकदेवः ।

(तेऽथ) अथ व्रतं विसृजते । (त) इदमहं य एवास्मि सोऽस्मीत्यमानुष ऽइव वा ऽएतद्भवति यद्व्रतमुपैति न हि तदवकल्पते यद्ब्रूयादिदमहꣳ सत्यादनृतमुपैमीति तदु खलु पुनर्मानुषो भवति तस्मादिदमहं यऽ एवास्मि सोऽस्मीत्येवं व्रतं विसृजेत ॥ २३ ॥ ४ ॥

इति सप्तमप्रपाठके चतुर्थं ब्राह्मणम् ॥ ४ ॥ कण्डिकासंख्या ११४ ॥
ब्राह्मणसंख्या ३७ एवं कण्डिकासंख्या ८३८ ॥

अथ व्रतं विसृजते—"इदमहं य एवास्मि सोऽस्मि"—(वा० सं० २ । २८) इति अमानुष— इव वा एतद्भवति—यद्व्रतमुपैति । न हि तदवकल्पते यद्ब्रूयाद्—इदमहं सत्यादनृतमुपैमि इति । तदु खलु पुनर्मानुषो भवति । तस्माद् 'इदमहं य एवास्मि सोऽस्मि' इत्येवं व्रतं विसृजेत ॥ २३ ॥

इति दर्शपूर्णमासेष्टिः सम्पूर्णा ॥

अथ व्रतम् । " व्रतं विसृजते येनोपेयात् " इति—(का. श्रौ. सू. ३ । १७९) पूर्वोक्तामितिकर्तव्यता- मनूद्य यज्ञसमाप्तिर्व्रतविसर्गसम्बद्धा विधीयते; यदिदमुक्तं " संस्थिते " श. प. १ कां. १ । १ । ३ ।) इति, तदिदमवसरप्राप्तं व्रतं विसृजते । स्वशाखायाम् " इदमहमनृतात् सत्यमुपैमि "—(श. प. १ कां. १ । १ ।४) इति मन्त्रोच्चारोऽभिप्रेतः—अत एव पक्षान्तरन्यासो न कृतो भगवत्या श्रुत्या ॥

समाप्तोऽयं पौर्णमासः, सर्वास्विष्टिषु पशुबन्धेषु यागेषु सौत्रामण्यां च प्रकृतिभूतः । यद्यप्ययं कृताधानस्य भवति, तथापि आधानेष्टीनां तनूहविस्सञ्ज्ञकानां पौर्णमासयागः प्रकृतिः, तस्मात् पूर्वमुपदेश्यः । ननु तर्हि तनूहविषामेव सर्वेष्टिप्रकृतित्व कृत्वा तान्येव पूर्वं कस्मान्नोपदिष्टानि ? सत्यम् ! किन्तु तेष्वितिकर्तव्यतावैकृत्यदर्शनात् सर्वप्रकृतित्वं न सम्भवति, तस्मात्पौर्णमासयाग एव पूर्वमुपदिष्टः ॥ २३ ॥ ४ ॥

[**अथ व्रतं** । व्रतमिति कर्मणो नामधेयम् । तस्य विसर्गं कुरुते यजमानः **इदमहमि**ति । यद्व्रतं विसृजते, तेन व्रतोऽमानुष इव देव इव भवति । न हीति । मन्त्ररूपान्तरं दूषणम् । व्रतविसर्गानन्तरं पुनः मानुषो जायते, तस्मादिदमहमित्येतेन मन्त्रेण व्रतं विसृजेतेति विधिः । तदु खल्वित्यवधारणार्थः । " अथाप्युकार एतस्मिन्नेवार्थ उत्तरेण " इति स्मरणात् (निरु. १ । २ । ४) खलु-पदं सत्यवचनसिद्धये स वै सत्यमेव वदेदित्यादि विध्यर्थम् इति ॥ २३ ॥] ॥ **इति परिशिष्टम्** ॥

इत्याचार्यहरिस्वामिनः कृतौ शतपथभाष्ये नवमाध्याये तृतीयं ब्राह्मणम् ॥ ९ ॥ ३ ॥

नागरनागिसुतोऽवन्त्यां पाराशर्यो वसन् हरिः । श्रुत्यर्थं दर्शयामास शक्तितः पौष्करीयकः ॥
श्रीमतोऽवन्तिनाथस्य विक्रमार्कस्य भूपतेः । धर्माध्यक्षो हरिस्वामी व्याख्यच्छातपथीं श्रुतिम् ॥

इति श्रीमदाचार्यहरिस्वामिनः कृतौ शतपथभाष्ये नवमोऽध्यायः समाप्तः ॥ ९ ॥

इति सप्तमः प्रपाठकः समाप्तः ॥ ७ ॥

भूभर्त्रा विक्रमार्केण क्लृप्तां कनकवेदिकाम् । दानायाध्यास्य कृतवान् श्रुत्यर्थविवृतिं हरिः ॥ १ ॥

इति श्रीसर्वविद्यानिधानकवीन्द्राचार्यसरस्वतीनां शुक्लयजुर्वेदीये माध्यन्दिन-
शतपथब्राह्मणभाष्ये हविर्यज्ञं नाम प्रथमं काण्डं समाप्तम् ॥ १ ॥

इति श्रीशतपथब्राह्मणे सायणभाष्यसमेतं
प्रथमं काण्डम् ।

(तत्र ७ अ. ४ ब्राह्मणादारभ्य हरिस्वामिन
एव भाष्यमुपलभ्यम् ।)

ॐ

श्रीमद्वाजसनेयिमाध्यन्दिन-

शतपथब्राह्मणम्

सायणभाष्यसमेतम् ।

तत्र

द्वितीयं काण्डम् २ ।

॥ श्रीः ॥

एकपादिकानाम–द्वितीयकाण्डे प्रथमः प्रपाठकः ।

प्रथमोऽध्यायः प्रारभ्यते ।

तत्र प्रथमं ब्राह्मणम् ।

हरिः ओ३म् ॥ स यद्वा ऽइतश्चेतश्च सम्भरति । तत्सम्भाराणाᳫँसम्भा-
रत्वं यत्रयत्राग्नेर्न्यक्तं ततस्ततः सम्भरति तद्यशसेव त्वदेवैनमेतत्समर्द्ध-
यति पशुभिरिव त्वन्मिथुनेनेव त्वत्सम्भरन् ॥ १ ॥

अथाग्न्याधानम् ।

तत्र सम्भारब्राह्मणम् ।

स यद्वा इतश्चेतश्च सम्भरति तत्–सम्भाराणां सम्भारत्वम् । यत्र–यत्राग्नेर्न्यक्तं ततस्ततः सम्भरति । तद् यशसेव त्वद्–एवैनमेतत् समर्द्धयति । पशुभिरिव त्वत् । मिथुनेनेव त्वत्– सम्भरन् ॥ १ ॥

सायणभाष्यम् ।

वागीशाद्याः सुमनसः सर्वार्थानामुपक्रमे । यं नत्वा कृतकृत्याः स्युस्तं नमामि गजाननम् ॥ १ ॥
यस्य निःश्वसितं वेदा यो वेदेभ्योऽखिलं जगत् । निर्ममे, तमहं वन्दे विद्यातीर्थमहेश्वरम् ॥ २ ॥
आद्ये काण्डे प्रपञ्चेन पौर्णमासेष्टिरीरिता । सा सम्पूर्णोपदेशत्वादन्यासां प्रकृतिर्मता ॥ ३ ॥
पवमानेष्ट्यादिकानां द्वितीये .त्वग्निसिद्धये । आधानं पवमानेष्टिरग्निहोत्रमुपस्थितिः ॥
चातुर्मास्यादिकः सर्वो हविर्यज्ञोऽत्र वर्ण्यते ॥ ४ ॥

तत्र तावत् सर्वेष्टिप्रकृतित्वेन प्राक् प्रतिपादिताया दर्शपूर्णमासेष्टेः, विधास्यमानानामग्निहोत्रादिकर्मणा च त्रेताग्निसाध्यत्वात् तद्धेतुभूतमाधानं प्रतिपाद्यते । तत्र चोदकहिरण्यादिसम्भाराणां पञ्चानां सम्भरणं विधित्सुः सम्भारनामनिर्वचनं करोति–**स यद्वा** इति । 'इतश्च' अस्माद् वक्ष्यमाणादुदकहिरण्यादिद्रव्यजातात् 'सः' अध्वर्युस्तदेकदेशमाहृत्य 'यद्' यस्मादेकस्थाने 'सम्भरति' समूहीकरोति, ('तत्'[6] तस्मात् 'सम्भ्रियन्ते

१–२ एकपादिकाभिधेऽस्मिन् काण्डे प्रकरणचतुष्टयम् । तत्र तावत्सप्तभिर्ब्राह्मणैः प्रथममग्न्याधानप्रकरणम्, ततः षड्ब्राह्मणै द्वितीयमग्निहोत्रप्रकरणम्, ततो ब्राह्मणत्रयेणेष्टिप्रकरणं तृतीयम्, ततोऽष्टभिर्ब्राह्मणैरन्तिमं चातुर्मास्यप्रकरणमभिहितम् । तत्र प्रथमेऽन्याधानप्रकरणे प्रथमं सम्भारब्राह्मणम्, ततो द्वे मुहूर्त्तब्राह्मणे, तत्रैक नक्षत्रविचारात्मकमपरमृतुविचारात्मकम्, तत [illegible]-ब्राह्मणं चतुर्थम्, ततः पञ्चमं पूर्णाहुतिब्राह्मणम्, षष्ठं दक्षिणाब्राह्मणम्, सप्तमं च पुनराधानब्राह्मणमिति ज्ञेयम् । ३–यत्र सर्वं कर्तव्यं प्रकर्षेण कर्मान्तरनैरपेक्ष्येणोपदिश्यते सा प्रकृतिः । यत्र विशेषरूपमेवं कर्तव्यं श्रुत्योपदिश्यते इतरत्सर्वं प्रकृतेरतिदिश्यते सा विकृतिः । प्रकृतिश्च द्विविधा–मूलप्रकृतिरवान्तरप्रकृतिश्चेति । सर्वात्मना कर्मान्तरनिरपेक्षा मूलप्रकृतिः । कतिपयेष्वङ्गेषु कर्मान्तरं चापेक्षते स्वयं च कैश्चित्कर्मभिरपेक्षणीया भवति सेयमवान्तरप्रकृतिः । सर्वं चेदं मीमांसायां सप्तमेऽष्टमेऽध्याये च निरूपितम् । तथा च न्यायमालायाः ८ अ. १ पा. ३ अ. २ वर्णके इष्ट्यग्निहोत्रसोमानामेव सर्वयागमूलप्रकृतित्वं प्रतिपादितम् ॥ ४–"दक्षिणाग्निर्गार्हपत्याहवनीयौ त्रयोऽग्नयः । अग्नित्रयमिदं त्रेता" इत्यमरः (२ । ७ । २०) । ५–' उदकम् १ हिरण्यम् २ ऊषाः ३ आखुकरीषम् ४ शर्कराः ५ इति पञ्च संभाराः । ६–'बन्धनीभूतग्रन्थस्थाने ' तच्च हिरण्यादिनानावस्तूनां संभारनामत्वमिति'–इति पाठ उपलभ्यते क. पुस्तके ।

(ञ्) अथोल्लिखति । तद्युदेवास्यै पृथिव्या ऽअभिष्ठितं वाभिष्ठ्यूतं वा तुदेवास्या ऽएतदुद्धन्त्यथ यज्ञियायामेव पृथिव्यामाधत्ते तुस्माद्वा उल्लिखति ॥ २ ॥

(त्यु) अथाद्भिरभ्युक्षति । (त्ये) एष वा अपाᳬं सम्भारो यदद्भिरभ्युक्षति तद्यदपः सम्भरत्यन्नं वा ऽआपोऽन्नᳬं हि वा ऽआपस्तस्माद्यदेमं लोकमाप आगच्छन्त्यथेहान्नाद्यं जायते तदन्नाद्येनैवैनमेतत्समर्द्धयति ॥ ३ ॥

अथोल्लिखति, तद्-यदेवास्यै पृथिव्या अभिष्ठितं वा, अभिष्ठ्यूतं वा तदेवास्या एतदुद्धन्ति । अथ यज्ञियायामेव पृथिव्यामाधत्ते तस्माद्वा उल्लिखति ॥ २ ॥

अथाद्भिरभ्युक्षति । एष वा अपां सम्भारो यदद्भिरभ्युक्षति । तद् यद्-अपः सम्भरति-अन्नं वा आपः-अन्नं हि वा आपस्तस्माद् यदेमं लोकमाप आगच्छन्ति अथेहान्नाद्यं जायते । तदन्नाद्येनैवैनमेतत् समर्द्धयति ॥ ३ ॥

इति सम्भाराः' इति श्रुत्युक्त्या तेषां 'सम्भार'-नाम सम्पन्नमित्यर्थः ।) इतश्चेतश्चेति । "नित्यवीप्सयोः"-(पा० सू० ८ । १ । ४) इति द्विर्वचनम् । एतदेव विशदयन् सम्भरणं विक्रियते-यत्र-यत्रेति । यस्मिन् यस्मिन् पदार्थे 'अग्नेः' सम्बन्धि तेजो 'न्यक्तं' निलीनं भवति, तस्मात् सर्वस्मादपि सम्भरणं कार्यमित्यर्थः । एतत् सम्भरणीयद्रव्यविशेषोपजीवनेन प्रशंसति-तद्यशसेवेति । सम्भरन्नित्युपरिष्टात्सर्वशेषतया श्रुतत्वात् त्रिष्वपि वाक्येषु त्वदित्यनन्तरं सम्बध्यते । त्वच्छब्दश्च एकशब्दपर्यायः "उत त्वः पश्यन्" (ऋ० सं० १० । ७१ । ७) इत्यादौ तथा दर्शनात् । "अप्येकः पश्यन् न पश्यति वाचम्" इति यास्कः । (नि० १ । ६ । ३) 'तत्' तत्र 'त्वत्'[2] एकं हिरण्याख्यं वस्तु 'सम्भरन्' 'एनम्' अग्निमेतेन सम्भरणेन 'यशसेव समर्द्धयति' । हिरण्यस्य यशोरूपत्वमग्रे (श० प० २ । १ । १ । ५) वक्ष्यते । एवमुत्तरवाक्ययोरपि योजना । तत्र त्वदिति पदाभ्यामुषोदकद्रव्ये विवक्षिते । तयोश्च पशुमिथुन[3]रूपत्वे उपरिष्टात् (श० प० २ । १ । १ । ४-६) समाम्नास्येते ॥ १ ॥

तस्य च हिरण्यादिसम्भारस्य निवपनमुल्लेखनाभ्युक्षणसंस्कृतेष्वेव गार्हपत्याद्यायतनेषु कार्यमित्यभिप्रेत्य प्रथम-मुल्लेखनं विधाय प्रशंसति-अथोल्लिखतीति । 'अस्यै पृथिव्यै' इति षष्ठ्यर्थे चतुर्थी (पा० सू० २ । ३ । ६१) । अस्याः पृथिव्याः सम्बन्धि, यत् 'अभिष्ठितम्' उपर्यवस्थानेन पादस्पर्शजनितम्[4], 'अभिष्ठ्यूतम्, तदुपरि निष्ठीवनादिजनितञ्चेत्यर्थः । 'वा'-शब्दौ चार्थौ । यज्ञियायामिति । यज्ञार्हायामित्यर्थः ॥ २ ॥

उल्लिखितानामग्न्यायतनानामभ्युक्षणं विधत्ते[5]-अथेति । एतदभितः सर्वतो यदभ्युक्षणम्, 'एष वा अपां सम्भारः' न तु हिरण्यादिवत् पृथगुपादाय तासां निवपनं कार्यमित्यर्थः । 'अन्नं वै' इत्यादि निगदसिद्धम् ॥ ३ ॥

१-वातमिति पा. । २-'तत्' इति पा. । ३-यदि च श्रुतौ मिथुनस्याग्रे विधानं, पशूनां तत उत्तरं तथापि "अल्पाच्तरम्" (पा. सू. २ । २ । ३४) इति शासनात्पशुशब्दस्येह द्वन्द्वनिमित्तः पूर्वनिपातो ज्ञेयः । ४-एतदनन्तरम् "अमेध्यत्वमिति नैकप्रतीकोद्धूर्णखूरश्लेष्मादिजममेध्यत्वम्"-इत्यधिकमुपलभ्यते क. पु. । ५-"स्थानमुल्लिख्याभ्युक्ष्यान्वारब्धे हिरण्यं निधायोत्खातकरान्निवपत्यन्तेषु शर्कराः" इति का. श्रौ. सू. ४ । २१० ॥

योषा वा ऽआपः । (पो) वृषाग्निर्मिथुनेनैवैनमेतत्प्रजननेन समर्द्धयत्य-
द्भिर्वा ऽइदᳪं सर्व्वमाप्तमद्भिरेवैनमेतदाप्त्वाधत्ते तस्मादपः सम्भरति॥४॥
(त्यु) अथ हिरण्यᳪं सम्भरति । (त्य) अग्निर्ह वा ऽअपोऽभिदध्यौ मिथु-
न्याभिः स्यामिति ताः सम्बभूव तासु रेतः प्रासिञ्चत्तद्धिरण्यमभवत्तस्मा-
देतदग्निसङ्काशमग्नेर्हि रेतस्तस्मादप्सु विन्दन्त्यप्सु हि प्रासिञ्चत्तस्मा-
देनेन न धावयति न किञ्चन करोत्यथ यशो देवरेतसᳪं हि तद्यशसैवैनमेत-
त्समर्द्धयति सरेतसमेव कृत्स्नमग्निमाधत्ते तस्माद्धिरण्यᳪं सम्भरति ॥५॥

योषा वा आपः, वृषाग्निः । मिथुनेनैवैनमेतत् प्रजननेन समर्द्धयति । अद्भिर्वा इदं सर्वमाप्तम् । अद्भिरेवैनमेतदाप्त्वाधत्ते–तस्मादपः सम्भरति ॥ ४ ॥

अथ हिरण्यं सम्भरति । अग्निर्ह वा अपोऽभिदध्यौ–"मिथुन्याभिः स्यामिति" । ताः सम्बभूव' तासु रेतः प्रासिञ्चत्–तद्धिरण्यमभवत्; तस्मादेतदग्निसङ्काशम् । अग्नेर्हि रेतः । तस्मादप्सु विन्दन्ति, अप्सु हि प्रासिञ्चत् । तस्मादनेन न धावयति, न किञ्चन करोति । अथ यशो देवरेतसं हि । तद्यशसैवैनमेतत् समर्द्धयति । सरेतसमेव कृत्स्नमग्निमाधत्ते । तस्माद्धिरण्यं सम्भरति ॥ ५ ॥

एवमन्त्राद्यहेतुत्वेनाभ्युक्षणं प्रशस्य मिथुनरूपेण प्रशंसति–**योषा वा** इति । अपां स्त्रीलिङ्गत्वादग्नेश्च पुंल्लिङ्गत्वादुभयं मिलितं सदेकं मिथुनम्, तच्च पुत्रपौत्रादिप्रजननहेतुरिति 'एनम्' अग्निं 'समर्द्धयति' एतेन 'मिथुनेन' । त्वदिति प्रागुक्तं तद्विवृतं भवति । एवं लिङ्गोपजीवनेन प्रशस्य अप्शब्दप्रतिपादितार्थपर्यालोचनयापि प्रशंसति–**अद्भिर्वा** इति । "आपो वा इदमग्रे सलिलमासीत्"–इति श्रुतिः (तै० ब्रा० १ । १ । ३ । ५.) 'सर्वम्' 'इदम्' जगत् 'अद्भिः' खलु 'आप्तम्' अत आपनशीलाभिस्ताभिरद्भिः 'एनम्' अग्निं प्राप्य 'आधत्ते' इत्यर्थः । यस्मादेवं तस्मात् सम्भारनिवपनसमयेऽभ्युक्षणार्थं कस्मिंश्चित् पात्रेऽपः सम्भरेदिति निगमयति **तस्मादिति** ॥ ४ ॥

हिरण्यस्य सम्भरणं विधत्ते–**अथ हिरण्यमिति** । तस्य हिरण्यस्याग्निरेतस्त्वं प्रतिपादयति–**अग्निर्ह वा** इत्यादिना । 'अभिदध्यौ' अभिध्यातवानित्यर्थः । "ध्यै चिन्तायाम्" (भ्वा० प० ९३३) इत्यस्मा-ल्लिटि "आत औ णलः" (पा० सू० ७ । १ । ३४) इत्यौत्वम्, अभिध्यानप्रकारमाह–**मिथुन्याभिरिति** । 'आभिः' अद्भिरभ्युक्षणाद्भिः स्त्रीभिः 'मिथुनी स्याम्' प्रयोगमिथुनं तत्संयोगान्मिथुनं भवानीत्यर्थः । मिथुनशब्दादभूततद्भावे (पा० सू० ५ । ४ । ५० । वा० २) च्विः । **तस्मादेतदिति** । यस्मादग्निवीर्यं हिरण्यात्मना परिणतम्, 'तस्मात्' एतत् हिरण्यम् 'अग्निसङ्काशम्' अग्नेः सदृशमेव वर्ण्यते उपलभ्यते । यस्माच्चाप्सु निषिक्तम्, 'तस्मात्' तद्धिरण्यम् 'अप्सु' 'विन्दन्ति' लभन्त इत्यर्थः । **तस्मादनेनेति** । यस्मादाग्नेयं हिरण्यम, 'तस्मादनेन' दन्तान् 'न धावयेत्' । तथा यदन्यत् किमपि हीनं कर्म, तदपि तेन न कुर्यादित्यर्थः ।

अथ यश इति । 'अथ'–शब्दो वाक्यालङ्कारे । यस्मात्तद्धिरण्यं 'देवरेतसं' देवस्याग्नेर्वीर्यम्, तस्माद् यशोरूपम् । देवरेतसमिति "अनसन्तात्"–(पा० सू० ५ । ४ । १०३) इत्यकारः समासान्तः । तथा च

(त्य) अथोषान्सम्भरति । (त्य) असौ ह वै द्यौरस्यै पृथिव्या ऽएता-न्पशून्प्रददौ तस्मात्पशव्यमूषरमित्याहुः पशवो ह्येवैते साक्षादेव तत्पशु-भिरेवैनमेतत्समर्द्धयति तेऽमुत ऽआगता ऽअस्यां पृथिव्यां प्रतिष्ठितास्त-मनयोर्द्यावापृथिव्यो रसं मन्यन्ते तदनयोरेवैनमेतद्द्यावापृथिव्यो रसेन समर्द्धयति तस्मादूषान्त्सम्भरति ॥ ६ ॥

(त्य) अथाखुकरीषँसम्भरति । (त्या) आखवो ह वा ऽअस्यै पृथिव्यै रसं विदुस्तस्मात्तेऽधोऽध ऽइमां पृथिवीं चरन्तः पीविष्ठा ऽअस्यै हि रसं विदुस्ते यत्र तेऽस्यै पृथिव्यै रसं विदुस्ततऽउत्किरन्ति तदस्या ऽएवैनमेतत्पृथिव्यै रसेन समर्द्धयति तस्मादाखुकरीषँसम्भरति पुरीष्य ऽइति वै तमाहुर्यः श्रियं गच्छति समानं वै पुरीषं च करीषं च तदेतस्यैवा-वरुद्ध्यै तस्मादाखुकरीषँ सम्भरति ॥ ७ ॥

अथोषान् सम्भरति । असौ ह वै द्यौरस्यै पृथिव्या एतान् पशून् प्रददौ, तस्मात् पशव्यमूषर-मित्याहुः । पशवो ह्येवैते साक्षादेव । तत् पशुभिरेवैनमेतत् समर्द्धयति । तेऽमुत आगता अस्यां पृथिव्यां प्रतिष्ठिताः । तमनयोर्द्यावापृथिव्यो रसं मन्यन्ते । तदनयोरेवैनमेतद् द्यावापृथिव्यो रसेन समर्द्ध-यति । तस्मादूषान् सम्भरति ॥ ६ ॥

अथाखुकरीषं सम्भरति । आखवो ह वा अस्यै पृथिव्यै रसं विदुः, तस्मात्तेऽधोऽध इमां पृथिवीं चरन्तः पीविष्ठाः अस्यै हि रसं विदुस्ते । यत्र तेऽस्यै पृथिव्यै रसं विदुः; ततः उत्किरन्ति ।

हिरण्यसम्भरणेन 'यशसैव' 'एनम्' अग्निं समृद्धं करोति । एतेन—'यशसेव त्वद्' इति प्रागुक्तं (श० प० २ । १ । १ । १) व्याख्यातं भवति । सरेतसमेवेति । हिरण्यस्य सम्भरणाभावे हि रेतसोऽन्यत्र स्थितत्वात् तद्रहित आहितोऽग्निरकृत्स्न एव भवति; तत्सम्भरणे तु सरेतसः सः ॥ ५ ॥

ऊषाख्यमृद्विशेषस्य संभरणं विधत्ते—अथोषानिति । ऊषाणां पशुरूपत्वं प्रतिपादयन् तत् समृद्धिहेतुत्वेन स्तौति—असौ ह वा इति । यस्मात् 'पृथिव्यै' द्युलोकेन इमे पशवो दत्ताः, 'तस्मात्', तत्सम्बन्धि 'ऊष-रम्' ऊषयुक्तं स्थानं पशव्यं पशुभ्यो हितम् 'इति' ब्रह्मवादिनः 'आहुः' । पशवो हि, तादृशं स्थानमासाद्य लिहन्ति; अतः पशुहितत्वात् पश्वात्मकाः 'एवैते' ऊषाः । ऊषरमिति । "ऊषसुषिमुष्कमधो रः" (पा. सू. ५ । २।१०७) इति मत्वर्थीयो रः । स्पष्टमन्यत् । द्यावापृथिव्यो रसत्वेनैतान् प्रशंसति—तेऽमुत इति । 'अमुतः' अमुष्माद् द्युलोकात् 'आगताः', 'अस्यां' पृथिव्यां प्रतिष्ठिताः च; अतः पश्वात्मकस्य ऊषद्रव्यस्य द्यावापृथिवीरसत्वम् । किं ततः इत्याह—तदनयोरिति ॥ ६ ॥

द्रव्यान्तरस्य सम्भरणं विधत्ते—"अथाखुकरीषमिति । आखुभिः खननेन बिलात् बहिर्नीताः पांसव आखु-करीषम् । तदेतत्पृथिवीरसत्वेन स्तौति—आखवो हेति । यस्मात् 'आखवः' पृथिवीरसज्ञाः 'तस्मात्' एव पृथिवी-

---

१–'रसजाताः' इति क० पु० पा० ।

(त्यु) अथ शर्क्कराः सम्भरति । देवाश्च वा ऽअसुराश्चोभये प्राजापत्याः पस्पृधिरे सा हेयं पृथिव्यलेलायद्यथा पुष्करपर्णमेवं ताᳫँ ह स्म व्वातः संव्वहति सोपैव देवाञ्जगामोपासुरान्त्सा यत्र देवानुपजगाम ॥ ८ ॥

तद्धोचुः । (ई) हन्तेमां प्रतिष्ठां दृᳫँहामहै तस्यां ध्रुवायामशिथिलायामग्नी ऽआदधामहै ततोऽस्यै सपत्नान्निर्भक्ष्याम ऽइति ॥ ९ ॥

तदस्या एवैनमेतत् पृथिव्यै रसेन समर्द्धयति । तस्मादाखुकरीषं सम्भरति, पुरीष्य इति वैतमाहुः—यः श्रियं गच्छति । समानं वै पुरीषं च करीषं च । तदेतस्यैवावरुद्ध्यै,—तस्मादाखुकरीषं सम्भरति ॥ ७ ॥

अथ शर्क्कराः सम्भरति । देवाश्च वा असुराश्च उभये प्राजापत्याः पस्पृधिरे । सा हेयं पृथिव्यलेलायत्, यथा—पुष्करपर्णमेवम् । तां ह स्म वातः संवहति । सोपैव देवान् जगामोपासुरान् । सा यत्र देवानुपजगाम ॥ ८ ॥

तद्धोचुः—" हन्तेमां प्रतिष्ठां दृंहामहै, तस्यां ध्रुवायामशिथिलायामग्नी आदधामहै; ततोऽस्यै सपत्नान् निर्भक्ष्याम इति " ॥ ९ ॥

मध्ये 'अधोऽधः चरन्तः' पृथिव्या अन्तरधस्तात् समीपे चरन्तः, (तत्रत्यरसास्वादनेन ' पीविष्ठाः ' अतिशयेन पीवानो मांसलाः, ते च) (तद्रसास्वादनसम्बन्धिनि ' यत्र यत्स्थाने ' रसं ' ' विदुः ' जानन्ति तत् स्थानं गत्वा) ' रसम ' उपजीव्य पांसून् बहिः ' उत्करन्ति ' उत्क्षिपन्ति । " कॄ विक्षेपे " (तु० प० १३९) इति धातुः । अत आखूत्करस्य पृथिवीरसत्वात् तेनैव ' एनम् ' अग्निं समृद्धं करोति । प्रकारान्तरेण स्तौति—**पुरीष्य इतीति** । ' यः ' खलु ' श्रियं ' सम्पदं ' गच्छति, ' 'तं पुरीष्य इति' लोका वर्णयन्ति । नन्वेवं पुरीषस्यैव श्रीप्राप्तिहेतुता, करीषस्य किमायातमित्यत आह—**समानमिति** । पुरीषकरीषशब्दावत्र समानार्थावित्यर्थः । अतः करीषसम्बन्धादग्निः श्रियं प्राप्नोति । तादृशस्याग्नेरवरोधाय करीषसम्भरणं कार्यमित्यर्थः ॥ ७ ॥

शर्क्कराणां सम्भरणं विधत्ते—**अथ शर्क्करा** इति । मृन्मिश्रिताः सूक्ष्मपाषाणाः शर्क्कराः । तेषामधिश्रितानां दार्ढ्यहेतुत्वमितिहासेन दर्शयति—**देवाश्च वा** इति । देवा असुरा उभये स्पर्द्धाञ्चक्रिरे । देवासुरेषु युद्धाय कृतोद्यमेषु तद्भयात् ' पृथिवी अलेलायत् ' चाञ्चल्यं प्राप्नोत् । तत्र दृष्टान्तमाह—**यथेति** । ' यथा ' जलस्योपरि ' पुष्करपर्णम् ' इतस्ततश्चञ्चलं भवति, ' एवम् ' पृथिव्यपि इतस्ततः कम्पिता । ' तां ' तदवस्थामापन्नां पृथिवीं ' वातः ' वायुः पुष्करपर्णवदेव ' संवहति स्म ' यथा दारुमयीं (नावं) कश्चित् परपारं नयति, स्थानात् स्थानान्तरं प्रापयति । ' सा ' त्वेवं कम्पमाना पृथिवी उभयविधानपि तान् ' उपजगाम ' पदान्तरे ' सा ' ' उप ' ' आ ' ' एव ' इति छेदः ॥ ८ ॥

यदा च सा देवान् प्राप्नोत्, तदा तत्कृतं परिहारं दर्शयति—**तद्धोचुरिति** । 'प्रतिष्ठां' प्रतिष्ठितां 'दृंहामहै' दृढीकरवामहै । ' ध्रुवायां ' निश्चलायाम्, ' अशिथिलायां ' दृढायाम् ' अग्नी ' गार्हपत्याहवनीयावादध्मः । वाक्यार्थः स्पष्टः । ' ततः ' तस्मात् अग्न्याधानात् ' अस्यै ' अस्याः पृथिव्याः सकाशात् शत्रुभूतानसुरान् ' निर्भक्ष्यामः ' निर्भक्तान् भागरहितान् कुर्यामेत्यर्थः । इत्थं प्रतिज्ञापयामासुः ॥ ९ ॥

तद्यथा शङ्कुभिश्चर्म विहन्यात् । (दे) एवमिमां प्रतिष्ठाᳬं शर्कराभिः पर्यबृᳬँ हन्त सेयं ध्रुवाऽशिथिला प्रतिष्ठा तस्यां ध्रुवायामशिथिलायामग्नी ऽआदधत ततोऽस्यै सपत्नान्निरभजन् ॥ १० ॥

(जँस्तु) तथो ऽएवैष ऽएतत् । (दि) इमां प्रतिष्ठाᳬं शर्कराभिः परिबृᳬँहते तस्यां ध्रुवायामशिथिलायामग्नी ऽआधत्ते ततोऽस्यै सपत्नान्निर्भजति तस्माच्छर्कराः सम्भरति ॥ ११ ॥

तान्वा ऽएतान् । (न्पु) पञ्च सम्भारान्त्सम्भरति पाङ्क्तो यज्ञः पाङ्क्तः पशुः पञ्चऽर्त्तवः संव्वत्सरस्य ॥ १२ ॥

तदाहुः । षडेवऽर्त्तवः संवत्सरस्येति न्यूनमु तर्हि मिथुनं प्रजननं क्रियते न्यूनाद्वा ऽइमाः प्रजाः प्रजायन्ते तच्छ्रेयसमुत्तरावत्तस्मात्पञ्च भवन्ति यद्यु षडेवऽर्त्तवः संव्वत्सरस्येत्यग्निरेवैतेषाᳬं षष्ठस्तथो ऽएवैतदन्यूनं भवति ॥ १३ ॥

तद्यथा शङ्कुभिश्चर्म विहन्यात्, एवमिमां प्रतिष्ठां शर्कराभिः पर्यबृंहन्त । सेयं ध्रुवाऽशिथिला प्रतिष्ठा । तस्यां ध्रुवायामशिथिलायामग्नी आदधत । ततोऽस्यै सपत्नान्निरभजन् ॥ १० ॥

तथो एवैष एतत् इमां प्रतिष्ठां शर्कराभिः परिबृंहते । तस्यां ध्रुवायामशिथिलायामग्नी आधत्ते । ततोऽस्यै सपत्नान् निर्भजति । तस्माच्छर्कराः सम्भरति ॥ ११ ॥

तान्वा एतान् पञ्च सम्भारान् सम्भरति । पाङ्क्तो यज्ञः । पाङ्क्तः पशुः । पञ्चर्तवः संवत्सरस्य॥१२॥

तदाहुः—षडेवर्त्तवः संवत्सरस्य इति । न्यूनमु तर्हि मिथुनं प्रजननं क्रियते । न्यूनाद्वा इमाः प्रजाः

इत्थं प्रतिज्ञाय तैः कृतं दर्शयति—**तद्यथेति** । 'यथा' आर्द्रं 'चर्म' भूमौ प्रसार्य 'शङ्कुभिः' परितो 'विहन्यात्' 'एवं' 'प्रतिष्ठां' सर्वप्राण्यास्पदभूताम् 'इमां' पृथिवीं शर्कराभिः 'पर्यबृंहन्त' परितः शर्करास्थापनेन दृढीकृतवन्तः । निगदसिद्धमन्यत् ॥ १० ॥

एवं पुरावृत्तमुदाहृत्यैतद्दृष्टान्तेन प्रकृतमनुसन्धत्ते—**तथो एवेति** । उक्तार्थमेतत् ॥ ११ ॥

विहितसम्भरणमनूद्य तत्सङ्ख्योपजीवनेन प्रशंसति—**तान् वा एतानिति** । तान् पूर्वोक्तान् 'पञ्च सम्भारान्' 'सम्भरति' उदकहिरण्योषाखुकरीषशर्कराः पञ्च सम्भाराः । **पाङ्क्तो यज्ञ** इति । पञ्चपदा पङ्क्तिः, (ऐ. ब्रा. ६ । ४ । ४; ५।४।२।) तद्वत्वात्, 'यज्ञः' अपिधानाकरम्भादिपञ्चहविष्क[1] (ऐ. ब्रा. २।३।६) इति पञ्चसङ्ख्यायोगात् 'पाङ्क्तः' । अस्थिमज्जेति पञ्चधातुमयत्वात्[2] 'पशुः' अपि 'पाङ्क्तः' (ऐ. ब्रा. ६ । ५ । ३) संवत्सरसम्बन्धिनः 'ऋतवः' वसन्ताद्या अपि पञ्चसङ्ख्याकाः । हेमन्तशिशिरयोः समासाभिप्रायमेतत् । तथा चैतरेयकम् "हेमन्तशिशिरयोः समासेन"—(ऐ. ब्रा. १ । १ । १) इति ॥ १२ ॥

तदेतत् पञ्चत्वं लोकप्रसिद्धिविरुद्धमित्याक्षिपति—**तदाहुरिति** । हेमन्तशिशिरौ हि पृथक्त्वेन लोके प्रसिद्धौ;

१—धानाः, करम्भः, परिवापः, पुरोडाशः, पयस्या इति पञ्च हवींषि । २—त्वक्, मांसम्, स्नायुः, अस्थि, मज्जा चेति पञ्च धातवः । यद्यपि धातवः सप्तसंख्याका एवाभिहिताः सर्वत्र, तथापि यज्ञे पञ्चानामेवोपयोगात् पञ्चधातुमयत्वमेवाभिहितं पशूनाम् ।

तुदाहुः । (नै) नैवैकश्चनु सम्भारॅ सम्भरेदित्यस्यां वा ऽएते सुर्वे पृथिव्यां भवन्ति स ग्रुदेवास्यामाधत्ते तत्सुर्वान्त्सम्भारानाप्नोति तस्मान्नैवै-कश्चनु सम्भारॅ सुम्भरेदिति तदु सुमेवु भरेद्यदहैवास्यामाधत्ते तत्सु-र्वान्त्सम्भारानाप्नोति ग्रदु सम्भारैः सुम्भृतैर्भवति तदु भवति तस्मादु सुमेवु भरेत् ॥ १४ ॥ १ ॥

इति प्रथमप्रपाठके प्रथमं ब्राह्मणम् ॥ (१-१) ॥

प्रजायन्ते । तच्छ्वःश्रेयसमुत्तरावत् । तस्मात्पञ्च भवन्ति । यद्यु षडेवर्तवः संवत्सरस्येति । अग्निरेवै-तेषां षष्ठः, तथो एवैतदन्यूनं भवति ॥ १३ ॥

तदाहुः-नैवैकश्चन सम्भारं सम्भरोदिति । अस्यां वा एते सर्वे पृथिव्यां भवन्ति । स यदेवास्या-माधत्ते, तत्सर्वान् सम्भारानाप्नोति । तस्मात्-नैवैकश्चन सम्भारं सम्भरोदिति । तदु समेव भरेत् । यदहैवास्यामाधत्ते-तत् सर्वान् सम्भारानाप्नोति । यदु सम्भारैः सम्भृतैर्भवति, तदु भवति । तस्मादु समेव भरेत् ॥ १४ ॥ १ ॥

इत्यग्न्याधानप्रकरणे सम्भारब्राह्मणम् ।

अतस्तयोरैक्यं न युक्तमिति भावः । परिहरति-न्यूनमिति । 'तर्हि' तथा सति ऋतुषट्के मिथुनत्रयसम्पत्तिः; पञ्चके तु तन्मिथुनत्रयमेकेन ' न्यूनं ' भवति, तच्च[१] प्रजननसाधनम् । अत्र लोकप्रसिद्धिमाह-न्यूनादिति । स्त्रीपुंसयोर्वीर्यस्य परस्परन्यूनत्वे सति तस्मात् ' न्यूनात् ' मिथुनात् स्त्रीपुंसलक्षणान्यपत्यानि ' जायन्ते ' । यस्मादेवं ' तस्मात् ' ' पञ्चसम्भारलक्षणेन यत् मिथुनस्य न्यूनत्वम्, ' तत् ' ' श्वःश्रेयसम् ' श्वः परदिवसे, श्रेयसो जनकम् । "श्वसो वसीयःश्रेयसः" (पा०सू० ५।४।८०) इत्यच् समासान्तः । 'उत्तरावत्', उत्तरा आगामिन्यभिवृद्धिः, तथोपेतमित्यर्थः । एवमृतूनां षट्केऽपि सम्भाराणां पञ्चसङ्ख्याकत्वमुपपाद्याथापि न्यूनत्वं नाम कश्चिन्मन्येतेत्याशङ्क्य परिहरति- यद्यु इति । यदि षडृतुत्वं संवत्सरस्य सङ्ख्यास्ति, तर्हि एतेषां सम्भाराणामाधीयमानः 'अग्निरेव ' ' षष्ठः ' षट्सङ्ख्यापूरकः ॥ १३ ॥

असम्भारपक्षमाह-तदाहुरिति । एकश्चनेति । एकमपीत्यर्थः । अत्रोपपत्तिमाह-अस्यामिति । आरोपित सर्वसम्भारभूताया पृथिव्यामाधानादेव तत्कार्यप्राप्तेर्न पृथक् सम्भारापेक्षेत्यर्थः । सम्भरणपक्षमेव निगमयति-तदु समेवेति । यदु सम्भारैरिति । ' यत् ' खल्वाधाने सम्भृतैः 'सम्भारैः' निष्पन्नं भवति, 'तत्' खल्वाधानं भवति, सम्भारविरहे तु तदाधानमेव न भवतीति कुतस्तस्य पृथिवीसम्बन्धवशात् सम्भरणप्राप्तिरित्यर्थः ॥ १४ ॥ १ ॥

इति श्रीसायणाचार्यविरचिते माधवीये वेदार्थप्रकाशे माध्यन्दिनीयशतपथब्राह्मणभाष्ये द्वितीये काण्डे प्रथमाध्याये प्रथमं ब्राह्मणम् ॥ १ ॥ १ ॥

१-' तच्चाप्रजननसाधनम् ' इति पाठान्तरम् । २-'न्यूनत्वं वा न कश्चिद्दोषः ' इति क. पुस्तके ।

कृत्तिकास्वग्नी ऽआदधीत । (तै) एता वा ऽअग्निनक्षत्रं यत्कृत्तिकास्तद्वै सलोम यो ऽग्निनक्षत्रे ऽग्नी ऽआदधातै तस्मात्कृत्तिकास्वादधीत ॥ १ ॥

(तु) एकं द्वे त्रीणि । चत्वारीति वा ऽअन्यानि नक्षत्राण्यथैता एव भूयिष्ठा यत्कृत्तिकास्तद्भूमानमेवैतदुपैति तस्मात्कृत्तिकास्वादधीत ॥ २ ॥

(तै) एता ह वै प्राच्यै दिशो न च्यवन्ते । सर्वाणि ह वाऽअन्यानि नक्षत्राणि प्राच्यै दिशश्च्यवन्ते तत्प्राच्यामेवास्यैतावग्नीऽआहितौ भवतस्तस्मात् कृत्तिकास्वादधीत ॥ ३ ॥

(ता) अथ यस्मान्न कृत्तिकास्वादधीत । (र्क्षा) ऋक्षाणाᳬं ह वाऽएता अग्रे पत्न्य आसुः सप्तऽर्षीनु ह स्म वै पुरऽर्क्षा इत्याचक्षते ता मिथुनेन

अथ नक्षत्रब्राह्मणम् ।

कृत्तिकास्वग्नी आदधीत । एता वा अग्निनक्षत्रं यत् कृत्तिकाः । तद्वै सलोम योऽग्निनक्षत्रेऽग्नी आदधातै । तस्मात् कृत्तिकास्वादधीत ॥ १ ॥

एकं द्वे त्रीणि चत्वारीति वा अन्यानि नक्षत्राणि । अथैता एव भूयिष्ठाः यत् कृत्तिकाः तद् भूमानमेवैतदुपैति । तस्मात् कृत्तिकास्वादधीत ॥ २ ॥

एता ह वै प्राच्यै दिशो न च्यवन्ते । सर्वाणि ह वा अन्यानि नक्षत्राणि प्राच्यै दिशश्च्यवन्ते । तत्प्राच्यामेवास्यैतद्दिश्याहितौ भवतः । तस्मात्–कृत्तिकास्वादधीत ॥ ३ ॥

अथ यस्मात्–न कृत्तिकास्वादधीत । ऋक्षाणां ह वा एता अग्रे पत्न्य आसुः । सप्तर्षीनु ह स्म

कर्मणः कालसापेक्षत्वादाधानस्य नक्षत्रं विधत्ते–**कृत्तिकास्वित्यादिना** (का. श्रौ. सू. ४ । १७६)। 'अग्नी' गार्हपत्याहवनीयावित्यर्थः । अग्निदेवताकत्वादग्निनक्षत्रं कृत्तिकाख्यम् । श्रूयते हि–"कृत्तिका नक्षत्रमग्निर्देवता" इति । तस्मिन्नग्निनक्षत्रेऽग्न्याधानं 'सलोम' सदृशं, योग्यमिति यावत् ॥ १ ॥

अथैतस्य नक्षत्रस्य बहुत्वोपजीवनेन प्रशंसति–**एकमिति**। कृत्तिकातः 'अन्यानि नक्षत्राणि एक–द्वि–त्रि–चतुः–सङ्ख्याधिष्ठानान्यल्पीयांसि, कृत्तिकास्तु षट्सङ्ख्याधिष्ठानयोगात् 'भूयिष्ठाः' बहुतराः । तत्रार्द्रादीनाम् 'एकम्' अधिष्ठानम्, फल्गुन्यादीनां 'द्वे' अश्विन्यादीनां 'त्रीणि' पुनर्वस्वादीनां 'चत्वारि'। 'तत्' तस्मात्, एभ्यो भूयिष्ठनक्षत्राधानात् यजमानोऽपि 'भूमानं' बहुत्वमेवोपगच्छतीत्यर्थः ॥ २ ॥

नियतदिक्सम्बन्धवशेनैताः प्रशंसति–**एता ह वा** इति । 'प्राच्यै' प्राच्याः 'दिशः' सकाशात् 'न च्यवन्ते' दक्षिणत उत्तरतो वा विक्षेपवशान्न चलन्ति, किन्तु नियमेन शुद्धप्राच्यामेवोद्यन्ति; 'अन्यानि' तु 'नक्षत्राणि' प्राचीदिग्भागाद् दक्षिणत उत्तरतो वा विक्षेपवशाच्चलन्ति, प्राचीदिग्भागाद् दक्षिणत उत्तरतश्च नियमेन परिवर्त्तन्ते । **तत् प्राच्यामित्यादि** । निगदसिद्धम् ॥ ३ ॥

कृत्तिकास्वाधानपक्षं मिथुनव्यृद्धिहेतुत्वान्निषेधति–**अथ यस्मादिति** । 'यस्माद्' वक्ष्यमाणदोषोऽस्ति,

---

१–"एतद्वा अग्नेर्नक्षत्रं यत् कृत्तिकाः" (तै० ब्रा० १. १. २. १.) २–"तत्र चित्रादीनाम् इ० क० पाठः ।

व्यार्ध्यन्तामी ह्युत्तराहि सप्तऽर्षय उद्यन्ति पुर एता अशमिव वै तद्यो मिथुनेन व्यृद्धः स नेन्मिथुनेन व्यृद्ध्याऽइति तस्मान्न कृत्तिकास्वादधीत ॥ ४ ॥

तद्वैव दधीत । (तासि) अग्निर्वा ऽएतासां मिथुनमग्निनैता मिथुनेन समृद्धास्तस्मादेव दधीत ॥ ५ ॥

रोहिण्यामग्नी ऽआदधीत । रोहिण्याᳬ᳙ं ह वै प्रजापतिः प्रजाकामोऽग्नी ऽआदधे स प्रजा असृजत ता अस्य प्रजाः सृष्टा एकरूपा उपस्तब्धास्तस्थू रोहिण्य इवैव तद्वै रोहिण्यै रोहिणीत्वं बहुर्हैव प्रजया पशुभिर्भवति य एवं विद्वान् रोहिण्यामाधत्ते ॥ ६ ॥

वै पुरर्क्षा इत्याचक्षते । ता मिथुनेन व्यार्ध्यन्त । अमी ह्युत्तराहि सप्तर्षय उद्यन्ति, पुर एताः । अशमिव वै तत्—यो मिथुनेन व्यृद्धः । स नेन्मिथुनेन व्यृद्ध्यै इति । तस्मात्—न कृत्तिकास्वादधीत ॥४॥

तद्वैव दधीत । अग्निर्वा एतासां मिथुनम् । अग्निनैता मिथुनेन समृद्धाः । तस्मादेव दधीत ॥५॥

रोहिण्यामग्नी आदधीत । रोहिण्यां ह वै प्रजापतिः प्रजाकामोऽग्नी आदधे स प्रजा असृजत । ता अस्य प्रजाः सृष्टा एकरूपा उपस्तब्धास्तस्थुः, रोहिण्य इवैव । तद्वै रोहिण्यै रोहिणीत्वम् । बहुर्हैव प्रजया पशुभिर्भवति—य एवं विद्वान् रोहिण्यामाधत्ते ॥ ६ ॥

तस्मात् 'कृत्तिकासु न आदधीत' । कोऽसौ दोषः ? तमुपन्यस्यति— ऋक्षाणां हेति[1] । ऋक्षशब्दार्थमाह—सप्तर्षीनिति । 'ऋक्षं' नक्षत्रम्; तद्रूपेणावस्थानात् । इह 'ऋक्ष'—शब्देन सप्तर्षयोऽभिधीयन्ते पुर ऋक्षा इति पुरेत्यस्य "ऋत्यकः" (पा. सू. ६-१-१२८) इति प्रकृतिभावो ह्रस्वश्च । 'व्याद्धर्यन्त' विगतर्द्धिका अभवन् । वृद्धिमेव देशभेदोदयेन स्पष्टयति—अमी हीति । 'अमी' खलु 'सप्तर्षयः' 'उत्तराहि' । "आहि च दूरे"—(पा. सू. ५ । ३ । ३७) इति । 'आहि' प्रत्ययः । दूरदेशे उत्तरदिग्भागे 'उद्यन्ति' । 'एताः' कृत्तिकाः 'पुरः' पूर्वस्यां दिशि । अत एव तासां विभिन्नदेशावस्थानेन[2] पुरुषसम्भोगविरहान्मिथुनव्यृद्धिः । तच्चासमीचीनमित्याह—अशमिव वै तदिति । अतः कृत्तिकास्वाधानं कुर्वन्नपि तद्वत् मिथुनेन व्यृद्ध्यते, अतो 'न इत्' नैवाहं 'मिथुनेन' 'व्यृद्ध्यै' व्यृद्धो भवानीत्यभिप्रेत्य तत्र नादधीतेत्यर्थः ॥ ४ ॥

अथैतद्दोषं परिहरन्नाधानपक्षमेव निगमयति—तद्वैवेति । 'तत् उ आ एव'[3] तस्मिन्नपि नक्षत्रे आदधीतैव[4] । अग्निर्वा इत्यादि । स्पष्टम् ॥ ५ ॥

नक्षत्रान्तरं विधाय प्रशंसति—रोहिण्यामिति[5] । 'आदधे' आधानं कृतवान् । 'उपस्तब्धाः' प्रतिबन्धगतयो विनाशरहिताः पुत्रपौत्रादिरूपेणैकरूपा अविच्छिन्नप्रवाहाः 'तस्थुः' स्थितवत्यः । ताश्च 'रोहिण्यः' स्वर्गादिलोकारोहणसाधनभूता इव स्थिताः । एतदुपजीवनेन नामनिर्वचनं करोति—तद्वा इति । स्पष्टार्थमन्यत् ॥ ६ ॥

१–यद्यपि मूले 'पुरऽर्क्षाः' इत्येव पाठ उपलभ्यतेऽथापि 'पुर ऋक्षा' इत्येव भाष्यसंमतः पाठ इति प्रतीयते । २–'अत एवातीव संभिन्नदेशावस्थानेन' इति.पा. । ३–'तत, उ, आ, एव' इति पदानि इति क. पा. । ४–'तत्राग्निमपि' इति पा. ५–"अमावास्यायामग्न्याधेयं"="कृत्तिकारोहिणीमृगशिरःफल्गुनीषु" इति का. श्रौ. सू. ४ । १७५–१७६ ।

रोहिण्यामु ह वै पशवः । (वो) अग्नीऽआदधिरे मनुष्याणां कामꣳ रोहेमेति ते मनुष्याणां काममरोहन्यमु हैव तत्पशवो मनुष्येषु काममरोहंस्तमु हैव पशुषु कामꣳरोहति य एवं विद्वान्रोहिण्यामाधत्ते ॥ ७ ॥

मृगशीर्षेऽग्नीऽआदधीत । (तै) एतद्वै प्रजापतेः शिरो यन्मृगशीर्षꣳ श्रीर्वै शिरः श्रीर्हि वै शिरस्तस्माद्योऽर्द्धस्य श्रेष्ठो भवत्यसावमुष्यार्द्धस्य शिर इत्याहुः श्रियꣳ ह गच्छति य एवं विद्वान् मृगशीर्षऽआधत्ते ॥ ८ ॥

(त्रेऽथ) अथ यस्मान्न मृगशीर्षऽआदधीत प्रजापतेर्वा एतच्छरीरं यत्र वा ऽएनं तदविध्यंस्तादिषुणा त्रिकाण्डेनेत्याहुः स ऽएतच्छरीरमजहाद्वास्तु वै शरीरमयज्ञियं निर्वीर्यं तस्मान्न मृगशीर्षे ऽआदधीत ॥ ९॥

रोहिण्यामु ह वै पशवोऽग्नी आदधिरे—मनुष्याणां कामं रोहेमेति । ते मनुष्याणां काममरोहन् । यमु हैव तत् पशवो मनुष्येषु काममरोहन्, तमु हैव पशुषु कामं रोहति—य एवं विद्वान् रोहिण्यामाधत्ते ॥ ७ ॥

मृगशीर्षेऽग्नी आदधीत । एतद्वै प्रजापतेः शिरो यन्मृगशीर्षम् । श्रीर्वै शिरः श्रीर्हि वै शिरस्तस्मात्—योऽर्द्धस्य श्रेष्ठो भवति, असावमुष्यार्द्धस्य शिर इत्याहुः । श्रियं ह गच्छति—य एवं विद्वान् मृगशीर्ष आधत्ते ॥ ८ ॥

अथ यस्मात्—न मृगशीर्ष आदधीत । प्रजापतेर्वा एतच्छरीरं यत्र वा एनं तदविध्यँस्तदिषुणा

रोहिण्याधानं प्रकारान्तरेण प्रशंसति—**रोहिण्यामु हेति** । **मनुष्याणां कामं रोहेमेति** । 'मनुष्याणां' 'कामः' भोग्यवस्तुविषयः, तत्पूरणसामर्थ्ययोगेन[1] तं प्राप्नुयामेत्यर्थः । **यमु हैवेति** । रोहिण्याधानेन काम्यमानभोग्य-[2]वस्तुजातपूरणसामर्थ्यम् 'मनुष्येषु' अवस्थितम् 'यमु' यमेव 'कामं' प्राक् प्राप्नुवन्, 'तम्' एव इदानीं 'पशुषु' अवस्थितं रोहिण्यामाधानतः प्राप्नोति[3] । एतमेव सर्वे जना उपजीव्यत्वेन कामयन्त इति भावः ॥ ७ ॥

नक्षत्रान्तरं विधाय प्रशंसति—**मृगशीर्ष** इति । **एतद्वा** इति । पुरा खलु प्रजापतिः मृगरूपमास्थाय[4] मृगीभूतां स्वदुहितरमेवोपागमत्[5] । एतत् ज्ञात्वा—अकार्यकारिणः प्रजापतेः शिरश्छेत्तुं देवाः कञ्चित् क्रोधमयं पुरुषं निर्माय प्रत्यतिष्ठिपन् । स चेषुणा तस्य शिरश्चिच्छेद । तच्च मृगशरीरमिषुच्छिन्नशिरश्चेत्येतदुभयमन्तरिक्षमुत्प्लुत्य[6] नक्षत्रात्मनाऽवस्थितं संदृश्यते । तथा चैतरेयके—" प्रजापतिर्वै स्वां दुहितरमभ्यध्यायत् "—(ऐ० ब्रा० ३. ३. ९.) इत्युपक्रम्य " सो एवेषुस्त्रिकाण्डा "—इत्यन्तेनायमर्थः प्रतिपादितः । ईदृशी श्रुत्यन्तरप्रसिद्धिरत्र वैशब्देन द्योत्यते । **श्रीर्वै शिर** इत्यादि । व्याख्यातम् ॥ ८ ॥

तदेतन्मृगशीर्षाख्यस्य नक्षत्रस्याधाने प्रजापतिशिरश्छेदसंभूतेस्तद्दोषादाधानं निषेधति—**अथ यस्मान्नेति** ।

१–' योग्येन ' इति पा. । २–' काम्यमानं भोग्यवस्तुजातं पूरणसामर्थ्यायोगात् ' इति क. पा. । ३–" यो रोहिण्यामग्निमाधत्ते, ऋध्नोत्येव " इति तै० ब्रा० १. १. २. २. । ४–' कृष्णमृगरूपमास्थाय ' इति पा. । ५–' स्वां दुहितरमेवाभ्युपागमत् ' इति पा. । ६–' वेगवशेनेषुश्च शिरश्चेत्येतदुभयम् ' इति पा. ।

तद्वैव दधीत । न वा ऽएतस्य देवस्य वास्तु नायज्ञियं न शरीरमस्ति यत्प्रजापतेस्तस्माद्वैव दधीत पुनर्व्वस्वोः पुनराधेयमादधीतेति ॥ १० ॥

फल्गुनीष्वग्नी ऽआदधीत । (तै) एता वा ऽइन्द्रनक्षत्रं यत्फल्गुन्योऽप्यस्य प्रतिनाम्न्योऽर्जुनो ह वै नामेन्द्रो यदस्य गुह्यं नामार्जुन्यो वै नामैतास्ता एतत्परोऽक्षमाचक्षते फल्गुन्य इति को ह्येतस्यार्हति गुह्यं नाम

त्रिकाण्डेनेत्याहुः । स एतच्छरीरमजहात् । वास्तु वै शरीरमयज्ञियं निर्वीर्यम् । तस्मात्–न मृगशीर्ष आदधीत ॥ ९ ॥

तद्वैव दधीत । न वा एतस्य देवस्य वास्तु, नायज्ञियम्, न शरीरमस्ति; यत्–प्रजापतेः । तस्माद्वैव दधीत । पुनर्वस्वोः पुनराधेयमादधीतेति ॥ १० ॥

फल्गुनीष्वग्नी आदधीत । एता वा इन्द्रनक्षत्रं यत् फल्गुन्यः । अप्यस्य प्रतिनाम्न्यः । अर्जुनो ह वै नामेन्द्रो यदस्य गुह्यं नाम अर्जुन्यो वै नामैताः । ता एतत् परोक्षमाचक्षते–फल्गुन्य इति ।

मृगशीर्षाधानं न कार्यम्, अत्र हेतुः प्रतिपाद्यत इत्यर्थः । कोऽसौ हेतुः ? तमाह–**प्रजापतेरि**ति । मृगशीर्षाख्यस्य नक्षत्रस्य प्रजापतिशरीरत्वमाह–'यत्र' यस्मिन् समये 'एनम्' प्रजापतिं मृगरूपम्,[1] 'तत्' तेन स्वदुहितृगमनरूपेण दोषेण हेतुना देवाः 'अविध्यन्', 'तत्' तदानीं पत्रदारुशल्यरूपावयवत्रयोपेतेन[2] 'इषुणा' खलु तच्छिरश्छिन्नम् 'इत्याहुः' ब्रह्मवादिनः । 'स' च प्रजापतिस्तदानीम् 'एतच्छरीरम्' त्यक्तवान् । अतो निरात्मकत्वात् 'निर्वीर्यम्' नक्षत्रात्मनाऽवस्थितं मृगशिरः 'वास्तु' शून्यस्थानम् । यत एवात्मना त्यक्तम्, अत एव 'शरीरम्' विशरणशीलम् अत एव च 'अयज्ञियम्' यज्ञानर्हम्, न हि मृतशरीरस्य यज्ञात्मत्वं सम्भवति । 'तस्मात्' तदात्मके मृगशीर्षाख्ये नक्षत्रे आधानं न युक्तमित्यर्थः ॥ ९ ॥

इमं दोषं परिहरन् प्रागुक्तमेव पक्षं निगमयति–**तद्वैवे**ति । **देवस्ये**ति । मनुष्येण त्यक्तस्य शरीरस्य हि वास्त्वादिरूपत्वम् । अयं हि प्रजापतिर्देवः, तेन त्यक्तस्य[3] तत्त्वाभावात् वास्त्वादिरूपो दोषो नास्ति; मृगरूपस्य तस्य शिरः स्वमहिम्नैव नक्षत्ररूपेण[4] सम्पन्नम्, न खलु मानुषं शिरस्तथा भवितुमर्हति । तस्मात् तत् सर्वार्यमेवेति तत्राधाने नोक्तदोष इत्यर्थः ।

पुनर्वस्वाख्यस्य नक्षत्रस्य लिङ्गवशात् पुनराधेयविषयतामाह[5]–**पुनर्वस्वोरि**ति । आहितानामप्यग्नीनां पुनर्निमित्तवशादाधानं पुनराधेयम्[6] । (पुनर्वस्वोरिति द्विवचनं पुष्याभिप्रायम्) नक्षत्रं चैतत् नष्टस्य वसुनः पुनःप्राप्तिहेतुत्वात् पुनर्वस्वाख्यम् । तथा च तैत्तिरीयके स्पष्टमाम्नातम्–"स पुनर्वस्वोरग्निमादधीत, पुनरेवैनं वामं वसूपावर्तते"–(तै. ब्रा. १. १. २. ३.) इति ॥ १० ॥

नक्षत्रान्तरं विधाय प्रशंसति–**फल्गुनीष्वग्नी** इति । पूर्वोत्तरयोः फल्गुन्याख्ययोर्नक्षत्रयोः प्रत्येकमधिष्ठानद्वित्वयोगाद्बहुत्वम्[7] । फल्गुनीनामोपजीवनेन प्रशंसति–**एता वा** इति । कथमस्य नक्षत्रस्येन्द्रसम्बन्ध इत्यत

१–'कृष्णमृगरूपम्' इति पाठः । २–"त्रिकाण्डा, अनीकं, शल्यः, तेजनम् इत्यवयवत्रयोपेता"–इति ऐ. ब्रा. ३ । ३ । ९ सा. भाष्ये । ३–'परित्यक्तस्य तत्प्रभावाद्' इति पा. । ४–'नक्षत्ररूपत्वं संपन्नम्' इति पा. । ५–"पुनराधेयमाधानाप्रतिज्ञातस्य" का. श्रौ. सू. ४. २५१. "पुनर्वस्वोः" का. श्रौ. सू. ४. २६३ ॥ ६–'पुनर्वस्वाभिलिङ्गवशाद्'–इति क. पा. । ७–'द्वित्वम्' इति क. ।

ग्रहीतुमिन्द्रो वै यजमानस्तत्स्व ऽएवैतन्नक्षत्रेऽग्नी आधत्त ऽइन्द्रो यज्ञस्य देवतैतेनो हास्यैतत्सेन्द्रमग्न्याधेयं भवति पूर्वयोरुदधीत पुरस्तात्क्रतुर्हैवास्मै भवत्युत्तरयोरुदधीत श्वःश्रेयसꣳ हैवास्मा ऽउत्तरावद्भवति ॥ ११ ॥

हस्तेऽग्नीऽआदधीत य इच्छेत्प्र मे दीयेतेति तद्धा ऽअनुष्ठ्या यद्धस्तेन प्रदीयते प्र हैवास्मै दीयते ॥ १२ ॥

चित्रायामग्नी ऽआदधीत । देवाश्च वा असुराश्चोभये प्राजापत्याः पस्पृधिरे त ऽउभय ऽएवामुं लोकꣳ समारुरुक्षाञ्चक्रुर्दिवमेव ततोऽसुरा रौहिणमित्यग्निं चिक्यिरेऽनेनामुं लोकꣳ समारोक्ष्याम इति ॥ १३ ॥

को ह्येतस्यार्हति गुह्यं नाम ग्रहीतुम् । इन्द्रो वै यजमानः । तत् स्व एवैतन्नक्षत्रेऽग्नी आधत्ते । इन्द्रो यज्ञस्य देवता । एतेनो हास्यैतत् सेन्द्रमग्न्याधेयं भवति । पूर्वयोरादधीत–पुरस्तात्क्रतुर्हैवास्मै भवति । उत्तरयोरादधीत–श्वःश्रेयसं हैवास्मा उत्तरावद् भवति ॥ ११ ॥

हस्तेऽग्नी आदधीत–य इच्छेत् 'प्र मे दीयेतेति'। तद्धा अनुष्ठ्या, यद्धस्तेन प्रदीयते । प्र हैवास्मै दीयते ॥ १२ ॥

चित्रायामग्नी आदधीत । देवाश्च वा असुराश्चोभये प्राजापत्याः पस्पृधिरे । त उभय एवामुं लोकं समारुरुक्षाञ्चक्रुर्दिवमेव । ततोऽसुरा रौहिणमित्यग्निं चिक्यिरे–"अनेनामुं लोकं समारोक्ष्याम" इति ॥ १३ ॥

आह–अप्यस्येति । 'अस्य' इन्द्रस्य प्रतिनिधिभूताः फल्गुन्यः सम्भाव्यन्ते । 'अपिः' सम्भावनार्थः । प्रतिनिधित्वं च समानशब्दाभिधेयत्वादित्याह– अर्जुनो हेति । 'अर्जुनः' 'इति' हि इन्द्रस्य रहस्यं नाम; अत एव खलु तत्पुत्रे पाण्डवमध्यमे तन्नामप्रवृत्तिः । अर्जुनफल्गुनशब्दौ च पर्यायौ; "अर्जुनः फल्गुनः पार्थः"–इति समानार्थतया परिगणनात् । 'अर्जुन्यः' एव 'एताः', पारोक्ष्येण 'फल्गुन्य इति' उच्यन्ते । ननु किं पारोक्ष्येणेत्यत आह–कोर्हतीति । अतः फल्गुनीशब्दस्य परम्परयेन्द्रोपलक्षकत्वात् तन्नामकं नक्षत्रम् । इन्द्रो वा इत्यादि । स्पष्टम् । फल्गुनीषु पूर्वोत्तरत्वमुपजीव्य तद्विहितमाधानं प्रशंसति–पूर्वयोरित्यादिना । पुरस्तात् क्रतुरिति । पूर्वस्मिन्नागामिनि कालेऽग्निष्टोमादिलक्षणः 'क्रतुः' शीघ्रं सिद्धयतीत्यर्थः । श्वःश्रेयसमित्यादि । उक्तार्थम् ॥ ११ ॥

एवं परोक्षार्थमाधानस्य प्रपञ्च्य नक्षत्रार्थं नक्षत्रान्तरं प्रशंसति–हस्तेऽग्नी आदधीतेत्यादि । अयं मह्यं प्रदीयतामिति य इच्छेत् स हस्ते आदधीताग्नी । हस्तेन प्रदत्तं साक्षात् प्रदीयत एव । 'ह' इति पुरावृत्ते । 'अनुष्ठ्या'–शब्दः साक्षाद्वाची । स्वहस्तेन 'यत्' खलु दानम्, 'तद्' एव 'अनुष्ठ्या' अनुष्ठानेन समीचीनम् । अतो हस्तनक्षत्रे अग्न्याधानात् परकर्तृकं हस्तेन दानं प्राप्नोतीति तात्पर्यार्थः ॥ १२ ॥

नक्षत्रान्तरं विधाय प्रशंसति–चित्रायामित्यादि । आरुरुक्षाञ्चक्रुरिति । आरोढुमिच्छां कृतवन्त इत्यर्थः ।

१–" पूर्वयोः फल्गुन्योरग्निमादधीत " इत्यादि, " उत्तरयोः फल्गुन्योरग्निमादधीत " इत्यादि च तै० ब्रा० १. १. २. ४. ।
२–" हस्तो लाभकामस्य " का० श्रौ० सू० ४. १७७ । ३–" चित्रा च क्षत्रियस्य " इति का० श्रौ० सू० ४ । १७८ ।

(त्री) इन्द्रो ह वा ऽईक्षाञ्चक्रे । (क्र ८) इमं चेद्वा ऽइमे चिन्वते तत एव नोऽभिभवन्तीति स ब्राह्मणो ब्रुवाण एकेष्टकां प्रबध्येयाय ॥ १४ ॥

स होवाच । हन्ताहमिमामप्युपदधा ऽइति तथेति तामुपाधत्त तेषामल्पकादेवाग्निरसञ्चित ऽआस ॥ १५ ॥

(सा) अथ होवाच । (चा) अन्वाऽअहं तां दास्ये या ममेहेति तामभिपद्याबवर्ह तस्यामाबृढायामग्निर्व्यवशशादाग्नेर्व्यवशादमन्वसुरा व्यवशेदुः स ताऽएवेष्टका वज्रान्कृत्वा ग्रीवाः प्रचिच्छेद ॥ १६ ॥

इन्द्रो ह वा ईक्षाञ्चक्रे ' इमं चेद्वा इमे चिन्वते, तत एव नोऽभिभवन्ति ' इति । स ब्राह्मणो ब्रुवाण एकेष्टकां प्रबध्येयाय ॥ १४ ॥

स होवाच–' हन्ताहमिमामप्युपदधै ' इति । तथेति तामुपाधत्त । तेषामल्पकादेवाग्निरसञ्चित आस ॥ १५ ॥

अथ होवाच–' अन्वा अहं तां दास्ये या ममेह ' इति । तामभिपद्याबवर्ह । तस्यामाबृढायामग्निर्व्यवशशाद । अग्नेर्व्यवशादमनु असुरा व्यवशेदुः । स ता एवेष्टका वज्रान् कृत्वा ग्रीवाः प्रचिच्छेद ॥ १६ ॥

अमुमिति ' अदस् '–शब्देन पारोक्ष्येण यो लोको निर्दिष्टः, तं विशिनष्टि–**दिवमेवेति** । ' ततः ' अनन्तरम् ' असुराः ' ' रौहिणमिति ' एतन्नामकं रोहणसाधनम् ' अग्निं ' ' चिक्ये ' । व्यत्ययेनैकवचनम्, (पा. सू. १ । ४ । ९) ' चिक्यिरे ' चितवन्तः । **अनेनेत्यादि** । स्पष्टम् ॥ १३ ॥

इत्थं द्युलोकं समारुरुक्षतोऽसुरानाकलय्य तेषां विभ्रेषणमिन्द्रश्चेतयति–**इन्द्रो हेति** । **इमं चेदित्यादि** । यम् ' इमम् ' अग्निं वयं चेष्यामः, इममेव चेदसुरा अपि चिन्वीरन्, ' ततः ' तस्मात् ' एव ' साधनात् ' नः ' अस्मान् ' अभिभवन्ति ' असुराः अभिभवितुं समर्था भवन्ति । ' इति ' एवं विचार्य, ' सः ' इन्द्रः ' ब्राह्मणः ' भूत्वा असुरहितं ब्रुवाण एव ' एकामिष्टकां ' ' प्रबध्य ' गृहीत्वा ' इयाय ' जगाम ॥ १४ ॥

स होवाचेति । गत्वा च तान् असुरान् ' उवाच ' । ' अहम् ' अपि ' इमाम् ' इष्टकां भवदीयेऽग्नौ ' उपदधै ' उपधानं करवाणि ' इति ' । ' तथा ' ' इति ' तैरनुज्ञातः, ' ताम् ' इष्टकां तत्र ' उपाधत्त ' । अन्यदीये चयने अन्यदीयेष्टकोपधानमशास्त्रीयमित्येतस्मात् ' अल्पकादेव ' अंशात्[2] ' तेषाम् ' असुराणाम् ' अग्निः ' असम्यक् चितो निष्फलो बभूव ॥ १५ ॥

अथ होवाचेति । ' अथ ' कालान्तरे स एव ब्राह्मणरूप इन्द्रस्तानसुरान् ' उवाच ' । ' इह ' अस्मिंश्चितिप्रदेशे ' या ' ' मम ' इष्टका, ' ताम् ' अहम् ' आदास्ये ' इत्युक्त्वा तत्समीपमभिप्राप्य, ' ताम् ' इष्टकाम् ' आबवर्ह ' उद्ययाम, तस्मात् स्थानादचालयदित्यर्थः । " बृहू उद्यमने "–(तु. प. ६७) इति धातुः । ' तस्यां ' चेष्टकायां चित्याग्नेः सकाशाच्चालितायां सत्याम्, सः ' अग्निः ' ' व्यवशशाद '[3]

१–भाष्यकारमते ' चिक्ये ' इत्येव मूले न तु ' चिक्यिरे ' इत्यनेन व्याख्यानेन प्रतीयते । २–" अंशो भ्रंशो यथोचितात् " इत्यमरः । ३ । ८ । २३ । ' व्यवससाद ' इति पाठः ।

ते ह देवाः समेत्योचुः । (श्वि) चित्रं वाऽअभूम य ऽइयतः सपत्नानु-
वधिष्मेति तद्वै चित्रायै चित्रात्वं चित्रꣳह भवति हन्ति सपत्नान्हन्ति द्विषन्तं
भ्रातृव्यं य एवं विद्वांश्चित्रायामाधत्ते तस्मादेतत्क्षत्रिय एव नक्षत्रमुपेत्सें-
ज्जिघाꣳसतीव ह्येष सपत्नान्वीव जिगीषते ॥ १७ ॥
नाना ह वाऽएतान्यग्रे क्षत्राण्यासुः । (र्षु) यथैवासौ सूर्य्यऽएवं तेषामेष
उद्यन्नेव वीर्य्यं क्षत्रमादत्त तस्मादादित्यो नाम यदेषां वीर्य्यं क्षत्रमादत्त १८
ते ह देवा ऊचुः।(र्षां) यानि वै तानि क्षत्राण्यभूवन् न वै तानि क्षत्रा-
ण्यभूवन्निति तद्वै नक्षत्राणां नक्षत्रत्वं तस्मादु सूर्य्यनक्षत्रऽएव स्यादेष

ते ह देवाः समेत्योचुः-' चित्रं वा अभूम, य इयतः सपत्नानवधिष्म ' इति । तद्वै चित्रायै चित्रात्वम् । चित्रं ह भवति, हन्ति सपत्नान्, हन्ति द्विषन्तं भ्रातृव्यम्, य एवं विद्वांश्चित्रायामाधत्ते । तस्मादेतत् क्षत्रिय एव नक्षत्रमुपेत्सेंत् । जिघांसतीव ह्येष सपत्नान्, वीव जिगीषते ॥ १७ ॥

नाना ह वा एतान्यग्रे क्षत्राण्यासुः-यथैवासौ सूर्यः; एवम् । तेषामेष उद्यन्नेव वीर्य्यं क्षत्रमादत्त । तस्मादादित्यो नाम-यदेषां वीर्य्यं क्षत्रमादत्त ॥ १८ ॥

ते ह देवा ऊचुः-' यानि वै तानि क्षत्राण्यभूवन्, न वै तानि क्षत्राण्यभूवन् ' इति; तद्वै नक्षत्राणां

विशीर्णो बभूव । तदनन्तरं तच्चेतारः ' असुराः ' च ' व्यवशेदुः ' व्यवसन्नाः, शिथिला बभूवुः । स ता इत्यादि । ' सः ' इन्द्रः ' ताः ' चित्याग्निसंबद्धाः ' इष्टकाः ' ' एव ' ' वज्रान् ' पिधाय असुरसंबन्धिनीः ' ग्रीवाः ' प्रचिच्छेद ॥ १६ ॥

चित्रानाम निरुक्ति-ते ह देवा इति । चित्राख्येष्टका । ' इयतः ' एतावतः ' सपत्नान् ' ' अवधिष्म ' अमस्तकांश्चक्रम । तत् अस्या एवं चित्रहेतुत्वात् ' चित्रा ' नाम सम्पन्नमित्यर्थः । चित्रं हेत्यादि निगद-सिद्धम् । तस्मादेतदित्यादि । यस्मादुक्तरीत्या चित्रानक्षत्रस्य शत्रुहननसाधनत्वम्, ' तस्मात् ' आधाने क्षत्रिय एव, ' एतत् ' नक्षत्रं ' उपेत्सेत् ' स्वीकुर्यात् । तत्र कारणमाह-जिघांसतीवेति । ' एषः ' खलु क्षत्रियः यः अन्यान्-शत्रून् ' जिघांसति ' हन्तुमिच्छति ' इव ,' तथा ' विजिगीषते ' ' इव ' विजेतुमिच्छतीव । तस्माच्छत्रुहननकामस्य क्षत्रियस्यैवैतन्नक्षत्रम्, नेतरस्येत्यर्थः ॥ १७ ॥

सूर्येणापहृतवीर्याणि कृत्तिकादिनक्षत्राण्यनादृत्य तेजस्विनि सूर्यात्मके नक्षत्र उदयति सत्याधानं कार्यमित्याह-नाना ह वा इति । पुरा खलु कृत्तिकादिनक्षत्रमण्डलानि सूर्यमण्डलवत् तेजस्वीन्येव बभूवुः । ' एषः ' खलु ' सूर्यः ' ' उद्यन् ' उदयं प्राप्नुवन् ' क्षत्रं ' तेजः सामर्थ्यं चोदयमाप्नुवन् ' एव ' ' तेषां ' ' वीर्यम् ' ' आदत्त ' स्वीकृतवान् । ' तस्मात् ' आदानात् ' आदित्यः ' इति उच्यते ॥ १८ ॥

नक्षत्रमिति नामधेयं निर्वक्ति-ते हेति । ' यानि ' खलु पुरा ' क्षत्राणि ' ' अभूवन्, ' ' तानि ' इदानीं सूर्येण

१-' व्यवसेदुः '-इ. क. पु. पा. । २-" चित्रा च क्षत्रियस्य " का. श्रौ. सू. ४ । १७८ । ३-" स चित्रायामग्निमादधीत " इत्यादि तै० ब्रा० १. १. २. ६. । ४-' आददानः ' इति पाठान्तरम् ।

हृचेषां वीर्यं क्षत्रमादत्त यद्यु नक्षत्रकामः स्यादेतद्वाऽअपराद्धं नक्षत्रं यत्सूर्यः स एतेनैव पुण्याहेन यदेतेषां नक्षत्राणां कामयेत तदुपेत्सैत्तस्मादु सूर्यनक्षत्र ऽएव स्यात् ॥ १९ ॥

इति प्रथमप्रपाठके द्वितीयं ब्राह्मणम् ॥ २ ॥

वसन्तो ग्रीष्मो वर्षाः । (स्ते) ते देवा ऽऋतवः शरद्धेमन्तः शिशिरस्ते पितरो य एवापूर्यतेऽर्द्धमासः स देवा योऽपक्षीयते स पितरोऽहरेव देवा रात्रिः पितरः पुनरह्नः पूर्वाह्णो देवाऽ अपराह्णः पितरः ॥ १ ॥

नक्षत्रत्वम् । तस्मादु सूर्यनक्षत्र एव स्यात्, एष ह्येषां वीर्यं क्षत्रमादत्त । यद्यु नक्षत्रकामः स्यात् । एतद्वा अनपराद्धं नक्षत्रं यत् सूर्यः । स एतेनैव पुण्याहेन यदेतेषां नक्षत्राणां कामयेत, तदुपेत्सेत् । तस्मादु सूर्यनक्षत्र एव स्यात् ॥ १९ ॥ इत्यग्न्याधानप्रकरणे नक्षत्रब्राह्मणम् ।

अथ ऋतुब्राह्मणम् ।

वसन्तो ग्रीष्मो वर्षाः–ते देवा ऋतवः शरद् हेमन्तः शिशिरः–ते पितरः । य एवापूर्यतेऽर्द्धमासः स देवाः । योऽपक्षीयते, स पितरः । अहरेव देवाः । रात्रिः पितरः । पुनरह्नः पूर्वाह्णो देवाः । अपराह्णः पितरः ॥ १ ॥

क्षत्रगुणस्यापहृतत्वात्, न विद्यते क्षत्रमेषामिति व्युत्पत्त्या 'नक्षत्राणि' सम्पन्नानीत्यर्थः ।"तथा नेमानि क्षत्राणीति' यास्कः । अपाहृततेजस्कत्वादिमानि क्षत्राणि न भवन्तीति नक्षत्रशब्दव्युत्पत्तिः । यस्मादेवं कृत्तिकादीन्यपहृतवीर्याणि, तस्मात् एव कारणात् सूर्यात्मके 'एव' तेजस्विनि नक्षत्रे आधानं स्यात्[1] । तत्र हेतुमाह–एष हीति । 'हि' यस्मात् 'एषः' सूर्यः 'एषां' नक्षत्राणां वीर्यादिकम् 'आदत्ते', तस्मात् सवीर्ये तस्मिन्नाधानं युज्यत इत्यर्थः । यदि च यजमानः तैस्तत्प्र[2]जार्थं नक्षत्रकामः स्यात्, तदानीमपि सूर्यात्मकमेव नक्षत्रमुपाददीतेत्याह–एतद्वा इति । 'अनपराद्धम्'–इति हेतुगर्भविशेषणम् । यतस्तेजोवियोगलक्षणापराधरहितम्, अतस्तदेव सूर्यात्मकं नक्षत्रं कामयेतेत्यर्थः । तेन कृत्स्नन[3]क्षत्रफलप्राप्तिमाह–स एतेनैवेति । 'एतेनैव' सूर्येणोद्यता पुण्यकालात्मना 'तत्' कृत्स्नन[4]क्षत्राधानफलं 'उपेत्सेत्' उपगच्छेत् । उपेत्सेत्-इत्युपपूर्वक ऋध्नोति (स्वा० प० २९) गत्यर्थः सन्नन्तः । "आप्ज्ञप्यृधामीत् " (पा० सू० ७. ४. ५५) इतीत्वम् । आधानार्थमुपगन्तुमिच्छेदित्यर्थः । 'तस्मात्' सूर्यात्मके एव नक्षत्र उद्यति सत्याधानं स्यात्, न रात्रावित्यर्थः ॥ १९ ॥

इति श्रीसायणाचार्यविरचिते माधवीये वेदार्थप्रकाशे माध्यन्दिनशतपथब्राह्मणभाष्ये द्वितीयकाण्डे प्रथमाध्याये द्वितीयं ब्राह्मणम् ॥ (२–१–२) ॥

अथाधानस्य वसन्ताद्यृतुषु फलसिद्ध्यर्थं वसन्तादीनां देवपित्रात्मना द्वेधा विभागमाह–वसन्त इत्यादिना ।

१–"सूर्यो नक्षत्रं कालोपलक्षणं यस्य सोऽयं सूर्यनक्षत्रः । सूर्यापेक्षित एव काले आदधीत । न नक्षत्रोपलक्षित इत्यर्थः । कथं तत्सूर्यः कालं लक्षयति । उदगयनम्" इत्यादि–आह हरिस्वामी । २ "तत्तस्मात् प्राप्त्यर्थम्' इति पाठः । ३–'नक्षत्राणां प्राप्ति' इति क० पा० । ४–'नक्षत्रेऽप्याधानफल'–इति क० पा० ।

(स्ते) ते वा ऽएत ऽऋतवः । (वो) देवाः पितरः स यो हैवं विद्वान्देवाः पितर ऽइति ह्वयत्या हास्य देवा देवहूयं गच्छन्त्या पितरः पितृहूयमुवन्ति हैनं देवा देवहूयेऽवन्ति पितरः पितृहूये य ऽएवं विद्वान्देवाः पितर ऽइति ह्वयति ॥ २ ॥

स यत्रोदङ्ङावर्त्तते । देवेषु तर्हि भवति देवांस्तर्ह्यभिगोपायत्यथ यत्र दक्षिणावर्त्तते पितृषु तर्हि भवति पितॄंस्तर्ह्यभिगोपायति ॥ ३ ॥

स यत्रोदङ्ङावर्त्तते तर्ह्यग्नी ऽआदधीतापहतपाप्मानो देवा अप पाप्मानꣳ हतेऽमृता देवा नामृतत्वस्याशास्ति सर्वमायुरेति यस्तर्ह्याधत्तेऽथ यत्र दक्षिणावर्त्तते यस्तर्ह्याधत्तेऽनपहतपाप्मानः पितरो न पाप्मानमपहते मर्त्याः पितरः पुरा ह्यायुषो म्रियते यस्तर्ह्याधत्ते ॥ ४ ॥

ते वा एत ऋतवः–देवाः, पितरः। स यो हैवं विद्वान् 'देवाः पितरः' इति ह्वयति–आ हास्य देवा देवहूयं गच्छन्ति, आ पितरः पितृहूयम्। अवन्ति हैनं देवा देवहूये, अवन्ति पितरः पितृहूये–य एवं विद्वान् 'देवाः, पितरः' इति ह्वयति ॥ २ ॥

स यत्रोदङ्ङावर्त्तते–देवेषु तर्हि भवति, देवाँस्तर्ह्यभिगोपायति। अथ यत्र दक्षिणावर्त्तते–पितृषु तर्हि भवति, पितॄंस्तर्ह्यभिगोपायति ॥ ३ ॥

स यत्रोदङ्ङावर्त्तते, तर्ह्यग्नी आदधीत। अपहतपाप्मानो देवाः, अप पाप्मानं हते, अमृता देवाः–नामृतत्वस्याशास्ति, सर्वमायुरेति यस्तर्ह्याधत्ते। अथ यत्र दक्षिणावर्त्तते, यस्तर्ह्याधत्ते–अनपहतपाप्मानः पितरः, न पाप्मानमपहते। मर्त्याः पितरः पुरा ह्यायुषो म्रियते–यस्तर्ह्याधत्ते ॥ ४ ॥

वसन्ताद्यृतुत्रये देवानां सूर्यदर्शनादहर्भवतीति तेषां तादात्म्यम्; शारदादीनां तद्वैलक्षण्यात् पितृरूपत्वम्। **य एवापूर्यत**–इत्यादि। निगदसिद्धम् ॥ १ ॥

ते वा एत ऋतव इति। **स यो हैवं विद्वानित्यादि**। एवम्भूतानां देवत्वे पितृत्वं च 'सः' 'विद्वान्' तान्[1] ऋतून् 'देवाः पितरः' ' इति ' 'ह्वयति' व्यवहरेदित्यर्थः। तस्य फलमाह–**आ हास्येति**। 'अस्य' आह्वातुः 'देवहूयं' देवाह्वानं प्रति देवाः 'आगच्छन्ति' तथा 'पितृहूयं' पैतृकमाह्वानं प्रति पितरोऽस्यागच्छन्ति आगताश्च ते स्वसम्बद्धे कर्मणि 'एनम्' आह्वातारम् 'अवन्ति' इत्यर्थः ॥ २ ॥

आधानस्योदगयनं कालं विधित्सुद्वयोरप्यनयोर्देवपितृसम्बन्धं क्रमेणाह–**स यत्रेति**। 'सः' सूर्यो यस्मिन् काले दक्षिणगोलादुत्तरगोलं प्रति 'उदङ्' पर्यावर्त्तते,[2] 'तर्हि' तदा, तस्मिन् समये मेरोरुपरिभागेऽवस्थितानां देवानां स दृष्टिगोचरो भवतीति तेषु उदङ् 'देवेषु' प्रकाशको भवतीति। 'अथ' 'यत्र' यस्मिन् काले पुनरुत्तरगोलाद् दक्षिणगोल पर्यावर्त्तते, तदा दक्षिणदिगवस्थितस्य पितृलोकस्य प्रकाशकः सन् तेषु 'पितृषु' भवति ॥ ३ ॥

एवमुत्तरायणे दक्षिणायने च देवपितृसम्बन्धमभिधाय, तत्सम्बद्धमाधानमपि तत्रैव कार्यमिति विधत्ते–**स**

१–'तांस्तान्' इति क्व० पा०। २–प्रत्यावर्तते' इ. क. पा.।

ब्रह्मैव वसन्तः क्षत्रं ग्रीष्मो विडेव वर्षास्तस्माद्ब्राह्मणो वसन्त ऽआदधीत ब्रह्म हि वसन्तस्तस्मात्क्षत्रियो ग्रीष्म ऽआदधीत क्षत्रꣳ हि ग्रीष्मस्तस्माद्वैश्यो वर्षास्वादधीत विड्ढि वर्षाः ॥ ५ ॥

स यः कामयेत । ब्रह्मवर्चसी स्यामिति वसन्ते स आदधीत ब्रह्म वै वसन्तो ब्रह्मवर्चसी हैव भवति ॥ ६ ॥

(त्यु) अथ यः कामयेत । क्षत्रꣳ श्रिया यशसा स्यामिति ग्रीष्मे स ऽआदधीत क्षत्रं वै ग्रीष्मः क्षत्रꣳ हैव श्रिया यशसा भवति ॥ ७ ॥

(त्यु) अथ यः कामयेत । बहुः प्रजया पशुभिः स्यामिति वर्षासु स ऽआदधीत विड्वै वर्षा अन्नं विशो बहुर्हैव प्रजया पशुभिर्भवति य एवं विद्वान्वर्षास्वाधत्ते ॥ ८ ॥

ब्रह्मैव वसन्तः, क्षत्रं ग्रीष्मो, विडेव वर्षाः । तस्माद् ब्राह्मणो वसन्त आदधीत, ब्रह्म हि वसन्तः । तस्मात् क्षत्रियो ग्रीष्म आदधीत, क्षत्रं हि ग्रीष्मः । तस्माद् वैश्यो वर्षास्वादधीत. विड्ढि वर्षाः ॥ ५ ॥

स यः कामयेत–'ब्रह्मवर्चसी स्याम्' इति, वसन्ते स आदधीत । ब्रह्म वै वसन्तो, ब्रह्मवर्चसी हैव भवति ॥ ६ ॥

अथ यः कामयेत–'क्षत्रं श्रिया, यशसा स्याम्' इति, ग्रीष्मे स आदधीत । क्षत्रं वै ग्रीष्मः । क्षत्रं हैव श्रिया यशसा भवति ॥ ७ ॥

अथ यः कामयेत–'बहुः प्रजया पशुभिः स्याम्' इति, वर्षासु स आदधीत । विड् वै वर्षाः, अन्नं विशः । बहुर्हैव प्रजया पशुभिर्भवति-य एवं विद्वान् वर्षास्वाधत्ते ॥ ८ ॥

यत्रेति । तदेतत् प्रशंसति–**अपहतपाप्मान** इति । देवानां पापराहित्यान्मरणधर्मराहित्याच्च तत्सम्बन्धिन्ययनेऽग्न्याधानकारिणोऽपि तदुभयं सिद्ध्यतीत्यर्थः । दक्षिणायन आधातुरुक्तवैपरीत्यमाह–**अथ यत्रेति** ॥ ४ ॥

एवमुदगयनं विधाय तत्रापि ब्रह्मक्षत्रादिवर्णानुसारेण ऋतुव्यवस्थां करोति–**ब्रह्मैव वसन्त** इत्यादिना । वसन्ताद्या ऋतवः जात्या ब्रह्मक्षत्राद्यात्मकाः, अतस्तेषां क्रमेण तत्तज्जात्याधानकालत्वम् ॥ ५ ॥

एवं नित्यपक्षमभिधाय काम्यपक्षमाह–**स य** इति । **ब्रह्मवर्चसी हैवेति** । ब्राह्मणजात्यात्मके वसन्त आधानात् क्षत्रियादिरपि ब्राह्मणतेजस्सम्पन्नो भवतीत्यर्थः । एवमुत्तरत्रापि योज्यम् ॥ ६ ॥

अथ यः कामयेतेति । **क्षत्रं श्रियेति** । क्षत्रियजातेरपि 'श्रिया' सम्पदा कीर्त्या च क्षत्रात्मकः स्यामिति कामयमानस्य ब्राह्मणादेः ग्रीष्म आधानकाल इत्यर्थः ॥ ७ ॥

अथ यः कामयेतेति । बहुप्रजापश्वादिसमृद्धिकामस्य वैश्यस्यापि तत्फलप्राप्तये वर्षास्वाधानं सम्पद्यत इत्यर्थः ॥ ८ ॥

१–"वसन्तो ब्राह्मणब्रह्मवर्चसकामयोः" का० श्रौ० सू० ४. १७९ । २–"ग्रीष्मः क्षत्रियश्रीकामयोः" का० श्रौ० सू० ४ । १८० । ३–"वर्षाः प्रजापशुकामवैश्यरथकृताम्" का० श्रौ० सू० ४ । १८१ ।

ते वा॒ऽ ए॒त ऽऋ॒तव॑ः । (ऽ) उ॒भय॑ ऽए॒वाप॑हतपाप्मानः सूर्य्य॑ ऽए॒वैषां पाप्मनो॒ऽपह॒न्तोद्य॒न्नेवै॒षामु॒भये॑षां पाप्मा॑नमु॒पह॑न्ति त॒स्माद्य॒दैवै॑नं क॒दा च य॒ज्ञ ऽउ॒पन॒मेद॒थाग्नी ऽआद॑धीत न॒ श्वः॑श्वमु॒पासी॑त को हि॒ मनु॒ष्य॑स्य श्वो वे॑द ॥ ९ ॥

इति प्रथमप्रपाठके तृतीयं ब्राह्मणम् (१।३) ॥

यद॒हर॑स्य॒ श्वोऽग्न्याधेय॑ꣳ स्यात् । (द्वि) दि॒वैवाश्नी॑यान्मनो॒ ह॒ वै दे॒वा मनु॒ष्य॑स्याजानन्ति॒ तेऽस्यै॒तच्छ्वो॑ऽग्न्याधे॒यं वि॑दु॒स्तेऽस्य॒ वि॒श्वे दे॒वा गृ॒हा-नाग॑च्छन्ति॒ तेऽस्य॒ गृहे॑षू॒पव॑सन्ति॒ स॒ उप॒वस॑थः ॥ १ ॥

ते वा एत ऋतवः–उभय एवापहतपाप्मानः । सूर्य एवैषां पाप्मनोऽपहन्ता । उद्यन्नेवैषामुभयेषां पाप्मानमपहन्ति । तस्माद्–यदैवैनं कदा च यज्ञ उपनमेत्, अथाग्नी आदधीत । न श्वःश्वमुपासीत । को हि मनुष्यस्य श्वो वेद ॥ ९ ॥ इत्यग्न्याधानप्रकरणे तृतीयमृतुब्राह्मणम् ॥

अथ उपवसथब्राह्मणम् ।

यदहरस्य श्वोऽग्न्याधेयं स्यात्, दिवैवाश्नीयात् । मनो ह वै देवा मनुष्यस्याजानन्ति । तेऽस्यैतच्छ्वोऽग्न्याधेयं विदुः । तेऽस्य विश्वे देवा गृहानागच्छन्ति । तेऽस्य गृहेषूपवसन्ति–स उपवसथः ॥ १ ॥

एवमयनविशेषमृतुविशेषं चाभिधाय पक्षान्तरं च वक्तुं सर्वेषामप्यृतूनां पापसम्बन्धराहित्यमाह–**ते वा एत** इति । **उभय एवेति** । देवपितृसम्बन्धितया द्विधा प्रतिपादिता एवेत्यर्थः । पापराहित्ये कारणमाह–**सूर्य एवेति** । यस्मादेवं सर्वेऽप्यृतवः पापराहित्येन शुद्धाः, 'तस्मात्' यस्मिन् कस्मिंश्चिदृतौ सोमयागमभिगच्छेत्, 'अथ' अनन्तरमेवाग्न्याधानं कुर्यात् । **न श्वःश्वमुपासीतेति** । 'श्वः श्वः करवाणि' इत्येवं कालान्तरप्रतीक्षां न कुर्यात् । तत्र हेतुमाह–**को हीति** । 'मनुष्यस्य' 'श्वः' श्वःकालसम्बन्धि जीवनं 'कः' नाम 'वेद' जानीयात् ? आयुषोऽस्थिरत्वादित्यर्थः ॥ ९ ॥

इति श्रीसायणाचार्यविरचिते माधवीये वेदार्थप्रकाशे माध्यन्दिनशतपथब्राह्मणभाष्ये
द्वितीयकाण्डे प्रथमाध्याये तृतीयं ब्राह्मणम् ॥ १ । ३ ॥

अग्न्याधेयदिवसात् पूर्वस्मिन् उपवसथदिवसे कर्त्तव्यं व्रतमुपदिशति–**यदहरस्येति** । 'दिवैव' इत्येवकारेण रात्र्यवशनं व्यावर्त्यते । "मनो ह वै देवाः"–इत्यादि दर्शपूर्णमासिकप्रस्तावे प्रागेव (श. ५. १ । १ । १ । ७ । ८) व्याख्यातम् ॥ १ ॥

१–"शिशिरः सार्ववर्णिकः"–इति च शाखान्तरम । २–'प्रतीक्षा न कार्या' इति पा. ।

(स्तु) तुन्वेवानवक्लृप्तं यो मनुष्येष्वनश्नत्सु पूर्वोऽश्नीयादथ किमु यो देवेष्वनश्नत्सु पूर्वोऽश्नीयात्तस्मादु दिवैवाश्नीयात्तद्वपि काममेव नक्तमश्नीयान्नो ह्यनाहिताग्नेर्व्रतचर्यास्ति मानुष्यो ह्येवैष तावद्भवति यावदनाहिताग्निस्तस्माद्वपि काममेव नक्तमश्नीयात् ॥ २ ॥

(त्त) तद्धैकेऽजमुपबध्नन्ति । (न्त्या) आग्नेयोऽजोऽग्नेरेव सर्वत्वायेति वदन्तस्तदु तथा न कुर्याद्यद्यस्याजः स्यादग्नीधऽएवैनं प्रातर्दद्यात्तेनैव तं काममाप्नोति तस्मादु तन्नाद्रियेत ॥ ३ ॥

(त्रा) अथ चातुष्प्राश्यमोदनं पचन्ति च्छन्दाꣳस्यनेन प्रीणीम इति यथा येन वाहनेन स्यन्त्स्यन्त्स्यात्तत्सुहितं कुर्त्त्वै ब्रूयादेवमेतदिति वदन्त-

---

तन्वेवानवक्लृप्तम्–यो मनुष्येष्वनश्नत्सु पूर्वोऽश्नीयात्, अथ किमु यो देवेष्वनश्नत्सु पूर्वोऽश्नीयात्; तस्मादु दिवैवाश्नीयात् । तद्वपि काममेव नक्तमश्नीयात् । नो ह्यनाहिताग्नेर्व्रतचर्यास्ति, मानुषो ह्येवैष तावद् भवति–यावदनाहिताग्निः; तस्माद्वपि काममेव नक्तमश्नीयात् ॥ २ ॥

तद्धैकेऽजमुपबध्नन्ति–' आग्नेयोऽजोऽग्नेरेव सर्वत्वाय ' इति वदन्तः । तदु तथा न कुर्यात् । यद्यस्याजः स्यात्, अग्नीध एवैनं प्रातर्दद्यात्, तेनैव तं काममाप्नोति; तस्मादु तन्नाद्रियेत ॥ ३ ॥

अथ चातुष्प्राश्यमोदनं पचन्ति–'छन्दांस्यनेन प्रीणीम' इति । यथा येन वाहनेन स्यन्त्स्यन् स्यात्,

---

दिवैव भोजनं न रात्राविति प्रतिपाद्य पक्षान्तरमाह–तन्वेवेति । तद्वपीति । ' तत् ' तत्र विषये ' कामं ' यथेच्छं रात्रावपि ' अश्नीयात् ' । तत्र कारणमाह–नो ह्यनाहिताग्नेरिति । ' न ' खलु ' अनाहिताग्नेः ' व्रतचरणम् ' अस्ति'; तस्येतरपुरुषवन्मानुषत्वात्, आहिताग्निर्हि संस्कारेण देवभावं प्राप्नोति । व्रतचरणमर्हतीति भावः ॥ २ ॥

तद्धैक इति । अजमुपबध्नन्तीति । उपवसथदिवसस्य रात्रौ गार्हपत्यागारे कस्यचिदजस्य बन्धनं कार्यमित्येकेषां मतम् । तेषामभिप्रायमाह–आग्नेयोऽज इति । अग्निना सह प्रजापतिमुखजातत्वात् ' अजः आग्नेयः'[1], अतोऽजस्य सम्बन्धमाधीयमानस्य ' अग्नेः ' ' सर्वत्वाय ' कात्स्न्र्याय सम्पद्यते, ' इति ' इममभिप्रायं वदन्त इत्यर्थः । तदेतन्निराकरोति तदु तथा नेति । कथं तर्हि कार्यमिति, तदाह–यदीति । ' अस्य ' यजमानस्य ' अजः ' विद्यते चेत्, ' एनम् ' अजम् ' प्रातः ' आधानदक्षिणाकाले ' अग्नीधे ' आग्नीध्राय ' दद्यात् ' तथा च कात्यायनः–" गार्हपत्यागारेऽजं बध्नाति न वा विद्यमानं प्रातरग्नीधे दद्यात् " (का. श्रौ. सू. ४. १९७) –इति । तेनैवेत्यादि । निगदसिद्धम् ॥ ३ ॥

ब्रह्मौदनपाकविधिं मतभेदकथनेनोक्तं प्रतिपादयति–अथ चातुष्प्राश्यमोदनमिति । चतुर्भिरध्वर्युब्रह्मा-

---

१–" प्रजापतिरकामयत प्रजायेयेति, स मुखतस्त्रिवृतं निरमिमीत तमग्निर्देवतान्वसृज्यत, गायत्री छन्दो रथन्तरं साम ब्राह्मणो मनुष्याणामजः पशूनां, तस्मात्ते मुख्या मुखतो ह्यसृज्यन्त "–इति तैत्ति० सं० ७. १. १. ४. ।

स्तदु तथा नु कुर्याद्यद्वाऽअस्य ब्राह्मणाः कुले व्वसन्त्यृत्विजश्चानृत्विजश्च तेनैव तं काममाप्नोति तस्मादु तन्नाद्रियेत ॥ ४ ॥

तस्य सर्पिरासेचनं कृत्वा । सर्पिरासिच्याश्वत्थीस्तिस्रः समिधो घृतेनान्वज्य समिद्वतीभिर्घृतवतीभिर्ऋग्भिरभ्यादधाति शमीगर्भमेतदाप्नुम इति व्वदन्तः स यः पुरस्तात्संव्वत्सरमभ्यादध्यात्सु ह तं काममाप्नुयात्तस्मादु तन्नाद्रियेत ॥ ५ ॥

तत् सुहितं कर्त्तवै ब्रूयात्; एवमेतदिति वदन्तः । तदु तथा न कुर्यात् । यद्वा अस्य ब्राह्मणाः कुले वसन्ति–ऋत्विजश्चानृत्विजश्च, तेनैव तं काममाप्नोति; तस्मादु तन्नाद्रियेत ॥ ४ ॥

तस्य सर्पिरासेचनं कृत्वा सर्पिरासिच्य, आश्वत्थीस्तिस्रः समिधो घृतेनान्वज्य, समिद्वतीभिर्घृतवतीभिर्ऋग्भिरभ्यादधाति शमीगर्भमेतदाप्नुमः' इति वदन्तः । स यः पुरस्तात्संवत्सरमभ्यादध्यात्–स ह तं काममाप्नुयात्; तस्मादु तन्नाद्रियेत ॥ ५ ॥

दिभिर्ऋत्विग्भिः प्राशितव्यमित्यर्थः । **छन्दांस्यनेनेति** । 'अनेन' ब्रह्मौदनपाकेन गायत्रीत्रिष्टुप्जगत्याख्यानि छन्दांसि 'प्रीणीमः' तर्पयाम इत्यभिप्रायः । अस्यौदनस्य चतुर्भिर्ऋत्विग्भिः प्राशनं युक्तमिति दृष्टान्तेनोपपादयति–**यथेति** । 'येन वाहनेन' अश्वादिना 'स्यन्त्स्यन्' यास्यन् 'स्यात्' 'तद्' वाहनं 'सुहितं' 'सुतृप्तं' कर्तुं यथा ब्रूयात्, 'एवमेतत्' ओदौ ऋत्विजां कर्मोपयुक्तानां प्राशनं युक्तमित्यर्थः । स्यन्त्स्यन्निति "स्यन्द् प्रस्रवणे" (भ्वा. गा० ७६२)–इत्यस्माल्लृटः शत्रादेशः ।

इमं प्राशनपक्षं निषिध्योपपादयति–**तदु तथेति** । 'ऋत्विजश्चानृत्विजश्च ब्राह्मणाः' 'अस्य' यजमानस्य 'कुले वसन्ति' इति 'यत्' 'तेनैव' वासेन 'तं काममाप्नोति,' यः कामः प्राशननिमित्तकः प्रागुक्त इत्यर्थः ॥ ४ ॥

अथ पक्वस्यौदनस्य कस्तर्ह्युपयोग इत्याह–**तस्य सर्पिरासेचनमिति** । सर्पिरासिच्यतेऽस्मिन्निति सर्पिरासेचनम्, घृतधारणार्थमोदनं निम्नं 'कृत्वा' इत्यर्थः । **सर्पिरासिच्येत्यादि** । स्पष्टम् । **समिद्वतीभिर्घृतवतीभिरिति** । समिच्छब्दयुक्ताभिर्घृतशब्दयुक्ताभिश्चेत्यर्थः । तास्तु कात्यायन उदाजहार–"आश्वत्थीस्तिस्रः समिधो घृताक्ता आदधाति समिधाग्निमिति प्रत्यृचम्" (का. श्रौ. सू. ४ । १९९) इति । समिदाधानं कुर्वतामभिप्रायमाह–**शमीगर्भमिति** । शमीगर्भो योऽश्वत्थः, तत्रस्थो योऽग्निः, तम्, 'एतत्' एतेनाश्वत्थसमिदाधानेन 'आप्नुमः' 'इति' ब्रुवाणा इत्यर्थः । तस्य च समिदाधानस्य कालविशेषमाह–**स य** इति । अग्न्याधानस्य 'पुरस्तात्' 'यः' यजमानः 'ताः' समिधः 'अभ्यादध्यात्' 'सः' खलु 'तं कामम्' प्राप्नुयात्' 'तस्मात्' समिदाधानार्थ एवैतदतो न प्राशनार्थ इति 'तत्' प्राशनं नादरणीयमिति । निगमयति–**तस्मादिति** ॥ ५ ॥

१–'जगत्यादिच्छन्दांसि' इति पाठः । २–'रात्रौ' इति पाठः । ३–"उद्वास्यासेचनं मध्ये कृत्वा सर्पिरासिच्याश्वत्थीस्तिस्रः समिधो घृतकाक्ता आदधाति समिधाग्निमिति प्रत्यृचम्" (का० श्रौ० सू० ४. १९९)

तदु होवाच भाल्लवेयः । (यो) यथा वा ऽअन्यत्करिष्यन्त्सोऽन्यत्कुर्याद्यथाऽन्यद्वदिष्यन्त्सोऽन्यद्वदेद्यथाऽन्येन पथैष्यन्त्सोऽन्येन प्रतिपद्येतैवं तद्य एतं चातुष्प्राश्यमोदनं पचेदपराद्धिरेव सेति न हि तदवकल्पते यस्मिन्नग्नावृचा वा साम्ना वा यजुषा वा समिधं वाभ्यादध्यादाहुतिं वा जुहुयाद्यत्तं दक्षिणा वा हरेयुरनु वा गमयेयुर्दक्षिणा वा ह्येनꣳ हरन्त्यन्वाहार्यपचनो भविष्यतीत्यनु वा गमयन्ति ॥ ६ ॥

(न्त्यु) अथ जाग्रति जाग्रति देवाः (स्तु) तद्देवानेवैतदुपावर्त्तते स सदेवतरः श्रान्ततरस्तपस्वितरोऽग्नी ऽआधत्ते तद्वापि काममेव स्वप्यान्नो ह्यनाहिताग्नेर्व्रतचर्यास्ति मानुषो ह्येवैष तावद्भवति यावदनाहिताग्निस्तस्माद्वापि काममेव स्वप्यात् ॥ ७ ॥

तदु होवाच भाल्लवेयः–' यथा वा अन्यत्करिष्यन् सोऽन्यत् कुर्यात्, यथाऽन्यद्वदिष्यन् सोऽन्यद्वदेत्, यथाऽन्येन पथैष्यन् सोऽन्येन प्रतिपद्येत; एवं तत्–य एतं चातुष्प्राश्यमोदनं पचेत् । अपराद्धिरेव सेति । न हि तदवकल्पते–यस्मिन्नग्नावृचा वा, साम्ना वा यजुषा वा, समिधं वाऽभ्यादध्यात्, आहुतिं वा जुहुयात्; यत्तं दक्षिणा वा हरेयुः, अनु वा गमयेयुः । दक्षिणा वा ह्येनं हरन्ति, अन्वाहार्यपचनो भविष्यतीत्यनु वा गमयन्ति ॥ ६ ॥

अथ जाग्रति जाग्रति देवाः, तद्देवानेवैतदुपावर्त्तते । स सदेवतरः श्रान्ततरस्तपस्वितरोऽग्नी आधत्ते, तद्वापि काममेव स्वप्यात् । नो ह्यनाहिताग्नेर्व्रतचर्यास्ति, मानुषो ह्येवैष तावद् भवति–यावदनाहिताग्निः, तस्माद्वापि काममेव स्वप्यात् ॥ ७ ॥

अस्मिन्नर्थे संवादं दर्शयति–**तदु होवाच भाल्लवेय** इति । ' तत् ' तत्र विषये इन्द्रद्युम्नः[1] ' भाल्लवेयः ' उक्तवान् । कथमिति; तदाह–**यथा वा** इत्यादि । ' यथा ' ' अन्यत् ' चिकीर्षतः तदनुपयुक्तस्यान्यस्य करणं यथा व्यधिकरणत्वादसङ्गतम्, तथा अग्नीनाधित्सताऽग्नावेव किञ्चित् कर्त्तव्यम् । तत्परित्यज्य चातुष्प्राश्यकरणमसङ्गतम्; अतोऽसमृद्धिक एव तथाविधौदनपाक इति भाल्लवेयाभिप्रायः ।

तमिमं दोषं परिहृत्य प्राशनपक्षमेव निगमयति–**न हि तदि**त्यादिना । ऋक्सामादिमन्त्रैर्यस्मिन्नग्नौ समिधमाहुतिं न प्रक्षिपेत्, तस्याग्नेर्दक्षिणाहरणमनुगमनं च यदि स्यात्, सोऽग्निरन्वाहार्यपचनः । अन्वाहार्य ओदनः, तस्य पाकहेतुर्[2]भविष्यति । अतो दक्षिणाहरणमनुगमनं वाहुतिसंस्कृतस्याग्नेर्नावकल्पते । अतः पक्वतण्डुलो न होमार्थः, किन्तु प्राशनार्थ इत्यभिप्रायः । गतमन्यत् ॥ ६ ॥

तस्यां रात्रौ यजमानस्य जागरणं विधत्ते[3]–**अथ जाग्रतीति** । व्यत्ययेन (पा. सू. ३ । १ । ८९) बहुवचनम्, जागर्तीत्यर्थः । **जाग्रति देवा** इत्यादि । श्वः करिष्यमाणेष्वाधानादिकर्मस्वङ्गभूता ये देवा उपवसथे-

---

१ " इन्द्रद्युम्न एव भाल्लवेयः " इत्यग्रे स्फुटीभविष्यति (श. प. १० । ६ । १ । १) अन्यत्र च (छां. उप. ५ । ११ । १)
२ तत्पाकहेतुः ' इति पा. ३–" रात्रिं जागरणधारणे " श्रौ. सू. ४. २०७ ।

(त्त) तद्धैकेऽनुदिते मथित्वा । तमुदिते प्राञ्चमुद्धरन्ति तदु तदुभेऽअहोरात्रे परिगृह्णीमः प्राणोदानयोर्मनसश्च व्वाचश्च पर्याप्त्या ऽइति व्वदन्तस्तदु तथा न कुर्यादुभौ हैवास्य तथाऽनुदित ऽआहितौ भवतोऽनुदिते हि मथित्वा तमुदिते प्राञ्चमुद्धरन्ति स य ऽउदित ऽआहवनीयं मन्थेत्स ह तत्पर्याप्नुयात् ॥ ८ ॥

(द) अहर्व्वै देवाः । (ऽ) अनपहतपाप्मानः पितरो न पाप्मानमपहते मर्त्याः पितरः पुरा ह्यायुषो म्रियते योऽनुदिते मन्थत्यपहतपाप्मानो देवा अप पाप्मानꣳ हतेऽमृता देवा नामृतत्वस्याशास्ति सर्व्वमायुरेति श्रीर्देवाः श्रियं गच्छति यशो देवा यशो ह भवति य एवं विद्वानुदिते मन्थति ॥ ९ ॥

अग्निमन्थनब्राह्मणम् ।

तद्धैकेऽनुदिते मथित्वा, तमुदिते प्राञ्चमुद्धरन्ति । तदु तदुभे अहोरात्रे परिगृह्णीमः–'प्राणोदानयोर्मनसश्च वाचश्च पर्याप्त्यै' इति वदन्तः । तदु तथा न कुर्यात्–उभौ हैवास्य तथाऽनुदित आहितौ भवतः । अनुदिते हि मथित्वा तमुदिते प्राञ्चमुद्धरन्ति । स य उदित आहवनीयं मन्थेत्–स ह तत्पर्याप्नुयात् ॥ ८ ॥

अहर्वै देवाः । अनपहतपाप्मानः पितरो न पाप्मानमपहते । मर्त्याः पितरः । पुरा ह्यायुषो म्रियते;–

ऽहनि यजमानगृहमागताः, ते खल्वस्यां रात्रौ 'जाग्रति' जागरणं कुर्वन्ति । तेषु च जाग्रत्सु यजमानस्य स्वापो न युक्त इति तेन जागरणेन यजमानो 'देवानेव' जाग्रतः 'उपावर्त्तते' उपगतो भवति । 'सः' च यजमानः 'सदेवतरः' अतिशयेन देवसहितो निद्राभावादिना । अतिशयितं श्रममातोऽग्न्याधानयोग्यतां जागरणवशात् प्राप्नोतीत्यर्थः । अथाशनवत्स्वापमप्यनुजानाति–तद्वपीति ॥ ७ ॥

एवं रात्रौ नीतायामाधास्यमानस्याग्नेर्मन्थनविषयमेकीयं मतमुपन्यस्यति–तद्धैक इति । 'अनुदिते' सूर्योदयात् प्राग्वेषःकाले[1] मन्थनं कार्यम्, सूर्ये चोदिते आहवनीयार्थ तस्य प्रागुद्धरणम्[2] एवं वदतामभिप्रायमाह–तदिति । तेन मन्थनोद्धरणयोरहोरात्रसम्बन्धित्वेन, अत एव 'अहोरात्रे' 'परिगृह्णीमः' कर्माङ्गतया स्वीकुर्मः । तस्यापि प्रयोजनमाह–प्राणोदानयोरिति । अहोरात्रे परिग्रहस्य तद्रूपयोः 'प्राणोदानयोः' वाङ्मनसयोश्च 'पर्याप्तिः' प्रयोजनमित्येवं प्रतिपादयन्त इत्यर्थः । तमिमं पक्षं निषेधति–न कुर्यादिति । तत्र दोषमाह–उभौ हैवेति । गार्हपत्याहवनीयौ 'उभौ' अपि 'अस्य' यजमानस्य 'अनुदिते' रात्रावेव 'आहितौ' भवतः । ननु उदिते ह्याहवनीयमादधीतेति, कथमुभयोरनुदिते आधानमिति, तत्राह–अनुदिते हीति । 'अनुदिते' मथितो योऽग्निः, स एवाहवनीयत्वेन स्थाप्यत इति तस्यापि रात्रिसम्बन्धो दुर्निवारः । तस्मात् 'उदिते' एव 'आहवनीयम्' अग्निं 'मन्थेत्' ॥ ८ ॥

रात्रौ मन्थनस्य दोषाभिधानपुरःसरमुदिते मन्थनं प्रशंसति–अहर्वा इति । गतार्थमेतत् ॥ ९ ॥

१–"प्रागेवोषाकाले" इति क. पा. । २–"उदिते तद्धरणम्" का. श्रौ. सू. ४ । २१६ ।

तदाहुः ।(र्य्य) यन्नऽर्च्चा न साम्ना न यजुषाऽग्निराधीयतेऽथ केनाधीयत
ऽइति ब्रह्मणो हैवैष ब्रह्मणाधीयते व्वाग्वै ब्रह्म तस्यै व्वाचः सत्यमेव
ब्रह्म ता वाऽएताः सत्यमेव व्याहृतयो भवन्ति तदस्य सत्येनैवाधीयते ॥ १०
भूरिति वै प्रजापतिः ।(रि) इमामजनयत भुवऽइत्यन्तरिक्षꣳस्वरिति
दिवमेतावद्वा ऽइदꣳ सर्व्वं यावदिमे लोकाः सर्व्वेणैवाधीयते ॥ ११ ॥
भूरिति वै प्रजापतिः ।(ब्रं) ब्रह्माजनयत भुव इति क्षत्रꣳ स्वरिति
व्विशमेतावद्वाऽइदꣳ सर्व्वं यावद्ब्रह्म क्षत्रं विट् सर्व्वेणैवाधीयते ॥ १२ ॥

योऽनुदिते मन्थति । अपहतपाप्मानो देवा अपपाप्मानं हते । अमृता देवाः । नामृतत्वस्याशास्ति-सर्वमायुरेति । श्रीर्देवाः । श्रियं गच्छति । यशो देवाः । यशो ह भवति; य एवं विद्वानुदिते मन्थति[१] ॥

तदाहुः—यन्नर्चा, न साम्ना, न यजुषाऽग्निराधीयतेऽथ केनाधीयत इति । ब्रह्मणो हैवैषः, ब्रह्मणाधीयते । वाग् वै ब्रह्म, तस्यै वाचः सत्यमेव ब्रह्म । ता वा एताः सत्यमेव व्याहृतयो भवन्ति, तदस्य सत्येनैवाधीयते ॥ १० ॥

भूरिति वै प्रजापतिरिमामजनयत, भुव इत्यन्तरिक्षम्, स्वरिति दिवम् । एतावद्वा इदं सर्वम्-यावदिमे लोकाः सर्वेणैवाधीयते ॥ ११ ॥

भूरिति वै प्रजापतिर्ब्रह्माजनयत, भुव इति क्षत्रम्, स्वरिति विशम् । एतावद्वा इदं सर्वम्-यावद् ब्रह्म-क्षत्रं-विट् । सर्वेणैवाधीयते ॥ १२ ॥

अथ व्याहृतीनामाधानसाधनत्वं विधातुं प्रस्तौति—**तदाहुरिति** । ऋक्सामयजुरात्मकास्त्रिविधा मन्त्राः, तैः 'यद्' यस्मात् 'अग्निः न आधीयते' केन तर्हि स आधेय इति ब्रह्मवादिनां प्रश्नः । तस्योत्तरम्—**ब्रह्मणो हेति** । ब्रह्मणः सम्बन्धि यद् ब्रह्म तेनाधानं कार्यम् । किं तदिति, तदुभयं दर्शयति—**वाग्वा इति** । षष्ठ्यन्तेन निर्दिष्टं यद् ब्रह्म, तद् वागात्मकम्; तस्या वाचः सम्बन्धि यद् वाक्यम्, 'सत्यम्' विद्यमानार्थप्रतिपादकम्, तद् 'एव' 'ब्रह्म' । तत्र वाचः सत्यं किमिति तद् दर्शयति—**ता वा एता इति** । 'ताः' एता भूरादि-व्याहृतयो यदुदीरितसत्यरूपाः, 'तत्' तस्मात् 'अस्य' यजमानस्य व्याहृतिभिरग्न्याधाने 'सत्येनैव' सोऽग्निराहितो भवति ॥ १० ॥

व्याहृतीनां सत्यरूपत्वमुपपादयंस्तत्करणकमाधानं प्रशंसति—**भूरिति वा इति** । सृष्टिसमये प्रजापतिः 'भूरिति' अनया व्याहृत्या 'इमां' भूमिम् 'अजनयत' । 'भुव इत्यन्तरिक्षम्' इत्यादावप्येवं योजना । **इमे त्रयो लोका** इति । यावदस्ति एतावदेव हीदं सर्वं जगदतो भूरादिलोकहेतुभिर्व्याहृतिभिराधीयमानोऽग्निरनेन 'सर्वेणैव' जगता आहितो भवति ॥ ११ ॥

ब्रह्मक्षत्रादिवर्णत्रयोत्पत्तिहेतुत्वेन तत्करणकमाधानं प्रशंसति—**भूरिति वा इति** । 'ब्रह्म' ब्राह्मणजातिः, 'क्षत्रं' क्षत्रियजातिः । **स्वरित्यादि** । निगदसिद्धम् ॥ १२ ॥

१–यत्तु क्वचित् पुस्तके अत्र 'रात्रौ मन्थनस्य दोषाभिधानसाधनत्वम्' इति पाठ उपलभ्यते, तदनवधानविजृम्भितम् । तस्य पूर्वकण्डिकावतरणान्तर्गतत्वात् ।

भूरिति वै प्रजापतिः । (रा) आत्मानमजनयत भुवऽइति प्रजाꣳ स्वरिति पशूनेतावद्वा इदꣳसर्वं यावदात्मा प्रजा पशवः सर्व्वेणैवाधीयते॥ १३॥

स वै भूर्भुव इति । (त्ये) एतावतैव गार्हपत्यमादधात्यथ यत्सर्व्वैराद-ध्यात्केनाहवनीयमादध्याद्द्वे ऽअक्षरे परिशिनष्टि तेनोऽएतान्ययातयामानि भवन्ति तैः सर्व्वैः पञ्चभिराहवनीयमादधाति भूर्भुवःस्वरिति तान्यष्टा-वक्षराणि सम्पद्यन्तेऽष्टाक्षरा वै गायत्री गायत्रमग्नेश्छन्दः स्वेनैवैनमे-तच्छन्दसाधत्ते ॥ १४ ॥

देवान्ह वा ऽअग्नी ऽआधास्यमानान् । (नाँस्ता) तानसुररक्षसानि ररक्षु-र्नाग्निर्जनिष्यते नाग्नी आधास्यध्व ऽइति तद्यदरक्षंस्तस्माद्रक्षाꣳसि ॥ १५॥

भूरिति वै प्रजापतिरात्मानमजनयत, भुव इति प्रजाम्, स्वरिति पशून् । एतावद्वा इदं सर्वम्-यावदात्मा-प्रजा-पशवः । सर्वेणैवाधीयते ॥ १३ ॥

स वै भूर्भुव इत्येतावतैव गार्हपत्यमादधाति । अथ यत्सर्वैरादध्यात् केनाहवनीयमादध्यात् । द्वे अक्षरे परिशिनष्टि, तेनो एतान्ययातयामानि भवन्ति । तैः सर्वैः पञ्चभिराहवनीयमादधाति भूर्भुवः स्वरिति । तान्यष्टावक्षराणि सम्पद्यन्ते । अष्टाक्षरा वै गायत्री । गायत्रमग्नेश्छन्दः । स्वेनै-वैनमेतच्छन्दसाधत्ते ॥ १४ ॥

देवान् ह वा अग्नी आधास्यमानांस्तानसुररक्षसानि ररक्षुः–नाग्निर्जनिष्यते, नाग्नी आधास्यध्व इति । तद्–यदरक्षंस्तस्माद्रक्षांसि ॥ १५ ॥

स्वात्मप्रजापशुसर्जनहेतुत्वेन तत् प्रशंसति–**भूरिति** वा इति । **एतावद्वा** इति । 'इदं सर्वं' सर्वं जगत् 'एतावद् वै' एतावदेव । 'यावत्' आत्मास्वरूपेणावस्थितः[1] स्वात्मनो भोगसम्पादनहेतवः 'प्रजा' 'पशवः' चेति एतत्त्रितयान्तर्गतमेव सर्वं जगत्, अनेन 'सर्वेण' सोऽग्निराहितो भवतीत्यर्थः ॥ १३ ॥

एवं साधारण्येन व्याहृतीनामाधानसाधनत्वं प्रतिपाद्य गार्हपत्याधाने विशेषमाह–**स वा** इति । द्वाभ्यामेव व्याहृतिभ्यां 'गार्हपत्यम्' 'आदधाति' । तिसृभिरपि व्याहृतिभिर्गार्हपत्याधाने आहवनीयाधानस्य मन्त्रो न स्यात्, अतः सुवरिति 'द्वे अक्षरे' परिशेषयेत् । 'तेन' कारणेन परिशिष्टाक्षरद्वयसहितान्येतानि भूराद्यक्षराणि 'अयातयामानि' अगतसाराणि 'भवन्ति' । आहवनीयाधाने तिसृणां व्याहृतीनां विनियोगमाह–**तैः सर्वैरि**ति । '**तान्यष्टावक्षराणि**' इत्यादि निगदसिद्धम् । **गायत्रमग्नेश्छन्द** इति । उभयोः प्रजापतिमुखजातत्वात्[2] ॥ १४ ॥

अग्निमन्थनसमये तस्य पुरस्तादश्वस्य धारणं विधित्सुरितिहासं दर्शयति–**देवानि**ति । 'अग्नी' गार्ह-पत्याहवनीयौ । 'ररक्षुः' निरुद्धवन्त इत्यर्थः । निरोधप्रकारमाह–**नाग्निरि**ति ॥ १५ ॥

१–'भोक्तृरूपेणावस्थितः' इति पा० । २–प्रजापतिरकामयत प्रजायेयेति । स मुखतस्त्रिवृतं निरमिमीत । तमग्निर्देवता-न्वसृज्यत, गायत्री छन्दो रथन्तरं साम–" इत्यादि तै० सं० ७. १. १. ४.।

ततो देवा एतं वज्रं ददृशुः । (र्य) यदश्वं तं पुरस्तादुदश्रयंस्तस्याभयेऽनाष्ट्रे निवातेऽग्निरजायत तस्माद्यत्राग्निं मन्थिष्यन्त्स्यात्तदश्वमानेतवै ब्रूयात्स पूर्वेणोपतिष्ठते वज्रमेवैतदुच्छ्रयति तस्याभयेऽनाष्ट्रे निवातेऽग्निर्जायते ॥ १६ ॥

स वै पूर्ववाट् स्यात् । (त्स) स ह्यपरिमितं वीर्यमभिवर्द्धते यदि पूर्ववाहं न विन्देदपि य एव कश्चाश्वः स्याद्यद्यश्वं न विन्देदप्यनड्वानेव स्यादेष ह्येवानडुहो बन्धुः ॥ १७ ॥

(स्तं) तं यत्र प्राश्चᳫं हरन्ति । तत्पुरस्तादश्वं नयन्ति तत्पुरस्ताद्देवैतन्नाष्ट्रा रक्षाᳫंस्यपघ्नन्नेत्यथाभयेनानाष्ट्रेण हरन्ति ॥ १८ ॥

ततो देवा एतं वज्रं ददृशुर्यदश्वम् । तं पुरस्तादुदश्रयन् । तस्याभयेऽनाष्ट्रे निवातेऽग्निरजायत । तस्माद्यत्राग्निं मन्थिष्यन्त्स्यात्–तदश्वमानेतवै ब्रूयात् । स पूर्वेणोपतिष्ठते, वज्रमेवैतदुच्छ्रयति, तस्याभयेऽनाष्ट्रे निवातेऽग्निर्जायते ॥ १६ ॥

स वै पूर्ववाट् स्यात्, स ह्यपरिमितं वीर्यमभिवर्द्धते । यदि पूर्ववाहं न विन्देत्, अपि य एव कश्चाश्वः स्यात् । यद्यश्वं न विन्देत्, अप्यनड्वानेव स्यात् । एष ह्येवानडुहो बन्धुः ॥ १७ ॥

तं यत्र प्राञ्चं हरन्ति, तत्पुरस्तादश्वं नयन्ति । तत्पुरस्ताद्देवैतन्नाष्ट्रा रक्षांस्यपघ्नन्नेति । अथाभयेनानाष्ट्रेण हरन्ति ॥ १८ ॥

देवैः कृतं परिहारं दर्शयति– **ततो देवा** इति । अश्वाख्यं 'यत्' वज्रं 'तं' मन्थनदेशस्य 'पुरस्तात्' 'उदश्रयन्' उच्छ्रितमस्थापयन् । 'तस्य' वज्रस्य सम्बन्धिनि, 'अभये' भयरहिते, 'अनाष्ट्रे' रक्षःप्रभृतिनाशकरहिते, 'निवाते' वातरहिते; एवम्भूते स्थाने मन्थनाद् 'अग्निः' उदपद्यतेत्यर्थः । एवमितिहासमुपन्यस्य प्रकृते योजयति–**तस्मा**दिति । 'आनेतवै' आनेतुमित्यर्थः । तुमर्थे तवैप्रत्ययः (पा. सू. ३ । ४ । ९) । **स पूर्वेणे**त्यादि । उक्तप्रायम् ॥ १६ ॥

स चाश्वः पूर्ववयस्क एवानेतव्य इत्याह–**स वै पूर्ववा**डिति । पूर्वे वयसि वहतीति 'पूर्ववाट्' । "वहश्च" (पा. सू. ३. २. ६४.) इति ण्विः । तस्यालाभे पक्षान्तरमाह–**आपि य ए**वेति । निगदसिद्धमन्यत् । **एष ह्येवे**ति । अश्वविधेर्यः स्तावकोऽर्थवादः, अनडुद्विधेरपि एष एव स्तावक इत्यर्थः ॥ १७ ॥

आहवनीयदेशं प्रत्यग्नेर्हरणसमयेऽश्वस्यापि पुरस्तान्नयनं विधत्ते–**त**मिति । तस्य प्रयोजनमाह–**तत्पुरस्ता**दिति । स चाश्वोऽग्नेः पुरस्ताद् गमनमार्गे विद्यमानं रक्षःप्रभृतिकम् 'अपघ्नन्' हिंसन् 'एति' गच्छति । तथा च भयादिरहितेन मार्गेण तस्याग्नेर्हरणं सिध्यतीत्यर्थः ॥ १८ ॥

१–अत्रोपसर्गात्परत्वान्न जकारवदुच्चारणम् । २–"अश्वमानयेति ब्रूयात्" का० श्रौ० सू० ४ । २१८ । ३–"वामदेव्यामिति प्रेष्यत्यश्वः पुरस्ताद्युवा तदभावेऽयुवाऽश्वाभावेऽनड्वान्" का. श्रौ० सू० ४ । २३४ ।

तं वै त॒थै॒व ह॑रेयुः । (र्य) य॒थैनमेष प्र॒त्यङ्ङु॒पाच॒रेदे॒ष वै॒ य॒ज्ञो य॒दाग्निः प्रत्यङ् हैवैनं य॒ज्ञः प्र॒वि॒शति तं क्षि॒प्रे य॒ज्ञ उ॒पनम॒त्यथ य॒स्मात्प॒राङ्भ॒वति प॒राङ् हैवास्माद्य॒ज्ञो भवति स यो हैनं त॒त्रानु॒व्याह॒रेत्प॒राङस्माद्य॒ज्ञोऽभूदितीश्वरो ह य॒त्तथैव स्यात् ॥ १९ ॥

(द्वे) एषु उ वै प्राणः । (स्तं) तं वै त॒थै॒व ह॒रेयु॒र्य॒थैनमेष प्र॒त्यङ्ङु॒पाच॒रेत्प्र॒त्य॒ङ् हैवैनं प्राणः प्र॒वि॒शत्यथ य॒स्मात्प॒राङ्भ॒वति प॒राङ् हैवास्मात्प्राणो भवति स यो हैनं त॒त्रानु॒व्याह॒रेत्पराङस्मात्प्राणोऽभूदितीश्वरो ह य॒त्तथैव स्यात् ॥ २० ॥ [शतम् ९००]

(द्र) अयं वै य॒ज्ञो योऽयं पु॒वते । तं वै त॒थै॒व ह॒रेयु॒र्य॒थैनमेष प्र॒त्यङ्ङु॒पाच॒रेत्प्र॒त्यङ् हैवैनं य॒ज्ञः प्र॒वि॒शति तं क्षि॒प्रे य॒ज्ञऽउ॒पनम॒त्यथ य॒स्मात्पु-

---

तं वै तथैव हरेयुः—यथैनमेष प्रत्यङ्ङुपाचरेत् । एष वै यज्ञो—यदग्निः । प्रत्यङ् हैवैनं यज्ञः प्रविशति, तं क्षिप्रे यज्ञ उपनमति । अथ यस्मात्पराङ् भवति, पराङ् हैवास्माद्यज्ञो भवति । स यो हैनं तत्रानुव्याहरेत्—'पराङस्माद्यज्ञोऽभूत्' इति, ईश्वरो ह यत्तथैव स्यात् ॥ १९ ॥

एष उ वै प्राणः । तं वै तथैव हरेयुः—यथैनमेष प्रत्यङ्ङुपाचरेत् । प्रत्यङ्हैवैनं प्राणः प्रविशति अथ यस्मात्पराङ् भवति, पराङ् हैवास्मात् प्राणो भवति । स यो हैनं तत्रानुव्याहरेत्—'पराङस्मात्प्राणोऽभूत्' इति, ईश्वरो ह यत्तथैव स्यात् ॥ २० ॥

अयं वै यज्ञो, योऽयं पवते । तं वै तथैव हरेयुः—यथैनमेष प्रत्यङ्ङुपाचरेत् । प्रत्यङ् हैवैनं यज्ञः

तस्मिन् हरण विशेषमाह-**तं वा** इति । 'यथा' 'एनं' यजमानम् 'एषः' अग्निः 'प्रत्यङ् उपाचरेत्' अभिमुखमुपावर्त्तेत, 'तम्' अग्निम् 'तथैव ओहरेयुः[1]' आहवनीयायतनस्य पूर्वभागं प्रापयेयुरित्यर्थः । तस्य प्रयोजनमाह-**एष वा** इति । 'एषः' एव 'वै' खल्वग्निः 'यज्ञः' तन्निष्पादकत्वात् । तस्य प्रत्यगावर्त्तनेन 'एनं' यजमानं 'यज्ञः' एव 'प्रत्यङ प्रविशति' अभिमुख आवर्त्तते । तथा च 'तं' यजमानं 'क्षिप्रे' अल्पकाल एव, शीघ्रं यज्ञः उपगच्छति । एतद् व्यतिरेकमुखेनोपपादयति-**अथ यस्मादिति** । सोऽग्निः 'यस्मात्' येजमानात्[2] 'पराङ्' पराङ्मुखो भवति, तर्हि 'अस्मात्' 'यज्ञः' अपि पराङ्मुख एव 'भवति' 'तत्र' तथा सति 'यः' कश्चिद् द्वेष्यः 'एनं' यजमानम् 'अनुव्याहरेत्' । किमिति-'यज्ञोऽस्मात् पराङ अभूत्' इति स यजमानः 'तथैव' भवितुम् 'ईश्वरः' 'स्यात्' ॥ १९ ॥

एवमग्नेर्यज्ञरूपत्वेन प्रत्यगावर्त्तनं प्रतिपाद्य प्राणात्मकत्वादपि तत् प्रतिपादयति-**एष उ वा** इति । 'एषः' खल्वग्निः 'प्राणः' । **तं वा** इत्यादि । पूर्ववत् ॥ २० ॥

अथैनं यज्ञात्मकमग्निं वायुतादात्म्येन स्तौति-**अयं वा** इति । **तं वा** इत्यादि पूर्ववत् ॥ २१ ॥

१-'अवहरेयुः' इ क्र० पा० । २-'बहुयजमानात्' इति क्र० पा० ।

राङ्भवति पराङ् हैवास्माद्यज्ञो भवति स यो हैनं तत्रानुव्याहरेत्पराङ्स्माद्यज्ञोऽभूदितीश्वरो ह यत्तथैव स्यात् ॥ २१ ॥

(दे) एष उ वै प्राणः । (स्तं) तं वै तथैव हरेयुर्यथैनमेष प्रत्यङ्ङुपाचरेत्प्रत्यङ् हैवैनं प्राणः प्रविशत्यथ यस्मात्पराङ्भवति पराङ् हैवास्मात्प्राणो भवति स यो हैनं तत्रानुव्याहरेत्पराङ्स्मात्प्राणोऽभूदितीश्वरो ह यत्तथैव स्यात्तस्मादु तथैव हरेयुः ॥ २२ ॥

(र) अथाश्वमाक्रमयति । तमाक्रमय्य प्राञ्चमुन्नयति तं पुनरावर्तयति तमुदञ्चं प्रमुञ्चति व्वीर्य्यं वाऽअश्वो नेदस्मादिदं पराग्वीर्य्यमसदिति तस्मात्पुनरावर्तयति ॥ २३ ॥

तमश्वस्य पदऽआधत्ते व्वीर्य्यं वाऽअश्वो व्वीर्य्यऽएवैनमेतदाधत्ते तस्मादश्वस्य पद आधत्ते ॥ २४ ॥

प्रविशति, तं क्षिप्रे यज्ञ उपनमति । अथ यस्मात्पराङ् भवति, पराङ् हैवास्माद् यज्ञो भवति । स यो हैनं तत्रानुव्याहरेत्–' पराङस्माद् यज्ञोऽभूत् ' इति, ईश्वरो ह यत्तथैव स्यात् ॥ २१ ॥

एष उ वै प्राणः । तं वै तथैव हरेयुः–यथैनमेष प्रत्यङ्ङुपाचरेत् । प्रत्यङ् हैवैनं प्राणः प्रविशति । अथ यस्मात्पराङ् भवति, पराङ् हैवास्मात् प्राणो भवति । स यो हैनं तत्रानुव्याहरेत्–' पराङस्मात्प्राणोऽभूत् ' इति, ईश्वरो ह यत्तथैव स्यात् । तस्मादु तथैव हरेयुः ॥ २२ ॥

अथाश्वमाक्रमयति । तमाक्रमय्य प्राञ्चमुन्नयति । तं पुनरावर्त्तयति । तमुदञ्चं प्रमुञ्चति । वीर्यं वा अश्वः, नेदस्मादिदं पराग् वीर्यमसदिति । तस्मात्पुनरावर्त्तयति ॥ २३ ॥

तमश्वस्य पद आधत्ते । वीर्य्यं वा अश्वः, वीर्य्य एवैनमेतदाधत्ते । तस्मादश्वस्य पद आधत्ते ॥२४॥

वाय्वात्मकमग्निं प्राणरूपतया स्तौति–**एष उ वा** इति ; अन्यत् पूर्ववत् ॥ २२ ॥

एवमग्नेर्हरणप्रकारमित्थं प्रतिपाद्य तदनन्तरकर्त्तव्यमाह–**अथाश्व**मिति । आहवनीयायतने सम्भारान् निधाय दक्षिणपूर्वपादेन ' अश्वमाक्रमयति ' । एवम् ' आक्रमय्य ' ' प्राञ्चं ' नीत्वा ' तम् ' अश्वम् ' पुनरावर्त्तयति ' आवृत्य स्थापयति । अनन्तरं ' तम् ' अश्वम् ' उदञ्चम् ' उदङ्मुखं प्रमुञ्चति । सूत्र्यते हि कात्यायनेन– " सम्भारानधिष्ठाप्य दक्षिणपूर्वपादेन प्राञ्चं नीत्वाऽऽवर्त्य स्थापयति" (का० श्रौ० सू० ४ । २३९) इति । पुनरावर्त्तनस्य प्रयोजनमाह–**नेदस्मा**दिति । अश्वलक्षणं यद् ' इदं ' वीर्यम्, तत् ' नेत् ' नैव ' अस्मात् ' ' पराग् '–भूतम् भवेदित्यनेनाभिप्रायेण तस्याश्वस्य पुनरावर्त्तनं कार्यमित्यर्थः ॥ २३ ॥

आहृतस्याग्नेराधानं विधत्ते–**तमश्वस्ये**ति । आहवनीयायतने यदश्वस्य पदम्, तस्मिन् ' तम् ' अग्निं मन्त्रेण स्थापयेत् । तदेतत् प्रशंसति–**वीर्यं वा** इति ॥ २४ ॥

स वै तूष्णीमेवाग्रऽउपस्पृशति । (त्य) अथोद्यच्छत्यथोपस्पृशति भूर्भुवः स्वरित्येव तृतीयेनादधाति त्रयो वा ऽइमे लोकास्तदिमानेवैतल्लोकानाप्नो-त्येतन्न्वेकम् ॥ २५ ॥

(मु) अथेदं द्वितीयम् । (न्तू) तूष्णीमेवाग्रऽ उपस्पृशत्यथोद्यच्छति भूर्भुवः स्वरित्येव द्वितीयेनादधाति यो वाऽ अस्यामप्रतिष्ठितो भारमुद्यच्छति नैनᳪं शक्नोत्युद्यन्तुᳪं सᳪं हैनᳪं शृणाति ॥ २६ ॥

स यत्तूष्णीमुपस्पृशति । तदस्यां प्रतिष्ठायां प्रतितिष्ठन्ति सोऽस्यां प्रतिष्ठित आधत्ते तथा न व्यथते तद्ध हैतत् पश्चेव दध्रिरे ऽआसुरिः पाञ्चिर्माधुकिः सर्वं वाऽ अन्यदियासितमिव प्रथमेनैवोद्यत्यादध्याद् भूर्भु-

---

स वै तूष्णीमेवाग्र उपस्पृशति, अथोद्यच्छति, अथोपस्पृशति, भूर्भुवः स्वरित्येव तृतीयेनाद-धाति । त्रयो वा इमे लोकाः, तदिमानेवैतल्लोकानाप्नोति । एतन्न्वेकम् ॥ २५ ॥

अथेदं द्वितीयम् । तूष्णीमेवाग्र उपस्पृशति, अथोद्यच्छति, भूर्भुवः स्वरित्येव द्वितीयेनादधाति । यो वा अस्यामप्रतिष्ठितो भारमुद्यच्छति, नैनं शक्नोत्युद्यन्तुम्; सं हैनं शृणाति ॥ २६ ॥

स यत्तूष्णीमुपस्पृशति, तदस्यां प्रतिष्ठायां प्रतितिष्ठन्ति; सोऽस्यां प्रतिष्ठित आधत्ते, तथा न व्यथते । तद्ध हैतत् पश्चेव दध्रिरे—आसुरिः, पाञ्चिः, माधुकिः । सर्वं वा अन्यदियासितमिव, प्रथमेनैवोद्यत्याद-

---

तत्र विशेषमाह—**स वा** इति । 'अग्रे' प्रथमम् अश्वस्य पदमग्निना 'तूष्णीम्' 'उपस्पृशति' तमग्नि-मुद्यम्य पुनरपि 'उपस्पृशति' । एवं द्विरुपस्पृश्य तृतीयेनोपस्पर्शनेन व्याहृतिभिस्तमग्निं तस्मिन् पदे स्थाप-यति । व्याहृतिगतं त्रित्वं प्रशंसति—**त्रयो वा** इति । इमं पक्षं निगमयति—**एतदि**ति । 'एतत्' खल्वाहव-नीयाधानस्य 'एकं' विधानमित्यर्थः ॥ २५ ॥

पक्षान्तरमपि वक्तुं प्रतिजानीते—**अथेदं द्वितीयमि**ति । **तूष्णीमेवे**त्यादि । अश्वपदं 'तूष्णीं' सकृदेवा-ग्निनोपस्पृश्य, तमुद्यम्य द्वितीयेनोपस्पृशति । न व्याहृतिभिस्तत्र स्थापयेदित्यर्थः । एतस्योपस्पर्शनस्य प्रयोजन-माह—**यो वा अस्या**मिति । 'अस्यां' भूम्यां दृढमनवस्थितः सन् 'यः' वोढा 'भारमुद्यच्छति' सः 'एनं' भारम् 'उद्यन्तुं' वोढुं 'न शक्नोति'; प्रत्युत निपततोऽस्योपरि निपतन् भार एव 'एनं' पुरुषं हिनस्ति ॥ २६ ॥

स यत् तूष्णीमुपस्पृशतीति । यस्तु भूम्यां प्रतिष्ठाय भारमुद्यच्छति; स भारं वोढुं शक्नोतीति । तत्समान-मेवैतद् भूमेः सकृदुपस्पर्शनम् तथा च तेन स्पर्शनेन भूम्यां प्रतिष्ठित एवाग्निराहितो भवति, 'न व्यथते' न चलति । "(व्यथ भयसंचलनयोः" धा. पा. भ्वा. आ. ७६९)—इति धातुः । पक्षान्तरं वक्तुमन्यस्मिन् पक्षे दोषमाह—**तद्ध हैत**दिति । आसुरिप्रभृतयस्त्रयो मुनयः तदेतदुपस्पृश्योद्यम्य द्वितीयस्पर्शनेनाधानं 'पश्चेव' पश्चाद्भूतमिव 'दध्रिरे' अधारयन् । एतावता को दोष इति तत्राह—**सर्वं वा** इति । अग्निनोपस्पृश्य पुनस्तस्यो-

---

१—"बृहदिति प्रेष्यत्यग्निना पदं द्विरुपस्पृश्य तृतीयेनादधाति द्वितीयेन प्रथमेन वा भूर्भुवः स्वरिति पूर्ववत्" का. श्रौ. सू. ४।२।३६ ।

वुःस्वरिति तुदेवुानियसितमित्युतो यतमुथा कामुयेत तुथा कुर्यात् ॥ २७ ॥

(ड) अुथ पुरुस्तात्पर्यीत्य । पूर्व्वार्द्धेमुल्मुकानामभिपुद्य जपति द्यौरिव भूम्ना पृथिवीव व्वरिम्णेति युथाऽसौ द्यौर्बह्वी नक्षत्रैरेवुं बहुर्भूयासमित्युवैतुदाह यदाह द्यौरिव भूम्नेति पृथिवीव व्वरिम्णेति युथेयुं पृथिव्युुर्व्येवमुरुर्भूयासमित्युवैतुदाह तुस्यास्ते पृथिवि देवयजनि पृष्ठऽ इत्यस्यै ह्येनं पृष्ठऽ आधुत्तेऽग्निमन्नादमन्नाद्यायादधऽ इत्युन्नादोऽग्निरन्नादो भूयासमित्युवैतुदाह सैषाशीरेव स युदि कामुयेत जुपेदेतद्युदु कामुयेतापि नाद्रियेत ॥ २८ ॥

व्याद्-भूर्भुवः स्वरिति; तदेवानियसितमिति । अतो यतमथा कामयेत; तथा कुर्यात् ॥ २७ ॥

अथ पुरस्तात्परीत्य पूर्वार्द्धमुल्मुकानामभिपद्य जपति-"**द्यौरिव भूम्ना पृथिवीव वरिम्णा**"-(वा सं० ३ अ० ५ मं०) इति । यथाऽसौ द्यौर्बह्वी नक्षत्रैः, एवं बहुर्भूयासमित्येवैतदाह-यदाह-'द्यौरिव भूम्ना इति । पृथिवीव वरिम्णेति । यथेयं पृथिव्युर्वी, एवमुरुर्भूयासमित्येवैतदाह-"**तस्यास्ते पृथिवि देवयजनि पृष्ठे**"-(३ अ० ५ मं०) इति । अस्यै ह्येनं पृष्ठ आधत्ते । "**अग्निमन्नादमन्नाद्यायादधे**"-(३ अ० ५ मं०) इति । अन्नादोऽग्निः, अन्नादो भूयासमित्येवैतदाह । सैषाऽऽशीरेव, स यदि कामयेत-जपेत् । यद्यु कामयेत अपि नाद्रियेत ॥ २८ ॥

द्यमनेन तद्व्यतिरिक्तं सर्वमायतनस्थं सम्भारादिकम् 'इयसितम्' इयत्तया परिच्छिन्नं व्यक्तमिव भवति । अतोऽग्निमुद्यम्य प्रथमेनैवोद्यमनेन व्याहृतिभिः 'आदध्यात्' । तथा एवं सति 'अनियसितम्' अव्यक्तमेव सर्वं भवति । उक्तानां पक्षाणामिच्छया विकल्पमाह-**यतमथेति** । एतत् पक्षत्रयमपि सूत्रितं कात्यायनेन-"अग्निना पदं द्विरुपस्पृश्य तृतीयेनादधाति, द्वितीयेन प्रथमेन वा भूर्भुवः स्वरिति"-(का. श्रौ. सू. ४. २३६.) इति॥ २७॥

आहितस्याग्नेः पूर्वभागस्थमुल्मुकमन्वारभ्य मन्त्रस्य जपं विधत्ते-**अथ पुरस्तादिति** । मन्त्रतात्पर्यमाह-**यथाऽसाविति** । बहुभिः 'नक्षत्रैः' 'यथाऽसौ द्यौः' 'बह्वी' बहुत्वोपेता, 'एवम्' अहमपि पुत्रपौत्रादिबहुत्वेन 'बहुर्भूयासम्' इति 'द्यौरिव भूम्ना' इत्यस्य भागस्यार्थः । पृथिवीत्यादिकमनूद्य तात्पर्यमाह-**यथेऽयं पृथिवीति** 'उर्वी' विस्तीर्णा, 'एवम्' अहमपि 'वरिम्णा' उरुत्वेन सुविस्तीर्णो भूयासमिति । [भागान्तरमनूद्य व्याचष्टे-**तस्यास्त** इति । उरुत्वं प्रत्युपमानभूतायाः 'तस्याः' 'ते' तव 'पृष्ठे' उपरिभागे 'अग्निम् आदधे'-इत्युत्तरत्र सम्बन्धः । **अस्यै हीति** । अस्या एव खलु पृथिव्याः 'पृष्ठे' उपरि आधत्ते, अतो युक्तं 'तस्यास्ते' इति वाक्यमिति भावः । अन्तिमं भागमनूद्य व्याचष्टे-**अग्निमन्नादमिति** । आहवनीयादिरूपेण जाठररूपेण च हविर्विलक्षणम्, तद्विलक्षणं च सर्वमन्नमत्तीति 'अन्नादोऽग्निः' । एवमन्नादशब्देनाग्नेर्विशेषणादहमप्यन्नादो भूयासमिति तात्पर्यगम्योऽर्थः । **सैषाशीरित्यादि** । 'एषा' मन्त्रात्मिका ऋक् 'आशीः' फलप्रार्थनमेव; अतः सत्यां कामनायां तस्य मन्त्रस्य जपः; तदभावे तु जपोऽपि न कर्तव्य इत्यर्थः ॥ २८ ॥

१-"इयसशब्दोऽवसानवचनः कण्ड्वादिषु पठ्यते" । इति सायणाचार्यः । श. प. ब्रा १ । ९ । २ । १४ । इत्यत्र ॥

२-"पुरस्तात् परिक्रम्येध्मपूर्वार्द्धं गृहीत्वा द्यौरिव भूम्नेत्याह", का. श्रौ. सू. ४. २३७ ।

(ता) अथ सर्पराज्ञ्या ऋग्भिरुपतिष्ठते । (त८) आयं गौः पृश्निरक्रमीदसदन्मातरं पुरः । पितरं च प्रयन्त्स्वः ॥ अन्तश्चरति रोचनाऽस्य प्राणादपानती । व्यख्यन्महिषो दिवम् ॥ त्रिꣳशद्धाम विराजति वाक्पतङ्गाय धीयते । प्रतिवस्तोरह द्युभिरिति तद्यदेवास्यात्र सम्भारैर्वा नक्षत्रैर्वऽर्तुभिर्वाऽऽधानेन वाऽनाप्तं भवति तदेवास्यैतेन सर्वमाप्तं भवति तस्मात्सर्पराज्ञ्या ऋग्भिरुपतिष्ठते ॥ २९ ॥

तदाहुः । (नं) न सर्पराज्ञ्या ऋग्भिरुपतिष्ठेतेतीयं वै पृथिवी सर्पराज्ञी स यदेवास्यामाधत्ते तत्सर्वान्कामानाप्नोति तस्मान्न सर्पराज्ञ्या ऋग्भिरुपतिष्ठेतेति ॥ ३० ॥

इति प्रथमाध्याये प्रथमप्रपाठके चतुर्थं ब्राह्मणम् ॥४॥ इति प्रथमोऽध्यायः ॥१॥

अग्न्युपस्थानब्राह्मणम् ।

अथ सर्पराज्ञ्या ऋग्भिरुपतिष्ठते–" आयं गौः पृश्निरक्रमीदसदन्मातरं पुरः । पितरं च प्रयन्त्स्वः"–(३ अ० ६ मं०) "अन्तश्चरति रोचनाऽस्य प्राणादपानती । व्यख्यन्महिषो दिवम् "–वा० सं० (३ अ० ७ मं०) " त्रिꣳशद्धाम विराजति वाक् पतङ्गाय धीयते । प्रति वस्तोरह द्युभिः"–(३ अ० ८ मं०) इति । तद्यदेवास्यात्र सम्भारैर्वा, नक्षत्रैर्वा, ऋतुभिर्वा, आधानेन वाऽनाप्तं भवति; तदेवास्यैतेन सर्वमाप्तं भवति । तस्मात्सर्पराज्ञ्या ऋग्भिरुपतिष्ठते ॥ २९ ॥

तदाहुः– न सर्पराज्ञ्या ऋग्भिरुपतिष्ठेतेति । इयं वै पृथिवी सर्पराज्ञी, स यदेवास्यामाधत्ते, तत् सर्वान् कामानाप्नोति । तस्मान्न सर्पराज्ञ्या ऋग्भिरुपतिष्ठेतेति ॥ ३० ॥

इत्यग्न्याधानप्रकरणे चतुर्थमुपवसथब्राह्मणम् ।

अथ तस्याग्नेः सार्पराज्ञीभिरुपस्थानं विधत्ते–**अथ सर्पराज्ञ्या** इति । सर्पणशीलानां प्राणिनां राज्ञी ' सर्पराज्ञी ' तत्सम्बन्धिनीभिर्ऋग्भिरग्निम् ' उपतिष्ठते ' । काः पुनस्ता इति तिस्र ऋचः पठति–**आयं गौरिति** प्रथमा, अन्तश्चरति रोचनेति द्वितीया, त्रिंशद्धामेति (वा. सं. ३ । ६. ७. ८.) तृतीया । आयं गौरित्यादिमन्त्रार्थो मन्त्रभाष्ये प्रोक्तः । अस्योपस्थानस्य प्रयोजनमाह–**तद् यदेवेति** । ' अस्य ' यजमानस्य ' अत्र ' अस्मिन्नाधाने सम्भारादिभिर्विकल्पनिमित्तेन यत् ' अनाप्तम् ' अप्राप्तं भवति, ' एतेन ' उपस्थानेन ' अस्य ' तत् ' सर्वम् ' आप्यते, सर्पराज्ञ्याः सर्वाधिष्ठानभूतत्वात् । अत एव तन्नामनिर्वचनमन्यत्राम्नातम्–" इयं वै सर्पराज्ञी, देवा वै सर्पाः, तेषामियं राज्ञी " (ऐ० ब्रा० ९. ४. ४.) इति च ॥ २९ ॥

तेषां पृथिव्यामाधानादेव सम्भारादीनां सर्वेषामवाप्तत्वात्, तदवाप्तये सर्पराज्ञीभिरुपस्थानं न कार्यमिति

१–" आयं गौरिति चोपतिष्ठते सार्पराज्ञीभिः " का० श्रौ० सू० ४० । २३८ । २–" इयं वै सर्पतो राज्ञी " इति तै० ब्रा० १. ४. ६. ६. । " देवा वै सर्पास्तेषामियं राज्ञी " इति तै० ब्रा० २. २. ६. १. । तां० ब्रा० ९. । ८ । ७ (ब्रह्मवादिनी) आर्षे ब्रा० ३ । २९ (सर्पाणाम्) ऋ. सं. १० । १८९ । सा. भा. (ऋषिः)

अथ द्वितीयाध्याये प्रथमं ब्राह्मणम् ।

उद्धृत्याहवनीयं पूर्णाहुतिं जुहोति । तद्यत्पूर्णाहुतिं जुहोत्यन्नादं व्वाऽएतु-मात्मनो जनयते यदग्निं तस्माऽएतदन्नाद्यमपिदधाति यथा कुमाराय वा जाताय व्वत्साय वा स्तनमपि दध्यादेवमस्माऽएतदन्नाद्यमपिदधाति ॥ १ ॥

पूर्णाहुतिहोमब्राह्मणम् ।

उद्धृत्याहवनीयं पूर्णाहूतिं जुहोति। तद्यत्पूर्णाहुतिं जुहोति, अन्नादं वा एतमात्मनो जनयते—यदग्निम् तस्मा एतदन्नाद्यमपिदधाति; यथा कुमाराय वा जाताय वत्साय वा स्तनमपिदध्यात्, एवमस्मा एतदन्नाद्यमापिदधाति ॥ १ ॥

पक्षान्तरमाह—**तदाहुरिति**। निगदव्याख्यातम् ॥ ३० ॥ [१.४.] ॥

इति श्रीसायणाचार्यविरचिते माधवीये वेदार्थप्रकाशे माध्यन्दिनशतपथब्राह्मणभाष्ये
द्वितीयकाण्डे प्रथमाध्याये चतुर्थं ब्राह्मणम् ॥ (२–१–४) ॥

वेदार्थस्य प्रकाशेन तमो हार्दं निवारयन् । पुमर्थांश्चतुरो देयाद्विद्यातीर्थमहेश्वरः ॥ १ ॥

ब्रह्माण्डं गोसहस्रं कनकहयतुलापूरुषौ स्वर्णगर्भं
सप्ताब्धीन् पञ्चसीरींस्त्रिदशतरुलताधेनुसौवर्णभूमीः ।
रत्नोस्रां रुक्मवाजिद्विपमहितरथौ सायणिः सिङ्गणार्यो
व्यश्राणीद्विश्वचक्रं प्रथितविधिमहाभूतयुक्तं घटञ्च ॥
धान्याद्रिं धन्यजन्मा तिलभवमतुलः स्वर्णजं वर्णमुख्यः
कार्पासीयं कृपावान् गुडकृतमजडो राजतं राजपूज्यः ।
आज्योत्थं प्राज्यजन्मा लवणजमनृणः शार्करं चार्कतेजाः
रत्नाढ्यो रत्नरूपं गिरिमकृत मुदा पात्रसात्सिङ्गणार्यः ॥

इति श्रीमद्राजाधिराजपरमेश्वरवैदिकमार्गप्रवर्त्तकश्रीवीरहरिहरमहाराजसाम्राज्यधुरन्धरेण सायणाचार्येण विरचिते माधवीये वेदार्थप्रकाशे माध्यन्दिनशतपथब्राह्मणभाष्ये द्वितीयकाण्डे प्रथमोऽध्यायः समाप्तः ॥ १ ॥

यस्य निःश्वसितं वेदा यो वेदेभ्योऽखिलं जगत् । निर्म्ममे, तमहं वन्दे विद्यातीर्थमहेश्वरम् ॥ १ ॥

आदित आरभ्यैतावत्पर्यन्तं तात्पर्यार्थाभिधानविनियोगादिप्रदर्शनपुरस्सरं वाक्ययोजनं कृतम्; इत आरभ्यो-परितनाध्यायगतानि यानि वाक्यानि, तानि समानन्यायतया पूर्ववदेव योजयितुं शक्यानीति ग्रन्थविस्तरभयात् केवलं प्रकटार्थकथनं विषमपदविवरणं च क्रियते। एवं गार्हपत्याद्यग्निषु स्थानेषु स्वरूपेण सिद्धेषु क्षुधितस्याग्नेः शमनाय पूर्णाहुतिं विधत्ते—**उद्धृत्याहवनीयमि**त्यादिना ॥ १ ॥

१–'प्रघट्टघट्कार्थकथनम्' इति क॰ पा॰। २–"उद्धरेति यजमानो ब्रूयात् सायंप्रातरग्निहोत्रे" "गार्हपत्यादाहवनीयस्योद्ध-रणमनस्तमितानुदितयोः" का॰ श्रौ॰ सू॰ ४।१२।१–२।

स एतेनान्नेन शान्तः । (ऽ) उत्तराणि हवीᳬंषि श्रप्यमाणान्युपरमति शश्वद्ध वाऽअध्वर्युं वा यजमानं वा प्रदहेत्तौ ह्यस्य नेदिष्ठं चरतो यदस्मिन्नेतामाहुतिं न जुहुयात्तस्माद्वाऽएतामाहुतिं जुहोति ॥ २ ॥

तां वै पूर्णां जुहोति । सर्व्वं वै पूर्णᳬं सर्व्वेणैवैनमेतच्छमयति स्वाहाकारेण जुहोत्यनिरुक्तो वै स्वाहाकारः सर्व्वं वाऽअनिरुक्तᳬं सर्व्वेणैवैनमेतच्छमयति ॥ ३ ॥

यां वै प्रजापतिः प्रथमामाहुतिमजुहोत्स्वाहेति वै तामजुहोत्सो स्विदेषा निदानेन तस्मात्स्वाहेति जुहोति तस्यां वरं ददाति सर्व्वं वै वरः सर्व्वेणैवैनमेतच्छमयति ॥ ४ ॥

तदाहुः । (२) एतामेवाहुतिᳬं हुत्वाथोत्तराणि हवीᳬंषि नाद्रियेतैतयैव तं काममाप्नोति यमभिकाममुत्तराणि हवीᳬंषि निर्व्वपतीति ॥ ५ ॥

स एतेनान्नेन शान्त उत्तराणि हवींषि श्रप्यमाणान्युपरमति । शश्वद्ध वा अध्वर्युं वा यजमानं वा प्रदहेत्, तौ ह्यस्य नेदिष्ठं चरतः; यदस्मिन्नेतामाहुतिं न जुहुयात् । तस्माद्वा एतामाहुतिं जुहोति ॥ २ ॥

तां वै पूर्णां जुहोति । सर्वं वै पूर्णम्, सर्वेणैवैनमेतच्छमयति । स्वाहाकारेण जुहोति । अनिरुक्तो वै स्वाहाकारः, सर्वं वा अनिरुक्तम्; सर्वेणैवैनमेतच्छमयति ॥ ३ ॥

यां वै प्रजापतिः प्रथमामाहुतिमजुहोत्, स्वाहेति वै तामजुहोत् । सो स्विदेषा निदानेन । तस्मात्स्वाहेति जुहोति । तस्यां वरं ददाति । सर्वं वै वरः, सर्वेणैवैनमेतच्छमयति ॥ ४ ॥

उत्तराहुतिः ।

तदाहुः—एतामेवाहुतिं हुत्वा—अथोत्तराणि हवींषि नाद्रियेत । एतयैव तं काममाप्नोति—यमभिकाममुत्तराणि हवींषि निर्वपतीति ॥ ५ ॥

स एतेनान्नेन शान्त इति । **शश्वद्ध वा अध्वर्युमि**ति । अशान्तः[1] खल्वग्निः ' शश्वत् ' ध्रुवम्—अध्वर्युयजमानयोरन्यतरं प्रदहेत्; ' तौ ' खलु ' अस्य ' अग्नेः ' नेदिष्ठम् ' अन्तिकतमम्, समीपे सञ्चरेत[2]—इत्यर्थः । " अन्तिकबाढयोर्नेदसाधौ "—(पा. सू. ५ । ३ । ६३) इतीष्ठनि अन्तिकस्य नेदादेशः ॥ २ ॥ ३ ॥

मन्त्ररहितेन स्वाहाकारमात्रेण[3] होममुपपादयति—**यां वा** इति । पुरा खलु प्रजापतिः पुरुषाश्वादिसर्वजगत्सर्जनहेतुभूतां[4] ' प्रथमामाहुतिम् ' स्वाहाकारेणैव ' अजुहोत् ' । ' एषा ' अपि पूर्णाहुतिस्तथा क्रियमाणा ' निदानेन ' निदानभूतेन फलकारणेन ' सो स्वित् ' सैव, प्रजापतिना हुता प्रथमाहुतिः खल्वित्यर्थः ॥ ४ ॥

पूर्णाहुतेः सकलकामावाप्तिहेतुत्वमाह—**तदाहुरि**ति । यम् ' कामम् ' ' अभि '—लक्ष्य ' उत्तराणि ' पवमानादीनि ' हवींषि ' निरुप्यन्ते । ' तम् कामम् ' ' एतयैव ' पूर्णाहुत्या प्राप्नोतीत्यर्थः ॥ ५ ॥

१—'अशान्तो ह्यग्निः' इति क० पा० । २—' संचरेते ' इति क० पा० । ३—"निरुप्याज्यं गार्हपत्येऽधिश्रित्य स्रुक्स्रुवं च संमृज्योद्वास्योत्पूयावेक्ष्य गृहीत्वाऽन्वारब्ध एव सर्वत्र स्वाहेति " का. श्रौ. सू. ४ । २४७ । ४—पुरुषपश्वादि इत्यपि पाठ उपलभ्यते ।

स वाऽअग्नये पवमानाय निर्व्वपति । प्राणो वै पवमानः प्राणमेवास्मिन्नेतु-
द्दधाति तद्वेतयैवास्मिँस्तद्दधात्यन्नꣳ हि प्राणोऽन्नमेषाहुतिः ॥ ६ ॥

(र) अथाग्नये पावकाय निर्व्वपति । (त्य) अन्नं वै पावकमन्नमेवा-
स्मिन्नेतद्दधाति तद्वेतयैवास्मिँस्तद्दधात्येषा ह्येव प्रत्यक्षमन्नमाहुतिः ॥७॥

(र) अथाग्नये शुचये निर्व्वपति । व्वीर्य्यं वै शुचि यद्वाऽअस्यैतदु-
ज्ज्वलत्येतदस्य व्वीर्य्यꣳ शुचि व्वीर्य्यमेवास्मिन्नेतद्दधाति तद्वेतयैवा-
स्मिँस्तद्दधाति यदा ह्येवास्मिन्नेतामाहुतिं जुहोत्यथास्यैतद्वीर्य्यꣳ शुच्यु-
ज्ज्वलति ॥ ८ ॥

तस्मादाहुः । (रे) एतामेवाहुतिꣳ हुत्वाथोत्तराणि हवीꣳषि नाद्रियेत
तैतयैव तं काममाप्नोति यमभिकाममुत्तराणि हवीꣳषि निर्व्वपतीति तदु
निर्व्वपेदेवोत्तराणि हवीꣳषि परोऽक्षमिव वाऽएतद्यददस्तदिदमितीव ॥ ९ ॥

स वा अग्नये पवमानाय निर्वपति । प्राणो वै पवमानः, प्राणमेवास्मिन्नेतद्दधाति; तद्वेतयैवा-
स्मिंस्तद्दधाति । अन्नं हि प्राणः, अन्नमेषाहुतिः ॥ ६ ॥

अथाग्नये पावकाय निर्वपति । अन्नं वै पावकम्, अन्नमेवास्मिन्नेतद्दधाति; तद्वेतयैवास्मिंस्तद्-
धाति । एषा ह्येव प्रत्यक्षमन्नमाहुतिः ॥ ७ ॥

अथाग्नये शुचये निर्वपति । वीर्यं वै शुचि । यद्वा अस्यैतदुज्ज्वलति, एतदस्य वीर्यम् । शुचि
वीर्यमेवास्मिन्नेतद्दधाति, तद्वेतयैवास्मिंस्तद्दधाति । यदा ह्येवास्मिन्नेतामाहुतिं जुहोति, अथास्यैतद्वीर्यं
शुच्युज्ज्वलति ॥ ८ ॥

तस्मादाहुः—एतामेवाहुतिं हुत्वाथोत्तराणि हवींषि नाद्रियेत । एतयैव तं काममाप्नोति, यमभि-
काममुत्तराणि हवींषि निर्वपतीति । तदु निर्वपेदेवोत्तराणि हवींषि । परोक्षमिव वा एतत्—यददः,
तदिदमितीव ॥ ९ ॥

तत्प्राप्तिकारणमाह—**स वा** इत्यादिना । पवमानहविर्भिर्हि जातेऽग्नौ प्राणान्नवीर्याणि यथाक्रमं स्थाप्यन्ते ।
'तत्' सर्वम् 'एतयैव' पूर्णाहुत्या भवतीत्यर्थः ॥ ६ ॥ ७ ॥ ८ ॥

अतः पवमानेष्टिकार्यस्य पूर्णाहुत्यैव कृतत्वादन्येषामनिर्वापपक्षं निगमयति—**तस्मादाहुरिति** । निर्वापपक्षमेव
सिद्धान्तयति—**उत्तराणीति**। आधानानन्तरभाविनि 'अग्नये पवमानाय—' इत्यादिना विधेयानीत्यर्थः । **परोक्षमिव**
वेति । 'यददः' प्राणान्नवीर्यधारणं पूर्णाहुत्याऽग्नौ क्रियते, 'एतत्' परोक्षमिव, पवमानेष्टिभिः 'तत्—

१—"अग्नये पवमानाय—प्रथमा" (का. श्रौ. सू. ४. २५०) "अग्नये पावकायाग्नये शुचये" (का. श्रौ. सू. ४. २५१)।
२—"आधानादनन्तरभवानि" इति पा० । ३—'यददः' इति क० ।

स यदग्नये पवमानाय निर्व्वपति । प्राणो वै पवमानो यदा वै जायतेऽथ प्राणोऽथ यावन्न जायते मातुर्व्वैव तावत्प्राणमनुप्राणिति यथा वा तज्जातऽएवास्मिन्नेतत्प्राणं दधाति ॥ १० ॥

(त्यु) अथ यदग्नये पावकाय निर्व्वपति । (त्यु) अन्नं वै पावकं तज्जातऽएवास्मिन्नेतदन्नं दधाति ॥ ११ ॥

(त्यु) अथ यदग्नये शुचये निर्व्वपति । व्वीर्य्यं व्वै शुचि यदा वाऽअन्नेन व्वर्द्धतेऽथ व्वीर्य्यं तदन्नेनैवैनमेतद्वर्द्धयित्वाथास्मिन्नेतद्वीर्य्यᳪं शुचि दधाति तस्मादग्नये शुचये ॥ १२ ॥

तद्धैतदेव सद्विपर्य्यस्तमिव । (वा) अग्निर्ह यत्र देवेभ्यो मनुष्यानभ्युपावर्त्तते तद्धेक्षाञ्चक्रे मैव सर्व्वेणेवात्मना मनुष्यानभ्युपावृतमिति ॥ १३ ॥

स यदग्नये पवमानाय निर्वपति । प्राणो वै पवमानः, यदा वै जायतेऽथ प्राणः । अथ यावन्न जायते, मातुर्नैव तावत् प्राणमनुप्राणिति । यथा वा—तज्जात एवास्मिन्नेतत्प्राणं दधाति ॥ १० ॥

अथ यदग्नये पावकाय निर्वपति । अन्नं वै पावकम्, तज्जात एवास्मिन्नेतदन्नं दधाति ॥ ११ ॥

अथ यदग्नये शुचये निर्वपति । वीर्यं वै शुचि । यदा वा अन्नेन वर्द्धते, अथ वीर्यम् । तदन्नेनैवैनमेतद् वर्द्धयित्वा, अथास्मिन्नेतद् वीर्यं शुचि दधाति । तस्मादग्नये शुचये ॥ १२ ॥

तद्धैतदेव सद्विपर्यस्तामिव । अग्निर्ह यत्र देवेभ्यो मनुष्यानभ्युपावर्तते । तद्धेक्षाञ्चक्रे—मैव सर्वेणेवात्मना मनुष्यानभ्युपावृतमिति ॥ १३ ॥

इदम्—इति—इव ' प्रत्यक्षत एव क्रियते; पवमानपावकशुचिशब्दैः प्राणान्नवीर्याणां प्रतिपादनात् । अतस्ता इष्ट्यो नियमेन कर्त्तव्या इत्यर्थः ॥ ९ ॥

ता इष्टीर्विधाय प्रशंसति—**स यदित्यादिना** । **प्राणो वै पवमान** इति । पवनक्रिया हि वायुधर्मः, प्राणश्च वाय्वात्मक इति पवमानशब्देन तत्प्रतिपादनम् । एतेन चाग्निं निर्दिशन् प्राणमेवास्मिन् जातेऽग्नौ स्थापितवान् भवति । जननात् पूर्वं मातुर्गर्भावस्थस्य तु प्राणो मातुः प्राणादभिन्न इति न तत्र पृथक् तद्धारणापेक्षेत्यर्थः १०॥११

अथ यदग्नये शुचय इति । यदा वा अन्नेनेति लौकिकदृष्टान्तकथनम् । **अन्नेनैवैन**मिति । पावकेष्टिरूपेणान्नेनाग्निं ' वर्द्धयित्वा ' अनन्तरमेव ' अस्मिन् ' अग्नावनया तृतीयेष्ट्या ' शुचि ' दीप्यमानं ' वीय ' च धारयतीत्यर्थः ॥ १२ ॥

तद्धेतदिति । ' तदेतत् ' सर्वं पूर्णाहुतिपक्षे ' सत् ' विद्यमानमपि ' विपयस्तमिव ' भवति । अतो नासौ पक्षो युक्त इत्यर्थः । न केवलमेतावद्देवेष्टीनां प्रयोजनम्, अपि तु मनुष्यैराधीयमानस्याग्नेः कात्स्न्यर्मप्याभिः

१–' एवमादिनेष्टी–' इति पा० क० । २–'प्राणा ' इति क. पा. । ३–' पवमानक्रिया हि वायुधर्मः प्राणः, स वाय्वात्मकः ' इति क. पाठः । ४–' जानिते ' इति क० पा० ।

स एतास्तिस्रस्तनूरेषु लोकेषु विन्यधत्त । यदस्य पवमानꣳ रूपमासीत्तदस्यां पृथिव्यां न्यधत्ताथ यत्पावकं तदन्तरिक्षेऽथ यच्छुचि तद्दिवि तद्वाऽऋषयः प्रतिबुबुधिरे यऽउ तर्ह्यृषयऽआसुरसर्व्वेण वै नऽआत्मनाग्निरभ्युपावृतदिति तस्माऽएतानि हवीꣳषि निरवपन् ॥ १४ ॥

(न्त्स) स यदग्नये पवमानाय निर्व्वपति । यदेवास्यास्यां पृथिव्याꣳरूपं तदेवास्यैतेनाप्नोत्यथ यदग्नये पावकाय निर्व्वपति यदेवास्यान्तरिक्षे रूपं तदेवास्यैतेनाप्नोत्यथ यदग्नये शुचये निर्व्वपति यदेवास्य दिवि रूपं तदेवास्यैतेनाप्नोत्येवमु कृत्स्नमेवाग्निमनपनिहितमाधत्ते तस्माद्दु निर्व्वपेदेवोत्तराणि हवीꣳषि ॥ १५ ॥

स एतास्तिस्रस्तनूरेषु लोकेषु विन्यधत्त । यदस्य पवमानं रूपमासीत्, तदस्यां पृथिव्यां न्यधत्त । अथ यत्पावकम्, तदन्तरिक्षे । अथ यच्छुचि, तद्दिवि । तद्वा ऋषयः प्रतिबुबुधिरे; य उ तर्ह्यृषय आसुः । असर्वेणैव न आत्मनाग्निरभ्युपावृतादिति । तस्मा एतानि हवींषि निरवपन् ॥ १४ ॥

स यदग्नये पवमानाय निर्वपति—यदेवास्यास्यां पृथिव्यां रूपम्, तदेवास्यैतेनाप्नोति । अथ यदग्नये पावकाय निर्वपति—यदेवास्यान्तरिक्षे रूपम्, तदेवास्यैतेनाप्नोति । अथ यदग्नये शुचये निर्वपति यदेवास्य दिवि रूपम्, तदेवास्यैतेनाप्नोति । एवमु कृत्स्नमेवाग्निमनपनिहितमाधत्ते । तस्माद्दु निर्वपेदेवोत्तराणि हवींषि ॥ १५ ॥

सम्पद्यत इत्याख्यायिकापुरस्सरमाह—अग्निर्ह यत्रेति । अभ्युपावृतमिति । अभ्युपागममित्यर्थः । वृतेर्लुङि उत्तमैकवचने द्युतादित्वात् (पा. सू. ३ । १ । ५५) च्लेरङ् ॥ १३ ॥

स एतास्तिस्र इति । 'सः' अग्निर्हि मनुष्यान् प्रत्यागमनसमये 'एताः' पवमानपावकशुच्याख्याः 'तिस्रः' आत्मीयाः 'तनूः' पृथिव्यन्तरिक्षद्युलोकेषु यथाक्रमं निधाय 'असर्वेण' अकृत्स्नेनैव 'आत्मना' स्वरूपेण अस्मान् 'अभि'—लक्ष्य 'उपावृतत्' उपागमत् । 'इति' इममर्थम् 'ऋषयः' अबुध्यन्त । 'तस्मै' अग्नये कार्त्स्न्यसम्पादनाय पवमानहवींषि निरवपन्नित्यर्थः ॥ १४ ॥

स यदग्नये पवमानायेत्यादि । स्पष्टम् । अनपनिहितमाधत्त इति । गत् पृथिव्यादिष्वग्निना निक्षिप्तमात्मीयं रूपम्, तदाभिः पवमानेष्टिभिः स्वीकृत्य 'कृत्स्नमेव' तम् 'अग्निम्' आहितवान् भवतीत्यर्थः । **तस्मादिति**, निर्वापपक्षनिगमनम् । कात्यायनोऽपि "द्वादशाहान्ते तनूहवींषि निर्वपति" (का. श्रौ. सू. ४. २४९)—इति तनूरूपपवमानेष्टिनिर्वापं प्रक्रम्य "सद्यो वा न वा" (का. श्रौ. सू. ४. २४९) इत्यकरणपक्षमपि सूत्रयामास ॥ १५ ॥

१—'संपाद्यते' इ. क. पा. । २—"आग्नेय एव वा पुरस्तादादित्यस्य" इति का. श्रौ. सू. १० । ११ । ३—'न सर्वेण' इ. क. पा. ।

केवलबर्हिः प्रथमꣳहविर्भवति समानबर्हिषी ऽउत्तरेऽअयं वै लोकः प्रथमꣳ हविरथेदमन्तरिक्षं द्वितीयं द्यौरेव तृतीयं बहुलेव वा इयं पृथिवी लेलयेवान्तरिक्षं लेलयेवासौ द्यौरुभे चिदेनां प्रत्युद्यामिनी स्तामिति तस्मात्समानबर्हिषी ॥ १६ ॥

अष्टाकपालाः सर्वे पुरोडाशा भवन्ति । (न्त्य) अष्टाक्षरा वै गायत्री गायत्रमग्नेश्छन्दः स्वेनैवैनमेतच्छन्दसाधत्ते तानि सर्वाणि चतुर्विꣳशतिः कपालानि सम्पद्यन्ते चतुर्विꣳशत्यक्षरा वै गायत्री गायत्रमग्नेश्छन्दःस्वेनैवैनमेतच्छन्दसाधत्ते गायत्र्यो याज्यानुवाक्या भवन्ति गायत्रमग्नेश्छन्दः स्वेनैवैनमेतच्छन्दसाधत्ते ॥ १७ ॥

केवलबर्हिः प्रथमं हविर्भवति । समानबर्हिषी उत्तरे । अयं वै लोकः प्रथमं हविः, अथेदमन्तरिक्षं द्वितीयम्, द्यौरेव तृतीयम् । बहुलेव वा इयं पृथिवी, लेलयेवान्तरिक्षम्, लेलयेवासौ द्यौः; उभे चिदेनां प्रत्युद्यामिनी स्तामिति । तस्मात्समानबर्हिषी ॥ १६ ॥

अष्टाकपालाः सर्वे पुरोडाशा भवन्ति। अष्टाक्षरा वै गायत्री, गायत्रमग्नेश्छन्दः; स्वेनैवैनमेतच्छन्दसाधत्ते । तानि सर्वाणि चतुर्विंशतिः कपालानि सम्पद्यन्ते। चतुर्विंशत्यक्षरा वै गायत्री, गायत्रमग्नेश्छन्दः; स्वेनैवैनमेतच्छन्दसाधत्ते। गायत्र्यो याज्यानुवाक्या भवन्ति । गायत्रमग्नेश्छन्दः, स्वेनैवैनमेतच्छन्दसाधत्ते ॥ १७ ॥

केवलबर्हिरिति । अग्नये पवमानायैतत् यत् 'प्रथमं हविः', तत् 'केवलबर्हिः' यजनम्, न साधारणं तन्त्रयुक्तं कर्त्तव्यम्; हविरन्तरेण न समुच्चित्यानुष्ठेयमित्यर्थः । **समानबर्हिषी** इति । 'उत्तरे' तु हविषी समानतन्त्रे कार्ये इत्यर्थः । तदेतद्द्वयमुपपादयति "**अयं वा** इत्यादिना । 'बहुला, इव' स्थूलेव । **लेलयेवान्तरिक्ष**मिति । लीनमिव ह्यन्तरिक्षं नीरूपत्वात् । तथा 'द्यौः' अपि विप्रकृष्टत्वाल्लीयमानेव भवति । अत एते 'उभे' अपि 'एनाम्' पृथिवीं 'प्रति उद्यामिनी' 'स्ताम्' बाधितुमुद्युक्ते भवेताम् । अतः प्रथमं हविः पृथक्तन्त्रं कार्यम्, उत्तरे तु समानतन्त्रे कार्ये-इति निगमयति–**तस्मा**दिति ॥ १६ ॥

अष्टाकपालाः सर्व इत्यादि । स्पष्टम्। **गायत्र्यो याज्यानुवाक्या भवन्ती**ति । यागान्तरेषु हि पुरोनुवाक्या गायत्री, याज्या त्रिष्टुप्; अत्र तु पुरोनुवाक्या याज्याश्च सर्वा गायत्र्यः कर्तव्याः। अत एवाश्वलायनेन तथैव सूत्रि-

---

१–'पवमानायेति यत्' इति क० पा० । २–'जननसाधारणम्; तत्र युक्तम्'–इति क० पा० । ३–'लीयमानेवाल्पतरमिव भवति' इति क० पु० पा० । ४–'हन्तुमुद्युक्ते' इति पा० । ५–कात्यायनोऽप्येवमाह–" अग्नऽआयूꣳषिपवस्वोति प्रथमस्य हविषो याज्यानुवाक्ये । द्वितीयायाम् अग्नेपावकरोचिषासनः पावकदीदिव इति हविषः । अग्निः शुचिव्रततमः शुचिर्विप्रः शुचिः कविः । शुचीरोचतऽआहुतः । उदग्नेशुचयस्तवश्राजंतऽईरते ॥ तवज्योतीꣳष्यर्चय इति द्वितीयस्य । इति हौत्रिकपरिशिष्टं । अ. २ खंडः १–२ । तथा स्विष्टकृत्सूत्रमपि । गायत्र्यावीडितवत्यौ संयाज्ये । अग्निमीडे पुरोहितं यज्ञस्य देवमृत्विजं । होतारꣳरत्नधातमम् । तꣳत्वामज्मेषुवाजिनं तन्वानाअग्नेऽअध्वरं । घृनिꣳहोतारमीडित इति । खंड १ । द्वितीयायां अग्निवत्यौ संयाज्ये । अग्निनाऽग्निः समिध्यते कविर्गृहपतिर्युवा । हव्यवाड्जुह्वास्यः । त्वꣳह्यग्नेऽअग्निनाविप्रोविप्रेण सन्त्सता । सखासख्यासमिध्यसे । इति हौत्रिकपरिशिष्टं अ० २ खंड० । १–२ ।

(सेऽथा) अथादित्यै चरुं निर्व्वपति । प्रच्यवत ऽइव वा ऽएषोऽस्मा-ल्लोकाद्यऽएतानि हवीᳬंषि निर्व्वपतीमान्हि लोकान्त्समारोहन्नेति ॥ १८ ॥

स यददित्यै चरुं निर्व्वपति । (ती) इयं व्वै पृथिव्यदितिः सेयं प्रतिष्ठा तदस्यामेवैतत्प्रतिष्ठायां प्रतितिष्ठति तस्माददित्यै चरुं निर्व्वपति ॥ १९ ॥

तस्यै व्विराजौ संयाज्ये स्यातामित्याहुः । (व्वि) व्विराड्ढीयमित्यथो त्रिष्टुभौ त्रिष्टुब्भीयमित्यथो जगत्यौ जगती हीयमिति व्विराजावित्त्वेव स्याताम् ॥ २० ॥

तस्यै धेनुर्दक्षिणा । धेनुरिव वाऽइयं मनुष्येभ्यः सर्व्वान्कामान्दुहे माता धेनुर्मातेव वाऽइयं मनुष्यान्बिभर्त्ति तस्माद्धेनुर्दक्षिणैतन्न्वेकमयनम् ॥ २१ ॥

अथादित्यै चरुं निर्वपति । प्रच्यवत इव वा एषोऽस्माल्लोकाद्-य एतानि हवींषि निर्वपति, इमान् हि लोकान् समारोहन्नेति ॥ १८ ॥

स यददित्यै चरुं निर्वपति, इयं वै पृथिव्यदितिः, सेयं प्रतिष्ठा-तदस्यामेवैतत् प्रतिष्ठायां प्रतितिष्ठति । तस्माददित्यै चरुं निर्वपति ॥ १९ ॥

तस्यै विराजौ संयाज्ये स्यातामित्याहुः विराड्ढीयमिति । अथो त्रिष्टुभौ । त्रिष्टुब्भीयमिति । अथो जगत्यौ । जगती हीयमिति । विराजावित्त्वेव स्याताम् ॥ २० ॥

तस्यै धेनुर्दक्षिणा धेनुरिव वा इयं मनुष्येभ्यः सर्वान् कामान् दुहे । माता धेनुः । मातेव वा इयं मनुष्यान् बिभर्ति । तस्माद्धेनुर्दक्षिणा । एतन्न्वेक मयनम् ॥ २१ ॥

तम्-"अग्न आयूंषि पवसेऽग्ने पवस्व स्वपाः, स नः पावक दीदिवोऽग्ने पावक रोचिषाऽग्निः शुचिव्रततम उदग्ने शुचयस्तवेति (आश्व. श्रौ. सू. २ । १ । २०-२९) ॥ १७ ॥

अथादित्यै चरुमिति । "आदित्यै चरुस्तृतीया" (का. श्रौ. सू. ४ । २ । २९२) **इमान् हि लोकान्त्समारोहन्नेतीति** । पृथिव्यन्तरिक्षद्युलोकात्मकानि पवमानहवींषि क्रमेण निर्वपंस्तद्वारा इमानेव पृथिव्यादिलोकान् सोपानक्रमेण सम्यगारोहन्नस्माल्लोकात् 'प्रच्यवते' । अतस्तत्परिहारायादित्येष्टिः कर्तव्येत्यर्थः ॥ १८ ॥ १९

तस्यै विराजौ संयाज्ये-इति । "प्रेद्धो अग्ने" "इमो अग्ने" ऋ. सं. ७ । १ । १ । ३, १८.) इत्येते स्विष्टकृतो याज्यानुवाक्ये 'स्याताम्' इत्यर्थः । **विराजावित्त्वेवेति** । तु-शब्देन त्रिष्टुब्जगतीपक्षौ व्यावर्त्येते ॥ २० ॥

तस्यै धेनुरिति । (का. श्रौ. सू ४. २९६ ।) **एतन्न्वेकमयनमिति** । पवमानेष्टियजताम् 'एतत् नु एकम्' अनुष्ठानस्य विधानम् ॥ २१ ॥

१-"तृतीयायां विराजौ संयाज्ये । प्रेद्धोऽअग्ने० । वा० सं० अ० १७ मं० ७६ । "इमोऽअग्नेवीततमानिहव्याजस्रोवक्षिदेवतातिमच्छ । प्रतिनईं सुरभीणिव्यन्त्विति" । का. हौ. सू. अ. २ खंडः ३ । सां० सू० २ । २ । १५ ॥

(मु) अथेदं द्वितीयम् । (मा) आग्नेयमेवाष्टाकपालं पुरोडाशं निर्व्वपति परोऽक्षमिव वाऽएतद्यदग्नये पवमानायाग्नये पावकायाग्नये शुचय ऽइतीवाथाञ्जसैवैनमेतत्प्रत्यक्षमाधत्ते तस्मादग्नयेऽथादित्यै चरुं निर्व्वपति स य एव चरोर्बन्धुः स बन्धुः ॥ २२ ॥

इति प्रथमप्रपाठके पञ्चमं ब्राह्मणम् ॥ १ ॥ ५ ॥ २ ॥ १ ॥

घ्नन्ति वाऽएतद्यज्ञम् । यदेनं तन्वते यन्न्वेव राजानमभिषुण्वन्ति तत्तं घ्नन्ति यत्पशुँसंज्ञपयन्ति विशासति तत्तं घ्नन्त्युलूखलमुसलाभ्यां दृषदुपलाभ्याᳬहविर्यज्ञं घ्नन्ति ॥ १ ॥

अथेदं द्वितीयम्, आग्नेयमेवाष्टाकपालं पुरोडाशं निर्वपति । परोक्षमिव वा एतत्–यदग्नये पवमानाय, अग्नये पावकाय, अग्नये शुचये इतीव । अथाञ्जसैवैनमेतत् प्रत्यक्षमाधत्ते–तस्मादग्नये । अथादित्यै चरुं निर्वपति । स य एव चरोर्बन्धुः स बन्धुः ॥ २२ ॥

दक्षिणाब्राह्मणम् ।

घ्नन्ति वा एतद्यज्ञं यदेनं तन्वते । यन्न्वेव राजानमभिषुण्वन्ति, तत्तं घ्नन्ति । यत् पशुं संज्ञपयन्ति, विशासति, तत्तं घ्नन्ति । उलूखलमुसलाभ्यां दृषदुपलाभ्यां हविर्यज्ञं घ्नन्ति ॥ १ ॥

अन्यदप्यस्तीत्याह–**अथेदमिति** । **आग्नेयमेवेति** । न तु पवमानादिविशेषणमादरणीयमित्येवकारार्थः । **परोक्षमिव वा** इति । पवमानादिविशेषणैर्विशेष्यमाणोऽग्निस्तत्तद्वैशिष्ट्यद्वारा पारोक्ष्यमापद्यते; अतस्तत्परिहारेण ' अञ्जसा ' ऋजुनैव मार्गेण केवलाग्नये, पवमानायाग्नये, पावकायाग्नये, शुचयेऽग्नये निर्वपन् तं प्रत्यक्षत एव स्वीकरोतीत्यर्थः । अस्मिन्नपि पक्षे आदित्ययागः कर्त्तव्य इत्याह–**अथादित्या** इति । **स य एवेति** । प्रागुक्तब्राह्मणातिदेशः ॥ २२ ॥

इति श्रीसायणाचार्यविरचिते माधवीये वेदार्थप्रकाशे माध्यन्दिनशतपथब्राह्मणभाष्ये द्वितीयकाण्डे द्वितीयाध्याये प्रथमं ब्राह्मणम् ॥ २–२–१ ॥

षड्द्वादशादिदक्षिणा आधानस्य विधास्यन् तन्नाम निर्वक्तुं प्रस्तौति–**घ्नन्तीति** । **यदेनं तन्वत** इति । सामान्येनोक्तं विभजति–**यन्न्वेवेति** । यज्ञे सोमाभिषवपशुसंज्ञपनावहननादिकरणात् । तद्द्वारा तत्सम्बन्धी यज्ञ एव हतो भवतीत्यर्थः ॥ १ ॥

१–" आग्नेय एव वा पुरस्तादादित्यस्येति " कात्यायनः अ० ४ खं० १० सू० ११ अस्मिन्पक्षे–आग्नेयीष्टिः १ अदितीष्टिश्च २ तीष्टिद्वयमेव न पवमानेष्टिः पावकेष्टिश्चेति ।

स॒ऽए॒ष य॒ज्ञो ह॒तो न द॑द॒क्षे । तं दे॒वा दक्षि॑णाभिरदक्षयँ॒स्तद्यदे॑नं दक्षि॑णा-
भि॒रद॑क्षयँ॒स्तस्मा॒द्दक्षि॑णा॒ नाम॒ तद्यदे॒वात्र॑ य॒ज्ञस्य॑ ह॒तस्य॒ व्यथ॑ते॒ तदे॒वास्यै॒त-
द्दक्षि॑णाभि॒र्दक्ष॑यत्यथ॒ समृ॑द्ध ए॒व य॒ज्ञो भ॑वति॒ तस्मा॒द्दक्षि॑णा ददाति ॥ २ ॥
ता वै षड् द॑द्यात् । (त्स) षड् वाऽऋ॒तव॑: सं॑व्वत्सर॒स्य॑ सं॑व्वत्स॒रो य॒ज्ञः
प्र॒जाप॑तिः स या॒वाने॒व य॒ज्ञो या॒वत्य॑स्य॒ मात्रा॑ ता॒वती॑भि॒र्दक्ष॑यति ॥ ३ ॥
द्वाद॑श दद्यात् । (द्वा) द्वाद॑श॒ वै मा॒साः सं॑वत्सर॒स्य॑ सं॑व्वत्स॒रो य॒ज्ञः
प्र॒जाप॑तिः स या॒वाने॒व य॒ज्ञो या॒वत्य॑स्य॒ मात्रा॑ ता॒वती॑भि॒र्दक्ष॑यति ॥ ४ ॥
चतु॒र्वि॑ᳪँ॒ शतिं॑ दद्यात् । (च)चतु॒र्व्वि॑ᳪँ॒ शति॒र्व्वै सं॑व्वत्सर॒स्यार्द्ध॑मा॒साः
सं॑व्वत्स॒रो य॒ज्ञः प्र॒जाप॑तिः स या॒वाने॒व य॒ज्ञो या॒वत्य॑स्य॒ मात्रा॑ ता॒वती॑भि॒र्दक्ष-
यत्ये॒षा मात्रा॒ दक्षि॑णानां दद्या॒त्त्वे॒व य॑थाश्र॒द्धं भूय॑सीस्त॒द्यद्दक्षि॑णा॒ ददा॑ति ५॥

स एष यज्ञो हतो न ददक्षे । तं देवा दक्षिणाभिरदक्षयन् । तद् यदेनं दक्षिणाभिरदक्षयन्, तस्माद्दक्षिणा नाम । तद्यदेवात्र यज्ञस्य हतस्य व्यथते तदेवास्यैतद्दक्षिणाभिर्दक्षयति, अथ समृद्ध एव यज्ञो भवति । तस्माद्दक्षिणा ददाति ॥ २ ॥

ता वै षड् दद्यात् । षड् वा ऋतवः सम्वत्सरस्य । सम्वत्सरो यज्ञः, प्रजापतिः । स यावानेव, यज्ञः, यावत्यस्य मात्रा; तावतीभिर्दक्षयति ॥ ३ ॥

द्वादश दद्यात् । द्वादश वै मासाः सम्वत्सरस्य । सम्वत्सरो यज्ञः, प्रजापतिः । स यावानेव यज्ञः यावत्यस्य मात्रा; तावतीभिर्दक्षयति ॥ ४ ॥

चतुर्विंशतिं दद्यात् । चतुर्विंशतिर्वै सम्वत्सरस्यार्द्धमासाः । सम्वत्सरो यज्ञः, प्रजापतिः । स यावानेव यज्ञः यावत्यस्य मात्रा; तावतीभिर्दक्षयति । एषा मात्रा दक्षिणानाम् । दद्यात् त्वेव यथाश्रद्धम् । भूयसीस्तत्-यद् दक्षिणा ददाति ॥ ५ ॥

स एष यज्ञ इति । **न ददक्ष** इति । फलं जनयितुं न शशाकेत्यर्थः । 'अदक्षयन्' दक्षं समर्थमकुर्वन् । **तद्यदेन**मित्यादि दक्षिणानामनिर्वचनम् । एवं पुरावृत्तमुपन्यस्य प्रकृते योजयति-**तद्यदेवेति** । "व्यृद्धं समर्द्धयतीति दक्षिणा" इति यास्कोऽपि[1] ॥ २ ॥

ता वा इति, दक्षिणादानविधिः । द्वादशचतुर्विंशतिपक्षावत्र वैकल्पिकौ द्रष्टव्यौ । अत एवोक्तं सूत्रकृता-"षड् दक्षिणाः प्रविभज्य ददाति, द्वादश, चतुर्विंशति वा" (का० श्रौ० सू० ४. २७४) इति । आपस्तम्बोऽप्याह स्म- " षड् देया द्वादश देयाश्चतुर्विंशतिर्देया इति ता विकल्प्यन्ते "-(आ० श्रौ० सू० ९ । २ । १३ । १४.) इति ॥ ३ ॥ ४ ॥

एषा मात्रेति । एतद् दक्षिणानां परिमाणमित्यर्थः । इतोऽधिकमपि यथाविभवमिच्छानुसारेण देयमिति विधत्ते-**दद्यात् त्वेवेति**[2] ॥ ५ ॥

१-निरु. अ० १ पा. ३. सं० ७ । २-"भूयसीश्च यथाश्रद्धम्" का० श्रौ० सू० ४ । २५५ ।

द्वया वै देवा देवाः । (५) अहैव देवा ऽअथ ये ब्राह्मणाः शुश्रुवाꣳसो ऽनूचानास्ते मनुष्यदेवास्तेषां द्वेधा विभक्त एव यज्ञ आहुतय एव देवानां दक्षिणा मनुष्यदेवानां ब्राह्मणानाꣳ शुश्रुवुषामनूचानानामाहुति-भिरेव देवान्प्रीणाति दक्षिणाभिर्मनुष्यदेवान्ब्राह्मणाञ्छुश्रुवुषोऽनूचानांस्त ऽएनमुभये देवाः प्रीताः सुधायां दधति ॥ ६ ॥

तद्यथा योनौ रेतो दध्यात् । (दे) एवमेवैतदृत्विजो यजमानं लोके दधति तद्यदेभ्य ऽएतद्ददाति ये मेदꣳ सम्प्रापिपन्निति नु दक्षिणानाम् ॥ ७ ॥

देवाश्च वाऽअसुराश्च । (श्चो) उभये प्राजापत्याः पस्पृधिरे तऽउभय ऽएवानात्मान आसुर्मर्त्त्या ह्यासुरनात्मा हि मर्त्यस्तेषूभयेषु मर्त्येष्वाग्नि-रेवामृत आस तꣳ ह स्मोभयेऽमृतमुपजीवन्ति स यꣳ ह स्मैषां घ्नन्ति तद्ध स्म वै स भवति ॥ ८ ॥

द्वया वै देवाः । देवा अहैव देवाः । अथ ये ब्राह्मणाः शुश्रुवांसोऽनूचानाः, ते मनुष्यदेवाः । तेषां द्वेधा विभक्त एव यज्ञः । आहुतय एव देवानाम्, दक्षिणा मनुष्यदेवानां ब्राह्मणानां शुश्रुवुषामनूचा-नानाम् । आहुतिभिरेव देवान् प्रीणाति, दक्षिणाभिर्मनुष्यदेवान् ब्राह्मणाञ्छुश्रुवुषोऽनूचानान् । त एनमुभये देवाः प्रीताः सुधायां दधति ॥ ६ ॥

तद्यथा–योनौ रेतो दध्यात्, एवमेवैतदृत्विजो यजमानं लोके दधति । तद् यदेभ्य एतद्ददाति । ये मेदं सम्प्रापिपन्, इति नु दक्षिणानाम् ॥ ७ ॥

फलवादब्राह्मणम् ।

देवाश्च वा असुराश्चोभये प्राजापत्याः पस्पृधिरे । त उभय एवानात्मान आसुः मर्त्त्या आसुः, अनात्मा हि मर्त्यः । तेषूभयेषु मर्त्येष्वग्निरेवामृत आस । तं ह स्मोभयेऽमृतमुपजीवन्ति । स यं ह स्मैषां घ्नन्ति, तद्ध स्म वै स भवति ॥ ८ ॥

आहुतिदृष्टान्तेनैतद्दक्षिणादानं प्रशंसति–**द्वया वा** इति । द्वैविध्यमेव दर्शयति–**देवा अहैवेति** । अग्न्यादि-देवरूपा एव देवाः केचित्, अपरे तु ब्राह्मणरूपदेवास्ते विशेष्यन्ते–**शुश्रुवांस** इत्यादिना । 'शुश्रुवांसः' बहु-श्रुताः, 'अनूचानाः' साङ्गवेदाध्ययनेन ज्ञातार्थानुष्ठानपराः । एते मनुष्यरूपा देवाः । अत एव तैत्तिरीयकम्– "एते देवाः प्रत्यक्षं यद् ब्राह्मणाः" (तै. सं. १. ७. ३. १) इति । यथा आहुतिभिरग्न्यादिदेवानां प्रीतिर्यज्ञे, एवं मनुष्यदेवान् प्रीणयितुं दक्षिणादानमित्यर्थः ॥ ६ ॥

तद्यथा योनाविति । यथा गर्भाशये सिक्तं रेतो गर्भरूपेण परिणमति, न व्यर्थो भवति; एवमेवर्त्विजो यज-मानं कर्मफले स्वर्गलोके स्थापयन्तीत्यर्थः । **ये मेदमिति** । 'ये' खलु ऋत्विजो 'मा' माम् 'इदम्' कर्म-फलं 'सम्प्रापिपन्' सम्यक् प्रापितवन्तः 'इति' अनेनाभिप्रायेणैभ्यो दक्षिणा देयेत्यर्थः ॥ ७ ॥

अथाधानस्य भ्रातृव्यजयहेतुत्वं वक्तुमाख्यायिकामाह–**देवाश्चेति** । **अनात्मान आसुरिति** । आत्मज्ञानरहिताः

ततो देवाः । (स्तु) तनीयाᳪंस इव परिशिशिषिरे तेऽर्चन्तः श्राम्य-
न्तश्चेरुरुतासुरान्त्सपत्नान्मर्त्यानभिभवेमेति तऽएतदमृतमग्न्याधेयं ददृशुः ९
(स्ते) ते होचुः । (ह) हन्तेदममृतमन्तरात्मन्नादधामहै तऽ इदम-
मृतमन्तरात्मन्नाधायामृता भूत्वाऽस्तर्य्या भूत्वा स्तर्य्यान्त्सपत्नान्मर्त्यान-
भिभविष्याम इति ॥ १० ॥
ते होचुः । (रु) उभयेषु वै नोऽयमग्निः प्र त्वेवासुरेभ्यो ब्रवामेति ॥ ११ ॥
ते होचुः । (रा) आ वै वयमग्नी धास्यामहेऽथ यूयं किं करिष्यथेति १२
ते होचुः । (रु) अथैनं वयं न्येव धास्यामहेऽत्र तृणानि दहात्र दारूणि

ततो देवास्तनीयांस इव परिशिशिषिरे । तेऽर्चन्तः श्राम्यन्तश्चेरुः—उतासुरान् सपत्नान् मर्त्यानभिभवेम इति । त एतदमृतमग्न्याधेयं ददृशुः ॥ ९ ॥

ते होचुः—हन्तेदममृतमन्तरात्मन्नादधामहै, त इदममृतमन्तरात्मन्नाधाय, अमृता भूत्वा, अस्तर्य्या भूत्वाः स्तर्यान् सपत्नान्मर्त्यानभिभविष्याम इति ॥ १० ॥

ते होचुः—उभयेषु वै नोऽयमग्निः, प्र तु एवासुरेभ्यो ब्रवामेति ॥ ११ ॥

ते होचुः—आ वै वयमग्नी धास्यामहे, अथ यूयं किं करिष्यथेति ॥ १२ ॥

ते होचुः—अथैनं वयं न्येव धास्यामहे 'अत्र तृणानि दह' 'अत्र दारूणि दह' 'अत्रौदनं पच' 'अत्र मांसं पच' इति । स यं तमसुरा न्यदधत, तेनानेन मनुष्या भुञ्जते ॥ १३ ॥

अविवेकिनो जाताः । अनात्मत्वादेव हेतोः 'मर्त्याः' मरणधर्म्माश्च सञ्जाताः । 'तेषूभयेषु'[1] देवासुरेषु 'मर्त्येषु' सत्सु 'अग्निरेव'[2] अमरणशीलः 'आस' । यं ह स्मैषामिति । 'एषाम्' देवानां मध्ये 'यम्' एव असुराः 'घ्नन्ति,' 'तत्' तत्र[3] 'स वै हत' एव 'भवति' ॥ ८ ॥

ततो देवा इति । एवं क्रमेणासुरैर्हतेषु देवाः अल्पीयांस एव परिशिष्टा बभूवुः । (मरणधर्मोपेतानसुरान् वयमभिभवेमेत्यभिप्रायेण)[4] 'ते' देवाः 'अर्चन्तः, तपस्यन्तः, 'श्राम्यन्तः' श्रमं प्राप्नुवन्तः 'चेरुः' **त एत**-दित्यादि । स्पष्टम् ॥ ९ ॥

ते होचुरिति । **अमृतमन्तरात्मन्निति** । मरणधर्मरहितमग्निम्[5] 'आत्मनि' हृदये आधाय वयमपि 'अमृता भूताः' अत एव 'अस्तर्य्याः' अहिंस्याश्च भूता इत्यर्थः ॥ १० ॥

ते होचुरिति । **उभयेषु वा** इति । देवासुरेषु 'उभयेषु' अस्मासु स्थितः, 'अयमग्निः' अतः 'असुरेभ्यः' । निवेद्यैवास्माभिः स आधातव्य[6] इति विचारितवन्त इत्यर्थः ॥ ११ ॥

ते होचुरित्यादि । निगदसिद्धम् ॥ १२ ॥

ते होचुरिति । **न्येव धास्यामह** इति । यदि यूयं देवा अग्निमाधास्यद्ध्वे, तर्हि वयमपि तमेवाग्निं निधास्या-

१—'तेषु भूतेषु' इति क० पा० । २—'अग्निरेक एव' इति क० पा० । ३—'तत्र स देवो हत एव भ[illegible] इति क. पा. । 'तत्र सर्वहत एव भवति' इत्यपि क. पा. । 'तत्र स्म स हत एव भवति' इत्ययमपि क. पाठः । ४—कोष्ठ[illegible] पाठः क० पुस्तके नोपलभ्यते । ५—'मरणरहितम्' इति क. पा. । ६—'अधाधातव्य' इति क. पा. ।

दहात्रौदनं पचात्र माᳪंसं पचेति स यं तमसुरा न्युदधत तेनानेन मनुष्या भुञ्जते ॥ १३ ॥

(तेऽथै) अथैनं देवाः । (ऽ) अन्तरात्मन्नादधत त ऽइमममृतमन्तरात्मन्नाधायामृता भूत्वाऽस्तर्य्या भूत्वा स्तर्य्यान्त्सपत्नान्मर्त्यानभ्यभवंस्तथो ऽएवैष एतदमृतमन्तरात्मन्नाधत्ते नामृतत्वस्याशास्ति सर्व्वमायुरेत्यस्तर्य्यो हैव भवति न हैनᳪं सपत्नस्तुस्तूर्षमाणश्चन स्तृणुते तस्माद्यदाहिताग्निश्चानाहिताग्निश्च स्पर्द्धेतेऽआहिताग्निरेवाभिभवत्यस्तर्य्यो हि खलु स तर्हि भवत्यमृतः ॥ १४ ॥

(स्त) तद्यत्रैनमदो मन्थन्ति । तज्जातमभि प्राणिति प्राणो वा ऽअग्निर्जातमेवैनमेतत्सन्तं जनयति स पुनरपानिति तदेनमन्तरात्मन्नाधत्ते सोऽस्यैषोऽन्तरात्मन्नग्निराहितो भवति ॥ १५ ॥

तमुद्दीप्य समिन्धे । (न्धऽ) इह यक्ष्य ऽइह सुकृतं करिष्यामीत्येवैनमेतत्समिन्धे योऽस्यैषोऽन्तरात्मन्नग्निराहितो भवति ॥ १६ ॥

अथैनं देवा अन्तरात्मन्नादधत । त इममममृतमन्तरात्मन्नाधाय, अमृता भूत्वा, अस्तर्य्या भूत्वा; स्तर्यान् सपत्नान्मर्त्यानभ्यभवन् । तथो एवैष एतदमृतमन्तरात्मन्नाधत्ते । नामृतत्वस्याशास्ति, सर्वमायुरेति; अस्तर्यो हैव भवति । न हैनं सपत्नस्तुस्तूर्षमाणश्चन स्तृणुते । तस्माद्—यदाहिताग्निश्चानाहिताग्निश्च स्पर्द्धेते, आहिताग्निरेवाभिभवति । अस्तर्यो हि खलु स तर्हि भवत्यमृतः ॥ १४ ॥

तद्यत्रैनमदो मन्थति, तज्जातमभिप्राणिति । प्राणो वा अग्निः, जातमेवैनमेतत्सन्तं जनयति । स पुनरपानिति । तदेनमन्तरात्मन्नाधत्ते । सोऽस्यैषोऽन्तरात्मन्नग्निराहितो भवति ॥ १५ ॥

तमुद्दीप्य समिन्धे । इह यक्ष्ये, इह सुकृतं करिष्यामि, इत्येवैनमेतत्समिन्धे । योऽस्यैषोऽन्तरात्मन्नग्निराहितो भवति ॥ १६ ॥

महे । ' तृणानि दह ' इत्याद्यसुरवाक्यम् । हे अग्ने ! अत्र पृथिव्याम् ' तृणानि दह, दारूणि दह ' इत्येवमग्निं प्रेषयन्तो भूमौ तमस्थापयन्, यन्निहितवन्तोऽसुरास्तेनाग्निनाऽमुना मर्त्या भुञ्जते ॥ १३ ॥

अथैनमित्यादि । ' देवाः ' तु ' एनम् ' अग्निम् ' आत्मन् ' आत्मनि, ' अन्तः ' हृदयमध्ये ' आधाय ' यथासङ्कल्पमकुर्षतेत्यर्थः ।

आख्यायिकासिद्धमर्थं प्रकृते योजयति—**तथो एवैष** इति । **अस्तर्यो ही**ति । अमृतरूपाग्निधारणेन यस्मादाहिताग्निरहिंस्यः, तस्माद् विवदमानोऽसावनाहिताग्निमभिभवितुं शक्नोतीत्यर्थः ॥ १४ ॥

नन्वग्निर्गार्हपत्याद्यायतने बहिरार्धीयते, कथं तस्यान्तर्द्धारणमिति, तत्राह—**तद्यत्रे**ति । **अभिप्राणिती**ति । मन्थनात् ' जातम् ' ' तम् ' अग्निम् ' अभि ' उपरि प्राणनं करोति । **स पुनरपानिती**ति । अग्नेरुपरि श्वासमुत्सृज्य तमेव श्वासं पुनरन्तर्नयेत् । तेन सार्द्धमग्निरप्यन्तः प्रविशन् यजमानस्य हृदय आहितो भवतीत्यर्थः ॥ १५ ॥

नियतस्याबाहास्याग्नेरुद्दीपनसमिन्धने विधत्ते—**तमि**ति । उद्दीपनं काष्ठप्रक्षेपः, समिन्धनं सम्यक् प्रज्वलनम्,

अन्तरेणागाद्व्यवृतदिति । न ह वाऽअस्यैतं कश्चनान्तरेणैति यावज्जीवति योऽस्यैषोऽन्तरात्मन्नग्निराहितो भवति तस्मादु तन्नाद्रियेत यदनुगच्छेन्न ह वाऽअस्यैषोऽनुगच्छति यावज्जीवति योऽस्यैषोऽन्तरात्मन्नग्निराहितो भवति ॥ १७ ॥

ते वाऽएते प्राणा ऽएव यदग्नयः । प्राणोदानावेवाहवनीयश्च गार्हपत्यश्च व्यानोऽन्वाहार्यपचनः ॥ १८ ॥

तस्य वाऽएतस्याग्न्याधेयस्य । सत्यमेवोपचारः स यः सत्यं वदति यथाऽग्निꣳसमिद्धं तं घृतेनाभिषिञ्चेदेवꣳ हैनꣳस उद्दीपयति तस्य भूयो-

---

अन्तरेणागाद् व्यवृतदिति । न ह वा अस्यैतं कश्चनान्तरेणैति, यावज्जीवति; योऽस्यैषोऽन्तरात्मन्नग्निराहितो भवति । तस्मादु तं नाद्रियेत, यदनुगच्छेत् । न ह वा अस्यैषोऽनुगच्छति, यावज्जीवति; योऽस्यैषोऽन्तरात्मन्नग्निराहितो भवति ॥ १७ ॥

ते वा एते प्राणा एव, यदग्नयः । प्राणोदानावेव, आहवनीयश्च गार्हपत्यश्च । व्यानोऽन्वाहार्यपचनः ॥ १८ ॥

आहिताग्नेर्व्रतब्राह्मणम् ।

तस्य वा एतस्याग्न्याधेयस्य सत्यमेवोपचारः । स यः सत्यं वदति, यथा—अग्निं समिद्धं तं घृतेनाभिषिञ्चेत्, एवं हैनं स उद्दीपयति । तस्य भूयो भूय एव तेजो भवति, श्वः श्वः श्रेयान् भवति । अथ

तदुभयमन्तरग्नौ दर्शयति—इहेति । 'इह' अस्मिन् बाह्येऽग्नौ 'यक्ष्ये' यागं करिष्ये, तत्फलञ्च सम्पादयिष्यामीति यौ मनोव्यापारौ सङ्कल्पौ, ते एवान्तराहितस्याग्नेरुद्दीपनसमिन्धने इत्यर्थः । योऽस्यैषोऽन्तरात्मन्नग्निराहितो भवतीत्युपसंहारः ॥ १६ ॥

एवमन्तरग्निमादधानस्य व्यवायादिदोषोऽपि नास्तीति प्रतिपादयति—**अन्तरेणे**त्यादिना । अग्नियजमानयोर्मध्ये देवदत्तादेरागतेन च व्यवायादिभिः 'व्यवृतत्' व्यावृतो विमुखो भवेदिति यो दोषः, सोऽप्यत्र नास्ति । तत्र हेतुमाह—**न ह वा** इति । न खलु हृदयमध्ये स्थापितस्याग्नेर्यजमानस्य च मध्ये कोऽपि गच्छति यावज्जीवम्; अतो व्यवायशङ्का न कार्येति । एवं विदुषोऽग्न्यनुगमनशङ्कापि न कार्येत्याह—**तस्मादि**ति । **न ह वा अस्ये**ति । बाह्यस्याग्नेरनुगमेऽपि अन्तराहितस्याग्नेर्यावज्जीवमवस्थानात्, न खल्वस्य यजमानस्यैषोऽग्निरनुगच्छत्युपशाम्यति ॥ १७ ॥

नन्वन्तर्गार्हपत्याद्यग्नयो न सन्ति, कथं तेषामनुगम इत्यत आह—**ते वा** इति । गार्हपत्यादीनां प्राणोदानव्यानात्मनाऽवस्थितत्वात् नोक्तदोष इत्यर्थः ॥ १८ ॥

आहिताग्निना सत्यमेव वदितव्यम्, न कदाचिदप्यनृतमित्युभयं प्रतिपादयति—**तस्य वे**त्यादिना ॥ १९ ॥

१–'तदुभयमान्तरेऽग्नौ' इति क्व. पा. । २–"अनृतातिथ्यपनोदपूतिदार्वाधानर्बासपक्वनाव्युदकानि वर्जयेत्" का० श्रौ० सू० ४. २५७ ।

भूय एव तेजो भवति श्वःश्वः श्रेयान्भवत्यथ योऽनृतं व्वदति यथाऽग्निᳬं समिद्धं तमुदकेनाभिषिञ्चेदेवᳬं हैनᳬं स जासयति तस्य कनीयः कनीय एव तेजो भवति श्वःश्वः पापीयान्भवति तस्मादु सत्यमेव व्वदेत् ॥ १९ ॥

(त्त) तदु हाप्यरुणमौपवेशिं ज्ञातयऽऊचुः । स्थविरो वाऽअस्यग्नीऽआधत्स्वेति स होवाच ते मैतद्ब्रूथ व्वाचंयमऽएवैधि न वाऽआहिताग्निनाऽनृतं व्वदितव्यं न वदञ्जातु नानृतं व्वदेत्तावत्सत्यमेवोपचारऽइति ॥ २० ॥

इति प्रथमप्रपाठके षष्ठं ब्राह्मणम् ॥६ (२।२) प्रथमः प्रपाठकः समाप्तः॥१॥

योऽनृतं वदति, यथा–अग्निं समिद्धं तमुदकेनाभिषिञ्चेत्, एवं हैनं स जासयति । तस्य कनीयः कनीय एव तेजो भवति, श्वः श्वः पापीयान् भवति । तस्मादु सत्यमेव वदेत् ॥ १९ ॥

तदु हाप्यरुणमौपवेशिं ज्ञातय ऊचुः–स्थविरो वा असि, अग्नी आधत्स्वेति । स होवाच–ते मैतद् ब्रूथ, वाचंयम एवैधि । न वा आहिताग्निनानृतं वदितव्यम् । न वदन् जातु नानृतं वदेत् । तावत् सत्यमेवोपचार इति ॥ २० ॥ इत्यग्न्याधानविधिः संपूर्णः ॥

[अस्याः कण्डिकाया हरिस्वामिकृतापि व्याख्या समुपलभ्यते, सा यथा–**तस्य वा एतस्ये**ति । बाह्याभ्यन्तरस्याग्न्याधेयस्य; तेषामाहितानामग्नीनां बाह्याभ्यन्तराणामित्यर्थः । 'सत्यमेव' नानृतम्, उपधायाचरणमुपचारः; सत्येनैव पूतवचनेन ते अग्नी यज्ञ आधीयन्तेत्यर्थः । कथम्? यः सत्यं वदति आहिताग्निः स एनमग्निमाहितमन्तर्बहिश्च घृतेनाभिषिञ्चति; अनृतवादी तूदकेन अभिषिञ्चन् 'जासयति' "जसु हिंसायाम्" । हिनस्ति क्षपयति । तस्य चाथातुरनेन कारणेनैव तेजसो वृद्धिहानी भवतः । तस्मादाहिताग्नेः रक्षणार्थं सत्यविधिः ॥ १९ ॥]

एतत्सत्यवदनस्याग्निसमिन्धनहेतुत्वमृषिवाक्यसम्बन्धेन द्रढयंति–**तदु** हेति । 'तत्' तत्रोक्तविषयेऽपि खल्वेवं पूर्ववृत्तान्तः संजातः । उपवेशो नाम कश्चित्, तस्य पुत्रम् 'अरुणम्' तदीयाः 'ज्ञातयः' उक्तवन्तः । किमिति? हे अरुण! 'स्थविरः' वृद्धः 'असि' अत आमुष्मिकसिद्धये अग्न्याधानं कुर्विति । स चैवं प्रत्युक्तवान् । कथमिति । मैतद् ब्रूथेति तद्वचनम् । 'वाचंयम एवैधि' वाग्यत एव भवेति । कुत एवं प्रार्थ्यते तत्राह–**न वा** इति । आहिताग्निना हि अनृतं न वदितव्यम् । वाग्व्यवहारं कुर्वतस्त्वनृतवदननिषेधो न सम्भवति । यस्मादेवमृषिणोक्तम्–"न वदन् जातु"–इत्यादि तस्मात् सत्यवचनमेवाग्न्याधेयस्याङ्गमित्यर्थः॥२०॥६॥(२–२)

इति श्रीसायणाचार्यविरचिते माधवीये वेदार्थप्रकाशे माध्यन्दिनशतपथब्राह्मणभाष्ये
द्वितीयकाण्डे द्वितीयाध्याये द्वितीयं ब्राह्मणम् ॥ २–२–२ ॥

१–कथमिति–अहमग्नी आधास्ये? 'ते' यूयम् 'मैतद्' वचनं 'ब्रूथ'। इति क० पाठः । २–"अनृतातिथ्यापनोदपूतिदार्वाधानर्बासपक्वंनाव्युदकानि वर्जयेत्" इति का० श्रौ० सू० ४ । २५।७ । यजमान आधानानंतरमेतानि यावज्जीवं वर्जयेत् । इति तत्र दे० या० भा० ॥

अथ द्वितीयाध्याये तृतीयं ब्राह्मणम्,
द्वितीयप्रपाठके प्रथमं ब्राह्मणम् ।

वरुणो हैनद्राज्यकाम ऽआदधे । स राज्यमगच्छत्तस्माद्यश्च वेद यश्च न वरुणो राजेत्येवाहुः सोमो यशस्कामः स यशोऽभवत्तस्माद्यश्च सोमे लभते यश्च नोभावेवागच्छतो यशऽएवैतद् द्रष्टुमागच्छन्ति यशो ह भवति राज्यं गच्छति यु ऽएवं विद्वानाधत्ते ॥१॥

(तेऽग्नौ) अग्नौ ह वै देवाः । सर्व्वाणि रूपाणि निदधिरे यानि च ग्राम्याणि यानि चारण्यानि विजयं वोपप्रैष्यन्तः कामचारस्य वा कामायायं नो गोपिष्ठो गोपायदिति वा ॥ २ ॥

तान्यु हाग्निर्निचकमे । तैः सङ्गृह्यऽर्तून्प्रविवेश पुनरेम इति देवा एदग्निं तिरोभूतं तेषाᳬ हेयसेवास किमिह कर्त्तव्यं केह प्रज्ञेति वा ॥ ३ ॥

अथ पुनराधानम् ।

वरुणो हैनद् राज्यकाम आदधे । स राज्यमागच्छत् । तस्माद्यश्च वेद, यश्च न; वरुणो राजेत्येवाहुः । सोमो यशस्कामः । स यशोऽभवत् । तस्माद्यश्च सोमे लभते, यश्च न; उभावेवागच्छतः यश एवैतद् द्रष्टुमागच्छन्ति । यशो ह भवति, राज्यं गच्छति-–य एवं विद्वानाधत्ते ॥ १ ॥

अग्नौ ह वै देवाः सर्वाणि रूपाणि निदधिरे । यानि च ग्राम्याणि, यानि चारण्यानि, विजयं वोपप्रैष्यन्तः, कामचारस्य वा कामाय, अयं नो गोपिष्ठो गोपायदिति वा ॥ २ ॥

तान्यु हाग्निर्निचकमे । तैः सङ्गृह्यर्तून् प्रविवेश । पुनरेम इति देवा एदग्निं तिरोभूतम् । तेषां ह हेयसेवास–किमिह कर्तव्यम् ? केह प्रज्ञेति ? वा ॥ ३ ॥

अथ पुनराधेयं[1] विधित्सुः स्वपक्षातिभूत[2]मुक्तमग्न्याधेयं परकृतिरूपा[3]र्थवादेन राज्ययशो[4]हेतुत्वेन प्रशंसति–वरुण इति । सोमो यशस्काम इति । आदधे[5] इत्यनुषङ्गः उक्तमर्थं प्रकृते योजयति–यशो हेति । 'यशः' यशस्वी भवतीत्यर्थः ॥ १ ॥

पुनराधेयं[6] विधातुमाख्यायिकया प्रस्तौति–अग्नौ हेति । निधाने कारणानि वैकल्पिकानि त्रीण्युपन्यस्यति–विजयं वेति । असुरान् विजेतुमुपगमनसमये पूर्वसिद्धा[7]ग्न्याधानस्यार्थमर्थनिधानमित्येकः पक्षः । 'कामचारस्य' कामाय यथेच्छं क्रीडितुम्, सञ्चरणस्य यः कामः तदर्थं वा तन्निधानमिति द्वितीयः । गृह एव स्थितानां 'नः' अस्माकं देवानां मध्येऽयमग्निः 'गोपिष्टः' गोपायितृतमो रक्षणकुशलोऽस्मदीयं धनं 'गोपायत्[8]' रक्षितुं शक्नोतीत्यनेनाभिप्रायेण वा तन्निधानमिति तृतीयः पक्षः ॥ २ ॥

तान्यु हेत्यादि । 'तानि' देवैर्निहितानि 'ग्राम्यारण्यानि' रूपाणि सः 'अग्निः' नितरां कामितवान्,

---

१–"पुनराधेयमाधानाप्रतिज्ञातस्य" का०श्रौ० सू० ४।२५९। २–"प्रकृतिभूतम्" इति क. पा.। ३–"प्रकृतिरूपा"–इति क०पा०। ४–" राज्ययशस्कामस्य वा " का० श्रौ० सू ४ । २६० । ५–' एनदादधे ' इति क० पा० । ६–' पुनराधेयविधायकमाख्यायिकया ' इति क० पा० । ७–' पूर्वसिद्धस्याधानस्य क्षेमार्थं निधान–' इति क० पा० । ८–' गोपायितुम्' इति क० पा० ।

तत ऽएतत्त्वष्टा पुनराधेयं ददर्श । तदादधे तेनाग्नेः प्रियं धामोपजगाम सोऽस्माऽउभयानि रूपाणि प्रतिनिःससर्ज यानि च ग्राम्याणि यानि चारण्यानि तस्मादाहुस्त्वाष्ट्राणि वै रूपाणीति त्वष्टुर्ह्येव सर्व्वꣳ रूपमुप ह त्वेवान्याः प्रजा यावच्छो यावच्छ इव तिष्ठन्ते ॥ ४ ॥

तस्मै कं पुनराधेयमादधीत । (तै) एवꣳ हैवाग्नेः प्रियं धामोपगच्छति सोऽस्माऽउभयानि रूपाणि प्रतिनिःसृजति यानि च ग्राम्याणि यानि चारण्यानि तस्मिन्नेतान्युभयानि रूपाणि दृश्यन्ते परमता वै सा स्पृहयन्त्यु हास्मै तथा पुष्यति लोक्यम्वेवापि ॥ ५ ॥

तत एतत् त्वष्टा पुनराधेयं ददर्श । तदादधे तेनाग्नेः प्रियं धामोपजगाम । सोऽस्मा उभयानि रूपाणि प्रतिनिःससर्ज—यानि च ग्राम्याणि, यानि चारण्यानि । तस्मादाहुस्त्वाष्ट्राणि वै रूपाणीति । त्वष्टुर्ह्येव सर्वं रूपम् । उप ह त्वेवान्याः प्रजा यावच्छो यावच्छः इव तिष्ठन्ते ॥ ४ ॥

तस्मै कं पुनराधेयमादधीत । एवं हैवाग्नेः प्रियं धामोपगच्छति । सोऽस्मा उभयानि रूपाणि प्रतिनिःसृजति—यानि च ग्राम्याणि, यानि चारण्यानि । तस्मिन्नेतान्युभयानि रूपाणि दृश्यन्ते । परमता वै सा । स्पृहयन्त्युःहास्मै तथा पुष्यति लोक्यम्वेवापि ॥ ५ ॥

अहमेवैतत् सर्वमुपभोक्ष्ये इति । ‘ तैः ’ विक्षेपैः सह विद्यमानं सर्वं सङ्गृह्य वसन्तादीन् ‘ ऋतून् ’ चोरादिः पर्वतमिव-प्रविष्टवान् । देवा अप्यस्मदीयं स्थानं ‘ पुनः ’ ‘ एमः ’ आगच्छामः । ‘ इति ’ अनेनाभिप्रायेण तं ‘ तिरोभूतम् ’ ‘ अग्निम् ’ अगच्छन्[2] । पूर्वं यस्मिन्स्थाने सोऽग्निः स्थितः, तत्र तमपश्यतां ‘ तेषाम् ’ देवानाम्[3] ‘ इयसा इव आस ’ विहीनावस्था प्राप । अग्निरस्मदीयं सर्वं धनमपहृत्य गतः, ‘ इह ’ अस्मिन् विषये ‘ किम् ’ अस्माभिः ‘ कर्त्तव्यम् ’ ? ‘ का वा ’ बुद्धिः ? ‘ इति ’ ॥ ३ ॥

तत एतदिति । एवं विचारयतां मध्ये ‘ ततः ’ अनन्तरमेव ‘ त्वष्टा ’ ‘ एतद् ’ वक्ष्यमाणं ‘ पुनराधेयम् ’ ‘ ददर्श ’ । **तदादध** इत्यादि । निगदसिद्धम् । **उप ह त्वेवेति** । ‘ उप ह तु एव ’ । ‘ यावच्छः ’ यावत्प्रकारविशिष्टं त्वाष्ट्रं रूपम् ‘ अन्याः प्रजाः ’ ‘ उपतिष्ठन्ते, ’ तावत्यो जायन्त इत्यर्थः । वीप्सा तु सर्वसङ्ग्रहार्था ॥ ४ ॥

तस्मा इति । पुनराधेयविधिः । यदाख्यायिकया प्रतिपन्नं प्रयोजनम्, अग्निप्रियधामोपगमनादिलक्षणम्, तदर्थं पुनराधानं कुर्यादित्यर्थः । प्रथममाहितस्याग्नेः विधानान्तरेण पुनस्तेष्वायतनेषु स्थापनं पुनराधेयम् । **एवं** हेत्यादि । निगदसिद्धम् । **परमता वै सेति** । येयं ग्राम्यारण्योभयप्राप्तिः ‘ सा ’ ‘ परमता ’ परमत्वं सर्वोत्कृष्टत्वम् । किञ्च ‘ अस्मै ’ पुनराधेयं कृतवते सर्वे जनाः ‘ स्पृहयन्ति ’ आद्रियन्ते । “ स्पृहेरीप्सितः ”—(पा०

१—‘ अतोऽग्रे ‘ अन्तर्दधे ’ इति कयोश्चित्पुस्तकयोः, ‘ अनन्तरम् ’ इति च क० पुस्तकेऽधिकमुपलभ्यते । २—‘ आगच्छन् ’ इति क० । ३—‘ देवानामतिहीनामवस्थां प्राप ’ ‘ देवानां विहीनावस्थां प्राप ’ इति च क० । ४—‘ इयसा ’ चिन्तेति हरिस्वामिनः । प्रथमकाण्डेऽप्युक्तं तेन, इयस्शब्दोऽवसानवचनः कण्ड्वादिषु पठ्यते इति ९ । २ । १४ इत्यत्र भाष्ये । वस्तुतस्तु ‘ इयस्यते ’ ‘ इयसा ’ ‘ इयसितं ’ इतित्रीण्यपि रूपाणि एकधातुजानि समानार्थानि च । इहैवोत्तरत्र (१० कं.) ‘इयस्यते’ इति च विवेच्यम् । ५—यावच्छो यावच्छ इव । यावच्छब्दोऽल्पवचनः । अल्पमल्पमित्यर्थः ॥ इति हरिस्वामी ॥

(प्या) आग्नेयोऽयं यज्ञः । ज्योतिराग्निः पाप्मनो दग्धा सोऽस्य पाप्मानं दहति स इह ज्योतिरेव श्रिया यशसा भवति ज्योतिरमुत्र पुण्यलोकस्त्वैतन्नु तद्यस्मादादधीत ॥ ६ ॥

स वै वर्षास्वादधीत । वर्षा वै सर्वऽऋतवो वर्षा हि वै सर्वऽऋतवोऽथादो वर्षमकुर्मादो वर्षमकुर्मेति संवत्सरान्त्सम्पश्यन्ति वर्षा ह त्वेव सर्वेषामृतूनाꣳ रूपमुत हि तद्वर्षासु भवति यदाहुर्ग्रीष्मऽइव वाऽअग्नेत्युतो तद्वर्षासु भवति यदाहुः शिशिरऽइव वाऽअग्नेति वर्षादिद्वर्षाः ॥ ७ ॥

(ऽ) अथैतदेव परोऽक्षꣳ रूपम् । यदेव पुरस्ताद्वाति तद्वसन्तस्य रूपं यत्स्तनयति तद्ग्रीष्मस्य यद्वर्षति तद्वर्षाणां यद्विद्योतते तच्छरदो यद्वृष्टोदृ-

---

आग्नेयोऽयं यज्ञः। ज्योतिरग्निः पाप्मनो दग्धा । सोऽस्य पाप्मानं दहति। स इह ज्योतिरेव श्रिया यशसा भवति । ज्योतिरमुत्र पुण्यलोकत्वा । एतन्नु तद्—यस्मादादधीत ॥ ६ ॥

स वै वर्षास्वादधीत। वर्षा वै सर्व ऋतवः। वर्षा हि वै सर्वे ऋतवः—अथादो वर्षमकुर्म, अदो वर्षमकुर्मेति संवत्सरान् संपश्यन्ति। वर्षा ह त्वेव सर्वेषामृतूनां रूपम्, उत हि तद्वर्षासु भवति। यदाहुः—ग्रीष्म इव वा अग्नेति। उतो तद् वर्षासु भवति। यदाहुः—शिशिर इव वा अग्नेति। वर्षादिद्वर्षाः ॥७॥

अथैतदेव परोक्षं रूपम्। यदेव पुरस्ताद्वाति, तद्वसन्तस्य रूपम् । यत्स्तनयति, तद् ग्रीष्मस्य।

सू० १. ४. ३६.) इति सम्प्रदानसञ्ज्ञा। तथा अयमपि 'लोक्यम्' लोकनीयमुत्कर्षं प्राप्य 'पुष्यति' प्रवृद्धो भवति ॥ ५ ॥

विहितं पुनराधेयमग्निसम्बन्धोपजीवनेन प्रशंसति—**आग्नेयोऽयं यज्ञ** इति। ज्योतिरात्मको ह्यग्निः 'पाप्मनः' 'दग्धा' दाहकः। अतः 'सः' अग्निः स्वसम्बन्धियज्ञं कुर्वतः 'अस्य'। पापं निर्दहति। **एतन्नु** तदिति। यस्मै फलाय आदधीत 'एतत्' उक्तविधिफलं खलु 'तत्' इत्यर्थः ॥ ६ ॥

तस्य पुनराधेयस्य त्रैवर्णिकसाधारण्येन ऋतुविशेषं विधत्ते—**स वा** इति। ऋत्वन्तरं परित्यज्य वैर्षर्तुविधाने कारणमाह—**वर्षा वा** इति। एतदुपपादयति—**वर्षा हि वा** इत्यादिना। यस्मादेवं वर्षर्तुः सर्वात्मकः, तस्मात् समुदायात्मकं संवत्सरं वर्षशब्देन लोको व्यवहरतीति दर्शयति—**अथेति**। सर्वर्तुरूपा वर्षा इति प्रतिपादयितुं प्रतिजानीते—**वर्षा ह त्वेवेति**। एतदुपपादयति—**तदिति**। ग्रीष्मशिशिरधर्मयोः प्रकाशशैत्ययोः, वर्षासु महो-वायुवृष्टियोगाच्च वर्षर्तोस्तावदृतुत्रयात्मकत्वम्। तत्र ग्रीष्मे वसन्तस्य, वर्षासु शरदः, शिशिरे हेमन्तस्य, समान-धर्मतयाऽन्तर्भावात् सर्वर्तुरूपत्व सिद्धमित्यर्थः ॥ ७ ॥

एवं प्रत्यक्षविषयं प्रकाशादिधर्मयोगेन सर्वत्वमभिधाय परोक्षधर्मवशादपि तत् प्रतिपादयति—**अथैतदिति**।

१–'एतदुक्तविधं खलु श्रीयशा ज्योतिश्च युङ्क्ते एतन्नु तदित्यर्थः। 'अमुत्र' अमुष्मिंल्लोके पुण्यलोकत्वेन ज्योतिरेतदाधाने भवेत्। इतीदृक् पाठः क्वचित्पुस्तक उपलभ्यते। २–"वर्षासु मध्यंदिने वा" का० श्रौ० सू० ४. २६४.। ३–'वर्षर्ताविव विधाने' इति क.। ४–'सद्भावात्, वर्षयोगाच्च वर्षर्तोस्तावदुभयात्मकत्वम्' इति क. पा.। ५–'तत्' इति क. पा.।

ह्णाति तद्धेमन्तस्य व्वर्षाः सर्व्वऽऋतव ऋतून्प्राविशदृतुभ्य एवैनमेतन्नि-र्म्मिमीते ॥ ८ ॥

(त्ऽ) आदित्यस्त्वेव सर्व्वऽऋतवः । (वो) यदैवोदेत्यथ व्वसन्तो यदा सङ्गवोऽथ ग्रीष्मो यदा मध्यन्दिनोऽथ व्वर्षा यदाऽपराह्णोऽथ शरद्य-दैवास्तमेत्यथ हेमन्तस्तस्मादु मध्यन्दिनऽएवादधीत तर्हि ह्येषोऽस्य लोकस्य नेदिष्ठं भवति तन्नेदिष्ठादेवैनमेतन्मध्यान्निर्म्मिमीते ॥ ९ ॥

छाययेव वाऽअयं पुरुषः । पाप्मनानुषक्तः सोऽस्यात्र कनिष्ठो भवत्यध-स्पदमिवेयस्यते तत्कनिष्ठमेवैतत्पाप्मानमवबाधते तस्मादु मध्यन्दिन ऽएवादधीत ॥ १० ॥

यद्वर्षति, तद्वर्षाणाम् । यद् विद्योतते, तच्छरदः । यद् वृष्टोद्गृह्णाति, तद्धेमन्तस्य । वर्षाः सर्व ऋतवः । ऋतून् प्राविशत्, ऋतुभ्य एवैनमेतन्निर्मिमीते ॥ ८ ॥

आदित्यस्त्वेव सर्व ऋतवः । यदैवोदेति—अथ वसन्तः । यदा सङ्गवः । अथ ग्रीष्मः । यदा मध्य-न्दिनः—अथ वर्षाः । यदापराह्णः—अथ शरत् । यदैवास्तमेति—अथ हेमन्तः । तस्माद्ु मध्यन्दिन एवादधीत तर्ह्येषोऽस्य लोकस्य नेदिष्ठं भवति, तन्नेदिष्ठादेवैनमेतन्मध्यान्निर्मिमीते ॥ ९ ॥

छाययेव वा अयं पुरुषः पाप्मनानुषक्तः । सोऽस्यात्र कनिष्ठो भवति—अधस्पदमिवेयस्यते । तत् कनिष्ठमेवैतत्पाप्मानमवबाधते । तस्माद्ु मध्यन्दिन एवादधीत ॥ १० ॥

पुरोवातादयो[1] हि वसन्तादीनां परोक्षभूताः धर्माः । तेषां च सर्वेषां वर्षासु सद्भावात् सर्वर्तुरूपतेत्यर्थः । ऋतून्प्राविशदित्यादि । यस्मादग्निः प्रागुक्तरीत्या ऋतून् प्राविशत्, तस्मादेनं वर्षास्वादधानस्तेभ्य एवर्तुभ्यः पुनरुत्पादयतीत्यर्थः ॥ ८ ॥

तच्च[2] पुनराधानमहनि मध्यन्दिने कार्यमिति विधित्सुस्तदर्थमादित्यस्य सर्वर्तुरूपतामाह—आदित्यस्त्वेवेति । प्रातःसङ्गवमध्याह्नापराह्णसायङ्कालात्मका अह्नोऽवयवाः सूर्यसम्बन्धिनः पञ्चर्तवः । तत्र वर्षास्वाधानस्य विहित-त्वात् तदात्मके मध्यन्दिन एव तत् कुर्यादित्यर्थः । तदेतन्मध्यन्दिनाधानं प्रशंसति—तर्हीति । 'तर्हि' तस्मिन् मध्यन्दिने समये 'एषः' आदित्यः 'अस्य लोकस्य' 'नेदिष्टम्' अन्तिकतमो 'भवति' । सिद्धमन्यत् ॥ ९ ॥

प्रकारान्तरेण तन्मध्यन्दिनाधानं प्रशंसति—छाययेवेति । सोऽस्येति । 'अस्य' पुरुषस्य[3] छायारूपः 'सः' पाप्मा 'अत्र' अस्मिन् मध्यन्दिने 'कनिष्ठः' अल्पतरः 'भवति'[4] । स च पाप्मा पुरुषस्य पादयो-रधस्तादिव 'इर्यस्यते' प्राप्नोति । "इर्ण् गतौ"[5]—(धा. पा. अ. प. ३९) इति धातुः । तत् कनिष्ठमि-त्यादि सुगमम् ॥ १० ॥

१–'इत्यादयो हि' इति क. पु. पा. । २–"वर्षासु मध्यन्दिने वा" का० श्रौ० सू० ४. २६४ । ३–'पुरुषरूपस्य' इति क. । ४–'तृतीयकण्डिकास्था टिप्पणी द्रष्टव्या । ५–'इ गतौ' इति कयोश्चित्पुस्तकयोः ।

तं वै दर्भैरुद्धरति । दारुभिर्ह्वै पूर्वमुद्धरति दारुभिः पूर्वं दारुभिरपरं जामि कुर्यात्समदं कुर्यादापो दर्भा ऽआपो वर्षा ऽऋतून्प्राविशदद्भिरे-वैनमेतदृच्यो निर्मिमीते तस्माद्दर्भैरुद्धरति ॥ ११ ॥

(स्य) अर्कपलाशाभ्याम् । व्रीहिमयमपूपं कृत्वा यत्र गार्हपत्यमा-धास्यन्भवति तन्निदधाति तद्गार्हपत्यमादधाति ॥ १२ ॥

(स्य) अर्कपलाशाभ्याम् । यवमयमपूपं कृत्वा यत्राहवनीयमाधास्य-न्भवति तन्निदधाति तदाहवनीयमादधाति पूर्वाभ्यामेवैनावेतदग्निभ्यामन्तर्दध्म इति वदन्तस्तदु तथा न कुर्याद्रात्रिभिर्ह्येवान्तर्हितौ भवतः ॥ १३ ॥

तं वै दर्भैरुद्धरति । दारुभिर्ह्वै पूर्वमुद्धरति । दारुभिः पूर्वम्, दारुभिरपरम्; जामि कुर्यात्, समदं कुर्यात्, आपो दर्भाः, आपो वर्षाः, ऋतून् प्राविशत् । अद्भिरेवैनमेतदृच्यो निर्मिमीते । तस्माद्दर्भै-रुद्धरति ॥ ११ ॥

अर्कपलाशाभ्यां व्रीहिमयमपूपं कृत्वा यत्र गार्हपत्यमाधास्यन् भवति, तन्निदधाति; तद्धु गार्हपत्य-मादधाति ॥ १२ ॥

अर्कपलाशाभ्यां यवमयमपूपं कृत्वा यत्राहवनीयमाधास्यन् भवति, तन्निदधाति; तदाहवनीयमा-दधाति । पूर्वाभ्यामेवैनावेतदग्निभ्यामन्तर्दध्म इति वदन्तः । तदु तथा न कुर्यात्—रात्रिभिर्ह्येवान्त-र्हितौ भवतः ॥ १३ ॥

तस्य पुनराधित्सितस्याग्नेर्दर्भैरेवोद्धरणं कार्यमिति विधत्ते—तं वा इति । आधानवत् पुनराधानेऽपि दारुभि-रुद्धरणे दोषमाह—दारुभिः पूर्वमिति । उभयोरैकरूप्ये जामितादोषः स्यात् । तथा 'समदम्' दारुविषयं परस्परं तयोः कलहमपि जनयेदित्यर्थः । विहितं दर्भैरुद्धरणं प्रशंसति—आप इति । दर्भाणामब्विकारत्वं प्रथम-काण्डे प्रतिपादितम्—" ता उपर्य्युपर्यतिपुप्लुविरेऽत इमे दर्भाः "—इति (श. प. १।१।३।५) ॥ ११ ॥

व्रीहियवमययोरपूपयोरर्कपर्णद्वयसङ्गृहीतयोर्गार्हपत्याहवनीयायतनयोर्निधानं विधत्ते—अर्कपलाशाभ्यामि-त्यादिना । अत एवोक्तं कात्यायनेन—" वर्षासु मध्यन्दिने वा " " कुशैराधानम् " " व्रीह्यपूपमर्कपलाशयोः पक्वं गार्हपत्यस्य स्थाने निदधात्येवमाहवनीयस्य यावम् " (का० श्रौ० सू० ४. २६४–२६६) इति ॥ १२ ॥

अपूपनिधानस्य प्रयोजनमाह—पूर्वाभ्यामिति । पूर्वमाहितौ यौ गार्हपत्याहवनीयौ ताभ्यामित्यर्थः । तदेत-न्निषेधति—तदु तथेति । रात्रिभिर्ह्येवेति । अनुगतयोस्तयोः रात्रिभिरेव व्यवधानात् । नापूपव्यवधानेन प्रयोजनमित्यर्थः ॥ १३ ॥

१–" कुशैराधानम् " का० श्रौ० सू० ४. २६५ । २–" व्रीह्यपूपमर्कपलाशयोः पक्वं गार्हपत्यस्थाने निदधात्येवमाहवनीयस्य यावम्, सव्यक्ते " का. श्रौ. सू. ४. २६६ ।

(तऽ) आग्नेयमेव पञ्चकपालं पुरोडाशं निर्व्वपति । तस्य पञ्चपदाः पङ्क्तयो याज्यानुवाक्या भवन्ति पञ्च वा ऋतव ऽऋतून्प्राविशदृतुभ्य ऽएवैनमेतान्निर्मिमीते ॥ १४ ॥

सर्व्वऽ आग्नेयो भवति । (त्ये) एवꣳ हि त्वष्टाग्नेः प्रियं धामोपागच्छत्त-स्मात्सर्व्वऽआग्नेयो भवति ॥ १५ ॥

तेनोपाꣳशु चरन्ति । यद्वै ज्ञातये वा सख्ये वा निष्केवल्यं चिकीर्षति तिरऽइवैतेन बोभवद्वैश्वदेवोन्यो यज्ञोऽथैष निष्केवल्य ऽआग्नेयो यद्वै तिर-ऽइव तदुपाꣳशु तस्मादुपाꣳशु चरन्ति ॥ १६ ॥

(न्त्यु) उच्चैरुत्तममनुयाजं यजति । कृतकर्मेव हि स तर्हि भवति सर्व्वो हि कृतमनुबुध्यते ॥ १७ ॥

आग्नेयमेव पञ्चकपालं पुरोडाशं निर्वपति । तस्य पञ्चपदाः पङ्क्तयो याज्यानुवाक्या भवन्ति । पञ्च वा ऋतवः ऋतून् प्राविशत् । ऋतुभ्य एवैनमेतन्निर्मिमीते ॥ १४ ॥

सर्व आग्नेयो भवति । एवं हि त्वष्टाग्नेः प्रियं धामोपागच्छत् । तस्मात् सर्व आग्नेयो भवति ॥ १५ ॥

तेनोपांशु चरन्ति । यद्वै ज्ञातये वा सख्ये वा निष्केवल्यं चिकीर्षति, तिर इवैतेन बोभवत् । वैश्व-देवोऽन्यो यज्ञः- अथैष निष्केवल्य आग्नेयः । यद्वै तिर इव, तदुपांशु । तस्मादुपांशु चरन्ति ॥ १६ ॥

उच्चैरुत्तममनुयाजं यजति । कृतकर्मेव हि स तर्हि भवति । सर्वो हि कृतमनुबुध्यते ॥ १७ ॥

आग्नेयमेवेति । यदोऽन्याधेये पवमानेष्टिकार्यम्, तदाग्नेय एव पञ्चकपालं करोतीति न पृथक्तया कर्त्तव्या इत्येवकारार्थः ॥ १४ ॥

सर्व आग्नेयो भवतीति । अस्यां पञ्चकपालेष्टावाज्यभागादिः सर्वोऽपि यागोऽग्निदेवत्यः कार्य इत्यर्थः ॥ १५ ॥

तेनोपांशु चरन्तीति । विहितमुपांशुत्वमुपपादयति—ज्ञातये वेति । 'यद्' हुतं 'निष्केवल्यम्' इत-रेभ्यो निष्कृष्य केवलम्, तदेकभागं चिकीर्षति, कर्तुमिच्छति । 'एतेन' 'तिर इव' 'बोभवद्' भवति, तिरोहितं परोक्षमेव तत् प्रदीयत इत्यर्थः । यद्वै तिर इवेति । 'यत्' खलु तिरोहितमिव भवति, तत् उपांशु' भवति । उपांशूच्चार्यमाणस्यापि परश्रोत्रग्राह्यत्वाभावेन तिरोहितत्वादित्यर्थः ॥ १६ ॥

उच्चैरुत्तममनुयाजं करोतीति । यावत् 'उत्तमः' तृतीयोऽनुयाजः, तावत्पर्यन्तमुपांशुस्वरः, तत ऊर्द्ध्व-मुच्चैरेव मन्त्रप्रयोग इत्यर्थः । तत्र कारणमाह—कृतकर्मेवेति ॥ १७ ॥

१-' यदाऽन्याधेयपवमानेष्टिकार्यम्, तदाग्नेय एव (पञ्च) कपालः करोति " इति क. पा. । २-" आग्नेयः पञ्चकपाल उपांशु प्रागुत्तमादनुयाजात् " " तदूर्ध्वम्वा " का. श्रौ. सू. ४ । २६७ । २६८ ॥ ३-तिरोहितवत् 'उपांशु' इति क. ।

स आश्राव्याह । समिधो यजेति तदाग्नेयꣳ रूपं परोऽक्षं त्वग्नीन्यजेति त्वेव ब्रूयात्तदेव प्रत्यक्षमाग्नेयꣳ रूपम् ॥ १८ ॥

(१) स यजति । (२) अग्नऽआज्यस्य व्यन्तु वौषगग्निमाज्यस्य वेतु वौषगग्निनाज्यस्य व्यन्तु वौषगग्निराज्यस्य वेतु वौषगिति ॥ १९ ॥

(३) अथ स्वाहाग्निमित्याह । (४) आग्नेयमाज्यभागꣳ स्वाहाग्निं पवमानमिति यदि पवमानाय ध्रियेरन्त्स्वाहाग्निमिन्दुमन्तमिति यद्यग्नय ऽइन्दुमते ध्रियेरन्त्स्वाहाग्निꣳ स्वाहाग्नीनाज्यपाञ्जुषाणोऽअग्निराज्यस्य वेत्विति यजति ॥ २० ॥

(५) अथाहाग्नयेऽनुब्रूहीति । (६) आग्नेयमाज्यभागꣳ सोऽन्वाहाग्निꣳ स्तोमेन बोधय समिधानोऽअमर्त्यम् । हव्या देवेषु नो दधदिति

स आश्राव्याह–" समिधो यज "–इति । तदाग्नेयं रूपम्, परोक्षं तु " अग्नीन्यज " इति त्वेव ब्रूयात् । तदेव प्रत्यक्षमाग्नेयं रूपम् ॥ १८ ॥

स यजति–" अग्न आज्यस्य व्यन्तु वौझक् । अग्निमाज्यस्य वेतु वौझक् । अग्निनाऽऽज्यस्य व्यन्तु वौझक्–अग्निराज्यस्य वेतु वौझक् "–इति ॥ १९ ॥

अथ स्वाहाग्निमित्याह आग्नेयमाज्यभागम्–" स्वाहाग्निं पवमानम् "–इति । यदि पवमानाय ध्रियेरन् । "स्वाहाग्निमिन्दुमन्तम्"–इति । यद्यग्नय इन्दुमते ध्रियेरन् "स्वाहाग्निं स्वाहाऽग्नीनाज्यपान् जुषाणो अग्निराज्यस्य वेतु "–इति यजति ॥ २० ॥

अथाह अग्नयेऽनुब्रूहि इति आग्नेयमाज्यभागम्, सोऽन्वाह–" अग्निं स्तोमेन बोधय समि-

---

प्रयाजादिषु सर्वाग्नेयकरणं प्रतिपादयति–स आश्राव्येत्यादिना । प्रथमप्रयाजे यत् " समिधो यज "–इति प्राकृतं वचनम्, ' तदाग्नेयं रूपम् ', समिन्धनप्रत्यभिज्ञानात्; किन्तु तत् ' परोक्षम् ' । अतः समिध इत्येतस्य स्थाने " अग्नीन् यज "–' इत्येव ' ' ब्रूयात् ' ॥ १८ ॥

प्रायाजयाज्यास्वपि क्रमेणाग्निविभक्तिं योजयति–स यजतीति । प्रकृतिषु याज्यास्वाज्यशब्दात् पूर्वं यथाक्रमम् ' अग्ने ', ' अग्निम् ', ' अग्निना ', ' अग्निः '–एताश्चतस्रो विभक्तीः प्रक्षिप्य ताभिर्यजेदित्यर्थः ॥ १९ ॥

पञ्चमप्रयाजानुयाजयोर्विशेषमाह–अथ स्वाहेति । प्रकृतिवत् प्रथमाज्यभागदेवतां सङ्कीर्त्य द्वितीयाज्यभागदेवतायाः सोमस्य स्थानेऽग्निः पवमानोऽग्निरिन्दुमान् वा अध्वर्युप्रयोगानुसारेण विकल्पेन निर्देष्टव्य इत्यर्थः । स्वाहा देवानाज्यपानिति प्रयाजदेवतानिर्देशेऽपि " स्वाहाग्नीनाज्यपान् " इति प्रयोक्तव्यम् ॥ २० ॥

अथाहाग्नय इति । प्रथमाज्यभागस्य " अग्निं स्तोमेन बोधय "–इति बुधिधातुयुक्तामनुवाक्यां दर्शयित्वा

१–' तत्सहचारितत्करणम् ' इति क. पा. । २–" अग्नीनिति वा प्रथमे प्रयाजेऽनुयाजे च " (का. श्रौ. सू. ४. २६९). ३–' विभक्तियोजनं प्रतिपादयति ' इति क, । ४–' करोति ' इति क. । ५–' विहिता एताभिः ' इति क. । ' सहिताः, एताभिः ' इत्यपि क. पाठः । ६–अत्र मूले यत्, 'वौझक्' इत्यसकृदाम्नातम् । तस्य व्याख्यानमिह नाकारि भाष्यकारेण कथमिति चिन्तनीयम् । पूर्वं तु 'वौक्' इत्यस्य व्याख्यानं कृतमेवेति तद्द्रष्टव्यम् (श. प. ब्रा. अ. ७।२।२१) इत्यत्र भाष्ये । ७–"आज्यभागो द्वितीयोऽग्नये पवमानायेन्दुमते वा " का० श्रौ. सू. ४. २१७. । ८–ऋक्संहिता मं. ५. सू. १४. ऋ. १. द्रष्टव्या. । वा. सं. अ.२२–मं. १५।

स्वपितीव खलु वाऽएतद्यदुद्वासितो भवति सम्प्रबोधयत्येवैनमेतत्समुदीर्यति जुषाणो अग्निराज्यस्य वेत्विति यजति ॥ २१ ॥

(त्यु) अथ यद्यग्नये पवमानाय ध्रियेरन् । (न्न) अग्नये पवमानायानुब्रूहीति ब्रूयात्सोऽन्वाहाग्नऽआयूंषि पवसऽआसुवोर्जमिषं च नः ॥ आरे बाधस्व दुच्छुनामिति तथाहाग्नेयो भवति सोमो वै पवमानस्तदु सौम्यादाज्यभागान्नयन्ति जुषाणोऽअग्निः पवमान ऽआज्यस्य वेत्विति यजति २२॥

(त्यु) अथ यद्यग्नयऽइन्दुमते ध्रियेरन् । (न्न) अग्नयऽइन्दुमतेऽनुब्रूहीति ब्रूयात्सोऽन्वाहेहोषु ब्रवाणि तेऽग्नऽइत्थेतरा गिरः । एभिर्वर्द्धास ऽइन्दुभिरिति तथाहाग्नेयो भवति सोमो वाऽइन्दुस्तदु सौम्यादाज्यभागान्नयन्ति जुषाणोऽअग्निरिन्दुमानाज्यस्य वेत्विति यजत्येवमु सर्वमाग्नेयं करोति ॥ २३ ॥

आनो अमर्त्यम् । हव्या देवेषु नो दधत् "–इति (ऋ. सं. मं. ९ सू. १४. ऋ. १ । वा. स. अ. २२ मं. १९) स्वपितीव खलु वा एतद् यदुद्वासितो भवति । सम्प्रबोधयत्येवैनमेतत्समुदीर्यति– " जुषाणो अग्निराज्यस्य वेतु "–इति यजति ॥ २१ ॥

अथ यद्यग्नये पवमानाय ध्रियेरन्–" अग्नये पवमानायानुब्रूहि " इति ब्रूयात् । सोऽन्वाह– " अग्न आयूंषि पवस आसुवोर्जमिषं च नः । आरे बाधस्व दुच्छुनाम् "–(वा. सं अ. १९ मं. ३८) इति । तथाहाग्नेयो भवति । सोमो वै पमानः । तदु सौम्यादाज्यभागान्नयन्ति– " जुषाणोऽग्निः पवमान आज्यस्य वेतु "–इति यजति ॥ २२ ॥

अथ यद्यग्नय इन्दुमते ध्रियेरन्–" अग्नय इन्दुमतेऽनुब्रूहीति ब्रूयात् । सोऽन्वाह–"इहोषु ब्रवाणि तेऽग्न इत्थेतरा गिरः । एभिर्वर्द्धास इन्दुभिः "–इति (वा. सं. अ. २६ मं. १३) तथाहाग्नेयो भवति । सोमो वा इन्दुः । तदु सौम्यादाज्यभागान्नयन्ति–" जुषाणो अग्निरिन्दुमानाज्यस्य वेतु "–इति यजति । एवमु सर्वमाग्नेयं करोति ॥ २३ ॥

तस्याः पुनराधेयानुकल्पमाह–**स्वपितीवे**ति । ' समुदीर्यति ' समुद्गमयतीत्यर्थः ॥ २१ ॥

द्वितीयाज्यभागस्य प्रागुक्तपक्षद्वयेऽपि याज्यानुवाक्ये दर्शयति–**अथ यदी**त्यादिना । निगदसिद्धोऽर्थः ॥ २२ ॥

अथ यद्यग्नय इति । **एवमु सर्व**मिति । उक्तरीत्या प्रयाजानामाज्यभागयोश्चाग्निसम्बन्धकरणात् तत् सर्वमाग्नेयं भवतीत्यर्थः ॥ २३ ॥

(त्यु) अथाहाग्नयेऽनुब्रूहीति हविषः । (षोऽग्निं) अग्निं यजाग्नये स्विष्टकृतेऽनुब्रूह्यग्निᳬं स्विष्टकृतं यजेत्यथ यद्देवान्यजेत्यग्नीन्यजेत्येवैतदाह ॥ २४ ॥

स यजति । (त्य) अग्नेर्व्वसुवने व्वसुधेयस्य व्वेतु व्वौझगग्ना३उ व्वसुवने व्वसुधेयस्य व्वेतु व्वौझग्देवो३अग्निः स्विष्टकृदिति स्वयमाग्नेयस्तृतीय ऽएवम्वाग्नेयाननुयाजान्करोति ॥ २५ ॥

ता वाऽएताः । षड्विभक्तीर्यजति चतस्रः प्रयाजेषु द्वेऽअनुयाजेषु षड्वाऽऋतव ऽऋतून्प्राविशद्दतुभ्य एवैनमेतान्निर्मिमीते ॥ २६ ॥

द्वादश वा त्रयोदश वाऽक्षराणि भवन्ति । द्वादश वा वै त्रयोदश वा संव्वत्सरस्य मासाः संव्वत्सरमृतून्प्राविशद्दतुभ्य एवैनमेतत्संव्वत्सरान्निर्मिमीते न द्वे चन सहाजामितायै जामि ह कुर्य्याद्यद्द्वे चित्सह स्यातां व्यन्तु व्वेत्वित्येव प्रयाजानाᳬं रूपं व्वसुवने व्वसुधेयस्येत्यनुयाजानाम् ॥ २७ ॥

अथाह–"अग्नयेऽनुब्रूहि" इति "हविषोऽग्निं यज" "अग्नये स्विष्टकृतेऽनुब्रूहि" "अग्निं स्विष्टकृतं यज" इति । अथ यद् "देवान् यज"–इति । अग्नीन् यजेत्येवैतदाह ॥ २४ ॥

स यजति–"अग्नेर्वसुवने वसुधेयस्य वेतु वौझक् अग्ना उ वसुवने वसुधेयस्य वेतु वौझक् देवो अग्निः स्विष्टकृत्–"इति स्वयमाग्नेयस्तृतीयः। एवं वा आग्नेयाननुयाजान् करोति २५

ता वा एताः षड् विभक्तीर्यजति । चतस्रः प्रयाजेषु, द्वे अनुयाजेषु । षड् वा ऋतवः । ऋतून् प्राविशत् । ऋतुभ्य एवैनमेतन्निर्मिमीते ॥ २६ ॥

द्वादश वा त्रयोदश वा अक्षराणि भवन्ति । द्वादश वा वै त्रयोदश वा सम्वत्सरस्य मासाः । सम्वत्सरमृतून् प्राविशत् । ऋतुभ्य एवैनमेतत् सम्वत्सरान्निर्मिमीते । न द्वे चन सहाजामितायै । जामि ह कुर्याद्–यद् द्वे चित् सह स्याताम् । "व्यन्तु वेतु"–इत्येव प्रयाजानां रूपम् । "वसुवने वसुधेयस्य"–इत्यनुयाजानाम् ॥ २७ ॥

औधानस्विष्टकृतोस्त्वग्निसम्बन्ध इति दर्शयति–**अथाहाग्नय** इति । प्रथमप्रयाजवत् प्रथमानुयाजेऽपि 'देवान् यज"–इत्यस्य स्थाने "अग्नीन् यज"–इत्यग्निविभक्तिः कार्या ॥ २४ ॥

तथा द्वितीयेऽप्यनुयाजे "अग्ना उ"–इति विभक्तिः प्रयोक्तव्येति प्रतिपादयति–**स यजतीत्यदिना** । **स्वयमाग्नेय** इति 'तृतीयः' त्वनुयाजः 'स्वयमाग्नेयः स्वपगेवाग्निशब्दतानिति न पृथक् तत्राग्निविभक्तिः प्रक्षेप्तव्येत्यर्थः ॥ २५ ॥

एवं प्रयाजानुयाजेषु प्रक्षिप्ताः सम्भूयानूद्य प्रशंसति–**ता वा** इति ॥ २६ ॥

तासां विभक्तीनामक्षरसङ्ख्यामुपजीव्य प्रशंसति–**द्वादश** वेति । 'अग्ना उ'–इत्यत्रान्तिमाक्षरत्यागे सति

१–"प्रधानस्विष्टकृतोऽग्निसेव सम्बन्धः स्वतः संबन्ध इति दर्शयति" इति क०पु० "अधुना स्विष्टकृतोऽप्याग्निसंबन्ध इति" इति–च क० पु० पा० ॥ २–का० श्रौ० सू० ४।११। ११ । द्रष्टव्यम् ।

तस्य हिरण्यं दक्षिणा । (णाग्ने) आग्नेयो वाऽएष यज्ञो भवत्यग्ने रेतो हिरण्यं तस्माद्धिरण्यं दक्षिणानड्वान्वा स हि वहेनाग्नेयोऽग्निदग्धमिव ह्यस्य वहं भवति देवानाᳫं हव्यवाहनोऽग्निरिति वहति वा ऽएष मनुष्येभ्यस्तस्मादनड्वान्दक्षिणा ॥ २८ ॥

इति द्वितीयेऽध्याये तृतीयं ब्राह्मणम् । (२ । ३)

प्रजापतिर्ह वा ऽइदमग्र ऽएक ऽएवास स ऐक्षत कथं नु प्रजायेयेति सोऽश्राम्यत्स तपोऽतप्यत सोऽग्निमेव मुखाज्जनयाञ्चक्रे तद्यदेनं मुखादजनयत तस्मादन्नादोऽग्निः स यो हैवमेतमग्निमन्नादं वेदान्नादो हैव भवति ॥ १ ॥

तस्य हिरण्यं दक्षिणा । आग्नेयो वा एष यज्ञो भवति, अग्ने रेतो हिरण्यम्, तस्माद्धिरण्यं दक्षिणा । अनड्वान्वा । स हि वहेनाग्नेयः । अग्निदग्धमिव ह्यस्य वहं भवति । देवानां हव्यवाहनोऽग्निरिति । वहति वा एष मनुष्येभ्यः । तस्मादनड्वान् दक्षिणा ॥ २८ ॥ इति पुनराधेयविधिः सम्पूर्णः ।

इत्याधानब्राह्मणं समाप्तम् ।

अथाग्निहोत्रब्राह्मणम् ।

प्रजापतिर्ह वा इदमग्र एक एवास । स ऐक्षत—"कथं नु प्रजायेय" इति । सोऽश्राम्यत्, स तपोऽतप्यत सोऽग्निमेव मुखाज्जनयाञ्चक्रे । तद् यदेनं मुखादजनयत—तस्मादन्नादोऽग्निः । स यो हैवमेतमग्निमन्नादं वेद, अन्नादो हैव भवति ॥ १ ॥

द्वादशाक्षराणि भवन्ति, तेन सह त्रयोदश भवन्तीत्यर्थः । **न द्वे चनेति** । चनेशब्दोऽप्यर्थः । 'द्वे' अपि वक्ष्यमाणे 'न' 'सह' प्रयुञ्जीत, किमर्थम् ? 'अजामितायै' जामितादोषराहित्याय । व्यतिरेके तत्सद्भावमाह—**जामि हेति** । के पुनस्ते द्वे ? इति ते विभज्य दर्शयति—**त्र्यन्तु—वेत्वित्यादिना** ॥ २७ ॥

पुनराधेयस्य दक्षिणां विधत्ते—**तस्येति** । **स हि वहेनेति** । सः खल्वनड्वान् 'वहेन' स्कन्धेनाग्निरूपः[1] भवति । तस्योपपातम्—**अग्निदग्धमिवेति** । अनडुहश्च साम्यमाह—**देवानामिति** । अतो वहनसाम्यात् पुनराधीयमानस्याग्नेः 'अनड्वान् दक्षिणा' उत्कृष्टतरा इत्यर्थः ॥ २८ ॥ १ [२. ३.] ॥

इति श्रीसायणाचार्यविरचिते माधवीये वेदार्थप्रकाशे माध्यन्दिनशतपथब्राह्मणभाष्ये द्वितीयकाण्डे द्वितीयाध्याये तृतीयं ब्राह्मणम् ॥ २–२–३ ॥

एवमाधानपुनराधाने विधाय तन्निष्पन्नानामग्नीनां फलवत्कर्मार्थत्वात् तत्साध्यं सायम्प्रातरनुष्ठेयमग्निहोत्राख्यं कर्म विधित्सुस्तदर्थमाख्यायिकामाह—**प्रजापतिर्हवा** इत्यादिना ॥ १ ॥

१–'असाकल्ये तु चिचन' इति अमरकोषः ३ । ४ । ३ । २–"हिरण्यं दक्षिणाऽनड्वान् वाग्न्याधेयिकीश्चेच्छक्नुतेः" का. श्रौ.सू. ४. २७१. । ३–प्रथमकाण्डस्य अ. १ ब्रा. २ कं. ९ द्रष्टव्या. । ४–'वहनं स्यात् ।' इति क. पा. ॥ ५–'तत्साधनचतुष्टयसाध्यम्' इति क. सा. ।

तद्वा ऽएनमेतदग्रे देवानामजनयत । तस्मादग्निरग्निर्ह वै नामैतद्यदग्निरिति स जातः पूर्वः प्रेयाय यो वै पूर्व एत्यग्र ऽएतीति वै तमाहुः सोऽएवास्याग्निता ॥ २ ॥

स ऐक्षत प्रजापतिः । (२) अन्नादं वाऽइममात्मनोऽजीजने यदग्निं न वाऽइह मदन्यदन्नमस्ति यं वाऽअयं नाद्यादिति काल्वालीकृता हैव तर्हि पृथिव्यास नौषधय आसुर्न वनस्पतयस्तदेवास्य मनस्यास ॥ ३ ॥

(स) अथैनमग्निर्व्यात्तेनोपपर्यावर्त्त । तस्य भीतस्य स्वो महिमापचक्राम वाग्वाऽअस्य स्वो महिमा वागस्यापचक्राम सऽआत्मन्येवाहुतिमीषे स ऽउदमृष्ट तद्यदुदमृष्ट तस्मादिदं चालोमकमिदं च तत्र विवेद घृताहुतिं वैव पय आहुतिं वोभयँ᳖ हत्वेव तत्पयऽएव ॥ ४ ॥

तद्वा एनमेतदग्रे देवानामजनयत—तस्मादग्निः । अग्निर्ह वै नामैतद्—यदग्निरिति । स जातः पूर्वः प्रेयाय । यो वै पूर्व एति—अग्र एतीति वै तमाहुः । सा उ एवास्य अग्निता ॥ २ ॥

स ऐक्षत—प्रजापतिः । अन्नादं वा इममात्मनोऽजीजने यदग्निम् । न वा इह मदन्यदन्नमस्ति, यं वा अयं नाद्यादिति । काल्वालीकृता हैव तर्हि पृथिव्यास, नौषधय आसुः, न वनस्पतयः, तदेवास्य मनस्यास ॥ ३ ॥

अथैनमग्निर्व्यात्तेनोपपर्यावर्त । तस्य भीतस्य स्वो महिमाऽपचक्राम । वाग्वा अस्य स्वोऽमहिमा । वागस्यापचक्राम । स आत्मन्येवाहुतिमीषे । स उदमृष्ट । तद् यदुदमृष्ट—तस्मादिदं चालोमकमिदं च । तत्र विवेद—घृताहुतिं वैव पयआहुतिं वा—उभयं ह त्वेव तत् पय एव ॥ ४ ॥

तद्वा इति । अग्रे जातत्वादग्निः; स एवाग्निरिति पारोक्ष्येणोच्यत इति नामनिर्वचनं कृत्वा प्रकारान्तरेणापि निर्ब्रूयात् । स जात इति । 'अग्रे' एति गच्छतीति अग्निः । 'अस्य' अग्नेः वाचिका 'अग्निता' इत्यर्थः ॥ २ ॥

एवं सायमग्निहोत्रदेवताया अग्नेरुत्पत्तिमभिधाय होम इत्यस्य उत्पत्तिं प्रतिपादयति—स ऐक्षतेत्यादिना । अजीजन इति । अजनयमित्यर्थः । मया सृष्टोऽग्निरित्यन्नादः तस्य चान्नेर्न भवितव्यम् । न च मत्तोऽन्यदन्नमिह विद्यते, यदन्नमसावद्यादित्यर्थः । ननु भूम्यामोषधयो विद्यन्ते, तदेव तस्यान्नं भविष्यतीत्यत आह—काल्वालीकृतेति[२] । 'तर्हि' तस्मिन् समये, यदहन्येव पृथिवी बभूव, तत ओषधिवनस्पतयः । एवं सति 'तत्' वक्ष्यमाणमन्नम् 'एध' 'अस्य' प्रजापतेः मनसि बभूव ॥ ३ ॥

अथैनमिति । अथ अस्मिन्नवसरे 'अग्निः' 'एनम्' 'व्यात्तेन' प्रजापतिविवृतेन मुखेन भक्षयितुं पर्यावृत्तो बभूव । तस्माद् 'भीतस्य' प्रजापतेः । स्वो महिमेत्यादि, स्पष्टम् । स आत्मन्येवेति । 'सः' प्रजापतिः

१– अग्निजननप्रकारः शतपथे चतुर्दशे कांडे १४ प्रथमेऽध्याये १ प्रथमप्रपाठके १ द्वितीये २ सष्टित्राह्मणे "अथेत्यभ्यमंथत" इति मन्त्रः" ११। २–" अपनीतवालाः काल्वालाः "–इति हरिस्वामी । तदेवं खल्वालाः, खल्वाटाः काल्वाला इति समानार्थाः ।

सा हैनं नाभिराधयाञ्चकार । केशमिश्रेव हास तां व्यौक्षदोषं धयेति ततऽओषधयः समभवंस्तस्मादोषधयो नाम स द्वितीयमुदमृष्ट तत्रापरामाहुतिं विवेद घृताहुतिं वैव पयआहुतिं वोभयँ ह त्वेव तत्पय एव ॥५॥

सा हैनमभिराधयाञ्चकार । स व्यचिकित्सज्जुहवानी ३ मा हौषा ३ मिति तँ स्वो महिमाभ्युवाद जुहुधीति स प्रजापतिर्विदाञ्चकार स्वो वै मा महिमाहेति स स्वाहेत्येवाजुहोत्तस्मादु स्वाहेत्येव हूयते तत एष उदियाय स एष तपति ततोऽयं प्रबभूव योऽयं पवते तत एवाग्निः पराङ् पर्य्याववर्त ॥ ६ ॥

सा हैनं नाऽभिराधयाञ्चकार । केशमिश्रेव हास । तां व्यौक्षत्–ओषं धयेति । तत ओषधयः समभवन्–तस्मादोषधयो नाम । स द्वितीयमुदमृष्ट । तत्रापरामाहुतिं विवेद, घृताहुतिं वैव पयआहुतिं वा–उभयं ह त्वेव तत्पय एव ॥ ५ ॥

सा हैनमभिराधयाञ्चकार । स व्यचिकित्सत्–जुहवानी ३ मा हौषा ३ मिति । तं स्वो महिमाऽभ्युवाद–जुहुधीति । स प्रजापतिः विदाञ्चकार–स्वो वै मा महिमाऽऽहेति । स स्वाहेत्येवाजुहोत्–तस्मादु स्वाहेत्येव हूयते । तत एष उदियाय–य एष तपति । ततोऽयं प्रबभूव–योऽयं पवते । तत एवाग्निः पराङ् पर्य्याववर्त ॥ ६ ॥

'आत्मनि' स्वशरीरे 'एव' आहुतिद्रव्यं सम्पादयितुमिच्छां कृतवान् । कृत्वा च 'सः' 'उदमृष्ट' हस्ताभ्यां स्वाङ्गस्योन्मार्जनं कृतवान् । यस्मादेवं तस्मादेव कारणात् इदञ्च इदं च उभयमपि पाणितलम् 'अलोमकं' रोमरहितं दृश्यते । उन्मार्जनेन 'तत्राहूतिं' 'विवेद' लेभे । तां विशिनष्टि–**घृताहुतिमिति** । **उभयं हेति** । यदेतत् पयोघृतसाध्यमाहुतिद्वयम् 'तत् उभयम्' अपि 'पय एव' घृतस्य पयोविकारत्वादित्यर्थः ॥ ४ ॥

सा हैनमित्यादि । 'नाभिराधयाञ्चकार' अभिराद्धं तृप्तं न चकारेत्यर्थः । तत्र दृष्टान्तः **केशमिश्रेति** । कीटादिदूषिता आहुतिर्न तृप्तिम्, प्रत्युत बीभत्सामेव जनयति । एवं प्रजापतिशरीरजं द्रव्यमाहुतियोग्यं नासीदित्यर्थः । 'तां' चाहुतिं तस्मिन्नग्नौ 'व्यौक्षत्' अत्यजत् इदमाहुतिद्रव्यम् 'ओषं' पक्वं कृत्वा 'धय' पिब 'इति' । एवमग्नौ प्रक्षिप्तात् तस्मात् 'ओषधयः' पृथिव्यां समभवन् । एवमोषधिरूपस्य द्रव्यस्योत्पत्तिमुक्त्वा प्रातराहुतिदेवतायाः सूर्यस्योत्पत्तिमाह–**स द्वितीयमिति** । पूर्ववद् योज्यम् ॥ ५ ॥

सा हैनमित्यादि । **स व्यचिकित्सादिति** । अस्यां द्वितीयस्यामाहुतौ स प्रजापतिः विचिकित्सां कृतवान्, किमिदं मदङ्गाज्जातं द्रव्यं जुहवानि, किं वा नेति । एवं संशयापन्ने अग्निभयात् प्राङ्निर्गतो वाग्रूपः स्वकीयो 'महिमा' 'अभ्युवाद' अभिलक्ष्योक्तवान्, 'संशयं मा कार्षीः, होमं कुरु' इति । **स्वो वा इति** । यस्मात् 'स्वो महिमा आह, तस्मात् 'सः' प्रजापतिः 'स्वाहेत्येव तत्' द्रव्यम् अजुहोत् । **तत एष** इति । तस्माद्धोमात् 'एषः' सूर्य उदित उत्पन्नो बभूव । पवमानो वायुरपि तत एवोत्पन्नः । एवमनयोरुत्पन्नयोः सतोः सः अग्निः अपि प्रजापतिराकाशात् भक्षणात् उपरतः पराङ्मुखः पर्यावृत्तो बभूवेत्यर्थः ॥ ६ ॥

स हुत्वा प्रजापतिः । प्र चाजायतात्स्यतश्चाग्नेर्मृत्योरात्मानमत्रायत स यो हैवं विद्वानग्निहोत्रं जुहोत्येताॅं हैव प्रजातिं प्रजायते यां प्रजापतिः प्राजायतैवमु हैवात्स्यतोऽग्नेर्मृत्योरात्मानं त्रायते ॥ ७ ॥

स यत्र म्रियते । यत्रैनमग्नावभ्यादधति तदेषोऽग्नेरधिजायतेऽथास्य शरीरमेवाग्निर्दहति तद्यथा पितुर्वा मातुर्वा जायेतैवमेषोऽग्नेरधिजायते शश्वद्ध वा ऽएष न सम्भवति योऽग्निहोत्रं न जुहोति तस्माद्वा ऽअग्निहोत्रॅं होतव्यम् ॥ ८ ॥

तद्वा एतत् । (दे) एव विचिकित्सायै जन्म यत्प्रजापतिर्व्यचिकित्सत्स विचिकित्सञ्छ्रेयस्यध्रियत यः प्र चाजायतात्स्यतश्चाग्नेर्मृत्योरात्मानमत्रायत स यो हैवमेतद्विचिकित्सायै जन्म वेद यद्ध किञ्च विचिकित्सति श्रेयसि हैव ध्रियते ॥ ९ ॥

स हुत्वा न्यमृष्ट । ततो विकङ्कतः समभवत्तस्मादेष यज्ञियो यज्ञपात्रीयो

स हुत्वा प्रजापतिः प्र चाजायत, अत्स्यतश्चाग्नेर्मृत्योरात्मानमत्रायत । स यो हैवंविद्वानग्निहोत्रं जुहोति–एतां हैव प्रजातिं प्रजायते–यां प्रजापतिः प्राजायत । एवमु हैवात्स्यतोऽग्नेर्मृत्योरात्मानं त्रायते ॥ ७ ॥

स यत्र म्रियते, यत्रैनमग्नावभ्यादधति–तदेषोऽग्नेरधिजायते । अथास्य शरीरमेवाग्निर्दहति । तद्द्यथा पितुर्वा मातुर्वा जायेत, एवमेषोऽग्नेरधिजायते । शश्वद्ध वा एष न सम्भवति–योऽग्निहोत्रं न जुहोति–तस्माद्द् वा अग्निहोत्रं होतव्यम् ॥ ८ ॥

तद्वा एतदेव विचिकित्सायै जन्म–यत् प्रजापतिर्व्यचिकित्सत् । स विचिकित्सञ्छ्रेयस्याध्रियत–यः प्र चाजायत, अत्स्यतश्चाग्नेर्मृत्योरात्मानमत्रायत । स यो हैवमेतद्विचिकित्सायै जन्म वेद–यद्ध किञ्च विचिकित्सति, श्रेयसि हैव ध्रियते ॥ ९ ॥

स हुत्वा न्यमृष्ट-ततो विकङ्कतः समभवत् । तस्मादेषः, यज्ञियो य. ो वृक्षः । तत एते

स हुत्वेत्यादि । यस्मादेवं प्रजापतिराहुत्या सूर्यादिलक्षणां प्रजामुदपादयत् ‘ .तः ’ भक्षणं करिष्यतः ‘ अग्नेः ’ ‘ आत्मानम् ’ ‘ अत्रायत ’ । तस्माद् विदुषोऽप्येवं भवतीत्याह–**स य** इति ॥ ७ ॥

स यत्र म्रियत इति । अग्निहोत्रहोमं कुर्वन् देहावसाने ‘ अग्नौ ’ प्रक्षिप्तः मातापितृशरीरादिव, तस्मादग्नेः सकाशात् दिव्यशरीरोऽभिनव उत्पद्यते । यस्त्वग्निहोत्रं न जुहोति, स त्वेवं नोत्पद्यत इत्यर्थः ॥ ८ ॥

तद्वा एतदित्यादि । विचिकित्सापुरस्सरमाहुत्यनुष्ठानेन प्रजापतेः श्रेयःप्राप्तिर्जाता, ‘ एवञ्चिद् ’ इदानीन्तनोऽपि यजमानो विमर्शपूर्वकानुष्ठानेन श्रेयः प्राप्नोतीत्यर्थः ॥ ९ ॥

अग्निहोत्रहवणी स्रुक् विकङ्कतवृक्षेण निर्मातव्येत्यभिप्रेत्य तस्योत्पत्तिमाह–**स हुत्वे**ति । प्रागुक्तमग्निवायुसूर्याणां

१–“ वैकङ्कत ९ स्रुक्स्रुवं प्रतप्य पाणिना सम्मार्ष्टि ” इति का. श्रौ. सू. ४ । ३२१ ।

व्वृक्षस्तुत एते देवानां वीरा अजायन्ताग्निर्योऽयं पवते सूर्य्यः स यो हैवमे-
तान्देवानां व्वीरान्वेदाहास्य व्वीरो जायते ॥ १० ॥

तुऽउ हैतुऽऊचुः । (व्वं) व्वयं वै प्रजापतिं पितरमनु स्मो हुन्त व्वयं तत्सृ-
जामहै युदस्मानन्वुसदिति ते परिश्रित्य गायत्रेणापहिङ्कारेण तुष्टुविरे तद्य-
त्पर्य्यश्रयन्त्स समुद्रोऽथेयमेव पृथिव्या स्तावः ॥ ११ ॥

(स्तु) तु स्तुत्वा प्राञ्च ऽउच्चक्रमुः । पुनरेम ऽइति देवा एद्राꣳ सम्भू-
ताꣳ सा हैनानुदीक्ष्य हिञ्चकार ते देवा व्विदाञ्चक्रुरेष साम्नो हिङ्कार
ऽइत्युपहिङ्कारꣳ हैव पुरा ततः सामास स ऽएष गवि साम्नो हिङ्कारस्त-
स्मादेषोपजीवनीयोपजीवनीयो ह वै भवति य एवमेतं गवि साम्नो
हिङ्कारं व्वेद ॥ १२ ॥

ते होचुः । (भं) भद्रं वा ऽइदमजीजनामहि ये गामजीजनामहि यज्ञो ह्ये-
वेयं नो ह्यृते गोर्यज्ञस्तायतेऽन्नꣳ ह्येवेयं यद्धि किञ्चान्नं गौरेव तदिति ॥ १३ ॥

देवानां वीरा अजायन्त—अग्निः, योऽयं पवते, सूर्यः । स यो हैवमेतान् देवानां वीरान् वेद—आहास्य वीरो जायते ॥ १० ॥

त उ हैत ऊचुः—वयं वै प्रजापतिं पितरमनु स्मः, हन्त वयं तत् सृजामहै—यदस्मानन्वसदिति । ते परिश्रित्य गायत्रेणापहिङ्कारेण तुष्टुविरे । तद् यत्पर्यश्रयन् स समुद्रः । अथेयमेव पृथिव्या स्तावः ॥ ११

ते स्तुत्वा प्राञ्च उच्चक्रमुः—पुनरेम इति देवा एद्रां सम्भूताम् । सा हैनानुदीक्ष्य हिंचकार । ते देवाः विदाञ्चक्रुः 'एष साम्नो हिङ्कारः' इति । अपहिङ्कारं हैव पुरा ततः सामास । स एष गवि साम्नो हिङ्कारः—तस्मादेषोपजीवनीया । उपजीवनीयो ह वै भवति—य एवमेतं गवि साम्नो हिङ्कारं वेद ॥ १२ ॥

ते होचुः—भद्रं वा इदमजीजनामहि—ये गामजीजनामहि यज्ञो ह्येवेयम्, नो ह्यृते गोर्यज्ञस्तायते । अन्नं ह्येवेयम्, यद्धि कि[illegible]—गौरेव तदिति ॥ १३ ॥

जन्म अनूद्य, तद्वेदनफ[illegible] त एत इति । देवाना मध्य 'वीराः' प्रबला इत्यर्थः ॥ १० ॥

अथ होमद्रव्यस्य प[illegible]त्तिं वक्तुं प्रथमतो गोरुत्पत्तिमाह—त उ हेति । यथाऽस्मदीयः पिता प्रजापतिः अस्मान् सृष्टवान् 'वयं' 'तम् अनु' 'स्मः' भवामः 'यत्' यत्र 'अस्मान्' 'अनु' अनन्तरम् 'असद्' भवेत् जायेत, 'तद् वयं सृजामहै' एवं प्रतिज्ञाय गां संसृजन्तः हिङ्कारवर्जितेन गायत्रसाम्ना बहिष्पवमानेन 'तुष्टुविरे' स्तुतवन्तः । 'तस्य' स्तोत्रदेशस्य 'यत्' परिश्रयणं 'स समुद्रः' अभवत् यश्च 'स्तावः' स्तोत्रदेशः, सा 'पृथिवी' जातेत्यर्थः ॥ ११ ॥

ते स्तुत्वेति । पुनरेम इति । पुनरागच्छाम इति स्तोत्रदेशात् प्रागुत्क्रम्य तस्मात् स्तोत्रात् 'सम्भूतां गां ते देवाः' प्राप्नुवन्नित्यर्थः । सा हैनानित्यादि निगदसिद्धम् ॥ १२ ॥

ते होचुरित्यादि । 'भद्रम्' उत्कृष्टं खलु 'इदम्' 'अजीजनामहि' अजनयाम । तदेतत् भद्रत्वमाह—

१—'वक्ष्यन्' इति क. पा. ।

तद्वाऽएतद्देवैतासां नाम । (मै) एतद्यज्ञस्य तस्मादेतत्परिहरेत्साधु पुण्यमिति बह्वचो ह वा ऽअस्यैता भवन्त्युपनामुक ऽएनं यज्ञो भवति य ऽएवं विद्वानेतत्परिहरति साधु पुण्यमिति ॥ १४ ॥

तामु हाग्निरभिदध्यौ । मिथुन्यनया स्यामिति ताᳪं सम्बभूव तस्याᳪं रेतः प्रासिञ्चत्तत्पयोऽभवत्तस्मादेतदामायां गवि सत्याᳪं शृतमग्नेर्हि रेतस्तस्माद्यदि कृष्णायां यदि रोहिण्याᳪं शुक्लमेव भवत्यग्निसङ्काशमग्नेर्हि रेतस्तस्मात्प्रथमदुग्धमुष्णं भवत्यग्नेर्हि रेतः ॥ १५ ॥

(स्ते) ते होचुः (हैं) हन्तेदं जुहवामहाऽइति कस्मै नऽइदं प्रथमाय होष्यन्तीति मह्यमिति हैवाग्निरुवाच मह्यमिति योऽयं पवते मह्यमिति सूर्यस्ते न सम्पादयाञ्चक्रुस्ते हासम्पाद्योचुः प्रजापतिमेव पितरं प्रत्ययाम स यस्मै नऽइदं प्रथमाय होतव्यं वक्ष्यति तस्मै नऽइदं प्रथमाय होष्यन्तीति ते प्रजापतिं पितरं प्रतीत्योचुः कस्मै न इदं प्रथमाय होष्यन्तीति ॥ १६ ॥

तद्वा एतद्देवैतासां नाम, एतद्यज्ञस्य । तस्मादेतत्परिहरेत् साधु पुण्यमिति । बह्वचो ह वा अस्यैता भवन्ति उपनामुक एनं यज्ञो भवति—य एवं विद्वानेतत्परिहरति—साधु पुण्यमिति ॥ १४ ॥

तामु हाग्निरभिदध्यौ—मिथुन्यनया स्यामिति । तां सम्बभूव । तस्यां रेतः प्रासिञ्चत् । तत्पयोऽभवत् । तस्मादेतदामायां गवि सत्यां शृतम्, अग्नेर्हि रेतः । तस्माद्यदि कृष्णायाम्, यदि रोहिण्याम्, शुक्लमेव भवति अग्निसङ्काशम्, अग्नेर्हि रेतः—तस्मात् प्रथमदुग्धमुष्णं भवति अग्नेर्हि रेतः ॥ १५ ॥

ते होचुः—हन्तेदं जुहवामहा इति । कस्मै न इदं प्रथमाय होष्यन्तीति । मह्यमिति हैवाग्निरुवाच, मह्यमिति—योऽयं पवते, मह्यमिति सूर्यः । ते न सम्पादयाञ्चक्रुः । ते हासम्पाद्योचुः—प्रजापतिमेव पितरं प्रत्ययाम, स यस्मै न इदं प्रथमाय होतव्यं वक्ष्यति, तस्मै न इदं प्रथमाय होष्यन्तीति । ते प्रजापतिं पितरं प्रतीत्योचुः—कस्मै न इदं प्रथमाय होष्यन्तीति ॥ १६ ॥

यज्ञो हीति । यस्माद् गोर्व्यतिरेके क्षीरघृतादिहविषोऽभावात् यज्ञो न विस्तीर्यते, अतः यं गौः यज्ञात्मिका । गवारूपत्वेनापि स्तौति—**अन्नं** हीति ॥ १३ ॥

तासां गवां यज्ञस्य च साधारणमेकं नामोपादिश्य प्रशंसति—**तद्वा** इति । गां यज्ञं च एतदुभयमुत्कृष्टं पुण्यरूपमिति अनेनाभिप्रायेण 'परिहरेत्' रक्षेत् । तस्य परिहरणस्य फलमाह—**बह्वचोहे**ति । 'उपनामुकः' उपनमनशीलः, यज्ञ एनमुपगतो भवतीत्यर्थः ॥ १४ ॥

पयस उत्पत्तिमाह—**तामु हे**ति । 'अभिदध्यौ' अभिध्यानं कृतवान् । कथमिति, एतया गवा मिथुनीभवानीति । **तां सम्बभूवे**त्यादि, स्पष्टम् ॥ १५ ॥

एवं पयोरूपस्य हविष उत्पत्तिमभिधाय, अग्निसूर्य्यवायूनां मध्ये कस्मै प्रथमं देयं कस्मै चानन्तरमित्येतद् विभजति—**ते होचु**रिति । ते देवाः 'ऊचुः' अस्मदीयः पिता प्रजापतिः यथा अजुहोत्, एवमिदं वयं '**जुह**-

स होवाच । (चा) अग्नयेऽग्निरनुष्ठ्या स्वꣳ रेतः प्रजनयिष्यते तथा प्रजनिष्यध्व ऽइत्यथ तुभ्यमिति सूर्य्यमथ यदेव हूयमानस्य व्यश्नुते तदेवैतस्य योऽयं पवतऽइति तदेभ्य इदमप्येतर्हि तथैव जुह्वत्यग्नयऽएव सायꣳ सूर्य्याय प्रातरथ यदेव हूयमानस्य व्यश्नुते तदेवैतस्य योऽयं पवते १७॥

ते हुत्वा देवाः । (ऽ) इमां प्रजातिं प्राजायन्त यैषामियं प्रजाति-रिमां विजितिं व्यजयन्त येयमेषां विजितिरिममेव लोकमग्निरजयदन्त-रिक्षं वायुर्दिवमेव सूर्य्यः स यो हैवं विद्वानग्निहोत्रं जुहोत्येताꣳ हैव प्रजातिं प्रजायते यामेतऽएतत्प्राजायन्तैतां विजितिं विजयते यामेतऽएत-

स होवाच—अग्नये । अग्निरनुष्ठ्या स्वं रेतः प्रजनयिष्यते, तथा प्रजनयिष्यध्व इति । अथ तुभ्य-मिति सूर्यम् । अथ यदेव हूयमानस्य व्यश्नुते, तदेवैतस्य—योऽयं पवत इति । तदेभ्य इदमप्येतर्हि तथैव जुह्वति—अग्नय एव सायम्, सूर्याय प्रातः, अथ यदेव हूयमानस्य व्यश्नुते तदेवैतस्य—योऽयं पवते ॥ १७ ॥

ते हुत्वा देवा इमां प्रजातिं प्राजायन्त—यैषामियं प्रजातिः, इमां विजितिं व्यजयन्त—येयमेषां विजितिः । इममेव लोकमग्निरजयत्, अन्तरिक्षं वायुः, दिवमेव सूर्यः । स यो हैवं विद्वानग्निहोत्रं जुहोति—

वामहे' । किञ्चेमे यजमानाः 'नः' अस्माकं मध्ये 'कस्मै' 'प्रथमाय' 'होष्यन्ति' 'इति' उक्तवन्तः । मह्यमित्यादि, निगदसिद्धम् । ते न सम्पादयाञ्चक्रुरिति । 'ते' देवाः परस्परं सम्पन्नाः ऐकमत्यं गता न बभूवुरित्यर्थः ॥ १६ ॥

स होवाचेति । अग्निरनुष्ठ्यै इति । एवं विवदमानेषु आगतेषु स प्रजापतिरेवमुक्तवान्—'अग्नेः प्रथमं होतव्यम्' 'अग्निर्हि' 'अनुष्ठ्या' अनुष्ठानेन प्रयत्नेन स्वकीयं 'रेतः' गवि पयोरूपेण निरवर्त्तयत् 'तथा' यूयमपि । तस्मादग्नेरनन्तरमेव 'प्रजनिष्यध्वे' प्रजाता भवथ । तस्मादग्नय एव प्रथमं होतव्यमित्युक्त्वा, प्रजापतिः 'अथ' अनन्तरं 'तुभ्यम्' होतव्यम् 'इति' 'सूर्यम्' प्रति उक्तवान् । हूयमानस्य च पयसः 'यद्' 'व्यश्नुते' विशुद्धिमाप्नोति[1] स एव वायोर्भाग इति वायुं प्रत्यब्रवीत् । तदेभ्य इत्यादि । यस्मादेवं प्रजापतिनोक्तम्, तस्मादेव कारणात् तत् पय एव 'अग्नये सायं जुह्वति', 'प्रातः सूर्य्याय' इति विभागः सम्पन्नः[2] ॥ १७

'ते हुत्वा देवा इति । ते च देवाः' एवं 'हुत्वा' प्रजात्यादिष्टं फलं प्राप्नुवन् । एतद् ज्ञात्वा इदानी-न्तनोऽपि यजमानो 'यः' 'अग्निहोत्रं जुहोति,' सः 'एताम्' अग्निसूर्य्यादिभिः प्राप्तां प्रजातिम् । इतः सुगमम् ॥

१–'विशुद्धिमेति'–इ. क. पा. । २–"क्षीरहोमी" इति का. श्रौ. सू. ४ । १० । १६ । "वाग्यतो दोहप्रभृत्याहोमात् क्षीर-होता चेत्–इति च तत्रैव ॥ तथा 'पयसा स्वर्गकामः पशुकामो वा, यवाग्वा ग्रामकामः, तण्डुलैर्बलकामः, दध्नेन्द्रियकामः, अनधि-श्रयणे च श्रुतिसामर्थ्याभ्यां, घृ[illegible]न तेजस्कामः, संवत्सरं जुहुयादेतेषामेकैकेन कामसंयोगे"–इत्यादीनि सूत्राणि (का. श्रौ. सू. ४ । १५ । २१–२६) पर्यालोच[illegible]ने ॥

व्यजयन्तैतेरु हैव सुलोको भवति युऽ एवं विद्वानग्निहोत्रं जुहोति तुस्माद्वा ऽअग्निहोत्रुथं होतुव्यम् ॥ १८ ॥

इति द्वितीयप्रपाठके द्वितीयं ब्राह्मणम् ॥ २-२ ॥

इति द्वितीयाध्याये चतुर्थं ब्राह्मणम् ॥ २-२-४ ॥

इति द्वितीयकाण्डे द्वितीयोऽध्यायः ॥ २ ॥

एतां हैव प्रजातिं प्रजायते-यामेत एतत् प्राजायन्त, एतां विजितिं विजयते-यामेत एतद्व्यजयन्त । एतैरु हैव सलोको भवति, य एवं विद्वानग्निहोत्रं जुहोति । तस्माद्वा अग्निहोत्रं होतव्यम् ॥ १८ ॥

एतावता अग्निहोत्राख्यस्य कर्मणः पयो द्रव्यम्, तच्च सायम्प्रातःकालयोरनुष्ठेयम्, तत्र सायङ्कालीनस्य अग्निर्देवता, प्रातःकालीनस्य सूर्यः, इत्येतत् प्रतिपादितं भवति ॥ १८ ॥

इति श्रीसायणाचार्यविरचिते माधवीये वेदार्थप्रकाशे माध्यन्दिनशतपथब्राह्मणभाष्ये द्वितीयकाण्डे द्वितीयाध्याये चतुर्थं ब्राह्मणम् ॥ २-२-४ ॥

वेदार्थस्य प्रकाशेन तमो हार्दं निवारयन् । पुमर्थांश्चतुरो देयाद्विद्यातीर्थमहेश्वरः ॥ १ ॥

ब्रह्माण्डं गोसहस्रं कनकहयतुलापूरुषौ स्वर्णगर्भं
सप्ताब्धीन् पञ्चसीरींस्त्रिदशतरुलताधेनुसौवर्णभूमीः ।
रत्नोस्रां रुक्मवाजिद्विपमहितरथौ सायणिः सिङ्गणार्यो
व्यश्राणीद्विश्वचक्रं प्रथितविधिमहाभूतयुक्तं घटञ्च ॥ २ ॥
धान्याद्रिं धन्यजन्मा तिलभवमतुलः स्वर्णजं वर्णमुख्यः
कार्पासीयं कृपावान् गुडकृतमजडो राजतं राजपूज्यः ।
आज्योत्थं प्राज्यजन्मा लवणजमनृणः शार्करं चार्कतेजा
रत्नाढ्यो रत्नरूपं गिरिमकृत मुदा पात्रसात्सिङ्गणार्यः ॥ ३ ॥

इति श्रीमद्राजाधिराजपरमेश्वरवैदिकमार्गप्रवर्तकश्रीहरिहरमहाराजसाम्राज्यधुरन्धरेण सायणाचार्येण विरचिते माधवीये वेदार्थप्रकाशे माध्यन्दिनशतपथब्राह्मणभाष्ये द्वितीयकाण्डे द्वितीयोऽध्यायः समाप्तः ॥ २ ॥ २ ॥ २ ॥

१-" सायं प्रातर्वा " का. श्रौ. सू. ४ । १५-२७ । २-" प्रदीप्तमभिजुहोत्यग्निर्ज्योतिरिति सजूरिति वा "-"अग्निर्वर्च इति ब्रह्मवर्चसकामस्य " का. श्रौ. सू. ४ । १४ । १४-१५ ॥ ३-" अग्निशब्दे सूर्यः-रात्र्युषसाहेति वा-ज्योतिः सूर्य इति वा प्रातः " इति का. श्रौ. सू. ४ । १५ । ८-९-१० ॥

अथ तृतीयाध्याये प्रथमं ब्राह्मणम् ।

सूर्य्यो ह वा ऽअग्निहोत्रम् । तद्यदेतस्या ऽअग्र आहुतेरुदैत्तस्मात्सूर्य्यो ऽअग्निहोत्रम् ॥ १ ॥

(२) स यत्सायमस्तमिते जुहोति । य इदं तस्मिन्निह सति जुहवानीत्यथ यत्प्रातरनुदिते जुहोति य ऽइदं तस्मिन्निह सति जुहवानीति तस्माद्वै सूर्य्योऽग्निहोत्रमित्याहुः ॥ २ ॥ [शतम् १०००]

(३) अथ यदस्तमेति । तदग्नावेव योनौ गर्भो भूत्वा प्रविशति तं गर्भं भवन्तमिमाः सर्व्वाः प्रजा अनुगर्भा भवन्तीलिता हि शेरे सञ्जानाना ऽअथ यद्रात्रिस्तिर ऽ एवैतत्करोति तिर ऽइव हि गर्भाः ॥ ३ ॥

सूर्यो ह वा अग्निहोत्रम् । तद्यदेतस्या अग्रे आहुतेरुदैत्, तस्मात्सूर्योऽग्निहोत्रम् ॥ १ ॥

स यत्सायमस्तमिते जुहोति—य इदं तस्मिन्—इह सति जुहवानीति । अथ यत् प्रातरनुदिते जुहोति—य इदं तस्मिन्—इह जुहवानीति । तस्माद्वै सूर्योऽग्निहोत्रमित्याहुः ॥ २ ॥

अथ यदस्तमेति, तदग्नावेव योनौ गर्भो भूत्वा प्रविशति । तं गर्भं भवन्तमिमाः सर्वाः प्रजा अनुगर्भा भवन्ति ईलिता हि शेरे सञ्जानानाः । अथ यद् रात्रिः, तिर एवैतत्करोति । तिर इव हि गर्भाः ॥ ३ ॥

यस्य निःश्वसितं वेदा यो वेदेभ्योऽखिलं जगत् । निर्ममे, तमहं वन्दे विद्यातीर्थमहेश्वरम् ॥ १ ॥

सायम्प्रातर्होमयोः कालविशेषं विधित्सुरग्निहोत्रं सूर्यात्मना प्रशंसति—**सूर्य्यो** हेति । तदुपपादयति—**एतस्या** इति । प्रजापतिना प्रथमं हुताया इत्यर्थः ॥ १ ॥

प्रकारान्तरेण सूर्य्यात्मकतां ब्रुवन् सायंप्रातर्होमयोः कालविशेषं विधत्ते—**स यदि**ति । 'यः' यजमानः 'इह' अग्नौ तस्मिन् सूर्ये 'सति' 'इदं' हविः जुहवानि इति मन्यते, सः सायमग्निहोत्रमस्तमिते कुर्यात्[1], प्रातर्होमश्चानुदिते[3], अनुदितो हि सूर्य्योऽग्निनैकीभूतो वर्त्तते; "अग्निं वाव आदित्यः सायं प्रविशति"—(तै०ब्रा० २ । १ । २ । ९) इति श्रुतेः । यस्मादेवमग्निहोत्रं सूर्य्यसम्बद्धम् तस्मात् तादात्म्येन स्तुतिः ॥ २ ॥

रात्रौ सूर्य्यस्याग्न्यवस्थानं प्रतिपादयति—**अथ यदि**ति । सूर्यस्य गर्भभावमनु रात्रौ 'सर्व्वाः प्रजाः' 'गर्भा' एव 'भवन्ति' । तासां गर्भसाम्यमाह—**ईलिता ही**ति । रात्रौ हि सर्वाः प्रजाः 'सञ्जानानाः' समानमेकविधं ज्ञानं प्राप्ताः 'ईलिताः' स्तुता हृष्टाः 'शेरे' शेरते । "लोपस्त आत्मनेपदेषु" इति तलोपः (पा. सू. ७।१।४१) पुनरपि गर्भसाम्यमाह—**अथ यदि**ति । गर्भरूपेणाग्नावस्थितं सूर्यं रात्रिः 'तिर एव' तिरोहितमाच्छादितं करोति । यस्तदेवं तस्मात् असौ 'गर्भः' 'तिर इव हि' लौकिकगर्भस्य प्रसिद्धिर्हि शब्देनोक्ता ॥ ३ ॥

१—"उद्धरेति यजमानो ब्रूयात्सायंप्रातरयोरग्निहोत्रे" । का. श्रौ. सू. ४ । १३ । १ ॥ २—"अस्तमिते जुहोति" । का. श्रौ सू. ४ । १४ । ६ ॥ ३—"प्रातर्जुहोत्यनुदिते" । का. श्रौ. सू. ४ । १५ । १ ।

स यत्सायमस्तमिते जुहोति । गर्भमेवैतत्सन्तमभिजुहोति गर्भᳪँ सन्तमभिकरोति स यद्गर्भᳪँ सन्तमभिजुहोति तस्मादिमे गर्भा अनश्नन्तो जीवन्ति ॥ ४ ॥

(न्त्यु) अथ यत्प्रातरनुदिते जुहोति । प्रजनयत्येवैनमेतत्सोऽयं तेजो भूत्वा विभ्राजमान ऽउदेति शश्वद्ध वै नोदियाद्यदस्मिन्नेतामाहुतिं न जुहुयात्तस्माद्वा ऽएतामाहुतिं जुहोति ॥ ५ ॥

स यथाऽहिस्त्वचो निर्मुच्येत । (तै) एवᳪँ रात्रेः पाप्मनो निर्मुच्यते यथा ह वाऽअहिस्त्वचो निर्मुच्येतैवᳪँ सर्वस्मात्पाप्मनो निर्मुच्यते य ऽएवं विद्वानग्निहोत्रं जुहोति तदेतस्यैवानु प्रजातिमिमाः सर्वाः प्रजाऽ अनु प्रजायन्ते वि हि सृज्यन्ते यथार्थम् ॥ ६ ॥

स यत् सायमस्तमिते जुहोति–गर्भमेवैतत्सन्तमभिजुहोति, गर्भं सन्तमभि करोति । स यद्गर्भं सन्तमभिजुहोति–तस्मादिमे गर्भा अनश्नन्तो जीवन्ति ॥ ४ ॥

अथ यत् प्रातरनुदिते जुहोति–प्रजनयत्येवैनमेतत्सोऽयं तेजो भूत्वा विभ्राजमान उदेति । शश्वद्ध वै नोदियाद्–यदस्मिन्नेतामाहुतिं न जुहुयात् । तस्माद्वा एतामाहुतिं जुहोति ॥ ५ ॥

स यथाऽहिस्त्वचो निर्मुच्येत–एवं रात्रेः पाप्मनो निर्मुच्यते । यथा ह वा आहिस्त्वचो निर्मुच्येत–

एवं गर्भरूपत्व प्रतिपाद्य अस्तमिते होममुपपादयति–स यत्सायमिति । गर्भं सन्तमिति । अस्तमयात्, पूर्वं हि सूर्यस्याकाशेऽवस्थानाद् गर्भभावो नास्ति, तदूर्ध्वन्तु अग्नौ गर्भरूपेण प्रविशन्तम् 'अभि' होमं कुर्वन् परस्मिन् दिवसे पुनर्जनयितुं वर्द्धयति । यद् गर्भमित्यादि । यस्माद् गर्भभूतस्य सूर्यस्य रात्रावग्निहोत्रहविषा वर्द्धनम्, तस्मादेवञ्जातीया इतरे गर्भाः 'अनश्नन्तः' अशनमकुर्वन्तोऽपि 'जीवन्ति' वर्द्धन्ते ॥ ४ ॥

एवं सायंहोमस्य गर्भवृद्धिहेतुतामभिधाय, प्रातर्होमस्य तज्जननहेतुत्वमुपपादयन्, तस्य ततः प्रागेवानुदिते कर्त्तव्यतामाह–अथ यत् प्रातरिति । अन्वयव्यतिरेकाभ्यां प्रातराहुतेर्जननहेतुतामुपपादयति–सोऽयमिति । तेजो भूत्वेति । आहुत्या वार्द्धितस्तेजस्वी भूत्वेत्यर्थः । शश्वद्ध वा इति । नित्यमेवेत्यर्थः ॥ ५ ॥

उदितः सूर्यस्य तेजःप्राप्तिं दृष्टान्तेनोपपादयति–स यथेति । रात्रेः पाप्मन इति । रात्रिरूपात् तेजःप्रतिबन्धकात् पापादित्यर्थः । एवं सूर्याग्निहोत्रहोमात्पर्यनिर्मोकं प्रतिपाद्य विदुषोऽपि प्रतिपादयति–यथा ह वा इति । वि हि सृज्यन्त इति । अनुदितहोमान्ते सूर्यस्योदये सति 'यथार्थं' यथाप्रयोजनं 'सर्वाः प्रजाः' विसृज्यन्ते प्रवर्त्तन्त इत्यर्थः ॥ ६ ॥

१–संति चात्र बहवः काम्यकालविषयः । तद्यथा–"प्रथमास्तमिते पर्युदयश्च स्वर्गकामस्य, तमोऽन्वये सायं जुहुयाद्वियति प्रातरायुष्कामस्य, अन्तःपशौ पशुकामस्य सायं प्रातः, शयाने श्रीकामस्य प्रातः" का. श्रौ. सू.४ । १५ । १२–१५ तथैव होमायाग्न्यवस्था अपि बहुविधास्तत्रैवोक्ताः–" प्रथमसमिद्ध धूप्यमाने प्रजासु निहृत्येव सहसाऽन्नमत्स्यतः, भूयिष्ठार्चिषि गृहीत्वेव सहसा, प्रदीप्ततमे श्रीयशस्कामस्य, अर्चिःप्रत्यवाये मंत्रेणान्नमत्स्यतः अंगारेषु चाकश्यमानेषु ब्रह्मवर्चसकामस्य" इति का.श्रौ.सू. ४।१५।१६–२०॥

(१ँ) स यः पुराऽऽदित्यस्यास्तमयात्।(द्रा) आहवनीयमुद्धरत्येते वै विश्वे देवा रश्मयो योऽथ यत्परं भाः प्रजापतिर्वा स ऽइन्द्रो वै तदु ह वै विश्वे देवा अग्निहोत्रं जुह्वतो गृहानागच्छन्ति स यस्यानुद्धृतमागच्छन्ति तस्माद्देवा ऽअपप्रयन्ति तद्वाऽअस्मै तद्व्यृध्यते यस्माद्देवा अपप्रयन्ति तस्यानु व्यृद्धिं यश्च वेद यश्च नानुद्धृतमभ्युस्तमगादित्याहुः ॥ ७ ॥

(र)अथ यः पुराऽऽदित्यस्यास्तमयात् । (द्रा) आहवनीयमुद्धरति यथा श्रेयस्यागमिष्यत्यावसथेनोपक्लृप्तेनोपासीतैवं तत्स यस्योद्धृतमागच्छन्ति तस्याहवनीयं प्रविशन्ति तस्याहवनीये निविशन्ते ॥ ८ ॥

एवं सर्वस्मात्पाप्मनो निर्मुच्यते–य एवं विद्वानग्निहोत्रं जुहोति । तदेतस्यैवानु प्रजातिमिमाः सर्वाः प्रजा–अनु प्रजायन्ते । वि हि सृज्यन्ते यथार्थम् ॥ ६ ॥

स यः पुराऽऽदित्यस्यास्तमयादाहवनीयमुद्धरति । एते वै विश्वे देवा रश्मयः, योऽथ यत्परं भाः, प्रजापतिर्वा स इन्द्रो वा । तदु ह वै विश्वे देवा अग्निहोत्रं जुह्वतो गृहानागच्छन्ति । स यस्यानुद्धृतमागच्छन्ति, तस्माद् देवा अपप्रयन्ति । तद्वा अस्मै तद् व्यृध्यते–यस्माद् देवा अपप्रयन्ति । तस्यानु व्यृद्धिं–यश्च वेद, यश्च न,–अनुद्धृतमभ्यस्तमगादित्याहुः ॥ ७ ॥

अथ यः । पुराऽऽदित्यस्यास्तमयादाहवनीयमुद्धरति । यथा श्रेयस्यागमिष्यत्यावसथेनोपक्लृप्तेनोपासीत एवं तत् । स यस्योद्धृतमागच्छन्ति तस्याहवनीयं प्रविशन्ति तस्याहवनीये निविशन्ते ॥ ८ ॥

सायमग्निहोत्रस्याहवनीयविहरणमस्तमयात् प्रागेव कर्त्तव्यमिति विधिमभिप्रेत्य सिद्धवदनुवदति–**स यः पुरेति** । **आहवनीयमुद्धरतीति** । गार्हपत्यादाहवनीयं प्रणयेदित्यर्थः । एतदुपपादयितुं यजमानगृहं प्रति देवानामागमनमाह–**एते वा** इत्यादिना । एते खलु सूर्यस्य 'रश्मयः' 'विश्वे देवाः' 'अथ ' ' यत् ' 'परं भाः' रश्मीनामुपर्यवस्थितं सूर्याख्यं ज्योतिः 'स प्रजापतिर्वा इन्द्रो वा ' तत् ज्योतिः प्रजापत्यात्मकमिन्द्रात्मकं च विकल्पेन भवतीत्यर्थः । ' तेऽस्तमयात् प्रागवस्थिता विश्वे देवाः ' अग्निहोत्रिणो यजमानस्य ' गृहान् आगच्छन्ति ' ते चागता आहवनीयानुद्धरणे सत्याश्रयाभावात् निवर्त्तन्ते, उद्धृते त्वाहवनीये तं प्रविश्य निविशन्त इत्याह–**स यस्यानुद्धृतमित्यादिना** । **तद्वा अस्मा** इति । आगतानां देवानां यदपगमनम् तेन अस्मै यजमानाय तद् अग्निहोत्रं व्यृद्ध्यते विगतर्द्धिकं भवतीत्यर्थः । **तस्यानु व्यृद्धिमिति** । 'तस्य ' अग्निहोत्रस्य ' व्यृद्धिम् ' अनुलक्ष्य, ' यश्च ' एवं 'वेद', 'यश्च ' 'न वेद' ते सर्वे अनुद्धृतमाहवनीयमभिलक्ष्य सूर्योऽस्तमगादिति सर्वे निन्दन्तीत्यर्थः॥७॥

अथ यः पुरेति । **आवसथेनोपक्लृप्तेनेति** । आवसन्त्यस्मिन्निति ' आवसथम् ' आसनम् । तेनोपक्लृप्तेन आयास्यन्तं श्रेयांसं यथोपासीत, ' एवं ' ' तत् ' अस्तमयात् प्राक् आहवनीयोद्धरणमित्यर्थः । **निविशन्त इति** " नेर्विशः "-(पा० सू० १ । ३ । १७) इत्यात्मनेपदम् ॥ ८ ॥

१–गार्हपत्यादाहवनीयस्योद्धरणमनस्तमितानुदितयोः । इति का. श्रौ. सू. ४ । १३ । ३ ।

स युत्सायमुस्तमिते जुहोति । (त्य) अग्नावेवैभ्य ऽएतत्प्रविष्टेभ्यो जुहोत्युथ युत्प्रातरनुदिते जुहोत्यप्रेतेभ्य ऽएवैभ्य ऽएतज्जुहोति तुस्मादु-दितहोमिनां विुच्छिन्नमग्निहोत्रं मन्यामह ऽइति ह स्माहासुरिर्यथा शून्यमावसथमाहुरेदेवं तदिति ॥ ९ ॥

द्वयं वा ऽइदं जीवनम् । (म्मू) मूलि चैवामूलं च तुदुभयं देवाना७ँ सुन्मनुष्या ऽउपजीवन्ति पशवो मूला ओषधयो मूलिन्यस्ते पशवो मूला ओषधीर्मूलिनीर्जुग्ध्वापुः पीत्वा तुत एष रसः सम्भवति ॥ १० ॥

स युत्सायमुस्तमिते जुहोति । (त्य) अस्य रसस्य जीवनस्य देवेभ्यो जुहवानि युदेषामिद७ँ सुदुपजीवामऽ इति स यत्तुतो रात्र्याश्नाति हुतो-च्छिष्टमेव तन्निरवत्तबल्यश्नाति हुतोच्छिष्टस्यु ह्येवाग्निहोत्रं जुह्वदाशिता ॥ ११ ॥

स यत् सायमस्तमिते जुहोति—अग्नावेवैभ्य एतत्प्रविष्टेभ्यो जुहोति । अथ यत्प्रातरनुदिते जुहोति—अप्रेतेभ्य एवैभ्य एतज्जुहोति । तस्मादुदितहोमिनां विच्छिन्नमग्निहोत्रं मन्यामह—इति ह स्माहासुरिः । यथा शून्यमावसथमाहरेद्—एवं तदिति ॥ ९ ॥

द्वयं वा इदं जीवनम्—मूलि चैवामूलं च । तदुभयं देवानां सन्मनुष्या उपजीवन्ति । पशवो मूलाः, ओषधयो मूलिन्यः । ते पशवो मूला ओषधीर्मूलिनीर्जग्ध्वाऽपः पीत्वा तत एष रसः सम्भवति ॥ १० ॥

स यत् सायमस्तमिते जुहोति—अस्य रसस्य जीवनस्य देवेभ्यो जुहवानि, यदेषामिदं सदुप-जीवाम इति । स यत्ततो रात्र्याऽश्नाति, हुतोच्छिष्टमेव तन्निरवत्तनल्यश्नाति । हुतोच्छिष्टस्य ह्येवाग्नि-होत्रं जुह्वदशिता ॥ ११ ॥

स यत् सायमित्यादि । निगदसिद्धम् । तस्मादुदितहोमिनामित्यादि । यस्मात् सूर्यरश्मिरूपा विश्वेदेवा उदयात् प्राक् अग्नौ आसते, उदिते च सूर्ये ततोऽपगच्छन्ति, तस्मात् उदयात् परं प्रातर्होमं कुर्वताम् 'अग्निहोत्रं विच्छिन्नम्' एव भवति । कथं विच्छिन्नमित्यत ऊर्द्ध्वं दर्शयति—यथा शून्यमिति । 'यथा' आगतेऽतिथौ गृहापगते सति 'शून्यं' तदावारास्थानं प्रतिपन्नमिति न तर्पणीयान्नपानादिकम् 'आहरेत्' 'एवं' आहवनीयाद्रश्मि-रूपेषु देवेषु 'तत्' उदितं सूर्यं प्रति गतेषु तदुद्देशेनाहवनीयहोम इत्यर्थः ॥ ९ ॥

एतावेवास्तमितानुदितहोमौ प्रकारान्तरेण प्रशंसति—द्वयं वा इदमित्यादिना । देवानां सादिति । 'देवानां' स्वभूतं सदित्यर्थः । किं तत् ? मूलं किं वा मूलयुक्तम् ? एष रस इति । क्षीरात्मको रस इत्यर्थः ॥ १० ॥

स यत्सायमस्तमित इति । अस्य रसस्य जीवनस्येति । मूल्यमूलोभयनिष्पन्नस्य सर्वप्राणिजीवनहेतोः क्षीरात्मकस्य रसस्य भागं प्रथमं 'देवेभ्यः' तत्स्वामिभ्यः 'जुहवानि' पश्चात् तदुपभुक्तशेषैः सर्वे वयम् 'उप

१–कथं विच्छित्तिरित्येतद्दर्शयति । इति क. पु. पाठः ।

(तृाथ) अुथ युत्प्रातरुनुदिते जुहोति । (त्य) अस्य रुसस्य जीव-
नस्य देवेुभ्यो जुहवानि युदेषामिदꣳ सुदुपजीवाम इति स यत्ततोऽह्वा-
श्नाति हुतोच्छिष्टमेव तन्निरवत्तबल्यश्नाति हुतोच्छिष्टस्यु ह्येवाग्निहोत्रं
जुह्वदशिता ॥ १२ ॥

तुदाहुः । सुमेवान्ये युज्ञास्तिष्ठन्तेऽग्निहोत्रमेव न सुन्तिष्ठतेऽपि द्वादश-
संव्वत्सरमुन्तवदेवाथैतदेवानन्तुꣳ सायꣳ हि हुत्वा व्वेद प्रातर्होष्या-
मीति प्रातुर्हुत्वा व्वेद पुनः सायꣳ होष्यामीति तदेतदनुपस्थितमग्नि-
होत्रं तस्यानुपस्थितिमन्वनुपस्थिता ऽइमाः प्रजाः प्रजायन्तेऽनुपस्थितो
ह वै श्रिया प्रजया प्रजायते युऽएवमेतदनुपस्थितमग्निहोत्रं व्वेद ॥ १३ ॥

अथ यत् प्रातरनुदिते जुहोति–अस्य रसस्य जीवनस्य देवेभ्यो जुहवानि–यदेषामिदं सदुपजीवाम इति । स यत्ततोऽह्वाऽश्नाति, हुतोच्छिष्टमेव तन्निरवत्तबल्यश्नाति । हुतोच्छिष्टस्य ह्येवाग्निहोत्रं जुह्वदशिता ॥ १२ ॥

तदाहुः । समेवान्ये यज्ञास्तिष्ठन्ते, अग्निहोत्रमेव न सन्तिष्ठते, अपि द्वादशसंवत्सरम्–अन्तवदेव, अथैतदेवानन्तम् । सायं हि हुत्वा वेद–प्रातर्होष्यामीति । प्रातर्हुत्वा वेद–पुनः सायं होष्यामीति । तदेतदनुपस्थितमग्निहोत्रम् । तस्यानुपस्थितिमन्वनुपस्थिता इमाः प्रजाः प्रजायन्ते । अनुपस्थितो ह वै श्रिया प्रजया प्रजायते–य एवमेतमदनुपस्थितमग्निहोत्रं वेद ॥ १३ ॥

जीवामः ' ' इति ' अनेनाभिप्रायेण पयसा[१] ' अग्निहोत्रं ' जुहुयादित्यर्थः । तस्य प्रयोजनमाह–स यदिति । ' ततः ' अतो होमानन्तरं रात्र्या कालेन ' यत् ' अशितं भवति, ' तत् ' सर्वं[२] ' हुतोच्छिष्टमेव ' भुक्तं भवति । निरवत्तबलीति । निष्क्रान्तावत्तो बलिर्देवभागो यस्मात्, तन्निरवत्तबलि । एवम् ' अग्निहोत्रं जुह्वत् ' पुरुषः हुतोच्छिष्टस्यैव रात्रौ ' अशिता ' भोक्ता भवति ॥ ११ ॥

प्रातर्होमेऽप्येवमाह–अथ यदिति ॥ १२ ॥

अग्निहोत्रहोमस्येतरयज्ञवैलक्षण्येनासंस्थितत्वं प्रतिपादयति–तदाहुरिति । ' अन्ये ' ज्योतिष्टोमादयो ' यज्ञाः ' संतिष्ठन्ते ' समाप्यन्त एव । यत्तु द्वादशसंवत्सरसाध्यं सत्रम्, तदप्यवसानवदेव; अग्निहोत्रं तु ' अनन्तं ' अन्तरहितम् । तदेवानन्त्यं दर्शयति–सायं हीति । अस्त्वेवमग्निहोत्रस्यासंस्थितयज्ञत्वम्, । किं तत इत्याह–तस्यानुपस्थितिमन्विति । अनुपस्थिताः परिसमाप्तिरहिताः । ' श्रिया ' ' अनुपस्थितः ' अपरिसमाप्तः, सर्वदा तद्युक्त इत्यर्थः ॥ १३ ॥

१–"पयसा स्वर्गकामः पशुकामो वा" का. श्रौ. सू. ४ । ३६५ ॥ २–तत्सर्वं हुतोच्छिष्टमेव । इति क. पु. पाठः ॥

तुदुग्ध्वाधिश्रयति। शृतुमसदिति तुदाहुर्य॑र्हर्युदन्तं तुर्हि शृतं तुर्हि जुहुयाद्विति तद्वै नोदन्तं कुर्यादुप ह दहेद्यदुदन्तं कुर्यादप्रजज्ञि वै रेत ऽउपदग्धं तुस्मान्नोदन्तं कुर्यात् ॥ १४ ॥

(द) अधिश्रित्यैवु जुहुयात्। (ग्नु) युन्न्वेवैतुदग्ने रेतस्तेनु न्वेवु शृतं युद्धेनदग्नावधिश्रयन्ति तुनोऽएवु शृतं तुस्मादधिश्रित्यैवु जुहुयात्॥ १५ ॥

(त्त) तदुवज्योतयति। शृतुं न्वेदानीत्युथापः प्रत्यानयति शान्त्यै न्वेव रुसस्यो चैवु सर्व्वत्वायेदꣳ हि यदा व्वुर्षत्यथौषधयो जायन्तऽ ओषधीर्जुग्ध्वापः पीत्वा तुत एष रुसः सुम्भवति तुस्मादु रसस्यो चैव सर्व्वत्वाय तुस्माद्युद्येनं क्षीरं केवलं पानेऽभ्याभुवेदुदस्तोकमाश्चोतयितवै ब्रूयाच्छान्त्यै न्वेव रुसस्यो चैवु सर्व्वत्वाय ॥ १६ ॥

तद्दुग्ध्वाऽधिश्रयति । शृतमसदिति । तदाहुः यर्ह्युदन्तं तर्हि शृतं तर्हि जुहुयादिति । तद्वै नोदन्तं कुर्यात्, उप ह दहेद् यदुदन्तं कुर्यात्–अप्रजज्ञि वै रेत उपदग्धम्–तस्मान्नोदन्तं कुर्यात् ॥ १४ ॥

अधिश्रित्यैव जुहुयात् । यन्न्वेवैतदग्ने रेतस्तेन न्वेव शृतम् । यद्धेनदग्नावधिश्रयन्ति तेनो एव शृतम् । तस्मादधिश्रित्यैव जुहुयात् ॥ १५ ॥

तदवज्योतयति–शृतं वेदानीति । अथापः प्रत्यानयति–शान्त्यै न्वेव, रसस्यो चैव सर्वत्वाय । इदं हि यदा वर्षति–अथौषधयो जायन्ते, ओषधीर्जग्ध्वाऽपः पीत्वा तत एष रसः सम्भवति–तस्मादु रसस्यो चैव सर्वत्वाय । तस्माद् यद्येनं क्षीरं केवलं पानेऽभ्याभवेत्–उदस्तोकमाश्चोतयितवै ब्रूयात्–शान्त्यै न्वेव रसस्यो चैव सर्वत्वाय ॥ १६ ॥

एवं पयसो होमसाधनत्वं विधाय तस्य दोहनानन्तरमग्नावधिश्रयणं विधत्ते–तद्दुग्ध्वाधिश्रयतीति । 'शृतमसत्' पक्वं भवेदित्यनेनाभिप्रायेणेत्यर्थः । "शृतं पाके" (पा. सू. ६ । १ । २७) इति निपात्यते । कियदवधिकः पाक इत्याशङ्क्य तत्रैकं मतमुपन्यस्यति–तदाहुरिति । 'यर्हि' यस्मिन् काले तत् पयः 'उदन्तं' पाकवशादुद्गतान्तं बुद्बुदवद् भवति, 'तर्हि' तस्मिन् काले तच्छृतं भवति । तदवस्थापन्नेन पयसा 'जुहुयात्' इत्यर्थः । तदेतन्निषिध्य पक्षान्तरमाह–तद्वा इति । उप ह दहेत् एव । को दोष इति, तत्राह–अप्रजज्ञीति । रेतः संस्तुतं ह्येतत् पयः तच्च 'उपदग्धम्', अप्रजज्ञि अप्रजननशीलम्, प्रजोत्पादकं न भवतीत्यर्थः ॥ १४ ॥

कथं तर्हि दग्धव्यमित्याह–अधिश्रित्यैवेति । अधिश्रयणानन्तरमेव 'जुहुयात्', न तु पाकेनोदन्तं कुर्यात् । नन्वशृतस्य होमयोग्यत्वं नास्तीति चेत् तत्राह–यन्न्वेवेति । पयसोऽग्निरेतस्त्वं प्रागाम्नातम्–"तस्याꣳ रेतः प्रासिञ्चत् तत् पयोऽभवत्"–(श० प० २ का० २ अ० ४ ब्रा० १९ कं.) इति । तथा चाग्निरेतस्त्वादेव पयः शृतमेव सर्वदा । अतश्चाग्नावधिश्रयणमात्रादेव तच्छृतं भवतीति तदवस्थेनैव जुहुयादित्यर्थः ॥ १९ ॥

तदवज्योतयतीति । ज्वालायुक्तेन दर्भाग्रेण अवाङ्मुखं प्रकाशतीत्यर्थः । अथापः प्रत्यानयतीत्यादि, स्पष्टम् । उदस्तोकमाश्चोतयितवा इति । उदकस्य बिन्दुराश्चोतयितव्य आसेक्तव्य इति ब्रूयादित्यर्थः ॥ १६ ॥

१–"पूर्वेणाहवनीयमाहृत्य गार्हपत्येऽधिश्रयत्युत्तरतो निरस्याङ्गारान्" इति का.श्रौ.सू. ४।३।१६॥ २–'दातव्यम्' 'होतव्यम्' इ.पा.।

(ग्राथ) अ॒थ चतु॒रुन्नयति । चतुर्द्धा वि॒हित॒ᳫँ हीदं पयो॒ऽथ स॒मि॒धमा॒दा॒योदा॒द्रवति समिद्धहोमा॒यैव सो॒ऽनुपसाद्य पूर्व्वामा॒हुतिं जु॒होति स य॒दु॒प॒सा॒द॒येद्य॒था य॒स्मा॒ऽअ॒शनमाहरिष्यन्त्स्यात्त॒दन्तरा॒ निद॒ध्यादेवं त॒द्य॒द॒नुपसाद्य य॒था य॒स्मा॒ऽअ॒शनमा॒हरे॒त्त॒स्मा॒ऽआ॒हुत्यै॒वोपनि॒दध्या॒देवं त॒दुपसाद्यो॒त्तरां॒ ना॒नावीर्ये॒ऽए॒वैने॒ऽए॒त॒त्क॒रोति म॒नश्च ह॒ वै वा॒क्चैते॒ऽआ॒हुती॒ तन्म॒नश्चै॒वैत॒द्वाचं च व्यावर्तयति त॒स्मादि॒दं म॒नश्च वा॒क्च समा॒नमेव स॒न्ना॒नेव ॥ १७ ॥

स वै द्विर॒ग्नौ जु॒होति । द्वि॒रुपमा॒र्ष्टि द्विः प्रा॒श्नाति चतु॒रुन्नयति त॒द्द॒श॒ द॒शाक्ष॒रा वै॒ वि॒रा॒ड् विराड् वै॒ य॒ज्ञस्त॒द्वि॒रा॒जमे॒वैत॒द्य॒ज्ञम॒भि॒स॒म्पादयति॥ १८॥

अथ चतुरुन्नयति, चतुर्द्धा विहितं हीदं पयः । अथ समिधमादायोदाद्रवति–समिद्धहोमायैव । सोऽनुपसाद्य पूर्वामाहुतिं जुहोति । स यदुपसादयेद् यथा यस्मा अशनमाहरिष्यन्त्स्यात्, तदन्तरा निदध्याद् एवं तत् । अथ यदनुपसाद्य–यथा यस्मा अशनमाहरेत् तस्मा आहृत्यैवोपनिदध्याद् एवं तत् । उपसाद्योत्तरां नानावीर्ये एवैने एतत् करोति । मनश्च ह वै वाक् चैते आहुती । तन्मनश्चैवैतद्वाचं च व्यावर्तयति । तस्मादिदं मनश्च वाक् च समानमेव सन्नानेव ॥ १७ ॥

स वै द्विरग्नौ जुहोति, द्विरुपमार्ष्टि, द्विः प्राश्नाति, चतुरुन्नयति, तद्दश । दशाक्षरा वै विराट् । विराड् वै यज्ञः । तद्विराजमेवैतद्यज्ञमभिसम्पादयति ॥ १८ ॥

अथ चतुरुन्नयतीति । **चतुर्द्धा विहितं हीति** । चतुर्भ्यः स्तनेभ्यो दुग्धत्वात् चतुर्द्धा विहितत्वम् । **समिद्धहोमायैवेति** । समिद्धेऽग्नौ होमार्थमुन्नीतपयस्कायां वैकङ्कत्यां स्रुचि एकां समिधमुपरि निधाय गार्हपत्यदेशादाहवनीयं प्रतिगच्छेदित्यर्थः । गत्वा च तस्मिन्नाहवनीयापरभागे होमद्रव्यम् 'अनुपसाद्य' अभिधाय, हस्ते धृत्वैव गार्हपत्यदेशादाहवनीयं प्रतिसृत्यैव पूर्वामाहुतिं जुहुयात् "होष्यन्नुपसादयति"[2]–इति यदुपसादनं तैत्तिरीयके समाम्नातम् । तदनूद्य तस्यायुक्ततां दृष्टान्तेनोपपादयति–**स यदुपसादयेदिति** । **अन्तरा निदध्यादिति**, भोक्तुमुपविष्टस्य पुरःस्थितं पात्रमप्राप्य मध्ये मार्गे अशनं दित्सितमन्नादिकं निदध्यात् 'एवं' 'तत्' उपसादनमित्यर्थः । अनुपसादनस्यानुगुण्यमाह–**यदनुपसाद्येति** । एवं प्रथमामाहुतिं हुत्वा उपसादनपुरस्सरमेव द्वितीयामाहुतिं जुहुयादिति विधत्ते–**उपसाद्योत्तरामिति** । जुहोतीत्यनुषङ्गः । एवमनुपसादनोपसादनलक्षणधर्मभेदादेते आहुती 'नानावीर्ये' नानासामर्थ्ये एव करोतीत्यर्थः । एते अनुपसादनोपसादने प्रकारान्तरेण प्रशंसति–**मनश्च ह वा** इति । 'व्यावर्त्तयति' धर्मभेदेन पृथक् करोतीत्यर्थः ॥ १७ ॥

होमोपमार्जनप्राशनोन्नयनानां सङ्ख्यां समुच्चित्य प्रशंसति–**स वै द्विरिति**। **विराड् वै यज्ञ** इति । सर्वप्रकृतिभूतस्याग्निष्टोमस्य शतस्तोत्रियायोगेन विराट्सम्पत्तेर्यज्ञस्य विराट्त्वमित्यर्थः। अनयोः स्तुत्योपमार्जनप्राशनयोरविहितयोः स्तोतुमयोग्यत्वात् तयोर्विधिरुन्नेतव्यः ॥ १८ ॥

१–चतुरः स्रुवानुन्नयति । का. श्रौ, सू. ४। ३२४। २–अभीयोपसादयति, पृथिवीमेव प्रीणाति । होष्यन्नुपसादयति, अन्तरिक्षमेव प्रीणाति । हुत्वोपसादयति, दिवमेव प्रीणाति । तै. ब्रा. २। १। ५। ८।

स यदग्नौ जुहोति । तद्देवेषु जुहोति तस्माद्देवाः सन्त्यथ यदुपमार्ष्टि तत्पितृषु चौषधीषु च जुहोति तस्मात्पितरश्चौषधयश्च सन्त्यथ यद्धुत्वा प्राश्नाति तन्मनुष्येषु जुहोति तस्मान्मनुष्याः सन्ति ॥ १९ ॥

या वै प्रजा यज्ञेऽनन्वाभक्ताः । पराभूता वै ता एवमेवैतद्या इमाः प्रजा अपराभूतास्ता यज्ञमुखऽआभजति तेनो ह पशवोऽन्वाभक्ता यन्मनुष्याननु पशवः ॥ २० ॥

तदु होवाच याज्ञवल्क्यः । (ल्क्यो) न वै यज्ञ इव मन्तवै पाकयज्ञऽइव वाऽइतीदꣳ हि यदन्यस्मिन्यज्ञे स्रुच्यवद्यति सर्वं तदग्नौ जुहोत्यथैतदग्नौ हुत्वोत्सृप्याचामति निर्लेढि तदस्य पाकयज्ञस्येवेति तदस्य तत्पशव्यꣳ रूपं पशव्यो हि पाकयज्ञः ॥ २१ ॥

स यदग्नौ जुहोति–तद्देवेषु जुहोति–तस्माद्देवाः सन्ति । अथ यदुपमार्ष्टि–तत्पितृषु, चौषधीषु च जुहोति–तस्मात्पितरश्चौषधयश्च सन्ति । अथ यद्धुत्वा प्राश्नाति–तन्मनुष्येषु जुहोति–तस्मान्मनुष्याः सन्ति ॥ १९ ॥

या वै प्रजा यज्ञेऽनन्वाभक्ताः–पराभूता वै ताः । एवमेवैतत्–या इमाः प्रजा अपराभूतास्ता यज्ञमुख आभजति । तेनो ह पशवोऽन्वाभक्ताः–यन्मनुष्याननु पशवः ॥ २० ॥

तदु होवाच याज्ञवल्क्यः–न वै यज्ञ इव मन्तवै पाकयज्ञ इव वा इति, इदं हि यदन्यस्मिन्यज्ञे स्रुच्यवद्यति सर्वं तदग्नौ जुहोति । अथैतदग्नौ हुत्वोत्सृप्याचामति, निर्लेढि । तदस्य पाकयज्ञस्येवेति । तदस्य तत्पशव्यं रूपम् । पशव्यो हि पाकयज्ञः ॥ २१ ॥

तेषां होमोपमार्जनप्राशनानामुपयोगमाह–स यदिति । देवाः सन्तीति । अग्नौ प्रक्षिप्तेनाग्निहोत्रहविषोपचितावयवाः सन्तः सर्वदा विद्यन्त इत्यर्थः । पितृषु चौषधीषु चेति । तत्र प्रथमोपमार्जनेन ओषधीनां तृप्तिः द्वितीयेन पितॄणामिति द्रष्टव्यम् । ओषधयश्च सन्तीति । सर्वदा विद्यन्त इत्यर्थः ॥ १९ ॥

या वै प्रजा इति । ' अनन्वाभक्ताः ' भागरहिताः, ' ताः पराभूताः ' खलु । अत एव प्राशने सति ' या इमाः ' सर्वाः प्रजाः ' यज्ञमुखे ' यज्ञानां मुखभूतेऽग्निहोत्रे यजमान आहुतिभागयुक्ताः करोतीत्यर्थः । कस्तर्हि पशूनां भाग इति, तत्राह–तेनो हेति । ' मनुष्यान् अनु ' मनुष्याधीनतया यतो गवाद्याः ' पशवः ' तिष्ठन्ति, तेनैव कारणेन मनुष्यद्वारा तेऽपि भागयुक्ता इत्यर्थः ॥ २० ॥

अस्याग्निहोत्रस्य याज्ञवल्क्याभिमतं पाकयज्ञत्वमुपन्यस्यति–तदु होवाचेति । न खल्वग्निहोत्रहोमो दर्शपूर्णमासादियज्ञवत् केवलयज्ञत्वेन मन्तव्यः, अयं खलु पाकयज्ञ इव भवति ' इति '–शब्दो वाक्यसमाप्तौ । एतदुपपादयति–इदं हीति । इदं खल्वग्निहोत्रं वक्ष्यमाणरूपम् ' तत्र पशव्यावदानादिकं (कर्म) केवलो यज्ञधर्मः

१–हुत्वा निर्लेढ्याचम्योत्सिञ्चति देवाञ्जिन्व पितॄञ्जिन्व तृतीयामुदुक्षति सप्त ऋषीञ्जिन्वेति । का. श्रौ. सू. ४ । ३४१ ।

सैषैकाहुतिरेवाग्रे । यामेवामूं प्रजापतिरजुहोदथ यदेत ऽएतत्पश्चेवाभ्रियन्ताग्नियोऽयं पवते सूर्य्यस्तस्मादेषा द्वितीयाहुतिर्हूयते ॥ २२ ॥

सा या पूर्वाहुतिः । साग्निहोत्रस्य देवता तस्मात्तस्यै जुहोत्यथ योत्तरा स्विष्टकृद्भाजनमेव सा तस्मात्तामुत्तरार्द्धे जुहोत्येषा हि दिक् स्विष्टकृतस्तन्मिथुनायैवैषा द्वितीयाहुतिर्हूयते द्वन्द्वꣳ हि मिथुनं प्रजननम् ॥ २३ ॥

तद्द्वयमेवैते ऽआहुती । भूतं चैव भविष्यच्च जातं च जनिष्यमाणं चागतं चाशा चाद्य च श्वश्च तद्द्वयमेवानु ॥ २४ ॥

(न्वा) आत्मैव भूतम् । (म) अद्धा हि तद्यद्भूतमद्धो तद्यदात्मा प्रजैव भविष्यदनद्धा हि तद्यद्भविष्यदनद्धो तद्यत्प्रजा ॥ २५ ॥

सैषैकाहुतिरेवाग्रे यामेवामूं प्रजापतिरजुहोत् । अथ यदेतत्पश्चेवाभ्रियन्त आग्नियोऽयं पवते सूर्यस्तस्मादेषा द्वितीयाहुतिर्हूयते ॥ २२ ॥

सा या पूर्वाहुतिः साग्निहोत्रस्य देवता। तस्मात्तस्यै जुहोति। अथ योत्तरा--स्विष्टकृद्भाजनमेव सा। तस्मात्तामुत्तरार्द्धे जुहोति, एषा हि दिक् स्विष्टकृतः। तन्मिथुनायैवैषा द्वितीयाहुतिर्हूयते । द्वन्द्वं हि मिथुनं प्रजननम् ॥ २३ ॥

तद् द्वयमेवैते आहुती भूतं चैव भविष्यच्च, जातं च जनिष्यमाणं च, आगतं च आशा च, अद्य च श्वश्च, तद्द्वयमेवानु ॥ ॥ २४ ॥

आत्मैव भूतम् । अद्धा हि तद्--यद्भूतम् अद्धो तद्--यदात्मा । प्रजैव भविष्यत् । अनद्धा हि तद्--यद्भविष्यत् अनद्धो तद्--यत् प्रजा ॥ २५ ॥

अग्नौ किञ्चिद्धुत्वा किञ्चिदवशेषमुत्सृज्य बहिर्निर्गम्य आचमननिलेहनादिकः पाकयज्ञधर्मः, तस्याग्निहोत्रस्य पाकयज्ञस्य सतो रूपम् । अस्त्वेवम्, किं तत इत्याह--तदस्येति । 'तत्' पाकयज्ञियम् 'अस्य' अग्निहोत्रस्य 'रूपं पशव्यम्' पशुभ्यो हितम्, पशुप्राप्तिसाधनमित्यर्थः ॥ २१ ॥

सैषेत्यादि । 'अमूं' विप्रकृष्टां 'याम्' आहुतिं 'प्रजापतिः' सृष्टिकाले प्रथमम् 'अजुहोत्' 'सैषा' 'एका' अग्निहोत्रस्य पूर्वाहुतिः । अनन्तरञ्च 'यदेते' अग्निवायुसूर्याः 'पश्चा' पश्चात् 'इव' 'आध्रियन्त' अवस्थिताः अतस्तदनुप्रीतय एषा द्वितीयाहुतिरित्यर्थः ॥ २२ ॥

तत्र पूर्वाहुतिरग्निहोत्रस्य प्रधानदेवताप्रीतिकरीत्याह--सा येति । द्वितीया तु स्विष्टकृत्स्थानीयेत्याह--अथ येति । एषा हि दिगिति । 'स्विष्टकृतः' स्विष्टकृदाहुतेः 'उत्तरार्द्धे' यथाक्रमेण "भूतञ्चैव भविष्यच्च"--इत्यादि वक्ष्यमाणद्वयात्मक इत्यर्थः ॥ २३ ॥

तद् द्वयमेवेति । भूतमित्यादि । 'भूतम्' अतीतकालावच्छिन्नम् 'भविष्यत्' आगामिकालावच्छिन्नम् । एवं जातादिषु योज्यम् । आशा चेति । आशागोचरं प्राप्तव्यमित्यर्थः । अद्य च श्वश्चेति । वर्त्तमानानागतकालौ । एवं बहुविधं 'तद् द्वयमेवानु' तद्भागरूपे यथाक्रममेते आहुती भवत इत्यर्थः ॥ २४ ॥

अथ तयोराहुत्योः समन्त्रकामन्त्रकत्वे विधास्यन् भूतभविष्यदादिद्वन्द्वस्यात्मप्रजारूपत्वम्, अद्धानद्धारूपत्वं च दर्शयति--आत्मैव भूतमित्यादिना। आत्मा स्वयं पिता 'एव' भूतम्, यच्च भूतम् तद् 'अद्धा'; अनु-

(जुाऽऽत्मै) आुत्मैवु जातुम् । (म) अद्धा हि तद्युज्जातमद्धो तद्युदात्मा प्रुजैवु जनिष्युमाणमुनद्धा हि तद्युज्जनिष्युमाणमनद्धो तद्युत्प्रुजा ॥ २६ ॥

(जुाऽऽत्मै) आुत्मैवुागतम् । (म) अद्धा हि तद्यदुागतमुद्धो तद्युदात्मा प्रुजैवाशुानद्धा हि तद्युदाशुानद्धो तद्युत्प्रुजा ॥ २७ ॥

(जुाऽऽत्मै) आुत्मैवुाद्य । (द्या) अद्धा हि तद्यदुद्याद्धो तद्युदात्मा प्रुजैव श्वोऽनद्धा हि तद्यच्छ्वोऽनद्धो तद्युत्प्रजा ॥ २८ ॥

सा या पूर्वाहुतिः । सात्मानमभिहूयते तां मन्त्रेण जुहोत्यद्धा हि तद्यन्मन्त्रोऽद्धो तद्युदात्माऽथ योत्तरा सा प्रजामभिहूयते तां तूष्णीं जुहोत्यनद्धा हि तद्युत्तूष्णीमुनद्धो तद्युत्प्रजा ॥ २९ ॥

आत्मैव जातम् । अद्धा हि तद्—यज्जातम् अद्धो तद्—यदात्मा । प्रजैव जनिष्यमाणम् । अनद्धा हि तद्—यज्जनिष्यमाणम् । अनद्धो यद्—यत्प्रजा ॥ २६ ॥

आत्मैवागतम् । अद्धा हि तद्—यदागतम् अद्धो तद्—यदात्मा । प्रजैवाशा । अनद्धा हि तद्—यदाशा अनद्धो तद्—यत्प्रजा ॥ २७ ॥

आत्मैवाद्य । अद्धा हि तद्—यदद्य । अद्धो तद्यदात्मा । प्रजैव श्वः १ अनद्धा हि तद्—श्वः अनद्धो तद्—यत्प्रजा ॥ २८ ॥

सा या पूर्वाहुतिः सात्मानमभिहूयते । तां मन्त्रेण जुहोतिं । अद्धा हि तद्—यन्मन्त्रः । अद्धो तद्—यदात्मा । अथ योत्तरा सा प्रजामभिहूयते । तां तूष्णीं जुहोति । अनद्धा हि तद्—यत्तूष्णीम् । अनद्धो तद्—यत् प्रजा ॥ २९ ॥

भूतत्वात् प्रत्यक्षम् । एवमात्मनो भूतस्य च अद्धात्वसाम्यादात्मा भूतमिति तादात्म्यमित्यर्थः । " प्रजैव भविष्यदिति " प्रतिज्ञा । तदुपपादनम्—अनद्धा हीत्यादि । 'अनद्धा' अप्रत्यक्षम्; प्रजाभविष्यतोरप्रत्यक्षत्वसाम्यात् तादात्म्यमित्यर्थः ॥ २५ ॥

एवम् आत्मैव जातमित्यादिषु द्वन्द्वान्तरेषु योजना ॥ २६ ॥

आत्मैवागतमिति । आत्मप्रजारूपेण अद्धानद्धारूपेण चाहुती स्तुत्वा हूयते, स चाद्धारूपो मन्त्रोऽपि देवताप्रकाशकत्वात् तथा ॥ २७ ॥

आत्मैवाद्येति । अद्येति वर्त्तमानकालः, श्व इत्यागामिकालः ॥ २८ ॥

सा या पूर्वाहुतिरिति । 'तां' पूर्वाहुतिं मन्त्रेण जुहुयादित्यर्थः । उत्तराहुतिस्तु भविष्यज्जनिष्यमाणा अनागताद्यात्मकप्रजास्थानीया, सा चानद्धारूपा; अमन्त्रकत्वमपि तथेति, तूष्णीं तु भविष्यज्जनिष्यमाणानागताद्यात्मकप्रजास्थानीया, सा चानद्धारूपा; अमन्त्रकमपि तथेति तूष्णीमेव सा होतव्येत्यर्थः ॥ २९ ॥

१–तूष्णिं द्वितीयाम् । का. श्रौ. सू । ४ ३३७ ।

स जुहोति । (त्य) अग्निर्ज्योतिर्ज्योतिरग्निः स्वाहेत्यथ प्रातः सूर्यो ज्योतिर्ज्योतिः सूर्यः स्वाहेति तत्सत्येनैव हूयते यदा ह्येव सूर्योऽस्तमेत्यथाग्निर्ज्योतिर्यदा सूर्यऽउदेत्यथ सूर्यो ज्योतिर्यद्वै सत्येन हूयते तद्देवान्गच्छति ॥ ३० ॥

तदु हैतद्देवारुणये ब्रह्मवर्चसकामाय तक्षानूवाचाग्निर्वर्चो ज्योतिर्वर्चः सूर्यो वर्चो ज्योतिर्वर्च्चऽइति ब्रह्मवर्चसी हैव भवति य ऽएवं विद्वानग्निहोत्रं जुहोति ॥ ३१ ॥

तद्वस्त्येव प्रजननस्येव रूपम् । (म) अग्निर्ज्योतिर्ज्योतिरग्निः स्वाहेति तदुभयतो ज्योती रेतो देवतया परिगृह्णात्युभयतः परिगृहीतं वै रेतः प्रजायते तदुभयत ऽएवैतत्परिगृह्य प्रजनयति ॥ ३२ ॥

स जुहोति–" अग्निर्ज्योतिर्ज्योतिरग्निः स्वाहा "–(वा० सं० अ० ३ मं १०) इति। अथ प्रातः–" सूर्यो ज्योतिर्ज्योतिः सूर्यः स्वाहा "–(वा० सं० अ० ३ मं. ११) इति । तत् सत्येनैव हूयते। यदा ह्येव सूर्योऽस्तमेति–अथाग्निर्ज्योतिः। यदा सूर्य उदेति–अथ सूर्यो ज्योतिः । यद्वै सत्येन हूयते तद् देवान् गच्छति ॥ ३० ॥

तदु हैतद्देवारुणये ब्रह्मवर्चसकामाय तक्षा–नूवाच–"अग्निर्वर्चो ज्योतिर्वर्चः सूर्यो वर्चो ज्योतिर्वर्चः"–(वा. सं.अ. ३।१२) इति। ब्रह्मवर्चसी हैव भवति, य एवं विद्वानग्निहोत्रं जुहोति ३१

तद्वस्त्येव प्रजननस्येव रूपम्–" अग्निर्ज्योतिर्ज्योतिरग्निः स्वाहा"–(वा. सं. अ. ३. मं. १३) इति। तदुभयतो ज्योती रेतो देवतया परिगृह्णाति। उभयतः परिगृहीतं वै रेतः प्रजायते, तद् उभयत एवैतत्परिगृह्य प्रजनयति ॥ ३२ ॥

कालद्वयेऽपि पूर्वस्या आहुतेः क्रमेण मन्त्रं दर्शयति–स जुहोतीति । मन्त्रयोः सत्यरूपत्वमुपपादयितुमर्थसद्भावमाह–यदा हीत्यादिना। अस्तङ्गतः सूर्योऽग्निमेवानुप्रविशतीति रात्रावग्निर्ज्योतीरूपो भवति, पुनरुद्यन्तं सूर्यमग्निरनुप्रविशतीत्यहनि सूर्यो ज्योतीरूपो भवति । अतश्च कालद्वये अग्निर्ज्योतिः सूर्यो ज्योतिरिति (वा. सं. अ. ३।१०।११) यदेतन्मन्त्रवाक्यद्वयं तत् समवेतार्थत्वात् सत्यम्॥३०॥

अनयोः सायम्प्रातर्होमयोर्ब्रह्मवर्चसकामस्य कर्त्तव्यतोपन्यासपुरस्सरं मन्त्रविशेषौ दर्शयति–तदु हैतदिति । अग्निर्ज्योतिः सूर्यो ज्योतिरिति चत्वारो वर्चश्शब्दाभिधेयस्य तेजसः प्रतिपादकाः, अत एवाभ्यां मन्त्राभ्यां जुह्वतः पुरुषस्य ब्रह्मतेजः सम्पद्यत इत्यर्थः । तदुक्तं कात्यायनेन–" अग्निर्वर्च इति ब्रह्मवर्चसकामस्य "–इति (का. श्रौ. सू. ४ । ३२९) ॥ ३१ ॥

तद्वस्त्येवेत्यादि । तस्मिन् होममन्त्रे प्रजननस्य रूपमिव 'रूपम्' विद्यते । ज्योतिश्शब्दाभिधेयं मध्येऽवस्थितं

१–प्रदीतामभिजुहोत्यग्निर्ज्योतिरिति सजूरिति वा । का. श्रौ. सू. । ४ । ३२८ ।

(त्य) अथ प्रातः । सूर्यो ज्योतिर्ज्योतिः सूर्यः स्वाहेति तदुभयतो ज्योती रेतो देवतया परिगृह्णात्युभयतः परिगृहीतं वै रेतः प्रजायते तदुभयत एवैतत्परिगृह्य प्रजनयति तत्प्रजननस्य रूपम् ॥ ३३ ॥

तदु होवाच जीवलश्चैलकिः । (गु) गर्भमेवारुणिः करोति न प्रजनयतीति सऽएतेनैव सायं जुहुयात् ॥ ३४ ॥

(दु) अथ प्रातः । (ज्यों) ज्योतिः सूर्यः सूर्यो ज्योतिः स्वाहेति तद्बहिर्द्धा ज्योती रेतो देवतया करोति बहिर्द्धा वै रेतः प्रजातं भवति तदेनत्प्रजनयति ॥ ३५ ॥

तदाहुः । (र) अग्नावेवैतत्सायꣳ सूर्यं जुहोति सूर्ये प्रातरग्निमिति तद्वै तदुदितहोमिनामेव यदा ह्येव सूर्योऽस्तमेत्यथाग्निर्ज्योतिर्यदा

अथ प्रातः "सूर्यो ज्योतिर्ज्योतिः सूर्यः स्वाहा"-(वा.सं. अ. ३ । ९ । १ । २) इति । तदुभयतो ज्योती रेतो देवतया परिगृह्णाति । उभयतः परिगृहीतं वै रेतः प्रजायते, तद् उभयत एवै तत्परिगृह्य प्रजनयति । तत् प्रजननस्य रूपम् ॥ ३३ ॥

तदु होवाच जीवलश्चैलकिः । " गर्भमेवारुणिः करोति न प्रजनयति " इति । स एतेनैव सायं जुहुयात् ॥ ३४ ॥

अथ प्रातः " ज्योतिः सूर्यः सूर्यो ज्योतिः स्वाहा "-(वा. सं. अ. ३ मं. ९) इति । तद् बहिर्द्धा ज्योती रेतो देवतया करोति । बहिर्द्धा वै रेतः प्रजातं भवति तदेनत् प्रजनयति ॥३५॥

तदाहुः-अग्नावेवैतत्सायं सूर्यं जुहोति, सूर्ये प्रातरग्निमिति । तद्वै तदुदितहोमिनामेव । यदा ह्येव

' रेतः ' ' उभयतः ' ' देवतया ' देवतावाचिपदाभ्यां ' परिगृह्णाति ' उभयतः परिगृहीतत्वं रेतसः प्रजननरूपम् । अतः "अग्निर्ज्योतिः "-"सूर्यो ज्योतिः"-(वा. सं. अ. ३ । ९ । १ । २ ।) इति मन्त्रयोः प्रजननरूपसद्भावात् ताभ्यां होमे प्रजासम्पत्तिर्भवतीत्यर्थः ॥ ३२ ॥ ३३ ॥

तदु होवाचेत्यादि । एलकस्य पुत्रः ' ऐलकिः, ' ' जीवलः ' इति तस्य नाम । गर्भमेवेति । कालद्वयेऽपि ज्योतिश्शब्दस्य देवतावाचिपदगृहीतत्वात् रेतः परिगृहीतमन्तरवस्थितं गर्भावस्थमेव भवति; न तु प्रजारूपेणोत्पद्यते इत्यादिः तद्दोषोपन्यासः, स एतेनेत्यादिः तत्परिहारः ।

"अग्निर्ज्योतिर्ज्योतिरग्निः स्वाहा" (वा.सं.अ.३।९।४) इत्येतेनैव सायं जुहुयात् । तेन गर्भो धृतो भवति । प्रातःकाले तु " ज्योतिः सूर्यः सूर्यो ज्योतिः स्वाहा "-(वा. सं. अ. ३ । ९ । ९) इत्यनेन मन्त्रेण होमे सति रेतोरूपस्य ज्योतिश्शब्दस्य हिङ्करणात् अन्तर्गतो गर्भो बहिः ' प्रजातं भवति ' ॥ ३४ ॥

अथ प्रातरिति । स्पष्टम् ॥ ३५ ॥

तदाहुरिति । अग्नावेवैतदिति । अग्निर्ज्योतिरिति मन्त्रेण जुह्वत् ' अग्नावेव ' सन्तं सूर्यं ' जुहोति '

१-ज्योतिः सूर्य इति वा प्रातः । का. श्रौ सू. । ४ । १५५ । २-'बहिर्धाकरणात्' इ० पा० । ३-'प्रजातं भवति' इ. पा.

सूर्य उदेत्यथ सूर्यो ज्योतिर्नास्य सा परिचक्षेयमेव परिचक्षा यत्तस्यै नाह्वा देवतायै हूयते याऽग्निहोत्रस्य देवताऽग्निर्ज्योतिर्ज्योतिरग्निः स्वाहेति तत्र नाग्नये स्वाहेत्यथ प्रातः सूर्यो ज्योतिर्ज्योतिः सूर्यः स्वाहेति तत्र न सूर्याय स्वाहेति ॥ ३६ ॥

(त्य) अनेनैव जुहुयात् । (त्स) सजूर्देवेन सवित्रेति तत्सवितृमत्प्रसवाय सजू रात्र्येन्द्रवत्येति तद्रात्र्या मिथुनं करोति सेन्द्रं करोतीन्द्रो हि यज्ञस्य देवता जुषाणो ऽअग्निर्वेतु स्वाहेति तदग्नये प्रत्यक्षं जुहोति ॥३७॥

(त्यु) अथ प्रातः । सजूर्देवेन सवित्रेति तत्सवितृमत्प्रसवाय सजूरुषसेन्द्रवत्येत्यह्नेति वा तदह्ना वोषसा वा मिथुनं करोति सेन्द्रं करोतीन्द्रो

सूर्योऽस्तमेति–अथाग्निर्ज्योतिः । यदा सूर्य उदेति–अथ सूर्यो ज्योतिः । नास्य सा परिचक्षा । इयमेव परिचक्षा–यत् तस्यै नाह्वा देवतायै हूयते याऽग्निहोत्रस्य देवता । "अग्निर्ज्योतिर्ज्योतिरग्निः स्वाहा "–इति, तत्र नाग्नये स्वाहेति । अथ प्रातः । "सूर्यो ज्योतिर्ज्योतिः सूर्यः स्वाहा"–इति, तत्र न सूर्याय स्वाहेति ॥ ३६ ॥

अनेनैव जुहुयात्–"सजूर्देवेन सवित्रा"–(वा.सं.अ.३ मं.१०) इति, तत् सवितृमत्प्रसवाय । "सजू रात्र्येन्द्रवत्या"–इति । तद् रात्र्या मिथुनं करोति । सेन्द्रं करोति, इन्द्रो हि यज्ञस्य देवता । "जुषाणः सूर्यो वेतु स्वाहा"–(वा.सं.अ. ३मं.१०) इति, तद् अग्नये प्रत्यक्षं जुहोति ॥३७॥

अथ प्रातः "सजूर्देवेन सवित्रा"–(वा. सं. अ. ३ मं. १०) इति, तत् सवितृमत्प्रसवाय । " सजूरुषसेन्द्रवत्या "–(वा. सं. अ. ३ मं. १०) इति, अह्ना–इति वा । तद् अह्ना वोषसा

तथा च ज्योतिश्शब्दः सूर्यवचनः । प्रातःकाले सूर्ये सन्तमग्निं जुहोति । अतः सूर्यो ज्योतिरिति ज्योतिश्शब्दोऽग्निवचनः । अतो यथापठिताभ्यामेव मन्त्राभ्यां होम इत्यभिप्रायः । तदुदितहोमिनामित्यादि । 'तत्' उक्तविधानाम् 'उदितहोमिनामेव,' नानुदितहोमिनां सम्भवति । कथमिति चेत्, उच्यते–सूर्ये ह्यस्तङ्गते 'अग्निः ज्योतिः' प्रकाशमानो भवति, उदिते त्वाग्नेयतेजस्सङ्क्रमात् सूर्यश्च प्रकाशवान् भवति । तस्मात् " अग्निर्ज्योतिः सूर्यो ज्योतिः "–इति मन्त्रनिष्पाद्यस्याग्निहोत्रहोमस्य अग्नौ पूर्वोक्तरूपं (श० प०२ कां० ३. प्र० १ब्रा०३४कं.) गर्भमेव करोति, न प्रजनयतीति एवंरूपा निन्दा नास्तीत्यर्थः ।

तर्ह्युदितहोमपक्ष एवाश्रयणीय इत्याशङ्क्य तत्र दोषान्तरमाह–इयमेव परिचक्षेति । 'यद्' यस्मात् 'अग्नये स्वाहा', 'सूर्याय स्वाहा' इति तस्यै देवतायै प्रत्यक्षं न हूयते, किन्तु " अग्निर्ज्योतिः–सूर्यो ज्योतिः "–इति प्रथमान्तत्वेन सम्प्रदानविभक्तेरभावाद् देवतात्वस्य परोक्षमेवास्य पक्षस्य निन्देत्यर्थः ॥ ३६ ॥

एवं निन्द्यनिन्दां प्रदर्श्य, अनिन्द्यं पक्षान्तरमाह–अनेनैवेति । तदुक्तम् सूत्रकृता–" प्रदीप्तामभिजुहोति अग्निर्ज्योतिरिति सजूरिति वा "–इति (वा० सं० अ० ३ । ९ । १०) (का० श्रौ० सू० ४ । ३२८) ।

१–प्रातर्जुहोत्यनुदिते । का. श्रौ. सू. ४ । ३४६ ।

हि यज्ञस्य देवता जुषाणः सूर्य्यो वेतु स्वाहेति तत्सूर्य्याय प्रत्यक्षं जुहोति तस्मादेवमेव जुहुयात् ॥ ३८ ॥

(त्ते) ते होचुः । को न इदᳫँ होष्यतीति ब्राह्मण ऽएवेति ब्राह्मणेदं नो जुहुधीति किं मे ततो भविष्यतीत्यग्निहोत्रोच्छिष्टमेवेति स यत्स्रुचि परिशिनष्टि तदग्निहोत्रोच्छिष्टमथ यत्स्थाल्यां यथा परीणहो निर्व्वपेदेवं तत्तस्मात्तद्य ऽएव कश्च पिबेत्तद्वै नाब्राह्मणः पिबेदग्नौ ह्यधिश्रयन्ति तस्मान्नाब्राह्मणः पिबेत् ॥ ३९ ॥

इति द्वितीयप्रपाठके तृतीयं ब्राह्मणम् २-३ । (३ । १)

वा मिथुनं करोति । सेन्द्रं करोति । इन्द्रो हि यज्ञस्य देवता । "जुषाणः सूर्यो वेतु स्वाहा"–(वा. सं. अ. ३ मं. १०) इति, तत् सूर्याय प्रत्यक्षं जुहोति । तस्मादेवमेव जुहुयात् ॥ ३८ ॥

ते होचुः–" को न इदं होष्यति "–इति । ब्राह्मण एवेति । ब्राह्मण ! " इदं नो जुहुधि " इति, " किं ? मे ततो भविष्यति " इति, " अग्निहोत्रोच्छिष्टमेव " इति । स यत् स्रुचि परिशिनष्टि तद्, अग्निहोत्रोच्छिष्टम् । अथ यत् स्थाल्याम्–यथा परीणहो निर्वपेद् एवं तत् । तस्मात्तद् य एव कश्च पिबेत् । तद्वै नाब्राह्मणः पिबेत् । अग्नौ ह्यधिश्रयन्ति । तस्मान्नाब्राह्मणः पिबेत् ॥ ३९ ॥

इति अग्निहोत्रे होमविधिः ।

तत् सवितृमदित्यादि, सुगमम् । प्रत्यक्षं जुहोतीति । 'जुषाणः' हविः सेवमानः 'अग्निः' 'वेतु' कामयतामिति प्रतिपादनात् अग्नेर्होमः प्रत्यक्ष इति प्रागुक्तात् पक्षाद् वैलक्षण्यमित्यर्थः । प्रातःकालीनमन्त्रेऽप्येवं द्रष्टव्यम् ॥ ३७ ॥ ३८ ॥

हुतशिष्टस्य स्थालीमध्यस्थपयसो ब्राह्मणानां पानं विधित्सुः ततोऽन्य एव ब्राह्मणोऽग्निहोत्रहोमस्याध्वर्युरिति प्रतिपादयति–ते होचुरित्यादिना । अथ यत् स्थाल्यामिति । अग्निहोत्रहोमसाधनभूतायां स्रुचि यत् हुतशिष्टम्, तस्यैव 'द्विः प्राश्नाति' इति प्राशनं विहितम्[1]; यत्तु स्थाल्यामवशिष्यते, तत् नाग्निहोत्रोच्छिष्टम् । तत्र दृष्टान्तः–यथा परीणह इति । परितो नद्धं परिश्रितं[2] धान्यपूर्णं शकटस्योपरि स्थापितम्; यथा तस्माद्धविषो निर्वापशिष्टं तद्गतं धान्यं न शोध्यते, किन्तु पुनरपि यागान्तरयोग्यमेव । 'एवं' 'तत्' स्थाल्यां पय इत्यर्थः । तथा चाध्वर्योरेव तत् पानमिति नियमाभावात् यः कोऽपि ब्राह्मणस्तत् पिबेदित्यर्थः[3] ॥ ३९ ॥

इति श्रीसायणाचार्यविरचिते माधवीये वेदार्थप्रकाशे माध्यन्दिनशतपथब्राह्मणभाष्ये द्वितीयकाण्डे तृतीयाध्यायस्य प्रथमं ब्राह्मणम् ॥ २–३–१ ॥

१–अनामिकया द्विः प्राश्नाति । का. श्रौ. सू. ४ । ३४० । २–'परिवीतम्' इति क. पा. । ३–स्थाल्यां परिशिनष्टि तद्ब्राह्मणः पिबेत् । का. श्रौ. सू. ४ । ३२५ ।

एता ह वै देवता योऽस्ति । तस्मिन्वसन्तीन्द्रो यमो राजा नडो नैषिधो-ऽनश्नन्त्साङ्गमनोऽसन्पाꣳसवः ॥ १ ॥

(स्त) तद्वा ऽएषऽएवेन्द्रः । (न्द्रो) यदाहवनीयोऽथैष ऽएव गार्हपत्यो यमो राजाऽथैष ऽएव नडो नैषिधो यदन्वाहार्यपचनस्तद्यदेतमहरहर्दक्षिणत ऽआहरन्ति तस्मादाहुरहरहर्वै नडो नैषिधो यमꣳ राजानं दक्षिणत उपनयतीति ॥ २ ॥

(त्यु) अथ य ऽएष सभायामग्निः । (रे) एष ऽएवानश्नन्त्साङ्गमनस्त-द्यदेतमनशित्वेवोपसङ्गच्छन्ते तस्मादेषोऽनश्नन्नथ यदेतद्भस्मोद्धृत्य परावपन्त्येष ऽएवासन्पाꣳसवः स यो हैवमेतद्वेदैवं मꣳऽस्मिन्नेता देवता वस-न्तीति सर्वान्हैवैताँल्लोकाञ्जयति सर्वांल्लोकाननुसञ्चरति ॥ ३ ॥

उपस्थानम् ।

एता ह वै देवता–योऽस्ति तस्मिन्वसन्ति–इन्द्रो, यमो, राजा नडो नैषिधः, अनश्नन्त्साङ्गमनः, असन् पांसवः ॥ १ ॥

तद्वा एष एवेन्द्रो–यदाहवनीयः । अथैष एव गार्हपत्यो यमो राजा । अथैष एव नडो नैषिधो–यदन्वाहार्यपचनः । तद्यदेतमहरहर्दक्षिणत आहरन्ति । तस्मादाहुः–अहरहर्वै नडो नैषिधो यमं राजानं दक्षिणत उपनयतीति ॥ २ ॥

अथ य एष सभायामग्निः–एष एवानश्नन्त्साङ्गमनः । तद् यदेतमनशित्वेवोपसङ्गच्छन्ते–

अथाग्न्युपस्थानं विधित्सुस्तेषामग्नीनाञ्च दैवतरूपतामाह–**एता ह वा** इति । 'योऽस्ति' यो यजमानो विद्यते, तस्मिन् 'एताः' वक्ष्यमाणा देवता निवसन्ति । ताश्च[1] "इन्द्रः, यमः, नडः, नैषिधः" इति । निषध-देशाधिपतिर्नलः प्रसिद्धो राजा । 'अनश्नन्त्सङ्गमनः'[2] इति सभ्योऽग्निरुच्यते 'असन् पांसवः'–इत्यावसथ्यः ॥ १ ॥

एवं तच्छिष्टानां[3] स्वरूपप्रतिपादनं **तद्वा** इत्यादिना क्रियते । 'अन्वाहार्यपचनः' अग्निः, 'एष एव' 'नडः' नलः, 'नैषिधः'– इति निर्दिष्टः । निषिधराजस्य च नलस्य, दक्षिणाग्नेश्च साम्यमाह–**तद्यदि**ति । अग्निहोत्रहोमकाले 'एतम्' अन्वाहार्यपचनं 'यद्' यस्मात् 'दक्षिणतः अहरहः आहरन्ति' तस्मादेव 'नैषिधः' नलोऽपि यमस्य राज्ञः 'दक्षिणतः' उपगच्छतीति लोकप्रसिद्धिरित्यर्थः ॥ २ ॥

अथ य एष सभायामग्निः, एष एवानश्नन्निति[4] । 'एषः' सभ्योऽग्निः, अनशित्वैव प्रातः सभ्यैः सङ्ग-म्यत इति व्युत्पत्त्या अनश्नन्त्सङ्गमनसंबन्धात्सङ्गमन इति च पदद्वयेन प्रतिपाद्यत इत्यर्थः । **भस्मोद्धृत्ये**ति[5] ।

१–'इन्द्रः यमः नलो नैषिधः' इति । 'तांश्चेन्द्रायानलो नैषधः' इति च क. पा. । २–अनश्नन् किमपि हविरगृह्णन् संगमयति प्रापयति यजमानमग्निहोत्रफलमिति अनश्नन्सङ्गमन इति प्रसिद्धिः ॥ ३ एवमुद्दिष्टानाम्–इ० क० पा० । ४–अनशित्वा प्रात-र्मुहूर्तं सभासन सभ्यस्य । का. श्रौ. सू. ४ । ३७७ । ५–भस्मोद्धृतमुपेयात् । का. श्रौ. सू. ४ । ३७८ ।

तेषामुपस्थानम् । यदेव सायं प्रातराहवनीयमुप च तिष्ठत उप चास्ते तदेव तस्योपस्थानमथ यदेव प्रतिपरेत्य गार्हपत्यमास्ते वा शेते वा तदेव तस्योपस्थानमथ यत्रैव संव्रजन्नन्वाहार्यपचनमुपस्मरेत्तदेव तं मनसोपतिष्ठेत तदेव तस्योपस्थानम् ॥ ४ ॥

(मु) अथ प्रातः । (रु) अनशित्वा मुहूर्त्तं सभायामासित्वापि कामं पल्ययेत तदेव तस्योपस्थानमथ यत्रैव भस्मोद्धृतमुपनिगच्छेत्तदेव तस्योपस्थानमेवमु हास्यैता देवता उपस्थिता भवन्ति ॥ ५ ॥

तस्मादेषोऽनश्नन् । अथ यदेतद् भस्मोद्धृत्य परावपन्ति, एष एवासन् पांसवः । स यो हैवमेतद्वेद– 'एवं मय्येता देवता वसन्तीति' सर्वान् हैवैताँल्लोकान् जयति, सर्वांल्लोकाननुसञ्चरति ॥ ३ ॥

"तेषामुपस्थानम्" । यदेव सायं–प्रातराहवनीयमुप च तिष्ठते, उप चास्ते–तदेव तस्योपस्थानम् । अथ यदेव प्रतिपरेत्य गार्हपत्यम् आस्ते वा शेते वा–तदेव तस्योपस्थानम् । अथ यत्रैव संव्रजन्नन्वाहार्यपचनमुपस्मरेत्–तदेव तं मनसोपतिष्ठेत, तदेव तस्योपस्थानम् ॥ ४ ॥

अथ प्रातरनशित्वा मुहूर्तं सभायामासित्वापि कामं पल्ययेत–तदेव तस्योपस्थानम् । अथ यत्रैव भस्मोद्धृतमुपनिगच्छेत्–तदेव तस्योपस्थानम् । एवमु हास्यैता देवता उपस्थिता भवन्ति ॥५॥

गार्हपत्याहवनीयादिगतं भस्म उद्गृह्य यत्, प्रातरेव आवसथे 'परावपन्ति' । **एष एवासन्निति** । भस्मनः पांसुतुल्यत्वात् 'पांसवः' भस्मरूपाः पांसुसम्बन्धिनश्च । एवं पञ्चानामग्नीनामिन्द्रादिदेवतात्मकत्वं प्रतिपाद्य एतद्वेत्तुः फलमाह–**स य** इति ॥ ३ ॥

तेषामुपस्थानमिति । वक्ष्यत इति शेषः । आहवनीयस्य समीपेऽवस्थानमासनं वा क्रियते; 'तदेव तस्योपस्थानम्' तस्याग्नेस्तदेवोपस्थानमित्यर्थः । प्रतिपरेत्य आवहनीयागारात् प्रतिनिवर्त्य गार्हपत्यसमीपे यदासनं वा शयनं वा क्रियते 'तदेव तस्योपस्थानम्' । **संव्रजन्निति** । यत्र देशान्तरे प्रवसद्यजमानः अहरहः पाठकसमये तत्साधनभूतं स्वकीयान्वाहार्यपचनं स्यात्, तत्रैव 'तं मनसोपतिष्ठेत' 'तदेव तस्योपस्थानम्' अग्निहोत्रं स्वाङ्गस्यापि तस्य सम्पद्यत इत्यर्थः ॥ ४ ॥

अथ प्रातरिति । **सभायामासित्वेति** । भोजनात् प्रागेव 'मुहूर्तं' 'सभायाम्' उपविश्य, पश्चात् यथेच्छं 'पल्ययेत' परिगमनं कुर्वीत 'तत्' आसनं 'तस्य' सभ्याग्नेः 'उपस्थानम्' । उद्धृतभस्मोपनिगमनमेव आवसथ्योपस्थापनम् (का. श्रौ. सू. ४ । ३७७) ॥ ५ ॥

१–सायं प्रातराहवनीयस्यासनोपस्थाने । का. श्रौ. सू. ४ । ३७४ । शय्यासनं वा गार्हपत्ये । का. श्रौ. सू. ४ । ३७५ । २–संव्रजन्मनसोपस्मृत्य दक्षिणाग्निम् । का. श्रौ. सू. ४ ३७६ । ३–७६ पृष्ठे चतुर्थी टिप्पणी द्रष्टव्या ।

यजमानदेवत्यो वै गार्हपत्यः । (त्यो ऽथै) अथैष भ्रातृव्यदेवत्यो यदन्वाहार्यपचनस्तस्मादेतं नाहरहराहरेयुर्न ह वा ऽअस्य सपत्ना भवन्ति यस्यैवं विदुष ऽएतं नाहरहराहरन्त्यन्वाहार्यपचनो वा ऽएषः ॥ ६ ॥

(ऽ) उपवसथ ऽएवैनमाहरेयुः । (यं) यत्रैवास्मिन्यक्ष्यन्तो भवन्ति तथो हास्यैषोऽमोघायाहृतो भवति ॥ ७ ॥

नवावसिते वैनमाहरेयुः । (स्तु) तस्मिन्पचेयुस्तद्ब्राह्मणा ऽअश्नीयुर्यद्यु तन्न विन्देद्यत्पचेदपि गोरेव दुग्धमधिश्रयितवै ब्रूयात्तस्मिन्ब्राह्मणान्पाययितवै ब्रूयात्पापीयाꣳसो ह वा ऽअस्य सपत्ना भवन्ति यस्यैवं विदुष एवं कुर्व्वन्ति तस्मादेवमेव चिकीर्षेत ॥ ८ ॥

यजमानदेवत्यो वै गार्हपत्यः । अथैष भ्रातृव्यदेवत्यो यदन्वाहार्यपचनः । तस्मादेतं नाहरहराहरेयुः न ह वा अस्य सपत्ना भवन्ति । यस्यैवं-विदुष एतं नाहरहराहरन्ति-अन्वाहार्यपचनो वा एषः ॥ ६ ॥

उपवसथ एवैनमाहरेयुः । यत्रैवास्मिन्यक्ष्यन्तो भवन्ति । तथो हास्यैषोऽमोघायाहृतो भवति ॥ ७ ॥

नवावसथे वैनमाहरेयुः । तस्मिन् पचेयुः; तद् ब्राह्मणा अश्नीयुः । यद्यु तन्न विन्देद् यत् पचेद्, अपि गोरेव दुग्धमधिश्रयितवै ब्रूयात्, तस्मिन् ब्राह्मणान् पाययितवै ब्रूयात् । पापीयांसो ह वा अस्य सपत्ना भवन्ति, यस्यैवं-विदुष एवं कुर्वन्ति । तस्मादेवमेव चिकीर्षेत् ॥ ८ ॥

यदेतदन्वाहार्यस्याहरहर्दक्षिणत आहरणम्, तदुपवसथ एवाहनि कर्त्तव्यं नान्यत्रेति विधित्सुराह-**यजमानदेवत्यो वा** इति । अहरहराहरणे यजमानस्य शत्रुदेहसम्बन्धिता भवतीत्यर्थः । "**अन्वाहार्यपचनः**"-इति यौगिकी संज्ञा, तस्मात् सोऽन्वाहार्यः ॥ ६ ॥

उपवसथ इति ओदनो यस्मिन्नहनि अग्नौ पक्तव्यः । तत्रैवोपवसथेऽहनि तस्योद्धरणं कर्त्तव्यमित्यर्थः ॥ **अमोघायेति** । सप्रयोजनायेत्यर्थः ॥ ७ ॥

पक्षान्तरमाह-**नवावसथेवेति** । नव आवसथो नवावसथः नूतनं स्थानम् । प्राप्य 'एनम्' अन्वाहार्यपचनम् 'आहरेयुः' । आहरणप्रयोजनमाह-**तस्मिन्निति** । **यद्यु तन्नाविन्देदिति** । पक्तव्यालाभे गोर्दुग्ध्वा पय एव तस्मिन्नग्नौ 'अधिश्रयितवै' अधिश्रयितुं 'ब्रूयात्' तुमर्थे तवै प्रत्ययः । (पा० सू० ३।४।९) एवञ्चान्वाहार्यपचनस्याहरहर्दक्षिणत आहरणमित्येकः पक्षः । यत्तु देशान्तरे प्रवसन् यजमानः अहरहः पाकसमये तत्साधनभूतं स्वकीयमन्वाहार्यपचनं स्मरेत् उपवसथ एवेति द्वितीयः; नवावसथे वेति तृतीयः । सूत्रकृताऽप्युक्तम्-"आहरणमेकेषामुपवसथे नवावसथे वा तस्मिन् पचेयुरमांसम्, पाक्याभावे गोः पयोऽधिश्रयितवै ब्रूयात्' इति' एवमन्वाहार्यपचनस्य न प्रतिदिवसमाहरणं किंतूपवसथे नवावसथे वेति यदुक्तम् तस्य फलमाह-**पापीयांस** इति । अन्वाहार्यपचनस्य भ्रातृव्यस्थानीयत्वात् तस्य प्रतिदिवसमाहरणाभावात् शत्रुक्षयो भवतीत्यर्थः ॥ ८ ॥

१-" नवावसथे "-इति सायणः । २-सदावाहरणम् । का. श्रौ सू. ४ । ३०१ । ३-एकेषामुपवसथे । का. श्रौ. सू. ४ । ३०२ । ४-तस्याहरणम्-इ. क. पा. । ५-अमोघ्याय-इ. क. पा. ६-नवावासिते वा । का. श्रौ. सू. ४ । ३०३ ॥ ७-तस्मिन्पचेयुरमांसम् । का. श्रौ. सू. ४ । ३०४ ॥ ८-पाक्याभावे गोः पयोऽधिश्रयितवै ब्रूयात् । का. श्रौ. सू. ४ । ३०५ ॥

(त्त) तद्यत्रैतत्प्रथमᳬ᳚ सुमिद्धो भुवति । धूप्युत ऽइव तुर्हि हैषु भवति रुद्रः स युः कामुयेत युथेमा रुद्रः प्रजा ऽअश्रद्धयेव त्वत्सुहसेव त्वन्निघात-मिव त्वत्सुचतऽएवमुन्नमद्यामिति तुर्हि ह सु जुहुयात्प्राप्नोति हैवैतुदन्नाद्यं यु ऽएवं विद्वांस्तुर्हि जुहोति ॥ ९ ॥

(त्यु) अुथ युत्रैतत्प्रदीप्ततरो भुवति । तुर्हि हैषु भवति वुरुणः स युः कामुयेत युथेमा वुरुणः प्रजा गृह्णन्निव त्वत्सुहसेव त्वन्निघातमिव त्वत्सु-चत ऽएवमन्नमुद्यामिति तुर्हि ह सु जुहुयात्प्राप्नोति हैवैतुदन्नाद्यं युऽएवं विद्वांस्तुर्हि जुहोति ॥ १० ॥

(त्यु) अुथ युत्रैतत्प्रदीप्तो भुवति । (त्यु) उच्चैर्धूमुः परमुया जूत्या बुल्बुलीति तुर्हि हैषु भवतीन्द्रः स युः कामुयेतेन्द्र ऽइव श्रिया युशसा स्यामिति तुर्हि ह सु जुहुयात्प्राप्नोति हैवैतुदन्नाद्यं यु एवं विद्वांस्तुर्हि जुहोति ॥ ११ ॥

तद्यत्रैतत् प्रथमं समिद्धो भवति–धूप्यत इव तर्हि हैष भवति रुद्रः । ' स यः कामयेत '–यथेमा रुद्रः प्रजा अश्रद्धयेव त्वत्, सहसेव त्वत्, निघातमिव त्वत्, सचते–' एवमन्नमद्यामिति ' तर्हि ह स जुहुयात् । प्राप्नोति हैवैतदन्नाद्यं य एवं विद्वांस्तर्हि जुहोति ॥ ९ ॥

अथ यत्रैतत्प्रदीप्ततरो भवति–तर्हि हैष भवति वरुणः । ' स यः कामयेत–' यथेमा वरुणः प्रजा गृह्णन्निव त्वत्, सहसेव त्वत्, निघातमिव त्वत्, सचते–' एवमन्नमद्यामिति ' तर्हि ह स जुहुयात् । प्राप्नोति हैवैतदन्नाद्यं–य एवं–विद्वांस्तर्हि जुहोति ॥ १० ॥

अथ यत्रैतत् प्रदीप्तो भवति–उच्चैर्धूमः परमया जूत्या बल्बलीति–तर्हि हैष भवतीन्द्रः स यः

अथाहवनीयाग्नेरवस्थाविशेषमुपजीव्य रुद्रवरुणेन्द्रादिदेवतारूपतां ब्रुवंस्तत्फलाय काम्यान् होमकालानाह–**तद्यत्रैतदि**ति । काष्ठैः समिद्धोऽग्निर्यदा प्रथमं धूमायमानो[1] भवति तस्मिन् समये एष रुद्रात्मको भवति । **यथेमा रुद्र** इति । ' यथा ' खलु ' रुद्रः ' ' इमाः ' सर्वाः ' प्रजाः ' ' अश्रद्धयेव त्वत् ' अप्रियेणेव एकवारम्, ' सहसेव त्वत् ' बलात्कारेणेव एकवारम्, तथा ' निघातमिव त्वत् ' प्रजानां हननमिव एकवारम्, ' सचते ' समवेति; ' एवम् ' एवाहं सर्वम् ' अन्नम् ' उपसंहृत्य ' अद्याम् ' भक्षयेयम् ' इति ' ' यः कामयेत ' ' सः ' यजमानः ' तर्हि ' तस्मिन् रुद्रावस्थेऽग्नौ ' जुहुयात् ' इत्यर्थः । एवमुत्तरत्रापि योज्यम् ॥ ९ ॥

अथ यत्रैतत् प्रदीप्ततरो भवती[3]ति । प्रदीप्तावस्थ आहवनीयो वरुणात्मकः । **'गृह्णन्निव' त्वादि**ति । वरुणो हि पापीयसीः प्रजाः आत्मीयैः पाशैः ' गृह्णन्निव ' भवति, तद्वदयमपि सर्वमन्नाद्यमुत्पादयत इत्यर्थः ॥ १० ॥

अथ यत्रैतत् प्रदीप्तो भवती[4]ति । **उच्चैर्धूम** इति । यस्यामवस्थायामाहवनीयः प्रदीप्तः सन्नुद्धतधूमो भूत्वा महता वेगेन ' बल्बलि '–' इति ' एवं शब्दायते, तदवस्थोऽग्निरिन्द्रात्मक इत्यर्थः ॥ ११ ॥

१–' प्रथमसमिद्धे धूप्यमाने प्रजासु निहत्येव सहसान्नमत्स्यतः । का॰ श्रौ. सू. ४. ३६० । २–धूप्यत इव भवति । इ. क. पा. ॥ ३–भूयिष्ठार्चिषि गृहीत्वेव सहसा । का. श्रौ. सू. ४ । ३६१ ॥ ४–प्रदीप्ततमे श्रीयशस्कामस्य । का. श्रौ. सू. ४ । ३६२ ।

(त्यु) अथ यत्रैतत्प्रतितरामिव । तिरश्चीवार्च्चिः सᳫँशाम्यतो भवति तर्हि हैष भवति मित्रः स यः कामयेत मैत्रेणेदमन्नमद्यामिति यमाहुः सर्व्वस्य वाऽअयं ब्राह्मणो मित्रं न वा ऽअयं कञ्चन हिनस्तीति तर्हि ह स जुहुयात्प्राप्नोति हैवैतदन्नाद्यं य ऽएवं विद्वांस्तर्हि जुहोति ॥ १२ ॥

(त्यु) अथ यत्रैतदङ्गाराश्चाकश्यन्त ऽइव । तर्हि हैष भवति ब्रह्म स यः कामयेत ब्रह्मवर्च्चसी स्यामिति तर्हि ह स जुहुयात्प्राप्नोति हैवैतदन्नाद्यं य ऽएवं विद्वांस्तर्हि जुहोति ॥ १३ ॥

(त्ये) एतेषामेकᳫँ संव्वत्सरमुपेत्सेत् । (त्स्व) स्वयं जुह्वद्यदि वास्यान्यो जुहुयादथ योऽन्यथान्यथा जुहोति यथापो वाभिखनन्नन्यद्वान्नाद्यᳫँ स सामि निवर्त्तेतैवं तदथ यः सार्द्धं जुहोति यथापो वाभिखनन्नन्यद्वान्नाद्यं तत्क्षिप्रेऽभितृन्द्यादेवं तत् ॥ १४ ॥

कामयेत–' इन्द्र इव श्रिया यशसा स्याम् ' इति । तर्हि ह स जुहुयात् । प्राप्नोति हैवैतदन्नाद्यं–य एवं विद्वांस्तर्हि जुहोति ॥ ११ ॥

अथ यत्रैतत् प्रतितरामिव तिरश्चीवार्चिः संशाम्यतो भवति, तर्हि हैष भवति मित्रः । स यः कामयेत–' मैत्रेणेदमन्नमद्यामिति ' यमाहुः–सर्वस्य वा अयं ब्राह्मणो मित्रम् । न वा अयं कंचन हिनस्तीति । तर्हि ह स जुहुयात् । प्राप्नोति हैवैतदन्नाद्यं–य एवं विद्वांस्तर्हि जुहोति ॥ १२ ॥

अथ यत्रैतदङ्गाराश्चाकश्यन्त इव–तर्हि हैष भवति ब्रह्म । स यः कामयेत–'ब्रह्मवर्चसी स्यामिति' तर्हि ह स जुहुयात् । प्राप्नोति हैवैतदन्नाद्यं–य एवं विद्वांस्तर्हि जुहोति ॥ १३ ॥

एतेषामेकं संवत्सरमुपेत्सेत्–स्वयं जुह्वत्, यदि वाऽस्यान्यो जुहुयात् । अथ योऽन्यथान्यथा जुहोति–यथाऽपो वाऽभिखनन्, अन्यद्वान्नाद्यम् ,स सामि निवर्तेत–एवं तत् । अथ यः सार्द्धं जुहोति–यथाऽपो वाऽभिखनन्, अन्यद्वान्नाद्यम्–तत् क्षिप्रेऽभितृन्द्यात् एवं तत् ॥ १४ ॥

अथ यत्रैतत् प्रतितरामिवेति । काष्ठेषु दग्धेषु ' संशाम्यतः ' अग्नेः अर्चिः [1] ' ' प्रतितरां ' निकृष्टतराम् ' इव ' ऊर्ध्वाऽधोगमनाभवे [2] ' तिरश्चीव ' भवति तदवस्थापन्न आहवनीयो मित्र इत्यर्थः । एतदवस्थहोमे योग्यमधिकारिणमाह–**यमाहुरिति** । ब्राह्मणस्य यजमानस्य होमकाले इत्यर्थः ॥ १२ ॥

अथ यत्रैतदङ्गाराश्चाकश्यन्त इवेति । सर्वासु ज्वालासु निवृत्तासु केवलमङ्गारा [3] अत्यर्थं दीप्यन्ते; तस्यामवस्थायाम् ' एषः ' अग्निः ' ब्रह्म ' परब्रह्मात्मको ' भवति ' ॥ १३ ॥

एतेषामेकमित्यादि । ' एतेषां ' रुद्राद्यवस्थाविशेषाणां मध्ये ' एकं ' ' संवत्सरं ' संवत्सरपर्यन्तं निरन्तरमनुतिष्ठेत् । ' यदि ' यजमानः ' स्वयम् ' एवाग्निहोत्रं ' जुह्वत् ' भवति ' अन्यो वा ' ' अध्वर्युः

१–अर्चिः प्रत्यवाये मैत्रेणान्नमत्स्यतः । का. श्रौ. सू. ४ । ३६३ । २–ऊर्ध्वाध गमनेन रहित इव भवति । इति क. पाठः
३–अङ्गारेषु चाकश्यमानेषु ब्रह्मवर्चसकामस्य । का. श्रौ. सू. ४ । ३६४ ॥

(दु) अभ्रयो ह वा ऽएता ऽअन्नाद्यस्य यदाहुतयः । (यो) अभि हैवै-
तदन्नाद्यं तृणत्ति युऽएवं विद्वानग्निहोत्रं जुहोति ॥ १५ ॥

सा या पूर्व्वाहुतिः । (स्ते) ते देवा ऽअथ योत्तरा ते मनुष्या ऽअथ
यत्स्रुचि परिशिनष्टि ते पशवः ॥ १६ ॥

स वै कनीय ऽइव पूर्व्वामाहुतिं जुहोति भूय इवोत्तरां भूय इव स्रुचि
परिशिनष्टि ॥ १७ ॥

स यत् कनीय ऽइव पूर्व्वामाहुतिं जुहोति कनीयाᳬंसो हि देवा मनु-
ष्येभ्यो ऽथ यद्भूयऽइवोत्तरां भूयाᳬंसो हि मनुष्या देवेभ्योऽथ यद्भूय
ऽइव स्रुचि परिशिनष्टि भूयाᳬंसो हि पशवो मनुष्येभ्यः कनी-
याᳬंसो ह वाऽअस्य भार्या भवन्ति भूयाᳬंसः पशवो य एवं विद्वा-
नग्निहोत्रं जुहोति तद्वै समृद्धं यस्य कनीयाᳬंसो भार्या ऽअसन्भू-
याᳬंसः पशवः ॥ १८ ॥

इति द्वितीयप्रपाठके चतुर्थं ब्राह्मणम् । (३।२) तृतीयाध्याये द्वितीयं ब्राह्मणम् ।
इति द्वितीयकाण्डे द्वितीयः प्रपाठकः ।

अभ्रयो ह वा एता अन्नाद्यस्य यदाहुतयः। अभि हैवैतदन्नाद्यं तृणत्ति-य एवं विद्वानग्निहोत्रं जुहोति १५
सा या पूर्वाहुतिः-ते देवाः । अथ योत्तरा-ते मनुष्याः। अथ यत् स्रुचि परिशिनष्टि-ते पशवः १६
स वै कनीय इव पूर्वामाहुतिं जुहोति, भूय इवोत्तराम्, भूय इव स्रुचि परिशिनष्टि ॥ १७ ॥
स यत् कनीय इव पूर्वामाहुतिं जुहोति-कनीयांसो हि देवा मनुष्येभ्यः । अथ यद्द भूय इवो-

---

जुहुयात् ', उभयोरप्येष संवत्सरनियमः । यस्तु संवत्सरमध्ये उक्तनियमं परित्यज्य ' अन्यथा ' प्रतिदिवसं प्रकारान्तरेण 'जुहोति', तस्य दोषं दृष्टान्तपुरस्सरमाह-यथेति । ' अपः ' अभिलक्ष्य वापीकूपादिकं ' खनन् ' ' अन्यद् ' व्रीहियवादिकम् ' अन्नाद्यं वा ' सम्पादयन् ' सामि ' अर्द्धकृते ' यथा निवर्तेत ' ' एवम् ' एव ' तत् ' अन्यथाऽग्निहोत्रहवनमित्यर्थः ।

संवत्सरपर्यन्तं निरन्तरमेकं पक्षं कुर्वतो यजमानस्योद्दिष्टफलप्राप्तिमाह-अथ य इति । ' सार्द्धं ' सह, नैरन्तर्येण ' यः ' संवत्सरं 'जुहोति', सिद्धमन्यत् । 'अन्नाद्यम्' 'अभितृणत्ति' स उत्पादयतीत्यर्थः ॥१४॥१५॥

पूर्वोत्तराहुतिद्रव्ययोरवशिष्टस्य चोत्तरोत्तरं भूयस्त्वं विधाय प्रतिपादयति-सा येत्यादिना ॥ १६ ॥ १७ ॥

स यत् कनीय इति । **भार्या भवन्तीति** । मर्त्तव्याः प्रजा भवन्तीत्यर्थः । **तद्वै समृद्धमिति** । यत्र खलु भोक्तॄणामल्पीयस्त्वम् भोग्यसम्पत्तिर्भूयसी, तत् खलु समृद्धमित्यर्थः ॥ १८ ॥

इति श्रीसायणाचार्यविरचिते माधवीये वेदार्थप्रकाशे माध्यन्दिनीयशतपथब्राह्मणभाष्ये द्वितीये काण्डे तृतीयाध्याये द्वितीयं ब्राह्मणम् । (२-३-२) ॥

१-संवत्सरं जुहुयादेतेषामेकैकेन कामसंयोगे। का. श्रौ. सू. ४। ३७१ ॥ २-सायं प्रातर्वा । का. श्रौ. सू.-४। ३७२।
१-स्वयं वा जुहुयात्। अपवसथे नियमः ॥ का. श्रौ. सू. ४। ३७९-३८० ॥

अथ तृतीयप्रपाठके च प्रथमं ब्राह्मणं ।
तृतीयाध्याये तृतीयं ब्राह्मणम् ।

हरिः ॐ । य॒त्र वै प्र॒जाप॑तिः प्र॒जाः स॑सृ॒जे । स य॒त्राग्निँ स॑सृ॒जे स इ॒दं जा॒तः स॒र्व्वंमे॒व द॒ग्धुं द॑ध्रऽइ॒त्ये॒वाबि॒लमे॑व ता या॒स्तर्हि॑ प्र॒जाऽआ॒सुस्ता॒ हैनँ स॒म्पे॒ष्टुं दा॑ध्रिरे सो॒ऽतितिक्षमाणः पु॒रुषमे॒वाभ्ये॑याय ॥ १ ॥

स हो॒वाच । न वा ऽअहमि॒दं तिति॑क्षे ह॒न्त त्वा प्रवि॒शानि तुं मा जन॑यि॒त्वा बि॑भृ॒हि स य॒थैव मां त्वमस्मिँ॒ल्लोके॒ जनयि॒त्वा भरि॒ष्य॒स्ये॒वमे॒वाहं त्वाम॑मु॒ष्मिँ॒ल्लोके॒ जनयि॒त्वा भरिष्यामी॒ति ॥ २ ॥

तथे॒ति तुं जनयि॒त्वाऽबिभः । स य॒दग्नीऽआ॒धत्ते त॒देनं जनयति तु॒ं जन॑यि॒त्वा बि॑भर्ति स य॒था है॒वैष॒ एतमस्मिँ॒ल्लोके॒ जनयि॒त्वा बिभु॒र्त्येवमु॒ हैवैष॒ ऽएतममु॒ष्मिँ॒ल्लोके॒ जनयि॒त्वा बिभर्ति ॥ ३ ॥

तराम्—भूयांसो हि मनुष्या देवेभ्यः । अथ यद् भूय इव स्रुचि परिशिनाष्टि—भूयांसो हि पशवो मनुष्येभ्यः । कनीयांसो ह वा अस्य भार्या भवन्ति; भूयांसः पशवः । य एवं विद्वानग्निहोत्रं जुहोति । तद्वै समृद्धम् । यस्य कनीयांसो भार्या असन्, भूयांसः पशवः ॥ १८ ॥

यत्र वै प्रजापतिः प्रजाः ससृजे । स यत्राग्निं ससृजे स इदं जातः सर्वमेव दग्धुं दध्रे । इत्येवाबिलमेव ताः—यास्तर्हि प्रजा आसुः । ता हैनं सम्पेष्टुं दध्रिरे । सोऽतितिक्षमाणः पुरुषमेवाभ्येयाय ॥ १ ॥

स होवाच—" न वा अहमिदं तितिक्षे, हन्त त्वा प्रविशानि, तं मा जनयित्वा बिभृहि स यथैव मां त्वमस्मिँल्लोके जनयित्वा भरिष्यसि एवमेवाहं त्वाममुष्मिँल्लोके जनयित्वा भरिष्यामीति ॥ २ ॥

तथेति तं जनयित्वाऽबिभः । स यदग्नी आधत्ते—तदेनं जनयति—तं जनयित्वा बिभर्ति । स यथा हैवैष एतमस्मिँल्लोके जनयित्वा बिभर्ति, एवमु हैवैष एतममुष्मिँल्लोके जनयित्वा बिभर्ति ॥ ३ ॥

अथैतयोर्गार्हपत्याहवनीययोरग्न्योरुपस्थानं विधित्सुः प्राग्विहिते आधानाग्निहोत्रे समुच्चित्य क्रमेण स्तौति—**यत्र वा** इत्यादिना । यदा खलु प्रजापतिः प्रजाः सृष्टवान्, तदा 'अग्निम्' इममपि ससर्ज । 'सः' च 'जातः' अग्निः 'सर्वम्' 'इदं' जगत् 'दग्धुम्' 'दध्रे' उद्युक्तो बभूव, 'इति' इदं सर्वं जगद् व्याकुलमभूदित्यर्थः । **ता हैनमिति** । 'एनम्' अग्निम् । **सोऽतितिक्षमाण** इत्यादि । 'अतितिक्षमाणः' प्रजाभिश्चिकीर्षितं पेषणमसहमानः कर्माधिकारिणं 'पुरुषम्' अभिजगामेत्यर्थः ॥ १ ॥

स होवाचेति । अभिगम्य किमुक्तवानिति, तदाह—**न वा अहमिति** । 'तितिक्षे' सोढुं शक्नोमि । निगदसिद्धमन्यत् ॥ २ ॥

एवमग्निना प्रार्थितः, 'तथा' 'इति' अङ्गीकृत्य पुरुषेण तथैवानुष्ठितमिति दर्शयति—**स यदग्नी** इत्यादिना ॥ ३ ॥

तन्न साम्युद्वासयेत । सामि हास्मै स ग्लायति स यथा हैवैष ऽएतस्मा ऽअस्मिँल्लोके सामि ग्लायत्येवमु हैवैष एतस्मा ऽअमुष्मिँल्लोके सामि ग्लायति तस्मान्न साम्युद्वासयेत ॥ ४ ॥

स यत्र म्रियते । यत्रैनमग्नावभ्यादधति तदेषोऽग्नेरधिजायते स ऽएष पुत्रः सन्पिता भवति ॥ ५ ॥

तस्मादेतदृषिणाभ्यनूक्तम् । (५) शतमिन्नु शरदोऽअन्ति देवा यत्रा नश्चक्रा जरसं तनूनाम् ॥ पुत्रासो यत्र पितरो भवन्ति मा नो मध्या-रीरिषतायुर्गन्तोरिति पुत्रो ह्येष सन्त्स पुनः पिता भवत्येतन्नु तद्यस्मा-दग्नीऽआदधीत ॥ ६ ॥

तन्न साम्युद्वासयेत । सामि हास्मै स ग्लायति । स यथा हैवैष एतस्मा अमुष्मिँल्लोके सामि ग्लायति—एवमु हैवैष एतस्मा अमुष्मिँल्लोके सामि ग्लायति । तस्मान्न साम्युद्वासयेत ॥ ४ ॥

स यत्र म्रियते—यत्रैनमग्नावभ्यादधति—तदेषोऽग्नेरधिजायते । स एष पुत्रः सन् पिता भवति ॥५॥

तस्मादेतदृषिणाभ्यनूक्तम्—"शतमिन्नु शरदो अन्ति देवाः । यत्रा नश्चक्रा जरसं तनूनाम् । पुत्रासो यत्र पितरो भवन्ति । मा नो मध्या रीरिषतायुर्गन्तोः"—इति । (वा.सं.अ. २५ मं. २२) पुत्रो ह्येष सन्त्सः पुनः पिता भवति । एतन्नु तद्—यस्मादग्नी आदधीत॥६॥

एवमग्न्याधानेन जनितस्याग्नेर्भरणं विधाय, तस्य भरणात् प्राक् उद्वासनं निषेधति—तन्नेति । 'सामि' मध्ये यद्यग्निम् 'उद्वासयेत्' विसृजेत्, तर्हि 'अस्मै' यजमानाय 'सः' अग्निः 'सामि' अर्द्धग्लानियुक्तो भवति । स यथेत्यादि । इह लोके येयमग्निग्लानिः, सा आमुष्मिकयजमानग्लानेर्हेतुर्भवतीत्यर्थः । तस्मादामरणान्तम् अग्निर्द्धार्य इति निगमयति—तस्मादिति । (कौ. श्रौ. सू. २ ॥ १०८) ॥ ४ ॥

स यत्रेति । यत्रैनमग्नाविति । 'एनं' मृतं यजमानं पैतृमेधिकविधिना अग्नौ प्रक्षिपन्तीत्यर्थः । 'सः' 'एषः' अग्निः । पुत्रः सन् पिता भवतीति । यजमानस्य जीवनावस्थायामाधानेनोत्पादितत्वादग्निस्तस्य पुत्रः, मरणादूर्ध्वन्तु तस्मादग्नेर्यजमानस्य जननात् पुत्र एव तस्य पिता भवतीत्यर्थः ॥ ५ ॥

ननु पुत्रस्य सतः पितृत्वं विरुद्धमित्याशङ्क्य काञ्चिदृचं संवादयति—तस्मादिति । 'ऋषिणा' मन्त्रेण । स च "शतमिन्नु शरदः" इत्यादिकः (ऋ. सं. १ । ७९ । ९) । तस्या नायमर्थः—हे 'देवाः !' 'अन्ति' अन्तिके, मनुष्याणां समीपे आयुष्ट्वेन परिकल्पिताः 'शतं' शतसङ्ख्याका एव 'शरदः' संवत्सराः खलु 'यत्र' यस्मिन् आयुषि शतसंवत्सरे 'तनूनां' शरीराणां 'जरसं' जरां 'चक्रा' कृतवन्तः; 'यत्र' च 'पुत्रासः' सन्तोऽपि अपत्योत्पादनेन पितरो भवन्ति, 'नः' अस्माकं तत् आयुः 'गन्तोः' गमनात् पूर्वं 'मध्या' मध्ये मा रीरिषत हिंसनं मा कृषत इति । पुत्रो ह्येष सन्निति । मानुषस्य यजमानस्य 'एषः' अग्निः आधाना-

---

१—"धृष्टिरसीत्युपवेषमादायापाग्न इत्यंगारान् प्राचः करोति" इति सूत्रभाष्ये कर्कोद्धृता श्रुतिः । अपि च । अग्न्युत्सर्गे दोषो दृश्यते इत्युपक्रम्य "वीरहा वा स एष भवति योऽग्नीनुत्सृजति" इति । "वीरः अग्निः" । अग्निधारणं पुरुषधर्मः ।

तद्वा ऽएष एव मृत्युः । (यं) य ऽएष तपति तद्यदेष ऽएव मृत्युस्तस्माद्या ऽएतस्मादर्व्वाच्यः प्रजास्ता म्रियन्तेऽथ याः पराच्यस्ते देवास्तस्मादु तेऽमृतास्तस्येमाः सर्व्वाः प्रजा रश्मिभिः प्राणेष्वभिहिता यथाश्वोऽश्वाभिधान्या वाभीशुभिर्व्वैवमस्येमाः सर्व्वाः प्रजा रश्मिभिः प्राणेष्वभिहितास्तस्मादु रश्मयः प्राणानभ्यवतायन्ते ॥ ७ ॥

स यस्य कामयते । तस्य प्राणमादायोदेति स म्रियते स यो हैतं मृत्युमनतिमुच्याथामुं लोकमेति यथा हैवास्मिँल्लोके न संयतमाद्रियते यदा यदैव कामयतेऽथ मारयत्येवमु हैवामुष्मिँल्लोके पुनः पुनरेव प्रमारयति ॥८॥

स यत्सायमस्तमिते द्वे ऽआहुती जुहोति । तदेताभ्यां पूर्व्वाभ्यां पद्भ्यामेतस्मिन्मृत्यौ प्रतितिष्ठत्यथ यत्प्रातरनुदिते द्वे ऽआहुती जुहोति तदेताभ्यामपराभ्यां पद्भ्यामेतस्मिन्मृत्यौ प्रतितिष्ठति स ऽएनमेष ऽउद्यन्ने-

---

तद्वा एष एव मृत्युः—य एष तपति । तद् यदेष एव मृत्युः—तस्माद्, या एतस्मादर्वाच्यः प्रजास्त म्रियन्ते । अथ याः पराच्यस्ते देवाः । तस्मादु तेऽमृताः । तस्येमाः सर्वाः प्रजा रश्मिभिः प्राणेष्वभिहिताः । यथाऽश्वोऽश्वाभिधान्या वाभीशुभिर्वा—एवमस्येमाः सर्वाः प्रजा रश्मिभिः प्राणेष्वभिहिताः तस्मादु रश्मयः प्राणानभ्यवतायन्ते ॥ ७ ॥

स यस्य कामयते—तस्य प्राणमादायोदेति—स म्रियते । स यो हैतं मृत्युमनतिमुच्य, अथाऽ लोकमेति—यथा हैवास्मिँल्लोके न संयतमाद्रियते—यदा यदैव कामयते—अथ मारयति—एवमु हैवामुष्मिँल्लोके पुनः पुनरेव प्रमारयति ॥ ८ ॥

स यत् सायमस्तमिते द्वे आहुती जुहोति—तदेताभ्यां पूर्वाभ्यां पद्भ्यामेतस्मिन् मृत्यौ प्रतितिष्ठति । अथ यत् प्रातरनुदिते द्वे आहुती जुहोति—तदेताभ्यामपराभ्यां पद्भ्यामेतस्मिन् मृत्यौ प्रतितिष्ठति

दुत्पन्नतया 'पुनः सन्' देवशरीरमापन्नस्य तस्योत्पादनेन 'पुनः पिता भवति' 'इति' 'एतत्' खलु 'ऋषिणा' 'अभ्यनूक्तम्' इत्यर्थः ॥ ६ ॥

अग्निहोत्रहोमस्यामृतत्वप्राप्तिसाधनत्वं वक्तुं सूर्यस्य मृत्युरूपतां प्रतिपादयति—**तद्वा एष एवेति** । **रश्मिभिरिति** सूर्यस्य किरणैः प्राणेषु बद्धा इत्यर्थः । तत्र दृष्टान्तः—**यथेति** । अश्वोऽभिधीयते बध्यतेऽनयेत्यश्वाभिधानी तया; अभीशवोऽन्या रज्जवस्ताभिर्वेत्यर्थः । **तस्मादु रश्मय** इति । यस्मात् सूर्यरश्मिभिः प्राणेषु प्रजा बद्धा तस्मादेव कारणात् ते 'रश्मयः' 'प्रजानां प्राणान्' 'अभि'—लक्ष्य 'अवतायन्ते' अवसार्य्यन्ते ॥ ७

स यस्येत्यादि । निगदसिद्धम् । **स यो हैतमिति** । 'एतं' सूर्यात्मकं मृत्युम् 'अनतिमुच्य' अनतिक्रम्य 'यः' स्वर्गं प्राप्नोति, 'सः' भूलोक इव तत्रापि 'पुनरेव' मार्यते, न त्वमृतत्वप्राप्तिस्तस्येत्यर्थः ॥ ८ ॥

कथं तर्हि तस्य मृत्योरतिमोक इति, तत्राह—**स यदिति** । सायम्प्रातरग्निहोत्रहोमे द्वे द्वे आहुती हूयेते, अतस्ताभिश्चतसृभिराहुतिभिः तस्मिन् सूर्यात्मके 'मृत्यौ' विषयभूते सति, यजमानः प्रतितिष्ठति । 'स एषः

वादायोदेति तदेतं मृत्युमतिमुच्यते सैषाग्निहोत्रे मृत्योरतिमुक्तिरति ह वै
पुनर्मृत्युं मुच्यते य एवमेतामग्निहोत्रे मृत्योरतिमुक्तिं वेद ॥ ९ ॥

यथा वा ऽइषोरनीकम्। (मे) एवं यज्ञानामग्निहोत्रं येन वाऽइषोरनीक-
मेति सर्वा वै तेनेषुरेत्येतेनो हास्य सर्वे यज्ञक्रतव एतं मृत्यु-
मतिमुक्ताः ॥ १० ॥

(ऽ) अहोरात्रे ह वा ऽअमुष्मिँल्लोके परिप्लवमाने। पुरुषस्य सुकृतं
क्षिणुतोऽर्वाचीनं वाऽ अतोऽहोरात्रे तथो हास्याहोरात्रे सुकृतं न
क्षिणुतः ॥ ११ ॥

स यथा रथोपस्थे तिष्ठन्। (न्नु) उपरिष्टाद्रथचक्रे पल्यङ्गमाने ऽउपावेक्षेतैवं
परस्तादर्वाचीनोऽहोरात्रे उपावेक्षते न ह वा ऽअस्याहोरात्रे सुकृतं
क्षिणुतो यऽ एवमेतामहोरात्रयोरतिमुक्तिं वेद ॥ १२ ॥

स एनमेष उद्यन्नेवादायोदेति। तदेतं मृत्युमतिमुच्यते। सैषाग्निहोत्रे मृत्योरतिमुक्तिः। अति ह वै पुनर्मृत्युं मुच्यते—य एतामग्निहोत्रे मृत्योरतिमुक्तिं वेद ॥ ९ ॥

यथा वा इषोरनीकम्—एवं यज्ञानामग्निहोत्रम्। येन वा इषोरनीकमेति, सर्वा वै तेनेषुरेति। एतेनो हास्य सर्वे यज्ञक्रतवः—एतं मृत्युमतिमुक्ताः ॥ १० ॥

अहोरात्रे ह वा अमुष्मिँल्लोके परिप्लवमाने पुरुषस्य सुकृतं क्षिणुतः। अर्वाचीनं वा अतोऽहोरात्रे. तथो हास्याहोरात्रे सुकृतं न क्षिणुतः ॥ ११ ॥

स यथा रथोपस्थे तिष्ठन्नुपरिष्टाद् रथचक्रे पल्यङ्गमाने उपावेक्षेत, एवं परस्तादर्वाचीनोऽहोरात्रे उपावेक्षते, न ह वा अस्याहोरात्रे सुकृतं क्षिणुतः—य एवमेतामहोरात्रयोरतिमुक्तिं वेद ॥ १२ ॥

सूर्यः 'एनं' यजमानं रश्मिभिः 'आदाय' एव 'उदेति,' स च 'एतं' मृत्युम् अतीत्य 'मुच्यते' इत्यर्थः। एवमग्निहोत्रे मृत्योरतिमुक्तिं प्रतिपाद्य, तद्वेदितुः फलमाह—**अति** हेति ॥ ९ ॥

एवमग्निहोत्रद्वारा इतरयज्ञेष्वतिमुक्तिः सिद्धेति दर्शयति—**यथा वा** इत्यादिना। 'यथा' खलु 'इषोः' बाणस्य 'अनीकम्' मुखम् प्रधानम्, 'एवम्' एव 'यज्ञानामग्निहोत्रम्'। 'येन' खलु लक्षणेन 'इषोरनीकं' शल्यरूपम् 'एति' प्राप्नोति 'तेन' 'सर्वो इषुः' प्राप्नोति एवम् अग्निहोत्रसम्बद्धाः सर्वे दर्शपूर्णमासादयः यज्ञक्रतवः तद्द्वारा सूर्यात्मकं 'मृत्युम्' अतिक्रान्ता इत्यर्थः ॥ १० ॥

एवं मृत्योरतिमुक्तिरहोरात्राभ्यामपि यजमानेन ज्ञातव्येति प्रतिपादयति—**अहोरात्रे** हेति। 'परिप्लवमाने' पर्य्यावर्त्तमाने 'अहोरात्रे' आमुष्मिकं स्वर्गादिसुखहेतुभूतं 'सुकृतं' कर्म्म 'क्षिणुतः' क्षपयतः। यदा तु विद्वान् उदीरितरीत्या सूर्यमतिक्रम्य वर्त्तते, तदा 'अहोरात्रे' एवाधीने भवतः; तथा चाहोरात्रानाक्रान्तत्वाद् विदुषः सुकृतं न क्षीयत इत्यर्थः ॥ ११ ॥

एतदेव दृष्टान्तेनोपपादयति—**स यथे**ति। 'रथोपस्थे' रथस्योत्सङ्गे 'उपरिष्टात्' 'तिष्ठन्' पल्यङ्गमाने

पूर्वेणाहवनीयं परीत्य । (त्या) अन्तरेण गार्हपत्यं चैति न वै देवा मनुष्यं विदुस्त ऽएनमेतदन्तरेणातियन्तं विदुरयं वै नऽ इदं जुहोतीत्यग्निर्वै पाप्मनोऽपहन्ता । तावस्याहवनीयश्च गार्हपत्यश्चान्तरेणातियतः पाप्मानमपहतः सोऽपहतपाप्मा ज्योतिरेव श्रिया यशसा भवति॥१३॥

(त्यु) उत्तरतो वा ऽअग्निहोत्रस्य द्वारम् । (ष्टँ) स यथा द्वारा प्रपद्येतैवं तदथ यो दक्षिणत ऽएत्यास्ते यथा बहिर्धा चरेदेवं तत् ॥ १४ ॥

(त्रौ) नौर्ह वा ऽएषा स्वर्ग्या । यदग्निहोत्रं तस्याऽएतस्यै नावः स्वर्ग्यायाऽआहवनीयश्चैव गार्हपत्यश्च नौमण्डे ऽअथैष एव नावाजो यत्क्षीरहोता ॥ १५ ॥

पूर्वेणाहवनीयं परीत्यान्तरेण गार्हपत्यं चैति । न वै देवा मनुष्यं विदुः । त एनमेतदन्तरेणातियन्तं विदुः–' अयं वै न इदं जुहोति ' इति । अग्निर्वै पाप्मनोऽपहन्ता । तावस्याहवनीयश्च गार्हपत्यश्चान्तरेणातियतः पाप्मानमपहतः सोऽपहतपाप्मा ज्योतिरेव श्रिया यशसा भवति ॥ १३ ॥

उत्तरतो वा अग्निहोत्रस्य द्वारम् । स यथा द्वारा प्रपद्येत–एवं तत् । अथ यो दक्षिणत एत्यास्ते–यथा बहिर्धा चरेद् एवं तत् ॥ १४ ॥

नौर्ह वा एषा स्वर्ग्या–यदग्निहोत्रम् । तस्या एतस्यै नावः स्वर्ग्याया आहवनीयश्चैव गार्हपत्यश्च नौमण्डे । अथैष एव नावाजो यत्क्षीरहोता ॥ १५ ॥

पर्यावर्त्तमाने रथचक्रे ' अर्वाचीनः ' अवाङ्मुखः ' अवेक्षेत ' । एवं सूर्यमतिक्रम्य स्थितो विद्वानपि सूर्यमण्डलस्याधस्तात्पर्यावर्तमाने अहोरात्रे अवाङ्मुखोऽवेक्षत इत्यर्थः । **न ह वे**त्याद्युक्तार्थम् ॥ १२ ॥

होमार्थमन्तरागमनं विधाय प्रशंसति–**पूर्वेणे**ति (का० श्रौ० सू० ४ । ३७२) । दक्षिणेन प्रवेशनमग्निहोत्रेष्टिषु । अयं प्रवेशे द्वारनियमः । आहवनीयस्य पुरस्तात् परिक्रम्य गार्हपत्याहवनीययोर्मध्ये गच्छेदित्यर्थः । तथा च सूत्रितम्–" अन्तरेणापराग्नी गत्वा दक्षिणेन वा प्रदक्षिणमाहवनीयं परीत्योपविशति यजमानः " (का० श्रौ० सू ४।३०७) इति । **न वै देवा** इत्यादि सुगमम् ॥ १३ ॥

उत्तरतो वा इति । यदेतद् ' दक्षिणेन वा' इति कात्यायनेन विकल्पेनोक्तम् तद् दूषयति–**अथ य** इति । अग्निहोत्रहोमार्थमुत्तरस्यां दिशि द्वारप्रवेशोपायः । तथा च उत्तरतः प्रवेशं विहाय गार्हपत्याहवनीययोर्मध्यमनतिक्रम्यैव ' यः ' यजमानः दक्षिणस्यां दिशि एवागत्य आहवनीयसमीपे ' आस्ते, ' सोऽग्निहोत्रं प्रवेष्टुमशक्तो बहिरेवावतिष्ठते; यथा प्राकारपरिवृतस्याश्रमादेर्द्वारदेशमप्राप्य प्रवेष्टुमशक्तो बहिरवस्थितो भवति तद्वदित्यर्थः॥१४

अथैतदग्निहोत्रं नौरूपेण स्तुवन्नुत्तरतः प्रवेशं प्रतिपादयति–**नौर्हे**त्यादिना । **नौमण्डे** इति । ' स्वर्ग्यायाः ' स्वर्गप्राप्तिहेतुभूतायास्तस्या अग्निहोत्ररूपायाः ' नावः ' ' आहवनीयगार्हपत्यौ ' ' नौमण्डे ' उभे पार्श्वे, भित्ती इत्यर्थः । **नावाज** इति । नावमजति क्षिपति प्रेरयतीति नावाजः, (कर्णधारः) ॥ १५ ॥

स यत्प्राङ्ङुपोदैति । तदेनां प्राचीमभ्यजति । स्वर्गं लोकमभि तया स्वर्गं लोकꣳ समश्नुते तस्या ऽउत्तरतऽआरोहणꣳ सैनꣳ स्वर्गं लोकꣳ समापयत्यथ यो दक्षिणत ऽएत्यास्ते यथा प्रतीर्णायामागच्छेत्स विहीयेत स तत ऽएव बहिर्धा स्यादेवं तत् ॥ १६ ॥

(ङ) अथ यामेताꣳ समिधमभ्यादधाति सेष्टका येन मन्त्रेण जुहोति तद्यजुर्येनैतामिष्टकमुपदधाति यदा वा ऽइष्टकोपधीयतेऽथाहुतिर्हूयते तदस्योपहितास्वेवेष्टकास्वेता ऽआहुतयो हूयन्ते या ऽएता ऽ अग्निहोत्राहुतयः ॥ १७ ॥

प्रजापतिर्वा ऽअग्निः । संवत्सरो वै प्रजापतिः संवत्सरे संवत्सरे ह वा ऽअस्याग्निहोत्रं चित्येनाग्निना सन्तिष्ठते संवत्सरे संवत्सरे चित्य-

---

स यत् प्राङ्ङुपोदैति—तदेनां प्राचीमभ्यजति—स्वर्गं लोकमभि । तया स्वर्गं लोकं समश्नुते । तस्या उत्तरत आरोहणम् । सैनं स्वर्गं लोकं समापयति । अथ यो दक्षिणत एत्यास्ते—यथा प्रतीर्णायामागच्छेत्, स विहीयेत, स तत एव बहिर्धा स्याद् एवं तत् ॥ १६ ॥

अथ यामेतां समिधमभ्यादधाति—सेष्टका । येन मन्त्रेण जुहोति—तद् यजुः । येनैतामिष्टकामुपदधाति—यदा वा इष्टकोपधीयते—अथाहुतिर्हूयते—तदस्योपहितास्वेवेष्टकास्वेता आहुतयो हूयन्ते—या एता अग्निहोत्राहुतयः ॥ १७ ॥

प्रजापतिर्वा अग्निः । संवत्सरो वै प्रजापतिः । संवत्सरे संवत्सरे ह वा अस्याग्निहोत्रं चित्येनाग्निना

स यत् प्राङित्यादि । प्राङ्मुखः सन् गार्हपत्यादाहवनीयं प्रति होमायोपगच्छन् ताम् ' एनां ' नावं प्राच्यां दिशि अवस्थितं ' स्वर्गम् ' ' अभ्यजति ' अभिप्रेरयति । **उत्तरत आरोहण**मिति । आरुह्यतेऽनेनेत्यारोहणं प्रवेशद्वारम् । ततश्च उत्तरत आरुह्यमाणा सा अग्निहोत्ररूपा नौः एनं यजमानं ' स्वर्गं लोकं ' सम्यक् प्रापयति । दक्षिणतः प्रवेशने दोषमाह—**अथ य** इति । नावि ' प्रतीर्णायां ' सत्यां यस्तरीतुम् ' आगच्छेत् ' ' सः ' तत्रैव ' विहीयेत ' त्यज्येत, ततश्च ' बहिर्धा ' बाह्यो भवेत्; एवमेव ' तत् ' दक्षिणतः प्रवेशनमित्यर्थः ॥ १६ ॥

अथैतदग्निहोत्रं चित्याग्निसम्पत्त्या स्तौति—**अथ याम**िति । होमार्थं या समिदग्नौ आधीयते ' सा ' च ' इष्टका '; ' येन ' च मन्त्रेण अग्निहोत्रं ' जुहोति ' ' तद् ' एव इष्टकोपधानार्थं ' यजुः ' । **यदा वा** इत्यादि । सायम्प्रातःकालेषु समिदाधानमेवेष्टकोपधानम् । तथा चयनसंस्कृते एवाग्नौ सायम्प्रातराहुतयः कार्त्स्न्येन हुता भवन्तीत्यर्थः ॥ १७ ॥

अथ चित्यस्याग्नेः संवत्सररूपतां ब्रुवन् तावत्कालसाध्यस्याग्निहोत्रहोमस्य तत्सम्पत्तिमुपपादयति—**प्रजापतिर्वा** इति । चित्योऽग्निः प्रजापतिना सृष्टत्वात् तदात्मकः, प्रजापतिश्च संवत्सरकालात्मकः; अतः संवत्सरपर्यन्तमभि-

---

१—मध्ये निगृह्योपविश्य समिधमादधात्यग्निज्योतिषं त्वा वायुमतीं प्राणवतीं स्वर्ग्यां स्वर्ग्यायोपदधामि भास्वतीम् इति । का. श्रौ. सू. ४ । ३२७ । २—' मनुतिष्ठन्तम् ' इति पा. ।

मग्निमाप्नोति य ऽएवं विद्वानग्निहोत्रं जुहोत्येतद्ध हास्याग्निहोत्रं चित्येनाग्निना सन्तिष्ठते चित्यमग्निमाप्नोति ॥ १८ ॥

सप्त च वै शतान्यशीतीनामृचः । (चो) विꣳशतिश्च स यत्सायं प्रातरग्निहोत्रं जुहोति ते द्वे ऽआहुती ता ऽअस्य संवत्सर ऽआहुतयः सम्पद्यन्ते १९

सप्त चैव शतानि विꣳशतिश्च । संवत्सरे संवत्सरे ह वा ऽअस्याग्निहोत्रं महतोक्थेन सम्पद्यते संवत्सरे संवत्सरे महदुक्थमाप्नोति य ऽएवं विद्वानग्निहोत्रं जुहोत्येतद्ध हास्याग्निहोत्रं महतोक्थेन सम्पद्यते महदुक्थमाप्नोति ॥ २० ॥

इति तृतीयप्रपाठके प्रथमं ब्राह्मणम् ॥ १ ॥ ३ ॥ (३-३)

सन्तिष्ठते । संवत्सरे संवत्सरे चित्यमग्निमाप्नोति–य एवं विद्वानग्निहोत्रं जुहोति, एतद्ध हास्याग्निहोत्रं चित्येनाग्निना सन्तिष्ठते, चित्यमग्निमाप्नोति ॥ १८ ॥

सप्त च वै शतान्यशीतीनामृचो विंशतिश्च ७२० (५७६००) । स यत् सायंप्रातरग्निहोत्रं जुहोति–ते द्वे आहुती । ता अस्य संवत्सर आहुतयः सम्पद्यन्ते ॥ १९ ॥

सप्त चैव शतानि विंशतिश्च । संवत्सरे-संवत्सरे ह वा अस्याग्निहोत्रं महतोक्थेन सम्पद्यते । संवत्सरे-संवत्सरे महदुक्थमाप्नोति–य एवं विद्वानग्निहोत्रं जुहोति–एतद्ध हास्याग्निहोत्रं महतोक्थेन सम्पद्यते–महदुक्थमाप्नोति ॥ २० ॥

तिष्ठन्तमग्निहोत्र चित्येनाग्निना समानं सत् 'संतिष्ठते' समाप्तं भवति । तथा च एकैकसंवत्सराग्निहोत्रानुष्ठानेन चित्याग्न्यनुष्ठानं कृतं भवतीत्यर्थः ॥ १८ ॥

अथैतदग्निहोत्रं महदुक्थसम्पादनेन स्तौति–**सप्त चेति** । चित्योऽग्निः, महाव्रतं साम, बृहतीसहस्रात्मकं महदुक्थं[1] चैतानि त्रीणि सहचराणि । तत्र चित्याग्निसम्पत्तिरुक्ता, महदुक्थसम्पत्तिस्त्वेवमवगन्तव्या;–तत्र हि गायत्री तृचाशीतिः; औष्णिही तृचाशीतिः, बार्हती तृचाशीतिरिति तिस्रस्तृचाशीतयो विहिताः, (ऐ. आ. ९ अ. २।२ अ. ३–४–९) तासां तिसृणां तृचाशीतीनां सम्भूय परिगणिता ऋचो विंशत्युत्तरसप्तशतसङ्ख्याका भवन्ति ॥

प्रतिदिवसमग्निहोत्रे सायमाहुतिरेका, प्रातराहुतिश्चैकेति द्वे आहुती; संवत्सरस्य च षष्ट्युत्तरत्रिशतसङ्ख्याका अहोरात्राः, तेषु च क्रियमाणास्ता अग्निहोत्राहुतयो विंशत्युत्तरसप्तशतसङ्ख्याका भवन्ति । अतश्चैकस्मिन् 'संवत्सरे' 'अस्य' यजमानस्य 'अग्निहोत्रं' तृचाशीतित्रयात्मकमहदुक्थेन 'सम्पद्यते' सम्पन्नं भवतीत्यर्थः । एतज्ज्ञानपूर्वकानुष्ठानं प्रशंसति–**संवत्सरे संवत्सर** इति ॥ १९ ॥ २० ॥

इति श्रीसायणाचार्यविरचिते माधवीये वेदार्थप्रकाशे माध्यन्दिनशतपथब्राह्मणभाष्ये द्वितीयकाण्डे तृतीयाध्यायस्य तृतीयं ब्राह्मणम् (२–३–३) ॥

१–' बृहदुक्थं ' इति क. । २–' बृहदुक्थ ' इति क. ।

अग्नौ ह वै देवाः । सर्वान्पशून्निदधिरे ये च ग्राम्या ये चारण्या विजयं वोपप्रैष्यन्तः कामचारस्य वा कामायायं नो गोपिष्ठो गोपायदिति वा ॥ १ ॥

तानु हाग्निर्निचकमे । तैः सङ्गृह्य रात्रिं प्रविवेश पुनरेम इति देवाऽए-दग्निं तिरोभूतं ते ह विदाञ्चक्रुरिह वै प्राविक्षद्रात्रिं वै प्राविक्षदिति तमेतत्प्रत्यायत्यां रात्रौ सायमुपातिष्ठन्त देहि नः पशून्पुनर्नः पशून्देहीति तेभ्योऽग्निः पशून्पुनरददात् ॥ २ ॥

(त्तु) तस्मै कमग्नीऽउपतिष्ठेत । (ता) अग्नी वै दातारौ तावेवैतद्या-चते सायमुपतिष्ठेत सायं हि देवा ऽउपातिष्ठन्त दत्तो हैवास्माऽएतौ पशून्य ऽएवं विद्वानुपतिष्ठते ॥ ३ ॥

(तेऽथ) अथ यस्मान्नोपतिष्ठेत । (तो) उभये ह वाऽइदमग्रे सहासु-र्देवाश्च मनुष्याश्च तद्यद्ध स्म मनुष्याणां न भवति तद्ध स्म देवान्याचन्त

अग्नौ ह वै देवाः सर्वान् पशून्निदधिरे–ये च ग्राम्याः, ये चारण्या विजयं वोपप्रैष्यन्तः, कामचारस्य वा कामाय–'अयं नो गोपिष्ठो गोपायद्' इति वा ॥ १ ॥

तानु हाग्निर्निचकमे । तैः सङ्गृह्य रात्रिं प्रविवेश । 'पुनरेम'–इति देवा एदग्निं तिरोभूतम् । ते ह विदाञ्चक्रुः–इह वै प्राविक्षद्, रात्रिं वै प्राविक्षदिति । तमेतद् प्रत्यायत्यां रात्रौ सायमुपातिष्ठन्त– 'देहि नः पशून् पुनर्नः पशून् देहि' इति । तेभ्योऽग्निः पशून् पुनरददात् ॥ २ ॥

तस्मै कमग्नी उपतिष्ठेत । अग्नी वै दातारौ । तावेवैतद्याचते । सायमुपतिष्ठेत । सायं हि देवा उपातिष्ठन्त । दत्तो हैवास्मा एतौ पशून्–य एवं विद्वानुपतिष्ठते ॥ ३ ॥

अथ यस्मान्नोपतिष्ठेत । उभये ह वा इदमग्रे सहासुः–देवाश्च, मनुष्याश्च । तद्यद्ध स्म मनुष्याणां

अथ सायङ्कालीनमग्न्युपस्थानं विधित्सुस्तदर्थमाख्यायिकामाह–**अग्नौ हेति** । एतच्च पुनराधानब्राह्मणे (श. प. २ कां. २ अ. ३ ब्रा. २–३ कं.) व्याख्यातम् । तत्र हि 'ऋतून् प्रविवेश,' अत्र तु 'रात्रिं प्रविवेश' इत्येतावान् विशेषः । **तमेतदित्यादि** । 'प्रत्यायत्याम्' आगामिन्यां 'रात्रौ' 'सायं'–काले 'तम्' अग्निं देवाः 'उपातिष्ठन्त'[१] । उपस्थानप्रकारमाह–**देहि न इति** ॥ १ ॥ २ ॥

यस्मादेवमग्न्युपस्थानात् पशवो देवैर्लब्धाः, तस्माद् यजमानोऽपि तदुपस्थानं कुर्यादिति विधत्ते–**तस्मा इति** । तस्मै पशुप्राप्तिलक्षणाय फलाय । 'कम्' इति वाक्यपूरणे[२] । अन्यन्निगदसिद्धम् । **दत्तो हैवेति** । य एवं सायमग्नी उपतिष्ठेतैव तस्मै यजमानाय तावग्नी अभिमतं फलं प्रयच्छत इत्यर्थः । एवमुपस्थानविधिः ॥ ३ ॥

एवमुपस्थानं[३] विधाय उपस्थानानुपस्थानपक्षौ पूर्वपक्षसिद्धान्तत्वेन प्रतिपादयति–**अथ यस्मादिति** । यस्मात्

१–सायमाहुत्याः २.हुतायां यजमानोऽग्नी उपतिष्ठते व्वात्सप्रेण । इति का. श्रौ. सू. ४ । २७४ ।=उपप्रयंत=३=११= इत्यादि=परिते=३=३६ इत्यंतं=व्वात्सप्रोपस्थानं=बृहदुपस्थानं वा । २–'वाक्यप्रातिपूरणे' इति क. । ३–'अथोपस्थानदोषपरौ पूर्वपक्षौ सिद्धान्तत्वेन'–इति क. ।

ऽइदं वै नो नास्तीदं नोऽस्त्त्विति ते तस्याऽएव याच्ञायै द्वेषेण देवास्ति-रोभूता नेद्धिनसानि नेद्द्वेष्योऽसानीति तस्मान्नोपतिष्ठेत ॥ ४ ॥

(ता) अथ यस्मादुपैव तिष्ठेत । यज्ञो वै देवानामाशीर्यजमानस्य तद्वाऽएष ऽएव यज्ञो यदाहुतिराशीरेव यजमानस्य तद्यदेवास्यात्र तदे-वैतदुपतिष्ठमानः कुरुते तस्मादुपैव तिष्ठेत ॥ ५ ॥

(ता) अथ यस्मान्नोपतिष्ठेत । यो वै ब्राह्मणं वाशꣳसमानोऽनुचरति क्षत्रियं वाऽयं मे दास्यत्ययं मे गृहान्करिष्यतीति यो वै तं वाद्येन वा कर्म्मणा वाभिरिराधयिषति तस्मै वै स देयं मन्यतेऽथ य आह किं नु त्वं ममासि यो मे न ददासीतीश्वर ऽएनं द्वेष्टोरीश्वरो निर्व्वेदं गन्तोस्त-स्मान्नोपतिष्ठेतैतदित्त्वेवैष ऽएतं याचते यदिन्धे यज्जुहोति तस्मान्नो-पतिष्ठेत ॥ ६ ॥

न भवति—तद्ध स्म देवान् याचन्ते—'इदं वै नो नास्तीदं नोऽस्तु' इति। ते तस्या एव याच्ञायै द्वेषेण देवास्तिरोभूताः—'नेद्धिनसानि, नेद्द्वेष्योऽसानि' इति। तस्मान्नोपतिष्ठेत ॥ ४ ॥

अथ यस्मादुपैव तिष्ठेत। यज्ञो वै देवानामाशीर्यजमानस्य। तद्वा एष एव यज्ञो यदाहुतिः। आशीरेव यजमानस्य तद्—यदेवास्यात्र। तदेवैतदुपतिष्ठमानः कुरुते। तस्मादुपैव तिष्ठेत ॥ ५ ॥

अथ यस्मान्नोपतिष्ठेत। यो वै ब्राह्मणं वाशंसमानोऽनुचरति, क्षत्रियं वा—अयं मे दास्यति, अयं मे गृहान् करिष्यतीति। यो वै तं वाद्येन वा, कर्मणा वा अभिरिराधयिषति। तस्मै वै स देयं मन्यते। अथ य आह—किं नु त्वं ममासि, यो मे न ददासीति। ईश्वर एनं द्वेष्टोः, ईश्वरो निर्वेदं गन्तोः। तस्मान्नोपतिष्ठेत। एतदित्त्वेवैष एतं याचते—यदिन्धे, यज्जुहोति, तस्मान्नोपतिष्ठेत ॥ ६ ॥

अग्न्युपस्थानं न कर्त्तव्यम्, तत्कारणमुच्यते। देवाः खलु पुरा मनुष्यैः सार्द्धमिह लोके निवसन्तः तद्याचनेन पीडिताः सन्तस्तिरोभूताः, अतोऽग्निरपि उपस्थानेन याच्यमानस्तिरोभवति, याचितफलस्याप्रदानेन नैव यजमानं 'हिनसानि,' अत एव द्वेष्योऽपि न भवानीत्यनेनाभिप्रायेणेत्यर्थः। यस्मादेवं तस्मान्नोपस्थेयोऽग्निरिति पूर्वपक्षः ॥ ४ ॥

अथ यस्मादित्यादि। यस्मात् कारणादग्न्युपस्थानं कर्त्तव्यम् तदुच्यते—'देवानां' सम्बन्धी यो 'यज्ञः,' स हि यजमानस्य 'आशीः'—फलप्रार्थनरूपः; 'तत्' तथा सति यैषाऽग्निहोत्राहुतिः 'एष एव यज्ञः' सैव यजमानस्याशीः। **तद्यदे**वेत्यादि। यजमानस्य यत्, तदाशीरूपं फलम्; तदेवास्मिन्नग्निहोत्रेऽग्निमुपतिष्ठमानः कुरुत इत्यर्थः ॥ ५ ॥

पुनरप्यनुपस्थानपक्षं प्रकारान्तरेण प्रतिपादयति—**अथ यस्मा**दित्यादिना। **यो वै ब्राह्मण**मित्यादि। ब्राह्मणक्षत्रिययोरन्यतरमाशंसमानः फलाभिलाषी पुरुषः 'अनुचरति' अनुवर्त्तते। तस्याभिप्रायमाह—**अयं म**

१—न वा विहितप्रतिषिद्धत्वाद्विकल्पः। का. श्रौ. सू. ४।२७५.

(तु) अथ यस्मादुपैव तिष्ठेत । (तो) उत वै याचन्दातारं लभतऽएव्रोतो भर्त्ता भार्य्यं नानुबुध्यते स यदैवाह भार्य्यो वै तेऽस्मि बिभृहि मेत्यथैनं व्वेदाथैनं भार्य्यं मन्यते तस्मादुपैव तिष्ठेतेदमित्तु समस्तं यस्मादुपतिष्ठेत ॥ ७ ॥

प्रजापतिर्व्वाऽ एष भूत्वा । यावत ऽईष्टे यावदेनमनु तस्य रेतः सिञ्चति यदग्निहोत्रं जुहोतीदमेवैतत्सर्व्वमुपतिष्ठमानोऽनुविकरोतीदꣳ सर्व्वमनुप्रजनयति ॥ ८ ॥

अथ यस्मादुपैव तिष्ठेत । उत वै याचन्दातारं लभत एव, उतो भर्त्ता भार्य्यं नानुबुध्यते । स यदैवाह–' भार्य्यो वै तेऽस्मि, बिभृहि मा ' इति । अथैनं वेद, अथैनं भार्य्यं मन्यते । तस्मादुपैव तिष्ठेत–इदमित्तु समस्तम् । यस्मादुपतिष्ठेत ॥ ७ ॥

प्रजापतिर्वा एष भूत्वा–यावत ईष्टे, यावदेनमनु तस्य रेतः सिञ्चति–यदग्निहोत्रं जुहोति–इदमेवैतत् सर्वमुपतिष्ठमानोऽनुविकरोति, इदं सर्वमनु प्रजनयति ॥ ८ ॥

इति । यश्चैवमनुचरति पुरुषः, तं ब्राह्मणादिं ' वाचेन ' वदनीयेन स्तुतिशब्देन, ' कर्मणा वा ' परिचरणलक्षणेन ' अभिरिराधयिषति ' अभिराधयितुं सेवितुमिच्छति ' तस्मै ' पुरुषायैव ' सः ' ब्राह्मणादिः प्रभुः धनं देयं दातव्यं ' मन्यते ' । यस्त्वेवं निष्ठुरं भाषते, सः ' एनं ' ब्राह्मणादिं प्रभुं ' द्वेष्टोः ' (पा. सू. ३ । ४ । १३) विद्वेषणं कर्त्तुम् ' ईश्वरः ' समर्थः स्यात्, तथा ' निर्वेदं ' मनस्तापं ' गन्तोः ' गन्तुम् ' ईश्वरः ' स्यात् । निष्ठुरभाषणप्रकारमाह–किं न्विति । हे देवदत्त ! यस्त्वं मह्यं न ददासि, स त्वं मम किं चासि ? न किञ्चिदपि भवसि, त्वया किं प्रयोजनमित्यर्थः । एवं समन्त्रकहोमेनाग्नेराराधनमेव कार्यं, तदुपस्थानन्तु फलप्रार्थनरूपत्वेन निष्ठुरभाषणवदपराधहेतुरिति न कर्त्तव्यमित्याह–एतदिति । होमसमिन्धनाभ्यामग्निं प्राप्य पुनरुपस्थानेनैव याचते, याचनं चायुक्तमित्यनुपस्थानपक्षो ज्यायानित्यर्थः (तै. सं. १ कां. ५ प्र. ९ अ. ६–७ मं.) ॥ ६ ॥

अथ यस्मादित्यादि । लोके हि ' यावत् ' पुरुषो ' दातारं ' प्राप्नोति, स च ' भर्त्ता ' पोषकः प्रभुः ' भार्य्यं ' पोष्यं याचकं स्वतो ' नानुबुध्यते ', ' सः ' चैव याचकः एवम् ' आह ' विज्ञापयति–हे स्वामिन् ! अहं ' ते ' त्वया ' भार्यः ' पोष्यः ' अस्मि ', ' मा ' मां 'बिभृहि' पोषय ' इति ' । एवं विज्ञापनानन्तरमेव ' एनं ' याचकं पुरुषं ' वेद ' जानाति । अनन्तरञ्च ' एनं ' ' भार्यं ' पोष्यं ' मन्यते ' तस्मात् ऋग्विधानरूपं स्वाभिभूतस्याग्नेरुपस्थानं न दोषाय किञ्चित् । ' इदमित् ' इदमेव ' समस्तं ', सम्पूर्णमित्यर्थः ॥ ७ ॥

यस्माच्चान्यस्मात् कारणात् अग्न्युपस्थानमवश्यं कर्त्तव्यं तदुच्यते–प्रजापतिर्वा इति । अग्निहोत्रहोमो हि रेतःसेकस्थानीयः; गर्भाशये निषिक्तस्य रेतसः हस्तपादादिमत्त्वेन यद्विशिष्टरूपकरणम्, तदग्न्युपस्थानसाध्यम् । अतोऽग्निमुपतिष्ठमानो यजमानः सर्वमिदं निषिक्तं विशिष्टरूपं कुर्वन् ' अनुप्रजनयति ', अनुक्रमेणोत्पादयति । तस्मादवश्यमग्न्युपस्थानं कर्त्तव्यमित्यर्थः ॥ ८ ॥

१–एतदेवोपस्थानं वात्सप्रोपस्थानमुच्यते । उपप्रयन्तोऽध्वरमित्यारभ्य परि. ते.दूडभ इत्यन्तं वात्सप्रोपस्थानम् । इति याज्ञिकदेवोक्तेः । तत्र च वत्सप्रीनामार्षिणा दृष्टं सूक्तं वात्सप्रम्, तदीयर्चं एवास्योपस्थानस्य मन्त्रा इति बोजम् ।

स वा ऽउपवत्या प्रतिपद्यते । (ता९) इयं वा ऽउप द्वयेनेयमुप यद्धीदं किञ्च जायतेऽस्यां तदुपजायतेऽथ यन्न्यृच्छत्यस्यामेव तदुपोप्यते तदह्ना राञ्या भूयोभूय ऽएवाक्षय्यं भवति तदक्षय्येणैवैतद्भूम्ना प्रतिपद्यते ॥ ९ ॥

स ऽआह । (१०) उपप्रयन्तोऽअध्वरमित्यध्वरो वै यज्ञ ऽउपप्रयन्तो यज्ञमित्येवैतदाह मन्त्रं व्वोचेमाग्नयऽइति मन्त्रमु ह्यस्माऽएतद्वक्ष्यन्भवत्यारे ऽअस्मे च शृण्वतऽइति यद्यप्यस्मदारकादस्यथ नऽ एतच्छृण्वेवैवमेवैतन्मन्यस्वेत्येवैतदाह ॥ १० ॥

(११) अग्निर्मूर्द्धा दिवः । ककुत्पतिः पृथिव्या ऽअयम् ॥ अपाᳬं रेताᳬंसि जिन्वतीत्यन्वेव धावति तद्यथा याचन्कल्याणं व्वदेदामुष्यायणो वै त्वमस्यलं वै त्वमेतस्माऽअसीत्येवमेषा ॥ ११ ॥

स वा उपवत्या प्रतिपद्यते–इयं वा उप द्वयेनेयमुप । यद्धीदं किञ्च जायते–अस्यां तदुपजायते–अथ यत् न्यृच्छति–अस्यामेव तदुपोप्यते । तदह्ना रात्र्या भूयो–भूय एवाक्षय्यं भवति, तदक्षय्येणैवैतद् भूम्ना प्रतिपद्यते ॥ ९ ॥

अथ बृहदुपस्थानम् ।

स आह । (१) "**उपप्रयन्तो अध्वरम्**"–इति (वा. सं. ३ । ११) । अध्वरो वै यज्ञः । उपप्रयन्तो यज्ञमित्येवैतदाह । "**मन्त्रं वोचेमाग्नये**"–इति (वा. सं. ३ । ११) । मन्त्रमु ह्यस्मा एतद्वक्ष्यन् भवति । "**आरे अस्मे च शृण्वते**"–इति (वा. सं. ३ । ११) यद्यप्यस्मदारकादसि अथ न एतच्छृण्वेव–एवमेवैतन्मन्यस्वेत्येवैतदाह ॥ १० ॥

(२) "**अग्निर्मूर्द्धा दिवः ककुत्पतिः पृथिव्या अयम् । अपां रेतांसि जिन्वति**"–

तत्र प्रथमाया ऋचो लिङ्गविशेषमुपन्यस्य प्रशंसति–**स वा** इति । 'उपवत्या' उपशब्दयुक्तया ऋचा (वा. सं. ३ । ११) । **इयं वा** इत्यादि । 'इयं वा उप' योऽयमुपेत्युपसर्गः, इयं भूमिरेव सः 'द्वयेन' द्विप्रकारेण 'इयं' भूमिः उपशब्दवाच्या । तत्प्रकारद्वयं दर्शयति–**यद्धीदमिति** । 'यत्' किञ्च जायमानं 'तत्' सर्वम् 'अस्याम्' 'उपजायते' । 'यत्' 'न्यृच्छति' नितरामार्त्ति प्राप्नोति, 'तत्' अपि 'अस्याम्' एव 'उपोप्यते' निलीयते । अतो जायमानेन लीयमानेन चेयं भूमिरुपगम्यत इति उपशब्दवाच्या इत्यर्थः । यत्रेदं जायमानं लीयमानं यत्तद्भूय एव अहोरात्राभ्याम् अक्षय्यं भवति तत्सम्बद्धोपशब्दयुक्तः प्रतिपद्यमानः क्षयरहितेनैव भूम्ना 'प्रतिपद्यते' उपस्थानं प्रारभ्यत[1] इत्यर्थः ॥ ९ ॥

क्रमेणोपस्थानमन्त्रान् विधित्सुस्तावदुपवतीमृचं विधाय प्रशंसति–**स आहेति** । **अध्वरो वै यज्ञ** इत्यादि सुगमम् । द्वितीयं पादमनूद्य तत्र मन्त्रशब्दो वक्ष्यमाणमन्त्रपर इति व्याचष्टे–**मन्त्रमु ह्यस्मा** इति । **आरे अस्मे** चेति । अस्मच्छब्दात् पञ्चम्यर्थे शेआदेश इति व्याचष्टे–**अस्मदारकादिति** ॥ १० ॥

अथ द्वितीयामृचमग्न्युपस्थाने वक्तव्यत्वेन सिद्धवदनूद्य तात्पर्यमाह–**अग्निर्मूर्द्धेति** । अन्वेव धावतीति अनुधावति अनुसृत्य[2] प्रशंसतीति यावत् । एतत् सदृष्टान्तमुपपादयति–**तद्यथेति** ॥ ११ ॥

१–'प्रारभते' इति क० । २–'अनुसरति' इति पाठः ।

(षुाथै) अथैन्द्राग्नी । (ग्न्यु) उभा वामिन्द्राग्नी ऽआहुवध्याऽउभा राधसः सह मादयध्यै॥ उभा दातारविषाᳫं रयीणामुभा वाजस्य सातये हुवे वामि-त्येष वाऽइन्द्रो य एष तपति स यदस्तमेति तदाहवनीयं प्रविशति तदुभावे-वैतत्सह सन्ता ऽउपतिष्ठतऽउभौ मे सह सन्तौ दत्तमिति तस्मादैन्द्राग्नी १२

अयं ते योनिर्ऋत्वियः । (यो) यतो जातोऽअरोचथाः ॥ तं जानन्नग्नऽ-आरोहाथा नो वर्द्धया रयिमिति पुष्टं वै रयिर्भूयो भूयऽएव न इदं पुष्टं कुर्वित्येवैतदाह ॥ १३ ॥

(ह्रा) अयमिह प्रथमः । (मो) धायि धातृभिर्होता यजिष्ठोऽअध्वरे-ष्वीड्यः ॥ यमप्नवानो भृगवो विरुरुचुर्वनेषु चित्रं विभ्वं विशेविशऽ-इत्यन्वेव धावति तद्यथा याचन्कल्याणं वदेदामुष्यायणो वै त्वमस्यलं वै त्वमेतस्माऽअसीत्येवमेषा यथोऽएवैष तथोऽएवैनमेतदाह यदाह विभ्वं विशेविशऽइति विभूर्ह्येष विशे विशे ॥ १४ ॥

इति (वा. सं. ३ । १२)। अन्वेव धावति । तद्-यथा याचन् कल्याणं वदेद् 'आमुष्यायणो वै त्वमसि, अलं वै त्वमेतस्मा असि' इत्येवमेषा ॥ ११ ॥

अथैन्द्राग्नी (३) "**उभा वामिन्द्राग्नी आहुवध्या उभा राधसः सह मादयध्यै। उभा दातारविषाᳫं रयीणाम्। उभा वाजस्य सातये हुवे वाम्**"–इति (वा०सं०३।१३)। एष वा इन्द्रो य एष तपति । स यदस्तमेति तदाहवनीयं प्रविशति । तदुभावेवैतत् सह सन्ता उपतिष्ठते 'उभौ मे सह सन्तौ दत्ताम्' इति । तस्मादैन्द्राग्नी ॥ १२ ॥

(४)"**अयं ते योनिर्ऋत्वियो यतो जातो अरोचथाः। तं जानन्नग्न आरोहाथा नो वर्द्धया रयिम्**"–इति (वा.सं.३।१४)। पुष्टं वै रयिः। भूयो–भूय एव न इदं पुष्टं कुरु–इत्येवैतदाह ॥१३॥

(५) "**अयमिह प्रथमो धायि धातृभिर्होता यजिष्ठो अध्वरेष्वीड्यः। यमप्नवानो भृगवो विरुरुचुर्वनेषु चित्रं विभ्वं विशे–विशे**"–इति (वा. सं. ३।१५)। अन्वेव धावति तद्–यथा याचन् कल्याणं वदेत्–आमुष्यायणो वै त्वमसि,अलं वै त्वमेतस्मा असि इति–एवमेषा। यथो एवैष तथो एवैनमेतदाह–यदाह–'विभ्वं विशेविशे' इति । विभूर्ह्येष विशे–विशे ॥ १४ ॥

अथैन्द्राग्नीति । अग्निर्मूर्द्धेत्यनन्तरम् **उभा वाम्**–इतीन्द्राग्निदेवताका ऋक् अग्न्युपस्थाने प्रयोक्तव्येत्यर्थः । अस्यामृचि 'इन्द्राग्नी'–शब्दस्य विवक्षितमर्थमाह–**एष वा इन्द्र** इति ॥ १२ ॥

चतुर्थीमृचं पठित्वा स्तौति–**अयं त** इति । **पुष्टं वा** इति । यदत्र रयिशब्दवाच्यम्, तत् पुष्टिहेतुभूतं धनम् । भूयो भूय एवेत्यादि, मन्त्रगत–' वर्द्धय '–पदाभिप्रायकथनम् ॥ १३ ॥

अथ तस्मिन्नुपस्थाने पञ्चमीमृचं विधाय तात्पर्यं कथयति–**अयमिहे**ति । **विभूर्ह्येष** इति । 'विशे-विशे' सर्वस्यै प्रजायै 'एषः' अग्निः 'विभूः' तत्तदभीष्टप्रदाने समर्थ इत्यर्थः ॥ १४ ॥

(श्रे॒ऽअ) अस्य प्रत्नाम्। (प्र) अनुद्युतँ शुक्रं दुदुहेऽअह्रयः। पयः सहस्रसामृषिमिति परमा वाऽएषा सनीनां यत्सहस्रसनिस्तदेतस्यैवावरुद्ध्यै तस्मादाह पयः सहस्रसामृषिमिति ॥ १५ ॥

तदेतत्समाहार्यँ षड्ृचम्। तस्योपवती प्रथमा प्रत्नवत्युत्तमावोचाम तद्यस्मादुपवत्यथाद एव प्रत्नं यावन्तो ह्येव सनाग्रे देवास्तावन्त एव देवास्तस्माददः प्रत्नं तदिमेऽएवान्तरेण सर्वे कामास्तेऽअस्माऽइमे सञ्जानाने सर्वान्कामान्त्सन्नमतः ॥ १६ ॥

स वै त्रिः प्रथमां जपति। त्रिरुत्तमां त्रिवृत्प्रायणा हि यज्ञास्त्रिवृदुदयनास्तस्मात्त्रिः प्रथमां जपति त्रिरुत्तमाम् ॥ १७ ॥

"अस्य प्रत्नामनुद्युतम्, शुक्रं दुदुहे अह्रयः। पयः सहस्रसामृषिम्"–इति (वा.सं.३।१६) परमा वा एषा सनीनां यत्–सहस्रसनिः। तदेतस्यैवावरुध्यै तस्मादाह पयः सहस्रसामृषिमिति ॥ १५॥

तदेतत् समाहार्यं षड्ृचम्। तस्योपवती प्रथमा, प्रत्नवत्युत्तमा। अवोचाम तद्–यस्मादुपवती। अथाद एव प्रत्नम्। यावन्तो ह्येव सनाग्रे देवाः–तावन्त एव देवाः। तस्माददः प्रत्नम्। तदिमे एवान्तरेण सर्वे कामाः–ते अस्मा इमे सञ्जानाने सर्वान् कामान्त्सन्नमतः ॥ १६ ॥

स वै त्रिः प्रथमां जपति, त्रिरुत्तमाम्। त्रिवृत्–प्रायणा हि यज्ञाः, त्रिवृदुदयनाः। तस्मात् त्रिः प्रथमां जपति, त्रिरुत्तमाम् ॥ १७ ॥

षष्ठीमृचं विधाय प्रशंसति–**अस्येति। परमा वा एषा** इति। 'सनीनां' दानानां मध्ये 'यत्' 'सहस्रसनिः' सहस्रसङ्ख्याकस्य धनस्य दानं 'एषा' 'परमा' सर्वोत्कृष्टा सनिः। एताश्च षड्ृचो मन्त्रकाण्डे एव[1] व्याख्याता इति नात्र पुनर्व्याख्यायन्ते ॥ १५ ॥

अथैता ऋचः समूहीकृत्य प्रथमोत्तमयोर्लिङ्गविशेषोपजीवनेन स्तौति–**तदेतदि**ति। 'समाहार्यम्' एकैकामृचं प्रदेशान्तरे पठित्वा समाहृत्य समुदायीकृतमेतत् 'षड्ृचं' सूक्तम्। 'तस्य' 'प्रथमा' 'उपवती' 'उत्तमा' तु 'प्रत्नवती' प्रत्नशब्दयुक्ता। तत्रोपवती भूम्यात्मिकेत्येतत् प्रागेव 'अवोचाम' नेतः परं तत् प्रतिपाद्यत इत्यर्थः। **अथाद एवे**ति। 'अदः' द्युलोक एव 'प्रत्नम्'। तस्य प्रत्नशब्दाभिधेयता[2]मुपपादयति–**यावन्त** इति। 'सना' इति निपातः पुरेत्यस्यार्थे। 'यावन्त एव' हि 'अग्रे' 'सना' सनातनाः 'देवाः,' 'तावन्त एव देवाः' इदानीमपि; 'तस्मात्' तदाश्रयभूता द्यौः पुरातनत्ववाचिना प्रत्नशब्देनोच्यत इत्यर्थः। **तदिमे एवे**ति। 'इमे' द्यावापृथिव्यौ 'अन्तरेण' **"अग्निर्मूर्द्धा"**–इत्यादिमन्त्रप्रतिपाद्याः 'सर्वे कामाः' अवस्थिताः। **ते अस्मा** इत्यादि, स्पष्टम् ॥ १६ ॥

प्रथमोत्तमयोस्त्रिर्जपं विधाय प्रशंसति–**स वै त्रिः प्रथमां जपती**ति। अस्य षड्ृचस्य सूक्तस्य 'उपप्रयन्त'–इतीयं प्रथमा, 'अस्य प्रत्नाम्'–इतीयमुत्तमा; उपस्थानकाले तयोस्त्रिर्जपः[3] कार्यः। यतः 'यज्ञाः' 'त्रिवृ-

---

१–कण्वसंहिताव्याख्यानावसर इति बोध्यम्। २–'प्रत्नशब्दनामधेयताम्' इति क.। ३–तिस्रस्त्रिरुपप्रयंतोऽस्य प्रत्नां परिते चित्रावसविति च। का. श्रौ. सू. ४। २७६। प्रक्रमादेव त्रित्वसिद्धेस्तिस्रग्रहणात्स्वस्थानस्थितानामेव त्रिरावृत्तिः। चित्रावसविति यजुस्त्रिरेव जपेदिति कर्कः।

यद्ध वाऽअत्राग्निहोत्रं जुह्वत् । (द्वा) वाचेन वा कर्मणा वा मिथ्या करो-
त्यात्मनस्तदवद्यत्यायुषो वा वर्चसो वा प्रजायै वा ॥ १८ ॥

तदु खलु तनूपा ऽअग्नेऽसि । तन्वं मे पाह्यायुर्दाऽअग्नेऽस्यायुर्मे देहि
वर्चोदा ऽअग्नेऽसि वर्चो मे देहि ॥ अग्ने यन्मे तन्वा ऊनं तन्मऽआ-
पृणेति ॥ १९ ॥

यद्ध वाऽअत्राग्निहोत्रं जुह्वत् । (द्वा) वाचेन वा कर्मणा वा मिथ्या
करोत्यात्मनस्तदवद्यत्यायुषो वा वर्चसो वा प्रजायै वा तन्मे पुनराप्या-
ययेत्येवैतदाह तथो हास्यैतत्पुनराप्यायते ॥ २० ॥

(तऽइ) इन्धानास्त्वा । शतꣳ हिमा द्युमन्तꣳ समिधीमहीति शतं
वर्षाणि जीव्यास्मेत्येवैतदाह तावत्त्वा महान्तꣳ समिधीमहीति यदाह

यद्ध वा अत्राग्निहोत्रं जुह्वत्–वाचेन वा कर्मणा वा मिथ्या करोति,–आत्मनस्तदवद्यति–आयुषो वा, वर्चसो वा, प्रजायै वा ॥ १८ ॥

तदु खलु–" तनूपा अग्नेऽसि–तन्वं मे पाहि, आयुर्दा अग्नेऽसि–आयुर्मे देहि, वर्चोदा अग्नेऽसि–वर्चो मे देहि । अग्ने यन्मे तन्वा ऊनं तन्म आपृण "– इति (वा० सं० ३ । १७) इति ॥ १९ ॥

यद्ध वा अत्राग्निहोत्रं जुह्वत्–वाचेन वा कर्मणा वा मिथ्या करोति आत्मनस्तदवद्यति–आयुषो वा, वर्चसो वा, प्रजायै वा–तन्मे पुनराप्यायय–इत्येवैतदाह । तथो हास्यैतत् पुनराप्यायते ॥ २० ॥

" इन्धानास्त्वा शतं हिमा द्युमन्तं समिधीमहि "–इति (वा० सं० ३ । १८) । शतं वर्षाणि जीव्यास्म–इत्येवैतदाह । तावत् त्वा महान्तं समिधीमहीति । यदाह–द्युमन्तं समिधीमहीति ।

त्प्रायणाः ' त्रिवृत्प्रारम्भाः, निर्वापप्रोक्षणसामिधेन्यनुवचनादिषु तथा त्रिवृदुदयनास्त्रिवृत्समाप्तायाः आज्यप्रउगादि शस्त्रसमाप्तिषु परिधानीयायाः त्रिरावृत्तिदर्शनादित्यर्थः ॥ १७ ॥

" तनूपा अग्नेऽसि "–इत्यादिमन्त्रैराहवनीयोपस्थानं विधित्सुस्तन्निवर्त्तुं (१) दोषमुपन्यसति–यद्ध वा इति । अग्निहोत्रहोमं कुर्वन् ' वाचेन वा ' व्यवहारसाध्येन मन्त्रोच्चारणेन, शरीरसाध्येन ' कर्मणा वा, ' ' यत् ' ' मिथ्या करोति ' अन्यथाऽनुतिष्ठति, ' तत् ' तेन 'आत्मनः' यजमानस्य ' आयुषः ' जीवनस्य, ' वर्चसः ' तेजसः, ' प्रजायै ' प्रजायाश्च ' अवद्यति ' खण्डयति । ' वा '–शब्दश्चार्थे ॥ १८ ॥

अथैतद्दोषपरिहाराय तदुचितमन्त्रकरणकोपस्थानमाह—तदु खल्विति । ' तत् ' तत्र खलु दोषे सतीत्यर्थः ॥ १९ ॥

यद्ध वा इत्याद्युक्तार्थम् । तन्म इत्यादि । यदेतन्मिथ्याकरणेनायुरित्यादि खण्डितम्, हे अग्ने ! ' तत् ' तच्च मदीयम् ' पुनः ' ' आप्यायय ' वर्द्धयेति " तन्म आ पृण "–इति मन्त्रभागस्य व्याख्यानम् ॥ २० ॥

इन्धानास्त्वेत्यादि । " शतꣳहिमाः "–इत्यस्य तात्पर्यमाह शतं वर्षाणीति । शतसंवत्सरजीवनवन्तो

१–' तन्निवर्तयितुम् ' इति पाठो युक्तः स्यात् ।

द्युमन्तꣳ समिधीमहीति व्वयस्वन्तो व्वयस्कृतꣳ सहस्वन्तः सहस्कृतमिति व्वयस्वन्तो व्वयं भूयास्म व्वयस्कृत्त्वं भूयाऽइत्येवैतदाह सहस्वन्तो व्वयं भूयास्म सहस्कृत्त्वं भूयाऽइत्येवैतदाहाग्ने सपत्नदम्भनमदब्धासोऽअदाभ्यमिति त्वया व्वयꣳ सपत्नान्पापीयसः क्रियास्मेत्येवैतदाह ॥ २१ ॥

चित्रावसो स्वस्ति ते पारमशीयेति । त्रिरेतज्जपति रात्रिर्व्वै चित्रावसुः सा हीयꣳ सङ्गृह्येव चित्राणि व्वसति तस्मान्नारकाच्चित्रं ददृशे ॥ २२ ॥

(श ८) एतेनो ह स्म वाऽऋषयः । (यो) रात्रेः स्वस्ति पारꣳ समश्नु-

---

“ वयस्वन्तो वयस्कृतम्, सहस्वन्तः सहस्कृतम् ”–इति (वा० सं० ३ । १८) । वयस्वन्तो वयं भूयास्म, वयस्कृत् त्वं भूयाः–इत्येवैतदाह । सहस्वन्तो वयं भूयास्म, सहस्कृत् त्वं भूया इत्येवैतदाह । “ अग्ने सपत्नदम्भनमदब्धासो अदाभ्यम् ”–इति (वा० सं० ३।१८) । त्वया वयं सपत्नान् पापीयसः क्रियास्म–इत्येवैतदाह ॥ २१ ॥

“ चित्रावसो स्वस्ति ते पारमशीय ” इति (वा. सं. ३।१८) । त्रिरेतज्जपति । रात्रिर्वै चित्रावसुः । सा हीयं सङ्गृह्येव चित्राणि वसति । तस्मान्नारकाच्चित्रं ददृशे ॥ २२ ॥

एतेन ह स्म वा ऋषयो रात्रेः स्वस्ति पारं समश्नुवते, एतेनो ह स्मैनान् रात्रेर्नाष्ट्रा रक्षांसि न

भूयास्मेत्यर्थः । तैत्तिरीयकेऽप्येतद् विशदीकृतम्–“ शतꣳ हिमा इत्याह शतं त्वा हेमन्तानिन्धिषीयेति वावैतदाह” इति (तै० सं० १।५।८।५।) । द्युमन्तमिति मन्त्रपरभागस्यार्थमाह–**तावत्त्वेति** । ‘ तावत् ’ शतसंवत्सरजीवनावधि, हे अग्ने ! त्वां ‘ द्युमन्तं ’ दीप्तिमन्तं ‘ महान्तं ’ ‘ समिधीमहि ’, सन्दीपयेमेत्यर्थः । **वयस्वन्तो वयस्कृत**मित्यादि । वय इत्यन्ननाम । (निघ० २ । ७ । ७) प्रभूतान्नयुक्ता भूत्वा वयसोऽन्नस्य कर्तारं त्वामुपतिष्ठेमहि । एवं ‘ सहस्वन्तः ’–इत्यत्रापि योजना । उभयत्र विशेषणद्वयमपि विधेयाभिप्रायमिति व्याचष्टे–**वयस्वन्तो वय**मिति । वयः अन्नं करोतीति वयस्कृत्, सहः शत्रूणामभिभवनं तद्वन्तः सहस्वन्तः, तादृशं सहः शत्रुविषयकमभिभवनं करोतीति सहस्कृत् । **अग्ने सपत्नदंभन**मित्यादि । सपत्नो दम्यते हिंस्यतेऽनेनेति सपत्नदम्भनोऽग्निः । तथा च ‘ त्वया ’ ‘ वयं ‘ सपत्नान् ’ शत्रून् ‘ पापीयसः ’ अतिशयेन निकृष्टान् ‘ क्रियास्म ’ करवामेति विशेषणतात्पर्यकथनम् ॥ २१ ॥

“ **चित्रावसो** ”–इत्यादिमन्त्रस्य त्रिर्जपं विधत्ते (का. श्रौ. सू. ४ । २७६)–**चित्रेति** । **रात्रिर्वा** इत्यादि । ‘ हि ’ यस्मात् ‘ सा इयं रात्रिः ’ ग्रहनक्षत्रादीनि ‘ चित्राणि ’ ‘ संगृह्य इव वसति, ’ ‘ तस्मात् ’ ‘ चित्रावसुः ’ रात्रेर्नामधेयम् । अत एव इदानीमपि रात्रौ नभसि ‘ तारकालक्षणं चित्रं ’ ‘ ददृशे ’ दृश्यते॥ २२॥

अस्य मन्त्रजपस्य प्रयोजनं तत्कृं पुरावृत्तमुदाहरति–**एतेनेति** । ‘ एतेन ’ “ चित्रावसो ”–इति मन्त्रेण

१–मूले तु बहुषु पुस्तकेषु “ तस्मान्नारकाचित्रं ददृशे ” इत्येव पाठोऽस्ति । भाष्ये तु “ तारकालक्षणं चित्रं ददृशे, दृश्यते ” इत्येव पाठोऽस्ति । तेन बहुमूलप्रतिपुस्तकस्थः “ तस्मान्नारकाचित्रं ददृशे ” इत्येव मूले पाठस्तथैव स्थापितोऽस्ति । कस्मिन्नपि पुस्तकेऽन्यथा नैवास्ति पाठः ।

वत्त ऽएतेनो ह स्मैनाद्रात्रेर्नाष्ट्रा रक्षाᳫँसि न विन्दन्त्येतेनो ऽएवैष एत-द्रात्रेः स्वस्ति पारᳫँ समश्नुत ऽएतेनो ऽएनᳫँ रात्रेर्नाष्ट्रा रक्षाᳫँसि न विन्दन्त्येतावन्नु तिष्ठञ्जपति ॥ २३ ॥

(त्य) अथासीनः । सं त्वमग्ने सूर्य्यस्य वर्चसागथा ऽइति तद्यदस्तं यन्नादित्य ऽआहवनीयं प्रविशति तेनैतदाह समृषीणाᳫँ स्तुतेनेति तद्य-दुपतिष्ठते तेनैतदाह संप्रियेण धाम्नेत्याहुतयो वाऽअस्य प्रियं धामाहुति-भिरेव तदाह समहमायुषा संवर्चसा संप्रजया सᳫँ रायस्पोषेण ग्मिषी-येति यथा त्वमेतैः समगथा ऽएवमहमायुषा वर्चसा प्रजया रायस्पोषेणेति यद्भूम्नेति तदेवमहमेतैः सङ्गच्छा ऽइत्येवैतदाह ॥ २४ ॥

विन्दन्ति। एतेनो एवैष एतद् रात्रेः स्वस्ति पारं समश्नुते, एतेनो एनं रात्रेर्नाष्ट्रा रक्षांसि न विन्दन्ति। एतावन्नु तिष्ठन् जपति ॥ २३ ॥

अथासीनः। "**सं त्वमग्ने सूर्य्यस्य वर्चसागथाः**"–इति (वा. सं. ३।१९)। **तद्यदस्तं** यन्नादित्य आहवनीयं प्रविशति। तेनैतदाह " **समृषीणां स्तुतेन** "–(वा. सं. ३ । १९) इति। तद् यदुपतिष्ठते तेनैतदाह। "**सं प्रियेण धाम्ना**"–(वा. सं. ३।१९)। आहुतयो वा अस्य प्रियं धाम। आहुतिभिरेव तदाह। " **समहमायुषा सं वर्चसा सं प्रजया सं रायस्पोषेण ग्मिषीय** "–(वा. सं. ३।१९) इति। यथा त्वमेतैः समगथाः–एवमहमायुषा वर्चसा प्रजया रायस्पोषेणेति। यद्भूम्नेति–तदेवमहमेतैः सङ्गच्छा–इत्येवैतदाह ॥ २४ ॥

' रात्रेः ' ' पारम् ' अवसानं ' स्वस्ति ' क्षेमेण ' समश्नुवते स्म ' सम्प्राप्नुवन्। तथा ' एनान्' ऋषीन् एतन्मन्त्रजपेनैव रात्रेः प्रीणनात् तत्सम्बन्धिनो राक्षसादयो ' न विन्दन्ति' 'नाविन्दन्'नालभन्त। इदानींतनस्यापि इमं मन्त्रमग्न्युपस्थाने जपतो यजमानस्य तत्फलमाह–**एतेनो एवेति**। **एतावन्निति**। "उपप्रयन्त"–इत्यारभ्य " चित्रावसो"–इत्येतावत्पर्यन्तमाहवनीयस्य समीपे ' तिष्ठन् ' जपेत् (का. श्रौ. सू. ४ । २७६) ॥ २३ ॥

अथासीन इति। (का. श्रौ. सू. ४ । २७७) वक्ष्यमाणान् " **सं त्वमग्ने** "–इत्यादिकान् मन्त्रान् तत्रैवासीनो जपेदित्यर्थः। हे ' अग्ने ! त्वं सूर्यस्य ' ' वर्चसा ' तेजसा ' समगथाः ' सङ्गतवानसि ' इति ' प्रतीयमानमिमं मन्त्रार्थमुपपादयति–**तद् यदस्तं यन्निति**। 'अस्तं यन्' अस्तं गच्छन्नित्यर्थः। सूर्यस्य रात्रावाहवनीयप्रवेशः " **अग्निर्ज्योतिर्ज्योतिरग्निः स्वाहा** "–इति होममन्त्रार्थकथनप्रस्तावे प्रतिपादितः। **समृषीणा**-मित्यादि। ' ऋषीणां' सम्बन्धि यत् ' स्तुतं ' स्तोत्रं तेन सङ्गतवानसीति मन्त्रवाक्यार्थः।

एतर्हि प्रकृताग्न्युपस्थानाभिप्रायमाह–**तद्यदिति**। **आहुतयो वा अस्येति**। ' अस्य ' अग्नेः आज्यदधिक्षीरादिद्रव्यसाध्याः ' आहुतयो वा ' आहुतय एव ' प्रियं धाम ' तेज्ज्योतिर्मयं[1] शरीरम्। तथा चाहुतिभिरेव

१–' तेजोमयम् ' इति पाठः।

(ह्रा) अथ गामभ्यैति । (त्यु) अन्ध स्थान्धो वो भक्षीय मह स्थ महो वो भक्षीयेति यानि वो वीर्याणि यानि वो महा१ँसि तानि वो भक्षीयेत्येवैतदाहोर्ज स्थोर्जं वो भक्षीयेति रस स्थ रसं वो भक्षीयेत्येवैतदाह रायस्पोष स्थ रायस्पोषं वो भक्षीयेति भूम्ना स्थ भूमानं वो भक्षीयेत्येवैतदाह ॥ २५ ॥ [शतम् ११००]

रेवती रमध्वमिति रेवन्तो हि पशवस्तस्मादाह रेवती रमध्वमित्यस्मिन्योनावस्मिन्गोष्ठेऽस्मिँल्लोकेऽस्मिन्क्षये ॥ इहैव स्त मापगातेत्यात्मन एवैतदाह मदेव मापगातेति ॥ २६ ॥

अथ गामभ्यैति–" अन्ध स्थान्धो वो भक्षीय मह स्थ महो वो भक्षीय "–इति (वा. सं. ३ । २०)। यानि वो वीर्याणि, यानि वो महांसि, तानि वो भक्षीय–इत्येवैतदाह । " ऊर्ज स्थोर्जं वो भक्षीय "–इति (वा. सं. ३ । २०)। रस स्थ रसं वो भक्षीय–इत्येवैतदाह । " रायस्पोष स्थ रायस्पोषं वो भक्षीय "–इति (वा० सं० ३ । २०)। भूमा स्थ भूमानं वो भक्षीय–इत्येवैतदाह ॥ २५ ॥

" रेवती रमध्वम् "–इति (वा. सं. ३ । २१)। रेवन्तो हि पशवः । तस्मादाह रेवती रमध्वमिति । " अस्मिन्योनावस्मिन् गोष्ठेऽस्मिमल्लोकेऽस्मिन् क्षये । इहैव स्त मापगात "–इति (वा. सं. ३ । २१)। आत्मन एवैतदाह–मदेव मापगातेति ॥ २६ ॥

सङ्गत्तवानसीत्यर्थः । **समहमायुषे**त्यादि । हे अग्ने ! यथा त्वमेतैरायुरादिभिः ' समगथाः ' सङ्गत्तवानसि । गमेर्लुङि " गातिस्था "–(पा. सू. २।४।७७) इति च्लेर्लुक् " अनुदात्तोपदेश "–(पा. सू. ६।४।३७) इत्यनुनासिकलोपः । एवम् 'अहम्' अपि एतैः सङ्गच्छेयेत्यर्थः । **यद् भूम्ने**ति । 'रायस्पोषेण'–इत्यस्य व्याख्यानम् ' भूम्ना ' धनकनकादिबहुत्वेनेत्युक्ते यावानर्थो भवति, रायस्पोषेणेत्यनेन तावानर्थः प्रतिपाद्यत इत्यर्थः ॥ २४ ॥

अथ गामभ्यैतीति । अग्निहोत्रहोमार्थस्य पयसो दोग्ध्री या गौः, ताम् "**अन्ध स्थान्धो वो भक्षीय**"–इति मन्त्रेण अभिगच्छेदित्यर्थः । अन्धःशब्दोऽन्नवाची (निरु. २ । ७ । १ । निरु. ५ । १ । १) तेन च तज्जनितं वीर्यं लक्ष्यत इति व्याचष्टे–**यानि वो वीर्याणी**ति । हे गावः ! यूयम् ' अन्धः स्थ ' क्षीरान्नरूपा भवथ, अतस्तदुपभोगजनितानि ' वः ' युष्मत्सम्बन्धीनि ' वीर्याणि ' ' महांसि ' तेजांसि, ' तानि ' ' भक्षीय ' सम्भजेयेत्यर्थः । **रस स्थे**ति " ऊर्ज बलप्राणनयोः "–(धा. पा. चु. प. १६) इत्यस्मात् धातोर्निष्पन्न ' ऊर्क् '–शब्दो बलकरं रसमाचष्ट इत्यभिप्रायः । **भूमा स्थे**ति । ' रायस्पोष '–शब्दस्य भूमार्थत्वं प्रागाम्नातम्–" रायस्पोषेणेति यद् भूम्नेतीति "(श. प. ब्रा. २ कां. ३ अ. ४ ब्रा. २४ कं.) ॥ २५ ॥

रेवती रमध्वमितीति । **रेवन्तो ही**त्यादि । ' रेवन्तः ' रयिमन्तः, पुत्रपौत्राद्यभिवृद्ध्या धनयुक्ताः पशवो

१–गां गच्छत्यंधस्येति । इति का. श्रौ. सू. । ४ । २७८ । एतच्च सन्निधानात् कर्मांगभूतां गां प्रति गमनम् । सन्निहितप्रत्ययन्यायात् । एवं च सति गोपक्ष एवैतदुपस्थानं नान्यत्रेति कर्कः ।

(त्यु) अथ गामभिमृशति । सꣳहितासि विश्वरूपीति विश्वरूपा ऽ
इव हि पशवस्तस्मादाह विश्वरूपीत्यूर्जा माविश गौपत्येनेत्यूर्जेति यदाह
रसेनेति तदाह गौपत्येनेति यदाह भूम्नेति तदाह ॥ २७ ॥

(द्वा) अथ गार्हपत्यमभ्यैति । स गार्हपत्यमुपतिष्ठत उप त्वाग्ने दिवे दिवे
दोषावस्तर्द्धिया वयम् ॥ नमो भरन्त ऽ एमसीति नम एवास्मा ऽ एतत्क-
रोति यथैनं न हिꣳस्यात् ॥ २८ ॥

(द्वा) राजन्तमध्वराणाम् । गोपामृतस्य दीदिविम् ॥ वर्द्धमानꣳ स्वे
दम ऽ इति स्वं वै त ऽ इदं यन्मम तन्नो भूयो-भूय ऽ एव कुर्वित्येवैतदाह॥२९॥

अथ गामभिमृशति-" संहितासि विश्वरूपी "-इति (वा. सं. ३ । २२)। विश्वरूपा इव हि पशवः । तस्मादाह-विश्वरूपीति । "ऊर्जा माविश गौपत्येन "-इति (वा. सं. ३ । २२) ऊर्जेति यदाह-रसेनेति तदाह । गौपत्येनेति यदाह-भूम्नेति तदाह ॥ २७ ॥

अथ गार्हपत्यमभ्यैति । स गार्हपत्यमुपतिष्ठते-"उप त्वाग्ने दिवे दिवे दोषावस्तर्द्धिया वयम् । **नमो भरन्त एमसि** "-इति (वा० सं० ३ । २२) । नम एवास्मा एतत् करोति-यथैनं न हिंस्यात् ॥ २८ ॥

" **राजन्तमध्वराणां गोपामृतस्य दीदिविम् । वर्द्धमानं स्वे दमे** "-इति । (वा० सं० ३ । २३) । स्वं वै त इदं-यन्मम । तन्नो भूयो भूय एव कुर्वित्येवैतदाह ॥ २९ ॥

रयिमन्तः "रयेर्मतौ बहुलम्" (पा. सू. ६।१।३४ वा.) इति संप्रसारणम् । **आत्मन एवेति** । अस्मिन्निति मन्त्रगतेदंशब्देन सन्निहितवाचिना स्वसम्बद्धगृहगोष्टानि विशेषेण ' आत्मनः ' एव ' स्वस्यैव एतत् फलमाशास्य इत्यर्थः । हे गावः ! यूयम् ' इहैव ' मदीये गोष्ठादौ ' स्त ' भवत, ' मापगात ' मा अपगच्छतेति मन्त्रभागस्यार्थः । तत्रापगमनावधेरनुपादानात् तमुपन्यस्य योजयति-**मदेवेति** । मत्सकाशादेव मापगच्छतेत्यर्थः ॥२६॥

समन्त्रकं गोस्पर्शनं विधाय प्रशंसति-**अथ गामिति** । ' विश्वानि ' सर्वाणि, शुक्लकृष्णादीनि रूपाणि यस्याः सा विश्वरूपीति व्युत्पत्तिमभिप्रेत्य व्याचष्टे-**विश्वरूपा इव हीति** ॥ २७ ॥

एवमाहवनीयस्य समन्त्रकमुपस्थानं सप्रपञ्चं विधाय, गार्हपत्यस्य तद् विधत्ते-**अथ गार्हपत्यमभ्यैतीत्या-दिना** । **नम एवास्मा** इति । " **नमो भरन्तः** "-इति नमस्कारस्य सम्पाद्यत्वावगमात् अतिक्रमजनितापराध-निवृत्तयेऽस्मै गार्हपत्याय नमस्कारमेव करोतीत्यर्थः । इतरथा हि प्रथमाग्निं गार्हपत्यमतिक्रम्य आहवनीयस्योपस्थान-करणात् स गार्हपत्यः क्रुद्धः सन् ' यथैनं ' यजमानं ' न हिंस्यात् ', तथा नमस्कारः क्रियत इत्यर्थः ॥ २८ ॥

एवं प्रथमाया ऋचस्तात्पर्यमभिधाय द्वितीयामृचं पठित्वा तात्पर्यविशेषमाह-**राजन्तमध्वराणामिति** । **स्वं वा** इत्यादि । दम इति गृहनाम । (निघं. ३ । ४ । १२) यन्मदीयं गृहं हे अग्ने ! ' ते ' तव स्वभूतम्, अतस्तथाविधं गृहं 'नः' अस्माकं पुनः-पुनः कुर्विति "**स्वे दमे**"-इति मन्त्रपदयोर्विवक्षितोऽर्थः इति भावः॥२९॥

१-स ꣳ हितेत्यालभते गामेव । का. श्रौ. सू. ४।२७९ । २-' व्यक्तिम् ' इ० पा० । ३-'सप्रपन्नं ' इति क० । ४-'गार्हपत्ये' इति क० । ५-गार्हपत्यं गत्वोपतिष्ठत उपत्वेति । कात्या० । ४ । २८० ।

(त्यु) अथ द्विपदाः । पुरुषच्छन्दसं वै द्विपदा द्विपाद्वा ऽअयं पुरुषः पुरुषानेवैतद्याचते पुरुषान्हि याचते तस्माद्द्विपदाः पशुमान्ह वै पुरुषवान्भवति य ऽएवं विद्वानुपतिष्ठते ॥ ३३ ॥

(तु ऽथ) अथ गामभ्यैति । (त्री) इड ऽएह्यदित ऽएहीतीडा हि गौरदितिर्हि गौस्तामभिमृशति काम्या ऽएतेति मनुष्याणाᳬं ह्येतासु कामाः प्रविष्टास्तस्मादाह काम्या ऽएतेति मयि वः कामधरणं भूयादित्यहं वः प्रियो भूयासमित्येवैतदाह ॥ ३४ ॥

हि पशवः । अथ यद् गार्हपत्यं–पुरुषांस्तद्याचते । तद् गायत्रं प्रथमं त्रिचम् । गायत्रं वा अग्नेश्छन्दः । स्वेनैवैनमेतच्छन्दसोपपरैति ॥ ३२ ॥

अथ द्विपदाः । पुरुषच्छन्दसं वै द्विपदाः । द्विपाद्वा अयं पुरुषः । पुरुषानेवैतद्याचते । पुरुषान् हि याचते–तस्माद् द्विपदाः । पशुमान् ह वै पुरुषवान् भवति–य एवं विद्वानुपतिष्ठते ॥ ३३ ॥

अथ गामभ्यैति । " इड एह्यदित एहि "–इति (वा० सं ३ । २७) । इडा हि गौः, अदितिर्हि गौः–तामभिमृशति । " काम्या एत "–इति (वा० सं० ३ । २७) । मनुष्याणां ह्येतासु कामाः प्रविष्टाः । तस्मादाह काम्या एतेति । " मयि वः कामधरणं भूयात् "–इति (वा० सं० ३ । २७) । अहं वः प्रियो भूयासमित्येवैतदाह ॥ ३४ ॥

नीयमिति । उच्चावचैरिति । न्यूनाधिकपरिमाणयुक्तैः "उपप्रयन्त" इत्यादिमन्त्रैर्गायत्र्यादिच्छन्दोभिरित्यर्थः । अथ यद् गार्हपत्यमित्यादि । " उपत्वाग्ने " इत्यादिभिः 'यद्' 'गार्हपत्यम्' उपतिष्ठते, तेनोपस्थानेन 'पुरुषान्' पुत्रपौत्रादीनेव 'याचते' प्रार्थयत इत्यर्थः । तत्र पुरुषप्रार्थनं द्विपदाभिरेवेति वक्तुमुपत्वाग्न इति गायत्रतृचस्य प्रयोजनमाह–गायत्रं वा अग्नेश्छन्द इति । प्रजापतिमुखात् सहोत्पन्नत्वादित्यर्थः (तै० सं० ७ कां. १ । १ । ४ ।) 'उपपरैति' उपप्राप्नोति ॥ ३२ ॥

अथ द्विपदा इति । पुरुषच्छन्दसं वा इति । पुरुषवत् पादद्वयोपेतत्वात् 'द्विपदाः पुरुषच्छन्दसम्' पुरुषसमानाकृतिकं छन्दः । छन्दश्शब्दादकारः समासान्तः (पा० सू० ५ । ४ । १०२) । पशुमान् ह वै पुरुषवानिति । आहवनीयगार्हपत्योपस्थानयोः समुच्चित्य प्रशंसा; गार्हपत्योपस्थानस्यापि पुरुषवत्पादद्वयोपेतत्वात् ॥ ३३ ॥

गोसमीपगमनं तदुपस्पर्शनञ्च समन्त्रकं विधत्ते–अथ गामभ्यैतीति । इड एहीति । इडाऽदितिशब्दौ गोनामत्वेन प्रसिद्धावित्यर्थः । कामाः प्रविष्टा इति । 'मनुष्याणां' क्षीरदध्यादिविषयाः 'कामाः' 'हि' यस्मात् 'एतासु' गोषु 'प्रविष्टाः' 'तस्मात्' एताः कामनाविषयत्वात् 'काम्याः' इत्यर्थः ॥ ३४ ॥

१–गां गच्छतीड एहीति । तामेव गां । का. श्रौ. सू. ४ । २८१ । २–काम्या एतेत्यालभते । का. श्रौ. सू. ४ । २८२ ।

(ह्रा) अथान्तरेणाहवनीयं च गार्हपत्यं च । प्राङ्तिष्ठन्नग्निमीक्षमाणो जपति सोमानꣳ स्वरणं कृणुहि ब्रह्मणस्पते ॥ कक्षीवन्तं यऽ औशिजः ॥ यो रेवान्यो ऽअमीवहा वसुवित्पुष्टिवर्द्धनः॥ स नः सिषक्तु यस्तुरः ॥ मा नः शꣳसोऽअररुषो धूर्त्तिः प्रणङ्मर्त्यस्य रक्षा णो ॥ ब्रह्मणस्पतऽइति ॥३५॥

यद्वाऽआहवनीयमुपतिष्ठते । दिवं तदुपतिष्ठतेऽथ यद् गार्हपत्यं पृथिवीं तदुथैतदन्तरिक्षमेषा हि दिग्बृहस्पतेरेताꣳ ह्येतद्दिशमुपतिष्ठते तस्माद्बार्हस्पत्यं जपति ॥ ३६ ॥

महि त्रीणामवोऽस्तु । द्युक्षं मित्रस्यार्यम्णः । दुराधर्षं वरुणस्य ॥ न हि तेषाममा चन नाध्वसु वारणेषु । ईशे रिपुरघशꣳसः ॥ ते हि पुत्रासोऽअदितेः प्र जीवसे मर्त्याय । ज्योतिर्यच्छन्त्यजस्रमिति तत्रास्ति नाध्वसु वारणेष्वित्येते ह वाऽअध्वानो वारणा यऽइमेऽन्तरेण द्यावापृथिवीऽएतान् ह्येतदुपतिष्ठते तस्मादाह नाध्वसु वारणेष्विति ॥ ३७ ॥

अथान्तरेणाहवनीयं च गार्हपत्यं च प्राङ् तिष्ठन्नग्निमीक्षमाणो जपति । "सोमानं स्वरणं कृणुहि ब्रह्मणस्पते ॥ कक्षीवन्तं य औशिजः"–(वा. सं. ३ । २८ ।) "यो रेवान् यो अमीवहा वसुवित्पुष्टिवर्द्धनः । स नः सिषक्तु यस्तुरः"–(वा. सं. ३।२९) "मा नः शंसो अररुषो धूर्तिः प्रणङ् मर्त्यस्य रक्षा णो ब्रह्मणस्पते"–इति (वा. सं. ३ । ३०) ॥ ३५ ॥

यद्वा आहवनीयमुपतिष्ठते–दिवं तदुपतिष्ठते । अथ यद् गार्हपत्यम्–पृथिवीं तद् । अथैतदन्तरिक्षम्–एषा हि दिग् बृहस्पतेः । एतां ह्येतद्दिशमुपतिष्ठते । तस्माद् बार्हस्पत्यं जपति ॥ ३६ ॥

" महि त्रीणामवोऽस्तु द्युक्षं मित्रस्यार्यम्णः । दुराधर्षं वरुणस्य "–(वा. सं. ३।३१)

अथान्तरेणेत्यादि, निगदसिद्धम् ॥ ३५ ॥

सोमानमित्यस्य जप्यस्य तृचस्य च प्रयोजनमाह–**यद्वा** इति । आहवनीयगार्हपत्योपस्थानाभ्यां द्यावापृथिव्यो-रुपस्थानं कृतं भवति । अनेन " सोमानम् " इति (वा. सं. ३ । २८–३०) तृचस्य जपेन द्यावापृथिव्योः मध्यवर्त्तिनोऽन्तरिक्षस्योपस्थानं कृतं भवतीत्यर्थः । तस्य देवताविशेषसम्बन्धं प्रशंसति–**एषा हीति** । द्यावा-पृथिव्योर्मध्ये वर्तमाना येयमूर्ध्वा 'दिक्' 'एषा' 'बृहस्पतेः' स्वभूता । अत एव तैत्तिरीयके समाम्नातम्–"**ऊर्ध्वा दिग् बृहस्पतिर्देवता**"–(तै. ब्रा. ३ । ११।५–६) इति । नन्वेतत् तृचं ब्राह्मणस्पत्यम्, कथं बार्हस्पत्यम्? इति । नैष दोषः; तयोर्भेदाभावात् । अत एव दाशतय्यां "**गणानां त्वा**"–(ऋ. सं.२।२३) इत्यादिषु ब्राह्मणस्पत्यसूक्तेषु तत्र बृहस्पतिः स्तूयते ॥ ३६ ॥

महि त्रीणामित्यादि । एतदपि सूक्तमन्तराग्नी तिष्ठन् जपेदित्यनुषङ्गेण वाक्यसमाप्तिः । अस्य तृचस्य

१–सोमानमित्यनुदकं व्रतोपायनवत् । का. श्रौ. सू. ४–२८३।

(त्यु) अथैन्द्री । (न्द्रीन्द्रो) इन्द्रो वै यज्ञस्य देवता सेन्द्रमेवैतदग्न्यु-पस्थानं कुरुते कदा चन स्तरीरसि नेन्द्र सश्चसि दाशुष ऽइति यजमानो वै दाश्वान्न यजमानाय द्रुह्यसीत्येवैतदाहोपोपेन्नु मघवन्भूय ऽइन्नु ते दानं देवस्य पृच्यतऽइति भूयो भूयऽएव न ऽइदं पुष्टं कुर्वित्येवैतदाह ॥ ३८ ॥

(ह्वा) अथ सावित्री । सविता वै देवानां प्रसविता तथो हास्मा ऽएते सवितृप्रसूता एव सर्व्वे कामाः समृध्यन्ते तत्सवितुर्व्वरेण्यं भर्गो देवस्य धीमहि ॥ धियो यो नः प्रचोदयादिति ॥ ३९ ॥

"न हि तेषाममा चन नाध्वसु वारणेषु । ईशे रिपुरघशंसः"-(वा०सं०३।३२)"ते हि पुत्रासो अदितेः प्र जीवसे मर्त्याय । ज्योतिर्यच्छन्त्यजस्रम् "-इति (वा. सं. ३ ।३३) तत्रास्ति नाध्वसु वारणेष्विति । एते ह वा अध्वानो वारणाः-य इमेऽन्तरेण द्यावापृथिवी । एतान् ह्येतदुपतिष्ठते । तस्मादाह नाध्वसु वारणेष्विति ॥ ३७ ॥

अथैन्द्री । इन्द्रो वै यज्ञस्य देवता । सेन्द्रमेवैतदग्न्युपस्थानं कुरुते । " कदाचन स्तरीरसि नेन्द्र सश्चसि दाशुषे "-इति (वा. सं. ३ । ३४) यजमानो वै दाश्वान्न यजमानाय द्रुह्यसि-इत्येवैतदाह । " उपोपेन्नु मघवन् भूय इन्नु ते दानं देवस्य पृच्यते "-इति (वा. सं. ३ । ३४) । भूयो-भूय एव न इदं पुष्टं कुरु-इत्येवैतदाह ॥ ३८ ॥

अथ सावित्री । सविता वै देवानां प्रसविता । तथो हास्मा एते सवितृप्रसूता एव सर्वे कामाः समृध्यन्ते। " तत सवितुर्वरेण्यं भर्गो देवस्य धीमहि । धियो यो नः प्रचोदयात "-इति (वा. सं. ३ । ३५) ॥ ३९ ॥

प्रयोजनमाह-**तत्रास्तीति** । ' तत्र ' तस्मिंस्तृचे ' न अध्वसु वारणेषु '-' इति ' ' अस्ति, ' तस्याभिप्रायो वर्ण्यत इति शेषः । **एते ह वा** इत्यादि । द्यावापृथिव्योर्मध्ये य ' इमे ' ' अध्वानः ' विततः ' एते ' खलु पुरुषस्य फलप्राप्तिवारणाय भवन्ति, अतो द्यावापृथिवीसंस्तुतयोर्गार्हपत्याहवनीययोर्मध्ये स्थित्वा इमं तृचं जपन् ' एतान् ' एव मार्गान् ' उपतिष्ठते ' इत्यर्थः । एवमध्वनामुपस्थितत्वात् तं वारयितुं न कोऽपि ईश्वर इति " **नाध्वसु वारणेषु** "-इति मन्त्रपादस्यार्थः ॥ ३७ ॥

अथैन्द्रीत्यादि । ' ऐन्द्री ' इन्द्रदेवताका " **कदाचन स्तरीरसि** "-इत्यादिका अग्न्युपस्थाने प्रयो-क्तव्या । तथा च तदग्न्युपस्थानमिन्द्रसहितं सत् यज्ञात्मना निष्पद्यत इत्यर्थः । तत्र पूर्वार्द्धमनूद्य तात्पर्यमाह-**कदाचनेति** । **यजमानो वै दाश्वानिति** । " दाशृ दाने " (धा. पा. भ्वा ९१९) इत्यस्मात् " दाश्वान् साह्वान् " (पा. सू. ६ । १ । १२) इति निपातनात् हविषां दाता यजमानो दाश्वानित्युच्यते । तथा च ' दाशुषे ' यजमानाय कदाचिदपि ' स्तरीः ' हिंसकः ' न असि ' न भवसि न द्रुह्यसीति तात्पर्यार्थकथनम् । उत्तरार्द्धं व्याचष्टे-**उपोपेदिति** । ' हे मघवन् ' अस्मभ्यं दीयमानं त्वदीयं धनं ' भूयो भूय एव ' ' उपपृच्यते ' समीपं प्राप्नोति; तदिदमाम्नातम्-**भूयो-भूय एवेति** ॥ ३८ ॥

अथ सवितृदेवताकामृचं विधाय प्रशंसति- **अथ सावित्रीति** । का पुनरसौ सावित्री ? इति, तामाह-**तत्सवितुरिति** ॥ ३९ ॥

(त्यु) अथाग्नेयी । तदग्नयऽएवैतदात्मानमन्ततः परिददाति गुप्त्यै परि ते दूडभो रथोऽस्मा २ ॥ ऽअश्नोतु विश्वतः । येन रक्षसि दाशुष इति यजमाना वै दाश्वाꣳसो यो ह वाऽअस्यानाधृष्यतमो रथस्तेनैष यजमानानभिरक्षति स यस्तेऽनाधृष्यतमो रथो येन यजमानानभिरक्षसि तेन नः सर्व्वतोऽभिगोपायेत्येवैतदाह त्रिरेतज्जपति ॥ ४० ॥

(त्यु) अथ पुत्रस्य नाम गृह्णाति । (ती) इदं मेऽयं वीर्य्यं पुत्रोऽनुसन्तनवदिति यदि पुत्रो न स्यादप्यात्मन एव नाम गृह्णीयात् ॥ ४१ ॥

इति तृतीयप्रपाठके द्वितीयं ब्राह्मणम् ॥ ३ ॥ २ ॥ (३ । ४)

अथाग्नेयी । तदग्नय एवैतदात्मानमन्ततः परिददाति गुप्त्यै । " **परि ते दूडभो रथोऽस्मा२ ॥ अश्नोतु विश्वतः । येन रक्षसि दाशुषः** "–इति (वा. सं. ३ । ३६) । यजमाना वै दाश्वांसः । यो ह वा अस्यानाधृष्यतमो रथः–तेनैष यजमानानभिरक्षति । स यस्तेऽनाधृष्यतमो रथो येन यजमानानभिरक्षसि, तेन नः सर्वतोऽभिगोपाय–इत्येवैतदाह । त्रिरेतज्जपति ॥ ४० ॥

अथ पुत्रस्य नाम गृह्णाति । 'इदं मेऽयं वीर्यं पुत्रोऽनुसन्तनवद्' इति । यदि पुत्रो न स्याद्–अप्यात्मन एव नाम गृह्णीयात् ॥ ४१ ॥ इति बृहदुपस्थानम् ।

अग्निदेवताकामृचं विधत्ते–**अथाग्नेयीति** । 'परिददाति' परिदानं रक्षणार्थं दानम् । तादर्थ्यमेव विव्रियते–**गुप्त्या इति** । **यजमाना वा** इत्यादि । धर्षितुमशक्यः, परैरप्रधृष्यो यो रथो विद्यते, 'तेन' रथेन 'एषः' अग्निः 'यजमानान् अभिरक्षति' ॥

एवमग्नेः स्वभावमभिधाय मन्त्रे योजयति–**स य इति** । हे अग्ने ! ' सः ' प्रसिद्धः ' यः ' ' रथः ' ' ते ' त्वदीयः, शत्रुभिरप्रधृष्यो विद्यते ' येन ' च ' यजमानान् ' ' अभितः ' सर्वतः ' रक्षसि ', ' तेन ', ' रथेन ' ' नः ' अस्मान् सर्वतः अपि ' अभिगोपाय ' इत्यर्थः । अस्या ऋचस्त्रिर्जपं विधत्ते–**त्रिरेतदिति** ॥ ४० ॥

दर्शपूर्णमासयोरिवात्रापि पुत्रनामग्रहणं विधत्ते–**अथ पुत्रस्येति** । ' अयं ' मदीयः ' पुत्रः ' ' इदं ' यज्ञानुष्ठानलक्षणं ' वीर्यम् ' ' अनुसन्तनवत् ' अनुक्रमेण सन्तनुयात्, सन्ततमनवच्छिन्नं कुर्यात्, ' इति ' अनेनाभिप्रायेण नामग्रहणम् । पुत्राभावे तु यजमानः स्वस्यैव ' नाम ' गृह्णीयात् ॥ ४१ ॥

इति श्रीसायणाचार्यविरचिते माधवीये वेदार्थप्रकाशे माध्यन्दिनशतपथब्राह्मणभाष्ये
द्वितीयकाण्डे तृतीयाध्याये चतुर्थं ब्राह्मणम् ॥ (२–३–४)

वेदार्थस्य प्रकाशेन तमो हार्दं निवारयन् । पुमर्थांश्चतुरो देयाद्विद्यातीर्थमहेश्वरः ॥ १ ॥

ब्रह्माण्डं गोसहस्रं कनकहयतुलापूरुषौ स्वर्णगर्भं रत्नाम्भोन् पञ्चसीरींस्त्रिदशतरुलताधेनुसौवर्णभूमीः ।
रत्नोक्षां रुक्मवाजिद्विपमहितरथौ सायणिः सिङ्गणार्यो व्यश्राणीद्विश्वचक्रं प्रथितविधिमहाभूतयुक्तं घटञ्च ॥
धान्याद्रिं धन्यजन्मा तिलभवमतुलः स्वर्णजं वर्णमुख्यः कार्पासीयं कृपावान् गुडकृतमजडो राजतं राजपूज्यः ॥
आज्योत्थं प्राज्यजन्मा लवणजमनृणः शार्करं चार्कतेजाः रत्नाढ्यो रत्नरूपं गिरिमकृत मुदा पात्रसात्सिङ्गणार्यः ॥

इति श्रीमद्राजाधिराजपरमेश्वरवैदिकमार्गप्रवर्त्तकश्रीवीरहरिहरमहाराजसाम्राज्यधुरन्धरेण सायणाचार्येण विरचिते
माधवीये वेदार्थप्रकाशे माध्यन्दिनशतपथब्राह्मणभाष्ये द्वितीयकाण्डे तृतीयोऽध्यायः समाप्तः ॥ ३ ॥

१–पौर्णमासवत् पुत्रनामग्रहणं । इति का. श्रौ. सू. ४ । २८४ । वत्युपदेशाच्च तंतवेत्वेत्यादि सर्वं प्रवर्तते । इत्येतन्नामग्रहणान्तं वात्सप्रम् । २–' आज्यजन्मा '–इ० पा० । ३–' सायणापत्येन '–इ० पा० ।

अथ द्वितीयकाण्डे चतुर्थोऽध्याये प्रथमं ब्राह्मणम् ।

अथ हुतेऽग्निहोत्र ऽउपतिष्ठते । भूर्भुवः स्वरिति तत्सत्येनैवैतद्वाचꣳ समर्धयति यदाह भूर्भुवः स्वरिति तया समृद्धयाऽऽशिषमाशास्ते सुप्रजाः प्रजाभिः स्यामिति तत्प्रजामाशास्ते सुवीरो व्वीरैरिति तद्वीरानाशास्ते सुपोषः पोषैरिति तत्पुष्टिमाशास्ते ॥ १ ॥

यद्वाऽअदो दीर्घमग्न्युपस्थानम् । (मा) आशीरेव साशीरियं तदेतावतैवैतत्सर्व्वमाप्नोति तस्मादेतेनैवोपातिष्ठेतैतेन न्वेव व्वयमुपचराम इति ह स्माहासुरिः ॥ २ ॥

अथ क्षुल्लकोपस्थानमासुरिदृष्टम् ।

अथ हुतेऽग्निहोत्र उपतिष्ठते–" भूर्भुवः स्वः "–(वा० सं० ३ । ३७) इति । तत्सत्येनैवैतद्वाचं समर्धयति । यदाह–भूर्भुवः स्वरिति । तया समृद्धयाऽऽशिषमाशास्ते । " सुप्रजाः प्रजाभिः स्याम् "–इति (वा० सं० ३ । ३७) । तत्प्रजामाशास्ते । " सुवीरो वीरैः "– इति (वा० सं० ३ । ३७) । तद्वीरानाशास्ते । " सुपोषः पोषैः "–इति (वा० सं० ३ । ३७) । तत्पुष्टिमाशास्ते ॥ १ ॥

यद्वा अदो दीर्घमग्न्युपस्थानम्–आशीरेव सा । आशीरियम् । तदेतावतैवैतत्सर्वमाप्नोति । तस्मादेतेनैवोपातिष्ठेत । एतेन न्वेव वयमुपचराम इति ह स्माहासुरिः ॥ २ ॥

यस्य निःश्वसितं वेदा यो वेदेभ्योऽखिलं जगत् । निर्म्ममे तमहं वन्दे विद्यातीर्थमहेश्वरम् ॥ ४ ॥

एवमग्निहोत्रहोमोपस्थानं विधाय लघूपस्थानमन्त्रानपि दर्शयति–**अथ हुत** इति । अग्निहोत्रहोमानन्तरं " भूर्भुवः स्वः, सुप्रजाः "–' इति ' अनेनैव मन्त्रेण आहवनीयम् ' उपतिष्ठते ' । पूर्वोक्तादुपस्थानमन्त्रजातादस्य मन्त्रस्यातिशयमाह–**तत् सत्येनेति** । सत्यरूपा ह्येता व्याहृतयः त्रयीसारत्वात् । तथा चाम्नातम्–" भूरित्यृग्वेदाद्, भुव इति यजुर्वेदात्, स्वरिति सामवेदात् "–इति (ऐ. ब्रा. ५ । ६ । ७ ।) । एवं व्याहृतिरूपेण ' सत्येनैव ' इमां मन्त्ररूपां ' वाचं ' ' समर्द्धयति ' । ' तया ' च ' समृद्धया ' वाचा प्रागुक्तां सर्वामपि ' आशिषम् ' ' आशास्ते ' प्रार्थयत इत्यर्थः । तदाशासनप्रकारं दर्शयति–**सुप्रजा** इति । ' प्रजाभिः ' पुत्रपौत्रादिरूपाभिः ' सुप्रजाः ' शोभनप्रजोपेतः ' स्याम् ' । एकः प्रजाशब्दोऽनुवादः । एवं **सुवीरो वीरैरिति** । वीर्यवन्तः पुत्राः वीराः; तेषां प्रजाशब्देन परिगृहीतत्वेऽपि पुनः प्राधान्यस्यापनार्थं पृथगाशासनमिति द्रष्टव्यम् ॥ १ ॥

प्रागुक्तोपस्थानेनास्य समानकार्यकारित्वात् विकल्पमाह–**यदिति** । ' अदः ' पूर्वोक्तं ' दीर्घं ' बहुकर्त्तव्यो-

---

१–भूर्भुवः स्वरिति वोभौ । का. श्रौ. सू. ४ । २८५ । उभावप्यमी भूर्भुवः स्वरित्यनेनोपतिष्ठते । क्रमस्तु पूर्वोक्त एव । क्रमांतराविधानात् । अस्य च वात्सप्रेण सह विकल्पः । एतच्च अगोपक्षेऽपि भवति । अत्रोपस्थाने गां प्रति गमनस्य स्पर्शनस्य चाविधानात् इति कार्कभाष्याशयः । २–' मन्त्रगणादस्य ' इति ' मन्त्रभावादस्य ' इति च क. पा. । ३–' एवं तद्व्याहृतिरूपेण ' इति क.

(३) अथ प्रवत्स्यन् । (न्मा) गार्हपत्यमेवाग्रऽउपतिष्ठते ऽथाहवनीयम् ॥ ३ ॥

(४ँ) स गार्हपत्यमुपतिष्ठते । नर्य प्रजां मे पाहीति प्रजाया ह्येष ईष्टे तत्प्रजामेवास्माऽएतत्परिददाति गुप्त्यै ॥ ४ ॥

(न्त्याऽ) अथाहवनीयमुपतिष्ठते । शंस्य पशून्मे पाहीति पशूनाᳬ४ँ ह्येष ईष्टे तत्पशूनेवास्मा ऽएतत्परिददाति गुप्त्यै ॥ ५ ॥

(न्त्याऽ) अथ प्र वा व्रजति प्र वा धावयति । स यत्र वेलां मन्यते तत्स्यत्त्वा * वाचं विसृजतेऽथ प्रोष्य परेक्ष्य यत्र वेलां मन्यते तद्वाचं यच्छति स यद्यपि राजान्तरेण स्यान्नैव तमुपेयात् ॥ ६ ॥

प्रवत्स्यदुपस्थानम् ।

अथ प्रवत्स्यन् गार्हपत्यमेवाग्र उपतिष्ठते–अथाहवनीयम् ॥ ३ ॥

स गार्हपत्यमुपतिष्ठते । " नर्य प्रजां मे पाहि "–इति (वा० सं० ३ । ३७) । प्रजाया ह्येष ईष्टे । तत् प्रजामेवास्मा एतत् परिददाति गुप्त्यै ॥ ४ ॥

अथाहवनीयमुपतिष्ठते–" शंस्य पशून्मे पाहि "–इति (वा० सं० ३ । ३७) । पशूनां ह्येष ईष्टे । तत् पशूनेवास्मा एतत् परिददाति गुप्त्यै ॥ ५ ॥

अथ प्र वा व्रजति, प्र वा धावयति । स यत्र वेलां मन्यते तत्स्यत्त्वा वाचं विसृजते । अथ प्रोष्य परेक्ष्य यत्र वेलां मन्यते तद्वाचं यच्छति । स यद्यपि राजान्तरेण स्यात्–नैव तमुपेयात् ॥ ६ ॥

पैतं बहुमन्त्रसाध्यं यदग्न्युपस्थानम्, तत् ' आशीः ' फलप्रार्थनम् ' एव ' । तथा " भूर्भुवः स्वः "–इति मन्त्रसाध्यमुपस्थानमपि तादृगाशीर्युक्तम् । ' तत् ' ततः ' एतावतैव ' उपस्थानेन ' एतत् ' प्रागुक्तं ' सर्वं ' फलम् ' आप्नोति ' । अस्मिन्नुपस्थाने ऋषिवचनं संवादयति–**एतेन न्वेवेति** । ' एतेनैव ' लघूपस्थानेनैव ' वयम् ' अग्निम् ' उपचरामः ' ' इति ' । यस्मादेवम् ' आसुरिः ' महर्षिः ' आह स्म ' उक्तवान्, ' तस्मात् ' इदमेवोपस्थानं कर्त्तव्यमित्यर्थः । अत एव सूत्र्यते–" भूर्भुवः स्वारिति वोभौ " (का. श्रौ. सू. ४।२८९) इति ॥ २ ॥

अथ प्रवासं करिष्यता यजमानेन कर्त्तव्यमुपस्थानं दर्शयति–**अथ प्रवत्स्यन्निति** । ' प्रवत्स्यन् ' प्रवासं करिष्यन् । विहिते गार्हपत्याहवनीयोपस्थाने ॥ ३ ॥

तत्र गार्हपत्योपस्थानमनूद्य मन्त्रं विधत्ते–**स गार्हपत्यमिति** । मन्त्रस्य तात्पर्यमाह–**प्रजाया** इति । एष हि गार्हपत्यः ' प्रजाया ईष्टे '; कृत्स्नाग्नियोनिभूतत्वात् । अतः ' अस्मै ' गार्हपत्याय प्रजाया रक्षणार्थं परिदानं क्रियत इत्यर्थः ॥ ४ ॥

प्रवत्स्यतो यदाहवनीयोपस्थानं विहितम्, तदनूद्य मन्त्रं विधत्ते–**अथाहवनीयमिति** । **पशूनां** हेत्यादि, निगदसिद्धम् ॥ ५ ॥

अथ प्र वा व्रजतीति[२] । एवं गार्हपत्याहवनीययोः समन्त्रकमुपस्थानं कृत्वा, वाहनरहितश्चेत् स्वयं ' प्रव्र-

---

* ' स्यन्त्वा ' इ. पा. । १–प्रवत्स्यन् सर्व्वाग्नियेंति प्रतिमंत्रम् । का. श्रौ. सू. ४–२८६ । २–प्रवसन् याजमानं कुर्याद्यथाकालमात्मसंस्काराद्धर्ममात्रत्वाच्छ्रुतेश्च इति का. श्रौ. सू. ४–२८८ ।

(स्व) स ऽआहवनीयमेवाग्रऽउपतिष्ठते । (तेऽथ) अथ गार्हपत्यं गृहा वै गार्हपत्यो गृहा वै प्रतिष्ठा तद्गृहेष्वेवैतत्प्रतिष्ठायां प्रतितिष्ठति ॥ ७ ॥

स ऽआहवनीयमुपतिष्ठते । (तऽअ) आगन्म विश्ववेदसमस्मभ्यं वसुवित्तमम् ॥ अग्ने सम्राडभि द्युम्नमभि सह आयच्छस्वेत्यथोपविश्य तृणान्युपलुम्पति ॥ ८ ॥

स आहवनीयमेवाग्र उपतिष्ठते-अथ गार्हपत्यम् । गृहा वै गार्हपत्यः, गृहा वै प्रतिष्ठा । तद्‌ गृहेष्वेवैतत्प्रतिष्ठायां प्रतितिष्ठति ॥ ७ ॥

स आहवनीयमुपतिष्ठते-" **आगन्म विश्ववेदसमस्मभ्यं वसुवित्तमम् । अग्ने सम्राडभि द्युम्नमभि सह आयच्छस्व** "-इति (वा. सं. ३।३८) । अथोपविश्य तृणान्यपलुम्पति ॥ ८ ॥

जति ' गच्छति; वाहनसहितश्चेत् अश्वरथादीन् ' धावयति ' प्रगमयति । ' सः ' च गच्छन् ' यत्र ' यस्मिन् देशे ' वेलां ' स्वनिवासग्राममर्यादां ' मन्यते ', तत्स्थानप्राप्तिपर्यन्तं वाचंयमो गत्वा, तदनन्तरं ' वाचं विसृजेत् ' न तु ततः प्रागित्यर्थः । पुनरागमनसमयेऽपि तत्स्थानप्रभृति अग्निसमीपगमनपर्यन्तं वाग्यमनं विधत्ते-**अथ प्रोष्येति**[1] । ' प्रोष्य ' प्रवासं कृत्वा पुनरागत्य यत्र ग्राममर्यादां मन्यते, तत्र वाचंयमो भवेत् । एवं वाग्यतस्य यजमानस्य अग्न्यागारस्य च मध्ये यदि राजा आगच्छेत्, ' तम् ' अपि नैव ' उपेयात् ' उपगच्छेत् । वाग्यमनानन्तरं राजादिपूज्यजनसन्निधानेऽपि तदनादरेण अग्निगतमनस्क एव तत्समीपं गच्छेदित्यर्थः । तदेतद् .वेस्पष्टमापस्तम्बेन सूत्रितम्-" आरादग्निभ्यो वाचं यच्छति, यद्येनं राजा पिताऽऽचार्यो वाऽन्तरेणाग्नीन् स्याच्छदिर्दर्शने नैनमाद्रियेत "-इति (आप. श्रौ. सू. २१ । ९ । ६ ।) ॥ ६ ॥

प्रवत्स्यन्नुपस्थानवैपरीत्यमागतोपस्थानस्य विधत्ते-**स** इति । आहवनीयस्यैव प्रथममुपस्थानं पश्चाद् गार्हपत्यस्येत्यर्थः । गार्हपत्योपस्थानस्य पश्चाद्भावं प्रतिपादयति-**गृहा वा** इति । सर्वाग्नीनां योनित्वात् गृहपतिना संयुक्तत्वाच्च गार्हपत्यस्य गृहशब्दाभिधेयत्वम् ॥ ७ ॥

तत्र प्रथमकर्त्तव्यमाहवनीयोपस्थानं समन्त्रकं दर्शयति-**स आहवनीयम्** इति[2] । मन्त्रस्य चायमर्थः-हे ' सम्राट् ' सम्यग्राजमान ' अग्ने ! ' ' विश्ववेदसं ' सर्वधनोपेतम्, ' अस्मभ्यं ' अस्मदर्थं 'वसुवित्तमं' वसुनः धनस्य लम्भयितृतमं त्वाम् ' आगन्म ' आगमाम । त्वं च ' द्युम्नं ' धनं, ' सहः ' पराभिभवहेतुभूतं बलं च ' अभ्यायच्छस्व ' अभिगमयेत्यर्थः ॥

समिदाधानं विधत्ते-**अथेति**[3] । उपस्थानानन्तरमाहवनीयसमीपे उपविश्य ' तृणानि ' तृणोपलक्षितानि समिदादीनि ' अपलुम्पति ' प्रच्छिद्य तस्मिन्नग्नौ प्रक्षिपेत् । "लुपॢ छेदने" (धा. पा. तु. उ. १५०) ॥८॥

१-एत्य च मत्या वाग्यमनम् । इति का. ४।२८९ । २-समित्पाणिरनुपेत्य कंचिदुपतिष्ठन्तमाहवनीयगार्हपत्यदक्षिणाग्नीनागन्मेति प्रतिमन्त्रम् । इति कात्या. ४-२९० ॥ ३-समित्परिसमूहनानि चोपविश्य । इति कात्या. ४-२९१ ॥

(त्यु) अथ गार्हपत्यमुपतिष्ठते । (तेऽथु) अयमग्निर्गृहपतिर्गार्हपत्यः प्रजाया वसुवित्तमः । अग्ने गृहपतेऽभि द्युम्नमभि सह आयच्छस्वेत्यथोपविश्य तृणान्युपलुम्पत्येतन्नु जपेनैतेन न्वेव भूयिष्ठा ऽइवोपतिष्ठन्ते ॥ ९ ॥

स वै खलु तूष्णीमेवोपतिष्ठेत । (ते) इदं वै यस्मिन्वसति ब्राह्मणो वा राजा वा श्रेयान्मनुष्योऽन्वेव तमेव नार्हति वक्तुमिदं मे त्वं गोपाय प्राहं वत्स्यामीत्यथास्मिन्नेते श्रेयाꣳसो वसन्ति देवाऽअग्नयः क उ तानर्हति वक्तुमिदं मे यूयं गोपायत प्राहं वत्स्यामीति ॥ १० ॥

मनो ह वै देवा मनुष्यस्याजानन्ति । स वेद गार्हपत्यः परिदां मेदमुपागादिति तूष्णीमेवाहवनीयमुपतिष्ठते स वेदाहवनीयः परिदां मेदमुपागादिति ११

अथ गार्हपत्यमुपतिष्ठते । "अयमग्निर्गृहपतिर्गार्हपत्यः प्रजाया वसुवित्तमः । अग्ने गृहपतेऽभिद्युम्नमभि सह आयच्छस्व"—इति (वा० सं. ३। ३९)। अथोपविश्य तृणान्युपलुम्पति। एतन्नु जपेनैतेन न्वेव भूयिष्ठा इवोपतिष्ठन्ते ॥ ९ ॥

स वै खलु तूष्णीमेवोपतिष्ठेत। इदं वै यस्मिन् वसति ब्राह्मणो वा राजा वा श्रेयान्मनुष्यः अन्वेव—तमेव नार्हति वक्तुम् 'इदं मे त्वं गोपाय, प्राहं वत्स्यामि' इति। अथास्मिन्नेते श्रेयांसो वसंति—देवा अग्नयः। क उ तानर्हति वक्तुम्—'इदं मे यूयं गोपायत प्राहं वत्स्यामि' इति ॥ १० ॥

मनो ह वै देवा मनुष्यस्याजानन्ति। स वेद गार्हपत्यः—'परिदां मेदमुपागाद्' इति। तूष्णीमेवाहवनीयमुपतिष्ठते। स वेदाहवनीयः—'परिदां मेदमुपागाद्' इति ॥ ११ ॥

आगतस्य यजमानस्य गार्हपत्योपस्थानं समन्त्रकं विधत्ते—**अथेति** । मन्त्रार्थस्तु,—'गृहपतिः' गृहाणां पालयिता, गृहपतिना संयुक्तः 'अयमग्निः' अस्मदीयायाः प्रजायाः 'वसुवित्तमः' वसुनो धनस्य लम्भयितृतम इति परोक्षकृतः पूर्वोऽर्द्धर्चः। उत्तरस्तु प्रत्यक्षकृतः। हे 'अग्ने गृहपते!'। **अभि द्युम्नमित्यादि**। पूर्ववद् योज्यम् ॥ ९ ॥

इत्थं प्रवत्स्यदुपस्थानमागतोपस्थानं च समन्त्रकं विधाय, तयोरमन्त्रकपक्षमप्याह—**स वा** इति। **इदं वा** इत्यादि। इदं खलु लोके दृश्यते,—ब्राह्मणादीनामन्यतमः 'श्रेयान्' श्रेष्ठः पुरुषो 'यस्मिन्' एव जने 'वसति' सः 'मनुष्यः' 'तं' श्रेयांसम् अनुसृत्य वर्त्तमानः, मदीयम् 'इदं' गृहादिकं 'त्वं गोपाय', 'अहं' प्रवासं करिष्यामीति एवं नियोगतो 'वक्तुं' 'नार्हति'; यथैवं लोके, तथा 'अस्मिन्' यजमाने 'एते श्रेयांसो वसन्ति'; के पुनस्ते? इति, उच्यते—यजमाने निवसन्तस्ते श्रेयांसः 'अग्नयः' गार्हपत्याद्याः। 'क उ' नाम 'तान्' 'इदं मे यूयं गोपायत' इत्येवं नियोगेन 'वक्तुमर्हति'। अतः 'नर्य प्रजां मे शंस्य पशून् मे पाहा' त्येवं नियोगरूपतया मन्त्रो न प्रयोक्तव्य इत्यर्थः ॥ १० ॥

मन्त्रप्रयोगाभावेऽपि प्रजापालनादिविषया बुद्धिस्तेषां स्वयमेव भवतीत्याह—**मनो ह वै देवा** इति। 'मनु-

---

१—तूष्णीं वोपस्थानं पूर्ववत्। इति कात्या० श्रौ. सू. ४–२९२।

(त्यु) अथ प्र वा व्रजति प्र वा धावयति । स यत्र वेलां मन्यते तत्स्यत्त्वा वाचं विसृजतेऽथ प्रोष्य परेक्ष्य यत्र वेलां मन्यते तद्वाचं यच्छति स यद्यपि राजान्तरेण स्यान्नैव तमुपेयात् ॥ १२ ॥

(त्स) स आहवनीयमेवाग्रऽउपतिष्ठते । (तुऽथ) अथ गार्हपत्यं तूष्णीमेवाहवनीयमुपतिष्ठते तूष्णीमुपविश्य तृणान्युपलुम्पति तूष्णीमेव गार्हपत्यमुपतिष्ठते तूष्णीमुपविश्य तृणान्युपलुम्पति ॥ १३ ॥

(त्य) अथातो गृहाणामेवोपचारः । (ऽ) एतद्ध वै गृहपतेः प्रोषुषऽआगताद् गृहाः समुत्रस्ता ऽइव भवन्ति किमयमिह वदिष्यति किं वा करिष्यतीति स यो ह तत्र किं चिद्वदति वा करोति वा तस्माद्गृहाः प्रत्रसन्ति तस्येश्वरः कुलं विक्षोब्धोरथ यो ह तत्र न वदति न किं चन करोति तं गृहा उपसꣳश्रयन्ते न वाऽअयमिहावादीन्न किं चनाकरदिति स यदिह्यपि सुक्रुद्ध इव स्याच्छ एव ततस्तत्कुर्याद्यद्वदिष्यन्वा करिष्यन्वा स्यादेषु उ गृहाणामुपचारः ॥ १४ ॥

इति तृतीयप्रपाठके तृतीयं ब्राह्मणम् ॥ ३ ॥ ३ ॥ (४ ॥ १)

अथ प्र वा व्रजति, प्र वा धावयाति । स यत्र वेलां मन्यते तत् स्यत्त्वा वाचं विसृजते । अथ प्रोष्य परेक्ष्य यत्र वेलां मन्यते तद्वाचं यच्छति । स यद्यपि राजान्तरेण स्यात्, नैव तमुपेयात् ॥ १२॥

स आहवनीयमेवाग्र उपतिष्ठते—अथ गार्हपत्यम् । तूष्णीमेवाहवनीयमुपतिष्ठते, तूष्णीमुपविश्य तृणान्यपलुम्पति । तूष्णीमेव गार्हपत्यमुपतिष्ठते, तूष्णीमुपविश्य तृणान्यपलुम्पति ॥ १३ ॥

अथातो गृहाणामेवोपचारः । एतद्ध वै गृहपतेः प्रोषुषः आगताद् गृहाः समुत्रस्ता इव भवन्ति—किमयमिह वदिष्यति, किं वा करिष्यतीति । स यो ह तत्र किञ्चिद्वदति वा करोति वा—तस्माद् गृहाः प्रत्रसन्ति । तस्येश्वरः कुलं विक्षोब्धोः । अथ यो ह तत्र न वदति, न किं चन करोति—

ष्यस्य ' ' मनः ' यद्विषयं तत् सर्वं ' देवाः ' स्वयमेव सर्वतो ' जानन्ति '; अतः ' सः ' ' गार्हपत्यः ' अपि यजमानस्य मनोगतं स्वयमेव ' वेद ' जानाति । किमिति, ' परिदां ' परिदानं रक्षणम् उद्दिश्य ' मा ' मान् ' इदम् ' इदानीम् ' उपागात् ' उपगतोऽयं यजमान ' इति ' । यस्मादेवं जानाति, तस्मात् स गार्हपत्योऽपि तूष्णीमेवोपस्थेयः । आहवनीयोपस्थानस्यापि तूष्णीं कर्त्तव्यतामाह—**तूष्णीमेवाहवनीयामि**त्यादिना । योजना तु पूर्ववत् ॥ ११–१३ ॥

एवं प्रवासादागतस्य यजमानस्याग्निविषयं कर्त्तव्यमुपदिश्य गृहविषयमपि तद् वक्तुं प्रतिजानीते—**अथात** इति[2] । उपचरणमुपचारः समाश्वासनं वक्ष्यत इति शेषः । "**गृहा मा बिभीत**" इति (वा. सं. ३।४१) मन्त्रेणोपस्थानं

१–' एवं प्रवत्स्यदुपस्थानस्यामन्त्रकपक्षमुक्त्वाऽऽगतोपस्थानस्यापि तमाह–' इति पाठः । २–गृहा मा बिभीतेत्येत्य च । का. श्रौ. सू. ४–२९३ ।

प्रजापतिं वै भूतान्युपासीदन् । (न्त्र) प्रजा वै भूतानि वि नो धेहि यथा जीवामेति ततो देवा यज्ञोपवीतिनो भूत्वा दक्षिणं जान्वाच्योपासीदंस्तानब्रवीद्यज्ञो वोऽन्नममृतत्वं वऽऊर्ग्वः सूर्यो वो ज्योतिरिति ॥ १ ॥

तं गृहा उपसंश्रयन्ते—न वा अयमिहावादीत्, न किञ्चनाकरदिति । स यदिहापि क्रुद्ध इव स्यात्—श्व एव ततस्तत्कुर्यात्—यद् वदिष्यन्वा करिष्यन् वा स्याद् । एष उ गृहाणामुपचारः ।

इति अग्निहोत्रविधिः सम्पूर्णः ।

अथ पिण्डपितृयज्ञः ।

प्रजापतिं वै भूतान्युपासीदन् । प्रजा वै भूतानि । 'वि नो धेहि यथा जीवाम' इति । ततो देवा

विधित्सुस्तेषां भयसम्भावनामाह—एतद्ध वा इति । 'प्रोषुषः' प्रवासं कृतवतो यजमानात् 'गृहाः' 'समुत्रस्ताः' भीताः 'इव' 'भवन्ति । भीतिकारणमाह—किमयमिति । 'अयं' यजमानोऽस्मद्विषयं 'किं वदिष्यति' 'किं वा करिष्यति' 'इति' अनेनाभिप्रायेण तेषां भयशङ्का । स यो हेत्यादि । 'सः' खलु यजमान आगत्य तत्र 'गृहा मा बिभीत' इत्येतन्मन्त्रेण उपस्थानं विना यत् किञ्चिद् वदन् कुर्वन् वा भवति, अस्मद्विषये क्रुद्ध एवासौ वर्तत इति 'तस्मात्' यजमानाद् 'गृहाः' 'प्रत्रसन्ति' प्रकर्षेणोद्विजन्ते ॥

अस्तु गृहाणां प्रत्रासः; को दोषः इत्यत आह—तस्येश्वर इति । 'तस्य' यजमानस्य 'कुलं' वंशं 'विक्षोब्धोः' विनष्टं कर्तुम् 'ईश्वरः' । ईश्वर इति व्यत्ययेनैकवचनम् (पा. सू. ३ । १ । ८५ । श्लो. वा.) । ईश्वराः, गृहाः समर्था भवन्ति । अथ यो हेत्यादि । यस्तु गृहानुपगत्य किमपि न वदति, न करोति च, मौनमेव केवलं भजते, 'गृहा मा बिभीत'—इति मन्त्रेणोपस्थानं वा करोति, 'तं' यजमानं गृहाः 'उपसंश्रयन्ते' उपगच्छन्ति । उपसंश्रयतां तेषामभिप्रायमाह—न वा इति । 'न' खल्वयं यजमानः 'इह' अस्मिन् समये 'किम्' अपि 'न' 'अवादीत्', 'किम्' अपि 'न' 'अकरत्' अकार्षीत्; यदि अस्मदपराधः स्यात्, तदा तद्विषयं वदिष्यति, यत् किञ्च करिष्यति च; तस्मात् अस्य यजमानस्य अस्मद्विषयः क्रोधो नास्तीत्यनेनाभिप्रायेण तमुपसंश्रयन्त इत्यर्थः ।

स यदिहापीत्यादि । 'इह' अस्मिन् गृहविषये यद्यपि 'सः' आगतो यजमानोऽपराधश्रवणात् 'क्रुद्धः' 'इव' एव 'स्यात्' 'ततः' तस्मादागमनदिवसात् 'श्वः' अनन्तरदिवसे 'एव' 'तत्' वक्तव्यं कर्तव्यं वोपचारनिवृत्तये प्रयुञ्जीत; न त्वागमनदिवसे इत्यर्थः । तदुक्तं सूत्रकृता—"गृहा मा बिभीतेति गृहानुपतिष्ठते, क्षेमाय व इति प्रविशति, न हिंस्यात् गृहान् कामं श्वः" ॥ १४ ॥ [४. १.]

इति श्रीसायणाचार्यविरचिते माधवीये वेदार्थप्रकाशे माध्यन्दिनशतपथब्राह्मणभाष्ये
द्वितीयकाण्डे चतुर्थाध्यायस्य प्रथमं ब्राह्मणम् ।

अथामावास्यायां पिण्डपितृयज्ञस्य मासि मासि कर्त्तव्यतां विधित्सुस्तदर्थमाख्यायिकामाह—प्रजापतिं वा

१–'गृहानुपैति' इति का. श्रौ. सू. ४ । २९५ । २–का. श्रौ. सू. ४ । २९६ ॥

३–'श्रुत्यर्थमनुविधित्सुनाऽऽचार्येण पौर्णमासमनुविहितमिदानीमवसरप्राप्तं दर्शस्यानुविधानं कर्त्तव्यम्, तत्र च प्राक्कालीनः पिण्डपितृयज्ञः सोऽनुविधेय इति (का. श्रौ. सू. ४ । १) भाष्ये कर्कः ।

(त्य) अथैनं पितरः। प्राचीनावीतिनः सव्यं जान्वाच्योपासीदंस्तानब्रवीन्मासि मासि वोऽशनᳫं स्वधा वो मनोजवो वश्चन्द्रमा वो ज्योतिरिति ॥ २ ॥

(त्य) अथैनं मनुष्याः। प्रावृता उपस्थं कृत्वोपासीदंस्तानब्रवीत्सायं-प्रातर्वोऽशनं प्रजा वो मृत्युर्वोऽग्निर्वो ज्योतिरिति ॥ ३ ॥

यज्ञोपवीतिनो भूत्वा दक्षिणं जान्वाच्योपासीदन्। तानब्रवीत्–'यज्ञो वोऽन्नम्, अमृतत्वं वः, ऊर्ग्वः, सूर्यो वो ज्योतिः' इति ॥ १ ॥

अथैनं पितरः प्राचीनावीतिनः सव्यं जान्वाच्योपासीदन्। तानब्रवीत्–'मासि–मासि वोऽशनम्, स्वधा वः, मनोजवो वः, चन्द्रमा वो ज्योतिः' इति ॥ २ ॥

अथैनं मनुष्याः प्रावृता उपस्थं कृत्वोपासीदन्। तानब्रवीत्–'सायंप्रातर्वोऽशनम्। प्रजा वः, मृत्युर्वः, अग्निर्वो ज्योतिः' इति ॥ ३ ॥

इति। भवन्ति सद्भावं प्रतिपद्यन्त इति 'भूतानि'। 'प्रजाः' देवपितृमनुष्याद्या वक्ष्यमाणाः। तासामभिप्रायमाह–**वि न** इति। 'नः' अस्मान् 'विधेहि' त्वमित्थं कुरु–त्वमित्थं कुरु इत्याज्ञापय। 'यथा' येन प्रकारेण वयं 'जीवाम' जीवनवन्तो भवेम 'इति' अनेनाभिप्रायेणेत्यर्थः।

ततो देवा इत्यादि। प्रजापतेरुपासनहेतुत्वेनोपसदनसमये देवादिभिर्यद्यल्लिङ्गं धृतम्, तत्तल्लिङ्गानुसारेण तेषां देवादीनां यज्ञादिविशेषभाक्त्वं प्रजापतिर्जीवनहेतुत्वेनोपदिष्टवानिति प्रघट्टकार्थः। **यज्ञो वोऽन्नमिति**। हे देवाः! 'वः' युष्माकं 'यज्ञः' 'अन्नम्,' अतो युष्माकमेव 'अमृतत्वम्'; 'ऊर्क् बलं' च 'वः' युष्माकमेव; 'सूर्यः' एव 'वः' युष्माकं 'ज्योतिः' 'इति'।

एवं यज्ञोपवीतित्वादिलिङ्गयुक्तान् देवान् प्रेक्ष्य, यज्ञादिचतुष्टयं प्रजापतिः तेषां जीवनहेतुत्वेनोपदिष्टवान् ॥ १ ॥

अथैनं पितर इत्यादि। अत्राप्येवं योज्यम्। **मासि मासीति**। प्रतिमासं दर्शेऽनुष्ठीयमानं यत् पिण्डपितृयज्ञाख्यं हविः, तद् 'वः' युष्माकम् 'अशनम्'; 'स्वधा'–कारोऽपि 'वः' युष्माकमसाधारणम्; मनस इव जवः 'मनोजवः' सोऽपि युष्माकमेव। सोमलोकवर्त्तिनां युष्माकं 'चन्द्रमाः' एव ज्योतिः भवत्विति ॥ २ ॥

अथैनं मनुष्या इत्यादि। प्रावृताः उत्तरवाससा संवृताः कण्ठलम्बितवाससः[1], निवीतिन इत्यर्थः। अत एव तैत्तिरीयकम्–"निवीतं मनुष्याणाम्, प्राचीनावीतं पितॄणाम्, उपवीतं देवानाम्" (तै. सं. २। ५। ११। १) इति। **उपस्थं कृत्वेति**। यतः प्रजापतेरुपसदनसमये मनुष्यैरुपस्थप्रावरणमनुष्ठितम्, अत एवेदानीं भुक्त्यादिसमये उपस्थप्रावरणेनोपसीदन्ति। **प्रजा व** इति। प्रजायन्त इति 'प्रजाः' पुत्रपौत्रादिरूपाः। "उपसर्गे च संज्ञायाम्"–(पा. सू. ३। २। ९९) इति डप्रत्ययः। **मृत्युर्व** इति। देहारम्भकर्म्मोपजनितं मरणं 'वः' युष्माकमसाधारणो धर्म इत्यर्थः ॥ ३ ॥

१–'केवलवीतवासस' इति क. पाठः।

(त्यु) अथैनं पशव उपासीदन् । (दंस्ते) तेभ्यः स्वैषमेव चकार यदैव यूयं कदा च लभाध्वै यदि काले यद्यनाकालेऽथैवाश्नाथेति तस्मादेते यदैव कदा च लभन्ते यदि काले यद्यनाकालेऽथैवाश्नन्ति ॥ ४ ॥

(न्त्यु) अथ हैनꣳ शश्वदप्यसुराऽउपसेदुरित्याहुः । (स्ते) तेभ्यस्तमश्च मायां च प्रददावस्त्यहैवासुरमायेतीव पराभूता ह त्वेव ताः प्रजास्ता इमाः प्रजास्तथैवोपजीवन्ति यथैवाभ्यः प्रजापतिर्व्यदधात् ॥ ५ ॥

अथैनं पशव उपासीदन् । तेभ्यः स्वैषमेव चकार–' यदैव यूयं कदा च लभाध्वै–यदि काले, यद्यनाकाले–अथैवाश्नाथ ' इति । तस्मादेते यदैव कदा च लभन्ते–यदि काले, यद्यनाकाले–अथैवाश्नन्ति ॥ ४ ॥

अथ हैनं शश्वदप्यसुरा उपसेदुरित्याहुः । तेभ्यः तमश्च, मायां च प्रददौ । अस्त्यहैवासुरमायेतीव पराभूता ह त्वेव ताः प्रजाः । ता इमाः प्रजास्तथैवोपजीवन्ति–यथैवाभ्यः प्रजापतिर्व्यदधात् ५

गवादिपशूनामपि प्रजापत्युपसदनं, तत्कृतजीवनक्षयजनितं मरणं तदशनक्लृप्तिश्चाह–**अथैनं पशव** इत्यादिना । **स्वैषमेवे**ति । यथा देवपितृमनुष्याणां यज्ञादिरूपां तत्क्लृप्तिं चकार, तथैव गवादिपशूनामपि तदुचिताहारक्लृप्तिं कृतवानित्यर्थः । तत्प्रकारं दर्शयति–**यदैवे**ति । गवाद्याः पशवो यूयं 'यदा कदा च' काले अकाले वा तृणादि-रूपमाहारजातं ' लभाध्वै ', ' अथ ' अनन्तरमेव तत् लब्धं तृणाद्याहारजातम् ' अश्नाथ ' । 'इति'–शब्दः प्रजापतिवाक्यपरिसमाप्तौ । **तस्मादेत** इत्यादि । यस्मादेवं प्रजापतेः सकाशात् लब्धवराः, ' तस्मात् ' ' एते ' गवाद्याः पशवः तृणाद्याहारं ' यदा एव कदा च लभन्ते', ' काले ' वा ' अकाले ' वा, ' अथ ' अनन्तरमेव तद् भक्षयन्ति; न त्वस्मदादिवत् सायम्प्रातरादिकालविशेषमपेक्षन्त इत्यर्थः ॥ ४ ॥

अथासुरकृतं प्रजापतावुपसदनं परोक्षेण निर्दिशति–**अथ हैन**मिति । ' शश्वद् ' बहुकृत्वः ' असुरा अपि ' ' उपसेदुः ' उपसदनञ्चक्रुरित्यभिज्ञाः कथयन्ति । एवं देवपितृमनुष्यादीनामुपसदनमिव असुरकृतमुपसदनं जिज्ञासिष्यन्नाह–**तेभ्यस्तमश्च मायाश्चे**ति । परेषां दृष्ट्याच्छादकं तमः, अघटनघटनशक्तिर्माया । तदुभयं यस्मात् प्रजापतिरसुरेभ्यो दत्तवान्, तस्मात् इदानीमपि ' असुरमाया ' असुरस्य स्वभूता मायेत्यस्ति व्यवहारः । अत एव ते मायाविन इत्याख्यायन्ते । **पराभूता ह त्वेवे**ति । ' ताः ' असुर्याः ' प्रजाः ' देवादिवदन्नादीनां जीवनहेतूनां प्रजापतिसकाशादलाभात् केवलं तमोमायाभ्यां ग्रस्ताः सत्यः पराभवं प्राप्ता इत्यर्थः । इत्थं प्रजा-पतिना देवादिभ्यः कल्पितां वृत्तिं प्रदर्श्य, तदनतिक्रमेण तेषां जीवनं प्रतिपादयति–**ता इमा** इति । प्रजायन्त इति ' प्रजाः ' प्रागनुक्रान्ताः ' इमाः ' देवपितृमनुष्याद्याः, ' यथा ' येन प्रकारेण " यज्ञो वोऽन्नम् " इत्यादिना वृत्तिं प्रजापतिः कल्पितवान्, ' तथैव ' व्यवस्थितां वृत्तिं नियमेन देवाद्या उपजीवन्ति ॥ ५ ॥

१–' दृष्ट्याच्छादकसामर्थ्यं ' इति ' दृष्ट्याच्छादनं सामर्थ्यं ' इति च पा० । २–' अघटितघटनशक्तिर्माया ' इति पा. ।

(न्नै) नैव देवा ऽअतिक्रामन्ति । न पितरो न पशवो मनुष्या ऽएवैकेऽति-क्रामन्ति तस्माद्यो मनुष्याणां मेद्यत्यशुभे मेद्यति विहूर्च्छति हि न ह्ययनाय चन भवत्यनृतँ हि कृत्वा मेद्यति तस्मादु सायंप्रातराश्येव स्यात्स यो हैवं विद्वान्त्सायंप्रातराशी भवति सर्वँ हैवायुरेति यदु ह किंच वाचा व्याहरति तदु हैव भवत्येतद्धि देवसत्यं गोपायति तद्धैतत्तेजो नाम ब्राह्मणं य एतस्य व्रतँ शक्नोति चरितुम् ॥ ६ ॥

नैव देवा अतिक्रामन्ति, न पितरो, न पशवः, मनुष्या एवैकेऽतिक्रामन्ति । तस्माद्यो मनुष्याणां मेद्यति-अशुभे मेद्यति विहूर्च्छति हि न हि अयनाय चन भवति । अनृतं हि कृत्वा मेद्यति । तस्मादु सायंप्रातराश्येव स्यात् । स यो हैवं विद्वान् सायंप्रातराशी भवति-सर्वं हैवायुरेति । यदु ह किञ्च वाचा व्याहरति-तदु हैव भवति । एतद्धि देवसत्यं गोपायति । तद्धैतत् । तेजो नाम ब्राह्मणम्-य एतस्य व्रतं शक्नोति चरितुम् ॥ ६ ॥

नैव देवा इति । न तु ते प्रजापतेराज्ञामतिक्रामन्ति । अथ मनुष्याणामशने नियमं विधित्सुरनियमप्रसक्तिं दर्शयितुं प्रजापतिक्लृप्तेरतिक्रममुपन्यस्यति-**मनुष्या एवेति** । 'एके' च नाम 'मनुष्याः' अज्ञानवशात् प्रजापतिना कल्पितां प्रागुदाहृतां वृत्तिम् 'अतिक्रामन्ति' यस्मादेवं 'तस्मात्' मनुष्याणां मध्ये 'यः' 'मेद्यति', स्निह्यति पुष्यतीति यावत् । "ञिमिदा स्नेहने"-(धा. पा. भ्वा. आ. ७४४) इति धातुः । स च मेद्यन्मनुष्योऽदनादिजनितमदवशेन 'अशुभे' नरकपाताद्यनर्थहेतुभूते पापे 'मेद्यति' स्निह्यति, तात्पर्येण वर्त्तते । तस्मात् पापात् सः 'विहूर्च्छति' अधः पतति । 'हुर्च्छा कौटिल्ये'-(धा. पा. भ्वा.प.२११) इति धातुः । **अयनाय चनेति** । 'चन'-शब्दोऽप्यर्थे । 'अयनाय' पुण्यलोकगमनायापि 'न हि भवति' । कुत इत्यत आह-**अनृतं हीति** । यस्मात् 'अनृतम्' असत्यम्, प्रतिषिद्धं 'कृत्वा' 'मेद्यति' प्रमत्तो[2] भवति । इत्थं प्रजापत्याज्ञातिक्रमेणानियमदर्शनात् मनुष्येषु नियमापेक्षा विद्यत इति तात्पर्यार्थः । औपोद्घातिकं नियमविधिं दर्शयति-**तस्मादिति** । सायम्प्रातरशितुं शीलमस्येति 'सायम्प्रातराशी' "सुप्यजातौ णिनिस्ताच्छील्ये"-(पा. सू. ३ । २ । ७८) इति णिनिः । 'एव'-कारेण अन्तरा भोजनं निवार्यते । विहितमनूद्य प्रशंसति-**स यो हैवमिति** । **यदु ह किञ्चेति** । उक्तभोजनकालनियमवान् यदपि किञ्चिद् 'वाचं' 'व्याहरति' भाषते, तथैव यथार्थं भवति । 'हि' यस्माद्, असौ 'एतत्' 'देवसत्यं' देवेन प्रजापतिना कल्पितं सत्यं 'गोपायति' रक्षति । "गुपू रक्षणे"-(धा. पा. भ्वा ३९५) इति धातुः । "गुपूधूपविच्छि"-(पा. सू. ३ । १ । २८) इत्यायप्रत्ययः । 'तद्ध' तदेव सत्यं 'तेजो नाम' 'तेजः'-शब्दवाच्यतया प्रसिद्धं 'ब्राह्मणम्' ब्राह्मणसम्बन्धि रूपम् । कः पुनरसावीदृग्विधं देवसत्यं गोपायतीति तमाह-**य एतस्येति** । 'एतस्य' प्रजापतेरुच्चारितरूपं 'व्रतं' 'चरितुं' 'यः' यजमानः 'शक्नोति', स देवसत्यं गोपायतीति सम्बन्धः ॥ ६ ॥

१-'पुष्यो' इ. पा. । २-'प्रसन्नो-' इ. पा. ।

तद्वाऽएतत् । (न्मा) मासि मास्येवु पितृभ्यो दुदतो युदैवैष नु पुरुस्तान्न पश्चाद्दद्दृशेऽथैभ्यो ददात्येष वै सोमो राजा देवानामन्नं युच्चन्द्रमाः स एताᳫं रात्रिं क्षीयते तुस्मिन्क्षीणे ददाति तुथैभ्योऽसमदं करोत्युथ यदक्षीणे दद्यात्समुदᳫं ह कुर्यादेवेभ्यश्च पितृभ्यश्च तुस्माद्युदैवैष नु पुरुस्तान्न पश्चाद्दद्दृशेऽथैभ्यो ददाति ॥ ७ ॥

स वाऽअपराह्णे ददाति । पूर्वाह्णो वै देवानां मध्युन्दिनो मनुष्याणामपराह्णः पितृणां तुस्मादपराह्णे ददाति ॥ ८ ॥

तद्वा एतन्मासि मास्येव पितृभ्यो ददतो–यदैवैष न पुरस्तात् न पश्चात् ददृशे–अथैभ्यो ददाति । एष वै सोमो राजा देवानामन्नं–यच्चन्द्रमाः–स एतां रात्रिं क्षीयते । तस्मिन्क्षीणे ददाति । तथैभ्योऽसमदं करोति । अथ यदक्षीणे दद्यात्–समदं ह कुर्याद्, देवेभ्यश्च पितृभ्यश्च । तस्माद्यदैवैष न पुरस्तात् न पश्चाद् ददृशेऽथैभ्यो ददाति ॥ ७ ॥

स वा अपराह्णे ददाति । पूर्वाह्णो वै देवानाम्, मध्यन्दिनो मनुष्याणाम्, अपराह्णः पितृणाम् । तस्मादपराह्णे ददाति ॥ ८ ॥

इत्थं पिण्डपितृयज्ञस्य मासि मासि कर्त्तव्यतां " मासि मासि वोऽशनं स्वधा वः "– (श. प. २ का० १ ब्रा० २ कं.) इत्यादिना प्रजापतिवाक्येन प्रतिपाद्येदानीं तं विधत्ते–**तद्वा एतदिति** । 'मासि मासि' प्रतिमासम् " नित्यवीप्सयोः "–(पा० सू० ८ । १ । ४) इति द्विर्वचनम् । जीवतां हि मनुष्याणां सायम्प्रातरशनं विहितम्, मरणादूर्ध्वं वस्वादिरूपेभ्यः पितृभावं[1] प्राप्तेभ्यस्तेभ्यो मासि मास्येव पितृयज्ञरूपमशनं दातव्यमित्यभिप्रायः । स च पितृयज्ञोऽमावास्यायामेव कर्त्तव्यो नान्यस्यां तिथाविति प्रतिपादयति– **यदैवैष** इति । 'यदा' यस्मिन्नेव काले 'एषः' चन्द्रः 'न' 'पुरस्तात्' पूर्वस्यां दिशि, 'पश्चात्' पश्चिमायामपि 'न' 'ददृशे' दृश्यते 'अथ' अनन्तरमेव 'एभ्यः' पितृभ्यः पिण्डान् दद्यात् । पुरस्तात् पश्चात् न ददृशे, इत्येतदुपपादयति–**एष वा** इति । 'यत्' यः 'चन्द्रमाः' नभसि दृश्यते, 'एषः' खलु 'राजा' राजमानः 'सोमः' 'देवानामन्नम्' इति; " यमादित्या अᳫंशुमाप्याययन्ति "–(तै० सं० २ । ४ । १४ । २ ।) इति मन्त्रवर्णात् । 'सः' (वरुणः) 'एताम्' अमावास्यादिवससम्बन्धिनीं 'रात्रिं' प्राप्य 'क्षीयते' क्षीणो भवति । तस्मिन् क्षीणे सति यः पितृभ्यो हविर्दद्यात्, तथा च सति एभ्यः पितृभ्यो देवैः साकम् 'असमदं' कलहं न 'करोति' 'अथ' 'यद्' यदि 'अक्षीणे' दृश्यमाने तस्मिन् सोमे चतुर्दश्यां प्रतिपदि वा पितृभ्यो हविर्दद्यात्, तदा देवेभ्यः पितृभ्यश्च कलहं कुर्यात्; सोमस्य देवानामन्नत्वेन भोक्तुं देवैरपि सन्निधानात् दीयमानहविर्विषयः कलहो भवेदित्यर्थः । तस्मादिति, निगमनम् ॥ ७ ॥

अपराह्णकालं विधायोपपादयति– **स वा** इति । अह्नः पञ्चधा विभक्तस्य चतुर्थो भागोऽपराह्णः, तस्मिन् पिण्डपितृयज्ञोऽनुष्ठेयः । अत एव सूत्र्यते कात्यायनेन–"अपराह्णे पिण्डपितृयज्ञः, चन्द्रादर्शनेऽमावास्यायामिति"[3] ॥ ८ ॥

१–'वस्वादिरूपपितृभावं' इति क० पा० । २–" वसून्वदन्ति वै पितॄन्रुद्रांश्चैव पितामहान् । प्रपितामहांस्त्वादित्याञ्छ्रुतिरेषा सनातनी ॥ १ ॥ ३–(का. श्रौ. सू. ४ । १) ।

स जघनेन गार्हपत्यं । प्राचीनावीती भूत्वा दक्षिणासीन ऽएतं गृह्णाति स तत एवोपोत्थायोत्तरेणान्वाहार्यपचनं दक्षिणा तिष्ठन्नवहन्ति सकृत्फली-करोति सकृदु ह्येव पराञ्चः पितरस्तस्मात्सकृत्फलीकरोति ॥ ९ ॥

तᳪं श्रपयति । तस्मिन्नधिश्रित ऽआज्यं प्रत्यानयत्यग्नौ वै देवेभ्यो जुह्व-त्युद्धरन्ति मनुष्येभ्यो ऽथैव पितॄणां तस्मादधिश्रित ऽआज्यं प्रत्यानयति ॥ १० ॥

स जघनेन गार्हपत्यं प्राचीनावीती भूत्वा दक्षिणासीन एतं गृह्णाति । स तत एवोपोत्थायोत्तरेणा-न्वाहार्यपचनं दक्षिणा तिष्ठन्नवहन्ति । सकृत्फलीकरोति । सकृदु ह्येव पराञ्चः पितरस्तस्मात्स-कृत्फलीकरोति ॥ ९ ॥

तं श्रपयति–तस्मिन्नधिश्रित आज्यं प्रत्यानयति । अग्नौ वै देवेभ्यो जुह्वति, उद्धरन्ति मनुष्येभ्यः, अथैव पितॄणाम् । तस्मादधिश्रित आज्यं प्रत्यानयति ॥ १० ॥

तत्र हविर्ग्रहणप्रकारमाह–**स जघनेन गार्हपत्यमिति** । गार्हपत्यस्य पश्चिमदेशे व्रीहिपूर्णस्य निर्वापार्थस्य शकटस्य दक्षिणतः आसीनः प्राचीनावीती एवं पितृयज्ञार्थं हविर्गृह्णीयात् । मन्त्रस्याविहितत्वात् तूष्णीमेवैतद् ग्रहणम् । अत एव सूत्रितञ्च–"अपरेण गार्हपत्यं चरुमपूर्णं स्रुवं स्रुचं वा तूष्णीं गृहीत्वा"–इति । चर्वर्थं गृहीतानां व्रीहीणामवहननं विधाय प्रशंसति–**स तत एवेत्यादिना** । 'ततः' तस्मात् हविर्ग्रहणस्थानात् । **उत्तरेणेति** । दक्षिणाग्नेरदूरेण उत्तरत इत्यर्थः । "एनबन्यतरस्याम्–" (पा. सू. ५ । ३ । ३५) इत्येनप् । "एनपा द्वितीया"– (पा. सू. २ । ३ । ३१) इति द्वितीया । **दक्षिणा तिष्ठन्निति** । दक्षिणतस्तिष्ठन् "दक्षिणादाच्"– (पा. सू. ५ । ३ । ३६) इति आच् प्रत्ययः ।

ऐष्टिकहविष इव फलीकरणस्य त्रित्वं प्रसक्तमपवदितुं सकृत्त्वं विधत्ते–**सकृदिति** । एकवारमेव फलीकुर्यात्, न तु त्रिः । तत्र हेतुमाह–**सकृदु ह्येवेति** । 'हि' यस्मादु 'सकृत्' एकवारमेव 'पराञ्चः' पराञ्चो गताः प्रेताः 'पितरः' अभवन्, न तेषां पुनरावृत्तिरस्ति, अतस्तेषां सकृत्त्वमसाधारणो धर्मः ॥ ९ ॥

श्रपणं विधत्ते–**तमिति** । सकृत्फलीकृतांस्तण्डुलान् स्थाल्यां प्रक्षिप्य, तं चरुं दक्षिणाग्नौ श्रपयेदित्यर्थः । उद्वासनात् प्रागेव तस्मिंश्चरौ अभिघारणं विधत्ते–**तस्मिन्निति** । 'अधिश्रिते' अग्नेरुपरि स्थापिते 'तस्मिन्' चरौ पक्वे सति 'आज्यं' 'प्रत्यानयति' प्रतिक्षिपति । तदेतदुपपादयति–**अग्नौ वा इति** । देवार्थं यदाज्यम्, तत् 'अग्नौ' 'जुह्वति' यजमानाः । देवेभ्यो यदाज्यं देयं तत् होमेनैव दीयत इत्यर्थः । **उद्धरन्तीति** । 'मनुष्येभ्यः' देयं यत् (आज्यम्), तत् तेषां पुरस्तात् भोजनपात्रेषु 'उद्धरन्ति' उद्धृत्य पुरतः स्थापय-न्तीत्यर्थः । **अथैवमिति** । 'अथ'–शब्द उक्तवैलक्षण्ये । पितॄणां तु एवमधिश्रितावस्थायामेव चरावाज्यमव-नेयमिति यथोक्तम्, एवमेव पितृभ्य आज्यं देयम्, न त्वग्नौ होमेनापि पुरस्तादुद्धरणेनापि । 'तस्मादिति' प्रतिज्ञातनिगमनम् ॥ १० ॥

१–'एतं' इति पा. । २–का. श्रौ. सू. ४ । ४ । ३–अपरेण गार्हपत्यं चरुमपूर्णं स्रुचं वा तूष्णीं गृहीत्वोत्तरेण दक्षिणाग्निमवहन्ति तिष्ठन् । का. श्रौ. सू. ४ । ४ ॥ ४–सकृत्फलीकरोति । का. श्रौ. सू. ४ । ५ । ५–दक्षिणाग्नौ श्रपयत्यहोमश्च । का. श्रौ. सू. ४ । २ ।

स॒ उ॒द्वास्या॒ग्नौ द्वेऽआहु॑ती जुहोति दे॒वेभ्य॑ः । (भ्यो) दे॒वान्वाऽए॒ष ऽउ॑पावर्त॑ते य॒ऽआहि॑ताग्निर्भव॑ति यो॒ दर्शपूर्णमा॒साभ्यां॒ यज॑तेऽथै॒तत्पि॒तृय॒ज्ञेने॒वाचारी॒त्तदु॒ दे॒वेभ्यो॒ नि॒ह्नु॒ते स॒ दे॒वैः प्रसू॑तोऽथै॒तत्पि॒तृभ्यो॒ ददाति॒ त॒स्मादु॒द्वास्या॒ग्नौ द्वे आहु॑ती जुहोति॒ दे॒वेभ्य॑ः ॥ ११ ॥

स वाऽअ॒ग्नये॑ च॒ सोमा॑य च॒ जु॑होति । स॒ यद॒ग्नये॑ जु॑होति॒ सर्व॒त्र ह्ये॒वाग्नि॒रन्वाभ॑क्तोऽथ य॒त्सोमा॑य जु॑होति पि॒तृदे॑व॒त्यो॒ वै सोम॒स्तस्मा॑द॒ग्नये॑ च सोमा॑य च॒ जु॑होति ॥ १२ ॥

स उद्वास्याग्नौ द्वे आहुती जुहोति देवेभ्यः । देवान्वा एष उपावर्तते—य आहिताग्निर्भवति, यो दर्शपूर्णमासाभ्यां यजते। अथैतत् पितृयज्ञेनेवाचारीत्। तद् उ देवेभ्यो निह्नुते। स देवैः प्रसूतः—अथैतत्पितृभ्यो ददाति। तस्मादुद्वास्याग्नौ द्वे आहुती जुहोति देवेभ्यः ॥ ११ ॥

स वा अग्नये च सोमाय च जुहोति । स यदग्नये जुहोति—सर्वत्र ह्येवाग्निरन्वाभक्तः । अथ यत् सोमाय जुहोति । पितृदेवत्यो वै सोमः तस्मादग्नये च सोमाय च जुहोति ॥ १२ ॥

अथ तस्य चरोरुद्वासनपूर्वकं होमं विधत्ते—स उद्वास्येति । उद्वासनानन्तरं 'देवेभ्यः' देवार्थम् 'अग्नौ' 'द्वे आहुती' जुहुयात्। यद्यपि 'अग्नये,' 'सोमाय' इति द्वयोरेवात्र होमः, तथापि देवेभ्य इति सामान्याभिप्रायेण बहुवचनम् । अत एव सूत्र्यते—"श्रपयित्वाऽभिघार्योद्वास्य मेक्षणेन जुहोति अग्नय इति सोमायेति च"—इति ॥

ननु पित्रर्थेन हविषा देवेभ्यो होमोऽनुपपन्न इत्याशङ्क्योपपादयति—देवान् वा इत्यादिना । 'यः आहिताग्निः', 'यः' च दर्शपूर्णमासयाजी 'एषः' यजमानो 'देवान्' 'उपावर्त्तते' उपाहृतः, अतस्तेभ्यो देवेभ्यो हविरवश्यं देयमिति भावः । अथैतदिति । 'अथ'—शब्दोऽत्र वैपरीत्यद्योतकः । 'एतत्' एतर्हि दैविकं कर्म परित्यज्य पित्र्येण कर्मणा 'अचारीत्' पित्र्यं कर्म कृतवानित्यर्थः। तथा सत्यन्यदीयकर्मानुष्ठानेन देवानां कोपः स्यात् अतस्तन्निवृत्तये पित्र्येऽपि कर्मणि 'देवेभ्यः' होमेन तदपराधं 'निह्नुते' अपनयति, प्रीणयति वा। एवं होमेन तोषितैः 'देवैः' 'प्रसूतः' अनुज्ञातः 'सः' यजमानः 'अथ' अनन्तरमेव 'एतत्' हविः 'पितृभ्यः' दद्यात् । उक्तमर्थं निगमयति—तस्मादिति ॥ ११ ॥

देवेभ्य इति साधारण्येनोक्तं विशिनष्टि—स वा इति। इतरान् देवान् परित्यज्य अग्नेः सोमस्य च हवने कारणमाह—स यदग्नय इति। 'सर्वत्र' देवेषु च सर्वेषु कर्मसु 'अग्निः' 'अन्वाभक्तः' अनुप्रविष्टो भवति, न ह्यग्निमन्तरेण दैविकं पित्र्यं वा किञ्चित् कर्म निष्पद्यते, अतोऽत्राग्नेर्होमो युक्त इत्यर्थः । पितृदेवत्यो वा इत्यादि । यतः "चन्द्रमा वो ज्योतिः"—इति प्रजापतिः पितॄणां ज्योतिष्ट्वेन चन्द्रमसं कल्पितवान्, अतः स 'सोमः' पितृदेवत्यः । अत एव धूमादिमार्गेण पितॄणां चन्द्रलोकप्राप्तिराम्नाता—'चन्द्रमसमेव ते सर्वे गच्छन्ति।'—(छां० उप० ५।१०।६) इति । यत एवम्, अतः पित्र्ये कर्मणि सोमाय हवनं युक्तमित्यर्थः ॥ १२ ॥

१-का. श्रौ. सू. ४।६।

स जुहोति । (त्य) अग्नये कव्यवाहनाय स्वाहा सोमाय पितृमते स्वाहेत्यग्नौ मेक्षणमभ्यादधाति तत्स्विष्टकृद्भाजनमथ दक्षिणेनान्वाहार्यपचनꣳ सकृदुल्लिखति तद्वेदिभाजनꣳ सकृदु ह्येव पराञ्चः पितरस्तस्मात्सकृदुल्लिखति ॥ १३ ॥

(त्य) अथ परस्तादुल्मुकं निदधाति । स यदनिधायोल्मुकमथैतत्पितृभ्यो दद्यादसुररक्षसानि हैषामेतद्विमथ्नीरंस्तथो हैतत्पितॄणामसुररक्षसानि न विमथ्नते तस्मात्परस्तादुल्मुकं निदधाति ॥ १४ ॥

स जुहोति–" अग्नये कव्यवाहनाय स्वाहा, सोमाय पितृमते स्वाहा"–(वा. सं. २।२९) इति । अग्नौ मेक्षणमभ्यादधाति–तत् स्विष्टकृद्भाजनम् । अथ दक्षिणेनान्वाहार्यपचनं सकृदुल्लिखति–तद् वेदिभाजनम् । सकृदु ह्येव पराञ्चः पितरः । तस्मात्सकृदुल्लिखति ॥ १३ ॥

अथ परस्तादुल्मुकं निदधाति । स यदनिधायोल्मुकमथैतत् पितृभ्यो दद्यात्–असुररक्षसानि हैषामेतद्विमथ्नीरन् । तथो हैतत् पितॄणामसुररक्षसानि न विमथ्नते । तस्मादुल्मुकं निदधाति ॥१४॥

उक्तदेवतयोर्होममन्त्रौ विधत्ते–स जुहोतीति । 'कव्यं' पित्र्यं हविः, तद् वहति पितॄन् प्रापयतीति 'कव्यवाहनः' । " कव्यपुरीषपुरीष्येषु–" (पा० सू० ३ । २ । ६५) इति ञ्युट् । एतच्च पितॄणामग्नेरसाधारणं नामधेयम् । अत एवाम्नायते–" त्रयो वा अग्नयो हव्यवाहनो देवानां, कव्यवाहनः पितॄणां, सहरक्षा असुराणाम्–" (तै० सं० २ । ५ । ८ । ६) इति । 'कव्यवाहनाय अग्नये' इदं हविः 'स्वाहा' सुहुतमस्तु । पितृगणैर्युक्ताय 'सोमाय' इदं हविः 'स्वाहा' सुहुतमस्तु ।

मेक्षणस्याग्नौ प्रक्षेपं विधत्ते–अग्नाविति । चरुमालोड्य येन काष्ठेन गृहीत्वा हूयते, तत् 'मेक्षणम्' । 'तत्' अभ्याधानं 'स्विष्टकृद्भाजनम्' अस्य होमस्य स्विष्टकृत्स्थानीयम् ॥

अथ पिण्डप्रदानाय स्थानविशेषं तत्संस्कारञ्च विधाय प्रशंसति–अथ दक्षिणेनेति । 'अथ'–शब्दोऽत्रान्यप्रतिषेधार्थः । दक्षिणाग्नेरदूरेण स्फ्येन 'सकृदुल्लिखति' एकयत्नेन दक्षिणप्राचीं लेखां कुर्यात् । 'तत्' उल्लिखितं स्थलं 'वेदिभाजनं' वेदिस्थानीयम्, तत्कार्यकरमित्यर्थः । सकृदु ह्येवेत्यादि,उक्तार्थम् ॥ १३ ॥

उल्लिखितप्रदेशस्यान्ते अग्नेर्निधानं विधत्ते–अथ परस्तादिति । 'परस्तात्' परस्मिन् विप्रकृष्टे, पर्यन्ते इत्यर्थः । विपक्षे बाधविधानपुरस्सरमेतदुल्मुकनिधानमुपपादयति–स यदिति । सुरविरोधीनि रक्षांसि 'असुररक्षसानि', 'एषां' पितॄणां स्वभूतम् 'एतत्' पिण्डरूपं हविः 'विमथ्नीरन्' अपहरेयुः । तथो हेति । तथा चोल्मुकनिधाने सतीत्यर्थः । 'न विमथ्नते' नापहरन्ति । " मन्थ विलोडने–" (धा० पा० भ्वा० प० ४२) इति धातुः ॥ १४ ॥

१–प्रास्य तद्दक्षिणेनोल्लिखत्यपहता इत्यपरेण वा । (का. श्रौ. सू. ४ । ७।) अग्नौ मेक्षणं प्रास्य । अग्नेरेव दक्षिणेनापरेण वा स्फ्येनोल्लेखनमित्यर्थः । २–' उल्मुकं परस्तात् करोति ये रूपाणीति । (का. श्रौ. सू. ४ । ८) लेखायाः परस्तादग्नेः ।

स निदधाति । ये रूपाणि प्रतिमुञ्चमानाऽअसुराः सन्तः स्वधया चरन्ति॥ परापुरो निपुरो ये भरन्त्यग्निष्टाँल्लोकात्प्रणुदात्यस्मादित्यग्निर्हि रक्षसामपहन्ता तस्मादेवं निदधाति ॥ १५ ॥

(त्यु) अथोदपात्रमादायावनेजयति । (त्यु) असाववनेनिक्ष्वेत्येव यजमानस्य पितरमसाववनेनिक्ष्वेति पितामहमसाववनेनिक्ष्वेति प्रपितामहं तद्यथाऽशिष्यतेऽभिषिञ्चेदेवं तत् ॥ १६ ॥

स निदधाति " ये रूपाणि प्रतिमुञ्चमाना असुराः सन्तः स्वधया चरन्ति । परापुरो निपुरो ये भरन्त्यग्निष्टान् लोकात्प्रणुदात्यस्मात् "–(वा. सं. २ । ३०) इति । अग्निर्हि रक्षसामपहन्ता तस्मादेवं निदधाति ॥ १५ ॥

अथोदपात्रमादायावनेजयति–" असाववनेनिक्ष्व " इत्येव यजमानस्य पितरम् । असाववनेनिक्ष्वेति पितामहम् । असाववनेनिक्ष्वेति प्रपितामहम् । तद् यथाऽशिष्यते अभिषिञ्चेदेवं तत्॥१६॥

विहिते उल्मुकनिधाने मन्त्रं विधत्ते–स निदधातीति । यदेतदुल्मुकनिधानं विहितम्, तत् "ये रूपाणि–" इत्यनेन मन्त्रेण कर्त्तव्यमित्यर्थः । मन्त्रार्थस्तु,–' ये ' ' असुराः ' मायावशात् पितॄणां रूपाणि ' प्रतिमुञ्चमानाः ' धारयन्तः सन्तः पित्रर्थं दीयमानया ' स्वधया ' सह ' चरन्ति ' वर्त्तन्ते । ' ये ' च पूर्वं ' परापुरः निपुरः ' पूरणपिण्डदानेन युक्ताः संतो ' भरन्ति ' हविर्हरन्ति । परापुरो निपुर इति, परा–नि–पूर्वात् पृणोतेः सम्पदादिलक्षणे भावे क्विपि बहुव्रीहिः; स च धातुरत्र पिण्डविषये दाने वर्त्तते । अत एवोक्तमाश्वलायनेन–" तस्यां पिण्डान् निपृणीयात् पराचीनपाणिः "–(आ० श्रौ० सू० २ । ६ । १९) इति । पुत्रपदनिर्वचनप्रसङ्गे यास्केनाप्युक्तम्–" पुत्रः, पुरु त्रायते; निपरणाद्वा, पुं नरकं ततस्त्रायत इति वा " (निरु० २।३।२।) इति । यद्वा ' पराः ' प्रभूताः ' पुरः ' शरीराणि येषां ते ' परापुरः '; ' नि ' निकृष्टा अल्पाः ' पुरः ' शरीराणि येषां ते ' निपुरः '; माहाकाया अल्पकायाश्चेत्यर्थः । एवं प्रच्छन्नवेषा असुरा ये सन्ति, ' तान् ' ' अस्मात् ' ' लोकात् ' पिण्डपितृयज्ञस्थानात् ' अग्निः ' ' प्रणुदाति ' । लेटयाडागमः, (पा० सू० ३।४।९४) प्रणुदत्वित्यर्थः । रक्षोनिहन्तृत्वमग्नेः प्रसिद्धमिति व्याचष्टे–अग्निर्हीति । ' एवं निदधाति ' अग्निशब्दोपेतेन मन्त्रेण निदध्यादित्यर्थः ॥ १५ ॥

पिण्डदानस्य प्राच्याङ्गत्वेनावनेजनं विधत्ते–अथोदपात्रमिति । ' उदपात्रम् ' उदकपूर्णं पात्रम् । " एकहलादौ पूरयितव्येऽन्यतरस्याम् "–(पा. सू. ६ । ३ । ५९) इत्युदकशब्दस्योदभावः । " असाववनेनिक्ष्व "–इत्यवनेजनमन्त्रः । तत्रादश्शब्दस्थाने सम्बुद्ध्यन्तं पित्रादीनां यथाक्रमं नाम निर्देष्टव्यम्,–हे यज्ञशर्म्मन् मम पितः ! ' अवनेनिक्ष्व ' दास्यमानं पिण्डं भोक्तुम् आत्मीयौ पाणी शोधयेति मन्त्रार्थः । " णिजिर् शौचपोषणयोः " (धा. पा. जु. उ. ११)–इति धातुः । एवं पितामहप्रपितामहविषयौ मन्त्रौ योज्यौ ।

१–उदपात्रेणावनेजयत्यपसव्यꣳसव्येन वोद्धरणसामर्थ्यात् । (का० श्रौ० सू० ४ । ९ ।) २–असाववनेनिक्ष्वेति यजमानस्य पितृप्रभृति त्रीन् । (का० श्रौ० सू० ४ । १०) यजमानस्येति अध्वर्युकर्तृकत्वे ।

(३) अथ सकृदाच्छिन्नान्युपमूलं दिनानि भवन्ति। (न्त्यु) अग्रमिव वै देवानां मध्यमिव मनुष्याणां मूलमिव पितृणां तस्मादुपमूलं दिनानि भवन्ति सकृदाच्छिन्नानि भवन्ति सकृदु ह्येव पराञ्चः पितरस्तस्मात्सकृदाच्छिन्नानि भवन्ति ॥ १७ ॥

तानि दक्षिणोपस्तृणाति। तत्र ददाति स वाऽ इति ददातीतीव वै देवेभ्यो जुह्वत्युद्धरन्ति मनुष्येभ्योऽथैवं पितृणां तस्मादिति ददाति ॥ १८ ॥

अथ सकृदाच्छिन्नान्युपमूलं दिनानि भवन्ति। अग्रमिव देवानाम्, मध्यमिव मनुष्याणाम्, मूलमिव पितृणाम्। तस्मादुपमूलं दिनानि भवन्ति। सकृदाच्छिन्नानि भवन्ति। सकृदु ह्येव पराञ्चः पितरः। तस्मात् सकृदाच्छिन्नानि भवन्ति ॥ १७ ॥

तानि दक्षिणोपस्तृणाति। तत्र ददाति। स वा इति ददाति। इतीव वै देवेभ्यो जुह्वति, उद्धरन्ति मनुष्येभ्यः, अथैवं पितृणाम्। तस्मादिति ददाति ॥ १८ ॥

अस्यावनेजनस्य पिण्डदानात् प्राक्कर्त्तव्यतां दृष्टान्तेनोपपादयति—**तद्यथेति**। 'अशिष्यंते' भोक्ष्यमाणाय पुरुषाय यथा 'अभिषिञ्चेत्' उदकं हस्ते ददाति, 'एवम्' एव तत् पितृणामवनेजनमित्यर्थः ॥ १६ ॥

अथ तस्मिन्नुल्लिखिते स्थाने बर्हिः स्तारितुं तत्सम्पादनं विधत्ते—**अथ सकृदाच्छिन्नानीति**। एकयत्नेन च्छिन्नानि। 'उपमूलं' मूलसमीपे। 'दिनानि' खण्डितानि बर्हींषि पितृयज्ञार्थानि 'भवन्ति', एवंगुणविशिष्टानि बर्हींष्याहर्त्तव्यानीत्यर्थः। मूलसमीपे छेदनमुपपादयति—**अग्रमिवेत्यादिना**। अत एव तैत्तिरीयकेऽप्याम्नायते—"यत् परुषि दिनं तद् देवानां, यदन्तरा तन्मनुष्याणां, यत् समूलं तत् पितृणाम्"—इति। छेदनगतं सकृत्त्वमनूद्य स्तौति—**सकृदाच्छिन्नानीति** ॥ १७ ॥

बर्हिषः स्तरणं विधत्ते—**तानीति**। 'दक्षिणा' दक्षिणतः, उल्लिखितप्रदेशे 'तानि' बर्हींषि 'उपस्तृणाति'। तथैव कात्यायनेन सूत्रितम्—"उपमूलं सकृदाच्छिन्नानि लेखायां कृत्वा"—(का. श्रौ. सू. ४।११) इति। पिण्डदानं विधत्ते—**तत्रेति**। 'तत्र' तस्मिन् बर्हिषाऽऽस्तीर्णे देशे पिण्डान् दद्यादित्यर्थः। तत्र प्रकारविशेषमभिनयेन विधत्ते—**स वा इतीति**। 'इति' अनेन प्रकारेण अंगुष्ठतर्जन्योर्मध्येन पित्र्येण तीर्थेनेत्यर्थः। देवमनुष्यसम्प्रदानके दाने तद्वैपरीत्यकथनेनोपपादयति—**इतीव वै देवेभ्य इति**। अनेन खलु प्रकारेण अंगुल्यग्रेण देवतीर्थेन 'देवेभ्यः' हवींषि 'जुह्वति' 'मनुष्येभ्यः' तु यथायोगं भोक्तव्यमन्नम् 'उद्धरन्ति' उद्धृत्य पात्रान्तरे स्थापयन्ति। न तु तत्र देवपित्रादितीर्थविशेषोऽपेक्षितः। **अथैवमिति**। 'अथ'—शब्द उक्तवैलक्षण्यद्योतनार्थः। देवमनुष्यवैलक्षण्येन एवमुक्तेन पित्र्येण तीर्थेन पितृणां सम्बन्धि हविर्देयमित्यर्थः। **तस्मादिति**। प्रतिपादितार्थनिगमनम् ॥ १८ ॥

१–उपमूल२सकृदाच्छिन्नानि लेखायां कृत्वा यथाऽवनिक्तं पिंडान् ददात्यसावेतत्त इति। का० श्रौ० सू० ४।११। उपमूलमिति अन्यपदाविग्रहो नित्यसमासः। मूलसमीपे यानि सकृदाच्छिन्नानि तानि उपमूलं दिनानि बर्हिस्तृणानि। अन्यत्रापि तृणार्थे इत्युक्तत्वादिति कर्कः।

स ददाति । (त्यु) असावेतत्त ऽइत्येव यजमानस्य पित्रे ये च त्वामन्वित्यु हैक ऽआहुस्तदु तथा न ब्रूयात्स्वयं वै तेषाँ सह येषाँ सह तस्मादु ब्रूयादसावेतत्त ऽइत्येव यजमानस्य पित्रेऽसावेतत्त ऽइति पितामहायासावेतत्त ऽइति प्रपितामहाय तद्यदितः पराग्ददाति सकृदु ह्येव पराञ्चः पितरः ॥ १९ ॥

तत्र जपति । (त्यु) अत्र पितरो मादयध्वं यथाभागमावृषायध्वमिति यथाभागमश्नीतेत्येवैतदाह ॥ २० ॥

स ददाति–असावेतत्ते इत्येव यजमानस्य पित्रे, ये च त्वामन्वित्यु हैक आहुः । तद्दु तथा न ब्रूयात् । स्वयं वै तेषां सह येषां सह । तस्मादु ब्रूयाद्–असावेतत्त इत्येव यजमानस्य पित्रे । असावेतत्त इति पितामहाय, असावेतत्त इति प्रपितामहाय । तद् यदितः पराग्ददाति–सकृदु ह्येव पराञ्चः पितरः ॥ १९ ॥

तत्र जपति–"अत्र पितरो मादयध्वं यथाभागमावृषायध्वम्"–(वा. सं. २।३१) इति । यथाभागमश्नीतेत्येवैतदाह ॥ २० ॥

पितृपितामहप्रपितामहानां विहिते पिण्डदाने मन्त्रान् विधत्ते–स ददातीत्यादिना । " असावेतत्ते "–(का० श्रौ० सू० ४ । ११) इति पिण्डदानमन्त्रः । तत्र ' असौ '–इत्यस्य स्थाने पित्रादीनां नाम सम्बुद्ध्यन्तं निर्देष्टव्यम् । हे यज्ञशर्मन् ! ' एतत् ' पिण्डरूपं हविः ' ते ' तुभ्यं मया दीयत इति मन्त्रार्थः । " ये च त्वामनु "–इति वक्ष्यमाणशाखान्तराभिमतमन्त्रशेषनिरासार्थः ' एव '–कारः । अनेन च मन्त्रेण प्रथमं यजमानस्य पित्रे पिंडं दद्यात्; अनेनैव पितामहप्रपितामहयोरपि पिण्डदानम् । तत्रैकीयं मतमुपन्यस्य दूषयति–ये च त्वेति । तस्य च मन्त्रशेषस्यायमर्थः,–हे पितः ! ' त्वाम् ' ' अनु '–सृत्य ' ये वर्त्तन्ते तेभ्यश्चायं पिण्डः तृप्तिं करोत्विति । स्वयं वा इत्यादि । पित्रनन्तरभाविनां यच्छब्दनिर्दिष्टानां तेषां ' स्वयं ' पिण्डदाता सहभावी भवति । तथा य एव एषां स्वयं सहभावी, तेभ्यः पिण्डदाने स्वात्मन पिण्डं दत्तवान् भवति । अतस्तत्प्रतिपादको " ये च त्वामनु "–इति मन्त्रभागो न वक्तव्य इत्यर्थः । प्रथमं पक्षं निगमयति–तस्मादिति । तद्यदित इत्यादि । अनेन हि क्रमेण ते पितृत्वं प्राप्ताः–प्रथमं प्रपितामहः, पश्चात् पितामहः, ततः पितेति; इमं क्रमं परित्यज्य पिण्डदाने ' इतः ' पितृत आरभ्य प्रपितामहान्तं ' पराक् ' पराचीनं पिण्डान् दद्यात्; यतस्ते पितरः सकृत्त्वपराक्त्वधर्मयुक्ता इत्यर्थः ॥ १९ ॥

पिण्डदानानन्तरं मन्त्रजपं विधत्ते–तत्र जपतीति[२] । तद्गतं किञ्चित् पदं व्याचष्टे–अत्रेति । मन्त्रार्थस्तु,–' अत्र ' अस्मिन् देशे हे ' पितरः ! ' ' मादयध्वम् ' तृप्ता भवत, तदर्थं च ' यथाभागं ' स्वं स्वं भागमनतिक्रम्य मया दत्तान् पिण्डान् ' आवृषायध्वम् ' अश्नीतेति । वृषायध्वमित्यस्यैतदर्थपरतां श्रुतिः स्वयं व्याचष्टे–यथाभागमश्नीतेत्येवैतदाहेति ॥ २० ॥

१–'ये च त्वामन्विति चैके' । का. श्रौ. सू. ४ । १२ । २–अत्र पितर इत्युक्त्वोदङ्ङास्त आतमनात् का. श्रौ. सू. ४ । १३ ।

(ब्रा) अथ पराङ्पर्य्यावर्तते । तिर इव वै पितरो मनुष्येभ्यस्तिर इवैतद्भवति स वाऽआतमितोरासीतेत्याहुरेतावान्ह्यसुरिति स वै मुहूर्त्तमेवासित्वा ॥ २१ ॥

(ब्रा) अथो) अथोपपल्युच्य जपति । (त्यु) अमीमदन्त पितरो यथाभागमावृषायिषतेति यथाभागमाशिषुरित्येवैतदाह ॥ २२ ॥

(ब्रा) अथोदपात्रमादायावनेजयति । (त्यु) असाववनेनिक्ष्वेत्येव यज-

---

अथ पराङ् पर्यावर्त्तते । तिर इव वै पितरो मनुष्येभ्यः । तिर इवैतद्भवति । स वा आतमितोरासीतेत्याहुः । एतावान्ह्यसुरिति । स वै मुहूर्तमेवासित्वा ॥ २१ ॥

अथोपपल्यय्य जपति । "अमीमदन्त पितरो यथाभागमावृषायिषत"–(वा० सं०२।३१) इति । यथाभागमाशिषुरित्येवैतदाह ॥ २२ ॥

अथोदपात्रमादायावनेजयति–" असाववनेनिक्ष्व " इत्येव यजमानस्य पितरम् । असाववनेनिक्ष्वेति पितामहम् । असाववनेनिक्ष्वेति प्रपितामहम्, तद् यथा जक्षुषेऽभिषिञ्चेदेवं तत् ॥ २३ ॥

जपानन्तरं परागावर्त्तनं विधत्ते–**अथ पराङ् पर्यावर्त्तत** इति । पराङ्मुखः सन् पिण्डाभिमुख्यं विहाय पर्यावर्तेतेत्यर्थः । एतदुपपादयति–**तिर इवेति** । पितरो हि मनुष्येभ्यः तिरोभूताः; अन्तर्द्धानशक्तियोगात् । अतः पितॄणां तिरोधानेन भवितव्यम् । एतर्हि पिण्डदातरि पर्यावर्त्तमाने सति तेषां 'तिर इव' तिरोधानमिव भवति । पर्यावर्त्तनकालस्य परिमाणं विधत्ते–**स वा** इति । स खलु पर्यावर्तमानः 'आतमितोः' निरुद्धश्वासगतेरात्मनो यावत् तमनं ग्लानिः भवति, तावत् आसीत 'इति' केचित् 'आहुः' प्रतिपादयन्ति । "तमु ग्लानौ" (धा० पा० दि० प० ९६) इत्यस्मात् "भावलक्षणे स्थेण्कृञ्वदिचरिहुतमिजनिभ्यस्तोसुन्"–(पा० सू० ३।४।१६) इति तोसुन् प्रत्ययः । तत्रोपपत्तिमाह–**एतावानिति** । एतावत्परिमाणो भवति । तस्मादेतावन्तं कालमासीतेति । पक्षान्तरमाह–**स वा** इति । 'सः' खलु 'मुहूर्त्तं' द्वादशक्षणात्मको यो मुहूर्त्तसंज्ञकः कालः, तावत्पर्यन्तम् 'एव' आसीतेत्यर्थः । एवकारः पूर्वोक्तपक्षव्यवच्छेदार्थः । 'आसित्वा'–इति 'क्त्वा'–प्रत्ययः वक्ष्यमाणक्रियापेक्षः ॥ २१ ॥

उक्तकालानन्तरं पर्यावर्त्तमानस्य गन्जं विधत्ते–**अथेति** । 'उपपल्यय्य' पिण्डसमीपं परिप्राप्य । परिपूर्वादयतेर्ल्यपि "उपसर्गस्यायतौ"–(पा. सू. ८।२।१९।) इति लत्वम् । अमीमदन्तेति मन्त्रं जपेत् । अर्थस्तु–'पितरः' पिण्डपितृदेवताः 'अमीमदन्त' तृप्ता अभूवन् । तृप्त्यर्थान्मादयतेर्ण्यन्ताल्लुङि चङि रूपम् । ते च 'यथाभागं' स्वं स्वं भागमनतिक्रम्य 'आवृषायिषत' अभुक्षत 'इति' तत्र 'आवृषायिषत'–इति पदस्य विवक्षितमर्थमाह–**यथेति** । आङ्पूर्वो वृषयतिरभ्यवहारे वर्त्तते, तस्माल्लुङि बहुवचनान्तमेतत् पदम्, अतः 'आशिषुः' 'इति' तस्य व्याख्यानम् । "अश् भोजने"–(धा. पा. क्र्या. प. ५१) इत्यस्माल्लुङि बहुवचने आशिषुरिति रूपम् ॥ २२ ॥

पिण्डदानात् प्रागिवेदानीमपि पित्रादीनामुदकावनेजनं विधत्त–**अथोदपात्रमिति** । "असाववनेनिक्ष्व" इति

१–'विच्छाय' इति क. । २–इदानींतनधातुपाठे तु 'तमु कांक्षायां' इति पाठो लभ्यते । ३–" अथ्वृत्यामीमदंतेति जपति । का० श्रौ० सू० ४।१४। ४–अवनेज्य पूर्ववत् ।४।१५।

मानस्य पितरमुसाववनेनिक्ष्वेति पितामहमुसाववनेनिक्ष्वेति प्रपितामहं तद्यथा जक्षुषेऽभिषिञ्चेदेवं तत् ॥ २३ ॥

(ङ) अथ नीविमुद्वृह्य नमस्करोति । पितृदेवत्या वै नीविस्तस्मान्नीविमुद्वृह्य नमस्करोति यज्ञो वै नमो यज्ञियानेवैनानेतत्करोति षट् कृत्वो नमस्करोति षड्वा ऽऋतव ऋतवः पितरस्तस्मात्षट्कृत्वो नमस्करोति गृहान्नः पितरो दत्तेति गृहाणाᳪं ह पितर ऽईशत ऽएषो ऽएतस्याशीः कर्मणोऽथावजिघ्रति प्रत्यवधाय पिण्डान्त्स यजमानभागोऽग्नौ सकृदाच्छिन्नान्यभ्यादधाति पुनरुल्मुकमपिसृजति ॥ २४ ॥

इति तृतीयप्रपाठके चतुर्थं ब्राह्मणम् ॥ ३ ॥ ४ ॥ (४ । २)

अथ नीविमुद्वृह्य नमस्करोति । पितृदेवत्या वै नीविः । तस्मान्नीविमुद्वृह्य नमस्करोति । यज्ञो वै नमो यज्ञियानेवैनानेतत्करोति । षट् कृत्वो नमस्करोति । षड्वा ऋतवः । ऋतवः पितरः । तस्मात् षट्कृत्वो नमस्करोति । “ गृहान्नः पितरो दत्त ”–(वा. सं. २ । ३२) इति । गृहाणां ह पितर ईशते । एषो एतस्याशीः कर्मणः । अथावजिघ्रति प्रत्यवधाय पिण्डान् । स यजमानभागः । अग्नौ सकृदाच्छिन्नान्यभ्यादधाति । पुनरुल्मुकमापिसृजति ॥ २४ ॥ इति पिण्डपितृयज्ञाधिकारः ॥

तन्मन्त्रः । तत्र तत्र त्रिष्वपि मन्त्रेषु ‘ असौ ’ इत्यस्य स्थाने पित्रादीनां नामानि क्रमेण निर्दिशेत् । अर्थस्तु प्रागेव दर्शितः । एतदवनेजनं लोकव्यवहारेणोपपादयति–तद्यथेति । ‘ तत् ’ तत्र विषये निदर्शनमभिधीयते । यथा ‘ जक्षुषे ’ भुक्तवते पुरुषाय मुखप्रक्षालनार्थं हस्ते उदकम् ‘ अभिषिञ्चेत् ’ ‘ एवम् ’ एव ‘ तत् ’ पिण्डदानानन्तरमावि जलावसेचनमित्यर्थः । ‘ जक्षुषे ’ इति अदेर्लिटः क्वसौ “ लिट्यन्यतरस्याम् ”–(पा. सू. २ । ४ । ४०) इति घसादेशः, पुनश्चतुर्थ्येकवचने सम्प्रसारणे च रूपम् ॥ २३ ॥

नमस्कारं विधत्ते–**अथ नीविमि**ति । ‘ नीविः ’ परिधानीयस्य वाससो दशा, ताम् ‘ उद्वृह्य ’ विस्रंस्य पितॄन् ‘ नमस्करोति ’ । तत्र विस्रंसने कारणमाह–**पितृदेवत्ये**ति । यतो ‘ नीविः ’ ‘ पितृदेवत्या ’ पितृदेवतार्था, पितॄणां तृप्तिकरीति यावत् । “ देवतान्तात् तादर्थ्ये यत् ” (पा. सू. ५ । ४ । २६) । ‘तस्मात्’ तां ‘ नीविम् ’–‘ उद्वृह्य ’ विस्रंस्य प्रदर्श्य ते नमस्कर्त्तव्या इत्यर्थः । नीवेः पितृदेवत्यत्वं तैत्तिरीयकेऽप्याम्नातम्–“ अग्नेस्तूषाधानं, वायोर्वातपानं पितॄणां नीविः ”–(तै. सं. ६ । १ । १ । ३) इत्यादि । नमस्कारस्य प्रयोजनमाह–**यज्ञो वा** इति । नमस्कारेण हि पूजा गम्यते, ‘ यज्ञः ’ पूजात्मकः; “ यज देवपूजा ”–(धा. पा. भ्वा.उ.१०२७) इति यजतेस्तदर्थत्वात् । अतो नमश्शब्दो यज्ञात्मकः । तेन नमस्कारेण ‘ एनान् ’ पितॄन् ‘ यज्ञियान् ’ यागार्हान् ‘ एव ’ ‘ करोति ’ । “ यज्ञर्त्विग्भ्यां घखञौ ”–(पा. सू. ५ । १ । ७१) इति अर्हार्थे घप्रत्ययः । विहितश्च नमस्कारो “ नमो वः ”–इति मन्त्रेण कर्त्तव्यः । उक्तं हि कात्यायनेन–

१–इह सूत्रदाने पिण्डप्राशने ऊर्जधारादाने च मन्त्राः संहितायां पठ्यन्ते त इह न सन्ति ।

" नीविं विस्रंस्य नमो व इत्यञ्जलिं करोति "–(का. श्रौ. सू. ६ । १९) इति । तस्मिंश्च मन्त्रे षड्भ्यो " नमः "–इति प्रयुज्यते, तत्सङ्ख्यामनूद्य स्तौति–षट्कृत्वः इति । " नमो वः पितरो रसाय " " नमो वः पितरः शोषाय "–इत्येवं षड्वारं नमस्कुर्यादित्यर्थः । ऋतवः पितर इति । वसन्ताद्यृतुषु प्रमीतस्य तत्तदृतुरूपत्वप्राप्तेस्तादात्म्यव्यपदेशः । तथा चान्यत्र श्रूयते–" यस्मिन्नृतौ पुरुषः प्रमीयते, सोऽस्यामुष्मिंल्लोके भवति–यदि वसन्ते प्रमीयते, वसन्तो भवति "–इत्यादि । तस्मात् तेषामृतूनां षट्सङ्ख्यात्वयोगात् तादात्म्यापन्नानां पितॄणां नमस्कारोऽपि षड्वारः कर्त्तव्य इति युक्तमुक्तम्–" नमो वः पितरः " इति ।

नमस्कारमन्त्रो निगदव्याख्यात इत्यभिप्रेत्य तच्छेषमुपादाय व्याचष्टे–"गृहान्नः पितरो दत्त इति"–इति । शेषसहितस्य तस्य मन्त्रस्यायमर्थः–हे पितरः ! युष्मत्सम्बन्धिने 'रसाय' वसन्तर्त्तुजाताय नमोऽस्तु । हे पितरः ! युष्मत्सम्बन्धिने ग्रीष्मजन्याय 'शोषाय' शोषणाय नमोऽस्तु । एवमुत्तरत्रापि योज्यम् । 'जीवः' वर्षर्त्तौ वृष्ट्यर्थं क्रियमाणो वेगः । 'स्वधा'–इति अन्ननाम, (निघं. २ । ७ । १७) व्रीह्यादिरूपमन्नं शरदादिषु पच्यते; अतः शरदृतुसम्बन्धिने अन्नायेत्यर्थः । हेमन्तशिशिरयोर्हिमेन सर्वेषां पीडनात् तद्रूपौ पितृधर्मौ 'घोरमन्यू' । " नमो वः पितरः पितरो नमो वः "–इति व्यतिहारोक्तिरादरातिशयद्योतनार्था । एवं नमस्कृतान् पितॄन् प्रार्थयते–हे 'पितरः' ! 'नः' अस्मभ्यम् 'गृहान्' पुत्रपौत्रादिरूपान् 'दत्त' प्रयच्छत । पितॄणां दानप्रार्थनं मन्त्रशेषस्य चाशीःपरत्वं स्पष्टमिति व्याचष्टे–गृहाणामिति । 'पितरः' खलु 'गृहाणाम्' 'ईशते' ईश्वरा भवन्ति । " अधीगर्थदयेशाम् "–(पा. सू. २ । ३ । ५२) इति कर्मणि षष्ठी । 'एतस्य' पिण्डपितृयज्ञाख्यस्य 'कर्मणः' 'एषा' 'आशीः' फलप्रार्थना 'उ' एवेत्यर्थः ।

पिण्डशेषस्यावघ्राणं विधत्ते–अवजिघ्रतीति । " घ्रा गन्धोपादाने "–(धा. पा. भ्वा. प. ९१) इत्यस्माल्लटि " पाघ्राध्मा "–(पा. सू. ७ । ३ । ७८) इति जिघ्रादेशः । तथा च अवघ्राणं 'पिण्डान्' पिण्डपात्रे 'प्रत्यवधाय' प्रतिक्षिप्य कर्त्तव्यम् । तदावघ्राणं 'यजमानभागः' यजमानस्य स्वकीयोंऽश इति विधेयभागापेक्षया पुंल्लिङ्गनिर्देशः । स्तीर्णस्य बर्हिषः प्रतिपत्तिं विधत्ते–अग्नाविति । 'अभ्यादधाति' प्रक्षिपतीत्यर्थः । उल्मुकस्यापि संसर्जनं विधत्ते–पुनरिति । " ये रूपाणि "–इति मन्त्रेण यदुल्मुकं पुरस्तात् पृथक्कृतम्, तदिदानीं पुनः संसृजेदित्यर्थः ॥ २४ ॥

इति श्रीसायणाचार्यविरचिते माधवीये वेदार्थप्रकाशे माध्यन्दिनशतपथब्राह्मणभाष्ये द्वितीयकाण्डे चतुर्थाध्यायस्य द्वितीयं ब्राह्मणम् ॥ (२–४–२).

१–एतद्व इत्युपास्याति सूत्राणि प्रतिपिंडम् । का. श्रौ. सू. ४ । १६ । सूत्राणीति–बहुवचनोपदेशात्–त्रीणि त्रीणीति कर्कः । ऊर्णादशा वा । का. श्रौ. सू. ४ । १७ । वयस्युत्तरे यजमानलोमानि वा ४ । १८ । उत्तरे वयसि पंचाशतामूर्ध्वमिति कर्कः । ऊर्जं मित्यपो निषिंचाति का. श्रौ सू. ४–१९ ॥ पिंडमूलेषु–तर्पयत मे पितॄन् इति लिंगादिति कर्कः । अवघ्रायात जिघ्रति यजमानः । का. श्रौ. सू. ४–२० । उल्मुकसकृदाच्छिन्नान्यग्नौ का. श्रौ. सू. ४ । २१ । अभ्यादधातीति वाक्यशेषः । पूर्वं सकृदाच्छिन्नानि–तत उल्मुकम् । अग्नौ, सकृदाच्छिन्नान्यमावभ्यादधाति पुनरुल्मुकमपिसृजतीति वचनात् । अजादित्वादल्पाक्षरत्वाच्च पूर्वनिपात इति कर्कः ।

तदु होवाच कहोडः कौषीतकिः । (र) अनयोर्वा ऽअयं द्यावापृथिव्यो रसोऽस्य रसस्य हुत्वा देवेभ्योऽथेममश्नामेति तस्माद्वाऽआग्रयणेष्ट्या यजत ऽइति ॥ १ ॥

तदु होवाच याज्ञवल्क्यः । (ल्क्यो) देवाश्च वा ऽअसुराश्चोभये प्राजापत्याः पस्पृधिरे ततोऽसुरा ऽउभयीरोषधीर्याश्च मनुष्या उपजीवन्ति याश्च पशवः कृत्ययेव त्वद्विषेणेव त्वत्प्रलिलिपुरुतैवं चिद्देवानभिभवेमेति ततो न मनुष्याऽआशुर्न पशव ऽआलिलिशिरे ता हेमाः प्रजा ऽअनाशकेन नोत्पराबभूवुः ॥ २ ॥

तदु होवाच कहोडः कौषीतकिः । अनयोर्वा अयं द्यावापृथिव्यो रसः । ' अस्य रसस्य हुत्वा देवेभ्यः, अथेममश्नाम ' इति । तस्माद्वा आग्रयणेष्ट्या यजत इति ॥ १ ॥

तदु होवाच याज्ञवल्क्यः । देवाश्च वा असुराश्चोभये प्राजापत्याः पस्पृधिरे । ततोऽसुरा उभयीरोषधीः याश्च मनुष्या उपजीवन्ति, याश्च पशवः—कृत्ययेव त्वद्, विषेणेव त्वत्, प्रलिलिपुः उतैवं चिद्देवानभिभवेमेति । ततो न मनुष्या आशुः । न पशव आलिलिशिरे । ता हेमाः प्रजा अनाशकेन नोत्पराबभूवः ॥ २ ॥

अथ विधित्सिताया आग्रयणेष्टेर्मतभेदेन प्रयोजनं दर्शयंस्तावद् कहोलस्य मतमुपन्यस्यति—**तदु होवाचेति** । 'तत्' तत्र, वक्ष्यमाणे आग्रयणेष्टिविषये 'उवाच' उक्तवान् 'कौषीतकिः' कुषीतकस्य पुत्रः । तामुक्तिं दर्शयति—**अनयोरिति** । योऽयं व्रीहियवाद्योषध्यात्मको रसः, सः 'अयम्' अनयोः द्यावापृथिव्योः, 'रसः' द्युसम्बन्धिन्या वृष्ट्या भूमेरुत्पन्नत्वात् । ' अस्य रसस्य ' । कर्मणि षष्ठी (पा. सू. २।३।६६) । इमं रसं देवेभ्यः प्रथमं ' हुत्वा ' ' अथ ' अनन्तरं हुतशिष्टम् ' इमम् ' ' अश्नाम ' भुञ्जामहे इत्यर्थः । **तस्मादिति**, आग्रयणेष्टिविधिः । यस्मादेवं कहोलेनोक्तम्, ' तस्मात् ' नवान्नस्य हुतशिष्टत्वसिद्धये ' आग्रयणेष्ट्या ' यष्टव्यमित्यर्थः ॥ १ ॥

अथ याज्ञवल्क्याभिमतं प्रयोजनं दर्शयितुं प्रस्तौति—**तदु होवाचेति** । तत्रेतिहासमाचष्टे—**देवाश्चेति** । 'प्राजापत्याः ' प्रजापतेः पुत्राः ' पस्पृधिरे ' स्पर्द्धां कृतवन्तः । "अपस्पृधेथामानृचुः"—(पा. सू. ६।१।३६) इति क्वचित् सम्प्रसारणेन निपातनस्योपलक्षणार्थत्वात् लिट्यपि स्पृधेः सम्प्रसारणम् । **उभयीरोषधीरिति** । उभयविधा ह्योषधयः—मनुष्यान्नभूता व्रीहियवाद्याः पश्वन्नभूतास्तृणाद्याश्च, ताः सर्वाः ' कृत्ययेव त्वत् ' त्वच्छब्द एकशब्दपर्यायोऽविभक्तिकः । ' त्वत् ' एकत्र ' कृत्यया ' व्यापादयन् ' इव ' ' त्वत् ' अन्यत्र ' विषेण' च ' प्रलिलिपुः ' प्रकर्षेण लिप्ता अकुर्वन् । लेपनाभिप्रायमाह—**उतैवमिति** । ' एवम् ' अपि ' देवान् ' ' अभिभवेम इति ' तिरस्कुर्यामेति । ' ततः ' अनन्तरम् असुरकृतं विषलेपं ज्ञात्वा ' मनुष्याः ' ' न आशुः ' न बुभुजिरे, ' पशवश्च ' ' न ' भक्षयाञ्चक्रुः । केवलम् ' अनाशकेन ' अनशनेन ' ता इमाः' सर्वाः ' प्रजाः ' 'पराबभूवुः ' पराभूता अभवन् ॥ २ ॥

१–आग्रयणमैन्द्राग्नमग्रपाकस्य का. श्रौ. सू. ४ । १५६ । अग्रपाकशब्देन शरद्वसंतौ लक्ष्येते इति कर्कः । व्रीहीणां यवानां च । का. श्रौ. सू. ४ । १५७ । व्रीहिकाले व्रीहीणां यवकाले यवानां इति व्यवस्था ।

(ख) तद्धै देवाः शुश्रुवुः । (ग) अनाशकेन ह वाऽइमाः प्रजाः परा-
भवन्तीति ते होचुर्हन्तेदमासामपजिघाꣳसामेति केनेति यज्ञेनैवेति यज्ञेन
ह स्म वै तद्देवाः कल्पयन्ते यदेषां कल्प्यमासऽर्षयश्च ॥ ३ ॥

ते होचुः । कस्य नऽ इदं भविष्यतीति ते मम ममेत्येव न सम्पादयाञ्च-
क्रुस्ते हासम्पाद्योचुराजिमेवास्मिन्नजामहै स यो नऽउज्जेष्यति तस्य न
ऽइदं भविष्यतीति तथेति तस्मिन्नाजिमाजन्त ॥ ४ ॥

ताविन्द्राग्नी ऽउदजयतां तस्मादैन्द्राग्नो द्वादशकपालः पुरोडाशो भव-
तीन्द्राग्नी ह्यस्य भागधेयमुदजयतां तौ यत्रेन्द्राग्नी ऽउज्जिगीवाꣳसौ तस्थ-
तुस्तद्विश्वे देवा ऽअन्वाजग्मुः ॥ ५ ॥

तद्धै देवाः शुश्रुवुः—अनाशकेन ह वा इमाः प्रजाः पराभवन्ति इति । ते होचुः 'हन्तेदमासामपजिघांसाम' इति । केनेति ? यज्ञेनैवेति । यज्ञेन ह स्म वै तद्देवाः कल्पयन्ते यदेषां कल्प्यमास, ऋषयश्च ३ ॥

ते होचुः—कस्य न इदं भविष्यतीति । ते—'मम मम' इत्येव न सम्पादयाञ्चक्रुः । ते हासम्पाद्योचुः—आजिमेव अस्मिन्नजामहै, स यो न उज्जेष्यति—तस्य न इदं भविष्यतीति । तथेति । तस्मिन्नाजिमाजन्त ॥ ४ ॥

ताविन्द्राग्नी उदजयताम् । तस्मादैन्द्राग्नो द्वादशकपालः पुराडाशो भवति । इन्द्राग्नी ह्यस्य भागधेयमुदजयताम् । तौ यत्रेन्द्राग्नी उज्जिगीवांसौ तस्थतुः—तद् विश्वेदेवा अन्वाजग्मुः ॥ ५ ॥

तद्धै देवाः शुश्रुवुरिति । देवाश्च तत्सर्वमाकर्ण्य केनोपायेन असुरकृतमुपद्रवं परिहरामेति विचार्य, यज्ञेनैवेति निश्चित्य, 'एषां' मनुष्यादीनां 'यत्' 'कल्प्यं' कल्पनीयं सम्पाद्यम् 'आस' तत् अकल्पयन् । न केवलं देवा एव, 'ऋषयः' अप्येवमेव अकल्पयन् ॥ ३ ॥

ते होचुरित्यादि । प्रजानामशनक्लृप्तिसाधनम् । 'इदं' हविः 'नः' अस्माकं मध्ये 'कस्य भविष्यति ?' 'इति' विचारिते 'ते' सर्वे देवाः 'मम' इदं—'मम' इदम् 'इति' एवं 'न सम्पादयाञ्चक्रुः' सम्पादनं संमतिं नासादितवन्तः । 'ते' च देवाः इत्थं परस्परं विप्रतिपत्तिं प्राप्य 'आजिम्' आजिधावनम्, तत्प्राप्त्युपायमेवाकल्पयन् । आजिर्नाम गन्तव्यावधिभूतः पदार्थः, तम् अस्मिन् पदार्थे निष्पन्ने सति 'अजामहै' धावाम । "अज गतिक्षेपणयोः" (धा. पा. भ्वा. प. २३०) इति । तथा च 'नः' अस्माकं मध्ये 'यः' उज्जेष्यति, 'तस्य' 'इदं' 'हविः' 'भविष्यति' इति एवं विचार्य, 'तथा' 'इति' अङ्गीकृत्य, 'तस्मिन्' विषये त आजिधावनं कृतवन्तः ॥ ४ ॥

ताविन्द्राग्नी इति । 'तौ' प्रसिद्धौ 'इन्द्राग्नी' आजिधावनेन तद्धविः 'उदजयताम्' यस्मादेवं तस्मादेव कारणात् 'अन्यान्' देवान् परित्यज्य आग्रयणेष्टौ प्रथमं हविः इन्द्राग्निदेवताकम्, द्वादशसु कपालेषु संस्कृतं पुरोडाशात्मकं भवति । अनेनाभिप्रायेण ऐन्द्राग्नयागः प्रथमः कर्त्तव्य इति विधिरुन्नीतो भवति ॥

१—'अस्मिन् हविषि निमित्ते सति' इति पा. ।

क्षत्रं वा ऽइन्द्राग्नी । विशो विश्वे देवा यत्र वै क्षत्रमुज्जयत्यन्वाभक्ता वै तत्र विट्तद्विश्वान्देवानन्वाभजतां तस्मादेष वैश्वदेवश्चरुर्भवति ॥ ६ ॥

तं वै पुराणानां कुर्यादित्याहुः । क्षत्रं वाऽइन्द्राग्नी नेत्क्षत्रमभ्यारोहयाणीति तौ वा ऽउभावेव नवानाँ स्यातां यद्धि पुरोडाश ऽइतरश्चरुरितरस्तेनैव क्षत्रमनभ्यारूढं तस्मादुभावेव नवानाँ स्याताम् ॥ ७ ॥

तऽउ ह विश्वेदेवा ऽऊचुः । (२) अनयोर्वा ऽअयं द्यावापृथिव्यो रसो

क्षत्रं वा इन्द्राग्नी, विशो विश्वेदेवाः । यत्र वै क्षत्रमुज्जयति अन्वाभक्ता वै तत्र विट् । तद् विश्वान्देवानन्वाभजताम् । तस्मादेष वैश्वदेवश्चरुर्भवति ॥ ६ ॥

तं वै पुराणानां कुर्यादित्याहुः । क्षत्रं वा इन्द्राग्नी नेत्क्षत्रमभ्यारोहयाणि इति । तौ वा उभावेव नवानां स्याताम्—यद्धि पुरोडाश इतरः, चरुरितरः । तेनैव क्षत्रमनभ्यारूढम् । तस्मादुभावेव नवानां स्याताम् ॥ ७ ॥

त उ ह विश्वेदेवा ऊचुः—अनयोर्वा अयं द्यावापृथिव्यो रसः—हन्तैमे अस्मिन्नाभजामहेति । ताभ्या-

---

वैश्वदेवचरुरूपं द्वितीयं हविर्विधातुं विश्वेषां देवानामाजिसम्बन्धमाह—यत्रेति । 'यत्र' यस्मिन् समये 'उज्जिगीवांसौ' उज्जितवन्तौ 'इन्द्राग्नी, तस्थतुः' । जयतेर्लिटः क्वसौ "सन्लिटोर्जेः" (पा. सू. ७ । ३ । ५७) इति अभ्यासादुत्तरस्य जकारस्य कुत्वम्, 'तत्' तस्मिन् समये विश्वेदेवानाम गणरूपा देवाः इन्द्राग्नी 'अन्वाजग्मुः' आगतवन्तः । प्रथममिन्द्राग्नी आजिं प्राप्तवन्तौ तदनन्तरं विश्वेदेवाः प्राप्नुवन्नित्यर्थः ॥ ५ ॥

वैश्वदेवस्य हविषः ऐन्द्राग्नानन्तर्ये कारणान्तरमाह—क्षत्रं वा इति । देवेषु मध्ये 'इन्द्राग्नी' 'क्षत्रं' क्षत्रियजातिः, 'विश्वे देवाः' 'विशः' वैश्यजातिः । 'यत्र' खलु 'क्षत्रं' क्षत्रियो राष्ट्रादिकम् 'उज्जयति,' 'तत्र' 'विट्' वैश्यजातिरपि 'अन्वाभक्ता' भवति; यस्मादेवं लोके, 'तत्' तस्मात् ताविन्द्राग्नी स्वाविशः 'विश्वान् देवान्' 'अन्वाभजताम्' अन्वाभक्तान् कुरुताम् । तस्मादित्यादि वैश्वदेवयागविधिः ॥ ६ ॥

तस्य यागस्य पुराणव्रीहिनिष्पाद्यत्वं पूर्वपक्षत्वेन प्रतिपादयति—तं वा इति । 'पुराणानां' पुरातनानां व्रीहीणां सम्बन्धिनं 'तं' वैश्वदेवं चरुं 'कुर्यात्' 'इति आहुः' अभिज्ञाः कथयन्ति । क्षत्रं वा इति । तदुपपादनम्—नेत् क्षत्रमिति । नैव क्षत्रियजातेरुपरि वैश्यजातिं तत्समत्वेन 'आरोहयाणि' आरूढां करवाणीति; सर्वथा हि क्षत्रियवैश्ययोर्वैषम्येण भवितव्यमित्यर्थः । प्रकारान्तरेण वैषम्यं दर्शयन्नुभयोरपि हविषोर्नवधान्यप्रकृतित्वमाह—तौ वा उभावेव नवानामिति । यद्धीति । 'यत्' यतः तयोरन्यतरः पुरोडाशः, अन्यतरश्चरुः; 'तेनैव' वैलक्षण्येन विशा 'क्षत्रम् अनभ्यारूढम्' क्षत्रियजातिरनभ्यारूढा भवति । तस्मादित्यादि, प्रतिज्ञापूरणार्थं निगमनम् ॥ ७ ॥

अथ तस्यामेवाग्रयणेष्टौ तृतीयं द्यावापृथिव्य हविर्विधातुमाह—त उ हेति । तेऽपि 'विश्वेदेवाः' 'ऊचुः'

१–वैश्वदेवश्चरुः का. श्रौ. सू. ४ । १५८ । स च व्रीहिकाले व्रैहेयः । यवकाले यावः । स च पयसि कर्तव्य इत्याह विकल्पेन कात्यायनः 'पयसि वा' इति ४ । १५९ । पयःपक्षे प्राणीता धर्माः कार्या इति तत्रैव कर्कः । इदमेवाग्रयणं यदारण्येन क्रियते तदा सौम्यः श्यामाकश्चरुः कर्तव्य इत्याह सूत्रकारः 'सौम्यः श्यामाकश्चरुरारण्यस्य' इति । ४ । १७२ । स च कालनिर्देशात् शरद्येव भवतीति तत्र कर्कः । आरण्येनापि इदमाग्रयणं यदि ग्रीष्मर्तौ क्रियते तदा स च चरुर्वैणवः कर्तव्य इत्याह सूत्रकारः 'वैणवो ग्रीष्मे' ४ । १७३ । सोऽपि सौम्य एव भवतीति तत्रैव कर्काशयः । तथा श्यामाकवैणवाग्रयणे च दक्षिणाभेदमप्याह सूत्रकारः 'पुनः संस्कृतो रथो दक्षिणा क्षौमं मधुपर्को वर्षाभृतं वा वासः' ४ । १७४ ॥ २–राज्यादिकम्–इ० पा० । ३–पुराणानां वा चरुः । का. श्रौ. सू. ४ । १६३ ।

हुन्तेमे ऽअस्मिन्नाभजामेति ताभ्यामेतं भागमकल्पयन्नेतं द्यावापृथिव्यमेककपालं पुरोडाशं तस्माद्द्यावापृथिव्य ऽएककपालः पुरोडाशो भवति तस्येयमेव कपालमेकेव हीयं तस्मादेककपालो भवति ॥ ८ ॥

तस्य परिचक्षा। यस्यै वै कस्यै च देवतायै हविर्गृह्यते सर्वत्रैव स्विष्टकृदन्वाभक्तोऽथैतꣳ सर्वमेव जुहोति न स्विष्टकृतेऽवद्यति सा परिचक्षोतो हुतः पर्यावर्तते ॥ ९ ॥

तदाहुः। पर्याभूद्वाऽअयमेककपालो मोहिष्यति राष्ट्रमिति नास्य सा परिचक्षाऽऽहवनीयो वाऽआहुतीनां प्रतिष्ठा स यदाहवनीयं प्राप्यापि दश-

---

मेतं भागमकल्पयन्—एतं द्यावापृथिव्यमेककपालं पुरोडाशम्। तस्माद् द्यावापृथिव्य एककपालः पुरोडाशो भवति। तस्येयमेव कपालम्, एकेव हीयम्। तस्मादेककपालो भवति ॥ ८ ॥

तस्य परिचक्षा। यस्यै वै कस्यै च देवतायै हविर्गृह्यते सर्वत्रैव स्विष्टकृदन्वाभक्तः। अथैतं सर्वमेव जुहोति—न स्विष्टकृतेऽवद्यति। सा परिचक्षा। उतो हुतः। पर्यावर्तते ॥ ९ ॥

तदाहुः—पर्याभूद्वा अयमेककपालो, मोहिष्यति राष्ट्रमिति—नास्य सा परिचक्षा। आहवनीयो वा

उक्तवन्तः। कथमिति, नवधान्यरूपं हविः अनयोः द्यावापृथिव्योः अयं रसः, इति प्रागुपपादितम्। 'हन्त'—इत्यनुकम्पायाम्। 'अस्मिन्' नवहविषि 'इमे' द्यावापृथिव्यौ वयम् 'आभजाम' प्रापयामेत्यर्थः। ते च 'ताभ्यां' द्यावापृथिवीभ्याम् 'एतं' हविर्भागम् 'अकल्पयन्' य एष द्यावापृथिव्य एककपालः पुरोडाशः, तम्। तस्मादिति, द्यावापृथिव्ययागविधिः। तस्य द्यावापृथिव्यस्य हविषः एकस्मिन्नेव कपाले संस्कारमुपपादयति—तस्येयमेवेति। 'तस्य' 'इयं' भूमिः 'एव' 'कपालम्' पुरोडाशश्रपणाधिष्ठानम्; 'हि' यस्मात् 'इयम्' 'एकेव' एकाकारेव भवति, 'तस्मात्' तद्देवत्यः पुरोडाशोऽपि 'एककपालः' इति कर्तव्य इत्यर्थः ॥ ८ ॥

आज्येनैव द्यावापृथिव्योर्यागं विधित्सुः पुरोडाशपक्षे दोषमुपन्यस्यति—तस्य परिचक्षेति। 'तस्य' एककपालस्य पुरोडाशस्य काचित् 'परिचक्षा' निन्दा विद्यते। तामेव दर्शयति—यस्या इति। सर्वेषु हि यागेषु 'स्विष्टकृद्' यागः 'अन्वाभक्तः' अनुप्राप्तोऽस्ति; "शेषात् स्विष्टकृते समवद्यति"—इतीष्टशिष्टप्रतिपत्तित्वेन तस्य विहितत्वात्। अथैवं सति अत्रैककपालं पुरोडाशं 'सर्वमेव जुहोति' हविरन्तरवत् स्विष्टकृन्नाम्नेऽग्नये 'न अवद्यति' अतोऽस्यैककपालस्य स्विष्टकृद्यागाभावात् 'सा' एव 'परिचक्षा' निन्दा। दोषान्तरमप्याह—उतो हुत इति। 'उत उ' अपि च अग्नौ 'हुतः' सन् एककपालः पुरोडाशः यदि 'पर्य्यावर्त्तते' पर्य्यावर्त्तेत ॥ ९ ॥

तदाहुरिति। 'तत्' तत्र विषये 'आहुः' ब्रह्मवादिनः कथयन्ति। किमिति—'अयम्' 'एककपालः'

---

१ द्यावापृथिवीय एककपालः। का. श्रौ. सू. ४।१६०। अस्य वैश्वदेविकैककपालप्रकृतित्वम्। तेन सर्वहुतं। अपरिवर्तनं च प्राप्तम्। तदुभयमप्यनिष्टम्। अतः आज्यस्य वा यजेत—इत्यग्रिमसिद्धांतसूत्रेण द्यावापृथिवीययाग आज्येनैव—नैककपालेन वैश्वदेविकैककपालप्रकृतित्वात्। त्रेधा बर्हिः अहतवासःपरिधानं चेहापि भवति। न नवप्रयाजादि ऐंद्राग्नवैश्वदेवविरोधात्। आज्येन यागे नाहतवासःपरिधानादि भवति। पुरोडाशधर्मत्वेनाज्यधर्मत्वाभावात्। इति कर्काशयः। २—'सर्वहुतमेव जुहोति' इति पा.।

कृत्वः पर्यावर्तेत न तदाद्रियेत यदि त्वन्ये वदन्ति कस्तत्सन्धमुपेयात्तस्मा-
दाज्यस्यैव यजेदाज्यꣳ ह वाऽअनयोर्द्यावापृथिव्योः प्रत्यक्षꣳ रसस्त-
त्प्रत्यक्षमेवैने ऽएतत्स्वेन रसेन मेधेन प्रीणाति तस्मादाज्यस्यैव यजेत् १०॥
(दे) एतेन वै देवाः । (०) यज्ञेनेष्ट्वोभयीनामोषधीनां याश्च मनुष्या
ऽउपजीवन्ति याश्च पशवः कृत्यामिव त्वद्विषमिव त्वदुपजघ्नुस्तत ऽआश्न-
न्मनुष्याऽआलिशन्त पशवः ॥ ११ ॥

आहुतीनां प्रतिष्ठा। स यदाहवनीयं प्राप्य अपि दशकृत्वः पर्यावर्तेत न तदाद्रियेत । यदि त्वन्ये वदन्ति, कस्तत्सन्धमुपेयात् । तस्मादाज्यस्यैव यजेत् । आज्यं ह वा अनयोर्द्यावापृथिव्योः प्रत्यक्षं रसः । तत् प्रत्यक्षमेवैने एतत्स्वेन रसेन मेधेन प्रीणाति । तस्मादाज्यस्यैव यजेत् ॥ १० ॥

एतेन वै देवाः । यज्ञेनेष्ट्वा, उभयीनामोषधीनां—याश्च मनुष्या उपजीवन्ति, याश्च पशवः—कृत्यामिव त्वत्, विषमिव त्वद्—अपजघ्नुः । तत—आश्नन् मनुष्याः, आलिशन्त पशवः ॥ ११ ॥

'पर्याभूत्' पर्यावृत्तोऽभूत्, तेन पर्यावर्तनेन 'राष्ट्रम्' एव पर्यावृत्तं सत् 'मोहिष्यति' मूढं भविष्यतीति । नायं दोषः । परिहरति—**नास्येति** । अस्यैककपालस्य । पर्यावृत्तिरूपा 'परिचक्षा' निन्दा न भवतीत्यत आह—**आहवनीय** इति । स वा आहवनीयो हि सर्वाहुतीनामाधारभूतः । तत्प्राप्तेः पूर्वं पर्यावर्तने दोषः, तदुत्तरकालन्तु 'अपि' 'दशकृत्वः दशवारं' 'पर्यावर्तेत' । 'तत्' तत्र आदरो नैव कर्त्तव्यः । देवतोद्देशेन हविषः[१] प्रक्षिप्तत्वादित्यभिप्रायः । तस्मात् स्विष्टकृद्यागाभावकृता एव निन्दा परिशिष्यते, तत्परिहाराय पक्षान्तरमाह—**यदीति** । 'यदि तु' 'अन्ये' शाखिनः 'वदन्ति' 'कः' नाम 'तत्' उक्तदोषसन्धानं कर्तुम् 'उपेयात्' उपगच्छेत् । अतो दोषसहित एककपालपक्षः परित्याज्यः । किन्तर्हि द्यावापृथिव्यस्य यागस्य द्रव्यम् तदाह—**तस्मादिति** । यदेतत् ध्रुवास्थमाज्यं सर्वयज्ञसाधारणम् तस्य 'आज्यस्य एव' सकाशात् चतुरवत्तमवदाय द्यावापृथिव्योर्यजेतेत्यर्थः । इममर्थं प्रशंसति—**आज्यं हेति** । **प्रत्यक्षं रस इति** । आज्यस्य द्रवत्वगुणयोगात् प्रत्यक्षरसत्वम्; व्रीहियवादेस्तु धान्यस्य काठिन्यात् परोक्षत्वम्[२] । **मेधेनेति** । सारभूतेनेत्यर्थः ।

निन्दाया उत्तरस्य प्रशंसार्थमभिप्रेत्य कात्यायनेन तत् पक्षद्वयमपि सूत्रितम्—"द्यावापृथिवीय एककपालः । आज्यस्य वा" इति (का. श्रौ. सू० ४ । १६०–१६१) । आपस्तम्बोऽपि—"अपि वैककपालेन कुर्वीत आज्येन द्यावापृथिवी यजेत"—इत्युक्तवान् ॥ १० ॥

अस्या आग्रयणेष्टेरनाश्रितदोषनिर्हरणहेतुत्वं प्रतिपादयितुं पुरावृत्तमुदाहरति—**एतेनेति** । 'याश्च' व्रीहियवाद्या ओषधीः 'मनुष्याः' 'उपजीवन्ति' 'याश्च' तृणाद्याः 'पशवः' 'उपजीवन्ति' तासाम् 'उभयीनाम् ओषधीनाम्', इति सम्बन्धः । **कृत्यामिव त्वदिति** । ओषधीषु कृत्या—विषादिकं यत् असुरैः प्रलिप्तम्, तदनेन यागेन देवा अपहतवन्त इत्यर्थः । **तत** इत्यादि । ततो देवैरासां निर्दोषकरणात् 'मनुष्याः

१–'हविषश्चोदितद्वारे' इ. 'हविषश्चोदनाधारे' इ. च क. पा. । २–'धान्यस्य काठिन्यपरोक्षत्वमिति' क. पा. ।

(वो॒ऽथ) अ॒थ य॒दे॒षु ऽए॒तेन॑ य॒जते॑ । त॒न्वा॒हु॒ न्वे॒वै॒तस्य॒ त॒था कश्च॒न कृ॒त्य॒-
ये॒व त्व॒द्वि॒षे॒णे॒व त्व॒त्प्र॒लि॒म्पती॒ति दे॒वा॒ऽअ॒कुर्व॒न्नि॒ति त्वे॒वै॒ष ऽए॒त॒त्करो॑ति
य॒मु चै॒व दे॒वा भा॒ग॒म॒क॒ल्प॒य॒न्त त॒मु चै॒वै॒भ्य ऽए॒ष॒ऽए॒त॒द्भा॒गं क॒रो॒ती॒मा॒ऽ उ
चै॒वै॒त॒दु॒भ॒यी॒रो॒ष॒धी॒र्या॒श्च म॒नु॒ष्या उ॒प॒जी॒व॒न्ति या॒श्च प॒श॒व॒स्ता ऽअ॒न॒मी॒वा
अ॒कि॒ल्बि॒षाः कु॒रु॒ते ता ऽअ॒स्या॒न॒मी॒वा ऽअ॒कि॒ल्बि॒षा ऽइ॒माः प्र॒जा॒ऽ उ॒प॒-
जी॒व॒न्ति त॒स्मा॒द्वा ऽए॒ष ऽए॒ते॒न य॒ज॒ते ॥ १२ ॥

त॒स्य प्र॒थ॒म॒जो गौ॒र्द॒क्षि॒णा । (णा॒ऽग्र्य॒) अ॒ग्र्य॒मि॒व ही॒दᳪं॒ स य॒दी॒जा॒नः
स्या॒द्द॒र्श॒पू॒र्ण॒मा॒सा॒भ्यां वा य॒जे॒ता॒थै॒ते॒न य॒जे॒त य॒द्य॒ऽअ॒नी॒जा॒नः स्या॒च्चा॒तु॒-
ष्प्रा॒श्य॒मे॒वै॒त॒मो॒द॒न॒म॒न्वा॒हा॒र्य॒प॒च॒ने प॒चे॒यु॒स्तं ब्रा॒ह्म॒णा ऽअ॒श्नी॒युः ॥ १३ ॥

अथ यदेष एतेन यजते—तन्वाह न्वेवैतस्य तथा कश्चन—कृत्ययेव त्वद्, विषेणेव त्वत्, प्रलिम्पतीति देवा अकुर्वन् । इति त्वेवैष एतत्करोति । यमु चैव देवा भागमकल्पयन्त—तमु चैवैभ्य एष एतद्भागं करोति । इम उ चैवैतदुभयीरोषधीः—याश्च मनुष्या उपजीवन्ति याश्च पशवः—ता अनमीवा अकिल्बिषाः कुरुते । ता अस्यानमीवा अकिल्बिषा इमाः प्रजा उपजीवन्ति । तस्माद्वा एष एतेन यजते ॥ १२ ॥

तस्य प्रथमजो गौर्दक्षिणा । अग्र्यमिव हीदम् । स यदीजानः स्यात्—दर्शपूर्णमासाभ्यां वा यजेत—अथैतेन यजेत । यद्यु अनीजानः स्यात्—चातुष्प्राश्यमेवैतमोदनमन्वाहार्यपचने पचेयुः, तं ब्राह्मणा अश्नीयुः ॥ १३ ॥

'आश्नन्' अभुञ्जत, 'पशवश्च' तृणादिकम् 'आलिशन्त' अभक्षयन् । "लिश अल्पीभावे"—(धा. पा. दि. आ. ७३) इत्ययं धातुः, अत्र तृणादेरल्पीभवनहेतौ भक्षणे वर्त्तते ॥ ११ ॥

एवं पुरावृत्तमुदाहृत्य दृष्टान्तेनेदानीन्तनानुष्ठानेऽपि नवान्नाश्रितदोषनिर्हरणहेतुत्वं प्रतिपादयति—अथेति । 'अथ' इदानीं 'यत्' यस्मात् कारणात् 'एषः' यजमानः 'एतेन' आग्रयणेन 'यजते' 'अह' 'नु' 'एव' इति त्रयो निपाताः अवधारणार्थाः । 'तत्' तस्मादेव कारणात् 'एतस्य' यजमानस्य 'तथा' तथैव ओषधीषु कृत्यया विषेण च न कोऽपि द्वेष्टा 'प्रलिम्पति' प्रलेक्ष्यति । "लिप उपदेहे"—(धा. पा. तु. प. १९२) इति धातुः । "शे मुचादीनाम्" (पा. सू. ७ । १ । ५९)—इति नुम् । देवा इत्यादि । 'देवाः' खलु पुरा 'इति' एवम् 'अकुर्वन्' 'एषः' यजमानोऽपि 'इति त्वेव' एवमेव तु 'करोति' । एतदेव विवृणोति—यमु चैवेति । अनमीवा अकिल्बिषा इति । अमीवा रोगाः, तद्रहिताः; अकिल्बिषाः, किल्बिषं रोगनिदानं पापं, तद्रहिताश्च 'कुरुते' । ता अस्येति, प्रयोजनाव्याख्यानम् ॥ १२ ॥

दक्षिणां विधत्ते—तस्य प्रथमज इति । 'तस्य' आग्रयणस्य 'प्रथमजः' तस्मिन् संवत्सरे यजमानस्य

(द्वे) द्वया वै देवा देवाः । (८) अहैव देवा ऽअथ ये ब्राह्मणाः शुश्रुवाꣳसोऽनूचानास्ते मनुष्यदेवास्तद्यथा वषट्कृतꣳ हुतमेवमस्यैतद्भवति तत्रो यच्छक्नुयात्तद्दद्यान्नादक्षिणꣳ हविः स्यादिति ह्याहुर्नाग्निहोत्रे जुहुयात्समर्दꣳ ह कुर्याद्यदग्निहोत्रे जुहुयादन्यद्वा ऽआग्रयणमन्यदग्निहोत्रं तस्मान्नाग्निहोत्रे जुहुयात् ॥ १४ ॥

इति तृतीयप्र० पञ्चमं ब्राह्मणम् ३-५॥ तृतीयः प्रपाठकः समाप्तः ॥ (४।३)

द्वया वै देवाः—देवा अहैव देवाः, अथ ये ब्राह्मणाः शुश्रुवांसोऽनूचानास्ते मनुष्यदेवाः । तद् यथा वषट्कृतं हुतम्, एवमस्यैतद्भवति । तत्रो यच्छक्नुयात्—तद् दद्यात्—नादक्षिणं हविः स्यादिति ह्याहुः । नाग्निहोत्रे जुहुयात् । समर्दं ह कुर्याद्—यदग्निहोत्रे जुहुयात् । अन्यद्वा आग्रयणम्, अन्यदग्निहोत्रम् । तस्मान्नाग्निहोत्रे जुहुयात् ॥ १४ ॥

गोष्ठे यो वत्सो जायते, सः ' गौः ' अस्य यागस्य दक्षिणात्वेन देय इत्यर्थः । कुत इत्यत आह—अग्र्यमिवेति । अग्रे भवम् अग्र्यम् । " अग्राद् यत् । घच्छौ च "—(पा. सू. ४ । ४ । ११६–११७) इति । ' इदम् ' आग्रयणाख्यं ' हि ' हविः ' अग्र्यम् ', प्रथमजो वत्सश्चाग्र्यः; अतस्तस्याग्रयणदक्षिणात्वमुचितमिति भावः ।

ईजानानीजानयोराग्रयणविषयां व्यवस्थां दर्शयति—स यदिति । ' यद् ' यदि ' सः ' यजमानः ' ईजानः ' सोमयागेनेष्टवान् ' स्यात् ' । यजेर्लिटः कानच् (पा. सू. ३ । ६ । १०६) केवलं हविर्यज्ञयाजी सन् ' दर्शपूर्णमासाभ्याम् ' एव ' यजेत ', ' अथ ' अनन्तरमेव ' एतेन ' आग्रयणेन ' यजेत ', न प्रागित्यर्थः । किन्तर्हि तदा कुर्यादिति, तत्राह—यद्यु इति । यदि तु दर्शपूर्णमासादिभिः ' अनीजानः ' अनिष्टवान् ' स्यात् ' तदा स यजमानः ' चातुष्प्राश्यं ' चतुर्भिः ब्राह्मणैः प्राशितव्यं ' तम् ' ' ओदनम् ' अन्नं दक्षिणाग्नौ पक्त्वा, ब्राह्मणेभ्यो दद्यात्; ' ब्राह्मणाः ' च ' तम् ' ' अश्नीयुः ' भुञ्जीरन् ॥ १३ ॥

ब्राह्मणभोजनस्यापि यागात्मकत्वमुपपादयति—द्वया वा इति । अहैवेति, द्वावपि निपाताववधारणार्थौ । ' शुश्रुवांसः ' श्रुतवन्तः, बहुश्रुतार्था इत्यर्थः; ' अनूचानाः ' अनुगतानुष्ठानपराः, य एवंगुणाः, ' ते ' मनुष्यदेवाः ' मनुष्यरूपा देवाः । ' तत् ' तथा सति ' यथा ' वषट्कारेण देवेभ्यो दत्तम्, स्वाहाकारेण ' हुतं ' च भवति, एवमेव ' अस्य ' अनीजानस्य यजमानस्य ' एतत् ' ब्राह्मणभोजनं भवतीत्यर्थः ।

यागे इव भोजनेऽपि दक्षिणादानं विधत्ते—तत्रो इति । ' तत्र ' ब्राह्मणभोजनकालेऽपि ' यत् ' किञ्चित् अपि दातुं ' शक्नुयात् ', ' तत् दद्यात् '; ब्राह्मणेभ्यो दत्तं ' हविः ' ' अदक्षिणं ' दक्षिणारहितं ' न स्यात् ' ' इति ' अनेनाभिप्रायेणेत्यर्थः ॥

१–प्रथमजो गौर्दक्षिणा (का० श्रौ० सू० ४ । १६४) । प्रथमजः । प्रथमजन्मा । २–दर्शपूर्णमासानीजानो दक्षिणाग्निपक्वं चातुष्प्राश्यं ब्राह्मणान् भोजयेत्किंचिद्दद्यात (का.श्रौ.सू.४।१६६) आहिताग्निः सन् यावद्दर्शपौर्णमासौ न करोति । अथ चाग्रयणकालातिपत्तिर्भवति । तत्राग्रयणे विशेषोऽयं कथ्यते । अस्य चातुष्प्राश्यकर्मण आग्रयणत्वात् पौर्णमास्यमावास्या वा कालः । इति कर्कः ।

अथ चतुर्थप्रपाठके प्रथमं ब्राह्मणं, चतुर्थाध्याये च चतुर्थं ब्राह्मणम्।

प्रजापतिर्ह वा ऽएतेनाग्रे यज्ञेनेजे । प्रजाकामो बहुः प्रजया पशुभिः स्याꣳ श्रियं गच्छेयं यशः स्यामन्नादः स्यामिति ॥ १ ॥

अथ दाक्षायणयज्ञो वसिष्ठयज्ञः ।

प्रजापतिर्ह वा एतेनाग्रे यज्ञेनेजे प्रजाकामः—बहुः प्रजया पशुभिः स्याम्, श्रियं गच्छेयम्, यशः स्याम्, अन्नादः स्यामिति ॥ १ ॥

केचित्त्वाग्रयणेष्टावधिकृतस्यानीजानस्य नवधान्येनाग्निहोत्रहोममभिदधते । अत एव सूत्रितं कात्यायनेन—"नवैः सायम्प्रातरग्निहोत्रहोमः"—इति[1]। आपस्तम्बेनाप्युक्तम्—"अपि वा नवानां यवानां सायम्प्रातर्जुहुयात्"—इति । तत्र निराकरोति—**नाग्निहोत्र** इति । अग्निहोत्रकर्मणि नवं हविर्न जुहुयात् ।'यद्' 'यदि' 'जुहुयात्', तदा इन्द्राग्न्यादीनामाग्रयणदेवतानामग्निहोत्रदेवगणैः सह 'समदं' कलहं 'कुर्यात्' । असमुच्चयहेतुभूतं पृथक्त्वं दर्शयति—**अन्यद्वा** इति । 'आग्रयणम्' आग्रयणाख्यं कर्म, अग्निहोत्रात् 'अन्यत्'; 'अग्निहोत्रं' त्वाग्रयणात् 'अन्यत्'; इति एतत्प्रकरणभेदात् नामधेयभेदाच्चावसितम् । शब्दान्तराभ्याससंख्यागुणप्रकरणनामधेयानि इह कर्मभेदे प्रमाणत्वेन जैमिनिनोपन्यस्तानि ॥ १४ ॥

इति श्रीसायणाचार्यविरचिते माधवीये वेदार्थप्रकाशे माध्यन्दिनशतपथब्राह्मणभाष्ये
द्वितीयकाण्डे चतुर्थाध्यायस्य तृतीयं ब्राह्मणम् ॥ (२-४-३) ॥

आवृत्तिगुणविकृतो दर्शपूर्णमासयागप्रयोग एव दाक्षायणयज्ञः[2], तं विधित्सुराख्यायिकामाह—**प्रजापतिरिति** । 'एतेन' वक्ष्यमाणेन दाक्षायणनामकेन यज्ञेन, 'प्रजापतिः' अहम् अविकृत एव सन् देवमनुष्यादिरूपया 'प्रजया', गवादिभिः 'पशुभिः' च 'बहुः' बहुविधः 'स्याम्' भवेयम् , उत्पन्नानां प्रजादीनामशनार्थं 'श्रियं' सम्पदं गच्छेयं प्राप्नुयाम्, ततोऽहं 'यशः' यशस्वी 'स्याम्' 'अन्नादः' भवेयम् 'इति' । एवमेते दाक्षायणयज्ञं कृतवतः प्रजापतेः कामाः तत इदानीमपि तादृग्विधकामनायुक्त एव दाक्षायणयज्ञेऽधिक्रियत इत्यर्थः[3] ॥ १ ॥

१—अग्निहोत्रायणिनो नवैः सायम्प्रातरग्निहोत्रहोमः का. श्रौ. सू. ४ । १६७ । अग्निहोत्रायणिनः अग्निहोत्रेणैवाग्रयणं कर्तुमिच्छतः । अयं नवैः सायम्प्रातरग्निहोत्रहोमो नाग्रयणशब्दवाच्यः सायंप्रातर्ग्रहणादेव । अतश्च न यजनीयकालनियमः । यजनीयकालः पौर्णमास्यमावास्या वा इति कर्काशयः ।

२—नामफलगुणयोगात् कर्मांतरम् । पूर्वपक्षसूत्रमिदम् । गुणविधानं वा सन्निधिसंपद्वचनाभ्याम् । सिद्धांतसूत्रमिदम् । दर्शपूर्णमासावेव दाक्षायणधर्मकौ । न कर्मांतरं । प्रयोजनम् । दर्शपूर्णमासयोरक्रिया । का. श्रौ. सू. ४ । १०५ । १०६ ।

३—दाक्षायणयज्ञः प्रजापशुयशस्कामस्य । का. श्रौ. सू. ४।१०४ । दाक्षायणयज्ञे कामनावानधिकारी । पर्यायेण च योगसिद्धिः । कामानां युगपदुत्पत्तेरसंभवात् ।

स वै दक्षो नाम । तद्यदेनेन सोऽग्रेऽयजत तस्माद्दाक्षायणयज्ञो नामोतैनमेके व्वसिष्ठयज्ञ ऽइत्याचक्षत ऽएष वै व्वसिष्ठ ऽएतमेव तदन्वाचक्षते स ऽएतेन यज्ञेनेजे स एतेन यज्ञेनेष्ट्वा येयं प्रजापतेः प्रजातिर्या श्रीरेतद्बभूवैताᳬं ह वै प्रजातिं प्रजायत ऽएताᳬं श्रियं गच्छति य ऽएवं विद्वानेतेन यज्ञेन यजते तस्माद्वा ऽएतेन यजेत ॥ २ ॥

तेनो ह तत ऽईजे । प्रतीदर्शः श्वैक्नः स ये तं प्रत्यासुस्तेषां विवचनमिवास विवचनमिव ह वै भवति य एवं विद्वानेतेन यज्ञेन यजते तस्माद्वा ऽएतेन यजेत ॥ ३ ॥

स वै दक्षो नाम तद् यदेनेन सोऽग्रेऽयजत, तस्माद्दाक्षायणयज्ञो नाम । उतैनमेके वसिष्ठयज्ञ इत्याचक्षते । एष वै वसिष्ठः । एतमेव तदन्वाचक्षते । स एतेन यज्ञेनेजे । स एतेन यज्ञेनेष्ट्वा—येयं प्रजापतेः प्रजातिः, या श्रीः एतद्बभूव । एतां ह वै प्रजातिं प्रजायते, एतां श्रियं गच्छति—य एवं विद्वानेतेन यज्ञेन यजते । तस्माद्वा एतेन यजेत ॥ २ ॥

तेनोह तत ईजे प्रतीदर्शः श्वैक्नः । स ये तं प्रत्यासुस्तेषां विवचनमिवास । विवचनमिव ह वै भवति—य एवं विद्वानेतेन यज्ञेन यजते । तस्माद्वा एतेन यजेत ॥ ३ ॥

तन्नाम निर्ब्रूते—स वा इति । 'सः' खलु प्रजापतिः 'दक्षो नाम' अभवत्, तेन प्रथममिष्टवान् 'तस्मात्' 'दाक्षायणयज्ञः' इत्युच्यते । नामान्तरमपि कथयति—उतैनमिति । 'उत' अपि च 'एनम्' 'एके' शाखिनः 'वसिष्ठयज्ञ इति' व्यवहरन्ति । 'एषः' एव खलु प्रजापतिः 'वसिष्ठः' नान्यः; सर्वश्रेष्ठत्वात् । 'एतमेव' दाक्षायणयज्ञं 'तत्' तत्र वसिष्ठयज्ञ इति 'अन्वाचक्षते' । स एतेनेति । 'सः' दक्षशब्दवसिष्ठशब्दवाच्यः प्रजापतिः तच्छब्देन परामृश्यते । एतद्बभूवेति । 'एतत्' एतर्हि 'येयं' 'प्रजापतेः' सकाशात् 'प्रजातिः' प्रजानामुत्पत्तिः 'बभूव', 'या' च 'श्रीः' निरतिशया प्राजापत्यपदरूपा सम्पत् 'बभूव' । एतामित्यादि । 'यः' 'विद्वान्' एतदनुष्ठानस्य फलं जानानः । 'तस्मात्' दाक्षायणयज्ञफलकामः 'एतेन' 'यजेत' ॥ २ ॥

विहितस्य यागस्य फलान्तरहेतुत्वमपि परकृत्युपन्यासेन दर्शयति—तेनो हेति । 'श्वैक्नः' श्विक्नस्य पुत्रः नाम्ना 'प्रतीदर्शः' । "उपसर्गस्य घञ्यमनुष्ये बहुलम्"—(पा. सू. ६ । ३ । १२२) इति बहुलग्रहणात् मनुष्यवाचित्वेऽपि घञन्त उत्तरपदे उपसर्गस्य दीर्घः । स एतमिति । 'एतम्' एनम् प्रतीदर्शम् । 'सः' इति व्यत्ययेनैकवचनम् । ये तत्रत्या जनाः 'प्रत्यासुः' केनचित्कारणेन प्रतिचिक्षिपुः "असु क्षेपणे"—(धा. पा. दि. प. १०२) इत्यस्माल्लिट् । तेन च दाक्षायणयज्ञेनेष्टे सति 'तेषां' जनानां 'विवचनं' विशिष्टवचनं पक्षपातवचनम् 'इव' एव 'आस' बभूव, अस्मिन् बहुमानं कृतवन्त इत्यर्थः । तद्दृष्टान्तेनेदानींतनविद्वदनुष्ठानस्यापि तत्फलमाह—विवचनमिव ह वा इति ॥ ३ ॥

तमाजगाम । सुप्ला सार्ञ्जयो ब्रह्मचर्यं तस्मादेतं च यज्ञमनूचेऽन्यमु च सोऽनूच्य पुनः सृञ्जयाञ्जगाम ते ह सृञ्जया विदांचक्रुर्यज्ञं वै नोऽनूच्यागन्निति ते होचुः सह वै नस्तद्देवैरागन्यो नो यज्ञमनूच्यागन्निति स वै सहदेवः सार्ञ्जयस्तदप्येतन्निवचनमिवास्त्यन्यद्वा ऽअरे सुप्ला नाम दध ऽइति स ऽएतेन यज्ञेनेजे स ऽएतेन यज्ञेनेष्ट्वा येयᳪं सृञ्जयानां प्रजातिर्या श्रीरेतद्बभूवैताᳪं ह वै प्रजातिं प्रजायत ऽएताᳪं श्रियं गच्छति य एवं विद्वानेतेन यज्ञेन यजते तस्माद्वा ऽएतेन यजेत ॥ ४ ॥

तमाजगाम सुल्पा सार्ञ्जयो ब्रह्मचर्यम् । तस्मादेतं च यज्ञमनूचे, अन्यमु च । सोऽनूच्य पुनः सृञ्जयान् जगाम । ते ह सृञ्जया विदाञ्चक्रुः—यज्ञं वै नोऽनूच्यागन्निति । ते होचुः—सह वै नस्तद्देवैरागन्—यो नो यज्ञमनूच्यागन् इति । स वै सहदेवः सार्ञ्जयः । तदप्येतन्निवचनमिवास्ति—अन्यद्वा अरे सुल्पा नाम दध इति । स एतेन यज्ञेनेजे । स एतेन यज्ञेनेष्ट्वा येयं सृञ्जयानां प्रजातिः, या श्रीः—एतद्बभूव । एतां ह वै प्रजातिं प्रजायते, एतां श्रियं गच्छति—य एवं विद्वानेतेन यज्ञेन यजते । तस्माद्वा एतेन यजेत ॥ ४ ॥

पुनरप्यस्य यज्ञस्य विशिष्टफलान्तरहेतुत्वं प्रतिपादयितुमाख्यायिकया परकृतिमुदाहरति—**तमाजगामेति** । 'तं' प्रतीदर्शमुपदेष्टृत्वेनोपासीदत्, सृञ्जयपुत्रः 'सुल्पा' नाम 'ब्रह्मचर्यम्' 'आजगाम' प्राप्तवान् । 'तस्मात्' तदुपदेष्टुः प्रतीदर्शात् 'एतं' दाक्षायणयज्ञम् 'अन्यमु' अन्यमपिच 'यज्ञम्' 'अनूचे' अनूचिवान् अधीतवान् । अनूच इति अनुपूर्वाद् ब्रुवो लिटि वच्यादेशे आत्मनेपदे रूपम् । तस्मादिति "आख्यातोपयोगे"—(पा. सू. १ । ४ । २९) इत्यपादानसंज्ञा । 'स' च सार्ञ्जयः 'एतम् अनूच्य' 'पुनः' 'सृञ्जयान्' तदाख्यान् जनपदान् 'जगाम'; 'ते' च 'एनं' 'विदाञ्चक्रुः' ज्ञातवन्तः । "उषविदजागृभ्योऽन्यतरस्याम्"—(पा. सू. ३ । १ । ३८) इति लिट्याम् प्रत्ययः । कथमिति, तदाह—**यज्ञमिति** । 'नः' अस्मदर्थे 'यज्ञम्' अनूच्य अधीत्य 'आगन्' आगतोऽभूत् । गमेर्लुङि "मन्त्रे घस०"—(पा.सू.२।४।८०) इति च्लेर्लुक्, "हल्ङ्याब्भ्यः"—(पा. सू. ६ । १ । ६८) इति तिलोपः, "मो नो धातोः" (पा. सू. ८ । २ । ६४) इति नत्वम् । 'इति' ज्ञात्वा ते सृञ्जया अब्रुवन्, 'नः' अस्मदर्थं यः 'यज्ञम्' अधीत्यागमत्, 'सः' तत्सम्बन्धिभिः देवैः सह आगमदिति । ततः प्रभृति 'सः' 'सार्ञ्जयः' 'सहदेवः' इति संज्ञया प्रसिद्धोऽभवत् ॥

तामेव प्रसिद्धिं दर्शयति—**तदेतदिति** । 'तत्' तस्मात् कारणात् 'एतत्' एतर्हि, इदानीमपि 'निवचनं' निर्वचनं निरन्तरं वचनम् 'अस्ति' व्यवहारो लोके[1] विद्यते । वचनस्य स्वरूपं दर्शयति—**अन्यद्वा इति** । पूर्वं हि सार्ञ्जयः 'सुल्पा नाम' अभवत्, अधुना तु देवैः सहागमनात् 'सहदेवः' 'इति' 'अन्यत्' नाम 'दधे' धारितवान् 'इति' 'स च' सार्ञ्जयः । स्वजनपदेषु एतेन दाक्षायणयज्ञेन ईजे इष्टवान् । **स एतेन यज्ञेनेष्ट्वा** इत्यादि, एतस्य सार्ञ्जयफलप्राप्तिकथनम् ॥

१—'व्यवहारलोके' इति क. पा. ।

तेनो ह तुत ऽईजे । देवभागः श्रौतर्षः स ऽउभयेषां कुरूणां च सृञ्जयानां च पुरोहित ऽआस परमता वै सा यो न्वेवैकस्य राष्ट्रस्य पुरोहितोऽसत्सा न्वेव परमता किमु यो द्वयोः परमतामिव ह वै गच्छति य एवं विद्वानेतेन यज्ञेन यजते तस्माद्वाऽ एतेन यजेत ॥ ५ ॥

तेनो ह तत ऽईजे । दक्षः पार्वतिस्त ऽइमेऽप्येतर्हि दाक्षायणा राज्यमिवैव प्राप्ता राज्यमिव ह वै प्राप्नोति यऽ एवं विद्वानेतेन यज्ञेन यजते तस्माद्वा ऽएतेन यजेत स वाऽएकैक ऽएवानूचीनाहं पुरोडाशो भवत्येतेनो हास्यासपत्नानुपबाधा श्रीर्भवति स वै द्वे पौर्णमास्यौ यजते द्वे ऽअमावास्ये द्वे वै मिथुनं मिथुनमेवैतत्प्रजननं क्रियते ॥ ६ ॥

तेनो ह तत ईजे देवभागः श्रौतर्षः । स उभयेषां कुरूणां च सृञ्जयानां च पुरोहित आस । परमता वै सा—यो न्वेवैकस्य राष्ट्रस्य पुरुहितोऽसत्, सा न्वेव परमता—किमु यो द्वयोः । परमतामिव ह वै गच्छति य एवं विद्वानेतेन यज्ञेन यजते । तस्माद्वा एतेन यजेत ॥ ५ ॥

तेनो ह तत ईजे दक्षः पार्वतिः । त इमेऽप्येतर्हि दाक्षायणा राज्यमिवैव प्राप्ताः । राज्यमिवह वै प्राप्नोति—य एवं विद्वानेतेन यजते । तस्माद्वा एतेन यजेत । स वा एकैक एवानूचीनाहं पुरोडाशो भवति । एतेनो हास्यासपत्नानुपबाधा श्रीर्भवति । स वै द्वे पौर्णमास्यौ यजते, द्वे अमावास्ये द्वे वै मिथुनम् । मिथुनमेवैतत्प्रजननं क्रियते ॥ ६ ॥

एताꣳह वै प्रजातिमिति, इदानीन्तनस्य विदुषोऽनुष्ठातुः फलम् । **तस्माद्वा एतेनेति** । यस्मात् सृञ्जयसम्बन्धिप्रजात्यादिकमपि दाक्षायणयज्ञफलम्, तस्मादपि कारणादित्यर्थः ॥ ४ ॥

इतोऽपि दाक्षायणयज्ञोऽनुष्ठेय इत्यभिप्रेत्यान्यां परकृतिमुपन्यस्यति—**तेनो हेति** । 'ततः' साञ्जयानुष्ठानानन्तरं 'तेन' दाक्षायणयज्ञेन 'श्रौतर्षः' श्रुतर्षेः पुत्रो 'देवभागः' नाम महर्षिः 'ईजे' इष्टवान् । 'सः' च तेन यागेन 'कुरूणां च सृञ्जयानां च' राज्ञामुभयविधानामपि 'पुरोहितः' बभूव । पौरोहित्यस्य फलरूपतामाह—**परमता वा इति** । 'या' खलु 'एकस्य' अपि 'राष्ट्रस्य' 'पुरोहितः' 'असत्' भवति 'सा' खलु 'परमता' उत्कृष्टता, तस्य सर्वश्रैष्ठ्यं भवतीति यावत्; 'यः' तु 'द्वयोः' राष्ट्रयोः पुरोहितो भवति, सैव खल्वतिशयिता परमतेति किमु वक्तव्यमित्यर्थः । इदानीन्तनविद्वदनुष्ठानस्यापि तत्फलमाह—**परमतामिवेति** ॥ ५ ॥

फलान्तरप्रतिपादनायान्यां परकृतिमुपन्यस्यति—**तेनो ह तत ईज इति** । पर्वतो नाम कश्चित्, तस्य पुत्रः 'पार्वतिः' दक्षः, स एतेनेष्ट्वा राज्यं प्राप्नोत् । ततः 'एतर्हि' इदानीमपि 'दाक्षायणाः' तत्सन्तानभूता राजानः 'राज्यं प्राप्ता' एव भवन्ति । **राज्यमिव ह वा इति**, अनुष्ठातुः फलम् ॥

अत्र हि दाक्षायणयज्ञसम्पद्भूते द्वे पौर्णमास्यौ द्वे अमावास्ये यजेतेति दर्शपूर्णमासयोरावृत्तिं वक्ष्यति (श. प. ११।१।२।१३)। तत्र पौर्णमास्यां द्वौ पुरोडाशौ,—आग्नेयोऽग्नीषोमीयश्च; अमावास्यायामपि द्वौ—

(तेऽथ) अथ यत्पूर्वेद्युः । (र) अग्नीषोमीयेण यजते पौर्णमास्यां ते द्वे देवते द्वे वै मिथुनं मिथुनमेवैतत्प्रजननं क्रियते ॥ ७ ॥

(तेऽथ) अथ प्रातः । (रा) आग्नेयः पुरोडाशो भवत्यैन्द्रꣳ सांनाय्यं ते द्वे देवते द्वे वै मिथुनं मिथुनमेवैतत्प्रजननं क्रियते ॥ ८ ॥

(तेऽथ) अथ यत्पूर्वेद्युः । (रै) ऐन्द्राग्नेन यजतेऽमावास्यायां ते द्वे देवते द्वे वै मिथुनं मिथुनमेवैतत्प्रजननं क्रियते ॥ ९ ॥

(तेऽथ) अथ प्रातः । (रा) आग्नेयः पुरोडाशो भवति मैत्रावरुणी पयस्या नेत्प्रमाद्यानीति न्वेवाग्नेयः पुरोडाशोऽथैतावेव मित्रावरुणौ द्वे

अथ यत्पूर्वेद्युः अग्नीषोमीयेण यजते–पौर्णमास्यां ते द्वे देवते । द्वे वै मिथुनम् । मिथुनमेवै तत्प्रजननं क्रियते ॥ ७ ॥

अथ प्रातराग्नेयः पुरोडाशो भवति, ऐन्द्रं सान्नाय्यम्–ते द्वे देवते । द्वे वै मिथुनम् । मिथुनमेवै तत्प्रजननं क्रियते ॥ ८ ॥

अथ यत्पूर्वेद्युरैन्द्राग्नेन यजते–अमावास्यायां ते द्वे देवते । द्वे वै मिथुनम् । मिथुनमेवैतत्प्रजननं क्रियते ॥ ९ ॥

अथ प्रातराग्नेयः पुरोडाशो भवति । मैत्रावरुणी पयस्या । नेत्प्रमाद्यानीति । न्वेवाग्नेयः पुरोडाशः ।

आग्नेय ऐन्द्राग्नश्च । तयोः प्रत्यहमेकैकशोऽनुष्ठानमाह–स वा इति । 'अनुवर्तिनाहं' प्रत्यहम् 'एकैक' एव 'पुरोडाशो भवति' पूर्वस्मिन् पूर्णमासप्रयोगे एक एव पुरोडाशः कर्त्तव्यः उत्तरस्मिन् दिनेऽप्येकः पुरोडाशः प्रयोक्तव्यः तत्राग्नीषोमीयौ द्वावप्येकस्मिन्नित्यर्थः । एवं दर्शप्रयोगेऽपि द्रष्टव्यम् । एकैकशोऽनुष्ठानस्य फलमाह–एतेनो हास्येति । 'असपत्नानुपबाधा' सपत्नैः शत्रुभिरबाधिता । प्रकृतयोरेव दर्शपूर्णमासयोर्योऽयमावृत्तिलक्षणो गुणः फलायाभिधीयत इत्यवादिष्म, तमिदानीं विधत्ते–स वा इति । द्वित्वसङ्ख्यां प्रशंसति–द्वे वै मिथुनमिति ॥ ६ ॥

तत्र पूर्वस्यां पौर्णमास्यामनुष्ठेयं यागं विधाय प्रशंसति–अथ यत् पूर्वेद्युरिति । ते द्वे देवते इति । अग्नीषोमयोर्व्यासक्तयोरेव देवतात्वात् अधिष्ठानद्वित्वापेक्षया देवतयोर्द्वित्वं मन्तव्यम् ॥ ७ ॥

परस्मिन्नहनि यागद्वयं विधत्ते–अथ प्रातरिति । पूर्वेद्युरग्नीषोमीयेणेष्ट्वा परेद्युः प्रातःकाले आग्नेयपुरोडाशकयागः प्रथमं कर्त्तव्यः, तत इन्द्रदेवताकं सान्नाय्यं दधि प्रयोक्तव्यम् । एतद्–यागद्वयं सम्भूय प्रशंसति–ते द्वे इति ॥ ८ ॥

अमावास्याप्रयोगेऽपि पूर्वेद्युः कर्त्तव्यमाह–अथ यत् पूर्वेद्युरिति । प्रशंसति–ते इति । अग्नीषोमीयवदत्रापि देवताद्वित्वमवसेयम् ॥ ९ ॥

परेद्युरनुष्ठेयं यागद्वयं विधाय प्रशंसति–अथ प्रातरिति । 'मैत्रावरुणी' मित्रावरुणदेवताका, पयसो

१–अग्नीषोमीयः पौर्णमास्यामैन्द्राग्नोऽमावास्यायाम् । सान्नाय्यवत्प्रातः । का० श्रौ० सू० ४ । १०७–१०८ ।

देवते द्वे वै मिथुनं मिथुनमेवैतत्प्रजननं क्रियतऽएतदु हास्य तद्रूपं येन बहुर्भवति येन प्रजायते ॥ १० ॥

(तेऽथ) अथ यत्पूर्वेद्युः । (१) अग्नीषोमीयेण यजते पौर्णमास्यां यमेवा-मुमुपवसथेऽग्नीषोमीयं पशुमालभते स एवास्य सः ॥ ११ ॥

(सोऽथ) अथ प्रातः । (२) आग्नेयः पुरोडाशो भवत्यैन्द्रꣳ सांनाय्यं प्रातःसवनमेवास्याग्नेयः पुरोडाश आग्नेयꣳ हि प्रातःसवनमथैन्द्रꣳ सांनाय्यं माध्यन्दिनमेवास्य तत्सवनमैन्द्रꣳ हि माध्यन्दिनꣳ सवनम् ॥ १२ ॥

अथैतावेव मित्रावरुणौ—द्वे देवते । द्वे वै मिथुनम् । मिथुनमेवैतत्प्रजननं क्रियते । एतद्ध हास्य तद्रूपम्—येन बहुर्भवति, येन प्रजायते ॥ १० ॥

अथ यत्पूर्वेद्युरग्नीषोमीयेण यजते पौर्णमास्याम्—यमेवामुमुपवसथेऽग्नीषोमीयं पशुमालभते—स एवास्य सः ॥ ११ ॥

अथ प्रातराग्नेयः पुरोडाशो भवति, ऐन्द्रं सान्नाय्यं—प्रातःसवनमेवास्याग्नेयः पुरोडाशः । आग्नेयं हि प्रातःसवनम्, अथैन्द्रं सान्नाय्यम् । माध्यन्दिनमेवास्य तत्सवनम् । ऐन्द्रं हि माध्यन्दिनं सवनम् ॥ १२

विकृतिः ' पयस्या ' तप्तं हि पयो दध्ना संस्कृतं सत् पयस्या भवति । **नेद्यज्ञादित्यादि** । ' यज्ञाद् ' प्रकृताद् यागात् ' नेत् ' नैव ' अयानि ' वियुक्तो गच्छानि ' इति ' अनेनैवाभिप्रायेण आग्नेयः ' पुरोडाशः ' क्रियते; न तु पूर्णमासप्रयोगवत् देवतयोर्द्वित्वसम्पादनाय । यतः पयस्याभाजौ ' मित्रावरुणौ ' स्वत एव ' द्वे देवते ' अत इत्यर्थः । गतमन्यत् । **एतदु हास्येति** । येन रूपेणानुष्ठाता प्रजया पशुभिश्च ' बहुः ' बहुविधो भवति । ' एतत् ' एव मिथुनात्मक द्वित्वम् ' अस्य ' यज्ञस्य ' तद्रूपम् ' इत्यर्थः ॥ १० ॥

अस्य दाक्षायणयज्ञस्य सोमयागरूपतां प्रतिपादयति—**अथ यदित्यादिना** । **अमुमुपवसथ** इति । सुत्यादिवसात् पूर्वमहरुपवसथः । प्रकरणान्तरे विहितत्वेन विप्रकर्षादमुमिति विप्रकृष्टवाचिना अदश्शब्देनाग्नीषोमीयस्य पशोः परामर्शः । **स एवास्येति** । ' अस्य ' यज्ञस्य पूर्वेद्युरनुष्ठेयो योऽग्नीषोमीयः पुरोडाशः, ' स एव सः ' अग्नीषोमीयः पशुरित्यर्थः ॥ ११ ॥

प्रातरनुष्ठेययोराग्नेयैन्द्राग्न्योर्यागयोः प्रातर्माध्यन्दिनसवनरूपतामुपपादयति—**अथ प्रातरिति** । आग्नेयपुरोडाशस्य प्रातःसवनस्य चैकदेवताधिष्ठितत्वात् तादात्म्यम्, सान्नाय्यमाध्यन्दिनसवनस्य चेन्द्रदेवत्वसाम्यात् तथात्वम् ॥ १२ ॥

१–अमावास्यायां पयस्या मैत्रावरुणी । का० श्रौ० सू० ४–१०९ । २–तत्रैव दोहनꣳ स्रुते वा दध्यानयति । (का० श्रौ० सू० ४–१११) । दधनि वा दोहनमिति कर्कः ।

(मु) अथ यत्पूर्वेद्युः । (रै) ऐन्द्राग्नेन यजतेऽमावास्यायां तृतीय-
सवनमेवास्य तद्वैश्वदेवं वै तृतीयसवनमिन्द्राग्नी वै विश्वेदेवाः ॥ १३ ॥
(ऽ) अथ प्रातः । (रा) आग्नेयः पुरोडाशो भवति मैत्रावरुणी पयस्या
नेद्यज्ञादयानीति न्वेवाग्नेयः पुरोडाशोऽथ यामेवामूं मैत्रावरुणीं वशामनू-
बन्ध्यामालभते सैवास्य मैत्रावरुणी पयस्या स पौर्णमासेन चामावास्येन
चेष्ट्वा यावत्सौम्येनाध्वरेणेष्ट्वा जयति तावज्जयति तदु खलु महायज्ञो भवति ॥ १४
(त्यु) अथ यत्पूर्वेद्युः । (र) अग्नीषोमीयेण यजते पौर्णमास्यामेतेन वाऽ-
इन्द्रो वृत्रमहन्नेतेनोऽएव व्यजयत याऽस्येयं विजितिस्तां तथोऽएवैष एतेन
पाप्मानं द्विषन्तं भ्रातृव्यꣳ हन्ति तथोऽएव विजयतेऽथ यत्संनयत्यामा-
वास्यं वै सांनाय्यं दूरे तद्यदमावास्येति क्षिप्रऽएवैतद्वृत्रं जघ्नुषे तमेतेन
रसेनाप्रीणन्क्षिप्रे ह वै पाप्मानमपहते य एवं विद्वान्पौर्णमास्याꣳ संनय-

---

अथ यत्पूर्वेद्युरैन्द्राग्नेन यजतेऽमावास्यायाम्—तृतीयसवनमेवास्य तत् । वैश्वदेवं वै तृतीयसवनम् । इन्द्राग्नी वै विश्वेदेवाः ॥ १३ ॥

अथ प्रातराग्नेयः पुरोडाशो भवति, मैत्रावरुणी पयस्या । नेद्यज्ञादयानीति न्वेवाग्नेयः पुरोडाशः । अथ यामेवामूं मैत्रावरुणीं वशामनूबन्ध्यामालभते-सैवास्य मैत्रावरुणी पयस्या । स पौर्णमासेन चामावास्येन चेष्ट्वा—यावत् सौम्येनाध्वरेणेष्ट्वा जयति—तावज्जयति । तदु खलु महायज्ञो भवति ॥ १४ ॥

अथ यत्पूर्वेद्युरग्नीषोमीयेण यजते पौर्णमास्याम्—एतेन वा इन्द्रो वृत्रमहन्, एतेनो एव व्यजयत—याऽस्येयं विजितिः—ताम् । तथो एवैष एतेन पाप्मानं द्विषन्तं भ्रातृव्यं हन्ति, तथो एव विजयते । अथ

दर्शे पूर्वेद्युरनुष्ठेयस्यैन्द्राग्नपुरोडाशस्य तृतीयसवनरूपतामाह—**अथ यदिति** । **इन्द्राग्नी वै विश्वेदेवाः** इति । इन्द्राग्न्योर्विश्वेषु देवेष्वन्तर्भावात् ऐन्द्राग्नपुरोडाशतृतीयसवनयोरनेकदेवत्यत्वसाम्याच्च तादात्म्यम् ॥ १३ ॥

दर्शे परेद्युः प्रातरनुष्ठेयस्य पयस्यायागस्यानूबन्ध्यारूपतामाह—**अथ प्रातरिति** । **नेद्यज्ञादिति** । आग्नेय-पुरोडाशयागस्यानुष्ठानविहिताद्यज्ञान्नैव गच्छति; प्रभ्रंशो मा भूदित्यनेनैवाभिप्रायेण; न तु तेन किञ्चिदपि सोमयागसाम्यं सम्पाद्यते । **अमूं मैत्रावरुणीमिति** । सोमप्रकरणे विहितत्वेन विप्रकृष्टाया अनूबन्ध्याया अदश्शब्देन परामर्शः । **सैवास्येति** । 'अस्य' दाक्षायणयज्ञस्य या 'मैत्रावरुणी पयस्या' सोमेऽनुष्ठीयमाना अनूबन्ध्या एव सेत्यर्थः । इत्थं दाक्षायणयज्ञस्य सोमयागसाम्यं सम्पाद्य, तत एव हेतोः फलसाम्यमाह—**स पौर्णमासेन चेति** । 'सौम्येन' सोमद्रव्यसाध्येन यागेनेत्यर्थः । **तदु खल्विति** । 'तत्' तस्मादेव 'खलु' कारणात् दाक्षायणयागो 'महायज्ञः' सोमयागो 'भवति'; स हि महायज्ञ इत्याख्यायते । अत एव तैत्तिरीयके सोमयागप्रकरणे समाम्नायते—"ते देवा एतं महायज्ञमपश्यन्"—इति (तै. सं. ३ । २ । २ । २) ॥ १४ ॥

अथैतं दाक्षायणं यज्ञं प्रकारान्तरेण प्रशंसन् पौर्णमासप्रयोगे पूर्वेद्युरनुष्ठेयमग्नीषोमीययागमनूद्य स्तौति—**अथ यत् पूर्वेद्युरिति** । **एतेन वा** इत्यादि । 'एतेन' खलु अग्नीषोमीययागेन पुरा 'इन्द्रो वृत्रम् अहन्'

त्येष वै सोमो राजा देवानामन्नं यच्चन्द्रमास्तमेतत्पूर्व्वेद्युरभिषुण्वन्ति प्रातुर्भक्षयिष्युन्तस्तुमेतुद्भक्षयुन्ति यदपक्षीयते ॥ १५ ॥

(तेऽथ) अुथ युत्पूर्वेद्युः । (२) अग्नीषोमीयेण युजते पौर्णमास्युामभिषुणोत्युवैनमेतत्तुस्मिन्नभिषुत ऽएतर्ठ्ठं रुसं दधात्येतेुन रुसेन तीव्रीकरोति स्वदुयति ह वै देवेुभ्यो हव्यर्ठ्ठं स्वदुते हास्य देवेुभ्यो हव्यं युऽएवं विद्वान् पौर्णमास्याृर्ठ्ठं संनुयति ॥ १६ ॥

यत्सन्नयति । आमावास्यं वै सान्नाय्यम् । दूरे तद्–यदमावास्येति, क्षिप्र एवैतद्वृत्रं जघ्नुषे, तमेतेन रसेनाप्रीणन् । क्षिप्रे ह वै पाप्मानमपहते–य एवं विद्वान्पौर्णमास्यां सन्नयति, एष वै सोमो राजा देवानामन्नम्–यच्चन्द्रमाः । तमेतत्पूर्वेद्युरभिषुण्वन्ति–प्रातर्भक्षयिष्यन्तः । तमेतद्भक्षयन्ति–यदपक्षीयते ॥ १५ ॥

अथ यत्पूर्वेद्युरग्नीषोमीयेण यजते पौर्णमास्याम्–अभिषुणोत्येवैनमेतत् । तस्मिन्नभिषुत एतं रसं दधाति । एतेन रसेन तीव्रीकरोति । स्वदयति ह वै देवेभ्यो हव्यम् । स्वदते हास्य देवेभ्यो हव्यं–य एवं विद्वान्पौर्णमास्यां सन्नयति ॥ १६ ॥

प्राणापानरूपयोरग्नीषोमयोर्हिंसितः कृशयोर्निष्क्रमणाद्धि वृत्रो मृतः । तथा चाम्नायते–"तस्माज्जञ्जभ्यमानादग्नीषोमौ निरक्रामताम्, प्राणापानौ वा एनं तदजहिताम्" इति (तै. सं. २।५।२।३) । 'अस्य' वृत्रस्य 'इयं या विजितिः' प्रसिद्धा, 'तां' 'अजयत' इति सम्बन्धः । "विपराभ्यां जेः"–(पा. सू. १।३।१९) इत्यात्मनेपदम् । यथो एवेति । इन्द्रो यथा, 'तथा' एव 'एषः' यजमानोऽपि 'एतेन' अग्नीषोमीययागेन 'पाप्मानं पापभूतं' 'द्विषन्तं' द्वेष्टारं भ्रातृव्यं शत्रुं 'हन्ति' हिनस्ति ।

ऐन्द्रं सांनाय्यमिति पौर्णमास्यां यः सान्नाय्ययागो विहितः, समनूद्य स्तौति–अथ यदित्यादिना । आमावास्यं वा इति । इन्द्रवीर्यस्य सन्नयनसाधनं दधिपयोरूपं हविः 'आमावास्यं वै' अमावास्यासम्बद्धमेव । 'अमावास्या' तिथिः 'इति' 'यत्' 'तद्' 'दूरे'; प्रतिपदादिभिश्चतुर्दशीभिर्व्यवधानात् । पुरा खलु देवाः 'क्षिप्रे एव' अल्पकाले एव शीघ्रम् 'एतत्' इत्थं 'वृत्रं' 'जघ्नुषे' हन्तवे इन्द्राय । "क्रियाग्रहणं कर्त्तव्यम्"–(पा. सू. १।४।३२ वा. १) इति कर्मणः सम्प्रदानत्वात् चतुर्थी । 'तं' पौर्णमास्यां वृत्रं हतवन्तमिन्द्रम् 'एतेन' सान्नाय्यरूपेण 'रसेन' 'अप्रीणन्' अतर्पयन् । 'यः' यजमानः 'एवं विद्वान्' पौर्णमास्यामिन्द्रमुद्दिश्य सान्नाय्ययागं करोति स इन्द्रवत् क्षिप्रमेव स्वकीयं पापरूपं शत्रुम् 'अपहते' हिनस्ति । तदेव सन्नयनं प्रकारान्तरेण स्तौति–एष वा इति । योऽयं पौर्णमास्यां सम्पूर्णः 'चन्द्रमाः', 'एषः' खलु 'राजा' राजमानः 'सोमः' 'देवानामन्नम्'; 'तं' सोमरूपम् 'एतत्' अन्नम् 'प्रातः भक्षयिष्यन्तः' पूर्वदिवसे 'अभिषुण्वन्ति' रसभावं प्रापयन्ति । 'तम् एतत्' अपरपक्षे 'भक्षयन्ति' । 'यत्' यस्माद् असौ प्रत्यहं तत्र 'अपक्षीयते' अतो भक्षयन्तीति सम्बन्धः ॥ १५ ॥

तथाविधमेवैतदनुष्ठानमित्याह–अथ यत् पूर्वेद्युरग्नीषोमीयेणेति । अभिषुणोत्येवैनामिति । पूर्वेद्युः कर्त्तव्याभिषवस्थानीयोऽयमग्नीषोमीययाग इत्यर्थः । 'अभिषुते तस्मिन्' सोमे 'एतं' सान्नाय्यरूपं 'रसं' परेद्युः 'दधाति' स्थापयति । 'एतेन' च सान्नाय्यरसेन तं सोमं 'तीव्रीकरोति' तीव्रमतिशयेन मदकरं करोति तथा

(त्यु) अथ युत्पूर्वेद्युः। (रै) ऐन्द्राग्नेन युजतेऽमावास्यायां दर्शपूर्णमासयोर्वै देवते स्त इन्द्राग्नी ऽएव ते ऽएवैतदञ्जसा प्रत्यक्षं यजत्यञ्जसा ह वा ऽअस्य दर्शपूर्णमासाभ्यामिष्टं भवति य एवमेतद्वेद ॥ १७ ॥

(द्रा) अथ प्रातः। (रा) आग्नेयः पुरोडाशो भवति मैत्रावरुणी पयस्या नेद्यज्ञादयानीति न्वेवाग्नेयः पुरोडाशोऽथैतावेवार्धमासौ मित्रावरुणौ य एवापूर्यते स व्वरुणो योऽपक्षीयते स मित्रस्तावेताᳬं रात्रिमुभौ समागच्छतस्तदुभावेवैतत्सह सन्तौ प्रीणाति सर्व्वᳬं ह वा ऽअस्य प्रीतं भवति सर्व्वमाप्तं य एवमेतद्वेद ॥ १८ ॥

तद्वा ऽएताᳬं रात्रिम्। मित्रो व्वरुणे रेतः सिञ्चति तदेतेन रेतसा प्रजायते यदापूर्यते तद्यदेषाऽत्र मैत्रावरुणी पयस्याऽवक्लृप्ततमा भवति ॥ १९ ॥

अथ यत्पूर्वेद्युरैन्द्राग्नेन यजतेऽमावास्यायाम्—दर्शपूर्णमासयोर्वै देवते स्त इन्द्राग्नी एव। ते एवैतदञ्जसा प्रत्यक्षं यजति। अञ्जसा ह वा अस्य दर्शपूर्णमासाभ्यामिष्टं भवति—य एवमेतद्वेद ॥ १७ ॥

अथ प्रातराग्नेयः पुरोडाशो भवति, मैत्रावरुणी पयस्या। नेद्यज्ञादयानीति। न्वेवाग्नेयः पुरोडाशः। अथैतावेवार्धमासौ मित्रावरुणौ। य एवापूर्यते—स वरुणः। योऽपक्षीयते—स मित्रः। तावेतां रात्रिमुभौ समागच्छतः तदुभावेवैतत्सह सन्तौ प्रीणाति। सर्वं ह वा अस्य प्रीतं भवति, सर्वमाप्तं—य एवमेतद्वेद ॥ १८ ॥

तद्वा एतां रात्रिं मित्रो वरुणे रेतः सिञ्चति। तदेतेन रेतसा प्रजायते—यदापूर्यते। तद्द यदेषाऽत्र मैत्रावरुणी पयस्याऽवक्लृप्ततमा भवति ॥ १९ ॥

तेन सांनाय्यरसेन 'देवेभ्यः' देवार्थं 'हव्यं' हविः 'स्वदयति' स्वादूकरोति। 'अस्य' यजमानस्य तत् 'हव्यं' हविः 'देवेभ्यः' 'स्वदते' रोचते। "रुच्यर्थानां प्रीयमाणः"—(पा. सू. १।४।३३) इति सम्प्रदानत्वात् देवेभ्य इति चतुर्थी ॥ १६ ॥

दर्शयागे पूर्वदिवसमनुष्ठेयमैन्द्राग्नयागमनूद्य स्तौति—अथ यदिति। 'इन्द्राग्नी एव' खलु 'दर्शपूर्णमासयो-र्देवते; तत्रत्यप्रथमपुरोडाशस्याग्निदेवत्यत्वात्, सांनाय्यस्य चैन्द्रत्वात्। ते एवैतदित्यादि निगदसिद्धम् ॥ १७ ॥

दर्शप्रयोगे परेद्युरनुष्ठेयावपि यागावनूद्य स्तौति—अथ प्रातरिति। अथैतावेवेत्यादि। पयस्याया देवते यौ 'मित्रावरुणौ', 'एतावेवार्द्धमासौ'। एतदेव विवृणोति—य एवेति। 'य एव' अर्द्धमासः 'आ' समन्तात् 'पूर्यते' वर्द्धमानया चन्द्रकलया पूर्णो भवति, 'सः' अमृतरससम्बन्धाद् 'वरुणः', स हि रसाभिमानी देवः; 'यः' अर्द्धमासः 'अपक्षीयते' क्षीयमाणचन्द्रकलायुक्तो भवति, 'सः' अपरपक्षः 'मित्रः' 'तौ' चन्द्र-सूर्यात्मकौ मित्रावरुणौ 'उभौ' 'एतां रात्रिं' दर्शरात्रिं 'समागच्छतः' सह समाप्नुतः। 'तत्' तस्मात् कारणात् 'एतत्' एतेन मैत्रावरुणयागेन 'उभावेव' तौ 'सह सन्तौ' सह भवन्तौ युगपत् 'प्रीणाति' तर्पयति। सर्वं ह वा अस्येति, वेदितुः फलम् ॥ १८ ॥

मित्रावरुणदेवत्यत्वं[1] प्रकारान्तरेण स्तौति—तद्वा एतामिति। 'एतां रात्रिम्'। अत्यन्तसंयोगे द्वितीया

१-'मित्रावरुणदेवद्वयम्-' इ. पा. क.।

सांनाय्यभाजना वा ऽअमावास्या । तदुदस्तत्पौर्णमास्यां क्रियते स यद्धात्रापि संनयेज्जामि कुर्यात्समदं कुर्यात्तदेनमद्भ्यश्चौषधिभ्यः सम्भृत्याहुतिभ्योऽधिजनयति स ऽएष आहुतिभ्यो जातः पश्चाद्ददृशे ॥ २० ॥

मिथुनाद्विह्वाऽएनमेतत्प्रजनयति । योषा पयस्या रेतो वाजिनं तद्वाऽ-अनुष्ठ्या यन्मिथुनाज्जायते तदेनमेतस्मान्मिथुनात्प्रजननात्प्रजनयति तस्मादेषाऽत्र पयस्या भवति ॥ २१ ॥

सान्नाय्यभाजना वा अमावास्या । तददस्तत्पौर्णमास्यां क्रियते । स यद्धात्रापि संनयेत्—जामि कुर्यात् । समदं कुर्यात् । तदेनमद्भ्य ओषधिभ्यः सम्भृत्याहुतिभ्योऽधिजनयति । स एष आहुतिभ्यो जातः पश्चाद्ददृशे ॥ २० ॥

मिथुनाद्विह्वा एनमेतत्प्रजनयति । योषा पयस्या, रेतो वाजिनम् । तद्वा अनुष्ठ्या—यन्मिथुनात्प्र-जननात्प्रजनयति । तस्मादेषाऽत्र पयस्या भवति ॥ २१ ॥

(पा. सू. २।३।९) । 'मित्रः' अपरपक्षाभिमानी देवः, 'वरुणे' शुक्लपक्षाभिमानिनि देवे 'रेतः सिञ्चति' । 'तत्' तथा सति 'एतेन रेतसा' स शुक्लपक्षः 'प्रजायते', उत्पद्यते; 'यत्' यतः कारणात् अस्मिन् चन्द्रः 'आपूर्यते' 'यत्' यस्मात् एवम्, 'तत्' तस्मात् 'एषा' मित्रावरुणदेवताका 'पयस्या' 'अवक्लृप्ततमा' अतिशयेनावक्लृप्ता, क्लृप्तसामर्थ्या भवति ॥ १९ ॥

इतोऽपि पयस्यायागो दर्शे युक्ततर इत्याह—**सान्नाय्यभाजना वा** इति । 'सान्नाय्यभाजना' सान्नाय्ययागस्य स्थानभूता ह्यमावास्या; ऐन्द्रं दध्यमावास्यायामिति दधिपयसोर्यागस्य प्रकृतौ तत्र विहितत्वात् । 'तत्' तथा सति ते द्वे ऐन्द्रसान्नाय्ये 'अदः' विप्रकृष्टं 'पौर्णमास्याम्' एव 'क्रियते' । यद्यपि 'सः' पौर्णमास्यां सान्नाय्यं यजमानः 'अत्र' दर्शे 'अपि' सन्नयेत् तदा कृतस्यैव पुनः करणात् 'जामिता' दोषः स्यात्; अपि च दर्शपूर्णमासदेवतयोः परस्परं 'समदं' कलहं 'कुर्यात्' पूर्णमासे कृतमैन्द्रं सान्नाय्यं परित्यज्य दर्शे मित्रावरुणदेवताका पयस्यैव कार्या । तस्या अपि दधिपयसोर्विकारत्वात् अमावास्यायाः सान्नाय्यभाजनत्वमपि न व्याहन्यत इत्यर्थः । **तदेनमद्भ्य** इत्यादि । 'तत्' तेन दर्शेऽनुष्ठितेन सान्नाय्ययागेन अप्सु ओषधिषु च प्रविष्टम् 'एनम्' सोमं ततः 'सम्भृत्य' दधिपयोरूपेण सम्पाद्य, अग्नौ हुत्वा, तानि 'आहुतिभ्यः' सकाशात् 'अधिजनयति' । 'स एषः' चन्द्रः सान्नाय्याहुतिभ्यः सकाशात् जातः प्रतिपदि 'पश्चाद् ददृशे' कलारूपेण दृश्यते ॥ २० ॥

पयस्योत्पत्त्यनुनिष्पादिनो वाजिनस्यापि होमं विधित्सुः पयस्यावाजिने सम्भूय स्तौति—**मिथुनाद्**इति । 'एनं' चन्द्रं 'मिथुनात्' एव हि खलु 'एतत्' 'प्रजनयति' उत्पादयति । किन्तर्हि मिथुनम् ? पयस्या हि स्त्रीलिङ्गत्वात् 'योषा' स्त्री, 'वाजिनं' हि 'रेतः' पुरुषस्य वीर्यस्थानीयम्, 'तत्' खलु 'अनुष्ठ्या' अनुष्ठानात् सम्यक्; 'यत्' यत्र खलु स्त्रीपुंसलक्षणात् 'मिथुनात्' 'जायते' ॥ २१ ॥

(त्यु) अथ वाजिभ्यो वाजिनं जुहोति । (त्मृ) ऋतवो वै वाजिनो रेतो वाजिनं तदृतुष्वेवैतद्रेतः सिच्यते तदृतवो रेतः सिक्तमिमाः प्रजाः प्रजनयन्ति तस्माद्वाजिभ्यो वाजिनं जुहोति ॥ २२ ॥

स वै पश्चादिव यज्ञस्य जुहोति । पश्चाद्वै परीत्य वृषा योषामधिद्रवति तस्याꣳ रेतः सिञ्चति स वै प्रागेवाग्रे जुहोत्यग्ने वीहीत्यनुवषट्करोति तत्स्विष्टकृद्भाजनꣳ स वै प्रागेव जुहोति ॥ २३ ॥

(त्यु) अथ दिशो व्याघारयति । दिशः प्रदिश ऽआदिशो विदिश ऽउद्दिशो दिग्भ्यः स्वाहेति पञ्च दिशः पञ्चऽर्तवस्तदृतुभिरेवैतद्दिशो मिथुनीकरोति ॥ २४ ॥

अथ वाजिभ्यो वाजिनं जुहोति । ऋतवो वै वाजिनः, रेतो वाजिनम् । तदृतुष्वेवैतद्रेतः सिच्यते । तदृतवो रेतः सिक्तमिमाः प्रजाः प्रजनयन्ति । तस्माद्वाजिभ्यो वाजिनं जुहोति ॥ २२ ॥

स वै पश्चादिव यज्ञस्य जुहोति । पश्चाद्वै परीत्य वृषा योषामधिद्रवति—तस्यां रेतः सिञ्चति । स वै प्रागेवाग्रे जुहोति । “ अग्ने वीहि ” इति । अनुवषट्करोति । तत् स्विष्टकृद्भाजनम् । स वै प्रागेव जुहोति ॥ २३ ॥

अथ दिशो व्याघारयति । “दिशः प्रदिश आदिशो विदिश उद्दिशो दिग्भ्यः स्वाहा ”—इति । पञ्च दिशः । पञ्चर्तवः । तदृतुभिरेवैतद्दिशो मिथुनीकरोति ॥ २४ ॥

इत्थं वाजिनस्य मिथुनसम्पत्त्यर्थत्वमुक्त्वा तस्य होमं विधत्ते—**अथ वाजिभ्य** इति । विहितं वाजिनहोमं प्रजोत्पत्तिहेतुत्वेन स्तौति—**ऋतवो वा** इति । ‘ ऋतवः ’ खलु वाजिशब्दाभिधेयाः । तेभ्यः वाजिनहोमात् ऋतुष्वेव सर्वप्रजोत्पत्तिकारणं ‘ रेतः ’ ‘ सिक्तं ’ भवति; तस्माच्च रेतसः सकाशात् ते ‘ ऋतवः ’ सर्वाः ‘प्रजाः’ उत्पादयन्तीत्यर्थः ॥ २२ ॥

तस्य वाजिनहोमस्य कालं विधातुं स्तौति—**स वा** इति । ‘ यज्ञस्य पश्चात्’ भागे प्रस्तरपरिधिप्रहरणोत्तरकालं वाजिनहोमः कर्त्तव्यः । अत एवोक्तं कात्यायनेन—“वाजिनं निषिच्योत्करे करोति, ०–० प्रहृत्य तृणं तेन चरति, विमुच्य वा स्रुचौ ”–(का. श्रौ. सू. ४ । १११–११३) इति । आपस्तम्बोऽप्याह स्म—“ परीधीन् प्रहृत्य, संस्रवान्तं कृत्वा, वाजिनपात्रमुपस्तीर्य ” इत्यादि । शिष्टं स्पष्टम् । होमे विशेषं विधत्ते—**स वा** इति । ‘सः’ खलु अध्वर्युः ‘ अग्रे ’ प्रथमं ‘ प्रागेव ’ प्रागपवर्गमल्पं वाजिनं ‘ जुहोति ’ “ अग्ने वीहि ”—‘ इति ’ (ऐ. ब्रा. १ । ४ । ९) यदा होता ‘ अनुवषट् करोति ’ तदा स्विष्टकृत्स्थानीयं वाजिनशेषमुत्तरपूर्वस्यां दिशि जुहोति । **स वै प्रागेवे**ति, प्रधानहोमस्य निगमनम् ॥ २३ ॥

हुतशिष्टेन वाजिनेन दिग्व्याघारणं विधत्ते—**अथ दिशो व्याघारयती**ति । दीर्घधारयाऽग्नौ प्राच्यादिदिक्षु पातनम्, व्याघारणम् । तन्मन्त्राः—“ दिशः प्रदिशः ” इत्यादयः । अनेन वाजिनेन ‘ दिशः ’ तृप्ता भवन्तु । एवमुत्तरत्रापि योज्यम् । प्रधानभूताः ‘दिशः’, दिङ्मध्यवर्तिन्यः ‘ प्रदिशः ’, ईषद्दिशः ‘ आदिशः ’, ‘विदिशः’

तद्वै पञ्चैव भक्षयन्ति । होता चाध्वर्युश्च ब्रह्मा चाग्नीच्च यजमानः पञ्च वाऽऋतवस्तदृतूनामेवैतद्रूपं क्रियते तदृतुष्वेवैतद्रेतः सिक्तं प्रतिष्ठापयति प्रथमो यजमानो भक्षयति प्रथमो रेतः परिगृह्णानीत्यथो ऽअप्युत्तमो मय्युत्तमे रेतः प्रतितिष्ठादित्युपहूत उपह्वयस्वेति सोममेवैतत्कुर्व्वन्ति॥२९॥

इति चतुर्थप्रपाठके प्रथमं ब्राह्मणम् ॥ चतुर्थोऽध्यायः समाप्तः (४ । ४)॥

तद्वै पञ्चैव भक्षयन्ति-होता च, अध्वर्युश्च, ब्रह्मा च, अग्नीच्च, यजमानः । पञ्च वा ऋतवः । तदृतूनामेवैतद्रूपं क्रियते । तदृतुष्वेवैतद्रेतः सिक्तं प्रतिष्ठापयति । प्रथमो यजमानो भक्षयति । प्रथमो रेतः परिगृह्णानीति । अथो अप्युत्तमः । मय्युत्तमे रेतः प्रतितिष्ठादिति । उपहूतः । उपह्वयस्व इति । सोममेवैतत्कुर्वन्ति ॥ २९ ॥ इति दाक्षायणेष्टिः ।

आग्नेयादिकोणदिशः, ' उदिशः ' ऊर्ध्वा दिशः । एवं पञ्चभिर्मन्त्रैः स्वाहाकारान्तैः प्राच्यादिक्रमेण पञ्चसु दिक्षु व्याघारार्थं " दिग्भ्यः स्वाहा "-इति षष्ठेन पूर्वार्द्धे जुहुयात् । तदुक्तं सूत्रकृता-" वाजिनशेषेण दिशो व्याघारयति, दिश इति प्रतिमन्त्रम्; प्रदक्षिणं पुरस्तात् प्रथममुत्तमाभ्यां मध्ये पूर्वार्द्धे च "-(का. श्रौ. सू. ४ । ११६-११७) तदेतद् व्याघारणं प्रशंसति-**पञ्च दिशः, पञ्च ऋतव** इति ॥ २४ ॥

यजमानपञ्चमानामृत्विजां भक्षणं विधत्ते-**तद्वै पञ्चैवेति**। तद्भक्षणं प्रशंसति-**पञ्च वा ऋतव** इति । " हेमन्तशिशिरयोः समासेन "-(ऐ. ब्रा. १ । १ । १) इति ऋतूनां पञ्चत्वम् । यदेव पञ्चानामृत्विजां भक्षणम्, एतत् पञ्चसङ्ख्यानामृतूनामेव रूपं क्रियते । ' तत् ' तस्मात् ' ऋतुषु ' प्राक् ' सिक्तं रेतः ' ' प्रतिष्ठापयति ' प्रतिष्ठितं करोति ॥

यजमानस्य प्राथम्यं विधत्ते-**प्रथमो यजमान** इति । ऋत्विग्भ्यः ' प्रथमः ' पूर्वभावी सन् अहं 'रेतः' ' परिगृह्णानि ' स्वीकरवाणि ' इति ' अनेनाभिप्रायेण यजमानस्य प्रथमभक्षणमित्यर्थः ॥

पक्षान्तरमाह-**अथो अप्युत्तम** इति । पक्षान्तरद्योतकः ' अथो '-शब्दः । ऋत्विजाम् ' उत्तमः ' चरमभावी सन् यजमानो भक्षयेत् । एवमपि विरोधो नास्तीति ' अपि'-शब्दस्यार्थः । ' उत्तमे ' चरमभाविनि यजमाने कृत्स्नं ' रेतः ' ' प्रतितिष्ठात् ' प्रतितिष्ठेत्, न मामतिवर्त्तेत, इत्यनेनाभिप्रायेण यजमानस्य चरमभक्षणमित्यर्थः ॥

अथ मन्त्रानुज्ञापनपूर्वकं तद्भक्षणं कर्त्तव्यमिति विधत्ते-**उपहूत** इति । " उपहूतः "-इत्यनुज्ञामन्त्रः, " उपह्वयस्व "-इत्यनुज्ञापनमन्त्रः । एतच्च द्वादशलक्षण्यां तृतीये निर्णीतम । कात्यायनेनाप्युक्तम्-" उपह्वयस्वेत्यामन्त्र्यामन्त्र्य भक्षणमुपहूत इति प्रसूतः "-इति । एवञ्च सति ' एतद् ' वाजिनम् ऋत्विजः ' सोममेव '

१-होत्रध्वर्युब्रह्माग्नीद्यजमानाः, का. श्रौ. सू. ४ । १२६ । २-प्रथमो वोभयतस्तु यजमानः, का. श्रौ. सू. ४ । १२७ । ३-ऋतूनां त्वा वाजिनां वाजिनं भक्षयामि वाज्यहं वाजिनस्योपहूतो भक्षयामीति वा । वाजे वाजी भूयासमिति वा, का. श्रौ. सू. ४ । १२३-१२५ । ४- का. श्रौ. सू. ४ । ११९ ।

अथ पञ्चमाध्याये प्रथमं ब्राह्मणम् ।

प्रजापतिर्ह वाऽइदमग्र एक ऽएवास । स ऽऐक्षत कथं नु प्रजायेयेति सोऽश्राम्यत्स तपोऽतप्यत स प्रजा ऽअसृजत ता ऽअस्य प्रजाः सृष्टाः पराबभूवुस्तानीमानि व्वयाᳬंसि पुरुषो वै प्रजापतेर्नेदिष्ठं द्विपाद्वा ऽअयं पुरुषस्तस्माद्द्विपादो व्वयाᳬंसि ॥ १ ॥

प्रजापतिर्ह वा इदमग्र एक एवास । स ऐक्षत—कथं नु प्रजायेयेति। सोऽश्राम्यत्, स तपोऽतप्यत, स प्रजा असृजत । ता अस्य प्रजाः सृष्टाः पराबभूवुः । तानीमानि वयांसि । पुरुषो वै प्रजापतेर्नेदिष्ठम् । द्विपाद्वा अयं पुरुषः । तस्माद् द्विपादो वयांसि ॥ १ ॥

सोमसदृशमेव '[1] कुर्वन्ति ' उपह्ववसाधनं हि सोमधर्म्मः ॥ २९ ॥

इति श्रीसायणाचार्यविरचिते माधवीये वेदार्थप्रकाशे माध्यन्दिनशतपथब्राह्मणभाष्ये द्वितीयकाण्डे चतुर्थाध्यायस्य चतुर्थं ब्राह्मणम् ॥ ४ ॥ ४ ॥

वेदार्थस्य प्रकाशेन तमो हार्दं निवारयन् । पुमर्थांश्चतुरो देयाद् विद्यातीर्थमहेश्वरः ॥ १ ॥

ब्रह्माण्डं गोसहस्रं कनकहयतुलापूरुषौ स्वर्णगर्भं
सप्ताब्धीन् पञ्चसीरींस्त्रिदशतरुलताधेनुसौवर्णभूमीः ।
रत्नोस्रां रुक्मवाजिद्विपमहितरथौ सायणिः सिङ्गणार्यो
व्यश्राणीद्विश्वचक्रं प्रथितविधिमहाभूतयुक्तं घटञ्च ॥ २ ॥

धान्याद्रिं धन्यजन्मा तिलभवमतुलः स्वर्णजं वर्णमुख्यः
कार्पासीयं कृपावान् गुडकृतमजडो राजतं राजपूज्यः ।
आज्योत्थं प्राज्यजन्मा लवणजमनृणः शार्करं चार्कतेजा
रत्नाढ्यो रत्नरूपं गिरिमकृत मुदा पात्रसात्सिङ्गणार्यः ॥ ३ ॥

इति श्रीमद्राजाधिराजपरमेश्वरवैदिकमार्गप्रवर्तकश्रीहरिहरमहाराजसाम्राज्यधुरन्धरेण सायणाचार्येण[2] विरचिते माधवीये वेदार्थप्रकाशे माध्यन्दिनशतपथब्राह्मणभाष्ये द्वितीयकाण्डे चतुर्थोऽध्यायः समाप्तः ॥ २ ॥ ४ ॥

यस्य निःश्वसितं वेदा यो वेदेभ्योऽखिलं जगत् । निर्ममे तमहं वन्दे विद्यातीर्थमहेश्वरम् ॥ १ ॥

अथ चातुर्मास्यानि विवित्सुस्तत्र वैश्वदेवस्य प्रजासृष्टिहेतुतामाख्यायिकया प्रतिपादयति—**प्रजापतिर्ह वा** इति । इदं दृश्यमानं चराचरात्मकं यज्जगत् तत्समग्रसृष्टेः प्राक्काले प्रजापतिरेक एवासीत्; कार्यस्य जगतः कारणभूते प्रजापतौ लीनत्वात् । सः असहाय एक एव आसीदित्यर्थः ।

ततः सकाशात् प्रजासृष्टिं दर्शयति—**स ऐक्षतेत्यादिना** । **अश्राम्यदिति** । प्रजोत्पत्तिकारणपर्यालोचनया श्रान्तः खिन्नोऽभवदित्यर्थः । "श्रमु तपसि खेदे च" (धा.पा.दि. प. ९८) । "शमामष्टानाम्" (पा. सू. ७ । ३ । ७४) इति दीर्घः । स च श्रान्तः सन् प्रजोत्पत्तिकारणं तपस्तप्तवान् । **स प्रजा** इत्यादि निगदसिद्धम् ।

१–साधारणेषु वा सामर्थ्यात् । का. श्रौ. सू. ४ । १२२ । २–' सायणामात्येन '–इ० पा० ।

स ऽऐक्षत प्रजापतिः । (सं) यथा न्वेव पुरैकोऽभूवमेवमु न्वेवाप्येतर्ह्येक ऽएवास्मीति स द्वितीयाः ससृजे ता ऽअस्य परैव बभूवुस्तदिदं क्षुद्रꣳ सरीसृपं यदन्यत्सर्पेभ्यस्तृतीयाः ससृज ऽइत्याहुस्ता ऽअस्य परैव बभूवुस्त ऽइमे सर्पा ऽएता ह न्वेव द्वयीर्याज्ञवल्क्य ऽउवाच त्रयीरु तु पुनर्ऋचा ॥ २ ॥

सोऽर्चञ्छ्राम्यन्प्रजापतिरीक्षांचक्रे । कथं नु मे प्रजाः सृष्टाः पराभवन्तीति स हैतदेव ददर्शानशनतया वै मे प्रजाः पराभवन्तीति स ऽआत्मन एवाग्रे स्तनयोः पय ऽआप्याययाञ्चक्रे स प्रजा ऽअसृजत ता ऽअस्य प्रजाः सृष्टा स्तनावेवाभिपद्य तास्ततः सम्बभूवुस्ता ऽइमाऽअपराभूताः ॥ ३ ॥

स ऐक्षत प्रजापतिः—यथा न्वेव पुरैकोऽभूवम्—एवमु न्वेवाप्येतर्ह्येक एवास्मीति । स द्वितीयाः ससृजे । ता अस्य परैव बभूवुः । तदिदं क्षुद्रं सरीसृपम्—यदन्यत्सर्पेभ्यः । तृतीयाः ससृज इत्याहुः । ता अस्य परैव बभूवुः । त इमे सर्पाः । एता ह न्वेव द्वयीर्याज्ञवल्क्य उवाच । त्रयीरु तु पुनर्ऋचा ॥ २ ॥

सोऽर्चञ्छ्राम्यन्प्रजापतिरीक्षाञ्चक्रे—कथं नु मे प्रजाः सृष्टाः पराभवन्तीति । स हैतदेव ददर्श—

तानीमानीति । याः खलु सृष्टेः पराभूताः, 'तानि इमानि' 'वयांसि' जातानि, पक्षिरूपेणाभवन्नित्यर्थः । एतदुपपादयति—पुरुषो वा इति । पुरुषः' मनुष्यः खलु सृष्टानां प्रजानां मध्ये 'प्रजापतेः' 'नेदिष्ठम्' अन्तिकतमं कार्यम् । स च पादद्वयोपेतः, तत्परिणामरूपत्वात् पक्षिणोऽपि पादद्वयोपेता दृश्यन्ते । तस्माद्वयसां पुरुषसाधर्म्यात् तेषां तत्परिणामरूपत्वमवसेयमित्यर्थः ॥ १ ॥

पुनरन्यथा प्रजासृष्टिमाह—स ऐक्षतेति । यथा न्वेवेति । 'यथा' खलु 'पुरा' प्रजासृष्टेः पूर्वम् 'एकः' 'असहायः अभूवम्', 'अप्येतर्हि' इदानीं प्रजासृष्ट्युत्तरकालमपि तथैव 'एक एव अस्मि इति'। एवमीक्षित्वा 'सः' पुनः अन्याः प्रजाः 'ससृजे' पूर्वसृष्टप्रजापेक्षया आसां द्वितीयत्वम् । परैवेति । 'अस्य' 'ताः' अपि प्रजाः पराभूताः 'एव' अभवन् । 'तत्'—इति विधेयापेक्षं नपुंसकत्वम्; ताः पराभूताः द्वितीयसृष्ट्युत्पन्नाः प्रजाः, यत् 'इदं' 'क्षुद्रम्' अल्पशरीरं 'सरीसृपं' सर्पणशीलं सर्पव्यतिरिक्तं प्राणिजातं दृश्यते, तदात्मना परिणता इत्यर्थः । तृतीयाः ससृज इत्याहुरिति । पुनरपि स प्रजापतिः सृष्टिद्वयापेक्षया 'तृतीयाः' अन्याः प्रजाः 'ससृजे' सृष्टवान् 'इति' 'आहुः' अभिज्ञाः कथयन्ति । 'ताः' अपि 'अस्य' पराभूताः 'एव' अभवन् । 'ते इमे' सर्परूपेण दृश्यन्ते ॥

तृतीयसृष्टावाहुरिति यः परोक्षनिर्देशः तदभिप्रायमाह—एता हेति । 'ताः' पूर्वोक्ताः 'द्वयीः' द्विविधाः 'एव' प्रजाः प्रजापतिना सृष्टाः इति 'याज्ञवल्क्यः' महर्षिः 'उवाच' उक्तवान्, न तृतीयानां प्रजानां सृष्टिः; 'ऋचा' ऋङ्मन्त्रेण (ऋ. सं. ८ । १०१ । १४ ।) 'पुनः' 'त्रयीः' त्रिविधाः 'अपि' 'प्रजाः' सृष्टा इति प्रतिपाद्यते ॥ २ ॥

स चोदाहरिष्यते—सोऽर्चन्नित्यादि । त्रिवारं सृष्टानां प्रजानां पराभवकारणं किमिति विचार्य 'सः' खलु

(स्तु) तस्मादेतदृषिणाऽभ्युनूक्तं प्रजा ह तिस्रो ऽअत्यायमीयुरिति तद्याः पराभूतास्ता ऽएवैतदभ्यनूक्तं न्यन्या ऽअर्कमभितो विविश्र ऽइत्यग्निर्वा ऽअर्कस्तद्याऽइमाः प्रजा ऽअपराभूतास्ता ऽअग्निमभितो निविष्टास्ता ऽएवैतदभ्यनूक्तम् ॥ ४ ॥

अनशनतया वै मे प्रजाः पराभवन्तीति । स आत्मन एवाग्रे स्तनयोः पय आप्याययाञ्चक्रे । स प्रजा असृजत । ता अस्य प्रजाः सृष्टाः स्तनावेवाभिपद्य, तास्ततः सम्बभूवुः । ता इमा अपराभूताः ॥ ३ ॥

तस्मादेतदृषिणाऽभ्यनूक्तम्–"प्रजा ह तिस्रो अत्यायमीयुः"–इति । तद् याः पराभूतास्ता एवैतदभ्यनूक्तम् । "न्यन्या अर्कमभितो विविश्रे"–इति । अग्निर्वा अर्कः । तद् या इमाः प्रजा अपराभूताः, ता अग्निमभितो निविष्टाः । ता एवैतदभ्यनूक्तम् ॥ ४ ॥

'एतत्' 'एव' कारणं 'ददर्श' एतच्छब्दनिर्दिष्टं दर्शयति–**अनशनतये**ति । उत्पन्नानां प्रजानामशनराहित्यं पराभवकारणमित्यर्थः । उत्पत्स्यमानानां प्रजानामप्यनशनत्वं मा भूदिति प्रजापतिना कल्पितमशनमाह–**स आत्मन एवे**ति । 'अग्रे' सृष्टेः प्रागेव प्रजापतिः 'आत्मनः' स्वशरीरस्य एव सम्बन्धिनोः 'स्तनयोः' 'पयः' 'आप्याययाञ्चक्रे' आप्यायितं पूरितं कृतवान् । एवमशनं प्रकल्प्य अनन्तरं याः प्रजाः असृजत, 'अस्य' प्रजापतेः 'ताः' सृष्टाः प्रजाः पयसा पूर्णौ 'स्तनौ' 'अभिपद्य' जीवनवत्योऽभवन् 'ततः' अनन्तरं 'ताः' प्रजाः 'सम्बभूवुः' सम्यगुत्पन्नाः सम्यगात्मानोऽभवन् । पूर्वोत्पन्नप्रजावत् पराभवं न प्राप्ता इत्यर्थः ॥ ३ ॥

उक्तेऽर्थे ऋङ्मन्त्रं संवादयति–**तस्मादि**ति । यस्मादग्र एवमासीत्, तस्मात् कारणात् तदुक्तमर्थजातम् 'ऋषिणा' मन्त्रेण 'अभ्यनूक्तम्' (ऋ. सं. ८ । १०१ । १४) प्रतिपादितम् । तत्र प्रथमपादमनूद्योक्तार्थपरतामाह–**प्रजा ह**इति । 'तिस्रः' त्रिविधाः 'प्रजाः' 'अत्यायन्' अत्ययं विनाशम् 'ईयुः' जग्मुः । 'ह'–शब्द एतद्ब्राह्मणप्रसिद्धिं द्योतयति–**तद्या** इति । 'याः' खलु प्रजाः त्रिवारं सृष्टा अन्नाभावेन हेतुना 'पराभूताः' 'एतत्' एतेन मन्त्रपादेन ता एवाभिलक्ष्य 'अभ्यनूक्तम्' प्रतिपादितम् ॥

द्वितीयं पादमनूद्य व्याचष्टे–**न्यन्या** इति । पयोरूपमशनं प्राप्य 'अन्याः' प्रजाः 'अर्कम्' अर्चनीयमग्निम् 'अभितः' सर्वतः 'निविविश्रे' निविविशिरे । "नेर्विशः" (पा. सू. १ । ३ । १७) इति आत्मनेपदम् । "इरयो रे"–(पा. सू. ६ । ४ । ७६) इति रे–आदेशः । **तद्या** इत्यादि । 'तत्' तत्र 'या इमाः' परिदृश्यमानाः मनुष्यादिरूपाः 'प्रजाः' पयोलक्षणान्नसद्भावात् 'अपराभूताः' पराभवं नाशमप्राप्ताः । 'ता' एव,

---

१–'लब्धात्मानः–' इ. पा. । २–ऐतरेयारण्यके चेयमृगित्थं व्याख्याता "प्रजा ह तिस्रो अत्यायमीयुर्न्यन्या अर्कमभितो विविश्रे । बृहद्ध तस्थौ भुवनेष्वन्तः पवमानो हरित आविवेश" इति । "प्रजा ह तिस्रः अत्यायमीयुरिति या वै ता इमाः प्रजास्तिस्रो अत्यायमायंस्तानीमानि वयांसि वङ्गावगधाश्चेरपादाः, इति ।" ताः पूर्वोक्ता इमाः अस्माभिर्दृश्यमानाः श्रद्धारहिताः त्रिविधाः प्रजाः याः काश्चिद्वैदिकस्यातिक्रमं प्राप्ताः तानि तथाविधप्रजानां शरीराणि तद्दोषफलं भोक्तुं प्रवृत्तानीमान्यस्माभिर्दृश्यन्ते । सामान्यतः प्रोक्तानां पुनर्वयांसीत्यादिना विशेषनिर्देशः । वयांसि पक्षिणः काकगृध्रादय आकाशे दृश्यन्ते । सोऽयं पक्षिसङ्घस्त्रिविधानां प्रजानामेको भागः । वङ्गा वनगता वृक्षाः, अवगधा अवन्ति मनुष्यादीन्रक्षन्ति तैर्गृध्यन्तेऽभिकाङ्क्ष्यन्त इति व्रीहियवाद्या ओषधयोऽवगधाः । "गृधु अभिकाङ्क्षायाम्" इति धातोर्गधशब्दनिष्पत्तिः । सोऽयमोषधिवनस्पतिरूपः प्रजानां द्वितीयो राशिर्भूमौ वर्तते । इरपादा उर (रः) पादाः सर्पा भूबिलवासिनः सोऽयं तृतीयो राशिः । तदेतत्प्रजात्रयं वैदिकातिक्रमदोषजन्यं नरकमनुभवति ।–चतुर्थभागवर्त्तिन्यश्च श्रद्धायुक्ताः सत्यः उत्तमलोकप्राप्त्यर्थमग्निवाय्वादिदेवता उपासत इत्येवं हानिवृद्ध्योर्मन्त्रेणोक्तत्वाद्वैदिकमेतं पन्थानं सर्वथा नातिक्रामेदित्यर्थः ॥

महद्ध तस्थौ भुवनेष्वन्तऽइति। प्रजापतिमेवैतदभ्यनूक्तं पवमानो हरित ऽआविवेशेति दिशो वै हरितस्ता अयं वायुः पवमान ऽआविष्टस्ता एवैष ऽएभ्यनूक्ता ता ऽइमाः प्रजास्तथैव प्रजायन्ते यथैव प्रजापतिः प्रजाऽअसृजतेदꣳ हि यदैव स्त्रियै स्तनावाप्यायेते ऽऊधः पशूनामथैव यज्जायते तज्जायते तास्तत स्तनावेवाभिपद्य सम्भवन्ति ॥ ५ ॥

तद्वै पय ऽएवान्नम्। (मे) एतद्ध्यग्रे प्रजापतिरन्नमजनयत तद्वा ऽअन्नमेव प्रजा ऽअन्नाद्धि सम्भवन्तीदꣳ हि यासां पयो भवति स्तनावेवाभिपद्य तास्ततः सम्भवन्त्यथ यासां पयो न भवति जातमेव ता ऽअप्यादयन्ति तदु ता ऽअन्नादेव सम्भवन्ति तस्मादन्नमेव प्रजाः ॥ ६ ॥

"महद्ध तस्थौ भुवनेष्वन्तः"–इति। प्रजापतिमेवैतदभ्यनूक्तम्। "पवमानो हरित आविवेश"–इति। दिशो वै हरितः। ता अयं वायुः पवमान आविष्टः। ता एवैषर्गभ्यनूक्ता। ता इमाः प्रजास्तथैव प्रजायन्ते–यथैव प्रजापतिः प्रजा असृजत। इदं हि यदैव स्त्रियै स्तनावाप्यायेते, ऊधः पशूनाम्। अथैव यज्जायते तज्जायते। तास्ततः स्तनावेवाभिपद्य सम्भवन्ति ॥ ५ ॥

तद्वै पय एवान्नम्। एतद्ध्यग्रे प्रजापतिरन्नमजनयत। तद्वा अन्नमेव प्रजाः। अन्नाद्धि सम्भवन्ति। इदं हि यासां पयो भवति–स्तनावेवाभिपद्य, तास्ततः सम्भवन्ति। अथ यासां पयो न भवति–जातमेव ता अप्यादयन्ति। तदु ता अन्नादेव सम्भवन्ति। तस्मादन्नमेव प्रजाः ॥ ६ ॥

जाठररूपेण लौकिकवैदिकभेदेन वाऽवस्थितम् 'अग्निं' स्वस्वव्यापाराय पर्युपविष्टा वर्त्तन्ते। एतदेतेन पादेन प्रतिपादितम्। समानमन्यत् ॥ ४ ॥

तृतीयं पादमनूद्य व्याचष्टे–**महद्ध तस्थाविति**। इत्थं देवमनुष्यादिरूपासु प्रजासु सतीषु तत्स्रष्टा प्रजापतिः 'भुवनेषु' लोकेषु 'अन्तः' मध्ये 'महत्' अधिकं 'तस्थौ' सर्वोत्कर्षेणावस्थित इत्यर्थः। गतमन्यत् ॥

चतुर्थपादमनूद्य व्याचष्टे–**पवमान** इति। 'दिशो वै हरितः' दिशो हि हरिच्छब्दवाच्याः, अतः 'ताः' 'अयं' पुरोवर्त्ती 'पवमानः वायुः आविष्टः' दृश्यते। अतस्तुरीयपादेन अयमर्थः प्रतिपाद्यत इति। **ता एवेति**, उक्तार्थनिगमनम्। 'ताः' उक्ताः प्रजाः 'एव' अभिलक्ष्येत्यर्थः ॥

प्रजापतिकृतायाः सृष्टेरविच्छेदेनानुवृत्तिं दर्शयति–**ता इमा** इति। 'यथैव' येन हि प्रकारेण पुरा 'प्रजापतिः प्रजा असृजत' 'तथैव' तेनैव प्रकारेण 'ता इमाः' मनुष्याद्याः 'प्रजाः' प्रजापन्तो उत्पद्यन्ते। एतदेवोपपादयति–**इदं हीति**। इदानीं स हि 'यदैव' खलु लोके 'स्त्रियै' स्त्रियाः। षष्ठ्यर्थे चतुर्थी (पा. सू. २।३।६२। वा. १) 'स्तनौ' 'आप्यायेते' पयसा पूरितौ भवतः। व्यत्ययेनैकवचनम् (पा. सू. ३.। १।८९)। गवादिपशूनाम् 'ऊधः' च पयसा पूर्णं भवति। 'अथ' अनन्तरम् 'एव' 'यत् जायते' 'तत्' एव 'जायते', अन्यदजायमानं विपद्यत इत्यर्थः। **तास्तत** इति 'ताः' उत्पन्नाः प्रजाः 'ततः' जननानन्तरं पयोधरौ 'स्तनौ एव' 'अभिपद्य' अभिप्राप्य स्तन्यपानेन 'सम्भवन्ति' प्रवर्द्धन्ते, न विपद्यन्ते ॥ ५ ॥

पयसोऽन्नरूपतामाह–**तद्वै पय** इति। 'तत्' तत्र खलु जन्मानन्तरकाले 'पय एव' प्रजानाम् 'अन्नम्'

स य्ः प्र॒जाका॑म ए॒तेन॑ ह॒विषा॑ य॒जत॒ ऽआ॒त्मान॑मे॒वैतद्य॒ज्ञं वि॒धत्ते॑
प्र॒जाप॑तिं भू॒तम् ॥ ७ ॥ [शतम् १२०० ॥]
(९ँ) स वा॒ऽआ॒ग्ने॒यो॒ऽष्टाक॑पालः पुरो॒डाशो॑ भवति । (त्य) अ॒ग्निर्वै
दे॒वता॑नां मु॒खं प्र॒जन॑यिता स प्र॒जाप॑ति॒स्तस्मा॑दाग्ने॒यो भ॑वति ॥ ८ ॥
(त्य) अथ सौ॒म्यश्च॒रुर्भ॑वति । रेतो॒ वै सोम॒स्तद॒ग्नौ प्र॒जन॑यित॒रि सोम॑ँ
रेतः॑ सिञ्चति॒ तत्पु॒रस्ता॑न्मिथु॒नं प्र॒जन॑नम् ॥ ९ ॥

स यः प्रजाकाम एतेन हविषा यजते—आत्मानमेवैतद्यज्ञं विधत्ते—प्रजापतिं भूतम् ॥ ७ ॥
स वा आग्नेयोऽष्टाकपालः पुरोडाशो भवति । अग्निर्वै देवतानां मुखम् । प्रजनयिता स प्रजापतिः । तस्मादाग्नेयो भवति ॥ ८ ॥
अथ सौम्यश्चरुर्भवति । रेतो वै सोमः । तदग्नौ प्रजनयितरि सोमं रेतः सिञ्चति । तत्पुरस्तान्मिथुनं प्रजननम् ॥ ९ ॥

भवति । 'हि' यस्मात् 'अग्रे' इतरान्नसृष्टेः प्राक् 'एतत्' एव 'अन्नम्' 'प्रजापतिः' 'अजनयत' उत्पादितवान्, तस्मादिदमेव मुख्यमन्नमित्यर्थः । तस्य चान्नस्य कार्यकारणयोरभेदोपचारेण प्रजारूपतामुपपादयति—अन्नमेवेति । 'हि' यस्मात् 'प्रजाः' 'अन्नात्' 'सम्भवन्ति' प्रवर्द्धन्ते, तस्मात् तदात्मिका इत्यर्थः । 'इदं हि' इदानीं हीत्यर्थः । जातमेवेति । स्तन्याभावे जातस्य शिशोर्जीवनासम्भवात् तज्जीवनार्थं जननानन्तरमेव 'ताः' प्रजाः स्तन्यमेव 'आदयन्ति' भोजयन्ति । स्पष्टमन्यत् । इत्थमन्नहेतुकं प्रजापतेः प्रजासर्जनमुपोद्घातत्वेनोपन्यस्तम् ॥ ६ ॥

अथौपोद्घातिकेषु वैश्वदेवहविरुत्पादयंस्तद् दर्शयिष्यंस्तावद् वैश्वदेवयागं विधत्ते—स यः प्रजाकाम इति । सः खलु 'यः' यजमानः प्रजाकामः, 'सः' 'एतेन' वैश्वदेवाख्यपर्वरूपेण 'हविषा' यजेत, तस्य प्रजाफलसाधनत्वमुपपादयति—आत्मानमेवेति । स यजमानः 'आत्मानमेव' प्रजापतिरूपमापन्नम् 'एतद्' वैश्वदेवाख्यं 'यज्ञं विधत्ते' वैश्वदेवयज्ञमात्मना करोतीत्यर्थः । अतो वैश्वदेवेनेष्टवतः प्रजापतेः प्रजोत्पत्तिसाधनत्वमुन्नीतमित्यर्थः ॥ ७ ॥

तत्र प्रथमं हविर्विधाय प्रशंसति—स वा इति । 'आग्नेयः' अग्निर्देवता अस्य । "साऽस्य देवता"—(पा. सू. ४ । २ । २४) इत्यर्थे "अग्नेर्ढक्" (पा. सू. ४ । २ । ३३) इति ढक्, अष्टसु कपालेषु संस्कृतः 'अष्टाकपालः' 'अग्निः—प्रजनयिता' उत्पादयिता मातापितृभ्यां भुक्तस्यान्नस्य जाठराग्निपरिपाकवशेन शुक्रशोणितात्मना परिणामादग्नेः प्रजनयितृत्वम्; अत एव सोऽग्निः प्रजापतिरित्यर्थः ॥ ८ ॥

द्वितीयं हविर्विधाय प्रशंसति—अथ सौम्यः इति । (का. श्रौ. सू. ५ । ४ ।) सोमो देवता अस्य 'सौम्यः' "सोमाट्ट्यण्"—(पा. सू. ४ । २ । ३०) इति ट्यण् । "रेतो वै" इत्यनेन सौम्ययाग-

१—प्रजाकामस्यापि वैश्वदेवम् का. श्रौ. सू. ।५।४५। २—आग्नेयः सौम्यश्चरुः सावित्रो द्वादशकपालोऽष्टाकपालो वा सारस्वतश्चरुः पौष्णश्चरुः प्रपिष्टानाम् । का. श्रौ. सू. ५ । ४ ।

(मु) अथ सावित्रः । (त्रो) द्वादशकपालो वाऽष्टाकपालो वा पुरोडाशो भवति सविता वै देवानां प्रसविता प्रजापतिर्मध्यतः प्रजनयिता तस्मात्सावित्रो भवति ॥ १० ॥

(त्यु) अथ सारस्वतश्चरुर्भवति । पौष्णश्चरुर्योषा वै सरस्वती वृषा पूषा तत्पुनर्मिथुनं प्रजननमेतस्माद्वाऽउभयतो मिथुनात्प्रजननात्प्रजापतिः प्रजाः ससृजऽइतश्चोर्ध्वाऽइतश्चावाचीस्तथोऽएवैष एतस्मादुभयत एव मिथुनात्प्रजननात्प्रजाः सृजत ऽइतश्चोर्ध्वाऽइतश्चावाचीस्तस्माद्वाऽएतानि पञ्च हवीꣳषि भवन्ति ॥ ११ ॥

अथ सावित्रो द्वादशकपालो वाऽष्टाकपालो वा पुरोडाशो भवति । सविता वै देवानां प्रसविता, प्रजापतिर्मध्यतः प्रजनयिता । तस्मात्सावित्रो भवति ॥ १० ॥

अथ सारस्वतश्चरुर्भवति । पौषणश्चरुः । योषा वै सरस्वती, वृषा पूषा । तत्पुनर्मिथुनं प्रजननम् । एतस्माद्वा उभयतो मिथुनात्प्रजननात्प्रजापतिः प्रजाः ससृजे–इतश्चोर्ध्वा इतश्चावाचीः । तथो एवैष एतस्मादुभयत एव मिथुनात्प्रजननात्प्रजाः सृजते–इतश्चोर्ध्वा इतश्चावाचीः । तस्माद्वा एतानि पञ्च हवींषि भवन्ति ॥ ११ ॥

स्याग्नेययागानन्तर्यमपि प्रतिपाद्यते । सोमो ह्यमृतमयत्वाद्रेतोरूपः । आग्नेययागानन्तरं तद्यागस्यानुष्ठानात् । 'प्रजनयितारि' उत्पादयितारि 'अग्नौ' सोमात्मकं 'रेतः' 'सिञ्चति', तदेव 'तत्' प्रजोत्पत्तिसाधनं 'पुरस्तात्' क्रियमाणमेकं 'मिथुनं' सम्पन्नं भवतीत्यर्थः ॥ ९ ॥

अथ तृतीयं हविर्विधाय प्रशंसति–**अथ सावित्र** इति । (का. श्रौ. सू. ५ । ४ ।) । सौम्ययागानन्तर्यम् 'अथ'–शब्दार्थः । सविता देवता अस्य 'सावित्रः' । 'प्रसविता' प्रेरयिता । स एव 'प्रजापतिः' वैश्वदेवादिपर्वचतुष्टयसंचारिणामाग्नेयादीनां पञ्चानां यागानां मध्ये इज्यमानः सन् 'सविता' 'मध्यतः' एव प्रजानां 'प्रजनयिता' उत्पादयिता भवति ॥ १० ॥

चतुर्थपञ्चमे हविषी विधाय सम्भूय प्रशंसति–**अथ सारस्वत** इति । (का. श्रौ. सू. ५ । ४) । सरस्वती देवता अस्य 'सारस्वतः' । **तत् पुनर्मिथुन**मित्यादि । गाग्नेयानुष्ठितायोगसौम्यलक्षणान्मिथुनादन्ततः क्रियमाणमेतदन्यदित्यर्थः । **इतश्चोर्ध्वा** इत्यादि । प्रजननं तत्साधनं मिथुनम् । **उभयत** इति । आद्यन्तयोः क्रियमाणादित्यर्थः । 'इतः' अस्मात् भूलोकादारभ्योपरितनलोकवर्तिनीः 'प्रजाः' 'इतश्च' अस्मादेव भूलोकादवाचीनलोकवर्तिनीश्च प्रजाः 'उभयतः' अवस्थितात् 'मिथुनात्' प्रजापतिः सृष्टवानित्यर्थः । इदानीन्तनयजमानोऽपि एवमेव मिथुनद्वयानुष्ठानेन द्विविधाः प्रजाः सृजतीत्याह–**तथो एवेति** । **तस्मा**दित्यादि, विहितानां हविषां निगमनम् ॥ ११ ॥

१–'ततः पुनर्मिथुनम्' इ० पा० क० । २–एतानि सर्वत्र (का. श्रौ. सू. ५ । १० ।)

(न्त्य) अथातः पयस्याया ऽएवायतनम् । मारुतस्तु सप्तकपालो विशो वै मरुतो देवविशस्ता हेदमनिषेद्ध्रा ऽइव चेरुस्ताः प्रजापतिं यजमानमुपेत्योचुर्वि वै ते मथिष्यामहे ऽइमाः प्रजा या ऽएतेन हविषा स्रक्ष्यसऽ इति ॥ १२ ॥
स ऐक्षत प्रजापतिः । पुरा मे पूर्वाः प्रजा ऽअभूवन्निमा ऽउ चेदिमे विमथ्नते न ततः किं चन परिशेक्ष्यतऽइति तेभ्य एतं भागमकल्पयदेतं मारुतꣳ सप्तकपालं पुरोडाशꣳ स ऽएष मारुतः सप्तकपालस्तद्यत्सप्तकपालो भवति सप्तसप्त हि मारुतो गणस्तस्मान्मारुतः सप्तकपालः पुरोडाशो भवति ॥ १३ ॥

अथातः पयस्याया एवायतनम् । मारुतस्तु सप्तकपालः । विशो वै मरुतो देवविशः । ता हेदमनिषेद्ध्रा-इव चेरुः । ताः प्रजापतिं यजमानमुपेत्योचुः-वि वै ते मथिष्यामहे-इमाः प्रजाः-या एतेन हविषा स्रक्ष्यस इति ॥ १२ ॥
स ऐक्षत प्रजापतिः-परा गे पूर्वाः प्रजा अभूवन्-इमा उ चेदिमे विमथ्नते-न ततः किं चन परिशेक्ष्यत इति । तेभ्य एतं भागमकल्पयत्-एतं मारुतं सप्तकपालं पुरोडाशम् । स एष मारुतः सप्तकपालः । तद्यत्सप्तकपालो भवति-सप्तसप्त हि मारुतो गणः । तस्मान्मारुतः सप्तकपालः पुरोडाशो भवति ॥ १३ ॥

एवं पञ्चभिर्हविर्भिरुत्पादितानां प्रजानां स्थित्यर्थं प्रजापतिना कल्पितं पयस्यारूपमन्नं दर्शयितव्यमिति पयस्यायागस्य स्थानं प्रतिजानीते-**अथात** इति । 'अथ' एवं प्रजासृष्टेरनन्तरं यतः सृष्टानां प्रजानामन्नमपेक्षितम्, 'अतः' 'पयस्याया एव' पयोविकारद्रव्यसाध्यस्य यागस्य एतत् 'आयतनं' स्थानमित्यर्थः । अथैवं पयस्यायाग एव षष्ठोऽनुष्ठेय इति, नेत्याह-**मारुतस्तु** इति । 'तु'-शब्दः पयस्यायागस्य न्यायप्राप्तं षष्ठस्थानत्वं व्यावर्त्तयति; 'मारुतः सप्तकपालः' एव षष्ठोऽनुष्ठेय इत्यर्थः ॥

एतदाख्यायिकयोपपादयति-**विशो वै मरुत** इत्यादिना । वैश्यजातयो हि मरुतः; ते च देवतारूपत्वाद् 'देवविशः' खलु 'अनिषेद्ध्रा इव' अनिषेधुकाः, नियन्तृरहिता इव स्वतन्त्राः इदं 'चेरुः' । 'ताः' स्वातन्त्र्येण वर्त्तमानाः आद्यैः पञ्चभिर्हविर्भिः प्रजा उत्पादितवन्तं 'प्रजापतिं' 'यजमानम्' 'उपेत्य' उपगत्य 'ऊचुः'-'ते' त्वदीयाः 'इमाः' उत्पन्नाः 'प्रजाः' वयं 'विनथिष्यामहे' हिंसयिष्यामः, 'याः' प्रजाः 'एतेन' वैश्वदेवपर्वात्मना 'हविषा' त्वं 'स्रक्ष्यसे' सृष्टाः करिष्यसि ॥ १२ ॥

एवं मरुद्भिरुक्ते सति 'सः' 'प्रजापतिः' 'ऐक्षत' पर्यालोचितवान्-'मे' मदीयाः 'पूर्वाः' पूर्वसृष्टाः 'प्रजाः' 'पराभूवन्' 'इमाः' अपि प्रजाः 'इमे' मरुतः 'विमथ्नन्ते' बाधन्ते चेत् 'ततः' अनन्तरं 'किम्' अपि सृष्टं 'न परिशेक्ष्यते' परिशेषितं न भविष्यति । 'इति' 'एवं' मरुद्भ्यो भीतः सन्, 'तेभ्यः' 'एतं' सप्तकपालरूपं 'भागं' कल्पितवान् । अतः प्राप्तस्थानमपि पयस्यायागं परि-

---

१-मरुद्भ्यः स्वतवद्भ्यः सप्तकपालः । मारुतो वा । का. श्रौ. सू. ५ । ११-१२ ।

तं वै स्वतवोभ्य ऽइति कुर्यात् । स्वयथँ हि तऽएतं भागमकुर्व्वतोतो स्वतवोभ्यो याज्यानुवाक्ये न विन्दन्ति स ऽउ खलु मारुत एव स्यात्स वा एष प्रजाभ्य ऽएवाहिंसायै क्रियते तस्मान्मारुतः ॥ १४ ॥

(तो२) अथातः पयस्यैव । पयसो वै प्रजाः सम्भवन्ति पयसः सम्भूता- स्तद्यतऽएव सम्भूता यतः सम्भवन्ति तदेवाभ्यऽएतत्करोति तद्याः पूर्वैर्- ईविर्भिः प्रजाः सृजते ताऽएतस्मात्पयस ऽएतस्यै पयस्यायै सम्भवन्ति १५

तं वै स्वतवोभ्य इति कुर्यात् स्वयं हि त एतं भागमकुर्वत—अतः[1] । स्वतवोभ्यो याज्यानुवाक्ये न विन्दन्ति । स उ खलु मारुत एव स्यात् । स वा एष प्रजाभ्य एवाहिंसायै क्रियते । तस्मान्मारुतः ॥ १४ ॥

अथातः पयस्यैव । पयसो वै प्रजाः सम्भवन्ति—पयसः सम्भूताः । तद्यत एव सम्भूता यतः सम्भवन्ति—तदेवाभ्य एतत्करोति । तद्याः पूर्वैर्हविर्भिः प्रजाः सृजते—ता एतस्मात्पयस एतस्यै पयस्यायै सम्भवन्ति ॥ १५ ॥

त्यज्य ' स एष मारुतः ' याग इदानीमपि षष्ठत्वेनानुष्ठीयते । सप्तसंख्यामनूद्य प्रशंसति—**तद्यादिति** । मरुतो हि सप्तगणाः तेष्वेकैकस्मिन् गणेषु सप्तसप्त मरुतः, ते चैकोनपञ्चाशत्सङ्ख्याकाः अग्निस्थापनप्रकरणे "ईदृङ्चान्यादृङ् च" (तै. सं. ४ । ६ । ५–६) (तै. ब्रा. २ । ७ । २) इत्यादिभिर्मंत्रैस्तत्त- न्नाम्ना प्रतिपादिताः ॥ १३ ॥

तेषां किञ्चिद् विशेषणमुपक्षिपति—**तं वै स्वतवोभ्य इतीति** । ' तं ' खलु सप्तकपालं पुरोडाशं ' स्वत- वोभ्यः ' ' इति ' विशेषणविशिष्टेभ्यो मरुद्भ्यः ' कुर्यात् ' । ' तवः ' इति बलनाम (निघ. २ । ९ । ५) स्वायत्तं तवो बलं येषां ते स्वतवसः । अस्य विशेषणस्यान्वर्थतामाह—**स्वयं हीति** । ' ते ' मरुतः स्वयं हि स्वपौरुषेणैव हि 'एतं भागं अकुर्वन्' स्वीकृतवन्तः, अतस्ते स्वतवसः संपन्ना इत्यर्थः ।

प्रागुक्तमेव पक्षं निगमयितुं कारणमुपकल्पयति—**अत इति** । यदि तु ' स्वतवोभ्यः ' प्रतिपादिके ' याज्या- नुवाक्ये ' ' न ' एव लभते, तदा ' सः ' एव प्रागुक्तः केवलः ' मारुत एव ' यागो भवति । एतच्च पक्ष- द्वयं कात्यायनोऽप्यसूत्रयत्—"मरुद्भ्यः स्वतवद्भ्यः सप्तकपालो, मारुतो वेति (का. श्रौ. सू. ५।११–१२) ।

स वा एष इति । ' सः ' खलु ' एषः ' मारुतो यागः ' प्रजाभ्यः ' प्रजानाम् । षष्ठ्यर्थे चतुर्थी (पा. सू. २ । ३ । ६२ । वा. १ ।) प्रजानाम् ' अहिंसायै ' मरुत्कृतबाधाराहित्याय ' एव ' ' क्रियते ' **तस्मादिति** । मारुतयागस्य निगमनम् ॥ १४ ॥

पयस्यायागं विधत्ते—**अथात इति** । ' अथ '—शब्दो मारुतयागानन्तर्ये । यतः सृष्टाः प्रजा मारुतयागेन तत्कृतहिंसायाः परिहृतत्वात् सुखेनावस्थिताः अन्नमाकांक्षन्ते, अतः पयोरूपमन्नं तेभ्यो जनयितुं पयस्यायागः कर्त्तव्य इत्यर्थः । तस्य प्रजावृद्धिहेतुत्वमाह—**पयसो वा** इत्यादिना । सृष्ट्यादौ प्रजापतिना सृज्यमानास्ताः 'प्रजाः'

१–' स्वाधीनं कृतवन्तः '–इति पा० । २–वैश्वदेवी पयस्या । का. श्रौ. सू. ५ । १३ ।

तस्यां मिथुनमस्ति । योषा पयस्या रेतो वाजिनं तस्मान्मिथुनाद्विश्वमसंमितमनु प्राजायत तद्यदेतस्मान्मिथुनाद्विश्वमसंमितमनु प्राजायत तस्माद्वैश्वदेवी भवति ॥ १६ ॥

(त्यु) अथ द्यावापृथिव्य ऽएककपालः पुरोडाशो भवति । (त्ये) एतैर्वै हविर्भिः प्रजापतिः प्रजाः सृष्ट्वा ता द्यावापृथिवीभ्यां पर्यगृह्णात्ता ऽइमा द्यावापृथिवीभ्यां परिगृहीतास्तथो ऽएवैष एतद्या एतैर्हविर्भिः प्रजाः सृजते ता द्यावापृथिवीभ्यां परिगृह्णाति तस्माद्द्यावापृथिव्य एककपालः पुरोडाशो भवति ॥ १७ ॥

तस्यां मिथुनमस्ति–योषा पयस्या, रेतो वाजिनम् । तस्मान्मिथुनाद्विश्वमसंमितमनु प्राजायत । तद्यदेतस्मान्मिथुनाद्विश्वमसंमितमनु प्राजायत तस्माद्वैश्वदेवी भवति ॥ १६ ॥

अथ द्यावापृथिव्य एककपालः पुरोडाशो भवति । एतैर्वै हविर्भिः प्रजापतिः प्रजाः सृष्ट्वा ता द्यावापृथिवीभ्यां पर्यगृह्णात् । ता इमा द्यावापृथिवीभ्यां परिगृहीताः । तथो एवैष एतद्–य एतैर्हविर्भिः प्रजाः सृजते–ता द्यावापृथिवीभ्यां परिगृह्णाति । तस्माद् द्यावापृथिव्य एककपालः पुरोडाशो भवति १७

तदीयस्तन्यरूपात् ' पयसः ' सकाशात् ' सम्भूताः ' प्रवर्द्धिताः यतः, एवमिदानीमपि सर्वाः प्रजाः पयस एव सम्भवन्ति, जन्मानन्तरं तत्क्षणे एव पयोलक्षणमन्नं प्राप्य वर्द्धन्ते पयोरूपस्य तस्यान्नस्य सम्पत्तिमत्र दर्शयितुमुक्तमर्थमनुवदति–तद्यत एवेति । ' तत् ' तथा सतीत्यर्थः । ' एतत् ' एतेन पयस्यायागेन ' तदेव ' प्रजावृद्धिहेतुभूतं पयः ' आभ्यः ' प्रजाभ्यः ' करोति ' सम्पादयति । अत एवेदानीं पूर्वसृष्टानां प्रजानामभिवृद्धिर्दृश्यत इत्याह–तद्या इति । 'पूर्वैः' प्रागुक्तैराग्नेयादिभिः पञ्चभिः ' हविर्भिः ' । एतस्मात् पयस इति । दध्ना संस्कृतः पयोविकारः पयस्या, असौ चामिक्षाशब्देनान्यत्राम्नायते–"तप्ते पयसि दध्यानयति सा वैश्वदेव्यामिक्षा वाजिभ्यो वाजिनम् " (का. श्रौ. सू. ४ । ८८)–इति । कात्यायनोऽपि पयस्यां प्रकृत्य सूत्रयामास–" शृते वा दध्यानयति, वाजिनं निषिच्योत्करे करोति "–(का. श्रौ. सू. ४ । ११०–१११) इति । पयस्याया इति षष्ठ्यर्थे चतुर्थी (पा. सू. २ । ३ । ६२ वा. १) एतस्याः पयस्यायाः प्रकृतिभूतं यत् पयः (श. प. ३ । ३ । ३ । २ भा.) एतस्मादुत्पन्नाः प्रजा वर्द्धन्त इत्यर्थः ॥ १५ ॥

एवं यागोपयुक्तं द्रव्यं प्रशस्य तस्य वैश्वदेवत्वं प्रतिपादयति–तस्यामित्यादिना । ' तस्यां ' पयस्यायां प्रजननसाधनं ' मिथुनं ' विद्यते ' पयस्या '–शब्दस्य स्त्रीलिङ्गत्वात् ' योषा ' तदनुनिष्पादि ' वाजिनं ' 'रेतः' पुंसो वीर्य्यम्; ' तस्मात् मिथुनात् ' ' असम्मितम् ' अपरिमितम् इदं ' विश्वं ' देवमनुष्याद्यात्मकम् ,' अनुप्राजायत ' अनुक्रमेण प्रजापतेः, प्रजातमभूत् । तद्यदेतस्मादिति, प्रतिपादितार्थस्य हेतुत्वाभिधानम् । तस्मादिति । यस्माद् विश्वोत्पत्तिहेतुः पयस्या, तस्माद् विश्वदेवदेवत्या कार्येत्यर्थः ॥ १६ ॥

अन्तिमं हविर्विधत्ते–अथेति । द्यावापृथिव्यौ देवते अस्येति द्यावापृथिव्यः "द्यावापृथिवीशुनासीरमरुत्वत् "–

१–' प्रतिष्ठापयति '–इति पाठः । २–द्यावापृथिवीय एककपालः । का. श्रौ. सू. ५ । १४ ।

(त्य) अथातऽ आवृदेव । नोपकिरन्त्युत्तरवेदिं विसृष्टमसत्सर्वमसद्वै-श्वदेवमसदिति त्रेधा बर्हिः संनद्धं भवति तत्पुनरेकधैतद्धि प्रजननस्य रूपं प्रजननमु हीदं पिता माता यज्जायते तत्तृतीयं तस्मात्त्रेधा सत्पुनरेकधा प्रस्वऽउपसंनद्धा भवन्ति तं प्रस्तरं गृह्णाति प्रजननमु हीदं प्रजननमु हि प्रस्वंस्तस्मात्प्रसूः प्रस्तरं गृह्णाति ॥ १८ ॥

अथात आवृदेव नोपकिरन्त्युत्तरवेदिम् । विसृष्टमसत्, सर्वमसत्, वैश्वदेवमसदिति । त्रेधा बर्हिः सन्नद्धं भवति । तत्पुनरेकधा । एतद्धि प्रजननस्य रूपम् । प्रजननमु हीदम्—पिता, माता, यज्जायते तत्तृतीयम् । तस्मात्त्रेधा सत्पुनरेकधा । प्रस्व उपसंनद्धा भवन्ति । तं प्रस्तरं गृह्णाति । प्रजननमु हीदम् प्रजननमु हि प्रस्वः । तस्मात् प्रसूः प्रस्तरं गृह्णाति ॥ १८ ॥

(पा. सू. ४ । २ । ३२) इति—सूत्रेण यत् । तत्र हि चकारेण यदित्यनुकृष्यते । तदेतत्पुराकृतिमुदाहृतदृष्टान्तेन उपपादयति—एवैवा इत्यादिना । द्यावापृथिवीभ्यां पर्यगृह्णादिति । अधस्तात् पृथिव्या, उपरिष्टाद् द्युलोकेन तदुभयलोकवर्त्तिनीः सृष्टाः प्रजाः ' पर्यगृह्णात् ' परितो वेष्टितवान् याश्च ' इमाः ' प्रजाः आभ्यां ' द्यावापृथिवीभ्यां ' ' परिगृहीताः ' परिवेष्टिता एव वर्त्तन्ते, न पुनः स्वतो निर्गच्छन्ति । तथो एवेति । यथा प्रजापतिः ' तथो ' तथैव ' एषः ' इदानीन्तनो यजमानोऽपि ' यः एतैः हविर्भिः प्रजाः सृजते ' सृष्ट्वा च पयस्यायागेन तासां पयोरूपमन्नं परिकल्प्य, द्यावापृथिव्ययागेन ' द्यावापृथिवीभ्यां ' ' ताः ' ' परिगृह्णाति ' परिवेष्टयतीत्यर्थः । एवं वैश्वदेवपर्वणि अष्टौ प्रधानयागा विहिताः, तद्धितनिर्देशौषधिद्रव्यकत्वाह्निकसामान्याद् दर्शपूर्णमासविधयस्तत्रातिदिष्टाः; " प्रकृतिवद् विकृतिः कर्त्तव्या " इति ॥ १७ ॥

तत्र यानि वैशेष्यकाण्यङ्गानि तानीदानीं विधातुं प्रतिजानीते—अथात आवृदेवेति । ' अथ '—इति आनन्तर्ये । यतः प्रधानानामङ्गापेक्षा, अतः प्रकरणात् । 'आवृत्' शब्दः प्रकारवाची । चोदकप्राप्तायामितिकर्त्तव्यतायां प्रकारविशेषः कथ्यते; न त्वन्यत् किञ्चिन्नूतनमत्र प्रतिपाद्यत इति ' एव '—कारार्थः । अग्निमन्थनादेर्वैशेष्यकस्याङ्गस्य विधास्यमानत्वात् सहचरितमुत्तरवेद्यावपनमपि प्रसक्तम्, तन्निषेधति—नोपकिरन्तीति । ' उत्तरवेदिं ' 'नोपकिरन्ति' उत्तरवेदीं नोपक्षिपन्ति, नोपवपन्तीत्यर्थः । ऋत्विजां बहुत्वाद् बहुवचनम् " कॄ विक्षेपे " इति धातुः (धा. पा. तु. प. १२८) । तत्र हेतुमाह—विसृष्टमिति । सत्यां ह्युत्तरवेदौ तत्रानुष्ठीयमानमेतत् कर्म तया निरुद्धगति स्यात्; तदभावे तत्कृतनिरोधाभावात् क्रियमाणं कर्म ' विसृष्टं ' व्यापनशीलम् ' असत् ' भवेत्, अत एव परिच्छेदाभावात् ' सर्वं ' कृत्स्नं सम्पूर्णम् ' असत् ' भवेत्; कात्स्न्र्यादेव तद् ' वैश्वदेवम् ' विश्वदेवसम्बन्धयोग्यम् ' असद् ' भवेत् ; न ह्यसर्वस्य सर्वदेवसम्बन्धो घटते; अतो विसृष्टत्वादिसिद्धये उत्तरवेदिर्न कार्येत्यभिप्रायः ॥

बर्हिराहरणे विशेषं विधत्ते—त्रेधा बर्हिरिति । ' त्रेधा ' त्रिविधं ' बर्हिः ' प्रथमं सन्नह्य, ' तत् ' एव 'पुनः' 'एकधा' एकविधं सन्नयति । त्रिशब्दात् एकशब्दाच्च "सङ्ख्याया विधार्थे धा" (पा. सू. ५।३।४२।)

१–एतद्वैश्वदेवम् । एतद्विरष्टकं का. श्रौ. सू ५ । १५ । २–' सहवाचि ' इति पाठः । ३–त्रेधाबर्हिः सन्नह्य पुनरेकधा । का. श्रौ. सू. ५ । १९ ।

(त्या) आसाद्य हवीꣳष्यग्निं मन्थति । (त्य) अग्निꣳ ह वै जायमानमनु प्रजापतेः प्रजा जज्ञिरे तथो ऽएवैतस्याग्निमेव जायमानमनु प्रजा जायन्ते तस्मादासाद्य हवीꣳष्यग्निं मन्थति ॥ १९ ॥

नवप्रयाजं भवति । नवानुयाजं दशाक्षरा वै विराडथैतामुभयतो न्यूनां विराजं करोति प्रजननायैतस्माद्वा ऽउभयतो न्यूनात्प्रजननात्प्रजापतिः प्रजाः ससृज ऽइतश्चोर्ध्वा ऽइतश्चावाचीस्तथो ऽएवैष ऽएतस्मादुभयत ऽएव न्यूनात्प्रजननात्प्रजाः सृजत ऽइतश्चोर्ध्वा ऽइतश्चावाचीस्तस्मान्नव प्रयाजं भवति नवानुयाजम् ॥ २० ॥

आसाद्य हवींष्यग्निं मन्थति । अग्निं ह वै जायमानमनु प्रजापतेः प्रजा जज्ञिरे । तथो एवैतस्याग्निमेव जायमानमनु प्रजा जायन्ते । तस्मादासाद्य हवींष्यग्निं मन्थति ॥ १९ ॥

नवप्रयाजं भवति, नवानुयाजम् । दशाक्षरा वै विराट् । अथैतामुभयतो न्यूनां विराजं करोति—प्रजननाय । एतस्माद्वा उभयतो न्यूनात्प्रजननात्प्रजापतिः प्रजाः ससृजे—इतश्चोर्ध्वाः, इतश्चावाचीः ।

इति—घाप्रत्ययः । प्रजोत्पत्त्यनुकूलत्वेनैतत् स्तौति—एतद्धीति । यदेतत् त्रिधाबद्धस्य बर्हिषः पुनरेकधा संहतम्, 'एतत् खलु' 'प्रजननस्य' प्रजोत्पत्तेः स्वरूपम् । तदेतत् त्रैविध्यं प्रजननगतं दर्शयति—प्रजननमु हीति । 'पिता, माता' 'यत् जायते' यज्जायमानमपत्यम् 'तत्' एतत् 'तृतीयं' तृतीयम्; इदमेव हि 'प्रजननं' (तै. ब्रा. १ । ६ । ३) प्रजातिः ; अस्य हि मातापित्रादिरूपेण त्रित्वात्, प्रजननरूपेण चैकत्वात्, तत्साधनभूतस्य बर्हिषस्तद्धर्मसमानत्वं सूचितमित्यर्थः । तस्मिन्नेव बर्हिषि धर्मविशेषं विधत्ते—प्रस्वे इति । प्रसुवते फलानीति 'प्रस्वः' पुष्पितांकुराः, ते 'उपसन्नद्धाः' भवेयुः "षूङ् प्राणिगर्भविमोचने" (धा. पा. दि. आ. २१) प्रपूर्वादस्मात् "सत्—सू—द्विष"—इति (पा. सू. ३ । २ । ६१) क्विप् "ओः सुपि" (पा. सू. ६ । ४ । ८३) इति यण् । प्रसूतयुक्तानां कुशानां प्रस्तरत्वेन ग्रहणं विधत्ते—तं प्रस्तरमिति । 'तम्' इति प्रस्तरापेक्षयैकवचनम् । तैः प्रसूभिः कुशैः प्रस्तराख्यं मुष्टिं सम्भरेदित्यर्थः ॥

एतस्य प्रकृतिकर्मानुकल्पनामाह—प्रजननमु हीदमिति । 'इदं हि' वैश्वदेवाख्यं कर्म 'प्रजननं' प्रजोत्पत्ति-साधनं 'प्रस्वः' प्रसूतयुक्ताः कुशाश्च फलोत्पत्तिहेतवः, अतः साधर्म्यात् प्रसूतकुशमयं प्रस्तरं कुर्यादित्यर्थः ॥ १८ ॥

प्रकृतितोऽप्राप्तत्वात् तत्कालविशिष्टमग्निमन्थनं विधत्ते—आसाद्य हवींषीति प्रकृतिवद्धविरासादनान्तं कृत्वा अग्निमन्थनं कुर्यादित्यर्थः । तदेतत् प्रशंसति—अग्निꣳहेति । प्रथमसृष्टौ प्रजापतिरग्निं जनयित्वा तदनन्तर-मेव अन्याः प्रजाः सृष्टवान्; अत इहाग्नेर्जननं प्रजोत्पत्तिकारणं भवतीत्यर्थः । अत एव प्रागाम्नातम्—" तद् या इमाः प्रजा अपराभूतास्ता अग्निमभितो निविष्टाः "—इति (श. प. २ । ५ । १ । ४) ॥ १९ ॥

चोदकप्राप्तानां प्रजानां सङ्ख्यान्तरं विधत्ते—नवप्रयाजं भवतीति । नव प्रयाजाः अनुयाजाश्च यस्मिन्, तत्

१—कुशप्रस्वः प्रस्तर उपसन्नद्धः । का. श्रौ. सू. ५ । २० । २—'पुष्पिताः कुशाः' इति पाठः ।

त्रीणि समिष्टयजूᳬंषि भवन्ति । ज्याय इव हीदᳬं हविर्यज्ञाद्यत्र नवप्रयाजं नवानुयाजमथो ऽअप्येकमेव स्याद्धविर्यज्ञो हि तस्य प्रथमजो गौर्दक्षिणा २१

(णै) एतेन वै प्रजापतिः । (र्य) यज्ञेनेष्ट्वा येयं प्रजापतेः प्रजातिर्या श्रीरेतद्बभूवैताᳬं ह वै प्रजातिं प्रजायत ऽएताᳬंश्रियं गच्छति य ऽएवं विद्वानेतेन यज्ञेन यजते तस्माद्वा ऽएतेन यजेत ॥ २२ ॥

इति चतुर्थप्रपाठके द्वितीयं ब्राह्मणम् ॥ ४ ॥ २ ॥ (५ । १)

तथो एवैष एतस्मादुभयत एव न्यूनात्प्रजननात्प्रजाः सृजते । इतश्चोर्ध्वाः, इतश्चावाचीः तस्मान्नव प्रयाजं भवति, नवानुयाजम् ॥ २० ॥

त्रीणि समिष्टयजूंषि भवन्ति । ज्याय इव हीदं हविर्यज्ञात्–यत्र नवप्रयाजम्, नवानुयाजम् । अथो अप्येकमेव स्यात् हविर्यज्ञो हि तस्य प्रथमजो गौर्दक्षिणा ॥ २१ ॥

एतेन वै प्रजापतिर्यज्ञेनेष्ट्वा–येयं प्रजापतेः प्रजातिः, या श्रीः–एतद्बभूव । एतां ह वै प्रजातिं प्रजायते–एतां श्रियं गच्छति–य एवं विद्वानेतेन यज्ञेन यजते । तस्माद्वा एतेन यजेत ॥ २२ ॥

इति वैश्वदेवयागश्चातुर्मास्ये प्रथमं पर्व ।

' नव प्रयाजं नवानुयाजं '; (का. श्रौ. सू, ५ । ३२) तथा कर्त्तव्यमित्यर्थः । नवसंख्यां प्रशंसति–**दशाक्षरेति** । **उभयत** इति । प्रधानयागात् पुरस्तादुपरिष्टाच्च **न्यूनादि**ति । एकाक्षरेण ' **न्यूनात्** ' । **एतस्माद्वा** इत्यादि । ' एतस्मात् ' उभयतोऽनुष्ठीयमानात् प्रजायानुयाजरूपात् एकाक्षरन्यूनात् विराड्द्वयरूपात् 'प्रजननात्' प्रजननसाधनादित्यर्थः । **इतश्चोर्ध्वा** इति । प्रयाजरूपात् प्रथमाद् विराजो भूलोकादारभ्योर्द्ध्ववर्तिनीः प्रजाः सृष्टवान् । उपरिष्टात् क्रियमाणादनुयाजरूपाद् विराजो भूलोकात्, अवाचीनाः प्रजाः सृष्टवान् । स्पष्टमन्यत् ॥ २०

चोदकप्राप्तस्य समिष्टयजुषोऽपि संख्यान्तरं विधाय प्रशंसति–**त्रीणी**ति । तानि च सूत्रकृता दर्शितानि–" त्रीणि समिष्टयजूंषि जुहोति, देवा गातुविदो यज्ञ यज्ञ मेष त इति " (का. श्रौ. सू. ५ । ३४ ।)–इति । **ज्याय इव हीदमि**ति अन्यस्माद्धविर्यज्ञाद् दर्शपूर्णमासाद् ' इदं ' वैश्वदेवपर्वरूपं हविः ' ज्याय इव ' प्रवृद्धमिव हि । ज्यायस्त्वे कारणमाह–**यत्रे**ति । ' यत्र ' यस्मिन् कर्मणि ' नवप्रयाजं नवानुयाजं ' भवति, तद्धि प्रकृतेर्ज्यायो भवति; प्रकृतौ प्रयाजानां पञ्चत्वात् अनुयाजानां त्रित्वाच्च ॥

पक्षान्तरमाह–**अथो** इति । ' एकमेव ' समिष्टयजुर्भवति, न तु त्रीणि[1] । तत्र कारणमाह–**हविर्यज्ञ** इति । ' हि '–शब्दो हेतौ । दक्षिणां विधत्ते–**तस्ये**ति । यजमानस्य गोष्ठे प्रथमं जातः प्रथमजः ', तादृशो ' गौः ' ' तस्य ' वैश्वदेवपर्वणो दक्षिणात्वेन देय इत्यर्थः ॥ २१ ॥

विहितस्य वैश्वदेवयागस्य प्रजाश्रीफलसाधनत्वं सदृष्टान्तमुपसंहरति–**एतेने**त्यादिना । **एतद् बभूवे**ति । ' एतत् ' एतर्हि ' प्रजापतेः ' ' या श्रीः ' बभूवेत्यर्थः । **तस्मादि**ति । उपसंहृतस्य यागविधेर्निगमनम्[2] (तै. सं. १ । ८ । १ । १ तै. ब्रा. १ । ६ । १ । ३) ॥ २२ ॥ २ ॥

इति श्रीसायणाचार्यविरचिते माधवीये वेदार्थप्रकाशे माध्यन्दिनशतपथब्राह्मणभाष्ये द्वितीयकाण्डे पञ्चमाध्यायस्य प्रथमं ब्राह्मणम् ॥ (५।१)

१–एकं वा समिष्टयजुः । का. श्रौ. सू. ५ । ३७ । २–प्रजाकामस्यापि वैश्वदेवम् । का. श्रौ. सू. ५ । ४५ ।

वैश्वदेवेन वै प्रजापतिः । प्रजाः ससृजे ता अस्य प्रजाः सृष्टा वरुणस्य यवाञ्जक्षुर्वरुण्यो ह वा ऽअग्रे यवस्तद्यन्वेव वरुणस्य यवान्प्रादंस्तस्माद्वरुणप्रघासा नाम ॥ १ ॥

ता वरुणो जग्राह । ता वरुणगृहीताः परिदीर्णाऽअनत्यश्च प्राणत्यश्च शिश्यिरे च निषेदुश्च प्राणोदानौ हैवाभ्यो नापचक्रमतुरथान्याः सर्वा देवता अपचक्रमुस्तयोर्हैवास्य हेतोः प्रजा न परा बभूवुः ॥ २ ॥

अथ वरुणप्रघासपर्व ।

वैश्वदेवेन वै प्रजापतिः प्रजाः ससृजे । ता अस्य प्रजाः सृष्टा वरुणस्य यवान् जक्षुः । वरुण्यो ह वा अग्रे यवः । तद्यन्वेव वरुणस्य यवान् प्रादन्—तस्माद् वरुणप्रघासा नाम ॥ १ ॥

ता वरुणो जग्राह । ता वरुणगृहीताः परिदीर्णा अनत्यश्च, प्राणत्यश्च—शिश्यिरे च, निषेदुश्च । प्राणोदानौ हैवाभ्यो नापचक्रमतुः, अथान्याः सर्वा देवता अपचक्रमुः । तयोर्हैवास्य हेतोः प्रजा न पराबभूवुः ॥ २ ॥

विधित्सितस्य वरुणप्रघासाख्यस्य द्वितीयस्य पर्वणो वरुणपाशविमोचनहेतुत्वमाख्यायिकया प्रतिपादयंस्तद्विधिमुन्नयति—**वैश्वदेवेन वा** इत्यादिना । पुरा वैश्वदेवयागेन प्रजापतिना सृष्टाः 'प्रजाः' वरुणसम्बन्धिनो 'यवान्' 'जक्षुः' भक्षयामासुः । यवस्य वरुणदेवत्यत्वमाह—**वरुण्यो ह** इति । 'अग्रे' सृष्टिसमये सृज्यमानः 'यवः' वरुणसम्बन्धी 'एव' अभवत् । अतो यवो वरुणस्य स्वभूतः तत्प्रसङ्गाद् वरुणप्रघासोऽस्य नाम निर्वृत्तम् । विधित्सितयागस्य प्रसङ्गाद्वरुणप्रघासाख्यं नाम निर्वृत्तं—**तद्यदिति** । 'तत्' तथा सति 'यत्' यस्मात् 'एव' खलु कारणात् 'वरुणस्य' स्वभूतान् 'यवान्' 'प्रादन्' प्रकर्षेणाभक्षयन्, 'तस्माद्' वरुणसम्बन्धियवप्रघासनात् 'प्रजाः' 'वरुणप्रघासाः' तत्पाशगृहीतानां तासां पाशविमोचनाय क्रियमाणा यागा अप्युपचारेण वरुणप्रघासाख्याः सञ्जाता इत्यर्थः । 'जक्षुः'—इति अदेर्लिटि "लुङ्सनोर्घस्लृ"—(पा. सू. २ । ४ । ३७) "लिट्यन्यतरस्याम्"—(पा. सू. २ । ४ । ४०) इति घस्लादेशे रूपम् ॥ १ ॥

यवादनानन्तरं वरुणकृत्यमाह—**ता** इति । 'परिदीर्णाः' परितो दीर्णाः, परितो दीर्यमाणावयवाः "दॄ विदारणे"—(धा. पा. क्र्या. प. २१) इति अस्मात् निष्ठायां "श्र्युकः किति"—(पा.सू.७।२।११) इति इट्—प्रतिषेधः, "ॠत इद्धातोः"—(पा. सू. ७ । १ । १००) इतीत्वम् "ल्वादिभ्यः"—(पा. सू. ८ । २ । ४४) इति निष्ठातकारस्य नकारः । **अनत्यश्चेत्यादि** । वरुणपाशग्रहणादेव हेतोः 'अनत्यः' वेष्टमानाः, हस्तपादादिधूननं कुर्वाणाः, 'प्राणत्यश्च' प्राणनव्यापारं श्वासोच्छ्वासादिलक्षणं कुर्वत्यः, 'शिश्यिरे च, निषेदुश्च' शयनासनाभ्यामेव कालं नीतवत्यः, न पुनर्व्यापारान्तरक्षमा बभूवुरित्यर्थः । **प्राणोदानौ** हेत्यादि । 'आभ्यः' प्रजाभ्यः सकाशात् केवलं प्राणोदानावेव 'नापचक्रमतुः'; 'अन्याः' 'तु सर्वाः' वाक्चक्षुरादीन्द्रियाधिष्ठातृदेवता अग्न्याद्याः 'आभ्यः' प्रजाभ्योऽपक्रान्ताः, आसामिन्द्रियपाटवमपि प्रभ्रष्टमित्यर्थः । **तयोर्हैवेति** । 'तयोः' प्राणापानयोरेवानपक्रमणाद्धेतोः 'अस्य' प्रजापतेः 'प्रजाः' 'न पराबभूवुः' न विनष्टाः ॥ २ ॥

(स्त्रा) ता ऽएतेन हविषा प्रजापतिरभिषज्यत् । (त्त) तद्याश्चैवास्य प्रजा जाता आसन्याश्चाजातास्ता ऽउभयीर्व्वरुणपाशात्प्रामुञ्चत्ता ऽअस्यानमीवा ऽअकिल्बिषाः प्रजाः प्राजायन्त ॥ ३ ॥

(न्त्रा) अथ यदेष ऽएतैश्चतुर्थे मासि यजते । तन्नाह न्वेवैतस्य तथा प्रजा व्वरुणो गृह्णातीति देवा ऽअकुर्व्वन्निति त्वेवैष एतत्करोति याश्च त्वेवास्य प्रजा जाता याश्चाजातास्ता ऽउभयीर्व्वरुणपाशात्प्रमुञ्चति ता ऽअस्यानमीवा ऽअकिल्बिषाः प्रजाः प्रजायन्ते तस्माद्वाऽएष ऽएतैश्चतुर्थे मासि यजते ॥ ४ ॥

ता एतेन हविषा प्रजापतिरभिषज्यत् । तद्–याश्चैवास्य प्रजा जाता आसन्, याश्चाजाताः–ता उभयीर्वरुणपाशात्प्रामुञ्चत् । ता अस्यानमीवा अकिल्बिषाः प्रजाः प्राजायन्त ॥ ३ ॥

अथ यदेष एतैश्चतुर्थे मासि यजते, तन्नाह न्वेवैतस्य तथा प्रजा वरुणो गृह्णाति इति । देवा अकुर्वन्–इति त्वेवैष एतत्करोति–याश्च त्वेवास्य प्रजा जाताः, याश्चाजाताः–ता उभयीर्वरुणपाशात्प्रमुञ्चति । ता अस्यानमीवा अकिल्बिषाः प्रजाः प्रजायन्ते । तस्माद्वा एष एतैश्चतुर्थे मासि यजते ॥ ४ ॥

ता एतेनेत्यादि । वरुणपाशग्रहणजनितमुक्तविधं प्रकारमालोक्य[1] 'प्रजापतिः' 'एतेन' वरुणप्रघासाख्येन 'हविषा' 'ताः' प्रजाः 'अभिषज्यत्' अचिकित्सत् "भिषज् चिकित्सायाम्"–(कण्ड्वा २२ ।) इति धातुः । तेन च भेषजेन 'जाताः' 'अजाताः' जनिष्यमाणाश्चोभयविधाः 'प्रजाः' 'वरुणपाशात्' 'प्रामुञ्चत्' । तस्य विमोचने सति 'अस्य' प्रजापतेः प्रजाः 'अनमीवाः' रोगरहिताः 'अकिल्बिषाः' रोगनिदानभूतपापरहिताश्च अभवन्नित्यर्थः ॥ ३ ॥

विधत्ते–**अथ यदि**ति । 'अथ'–शब्दो वैश्वदेवानन्तर्ये । 'एषः' यजमानः वैश्वदेवानन्तरं 'चतुर्थे मासि' संपूर्णे[2] सति 'एतैः' वक्ष्यमाणैर्हविर्भिः 'यजते' अप्राप्तार्थत्वाद् वर्त्तमाननिर्देशोऽपि विधिरुन्नेतव्यः । यच्छब्दो हेतौ; यस्माद्वरुणप्रघासैर्यजते, 'तत्' तस्मात् 'अह' 'नु' 'एव'–इति निपाताः 'नैव' खलु 'एतस्य' यजमानस्य 'प्रजाः' तथा 'वरुणो गृह्णाति' । **इति देवा** इत्यादि । पुरा खलु 'देवाः' एवमेव वरुणप्रघासम् अकुर्वन्, 'तु'–शब्दोऽप्यर्थः । 'एषः' अपि यजमानः 'इति' एवम् 'एत' एतत्, ' एतर्हि 'करोति' ।

इत्थं मनुष्यकर्त्तृकयागस्य देवकर्त्तृकेन यागेन साम्यात् तादृक्फलसाधनत्वमाह–**याश्चे**ति । उक्तार्थमेतत् । **तस्माद्वा** इति । वरुणप्रघासविधेर्निगमनम् ॥ ४ ॥

१–'विविधाकारम्'–इति पा. । २–"अथ यश्चतुर्षु चतुर्षु मासेषु स चातुर्मास्ययाजी । वसन्ते वैश्वदेवेन यजेत, प्रावृषि वरुणप्रघासैः, शरदि साकमेधैः"–इति आ. श्रौ. सू. । ८ । ४ । १३ का. श्रौ. सू. ५ । ४४–४५ ।

तद्वै द्वे व्वेदी द्वावग्नी भवतः । (स्त) तद्यद्द्वे वेदी द्वावग्नी भवतस्तदुभयत एवैतद्वरुणपाशात्प्रजाः प्रमुञ्चतीतश्चोर्ध्वा इतश्चावाचीस्तस्माद्द्वे वेदी द्वावग्नी भवतः ॥ ५ ॥

सऽउत्तरस्यामेव व्वेदौ । (द्वाऽउ) उत्तरवेदिमुपकिरति न दक्षिणस्यां क्षत्रं व्वै व्वरुणो व्विशो मरुतः क्षत्रमेवैतद्विशऽउत्तरं करोति तस्मादुपर्यासीनं क्षत्रियमधस्तादिमाः प्रजाऽउपासते तस्मादुत्तरस्यामेव व्वेदाऽउत्तरवेदिमुपकिरति न दक्षिणस्याम् ॥ ६ ॥

तद्वै द्वे वेदी, द्वावग्नी भवतः । तद् यद् द्वे वेदी द्वावग्नी भवतः—तदुभयत एवैतद्वरुणपाशात् प्रजाः प्रमुञ्चति—इतश्चोर्ध्वाः, इतश्चावाचीः । तस्माद् द्वे वेदी, द्वावग्नी भवतः ॥ ५ ॥

स उत्तरस्यामेव वेदावुत्तरवेदिमुपकिरति, न दक्षिणस्याम् । क्षत्रं वै वरुणो, विशो मरुतः । क्षत्रमेवैतद् विश उत्तरं करोति । तस्मादुपर्यासीनं क्षत्रियमधस्तादिमाः प्रजा उपासते । तस्मादुत्तरस्यामेव वेदा उत्तरवेदिमुपकिरति, न दक्षिणस्याम् ॥ ६ ॥

तेषु वरुणप्रघासेषु चोदकतो वेदेराहवनीयस्य चैकत्वे प्राप्ते द्वित्वं विधत्ते—तद्वै द्वे इति[1] । 'तत्' तत्र वरुणप्रघासेषु वेद्याहवनीययोर्द्वित्वमनूद्य प्रयोजनकथनेन स्तौति—तद्यदिति । दक्षिणत उत्तरतश्च स्थिताभ्यां वेदिभ्यामग्निभ्याम्, 'तदुभयतः' दक्षिणत उत्तरतश्च पार्श्वद्वयादेव 'वरुणपाशात्' 'प्रजाः' 'प्रमुञ्चति' । इतश्चोर्ध्वा इति । प्रागुक्तार्थम् (श. प. द्वि. कां. ९ । १ । २० । मा.) ॥ ५ ॥

उत्तरवेदिनिवपनं विधत्ते—स इति । द्वयोर्वेद्योर्या 'उत्तरा' उत्तरदिगवस्थिता तस्यामेव वेद्यामाहवनीयायतने 'उत्तरवेदिम्' 'उपकिरति' उपक्षिपति । एवकारयोग्यावर्त्यं दर्शयति—न दक्षिणस्यामिति । 'दक्षिणस्यां' वेदौ उत्तरवेदिः 'न' कार्येत्यर्थः । तत्रोत्तरवेदिनिर्माणं सूत्रकृतापि दर्शितम्—"उत्तरवेदिं निवपति उत्तरस्यां, शम्यामादाय चात्वालं मिमीते" इति (का. श्रौ. सू. ५ । ६४ । ६९) ॥

तदेतत् स्तौति—क्षत्रं वा इति । "यान्येतानि देवत्रा क्षत्राणीन्द्रो वरुणः"—(श. प. ब्रा. १४।४।२।२३) इति अग्रे समाम्नास्यते; अतो वरुणो देवेषु मध्ये क्षत्रियः, मरुतो देवविशः तत्रोत्तरस्यामाद्ौ वरुण इज्यते दक्षिणस्यां मरुतः । तत्रोत्तरस्यामेवोत्तरवेदेर्निवपनात्क्षत्रियजातिमेव वैश्यजातेरुत्तर उपस्थितां करोति । अत एवेदानीं लोके तथा दृश्यत इति प्रसिद्धिमुदाहरति—तस्मादिति ॥ ६ ॥

१—आहवनीयस्य पुरस्ताद्वेदी करोति । आहवनीयस्य पुरस्तादिति । यावदाहवनीयो न भवति । गार्हपत्याच्च पृथग्भूतस्याहवनीयस्य व्यपदेशः । तस्मादाहवनीयोद्धरणस्य पुरस्तादिति सूत्रार्थः । इति (कर्कः ।) प्रादेशोत्तरापथो वा । प्रसृतांगुलिपाणिरामणिबंधात् पृथुरुच्यते इति कर्कः । रथमात्र्युत्तरा । रथमानं शुल्बे । अंगुलैरथसम्मितायाः प्रमाणं, तत्राष्टाशीतिशतमीषा चतुःशतमक्षः षडशीतिर्युगम् । चतुररत्निर्वा पश्चात् सप्त प्राची षड् वा त्रयः पुरस्तात् । तयोः मध्ये शंकुः । अपरिमिता वा । उक्तप्रमाणयोर्बहुतरा वा कार्येति कर्कः । स्फ्याद्यासंमर्शनात् करोति । उभयोरेक उत्करः । अपरेण वेदिं प्रतिप्रस्थातुः संचरः । इति का. श्रौ. सू. ५ । ५५-६३

(मु) अथैतान्येव पञ्च हवीꣳषि भवन्ति । एतैर्वै हविर्भिः प्रजापतिः प्रजा ऽअसृजतैतैरुभयतो व्वरुणपाशात्प्रजाः प्रामुञ्चदितश्चोर्ध्वा इतश्चावाची-स्तस्माद्वा ऽएतानि पञ्च हवीꣳषि भवन्ति ॥ ७ ॥

(न्त्यु) अथैन्द्राग्नो द्वादशकपालः पुरोडाशो भवति । प्राणोदानौ वा ऽइन्द्राग्नी तद्यथा पुण्यं चक्रुषे पुण्यं कुर्य्यादेवं तत्तयोर्हैवास्य हेतोः प्रजा न पराबभूवुस्तत्प्राणोदानाभ्यामेवैतत्प्रजा भिषज्यति प्राणोदानौ प्रजासु दधाति तस्मादैन्द्राग्नो द्वादशकपालः पुरोडाशो भवति ॥ ८ ॥

(त्यु) उभयत्र पयस्ये भवतः । पयसो वै प्रजाः सम्भवन्ति पयसः सम्भूतास्तद्यत ऽएव सम्भूता यतः सम्भवन्ति तत ऽएवैतदुभयतो व्वरुण-पाशात्प्रजाः प्रमुञ्चतीतश्चोर्ध्वा ऽइतश्चावाचीस्तस्मादुभयत्र पयस्ये भवतः ९॥

अथैतान्येव पञ्च हवींषि भवन्ति । एतैर्वै हविर्भिः प्रजापतिः प्रजा असृजत, एतैरुभयतो वरुण-पाशात्प्रजाः प्रामुञ्चत्–इतश्चोर्ध्वाः इतश्चावाचीः । तस्माद्वा एतानि पञ्च हवींषि भवन्ति ॥ ७ ॥

अथैन्द्राग्नौ (१ । २) द्वादशकपालः पुरोडाशो भवति । प्राणोदानौ वा इन्द्राग्नी । तद्यथा–पुण्यं चक्रुषे पुण्यं कुर्यात्–एवं तत् । तयोर्हैवास्य हेतोः प्रजा न पराबभूवुः। तत् प्राणोदानाभ्यामेवैतत् प्रजा भिषज्यति । प्राणोदानौ प्रजासु दधाति । तस्मादैन्द्राग्नो द्वादशकपालः पुरोडाशो भवति ॥ ८ ॥

उभयत्र पयस्ये (३ । ४) भवतः । पयंसो वै प्रजाः सम्भवन्ति, पयसः सम्भूताः । तद्यत एव

वैश्वदेवे पर्वणि आदितो यान्याग्नेयादीनि पञ्च हवींषि, (श. प. २ । १ । ८–११) तान्यत्रापि विधत्ते–**अथैतानीति** । अन्ययोगव्यवच्छेदार्थ एवकारः । तदेतेत[1] स्तौति–**एतैर्वा** इति । एतानि वरुणपाशविमोचने विहितानि हवींषि प्रजापतिः साधनत्वेन यतः प्रायुंक्त[2], अतोऽत्रापि तेषामनुष्ठानमुपपन्नमित्यर्थः। **इतश्चोर्द्ध्वा** इति, व्याख्यातम (श. प. द्वि. कां २ । ५ । १ । २० । भा०) ॥ ७ ॥

षष्ठं भागं[3] विधत्ते–**अथैन्द्राग्न** इति[4] । तत् प्रशंसति–**प्राणोदानावित्यादिना** । **तद्यथेति** । ' तत् ' तत्र लोके यथा ' पुण्यं ' शोभनमुपकारं कृतवते प्रत्युपकाररूपं ' पुण्यं ' शोभनं ' कुर्यात् ', ' एवम् ' एव तदिन्द्राग्न्योर्हविर्निर्वपणम् । ताभ्यां कृतमुपकारं दर्शयति–**तयोरिति**। प्राणोदानात्मकयोस्तयोरवस्थानादेव कारणात् ' अस्य ' प्रजापतेः ' प्रजा न पराबभूवुः ' प्रागाम्नातम्, " प्राणोदानौ हैवाभ्यो नापचक्रमतुः "–(श. प. २ । ५ । २ । २) इति । **तत् प्राणोदानाभ्यामित्यादि** । ' तत् ' तस्मात् प्राणोदानरूपयोरिन्द्राग्न्योर्यागाभ्याम् ' एव ' ' एतत् ' ' प्रजाः ' वरुणपाशगृहीताः चिकित्सति, तौ ' प्राणोदानौ ' एव तासु ' प्रजासु ' स्थापयति । **तस्मादिति** । प्रतिपादितार्थनिगमनम् ॥ ८ ॥

वेदिद्वयेऽपि पयस्यां विधत्ते–**उभयत्रेति** । (का. श्रौ. १ । २४८ । का. सू. ५ । १०२) ' उभ-

---

१–' तदेव–' इति पा. । २–' प्रायुनक् '–इति, ' प्रागुक्तवान् '–इति च पा. । ३–' हविः '–इ० पा० । ४–नित्येभ्यो-ऽधिकान्यैन्द्राग्नः पयस्ये व्वारुणी मारुती काय एककपालः । का. श्रौ. सू. ५ । १०० ।

(तो) व्वारुण्युत्तरा भवति । व्वरुणो ह व्वा ऽअस्य प्रजा अगृह्णात्तत्प्रत्यक्षं व्वरुणपाशात्प्रजाः प्रमुञ्चति मारुती दक्षिणाऽजामितायै न्वेव मारुती भवति जामि ह कुर्य्याद्यदुभे व्वारुण्यौ स्यातामतो ह व्वा ऽअस्य दक्षिणतो मरुतः प्रजा अजिघाꣳसंस्तानेतेन भागेनाशमयत्तस्मान्मारुती दक्षिणा ॥ १० ॥

सम्भूताः, यतः सम्भवन्ति—तत एवैतदुभयतो वरुणपाशात्-प्रजाः प्रमुञ्चति—इतश्चोर्ध्वाः, इतश्चावाचीः । तस्मादुभयत्र पयस्ये भवतः ॥ ९ ॥

वारुण्युत्तरा भवति । वरुणो ह वा अस्य प्रजा अगृह्णात्—तत्प्रत्यक्षं वरुणपाशात्प्रजाः प्रमुञ्चति । मारुती दक्षिणा । अजामितायै, न्वेव मारुती भवति । जामि ह कुर्यात्—यदुभे वारुण्यौ स्याताम् । अतो ह वा अस्य दक्षिणतो मरुतः प्रजा अजिघांसन्, तानेतेन भागेनाशमयत् । तस्मान्मारुती दक्षिणा ॥ १० ॥

यत्र ' अध्वर्युकर्तृकायामुत्तरस्यां वेद्यां प्रतिप्रस्थातृकर्तृकायां दक्षिणस्यां च द्वे ' पयस्ये ' हविषी ' भवतः '. वरुणपाशविमोचनानुकूल्यं पयस्यायाः प्रतिपादयति—**पयसो वा** इति । पुरा प्रजापतिना सृष्टाः ' प्रजाः ' तदीयस्तन्यरूपात् ' पयसः ' ' सम्भूताः ' वर्द्धिताः, इदानीमपि मानुषाः स्तन्यरूपात् पयस एव ' सम्भवन्ति ' वर्द्धन्ते । **तद्यत एवेति** । अस्यार्थस्यानुवादः । ' तत एव ' सम्भूतिहेतोः ' पयसः ' कारणात् ' उभयतः ' दक्षिणत उत्तरतश्च पार्श्वद्वयात्, प्रजानां वरुणपाशविमोचनं कृतवान् भवति ॥ ९ ॥

अध्वर्युकर्तृकायाः पयस्याया देवतां विधाय स्तौति—**वारुणीति** । उत्तरस्यां वेद्यां या पयस्या, सा वरुणदेवताका कार्या । **तत्प्रत्यक्षमिति** । देवतान्तरयागेन वरुणपाशविमोचनं परोक्षम्, वरुणदेवताकेन तु यागेन ' तत् ' पाशविमोचनं ' प्रत्यक्षम् ' एवेति वरुणदेवताकत्वं युक्ततरमित्यर्थः ॥

प्रतिप्रस्थातृकर्तृकायाः पयस्याया देवतां विधाय स्तौति—**मारुती दक्षिणेति** । ' दक्षिणा ' दक्षिणस्यां वेदौ क्रियमाणा पयस्या मरुद्देवताका भवेत् । **अजामितायै** इति । वरुणदेवतां परित्यज्य ' अस्याः ' पयस्याया यत् मरुल्लक्षणदेवतान्तरकरणम्, तत् जामितादोषराहित्याय भवति । व्यतिरेकेण तदेवाह—**जामीति** । ' यद् ' यदि ' उभे ' अपि दक्षिणोत्तरपयस्ये वरुणदेवताके स्याताम्, तदा प्रयुक्ताया एव देवतायाः पुनः प्रयोगो नवीकरणाभावादलसतारूपजामितादोषः स्यादित्यर्थः ॥

मारुतत्वे कारणान्तरमाह—**अतो ह वा** इति । ' अतः ' अस्माद्वक्ष्यमाणादपि हेतोः दक्षिणा पयस्या मारुती कार्या । अस्य हि प्रजापतेः सम्बन्धिनीः प्रजाः पुरा दक्षिणतो दक्षिणदिग्भागेन मरुतः ' अजिघांसन् ' हन्तुमैच्छन्; तान् मरुतः प्रजापतिरेतेन पयस्यारूपेण भागेनाशमयत् शान्तिमनयत् । तस्माद् दक्षिणतः स्थितानां मरुतामुपशमनाय दक्षिणतः क्रियमाणैषा पयस्या मारुती कार्येत्यर्थः ॥ १० ॥

तयो॑रु॒भयो॑रे॒व क॒रीरा॒ण्याव॑पति । कं॒ वै प्र॒जाप॑तिः प्र॒जाभ्यः॑ क॒रीरै॑-रकुरुत॒ कम्वे॑वै॒षु ऽए॒तत्प्र॒जाभ्यः॑ कुरुते ॥ ११ ॥

तयो॑रु॒भयो॑रे॒व श॒मीप॑लाशा॒न्याव॑पति । शं वै प्र॒जाप॑तिः प्र॒जाभ्यः॑ श॒मी-प॑लाशै॒रकु॑रुत॒ शम्वे॑वै॒षु ऽए॒तत्प्र॒जाभ्यः॑ कुरुते ॥ १२ ॥

(तेऽथ) अथ॒ काय ऽए॒कक॑पालः पु॒रोडा॒शो भ॑वति । कं वै प्र॒जाप॑तिः प्र॒जाभ्यः॑ का॒येनै॒कक॑पालेन पु॒रोडा॒शेना॑कुरुत॒ कम्वे॑वै॒षऽए॒तत्प्र॒जाभ्यः॑ का॒ये-नै॒कक॑पालेन पु॒रोडा॒शेन॑ कुरुते॒ तस्मा॒त्काय ए॒कक॑पालः पु॒रोडा॒शो भ॑वति १३

(त्यु) अथ॑ पू॒र्वे॒द्युः । (२) अ॒न्वा॒हा॒र्य॒प॒च॒नेऽतु॒षानि॑व य॒वान्कृ॒त्वा

तयोरुभयोरेव करीराण्यावपति । कं वै प्रजापतिः प्रजाभ्यः करीरैरकुरुत । कम्वेवैष एतत् प्रजाभ्यः कुरुते ॥ ११ ॥

तयोरुभयोरेव शमीपलाशान्यावपति । कं वै प्रजापतिः प्रजाभ्यः शमीपलाशैरकुरुत । शम्वे-वैष एतत् प्रजाभ्यः कुरुते ॥ १२ ॥

अथ काय (५) एककपालः पुरोडाशो भवति । कं वै प्रजापतिः प्रजाभ्यः कायेनैककपालेन पुरोडाशेनाकुरुत । कम्वेवैष एतत् प्रजाभ्यः कायेनैककपालेन पुरोडाशेन कुरुते । तस्मात् काय एककपालः पुरोडाशो भवति ॥ १३ ॥

अथ पूर्वेद्युरन्वाहार्यपचनेऽतुषानिव यवान् कृत्वा, तानीषदिवोपतप्य, तेषां करम्भपात्राणि कुर्वन्ति, यावन्तो गृह्याः स्युः तावन्ति, एकेनातिरिक्तानि ॥ १४ ॥

करीराणामावपनं विधाय स्तौति–**तयोरिति** । तयोरुभयोः पयस्ययोः करीराणि प्रक्षिपेत् (तै. सं. २ । ४ । ९ । ४) मधुराः फलविशेषाः करीराणि; तानि चोत्तरापथे प्रसिद्धानि । **कं वा** इत्यादि । 'करीरैः' एतैः करीरफलैः 'प्रजापतिः' 'प्रजाभ्यः' अस्माकं यस्मात् 'कं' सुखम् 'अकुरुत' तस्मादिदानीम-प्येष यजमानस्तदावपनेन सुखमेव प्रजाभ्यः कुरुते ॥ ११ ॥

शमीपर्णानामावपनं विधत्ते–**तयोरिति** । 'शमीपलाशानि' शम्याः पर्णानीत्यर्थः । **शं वा** इत्यादि । 'शम्' उपद्रवाणां शमनमित्यर्थः । स्पष्टमन्यत् । अत एवोक्तं कात्यायनेन–"उभयोः करीराण्यावपति शमीपलाशमिश्राणि"–इति (का. श्रौ. सू. ५ । ११२) ॥ १२ ॥

अथान्तिमं हविर्विधत्ते–**अथ काय** इति । कः प्रजापतिर्देवता अस्य, "साऽस्य देवता"–इत्यणि "कस्येत्"–(पा. सू. ४ । २ । २४, २५) इति 'क'–शब्दस्यैकारान्तादेशः । एतस्य हविषः प्रयो-जनमाह–**कं वा** इति । सुखात्मको हि प्रजापतिः 'क'–शब्दवाच्यः । अतस्तद्देवताकेन यागेन सुखकरण-मुपपन्नमिति भावः ॥ १३ ॥

करम्भपात्राणां निर्माणं विधत्ते–**अथ पूर्वेद्युरिति** । यस्मिन् दिवसे वरुणप्रघासयागः ततः पूर्वेद्युः पूर्वे दिवसे ।

१–आषाढयामयं ते योनिरिति समारोह्योदवसाय निर्मथ्य वरुणप्रघासाः । पूर्वेद्युर्दक्षिणाग्नौ निस्तुषापभ्रष्टयवानां करम्भपात्रकरणं निस्तुषग्रहणं फलीकरणव्युदासार्थमिति कर्कः । यावंतो यजमानगृह्या एकाधिकानि । प्रजायां जातश्रुतेः । त्रीणि नित्यत्वात् । द्विप्रजै-कप्रजाऽप्रजानां त्रीण्येकाधिकानि करम्भपात्राणि कर्तव्यानि । इतरेषां प्रजासंख्यान्येकाधिकानि इत्यर्थः । इति का. श्रौ. सू. ५।४७–५१।

स उत्तरस्यामेव पयस्यायां मेषीमवदधाति। दक्षिणस्यां मेषमेवमिव हि मिथुनं क्लृप्तमुत्तरतो हि स्त्री पुमाᳪंसमुपशेते ॥ १७ ॥

स सर्वाण्येव हवीᳪंष्यध्वर्युः। (रु) उत्तरस्यां वेदावासादयत्यथैतामेव पयस्यां प्रतिप्रस्थाता दक्षिणस्यां वेदावासादयति ॥ १८ ॥

(त्या) आसाद्य हवीᳪंष्यग्निं मन्थति। (त्य) अग्निं मन्थित्वानु प्रहृत्याभिजुहोत्यथाध्वर्युरेवाहाग्नये समिध्यमानायानुब्रूहीति ता ऽउभावेवे-

---

स उत्तरस्यामेव पयस्यायां मेषीमवदधाति, दक्षिणस्यां मेषम्। एवमिव हि मिथुनं क्लृप्तम्। उत्तरतो हि स्त्री पुमांसमुपशेते ॥ १७ ॥

स सर्वाण्येव हवींष्यध्वर्युरुत्तरस्यां वेदावासादयति–अथैतामेव पयस्यां प्रतिप्रस्थाता दक्षिणस्यां वेदावासादयति ॥ १८ ॥

आसाद्य हवींष्यग्निं मन्थति। अग्निं मन्थित्वाऽनुप्रहृत्याभिजुहोति। अथाध्वर्युरेवाह–"अग्नये

'वरुणस्य' हविर्भूतः 'पशुः' अत एव पश्वेकादशिन्याम्–'अधोरामः सावित्रो वारुणः कृष्ण एकशितिपात् पेत्वः' इत्याम्नायते (वा. सं. २९।५८)। पेत्वो विगतपुंस्को मेष इति हि तदर्थः। **यवमयाविति**। यवमयश्च मेषो यवमयी च मेषी। "पुमान्स्त्रिया" (पा. सू. १-२-६७) इति पुंसः शेषः। यवविकारौ भवत इत्यर्थः। **यवान् हीति**। 'हि' यस्माद् 'यवान्' 'जक्षुषीः' भक्षितवतीः प्रजाः 'वरुणः' पाशेन 'अगृह्णात्' अतस्तद्यवप्रत्यर्पणाय मेषमेष्योर्यवमयत्वं सम्पद्यत इत्यर्थः। तयोः स्त्रीपुंसरूपतामनूद्य स्तौति–**मिथुनौ भवत** इति। 'मिथुनाद्' इत्येताद् 'वरुणपाशाद्'–इत्यस्य विशेषणम्। द्वैरूप्याधिकरणाधिकरणात् दक्षिणस्यां मेषो न अपि तु वैयधिकरण्येन तत्प्रमोचने हेतुः ॥ १६ ॥

अथ तयोः प्रक्षेपं विधत्ते–**स** इति। अध्वर्युकर्तृकायाम् 'उत्तरस्याम्' पयस्यायाम् एव 'मेषीम्' 'अवदधाति' प्रक्षिपति। प्रतिप्रस्थातृकर्तृकायां 'दक्षिणस्यां' मेषं' प्रक्षिपति। अनयोर्दक्षिणोत्तरभावं लोकन्यायेनोपपादयति–**एवमिवेति** ॥ १७ ॥

हविषामासादनं विधत्ते–**स सर्वाण्येवेति**। आग्नेयादीनि 'सर्वाण्येव हवींषि' 'उत्तरस्यां' 'वेदौ' वेद्यां 'सः अध्वर्य्युः' 'आसादयेत्', 'प्रतिप्रस्थाता' तु 'एताम्' मारुतीं 'पयस्यामेव' 'दक्षिणस्यां' वेद्यामासादयेदित्यर्थः[३] ॥ १८ ॥

हविरासादनोत्तरकालमग्निमन्थनं विधत्ते–**आसाद्येति**। **अग्निं मथित्वे**त्यादि। अग्निमन्थनानन्तरं जातम्

१–मेषमिथुनं च मारुत्यां मेषम्। का. श्रौ. सू. २२.५। ११३। ११४। २–'अतः'–इ. पा.। ३–'सर्व्वाणि हवीᳪंष्युत्तरस्यामासादयति मारुतीᳪं सहाज्यां प्रतिप्रस्थाता दक्षिणस्याम्। (का.श्रौ.सू. ५।११५) ४–आसाद्याग्निमंथनं। का. श्रौ. सू. ५।२१ अग्नेर्जनित्रमिति शकलमादाय वेद्यां करोति २२ वृषणाविति कुशतरुणे तस्मिन् २३ उर्व्वश्यसीत्यधरारणिं तयोः २४ आयुरसीत्युत्तरयाऽज्यस्थालीᳪं संस्पृश्य पुरूरवा इत्यधिनिधानं २५ अग्नये मथ्यमानायानुवाचयति २६ मंथति गायत्रेणेति प्रतिमंत्रं त्रिः प्रदक्षिणम् २७ जाते जातायेति, २८ प्रह्रियमाणायेति प्रास्यन्। २९ भवतन्न इति प्रास्यति ३० अग्नावग्निरिति जुहोति स्थाल्याः स्रुवेण। इत्याग्निमंथनं का० श्रौ० सू० ५। २१–३१।

ध्मावभ्याधत्त ऽउभौ समिधौ परिशिꣳष्ट ऽउभौ पूर्वावाघारावाघारयतोऽ-
थाध्वर्युरेवाहाग्निमग्नीत्सम्मृड्ढीत्यसम्मृष्टमेव भवति सम्प्रेषितम् ॥ १९ ॥

(मु) अथ प्रतिप्रस्थाता प्रतिपरैति । स पत्नीमुदानेष्यन्पृच्छति केन चरसीति व्वरुण्यं व्वाऽएतत्स्वीकरोति यदन्यस्य सत्यन्येन चरत्यथो नेन्मेऽन्तःशल्या जुहवदिति तस्मात्पृच्छति निरुक्तं व्वा एनः कनीयो भवति सत्यꣳहि भवति तस्माद्वेव पृच्छति सा यन्न प्रतिजानीत ज्ञातिभ्यो हास्यै-तदहितꣳ स्यात् ॥ २० ॥

समिध्यमानायानुब्रूहि" इति । ता उभावेवेध्मावभ्याधत्तः, उभौ समिधौ परिशिंष्टः । उभौ पूर्वावाघारावाघारयतः । अथाध्वर्युरेवाह–'अग्निमग्नीत् सम्मृड्ढि' इति । असम्मृष्टमेव भवति संप्रेषितम् ॥ १९

अथ प्रतिप्रस्थाता प्रतिपरैति । स पत्नीमुदानेष्यन् पृच्छति–' केन चरसि ' इति । वरुण्यं वा एतत् स्वीकरोति–यदन्यस्य सती–अन्येन चरति, 'अथो नेन्मेऽन्तःशल्या जुहवदिति' तस्माद्ध पृच्छति । निरुक्तं वा एनः कनीयो भवति । सत्यं भवति तस्माद्वेव पृच्छति । सा यन्न प्रतिजानीत–ज्ञातिभ्यो हास्यैतदहितं स्यात् ॥ २० ॥

'अग्निम्' आहवनीये "भवतन्न"–(वा. सं. ५।३) इति मन्त्रेण 'अनुप्रहृत्य' प्रक्षिप्य, "अग्नावग्निः"–(वा. सं. ५ । ४) इति मन्त्रेणाभिजुहुयात् । एतच्चाग्निमन्थनादिकम् 'अध्वर्युः' एकः 'एव' कुर्य्यात्; न प्रतिप्रस्थातेत्यभिप्रायः । दक्षिणोत्तरयोरुभयोरप्याहवनीययोराहुत्यधिकरणत्वेनेध्माधानेन समिन्धनीयत्वात् तद्धेतुभूतः सामिधेनीप्रैषोऽपि अध्वर्य्युप्रतिप्रस्थातृभ्यामुभाभ्यां प्रयोक्तव्य इत्याशङ्क्याह–**अथाध्वर्य्युरेवे**ति । 'एव'–कारः प्रतिप्रस्थातृ–व्यावृत्त्यर्थः । एकस्याहवनीयस्य देशभेदेन द्विधाऽवस्थानात्, प्रतिप्रस्थातुरग्नेराहवनीयान्तरात्वाभावात्, प्रेष्यस्य च होतुरुभयत्रैकत्वाद्, अध्वर्य्युणोच्यमान एव प्रैष उभयत्रोपकरोति, तावुभौ समिधावित्यभिप्रायः । इध्माधानादिकन्तु ताभ्यां समनुष्ठेयमित्याह–**ता उभावि**ति । 'तौ' अध्वर्य्युप्रतिप्रस्थातारौ 'उभौ' 'समिधौ' इति व्यधिकरणे पदे । 'उभौ' अध्वर्युप्रतिप्रस्थातारौ अनुयाजार्थं 'समिधौ' परिशेषयत इत्यर्थः । 'अथाध्वर्य्योरेव कर्त्तव्यमाह–**अथाध्वर्य्युरेवे**ति । हे 'अग्नीत्'; सामिधेनीप्रैषवत् 'अग्निम्' आहवनीयं 'सम्मृड्ढि' सम्मार्जनेन संस्कुरु । **असंमृष्टमेवे**ति । करम्भपात्राणां होमस्य कालविधिः । अग्निमग्नीदिति सम्प्रैषे कृते तदर्थत्वात् आग्नीध्रेणानुष्ठिते इत्यर्थः ॥ १९ ॥

तस्य च करम्भपात्राणां होमस्य पत्नीकर्तृकत्वं विधित्सुस्तस्यां सम्भावितस्य पुरुषान्तरसङ्गतिजनितस्यैनसः प्रश्नं दर्शयति–**अथ प्रतिप्रस्थाते**ति । अग्निमग्नीदिति सम्प्रैषानन्तरं 'प्रतिपरैति' निवर्तते, पत्नी यत्रास्ते तं देशं प्रतिगच्छेदित्यर्थः । 'सः' च प्रतिप्रस्थाता 'पत्नीम्' 'उदानेष्यन्' उदागमिष्यन् तां पत्नीं 'पृच्छति'–हे पत्नि ! त्वं 'केन' जारेण 'चरसि' वर्त्तसे 'इति' । पुरुषान्तरसङ्गतेर्दोषान्तरतामाह–**वरुण्यमि**ति । तेन पापेन हेतुना वरुणपाशबन्धो भवति, तत् पापं 'वरुण्यम्' । 'अन्यस्य' पुरुषस्य पत्नी 'सती', 'अन्येन' पुरुषान्तरेण सह 'चरति' वर्त्तते इति । यत्, एतत् वरुण्यमेव 'स्वीकरोति' ।

१–'व्यवच्छेदार्थ इत्यर्थः'–इ.पा. । २–सम्मार्जनायप्रेषितेऽसंमृष्टे प्रतिप्रस्थाता पत्नीमानेष्यन्नाह केन चरसीति । का० श्रौ० सू० ५ । ११६ ।

(त्तां) त्तां व्वाचयति । प्रघासिनो हवामहे मरुतश्च रिशादसः । करम्भेण सजोषस ऽइति यथा पुरोऽनुवाक्यैवमेषैतयैवैनानेतेभ्यः पात्रेभ्यो ह्वयति २१॥

तानि वै प्रतिपुरुषम् । यावन्तो गृह्याः स्युस्तावन्त्येकेनातिरिक्तानि भवन्ति तत्प्रतिपुरुषमेवैतदेकैकेन या अस्य प्रजा जातास्ता व्वरुणपाशात्प्रमुञ्चत्येकेनातिरिक्तानि भवन्ति तद्या एवास्य प्रजा अजातास्ता व्वरुणपाशात्प्रमुञ्चति तस्मादेकेनातिरिक्तानि भवन्ति ॥ ❀ २२ ॥

तां वाचयति " प्रघासिनो हवामहे मरुतश्च रिशादसः । करम्भेण सजोषसः "–(वा. सं. ३ । ४४) इति । यथा पुरोऽनुवाक्या, एवमेवैषा । एतयैवैनानेतेभ्यः पात्रेभ्यो ह्वयति ॥ २१ ॥)

तानि वै प्रतिपुरुषं. यावन्तो गृह्याः स्युः, तावन्ति, एकेनातिरिक्तानि भवन्ति । तत् प्रतिपुरुषमेवै-

---

प्रष्टुः प्रतिप्रस्थातुरभिप्रायमाह–अथो इति । ' अथो ' अपि च एषा पत्नी ' अन्तःशल्या ' शरीरमध्ये दुश्चरितजनितेन पापरूपेण शल्येन युक्ता सती ' न इत् ' नैव ' मे ' मदीयेऽग्नौ 'जुहवत्' जुहुयात् इति । 'तस्मात्' कृतस्य पापस्य कनीयस्त्वम् । तस्माद्वेवेति । ' उ '–शब्दोऽपीत्यर्थे, ' एव '–कारो भिन्नक्रमः । तस्मादपि कारणात् ' पृच्छत्येवेत्यर्थः । विपक्षे बाधोपन्यासेन पत्न्या अपि यथार्थभाषणं कर्त्तव्यमिति विधत्ते–सेति । ' यत् ' यदि ' सा ' पत्नी पृष्टमर्थं ' न प्रतिजानीत ' न प्रतिब्रूयात् ' तत् ' तदा, ' असौ ' षष्ठ्यर्थे चतुर्थी, अस्याः पत्न्याः ' ज्ञातिभ्यः ' ' अहितम् ' अनिष्टं स्यात्, तस्मादु वस्तुतो विद्यमानं वृत्तान्तमाचक्षीतेत्यर्थः । तैत्तिरीयकेऽप्याम्नायते–"यज्जारं सन्तं न प्रब्रूयात्, प्रियं ज्ञाति ९ रुन्ध्यात्, असौ मे जार इति निर्दिशेत् " इति–(तै. ब्रा. १।६।५।२) तदुक्तं कात्यायनेन–" प्रतिप्रस्थाता पत्नीमानेष्यन्नाह केन चरसीति, संस्तुतानाचष्टे "–इति । संस्तुताः परिचिता जारा इत्यर्थः ॥ २० ॥

तस्या वाचनं विधत्ते–तां वाचयतीति । " प्रघासिनः " इत्यादिर्वाचनीयो मन्त्रः । तस्यायमर्थः–'प्रघासिनः प्रघासः प्रवसनीयं भोज्यं हविः, तद्वतो ' मरुतः ' "शुक्रज्योतिश्च चित्रज्योतिश्च"–(वा० सं० १७ । ८० । ८६) इत्यादिना प्रतिपादितनामधेयान् एकोनपञ्चाशत्सङ्ख्यान् देवान् ' हवामहे ' आह्वयामः । मरुतो ' रिशादसः ' रिशाः हिंसकाः शत्रवः, तेषां निरसितारः ' करम्भेण ' करम्भपात्ररूपेण हविषा सजोषसः समानप्रीतयश्च भवन्ति, तान् मरुत इति ॥

एतन्मन्त्रं पुरोऽनुवाक्यानुवचनसादृश्येन स्तौति–यथेति ' पुरोनुवाक्या ' हि यक्ष्यमाणदेवताह्वानार्था, ' एवम् एव ' ' एषा प्रघासिन इत्यृक्' अतः ' एतया एव ' ' एनान् ' मरुतः ' एतेभ्यः' पात्रेभ्यः' करम्भपात्रेभ्यः 'ह्वयति ' होष्यमाणं करम्भपात्रलक्षणं हविर्भोक्तुमाह्वयतीत्यर्थः ॥ २१ ॥

करम्भपात्राणि कुर्वन्ति यावन्तो गृह्याः स्युस्तावन्ति–इति वाक्येन प्राग्विहितम् (श. प. २।५।२।१४)

---

२२ इयंश्रुतिः–जातश्रुतिरित्युच्यते । तदाह कात्यायनः । प्रजायां वा जातश्रुतेरिति–श्रौ. सू. अ. ५ कं. ६ सू. ४ ।

१–" पत्नी एतावन्तो मे जारा इति नामग्राहं कथयति, अमुना अमुना जारेण सह चरामीति वा; नो चेन्नान्येनेति । यदि लज्जादिवशात् न कथयति, प्रतिजारं तृणानि उद्गृह्णाति " । का० श्रौ० सू० ५ । ११७ तृणानि वोद्गृह्णाति प्रतिसंस्तुतं । अनाख्यातमहितं ज्ञातिभ्य इति श्रुतेः । का० श्रौ० सू० ५ । ११९ । २–' परिजताः '–इ. पा. ।

३–" आख्याते प्रघासिन इत्येनां वाचयति नयन् का: ५ । १२० ।

पात्राणि भवन्ति । पात्रेषु ह्यशनमश्यते यवमयानि भवन्ति यवान्हि जक्षुषीर्वरुणोऽगृह्णाच्छूर्पेण जुहोति शूर्पेण ह्यशनं क्रियते पत्नी जुहोति मिथुनादेवैतद्वरुणपाशात्प्रजाः प्रमुञ्चति ॥ २३ ॥

पुरा यज्ञात्पुराहुतिभ्यो जुहोति । अहुतादो वै विशो विशो वै मरुतो यत्र वै प्रजापतेः प्रजा वरुणगृहीताः परिदीर्णा अनत्यश्च प्राणत्यश्च शिश्यिरे च निषेदुश्च तद्धासां मरुतः पाप्मानं विमेथिरे तथो ऽएवैतस्य प्रजानां मरुतः पाप्मानं विमथ्नते तस्मात्पुरा यज्ञात्पुराहुतिभ्यो जुहोति २४

तदेकैकेन—या अस्य प्रजा जाताः ता वरुणपाशात् प्रमुञ्चति । एकेनातिरिक्तानि भवन्ति । तद्या एवास्य प्रजा अजाताः, ता वरुणपाशात् प्रमुञ्चति । तस्मादेकेनातिरिक्तानि भवन्ति ॥ २२ ॥

पात्राणि भवन्ति । पात्रेषु ह्यशनमश्यते । यवमयानि भवन्ति । यवान् हि जक्षुषीर्वरुणोऽगृह्णात् । शूर्पेण जुहोति । शूर्पेण ह्यशनं क्रियते । पत्नी जुहोति । मिथुनादेवैतद्वरुणपाशात् प्रजाः प्रमुञ्चति २३

पुरा यज्ञात्पुराहुतिभ्यो जुहोति । अहुतादो वै विशः । विशो वै मरुतः । यत्र वै प्रजापतेः प्रजा वरुणगृहीताः परिदीर्णा अनत्यश्च, प्राणत्यश्च;—शिश्यिरे च, निषेदुश्च—तद्धासां मरुतः पाप्मानं विमेथिरे । तथो एवैतस्य प्रजानां मरुतः पाप्मानं विमथ्नते । तस्मात् पुरा यज्ञात् पुराहुतिभ्यो जुहोति ॥२४

तदनूद्य स्तौति—**तानि वा** इति । 'प्रतिपुरुषं' पुरुषं पुरुषं प्रत्येकैकं करम्भपात्रं भवति । यावन्त इत्याद्युक्तार्थम् । पुरुषसङ्ख्यया पात्रनिर्माणस्य प्रयोजनमाह—**तत् प्रतिपुरुष**मिति । 'अस्य' यजमानस्य 'याः प्रजाः जाताः' 'ताः' प्रतिपुरुषं' प्रत्येकम् 'एकैकेन' पात्रेण 'वरुणपाशात्' 'प्रमुञ्चति' ऐकातिरिक्ततामेषामनूद्य स्तौति—**एकेने**ति । जनिष्यमाणानां प्रजानां वरुणपाशविमोचनार्थमेकमतिरिक्तं कर्त्तव्यमित्यर्थः ॥ २२ ॥

पुरोडाशादिरूपतां विहाय पात्ररूपेण निर्माणमुपपादयति—**पात्राणी**ति । 'हि' यस्मात् 'पात्रेषु' कांस्यादिनिर्मितेषु 'अशनम्' अन्नम् 'अश्यते' भुज्यते, अतो मरुतां पयस्यारूपस्यान्नस्य भोजनीयपात्ररूपेणैवैतानि निर्मातव्यानीत्यर्थः । यवमयत्वमनूद्य स्तौति—**यवमयानी**ति । 'जक्षुषीः' भक्षितवतीरित्यर्थः । अथ तेषां करम्भपात्राणां होमं विधत्ते—**शूर्पेणे**ति । जुह्वादिपात्रं विहाय शूर्पेणैवैतानि जुहुयात् । तेन हि 'शूर्पेण' तुषनिर्वपनद्वारा 'अशनम्' अन्नं 'क्रियते' अतः शूर्पहवनं प्रशस्तम् । न चात्र शूर्पो हेत्वर्थः शङ्कनीयः; "हेतुर्वा स्यादर्थवत्तोपपत्तिभ्याम्, स्तुतिस्तु शब्दपूर्वत्वात्" (जै. सू. मी. १ । २ । २६–३० अधि० ३) इत्यधिकरणे स्तुतित्वेनान्वयस्य प्रतिपादितत्वात् 'पत्नी जुहोति' इति कर्त्तृविधिः । 'मिथुनादेव' इत्यादि तत्प्रशंसा । स्त्रिया अपि कर्तृत्वेन होमेऽन्वयात् मिथुनं सम्पद्यते । तथा च यजमानपत्नीरूपान्मिथुनादेवेत्ययमर्थः सिध्यति ॥ २३ ॥

स्रुवाघारहोमादेः पूर्वभावित्वं करम्भपात्रहोमस्य विधत्ते—**पुरे**ति । यज्ञो वषट्कारप्रदानो यजतिचोदित आग्नेयः,

---

१–'एतदतिरिक्तताम्–' इ० पा० । २–करंभपात्राणि जुहोति शूर्पेण मूर्द्धनि कृत्वा दक्षिणेनौऽप्रत्यङ्मुखौ जायापती वा दक्षिणेनाहृत्य पूर्व्वेण वेदिमपरेण यथाम इति (का. श्रौ. सू. ५ । २१) । पत्नी शूर्पं मूर्द्धनि कृत्वाऽऽगच्छति । शूर्पं मस्तकादधोऽवतार्य शूर्पेणैव करंभपात्राणि जुहोति । न तु शीर्षाधिष्ठितशूर्पेण । जायापतीहोमपक्षे यजमानः पत्नीमन्वारभते । इति कर्काशयः । ३–'परावपनद्वारा'–इ. पा. । ४–"तिष्ठद्धोमा वषट्कारप्रदाना याज्यापुरोनुवाक्यावन्तो यजतयः–" (का.श्रौ.सू. अ. १ सू.२७) ।

सा वै दक्षिणेऽग्नौ जुहोति । यद् ग्रामे यदरण्यऽइति ग्रामे वा ह्यरण्ये वैनः क्रियते यत्सभायां यदिन्द्रिय ऽइति यत्सभायामिति यन्मानुष ऽइति तदाह यदिन्द्रिय ऽइति यद्देवत्रेति तदाह यदेनश्चकृमा व्वयमिदं तदवयजामहे स्वाहेति यत्किञ्च व्वयमेनश्चकृमेदं व्वयं तस्मात्सर्व्वस्मात्प्रमुच्यामह ऽइत्येवैतदाह ॥ २५ ॥

सा वै दक्षिणेऽग्नौ जुहोति–"**यद्ग्रामे यदरण्ये**" (वा. सं. ३।४५) इति । ग्रामे वा ह्यरण्ये वैनः क्रियते । '**यत्सभायां यदिन्द्रिये**' (वा. सं. ३।४५) इति । यत्सभायामिति–यन्मानुष इति । तदाह–यदिन्द्रिय इति–यद्देवत्रेति तदाह । यदेनश्चकृमा वयमिदं तदवयजामहे स्वाहेति । यत् किञ्च वयमेनश्चकृम–इदं वयं तस्मात् सर्वस्मात्–प्रमुच्यामहे–इत्येवैतदाह ॥ २५ ॥

आहुतयः स्वाहाकारप्रदाना जुहोतिचोदिताः[1]; एतत्पूर्वभावित्वमुपपादयति–**अहुतादो वा** इति । अहुतं होमसंस्काररहितम् अदन्ति भक्षयन्त्यहुतादः । मरुतां वैश्यजातित्वेन अहुतादानधर्मवत्त्वात् सर्वहोमात् पूर्वं तेभ्यो हविःप्रदानं युक्तमिति भावः । इतोऽपि करम्भपात्राणां पूर्वं होम इत्याह–**यत्रे**ति । 'परिदीर्णाः' इत्यादिकं व्याख्यातम् (श. प. २ । ५ । २ । २ भा.) । 'यत्र' यदा खलु 'प्रजापतेः प्रजाः' वरुणगृहीताः' परिदीर्णत्वादिरोगग्रस्ता अभवन्, 'तत्' तदा 'आसां' प्रजानां 'पाप्मानं' 'मरुतः' 'विमेथिरे' विलोप्रयन्ति[2] स्म, संश्लेषितवन्त इत्यर्थः । 'तथो एव' एवमेव 'एतस्य' यजमानस्य 'प्रजानां' वरुणपाशगृहीतानां 'पाप्मानं' पाशविमोचनात् प्रागेव मरुतः 'विमथ्नते' संविश्लेषयन्ति । 'तस्माद्' वरुणपाशग्रहविमोचनार्थाद् यज्ञात्, 'आहुतिभ्यः' च पूर्वमेव करम्भपात्राणां होमेन मरुतां शमनं[3] युक्तमित्यर्थः ॥ २४ ॥

अग्निविशेषं विधत्ते–**सा वा** इति । 'सा' खलु पत्नी 'दक्षिणे' दक्षिणस्यां वेद्यामवस्थिते आहवनीये 'अग्नौ' 'जुहोति' । **यद् ग्राम** इति । तत्र करणमन्त्रः । तं पदशोऽनूद्य व्याचष्टे–**यद् ग्रामे** इत्यादिना । 'यत् एनः क्रियते" 'तत्' ग्रामे वा अरण्ये वा भवति । "यत् सभायाम्" इति द्वितीयपादस्य कार्त्स्न्येनानुवादः । तत्र प्रथमार्द्धमनूद्य सभाशब्दं व्याचष्टे–**यत्सभाया**मिति । यन्मनुष्यसङ्घैः एनः क्रियत इति योऽर्थः । **तदाहे**ति । अयमेव यत्सभायामिति मन्त्रभागः प्रतिपादयतीत्यर्थः । यदिन्द्रिय इतीन्द्रियपदस्य देवसङ्घपरत्वमाह–**यदिन्द्रिय** इति । 'इन्द्रिये' इन्द्रियसम्बन्धिनि देवसमूहे निमित्तभूते सति यदेनः क्रियत इति मन्त्रभागस्यार्थः । **देवत्रे**ति । 'देवत्रा' देवेषु "देवमनुष्य–(पा. सू. ५।४।५६)" इत्यादिना सप्तम्यर्थे त्राप्रत्ययः । तदुत्तरभागमनूद्य व्याचष्टे–**यदेन** इति । ग्रामादिस्थानेषु यत् पापं वयं 'चकृम' कृतवन्तः, 'तत्' पापम 'इदम्' इदानीं करम्भपात्रलक्षणेन हविषा 'अवयजामहे' समर्पयामः 'स्वाहा'–इति निपातो दानार्थे, सुहुतमिदमस्त्विति मन्त्रभागस्यार्थः । **तस्मात् सर्वस्मादि**त्यादि । कृतस्यैनसोऽवयजनं नाम 'तस्मात् सर्वस्मात्' 'प्रमोचनं' विश्लेषः । ग्रामारण्यादिस्थानभेदेन बहुविधस्यैनसः सङ्ग्रहाय सर्वस्मादिति विशेषणम् ॥२५॥

१–" उपविष्टहोमाः स्वाहाकारप्रदाना जुहोतयः–" (का. श्रौ. अ. १ सू. २८) २–'विलोलयन्ति' इति पा० । ३–'शयनं' इति 'शंसनं' इति च. पा. ।

(ह्रा) अथैन्द्रीं मुरुत्वतीं जपति । यत्र वै प्रजापतेः प्रजानां मुरुतः पाप्मानं विमेथिरे तद्धेक्षाञ्चक्रऽइमे ह मे प्रजा न विमथ्नीरन्निति ॥ २६ ॥

स एतामैन्द्रीं मरुत्वतीमजपत्क्षत्रं वाऽइन्द्रो विशो मरुतः क्षत्रं वै विशो निषेद्धा निषिद्धा असन्निति तस्मादैन्द्री ॥ २७ ॥

मो षू णः । (८) इन्द्रात्र पृत्सु देवैरस्ति हि ष्माते शुष्मिन्नवयाः । महश्चिद्यस्य मीढुषो यव्या हविष्मतो मरुतो वन्दते गीरिति ॥ २८ ॥

अथैन्द्रीं मरुत्वतीं जपति । यत्र वै प्रजापतेः प्रजानां मरुतः पाप्मानं विमेथिरे—तद्धेक्षाञ्चक्रे—' इमे ह मे प्रजा न विमथ्नीरन् ' इति ॥ २६ ॥

स एतामैन्द्रीं मरुत्वतीमजपत् । क्षत्रं वा इन्द्रः, विशो मरुतः । क्षत्रं वै विशो निषेद्धा । ' निषिद्धा असन् ' इति तस्मादैन्द्री ॥ २७ ॥

"मो षू ण इन्द्रात्र पृत्सु देवैरस्ति हि ष्माते शुष्मिन्नवयाः । महश्चिद्यस्य मीढुषो यव्या हविष्मतो मरुतो वन्दते गीः"—इति ॥ २८ ॥

यजमानस्य मन्त्रजपं विधत्ते—**अथेति** । ' अथ '—शब्दो होमानन्तर्ये, ' ऐन्द्रीम् ' इन्द्रदेवताकाम्, ' मरुत्वतीं ' मरुत्वच्छब्दयुक्ताम्, " मो षूण इन्द्र "—इत्यादिकामृचं यजमानो जपेदित्यर्थः । उक्तं हि सूत्रकृता—" मो षू ण इति यजमानो जपति "—(का. श्रौ. सू. ९ । १३२) इति मरुत्वदिन्द्रदेवताकामृचं प्रशंसति—**यत्रेति** । **मरुतः पाप्मानमित्यादि** । यदा खलु वरुणपाशेन बद्धाः प्रजाः, तदा तासां यद् बन्धनकारणं पापं मरुतः, ' विमेथिरे ' विलोपितवन्तः, ' तत् ' तदानीं प्रजापतिः खलु ' ईक्षाञ्चक्रे' पर्यालोचितवान्—' इमे ' खलु ' मरुतः ' मदीयाः ' प्रजाः ' न विमथ्नीरन् न विबाधेरन् इति ॥ २६ ॥

स एतामिति । ' सः ' प्रजापतिः पूर्वोक्तरूपं पर्यालोच्य ' एताम् ऐन्द्रीं मरुत्वतीम् ' ऋचम् ' अजपत् ' अत्रेन्द्रस्य प्रसङ्गमाह—**क्षत्रं वा** इति । ' इन्द्रः ' खलु क्षत्रियजातिः, तस्येन्द्रस्य ' विशो मरुतः', क्षत्रियो हि प्रजानां ' निषेद्धा ' निरोधकः, तेनेन्द्रेण ' निषिद्धाः ' निवारिता भवेयुः । ' इति ' अनेनाभिप्रायेणेन्द्रदेवताकाया ऋचो जप इत्यर्थः ॥ २७ ॥

तामृचं पठति—**मो ष ण** इति । अस्याश्चायमर्थः हे—'इन्द्र' ! 'अत्र ' एषु ' पृत्सु ' संग्रामनामैतत् । 'नः ' अस्मदीयाः प्रजाः 'मा उ सु' हिंसीः । हे 'शुष्मिन्' बलवन्निन्द्र ! ' देवैः ' मरुद्भिः सहितस्य ' ते ' तव 'अवयाः' अवपूर्वाद् यजेः " अवयाः—श्वेतवाः "—(पा. सू. ८ । २ । ६७) इति निपात्यते । अवयजनरूपकरम्भपात्रहोमः " अस्ति ' खलु ' महश्चित् ' महतोऽपि ' मीढुषः ' सेक्तुः यव्याः " सुपां सुलुक् "—(पा. सू. ७ । १ । ३९) इति भिस आडादेशः । यवमयैर्हविर्भिः ' हविष्मतः ' ' यस्य ' इन्द्रस्य ' मरुतः ' देवान्

१—महीधरस्तु—' अवयाः ' अवयुतो यागः ' अस्ति हि स्म ' विद्यते खलु । अवपूर्वस्य यजतेरेतद्रूपम् ' इत्याह । ' किंच गीरस्मदीया स्तुतिरूपा वाक् मरुतो भवतः सखीन् वन्दते नमस्करोतिं, " नमो मरुद्भ्यः " इत्येवमाकारायाः स्तुतेर्नमस्काररूपत्वात्—' इति व्याचख्यौ ।

(त्यु) अथैनां व्वाचयति । (त्यु) अक्रन्कर्म कर्मकृतऽइत्यक्रन् हि कर्म कर्मकृतः सह व्वाचा मयोभुवेति सह हि व्वाचाऽक्रन्देवेभ्यः कर्म कृत्वेति देवेभ्यो हि कर्म कृत्वाऽस्तं प्रेत सचाभुव इत्यन्यतो ह्योढया सह भवन्ति तस्मादाह सचाभुव इत्यस्तं प्रेतेति जघनार्धो वाऽएष यज्ञस्य यत्पत्नी तामेतत्प्राचीं यज्ञं प्रासीषदद्गृहा वाऽअस्तं गृहाः प्रतिष्ठा तद्गृहेष्वेवैनामेतत्प्रतिष्ठायां प्रतिष्ठापयति ॥ २९ ॥

अथैनां वाचयति–"**अक्रन् कर्म कर्मकृतः**"–(वा० ३ । ४७ ।) इति । अक्रन् हि कर्म कर्मकृतः । "**सह वाचा मयोभुवा**"–(वा० ३ । ४७) इति । सह हि वाचाऽक्रन् । "**देवेभ्यः कर्म कृत्वा**"–(वा ३-४७) इति । देवेभ्यो हि कर्म कृत्वा । "**अस्तं प्रेत सचाभुवः**" (वा० ३ । ४७) इति । अन्यतो ह्योढया सह भवन्ति । तस्मादाह–सचाभुव इति । अस्तं प्रेतेति । जघनार्द्धो वा एष यज्ञस्य–यत्पत्नी । तामेतत् प्राचीं यज्ञं प्रासीषदत् । गृहा वा अस्तम्, गृहाः प्रतिष्ठा । तद्गृहेष्वेवैनामेतत् प्रतिष्ठायां प्रतिष्ठापयति ॥ २९ ॥

अनुचरान् ' गीः ' स्तुतिरूपा वाक् '. वन्दते ' स्तौति " वदि अभिवादनस्तुत्योः "–इति धातुः (धा. पा. भ्वा. प. ११) ' इति ' इत्यस्य पूर्वत्रान्वयः ॥ २८ ॥

पत्न्या वाचनं विधत्ते–**अथैना**मिति । तं वाचनीयं मन्त्रं पदशोऽनूद्य व्याचष्टे–**अक्रन् कर्मे**ति । कर्म कुर्वन्तीति ' कर्मकृतः ' ये यजमानस्यामात्याः, ते हि इदानीं करम्भपात्रहोमरूपं ' कर्म ' ' अक्रन् ' अकार्षुः अतोऽक्रन् कर्म्मेति मन्त्रभागवाचनं युक्तम् । द्वितीयपादस्यार्थः प्रसिद्ध इत्याह–**सह ही**ति । ' मयोभुवः ' मयसः सुखस्य भावयित्र्या मन्त्ररूपया वाचा सह एतत् कर्म ' अक्रन् ' अकार्षुः । **देवेभ्य** इत्यादि । हे यजमानस्यामात्या ऋत्विजश्च ! यूयं वरुणप्रघासाख्यकरम्भपात्रहोमरूपं च कर्म देवार्थं ' कृत्वा ' ' अस्तं ' गृहनामैतत्; यजमानस्य गृहान् ' सचाभुवः ' पत्न्या सह भवन्तः, सह वर्त्तमानाः ' प्रेत ' आगच्छतेति मन्त्रभागस्यार्थः । सचाभुव इत्येतद् व्याचष्टे–**अन्यत** इति । अन्यस्माद् देशाद् पत्न्यासनलक्षणात् ' ऊढया ' आहवनीयसमीपं प्रापितया पत्न्या सह खल्विदानीं वर्तन्ते, तस्मात् सचाभुव इत्येतद् यथार्थम् । अस्तं प्रेतेत्यस्याभिप्रायमाह–**जघनार्द्धो वा** इति । तामेतत् प्राचीमिति यज्ञस्यापरभागेऽवस्थितां 'ताम्' ' एतत् ' एतर्हि ' प्राचीं ' प्रागू गच्छन्तीम् पूर्वभागसम्बन्धिनीं ' यज्ञं ' 'प्रासीषदत्' प्रापीपत् प्रतिप्रस्थाता । सदेर्ण्यन्तात् लुङि चङि रूपम् । **गृहा वा अस्त**मिति । अस्यते क्षिप्यते सर्वं वस्तुजातमस्मिन्निति 'अस्तं गृहाः' " क्तोऽधिकरणे च "–इति (पा. सू. ३ । ४ । ७६) क्तप्रत्ययः । एतत् ' एतेन ' अस्तं प्रेत '–इति मन्त्रभागवचनेन गृहरूपायामेव ' प्रतिष्ठायां ' पुनः ' एनां ' स्थापितवान् भवति ' ॥ २९ ॥

१–अक्रन्कर्मेत्येनां व्वाचयति प्रतिनयत् (कर्कः) । का. श्रौ. सू. । ५ । १२३ । प्रतिशब्दप्रयोगात्तेनैव मार्गेण प्रतिनयनमिति ।

प्रतिपराणीयोदैति प्रतिप्रस्थाता । सम्मृजन्त्यग्निꣳ[1] सम्मृष्टेऽग्नौ ताऽउभावेवोत्तरावाघारावाघारयतोऽथाध्वर्युरेवाश्राव्य होतारं प्रवृणीते प्रवृतो होतोत्तरस्यै वेदेर्होतृषदन ऽउपविशत्युपविश्य प्रसौति ताऽउभावेव प्रसूतौ स्रुचऽ आदायातिक्रामतोऽतिक्रम्याश्राव्याध्वर्युरेवाह समिधो यजेति यज यजेति चतुर्थे चतुर्थे प्रयाजे समानयमानौ नवभिः प्रयाजैश्चरतः ॥ ३० ॥

(तोऽ) अथाध्वर्युरेवाहाग्नयेऽनुब्रूहीति।(त्या)आग्नेयमाज्यभागं तौऽउभावेव

प्रतिपराणीयोदैति प्रतिप्रस्थाता । सम्मृजन्त्यग्निम् । सम्मृष्टेऽग्नौ ता उभावेवोत्तरावाघारावाघारयतः । अथाध्वर्युरेवाश्राव्य होतारं प्रवृणीते । प्रवृतो होतोत्तरस्यै वेदेर्होतृषदन उपविशति । उपविश्य प्रसौति । ता उभावेव प्रसूतौ स्रुच आदायातिक्रामतः । अतिक्रम्याश्राव्याध्वर्युरेवाह–समिधो यज इति । 'यज यज' इति चतुर्थे चतुर्थे प्रयाजे समानयमानौ नवभिः प्रयाजैश्चरतः ॥ ३० ॥

अथाध्वर्युरेवाह–'अग्नयेऽनुब्रूहि' इति–आग्नेयमाज्यभागम् । ता उभावेव चतुराज्यस्यावदा-

---

अक्रन् कर्म्मेति मन्त्रवाचनानन्तरं कर्त्तव्यमुपदिशति–**प्रतिपराणीयोदैती**ति। पत्नीं प्रतिनिवर्त्त्य स्वस्थानं प्रापयितुं 'प्रतिप्रस्थाता' 'उदैति' उद्गच्छेत् । इत्थम् "अग्निमग्नीत्"–इति प्रैषसम्मार्जनयोर्मध्ये कर्त्तव्यमुक्त्वा, तत्सम्मार्जनप्रभृति प्रकृतिवदेवानुष्ठेयमिति दर्शयति–**सम्मृजन्ती**त्यादिना । एकस्मिन्नप्याग्नीध्रे पूजार्थं बहुवचनम् । एवमाहवनीये 'अग्नौ' 'सम्मृष्टे' 'उभावेव' एवकारोऽप्यर्थे । उभावपि अध्वर्युप्रतिप्रस्थातारौ 'उत्तरौ आघारौ आघारयतः' दीर्घधारया जुहुतः हविर्वेद्यग्नीनां भेदः प्रतिप्रस्थातुरपि दक्षिणेऽग्नौ आघारादिकं सर्वं प्रयोगजातमध्वर्युवदनुष्ठेयम् । अत एव तैत्तिरीयकम्–"यदेवाध्वर्युः करोति तत् प्रतिप्रस्थाता करोति" इति । **अध्वर्युरेवाश्रावये**दित्यादि । प्रवरप्रयाजाज्यभागादिसम्प्रैषस्य प्रेष्यस्य होतुरेकत्वात् कालभेदाभावाच्चाध्वर्युणैव कृतः प्रैष उभयत्रापि तन्त्रेणोपकरोतीत्येवकाराभिप्रायः । प्रवरादीनां चोदकप्राप्तानामनुवादः । तेषां स्वरूपं प्रथमकाण्डे (श. प. १।५।१) व्याख्यातमिति नेह पठ्यते । प्रतिप्रस्थातुरपि कर्त्तव्यं प्रतिपादयति–**उत्तरस्यै वेदे**रित्यादि । होता सीदत्यस्मिन्निति होतृषदनम् । उत्तरस्या वेद्याः सम्बन्धिनि 'होतृषदने' स्थाने; न दक्षिणस्या इत्यर्थः । 'प्रसौति' अध्वर्युप्रतिप्रस्थातारौ; प्रयाजान् कर्तुं स्रुगादाने प्रेरयति "षु प्रसवैश्वर्ययोः"–(धा. पा. अ. प. ३१) इति धातुः । 'प्रसूतौ' प्रेरितौ, अनुज्ञातावित्यर्थः । **स्रुच आदाये**ति । अध्वर्युप्रतिप्रस्थात्रोरुभयोरपि प्रत्येकं जुहूपभृतौ स्तः, तदभिप्रायेण स्रुच इति बहुवचनम् । "समिधो यज"–इति प्रथमप्रयाजसम्प्रैषः । द्वितीयादिषु "यज" इत्येव सम्प्रैषः । वीप्सा द्वितीयादिषु सर्वत्र सम्बन्धार्था । "चतुर्थे चतुर्थे" इति वीप्सा कर्तृद्वित्वापेक्षया । उभावपि 'चतुर्थे चतुर्थे प्रयाजे' आपि हुतमाज्यं जुहू 'समानयमानौ' प्रतिनयन्तौ 'नवभिः' नवसङ्ख्याकैः 'प्रयाजैः चरतः' ॥ ३० ॥

आज्यभागयोरपि प्रतिप्रस्थातृसाहित्यं विधातुमाह–**अथाध्वर्यु**रिति । **उभावेवे**ति । उभावपि अध्वर्यु-

---

१–आगते सम्मार्जनाद्याज्यभागाभ्याम् । का. श्रौ. सू. ५ । १२४ ॥ २–स्रुक्पाणिरास्ते प्रतिप्रस्थाता । का. श्रौ. सू. ५। १२५ । ३–घृतवतीमित्युक्ते स्रुचावादायातिक्रम्याश्राव्याह समिधो यजेति पंचप्रयाजान्त्समिद्धतमे । यजयजेति शेषम् । का. श्रौ. सू. २। ३५। ३६। ४–नवप्रयाजं नवानुयाजं । वैश्वदेवं पर्व । व्वरुणप्रघासा महाहविश्च । का. श्रौ. सू. ५। ३२ । ३३ ।

चतुराज्यस्यावदायातिक्रामतोऽतिक्रम्याश्राव्याध्वर्युरेवाहाग्निं यजेति ताऽ-
उभावेव वषट्कृते जुहुतः ॥ ३१ ॥

(ताेऽ) अथाध्वर्युरेवाह सोमायानुब्रूहीति । सौम्यमाज्यभागं ताऽउभा-
वेव चतुराज्यस्यावदायातिक्रामतोऽतिक्रम्याश्राव्याध्वर्युरेवाह सोमं यजेति
ताऽउभावेव वषट्कृते जुहुतः ॥ ३२ ॥

(स्त) तद्यत्किञ्च वाचा कर्त्तव्यम् । (म) अध्वर्युरेव तत्करोति न
प्रतिप्रस्थाता तद्यदध्वर्युरेवाश्रावयतीहैव यत्र वषट् क्रियते ॥ ३३ ॥

कृतानुकरऽएव प्रतिप्रस्थाता । क्षत्रं वै वरुणो विशो मरुतस्तत्क्षत्रा-
यैवैतद्विशं कृतानुकरामनुवर्त्मानं करोति प्रत्युद्यामिनीँ ह क्षत्राय विशं
कुर्याद्यदपि प्रतिप्रस्थाताऽऽश्रावयेत्तस्मान्न प्रतिप्रस्थाताऽऽश्रावयति॥३४॥

यातिक्रामतः । अतिक्रम्याश्राव्याध्वर्युरेवाह–' अग्निं यज ' इति । ता उभावेव वषट्-
कृते जुहुतः ॥ ३१ ॥

अथाध्वर्युरेवाह–' सोमायानुब्रूहि ' इति–सौम्यमाज्यभागम् । ता उभावेव चतुराज्यस्यावदा-
यातिक्रामतः । अतिक्रम्याश्राव्याध्वर्युरेवाह–' सोमं यज ' इति । ता उभावेव वषट्कृते जुहुतः॥३२॥

तद्यत् किञ्च वाचा कर्त्तव्यम्–अध्वर्युरेव तत् करोति, न प्रतिप्रस्थाता । तद्यदध्वर्युरेवाश्रावयति
इहैव यत्र वषट् क्रियते ॥ ३३ ॥

कृतानुकर एव प्रतिप्रस्थाता । क्षत्रं वै वरुणो, विशो मरुतः। तत् क्षत्रायैवैतद्विशं कृतानुकरामनु-
वर्त्मानं करोति प्रत्युद्यामिनीं ह क्षत्राय विशं कुर्यात् । यदपि प्रतिप्रस्थाताऽऽश्रावयेत् । तस्मान्न प्रति-
प्रस्थाताऽऽश्रावयति ॥ ३४ ॥

प्रतिप्रस्थातारौ ध्रौवस्य 'आज्यस्य ' सकाशात् ' चतुरवदाय ' जुह्वां चतुर्गृहीत्वेत्यर्थः । **वषट्कृते जुहुत** इति ।
एकस्मिन्नेव वषट्कारे उभावपि स्वस्वाहवनीये जुहुत इत्यर्थः ॥ ३१ ॥

अथाध्वर्युरेवाह सोमायेत्यादि । एतेन द्वितीयाज्यभागस्यानुष्ठानप्रकारः प्रतिपादितः ॥ ३२ ॥

सामिधेनीप्रैषादौ 'आश्राव्य' आश्रावणे चाध्वर्युरेवेति तत्र तत्र यत् प्रसङ्गत उक्तम्, तदिदानीं विधत्ते–
तद्यदिति । 'यत् ' किमपि आश्रावणादिकं 'वाचा कर्त्तव्यं' वागिन्द्रियसाध्यमिति, 'तत्' 'अध्वर्युरेव' कुर्यात् ।
'प्रतिप्रस्थाता' तूष्णीं क्रियमाणमनुतिष्ठेत्, आश्रावणादिकं वाचा न प्रयुञ्जीत । इमामेव श्रुतिमभिप्रेत्य सूत्रित-
मापस्तम्बेन–"यत् किञ्च वाचा कर्माणि अध्वर्युरेव तत् कुर्यात्" (आप. श्रौ. सू.८।९ । १७)इति । अस्य
नियमस्य प्रयोजनमाह–**तद्यदि**ति ।'यत्र' उत्तरस्यां वेद्यां 'वषट् क्रियते' होत्रा वषट्कारः प्रयुज्यते । 'इहैव' अस्मिन्नेव
स्थाने 'अध्वर्युरेक एव आश्रावयति' ॥ ३३ ॥

कृतानुकर एवेति । ' प्रतिप्रस्थाता ' अध्वर्युणा प्रथमं कृतस्य केवलमनुकर्मैव भवति न त्वासां पृथगा-

---

१–प्रणीतापत्नीसन्नहनाग्निमन्थनाश्रुतप्रत्याश्रुतप्रैषयजमानवाचनहोतृषदनवरणप्राशित्रांगुलिपर्व्वाञ्जनावांतरेडाभागापराग्न्यवस्थान
प्रतिप्रस्थाता । । का. श्रौ. सू.५ । ११० । न करोतीत्यर्थः ।

पाणावेव प्रतिप्रस्थाता । स्रुचौ कृत्वोपास्तेऽथाध्वर्युरेवैतैर्हविर्भिः प्रचरत्याग्नेयेनाष्टाकपालेन पुरोडाशेन सौम्येन चरुणा सावित्रेण द्वादशकपालेन वाऽष्टाकपालेन वा पुरोडाशेन सारस्वतेन चरुणा पौष्णेन चरुणैन्द्राग्नेन द्वादशकपालेन पुरोडाशेन ॥ ३५ ॥

(ना) अथैताभ्यां पयस्याभ्यां प्रचरिष्यन्तौ विपरिहरतः । स यो मेषो भवति मारुत्यां तं वारुण्यामुवदधाति या मेषी भवति वारुण्यां तां मारुत्यामुवदधाति तद्यदेवं विपरिहरतः क्षत्रं वै वरुणो वीर्यं पुमान्वीर्यमेवैतत्क्षत्रे धत्तोऽवीर्या वै स्त्री विशो मरुतस्तदवीर्यामेवैतद्विशं कुरुतस्तस्मादेवं विपरिहरतः ॥ ३६ ॥

पाणावेव प्रतिप्रस्थाता स्रुचौ कृत्वोपास्ते । अथाध्वर्युरेवैतैर्हविर्भिः प्रचरति–आग्नेयेनाष्टाकपालेन पुरोडाशेन, सौम्येन चरुणा, सावित्रेण द्वादशकपालेन वाऽष्टाकपालेन वा पुरोडाशेन, सारस्वतेन चरुणा, पौष्णेन चरुणा, ऐन्द्राग्नेन द्वादशकपालेन पुरोडाशेन ॥ ३५ ॥

अथैताभ्यां पयस्याभ्यां प्रचरिष्यन्तौ विपरिहरतः । स यो मेषो भवति मारुत्यां–तं वारुण्यामवदधाति । या मेषी भवति–वारुण्यां–तां मारुत्यामवदधाति । तद् यदेवं विपरिहरतः । क्षत्रं वै वरुणो वीर्यं पुमान्, वीर्यमेवैतत् क्षत्रे धत्तः । अवीर्या वै स्त्री, विशो मरुतः, तदवीर्यामेवैतद्विशं कुरुतः । तस्मादेवं विपरिहरतः ॥ ३६ ॥

श्रावणं कुर्यात् । तथा क्षत्राय क्षत्रियाय ' विशं ' वैश्यजातिं ' कृतानुकरां ' कृतानुकुर्वाणाम् ' अनुवर्त्मानम् '[1] अनुगमनशीलां ' करोति ' । विपक्षे बाधमाह–प्रत्युद्यामिनीमिति । 'यद्' यदि हि अध्वर्युवत् प्रतिप्रस्थातापि पृथगाश्रावणं कुर्यात्, तदा ' क्षत्राय ' वैश्यजातिं प्रत्युद्यामिनीं ' प्रत्युद्यमनशीलां ' कुर्यात् ' । तस्मादिति, उक्तार्थानुगमनम् ॥ ३४ ॥

पाणावेवेति । एवमुभौ अध्वर्युप्रतिप्रस्थातारौ आज्यभागाभ्यां प्रचर्य, ' प्रतिप्रस्थाता '[2] हस्ते एव जुहूपभृतौ धारयन् ' उपास्ते ' उपविशति, आ पयस्याप्रचरणकालात् । ' अध्वर्युः ' तु ' एतैः ' आग्नेयादिभिः स्ववेद्यामासादितैः ' हविर्भिः ' ' प्रचरति '[3] । तानि हवींषि परिगणयति–आग्नेयेनेत्यादिना ॥ ३५ ॥

अथैताभ्यामित्यादि । एवमैन्द्राग्नपर्यन्तैः षड्भिर्हविर्भिरिष्ट्वा ' अथैताभ्यां ' वारुणीमारुतीभ्यां ' पयस्याभ्यां ' ' प्रचरिष्यन्तौ ' यज्ञं तावध्वर्युप्रतिप्रस्थातारौ मेषमेष्यौ ' विपरिहरतः ' । तदेव विपरिहरणं दर्शयति–स य इति । " सः उत्तरस्यामेव पयस्यायां मेषीम् "–(श. प. २ । ५ । १७ ।) इत्यादिना विधानात् ' वारुण्यां मेषी ' स्यात् ' मारुत्यां मेषः ' । तत्र यो मारुत्यां मेषो भवति, तं तत आहृत्य वारुण्यां स्थापयेत् ।

१–कृतानुकरोऽन्यत्र दक्षिणस्याम् । का. श्रौ. सू. ५ । १११ । २–स्रुक्पाणिरास्ते प्रतिप्रस्थाता । का. श्रौ. सू. ५ । १२५ ।
३–हविर्भिश्चरति । अध्वर्युः । का. श्रौ. सू. ५ । १२६ ।

(तो॰) अथाध्वर्युरेवाह व्वरुणायानुब्ब्रूहीति । स ऽउपस्तृणीतऽआज्यमु-थास्यै व्वारुण्यै पयस्यायै द्विरवद्यति सोऽन्यतरेणावदानेन सह मेषमवद-धात्यथोपरिष्टादाज्यस्याभिघारयति प्रत्यनक्त्यवदाने ऽअतिक्रामत्यति-क्रम्याश्राव्याह व्वरुणं यजेति व्वषट्कृते जुहोति ॥ ३७ ॥

सव्ये पाणावध्वर्युः स्रुचौ कृत्वा । दक्षिणेन प्रतिप्रस्थातुर्व्वासोऽन्वारभ्याह मरुद्भ्योऽनुब्ब्रूहीत्युपस्तृणीतऽआज्यं प्रतिप्रस्थाताऽथास्यै मारुत्यै पयस्यायै द्विरवद्यति सोऽन्यतरेणावदानेन सह मेषीमवदधात्यथोपरिष्टादाज्यस्याभि-घारयति प्रत्यनक्त्यवदाने ऽअतिक्रामत्यथाध्वर्युरेवाश्राव्याह मरुतो यजेति व्वषट्कृते जुहोति ॥ ३८ ॥

अथाध्वर्युरेवाह–'वरुणायानुब्रूहि' इति । स उपस्तृणीत आज्यम् । अथास्यै वारुण्यै पयस्यायै द्विरवद्यति । सोऽन्यतरेणावदानेन सह मेषमवदधाति । अथोपरिष्टादाज्यस्याभिघारयति, प्रत्यनक्त्यवदाने, अतिक्रामति । अतिक्रम्याश्राव्याह 'वरुणं यज' इति, वषट्कृते जुहोति ॥ ३७ ॥

सव्ये पाणावध्वर्युः स्रुचौ कृत्वा दक्षिणेन प्रतिप्रस्थातुर्वासोऽन्वारभ्याह–'मरुद्भ्योऽनुब्रूहि' इति । उपस्तृणीत आज्यं प्रतिप्रस्थाता । अथास्यै मारुत्यै पयस्यायै द्विरवद्यति । सोऽन्यतरेणावदानेन सह मेषीमवदधाति । अथोपरिष्टादाज्यस्याभिघारयति, प्रत्यनक्त्यवदाने, अतिक्रामति । अथाध्वर्युरेवा-'श्राव्याह–'मरुतो यज' इति, वषट्कृते जुहोति ॥ ३८ ॥

यश्च मेषी वारुण्यां, तां तत आहृत्य मारुत्यां स्थापयेत् । तदेतद् विपरिहरणमनूद्य स्तौति–**तद्यदेवामि**ति । मेषो हि पुंरूपत्वाद् वीर्यरूपः; वरुणश्च क्षत्रियजातिः; तस्मिन् क्षत्रियेऽमेषस्य निधानात् 'वीर्यमेव एतत् धत्तः' 'अवीर्या' वीर्यं सामर्थ्यम्, तद्रहिता खलु 'स्त्री;' मरुतश्च वैश्यजातिः । मारुते हविषि स्त्रीपशो-र्मेष्या निधानात् तां वैश्यजातिम् 'अवीर्यां' वीर्यरहितामेव कुरुतः ॥ ३६ ॥

विपरिहरणानन्तरं वारुण्याः पयस्यायाः प्रचरणं विवक्ते–**अथाध्वर्युरि**ति । **वरुणायानुब्रूही**ति । होतारं प्रत्यनुवाक्यार्थं सम्प्रैषमुक्त्वा, जुह्वामुपस्तीर्य, 'अस्यै वारुण्यै' षष्ठ्यर्थे चतुर्थी, वारुण्याः पयस्यायाः 'द्विरवद्यति' । 'सः' अवद्यन्नध्वर्युः 'अन्यतरेण' पूर्वेण उत्तरेण वा 'अवदानेन' 'सह' कृत्स्नं 'मेषं' स्रुचि 'अवदधाति' पुनरभिघार्य अवत्तप्रदेशे हविःप्रत्यञ्जनं कुर्यात् । स ततोऽतिक्रमणादीनि प्रकृतिवत् कुर्यादित्यर्थः ॥ ३७ ॥

प्रतिप्रस्थातुर्मारुत्याः पयस्यायाः प्रचरणे विशेषमाह–**सव्ये पाणा**विति । स्वकीये 'स्रुचौ' जुहूपभृतौ अध्वर्युः आत्मीये 'सव्ये पाणौ' कृत्वा, 'दक्षिणेन प्रतिप्रस्थातुः' 'वासोऽन्वारभ्य,' 'मरुद्भ्योऽनुब्रूहि'–इति होतारं प्रतिप्रैष्य, उपस्तरणादिकं प्रतिप्रस्थाता कुर्यात् । **सोऽन्यतरेणे**ति । सः प्रतिप्रस्थाता पूर्वेणोत्तरेण

१–पयस्याप्रचरणकाले मेषो व्यतिहरतः । का. श्रौ. सू. ५ । १२७ । २–अन्यतरेणावदानेन सह मेषम् । का. श्रौ. सू. ५।१२८ ।

(त्यु) अथाध्वर्युरेव कायेन । (नै) एककपालेन पुरोडाशेन प्रचरति कायेनैककपालेन पुरोडाशेन प्रचर्याध्वर्युरेवाहाग्नये स्विष्टकृतेऽनुब्रूहीति स सर्व्वेषामेव हविषामध्वर्युः सकृत्सकृदवद्यत्यथैतस्याऽएव पयस्यायै प्रतिप्रस्थाता सकृदवद्यत्यथोपरिष्टाद् द्विराज्यस्याभिघारयतस्ताऽउभावेवातिक्रामतोऽतिक्रम्याश्राव्याध्वर्युरेवाहाग्निꣳ स्विष्टकृतं यजेति ताऽउभावेव वषट्कृते जुहुतः ॥ ३९ ॥

(तोऽ) अथाध्वर्युरेव प्राशित्रमवद्यति । (ती) इडाꣳसमवदाय प्रतिप्रस्थात्रेऽतिप्रजिहीते तत्रापि प्रतिप्रस्थाता मारुत्यै पयस्यायै द्विरभ्यवद्यत्यथोपरिष्टाद् द्विराज्यस्याभिघारयत्युपहूय मार्जयन्ते ॥ ४० ॥

अथाध्वर्युरेव कायेनैककपालेन पुरोडाशेन प्रचरति । कायेनैककपालेन पुरोडाशेन प्रचर्याध्वर्युरेवाह—' अग्नये स्विष्टकृतेऽनुब्रूहि ' इति । स सर्वेषामेव हविषामध्वर्युः सकृत्सकृदवद्यति । अथैतस्या एव पयस्यायै प्रतिप्रस्थाता सकृदवद्यति । अथोपरिष्टाद् द्विराज्यस्याभिघारयतः । ता उभावेवातिक्रामतः । अतिक्रम्याश्राव्याध्वर्युरेवाह—'अग्निं स्विष्टकृतं यज' इति । ता उभावेव वषट्कृते जुहुतः॥३९

अथाध्वर्युरेव प्राशित्रमवद्यति । इडां समवदाय प्रतिप्रस्थात्रेऽतिप्रजिहीते । तत्रापि प्रतिप्रस्थाता मारुत्यै पयस्यायै द्विरभ्यवद्यति । अथोपरिष्टाद् द्विराज्यस्याभिघारयति । उपहूय मार्जयन्ते ॥४०॥

वाऽवदानेन सह कृत्स्नं मेषं स्रुचि अवदध्यात् । ततो मेषीं वारुण्या प्रत्यञ्जनेनेति । ततः प्रतिप्रस्थाता वेदिमतिक्रामति । अनन्तरमध्वर्युरेव तदीयं वासोऽन्वारभ्य " मरुतो यज " इति ब्रूयात् । होत्रायाज्यान्ते वषट्कृते सति केवलं प्रतिप्रस्थाता दक्षिणे आहवनीये हविर्जुहोति, तमनु किञ्चिद् वाचाप्याहरेत् । एतत् सर्वं सङ्गृह्य कात्यायनेन सूत्रितम्—" पयस्याप्रचरणकाले मेषौ व्यतिहरतः, अन्यतरेणावदानेन सहमेषं, सव्येन स्रुचौ गृहीत्वा प्रतिप्रस्थातुर्वासो दक्षिणेन मरुद्भ्योऽनुवाचयति, वारुणीवदवदानम्—इति (का. श्रौ. सू. ५ । १२७–१३०) ॥३८॥

कायेन हविषा प्रचरणं विधत्ते—**अथे**ति । प्रधानयागानन्तरमनुष्ठेयं स्विष्टकृदादिप्रयोगजातं सर्वमनुक्रामति—**अध्वर्युरेवाहाग्नये स्विष्टकृत** इत्यादिना । " **अनुब्रूहि**—" इति । स्विष्टकृद्यागस्य पुरोऽनुवाक्याप्रैषः । अनुष्ठितं प्रधानयागं न्यूनातिरेकदोषपरिहारेण स्विष्टं शोभनं यज्ञं करोतीति स्विष्टकृत् ॥

स सर्वेषामेवेति । आग्नेयादि–कायान्तानाम् । **सकृत्सकृ**दिति । प्रधानयागस्य । द्विरवदानप्रसक्तिं वारयति—**एतस्या एवे**ति । ' एतस्याः ' मारुत्याः पयस्यायाः ' एव ' हविषः सकाशात् स्विष्टकृदर्थं ' सकृत् ' एव अवद्येत्, नान्यस्मादित्येवकारार्थः । चतुरवदानसम्पत्तये अभिघारणस्य द्वित्वं विधत्ते—**अथोपरिष्टा**दिति । 'द्विः' क्रियाभ्यावृत्तिगणनेऽर्थे, "द्वित्रिचतुर्भ्यः सुच्" (पा. सू. ५ । ४ । ८१)–इति द्विशब्दात् सुच् ॥३९॥

अथाध्वर्युरेव प्राशित्रमिति । प्रतिप्रस्थातुः प्राशित्रावदानं नास्तीत्येवकारार्थः । तस्य पयस्यारूपहविषः सान्नाय्यविकृतित्वात् प्रकृतौ सान्नाय्यात् प्राशित्रावदानस्यादर्शनादित्यभिप्रायः । **इडां समवदाये**ति । सर्वेभ्यो

१–हविर्भिश्चरेत उभौ स्विष्टकृद्भ्यन्तीति । का. श्रौ. सू. । ५ । १३१ । २–कण्डिकाः ३५–३९ द्रष्टव्यम् ।

(न्तेऽथा) अथाध्वर्युरेवाह ब्रह्मन्प्रस्थास्यामि । समिधमाधायाग्निमग्नीत्संमृड्ढीति स स्रुचोरेवाध्वर्युः पृषदाज्यं व्यानयतेऽथ यदि प्रतिप्रस्थातुः पृषदाज्यं भवति तत्स द्वेधा व्यानयत ऽउतो तत्र पृषदाज्यं न भवति स यदेवोपभृत्याज्यं तत्स द्वेधा व्यानयते ताऽउभावेवातिक्रामतोऽतिक्रम्याश्राव्याध्वर्युरेवाह देवान्यजेति यजयजेति चतुर्थे चतुर्थेऽनुयाजे समानयमानो नवभिरनुयाजैश्चरतस्तद्यन्नवप्रयाजं भवति नवानुयाजं तदुभयत ऽएवैतद्वरुणपाशात्प्रजाः प्रमुञ्चतीतश्चोर्ध्वा इतश्चावाचीस्तस्मान्नवप्रयाजं भवति नवानुयाजम् ॥ ४१ ॥

अथाध्वर्युरेवाह–' ब्रह्मन् प्रस्थास्यामि ','समिधमाधाय अग्निमग्नीत् संमृड्ढि ' इति । स स्रुचोरेवाध्वर्युः पृषदाज्यं व्यानयते । अथ यदि प्रतिप्रस्थातुः पृषदाज्यं भवति–तत् स द्वेधा व्यानयते । उतो तत्र पृषदाज्यं न भवति–स यदेवोपभृत्याज्यं तत् स द्वेधा व्यानयते। ता उभावेवातिक्रामतः । अतिक्रम्याश्राव्याध्वर्युरेवाह–' देवान्यज ' इति । ' यज–यज ' इति चतुर्थे-चतुर्थेऽनुयाजे समानयमानौ नवभिरनुयाजैश्चरतः । तद्यन्नवप्रयाजं भवति, नवानुयाजम् । तदुभयत एवैतद्वरुणपाशात् प्रजाः प्रमुञ्चति–इतश्चोर्ध्वाः, इतश्चावाचीः । तस्मान्नवप्रयाजं भवति, नवानुयाजम् ॥ ४१ ॥

हविर्भ्यः सम्भूय एकस्मिन्निडापात्रे अवद्यादित्यर्थः । **अतिप्राजिहीत** इति । उत्तरां वेदिमतिक्रमय्य तदिडापात्रं प्रगमयेदित्यर्थः । " ओहाङ् गतौ " (धा. पा. जु. प. ७) इत्यस्मात् अन्तर्णीतण्यर्थाल्लिटि रूपम्,– " भृञामित् "–(पा. सू. ७ । ४ । ७६) इति अभ्यासस्येत्त्वम् । **मारुत्यै पयस्यायाः** इति, षष्ठ्यर्थे चतुर्थी । **द्विराज्यस्याभिघारयतीति** । अध्वर्युरेव, न प्रतिप्रस्थाता ॥ ४० ॥

अथाध्वर्युरेवाह ब्रह्मन् प्रस्थास्यामीत्यादि । इडोपह्वानादिकं प्रकृतिवदेव कृत्वा , अनुयाजार्थमभ्यनुज्ञापकमिमं प्रैषमप्यध्वर्युरेव ब्रूयात् । यत् किञ्च वाचा कर्त्तव्यमध्वर्युरेव तत् करोति "–(श. प. २।५।२।३३). इति प्राक् प्रतिपादितस्यैवायं प्रपञ्चः, प्रैषार्थः प्रकृतावेव वर्णितः । **स स्रुचोरेवे**त्यादि । ' सः ' अध्वर्युः 'स्रुचोः' जुहूपभृतोः ' एव ' 'पृषदाज्यं ' दधिमिश्रमाज्यं ' व्यानयते ' विविधमासिञ्चति । पृषदाज्यधानीगतं पृषदाज्यं जुह्वामर्द्धमासिच्य, शिष्टमाज्यमुपभृति आनयेदित्यर्थः । प्रतिप्रस्थातुः पक्षद्वयमाह–**अथ यदी**ति । आज्यग्रहणकाले यदि प्रतिप्रस्थाता पृषदाज्यं गृह्णीयात् तदा तत् पृषदाज्यम्, इदानीं स प्रतिप्रस्थाता अध्वर्युवत् जुहूपभृतोः द्विधा व्यासिञ्चेत् । उतो इति पक्षान्तरद्योतने । यदि तु तत्र ग्रहणसमये पृषदाज्यं न गृहीतं भवति, तदा स प्रतिप्रस्थाता उपभृति स्थितं यदेवाज्यं विद्यते, तस्यौपभृतस्याज्यस्य अर्द्धं प्रथमं जुह्वामासिच्य, शिष्टमाज्यं चतुर्थे प्रयाजे आसिञ्चेदित्यर्थः ॥

आसेचनानन्तरं कर्त्तव्यमतिक्रमणादिकमुपदिशति–**ता उभावेवे**त्यादिना । ' देवान् यज '–इति प्रथमोऽ-

---

१–इडामवदाय प्रतिप्रस्थात्रे प्रयच्छति । का. श्रौ. सू. ५ । १३२ । तत्र प्रतिप्रस्थाता मारुत्याः । का. श्रौ. सू. ५ । ३३ । द्विरवद्यतीत्यर्थः । २–प्रतिप्रस्थाता च । का. श्रौ. सू. ५ । १०८ । पृषदाज्यं गृह्णातीत्यर्थः । नवा । का. श्रौ. सू. ५ । १०९ । इति विकल्पः पृषदाज्यग्रहणे ।

ता॒ऽउ॒भावे॒व सा॒दयि॑त्वा स्रु॒चो॒ व्यू॑हतः । स्रु॒चो॒ व्यु॒ह्य प॑रि॒धीन्त्स॒मुज्य प॑रि॒धिम॑भि॒पद्या॒श्रा॒व्या॒ध्व॒र्यु॒रे॒वा॒हे॒षि॒ता दैव्या॒ होता॑रो भ॒द्र॒वा॒च्या॒य प्रे॒षि॒तो मा॒नु॒षः सू॑क्तवा॒का॒येति॒ सू॒क्त॒वा॒कꣳ होता॑ प्रति॒पद्य॑तेऽथै॒ता ऽउ॒भावे॒व प्र॒स्त॒रौ स॒मु॒ल्लु॒म्प॒त ऽउ॒भा॒व॒नु॒प्र॒हरत उ॒भौ तृ॒णेऽअप॒गृ॒ह्यो॒पा॒सा॒ते॒ य॒दा होता॑ सू॒क्त॒वा॒क॒मा॒ह ॥ ४२ ॥

(ह्रा) अ॒था॒ग्नी॒दा॒हा॒नु॒प्र॒ह॒रे॒ति । ता॒ ऽउ॒भा॒वे॒वा॒नु॒प्र॒ह॒रत ऽउ॒भा॒वा॒त्म॒ना ऽउ॒प॒स्पृ॒शे॒ते ॥ ४३ ॥

ता उभावेव सादयित्वा स्रुचो व्यूहतः । स्रुचो व्युह्य, परिधीन् समज्य परिधिमभिपद्य, आश्राव्याध्वर्युरेवाह–“ इषिता दैव्या होतारो भद्रवाच्याय प्रेषितो मानुषः सूक्तवाकाय ” इति । सूक्तवाकं होता प्रतिपद्यते । अथैता उभावेव प्रस्तरौ समुल्लुम्पतः, उभावनुप्रहरतः , उभौ तृणे अपगृह्योपासाते–यदा होता सूक्तवाकमाह ॥ ४२ ॥

अथाग्नीदाह 'अनुप्रहर' इति । ता उभावेवानुप्रहरतः, उभावात्माना उपस्पृशेते ॥ ४३ ॥

नुयाजप्रैषः । यजयजेत्यादिसर्वत्र “नित्यवीप्सयोः” इति (पा० सू० ८।१।४) यजेत्यस्य द्विर्वचनम् । जौहवेन पृषदाज्येन त्रिरिष्ट्वा चतुर्थे चतुर्थे अनुयाजे औपभृतम् 'समानयमानौ' उभावपि अध्वर्युप्रतिप्रस्थातारौ ‘ नवभिः अनुयाजैः ’ ‘ चरतः ’ प्रचरत इत्यर्थः । उभयापेक्षया ‘ चतुर्थे–चतुर्थे ’ इति वीप्सा । प्रयाजानुयाजानां तत्सङ्ख्याकत्वं सम्भूय प्रशंसति–तद्यदिति । प्रधानयागात्प्रथममिज्यन्त इति प्रयाजाः, अनु पश्चादिज्यन्त इत्यनुयाजाः । कर्मणि घञ्, तावेतौ “ प्रयजानुयाजौ यज्ञाङ्गे ” इति (पा. सू. ७ । २ । ६२) निपातनात् कुत्वाभावः । नव प्रयाजा अनुयाजाश्च यस्मिन् इत्युभयत्र बहुव्रीहिः, शिष्टमुक्तार्थम् ॥ ४१ ॥

अनुयाजानन्तरभावि स्रुग्व्यूहनादिकमपि चोदकप्राप्तमुभाभ्यां कर्त्तव्यमित्यनुक्रामति–**ता उभावेवे**त्यादिना । **परिधिमभिपद्ये**ति । मध्यमं परिधिमन्वारभ्येत्यर्थः । उक्तं हि कात्यायनेन–“प्रथमं परिधिं गृहीत्वाऽऽश्राव्याहेषिता दैव्या इति (का. श्रौ सू. ३ । १२१) “ इषिता दैव्या ” (श. प. १।८।३।१० भा.) इति सूक्तवाकप्रैषः प्रकृतावेव व्याख्यातः । **समुल्लुम्पत** इति । “लुम्प्ल छेदने” (धा. पा.तु. उ. १५१) समुच्छिन्तः समुद्गृह्णीत इति यावत् । **उभावनु प्रहरत** इति । सूक्तवाकेऽनूच्यमाने ‘उभौ’ अध्वर्युप्रतिप्रस्थातारौ ‘ अनुप्रहरतः ’ स्वं स्वं प्रस्तरमग्नौ प्रक्षिपत इत्यर्थः । **यदा होते**ति । ‘ यदा ’ खलु होता सूक्तवाकं परिसमापयति ॥ ४२ ॥

‘ अथ ’ अनन्तरम् ‘ अग्नीत् ’ आग्नीध्रः ‘ अनुप्रहर ’–‘ इति ’ अध्वर्युं प्रति ‘ आह ’ **उभावेवे**ति । यद्यप्यनुप्रहरेत्येकवचनेनाध्वर्युरेव प्रेर्यते तथापि कृतानुकरत्वात्[2] प्रतिप्रस्थातुरपि तृणानुप्रहरणं विद्यते इत्यर्थः । **आत्मानौ[3] उपस्पृशेते** इति । “चक्षुष्पा” (वा. सं २ । १६) इति मन्त्रेण । तथा च सूत्रितम्–“चक्षुष्पा इत्यात्मानमालभते ” इति (का. श्रौ. सू. ३ । १३३) ॥ ४३ ॥

१–स्रुचौ व्यूहतोऽध्वर्यू । का. श्रौ. सू. ५ । १३४. अध्वर्युग्रहणं यजमानव्युदासार्थम् । तस्य हि व्यूहनं प्रकृतौ वैकल्पिकं विहितमस्ति । २–“ कृताऽनुकरोन्यत्र दक्षिणस्याम् ” इति (का. श्रौ. सू. ५ । १११) श. प. ब्रा. २ । ५ । २ । ३४ । कं. भाष्ये च द्रष्टव्यम् । ३–‘ आत्मानमुपस्पृशेते ’ इति क. ।

(ते अ) अथाह संवदस्वेति । (त्यु) अगानग्नीदगन्श्रावय श्रौषट् स्वगा दैव्या होतृभ्यः स्वस्तिर्मानुषेभ्यः शंयोर्ब्रूहीत्यध्वर्युरेवैतदाह ता ऽउभावेव परिधीननुप्रहरत ऽउभौ स्रुचः सम्प्रगृह्य स्फ्ये सादयतः ॥ ४४॥

(तो) अथाध्वर्युरेव प्रतिपरेत्य । पत्नीः संयाजयत्युपास्त ऽएव प्रतिप्रस्थाता पत्नीः संयाज्योदेत्यध्वर्युः ॥ ४५ ॥

(स्त्री) त्रीणि समिष्टयजूꣳषि जुहोति । तूष्णीमेव प्रतिप्रस्थाता स्रुचं प्रगृह्णाति तद्ये वैश्वदेवेन यजमानयोर्वाससी परिहिते स्यातां त ऽएवात्रापि स्यातामथास्यै वारुण्यै पयस्यायै क्षामकर्षमिश्रमादायावभृथं यन्ति वरुण्यं वा एतन्निर्वरुणतायै तत्र न साम गीयते न ह्यत्र साम्ना किञ्चन क्रियते तूष्णीमेवेत्याभ्यवेत्योपमारयति ॥ ४६ ॥

अथाह–' संवदस्व ' इति । अगानग्नीद्–अगन् श्रावय श्रौपट्, " स्वगा दैव्या होतृभ्यः स्वस्तिर्मानुषेभ्यः शंयोर्ब्रूहि"–इति अध्वर्युरेवैतदाह । ता उभावेव परिधीननुप्रहरतः, उभौ स्रुचः सम्प्रगृह्य स्फ्ये सादयतः ॥ ४४ ॥

अथाध्वर्युरेव प्रतिपरेत्य पत्नीः संयाजयति । उपास्त एव प्रतिप्रस्थाता । पत्नीः संयाज्योदेत्यध्वर्युः ४५

त्रीणि समिष्टयजूंषि जुहोति । तूष्णीमेव प्रतिप्रस्थाता स्रुचं प्रगृह्णाति । तद् ये वैश्वदेवेन यजमानयोर्वाससी परिहिते स्याताम्–ते एवात्रापि स्याताम् । अथास्यै वारुण्यै पयस्यायै क्षामकर्षमिश्रमादायावभृथं यन्ति वरुण्यं वा एतत्–निर्वरुणतायै । तत्र न साम गीयते, नह्यत्र साम्ना किञ्चन क्रियते । तूष्णीमेवेत्याभ्यवेत्योपमारयति ॥ ४६ ॥

संवदस्वागानग्नीदित्यादीनामुक्तिप्रत्युक्तिरूपं यदस्ति तदग्न्याग्नीध्रस्य अध्वर्युणोक्तेनेत्यभिप्रेत्याह–**अथाहेति** । 'अथ' अनन्तरं "संवदस्व" 'इत्याह' आग्नीध्रः । तच्च संवदनमुक्तिप्रत्युक्तिरूपमनुक्रामति–**अगानिति** । ते च मन्त्राः प्रकृतौ व्याख्याताः । तेषु च विभागः सूत्रकृता दर्शितः–(श.प. १।८।३।२०।भा.) एतेषां "संवदस्वागाञ्छ्रौषडित्यग्नीच्छेषमितरो व्यत्यासं ब्रूतः" (का. श्रौ. सू. ३।?।२४)। इति **"स्वगा दैव्या"** इति शंयुवाकप्रैषमध्वर्युरेव ब्रूयात् । परिधिप्रहरणादिकं तूभाभ्यामेवानुष्ठेयम् । **उभौ स्रुच** इत्यादि । 'सम्प्रगृह्य' सम्यग् गृहीत्वा विमोचनार्थं स्फ्ये ' सादयतः ' ॥ ४४ ॥

अथाध्वर्युरेवेति । **प्रतिपरेत्येति** । आहवनीयदेशात् प्रतिनिवृत्य गार्हपत्यसमीपं गत्वेत्यर्थः । **उपास्त** इति । पत्नीसंयाजसमये तूष्णीमुपविशेत् प्रतिप्रस्थाता, न तु तस्य तदानीं कृतानुकरत्वमपेक्षितमित्यर्थः । **पत्नीः संयाज्योदेत्यध्वर्युरिति** । पत्नीसंयाजानन्तरमाहवनीयदेशं गत्वेत्यर्थः ॥ ४५ ॥

त्रीणि समिष्टयजूंषीति । तानि च पूर्वस्मिन् वैश्वदेवब्राह्मणे व्याख्यातानि (श.प.२।३।१।२१भा.) **तूष्णीमेवेति** । प्रतिप्रस्थातुः समिष्टयजुर्होमसमये आत्मीयां स्रुचं तूष्णीमेव दक्षिणाभ्रौ प्रगृह्णीयात् स्रुगातमाज्यं धारयेत् ।

(त्यु) अवभृथ निचुम्पुण । निचेरुरसि निचुम्पुणः । अव देवैर्देवकृतमेनोऽयासिषमव मर्त्यैर्मर्त्यकृतं पुरुराव्णो देव रिषस्पाहीति कामꣳ हैते यस्मै कामयेत तस्मै दद्यान्न हि दीक्षितवसने भवतः स यथाऽहिस्त्वचो निर्मुच्येतैवꣳ सर्वस्मात्पाप्मनो निर्मुच्यते ॥ ४७ ॥

" अवभृथ ! निचुम्पुण, निचेरुरसि निचुम्पुणः । अव देवैर्देवकृतमेनोऽयासिषमव मर्त्यैर्मर्त्यकृतम् । पुरुराव्णो देव रिषस्पाहि "–(वा. ३. ४८) इति। कामं हैते यस्मै कामयेत तस्मै दद्यात् । न हि दीक्षितवसने भवतः । स यथाऽहिस्त्वचो निर्मुच्येतैवं सर्वस्मात् पाप्मनो निर्मुच्यते ॥ ४७ ॥

तन्मन्त्रः स्वाहाकारोऽपि वा न विद्यत इत्यर्थः । तद्ये वैश्वदेवेनेत्यादि । वैश्वदेवयाजमाने समाप्ते ' यजमानयोः ' यजमानपत्न्योर्ये 'वाससी' ते परिहिते भवतः ॥

वरुणप्रघासाङ्गत्वेनावभृथगमनं विधत्ते–अथास्या इत्यादि । या वरुणदेवताका पयस्या तस्याः ' क्षामकर्षमिश्रम् ' क्षामोऽतिपाकेन दग्धः पात्रे संसक्तः, "कृष विलेखने" (धा. पा. भ्वा. प. १०१९) कृष्यते विलिख्यते इति कर्षः, क्षामश्चासौ कर्षश्चेति क्षामकर्षः, तेन मिश्रं हविः 'आदाय' 'अवभृथम्' उदकं प्रति 'यन्ति ' ऋत्विग्यजमानाः, उदकसमीपं गच्छेयुरित्यर्थः । गमनस्य प्रयोजनमाह–वरुण्यं वेति । 'एतत्' क्षामकर्षमिश्रं हविः 'वरुण्यम्' वरुणसम्बन्धि, पापदेवतया सम्बद्धमित्यर्थः, "यो विदग्धः स नैर्ऋतः" (तै. सं. २।६।३।४) इति श्रुतेः । यद्वा पयस्याया वरुणदेवताकत्वात् तद्यागशिष्टं सर्वमपि वरुण्यम् । अतः निर्वरुणतायै वरुणसम्बन्धराहित्याय अवभृथगमनं युक्तमित्यर्थः ॥

सौमिकावभृथवत् प्रसक्तं सामगानं निषेधति–तत्र न सामेति । अवभृथगमनसमये हि "अग्निष्टपति" इति साम (श.प.४।४।५।८।) प्रस्तोत्रा गेयम् । 'तत्र' तस्मिन् वरुणप्रघासाङ्गावभृथगमने तन्न गातव्यम् । तदुपपादयति–न हीति । सोमयागे हि स्तोत्रादिरूपेण साम्नां प्रयोगात् तदङ्गावभृथगमनेऽपि सामगानमयुक्तम् । ' न ' खलु ' अत्र' वरुणप्रघासे ' साम्ना' 'किम्' अपि प्रयोजनं ' क्रियते ' अतोऽप्रयुज्यमानस्य साम्नोऽवभृथे अप्रयोग एव युक्त इत्यर्थः । अतः 'तूष्णीम्' अमन्त्रकम् 'एव' अवभृथसमीपम् ' अभ्यवेत्य ' " अवभृथ निचुम्पुण " (वा. सं. ३।४८) इति मन्त्रेण क्षामकर्षमिश्रं हविः 'उपमज्जयति' अप्सु प्रक्षिपति । सूत्रितञ्चेह–" वारुणीनिष्काषेणावभृथं, तूष्णीमित्याभ्यवेत्य मज्जयत्यवभृथेति" इति का. श्रौ. सू. ५।१३९।१४० ॥ ४६ ॥

अवभृथेति मन्त्रस्यायमर्थः–सोमलिप्तानि पात्राणि अवाचीनान्यस्मिन् भ्रियन्त इत्यवभृथः । अवपूर्वात् भृञ औणादिकः थक् प्रत्ययः । हे ' अवभृथ ' ! ' निचुम्पुण ' नितरां पुण्यहेतुर्भव " पुण कर्मणि शुभे "–(धा. पा. तु. आ. ५२) इत्यस्माल्लोटि व्यत्ययेन द्विर्वचनमभ्यासस्य मुगागमश्चकारादेशश्च । यद्वा, " चुप मन्दायां गतौ "–(धा. पा. भ्वा. प. ४०४) इत्यस्माल्लोटि वर्णव्यत्यये रूपं ज्ञेयम् । नीचीनं गच्छेत्यर्थः । यतश्च ' निचेरुः ' नितरां चरणशीलः ' असि ' अतो ' निचुम्पुण ' नीचीनं गच्छ । ' देवैः ' इन्द्रियैः, तदधिष्ठातृदेवैः ' देवकृतम् एनः ' देवविषयं यदेनः कृतमस्ति, अहं तत् ' अवायासिषम् ' अवाचीनं प्रापयामि

(तेऽथ) अथ केशश्मश्रूप्त्वा । समारोह्याग्नी ऽउदवसायेव ह्येतेन यजते न हि तदवकल्पते यदुत्तरवेदावग्निहोत्रं जुहुयात्तस्मादुदवस्यति गृहानित्वा निर्मथ्याग्नी पौर्णमासेन यजत ऽउत्सन्नयज्ञ ऽइव वा ऽएष यच्चातुर्मास्यान्यथैष क्लृप्तः प्रतिष्ठितो यज्ञो यत्पौर्णमासं तत्क्लृप्तेनैवैतद्यज्ञेनान्ततः प्रतितिष्ठति तस्मादुदवस्यति ॥ ४८ ॥

इति चतुर्थप्रपाठके तृतीयं ब्राह्मणम् ॥४॥३॥(५।२)॥

अथ केशश्मश्रूप्त्वा समारोह्याग्नी उदवसायेव ह्येतेन यजते । न हि तदवकल्पते—यदुत्तरवेदावग्निहोत्रं जुहुयात् । तस्मादुदवस्यति, गृहानित्वा, निर्मथ्याग्नी पौर्णमासेन यजते । उत्सन्नयज्ञ इव वा एषः—यच्चातुर्मास्यानि । अथैष क्लृप्तः प्रतिष्ठितो यज्ञो यत् पौर्णमासम् । तत् क्लृप्तेनैवैतद्यज्ञेनान्ततः प्रतितिष्ठति—तस्मादुदवस्यति ॥ ४८ ॥ इति वरुणप्रघासयागश्चातुर्मास्ये द्वितीयं पर्व ॥

गच्छु प्रक्षिपामीत्यर्थः । "या प्रापणे"—(धा. पा. अ. प. ३९) इत्यस्माल्लुङि "यमरमनमाताम्"—(पा. सू. ७ । २ । ७३) इति सगिटौ । तथा मर्त्यैः मनुष्यैः ऋत्विग्भिः 'मर्त्यकृतं' मनुष्यविषये यत् कृतमेनः, तदपि 'अवायासिषम्' हे 'देव' स्वामिन् ! अवभृथ ! 'पुरुराव्णः' पुरुरावणशीलान् बहुविधाक्रोशकारणान् । रौतेरौणादिकोऽनिण्प्रत्ययः—(उ. ४ पा. २४२ सू.) । यद्वा, "रा दाने"—(धा. पा. अ. प. ४७) इत्यस्मात् "आतो मनिन्—क्वनिप्—वनिपश्च"—(पा. सू. ३ । २ । ७४) इति क्वनिप् । पुरु बहुलं संसारदुःखं राति ददातीति पुरुरावा, तस्मात् इन्द्रियहिंसकात् वरुणपाशग्रहलक्षणात् पापात् अस्मान् पाहीति । एवमनेन मन्त्रेण क्षामकर्षमिश्रं हविःशेषं जायापती जुहुतः । तदुक्तं सूत्रकारेण—"जायापती स्नातोऽमज्जन्तावन्योन्यस्य पृष्ठे धावतः"—(का. श्रौ. सू. ५।१४१–१४२) इति । पूर्वयोर्वाससोर्दानं विधत्ते—**कामेमिति** । स्नानानन्तरमन्ये वाससी परिधाय । पूर्वपरिधानं निषिद्धम्, "न दीक्षितवसनं परिदधीत"—इति श्रुतेः । एतद्दानं प्रशंसति—**स यथेति** । 'यथा' खलु 'अहिस्त्वचो निर्मुच्येत,' 'एवम्' पूर्वपरिहितवासो दत्वा सर्वस्मात् पापादेव यजमानो निर्मुच्यते ॥ ४७ ॥

अवभृथस्नानानन्तरं केशश्मश्रुवपनं विधत्ते—**अथेति** । केशाश्च श्मश्रूणि च 'केशश्मश्रू' प्राण्यङ्गत्वादेकवद्भावः । 'उप्त्वा' वापयित्वेत्यर्थः । समारोहणपुरस्सरं गृहे प्रत्यागमनं विधत्ते—**समारोह्येति** । 'अग्नी' गार्हपत्याहवनीयौ । **एतेन यजत** इति । वरुणप्रवासाख्येन यागेनेत्यर्थः । **न हि तदिति** । वरुणप्रघासनिमित्तायामुत्तरवेद्यां 'यत्' अग्निहोत्रहवनम्, न तद् युज्यत इत्यर्थः । यस्मादेवं तस्मात् कारणाद् वरुणप्रवासस्थानादुदवसानं कर्त्तव्यमिति निगमयति—**तस्मादिति** । समारोपणानन्तरं तस्मात्स्थानान्निष्क्रम्य 'गृहान्' 'इत्वा' गत्वा, 'निर्मथ्य' तत्र 'पौर्णमासेन' यागेन 'यजेत' । एतत्प्रतिष्ठाहेतुना स्तौति—**उत्सन्नयज्ञ** इत्यादिना ।

१–पूर्व्वे दद्यादधिकृतेभ्यो यस्मा इच्छेत् का. श्रौ. सू. ५।१४४। अधिकृतेभ्यः ऋत्विग्भ्य इत्यर्थः। २–अन्ये वाससी परिदधाते। का. श्रौ. सू. ५ । १४३। द्विवचनात् जायापती। ३–पर्व्वसंस्थासु व्वपनं वा प्रागंत्यात्। का. श्रौ. सू. ५।२८। ४–गृहेषु पौर्णमासः समारूढनिर्मथितयोस्तथा चेत् । का. श्रौ. सू. ५ । ४४।

वरुणप्रघासैर्वै प्रजापतिः । प्रजा वरुणपाशात्प्रामुञ्चत्ताऽअस्यानमीवा ऽअकिल्बिषाः प्रजाः प्राजायन्ताथैतैः साकमेधैरेतैर्वै देवा वृत्रमघ्नन्नेतैर्वेव व्यजयन्त येयमेषां विजितिस्तां तथोऽएवैष ऽएतैः पाप्मानं द्विषन्तं भ्रातृव्यꣳहन्ति तथोऽएव विजयते तस्माद्वाऽएष एतैश्चतुर्थे मासि यजते स वै द्व्यहमनूचीनाहं यजते ॥ १ ॥

अथ साकमेधपर्व ।

वरुणप्रघासैर्वै प्रजापतिः प्रजा वरुणपाशात् प्रामुञ्चत् । ता अस्यानमीवा अकिल्बिषाः प्रजाः प्राजायन्त । अथैतैः साकमेधैः । एतैर्वै देवा वृत्रमघ्नन् । एतैर्वेव व्यजयन्त । येयमेषां विजितिः ताम् । तथो एवैष एतैः पाप्मानं द्विषन्तं भ्रातृव्यं हन्ति, तथो एव विजयते—तस्माद्वा एष एतैश्चतुर्थे मासि यजते । स वै द्व्यहमनूचीनाहं यजते ॥ १ ॥

दर्शपूर्णमासवच्चातुर्मास्यानामनुष्ठानबाहुल्याभावादुत्सन्नयज्ञत्वम् । अतस्तेषामप्रतिष्ठाहेतुत्वेन तदनुष्ठाने यजमानस्यापि अप्रतिष्ठा सम्भाव्येत; अतः तस्य प्रतिष्ठायै स्वयं प्रतिष्ठितः पौर्णमासयागः सम्पद्यत इत्यर्थः । **तस्मादुदवस्यतीति** । वरुणप्रघासदेशान्निष्क्रमणविधेर्निगमनम् ॥ ४८ ॥

इति श्रीसायणाचार्यविरचिते माधवीये वेदार्थप्रकाशे माध्यन्दिनीयशतपथब्राह्मणभाष्ये
द्वितीयकाण्डे पञ्चमाध्याये द्वितीयं ब्राह्मणम् ॥ (२-५-२)

अथ साकमेधाख्यस्य विधित्सितस्य तृतीयस्य पर्वणः पापरूपशत्रुजयहेतुत्वं वक्तुं वृत्तान्तं सङ्कीर्त्तयति—**वरुणप्रघासैरि**ति । 'अनमीवाः' रोगरहिताः 'अकिल्बिषाः' तन्निदानभूतपापपरिहीनाः । **अथैतैरि**ति । वरुणप्रघासानन्तरमनुष्ठेयैः 'एतैः' विधित्सितैः 'साकमेधैः' प्रजापतिः ता एव प्रजा विजितपापा अकरोत् । एतेषां विजयहेतुत्वमाख्यायिकया प्रतिपादयति—**एतैर्वा** इति । 'वृत्रम्' आवरणशीलम्, एतन्नामानमसुरमित्यर्थः । **येयमेषामिति** । 'एषां' देवानां वृत्रहननकर्मणा 'येयं' 'विजितिः' विजयो विद्यते व्यजयन्तेति सम्बन्धः । अथाप्येषां तत्फलसाधनत्वमाह—**तथो एवैष** इति । 'द्विषन्तं' द्वेषणशीलमनर्थकारणं पापरूपं 'भ्रातृव्यं' शत्रुमिति सामानाधिकरण्येन सम्बन्धः । **तथो एव विजयत** इति । तथा हतः पापशत्रुः, तत्सजातीयस्यापि निवृत्त्या सर्वत्र साकमेधयाजिनो विजय एव, न कुत्रचित् प्रतिहतिरित्यर्थः । उक्तमर्थं हेतुतया इदानीं विधत्ते—**तस्मादि**ति । यस्मात् उक्तफलहेतवः साकमेधाः 'तस्मात्' 'एषः' वरुणप्रघासैरिष्टवान् पुनः 'चतुर्थे मासि' 'एतैः' साकमेधैर्यजेत । अनीकवत्यादीनां साकमेधगतानामिष्टीनां बहुत्वादेतैरिति बहुवचनम् । अहर्द्वयसाध्यत्वं विधत्ते—**स वा** इति । द्वयोरह्नोः समाहारो द्व्यहः "तद्धितार्थ"—(पा. सू. २ । १ । ५१) इति समासे "न सङ्ख्यादेः समाहारे"—(पा. सू. ५ । ४ । ८९) इति अह्नादेशस्य प्रतिषेधः—**अनूची-**

१–'मप्रतिष्ठत्वेन' इति पा. । २–आषाढयामयं ते योनिरिति समारोह्योदवसाय निर्मथ्य वरुणप्रघासाः । का. श्रौ. सू. ५.१४७ । आ. श्रौ. सू. ८ । ५–८ कं. १२६ सूत्राणि चेह द्रष्टव्यानि । ३–'निःक्षत्रप्रायत्वात्'–इ० पा० ।

स पूर्वेद्युः । (१) अग्नयेऽनीकवतेऽष्टाकपालं पुरोडाशं निर्वपत्यग्निꣳ ह वै देवा ऽअनीकं कृत्वोपप्रेयुर्वृत्रꣳ हनिष्यन्तः स तेजोऽग्निर्नाव्यथत तथो ऽएवैष ऽएतत्पाप्मानं द्विषन्तं भ्रातृव्यꣳ हनिष्यन्नग्निमेवानीकं कृत्वोपप्रैति स तेजोऽग्निर्न व्यथते तस्मादग्नयेऽनीकवते ॥ २ ॥

(तेऽथ) अथ मरुद्भ्यः सान्तपनेभ्यः । (भ्यो) मध्यन्दिने चरुं निर्वपति मरुतो ह वै सान्तपना मध्यन्दिने वृत्रꣳ सन्तेपुः स सन्तप्तोऽनन्नेव प्राणन्परिदीर्णः शिश्ये तथोऽएवैतस्य पाप्मानं द्विषन्तं भ्रातृव्यं मरुतः सान्तपनाः सन्तपन्ति तस्मान्मरुद्भ्यः सान्तपनेभ्यः ॥ ३ ॥

---

(१)स पूर्वेद्युः अग्नयेऽनीकवतेऽष्टाकपालं पुरोडाशं निर्वपति । अग्निं ह वै देवा अनीकं कृत्वोपप्रेयुर्वृत्रं हनिष्यन्तः । स तेजोऽग्निर्नाव्यथत । तथो एवैष एतत्पाप्मानं द्विषन्तं भ्रातृव्यं हनिष्यन्नग्निमेवानीकं कृत्वोपप्रैति । स तेजोऽग्निर्न व्यथते । तस्मादग्नयेऽनीकवते ॥ २ ॥

(२) अथ मरुद्भ्यः सान्तपनेभ्यो मध्यन्दिने चरुं निर्वपति । मरुतो ह वै सान्तपना मध्यन्दिने वृत्रं सन्तेपुः । स सन्तप्तोऽनन्नेव प्राणन् परिदीर्णः शिश्ये । तथो एवैतस्य पाप्मानं द्विषन्तं भ्रातृव्यं मरुतः सान्तपनाः सन्तपन्ति । तस्मान्मरुद्भ्यः सान्तपनेभ्यः ॥ ३ ॥

नाहमिति । अनु सम्यगञ्चतीत्यन्वक् अन्वगेवानूचीनम्; "विभाषाऽञ्चेरदिक्स्त्रियाम्"–(पा. सू. ५ । ४ । ८) इति स्वार्थिकः खच्–प्रत्ययः । अनूचीनं नैरन्तर्येण वर्त्तमानमहः अनूचीनाहम् "राजाहःसखिभ्यः"–(पा. सू. ५ । ४ । ४१) इति टच् समासान्तः ॥ १ ॥

तत्र पूर्वदिवसे प्रातर्मध्याह्नसायाह्नेषु तिस्र इष्टयोऽनुष्ठेयाः, तत्र प्रथमं विधाय स्तौति–**स पूर्वेद्युरि**त्यादिना । "सद्यःपरुत्–"(पा. सू. ५ । ३ । २२)इत्यादिसूत्रेण पूर्वदिनशब्दस्य पूर्वेद्युरिति निपातः । साकमेधेषु प्रधानभूता महाहविराख्या इष्टिर्यस्मिन् दिवसेऽनुष्ठीयते, ततः पूर्वदिवसे चतुर्दश्यां प्रातरनीकवद्गुणविशिष्टायाग्नयेऽष्टकपालेषु संस्कृतं पुरोडाशं निर्वपेदित्यर्थः । **अनीकं कृत्वे**ति । प्रमुखं कृत्वेत्यर्थः । **स तेज** इति । स च तेजोरूपोऽग्निः वृत्रकृतादुपद्रवान्न 'अव्यथत' व्यथां न प्राप्तवान् । दार्ष्टान्तिकेन योजयति–**तथो एवैष** इति । उक्तहेतोरनीकवद्गुण-वैशिष्ट्यं पुरोडाशदेवताया अग्नेर्युक्तमिति निगमयति–**तस्मादि**ति ॥ २ ॥

मध्यन्दिनेऽनुष्ठेयामिष्टिं विधाय प्रशंसति–**अथे**ति । देवताविशेषणमुपपादयति–**मरुतो ह वा** इति । 'मरुतो' हि सन्तपनकारिणः 'सान्तपनाः' तथाविधा मरुतो मध्यन्दिनसमये 'वृत्रम्' असुरं 'सन्तेपुः' सन्तप्तं कृतवन्तः । स च सन्तप्तः सन् श्वासप्रश्वासौ कुर्वन् 'परिदीर्णः' विदारितसर्वावयवः 'शिश्ये' शयनं कृतवान् । **तथो एवे**ति, दार्ष्टान्तिकफलकथनम् ॥ ३ ॥

१–पूर्वेद्युःपूर्वाह्णेऽग्नयेऽनीकवते पुरोडाशः । का.श्रौ. सू. ५।१४।१२–मरुद्भ्यः सांतपनेभ्यो मध्यंदिने चरुः । का.श्रौ.सू. ५।१५।

(भ्योऽ) अथ मरुद्भ्यो गृहमेधिभ्यः शाखया वत्सानपाकृत्य पवित्रवति
सन्दोह्य तं चरुꣳ श्रपयति चरुरुह्येव स यत्र क्व च तण्डुलानावपन्ति
तन्मेधो देवा दधिरे प्रातर्वृत्रꣳ हनिष्यन्तस्तथोऽएवैष ऽएतत्पाप्मानं
द्विषन्तं भ्रातृव्यꣳ हनिष्यन्मेधो धत्ते तद्यत्क्षीरौदनो भवति मेधो वै पयो
मेधस्तण्डुलास्तमुभयं मेधमात्मन्धत्ते तस्मात्क्षीरौदनो भवति ॥ ४ ॥

तस्यावृत् । (त्सै) सैव स्तीर्णा वेदिर्भवति या मरुद्भ्यः सान्तपनेभ्य-
स्तस्यामेव स्तीर्णायां वेदौ परिधींश्च शकलांश्चोपनिदधाति तथा सन्दोह्य
चरुꣳ श्रपयति श्रपयित्वाऽभिघार्योद्वासयति ॥ ५ ॥

---

(३) अथ मरुद्भ्यो गृहमेधिभ्यः शाखया वत्सानपाकृत्य पवित्रवति सन्दोह्य तं चरुं श्रपयति। चरुरुह्येव सः—यत्र क्वचन तण्डुलानावपन्ति । तन्मेधो देवा दधिरे—प्रातर्वृत्रं हनिष्यन्तः। तथो एवैष एतत्पाप्मानं द्विषन्तं भ्रातृव्यं हनिष्यन्मेधो धत्ते । तद्यत्क्षीरौदनो भवति । मेधो वै पयः, मेधस्तण्डुलाः। तमुभयं मेधमात्मन्धत्ते । तस्मात् क्षीरौदनो भवति ॥ ४ ॥

तस्यावृत् सैव स्तीर्णा वेदिर्भवति—या मरुद्भ्यः सान्तपनेभ्यः । तस्यामेव स्तीर्णायां वेदौ परिधींश्च शकलांश्चोपनिदधाति । तथा सन्दोह्य, चरुं श्रपयति । श्रपयित्वाऽभिघार्योद्वासयति ॥ ५ ॥

सायाह्ने कर्त्तव्यामिष्टिं विधत्ते—अथेति । गृहमेधित्वगुणविशिष्टेभ्यो ' मरुद्भ्यः ' ' चरुं श्रपयन्ति '—इत्युपरितनेन सम्बन्धः । श्रपणप्रकारमाह—शाखयेति । दर्शयागवत् शाखाहरणवत्सापाकरणे कृत्वा, शाखापवित्रं निर्माय, तद्वति पात्रे गाः ' सन्दोह्य ' दुग्ध्वा, ' तम् ' इति (विधेयापेक्षया) निर्देशः । ' तं ' दुग्धं पयः चरुं ' ' श्रपयति ' चरुरु ह्येवेति । ' सः ' वै मरुद्भ्यो गृहमेधिभ्यः क्रतः ' चरुः एव हि ' ओदनः खलु, अत इदानीमपि तदर्थं चरुरेव श्रपयितव्य इत्यर्थः ॥

यत्र क्वचेति । यत्र कुत्रचिदवस्थितान् तण्डुलान् आहृत्य, तस्मिन् पयसि प्रक्षिप्ते तत् तथैव हि देवाः पुरुषादिभ्योऽपक्रम्य व्रीहिषु सङ्क्रांताः ' मेधः ' सारं ' दधिरे ' अधारयन् । तत्र कारणमाह—प्रातरिति । हविष्मन्त इति । हेतौ शतृप्रत्ययः । प्रातः करिष्यमाणाद् वृत्रहननाद्धेतोरित्यर्थः ; तथो एवेति । इदानीन्तनयजमानस्यापि तथैव प्रतिपादनम् । क्षीरौदन इति । पयसि तण्डुलान् प्रक्षिप्य श्रपणे सति क्षीरेण संस्कृत ओदनो निष्पद्यते " अन्नेन व्यञ्जनम् "—(पा. सू. २ । १ । ३४) इति तृतीयासमासः । द्रव्यद्वयं सम्भूय प्रशंसति—मेधो वा इति । बलकरः सारांशो मेधशब्दार्थः । स्पष्टमन्यत् ॥

एष च गृहमेधीययागः सान्नाय्यविकृतिरिति सप्तभिः पक्षैः पूर्ववत् स्वीकृत्य ततो वैकचोदनादिति राद्धान्तितं दशमे । कात्यायनोऽप्याह स्म—"मरुद्भ्यो गृहमेधिभ्यः सायं चरुः पयसि, सान्नाय्यवत्, तूष्णीं वैकचोदनात् "—(का. श्रौ. सू. ५ । १५३–१५५) इति ॥ ४ ॥

अतोऽत्र कर्तव्यान्यङ्गान्यनुक्रामति—तस्यावृदिति । ' तस्य ' गृहमेधीययागस्य ' आवृत् ' क्रिया, प्रयोगः,

---

१–इध्मस्थाने शकलपरिधिं निधाय मरुद्भ्यो गृहमेधिभ्यः सायं चरुः पयसि । का. श्रौ. सू. ५।१५३ । तत्र सायंशब्दोऽपराह्णवाची । इति कर्कः ।

(त्य) अथ द्वे पिशीले वा पात्र्यौ वा निर्णेनिजति । तयोरेनं द्वेधोद्धरन्ति तयोर्मध्ये सर्पिरासेचने कृत्वा सर्पिरासिञ्चति स्रुवं च स्रुचं च सम्मार्ष्ट्यथैते-ताऽओदनावादायोदैति स्रुवं च स्रुचं चादायोदैति स ऽइमामेव स्तीर्णां व्वेदिमभिमृश्य परिधीन्परिधाय यावतः शकलान्कामयते तावतोऽभ्या-दधात्यथैतौ ऽओदनावासादयति स्रुवं च स्रुचं चासादयत्युपविशति होता होतृषदने स्रुवं च स्रुचं चाददान ऽआह ॥ ६ ॥

अथ द्वे पिशीले वा पात्र्यौ वा निर्णेनिजति। तयोरेनं द्वेधोद्धरन्ति। तयोर्मध्ये सर्पिरासेचने कृत्वा सर्पिरासिञ्चति। स्रुवं च स्रुचं च सम्मार्ष्टि। अथैता ओदनावादायोदैति। स्रुवं च स्रुचं चादायो-दैति। स इमामेव स्तीर्णां वेदिमभिमृश्य, परिधीन्परिधाय, यावतः शकलान् कामयते तावतो-ऽभ्यादधाति। अथैता ओदनावासादयति स्रुवं च स्रुचं चासादयति। उपविशति होता होतृषदने स्रुवं च स्रुचं चाददान आह॥ ६ ॥

क्रमः, अभिधीयत इति शेषः। सान्तपनेष्टौ 'या वेदिः' बर्हिषा 'स्तीर्णा' अभूत्, गृहमेधीयस्यापि 'सैव' उपकरोति। तस्यामेवेत्यादि, निगदसिद्धम्; अतः सन्दिग्धपदविवरणमात्रमेव क्रियते-**शकलांश्चे**ति। इध्मस्य स्थाने शकलानेव सम्मृज्य परिधिभिः सह तान् सादयेदित्यर्थः। **सन्दोह्य चरुमि**ति। विहितानुवादः क्रमार्थः॥५

अथ द्वे इति। **पिशीले वे**ति। पिशीलशब्दः शरावाची। अत एवोक्तं सूत्रकृता-"श्रपयित्वाऽभिघार्यो-द्वास्य शरावयोरुद्धरति" (का. श्रौ. सू. ५।१५७)। **पात्र्यौ वे**ति। **निर्णेनिजती**ति। प्रक्षालयतीत्यर्थः। "णिजिर् शौचपोषणयोः"-इति धातुः (धा. पा. जु. उ. ११)। **द्वेधोद्धरन्ती**ति। 'एनं' चरुं द्वेधा विभज्य तयोः शरावयोः पात्र्योर्वा निदध्यादित्यर्थः। **सर्पिरासेचने** इति। सर्पिः सर्पणशील-माज्यम्, आसिच्यते आनीयतेऽस्मिन्निति सर्पिरासेचनम्। अधिकरणे ल्युट्। पात्रस्थयोस्तयोरोदनयोर्मध्ये सर्पिःपूरणायावटौ कृत्वेत्यर्थः। **स्रुवं चे**ति। एकत्वमविवक्षितम्। प्रयाजानुयाजाभावेनोपभृतः प्रयोगा-भावात् तामेव संमृज्यादित्यर्थः। **ओदनावासादयती**ति। पात्रद्वये स्थापितौ तावेवौदनौ गृहीत्वा वेद्यामासादयितु गच्छेदित्यर्थः। ओदनमध्यस्थितेनैवाज्येन कृत्स्नाज्यकार्यनिष्पत्तेः ध्रुवाया अप्रयोग इति जुहुम इत्यर्थः। **इमामेवे**ति। सान्तपन्यामिष्टौ या वेदिः बर्हिषाऽऽस्तीर्णाऽस्ति, तामेव वेदिम् गृहमेधीयाङ्गत्वेना-स्तरणमन्त्रेण तूष्णीमेवावमृशेत। यदाह कात्यायनः-"स्तरणयजुषा वेदिमभिमृश्य तूष्णीं वा कृतत्वात्"-(का. श्रौ. सू. ५।१।६०) इति। न पुनर्बर्हिषाऽऽस्तरणं कर्त्तव्यमित्यर्थः। इध्मवत्तत्कार्यशकलानां सङ्ख्या नियमप्रसक्तावाह-**यावत** इति। यावद्भिः शकलैराहवनीयस्य प्राबल्यं भवति तानयं कामयेत; 'तावतः' शकलांस्तत्राभ्यादध्यादित्यर्थः। तस्यां वेद्यां हविरासादनं विधत्ते-**अथैतावि**ति। **उपविशति होते**ति। सामिधेन्य-नुवचनादेरभावात् होतृषदने तूष्णीमेवोपविशेत्। होतुरुपवेशानानन्तरमाज्यभागावित्येव कर्त्तव्यम्, न पुन-राघारादिकमित्यभिप्रेत्याह-**स्रुवश्च स्रुचश्चे**त्यादिना॥ ६ ॥

१-इध्मस्थाने शकलपरिधिं निधाय। का. श्रौ. सू. ५।१५३। २-आरोचने मध्ये कृत्वा सर्पिरासिंचत्याज्यार्थम्। का. श्रौ. सू. ५।१५८।

(ह्मा) अग्नयेऽनुब्रूहीति। (त्या) आग्नेयमाज्यभागꣳ स दक्षिणस्यौदनस्य सर्पिरासेचनाच्चतुराज्यस्यावदायातिक्रामत्यतिक्रम्याश्राव्याहाग्निं यजेति वषट्कृते जुहोति ॥ ७ ॥

(त्यु) अथाह सोमायानुब्रूहीति। सौम्यमाज्यभागꣳ सऽउत्तरस्यौदनस्य सर्पिरासेचनाच्चतुराज्यस्यावदायातिक्रामत्यतिक्रम्याश्राव्याह सोमं यजेति वषट्कृते जुहोति ॥ ८ ॥

(त्यु) अथाह मरुद्भ्यो गृहमेधिभ्योऽनुब्रूहीति। स दक्षिणस्यौदनस्य सर्पिरासेचनात्तत ऽआज्यमुपस्तृणीते तस्य द्विरवद्यत्यथोपरिष्टादाज्यस्याभिघारयत्यतिक्रामत्यतिक्रम्याश्राव्याह मरुतो गृहमेधिनो यजेति वषट्कृते जुहोति ॥ ९ ॥

(त्यु) अथाहाग्नये स्विष्टकृतेऽनुब्रूहीति। सऽउत्तरस्यौदनस्य सर्पिरासेचनात्तत ऽआज्यमुपस्तृणीते तस्य द्विरवद्यत्यथोपरिष्टादाज्यस्याभिघार-

---

'अग्नयेऽनुब्रूहि' इति आग्नेयमाज्यभागम्। स दक्षिणस्यौदनस्य सर्पिरासेचनाच्चतुराज्यस्यावदायातिक्रामति। अतिक्रम्याश्राव्याह 'अग्निं यज' इति। वषट्कृते जुहोति ॥ ७ ॥

अथाह—'सोमायानुब्रूहि' इति सौम्यमाज्यभागम्। स उत्तरस्यौदनस्य सर्पिरासेचनाच्चतुराज्यस्यावदायातिक्रामति। अतिक्रम्याश्राव्याह—'सोमं यज' इति। वषट्कृते जुहोति ॥ ८ ॥

अथाह—'मरुद्भ्यो गृहमेधिभ्योऽनुब्रूहि' इति। स दक्षिणस्यौदनस्य सर्पिरासेचनात्तत आज्यमुपस्तृणीते। तस्य द्विरवद्यति। अथोपरिष्टादाज्यस्याभिघारयति। अतिक्रामति। अतिक्रम्याश्राव्याह—'मरुतो गृहमेधिनो यज' इति। वषट्कृते जुहोति ॥ ९ ॥

अथाह—'अग्नये स्विष्टकृतेऽनुब्रूहि' इति। स उत्तरस्यौदनस्य सर्पिरासेचनात्तत आज्यमुपस्तृणीते। तस्य द्विरवद्यति। अथोपरिष्टादाज्यस्याभिघारयति। अतिक्रामति। अतिक्रम्याश्राव्याह—

अग्नयेऽनुब्रूहीति। दक्षिणस्यौदनस्येति। दक्षिणोत्तरभागेन वेद्यामासादितयोरोदनयोः यो दक्षिणस्थित ओदनः, तस्य 'सर्पिरासेचनात्' सर्पिषा पूर्णात् पात्रात् पूर्वाज्यभागार्थं चतुरवदानम्, उत्तरस्यौदनस्य सर्पिरासेचनात् द्वितीयस्याज्यभागस्यावदानम्। तथा प्रधानयागस्य गृहमेधीयस्य दक्षिणौदनस्य सर्पिरासेचनात् उपस्तरणाभिघारणे उत्तरौदनस्य सर्पिरासेचनात् स्विष्टकृद्यागस्योपस्तरणाभिघारणे। अत एव सूत्रितं कात्यायनेन—"आज्यभागाभ्यां चरति, आग्नेयं दक्षिणात्, सौम्यमुत्तरात्, गृहमेधीयस्विष्टकृतौ चाज्यभागवत् समवदानौ (५। १६३–१६४) इति। निगदसिद्धमन्यत् ॥ ७ ॥ ८ ॥ ९ ॥

अथाहाग्नय इति। न प्राशित्रमिति। प्राशित्रावदानं न कर्त्तव्यम्; पयसि संस्कृतत्वेन सान्नाय्यविकृतित्वात्,

---

१—न प्राशित्रमिडांतं भवति। का. श्रौ. सू. ५। १६८।

यत्यतिक्रामत्यतिक्रम्याश्राव्याहाग्निᳫं स्विष्टकृतं यजेति वषट्कृते जुहो-
त्यथेडामेवावद्यति न प्राशित्रमुपहूय मार्जयन्त ऽएतन्न्वेकमयनम् ॥ १० ॥

(म) अथेदं द्वितीयᳫं सैव स्तीर्णा वेदिर्भवति या मरुद्भ्यः सान्तप-
नेभ्यस्तस्यामेव स्तीर्णायां वेदौ परिधींश्च शकलांश्चोपनिदधति तथा
सन्दोह्य चरुᳫं श्रपयति तदेव प्रतिवेशमाज्यमधिश्रयति श्रपयित्वाऽभिघा-
र्योद्वास्यानक्ति स्थाल्यामाज्यमुद्वासयति स्रुवं च स्रुचं च सम्मार्ष्ट्यथैतᳫं
सोखमेव चरुमादायोदैति स्थाल्यामाज्यमादायोदैति स्रुवं च स्रुचं चादा-
योदैति सऽइमामेव स्तीर्णां वेदिमभिमृश्य परिधीन्परिधाय यावतः शक-
लान्कामयते तावतोऽभ्यादधात्यथैतᳫं सोखमेव चरुमासादयति स्थाल्या-
माज्यमासादयति स्रुवं च स्रुचं चासादयत्युपविशति होता होतृषदने स्रुवं
च स्रुचं चाददान ऽआह ॥ ११ ॥

'अग्निं स्विष्टकृतं यज' इति । वषट्कृते जुहोति । अथेडामेवावद्यति, न प्राशित्रम् । उपहूय मार्जयन्ते । एतन्न्वेकमयनम् ॥ १० ॥

अथेदं द्वितीयम् । सैव स्तीर्णा वेदिर्भवति—या मरुद्भ्यः सान्तपनेभ्यः । तस्यामेव स्तीर्णायां वेदौ परिधींश्च शकलांश्चोपनिदधति । तथा सन्दोह्य चरुं श्रपयति नेदेव प्रतिवेशमाज्यमधिश्रयति । श्रपयित्वाऽभिघार्योद्वास्यानक्ति स्थाल्यामाज्यमुद्वासयति स्रुवं च स्रुचं च सम्मार्ष्टि । अथैतं सोखमेव चरुमादायोदैति । स्थाल्यामाज्यमादायोदैति । स्रुवं च स्रुचं चादायोदैति । स इमामेव स्तीर्णां वेदिमभिमृश्य, परिधीन्परिधाय, यावतः शकलान् कामयते तावतोऽभ्यादधाति । अथैतं सोखमेव चरुमासादयति । स्थाल्यामाज्यमासादयति । स्रुवं च स्रुचं चासादयति । उपविशति होता होतृषदने । स्रुवं च स्रुचं चाददान आह ॥ ११ ॥

न हि प्रकृतौ सान्नाय्यात् प्राशित्रमवदीयते । उक्तमुपयोगक्रमं निगमयति—एतदिति । 'एतत्' खलु 'एकमयनं' गृहमेधीयस्यानुष्ठानमार्गः ॥ १० ॥

अन्यदप्ययनं दर्शयति—**अथेदमिति** । अस्मिन् पक्षेऽपि पूर्ववदेव **सैव स्तीर्णा वेदिर्भव**तीत्यादेरर्थः । एतावांस्तु विशेषः—श्रपितस्य चरोर्द्वयोरुद्धरणम्, तत्र सार्पिरासेचनकरणम्, तदासेचनश्चोत्पत्त्यैव न भवति, किन्तु यदा चरुं श्रपयति 'तत्' तदानीमेव 'प्रतिवेशं' समापनार्थं प्रतिनिधित्वेन निवेशनस्थानं प्रतिवेशः, तत्स्थानीयमाज्यम्; दक्षिणाग्नावाज्यस्थाल्यामधिश्रयेदित्यर्थः । **उद्वास्यानक्तीति** । उद्वासनात् पूर्वमभिघार्य तदुत्तरकालमपि हविरञ्ज्यादित्यर्थः ॥

सोखमेवेति । यस्यां स्थाल्यां चरुः श्रप्यते, तत्सहितमेव; न पुनः पात्रान्तरे धारणं कर्त्तव्यमित्यर्थः । **स्थाल्या-**

(ह्रा) अ॒ग्नये॒ऽनु॒ब्रू॒ही॒ति । (त्या) आ॒ग्ने॒यमा॒ज्य॒भा॒गᳪ᳭ स स्था॒ल्यै च॒तु-
रा॒ज्य॒स्या॒व॒दा॒या॒ति॒क्रा॒म॒त्य॒ति॒क्र॒म्या॒श्रा॒व्या॒हा॒ग्निं य॒जेति॒ व्वष॒ट्कृ॒ते जु॒हो॒ति १२
(त्यु) अ॒था॒ह सोमा॑या॒नु॒ब्रू॒ही॒ति । सौ॒म्य॒मा॒ज्य॒भा॒गᳪ᳭ स स्था॒ल्या ऽए॒व
च॒तु॒रा॒ज्य॒स्या॒व॒दा॒या॒ति॒क्रा॒म॒त्य॒ति॒क्र॒म्या॒श्रा॒व्या॒ह सोमं य॒जेति॒ व्वष॒ट्-
कृ॒ते जु॒हो॒ति ॥ १३ ॥
(त्यु) अ॒था॒ह म॒रुद्भ्यो॑ गृ॒ह॒मे॒धि॒भ्यो॒ऽनु॒ब्रू॒ही॒ति । स ऽउ॒प॒स्तृ॒णी॒त ऽआ॒ज्य-
मु॒था॒स्य च॒रोर्द्वि॒र॒व॒द्य॒त्य॒थो॒प॒रि॒ष्टा॒दा॒ज्य॒स्या॒भि॒घा॒र॒य॒ति प्र॒त्य॒न॒क्त्य॒व॒दा॒नेऽ-
ऽति॒क्रा॒म॒त्य॒ति॒क्र॒म्या॒श्रा॒व्या॒ह म॒रु॒तो गृ॒ह॒मे॒धि॒नो य॒जेति॒ व्वष॒ट्कृ॒ते जु॒हो॒ति १४
(त्यु) अ॒था॒हा॒ग्नये॑ स्वि॒ष्ट॒कृ॒ते॒ऽनु॒ब्रू॒ही॒ति । स ऽउ॒प॒स्तृ॒णी॒त ऽआ॒ज्य॒मु॒था॒स्य
च॒रोः स॒कृ॒द॒व॒द्य॒त्यु॒थो॒प॒रि॒ष्टा॒द्द्वि॒रा॒ज्य॒स्या॒भि॒घा॒र॒य॒ति न प्र॒त्य॒न॒क्त्य॒व॒दा॒न-
मु॒ति॒क्रा॒म॒त्य॒ति॒क्र॒म्या॒श्रा॒व्या॒हा॒ग्निᳪ᳭ स्वि॒ष्ट॒कृ॒तं य॒जेति॒ व्वष॒ट्कृ॒ते जु॒हो॒ति १५
(त्यु) अ॒थे॒डा॒मे॒वा॒व॒द्य॒ति न प्रा॒शि॒त्रम् । (स्तु) उ॒प॒हू॒य प्रा॒श्न॒न्ति या॒व॒न्तो
गृ॒ह्या ह॒वि॒रु॒च्छि॒ष्टा॒शाः स्यु॒स्ता॒व॒न्तः प्रा॒श्नी॒यु॒रु॒थो ऽअ॒प्यृ॒त्वि॒जः प्रा॒श्नी॒यु-

---

'अग्नयेऽनुब्रूहि' इति आग्नेयमाज्यभागम् । स स्थाल्यै चतुराज्यस्यावदायातिक्रामति । अति-
क्रम्याश्राव्याह–'अग्निं यज' इति । वषट्कृते जुहोति ॥ १२ ॥

अथाह–'सोमायानुब्रूहि' इति । सौम्यमाज्यभागम् । स स्थाल्या एव चतुराज्यस्यावदायाति-
क्रामति । अतिक्रम्याश्राव्याह–'सोमं यज' इति । वषट्कृते जुहोति ॥ १३ ॥

अथाह–'मरुद्भ्यो गृहमेधिभ्योऽनुब्रूहि' इति । स उपस्तृणीत आज्यम् । अथास्य चरोर्द्विर-
वद्यति । अथोपरिष्टादाज्यस्याभिघारयति । प्रत्यनक्त्यवदाने अतिक्रामति । अतिक्रम्याश्राव्याह–
'मरुतो गृहमेधिनो यज' इति । वषट्कृते जुहोति ॥ १४ ॥

अथाह–'अग्नये स्विष्टकृतेऽनुब्रूहि' इति । स उपस्तृणीत आज्यम् । अथास्य चरोः सकृदव-
द्यति । अथोपरिष्टाद् द्विराज्यस्याभिघारयति । न प्रत्यनक्त्यवदानम् । अतिक्रामति । अतिक्रम्या-
श्राव्याह–'अग्निं स्विष्टकृतं यज' इति । वषट्कृते जुहोति ॥ १५ ॥

अथेडामेवावद्यति, न प्राशित्रम् । उपहूय प्राश्नन्ति । यावन्तो गृह्या हविरुच्छिष्टाशाः स्युः–
तावन्तः प्राश्नीयुः–अथो अप्यृत्विजः प्राश्नीयुः । अथो अप्यन्ये ब्राह्मणाः प्राश्नीयुः–यदि बहुरोदनः

माज्यमिति । स्थालीसहितमेव चरुं वेद्यामासाद्य, आज्यस्थालीतलगतमाज्यमप्यासादयेदित्यर्थः । आज्यभागादिषु यदाज्यकार्यं तत् सर्वं स्थालीगताज्यादेव कर्त्तव्यमिति । अयमेव पूर्वस्मात्पक्षादस्य पक्षस्य विशेषः, शिष्टं समानं पूर्वेण ॥ ११–१५ ॥

अथेडामेवावद्यतीति । इडोपह्वानानन्तरं यत् प्राशनम्, तत्र विशेषमाह–यावन्त इति । गृहे भवा 'गृह्याः'

तानीषदिवोपतप्य तेषां करम्भपात्राणि कुर्वन्ति यावन्तो गृह्याः स्युस्तावन्त्येकेनातिरिक्तानि ॥ १४ ॥

तत्रापि मेषं च मेषीं च कुर्वन्ति । तयोर्मेषे च मेष्यां च यद्यनैडकीरूर्णा विन्देत्ताः प्रणिज्य निश्लेषयेद्यद्यु ऽअनैडकीर्न विन्देदथोऽ अपि कुशोर्णा ऽएव स्युः ॥ १५ ॥

(स्त) तद्यन्मेषश्च मेषी च भवतः । (ऽ) एष वै प्रत्यक्षं वरुणस्य पशुर्यन्मेषस्तत्प्रत्यक्षं वरुणपाशात्प्रजाः प्रमुञ्चति यवमयौ भवतो यवान् हि जक्षुषीर्वरुणोऽगृह्णान्मिथुनौ भवतो मिथुनादेवैतद्वरुणपाशात्प्रजाः प्रमुञ्चति ॥ १६ ॥

तत्रापि मेषं च मेषीं च कुर्वन्ति । तयोर्मेषे च मेष्यां च यद्यनैडकीरूर्णा विन्देत्—ताः प्रणिज्य निश्लेषयेत् । यद्यु अनैडकीर्न विन्देत्—अथोऽअपि कुशोर्णा एव स्युः ॥ १५ ॥

तद् यन्मेषश्च मेषी च भवतः । एष वै प्रत्यक्षं वरुणस्य पशुः—यन्मेषः । तत्प्रत्यक्षं वरुणपाशात् प्रजाः प्रमुञ्चति । यवमयौ भवतः । यवान् हि जक्षुषीर्वरुणोऽगृह्णात् । मिथुनौ भवतः—मिथुनादेवैतत् वरुणपाशात् प्रजाः प्रमुञ्चति ॥ १६ ॥

अन्वाहार्यपचने इति । अन्वाहार्य्यो नामेष्टिः । दक्षिणदिग्भागे मरुतः 'अजिघांसन्' हन्तुमैच्छन् तान् प्रजापतिरेतेन पयस्यारूपेण भागेन 'अशमयत्' शमितवानिति यावत्, तस्माद्दक्षिणात्वेन देय ओदनो यस्मिन् पच्यते स तथोक्तः । तस्मिन् दक्षिणाग्नौ 'अतुषान्' तुषरहितान् 'कृत्वा' सम्भृज्य 'तान्' 'ईषदिव' अत्यल्पमिव 'उपतप्य' श्रपयित्वोदकेनालोड्य, तैः 'करम्भपात्राणि' भृष्टयवचूर्णाः[1] करम्भाः[2], तन्मयानि पात्राणि 'कुर्वन्ति' अध्वर्य्युयजमानादयः । कियन्ति तानि पात्राणीत्यपेक्षायामाह—**यावन्त** इति । यावत्सङ्ख्याका यजमानस्य 'गृह्याः' स्वगृहे वर्त्तमानाः पुत्रपौत्रादिरूपा ज्ञातयो भवेयुः, 'तावन्ति' तावत्सङ्ख्याकानि करम्भपात्राणि कार्य्याणि तानि च जनिष्यमाणापत्यार्थम्, एकेन' 'अतिरिक्तानि' अधिकानि कार्य्याणि ॥ १४ ॥

करम्भपात्रावशिष्टाद् यवपिष्टादेव मेषमेषीलक्षणमिथुनस्य निर्माणं विधत्ते—**तत्रापी**ति । 'अपि'—शब्द एवकारार्थः । 'तत्र' करम्भपात्रनिर्माणसमये एव, तेनैव पिष्टेन मेषमेष्यौ कर्त्तव्ये[3] । **तयोरि**ति । सम्भूयानूदितयोः मेषे च मेष्याञ्च इति पृथगुपादानं विस्पष्टार्थम् । **यद्यनैडकीरि**[4]ति । एडको[5] मेषः, तत्सम्बन्धरहिता अनैडक्यः, 'ऊर्णाः' कम्बलोपादानभूतानि तज्जातीयानि[6] रोममयानि सूत्राणि यदि तास्तथाविधा ऊर्णाः 'विन्देत्' लभेत तदा 'ताः' 'प्रणिज्य' प्रक्षाल्य, तयोः मेषमेष्योः 'निश्लेषयेत्' संश्लेषयेत्[7] 'यद्यु' यदि खलु 'अनैडकीः' ऊर्णाः 'न विन्देत्' न लभेत, तर्हि 'कुशोर्णा[8] एव स्युः' कुशमय्य एवोर्णाः, तयोः मेषमेष्योः संश्लेषणीयाः स्युः भवेयुः ॥ १५ ॥

मेषमेष्योः करणमनूद्य स्तौति—**तद्यदि**ति । **वरुणस्य पशुर्यन्मेष** इति । 'यद्' 'एषः' खलु 'प्रत्यक्षं'

१—'पिष्टचूर्णाः' इति पा. । २—'करम्भो दध्ना संयुताः सक्तवः' तन्मयानि पात्राणि करम्भपात्राणीति का. श्रौ.सू. ५।५।२ सू.या. दे । ३—मेषमिथुनं च । का. श्रौ. सू. ५।५२ । ४—'नैलकी' इति पा. । ५—'एलको' इति पा. । ६—'तज्जातीयरोममयानि' इति पा. । ७—अनैडकीरूर्णाः प्रक्षाल्याश्लेषयेत्तयोः । का. श्रौ. सू. ५ । । ५३ । ८—कुशोर्णा वाऽभावे । का. श्रौ. सू . ५ । ५४ ।

यथो ऽअप्यन्ये ब्राह्मणाः प्राश्नीयुर्यदि बहुरोदनः स्यादथैतामनिरशितां कुम्भीमपिधाय निदधति पूर्णदर्व्वाय मातृभिर्व्वत्सान्त्समवार्जन्ति तदु पशवो मेधमात्मन्दधते यवाग्वैताᳫँ रात्रिमग्निहोत्रं जुहोति निवान्यां प्रातर्दुहन्ति पितृयज्ञाय ॥ १६ ॥

(या) अथ प्रातर्हुते वाऽहुते वा । यतरथा कामयेत सोऽस्या ऽअनिरशितायै कुम्भ्यै दर्व्योपहन्ति पूर्णा दर्वि परापत सुपूर्णा पुनरापत । वस्नेव विक्रीणावहा ऽइषमूर्जᳫँ शतक्रतविति यथा पुरोऽनुवाक्यैवमेषैतयैवैनमेतस्मै भागाय ह्वयति ॥ १७ ॥

स्यात् । अथैतामनिरशितां कुम्भीमपिधाय निदधति पूर्णदर्वाय । मातृभिर्वत्सान्त्समवार्जन्ति । तदु पशवो मेधमात्मन्दधते । यवाग्वैतां रात्रिमग्निहोत्रं जुहोति। निवान्यां प्रातर्दुहन्ति पितृयज्ञाय॥१६॥

अथ प्रातर्हुते वाऽहुते वा–यतरथा कामयेत–सोऽस्या अनिरशितायै कुम्भ्यै दर्व्योपहन्ति ।"**पूर्णा दर्वि परापत सुपूर्णा पुनरापत । वस्नेव विक्रीणावहा इषमूर्जं शतक्रतो**"–(वा. सं. ३।४९) इति । **यथा पुरोऽनुवाक्या–एवमेषा** । एतयैवैनमेतस्मै भागाय ह्वयति ॥ १७ ॥

यजमानगृहे वर्त्तमानाः पुत्रपौत्रभ्रात्रादिरूपाः 'यावन्तः' सन्ति, 'तावन्तः' 'हविरुच्छिष्टाशाः' भवेयुः; अस्यैव विवरणं 'प्राश्नीयुः'–इति, हविःशेषं सर्वं प्राश्नीयुरित्यर्थः । 'अथो' अपि च 'ऋत्विजः अपि' 'प्राश्नीयुः' । 'अपि च' 'अन्ये' 'ये ब्राह्मणाः' आगताः, तेऽपि 'प्राश्नीयुः'। 'यदि' 'ओदनः' 'बहुः' अधिकः 'स्यात्' तदा अन्येषां प्राशनमित्यर्थः।कुम्भीनिधानं विधत्ते–**अथैतामिति** । निःशेषेण अशिता निरशिता, तद्विपरीता अनिरशिता ताम्, शेषसहितामित्यर्थः । तादृशीं कुम्भीं पात्रान्तरेण अपिधाय, 'पूर्णदर्वाय' हविषा पूर्णा दर्वी यस्मिन् कर्मणि, तत् पूर्णदर्वम्, तस्मै पूर्णदर्वाय कर्मणे, तदर्थं स्थापयेत् । अस्यां रात्रौ वत्सानां मातृभिः सह वासं विधत्ते–**मातृभिरिति** । 'समवार्जन्ति' "अर्ज गतिस्थानार्जनेषु"–(धा. पा. भ्वा. प. २२४) संसृष्टान्कुर्युरित्यर्थः । **तदु पशव** इति । 'तत्' तेन वत्ससङ्गमेन पशवोऽपि 'मेधम्' आत्मीयं सारम् 'आत्मन्' स्वात्मनि अस्यां रात्रौ 'दधते' धारयन्ति । अग्निहोत्रार्थमपि तस्यां रात्रौ पयो न दोग्धव्यमिति द्रव्यान्तरं विधत्ते–**यवाग्वैतामिति** । एवं यजमानगृहवर्त्तिनां सर्वेषां वत्सानां मातृसमवार्जनप्रसक्तौ प्रातः पितृयज्ञार्थं दोह्याया निवान्याया गोर्वत्सस्य बन्धनं कर्त्तव्यमित्यभिप्रेत्याह–**निवान्यामिति** । स्वयं नष्टवत्सा अन्यदीयेन वत्सेन या गौर्दुह्यते सा निवान्या, ताम् 'प्रातः' पितृयज्ञार्थं यतो दुहन्ति, अतस्तस्य वत्सस्य बन्धनं कर्त्तव्यमित्यध्याहृत्य योजनीयम् । अत एव कात्यायन आह–"मातृभिर्वत्सान्संसृज्य निवान्यावत्सं बध्नाति" इति (का. श्रौ.सू. ५ । १७५)॥ १६ ॥

पूर्णदर्वाख्यस्य कर्मणः कालं विधत्ते–**अथेति** । 'प्रातः'–अग्निहोत्रे 'हुते वा अहुते वा' अनयोः पक्षयोः 'यतरथा' येन प्रकारेण 'कामयेत' तथैवानुष्ठेयमित्यर्थः। होमाय समन्त्रकं हविर्ग्रहणं विधत्ते–**सोऽस्या** इति।

१–प्राश्नन्ति युक्ताः । यजमानगृह्या हविरुच्छिष्टाशा ऋत्विजो ब्राह्मणाश्चान्ये बहुश्चेत् । का. श्रौ. सू. ५ । १७० । १७१ । २–आरिक्तां स्थालीं निदधाति । का. श्रौ. सू. ५।१७२।३–प्रातर्हुत्वाऽहुत्वा स्थाल्या दर्व्यादत्ते पूर्णा दर्वीति । का. श्रौ.सू. ५।१७७।

(त्यु) अथऽर्षभमाह्वयितवै ब्रूयात् । (त्स) स यदि रुयात्स वषट्कार ऽइत्यु हैक ऽआहुस्तस्मिन्वषट्कारे जुहुयादित्यथो ऽइन्द्रमेवैतत्स्वेन रूपेण ह्वयति वृत्रस्य वधायैतद्वा ऽइन्द्रस्य रूपं यदृषभस्तत्स्वेनैवैनमेतद्रूपेण ह्वयति वृत्रस्य वधाय स यदि रुयाद्वा मऽइन्द्रो यज्ञमगन्त्सेन्द्रो मे यज्ञ ऽइति ह विद्याद्यद्यु न रुयाद्ब्राह्मण एव दक्षिणत ऽआसीनो ब्रूयाज्जुहुधीति सैवैन्द्री वाक् ॥ १८ ॥

अथर्षभमाह्वयितवै ब्रूयात् । स यदि रुयात्–स वषट्कारः–इत्युहैक आहुः । तस्मिन् वषट्कारे जुहुयादिति । अथो इन्द्रमेवैतत् स्वेन रूपेण ह्वयति–वृत्रस्य वधाय । एतद्वा इन्द्रस्य रूपं यदृषभः । तत्स्वेनैव रूपेण ह्वयति–वृत्रस्य वधाय । स यदि रुयात्,–आ म इन्द्रो यज्ञमगन्, सेन्द्रो मे यज्ञः–इति ह विद्यात् । यद्यु न रुयाद्–ब्राह्मण एव दक्षिणत आसीनो ब्रूयात्–'जुहुधि' इति । सैवैन्द्री वाक् ॥ १८ ॥

षष्ठ्यर्थे चतुर्थी । सोखायाः गृहमेधीयकुम्भ्याः सकाशात् "पूर्णा दर्वि "–इति मंत्रेण दर्व्या आघातेन 'उपहन्ति' गृह्णीयात् । मन्त्रस्यायमर्थः–हे 'दर्वि' ! प्रथमं हविषा 'पूर्णा' सती अस्याः सकाशात् 'परापत' परागच्छ, देवान् प्राप्नुहि, पुनः कर्मफलेन 'सुपूर्णा'–सती अमुतः सकाशात् अस्मान् पुनरागच्छ, हे 'शतक्रतो' इन्द्र ! 'वस्ना' वसुना मूल्येन 'इव' आवाम् 'इषम्' इष्यमाणम् अन्नम् 'ऊर्जम्' बलकरं रसं च 'विक्रीणावहै' त्वया दत्तं फलं स्वीकृत्य हविर्दास्यामि त्वयि; मया दत्तं हविर्गृहीत्वा मह्यं फलं दास्यसि त्वम्; एवं व्यतिहारेण कर्म क्रीणावहा इत्यर्थः । एतन्मन्त्रोच्चारणं प्रशंसति–यथेति । 'एनम्' इन्द्रम् 'एतस्मै' पूर्णदर्वाख्याय 'भागाय' पुरोनुवाक्यास्थानीयया पुरोवक्तव्यया एतया 'आ-ह्वयति' आकारयति ॥ १७ ॥

ऋषभध्वनौ होतव्यमिति विधित्सुराह–अथेति । 'आह्वयितवै' आह्वातुम् "तुमर्थे सेसेनसे "–(पा. सू. ३ । ४ । ९) इति तवै-प्रत्ययः । स यदीत्यादि । 'सः' आहूतः ऋषभः, 'यदि' 'रुयात्' शब्दं कुर्यात् । "रु शब्दे "–(धा. पा. अ. प. २४) इति धातुः । तद्ध्वनिर्वषट्कारात्मक इति केचिदाहुः । तथा च तैत्तिरीयकम्–"ऋषभमाह्वयति, वषट्कार एवास्य स इति कथयन्ति " इति । अतः तस्मिन् वषट्कारे हविर्जुहुयादित्येकं मतम् ॥

पक्षान्तरमाह–अथो इति । योऽयमृषभस्य ध्वनिः, नासौ वषट्कारः, किन्तु इन्द्रस्य स्वभूतेन ऋषभाख्येन रूपेण तमेव 'इन्द्रम्' एतेन शब्देन 'ह्वयति' किमर्थम् 'वृत्रस्य वधाय' वृत्रमसुरं हन्तुमित्यर्थः । वृत्रस्येति कर्मणि षष्ठी । "तुमर्थाच्च भाववचनात् "–(पा. सू. २ । ३ । १५) इति वधशब्दाच्चतुर्थी । एतदेव विवृणोति–एतद्वा इति । अभिभवनशीलवृषभ 'इन्द्रस्य रूपम्' । नहीन्द्रादन्यस्याभिभवनसामर्थ्यमस्तीत्यभिप्रायः । स यदीत्यादि । 'यदि' 'सः' ऋषभः शब्दं कुर्यात् तदा "आ म इन्द्रो यज्ञमगन् " आगमत्, तथा च मदीयो यज्ञः इन्द्रसहितोऽभवदिति 'विद्यात्' जानीयात् । यज्ञे ऋषभस्य शब्दाकरणेऽनुष्ठानप्रकारमाह–यद्यु नेति । 'यदि'

१–ऋषभमाह्वयितवै ब्रूयात् । का. श्रौ. सू. ५ । १७८ । २–रुते जुहोति । का. श्रौ. सू. ५ । १७९ ।

(क्ष) स जुहोति । देहि मे ददामि ते नि मे धेहि नि ते दधे ॥ निहारं च हरासि मे निहारं निहराणि ते स्वाहेति ॥ १९ ॥

(त्र) अथ मरुद्भ्यः क्रीडिभ्यः सप्तकपालं पुरोडाशं निर्वपति । मरुतो ह वै क्रीडिनो वृत्रꣳ हनिष्यन्तमिन्द्रमागतं तमभितः परिचिक्रीडुर्महयन्तस्तथो ऽएवैतं पाप्मानं द्विषन्तं भ्रातृव्यꣳ हनिष्यन्तमभितः परिक्रीडन्ते महयन्तस्तस्मान्मरुद्भ्यः क्रीडिभ्योऽथातो महाहविष ऽएव तद्यथा महाहविषस्तथो तस्य ॥ २० ॥

इति चतुर्थप्र० चतुर्थं ब्राह्मणम् ॥४॥४॥ (५–२) समाप्तोऽयं चतुर्थप्र० ॥

स जुहोति "देहि मे–ददामि ते, नि मे धेहि–नि ते दधे । निहारं च हरासि मे–निहारं निहराणि ते–स्वाहा" (वा. सं. ३ । ५०) इति ॥ १९ ॥

अथ महाहविर्यागः ।

अथ मरुद्भ्यः क्रीडिभ्यः सप्तकपालं पुरोडाशं निर्वपति । मरुतो ह वै क्रीडिनो वृत्रं हनिष्यन्तमिन्द्रमागतं तमभितः परिचिक्रीडुः महयन्तः । तथो एवैतं पाप्मानं द्विषन्तं भ्रातृव्यं हनिष्यन्तमभितः परिक्रीडन्ते महयन्तः । तस्मान्मरुद्भ्यः क्रीडिभ्यः । अथातो महाहविष एव तद् यथा महाहविषः–तथो तस्य ॥ २० ॥

तु 'न' 'स्यात्' शब्दं कुर्यात्, तदा 'दक्षिणतः' उपविष्टः 'ब्राह्मणः' ब्रह्मैव, 'जुहुधीति' अध्वर्युं प्रति 'ब्रूयात्' शंसेद् 'सैव' 'ऐन्द्री' इन्द्राह्वानार्था वाक् ॥ १८ ॥

अथ समन्त्रकं होमं विधत्ते–स जुहोतीति । दर्व्या गृहीतं हविः "देहि मे"–इति मन्त्रेण तथैव दर्व्या आहवनीये जुहुयात् । मन्त्रस्यायमर्थः । इन्द्रो ब्रवीति–हे यजमान ! त्वं 'मे' मह्यं प्रथमं हविः 'देहि', अहमपि 'ते' तुभ्यम् इष्टं फलं 'ददामि' तथा त्वं 'मे' मह्यं 'हविः' 'निधेहि' नियमेन हि ह्रियत इति निहारो मूल्यद्रव्यम् 'निहारं' हविषो मूल्यभूतम् फलस्य मूल्यभूतं अहमपि तुभ्यं फलं 'निदधे' निदधामि, नियच्छामि नितरां धारय, हविः; 'च'–शब्दश्चेदर्थे, त्वं चेत् प्रथमं 'हरासि' हरेः, दद्या इत्यर्थः । हरतेर्लेट्याडागमः; अनन्तरमेव 'ते' तुभ्यम् अहमपि 'निहारं' हविषो मूल्यभूतं फलं 'निहराणि' नितरां प्रापयामि 'स्वाहा' इदं हविः स्वाहुतमस्तु इति । एतत् सर्वं कात्यायनेन सूत्रितम्–"प्रातर्हुत्वाऽहुत्वा वा स्थाल्या दर्व्यादत्ते पूर्णा दर्वीति, ऋषभमाह्वयितवै ब्रूयाद्, रुते जुहोति, अव्याहरति ब्रह्मा जुहुधीत्याह, देहि म इति जुहोति"–इति (का. श्रौ. सू. १७७–१८१) ॥ १९ ॥

एतदनन्तरकर्त्तव्यामिष्टिं विधत्ते–अथेति । क्रीडन्तीति क्रीडिनः एतद्गुणविशिष्टेभ्यः 'मरुद्भ्यः' सप्तसु कपालेषु संस्कृतं पुरोडाशं निर्वपेदित्यर्थः । क्रीडिन इति मरुतां यथार्थं विशेषणमिति प्रतिपादयति–मरुतो ह वा

१–अव्याहरति ब्रह्मा जुहुधीत्याह । का. श्रौ. सू. ५ । १८० । २–तथैव इति पा. । ३–मरुद्भ्यः क्रीडिभ्यः सप्तकपालः । का. श्रौ. सू. ५ । १८२ ।

अथ पञ्चम प्रपाठके प्रथमं ब्राह्मणम् ।

महाहविषा ह वै देवा वृत्रं जघ्नुः । (स्तै) तेनो एव व्यजयन्त येयमेषां विजितिस्तां तथो एवैष एतेन पाप्मानं द्विषन्तं भ्रातृव्यꣳ हन्ति तथो एव विजयते तस्माद्वा एष एतेन यजते ॥ १ ॥

तस्यावृत् । (उ) उपकिरन्त्युत्तरवेदिं गृह्णन्ति पृषदाज्यं मन्थन्त्यग्निं नवप्रयाजं भवति नवानुयाजं त्रीणि समिष्टयजूꣳषि भवन्त्यथैतान्येव पञ्च हवीꣳषि भवन्ति ॥ २ ॥

महाहविषा ह वै देवा वृत्रं जघ्नुः । तेनो एव व्यजयन्त येयमेषां विजितिः—ताम् । तथो एवैष एतेन पाप्मानं द्विषन्तं भ्रातृव्यं हन्ति—तथो एव विजयते । तस्माद् वा एष एतेन यजते ॥ १ ॥

तस्यावृत् । उपकिरन्त्युत्तरवेदिम्, गृह्णन्ति पृषदाज्यम्, मन्थन्त्यग्निम् । नवप्रयाजं भवति, नवानुयाजम्, त्रीणि समिष्टयजूंषि भवन्ति । अथैतान्येव पञ्च हवींषि भवन्ति ॥ २ ॥

इत्यादिना । वृत्रं हन्तुमुद्युक्तमिन्द्रमभितो यस्माद् 'परिचिक्रीडुः' क्रीडितवन्तः, तस्मादेतेषां 'क्रीडिन' इति नाम संपन्नम् । इदानीं कृतस्य साकमेधेन हविषा यक्ष्यमाणस्य समीपे मरुतां क्रीडनं प्रतिपाद्यते—**तथो एवे**त्यादिना । तस्मादिन्द्रवद्यजमानस्य समीपे क्रीडनशीलेभ्यो मरुद्भ्यो यागः कर्त्तव्यः । साकमेधेषु प्रधानभूताया महाहविराख्याया इष्टेरारम्भं प्रतिजानीते—**अथातं** इति । यतोऽनुष्ठानकालः प्राप्तः, अतः प्राप्तावसरत्वात् महाहविषः प्रयोगोऽधिकारिष्यत इत्यर्थः । वरुणप्रघासतन्त्रं तत्रातिदिशति—**तद्यथे**ति । तत्र 'महाहविषः महान्ति बहूनि हवींषि यत्र, महाहविर्वरुणप्रघासाख्यो यागः, 'तस्य' वक्ष्यमाणस्य महाहविराख्यस्य यागस्य 'यथा' एवमिति सम्बन्धः । तस्य पूर्वोक्तस्य वरुणप्रघासस्य हविषो यथाऽनुष्ठानम्, तथैव महाहविषो वक्ष्यमाणस्यापीति ॥ २० ॥

इति श्रीसायणाचार्यविरचिते माधवीये वेदार्थप्रकाशे माध्यन्दिनशतपथब्राह्मणभाष्ये
द्वितीयकाण्डे पञ्चमेऽध्याये तृतीयं ब्राह्मणम् ॥ २–५–३ ॥

अथ तस्य महाहविषः प्रयोगक्रमं विधित्सुः प्राग् "एतैर्वै देवा वृत्रमघ्नन्"—इत्यादिना यत् साकमेधानां फलं प्रतिपादितम्, तत्फलं महाहविष एव साक्षात् साधनत्वमिति प्रतिपादयति—**महाहविषा ह वा** इत्यादिना । महत्त्वगुणविशिष्ट इन्द्रो देवता यस्मिन् यागे तत्साधनं हविः महाहविः । अन्यद् व्याख्यातम् ॥ १ ॥

तस्य प्रयोगमनुक्रामति—**तस्यावृदि**त्यादिना । आवृच्छब्दः क्रियावाची । उत्तरवेदीनिवपनपृषदाज्यग्रहणाग्निमन्थनादीनि वरुणप्रघासवदेवात्रापि कार्याणीत्याह—**उपकिरन्ती**त्यादिना । अत एव सूत्रकृतोक्तम्—"उत्तरवेद्यग्निप्रणयनमन्थनपृषदाज्यञ्च वरुणप्रघासवत्"—(का.श्रौ. सू. ५ । १८८) इति । **अथैतान्येवे**ति । यानि वैश्वदेवेऽनुक्रान्तानि आग्नेयादीनि पञ्च सञ्चराणि हवींषि 'एतानि एव' अत्रापि कर्त्तव्यानि भवन्तीत्यर्थः ॥ २ ॥

१–अदित्यै चरुरन्यत्रापि । का. श्रौ. सू. ५ । १८३ ।

स यदाग्नेयोऽष्टाकपालः पुरोडाशो भवति । (त्य) अग्निना ह वा ऽएनं तेजसाऽघ्नन्त्स तेजोऽग्निर्नाव्यथत तस्मादाग्नेयो भवति ॥ ३ ॥

(त्यु) अथ यत्सौम्यश्चरुर्भवति । सोमेन ह वाऽएनꣳ राज्ञाऽघ्नन्त्सोमराजान एव तस्मात्सौम्यश्चरुर्भवति ॥ ४ ॥

(त्यु) अथ यत्सावित्रः । (त्रो) द्वादशकपालो वाऽष्टाकपालो वा पुरोडाशो भवति सविता वै देवानां प्रसविता सवितृप्रसूता हैवैनमघ्नंस्तस्मात्सावित्रो भवति ॥ ५ ॥

(त्यु) अथ यत्सारस्वतश्चरुर्भवति । वाग्वै सरस्वती वागु हैवानुममाद प्रहर जहीति तस्मात्सारस्वतश्चरुर्भवति ॥ ६ ॥

स यदाग्नेयो (१) ऽष्टाकपालः पुरोडाशो भवति । अग्निना ह वा एनं तेजसाऽघ्नन् । स तेजोऽग्निर्नाव्यथत । तस्मादाग्नेयो भवति ॥ ३ ॥

अथ यत्सौम्यश्चरुर्भवति (२) । सोमेन ह वा एनं राज्ञाऽघ्नन् । सोमराजान एव । तस्मात्सौम्यश्चरुर्भवति ॥ ४ ॥

अथ यत्सावित्रो (३) द्वादशकपालो वाऽष्टाकपालो वा पुरोडाशो भवति । सविता वै देवानां प्रसविता । सवितृप्रसूता हैवैनमघ्नन् । तस्मात्सावित्रो भवति ॥ ५ ॥

अथ यत्सारस्वतश्चरुर्भवति (४) । वाग्वै सरस्वती । वागु हैवानुममाद—' प्रहर, जहि ' इति । तस्मात्सारस्वतश्चरुर्भवति ॥ ६ ॥

तत्राग्नेयमनूद्य स्तौति—स यदिति । एनं तेजसाघ्नन्निति । पुरा खलु देवाः 'अग्निना' अग्निलक्षणेन 'तेजसा' 'एनं' वृत्रम् 'अघ्नन्' अहिंसन् 'सः' च तेजोरूपः 'अग्निः' 'न अव्यथत' व्यथितः पीडितो नाभवत् । तस्मादाग्नेययागस्य प्राथम्यं युक्तम् ॥ ३ ॥

सौम्यं हविरनूद्य स्तौति—अथ यदिति । सोमराजान एवेति । सोमो राजा येषां ते तथोक्ताः "राजाहःसखिभ्यष्टच्"—(पा. सू. ५ । ४ । ९१) । इति टच्—समासान्तो न भवति; तत्पुरुषाधिकारात् । सोमराजेनाधिष्ठिता देवाः, तेनैव 'राज्ञा सोमेन' 'एनं' वृत्रम् 'अघ्नन्' अहिंसन्नित्यर्थः ॥ ४ ॥

तृतीयं हविरनूद्य स्तौति—अथ यत् सावित्र इति । द्वादशकपालोऽष्टाकपालो वेति । कपालसङ्ख्याया विकल्पः । सवितृप्रसूता इति । यतः सवित्रा देवेन प्रेरिता एव देवाः 'एनं' वृत्रम् 'अघ्नन्' तस्मात्सावित्रयागः कर्त्तव्यः ॥ ५ ॥

चतुर्थं हविरनूद्य स्तौति—अथ यत् सारस्वत इति । वागु हैवेति । वागात्मिका हि सरस्वती सैव खलु वाक् वृत्रं हनिष्यन्तमिन्द्रम् 'अनुममाद' हृष्टा बभूव । अनुमदनप्रकारमाह—हे इन्द्र ! 'प्रहर' वज्रेण वृत्रं

१–' सावित्रोऽष्टाकपालो द्वादशकपालो वा । का० श्रौ० सू० ५ । ४ ।

(त्यु) अथ यत्पौष्णश्चरुर्भवति । (ती) इयं वै पृथिवी पूषेयᳩं हैवैनं व्वधाय प्रति प्रददावनया हैवैनं प्रतिप्रत्तं जघ्नुस्तस्मात्पौष्णश्चरुर्भवति ॥७॥

(त्यु) अथैन्द्राग्नो द्वादशकपालः पुरोडाशो भवति। (त्ये) एतेन हैवैनमघ्नंस्तेजो वा अग्निरिन्द्रियं व्वीर्यमिन्द्र एताभ्यामेनमुभाभ्यां व्वीर्याभ्याममघ्नन्ब्रह्म वाऽअग्निः क्षत्रमिन्द्रस्तेऽउभे सᳩंरभ्य ब्रह्म च क्षत्रं च सयुजौ कृत्वा ताभ्यामेनमुभाभ्यां व्वीर्याभ्याममघ्नंस्तस्मादैन्द्राग्नो द्वादशकपालः पुरोडाशो भवति ॥ ८ ॥

अथ यत् पौष्णश्चरुर्भवति (५)। इयं वै पृथिवी पूषा, इयं हैवैनं वधाय प्रतिप्रददौ । अनया हैवैनं प्रतिप्रत्तं जघ्नुः । तस्मात् पौष्णश्चरुर्भवति ॥ ७ ॥

अथैन्द्राग्नो द्वादशकपालः पुरोडाशो भवति (६)। एतेन हैवैनमघ्नन् । तेजो वा अग्निः, इन्द्रियं वीर्यमिन्द्रः। एताभ्यामेनमुभाभ्यां वीर्याभ्यामघ्नन् । ब्रह्म वा अग्निः, क्षत्रमिन्द्रः, ते उभे संरभ्य, ब्रह्म च क्षत्रं च सयुजौ कृत्वा ताभ्यामेनमुभाभ्यां वीर्याभ्यामघ्नन् । तस्मादैन्द्राग्नो द्वादशकपालः पुरोडाशो भवति ॥ ८ ॥

ताडय, ततस्तं 'जहि' मारयेति । जहीति हन्तेर्लोटि मध्यमैकवचने "हन्तेर्जः"–(पा. सू. ६ । ४ । ३६) इति जादेशः तस्य "असिद्धवदत्राभात्"–(पा. सू. ६ । ४ । २२) इति असिद्धत्वात् हेर्लुग् न भवति ॥ ६ ॥

पञ्चमं हविरनूद्य स्तौति–अथ यत् पौष्णश्चरुर्भवतीति । इयं वै पृथिवीत्यादि । इयमेव हि पृथिवी पोषयति भूतजातानीति पूषा, इयमेव खलु 'एनं' वृत्रं 'वधाय' हननाय 'प्रतिप्रददौ' प्रत्यर्पयामास, अतः 'अनयैव' पृथिव्या साधनेनं 'एनं' वृत्रं देवाः 'प्रतिजघ्नुः' प्रत्येकं हतवन्त इत्यर्थः ॥ ७ ॥

षष्ठं हविर्विधत्ते–अथैन्द्राग्न इति । एतेन हेत्यादि । 'एतेन' इन्द्राग्निदेवताकेन यागेन । इन्द्राग्न्योर्वृत्रहनन-हेतुत्वमुपपादयति–तेजो वा अग्निरित्यादिना । योऽयम् 'अग्निः' स दहनसमर्थः 'तेजः' यदिदं पुरुषे प्रविष्टम् 'इन्द्रियम्' इन्द्रलिङ्गम्, इन्द्रेण दत्तं 'वीर्यम्,' तदात्मक इन्द्रः; तथा च 'एताभ्याम् उभाभ्याम्' इन्द्राग्निसम्बन्धिभ्याम् 'एनं' वृत्रम् देवाः 'अघ्नन्' तस्मादैन्द्राग्नो यागो युक्त इत्यर्थः ॥

प्रकारान्तरेण स्तौति–ब्रह्म वा अग्निरिति । 'अग्निः,' 'ब्रह्म' ब्राह्मणजातिः; ब्राह्मणेन सह प्रजापति-मुखादुत्पन्नत्वात् । 'इन्द्रः,' 'क्षत्रम्' क्षत्रियजातिः; प्रजापतेरुरसो बाहुभ्यां च सकाशात् क्षत्रियेण सहोत्पत्तेः । 'ते उभे' ब्रह्मक्षत्रे 'संरभ्य' अवलम्ब्य 'सयुजौ' परस्परं सहायभूते 'कृत्वा' 'ताभ्यामुभाभ्यां' ब्रह्म-क्षत्रसम्बन्धिभ्यां वीर्याभ्याम् 'एनं' वृत्रम् 'अघ्नन्' ॥ ८ ॥

१–तिलेभ्योऽधिकान्यैन्द्राग्नो माहेन्द्रश्चरुर्वैश्वकर्म्मण एककपालः । का. श्रौ. सू. ५ । १८७ ।

(त्यु) अुथ माहेन्द्रश्चरुर्भवति । (त्ती) इन्द्रो वा ऽएष पुरा व्वृत्रस्य व्वधादुथ व्वृत्रꣳहत्वा युथा महाराजो व्विजिग्यानुऽएवं महेन्द्रोऽभवत्तुस्मान्माहेन्द्रश्चरुर्भवति महान्तमु चैवैनमेतत्खलु करोति व्वृत्रस्य व्वधाय तुस्माद्वेव माहेन्द्रश्चरुर्भवति ॥ ९ ॥

(त्यु) अुथ व्वैश्वकर्मण ऽएककपालः पुरोडाशो भवति । व्विश्वं वा ऽएतत्कुर्म कृतꣳ सुर्व्वं जितं देवानामासीत्साकमेधैरीजानानां व्विजिग्यानानां व्विश्वम्वेवैतुस्यैतत्कुर्म कृतꣳ सुर्व्वं जितं भवति साकमेधैरीजानुस्य व्विजिग्यानुस्य तुस्माद्वैश्वकर्मण ऽएककपालः पुरोडाशो भवति ॥ १० ॥

अथ माहेन्द्रश्चरुर्भवति (७)। इन्द्रो वा एष पुरा वृत्रस्य वधात्। अथ वृत्रं हत्वा–यथा महाराजो विजिग्यानः–एवं महेन्द्रोऽभवत्। तस्मान्माहेन्द्रश्चरुर्भवति। महान्तमु चैवैनमेतत् खलु करोति–वृत्रस्य वधाय। तस्माद्वेव माहेन्द्रश्चरुर्भवति ॥ ९ ॥

अथ वैश्वकर्मण एककपालः पुरोडाशो भवति (८)। विश्वं वा एतत् कर्म कृतम्, सर्वं जितं देवानामासीत् साकमेधैरीजानानां विजिग्यानानाम्। विश्वम्वेवैतस्यैतत् कर्म कृतम्, सर्वं जितं भवति–साकमेधैरीजानस्य विजिग्यानस्य। तस्माद्वैश्वकर्मण एककपालः पुरोडाशो भवति ॥ १० ॥

सप्तमं हविर्विधत्ते–अथ माहेन्द्रश्चरुर्भवतीति। (का. श्रौ. सू. ५ । १८७) । महांश्चासाविन्द्रो महेन्द्रः "आन्महतः"–(पा. सू. ६ । ३ । ४६) इत्यात्त्वम्। महेन्द्रो देवता अस्य माहेन्द्रः "महेन्द्राद्घाणौ च" (पा. सू. ४ । २ । २९) इत्यण्। अस्येन्द्रस्य महत्त्वमुपपादयति–इन्द्रो वा एष इति। वृत्रवधात् पूर्वं केवल इन्द्र एवासीत्, स च तं हत्वा 'महेन्द्रोऽभवत्' 'यथा' शत्रुं 'विजिग्यानः' विजितवान् राजा 'महाराजः' इत्याख्यायते, तद्वत् 'विजिग्यानः' विपूर्वाजयतेः "विपराभ्यां जेः" (पा. सू. १।३।१९) इत्यात्मनेपदम्, लिटः कानच्, "सन् लिटोर्जेः" (पा. सू. ७ । ३ । ५७) इत्यभ्यासादुत्तरस्य कुत्वम ॥

महान्तमु चैवैनमिति। प्रकारान्तरेण स्तुतिः। महत्त्वेनेन्द्रस्य विशेषणान्महान्तमेवैनं कृतवान् भवतीत्यर्थः। तस्मदु एवेति। 'उ'–शब्दोऽप्यर्थे। तस्मादपि महत्कर्मकरणाद्धेतोरित्यर्थः ॥ ९ ॥

अष्टमं हविर्विधत्ते–अथ वैश्वकर्मण इति (का. श्रौ. सू. ५ । १८७)। विश्वं सर्वं जगत् कर्म कार्यं यस्य स विश्वकर्मा देवता अस्यासौ 'वैश्वकर्मणः'। 'साऽस्य देवता'–(पा. सू. ४ । २ । २४) इत्यणि "अन्"–(पा. सू. ६ । ४ । १६७) इति प्रकृतिवद्भावः। एतस्य हविषो विश्वकर्मदेवताकत्वं प्रशंसति–विश्वं वा एतदित्यादिना। साकमेधैः यागैः 'ईजानानाम्' इष्टवतां 'विजिग्यानानां' वृत्रं विजितवतां 'देवानाम्' 'एतत्' 'विश्वं' सकलं 'कर्म' निरवशेषं 'कृतम्' अनुष्ठितम्, 'जितम्' प्राप्तफलं च 'आसीत्'। दार्ष्टान्तिके योजयति–विश्वम्वेवेति। 'उ'–शब्दोऽप्यर्थः, शिष्टमुक्तार्थम् ॥ १० ॥

(त्ये) एतेन वै देवाः । (०) यज्ञेनेष्ट्वा येयं देवानां प्रजातिर्या श्रीरेतद्बभूवुरेताᳬं ह वै प्रजातिं प्रजायत एताᳬं श्रियं गच्छति य ऽएवं विद्वानेतेन यज्ञेन यजते तस्माद्वाऽएतेन यजेत ॥ ११ ॥

इति पञ्चमप्रपाठके प्रथमं ब्राह्मणम् ॥ ५ ॥ १ ॥ (५ । ४)

एतेन वै देवा यज्ञेनेष्ट्वा येयं देवानां प्रजातिः, या श्रीः—एतद्बभूवुः । एतां ह वै प्रजातिं प्रजायते, एतां श्रियं गच्छति—य एवं विद्वानेतेन यज्ञेन यजते । तस्माद्वा एतेन यजेत ॥ ११ ॥

इति साकमेधपर्वणि महाहविर्यागः ।

उपक्रमावसरायोदीरितफलसाधनत्वमस्य निगमयति—**एतेन वा** इति । येयं[1] देवानां ‘ प्रजातिः ’ ‘ श्रीः ’ च दृश्यते, ‘ एतेन ’ अनेनैव हि महाहविषा ‘ यज्ञेन ’ ‘ इष्ट्वा ’ तया प्रजात्या श्रिया च ‘ बभूवुः ’ प्रवृद्धा अभवन् । यद्वा, ‘भू प्राप्तावात्मनेपदी’ (धा. पा. चु. आ. ३११) अत्र व्यत्ययेन परस्मैपदी; एतदुभयं प्रापुरित्यर्थः । **एतां ह वा** इत्यादि, निगदसिद्धम् ॥ ११ ॥

इति श्रीसायणाचार्यविरचिते माधवीये वेदार्थप्रकाशे माध्यन्दिनशतपथब्राह्मणभाष्ये द्वितीयकाण्डे पञ्चमाध्यायस्य चतुर्थं ब्राह्मणम् ॥ (२–५–४)

वेदार्थस्य प्रकाशेन तमो हार्दं निवारयन् । पुमर्थांश्चतुरो देयाद्विद्यातीर्थमहेश्वरः ॥ १ ॥

ब्रह्माण्डं गोसहस्रं कनकहयतुलापूरुषौ स्वर्णगर्भं,
सप्ताम्भोधीन्[2] पञ्चसीरीस्त्रिदशतरुलताधेनुसौवर्णभूमीः ।
रत्नोस्रां रुक्मवाजिद्विपसहितरथौ सायणिः सिङ्गणार्यो,
व्यश्राणीद्विश्वचक्रं प्रथितविधिमहाभूतयुक्तं घटञ्च ॥ १ ॥
धान्याद्रिं धन्यजन्मा तिलभवमतुलः स्वर्णजं वर्णमुख्यः,
कार्पासीयं कृपावान् गुडकृतमजडो राजतं राजपूज्यः ।
आज्योत्थं प्राज्यजन्मा लवणजमनृणः शार्करं चार्कतेजाः,
रत्नाढ्यो रत्नरूपं गिरिमकृत मुदा पात्रसात्सिङ्गणार्यः ॥

इति श्रीमद्राजाधिराजपरमेश्वरवैदिकमार्गप्रवर्त्तकश्रीवीरहरिहरमहाराजसाम्राज्यधुरन्धरेण सायणाचार्येण विरचिते माधवीये वेदार्थप्रकाशे माध्यन्दिनशतपथब्राह्मणभाष्ये द्वितीयकाण्डे पञ्चमोऽध्यायः समाप्तः ॥ ५ ॥

१–‘ येषाम् ’ इ. पा. । २–‘ सप्तादीन् ’–इ० क. पुस्तके ।

षष्ठाध्याये प्रथमं ब्राह्मणम् ।

महाहविषा ह वै देवा वृत्रं जघ्नुः । (स्ते) तेनोऽएव व्यजयन्त येयमेषां विजितिस्तामथ यानेवैषां तस्मिन्त्सङ्ग्रामेऽघ्नंस्तान्पितृयज्ञेन समैरयन्त पितरो वै त ऽआसंस्तस्मात्पितृयज्ञो नाम ॥ १ ॥

तद्वसन्तो ग्रीष्मो वर्षाः । (ऽ) एते ते ये व्यजयन्त शरद्धेमन्तः शिशिरस्त ऽउ ते यान्पुनः समैरयन्त ॥ २ ॥

(न्ता) अथ यदेष ऽएतेन यजते । तन्नाह न्वेवैतस्य तथा कंचन घ्नन्तीति देवा ऽअकुर्वन्निति न्वेवैष ऽएतत्करोति यमु चैवैभ्यो देवा भागमकल्पयंस्तमु चैवैभ्य ऽएषऽएतद्भागं करोति यानु चैव देवाः समैरयन्त तानु चैवैतदवति स्वानु चैवैतत्पितॄञ्छ्रेयाꣳसं लोकमुपोन्नयति यदु चैवा-

---

अथ पितृयज्ञः ।

महाहविषा ह वै देवा वृत्रं जघ्नुः । तेनो एव व्यजयन्त—येयमेषां विजितिः—ताम् । अथ यानेवैषां तस्मिन् सङ्ग्रामेऽघ्नन्, तान् पितृयज्ञेन समैरयन्त । पितरो वै त आसन्—तस्मात् पितृयज्ञो नाम ॥ १ ॥

तद्वसन्तो, ग्रीष्मो, वर्षाः । एते ते—ये व्यजयन्त । शरद्धेमन्तः शिशिरः । त उ ते—यान्पुनः समैरयन्त ॥ २ ॥

अथ यदेष एतेन यजते । तन्नाह न्वेवैतस्य तथा कंचन घ्नन्तीति देवा अकुर्वन् । इति न्वेवैष एतत् करोति—यमु चैवैभ्यो देवा भागमकल्पयन् । तमु चैवैभ्य एष एतद्भागं करोति । यानु चैव देवाः

यस्य निःश्वसितं वेदा यो वेदेभ्योऽखिलं जगत् । निर्ममे, तमहं वन्दे विद्यातीर्थमहेश्वरम् ॥

अथ पिण्डपितृयज्ञं विधित्सुः पितॄणामुत्पत्तिमाह—**महाहविषा ह वा** इत्यादि । **येयमेषां विजितिः**रिति । व्यजयन्तेति सम्बन्धः । **अथ या**नित्यादि । 'तस्मिन्' वृत्रासुरयुद्धे 'एषां' देवानां मध्ये 'यान्' 'एव' असुराः 'अघ्नन्' अमारयन्, 'तान्' हतान् देवान् पितृयज्ञाख्येन वक्ष्यमाणेन कर्मणा 'समैरयन्त' समागच्छन्त । ते मृताः पितृदेवता एव अभवन् । पितॄनुद्दिश्य क्रियमाणत्वात् 'पितृयज्ञः' इति अन्वर्थेयं संज्ञेत्याह—**तस्मा**दिति ॥ १ ॥

तद्वसन्त इत्यादि । 'तत्' तत्र 'ये' देवाः 'व्यजयन्त' विजयमेव प्राप्ताः, न पुनरसुरेण हताः 'ते' वसन्ताद्यृतुत्रयात्मकाः 'यान्' हतवन्तः, 'ते' पितृयज्ञेन 'समैरयन्त' समगच्छन्, 'ते' एव शरदाद्यास्त्रय ऋतवः एतेषामनुरूपत्वप्रतिपादनम् उपरिष्टात् "ऋतवः पितरः"—इति करिष्यमाणस्तुत्योपोद्घातत्वेन ॥ २ ॥

इदानीन्तनानुष्ठानस्यापि उक्तफलसाधनत्वमाह—**अथ यदि**ति । 'अथ' इदानीमपि 'एष' यजमानः

स्यात्रात्मनोऽनुचरणेन हन्यते वा मीयते वा तदु चैवास्यैतेन पुनराप्यायते तस्माद्वा ऽएष ऽएतेन यजते ॥ ३ ॥

स पितृभ्यः सोमवद्भ्यः। षट्कपालं पुरोडाशं निर्व्वपति सोमाय वा पितृमते षड्वा ऽऋतव ऽऋतवः पितरस्तस्मात्षट्कपालो भवति ॥ ४ ॥

समैरयन्त—तानु चैवैतदवति। स्वानु चैवैतत् पितॄञ्छ्रेयांसं लोकमुपोन्नयति। यद्वु चैवास्यात्रात्मनोऽनुचरणेन हन्यते वा मीयते वा, तदु चैवास्यैतेन पुनराप्यायते। तस्माद्वा एष एतेन यजते ॥ ३ ॥

स पितृभ्यः सोमवद्भ्यः (१) षट्कपालं पुरोडाशं (१) निर्वपति, सोमाय (१) वा पितृमते ६ वा ऋतवः, ऋतवः पितरः—तस्मात् षट्कपालो भवति ॥ ४ ॥

एतेन' पितृयज्ञेन ' यजते ' इति ' यत् ' 'तत्' तस्मात्। ' अह ' ' नु ' ' एव ' इति त्रयो निपाताः। ' एतस्य ' यजमानस्य सम्बन्धिनं ' कञ्चन ' ' चन '—शब्दोऽप्यर्थे, कमपि पुरुषं ' न ' एव ' घ्नन्ति ' असुरादयो न मारयन्ति। तत्र कृतानुकरत्वे हेतुमाह—इति देवा इति। इत्थं ' देवाः ' पुरा 'अकुर्वन्' पितृयज्ञाख्यं कर्म। 'नु' शब्दोप्यर्थे। एष यजमानोऽपि इत्येवमेव एतत्पितृयज्ञाख्यं कर्म करोति। देवैर्येन प्रकारेणानुष्ठितम्, तेनैव प्रकारेणानुतिष्ठति, न स्वातन्त्र्येण किञ्चित् करोतीत्यर्थः। तदेव द्रव्यदेवतासाम्यं प्रतिपादयन्विवृणोति—यमु चैवैभ्य इत्यादिना। ' एभ्यः ' पितृभ्यो ' यम् ' एव पुरोडाशधानादिरूपम् ' भागं ' ' देवाः ' ' अकल्पयन् ', 'एतत्' एतर्हि 'एषः'यजमानोऽपि ' तम् ' एव भागम् ' एभ्यः ' 'करोति'। तथा देवाः पुरा असुरहतान् पितृभावं प्राप्तान् ' यान् ' एव ' समैरयन्त ' समागच्छन्, ' तान् ' एव पितृत्वं प्राप्तान् देवान् ' एतद् ' यजमानः ' अवति ' हविषा तर्पयति। अवतिरत्र तृप्त्यर्थः (धा. पा. भ्वा. प. ६०१)। तेन च पितृदेवतातर्पणेन ' स्वान् ' स्वकीयानेव ' पितॄन् ' पितृपितामहादीन् ' श्रेयांसम् ' प्रशस्यतमं ' लोकम् ' ' उपोन्नयति ' उपप्रापयति अपि च ' अत्र ' अस्मिन् कर्मणि ' अस्य यजमानस्य ' आत्मनः ' स्वस्य ' अनुचरणेन ' अनुगमनेन च यदेव प्राणिजातं ' हन्यते ', ' मीयते ' ताडयते। यद्वा ' मीयते ' "मीङ् हिंसायाम्"—इति धातुः (धा. पा. दि. आ. ३१)। ' एतेन ' पितृयज्ञेन अस्य तदेव पुनराप्यायते, पुनः प्रवृद्धं भवतीति। तस्मादिति। पितृयज्ञस्य विधिः। यस्मात् उदीरितफलहेतुः पितृयज्ञः, तस्मादेनेन यष्टव्यमित्यर्थः। ' यजते '—इति पञ्चमलकारो न वर्त्तमानोपदेशः ॥ ३ ॥

तत्र प्रथमं हविर्विधत्ते—स पितृभ्य इति। सोम एषामस्तीति सोमवन्तः कृतसोमयागाः। एतद्विशेषणविशिष्टेभ्यः ' पितृभ्यः ' षट्सु कपालेषु संस्कृतं ' पुरोडाशं ' ' सः ' यजमानः निर्वपेत्। देवताविकल्पमाह—सोमाय वेति। सोमाय पितृमते वा निर्वापः कर्त्तव्यः। तदुक्तं कात्यायनेनापि—" पितृभ्यः सोमवद्भ्यः षट्कपालः, सोमाय वा पितृमते "—(का. श्रौ. सू. ५ अ. १९७–१९८) इति। इमं देवताविकल्पमाश्वलायनोऽप्याह स्म—"पितरः सोमवन्तः सोमो वा पितृमान्"—इति (आ. श्रौ. सू. २। १९–२१)। कपालसङ्ख्यां प्रशंसति—षड्वा इति। ऋतवः पितर इति। शरद्धेमन्तशिशिराः, त एते यत् पुनः समैरयन्तेत्याम्नातत्वात् तत् पितॄणामृतुतादात्म्यम्। यद्वा " यस्मिन् वा ऋतौ पुरुषः प्रमीयते, सोऽस्यामुष्मिंल्लोके भवति "—इति श्रुत्यन्तरेण प्रसिद्धेः (तै. आ. १। ८। ८। ३) वसन्ताद्यृत्वात्मकाः पितरः ॥ ४ ॥

१–' यद्वा मियते मिङ् हिंसायाम् ' इति क.। २–' पितृयज्ञ उपा २ शुचरणम् (का. श्रौ. सू. ५। १९० । ३–श्रुत्यन्तरे प्रसिद्धेः ' इति क.।

(त्यु) अुथ पितृभ्यो बर्हिषुद्भ्यः । (द्भ्योऽन्वा) अन्वाहार्यपुचने धानुाः कुर्व्वन्ति तुतोऽर्धाः पिंᳮषुन्त्यर्धा ऽइत्येवु धाना ऽअुपिष्टा भवन्ति ताु धानुाः पितृभ्यो बर्हिषद्भ्यः ॥ ५ ॥

(द्भ्योऽ) अुथ पितृभ्योऽग्निष्वात्तेभ्यः । (भ्यो) निवुान्यायै दुग्धे सकृदुपमथितु ऽएकशलाकुया मन्थो भवति सकृदु ह्येव पुराञ्चः पितुरस्तुस्मात्सकृदुपमथितो भवत्येतानि हवीᳮंषि भवन्ति ॥६॥ [श० १३००]

अथ पितृभ्यो बर्हिषद्भ्यः (२) अन्वाहार्यपचने धानाः कुर्वन्ति । ततोऽर्धाः पिंषन्ति, अर्धा इत्येव धाना अपिष्टा भवन्ति । ता धानाः (२) पितृभ्यो बर्हिषद्भ्यः ॥ ५ ॥

अथ पितृभ्योऽग्निष्वात्तेभ्यः (३) निवान्यायै दुग्धे सकृदुपमथित एकशलाकया मन्थो (३) भवति । सकृदु ह्येव । पराञ्चः पितरः । तस्मात् सकृदुपमथितो भवति। एतानि हवींषि भवन्ति ॥६॥

द्वितीयं हविर्विधत्ते–**अथ पितृभ्यो बर्हिषद्भ्य** इति । बर्हिंषि सीदन्तीति बर्हिषदोऽकृतसोमयागाः, केवलहविर्यज्ञयाजिनः पितरः । पृषोदरादित्वात् वर्णलोपः (पा. सू. ६. ३. १०९) । एतद्गुणविशिष्टेभ्यः पितृभ्यो धानारूपं हविः कर्त्तव्यमिति शेषः । तत्करणप्रकारमाह–**अन्वाहार्यपचन** इति । भृष्टयवतण्डुला धानाः, तदर्थं दक्षिणाग्नौ भर्जनकपालमधिश्रित्य, तत्र तत्तण्डुलानोप्य भर्जनं कुर्यादित्यर्थः । ततो भर्जनानन्तरं ता धाना द्वेधा विभज्य, अर्द्धाः प्रकृतिवत् समन्त्रक 'पिंषन्ति' चूर्णयन्ति । "पिष्लृ सञ्चूर्णने"–(धा. पा. रु. प. १५) इति धातुः । 'अर्द्धा इत्येव' एवमेवापरा अर्द्धा 'धानाः' 'अपिष्टाः' पेषणरहिता अविकृता भवन्ति । 'ताः' अपिष्टा धानाः 'पितृभ्यो बर्हिषद्भ्यः' देयाः ॥ ५ ॥

अथ तृतीयं यागं विधत्ते–**अथ पितृभ्योऽग्निष्वात्तेभ्य** इति । आधानसंस्काराभावेन त्रेताग्न्यभावात् केवलमौपासनाग्निनैवास्वाद्यमानाः पितरोऽग्निष्वात्ताः । एतद्गुणविशिष्टेभ्यः पितृभ्यः । 'निवान्यायै' स्वयं नष्टवत्सा अन्यदीयेन 'वत्सेन दुह्यमाना गौः 'निवान्या'। षष्ठ्यर्थे चतुर्थी । तस्याः पयसि प्रक्षिप्तो मथितो धानाचूर्णः 'एकशलाकया' एका चासौ शलाका च, "पूर्वकालैकसर्व०" (पा. सू. २. १. ४९।) इत्यादिना समासः । एकयैव शलाकया 'सकृत्' एकवारम् 'उपमथितः' आलोडितो हविः '**मन्थो** भवति' इत्यर्थः । उपमथनस्य सकृत्त्वं प्रशंसति–**सकृदु ह्येवे**ति । एकवारमेव हि अध्वर्युस्तस्माद् गार्हपत्यापरदेशादुत्थाय अन्वाहार्यपचनस्यादूरेणोत्तरप्रदेशे मन्थमुपमथ्नाति । **पराञ्च** इति । परागता अपुनरावृत्ताः सन्तः पितरो भवन्ति, अतस्तेषां सकृत्त्वमसाधारणधर्म इति तद्धविःसंस्कारस्यापि सकृत्त्वमुचितमिति भावः । विहितानि त्रीणि हवींषि सम्भूय निगमयति–**एतानी**ति ॥ ६ ॥

१–पितृभ्यो बर्हिषद्भ्यो धानाः । का. श्रौ.सू.५।१९९। २–अभिमृश्यार्द्धाः पिष्ट्वा निवान्या दुग्धे सकृन्मथित एकशलाकया मंथः । अग्रहणं मंथस्य ततोऽर्द्धाः पिंशतीति श्रुतेः । का. श्रौ. सू. ५।२०६–२०७। ३–पितृभ्योऽग्निष्वात्तेभ्यो मंथः । का.श्रौ.सू.५।२००।

तद्ये सोमेनेजानाः । (स्ते) ते पितरः सोमवन्तोऽथ ये दत्तेन पक्केन लोकं जयन्ति ते पितरो बर्हिषदोऽथ ये ततो नान्यतरच्चन यानग्निरेव दहन्त्स्वदयति ते पितरोऽग्निष्वात्ता एत उ ते ये पितरः ॥ ७ ॥

स जघनेन गार्हपत्यम् । प्राचीनावीती भूत्वा दक्षिणाऽऽसीन एतꣳ षट्-कपालं पुरोडाशं गृह्णाति स तत एवोपोत्थायोत्तरेणान्वाहार्यपचनं दक्षिणा तिष्ठन्नवहन्ति सकृत्फलीकरोति सकृदु ह्येव पराञ्चः पितरस्तस्मात्स-कृत्फलीकरोति ॥ ८ ॥

स दक्षिणैव दृषदुपलेऽउपदधाति । दक्षिणार्धे गार्हपत्यस्य षट्कपाला-

---

तद्ये सोमेनेजानाः—ते पितरः सोमवन्तः । अथ ये दत्तेन पक्केन लोकं जयन्ति—ते पितरो बर्हिषदः । अथ ये ततो नान्यतरच्चन, यानग्निरेव दहन्त्स्वदयति ते पितरोऽग्निष्वात्ताः एत उ ते ये पितरः ॥७॥

स जघनेन गार्हपत्यं प्राचीनावीती भूत्वा दक्षिणाऽऽसीन एतं षट्कपालं पुरोडाशं गृह्णाति । स तत एवोपोत्थायोत्तरेणान्वाहार्यपचनं दक्षिणा तिष्ठन्नवहन्ति । सकृत्फलीकरोति । सकृदु ह्येव पराञ्चः पितरः । तस्मात्सकृत्फलीकरोति ॥ ८ ॥

स दक्षिणैव दृषदुपले उपदधाति । दक्षिणार्धे गार्हपत्यस्य षट् कपालान्युपदधाति । तद्यदेतां दक्षिणां दिशं सचन्ते—एषा हि दिक् पितृणाम्—तस्मादेतां दक्षिणां दिशं सचन्ते ॥ ९ ॥

एतेषां हविषां या देवताः " पितृभ्यः सोमवद्भ्यः "—इत्यादिना निर्दिष्टाः तासां स्वरूपे परस्परासङ्कीर्णमिति निर्ब्रूते—**तद्य** इति ' तत् ' तत्र ' सोमेनेजानाः ' सोमेनेष्टवन्तः पञ्चत्वं प्राप्ताः ' ते पितरः ' ' सोमवन्तः ' इत्युच्यन्ते । ' अथ ' शब्दस्त्वर्थः ' ये ' तु ' पक्केन ' पाकसंस्कारसंस्कृतेन, चरुपुरोडाशादिहविषा देवेभ्यो दत्तेन केवलं हविर्यज्ञयाजिन एव सन्तो ' लोकं जयन्ति ', ' ते पितरः ' ' बर्हिषदः ' इत्याख्यायन्ते । ' ये ' पुनः ' ततः ' तयोर्मध्ये ' अन्यतरत् ' अपि ' न ' प्राप्नुवन्ति, केवलमौपासनाग्निरेव ' दहन् ' शरीरान्ते ' स्वदयति ' आस्वादयति, भक्षयतीत्यर्थः । ते पितरः ' अग्निष्वात्ताः ' इत्युच्यन्ते । **एत उ** इति । **ये पितर** इति । पितृदेवतात्वेन प्रसिद्धाः एते सोमवदादय एव ते । नान्य इत्यर्थः । तैत्तिरीयकेऽप्याम्नातम्—" ये वै यज्वानः, ते पितरो बर्हिषदः०—० ये वा अयज्वानो गृहमेधिनः ते पितरोऽग्निष्वात्ताः "—इति (तै.ब्रा.१.६.९।६) ॥७॥

पितृयज्ञप्रयुक्तं विशेषं वक्तुं चोदकप्राप्तमङ्गकलापमनुक्रामति—**स जघनेने**त्यादिना । दक्षिणामुखत्वं प्राचीनावीतित्वं च हविर्ग्रहणे विशेष इत्यर्थः । **स तत एवे**त्यादि । ' सः ' अध्वर्युः तस्माद् गार्हपत्यापरदेशादुत्थाय अन्वाहार्यपचनस्यादूरेणोत्तरदेशे दक्षिणामुखस्तिष्ठन् अवहन्यात् । चोदकप्राप्तं फलीकरणस्य त्रिष्करणमपास्य सकृत्त्वं विधत्ते—**सकृत्फलीकरोती**ति ॥ ८ ॥

स दक्षिणैवेति । ' सः ' अध्वर्युः दक्षिणामुख एव सन् अवहननदेशे पेषणार्थं ' दृषदुपले ' उपदध्यात् ।

१–याग्नि इति पा.। २–गार्हपत्यस्य पुरस्तादवहननपेषणे । का० श्रौ० सू० ५ । २०२ ।

न्युपदधाति तद्यदेतां दक्षिणां दिशᳯं सचन्तऽएषा हि दिक्पितॄणां तस्मा-
देतां दक्षिणां दिशᳯं सचन्ते ॥ ९ ॥

(न्तेऽथ) अथ दक्षिणेनान्वाहार्यपचनम् । चतुःस्रक्तिं व्वेदिं करोत्यवान्तर-
दिशोऽनु स्रक्तीः करोति चतस्रो वा ऽअवान्तरदिशोऽवान्तरदिशो वै
पितरस्तस्मादवान्तरदिशोऽनु स्रक्तीः करोति ॥ १० ॥

तन्मध्येऽग्निᳯं समादधाति । पुरस्ताद्वै देवाः प्रत्यञ्चो मनुष्यानभ्युपावृत्ता-
स्तस्मात्तेभ्यः प्राङ् तिष्ठञ्जुहोति सर्व्वतः पितरोऽवान्तरदिशो वै पितरः
सर्व्वत ऽइव हीमा अवान्तरदिशस्तस्मान्मध्येऽग्निᳯं समादधाति ॥ ११ ॥

अथ दक्षिणेनान्वाहार्यपचनं चतुःस्रक्तिं वेदिं करोति । अवान्तरादिशोऽनु स्रक्तीः करोति । चतस्रो वा अवान्तरादिशः । अवान्तरादिशो वै पितरः । तस्मादवान्तरादिशोऽनु स्रक्तीः करोति ॥ १० ॥

तन्मध्येऽग्निं समादधाति । पुरस्ताद्वै देवाः प्रत्यञ्चो मनुष्यानभ्युपावृत्ताः । तस्मात्तेभ्यः प्राङ् तिष्ठन् जुहोति । सर्वतः पितरः । अवान्तरदिशो वै पितरः । सर्वत इव हीमा अवान्तरदिशः । तस्मान्मध्येऽग्निं समादधाति ॥ ११ ॥

षट्कपालस्य पुरोडाशस्य गार्हपत्यदक्षिणायां श्रपणं विधाय स्तौति—**दक्षिणार्द्धे गार्हपत्यस्ये**त्यादिना । **तद्यदेता**मिति । 'तत्' तत्र पितृयज्ञसम्बन्धित्वेनानुष्ठेयपदार्थेषु 'यद्' यस्मात् कारणात् 'एतां दक्षिणां दिशं सचन्ते' ऋत्विग्यजमानाः समवयन्ति । "षच् समवाये" (धा. पा. भ्वा. उ. १०२२) इति धातुः । **एषा ही**ति । 'हि'—शब्दो दक्षिणस्या दिश इह श्रुत्यन्तरप्रसिद्धं पितृसम्बन्धं द्योतयति । तथाच तैत्तिरीयकम् "देवमनुष्या दिशो व्यभजन्त, प्राचीं देवा दक्षिणा पितरः" इति (तै. सं. ६।१।१।१।) ॥ ९ ॥

पित्र्याया वेदेर्निर्माणं विधत्ते—**अथ दक्षिणेने**ति । **चतुःस्रक्ति**मिति । चतस्रः स्रक्तयः कोणा यस्याः सा तथोक्ता । तासां चतुःस्रक्तीनामाग्नेयाद्यवान्तरदिक्सम्बन्धं विधत्ते—**अवान्तरदिशोऽन्वि**ति । लक्षणे अनोः कर्मप्रवचनीयत्वम् (पा. सू. १ । ४ । ८४) "कर्मप्रवचनीययुक्ते"—(पा. सू. २।३।८) इति द्वितीया । अवान्तरदिक्स्थाः स्रक्तीः कुर्यादित्यर्थः । स्रक्तीनां चतुष्ट्वमुपपादयति—**चतस्रो वा** इति । पितॄणामवान्तर-दिक्स्थता श्रुत्यन्तरप्रसिद्ध्या अवगन्तव्या ॥ १० ॥

अथाग्निस्थापनं विधत्ते—**तन्मध्य** इति । दक्षिणाग्निमाहृत्य तस्या वेदेर्मध्ये स्थापयेदित्यर्थः । तथा च कात्यायनः—"अवान्तरदिक्स्रक्तिमाख्यान्ते, दक्षिणाग्निं मध्येऽस्याः करोति" (का. श्रौ. सू. २०९।२१०) इति एतन्मध्ये स्थापनमुपपादयति—**पुरस्ताद्वा** इत्यादि । 'पुरस्तात्' पूर्वस्यां दिशि आहवनीयसमीपे 'प्रत्यञ्चः' प्रत्यङ्मुखाः सन्तो देवाः 'मनुष्यान्' ऋत्विग्यजमानान् 'अभि' लक्ष्य 'उपावृत्ताः' उपगता भवन्ति 'तस्मात्' कारणात् 'तेभ्यः' देवेभ्यः 'प्राङ्' मुखः 'तिष्ठन्' अध्वर्युः जुहोति । पितरस्तु सर्वतो व्याप्यावस्थिताः । तेषां

१—दक्षिणार्द्धे कपालोपधानम् । धानाभर्जनं दक्षिणाग्नौ । का० श्रौ० सू० ५।२०३।२०४। २—दक्षिणेन दक्षिणाग्निं परिव्रत-मुदग्द्वारं तन्मध्ये वेदिं करोत्यवांतरादिक्स्रक्तिमाख्यांते । का० श्रौ० सू० ५ । २१ ।

स तत एव प्राक्स्तम्बयजुर्हरति । स्तम्बयजुर्हृत्वाऽथेत्येवाग्रे परिगृह्णात्य-थेत्यथेति पूर्वेण परिग्रहेण परिगृह्य लिखति हरति यद्धार्यं भवति स तथैवोत्तरेण परिग्रहेण परिगृह्णात्युत्तरेण परिग्रहेण परिगृह्य प्रतिमृज्याह प्रोक्षणीरासादयेत्यासादयन्ति प्रोक्षणीरिध्मं बर्हिरुपसादयन्ति स्रुचः सम्मा-ष्टर्याज्येनोदैति स यज्ञोपवीती भूत्वाऽऽज्यानि गृह्णाति ॥ १२ ॥

स तत एव प्राक् स्तम्बयजुर्हरति । स्तम्बयजुर्हृत्वा—अथेत्येवाग्रे परिगृह्णाति, अथेति, अथेति—पूर्वेण परिग्रहेण परिगृह्य लिखति । हरति—यद्धार्यं भवति । स तथैवोत्तरेण परिग्रहेण परिगृह्णाति । उत्तरेण परिग्रहेण परिगृह्य, प्रतिमृज्याह—'प्रोक्षणीरासादय' इति । आसादयन्ति प्रोक्षणीः । इध्मं बर्हिरुपसादयन्ति । स्रुचः सम्मार्ष्टि । आज्येनोदैति । स यज्ञोपवीती भूत्वाऽऽज्यानि गृह्णाति ॥ १२ ॥

सर्वतोमुखत्वमुपपादयति—**सर्वतः पितर** इति । अवान्तरदिशां व्यापित्वेन तद्रूपाणां पितॄणामपि व्यापित्वात् । प्राच्याद्यन्यतमदिङ्मुखत्वं तूर्ष्णीमिति सर्वतः परीत्य हवनार्थं मध्येऽग्नेः स्थापनमिति निगमनवाक्यस्यार्थः ॥ ११ ॥

स तत एवेत्यादि । अस्मिन् हि पितृयज्ञे दक्षिणा दिक् प्राची जाता, ततः प्राक्प्रतीच्यौ तु दक्षिणोत्तरदिशौ सम्पन्ने; तत्र वामभागेऽवस्थिता प्राची दिक् उत्तरा, दक्षिणभागावस्थिता प्रतीची दिक दक्षिणा; तथाच प्रकृतौ उदीच्यां दिशि क्रियमाणं स्तम्बयजुर्हरणमत्र प्राच्यां सम्पद्यते । अयमर्थः,—तस्या वेदेः सकाशादेव सोऽध्वर्युः प्राक् प्राच्यां दिशि स्तम्बयजुर्हरेत् । तस्या वेदेः परिग्रहमभिनयेन दर्शयति—**अथेत्येवाग्रे** इति । 'अग्रे' प्रथमम् 'इत्येव' एवमेव पश्चाद्भागे दक्षिणापवर्गं रेखया परिगृह्णीयात् । 'अथ' अनन्तरम् 'इति' एवम् उत्तरतः प्रागपवर्गं परिगृह्णीयात् । एवं पुरस्ताद् दक्षिणापवर्गं परिगृह्णीयात् । अत्र प्रतीच्युदीचीप्राचीत्यनेन क्रमेण पूर्वोक्तरीत्या दक्षिणाप्रतीच्युदग्दिशो भवन्ति । तासु दिक्षु परिग्रहणं प्रकृतौ व्याख्यातम् (श. प. कां. १. ४. ८-२१) सूत्रितञ्च कात्यायनेन—"पूर्वं परिग्रहं परिगृह्णाति दक्षिणतः पश्चादुत्तरतश्च"—इति (का. श्रौ. सू. २। १६७)॥

लेखनादीनि यानि वेदिसम्बन्धीनि कर्माणि, एतानि सर्वाणि अत्रापि तथैव कर्त्तव्यानि इत्यभिप्रेत्य सिद्धव-दनुक्रामति—**लिखति हरति यद्धार्य**मित्यादिना । 'यत्' 'हार्यं' हरणीयं भवति, तत् हरेत् इति सम्बन्धः । **स तथैवे**ति । येन प्रकारेण पूर्वपरिग्रहः कृतः, तेनैव प्रकारेणोत्तर परिग्रहं कुर्यात् ।

ननु "परौ यज्ञे"—(पा. सू. ३. ३. ४७) इति परिपूर्वाद् ग्रहेर्यज्ञविषये घञा भवितव्यम्, कथमच्-पूर्व—पूर्वपरिग्रहेणेति, उत्तरपरिग्रहेणेति च रूपसिद्धिः ? नैष दोषः,—"व्यत्ययो बहुलम्"—(पा. सू. ३. १. ८९) इति "ग्रह-वृ-दृ-नि-श्चि-गमश्च" (पा. सू. ३. ३. ५८) इत्यप् भवति ।

प्रतिमृज्येति । "पुरा क्रूरस्य"—इति प्रकृतौ यदनुमार्जनम् तत् कृत्वेत्यर्थः । प्रकृतिवदेव "प्रोक्षणीरासा-दय—" इति प्रैषमग्नीध्रप्रेषितार्थमनुष्ठानञ्चाह—**प्रोक्षणी**रित्यादिना । **स यज्ञोपवीती**ति । एतावत् कर्म प्राचीना-वीतिनैवाध्वर्युणा कर्त्तव्यम्; 'सः' अध्वर्युः इदानीं 'यज्ञोपवीती' 'भूत्वा' प्रकृतिवदेव 'आज्यानि' गृह्णीयात् ॥ १२ ॥

१–पितृयज्ञाग्निचित्ययोर्वा तत्र दर्शनात् । का. श्रौ. सू. २ । १७० । २–यज्ञोपवीत्याज्यग्रहणे । का. श्रौ. सू. ५ । २१२ ।

तुदाहुः। (द्विः) द्विरुपभृति गृह्णीयाद्द्वौ ह्यत्रानुयाजौ भवत इति तुदष्टावेव कृत्व उपभृति गृह्णीयान्नेद्यज्ञस्य विधाया अयानीति तस्मादष्टावेव कृत्व ऽउपभृति गृह्णीयादाज्यानि गृहीत्वा स पुनः प्राचीनावीती भूत्वा॥१३

प्रोक्षणीरध्वर्युरादत्ते। स इध्ममेवाग्रे प्रोक्षत्यथ वेदिमथास्मै बर्हिः प्रयच्छन्ति तत्पुरस्ताद्ग्रन्थ्यासादयति तत्प्रोक्ष्योपनिनीय विस्रꣳस्य ग्रन्थिन्न प्रस्तरं गृह्णाति सकृदु ह्येव पराञ्चः पितरस्तस्मान्न प्रस्तरं गृह्णाति ॥ १४ ॥

तदाहुः—द्विरुपभृति गृह्णीयात्। द्वौ ह्यत्रानुयाजौ भवत इति। तदष्टावेव कृत्व उपाभृति गृह्णीयात्। नेद्यज्ञस्य विधाया अयानीति तस्मादष्टावेव कृत्व उपभृति गृह्णीयात्। आज्यानि गृहीत्वा स पुनः प्राचीनावीती भूत्वा ॥ १३ ॥

प्रोक्षणीरध्वर्युरादत्ते। स इध्ममेवाग्रे प्रोक्षति। अथ वेदिम्। अथास्मै बर्हिः प्रयच्छन्ति। तत् पुरस्ताद्ग्रन्थ्यासादयति। तत् प्रोक्ष्य, उपनिनीय, विस्रंस्य ग्रन्थिम्। न प्रस्तरं गृह्णाति। सकृदु ह्येव पराञ्चः पितरः। तस्मान्न प्रस्तरं गृह्णाति ॥ १४ ॥

तत्रोपभृतिग्रहणे केषाञ्चिन्मतमुपन्यस्यति—**तदाहुरिति**। 'द्वौ ह्यत्र'—इति तत्र कारणाभिधानम्। 'अत्र' खलु पितृयज्ञे 'हि' यस्माद् 'द्वौ' एव 'अनुयाजौ' प्रयाजानुयाजानामपि बर्हिष्कस्य विधास्यमानत्वात् प्रथमस्यानुयाजस्य बर्हिषोऽननुष्ठाने सति द्वावेवानुयाजौ 'भवतः', अतस्तदर्थं 'द्विरुपभृति गृह्णीयात्'। ननु प्रयाजेषु समानयनार्थमपि ग्रहीतुमाज्येन भवितव्यमिति चेत्, न; प्रयाजेष्वपि बर्हिर्युक्तस्य चतुर्थयागस्य प्रतिषेधेन तत्प्रयुक्तस्य समानयनस्याप्यभावात्। अत एवोक्तं सूत्रकृता—"असमानयनं वा बर्हिःसंयोगात्" (का. श्रौ. सू.९। २२४)—इति। इदानीं पक्षान्तरमाह—**तदष्टावेवेति**। प्रकृतिवद् अष्टकृत्व एव 'उपभृति गृह्णीयात्'। गृह्णतोऽभिप्रायमाह—**नेदिति**। यज्ञसम्बन्धिन्याः विधायाः विधा प्रकारः संस्था; तस्मात् 'न एव अयानि' गच्छानि 'इति' अनेनाभिप्रायेणेत्यर्थः। आज्यग्रहणानन्तरमिध्मप्रोक्षणादिकर्मस्वध्वर्योः पुनः प्राचीनावीतित्वञ्च विधत्ते—**आज्यानि गृहीत्वेति** ॥ १३ ॥

इध्मप्रोक्षणादिकं प्रकृतिवदेव कर्त्तव्यमित्यनुक्रामति—**प्रोक्षणीरित्यादिना**। **अथास्मा** इति। 'अथ' वेदिप्रोक्षणानन्तरम् 'अस्मै' अध्वर्यवे 'बर्हिः प्रयच्छन्ति' आदाय अध्वर्युहस्ते परिकर्मिणो दद्युरित्यर्थः। **तत्पुरस्ताद्ग्रन्थीति**। 'तद्' बर्हिः 'पुरस्ताद्ग्रन्थि' पूर्वस्यां दिशि यथा भवति तथा वेद्यामध्वर्युरासादयेदित्यर्थः। तत् प्रकृतिवदेव प्रोक्षणीशेषम् 'उपनीय' बर्हिषः सन्नहनस्य, ग्रन्थिं विस्रंस्य, ततः सकाशात् प्रस्तरमुष्टिं पृथङ् न गृह्णीयात्। तत्र कारणमाह—**सकृदु ह्येवेति**। बर्हिषः सकाशात् प्रस्तरस्य पृथक्करणे बर्हिषः सकृत्त्वं व्याहन्येत, न चैतत् पितृयज्ञे युक्तमिति भावः ॥ १४ ॥

१–'मेव' इति पा०। २–प्राग्ग्रन्थि बर्हिः। का. श्रौ. सू. ५।२१५। ३–विस्रस्य यूनं चाग्रे गृहीत्वा। का. श्रौ. सू. ५।२१६। यूनं सन्नहनमिति याज्ञिकदेवः।

(त्यु) अथ सन्नहनमनुविस्रंᳪस्य । (स्या) अपसलवि त्रिः परिस्तृ-
णन्पर्य्येति सोऽपसलवि त्रिः परिस्तीर्य यावत्प्रस्तरभाजनं तावत्परिशिन-
ष्ट्यथ पुनः प्रसलवि त्रिः पर्य्येति तद्यत्पुनः प्रसलवि त्रिः पर्य्येति तद्या-
नेवामूंस्त्रयान्पितॄनन्ववागात्तेभ्य एवैतत्पुनरपोदेतीमᳪं स्वं लोकमभि
तस्मात्पुनः प्रसलवि त्रिः पर्य्येति ॥ १५ ॥

स दक्षिणैव परिधीन्परिदधाति । दक्षिणा प्रस्तरᳪं स्तृणाति नान्तर्द्द-
धाति विधृती सकृदु ह्येव पराञ्चः पितरस्तस्मान्नान्तर्द्दधाति विधृती ॥ १६ ॥

स तत्र जुहूमासादयति । (त्यु) अथ पूर्वामुपभृतमथ ध्रुवामथ पुरोडाश-
मथ धाना ऽअथ मन्थमासाद्य हवीᳪंषि संमृशति ॥ १७ ॥

अथ सन्नहनमनुविस्रंस्य, अपसलवि त्रिः परिस्तृणन् पर्येति । सोऽपसलवि त्रिः परिस्तीर्य यावत् प्रस्तरभाजनं तावत् परिशिनष्टि । अथ पुनः प्रसलविं त्रिः पर्येति । तद्यत्पुनः प्रसलवि त्रिः पर्येति । तद् यानेवामूंस्त्रयान् पितॄनन्ववागात्—तेभ्य एवैतत् पुनरपोदेति—इमं स्वं लोकमभि । तस्मात् पुनः प्रसलवि त्रिः पर्येति ॥ १५ ॥

स दक्षिणैव परिधीन् परिदधाति । दक्षिणा प्रस्तरं स्तृणाति । नान्तर्दधाति विधृती । सकृदु ह्येव पराञ्चः पितरः । तस्मान्नान्तर्दधाति विधृती ॥ १६ ॥

स तत्र जुहूमासादयति । अथ पूर्वामुपभृतम्, अथ ध्रुवाम्, अथ पुरोडाशम्, अथ धानाः, अथ मन्थमासाद्य हवींषि संमृशति ॥ १७ ॥

बर्हिषः स्तरणप्रकारमाह—अथ सन्नहनमिति । सन्नह्यतेऽनेनेति सन्नहनं रज्जुः । 'अपसलवि' अप्रदक्षिणम्, अग्निं परितो वेद्यां 'त्रिः परिस्तृणन्' पर्येतीत्यर्थः । एवं परितः स्तरणानन्तरं 'यावद्' बर्हिः 'प्रस्तरभाजनं' प्रस्तरस्य योग्यं पर्य्याप्तं भवति, 'तावत्' 'परिशिनष्टि' अवशेषयेत् । अथ पुनरित्यादि । 'अथ' अप्रदक्षिणपरिगमनानन्तरम् 'पुनः' 'प्रसलवि' प्रदक्षिणं 'त्रिः पर्येति' । अत एव सूत्रकृतोक्तम्—" बर्हिः—विस्रंस्य यूनश्चाग्रे गृहीत्वा त्रिस्तृणन्नग्निं पर्येति, प्रस्तरमात्रं शिष्ट्वा तावत् प्रतिपर्येति "—इति (का. श्रौ. सू. ५ । २१५–२१७) ।

एतत् प्रतिपरिगमनमनूद्य स्तौति—तद्यानेवेति । 'तत्' तत्र स्तरणसमये त्रिरप्रदक्षिणगमनेन 'यान्' एव 'अमून्' विप्रकर्षेण पितृलोकेऽवस्थितान् त्रिविधान् " पितृभ्यः सोमवद्भ्यः "—इत्यादिना हविर्देवतात्वेन प्राग्दर्शितान् 'अन्ववागात्' अनुप्राप्नोत् 'एतत्' एतेन पुनस्त्रिः प्रदक्षिणकरणेन 'तेभ्य एव' पितृभ्यः सकाशात् 'पुनः' 'अपोदेति' अपगच्छति, 'स्वं' स्वकीयम् 'इमं लोकम्' 'अभि' प्राप्तुम् । तस्मादिति, प्रतिपादितार्थनिगमनम् ॥ १५ ॥

स दक्षिणैव परिधीनिति । 'सः' स्वयं 'दक्षिणा' दक्षिणाग्रान् 'एव' 'परिधीन्' परिदध्यात् । ततः पश्चात् पुरस्ताच्च तत्र दक्षिणाग्रौ परिधीन्, उत्तरप्रागग्रं प्रस्तारं, सर्वमवशेषितं बर्हिश्च दक्षिणाग्रं स्तृणीयात् । प्रकृतितः प्राप्तं विधृत्यन्तर्द्धानं निषेधति—नान्तर्दधातीति । अन्तर्द्धाने हि प्रस्तरबर्हिषी विभज्येयाताम् । तथा च सकृत्त्वं हीयेतेत्यभिप्रेत्याह—सकृदु ह्येवेति ॥ १६ ॥

तस्मिन् प्रस्तरे जुह्वादीनामासादनस्य प्रकारविशेषं विधत्ते—स तत्रेति । प्रस्तरस्योपरि पश्चाद्भागे प्रथमं

ते सुर्वऽएव युज्ञोपवीतिनो भूत्वा । (त्वे) इत्थाद्युजमानश्च ब्रह्मा च पश्चात्परीतुः पुरस्तादग्नीत् ॥ १८ ॥

(त्तृ) तेनोपाᳫंशु चरन्ति । तिर इव वै पितरस्तिर इवैतद्यदुपाᳫंशु तुस्मादुपाᳫंशु चरन्ति ॥ १९ ॥

परिवृते चरन्ति । तिर इव वै पितरस्तिर इवैतद्यत्परिवृतं तुस्मात्परिवृते चरन्ति ॥ २० ॥

(न्त्यु) अथेध्ममभ्यादधदाह । (हा) अग्नये समिध्यमानायानुब्रूहीति स एकामेव होता सामिधेनीं त्रिरुन्वाह सकृदु ह्येव पराञ्चः पितरस्तुस्मादेकाᳫंहोता सामिधेनीं त्रिरुन्वाह ॥ २१ ॥

ते सर्व एव यज्ञोपवीतिनो भूत्वा, इत्याद्यजमानश्च ब्रह्मा च पश्चात् परीतः । पुरस्तादग्नीत् ॥ १८ ॥
तेनोपांशु चरन्ति । तिर इव वै पितरः । तिर इवैतद्—यदुपांशु । तस्मादुपांशु चरन्ति ॥ १९ ॥
परिवृते चरन्ति । तिर इव वै पितरः । तिर इवैतत्—परिवृतम् । तस्मात् परिवृते चरन्ति ॥ २० ॥
अथेध्ममभ्यादधदाह—' अग्नये समिध्यमानायानुब्रूहि ' इति । स एकामेव होता सामिधेनीं त्रिरन्वाह । सकृद्ध ह्येव पराञ्चः पितरः । तस्मादेकां होता सामिधेनीं त्रिरन्वाह ॥ २१ ॥

' जुहूम् ' आसाद्य, ततः पूर्वभागे ' उपभृतम् ', ततः पुरस्तात् ' ध्रुवाम् ' अन्ततो ' हवींषि ' ' संमृशति ' इत्यनेन क्रमेणासादयन्नासादितहविषामभिमर्शनं कुर्यादित्यर्थः ॥ १७ ॥

ते सर्व एवेति । न केवलमध्वर्युरेव, ऋत्विग्यजमानाः सर्व एव ते अस्मिन् समये ' यज्ञोपवीतिनः ' भवेयुः 'इत्यात् ' इत्यभिनयदर्शने; अनेन प्रकारेण ब्रह्मयजमानौ आहवनीयस्य पुरतो गत्वा, अप्रदक्षिणं प[illegible] पितृयज्ञवेदेः पश्चाद्देशं ' परीतः ' परिक्रामत इत्यर्थः । आग्नीध्रस्तु तस्या वेदेः ' पुरस्तात् ' पूर्वदेशं ग[illegible] तत्र हि स्तम्बयजुर्हरणं कृतम् ॥ १८ ॥

पितृयज्ञेनोपांशुप्रचरणं विधत्ते—तेनोपांशु चरन्तीति । तिर इव वा इति । तिरोहिता एव पितरोऽभवन्, तेभ्यः ' यद् ' ' उपांशु ' करणम्, ' तत् ' अपि ' तिरः ' तिरोहितमेव भवति तथा चान्तर्हितान्पितॄनुद्दिश्योपांशुप्रचरणं युक्तमिति भावः ॥ १९ ॥

पितृयज्ञस्थानस्य परिश्रयणं विधाय स्तौति—परिवृत इति । ' परिवृते ' परिवेष्टिते स्थाने; सिद्धमन्यत् ॥ २० ॥

स एकामेवेति । ' सः ' होता ' अग्नये समिध्यमानाय ' इति अध्वर्युणा प्रेषितः सन् ' एकामेव ' ' सामिधेनीं ' ' त्रिः ' ब्रूयात् । न तु प्रकृतिवत् "प्र वो वाजाः" इत्याद्याः सामिधेन्यः पञ्चदश (ऋ. सं. ३. २७.१–१५) तत्र सामिधेन्येकत्वे कारणमाह—सकृद्ध ह्येवेति ॥ २१ ॥

१–प्राक्संस्थं हविरासादनम् । का० श्रौ० सू० ५ । २१९ । २–सामिधेनीप्रैषाद्याज्यभागाभ्यां यज्ञोपवीतिनः सर्व्वे । पश्चात्परीतो ब्रह्मयजमानौ पुरस्तादग्नीत् । का० श्रौ० सू० ५ । २२० । २२१ । ३–पितृयज्ञ उपांशुचरणम् । पूर्व्वेणाहवनीयं प्रणीताः धारहरत्यर्थवच्च । का० श्रौ० सू० ५ । १९०–१९६ ।

सोऽन्वाह । (हो) उशन्तस्त्वा निधीमह्युशन्तः समिधीमहि । उशन्नु शत आवह पितॄन्हविषेऽअत्तवऽइत्यथाग्निमावह सोममावह पितॄन्त्सोमवत आवह पितॄन्बर्हिषद आवह पितॄनग्निष्वात्तानावह देवा ३ ऽआज्यपां ऽआवहाग्निँ होत्रायावह स्वं महिमानमावहेत्यावाह्योपविशति ॥ २२ ॥

(त्य)अथाश्राव्य न होतारं प्रवृणीते । पितृयज्ञो वा अयं नेद्धोतारं पितृषु दधानीति तस्मान्न होतारं प्रवृणीते सीद होतरित्येवाहोपविशति होता होतृषदन ऽउपविश्य प्रसौति प्रसूतोऽध्वर्युः स्रुचावादाय प्रत्यङ्ङतिक्रामत्यतिक्रम्याश्राव्याह समिधो यजेति सोऽपबर्हिषश्चतुरः प्रयाजान्यजति प्रजा

सोऽन्वाह–" उशन्तस्त्वा निधीमह्युशन्तः समिधीमहि । उशन्नुशत आवह पितॄन् हविषे अत्तवे "–इति (वा. सं. १९।७०)। अथ–' अग्निमावह, सोममावह, पितॄन् सोमवत आवह, पितॄन् बर्हिषद आवह, पितॄनग्निष्वात्तानावह, देवान् ३ आज्यपान् ३ आवह, अग्निं होत्रायावह, स्वं महिमानमावह–इत्यावाह्योपविशति ॥ २२ ॥

अथाश्राव्य न होतारं प्रवृणीते । पितृयज्ञो वा अयम्, नेद्धोतारि पितृषु दधानीति । तस्मान्न होतारं प्रवृणीते । ' सीद होतः '–इत्येवाह । उपविशति होता होतृषदने । उपविश्य प्रसौति ।

अनुवक्तव्यां तामेकां सामिधेनीं दर्शयति–**सोऽन्वाहेति** । ' सः ' होता " उशन्तस्त्वा–" ' इति ' एतां सामिधेनीं त्रिः अनुब्रूयात् । अस्यायमर्थः–हे अग्ने ! ' उशन्तः ' कामयमानाः वयं त्वां ' निधीमहि ' वेद्यां स्थापयामः । तथा ' उशन्तः ' त्वत्साध्यं यागं कामयमाना एव सन्तः ' समिधीमहि ' त्वां समिद्धं करवामहे । अग्ने ! त्वमपि अस्मदुक्तमर्थम् ' उशन् ' कामयमानः सन् ' उशतः ' अस्मदीयं यज्ञं कामयमानान् ' पितॄन् ' ' आवह ' आगमय, किमर्थम् ' हविषे अत्तवे ' अस्माभिर्दत्तं हविर्भोक्तुम् " क्रियाग्रहणमपि कर्त्तव्यम् "–(पा. सू. १ । ४ । ३२ सू. वा. १) इति कर्मणः सम्प्रदानत्वाच्चतुर्थी । " अद भक्षणे "–(धा. पा. अदा. प. १) इति अस्मात् " तुमर्थे सेसेन् "–(पा. सू. ३ । ४ । ९) इति तवेन् प्रत्ययः ॥

अथाग्निमावहेत्यादि । सामिधेन्यनुवचनानन्तरम् " अग्निमावह "–इत्याद्यावाहननिगदं ब्रूयात् । तत्राग्नीषोमावाज्यभागदेवते, पितरः सोमवन्त इत्याद्याः प्रधानदेवताः, ' देवा आज्यपाः ' प्रयाजानुयाजदेवताः । तेषां सर्वेषामावाहनं कर्त्तुमग्निः प्रेष्यते–" **अग्निं होत्राय** "–इत्यादिना । शेषेण स्विष्टकृद्देवताया आवाहनप्रतिपादनम् । ' होत्राय ' होमाय होतृकर्मणे वा ' अग्निम् आवह ' । अग्निष्वात्तनाम्नस्तव स्वभूतो महिमा, तम्, तद्रूपस्वीकारिणमग्निमावहेत्यर्थः । **इत्यावाह्येति** । अनेन निगदेनावाह्य तत्रोपविशेदित्यर्थः ॥ २२ ॥

प्रकृतिवत् प्राप्तं होतृवरणं निषेधति–**अथाश्राव्य न होतारमिति**[2] । आवाहनानन्तरमाश्रावणप्रत्याश्रावणं कृत्वा, ' सीद होतः ! ' इत्येवाध्वर्युर्ब्रूयात्; न तु " अग्निर्देवो दैव्यो होता "–इति निगदेन होतारं प्रवृणीते-

---

१–' तद्रूपं स्विष्टकारिणम्– ' इति पा. । २–आश्राव्य सीद होतरित्येव ब्रूयात् । का. श्रौ. सू. ५।२२२।

वै बर्हिर्नेत्प्रजाः पितृषु दधानीति तस्मादपबर्हिषश्चतुरः प्रयाजान्यजत्यथा-ज्यभागाभ्यां चरन्त्याज्यभागाभ्यां चरित्वा ॥ २३ ॥

ते सर्व्वऽएव प्राचीनावीतिनो भूत्वा । (त्वै) एतैर्वै[1] हविर्भिः प्रचरिष्यन्त इत्थाद्यजमानश्च ब्रह्मा च पुरस्तात्परीतः पश्चादग्नीत्तदुताश्रावयन्त्यो३ँ स्वधेत्यस्तु स्वधेति प्रत्याश्रावणँ स्वधा नम इति वषट्कारः ॥ २४ ॥

प्रसूतोऽध्वर्युः स्रुचावादाय प्रत्यङ्ङतिक्रामति । अतिक्रम्याश्राव्याह–' समिधो यज ' इति । सोऽप-बर्हिषश्चतुरः प्रयाजान्यजति । प्रजा वै बर्हिः, नेत्प्रजाः पितृषु दधानीति । तस्मादपबर्हिषश्चतुरः प्रयाजान् यजति । अथाज्यभागाभ्यां चरन्ति । आज्यभागाभ्यां चरित्वा ॥ २३ ॥

ते सर्व एव प्राचीनावीतिनो भूत्वा, एतैर्वै हविर्भिः प्रचरिष्यन्तः–इत्थाद् यजमानश्च ब्रह्मा च पुरस्तात्परीतः । पश्चादग्नीत् । तदुताश्रावयन्ति । 'ओँ ३ स्वधा'–इति । ' अस्तु स्वधा '–इति प्रत्याश्रावणम् । ' स्वधा नमः '–इति वषट्कारः ॥ २४ ॥

त्यर्थः । एतदुपपादयति–**पितृयज्ञो वा अयमिति** । यतोऽयं पितृयज्ञः, अतोऽत्र पितरः सन्निहिताः; तत्र यदि होतुर्वरणं कुर्यात्, तदा ' न ' ' होतारं ' तेषु पितृषु ' दधाति ' स्थापयति, न चैतद् युक्तम्, ' इति ' अनेनाभिप्रायेण होतारं ' न ' प्रवृणीयात् । किन्तर्हि आश्रावणानन्तरं ब्रूयात् इति, तदाह–**सीदे**ति । हे ' होतः ! ' त्वं ' सीद ' उपविश ' इति ' एतद्वाक्यम् अध्वर्युर्ब्रूयात्; न होतुर्वरणम् । होता ' चैवं कृत्वा ' होतृषदने ' ' उपविशति ' उपविशेत् ॥

स्रुगादाननिगदेनाध्वर्युः ' प्रसौति ' अनुजानाति । " षु प्रसवैश्वर्ययोः "–(धा. पा. अदा. प. ३१) इति धातुः । स च ' प्रसूतः ' होत्रा प्रेरितः ' अध्वर्युः ' ' स्रुचौ ' जुहूपभृतौ ' आदाय ' ' प्रत्यङ् ' मुखः अतिक्रामति । ' अतिक्रम्य ' वेदेः पश्चिमभागे स्थित्वा, आश्रावणप्रभृति ' अपबर्हिषः ' बर्हिश्चतुर्थः प्रयाजः । तद्वर्जं ' चतुरः प्रयाजान् ' यजेत । बर्हिर्वर्जनस्याभिप्रायमाह–**प्रजा वा** इति । शिष्टं निगदसिद्धम् ॥ २३ ॥

हविर्भिः प्रचरणार्थं प्राचीनावीतित्वं पुनर्विधत्ते–**ते सर्व एवे**ति । ' ते ' ऋत्विग्यजमानाः 'सर्व एव' 'प्राचीनावीतिनः' भवेयुः । ब्रह्मयजमानाग्नीध्राणां पूर्वं परिक्रान्तानां प्रधानयागार्थमन्यथा परिक्रमणं विधत्ते–**इत्याद्**इति । ' इत्थात् ' अनेन प्रकारेण ब्रह्मयजमानौ चतुःस्रक्तेर्वेदेः ' पुरस्तात् ' प्रतिगच्छतः, आग्नीध्रः ' पश्चात् ' प्रतिगच्छेत् । प्रधानहविषो याज्यानामाश्रावणवषट्कारानाचष्टे–**ताद्**इति । ' तत् ' तत्र पित्र्येषु प्रधानहविष्षु ' ओँ स्वधा '–इति अध्वर्युराश्रावयेत्, ' अस्तु स्वधा ' इति आग्नीध्रः प्रत्याश्रावणं कुर्यात्, होता ' स्वधा नमः '–इति वषट्कुर्यात् । अस्यायमर्थः–" ओँ श्रावय "–" अस्तु श्रौषट् " " वौषट् " शब्दानां स्थाने एते प्रयोक्तव्या इत्यर्थः ॥

१–' एतैर्हविर्भिः '–इति नाशिकस्थवैदिकपाठपुस्तकस्थः पाठः । २–अपबर्हिषः प्रयाजा अनुयाजाश्च । का. श्रौ. सू. ५–२२३।
३–हविर्भिश्चरिष्यंतः प्रतिविपर्यंति । का. श्रौ. सू. ५ । २२६ ।

(स्तु) तदु होवाचासुरिः। (रु) आश्रावयेयुरेव प्रत्याश्रावयेयु-र्वषट्कुर्युर्नेद्यज्ञस्य विधाया अयामेति ॥ २५ ॥

(त्यु) अथाह पितृभ्यः सोमवद्भ्योऽनुब्रूहीति। सोमाय वा पितृमते स द्वे पुरोऽनुवाक्ये ऽअन्वाहैकया वै देवान्प्रच्यावयन्ति द्वाभ्यां पितॄन्त्स-कृदु ह्येव पराञ्चः पितरस्तस्माद्द्वे पुरोऽनुवाक्ये ऽअन्वाह ॥ २६ ॥

स उपस्तृणीत ऽआज्यम्। (मु) अथास्य पुरोडाशस्यावद्यति स तेनैव सह धानानां तेन सह मन्थस्य तत्सकृदवदधात्यथोपरिष्टाद्द्विराज्य-

---

तदु होवाचासुरिः। आश्रावयेयुरेव, प्रत्याश्रावयेयुः, वषट् कुर्युः—नेद्यज्ञस्य विधाया अयामेति ॥ २५ ॥

अथाह—'पितृभ्यः सोमवद्भ्योऽनुब्रूहि' इति। 'सोमाय वा पितृमते'। स द्वे पुरोऽनुवाक्ये अन्वाह। एकया वै देवान् प्रच्यावयन्ति, द्वाभ्यां पितॄन्। सकृदु ह्येव पराञ्चः पितरः। तस्माद् द्वे पुरोऽनुवाक्ये अन्वाह ॥ २६ ॥

स उपस्तृणीत आज्यम्। अथास्य पुरोडाशस्यावद्यति। स तेनैव सह धानानाम्। तेन सह

तत्राध्वर्युप्रैषस्यायमर्थः—ॐकारोऽङ्गीकारार्थः, स्वधेति पित्र्यं हविर्नाम। हे अग्नीत्! पितृभ्यो दीयमान-मिदं हविः तवाभिमतं किमिति। तत्तथाऽस्त्विति अग्नीत्प्रैषस्यार्थः। नमःशब्दस्त्यागार्थः। पितॄनुद्दिश्य दीयमानैषा 'स्वधा' तदीयं हविः 'नमः' त्यक्तमस्तु, इति वषट्कारप्रतिनिधिभूतस्य वाक्यस्यार्थः ॥ २४ ॥

प्रकृतिवदेवाश्रावणादिकं कर्त्तव्यमिति पक्षान्तरमाह—**तदु होवाचे**ति। 'आश्रावयेयुः'—इत्यादिना आश्रा-वणादिकर्तॄणामध्वर्य्यादीनामेकत्वेऽपि पूजार्थं बहुवचनम्। 'यज्ञस्य' प्रकृतिभूतस्य दर्शपूर्णमासयागस्य 'विधायाः' विधा प्रकारः संस्थानम्, तस्मात् 'न' एव 'अयाम' प्रच्यवामहै 'इति' प्रागुदीरितस्यापेक्षा; अन्यथा हि आश्रावणादीनां प्रकृतिवदप्रयोगात् यज्ञविधायाः प्रच्युतिः स्यादित्यभिप्रायः। अत एव सूत्रकृत् स्वधाकरणयज्ञस्य विकल्पमाह स्म—"ॐस्वधेत्यस्तु स्वधेति वा—ऽऽश्रुतप्रत्याश्रुते"—इति (का. श्रौ. सू. ५। २३३) ॥ २५ ॥

अनुवाक्यार्थं प्रैषवचनं प्रथमयागस्य विधत्ते—**अथाहे**ति। पितृप्रधानसोमप्रधानयोरुभयोरपि युक्तत्वात् तद-पेक्षया पितरः सोमवन्तः पितृमन्तो वेति विकल्पः प्रागुपन्यस्तः; तदभिप्रायेणात्रापि सम्प्रैषस्य द्वैविध्यम्। होतुरनुवाक्यावचने प्रकृतितो विशेषमाह—**स द्वे** इति। अनुवाक्याद्वित्वमुपपादयति—**एकया वा** इत्यादि। 'एकया' एव अनुवाक्यया 'देवान्' स्वस्थानात् 'प्रच्यावयन्ति' देवयजनदेशमागन्तुम् पितरस्तु परागमना-दपुनरावृत्तिङ्गताः, अतो न ते एकया पुरोनुवाक्यया प्रच्यावयितुं शक्याः; ततः प्रयत्नविशेषे कर्त्तव्ये 'द्वाभ्यां' पुरोनुवाक्याभ्यां होता तान् 'पितॄन्' आगमयतीत्यर्थः ॥ २६ ॥

प्रधानयागप्रचरणे हि त्रीणि हवींषि समवदाय एकैका देवता यष्टव्या, तत्र पितॄणां सोमवतां यजनप्रकार-माह—**स उपस्तृणीत आज्यमि**ति। **द्विराज्यस्ये**ति। आज्येनोपस्तरणमेकमवदानम्, पुरोडाशादिहविस्त्रयात्

१—ॐ २स्वधेत्यस्तु स्वधेति वाऽऽश्रुतप्रत्याश्रुते स्वधा नम इति वषट्कारः। का. श्रौ. सू. ५। २३३।

स्याभिघारयति प्रत्यनक्त्यवदानानि नातिक्रामतीत एवोपोत्थायाश्रा-
व्याह पितॄन्त्सोमवतो यजेति वषट्कृते जुहोति ॥ २७ ॥

(त्यु) अथाह पितृभ्यो बर्हिषद्भ्योऽनुब्रूहीति । स उपस्तृणीतऽआज्य-
मथासां धानानामवद्यति स तेनैव सह मन्थस्य तेन सह पुरोडाशस्य
तत्सकृदवदधात्यथोपरिष्टाद्द्विराज्यस्याभिघारयति प्रत्यनक्त्यवदानानि
नातिक्रामतीत एवोपोत्थायाश्राव्याह पितॄन्बर्हिषदो यजेति वषट्-
कृते जुहोति ॥ २८ ॥

(त्यु) अथाह पितृभ्योऽग्निष्वात्तेभ्योऽनुब्रूहीति । स उपस्तृणीत
ऽआज्यमथास्य मन्थस्यावद्यति स तेनैव सह पुरोडाशस्य तेन सह
धानानां तत्सकृदवदधात्यथोपरिष्टाद्द्विराज्यस्याभिघारयति प्रत्यनक्त्य-
वदानानि नातिक्रामतीत ऽएवोपोत्थायाश्राव्याह पितॄनग्निष्वात्तान्यजेति
वषट्कृते जुहोति ॥ २९ ॥

मन्थस्य । सकृदवदधाति । अथोपरिष्टाद् द्विराज्यस्याभिघारयति । प्रत्यनक्त्यवदानानि । नातिक्रामति । इत एवोपोत्थाय, आश्राव्याह–' पितॄन् सोमवतो यज ' इति । वषट्कृते जुहोति ॥ २७ ॥

अथाह–'पितृभ्यो बर्हिषद्भ्योऽनुब्रूहि' इति । स उपस्तृणीत आज्यम् । अथासां धानानामवद्यति । स तेनैव सह मन्थस्य तेन सह पुरोडाशस्य तत् सकृदवदधाति । अथोपरिष्टाद् द्विराज्यस्याभिघारयति । प्रत्यनक्त्यवदानानि । नातिक्रामति । इत एवोपोत्थाय, आश्राव्याह–' पितॄन् बर्हिषदो यज ' इति । वषट्कृते जुहोति ॥ २८ ॥

अथाह–'पितृभ्योऽग्निष्वात्तेभ्योऽनुब्रूहि' इति । स उपस्तृणीत आज्यम् । अथास्य मन्थस्यावद्यति । स तेनैव सह पुरोडाशस्य तेन सह धानानाम् । तत् सकृदवदधाति । अथोपरिष्टाद्–द्विराज्यस्याभि-

---

सकृत्सकृदवदानम्, तत् सकृदिति यदवदानं सम्पद्यते, एतेन सकृदवदधातीति वाक्यमुक्तार्थं भवति । (का. श्रौ. सू. ५ । २२७) । यदि अभिघारणमुपस्तरणं च सकृदेव स्यात्, तदा चतुरवत्तसम्पत्तिर्न स्यात्; चतुरवत्तं हि यागयोग्यं द्रव्यम्, तस्माद् द्विरभिघारणं कर्त्तव्यमित्यर्थः । **प्रत्यनक्त्यवदानानी**ति । अवद्यत्यस्मादित्यवदानम्, अवत्तशिष्टं हविः । " कृत्यल्युटो बहुलम् " (पा. सू. ३ । ३ । ११३) इति अपादाने ल्युट् । अवत्तशिष्टानि हवींषि प्रत्यज्यादित्यर्थः । प्रकृतिवत् प्राप्तमतिक्रमणं निषेधति–**नातिक्रामती**ति । कथं तर्हि कर्त्तव्यमिति तत्राह–**इत एवे**ति । यत्रोपविश्यावद्यति, ' इत एव ' स्थानात् ' उपोत्थाय ' तत्रैव तिष्ठन्नाश्रावणादिकं कुर्यादित्यर्थः ॥ २७ ॥

द्वितीयतृतीययागयोरेवमेवानुप्राणनप्रकारं दर्शयति–**अथाहे**ति । अत्रापि पूर्ववदेव पुरोऽनुवाक्याद्वित्वमनुक्रम्यावगन्तव्यम् । **उपस्तृणीत** इत्यादि, पूर्ववत्; एतावांस्तु विशेषः–द्वितीययागस्य हविरादाने धानानां

१–द्विरभिघारणमनतिक्रमणं च । (का० श्रौ० सू० ५ । २२८ ।)

(त्यु) अथाहाग्नये कव्यवाहनायानुब्रूहीति । तत्स्विष्टकृते हव्यवाहनो वै देवानां कव्यवाहनः पितृणां तस्मादाहाग्नये कव्यवाहनायानुब्रूहीति ॥ ३० ॥

स उपस्तृणीत ऽआज्यम् । (मु) अथास्य पुरोडाशस्यावद्यति स तेनैव सह धानानां तेन सह मन्थस्य तत्सकृदवदधात्यथोपरिष्टाद्द्विराज्यस्याभिघारयति न प्रत्यनक्त्यवदानानि नातिक्रामतीत एवोपोत्थायाश्राव्याहाग्निं कव्यवाहनं यजेति वषट्कृते जुहोति ॥ ३१ ॥

घारयति । प्रत्यनक्त्यवदानानि । नातिक्रामति इत एवोपोत्थाय, आश्राव्याह–' पितॄनग्निष्वात्तान् यज ' इति । वषट्कृते जुहोति ॥ २९ ॥

अथाह–' अग्नये कव्यवाहनायानुब्रूहि ' इति । तत् स्विष्टकृते । हव्यवाहनो वै देवानाम्, कव्यवाहनः पितॄणाम् । तस्मादाह–' अग्नये कव्यवाहनायानुब्रूहि ' इति ॥ ३० ॥

स उपस्तृणीत आज्यम् । अथास्य पुरोडाशस्यावद्यति । स तेनैव सह धानानाम्, तेन सह मन्थस्य । तत् सकृदवदधाति । अथोपरिष्टाद् द्विराज्यस्याभिघारयति । न प्रत्यनक्त्यवदानानि । नातिक्रामति । इत एवोपोत्थाय, आश्राव्याह–' अग्निं कव्यवाहनं यज ' इति । वषट्कृते जुहोति ॥ ३१ ॥

प्राथम्यम्, तृतीयस्य हविरादाने मन्थस्य प्राथम्यम् । अस्मादेव प्राथम्यात्सोमवदादियागत्रयस्य हविषां त्रयस्य धारणेऽपि निर्वापकाले सपितृभ्यः सोमवद्भ्यः षट्कपालं पुरोडाशमित्यादिना विशेषाभिधानम् ॥ २८ ॥ २९ ॥

इत्थं प्रधानयागं कृत्वा स्विष्टकृत्स्थानेऽग्निः कव्यवाहनो यष्टव्य इत्यभिप्रेत्य तदनुवाक्याप्रैषस्य वचनं विधत्ते–**अथाहाग्नय** इति । **तत् स्विष्टकृत** इति । यदेतत् " अग्नये कव्यवाहनायानुब्रूहि "–इति सम्प्रैषवचनम्, ' तत् ' ' स्विष्टकृते ' स्विष्टकृद्यागार्थम् । पितॄणां कव्यवाहनसम्बन्धप्रतिपादनेनैवैतदुपपादयति–**कव्यवाहनो वा** इति । देवेभ्यो दीयमानं हविः ' हव्यम् ', पितृभ्यस्तु दीयमानं तत् ' कव्यम् ' । तदुभयं वहतीति हव्यवाहनकव्यवाहननामानौ द्वावेवाग्नी क्रमेण देवपितृसम्बन्धिनौ । " कव्यपुरीषपुरीष्येषु ञ्युट् "–"हव्येऽनन्तःपादम् "–(पा. सू. ३ । २ । ६५ । ६६) इति सूत्राभ्यां वहतेर्ञ्युट् । एष चाग्नेरवान्तरभेदः प्रागप्याम्नातः; तैत्तिरीयकेऽप्याम्नायते–"त्रयो वा अग्नयः; हव्यवाहनः देवानाम्, कव्यवाहनः पितॄणाम्, सहरक्षाः असुराणाम्"–(तै. सं. २।५।८।११) इति । यस्मादेवं कव्यवाहनः पितॄणां सम्बन्धी, तस्मात् " अग्नये कव्यवाहनाय "–इत्येव वक्तव्यमिति निगमयति–**तस्मादाहेति** ॥ ३० ॥

तस्य स्विष्टकृत्स्थानीयस्यकव्यवाहनयागस्य पूर्ववदुपस्तरणादिहोमान्तानुष्ठानप्रकारमाह–**स उपस्तृणीत** इत्यादिना । स्विष्टकृद्यागस्य शेषद्रव्यसाध्यत्वाद्धविरुत्पत्तिक्रमेणैवात्रावदानमित्यभिप्रेत्याह–**अथास्य पुरोडाशस्येति** । **न प्रत्यनक्तीति** । हविः प्रत्यभिघारणस्य स्विष्टकृदर्थत्वात् तस्य च हविषो ग्रहणात् पुनः प्रत्यभिघारणं न कर्त्तव्यमित्यर्थः । अन्यदुक्तार्थम् ॥ ३१ ॥

१–सोमाय वा पितृमत इति । एवं बर्हिषद्भ्यो उत्तरतो धानामंथपुरोडाशानाम् । अग्निष्वात्तेभ्यो दक्षिणतो मंथपुरोडाशधानानाम् । का० श्रौ० सू० १२९–१३०–१३१ । २–पुरस्तादग्नये कव्यवाहनाय यथापूर्वं स्विष्टकृत् । का० श्रौ० सू० ५ । २३२ ।

स यन्नातिक्रामति ।(ती) इत एवोपोत्थाय जुहोति सकृदु ह्येव पराञ्चः पितरोऽथ यत्सकृत्सकृत्सर्वेषाꣳहविषाꣳ समवद्यति सकृदु ह्येव पराञ्चः पितरोऽथ यद्व्यतिषङ्गमवदानान्यवद्यत्यृतवो वै पितर ऋतूनेवैतद्व्यतिषजत्यृतून्त्सन्दधाति तस्माद्व्यतिषङ्गमवदानान्यवद्यति ॥ ३२ ॥

तद्धैके ।(कऽ) एतमेव होत्रे मन्थमादधति तꣳ होतोपहूयावैव जिघ्रति तं ब्रह्मणे प्रयच्छति तं ब्रह्मावैव जिघ्रति तमग्नीधे प्रयच्छति तमग्नीदवैव जिघ्रत्येतन्न्वेवोत कुर्वन्ति यथा त्वेवेतरस्य यज्ञस्येडाप्राशित्रꣳसमवद्यन्त्येवमेवैतस्यापि समवद्येयुस्तामुपहूयावैव जिघ्रन्ति न प्राश्नन्ति प्राशितव्यं त्वेव वयं मन्यामहऽइति ह स्माहासुरिर्यस्य कस्य चाग्नौ जुह्वतीति ॥ ३३ ॥

स यन्नातिक्रामति। इत एवोपोत्थाय जुहोति। सकृद्दु ह्येव पराञ्चः पितरः। अथ यत् सकृत सकृत् सर्वेषां हविषां समवद्यति। सकृदु ह्येव पराञ्चः पितरः।अथ यद् व्यतिषङ्गमवदानान्यवद्यति। ऋतवो वै पितरः–ऋतूनेवैतद् व्यतिषजति, ऋतून्त्सन्दधाति। तस्माद् व्यतिषङ्गमवदानान्यवद्यति॥ ३२

तद्धैके एतमेव होत्रे मन्थमादधति। तं होतोपहूयावैव जिघ्रति तं ब्रह्मणे प्रयच्छति। तं ब्रह्मावैव जिघ्रति। तमग्नीधे प्रयच्छति। तमग्नीदवैव जिघ्रति। एतन्न्वेवैतत् कुर्वन्ति। यथा त्वेवेतरस्य यज्ञस्येडाप्राशित्रं समवद्यन्ति–एवमेवैतस्यापि समवद्येयुः। तामुपहूयावैव जिघ्रन्ति न प्राश्नन्ति। प्राशितव्यं त्वेव वयं मन्यामहे–इति ह स्माहासुरिर्यस्य कस्य चाग्नौ जुह्वतीति ॥ ३३ ॥

स्विष्टकृच्चतुर्थेषूक्तेषु यागेषु नातिक्रामतीति योऽतिक्रमनिषेध उक्तः, तमनूद्य स्तौति–**स यन्नातिक्रामतीति**। सकृदवदानं प्रशंसति–**अथ यदिति**। सोमवदादियागत्रयेऽपि यद्धविषो व्यतिषञ्जनमुक्तम् 'अथास्य पुरोडाशस्यावद्यती' त्यादिना, तदनूद्य स्तौति–**अथ यद् व्यतिषङ्गमिति**। व्यतिषङ्गमिति क्रियाविशेषणम्ः परस्परं संसृष्टं यथा भवति तथेत्यर्थः। **ऋतवो वै पितर** इति। पितृणामृतुरूपत्वं प्रागेव दर्शितम् "त उ ति यान् पुनः समैरयत" इति। तथा च 'एतत्' एतेन, पितृदेवत्यहविषा व्यतिषञ्जनेन 'ऋतूनेव व्यतिषजति' परस्परं संसर्जयति, तेन व्यतिषञ्जनेन तान् 'ऋतून्' 'सन्दधाति' परस्परमविनाभूतान् करोति ॥ ३२ ॥

अथेडाप्रत्याम्नायत्वेन मन्थस्याधानमेकीयमतेनोपन्यस्यति–**तद्धैक** इति। 'तत्' तत्र खलु 'एके' शाखिन यागशिष्टम् 'एतमेव मन्थं होत्रे आदधति' होतुर्हस्ते प्रक्षिपन्तीत्यर्थः। एतस्मिन् पक्षे होतुः कर्तव्यमुपदिशति–**तं होतेति**। **उपहूयेति**। वेदिसमीपे इडानिगदेनोपहवं कृत्वा, तदनन्तरमवघ्राय अग्नीधे दद्यात्। सोमवज्जिघ्रत्येव न तु कस्यचिदप्यत्र भक्षणमस्तीत्येवकारार्थः। प्राशित्रेडावदानपक्षमप्याह–**एतन्न्वेवेति**। 'नु' इति प्रसिद्धौ, 'एव' कारोऽवधारणार्थः, 'उत' शब्दोऽप्यर्थः। अपि खल्वेतद् वक्ष्यमाणमेकं पक्षं केचिदनुतिष्ठन्ति। तदेव दर्शयति–**यथा त्वेवेति**। 'तु'–शब्द एकीयमतव्यावृत्त्यर्थः। 'इतरस्य' दर्शपौर्णमासादेः "यज्ञस्य' 'यथा' इडां प्राशित्रं च 'समवद्यन्ति' सर्वेभ्यो हविर्भ्यः सम्भूयावद्यन्ति, 'एवमेव' 'एतस्यापि' पितृयज्ञस्य समवद्येयुः। **अवैव जिघ्रन्तीति**। अस्मिन्नपि पक्षे इडाप्राशित्रयोरवघ्राणमेव कर्त्तव्यम्, न तु प्राशन-

(त्थ) अथ यतरो दास्यन्भवति । यद्यध्वर्युर्वा यजमानो वा स उदपात्रमादायापसलवि त्रिः परिषिञ्चन्पर्येति स यजमानस्य पितरमवनेजयत्यसाववनेनिक्ष्वेत्यसाववनेनिक्ष्वेति पितामहमसाववनेनिक्ष्वेति प्रपितामहं तद्यथाऽशिष्यतेऽभिषिञ्चेदेवं तत् ॥ ३४ ॥

(द) अथास्य पुरोडाशस्यावदाय सव्ये पाणौ कुरुते । धानानामवदाय सव्ये पाणौ कुरुते मन्थस्यावदाय सव्ये पाणौ कुरुते ॥ ३५ ॥

अथ यतरो दास्यन् भवति–यद्यध्वर्युर्वा, यजमानो वा, स उदपात्रमादाय अपसलवि त्रिः परिषिञ्चन्पर्येति । स यजमानस्य पितरमवनेजयति–" असाववनेनिक्ष्व " इति । " असाववनेनिक्ष्व " इति पितामहम् । " असाववनेनिक्ष्व "–इति प्रपितामहम् । तद् यथाऽशिष्यतेऽभिषिञ्चेद्–एवं तत् ॥ ३४ ॥

अथास्य पुरोडाशस्यावदाय सव्ये पाणौ कुरुते धानानामवदाय सव्ये पाणौ कुरुते । मन्थस्यावदाय सव्ये पाणौ कुरुते ॥ ३५ ॥

मित्यर्थः । प्राशनपक्षमप्याह–**प्राशितव्यं त्वेवेति** । इडावदानं प्राशित्रावदानं च यज्ञान्तरवदत्रापि ' प्राशितव्यमेव ' वयं मन्यामहे ' ' इति ' ' आसुरिः ' महर्षिः प्रतिपादयतीत्यर्थः । एवं प्रतिपादयत आसुरेरभिप्रायमाह–**यस्य कस्येति** । इडां प्राश्नन्तः ऋत्विजः ' यस्यकस्यचित् ' आत्मनः सम्बन्धिनि ' अग्नौ ' वैश्वानरे तद्धविः ' जुह्वति ' अतः प्राशने न दोष[१] इत्यनेनाभि[२]प्रायेणेत्यर्थः ॥ ३३ ॥

यजमानपितॄनुद्दिश्य पिण्डप्रदानमध्वर्युयजमानयोरन्यतरस्य कर्त्तव्यत्वं सिद्धवदनुवदंस्तत्प्राच्याङ्गमवनेजनं विधत्ते–**अथ यतर** इति । अध्वर्युयजमानयोर्मध्ये यतर इत्यर्थः । " किंयत्तदो निर्द्धारणे द्वयोरेकस्य डतरच् " (पा. सू. ५ । ३ । ९२) इति डतरजन्तः । ' यदि अध्वर्युर्वा यजमानो वा ' ' दास्यन् ' पिण्डदाता ' भवति ', ' सः ' स्वयं यजमानः अध्वर्युर्वा ' उदपात्रम् ' उदकपूर्णं पात्रम् ' आदाय ' ' अपसलवि ' अप्रदक्षिणं ' त्रिः परिषिञ्चन् ' पित्र्यां वेदिम् ' प[३]र्येति ' । **स यजमानस्येति** । ' सः ' अध्वर्युः ' यजमानस्य पितरम् ' "असाववनेनिक्ष्व"–(श. प. कां २ प्र. ४ । २ । २३) इति मन्त्रेण ' अव-नेनिक्ष्वेति ' अवनेजति । यजमानस्तु यदि स्वयं पिंडदाता भवति, तदा स्वकीयमेव पितरमवनेजयेत् " असाववनेनिक्ष्व "–इत्यादिकं पिण्डपितृयज्ञप्रकरणे व्याख्यातम् ॥ ३४ ॥

अथास्य पुरोडाशस्येत्यादि । पुरोडाशादिहविःशेषान् ' सव्ये पाणौ ' ' अवदाय ' आलोड्य, त्रीन् पिण्डान् कृत्वा, तस्मिन्नेव हस्ते धारयेत् (का. श्रौ. सू. ५।२३८) ॥ ३५ ॥

१–' शेषः '–इ० पा० । २–' मंथमुपहूय होताऽध्वर्युर्ब्रह्माऽग्नीदवघ्राय निदधाति । का० श्रौ० सू० ५ । २३४ । २–'प्राशित्रमवदायेडां वा सर्व्वे प्राश्नंति वा । का. श्रौ. सू. ५ । २३५ । ३–' वेदिं 'त्रिः परिषिंचत्युदपात्रेणाध्वर्युर्यजमानो वा ' । का. श्रौ. सू. ५ । २३६ ।

स येमामवान्तरादिशमनुस्रक्तिः। (स्तु) तस्यां यजमानस्य पित्रे ददात्यसावेतत्तऽइत्यथ येमामवान्तरादिशमनुस्रक्तिस्तस्यां यजमानस्य पितामहाय ददात्यसावेतत्तऽइत्यथ येमामवान्तरदिशमनुस्रक्तिस्तस्यां यजमानस्य प्रपितामहाय ददात्यसावेतत्त ऽइत्यथ येमामवान्तरादिशमनुस्रक्तिस्तस्यां निमृष्टेऽत्र पितरो मादयध्वं यथाभागमावृषायध्वमिति यथाभागमश्नीतेत्येवैतदाह तद्यदेवं पितृभ्यो ददाति तेनो स्वान्पितॄनेतस्माद्यज्ञान्नान्तरेति ॥ ३६ ॥

ते सर्व्वे ऽएव यज्ञोपवीतिनो भूत्वा। (त्वो) उदञ्च उपनिष्क्रम्याह-

---

स येमामवान्तरदिशमनुस्रक्तिः–तस्यां यजमानस्य पित्रे ददाति–असावेतत्ते–इति। अथ येमामवान्तरदिशमनुस्रक्तिः–तस्यां यजमानस्य पितामहाय ददाति–असावेतत्ते–इति। अथ येमामवान्तरदिशमनुस्रक्तिः–तस्यां यजमानस्य प्रपितामहाय ददाति–असावेतत्ते–इति। अथ येमामवान्तरदिशमनुस्रक्तिः–तस्यां निमृष्टे–"अत्र पितरो मादयध्वं, यथाभागमावृषायध्वम्"–इति (वा. सं. २ ३१) यथाभागमश्नीतेत्येवैतदाह। तद्यदेवं पितृभ्यो ददाति–तेनो स्वान्पितॄनेतस्माद्यज्ञान्नान्तरेति ॥ ३६ ॥

ते सर्वे एव यज्ञोपवीतिनो भूत्वा, उदञ्च उपनिष्क्रम्य, आहवनीयमुपतिष्ठन्ते। देवान्वा एष

स येमामवान्तरदिशमिति। 'इदं'–शब्देनोत्तरापरां दिशमभिनयेन निर्दिशति। "अनुर्लक्षणे"–(पा. सू. १। ४। ८४) इति लक्षणे अनुशब्दस्य कर्मप्रवचनीयत्वम्। उत्तरापरस्यां दिशि येयं वेदेः स्रक्तिः, 'तस्यां' 'यजमानस्य पित्रे' "असावेतत् ते"–(श. प. कां २ प्र. ४. ब्रा. २ कं. १९) इति मन्त्रेण पिण्डं दद्यात्। पितामहस्य पिण्डदानं विधत्ते–अथ येमामिति। 'इदं' शब्देन दक्षिणापरा अवान्तरा दिग् गम्यते। अन्यत् समानं पूर्वेण। प्रपितामहस्य पिण्डदानं विधत्ते–अथ येमामिति। [1] दक्षिणपूर्वा दिगभिनयेन निर्दिश्यते। अत्र या वेदेः स्रक्तिः, तस्यां प्रपितामहार्थं पिण्डं दद्यात्[2]। तिसृषु स्रक्तिषु पिण्डदानं विधाय, अवशिष्टायां स्रक्तौ समन्त्रके लेपमार्जने विधत्ते–अथ येमामवान्तरदिशमिति। इमामुत्तरपूर्वामवान्तरदिशमनु या वेदेः स्रक्तिः, तस्याम् "अत्र पितरः"–' इति ' मन्त्रेण हस्तगतं लेपं 'निमृष्टे' निमृजीत। तथा चोक्तं सूत्रकृता–"उत्तरापरस्यां प्रथमम्, सव्ये समवदाय सर्वेभ्यो यथावनिक्तं पिण्डान् ददात्यसावेतत्त इति, उत्तरपूर्वस्यां पाणी निमृष्टेऽत्र पितर इति"–(का. श्रौ. सू. ५।२३७–२३९)। इति। "असावेतत्ते"–इत्यादिमन्त्रार्थः पिण्डपितृयज्ञे एव वर्णितः (श. प. कां २। ४। २ । १९) विहितपिण्डदानमनूद्य तस्य प्रयोजनमाविष्करोति–तद्यदेवं पितृभ्य इति। पितृपितामहप्रपितामहादिभ्यः उक्तरीत्या पिण्डान् ददातीत्यर्थः। 'तेनो' तथा चैवं सति 'स्वान्' स्वकीयान् 'पितॄन्' 'एतस्मात्' पैतृयज्ञात् 'नान्तरेति' अन्तरितान् न करोति, अपि तु भागिनः कृतवान् भवति ॥ ३६ ॥

आहवनीयोपस्थानं विधत्ते–ते सर्वे एवेति। उदञ्च उपनिष्क्रम्येति। उदङ्मुखाः सन्तः परिवृतात्

१–'दर्शयति' इति क. पा.। २–स्रक्तिषु पित्रवनेजनं परिषिच्य परिषिच्य पूर्ववदुत्तरापरस्यां प्रथमम्। का. श्रौ. सू.५।२३७ –यज्ञोपवीतिनः सर्वे निष्क्रम्योदंचोऽक्षन्नमीमदंतेत्याहवनीयमुपतिष्ठंते द्वाभ्याम्। का. श्रौ. सू. ५। २४०॥

वनीयमुपतिष्ठन्ते देवान्वा ऽएष उपावर्त्तते य आहिताग्निर्भवति यो दर्शपूर्णमासाभ्यां यजतेऽथैतत्पितृयज्ञेनेवाचारिषुस्तदु देवेभ्यो निह्नुवते ॥३७॥

(त८) ऐन्द्रीभ्यामाहवनीयमुपतिष्ठन्ते । (न्त८) इन्द्रो ह्याहवनीयो-ऽक्षन्नमीमदन्त ह्यव प्रिया अधूषत ॥ अस्तोषत स्वभानवो विप्रा नविष्ठया मती । योजा न्विन्द्र ते हरी ॥ सुसन्दृशं त्वा वयं मघवन्वन्दिषीमहि ॥ प्रनूनं पूर्णबन्धुरः स्तुतो यासि वशाँ २ँ॥ अनु योजान्विन्द्र ते हरीऽइति ॥ ३८ ॥

उपावर्त्तते–य आहिताग्निर्भवति, यो दर्शपूर्णमासाभ्यां यजते । अथैतत् पितृयज्ञेनेवाचारिषुः–तदु देवेभ्यो निह्नुवते ३७ ॥

ऐन्द्रीभ्यामाहवनीयमुपतिष्ठन्ते । इन्द्रो ह्याहवनीयः । " **अक्षन्नमीमदन्त ह्यव प्रिया अधूषत । अस्तोषत स्वभानवो विप्रा नविष्ठया मती योजान्विन्द्र ते हरी ॥ १ ॥ सुसन्दृशं त्वा वयं मघवन्वन्दिषीमहि । प्रनूनं पूर्णबन्धुरः स्तुतो यासि वशाँ २ँ॥ अनु योजान्विन्द्र ते हरी ॥ २ ॥** "–इति (वा० सं० ३ । ५१ । ५२ ॥ ३८ ॥

पिण्डपितृयज्ञस्थानात् निर्गत्येत्यर्थः । **देवान् वा** इत्यादि । ' यः ' खलु ' आहिताग्निर्भवति ' ' दर्शपूर्णमासाभ्यां ' च ' यो यजते ' ' एषः ' ' देवान् ' ' उपावर्त्तते ' उपगतो भवति, देवसम्बन्धगतस्य यजमानस्य देवान् परित्यज्य यत् पितृयज्ञाचरणम्, तेन देवानां मनसि क्रोधोऽभूत्; पुनरावृत्याहवनीयोपस्थानेनातीवोदासीनताजनितमपराधं ' देवेभ्यः ' ' निह्नुवते ' शमयन्ति ॥ ३७ ॥

ऐन्द्रीभ्यामिति, मन्त्रविधिः । ऐन्द्रया ऋचः कथमग्न्युपस्थाने सङ्गतिः, लिङ्गविरोधात् ? इत्यत आह–**इन्द्रो ही**ति । पर ,गादाहवनीय एवेन्द्रः, अतस्तदीयोपस्थाने ऐन्द्रयाः करणत्वं न विरुद्ध्यत इत्यर्थः । त एवैन्द्र्यौ पठति–**अक्षन्नमीमदन्ते**ति । ' अक्षन् ' अस्माभिर्दत्तं हविः पितरः अक्षन् अभुक्षत । अदेर्लुङि "लुङ्सनोर्घस्लृ"–(पा. सू. २ । ४ । ३७) इति घस्लादेशे, " मन्त्रे घसह्वरणश० "–(पा. सू. २ । ४ । ८०) इति च्लेर्लुकि, " गमहन० "–(पा. सू. ६ । ४ । ९८) इति उपधालोपे, अक्षन्निति रूपम् । ' हि ' यस्माद् एवम्, अतस्ते पितरो हविःस्वीकारेण ' अमीमदन्त ' तृप्ता अभवन् । " मद तृप्तियोगे– "(धा. पा. चु. आ. १७२) इत्यस्माण्ण्यन्ताल्लुङि चङि रूपम् । तृप्तिरपि कुतोऽवगम्यते इति तत्राह–**अवप्रिया** इति । ' प्रियाः ' आत्मीयाः तनूः ते पितरः ' अव अधूषत ' भुक्तस्य हविषो रसातिशयस्याभिव्यक्त्यर्थम् अवाकम्पयन् । " धूञ् कम्पने "–(धा. पा. चु. उ. ३०१) इति धातुः । तदनन्तरं ' स्वभानवः ' स्वायत्तदीप्तयः, ' विप्राः ' मेधाविनः ते पितरः हविषः प्रदातारं यजमानं ' नविष्ठया ' नवतरया ' मती ' मत्या स्तुत्या ' अस्तोषत ' उपभुक्तं हविः प्राशंसन्, सम्यगेतत् सञ्जातमिति । आहवनीयावस्थित हे इन्द्र ! त्वमपि ' ते ' त्वदीयौ ' हरी ' अश्वौ गमनार्थं ' नु ' क्षिप्रं ' योजान् ' योजयेति प्रथमाया ऋचोऽर्थः ।

सुसन्दृशं त्वेति । हे 'मघवन् धनवन्' ! आहवनीयरूपेन्द्र ! सुष्ठु-सम्यग्दर्शनीयं ' त्वा ' त्वां ' वन्दिषीमहि '

(त्यु) अथ प्रतिपरेत्य गार्हपत्यमुपतिष्ठन्ते । मनो न्वाह्वामहे नाराशꣳसेन स्तोमेन । पितॄणां च मन्मभिः ॥ आ न एतु मनः पुनः क्रत्वे दक्षाय जीवसे ॥ ज्योक्च सूर्यं दृशे ॥ पुनर्नः पितरो मनो ददातु दैव्यो जनः । जीवं व्रातꣳसचेमहीति पितृयज्ञेनेव वा एतदचारिषुस्तदु खलु पुनर्जीवानपिप-द्यन्ते तस्मादाह जीवं व्रातꣳसचेमहीति ॥ ३९ ॥

(त्यु) अथ यतरो ददाति । स पुनः प्राचीनावीती भूत्वाऽभिप्रपद्य जप-

---

अथ प्रतिपरेत्य गार्हपत्यमुपतिष्ठन्ते । "मनो न्वाह्वामहे नाराशंसेन स्तोमेन । पितॄणां च मन्मभिः ॥ आ न एतु मनः पुनः क्रत्वे दक्षाय जीवसे । ज्योक् च सूर्यं दृशे ॥ पुनर्नः पितरो मनो ददातु दैव्यो जनः । जीवं व्रातं सचेमहि"–इति (वा. सं. ४।५३–५५) । पितृ-यज्ञेनेव वा एतदचारिषुः–तदु खलु पुनर्जीवानपिपद्यन्ते । तस्मादाह–जीवं व्रातं सचेमहीति ॥३९॥

अथ यतरो ददाति स पुनः प्राचीनावीती भूत्वा, अभिप्रपद्य जपति–" अमी मदन्त पितरो यथाभागमावृषायिषत "–इति (वा. सं. २।३१) । यथाभागमाशिषुरित्येवैतदाह ॥ ४० ॥

नुमः, अभिवादयामो वा । " वदि अभिवादनस्तुत्योः "–(धा. पा. भ्वा. आ. ११) इति धातुः । अस्माभिः-र्वन्दितस्त्वं ' पूर्णबन्धुरः ' दत्तेन हविषा पूर्णेन रथनीडेन युक्तः, ' स्तुतः ' च सन् अस्माभिः कृतं स्तोत्रं हविश्च स्वीकृत्य ' वशान् अनु ' कामान् अनु यथाकामं यथेष्टं ' प्रयासि ' । **योजान्नित्यादि**, पूर्ववत् ॥ ३८ ॥

गार्हपत्योपस्थानं विधत्ते–**अथ प्रतिपरेत्ये**ति । ' प्रति–परेत्य ' आहवनीयसमीपात् प्रतिनिवृत्य इत्यर्थः । तस्मिन् गार्हपत्योपस्थाने " मनो न्वाह्वामहे–" इत्याद्यास्त्रयो मन्त्राः पठिताः । तेषामयमर्थः–तत्र प्रथमा **मनो न्वि**ति । अस्मदीयं ' मनः ' ' नु ' क्षिप्रम् ' आह्वामहे ' । केन साधनेन ? ' नाराशंसेन स्तोमेन ' नरैः शंस-नीयेन स्तोत्रेण, ' पितॄणां ' सम्बन्धिभिः ' मन्मभिः ' मननैश्च ॥

आ न एत्विति द्वितीया । पितृयज्ञकरणादपक्रान्तमस्मदीयं ' मनः ' ' पुनः ' अस्मान् ' एतु ' आगच्छतु । किमर्थम् ? ' क्रत्वे ' क्रतुकर्मणे, ' दक्षाय ' बलाय, ' जीवसे ' जीवनाय, ' ज्योक् ' चिरकालं ' सूर्यं ' [illegible] ' दृशे ' द्रष्टुम् । " दृशे विख्ये च "– (पा. सू. ३ । ४ । ११) इति तुमर्थे निपात्यते ॥

पुनर्न इति तृतीया । हे ' पितरः ! ' ' दैव्यः ' देवसम्बन्धी ' जनः ' ' नः ' अस्मभ्यं ' मनः पुनः ददातु ' । ' जीवं ' जीवनवन्तं ' व्रातं ' गणम् पुत्रपौत्रादिसमूहम् ' सचेमहि ' प्राप्नुयामेति । अन्तिमपादे जीवशब्दप्रयोगस्याभिप्रायमाह–**पितृयज्ञेनेवे**ति । ' पितृयज्ञेन ' खलु ' एतत् ' इदानीम् ' अचारिषुः, ' अतः पितृयज्ञस्य कर्त्तार ऋत्विग्यजमानाः पितृसम्भक्ताः सन्तः प्रजायुक्ता भवेयुः । ' तत् ' तथा सति " जीवं व्रातम्–" इति अनेन मन्त्रभागेन ' जीवान् ' एव पुत्रपौत्रादीन् स्वयं जीवन्तः ' अपिपद्यन्ते ' पुनरपि गच्छन्ति । **तस्मादि**ति, उक्तार्थनिगमनम् ॥ ३९ ॥

पिण्डदातृजपं विधत्ते–**अथ यतर** इति । 'अथ' उपस्थानानन्तरम्, अध्वर्युयजमानयोर्मध्ये 'यतरः' पिण्डं

१–मनो न्वाह्वामह इति गार्हपत्यं तिसृभिः । का. श्रौ. सू. ५ । २४१ । २–प्राचीनावीती प्रविश्यामीमदंतेति दाता जपति ॥ का. श्रौ. सू. ५ । २४२ ।

त्युमीमदन्त पितरो यथाभागमावृषायिषतेति यथाभागमाशिषुरित्ये-वैतदाह ॥ ४० ॥

(ह्रा) अथोदपात्रमादाय । पुनः प्रसलवि त्रिः परिषिञ्चन् पर्य्येति स यजमानस्य पितरमवनेजयत्यसाववनेनिक्ष्वेत्यसाववनेनिक्ष्वेति पितामहमसाववनेनिक्ष्वेति प्रपितामहं तद्यथा जक्षुषेऽभिषिञ्चेदेवं तत्तद्यत्पुनः प्रसलवि त्रिः परिषिञ्चन्पर्य्येति प्रसलवि न इदं कर्मानु सन्तिष्ठाताऽइति तस्मात्पुनः प्रसलवि त्रिः परिषिञ्चन्पर्य्येति ॥ ४१ ॥

(त्यु) अथ नीविमुद्वृह्य नमस्करोति । पितृदेवत्या वै नीविस्तस्मान्नीविमुद्वृह्य नमस्करोति यज्ञो वै नमो यज्ञियानेवैनानेतत्करोति षट्कृत्वो नमस्करोति षड्वाऽऋतव ऋतवः पितरस्तदृतुष्वेवैतद्यज्ञं प्रतिष्ठापयति तस्मात्षट्कृत्वो नमस्करोति गृहान्नः पितरो दत्तेति गृहाणाᳫं ह पितर ईशत ऽएषो ऽएतस्याशीः कर्मणः ॥ ४२ ॥

अथोदपात्रमादाय, पुनः प्रसलवि त्रिः परिषिञ्चन् पर्येति । स यजमानस्य पितरमवनेजयति- "असाववनेनिक्ष्व" इति । "असाववनेनिक्ष्व" इति पितामहम् । "असाववनेनिक्ष्व" इति प्रपितामहम् । तद् यथा जक्षुषेऽभिषिञ्चेद्-एवं तत् । तद्यद् पुनः प्रसलवि त्रिः परिषिञ्चन् पर्येति । 'प्रसलवि न इदं कर्मानुसन्तिष्ठाते' इति । तस्मात्-पुनः प्रसलवि त्रिः परिषिञ्चन् पर्येति ॥४१॥

अथ नीविमुद्वृह्य नमस्करोति । पितृदेवत्या वै नीविः । तस्मान्नीविमुद्वृह्य नमस्करोति । यज्ञो वै नमः । यज्ञियानेवैनानेतत् करोति । षट्कृत्वो नमस्करोति । षड्वा ऋतवः । ऋतवः पितरः-तदृतुष्वे-

---

ऽध्वंति, ' ' स पुनः ' ' प्राचीनावीती ' ' भूत्वा, ' पित्र्यं देशम् ' अभिपद्य ' प्रविश्य " अमीमदन्त "- इति मन्त्रं जपेत् । स च मन्त्रः, तद् ब्राह्मणं च पिण्डपितृयज्ञे व्याख्यातम् ॥ ४० ॥

पिण्डदानस्योदीच्याञ्जमुदकावनेजनं पूर्ववद् विधत्ते-अथोदपात्रमिति । ' तद्यथा जक्षुषे ' इति, अवनेजनस्य प्रयोजनकथनम् । एतत् सर्वं पिण्डपितृयज्ञ एव व्याख्यातम् (श. प. कां. २ । ४ । २ । २३) । विहितं परिषेचनं पुनः श्रुतम्, तस्य यत् प्रादक्षिण्यम्, तत् स्तौति-यत् पुनरित्यादिना । प्रसलवि न इति । अपसलमप्रादक्षिण्यम् तद्विपरीतं प्रसलं प्रादक्षिण्यम्; मत्वर्थीयो विनिः । प्रादक्षिण्यवतो मम ' इदं ' पित्र्यमपि ' कर्म ' ' अनुसन्तिष्ठाते ' संस्थितं भवेत् । ' इति ' अनेनाभिप्रायेण अवसाने ' प्रसलवि ' अपसव्येन परिषेचनं क्रियत इत्यर्थः ॥ ४१ ॥

अथ नीविमित्यादि । पिण्डपितृयज्ञप्रकरणे व्याख्यातम् (श. प. का. २ प्र. ४.ब्रा. २ कं. २४)॥४२॥

१-अवनेज्य पूर्ववत्प्रदक्षिणम् । नीवीं विस्रस्य नमो व इत्यंजलिं करोति षड्वा नमस्कारान् । गृहान्नः पितरो दत्तेति च । का. श्रौ. सू. ५ । २४३-२४५ ।

(स्ते) ते सुर्व्वऽएवु यज्ञोपवीतिनो भूत्वा । (त्वाऽनु) अनुयाजाभ्यां प्रच-रिष्युन्त इत्थाद्युजमानश्च ब्रह्मा च पश्चात्परीतुः पुरस्तादग्नीदुपविशति होता होतृषुदने ॥ ४३ ॥

(नेऽथा) अुथाह ब्रह्मन् प्रुस्थास्यामि । समिधुमाधायाग्निमग्नीत्सुम्मृड्ढीति स्रुचावादाय प्रत्यङ्ङतिक्रामत्यातिक्रुम्याश्राव्याह देवान्यजेति सोऽपबर्हिषौ द्वावनुयाजौ यजति प्रजा वै बर्हिर्नेत्प्रजाः पितृषु दधानीति तुस्मादुपबर्हिषौ द्वावनुयाजौ यजति ॥ ४४ ॥

(त्यु) अुथ सादयित्वा स्रुचौ व्यूहति । स्रुचौ व्युह्य परिधीन्त्समुज्य परिधि-मभिपद्याश्राव्याहेषिता दैव्या होतारो भद्रवाच्याय प्रेषितो मानुषः सूक्त-वाकायेति सूक्तवाकॅं होता प्रतिपद्यते नाध्वर्युः प्रस्तरॅं समुल्लुम्पती-त्येवोपास्ते यदा होता सूक्तवाकमाह ॥ ४५ ॥

वैतद्यज्ञं प्रतिष्ठापयति । तस्मात् षट्कृत्वो नमस्करोति । " गृहान्नः पितरो दत्त "–इति । गृहाणां ह पितर ईशते । एषो एतस्याशीः कर्मणः ॥ ४२ ॥

ते सर्व एव यज्ञोपवीतिनो भूत्वा, अनुयाजाभ्यां प्रचरिष्यन्तः इत्याद्यजमानश्च ब्रह्मा च पश्चात् परीतः । पुरस्तादग्नीत् । उपविशति होता होतृषदने ॥ ४३ ॥

अथाह–'ब्रह्मन् प्रस्थास्यामि ' ' समिधमाधायाग्निमग्नीत् सम्मृड्ढि ' इति । स्रुचावादाय प्रत्यङ्ङतिक्रामति । अतिक्रम्य आश्राव्याह–'देवान् यज ' इति । सोऽपबर्हिषौ द्वावनुयाजौ यजति । प्रजा वै बर्हिः–नेत् प्रजाः पितृषु दधानीति । तस्मादपबर्हिषौ द्वावनुयाजौ यजति ॥ ४४ ॥

अथ सादयित्वा स्रुचौ व्यूहति । स्रुचौ व्युह्य, परिधीन्त्समज्य, परिधिमभिपद्य आश्राव्याह– "इषिता दैव्या होतारो भद्रवाच्याय प्रेषितो मानुषः सूक्तवाकाय"–इति । सूक्तवाके होता प्रतिपद्यते । नाध्वर्युः । प्रस्तरं समुल्लुम्पति इत्येवोपास्ते–यदा होता सूक्तवाकमाह ॥ ४५ ॥

चोदकप्राप्तमनुयाजाद्युदीच्याङ्गकलापं सविशेषमतः परमनुक्रामति–ते सर्व एवेति । इत्याद्यजमानश्चेति । प्रयाजाद्युदीच्याङ्गानुष्ठानसम एव ब्रह्मयजमानाद्यास्तत्र तत्र स्थाने परीत्योपविशेयुः ॥ ४३ ॥

अथाहेति । प्रत्यङ्ङतिक्रामतीति । प्राचो दक्षिणदिक्त्वस्य प्रागुपपादितत्वाद्दक्षिणातिक्रमणस्थाने प्रत्यङ्-मुखोऽध्वर्युरतिक्रामेदित्यर्थः । ' अपबर्हिषौ ' बर्हिः प्रथमोनुयाजः, तद्वर्जितौ ' द्वावनुयाजौ ' यज यजेति । बर्हिर्वर्जने कारणमाह–प्रजा वा इति ॥ ४४ ॥

स्रुग्व्यूहनादिकं प्रकृतिवदेव कर्त्तव्यमित्यनुक्रामति–अथ सादयित्वेत्यादिना । सूक्तवाकानुवचनं प्रकृति-

---

१–ब्रह्मामंत्रणादि प्राग्स्रुग्व्यूहनात् प्रयाजवत् । यज्ञोपवीतिविपर्ययम् । का. श्रौ. सू. ५ । २४६ । २४७ ।

(ह्रा) अथाग्नीदाहानुप्रहरेति । स न किञ्चनानुप्रहरति तूष्णीमेवात्मान-मुपस्पृशति ॥ ४६ ॥

(त्यु) अथाह संवदस्वेति । (त्यु) अगानग्नीदगञ्छ्रावय श्रौषट् स्वगा दैव्या होतृभ्यः स्वस्तिर्मानुषेभ्यः शंयोर्ब्रूहीत्युपस्पृशत्येव परिधी-न्नानुप्रहरत्यथैतद्बर्हिरनुसमस्यति परधींश्च ॥ ४७ ॥

तद्धैके । हविरुच्छिष्टमनुसमस्यन्ति तदु तथा न कुर्याद्धुतोच्छिष्टं वा ऽएतन्नेद्धुतोच्छिष्टमग्नौ जुहवामेति तस्मादपो वैवाभ्यवहरेयुः प्राश्नीयुर्वा ॥ ४८ ॥

इति पञ्चमप्रपाठके द्वितीयं ब्राह्मणम् ॥ ५ ॥ २ ॥ (६ । १)

अथाग्नीदाह—' अनुप्रहर ' इति । स न किञ्चनानुप्रहरति, तूष्णीमेवात्मानमुपस्पृशति ॥ ४६ ॥

अथाह—' संवदस्व ' इति । **' अगानग्नीत् '** । **' अगन् '** । **' श्रावय '** । **' श्रौषट् '** । **' स्वगा दैव्या होतृभ्यः स्वस्तिर्मानुषेभ्यः शंयोर्ब्रूहि '** इति । उपस्पृशत्येव परिधीन्, नानुप्रहरति । अथैतद्बर्हिरनुसमस्यति, परिधींश्च ॥ ४७ ॥

तद्धैके हविरुच्छिष्टमनुसमस्यन्ति । तदु तथा न कुर्यात् । हुतोच्छिष्टं वा एतत्—नेद्धुतोच्छिष्टमग्नौ जुहवामेति । तस्मादपो वैवाभ्यवहरेयुः—प्राश्नीयुर्वा ॥ ४८ ॥ इति साकमेधपर्वणि पितृयज्ञः ॥

वत् प्राप्तम् । प्रस्तरप्रहरणं निषेधति—**नाध्वर्युरिति** । ' न समुल्लुम्पति ' न गृह्णाति, न प्रहरेत् तूष्णीमेवो-पासीत प्रस्तरमाप्रहरणेम्[1] ॥ ४५ ॥ ४६[2] ॥

अग्नीत्प्रैषस्यानिवृत्तिमाह—**अथाहेति** । **' स्वगा दैव्या होतृभ्यः '**—इति सम्प्रैषेऽध्वर्युणोक्ते होता शंयुवाकं ब्रूयात्; न च तदानीमध्वर्युः परिधीननुप्रहरेत्, केवलमुपस्पृशेदेव[3] । बर्हिषः परिधीनाञ्च तूष्णीमग्नौ प्रहरणं विधत्ते—**अथैतदिति** । ' एतत् ' चतुःस्रक्त्यां वेद्यां स्तीर्णं ' बर्हिः ' ' परिधींश्च ' आदाय युगपदग्नौ ' अनुसमस्यति ' प्रक्षिपति[4] ॥ ४७ ॥

अथ हविःशेषस्याप्यग्नौ प्रक्षेपमेकीयमतेनोपन्यस्यति—**तद्धैक इति** । तदेतन्निषिध्योपपादयति—**तदु तथेति** । हुतशेषस्य पुनर्होमयोग्यत्वाभावान्नैष पक्षो युक्त इत्यर्थः । का तर्हि हविःशेषस्य प्रतिपत्तिरिति, तामाह—**तस्मादिति** । ' हुतोच्छिष्टम् अपोऽभ्यवहरेयुः ' । अग्नौ प्रासनपक्षस्य व्युदासार्थ ' एव ' कारः । ऋत्विजो ' वा प्राश्नीयुः ' इति पक्षान्तरम् । सूत्रकारोऽप्येतत् सर्वमाह स्म—" न प्रस्तरमादत्ते " इत्यादिना[5] ॥ ४८ ॥

इति श्रीसायणाचार्यविरचिते माधवीये वेदार्थप्रकाशे माध्यंन्दिनशतपथब्राह्मणभाष्ये
द्वितीयकाण्डे षष्ठाध्यायस्य प्रथमं ब्राह्मणम् (२-६-१) ॥

१—" न प्रस्तरमादत्ते " । का. श्रौ. सू. । ५।२४८। २—" अनुप्रहरेत्युक्ते न किंचनानुप्रहरति । तूष्णीमात्मानऽसऽस्पृशति " का. श्रौ. सू. ५ । २४९ । २५० । ३—" उपस्पृश्य परिधीन्नानुप्रहरति । " का. श्रौ. सू. ५ । २५१ । ४—" शंय्वंतं भवति । बर्हिः परिध्यग्नौ प्रास्यति ॥" का०श्रौ०सू० ५।२५२।२५३ । ५—"हविरुच्छिष्टं च" । "अप्सु प्रास्यं वा ।" का.श्रौ.सू.५।२५४।२५५।

महाहविषा ह वै देवा वृत्रं जघ्नुः । (स्ते) तेनो ऽएव व्यजयन्त येयु-मेषां विजितिस्तामथ यानेवैषां तस्मिन्त्सङ्ग्राम ऽइषव आर्च्छंस्तानेतैरेव शल्यान्निरहरन्त तान् व्यवृहन्त यत्त्र्यम्बकैरयजन्त ॥ १ ॥

(न्ताथ) अथ यदेष ऽएतैर्यजते । तन्नाह न्वेवैतस्य तथा कं च नेषुर्ऋच्छतीति देवा अकुर्वन्निति त्वेवैष ऽएतत्करोति याश्च त्वेवास्य प्रजा जाता याश्चाजातास्ता ऽउभयी रुद्रियात्प्रमुञ्चति ता ऽअस्यानमीवा ऽअकिल्बिषाः प्रजाः प्रजायन्ते तस्माद्वा ऽएष ऽएतैर्यजते ॥ २ ॥

ते वै रौद्रा भवन्ति । रुद्रस्य हीषुस्तस्माद्रौद्रा भवन्त्येककपाला भव-न्त्येकदेवत्या असन्निति तस्मादेककपाला भवन्ति ॥ ३ ॥

अथ त्र्यम्बकहविर्योगः ।

महाहविषा ह वै देवा वृत्रं जघ्नुः । तेनो एव व्यजयन्त—येयमेषां विजितिः—ताम् । अथ यानेवैषां तस्मिन्त्सङ्ग्राम इषव आर्च्छंस्तान्—एतैरेव शल्यान्निरहरन्त । तान् व्यवृहन्त—यत् त्र्यम्बकैरयजन्त ॥ १ ॥

अथ यदेष एतैर्यजते । तन्नाह न्वेवैतस्य तथा कं च नेषुर्ऋच्छतीति देवा अकुर्वन् । इति त्वेवैष एतत् करोति । याश्च त्वेवास्य प्रजा जाताः, याश्चाजाताः—उभयी रुद्रियात्प्रमुञ्चति । ता अस्यान-मीवा अकिल्बिषाः प्रजाः प्रजायन्ते । तस्माद्वा एष एतैर्यजते ॥ २ ॥

ते वै रौद्रा भवन्ति । रुद्रस्य हीषुः । तस्माद्रौद्रा भवन्ति । एककपाला भवन्ति । एकदेवत्या अस-न्निति । तस्मादेककपाला भवन्ति ॥ ३ ॥

अथ विधित्सितानां त्र्यैम्बकहविषां शल्यनिर्हरणहेतुत्वमितिहासेनोपपादयति—**महाहविषेति** । **अथ यानेवे-त्यादि** । ' तस्मिन् सङ्ग्रामे ' ' एषां ' देवानां मध्ये ' यानेव ' इन्द्रप्रभृतीन् ' इषवः ' वृत्रमुक्ताः शराः ' आर्च्छन् ' प्राप्नुवन्, ' तान् ' देवान् ' एतैरेव ' त्रैयम्बकैर्हविर्भिस्तस्मात् ' शल्यात् ' ' निरहरन्त ' वियो-जितवन्तः । निर्हरणप्रकारमाह—**तान् व्यवृहन्तेति** । " वृहू उद्यमने " (धा. पा. तु. प. ६६) । शल्य-प्रोतांस्तानस्माच्छल्यादुद्धरन्त इत्यर्थः । **एतैरेवेति** । प्रतिनिर्देशस्य सव्यपेक्षत्वात्तन्निर्दिशति—**यत् त्र्यम्बकै-रिति** । अम्बिका नाम स्त्री अस्य स्वसा अतस्त्र्यम्बको रुद्रः । देवतावाचिना लक्षणयाऽत्र हवींष्युच्यन्ते ॥ १ ॥

आख्यायिकया प्रतिपादितमर्थं प्रकृते योजयति—**अथ यदेष** इति । ' एषः ' इदानीन्तनो यजमानः । **तन्नाहेति** । ' न, अह, नु, एव ' इति चत्वारो निपाताः । ' तत् ' तेन त्रैयम्बकहविर्योगेन अद्यापि ' एतस्य ' यजमानस्य सम्बन्धिनमेव ' कञ्च ' कमपि पुरुषम् ' इषुः ' ' तथा ' ' नैव ' ' ऋच्छति ' प्राप्नोति । देवानु-कारित्वस्य हेतुमाह—**इति देवा** इति । **याश्च त्वेवास्येति** । ' अस्य ' यजमानस्य सम्बन्धिनीः ' प्रजाः ' ' जाताः, ' ' याश्च ' ' अजाताः ' प्रजनिष्यमाणाः, ' ताः ' ' सर्वाः ' ' उभयीः ' उभयविधाः प्रजाः ' रुद्रियात् ' रुद्रकृताद्धिंसनात् ' प्रमुञ्चति ' । प्रतिपुरुषं सङ्ख्याय क्रियमाणैरेतैः त्रियम्बकैर्हविर्भिस्तस्य रुद्रस्य प्रीणितत्वात् । **ता अस्येत्यादि**, गतम् ॥ २ ॥

तेषां देवतां विधाय प्रशंसति—**ते वै रौद्रा भवन्तीति** । रुद्रो देवता एषाम् । " सास्य देवता "—

१—त्रैयम्बकहविषां इति त्रियंबकहविषां इति च पा. । इहोत्तरत्राप्येवमेव । २—उद्धृतवन्तः इति पा. ।

ते वै प्रतिपुरुषम् । यावन्तो गृह्याः स्युस्तावन्त एकेनातिरिक्ता भवन्ति तत्प्रतिपुरुषमेवैतदेकैकेन या अस्य प्रजा जातास्ता रुद्रियात्प्रमुञ्चत्येकेनातिरिक्ता भवन्ति तद्या एवास्य प्रजा अजातास्ता रुद्रियात्प्रमुञ्चति तस्मादेकेनातिरिक्ता भवन्ति ॥ ४ ॥

स जघनेन गार्हपत्यम् । यज्ञोपवीती भूत्वोदङ्ङासीन एतान्गृह्णाति स तत एवोपोत्थायोदङ् तिष्ठन्नवहन्त्युदीच्यौ दृषदुपले ऽउपदधात्युत्तरार्द्धे गार्हपत्यस्य कपालान्युपदधाति तद्यदेव तामुत्तरां दिशꣳ सचन्त ऽएषा ह्येतस्य देवस्य दिक्तस्मादेतामुत्तरां दिशꣳ सचन्ते ॥ ५ ॥

ते वै प्रतिपुरुषं-यावन्तो गृह्याः स्युः-तावन्त एकेनातिरिक्ता भवन्ति । तत् प्रतिपुरुषमेवैतदेकैकेन-या अस्य प्रजा जातास्ता रुद्रियात् प्रमुञ्चति । एकेनातिरिक्ता भवन्ति-तद् या एवास्य प्रजाः अजाताः-ता रुद्रियात् प्रमुञ्चति । तस्मादेकेनातिरिक्ता भवन्ति ॥ ४ ॥

स जघनेन गार्हपत्यं यज्ञोपवीती भूत्वोदङ्ङासीन एतान् गृह्णाति । स तत एव उपोत्थायोदङ् तिष्ठन्नवहन्ति । उदीच्यौ दृषदुपले उपदधाति । उत्तरार्द्धे गार्हपत्यस्य कपालान्युपदधाति । तद् यदेव तामुत्तरां दिशं सचन्ते-एषा ह्येतस्य देवस्य दिक् । तस्मादेतामुत्तरां दिशं सचन्ते ॥ ५ ॥

(पा. सू. ४ । २ । २४) इत्यण् । तत्र कारणमाह-**रुद्रस्येति** । ' हि ' यस्माद्रुद्रसम्बन्धी 'इषुः' त्रिपुरविजयार्थं रुद्रस्यायुधत्वेन निर्म्मितः, तस्मात् । अत एवान्यत्र रुद्रस्य त्रिपुरविजयप्रस्तावे श्रूयते-" त इषुं समस्कुर्वत "-(तै. सं. ६ । २ । ३ । १) इति । हविषामेककपालसंस्कार्यत्वं विधाय स्तौति-**एककपाला** इति । ' एकदेवत्याः ' एकदेवतार्थाः सर्व इमे पुरोडाशाः ' असन् ' भवन्त्वित्यनेनाभिप्रायेण ॥ ३ ॥

कियन्तस्ते त्र्यम्बकाः कार्या इति तत्परिमाणमाह-**ते वै प्रतिपुरुषमिति** । ' यावन्तः ' यावत्परिमाणविशिष्टा यजमानस्य ' गृह्याः ' गृहसम्बन्धिनो ज्ञातयो भवेयुः, तत्र प्रतिपुरुषमेकैकस्य पुरुषस्यैकैकः पुरोडाश इति गणयित्वा ' तावन्तः ' ते पुरोडाशा एकेनाधिकाश्च कर्त्तव्याः । एतत्प्रशंसति-**तत्प्रतिपुरुषमिति** । पुरुषं पुरुषं प्रति प्रतिपुरुषम्, वीप्सायामव्ययीभावः । **एकैकेनेति** । " एकं बहुव्रीहिवत् " (पा. सू. ८ । १ । ९) इति वीप्सायां द्विर्वचनम्, बहुव्रीहिवद्भावात् सुपो लोपः । अन्यदुक्तार्थम् । एकातिरेकमनूद्य तस्य प्रयोजनमाह-**एकेनेति** ॥ ४ ॥

यावदुक्तचोदना ह्येते पुरोडाशाः अतस्तेषां संस्कारप्रकारमाह-**स जघनेनेति** । गार्हपत्यस्य पश्चात् ' यज्ञोपवीती भूत्वा', ' उदङ्मुख आसीनः ' ' एतान् ' पुरोडाशान् निर्वपेत् । अवषट्कारप्रदत्वेनैष्टिकधर्माणामप्राप्तेर्निर्वपणादिकं सर्वं तूष्णीमेव कर्तव्यम् । अत एवोक्तं सूत्रकृता-" त्रैयम्बकान्निर्वपति " इति प्रक्रम्य, " जुहोतयोऽवषट्काराः " इति । तत्र अवषट्कारा इति च्छेदः । हविरुत्पत्त्यन्यथानुपपत्त्याऽऽक्षिप्तानि तद्धर्म्मकाण्यवहन-

---

१-'त्रैयंबकान्निर्वपति रौद्रानेककपालान् यावंतो यजमानगृह्या एकाधिकान् ॥ (का. श्रौ. सू. ५ । २५६) उदङ्मुख्यः सर्वम् । का. श्रौ. सू. ५ । २५८ । देशांश्च । का. श्रौ. सू. ५ । २५९ । आखूत्करचतुष्पथस्थाणुवृक्षवंशादयो देशाः । जुहोतयोऽवषट्कारान् । का. श्रौ. सू. ५ । २६० ।

ते वा ऽअक्ताः स्युः। (र) अक्तᳬं᳖ हि हविस्त ऽउ वा ऽअनक्ता ऽएव स्युरभिमानुको ह रुद्रः पशून्त्स्याद्यदञ्ज्यात्तस्मादनक्ता ऽएव स्युः ॥ ६ ॥

(स्त्रा) तान्त्साᳬर्द्धं पात्र्याᳬं᳖ समुद्वास्य। (स्यान्वा) अन्वाहार्यपचनादुल्मुकमादायोदङ् परेत्य जुहोत्येषा ह्येतस्य देवस्य दिक्पथि जुहोति पथा हि स देवश्चरति चतुष्पथे जुहोत्येतद्ध वा ऽअस्य जान्धितं प्रज्ञातमवसानं यच्चतुष्पथं तस्माच्चतुष्पथे जुहोति ॥ ७ ॥

ते वा अक्ताः स्युः। अक्तं हि हविः। त उ वा अनक्ता एव स्युः। अभिमानुको ह रुद्रः पशून्त्स्याद् यदञ्ज्यात्। तस्मादनक्ता एव स्युः ॥ ६ ॥

तान्त्सार्द्धं पात्र्यां समुद्वास्य, अन्वाहार्यपचनादुल्मुकमादाय–उदङ् परेत्य जुहोति। एषा ह्येतस्य देवस्य दिक्। पथि जुहोति। पथा हि स देवश्चरति। चतुष्पथे जुहोति। एतद्ध वा अस्य जान्धितं प्रज्ञातमवसानं यच्चतुष्पथम्। तस्माच्चतुष्पथे जुहोति ॥ ७ ॥

नादीनि। वैकृतं विशेषं वक्तुमनुक्रामति–**स तत एवे**त्यादिना। प्रागुदीच्यां रुद्राधिष्ठितत्वेनोत्तरदिशो रुद्रसम्बन्धात् तद्दिक्त्वाच्च रुद्रदेवताख्या, अतस्तत्कर्मस्ववहननादिषु सर्वत्रोदक्संबन्धः कर्तव्य इति। तत्र 'तद्यत्' यस्माद्रुद्रदेवत्या। तस्मात् 'ताम्' एताम् 'उत्तरां दिशं' 'सचन्ते' सर्वेषु व्यापारेषु ऋत्विजः समवयन्ति॥५॥

एषां हविषामक्ततार्थमभिघारणपक्षमाह–**ते वा अक्ताः स्यु**रिति। 'वै' शब्दोऽवधारणे। खलु 'ते' पुरोडाशाः 'अक्ताः' अज्येनाभिघारिता एव 'स्युः'। तत्र हेतुमाह–**अक्तं ही**ति। 'हि' यस्मात् 'अक्तम्' अभिघारितमेव हविर्भवति। तथा च तैत्तिरीयकम्–"प्रच्युतं वा एतदस्माल्लोकादगतं देवलोकं यच्छृतं हविरनभिघारितमभिघार्योद्वासयति" (तै. सं. २। ६। ३। ९) इति। अनभिघारितपक्षमाह–**त उ वा** इति। तत्र कारणमाह–**अभिमानुक** इति। पशुप्रभवेनाज्येन यदि रौद्रान् पुरोडाशानञ्ज्यात् ततः स रुद्रः आज्यसम्बन्धद्वारा तत्कारणभूतान् पशून् 'अभिमानुकः' अभिमन्तुं बाधितुं शक्तः स्यात् ॥ ६ ॥

तान्त्सार्द्धमित्यादि। निगदसिद्धम्। उत्तरदिशि विशेषं विधत्ते–**पथी**ति। उत्तरस्यां दिशि यः पन्था विद्यते, तत्रोल्मुकं विधाय, तस्मिन् पुरोडाशान् जुहुयात्। पथि होमे कारणमाह–**पथा ही**ति। 'सः' खलु रुद्रः 'देवः' 'पथा' मार्गेण हि 'चरति' तत्रावतिष्ठत इत्यर्थः। पथ्यपि किञ्चिद् विशेषं विधत्ते–**चतुष्पथ** इति। चतुर्णां पथां समाहारश्चतुष्पथः, चतसृभ्यो दिग्भ्य आगताश्चत्वारः पन्थानो यत्र सङ्गच्छन्ते, तत्र जुहुयादित्यर्थः। एतदुपपादयति–**एतद्ध वा** इति। 'एतत्' खलु 'अस्य' रुद्रस्य 'जान्धितम्'। जनैः परिकल्पितम्, 'प्रज्ञातम्' प्रसिद्धम्, 'अवसानं' स्थानम्, यच्चतुष्पथाख्यम्। अत एवोक्तमभियुक्तैः "वटे वटे वैश्रवणश्चत्वरे चत्वरे शिवः"–इति ॥ ७ ॥

१–अक्तान् वा। पात्र्यांकृत्वा दक्षिणाग्न्युल्मुकमादाय चतुष्पथे पलाशपत्रमध्यमेन होमः। सर्वेषामवदानं सकृत् रेफवर्जम्। अक्तेषु मिश्रणम्। का० श्रौ० सू० ५। २६१–२६४।

पलाशस्य पलाशेन मध्यमेन जुहोति । ब्रह्म वै पलाशस्य पलाशं ब्रह्मणै-वैतज्जुहोति स सर्वेषामेवावद्यत्येकस्यैव नावद्यति य एषोऽतिरिक्तो भवति॥८

स जुहोति । (त्ये) एष ते रुद्र भागः सह स्वस्राऽम्बिकया तं जुषस्व स्वाहेत्यम्बिका ह वै नामास्य स्वसा तयाऽस्यैष सह भागस्तद्यदस्यैष स्त्रिया सह भागस्तस्मात्त्र्यम्बका नाम तद्या ऽअस्य प्रजा जातास्ता रुद्रियात्प्रमुञ्चति ॥ ९ ॥

(त्यु) अथ य ऽएष ऽएकोऽतिरिक्तो भवति । तमाखूत्कर ऽउपकिर-त्येष ते रुद्र भाग ऽआखुस्ते पशुरिति तदस्मा ऽआखुमेव पशूनामनुदि-

---

पलाशस्य पलाशेन मध्यमेन जुहोति । ब्रह्म वै पलाशस्य पलाशम् । ब्रह्मणैवैतज्जुहोति। स सर्वेषा-मेवावद्यति । एकस्यैव नावद्यति । य एषोऽतिरिक्तो भवति ॥ ८ ॥

स जुहोति-" एष ते रुद्र भागः सह स्वस्राऽम्बिकया तं जुषस्व-स्वाहा "-(वा. सं. ३।५७) इति । अम्बिका ह वै नामास्य स्वसा । तयाऽस्यैष सह भागः। तद् यदस्यैष स्त्रिया सह भागः-तस्मात् त्र्यम्बका नाम । तद् या अस्य प्रजा जाताः-ता रुद्रियात् प्रमुञ्चति ॥ ९ ॥

अथ य एष एकोऽतिरिक्तो भवति-तमाखूत्कर उपकिरति । " एष ते रुद्र भाग आखुस्ते

अथैतस्मिन् होमे साधनं विधत्ते-**पलाशस्य पलाशेनेति** । पलाशवृक्षस्य पर्णेनेत्यर्थः । **ब्रह्म वै पलाशस्य पलाशमिति** । पलाशवृक्षस्य ब्रह्म(त्व)श्रवणात्' तदीयं पर्णमपि ब्रह्मात्मकम् । ब्रह्मश्रवणञ्च तैत्तिरीयके समाम्ना-तम्-" देवा वै ब्रह्मन्नवदन्त तत्पर्ण उपाशृणोत् "-(तै. सं. ३ । ५ । ७ । २) इति । अवदाने विशेष-माह-**स सर्वेषामिति** । यावन्तः पुरोडाशाः कृताः तत्र एकमतिरिक्तं विहाय तेषां सर्वेषामेव सकाशात् तस्मिन् मध्यमपर्णेऽवद्येदित्यर्थः ॥ ८ ॥

इत्थं सर्वेभ्यः समवत्तस्य हविषः समन्त्रकं होमं विधत्ते-**स जुहोतीति** । मन्त्रस्यायमर्थः-हे ' रुद्र ! ' ' ते ' तव ' एष भागः ' । कथम्भूतस्य ? अम्बिकानामास्य स्वसा, तया सहितस्य । अतः ' तं ' भागं ' जुषस्व ' सेवस्व । इदं हविः ' स्वाहा ' सुहुतमस्त्विति (वा. सं. ३।५७)। तत्र " सह स्वस्राऽम्बिकया-" इति मन्त्र-भागस्याभिप्रायमाविष्कुर्वन्नेतेषां हविषां त्र्यम्बकनाम निर्ब्रूते-**अम्बिका ह वा** इति । **तद्यदस्यैष** इति । ' तत् ' तथा सति ' यद् ' यस्मात् ' अस्य ' रुद्रस्य तया ' स्त्रिया ' ' सह ' ' एष भागः ' कल्पितः, ' तस्मात् ' स्त्रीरूपाम्बिकासम्बन्धाद्रुद्रस्यैते पुरोडाशाः(आदिवर्णलोपेन) ' त्र्यम्बकाः '-इत्याख्यायन्ते । **तद्या अस्येति**, व्याख्यातम् ॥ ९ ॥

अवदानकालपरिशेषितस्यातिरिक्तस्यैकस्य विनियोगमाह-**अथ य एष** इति । उत्किरति पांशूनित्युत्करः, आखुभिः कृते ' आखूत्करे ' ' तम् ' अतिरिक्तमेकं पुरोडाशम् ' उपकिरति ' उपक्षिपेति । " कॄ विक्षेपे "-

---

१-' एष त इति जुहोति '। का. श्रौ. सू. ५। २६५ । २-अतिरिक्तमाखूत्कर उपकिरत्येष त इति । का० श्रौ० सू० ५।२६६ ।

इति तेनो ऽइतरान्पशून्न हिनस्ति तद्यदुपकिरति तिर ऽइव वै गर्भास्तिर ऽइवैतद्यदुपकीर्णं तस्माद्वा ऽउपकिरति तद्या ऽएवास्य प्रजा ऽअजातास्ता रुद्रियात्प्रमुञ्चति ॥ १० ॥

(त्यु) अथ पुनरेत्य जपन्ति । (न्त्यु) अव रुद्रमदीमह्यव देवं त्र्यम्बकम् ॥ यथा नो वस्यसस्करद्यथा नः श्रेयसस्करद्यथा नो व्यवसाययात् ॥ भेषजमसि भेषजं गवेऽश्वाय पुरुषाय भेषजꣳ सुखं मेषाय मेष्या ऽइत्याशीरेवैषैतस्य कर्मणः ॥ ११ ॥

पशुः"–(वा. सं. ३ । ५७) इति । तदस्मा आखुमेव पशूनामनुदिशति । तेनो इतरान् पशून् न हिनस्ति । तद्यदुपकिरति–तिर इव वै गर्भाः, तिर इवैतद्–यदुपकीर्णम् । तस्माद्वा उपकिरति । तद्या एवास्य प्रजा अजाताः–ता रुद्रियात् प्रमुञ्चति ॥ १० ॥

अथ पुनरेत्य जपन्ति " **अव रुद्रमदीमहि, अव देवं त्र्यम्बकम् । यथा नो वस्यसस्करत, यथा नः श्रेयसस्करत, यथा नो व्यवसाययात भेषजमसि भेषजम्, गवेऽश्वाय पुरुषाय भेषजं, सुखं मेषाय, मेष्यै**"–इति । (वा. सं. ३।५८।५९) आशीरेवैतस्य कर्मणः ॥ ११ ॥

(धा. पा. तु. १२८) इति धातुः । " एष ते "–इति मन्त्रः (वा. सं. ३ । ५७) । तदर्थस्तु–हे 'रुद्र !' 'ते' तव 'एषः' पुरोडाशो भागः, अस्मिन्नुत्करे स्थितो यः 'आखुः' असौ 'ते पशुः इति' । एतन्मन्त्रपाठस्य प्रयोजनमाह–**तदस्मा** इति । 'तत्' तेन मन्त्रेण 'पशूनां' मध्ये 'आखुमेव' 'अस्मै' रुद्राय पशुत्वेन निर्दिशति । 'तेन' कारणेन 'इतरान्' नृगवाश्वादिपशून् स रुद्रो 'न हिनस्ति' । अतिरिक्तस्यैकस्य पुरोडाशस्य यदुपक्षेपणं विहितम्, तदुपपादयति–**तद् यदिति** । **तिर इवेति** । 'गर्भाः' तिरोहिता इव भ[illegible] उपकीर्णञ्च द्रव्यं विगलितं सत् तिरोहितमेव भवति, अतो गर्भस्थानामजातानां प्रजानां रुद्रः कृतहिंसनवि[illegible]नाय क्रियमाणस्योपकीर्णत्वं युक्तमिति भावः ॥ १० ॥

जपं विधत्ते–**अथेति** । 'अथ' तदनन्तरम्, पुनश्चतुष्पथादग्निसमीपमेत्य " अव रुद्रम् " इत्यादिमन्त्रौ सर्वे जपेयुः । तयोः प्रथममन्त्रस्यायमर्थः–'रुद्रम्' 'अवादीमहि' अवदीयामहे, हविर्भागेन रुद्रमवयुज्य पृथक्कृत्य प्रजाः रक्षामहे । " दीङ् रक्षणे "–इत्यस्मात् 'लोटि, " बहुलं छन्दसि " (पा. सू. २ । ३ । ६२) इति शब्लुकि " घुमास्था "–(पा. सू. ६ । ४ । ६६) इतीत्वम् । तथा 'देवं' देवनशीलं 'त्र्यम्बकं' स्त्रियाऽम्बिकाख्यया सहितम्, अवादीमहीत्यनुषङ्गः । अम्बिकासाहित्यप्रतिपादनपरमेतद् द्वितीयं वाक्यम् । स च रुद्रो 'यथा' येन प्रकारेण 'नः' अस्मान् 'वस्यसः' वसीयसः वसुमत्तमान् 'करत्' कुर्यात्, 'नः' अस्मान 'यथा' येन प्रकारेण च 'श्रेयसः' प्रशस्यतरान् 'करत्' कुर्यात्, 'यथा' च 'नः' अस्मान् व्यवसाययात् ' व्यवसयेत्, व्यवसितार्थान् कुर्यात्; तथा 'अवादीमहि' इति सम्बन्धः ॥

१–आगम[illegible]वरुद्रमदीमहि[illegible]पति ! का. श्रौ. सू. ५ । २६७ ।

(णो॒ऽथा) अ॒थाप॑सलवि त्रिः प॒रिय॑न्ति । स॒व्याऩू॒रू॒नु॒पाघ्ना॒ना॒स्त्र्य॑म्बकं॒ य॒जाम॑हे सु॒गन्धि॑ पु॒ष्टिवर्द्ध॑नम् ॥ उ॒र्वा॒रु॒कमि॑व॒ ब॒न्ध॑नान्मृत्यो॒र्मु॑क्षीय॒ माम॒ृ॒तादि॒त्या॒शीरे॒वैषै॒तस्य॑ क॒र्म॑ण आ॒शिष॑मे॒वैत॒दा॒शास॑ते त॒दु॒ ह्ये॒व श॒मिव॒ यो॒ मृ॒त्योर्मु॒च्यातै॒ नाम॒ृ॒तात्त॒स्मादा॒ह मृत्यो॒र्मु॑क्षीय॒ माम॒ृ॒तादि॒ति ॥ १२ ॥

त॒दु॒ हा॒पि कु॒मा॒र्य॑ः प॒री॒यु॑ः । (र्भ॒) भ॒ग॑स्य भजामहा॒ ऽइ॒ति॒ या॒ ह॒ वै॒ सा॒ रु॒द्र॑स्य॒ स्वसा॒ऽम्बि॒का॒ ना॒म॒ सा॒ ह॒ वै॒ भ॒ग॑स्येष्टे॒ त॒स्मा॒दु॒ हा॒पि कु॒मा॒र्य॑ः प॒री॒यु॒र्भग॑स्य भ॒जाम॑हा॒ ऽइ॒ति ॥ १३ ॥

अथापसलवि त्रिः परियन्ति सव्यानूरूनुपाघ्नानाः । "**त्र्यम्बकं यजामहे सुगन्धिं पुष्टिवर्द्धनम् । उर्वारुकमिव बन्धनान्मृत्योर्मुक्षीय मामृतात्**"–इति (वा. सं. ३ । ६०) आशीरेवैषैतस्य कर्मणः । आशिषमेवैतदाशासते । तदु ह्येव शमिव यो मृत्योर्मुच्यातै, नामृतात् । तस्मादाह–मृत्योर्मुक्षीय मामृतादिति ॥ १२ ॥

तदु हापि कुमार्यः परीयुः–'भगस्य भजामहे'–इति । या ह [वै] सा रुद्रस्य स्वसाऽम्बिका नाम–सा ह वै भगस्येष्टे । तस्मादु हापि कुमार्यः परीयुः–'भगस्य भजामहै'–इति ॥ १३ ॥

अथ द्वितीयस्य––हे रुद्र ! त्वं स्वरूपेणैव 'भेषजम्' औषधम् 'असि'; सर्वदुरितनिबर्हणहेतुत्वात् । अतस्त्वं 'सुखं (गं)' सुप्राप्तं भेषजम् अस्मदीयेभ्यो गवाश्वादिभ्यः प्रदेहीति शेषः । **आशीरेवेति** । एतस्य त्र्यम्बकाख्यस्य 'कर्मणः' 'एषा' जप्यमन्त्रस्य 'आशीः' फलप्रार्थनम्; गवाश्वादीनामारोग्यमेतस्य कर्मणः फलमित्यर्थः ॥ ११ ॥

अथाप्रदक्षिणं त्रिरग्नेः परिगमनं विधत्ते–**अथापसलवीति**[1] । त्र्यम्बकस्य हविषः कर्त्तारः सर्वे चतुष्पथे अग्निमपसलवि अपसव्यं त्र्यम्बकमिति मन्त्रेण 'त्रिः परियन्ति' किं कुर्वन्तः ? 'सव्यान्' वामान् 'ऊरून्' 'उपाघ्नानाः'[2] हस्तेन वादयन्तः । मन्त्रस्य चायमर्थः–त्रीणि अम्बकानि नेत्राणि यस्य, यद्वा स्त्री अम्बिका स्वसा यस्य तथोक्तः । शोभनो गन्धो यस्यासौ सुगन्धिः । "गन्धस्येदुत्पूतिसुसुरभिभ्यः"–(पा. सू. ५ । ४ । १३५) इति इकारादेशः । 'पुष्टिवर्द्धनम्' पुष्टेर्वर्द्धयितारम् । रुद्रं वयं 'यजामहे' पूजयामः । तत्प्रसादादहम् 'उर्वारुकं' कर्कटीफलं पक्वं सत् यथा प्रसवबन्धनात् स्वयमेव मुच्यते, तथा 'मृत्योः' मरणात् 'मुक्षीय' मुक्तो भूयासम्; 'अमृतात्' अमरणात् 'मा' वियोगो भवत्विति । **आशीरेवेत्यादि**, सिद्धम् । अन्तिमपादस्य तात्पर्यमाह–**तदु ह्येवेति** । 'यः' 'मृत्योः' मरणात् 'मुच्यातै' मुक्तो भवेत्, स 'अमृतात्' अमरणात् 'न' मुक्तो भवति; एतदेव हि 'शमिव' प्राणिनां सुखं भवति ॥ १२ ॥

अस्य परिगमनस्य भगप्रसिद्धिहेतुत्वमुपपादयति–**तदु हापीति**[3] । 'तत्' तदा 'कुमार्यः' अपि तमग्निमुक्तप्रकारेण 'परीयुः,' 'भगस्य' सौभाग्यस्य । कर्मणि षष्ठी । सौभाग्यम् 'भजामहै' प्राप्नुयामहै 'इति' अनेनाभिप्रायेण । **यो ह वा इति** । अम्बिका नाम 'या' खलु 'रुद्रस्य स्वसा,' 'सा' 'भगस्य ईष्टे'

१–अग्निं त्रिः परियंति पितृवत्सव्योरूनाघ्नानास्त्र्यंबकमिति । देववच्चेति प्रदक्षिणम् । एतेनैव दक्षिणानाघ्नानाः ॥ का. श्रौ. सू. ५ । २६८–२७० । २–"अपघ्नानाः" इ. पा. । ३–कुमार्यश्चोत्तरेणोभयत्र पतिकामा भगकामा वा । का. श्रौ. सू. ५ । २७१ ।

तासामुतासां मन्त्रोऽस्ति । त्र्यम्बकं यजामहे सुगन्धिं पतिवेदनम् । उर्वारुकमिव बन्धनादितो मुक्षीय मामुत इति सा यदित इत्याह ज्ञातिभ्यस्तदाह मामुत इति पतिभ्यस्तदाह पतयो ह्येव स्त्रियै प्रतिष्ठा तस्मादाह मामुत इति ॥ १४ ॥

(त्यु) अथ पुनः प्रसलवि त्रिः परियन्ति । दक्षिणानूरूनुपाघ्नाना ऽएतेनैव मन्त्रेण तद्यत्पुनः प्रसलवि त्रिः परियन्ति प्रसलवि न इदं कर्मानुसन्तिष्ठाता ऽइति तस्मात्पुनः प्रसलवि त्रिः परियन्ति ॥ १५ ॥

(न्त्यु) अथैतान्युजमानोऽञ्जलौ समोप्य । (प्यो) ऊर्ध्वानुदस्यति यथा गौर्नोदाप्नुयात्तदात्मभ्य एवैतच्छल्यान्निर्मिमते तान्विलिप्सन्त ऽउपस्पृशन्ति भेषजमेवैतत्कुर्वते तस्माद्विलिप्सन्त ऽउपस्पृशन्ति ॥ १६ ॥

तासामुतासां मन्त्रोऽस्ति–" त्र्यम्बकं यजामहे सुगन्धिं पतिवेदनम् । उर्वारुकमिव बन्धनात् इतो मुक्षीय माऽमुतः"– इति (वा. सं. ३।६०)। सा यदित इत्याह–ज्ञातिभ्यस्तदाह । मामुत इति–पतिभ्यस्तदाह । पतयो ह्येव स्त्रियै प्रतिष्ठा । तस्मादाह माऽमुत इति ॥ १४ ॥

अथ पुनः प्रसलवि त्रिः परियन्ति दक्षिणानूरूनुपाघ्नानाः–एतेनैव मन्त्रेण । तद् यत् पुनः प्रसलवि त्रिः परियन्ति । ' प्रसलवि न इदं कर्मानुसन्तिष्ठातै' इति । तस्मात् पुनः प्रसलवि त्रिः परियन्ति १५

अथैतान्यजमानोऽञ्जलौ समोप्य, ऊर्ध्वानुदस्यति । यथा गौर्नोदाप्नुयात् । तदात्मभ्य एवैतच्छल्यान्निर्मिमते । तान्विलिप्सन्त उपस्पृशन्ति । भेषजमेवैतत् कुर्वते । तस्माद्विलिप्सन्त उपस्पृशन्ति ॥ १६ ॥

सौभाग्यस्य स्वामिनी भवति । " ईश ऐश्वर्ये "–इति धातुः (धा. पा. अ. आ. १०) । भगस्येति " [illegible] गार्थदयेशां कर्मणि "–(पा. सू. ४ । ३ । ५२) इति कर्मणि षष्ठी । ' तस्मात् ' अम्बिकासहितस्य [illegible] सम्बन्धिनि कर्मणि भगप्राप्तिकामाः कुमार्योऽपि परीयुरित्यर्थः ॥ १३ ॥

कुमारीणां परिगमनेऽन्योऽपि मन्त्रो विद्यत इत्याह–**तासामिति** । 'आसां ' पूर्वोक्तानाम् 'तासां' कुमारीणामपि परिगमनेऽन्यो ' मन्त्रः ' विद्यते । कः पुनरसाविति, तं पठति–**त्र्यम्बकमिति** । पतिर्विद्यते लभ्यते अनेन इति पतिवेदनो रुद्रः । अन्यदुक्तार्थम् । चतुर्थपादस्य तात्पर्यमाह–**सा यदित** इति । ' इदं ' शब्देन पितृकुलं परामृश्यते । ' इतः ' अस्मात् पितृकुलात् ' ज्ञातिभ्यः ' सकाशादहं ' मुक्षीय ' मुक्ता भूयासम्; ' अमुतः ' अमुष्मात् कुलात् पतिसकाशात् ' मा मुक्षीय ' विप्रयुक्ता न भवेयम् इति तात्पर्यार्थः । **पतयो ह्येवेति** । अग्निहोत्रादिधर्मेषु पत्या सहैव स्त्रिया अधिकारः नतु स्वातन्त्र्येण ' हि ' यतः, अतः स्त्रीणां ' पतय एव ' ' प्रतिष्ठा ' आश्रयभूता इत्यर्थः ॥ १४ ॥

तेनैव मन्त्रेण पुनः प्रदक्षिणं त्रिः परिगमनं विधत्ते–**अथ पुनरिति** । ' प्रसलवि ' प्रदक्षिणम् । **एतेनैवेति** । त्र्यम्बकमिति प्रागुक्तेनोभयविधेन मन्त्रेणेत्यर्थः । **तद्यत्पुनरित्यादिवाक्यशेषः** पितृयज्ञवद् व्याख्येयः ॥ १५ ॥

हुतशिष्टानां पुरोडाशानां प्रतिपत्तिं विधत्ते–**अथैतानित्यादि** । ' एतान् ' **पुरोडाशान् यजमानस्याञ्जलाव-**

तान्द्वयोर्मूतकयोरुपनह्य। वेणुयष्ट्यां वा कुपे वोभयत आबध्योदङ्-परेत्य यदि वृक्षं वा स्थाणुं वा वेणुं वा वल्मीकं वा विन्देत्तस्मि-न्नासजत्येतत्ते रुद्रावसं तेन परो मूजवतोऽतीहीत्यवसेन वाऽध्वानं यन्ति तदेनꣳसावसमेवान्ववार्जति यत्र यत्रास्य चरणं तदन्वत्र ह वाऽ-अस्य परो मूजवद्भ्यश्चरणं तस्मादाह तेन परो मूजवतोऽतीहीत्यवततधन्वा पिनाकावस इत्यहिꣳसन्नः शिवोऽतीहीत्येवैतदाह कृत्तिवासा इति निष्वापयत्येवैनमेतत्स्वपन्तु हि न कंचन हिनस्ति तस्मादाह कृत्ति-वासाऽइति ॥ १७ ॥

तान् द्वयोर्मूतकयोरुपनह्य, वेणुयष्ट्यां वा, कुपे वा उभयत आबध्य, उदङ् परेत्य, यदि वृक्षं वा स्थाणुं वा वेणुं वा वल्मीकं वा विन्देत्—तस्मिन्नासजति। "एतत्ते रुद्रावसम्, तेन परो मूज-वतोऽतीहि"—इति (वा. सं. ३।६१)। अवसेन वा अध्वानं यन्ति । तदेनं सावसमेवान्ववार्जति यत्र-यत्रास्यचरणं तदनु । अत्र ह वा अस्य परो मूजवद्भ्यश्चरणम्। तस्मादाह–परो मूजवतो-ऽतीहीति। "अवततधन्वा पिनाकावसः"—इति। "अहिंसन् नः शिवोऽतीहि"—इत्येवैतदाह। "कृत्तिवासाः"—इति। निष्वापयत्येवैनमेतत्। स्वपन्तु हि न कंचन हिनस्ति। तस्मादाह—कृत्तिवासा इति ॥ १७ ॥

ध्वर्युः संवपेत्। यजमानश्च तान् 'ऊर्ध्वान् उदस्यति' उत्क्षिपति। 'यथा गौः' पृथिवीनामैतत्; पृथिवी तान् पुरोडाशान् 'नोदाप्नुयात्' उत्क्षिप्ताः पुरोडाशाः यथा भूमौ न पतन्ति तथाऽन्तरिक्षे, पुनरञ्जलिना धारयेत्। तदुक्तं कात्यायनेन—"रौद्रान् यजमानोऽञ्जलिनोदस्यत्यगोः प्रापणम्, 'प्रतिगृह्णात्येनान्' (का. श्रौ. सू. ५।२७२-२७३) इति। **आत्मभ्य एवैतदिति**। 'एतत्' एतेनोदसनेन 'आत्मभ्यः' ऋत्विग्यजमानाः 'स्व-स्व-शरीरेभ्यः' 'एव' 'शल्यान्' निर्मिमते। निर्हरन्ति तेषां पुनर्ग्रहणाशक्तौ स्पर्शनं विधत्ते—**तान् विलिप्सन्त** इति। लब्धुमिच्छन्तो लिप्सन्तस्तद्विपरीतो 'विलिप्सन्तः' लब्धुमशक्ताः सन्तः, भूमौ पतितान् 'तान्' पुरोडाशान् पश्चादुपस्पृशन्ति। उक्तं हि कात्यायनेन—"पततः प्रतिगृह्णात्येनानशक्यऽउपस्पर्शनम्"—(का. श्रौ. सू. ५।२७३) इति। **भेषजमेवैतदिति**। एतेन स्पर्शनेन निर्हृते शल्ये स्वशरीरदेशस्य पुनर्भेषजमेव कृतवन्तो भवन्ति ॥ १६ ॥

तान् द्वयोरित्यादि। 'द्वयोर्मूतकयोः'। यत्र तृणमये आत्रपने धान्यं बध्यते तन्मूतम्, मूतमेव मूतकम्। स्वार्थे क-प्रत्ययः। 'तान्' रौद्रान् पुरोडाशान् 'द्वयोर्मूतकयोः' 'उपनह्य' वेणुयष्ट्यां वेणुमय्यां यष्ट्याम् 'उभयतः आबध्य'; यद्वा 'कुपे' वेणुनिर्मितभाजनद्वययुक्तो दारुविशेषो वीवधापरपर्यायः कुपः तस्मिन्; 'उभयतः' उभयपार्श्वयोः वैणवभाजनयोः 'तान्' रौद्रान् 'आबध्य' तेन सार्द्धम् 'उदङ् परेत्य' उदङ्मुखोऽदूरं गत्वा, वृक्षस्थाण्वादीनामन्यतमस्मिन्नुपलब्धे, वीवधम् 'आसजति' आलगयति। तस्मिन्ना-

---

१—मूतयोः कृत्वा वेणुयष्ट्यां कुपे वाऽऽसज्योभयतः स्थाणुवृक्षवंशवल्मीकानामन्यतमस्मिन्नुत्क्षेपणवदासजत्येतत्। इति। (का. श्रौ. सू. ५।२७४) कुपे—यज्ञियवृक्षजे तुलादण्डे, इति या० दे०।

(त्थु) अ॒थ द॒क्षिणा॒न्बाहू॒नन्वा॒वर्त॑न्ते । ते॑ऽ प्र॒तीक्षं॒ पुन॒राय॑न्ति पुन॒रेत्या॒प ऽउ॒पस्पृ॑शन्ति रु॒द्रिये॑णेव॒ वा॒ऽएत॑दचारिषुः शा॒न्तिरा॒पस्त॒दद्भिः॒ शान्त्या॑ शमयन्ते ॥ १८ ॥

(न्ते॑ऽ)अथ के॒शश्मश्रूप्त्वा॒। स॒मारो॒ह्याग्नी ऽउ॑दवसा॒येव॒ ह्ये॒तेन॑ य॒जते॒ न हि॒ त॒दव॑क्लृ॒पते॒ यदु॑त्तरवे॒दाव॑ग्निहो॒त्रं जु॒हुया॒त्तस्मा॒दु॒द॒वस्य॑ति गृ॒हानि॒त्वा निर्मं-

---

अथ दक्षिणान् बाहूनन्वावर्तन्ते । तेऽप्रतीक्षं पुनरायन्ति । पुनरेत्याप उपस्पृशन्ति । रुद्रियेणेव वा एतदचारिषुः । शान्तिरापः । तदद्भिः शान्त्या शमयन्ते ॥ १८ ॥

अथ केशश्मश्रूप्त्वा, समारोह्य, अग्नी उदवसायेव ह्येतेन यजते । न हि तदवकल्पते–यदुत्तर-

---

सजने मन्त्रमाह–**एतत्त** इति । तस्यायमर्थः । हे ‘ रुद्र ! ’ ‘ ते ’ तव ‘ एतत् ’ तृप्तिकरम् ‘ अवसम् ’ पाथेयमन्नम्; तत् स्वीकृत्य ‘ तेन ’ साधनेन ‘ मूजवतः परः ’ मूजवान्नामोदीच्यः पर्वतः, तस्य ‘ परः ’ परस्ताद्भागम् ‘ अतीहि ’ अतिक्रम्य गच्छ; माऽस्मानधितिष्ठ इति भावः ॥

मन्त्रगतमवसशब्दं प्रशंसति–**अवसेन वा** इति । लोके ‘अवसेन’ अन्नेन पाथेयेन हि जनाः दूरम् ‘अध्वानं’ ‘यन्ति’, ‘ तत् ’ तथा सति ‘ एनं ’ रुद्रं ‘ सावसम् ’ अवससहितम ‘ एव ’ अस्मात् स्थानात् ‘ अन्ववार्जति ’ अनुगमयति । अस्य रुद्रस्य गन्तव्यप्रदेशमाह–**यत्र-यत्रे**ति । यस्मिन् यस्मिन् स्थाने ‘ अस्य ’ देवस्य ‘ चरणं ’ वर्त्तनं भवति, ‘ तत् ’ स्थानम् ‘ अनु ’ लक्ष्येत्यर्थः । “ परो मूजवतः ”–इति मन्त्रभागस्याभिप्रायमाह–**अत्र ह वा** इति । ‘ अस्य ’ रुद्रस्य ‘ अत्र ’ अस्मिन् मूजवत्पर्वतसम्बन्धिनि ‘ परः ’ परस्ताद्भागे ‘ चरणं ’ वर्त्तनं भवति, ‘ तस्मात् ’ तेन “ परो मूजवतः ”–इति मन्त्रभागस्य पठनं युक्तमित्यर्थः । द्वितीयभागमनूद्य व्याचष्टे–**अवततधन्वे**ति । अवततमवरोपितज्यं धनुर्यस्य स तथोक्तः–**पिनाकावस** इति । पिनाक इति तस्यैव रुद्रधनुषो नामधेयम् । तस्य अवसः व्यापारो परमो यस्य स तथा । एतेन विशेषणद्वयेन फलितमर्थमाह–**अहिंसन्नि**ति । हे ‘ रुद्र ! ’ ‘ नः ’ अस्माकं हिंसामकुर्वन् ‘ शिवः ’ सुखकरः सन् “ अतीहि ”–इति ‘ एतत् ’, अयं मन्त्रभागः प्रतिपादयतीत्यर्थः । अन्तिमं भागम् अनूद्य तात्पर्यमाह–**कृत्ती**ति । कृत्तिः त्वग्वास आच्छादनं यस्य स तथोक्तः । अनेन च विशेषणेन ‘ एनं ’ नितरां स्वापयेत् । कृत्तेर्मृदुतरत्वेन सुखकरत्वात् रुद्रस्वापो भवत्येवेत्यनेनाभिप्रायेण विशेष्यते । स्वापोऽपि किमर्थ इत्यत आह–**स्वपन् न्वि**ति । ‘ नु ’ अत्र खलु लोके ‘ स्वपन् ’ निद्रालुः पुरुषः ‘ कञ्चन ’ कमपि ‘ न हिनस्ति ’ न पीडयति । अतो रुद्रकृतबाधविरहाय तस्य स्वापः प्रार्थ्यत इत्यर्थः ॥ १७ ॥

तेषां पुनरागमनं विधत्ते–**अथ दक्षिणानि**ति । रौद्रपुरोडाशानां वृक्षादावासञ्जनानन्तर्य्यमथशब्दार्थः । रौद्रैर्हविर्भिः ये अचारिषुः, ‘ ते ’ सर्वे स्वं स्वं दक्षिणं बाहुम ‘ अनु ’-लक्ष्य प्रादक्षिण्येनावर्त्तेरन्; आवृत्य च ‘ अप्रतीक्षं ’ रौद्रहविःप्रचरणस्थानमनवलोकयन्तः ‘ पुनः वेदिसमीपमागच्छेयुः; आगत्य च रुद्रदेवताकहविःप्रचरणकृतौष्ण्यनिवारणाय ‘ अपः ’ उपस्पृशेयुः । **तदद्भिः शान्त्ये**ति । उष्णशमनहेतुभिः ‘ अद्भिः ’ तत् रौद्रहविःप्रचरणजनितं स्व-स्वात्मगतमौष्ण्यं ‘ शमयन्ते ’ निवर्त्तयन्तीत्यर्थः ॥ १८ ॥

वरुणप्रघासान्त इव केशश्मश्रुवपनादिकं साकमेधान्तेऽपि कर्त्तव्यमित्यनुक्रामति–**अथ केशश्मश्रूप्त्वे**ति ।

१–कृत्तिवासा इति च (का. श्रौ. सू. ५ । २७५) । २–अनपेक्षमेत्योपस्पृशंत्यपः। का. श्रौ. सू. ५ । २७६ ।

थ्याग्नी पौर्णमासेन यजत ऽउत्सन्नयज्ञऽइव वा ऽएष यच्चातुर्मास्यान्यथैष क्लृप्तः प्रतिष्ठितो यज्ञो यत्पौर्णमासं तत्क्लृप्तेनैवैतद्यज्ञेनान्ततः प्रतितिष्ठति तस्मादुदवस्यति ॥ १९ ॥

इति पञ्चमप्रपाठके तृतीयं ब्राह्मणम् ॥ ५ ॥ ३ ॥ (६।२)

अक्षय्यꣳ ह वै सुकृतं चातुर्मास्ययाजिनो भवति । संव्वत्सरꣳ हि जयति तेनास्याक्षय्यं भवति तं वै त्रेधा व्विभज्य यजति त्रेधा व्विभज्य प्रजयति सर्व्वं वै संव्वत्सरः सर्व्वं वा ऽअक्षय्यमेतेनो हास्याक्षय्यꣳ सुकृतं भवत्यृतुरु हैवैतद्भूत्वा देवानप्येत्यक्षय्यमु वै देवानामेतेनो हैवास्याक्षय्यꣳ सुकृतं भवत्येतन्नु तद्यस्माच्चातुर्मास्यैर्यजते ॥ १ ॥

वेदावग्निहोत्रं जुहुयात् । तस्मादुदवस्यति । गृहानित्वा, निर्मथ्याग्नी, पौर्णमासेन यजते । उत्सन्नयज्ञ इव वा एषः–यच्चातुर्मास्यानि । अथैष क्लृप्तः प्रतिष्ठितो यज्ञो यत् पौर्णमासम् । तत् क्लृप्तेनैवै-तद्यज्ञेनान्ततः प्रतितिष्ठति । तस्मादुदवस्यति ॥ १९ ॥ इति साकमेधपर्वणि त्र्यम्बकयागः ।

इति साकमेधयागश्चातुर्मास्ये तृतीयं पर्व ॥

अथ शुनासीरीयपर्व ।

अक्षय्यं ह वै सुकृतं चातुर्मास्ययाजिनो भवति । संवत्सरं हि जयति । तेनास्याक्षय्यं भवति । तं वै त्रेधा विभज्य यजाति । त्रेधा विभज्य प्रजयति । सर्वं वै सम्वत्सरः । सर्वं वा अक्षय्यम् । एतेनो हास्याक्षय्यं सुकृतं भवति । ऋतुरु हैवैतद्भूत्वा देवानप्येति । अक्षय्यमु वै देवानाम् । एतेनो हैवास्याक्षय्यं सुकृतं भवति । एतन्नु तद्–यस्माच्चातुर्मास्यैर्यजते ॥ १ ॥

केशश्मश्रूणि वापयित्वा ‘ अग्नी ’ गार्हपत्याहवनीयौ ‘ समारोह्य ’ समारोप्य, दक्षिणाग्नेरप्युपलक्षणम् । यदि सर्वे धार्या भवेयुः । समारोपणेन गृहं गच्छतीति शेषः ॥

उदवसायेत्यादिना साकमेधस्यान्तकर्त्तव्यता अत्रापि प्रतिपाद्यते–उदवसायेति । स्नानानन्तरं खलु ‘ एतेन ’ साकमेधान्तेन ‘ यजते ’ तदङ्गत्वेन योत्तरवेदिर्निर्मिता, तस्यामग्निहोत्रहोमो न युक्त इति पुनः स्वस्थानगमनं कर्त्तव्यमित्यादि शेषं पूर्ववद् (श. प. २ । ५ । ३ । ४८) ॥ (तै. सं. ९ । ८ । ६ तै. ब्रा. १।६।१०) व्याख्येयम् ॥ १९ ॥

इति श्रीसायणाचार्यविरचिते माधवीये वेदार्थप्रकाशे माध्यन्दिनीयशतपथब्राह्मणभाष्ये द्वितीयकाण्डे षष्ठाध्यायस्य द्वितीयं ब्राह्मणम् ॥ (२–६–२)

अथ शुनासीरीयं विधित्सुस्तस्य शुनासीरीयस्य चतुर्थपर्वणः संवत्सरसलक्षणफलसाधनत्वं प्रतिपादयिष्यंस्ताव-दुपोद्घातत्वेन चातुर्मास्यानामक्षय्यफलसाधनत्वमाह–अक्षय्यं ह वा इति । चतुर्षु-चतुर्षु मासेषु क्रियन्त इति

१–शुनासीरीयमतः । का. श्रौ. सू ५ । २७७ । यदेच्छेत् । का. श्रौ. सू. ५ । २७८ ।

(तेऽथ) अथ यस्माच्छुनासीर्येण यजेत । या वै देवानाꣳ श्रीरासीत्साकमेधैरीजानानां विजिग्यानानां तच्छुनमथ यः संवत्सरस्य प्रजितस्य रस आसीत्तत्सीरꣳ सा या चैव देवानाꣳ श्रीरासीत्साकमेधैरीजानानां विजिग्यानानां य उ च संवत्सरस्य प्रजितस्य रस आसीत्तमेवैतदुभयं परिगृह्यात्मन्कुरुते तस्माच्छुनासीर्येण यजते ॥ २ ॥

अथ यस्माच्छुनासीर्येण यजेत । या वै देवानां श्रीरासीत्–साकमेधैरीजानानां विजिग्यानानाम्–तच्छुनम् । अथ यः संवत्सरस्य प्रजितस्य रस आसीत्–तत्सीरम् । सा या चैव देवानां श्रीरासीत्–साकमेधैरीजानानां विजिग्यानानाम्, य उ च संवत्सरस्य प्रजितस्य रस आसीत्–तमेवैतदुभयं परिगृह्यात्मन् कुरुते । तस्माच्छुनासीर्येण यजते ॥ २ ॥

चातुर्मास्यानि प्रागुक्तानि वैश्वदेवादीनि, तैरिष्टवांश्चातुर्मास्ययाजी । "करणे यजः"–(पा. सू. ३।२।८५) इति भूतकाले यजतेर्णिनिः । तस्य 'चातुर्मास्ययाजिनः' 'सुकृतं' यागजनितफलसाधनधर्मापरपर्यायमपूर्वम् 'अक्षय्यम्' क्षेतुमशक्यम्; न कदाचिदपि भोगेन क्षपयितुं शक्यते । "क्षय्यजय्यौ शक्यार्थे"–(पा. सू. ६ । १ । ८१) इति । "क्षि क्षये"–(धा. पा. अ. प. २३६) इति अस्मान्निपातितः । अक्षय्यत्वमुपपादयति–संवत्सरं हीति । 'हि' यस्मादुदीरितैस्त्रिभिर्वैश्वदेवादिभिः पर्वभिः संवत्सरपरिमितकालं 'जयति' 'तेन' संवत्सरजयेन तदतिरिक्तस्य कालस्याभावात् 'अस्य' सार्वकालिकस्य चातुर्मास्ययाजिनः सुकृतमक्षय्यं भवतीत्यर्थः । "अक्षय्यं ह वै चातुर्मास्ययाजिनः सुकृतं भवति" इति (आप. श्रौ. सू. ८।१।१) ।

संवत्सरं कथमेतेन जयतइति तदाह–तं वा इति । 'तं' संवत्सरं त्रिधा 'विभज्य' चतुर्षु-चतुर्षु मासेषु वैश्वदेवादिभिः 'यजते', अतस्तं संवत्सरं त्रेधा 'विभज्य' एव 'प्रजयति' प्रकर्षेण लभते । अस्तु संवत्सरस्य जयः, एतावता कथं फलस्याक्षय्यत्वसिद्धिरिति, तदाह–सर्वं वा इति । भूतवर्त्तमानभविष्यत्कालत्रयावच्छिन्नं सर्वं वस्तु संवत्सरमध्य एवान्तर्भूतम्, संवत्सरस्तु कृत्स्नव्यापितया अनादिरनन्त इति तज्जय[illegible] अक्षय्यं भवतीत्यर्थः । प्रकारान्तरेणाप्यक्षय्यत्वं प्रतिपादयति–ऋतुरु हैवैतदिति । 'एतत्' एतेन च यजनेन वसन्ताद्यृत्वात्मक एव 'भूत्वा' 'देवानप्येति' चातुर्मास्ययाजी अपि गच्छति, देवानाञ्च सुकृतमक्षय्यमेव भवति । अतः 'एतेन' देवत्वप्रापणेन 'अस्य' यजमानस्य 'सुकृतम्' अपि 'अक्षय्यम्' एव 'भवति' ॥ १ ॥

इत्थं वैश्वदेवादीनां त्रयाणां फलमुपपाद्य शुनासीर्य्ययागस्य श्र्यादिकं फलं दर्शयति–अथ यस्मादिति । 'यस्मात्' फलात् हेतोः यजमानः 'शुनासीर्येण' पर्वणा 'यजते', तस्मात् तत्फलमुच्यत इत्यर्थः । या वै देवानामित्यादि । 'साकमेधैः' प्रागुक्तैर्यागैः 'ईजानानाम्' इष्टवतां 'विजिग्यानानां' वृत्रासुरं जितवतां देवानां 'या' "श्रीः" सम्पत् 'आसीत्', 'तत्' 'शुनम्' सुखनामैतत् (निघ. ३ । ६ । ११) सुखहेतुत्वात् शुनमित्युच्यत इत्यर्थः । 'अथ' वैश्वदेवादिभिस्त्रिभिस्त्रिभिश्चातुर्मास्यैः 'प्रजितस्य' 'संवत्सरस्य' 'यो रस आसीत्' सुखहेतुः सारभूतोंऽशोऽभवत्, तत् 'सीरम्' इत्युच्यते । या चैव देवानामित्यादिः, उक्तार्थानुवादः । तमेवैतदुभयमिति । यदेतत् शुनं सीरं चोक्तम्, 'एतदुभयम्' एतेन शुना-

तुस्यावृत्। (न्नो) नोपकिरन्त्युत्तरवेदिं नु गृह्णन्ति पृषदाज्यं नु मन्थन्त्यग्निं पुञ्च प्रयाजा भवन्ति त्रयोऽनुयाजाऽएकᳫं समिष्टयजुः॥ ३॥

(रु) अथैतान्येव पुञ्च हवीᳫंषि भवन्ति। (न्त्ये) एतैर्वै हविर्भिः प्रजापतिः प्रजा ऽअसृजतैतैरुभयतो वरुणपाशात्प्रजाः प्रामुञ्चदेतैर्वै देवा वृत्रमघ्नन्नेतैर्वै व्यजयन्त येयमेषां विजितिस्तां तथो ऽएवैषऽएतैर्या चैव देवानाᳫं श्रीरासीत्साकमेधैरीजानानां विजिग्यानानां य उ च संवत्सरस्य प्रजितस्य रस ऽआसीत्तमेवैतदुभयं परिगृह्यात्मन्कुरुते तस्माद्वा ऽएतानि पुञ्च हवीᳫंषि भवन्ति॥ ४॥

तस्यावृत्। नोपकिरन्त्युत्तरवेदिम्। न गृह्णन्ति पृषदाज्यम्। न मन्थन्त्यग्निम्। पञ्च प्रयाजा भवन्ति। त्रयोऽनुयाजाः। एकं समिष्टयजुः॥ ३॥

अथैतान्येव पञ्च हवींषि भवन्ति। एतैर्वै हविर्भिः प्रजापतिः प्रजा असृजत। एतैरुभयतो वरुणपाशात् प्रजाः प्रामुञ्चत्। एतैर्वै देवा वृत्रमघ्नन्। एतैर्वै व्यजयन्त–येयमेषां विजितिः–ताम्। तथो एवैष एतैः–या चैव देवानां श्रीरासीत्–साकमेधैरीजानानां विजिग्यानानाम्, य उ च संवत्सरस्य प्रजितस्य रस आसीत्–तमेवैतदुभयं परिगृह्यात्मन् कुरुते। तस्माद् वा एतानि पञ्च हवींषि भवन्ति॥ ४॥

सीर्य्ययागेन 'परिगृह्य' यजमानः 'आत्मन्' स्वात्मनि 'कुरुते' धारयति। इत्थं प्रवृत्तिहेतुफलमुपपाद्य तत्साधनभूतं यागं विधत्ते–**तस्मादिति**। उक्तलक्षणौ शुनासीरौ अधिदैववाय्वादिरूपेणावस्थितौ। साऽस्य देवतेत्यर्थे शुनासीरशब्दाद् यत्। तद्धवियोगाद् वक्ष्यमाणं हविस्समुदायसाध्यं कृत्स्नं कर्मानेन व्यपदिश्यते। यस्मादुक्तफलसाधनत्वम्, तस्माच्छुनासीरीयाख्येनानेन चतुर्थेन पर्वणा यजेतेत्यर्थः॥ २॥

प्रयोगक्रमं वक्तुं प्रतिजानीते–**तस्यावृदिति**। 'तस्य' शुनासीर्यस्य 'आवृत्' क्रिया उच्यत इति शेषः। पूर्वेषु पर्वस्विव प्रसक्तमुत्तरवेदिनिर्वपणादिकं निषेधति–**नोपकिरन्तीत्यादिना**। प्रयाजानुयाजादयोऽपि प्रकृतिवदेवेत्याह–**पञ्चेति**॥ ३॥

पञ्च हवींषि विधत्ते–**अथैतान्येवेति**। वैश्वदेवादिषु पर्वस्वनुष्ठितानि 'एतानि' आग्नेयादीनि पञ्च हवींष्यत्रापि कर्त्तव्यानि भवन्तीत्यर्थः। क्लृप्तफलत्वेनैतानि प्रशंसति–**एतैर्वा** इति। वैश्वदेवेष्वनुष्ठितैः 'एतैर्हविर्भिः' खलु पुरा 'प्रजापतिः' 'प्रजाः' सृष्टवान्। वरुणप्रघासेष्वनुष्ठितैरेव ताः 'प्रजाः' 'उभयतो वरुणपाशात्' ऊर्ध्वाधःकायस्थितात् 'प्रामुञ्चत्' प्रमुक्तवान्। तथा साकमेधेष्वनुष्ठितैरेव पञ्चभिर्हविर्भिः 'देवाः' 'वृत्रम्' असुरम् 'अघ्नन्,' हत्वा च 'एतैः' एव 'व्यजयन्त' विजयं प्राप्तवन्तः। यथैवैतानि कृत्स्नाभिलषितफलसाधनानि, 'तथो' तथैव खलु 'एषः' यजमानः 'एतैः' शुनासीर्याख्ये चतुर्थे पर्वणि

१–पौर्णमासधर्म्मा बर्हिर्व्वर्जम्। का. श्रौ. सू. ५। २७९।

(न्त्यु) अथ शुनासीर्यो द्वादशकपालः पुरोडाशो भवति । स बन्धुः शुनासीर्यस्य यं पूर्वमवोचाम ॥ ५ ॥

(म्रा) अथ वायव्यं पयो भवति पयो ह वै प्रजा जाता अभिसञ्जानते विजिग्यानं मा प्रजाः श्रियै यशसेऽन्नाद्यायाभिसञ्जानान्ता ऽइति तस्मात्पयो भवति ॥ ६ ॥

तद्यद्वायव्यं भवति । (त्य) अयं वै वायुर्योऽयं पवत ऽएष वा ऽइदꣳ सर्वं प्रप्याययति यदिदं किञ्च वर्षति वृष्टादोषधयो जायन्त ऽओषधीर्जग्ध्वाऽपः पीत्वा तत एतद्द्रव्योऽधि पयः सम्भवत्येष हि वा ऽएतज्जनुयति तस्माद्वायव्यं भवति ॥ ७ ॥

अथ शुनासीर्यो द्वादशकपालः पुरोडाशो (१) भवति । स बन्धुः शुनासीर्यस्य यं पूर्वमवोचाम॥५॥

अथ वायव्यं पयो (२) भवति । पयो ह वै प्रजा जाता अभिसञ्जानते । 'विजिग्यानं मा प्रजाः श्रियै' 'यशसे, अन्नाद्याय, अभिसञ्जानान्तै '–इति । तस्मात् पयो भवति ॥ ६ ॥

तद् यद्वायव्यं भवति । अयं वै वायुः–योऽयं पवते । एष वा इदं सर्वं प्रप्याययति–यदिदं किञ्च

अनुष्ठीयमानैः, आग्नेयादिभिः पञ्चभिर्हविर्भिः शुनासीरीयं यदेतदनुक्रान्तम्, 'तदुभयं ' फलम् ' आत्मन् ' आत्मनि ' परिगृह्य ' स्वाधीनं ' कुरुते ' । **तस्मादि**ति प्रतिपादितार्थनिगमनम् ॥ ४ ॥

षष्ठं हविर्विधत्ते–**अथ शुनासीर्य** इति । शुनासीरौ वाय्वादित्यौ देवते अस्य स शुनासीर्यः । 'शुनो वायुः' 'सीर आदित्यः'–इति हि यास्कः । द्विवचनेन कात्यायनोऽपीममर्थमसूचयत्–"शुनासीराभ्यां द्वादशकपालः" इति । उक्तं वाक्यशेषमत्राप्यतिदिशति–**स बन्धुरि**ति । कृत्स्नस्य पर्वणः फलप्रतिपादनसमये ' यं [illegible] वाक्यशेषं " या वै देवानाम् "–इत्यादिकम् ' अवोचाम ' उक्तवन्तः, ' स एव अस्यापि ' शुना[illegible] ' हविषः स्तावकः, उक्तविधयोरेव वाय्वादित्यरूपेणावस्थितत्वादिति भावः ॥ ५ ॥

सप्तमं हविर्विधत्ते–**अथ वायव्य**मिति । वायुर्देवता अस्य तद् ' वायव्यम् ' । " वाय्वृतुपित्रुषसो यत् "–(पा. सू. ४ । २ । ३१) इति यत् । पयसस्तावदत्रानुकूल्यं दर्शयति–**पयो ह वा** इति । ' जाताः ' सर्वाः ' प्रजाः ' ' पयः ' खलु ' अभि ' लक्ष्य ' सञ्जानते ' सञ्जानाना भवन्ति । अतः पयसः सम्पत्तिहेतुत्वाद् ' विजिग्यानं ' साकमेधैर्विजितवन्तम्, ' एनं ' यजमानं ' श्रियै ' सम्पदे, ' यशसे ' कीर्त्यै ' अन्नाद्याय ' अन्नादनसामर्थ्याय च सर्वाः ' प्रजाः ' ' अभिसञ्जानान्तै ' अभिसञ्जानीरन्, अनुमन्यन्तामिति; अनेनाभिप्रायेण पयसः करणमित्यर्थः ॥ ६ ॥

तस्य वायुदेवत्यत्वमनूद्य स्तौति–**तद्यदि**ति । **एष वा** इत्यादि । ' यदिदं किञ्च ' भूम्यां स्थितं स्थावरादिकं

१–" शुनासीरौ शुनो वायुः शु इत्यन्तरिक्षे; सीर आदित्यः, सरणात् "–इति निरु० ९ । ४ । ६ । २–" नित्येभ्योऽधिकानि शुनासीराभ्यां द्वादशकपालः । का. श्रौ. सू. ५ । २८० । ३–वायव्यं पयः । लौकिकं । प्रतियुक्श्रुतेः । नाविरोधात् । प्रकृतिदर्शनाच्च । यवागूर्वा । का. श्रौ. सू. ५ । २८१–२८६ ।

(त्यु) अथ सौर्य एककपालः पुरोडाशो भवति । (त्ये) एष वै सूर्यो यु एष तपत्येष वा ऽइद७ँ सर्व्वमभिगोपायति साधुना त्वदसाधुना त्वदेष इद७ँ सर्व्वं व्विदधाति साधौ त्वदसाधौ त्वदेषु मा व्विजिग्यानं प्रीतः साधुना त्वदभिगोपायत्साधौ त्वद्विदधदिति तस्मात्सौर्य एककपालः पुरोडाशो भवति ॥ ८ ॥

वर्षति । वृष्टादोषधयो जायन्ते । ओषधीर्जग्ध्वाऽपः पीत्वा तत एतदद्भ्योऽधि पयः सम्भवति। एष हि वा एतज्जनयति । तस्माद् वायव्यं भवति ॥ ७ ॥

अथ सौर्य एककपालः पुरोडाशो (१) भवति । एष वै सूर्यो–य एष तपति । एष वा इदं सर्व-मभिगोपायति–साधुना त्वद्, असाधुना त्वत् । एष इदं सर्वं विदधाति–साधौ त्वद् असाधौ त्वत् । एष मा विजिग्यानं प्रीतः–साधुना त्वदभिगोपायत्, साधौ त्वद्विदधद्–इति । तस्मात्सौर्य एक-कपालः पुरोडाशो भवति ॥ ८ ॥

‘ वर्षति ’ पर्जन्यवृष्ट्या सिञ्चति, इदं सर्वम् ‘ एषः ’ खलु पवमानः ‘ प्रप्याययति ’ प्रवर्द्धयति रसभरितं करोति. “ ओप्यायी वृद्धौ”–(धा.पा.भ्वा.आ.४७९) इति धातुः । तस्माद् वृष्टात् पवमानेन प्रप्यायितात् ‘ ओषधयो जायन्ते ’, ताश्च ‘ ओषधीः ’ ‘ जग्ध्वा ’ भक्षयित्वा “अदो जग्धिर्ल्यप्ति किति”–(पा. सू. २ । ४ । ३६) इत्यदेर्जग्ध्यादेशः । ओषधिभक्षणानन्तरम् ‘ अपः पीत्वा ’ पशवः पयो दुहन्ति । ‘ एतदद्भ्यः ’ सकाशात् ‘ पयः ’ ‘ सम्भवति ’ उत्पद्यते तस्मात् परम्परया ‘ एष हि ’ पवमानः ‘ एतत् ’ पयो ‘जनयति’ उत्पादयति । तस्मादस्य वायुर्देवतेत्येतद्युक्तमित्यर्थः ॥ ७ ॥

अष्टमं हविर्विधत्ते–**अथ सौर्य** इति । अस्य हविषः सूर्योऽभिगोप्तेत्याह–**एष वै सूर्य** इत्यादिना । **साधुना त्वदि**त्यादि । ‘ साधुना ’ शोभनेन कर्मणा ‘ त्वत् ’ एकं पुण्यकृतं जनम् ‘ एषः ’ ‘ सूर्यः ’ ‘ अभिगोपायति ’ अभिरक्षति । तथा ‘ असाधुना ’ अशोभनेन कर्मणा ‘ त्वत् ’ एकं पापिजनम् ‘ अभिगोपायति ’ । न केवलं रक्षणमात्रं शोभनात्मकम् । ‘ इदं सर्वं ’ जगत्, एष एव सूर्यो ‘ विदधाति ’ करोति; विदधानः सः ‘ त्वत् ’ एकं ‘ साधौ ’ पुण्ये कर्मणि स्थापयति, ‘ त्वत् ’ एकम् अन्यत् ‘ असाधौ ’ पापकर्मणि स्थापयति । एषः खलु हिरण्यगर्भरूपः स परमात्मा । अस्य हि साध्वसाधुकर्मणः कारयितृत्वमन्यत्र चाम्नायते–“ एष ह्येव साधु-कर्म कारयति, तेषामेभ्यो लोकेभ्य उर्ध्वं निनीषते; एष ह्यसाधु कर्म कारयति, तेषामेभ्यो लोकेभ्योऽधो-निनीषते ”–इति (कौ. ब्रा. उ. ३।९) ॥

एष मेत्यादि । योऽयमुक्तविधः सूर्यः ‘एषः’ अनेन हविषा ‘ प्रीतः ’ सन् ‘ विजिग्यानं ’ साकमेधैः विजि-तवन्तं ‘ मा ’ मां ‘ साधुना ’ कर्मणा ‘ अभिगोपायत् ’ अभिरक्षतु, तथा तस्मिन् ‘ साधौ ’ शोभने कर्मणि मां ‘ विदधात् ’ विदधातु, प्रेरयतु ‘ इति ’ अनेनाभिप्रायेण यजमानः सौर्यं हविः कुर्यात् । ‘ त्वत् ’–इति, एतदत्र क्रियाविशेषणत्वेन योज्यम् ॥ ८ ॥

१–“ सौर्य एककपालः । ” का. श्रौ. सू. ५ । २८७ ।

तस्याश्वः श्वेतो दक्षिणा । तदेतस्य रूपं क्रियते य एष तपति यद्यश्वꣳ श्वेतं न विन्देदपि गौरेव श्वेतः स्यात्तदेतस्य रूपं क्रियते य एष तपति ॥ ९ ॥

स यत्रैव साकमेधैर्यजते । तच्छुनासीर्येण यजेत यद्वै त्रिः संव्वत्सरस्य यजते तेनैव संव्वत्सरमाप्नोति तस्माद्यदैव कदा चैतेन यजेत ॥ १० ॥

तद्धैके । रात्रीरापिपयिषन्ति स यदि रात्रीरापिपयिषेद्यददः पुरस्तात्फाल्गुन्यै पौर्णमास्या ऽउद्दृष्टं तच्छुनासीर्येण यजेत ॥ ११ ॥

तस्याश्वः श्वेतो दक्षिणा । तदेतस्य रूपं क्रियते—य एष तपति । यद्यश्वं श्वेतं न विन्देद् अपि गौरेव श्वेतः स्यात् । तदेतस्य रूपं क्रियते य एष तपति ॥ ९ ॥

स यत्रैव साकमेधैर्यजते—तत् शुनासीर्येण यजेत । यद्वै त्रिः संवत्सरस्य यजते—तेनैव संवत्सरमाप्नोति । तस्माद्यदैव कदाचैतेन यजेत ॥ १० ॥

तद्धैके रात्रीरापिपयिषन्ति । स यदि रात्रीरापिपयिषेद्—यददः पुरस्तात् फाल्गुन्यै पौर्णमास्या उद्दृष्टं—तच्छुनासीर्येण यजेत ॥ ११ ॥

तस्यैककपालस्य दक्षिणां विधत्ते—**तस्याश्वः श्वेत** इति । 'तस्य' सौर्यस्य हविषः श्वेतोऽश्वविशेषो 'दक्षिणा'[1] शुनासीर्यस्य तु षड्भिरनडुद्भिर्युक्तं सीरं दक्षिणा । तदुक्तं सूत्रकारेण—"सीरं षड्योगं दक्षिणा ओष्टारौवा (का.श्रौ.सू. ५।२८८।२८९) इति । **तदेतस्ये**त्यादि । 'एतस्य' सूर्यस्य सितभास्वररूपत्वात् श्वेताश्वदानमेतदीयमुपकरणमित्यर्थः । तादृशाश्वालाभे तादृशो गौर्देय इत्याह—**यद्यश्वमि**त्यादि ॥ ९ ॥

अथ शुनासीर्ययागस्य कालं विधत्ते—**स यत्रैवे**त्यादिना । 'यत्र' यस्मिन् 'एव' काले 'साकमेधैर्यजते' 'तत्' तदानीम्, तदनन्तरकाले एव स यजमानः शुनासीर्येण 'यजेत' । न तु शुनासीर्यस्यापि चातुर्मास्यत्वान्मासचतुष्टयस्य व्यवधानमपेक्षितमित्यत आह—**यद्वा** इति । चतुर्षु चतुर्षु मासेषु संवत्सरस्य मध्ये वैश्वदेव-वरुणप्रघाससाकमेधभेदेन 'त्रिः' त्रिवारं 'यजते' इति यत्, 'तेनैव' संवत्सरमाप्नोति । वैश्वदेवादयः प्रत्येकं चातुर्मास्ययुक्ता इति तदनुष्ठानेनैव तेषां द्वादशानामवाप्तत्वात् तत्समुदायरूपः संवत्सरोऽपि यजमानस्य स्वायत्तो जात इत्यर्थः । उक्तमर्थं निगमयति—**तस्मादि**ति । यस्मात् चतुर्थपर्वणः शुनासीर्य्यस्य संवत्सरातिरिक्तः प्रातिस्विकः कालो नास्ति तस्माद् यदा कदाचिदेव साकमेधानन्तरं यजेतेत्यर्थः । एतदेवानन्तर्य्यं सूत्रकृताप्युक्तम्—"शुनासीर्यमतः"—(का. श्रौ. सू. ५ । २७७)—इति ॥ १० ॥

सोमेन यक्ष्यमाणस्य पक्षान्तरमाह—**तद्धैक** इति । 'तत्' तत्र खलु शुनासीर्यानुष्ठाने 'एके शाखिनः' रात्रीः आपिपयिषन्ति' अनेन च यागेन कतिचिद् रात्रीः आप्तुमिच्छन्ति । अत एवोक्तमापस्तम्बेन—"ततो द्व्यहे त्र्यहे चतुरहे ऽर्द्धमासे मासे चतुर्षु वा मासेषु शुनासीरीयेण यजते"—(आ. श्रौ.सू. ८ । २। १) इति । तेषां मते सोमेन यक्ष्यमाणस्य शुनासीर्यकाल उच्यत इत्यर्थः । यदि हि 'रात्रीः' आपिपयिषेत्' आप्तुमिच्छेत्, तदा आगामिनीभ्यां फल्गुनीभ्यां युक्ता पौर्णमासी फाल्गुनी; षष्ठ्यर्थे चतुर्थी; 'फाल्गुन्यै' फाल्गुन्याः पौर्णमास्याः 'पुर-

---

[1]—"श्वेतोऽश्वः सौर्यस्य । अभावे गौः ।" का. श्रौ. सू. ५ । २९०—२९१ ।

(त्रा) अ॒थ दी॑क्षेत । तं नानी॑जानं॒ पुन॑: फाल्गुनी पौर्णमा॒स्यभि॑प॒र्य्ये॑या॒त्पुनः॑प्रयोगरू॒प इ॑व ह स य॒देन॒मनी॑जानं॒ पुन॑: फाल्गुनी पौर्णमा॒स्य॑भि॒पर्य्ये॑या॒त्तस्मा॑देनं॒ नानी॑जानं॒ पुन॑: फाल्गुनी पौर्णमा॒स्यभि॑प॒र्य्ये॑या॒दिति॒ नूत्सृ॒ज॒मा॑नस्य ॥ १२ ॥

(स्त्या) अ॒थ पुन॑: प्रयु॒ञ्जानस्य । पूर्व्वे॒द्युः फाल्गुन्यै पौर्णमास्यै॒ शुना॑सी॒र्ये॑ण यजेता॒थ प्रा॒तर्वै॑श्वदे॒वेना॒थ पौर्णमा॒से॑नैत॒दु पुन॑: प्रयु॒ञ्जान॑स्य ॥ १३ ॥

अथ दीक्षेत । तं नानीजानं पुनः फाल्गुनी पौर्णमास्यभिपर्येयात् । पुनःप्रयोगरूप इव ह सः—यदेनमनीजानं पुनः फाल्गुनी पौर्णमास्यभिपर्येयात् । तस्मादेनं नानीजानं पुनः फाल्गुनी पौर्णमास्यभिपर्येयात् । इति नूत्सृजमानस्य ॥ १२ ॥

अथ पुनः प्रयुञ्जानस्य । पूर्वेद्युः फाल्गुन्यै पौर्णमास्यै शुनासीर्येण यजेत—अथ प्रातर्वैश्वदेवेन—अथ पौर्णमासेन एतदु । पुनः प्रयुञ्जानस्य ॥ १३ ॥

स्तात्' यत्, ' अदः '—इति विप्रकृष्टे, 'उत्' ऊर्ध्वं चन्द्रमाः अस्मिन् दृश्यते इति उद्दृष्टं शुक्लपक्षः, ' तत् ' तत्र प्रतिपदाद्यन्यतमस्यां तिथौ शुनासीर्येण यजेत[1] ॥ ११ ॥

अथ दीक्षेतेति । 'अथ' अनन्तरमेव सोमयागार्थं 'दीक्षेत' कालविलम्बो न कार्य इत्यर्थः । दैवान्मानुषाद्वा विघ्नाद् विलम्बेऽपि तस्यावधिमाह—**तं नानीजानमि**ति । इमामेव श्रुतिमभिप्रेत्यापस्तम्बोऽप्याह—" चातुर्मास्यैरिष्ट्वा सोमेन पशुना वा यजते, फाल्गुन्या उद्दृष्टे सोमाय दीक्षते, तं ततो नानीजानमपरा फाल्गुनी पर्यवेयात् " (आप. श्रौ. सू. ८ । २१ । २–४) इति । तदत्यये दोषमाह—**पुनरि**ति । 'अनीजानम्' 'एनम्' यजमानम् ' पुनः ' फाल्गुनी पौर्णमासी न अतिक्रामेद् इति यत्, स 'पुनः प्रयोगरूप इव ह' भवति चातुर्मास्यानां पुनः प्रयोगस्य एतस्मिन् काले कर्त्तव्यत्वात्, तस्य चानाचरितत्वात् पुनः प्रयोगाङ्गभूतोऽयं कालो भवेदित्यर्थः । प्रतिपादितं प्रतिषेधं निगमयति—**तस्मादि**ति । अयञ्च पक्षोऽधिकारविशेषस्यैवेति निगमयति—**इति न्वि**ति । द्विविधौ हि चातुर्मास्ययाजिनौ सकृदनुष्ठायोत्सृजमानः पुनःप्रयुञ्जानश्च । तत्र ' उत्सृजमानस्य ' खलु अयमुक्तः पक्ष इत्यर्थः ॥ १२ ॥

कस्तर्हि तानि पुनः प्रयुञ्जानस्य[2] पक्ष इति दर्शयति—**अथ पुनरि**ति (आप. श्रौ. सू. ८ । २१ । ६) । चातुर्मास्यानि सकृत् संयुज्य अनन्तरमेव यस्तानि पुनरारभते तस्य पुनरारभमाणस्य 'फाल्गुन्यै पौर्णमास्यै' षष्ठ्यर्थे चतुर्थी, तस्याः 'पूर्वेद्युः' पूर्वदिवसे चतुर्दश्यां शुनासीर्येण यजेत, ' अथ ' अनन्तरमेव 'प्रातः' काले पौर्णमास्यां वैश्वदेवेन ' यजेत ' तदनन्तरम् नित्येन पौर्णमासयागेनेत्ययं प्रयोगक्रमः । तदुक्तं कात्यायनेन " फाल्गुन्युपवसथे शुनासीरीयम्, प्रातर्वैश्वदेवम्"–(का.श्रौ.सू.५।२१.४) । **एतदु पुनरि**ति । प्रतिज्ञातार्थनिगमनम् ॥ १३ ॥

१–संवत्सरेप्सोः फाल्गुन्युद्दृष्टे शुनासीरीयेणेष्ट्वा सोमेन पशुनेष्ट्या वा यजेत पौर्णमास्याम् । का. श्रौ. सू. ५ । २९२ ।

२–आवृत्तिरनीजानस्य । का. श्रौ. सू. ५ । २९३ ।

(स्या) अथातः । परिवर्तनस्यैव सर्व्वतोमुखो वा ऽअसावादित्य एष वा ऽइदꣳ सर्व्वं निर्द्धयति यदिदं किञ्च शुष्यति तेनैष सर्व्वतोमुखस्तेनान्नादः १४

सर्व्वतोमुखोऽयमग्निः । (सं) यतो ह्येव कुतश्चाग्नावभ्यादधति तत एव प्रदहति तेनैष सर्व्वतोमुखस्तेनान्नादः ॥ १५ ॥

(दोऽथा) अथायमन्यतोमुखः पुरुषः । स एतत्सर्व्वतोमुखो भवति यत्परिवर्तयते स एवमेवान्नादो भवति यथैतावेतद्य एवं विद्वान्परिवर्तयते तस्माद्वै परिवर्तयेत ॥ १६ ॥

अथातः परिवर्तनस्यैव । सर्वतोमुखो वा असावादित्यः । एष वा इदं सर्वं निर्द्धयति यदिदं किञ्च शुष्यति । तेनैष सर्वतोमुखः । तेनान्नादः ॥ १४ ॥

सर्वतोमुखोऽयमग्निः । यतो ह्येव कुतश्चाग्नावभ्यादधाति-तत एव प्रदहाति । तेनैष सर्वतोमुखः । तेनान्नादः ॥ १५ ॥

अथायमन्यतोमुखः पुरुषः । स एतत् सर्वतोमुखो भवति यत् परिवर्तयते । स एवमेवान्नादो भवति-यथैतावेतद्-य एवं विद्वान् परिवर्तयते । तस्माद्वै परिवर्तयेत ॥ १६ ॥

चातुर्मास्याङ्गभूतं वपनं मीमांस्यते-**अथात** इत्यादिना । अत इति वक्ष्यमाणार्थपरामर्शः । 'अतः' अस्माद्वक्ष्यमाणाद्धेतोः परिवर्त्तनस्य परितः केशश्मश्रवादीनां वर्त्तनस्य वपनस्य विचारोऽधिक्रियत इत्यर्थः । ऐतत् परिवर्तनं विधातुमन्नादत्वेनादित्यमग्निं च स्तौति-**सर्वतोमुखो वा असावादित्य** इत्यादिना । सर्वतः सर्वासु दिक्षु मुखं रसादानसामर्थ्यं यस्य स तथोक्तः । सर्वतोमुखत्वमुपपादयति-**एष वा** इति । 'निर्द्धयति' रसं निष्कृष्य पिबति । अत एतत् सर्वं घर्मकाले 'शुष्यति' शोषणं प्राप्नोति, सर्वं जगद्व्याप्य स्थितस्य सूर्यस्य स्वकिरणेनेत्यर्थः ॥ १४ ॥

सर्वतोमुखोऽयमग्निरिति । अत्रापि तथैव योजना । **यतो ह्येवे**ति । यतः कुतश्चिदपि दिग्भागादिल्क्यी । 'अभ्यादधति' अभिप्रक्षिपति । **तत एवे**ति । तस्मिन्नपि दिग्भागे इत्यर्थः ॥ १५ ॥

एवमग्न्यादित्ययोः सर्वतोमुखत्वेन अन्नादत्वं प्रतिपाद्य पुरुषस्य स्वाभाविकं तद्वैपरीत्यमाह-**अथायमि**ति । 'अथ'-शब्दस्त्वर्थे । 'अयं' तु 'पुरुषः' यजमानः 'अन्यतोमुखः' । अन्यशब्द एकशब्दपर्यायः । अन्यतः एकत्र स्थितमेव मुखं यस्य स तथोक्तः । तस्य सर्वतोमुखत्वसम्पत्तिमाह-**स एतदि**ति । 'यद्' यस्मात् परितः शिरो वर्त्तयते, केशान् वापयति 'एतत्' एतेन अलोमकत्वसाम्यात् शिरसः प्रान्तदेशा अपि मुखमिव भवन्तीति स यजमानः सर्वतोमुखो भवति । इत्थं पुरुषस्य सर्वतोमुखत्वं प्रतिपाद्य प्रागुक्तं दृष्टान्तद्वयसिद्धमर्थं दार्ष्टान्तिके योजयति-**स एवमेवे**ति । 'यथा' 'एतौ' आदित्योऽग्निश्च सर्वतोमुखत्वात् अन्नादौ 'एवमेव' यजमानोऽपि 'अन्नादः' सर्वतोदिक्तः समत्तुं समर्थो भवति । **तस्मादि**ति, उपपादितस्य परिवर्त्तनस्य विधानम् ॥ १६ ॥

१-हृदयशूलांते व्वपनम् । का. श्रौ. सू. ५। ३०२ । हृदयशूलान्ते-हृदयशूलसमिदाधानान्ते इति याज्ञिकदेवः ।

तँद्दु होवाचासुरिः । किन्नु तत्र मुखस्य यदपि सर्व्वाण्येव लोमानि व्वपेत यद्वै त्रिः संव्वत्सरस्य यजते तेनैव सर्व्वतोमुखस्तेनान्नादस्तस्मान्नाद्रियेत परिवर्तयितुमिति ॥ १७ ॥

इति पञ्चमप्रपाठके चतुर्थं ब्राह्मणम् ॥ ५ ॥ ४ ॥ (६. ३.) ॥

तद्यदाहुः । साकमेधैर्व्वै देवा वृत्रमघ्नंस्तैर्व्वै व्यजयन्त येयमेषां व्विजितिस्तामिति सर्व्वैर्हं त्वेव देवाश्चातुर्मास्यैर्व्वृत्रमघ्नन्त्सर्व्वैर्व्वै व्यजयन्त येयमेषां व्विजितिस्ताम् ॥ १ ॥

(न्तु) ते होचुः । केन राज्ञा केनानीकेन योत्स्याम इति स हाग्निरुवाच मया राज्ञा मयाऽनीकेनेति तेऽग्निना राज्ञाऽग्निनाऽनीकेन चतुरो मासः प्राजयँस्तान्ब्रह्मणा च त्रय्या च व्विद्यया पर्य्यगृह्णन् ॥ २ ॥

तद्धु होवाचासुरिः । किन्नु तत्र मुखस्य । यदपि सर्वाण्येव लोमानि वपेत । यद्वै–त्रिः संवत्सरस्य यजते । तेनैव सर्वतोमुखः, तेनान्नादः । तस्मान्नाद्रियेत परिवर्तयितुमिति ॥ १७ ॥

इति शुनासीरीययागश्चातुर्मास्ये चतुर्थं पर्व ॥

अथ सर्वशेषः ।

तद्यदाहुः । साकमेधैर्वै देवा वृत्रमघ्नन्, तैर्वै व्यजयन्त येयमेषां विजितिः–ताम्–इति । सर्वैर्हि त्वेव देवाश्चातुर्मास्यैर्वृत्रमघ्नन् । सर्वैर्वै व्यजयन्त–येयमेषां विजितिः–ताम् ॥ १ ॥

ते होचुः–' केन राज्ञा केनानीकेन योत्स्यामः ' इति । स हाग्निरुवाच–मया राज्ञा, मयाऽनी-

---

प्रकारान्तरेण सर्वतोमुखत्वं प्रतिपादयन् परिवर्त्तनं न कर्तव्यमिति पक्षान्तरमाह–तद्धु होवाचेति । ' तत् ' तत्र, तस्मिन् परिवर्त्तनविषये ' आसुरिः ' नाम महर्षिः आह स्म । ' यदपि ' यदि नाम ' सर्वाण्येव लोमानि ' परितो ' वपेत, ' तथापि तत्तन्मुण्डिते देशे ' मुखस्य ' सम्बन्धि किं नामावयवजातं निष्पन्नं भवति ? न ह्यलोमकत्वमात्रेण मुखमिति व्यवहर्तुं शक्यते, किन्तु बहुश्रोत्राद्यवयवमत्त्वैव; अतो नैतेन परिवर्त्तनेन सर्वतोमुखत्वं लभ्यत इत्यर्थः । कथं तर्हि सर्वतोमुखत्वं पुरुषस्य ? तत्राह–त्रिः संवत्सरस्येति । ' संवत्सरस्य ' मध्ये वैश्वदेवादिभेदेन ' त्रिः यजते, ' ' तेनैव ' अयं यजमानः ' सर्वतोमुखः; ' कृत्स्नस्य संवत्सरस्य यागेन प्राप्तत्वात् । तेनैवेति । अन्नादहेतुभूतं सर्वतोमुखत्वं प्रकारान्तरेणैव सिध्यति । तस्मादिति । ' तस्मात् ' परिवर्त्तनं ' न आद्रियेत ' इत्यासुरेर्मतस्य निगमनम् ॥ १७ ॥

इति श्रीसायणाचार्यविरचिते माधवीये वेदार्थप्रकाशे माध्यन्दिनशतपथब्राह्मणभाष्ये द्वितीयकाण्डे षष्ठाध्यायस्य तृतीयं ब्राह्मणम् ॥ ३ ॥

वैश्वदेवादिषु सर्वेषु परिवर्त्तनं सेतिकर्त्तव्यताकं विधित्सुस्तेषां सर्वेषां वृत्रवधहेतुत्वं विजयहेतुत्वं च समानमिति प्रतिपादयति–तद्यदाहुरिति । ' तत् ' तत्र उक्तविषये साकमेधानामेव वृत्रवधहेतुत्वं जयहेतुत्वञ्चेति ' यत् ' ' आहुः ' कथयन्ति, तन्न; तथा ' सर्वैरेव ' हि ' चातुर्मास्यैः ' चतुर्षु–चतुर्षु मासेषु प्रयुज्यमानैर्वैश्वदेवादिभिर्वृत्रहननं विजयञ्च प्राप्तवन्तो ' देवाः ' इत्यर्थः ॥ १ ॥

तत्र वैश्वदेवेन जितमर्थमाख्यायिकया दर्शयति–ते होचुरिति । ' ते ' देवाः खलु प्रजापतिं पितरमभिलक्ष्य

(ह्वंस्ते) ते होचुः । केनैव राज्ञा केनानीकेन योत्स्याम इति स ह वरुण उवाच मया राज्ञा मयाऽनीकेनेति ते वरुणेनैव राज्ञा वरुणेनानीकेनापरांश्चतुरो मासः प्राजयंस्तान्ब्रह्मणा चैव त्रय्या च विद्यया पर्यगृह्णन् ॥ ३ ॥

(ह्वंस्ते) ते होचुः । केनैव राज्ञा केनानीकेन योत्स्याम इति स हेन्द्र उवाच मया राज्ञा मयाऽनीकेनेति त ऽइन्द्रेणैव राज्ञेन्द्रेणानीकेनापरांश्चतुरो मासः प्राजयंस्तान्ब्रह्मणा चैव त्रय्या च विद्यया पर्यगृह्णन् ॥ ४ ॥

(न्स)स यद्वैश्वदेवेन यजते । (तेऽग्नि) अग्निनैवैतद्राज्ञाऽग्निनाऽनीकेन चतुरो मासः प्रजयति तत्त्र्येनी शलली भवति लोहः क्षुरः सा या त्र्येनी शलली सा त्रय्यै विद्यायै रूपं लोहः क्षुरो ब्रह्मणो रूपमग्निर्हि ब्रह्म लोहित इव ह्यग्निस्तस्माल्लोहः क्षुरो भवति तेन परिवर्तयते तद्ब्रह्मणा चैवैनमेतत्त्रय्या च विद्यया परिगृह्णाति ॥ ५ ॥

केन' इति । तेऽग्निना राज्ञा, अग्निनाऽनीकेन चतुरो मासः प्राजयन् । तान् ब्रह्मणा च त्रय्या च विद्यया पर्यगृह्णन् ॥ २ ॥

ते होचुः–'केनैव राज्ञा केनानीकेन योत्स्यामः' इति । स ह वरुण उवाच–'मया राज्ञा, मयाऽनीकेन' इति । ते वरुणेनैव राज्ञा वरुणेनानीकेनापरांश्चतुरो मासः प्राजयन् । तान् ब्रह्मणा चैव त्रय्या च विद्यया पर्यगृह्णन् ॥ ३ ॥

ते होचुः–'केनैव राज्ञा केनानीकेन योत्स्याम' इति । स हेन्द्र उवाच–'मया राज्ञा मयाऽनीकेन' इति । त इन्द्रेणैव राज्ञा, इन्द्रेणानीकेनापरांश्चतुरो मासः प्राजयन् । तान् ब्रह्मणा चैव त्रय्या च विद्यया पर्यगृह्णन् ॥ ४ ॥

स यद्वैश्वदेवेन यजते–अग्निनैवैतद्राज्ञाऽग्निनाऽनीकेन चतुरो मासः प्रजयति । तत् त्र्येनी शलली भवति । लोहः क्षुरः । सा या त्र्येनी शलली–सा त्रय्यै विद्यायै रूपम् । लोहः क्षुरो ब्रह्मणो रूपम् ।

परस्परं वाचम् 'ऊचुः' । केनानीकेनेति । अनीकं सेनामुखम्, अत्र सेनान्यां वर्तते । तेन सेनान्येत्यर्थः चतुरो मास इति । "पद्न०" (पा. सू. ६ । १ । ६३) इत्यादिना मासशब्दस्य मास्–इत्ययमादेशः । तान् ब्रह्मणा चेति । 'तान्' विजितान् मासान् 'ब्रह्मणा' "अग्निर्हि ब्रह्म–" इत्यग्रे विवरिष्यते । अतो ब्रह्मणा अग्निना, 'त्रय्या' वेदत्रयरूपया 'विद्यया च' देवाः 'पर्यगृह्णन्' परितोऽधारयन् ॥ २ ॥

एवं वैश्वदेवस्याग्निप्रमुखत्वमुक्त्वा वरुणप्रघासेषु वरुणस्य प्रामुख्यमेतैर्विजितत्वञ्चाह–ते होचुरिति । अपरांश्चतुर इति । आषाढादीनित्यर्थः । अन्यत् पूर्ववत्[1] । अथ साकमेधेष्विन्द्रस्य प्राधान्यं तैर्विजितत्वं चाह–ते होचुरिति । अपरांश्चतुर इति । 'अपरान्' कार्त्तिकादीनित्यर्थः । अन्यत्पूर्ववत् ॥ ३ ॥ ४ ॥

इत्थं प्रतिकृत्युपन्यासेन वैश्वदेवादिषु त्रिषु पर्वसु प्रतिपादितमर्थं यजमानेऽपि क्रमेण योजयति–स यद् वैश्वदेवेनेत्यादिना । "ब्रह्मणा च त्रय्या च विद्यया पर्यगृह्णन्"–इति यदुक्तम्, तस्य प्रतिकृतिमाह–त्र्येनीति ।

1–'सामान्यं पूर्वेण'–इ० पा० ।

श्रीवाजसनेयि-माध्यन्दिन-

शतपथब्राह्मणम्

श्रीमत्सायणाचार्यविरचित-
वेदार्थप्रकाशाख्यव्याख्यासमेतम्
उपयुक्तभाष्यानुपलब्धिस्थाने
श्रीहरिस्वामिभाष्यसमेतम्

"प्रथमखण्डात् पंचमखण्डपर्यन्तं"

द्वितीयोभागः
तृतीयचतुर्थपञ्चमकाण्डात्मकः

GIAN

ज्ञानपब्लिशिंगहाउस
देहली-११०००७ (भारतम्)

ज्ञानपब्लिशिंगहाउस

देहली-११०००२ (भारतम्)

प्रथमं पुनर्मुद्रणं १९८७ तमे वर्षे

भारते मुद्रितम्

इदं पुस्तकं ज्ञानपब्लिशिंगहाउस कृते गायत्रीगर्गमहाभागया
देहली ११०००२ तः प्रकाशितम् तथा गोयलआफसेटमुद्रणालय
देहली ११००३५ तः मुद्रितम् ।

THE ŚATAPATHABRĀHMAṆA

ACCORDING TO

THE

MĀDHYANDINA RECENSION

WITH

THE VEDARAPRAKĀŚA BHĀṢYA

OF

SĀYAṆĀCĀRYA

SUPPLEMENTED BY THE COMMENTARY

OF

HARISVĀMIN

VOLUME II

CHAPTERS 3-5

GYAN PUBLISHING HOUSE

New Delhi - 110002

श्रीशःशरणम् ।

माध्यन्दिनशतपथब्राह्मणगतविषयानुक्रमणिका ।

तृतीयेऽध्वरकाण्डे-

ब्रा० विषयाः — पृष्ठाङ्काः

ब्रा०	विषयाः	पृष्ठाङ्काः

इति सप्तमोऽध्यायः ।

अथाष्टमोऽध्यायः ।

४८

इति नवमोऽध्यायः ।

इत्यध्वरनामकं तृतीयं काण्डम् ॥

चतुर्थे ग्रहकाण्डे–

ब्रा०	विषयाः	पृष्ठाङ्काः

अथ षष्ठोऽध्यायः।

इत्यप उपस्पर्शनादि सत्रोत्थानम्।

इति षष्ठोऽध्यायः।

इति चतुर्थं ग्रह काण्डम् ॥

पञ्चमे सवकाण्डे-

इति चतुर्थोऽध्यायः ।

अथ पञ्चमोऽध्यायः ।

इति सवनामके पञ्चमकाण्डे विषयानुक्रमणिका समाप्ता ॥

श्रीशः शरणम् ।

माध्यन्दिनशतपथब्राह्मणसमागतानां विशिष्टनाम्नाम्

अकाराद्यनुक्रमेण सूचिका ।

नामानि	अ. ब्रा. क.
तृतीयकाण्डे-	
अग्नाविष्णू.	१ । ३ । १, ३ । ४ । २१
अहल्या.	३ । ४ । १८
आतिथ्येष्टिः	२ । ३ १०, ४ । १
आङ्गिरसः	५ । १ । १३, ५ । १ । ३२
आयुः	४ । १ । २२, ५ । १ । ३२
इन्द्राविष्णू.	३ । १ । १३
ऊर्ध्वनभाः (मरुतां पुत्रः)	८ । २ । २८
उर्वशी (अप्सराः)	४ । १ । २२
कद्रुः सुपर्णी च.	२ । ४ । १, ६ । २ इत्यादि.
कुरुपञ्चालः	२ । ३ । १५
तानूनप्त्रम्.	४ । २
तनूनपात्.	४ । २ । ५
त्रिककुत् (पर्वतः)	१ । ३ । १२
त्रैककुदम् (अञ्जनम्)	१ । ३ । १२
दीक्षितः	१ । ३ २८, २ । २ । ३०, २ । १ । १७
दीक्षा.	१ । १ १, २, ४ । ३.
दीक्षणीयेष्टिः	१ । ३
द्यावापृथिवी.	३ । १ । १-२, १ । ३ । २६
द्युतानः (मरुतां पुत्रः)	६ । १ । ३६
नभाः	५ । १ । ३२
नेष्टा.	८ । २-१, २
पथ्या स्वस्तिः	२ । ३ । ८, १५.
पुरुरवाः	४ । १ । २२
प्रतिप्रस्थाता.	३ । २ । २०-२३
प्रातःसवनम्.	९ । ४
प्रातरनुवाकः	९ । ६
प्रायणीयेष्टिः	२ । ३
मनोताः	८ । ३ । १४
मार्जालीयः	५ । ३ । ४
मार्ताण्डः	१ । ३ । २-३
मेधातिथिः	३ । ४ । १८
म्लेच्छः	२ । १ । २४
याज्ञवल्क्यः	१ । १ । ४, ८ । २ । २४, १ । ३ । १
यूपाहुतिः	६ । ४
रक्षः	१ । ३ । १३, २ । १ । ४०
वार्ष्ण्यः (वार्ष्णः)	१ । १ । ४
विवस्वान्.	१ । ३ । ४, ९ । ४ । ८
विश्वावसुः (गन्धर्वः)	२ । ४ । २
शक्वरी (छन्दः)	९ । २ । १७
शुष्णः (दानवः)	१ । ३ । ११
शूद्रः	१ । २ । १०
श्वेतकेतुः (औद्दालकिः)	४ । ३ । ११
राररवती (देवता)	१ । ४ । ९, । ९ । १८
सहरक्षाः	५ । १ । २१
सात्ययज्ञिः (सात्ययज्ञः)	१ । १ । ४
सुपर्णी कद्रुश्च.	२ । ४ । , ६ । २
सुपर्णीकाद्रवम्.	६ । २ । ७
सुब्रह्मण्यम्.	३ । ४ । ९, १७
सोमयाजी.	२ । १ । ४०
सोमविक्रयी.	४ । ३ । ३
सौपर्णकाद्रवम्.	६ । २ । ७

इति ।

नामानि	अ. ब्रा. क.
चतुर्थकाण्डे-	
अङ्गिरः	४ । ५ । २० इत्यादि.
अच्छावाक्.	३ । १
अत्रिः	३ । ४ । २१
आत्रेयः	३ । ४ । २१
आश्वतराश्विः (वैयाघ्रपद्यः)	६ । १ । ९
उक्थ्यग्रहः	२ । ३, ३ । ३ । २
उन्नेता	४ । ३ । ८, ५ । ८ । १३
कः	५ । ६ । ४
कुरुक्षेत्रम्.	१ । ५ । १३
कौकुस्तः (कउक्थस्तः)	६ । १ । १३
गवामयनम्	६ । २
ग्रावस्तुत्.	३ । ४ । २२
च्यवनभार्गवः (आंगिरसः)	१ । ५
तुथः	३ । ४ । १५
तृतीयसवनम्.	३ । ५, १ । १ । १२
दध्यङ् (आथर्वणः)	१ । ५ । १८
द्यावापृथिवी.	३ । २ । १२
नेष्टा.	४ । २ । १७–१८
पथ्या स्वस्तिः	५ । १ । ३–४
पर्वतः	६ । ९ । १४
प्रतिहर्ता.	३ । ४ । २२
प्रातःसवनम्.	३ । ५ । २, १ । १ । ८
बुडिलः (आश्वतराश्विः वैयाघ्रपद्यः) (ऋषिः)	६ । १ । ९
ब्राह्मणाच्छंसी.	६ । ६ । ५
मनोताः	५ । २ । ८
मन्थीग्रहः	२ । १, २ । १, ३ । ३ । २
मर्कः शण्डश्च (राक्षसौ)	२ । १ । ४
महावैश्वदेवग्रहः	४ । १ । २१
महेन्द्रग्रहः	३ । ३ । १६–१७
मैत्रावरुणः	१ । ५ । १९, १ । ४
याज्ञवल्क्यः	२ । १७, ६ । १ । १०, ६ । ८ । ७
राम औपतस्विनिः (ऋषिः)	६ । १ । ९
वाचस्पतिः	१ । १ । ९
वैश्वदेवग्रहः	३ । १ । २९, ४ । १ । ८
वैश्वदेवशस्त्रम्	४ । १ । ११
वैश्वानरग्रहः	२ । ४ । १
शण्डामर्कौ (राक्षसौ)	२ । १ । ४ इत्यादि.
शर्यातः (मानवः)	१ । ५ । २ इत्यादि.
श्वेतकेतुः (औद्दालकिः)	२ । ५ । १९
सुकन्या (च्यवनर्षेः पत्नी)	१ । ५ । ६
हरिवान् (इन्द्रः)	५ । ३ । ४
होत्रकः (मैत्रावरुणो, ब्राह्मणाच्छंसी, अच्छावाक्)	२ । ३ । १२

इति ।

नामानि	अ. ब्रा. क.
पञ्चमकाण्डे-	
अनुमतिः	२ । ३ । २, ५
अग्नाविष्णू.	२ । ३ । ६, २ । ५ । २
अग्निनेत्राः (देवाः)	२ । ४ । ६
अग्निपूषा.	२ । ५ । ५
अग्नीषोमौ.	२ । ३ । ७, २ । ५ । ९–१०, ३ । ३ । १
अच्छावाक्	४ । ५ । २२
अर्जुनः (इन्द्रः)	४ । ३ । ७
अर्यमा.	३ । १ । २, ५ । १ । १२, ३ । ५ । ९
अंशः	३ । ५ । ९
आरुणिः	५ । ५ । १४
आग्नीध्रः (अग्नीत्)	४ । ५ । २२, ५ । १ । ८, १८
आग्नीध्रीयः	४ । २ । १०
इन्द्र-पूषा.	२ । ५ । ५
इन्द्रासोमः	२ । ५ । ९
इन्द्रतुरीयम् (हविः)	२ । ४ । ११, १३

इति विशिष्टनाम्नां सूची ।

इति

शतपथब्राह्मणस्य विशिष्टनाम्नाम्

अकाराद्यनुक्रमेणातृतीयपञ्चमकाण्डान्ता

सूची

समाप्ता ॥

ॐ

श्रीमद्वाजसनेयिमाध्यन्दिन-

शतपथब्राह्मणम् ।

सायणभाष्यसमेतम् ।

तत्र

तृतीयं काण्डम् ३ ।

श्रीशः शरणम् ।

अथ पश्ववदानानि ।

तत्रादौ लक्षणश्लोकाः ।

हृत्पद्ममुकुलाकारं छादितं तत्पुरीतता । कुसुम्भवर्णपत्रेण यदध्वर्योः प्रदीयते ॥ १ ॥
जिह्वा प्रसिद्धा क्रोडं तु मध्यमाग्रिमपादयोः। सक्थि सव्याग्रपादस्य गृह्णीयाज्जान्वधस्त्यजम् ॥२॥
सक्थि च दक्षिणात्पादाद्ग्राह्यमौपभृतं हि तत् । पार्श्वे दक्षिणवामे तु ग्राह्ये पार्श्वास्थिसम्भवे॥ ३ ॥
अतिकृष्णं हि कालेयं यकृदित्यभिधीयते । पृथक्कुक्ष्योः स्थितौ वृक्कौ पक्वाम्रफलसन्निभौ॥ ४ ॥
सूत्रप्रायं गुदं ज्ञेयं पशुवर्चस्कपूरितम् । तत्स्थूलमुपयड्ढोमे मध्यं जौहवमुच्यते ॥ ५ ॥
तदेवौपभृतं सूक्ष्ममवद्यं तत्त्रिधा कृतिः । पार्श्वान्ते दक्षिणे पादे श्रोणिर्भवति जौहवी ॥ ६ ॥
सव्या त्वौपभृती ज्ञेयेत्यवदानविनिर्णयः । नाभ्यग्रे त्र्यंगुले प्रायः शुक्लमण्डसमा वपा ॥ ७ ॥
भागेषु लिङ्गमध्यूध्नी वनिष्ठु शतपत्रिका । विपुरीषं तु तत्कुर्यात्क्लोमा स्याद्गलनाडिका ॥ ८ ॥
उपजिह्वा स्मृतं प्लीहं पुरीतत्तु निरूपितम् ॥ ९ ॥

इत्यवदानलक्षणश्लोकाः ।

अथैषां विवेकः ।

स च यथा–

१–वपा–नाभ्यग्रे त्र्यंगुले शुक्लमण्डसमा । "मेदस्तु वपा वसा" इत्यमरात् मेदोविशेषः सर्वोदरव्यापी पोलिकाकारोऽतिश्वेतवर्णो वपा इत्युच्यते ।

अथ जौहवानि ।

१–हृदयम्–पद्ममुकुलाकारं मांसम् । (लोके 'पयदील' इत्युच्यते) । तथा चोक्तं–" पद्मकोशप्रतीकाशं रुचिरं चाप्यधोमुखम् । हृदयं तद्विजानीयाद्विश्वस्यायतनं महत् " इति ॥

२–जिह्वा–रसना प्रसिद्धा । (लोके 'जीभ' इति कथ्यते) " रसज्ञा रसना जिह्वा " इत्यमरात् ॥

३–क्रोडम्–उरः वक्षःस्थलमिति चानर्थान्तरम् । अग्रिमभुजद्वयान्तरं खण्डमिति यावत् । " न ना क्रोडं भुजान्तरम् । उरो वत्सं च वक्षश्च " इत्यमरः ॥

४–सव्यसक्थि पूर्वनडकं–सव्यस्य बाहोः पूर्वनडकं प्रथमनडकं अंसादधोवर्तमानम् । जानूपरिभाग इति यावत् । (लोके 'चप्पु' इत्यभिधीयते) " सक्थि क्लीबे पुमानूरुः " इत्यमरः ॥

५–६–पार्श्वे द्वे वामदक्षिणे–त्रयोदशत्रयोदशवक्रास्थिसम्बद्धे ॥

७–यकृत्–दक्षिणपार्श्वगतं कृष्णवर्णं कालेयं पित्ताधारभूतम् । (लोके 'काळीज' इति प्रसिद्धम्) " कालखण्डयकृती तु समे इमे " इत्यमरः ॥

८–९–वृक्कौ–अग्रमांसमिति पर्यायः । हृदयान्तर्गतं मांसं " जीमूतान्हृदयौपशेन " (वा. सं. २५ । ८) इत्यत्र " हृदये उपशेते इति हृदयौपशं हृदयस्थं मांसं, तेन जीमूतान्देवान्प्रीणामि " इत्युवटमहीधराभ्यां व्याख्यातत्वात् । " कुक्ष्योः स्थितौ गोलकौ वृषणाकृती वा पक्वाम्रफलतुल्यौ " इत्यन्ये । (लोके 'गुर्दे' इति प्रसिद्धे) " वृक्कावग्रमांसम् " इत्यमरमतं चेति ॥

पश्ववदानानि ।

१०–गुदम्–अंत्रं रज्जुसदृशं सूत्ररूपं मलाधारं येन शकृन्निर्गच्छति तस्य मध्यं विषमो मध्यमो भागः । (लोके 'पोलाई' इति गद्यते) ॥

११–दक्षिणा श्रोणिः–दक्षिणस्य पश्चात्पादस्योपरिवर्तमानो मांसलः प्रदेशः कटिशब्दवाच्यः । "कटो ना श्रोणिफलकं कटिः श्रोणिः ककुद्मती" इत्यमरः । (लोके 'कातिराणीचा पड्दा' इत्युच्यते) ॥

एवमेकादशावदानानि जुहूसम्बन्धीनि प्रधानयागसाधनानीत्यर्थः ।

इति जौहवानि ।

अथौपभृतानि ।

१–दक्षिणसक्थि पूर्वनडकं–दक्षिणस्य बाहोः पूर्वनडकं अंसादधोवर्तमानं जानूपरिभागः । (लोके 'चप्पु' इति) ॥

२–गुदतृतीयाणिष्ठं–गुदस्य तृतीयो विषमो भागः सूक्ष्मोऽतिकृशः । इति ॥

३–सव्याश्रोणिः–सव्यस्य पश्चात्पादस्योपरिवर्तमानो मांसलः प्रदेशः कटिशब्दवाच्यः । (लोके 'कातिराणीचा पड्दा' इति प्रसिद्धम्) ॥

एवं त्रीण्यवदानाति उपभृत्सम्बधीनि स्विष्टकृद्यागसाधनानीत्यर्थः ॥

इत्यौपभृतानि ।

अथान्यान्यवदानानि ।

१–वर्षिष्ठं–गुदस्य वर्षिष्ठो भागस्तृतीयो विषमः स्थूलभाग उपयड्भ्य उपयड्ढोमार्थः ॥

२–वनिष्ठु–स्थूलांत्रं, इति कर्कानन्तदेवयाज्ञिकाः । शतपत्रकमिति रामः । ('चुस्ता' इति लोके प्रसिद्धम्) ॥

परन्तु तस्य स्थानं केनापि नोपदिष्टमतः सविशेषलक्षणं स्थानमुच्यते । अंत्रशब्दो गुदैकदेशो गुदपर्यायवाचक एव । स्थूलांत्रं स्थूलतरं गुदं मलाधारं, तत्स्थानं तु अपानरन्ध्रलग्नं ज्ञेयम् । उपरिभागे मृदुलघुतरापरिमितसंख्यैः श्वेतपर्णसदृशैरवयवैर्युक्तं श्वेतपर्णं सरन्ध्रं सपुरीषं, अपानरन्ध्रप्रदेशाद्गुदस्य वर्षिष्ठभागपर्यन्तं यावद्दीर्घं रज्जुरूपं प्रायो हस्तमात्रं लम्बायमानं स्थूलांत्रं वनिष्ठु इत्यभिधीयते । तद्वनिष्ठुभागमपानरन्ध्रतो गुदवर्षिष्ठभागप्रदेशाच्चापच्छिद्य तद्रन्ध्रे जलासेकेन विपुरीषं कृत्वा तदुक्तस्वरूपं बोधयेत् । एतद्वनिष्ठु भागप्रच्छेदस्थानतो मलाधारग्रन्थिपर्यन्तं प्रागुक्तस्त्रिविधो गुदभाग इति विवेकः ॥

३–जाघनी–जघनप्रदेशे भवा जाघनी प्रसिद्धैवेति कर्कः । जघनप्रदेशे पुच्छसंलग्ना इति श्रीअनन्तः । पशोः पुच्छकाण्डमिति देवयाज्ञिकसिद्धान्तः । (लोके 'दुमगजा' इति प्रथिता) ॥

४–क्लोमा–सरन्ध्रा गलनाडिका इति कर्कः । क्लोमा–उदर्यो जलाधारः । 'हृदयस्य दक्षिणे यकृत् क्लोमा, वामे प्लीहा पुप्पुसश्च' इति वैद्यः क्षीरस्वामी । एवमेव उवटमहीधराभ्यामपि व्याख्यातम् । "तिलकं क्लोम" इत्यमरश्च । कर्कादिमते क्लोमन्शब्दः पुमान्नान्तश्च । अमरसिंहमते तु क्लीबो नांतश्चेति । (लोके–'गलनाडी फुप्फुस' इति प्रख्यातः) ॥

५–प्लीहा–शुक्तिकाकारं हृदयदक्षिणभागस्थं कृष्णमांसम् । हृदयवामभागे शिथिलो मांसभागः पुप्पुलसंज्ञक इत्युवटमहीधरौ । प्लीहाशब्दोऽपि पुमान्नान्तश्च । "गुलमस्तु प्लीहा पुंस्यपि" इत्यमरात् ॥

६–अध्यूध्नी–ऊधःप्रदेशस्योपरि भवतीति कर्कः । ऊधस उपरि सप्तपुटः प्रसिद्ध इति श्रीअनंतः । अध्यूध्नी

अथांगविनियोगकोष्ठकम् ३ ।

	अंगानि.	विनियोगः	संकलनं
१	वर्षिष्ठम्.	उपयड्ढोमार्थं.	१
२	वनिष्ठु.	अग्नीधे.	१
३	जाघनी.	पत्नीसंयाजार्थं.	१
४	क्लोमा.	ब्रह्मणे.	१
५	प्लीहा.	यजमानाय.	१
६	अध्यूध्नी.	होत्रे.	१
७	पुरीतत्.	अध्वर्यवे.	१
			७

इत्यंगविनियोगः ।

शतपुट इति वा कर्कः । अव्यूझी लिङ्गमिति रामः । एतदेव गृह्यते याज्ञिकैः । (तत्र लोके 'वाला शिश्न ' इति प्रसिद्धम्) ॥

७–पुरीतत्–हृदयस्य प्रच्छादकं कौसुम्भवर्णं मांसम् । ('पडदा ' इति लोके निगद्यते) ॥

इत्यन्यान्यवदानानि ।

तत्रैतेष्वङ्गेषु हृदयं सप्तधा कृत्वा अध्वर्यवे समर्पयेत् । तत्राध्वर्युरवदानद्वयं जुह्वां अवदानद्वयमिडापात्र्यां, अवदानद्वयं च प्राशित्रे कृत्वा अवशिष्टं सम्मर्शनार्थं रक्षेत् । एवं जिह्वा क्रोडं यकृत् वृक्कौ च सव्यसक्थिपार्श्वे दक्षिणाश्रोणी इत्येतेषामिडायां न । गुदतृतीयं द्वेधा कृत्वा जुह्वाम् । दक्षिणसक्थ्यवदानद्वयमुपभृति । गुदतृतीयाणिष्ठं द्वेधा कृत्य च, सव्यश्रोणेरवदानद्वयं चोपभृति । अवशिष्टं सम्मर्शनार्थं स्थापयेत् इति ॥

अथोक्तविवेकप्रदर्शककोष्ठकानि ।

अथ जौहवकोष्ठकम् १ ।

	जौहवानि	हृदयं	जिह्वा	क्रोडं	स. न.	पार्श्वे.	यकृ.	वृक्कौ	गुदं	द. श्रो.	संकलनं.
१	जुहूः	२	२	२	२	४	२	४	२	२	२२
२	प्राशित्रहरणे.	२	२	२	२	४	२	४	०	२	२०
३	इडापात्री.	२	२	२	०	०	२	४	०	०	१२
४	शेषः	१	१	१	१	२	१	२	०	१	१०
	संकलनया.	७	७	७	५	१०	७	१४	२	५	६४

इति जौहवानि ।

अथौपभृतकोष्ठकम् २ ।

	औपभृतानि.	द. न.	गुदं	स. श्रो.	संकलनं
१	उपभृत	२	२	२	६
२	प्राशित्रहरणे	०	०	०	०
३	इडापात्री.	०	०	०	०
४	शेषः	१	०	१	२
	संकलनया.	३	२	३	८

इत्यौपभृतानि ।

अथ तृतीयकाण्डे प्रथमः प्रपाठकः ।

प्रथमोऽध्यायः प्रारभ्यते ।

तत्र प्रथमं ब्राह्मणम् ।

ॐ । देवयुजनं जोषयन्ते । स युदेव व्वुर्षिष्ठᳯं स्यात्तुज्जोषयेरन्युदन्यद्भू-मेर्नाभिशुयीतातो वै देवा दिवमुपोदक्रामन्देवान्वाऽएषु ऽउपोत्क्रामति यो दीक्षते स सुदेवे देवयुजने यजते स युद्धान्यद्भूमेरभिशुयीतावरतरऽइव हेष्ट्वा स्यात्तुस्माद्युदेव व्वुर्षिष्ठᳯं स्यात्तज्जोषयेरन् ॥ १ ॥

अथ ज्योतिष्टोमयागाधिकारः ।

तत्रादावग्निष्टोमे देवयजनम् ।

देवयजनं जोषयन्ते । स यदेव वर्षिष्ठं स्यात्-तज्जोषयेरन् । यद्भूमेर्नाभिशयीत । अतो वै देवा दिव-मुपोदक्रामन् । देवान्वा एष उपोत्क्रामति-यो दीक्षते । स सदेवे देवजने यजते । स यद्धान्यद्भूमेरभि-शयीत-अवरत्तर इव हेष्ट्वा स्यात् । तस्माद्यदेव वर्षिष्ठं स्यात्-तज्जोषयेरन् ॥ १ ॥

यस्य निःश्वसितं वेदा यो वेदेभ्योऽखिलं जगत् । निर्ममे तमहं वन्दे विद्यातीर्थमहेश्वरम् ॥ १ ॥
आधानपुनराधाने अग्निहोत्रं ततः परम् । चातुर्मास्यानि च पशुर्द्वितीये काण्ड ईरितम् ॥ २ ॥

अथ तृतीयचतुर्थाभ्यामेकाहाहीनसत्रलक्षणसकलसोमयागप्रकृतिभूतोऽग्निष्टोमोऽभिधीयते । तत्र तृतीयकाण्डस्य प्रथमाध्याये शालानिर्माणप्रभृति दीक्षाहुतिपर्यन्तं प्रतिपाद्यते । तत्रादौ शालानिर्माणार्थं देवयजनपरिग्रहं विधत्ते-**देवयजनं जोषयन्त** इति । देवा इज्यन्तेऽत्रेति 'देवयजनम्' । अधिकरणे ल्युट् (पा. सू. ३ । ३ । ११३) प्राचीनवंशसदोहविर्द्धानादिनिर्माणपर्याप्तं देवयजनस्थानम् । तत् 'जोषयन्ते' सेवन्ते (धा. पा. चु. ३०१) स्वार्थिको णिच् । परिगृह्णीयुर्यजमानपुरुषाः । तस्य विशेषमाह-**स यदेव वर्षिष्ठं स्यात् तज्जोषयेरन्**निति । 'सः' इति प्रसिद्धौ यच्छब्दविशेषणमेतत् । प्रसिद्धं 'यद्' देवयजनम्, 'तत्' 'वर्षिष्ठम्' अतिशयेन वृद्धम्, उच्छ्रितम्, जोषयितव्यमित्यर्थः । वर्षिष्ठमित्येतत् स्पष्टयति-**यदन्याद्**इत्यादिना । 'यत्' यस्या उपरि गृहीतायाः 'भूमेः' 'अन्यत्' परिसरस्थलं 'नाभिशयीत' अतिशयीत, अतिशयितमुच्छ्रितं न च तद् वर्षिष्ठ-मित्यर्थः । उक्तलक्षणं देवयजनं प्रशंसति-**अतो वा** इति । 'अतः' अस्माद् यदित्युक्तलक्षणात् 'देवाः' 'दिवम्' 'उपोत्क्रामन्' उत्क्रान्ताः, प्राप्ताः । उत्क्रामन्तु नाम, ततः किमु ? इत्यत आह-**देवान्वा** इति । यस्मात् 'एषः' दीक्षितोऽपि 'देवान्' उपोत्क्रामति, तस्माद् यादृशेन देवयजनेन देवा दिवं गताः, तादृशं कुर्वन् 'सः' दीक्षितः 'सदेवे' एव 'देवयजने' 'यजते' इष्टवान् भवति । अनेवंविधस्य परिग्रहे दोष-माह-**स यद्धे**ति । निम्ने देवयजने 'इष्ट्वा' स्वयमेव 'अवरतर इव' अत्यन्तं नीच एव 'स्यात्' । **तस्मादि-**

(रंस्त) तद्वर्ष्म सत्समᳪं स्यात् । (त्स) समᳪं सदविभ्रᳪंशि स्यादविभ्रᳪंशिसत्प्राक्प्रवणᳪं स्यात्प्राची हि देवानां दिगथोऽउदक्प्रवणमुदीची हि मनुष्याणां दिग्दक्षिणतः प्रत्युच्छ्रितमिव स्यादेषा वै दिक् पितॄणाᳪं स यद्दक्षिणाप्रवणᳪं स्यात्क्षिप्रे ह यजमानोऽमुं लोकमियात्तथो ह यजमानो ज्योग्जीवति तस्माद्दक्षिणतः प्रत्युच्छ्रितमिव स्यात् ॥ २ ॥

(न्नु) नु पुरस्ताद्देवयजनमात्रमतिरिच्येत । द्विषन्तᳪं हास्य तद्भ्रातृव्यमभ्यतिरिच्यते कामᳪं ह दक्षिणतः स्यादेवमुत्तरत एतद्ध त्वेव समृद्धं देवयजनं यस्य देवयजनमात्रं पश्चात्परिशिष्यते क्षिप्रे हैवैनमुत्तरा देवयज्योपनमतीति नु देवयजनस्य ॥ ३ ॥

तद्वर्ष्म सत् समं स्यात् । समं सद्-अविभ्रंशि स्यात् । अविभ्रंशी सत् प्राक्प्रवणं स्यात् । प्राची हि देवानां दिक् । अथो उदक्प्रवणम् । उदीची हि मनुष्याणां दिक् । दक्षिणतः प्रत्युच्छ्रितमिव स्यात् । एषा वै दिक् पितॄणाम् । स यद्दक्षिणाप्रवणं स्यात्-क्षिप्रे ह यजमानोऽमुं लोकमियात् । अथो ह यजमानो ज्योग्जीवाति । तस्माद्दक्षिणतः प्रत्युच्छ्रितमिव स्यात् ॥ २ ॥

न पुरस्ताद्देवयजनमात्रमतिरिच्येत-द्विषन्तं हास्य तद्भ्रातृव्यमभ्यतिरिच्यते । कामं ह दक्षिणतः स्यात्, एवमुत्तरतः । एतद्ध त्वेव समृद्धं देवयजनम्-यस्य देवयजनमात्रं पश्चात्परिशिष्यते । क्षिप्रं हैवैनमुत्तरा देवयज्योपनमति । इति नु देवयजनस्य ॥ ३ ॥

त्युपसंहारः । अत्र कात्यायनः सौमिकमृत्विग्वरणमभिधायाह-" देवयजनं जोषयन्ते, उच्चतमम् " (का. श्रौ. सू. १० । १० । ११) इति ॥ १ ॥

अन्यानपि धर्मविशेषानाह-**तद्वर्ष्मेति** । ' वर्ष्म ' उन्नतम् ' सत्, ' ' तत् ' देवयजनं ' समं स्यात् ' ; विषमस्य विसदृशदर्शनात् तदभावाय तत् समं कर्तव्यमित्यर्थः । समत्वेन ' अविभ्रंशि ' अपि स्थलं प्राचीनप्रवणम् उदीचीनप्रवणं वा भवेत्; यष्टव्यत्वेन देवानाम्, यष्टृत्वेन मनुष्याणां च देवयजनसम्बन्धसम्भवादुभयसम्बन्धिन्योर्दिशोरन्यतरस्याः प्रवणत्वाभिधानमित्यभिप्रायः । उदक्प्रवणत्वे यदर्थसिद्धं दक्षिणोन्नतत्वम्, तदाह-**दक्षिणतः प्रत्युच्छ्रितमिवेति** । विपक्षबाधमुखेन दक्षिणप्रवणत्वं निषेधति-**एषा वा इति** । ' क्षिप्रे ' अचिरेणैव कालेन ' अमुं ' परलोकम् । 'तथो ह' पूर्वोत्तरप्रवणत्वपक्षे ज्योक् चिरकालम् (आप. श्रौ. सू. १०।२०।१) ॥ २ ॥

अथ देवयजनप्राग्देशे देवयजनानन्तरपरिमितप्रदेशस्याधिक्यं निषेधति-**न पुरस्तादिति** । स देशातिरेको यजमानभ्रातृव्यातिरेकाय भवति । तथा चापस्तम्बः-"न प्राचीनं देवयजनाद्देवयजनमात्रमुच्छिंषेत् "- (आप. श्रौ. सू. १० । २० । १०) इति । दक्षिणोत्तरयोरतिरेकस्त्वैच्छिक इत्याह-**कामं हेति** । पश्चाद्भागे पुनरन्यस्य देवयजनस्य पर्याप्तप्रदेशोपेतं देवयजनं समृद्धिकरमित्याह-**एतद्ध त्वेव समृद्धमिति** । प्रतिपाद्यमर्थं निगमयति-**इति नु देवयजनस्येति** । क्लृप्तिरिति शेषः । अत्र कात्यायनः-" सममव्यतिभ्रंशि अभितो देवयजनमात्रदेशं पुरस्ताद्वर्जम्, प्राक्प्रवणमुदग्वा " (का. श्रौ. सू. अ. ७ । ११-१३) इति ॥ ३ ॥

१-दक्षिणत उन्नतमुदीचीनावनतं प्राक्प्रवणं प्रागुदक्प्रवणं वा देवयजनम् इति ।

तदु होवाच याज्ञवल्क्यः । (ल्क्यो) व्वार्ष्णाय देवयुजनं जोषयितुमैम तत्सात्ययज्ञोऽब्रवीत्सर्व्वा वाऽइयं पृथिवी देवी देवयुजनं यत्र वाऽअस्यै क्वच यजुषैव परिगृह्य याजयेदिति ॥ ४ ॥

(त्पृ) ऋत्विजो हैव देवयुजनम् । ये ब्राह्मणाः शुश्रुवाᳬंसोऽनूचाना व्विद्वाᳬंसो याजयन्ति सैवाह्वलैतन्नेदिष्ठतमामिव मन्यामहऽइति ॥ ५ ॥

तच्छालां वा व्विमितं वा प्राचीनवᳬंशं मिन्वन्ति । प्राची हि देवानां दिक्पुरस्ताद्वै देवाः प्रत्यञ्चो मनुष्यानुपावृत्तास्तस्मात्तेभ्यः प्राङ्तिष्ठञ्जुहोति ॥ ६ ॥

तदु होवाच याज्ञवल्क्यः वार्ष्णाय । देवयजनं जोषयितुमैम । तत् सात्ययज्ञोऽब्रवीत्—'सर्वा वा इयं पृथिवी देवी देवयजनम्, यत्र वा अस्यै क्व च यजुषैव परिगृह्य याजयेत्'—इति ॥ ४ ॥

'ऋत्विजो हैव देवयजनम्—ये ब्राह्मणाः शुश्रुवांसोऽनूचाना विद्वांसो याजयन्ति—सैवाह्वला, एतन्नेदिष्ठतमामिव मन्यामहे—' इति ॥ ५ ॥

तच्छालां वा विमितं वा प्राचीनवंशं मिन्वन्ति । प्राची हि देवानां दिक् । पुरस्ताद्वै देवाः प्रत्यञ्चो मनुष्यानुपावृत्ताः । तस्मात्तेभ्यः प्राङ्तिष्ठन् जुहोति ॥ ६ ॥

अथर्षीणामाख्यानमुखेन देवयजनस्य पक्षान्तरमाह—**तदु होवाचेति** । वार्ष्णमृषिं 'याज्ञवल्क्य उवाच' । यदा वयं देवयजनपरिग्रहाय गताः, तदानीं 'सात्ययज्ञः' आह । "एतावती वै पृथिवी, यावती वेदिः—" इत्यादिश्रुतेः (तै. सं. २ । ६ । ४ । ३) वेद्युपलक्षितदेवयजनस्य देवतात्मकसमस्तपृथिवीरूपत्वम्, अतो 'यत्र क्व च' मन्त्रेण परिग्रहे सति तदुक्तलक्षणमेव भवेदित्यर्थः ॥ ४ ॥

याज्ञवल्क्यस्तु वक्ष्यमाणलक्षणैर्ऋत्विग्भिः परिग्रह एवोक्तलक्षणदेवयजनपरिग्रह इत्याह—**ऋत्विजो हैवेति** । 'शुश्रुवांसः' श्रुतशास्त्राः । 'अनूचानाः' साङ्गप्रवचनाध्येतारः । 'अह्वला' दोषरहिताः । अर्थाद्यजुषा परिगृह्णीयात् । ऋत्विजोऽपि श्रुताध्ययनादिसम्पन्ना भवेयुरित्ययमर्थोऽप्युक्तो भवति ॥ ५ ॥

यथोक्तदेवयजने यत्कर्तव्यं गृहं तत् 'प्राचीनवंशं कर्तव्य'मित्याह—**तच्छालां वेति** । 'शाला' दीर्घचतुरस्रं गृहम् । विमितं सर्वतः समपरिमाणम्; अनयोरन्यतरत् 'प्राग्वंशम्' प्रागग्रवंशं मिनुयात् । प्राग्दिशः प्रशंसार्थमर्थवादमाह—**प्राची हीति** । यस्मात् प्रत्यग्दिग्गतानृत्विग्यजमानान् प्रति पुरोदेशाद्धविर्भोजनाः देवाः प्रत्यङ्मुखोपावृत्ताः, 'तस्मात्' 'तेभ्यः' देवेभ्यः 'प्राङ् तिष्ठन् जुहोति' । तस्मात्प्राचीनवंशत्वमुपपद्यते । (का. श्रौ. सू. ७ । १९–१८) ॥ ६ ॥

१–अब्रवीन्मे वर्कुर्वार्ष्णश्चक्षुर्वै ब्रह्मेति । शतपथश्रुतिः । (का. १४ । ४ । १ । ८) वर्कुर्नामतः । वृष्णस्यापत्यं वार्ष्णः । इति नित्यानंदमुनिविरचिता मिताक्षरा । तदुह स्माहापि वर्कुर्वार्ष्णो माषान्मे पचतेति । शातपथी श्रुतिरेव । १। १ । १ । १० । वृषा नाम कश्चित् । तस्य पुत्रो वार्ष्णः । तस्य नाम वर्कुरिति सायनाचार्याः ॥ २–'यत्किंचानूचानर्त्विजः १३ । बद्धतौषधिमूलेऽपरेऽन्ते विमितं कुर्वंति १४ । प्राग्वंशं १५ । पुरस्तादुच्चम् १६ । प्रतिदिग्द्वारम् १७ । उदग्वर्जे वा १८ । शालां वा १९ । ३–विमितपरिमाणं कात्यायनशुल्बपरिशिष्टे । विमितं चतुरस्रं स्याद्दशारत्निप्रमाणतः इति । शालापरिमाणं कात्यायनशुल्बपरिशिष्टे । विंशत्यरत्निः शाला स्यात्तदर्द्धेन तु विस्तृता इति ।

तस्मादु ह नु प्रतीचीनशिराः शयीत । नेद्देवानभिप्रसार्य शयाऽइति
या दक्षिणा दिक्सा पितॄणां या प्रतीची सा सर्पाणां यतो देवा उच्चक्रमुः
सैषाऽहीना योदीची दिक्सा मनुष्याणां तस्मान्मानुषऽउदीचीनवꣳशामेव
शालां व्वा विमितं व्वा मिन्वन्त्युदीची हि मनुष्याणां दिग्दीक्षितस्यैव
प्राचीनवꣳशा नादीक्षितस्य ॥ ७ ॥

तां वाऽएतां परिश्रयन्ति । नेदभिवर्षादिति न्वेव व्वर्षा देवान्वाऽएष
ऽउपावर्तते यो दीक्षते स देवतानामेको भवति तिरऽइव वै देवा मनुष्ये-
भ्यस्तिरऽइवैतद्यत्परिश्रितं तस्मात्परिश्रयन्ति ॥ ८ ॥

तन्न सर्व्वऽइवाभिप्रपद्येत । ब्राह्मणो वैव राजन्यो वा वैश्यो वा ते हि
यज्ञियाः ॥ ९ ॥

स वै न सर्व्वेणेव संवदेत । देवान्वाऽएष उपावर्तते यो दीक्षते स देव-
तानामेको भवति न वै देवाः सर्व्वेणेव संवदन्ते ब्राह्मणेन वैव राजन्येन वा

तस्माद्‌ह न प्रतीचीनशिराः शयीत । 'नेद्देवानभिप्रसार्य शये'—इति । या दक्षिणा दिक्—सा पितॄणाम् । या प्रतीची—सा सर्पाणाम्—यतो देवा उच्चक्रमुः—सैषाऽहीना । योदीची दिक्—सा मनुष्याणाम् । तस्मान्मानुष उदीचीनवंशामेव शालां वा विमितं वा मिन्वन्ति । उदीची हि मनुष्याणां दिक् । दीक्षितस्यैव प्राचीनवंशाः नादीक्षितस्य ॥ ७ ॥

तां वा एतां परिश्रयन्ति। 'नेदभिवर्षाद्' इति । न्वेव वर्षा । देवान्वा एष उपावर्तते—यो दीक्षते। स देवतानामेको भवति । तिर इव वै देवा मनुष्येभ्यः । तिर इवैतद् यत्परिश्रितम् । तस्मात्परिश्रयन्ति॥८

तन्न सर्व इवाभिप्रपद्येत । ब्राह्मणो वैव राजन्यो वा वैश्यो वा । ते हि यज्ञियाः ॥ ९ ॥

स वै न सर्वेणेव संवदेत । देवान् वा एष उपावर्तते—यो दीक्षते । स देवतानामेको भवति । न वै

प्रासङ्गिकं दीक्षितस्य शयने कञ्चिन्नियममाह—**तस्माद्‌ह** हेति । 'अभिप्रसार्य' पादावित्यर्थः । प्राग्दिक्प्रशंसार्थं दिग्विभागरूपमर्थवादमाह—**या दक्षिणेति** । 'यतो' 'देवाः' यजमानादीन् प्रति 'उपचक्रमुः' 'सा' प्राची 'अहीना' समृद्धा । उदीच्या मनुष्यसम्बन्धित्वं तेषामुदग्वंशालानिर्माणात् प्रसिद्धमित्याह—**तस्मान्मानुष** इति । (का. श्रौ. सू. ७ । १०.) 'मानुषे' मनुष्यार्हे कर्मणि । 'दीक्षितस्य' प्राग्वंशत्वमेव, अन्येषां तु उदीचीनवंशत्वमिति व्यवस्था ॥ ७ ॥

सर्वतः परिश्रयणं विधत्ते—**तां वा एतामिति** । वृष्ट्यादिपरिहाराय परिश्रयणं कर्तव्यम्, दीक्षितस्य भाविगत्या देवानां मध्य एकत्वान्मनुष्येभ्यः सकाशाद्देवानां तिरोधानापेक्षणात्परिश्रितत्वस्य च निगूढत्वेनान्तर्हितरूपत्वादीक्षितस्येतरेभ्यो व्यवधानाय च परिश्रयणं कर्तव्यमिति परिश्रयणस्तुतिः । (आप. श्रौ. सू. १०।९।१) ॥८॥

तत्रात्रैवर्णिकानां शूद्रादीनामभिप्राप्तिं निषेधति—**तन्न सर्व इवाभिप्रपद्येतेति** ॥ ९ ॥

दीक्षितस्य सर्वैः सह वाग्व्यवहारं निषेधति—**स वै नेति** । सर्वशब्दस्य सङ्कोचमाह—**ब्राह्मणेन वैवेति** ।

वैश्येन वा ते हि यज्ञियास्तस्माद्यद्येनꣳ शूद्रेण संवादो विन्देदेतेषामेवैकं ब्रूयादिममिति विचक्ष्वेममिति विचक्ष्वेत्येषऽ उ तत्र दीक्षितस्योपचारः ॥ १० ॥

(रोऽथा) अथारणी पाणौ कृत्वा । शालामध्यवस्यति स पूर्वार्ध्यꣳ स्थूणाराजमभिपद्यैतद्यजुराहेदमगन्म देवयजनं पृथिव्या यत्र देवासोऽअजुषन्त विश्वऽइति तदस्य विश्वैश्च देवैर्जुष्टं भवति ये चेमे ब्राह्मणाः शुश्रुवाꣳसोऽनूचाना यदहास्य तेऽक्षिभ्यामीक्षन्ते ब्राह्मणाः शुश्रुवाꣳसस्तदहास्य तैर्जुष्टं भवति ॥ ११ ॥

देवाः सर्वेणेव संवदन्ते । ब्राह्मणेन वैव राजन्येन वा वैश्येन वा । ते हि यज्ञियाः । तस्माद्यद्येनं शूद्रेण संवादो विन्देद्—एतेषामेवैकं ब्रूयाद्—'इममिति विचक्ष्व—इममिति विचक्ष्व'—इति । एष उ तत्र दीक्षितस्योपचारः ॥ १० ॥

अथारणी पाणौ कृत्वा, शालामध्यवस्यति । स पूर्वार्ध्यं स्थूणाराजमभिपद्य, एतद्यजुराह—"एदमगन्म देवयजनं पृथिव्या यत्र देवासो अजुषन्त विश्वे"—(वा. सं. ४ । १) इति । तदस्य विश्वैश्च देवैर्जुष्टं भवति, ये चेमे ब्राह्मणाः शुश्रुवांसोऽनूचानाः—यदहास्य तेऽक्षिभ्यामीक्षन्ते । ब्राह्मणाः शुश्रुवांसः—तदहास्य तैर्जुष्टं भवति ॥ ११ ॥

'तस्माद्' ब्राह्मणादिवर्णत्रयस्य यज्ञार्हत्वाद् । 'यदि' 'शूद्रेण' सह 'संवादो' 'विन्देत्' लब्धश्चे 'एतेषां' त्रैवर्णिकानां मध्ये 'एकम्,' 'इमम्' शूद्रम् 'इति' एवं मयेदानीमुक्तप्रकारेण 'विचक्ष्व ब्रूहीति 'स्वयं' 'ब्रूयात्' वीप्सया सर्वोऽपि वचनप्रकारः परिगृह्यते। 'एषः' 'उपचारः' व्यवहा (का. श्रौ. सू. ७ । १८) ॥ १० ॥

समन्त्रकं शालाप्रवेशं विधत्ते—**अथारणी पाणौ कृत्वेति** । 'अध्यवस्यति' शालां प्रविश्य मन्त्रेणैत देवयजनमिति निश्चिनुयादित्यर्थः । अध्यवसानप्रकारमाह—**स पूर्वार्ध्यमिति** । 'स्थूणाराजः' मध्ये स्थित उन्नतस्तम्भः, तस्य 'पूर्वार्ध्यम्' 'अभिपद्य' गृहीत्वा "एदमगन्म"—इति 'यजुः' ब्रूयात् (आप. श्रौ सू. १०. ३. ४) । अत्र कात्यायनः—"समारोह्याग्नी शालास्तम्भं पूर्वार्द्ध्यं गृहीत्वाऽरणिपाणिराहेदमगन्मेति"- (का. श्रौ. सू. ७ । ३०) इति । मन्त्रस्य द्वितीयं पादं देवशब्दतात्पर्याभिधानेन व्याचष्टे—**तदस्य विश्वैरिति** श्रुताध्ययनवद्भिर्ब्राह्मणैः । 'अक्षिभ्यां' 'यत्' 'ईक्षन्ते' 'तत्' 'तैः' 'विश्वैर्देवैः' 'जुष्टम्' इत्यर्थः ॥ ११ ॥

१–'मध्योदितः'–इ० पा० । २–अत्र हरिस्वामिनः–पूर्वो भागः शालायाः पूर्वार्द्धः । पूर्वार्द्धे भवः पूर्वार्ध्यः । महती स्थूणा स्थूणाराजः । तमभिपद्य प्राप्य हस्तेनालभ्य एतद्यजुराहेति इति ॥ काण्वानां श्रुतिरपि–अथाध्यवस्यति–सा याऽसौ वर्षिष्ठा पूर्वार्द्धे शालास्थूणा भवति तामभिपद्य जपत्येदमगन्म देवयजनं पृथिव्या इति ॥ आपस्तंबोऽपि । प्राग्वंशस्य मध्यमं स्थूणाराजमालभ्य जपतीति वाजसनेयकमिति ॥ अतः स्तम्भस्य पूर्वार्द्धमभिपद्येति व्याकृतमयुक्तमिति अवसेयम् ॥

यद्वाह । यत्र देवासोऽअजुषन्त विश्वऽइति तदस्य विश्वैर्देवैर्जुष्टं भवत्यृक्सामाभ्या᳭ँ संतरन्तो यजुर्भिरित्यृक्सामाभ्यां वै यजुर्भिर्यज्ञस्योदृचं गच्छन्ति यज्ञस्योदृचं गच्छानीत्येवैतदाह रायस्पोषेण समिषा मदेमेति भूमा वै रायस्पोषः श्रीर्वै भूमाऽऽशिषमेवैतदाशास्ते समिषा मदेमेतीषं मदतीति वै तमाहुर्यः श्रियमश्नुते यः परमतां गच्छति तस्मादाह समिषा मदेमेति ॥ १२ ॥

इति प्रथमप्रपाठके प्रथमं ब्राह्मणम् ॥ १ ॥ १ ॥

अपराह्णे दीक्षेत । पुरा केशश्मश्रोर्वपनाद्यत्कामयेत तदश्नीयाद्यद्वा सम्पद्येत व्रत᳭ँ ह्येवास्यातोऽशनं भवति यद्यु नाशिशिषेदपि कामं नाश्नीयात् ॥ १ ॥ [शतम् १४००] ॥

यद्वाह—यत्र देवासो अजुषन्त विश्वे—इति तदस्य विश्वैर्देवैर्जुष्टं भवति । "ऋक्सामाभ्यां सन्तरन्तो यजुर्भिः"—(वा० सं० ४ । १) इति । ऋक्सामाभ्यां वै यजुर्भिर्यज्ञस्योदृचं गच्छन्ति । 'यज्ञस्योदृचं गच्छानि' इत्येवैतदाह । "रायस्पोषेण समिषा मदेम"—(वा० सं० ४ । १) इति । भूमा वै रायस्पोषः । श्रीर्वै भूमा । आशिषमेवैतदाशास्ते । समिषा मदेम—इति । इषं मदतीति वै तमाहुः—यः श्रियमश्नुते, यः परमतां गच्छति । तस्मादाह—समिषा मदेमेति ॥ १२ ॥

अथ तत्रादौ दीक्षासंस्काराः ।

अपराह्णे दीक्षेत । पुरा केशश्मश्रोर्वपनाद्—यत्कामयेत—तदश्नीयाद् । यद्वा सम्पद्येत । व्रतं ह्येवास्यातोऽशनं भवति । यद्यु नाशिशिषेद्—अपि कामं नाश्नीयात् ॥ १ ॥

यद्वाहेति । तृतीयं पादं व्याचष्टे—ऋक्सामाभ्यामिति । 'यजुर्भिः' क्रियमाणं यज्ञस्वरूपम् 'ऋक्सामाभ्यां' स्तोत्रशस्त्राभ्यां 'सन्तरन्तः' पारं प्रापयन्तः इति मन्त्रभागस्यार्थः । यजुषा ऋक्सामाभ्यां च ये तरन्ति ते यज्ञस्योदृचमेव परिसमाप्तिं गच्छन्ति । अत एतेन यज्ञस्य 'उदृचं' परिसमाप्तिं प्राप्नोमीत्युक्तवान् भवति । चतुर्थपादस्य प्रथमभागं व्याचष्टे—रायस्पोषेणेति । 'भूमा' बहुभाव एव 'रायस्पोषो' धनपुष्टिः, स च 'भूमा' साक्षात् 'श्रीः' एव तस्माद् 'एतद्' भागपाठे 'आशिषम्' एव आशास्ते । तद्द्वितीयभागस्य तात्पर्यमाह—समिषेति । लोके यः श्रियं परमतां च गच्छति, तम् 'इषम्' अन्नं 'मदति' मोदत इत्याहुः, अतो मन्त्रे समिषेति भागमाहेत्यर्थः ॥ १२ ॥

इति श्रीसायणाचार्यविरचिते माधवीये वेदार्थप्रकाशे माध्यन्दिनशतपथब्राह्मणभाष्ये तृतीयकाण्डे प्रथमाध्याये प्रथमं ब्राह्मणम् ॥ ३–१–१ ॥

अथ दीक्षाकालं विधत्ते—अपराह्ण इति । 'अपराह्णे अह्नस्तृतीये भागे (आप. श्रौ. सू. १०।१२।२।) ।

१–दीक्षान्तकालम् इति पा. । इयमप्सुदीक्षेत्युच्यते–एतद्दीक्षाकालस्तु–अपराह्णे दीक्षेतेति प्रथमकंडिकायामुक्तः ॥ का. । नापित उपतिष्ठति, नखानि निकृन्तत्यङ्गुष्ठप्रभृतीनि, दक्षिणहस्तस्य प्रथममिति । ७ । ३६ [। नापिते उपतिष्ठति समीपस्थे सति अध्वर्युर्नखानि निकृन्ततीत्यर्थः ।

(८) अथोत्तरेण शालां परिश्रयन्ति । तदुदकुम्भमुपनिदधति तन्नापित उपतिष्ठते तत्केशश्मश्रु च वपते नखानि च निकृन्ततेऽस्ति वै पुरुषस्यामेध्यं यत्रास्यापो नोपतिष्ठन्ते केशश्मश्रौ च वाऽअस्य नखेषु चापो नोपतिष्ठन्ते तद्यत्केशश्मश्रु च वपते नखानि च निकृन्तते मेध्यो भूत्वा दीक्षाऽइति ॥ २ ॥

तद्धैके । सर्वऽएव वपन्ते सर्वऽएव मेध्या भूत्वा दीक्षिष्यामहऽइति तदु तथा न कुर्याद्यद्वै केशश्मश्रु च वपते नखानि च निकृन्तते तदेव मेध्यो भवति तस्मादु केशश्मश्रु चैव वपेत नखानि च निकृन्तेत ॥ ३ ॥

स वै नखान्येवाग्रे निकृन्तते । दक्षिणस्यैवाग्रे सव्यस्य वाऽअग्रे मानुषेऽथैवं देवत्राऽङ्गुष्ठयोरेवाग्रे कनिष्ठिकयोर्वाऽअग्रे मानुषेऽथैवं देवत्रा ॥ ४ ॥

अथोत्तरेण शालां परिश्रयन्ति । तदुदकुम्भमुपनिदधति । तत्रापित उपतिष्ठते । तत्केशश्मश्रु च वपते, नखानि च निकृन्तते । अस्ति वै पुरुषस्यामेध्यं—यत्रास्यापो नोपतिष्ठन्ते । केशश्मश्रौ च वा अस्य नखेषु चापो नोपतिष्ठन्ते—तद्यत् केशश्मश्रु च वपते, नखानि च निकृन्तते—'मेध्यो भूत्वा दीक्षै' इति ॥ २ ॥

तद्धैके—सर्व एव वपन्ते—'सर्व एव मेध्या भूत्वा दीक्षिष्यामहे' इति । तदु तथा न कुर्यात् । यद्वै केशश्मश्रु च वपते, नखानि च निकृन्तते—तदेव मेध्यो भवति । तस्मादु केशश्मश्रु चैव वपेत, नखानि च निकृन्तेत ॥ ३ ॥

स वै नखान्येवाग्रे निकृन्तते दक्षिणस्यैवाग्रे, सव्यस्य वा अग्रे मानुषे । अथैवं देवत्रा । अंगुष्ठयोरेवाग्रे, कनिष्ठिकयोर्वा अग्रे मानुषे । अथैवं देवत्रा ॥ ४ ॥

अथ दीक्षिताशनविषये सर्वान्नमभ्यनुजानाति—**यत्कामयेते**त्यादिना । यथेष्टभोजने उपपत्तिमाह—**व्रतं ह्येवास्यात** इति । 'अतः' अस्मादुक्तभोजनादूर्ध्वकाले 'व्रतम्' 'एव' खलु केवलं पयःपानमेव; अत इदानीं यथेष्टं भुञ्जीत । तथा चापस्तम्बः—"तथाशितः स्याद्यथा ततो दीक्षासु कनीयः—कनीयो व्रतमुपेयात्" (आप. श्रौ. सू. १०. ६. ७–१०) इति । इच्छयाऽशनाभावपक्षमप्याह—**यदी**ति । कात्यायनः—"अन्नमुपहरन्त्यस्मै हविष्यममांसम् ०—० अपराह्णेऽश्नातीष्टमुपपन्नं वा न वेति" (का. श्रौ. सू. ७ । ३२ । ३३ । ३४) ॥१॥

शालाया उत्तरभागे क्षौरार्थं परिश्रयणं विधत्ते—**अथोत्तरेणे**ति । तत्रास्मिन्नुदकुम्भपरिवृते देशे 'नापितः' निवसेत् । तत्र केशश्मश्रुवपनं नखनिकर्तनं च कुर्यात् । तत्रोदकुम्भस्थापनप्रयोजनमाह—**अस्ति वा** इति । अमेध्यानां केशनखानां निरवशेषेण सुखच्छेदनाय उदकुम्भसन्निधानेन भवितव्यमित्यर्थः (आ.श्रौ.सू.१०।५।६)॥२

सर्वाङ्गवपनमुपन्यस्य निराचष्टे—**तद्धैके सर्व एवे**ति । सर्वस्मिन्नपि देहे केशश्मश्रुनखेष्वेव प्राचुर्येण मृतत्वसम्भवात्तर्ज्जीवनेनैव सर्वमपि मेध्यं भवतीत्यभिप्रायः । अत्र सूत्रम्—"उत्तरे परिवृत उदकुम्भवत्यप्सु दीक्षा, नापित उपतिष्ठति"—इति (का. श्रौ. सू. ७।३५।३६) ॥ ३ ॥

मानुषत्वव्यावृत्त्युपन्यासमुखेन नखानामेव, तत्रापि याम्यपाणिपादस्यैव तत्राप्यंगुष्ठयोरेवेति त्रयाणां प्राथम्यमाह—**स वै नखान्ये**वेत्यादिना । 'देवत्रा' देवेषु, देवसम्बन्धिकर्मणि एवं कर्तव्यमित्यर्थः (का.श्रौ.सू.७।३६।५।३६) ॥४॥

स दुक्षिणमेवाग्रे गोदानं व्वितारयति । सव्यं वाऽअुग्रे मानुषेऽथैवं देवत्रा ॥ ५ ॥
स दुक्षिणमेवाग्रे गोदानमुभ्युनत्ति । (त्ती) इमाऽ आपः शमु मे सन्तु देवीरिति स यदाहेमा आपः शमु मे सन्तु देवीरिति व्वज्रो वाऽआपो व्वज्रो हि वाऽआपस्तुस्माद्येनैता युन्ति निम्नं कुर्व्वन्ति युत्रोपतिष्ठन्ते निर्दहन्ति तत्तुदेतुमेवैतद्वज्रꣳ शमयति तुथो हैनमेष व्वज्रः शान्तो नु हिनस्ति तुस्मादाहेमाऽआपः शमु मे सन्तु देवीरिति ॥ ६ ॥
(त्यु) अुथ दर्भतरुणकुमन्तुर्दधाति । (त्यो) ओषधे त्रायस्वेति व्वज्रो वै क्षुरस्तुथो हैनमेष व्वज्रः क्षुरो नु हिनस्त्युथ क्षुरेणाभिनिदधाति स्वधिते

स दक्षिणमेवाग्रे गोदानं वितारयति । सव्यं वा अग्रे मानुषे । अथैवं देवत्रा ॥ ५ ॥

स दक्षिणमेवाग्रे गोदानमभ्युनत्ति–" इमा आपः शमु मे सन्तु देवीः "–(वा. सं. ४।१) इति । स यदाह–इमा आपः शमु मे सन्तु देवीरिति । वज्रो वा आपः । वज्रो हि वा आपः तस्माद्–येनैता यन्ति निम्नं कुर्वन्ति, यत्रोपतिष्ठन्ते निर्दहन्ति । तत्तदेतमेवैतद् वज्रं शमयति । तथो हैनमेष वज्रः शान्तो न हिनस्ति । तस्मादाह–इमा आपः शमु मे सन्तु देवीरिति ॥ ६ ॥

अथ दर्भतरुणकमन्तर्दधाति–"ओषधे त्रायस्व"(वा. सं. ४ । १)इति । वज्रो वै क्षुरः । तथो

वपने दक्षिणस्य भागस्य प्राथम्यमाह–**स दक्षिणमेवेति** । ' गोदानं ' नाम कर्णस्योपरिप्रदेशः तं ' वितारयति ' विभजेत् । यस्य चाग्रे वपनम्, तस्यैव चोन्दनप्राथम्यं युक्तम् ॥ ५ ॥

समन्त्रकं वपनमाह–**इमा आप** इति । ' आपः शं सन्तु '–इति शान्तिप्रार्थनायाः क्रौर्यप्रसङ्गं दर्शयति–**वज्रो वा आप** इति । एतत्प्राग्व्याख्यातम् (श. प. १।१।१।१७) ॥ ६ ॥

क्षुरविदारणपरिहाराय केशानामुपरि दर्भस्थापनं समन्त्रमाह–**अथेति** । **दर्भतरुणकमित्यादि** । दर्भपाणिरित्यर्थः(७।३८)। क्षुरस्य हिंसकत्वात् ततः पालनप्रार्थना। तत्र समन्त्रकं क्षुरनिधानमाह-**अथ क्षुरेणेति**(७।३९)॥ ७

१–गोदानञ्च दक्षिणं शिरःपार्श्वम् । गवि पृथिव्यां दीयत इति गोदानम् इति का. श्रौ. सूत्र ७ । ३७ भाष्ये कर्कः ।

२–दक्षिणं गोदानं वितार्योनत्तीमा आप इति।७–३७।यूपवत्कुशतरुणं ३८।क्षुरेण चाभिनिधाय ३९।छित्त्वोदपात्रे प्रास्यति ४०।एवमुत्तरं तूष्णीं ४१।नापिताय क्षुरं प्रयच्छति ४२। तेन केशश्मश्रु वपति ४३। आपो अस्मानिति स्नात्वा ४४। वितारणं कंकतादिना केशोन्मोचनं । उनत्ति–उंदी क्लेदने–तिम्मयतीत्यर्थः। गोदानं च--दक्षिणं शिरसः पार्श्वम् । स्वपद्भिर्गवि पृथिव्यां दीयते यत्तद्गोदानम् । यूपवदिति–ओषधे त्रायस्वेति मंत्रातिदेशः। कुशतरुणं–सूक्ष्मं कुशाग्रं, दर्भतरुणमिति हरिस्वामिनः। चकारेण यूपवदित्यतिदेशः। तेन च स्वधिते मैनꣳ हिꣳसीरिति मंत्रातिदेशः। केशाः शिरोगताः। तथाहामरसिंहः–' चिकुरः कुंतलो वालः कचः केशः शिरोरुहः ' इति । श्मश्रु मुखजरोमाणि । तथाहामरसिंहः–'तनूरुहं रोमलोमतद्वृद्धौ श्मश्रु पुंमुखे'इति । तानि च भ्रूचक्षुषां रोमाणि वर्जयित्वेति देवयाज्ञिकः । मुखलक्षणमायुर्वेदे–' औष्ठौ च दंतमूलानि दंता जिह्वा च तालु च । गलो गलादिसकलं सप्तांगं मुखमुच्यते ' इति । दृष्टार्थत्वाच्चोदकुंभोदकेनैव स्नानमिति कर्कः । कर्कोक्तैवकारेण–स्थावराप्सु स्नाति शंखिनीष्ववकिनीषु लोमशे तीर्थे कुंडे हिरण्यमवधाय तस्मिन् स्नातीति वाजसनेयकमित्यापस्तम्बोक्तादिनिरासः । तथा देवयाज्ञिकोक्तं–उदकुंभनिधानमदृष्टार्थमितितु–दृष्टे फले संभवति नादृष्टपरिकल्पना–इति न्यायाननुगतमेव । एवमुदिदाभ्य इति मंत्रलिंगविरोधो न हि स्नानमंत्रगतः । मंत्रान्तरगतत्वाच्चेत्यपि बोध्यम् । एवं च कर्कप्रामाण्यात् स्नानार्थमुदकुंभोदकप्रतिष्ठापनविधानमेवेति सिद्धांतः ॥

मैनᳯँ हिᳯँसीरिति व्वुज्रो वै क्षुरस्तथो हैनमेष व्वुज्रः क्षुरो न हिनस्ति ॥७॥

प्रच्छिद्योदपात्रे प्रास्यति । तूष्णीमेवोत्तरं गोदानमभ्युनक्ति तूष्णीं दर्भतरुणकमन्तर्दधाति तूष्णीं क्षुरेणाभिनिधाय प्रच्छिद्योदपात्रे प्रास्यति ॥८॥

(त्यु) अथ नापिताय क्षुरं प्रयच्छति । स केशश्मश्रु व्वपति स यदा केशश्मश्रु व्वपति ॥ ९ ॥

(त्यु) अथ स्नाति । (त्य) अमेध्यो वै पुरुषो यदनृतं व्वदति तेन पूतिरन्तरतो मेध्या वाऽआपो मेध्यो भूत्वा दीक्षाऽइति पवित्रं वाऽआपः पवित्रपूतो दीक्षाऽइति तस्माद्वै स्नाति ॥ १० ॥

स स्नाति । (त्या) आपोऽअस्मान्मातरः शुन्धयन्त्वित्येतद्ध्याह शुन्धयन्त्विति घृतेन नो घृतप्वः पुनन्त्विति तद्वै सुपूतं यं घृतेन पुनंस्तस्मादाह घृतेन नो घृतप्वः पुनन्त्विति व्विश्वᳯँ हि रिप्रं प्रवहन्ति देवीरिति यद्वै व्विश्वᳯँ सर्व्वं तद्यदमेध्युᳯँ रिप्रं तत्सर्व्वᳯँ ह्यस्मादमेध्यं प्रवहन्ति तस्मादाह व्विश्वᳯँ हि रिप्रं प्रवहन्ति देवीरिति ॥ ११ ॥

हैनमेष वज्रः क्षुरो न हिनस्ति । अथ क्षुरेणाभिनिदधाति । "स्वधिते मैनं हिंसीः" (वा. सं. ४।१) इति । वज्रो वै क्षुरः, तथो हैनमेष वज्रः क्षुरो न हिनस्ति ॥ ७ ॥

प्रच्छिद्योदपात्रे प्रास्यति । तूष्णीमेवोत्तरं गोदानमभ्युनक्ति । तूष्णीं दर्भतरुणकमन्तर्दधाति । तूष्णीं क्षुरेणाभिनिधाय प्रच्छिद्योदपात्रे प्रास्यति ॥ ८ ॥

अथ नापिताय क्षुरं प्रयच्छति । स केशश्मश्रु वपति स यदा केशश्मश्रु वपति ॥ ९ ॥

अथ स्नाति । अमेध्यो वै पुरुषो—यदनृतं वदति । तेन पूतिरन्तरतः । मेध्या वा आपः । 'मेध्यो भूत्वा दीक्षै'—इति । पवित्रं वा आपः । 'पवित्रपूतो दीक्षै' इति । तस्माद्वै स्नाति ॥ १० ॥

स स्नाति—"आपो अस्मान्मातरः शुन्धयन्तु" (वा. सं. ४ । २) इति । एतद्ध्याह शुन्धयन्त्विति "घृतेन नो घृतप्वः पुनन्तु"—(वा. सं. ४।२) इति । तद्वै सुपूतं—यं घृतेनपुनंस्त-

---

प्रच्छिद्येति स्पष्टम् (७।४०) । उत्तरं गोदानोन्दनादिकममन्त्रकमित्याह—तूष्णीमेवेति (७।४१) ॥ ८ ॥

अथ नापितायेति । स्पष्टम् (७ । ४०–४३) ॥ ९ ॥

स्नानं विधाय प्रशंसति—अथ स्नातीति । एतद्व्रतोपायनार्थवादवाक्यवद् व्याख्येयम् ॥ १० ॥

स्नानमन्त्रमाह—स स्नातीत्यादिना । आपो अस्मानिति (७।४४) । 'मातरः' ओषधिवनस्पत्यादिसकलनिर्मात्र्यः 'यं घृतेन' पावयन्ति, तस्यैव सुपूतत्वाद् घृतेन पुनन्त्विति प्रार्थनं युक्तमित्यर्थः । तृतीयपादस्य तात्पर्यमाह—विश्वं हीति । "रपो रिप्रमिति । पापनामनी भवतः" इति निरुक्तम् ४।३।९। 'यद् विश्वं' तत् सर्वमुच्यते, 'यदमेध्यम्' 'तत् रिप्रम्' अतो देहगतं मालिन्यमात्मगतं पापं सर्वं द्योतमाना आपः 'अस्माद्' यजमानात् अपगमयन्ति यतः, अत एवाह मन्त्र इत्यर्थः ॥ ११ ॥

(त्यु) अथ प्राङिवोदङ्ङुत्क्रामति । (त्यु) उदिदाभ्यः शुचिरा पूत एमीत्युद्ध्याभ्यः शुचिः पूत एति ॥ १२ ॥

(त्यु) अथ वासः परिधत्ते । सर्वत्वायैव स्वामेवास्मिन्नेतत्त्वचं दधाति या ह वाऽइयं गोस्त्वक्पुरुषे हैषाऽग्रऽआस ॥ १३ ॥

ते देवा अब्रुवन् । (न्गौ) गौर्वाऽइदꣳ सर्वं बिभर्ति हन्त येयं पुरुषे त्वग्गव्येतां दधाम तयैषा वर्षन्तं तया हिमं तया घृणिं तितिक्षिष्यतऽइति ॥ १४ ॥

तेऽवच्छाय पुरुषम् । गव्येतां त्वचमदधुस्तयैषा वर्षन्तं तया हिमं तया घृणिं तितिक्षते ॥ १५ ॥

(तेऽव) अवच्छितो हि वै पुरुषः । (स्त) तस्मादस्य यत्रैव क्व च कुशो

स्मादाह घृतेन नो घृतप्वः पुनन्त्विति । " विश्वं हि रिप्रं प्रवहन्ति देवीः " (वा. सं. ४।२) इति । यद्वै विश्वं–सर्वं तत् । यदमेध्यं रिप्रं तत् । सर्वं–ह्यस्मादमेध्यं प्रवहन्ति । तस्मादाह–विश्वं हि रिप्रं प्रवहन्ति देवीरिति ॥ ११ ॥

अथ प्राङिवोदङ्ङुत्क्रामति–" उदिदाभ्यः शुचिरापूत एमि "–(वा. सं. ४ । २) इति । उद्ध्याभ्यः शुचिः पूत एति ॥ १२ ॥

अथ वासः परिधत्ते सर्वत्वायैव । स्वामेवास्मिन्नेतत्त्वचं दधाति । या ह वा इयं गोस्त्वक्–पुरुषे हैषाऽग्र आस ॥ १३ ॥

ते देवा अब्रुवन्–गौर्वा इदं सर्वं बिभर्ति । हन्त येयं पुरुषे त्वक्–गव्येतां दधाम । तयैषा वर्षन्तम् । तया हिमम् । तया घृणिम्, तितिक्षिष्यत इति ॥ १४ ॥

तेऽवच्छाय पुरुषं गव्येतां त्वचमदधुः । तयैषा वर्षन्तम्, तया हिमम्, तया घृणिम्, तितिक्षते ॥ १५ ॥

अवच्छितो हि वै पुरुषः । तस्मादस्य यत्रैव क्व च कुशो वा यद्वा विकृन्तति तत एव लोहितमुत्पतति ।

उदिदाभ्य इति चरमपादस्य पृथग् विनियोगमाह–अथ प्राङिवोदङ्ङुत्क्रामतीति । 'आभ्यः' अद्भ्यः सकाशात् शुद्ध एव सन् उद्गच्छामीति तस्यार्थः ॥ १२ ॥

वासःपरिधानं विधाय प्रशंसति–अथ वास इति (का. श्रौ. सू. ७।४९) । 'परिधानम्' उपसंव्यानम्, तद्धारणं सर्वस्यैव दीक्षितस्य 'सर्वत्वायैव' न त्वतिरिक्तः कश्चिद्विशेषोऽस्तीत्येवप्रकारेणाह । गतो बाराधारणेन 'त्वचमेव 'धृतवान् भवति यस्मात् तत एतद्धारणवतः सर्वत्वमित्यर्थः । उपरितनग्रन्थः सर्वोऽप्येतस्यैवोपपादकः । इदानीं गव्याश्रिता 'इयं' त्वक् 'अग्रे' पुरा 'पुरुषे' 'आस' स्थिता ॥ १३ ॥

ते देवा इति । 'देवाः' किमर्थमियं त्वक् पुरुषे वर्तते, गोस्तु बहूपकारवती; अतस्तां त्वचं तत आदाय गवि स्थापयामो वृष्टिहिमादिकं परिहरत्विति पुरुषाद् गवि अधारयन् ॥ १४ ॥ १५ ॥

अवच्छित इति । पुरुषादपगमे लिङ्गमाह–तस्मादस्येति । कुशाद्युपघाते सति रक्तस्रावदर्शनाद् देवैस्त्वचो

१–उदिदाभ्य इत्युत्क्रामत्युत्तरपूर्वार्द्धम् । का. श्रौ. सू. ७।४४। २–यस्मात्त्वच एव धारणमतः सर्वत्वमित्यर्थः । इ० क०।

वा अद्धा विकृन्तति तत एव लोहितमुत्पतति तस्मिन्नेतां त्वचमदधुर्वास
एव तस्मान्नान्यः पुरुषाद्वासो बिभर्त्येताᳬं ह्यस्मिँस्त्वचमदधुस्तस्मादु
सुवासा एव बुभूषेत्स्वया त्वचा समृध्याऽइति तस्मादप्यश्लीलᳬं सुवाससं
दिदृक्षन्ते स्वया हि त्वचा समृद्धो भवति ॥ १६ ॥

नो हान्ते गोर्नग्नः स्यात् । (द्वे) वेद ह गौरहमस्य त्वचं बिभर्मीति सा बिभ्यती त्रसति त्वचं मऽआदास्यतऽइति तस्मादु गावः सुवाससमुपैव निश्रयन्ते ॥ १७ ॥

तस्य वाऽएतस्य वाससः । (सोऽग्नेः) अग्नेः पर्यासो भवति वायोरनुच्छादो नीविः पितृणाᳬं सर्पाणां प्रघातो विश्वेषां देवानां तन्तव आरोका नक्षत्राणामेवᳬं हि वाऽएतत्सर्वे देवा अन्वायत्तास्तस्माद्दीक्षितवसनं भवति ॥ १८ ॥

तस्मिन्नेतां त्वचमदधुः—वास एव । तस्मान्नान्यः पुरुषाद्वासो बिभर्ति । एतां ह्यस्मिंस्त्वचमदधुः । तस्मादु सुवासा एव बुभूषेत्—स्वया त्वचा समृध्यै इति । तस्मादप्यश्लीलं सुवाससं दिदृक्षन्ते । स्वया हि त्वचा समृद्धो भवति ॥ १६ ॥

नो हान्ते गोर्नग्नः स्यात् । वेद ह गौः अहमस्य त्वचं बिभर्मीति । सा बिभ्यती त्रसति त्वचं म आदास्यते' इति । तस्मादु गावः सुवाससमुपैव निश्रयन्ते ॥ १७ ॥

तस्य वा एतस्य वाससः । अग्नेः पर्यासो भवति, वायोरनुच्छादः, नीविः पितृणाम्, सर्पाणां प्रघातः,

---

विकर्तनं सिद्धमित्यर्थः । तदा पुरुषाणां निस्त्वक्त्वपरिहाराय वस्त्रमकल्पयन् । तस्मात्तेषामेवासाधारणमभूत् । भृतेन च सम्भूषितो भवति । तथा च लौकिका आहुः—'वस्त्रं पुरुषस्यालङ्कारः' इति लोके निन्दितमपि सुवाससं समाजादौ सम्यक् पश्यन्ति ॥ १६ ॥

पुरुषस्य त्वचो गवि स्थापनं यदस्ति, तत्किमर्थमिति प्रसङ्गात् कश्चित् काश्चिद् पुरुषार्थनियममाह—**नो हान्त** इति । कदाचिदपि गोसमीपे विवासा न भवेत् । यस्मात्तु सा ' अस्य त्वचं' धारयामीति जानीतेत्यतो ' **न नग्नः** स्यात् ' । जानातु नाम का हानिरित्यत आह—**सा बिभ्यती**ति । पुनस्त्वगपच्छेदभयात् ' त्रसति ' भीत्या कम्पते । **तस्मादि**ति । स्पष्टम् ॥ १७ ॥

विहितं वस्त्रं सर्वदेवतात्मकत्वेन प्रशंसति—**तस्य वा** इति । 'तस्य' वस्त्रस्य, परितः तिर्यक् अस्यत इति 'पर्यासः' तिर्यक्तन्तुसन्दर्भः । सः 'अग्नेर्भवति' अग्निदेवताको भवति, सोऽभिमन्यत इत्यर्थः । 'अनुच्छादः' अनुलोममाच्छाद्यत इति । सः 'वायोः' भवति । 'नीविः' आद्यन्तप्रदेशः । स 'पितृणाम्' । 'प्रघातः'[1] सर्वहननस्थानं निबिडीभूतप्रदेशः । सः 'सर्पाणाम्' । 'तन्तवः' स्वरूपेण, 'विश्वेषां देवानाम्' । ' आरोकाः ' मध्ये[2]च्छिद्राणि । तत् ' नक्षत्राणाम् ' । ' तस्मात् ' सकलदेवत्यत्वात् ' दीक्षितवसनम् ' अवश्यं भवितव्यम् ॥ १८ ॥

१—" प्रघातो दण्डेन शलाकोपघातेन वा प्रहारः " इति तै. सं. १।२।१;६।१।१ सा. भा. । २—"मध्ये च्छिद्राणि " इ० पा. ।

तद्वाऽअहतꣳ स्यात्। (द) अयातयामुतायै तद्वै निष्पेष्टवै ब्रूयाद्युदे-
वास्यात्रामेध्युमा क्नूणत्ति वा व्वुयति वा तुदस्य मेध्यमुसदिति युद्यु ऽअहतꣳ
स्यादुद्भिरभ्युक्षेन्मेध्यमसदित्युथो युदिदꣳ स्नातवुस्यं निहितमुपल्पूलन-
कृतं भुवति तेनो ह्वापि दीक्षेत ॥ १९ ॥

तत्पुरिधत्ते। दीक्षातपसोस्तनूरसीत्युदीक्षितस्य वाऽअस्यैषाऽग्रे तनूर्भ-
वत्यथात्र दीक्षातपुसोस्तुस्मादाह दीक्षातपुसोस्तनूरसीति तां त्वा

विश्वेषां देवानां तन्तवः, आरोका नक्षत्राणाम्। एवं हि वा एतत्सर्वे देवा अन्वायत्ताः तस्माद्दीक्षित-
वसनं भवति ॥ १८ ॥

तद्वा अहतं स्यात्–अयातयामतायै। तद् वै निष्पेष्टवै ब्रूयात् यदेवास्यात्रामेध्या क्नूणत्ति वा वयति
वा तदस्य मेध्यमसदिति। यद्यु अहतं स्याद्–अद्भिरभ्युक्षेत्–मेध्यमसदिति। अथो यदिदं स्नातवस्यं
निहितं अपल्यूलनकृतं भवति–तेनो हापि दीक्षेत ॥ १९ ॥

तत्परिधत्ते–"दीक्षातपसोस्तनूरसि" (वा.सं. ४।२) इति। अदीक्षितस्य वा अस्यैषाऽग्रे

तस्य वस्त्रस्य नूतनत्वं विधत्ते–तद्वा अहतमिति। 'अयातयामतायै'. अशिथिलत्वाय 'तत्' 'अहतम्'
वस्त्रं 'निष्पेष्टवै' क्षालयितुमन्यं 'ब्रूयात्'। 'अस्य' वस्त्रस्य 'यत्' 'अमेध्यम्' 'आक्नूणत्ति' आक्न-
णोति, आश्लिष्टं करोति निर्माणकाले, सहैव 'वयति' च। 'अहतं' चेत् अभ्युक्षणमेव कर्तव्यम्। तत्प्रयो-
जनं 'मेध्यमसदिति' मेध्यार्हं भवेदिति क्षालनम् ॥

पक्षान्तरमाह–अथो यदिदमिति। स्नातेन पुरुषेणाच्छाद्यम् धार्यम्, 'अपल्यूलनकृतं' क्षारद्रव्यसहितेनाधौ-
तम्; (७।४७) प्रतिदिनं प्रक्षाल्य यदेव धार्यते, तदित्यर्थः। तेन वा दीक्षेत ॥ १९ ॥

उक्तविधस्य वाससः समन्त्रकं परिधानं विधत्ते–तत् परिधत्त इति। दीक्षातपसोस्तनूरसीति।

१–कात्यायनः 'क्षौमं वस्ते निष्पेष्टवै ब्रूयादहतं' ७। ४५। चेदद्भिरभ्युक्ष्य। ७। ४६। स्नातवस्यंवाऽमौत्रधौतं विचितकेशं
प्रसारितदशं दीक्षातपसोरिति ४७ ॥ क्षौममातसं। (जवस) "अतसी स्यादुमाक्षुमे" त्यमरः। अहतमधौतमिति कर्कः। देव-
याज्ञिकस्तु–वासस उपघातः परिधानेन रागेण वा भवति। अतोऽहतमपरिहितमरक्तं चेत्याह। निष्पेष्टवै–'पिष्लृसंचूर्णने' धातुः। तेन च
हस्ताभ्यां संपेष्टव्यमिति प्रैषार्थः। ततश्च ब्राह्मणहस्तसंपर्कान्मेध्यताभवतीत्यभिप्रायः। अहतं चेदद्भिरभ्युक्ष्य वा परिधत्ते। इति वार...
धावनाद्भिरभ्युक्षणयोर्विकल्प.। स्नातवस्यं स्नातेन पत्यहं कृतस्नानेन वस्यं वसनीयं सदा परिधानीयं यद्वासस्तत्स्नातवस्यं। तदमौत्र-
धौतमरजकधौतं। विचितकेशं विचिताः निष्कासिताः केशा यस्मात्तद्विचितकेशं स्नातवस्यमहतं चेत्युभयमपि विचितकेशं प्रसा-
रितदशामित्यभ्युपेतव्यम्।

उत्तरीयं च वासः काण्वपाठात्। तथाच श्रुतिः। "तस्मादेतद्दीक्षणीयं तदहत ꣳ स्यादित्याहुस्तदुभयं निष्पेष्टवै ब्रूयात्" इति ॥
हरिस्वामिनस्तु एकं वासः परिधानीयमेवाहुः। तथाहि। तदेकमेव। सर्वत्रैकत्वदर्शनात्। उपादेयगतस्यैकत्वस्याविवक्षाकारणाभावात्।
"तस्य वा एतस्य वाससः" "नेदिदं दीक्षितवसनं परिधाय" "अंतरं दीक्षितवसनात्।" अथैनं परिधापयंतीति, इति हि सर्वत्रै-
कमेव दृश्यते। तथा–दंपत्योर्द्वे वाससी दर्शयति। "तावन्ये वाससी परिधापयेते" इति। तथाच "अथैनं वासांꣳसि परिधाप-
यन्ति" इति बहुषु बहुवचनमेव दृश्यते। तेन विवक्षितमित्यवसीयते–तच्चाधोवासः स्यात्। नीविदर्शनात्। अंतरं दीक्षितवसनादि-
त्यादौ परिदधातेश्च तत्रैव रूढत्वादिति ॥ कर्काशयस्तु–उत्तरीयं सामर्थ्यपरिप्रापितमेवेति सूत्रकृता नोपनिबद्धं। तथा च–कृष्णविषाणां
त्रिवलिं पंचवलिं वोत्तानां दशायां बध्नीते। ७। ९१ इत्यस्मिन् सूत्रे कर्कः। सामर्थ्यपरिप्रापितत्वाच्चोत्तरे सिचि बध्नीत इति नोक्तमिति ॥

शिवाᳪं शग्मां परिदधऽइति तां त्वा शिवाᳪं साध्वीं परिदधऽइत्येवैतदाह भद्रं व्वर्णं पुष्यन्निति पापं वाऽएषोऽग्रे व्वर्णं पुष्यति यममुमदीक्षितोऽथात्र भद्रं तस्मादाह भद्रं व्वर्णं पुष्यन्निति ॥ २० ॥

(त्यु) अथैनᳪं शालां प्रपादयति । स धेन्वै चानडुहश्च नाश्नीयाद्धेन्वनडुहौ वाऽइदᳪं सर्वं बिभृतस्ते देवा अब्रुवन्धेन्वनडुहौ वाऽइदᳪं सर्वं बिभृतो हन्त यदन्येषां व्वयसां व्वीर्यं तद्धेन्वनडुहयोर्दधामेति स यदन्येषां व्वयसां व्वीर्यमासीत्तद्धेन्वनडुहयोरदधुस्तस्माद्धेनुश्चैवानड्वांश्च भूयिष्ठं भुङ्क्तस्तद्धैतत्सर्वाश्यमिव यो धेन्वनडुहयोरश्नीयादन्तगतिरिव तᳪं हाद्भुतमभिजनितोर्जायायै गर्भं निरवधीदिति पापमकदिति पापी कीर्तिस्तस्माद्धेन्वनडुहयोर्नाश्नीयात्तदु होवाच याज्ञवल्क्योऽश्नाम्येवाहमᳪंसलं चेद्भवतीति ॥ २१ ॥ इति प्रथमप्रपाठके द्वितीयं ब्राह्मणम् ॥ १ ॥ २ ॥

तनूर्भवति–अथात्र दीक्षातपसोः । तस्मादाह–दीक्षातपसोस्तनूरसीति । “ तां त्वा शिवां शग्मां परिदधे”–इति (वा. सं. ४।२)। तां त्वां शिवां साध्वीं परिदध इत्येवैतदाह । “भद्रं वर्णं पुष्यन्”–(वा. सं. ४।२) इति । पापं वा एषोऽग्रे वर्णं पुष्यति–यममुमदीक्षितः–अथात्र भद्रम् । तस्मादाह–भद्रं वर्णं पुष्यन्निति ॥ २० ॥

अथैनं शालां प्रपादयति । स धेन्वै चानडुहश्च नाश्नीयात् । धेन्वनडुहौ वा इदं सर्वं बिभृतः । ते देवा अब्रुवन्–धेन्वनडुहौ वा इदं सर्वं बिभृतः । हन्त यदन्येषां वयसां वीर्यम्–तद्धेन्वनडुहयोर्दधामेति । स यदन्येषां वयसां वीर्यमासीत्–तद् धेन्वनडुहयोरदधुः। तस्माद्धेनुश्चैवानड्वांश्च भूयिष्ठं भुङ्क्तः । तद्धैतत्सर्वाश्यमिव–यो धेन्वनडुहयोरश्नीयाद् अन्तगतिरिव । तं हाद्भुतमभिजनितो जायायै गर्भं निरवधीदिति पापमकदिति । पापी कीर्तिः । तस्माद्धेन्वनडुहयोर्नाश्नीयात् तद्ध होवाच याज्ञवल्क्यः–अश्नाम्येवाहमंसलं चेद्भवतीति ॥ २१ ॥

‘ आह ’ मन्त्रभागः।द्वितीयभागे शग्मामिति तनूः संस्पृष्टत्वतनूः । ‘ अग्रे ’ प्राक् ‘ अदीक्षितस्यैषा तनूः ’ आसीत्, ‘ अथ ’ इदानीं तु दीक्षितदण्डकृष्णाजिनधारणनवनीताभ्यञ्जनादिसाध्यः संस्कारः, तपोऽशनवर्जनादिजन्यक्लेशसहनात्मकम्; तदुभयमनेन प्राप्तत्वाद् । दीक्षातपसोस्तनूरसि–इतिशब्दस्य तात्पर्यमाह–**साध्वीमिति** । वस्त्रस्य तनुत्वाभिधानात् स्त्रीलिङ्गता । तृतीयभागमनूद्य व्याचष्टे–**भद्रं वर्णं पुष्यन्निति** । भद्रत्वसमर्थनाय पूर्वत्राभद्रत्वं प्रसञ्जयति–**पापं वा एष** इति ॥ २० ॥

अथ क्षौरानन्तरं स्नातस्य धृतवाससः शालाप्रवेशं विधत्ते–**अथैनमिति** । ‘ प्रपादयति ’ गमयेदध्वर्युः(का. श्रौ.सू. ७।७१)।अस्याप्यशनकालत्वादत्राशने कञ्चिन्नियममाह–**स धेन्वै चेति** । धेनोः क्षीरादिकाम्, अनडुहः सम्बन्धि कर्षणसाध्यमित्यर्थः । तदुभयं ‘ नाश्नीयात् ’ धेन्वनडुहयोः सर्वजगदुपकारकत्वात् तदीयाशनप्रतिषेध इत्यर्थः । एतदेवोपपादयति–**ते देवा** इत्यादिना । अनयोः सर्वोपकारकत्वं विज्ञाय देवैः ‘वयसाम् ’ ‘अन्येषां’च पशूनां ‘वीर्यं,

१–‘ वाग्यतं प्रवेशयत्याहवनीयगार्हपत्यावन्तरेण ’ इति ।

अपुः प्रणीय । (या) आग्नावैष्णवमेकादशकपालं पुरोडाशं निर्व्वपत्यग्निर्वै सुर्व्वा देवताऽअग्नौ हि सुर्व्वाभ्यो देवुताभ्यो जुहृत्यग्निर्वै यज्ञस्याव-राध्योर्ं विष्णुः पराुर्ध्यस्तत्सुर्व्वाश्चैवैतुद्देवुताः परिगृह्य सुर्व्वं च यज्ञं परि-गृह्य दीक्षाऽइति तुस्मादाग्नावैष्णव ऽएकादशकपालः पुरोडाशो भवति॥१॥

तद्धैके । (क ऽ) आदित्युेभ्यश्चरुं निर्व्वपन्ति तुदस्त्ति पुर्य्युदितमिवाष्टौ

अपः प्रणीय, आग्नावैष्णवमेकादशकपालं पुरोडाशं निर्वपति । अग्निर्वै सर्वा देवताः । अग्नौ हि सर्वाभ्यो देवताभ्यो जुह्वति । अग्निर्वै यज्ञस्यावरार्ध्यः, विष्णुः परार्ध्यः । तत् सर्वाश्चैवैतद्देवताः परिगृह्य, सर्वं च यज्ञं परिगृह्य, दीक्षे इति । तस्मादाग्नावैष्णव एकादशकपालः पुरोडाशो भवति॥१॥

तद्धैके–आदित्येभ्यश्चरुं निर्वपन्ति । तदस्ति पर्युदितमिव । " अष्टौ पुत्रासो अदितेर्ये जाता-

---

सारमादाय धेन्वनडुहयोः स्थापितत्वात् तदश्नतः सर्वाशनं भवति । तस्य च जायायाः गर्भसम्भवे सति तत् सर्वाशनं तं रेतोरूपेण परिणतं 'गर्भं' हिंस्यात् । तत् पापकीर्तिः स्यात् । तदुभयोरन्नं 'नाश्नीयात्' । तत्र याज्ञवल्क्यपक्षमाह–**तदु होवाचे**ति । चेदिति यस्मादर्थे । यस्मादुभयाशने शरीरम् 'अंसलं[1] भवति' । तस्मात् 'अश्नाम्यहं' तयोरन्नमश्नीयामेवेत्यर्थः । एकहायनप्रभृत्यापञ्चहायना गावो वयांसि; तथैवापस्तम्बेनाभिधानात्[2] । अत्र कात्यायनः– "धेन्वनडुहयोर्नाश्नीयात्, पुरुषधर्मो वा सम्भवात्, अंसलभोजनं वा" का. श्रौ. सू. ७।९१–९३–इति ॥ २१ ॥

इति श्रीसायणाचार्यविरचिते माधवीये वेदार्थप्रकाशे माध्यन्दिनशतपथब्राह्मणभाष्ये तृतीयकाण्डे प्रथमाध्याये द्वितीयं ब्राह्मणम् ॥ (३–१–२) ॥

अपः[3]प्रणयनानन्तरं दीक्षाङ्गभूतायाः आग्नावैष्णवेष्टेः प्रयोगं विधत्ते–**अपः प्रणीयाग्नावैष्णवमि**ति । 'निर्वपति' निर्वपेयुरिति विधिः । तत्र जातमग्निं प्रशंसति–**अग्निर्वा** इति । अग्निरवरार्ध्यः अवरार्द्धे पूर्वार्द्धे भवः आदिम इत्यर्थः । 'विष्णुः परार्द्ध्यः' निंहितः, परोऽस्ति "परावराधम–"(पा. सू. ४।३।५) इत्यादिना यत् । "एते वै यज्ञस्यान्ते तन्वौ " इत्यैतरेयकम् (ऐ. ब्रा.१।१।१।) "अग्निर्मुखं प्रथमो देवतानां सङ्गतानामुत्तमो विष्णुरासीत्" (आश्व. सू. ४।२।३।) (तै. ब्रा. २।४।३।३।) इति । यष्टव्यदेवतानामाद्यन्तत्वाभिधानादुक्तरूपत्वम् । अथवा आज्यशस्त्रे " भूरग्निर्ज्योतिः–" (ऐ. ब्रा. २ । ९ । ९) इति, अन्तिमे मरुत्वतीयशस्त्रे " विष्णोर्नुकम् "– (ऋ. सं. १० । १९४ । १ ।) इति, यज्ञस्याद्यन्तयोरग्नेर्विष्णोश्चाभिधानादवरार्ध्यपरार्ध्यत्वं द्रष्टव्यम् । यद्वा दीक्षणीयेष्टावाग्नावैष्णवीयाग्निसम्भवादुदवसानीयेष्ट्यवसाने वैष्णवपूर्णाहुतेर्वाजसनेयिभिराम्नातत्वात्तयोरिष्ट्योश्च यज्ञस्याद्यन्तत्वादुक्तविधत्वमग्नाविष्ण्वोः । **तस्मादि**ति । प्रतिपादितार्थोपसंहारः ॥ १ ॥

अत्रा[4]दित्यचरुमपि स्वसमृद्धिफलकामस्य विधत्ते–**तद्धैक** इति । 'आदित्येभ्यः ' अदितेः पुत्रेभ्यः धात्र-

---

१–' अंसौ विद्येते यस्यासावंसलः । अंसौ च बाहुमूले, तौ तु सर्वस्यापि भवत इति विशेषणानुपपत्तिः. अतोऽत्रांसाभ्यां बलं लक्ष्यते । " वत्सांसाभ्यां कामबले "–इति हि (पा. सू. ५ । २ । ९८) लच् प्रत्ययः । "बलवान् मांसलोंऽसलः " इति चामरः २ । ६ । ४४ । २–" पष्ठौहीं त्वन्तर्वत्नीं दद्यात्; सा हि सर्वाणि वयांसि "–इत्यादि (तै. ब्रा. ३ । ९२ । ५ । ९) सायणभाष्यमप्यालोचनीयम् । ३–' अपःप्रणयनं ' इति कर्मनामधेयं; अन्यथा अपां प्रणयनमिति वाच्यं स्यात् । ४–आदित्येभ्यो वा चरुरिति । ७ । ५५ । सा चेयं स्त्रपदगतविभाषा । तद्धैक आदित्येभ्यश्चरुं निर्वपंतीति वचनादिति अत्रत्यः कर्कः । ततश्चायमर्थः सिद्धः । आदित्येभ्यश्चरुः कर्तव्यो वा न वेति विकल्पः, आग्नावैष्णव एकादशकपालस्तु कर्तव्य एवेति ॥

पुत्रासोऽअदितेर्ये जातास्तन्वस्परि ॥ देवा २॥ ऽउप प्रैत्सप्तभिः परामार्ताण्डमास्यदिति ॥ २ ॥

(त्य) अष्टौ ह वै पुत्रा अदितेः। (याँ) यांस्त्वेतद्देवा ऽआदित्या इत्याचक्षते सप्त हैव तेऽविकृतꣳ हाष्टमं जनयांचकार मार्ताण्डꣳ संदेघो हैवास यावानेवोर्ध्वस्तावांस्तिर्यङ्ङ् पुरुषसंमित ऽइत्यु हैकऽआहुः ॥ ३ ॥

(स्तुऽ) तऽउ हैतऽऊचुः। (दें) देवा ऽआदित्या यदस्मानन्वजानि मा तदमुयेव भूद्धन्तेमं विकरवामेति तं विचक्रुर्यथाऽयं पुरुषो विकृतस्तस्य यानि माꣳसानि संकृत्य संन्यासुस्ततो हस्ती समभवत्तस्मादाहुर्न हस्तिनं प्रतिगृह्णीयात्पुरुषाजानो हि हस्तीति यमु ह तद्विचक्रुः स विवस्वानादित्यस्तस्येमाः प्रजाः ॥ ४ ॥

स्तन्वस्परि। देवा २॥ऽउप प्रैत्सप्तभिः परामार्ताण्डमास्यत–" इति ॥ २ ॥

अष्टौ ह वै पुत्रा अदितेः–यांस्त्वेतद्देवा आदित्या इत्याचक्षते। सप्त हैव ते अविकृतं हाष्टमं जनयाञ्चकार मार्ताण्डम्। सन्देघो हैवास। यावानेवोर्ध्वस्तावांस्तिर्यङ्। पुरुषसंमित इत्यु हैक आहुः॥ ३॥

त उ हैत ऊचुः–' देवा आदित्या यदस्मानन्वजानि मा तदमुयेव भूत्, हन्तेमं विकरवाम ' इति। तं विचक्रुः–यथाऽयं पुरुषो विकृतः। तस्य यानि मांसानि संकृत्य संन्यासुः–ततो हस्ती समभवत्। तस्मादाहुः–न हस्तिनं प्रतिगृह्णीयात्। पुरुषाजानो हि हस्तीति। यमु ह तद्विचक्रुः, स विवस्वानादित्यः। तस्येमाः प्रजाः ॥ ४ ॥

र्येमादिभ्यः सप्तभ्यः केवलर्द्धिकामाः ' निर्वपन्ति '। ' तत् ' तत्र ' पर्युदितमिव ' परिवादश्च ' अस्ति '। तं परिवादं मन्त्रोदाहरणेन प्रदर्शयति–**अष्टौ पुत्रासः** (ऋ. सं. १० । ७२ । ८) इति। अयमर्थः–' अदितेः ' देवमातुः ' तन्वः ' तनोः 'परि' परितः उत्पन्नाः, ' अष्टौ पुत्रासः ' अष्टौ पुत्राः, धात्रादिविवस्वदन्ताः। तेषु मध्ये ' सप्तभिः ' पुत्रैः सह ' देवान्, उपप्रैत् उपागात्, ' मार्ताण्डं ' मृताण्डसम्बन्धिनमष्टमम् ' आस्यत् ' परितत्याजेति ॥ २ ॥

एतद् व्याचष्टे–**अष्टौ ह वै पुत्रा** इति। ' सप्त हैव ' विवस्वद्व्यतिरिक्ताः। ' अविकृतम् ' करचरणादिविकाररहितम्। ' मार्तण्डं ' ' जनयाञ्चकार ' जनयामासुः। व्यत्ययेनैकवचनम्। ' सन्देघः ' सन्देहः, सम्यगुपचितदेहः, सर्वतः सम एवासीत्। केचित् पुरुषवदूर्ध्वत्वमात्रविशिष्टोऽभूत् ' इत्याहुः ' ॥ ३ ॥

त उ हैत इति। अथ ' ते ' सप्त पुत्राः, ' अस्मान् ' पूर्वमुत्पन्नान् पादच्छिन्नान् न पश्येत्, किन्तु विकृतं करवामेत्युक्त्वा यथा मनुष्यो विकृतः, तथाऽकुर्वन्। विकरणाय च्छिन्नं मांसजातं ' हस्ती ' सम्बभूव

१–' मार्तण्डः ' ऋ. सं. २ । ३८ । ४ । १० । ७२ । ८, ९ । सा. प. ब्रा. २४ । १२ । ६ । महाभारत १ । ३ । १३ । पर्वसु– " न खल्वयं मृतोऽण्डस्थ इति स्नेहादभाषत। अज्ञानात्कश्यपस्तस्मान्मार्तण्ड इति चोच्यते ॥ " इति हरिवंशे। भागवतपुराणे ५ । २ । ४४ । मार्कण्डेयपुराणे ७७ । १ । १०१ । ९; १०५ । ११ ।

सु होवाच । राध्नुवान्मे सु प्रजायां यु एतमादित्येभ्यश्चरुं निर्व्वपादिति राध्नोति हैव यु एतमादित्येभ्यश्चरुं निर्व्वपत्ययं त्वेवाग्नावैष्णवः प्रज्ञातः ॥ ५ ॥

(स्तु) तुस्य सप्तदश सामिधेन्यो भवन्ति । (न्त्यु) उपाᳬंशु देवते यजति पञ्च प्रयाजा भवन्ति त्रयोऽनुयाजाः संयाजयन्ति पत्नीः सर्व्वंत्वा-यैव समिष्टयजुरेव न जुहोति नेदिदं दीक्षितवसनं परिधाय पुरा यज्ञस्य सᳬंस्थाया ऽअन्तं गच्छानीत्यन्तो हि यज्ञस्य समिष्टयजुः ॥ ६ ॥

स होवाच–' राध्नवान्मे स प्रजायां, य एतमादित्येभ्यश्चरुं निर्वपाद् ' इति । राध्नोति हैव–य एतमादित्येभ्यश्चरुं निर्वपति। अयं त्वेवाग्नावैष्णवः प्रज्ञातः ॥ ५ ॥

तस्य सप्तदश सामिधेन्यो भवन्ति। उपांशु देवते यजति। पञ्च प्रयाजा भवन्ति। त्रयोऽनुयाजाः।

तस्याप्यविस्पष्टावयवत्वात् । अत एव ' पुरुषाजानः ' पुरुषप्रकृतिकः, अनुष्ठानशेषेणोत्पन्नत्वाद्धस्तिनः प्रतिग्रहं न कुर्यात् । स च तैः विकारं गमितो विवस्वत्संज्ञोऽभूत् । ततः सर्वाः ' इमाः प्रजाः ' उत्पन्ना इति ॥ ४ ॥

उपोद्घातमुक्त्वोपोद्घातिकमर्थमाह–**स होवाचेति**। ' सः ' विवस्वान्, ' मे ' मम ' प्रजायां ' प्रजासु मध्ये ' यः कश्चित् ' आदित्येभ्यः ' ' चरुं ' ' निर्वपात् ' निर्वपेत्, ' सः ' तु ' राध्नवान् ' भूयात् ' इति ' ' उवाच ' । अत एतस्यादित्यचरोर्निर्वापयिता स्वयमपि ' राध्नोति ' । देवैः संवर्धितेन विवस्वता समृद्धियुतेन दत्तत्वादयमपि चरुः समृद्धिफलक इत्यर्थः । अत एव समृद्धिफलत्वेन काम्यत्वादित्यभिप्रायः । अथाग्नावैष्णवस्योक्तचरुवैलक्षण्यमाह–**अयं त्वेवेति**। ' प्रज्ञातः ' सर्वैः प्रसिद्धः ॥ ५ ॥

तस्या इष्टेश्चोदकतः सामिधेनीपाञ्चदश्ये प्राप्त आह–**तस्य सप्तदशेति** (आप० श्रौ० सू० १० । ४ । ९) । ' देवते ' प्रधानसम्बन्धिन्यौ अग्नाविष्णू ' उपांशु ' यजेत् (का० श्रौ० सू० ७ । ५८–६० । आप० श्रौ० सू० १० । ४ । ९ । ११) प्रयाजानुयाजयोरपि सामिधेनीवद् वैशेषिकसंख्याप्रसक्तावाह–**पञ्च प्रयाजा** इति। दीक्षणीयेष्टेरवधिमाह–**संयाजयन्ति पत्नीरिति** । इष्टेरवैकल्याय पत्नीसंयाजमेव कुर्यात्; तदुत्तरं तु ' समिष्टयजुर्न ' जुहुयात् (का० श्रौ० सू० ७ । ५६ । ५७ । आप० श्रौ० सू० १० । ४ । ७) । तदपि किं न क्रियत इति तत्रोपपत्तिमाह–**नेदिति** । दीक्षाकाले धृतस्य वसनस्य यज्ञसमाप्तिपर्यन्तं धारणं कर्तव्यम्; मध्य एव समिष्टयजुषि हुते सति यज्ञस्य समाप्तेस्तदानीमेव वसनस्य त्यागः कर्तव्यो भवेत्; तस्मिन् हुते सति सोमयागसमाप्तेर्धारणं संभवेत् । अतः पुरा [illegible] यज्ञस्य समापनादन्तं नैव प्राप्नवानीत्यभिप्रायेण समिष्टयजुर्न जुहुयात् । ननु समिष्टयजुषोऽत्र कथं यज्ञाङ्गत्वम्; यस्मिन् हुते यज्ञः समाप्येतेति, तत्राह–**अन्तो हीति**। अस्य सम्यगिष्टे एव यज्ञस्यावसानत्वादित्यभिप्रायः ॥ ६ ॥

१–कल्पभाष्यकृतां श्रुत्यनुगतः सिद्धांतः । कात्यायनः । प्राक् समिष्टयजुषः करोति । ७ । ५६ । समिष्टयजुर्वर्जं वा ७ । ५७ । अत्र कर्कः । दीक्षिणीयां हि प्रकृत्य श्रूयते । तस्मात्तस्य यज्ञस्य समिष्टयजुःष्वन्नं जुह्वति ५६ । समिष्टयजुरेव वा न जुहोति । सर्व्वत्वायैव समिष्टयजुरेव न जुहोतीति वचनात् । अतश्च बर्हिर्होमादयः प्रवर्तत एव । ध्रौवाज्यस्योद्ग्रभणेषु विनियोग उक्तः । पंचमं जुह्वां ध्रौवमासिच्येति । तद्विनियोगोत्तरं बर्हिर्होमादय इति न्याय्यम् । इति ॥

(२) अथाग्रेण शालां तिष्ठन्नभ्यङ्क्ते।(इक्तेऽ) अरुर्वै पुरुषोऽवच्छितोऽनरुरेवैतद्भवति यदभ्यङ्क्ते गवि वै पुरुषस्य त्वग्गोर्वाऽएतन्नवनीतं भवति स्वयैवैनमेतत्त्वचा समर्धयति तस्माद्वाऽअभ्यङ्क्ते ॥ ७ ॥

तद्वै नवनीतं भवति। घृतं वै देवानां फाण्टं मनुष्याणामथैतन्नाहैव घृतं नो फाण्टᳮं स्यादेव घृतᳮं स्यात्फाण्टमयातयामताये तदेनमयातयाम्नैवायातयामानं करोति ॥ ८ ॥

तमभ्यनक्ति। शीर्षतोऽग्रऽआ पादाभ्यामनुलोमं महीनां पयोऽसीति मह्य इति ह वा एतासामेकं नाम यद्गवां तासां वाऽएतत्पयो भवति तस्मा-

---

संयाजयन्ति पत्नीः सर्वत्वायैव। समिष्टयजुरेव न जुहोति। नेदिदं दीक्षितवसनं परिधाय पुरा यज्ञस्य संस्थाया अन्तं गच्छानीति। अन्तो हि यज्ञस्य समिष्टयजुः ॥ ६ ॥

अथाग्रेण शालां तिष्ठन्नभ्यङ्क्ते। अरुर्वै पुरुषोऽवच्छितः अनरुरेवैतद्भवति–यदभ्यङ्क्ते। गवि वै पुरुषस्य त्वक्। गोर्वा एतन्नवनीतं भवति। स्वयैवैनमेतत्त्वचा समर्धयति। तस्माद्वा अभ्यङ्क्ते ॥ ७ ॥

तद्वै नवनीतं भवति। घृतं वै देवानाम्, फाण्टं मनुष्याणाम्। अथैतन्नाहैव घृतम्, नो फाण्टम्। स्यादेव घृतम्, स्यात्फाण्टमयातयामतायै। तदेनमयातयाम्नैवायातयामानं करोति ॥ ८ ॥

तमभ्यनक्ति–शीर्षतोऽग्रे आपादाभ्यामनुलोमम्। "महीनां पयोऽसि"–(वा. सं. ४।३) इति। मह्य इति ह वा एतासामेकं नाम–यद्गवाम्। तासां वा एतत्पयो भवति। तस्मादाह–

अथ दीक्षितस्य स्वधर्मकमभ्यङ्गं विधत्ते–**अथाग्रेणे**ति। शालायाः पुरोदेशे तिष्ठन् सर्वाङ्गे नवनीताभ्यञ्जनं कुर्यादिति विशिष्टविधिः (का. श्रौ. सू. ७।६१)। अभ्यङ्गप्रयोजनमाह–**अरुर्वा** इति। 'अवच्छितः'[1] त्वचा निर्मुक्तः 'पुरुषः' 'अरुर्वै' व्रणात्मकः खलु, तदेतेनाभ्यङ्गेन परिहरति। एतदेव विस्पष्टमुपपादयति–**गवि वा** इति। पुरुषत्वचो गवि धारणं वासःपरिधानार्थवादे स्पष्टमुक्तम् (श. प. कां. ३. अ. १. ब्रा. २ क. १६–१९)। गोर्नवनीतोत्पत्तिः सुप्रसिद्धा। अतो गोसम्बन्धिनवनीतद्वारेण स्वकीयत्वचैव समृद्धो भवति। अत एव स्वत्वचः पुनः प्राप्तेरव्रणत्वमस्याभ्यङ्गाय नवनीतं द्रव्यं भवेदित्युक्तं भवति ॥ ७ ॥

नवनीताभ्यङ्गं प्रशंसति–**तद्वै नवनीत**मिति। एतदस्य योग्यमित्याह–**घृतं वै देवाना**मिति। [2]नवनीतभावात्प्रागवस्थापन्नं द्रव्यं 'फाण्टम्', यस्मान्नवनीतं फाण्टघृतयोरन्तरालवर्तित्वात् तदन्यत्तदन्यच्च भवति तस्मान्मनुष्यदेवताभ्यामन्यस्यानन्यस्य च दीक्षितस्य तद्युक्तमित्यर्थः। अत एव पूर्वोत्तरभावात् प्रच्यवाप्रच्यवादयातयामवता तेनाभ्यञ्जनेनाध्वर्युर्दीक्षितमपि 'अयातयामानं करोति' ॥ ८ ॥

अभ्यङ्गस्योपक्रमोपसंहारौ विधत्ते–**तमभ्यनक्ती**ति (का. श्रौ. सू. ७।६१)। अधोमुखावस्थाना-

---

१–"अवपूर्वस्य "छो छेदने"–दि. प. इत्यस्य निष्ठायां रूपम्, "शाच्छोरन्यतरस्याम्"–इति (पा. ७. ४. ४१ सू.) सिद्धम्।
२–' शालां पूर्वेण तिष्ठन्नभ्यङ्क्ते कुशेषु नवनीतेन शीर्ष्णोऽध्यनुलोमᳮं सपादको महीनाम्पयोऽसीति'' इति ॥

दाह मह्नीनां पयोऽसीति व्वर्चोदा असि व्वर्चो मे देहीति नात्र तिरोहित-मिवास्ति ॥ ९ ॥

(स्त्य) अथाक्ष्यावानक्ति । (त्त्यु) अरुर्वै पुरुषस्याक्षि प्रशान्ममेति ह स्माह याज्ञवल्क्योदुरक्षऽइव हास पूयो हैवास्य दूषीका तेऽएवैतदनरु-ष्करोति यदक्ष्यावानक्ति ॥ १० ॥

यत्र वै देवाः । (ऽ) असुररक्षसानि जघ्नुस्तच्छुष्णो दानवः प्रत्यङ् पतित्वा मनुष्याणामक्षीणि प्रविवेश स एष कनीनकः कुमारकऽइव परिभा-सते तस्माऽएवैतद्यज्ञमुपप्रयन्त्सर्व्वतोऽश्मपुरां परिदधात्यश्मा ह्याञ्जनम् ११

महीनां पयोऽसीति । " वर्चोदा असि वर्चो मे देहि "-(वा. सं. ४ । ३) इति । नात्र तिरोहितमिवास्ति ॥ ९ ॥

अथाक्ष्यावानक्ति । अरुर्वै पुरुषस्याक्षि, प्रशान्ममेति ह स्माह याज्ञवल्क्यो दुरक्ष इव हास पूयो हैवास्य दूषीका । ते एवैतदनरुष्करोति—यदक्ष्यावानक्ति ॥ १० ॥

यत्र वै देवा असुररक्षसानि जघ्नुः—तच्छुष्णो दानवः प्रत्यङ्पतित्वा मनुष्याणामक्षीणि प्रविवेश । स एष कनीनकः कुमारक इव परिभासते । तस्मा एवैतद्यज्ञमुपप्रयन् सर्वतोऽश्मपुरां परिदधाति । अश्मा ह्याञ्जनम् ॥ ११ ॥

दवरोहाभ्यङ्गे सति आनुलोम्यं स्यात् । तत्र मन्त्रमाह—महीनामिति । मन्त्रस्य पूर्वभागं व्याचष्टे—मह्यै इतीति । " इडे रन्ते "—इत्युपक्रम्य " महि विश्रुति "—इत्यन्तानि अघ्निये नामानीति तैत्तिरीयकश्रुतेर्गवां महीति नाम (तै. सं. ७ । १ । ६ । ८) स्पष्टमन्यत् ॥ ९ ॥

अक्ष्णोरञ्जनं विधत्ते—अथाक्ष्यावानक्तीति (का. श्रौ. सू. ७ । ६२ । आप श्रौ. सू. १० । ७ । १ ।) । इतरावयवसंस्पर्शासहिष्णुत्वात् ' अक्षि ' ' अरुः ' व्रणो भवति । ' मम ' ' प्रशान् ' प्रशाम्येदित्यञ्जनं कर्तव्य-मिति । ' याज्ञवल्क्यः ' ' आह ' ब्रूते इति । अक्ष्णोर्दूषणरूपतां सम्पादयति—" दुरक्ष " इत्यादिना । नेत्रमालिन्यमेवारुः, तत्परिहारायाञ्जनमिति । ' दूषीका ' नेत्रयोर्मलम्, सा ' अस्य ' पुरुषस्याक्ष्णोर्भूय एवेत्यक्षे-र्दुरक्षत्वमेव, ततोऽनेन तन्नाशयतीत्यर्थः ॥ १० ॥

अञ्जनं प्रकारान्तरेण प्रशंसति—यत्र वा इति । असुरवधसमये ' शुष्णः ' ' प्रत्यङ् ' गत्वा, तद्भयात् पुरु-षाणामक्षिमध्यं प्रविश्य, कनीनिकारूपेण ' कुमारकः ' सन् वर्तते । ' तस्मै ' तस्य ' यज्ञम् ' उपगच्छन् ' सर्वतः अश्मपुरोरक्षार्थं कृतवान् भवति । अश्मशब्दार्थमाह—अश्मा ह्याञ्जनमिति । तद्विकारत्वात् ॥ ११ ॥

१—वाजसनेयिसंहितायामपि—इडे रंते हव्ये काम्ये चंद्रे ज्योतेऽदिति सरस्वति महि विश्रुति । एता ते अघ्न्ये नामानि देवेभ्यो मां सुकृतं ब्रूतात् ।८।४३। इति गोनामानि प्रसिद्धान्येव ॥ २—'इषीका ' इति क. पा. मूले तु सर्वत्र दूषीका इत्येव ।

त्रैककुदं भवति। यत्र वाऽइन्द्रो वृत्रमहंस्तस्य यदक्ष्यासीत्तं गिरिं त्रिककुदमकरोत्तद्यत्त्रैककुदं भवति चक्षुष्येवैतच्चक्षुर्दधाति तस्मात्त्रैककुदं भवति यदि त्रैककुदं न विन्देदप्यत्रैककुदमेव स्यात्समानी ह्येवाञ्जनस्य बन्धुता ॥ १२ ॥

शरेषीकयाऽऽनक्ति। वज्रो वै शरो विरक्षस्तायै सतूला भवत्यमूलं वाऽइदमुभयतः परिच्छिन्नꣳ रक्षोऽन्तरिक्षमनुचरति यथाऽयं पुरुषोऽमूलऽउभयतः परिच्छिन्नोऽन्तरिक्षमनुचरति तद्यत्सतूला भवति विरक्षस्तायै १३

स दक्षिणमेवाग्रऽआनक्ति। सव्यं वाऽअग्रे मानुषेऽथैवं देवत्रा ॥ १४ ॥

त्रैककुदं भवति। यत्र वा इन्द्रो वृत्रमहन्—तस्य यदक्ष्यासीत्। तं गिरिं त्रिककुदमकरोत्। तद् यत्त्रैककुदं भवति—चक्षुष्येवैतच्चक्षुर्दधाति। तस्मात्त्रैककुदं भवति। यदि त्रैककुदं न विन्देद् अप्यत्रैककुदमेव स्यात्। समानी ह्येवाञ्जनस्य बन्धुता ॥ १२ ॥

शरेषीकयाऽऽनक्ति। वज्रो वै शरः। विरक्षस्तायै। सतूला भवति। अमूलं वा इदमुभयतः परिच्छिन्नं रक्षोऽन्तरिक्षमनुचरति। यथाऽयं पुरुषोऽमूल उभयतः। परिच्छिन्नोऽन्तरिक्षमनुचरति। तद्यत्सतूला भवति—विरक्षस्तायै ॥ १३ ॥

स दक्षिणमेवाग्र आनक्ति। सव्यं वा अग्रे मानुषे। अथैवं देवत्रा ॥ १४ ॥

अञ्जनं विशिनष्टि—**त्रैककुदमिति**। त्रिककुत्पर्वतः तत्सम्बन्धि त्रैककुदम्[1]। शिष्टं स्पष्टम्। तदभावे[2] त्रैककुदादन्यदपि ग्राह्यम्। 'अंजनस्य' बन्धुता बन्धु ब्राह्मणम्, तद्भावो बन्धुता। सा 'समानी' "अरुर्वै पुरुषस्याक्षि" इत्यादिकं[3] ब्राह्मणं त्रैककुदात्रैककुदयोः समानमित्यर्थः। (का० श्रौ०[4] सू० ७। ६२ आप० श्रौ० सू० १०।७।२।) ॥ १२ ॥

तत्साधनं बिभर्ते **शरेषीकयेति**। शरस्तृणविशेषः, तस्य मध्यशलाका 'इषीका'[5]। 'विरक्षस्तायै' विरक्षस्ता विगतराक्षसभावस्तस्मै तत्परिहाराय। साऽपि 'सतूला' कर्तव्या। सतूलत्वस्य प्रयोजनमाह—**अमूलमिति**। 'उभयतः' मूले अग्रे च, दिवि पृथिव्यां चेत्यर्थः। 'परिच्छिन्नम्' इदं 'रक्षः' राक्षसजातिः, अमूलं सत् 'अन्तारिक्षमनुचरति' खलु; एवम् 'उभयतः' परिधिभ्यः 'परिच्छिन्नः', 'अमूलः' सन् 'पुरुषः' अपि 'अन्तारिक्षमनुचरति'। तस्मात् पुरुषसमानदेशवति रक्षोनिर्हरणाय शरेषीका 'सतूला' कर्तव्या (का० श्रौ० सू०[6] ७। ६१) ॥ १३ ॥

स दक्षिणमिति। 'देवत्रा' देवेषु। एतं दक्षिणप्राधम्यमित्यर्थः ॥ १४ ॥

१–'सौवीरामिति यत् प्रसिद्धम्'–इति या. दे.। २–'तदलाभे' इ. पा. ३–अत्रैव दशमकाण्डिकायाम्। ४–'वृत्रस्येत्यक्ष्यानक्ति त्रैककुदांजनेन' 'अभावेऽन्यत्' इति। ५–'तस्य शलाका इषीका' इति पा०। ६–'शरेषीकया साग्रया' इति।

स आनक्ति । वृत्रस्यासि कनीनक इति वृत्रस्य ह्येषु कनीनकश्चक्षुर्दा ऽअसि चक्षुर्मे देहीति नात्र तिरोहितमिवास्ति ॥ १९ ॥

स दक्षिणᳪ सकृद्यजुषाऽऽनक्ति।सकृत्तूष्णीमथोत्तरᳪ सकृद्यजुषाऽऽनक्ति द्विस्तूष्णीं तदुत्तरमेवैतदुत्तरावत्करोति ॥ १६ ॥

तद्यत्पञ्चकृत्व आनक्ति । संव्वत्सरसंमितो वै यज्ञः पञ्च वाऽऋतवः संव्वत्सरस्य तं पञ्चभिराप्नोति तस्मात्पञ्चकृत्वऽआनक्ति ॥ १७ ॥

(त्त्यु) अथैनं दर्भपवित्रेण पावयाति । (त्य) अमेध्यो वै पुरुषो यदनृतं व्वदति तेन पूतिरन्तरतो मेध्या वै दर्भा मेध्यो भूत्वा दीक्षाऽइति पवित्रं व्वै दर्भाः पवित्रपूतो दीक्षा इति तस्मादेनं दर्भपवित्रेण पावयाति ॥ १८ ॥

तद्वाऽएकᳪ स्यात् । (दे)एको ह्येवायं पवते तदेतस्यैव रूपेण तस्मादेकᳪ स्यात् ॥ १९॥

स आनक्ति–"वृत्रस्यासि कनीनक"–(वा. सं. ४–३)इति।वृत्रस्य ह्येष कनीनकः।"चक्षुर्दा असि चक्षुर्मे देहि "– (वा. सं. ४ । ३) इति नात्र तिरोहितमिवास्ति ॥ १९ ॥

स दक्षिणं सकृद्यजुषाऽऽनक्ति, सकृत्तूष्णीम् । अथोत्तरं सकृद्यजुषाऽऽनक्ति, द्विस्तूष्णीम् । तदुत्तरमेवैतत्–उत्तरावत्करोति ॥ १६ ॥

तद्यत्पञ्चकृत्व आनक्ति । संवत्सरसंमितो वै यज्ञः । पञ्च वा ऋतवः संवत्सरस्य तं पञ्चभिराप्नोति । तस्मात्पञ्चकृत्व आनक्ति ॥ १७ ॥

अथैनं दर्भपवित्रेण पावयति । अमेध्यो वै पुरुषो–यदनृतं वदति । तेन पूतिरन्तरतः । मेध्या वै दर्भाः–मेध्यो भूत्वा दीक्षा इति । पवित्रं वै दर्भाः–पवित्रपूतो दीक्षा इति । तस्मादेनं दर्भपवित्रेण पावयति ॥ १८ ॥

तद्वा एकं स्यात्–एको ह्येवायं पवते । तदेतस्यैव रूपेण । तस्मादेकं स्यात् ॥ १९ ॥

स आनक्तीति । तत्र मन्त्रमाह–**वृत्रस्ये**ति ।' कनीनकः' अक्षिमध्यकार्ष्ण्यम् । 'वृत्रस्य ह्येष कनीनकः' । तथा चान्यत्र–"इन्द्रो वृत्रमहन्, तस्य कनीनिका परापतत्, तदाञ्जनमभवत् "इति-(तै. सं. ६।१।१।९)॥१९॥

स दक्षिणमिति । ' यजुषा ' उक्तमन्त्रेण। उत्तरस्याक्ष्णो दक्षिणाक्षितोऽपि एकधाराधिक्यकरणेन ' उत्तरं' चक्षुः ' उत्तरावत् ' उत्कर्षवत् कृतवान् भवति ॥ १६ ॥

अक्ष्गोराञ्जनावृत्ती मिलित्वा प्रशंसति–**तद्यत् पञ्चकृत्व** इति । हेमन्तशिशिरयोरैक्यात् (ऐ. ब्रा. १। १ । १) संवत्सरः पञ्चर्तुः । अत एव संख्याद्वारा संवत्सरमेवाप्नोति ॥ १७ ॥

तस्य दर्भैः पावनं विधत्ते–**अथैनमि**ति । लोके ह्यपवित्रं पवित्रीक्रियते, कोऽस्यापवित्रत्वप्रसङ्ग इति तद्दर्शयति–**अमेध्यो वा** इति । दर्भैः पावनसामर्थ्येन वाक्यस्य पावनेऽर्थान्तरशुद्धिर्भवति । दर्भान् स्तौति–**मेध्या वा** इति । यज्ञार्हत्वं मेध्यत्वम्, अशुद्धानां शोधकत्वं पवित्रमिति विवेकः (निरु. ५ । २ । १) ॥ १८ ॥

तद्वा एकमित्यादि । पावनसाधनदर्भेष्वेकादिपक्षा आक्षिप्याः । ' अयं ' वायुः ' एकः ' एव ' पवते

(उ) अथोऽअपि त्रीणि स्युः । (रे) एको ह्येवायं पवते सोऽयं पुरुषेऽन्तः प्रविष्टस्त्रेधा विहितः प्राण ऽउदानो व्यान ऽइति तदेतस्यैवानु मात्रां तस्मात्त्रीणि स्युः ॥ २० ॥

(उ) अथोऽअपि सप्त स्युः । सप्त वाऽइमे शीर्षन्प्राणास्तस्मात्सप्त स्युस्त्रिःसप्तान्येव स्युरेकविꣳशतिरेषैव संपत् ॥ २१ ॥

(तꣳ) तꣳ सप्तभिः सप्तभिः पावयति । चित्पतिर्मा पुनात्विति प्रजापतिर्वै चित्पतिः प्रजापतिर्मा पुनात्वित्येवैतदाह वाक्पतिर्मा पुनात्विति प्रजापतिर्वै वाक्पतिः प्रजापतिर्मा पुनात्वित्येवैतदाह देवो मा सविता पुनात्विति तद्धै सुपूतं यं देवः सविता पुनात्तस्मादाह देवो मा सविता पुनात्वित्यच्छिद्रेण पवित्रेणेति सो वाऽअयं पवतऽएषोऽच्छिद्रं पवित्रमेतेनैतदाह सूर्यस्य रश्मिभिरित्येते वै पवितारो यत्सूर्यस्य रश्मयस्तस्मादाह सूर्यस्य रश्मिभिरिति ॥ २२ ॥

अथो अपि त्रीणि स्युः । एको ह्येवायं पवते । सोऽयं पुरुषेऽन्तः प्रविष्टस्त्रेधा विहितः–प्राण उदानो व्यान इति । तदेतस्यैवानुमात्राम् । तस्मात्त्रीणि स्युः ॥ २० ॥

अथो अपि सप्त स्युः । सप्त वा इमे शीर्षन्प्राणाः । तस्मात्सप्त स्युः । त्रिःसप्तान्येव स्युः । एकविंशतिः, एषैव संपत् ॥ २१ ॥

तं सप्तभिः सप्तभिः पावयति । " चित्पतिर्मा पुनातु "–(वा. सं. ४ । ४) इति । प्रजापतिर्वै चित्पतिः । प्रजापतिर्मा पुनातु–इत्येवैतदाह । " वाक्पतिर्मा पुनातु "–(वा. सं. ४।४) इति । प्रजापतिर्वै वाक्पतिः । प्रजापतिर्मा पुनातु–इत्येवैतदाह । " देवो मा सविता पुनातु "–(वा. सं. ४ । ४) इति । तद्धै सुपूतं–यं देवः सविता पुनात् । तस्मादाह–देवो मा सविता पुना-

---

पवतिर्गतिकर्मा; (निघं. २ । १४ । १०८) अन्तरिक्षे गच्छति (निरु. ९ । २ । १) । ' तस्मात् ' पवित्रमपि ' एकं ' स्यात् ॥ १९ ॥

अथो अपीति । ' सः ' एव ' अयं ' वायुः ' एक एव ' पुरुषे पुरुषस्य ' अन्तः प्रविष्टः ' प्राणादिभेदेन ' त्रेधा ' विभक्तः, अथ ' त्रीणि स्युः ' ॥ २० ॥

अथो अपि सप्तेति । ' शीर्षन् ' शिरसि भवाः, मुखादिच्छिद्रगताः, ' एकविंशतिः स्युः ' इति । तत्र त्रिःसप्तान्येव ' इति सप्तसंख्याया एवावृत्तौ ' एषैव ' सप्तसङ्ख्याया उक्तिः ' सम्पद् ' इत्यर्थः । यद्वा ' एषैव ' पुरुषरूपैव ' सम्पत् ' इत्यर्थः । " दश हस्त्या अंगुलयो दश पद्या आत्मैकविंशः "–इति श्रुत्यन्तरात् (तै. सं. ६ । १ । १ । ८) ॥ २१ ॥

तं सप्तभिरिति । एकविंशतिपक्षे एकविंशतिं दर्भान् त्रेधा विभज्य ' सप्तभिः–सप्तभिः ' " चित्पतिर्मा, "

तस्य ते पवित्रपतऽइति । पवित्रपतिर्हि भवति पवित्रपूतस्येति पवित्रपूतो हि भवति यत्कामः पुने तच्छकेयमिति यज्ञस्योदृचं गच्छानीत्येवैतदाह ॥ २३ ॥

(ह्रा) अथाशिषामारम्भं वाचयति। (त्या) आ वो देवास ईमहे वामं प्रयत्य-

---

त्विति । " अच्छिद्रेण पवित्रेण "–(वा. सं. ४ । ४) इति । यो वा अयं पवते–एषोऽच्छिद्रं पवित्रम्, एतेनैतदाह । " सूर्यस्य रश्मिभिः "–(वा. सं. ४ । ४) इति । एते वै पवितारो–यत् सूर्यस्य रश्मयः । तस्मादाह–सूर्यस्य रश्मिभिरिति ॥ २२ ॥

" तस्य ते पवित्रपते "–(वा. सं. ४ । ४) इति । पवित्रपतिर्हि भवति । " पवित्रपूतस्य "–इति । पवित्रपूतो हि भवति । " यत्कामः पुने तच्छकेयम् "–(वा. सं. ४ । ४) इति । यज्ञस्योदृचं गच्छानीत्येवैतदाह ॥ २३ ॥

अथाशिषामारम्भं वाचयति । " आ वो देवास ईमहे वामं प्रयत्यध्वरे । आ वो देवास आशिषो यज्ञियासो हवामहे "–(वा. सं. ४ । ५) इति। तदस्मै स्वाः सतीर्ऋत्विज आशिष आशासते ॥ २४ ॥

" वाक्पतिर्मा, " " देवो मा " इति त्रिषु मन्त्रेषु, एकैकेन मन्त्रेण पावयेत् । " अच्छिद्रेण पवित्रेण "–इति मन्त्रशेषः सर्वत्रानुषज्यते । तत्राप्ययं विभागः–सप्तभिः प्रथममन्त्रेण नाभित आरभ्योर्ध्वमुन्मृज्यात्, पुनश्च सप्तभिर्द्वितीयमन्त्रेणाप्येवम्, अवशिष्टैः सप्तभिस्तृतीयेन मन्त्रेण नाभेरध आरभ्यावमृज्यात् । तथा च कात्यायनः–" सप्तभिः सप्तभिः प्रतिमन्त्रमच्छिद्रेणेति सर्वत्र द्विरुपरि नाभ्युन्मृज्य प्रदक्षिणं सकृदवाङ्, एकेन त्रिभिः सप्तभिरेकविंशतिभिर्वा–" (का. श्रौ. सू. ७।६७।६८) इति । आपस्तम्बस्तु चित्पतिस्त्वेति पावकस्य, चित्पतिर्मेति पाव्यमानस्य[2] च विभज्योभयमप्युक्तवान् (आप. श्रौ. सू. १० । ७ । ५–१४) सर्वशेषभूतस्याच्छिद्रेणेत्यस्यार्थमाह–**अच्छिद्रेणे**[3]ति । सर्वदा सर्वत्र पवनात् ' एषः ' वायुः ' अच्छिद्रं पवित्रम् ' ॥२२॥

मन्त्रशेषं व्याचष्टे–**तस्य त** इति । पवित्राणि रश्मयः; शोधकत्वात् (निरु. ५ । २ । १)। अग्निः पवित्रपतिः (निरु. ५ । २ । १) तत्पाठात्स्वरूपमपि ' पवित्रपतिर्भवति ' खलु । स्पष्टमन्यत् । ' उदृचं ' उपरिभाविनी ऋक् उदृक् । अनेन च समाप्तिर्लक्ष्यते । तेन यज्ञस्यान्तं प्राप्नवानीत्यर्थः । अमुमर्थम् ' एतत् ' एतेन " तच्छकेयम् "–इति अनेन, मन्त्रः ' आह ' इत्यर्थः ॥ २३ ॥

अथाशिषामिति । " आ वो देवासः " इति मन्त्रस्य ' आशिषामारम्भः '–इति नाम; भाव्याशिषामस्या-

---

१–यद्यपि सायणभाष्ये " एकविंशतिभिर्वा " इति सर्वपुस्तकेषु वर्तते, तथापि चौखम्बा–संस्कृतग्रन्थमालामुद्रितसकर्कभाष्यकात्यायनश्रौतसूत्रे तु " सप्तभिर्वा " इति पर्य्यन्तमेवालेखि । २–काण्वीयायां श्रुतौ नवकृत्वः पावनं–तथा च श्रुतिः–तं नवकृत्वो नव वै प्राणाः प्राणा उ वै पवित्रं–तस्मान्नवकृत्वः पावयतीति । नवकृत्वः पावनस्य सूत्रमनुसृत्योपपत्तिः कर्कभाष्ये । चित्पतिर्म्मेत्यादिभिर्मन्त्रैः साभ्यासमेकं पावनमुपरि नाभि । तथा द्वितीयम् । एवमेव सकृदवाङिति । एवं चाभ्यासापेक्षया नवकृत्वः पावयतीत्युपपन्नार्थं भवति । अभ्याससमुदायापेक्षया च द्विरुपरिनाभि सकृदवाङिति च सूत्रं नेयमिति । ३–तथाहि–"अथैनमुत्तरेण बहिः प्राग्वंशात् दर्भपिञ्जुलैः पावयति=एकविंशत्या त्रेधा विभक्तया सप्तभिः सप्तभिर्द्विरूर्ध्वं नाभेरुन्मार्ष्टि सकृदर्वाक् । =चित्पतिस्त्वा पुनात्वित्येतैः प्रतिमन्त्रमच्छिद्रेण पवित्रेणेति सर्वत्रानुषजति । चित्पतिर्मा पुनातु वाक्पतिर्मा पुनातु देवो मा सविता पुनात्विति पाव्यमानो जपति "–इत्यादि । ४–"रश्मयः पवित्रमुच्यते"–इत्यादिनिरुक्तम् । ५–" अग्निः पवित्रमुच्यते" इत्यादि निरुक्तम् ।

ध्वरे ॥ आ वो देवास आशिषो यज्ञियासो हवामहऽइति तदस्मै स्वाः सतीर्ऋत्विज ऽआशिष ऽआशासते ॥ २४ ॥

(तेऽथा) अथाङ्गुलीर्न्यचति । स्वाहा यज्ञं मनसऽइति द्वे स्वाहोरोरन्तुरिक्षादिति द्वे स्वाहा द्यावापृथिवीभ्यामिति द्वे स्वाहा वातादारभऽइति मुष्टीकरोति न वै यज्ञः प्रत्यक्षमिवारभे यथाऽयं दण्डो वा वासो वा परोऽक्षं वै देवाः परोऽक्षं यज्ञः ॥ २५ ॥

स यदाह । स्वाहा यज्ञं मनसऽइति तन्मनस आरभते स्वाहोरोरन्तुरिक्षादिति तदन्तरिक्षादारभते स्वाहा द्यावापृथिवीभ्यामिति तदाभ्यां द्यावापृथिवीभ्यामारभते ययोरिदᳪ सर्व्वमधि स्वाहा वातादारभ ऽइति वातो वै यज्ञस्तद्यज्ञं प्रत्यक्षमारभते ॥ २६ ॥

अथांगुलीर्न्यचति । "स्वाहा यज्ञं मनसः"–(वा. सं. ४ । ६) इति द्वे; "स्वाहोरोरन्तरिक्षात"–(वा. सं. ४ । ६ ।) इति द्वे; "स्वाहा द्यावापृथिवीभ्याम्"–(वा. सं. ४ । ६) इति द्वे; "स्वाहा वातादारभे"–(वा. सं. ४ । ६) इति मुष्टीकरोति । न वै यज्ञः प्रत्यक्षमिवारभे । यथाऽयं दण्डो वा वासो वा । परोऽक्षं वै देवाः । परोऽक्षं यज्ञः ॥ २५ ॥

स यदाह–स्वाहा यज्ञं मनस इति–तन्मनस आरभते । स्वाहोरोरन्तरिक्षादिति । तदन्तरिक्षादारभते–स्वाहा द्यावापृथिवीभ्यामिति–तदाभ्यां द्यावापृथिवीभ्यामारभते–ययोरिदं सर्वमधि । स्वाहा वातादारभे इति । वातो वै यज्ञः । तद् यज्ञं प्रत्यक्षमारभते ॥ २६ ॥

रम्भरूपत्वात् । मन्त्रपाठस्य प्रयोजनमाह–तदस्मा इति । 'तत्' तेन आशिषामारम्भवाचनेन सर्वासामाशिषामादावेव यजमानेन परिगृहीतत्वात् 'स्वाः' स्वकीया एव 'सतीः' ता एव 'आशिषः' 'ऋत्विजः' तन्मन्त्रेषु यजमानार्थमाशासते (का. श्रौ. सू. ७ । ७०)॥ २४ ॥

अथाङ्गुलीरिति । 'न्यचति' सङ्कोचयतीत्यर्थः । तत्प्रकारमाह–स्वाहेत्यादिना । एकैकेन मन्त्रेण हस्तद्वयेऽपि कनिष्ठिकादिक्रमेण द्वे–द्वे अंगुली न्यञ्चतीत्यर्थः । एवं करद्वयांगुलिन्यञ्चनक्रमेणोत्तमेन मन्त्रेण पाणी मुष्टीकुर्यात् (का. श्रौ. सू. ७।७१) "उत्तानेन मुष्टी कृत्वा"–(का. श्रौ. सू. ७।७३) इति सूत्रम् । तत्प्रयोजनमाह–न वै यज्ञ इति । यज्ञस्य वासोदण्डादिवद्धस्ते धारयितुमशक्यत्वात्; अत एव परोक्षान्मन्त्रेण मुष्टिबन्धनमेव प्रत्यक्षधारणमित्यर्थः ॥ २५ ॥

स यदाहेत्यादि । मन्त्रस्य क्रमेण व्याख्यानम् । स्पष्टम् । वातादारभे–इति । वातेन प्राणेन व्याप्रियमाणत्वात् 'वातो यज्ञः' । 'वै'– शब्देन "वातो यज्ञः प्रयुज्यताम्"–इत्यादिमन्त्रप्रसिद्धिर्द्योत्यते॥ २६

१–'आवो देवास इति वाचयति' । एवᳪ शेषं प्रतिमंत्रम् । का. श्रौ. सू. ७ । ७१ । ७२ ।

(तेऽथ) अथ यत्स्वाहा स्वाहेति करोति । यज्ञो वै स्वाहाकारो यज्ञमे-
वैतदात्मन्धत्तेऽत्रोऽएव वाचं यच्छति वाग्वै यज्ञो यज्ञमेवैतदात्मन्धत्ते॥२७॥
(तेऽथै) अथैनꣳशालां प्रपादयति । स जघनेनाहवनीयमेत्यग्रेण गार्ह-
पत्यꣳ सोऽस्य संचरो भवत्यासुत्यायै तद्यदस्यैष संचरो भवत्यासुत्याया
ऽअग्निर्वै योनिर्यज्ञस्य गर्भो दीक्षितोऽन्तरेण वै योनिं गर्भः संचरति स यत्स
तत्रैजति त्वत्परि त्वदावर्तते तस्मादिमे गर्भा ऽएजन्ति त्वत्परि त्वदावर्तन्ते
तस्मादस्यैष संचरो भवत्यासुत्यायै ॥ २८ ॥

इति प्रथमपाठके तृतीयं ब्राह्मणम् ॥ १ ॥ ३ ॥

अथ यत्–' स्वाहा स्वाहा ' इति करोति । यज्ञो वै स्वाहाकारः । यज्ञमेवैतदात्मन्धत्ते । अत्रो एव वाचं यच्छति । वाग्वै यज्ञः । यज्ञमेवैतदात्मन्धत्ते ॥ २७ ॥

अथैनं शालां प्रपादयाति । स जघनेनाहवनीयमेति–अग्रेण गार्हपत्यम् । सोऽस्य सञ्चरो भवति–आसुत्यायै । तद् यदस्य सञ्चरो भवति–आसुत्यायै । अग्निर्वै योनिर्यज्ञस्य । गर्भो दीक्षितः । अन्तरेण वै योनिं गर्भः सञ्चराति । स यत् स तत्रैजति त्वत्, परि त्वदावर्तते । तस्मादिमे गर्भा एजन्ति त्वत्, परि त्वदावर्तन्ते । तस्मादस्यैष सञ्चरो भवति–आसुत्यायै ॥ २८ ॥

इति दीक्षासंस्काराः ।

अथ यत्स्वाहेति । हविस्त्यागस्य यज्ञत्वात्, स्वाहाकारेण च हविःप्रदानात्, स्वाहाकारस्य च यज्ञात्मकता । अनन्तरं वाग्यमनं विधत्ते–**अथ वाचं यच्छती**ति (का. श्रौ. सू. ७ । ७३)। वाग्व्यवहारमन्त्ररूपेण यज्ञनिष्पत्तेः ' वाक् यज्ञः ' । तस्याः बहिर्निर्गमनमकृत्वा आत्मनि नियमात् ' यज्ञमेव ' आत्मनि धृतवान् भवति ॥ २७ ॥

शालायाः फलोद्देशे यजमानस्याभ्यञ्जनादिकमुक्तम्, तस्य दीक्षाहुत्यर्थं शालाप्रवेशनं विधत्ते–**अथैन**मिति । (का. श्रौ. सू. ७ । ७५)। प्रविष्टस्य तथा कर्मार्थं सञ्चरनिर्देशमाह–**स जघनेने**ति । ' आहवनीयं जघ-नेन ' तत्पश्चाद्देशे, ' गार्हपत्यमग्रेण ' तयोर्मध्यपथि कर्मार्थं गच्छति (का. श्रौ. सू. ७ । ७५) । अयमेव ' अस्य ' ' सञ्चरो भवति ' (का. श्रौ. सू.[३] ७ । ७६ । आप. श्रौ. सू. १० । ८ । २ ।)। उक्तसञ्चरं प्रशंसति–**अग्निर्वा** इति । यस्मादुत्पद्यते स योनिः; आहुतिप्रदानात्मकस्य ' यज्ञस्य ' ' योनिः ' ' अग्निः '। मानुषदेहपरित्यागेन दीक्षासंस्कारेण देवदेहोत्पत्तेस्तत्संस्कृतो दीक्षितः ' गर्भः '। अतस्तत्र योनित्वेन संस्तु-तयोरग्न्योरन्तराले[४] सञ्चारो युक्तः । उक्तमर्थमिदानीन्तनगर्भवर्णनेन द्रढयति–**तस्मादिमे गर्भा** इति । त्वच्छब्द एकशब्दपर्यायः; एकदेत्यर्थः । अथवाऽव्ययमिदं चार्थे । ' यत् ' यस्मात् ' सः ' गर्भसंयुक्तो यजमानः ' एजति त्वत् ' चलति च, ' पर्यावर्त्तते त्वद् ' परिभ्रमति च; ' तस्मात् ' इदानीन्तना गर्भा अप्येवं भवन्तीत्यर्थः॥२८॥

इति श्रीसायणाचार्यविरचिते माधवीये वेदार्थप्रकाशे माध्यन्दिनीयशतपथब्राह्मणभाष्ये
तृतीयकाण्डे प्रथमाध्याये तृतीयं ब्राह्मणम् ॥ (३–१–३)

१–स्वाहेत्युक्त्वा वाग्यतः । २–वाग्यतं प्रवेशयत्याहवनीयगार्हपत्यावन्तरेण । ३–सोऽस्य संचर आप्रसवात् । ४–' तस्य तयोरन्तराले '–इ० पा० ।

सर्वाणि ह वै दीक्षाया यजूꣳष्यौद्ग्रभणानि । (न्यु) उद्गृभ्णीते वाऽएषोऽस्माल्लोकाद्देवलोकमभि यो दीक्षतऽएतैरेव तद्यजुर्भिरुद्गृभ्णीते तस्मादाहुः सर्वाणि दीक्षाया यजूꣳष्यौद्ग्रभणानीति तत ऽएतान्यवान्तरामाचक्षतऽऔद्ग्रभणानीत्याहुतयो ह्येता ऽआहुतिर्हि यज्ञः परोऽक्षं वै यजुर्जपत्यथैष प्रत्यक्षं यज्ञो यदाहुतिस्तदेतेन यज्ञेनोदगृभ्णीतेऽस्माल्लोकाद्देवलोकमभि ॥ १ ॥

ततो यानि त्रीणि स्रुवेण जुहोति । तान्याधीतयजूꣳषीत्याचक्षते सम्पदऽएव कामाय चतुर्थꣳ हूयतेऽथ यत्पञ्चमꣳ स्रुचा जुहोति तदेव प्रत्यक्षमौद्ग्रभणमनुष्टुभा हि तज्जुहोति वाग्घ्यनुष्टुब्वाग्घि यज्ञः ॥ २ ॥

अथ औद्ग्रभणहोमः । दीक्षाहुतिः ।

सर्वाणि ह वै दीक्षाया यजूंष्यौद्ग्रभणानि । उद्गृभ्णीते वाऽएषोऽस्माल्लोकाद्देवलोकमभि–यो दीक्षते। एतैरेव तद् यजुर्भिरुद्गृभ्णीते । तस्मादाहुः–सर्वाणि दीक्षाया यजूंष्यौद्ग्रभणानीति। तत एतान्यवान्तरामाचक्षते–औद्ग्रभणानीति। आहुतयो ह्येताः। आहुतिर्हि यज्ञः। परोऽक्षं वै यजुर्जपति–अथैव प्रत्यक्षं यज्ञो–यदाहुतिः। तदेतेन यज्ञेनोद्गृभ्णीते–अस्माल्लोकाद्देवलोकमभि ॥ १ ॥

ततो यानि त्रीणि स्रुवेण जुहोति–तान्याधीतयजूंषीत्याचक्षते। सम्पदऽएव कामाय चतुर्थं हूयते। अथ यत्पञ्चमं स्रुचा जुहोति–तदेव प्रत्यक्षमौद्ग्रभणम् । अनुष्टुभा हि तज्जुहोति। वाग्घ्यनुष्टुप्। वाग्घि यज्ञः ॥ २ ॥

अथ दीक्षाहुतीर्विधातुमाह–**सर्वाणि ह वा** इति । यजुस्सम्बन्धादीक्षासम्बन्धीनि 'यजूंषि' औद्ग्रभणानि'। तदुद्ग्रभणत्वमेव कुत इति तद्दर्शयति–**उद्गृभ्णीते वा** इति । 'तत्' तदा 'एतैः' एव दीक्षाङ्गभूतैः सर्वैः 'यजुर्भिः' एवातो 'दीक्षायाः' प्रकरण उक्तानि 'सर्वाणि' अपि 'यजूंषि' 'औद्ग्रभणानि' औद्ग्रहणानीति (का. श्रौ. सू. ७ । ७९)। "हृग्रहोर्भः"–(पा. ८ । २ । ३२ सू. वा. १) इति भत्वम् । 'ततः' तेषु यजुःषु मध्ये 'एतानि' एव दीक्षाहुतिसाधनानि आकूत्यादीनि 'औद्ग्रभणानि' उद्ग्रभणेऽत्यन्तं सन्निहितानीत्यर्थः। तत् कथमिति, उच्यते–**आहुतयो** हीति । तावता श्रैष्ठ्ये किमायातमिति तत्राह–**आहुतिर्हीति** । जप्यानां होम्यानां च तारतम्यमाह–**परोक्षं वा** इति ॥ १ ॥

एतासामप्युद्ग्रहणसाधनतां विभज्य दर्शयन् प्रशंसति–**ततो यानीति** । 'यानि' आदितः 'त्रीणि' यजूंषि 'स्रुवेण जुहोति', 'तानि' 'आधीत-यजूंषि' आधानलिङ्गकानि; तन्मन्त्रेष्वाधानव्यापारलिङ्गदर्शनात् । 'सम्पदे कामाय'। सम्पद्यत इति 'सम्पत्' काम्यत इति 'कामः', सम्पाद्याय स्वर्गफलाय चेत्यर्थः । अयमभिप्रायः–यथा लोके किञ्चित् फलं सिषाधयिषुरादौ तज्ज्ञात्वा पश्चात् कामयित्वा तत्साधनमनुष्ठायान्ते तल्लभते; एवं त्रिभिः स्वर्गफलमाध्याय चतुर्थेन तत्साधनमनुष्ठाय पञ्चमेन तदुद्गृहीतवान् भवतीति । अथ चतुर्थस्य होमसाधनानभिधानेनापि पञ्चमस्य विशेषितत्वात् चतुर्थमपि स्रुवेणैवेति वेदितव्यम् । पञ्चमस्य साक्षादुद्ग्रहणसाधनत्वं तन्मन्त्रस्यानुष्टुप्त्वे सिद्धमित्याह–**अनुष्टुभा हीति** । 'अनुष्टुभा' वाचा, मन्त्रेण साध्यत्वात् 'वाग् यज्ञः'। "अनुष्टुप्चतुरुत्तराणि छन्दांस्युदपादयत्"–इति सामब्राह्मणेऽभिधानाद् वाचोऽनुष्टुप्त्वम् ॥ २ ॥

(ञो) यज्ञेन वै देवाः । (ऽ) इमां जितिं जिग्युर्यैषामियं जितिस्ते होचुः कथं न ऽइदं मनुष्यैरनभ्यारोह्यꣳ स्यादिति ते यज्ञस्य रसं धीत्वा यथा मधु मधुकृतो निर्द्धयेयुर्विदुह्य यज्ञं यूपेन योपयित्वा तिरोऽभवन्नथ यदेनेनायोपयंस्तस्माद्यूपो नाम ॥ ३ ॥

तद्वाऽऋषीणामनुश्रुतमास । ते यज्ञꣳ समभरन्यथाऽयं यज्ञः सम्भृत ऽएवं वाऽएष यज्ञꣳ सम्भरति यदेतानि जुहोति ॥ ४ ॥

तानि वै पञ्च जुहोति । संव्वत्सरसंमितो वै यज्ञः पञ्च वाऽऋतवः संव्वत्सरस्य तं पञ्चभिराप्नोति तस्मात्पञ्च जुहोति ॥ ५ ॥

(त्य) अथातो होमस्यैव । (वा) आकूत्यै प्रयुजेऽग्नये स्वाहेत्या वाऽअग्रे कुवते यजेयेति तद्यदेवात्र यज्ञस्य तदेवैतत्संभृत्यात्मन्कुरुते ॥ ६ ॥

यज्ञेन वै देवाः इमां जितिं जिग्युः—यैषामियं जितिः । ते होचुः—कथं न इदं मनुष्यैरनभ्यारोह्यं स्यादिति । ते यज्ञस्य रसं धीत्वा—यथा मधु मधुकृतो निर्द्धयेयुः—विदुह्य यज्ञं, यूपेन योपयित्वा—तिरोऽभवन् । अथ यदेनेनायोपयन्—तस्माद् यूपो नाम ॥ ३ ॥

तद्वा ऋषीणामनुश्रुतमास । ते यज्ञं समभरन् । यथाऽयं यज्ञः सम्भृतः—एवं वा एष यज्ञं सम्भरति—यदेतानि जुहोति ॥ ४ ॥

तानि वै पञ्च जुहोति । संवत्सरसंमितो वै यज्ञः । पञ्च वा ऋतवः संवत्सरस्य । तं पञ्चभिराप्नोति । तस्मात्पञ्च जुहोति ॥ ५ ॥

अथातो होमस्यैव । "आकूत्यै प्रयुजेऽग्नये स्वाहा"—(वा.सं. ४।७) इति । आ वा अग्रे कुवते—यजेयेति । तद् यदेवात्र यज्ञस्य—तदेवैतत् संभृत्यात्मन् कुरुते ॥ ६ ॥

अथ पुरातनवृत्तान्तप्रदर्शनमुखेनैतेषां स्वर्गोद्ग्रहणे साधनतामुपपादयति—**यज्ञेन वा** इति । एतत् प्रथमकाण्डे पञ्चमप्रपाठकादावाग्नेयपुरोडाशार्थवादे (श. प. का. १ अ. ६. ब्रा. २ कं. १) व्याख्यातम् ॥ ३ ॥

तद्वा इति । **यथाऽयमिति** । येन प्रकारेण देवानुष्ठितप्रकार जानाद्भिरृषिभिः 'अयं यज्ञः' औदुग्रभणहोमेन[1] सम्भृतः; 'एवम्' एतेषामनुष्ठानेन 'एषः' यजमानोऽपि 'यज्ञं' सम्भृतवान् भवति ॥ ४ ॥

तद्गतपञ्चसङ्ख्यां प्रशंसति—**तानि वै पञ्चेति** । (का. श्रौ. सू. ७ । ७९) ॥ ५ ॥

अथातो होमस्यैवेति । मन्त्रा व्याख्यायन्त इति शेषः । 'अग्रे' यागानुष्ठानात् पूर्वम् 'आकुवते' खलु । 'कुर्वेन'[2] शब्देन तत्प्रागभावी मनोव्यापारो लक्ष्यते । 'यजेय'—इति संकल्पयतीत्यर्थः । अतो 'यज्ञस्य' देवकर्तव्यमङ्गजातं सर्वं 'सम्भृत्य' संकल्प्यात्मनैकीकृत्य स्वात्मनि 'कुरुते' स्थापयति ॥ ६ ॥

१—औद्ग्रभणानि जुहोति स्थाल्याः स्रुवेणाकूत्या इति प्रतिमंत्रम् । २—'कुद्—शब्देन' इति पा० ।

मेधायै मनसेऽग्नये स्वाहेति । मेधया वै मनसाऽभिगच्छति यजेयेति तद्य-
देवात्र यज्ञस्य तदेवैतत्सम्भृत्यात्मन्कुरुते ॥ ७ ॥

दीक्षायै तपसेऽग्नये स्वाहेति । (त्यु) अन्वेवैतदुच्यते नेत्तु हूयते ॥ ८ ॥

सरस्वत्यै पूष्णेऽग्नये स्वाहेति । वाग्वै सरस्वती वाग्यज्ञः पशवो वै
पूषा पुष्टिर्वै पूषा पुष्टिः पशवः पशवो हि यज्ञस्तद्यदेवात्र यज्ञस्य
तदेवैतत्सम्भृत्यात्मन्कुरुते ॥ ९ ॥

तदाहुः । (रु) अनद्धेवैता ऽआहुतयो हूयन्तेऽप्रतिष्ठिता ऽअदेवका-
स्तत्र नेन्द्रो न सोमो नाग्निरिति ॥ १० ॥

"मेधायै मनसेऽग्नये स्वाहा"–(वा.सं.४।७) इति। मेधया वै मनसाऽभिगच्छाति–यजेयेति । तद् यदेवात्र यज्ञस्य–तदेवैतत् सम्भृत्यात्मन्–कुरुते ॥ ७ ॥

"दीक्षायै तपसेऽग्नये स्वाहा"–(वा.सं.४ । ७) इति । अन्वेवैतदुच्यते, नेत्तु हूयते ॥ ८ ॥

" सरस्वत्यै पूष्णेऽग्नये स्वाहा "–(वा. सं. ४ । ७) इति । वाग्वै सरस्वती । वाग्यज्ञः । पशवो वै पूषा । पुष्टिर्वै पूषा । पुष्टिः पशवः । पशवो हि यज्ञः । तद् यदेवात्र यज्ञस्य–तदेवैतत्सम्भृत्यात्मन्कुरुते ॥ ९ ॥

तदाहुः–अनद्धेवैता आहुतयो हूयन्ते–अप्रतिष्ठिता, अदेवकाः । तत्र नेन्द्रो, न सोमो नाग्निरिति ॥ १० ॥

द्वितीयमन्त्रस्य तात्पर्यमाह–**मेधायै मनस** इति । **मेधयेति** । सङ्कल्पितस्यार्थस्य धारयित्री बुद्धिर्मेधा तया, 'मनसा' च साधनेन उभाभ्याम् 'अभिगच्छति' । यथा कश्चित् प्रथममिदं सम्यगिति सङ्कल्प्य तत्साधन-प्रकारविशेषमवबुद्ध्यते, तद्वदित्यर्थः ॥ ७ ॥

तृतीयस्य मन्त्रस्यापि होमसाधनत्वप्रसक्तौ जप्यतामाह–**दीक्षाया** इति । 'अनु उच्यते एव'–इति, एव-कारतात्पर्यार्थमाह–**नेत्विति** । अत एव कात्यायनः–" तृतीयं जपत्येव "–(का. श्रौ. सू. ७ । ८०) इत्युक्तवान् ॥ ८ ॥

होमे तृतीयं मन्त्रं व्याचष्टे–**सरस्वत्या** इति । **पशवो वा** इति । पशूनां पूषत्वम्, पूषगतपुष्टिधर्मसद्भा-वात्; पूष्णोऽपि पोषकत्वम् " पोषाँ अपुष्यत् "–(तै. सं. ७ । १ । ९ । १ । श. प. का. १४ । ४ । २ । २५ । निरु. १२ । २ । ९ । श. प. ५ । २ । ५ । ७) इत्यादिश्रुतेः सिद्धम् । पशुगतक्षीरादि-साध्यत्वात् 'पशवो यज्ञः' ॥ ९ ॥

उक्तमन्त्रत्रयेऽपि 'अग्नये' यदस्ति, तत्राग्नेः कः प्रसङ्ग इति तद्दर्शयितुमाह–**तदाहुरिति** । 'अनद्धेव' अप्रत्यक्षमिव 'एताः' तिस्रः 'आहुतयः' 'हूयन्ते' । अस्तु को दोष इति तत्राह–**अप्रतिष्ठिता** इति । किमर्थमप्रतिष्ठिततेति, तत्राह–**अदेवका** इति । यद्यपि सन्त्याकूत्याद्याः, तथापि तासां देवतात्वेन प्रसिद्ध्यभा-वादिन्द्रादिना भवितव्यमिति प्रदर्शयति–**तत्र नेन्द्र** इत्यादि ॥ १० ॥

(त्या) आकूत्यै प्रयुजेऽग्नये स्वाहेति । नात ऽएकं चनाग्निर्वाऽअद्धे-वाग्निः प्रतिष्ठितः स यदग्नौ जुहोति तेनैवैता ऽअद्धेव तेन प्रतिष्ठिता-स्तस्मादु सर्वास्वेवाग्नये स्वाहेति जुहोति तत ऽएतान्याधीतयजूꣳषीत्याचक्षते ॥ ११ ॥

(तुऽ) आकूत्यै प्रयुजेऽग्नये स्वाहेति । (त्या) आत्मना वाऽअग्रऽआकुवते यजेयेति तमात्मनऽएव प्रयुङ्क्ते यत्तनुते तेऽअस्यैतेऽआत्मन्देवतेऽआधीते भवत आकूतिश्च प्रयुक्च ॥ १२ ॥

मेधायै मनसेऽग्नये स्वाहेति । मेधया वै मनसाऽभिगच्छति यजेयेति तेऽअस्यैतेऽआत्मन्देवतेऽआधीते भवतो मेधा च मनश्च ॥ १३ ॥

आकूत्यै प्रयुजेऽग्नये स्वाहेति । नात एकं चन । अग्निर्वा । अद्धेवाग्निः प्रतिष्ठितः । स यदग्नौ जुहोति–तेनैवैता अद्धेव । तेन प्रतिष्ठिताः । तस्मादु सर्वास्वेव–अग्नये स्वाहेति–जुहोति । तत एतान्याधीतयजूंषीत्याचक्षते ॥ ११ ॥

आकूत्यै प्रयुजेऽग्नये स्वाहेति । आत्मना वा अग्र आकुवते यजेयेति । तमात्मन एव प्रयुङ्क्ते–यत्तनुते । ते अस्यैते आत्मन्देवते आधीते भवतः–आकूतिश्च प्रयुक्च ॥ १२ ॥

मेधायै मनसेऽग्नये स्वाहेति । मेधया वै मनसाऽभिगच्छति–यजेयेति । ते अस्यैते आत्मन्देवते आधीते भवतो–मेधा च मनश्च ॥ १३ ॥

तत्र प्रसिद्धदेवतानामभावं दर्शयितुमनुवदति–**आकूत्या** इति । **नात एकञ्चनेति** । 'अतः' अस्माद् आकूत्या इत्येवमादिकाद् वाक्यादेकमपि इन्द्रादिकं देवं नोपलभामहे । इति वदतोऽयमभिप्रायः–तेषु मन्त्रेषु आकूतिमेधादेः प्रशंसितत्वेनाग्निमतिविहायायमाक्षेप इति । अनद्धात्वपरिहारमाह–**अग्निर्वा** इति । 'सः' यजमानः 'यत्' यस्मात् 'अग्नौ' प्रत्यक्षेण 'जुहोति' अत एव 'अग्निः अद्धा इव' प्रत्यक्षमिव, अत एव 'प्रतिष्ठितः' च, 'तेन' खलु 'एताः' तिस्रोऽपि 'अद्धेव' 'प्रतिष्ठिताः' च । **तत एतानीति** । यत उत्तारीत्याद्यन्यादिगाभान्यम्, तत इत्यर्थः । इत्थमग्निं प्रशस्यावशिष्टाकूतिप्रयुगग्निदेवतात्रयमाध्यानसम्बन्धेन प्रशंसति–**तत एतान्याधीतयजूंषीति**–इति ॥ ११ ॥

आकूत्यै प्रयुज इति । 'अग्रे' प्रथमम् 'आत्मना' बुद्ध्यैव 'यजेयेति' । 'आ कुवते' सङ्कल्पयन्ति । 'तम्' तत्सङ्कल्पितम् 'आत्मन एव' विस्तीर्य 'प्रयुङ्क्ते' (भवतः) । प्रयुज्यत इति 'प्रयुक्' । उभयोरपि बुद्धिविषयभावादुभे अपि 'देवते' आकूतिप्रयुजौ, 'अस्य' यजमानस्य 'आत्मन्' आत्मनि 'आधीते' आध्यानेन विषयीकृते भवतः । आधीतप्रतिपादकत्वात् 'आधीतयजूंषि'–इत्युच्यन्ते । एवमुत्तरवाक्यान्यपि योज्यानि ॥ १२ ॥ १३ ॥

सुरस्वत्यै पूष्णेऽग्नुये स्वाहेति । व्वाग्वै सुरस्वती व्वाग्यज्ञः साऽस्यैषाऽऽत्मुन्देवताऽऽधीता भवति व्वाक्पशुवो वै पूषा पुष्टिर्व्वै पूषा पुष्टिः पशुवः पशुवो हि यज्ञुस्तेऽस्यैतुऽआत्मन्पशव आधीता भवन्ति तद्युदस्यैतुऽआत्मन्देवुता ऽआधीता भुवन्ति तुस्मादाधीतयजूᳫंषि नाम ॥ १४ ॥

(म्रा) अुथ चतुर्थीं जुहोति । (त्या) आुपो देवीर्बृहतीर्व्विश्वशम्भुवो द्यावा पृथिवीऽउरोऽअन्तरिक्ष ॥ बृहस्पुतये हविषा व्विधेम स्वाहेत्येषा ह नेदीयो यज्ञुस्यापाᳫं हि कीर्तुयत्यापो हि यज्ञो द्यावापृथिवीऽउरोऽअन्तरिक्षेति लोकानाᳫं हि कीर्तुयति बृहस्पुतये हविषा व्विधेम स्वाहेति ब्रुह्म वै बृहस्पुतिर्ब्रुह्म यज्ञ एतुनो हैषा नेदीयो यज्ञस्य ॥ १५ ॥

(स्या) अुथ युां पञ्चमीᳫं स्रुचा जुहोति । सा हैव प्रत्यक्षं युज्ञोऽनुष्टुभा हि तुां जुहोति व्वाग्घ्यनुष्टुब्व्वाग्घि यज्ञः ॥ १६ ॥

सरस्वत्यै पूष्णेऽग्नये स्वाहेति । वाग्वै सरस्वती । वाग्यज्ञः । साऽस्यैषाऽऽत्मन्देवताऽऽधीता भवति-वाक् । पशवो वै पूषा । पुष्टिर्वै पूषा पुष्टिः पशवः । पशवो हि यज्ञः । तेऽस्यैत आत्मन्पशव आधीता भवन्ति । तद्यदस्यैता आत्मन्देवता आधीता भवन्ति-तस्मादाधीतयजूंषि नाम ॥ १४ ॥

अथ चतुर्थीं जुहोति-"आपोदेवीर्बृहतीर्विश्वशम्भुवो द्यावापृथिवी उरोऽअन्तरिक्ष ॥ बृहस्पतये हविषा विधेम स्वाहा"-(वा. सं. ४ । ७) इति । एषा ह नेदीयो यज्ञस्य । अपां हि कीर्तयति । आपो हि यज्ञः । द्यावापृथिवी उरो अन्तरिक्षेति । लोकानां हि कीर्तयति । बृहस्पतये हविषा विधेम स्वाहेति । ब्रह्म वै बृहस्पतिः । ब्रह्म यज्ञः । एतेनो हैषा नेदीयो यज्ञस्य ॥ १५ ॥

अथ यां पञ्चमीं स्रुचा जुहोति । सा हैव प्रत्यक्षं यज्ञः । अनुष्टुभा हि तां जुहोति । वाग्घ्यनुष्टुप् वाग्घि यज्ञः ॥ १६ ॥

सरस्वत्यै पूष्ण इति । अत्र 'पूषन्' शब्दवाच्यानां पशूनां बहुत्वात्पृथङ्निर्दिश्यते । **पशवो वा** इत्यादि । प्राग् व्याख्यातम् ॥ १४ ॥

इत्थमाधीतत्वसमानधर्मसम्भवादाहुतित्रयं पृथग्विधाय, प्रशस्य च चतुर्थीमाहुतिं तन्मन्त्रं च विधत्ते-**अथ चतुर्थीमित्यादि** । मन्त्रवाक्यानि क्रमेणोदाहृत्य व्याचष्टे-**एषा हेति** । 'एषा' ऋगित्यर्थः । 'यज्ञस्य' 'नेदीयः' अत्यन्तं सन्निहितम् । कथम् ? यस्मात् 'एषा अपां कीर्तयति' तस्मान्नेदीयः । तत्कीर्तनेन यज्ञं प्रति कथं नेदीयस्त्वमिति तत्राह-**आपो हीति** । अभिषवसंयवनादिसाधनत्वादपां यज्ञत्वम् । स्पष्टमन्यत् ॥

उक्ताहुतिचतुष्टयस्याज्यस्थाल्याः स्रुवेण होमः । तथा च **सूत्रम्**-"औदग्रभणानि जुहोति स्थाल्याः स्रुवेणाहुत्यै प्रतिमन्त्रम्" (का. श्रौ. सू. ७ । ७९) इति ॥ १५ ॥

अथ यां पञ्चमीमिति । स्पष्टम् ॥ १६ ॥

(ओऽथ) अथ यद्ध्रुवायामाज्यं परिशिष्टं भवति। तज्जुह्वामानयति त्रिः स्रुवे-
णाज्यविलापन्याऽअधि जुह्वां गृह्णाति यत्तृतीयं गृह्णाति तत्स्रुवमभिपूरयति १७

स जुहोति। विश्वो देवस्य नेतुर्मर्तो वुरीत सख्यम् ॥ विश्वो राय इषु-
ध्यति द्युम्नं वृणीत पुष्यसे स्वाहेति ॥ १८ ॥

सैषा देवताभिः पङ्क्तिर्भवति। विश्वो देवस्येति वैश्वदेवं नेतुरिति सावित्रं
मर्तो वुरीतेति मैत्रं द्युम्नं वृणीतेति बार्हस्पत्यं द्युम्नᳪं हि बृहस्पतिः
पुष्यसऽइति पौष्णम् ॥ १९ ॥

अथ यद् ध्रुवायामाज्यं परिशिष्टं भवति–तज्जुह्वामानयति । त्रिः स्रुवेणाज्यविलापन्या आधिजुह्वां गृह्णाति । यत्तृतीयं गृह्णाति–तत्स्रुवमभिपूरयति ॥ १७ ॥

स जुहोति–" विश्वो देवस्य नेतुर्मर्तो वुरीत सख्यम् । विश्वो राय इषुध्यति द्युम्नं वृणीत पुष्यसे स्वाहा "–(वा. सं. ४ । ८) इति ॥ १८ ॥

सैषा देवताभिः पाङ्क्तिर्भवाति । विश्वो देवस्येति वैश्वदेवम् (१) । नेतुरिति सावित्रम् (२ ।) मर्त्तो वुरीतेति मैत्रम् (३) । द्युम्नं वृणीतेति बार्हस्पत्यम् (४) । द्युम्नं हि बृहस्पातिः । पुष्यसे इति पौष्णम् (५) ॥ १९ ॥

पञ्चमस्य द्रव्यमाह–अथ यद् ध्रुवायामाज्यं परिशिष्टमित्यादिना । अयमर्थः । दीक्षणीयेष्टेः सम्बन्धि 'यदाज्यम्' 'ध्रुवायाम्' अवशिष्टम्, 'तत्' पञ्चमाहुत्यर्थं 'जुह्वाम्' अवनयेत् । एतदेकमवत्तम् । अथाज्य-स्थाल्याः सकाशात् 'स्रुवेण' जुह्वामुपरि 'त्रिः' निनयति । एवं चतुरवत्तं भवति । तत्र 'यत्' 'तृतीयम्', 'तत्' 'आज्यविलापन्या अधि' जुह्वा उपरि उत्तानं स्रुवं निधाय यथा पूर्णं भवति तथा स्रुवस्याभित आज्येन पूरयेत् । तथा च सूत्रम्–" जुह्वां ध्रौवमासिच्य द्विश्च स्थाल्याः स्रुवेण तृतीयं स्रुवमभिपूरयति विश्वो देवस्येति"–(का. श्रौ. सू. ७ । ८१) इति ॥ १७ ॥

पञ्चमस्य मन्त्रमाह–स जुहोति विश्वो देवस्येति । (का. श्रौ. सू. ७ । ८१) ॥ १८ ॥

तं प्रशंसति–सैषा देवताभिरिति । " पञ्चाक्षरा पङ्क्तिः " (तै. ब्रा. २ । ७ । १० । २)–इति श्रुतेः पञ्चसङ्ख्यासम्बन्धात् 'एषा' 'पङ्क्तिर्भवति' । तमेवोपपादयति विश्वो देवस्य इति । विश्वदेवशब्दश्रवणात् 'इदं' मन्त्रवाक्यं 'वैश्वदेवं' । नयनस्य सवितृव्यापारत्वात् 'नेतृ'–शब्दश्रवणात् 'सावित्रम्' । 'मर्तो वुरीत' इत्येतेन मनुष्यैर्वरणीयत्वाभिधानात् 'मैत्रम्'; मित्रस्य हि वरणीयत्वं प्रसिद्धम् । मैत्रत्वं बार्हस्पत्यमन्त्रेषु 'द्रविणं धेहि चित्रम्'–इति द्युम्नसमानार्थस्य द्रविणस्य दाने बृहस्पतिसम्बन्धश्रवणात् द्युम्नं वृणीत–इत्यनेन बार्हस्पत्यम् । 'पुष्यसे'–इति पोषणधर्मश्रवणत्–'पौष्णम्' इति ॥ १९ ॥

१–'त्रिरानयति' । इति क० पा० ।

(२५) सैषा देवताभिः पङ्क्तिर्भवति । पाङ्क्तो यज्ञः पाङ्क्तः पशुः पञ्चऽ-र्तवः संवत्सरस्यैतमेवैतयाऽऽप्नोति यद्देवताभिः पङ्क्तिर्भवति ॥ २० ॥

तां वाऽअनुष्टुभा जुहोति । वाग्वाऽअनुष्टुब्वाग्यज्ञस्तद्यज्ञं प्रत्यक्षमाप्नोति २१

तदाहुः । (२) एतामेवैकां जुहुयाद्यस्मै कामायेतरा हूयन्तऽएतयैव तं काममाप्नोतीति तां वै यद्येकां जुहुयात्पूर्णां जुहुयात्सर्वं वै पूर्णꣳ सर्व-मेवैनयैतदाप्नोत्यथ यत्स्रुवमभिपूरयति स्रुचं तदभिपूरयति तां पूर्णां जुहो-त्यन्वेवैतदुच्यते सर्वास्त्वेव हूयन्ते ॥ २२ ॥

तां वाऽअनुष्टुभा जुहोति । सैषाऽनुष्टुप्सत्येकत्रिꣳशदक्षरा भवति दश पाण्याऽअङ्गुलयो दश पाद्या दश प्राणा आत्मैकत्रिꣳशो यस्मिन्नेते प्राणाः प्रतिष्ठिताऽएतावान्वै पुरुषः पुरुषो यज्ञः पुरुषसंमितो यज्ञः स यावानेव यज्ञो

सैषा देवताभिः पङ्क्तिर्भवति । पाङ्क्तो यज्ञः । पाङ्क्तः पशुः । पञ्चर्तवः संवत्सरस्य । एतमेवैतयाऽऽप्नोति–यद्देवताभिः पङ्क्तिर्भवति ॥ २० ॥

तां वा अनुष्टुभा जुहोति । वाग्वा अनुष्टुप् । वाग्यज्ञः । तद्यज्ञं प्रत्यक्षमाप्नोति ॥ २१ ॥

तदाहुः–एतामेवैकां जुहुयात् । यस्मै कामायेतरा हूयन्ते–एतयैव तं काममाप्नोतीति । तां वै यद्येकां जुहुयात्–पूर्णां जुहुयात् । सर्वं वै पूर्णम् । सर्वमेवैनयैतदाप्नोति । अथ यत् स्रुवमभिपूरयति–स्रुचं तदभिपूरयति । तां पूर्णां जुहोति । अन्वेवैतदुच्यते । सर्वास्त्वेव हूयन्ते ॥ २२ ॥

तां वा अनुष्टुभा जुहोति । सैषाऽनुष्टुप्सत्येकत्रिंशदक्षरा भवति । दश पाण्या अंगुलयः, दश पाद्याः, दश प्राणाः, आत्मैकत्रिंशः–यस्मिन्नेते प्राणाः प्रतिष्ठिताः । एतावान्वै पुरुषः । पुरुषो यज्ञः ।

सैषेति । देवताभिः पङ्क्तित्वं भवति । ततः किमित्यत आह–पाङ्क्तो यज्ञ इत्यादिना ॥ २० ॥

अथ छन्दोद्वारा प्रशंसति–तां वा अनुष्टुभेति ॥ २१ ॥

इत्थं पञ्चानामाहुतीनां समुच्चयपक्षमुक्त्वा पञ्चमीमेवैकां जुहुयादिति केषाञ्चित् पक्षमाह–तदाहुरिति । इतराभ्यो यत् फलं तस्यैकयैव सिद्धेरेकामे 'एतामेव' 'जुहुयात्' तत्रापि पूर्णां कृत्वा 'जुहुयात्' पूर्णाहुतिं कुर्यादित्यर्थः । यत् 'पूर्णम्' तदन्यूनत्वेन 'सर्वम्' अतस्तेन सर्वं फलमाप्नोति । 'यत्' यदा पूर्णाहुतिसमये 'स्रुवम्' अभिपूरयेत्, 'तत्' तदा, स्रुवेणैव होममकृत्वा आज्येन 'स्रुचम्' अभिपूरयेत् । तथा कृत्वा 'ताम्' आहुतिं पूर्णाहुतिं कृत्वा जुहुयात् । तथा च सूत्रम्–"एतामेव वा पूर्णां जुहुयात्"–(का. श्रौ. सू. ७ । ८२) इति ॥ २२ ॥

अक्षरसङ्ख्याद्वारा तं मन्त्रं प्रशंसति तं वा अनुष्टुभेति । दश प्राणाः इति । शीर्षगतसप्तच्छिद्रस्थाः सप्त प्राणाः, अवाञ्चौ द्वौ, इत्यसाधारणा नव; मुख्यप्राणस्त्वेकः; इति प्राणानां दशत्वम् । 'आत्मा' देहः । 'एकत्रिंशः'

यावत्यस्य मात्रा तावन्तमेवैनयैतदाप्नोति यदनुष्टुभैकत्रिँशदक्षरया जुहोति ॥ २३ ॥

इति प्रथमप्रपाठके चतुर्थं ब्राह्मणम् ॥ १ ॥ ४ ॥

पुरुषसंमितो यज्ञः । स यावानेव यज्ञो, यावत्यस्य मात्रा—तावन्तमेवैनयैतदाप्नोति—यदनुष्टुभैकत्रिंशदक्षरया जुहोति ॥ २३ ॥ इत्यौदुग्रभणहोमः ॥

पुरुषः । 'एतावान्' एकत्रिंशदात्मकः । 'पुरुषो यज्ञः'—इत्यस्योपपादनम्—**पुरुषसम्मितो यज्ञ** इति । यज्ञस्य पुरुषसम्मितत्वमुपरिष्टाद् वक्ष्यते (श. प. कां. ३ अ. ५ ब्रा. ३ कं. १–६) 'यावानेव यज्ञः' इत्यस्य विवरणं—**यावत्यस्य मात्रे**ति । 'अस्य' 'यज्ञस्य' 'मात्रा' । मीयत इति मात्रा, अवयवसमष्टिः, एकत्रिंशदात्मिका । अनया "विश्वो देवस्य"– (श. प. कां ३ अ. १ ब्रा ४ कं १८) इत्यनया 'तावन्तमेव' यज्ञम् 'आप्नोति' ॥ २३ ॥

इति श्रीसायणाचार्यविरचिते माधवीये वेदार्थप्रकाशे माध्यन्दिनशतपथब्राह्मणभाष्ये
तृतीयकाण्डे प्रथमाध्याये चतुर्थं ब्राह्मणम् ॥ (३–१–४)

वेदार्थस्य प्रकाशेन तमो हार्दं निवारयन् । पुमर्थांश्चतुरो देयाद्विद्यातीर्थमहेश्वरः ॥ १ ॥

ब्रह्माण्डं गोसहस्रं कनकहयतुलापूरुषौ स्वर्णगर्भं,
सप्ताब्धीन् पञ्चसीरींस्त्रिदशतरुलताधेनुसौवर्णभूमीः ।
रत्नोस्रां रुक्मवाजिद्विपमहितरथौ सायणिः सिङ्गणार्यो,
व्यश्राणीद्विश्वचक्रं प्रथितविधिमहाभूतयुक्तं घटञ्च ॥ १ ॥
धान्याद्रिं धन्यजन्मा तिलभवमतुलः स्वर्णजं वर्णमुख्यः,
कार्पासीयं कृपावान् गुडकृतमजडो राजतं राजपूज्यः ।
आज्योत्थं प्राज्यजन्मा लवणजमनृणः शार्करं चार्कतेजाः,
रत्नाढ्यो रत्नरूपं गिरिमकृत मुदा पात्रसात्सिङ्गणार्यः ॥

इति श्रीमद्राजाधिराजपरमेश्वरवैदिकमार्गप्रवर्त्तकश्रीवीरहरिहरमहाराजसाम्राज्यधुरन्धरेण सायणाचार्येण विरचिते माधवीये वेदार्थप्रकाशे माध्यन्दिनशतपथब्राह्मणभाष्ये तृतीयकाण्डे प्रथमोऽध्यायः समाप्तः ॥ १ ॥

द्वितीयाध्याये प्रथमं ब्राह्मणम् ।

दक्षिणेनाहवनीयं प्राचीनग्रीवे कृष्णाजिनेऽउपस्तृणाति । तयोरेनमधि दीक्षयति यदि द्वे भवतस्तदनयोर्लोकयो रूपं तदेनमनयोर्लोकयोरधि दीक्षयति ॥ १ ॥

संबद्धान्ते भवतः । संबद्धान्ताविव हीमौ लोकौ तर्द्मसमुते पश्चाद्भवतस्तदिमावेव लोकौ मिथुनीकृत्य तयोरेनमधि दीक्षयति ॥ २ ॥

यद्यु एकं भवति । तदेषां लोकानाᳬरूपं तदेनमेषु लोकेष्वधि दीक्षयति यानि शुक्लानि तानि दिवो रूपं यानि कृष्णानि तान्यस्यै यदि वेतरथा यान्येव कृष्णानि तानि दिवो रूपं यानि शुक्लानि तान्यस्यै यान्येव बभ्रूणीव हरीणि तान्यन्तरिक्षस्य रूपं तदेनमेषु लोकेष्वधि दीक्षयति ॥ ३ ॥

अथ कृष्णाजिनदीक्षा ।

दक्षिणेनाहवनीयं प्राचीनग्रीवे कृष्णाजिने उपस्तृणाति । तयोरेनमधिदीक्षयति । यदि द्वे भवतः— तदनयोर्लोकयो रूपम् । तदेनमनयोर्लोकयोरधिदीक्षयति ॥ १ ॥

संबद्धान्ते भवतः । संबद्धान्ताविव हीमौ लोकौ । तर्द्मसमुते पश्चाद्भवतः । तदिमावेव लोकौ मिथुनीकृत्य तयोरेनमधिदीक्षयति ॥ २ ॥

यद्यु एकं भवति—तदेषां लोकानां रूपम् । तदेनमेषु लोकेष्वधिदीक्षयति । यानि शुक्लानि तानि दिवो रूपम् । यानि कृष्णानि तान्यस्यै । यदि वेतरथा—यान्येव कृष्णानि—तानि दिवो रूपम् । यानि शुक्लानि तान्यस्यै । यान्येव बभ्रूणीव हरीणि—तान्यन्तरिक्षस्य रूपम् । तदेनमेषु लोकेष्वधिदीक्षयति ॥ ३ ॥

यस्य निश्वसितं वेदा यो वेदेभ्योऽखिलं जगत्। निर्ममे, तमहं वन्दे विद्यातीर्थमहेश्वरम् ॥ १ ॥

दीक्षाहुतीर्विधायाथ कृष्णाजिनदीक्षामाह—**दक्षिणेनाहवनीयमि**ति । आहवनीयस्य दक्षिणे देशे द्वे कृष्णाजिने आस्तीर्य ‘ तयोरधि ’ ‘ एनं ’ यजमानं ‘ दीक्षयति ’ तद्गतं द्वित्वं प्रशंसति—**यदि द्वे भवत** इति ॥ १ ॥

सम्बद्धान्ते भवत इति । ते च परस्परं सम्बद्धपर्यन्तप्रदेशे भवतः । आस्तरणप्रकारं कात्यायन आह— “ आहवनीयं दक्षिणेन कृष्णाजिने मांससंहिते स्यूतान्ते तर्द्मसु पश्चादासञ्जनवती निदधाति ”—(का. श्रौ. सू ७ । ८३) इति । **तर्द्मसमुते** इति । यथोभयोर्मांसप्रदेशयोः सम्बन्धो भवति, यथा च तर्द्दनप्रदेशेषु पश्चाद्भागे ‘ उते ’ ‘ परस्परं स्यूते भवतः, तथैकस्योपर्यधस्मास्तृणुयात् । तथाऽऽपस्तम्बोऽपि—“ अन्तर्मांसाभ्यां बहिर्लोमभ्याम् ”—(आप. श्रौ. सू. १० । ८ । १२) इति ॥ २ ॥

एककृष्णाजिनपक्षमुक्त्वा प्रशंसति—**यद्यु एकमि**ति । ‘ तत् ’ ‘ एकम् ’ एव कृष्णाजिनं लोकत्रयात्मकम्; अत एकेनापि दीक्षयेत् । ‘ दिवः ’ द्योतमानत्वेन शुक्लरोमांशास्तद्रूपं भवति । पृथिव्याः श्यामत्वात् कृष्णानां

(त्य) अन्तकमु तर्हि पश्चात्प्रत्यस्येत् । (त्त) तदिमानेव लोकान्मिथुनीकृत्य तेष्वेनमधिदीक्षयति ॥ ४ ॥

(त्यु) अथ जघनेन कृष्णाजिने पश्चात् । (त्या) प्राङ् जान्वाक्न उपविशति स यत्र शुक्लानां च कृष्णानां च सन्धिर्भवति तदेवमभिमृश्य जपत्यृक्सामयोः शिल्पे स्थ ऽइति यद्वै प्रतिरूपं तच्छिल्पमृचां च साम्नां च प्रतिरूपे स्थ इत्येवैतदाह ॥ ५ ॥

ते व्वामारभ इति । गर्भो वा ऽएष भवति यो दीक्षते स छन्दाᳪंसि प्रविशति तस्मान्न्यक्नाङ्गुलिरिव भवति न्यक्नाङ्गुलय ऽइव हि गर्भाः ॥ ६ ॥

अन्तकमु तर्हि पश्चात्प्रत्यस्येत् । तदिमानेव लोकान्मिथुनीकृत्य तेष्वेनमधिदीक्षयति ॥ ४ ॥

अथ जघनेन कृष्णाजिने पश्चात् प्राङ् जान्वाक्न उपविशति । स यत्र शुक्लानां च कृष्णानां च सन्धिर्भवति–तदेवमभिमृश्य जपति–"ऋक्सामयोः शिल्पे स्थः"–(वा. सं. ४ । ९) इति । यद्वै प्रतिरूपम्–तच्छिल्पम् । ऋचां च साम्नां च प्रतिरूपे स्थः–इत्येवैतदाह ॥ ५ ॥

"ते वामारभे"–(वा. सं. ४ । ९) इति । गर्भो वा एष भवति–यो दीक्षते । स च्छन्दांसि प्रविशति । तस्मान्न्यक्नाङ्गुलिरिव भवति । न्यक्नाङ्गुलय इव हि गर्भाः ॥ ६ ॥

तद्रूपत्वम् । यदि वेतरथेति । भूलोकस्वर्लोकयोर्मनुष्यैः परिदृश्यमानापरिदृश्यमानत्वमपेक्ष्य वैपरीत्योपन्यासः । यान्येवेति । 'यान्येव' लोमानि 'बभ्रूणि' बभ्रुवर्णानि, 'हरीणि' हरितवर्णानि च दृश्यन्ते 'तानि अन्तरिक्षस्य रूपम्;' "नीलं नभः" इति लोकप्रसिद्धेः ॥ ३ ॥

अन्तकमु तर्हीति । 'तर्हि' तस्मिन्नेककृष्णाजिनपक्षे 'अन्तकमु' अन्तप्रदेशमेव 'पश्चाद्-भागे 'प्रत्यस्येत्' सङ्कोचयेत्, सन्धिप्रदेशेन द्विगुणीकुर्यादित्यर्थः । तथा च सूत्रम्–"एकं चेत्पश्चात् पादद्विगुणम्"–(का. श्रौ. सू. ७ । ८४) इति ॥ ४ ॥

कृष्णाजिनदीक्षार्थमुपवेशनप्रकारमाह–अथ जघनेनेति । कृष्णाजिनयोः पश्चाद्भागेन स्वयमपि पश्चात् प्राङ्मुखो दक्षिणजान्वाक्नः उपविशेत् । 'जान्वाक्नः' सङ्कुचितजानुकः, आरुह्योपविशेदित्यर्थः । "दक्षिणं जान्वाच्यास्ते पश्चादेनयोः" (का. श्रौ. सू. ७ । ८५) इति सूत्रम् । आसीनः तत्सन्धिस्थानमित्यर्थः । (का. श्रौ. सू. ७ । ८६) । एवमभिमृश्य जपतीति । एवमित्यभिमर्शनप्रकारस्याभिनयः ॥

मन्त्रस्थं शिल्पपदं व्याचष्टे यद्वा इति । 'प्रतिरूपम्' प्रतिकृतिः । 'वै–' शब्देन लोकप्रसिद्धिरुच्यते । लौकिका हि हरितुरगादिप्रतिरूपं शिल्पमित्याहुः । शुक्लकृष्णयोरेवर्क्सामप्रतिरूपत्वं तैत्तिरीयके उक्तम्–"एष वा ऋचो वर्णो यच्छुक्लं कृष्णाजिनस्यैष साम्नो यत् कृष्णम्–" (तै. सं. ६ । १ । ३ । १) इति ॥ ५ ॥

द्वितीयं भागं व्याचष्टे–ते वामिति । गर्भो वा एष भवति इति । 'वै–' शब्देनात्र श्रुत्यन्तरप्रसिद्धि-

---

१–शुक्लसन्धिमालभते ऋक्सामयोरिति । २–शतपथे हविर्यज्ञकाण्डेऽपि । १ । १ । ४ । २ । अथ कृष्णाजिनमादत्ते इत्युपक्रम्य–तस्य यानि शुक्लानि च कृष्णानि च लोमानि । तान्यृचां च साम्नां च रूपम् । यानि शुक्लानि तानि साम्नां रूपम् । यानि कृष्णानि तान्यृचाम् । यदि वेतरथा । यान्येव कृष्णानि तानि साम्नां रूपम् । यानि शुक्लानि तान्यृचाम् । यान्येव बभ्रूणीव हरीणि तानि यजुषां रूपमिति ॥

स यदाह । ते व्वामारभ ऽइति ते वां प्रविशामीत्येवैतदाह ते मा पात-माऽस्य यज्ञस्योदृच ऽइति ते मा गोपायत माऽस्य यज्ञस्य सᳬस्थाया इत्येवैतदाह ॥ ७ ॥

(ब्रा) अथ दक्षिणेन जानुनाऽऽरोहति । शर्मासि शर्म मे यच्छेति चर्म वाऽएतत्कृष्णस्य तदस्य तन्मानुषᳬ शर्म देवत्रा तस्मादाह शर्मासि शर्म मे यच्छेति नमस्तेऽअस्तु मा मा हिᳬसीरिति श्रेयाᳬसं वाऽएष उपाधिरोहति यो यज्ञं यज्ञो हि कृष्णाजिनं तस्माऽएवैतद्यज्ञाय निह्नुते तथो हैनमेष यज्ञो न हिनस्ति तस्मादाह नमस्तेऽअस्तु मा मा हिᳬसीरिति ॥ ८ ॥

स वै जघनार्धऽइवैवाग्रऽआसीत । (ब्रा) अथ यदग्रऽएव मध्यऽउपविशेद्य ऽएनं तत्रानुव्याहरेद्द्रप्स्यति वा प्र वा पतिष्यतीति तथा हैव स्यात्त-स्माज्जघनार्धऽइवैवाग्र ऽआसीत ॥ ९ ॥

स यदाह–ते वामारभ इति । ते वां प्रविशामीत्येवैतदाह–“ते मा पातमाऽस्य यज्ञस्यो-दृचः”–(वा. सं. ४ । ९) इति । ते मा गोपायतम्–आस्य यज्ञस्य संस्थाया इत्येवैतदाह ॥ ७ ॥

अथ दक्षिणेन जानुनाऽऽरोहति–“शर्मासि शर्म मे यच्छ”–(वा.सं.४ । ९) इति। चर्म वा एतत् कृष्णस्य । तदस्य तन्मानुषम् । शर्म देवत्रा । तस्मादाह–शर्मासि शर्म मे यच्छेति । “नमस्ते अस्तु मा मा हिंसीः”–(वा. सं. ४ । ९) इति । श्रेयांसं वा एष उपाधिरोहति–यो यज्ञम् । यज्ञो हि कृष्णाजिनम् । तस्मा एवैतद्यज्ञाय निह्नुते । तथो हैनमेष यज्ञो न हिनस्ति । तस्मादाह–नमस्ते अस्तु मा मा हिंसीरिति ॥ ८ ॥

स वै जघनार्द्ध इवैवाग्र आसीत । अथ यदग्र एव मध्य उपविशेत्–य एनं तत्रानुव्याहरेत् । द्रप्स्यति वा प्र वा पतिष्यतीति । तथा हैव स्यात्तस्माज्जघनार्ध इवैवाग्र आसीत ॥ ९ ॥

रुच्यते । तथा चैतरेयकम्–“ पुनर्वा एतमृत्विजो गर्भं कुर्वन्ति यं दीक्षयन्ति ”–इति (ऐ. ब्रा.१ । १।३) । ‘ छन्दांसि ’ गायत्र्यादीनि । ‘ न्यक्नाङ्गुलिः ’ मुष्टीकरणेन सङ्कुचिताङ्गुलिः । उक्तलक्षणमुपवेशनं प्रसिद्ध-गर्भसामान्येन द्रढयति–न्यक्नाङ्गुलय इव हीति ॥ ६ ॥

स यदाहेति । उदृक्–शब्दार्थमाह–**आस्य यज्ञस्येति** । संस्थाया इत्यर्थः । उत्तमा ऋक् ‘ उदृक् ’ तेन समाप्तिर्लक्ष्यत इति ह्यसकृदुक्तम् (श. प. कां. ३ । १ । १ । १२ भाष्ये का. ३।१।३।२३ भाष्ये)॥ ७ ॥

अनन्तरं कृष्णाजिनारोहणं विधत्ते–**अथ दक्षिणेनेति** । **चर्म वा** इत्यादि । मनुष्येषु यत् ‘ चर्म– ’ इति प्रसिद्धम्, ‘ एतद् ’ ‘ देवत्रा ’ देवेषु सुखहेतुत्वात् ‘ शर्म ’–शब्दाभिधेयम् ; अतो वैदिकेन स्वरूपेण शर्मासीति कृष्णाजिनस्य स्तुतिः । हिंसापरिहारप्रसक्तिं दर्शयति–**श्रेयांसमि**त्यादिना । यज्ञाख्यश्रेयोऽतिक्रमणापराध-प्रार्थनं युक्तमित्यर्थः ॥ ८ ॥

स जघनार्द्ध इति । ‘सः’ आरूढः ‘ जघनार्द्धे ’ कृष्णाजिनस्य पश्चाद्भागे एव ‘ अग्रे ’ प्रथमं ‘आसीत’ ।

(ता) अथ मेखलां परिहरते । (तेऽङ्गि) अङ्गिरसो ह वै दीक्षिता न बल्यमविन्दंस्ते नान्यद्व्रतादशनमवाकल्पयंस्तऽएतामूर्जमपश्यन्त्समाप्तिं तां मध्यतऽआत्मन ऊर्जमदधत समाप्तिं तया समाप्नुवंस्तथोऽएवैषऽएतां मध्यतऽआत्मन ऊर्जं धत्ते समाप्तिं तया समाप्नोति ॥ १० ॥

सा वै शाणी भवति । मृद्व्यसदिति न्वेव शाणी यत्र वै प्रजापतिरजायत गर्भो भूत्वैतस्माद्यज्ञात्तस्य यन्नेदिष्ठमुल्वमासीत्ते शणास्तस्मात्ते पूतयो वान्ति यद्वस्य जराय्वासीत्तद्दीक्षितवसनमन्तरं वाऽउल्वं जरायुणो भवति तस्मादेषाऽन्तरा वाससो भवति स यथैवातः प्रजापतिरजायत गर्भो भूत्वैतस्माद्यज्ञादेवमेवैषोऽतो जायते गर्भो भूत्वैतस्माद्यज्ञात् ॥ ११ ॥

अथ मेखलां परिहरते । अङ्गिरसो ह वै दीक्षिता न बल्यमविन्दन्[1] । ते नान्यद्व्रतादशनमवाकल्पयन् । त एतामूर्जमपश्यन्–समाप्तिम् । तां मध्यत आत्मन ऊर्जमदधत–समाप्तिं, तया समाप्नुवन् । तथो एवैष एतां मध्यत आत्मन ऊर्जं धत्ते–समाप्तिम्, तया समाप्नोति[2] ॥ १० ॥

सा वै शाणी भवति–मृद्व्यसदिति न्वेव शाणी । यत्र वै प्रजापतिरजायत–गर्भो भूत्वैतस्माद्यज्ञात् । तस्य यन्नेदिष्ठमुल्वमासीत्–ते शणाः । तस्मात्ते पूतयो वान्ति–यद्वस्य जराय्वासीत्–तद्दीक्षितवसनम् । अन्तरं वा उल्वं जरायुणो भवति । तस्मादेषाऽन्तरा वाससो भवति । स यथैवातः प्रजापतिरजायत–गर्भो भूत्वैतस्माद्यज्ञात्–एवमेवैषोऽतो जायते–गर्भो भूत्वैतस्माद्यज्ञात् ॥ ११ ॥

(का. श्रौ. सू. ७।८७) । विपक्षे बाधमाह–अथ यदग्र इति । 'यः' 'एवम्' मध्यप्रदेशमारूढं ब्रूयात् अन्य 'द्रष्यति' द्रसः कुत्सितगतिर्भविष्यति ततः पतिष्यति चेति ॥ ९ ॥

अथ मेखलादीक्षामाह–अथ मेखलामिति । 'परिहरति' मध्ये परितो वेष्टयेदित्यर्थः । पुरावृत्तान्ताभिधानेन तां मेखलां प्रशंसति–अङ्गिरस इति । 'बल्यं' बलार्हं बलकरं वस्तु 'नाविन्दन्' दौर्बल्ये कारणमाह-व्रतात् तत्साधनात् पयसः 'अन्यत्' अशनं 'नावाकल्पयन्' यतः, अत इत्यर्थः । 'ते' 'एताम्' 'ऊर्जम्' । 'ऊर्क्' बलं तत्साधनत्वान्मेखला ऊर्गित्युच्यते । ऊर्गिति विशिनष्टि–समाप्तिमिति । सम्यगाप्यायते बलमनयेति समाप्तिर्मेखला ॥ १० ॥

तस्या उपादानद्रव्यमाह–सा वै शाणीति । 'सा' समाप्तिः 'शाणी' शणमयी भवत् । 'मृद्वी' सुखसंस्पर्शा 'असत्' भवेत् । 'इति न्वेव' अनेन खल्वभिप्रायेण, गर्भाणां मार्दवस्यापेक्षितत्वादित्यर्थः । शणवाससोरुत्पत्तिमाह–यत्र वा इति । 'यत्र' यस्मिन् काले 'प्रजापतिः' यज्ञसकाशादुत्पन्नः; 'तस्य' प्रजापतेर्गर्भभूतस्य 'नेदिष्ठम्' अत्यन्तसन्निहितं 'यदुल्वमासीत्' 'ते' 'शणाः' अभवन् । 'तस्मात्' गर्भ

१–यद्यपि सर्वत्र मूलपुस्तकेषु–" अविंदत् "–इत्येव पाठस्तथाप्यविन्दन्–इति भाष्यसम्मतः साधीयांश्च ।

२–दक्षिणजानुनाऽऽरोहति–शर्मासीति तेनास्तेऽपरेऽन्ते ।

(त्सा) सा वै त्रिवृद्भवति । त्रिवृद्ध्यन्नं पशवो ह्यन्नं पिता माता यज्जायते तत्तृतीयं तस्मात्त्रिवृद्भवति ॥ १२ ॥

मुञ्जवल्शेनान्वस्ता भवति । व्वज्रो वै शरो व्विरक्षस्तायै स्तुकासर्गंᳩ सृष्टा भवति सा यत्प्रसलवि सृष्टा स्याद्यथेदमन्या रज्जवो मानुषी स्याद्यद्द-पसलवि सृष्टा स्यात्पितृदेवत्या स्यात्तस्मात्स्तुकासर्गᳩ सृष्टा भवति॥ १३ ।

सा वै त्रिवृद्भवति । त्रिवृद्धयन्नम् । पशवो ह्यन्नम् । पिता, माता, यज्जायते-तत् तृतीयम् । तस्मा त्त्रिवृद्भवति ॥ १२ ॥

मुञ्जवल्शेनान्वस्ता भवति । वज्रो वै शरः । विरक्षस्तायै । स्तुकासर्गं सृष्टा भवति । सा यत् प्रसलवि सृष्टा स्यात् । यथेदमन्या रज्जवो मानुषी स्यात् । यद्वपसलवि सृष्टा स्यात्-पितृदेवत्या स्यात् तस्मात्स्तुकासर्गं सृष्टा भवति ॥ १३ ॥

मालिन्यसम्भवात् ' ते ' शणाः पूतयो वान्ति ' दुर्गन्धा भवन्ति । उल्बं नाम पटसदृशं गर्भस्यान्तर्वेष्टनम् " स उल्बावृतो गर्भो भवति "-(ऐ. ब्रा. १ । १ । ३ । नि. ६ । ६ । ७) इत्येतदारण्यकम् । प्रतिनिर्देशे बहुवचनं शणापेक्षम् । जरायुर्बहिर्वेष्टनम् । प्रजापतेः सम्बन्धि तत् दीक्षितेन धार्यं वस्त्रमभूत् । उभे अपि गर्भरूपप्रजापतिवद्दीक्षितस्यापि गर्भत्वाद्धार्ये अभूताम् । मेखलाया वसनादान्तरत्वं विधत्ते- अन्तरं वेति । । यथैवेत्यादि । स्पष्टम् ॥ ११ ॥

सा वा इत्यादि । अजाव्यादिरूपमन्नं पितृमातृपुत्रात्मना ' त्रिवृद् भवति ' यतः अतस्तदात्मकत्वान्मेखलाऽपि त्रिगुणा कर्तव्या ॥ १२ ॥

तस्या मुञ्जशाखामिश्रितत्वं विधत्ते-मुञ्जवल्शेनान्वस्ता इति । शरस्य वज्रावयवत्वाद् रक्षोविवासकत्वम् तथा च तैत्तिरीयकम्- " इन्द्रो वृत्राय वज्रं प्राहरत् स त्रेधा व्यभवत् " (तै. सं. ६ । २ । ६ । २ इत्युपक्रम्य " येऽन्तःशरा आशीर्यन्त ताः शर्करा अभवन्, तच्छर्कराणां शर्करत्वं वज्रो वै शर्कराः-(तै. ६ । २ । ६ । २) इति *। मेखलायाः केशवेणीवन्निर्माणं विधत्ते-स्तुकासर्गं सृष्टा भवतीति । ' स्तुक केशवेणी, सा यथा सृज्यते, तथा सृष्टा निर्मिता भवेत् । उक्तप्रकारं प्रशंसितुं प्रकारान्तरयोर्दोषमाह-सा प्रसलवीति । 'सा' मेखला ' यत् ' यदि ' प्रसलवि सृष्टा ' दक्षिणपाणेर्व्यापारेण निर्मिता स्यात्, तदा ' यथा येन प्रकारेण ' अन्याः ' लौकिक्यः, गवादिबन्धनरज्जवो मानुष्या भवन्ति । एवमियमपि मानुष्येव भवेत् । ' यत् ' यदि ' अपसलवि सृष्टा ' सव्यपाणिनोपरि व्यापृतेन निर्मिता स्यात्, तदा ' पितृदेवत्या स्यात् ' । तस्मात् स्तुकासर्गं सृष्टेत्युपसंहारः ॥ १३ ॥

---

*-शतपथे हविर्यज्ञकांडे १ । अ. २।४।१ । इंद्रो ह यत्र वृत्राय व्वज्रं प्रजहार । स प्रहृतश्चतुर्द्धाऽभवत् । तस्य स्फ्यस्तृतीयं वा यावद्वा यूपस्तृतीयं वा यावद्वा । रथस्तृतीयं वा यावद्वा । अथ यत्र प्राहरत्तच्छकलोऽशीर्यत । स पतित्वा शरोऽभवत् । तस्माच्छरो नाम यदशीर्यत । एवमु स चतुर्द्धा व्वज्रोऽभवत् । १ ।

तां पुरिहरते । (तऽ) ऊर्गस्याङ्गिरसीत्यङ्गिरसो ह्येतामूर्जमुपश्यन्नूर्णम्रदा ऊर्जं मयि धेहीति नात्र तिरोहितमिवास्ति ॥ १४ ॥

(स्त्यु) अथ नीवीमुद्गूहते सोमस्य नीविरसीत्यदीक्षितस्य वाऽअस्यैषाऽग्रे नीविर्भवत्यथात्र दीक्षितस्य सोमस्य तस्मादाह सोमस्य नीविरसीति ॥ १५ ॥

(त्यु) अथ प्रोर्णुते । गर्भो वाऽएष भवति यो दीक्षते प्रावृता वै गर्भाऽउल्बेनेव जरायुणेव तस्माद्वै प्रोर्णुते ॥ १६ ॥

स प्रोर्णुते । विष्णोः शर्मासि शर्म यजमानस्येत्युभयं वाऽएषोऽत्र भवति यो दीक्षते विष्णुश्च यजमानश्च यदह दीक्षते तद्विष्णुर्भवति यद्यजते तद्यजमानस्तस्मादाह विष्णोः शर्मासि शर्म यजमानस्येति ॥ १७ ॥

तां परिहरते । " ऊर्गस्याङ्गिरसी "–(वा. सं. ४ । १०) इति अङ्गिरसो ह्येतामूर्जमपश्यन् । " ऊर्णम्रदा ऊर्जं मयि धेहि "–(वा. सं. ४ । १०) इति । नात्र तिरोहितमिवास्ति ॥ १४ ॥

अथ नीविमुद्गूहते–" सोमस्य नीविरसि "–(वा. सं० ४ । १०) इति । अदीक्षितस्य वा अस्यैषाऽग्रे नीविर्भवति, अथात्र दीक्षितस्य सोमस्य । तस्मादाह–सोमस्य नीविरसीति ॥ १५ ॥

अथ प्रोर्णुते । गर्भो वा एष भवति–यो दीक्षते । प्रावृता वै गर्भाः–उल्बेनेव, जरायुणेव । तस्माद्वै प्रोर्णुते ॥ १६ ॥

स प्रोर्णुते–"विष्णोः शर्मासि शर्म यजमानस्य"–(वा० सं० ४।१०) इति । उभयं वा एषोऽत्र भवति–यो दीक्षते–विष्णुश्च यजमानश्च । यदह दीक्षते तद्विष्णुर्भवति । यद्यजते तद्यजमानः । तस्मादाह–विष्णोः शर्मासि शर्म यजमानस्येति ॥ १७ ॥

बन्धनमन्त्रं विधाय व्याचष्टे–तां परिहरत इति । अङ्गिरसो ह्येतामूर्जमिति । अत्र ' हि '–शब्देन श्रुत्यन्तरे प्रसिद्धिराविष्क्रियते । तथा च तैत्तिरीयकम्–"अङ्गिरसः सुवर्गं लोकं यन्त ऊर्जं व्यभजन्त '–(तै. सं. ५ । ४ । २ । ३) इत्यादि । अत्र कात्यायनः–" मेखलां बध्नाति पेणीं त्रिवृतं शाणमुञ्जमिश्रामन्तरां वासस ऊर्गसीति "–(का. श्रौ. सू. ७ । ८८) इति ॥ १४ ॥

वस्त्रान्तस्य समन्त्रकमुद्गूहनमाह–अथ नीविमिति (नीविं कुरुते सोमस्य नीविरिति का. श्रौ. सू. ७ । ८९) । ' अग्रे ' सोमयागात् पूर्वम् । अदीक्षितस्य । इदानीं तु ' दीक्षितस्य ' सोमस्य ' सोमयागकर्तृत्वाद् दीक्षितो ह्युपचारेण सोम इत्याचक्षते ॥ १५ ॥

वाससा आच्छादनं विधत्ते–अथ प्रोर्णुत इति । ऊर्णुते आच्छादयति ॥ १६ ॥

स प्रोर्णुत इति । आच्छाद्यप्रदेशविशेषः सूत्रे स्पष्टमुक्तः–" शिरः प्रोर्णुते विष्णोः शर्मासीति "–(का.

(त्यु) अुथ कृष्णविषाणाᳪं सिचि बध्नीते। देवाश्च वाऽअसुराश्चोभये प्राजापत्याः प्रजापतेः पितुर्दायमुपेयुर्मन एव देवाऽउपायन्वाचमसुरा यज्ञमेव तद्देवा उपायन्वाचमसुरा अमूमेव देवाऽउपायन्निमामसुराः ॥ १८ ॥

(स्तु) ते देवा यज्ञमब्रुवन्। (न्यो) योषा वा ऽइयं वागुपमन्त्रयस्व ह्वयिष्यते वै त्वेति स्वयं वा हैवैक्षत योषा वाऽइयं वागुपमन्त्रयै ह्वयिष्यते वै मेति तामुपामन्त्रयत सा हास्माऽआरकादिवैवाग्रऽआसूयत्तस्माद्‌ स्त्री पुᳫँसोपमन्त्रिताऽऽरकादिवैवाग्रेऽसूयति स होवाचारकादिव वै मऽआसूयीदिति ॥ १९ ॥

अथ कृष्णविषाणां सिचि बध्नीते। देवाश्च वा असुराश्चोभये प्राजापत्याः प्रजापतेः पितुर्दायमुपेयुः। मन एव देवा उपायन्, वाचमसुराः। यज्ञमेव तद्देवा उपायन्, वाचमसुराः। अमूमेव देवा उपायन्, इमामसुराः ॥ १८ ॥

ते देवा यज्ञमब्रुवन्–' योषा वा इयं वाक्। उपमन्त्रयस्व। ह्वयिष्यते वै त्वा ' इति। स्वयं वा हैवैक्षत। योषा वा इयं वाक्। उपमन्त्रयै। ह्वयिष्यते वै मेति। तामुपामन्त्रयत। सा हास्मा आरकादिवैवाग्र आसूयत्। तस्माद्‌ स्त्री पुंसोपमन्त्रिता–आरकादिवैवाग्रेऽसूयति। स होवाच–आरकादिव वै म आसूयीत्–इति ॥ १९ ॥

श्रौ. सू. ७। ९०) इति। विष्णुशब्दः पुरुषोत्तमे प्रसिद्धः। अथाभिमतमर्थमाह–**उभयं वा एष** इति' दीक्षणीयेष्टौ आग्नावैष्णवे हविषि विष्णुर्देवतेति तत्संस्कारसंस्कृतो यजमानोऽपि विष्णुरित्यभिप्रायः ॥ १७ ॥

वस्त्रान्ते कृष्णविषाणाबन्धनमाह–**अथ कृष्णविषाणामिति**[1]। सिचि सिग् वस्त्रान्तस्तत्र बध्नीयात्। कृष्णविषाणोत्पत्त्यर्थमाख्यायिकामाह–**देवाश्च वा असुराश्चे**त्यादिना। ' प्राजापत्याः ' प्रजापतेः पुत्राः ' पितुर्दायं ' पैतृकं धनम्। इन्द्रियेषु मध्ये ' मन एव देवाः ' प्राप्ताः, ' वाचम् ' वागिन्द्रियम् ' असुराः ' तथा यज्ञमेव ' देवाः ' उपगताः ' वाचम् ' इन्द्रियरूपाम् ' असुराः ' ' अमूम् ' दिवमेव ' देवाः ' ' इमाम् ' पृथिवीम् ' असुराः ' ॥ १८ ॥

ते देवाः इति। एवं सति देवा वाचोऽपि स्वाधीनत्वकरणाय ' यज्ञम् ' ' एवम् ' अब्रुवन् '–यज्ञ ! ' इयं वाक् ' ' योषा ' स्त्री, त्वं तु पुमान्; तस्मात् ताम् ' उपामन्त्रयस्व ' सम्भोगार्थं सङ्केतेनाह्वय। सापि ' त्वा ' त्वां ह्वयिष्यते आकारयिष्यति ' इति ' अब्रुवन्। तत्तद्वृत्तान्तं जानती श्रुतिर्ब्रूते–न केवलं तेषां वचनमेव, किन्तु 'स्वयं वा ह एव' वाशब्दश्चार्थे, यज्ञः स्वयमपि 'ऐक्षत ' विचारितवान्। ईक्षणप्रकारमनुवदति–**योषेति**।

१–कात्यायनः। कृष्णविषाणां त्रिवलिं पंचवलिं वोत्तानां दशायां बध्नीते इति ७। ९१। अत्र कर्कः। सामर्थ्यपरिग्र।पित्वाचोत्तरसिचि बध्नीत इति नोक्तमिति। ततश्चोत्तरीयप्रांते दशायां कृष्णविषाणाबंधनमिति तात्पर्यम्। काण्वश्रुतिरपि। अथोत्तरसिचि कृष्णविषाणां बध्नीत इति।

ते होचुः । उपैव भगवो मन्त्रयस्व ह्वयिष्यते वै त्वेति तामुपामन्त्रयत सा हास्मै निपलाशमिवोवाद तस्मादु स्त्री पुᳫँसोपमन्त्रिता निपलाशमिवैव वदति स होवाच निपलाशमिव वै मेऽवादीदिति ॥ २० ॥

ते होचुः । (रु) उपैव भगवो मन्त्रयस्व ह्वयिष्यते वै त्वेति तामुपामन्त्रयत सा हैनं जुहुवे तस्मादु स्त्री पुमाᳫँसᳫँ ह्वयतऽएवोत्तमᳫँ स होवाचाह्वत वै मेति ॥ २१ ॥

ते देवा ईक्षांचक्रिरे । योषा वाऽइयं व्वाग्यदेनं न युवितेहैव मा तिष्ठन्तमभ्येहीति ब्रूहि तां तु न आगतां प्रतिप्रब्रूतादिति सा हैनं तदेव तिष्ठन्तमभ्येयाय तस्मादु स्त्री पुमाᳫँसᳫँसᳫँस्कृते तिष्ठन्तमभ्यैति ताᳫँ हैभ्य आगतां प्रतिप्रोवाचेयं वाऽआगादिति ॥ २२ ॥

ते होचुः—उपैव भगवो मन्त्रयस्व, ह्वयिष्यति वै त्वा—इति । तामुपामन्त्रयत । सा हास्मै निपलाशमिवोवाद । तस्मादु स्त्री पुंसोपमन्त्रिता निपलाशमिवैव वदति । स होवाच—निपलाशमिव वै मेऽवादीदिति ॥ २० ॥

ते होचुः—उपैव भगवो मन्त्रयस्व । ह्वयिष्यते वै त्वा—इति । तामुपामन्त्रयत । सा हैनं जुहुवे । तस्मादु स्त्री पुमांसं ह्वयत एवोत्तमम् । स होवाच—आह्वत वै मेति ॥ २१ ॥

ते देवा ईक्षांचक्रिरे—योषा वा इयं वाक् । यदेनं न युविता—इहैव मा तिष्ठन्तमभ्येहि—इति ब्रूहि । तां तु न आगतां प्रतिप्रब्रूतादिति । सा हैनं तदेव तिष्ठन्तमभ्येयाय । तस्मादु स्त्री पुमांसं संस्कृते तिष्ठन्तमभ्यैति । तां हैभ्य आगतां प्रतिप्रोवाच—इयं वा आगादिति ॥ २२ ॥

'मा' मामपि 'ह्वयिष्यते' अतः 'उपमन्त्रयै' अहमिति । उपमन्त्रिता 'सा' 'अग्रे' प्रथमवारम् 'आरकात्' आरमेव आरकम्[1] । ते न च आरकाग्रेण व्यथिता इवेत्यर्थः । आसूयत् आरकाग्रनुन्नो बलीवर्दादिरिवासूयामकरोदित्यर्थः । तस्माद्विति लोकदृष्टान्तकथनं स्पष्टम् । जातं वृत्तान्तं देवेभ्यो निवेदयति—स होवाचेति ॥ १९ ॥

ते होचुरिति । अथ पुनर्देवैर्याच्यमानो यज्ञः 'तामुपामन्त्रयत' । 'सा' अपि 'निपलाशमिव' निपतितपर्णं वृक्षादिकमिव, तद्यथा केवलं कम्पते, एवं शिरश्चालनेन 'उवाच' इत्यर्थः । अथवा पलाशमिपतनमिव ओष्ठचालनेनेत्यर्थः । तस्मादित्यादि । पूर्ववत् ॥ २० ॥ २१ ॥

ते देवा इति । तृतीयवारे त्वाहूतवती । आह्वानवृत्तान्तं ज्ञातवन्तो 'देवाः हि ईक्षाञ्चक्रिरे' कथम् ? 'इयं वाक् योषा,' खलु । अस्तु नामेत्यत आह 'यत्' यस्मात् 'एनं' यज्ञम् 'न युविता' न मिलितवती, अतो न विश्वसितव्येत्यर्थः । एवमीक्षित्वा हे यज्ञ ! तवान्तिके कथं गच्छामि । किन्तु हे वाक् ! त्वं 'इह' स्थाने 'तिष्ठन्तं' 'मा' माम् अभिगच्छ 'इति ब्रूहि' इत्यब्रुवन् । तथा तामागतां' वाचं 'नः'

१-आरकं-आरा चर्मप्रभेदिका इत्यमरः । चर्मखंडनार्थः शस्त्रभेदः-आरी-इति प्रसिद्धः ।

तां देवाः । (८) असुरेभ्योऽन्तरायंस्ताᳪं स्वीकृत्याग्नावेव परिगृह्य सर्व्वंहुतमजुहवुराहुतिर्हि देवानाᳪं स यामेवामूमनुष्टुभाऽजुहवुस्तदेवैनां तद्देवाः स्व्यकुर्वत तेऽसुरा आत्तवचसो हेऽलवो हेऽलव ऽइति वदन्तः पराबभूवुः ॥ २३ ॥

(स्तु) तत्रैतामपि वाचमूदुः । (रु) उपजिज्ञास्याᳪं स म्लेच्छस्तस्मान्न ब्राह्मणो म्लेच्छेदसुर्या हैषा वागेवमेवैष द्विषताᳪं सपत्नानामादत्ते वाचं तेऽस्यात्तवचसः पराभवन्ति य एवमेतद्वेद ॥ २४ ॥

सोऽयं यज्ञो वाचमभिदध्यौ । मिथुन्येनया स्यामिति ताᳪं संबभूव ॥ २५ ॥

तां देवा असुरेभ्योऽन्तरायन् । तां स्वीकृत्याग्नावेव परिगृह्य—सर्वंहुतमजुहवुः । आहुतिर्हि देवानाम् । स—यामेवामूमनुष्टुभाऽजुहवुः—तदेवैनां तद्देवाः स्व्यकुर्वत । तेऽसुरा आत्तवचसो—हेलवो हेलव इति वदन्तः पराबभूवुः ॥ २३ ॥

तत्रैतामपि वाचमूदुरुपजिज्ञास्याम् । स म्लेच्छः । तस्मान्न ब्राह्मणो म्लेच्छेत् । असुर्या हैषा वाक् । एवमेवैष द्विषतां सपत्नानामादत्ते वाचम् । तेऽस्यात्तवचसः परा—भवन्ति—य एवमेतद्वेद ॥ २४ ॥

सोऽयं यज्ञो वाचमभिदध्यौ—मिथुन्येनया स्यामिति । तां संबभूव ॥ २५ ॥

अस्माकं ' प्रतिप्रब्रूतात् ' निवेदयतु ' इति ' च अब्रुवन् । साप्याकारिता ' तदेव ' तत्र सङ्केतप्रदेशे तिष्ठन्तमेव यज्ञमभिगता । अथ स यज्ञो वागागतेति देवेभ्यः प्रोवाच ॥ २२ ॥

तां देवा इति । ' तां ' वाचं ' देवाः ' ' असुरेभ्यः ' ' अन्तरायन् ' तया वर्जितानकुर्वन् । ' स्वीकृत्य ' चाग्निमुखमन्तरेण स्वभोगायोगात् ' अग्नावेव ' ' ताम् ' वाचम् ' अनुष्टुभा ' " विश्वो देवस्य नेतुः "—इत्येतया कृत्वा यथा पुनरसुराणां निराशा भवति तथा सर्वतः ' अजुहवुः ' । केवला किं न स्वीकृतेत्यत आह—**आहुतिर्हीति** । आहुतिरूपेणाग्नौ दत्तमेव देवानां प्रियमित्यर्थः । अथ ' ते असुराः ' ' आत्तवर्चसः ' देवैः स्वीकृतवचसः " हे अरयः हे अरयः "—इत्युच्चारयितुमशक्ताः " हेऽलैवः हेऽलवः " ' इति वदन्तः ' पराभूताः ॥ २३ ॥

प्रसङ्गात् कञ्चिद् वाग्विषयं नियममाह—**तत्रेति** । ' उपजिज्ञास्यां ' ज्ञातव्यां सन्दिग्धां वाचम् ' ऊचुः ' उक्तवन्तोऽसुराः । ' स म्लेच्छः ' सन्दिग्धार्थस्यापभ्रंशरूपस्य वचसो भाषणं यत्, तन्म्लेच्छमित्यर्थः । यद्वा य ईदृशीं वाचं वदति स म्लेच्छः । ' तस्मात् न म्लेच्छेत् ' म्लेच्छो न भवेत्, तदीयामपार्थिकां भाषां न ब्रूयादित्यर्थः । ' असुर्या ' असुरेष्वाहिता । उक्तार्थपरिज्ञानं प्रशंसति—**एवमेवैष** इति । 'अस्य' सपत्नाः, अनेन ज्ञात्रा अपहृतवचसः सन्तः ' पराभवन्ति ' ॥ २४ ॥

यदर्थमाख्यायिका प्रपञ्चिता, तमर्थं विधातुमाह—**सोऽयं यज्ञ** इति । अभिध्यानप्रकारः प्रदर्श्यते—**मिथुनीति** । ' सम्बभूव ' सङ्गतोऽभूत् ॥ २५ ॥

१—'आत्तवाचसः'-इति वैदिकपाठपुस्तके पाठः । २—' पातञ्जलिमहाभाष्ये पस्पशायां तु हेऽलयो-हेऽलयः' इति पाठो दृश्यते ।

(वे) इन्द्रो ह वाऽईक्षांचक्रे। महद्वाऽइतोऽभ्वं जनिष्यते यज्ञस्य च मिथुनाद्वाचश्च यन्मा तन्नाभिभवेदिति सऽइन्द्र एव गर्भो भूत्वैतन्मिथुनं प्रविवेश॥ २६॥

स ह संव्वत्सरे जायमान ईक्षांचक्रे। महावीर्या वाऽइयं योनिर्या मामदीधरत यद्वै मेतो महदेवाभ्वं नानुप्रजायेत यन्मा तन्नाभिभवेदिति॥ २७॥

तां प्रतिपरामृश्यावेष्ट्याच्छिनत्। (त्तां) तां यज्ञस्य शीर्षन्प्रत्यदधाद्यज्ञो हि कृष्णः स यः स यज्ञस्तत्कृष्णाजिनं योषा योनिः सा कृष्णविषाणाऽथ यदेनामिन्द्रऽआवेष्ट्याच्छिनत्तस्मादावेष्टितेव स यथैवातऽइन्द्रोऽजायत गर्भो भूत्वैतस्मान्मिथुनादेवमेवैषोऽतो जायते गर्भो भूत्वैतस्मान्मिथुनात्॥ २८॥

इन्द्रो ह वा ईक्षाञ्चक्रे–महद्वा इतोऽभ्वं जनिष्यते–यज्ञस्य च मिथुनात्, वाचश्च–यन्मा तन्नाभिभवेदिति। स इन्द्र एव गर्भो भूत्वैतन्मिथुनं प्रविवेश॥ २६॥

स ह संवत्सरे जायमान ईक्षाञ्चक्रे। महावीर्या वा इयं योनिः या मामदीधरत। यद्वै मेतो महदेवाभ्वं, नानुप्रजायेत, यन्मा तन्नाभिभवेदिति॥ २७॥

तां प्रतिपरामृश्यावेष्ट्याच्छिनत्। तां यज्ञस्य शीर्षन्प्रत्यदधात्। यज्ञो हि कृष्णः। स यः स यज्ञः–तत्कृष्णाजिनम्। योषा योनिः सा कृष्णविषाणा। अथ यदेनामिन्द्र आवेष्ट्याच्छिनत्। तस्मादावेष्टितेव। स यथैवात इन्द्रोऽजायत गर्भो भूत्वैतस्मान्मिथुनाद्–एवमेवैषोऽतो जायते गर्भो भूत्वैतस्मान्मिथुनात्॥ २८॥

इन्द्रो ह वा इति। 'इतः' अस्मात् 'मिथुनात्' 'अभ्वम्' अपत्यं यज्ञवाचोर्मिथुनात् 'यत्' 'जनिष्यते' 'तत्' तस्मात् 'मा' मां 'नाभिभवेत्' इति। एवमीक्षित्वा अन्योत्पत्तिभयात् 'सः इन्द्रः एव' वाग्योन्यां स्वयं 'गर्भो' भूत्वा प्रविष्टः॥ २६॥

स ह संवत्सर इति। तत्र संवत्सरमुषित्वा अजायत। **मामदीधरतेति**। स्वसामर्थ्याविष्करणम्, तच्च योनेर्बहुवीर्यत्वप्रशंसनायोपयुज्यते। एतस्मान्मिथुनान्मामनु अन्यन्महत् 'अभ्वं' अपत्यं नोत्पद्येत तद्यद्युत्पद्येत तन्मामभिभवेदिति विचार्य॥ २७॥

तां परामृश्येति। प्रतिपरामृश्येति। 'प्रतिपरामृश्य' योनिदेशे किमुत्पादकमिति विचार्य 'ताम्' 'आवेष्ट्य' हस्तेनावेष्टनं कृत्वाऽऽच्छिद्य 'अदधात्' यज्ञशिरसि स्थापितवान्। यज्ञशब्दार्थमाह–**यज्ञो हि कृष्ण** इति। 'हि'–शब्देन "यज्ञो देवेभ्यो निलायत कृष्णो रूपं कृत्वा"–इत्यादि श्रुतिप्रसिद्धिरभिधीयते। अतः प्रसिद्धो 'यः' 'कृष्णः' मृगोऽस्ति, 'स' एव निदानेन 'यज्ञः', 'तत्' एव यजमानेन धार्यं 'कृष्णाजिनम्' तस्या वाचो 'योनिः'। 'सा कृष्णविषाणा' याऽन्या। कृष्णविषाणाधारणे लिङ्गं दर्शयति–**यदेनामिति**। उक्तार्थज्ञं प्रशंसति–**स यथैवात** इति॥ २८॥

१–'कृष्णविषाणाभावे'–इति क० पा०।

(त्तां) तां वाऽउत्तानामिव बध्नाति । (त्यु) उत्तानेव वै योनिर्गर्भं बिभर्त्यथ दक्षिणां भ्रुवमुपर्युपरि ललाटमुपस्पृशतीन्द्रस्य योनिरसीतीन्द्रस्य ह्येषा योनिरतो वा ह्येनां प्रविशन्प्रविशत्यतो वा जायमानो जायते तस्मादाहेन्द्रस्य योनिरसीति ॥ २९ ॥ [शतम् १५००]

(त्य) अथोल्लिखति । सुसस्याः कृषीस्कृधीति[1] यज्ञमेवैतज्जनयति यदा वै सुषमं भवत्यथालं यज्ञाय भवति यदो दुःषमं भवति न तर्ह्यात्मने च नालं भवति तद्यज्ञमेवैतज्जनयति ॥ ३० ॥

(त्यु) अथ न दीक्षितः । काष्ठेन वा नखेन वा कण्डूयेत गर्भो वाऽएष भवति यो दीक्षते यो वै गर्भस्य काष्ठेन वा नखेन वा कण्डूयेदपास्यन्म्रियेत्ततो दीक्षितः पामनो भवितोर्दीक्षितं वाऽअनु रेताꣳसि ततो रेताꣳसि

तां वा उत्तानामिव बध्नाति । उत्तानेव वै योनिर्गर्भं बिभर्ति । अथ दक्षिणां भ्रुवमुपर्युपरि ललाटमुपस्पृशति । "इन्द्रस्य योनिरसि"–(वा. सं. ४ । १०) इति । इन्द्रस्य ह्येषा योनिः । अतो वा ह्येनां प्रविशन्प्रविशति । अतो वा जायमानो जायते । तस्मादाह–इन्द्रस्य योनिरसीति ॥ २९ ॥

अथोल्लिखति–"सुसस्याः कृषीस्कृधि"–(वा.सं. ४।१०) इति । यज्ञमेवैतज्जनयति । यदा वै सुषमं भवति–अथालं यज्ञाय भवति । यदो दुःषमं भवति–न तर्ह्यात्मने च नालं भवति । तद्यज्ञमेवैतज्जनयति ॥ ३० ॥

अथ न दीक्षितः काष्ठेन वा नखेन वा कण्डूयेत । गर्भो वा एष भवति–यो दीक्षते । यो वै गर्भस्य काष्ठेन वा नखेन वा कण्डूयेद्–अपास्यन्म्रियेत् । ततो दीक्षितः पामनो भवितोः । दीक्षितं

तस्या बन्धने ऊर्ध्वमुखत्वं विधत्ते–तां वा इति । योनिर्यद्यधोमुखं गर्भं बिभृयात्, तदा पतेदेव, अत उत्तानभरणं सिद्धम्; तत्साधर्म्यात् 'ताम्' 'उत्तानाम्' बध्नीयात् । बन्धनप्रकारमाह–'दक्षिणां भ्रुवम्' आरभ्य ललाटस्येषदुपरिप्रदेशं स्पृशेत् । अत्र सूत्रम्–"कृष्णविषाणां त्रिवलिं पञ्चवलिं वोत्तानां दशायां बध्नीते, तया कण्डूयनम्, उपस्पृशत्येनया दक्षिणस्या भ्रुव उपरीन्द्रस्य योनिरिति"–(का. श्रौ. सू. ७ । ९१–९२–९३) इति । मन्त्रं व्याचष्टे–इन्द्रस्येति । 'अतो हि' अस्या योनेः सकाशात् खलु 'प्रविशति' गर्भरूपेणेन्द्रः । अतो गर्भप्रवेशनिर्गमयोः साधनत्वादिन्द्रस्य योनित्वं सिद्धम् ॥ २९ ॥

तथा भूमेरुपरि समन्त्रकमुल्लेखनं विधत्ते–अथोल्लिखतीति । (का. श्रौ. सू. ७ । ९४) 'कृषीः' कृष्टस्थलीः समृद्धसस्याः 'कृधीति' मन्त्रार्थः । कृषीस्कृधि–इत्यत्र कस्कादित्वात् षत्वम् (पा. सू. ८ । ३ । ४८) 'एतत्' एतेनोल्लेखनेन । स्पष्टमन्यत् । यदा वा इति । 'यदा' खलु सुषमं कृष्यादिसम्पत्त्या 'सुषमं' सुखप्रदः संवत्सरो 'भवति' तदैव यज्ञोऽनुष्ठानाय प्रभवति; यदा उक्तवैपरीत्येन 'दुःषमं' दुःखहेतुः संवत्सरो भवति तदा 'आत्मने' स्वशरीररक्षणायापि न प्रभवति, का कथा यज्ञस्येति ॥ ३० ॥

कृष्णविषाणया कण्डूयनप्रशंसनार्थं साधनान्तरं निन्दति–अथ न दीक्षित इति । 'यः कश्चिद्' 'गर्भस्य'

---

[1] भूमौ चोल्लिखति सुसस्या इति ।

पामनुानि जुनितोः स्वा वै य़ोनी रेतो नु हिनस्त्येषा वुाऽएतुस्य स्वा य़ोनिर्भवति य़ुत्कृष्णाविषाणा तुथो हैनमेषा नु हिनास्ति तुस्माद्दीक्षितुः कृष्णविषाणयैवु कण्डूयेतु नान्येन कृष्णविषाणायाः ॥ ३१ ॥

(ऽ) अुथास्मै दण्डं प्रयच्छति । व्वुज्रो वै दण्डो विरक्षुस्तायै ॥ ३२ ॥

(याऽऔ) औदुम्बरो भवति । (त्यु) अुन्नं वाऽऊर्गुदुम्बर ऊुर्जोऽन्नाद्यस्यावरुद्ध्यै तुस्मादौदुम्बरो भवति ॥ ३३ ॥

मुखसंमितो भवति । (त्ये) एतुावद्धै व्वीर्यथ्ँ स यावदेवु व्वीर्यं तुावांस्तुद्भवति य़ुन्मुुखसंमितः ॥ ३४ ॥

(स्त) तमुुच्छ्रयति । (त्यु) उुच्छ्रयस्व व्वनस्पतऽऊर्ध्वो मा पाह्युथ्ँहसु

वा अनु रेतांसि । ततो रेतांसि पामनानि जनितोः । स्वा वै योनी रेतो न हिनस्ति । एषा वा एतस्य स्वा योनिर्भवति—यत्कृष्णविषाणा । तथो हैनमेषा न हिनस्ति । तस्माद्दीक्षितः कृष्णविषाणयैव कण्डूयेत नान्येन कृष्णविषाणायाः ॥ ३१ ॥

अथास्मै दण्डं प्रयच्छति । वज्रो वै दण्डः । विरक्षस्तायै ॥ ३२ ॥

औदुम्बरो भवति । अन्नं वा ऊर्क् । उदुम्बर ऊर्जः । अन्नाद्यस्यावरुध्यै । तस्मादौदुम्बरो भवति ॥ ३३

मुखसंमितो भवति । एतावद्धै वीर्यम् । स यावदेव वीर्यं-तावांस्तद्भवति यन्मुखसंमितः ॥ ३४ ॥

तमुच्छ्रयति—"**उच्छ्रयस्व वनस्पत ऊर्ध्वो मा पाह्यंहसः । आस्य यज्ञस्योदृचः**"—(वा. सं. ४।१०) इति । ऊर्ध्वो मा गोपाय आस्य यज्ञस्य संस्थाया इत्येवैतदाह ॥ ३५ ॥

इति कर्मणि षष्ठी । गर्भं काष्ठादिना विकर्षेत्, तदा स 'गर्भः' अपगच्छन् मृतिं प्राप्नुयात् ततोऽन्यस्य साधनस्य दुष्टत्वात्तेन विकर्षमाणः 'दीक्षितः पामनो भवितोः' । 'पामो' विचर्चिका, मत्वर्थीयो नः (पा. सू. ५ । २ । १००) तद्वान् भवितुं समर्थो भवतीत्यर्थः । न केवलं दीक्षितः स्वयमेव पामनो भवति किन्तु तदुत्पन्नाः पुत्रा अपि तादृशा भवन्तीत्याह—**दीक्षितं वा अन्विति** । विपक्षे दोषमुक्त्वा स्वपक्षे तदभावं दर्शयितुमाह—**स्वा वा** इति । कृष्णविषाणाया योनित्वात्, दीक्षितस्य गर्भत्वात्, हिंसाभावाय 'कृष्णविषाणयैव' कण्डूयेत इति विधिः (का. श्रौ. सू. ७ । ९२) ॥ ३१ ॥

अथ दण्डेन दीक्षां विधत्ते—**अथास्मा** इति । प्रहारसाधनत्वाद्दण्डस्य वज्रत्वम् ॥ ३२ ॥

औदुम्बरो भवतीति । 'ऊर्क्' बलकररसरूपम 'अन्नम्' उदुम्बरस्योक्तरूपत्वं तैत्तिरीयक आम्नातम् "देवा वा ऊर्जं व्यभजन्त तत उदुम्बर उदतिष्ठत्" इति (तै. ब्रा. १ । १ । ३ । १०) ॥ ३३ ॥

मुखसम्मित इत्यादि (का० श्रौ० सू० ७ । ९५ ।) स्पष्टम् । मुखपर्यन्तम् । प्रत्यंगे वीर्यसम्भवात् ततोऽधः कण्ठादिसम्मितं न कुर्यादित्यर्थः ॥ ३४ ॥

दण्डस्योच्छ्रयणं समन्त्रकं विधत्ते—**तमुच्छ्रयती**ति (का० श्रौ० सू० ७ । ९६) । उदक्छब्दस्य समाप्ति-

१–कच्छ्रवां तु पाम पामा विचर्चिकेत्यमरः । इति चतुष्कं–खर्जूविशेषस्य (ओलीखरूज) इति ख्यातस्य । २–मुखसंमितमौदुम्बरं दण्डम्प्रयच्छति । ३–उच्छ्रयस्वेत्येनमुच्छ्रयति ।

आस्य यजुरुषोदृच ऽइत्यूर्ध्वो मा गोपायास्य यजुस्य सᳫंस्थाया इत्येवैतदाह ॥ ३५ ॥

(ह्रा) अत्र हैके । (केऽङ्गु) अङ्गुलीश्च न्यचन्ति व्वाचं च यच्छन्त्यतो हि न किंच नु जपिष्यन्भवतीति व्वदन्तस्तदु तथा न कुर्याद्यथा पराञ्चं धावन्तमनुलिप्सेत तं नानुलभेतैवᳫं ह स यज्ञं नानु लभते तस्मादमुत्रै-वाङ्गुलीर्न्यचेदमुत्र व्वाचं यच्छेत् ॥ ३६ ॥

(दु) अथ यद्दीक्षितः । (ऽ) ऋचं वा यजुर्वा साम वाऽभिव्याहरत्य-भिस्थिरमभिस्थिरमेवैतद्यज्ञमारभते तस्मादमुत्रैवाङ्गुलीर्न्यचेदमुत्र व्वाचं यच्छेत् ॥ ३७ ॥

(द) अथ यद्वाचं यच्छति । व्वाग्वै यज्ञो यज्ञमेवैतदात्मन्धत्तेऽथ यद्वाचं-यमो व्याहरति तस्मादु हैष व्विसृष्टो यज्ञः पराङावर्तते तत्रो व्वैष्णवी-

---

अत्र हैके अंगुलीश्च न्यचन्ति, वाचं च यच्छन्ति, अतो हि किंच जपिष्यन्भवतीति वदन्तः । तदु तथा न कुर्याद् । यथा पराञ्चं धावन्तमनुलिप्सेत-तं नानुलभेत-एवं ह स यज्ञं नानुलभते । तस्मादमुत्रैवांगुलीर्न्यचेद्, अमुत्र वाचं यच्छेत् ॥ ३६ ॥

अथ यद्दीक्षितः ऋचं वा यजुर्वा साम वा व्याहरति-अभिस्थिरमभिस्थिरमेवैतद्यज्ञमारभते । तस्मादमुत्रैवांगुलीर्न्यचेदमुत्र वाचं यच्छेत् ॥ ३७ ॥

अथ यद्वाचं यच्छति । वाग्वै यज्ञः । यज्ञमेवैतदात्मन्धत्ते । अथ यद्वाचंयमो व्याहरति । तस्मादु

वाचकत्वप्रकारोऽसकृत् प्रदर्शितः श० प० ३ । १ । १ । १२ भाष्ये तथा श० प० ३ । १ । ३ । २२, भाष्ये ॥ ३५ ॥

दर्भैः पावनान्तरं मुष्टीकरणवाग्यमावुक्तौ । स एव स्वाभिमतः कालः । स्वाभिमतत्वञ्चात्र ' वाचं च यच्छन्ति' इति चकारेणावगम्यते, दण्डदीक्षानन्तरं तयोः काल इतीमं केषाञ्चित् पक्षमुपन्यस्य तेषामभिप्रायमाविष्कृत्य स्वपक्षमुपसंहरति-**अत्र हैक** इत्यादिना । 'अतो' हि' अस्माद्दण्डग्रहणकालादूर्ध्वकाले किञ्चिदपि ' न जपिष्यन् भवति ' जप्यस्य च सर्वस्य पूर्वमेव निष्पन्नत्वादिति भावः । **यथा पराञ्चमिति** । तेषां पक्षे दोषप्रदर्शनं परावृत्तस्य पुनर्ग्रहणं दुर्घटमिति । ' अमुत्रैव ' प्रागुक्ते (श. प. ३ कां. १ अ. ३ ब्रा २९–२७ कं) काले, दर्भपावनानन्तरमेव कर्तव्यमित्यर्थः ॥ ३६ ॥

स्वपक्षे गुणान्तरमाह-**अथ यद्दीक्षित** इति । चाञ्चल्यकारणस्य व्यर्थवचसो नियमितत्वेन ऋगादिमन्त्रा-भिव्याहरणसमयस्यैव स्थैर्योपादानान्मन्त्रोच्चारणकृतो न वाङ्नियमस्य भङ्ग इति प्रागेव कर्तव्यम् । कात्यायनस्तु दण्डवारणानन्तरं वाग्यमनमपि विकल्पेनोक्तवान् " अत्र वा मुष्टिकरणवाग्यमने "-(का.श्रौ.सू. ७।९८) इति॥ ३७॥

गृहीतवचसः पुनर्वाग्व्यवहारे प्रायश्चित्तमभिधातुं वाग्यमनस्य प्रयोजनमाह-**अथ यदिति** । 'वैष्णवीमृचम्'

१-' अथवा -' इ. पा. ।

ऋचं वा यजुर्वा जपेद्यज्ञो वै विष्णुस्तद्यज्ञं पुनरारभते तस्यो हैषा प्रायश्चित्तिः ॥ ३८ ॥

(र) अथैक उद्वदति । दीक्षितोऽयं ब्राह्मणो दीक्षितोऽयं ब्राह्मण इति निवेदितमेवैनमेतत्सन्तं देवेभ्यो निवेदयत्ययं महावीर्यो यो यज्ञं प्रापदित्ययं युष्माकैकोऽभूत्तं गोपायतेत्येवैतदाह त्रिष्कृत्व ऽआह त्रिवृद्धि यज्ञः ॥ ३९ ॥

(ज्रो२) अथ यद्ब्राह्मण इत्याह । (ह्रा) अनद्धेव वाऽअस्यातः पुरा जानं भवतीदꣳ ह्याहू रक्षाꣳसि योषितमनुसचन्ते तदुत रक्षाꣳस्येव रेत ऽआदधतीत्यथात्राद्धा जायते यो ब्रह्मणो यो यज्ञाज्जायते तस्मादपि राजन्यं वा वैश्यं वा ब्राह्मण इत्येव ब्रूयाद् ब्रह्मणो हि जायते यो यज्ञाज्जायते तस्मादाहुर्न सवनकृतꣳ हन्यादेनस्वी हैव सवनकृतेति ॥ ४० ॥

इति प्रथमप्रपाठके पञ्चमं ब्राह्मणम् ॥ १ ॥ ५ ॥ (२ । १)

प्रथमः प्रपाठकश्च समाप्तः ॥ कण्डिकासंख्या ॥ ११४ ॥

हैष विसृष्टो यज्ञः पराङावर्तते । तत्रो वैष्णवीमृचं वा यजुर्वा जपेत् । यज्ञो वै विष्णुः । तद्यज्ञं पुनरारभते । तस्यो हैषा प्रायश्चित्तिः ॥ ३८ ॥

अथैक उद्वदति—दीक्षितोऽयं ब्राह्मणो दीक्षितोऽयं ब्राह्मण इति । निवेदितमेवैनमेतत्सन्तं देवेभ्यो निवेदयति । अयं महावीर्यो यो यज्ञं प्रापदिति । अयं युष्माकैकोऽभूत्—तं गोपायत इत्येवैतदाह । त्रिष्कृत्व आह । त्रिवृद्धि यज्ञः ॥ ३९ ॥

अथ यद् ब्राह्मण इत्याह । अनद्धेव वा अस्यातः पुरा जानं भवति । इदं ह्याहुः--रक्षांसि योषितमनुसचन्ते; तदुत रक्षांस्येव रेत आदधतीति । अथात्राद्धा जायते--यो ब्रह्मणो—यो यज्ञाज्जायते । तस्मादपि राजन्यं वा वैश्यं वा ब्राह्मण इत्येव ब्रूयात् । ब्रह्मणो हि जायते--यो यज्ञाज्जायते । तस्मादाहुः--न सवनकृतं हन्यात्--एनस्वी हैव सवनकृतेति ॥ ४० ॥

" इदं विष्णुर्विचक्रमे " (ऋ० सं० १ । २२ । १७ । वा. सं. ५ । १५ । ११) इत्येवमादिकाम् ॥३८॥

अध्वर्युकर्तृकं दीक्षितावेदनं विधत्ते—**अथैक उद्वदती**ति । ' एकः ' अध्वर्युः ' उद्वदति ' उच्चैरावेदयति । ' अयं ब्राह्मणः दीक्षितः ' दीक्षणीयेष्टिकृष्णाजिनादिदीक्षासंस्कारेण संस्कृतः ' इति ' । ' अयं महावीर्यः ' इत्येतत् पूर्वं व्याख्यातम् । सूत्रे तु अध्वर्युव्यतिरिक्तेन कर्त्रा आवेदनमुक्तम् । " अन्यो दीक्षितोऽयं ब्राह्मण इत्याह त्रिरुच्चैः "–(का. श्रौ. सू. ७ । १०४) इति । " अन्यशब्दोऽध्वर्युसन्निकर्षादाध्वर्यवसमाख्यानबलात् प्रतिप्रस्थातृपरः, उच्चैरित्यनेन चानुपांशुपक्षः सूचितः "--इति कर्कोपाध्यायेन व्याख्यातम् । तस्य चावेदनवाक्यस्य त्रिरावृत्तिं विधत्ते—**त्रिष्कृत्व** इति ॥ ३९ ॥

आवेदनवाक्यगतस्य ब्राह्मणपदस्य प्रयोजनमाह--**अथ यद्ब्राह्मण** इति । ' अतः ' ' अस्याः ' दीक्षायाः ' पुरा ' 'जानम् ' जन्म 'अनद्धेव ' अविनिश्चितमिव ' भवति ' अनद्धात्वे कारणमाह—**इदं ह्याहु**रिति । ' इदं'

अथ द्वितीयप्रपाठके प्रथमं ब्राह्मणम् । द्वितीयाध्याये च द्वितीयं ब्राह्मणम् ॥

व्वाचं यच्छति । स व्वाचंयमऽआस्तेऽआस्तमयात्तद्यद्वाचं यच्छति ॥ १॥

यज्ञेन वै देवाः । (ऽ) इमां जितिं जिग्युर्यैषामियं जितिस्ते होचुः कथं नऽ-
इदं मनुष्यैरनभ्यारोह्यᳪ स्यादिति ते यज्ञस्य रसं धीत्वा यथा मधु
मधुकृतो निर्धयेयुर्विदुह्य यज्ञं यूपेन योपयित्वा तिरोऽभवन्नथ यदेने-
नायोपयंस्तस्माद्यूपो नाम ॥ २ ॥

तद्वाऽऋषीणामनुश्रुतमास । ते यज्ञᳪ समभरन्यथाऽयं यज्ञः सम्भृतऽएवं
वाऽएष यज्ञᳪ सम्भरति यो दीक्षते व्वाग्वै यज्ञः ॥ ३ ॥

(स्ता) तामस्तमिते व्वाचं व्विसृजते । संवत्सरो वै प्रजापतिः प्रजा-
पतिर्यज्ञोऽहोरात्रे वै संव्वत्सरऽएते ह्येनं परिप्लवमाने कुरुतः सोऽहन्न-

---

अथ दीक्षितधर्माः ।

वाचं यच्छति । स वाचंयम आस्ते–आस्तमयात् । तद्यद्वाचं यच्छति ॥ १ ॥

यज्ञेन वै देवा इमां जितिं जिग्युः–यैषामियं जितिः । ते होचुः–कथं न इदं मनुष्यैरनभ्यारोह्यं स्यादिति । ते यज्ञस्य रसं धीत्वा–यथा मधु मधुकृतो निर्धयेयुः–विदुह्य यज्ञं यूपेन योपयित्वा तिरोऽभवन् । अथ यदेनेनायोपयन्–तस्माद्यूपो नाम ॥ २ ॥

तद्वा ऋषीणामनुश्रुतमास । ते यज्ञं समभरन् । यथाऽयं यज्ञः सम्भृतः–एवं वा एष यज्ञं सम्भरति यो दीक्षते । वाग्वै यज्ञः ॥ ३ ॥

तामस्तमिते वाचं विसृजते । संवत्सरो वै प्रजापतिः । प्रजापतिर्यज्ञः । अहोरात्रे वै संवत्सरः ।

वक्ष्यमाणम् ' आहुः ' अभिज्ञाः । यतो राक्षसाः स्त्रियम अनुसचन्ते अनुसंश्रयन्ति गर्भाधानसमये ' रेतः ' च ' आदधति, ' अतो योनितो जन्यते । ब्राह्मण इत्यस्य व्याख्यानं–यज्ञादिति । यज्ञशब्दाभिधेयाद्ब्रह्मणो जातत्वाद् ' ब्राह्मण '–शब्दव्यवहारः । अत एव राजन्यवैश्ययोरपि दीक्षितयोः " **दीक्षितोऽयं ब्राह्मणः** "– (का. श्रौ. सू. ७।१०९) इत्येवं ब्रूयात् । यज्ञजन्मप्रशंसार्थं कञ्चिन्नियममाह–**न सवनकृत**मिति । 'सवनकृतं' अभिषवकर्तारं यष्टारं त्रैवर्णिकेष्वन्यतममपीत्यर्थः । ' सवनकृता ' सवनकृता निमित्तेन, तद्वधेनेत्यर्थः ॥ ४० ॥

इति श्रीसायणाचार्यविरचिते माधवीये वेदार्थप्रकाशे माध्यन्दिनशतपथब्राह्मणभाष्ये तृतीयकाण्डे द्वितीयाध्याये प्रथमं ब्राह्मणम् ॥ (३–२–१)

गृहीतस्य वचसो विसर्गकालविधानाय पुनरनुवदति–**वाचं यच्छती**ति । (का. श्रौ. सू. ७।१०६) ॥१॥

वाग्यमनं प्रशंसितुमाख्यायिकामाह–**यज्ञेन वै देवा** इत्यादिना (श. प. ब्रा. १ । ६ । २ । १)। एतत्प्राग् व्याख्यातम् ॥ २ ॥ ३ ॥

वाग्विमोकं विधत्ते–**तामस्तमिते वाचमि**ति (का. श्रौ. सू. ७।१०७) । अस्तमयानन्तरभावित्वं वाग्विमो-

---

१–ब्राह्मण इत्येव वैश्यराजन्ययोरपि श्रुतेः । २–आस्तमयाद्वाचं यच्छति । ३–अस्तमिते दीक्षित वाचं विसृजस्व पत्नि वाचं विसृजस्वेति त्रिराह ।

दीक्षिष्ट स रात्रिं प्रापत्स यावानेव यज्ञो यावत्यस्य मात्रा तावन्तमेवैतदाप्त्वा वाचं विसृजते ॥ ४ ॥

तद्धैके । नक्षत्रं दृष्ट्वा वाचं विसर्जयन्त्यत्रानुष्ठ्याऽस्तमितो भवतीति वदन्तस्तदु तथा न कुर्यात्क्व ते स्युर्यन्मेघः स्यात्तस्माद्यत्रैवानुष्ठ्याऽस्तमितं मन्येत तदेव वाचं विसर्जयेत् ॥ ५ ॥

(द) अनेनो हैके वाचं विसर्जयन्ति । भूर्भुवः स्वरिति यज्ञमाप्याययामो यज्ञꣳ संदध्म इति वदन्तस्तदु तथा न कुर्यान्न ह स यज्ञमाप्याययति न संदधाति य एतेन वाचं विसर्जयति ॥ ६ ॥

(त्य) अनेनैव वाचं विसर्जयेत् । (द्व) व्रतं कृणुत व्रतं कृणुताग्नि-

---

एते ह्येनं परिप्लवमाने कुरुतः । सोऽहन्नदीक्षिष्ट, स रात्रिं प्रापत् । स यावानेव यज्ञो, यावत्यस्य मात्रा—तावन्तमेवैतदाप्त्वा वाचं विसृजते ॥ ४ ॥

तद्धैके—नक्षत्रं दृष्ट्वा वाचं विसर्जयन्ति—अत्रानुष्ठ्याऽस्तमितो भवतीति वदन्तः । तदु तथा न कुर्यात्—क्व ते स्युः—यन्मेघः स्यात् । तस्माद्यत्रैवानुष्ठ्यास्तमितं मन्येत—तदेवं वाचं विसर्जयेत् ॥ ५॥

अनेनो हैके वाचं विसर्जयन्ति—भूर्भुवः स्वः—इति । यज्ञमाप्याययामः, यज्ञं संदध्मः—इति वदन्तः । तदु तथा न कुर्यात् । न ह स यज्ञमाप्याययति, न संदधाति—य एतेन वाचं विसर्जयति॥ ६॥

अनेनैव वाचं विसर्जयेत्—"व्रतं कृणुत,व्रतं कृणुताग्निर्ब्रह्माऽग्निर्यज्ञो वनस्पतिर्यज्ञियः"—

कस्य प्रशंसति—**संवत्सरो वा** इति । 'एते' एव 'अहोरात्रे' 'परिप्लवमाने' पुनः पुनरावर्तमाने 'एनं' संवत्सरं 'कुरुतः' निष्पादयतः । 'सः' उक्तलक्षणः 'प्रजापतिः' पुरा स्वयज्ञसमये 'अहन्' अहनि 'अदीक्षिष्ट' लुङ् (पा. सू. ३ । ३ । ११०) दीक्षितवान् । कृतदीक्षः 'सः' प्रजापतिः, 'रात्रिम्' 'प्रापत्' प्राप्तवान् । दीक्षितोपलक्षितां वाचं रात्रिपर्यन्तमन्ववर्तयदित्यर्थः । अतस्तावत्पर्यन्तं वाग्यमनं कुर्वन् दीक्षितो 'यावान्' 'यज्ञः' संवत्सर–प्रजापत्यात्मकोऽस्ति, 'अस्य' च 'यावती' 'मात्रा' परिमितिरस्ति, 'तावन्तं' सकलमपि 'एतत्' एतेन नियमेन 'आप्त्वा' 'वाचं' विसृष्टवान् भवति ॥ ४ ॥

वाग्विमोके केषाञ्चित्पक्षमाह—**तद्धैक** इति (आ. श्रौ. सू. १० । १६ । १)। 'अत्र' नक्षत्रदर्शनकाले । 'अनुष्ठ्या' सम्यगित्यर्थः । सर्वैः प्रज्ञातत्वेन सूर्यः 'अस्तमितो भवतीति' 'वदन्तः' । तमिमं पक्षं दूषयति—**तदु तथे**ति । 'ते' तथाऽनुष्ठातारो यदि 'मेघः' नक्षत्राच्छादकः 'स्यात्,' तर्हि 'क्व स्युः' कुत्र वाग्विसर्गकर्तारो भवेयुः । 'तस्माद्' 'यत्र' काले 'अस्तमितम्' 'अनुष्ठ्या सम्यक् प्रज्ञातं 'मन्येत' तदैव परित्यजेत्; न नक्षत्रोदये वाग्विसर्गः ॥ ५ ॥

मन्त्रविषये केषाञ्चित् पक्षमनूद्य निराचष्टे—**अनेनो हैक** इति ('भूर्भुवः स्वरिति वा' का.श्रौ.सू. ७।४।०९)। यज्ञाप्यायनसन्धानयोस्तन्मन्त्रे स्फुटमप्रतिभानात् 'न ह' इत्युक्तम् ॥ ६ ॥

अतः स्वाभिप्रेतमाह—**अनेनैवे**ति । अत्र व्रतं कृणुतेत्यस्य व्रतग्रहणार्थत्वं सामर्थ्यादवसेयम् । वीप्सया तत्तु

ब्रह्माऽग्निर्यज्ञो वनस्पतिर्यज्ञियऽइत्येष ह्यस्यात्र यज्ञो भवत्येतद्धविर्यथा पुराऽग्निहोत्रं तद्यज्ञेनैवैतद्यज्ञꣳ सम्भृत्य यज्ञे यज्ञं प्रतिष्ठापयति यज्ञेन यज्ञꣳसंतनोति संततꣳ ह्येवास्यैतद्व्रतं भवत्या सुत्यायै त्रिष्कृत्वऽआह त्रिवृद्धि यज्ञः ॥ ७ ॥

(ज्ञोऽथा) अथाग्निमभ्यावृत्य वाचं विसृजते । न ह स यज्ञमाप्याययति न संदधाति योऽतोऽन्येन वाचं विसृजते स प्रथमं व्याहरन्त्सत्यं वाचोऽभिव्याहरति ॥ ८ ॥

(त्य) अग्निर्ब्रह्मेति । (त्य) अग्निर्ह्येव ब्रह्माऽग्निर्यज्ञऽइत्यग्निर्ह्येव यज्ञो वनस्पतिर्यज्ञियऽ इति वनस्पतयो हि यज्ञिया न हि मनुष्या यजेरन्यद्वनस्पतयो न स्युस्तस्मादाह वनस्पतिर्यज्ञिय इति ॥ ९ ॥

(वा. सं. ४ । ११) इति । एष ह्यस्यात्र यज्ञो भवति, एतद्धविः—यथा पुराऽग्निहोत्रम् । तद् यज्ञेनैवैतद्यज्ञं सम्भृत्य, यज्ञे यज्ञं प्रतिष्ठापयति । यज्ञेन यज्ञं संतनोति । संततं ह्येवास्यैतद्व्रतं भवति—आसुत्यायै । त्रिष्कृत्व आह । त्रिवृद्धि यज्ञः ॥ ७ ॥

अथाग्निमभ्यावृत्य वाचं विसृजते । न ह स यज्ञमाप्याययति, न संदधाति—योऽतोऽन्येन वाचं विसृजते । स प्रथमं व्याहरन्--सत्यं वाचोऽभिव्याहरति ॥ ८ ॥

अग्निर्ब्रह्मेति । अग्निर्ह्येष ब्रह्म । अग्निर्यज्ञ इति । अग्निर्ह्येव यज्ञः । वनस्पतिर्यज्ञिय इति । वनस्पतयो हि यज्ञियाः । नहि मनुष्या यजेरन्—यद्वनस्पतयो न स्युः । तस्मादाह वनस्पतिर्यज्ञिय इति ॥ ९ ॥

द्विर्ब्रूयादित्यर्थः सूचितः । अग्निर्ब्रह्मेत्यादिः पृथङ्मन्त्रो वाग्विसर्जनार्थः । तथा च सूत्रम्—"अग्निमभ्यावृत्य व्रतं कृणुतेति वाग्विसर्जनं त्रिरुक्त्वाऽग्निर्ब्रह्मेति च सकृदिति"—(का. श्रौ. सू. ७ । १०८) इति । व्रतकरणं प्रशंसति--**एष** **ह्येति** । 'एषः' व्रताख्यः पदार्थः 'अत्र' दीक्षाकाले 'यज्ञो भवति' । तथा 'एतत्' एव व्रतं 'हविः' अपि भवति । 'यथा' 'पुरा' दीक्षादिवसात्पूर्वम् ' अग्निहोत्रम्, ' एवमिदमप्यग्निहोत्रप्रत्याम्नाय एवेत्यर्थः । यथाहापस्तम्बः--"न त्वेव न व्रतयेदग्निहोत्रस्याविच्छेदाय"—(आ. सू. १०।१६।११) इति । अत एतद्व्रताख्येन 'यज्ञेन' प्रवर्तमानेन चिकीर्षितं ज्योतिष्टोमं ' यज्ञम्' व्रताख्यं ' सम्भृत्य ' एकीकृत्य तत्रैव प्रतिष्ठाप्य च तं ज्योतिष्टोममेतेन विस्तारितवान् भवति । अत एतन्मन्त्रेऽभिगतयज्ञसन्धानसम्भवादयं पक्ष एव श्रेयानित्यर्थः । विहितव्रतं सुत्यादिवसपर्यन्तं कर्तव्यमित्याह—**सन्ततमिति** ॥ ७ ॥

वाग्विमोकोऽप्यभिमुखं कर्तव्य इत्याह **अथाग्निमिति** (का. श्रौ. सू. ७ । १०८) । उक्तमर्थं व्यतिरेकेण प्रशंसति—**न हेति** । ' अतोऽन्येन ' भूर्भुवः स्वरित्यनेन । मन्त्रपदानि व्याचष्टे--**स प्रथममिति** । वाग्व्यवहारस्यादावग्निर्ब्रह्मेति ब्रुवन् सत्यमेवोक्तवान् भवति; " सत्यं ब्रह्म " इति श्रुतेः (बृ. आ. उ. ५।४।१) ॥ ८ ॥

अग्निरिति । वनस्पतेर्यज्ञार्हत्वं श्रुतिरेवोपपादयति—**न हि मनुष्या** इति ॥ ९ ॥

(त्यु) अथास्मै व्रतꣳ श्रपयन्ति । देवान्वाऽएष ऽउपावर्त्तते यो दीक्षते स देवतानामेको भवति शृतं वै देवानाꣳ हविर्नाशृतं तस्माच्छ्रपयन्ति तदेष ऽएव व्रतयति नाग्नौ जुहोति तद्यदेषऽएव व्रतयति नाग्नौ जुहोति ॥ १० ॥

यज्ञेन वै देवाः । (ऽ) इमां जितिं जिग्युर्येषामियं जितिस्ते होचुः कथं न ऽइदं मनुष्यैरनभ्यारोह्यꣳ स्यादिति ते यज्ञस्य रसं धीत्वा यथा मधु मधुकृतो निर्धयेयुर्विदुह्य यज्ञं यूपेन योपयित्वा तिरोऽभवन्नथ यदेनेनायोपयंस्तस्माद्यूपो नाम ॥ ११ ॥

तद्वाऽऋषीणामनुश्रुतमास । ते यज्ञꣳ समभरन्यथाऽयं यज्ञः सम्भृत ऽएष वा ऽअत्र यज्ञो भवति यो दीक्षतऽएष ह्येनं तनुतऽएष ऽएनं जनयति तद्यदेवात्र यज्ञस्य निर्धीतं यद्विदुग्धं तदेवैतत्पुनराप्याययति यदेष ऽएव व्रतयति नाग्नौ जुहोति न ह्याप्याययेद्यदग्नौ जुहुयाज्जुहवदु हैव मन्येत नाजुहवत् ॥ १२ ॥

अथास्मै व्रतं श्रपयन्ति। देवान्वा एष उपावर्त्तते—यो दीक्षते । स देवतानामेको भवति। शृतं वै देवानां हविः—नाशृतम् । तस्माच्छ्रपयन्ति । तदेष एव व्रतयति, नाग्नौ जुहोति। तद्यदेष एव व्रतयति, नाग्नौ जुहोति ॥ १० ॥

यज्ञेन वै देवाः इमां जितिं जिग्युः—येषामियं जितिः । ते होचुः—कथं न इदं मनुष्यैरनभ्यारोह्यं स्यादिति। ते यज्ञस्य रसं धीत्वा—यथा मधु मधुकृतो निर्धयेयुः । विदुह्य यज्ञं यूपेन योपयित्वा तिरोऽभवन् । अथ यदेनेनायोपयन्—तस्माद्यूपो नाम ॥ ११ ॥

तद्वा ऋषीणामनुश्रुतमास । ते यज्ञं समभरन्—यथाऽयं यज्ञः सम्भृतः। एष वा अत्र यज्ञो भवति—यो दीक्षते। एष ह्येनं तनुते। एष एनं जनयति। तद् यदेवात्र यज्ञस्य निर्धीतम्, यद्विदुग्धं—तदे-

---

अथास्मा इति । शृतं वा इत्यादि । 'शृतम्' पक्वम् । 'वै' शब्देन श्रुत्यन्तरप्रसिद्धिरभिधीयते । तथा च तैत्तिरीयकम्:-"यः शृतः स सदेवस्तस्मादविदहता शृतंकृत्यः सदेवत्वाय"--(तै. सं. २।६।३।४) इति 'तत्' शृतं क्षीरम् 'एषः' दीक्षित एव' पिबेति (का. श्रौ. सू. ७।११२) एवकारव्युदसनीयमाह—नाग्नाविति ॥ १० ॥

आत्मन्येव होमं पुरातनवृत्तान्ताभिधानेन प्रशंसति—यज्ञेन वा इति । (श. प. ब्रा. १।६।२।१ भाष्ये) गतम् । देवैराच्छादितस्यापि पयोव्रतस्य तदवगच्छद्भिः पूर्वोक्तर्षिभिः सम्भृतत्वादनेनापि सम्भर्तव्यमित्यर्थः ॥ ११ ॥

तद्वा ऋषीणामिति । ननु सर्वमपि हविरग्नावेव हूयते, किमिदं पीयत इत्याशङ्क्य दीक्षितस्याप्यग्नित्वमुप-

---

१–'पिबेत्–' इ. क. पा. । २–तत्क्षीरव्रतौ भवतः ।

(दि) इमे वै प्राणाः । (०) मनोजाता मनोयुजो दक्षक्रतवो व्वागेवाग्निः प्राणोदानौ मित्रावरुणौ चक्षुरादित्यः श्रोत्रं व्विश्वे देवा ऽएतासु हैवास्यैतद्देवतासु हुतं भवति ॥ १३ ॥

तद्धैके । प्रथमे व्रतऽउभौ व्रीहियवावावपन्त्युभाभ्याᳬं रसाभ्यां यदेवात्र यज्ञस्य निर्धीतं यद्विदुग्धं तत्पुनराप्याययाम इति व्वदन्तो यद्यु व्रतदुघा नु दुहीत यस्यैवातः कामयेत तस्य व्रतं कुर्यादेतदु ह्येवास्यैताऽउभौ व्व्रीहियवावन्वारब्धौ भवत ऽइति तदु तथा नु कुर्यान्न ह स यज्ञमाप्याययति न संदधाति य उभौ व्व्रीहियवावावपति तस्मादन्यतरऽमेवावपेद्धविर्व्वाऽअस्यैताऽउभौ व्व्रीहियवौ भवतः स यदेवास्यैतौ हविर्भवतस्तु-

---

वैतत् पुनराप्याययति । यदेष एव व्रतयति, नाग्नौ जुहोति । न हाप्याययेद्--यदग्नौ जुहुयात् । जुहुद् हैव मन्येत--नाजुहुत् ॥ १२ ॥

इमे वै प्राणाः-मनोजाता मनोयुजो दक्षक्रतवः । वागेवाग्निः । प्राणोदानौ मित्रावरुणौ । चक्षुरादित्यः । श्रोत्रं विश्वेदेवाः । एतासु हैवास्यैतद्देवतासु हुतं भवति ॥ १३ ॥

तद्धैके-प्रथमे व्रत उभौ व्रीहियवावावपन्ति । उभाभ्यां रसाभ्याम्-यदेवात्र यज्ञस्य निर्धीतम् यद्विदुग्धम्-तत्पुनराप्याययाम-इति वदन्तः । यद्यु व्रतदुघा न दुहीत-यस्यैवातः कामयेत-तस्य व्रतं कुर्यात् । एतदु ह्येवास्यैता उभौ व्रीहियवावन्वारब्धौ भवत इति । तदु तथा न कुर्यात् । न ह स यज्ञमाप्याययति, न सन्दधाति-य उभौ व्रीहियवावावपति । तस्मादन्यतरमेवावपेत् । हविर्वा

पादयति-एष वा अत्रेति । 'यज्ञ'-शब्देनात्राग्निरभिधीयते यज्ञोत्पादकत्वाभिधानात् । अतः स्वात्माग्नौ होमेन 'यज्ञस्य' ज्योतिष्टोमस्य 'यत्' 'निर्धीतम्' निष्पीतम् अनुष्ठानेन विफलम्, 'यत्' च 'विदुग्धं' विपरीतानुष्ठानेन विपरीतफलमङ्गम्, 'तत्' 'पुनः' आप्यायितवान् भवति । व्यतिरेके दोषमाह-न हेति । जुहुद् हैव मन्येतेति । उक्तम् ॥ १२ ॥

देवताप्रीणनाभावात् कथं तादृशी मतिरुत्पद्यत इत्यत आह-इमे वा इति । वागादीनां मुख्यप्राणप्रवेशेन प्राणशब्दव्यवहारस्य 'इमे प्राणाः' वागादयः 'मनोजाताः' मनसः सकाशादुत्पन्नाः, मनोव्यतिरेकेण इतस्ततः प्रवृत्त्यभावात् । 'मनोयुजः' च स्वस्वव्यापारेषु मनसः कर्तृत्वात् । त एवं 'दक्षक्रतवः' दक्षाः प्रवृद्धाः स्वस्वोचिताः क्रतवः कर्माणि येषां ते तथोक्ताः । तेषां देवता विभज्य योजयति-वागेवाग्निरित्यादिना । "अग्निर्वाग्भूत्वा मुखं प्राविशत्" इति श्रुतेः (ऐ. २. आर. ४. अ. २. खं) इन्द्रिय--तदभिमानिदेवतयोरभेदव्यवहारः । यस्मात् 'एतासु' 'देवतासु' प्रीणयति, तस्मादेतासु निमित्तभूतासु स्वात्मनि 'हुतं भवति' । यद्वा अग्नौ चेदेकस्मिन्नेव हुतं भवेत्, आत्मनि तु तत्तदिन्द्रियदेवतासु सर्वास्वपि हुतं भवतीति व्याख्येयम् । तस्माज्जुहुन्मन्येत इत्यर्थः ॥ १३ ॥

प्रथमदिवस (देय) व्रतविषयकमेकेषाञ्चित्पक्षमाह-तद्धैक इति । 'प्रथमे व्रते' प्रथमव्रतार्हे क्षीरे निर्धीतविदुग्धयोरप्यङ्गयोराप्यायनायोभयोरपि समाधानायोभयावापे सत्युभे अपि हविषी अन्वारब्धे भवत इति तेषा-

देवास्यैतावन्वारब्धौ भवतो यद्यु व्रतदुघा न दुहीत यस्यैवातः कामयेत तस्य व्रतं कुर्यात् ॥ १४ ॥

(त्त) तद्धैके । प्रथमे व्रते सर्व्वौषधᳫं सर्व्वसुरभ्यावपन्ति यदि दीक्षितमार्त्तिर्व्विन्देद्येनैवातः कामयेत तेन भिषज्येद्यथा व्रतेन भिषज्येदिति तदु तथा न कुर्य्यान्मानुषᳫं ह ते यज्ञे कुर्व्वन्ति व्यृद्धं वै तद्यज्ञस्य यन्मानुषं नेद्व्यृद्धं यज्ञे करवाणीति यदि दीक्षितमार्त्तिर्व्विन्देद्येनैवातः कामयेत तेन भिषज्येत्समाप्तिर्ह्येव पुण्या ॥ १५ ॥

अस्यैता उभौ व्रीहियवौ भवतः । स यदेवास्यैतौ हविर्भवतः—तदेवास्यैतावन्वारब्धौ भवतः । यद्यु व्रतदुघा न दुहीत—यस्यैवातः कामयेत—तस्य व्रतं कुर्यात् ॥ १४ ॥

तद्धैके—प्रथमे व्रते सर्वौषधं सर्वसुरभ्यावपन्ति । यदि दीक्षितमार्त्तिर्विन्देत्—येनैवातः कामयेत—तेन भिषज्येत्—यथा व्रतेन भिषज्येदिति । तदु तथा न कुर्यात् । मानुषं ह ते यज्ञे कुर्वन्ति । व्यृद्धं वै तद् यज्ञस्य—यन्मानुषम् । नेद्व्यृद्धं यज्ञे करवाणीति । यदि दीक्षितमार्तिर्विन्देद्—येनैवातः कामयेत—तेन भिषज्येत् । समाप्तिर्ह्येव पुण्या ॥ १५ ॥

मभिप्रायः । तन्निषेधति—**तद्विति** । उभयावापस्याप्रयोजकतामाह—**न हेति** । तर्हि किं कुर्यादिति तत्राह—**तस्मादन्यतर**मिति । अन्यतरावापपक्षे उभयान्वारम्भः कथं सिद्ध्यतीति तत्राह—**हविर्वा अस्ये**ति । दर्शपूर्णमासयोर्व्रीहियवयोरुभयोरपि हविष्करणात् तत्रैवान्वारब्धौ भवतो न नूतने । अतोऽप्रयोजकत्वादुभयोरेवावापोऽनपेक्षित इत्यर्थः । व्रतधुग्दुग्धाभावे किं कुर्यादित्यत आह—**यद्यु** इति । यतो व्रीहियवावन्वारब्धौ ' अतः ' अनयोर्व्रीहियवयोर्मध्ये ' यस्यैव ' व्रतं ' कामयेत ' ' तस्य ' एतद् ' व्रतं ' कुर्यात्[२] ॥ १४ ॥

प्रथमव्रतविषय एवेतरेषां पक्षमाह—**तद्धैक** इति । कचित्तु प्रथमव्रत एव यत् ' सर्वौषधम् ' व्रीहियवप्रियंगुगोधूमादिकं, यच्च ' सुरभि ' सुगन्धि पिप्पल्यादि, तत् सर्वम् ' आवपन्ति ' । तथा सत्युत्तरत्र दीक्षितस्यार्तौ सत्यां यादृशाया आर्तेर्यदौषधमिति आत्यार्तः कामयेत, तत् क्षीरे प्रक्षिप्य पाकं कृत्वा प्रयच्छेत् । तथा सति प्रथमव्रते सर्वौषधस्यान्वारब्धत्वाद् व्रताविरोधेनैव चिकित्सा कृता भवतीति तेषामभिप्रायः[३] । तन्निराचष्टे—**तद्विति** । तथा सति यथा मनुष्या औषधं क्षीरे प्रक्षिप्य प्रयच्छन्ति, तद्वदेतत्स्यात् । तच्च यज्ञविरुद्धम् । अतो यज्ञस्य प्रतिक्रियां नाशयेत, केवलं तदेव गच्छेत् यस्मात् ' समाप्तिः ' यागसम्प्राप्तिः 'पुण्या' इष्टा, तस्मादन्वारब्धेनाप्यौषधेन भिषज्येदित्यर्थः । अनेनैवार्त्यभावेऽपि सर्वौषधपक्षो निरस्तः आर्तेरेवोपेक्षितत्वात्, सर्वप्रक्षेपाभावेऽपि तत्सम्भवात् । अत्र सूत्रम्—" प्रथमे व्रते व्रीहियवयोरन्यतरमावपत्युभावेके, एकैतरव्रतमदोहे, सर्वौषधं सर्वसुरभि चैके "—इति । आवपेदिति शेषः ॥ १५ ॥

१—प्रथमे व्रते व्रीहियवयोरन्यतरमावपत्युभावेके । का. श्रौ. सू ७ । ११४ । २—तद्व्रतमदोहे । का. श्रौ. सू. ७ । ११५ । ३—सर्व्वौषधᳫं सर्व्वसुरभि चैके । का० श्रौ० सू० ७ । ११६ । ४—" तद्व्रतमदोहे " इति चौखंबा—संस्कृतग्रन्थमालामुद्रित का. श्रौ. सू. पुस्तके सूत्रस्य रूपान्तरं दृश्यते ।

(ण्या१)अथास्मै व्व्रतं प्रयच्छति।(त्य)अतिनीय मानुषं कालᳪं सायं दुग्धमपररात्रे प्रातर्दुग्धमपराह्ने व्याकृत्याऽएव दैवं चैवैतन्मानुषं च व्याकरोति १६

(त्य)अथास्मै व्व्रतं प्रदास्यन्नपऽउपस्पर्शयति । दैवीं धियं मनामहे सुमृडीकामभिष्टये व्वर्चोधां यज्ञवाहसᳪं सुतीर्था नोऽअसद्वशऽइति मानुषाय वाऽएष पुराऽशनायावनेनिक्तेऽथात्र दैव्यै धिये तस्मादाह दैवीं धियं मनामहे सुमृडीकामभिष्टये व्वर्चोधां यज्ञवाहसᳪं सुतीर्था नोऽअसद्वशऽइति स यावत्कियच्च व्व्रतं व्व्रतयिष्यन्नपऽउपस्पृशेदेतेनैवोपस्पृशेत् ॥ १७ ॥

(३) अथ व्व्रतं व्रतयति । ये देवा मनोजाता मनोयुजो दक्षक्रतवस्ते नोऽवन्तु ते नः पान्तु तेभ्यः स्वाहेति तद्यथा व्वषट्कृतᳪं हुतमेवमस्यैतद्भवति ॥ १८ ॥

अथास्मै व्रतं प्रयच्छति—अतिनीय मानुषं कालम् । सायं दुग्धमपररात्रे, प्रातर्दुग्धमपराह्ने व्याकृत्या एव दैवं चैवैतन्मानुषं च व्याकरोति ॥ १६ ॥

अथास्मै व्रतं प्रदास्यन्नप उपस्पर्शयति—"दैवीं धियं मनामहे, सुमृडीकामभिष्टये वर्चोधां यज्ञवाहसं सुतीर्था नो असद्वशे"—(वा. सं. ४।११) इति । मानुषाय वा एष पुराऽशनायावनेनिक्ते । अथात्र दैव्यै धिये । तस्मादाह—दैवीं धियं मनामहे सुमृडीकामभिष्टये वर्चोधां यज्ञवाहसं सुतीर्था नो असद्वश इति । स यावत्कियच्च व्रतं व्रतयिष्यन्नप उपस्पृशेत् । एतेनैवोपस्पृशेत् ॥१७॥

अथ व्रतं व्रतयति "ये देवा मनोजाता मनोयुजो दक्षक्रतवस्ते । नोऽवन्तु ते नः पान्तु तेभ्यः स्वाहा "(वा. सं. ४ । ११)—इति । तद्यथा वषट्कृतं हुतम्—एवमस्यैतद् भवति ॥१८॥

अथास्मा इत्यादि । मानुषकालातिक्रान्तौ कौ कालाविति, तौ दर्शयति—सायन्दुग्धमित्यादिना । व्याकृत्या एवेति । 'व्याकृतिः' व्याकरणम्, देवमानुषयोर्विभाग इति यावत् ॥ १६ ॥

अध्वर्युकारयितृकं यजमानकर्तृकमुदकोपसर्शनं विधत्ते अथास्मै व्रतं प्रदास्यन्निति । लौकिकाशनाय हस्तावनेजनव्यापृतये मन्त्रेणावनेजनं युक्तम्, तत्रापि पयोव्रतस्य दीक्षितविषयत्वेन देवाशनत्वात् "दैवीं धियम्" इति मन्त्रो युज्यत इत्यर्थः । प्रकरणात् पयोव्रत एव हस्तप्रक्षालनेऽयं मन्त्र इति प्राप्तौ सर्वव्रतावनेजनसाधारणतामाह—स यावदिति ॥ १७ ॥

समन्त्रकं व्रतपानं विधत्ते—अथ व्रतं व्रतयतीति । मनोजातादयो व्याख्याताः । यथा अन्यत्र यागे वषट्कारेण दत्तं हविर्हुतं भवति, एवमस्य समन्त्रकं व्रतं स्वाहाकृतत्वाद्धुतमेव भवतीत्यर्थः ॥ १८ ॥

१–'व्रतं प्रयच्छत्यनुत्सिक्तमपररात्रे सायंदोहमपराह्ने प्रातर्दोहं । का. श्रौ. सू. ७ । ११९ । २–दैवीं धियमिति व्रतायोपस्पर्शन उस्वासने । का. श्रौ. सू. ७ । १२० । उपस्पर्शनमाचमनमिति ककः । उदकोपस्पर्शनमात्रमेवेति संप्रदायः । हरिस्वामिनस्तु उपस्पर्शनपदेन स्पर्शमात्रमाहुः । शतपथे सर्वत्रोपस्पृशतेस्तदर्थे प्रयोगादिति । ३–ये देवा इति व्रतयत्यमृण्यपात्रे । लौहे का. श्रौ. सू. ७ । १२१ । ४–अस्मिन्नेव ब्राह्मणे त्रयोदशकण्डिकाभाष्ये ।

(त्यु) अथ व्व्रतं व्व्रतयित्वा नाभिमुपस्पृशते श्वात्राः पीता भवत यूयमापोऽअस्माकमन्तरुदरे सुशेवाः । ताऽअस्मभ्यमयक्ष्माऽअनमीवाऽअनागसः स्वदन्तु देवीरमृताऽऋतावृधऽइति देवान्वाऽएष उपावर्तते यो दीक्षते स देवतानामेको भवत्यनुत्सिक्तं वै देवानाᳬं हविरथैतद्व्रतप्रदो मिथ्या करोति व्व्रतमुपोत्सिञ्चन्व्रतं प्रमीणाति तस्यो हैषा प्रायश्चित्तिस्तथोहास्यैतन्न मिथ्या कृतं भवति न व्व्रतं प्रमीणाति तस्मादाह श्वात्राः पीता भवत यूयमापोऽअस्माकमन्तरुदरे सुशेवाः। ताऽअस्मभ्यमयक्ष्माऽअनमीवाऽअनागसः स्वदन्तु देवीरमृताऽऋतावृधऽ इति स यावत्कियच्च व्व्रतं व्व्रतयित्वा नाभिमुपस्पृशेदेतेनैवोपस्पृशेत्कस्तद्वेद यद्व्रतप्रदो व्व्रतमुपोत्सिञ्चेत् ॥१९॥

(द)अथ यत्र मेक्ष्यन्भवति। तत्कृष्णविषाणया लोष्टं वा किंचिद्वोपहन्तीयं ते यज्ञिया तनूरितीयं वै पृथिवी देवी देवयजनी सा दीक्षितेन नाभिमिह्या तस्याऽएतदुदगृह्यैव यज्ञियां तनूमथायज्ञियᳬं शरीरमभिमेहत्यपो

अथ व्रतं व्रतयित्वा नाभिमुपस्पृशति–"श्वात्राः पीता भवत यूयमापो अस्माकमन्तरुदरे सुशेवाः। ता अस्मभ्यमयक्ष्मा अनमीवा अनागसः स्वदन्तु देवीरमृता ऋतावृधः"–(वा.सं.४।१२) इति। देवान्वा एष उपावर्तते यो–दीक्षते। स देवतानामेको भवति। अनुत्सिक्तं वै देवानां हविः। अथैतद् व्रतप्रदो मिथ्या करोति। व्रतमुपोत्सिञ्चन्व्रतं प्रमीणाति। तस्यो हैषा प्रायश्चित्तिः। तथो हास्यैतन्न मिथ्या कृतं भवति, न व्रतं प्रमीणाति। तस्मादाह–श्वात्राः पीता भवत यूयमापो अस्माकमन्तरुदरे सुशेवाः। ता अस्मभ्यमयक्ष्मा अनमीवा अनागसः स्वदन्तु देवीरमृता ऋतावृध इति। स यावत्कियच्च व्रतं व्रतयित्वा नाभिमुपस्पृशेत्। एतेनैवोपस्पृशेत्। कस्तद्वेद–यद् व्रतप्रदो व्रतमुपोत्सिञ्चेत् ॥ १९ ॥

अथ यत्र मेक्ष्यन्भवति–तत् कृष्णाविषाणया लोष्टं वा, किंचिद्वोपहन्ति। "इयं ते यज्ञिया तनूः" (वा.सं.४।१३) इति। इयं वै पृथिवी देवी देवयजनी। सा दीक्षितेन नाभिमिह्या। तस्या एतदुदगृह्यैव

अथ व्रतं व्रतयित्वेति। समन्त्रकनाभ्युपस्पर्शनस्य प्रयोजनमाह–देवान्वा इत्यादिना। देवार्थस्य हविषः स्कन्दनायोग्यत्वाद् दीक्षितस्यापि देवत्वाद् व्रतप्रदानेऽप्यध्वर्योः प्रमादात् स्कन्दनादेः सम्भवाद् यज्ञदोषः सम्भाव्येत, तस्यायं मन्त्रः प्रायश्चित्तमित्यर्थः। अस्मिन्मन्त्रे पयसामितस्ततः पतनराहित्येन शीघ्रपीतत्वस्योदरान्तः प्रवेशस्य च प्रार्थनात उदकोपस्पर्शनमन्त्रवन्नाभ्युपस्पर्शनमन्त्रस्यापि सर्वव्रतसाधारण्यमाह–स यावत्कियदिति। नाभ्युपस्पर्शनात्मकप्रायश्चित्तस्य सर्वत्र कर्तव्यत्वे कारणमाह–कस्तादिति। 'उपोत्सिञ्चेत्' सर्वतो विकिरेत्॥१९

दीक्षितस्य मूत्रोत्सर्गे विशेषमाह–अथ यत्रेति। 'यत्र' यस्मिन् प्रदेशे 'मेक्ष्यन्' मूत्रसेकं करिष्यन् 'भवति'। 'किञ्चिद्वा' लोष्टाभावे तत्सम्बन्धि मृदादिकं वा 'कृष्णविषाणया' 'उपहन्ति' उपाददीते-

---

१–श्वात्राः पीता इति नाभिमालभते। का. श्रौ. सू. ७। १२२॥

मुञ्चामि न प्रजामित्युभयं वाऽअत ऽएत्यापश्च रेतश्च सऽएतदपऽएव मुञ्चति न प्रजामꣳहोमुचः स्वाहाकृताऽइत्यꣳहस ऽइव ह्येता मुञ्चन्ति यदुदरे ग्रथितं भवति तस्मादाहाꣳहोमुचऽ इति स्वाहाकृताः पृथिवीमाविशतेत्याहुतयो भूत्वा शान्ताः पृथिवीमाविशतेत्येवैतदाह ॥ २० ॥

(ह्वा) अथ पुनर्लोष्टं न्यस्यति । पृथिव्या सम्भवेतीयं वै पृथिवी देवी देवयजनी सा दीक्षितेन नाभिमिह्या तस्या एतदुदग्गृह्यैव याज्ञियां तनूमथायज्ञियꣳ शरीरमभ्यमिक्षत्तामेवास्यामेतत्पुनर्यज्ञियां तनूं दधाति तस्मादाह पृथिव्या सम्भवेति ॥ २१ ॥

(त्यु) अथाग्नये परिदाय स्वपिति । देवान्वाऽएषऽ उपावर्त्तते यो दीक्षते स देवतानामेको भवति न वै देवाः स्वपन्त्यनवरुद्धो वाऽएतस्या-

---

याज्ञियां तनूम्--अथायज्ञियं शरीरमभिमेहति । "अपो मुञ्चामि न प्रजाम्"--(वा. सं. ४ । १३) इति । उभयं वाऽअत एति अपश्च रेतश्च । स एतदप एव मुञ्चति, न प्रजाम् । "अंहोमुचः स्वाहाकृताः"--(वा. सं. ४ । १३) इति । अंहस इव ह्येता मुञ्चन्ति--यदुदरे ग्रथितं भवति तस्मादाह--अंहोमुच इति । "स्वाहाकृताः पृथिवीमाविशत"--(वा. सं. ४ । १३) इति । आहुतयो भूत्वा शान्ताः पृथिवीमाविशतेत्येवैतदाह ॥ २० ॥

अथ पुनर्लोष्टं न्यस्यति--"पृथिव्या सम्भव"--(वा.सं.४।१३) इति । इयं वै पृथिवी देवी देवयजनी । सा दीक्षितेन नाभिमिह्या । तस्या एतदुदगृह्यैव याज्ञियां तनूम्--अथायज्ञियं शरीरमभ्यमिक्षत्--तामेवास्यामेतत्पुनर्यज्ञियां तनूं दधाति । तस्मादाह--पृथिव्या सम्भवेति ॥ २१ ॥

अथाग्नये परिदाय स्वपिति । देवान्वा एष उपावर्तते--यो दीक्षते । स देवानामेको भवति । न वै

त्यर्थः । "लोष्टं वा किञ्चिद्वा"--इति सूत्रात् । तत्र मन्त्रमाह--**इयं त** इति । व्याचष्टे--**इयं वा** इति । पृथिव्या देवयजनार्हत्वं कृतवान् भवतीत्यर्थः । मेहनमन्त्रमाह--**अपो मुञ्चामीति** । 'अतः' अस्मान्मूत्रद्वारात् अमेतसोरुभयोरपि निर्गमसम्भवादप एव मुञ्चामि न प्रजोत्पादकं रेत इति मन्त्रेणोच्यत इत्यर्थः । अतोऽनेन मूत्रं कुर्यादिति विधिरुन्नेयः । तथा च कात्यायनः--"अपो मुञ्चामीति मेहति" इति (का. श्रौ. सू. ४ । १२९) । द्वितीयभागं व्याचष्टे--**अंहोमुच** इति देहान्तर्गतेन पापेन सहैवैता मूत्ररूपा अपो मुञ्चन्ति खलु मूत्रयितारः तस्मादंहोमुच इति पठेत् । "स्वाहाकृताः"--इत्यस्य तात्पर्याभिधानं स्पष्टम् ॥ २० ॥

अथ पुनरिति । स्वीकृतस्य लोष्टस्य पुनः प्रक्षेपमन्त्रब्राह्मणं पूर्ववद् व्याख्येयम् । हे स्वीकृतलोष्ट ! त्वं 'पृथिव्या' 'सम्भव' सङ्गतो भवेत्यर्थः । एतन्मन्त्रपाठेन या पूर्वं यज्ञिया तनूः स्वीकृता, सा पुनः--स्थापिता भवति ॥ २१ ॥

दीक्षितस्य स्वापकाले अग्नये परिदानमाह--**अथाग्नय** इति । 'परिदानं' रक्षणार्थं दानम् । परिदाने

१--मेक्ष्यन् कृष्णविषाणया लोष्टं किंचिद्वाऽऽदत्त इयं त इति । का. श्रौ. सू. ७ । १२४ । २--पृथिव्या संभवेत्यास्तं निदधाति । का. श्रौ. सू. ७ । १२६ ।

स्वप्नो भवत्यग्निर्वै देवानां व्रतपतिस्तस्माऽएवैतत्परिदाय स्वपित्यग्ने त्वᳬ सुजागृहि व्वयᳬ सु मन्दिषीमहीत्यग्ने त्वं जागृहि व्वयᳬ स्वप्स्यामऽइत्येवैतदाह रक्षाणोऽअप्रयुच्छन्निति गोपाय नोऽप्रमत्त इत्येवैतदाह प्रबुधे नः पुनस्कृधीति यथेतः सुप्त्वा स्वस्ति प्रबुध्यामहाऽएवं नः कुर्व्वित्येवैतदाह ॥ २२ ॥

(ब्रा) अथ यत्र सुप्त्वा पुनर्नावद्रास्यन्भवति । तद्वाचयति पुनर्मनः पुनरायुर्मऽआगन्पुनः प्राणः पुनरात्मा मऽआगन्पुनश्चक्षुः पुनः श्रोत्रं मऽआगन्निति सर्व्वे ह वाऽएते स्वपतोऽपक्रामन्ति प्राण एव न तैरेवैतत्सुप्त्वा पुनः संगच्छते तस्मादाह पुनर्मनः पुनरायुर्मऽ आगन्पुनः प्राणः पुनरात्मा मऽआगन्पुनश्चक्षुः पुनः श्रोत्रं मऽआगन् ॥ व्वैश्वानरोऽ अदब्धस्तनूपाऽअग्निर्नः पातु दुरितादवद्यादिति तद्यदेवात्र स्वप्नेन वा येन वा मिथ्या-कर्म तस्मान्नः सर्व्वस्मादग्निर्गोपायत्वित्येवैतदाह तस्मादाह व्वैश्वानरोऽदब्धस्तनूपा अग्निर्नः पातु दुरितादवद्यादिति ॥ २३ ॥

देवाः स्वपन्ति । अनवरुद्धो वा एतस्यास्वप्नो भवति । अग्निर्वै देवानां व्रतपतिः । तस्मा एवैतत्परिदाय स्वपिति । " अग्ने त्वं सुजागृहि, वयं सु मन्दिषीमहि "–(वा. सं. ४ । १४) इति । अग्ने त्वं जागृहि, वयं स्वप्स्याम–इत्येवैतदाह । " रक्षाणो अप्रयुच्छन "– (वा. सं. ४।१४) इति । गोपाय नोऽप्रमत्तः–इत्येवैतदाह । " प्रबुधे नः पुनस्कृधि "–(वा. सं. ४।१४) इति । यथेतः सुप्त्वा स्वस्ति प्रबुध्यामहै–एवं नः कुरु–इत्येवैतदाह ॥ २२ ॥

अथ यत्र सुप्त्वा पुनर्नावद्रास्यन् भवति–तद्वाचयति–"पुनर्मनः पुनरायुर्मऽआगन्, पुनः प्राणः पुनरात्मा मऽआगन्, पुनश्चक्षुः पुनः श्रोत्रं मऽआगन्"–(वा.सं. ४।१५) इति । सर्वे ह वा एते

प्रसक्तिं दर्शयति–देवान्वा इत्यादिना । अत्र " अग्ने त्वम् "–इत्येतन्मन्त्रपाठ एव परिदानम् । पूर्वार्द्धस्य तात्पर्यमाह–अग्ने त्वमिति । हे ' अग्ने ! ' ' त्वं ' ' सुजागृहि ' निद्राणस्य मम भयपरिहाराय सुष्ठु विनिद्रो भवेत्यर्थः । ' मन्दिषीमहि '–इत्यस्य तात्पर्याभिधानं ' स्वप्स्यामः '–इति । स्वापविघाते सति मोदस्यैवाभावादेवं प्रार्थ्यते । ' अप्रयुच्छन् '–इत्यस्य तात्पर्याभिधानम्–' अप्रमत्तः '–इति । " युच्छ प्रमादे "–(धा. पा. भ्वा. प. २१४) । यथेत इति । ' इतः ' अस्मात् स्थानात् स्वापानन्तरं ' स्वस्ति ' क्षेमेण ज्वरशिरोव्यथादिराहित्येन यथा ' प्रबुद्ध्यामहे ' तथा ' कुर्विति ' मन्त्रभागः ' आह ' इत्यर्थः ॥ २२ ॥

दीक्षितस्य स्वापानन्तरं प्रबोधे सति पुनर्निद्राया अप्राप्तौ तदा समन्त्रकं जपं विधत्ते–अथ यत्रेति । ' यत्र ' यस्मिन् काले ' तत् ' तदा मनआदेः पुनःप्राप्तिसमर्थनाय । तदपगमनप्रसक्तिं दर्शयति–सर्वे ह वा इति ।

१–अग्ने त्वामित्युक्त्वा स्वपित्यधः प्राग्दक्षिणतः का. श्रौ. सू. ७ । १२७ । दक्षिणतोवितानस्य प्राक्शिराः स्वपितीति सूत्रार्थः ।

(त्यु) अथ यद्दीक्षितः। (तो॰) अव्रत्यं वा व्याहरति क्रुध्यति वा तन्मिथ्या करोति व्व्रतं प्रमीणात्यक्रोधो ह्येव दीक्षितस्याग्निर्वै देवानां व्व्रतपतिस्तमेवैतदुपधावति त्वमग्ने व्व्रतपा असि देवऽआ मर्त्येष्वा॥ त्वं यज्ञेष्वीड्यऽइति तस्यो हैषा प्रायश्चित्तिस्तथो हास्यैतन्न मिथ्याकृतं भवति न व्व्रतं प्रमीणाति तस्मादाह त्वमग्ने व्व्रतपा असि देवऽआ मर्त्येष्वा। त्वं यज्ञेष्वीड्य इति॥ २४॥

(त्यु) अथ यद्दीक्षितायाभिहरन्ति। तस्मिन्वाचयति रास्वेयत्सोमा भूयो भरेति सोमो ह वाऽअस्माऽएतद्युते यद्दीक्षितायाभिहरन्ति स यदाह

स्वपतोऽपक्रामन्ति, प्राण एव न। तैरेवैतत्सुप्त्वा पुनः संगच्छते। तस्मादाह–पुनर्मनः पुनरायुर्म आगन्, पुनः प्राणः पुनरात्मा मऽआगन्, पुनश्चक्षुः पुनः श्रोत्रं मऽआगन्। "वैश्वानरो अदब्धस्तनूपा अग्निर्नः पातु दुरितादवद्यात"–(वा. सं. ४।१५।) इति। तद् यदेवात्र स्वप्नेन वा येन वा मिथ्याऽकर्म तस्मान्नः सर्वस्मादग्निर्गोपायतु–इत्येवैतदाह। तस्मादाह–वैश्वानरो अदब्धस्तनूपा अग्निर्नः पातु दुरितादवद्यादिति॥ २३॥

अथ यद्दीक्षितः–अव्रत्यं वा व्याहरति, क्रुध्यति वा तन्मिथ्या करोति। व्रतं प्रमीणाति। अक्रोधो ह्येव दीक्षितस्य। अग्निर्वै देवानां व्रतपतिः। तमेवैतदुपधावति–" त्वमग्ने व्रतपा असि देव आ मर्त्येष्वा। त्वं यज्ञेष्वीड्यः "–(वा. सं. ४।१६) इति। तस्यो हैषा प्रायश्चित्तिः। तथो हास्यैतन्न मिथ्या कृतं भवति, न व्रतं प्रमीणाति। तस्मादाह–त्वमग्ने व्रतपा असि देव आ मर्त्येष्वा। त्वं यज्ञेष्वीड्य इति॥ २४॥

अथ यद्दीक्षितायाभिहरन्ति–तस्मिन् वाचयति–"रास्वेयत्सोमा भूयो भर"–(वा.सं.४।१६)

'प्राण एव' 'न' अपक्रामतीति शेषः। प्राणस्याप्यपगमे सर्वात्मना मृतिप्रसङ्गात् प्राणस्यानपगमाभिधानम्। 'प्राणः' घ्राणेन्द्रियम्। 'आत्मा' बुद्धिः। द्वितीयभागस्य तात्पर्यमाह–वैश्वानर इति। 'स्वप्नेन वा' साधनेन 'येन वा' अन्येन्द्रियद्वारा मलनिर्गमनादिनिमित्तेन 'मिथ्या' अशास्त्रीयम्, 'अकर्म' कृतवन्तः स्म। स्पष्टमन्यत्॥ २३॥

अथ यदित्यादि। 'अव्रत्यं' व्रतं दीक्षा व्रतविरोधि व्यर्थं वचनमभिवदेत्, क्रोधं करोति 'वा,' 'तत्' तेनोभयेन 'मिथ्या' यज्ञविरोध्येव 'करोति'। तावता को दोष इत्यत आह–'व्रतं प्रमीणाति' हिनस्ति। क्रोधस्य दीक्षितेन वर्ज्यतामाह–अक्रोधो हीति। अग्निर्वा इत्यादि। व्रतहिंसासमाधानाय–'एतत्' एतेन "त्वमग्ने व्रतपाः"–इत्यनेन साक्षाद् व्रतपतिम् 'तमेव' अग्निमेव 'उपधावति' रक्षणाय प्राप्तवान् भवति। अत्र सूत्रम्–" त्वमग्न इत्याह क्रुद्धा अव्रत्यं वा व्याहृत्य–"[२]इति॥ २४॥

दीक्षितस्य यज्ञार्थगवादिधनलाभे वाच्यं मन्त्रं विधत्ते–अथ यद् दीक्षितायेति। 'अभिहरन्ति' धनं प्रय-

---

१–अग्निमभ्यावृत्तं विबुधमस्वप्स्यन्तं पुनर्मन इति वाचयति। का. श्रौ. सू. ७।१२८। २–का. श्रौ. सू. ७। १२९। ३–लब्धमालभ्य वाचयति रास्वेयदिति। का. श्रौ. सू. ७।१३०। अशक्येऽभिमंत्रणं। का. श्रौ. सू. ७।१३१।

रास्वेयत्सोमेति रास्व न ऽइयत्सोमेत्येवैतदाहा भूयो भरेत्या नो भूयो हरेत्येवैतदाह देवो नः सविता वसोर्दाता वस्वदादिति तथो हास्मा ऽएतत्सवितृप्रसूतमेव दानाय भवति ॥ २५ ॥

पुरास्तमयादाह । दीक्षित वाचं यच्छेति तामस्तमिते वाचं विसृजते पुरोदयादाह दीक्षित वाचं यच्छेति तामुदिते वाचं विसृजते संतत्याऽ एवाहरेवैतद्रात्र्या संतनोत्यह्ना रात्रिम् ॥ २६ ॥

(१) नैनमन्यत्र चरन्तमभ्यस्तमियात् । (२) न स्वपन्तमभ्युदियात्स यदेन- मन्यत्र चरन्तमभ्यस्तमियाद्रात्रेरेनं तदन्तरियाद्यत्स्वपन्तमभ्युदियादह्नऽ एनं तदन्तरियान्नात्र प्रायश्चित्तिरस्ति प्रतिगुप्यमेवैतस्मान्न पुराऽवभृथादपो- ऽभ्यवेयान्नैनमभिवर्षेदनवक्लृप्तᳫँह तद्यत्पुराऽवभृथादपोऽभ्यवेयाद्यद्वैनम-

---

इति । सोमो ह वा अस्मा एतद्युते–यद्दीक्षितायाभिहरन्ति । स यदाह–रास्वेयत्सोमेति । रास्व न इय- त्सोमा–इत्येवैतदाह । आ भूयो भरेति । आ नो भूयो हरेत्येवैतदाह । "देवो नः सविता वसोर्दाता वस्वदात्–" (वा. सं ४।१६) इति । तथोहास्मा एतत् सवितृप्रसूतमेव दानाय भवति ॥ २५ ॥

पुरास्तमयादाह–दीक्षित वाचं यच्छेति । तामस्तमिते वाचं विसृजते । पुरोदयादाह–दीक्षितं वाचं यच्छेति । तामुदिते वाचं विसृजते–सन्तत्या एव । अहरेवैतत्–रात्र्या सन्तनोति, अह्ना रात्रिम् ॥ २६ ॥

नैनमन्यत्र चरन्तमभ्यस्तमियात् (१) । न स्वपन्तमभ्युदियात् (२) । स यदेनमन्यत्र चरन्त- मभ्यस्तमियात्–रात्रेरेनं तदन्तरियात् । यत् स्वपन्तमभ्युदियाद्–अह्न एनं तदन्तरियात् । नात्र प्राय-

---

च्छन्ति । 'वाचयति' अध्वर्युः । दाने सोमसम्बन्धस्य कः प्रसङ्ग इति तत्राह–**सोमो ह वा** इति । 'अस्मै दीक्षिताय' 'एतत्' धनं खलु 'युते' मिश्रयति 'इयत् तदिति' प्रदेयं धनं हस्तेनापि(भि)नीयते । द्वितीय- भागस्य तात्पर्यमाह–**आ नो भूय** इति । न केवलमियत्परिमितमेव किन्तु ततो 'भूयः' अन्यदपि 'आहर' इति, मन्त्रः 'आह' इत्यर्थः । **देवो न** इत्यादि । एतन्मन्त्रभागपाठेन सवित्राऽभ्यनुज्ञातत्वाल्लब्धं धनं दक्षि- णार्हं भवतीत्यर्थः ॥ २५ ॥

पुरास्तमयादित्यादि । अस्तमयोदयकालयोः प्रतिदिवसं वाग्यमनाय ततः प्रागेव "दीक्षित ! वाचं यच्छ"-इति सम्प्रैषमध्वर्युर्ब्रूयात् । अस्तमिते उदिते च तस्या वाचो विसर्जनमिति सान्तत्यप्रदर्शनम्[1]– **अहरेवैतदिति** । (का. श्रौ.[2] सू. ७ । ११०) ॥ २६ ॥

अस्तमयोदयकाले दीक्षितस्य स्वस्थानादन्यत्र सञ्चारं स्वापं च निषेधति–**नैनमिति** । विपक्षे बाधं[3]माह–**स यदिति** । रात्रेरह्नश्च सायम्प्रातःकालयोरुभयोरुपक्रमरूपत्वादन्यत्र सञ्चारस्वापयोः करणे कृच्छ्रयोरपि तयोः सकाशा-

---

१–'स्वातन्त्र्यप्रदर्शनम्'–इति क. पा. । २–अत ऊर्ध्वमामुष्टिविसर्गादनस्तमितेऽनुदिते च त्रिराह दीक्षित वाचं यच्छ पत्नि वाचं यच्छेति । ३–'दोषम्'–इति क. पु. पा. ।

भिषुर्वैतुथ परिह्वालं व्वाचं व्वदति नु मानुषीं प्रसृतां तद्युत्परिह्वालं व्वाचं व्वदति नु मानुषीं प्रसृताम् ॥ २७॥

यज्ञेन वै देवाः । (८) इमां जितिं जिग्युर्यैषामियं जितिस्ते होचुः कथं न इदं मनुष्यैरनभ्यारोह्यꣳ स्यादिति ते यज्ञस्य रसं धीत्वा यथा मधु मधुकृतो निर्धयेयुर्विदुह्य यज्ञं यूपेन योपयित्वा तिरोऽभवन्नथ यदेनेनायोपयंस्तस्माद्यूपो नाम ॥ २८ ॥

तद्वाऽऋषीणामनुश्रुतमास । ते यज्ञꣳ समभरन्यथाऽयं यज्ञः सम्भृतऽएवं वाऽएष यज्ञꣳ सम्भरति यो दीक्षते व्वाग्वै यज्ञस्तद्यदेवात्र यज्ञस्य निर्धीतं

श्चित्तिरस्ति । प्रतिगुप्यमेवैतस्मात् । न पुराऽवभृथादपोऽभ्यवेयात् (३) । नैनमभिवर्षेत् (४) । अनवक्लृप्तं ह तत्–यत्पुराऽवभृथादपोऽभ्यवेयात् । यद्वैनमभिवर्षेत् । अथ परिह्वालं वाचं वदति (.५) न मानुषीं प्रसृताम् । तद्–यत्परिह्वालं वाचं वदति, न मानुषीं प्रसृताम् ॥ २७ ॥

यज्ञेन वै देवा इमां जितिं जिग्युः–यैषामियं जितिः । ते होचुः–कथं न इदं मनुष्यैरनभ्यारोह्यं स्यादिति । ते यज्ञस्य रसं धीत्वा–यथा मधु मधुकृतो निर्धयेयुः–विदुह्य यज्ञं यूपेन योपयित्वा तिरोऽभवन् । अथ यदेनेनायोपयन्–तस्माद्यूपो नाम ॥ २८ ॥

तद्वाऽऋषीणामनुश्रुतमास । ते यज्ञं समभरन् । यथाऽयं यज्ञः सम्भृतः । एवं वा एष यज्ञं सम्भरति–

दयमन्तरितो भवतीत्यर्थः । **न प्रायश्चित्तिरस्तीति** । प्रायश्चित्तस्य निषेधेन सञ्चारस्वापयोर्निषेधस्यावश्यकत्वमुक्तं भवति । यस्मादेवं तस्मात्, ' एतस्मात् ' सञ्चारस्वापात् ' प्रतिगुप्यमेव ' रक्षणं कर्तव्यमेवेत्यर्थः । दीक्षितस्यावभृथपर्यन्तं जलावगाहनमभिमर्शणं च वर्जनीयमित्याह–**न पुराऽवभृथादिति** । यागान्तेऽनुष्ठेयस्य अवभृथाभिषेकस्य दीक्षितताविमोचनार्थत्वात् ततः प्रागेव जलावसेचनस्य दीक्षाविघातकत्वात् ' तत् ' अनवक्लृप्तम् । अविहितमित्यर्थः । अभिवदनप्रस्तुते सत्यपि दैवीमेव वाचं वदेन्न मानुषीमित्याह–**अथ परिह्वालमिति** । ' परिह्वालम् ' परिणीतां संस्कृतामित्यर्थः । " ह्वल ह्मल–संचलने " (भ्वा. प. ८०७ । ८०८) । ' प्रसृताम् ' सर्वत्र व्याप्ताम् । ' मानुषीं ' केवलसर्वमनुष्यसाधारणीं तादृशीं न वदेत् । तथा चापस्तम्बः– " परिणयेन मानुषीं वाचं वदति "–(आप. श्रौ. सू. १० । १२ । ९) इति ॥ २७ ॥

एतदेव प्रशंसितुमुपोद्घातमाह–**यज्ञेन वा** इत्यादिना । एतदसकृद् गतम् (श. प. ब्रा. १ । ६ । २ । १ ।) कं. भाष्ये (श. प. ब्रा. २ । २ । २ । २, २८) ॥ २८ ॥

तद्वा इति । औपोद्घातिकमाह–**एवं वा** इति । यज्ञाप्यायनरूपत्वेन प्रशस्तत्वात् परिह्वलवाग्व्यवहारः कर्तव्य इत्यर्थः ॥ २९ ॥

१–शालासनास्वप्नौ संधिवेलयोः ७ । १३५ । व्वेयाः सुत्यासु १३६ । अप्रायश्चित्तमपराधे । का. श्रौ. सू. ७ । १३७ । २–स्त्रसंप्रवेशसंभाषाप्रत्युत्थानाभिवादनोदकावायवर्षाणि व्वर्जयेत्प्रागवभृथात् ७ । १३२ । ३–परिह्वालं व्वदति ७ । १३३ । विचक्षणचनसितवतीं व्वाचम् का. श्रौ. सू. ७ । १३४ । परिह्वालं मृदु–विचक्षणां संस्कृतां–चन इत्यमनाम–चनवतीं अन्नवतीं अविद्राणां । सितवतीं सत्यवतीं–वाचं–व्वदतीति कर्कः ।

यद्विदुग्धं तदेवैतत्पुनराप्याययति यत्परिह्वालं वाचं वदति न मानुषीं प्रसृतां न ह्याप्याययेद्यत्प्रसृतां मानुषीं वाचं वदेत्तस्मात्परिह्वालं वाचं वदति न मानुषीं प्रसृताम् ॥ २९ ॥

(७ं) स वै धीक्षते । वाचे हि धीक्षते यज्ञाय हि धीक्षते यज्ञो हि वाग्धीक्षितो ह वै नामैतद्यद्दीक्षित इति ॥ ३० ॥

इति द्वितीयप्रपाठके प्रथमं ब्राह्मणम् ॥ २ ॥ १ ॥ (२।२)

आदित्यं चरुं प्रायणीयं निर्वपति । देवा ह वाऽअस्यां यज्ञं तन्वाना ऽइमां यज्ञादन्तरीयुः सा हैषामियं यज्ञं मोहयाञ्चकार कथं नु मयि यज्ञं तन्वाना मां यज्ञादन्तरीयुरिति तंᳪ ह यज्ञं न प्रजज्ञुः ॥ १ ॥

यो दीक्षते । वाग्वै यज्ञः । तद्यदेवात्र यज्ञस्य निर्धीतम्, यद्विदुग्धम्—तदेवैतत्पुनराप्याययति—यत्परिह्वालं वाचं वदति, न मानुषीं प्रसृताम् । न ह्याप्याययेत्—यत्प्रसृतां मानुषीं वाचं वदेत् । तस्मात्परिह्वालं वाचं वदति, न मानुषीं प्रसृताम् ॥ २९ ॥

स वै धीक्षते । वाचे हि धीक्षते । यज्ञाय हि धीक्षते । यज्ञो हि वाक् । धीक्षितो ह वै नामैतत यद्दीक्षित इति ॥ ३० ॥ इति दीक्षितधर्माः ॥

अथ प्रायणीयेष्टिः ।

प्रायणीयदेवताविधिः ।

आदित्यं चरुं प्रायणीयं निर्वपति । देवा ह वा अस्यां यज्ञं तन्वाना इमां यज्ञादन्तरीयुः । सा हैषामियं यज्ञं मोहयाञ्चकार—कथं नु मयि यज्ञं तन्वाना मां यज्ञादन्तरीयुरिति । तं ह यज्ञं न प्रजज्ञुः ॥ १ ॥

वाचं यज्ञसाधनत्वेन प्रशंसति—स वै धीक्षत इति । प्रसङ्गाद्दीक्षितशब्दं निर्वक्ति—धीक्षितो ह वा इति । 'यद्' यस्मात् 'दीक्षित इति नाम' तादृशी दीक्षा वाक्साध्येति वाक्स्तुतिः ॥ ३० ॥

इति श्रीसायणाचार्यविरचिते माधवीये वेदार्थप्रकाशे माध्यन्दिनशतपथब्राह्मणभाष्ये

तृतीयकाण्डे द्वितीयाध्याये द्वितीयं ब्राह्मणम् (३-२-२) ॥

एवं वाग्यमनादयो दीक्षितधर्मा उक्ताः; अवशिष्टासु दीक्षणीयासु अनुष्ठेयां प्रायणीयेष्टिं संविधत्ते—(का. श्रौ. सू. ७।१४०)—आदित्यं चरुं प्रायणीयं निर्वपतीति । अदितिर्देवता अस्येति आदित्यः; न त्वादित्यो देवता अस्येति; उत्तरत्रादितेः संस्तूयमानत्वात् । "दित्यदित्यादित्य"—इति साऽस्य देवतेत्यर्थे प्राग्दीव्यतीयो ण्यः (पा. सू. ४ । १ । ८५; ४ । ४।८३-८९) प्रैति प्रारभत अनेन सौमिकं कर्मेति प्रायणीयः । तथा च तैत्तिरीयकम्—"स्वर्गं वा एतेन लोकमुपप्रयन्ति यत् प्रायणीयस्तत् प्रायणीयस्य प्रायणीयत्वम्"—(तै. ब्रा. १।२।१) इति । अत्र तद्धितश्रुत्यवगतद्रव्यदेवतानुबन्धान्यथानुपपत्त्या यागे परिकल्प्ये सति इतराङ्गत्वा-

---

१—'अवशितासु दीक्षास्वनुष्ठेयां' इति 'दीक्षणीयासु' इति च क. पा. । २—दीक्षन्ति प्रायणीयमदित्यै चरुं निर्वपति । ३—अत्रैतरेयकमिति पाठः । "स्वर्गं वा" इत्येतस्य तत्रैव दृष्टत्वात् ।

(स्तु) ते होचुः । (र्यु) युन्वस्यामेव यज्ञमतथंस्महि कथं नु नोऽमुह्त्कथं न प्रजानीम इति ॥ २ ॥

ते होचुः । (र) अस्यामेव यज्ञं तन्वाना ऽइमां यज्ञादन्तरगाम सा नऽइयमेव यज्ञममूमुहदिमामेवोपधावामेति ॥ ३ ॥

ते होचुः । (र्यं) यन्नु त्वय्येव यज्ञमतथंस्महि कथं नु नोऽमुहत्कथं न प्रजानीम इति ॥ ४ ॥

ते होचुः–यन्वस्यामेव यज्ञमतंस्महि–कथं नु नोऽमुहत्–कथं न प्रजानीम इति ॥ २ ॥
ते होचुः–अस्यामेव यज्ञं तन्वाना इमां यज्ञादन्तरगाम, सा न इयमेव यज्ञममूमुहत्, इमामेवोपधावामेति ॥ ३ ॥
ते होचुः–यन्नु त्वय्येव यज्ञमतंस्महि, कथं नु नोऽमुहत, कथं न प्रजानीम इति ॥ ४ ॥

चोदकप्राप्तस्य निर्वापस्य निर्वपतिरनुवादः, "सौर्यं चरुं निर्वपेत्"–इतिवत् । न च द्रव्यदेवतयोरुभयोरपि विधाने विधेयद्वैविध्याद् वाक्यभेद इति वाच्यम् । कर्मणोऽप्राप्तत्वेन तदुभयविशिष्टस्य तस्यैव विधेयत्वात् । यत् "आग्नेयोऽष्टाकपालः" इत्युक्तं तद्वदेव द्रव्यदेवताविशिष्टस्य विधानादेकवाक्यतेति । अत्र कात्यायनः–"दीक्षान्ते प्रायणीयमदित्यै चरुं निर्वपति" इति का. श्रौ. सू. ७-१४०। उक्तमदितिदेवताकत्वमाख्यायिकया प्रतिपादयितुं स्तुतिः । तदुपोद्घातत्वेन तया कृतं मोहमुपन्यस्यति–**देवा ह वा** इत्यादिना । **यज्ञं तन्वाना** इत्यादि । अत्रेदमा संनिहितवस्तुवर्णनात्सर्वदा सर्वजनसन्निहिता पृथिवी परामृश्यते । 'अस्यां' पृथिव्यां यज्ञं विस्तारयन्तो 'देवाः', 'इमाम्' पृथिवीं 'यज्ञात्' 'अन्तरीयुः' अन्तरितां भागरहिताम् अकुर्वन् । 'सा' 'इयम्' पृथिवी 'एषाम्' देवानाम् 'यज्ञं मोहयाञ्चकार' यज्ञविषयं मोहं जनयामास, यज्ञो यथा देवैर्न ज्ञायते तथा कृतवतीत्यर्थः । **कथन्नु मयीत्यादि**, तस्या अभिप्रायवर्णनम् । एवं मोहने सति ते च देवास्तं यज्ञं न प्रज्ञातवन्तः ॥ १ ॥

तदनन्तरं देवैर्विचारपुरःसरं तदप्रज्ञानकारणं निर्णीतम्, तद्दर्शयति–**ते होचुरिति** । **अतंस्महीति** । अतनिष्महे, तननमकार्ष्मेत्यर्थः । "तनु विस्तारे"–(धा. पा. त. उ. १) इत्यस्माल्लुङि च्छान्दस इडभावः । 'कथं नु' केन खलु कारणेन 'नः' अस्माकं यज्ञः 'अमुहत्' मुग्धः, अदृश्योऽभूदित्यर्थः । लुङि पुषादित्वादङ् (पा. सू. ३ । १ । ५५) ॥ २ ॥

ते होचुरिति । **अन्तरगामेति** । अन्तरितामकुर्ष्महि "इणो गा लुङि"–(पा. सू. २ । ४ । ४५) इति गादेशः । "गातिस्था"–(पा. सू. २ । ४ । ७७) इति सिचो लुक् । **सा न इति** । 'सा' 'इयम्' पृथिवी 'एव' कृतापराधानां 'नः' अस्माकं 'यज्ञम् अमूमुहत्' यज्ञविषयं मोहमज्ञानं प्रापयदित्यर्थः । मोहयतेर्लुङि–"णिश्रिद्रुस्रुभ्यः"–(पा. सू. ३ । १ । ४८) इति च्लेश्चङादेशः । 'इमामेव' पृथिवीम् 'उपधावाम' बलेन हविर्भागेनोपगच्छामेत्यर्थः ॥ ३ ॥

ते होचुरिति । 'यत्' यस्मात् हे अदिते ! त्वय्येव यज्ञमतंस्महि । 'कथं नु' कस्मात् कारणात् 'नः' अस्माकम् यज्ञः 'अमुहत्' मोहविषयोऽभूत, वयं च किंकारणं 'न प्रजानीमः' । 'इति'–शब्दः प्रश्नसमाप्तौ ॥ ४ ॥

सा होवाच । मय्येव यज्ञं तन्वाना माँ यज्ञादन्तरगात सा वोऽहमेव यज्ञममूमुहं भागं नु मे कल्पयताथ यज्ञं द्रक्ष्यथाथ प्रज्ञास्यथेति ॥ ५ ॥

तथेति देवा अब्रुवन् । (वंस्त) तवैव प्रायणीयस्तवोदयनीय इति तस्मादेष आदित्यऽ एव प्रायणीयो भवत्यादित्य ऽउदयनीय ऽइयᳬं ह्येवादितिस्ततो यज्ञमपश्यंस्तमतन्वत ॥ ६ ॥

स यदादित्यं चरुं प्रायणीयं निर्वपति । यज्ञस्यैव दृष्ट्यै यज्ञं दृष्ट्वा क्रीणानि तं तनवाऽइति तस्मादादित्यं चरुं प्रायणीयं निर्वपति तद्वै निरुप्तᳬं हविरासीदनिष्टा देवता ॥ ७ ॥

सा होवाच–मय्येव यज्ञं तन्वाना मां यज्ञादन्तरगात, सा वोऽहमेव यज्ञममूमुहम्, भागं नु मे कल्पयत–अथ यज्ञं द्रक्ष्यथ–अथ प्रज्ञास्यथेति ॥ ५ ॥

तथेति देवा अब्रुवन् । तवैव प्रायणीयस्तवोदयनीय इति । तस्मादेष आदित्य एव प्रायणीयो भवति–आदित्य उदयनीयः । इयं ह्येवादितिः (१) । ततो यज्ञमपश्यन्–तमतन्वत ॥ ६ ॥

स यदादित्यं चरुं प्रायणीयं निर्वपति । यज्ञस्यैव दृष्ट्यै । यज्ञं दृष्ट्वा क्रीणानि–तं तनवा इति । तस्मादादित्यं चरुं प्रायणीयं निर्वपति । तद्वै निरुप्तं हविरासीत् । अनिष्टा देवता ॥ ७ ॥

सा होवाचेत्यादि । हे देवाः ! यूयं 'मां' यज्ञात् अन्तरगात' अन्तारितां भागरहितां मा कृतवन्तः । यत एवम् अतः कारणात् 'अहमेव' 'वः' युष्माकम् 'यज्ञम्' 'अमूमुहम्' मोहं प्रापयम् । येन भागेन 'यज्ञम्' 'द्रक्ष्यथ,' तं 'भागम्' मदर्थं कल्पयत । 'अथ' अनन्तरम् । एवं मोहापसरणाद् यज्ञं द्रक्ष्यथ; यदा चैवं दर्शनविषयो यज्ञो जातः, अथानन्तरं तं प्रकर्षेण ज्ञास्यथेति सम्बन्धः ॥ ५ ॥

एवमदितिदेवतयोक्तैर्देवैः कृतां भागक्लृप्तिं दर्शयति–तथेति । देवा इत्यादि । प्रायणीयोदयनीयाख्यौ सोमयागस्य पुरस्तादुपरिष्टाच्चानुष्ठेयौ यागौ तव भागत्वेनास्माभिर्दत्ताविति भावार्थः । उपपादितमर्थमुपसंहरति–तस्मादेष इति । अत्रोदनीययागस्यादितिदेवताकत्वप्रतिपादनं प्रासङ्गिकम् । ननु देवा ह वा अस्यामित्यादौ (श. प. ब्रा. ३ । २ । ३ । १) 'इदं' शब्देन पृथिवी निर्दिष्टा, तत् कथमदितेर्देवतात्ववर्णनमित्यत आह–इयं ह्येवादितिरिति । दितिः खण्डनं न विद्यतेऽस्यामिति व्युत्पत्तेः 'इयमेव' पृथिवी 'अदिति'–शब्दवाच्या । अत एव पृथिवीनामसु यास्केन परिपठितम्–"अदितिः इला निर्ऋतिः" इति (नि. घ. १ । १४ । १९ । १६) । अत एव तैत्तिरीयके–"इयं वा अदितिः"–इति । यत्तूपरिष्टात् 'अदिति'–शब्दस्य निर्वचनमाम्नास्यते "स यद्यदेवासृजत तत्तदत्तुमध्रियत, सर्वं वा अत्तीति तददितेरदितित्वम्–" (श. प. ब्रा. १० । ६ । ५ । ५) इति तत्सृष्ट्यादिकारणेन ब्रह्मविषयम् । स्वात्मनि जातमोषधिवनस्पत्यादिकं पार्थिवं सर्वमत्तीत्यदितिरिति योजनीयम् । एवमदितियागे सति देवानां यज्ञप्राप्तिर्जातेत्याह–ततो यज्ञमपश्यंस्तमतन्वतेति । 'ततः' तस्मात्, अदितेर्हविर्भागकल्पनात् । स्पष्टमन्यत् ॥ ६ ॥

अनयाऽऽख्यायिकया प्रायणीयस्य चरोर्यज्ञदर्शनहेतुत्वमुपपाद्य प्रकृते योजयति–स यदिति । यदेतत् प्राय-

---

१–तै. ब्रा. १. अष्ट. ६. अ० १० अ० ५ कं. । २–'हविर्भागत्वकल्पनात्'–इ० क० पा० ।

(त्वा) अथैभ्यः पुथ्या स्वस्तिः प्रारोचत । तामयजन्वाग्वै पुथ्या स्वस्तिर्वाग्यज्ञस्तद्यज्ञमपश्यंस्तमतन्वत ॥ ८ ॥

(त्वा) अथैभ्योऽग्निः प्रारोचत । तमयजन्त्स यदाग्नेयं यज्ञस्यासीत्तदपश्यन्यद्वै शुष्कं यज्ञस्य तदाग्नेयं तदपश्यंस्तदतन्वत ॥ ९ ॥

अथैभ्यः पथ्या स्वस्तिः प्रारोचत (२) । तामयजन् । वाग् वै पथ्या स्वस्तिः । वाग् यज्ञः । तद् यज्ञमपश्यन् । तमतन्वत ॥ ८ ॥

अथैभ्योऽग्निः प्रारोचत (३) । तमयजन् । स यदाग्नेयं यज्ञस्यासीत्—तदपश्यन् । यद्वै शुष्कं यज्ञस्य तदाग्नेयम् । तदपश्यन्, तदतन्वत ॥ ९ ॥

णीययागस्यानुष्ठानं तद् व्यामोहविषयतामापन्नस्य कृत्स्नस्य 'यज्ञस्यैव' दर्शनाय सम्पद्यते । तद्दर्शनमपि किमर्थमित्यत आह—**यज्ञं दृष्ट्वेति** । सोमसाध्यं 'यज्ञम्' प्रथमं 'दृष्ट्वा,' पश्चात्तत्साधनं सोमं 'क्रीणानि' सोमविक्रयिणः सकाशात्,—"तं वै ते क्रीणानि" इत्यादिवक्ष्यमाणप्रकारेण, (श. प. ब्रा. ३ । ३ । ३ । १) स्वीकरवाणि । तेन च क्रीतेन सोमेन 'तं' सोमसाध्यं यज्ञं 'तनवै' विस्तारयाणि । 'इति'—शब्दो वाक्यसमाप्तौ । एवं यज्ञदर्शनस्य सप्रयोजनतां प्रतिपाद्य तद्धेतुभूतं प्रायणीययागं निगमयति—**तस्मादादित्यमिति** । एवं प्रायणीयेष्टौ चरुसाध्यमादित्ययागं विधायान्यांश्चतुरो यागान् विधित्सुस्तेषां कालमाह—**तद्वा** इत्यादि । **निरुप्तमिति**, हविःसंस्कारोपलक्षणम् । आदित्यस्य हविषो निर्वापप्रोक्षणाद्यासादनान्ताः संस्काराः कृता भवेयुः । प्रधानदेवता च 'अनिष्टा' अकृतयागा भवति । तस्मिन् काले वक्ष्यमाणाश्चतस्रो देवता यष्टव्या इत्यर्थः (ऐ. ब्रा. १ । २ । ९) ॥ ७ ॥

अथ तान् यागान् पूर्ववदाख्यायिकया विधित्सुस्तत्र प्रथमयागस्य विधिमर्थवादेनोन्नयति—**अथैभ्य इति** । अथेत्याज्यभागानन्तर्ये । ननु प्रायणीयायामाज्यभागौ न स्तः, अत एवाश्वलायनोऽप्यसूत्रयत्—"शंय्वन्तेयमनाज्यभागा" इति (आश्व. श्रौ. सू. ४ । ३ । २ । ३) । अस्येवानाज्यभागपक्षस्य लिङ्गमापस्तम्बेनापि दर्शितम्—"स्विष्टकृतं षष्ठम्" इति (आ. श्रौ. सू. १० । २१ । १२) । यदि ह्याज्यभागौ स्यातां तदा पथ्यास्वस्त्यादयः पञ्चेति स्विष्टकृदष्टमः स्यात् । नैष दोषः; वाजसनेयिशाखान्तराभिप्रायेणाज्यभागसद्भावात् । अत एव कात्यायनेन सूत्रितम्—"आज्यभागाविष्ट्वाऽऽज्येन देवताश्चतस्रो यजति, पथ्यां स्वस्तिमग्निं सोमं सवितारंश्च"—(का. श्रौ. सू. ७ । १४१) इति । **पथ्या स्वस्तिरिति** । 'एभ्यः' इति "रुच्यर्थानां प्रीयमाणः"—(पा. सू. १ । ४ । ३३) इति चतुर्थी । ते च देवाः 'ताम्' 'पथ्यां स्वस्तिम्' 'अयजन्' । मन्त्ररूपा वाक् एव 'पथ्या स्वस्तिः'—इत्युच्यते । पथोऽनपेता 'पथ्या' । "धर्मपथ्यर्थन्यायादनपेते"—(पा. सू. ४ । ४ । ९२) इति यत् । 'स्वस्तिः' शोभनरूपेति । 'पथ्या—स्वस्ति'—शब्दनिर्वचनस्य वाचि सम्भवात् (निरु. ११ । ४ । ११) । सा च वाग् यज्ञात्मिका । अतस्तस्या दर्शनेन 'यज्ञम्' एव 'अपश्यन्' । एवं पुरावृत्तप्रतिपादनेन पथ्या स्वस्तिः प्रथमं यष्टव्येति प्रतिपादितं भवति ॥ ८ ॥

अथाग्नेयस्य द्वितीययागस्य विधिमुन्नयति—**अथैभ्योऽग्निरिति** । 'आग्नेयम्'—इति सामान्योक्तस्य विवर-

---

१—पथ्यास्वस्त्योरभेदज्ञापनार्थं चतस्रग्रहणमिति कर्कः । २—चशब्दादादि चोदनेति कर्कः ।

(ता॒ऽ) अथै॑भ्य॒ः सोमः॒ प्रारो॑चत। तम॑यजन्त्स य॒त्सौम्यं य॒ज्ञस्या॒सीत्त-
द॑पश्यन्य॒द्वा ऽआर्द्रं य॒ज्ञस्य॒ तत्सौम्यं॒ तद॑पश्यँस्तद॑तन्वत ॥ १० ॥

(ता॒ऽ) अथै॑भ्यः सवि॒ता प्रारो॑चत। तम॑यजन्पश॒वो वै॒ सवि॒ता प॒शवो
य॒ज्ञस्तं॑ य॒ज्ञम॑पश्यँस्तम॑तन्वता॒थ य॒स्यै दे॒वता॑यै ह॒विर्नि॒रुप्तमासी॒त्तामयजन् ११

(जंस्ता) ता वा॒ऽए॒ताः। पञ्च॑ दे॒वता॑ यजति॒ यो वै स य॒ज्ञो मु॒ग्धऽ-
आ॒सीत्प्रा॒ज्ञो वै स॒ ऽआसी॒त्तमे॒ताभिः॒ पञ्च॑भिर्दे॒वता॑भिः॒ प्राजा॑नन् ॥ १२ ॥

अथैभ्यः सोमः प्रारोचत (४)। तमयजन्। स यत्सौम्यं यज्ञस्यासीत्-तदपश्यन्। यद्वा आर्द्रं यज्ञस्य-तत्सौम्यम्। तदपश्यन्, तदतन्वत ॥ १० ॥

अथैभ्यः सविता प्रारोचत (५)। तमयजन्। पशवो वै सविता। पशवो यज्ञः। तद् यज्ञमपश्यन्। तमतन्वत। अथ यस्यै देवतायै हविर्निरुप्तमासीत्-तामयजन् ॥ ११ ॥

ता वा एताः पञ्च देवता यजति। यो वै स यज्ञो मुग्ध आसीत्-प्राज्ञो वै स आसीत्। तमेताभिः पञ्चभिर्देवताभिः प्राजानन् ॥ १२ ॥

णम्-यद्वै शुष्कमिति। यत् खलु यज्ञसम्बन्धि 'शुष्कम्' नीरसं समिदादि द्रव्यम्, 'तद् आग्नेयम्'। अन्यत् समानं पूर्वेण ॥ ९ ॥

अथ सौम्यस्य तृतीययागस्य विधिमुन्नयति-**अथैभ्यः सोम** इति। **स यदिति**। सर्वत्र तच्छब्दः प्रसिद्धिद्योतकः। 'सौम्यम्' सोमदेवत्यम्। "सोमाट्ट्यण्"-(पा. सू. ४।२।३)। 'यत्' खलु यज्ञसम्बन्धि 'आर्द्रम्' रसयुक्तम् सोमादिद्रव्यम् 'तत् सौम्यम्' शुष्कार्द्रयोरग्नीषोमावभिमानिदेवते। एतच्च प्रागप्याम्नातम्-" द्वयं वा इदं न तृतीयमस्त्यार्द्रञ्चैव शुष्कञ्च "-(श. प. ब्रा. १।६।३।२३ भाष्ये) इत्यादिना ॥ १० ॥

अथ सावित्रस्य चतुर्थयागस्य विधिमुन्नयति-**अथैभ्यः सवितेति**। सवितुः प्रेरकत्वात् पशूनां च तत्प्रेर्यत्वात् प्रेर्यप्रेरकयोरभेदं विवक्षित्वा 'सविता पशवः'-इति तादात्म्यव्यपदेशः। सवितुश्च पशुप्रेरकत्वं-" देवो वः सविता प्रार्पयतु " इति (वा. सं. १।१।४) मन्त्रवर्णादवगम्यते। ते च पशवो हृदयाद्यवदानद्वारेण पयःप्रभृतिद्रव्योपादानत्वेन च यज्ञात्मकाः। यस्मादेवं चतसृभिर्देवताभिर्देवाः कृत्स्नं यज्ञमपश्यम्, दृष्ट्वा चाकुर्वन्, तस्मादिमाश्चतस्रो देवताश्चिकीर्षितयज्ञस्य प्रथमत आज्येन यष्टव्या इति समुदायार्थः। एवमाज्यहविष्काश्चतुरः प्रधानयागान् कृत्वा प्रथमनिरुप्तेन हविषा अदितिर्यष्टव्येत्याह-**अथ यस्यै देवतायै** इति। परागादेवं देवा पञ्चमीमदितिमयजन् तस्मादिदानीन्तनोऽपि यजमानो यागसमये अदितियागं पञ्चमं कुर्यादित्यर्थः ॥ ११ ॥

पञ्चसङ्ख्यामनूद्य प्रशंसति-**ता वा** इति। 'एताः' पथ्यास्वस्त्याद्याः। 'मुग्ध आसीत्' मोहविषयोऽभव-

---

१-पथ्यादीनां प्रधानत्वेऽपि तदंगत्वं-तथाच-दीक्षांते प्रायणीयमदित्यै चरुं निर्वपतीति ७।१४०। सूत्रे-चरुग्रहणं न कर्तव्यम्। अदित्यै चरुरन्यत्रापि इत्युक्तत्वात्। कर्तव्यं वा। चरोः प्रायणीयज्ञापनार्थम्। अदित्यै चरुं प्रायणीयं निर्वपतीति वचनात्। एवं च पथ्यादीनां तदंगत्वादंतराये सति अप्रयोकृत्वं-इति कर्कभाष्यात्। ततश्चादित्यचरोरंतराये प्रयोक्तृत्वम्। न पथ्यादीनामंतराये-इति फलितोऽर्थः।

(मृ) ऋतुवो मुग्धाऽआसन्पञ्च । तानेताभिरेव पञ्चभिर्देवताभिः प्राजानन् १३

(न्दि) दिशो मुग्धा ऽ आसन्पञ्च । ताऽएताभिरेव पञ्चभिर्देवताभिः प्राजानन् ॥ १४ ॥

(म्रु) उदीचीमेव दिशम् । पथ्यया स्वस्त्या प्राजानंस्तस्मादत्रोत्तरा हि वागवदति कुरुपञ्चालत्रा वाग्घ्येषा निदानेनोदीचीᳪं ह्येतया दिशं प्राजानन्नुदीची ह्येतस्यै दिक् ॥ १५ ॥

ऋतवो मुग्धा आसन् पञ्च-तानेताभिरेव पञ्चभिर्देवताभिः प्राजानन् ॥ १३ ॥

दिशो मुग्धा आसन्पञ्च । ता एताभिरेव पञ्चभिर्देवताभिः प्राजानन् ॥ १४ ॥

उदीचीमेव दिशं पथ्यया स्वस्त्या प्राजानन् । तस्मादत्रोत्तरा हि वागवदति कुरुपञ्चालत्रा । वाग्घ्येषा निदानेन । उदीचीं ह्येतया दिशं प्राजानन् । उदीची ह्येतस्यै दिक् ॥ १५ ॥

दित्यर्थः । अस्तेर्हि लङि "अस्तिसिचोऽपृक्ते" (पा. सू. ७ । ३ । ९६) इतीट् । पाङ्क्तो वा इति । पञ्चपदा पंक्तिः तद्वाचिना पंक्तिशब्देन पञ्चसंख्या लक्ष्यते, तद्योगाद् 'यज्ञः पांक्तः' । तद्योगश्च तैत्तिरीयके स्पष्टमाम्नातः—"धानाः करम्भः परिवापः पुरोडाशः पयस्या तेन पंक्तिराप्यते, तद् यज्ञस्य पांक्तत्वम्"–(तै. सं. ६ । ५ । ११ । ५) ऐतरेयके तु तत् पांक्तत्वम् "यो वै यज्ञं हविष्पंक्तिं वेद"– (ऐ. ब्रा. २ । ३ । १) इत्यादिना बहुश आम्नातम् ॥ १२ ॥

ऋतुपरिज्ञानहेतुत्वादपि तां पञ्चसङ्ख्यां प्रशंसति—**ऋतवो मुग्धा** इति । हेमन्तशिशिरावेकीकृत्य ऋतूनां पञ्चत्वम् । तथा चैतरेयकं प्रागुदाहृतम्—"हेमन्तशिशिरयोः समासेन" इति (ऐ.ब्रा. १।१।१) । ऋतुपरिज्ञानाभावे हि वसन्तादिकालसाध्यो यज्ञो विकलः स्यात् । अतस्तत्परिहारायैतद्यागपञ्चकानुष्ठानमिति स्तुतिः ॥ १३ ॥

दिङ्मोहनिवृत्तिहेतुत्वेनापि पञ्चसङ्ख्यां प्रशंसति—**दिशो मुग्धा** इति । यज्ञानुष्ठानाय वसन्तादिकाला इव तदुपयुक्ताः प्राच्याद्याः 'पञ्च दिशः' 'मुग्धा आसन्' व्यामूढा अभवन् । गतमन्यत् ॥ १४ ॥

तत्र कीदृश्या देवतया कतमा दिक् प्रज्ञातेत्याशङ्क्य प्रथमदेवतया ज्ञातां दिशं प्रदर्श्योपपादयति—**उदीचीमेवेति** । यस्मादेवं पथ्यास्वस्त्याख्यया प्रथमदेवतया उदीची दिक् देवैः प्रज्ञाता, तस्मात् 'अत्र' अस्मिन् लोके कुरुपञ्चालाख्येषु जनपदेषु 'उत्तरा' उच्चतरा 'वाग्' 'वदति' भृशं शब्दायते अत्युन्नतसम्भाषणस्य तत्रोपलम्भात् । "देवमनुष्य"–इत्यादौ–(पा. सू. ५।४।५६।) परिगणनाभावेऽपि बहुलग्रहणात् कुरुपञ्चालशब्दादपि त्राप्रत्ययः । ननु वाच उत्तरदिक्सम्बन्धोऽस्तु, कुतः पथ्या-स्वस्त्या दिशः सम्बन्धः ? इति, तत्राह—**वाग्घीति** । 'एषा' पथ्या स्वस्तिः यस्मात्, 'निदानेन' कारणेन निरूप्यमाणा सती 'वाक्' एव "वाग्वै पथ्या स्वस्तिः"–इति ह्युक्तम् (कौ. ब्रा. ७ । ६ ।) अत उत्तरस्यां दिशि वाचः प्रसिद्धिर्युक्तेति भावः । 'हि' यस्मादेवम् 'एतया' 'उदीचीं दिशं' देवाः 'प्राजानन्' । तस्मात् 'एतस्यै' षष्ठ्यर्थे चतुर्थी, (पा.सू. २।३।६२।वा. १) एतस्याः पथ्यायाः स्वस्तेः 'उदीची दिक्' स्वभूता ॥ १५ ॥

(कृष्ठ) प्राचीमेव दिशम् । (म) अग्निना प्राजानंस्तुस्मादृग्निं पश्चात्प्राञ्च-मुद्धृत्योपासते प्राचीꣳ ह्येतेन दिशं प्राजानन्प्राची ह्येतुस्य दिक् ॥ १६ ॥

(गृ) दक्षिणामेव दिशम् (ꣳ) सोमेन प्राजानंस्तुस्मात्सोमं क्रीतं दक्षिणा परिवहन्ति तुस्मादाहुः पितृदेवुत्यः सोम ऽइति दक्षिणाꣳ ह्येतेन दिशं प्राजानन्दक्षिणा ह्येतुस्य दिक् ॥ १७ ॥

(कृ) प्रतीचीमेव दिशम् (ꣳ) सवित्रा प्राजानन्नेष वै सविता य एष तपति तुस्मादेष प्रत्युङ्ङेति प्रतीचीꣳ ह्येतेन दिशं प्राजानन्प्रतीची ह्येतुस्य दिक् ॥ १८ ॥

(गृ) ऊर्ध्वामेव दिशम् । (म) अदित्या प्राजानन्नियं वाऽअदितिस्तु-स्मादस्यामूर्ध्वा ओषधयो जायन्तऽऊर्ध्वा वनस्पतय ऊर्ध्वाꣳ ह्येतुया दिशं प्राजानन्नूर्ध्वा ह्येतुस्यै दिक् ॥ १९ ॥

प्राचीमेव दिशमग्निना प्राजानन् । तस्मादग्निं पश्चात्प्राञ्चमुद्धृत्योपासते । प्राचीं ह्येतेन दिशं प्राजानन् । प्राची ह्येतस्य दिक् ॥ १६ ॥

दक्षिणामेव दिशं सोमेन प्राजानन् । तस्मात्सोमं क्रीतं दक्षिणा परिवहन्ति । तस्मादाहुः–पितृदेवत्यः सोम इति । दक्षिणां ह्येतेन दिशं प्राजानन् । दक्षिणा ह्येतस्य दिक् ॥ १७ ॥

प्रतीचीमेव दिशं सवित्रा प्राजानन् । एष वै सविता–य एष तपति । तस्मादेष प्रत्यङ्ङेति । प्रतीचीं ह्येतेन दिशं प्राजानन् । प्रतीची ह्येतस्य दिक् ॥ १८ ॥

ऊर्ध्वामेव दिशमदित्या प्राजानन् । इयं वा अदितिः । तस्मादस्यामूर्ध्वा ओषधयो जायन्ते । ऊर्ध्वा वनस्पतयः । ऊर्ध्वां ह्येतया दिशं प्राजानन् । ऊर्ध्वा ह्येतस्यै दिक् ॥ १९ ॥

अथ द्वितीयदेवतया प्रज्ञातां दिशमुपन्यस्योपपादयति–**प्राचीमेवेति** । यस्मादग्निः प्राच्या दिशो ज्ञानहेतुः, तस्मात् ' पश्चात् ' अवस्थितम् ' अग्निम् ' आहवनीयरूपेण ' प्राञ्चमुद्धृत्योपासते अग्निहोत्रहोमादिरूपमुपासनं कुर्वन्ति । यस्माद् देवाः ' प्राचीं दिशम् ' ' एतेन ' अग्निना ' प्राजानन् ' तस्मात् ' एतस्य ' अग्नेः ' प्राची दिक् ' स्वभूतेत्यर्थः । अत एवान्यत्राम्नायते–" प्राची दिगग्निर्देवता " (कौ.ब्रा. ७।६) इति ॥ १६ ॥

अथ तृतीयदेवतया प्रज्ञातां दिशमुपन्यस्योपपादयति–**दक्षिणामेवेति** । यस्माद् दक्षिणा दिक् ' सोमेन ' परिज्ञाता ' तस्मात् ' उपरवदेशे ' क्रीतं सोमम् ' महावेदेर्दक्षिणतोऽनसा ' परिवहन्ति ' । " दक्षिणादाच् " (पा. सू. ५ । ३ । ३६) इत्याच् प्रत्ययः । ' तस्मात् ' दक्षिणादिक्प्रवर्तनाद्धेतोः वल्लीरूपः ' सोमः ' ' पितृदेवत्यः ' । पितृदेवताकदक्षिणादिक्प्राप्तेः सोमस्य पितृदेवत्यत्वं युक्तम् ॥ १७ ॥

अथ चतुर्थदेवतया प्रज्ञातां दिशमुपन्यस्यति–**प्रतीचीमेवेति** । ' एषः ' सूर्यः ' प्रत्यङ्ङेति ' प्रत्यङ्मुखो गच्छति । स्पष्टमन्यत् ॥ १८ ॥

अथ पञ्चमदेवतया प्रज्ञातां दिशमुपन्यस्यति–**ऊर्ध्वामेवेति** । यस्माद् भूम्यामुत्पन्नाः ओषधिवनस्पतयः

१–' संप्रदर्श्य '–इ० क० पा० ।

(क्ष) शिरो वै य॒ज्ञस्या॑ति॒थ्यम् । बा॒हू प्रा॑य॒णी॒यो॒द॒य॒नी॒याव॒भितो॒ वै॒ शिरो॑ बा॒हू भ॑वत॒स्तस्मा॑द॒भित॒ ऽआ॑ति॒थ्यमे॒ते ह॒विषी॑ भवतः प्राय॒णीय॑श्चोद॒य॒नीय॑श्च ॥ २० ॥

तदा॑हुः । (ख) यदे॒व प्रा॑य॒णी॒ये क्रि॒येत॒ तदु॑द॒य॒नी॒ये क्रि॒येत॒ यदे॒व प्रा॑य॒णी॒यस्य॑ ब॒र्हिर्भव॑ति तदु॑द॒य॒नी॒यस्य॑ ब॒र्हिर्भ॑व॒तीति॒ तद॑पो॒द्धृत्य॒ निद॑धाति॒ ताᳪं स्था॒लीᳪं स॒क्षाम॑कर्षां प्र॒मृज्य॒ मेक्ष॑णं॒ निद॑धाति॒ य ऽए॒व प्रा॑य॒णी॒यस्य॒र्त्विजो॒ भव॑न्ति॒ त ऽउद॒य॒नी॒यस्य॒र्त्विजो॒ भव॑न्ति॒ तद्यदे॒तत्स॑मा॒नं य॒ज्ञे क्रि॒यते॒ तेन॑ बा॒हू स॒दृशौ॒ तेन॑ स॒रूपौ॑ ॥ २१ ॥

शिरो वै यज्ञस्यातिथ्यम् । बाहू प्रायणीयोदयनीयौ । अभितो वै शिरो बाहू भवतः । तस्मादभित आतिथ्यमेते हविषी भवतः–प्रायणीयश्चोदयनीयश्च ॥ २० ॥

तदाहुः–यदेव प्रायणीये क्रियेत–तद् उदयनीये क्रियेत । यदेव प्रायणीयस्य बर्हिर्भवति–तदुदयनीयस्य बर्हिर्भवतीति । तदपोद्धृत्य निदधाति । तां स्थालीं सक्षामकर्षां प्रमृज्य मेक्षणं निदधाति । य एव प्रायणीयस्यर्त्विजो भवन्ति–त उदयनीयस्यर्त्विजो भवन्ति । तद् यदेतत्समानं यज्ञे क्रियते–तेन बाहू सदृशौ–तेन सरूपौ ॥ २१ ॥

ऊर्ध्वमुखा एव वर्द्धन्ते, तस्माददित्यभिधानाया भूम्याः सकाशादूर्ध्वदिक्परिज्ञानं युक्तमित्यर्थः । इत्थं पञ्चदिग्व्यामोहपरिहारोपन्यासमुखेन प्रायणीयेष्टौ पञ्च देवता यष्टव्या इत्युक्तम् ॥ १९ ॥

अथातिथ्यायाः प्राक् प्रायणीयः कर्तव्य इत्यभिधातुं प्रायणीयोदयनीययोर्बाहुद्वयरूपतामातिथ्यायाः शिरोरूपताञ्चाह–शिरो वै यज्ञस्येति । आतिथ्यमध्येऽनुष्ठेयत्वेन प्राधान्याच्छिरस्त्वव्यवहारः । 'एते हविषी' एतौ यागावित्यर्थः; यागस्य हविःप्रधानत्वात् । लोके शिरस उभयतो बाह्वोर्दर्शनात्, आतिथ्यस्य शिरस्त्वाभिधानात्, बाहुस्थानीययोरनुष्ठानं युक्तम् (श. प. ब्रा. ३ । ९ । ३) ॥ २० ॥

उक्तबाहुत्वमुपजीव्य प्रायणीयोदयनीययोरेकरूपतामाह–तदाहुरिति । सङ्ग्रहेणोक्तं यच्छब्दार्थं विशदयति–यदेवेति । मध्ये कर्मान्तरव्यवधानात् कथं तस्य बर्हिषोऽवस्थानमित्याशङ्क्य तदुपायं दर्शयति–तदपोद्धृत्येति । प्रहरणमकृत्वा बर्हिरुद्धृत्योपरि प्रज्ञातं निदध्यात् । बर्हिर्वत् स्थालीमेक्षणयोरप्युदयनीयार्थमवस्थानमाह–तां स्थालीमिति । या प्रायणीयचरुस्थाली 'तां' 'सक्षामकर्षाम्, अग्निसंयोगेनान्तरीषद्दग्धश्चरुः 'क्षामः,' तस्य 'कर्षो' लेपः, तत्सहितामित्यर्थः । "क्षायो मः"–(पा. सू. ८ । २ । ५३) इति निष्ठातकारस्य मत्वम् । 'मेक्षणम्' चरुनिष्पादनसाधनं काष्ठम् (श. प. ब्रा. २ । ४ । २ । १३) । तत् 'प्रमृज्य' चरुणा लेपयित्वा स्थाल्या सह विदध्यादित्यर्थः । ऋत्विगैक्यं च विधत्ते–य एव प्रायणीयस्येति । इदानीन्तनमपि बाह्वोः स्वरूपत्वं प्रायणीयोदयनीययोरैक्यरूपनिबन्धनमित्याह–तद्यदेतदिति । सादृश्यमेकदेशेनापि भवतीति तद् विशेष्यते–सरूपाविति ॥ २१ ॥

तद्वु तथा न कुर्यात् । (त्का) काममेवैतद्बर्हिरनुप्रहरेदेवं मेक्षणं निर्णिज्य स्थालीं निदध्याद्यऽएव प्रायणीयस्यर्त्विजो भवन्ति तऽउदयनीयस्यर्त्विजो भवन्ति यद्यु ते विप्रेताः स्युरप्यन्यऽएव स्युः स यद्वै समानीदेवता यजति समानानि हवींषि भवन्ति तेनैव बाहू सदृशौ तेन सरूपौ ॥ २२ ॥

स वै पञ्च प्रायणीये देवता यजति । पञ्चोदयनीये तस्मात्पञ्चेत्थादङ्गुलयः पञ्चेत्थात्तच्छंय्वन्तं भवति न पत्नीः संयाजयन्ति पूर्वार्धं वाऽअन्वात्मनो बाहू पूर्वार्धमेवैतद्यज्ञस्याभिसंस्करोति तस्माच्छंय्वन्तं भवति न पत्नीः संयाजयन्ति ॥ २३ ॥

इति द्वितीयप्रपाठके द्वितीयं ब्राह्मणम् ॥ २ ॥ २ ॥ (२ । ३)

तद्व तथा न कुर्यात् । काममेवैतद्बर्हिरनुप्रहरेत् । एवं मेक्षणं निर्णिज्य स्थालीं निदध्यात् । य एव प्रायणीयस्यर्त्विजो भवन्ति—त उदनीयस्यर्त्विजो भवन्ति । यद्यु ते विप्रेताः स्युः—अप्यन्य एव स्युः । स यद्वै समानदेवता यजति—समानानि हवींषि भवन्ति । तेनैव बाहू सदृशौ—तेन सरूपौ ॥ २२ ॥

स वै पञ्च प्रायणीये देवता यजति, पञ्चोदयनीये । तस्मात्—पञ्चेत्थादङ्गुलयः, पञ्चेत्थात् । तच्छंय्वन्तं भवति । न पत्नीः संयाजयन्ति । पूर्वार्धं वा अन्वात्मनो बाहू । पूर्वार्धमेवैतद्यज्ञस्याभिसंस्करोति । तस्माच्छंय्वन्तं भवति । न पत्नीः संयाजयन्ति ॥ २३ ॥

उक्तो बर्हिराद्यैकरूप्यपक्षो न नियत इत्याह—तद्व तथेति । एवं मेक्षणमिति । बर्हिर्वदग्नौ प्रहरेदित्यर्थः । 'स्थालीं' 'निर्णिज्य' क्षामकर्षमपि प्रगमय्य ऋत्विजामेव च नियममङ्गीकृत्य, तेषामपि केनचिन्निमित्तेन विगमे सति तदेकत्वमपि नियमेन भवितव्यमित्याह—य एव प्रायणीयस्येति । 'विप्रेताः स्युः' विविधदेशं प्राप्ता भवेयुः । तर्ह्येकरूपत्वं किन्निबन्धनमित्याह—स यदिति । 'यद्वै' यदेव बर्हिर्यागस्य स्वरूपम् । अतस्तयोरैकरूप्यमेव नियमेन भवितव्यमित्यर्थः । 'तेनैव—' इति एवकारेण पूर्वोक्तं बर्हिराद्यैकरूप्यं व्यावर्त्यते । तेनैव द्रव्यदेवतैक्येन कारणेनैवेदानीमपि मनुष्याणां 'बाहू सरूपौ' भवत इत्यर्थः । तथा च कात्यायनोऽपि—"परमेक्षणबर्हिर्निदधात्युदयनीयायै, सलेपं चरुं प्रमृष्टं मेक्षणं, प्रक्षालयति वा चरुम्, अनुप्रहरतीतरे, त एवर्त्विजो, विप्रेतेष्वन्येऽपि" (का. श्रौ. सू. ७ । १४२–१४७) इति । 'इतरे' बर्हिर्मेक्षणे ॥ २२ ॥

देवतैक्याभिधानप्रसङ्गेन पञ्चसङ्ख्यां प्रशंसति—स वा इति । 'सः' अध्वर्युः । 'तस्मात्' देवतानां पञ्चत्वाद्धेतोः 'इत्था' इत्थम् अनेन इदानीं परिदृश्यमानेन प्रकारेण । 'पञ्चाङ्गुलयः' लभ्यन्ते । हस्तद्वयमभिनीय प्रदर्शनीयं द्विरभिधानम् । प्रकृतिभूतदर्शपूर्णमासेष्टिवत् साकल्येनानुष्ठानप्रसक्तौ तत् प्रतिषेधति—तच्छंय्वन्तं भवतीति । अन्तग्रहणेन सिद्धावुपरितनाङ्गनिषेधो नित्यानुवादतया पुनर्निषिध्यते—न पत्नीः संयाजयन्तीति । प्रायणीयोदयनीययोर्बाहुत्वनिरूपणादप्युत्तराङ्गजातं न कर्तव्यमित्याह—पूर्वार्द्धं वा अन्वात्मनो

दिवि वै सोमऽआसीत् । (३) अथेह देवास्ते देवाऽअकामयन्ता नः सोमो गच्छेत्तेनागतेन यजेमहीति तऽएते मायेऽअसृजन्त सुपर्णीं च कद्रूं च तद्धिष्ण्यानां ब्राह्मणे व्याख्यायते सौपर्णीकाद्रवं यथा तदास ॥ १ ॥

तेभ्यो गायत्री सोममच्छापतत् । (३) तस्याऽआहरन्त्यै गन्धर्वो

अथ सोमक्रयणविधिः ।

दिवि वै सोम आसीत्—अथेह देवाः । ते देवा अकामयन्त—आनः सोमो गच्छेत्, तेनागतेन यजेमहीति । तऽएते माये असृजन्त—सुपर्णीं च कद्रूं च । तद्धिष्ण्यानां ब्राह्मणे व्याख्यायते—सौपर्णीकाद्रवं—यथा तदास ॥ १ ॥

तेभ्यो गायत्री सोममच्छापतत् । तस्याऽआहरन्त्यै गन्धर्वो विश्वावसुः पर्यमुष्णात् । ते देवा अविदुः—प्रच्युतो वै परस्तात्सोमः—अथ नो नागच्छति—गन्धर्वा वै पर्यमोषिषुरिति ॥ २ ॥

बाहू इति । 'आत्मनः' शरीरस्य 'पूर्वार्द्धमनु' 'बाहू' वर्तेते न सर्वाङ्गे, अतः 'एतत्' एतेन तदुभयत्र शंय्वन्तानुष्ठानेन यज्ञस्य 'पूर्वार्द्धमेव' संस्कृतं भवति[1] ॥ २३ ॥

इति श्रीसायणाचार्यविरचिते माधवीये वेदार्थप्रकाशे माध्यन्दिनशतपथब्राह्मणभाष्ये तृतीयकाण्डे द्वितीयाध्याये तृतीयं ब्राह्मणम् ॥ (३ । २ । ३) ॥

सोमक्रयं विधातुमाख्यायिकामाह—दिवि वै सोम इत्यादिना । दिवि वा इति । 'वै'—शब्देन "तृतीयस्यामितो दिवि सोमः"—(तै. सं. ३ । ५ । ७ । १) इत्यादिश्रुत्यन्तरप्रसिद्धिर्द्योत्यते । 'इह' भूमौ 'देवाः' आसन्निति शेषः । सोमागमनप्रयोजनम्—तेनागतेन यजेमहीति । त एत इत्यादि । परव्यामोहनकारिणी शक्तिः 'माया' । 'ते' देवाः 'एते' द्वे मायाभिरूपे स्त्रियौ सोमरक्षकाणां गन्धर्वाणां व्यामोहाय सृष्टवन्त इत्यर्थः । तथा चोत्तरत्राम्नास्यते—" त एते माये असृजन्त सुपर्णीञ्च कद्रूञ्च वागेव सुपर्णीयं कद्रूः "—(श. प. ब्रा. ३ । ६ । २ । २) (तै. सं. ६ । १ । ६ ।) इति । होतृमैत्रावरुणादीनां शंसनप्रदेशेषु पुरतः स्थापिता अग्नयो धिष्ण्याः होत्रीयादयः । ते खलु पुरा दिवि सोमरक्षकाः, पश्चात् सोमे आहृते सति तेन सह भूमावागत्य देवेभ्यो लब्धवराः सन्तोऽत्रापि सोमरक्षणाय धिष्ण्यतां प्राप्ताः । तथा चोपरिष्टाद् वक्ष्यते—" तमेते गन्धर्वाः सोमरक्षा जुगुपुरिमे धिष्ण्या इमे होत्राः "—(श. प. ब्रा. ३ । ६ । २ । ९) इति । तेषां 'धिष्ण्यानाम्' 'ब्राह्मणे' 'व्याख्यायते सौपर्णीकाद्रवम्' सुपर्णीकद्र्वोर्वृत्तान्तः सर्वोऽपि विवरिष्यत इत्यर्थः (श. प. ब्रा. ३ । ६ । २ । ७) । तत्र हि मायामय्योः सुपर्णीकद्र्वोरुत्पत्तिः; तयोर्मिथः कलहः, परस्परजयपराजयनिमित्तकः समयबन्धः, ततः कद्रूजयः, पराजितायाः सुपर्ण्याः स्वात्मनिष्क्रयाय सोमोपहरणार्थं छन्दसां सुपर्ण्याः सकाशादुत्पत्तिर्गायत्र्या च सोमाहरणम्,—इत्येवमादयोऽर्था अस्मिन्नेव काण्डे पञ्चमप्रपाठकादौ " विजामानो हैवास्य धिष्ण्याः "—इत्याद्युपक्रम्य, " दिवि वै सोम आसीदथेह देवास्ते देवा अकामयन्त "—इत्यादिना आम्नायते—(श. प. ब्रा. ३ । ६ । २ । १–१६) ॥ १ ॥

तेभ्यो गायत्रीति । 'तेभ्यः' देवेभ्योऽर्थाय सुपर्ण्या निर्मिता 'गायत्री'—छन्दोदेवता पक्षिरूपेण दिवि

---

[1]—'शय्वंतं भवति ७ । १४८ । अंतवचने पूर्वप्राप्तेः १४९ । अविक्षेपश्रुतेः १५० । उत्तरं वा प्रकरणकुमराद्युयाजप्रतिषेधाभ्याम् १५१ । ग्रहणाद्रप्रवृत्तिः १५२ । संत्वराश्रुतेश्च १५३ । नित्यानुवादोऽनुयाजप्रतिषेधः । का. श्रौ. सू. ७।१५४ ॥

व्विश्वावसुः पुर्यमुष्णात्तु देवाऽअविदुः प्रच्युतो वै पुरुस्तात्सोमोऽथ नो नाग-
च्छति गन्धर्व्वा वै पुर्यमोषिषुरिति ॥ २ ॥

ते होचुः । (योः) योषित्कामा वै गन्धर्व्वा व्वाचमेवैभ्यः प्रहिणवाम सा
नः सह सोमेनागमिष्यतीति तेभ्यो व्वाचं प्राहिण्वन्त्सैनान्त्सह सोमे-
नागच्छत् ॥ ३ ॥

(त्ते) ते गन्धर्व्वा अन्वागत्याब्रुवन् । (न्त्सो) सोमो युष्माकं व्वागेवा-
स्माकमिति तथेति देवाऽअब्रुवन्निहो चेदागान्मैनामभीषहे व नैष्ट व्विह्वया-
महाऽइति तां व्यह्वयन्त ॥ ४ ॥

तस्यै गन्धर्वाः । (०) व्वेदानेव प्रोचिरऽइति वै व्वयं व्विद्मेति व्वयं
व्विद्मेति ॥ ५ ॥

ते होचुः—योषित्कामा वै गन्धर्वाः । वाचमेवैभ्यः प्रहिणवाम । सा नः सह सोमेनागमिष्यतीति । तेभ्यो वाचं प्राहिण्वन् । सैनान्त्सह सोमेनागच्छत् ॥ ३ ॥

ते गन्धर्वा अन्वागत्याब्रुवन्—सोमो युष्माकम्, वागेवास्माकमिति । तथेति देवा अब्रुवन् । इहो चेदागात्, मैनामभीषहे व, नैष्ट, विह्वयामहा इति । तां व्यह्वयन्त ॥ ४ ॥

तस्यै गन्धर्वाः वेदानेव प्रोचिरे । इति वै वयं विद्म—इति वयं विद्म—इति ॥ ५ ॥

स्थितम् ' सोमम् ' 'अच्छ' अभिमुखमगमत् । ' आहरन्त्यै ' आहरन्त्यास्तस्याः स्वभूतं सोमम्, षष्ठ्यर्थे चतुर्थी, (पा. सू. २ । ३ । ६२ वा. १) ' विश्वावसुः ' नाम ' गन्धर्वः ' ' पर्यमुष्णात् ' अपजहार । ततः ' ते देवाः ' ' अविदुः ' । किमिति ' पुरस्तात् ' द्युलोकात् ' सोमः प्रच्युतः, ' ' अथ ' ' नः ' अस्मान् ' नागच्छति; ' ' गन्धर्वाः ' विश्वावसोर्भृत्याः ' वै ' नूनं ' पर्यमोषिषुः ' स्तेयमकार्षुः ' इति ' ॥ २ ॥

ते होचुरिति । योषितः कामयन्त इति ' योषित्कामाः ' । ' एभ्यः ' गन्धर्वेभ्यो व्यामोहाय ' वाचं ' ' प्रहिणवाम ' प्रेषयाम । वाचं प्रेषयतामभिप्रायः—सा नः सह सोमेनागमिष्यतीति ॥ ३ ॥

ते गन्धर्वा इति । सोममुपायेनानयन्ती स्वयमपि प्रतिनिवर्तयिष्यत इति ' सोमो युष्माकं वागेवास्माकम् ' अब्रुवन्निति । अथ गन्धर्वाविरोधेनैव देवैर्दृष्टं वाग्लाभोपायं दर्शयति—इहो चेदागादित्यादिना । प्रेषयामो वयं वाचं सोमैरिह ' आगात् ' आगच्छेत् । ' उ '—शब्दोऽनर्थकः । हे गन्धर्वाः ! ' एनाम् ' ' इह ' आगताम् ' अभीषहे ' । ' व '—इति वाक्यालङ्कारे । अभिषहनमभीषट्, अभिभवः । तेन बलात्कारेण ' मा नैष्ट ' मा प्रहार्ष्ट । " न माङ्योगे "—(पा. सू. ६ । ४ । ६४) इत्यडभावः । ' विह्वयामहे ' यूयं वयं च वाचं विविधमाकारयाम ॥ ४ ॥

एवं मिथः समये कृतं गन्धर्वाणामाह्वानप्रकारमाह—तस्यै गन्धर्वा वेदानेवेति । ' प्रोचिरे ' प्रवचनमकुर्वन् । तस्या वाचो वशीकरणायेति शेषः । एवमिदं ब्रुवतां तेषामभिप्रायः—इति वै वयं विद्मेति । एवं खलु वाचः स्वाधीनत्वकरणोपायं जानीम इति, अयमुपायः सर्वेषां स्वकीयानामभिमत इति प्रदर्शयितुं वीप्सयाऽभिधानम् ॥ ५ ॥

(त्सु)अथ देवाः।(०)व्वीणामेव सृष्ट्वाव्वादयन्तो निगायन्तो निषेदुरिति वै ते व्वयं गास्याम इति त्वा प्रमोदयिष्यामह ऽइति सा देवानुपावर्वर्त सा वै सा तन्मोघमुपावर्वर्त या स्तुवद्भ्यः श॑ꣳसद्भ्यो नृत्तं गीतमुपावर्वर्त तस्मादप्येतर्हि मोघसꣳहिता ऽएव योषा ऽएवꣳहि व्वागुपावर्तत तामु ह्यन्या अनु योषास्तस्माद्य एव नृत्यति यो गायति तस्मिन्नेवैता निमिश्लतमा इव ॥ ६ ॥

तद्वा ऽएतदुभयं देवेष्वासीत् । (त्सो) सोमश्च व्वाक् च स यत्सोमं क्रीणात्यागत्या ऽएवागतेन यजा ऽइत्यनागतेन ह वै स सोमेन यजते यो ऽक्रीतेन यजते ॥ ७ ॥

अथ देवा वीणामेव सृष्ट्वा, वादयन्तो निगायन्तो निषेदुः । इति वै ते वयं गास्यामः इति । त्वा प्रमोदयिष्यामहे—इति । सा देवानुपाववर्त । सा वै सा तन्मोघमुपाववर्त—या स्तुवद्भ्यः शंसद्भ्यो नृत्तं गीतमुपाववर्त । तस्मादप्येतर्हि मोघसंहिता एव योषाः । एवं हि वागुपावर्तत । तामु ह्यन्या अनु योषाः । तस्माद्य एव नृत्यति, यो गायति—तस्मिन्नेवैता निमिश्लतमा इव ॥ ६ ॥

तद्वाऽएतदुभयं देवेष्वासीत्—सोमश्च वाक् च । स यत् सोमं क्रीणाति—आगत्या एव आगतेन यजा इति । अनागतेन ह वै स सोमेन यजते योऽक्रीतेन यजते ॥ ७ ॥

देवैः स्वीकृतं वाचः स्वीकरणोपायमाह—अथ देवा वीणामेवेति । ' वीणां वादयन्तः ' निषादादिस्वरानुकूल्येन ध्वनिमुत्पादयन्तः, तदनु स्वयं ' गायन्तः ' ' निषेदुः ' उपसन्नाः । इति वा इति । एवं खलु ' ते ' त्वदर्थं ' गास्यामः ' । न केवलमीदृशं गानमस्माकं किन्तु हे वाग्देवते ! ' त्वा ' त्वाम् ' इति ' एवम्प्रकारेण खलु तोषयामः । ' इति '—शब्दो वाक्यसमाप्तौ । ' सा देवान् उपाववर्त ' उपावर्ततेस्म । प्रत्यावृत्ता ' या ' वाक् ' स्तुवद्भ्यः शंसद्भ्यः ' स्तोत्रशस्त्ररूपं वेदानुवचनं कुर्वद्भ्यो गन्धर्वेभ्यः सकाशाद् देवैः कृतं ' नृत्तं ' ' गीतम् ' चोपावृत्ता, ' सा वै ' सैव खलु । ' सा ' पूर्वं सोमाहरणाय प्रेषिता वाक् ' तत् ' तदानीं ' मोघं ' व्यर्थमेवोपावृत्ता । स्तुतशस्त्ररूपपरित्यागस्यानौचित्यादिति भावः । इदानीन्तनस्त्रीणां मोघस्वभावत्वं वाग्देवतोपक्रम[1]मित्याह—तस्मादिति । ' ताम् ' अप्रकृतां वाचम् ' अनु ' ' अन्याः ' अपि योषितः । अप्रकृतमपि नर्तनं गानवत् स्त्रीव्यामोहसाधनमिति गानेन सहोपन्यस्तम् । ' एताः ' योषितः ' निमिश्लतमा इव ' विशेषेणैकीभूताः, अत्यन्तमनुरक्ता भवन्तीति शेषः । अयमर्थः सर्वोऽप्यैतरेयब्राह्मणे सोमो वै राजा गन्धर्वेष्विति खण्डे (ऐ. ब्रा. १ । ५ । १) प्रपंचितः ॥ ६ ॥

इदानीं गानसिद्ध्यर्थमनूद्य सोमक्रयं विदधाति—तद्वा एतदुभयमिति । यस्मात् सोमो देवानां स्वमासीत् तस्मात् ' आगत्या एव ' सोमप्राप्त्या एव ' सोमं ' ' क्रीणाति ' क्रीणीयात् । अपूर्वार्थत्वाद् यच्छब्दमनादृत्य विधिः कल्पयितव्यः । आगत्या अपि प्रयोजनमाह—आगतेन यजा इति । अक्रीतस्य यागानर्हतामाह—अनागतेनेति । आगतोऽपि सोमः क्रयसंस्कारेणानागतत्वादनागत इत्युच्यते ॥ ७ ॥

1-' वाग्देवतोपक्षेमम् '-इ. क. पा. ।

(तेऽथ) अथ यद्ध्रुवायामाज्यं परिशिष्टं भवति । तज्जुह्वां चतुष्कृत्वो विगृह्णाति बर्हिषा हिरण्यं प्रबध्यावधाय जुहोति कृत्स्नेन पयसा जुहवानीति समानजन्म वै पयश्च हिरण्यं चोभयꣳ ह्यग्निरेतसम् ॥ ८॥

(५ँ) स हिरण्यमवदधाति । (त्ये) एषा ते शुक्र तनूरेतद्वर्च ऽइति वर्चो वाऽएतद्यद्धिरण्यं तया सम्भव भ्राजं गच्छेति स यदाह तया सम्भवेति तया सम्पृच्यस्वेत्येवैतदाह भ्राजं गच्छेति सोमो वै भ्राट् सोमं गच्छेत्येवैतदाह ॥ ९ ॥

अथ यद् ध्रुवायामाज्यं परिशिष्टं भवति—तत् जुह्वां चतुष्कृत्वो विगृह्णाति । बर्हिषा हिरण्यं प्रबध्य अवधाय जुहोति—कृत्स्नेन पयसा जुहवानीति । समानजन्म वै पयश्च हिरण्यं च । उभयं ह्यग्निरेतसम् ॥ ८ ॥

स हिरण्यमवदधाति—" एषा ते शुक्र तनूरेतद्वर्चः "—(वा. सं. ४।१७) इति । वर्चो वाऽएतत्—यद्धिरण्यम् । " तया सम्भव भ्राजं गच्छ "—(वा. सं. ४।१७) इति । स यदाह-तया सम्भवेति । तया संपृच्यस्वेत्येवैतदाह । भ्राजं गच्छेति । सोमो वै भ्राट् । सोमं गच्छेत्येवैतदाह॥९॥

सोमक्रयात् प्राक् कर्तव्यं च कश्चिद्धोमं विदधाति—अथेति । ' ध्रुवायामाज्यं परिशिष्टम् ' प्रायणीयार्थमुपयुज्य यदुद्धृतं ध्रुवायामवशिष्टम् ' तत् ' ' जुह्वां ' ' चतुष्कृत्वः ' चतुर्वारं गृहीत्वा ' ' बर्हिषा ' दर्भेण 'हिरण्यं' ' प्रबध्य ' जुह्वाम् ' अवधाय ' आधाय जुहुयात् । तथा च कात्यायनः—" शालाद्वाराण्यपिधाय ध्रौवं जुह्वां चतुर्विगृह्णाति, बर्हिस्तृणेन हिरण्यं बद्ध्वाऽवदधात्येषा त इति " (का. श्रौ. सू. ७।१९।१।१०) इति । हिरण्यावधानप्रयोजनम्—कृत्स्नेन पयसेति । पयःप्रकृतिकत्वाद् आज्यं पयः । सति हिरण्यस्य पयस्त्वे भवत्येव कार्त्स्न्यम् । तदेव कुत इत्यत आह—समानजन्म वा इति । पयश्च हिरण्यञ्च इति वस्तुद्वयं ' समानजन्म' समानोत्पत्तिकम्, एकत्रोत्पन्नमित्यर्थः । कथं समानत्वं जन्मनः ? ' हि ' यस्मात् 'उभयम्' अपि ' अग्निरेतसम् ' अग्ने रेतो वीर्यं यस्योभयस्य तत् तथोक्तम् । यस्मादेवं तस्मादित्यर्थः । " अनसन्तान्नपुंसकाच्छन्दसि "—(पा. सू. ५ । ४ । १०३) इति अच्प्रत्ययः समासान्तः । पयसोऽग्निरेतस्त्वं द्वितीयकाण्डे उक्तम् । तथाहि—गोत्पत्तिं प्रस्तुत्य—" तामु हाग्निरभिदध्यौ । मिथुन्येनया स्यामिति तां सम्बभूव तस्यां रेतः प्रासिञ्चत् । तत् पयोऽभवत् "—(श. प. ब्रा. २ । २ । ४ । १५) इति । हिरण्यस्याप्यग्निरेतस्त्वं तैत्तिरीये—" आपो वरुणस्य पत्नय आसन्, ता अग्निरभ्यध्यायत्, ताः समभवत् , तस्य रेतः परापतत्, तद्धिरण्यमभवत् "—(तै. ब्रा. १ । १ । ३ । ८) इति ॥ ८ ॥

मन्त्रमभिधाय पुनरनुवदति—स हिरण्यमिति । 'सः' अध्वर्युः । हिरण्यनिधानमन्त्रं त्रेधा विभज्य व्याचष्टे—एषा त इत्यादिना । हे ' शुक्र ! ' ' एषा ' एतद्धिरण्यं ' ते ' तनूः शरीरम् । तन्वपेक्षया स्त्रीलिङ्गता, अथवा ' एषा ' जुहूरिति व्याख्येयम् । ' एतत् ' एवाज्यं तव ' वर्चः ' तेजः । शिष्टं ब्राह्मणेनैव व्याख्यातम् । व्याख्येयभागद्वयमुपादाय प्रथमभागस्य ' सम्भव '—शब्दस्यार्थमाह—यदाह तया सम्भवेत्यादि । ' यदाह ' मन्त्रः, ' एतत् ' एतेन ' तया सम्पृच्यस्व ' इत्येवाह । अत्र सम्पर्क एकीभावः । ' भ्राट् '—शब्दार्थमाह—सोमो वै

तां य॒थैवा॒दो दे॒वाः । प्राहि॑ण्व॒न्त्सोम॑मुच्छै॒वमे॒वै॒नाम॒ेषऽ एतत्प्रहि॑णोति सोम॑मुच्छ व्वाग्वै सो॑मक्र॒यणी नि॒दानेन ता॒मेतयाऽऽहु॒त्या प्रीणाति प्री॒तया सोमं॑ क्रीणानी॒ति ॥ १० ॥

स जु॑होति । जूर॑सी॒त्येतद्ध॑ वाऽअ॒स्या ऽए॒कं नाम॒ यज्जूर॑सी॒ति धृ॒ता मन॑से॒ति मन॑सा वाऽइ॒यं व्वाग्धृ॒ता मनो॒ वाऽइ॒दं पु॒रस्ता॑द्वा॒च ऽइ॒त्थं व्वद॒ मै॒तद्वा॑दी॒रित्य॑लग्ल॒मिव॒ ह वै व्वाग्व॑दे॒द्यन्मनो॒ न स्या॒त्तस्मा॑दाह धृ॒ता मन॑से॒ति ॥ ११ ॥

तां यथैवादो देवाः प्राहिण्वन्–सोममच्छ–एवमेवैनामेष एतत्प्रहिणोति–सोममच्छ । वाग्वै सोमक्रयणी निदानेन । तामेतयाऽऽहुत्या प्रीणाति । प्रीतया सोमं क्रीणानीति ॥ १० ॥

स जुहोति–" जूरसि "–(वा. सं. ४।१७) इति । एतद्ध वा अस्या एकं नाम यज्जूरसीति । " धृता मनसा "–(वा. सं. ४ । १७) इति । मनसा वाऽइयं वाग्धृता । मनो वाऽइति पुरस्ताद्वाचः । इत्थं वद, मैतद्वादीरिति । अलग्लमिव ह वै वाग् वदेद्–यन्मनो न स्यात् । तस्मादाह–धृता मनसेति ॥ ११ ॥

आडिति । भ्राजमानत्वाद् ' भ्राट् ' सोमः । अतः आज्यं भ्राजं गच्छेति ब्रुवती श्रुतिः, सोमं गच्छेत्युक्तवतीत्यर्थः । सोमप्राप्तिप्रकारस्त्वित्थं वेदितव्यः–हिरण्यसंस्कृताज्यहोमः सोमक्रयणार्थः, स च क्रेतव्यसोमार्थ इति विहितामाहुतिं सोमक्रयणीप्रीतिहेतुत्वेन प्रशंसयन् तदर्थः ॥ ९ ॥

तदर्थं सोमक्रयण्यानयनप्रयोजनप्रकारमाह–**तां यथैवेति** । ' अदः ' व्यवहितकाले ' ताम् ' वाचं ' प्राहिण्वन् ' गन्धर्वापहृतां प्रति प्रागमयन् । ' एवमेव ' अध्वर्युः एतेन सोमक्रयणीप्रेरणेन प्रेरितवान् भवति । तयोः कः सम्बन्ध इति तत्राह–**वाग्वै सोमक्रयणीति** । ' निदानं ' वास्तवं स्वरूपम् ॥ १० ॥

होममन्त्रं पञ्चधा विभज्य व्याचष्टे–**स जुहोतीति** । जूरसीत्यादिना ब्राह्मणेनैव मन्त्रस्य साकल्येन व्याख्यातत्वान्नास्माभिर्व्याख्यातः । ' जू '–इति सौत्रो धातुर्गत्यर्थः । जवति सोमं प्रति गच्छतीति ' जूः ' । ' अस्याः ' वाग्रूपायाः सोमक्रयण्याः प्रतिज्ञातं । मनसो वागाधारत्वमुपपत्त्या साधयति–**मनो वा इदं पुरस्ताद् वाच** इति । मनः पूर्वरूपम्, वागुत्तररूपम् । **मनो वा** इति । ' वै '–शब्देन " यद्वै मनसा ध्यायति तद्वाचा वदति "–(श. प. ब्रा. १२ । ९ । १ । १३) इत्यादिश्रुत्यन्तरप्रसिद्धिर्द्योत्यते । धारणप्रकारं दर्शयति–**इत्थं वदेति** । यद्यपि हितोपदेष्टृवन्मनो न वाग्व्यापारं करोति, तथापीदं वक्तव्यमिदं नेति गुणदोषविकल्पनस्य मनोव्यापारत्वाद् वाग्विधिनिषेधकर्तृव्यवहारः । व्यतिरेकदोषोपन्यासेन मनोवाचोरेकत्वं द्रढयति–**अलग्लमिवेति** । ' अलग्लमिव ' अलग्नमिव वक्तव्यपदार्थेन सहासंसृष्टमिव; हृदयपूर्वकत्वाभावात् ॥ ११ ॥

१–**जूरसीति जुहोति** । का.श्रौ.सू.७।°६१। अस्मिन् सूत्रे **कर्कः**–प्रायणीयाशेषभूतद्रव्यसाध्याऽपीयमाहुतिः सोमक्रयार्था । एवं हि श्रूयते । **वाग्वै सोमक्रयणी** निदानेन तामेतयाऽऽहुत्या प्रीणाति **प्रीतया सोमं क्रीणानीति** । एवं न सति उदयनीयायां न भवतीति ॥

जुष्टा विष्णवऽइति जुष्टा सोमायेत्येवैतदाह यमच्छेम इति तस्यास्ते सत्यसवसः प्रसव ऽइति सत्यप्रसवा न ऽएधि सोमं नोऽच्छेहीत्येवैतदाह तन्वो यन्त्रमशीय स्वाहेति स ह वै तन्वो यन्त्रमश्नुते यो यज्ञस्योदृचं गच्छति यज्ञस्योदृचं गच्छानीत्येवैतदाह ॥ १२ ॥

(ह्रा) अथ हिरण्यमपोद्धरति । तन्मनुष्येषु हिरण्यं करोति स यत्सहिरण्यं जुहुयात्पराग्घ हैवैतन्मनुष्येभ्यो हिरण्यं प्रवृञ्ज्यात्तन्न मनुष्येषु हिरण्यमभिगम्येत ॥ १३ ॥

सोऽपोद्धरति । शुक्रमसि चन्द्रमस्यमृतमसि वैश्वदेवमसीति कृत्स्नेन पयसा हुत्वा यदेवैतत्तदाह शुक्रमसीति शुक्रꣳ ह्येतच्चन्द्रमसीति चन्द्रꣳ

"जुष्टा विष्णवे"–(वा. सं. ४ । १८) इति । जुष्टा सोमायेत्येवैतदाह । यमच्छेम इति । "तस्यास्ते सत्यसवसः प्रसवे"–(वा. सं. ४ । १८) इति । सत्यप्रसवा न एधि, सोमं नोऽच्छेहीत्येवैतदाह । "तन्वो यन्त्रमशीय स्वाहा" (वा. सं. ४ । १८) इति । स ह वै तन्वो यन्त्रमश्नुते–यो यज्ञस्योदृचं गच्छति । यज्ञस्योदृचं गच्छानीत्येवैतदाह ॥ १२ ॥

अथ हिरण्यमपोद्धरति । तन्मनुष्येषु हिरण्यं करोति । स यत्सहिरण्यं जुहुयात्–पराग्घ हैवैतन्मनुष्येभ्यो हिरण्यं प्रवृञ्ज्यात् । तन्न मनुष्येषु हिरण्यमभिगम्येत ॥ १३ ॥

सोऽपोद्धरति–"शुक्रमसि चन्द्रमस्यमृतमसि वैश्वदेवमसि"–(वा. सं. ४ । १८) इति । कृत्स्नेन पयसा हुत्वा यदेवैतत्–तदाह शुक्रमसीति । शुक्रं ह्येतत् । चन्द्रमसीति । चन्द्रं ह्येतत् ।

जुष्टा विष्णव इतीति । विष्णुशब्दस्याभिमतमर्थमाह–जुष्टासोमायेत्येवैतदाहेति । भुवनत्रयव्यापकत्वात् सोमो विष्णुः । "रुच्यर्थानां प्रीयमाणः"–(पा. सू. १ । ४ । ३३) इति जुषतियोगे चतुर्थी । 'यं' सोमं 'अच्छ' अभिमुखम् 'इमः' गच्छेम वयम् 'इति' अनेनाभिप्रायेण सोमायेत्याहेत्यर्थः । 'सत्यसवसः' सत्यानुज्ञायाः 'तस्याः' 'देवैः' प्रेरिताया वाचः 'प्रसवे' अनुज्ञायां सत्यामिति मन्त्रभागस्यार्थः । अस्य भागस्य तात्पर्यमाह–सत्यप्रसवा न एधीति । नः अस्माकं सत्यानुज्ञा भवेत्यर्थः । 'न एधि' इत्यत्र न इत्यस्य नः सोममित्यर्थ इति व्याचष्टे–सोमं नोऽच्छेहीति । चरमभागस्य तात्पर्यमाह–तन्वो यन्त्रमिति । 'उदक्' उत्तमा ऋक्, उदक्तया यज्ञसमाप्तिर्लक्ष्यते; अतो 'यः' यज्ञसमाप्तिं 'गच्छति' 'सः' एव 'तन्वो यन्त्रम् अश्नुते' ॥ १२ ॥

हिरण्यस्यापोद्धारं विधाय प्रशंसति–अथ हिरण्यमिति । प्राण्युपभोगस्य धनमूलत्वाद् हिरण्यस्यापोद्धारेण मनुष्येषु हिरण्यस्थापनं च कृतं भवति । विपक्षे बाधदर्शनेन विहितमर्थं प्रशंसति–स यत् सहिरण्यमिति । 'सहिरण्यम्' हिरण्येन सहितमाज्यम् । 'पराक् प्रवृञ्ज्यात्' अपुनरागमनं 'मनुष्येभ्यः' सकाशाद् वर्जयेत । अस्तु, किं तत इत्यत आह–तन्नेति । 'तत्' तर्हि 'मनुष्येषु' 'हिरण्यम्' 'न' अनुवर्तेत ॥ १३ ॥

अपोद्धारमनूद्य मन्त्रमाह–सोऽपोद्धरति शुक्रमसीति । हे हिरण्य ! त्वं 'शुक्रं' दीप्तम् 'असि' 'चन्द्रं'

हयेतदमृतमसीत्यमृतꣳ ह्येतद्वैश्वदेवमसीति वैश्वदेवꣳ ह्येतत्प्रमुच्य तृणं बर्हिष्युपिसृजति सूत्रेण हिरण्यं प्रबध्नीते ॥ १४ ॥

(तेऽथा) अथापरं चतुर्गृहीतमाज्यं गृहीत्वा । (त्वाऽन्वा) अन्वारभस्व यजमानेत्याहापोर्णुवन्ति शालायै द्वारे दक्षिणतः सोमक्रयण्युपतिष्ठते तत्प्रहितामेवैनामेतत्सतीं प्राहैषीद्वाग्वै सोमक्रयणी निदानेन तामेतयाऽऽहुत्याऽप्रैषीत्प्रीतया सोमं क्रीणानीति ॥ १५ ॥

अमृतमसीति । अमृतं ह्येतत् । वैश्वदेवमसीति । वैश्वदेवं ह्येतत् । प्रमुच्य तृणं बर्हिष्यपिसृजति । सूत्रेण हिरण्यं प्रबध्नीते ॥ १४ ॥

अथापरं चतुर्गृहीतमाज्यं गृहीत्वा—अन्वारभस्व यजमानेत्याह । अपोर्णुवन्ति शालायै द्वारे । दक्षिणतः सोमक्रयण्युपतिष्ठते । तत्प्रहितामेवैनामेतत्सतीं प्राहैषीत् । वाग्वै सोमक्रयणी निदानेन । तामेतयाऽऽहुत्याऽप्रैषीत्—प्रीतया सोमं क्रीणानीति ॥ १५ ॥

सर्वाह्लादकम् । ‘ असि ’ ‘ अमृतम् ’ अमरणधर्मकम् ‘ असि ’; अत्यन्ताग्निसंयोगेऽपि विनाशादर्शनात् । ‘ वैश्वदेवम् ’ सर्वदेवताप्रीतिकरत्वात् । तदीयोऽयमपोद्धारो होमानन्तरं कार्य इत्याह—कृत्स्नेनेति । प्रागेव यद्यपोद्धरेत्—तदा हिरण्यात्मकस्य पयसोऽभावादाज्यं रूपं पयसोऽकृत्स्नं स्यात्, तस्मादुच्यते—कृत्स्नेन पयसा हुत्वेति । मन्त्रगतं हिरण्यस्य शुक्राद्यात्मकत्वं न स्तुत्यर्थमित्याह—यदेवैतत्तदाह शुक्रमसीत्यादिना । ‘ यदेव ’ ‘ एतत् ’ हिरण्यस्य स्वाभाविकं रूपम् ‘ शुक्रं ’ शुक्ररूपं ‘ तत् ’ एष मन्त्रः ‘ आह ’ । यद्यपि हिरण्यमाग्नेयं तथापि सर्वप्रियत्वाद् वैश्वदेवमुच्यते । प्रमुच्य तृणमिति । हिरण्ये बद्धं तृणं विमुच्य ‘ बर्हिषि ’ अपिसृज्य पुनः ‘ सूत्रेण ’ बध्नीयात् । तथा च सूत्रम्—“ शुक्रमसीति हिरण्यमुद्धृत्य वेद्यां तृणं निदधाति, सूत्रे बद्धं हिरण्यं कुरुते ”-(का. श्रौ. सू. ७ । १६२ । १६३) इति ॥ १४ ॥

अथापरमिति । पूर्वोक्तप्रायणीयशेषादेवान्यतः ‘ चतुर्गृहीतमाज्यं गृहीत्वा ’ ‘ यजमान अन्वारभस्व ’—‘ इति ब्रूयात् ’ । अध्वर्योरनुस्पर्शोऽन्वारम्भः । ‘ शालायै ’ शालायाः ‘ अपोर्णुवन्ति ’ द्वाराणीति शेषः । सूत्रकारेण “ शालाया द्वाराण्यपिधाय ”—इत्युक्तत्वात् (का. श्रौ. सू. ७ । १५९) । पूर्वं पिहितानि द्वाराणि सर्वाण्यपवृत्तानि कुर्युः । ‘ द्वारे ’ आहवनीयात्—प्राक्तने, सोमक्रयार्थं ‘ दक्षिणतः ’ दक्षिणदेशे ‘ सोमक्रयणी ’ गौः ‘ उपतिष्ठते ’ । सोमक्रयण्यवस्थापनं प्रशंसति—तत्प्रहितामित्यादिना । ‘ एतत् ’ ‘ एतेनावस्थापनेन ‘ एनां ’ सोमक्रयणीं ‘ तत्प्रहितामेव सतीं ’ तया देवैः प्रेषितया वाचा प्रेरितां सतीम् । अथवा ‘ तत् ’ तथा सतीव ‘ प्रहितामेव ’ इमां सोमक्रयार्थं गमयेति स्वप्रेरितां सतीमेवैताम् ‘ एतत् ’ एतेनावस्थापनेन ‘ प्राहैषीत् ’ प्रेरितवान् भवति । तस्या इतरगोसाधारण्यं वारयति—वाग्वै सोमक्रयणीति । ताम-

---

१–चतुर्गृहीतं गृहीत्वाऽन्वारभस्व यजमानेत्याह । का. श्रौ. सू. ७।१६४। २–अपावृतद्वारे निष्क्रामतः। का. श्रौ. सू. ७।१६५। अपावृतद्वारे इति सप्तम्यंतम् । विमित इति शेषः । विमित इति शालाया उपलक्षणं च । ३–दक्षिणेन द्वारं सोमक्रयणी तिष्ठत्यलक्षिताऽव्यंगाऽप्रवीताऽरज्जुबद्धा बभ्रुः पिंगला पिंगलाभावेऽरुणाऽरुणाभावे रोहिण्यइयेताक्षी । का. श्रौ. सू. ७ । १६६ । आहवनीयात्प्राक्तनं द्वारं दक्षिणत इत्यर्थः ।

(त्यु)अथोपनिष्क्रम्याभिमन्त्रयते । चिदसि मनासीति चित्तं वाऽइदं मनो वागनुवदति धीरसि दक्षिणेति धिया धिया ह्येतया मनुष्या जुज्यूषन्त्यनूक्तेनेव प्रकामोद्येनेव गाथाभिरिव तस्मादाह धीरसीति दक्षिणेति दक्षिणा ह्येषा क्षत्रियाऽसि यज्ञियाऽसीति क्षत्रिया ह्येषा यज्ञिया ह्येषाऽदितिरस्युभयतःशीर्ष्णीति स यदेनया समानꣳ सद्विपर्यासं वदति यदपरं तत्पूर्वं करोति यत्पूर्वं तदपरं तेनोभयतःशीर्ष्णी तस्मादाहादितिरस्युभयतःशीर्ष्णीति ॥ १६ ॥

अथोपनिष्क्रम्याभिमन्त्रयते–" चिदसि मनासि "–(वा. सं. ४ । १९) इति । चित्तं वाऽइदं मनो वागनुवदति ।" धीरसि दक्षिणाऽसि "–(वा. सं ४ । १९) इति । धियाधिया ह्येतया मनुष्या जुज्यूषन्ति । अनूक्तेनेव, प्रकामोद्येनेव, गाथाभिरिव, तस्मादाह–धीरसीति । दक्षिणेति । दक्षिणा ह्येषा । " क्षत्रियासि यज्ञियासि "–इति । क्षत्रिया ह्येषा, यज्ञिया ह्येषा । " अदितिरस्युभयतःशीर्ष्णी "–(वा. सं. ४ । १९) इति । स यदेनया समानं सद्विपर्यासं वदति । यदपरन्तत्पूर्वं करोति, यत् पूर्वं–तदपरम् । तेनोभयतःशीर्ष्णी । तस्मादाह–अदितिरस्युभयतःशीर्ष्णीति ॥ १६ ॥

तयेति । ' तां वाग्रूपां सोमक्रयणीं यस्मात् ' एतया ' पूर्वविहितया " धूरसि "–इत्यादिमन्त्रदेवतया ' अप्रैषीत् ' अध्वर्युः प्रेरितवान् । कया बुद्ध्या ? ' प्रीतया ' तृप्तया ' सोमं क्रीणानीति '॥ १९ ॥

तस्या अभिमन्त्रणं विधत्ते–अथोपनिष्क्रम्याभिमन्त्रयत इति । ' उपनिष्क्रम्य ' शालातो निर्गम्य । अभिमन्त्रणमन्त्रं विभज्य व्याचष्टे–चिदसि मनासीत्यादिना । मन्त्रवाक्यानि तु ब्राह्मणेनैव साकल्येन व्याख्यातानीत्यतो नास्माभिर्वक्तव्यमस्ति । ' इदम् ' इदानीं सर्वविदितप्रकारेण ' चित्तं ' ' मनः; ' मनसा ' वागनुवदति, ' चित्तेन ज्ञानम् । मनसा मतमेवार्थं वाक् प्रकाशयतीत्यर्थः । अतो हे सोमक्रयणि ! त्वं चेतनावस्थापन्ना सती ' चिदसि ' तथा मननेन 'मना' अपि ' असि ' । धीरूपत्वसमर्थनम्–धिया धियेति । ' धिया ' इत्थं वदिष्यामीति बुद्ध्या चित्तवदभिवदनरूपेण कर्मणा वा । धीरिति कर्मनाम (निघं. २ । १ । २१) । ' जुज्यूषन्ति ' जीवितुमिच्छन्ति मनुष्याः । " जीव प्राणधारणे "–(धा. पा. भ्वा. प. ५६२) इत्यस्मात्सन्नन्ताल्लटि छन्दसि रूपम् । तया जीवनप्रकारं स्वयमेव दर्शयति–अनूक्तेनैवेत्यादिना । ' अनूक्तेन ' अनुवचनेन, वेदाध्ययनेनेत्यर्थः । ' प्रकामोद्यम् ' इच्छया लौकिकभाषणम् । ' गाथा ' गद्यपद्यगीत्याद्यात्मिका । सर्वत्र इव–शब्दो वाक्यालङ्कारार्थः । एवंविधैर्वाग्विशेषैर्यतो जीवितुमिच्छन्ति, अतो धीरसीत्युक्तम् । सोमविक्रयिण आनत्यर्थं दीयमानत्वात् साक्षाद् दक्षिणापि खल्वेषा वस्तुतो भवति । क्षत्रं बलं तदर्हतीति ' क्षत्रिया ' गौः । पयआदिसाधनत्वेन तस्या बलकरत्वं सिद्धम् । अथवा क्षत्रं सोमः; " सोमो वै राजा "–(ऐ. ब्रा. १ । ३ । १, ३ । ३ । १) इति सर्वत्र राजशब्देन व्यवहारात् । न यज्ञयोगाद्राजत्वं किन्तु राजत्वं नाम क्षत्रियत्वमित्युक्तम् । श्रूयते च–" यान्येतानि देवत्रा क्षत्रियाणीन्द्रो वरुणः सोमो रुद्रः पर्जन्यः"–(श. प. ब्रा. ४ । ४ । २ । २३–२७) इत्यादि । अतस्तत्सम्बन्धात् क्षत्रियैवैषा । यज्ञियत्वं तु सिद्धमेव ।

१–चिदसीत्येनामभिमन्त्रयते । का. श्रौ. सू. । ७ । १६७ ॥

सा नः सुप्राची सुप्रतीच्येधीति । सुप्राची न ऽएधि सोमं नोऽच्छेहीत्ये-वैतदाह सुप्रतीची न ऽएधि सोमेन नः सह पुनरेहीत्येवैतदाह तस्मादाह सा नः सुप्राची सुप्रतीच्येधीति ॥ १७ ॥

मित्रस्त्वा पदि बध्नीतामिति । वरुण्या वाऽएषा यद्रज्जुः सा यद्रज्ज्वाऽभिहिता स्याद्वरुण्या स्याद्यद्वनभिहिता स्यादुयतेव स्यादेतद्वाऽअवरुण्यं यन्मैत्रꣳ सा यथा रज्ज्वाऽभिहिता यतैवमस्यैतद्भवति यदाह मित्रस्त्वा पदि बध्नीतामिति ॥ १८ ॥

" सा नः सुप्राची सुप्रतीच्येधि "–(वा. सं. ४ । १९) इति । सुप्राची न एधि, सोमं नोऽच्छेहीत्येवैतदाह । सुप्रतीची न एधि, सोमेन नः सह पुनरेहीत्येवैतदाह । तस्मादाह–सा नः सुप्राची सुप्रतीच्येधीति ॥ १७ ॥

" मित्रस्त्वा पदि बध्नीताम् "–(वा. सं. ४ । १९) इति । वरुण्या वाऽएषा यद्रज्जुः–सा यद्रज्ज्वाऽभिहिता स्याद् वरुण्या स्यात् । यद्वनभिहिता स्याद्–अयतेव स्याद् । एतद्वाऽअवरुण्यं–यन्मैत्रम् । सा यथा रज्ज्वाऽभिहिता यता । एवमस्यैतद्भवति । यदाह–मित्रस्त्वा पदि बध्नीतामिति॥ १८॥

अदितिरसीति । हे सोमक्रयणि ! वस्तुतो वाग्रूपा त्वम् ' उभयतः शीर्ष्णी अदितिरसि ' प्रदेशद्वयशिरोयुक्ता अखण्डनीया गौरसि । कुत एतदित्यत आह–स यदिति । ' सः ' वक्ता ' यत् ' यस्मात् ' एनया ' अदित्या उभयतःशिरस्कया निमित्तभूतया ' समानम् ' एकमेव ' सद् ' वाक्यं ' विपर्यासम् ' व्यत्यासेन ' वदति ' तथाहि–" गुड्क्ष्व देवदत्त ! तिष्ठ विष्णुमित्र ! "–इत्यादौ ' यदेवापरं ' वचनं देवदत्तेत्येवमादि ' तदेव पूर्वं करोति ' उक्तवैपरीत्येन; यत् पूर्वं भुङ्क्ष्वेत्यादिकम्, ' तद् ' 'अपरम् ' " देवदत्त ! भुङ्क्ष्व "–इत्यादिरूपेणापरं च ' करोति ' । तस्माद् वाग्रूपां सोमक्रयणीम् ' उभयतःशीर्ष्णी अदितिरसि '–' इत्याह ' मन्त्रः । तैत्तिरीयके तु सोमयागस्याद्यन्तभूतयोः प्रायणीयोदयनीययोः शिरोवत्प्रधानभूतयोर्वर्तमानयोरदितिर्देवताऽस्ति साऽसीत्यर्थः । तथा च तैत्तिरीयकम्–" अदितिरस्युभयतःशीर्ष्णीत्याह–यदेवादित्यः प्रायणीयो यज्ञानामादित्य उदयनीयः "–(तै. सं. ६ । १ । ७ । ५) इति ॥ १६ ॥

" सा नः " इति मन्त्रभागे न इत्यस्य ' नः सोमम्–' इत्यर्थ इति व्याचष्टे–सा नः सुप्राचीति । सोमक्रयणावसरे ' सुप्राची ' भव पुनर्यजमानगृहप्राप्त्यवसरे क्रीतेन सोमेन सह ' सुप्रतीची ' भव। यथा देवप्रेरिता वाक् सोमेन सह पुनरागता, तदात्मकत्वात् त्वमपि सोमक्रयं साधयित्वा क्रीतेन सोमेन सह पुनरावर्तस्वेत्यर्थः॥ १७

मित्रस्त्वेत्यादि । मित्रदेवतायाः पादबन्धनोपयोगं दर्शयति–वरुण्या वा इति । पाशस्य वरुणस्वामिकत्वात् वरुणदेवताका ' रज्जुः ' । ' यत् ' यदि तया ' अभिहिता ' बद्धा यदि स्यात् । तदा वरुण्या स्यात् । सोमार्थता न स्यात् । यत् यदि वा ' 'अनभिहिता स्यात् तदा 'अयता' अस्वाधीना स्यात् । तदा अवरुण्या स्यात् । अत एव तद्दोषपरिहाराय मन्त्रे मित्रकर्तृकपादबन्धनमित्याह–एतद्वा अवरुण्यमिति । सा यथेति । दृष्टान्तेन मन्त्रभागपाठमात्राद् बन्धनं भवत्येवेति समर्थ्यते ॥ १८ ॥

१–उदुत्तमं वरुण पाशमस्मदवाधमं वि मध्यमꣳ श्रथायेति माध्यन्दिनसंहिता ४ । १९ । ऋ. सं. १ । २५ । १५ ।

पूषाऽध्वनस्पात्विति। (ती)इयं वै पृथिवी पूषा यस्य वाऽइयमध्वन्गोप्त्री भवति तस्य न का चन ह्वला भवति तस्मादाह पूषाऽध्वनस्पात्विति॥१९॥

(ती) इन्द्रायाध्यक्षायेति। स्वध्यक्षाऽसदित्येवैतदाह यदाहेन्द्रायाध्यक्षायेत्यनु त्वा माता मन्यतामनु पिताऽनु भ्राता सगर्भ्योऽनु सखा सयूथ्य इति सा यत्ते जन्म तेन नोऽनुमता सोममच्छेहीत्येवैतदाह सा देवि देवमच्छेहीति देवी ह्येषा देवमच्छैति यद्वाक्सोमं तस्मादाह सा देवि देवमच्छेहीतीन्द्राय सोममितीन्द्रो वै यज्ञस्य देवता तस्मादाहेन्द्राय सोममिति रुद्रस्त्वाऽऽवर्तयत्वित्यप्रणाशायैतदाह रुद्रꣳ हि नाति पशवः स्वस्ति सोमसखा पुनरेहीति स्वस्ति नः सोमेन सह पुनरेहीत्येवैतदाह॥२०॥

"पूषाऽध्वनस्पातु"–(वा. सं. ४। १९) इति। इयं वै पृथिवी पूषा। यस्य वाऽइयमध्वन्गोप्त्री भवति–तस्य न का चन ह्वला भवति। तस्मादाह–पूषाऽध्वनस्पात्विति॥ १९॥

"इन्द्रायाध्यक्षाय"–(वा. सं. ४। १९) इति। स्वध्यक्षाऽसद्–इत्येवैतदाह–यदाहेन्द्रायाध्यक्षायेति। "अनु त्वा माता मन्यतामनु पिताऽनु भ्राता सगर्भ्योऽनु सखा सयूथ्यः"–(वा. सं. ४। २०) इति। सा यत्ते जन्मतेन नोऽनुमता सोममच्छेहि–इत्येवैतदाह। "सा देवि देवमच्छेहि"–(वा. सं ४।२०) इति। देवी ह्येषा देवमच्छैति–यद्वाक् सोमम्। तस्मादाह–सा देविदेवमच्छेहीति। "इन्द्राय सोमम्"–(वा. सं. ४। २०) इति। इन्द्रो वै यज्ञस्य देवता। तस्मादाह–इन्द्राय सोममिति। "रुद्रस्त्वाऽऽवर्तयतु"–(वा. सं. ४। २०) इति। अप्रणाशायैतदाह। रुद्रं हि नाति पशवः। "स्वस्ति सोमसखा पुनरेहि"–(वा. सं. ४। २०) इति। स्वस्ति नः सोमेन सह पुनरेहि–इत्येवैतदाह॥ २०॥

पूषाऽध्वन इत्यादि। पोषणात् 'पूषा' 'पृथिवी'। यस्य वा इयमिति। 'अध्वन्' अध्वनि। 'ह्वला' "ह्वल संचलने" (धा. पा. भ्वा. प. ४०७)। 'प्रच्युतिः' विनाशः यस्मात् पूष्णा रक्षितस्य प्रच्युतिर्नास्ति, तस्मात् "पूषाऽध्वनः–" इत्याह मन्त्रः। पूष्णो मार्गाणां त्वं नेतृत्वं "पूषा त्वेतो नयतु–"(ऋ. सं. ८। २। २९) इत्यादिमन्त्रप्रसिद्धम्॥ १९॥

इन्द्रायाध्यक्षायेति। अध्यक्षः स्वामी, तथाविधेन्द्रार्थं पूषा पात्वित्यर्थः। सोमस्येन्द्रस्वामिकत्वात् तदर्थायाः सोमक्रयण्या अपि तत्स्वामित्वम्। 'स्वध्यक्षा असत्'–एषा शोभनस्वामिका भवेत,–इत्यनेनाभिप्रायेण मन्त्र एवमाहेत्यर्थः। **अनु त्वा मातेत्यादि**। हे सोमक्रयणि! 'त्वा' त्वाम् मात्रादिबन्धुवर्गः क्रयार्थं गमनम् 'अनुमन्यताम्' अनुमतिं करोत्विति मन्त्रभागस्यार्थः। 'सगर्भ्यः' समानगर्भभवः, अनेन 'भ्राता' विशेष्यते। 'सयूथ्यः' यूथं सजातीयानां सङ्घः, समाने यूथे भवः 'सयूथ्यः' तादृशः 'सखा' च 'अनु' मन्यताम्। **यत्ते जन्मेति**। तादृश्यास्तव सम्बन्धि 'यत्' तव 'जन्म' जायत इति जन्म, मात्रादिबन्धुवर्गः, 'तेन' 'अनुमता' इत्यर्थः। "सा देवि" इत्यत्र सोमस्य देवत्वं विधित्सितसोमेनानन्यत्वाच्च सिद्धम्। सोमक्रयिण्या देवीत्वं न स्तुत्यर्थमित्यवगमयितुं यद्वाक् सोममित्युक्तम्। **इन्द्राय सोममिति**। सम्पादये इति

तां युथैवादो देवाः। प्राहिण्वन्त्सोममुच्छ सैनान्त्सह सोमेनागच्छदेवु-मेवैनामेषुऽएतत्प्रहिणोति सोममुच्छ सैनᳪ सह सोमेनागच्छति ॥२१॥

तां युथैवादो देवाः (०)। व्युह्वयन्ते गन्धर्व्वैः सा देवानुपावर्ततैवमेवैनामे-तद्यजमानो विह्वयते सा यजमानमुपावर्तते तामुदीचीमत्याकुर्व्वन्त्युदीची हि मनुष्याणां दिक्सोऽएव यजमानस्य तस्मादुदीचीमत्याकुर्व्वन्ति ॥ २२॥

इति द्वितीयप्रपाठके तृतीयं ब्राह्मणम् ॥ २ ॥ ३ ॥ (२-४)

तां यथैवादो देवाः प्राहिण्वन् सोममच्छ–सैनान्त्सह सोमेनागच्छत् । एवमेवैनामेष एतत्प्रहि-णोति–सोममच्छ। सैनं सह सोमेनागच्छति ॥ २१ ॥

तां यथैवादो देवा व्यह्वयन्त गन्धर्वैः; सा देवानुपावर्तत–एवमेवैनामेतद्यजमानो विह्वयते। सा यजमानमुपावर्तते। तामुदीचीमत्याकुर्वन्ति। उदीची हि मनुष्याणां दिक्। सोऽएव यजमानस्य। तस्मादुदीचीमत्याकुर्वन्ति ॥ २२ ॥

शेषः। अतो ‘देवमच्छेहीति’ पूर्वत्रान्वयः। **इन्द्रो वै यज्ञस्य देवतेति**। ‘यज्ञस्य’ तत्साधनस्य सोमस्य ‘**इन्द्रो देवता**’। तथा च तैत्तिरीयकम्–“इन्द्राय हि सोम आह्रियते”–(तै. सं. ६।१।७।७) इति। **रुद्रस्त्वावर्तयत्विति**। रुद्रस्य पश्वधिपतित्वात् स्वयमगृह्णन् पुनरावर्तयत्वित्यभिधानं तस्या अप्रणाशाय भवति। कथं हिंसाप्रसङ्ग इति तत्राह–**रुद्रं हीति**। ‘नाति’ वर्तन्तत इति शेषः। **स्वस्ति सोमसखेति**। स्वस्तीत्य-विनाशनाम–इति निरुक्तम्। (निरु. ६।४।४) उक्तो नाशप्रसङ्गः, अतः क्षेमेण ‘सोमसखा’ तेन सहिता पुनरागच्छेति मन्त्रस्यार्थः ॥ २० ॥

इत्थं मन्त्रवाक्यानां विभज्य तात्पर्यमभिधायेदानीं कृत्स्नमन्त्रतात्पर्यमाह–**तां यथैवादो देवा** इत्यादिना। सोमक्रयण्या वस्तुतो वागात्मकत्वात् तस्याः सोमक्रयप्रदेशप्राप्तिप्रार्थनं देवैः कृतं सोमानयनार्थवाक्प्रेषणस्थानी-यम्। पुनरागमनप्रार्थनन्तु देवानां पुनर्वागाह्वानस्थानीयमिति सङ्ग्रहार्थः ॥ २१ ॥

तां यथैवाद इति। यथा विप्रकृष्टे काले, पूर्वमित्यर्थः। ‘गन्धर्वैः’–सोमपालैः विश्वावसुप्रभृतिभिः साकं ‘व्यह्वयन्त’–विविधमाह्वयन्। गन्तव्यद्वारदक्षिणदेशस्थायाः सोमक्रयण्याः उदक् प्रापणम् सार्थवादं विधत्ते–**तामुदीचीमिति**[२]। ‘उदीचीमत्याकुर्वन्ति[३]’ उदङ्मुखातदंत्यध्वर्युः मुखा यन्ति–अध्वर्युप्रमुखाः। ‘सो एव’ सैव मनुष्यान्तर्वर्तित्वाद् यजमानस्यापि दिक् ॥ २२ ॥

इति श्रीसायणाचार्यविरचिते माधवीये वेदार्थप्रकाशे माध्यन्दिनीयशतपथब्राह्मणभाष्ये
तृतीयकाण्डे द्वितीयाध्याये चतुर्थं ब्राह्मणम् ॥ (३–२–४)

वेदार्थस्य प्रकाशेन तमो हार्दं निवारयन्। पुमर्थांश्चतुरो देयाद् विद्यातीर्थमहेश्वरः ॥ १ ॥

१–‘दक्षिणद्वारदेशस्थायाः’ इति क. पा.। २–उदीचीं नीयमानामनुगच्छतो वत्स्यसीति ७।१६८। ३–तामुदीचीमित्युदङ्-नयनविधिः। उदीचीमतिक्रमणायाकुर्वंति–अभिमुखीकुर्वंति–अतिक्रमयंति यजमानपुरुषाः। अध्वर्युयजमानौ त्वनुगमिष्यत इति हरिस्वामिनः। उदीचीं नीयमानामनुगच्छतो वत्स्यसीति सूत्राणयोऽपीदगेवेति।

तृतीयाध्याये प्रथमं ब्राह्मणम् ।

सप्त पदान्यनु निक्रामति । वृङ्क्तेऽएवैनामेतत्तस्मात्सप्त पदान्यनु नि-क्रामति यत्र वै वाचः प्रजातानि छन्दाᳬंसि सप्तपदा वै तेषां परार्ध्या शक्वरी तामेवैतत्परस्तादर्वाचीं वृङ्क्ते तस्मात्सप्त पदान्यनु निक्रामति ॥ १ ॥

सप्त पदान्यनु निक्रामति । वृङ्क्तेऽएवैनामेतत् । तस्मात्सप्त पदान्यनु निक्रामति । यत्र वै वाचः प्रजातानि छन्दांसि—सप्तपदा वै तेषां परार्ध्या शक्वरी । तामेवैतत्परस्तादर्वाचीं वृङ्क्ते । तस्मात्सप्त पदान्यनु निक्रामति ॥ १ ॥

ब्रह्माण्डं गोसहस्रं कनकहयतुलापूरुषौ स्वर्णगर्भं सप्ताब्धीन् पञ्चसीरींस्त्रिदशतरुलताधेनुसौवर्णभूमीः ।
रत्नोस्रां रुक्मवाजिद्विपमहितरथौ सायणिः सिङ्गणार्यो व्यश्राणीद्विश्वचक्रं प्रथितविधिमहाभूतयुक्तं घटञ्च ॥ २ ॥
धान्याद्रिं धन्यजन्मा तिलभवमतुलः स्वर्णजं वर्णमुख्यः कार्पासीयं कृपावान् गुडकृतमजडो राजतं राजपूज्यः ।
आज्योत्थं प्राज्यजन्मा लवणजमनृणः शार्करं चार्कतेजा रत्नाढ्यो रत्नरूपं गिरिमकृत मुदा पात्रसात्सिङ्गणार्यः ३

इति श्रीमद्राजाधिराजपरमेश्वरवैदिकमार्गप्रवर्तकश्रीवीरहरिहरमहाराजसाम्राज्यधुरन्धरेण सायणाचार्येण विरचिते माधवीये वेदार्थप्रकाशे माध्यन्दिनशतपथब्राह्मणभाष्ये द्वितीयकाण्डे द्वितीयोऽध्यायः समाप्तः ॥२॥२॥

यस्य निश्वसितं वेदा यो वेदेभ्योऽखिलं जगत् । निर्ममे, तमहं वन्दे विद्यातीर्थमहेश्वरम् ॥ १ ॥

अथ तृतीयाध्याये सोमक्रयण्यनुगमाद्युपसदन्ताः प्रयोगा निरूप्यन्ते । तत्र, सोमक्रयण्या अनुक्रमणं विधत्ते—**सप्त पदानीति** । **अनुनिक्रामतीति** । सा यदा प्रथमं पदं निष्क्रामति तदा तदनु अध्वर्युः स्वयमपि प्रथमं पदं निष्क्रामेत्; द्वितीयमनु द्वितीयम् । तत्र **वृङ्क्ते** केवलोऽपि वृजिराङ्पूर्वो द्रष्टव्यः आवर्जितवान् भवति । सप्तसङ्ख्यां प्रशंसति—**यत्र वा** इति । ‘ यत्र ’ छन्दसामुत्पत्तिकाले ‘ वाचः ’ सुपर्णीरूपेणावस्थितायाः सकाशात् ‘ प्रजातानि ’ यानि छन्दांसि । वाचः सकाशाच्छन्दसामुत्पत्तिरुत्तरत्र “ वागेव सुपर्णी ” इत्यभिधाय “ तथेति सा छन्दांसि ससृजे ”—इत्याम्नाता (श. प. ब्रा. ३ । ६ । २ । २–८) । तेषां छन्दसां ‘ परार्ध्या शक्वरी ’ । परार्द्धे उपरिभागे भवा परार्ध्या । “ परावराधमोत्तमपूर्वाच्च ”– (पा. सू. ४ । ३ । ५) इति यत् । शक्वर्याः सप्तपदत्वं प्रसिद्धम् + (तै. सं. ६ । १ । ८ । १) “ परस्तादर्वाचीं वृङ्क्ते ”—इति । पदादिक्रमेण ‘ परस्तात् ’ अवस्थितां गायत्र्याद्यन्तर्भावेन सर्वच्छन्दोरूपां शक्वरीम् ‘ अर्वाचीं वृङ्क्ते ’ आवृङ्क्ते स्वाभिमुखमावर्जितवान् भवतीत्यर्थः ॥ १ ॥

१–अनुनिक्रामतीति–अनुनिष्क्रमणं–पदोपरि पदनिधानं । यत्र सोमक्रयणी पदं निदधाति तत्र द्वयोः–पदयोर्निधानम् । इति शास्त्रदीपिकाव्याख्याने सोमनाथदीक्षिताः । २–षट् पदान्यतीत्य सप्तमं पर्युपविशंति । का. श्रौ. सू ७।१६१ । पर्युपवेशनं च यजमानाध्वर्युप्रतिप्रस्थातॄणामिति अत्रैव सूत्रे कर्कः । +–काण्वानां शतपथश्रुतिः । सप्तपदा वै शक्वरीति । अध्वरकांड अ.३ब्रा.१ कं.१ ।

स वै व्वाच ऽ एव रूपेणानुनिक्रामति। व्वस्व्यस्यदितिरस्यादित्याऽसि रुद्राऽसि चन्द्राऽसीति व्वस्वी ह्येषाऽदितिर्ह्येषाऽऽदित्या ह्येषा रुद्रा ह्येषा चन्द्रा ह्येषा व्बृहस्पतिष्ट्वा सुम्ने रम्णात्विति ब्रह्म वै व्बृहस्पतिर्ब्रह्मणैवैना साधुनाऽऽवर्तयत्वित्येवैतदाह रुद्रो व्वसुभिराचकऽइत्यप्रणाशायैतदाह रुद्रँ हि नाति पशवः ॥ २ ॥

(व्रोऽथ) अथ सप्तमं पदं पर्युपविशन्ति। स हिरण्यं पदे निधाय जुहोति न वाऽअनग्नावाहुतिर्हूयतेऽग्नेरेतसं वै हिरण्यं तथो हास्यैषाऽग्निमत्येवाहुतिर्हुता भवति व्वज्रो वाऽआज्यं व्वज्रेणैवैतदाज्येन स्पृणुते ताँ स्पृत्वा स्वीकुरुते ॥ ३ ॥

स वै वाच एव रूपेणानु निक्रामति। "वस्व्यस्यदितिरस्यादित्याऽसि रुद्राऽसि चन्द्राऽसि"–(वा. सं. ४।२१) इति। वस्वी ह्येषा। अदितिर्ह्येषा। आदित्या ह्येषा। रुद्रा ह्येषा। चन्द्रा ह्येषा। "बृहस्पतिष्ट्वा सुम्ने रम्णातु"–(वा. सं. ४।२१) इति। ब्रह्म वै बृहस्पतिः। बृहस्पतिष्ट्वा साधुनाऽऽवर्तयतु–इत्येवैतदाह। "रुद्रो वसुभिराचके"–(वा. सं. ४।२१) इति। अप्रणाशायैतदाह। रुद्रं हि नाति पशवः ॥ २ ॥

अथ सप्तमं पदं पर्युपविशन्ति। स हिरण्यं पदे निधाय जुहोति। न वाऽअनग्नावाहुतिर्हूयते। अग्नेरेतसं वै हिरण्यम्। तथो हास्यैषाऽग्निमत्येवाहुतिर्हुता भवति। वज्रो वाऽआज्यम्। वज्रेणैवैतदाज्येन स्पृणुते। तां स्पृत्वा स्वीकुरुते ॥ ३ ॥

अनुक्रमणं समन्त्रकं कर्तव्यमित्याह–**स वै वाच** इति। अनुक्रमणमन्त्रे सोमक्रयण्यवस्थादिरूपत्वाभिधानं न स्तुत्यर्थमित्याह–**वस्वी ह्येषे**त्यादिना। वसुरुद्रादित्याः सवनत्रयदेवताः। 'अदितिः' प्रायणीयोदयनीयदेवता। चन्द्रशब्देनाह्लादकत्वादिह सुवर्णम्। हे सोमक्रयणि! त्वं वस्वादीनां स्वरूपमसि। तदपेक्षितसोमसाधनत्वात् 'वस्वी ह्येषा'–इत्यभिधानम्। 'रम्णातु' रमयतु। "रमु क्रीडायाम्" (धा. पा. भ्वा. आ. ८६३) व्यत्ययेन श्ना (पा. सू. ३।१।८५)। बृहस्पतिस्त्वेत्यस्यार्थमाह–**ब्रह्म वै बृहस्पतिरि**ति। 'बृहस्पतिः' बृहतो मन्त्रस्य पालयिता। तदभिमानिदेवता गच्छन्तीं त्वां 'सुम्ने' सुखकरे। यत् सुखकरं तत् साधु; अतः "सुम्ने रम्णातु" इति यदाह तेन 'साधुना' मार्गेण 'आवर्तयत्वित्येवाह'। **रुद्रो देवो वसुभिरि**ति। हे सोमक्रयणि! तव सुखं 'वसुभिः' सहितो 'रुद्रः' 'आचके' कामयते इति मन्त्रभागस्यार्थः। रुद्रौ-रसुख्यप्रार्थनाया उपयोगं दर्शयति–**अप्रणाशाये**ति। शिष्टं गतम् (श. प. ब्रा. ३।२। २० कं० माध्ये) ॥२॥

अथ सप्तमं पदमिति[२]। यजमानमितरांश्चर्त्विजोऽपेक्ष्य 'पर्युपविशन्ति'–इति बहुवचनम्। 'परि' परितः सप्तमपदस्य सर्वदिक्षु। 'सः' अध्वर्युः। होमाय हिरण्यनिधानं प्रशंसति–**न वा अनग्नावि**ति। हिरण्यस्याग्निरेतस्त्वं प्रागुक्तम्। होमसाधनमाज्यं प्रशंसति–**वज्रो वा** इति। "घृतं वै देवा वज्रं कृत्वा सोममघ्नन्" (तै.

१–"रम्णातिः संयमनकर्मा विसर्जनकर्मा वा" इति निरुक्त। १०। १। ९। २–का. श्रौ. सू. ७।६।९।

स जुहोति । (त्यु) अदित्यास्त्वा मूर्धन्नाजिघर्मीतीयं वै पृथिव्यदिति-रस्यै हि मूर्धञ्जुहोति देवयजनेति पृथिव्याऽइति देवयजने हि पृथिव्यै जुहोतीडायास्पदमसि घृतवत्स्वाहेति गौर्वाऽइडा गोर्हि पदे जुहोति घृतवत्स्वाहेति घृतवद्ध्येतदभिहुतं भवति ॥ ४ ॥

(त्यु) अथ स्फ्यमादाय परिलिखति । वज्रो वै स्फ्यो वज्रेणैवैतत्परिलिखति त्रिष्कृत्वः परिलिखति त्रिवृतैवैतद्वज्रेण समन्तं परिगृह्णात्यनतिक्रमाय ॥ ५ ॥

स जुहोति–" अदित्यास्त्वा मूर्धन्नाजिघर्मि "–(वा. सं ४ । २२) इति । इयं वै पृथिव्यदितिः । अस्यै हि मूर्धञ्जुहोति । " देवयजने पृथिव्याः "–(वा. सं ४ । २२) इति । देवयजने हि पृथिव्यै जुहोति । " इडायास्पदमसि घृतवत्स्वाहा "–(वा. सं ४ । २२) इति । गौर्वाऽइडा । गोर्हि पदे जुहोति । घृतवत्स्वाहेति । घृतवद्ध्येतदभिहुतं भवति ॥ ४ ॥

अथ स्फ्यमादाय परिलिखति । वज्रो वै स्फ्यः । वज्रेणैवैतत्परिलिखति । त्रिष्कृत्वः परिलिखति । त्रिवृतैवैतद्वज्रेण समन्तं परिगृह्णात्यनतिक्रमाय ॥ ५ ॥

सं १ । २ । २ । ४) (श. प. ब्रा. ३ । ४ । ४ । ६) इत्यादिश्रुत्यन्तरप्रसिद्धिर्वज्रो वा इति । ' वै ' शब्देन द्योत्यते । ' स्पृणुते ' हिनस्ति ' तां ' पदप्रदेशस्थां मृदमित्यर्थः ॥ ३ ॥

पदे समन्त्रकं होमं विधत्ते–स जुहोत्यदित्या इति[1] । अयमर्थः । हे आज्य ! ' त्वा ' त्वाम् ' अदित्याः ' पृथिव्याः ' मूर्द्धन् ' मूर्द्धनि 'आजिघर्मि' सर्वतः क्षारयामि, जुहोमि । "घृ क्षरणदीप्त्योः"–(धा.पा.जु.प.१४) अत्र क्षरणमर्थः । कीदृशे ? पृथिव्या अवयवभूते देवयजने देवा इज्यन्ते अत्रेति देवयजनम् । ' घृतवत् ' घृतोपेतम् । 'इडायाः' गोः । इडेति गोनाम[2] (निघं. २।११।७) । तस्याः सोमक्रयण्याः 'पदं' पादनिधानमस्ति । अत इदं 'स्वाहा' स्वाहुतमस्तु । इडापदस्य घृतोपेतत्वं तैत्तिरीयके श्रुतम्–"यद्देवास्यै पदाद् घृतमपीडयत तस्मादेवमाह"[3]–(तै. सं. ६ । १ । ८ । २) इति । मन्त्रं व्याचष्टे–इयं वै पृथिव्यदितिरित्यादिना । ' घृतवत्स्वाहा '–इत्यस्य तात्पर्यमाह–घृतवद्ध्येतदिति । ' एतत् ' एतेन मन्त्रभागपाठेन घृतयुक्तमेव सत् पुनराज्येन चापि संयुक्तं स्यादित्यर्थः ॥ ४ ॥

पदस्य परिलेखनं सार्थवादं विधत्ते–अथ स्फ्यमादायेति[4] । स्फ्यस्य वज्रत्वं तैत्तिरीये समाम्नातम्–" इन्द्रो वृत्राय वज्रं प्राहरत्, स त्रेधा व्यभवत् स्फ्यस्तृतीयं, रथस्तृतीयं, यूपस्तृतीयम् "–(तै. सं. ६ । १ । ३ । ४) इति । परिलेखनस्य त्रिरावृत्तिं विधत्ते–त्रिष्कृत्व इति ॥ ५ ॥

१–हिरण्यमस्मिन्निधायाभिजुहोत्यदित्यास्त्वेति । का. श्रौ. सू. ७ । १७० । २–इडे रंते हव्ये काम्ये चंद्रे ज्योतेऽरदिति सरस्वति महि विश्रुति ॥ एता ते अघ्न्ये नामानीति माध्यंदिनसंहितायाम् ८ अष्टमेऽध्याये गोनामसु पठ्यते । ३–' सा यत्र यत्र न्यक्रामत्ततो घृतमपीड्यत तस्माद्घृतपद्युच्यते ' इति क्वचित् पुस्तके पाठः । पूर्वपाठापेक्षया भिन्न इव दृश्यते । ४–स्फ्येन पदं त्रिः परिलिखत्यस्त्वेभस्येति । का. श्रौ. सू. ७ । १७१ ।

स पुरिलिखति । (त्य) अस्मै रमस्वेति यजमाने रमस्वेत्येवैतदाहाथ समुल्लिख्य पदᳩ स्थाल्याᳪ सुंवपत्यस्मे ते बन्धुरिति यजमाने ते बन्धुरित्येवैतदाह ॥ ६ ॥

(ह्रा) अथाप ऽउपनिनयति । यत्र वाऽअस्यै खनन्तः क्रूरीकुर्वन्त्य-पघ्नन्ति शान्तिरापस्तदद्भिः शान्त्या शमयति तदद्भिः संदधाति तस्मा-दप ऽउपनिनयति ॥ ७ ॥

(त्यु) अथ यजमानाय पदं प्रयच्छति । त्वे राय इति पशवो वै रायस्त्वयि पशव ऽइत्येवैतदाह तद्यजमानः प्रतिगृह्णाति मे राय इति पशवो वै रायो मयि पशव ऽइत्येवैतदाह ॥ ८ ॥

स परिलिखति–“ अस्मै रमस्व ”–(वा. सं. ४।२२) इति । यजमाने रमस्वेत्येवैतदाह । अथ समुलिख्य पदं स्थाल्यां संवपति । “अस्मे ते बन्धुः”–(वा. सं. ४।२२) इति । यजमाने ते बन्धुरित्येवैतदाह ॥ ६ ॥

अथाप उपनिनयति । यत्र वाऽअस्यै खनन्तः क्रूरीकुर्वन्ति–अपघ्नन्ति । शान्तिरापः । तदद्भिः शान्त्या शमयति । तदद्भिः संदधाति । तस्मादप उपनिनयाति ॥ ७ ॥

अथ यजमानाय पदं प्रयच्छति–“ त्वे राय ”–(वा. सं. ४।२२) इति । पशवो वै रायः । त्वयि पशव इत्येवैतदाह । तद् यजमानः प्रतिगृह्णाति । “ मे रायः ”–(वा. सं. ४।२२) इति । पशवो वै रायः । मयि पशवः इत्येवैतदाह ॥ ८ ॥

परिलेखनमन्त्रं विधत्ते–**स परिलिखती**ति । ‘ अस्मे ’–इत्यस्य तात्पर्यमाह–**यजमाने** इति । ‘ अस्मे ’ अस्मदीये ‘ यजमाने ’ । सप्तमपदपांसोः स्थाल्यां स्थापनं समन्त्रकं विधत्ते–**अथ समुल्लिख्ये**ति । हे पदपांसो ! ‘ ते ’ तव ‘ बन्धुः ’ स्नेहबन्धुः ‘ अस्मे ’ अस्मदीये ‘ यजमाने ’ अस्त्विति मन्त्रार्थः । “ सुपां सुलुक् ”–(पा. सू. ७ । १ । ३९) इत्युभयत्र सप्तम्याः शेभावः ॥ ६ ॥

अथाप[2] इति । परिलिखितप्रदेशे अपां निनयनं विधाय, प्रशंसति–**यत्रेत्या**दिना । खननं हि हिंसात्मकत्वात् क्रूरीकरणम्, अपान्त्वौष्ण्यनिवारकत्वाच्छान्तिरूपत्वं प्रसिद्धम् । अतः ‘शान्त्या अद्भिः’ शान्तिरूपाभिरद्भिः तत् क्रौर्य शमितवान् भवति । निनयनस्य प्रयोजनान्तरम्–**तदद्भिरि**ति ॥ ७ ॥

अथ यजमानायेति । **पदं प्रयच्छन्ती**ति (का.श्रौ. सू.७।१७३) । ‘पदं’ स्थालीस्थं पदपांसुम् । ‘ रै ’–शब्दार्थमाह–**पशवो वै राय** इति । ‘ त्वे ’ इत्येतत् सप्तम्यन्तमिति व्याचष्टे–**त्वयि पशव इत्येवैतदाहे**ति । अध्वर्युदत्तस्य पांसोः समन्त्रकं प्रतिग्रहं विधत्ते–**तद्यजमान**[3] इति । ‘ मे रायः ’ इति पूर्ववद् व्याख्येयम् ॥ ८ ॥

१–समुद्धृत्य पद ᳪ स्थाल्यामावपत्यस्मे ते बंधुरिति । का. श्रौ. सू. ७ । १७२ । उद्धरणं हिरण्यस्य । समुद्धृत्य हिरण्यमिति वचनादिति कर्कः । उपोद्धृत्य हिरण्यमिति काण्वश्रुतिः । अध्वरकांडे अ. ३ ब्रा.१ कं.४ ! समुद्धृत्य हिरण्यमिति माध्यंदिनश्रुताव-भावात् उपोद्धृत्य हिरण्यमिति वचनादिति कर्कलेखो युक्तः । समुद्धृत्येति लेखकप्रमाद इत्यवगंतव्यम् । २–अपः स्थाने निषिच्य यजमानाय पदं प्रयच्छति त्वे राय इति । का.श्रौ.सू. ७।१७३। ३–मे राय इति यजमानः प्रतिगृह्णाति पदम् । का.श्रौ.सू.७।१७४।

(ह्रा) अथाध्वर्युरात्मानमुपस्पृशति । मा व्वयꣳ रायस्पोषेण व्वियौष्मेति तथो हाध्वर्युः पशुभ्य आत्मानं नान्तरेति ॥ ९ ॥

(त्यु) अथ पत्न्यै पदं प्रतिपराहरन्ति । गृहा वै पत्न्यै प्रतिष्ठा तद्गृहेष्वेवैनामेतत्प्रतिष्ठायां प्रतिष्ठापयति तस्मात्पत्न्यै पदं प्रतिपराहरन्ति ॥ १० ॥

तां नेष्टा व्वाचयति । तोतो राय इत्यथैनाꣳ सोमक्रयण्या संख्यापयति व्वृषा वै सोमो योषा पत्न्येष वाऽअत्र सोमो भवति यत्सोमक्रयणी मिथुनमेवैतत्प्रजननं क्रियते तस्मादेनाꣳ सोमक्रयण्या संख्यापयति ॥ ११ ॥

अथाध्वर्युरात्मानमुपस्पृशति । " मा वयं रायस्पोषेण वियौष्म "–(वा. सं. ४ । २२) इति । तथो हाध्वर्युः पशुभ्य आत्मानं नान्तरेति ॥ ९ ॥

अथ पत्न्यै पदं प्रतिपराहरन्ति । गृहा वै पत्न्यै प्रतिष्ठा । तद्गृहेष्वेवैनामेतत्प्रतिष्ठायां प्रतिष्ठापयति । तस्मात्पत्न्यै पदं प्रतिपराहरन्ति ॥ १० ॥

तां नेष्टा वाचयति–"तोतो रायः (वा. सं४।२२)"इति । अथैनां सोमक्रयण्या संख्यापयति। वृषा वै सोमो–योषा । पत्नी एष वाऽअत्र सोमो भवति–यत् सोमक्रयणी । मिथुनमेवैतत्प्रजननं क्रियते । तस्मादेनां सोमक्रयण्या संख्यापयति ॥ ११ ॥

अथाध्वर्युरात्मानमिति[१] । वयं वियौष्म इति । पूजार्थं बहुवचनम् । वियुक्ता भूत्वा मा यौष्मेति । "यु मिश्रणामिश्रणयोः"–(धा. पा. अ.प.२३) इत्यस्य लुङि माङ्योगादडभावः (पा. सू. ६।४।७४)॥९॥

अथ पत्न्या इति । ' प्रतिपराहरन्ति ' ' प्रयच्छेयुरित्यर्थः । तथा च कात्यायनः–" हत्वा पत्न्यै पदं प्रयच्छति "–(का. श्रौ. सू. ७।१७६)इति । पत्नी खलु प्रतिष्ठा निलयनरूपा । गृहाणां बहुत्वेऽपि प्रतिष्ठाया एकत्वादेकवचनम्। गृहं यथा धान्यादिनिक्षेपस्थानमेवं पत्न्यपीत्यर्थः । स्पष्टमन्यत् ॥ १० ॥

तां नेष्टेति[२] । ' तां ' गृहीतपांसुपत्नीम् । ' तोतः ' इति तोकसमानार्थः । ' रायः ' धनानि ' तोतः ' पुत्रः, स्वीकरोत्वित्यर्थः । यद्वा ' तोतः ' त्वत्तः, त्वयि रायः सन्त्विति शेषः । अथैनां सोमक्रयण्येति । ' एनां ' पत्नीं ' सोमक्रयण्या ' ' सङ्ख्यापयति ' ' नेष्टा ' सोमक्रयणी सेयं तया पत्नीमनेन मन्त्रेण दर्शयेत् । गतिबुद्ध्याद्यर्थाभावात् (पा. सू. १ । ४ । ५२) सोमक्रयण्याः कर्मत्वाभावः । सङ्ख्यापनं प्रशंसति–वृषा वा इति । " वृषा वै सोमः " इति सोमो निर्दिष्टः । कस्तस्य प्रसङ्ग इति तत्राह–एष वा अत्रेति । ' अत्र ' सोमक्रयप्रस्तावे सोमक्रयण्याः सोमसम्पत्त्यर्थत्वात् । सैव ' एषः सोमः ' । सोम इति विधेयस्य पुँल्लिङ्गत्वमपेक्ष्यैष इति पुँल्लिङ्गत्वम् । अतः ' एतत् ' एतेन उभयोः सम्बन्धेन उत्पादनसमर्थं ' मिथुनमेव ' सम्पादितं भवति ॥ ११ ॥

१–माव्वयमित्यध्वर्युरात्मान ९स९स्पृशति । का. श्रौ. सू. ७।१७५। २–नेष्टा तोत इत्येनां व्वाचयति ।का. श्रौ. सू. ७।१७७

स संख्यापयति । समख्ये देव्या धिया सं दक्षिणयोरुचक्षसा । मा मऽआयुः प्रमोषीर्मोऽअहं तव वीरं विदेय तव देवि संदृशीत्याशिषमेवैतदाशास्ते पुत्रो वै वीरः पुत्रं विदेय तव संदृशीत्येवैतदाह ॥ १२ ॥

सा या बभ्रुः पिङ्गाक्षी । सा सोमक्रयणी यत्र वाऽइन्द्राविष्णू त्रेधा सहस्रं व्यैरयेतां तदेकाऽत्यरिच्यत तां त्रेधा प्राजनयतां तस्माद्योऽप्येतर्हि त्रेधा सहस्रं व्याकुर्यादेकैवातिरिच्येत ॥ १३ ॥

स संख्यापाति " समख्ये देव्या धिया सं दक्षिणयोरुचक्षसा । मा मऽआयुः प्रमोषीर्मो अहं तव वीरं विदेय तव देवि संदृशि "–(वा. सं ४।२३) इति । आशिषमेवैतदाशास्ते । पुत्रो वै वीरः । पुत्रं विदेय–तव संदृशि–इत्येवैतदाह ॥ १२ ॥

सा या बभ्रुः पिङ्गाक्षी सा सोमक्रयणी । यत्र वाऽइन्द्राविष्णू त्रेधा सहस्रं व्यैरयेताम्, तदेकाऽत्यरिच्यत । तां त्रेधा प्राजनयताम् । तस्माद्योऽप्येतर्हि त्रेधा सहस्रं व्याकुर्याद्–एकैवातिरिच्येत ॥ १३ ॥

स संख्यापयतीति । संख्यापनमन्त्रं पठति–**समख्ये देव्येत्यादिना** । अत्र कात्यायनः–" एनां वाचयति सोमक्रयण्या च[1] समीक्ष्यमाणां समख्य इति "–(का. श्रौ. सू. ७ । १७७ । १७८) इति मन्त्रस्यायमर्थः । अहं 'धिया देव्या' धीर्देवी हि सोमक्रयणी प्रागुक्ता (श. प. ब्रा ३ । २ । ४ । १६ भाष्ये) अतो वाग्रूपया सोमक्रयण्या समख्ये दृष्टा भवामीत्यर्थः । " ख्या प्रकथने "–(धा. पा. अ. प. ५०) इत्यस्य लुङुत्तमैकवचने " अस्यतिवक्ति "–(पा. सू. ३ । १ । ५२) इत्यादिना अङ् कर्मणि द्रष्टव्यः । अत एवात्मनेपदम् । " दक्षिणासि यज्ञियासि "–(श. प. ब्रा. ३ । २ । ४ । १६) इति प्रागुक्तत्वाद् दक्षिणाऽपि सोमक्रयणी । अतः ' उरुचक्षसा ' प्रभूतदर्शनया तया समख्ये । अथ प्रत्यक्षवादः । हे सोमक्रयणि ! ' मे आयुः मा प्रमोषीः ' । ' मा ऊ अहम् ' अहमपि ' तव ' आयुः मा प्रमोषिषम् । हे ' देवि ' ! 'तव ' ' संदृशि ' सन्दर्शने सति ' वीरं ' पुत्रं ' विदेय ' लभेय । अयं मन्त्र आशीःपर इत्याह–**आशिषमेवैतदिति** । ' वीर '–शब्दार्थमाह–**पुत्रो वै वीरः**–इति ॥ १२ ॥

सोमक्रयण्या लक्षणमभिधातुमाह–**सा या बभ्रुः पिङ्गाक्षीत्यादिना** । बभ्रुः पिङ्गाक्षी सोमक्रयणी श्रेष्ठेत्यभिधातुमाख्यायिकामाह–**यत्र वेति** । गोसहस्रदक्षिणाविभागसमये ' सहस्रं ' त्रेधा ' व्यैरयेताम् ' विभज्य प्रेरितवन्तौ । ' ताम् ' अतिरिक्तां ' त्रेधा ' बभ्रुवरुणरोहिणीरूपेण त्रिविधां ' प्राजनयताम् ' उदपादयताम् । उत्पादनप्रकारस्तैत्तिरीयकेऽपि स्पष्टमाम्नातः–" तामप्सु प्रावेशयन्त्सोमायोदेहीति सा रोहिणी पिङ्गलैकहायनी रूपं कृत्वा त्रयस्त्रिंशता च त्रिभिश्च शतैः सहोदैत् "–(तै. सं. ७ । १ । ६ । २) इत्यादिना । अतः ' एतर्हि ' इदानीमपि ॥ १३ ॥

१–चकारान्नेष्टैव पत्नीं वाचयतीति कर्कः ।

सा या बभ्रुः पिङ्गाक्षी । सा सोमक्रयण्यथ या रोहिणी सा वार्त्रघ्नी यामि-
दꣳ राजा संग्रामं जित्वोदाकुरुतेऽथ या रोहिणी श्येताक्षी सा पितृदेवत्या
यामिदं पितृभ्यो घ्नन्ति ॥ १४ ॥ [शतम् १६०० ॥]

सा या बभ्रुः पिङ्गाक्षी । सा सोमक्रयणी स्याद्यदि बभ्रुं पिङ्गाक्षीं न
विन्देदरुणा स्याद्यद्यरुणां न विन्देद्रोहिणी वार्त्रघ्नी स्याद्रोहिण्यै ह त्वेव
श्येताक्ष्या ऽआशां नेयात् ॥ १५ ॥

(त्सा) सा स्यादप्रवीता । वाग्वा ऽएषा निदानेन यत्सोमक्रयण्ययात-
याम्नी वाऽइयं वागयातयाम्न्यप्रवीता तस्मादप्रवीता स्यात्सा स्याद-
वण्डाऽकूटाऽकाणाऽकर्णाऽलक्षिताऽसप्तशफा सा ह्येकरूपैकरूपा हीयं
वाक् ॥ १६ ॥

इति द्वितीयप्रपाठके चतुर्थं ब्राह्मणम् ॥ २ ॥ ४ ॥ (३।१)

सा या बभ्रुः पिङ्गाक्षी सा सोमक्रयणी । अथ या रोहिणी सा वार्त्रघ्नी । यामिदं राजा संग्रामं जित्वोदाकुरुते । अथ या रोहिणी–श्येताक्षी–सा पितृदेवत्या–यामिदं पितृभ्यो घ्नन्ति ॥ १४ ॥

सा या बभ्रुः पिङ्गाक्षी–सा सोमक्रयणी स्याद् । यदि बभ्रुं पिङ्गाक्षीं न विन्देत्–अरुणा स्यात् । यद्यरुणां न विन्देद्–रोहिणी वार्त्रघ्नी स्यात् । रोहिण्यै ह त्वेव श्येताक्ष्या आशां नेयात् ॥ १५ ॥

सा स्यादप्रवीता । वाग्वाऽएषा निदानेन–यत्सोमक्रयणी । अयातयाम्नी वाऽइयम् वाग् । अयातयाम्न्यप्रवीता । तस्मादप्रवीता स्यात् । सा स्यादवण्डाऽकूटाऽकाणाऽकर्णाऽलक्षिताऽसप्तशफा । सा ह्येकरूपा । एकरूपाहीयं वाक् ॥ १६ ॥

त्रिविधायास्तस्या गोः मुख्यानुकल्पभेदेन सोमक्रयणीत्वं प्रदर्शयितुं तद्विभागमाह–सा येति । 'बभ्रुः' चतुर्वर्णा । पिङ्गे पिङ्गले अक्षिणी यस्याः सा 'पिङ्गाक्षी' 'सा' सोमदेवतार्हत्वात् 'सोमक्रयणी' । 'रोहिणी' रोहितवर्णा, सा 'वार्त्रघ्नी' वृत्रहा इन्द्रः, तद्देवत्या । इदानीन्तनो 'राजा संग्रामं जित्वा' परकीयाद् राष्ट्रात् 'यां' रोहिणीम् 'उदाकुरुते' स्वीकरोति सा वार्त्रघ्नीत्यर्थः । 'श्येताक्षी' कृष्णलोचना । सा पितृदेवत्या । 'इदं' इदानीम् 'पितृभ्यः' अर्थाय घ्नन्ति ॥ १४ ॥

इत्थं विधानस्वरूपमभिधाय विनियोगप्रकारमाह–सा येति । बभ्रुः–पिङ्गाक्षी सोमक्रये मुख्या । तदभाव 'अरुणा' अव्यक्तरागा । तदभावे 'रोहिणी' । सा यदि श्येताक्षी स्यात् तादृश्याः 'आशाम्' अपि 'नेयात्' न कुर्यात् । तत्र कात्यायनः–"सोमक्रयणी तिष्ठत्यलक्षिताऽव्यङ्गाऽप्रवीताऽरज्जुबद्धा बभ्रुः पिङ्गला पिङ्गलाभावे अरुणा अरुणाभावे रोहिण्यश्येताक्षी"–(का. श्रौ. सू. ७ । ६ । ६) इति ॥ १५ ॥

सोमक्रयण्या गर्भात् प्राग् अवस्थानं सार्थवादं विधत्ते–सा स्यादप्रवीतेति । "वी गतिव्याप्तिप्रजनकान्त्य-सनखादनेषु"–(धा. पा. अ.प.३८) अत्र प्रजननमर्थः । 'अप्रवीता' अगृहीतगर्भेत्यर्थः । 'अयातयाम्नी'

पद्दर्ᳪ समुप्य पाणीऽअवनेनिक्ते । तद्यत्पाणी ऽअवनेनिक्ते वज्रो वा ऽआज्यर्ᳪ रेतः सोमो नेद्वज्रेणाज्येन रेतः सोमर्ᳪ हिनसानीति तस्मात्पाणीऽअवनेनिक्ते ॥ १ ॥

(केऽथा) अथास्यार्ᳪ हिरण्यं बध्नीते । द्वयं वाऽइदं न तृतीयमस्ति सत्यं चैवानृतं च सत्यमेव देवा ऽअनृतं मनुष्या अग्निरेतसं वै हिरण्यर्ᳪ सत्येनार्ᳪशूनुपस्पृशानि सत्येन सोमं पराहणानीति तस्माद्वाऽअस्यार्ᳪ हिरण्यं बध्नीते ॥ २ ॥

पर्द समुप्य पाणी अवनेनिक्ते । तद् यत्पाणी अवनेनिक्ते । वज्रो वा आज्यम्, रेतः सोमः । नेद्वज्रेणाज्येन रेतः सोमं हिनसानीति । तस्मात्पाणी अवनेनिक्ते ॥ १ ॥

अथास्यां हिरण्यं बध्नीते । द्वयं वा इदम्, न तृतीयमस्ति—सत्यं चैवानृतं च । सत्यमेव देवाः, अनृतं मनुष्याः । अग्निरेतसं वै हिरण्यम् । सत्येनांशूनुपस्पृशानि, सत्येन सोमं पराहणानीति । तस्माद्वाऽअस्यां हिरण्यं बध्नीते ॥ २ ॥

अगतरसा । बहुभिरसकृदुच्यमानाया अपि वाचोऽगतरसत्वं प्रसिद्धम् । अतः सोमक्रयण्या वाग्रूपत्वादयातयाम्न्या भवितव्यम (तै. सं. ६ । १ । ७ । २ ।) अत एकहायनीपरिग्रहे गर्भरूपरसनिर्गमाभावाद्वागानुगुण्यं भवति । तस्मादप्रवीता भवेत् । इत्थं वर्णवयोविशेषमभिधाय अङ्गवैकल्याभावमाह—**अवण्डाऽकूटेति** । 'वण्डा' वर्धिष्णुः, 'अवण्डा' तद्विपरीता भवेत् । एवमुत्तरत्रापि । 'कूटा' एकश्रृङ्गी । 'काणा' एकाक्षी । 'कर्णा' छिन्नकर्णा । 'लक्षिता' तप्तायःशलाकया चिह्निता, 'सप्तशफा' एकस्मिन् पादे एकेन शफेन हीना; उक्तदोषवर्जिता । 'एकरूपा' उक्तदोषवर्जितत्वमेवैकरूप्यम्, सम्पूर्णावयवेत्यर्थः (तै. सं. ६ । १ । ७ । २) ॥ १६ ॥

इति श्रीसायणाचार्यविरचिते माधवीये वेदार्थप्रकाशे माध्यन्दिनशतपथब्राह्मणभाष्ये
तृतीयकाण्डे तृतीयाध्याये प्रथमं ब्राह्मणम् ॥ (३–३–१) ॥

प्रासङ्गिकमभिधायेदानीमध्वर्योः पात्रे पांसुप्रक्षेपानन्तरं हस्तप्रक्षालनं विधत्ते—**पर्द समुप्येति**[1] । अवनेजनमुदकेन शोधनम् । उक्तावनेजनं सोमहननपरिहारत्वेन प्रशंसति—**तद्यत्पाणी** इति । "घृतं वै देवा वज्रं कृत्वा सोममघ्नन्"–(तै. सं. ६ । २ । २ । ४ । श. प. ब्रा. ३ । ४ । ४ । ६) इति श्रुतेः । आज्यस्य वज्रत्वम् । सोमस्य यागसाधनद्वारेण सर्वौषधीयत्वेनान्नाद्यात्मकतया च सर्वजगदुत्पादकत्वाद्रेतस्त्वम् । एतस्य हिंसानर्हत्वाद्, यजनीयाज्यस्य सोमघातकत्वात्, सोमहतिपरिहारायावनेजनं कर्तव्यमिति स्तुतिः ॥ १ ॥

अध्वर्योः स्वांगुल्यां हिरण्यबन्धनं विधाय प्रशंसति—**अथास्या**[2]मिति । 'अस्याम्' इत्यनामिकांगुल्यामभिनयेन प्रदर्शनम् । हिरण्यस्य देवसम्बन्धद्वारा सत्यत्वाभिधानाय सत्यानृतद्वैविध्याभिधानम् । उक्तं हिरण्य-

---

१–प्रक्षाल्य पाणी । का. श्रौ. सू. ७ । १७९ । २–हिरण्यं बध्नीतेऽनामिकायाम् । का. श्रौ. सू. ७ । १७९ ।

(ते॒ऽथ) अथ सम्प्रेष्यति । सोमोपनहनमाहर सोमपर्याणहनमाहरोष्णीषमाहरेति स यदेव शोभनं तत्सोमोपनहनᳪं स्याद्वासो ह्यस्यैतद्भवति शोभनᳪं ह्येतस्य वासः स यो हैनᳪं शोभनेनोपचरति शोभते ह्याथ य आह यदेव किंचेति यद्धैव किंच भवति तस्माद्यदेव शोभनं तत्सोमोपनहनᳪं स्याद्यदेव किंच सोमपर्याणहनम् ॥ ३ ॥

अथ सम्प्रेष्यति । सोमोपनहनमाहर, सोमपर्याणहनमाहर, उष्णीषमाहरेति । स यदेव शोभनं तत्सोमोपनहनं स्यात् । वासो ह्यस्यैतद्भवति । शोभनं ह्येतस्य वासः । स यो हैनं शोभनेनोपचरति–

स्याग्निरेतस्त्वम् (श. प. ब्रा. ३ । २ । ४ । ८) । उक्तप्रकारेण हिरण्यस्य सत्यत्वात् । तेन ' अंशूनुपस्पृशानि ' अभिषवाप्यायनादिषु । तेन 'सोमं' 'पराहणानि' व्यापारयाणि । उपस्पर्शाद्युपयोगाय हिरण्यं धारयेदित्यर्थः ।*पाणेर्हिरण्यबन्धनस्य कालविकल्पं कात्यायनो दर्शयति–"हिरण्यं बध्नीतेऽनामिकायामाप्यायनाभिषवांश्वदाभ्येषु वा "–इति ॥ २ ॥

सोमार्थमध्वर्योः सम्प्रेषं दर्शयति–**अथ सम्प्रेष्यतीति**[२] । सोम उपनह्यते येन तत् ' सोमोपनहनम् ' सोमबन्धनवस्त्रम् । ' सोमपर्याणहनम् ' शकटेन सह सोमस्य परितो बन्धनवासः । ' उष्णीषं ' सोमोपनहने स्थापि-

---

*–पाणेरित्यारभ्य–वा इत्यंतम् अपव्याख्यानम् । तथाहि देवयाज्ञिकः–प्रक्षाल्य पाणी हिरण्यं बध्नीतेऽनामिकायामित्युपक्रमे हिरण्यबंधनानुवृत्तिमुपजीवन्नाह । आप्यायनाभिषवांश्वदाभ्येषु च । सोमाप्यायने सोमाभिषवे अंशुग्रहग्रहणे अदाभ्यग्रहग्रहणे चानामिकायां हिरण्यं बध्नीतेऽध्वर्युः । पाणिप्रक्षालनं त्वत्र नानुकृष्यते । तस्य दृष्टार्थत्वात् । आप्यायनादिषु तस्याश्रवणाच्च । सोमाप्यायने हिरण्यबंधनं शाखांतरात् । अभिषवे स्वशाखायामेव । अथास्यां हिरण्यं बध्नीत इति । ३–९–४–१ । अंशुग्रहे अथास्यां हिरण्यं बद्धं भवतीति । अदाभ्ये च अथ हिरण्यमभिव्यनित्यसावेव बन्धुरिति । यदि चात्र पाणिप्रक्षालनमपि अभिमतं भवेत् तदा हिरण्यबंधनवत् श्रूयेत । न श्रूयते च । अतो न भवति । याज्ञिकैः पितृभूत्याचार्यैश्चैवमेव व्याख्यातमस्तीति ॥

अथानंतदेवयाज्ञिकाः । प्रक्षाल्य पाणी हिरण्यं बध्नीतेऽनामिकायामिति सूत्रं व्याख्याय–अग्रे लाघवायेदमुच्यते । आप्यायनाभिषवांश्वदाभ्येषु च । चशब्देन समनंतरं हिरण्यबंधनमनुकृष्यते । न व्यवहितं पाणिप्रक्षालनमिति । ननु समानकर्तृकत्वे पूर्वापरकालत्वं च प्रतीयमानं पाणिप्रक्षालनपूर्वमेव हिरण्यबंधनं सर्वत्र । यस्य तेन हि कालमात्रनियमो अंगाङ्गित्वप्रत्यायकः । यत्रोभे वचनतः प्राप्नुतस्तत्र पूर्वापरकालयोगित्वं नियम्यते । यत्र त्वेकस्य विधानं न तत्र पूर्वपरत्वार्थमपरमप्याक्षेपणीयं । अतएव श्रुतौ पाणिप्रक्षालनरहितहिरण्यबंधनमात्रमेव पठ्यते आप्यायनेतावच्छाखान्तरात् । अभिषवे अथाधिषवणे पर्युपविशंत्यथास्यां हिरण्यं बध्नीते । अंशुग्रहयोः अथास्यां हिरण्यं बद्धं भवति । अथ हिरण्यमभिव्यनिति । मदंत्युपस्पर्शनविधानाच्च । नच सामान्योदकव्यावृत्तिर्मंत्रनियमनात् क्रियत इति वक्तव्यं । एवकारार्थमतः स्वमुखेनैव नियमनात् । तस्मादेतेषु हिरण्यबंधनमात्रमेवेति ॥

अथ कर्काचार्याः । प्रक्षाल्य पाणी हिरण्यं बध्नीतेऽनामिकायामित्येतत्प्रपचोत्तरं अधिकारमुपजीवन्नाह । आप्यायनाभिषवांश्वदाभ्येषु च । पाणिप्रक्षालनहिरण्यबंधने भवत इति ॥ पाणिप्रक्षालनं दृष्टार्थं व्यवहितं अवाचनिकं चापि चकारेणानुकृष्यत इति कर्काशयः स्फुट एव भवति ।

अथ पितृभूत्याचार्याः । प्रक्षाल्य पाणी इति सूत्रं प्रख्याय अधिकारमुपजीवन् ब्रवीति । आप्यायनाभिषवांश्वदाभ्येषु च । सोमाप्यायने सोमाभिषवे च अंश्वदाभ्यग्रहणे च हिरण्यं बध्नीतेऽनामिकायाम् । सोमाप्यायने शाखांतरात् । अभिषवे स्वशाखायामेवाथाधिषवणे पर्युपविशंत्यथास्यां हिरण्यं बध्नीत इति । अंशुग्रहे अथास्यां हिरण्यं बद्धं भवतीति । अदाभ्यं हि अथ हिरण्यमभिव्यनित्यसावेव बन्धुरिति ॥ अंश्वदाभ्यश्रुती काण्वीये एवमालोचने श्रुतौ सूत्रे भाष्येषु च वाशब्दस्याभावेन कात्यायनोक्तः पाणेर्हिरण्यबन्धनस्य कालविकल्प इति अपव्याख्यानं निर्णीतमेवेति ॥

२–प्रेष्येति च सोमोपनहनमाहर सोमपर्याणहनमाहरोष्णीषमाहरेति । का. श्रौ. सू. ७ । १८१ ।

यद्युष्णीषं व्विन्देत् । (दु) उष्णीषः स्याद्यद्युष्णीषं नु व्विन्देत्सोमपर्य्याणहनस्यैव् द्व्यङ्गुलं वा त्र्यङ्गुलं वाऽवकृन्तेदुष्णीषभाजनमध्वर्य्युर्वा यजमानो वा सोमोपनहनमादत्ते य एव कश्च सोमपर्य्याणहनम् ॥ ४ ॥

(म) अथाग्रेण राजानं विचिन्वन्ति । तदुदकुम्भ ऽउपनिहितो भवति तद्ब्राह्मण उपास्ते तदभ्यायन्ति प्राञ्चः ॥ ५ ॥

शोभते ह । अथ य आह—यदेव किञ्चेति । यद्वैव किं च भवति । तस्माद्यदेव शोभनं—तत्सोमोपनहनं स्यात् । यदेव किं च सोमपर्याणहनम् ॥ ३ ॥

यद्युष्णीषं विन्देत्—उष्णीषः स्यात् । यद्युष्णीषं न विन्देत्—सोमपर्याणहनस्यैव द्व्यंगुलं वा त्र्यंगुलं वाऽवकृन्तेद्—उष्णीषभाजनम् । अध्वर्युर्वा यजमानो वा सोमोपनहनमादत्ते । य एव कश्च सोमपर्याणहनम् ॥ ४ ॥

अथाग्रेण राजानं विचिन्वन्ति । तदुदकुंभ उपनिहितो भवति । तद्ब्राह्मण उपास्ते । तदभ्यायन्ति प्राञ्चः ॥ ५ ॥

तस्य सोमस्य बन्धनार्थं वासः । 'यद्' वस्त्रं 'शोभनम्' बहुमूल्यम् तत्, 'एव' सोमोपनहनं कर्तव्यम् । तथा च कात्यायनः—" शोभनं सोमोपनहनम् " (का. श्रौ. सू. ७ । १८३) इति । आपस्तम्बस्तु क्षौमं तत्कर्तव्यमित्याह—" क्षौमं वासो द्विगुणं त्रिगुणं वा"—इत्यादिना (आ. श्रौ. सू. १० । ७) । शोभनत्वे उपपत्तिमाह—वासो ह्यस्यैतद् भवतीति । सोमस्याच्छादनार्थत्वाच्छोभनेन भवितव्यम् । अतस्तेनोपचरन्नपि शोभनवस्त्रादिना स्वयं शोभते । विपर्यये क्षेपमाह—अथ य आहेति । यत् किञ्चिद् वासोऽत्र सोमायानयेति[1] ब्रुवन्, स्वयं यत् किञ्चिद् भवति लोकैरविदिताभासो[2] भवतीत्यर्थः । सोमपर्याणहने नायं नियम इत्याह—यदेव किञ्चेति ॥ ३ ॥

उष्णीषस्थाने विकल्पमाह—यद्युष्णीषं विन्देदिति[3] । उष्णीषस्य स्वीकारः कर्तव्य इति शेषः । कर्त्तितवस्त्रांशः 'उष्णीषभाजनम्' उष्णीषस्थाने भवतीत्यर्थः । आनीतानां मध्ये सोमक्रयस्थानं प्रति सोमोपनहनस्यादानमध्वर्युयजमानयोरन्यतरेण कर्तव्यमित्याह—अध्वर्युर्वेति[4] । सोमपर्याणहनस्यादाने तु न नियमः ॥ ४ ॥

अथाग्रेणेति । 'अग्रेण' प्राचीनवंशस्य पुरोदेशे, उपरवप्रदेशे इत्यर्थः । 'विचिन्वन्ति' साधयन्ति, अनुपादेयांशमपनयन्ति । 'तत्' तत्र क्रयप्रदेशे निहितोदककुम्भस्य समीपे 'ब्राह्मणः' सोमविक्रयी निवसेत्, 'तत्' स्थानं प्रत्यभिगच्छन्ति[5] । 'प्राञ्चः' सोमक्रयप्रदेशाभिमुखाः ॥ ५ ॥

१—" वासोमात्रमानयेति " इति पा. । २—"लोकैरविदितप्रभासो" इति क. पा. ३—उष्णीषाभावे सोमपर्याणहनात् द्व्यंगुलं त्र्यंगुलं वोष्णीषायावकृन्तति । का. श्रौ. सू. ७।१८४ । काण्वश्रुतिस्तु—स यद्युहोष्णीषं विन्देयुः स एव स्याद्यद्युष्णीषं न विन्देयुः सोमपर्याणहनस्यैव पूर्वार्द्धमवकृत्य तदुष्णीषभाजनꣳ स्यादिति । ४—अध्वर्युर्यजमानो वा सोमोपनहनꣳ हरत्यन्य इतरे । का. श्रौ.सू.७।१८५। ५—सोमं गच्छंत्येष त इति वाचयति । का. श्रौ. सू. । ७ । १८६ । काण्वश्रुतिस्तु तौ प्राञ्चौ जपंतावित एष ते गायत्रो भाग इति ।

(स्तु) तदायत्सु व्वाचयति । (त्ये) एष ते गायत्रो भाग इति मे सोमाय ब्रूतादेष ते त्रैष्टुभो भागऽइति मे सोमाय ब्रूतादेष ते जागतो भागऽइति मे सोमाय ब्रूताच्छन्दोनामानाᳬँ साम्राज्यं गच्छेति मे सोमाय ब्रूतादित्येकं वाऽएष क्रीयमाणोऽभिक्रीयते च्छन्दसामेव राज्याय च्छन्दसाᳬँ साम्राज्याय घ्नन्ति वाऽएनमेतद्यदभिषुण्वन्ति तमेतदाह च्छन्दसामेव त्वा राज्याय क्रीणामि च्छन्दसाᳬँसाम्राज्याय न व्वधायेत्यथैत्य प्राङुपविशति ६
सोऽभिमृशति । (त्या) आस्माकोऽसीति स्वऽइव ह्यस्यैतद्भवति यदागत—

तदायत्सु वाचयति—"एष ते गायत्रो भाग इति मे सोमाय ब्रूतात् । एष ते त्रैष्टुभो भाग इति मे सोमाय ब्रूतात् एष ते जागतो भाग इति मे सोमाय ब्रूताच्छन्दोनामानां साम्राज्यं गच्छेति मे सोमाय ब्रूतात् "—(वा.सं.४।२४) इति । एकं वाऽएष क्रीयमाणोऽभि क्रीयते—छन्दसामेव राज्याय, छन्दसां साम्राज्याय । घ्नन्ति वाऽएनमेतत्—यदभिषुण्वन्ति । तमेतदाह— छन्दसामेव त्वा राज्याय क्रीणामि, छन्दसां साम्राज्याय—न वधायेति । अथैत्य प्राङुपविशति ॥ ६
सोऽभिमृशति " आस्माकोऽसि "—(वा.सं.४।२४) इति । स्व-इव ह्यस्यैतद्भवति—यदागतः

तदायत्स्वित्वति । 'आयत्सु' ऋत्विग्यजमानेषु क्रयदेशं समागच्छत्सु अध्वर्युर्यजमानम् "एष ते"—इति अमुं 'वाचयति' वाचयेत् । अयमर्थः—हे सोम ! 'ते' तव 'भागः' 'गायत्रः' प्रातस्सवनो गायत्र्याः सम्बन्धी भवति । अतो गायत्र्यादिदेवताप्रीत्यर्थ एव तव क्रयो न वधार्थ इत्यभिप्रायः । 'इति' एवंरूपं सोमस्तुत्यात्मकं 'मे' वचनं 'सोमाय' ब्रूतात् हे अध्वर्यो ! ब्रूहि । एवमुत्तरयोरपि द्रष्टव्यम् । "गायत्रं प्रातःसवनम्—" "त्रैष्टुभं माध्यन्दिनं सवनम् "—(तै. सं २ । २ । ९ । ९६ । ऐ. ब्रा. ६ । १ । १०) इत्यादिश्रुत्या प्रातस्सवनादीनां गायत्र्याद्यभिमानात्तत्सवनार्हाणां गायत्रादिसम्बन्धः । 'छन्दोमाः' चतुर्विंशचतुश्चत्वारिंशाष्टचत्वारिंशाः, तेषां 'छन्दोमानाम्' 'साम्राज्यं गच्छ'। सोमगतचतुर्विंशत्यादिसंख्यासाम्याद् गायत्रादयः 'छन्दोमाः' तेषां साम्राज्यप्राप्तिर्नाम सवनत्रयप्राप्तिरेव । "गायत्रं प्रातःसवनम्—" इत्यादिश्रुतेः । सवनत्रयप्राप्तिरेव तेषां साम्राज्यप्राप्तिरित्यर्थः । शिष्टं पूर्ववत् ॥

एतत् प्रशंसति—**एकं वा एष** इति । 'एषः' 'क्रीयमाणः' क्रयेण सम्पाद्यमानः सोमः 'एकं वै' एकं खलु प्रयोजनम् 'अभि'—लक्ष्य 'क्रीयते' विक्रीयते, अभिषवादिना रसात्मना संस्क्रियते । किं तदेकमिति, तदुच्यते—'छन्दसां राज्याय' तत्प्राप्तये । न केवलाय राज्याय, किन्तु 'साम्राज्याय' । प्रोत्साहनस्यार्थवत्तायै बाधप्रसक्तिं दर्शयति—**घ्नन्ति** वेति । वस्तुत एवं सत्यपि सोमभीत्यपगमाय 'तम्' सोमं प्रति 'एतत्' छन्दसां साम्राज्यमिति वाक्यमाह—किमिति 'छन्दसामेव राज्याय त्वा क्रीणामि इत्याह, न वधायेति'। **अथेत्यादि** । 'अथ' सोमम् 'एत्य' 'प्राङ्' प्राङ्मुखः 'उपविशति ॥ ६ ॥

सोऽभिमृशतीति । "आस्माकोऽसि"—इत्यादिना सोममभिमृशेत् । हे सोम ! त्वम् 'आस्माकोऽसि'

१—'मे सोमाय वा' इति क. पा. । २—प्राङुपविश्यास्माकोऽसीति सोममालभते । का. श्रौ. सू. ७ । १८७ । काण्वश्रुतिस्तु अथ जघनेन जान्वक्रुपविशत्यास्माकोऽसीति ।

स्तुस्मादाहास्माकोऽसीति शुक्रस्ते ग्रह्य इति शुक्रᳫँ ह्यस्माद्ग्रहं ग्रही- ष्यन्भवति विचितस्त्वा विचिन्वन्त्विति सर्व्वत्वायैतदाह ॥ ७ ॥

(ह्रा) अत्र हैके। तृणं वा काष्ठं वा विवृत्त्याऽपास्यन्ति तदु तथा न कुर्यात् क्षत्रं वै सोमो विडन्याऽओषधयोऽन्नं वै क्षत्रियस्य विट् स यथा ग्रसित- मनुहायाच्छिद्य परास्येदेवं तत्तस्मादभ्येव मृशेद्विचितस्त्वा विचिन्वन्त्विति तद्यऽएवास्य विचेतारस्तऽएनं विचिन्वन्ति ॥ ८ ॥

(न्त्य) अथ वासः। (सो) द्विगुणं वा चतुर्गुणं वा प्राग्दशं वोदग्दशं वोपस्तृणाति तद्राजानं मिमीते स यद्राजानं मिमीते तस्मान्मात्रा मनुष्येषु मात्रो यो चाप्यन्या मात्रा ॥ ९ ॥

तस्मादाह-आस्माकोऽसीति। "शुक्रस्ते ग्रह्यः"-(वा. सं. ४। २४) इति। शुक्रं ह्यस्माद्ग्रहं ग्रहीष्यन्भवति। "विचितस्त्वा विचिन्वन्तु"-(वा. सं. ४।२४) इति। सर्वत्वायैतदाह ॥७॥

अत्र हैके-तृणं वा काष्ठं वा विवृत्त्वापास्यन्ति। तदु तथा न कुर्यात्। क्षत्रं वै सोमः, विडन्या ओषधयः। अन्नं वै क्षत्रस्य विट्। स यथा ग्रसितमनुहायाच्छिद्य परास्येद् एवं तत्। तस्मादभ्येव मृशेत्। विचितस्त्वा विचिन्वन्त्विति। तद्य एवास्य विचेतारः-त एनं विचिन्वन्ति ॥ ८॥

अथ वासो द्विगुणं वा चतुर्गुणं वा प्रागूदशं वोदग्दशं वोपस्तृणाति। तद्राजानं मिमीते। स यद्राजानं मिमीते-तस्मान्मात्रा मनुष्येषु, मात्रो यो चाप्यन्या मात्रा ॥ ९॥

अस्माकं सम्बन्ध्यसि। "तस्मिन्नणि च युष्माकास्माकौ"-(पा. सू. ४। ३। २) इत्यण्, तत्सन्नियोगेनास्माकादेशश्च। 'एतत्' एतेन पाठेन 'स्व इव' य एव 'भवति' 'शुक्रः' शुक्राख्यः 'ते' 'ग्रह्यः' ग्रहीतव्यः। "प्रत्यपिभ्यां ग्रहेः"-(पा. सू. ३। १। ११८) इति अनुपसृष्टादपि ग्रहेश्छान्दसः क्यप्। ग्राह्य इत्यर्थः। "अमात्योऽसि शुक्रस्ते ग्रहः"-(तै. सं. १। २। ६। १) इति तैत्तिरीयकम्। 'विचितः' विचयनस्य शोधनस्य कर्तारः 'ते' त्वां 'विचिन्वन्तु' शोधयन्तु, विचिन्वद्भिरेव विवेके सति वैगुण्यासम्भवात् सर्वत्वं कात्स्न्यं भवति ॥ ७ ॥

विवेचने विषये पक्षान्तरमुपन्यस्य निराचष्टे-**अत्र हैक** इति। 'अत्र' सोमविवेचनविषये सोममध्यगतं 'तृणं वा काष्ठं वा' 'विवृत्त्वा' सोमसकाशाद् भेदं कृत्वा बहिः प्रक्षिपन्ति। अत्र चैकं दोषमाह-**क्षत्रं वै सोम** इति। सोमस्य क्षत्रत्वं श्रूयते-"यान्येतानि देवत्रा क्षत्राणीन्द्रो वरुणः सोमो रुद्रः"-(श.प. १४।४।२।२३) इत्यादिना। इयं प्रसिद्धिः "क्षत्रं वै"-इति वैशब्देन द्योत्यते। 'ग्रसितम्' ग्रस्तम्, भुक्तिम्। 'अनुग्रहाय' गृहीत्वा 'आच्छिद्य' पृथक्कृत्य 'परास्येत्' बहिः प्रक्षिपेत्। यस्मात् सोमान्तर्गतं तृणादिकं सोमस्यान्नम्, 'तस्मात्' स्वयमविवेचयन् यजमानोऽभ्यावमर्शमेव कुर्यात्; शोधनार्थन्तु 'विचिन्वन्त्विति' पठेत्। अत्र सूत्रम् "प्राङ्मुख उपविश्यास्माकोऽसीति सोममालभते न विचिनोत्यतस्तृणकाष्ठापासनमेके" इति (कात्या ७।१८७।१८८) ॥ ८ ॥

अथ वास इत्यादि। 'वासः' सोमोपनहनार्थं दशा वस्त्राग्रम्। प्राग्दशं वा, उदग्दशं वा प्रागग्रमुदगग्रं

१-सोमोपनहनं द्विगुणं चतुर्गुणं वास्तृणातिप्राग्दशमुदग्दशं वा। का. श्रौ. सू. ७। १८९ ॥

साविञ्या मिमीते। सविता वै देवानां प्रसविता तथो हास्माऽएष सवितृ-
प्रसूत ऽएव क्रयाय भवति ॥ १० ॥

(त्य)अतिच्छन्दसा मिमीते। (तऽए) एषा वै सर्वाणि च्छन्दाᳬंसि यद-
तिच्छन्दास्तथो हास्यैष सर्वैरेव च्छन्दोभिर्मितो भवति तस्मादतिच्छ-
न्दसा मिमीते ॥ ११ ॥

स मिमीते। (तेऽभि) अभि त्यं देवᳫं सवितारमोण्योः कविक्रतुमर्चामि
सत्यसवᳫं रत्नधामभि प्रियं मतिं कविम् ॥ ऊर्ध्वा यस्यामतिर्भा ऽअदि-
द्युतत्सवीमनि हिरण्यपाणिरमिमीत सुक्रतुः कृपा स्वरिति ॥ १२ ॥

सावित्र्या मिमीते। सविता वै देवानां प्रसविता। तथो हास्मा एष सवितृप्रसूत एव क्रयाय भवति १०

अतिच्छन्दसा मिमीते। एषा वै सर्वाणि छन्दांसि यदतिच्छन्दाः। तथोहास्यैष सर्वैरेव छन्दोभिर्मितो भवति। तस्मादतिच्छन्दसा मिमीते ॥ ११ ॥

स मिमीते–" अभि त्यं देवं सवितारमोण्योः, कविक्रतुमर्चामि सत्यसवं रत्नधामभि प्रियं मतिं कविम्। ऊर्ध्वा यस्यामतिर्भा अदिद्युतत्सवीमनि हिरण्यपाणिरमिमीत सुक्रतुः कृपा स्वः "–(वा. सं. ४। २५) इति ॥ १२ ॥

वेत्यर्थः। आस्तृते वाससि सोमोन्मानं विधत्ते–तद्राजानं मिमीते (का. श्रौ. [1]७। १९०) इति। ' तत् ' तत्र वाससि। ' तस्मात् ' सोमोन्मानात् हेतोः ' मनुष्येषु ' ' मात्रा ' षण्णवत्यंगुल्यादिरूपा इदानीं वर्तत इत्यर्थः। मात्रा यैवात्र सोमे सा मनुष्येषु सोमस्याखिलजगत्कारणत्वात्। न केवलं मनुष्यगतैव अपि तु ' यो चापि ' यैव खलु ' अन्या ' पक्षिमृगवृक्षादिगता साऽपि सोममात्रात्मिकैव ॥ ९ ॥

विधीयमानोन्मानमन्त्रं देवताद्वारा प्रशंसति–सावित्र्या मिमीत इति। ' देवानां मध्ये ' प्रसविता ' सर्वकर्मविषयानुज्ञाप्रदः ॥ १० ॥

मन्त्रगतं छन्दः प्रशंसति–अतिच्छन्दसेति। [2]अष्टिरतिच्छन्दएवास्य छन्दः अतोऽतिच्छन्दस्त्वम्। तस्मिन् छन्दसि चतुर्णां चतुर्णामक्षराणां परित्यागेनाधस्तनानां छन्दसामुत्पत्तेः सर्वच्छन्दस्त्वम् ॥ ११ ॥

इदानीं मन्त्रं विधत्ते–स मिमीतेऽभित्यं देवमिति। मन्त्रस्यायमर्थः। ' त्यं ' तं ' सवितारं ' ' देवम् ' ' अभ्यर्चामि ' इति सम्बन्धः। कीदृशम्? ' ओण्योः ' अवित्र्योः द्यावापृथिव्योर्मध्ये वर्तमानमित्यर्थः। ' कविक्रतुं ' क्रान्तकर्माणम् ' सत्यसवम् ' सत्यानुज्ञम्। ' रत्नधां ' रमणीयानां फलानां धारकम् ' अभि ' अभितः ' प्रियम् ' ' मतिं ' मननवन्तम्, ' कविम् ' क्रान्तप्रज्ञम्। ' यस्य ' सवितुः ' अमतिः ' अन्येषामविषया मतिरमतिः, ' भाः ' च; अथवा अमतिविशेषणम्। भासमाना सा ' ऊर्द्ध्वा ' ' अदिद्युतत् ' द्योतते। किमर्थम्? ' सवीमनि ' प्रसवे निमित्तभूते सति, अनुज्ञार्थमित्यर्थः। स तादृशः ' स्वरणः ' शोभनगमनः आदित्यः ' कृपा ' कृपया ' हिरण्यपाणिः ' सन् ' अमिमीत ' मिमीते सोमोन्मानं करोति करोत्वित्यर्थः ॥ १२ ॥

१–तस्मिन्सोमं मिमीते दशकृत्वोऽभित्यमिति। २–अभित्य॰ सावित्र्यष्टिः। इति कात्यायनसर्वानुक्रमः। १। १८। ७। चतुःषष्ट्यक्षरा ६४ अष्टिरित्युच्यते। अतिछन्दसा मिमीते अनयाद्वादशकंडिकाश्रुत्या–अष्टेरेव–अतिच्छन्द इति नामांतरं बोध्यम्।

(त्ये) एतुया सुर्व्वाभिः । (रे) एतुया चतसृभिरेतुया तिसृभिरेतुया द्वाभ्यामेतयैकयैतुयैवैकयैतुया द्वाभ्यामेतुया तिसृभिरेतुया चतसृभिरेतुया सुर्व्वाभिः समुस्याञ्जलिनाऽध्यावपति ॥ १३ ॥

स वाऽउदाचं न्याचं मिमीते । स यदुदाचं न्याचं मिमीतऽइमा ऽएवैतुदङ्गुलीर्नानाजानाः करोति तस्मादिमा नाना जायन्तेऽथ यत्सह सुर्व्वाभिर्मिमीते सꣳश्लिष्टा इव हैवेमा जायेरंस्तस्माद्वाऽउदाचं न्याचं मिमीते॥ १४॥

एतया सर्वाभिः, एतया चतसृभिः, एतया तिसृभिः, एतया द्वाभ्याम्, एतयैकया । एतयैवैकया, एतया द्वाभ्याम्, एतया तिसृभिः, एतया चतसृभिः, एतया सर्वाभिः । समस्याञ्जलिनाऽध्यावपति॥ १३॥

स वाऽउदाचं न्याचं मिमीते—स यदुदाचं न्याचं मिमीते—इमा एवैतदङ्गुलीर्नानाजानाः करोति ।

दशकृत्व उन्मानेऽप्ययमेव मन्त्र इत्यादि समानप्रकारं दर्शयति—एतया सर्वाभिरिति । 'एतया' "अभित्यं देवम्"—इत्यनयैव 'सर्वाभिः' अङ्गुलीभिः पञ्चभिर्मिमीते । 'एतया' एव 'चतसृभिः' अप्यङ्गुलीभिर्मिमीते । एवमवरोहक्रमेणैकैकाङ्गुल्युत्सर्गेण पञ्चवारं मीत्वा पुनरारोहणक्रमेणैकैकाङ्गुलिसंयोजनेन पुनरेतयैवर्चा पञ्चवारं मिमीते । एवं दशवारमुन्माय अनन्तरं पाणिद्वयम् 'समस्य' अञ्जलिं कृत्वा तेनैकवारमभिमितस्य सोमस्योपरि 'आवपति' । शिष्टं सर्वं प्रक्षिपेत् । अत्र सूत्रम्—"सर्वाभिः प्रथमम्, अङ्गुष्ठप्रभृति चैकोत्सर्गम्, द्विः कनिष्ठिकया, एकोपचयश्च, अञ्जलिना दशमम्, अन्यद्वाध्यावापश्रुतेः" (का. श्रौ. सू. ७ । १९१–१९६) इति । मानस्य दशसंख्यया स्तूयमानत्वादाधिक्ये सति दशसंख्याविरोधात् सूत्रकारेणाञ्जलिना दशममन्यद्वेति विकल्पितम् * ॥ १३ ॥

अङ्गुलीनां क्रमेणोत्सर्गे संयोजने च कृते योऽर्थसिद्धो मानविषयः समञ्चनप्रसारणभावः, तमनूद्य बहुधा प्रशंसति—स वा उदाचं न्याचमित्यादिना । 'उदाचं न्याचम्' अङ्गुलीः समच्य प्रसार्य चेत्यर्थः । 'तेन'

१–तस्मिन्सोमं मिमीते दश कृत्वोऽभित्यमिति । का. श्रौ. सू. ७ । १९० ॥

* भगवान् सूत्रकारः कात्यायनो नैतद्विकल्पयति । किंतु अध्यावापश्रुत्या समंत्रकं दशकृत्वो मानाद्बहिरेकादशं तूष्णीममानरूपमध्यावापं ब्रवीति । तथा चात्र याज्ञिकानंतदेवाः । "अन्यद्वाऽध्यावापश्रुतेः"—दशभ्योऽन्यदिदमेकादशं मानमध्यावापोऽजलिना । कुतः । अध्यावापश्रुतेरेव । अधीत्युपरिभाववचनोऽधिकवचनो वा । न चात्रोपरिभावः । वस्त्वंतरस्याभावात् । तेन सोमस्यावशिष्टं मानादेकत्र राशीकृत्यांजलिना गृहीत्वाऽधिकं मितादावपतीत्यर्थः । तथाच—अधिकः स्याद्यदा दशकृत्वो मानादन्यदावपनं स्यात् । तस्मादेकादश एवाध्यावापः । यदा चोपरिभावस्तदापि नियताच्छास्त्रोक्तादधिकं तदुपर्येव वर्तत एकइत्येकादशमेव । ननु एतया सर्वाभिः समस्यांजलिनाऽध्यावपतीति सामानाधिकरण्येन दशममेव प्रतीयते । तथाच । सर्वं मानमभिधायोच्यते । अथ दशकृत्वो मिमीत इति । तेन दशममेव युक्तम् । अत्रोच्यते—एतयर्चा सर्वाभिरित्यारभ्य दशमांतं पुनरेतया सर्वाभिरित्युक्ते मिमीत इत्यनेनैव निराकांक्षीकृतम् । तेन मंत्रप्रयुक्तानि दश मानानि । तान्येवोपसंहारेऽथ यद्दश कृत्वो मिमीत इति संपादनार्थं परामृश्यंते । अध्यावापस्य स्वावापरूपत्वेनामानरूपत्वान्न परिगणनम् । तेनाधिकमेव । अपि च । एतयैतस्य सर्वत्र मिमीत इत्यनेन ज्ञातसंबंधत्वान्नाध्यावापेन संबंधाकांक्षा । ततोऽप्यध्यावापस्य स्वातंत्र्यान्न पूर्वेणैकवाक्यता । ततोऽप्यसौभिन्न स्तूष्णीं च । एतयेत्यसंबंधात् । दशकृत्वोऽभित्यमिति वाक्यांतरसंबंधाच्च । इति पितृभूत्याचार्या देवयाज्ञिकाश्चाप्येवमेवाहुः । कर्काचार्याणामयमेव सिद्धांतः । अथवाऽन्यदेकादशमंजलिना कर्तव्यम् । येन एतया सर्वाभिरित्युक्त्वा समस्यांजलिनाऽध्यावपतीत्याह । यत्पुनरुक्तं दश कृत्वोऽभित्यमिति । तन्मंत्रेणाभिसंबध्यते । दश कृत्वोऽभित्यमित्यनेन मंत्रेण । तस्मादेकादशोऽध्यावाप इति ॥

यद्वेवोदाचं न्याचं मिमीते । (तऽ) इमा ऽएवैतन्नानावीर्याः करोति तस्मादिमा नानावीर्यास्तस्माद्वा ऽउदाचं न्याचं मिमीते ॥ १५ ॥

यद्वेवोदाचं न्याचं मिमीते । विराजमेवैतदर्वाचीं च पराचीं च युनक्ति पराच्यह देवेभ्यो यज्ञं वहत्यर्वाची मनुष्यानवति तस्माद्वा ऽउदाचं न्याचं मिमीते ॥ १६ ॥

(तेऽथ) अथ यद्दश कृत्वो मिमीते । दशाक्षरा वै विराड् वैराजः सोमस्तस्माद्दशकृत्वो मिमीते ॥ १७ ॥

(तेऽथ) अथ सोमोपनहनस्य समुत्पार्यान्तान् । (न) उष्णीषेण विग्रथ्नाति प्रजाभ्यस्त्वेति प्रजाभ्यो ह्येनं क्रीणाति स यदेवेदꣳ शिरश्चाꣳसौ चान्तरोपेनितमिव तदेवास्यैतत्करोति ॥ १८ ॥

तस्मादिमा नाना जायन्ते । अथ यत्सह सर्वाभिर्मिमीते—संश्लिष्टा इव हैवेमा जायेरन् । तस्माद्वा उदाचं न्याचं मिमीते ॥ १४ ॥

यद्वेवोदाचं न्याचं मिमीते । इमा एवैतन्नानावीर्याः करोति । तस्मादिमा नानावीर्याः । तस्माद्वा उदाचं न्याचं मिमीते ॥ १५ ॥

यद्वेवोदाचं न्याचं मिमीते । विराजमेवैतदर्वाचीं च पराचीं च युनक्ति । पराच्यह देवेभ्यो यज्ञं वहति, अर्वाची मनुष्यानवति । तस्माद्वाऽउदाचं न्याचं मिमीते ॥ १६ ॥

अथ यद्दश कृत्वो मितीते । दशाक्षरा वै विराट् । वैराजः सोमः—तस्माद्दश कृत्वो मिमीते॥१७॥

अथ सोमोपनहनस्य समुत्पार्यान्तानुष्णीषेण विग्रथ्नाति—" प्रजाभ्यस्त्वा "—(वा.सं.४।२९) इति । प्रजाभ्यो ह्येनं क्रीणाति। स यदेवेदं शिरश्चांसौ चान्तरोपेनितमिव—तदेवास्यैतत्करोति॥१८॥

तेनोक्तप्रकारमानेन ' अङ्गुलीः ' ' नानाजानाः ' पृथक्—पृथग्—जन्मवत्यः ' करोति ' कर्मफलभोगार्थत्वात् सृष्टेः । व्यतिरेके दोषमाह—**अथ यत्सहेति** । ' सर्वाभिः ' संहताभिरङ्गुलीभिः दशवारमपि मानं यदि कुर्यात्, तथा सति संश्लिष्टाः परस्परसंहता एवाङ्गुलयो ' जायेरन् ' ॥ १४ ॥

यद्वेवोदाचमिति । उक्तरीत्या मानेन तु ' नानावीर्याः ' पृथक्—पृथक् कार्यसमर्थाः ' करोति ' ॥ १५ ॥

यद्वेवेति । विराजमेवैतदर्वाचीं च पराचीं च युनक्तीति । ' एतत् ' एतेन अर्वाक्—पराग् गतेन विराट् छन्दोदेवतामेव संख्याद्वारा अर्वाक् च पराक् च सोमे योजितवान् भवत्यध्वर्युः। सा सोमयुक्ता विराट्। **पराच्यहेति** । ' अह '—इति विनिग्रहार्थो निपातः । (निरु० १ । २।४) । ' पराची ' पराग्भूता ऊर्ध्वमुखी सती उदञ्चनसामर्थ्येन ' यज्ञं ' सोमरसं ' देवेभ्यः वहति '; तथैव ' अर्वाची ' अवाङ्मुखी सती, समञ्चनसामर्थ्येन ' मनुष्यान् ' ऋत्विगादीन् ' अवति ' ॥ १६ ॥

मानगतसंख्यां प्रशंसति—**अथ यद् दशकृत्व** इति । विराजो दशाक्षरत्वं प्रसिद्धम् । सोमोऽपि दशसंख्याकैर्द्रव्यैः क्रीयमाणत्वेन संख्याद्वारा विराट्सम्बन्धाद् ' वैराजः ' ॥ १७ ॥

अथ सोमोपनहनस्येत्यादि । ' अन्तान् समुत्पार्य ' अधः प्रसारितस्य वस्त्रस्य पर्यन्तप्रदेशानेकत्र उच्चं सङ्गृह्य

(त्यु) अथ मध्येऽङ्गुल्याकाशं करोति प्रजास्त्वानुप्राणन्त्विति तमयतीव वाऽएनमेतत्समायच्छन्नप्राणमिव करोति तस्यैतदतऽएव मध्यतः प्राणमुत्सृजति तं ततः प्राणन्तं प्रजाऽअनुप्राणन्ति तस्मादाह प्रजास्त्वानुप्राणन्त्विति तꣳसोमविक्रयिणे प्रयच्छत्यथातः पणनस्यैव ॥ १९ ॥

इति द्वितीयप्रपाठके पञ्चमं ब्राह्मणम् ॥ २ ॥ ५ ॥ (३. २.) ॥

स वै राजानं पणते। स यद्राजानं पणते तस्मादिदꣳसकृत्सर्वं पण्यꣳस ऽआह सोमविक्रयिन्क्रय्यस्ते सोमो राजा३ इति क्रय्यऽ इत्याह सोमविक्रयी तं वै ते क्रीणानीति क्रीणीहीत्याह सोमविक्रयी कलया ते क्रीणानीति भूयो वाऽअतः सोमो राजाऽर्हतीत्याह सोमविक्रयी भूय ऽएवातः सोमो राजाऽर्हति महाꣳस्त्वेव गोर्महिमेत्यध्वर्युः ॥ १ ॥

अथ मध्येऽङ्गुल्याकाशं करोति। "प्रजास्त्वानु प्राणन्तु"-(वा. सं. ४।२५) इति। तमयतीव वाऽएनमेतत्समायच्छन्नप्राणमिव करोति। तस्यैतदत एव मध्यतः प्राणमुत्सृजति। तं ततः प्राणन्तं प्रजा अनुप्राणन्ति। तस्मादाह-प्रजास्त्वानु प्राणन्त्विति। तं सोमविक्रयिणे प्रयच्छति। "अथातः पणनस्यैव" ॥१९॥

स वै राजानं पणते-स यद्राजानं पणते तस्मादिदं सकृत् सर्वं पण्यम्। स आह-सोमविक्रयिन्! क्रय्यस्ते सोमो राजा३ इति। क्रय्य इत्याह सोमविक्रयी। तं वै ते क्रीणानीति। क्रीणीहि, इत्याह

'उष्णीषेण' ग्रन्थिं कुर्यात्[१]। तत्र मन्त्रः-प्रजाभ्यस्त्वेति। 'प्रजाभ्यः' सदस्येभ्यः ऋत्विग्भ्यः। उष्णीषेण प्रथनं प्रशंसति-स यदेवेदमिति। शिरसः अंसयोश्चान्तरालप्रदेशो यथा विलग्न इव वर्तते; एवं ग्रन्थिकरणेन कृतवान् भवति ॥ १८ ॥

ग्रन्थिमध्ये सुषिरं समन्त्रकं विधत्ते-अथ मध्ये अङ्गुल्येति। मध्ये सोमग्रन्थिमध्ये सुषिरप्रदानेन 'प्राणन्तं' तं 'त्वा' सर्वाः 'प्रजाः' अपि 'अनुप्राणन्तु' 'इति'। 'समायच्छन्' अन्तान् संगृह्णन् 'तम्' 'अयतीव' ग्लापयतीव 'अप्राणं' सोमं प्राणरहितम् 'इव' करोति[२], अत एव उपद्रवसम्भवाद्धेतोः तत्परिहाराय देहमध्ये उच्छ्वासरूपम् 'प्राणम्' उद्गमयति। 'तस्मात्' प्रजास्त्वेत्यादिमन्त्रं पठेत्। तं सोमोपनहनवस्त्रे बद्धं सोमं 'सोमविक्रयिणे प्रयच्छति'[३]। 'अथातः पणनस्यैव' विधिरुच्यत इति शेषः ॥ १९ ॥

इति श्रीसायणाचार्यविरचिते माधवीये वेदार्थप्रकाशे माध्यन्दिनशतपथब्राह्मणभाष्ये
तृतीयकाण्डे तृतीयाध्याये द्वितीयं ब्राह्मणम् ॥ ३-३-२ ॥

सोमक्रयार्थं व्यवहारं विधत्ते-स वा इति[४]। 'पणते' व्यवहरेत्। 'तस्मात्' सोमस्य व्यवहारभूतत्वात्

१-अंतान्संगृह्योष्णीषेण बध्नाति प्रजाभ्यस्त्वेति। का० श्रौ० सू० ७।१९७। २-अंगुल्या मध्ये विवृणोति प्रजास्त्वाऽनुप्राणंत्विति का. श्रौ. सू. ७। १९८। ३-तं विक्रयिणे प्रयच्छति। का. श्रौ. सू ७। १९९। ४-पंच कृत्वः सोमं पणते। का. श्रौ. सू. ७।२००।

(गौं) गोर्वै प्रतिधुक् । (क्रु) तस्यै शृतं तस्यै शरस्तस्यै दधि तस्यै मस्तु तस्याऽआतञ्चनं तस्यै नवनीतं तस्यै घृतं तस्याऽआमिक्षा तस्यै वाजिनम् ॥ २ ॥

(५ॅ) शफेन ते क्रीणानीति । भूयो वाऽअतः सोमो राजाऽर्हतीत्याह सोमविक्रयी भूय एवातः सोमो राजाऽर्हति महाँस्त्वेव गोर्महिमेत्यध्वर्यु-

---

सोमविक्रयी कलया ते क्रीणानीति । भूयो वाऽअतः सोमो राजार्हति–इत्याह सोमविक्रयी । भूय एवातः सोमो राजार्हति, महांस्त्वेव गोर्महिमा-इत्यध्वर्युः ॥ १ ॥

गोर्वै प्रतिधुक्, तस्यै शृतम्, तस्यै शरः, तस्यै दधि, तस्यै मस्तु, तस्या आतञ्चनम्, तस्यै नवनीतम्, तस्यै घृतम्, तस्या आमिक्षा, तस्यै वाजिनम् ॥ २ ॥

शफेन ते क्रीणानीति । भूयो वाऽअतः सोमो राजार्हतीत्याह–सोमविक्रयी । भूय एवातः सोमो

' इदम् ' इदानीमपि ' सर्वं ' दधिमध्वादि वस्तु ' सकृत् ' ' पण्यम् ' लोके पणितव्यं भवति । व्यवहारप्रकारं दर्शयति–स आहेत्यादिना[1] । ' सः ' अध्वर्युः " क्रय्यस्ते सोमो राजा "–'इति' पृच्छेत् । 'क्रय्यः' क्रयार्थं प्रसारितः । " क्रय्यस्तदर्थे " (पा. सू. ६ । १ । ८२) इति ' क्रय्य ' शब्दो निपातितः । प्रश्नार्थे प्लुतिः (पा० सू० ८ । २ । १००) ' क्रय्य इति सोमविक्रयी ' प्रतिब्रूयात् । ' तत् ' तर्हि ' ते ' तव स्वभूतं सोमं ' क्रीणानि[2] ' ' इति ' अध्वर्युर्ब्रूयात् । अथ तेन सोमविक्रयिणा ' क्रीणीहि ' ' इति ' उक्तोऽध्वर्युः कलया गोरेकदेशेन ' ते ' तव सम्बन्धिनं सोमं ' क्रीणानि ' ' इति ' ब्रूयात् । स विक्रेता ' अतः ' अस्मात् कलालक्षणात् ' भूयः ' प्रभूतमधिकमूल्यमर्हतीति ब्रूयात् । अथ सोमविक्रयिणोक्तोऽध्वर्युः गोर्महत्त्वमाविष्करोति–महाँस्त्वेवेति । यदि सोमो बहुमूल्यमर्हति तर्हि कृत्स्ना गौर्दातव्या भवति–तथा सति ' गोर्महिमा महान् ' ' इति ' ब्रूयात्[3] ॥ १ ॥

कथं महत्त्वमिति तद्दर्शयति–गोर्वा इत्यादिना[4] । ' गोः प्रतिधुक् ' सद्यो दुग्धम् इदमेकं वीर्यम् । ' तस्यै ' तस्याः ' शृतम् ' पक्वं पयः । ' शरः ' पक्वक्षीरस्योपरिसारभूतम् । घनीभूतमम्लास्वादं वस्तु दधि । दधिभवं सारभूतमुदकं ' मस्तु ' । ' आतञ्चनम् ' दधि । दधिभावकारणम् । तप्ते पयसि दध्यानयने सति यद् घनीभूतं वस्तु जायते सा ' आमिक्षा ' । द्रवात्मकं तत् वाजिनम् । एवं दशविधानि गोर्वीर्याणि प्रख्यापयेत् ॥ २ ॥

शफेनेति । द्वितीयवारक्रये ' शफेन ते क्रीणानीति ' ब्रूयात्[5] । ' शफः ' पादाग्रस्यार्द्धभागः । ' भूयो वा अतः '–इत्याद्युक्तिप्रत्युक्तिवचनं पूर्ववद् व्याख्येयम्[6] । ' अध्वर्युः ' ' एतान्येव दश वीर्याणि ' इति प्रतिपुग-

---

१–स आह सोमविक्रयिन् क्रय्यस्ते सोमो राजा ३ इति । का. श्रौ. सू. ७ । २०१ । २–क्रय्य इत्याह सोमविक्रयी । का. श्रौ. सू. ७ । २०२ । तं वै ते क्रीणानीति । ७ । २०३ । ३–क्रीणीहीत्याह सोमविक्रयी । का. श्रौ. सू. ७ । २०४ । कलया ते क्रीणानीति । का. श्रौ. सू. । ७ । २०५ । भूयो वा अतः सोमो राजाऽर्हतीत्याह सोमविक्रयी । का. श्रौ. सू. ७ । २०६ । ४–भूयएवातः सोमो राजाऽर्हति महाँस्त्वेव गोर्महिमेत्यध्वर्युर्गोर्वै प्रतिधुक् तस्यै शृतं तस्यै शरस्तस्यै दधि तस्यै मस्तु तस्या आतंचनं तस्यै नवनीतं तस्यै घृतं तस्या आमिक्षा तस्यै व्वाजिनमिति । का. श्रौ. सू. ७ । २०७ ॥ ५–एकैकेनांते पणते शफेन पदाऽर्द्धेन गवा । का. श्रौ. सू. ७ । २०९ । ६–भूय एवेत्यतः प्रभृति चतुरावर्तयति । का. श्रौ. सू. ७ । २०८ ।

रेतान्येव दुश वीर्याण्युदाख्यायाह पुदा तेऽर्धेन ते गुवा ते क्रीणामीति क्रीतः सोमो राजेत्याह सोमविक्रयी व्युयाᳬसि प्रब्रूहीति ॥ ३ ॥

स ऽआह । चन्द्रं ते वस्त्रं ते छागा ते धेनुस्ते मिथुनौ ते गावौ तिस्रुस्तेऽन्या इति स यदार्वाक्पणन्ते परः सम्पादयन्ति तस्मादिदᳬ सकृत्सर्वं पण्यमर्वाक्पणन्ते परः सम्पादयन्त्यथ यदध्वर्युरेव गोर्वीर्याण्युदाचष्टे न सोमस्य सोमविक्रयी महितो वै सोमो देवो हि सोमोऽथैतदध्वर्युर्गां महयति तस्यै पश्यन्वीर्याणि क्रीणादिति तस्मादध्वर्युरेव गोर्वीर्याण्युदाचष्टे न सोमस्य सोमविक्रयी ॥ ४ ॥

राजाऽर्हति, महांस्त्वेव गोर्महिमा–इत्यध्वर्युः । एतान्येव दश वीर्याण्युदाख्यायाह–पदा ते । अर्धेन ते । गवा ते क्रीणामीति । क्रीतः सोमो राजा–इत्याह सोमविक्रयी । वयांसि प्रब्रूहीति ॥ ३ ॥

स आह–चन्द्रं ते, वस्त्रं ते, छागा ते, धेनुस्ते, मिथुनौ ते गावौ, तिस्रस्तेऽन्या इति । स यदर्वाक् पणन्ते–परः सम्पादयन्ति । तस्मादिदं सकृत्सर्वं पण्यमर्वाक् पणन्ते–परः सम्पादयन्ति । अथ यदध्वर्युरेव गोवीर्याण्युदाचष्टे–न सोमस्य सोमविक्रयी । महितो वै सोमः । देवो हि सोमः । अथैतदध्वर्युर्गां महयति । तस्यै पश्यन् वीर्याणि क्रीणादिति । तस्मादध्वर्युरेव गोर्वीर्याण्युदाचष्टे–न सोमस्य सोमविक्रयी ॥ ४ ॥

दिकमित्यर्थः । तृतीयवारे गोः 'पदा ते' इति ब्रूयात् । चतुर्थवारे 'अर्धेन ते' इति ब्रूयात् । भूयो वा इत्यादि पूर्ववत् । पञ्चमवारे 'गवा ते क्रीणामि' 'इति' ब्रूयात् । एवमुक्ते 'सोमो राजा' त्वया 'क्रीतः' 'इत्याह' उचितमूल्यस्य दत्तत्वात् । अथ 'वयांसि प्रब्रूहि' 'इति' 'सोमविक्रयी' ब्रूयात् ॥ ३ ॥

स आहेति । 'वयः'–शब्दार्थं स्वयमेवाह–**चन्द्रं त** इत्यादिना । 'हेम चन्द्रम्' इति हिरण्यनामसु पाठात् 'चन्द्रम्' आह्लादकारि हिरण्यम् । "चन्द्रं ते" इति । "शुक्रं त्वेति हिरण्यमालभ्य वाचयति"–इति कात्यायनः (७ । २१४) । 'अन्याः तिस्रः', गा इति शेषः ॥

व्यवहारपूर्वकं क्रय्यं प्रशंसति–**स यदर्वागिति** । 'अर्वाक्' सम्पादनात् प्राक् व्यवहारं कृत्वा 'परः' परस्तात् 'सम्पादयन्ति' । अथवा 'अर्वाक्' अल्पमेव व्यवहारकाले व्यवहरन्ति सम्पादनकाले तु 'परः' देयं मूल्यमधिकं कृत्वा । 'तस्मात्' 'इदम्' इदानीमपि 'सर्वं पण्यं' वस्तु 'सकृत्' 'एकवारम्' 'अर्वाक्' सत् 'परः' 'सम्पादयन्ति' ॥

गोर्वीर्याणामुदाख्यानवत् सोमवीर्याण्यप्युदाख्यातव्यानि, तथा करणे कारणमाह–**अथ यदध्वर्युरेव गोर्वीर्याणीति** । 'महितः' महत्त्वोपेतः खलु सोमः । तत् कथम् ? वस्तुतो दिवि खलु दिवि वर्तमानस्य चन्द्रस्य सोमवल्लीरूपेण परिणामात् , "दिवि वै सोम आसीत्"–(श. प. ब्रा ३ । २ । ४ । १)

१–प्रश्नान्ते प्रश्नान्ते । का. श्रौ. सू. ७ । २११ । २–ते क्रीणामीत्यंततः । का. श्रौ. सू. ७ । २१० । ३–क्रीतः सोमो राजेत्यन्ते वयाᳬसि प्रब्रूहीत्याह सोमविक्रयी । का. श्रौ. सू. ७ । २१२ ।

(ठ्यु) अथ यत्पुञ्च कृत्वः पुणते। संव्वत्सरसंमितो वै यज्ञः पुञ्च वाऽऋ-
तवः संव्वत्सरस्य तं पञ्चभिराप्नोति तस्मात्पुञ्च कृत्वः पणते ॥ ५ ॥
(तेऽथ) अथ हिरण्ये व्वाचयति। शुक्रं त्वा शुक्रेण क्रीणामीति शुक्रᳬं
ह्येतच्छुक्रेण क्रीणाति यत्सोमᳬं हिरण्येन चन्द्रं चन्द्रेणेति चन्द्रᳬं
ह्येतच्चन्द्रेण क्रीणाति यत्सोमᳬं हिरण्येनामृतममृतेनेत्यमृतᳬं ह्येतदमृतेन
क्रीणाति यत्सोमᳬं हिरण्येन ॥ ६ ॥
(त्ता) अथ सोमविक्रयिणमभिप्रकम्पयति। सग्मे ते गोरिति यजमाने ते
गौरित्येवैतदाह तद्यजमानमभ्याहृत्य न्यस्यत्यस्मे ते चन्द्राणीति सऽ-
आत्मन्येव व्वीर्यं धत्ते शरीरमेव सोमविक्रयी हरते तत्ततः सोमविक्रय्यादत्ते ७

अथ यत्पञ्च कृत्वः पणते। संवत्सरसंमितो वै यज्ञः। पञ्च वाऽऋतवः संवत्सरस्य। तं पञ्चभिराप्नोति। तस्मात्पञ्च कृत्वः पणते ॥ ५ ॥

अथ हिरण्ये वाचयति-" शुक्रं त्वा शुक्रेण क्रीणामि "-(वा. सं. ४। २६) इति। शुक्रं ह्येतच्छुक्रेण क्रीणाति-यत्सोमं हिरण्येन। " चन्द्रं चन्द्रेण "-(वा. सं. ४। २६) इति। चन्द्रं ह्येतच्चन्द्रेण क्रीणाति-यत्सोमं हिरण्येन। "अमृतममृतेन"-(वा. सं. ४। २६) इति। अमृतं ह्येतदमृतेन क्रीणाति-यत्सोमं हिरण्येन ॥ ६ ॥

अथ सोमविक्रयिणमभिप्रकम्पयति-" सग्मे ते गोः "-(वा. सं. ४। २६) इति। यजमाने ते गौरित्येवैतदाह। तद्यजमानमभ्याहृत्य न्यस्यति। "अस्मे ते चन्द्राणि"-(वा. सं. ४। २६) इति। स आत्मन्येव वीर्यं धत्ते। शरीरमेव सोमविक्रयी हरते। तत्ततः सोमविक्रय्यादत्ते ॥ ७ ॥

इत्युक्तत्वाच्च। अतो हेतोः सोमस्यानपेक्षितत्वात्। ' अध्वर्युः '' गां महयति ' पूजयति। ' तां पश्यन् ' 'तस्यै' तस्याः 'वीर्याणि' प्रतिधुगादीनि। केनाभिप्रायेण? सोममनया क्रीणानीत्यभिप्रायेण। तस्मादित्युपसंहारः ॥४॥

कलाशफादिरूपं पञ्चवारपणनं प्रशंसति-**अथ यत् पञ्च कृत्व** इति। स्पष्टमेतत् ॥ ५ ॥

अथ हिरण्ये इति। एकहायन्या सह देयेषु हिरण्यवस्त्रच्छागादिदशसु द्रव्येषु मध्ये 'हिरण्ये' दीयमाने सति यजमानं ' वाचयति ' " शुक्रं त्वा " इति मन्त्रम्। मन्त्रस्यायमर्थः-हे सोम! ' शुक्रम् ' दीप्यमानम् 'त्वा' त्वां ' शुक्रेण ' दीप्तेन ' हिरण्येन ' ' क्रीणामि ' तथा ' चन्द्रं ' त्वां ' चन्द्रेण ' आह्लादकेन ' हिरण्येन '। ' अमृतम् ' अमरणधर्माणं त्वाम् ' अमृतेन ' ' हिरण्येन ' क्रीणामीत्यर्थः। मन्त्रगतानि शुक्रचन्द्रामृतपदानि तृतीयान्तानि हिरण्यनामानि, द्वितीयान्तानि सोमस्येति व्याचष्टे-**शुक्रं त्वा शुक्रेण**त्यादिना। स्पष्टोऽर्थः। अत्र सूत्रम्-" स आह चन्द्रं ते वस्त्रं ते छागा ते धेनुस्ते मिथुनौ ते गावौ तिस्रस्तेऽन्याः शुक्रं त्वेति। हिरण्यमालभ्य वाचयति " (का. श्रौ. सू. ७। २१३-२१४) इति ॥ ६ ॥

अथ समन्त्रकं सोमविक्रयिणो हिरण्येनाभिप्रकम्पनं विधत्ते-**अथ सोमविक्रयिणम**िति। ' अभिप्रकम्पयति '

१-" चन्द्रं त्वेति ' इ. क्वचित् पाठः।

(त्ते॒ऽथा) अथा॒जायां॑ प्रतीची॒नमु॒ख्यां॑ वाचयति। त॒पस॒स्तनू॒रसी॒ति त॒पसो॒ ह वा॒ऽएषा॑ प्र॒जाप॑तेः॒ सम्भू॑ता॒ यद॒जा त॒स्मादा॑ह त॒पस॒स्तनू॒रसी॒ति प्र॒जाप॑ते॒र्व्वर्ण॒ऽइति॒ सा य॒त्त्रिः संव्वत्स॒रस्य॒ व्विजा॒यते॒ तेन॑ प्र॒जाप॑ते॒र्व्वर्णः॒ पर॒मेण॑ प॒शुना॑ क्री॒यस॒ऽइति॒ सा य॒त्त्रिः संव्वत्स॒रस्य॒ व्विजा॒यते॒ तेन॑ पर॒मः प॒शुः स॒हस्र॒पोषं॑ पुषेय॒मित्या॒शिष॑मे॒वैतदा॒शास्ते॒ भूमा॒ वै स॒हस्रं॒ भूमा॑नं गच्छानी॒त्ये॒वैतदा॑ह ॥ ८ ॥

अथाजायां प्रतीचीनमुख्यां वाचयति–" तपसस्तनूरसि "–(वा. सं. ४ । २६) इति। तपसो ह वाऽएषा प्रजापतेः सम्भूता–यदजा। तस्मादाह–तपसस्तनूरसीति। " प्रजापतेर्वर्णः"–(वा. सं. ४ । २६) इति। सा यत्त्रिः संवत्सरस्य विजायते–तेन प्रजापतेर्वर्णः। "परमेण पशुना क्रीयसे"–(वा. सं. ४ । २६) इति। सा यत्त्रिः संवत्सरस्य विजायते–तेन परमः पशुः। " सहस्रपोषं पुषेयम् "–(वा. सं. ४ । २६) इति। आशिषमेवैतदाशास्ते। भूमा वै सहस्रम्। भूमानं गच्छानीत्येवैतदाह ॥ ८ ॥

हिरण्येन प्रलोभयति। मन्त्रगतं ' सग्म'–पदं व्याचष्टे–यजमाने ते गौरिति। ऋत्विग्भिः सह गच्छति तत्तत्कर्मस्विति ' सग्मो ' यजमानः, तस्मिन्। हे सोमविक्रयिन्! ते गौरस्तु। " सग्मे त इति सोमविक्रयिणं हिरण्येनाभिकम्पयति"–(का. श्रौ. सू. ७ । २१५) इति सूत्रम्।

तद्यजमानमित्यादि। ' तत् ' अभिप्रकम्पनसाधनं हिरण्यं यजमानं प्रत्यानीय " अस्मे ते "–इति मन्त्रेण स्थापयेत्।[1] ' अस्मे ' अस्मदीये यजमान इत्यर्थः। हिरण्यस्य वीर्यरूपत्वात् तत्स्वीकारेणात्मनि वीर्यधारणं कृतं भवति। मंत्रसामर्थ्येन वीर्यस्य स्वीकाराभिवीर्यं हिरण्यशरीरमात्रमेव सोमविक्रयी हरते। ततो यजमानसमर्पणानंतरं तद्यजमानसमीपे न्यस्तं हिरण्यं सोमविक्रयी स्वीकुर्यात्। " सोमविक्रय्येतदादत्ते " (का. श्रौ. सू. ७ । २१७) इति सूत्रम् ॥ ७ ॥

अथाजायामिति। क्रयाय दत्तामजां प्रतीचीनमुखीं कृत्वा अध्वर्युस्तामालभ्य स्थितं यजमानं " तपसस्तनूरसि " इत्यादिमन्त्रं वाचयेत्। तथा च सूत्रम् " अजां प्रत्यङ्मुखीमालभ्य वाचयति तपसस्तनूरसीति " (का. श्रौ.सू. ७ । २१८) इति। मन्त्रस्यायमर्थः। हे अजे! त्वं ' प्रजापतेस्तपसः ' ' तनूः ' शरीरमसि। तत्परिणामरूपत्वात्। ' प्रजापतेः वर्णोऽसि ' " संवत्सरो वै प्रजापतिः"–(ऐ. ब्रा. १ । ३ । २ । ५; ६, २) इति श्रुतेः। संवत्सरस्य सम्बन्धिनि काले जायमानत्वेन संवत्सरद्वारा संवत्सररूपप्रजापतिशरीरसारूप्यात् प्रजापतिवर्णात्मकत्वम्। सम्वत्सरे त्रिर्जायमानादेवेतरपशोरप्युत्कर्षात् ' अजा ' ' परमः पशुः, ' तेन क्रीयसे। हे सोम! अतोऽहं तवानुग्रहात् ' सहस्रपोषं ' पुत्रपौत्रादिरूपेण बहुविधपुष्टिं प्राप्नवानीति ॥

तमिमं मन्त्रं विभज्य व्याचष्टे–तपसस्तनूरसीति। मन्त्रचतुर्थभागस्याशीःपरतामाह–आशिषमेवैतदिति। आशासनप्रकारमेव दर्शयति–भूमा वै सहस्रमिति ॥ ८ ॥

1– अस्मे त इति यजमानसहितं निदधाति। का. श्रौ. सू. ७ । २१६।

स वाऽ अनेनैवाजां प्रयच्छति । (त्य) अनेन राजानमादत्तऽआजा ह वै नामैषा यदजैतया ह्येनमन्तत आजति तामेतत्परोऽक्षमजेत्याचक्षते ॥९॥

(तेऽथ) अथ राजानमादत्ते । मित्रो नऽएहि सुमित्रध इति शिवो नः शान्त ऽएहीत्येवैतदाह तं यजमानस्य दक्षिणऽऊरौ प्रत्युह्य वासो निदधातीन्द्रस्योरुमाविश दक्षिणमित्येष वा ऽअत्रेन्द्रो भवति यद्यजमानस्तस्मादाहेन्द्रस्योरुमाविश दक्षिणमित्युशन्नुशन्तमिति प्रियः प्रियमित्येवैतदाह स्योनः स्योनमिति शिवः शिवमित्येवैतदाह ॥ १० ॥

स वाऽअनेनैवाजां प्रयच्छति । अनेन राजानमादत्ते । आजा ह वै नामैषा यदजा । एतया ह्येनमन्तत आजति । तामेतत्परोऽक्षमजेत्याचक्षते ॥ ९ ॥

अथ राजानमादत्ते—"मित्रो न एहि सुमित्रधः"—(वा. सं. ४ । २७) इति । शिवो नः शान्त एहीत्येवैतदाह । तं यजमानस्य दक्षिणऽऊरौ प्रत्युह्य वासो निदधाति । "इन्द्रस्योरुमाविश दक्षिणम्"—(वा. सं. ४।२७) इति । एष वाऽअत्रेन्द्रो भवति—यद्यजमानः । तस्मादाह—इन्द्रस्योरुमाविश दक्षिणमिति । "उशन्नुशन्तम्"—(वा. सं. ४।२७) इति । प्रियः प्रियमित्येवैतदाह । "स्योनः स्योनम्"—(वा. सं. ४।२७) इति । शिवः शिवमित्येवैतदाह ॥ १० ॥

वाम-दक्षिणबाहू क्रमेण अजाप्रदाने सोमादाने च निर्दिशति—**स वा अनेनेति** । **अनेन राजानमादत्त**—इति । यद्यत्र विशेषो न श्रूयते तथापि सूत्रकारेण विशेषितम्—"सव्येनाजां प्रयच्छन्—'मित्रो न'—इति दक्षिणेन सोममादायागत उत्तिष्ठति वा" । (का.श्रौ.सू.७।२१९) इति । अजाप्रदानेन सोमादानं तन्निर्वचनद्वारेण प्रशंसति—**अजा ह वा** इति । यस्मात् 'एतया' अजया 'एनम्' सोमम् एकाहनि हिरण्यादिक्रयद्रव्याणाम् 'अन्ततः' 'आजत्' अभिमुखेनागच्छति । आजनसाधनत्वात् 'आजा' वस्तुतः, 'तां' परोक्षेण 'अजेत्याक्षते' ॥९॥

सोमस्यादाने मन्त्रं विधत्ते—**अथ राजानमादत्ते मित्रो न एहीति** । 'हे सोम ! त्वं' 'सुमित्रधः' शोभनयजमानधारकः, त्वं 'मित्रः' मित्रभूतः प्रियभूतः सन् आगच्छेत्यर्थः । अस्मिन् मन्त्रे मित्रशब्दार्थमाह—**शिवो नः शान्त** इति । शिवशब्दस्य व्याख्यानं 'शान्त' इति । **तं यजमानस्येति** । 'दक्षिणे' 'ऊरौ' ऊरुप्रदेशे तत्रान्तर्धायकं 'वासः' 'प्रत्युह्य' प्रसार्य तत्र सोमं निदध्यात् ॥

निधाने मन्त्रं विधाय प्रशंसति—**इन्द्रस्योरुमिति** । 'अत्र' अस्मिन् सोमक्रयकर्मणि यस्मात् यजमानः एव 'इन्द्रो' भवति स्वतन्त्रत्वात् 'तस्मात्'—"इन्द्रस्योरुम्" इति मन्त्रं ब्रूते । द्वितीयभागतात्पर्यमाह—**उशन्नुशन्तमिति** इति । "वश कान्तौ"—(धा. पा. अ. प. ७०) । कामयमानस्त्वं कामयमानमूरुमाविशेति मन्त्रभागस्यार्थः । यः कामनाविषयः, स प्रियो भवतीति प्रसिद्धम्, अतः 'उशन्नुशन्तम्'—इत्यनेन 'प्रियः प्रियम्'—' इति' 'आह' मन्त्रः । एवं—**स्योनः स्योनमिति** । स्योनमिति सुखनाम; (निघ. ३ । ६ । १९) सुखस्य शिवात्मकत्वात् 'शिवः शिवम्' इति व्याख्यातम् । "दीक्षितोरौ दक्षिणे प्रत्युह्य वासो निदधातीन्द्रस्योरुमिति (का. श्रौ. सू. ७ । २२०) ॥ १० ॥

(ह्रा) अथ सोमक्रयणाननुदिशति । स्वान भ्राजाङ्घारे बम्भारे हस्त सुहस्त कृशानवेते वः सोमक्रयणास्तान्रक्षध्वं मा वो दभन्निति धिष्ण्यानां वाऽएते भाजनेनैतानि वै धिष्ण्यानां नामानि तान्येवैभ्य ऽएतदन्वदिक्षत् ११

(द) अथात्रापोर्णुते । गर्भो वाऽएष भवति यो दीक्षते प्रावृता वै गर्भा ऽउल्बेनेव जरायुणेव तमत्राजीजनत तस्मादपोर्णुतऽएष वाऽअत्र गर्भो भवति तस्मात्परिवृतो भवति परिवृताऽइव हि गर्भा उल्बेनेव जरायुणेव १२

अथ सोमक्रयणाननुदिशति—" स्वान भ्राजाङ्घारे बम्भारे हस्त सुहस्त कृशानवेते वः सोमक्रयणास्तान् रक्षध्वं मा वो दभन् "—(वा. सं. ४।२७) इति । धिष्ण्यानां वाऽएते भाजनेनैतानि वै धिष्ण्यानां नामानि । तान्येवैभ्य एतदन्वदिक्षत् ॥ ११ ॥

अथात्रापोर्णुते । गर्भो वाऽएष भवति यो दीक्षते । प्रावृता वै गर्भा उल्बेनेव जरायुणेव । तमत्राजीजनत—तस्मादपोर्णुत । एष वाऽअत्र गर्भो भवति । तस्मात्परिवृतो भवति । परिवृता इव हि गर्भा-उल्बेनेव जरायुणेव ॥ १२ ॥

अथ सोमक्रयणाननुदिशतीति—(का. श्रौ. सू. ७ । २२१) । हे स्वानभ्राजादयः 'वः' युष्माकम् 'एते' 'सोमक्रयणाः' । यतः तैर्गवादिभिः सोमः क्रीयते अतः 'तान्' क्रयसाधनपदार्थान् 'रक्षध्वम्' । रक्षःसम्बन्धिनः तान् 'मा दभन्' मा हिंसिष्ठाः ॥

अनुदेशनं प्रशंसति—धिष्ण्यानां वा एते भाजनेनेति । भाजयतीति भाजनं स्थानम्, तेन तत्स्थानेनोपाधिना 'एते' स्वानादयो 'धिष्ण्यानाम्' सम्बन्धिनः खलु । कथं तेषां धिष्ण्यसम्बन्ध इति तत्राह—एतानि वै धिष्ण्यानां नामानीति । स्वानादयो धिष्ण्यानां (निरु. ८ । १ । ४) नामान्येव, परं न तदतिरिक्ताः । अथवा अनुदेशनार्हाः 'एते' गवादिपदार्थाः 'धिष्ण्यानाम्' एव, न तु स्वानादयः सोमरक्षकाः; अतस्तेषामेव 'एते', न धिष्ण्यानामिति, तत्राह—एतानि वा इति । तथा चोत्तरत्र वक्ष्यति—" तमेते गन्धर्वाः सोमरक्षा जुगुपुः, इमे धिष्ण्या इमाः होत्रा "—(श. प. ब्रा. ३ । ६ । २ । ९) इति । 'तान्येव' दश क्रयद्रव्याणि 'एतत्' एतेन 'एते वः सोमक्रयणाः'—इति पाठेन 'एभ्यः' धिष्ण्यभूतेभ्यः स्वानादिभ्यः 'अन्वदिक्षत्' अनुदिष्टवान् भवति । दिशतेः (धा. पा. तु. उ. ३) " शल इगुपधा० "—(पा. सू. ३।१। ४५) इति क्सः । अत्र सूत्रम्—" स्वान भ्राजेति जपति सोमविक्रयिणमीक्षमाण इति " । (का. श्रौ. सू. ७ । २२१) ॥ ११ ॥

दीक्षासमये धृतस्य शिरःप्रावरणस्यापवारणं विधत्ते—अथात्रापोर्णुत इति । धृतस्य शिरःप्रावरणस्यापवारणं विधाय प्रशंसति—उल्बेनेव जरायुणेवेति । उभयत्रेव-शब्दो वाक्यालङ्कारार्थः । 'उल्बं' गर्भस्यान्तरमावरणम्, 'जरायु' बाह्यमावरणम् । तथा च प्रागाम्नातम् । " अन्तरं वा उल्बं जरायुणो भवति "—(श. प. ब्रा. ३ । २ । १ । ११) इति । स्पष्टमन्यत् । 'तं' गर्भभूतं यजमानम् 'अत्र' अस्मिन् सोमविक्रयसमनन्तरकाले

१-अपोर्णुते दीक्षितः शिरः । । का. श्रौ. सू. ७ । २२२ । पत्नी च । २२३ ।

(वृा) अथ व्वाचयति । पुरि माग्ने दुश्चरिताद्बाधस्वा मा सुचरिते भजे- त्यासीनं वाऽएनमेष ऽआगच्छति स आगत ऽउत्तिष्ठति तन्मिथ्या करोति व्व्रतं प्रमीणाति तुस्यो हैषा प्रायश्चित्तिस्तथो हास्यैतन्नु मिथ्याकृतं भुवति न व्व्रतं प्रमीणाति तुस्मादाह पुरि माग्ने दुश्चरिताद्बाधस्वा मा सुचरिते भजेति ॥ १३ ॥

(त्यु) अथ राजानमादायोत्तिष्ठति । (त्यु) उदायुषा स्वायुषोदस्था- ममृता ँ॥ऽअन्वित्यमृतं वाऽएषोऽनूत्तिष्ठति यः सोमं क्रीतं तस्मादाहो- दायुषा स्वायुषोदस्थाममृता ँ॥ऽअन्विति ॥ १४ ॥

(त्यु) अथ राजानमादायारोहणमभिप्रैति । प्रति पन्थामपद्महि स्वस्ति- गामनेहसम् । येन व्विश्वाः परि द्विषो व्वृणक्ति विन्दते व्वस्वितिं ॥ १५ ॥

अथ वाचयति–"परि माग्ने दुश्चरिताद्बाधस्वा मा सुचरिते भज"–(वा. सं. ४।२८) इति। आसीनं वाऽ एनमेष आगच्छति। स आगतऽउत्तिष्ठति–तन्मिथ्या करोति–व्रतं प्रमीणाति। तस्यो हैषा प्रायश्चित्तिः। तथो हास्यैतन्न मिथ्याकृतं भवति–न व्रतं प्रमीणाति। तस्मादाह–परिमाग्ने दुश्चरिताद्बाधस्वा मा सुचरिते भजेति ॥ १३ ॥

अथ राजानमादायोत्तिष्ठति–"उदायुषा स्वायुषोदस्थाममृता ँ॥ अनु"–(वा. सं. ४।२८) इति। अमृतं वाऽएषोऽनूत्तिष्ठति–यः सोमं क्रीतम्। तस्मादाह–उदायुषा स्वायुषोदस्थाममृता ँ॥ अन्विति ॥ १४ ॥

अथ राजानमादायारोहणमभिप्रैति। "प्रतिपन्थामपद्महि स्वस्तिगामनेहसम्। येन विश्वाः परि द्विषो वृणक्ति विन्दते वसु"(वा. सं. ४।२९) इति ॥ १५ ॥

'अजीजनत' प्रादुरभावयत् अध्वर्युः। उत्पन्नस्यावरणयोगात् अपवरणं युक्तमित्यर्थः। पूर्वं सति प्रावरणे पश्चा- दपवरणं युज्यते, तदेव कुत इत्यत आह–एष वा अत्र गर्भ इत्यादिना ॥ १२ ॥

अथ वाचयतीति। अध्वर्युः "परि माग्ने दुश्चरितात्"–इति अमुं मन्त्रं यजमानं वाचयेत्। अयमर्थः। 'मा' मां दुश्चरितात् सकाशात् 'परिबाधस्व' त्रायस्वेत्यर्थः। 'मा' मां 'सुचरिते' सदाचारे 'आभज' आभाजय। अथवा सुचरिते वर्तमानं माम् 'आभज' अनुगृह्णाण। मन्त्रतात्पर्यमाह–आसीनं वा एनमिति। 'एनम्' यजमानम्, 'एषः' सोमो राजा। अस्यागमनात् प्रागेवोत्थानेन भवितव्यम्, अत्र तद्विपरीत्यान्मि- थ्याकरणम्; तच्च 'व्रतं' कर्म 'प्रमीणाति' प्रहिनस्ति; तदनेन मन्त्रवाचनेन समाधीयत इति ॥ १३ ॥

अथ राजानमादायेति। उत्थानमन्त्रस्यार्थः। 'आयुषा स्वायुषा' च सह तत्साधनेन वा आयुष्क- रणेन सोमेन सह 'उदस्थाम्'। 'आयुषा' निमित्तेनेति वा। 'अमृतान्' अवयवापेक्षया बहुवचनम्। सोमांशून्–'अनु'–सृत्य 'उदस्थाम्'। अमृतशब्दस्य तात्पर्यमाह–अमृतं वा एषोऽनूत्तिष्ठति यः सोमं क्रीतम् इति। अनूत्तिष्ठतीति शेषः ॥ १४ ॥

अथ राजानमादायारोहणमभिप्रैतीति। आरोहन्त्यत्रेति 'आरोहणं' शकटम्। अभिगमनमन्त्रस्या-

---

१–गृहीतसोमं वारे माम इति व्वाचयति। का. श्रौ. सू. ७।२२५। २–उदायुषेत्युत्थानम्। का. श्रौ. सू. ७।२२७।

देवा ह वै यज्ञं तन्वानाः। (स्ते) तेऽसुररक्षसेभ्य आसङ्गाद्बिभयांचक्रु-स्तुऽएतद्यजुः स्वस्त्ययनं ददृशुस्तुऽएतेन यजुषा नाष्ट्रा रक्षाᳬंस्यपहत्यै तस्य यजुषोऽभयेऽनाष्ट्रे निवाते स्वस्ति समाश्नुवत तथोऽएवैष एतेन यजुषा नाष्ट्रा रक्षाᳬंस्यपहत्यैतस्य यजुषोऽभयेऽनाष्ट्रे निवाते स्वस्ति सम-श्नुते तस्मादाह प्रति पन्थामपद्महि स्वस्तिगामनेहसम्। येन विश्वाः परि द्विषो वृणक्ति विन्दते वस्विति ॥ १६ ॥

तं वाऽइति हरन्ति। (न्त्यु) अनसा परिवहन्ति महयन्त्येवैनमेतत्तस्मा-च्छीर्ष्णा बीजᳬं हरन्त्यनसोदावहन्ति ॥ १७ ॥

देवा ह वै यज्ञं तन्वानाः। तेऽसुररक्षसेभ्य आसङ्गाद्बिभयांचक्रुः। तऽएतद्यजुः स्वस्त्ययनं ददृशुः। तऽएतेन यजुषा नाष्ट्रा रक्षांस्यपहत्यैतस्य यजुषोऽभयेऽनाष्ट्रे निवाते स्वस्ति समाश्नुवत। तथो एवैष एतेन यजुषा नाष्ट्रा रक्षांस्यपहत्यैतस्य यजुषोऽभयेऽनाष्ट्रे निवाते स्वस्ति समश्नुते। तस्मा-दाह—प्रति पन्थामपद्महि स्वस्तिगामनेहसम्। येन विश्वाः परि द्विषो वृणक्ति विन्दते वस्विति॥१६॥

तं वाऽइति हरन्ति अनसा परिवहन्ति। महयन्त्येवैनमेतत्। तस्माच्छीर्ष्णा बीजं हरन्ति, अन-सोदावहन्ति ॥ १७ ॥

यमर्थः। वयं 'पन्थां' पन्थानं 'प्रत्यपद्महि' प्रतिपद्येमहि। कीदृशम्? 'स्वस्तिगां शोभनगमनम्' 'अनेह-सम्' 'अपापम्' 'येन' पथा गच्छन् पुरुषो 'विश्वाः' 'द्विषः' द्वेष्टॄन् 'परिवृणक्ति' परिवर्जयति, 'वसु' धनं च 'विन्दते' लभते तं प्रतिपद्येमहीति ॥ १५ ॥

अमुं मन्त्रमाख्यायिकया प्रशंसति—देवा ह वा इति। पुरा किल 'देवाः' देवत्वप्राप्तये 'यज्ञं तन्वानाः' असुराद्यासङ्गेन भीताः तत्परिहारोपायत्वेन क्षेमप्रापकम् 'एतत्' 'यजुः' इमं मन्त्रं दृष्ट्वा प्रयुज्य, 'नाष्ट्रा रक्षांसि' नाशकारिणो राक्षसान् घातयित्वा, एतन्मन्त्रसम्बन्धिनि भयरहिते, नाशरहिते, 'वातरहिते स्थाने अविनाशलक्षणं क्षेमं प्राप्ताः। तस्मात् इदानीन्तनोऽपि तद्यजुःप्रयोगेणोक्तलक्षणं क्षेमं प्राप्नोति। यस्मादस्य मन्त्रस्य सामर्थ्यमेवंविधम्, तस्माच्छकटसमीपं गच्छन् "प्रति पन्थाम्" इति मन्त्रं ब्रूयादित्यर्थः। ब्राह्मणोक्तस्य कृत्स्नस्यार्थस्य मन्त्रे दर्शनादित्यभिप्रायः ॥ १६ ॥

तं वा इतीति। हरणप्रकारोऽभिनीयते। "इति" अनेन प्रकारेण शिरसा धृत्वेत्यर्थः। 'हरन्ति प्रथमं क्रयात्' प्राक् पर्वतात्, पश्चात्तु "अनसा परिवहन्ति" अनेन सोमं "महयन्ति' सत्कुर्वन्ति। यस्मात् पूर्व-मेवं कृतम् 'तस्मात्' इदानीमपि आवापसमये कृष्टक्षेत्रं प्रति 'बीजं शीर्ष्णा हरन्ति' पश्चात् फलितानामा-नयनसमये 'अनसा' 'उदावहन्ति' उदानयन्ति। अत्र सूत्रम्—"शीर्ष्णि सोमं कृत्वा पाणिमन्तर्द्धाय प्रतिपन्थामित्यनोऽभ्येति, दक्षिणतस्तिष्ठच्छन्नं समङ्ग्धि धौतम्, प्रउगानोद्धते फलके, कृष्णाजिनमस्मिन्नास्तृणा-

---

१–'बाधरहिते'–इ. क. पा.। २–शीर्ष्णेति–तं वा हरतीत्यत्र–तस्माच्छीर्ष्णा बीजᳬं हरन्तीति वाक्यशेषात्। ३–पाणिमं-तर्द्धायेति शाखान्तरादिति हरिस्वामिनः।

(न्त्यु) अथ यदपामन्ते क्रीणाति । रसो वाऽआपः सरसमेवैतत्क्रीणात्यथ यद्धिरण्यं भवति सशुक्रमेवैतत्क्रीणात्यथ यद्वासो भवति सत्वचसमेवैतत्क्रीणात्यथ यदजा भवति सतपसमेवैतत्क्रीणात्यथ यद्धेनुर्भवति साशिरमेवैतत्क्रीणात्यथ यन्मिथुनौ भवतः समिथुनमेवैतत्क्रीणाति तं वै दशभिरेव क्रीणीयान्नादशभिर्दशाक्षरा वै विराड् वैराजः सोमस्तस्माद्दशभिरेव क्रीणीयान्नादशभिः ॥ १८ ॥

इति द्वितीये प्रपाठके षष्ठं ब्राह्मणम् ॥ २ ॥ ६ ॥ (३. ३)

इति द्वितीयप्रपाठकः समाप्तः ॥ कण्डिकासंख्या १२८ ॥

अथ यदपामन्ते क्रीणाति । रसो वाऽआपः । सरसमेवैतत्क्रीणाति । अथ यद्धिरण्यं भवति–सशुक्रमेवैतत्क्रीणाति । अथ यद् वासो भवति–सत्वचसमेवैतत्क्रीणाति । अथ यदजा भवति–सतपसमेवैतत्क्रीणाति । अथ यद्धेनुर्भवति–साशिरमेवैतत्क्रीणाति । अथ यन्मिथुनौ भवतः–समिथुनमेवैतत्क्रीणाति । तं वै दशभिरेव क्रीणीयात्–नादशभिः । दशाक्षरा वै विराट् । वैराजः सोमः । तस्माद्दशभिरेव क्रीणीयाद्–नादशभिः ॥ १८ ॥

त्यदित्यास्त्वगिति" (वा. सं. ४ । ३० । १) तस्मिन्त्सोमं निदधात्यदित्यै सद (वा. सं. ४ । ३० । २) इति "–(का. श्रौ. सू. ७ । २२७–२३०) इति ॥ १७ ॥

उदकुम्भसमीपे क्रयं प्रशंसति–**अथ यदपामिति** । स्पष्टोऽर्थः । हिरण्यादिदशरूपद्रव्यं क्रमेणानूद्य प्रशंसति–**अथ यद्धिरण्यं भवतीत्यादिना** । क्रयाय ' हिरण्यं भवति ' इति ' यत् ' ' एतत् ' एतेन सोमं ' सशुक्रम् ' शुक्रेण दीप्त्या सहितं सन्तं क्रीतवान् भवति; हिरण्यस्य तेजोरूपत्वात् । वासस आच्छादनसाधनत्वात्, तेन क्रये सति सोमं ' सत्वचसम् ' क्रीतवान् भवति । ब्रह्मणस्तपसा सम्भूतत्वात् ' अजया ' क्रये सति तपसा सहितः क्रयो भवति । धेन्वामाशिरस्य क्षीरादेः सम्भवात्, तया क्रये सति सोमः साशिरो भवति । ' अथ यन्मिथुनौ भवतः '–इति स्पष्टम् । क्रयणद्रव्यगतां दशसङ्ख्यामनूद्य प्रशंसति–" तं वै दशभिरेव क्रीणीयात्, नादशभिः " इति । स्पष्टोऽर्थः ॥ १८ ॥

इति श्रीसायणाचार्यविरचिते माधवीये वेदार्थप्रकाशे माध्यन्दिनीयशतपथब्राह्मणभाष्ये तृतीयकाण्डे तृतीयाध्याये तृतीयं ब्राह्मणम् ॥ (३–३–३) ॥

अथ तृतीयप्रपाठके प्रथमं ब्राह्मणम् ।
तृतीयाध्याये च चतुर्थं ब्राह्मणम् ।

नीडे कृष्णाजिनमास्तृणाति । (त्यु) अदित्यास्त्वगसीति सोऽसावेव बन्धुरथैनमासादयत्यदित्यै सद ऽआसीदेतीयं वै पृथिव्यदितिः सेयं प्रतिष्ठा तदस्यामेवैनमेतत्प्रतिष्ठायां प्रतिष्ठापयति तस्मादाहादित्यै सद ऽआसीदेति ॥ १ ॥

(त्यु) अथैवमभिपद्य वाचयति । (त्यु) अस्तभ्नाद्द्यां वृषभोऽअन्तरिक्षमिति देवा ह वै यज्ञं तन्वानास्तेऽसुररक्षसेभ्य ऽआसङ्गाद्बिभयांचक्रुस्तऽएनमेतज्ज्यायाᳬसमेव व्यधाचक्रुर्यदाहास्तभ्नाद्द्यां वृषभोऽ अन्तरिक्षमिति ॥ २ ॥

अथ सोमानयनम् ।

नीडे कृष्णाजिनमास्तृणाति–" अदित्यास्त्वगसि "–(वा. सं. ४ । ३०) इति । सोऽसावेव बन्धुः। अथैनमासादयति–"अदित्यै सद आसीद"–(वा. सं. ४ । ३०) इति । इयं वै पृथिव्यदितिः। सेयं प्रतिष्ठा। तदस्यामेवैनमेतत्प्रतिष्ठायां प्रतिष्ठापयति। तस्मादाह अदित्यै सद आसीदेति॥ १॥

अथैवमभिपद्य वाचयति–"अस्तभ्नाद् द्यां वृषभोऽअन्तरिक्षम्"–(वा. सं. ४ । ३०)इति।

शकटमध्ये सोमस्थापनाय कृष्णाजिनास्तरणं समन्त्रकं विधत्ते–**नीडे कृष्णाजिनं**[२]**मिति** । " उद्धते प्रउग्ये फलके भवतः " (श. प. ब्रा. ३ । ३ । ४ । ९) इति वक्ष्यति । तदुद्धतप्रउग्यफलकद्वयोपेतस्यानसो ' नीडे ' । परितः प्रावृतः शकटमध्यदेशो नीडम् अस्मिन् ' कृष्णाजिनम् ' प्रसारयेत् । हे कृष्णाजिन ! त्वम् ' अदित्याः ' भूम्याः त्वग्रूपम् ' असि ' यद्यद् भूम्या उपरि स्तृतम् तत् सर्वं तस्यास्त्वक्स्थानीयमित्यर्थः । दर्शपूर्णमासगतं कृष्णाजिनास्तरणमन्त्रब्राह्मणम् (श. प. ब्रा. १ । १ । ४ । ५) अत्रातिदिशति–**सोऽसावेव बन्धुरिति** । योऽसौ अवहननप्रस्तावगतः–" इयं वै पृथिव्यदितिस्तस्याऽअस्यै त्वग् यदिदमस्यामधि किञ्च तस्मादाहादित्यास्त्वगसीति "–(श. प. ब्रा. १ । १ । ४ । ५) इत्युक्तो यो ब्राह्मणभागः ' सः ' एवास्य ' बन्धुः ' समानार्थकः, ब्राह्मणमित्यर्थः । **अथैनमि**[३]**ति** । ' एनं ' सोमम् ' आसादयति'–**अदित्यै सद** इत्यनेन मन्त्रेण ' अदित्यै ' अदित्याः सम्बन्धि ' सदः ' सदनं स्थानम । पृथिव्याः सर्वास्पदत्वेन प्रतिष्ठात्वम्, ' तस्मात् ' प्रतिष्ठात्मकत्वात्; इति भावनया कृष्णाजिने आसादितोऽपि सोमोऽदित्यां प्रतिष्ठापितो भवति, यतः अतोऽमुं मन्त्रं पठेत् ॥ १ ॥

अथैनमिति । ' एनं सोमम् ' अभिपद्य ' आलभ्य ' वाचयति ' अध्वर्युः । " अस्तभ्नाद् द्याम् " इति

१–अथैनम् इति सायणसंमतः पाठः । २–कृष्णाजिनमस्मिन्नास्तृणात्यदित्यास्त्वगिति । का.श्रौ. सू.७ । २२९ । ३–तस्मिन्सोमं निदधात्यदित्यैसद इति का. श्रौ. सू. ७ । २३८ ।

(त्यु) अमिमीत व्वरिमाणं पृथिव्या इति । तदेनेनेमाँल्लोकानास्पृ-णोति तस्य हि न हन्ताऽस्ति न वधो येनेमे लोका ऽआस्पृतास्तस्मादा-हामिमीत व्वरिमाणं पृथिव्या इति ॥ ३ ॥

(त्या) आसीदद्विश्वा भुवनानि सम्राडिति । तदेनेनेदꣳ सर्व्वमास्पृ-णोति तस्य हि न हन्तास्ति न वधो येनेदꣳ सर्व्वमास्पृतं तस्मादा-हासीदद्विश्वा भुवनानि सम्राडिति ॥ ४ ॥

देवा ह वै यज्ञं तन्वानाः । तेऽसुररक्षसेभ्य आसङ्गाद्बिभयाञ्चक्रुः । त एनमेतज्ज्यायांसमेव वधाञ्चक्रुः । यदाह–अस्तभ्नाद् द्यां वृषभोऽअन्तरिक्षामिति ॥ २ ॥

"अमिमीत वरिमाणं पृथिव्याः"–(वा.सं.४।३०) इति । तदेनेनेमाँल्लोकानास्पृणोति । तस्य हि न हन्तास्ति । न वधः–येनेमे लोका आस्पृताः। तस्मादाह–अमिमीत वरिमाणं पृथिव्या इति॥३

"आसीदद्विश्वाभुवनानि सम्राट्"(वा.सं.४।३०)–इति । तदेनेनेदं सर्वमास्पृणोति । तस्य हि न हन्तास्ति–न वधः–येनेदं सर्वमास्पृतम् । तस्मादाह–आसीदद्विश्वा भुवनानि सम्राडिति ॥४॥

(मन्त्रं) सोममालभ्य वाचयति" (का. श्रौ. सू. ७ । २३१) इति सूत्रम् ।मन्त्रस्यायमर्थः।'वृषभः' अपां वर्षिता सोमः। अथवा वृषभ–शब्दः श्रेष्ठवाची, सर्वदेवश्रेष्ठः सोमः। 'उपरि' 'द्याम' दिवम् 'अस्तभ्नात्' सर्वप्राणिरक्षणाय स्तम्भितवान्। तथा 'अन्तरिक्षम्' अस्तभ्नात्। किञ्च 'पृथिव्याः' 'वरिमाणम्' परिमाणमहत्त्वमपि 'अमिमीत' इयती पृथिवीति मानं कृतवान्। स तादृशः 'सम्राट्' सम्यग्राजमानः सोमो 'विश्वा' विश्वानि 'भुवनानि' भूतजातानि 'आसीदद्' अधिपतित्वेनाधिष्ठितवान्। 'तानि' इमानि 'विश्वा' विश्वानि सर्वाणि 'इत्' अपि 'व्रतानि' आयुस्तम्भनादिकर्माणि 'वरुणस्य' पापनिवारकस्य सोमदेवस्य सम्बन्धीनि, सर्वे देवादयोऽनुसरन्तीत्यर्थः ॥

अमुं मन्त्रं चतुर्द्धा विभज्य व्याचष्टे–देवा ह वै यज्ञमित्यादिना। पुरा 'देवाः' 'एनम्' 'एव' सोमम् 'एतत्' एतस्मिन् प्रस्तुते कर्मणि 'वधात्' असुररक्षःकृतोद्वेगात्, तत्परिहाराय 'ज्यायांसं' प्रशस्यतरं श्रेष्ठं चक्रुः। 'यदाह' मन्त्रः 'अस्तभ्नाद् द्यां वृषभोऽअन्तरिक्षमिति' स पूर्वमेतद्ब्राह्मणोक्तप्रकारेण देवैः कृतत्वादाहेत्यर्थः; तस्मिन् मन्त्रभागे श्रेष्ठवाचकवृषभशब्दस्य श्रवणात् ॥ २ ॥

अमिमीतेति। 'तत्' तस्मात् सोमेन पृथिव्या मितत्वात्, 'एनेन' बलप्रकाशकमन्त्रपाठेन, अथवा 'एनेन' पृथिवीमानकर्त्रा सोमेन 'इमान्' त्रीनपि 'लोकान्' 'आस्पृणोति' सर्वतो बलिनः कारयति। सोमस्य बलवत्त्वसर्थोपत्त्या द्रढयति–तस्य हीति। हन्तुर्हननस्य च लोकत्रयान्तःपातित्वात् तस्य चैतदार्थापत्त्यमित्यर्थः। आस्पृताः बलिनः कृताः। यस्मादेवं 'तस्मात्' 'अमिमीत वरिमाणं पृथिव्या इति' मन्त्रभागस्तमर्थम् 'आह'। अथवा 'तस्मात्' तं मन्त्रभागं ब्रूयादित्यर्थः ॥ ३ ॥

आसीददिति। तृतीयपादस्यापि बलप्रकाशनरूपार्थत्वात् तृतीयपादब्राह्मणमेवात्र पुनः पठितम्; "तदेनेनेमाँल्लोकान्"–इत्यस्य स्थाने "तदेनेनेदꣳसर्वम्" इति विशेषः ॥ ४ ॥

विश्वेत्तानि वरुणस्य व्रतानीति । तदस्मा ऽइदꣳ सर्व्वमनुवर्त्म करोति यदिदं किं च न कं चन प्रत्युद्यामिनं तस्मादाह विश्वेत्तानि वरुणस्य व्रतानीति ॥ ५ ॥

(त्यु) अथ सोमपर्याणहनेन पर्याणह्यति । नेदेनं नाष्ट्रा रक्षाꣳसि प्रमृशानिति गर्भो वाऽएष भवति तिरऽइव वै गर्भास्तिर ऽइवैतद्यत्पर्याणद्धं तिरऽइव वै देवा मनुष्येभ्यस्तिर इवैतद्यत्पर्याणद्धं तस्माद्वै पर्याणह्यति ॥ ६ ॥

स पर्याणह्यति । वनेषु व्यन्तरिक्षं ततानेति वनेषु हीदमन्तरिक्षं विततं वृक्षाग्रेषु वाजमर्व्वत्सु पय उस्रियास्विति वीर्यं वै वाजाः पुमाꣳसोऽर्व्वन्तः पुꣳस्वेवैतद्वीर्यं दधाति पय उस्रियास्विति पयो हीदमुस्रियासु हितꣳ

"विश्वेत्तानि वरुणस्य व्रतानि"–(वा. सं. ४।३०) इति । तदस्माऽइदं सर्वमनुवर्त्मकरोति यदिदं किं च, न कं चन प्रत्युद्यामिनम् । तस्मादाह विश्वेत्तानि वरुणस्य व्रतानीति ॥ ५ ॥

अथ सोमपर्याणहनेन पर्याणह्यति । नेदेनं नाष्ट्रा रक्षांसि प्रमृशानिति । गर्भो वाऽएष भवति । तिर–इव वै गर्भाः–तिर इवैतद् यत्पर्याणद्धम् । तिर–इव वै देवा मनुष्येभ्यः । तिर इवैतद् यत्पर्याणद्धम् । तस्माद्वै पर्याणह्यति ॥ ६ ॥

स पर्याणह्यति–"वनेषु व्यन्तरिक्षं ततान"–(वा. सं. ४।३१) इति । वनेषु हीदमन्तरिक्षं विततं वृक्षाग्रेषु । "वाजमर्वत्सु, पय उस्रियासु"–(वा. सं. ४।३१) इति । वीर्यं वै वाजाः, पुमांसोऽर्वन्तः ।

विश्वेत्तानीति । चतुर्थभागपाठस्य तात्पर्यमाह–**तदस्मा इदं सर्वमनुवर्त्म करोतीति** । 'इदं सर्वम्' भूतजातम् 'अनुवर्त्म' तदधीनस्थितिकं कृतवान् भवति । प्रत्युद्यामः प्रतिकूलोद्योगः, तत्कर्तारम् 'प्रत्युद्यामिनम्' 'न करोति' इति सम्बन्धः ॥ ५ ॥

अथ सोमपर्याणहनेनेति । शकटेन सार्द्धं सोमस्य वेष्टनरूपं यत्, 'पर्याणहनम्' पर्याणहनप्रयोजनकथनम्–**नेदेनं नाष्ट्रा रक्षांसीति** । 'नेत्' इति परिभये । तथा च यास्कः–"नेत्येष इदित्येतेन सम्प्रयुज्यते परिभये" इति (निरु. ३।१।१६) यदि पर्याणहनं न कुर्यात् तदा 'नाष्ट्रा' नाशकराणि रक्षांसि 'एनं' 'प्रमृशन्' प्रमृशेयुः, एतत्तु भयकरम् । तस्मात् तत्परिहाराय पर्याणहनमित्यर्थः । पर्याणहनं प्रकारान्तरेण प्रशंसति–**गर्भो वा एष भवतीति** । 'तिर इव वै गर्भाः' अन्तर्हिता वर्तन्त इत्यर्थः । यस्माद् गर्भाणां तिरोधानमपेक्षितम्, यस्माच्च मनुष्येभ्यः सकाशात् देवस्य सोमस्य, तस्मात् पर्याणहनं युक्तमित्यर्थः ॥ ६ ॥

तत्र मन्त्रं विभज्य व्याचष्टे–**स पर्याणह्यतीति** । वनेषु व्यन्तरिक्षमित्यादिना । 'वनेषु' वृक्षसमूहेषु 'अन्तरिक्षं' 'विततान' सोमो विस्तीर्णवान् [illegible] 'अर्वत्सु' अरणवत्सु

१–वनेषु व्यंतरिक्षमिति सोमपर्याणहनेन परितत्य । का. श्रौ. सू. ७।२२।

हृत्सु क्रतुं वरुणो विक्ष्वग्निमिति हृत्सु ह्ययं क्रतुर्मनोजवः प्रविष्टो विक्ष्वग्निमिति विक्षु ह्ययं प्रजास्वग्निर्दिवि सूर्यमदधात्सोममद्राविति दिवि ह्यसौ सूर्यो हितः सोममद्राविति गिरिषु हि सोमस्तस्मादाह दिवि सूर्यमदधात्सोममद्राविति ॥ ७ ॥

(त्यु) अथ यदि द्वे कृष्णाजिने भवतः। (स्तु) तयोरन्यतरत्प्रत्यानह्यति प्रतीनाहभाजनं यद्यु ऽएकं भवति कृष्णाजिनग्रीवा एवावकृत्य प्रत्यानह्यति प्रतीनाहभाजनᳬँ सूर्यस्य चक्षुरारोहाग्नेरक्ष्णः कनीनकम् । यत्रैतशेभिरीयसे भ्राजमानो विपश्चितेति सूर्यमेवैतत्पुरस्तात्करोति सूर्यः पुरस्तान्नाष्ट्रा रक्षाᳬँस्यपघ्नन्नेत्यथाभयेनानाष्ट्रेण परिवहन्ति ॥ ८ ॥

पुंस्त्वेवैतद्वीर्यं दधाति । पय उस्रियास्विति । पयो हीदमुस्रियासु हितम् । " हृत्सु क्रतुं वरुणो विक्ष्वग्निम् "–(वा. सं. ४।३१) इति । हृत्सु ह्ययं क्रतुर्मनोजवः प्रविष्टः । विक्ष्वग्निमिति । विक्षु ह्ययं प्रजास्वग्निः । " दिवि सूर्यमदधात्सोममद्रौ–"(वा. सं. ४।३१) इति । दिवि ह्यसौ सूर्यो हितः । सोममद्राविति । गिरिषु हि सोमः । तस्मादाह–दिवि सूर्यमदधात्सोममद्राविति॥ ७ ॥

अथ यदि द्वे कृष्णाजिने भवतः । तयोरन्यतरत्प्रत्यानह्यति–प्रतीनाहभाजनम् । यद्यु एकं भवति–कृष्णाजिनग्रीवा एवावकृत्य प्रत्यानह्यति–प्रतीनाहभाजनम् । " सूर्यस्य चक्षुरारोहाग्नेरक्ष्णः कनीनकम् । यत्रैतशेभिरीयसे भ्राजमानो विपश्चिता"–(वा. सं. ४ । ३२ इति । सूर्यमेवैतत्पुरस्तात्करोति । सूर्यः पुरस्तान्नाष्ट्रा रक्षांस्यपघ्नन्नेति । अथाभयेनानाष्ट्रेण परिवहन्ति ॥ ८ ॥

पुरुषेषु योग्यम् । ' व्यदधात्–' इति सर्वत्र सम्बध्यते । ' उस्रियां ' (निघं. २ । ११ । ३) इति गोनाम । तासु ' पयः ' । ' हृत्सु ' इति प्राणिबहुत्वापेक्षया बहुवचनम् । तत्र ' हृत्सु ' ' क्रतुं ' सङ्कल्पम् । ' विक्षु ' प्रजासु अग्निम् भुक्तस्यान्नपानस्य पाकसाधनमग्निम् । ' दिवि सूर्यम् ' । ' अद्रौ ' जातावेकवचनम् (पा. सू. १ । २ । ५८) पर्वतेषु ' सोमम् ' । ' वरुणः ' पापनिवारकः । सोमो देवः ' अदधात् ' स्थापितवानिति मन्त्रार्थः । ' वन '–शब्दस्यार्थान्तरभ्रमं व्युदस्यन् वनेष्वन्तारिक्षविस्तरणं लोकसिद्धमित्याह–वनेषु हीदं विततमन्तरिक्षं वृक्षाग्रेष्विति । यद्यपि सर्वत्रान्तारिक्षं विततम् तथापि पामरदृष्ट्या सान्द्रवृक्षाग्रेषु पटास्तरणवत् प्रतिभासादेनमुक्तम् । ' अर्वत्सु ' पुंस्त्वसम्भवात् वाजस्य वीर्यत्वात् ' एतत् ' एतेन " वाजमर्वत्सु–" इति पाठेन पुंस्त्वेव वीर्यं स्थापितवान् भवति । उस्रियाहृदादिषु पयःक्रत्वादिस्थितेर्लोकप्रसिद्धिः ' पयो हीदम् ' ' हृत्सु ह्ययं क्रतुः–'इत्यादि ' हि– ' कारेण द्योत्यते ॥ ७ ॥

अथ यदि द्वे इति । दीक्षायां ' यदि ' ' द्वे कृष्णाजिने ' स्वीकृते तयोः ' एकं ' कृष्णाजिनम् ' ' प्रतिनाहभाजनम् ' भवति । नद्धस्य पुरोदेशप्रसारितो ध्वजः प्रतिनाहः; तद्भाजनम् तत्स्थानीयं भवतीत्यर्थः । द्वितीयालाभे उपायमाह–यद्यु एकं भवति, कृष्णाजिनग्रीवा एवावकृत्येति ॥

प्रतिनाहमन्त्रः–सूर्यस्य चक्षुरिति । तथा च सूत्रम्–" कृष्णाजिनं पुरस्तादासजति सूर्यस्य चक्षुरित्यासनयो-

---

१–प्रतिनाह इति ह्रस्वान्तः सायणसम्मतः ।

(त्यु) उद्धते प्रऽउग्ये फलके भवतः । (स्त) तदन्तरेण तिष्ठन्त्सुब्रह्मण्यः प्राजति श्रेयान्वाऽएषोऽभ्यारोहाद्भवति को ह्येतमर्हत्यभ्यारोढुं तस्मादन्तरेण तिष्ठन्प्राजति ॥ ९ ॥

पलाशशाखया प्राजति । यत्र वै गायत्री सोममच्छापतत्तदस्याऽआहरन्त्याऽ अपादस्ताभ्यायत्य पर्णं प्रचिच्छेद गायत्र्यै वा सोमस्य वा राज्ञस्तत्पतित्वा पर्णोऽभवत्तस्मात्पर्णो नाम तद्यदेवात्र सोमस्य न्यक्तं तदिहाप्यसदिति तस्मात्पलाशशाखया प्राजति ॥ १० ॥

उद्धते प्रऽउग्ये फलके भवतः । तदन्तरेण तिष्ठन्त्सुब्रह्मण्यः प्राजति । श्रेयान्वाऽ एषोऽभ्यारोहाद्भवति । को ह्येतमर्हत्यभ्यारोढुम् । तस्मादन्तरेण तिष्ठन्प्राजति ॥ ९ ॥

पलाशशाखया प्राजति । यत्र वै गायत्री सोममच्छापतत्—तदस्याऽआहरन्त्याऽअपादस्ताभ्यायत्य पर्णं प्रचिच्छेद । गायत्र्यै वा सोमस्य वा राज्ञः । तत्पतित्वा पर्णोऽभवत् । तस्मात्पर्णो नाम । तद्यदेवात्र सोमस्य न्यक्तम्, तदिहाप्यसदिति । तस्मात्पलाशशाखया प्राजति ॥ १० ॥

रन्यतरत्, एकं चेद् ग्रीवा अवकृत्य "–(का. श्रौ. सू. ७ । २३२ । २३३) इति । मन्त्रस्यायमर्थः । हे कृष्णाजिन ! त्वं 'सूर्यस्य' 'चक्षुः' चक्षुःस्थानीयम्, प्रकाशनस्थानमित्यर्थः । उपरि हि सूर्यः प्रकाशते, अतस्त्वमनसि ऊर्ध्वंदिशमारोहेत्यर्थः । तथा 'अग्नेः' देवस्याक्ष्णः सम्बन्धि 'कनीनकम्' अक्षिमध्यगतः कृष्णप्रदेशः कनीनिका ताम् 'आरोह' । 'अग्नेरक्ष्णः' कनीनिकास्थानमन्तारिक्षम्; नीलं नभ इति प्रसिद्धेः । अनस उपर्यारोहे सति एतदुभयारोहणं सम्पद्यते । 'यत्र' यस्मिन्नारोहे सति 'एतशेभिः' अश्वैः 'ईयसे' गच्छसि 'विपश्चिता' मेधाविना सोमेन सह 'भ्राजमानः' दीप्यमानः सन् ॥

एतन्मन्त्रपाठं प्रशंसति–**सूर्यमेवैतत्पुरस्तादिति** । मन्त्रे 'सूर्यस्य चक्षुः' इत्यभिधानेन 'सूर्यमेव' सोमस्य 'पुरस्तात्' कृतवान् भवति । ततश्च किमित्याह–**सूर्यः पुरस्तान्नाष्ट्रेति** । 'नाष्ट्रा' नाष्ट्राणि यज्ञनाशकानि 'रक्षांसि' हिंसन् पुरो गच्छति तस्मिन् सति 'अभयेन' नाशकरहितेन मार्गेण सोमं 'परिवहन्ति' ॥ ८ ॥

उद्धते प्रउग्ये फलके भवत इति । 'प्रउग्ये फलके' प्रउगसम्बन्धिफलके 'उद्धते' प्रउगादप्युन्नते, चुबुकप्रमाणे 'भवतः' । अत एव सूत्रकारः तस्मिन्नेव प्रदेशे फलकयोरौद्धत्यं सूत्रयामास–"प्रयुगाबोद्धते फलके भवतः–"(का. श्रौ. सू. ७ । २२८) इति । **तदन्तरेणेति** । 'तत्' तयोः फलकयोः 'अन्तरेण' मध्ये 'तिष्ठन् सुब्रह्मण्यः' । भूमिष्ठ एव सन् 'प्राजति' प्रेरयति अनड्वाहौ । अधः स्थितिं प्रशंसति–**श्रेयान्वेति** । करितुरगाद्यारूढस्य प्रशस्तत्वं लोकसिद्धम्, अतस्तदभ्यारोहात् सोमः 'श्रेयान् भवति' अतस्तदधिष्ठितं शकटम् 'अभ्यारोढुं कः अर्हति' न कोऽपीति ॥ ९ ॥

पलाशशाखया प्राजतीति । भूयिष्ठास्वेव प्राजनयोग्यासु सतीष्वप्यन्यशाखासु पलाशशाखायाः कोऽतिशय इति जिज्ञासायां तस्याः सोमस्य सम्बन्धं दर्शयति–**यत्र वै गायत्रीति** । व्याख्यातमिदम् (श. प. ब्रा. १ । ७ ।

१–ईषांतरे भूमिष्ठः सुब्रह्मण्यः पलाशशाखया प्राजति । का. श्रौ. सू. ७ । २३६ ।

(त्यु) अ॒थान॒ड्वाहा॑वा॒जति । तौ य॒दि कृ॒ष्णौ स्या॑ताम॒न्यत॑रो वा कृ॒ष्णस्त॒त्र वि॑द्याद्व॒र्षिष्य॒त्यैषमः पर्ज॒न्यो वृ॒ष्टिमा॒न्भविष्य॒तीत्येत॒दु वि॒ज्ञान॑म् ॥ ११ ॥

(मु) अथ यु॒नक्ति । (त्त्यु) उ॒स्रा॒वे॒तं धू॑र्षाहा॒वित्यु॒स्रौ हि भ॑वतो धू॒र्षाहा॒विति धू॒र्वाहौ॒ हि भ॑वतो युज्ये॑थामनश्रू॒ऽइति॒ युज्ये॑ते॒ ह्य॑नश्रू॒ऽइत्यु॑ना॒र्तावि॒ति त॒दवी॑रह॒णावि॒त्यपाप॒कृता॒विति॒ तद्ब्र॒ह्मचोद॑नावि॒ति ब्र॒ह्मचोद॑नौ॒ हि भ॑वतः स्व॒स्ति यज॑मानस्य गृ॒हान्ग॑च्छत॒मिति॒ यथै॑नाव॒न्तरा॒ नाष्ट्रा॒ रक्षा॑ᳪंसि॒ न हि॒ᳪंस्यु॑रे॒वमे॒तदा॑ह ॥ १२ ॥

अथानड्वाहावाजति । तौ यदि कृष्णौ स्याताम्–अन्यतरो वा कृष्णः । तत्र विद्याद्वर्षिष्यत्यैषमः पर्जन्यः । वृष्टिमान्भविष्यतीत्येतदु विज्ञानम् ॥ ११ ॥

अथ युनक्ति–" उस्रावेतं धूर्षाहौ "–(वा. सं. ४।३३) इति । उस्रौ हि भवतो धूर्षाहाविति । धूर्षाहौ हि भवतः । " युज्येथामनश्रू "–(वा. सं. ४।३३) इति । युज्येते ह्यनश्रूऽइत्यनार्ताविति तत् । " अवीरहणौ "–(वा. सं. ४।३३) इति । अपापकृताविति तद् । " ब्रह्मचोदनौ "–(वा. सं. ४।३३) इति । ब्रह्मचोदनौ हि भवतः । " स्वस्ति यजमानस्य गृहान् गच्छतम् "–(वा. सं. ४।३३) इति । यथैनावन्तरा नाष्ट्रा रक्षांसि न हिंस्युरेवमेतदाह ॥ १२ ॥

१।१।१।) 'यदेव' 'सोमस्य' अङ्गम् 'न्यक्तम्' अवाङ्निपतितमासीत् 'तत्' अङ्गम् 'यद्यपि' अस्मिन् सोमे एव 'असद्' भवेदिति पलाशशाखया प्राजनस्याभिप्रायः ॥ १० ॥

अनडुहोर्वर्णविशेषमभिधातुं पुनरनुवदति–अथानड्वाहाविति । 'आजति' युगवहनाय प्रेरयति । उभयोरन्यतरस्य वा यदि कृष्णत्वं लभ्येत, तत्र पर्जन्यवर्णसाम्यात् अनडुत्कृष्णत्वेन निमित्तेन 'ऐषमः' अस्मिन् संवत्सरे 'पर्जन्यः' बहुवृष्टिप्रदो भवति । इति एतत् उ विज्ञानम् ' वृष्टेः परिज्ञानम्, तदुपाय इत्यर्थः ॥ ११ ॥

इदानीं समन्त्रकमुभयोर्योजनं विधत्ते–अथ युनक्त्युस्रावेतमिति । मन्त्रस्यायमर्थः । हे 'उस्रौ' अनड्वाहौ युवां वहनाय 'एतम्' प्रत्यागच्छतम् । कीदृशौ युवाम् ? धूर्षाहौ धुरं सोढुं समर्थौ । तादृशौ युवाम् 'युज्येथाम्' स्वयमेव युक्तौ भवतम् । तौ विशिष्येते–'अनश्रू' अश्रुरहितौ, [illegible] 'अवीरहणौ' [illegible] वीराणां पुत्रादीनामहन्तारौ 'ब्रह्मचोदनौ' ब्राह्मणमन्त्रेण प्रेरिताविति अर्थः । एवमनड्वाहौ [illegible] प्रयोजनमाह–स्वस्ति यजमानस्येति । 'स्वस्ति' अविनाशेन यजमानस्य गृहान् गच्छतम् ॥

अमु मन्त्रं विभज्य व्याचष्टे–उस्रौ हि भवत इत्यादिना । [illegible] एषा प्रसिद्धिः 'हि' शब्देन द्योत्यते । धूर्षाहावित्यस्य तात्पर्यं–धूर्वाहाविति । [illegible] । अनश्रू [illegible]–

---

१ अनड्वाहौ युनक्त्युस्रावेतमिति युगपत्त्वक्तत्वात् । का० श्रौ० सू० ७–२३४ । भेदे मन्त्रावृत्तिः सान्निपातित्वात् ।७–२३५। इति सूत्रेण भेदेनानडुहोर्योजनमित्येव सिद्धान्तः । न युगपदिति । कर्कभाष्ये श्रुतिरप्युदाहृता । दक्षिणा युग्यमेवाग्रे युनक्त्यथ सव्यायुग्यामिति । काण्वीयश्रुतिरेवमेव । स दक्षिणमेवाग्रे युनक्ति । अथ सव्यामिति । एतच्छ्रुतेः काण्वानां तूष्णीं योजनम् । तावभिमन्त्रयते उस्रावेतं धूर्वाहाविति काण्वश्रुत्या उस्रावेतमिति मन्त्रेणानडुहोरभिमंत्रणमिति काण्वानां विशेषस्तत्र ।

(ह्रा) अथ पश्चात्परिक्रम्य । (म्या) अपालम्बमभिपद्याह सोमाय क्रीतायानुब्रूहीति सोमाय पर्युह्यमाणायेति वाऽतो यतरथा कामयेत॥१३॥

(त्रा) अथ वाचयति । भद्रो मेऽसि प्रच्यवस्व भुवस्पतऽइति भद्रो ह्यस्यैष भवति तस्मान्नान्यमाद्रियतेऽप्यस्य राजानः सभागा ऽआगच्छन्ति पूर्वो राज्ञोऽभिवदति भद्रो हि भवति तस्मादाह भद्रो मेऽसीति प्रच्यवस्व भुवस्पतऽइति भुवनानाᳬं ह्येष पतिर्विश्वान्यभि धामानीत्यङ्गानि वै विश्वानि धामान्यङ्गान्येवैतदभ्याह मा त्वा परिपरिणो विदन्मा त्वा परिपन्थिनो विदन्मा त्वा वृका अघायवो विदन्निति यथैनमन्तरा नाष्ट्रा रक्षाᳬंसि न विन्देयुरेवमेतदाह ॥ १४ ॥

अथ पश्चात्परिक्रम्य अपालम्बमभिपद्याह—सोमाय क्रीतायानुब्रूहीति सोमाय पर्युह्यमाणायेति वा । अतो यतरथा कामयेत ॥ १३ ॥

अथ वाचयति—"भद्रो मेऽसि प्रच्यवस्व भुवस्पते"–(वा. सं. ४।३४) इति । भद्रो ह्यस्यैष भवति । तस्मान्नान्यमाद्रियते अप्यस्य राजानः सभागा आगच्छन्ति—पूर्वो राज्ञोऽभिवदति । भद्रो हि भवति । तस्मादाह—भद्रो मेऽसीति । प्रच्यवस्व भुवस्पतऽइति । भुवनानां ह्येष पतिः । "विश्वान्यभि धामानि"–(वा. सं. ४।३४) इति । अङ्गानि वै विश्वानि धामान्यङ्गान्येवैतदभ्याह—" मा

स्यानार्ताविति व्याख्यानम् । वीरहत्यायाः पापसाधनत्वात् ' अपापकृतौ '–इति तात्पर्याभिधानम् । ' ब्रह्मणा ' "उपावेतम्" इति मन्त्रेण इदानीं चोद्यमानत्वाद् ब्रह्मचोदनाप्रसिद्धिरित्यभिप्रेत्य " ब्रह्मचोदनौ हि भवतः " इत्युक्तम् । "स्वस्ति यजमानस्य" इत्यत्र स्वस्तिशब्दाभिप्रायमाह—यथैनावन्तरेति । ' यथा ' ' एनौ ' अनड्वाहौ ' अन्तरा ' मध्ये मार्गे ' नाष्ट्राः ' हिंस्राः न हिंस्युः तथा भवेदिति स्वस्तिवाचनमन्त्रं कृतवानित्यर्थः ॥ १२ ॥

अथ पश्चात् परिक्रम्येति । शकटस्य पश्चाद्भागं गत्वा । अपकृष्य आलम्ब्यत इति ' अपालम्बः ' शकटस्य पश्चाद्भागः । तमालम्ब्य ब्रूयात्—" सोमाय क्रीताय "—" सोमाय पर्युह्यमाणाय "—इति वा । अनुवचनविकल्पस्यायमभिप्रायः—सोमे क्रीते सति अनन्तरं यत्कर्तव्यम्, तत्परिवहणमेव, तच्च क्रयानन्तरभावीत्यन्यतरोपादानेऽन्यतरस्यार्थात्सिद्धिरिति । ऐतरेयके तु समुच्चयोपदेश उक्तः—"सोमाय क्रीताय प्रोह्यमाणायानुब्रूहीत्याहाध्वर्युरिति " (ऐ. ब्रा. १ । ३ । २) । अयं विकल्पो न व्यवस्थितः, किन्तु ऐच्छिक इत्याह—**अतो यतरथा कामयेतेति** । ' अतः ' अनयोः पक्षयोर्मध्ये । अत्र कात्यायनः—" पश्चात्परीत्यापालम्बं गृहीत्वा सोमाय क्रीतायानुवाचयति पर्युह्यमाणायेति वा " (का. श्रौ. सू. ७ । २३७) इति ॥ १३ ॥

अथ वाचयतीति । अध्वर्युर्यजमानम् " भद्रो मेऽसि " इत्यादिकमित्यर्थः । मन्त्रस्यायमर्थः—हे सोम ! त्वं भद्रोऽसि कल्याणकरोऽसि स्तुत्यो मा । हे ' भुवस्पते ' भुवनानां पालक ! त्वं ' प्रच्यवस्व ' प्रगच्छ ।

१–अपालम्बशब्देन पश्चादावद्धा रज्जुरभिधीयते । ययाऽवतरेऽनः प्रवर्त्यमानं विधार्यते इति कर्कः पश्चाद्भागेन लंबमानं काष्ठमपालम्बशब्देनोच्यते । येनोर्ध्वप्रदेशे प्रचलतः शकटस्य पर्यावर्तनं वार्यते इति हरिस्वामिनः । २–दीक्षितप्रागाज्ञमते । का. श्रौ. सू. ७ । २३८ । त्रिरुक्तायां प्राङ्मुखत्वाद्दक्षिणावर्त्य शालां गच्छन्ति । ७ । २३९ । भद्रो म इति वाचयति । ७ । २४० ।

श्येनो भूत्वा परापतेति व्वयऽ एवैनमेतद्भूतं प्रपातयति यद्वाऽउग्रं तन्नाष्ट्रा रक्षाᳬंसि नान्ववयन्त्येतद्वै व्वयसामोजिष्ठं बलिष्ठं यच्छ्येनस्त-मेवैतद्भूतं प्रपातयति यदाह श्येनो भूत्वा परापतेति ॥ १५ ॥

(त्यु) अथ शरीरमेवान्ववहन्ति । यजमानस्य गृहान्गच्छ तन्नौ सᳬंस्कृतमिति नात्र तिरोहितमिवास्ति ॥ १६ ॥

त्वा परिपरिणो विदन्, मा त्वा परिपन्थिनो विदन्, मा त्वा वृका अघायवो विदन्"– (वा. सं. ४ । ३४) इति । यथैनमन्तरा नाष्ट्रा रक्षांसि न विन्देयुरेवमेतदाह ॥ १४ ॥

"श्येनो भूत्वा परापत"–(वा. सं. ४ । ३४) इति । वय एवैनमेतद्भूतं प्रपातयति । यद्वाऽउग्रं–तन्नाष्ट्रा रक्षांसि नान्वयन्ति । एतद्वै वयसामोजिष्ठं बलिष्ठं–यच्छ्येनः । तमेवैतद्भूतं प्रपातयति–यदाह श्येनो भूत्वा परापतेति ॥ १५ ॥

अथ शरीरमेवान्ववहन्ति । "यजमानस्य गृहान् गच्छ तन्नौ संस्कृतम्"–(वा. सं. ४ । ३४) इति । नात्र तिरोहितमिवास्ति ॥ १६ ॥

'विश्वानि' 'अभि' 'धामानि' स्थानान्यभिलक्ष्य 'त्वा' त्वां 'परिपरिणो मा विदन्' उपर्यवस्थातारो मा विदन्'। तथा त्वां 'परिपन्थिनः' प्रतिकूलाः शत्रवः 'मा विदन्'। "छन्दसि परिपन्थिपरिपरिणौ पर्यवस्थातरि"–(पा. सू. ५ । २ । ८९) इति 'इनि'–प्रत्ययान्तो निपातितः। तथा 'अघायवः' अघमिच्छन्तो 'वृकाः' विकर्तनशीलाः 'मा विदन्' मा जानन्। किञ्च 'श्येनः' शंसनीयगमनः पक्षी स 'भूत्वा' स इव बलिष्ठोत्पतनशीलः सन् 'परापत' उद्गच्छ, यजमानस्य गृहान् गच्छ, 'तत्' तत्र 'नौ' आवयोः तव च मम च 'संस्कृतम्' सर्वोपस्करणसंयुक्तं स्थानं विद्यते, तद् गच्छेति ॥

"भद्रो मेऽसि"–इत्यत्र भद्रशब्दस्य तात्पर्यमाह–भद्रो ह्यस्यैष भवतीत्यादिना। 'अस्य' यजमानस्य 'एषः' सोमः यस्माद् 'भद्रो भवति' तस्मान्मन्त्रभाग एवमाह। यतोऽसावेव यजमानस्य भद्रकारी 'तस्मात्' 'अन्यं' सोमव्यतिरिक्तम् 'अयं' यजमानः 'न आद्रियते' आदरं न करोति। अन्य-शब्दार्थं विशिनष्टि–अप्यस्य राजान इति। 'सभागाः' इत्यनेन राज्ञामनतिक्रमणीयत्वमुक्तं भवति। अपिः सम्भावनायाम्। "मधुपर्कमाहरेद्राज्ञे चाचार्यर्त्विक्स्नातकप्रियातिथिश्वशुरमातुलानाञ्च" इति सम्भवनीयानां मध्ये राज्ञां प्रथमतो निर्देशेन श्रेष्ठ्यापगमादितरपूज्योपलक्षकत्वेन 'अप्यस्य राजानः' इति निर्देश इति मन्तव्यम्। राज्ञ आगमनात् स्वयमग्रह एव सन् 'पूर्वः' 'तेभ्यः' प्रागेव 'अभिवदति' वाग्व्यवहारं करोति। किमिति–भद्रो हि भवतीति। तस्माद् 'भद्रो मेऽसीति' युक्तम्। पुनरपि इत्यत्र 'भू' शब्देन सर्वाण्यपि भुवनान्युपलक्षितानीति व्याचष्टे–भुवनानां ह्येष पतिरिति। धामशब्दतात्पर्यमाह–अङ्गानि वै विश्वानि धामानीति। अत्राङ्गानि ग्रहचमसादीनि; क्रयप्रदेशादागमनस्य तदर्थत्वात्। परिपरि–परिपन्थिवृकशब्दानामवयवार्थभेदे सत्यपि पर्यवसितार्थ एष एवेत्याह–यथैनमन्तरा नाष्ट्रा रक्षांसि न विन्देयुरिति ॥ १४ ॥

श्येनो भूत्वेति। मन्त्रभागपाठस्य तात्पर्यमाह–वय एवैनमेतद् भूतं प्रपातयतीति। एतेन पाठेन पक्षि-रूपमेव सन्तं प्रापितवान् भवति। 'रक्षांसि' 'नान्ववयन्ति' हन्तुं नानुगच्छन्ति। स्पष्टमन्यत् ॥ १५ ॥

अथ शरीरमेवान्ववहन्तीति। यदि प्रमादात् सोमं रक्ष-आदिर्हन्यात् तदानीं श्येनो भूत्वेति मन्त्रसामर्थ्येन

(स्त्यु) अथ सुब्रह्मण्यामाह्वयति । यथा येभ्यः पक्ष्यन्त्स्यात्तान्ब्रूयादि-त्यहे वः पक्तास्मीत्येवमेवैतद्देवेभ्यो यज्ञं निवेदयति सुब्रह्मण्यो ३ ३म् सुब्रह्मण्यो ३ मिति ब्रह्म हि देवान्प्रच्यावयति त्रिष्कृत्व ऽआह त्रिवृद्धि यज्ञः ॥ १७ ॥

(ऽ) इन्द्रागच्छेति । (ती) इन्द्रो वै यज्ञस्य देवता तस्मादाहेन्द्रा-गच्छेति हरिव आगच्छ मेधातिथेर्मेषवृषणश्वस्य मेने ॥ गौरावस्कन्दिन्न-हल्यायै जारेति तद्यान्येवास्य चरणानि तैरेवैनमेतत्प्रमुमोदयिषति ॥ १८ ॥

अथ सुब्रह्मण्यामाह्वयति । यथा येभ्यः पक्ष्यन्त्स्यात्—तान्ब्रूयाद्—इत्यहे वः पक्तास्मीत्येवमेवैत-द्देवेभ्यो यज्ञं निवेदयति । सुब्रह्मण्यो ३ म्, सुब्रह्मण्यो ३ म्—इति । ब्रह्म हि देवान्प्रच्यावयति । त्रिष्कृत्व आह । त्रिवृद्धि यज्ञः ॥ १७ ॥

" इन्द्रागच्छेति "—इन्द्रो वै यज्ञस्य देवता । तस्मादाह—इन्द्रागच्छेति । " हरिव आगच्छ

श्येनीभावादुपादेयस्य सारांशस्यैवध्याभावात् हन्ता श्येनशरीरमेवानुगत्य हन्ति नात्मानमित्यर्थः । ' यजमानस्य गृहान् गच्छ तन्नौ संस्कृतम् ' इति मन्त्रभागस्यार्थः स्पष्ट इत्याह—नात्र तिरोहितमिवास्तीति ॥ १६ ॥

अथ सुब्रह्मण्यामित्यादि । ब्रह्म देवानामाह्वानसाधनो मन्त्रः, शोभनं ब्रह्म 'सुब्रह्म', तदर्हतीति' सुब्रह्मण्या' काचन देवता तां " सुब्रह्मण्यो३म् " इत्यादिनिगदेनाह्वयेत् । तत्प्रकारः सूत्रे दर्शितः—" सुब्रह्मण्यो ३ मिति त्रिरुक्त्वा सकृन्निगदम् "—(का. श्रौ. सू. ७ । २४१) इति । निगदपदानां ब्राह्मणेनैव व्याख्यानात् नास्माभिर्व्याख्यायते ॥

आह्वानं प्रशंसति—यथा येभ्य इति । ' यथा ' लोके ' येभ्यः ' अर्थाय ' पक्ष्यन् ' पाकं कर्तुमिच्छन् भवति ' तान् ' भोक्तॄन् ' ब्रूयात् ' ' इत्यहे व पक्तास्मीति' । इत्यह इति पाकदिवसो निर्दिश्यते; इतो द्वितीये-ऽहनि तृतीयेऽहनीति रूपेणेत्यर्थः ॥

ननु मन्त्रेणाह्वानेऽपि कथमिन्द्र आगच्छतीत्यत आह—ब्रह्म देवान् प्रच्यावयतीति । ' हि '—शब्दो " वायवायाहि दर्शत "—(ऋ. सं. १ । २ । १) इत्येवमादिमन्त्रगतां देवताप्रच्यावनप्रसिद्धिं द्योतयति । सुब्रह्मण्यपदस्य पाठसिद्धां त्रिरावृत्तिं प्रशंसति—त्रिष्कृत्व आहेत्यादि । यज्ञस्य त्र्यावृत्तिरूपत्वं सवनत्रयापेक्षयेति द्रष्टव्यम् (ऐ. ब्रा. १ । २ । १) ॥ १७ ॥

इन्द्रागच्छेतीति । इन्द्रो वै यज्ञस्य देवतेत्यादि । स्पष्टम् । "हरिव आगच्छ"—इत्यादि "अहल्यायै जार" इत्यन्तानां पञ्चानां वाक्यानां पृथक्—पृथगर्थे सम्भवत्यपि तात्पर्यस्यैकत्वमभिप्रेत्य सङ्गृह्य तात्पर्यमाह—हरिव

१–' सारांशस्य बाधाभावात् '—इ० क० पा० । २–सुब्रह्मण्यां चाह्वयति सुब्रह्मण्यो ३ ३म् सुब्रह्मण्यो ३ मिति त्रिरुक्त्वा—स कृन्निगदं यावदहे सुत्या तथाह । का. श्रौ. सू. ७।२४१। ३–अहल्यायै जार इति—मीमांसादर्शने तु—एतत्कथायाः कविकल्पनामूलत्व-मेव सिद्धांतितम् । तथापि—तंत्रवार्तिके विशेष उक्तः । जै. सू. ९–१–४२–४४ । अधिकरणे । सवितैवाहनि लीयमानतया रात्रे-रहल्याशब्दवाच्यायाः क्षयात्मकजरणहेतुत्वात् जीर्यत्यस्मादनेन वोदिते न वेस्यहल्याजार उच्यते । न परस्त्रीव्यवहारात्—इति ॥

कौशिक ब्राह्मण गौतम ब्रुवाणेति । शश्वद्धैतदारुणिनाऽधुनोपज्ञातं यद्गौतम ब्रुवणेति स यदि कामयेत ब्रूयादेतद्यद्यु कामयेतापि नाद्रियेतेत्यहे सुत्यामिति यावदहे सुत्या भवति ॥ १९ ॥

देवा ब्रह्माण आगच्छतेति । तद्देवांश्च ब्राह्मणांश्चाहैतैर्ह्यत्रोभयैरर्थो भवति यद्देवैश्च ब्राह्मणैश्च ॥ २० ॥

(ब्रा) अथ प्रतिप्रस्थाता । (त्राग्रे) अग्रेण शालामग्नीषोमीयेण पशुना प्रत्युपतिष्ठतेऽग्नीषोमौ वाऽएतमन्तर्जम्भऽआदधाते यो दीक्षतऽआग्नावैष्णवꣳ ह्यदो दीक्षणीयꣳ हविर्भवति यो वै विष्णुः सोमः स हविर्वाऽएष देवानां भवति यो दीक्षते तदेनमन्तर्जम्भऽआदधाते तत्पशुनाऽऽत्मानं निष्क्रीणीते ॥ २१ ॥

मेधातिथेर्मेषवृषणश्वस्य मेने । गौरावस्कन्दिन् अहल्यायै जारेति"–तद् यान्येवास्य चरणानि–तैरेनमेतत्प्रमुमोदयिषति ॥ १८ ॥

"कौशिक ब्राह्मण गौतम ब्रुवाणेति"–शश्वद्धैतदारुणिनाऽधुनोपज्ञातम्–यद्गौतम ब्रुवाणेति । स यदि कामयेत–ब्रूयादेतद् । यद्यु कामयेत–अपि नाद्रियेत–"इत्यहे सुत्यामिति"–यावदहे सुत्या भवति ॥ १९ ॥

"देवा ब्रह्माण आगच्छतेति"–तद देवांश्च ब्राह्मणांश्चाह । एतैर्ह्यत्रोभयैरर्थो भवति यद्देवैश्च ब्राह्मणैश्च ॥ २० ॥

अथ प्रतिप्रस्थाता–अग्रेण शालामग्नीषोमीयेण पशुना प्रत्युपतिष्ठते । अग्नीषोमौ वा एतमन्तर्जम्भऽआदधाते–यो दीक्षते । आग्नावैष्णवं ह्यदो दीक्षणीयं हविर्भवति । यो वै विष्णुः । सोमः सः । हविर्वाऽएष देवानां भवति–यो दीक्षते । तदेनमन्तर्जम्भऽआदधाते–तत्पशुनाऽऽत्मानं निष्क्रीणीते २१

आगच्छ मेधातिथेर्मेषेत्यादिना । तद्यान्येवास्य चरणानि तैरेवैनमेतत् प्रमुमोदयिषतीति । 'तत्' तथा सति 'अस्य' इन्द्रस्य 'यान्येव' चरणानि चरित्राणि पूर्वपक्षापरपक्षलक्षणाभ्यामभिमतस्य वस्तुनो हरणं मेधातिथेः काण्वायनेर्मेषो भूत्वा हरणम्–इत्येवमादीनि; 'तैरेव' 'एनम्' प्रमोदयितुमिच्छति ॥

हरिवआदीनि पदानि सामब्राह्मणे व्याख्यातानि (सा. ब्रा. १ । १ । २) ॥ १८ ॥ १९ ॥

देवा ब्रह्माण इति । अनयोस्तात्पर्यमाह–तद्देवांश्च ब्राह्मणांश्चाहेति । 'अत्र' अस्मिन् यज्ञे 'उभयैः' द्विविधैः 'देवैर्ब्राह्मणैश्च' यष्टव्यत्वेन याजकत्वेन च 'अर्थः' प्रयोजनं यज्ञसिद्धिः यजमानस्य 'भवति' तानेवैतान् 'देवाः ब्राह्मणाः'–इति पदद्वयमाह–नेतरानित्यर्थः ॥ २० ॥

अथ प्रतिप्रस्थातेति । 'अग्नीषोमीयेण पशुना प्रत्युपतिष्ठते प्रतिप्रस्थाता' शालायाः पुरोदेशे अग्नीषोमीयं पशुमादाय गच्छतः सोमस्याभिमुखं स्थापयेदित्यर्थः । अग्नीषोमीयस्यावस्थितिं यजमानस्य आत्मनिष्क्रय-

---

१–शालां पूर्वेण प्रतिप्रस्थाताऽग्नीषोमीयं पशुमादाय तिष्ठति कृष्णसारंगं मेध्यमभावे लोहितसारंगम् । का. श्रौ. सू. ७ । २४२ ।

तद्धैके । (क१) आहवनीयादुल्मुकमाहरन्त्ययमग्निरयꣳ सोमस्ताभ्याꣳ सहसङ्ख्यां निष्क्रेष्यामहऽइति वदन्तस्तदु तथा न कुर्याद्यत्र वाऽएतौ क्व च तत्सहैव ॥ २२ ॥

स वै द्विरूपो भवति । द्विदेवत्यो हि भवति देवतयोरसमदे कृष्णसारंगः स्यादित्याहुरेतद्ध्येनयो रूपतममिवेति यदि कृष्णसारङ्गं न विन्देदथोऽअपि लोहितसारङ्गः स्यात् ॥ २३ ॥

(ग) तस्मिन्वाचयति । नमो मित्रस्य वरुणस्य चक्षसे महो देवाय

तद्धैके आहवनीयादुल्मुकमाहरन्ति–अयमग्निः, अयं सोमः । ताभ्यां सहसङ्ख्यां निष्क्रेष्यामहे–इति वदन्तः । तदु तथा न कुर्यात् । यत्र वाऽएतौ क्वच–तत्सहैव ॥ २२ ॥

स वै द्विरूपो भवति । द्विदेवत्यो हि भवति । देवतयोरसमदे । कृष्णसारंगः । स्यादित्याहुः । तद्ध्येनयो रूपतममिवेति । यदि कृष्णसारङ्गं न विन्देदथोऽअपि लोहितसारंगः स्यात् ॥ २३ ॥

तस्मिन्वाचयति–" नमो मित्रस्य वरुणस्य चक्षसे महो देवाय तदृतं सपर्यत ॥ दूरे–

रूपेण प्रशंसति–अग्नीषोमौ वा एतमिति । 'एतम्' दीक्षितम् 'अन्तर्जम्भे' अन्नखादनस्थानं जम्भः, दन्तपङ्क्त्योरन्तराल इत्यर्थः । एतदेवोपपादयति–आग्नावैष्णवं ह्यद इति । यस्मादस्य यजमानस्य 'अदः' विप्रकृष्टे काले दीक्षणीयेष्टौ 'हविः' अभूत् । अस्तु किं तत इत्यत आह–यो वै विष्णुरिति । तत्र विष्णुरिति योऽस्ति 'स सोमः', सोमस्य यागनिर्वर्तकत्वेन यज्ञत्वाद् ; " यज्ञो वै विष्णुः–" (श. प. ब्रा. १ । १ । २ । १३) इति श्रुतेः । यज्ञद्वारा विष्णोः सोमत्वम् 'दीक्षा' संस्कारः दीक्षणीयेष्ट्या संस्कृतत्वादेव दीक्षणीयेष्टिदेवतयोर्हविश्च 'एनं' जम्भे स्थितम् । अतो जम्भाद् विमोक्षाय अग्नीषोमीयं दत्त्वा आत्मनिष्क्रयणं कृतवान् भवतीत्यर्थः ॥ २१ ॥

तद्धैक इति । 'अयम्' उल्मुकरूपः 'अग्निः', 'अयं सोमः'; । 'ताभ्यां' सकाशादात्मानं 'निष्क्रेष्यामहे' इत्युल्मुकस्याहर्तुरभिप्रायः । अमुं पक्षं निराकरोति–**तदु तथा** नेति । तर्हि कथं सहभाव उपपद्यत इति, तत्राह–**यत्र वा एतौ क्व च तत् सहैवे**ति । 'एतौ' अग्नीषोमौ 'यत्र क्वच' स्थाने सह वर्तेते 'तत्' तादृग्रूपा स्थितिरेवात्र सहभाव एवेत्यर्थः । एवकारेण संयोजना व्युदस्यते ॥ २२ ॥

स वै द्विरूपो भवतीति ' । 'सः' अग्नीषोमीयः पशुः । द्वैरूप्ये कारणाभिधानम्–**द्विदेवत्यो ही**ति । द्वैरूप्यसिद्धयेऽपेक्षितौ वर्णावाह–**कृष्णसारङ्गः स्यादित्याहु**रिति । 'सारङ्गः' शबलवर्णः । 'एतत्' कृष्णत्वं शबलत्वं च 'एनयोः' अग्नीषोमयोः 'रूपतममिव' अत्यन्तमभिमतं रूपमित्यर्थः । आग्नेयः कृष्णग्रीवः "–(वा. सं. २४ । १; ४, ६, ९, ४ । २८–५८) इत्यादौ अग्नेः कार्ष्ण्यसम्बन्धश्रवणात् तदेव तदुचितं रूपम्, सारङ्गवर्णस्य सोमयोग्यत्वमपि श्राद्धावल्यां द्रष्टव्यम् । तदलाभेऽपि वा 'लोहितसारङ्गः स्यात्' लोहितस्याग्निवर्णसाम्यं प्रसिद्धम् ॥ २३ ॥

तस्मिन् वाचयतीति । 'तस्मिन्' अजे, आगते इति शेषः । **नमो मित्रस्ये**ति । 'नमो मित्रस्येत्येनमालभ्य वाचयति " इति कात्यायनः (का. श्रौ. सू. ७ । २४३) ॥

१–आहवनीयाद्वोल्मुकमाहृत्यैके । का. श्रौ. सू. ७ । २४५ ।

तद्दतुंᳫ सपर्यत । दूरेदृशे देवजाताय केतवे दिवस्पुत्राय सूर्याय शᳫंसतेति नम एवास्माऽएतत्करोति मित्रधेयमेवैनेनैतत्कुरुते ॥ २४ ॥

(तेऽथा) अथाध्वर्युरारोहणं विमुञ्चति । वरुणस्योत्तम्भनमसीत्युपस्तम्भनेनोपस्तभ्नाति वरुणस्य स्कम्भसर्जनी स्थ इति शम्येऽउद्वृहति स यदाह वरुणस्य स्कम्भसर्जनी स्थ इति वरुण्यो ह्येष ऽएतर्हि भवति यत्सोमः क्रीतः ॥ २५ ॥

(तोऽथ) अथ चत्वारो राजासन्दीमाददते । द्वौ वाऽअस्मै मानुषाय राज्ञ ऽआददातेऽअथैतां चत्वारो योऽस्य सकृत्सर्वस्येष्टे ॥ २६ ॥

दृशे देवजाताय केतवे दिवस्पुत्राय सूर्याय शंसत "–(वा. सं. ४ । ३६) इति । नम एवास्माऽएतत्करोति । मित्रधेयमेवैनेनैतत्कुरुते ॥ २४ ॥

अथाध्वर्युरारोहणं विमुञ्चति–"वरुणस्योत्तम्भनमसि"–(वा.सं.४।३६) इति । उपस्तम्भनेनोपस्तभ्नाति । " वरुणस्य स्कम्भसर्जनी स्थः "–(वा.सं. ४ । ३६) इति । शम्ये उद्वृहति स यदाह–वरुणस्य स्कम्भसर्जनी स्थ इति । वरुण्यो ह्येष एतर्हि भवति–यत्सोमः क्रीतः ॥ २५ ॥

अथ चत्वारो राजासन्दीमाददते । द्वौ वाऽअस्मै मानुषाय राज्ञऽआददाते । अथैतां चत्वारो योऽस्य सकृत्सर्वस्येष्टे ॥ २६ ॥

मन्त्रस्यायमर्थः । ' मित्रस्य ' मितेस्त्राता मित्रः सूर्यः, वरुणस्तमो निवारकः सूर्यः, तस्य, तस्मै इत्यर्थः । ' नमः ' नमस्कारः प्रह्वीभावः, अस्तु । अथवा " मैत्रं वा अहर्वारुणी रात्रिः " (तै. सं. २ कां. १ प्र. ६ अ.)–इति श्रुत्यन्तरादहरभिमानिदेवाय, रात्र्यभिमानिदेवाय सूर्याय नम इत्यर्थः । 'चक्षसे' सर्वस्य द्रष्ट्रे नमः । ' महो देवाय ' महते देवाय च नमः । स्वयं नत्वेतरेभ्योऽप्युपदिशति–हे प्राणिनः ! यूयमपि ' तत् ' प्रसिद्धम्, ऋतं सत्यभूतम् आदित्याख्यं वस्तु ' सपर्यत ' अर्चयत । ' दूरेदृशे ' दूरे दर्शनाय ॥ २४ ॥

अथाध्वर्युरिति । उपस्तम्भेनोपस्तभ्नातीति । उपस्तम्यते प्रतिबध्यते इति ' उपस्तम्भः ' शकटाग्राधारकाष्ठम् । तेन ' उपस्तभ्नाति ' शकटाग्रम् । हे काष्ठ ! त्वं ' वरुणस्य ' उपनह्य स्थापितस्य सोमस्य ' उत्तम्भनमसि ' । शकटस्योत्तम्भकत्वाद् तद्द्वारा वरुणस्याप्युत्तम्भकत्वम् । " उदः स्थास्तम्भोः पूर्वस्य "–(पा. सू. ८ । ४ । ६१) इति सकारलोपः ॥

शम्ययोः समन्त्रकमुद्धरणं विधत्ते–वरुणस्य स्कम्भसर्जनी स्थ इति । ' वरुणस्य ' सोमस्य तदाधारभूतस्यानसोऽङ्गस्य यत् स्कम्भनम्, तस्य सर्जन्यौ स्रष्ट्र्यौ ' स्थः ' तादृश्यौ युवामुद्गृह्णामीत्यर्थः ॥

अमुं मन्त्रं व्याचष्टे–वरुण्यो ह्येष एतर्हीति । ' एतर्हि ' एतस्मिन् क्रीतावसरे सोमो ' वरुण्यः ' भवति । " तयोर्दार्हिलौ च च्छन्दसि "–(पा. सू. ५ । ३ । २०) इति एतच्छब्दस्य र्हिल् ॥ २५ ॥

अथ चत्वारो राजासन्दीमाददत इति (का. श्रौ. सू. ७ । २४८) । चत्वारोऽत्राध्वर्युप्रतिप्रस्थात्रादयो-

---

१–' दूरे दर्शनीयम् '–इ. क. पा. । २–समीपेऽञ उपस्थाप्योत्तंभनेनोपस्तभ्नाति वरुणस्योत्तंभनमसीति । का. श्रौ. सू. ७।२४६ । ३–शम्ये चोद्वृहति वरुणस्य स्कंभसर्जनी स्थ इति । का. श्रौ. सू. ७ । २४७ । ४–औदुंबरीमासन्दीं नाभिदघ्नामरत्निमात्रां मूतामाहरन्ति चत्वारः । इति ।

(ष्ट्र) औदुम्बरी भवति । (त्यु) अन्नं वाऽऊर्गुदुम्बर ऊर्जोऽन्नाद्यस्या-
वरुद्ध्यै तस्मादौदुम्बरी भवति ॥ २७ ॥

नाभिदघ्ना भवति । (त्यु) अत्र वाऽअन्नं प्रतितिष्ठत्यन्नᳪं सोमस्तस्मा-
न्नाभिदघ्ना भवत्यत्रोऽएव रेतस आशयो रेतः सोमस्तस्मादत्रदघ्ना भवति२८

तामभिमृशति । व्वरुणस्य ऽऋतसदन्यसीत्यथ कृष्णाजिनमास्तृणाति
व्वरुणस्यऽऋतसदनमसीत्यथैनमासादयाति व्वरुणस्यऽऋतसदनमासी-

औदुम्बरी भवति । अन्नं वाऽऊर्क् । उदुम्बर ऊर्जः । अन्नाद्यस्यावरुद्ध्यै । तस्मादौदु-म्बरी भवति ॥ २७ ॥

नाभिदघ्ना भवति । अत्र वाऽअन्नं प्रतितिष्ठति, अन्नं सोमः । तस्मान्नाभिदघ्ना भवति । अत्रो-ऽएव रेतस आशयः । रेतः सोमः । तस्मादत्रदघ्ना भवति ॥ २८ ॥

तामभिमृशति–" वरुणस्यऋतसदन्यसि "–(वा. सं. ४।३६) इति । अथ कृष्णाजिन-

---

ऽध्वर्युवर्ग्या एव । तथा चापस्तम्बः–" तां सर्वेऽध्वर्यवोऽग्रेण प्राग्वंशं राजन्योद्गृह्यमान उद्गृह्णन्ति " (आप. श्रौ. सू. १० । २९ । ७) इति । व्यतिरेकप्रदर्शनमुखेन ऋत्विक्चतुष्टं प्रशंसति–**द्वौ वा अस्मै मानुषाय राज्ञे आददाते** इति । आन्दोलिकामित्यर्थः । ' यः ' ' अस्य ' प्रतीयमानस्य ' सर्वस्य ' अपि जगतः ' सकृत् ' उपायेनैव ' ईष्टे ' ईश्वरो भवति, ' अथ ' ' एताम् ' एतदीयामासन्दीं ' चत्वारः ' ' आद-दते '–इति पूर्वत्रान्वयः ॥ २६ ॥

आसन्द्या औदुम्बरीत्वं विधाय प्रशंसति–**औदुम्बरी भवत्यन्नं वा ऊर्गुदुम्बर** इति । " देवा इषमूर्जं व्यभजन्त तत उदुम्बरः समभवत् "–(ऐ. ब्रा. ५ । ४ । ५) इति श्रुत्यन्तरप्रसिद्धिर्वै-शब्देन द्योत्यते ॥

ननु इदम् " ऊर्जोऽन्नाद्यस्यावरुद्ध्यै "–इति उदुम्बरस्य फलविधानम्; कुतः ' अवरुद्ध्यै '–इति चतुर्थ्या फलत्वप्रतिभानात् । अत ऊर्जोऽवरोधलक्षणाय फलायौदुम्बरी कर्तव्येत्यर्थः । नैतदेवम् । नात्रौदुम्बरी भवतीति विधिरुपलभ्यते, वर्तमानव्यपदेशात्; अर्थवादेनैव स विधिरुन्नेयः; अतोऽत्र तस्यौदुम्बरत्वस्य विधातुमशक्यत्वात् फलमेवं फलं स्यात् । ननु स्तुतिश्च करोतु, फलमपि विदधात्विति मन्तव्यम्; तथा द्वैविध्ये वाक्यभेदापत्तेः । अत इदं केवलं स्तावकमिति सिद्धम् ॥ २७ ॥

नाभिदघ्ना भवतीति । नाभिप्रमाणा भवेत् । " प्रमाणे द्वयसज्–दघ्नञ्–मात्रचः "–(पा. सू. ५ । २ । ३७) इति दघ्नच्–प्रत्ययः । **अत्र वा अन्नमि**ति । ' अत्र '–इति नाभिप्रदेशस्याभिनयः । अन्नस्य नाभि-प्रतिष्ठितत्वे सोमस्य किमायातमित्यत आह–**अन्नं सोम** इति । प्रकारान्तरेण नाभिदघ्नत्वं प्रशंसति–**अत्रो एव रेतस आशय** इति । ' अत्रो एव ' अत्रैव च । ' अत्रदघ्ना ' नाभिदघ्नेत्यर्थः । अत्र कात्यायनः–" औदु-म्बरीमासन्दीं नाभिदघ्नामरत्निमात्राङ्गीमूतामाहरन्ति चत्वारः "–(का. श्रौ. सू. ७ । २४८) इति ॥ २८ ॥

तस्या अभिमर्शनं समन्त्रकं विधत्ते–**तामभिमृशती**ति । ' ताम् ' आसन्दीमित्यर्थः । **वरुणस्य ऋत-**

१–अभिमृशत्येनां वरुणस्य ऋतसदन्यसीति । का. श्रौ. सू. ७ । २४९ ।

देति स यदाह वरुणस्यऽऋतसदनमासीदेति वरुण्यो ह्येष एतर्हि भवति ॥ २९ ॥

(त्यु) अथैनꣳ शालां प्रपादयति । स प्रपादयन्वाचयति या ते धामानि हविषा यजन्ति ता ते विश्वा परिभूरस्तु यज्ञम् । गयस्फानः प्रतरणः सुवीरोऽवीरहा प्रचरा सोम दुर्यानिति गृहा वै दुर्या गृहान्नः शिवः शान्तोऽपापकृत्प्रचरेत्येवैतदाह ॥ ३० ॥

मास्तृणाति-" वरुणस्यऽऋतसदनमसि "-(वा. सं. ४ । ३७) इति । अथैनमासादयति-" वरुणस्यऽऋतसदनमासीद "-(वा. सं. ४ । ३६) इति । स यदाह-वरुणस्यऽऋतसदनमासीदेति । वरुण्यो ह्येष एतर्हि भवति ॥ २९ ॥

अथैनं शालां प्रपादयति । स प्रपादयन् वाचयति । " या ते धामानि हविषा यजन्ति ता ते विश्वा परिभूरस्तु यज्ञम् । गयस्फानः प्रतरणः सुवीरोऽवीरहा प्रचरा सोम दुर्यान् "-(वा. सं. ४।३७) इति । गृहा वै दुर्याः । गृहान्नः शिवः शान्तोऽपापकृत्प्रचरेत्येवैतदाह ॥ ३० ॥

सदन्यसीतीति । हे आसन्दि ! त्वं ' वरुणस्य ' सोमस्य ' ऋतसदनम् ' ऋतमिति यज्ञनाम । " सत्यं वा यज्ञं वा " (निरु. ४ । ३ । ३) इति यास्कः । यज्ञार्हं स्थानमसीत्यर्थः ॥

आसन्दीवत्कृष्णाजिनस्यापि सोमासादनार्हत्वादासन्दीस्पर्शनमन्त्र एव कृष्णाजिनास्तरणेऽपि विनियुक्तः । सोमासादनमन्त्रे त्वासीदेति विशेषः । अतो न मन्त्राः पृथग्व्याख्यानार्हाः । स यदाह वरुणस्येत्यादि। स्पष्टम् ॥ २९ ॥

अथैनं शालामित्यादि । प्राग्वंशस्य पुरोदेशे आसन्द्यां स्थापितं सोममासन्द्या सह प्राचीनवंशं गमयेदित्यर्थः। प्रपादनसमये " या ते धामानि " इति मन्त्रं यजमानं वाचयेत् । अध्वर्योः प्राधान्यात् तदपेक्षया ' प्रपादयति '-इत्येकवचनम् । वस्तुतस्तु चत्वारः प्रपादयन्ति । तथा च सूत्रकारः-" शालां प्रवेशयन्ति दीक्षितसञ्चरेण, या त इति वाचयति, आहवनीयं दक्षिणेन स्थापयन्ति-" (का. श्रौ. सू. ७ । २९२-२९४) इति ॥

मन्त्रस्यायमर्थः । ' हे सोम ' ! ' ते ' ' या ' यानि ' धामानि ' स्थानानि नामानि जन्मानि च त्रीण्यपि (निरु. ९ । ३ । ७) ' धाम ' शब्दवाच्यानि ' हविषा ' ' यजन्ति ' ' ते ' तव सम्बन्धीनि ' ता ' तानि ' विश्वानि ' सर्वाण्यपि । ' यज्ञम् '-इति विभक्तिव्यत्ययः । अयं यज्ञः 'परिभूः' परितो भावयिता 'अस्तु' त्वं च ' गयस्फानः ' पशुपुत्रादिना गृहस्य वर्द्धयिता, ' प्रतरणः ' आपद्भ्यः प्रकर्षेण तारयिता, ' सुवीरः ' शोभनवीरोपेतः, तत्प्रद इत्यर्थः, ' अवीरहा ' पुत्रादेरहन्ता च सन्, ' दुर्यान् ' गृहान् ' प्रचर ' प्रकरोषि । चतुर्थपादगतदुर्य-शब्दार्थं ब्रुवन् कृत्स्नमन्त्रतात्पर्यमाह-गृहा वै दुर्या इत्यादिना ॥ ३० ॥

१-कृष्णाजिनमस्यामास्तृणाति वरुणस्य ऋतसदनमसीति । का श्रौ. सू. ७ । २५० । तस्मिन्त्सोमं निदधाति वरुणस्य ऋतसदनमासीदेति । का. श्रौ. सू. ७ । २५१ ।

(ह्यऽत्र) अत्र हैके । (कऽ) उदपात्रमुपनिनयन्ति यथा राज्ञऽआगतायोदकमाहरेदेवमेतदिति वदन्तस्तदु तथा न कुर्यान्मानुषꣳ ह ते यज्ञे कुर्वन्ति व्यृद्धं वै तद्यज्ञस्य यन्मानुषं नेद्व्यृद्धं यज्ञे करवाणीति तस्मान्नोपनिनयेत् ३१॥
इति तृतीयप्रपाठके प्रथमं ब्राह्मणम् ॥३॥१॥ [३.४.] इति तृतीयोऽध्यायः ॥

अत्र हैके उदपात्रमुपनिनयन्ति । यथा राज्ञऽआगतायोदकमाहरेदेवमेतादिति वदन्तः । तदु तथा न कुर्यात् । मानुषं ह ते यज्ञे कुर्वन्ति । व्यृद्धं वै तद्यज्ञस्य-यन्मानुषम् । नेद् व्यृद्धं यज्ञे करवाणीति । तस्मान्नोपनिनयेत् ॥ ३१ ॥

अत्र हैक उदपात्रमुपनिनयन्तीति । मनुष्योपचारवत् देवस्य सोमस्योदपात्रनिनयनलक्षणोपचारे सति तदुपचरणं मानुषं भवति, एतत् 'यज्ञे व्यृद्धम्' अतो मानुषत्वपरिहाराय उदपात्रं नोपनिनयेत् ॥ ३१ ॥

इति श्रीसायणाचार्यविरचिते माधवीये वेदार्थप्रकाशे माध्यन्दिनशतपथब्राह्मणभाष्ये
तृतीयकाण्डे तृतीयाध्याये चतुर्थं ब्राह्मणम् ॥३॥३॥४ ॥

वेदार्थस्य प्रकाशेन तमो हार्दं निवारयन् । पुमर्थांश्चतुरो देयाद्विद्यातीर्थमहेश्वरः ॥ १ ॥

ब्रह्माण्डं गोसहस्रं कनकहयतुलापूरुषौ स्वर्णगर्भं,
सप्ताब्धीन् पञ्चसीरींस्त्रिदशतरुलताधेनुसौवर्णभूमीः ।
रत्नोस्रां रुक्मवाजिद्विपमहितरथौ सायणिः सिङ्गणार्यो,
व्यश्राणीद्विश्वचक्रं प्रथितविधिमहाभूतयुक्तं घटञ्च ॥ १ ॥
धान्याद्रिं धन्यजन्मा तिलभवमतुलः स्वर्णजं वर्णमुख्यः,
कार्पासीयं कृपावान् गुडकृतमजडो राजतं राजपूज्यः ।
आज्योत्थं प्राज्यजन्मा लवणजमनृणः शार्करं चार्कतेजाः,
रत्नाढ्यो रत्नरूपं गिरिमकृत मुदा पात्रसात्सिङ्गणार्यः ॥२॥

इति श्रीमद्राजाधिराजपरमेश्वरवैदिकमार्गप्रवर्त्तकश्रीवीरहरिहरमहाराजसाम्राज्यधुरन्धरेण सायणाचार्येण विरचिते माधवीये वेदार्थप्रकाशे माध्यन्दिनशतपथब्राह्मणभाष्ये तृतीयकाण्डे तृतीयोऽध्यायः समाप्तः ॥ ३ ॥

१-उदपात्रमुपनिनयंत्येके । का. श्रौ. सू. ७ । २५५ ।

चतुर्थाध्याये प्रथमं ब्राह्मणम् ।

शिरो वै यज्ञस्यातिथ्यं बाहू प्रायणीयोदयनीयौ । (याव) अभितो वै शिरो बाहू भवतस्तस्मादभितऽआतिथ्यमेते हविषी भवतः प्रायणीयश्चोदयनीयश्च ॥ १ ॥

(श्रा) अथ यस्मादातिथ्यं नाम । (मा) अतिथिर्वाऽएष एतस्यागच्छति यत्सोमः क्रीतस्तस्माऽएतद्यथा राज्ञे वा ब्राह्मणाय वा महोक्षं वा महाजं वा पचेत्तदह मानुषꣳ हविर्देवानामेवमस्माऽएतदातिथ्यं करोति ॥ २ ॥

तदाहुः । पर्वोऽतीत्य गृह्णीयादिति यत्र वाऽअर्हन्तमागतं नापचायन्ति क्रुध्यति वै स तत्र तथा ह्यापचितो भवति ॥ ३ ॥

अथ आतिथ्येष्टिः ।

शिरो वै यज्ञस्यातिथ्यम्—बाहू प्रायणीयोदयनीयौ । अभितो वै शिरो बाहू भवतः । तस्मादभित आतिथ्यमेते हविषी भवतः—प्रायणीयश्चोदयनीयश्च ॥ १ ॥

अथ यस्मादातिथ्यं नाम । अतिथिर्वाऽएष एतस्यागच्छति—यत्सोमः क्रीतः । तस्माऽएतद्—यथा राज्ञे वा ब्राह्मणाय वा महोक्षं वा महाजं वा पचेत्—तदह मानुषम्, हविर्देवानाम्, एवमस्माऽएतदातिथ्यं करोति ॥ २ ॥

तदाहुः—पूर्वोऽतीत्य गृह्णीयादिति । यत्र वाऽअर्हन्तमागतं नापचायन्ति—क्रुध्याति वै स तत्र । तथा हापचितो भवति ॥ ३ ॥

यस्य निःश्वसितं वेदा यो वेदेभ्योऽखिलं जगत् । निर्ममे, तमहं वन्दे विद्यातीर्थमहेश्वरम् ॥ १ ॥

आतिथ्यस्य प्रायणीयानन्तर्यं विधत्ते—**शिरो वै यज्ञस्यातिथ्यम्**िति । [1]व्याख्यातमिदम् ॥ १ ॥

यत्सम्बन्धादिदं हविरातिथ्यं तस्य सोमस्य कथमतिथित्वमिति निर्वचनप्रदर्शनद्वारेण तद्दर्शयति—**अथ यस्मादातिथ्यं नाम**ेति । यस्मान्निमित्तादातिथ्यमिति हविषो नाम अत उच्यत इति शेषः । 'एतस्य' यजमानस्य वसतिं यः 'अतिथिः' सन् यस्मात् 'आगच्छति;' न विद्यते प्रतिनियता तिथिर्यस्य सोऽतिथिरित्यर्थः । तस्मादतिशये सोमाय 'एतद्' हविः निरुप्यत इत्यातिथ्यं नाम सम्पन्नम् । अतिथित्वमुपजीव्यातिथ्यमवश्यं कर्तव्यमित्याह—**यथा राज्ञ** इति । **राज्ञे वा ब्राह्मणाय** वेति । राज्ञः "गौर्मधुपर्कः स्यात् स्नातकायोपस्थिताय राज्ञे वा[2]"—इति स्मृतेः सिद्धः (आप. श्रौ. सू. । २ । ८ । ८) । ब्राह्मणः श्रोत्रियोऽभिमतः । "महोक्षं वा महाजं वा श्रोत्रियायोपकल्पयेत्" (याज्ञ. सं. १ । १ । १०८) इति स्मृतेः । 'तदह मानुषम्' आतिथ्यमिति शेषः । **हविर्देवानाम्**िति । देवानां हविरेवातिथ्यमित्यर्थः । **एवमस्मा एतद्**िति । दार्ष्टान्तिकम् ॥ २ ॥

तदाहुः पूर्वोऽतीत्य गृह्णीयाद्ित्यादि । सोमम् 'अतीत्य' पृष्ठतः कृत्वा, स्वयं ततः 'पूर्वः' सन् पूर्वमागत्य

१—आतिथ्यं निर्व्वपति व्वैष्णवं नवकपालं । का.श्रौ.सू. ८।१। २—एतदग्रे—'आददते आन्दोलिकाम् इत्यर्थः—' इ० क० पा० ।

तद्वा ऽअन्यतरऽएव व्विमुक्तः स्यात् । (द) अन्यतरोऽविमुक्तोऽथ गृह्णी-
यात्स यदन्यतरो व्विमुक्तस्तेनागतो यद्वन्यतरोऽव्विमुक्तस्तेनापचितः ॥४॥

(स्तु) तदु तथा न कुर्यात् । (द्वि) विमुच्यैव प्रपाद्य गृह्णीयाद्यथा वै
देवानां चरणं तद्वाऽअनुमनुष्याणां तस्मान्मानुषे यावन्न विमुञ्चते नैवास्मै
तावदुदकᳩं हरन्ति नापचितिं कुर्वन्त्यनागतो हि स तावद्भवत्यथ यदैव
व्विमुञ्चतेऽथास्माऽउदकᳩं हरन्त्यथापचितिं कुर्व्वन्ति तर्हि हि स आगतो
भवति तस्माद्विमुच्यैव प्रपाद्य गृह्णीयात् ॥ ५ ॥

तद्वाऽअन्यतर एव विमुक्तः स्यात्—अन्यतरोऽविमुक्तः । अथ गृह्णीयात् । स यदन्यतरो विमुक्तस्ते-
नागतः । यद्वन्यतरोऽविमुक्तस्तेनापचितः ॥ ४ ॥

तदु तथा न कुर्यात् । विमुच्यैव प्रपाद्य गृह्णीयात् । यथा वै देवानां चरणम् । तद्वाऽअनुमनु-
ष्याणाम् । तस्मान्मानुषे यावन्न विमुञ्चते—नैवास्मै तावदुदकं हरन्ति, नापनितिं कुर्वन्ति । अना-
गतो हि स तावद्भवति । अथ यदैव विमुञ्चते—अथास्माऽउदकं हरन्ति, अथापचितिं कुर्वन्ति ।
तर्हि हि स आगतो भवति । तस्माद्विमुच्यैव प्रपाद्य गृह्णीयात् ॥ ५ ॥

हविः 'गृह्णीयात्' । विपक्षबाधपुरःसरं हविर्ग्रहणं प्रशंसति—**यत्र वा अर्हन्तमागतं नापचायन्तीति** । 'अर्हन्तं' पूज्यं गृहम् 'आगतम्' आगतमात्रम् 'न अपचायन्ति' । चायतेर्लेटयडभावश्छान्दसः (पा. सू. ३।४।९४) (धा. पा. भ्वा. उ. ९०९) पूजां न कुर्युः; 'सः' 'तत्र' तस्मिन्नपचितिविषये 'क्रुध्यति' । 'तथा ह' तथा सति सोमप्रवेशात् प्रागेव हविर्ग्रहणे सति 'अपचितो भवति' ॥ ३ ॥

अपचितिश्च द्वेधा सम्भवति—अन्यतरानडुद्विमोकानन्तरम्, उभयविमोकानन्तरं च; तत्रान्यतरविमोकानन्तर-पक्षमुपन्यस्यति—**तद्वा अन्यतर एवेति** । एतदेवोपपादति—**स यदन्यतरो विमुक्तस्तेनागत इति** । तथा हि लोके यानाद्यविमोके सति आगमनिश्चयो न भवेत्; इह त्वन्यतरानडुद्विमोकेन तन्निश्चयो भवति । अन्यतरस्यावि-मोके तदागमनात् प्रागेव सा कृता स्यात् ॥ ४ ॥

अमुं पक्षं निराचष्टे—**तदु तथा न कुर्यादिति** । इदानीं स्वाभिमतं पक्षमाह—**विमुच्यैव प्रपाद्य गृह्णी-यादिति** । 'विमुच्यैव' उभावपीत्यर्थः । एकतरं विमोच्यापि अन्यतरस्याविमोकादनागमनं सम्भाव्येत । 'प्रपाद्य' सोमं शालां प्रवेश्य । लौकिकातिथ्यदृष्टान्तबलेन श्रौतस्यातिथ्यस्य निर्वापकालं प्रतिपिपादयिषु-रुभयविमोकपक्षं समर्थयते—**यथा वै देवानां चरणमिति** । 'यावत् न विमुञ्चते' प्रयाणसाधनं यानादिकं न परित्यजति । स्पष्टमन्यत् ॥ ५ ॥

१–एकविमुक्ते वा । का. श्रौ. सू. ८ । २ । २–तद्वा अन्यतर एव विमुक्तः स्यादन्यतरोऽविमुक्तोऽथ गृह्णीयादिति श्रुतेः—तदु तथा न कुर्यात् विमुच्यैव प्रपाद्य गृह्णीयादिति च । अतो विहितप्रतिषिद्धत्वाद्विकल्प इति देवयाज्ञिकाः । वाशब्दो विकल्पार्थः । एवमपि हि श्रूयते । विमुच्यैव प्रपाद्य गृह्णीयादिति कर्काचार्यश्च ।

(त्स) स वै संत्वरमाण इव गृह्णीयात् । (त्त) तथा ह्यापचितो भवति तत्पत्न्यन्वारभते पर्युह्यमाणं वै यजमानोऽन्वारभतेऽथात्र पत्न्युभयत एवैतन्मिथुनेनान्वारभेते यत्र वाऽअर्हन्नागच्छति सर्वगृह्याऽइव वै तत्र चेष्टन्ति तथा ह्यापचितो भवति ॥ ६ ॥

स वाऽअन्येनैव ततो यजुषा गृह्णीयात् । (थ्रे)येनो चान्यानि हवीꣳष्येकं वाऽएष भागं क्रीयमाणोऽभिक्रीयते च्छन्दसामेव राज्याय च्छन्दसाꣳ साम्राज्याय तस्य च्छन्दाꣳस्यभितः साचयानि यथा राज्ञोऽराजानो राजकृतः सूतग्रामण्य एवमस्य च्छन्दाꣳस्यभितःसाचयानि ॥ ७ ॥

स वै संत्वरमाण इव गृह्णीयात् । तथा ह्यापचितो भवति । तत्पत्न्यन्वारभते । पर्युह्यमाणं वै यजमानोऽन्वारभते । अथात्र पत्नी । उभयत एवैतन्मिथुनेनान्वारभेते । यत्र वाऽअर्हन्नागच्छति । सर्वगृह्या-इव वै तत्र चेष्टन्ति-तथा ह्यापचितो भवति ॥ ६ ॥

स वाऽअन्येनैव ततो यजुषा गृह्णीयात् । येनो चान्यानि हवींषि । एकं वाऽएष भागं क्रीयमाणोऽभिक्रीयते । छन्दसामेव राज्याय, छन्दसां साम्राज्याय । तस्य च्छन्दांस्यभितः साचयानि । यथा राज्ञोऽराजानो राजकृतः सूतग्रामण्यः-एवमस्य छन्दांस्यभितः साचयानि ॥ ७ ॥

स वै सन्त्वरमाण इति । सन्त्वराया अभावे अनादरः प्रतिभाति, अतस्त्वरया गृह्णीयात् । निर्वापे पत्न्यन्वारम्भं[1] विधाय प्रशंसति-**तत्पत्न्यन्वारभते पर्युह्यमाणं वै यजमान** इति । 'तत्' तेन आदौ परिवहणकाले यजमानान्वारम्भणेन 'अत्र' सोमार्थहविर्निर्वापकाले 'उभयतः' उभयोः पार्श्वयोरपि 'मिथुनेनान्वारभेते' । जायापती मिथुनमध्ये एकस्यान्वारम्भे अपरस्य तदविनाभूतस्यापि सिद्धत्वादित्यभिप्रायः । **यत्र वा अर्हन्नि**त्यादि । 'सर्वगृह्या इव' गृहे स्थिताः सर्वे पदार्था अत्यर्थमनिर्ग्राह्याः, ते सर्वगृह्याः । 'तत्र' तस्मिन् आगमने निमित्ते सति तादृशास्तिष्ठन्ति ॥ ६ ॥

स वा अन्येनेत्यादि । 'ततः' तस्मात् प्राकृतान्निर्वापमन्त्रात् 'अन्येन यजुषा'-"अग्नेस्तनूरसि"-इत्यादिना । तत इत्यस्यार्थमाह-- **येनो चे**ति । मन्त्रान्तरे कारणमाह-**एकं वा एष भाग**मिति । 'एषः' 'क्रीयमाणः' आतिथ्येन प्रयमानः सोमः । 'एकम्' समानम्' 'भागम्' 'अभि-लक्ष्य' 'क्रीयते' । **छन्दसां राज्याये**ति । यथाऽसौ 'छन्दसां' राज्यं साम्राज्यं च प्राप्नोति; तथा सम्पादनायेत्यर्थः । कथं छन्दः-सम्बन्ध इति तत्राह-**तस्य छन्दांसी**ति । 'अभितः साचयः' पुरः पश्चाच्च सहागन्तारः प्रधानपुरुषा इत्यर्थः । "यथा राज्ञोऽराजानः"-इत्यत्र अराजान इति अकारप्रश्लेषः । ते के 'राजकृतः' राजत्व-सम्पादकाः पट्टाभिषेकस्य[2] कर्तारः 'सूतग्रामण्यः' सूतश्रेष्ठाः ॥ ७ ॥

१-पत्न्यन्वारब्धस्तूर्णम् । का. श्रौ. सू. ८ । २ । २-'पट्टाभिषेकस्य' इति क. पाठः ।

न वै तदवकल्पते। यच्छन्दोभ्य इति केवलं गृह्णीयाद्यत्र वाऽअर्हते पचन्ति तदभितः साचयोऽन्वाभक्ता भवन्त्यराजानो राजकृतः सूतग्रामण्यस्तस्माद्यत्रैवैतस्यै गृह्णीयात्तदेव च्छन्दाᳪंस्यन्वाभजेत् ॥ ८ ॥

(त्सु) स गृह्णाति। (त्य) अग्नेस्तनूरसि व्विष्णवे त्वेत्यग्निर्वै गायत्री तद्गायत्रीमन्वाभजति ॥ ९ ॥

सोमस्य तनूरसि व्विष्णवे त्वेति । क्षत्रं वै सोमः क्षत्रं त्रिष्टुप्तत्त्रिष्टुभमन्वाभजति ॥ १० ॥

न वै तदवकल्पते—यच्छन्दोभ्य इति केवलं गृह्णीयात् । यत्र वाऽअर्हते पचन्ति—तदभितः साचयोऽन्वाभक्ता भवन्ति—अराजानो राजकृतः सूतग्रामण्यः । तस्माद्यत्रैवैतस्यै गृह्णीयात् तदेव छन्दांस्यन्वाभजेत् ॥ ८ ॥

स गृह्णाति । " अग्नेस्तनूरसि विष्णवे त्वा "–(वा. सं. ५ । १) इति । अग्निर्वै गायत्री। तद्गायत्रीमन्वाभजति ॥ ९ ॥

" सोमस्य तनूरसि विष्णवे त्वा "–(वा. सं. ५ । १) इति । क्षत्रं वै सोमः । क्षत्रं त्रिष्टुप् । तत्त्रिष्टुभमन्वाभजति ॥ १० ॥

निर्वापे समप्राधान्यपक्षं दूषयित्वा असमस्यैव निर्वापमाह—**न वै तदवकल्पत** इत्यादिना । अयमर्थः । यदि प्रधानस्योपसर्जनानाञ्च सदृशीं प्रतिपत्तिं कुर्यात् तदा प्रधानस्य प्रतिपत्तिर्न कृता स्यात्, अतो यथा प्रधानस्य आमन्त्रणे सति अप्रधाना अप्यनाहूता एव तमनुगच्छन्ति, एवं सोमार्थनिर्वापेण छन्दसामपि प्रसङ्गसिद्धेरन्वाभजनं सिद्धमिति सोमस्यैव निर्वापं कुर्यादित्यर्थः ॥ ८ ॥

हविर्ग्रहणे मन्त्रं विभक्ते **स गृह्णात्यग्नेस्तनूरसीति** । हे निरुप्यमाणव्रीहिपदार्थ ! 'त्वं अग्नेः तनूरसि' स्वं शरीरं भवसि । शरीरोपचयहेतुत्वाद्वा तनूवदाच्छादकत्वाद्वा तनूत्वम् । "यो वै विष्णुः सोमः सः"–(श. प. ब्रा. ३।३।४।२१) इति श्रुतेः, सवनत्रयव्यापित्वाद्वा सोमो विष्णुः, अतो 'विष्णवे त्वा' इति सोमस्य विष्णुत्वेन निर्देश उपपद्यते । अथवा "विष्णवे हि गृह्णाति यो यज्ञाय गृह्णाति" (श. प. ब्रा. ३।३।१।१४) इति श्रुतेः त्वां यज्ञाय गृह्णामीत्यर्थः । मन्त्रगतमग्निपदं गायत्र्यन्वाभक्तिसाधनत्वेन प्रशंसति—**अग्निर्वै गायत्री**त्यादिना । अग्नेर्गायत्रीरूपत्वं प्रजापतिमुखात् सहोत्पन्नत्वाद्द्रष्टव्यम्–" तमग्निर्देवताऽन्वसृज्यत गायत्रीछन्दः " (तै. सं. ७ ।१।१।४) इति हि श्रूयते । एवमुत्तरमन्त्रवाक्यान्यपि व्याख्येयानि ॥ ९ ॥

सोमस्य तनूरसीत्यादि । सोमस्यान्नत्वेन साक्षाच्छरीरोपचयहेतुत्वात् तनूत्वम् । सोमस्य राज्ञः क्षत्रत्वमसकृदुक्तम् । प्रजापतेरुरसो बाहुभ्याञ्च राजन्येन सह त्रिष्टुभोऽप्युत्पत्तेः क्षत्रत्वम् (तै.सं.७।१।१।४।) ॥ १० ॥

(त्यु) अुतिथेरातिथ्यमासि व्विुष्णवे त्वेुति । सोऽस्योद्धारो युथा श्रेष्ठस्योद्धारुऽएवुमस्यैषुऽऋते च्छुन्दोभ्यः ॥ ११ ॥

श्येनुाय त्वा सोमभृुते व्विुष्णवे त्वेुति । तुद्गायत्त्रीमन्वुाभजति सा युद्गायत्त्री श्येनुो भूत्वा दिवः सुोममुाहरत्तेन सुा श्येनुः सोमभृत्तेनैुवैनामेतुद्वीर्य्येण द्वितुीयमन्वुाभजति ॥ १२ ॥

(त्य) अग्नुये त्वा रायस्पोषदे व्विुष्णवे त्वेुति । पशुवो वैु रायस्पुोषः पशुवो जुगती तज्जुगतीमन्वुाभजति ॥ १३ ॥

(त्यु) अुथ यत्पुञ्च कृुत्वो गृह्णाति । संव्वत्सरुसंमितो वैु युज्ञः पुञ्च

" अतिथेरातिथ्यमसि विष्णवेत्वा "–(वा. सं. ५ । १) इति । सोऽस्योद्धारः–यथा श्रेष्ठस्योद्धारः । एवमस्यैषः । ऋते छन्दोभ्यः ॥ ११ ॥

" श्येनाय त्वा सोमभृते विष्णवे त्वा"–(वा. सं. ५ । १) इति । गायत्रीमन्वाभजति । सा यद्गायत्री श्येनो भूत्वा दिवः सोममाहरत्–तेन सा श्येनः सोमभृत् । तेनैवैनामेतद्वीर्येण द्वितीयमन्वाभजति ॥ ११ ॥

"अग्नये त्वा रायस्पोषदे विष्णवे त्वा"–(वा. सं. ५ । १) इति । पशवो वै रायस्पोषः । पशवो जगती । तज्जगतीमन्वाभजति ॥ १२ ॥

अथ यत्पञ्च कृत्वो गृह्णाति । संवत्सरसंमितो वै यज्ञः । पञ्च वाऽऋतवः संवत्सरस्य । तं पञ्चभि-

---

अतिथेरातिथ्यमसीति । अत्रातिथिशब्दस्य तात्पर्यमाह–सोऽस्योद्धारो यथा श्रेष्ठस्येति । उद्ध्रियते असाधारण्येन विभज्यत इत्युद्धारः प्रतिनियतभागः ॥ ११ ॥

पुनरपि गायत्र्या अन्वाभजनरूपतया श्येनशब्दं प्रशंसति–श्येनाय त्वेति । श्येनरूपमास्थाय सोमाहरणाद् गायत्री सोमभृत् श्येनः । एतदेव दर्शयति–सा यद् गायत्री श्येनो भूत्वेति । ' तेनैव वीर्येण ' हेतुना ' एनां गायत्रीं ' ' द्वितीयं ' भागं प्रति ' अन्वाभजति ' अध्वर्युः एतद्भागपाठेनेत्यर्थः ॥ १२ ॥

अग्नये त्वेति । ' अग्नये ' अङ्गनादिगुणविशिष्टाय ' रायस्पोषदे ' धनपोषप्रदात्रे ' विष्णवे ' सोमाय हे हविः ! 'त्वा' त्वाम् गृह्णामीत्यर्थः । जगत्यन्वाभजनरूपतया मन्त्रभागं प्रशंसति–पशवो वै रायस्पोष इति । बहुगानधनरूपत्वं पशूनामेवेति ' पशवो वै रायस्पोषः ' इत्युक्तम् । पशूनां जगतीत्वं जगत्या सोमाहरणसमये आहृतत्वाद्द्रष्टव्यम्–तथा च तैत्तिरीयकम्–" सा पशुभिश्च दीक्षया चागच्छदिति"–(तै. सं. ६।१।६।२)॥ १३॥

प्रकृतौ चतुःकृत्वो ग्रहणादत्रापि चोदकतस्तत्प्राप्त्यै पञ्चसङ्ख्यां विधाय प्रशंसति–अथ यत्पञ्चकृत्व इति ।

१–निर्वपेदग्नेस्तनूरिति पंच कृत्वः प्रतिमंत्रम् । का. श्रौ सू. ८ । २ । सावित्रनिवृत्तिः श्रुतिविधेयाभ्याम् । का. श्रौ. सू. ८ ।३ । सवितृशब्दसंबंधाद्देवस्य त्वेत्यष मंत्रः सावित्र इत्युच्यते । स च चोदकप्राप्तः । अग्नेस्तनूरसीत्यादयो मंत्राः प्रत्यक्षश्रुतिचोदिताः । तत्र हरिस्वामिपितृभूतिकर्काचार्ययाज्ञिकानंतदेवदेवयाज्ञिकादिभाष्यकृतां मते प्रथमद्वितीयतृतीयग्रहणमंत्रेषु (समुच्चयश्रुतेः) उभयोश्चोदकप्रत्यक्षशिष्टयोर्मंत्रयोः समुच्चयः । नांत्ययोश्चतुर्थपंचमयोः । समुच्चयश्रुतिस्त्वस्मिन्नेव ब्राह्मणे सप्तमकिं. ७ । स वाऽअन्येनैव ततो यजुषा गृह्णीयात् । येनो चान्यानि हवीꣳषीति ।' इति सर्वेषामेकमत्यम् । परं त्वत्र वैमत्यं चेत्थम्–हरिस्वामियाज्ञिका-

वा॒ऽऋ॒तव॑ः संव्वत्स॒रस्य॒ तं प॑ञ्च॒भिरा॑प्नोति॒ तस्मा॒त्पञ्च॒ कृत्वो॑ गृह्णा॒त्यथ॒ यद्वि॑ष्णवे त्वा॒ व्विष्ण॑वे॒ त्वेति॑ गृह्णा॒ति व्विष्ण॑वे॒ हि गृह्णा॒ति यो य॒ज्ञाय॑ गृह्णा॒ति ॥ १४ ॥

नव॑कपालः पुरो॒डाशो॑ भवति । शिरो॒ वै य॒ज्ञस्या॑ति॒थ्यं नवा॑क्षरा॒ वै गा॑य॒त्र्यष्टौ॒ तानि॒ यान्य॒न्वाह॑ प्रण॒वो न॑व॒मः पूर्वा॒र्धो॒ वै य॒ज्ञस्य॑ गा॒यत्री॑ पूर्वा॒र्ध ए॒ष य॒ज्ञस्य॒ तस्मा॒न्नव॑कपालः पुरो॒डाशो॑ भवति ॥ १५ ॥

राप्नोति । तस्मात्पञ्च कृत्वो गृह्णाति । अथ यद् विष्णवे त्वा, विष्णवे त्वेति गृह्णाति । विष्णवे हि गृह्णाति-यो यज्ञाय गृह्णाति ॥ १४ ॥

नवकपालः पुरोडाशो भवति । शिरो वै यज्ञस्यातिथ्यम् । नवाक्षरा वै गायत्री । अष्टौ तानि-यान्यन्वाह । प्रणवो नवमः । पूर्वार्धो वै यज्ञस्य गायत्री । पूर्वार्ध एष यज्ञस्य । तस्मान्नवकपालः पुरोडाशो भवति ॥ १५ ॥

(का. श्रौ. सू. ८ । २) । यज्ञस्य संवत्सरसम्मितत्वं गवामयनादिसत्ररूपस्य यज्ञस्य संवत्सरसाध्यत्वाद्वा (ऐ. ब्रा. २ । ३ । ३ । तै. सं. ७ । ४ । ७) संवत्सरात्मकप्रजापतिसम्मितत्वाद्वा, (ऐ. ब्रा. २ । २ । ७) "द्वादशाग्निष्टोमस्य स्तोत्राणि"-इति श्रुतेस्तद्गतसङ्ख्यया संवत्सरसाम्याद्वा द्रष्टव्यम् । ग्रहणमन्त्रेषु सर्वत्र विष्णुशब्दोपादानं प्रशंसति-**अथ यद् विष्णवे त्वा विष्णवे त्वेति** । यत्र यत्र हविर्गृह्यते, तत्र तत्र यज्ञार्थत्व नियमात्सोमस्य हविष्ट्वेन यज्ञार्थत्वात् सर्वत्र 'विष्णवे-विष्णवे' इति ग्रहणं युक्तमित्यर्थः ॥ १४ ॥

नवकपालः पुरोडश इति । नवसु कपालेषु संस्कृतो नवकपालः । नवकपालस्यातिथ्यार्हत्वमाह-**शिरो वा** इति । **यान्यन्वाहेति** । 'यानि' अक्षराणि अनुक्रमेण उच्चारणकाले ब्रूते तान्यष्टौ भवन्ति, प्रयोगकाले "प्रणवष्टेः" इति (पा. सू. ८ । २ । ८९) प्रयुज्यमानः 'प्रणवः' एव 'नवमः' "गायत्रं प्रातस्सवनम्" (तै. सं. ३. २. ९.) इति श्रुतेः । 'यज्ञस्य पूर्वार्द्धो गायत्री'; तस्माद् गायत्र्यानुगुण्याय 'नवकपालः' कर्तव्यः ॥ १५ ॥

-ऽनन्तदेवदेवयाज्ञिकमते-विरोधात्सावित्रमंत्रे त्वाशब्दमात्रस्य निवृत्तिः । पितृभूतिकर्काचार्यमते तु सा नेति । तत्रापि-पूर्वे चोदकप्राप्तः । पश्चात्प्रत्यक्षशिष्ट इति । जुष्टशब्दस्तु चोदकप्राप्तोऽपि देवतादेशादुत्तर एव भवति । प्रकृतावेवमेव दृष्टत्वात् । सावित्रस्य तु ग्रहणत्रय एव प्रयोगः । प्रकृतौ दृष्टत्वात् । नोत्तरयोः । जुष्टशब्दस्य चेति कर्कः । ततश्च मंत्रपाठे द्वैविध्यम् । ॐ देवस्य सवितुः प्रसवेऽश्विनोर्बाहुभ्यां पूष्णो हस्ताभ्याम् । अग्नेस्तनूरसि व्विष्णवे त्वा जुष्टं गृह्णामीति प्रथमम् । १ । देवस्य सवितुरित्यादि-सोमस्य तनूरसि व्विष्णवे त्वा जुष्टं गृह्णामीति द्वितीयम् । २ । ॐ देवस्य सवितुरित्यादि-अतिथेरातिथ्यमसि व्विष्णवे जुष्टं गृह्णामीति तृतीयम् । ३ । ॐ श्येनाय त्वा सोमभृते व्विष्णवे त्वा गृह्णामि-इति चतुर्थम् । ४ । ॐ अग्नये त्वा रायस्पोषदे व्विष्णवे त्वा गृह्णामीति च पंचमम् । ५ । एकोऽयं पाठः । अपरस्तु । ॐ देवस्य त्वा सवितुरित्यादिस्त्वाविशिष्टो मंत्रः । परतस्तु सर्वं समानम् इति ।

१-आतिथ्यं निर्व्वपति वैष्णवं नवकपालम् । का. श्रौ. सू. ८ । १ ।

कार्ष्मर्यमयाः परिधयः । (यो) देवा ह वाऽएतं वनस्पतिषु राक्षोघ्नं ददृशुर्यत्कार्ष्मर्यर्थं शिरो वै यज्ञस्यातिथ्यं नेच्छिरो यज्ञस्य नाष्ट्रा रक्षाꣳसि हिनसन्निति तस्मात्कार्ष्मर्यमयाः परिधयो भवन्ति ॥ १६ ॥

(न्त्या) आश्ववालः प्रस्तरः । (गे) यज्ञो ह देवेभ्योऽपचक्राम सोऽश्वो भूत्वा पराङावर्वर्त तस्य देवा अनुहाय वालानभिपेदुस्तानालुलुपुस्तानालुप्य सार्धꣳ संन्यासुस्तत एता ऽओषधयः समभवन्यदश्ववालाः शिरो वै यज्ञस्यातिथ्यं जघनार्धो वाला ऽ उभयत ऽएवैतद्यज्ञं परिगृह्णाति यदाश्ववालः प्रस्तरो भवति ॥ १७ ॥

(त्यै) ऐक्षव्यौ विधृती । नेद्बर्हिश्च प्रस्तरश्च संलुभ्याताऽइत्यथोत्पूयाज्यꣳ सर्वाण्येव चतुर्गृहीतान्याज्यानि गृह्णाति न ह्यत्रानुयाजा भवन्ति १८

कार्ष्मर्यमयाः परिधयः । देवा ह वाऽएतं वनस्पतिषु राक्षोघ्नं ददृशुः–यत् कार्ष्मर्यम् । शिरो वै यज्ञस्यातिथ्यम् । नेच्छिरो यज्ञस्य नाष्ट्रा रक्षांसि हिनसन्निति । तस्मात्कार्ष्मर्यमयाः परिधयो भवन्ति १६

आश्ववालः प्रस्तरः–यज्ञो ह देवेभ्योऽपचक्राम । सोऽश्वो भूत्वा पराङावर्वर्त । तस्य देवा अनुहाय वालानभिपेदुः । तानालुलुपुः । तानालुप्य सार्द्धं संन्यासुः । तत एता ओषधयः समभवन्–यदश्ववालाः । शिरो वै यज्ञस्यातिथ्यम् । जघनार्धो वालाः । उभयत एवैतद्यज्ञं परिगृह्णाति–यदाश्ववालः प्रस्तरो भवति ॥ १७ ॥

ऐक्षव्यौ विधृती । नेद्बर्हिश्च प्रस्तरश्च संलुभ्यातै–इति । अथोत्पूयाज्यम्, सर्वाण्येव चतुर्गृहीतान्याज्यानि गृह्णाति । न ह्यत्रानुयाजा भवन्ति ॥ १८ ॥

कार्ष्मर्यमयाः परिधय इति । ' कार्ष्मर्यः ' भद्रपर्णी तन्मया एव 'परिधयः' कर्तव्याः । प्रकृतौ पलाशवैकङ्कतादीनामैच्छिकत्वादत्र नियमविधिः । **देवा ह वा** इत्यादि । कार्ष्मर्यमयत्वस्योपपादनम् ॥ १६ ॥

आश्ववालः प्रस्तर इति । आश्ववालत्वं तन्नामनिवचनद्वारेण प्रशंसति–**यज्ञो ह देवेभ्य** इति । ' तान् ' आश्ववालान् ' आलुलुपुः ' " लुप्लृ छेदने "–(धा. पा. तु. उ. ९०) चिच्छिदुः ' सार्द्धं सन्न्यासुः ' एकीकृत्य सम्यग् भूमौ प्रचिक्षिपुः । तेभ्यः ताः ' एताः ' अश्ववालाख्याः ' ओषधयः ' सञ्जाताः । आश्ववालानामातिथ्येष्टियोग्यत्वमाह–**शिरो वै यज्ञस्यातिथ्यम्, जघनार्द्धो वाला** इति । आतिथ्यस्य सोमात् प्रथममनुष्ठेयत्वेन शिरस्त्वात्, तस्यादावनुष्ठितत्वाज्जघनार्द्धावस्थितवालपरिणामरूपस्याश्ववालस्य तत्र प्रयोगे सति अपगतस्य यज्ञस्य ' उभयतः ' परिग्रहः कृतो भवति ॥ १७ ॥

ऐक्षव्यौ विधृती इति । बर्हिःप्रस्तरयोरन्तराले तिर्यक्प्रसार्यमाणौ दर्भौ ' विधृती ' ते अत्र इक्षुपत्ररूपे

२–कार्ष्मर्यमयाः परिधय आश्ववालः प्रस्तरऽऐक्षव्यौ विधृती । का. श्रौ. सू. ८ । १० । कार्ष्मर्यः (शिवणी) इति लोके प्रसिद्धः । तथाऽऽहामरः–'गंभारी सर्वतोभद्रा काश्मरी मधुपर्णिका । श्रीपर्णी भद्रपर्णी च काश्मर्यश्च' इति । अश्ववालाः–दर्भविशेषाः काशाः । "आश्ववालः काशप्रस्तरः" इति श्रुतत्वात् । न चायं समासः अश्वस्य वालः अश्ववाल इति । कथं तर्ह्यश्ववाला उच्यन्ते । तन्मयः प्रस्तरः । वाक्यशेषात् । " तत एता ओषधयः समभवन्यदश्ववालाः " इति पितृभूतिः । " ते वालाः काशतां प्राप्ताः कार्योऽतः प्रस्तरस्तु तैः "इति मीमांसायां प्रथमाध्याये तृतीयपादे चोक्तमिति ।

(न्त्या) आसाद्य ह॒वीᳪं॑ष्य॒ग्निं म॑न्थति । शिरो॑ वै य॒ज्ञस्या॑ति॒थ्यं ज॑नु-यन्ति॒ वा॒ऽए॑नमे॒तद्यन्मु॒न्थन्ति॒ शी॑र्ष॒तो वा॒ऽअ॒ग्रे जा॑यमानो॒ जा॑यते शीर्ष॒त॒ ऽए॒वैत॒द॒ग्रे य॒ज्ञं ज॑नयत्य॒ग्निर्वै॒ स॒र्वा॑ दे॒व॒ता॒ऽअ॒ग्नौ हि स॒र्वाभ्यो॑ दे॒व॒ताभ्यो॑ जु॒ह्वति॒ शिरो॑ वै य॒ज्ञस्या॑ति॒थ्यᳪं॑ शीर्ष॒त ऽए॒वैत॒द्य॒ज्ञᳪं॑ स॒र्वाभि॑र्दे॒व॒ताभि॑ः समर्धयति॒ त॒स्माद॒ग्निं म॑न्थति ॥ १९ ॥

सो॑ऽधिम॒न्थनᳪं॑ श॒क॒लमा॑दत्ते । (त्तेऽग्ने)अ॒ग्नेर्ज॒नि॒त्रम॑सी॒त्यत्र॒ ह्य॒ग्निर्जा॑यते त॒स्मादा॑हा॒ग्नेर्ज॒नि॒त्रम॑सी॒ति ॥ २० ॥

आसाद्य हवींष्यग्निं मन्थति । शिरो वै यज्ञस्यातिथ्यम् । जनयन्ति वाऽएनमेतद्यन्मन्थन्ति । शीर्षतो वाऽअग्रे जायमानो जायते शीर्षत । एवैतदग्रे यज्ञं जनयति । अग्निर्वै सर्वा देवताः । अग्नौ हि सर्वाभ्यो देवताभ्यो जुह्वति । शिरो वै यज्ञस्यातिथ्यम् । शीर्षत एवैतद्यज्ञं सर्वाभिर्देवताभिः समर्धयति । तस्मादग्निं मन्थति ॥ १९ ॥

सोऽधिमन्थनं शकलमादत्ते । "अग्नेर्जनित्रमसि"-(वा.सं. ५।२) इति । अत्र ह्यग्निर्जायते । तस्मादाहाग्नेर्जनित्रमसीति ॥ २० ॥

स्याताम् । 'संलुम्याते' पञ्चमलकारः । संलोभनमाकुलीभावो मिश्रणम् । तद्भयाद् 'ऐक्षव्यौ' (तै. सं. ६ । २ । १) कर्तव्ये इत्यर्थः । अथोत्पूयाज्यमित्यादि । उत्पवनं प्रकृतिवत् कर्तव्यम् । 'सर्वाण्येव' जुहूपभृद्-ध्रुवाख्येषु पात्रेषु गृह्यमाणानि 'आज्यानि' 'चतुर्गृहीतानि' एव कुर्यात् । प्रकृतिवदेवेतरयोश्चतुर्गृहीतत्वं सिद्धम् । अत उपभृति अष्टगृहीतत्वनिवृत्त्यर्थमेवाभिधानम् । तत्र चतुर्गृहीतत्वे उपपत्तिं श्रुतिरेवाह—**न ह्यत्रानुयाजा भवन्तीति** ॥ १८ ॥

अग्निमन्थनं तत्कृतं विधत्ते—**आसाद्य हवींष्यग्निं मन्थतीति** । आतिथ्यायामेवाग्निमन्थने को विशेष इत्यत आह—**शिरो वै यज्ञस्येति । जनयन्ति वा एनमेतद् यन्मन्थन्तीति** । 'एतत्' एतेन मन्थनजातेनाग्निना यज्ञनिष्पत्तिदर्शनादग्न्युत्पादनमेव यज्ञोत्पादनम् । प्रकारान्तरेणातिथ्यायामग्निमन्थनं प्रशंसति—**अग्निर्वै सर्वा देवता** इति । सोमयागस्य शिरोभूतायामातिथ्यायां सर्वदेवतामयस्याग्नेरुत्पादनेन सर्वासामपि देवतानामुत्पत्तेर्यज्ञ-प्रारम्भ एव सर्वैर्देवैर्यज्ञं समृद्धं कारितवान् भवति ॥ १९ ॥

सोऽधिमन्थनं शकलमिति । यूपतक्षणोत्पन्नोऽधरारण्या अधः स्थाप्यमानः शकलः 'अधिमन्थनशकलः' यस्योपरि मथ्यते; तमादत्ते । तत्र मन्त्रः—**अग्नेर्जनित्रमसीति** । हे शकल ! त्वम् 'अग्नेः' 'जनित्रम्' उत्पादकम् 'असि' । कथमस्य जनित्रत्वमिति, तत्राह—**अत्र ह्यग्निरिति** । 'अत्र' अधरारणिव्यवहिते शकल इत्यर्थः ॥ २० ॥

१—आसाद्याग्निमंथनमाहोमात्करोति । का. श्रौ. सू. ८ । १२ । आसाद्याग्निमंथनं । का. श्रौ. सू. ५ । २७ । २—अग्नेर्जनित्रमिति शकलमादाय तूष्णीं वेद्यां निधानम् । का. श्रौ. सू. ५ । २२ ।

(त्यु) अथ दर्भतरुणके निदधाति। वृषणौ स्थऽइति तद्यावेवेमौ स्त्रियै साकंजावेतावेवैतौ ॥ २१ ॥

(तावु) अथाधरारणिं निदधाति। (त्यु) उर्व्वश्यसीत्यथोत्तरारण्याऽऽज्यविलापनीमुपस्पृशत्यायुरसीति तामभिनिदधाति पुरूरवाऽअसीत्युर्व्वशी वाऽअप्सराः पुरूरवाः पतिरथ यत्तस्मान्मिथुनादजायत तदायुरेवमेवैषऽएतस्मान्मिथुनाद्यज्ञं जनयत्यथाहाग्नये मथ्यमानायानुब्रूहीति ॥ २२ ॥

अथ दर्भतरुणके निदधाति–" वृषणौ स्थः "–(वा. सं. ५ । २) इति । तद्यावेवेमौ स्त्रियै साकञ्जौ–" एतावेवैतौ " ॥ २१ ॥

अथाधरारणिं निदधाति–" उर्वश्यसि "–(वा. सं. ५ । २) इति। अथोत्तरारण्याऽऽज्यविलापनीमुपस्पृशति–" आयुरसि "–(वा. सं. ५ । २) इति । तामभिनिदधाति–" पुरूरवा असि "–(वा. सं. ५ । २) इति। उर्वशी वाऽअप्सराः। पुरूरवाः पतिः । अथ यत् तस्मान्मिथुनादजायत–तदायुः । एवमेवैष एतस्मान्मिथुनाद्यज्ञं जनयति। अथाह–' अग्नये मथ्यमानायानुब्रूहि ' इति ॥ २२ ॥

अथ दर्भतरुणके इति । 'दर्भतरुणके' कोमलौ परस्परसदृशौ दर्भौ, तौ अधो निदध्यात् " वृषणौ स्थः " इति तत्र मन्त्रः। हे दर्भौ ! युवां वृषणौ अभिमतफलवर्षकौ भवथ इति तस्यार्थः। तौ प्रशंसति–तद्यावेवेमौ स्त्रियै साकञ्जावेतावेवैताविति । ' स्त्रियै ' स्त्रियाः सकाशात् ' साकञ्जौ ' सहोत्पन्नौ ' याविमौ ' परस्परसदृशौ पुत्रौ ' एतौ ' दर्भौ, 'एतावेव ' युगलौ पुत्रावेव । रूपकोपन्यासेनात्यन्तसादृश्यमभिमतमिति द्रष्टव्यम् ॥ २१ ॥

अथाधरारणिमिति[२] । तत्राधरारणिनिधाने मन्त्रः–उर्वश्यसीति । हे अधरारणे ! त्वम् ' उर्वशी ' भवसि । आज्यं विलाप्यते यस्यां सा आज्यविलापनी स्थाली ताम्, उत्तरारण्या सम्पर्शं कुर्यात् ' आयुरसीति ' मन्त्रेण[३] । तामुत्तरारणिं ' पुरूरवा असीति ' तस्या उपरि निदध्यात् ॥

अरण्योराज्यविलापन्याश्च यदुर्वश्याद्यात्मकत्वम्, तत्–त्रयं प्रशंसितुं पुरावृत्तदृष्टान्तमाह–उर्वशी वा अप्सरा इत्यादि । ' उर्वशी अप्सराः ' पत्नी अभवत्, ' पुरूरवाः ' ' पतिः ' अभवत्, ' तस्मान्मिथुनात्,' 'आयुः' नाम पुत्रः ' अजायत ' । एतत्सर्वमग्रे समाम्नास्यते–"उर्वशी हाप्सराः पुरूरवसमैलं चकमे " इति । (श. प. ब्रा. ११ । ५ । १।१–१७)। "एवमेवैषः–" इति दार्ष्टान्तिकाभिधानम्। ' यज्ञं जनयति ' यज्ञसाधनत्वाद्–यज्ञमित्युच्यते । 'अथ' अरण्योरासादनानन्तरम् " अग्नये मथ्यमानायानुब्रूहि " इति होतारम् ' आह ' ॥ २२ ॥

१–वृषणाविति कुशतरुणे तस्मिन् । का. श्रौ. सू. ५ । २३ । २–उर्व्वश्यसीत्यधरारणिं तयोः । का. श्रौ. सू. । ५ । २४ । ३–आयुरसीत्युत्तरयाऽऽज्यस्थालीं स्पृष्ट्वा पुरूरवा इत्यभिनिधानं तया । का. श्रौ. सू. ५ । २५ । ४–अग्नये मथ्यमानायानुवाचयति । का. श्रौ. सू. ५ । २६ ।

स मन्थति । गायत्रेण त्वा च्छन्दसा मन्थामि त्रैष्टुभेन त्वा च्छन्दसा मन्थामि जागतेन त्वा च्छन्दसा मन्थामीति तं वै छन्दोभिरेव मन्थति च्छन्दाᳬंसि मथ्यमानायान्वाह च्छन्दाᳬंस्येवैतद्यज्ञमन्वायातयति यथाऽमुमादित्यᳯँ रश्मयो जातायानुब्रूहीत्याह यदा जायते प्रहियमाणायेत्यनुप्रहरन् ॥ २३ ॥

(न्त्सो) सोऽनुप्रहरति । भवतं नः समनसौ सचेतसावरेपसौ । मा यज्ञᳯँ हिᳬँसिष्टं मा यज्ञपतिं जातवेदसौ शिवौ भवतमद्य नः इति शान्तिमेवा-भ्यामेतद्वदति यथा नाऽन्योऽन्यᳯँ हिᳬंस्याताम् ॥ २४ ॥

स मन्थति–" गायत्रेण त्वा च्छन्दसा मन्थामि, त्रैष्टुभेन त्वा च्छन्दसा मन्थामि, जागतेन त्वा च्छन्दसा मन्थामि "–(वा. सं. ५ । २) इति । तं वै छन्दोभिरेव मन्थति । छन्दांसि मथ्यमानायान्वाह । छन्दांस्येवैतद्यज्ञमन्वायातयति–यथाऽमुमादित्यं रश्मयः । ' जातायानुब्रूहि ' इत्याह–यदा जायते । ' प्रहियमाणाय '–इत्यनुप्रहरन् ॥ २३ ॥

सोऽनुप्रहरति–" भवतं नः समनसौ सचेतसावरेपसौ । मा यज्ञं हिंसिष्टम्, मा यज्ञपतिम्, जातवेदसौ शिवौ भवतमद्य नः "–(वा. सं. ५ । ३) इति । शान्तिमेवाभ्यामेतद्वदति–यथा नाऽन्योऽन्यं हिंस्याताम् ॥ २४ ॥

समन्त्रकं मन्थनं विधत्ते–स मन्थतीति[1] । गायत्रेण त्वा च्छन्दसेत्यादि । तं वै छन्दोभिरेवेति । यद्य-प्यन्यैः साधनैः मन्थति, तथापि " गायत्रेण त्वा च्छन्दसा " इत्यादिमन्त्रसामर्थ्येन छन्दोभिरेव साधनैर्मन्थनं कृतवान् भवतीत्यर्थः । अस्त्वेवम्, छन्दसां किं फलं, जातमित्यस्या आशङ्कायाः फलं वक्ष्यति–छन्दांस्ये-वैतद्यज्ञमन्वायातयतीति । छन्दसामनुप्रवेशनं न केवलं छन्दोलिङ्गकैर्मन्त्रैर्मन्थनाद् भवति, अपि तु तस्मिन् काले होत्रा छन्दसामनुवचनादपि भवतीत्याह–छन्दांसि मथ्यमानायान्वाहेति[2] । होतेति शेषः । नियमेनानु-प्रवेशे दृष्टान्तः–यथाऽमुमादित्यमिति । ' रश्मयः ' अन्वायत्ता इति शेषः । प्रहियमाणायेत्यनुप्रहरन्निति[3] । ' प्रहियमाणाय ' आहवनीये प्रक्षिप्यमाणाय, अनुब्रूहीत्यनुषज्यते ॥ २३ ॥

समन्त्रकमनुप्रहरणं विधत्ते–सोऽनुप्रहरतीति[4] । " भवतं नः "–इत्यादिमन्त्रस्यायमर्थः । हे आहव-नीयनिर्मन्थ्यौ उभावग्नी ! ' नः ' अस्माकं, ' समनसौ ' अस्मदभिमतप्रदानविषये समानमनस्कौ ' भवतम् ' । अथवा परस्परं कलहमकृत्वा समनसौ भवतम् । ' समोकसौ ' समानस्थानौ, ' अरेपसौ ' अपापौ । एवम्भूतौ युवां ' यज्ञं ' मदीयम् ' मा हिंसिष्टम् ' । तथा ' यज्ञपतिं ' यजमानं च मा हिंसिष्टम् । हे ' जातवेदसौ ' जातप्रज्ञौ ! युवाम् ' अद्य ' ' नः ' अस्माकम् ' शिवौ ' सुखकरौ ' भवतम् ' । मन्त्रस्य तात्पर्यमाह–शान्तिमेवाभ्यामेतद्वदतीति । ' एतत् ' मन्त्रवचनम् ' आभ्याम् ' अपेक्षिताम् ' शान्तिमेव ' ' वदति ' नान्यमर्थमित्यर्थः । अत्र शान्तेः कः प्रसङ्ग इति तत्राह–यथा नान्योऽन्यमिति ॥ २४ ॥

१–मंथति गायत्रेणेति प्रतिमंत्रं त्रिः प्रदक्षिणम् । का. श्रौ. सू. ५ । २७ । २–जाते जातायेति । का. श्रौ. सू. ५ । २८ ३–प्रहियमाणायेति प्रास्यन् । का. श्रौ. सू. ५ । २९ । ४–भवतन्न इति प्रास्यति । का. श्रौ. सू. ५ । ३० ।

(मु) अथ स्रुवेणोपहत्याज्यम् । (म) अग्निमभिजुहोत्यग्नावग्निश्चरति प्रविष्ट ऋषीणां पुत्रोऽअभिशस्तिपावा । स नः स्योनः सुयजा यजेह देवेभ्यो हव्यꣳ सदमप्रयुच्छन्त्स्वाहेत्याहुत्यै वाऽएतमजीजनत तमेतयाऽऽहुत्याऽप्रैषीत्तस्मादेवमभिजुहोति ॥ २९ ॥

तदिडान्तं भवति । नानुयाजान्यजन्ति शिरो वै यज्ञस्यातिथ्यं पूर्वार्धो वै शिरः पूर्वार्धमेवैतद्यज्ञस्याभिसꣳस्करोति स यद्धानुयाजान्यजेद्यथा शीर्षतः पर्याहृत्य पादौ प्रतिदध्यादेवं तत्तस्मादिडान्तं भवति नानुयाजान्यजन्ति ॥ २६

इति तृतीयप्रपाठके द्वितीयं ब्राह्मणम् ॥ ३ ॥ २ ॥ [४ । १] ॥

अथ स्रुवेणोपहत्याज्यम्, अग्निमभिजुहोति–“ अग्नावग्निश्चरति प्रविष्ट ऋषीणां पुत्रोऽअभिशस्तिपावा । स नः स्योनः सुयजा यजेह देवेभ्यो हव्यं सदमप्रयुच्छन्त्स्वाहा”–(वा. सं. ५।४) इति । आहुत्यै वाऽएतमजीजनत । तमेतयाऽऽहुत्याऽप्रैषीत । तस्मादेवमभिजुहोति ॥

तदिडान्तं भवति । नानुयाजान्यजन्ति । शिरो वै यज्ञस्यातिथ्यम् । पूर्वार्द्धो वै शिरः । पूर्वार्धमेवैतद्यज्ञस्याभिसंस्करोति । स यद्धानुयाजान् यजेत्–यथा शीर्षतः पर्याहृत्य पादौ प्रतिदध्यात्–एवं तत् । तस्मादिडान्तं भवति । नानुयाजान् यजन्ति ॥ २६ ॥ इत्यातिथ्येष्टिः ॥

अनुप्रहृते अग्नौ समन्त्रकं होमं विधत्ते–अथ स्रुवेणेति[१] । ‘ उपहत्य ’ अवदाय ‘ अग्निमभि ’ प्रहृत्य अग्नेरुपरि जुहुयात् । मन्त्रस्यायमर्थः । ‘ अग्नौ ’ आहवनीये ‘ अग्निः ’ निर्मथितः प्रविष्टः सन् ‘ चरति ’ इतस्ततो ज्वालाभिः सञ्चरति । कीदृशः ? ‘ ऋषीणां पुत्रः ’ मन्त्रेणोत्पद्यमानत्वात् । ‘ अभिशस्तिपावा ’ अभिशस्तेर्निन्दातः सकाशात् पाता । “ आतो मनिन् ”–(पा. सू. ३ । २ । ७४) इति वनिप् । ‘ सः ’ तादृशः त्वं ‘ नः ’ अस्मदर्थं इह ‘ हव्यम् ’ हविः ‘ सुयज ’ शोभनेन यागेन यज, सङ्गमयेत्यर्थः । केभ्यः ? ‘ देवेभ्यः ’ । कदा ? ‘ सदं ’ सदा, सर्वदा । ‘ अप्रयुच्छन् ’ अप्रमाद्यन् उद्दिष्टेषु देवेषु कमप्यपरित्यज्येत्यर्थः । ‘ स्वाहा ’ इदं द्रव्यं स्वाहुतमस्तु । आहुत्यै वा एतमिति । ‘ अजीजनत ’ उदपादयत्, अध्वर्युः; ‘ अप्रैषीत् ’ तर्पितवान् भवति ॥ २९ ॥

प्रकृतदर्शपूर्णमासेष्टिवत्समापनप्रसक्तावाह–तदिडान्तं भवतीति[२] । अर्थसिद्धेऽप्युत्तराङ्गनिषेधे पुनर्नित्यानुवादतया दार्ढ्यायानुवदति–नानुयाजानिति । इडान्तत्वं प्रशंसति–शिरो वै यज्ञस्यातिथ्यमिति । उत्तराङ्गजातस्यानुष्ठानं दोषोपन्यासेन समर्थयते–स यद्धानुयाजान् यजेदिति । ‘ यथा ’ पाथिकः ‘ शीर्षतः ’ शीर्ष्णि, सार्वविभक्तिकस्तसिः (पा. सू. ५ । ३ । १४) । ‘ पादौ ’ पर्याहृत्य ‘ प्रतिदध्यात् ’ ‘ एवं ’ ‘ तत् ’ अनुयाजाद्यङ्गजातमनुष्ठितं सद् भवति आतिथ्यस्य शिरस्त्वात् तस्मादित्युपसंहारः ॥ २६ ॥

इति श्रीसायणाचार्यविरचिते माधवीये वेदार्थप्रकाशे माध्यन्दिनशतपथब्राह्मणभाष्ये तृतीयकाण्डे चतुर्थाध्याये प्रथमं ब्राह्मणम् ॥ (३–४–१)

१–अग्नावग्निरिति जुहोति स्थाल्याः स्रुवेण । का. श्रौ. सू. ५ । ११ । २–इडान्तं भवति । का. श्रौ. सू. ८ । ११ ।

आतिथ्येन वै देवा ऽइष्ट्वा । तान्त्समुदविन्दत्ते चतुर्धा व्यद्रवन्नन्योऽ-
न्यस्य श्रियाऽअतिष्ठमाना ऽअग्निर्वसुभिः सोमो रुद्रैर्वरुणऽआदित्यैरिन्द्रो
मरुद्भिर्बृहस्पतिर्विश्वैर्देवैरित्यु हैकऽआहुरेते ह त्वेव ते विश्वे देवा ये ते
चतुर्धा व्यद्रवंस्तान्विद्रुतानसुररक्षसान्यनुव्यवेयुः ॥ १ ॥

(स्ते)तेऽविदुः। पापीयाᳪंसो वै भवामोऽसुररक्षसानि वै नोऽनुव्यवागुर्द्वि-
षद्भ्यो वै रध्यामो हन्त संजानामहाऽएकस्य श्रियै तिष्ठामहाऽइति त इन्द्रस्य
श्रिया ऽअतिष्ठन्त तस्मादाहुरिन्द्रः, सर्वा देवताऽइन्द्रश्रेष्ठा देवा इति ॥२॥

अथ प्रवर्ग्यकर्मणि तानूनप्त्रम् ।

आतिथ्येन वै देवा इष्ट्वा, तान्त्समदविन्दत् । ते चतुर्धा व्यद्रवन् अन्योऽन्यस्य श्रियाऽअतिष्ठमानाः। अग्निर्वसुभिः, सोमो रुद्रैः, वरुण आदित्यैः, इन्द्रो मरुद्भिः । बृहस्पतिर्विश्वैर्देवैः—इत्यु हैकऽआहुः । एते ह त्वेव ते विश्वे देवाः—ये ते चतुर्धा व्यद्रवन् । तान्विद्रुतानसुररक्षसान्यनुव्यवेयुः ॥ १ ॥

तेऽविदुः—पापीयांसो वै भवामः । असुररक्षसानि वै नोऽनुव्यवागुः । द्विषद्भ्यो वै रध्यामः । हन्त संजानामहै । एकस्य श्रियै तिष्ठामहाऽइति । तऽइन्द्रस्य श्रियाऽअतिष्ठन्त । तस्मादाहुः—इन्द्रः सर्वा देवताः, इन्द्रश्रेष्ठा देवा इति ॥ २ ॥

अथ तानूनप्त्रं विधातुमाख्यायिकामाह—आतिथ्येन वै देवा इष्ट्वा, तान्त्समदविन्ददित्यादिना । पुरा किल देवाः 'आतिथ्येनेष्ट्वा व्यद्रवन्' इति सम्बन्धः। विद्रवणे कः प्रसङ्गः? इति तं दर्शयति—तान्त्समदविन्ददिति । तस्मिन् समये 'तान्' देवान् 'समत्' कलहः 'अविन्दत्' प्राप्तवान् । समच्छब्दः संग्रामवाची । "सङ्गे समत्सु वृत्रहा" (ऋ. सं. १०।१३३।१।) "येनासमत्सु सासहः" (वा.सं. १९–३९) इत्यादौ समच्छब्दः सङ्ग्रामे प्रसिद्धः । ते देवाः 'चतुर्द्धा' 'व्यद्रवन्' पृथग्भूताः । किमर्थम्? 'अन्योऽन्यस्य श्रिया अतिष्ठमानाः' 'श्रियै' ज्योतिष्टोमफलरूपायै आत्मनोऽभिप्रायमप्रकाशयन्तः तामसहमाना इत्यर्थः । "प्रकाशनस्थेयाख्ययोश्च" (पा. सू. १ । ३ । २३) इति तिष्ठतेरात्मनेपदम् । "श्लाघह्नुङ्" (पा. सू. १।४।३४) इति श्रिया ज्ञापयितुमिष्टत्वाच्चतुर्थी । विद्रवणप्रकारं विभज्य दर्शयति—अग्निर्वसुभिरित्यादि । शाखान्तरप्रसिद्धं (तै. सं. ६ । २ । २ ।) पञ्चमं गणमुदाहृत्य सोपपत्तिकं पराचष्टे—बृहस्पतिर्विश्वैर्देवैरित्युहैक आहुरिति । तत्रोपपत्त्यभिधानम्—एते ह त्वेव ते विश्वे देवा ये ते चतुर्द्धा व्यद्रवन्निति । 'तान् विद्रुतान्' परस्परं विश्लिष्टान् असुरराक्षसान्यायमवसर इति निश्चित्यानुप्राप्ताः ॥ १ ॥

तेऽविदुरिति । स्पष्टम् । 'असुररक्षसानि वै' 'नः' 'अनुव्यवागुः' अनुगताः । एतेर्लुङि गादेशः (पा. सू. २। ४।४५) । 'द्विषद्भ्यो वै रध्यामः' रध्यतिर्वशगमनकर्मा, (निरु. ६।६।४) वशं प्राप्ता इत्यर्थः । हन्त संजानामहा इति । शत्रुजयोपायपरिज्ञानहर्षद्योतनार्थो 'हन्त'—शब्दः । "अकर्मकाच्च" (पा. सू. १।३।२९) इति कर्तृगामिनि संजानातेरात्मनेपदम् । सङ्गता भवेम, ऐकमत्यं प्राप्नुवामेत्यर्थः । तत्प्रकारमाह—एकस्य श्रियै तिष्ठामहा इति । त इन्द्रस्य श्रिया अतिष्ठन्तेत्यादि । स्पष्टम् ॥ २ ॥

तुस्मादु ह न स्वाऽऋतीयेरन् । (न्यु) युऽएषां परस्तुरामिव भवति सु ऽएनाननुव्युवैति ते प्रियं द्विषतां कुर्व्वुन्ति द्विषद्भ्यो रध्यन्ति तुस्मान्नऽर्तीयेरन्त्स यो हैवं विद्वान्नऽर्तीयतेऽप्रियं द्विषतां करोति न द्विषद्भ्यो रध्यति तुस्मान्नऽर्तीयेत ॥ ३ ॥

ते होचुः । (र्हु) हुन्तेदं तुथा करवामहै युथा न ऽइदुमाप्रदिवुमेवाजर्य्यमुसदिति ॥ ४ ॥ [शतम् १७००] (अर्ध प्रपाठकः)

ते देवाः । (०) जुष्टास्तुनूः प्रियाणि धामानि सार्धुᳯं समुवदन्दिरे ते होचुरेतेन नः स नानाऽसदेतेन विुष्वङ्ग्यो नऽ एतदतिक्रामादिति कुस्योपद्रष्टुरिति तनूनप्त्रुरेव शाक्करस्येति यो वाऽअयं पवतऽएष तनूनपाच्छाक्करः सोऽयं प्रजानामुपद्रष्टा प्रविष्टस्तुाविमौ प्राणोदानौ ॥ ५ ॥

तस्मादु ह न स्वा ऋतीयेरन् । य एषां परस्तरामिव भवति—स एनाननुव्यवैति । ते प्रियं द्विषतां कुर्वन्ति । द्विषद्भ्यो रध्यन्ति । तस्मान्नऽर्तीयेरन् । स यो हैवं विद्वान्नऽर्तीयते । अप्रियं द्विषतां करोति । न द्विषद्भ्यो रध्यति । तस्मान्नऽर्तीयेत ॥ ३ ॥

ते होचुः—हन्तेदं तथा करवामहै—यथा न इदमाप्रदिवमेवाजर्यमसदिति ॥ ४ ॥

ते देवा जुष्टास्तनूः प्रियाणि धामानि सार्धं समवदन्दिरे । ते होचुः—एतेन नः स नानाऽसत्, एतेन

तस्मादु ह न स्वा ऋतीयेरन्निति । यस्माद् देवानां परविश्लेषात् शत्रूणामभिभवः प्राप्तः, 'तस्मादु ह' तस्मात् खलु कारणात् । 'स्वाः' ज्ञातयः परस्परं न ऋतीयेरन् वैमत्येन विश्लेषं न कुर्युः । "ऋतेरीयङ्" (पा. सू. ३ । १ । २८) । विश्लेषे को दोष इति तत्राह—य एषां परस्तरामिव भवतीति । 'यः' शत्रुः 'एषाम्' विश्लिष्टानाम् 'परस्तरामिव' अत्यन्तदूरदेशस्थो 'भवति' 'सः' 'एतान्' शत्रून् विश्लिष्टान् 'अनुव्यवैति' अनुप्रविशति 'तस्मात्' 'द्विषताम्' अवकाशप्रदानेन स्वयमेव 'प्रियं कुर्वन्ति,' स्वयं यद् 'द्विषद्भ्यः' शत्रुभ्यो 'रध्यन्ति' वशं प्राप्नुवन्ति 'तस्मात्' 'न ऋतीयेरन्' भेदं न गच्छेयुः । उक्तार्थस्य कश्चित्पुरुषार्थनियमं विधत्ते—स यो हैवं विद्वानिति । यः कश्चिदेवं वृत्तान्तं देवेषु मनुष्येषु च दृष्टं जानन् 'न ऋतीयते' भेदं न गच्छेत् अथवा परैरुत्पादितो, ज्ञातिभेद एवंविदि न प्रवर्तेत इत्यर्थः । अत एव 'द्विषताम्' अपि 'अप्रियं करोति' तत्रानेनावकाशस्यासम्भवात्, 'न द्विषद्भ्यः' 'रध्यति' वशं याति । 'तस्मात्' 'विद्वान्' 'न ऋतीयेत' ॥ ३ ॥

प्रासङ्गिकमुक्त्वा प्रकृतमनुसरति—ते होचुर्हन्तेदं तथा करवामहै, यथा न इदमाप्रदिवमेवाजर्यमसदितीति । 'यथा' 'नः' 'इदम्' ऐकमत्यं कर्म 'आप्रदिवम् एव' द्युलोकावस्थित्यवसानम् 'अजर्यम्' । "अजर्यं संगतम्"—(पा. सू. ३ । १ । १०५) इत्यनेन निपात्यते, 'अविनाश्यम्' 'असत्' भवेत्, 'तथा करवामहै' 'इति' उक्तवन्तः ॥ ४ ॥

अनन्तरं—ते देवा इति । 'ते देवाः' 'जुष्टाः' प्रियभूताः 'तनूः' स्वस्वमूर्तीः । अस्य व्याख्यानम्—प्रियाणि धामानीति । 'प्रियाणि धामानि' अभिमतानि भोगायतनानि 'सार्द्धम्' एकत्र 'समवदन्दिरे'

तस्मादाहुः । (मं) मनो देवा मनुष्यस्याजानन्तीति मनसा संकल्पयति तत्प्राणमपिपद्यते प्राणो वातं वातो देवेभ्य ऽआचष्टे यथा पुरुषस्य मनः ॥ ६ ॥

(स्तु) तस्मादेतदृषिणाऽभ्यनूक्तम् । मनसा संकल्पयति तद्वातमपि गच्छति ॥ वातो देवेभ्य ऽआचष्टे यथा पुरुष ते मन ऽइति ॥ ७ ॥

ते देवाः । (०) जुष्टास्तनूः प्रियाणि धामानि सार्धꣳ समवददिरे ते होचुरेतेन नः स नानासदेतेन विष्वङ्यो न ऽएतदतिक्रामादिति तद्देवा ऽअप्वे-

---

विष्वङ्-यो न एतदतिक्रामादिति । कस्योपद्रष्टुरिति । तनूनप्तुरेव शाक्वरस्येति । यो वाऽअयं पवते-एष तनूनपाच्छाक्वरः । सोऽयं प्रजानामुपद्रष्टा प्रविष्टः । ताविमौ प्राणोदानौ ॥ ५ ॥

तस्मादाहुः-मनो देवा मनुष्यस्याजानन्तीति । मनसा संकल्पयति-तत् प्राणमपिपद्यते, प्राणो वातम्-वातो देवेभ्य आचष्टे-यथा पुरुषस्य मनः ॥ ६ ॥

तस्मादेतदृषिणाऽभ्यनूक्तम्-"मनसा संकल्पयति तद् वातमपि गच्छति । वातो देवेभ्य आचष्टे यथा पुरुष ते मनः"-(ऋ. सं. १२ । ४ । ४) इति ॥ ७ ॥

ते देवा जुष्टास्तनूः प्रियाणि धामानि सार्द्धं समवददिरे । ते होचुः-एतेन नः स नानाऽसद्, एतेन

विभज्य स्थापितवन्तः । तस्मिन् काले एवमब्रुवन् 'एतेन' स्थापितेन शरीरेण 'नः' अस्माकं मध्ये 'सः' समयातिक्रमकारी 'नाना' 'असत्' विना भवेत् । एतदेव व्याचष्टे-एतेन विष्वङ्ङिति । 'विष्वङ्' सर्वतो भवेत् विशीर्णो भवत्वित्यर्थः । तच्छब्दार्थमाह-यो न एतदतिक्रामादिति । 'एतत्' सङ्केतकर्म 'अतिक्रामात्' अतिक्रमेत् । कस्योपद्रष्टुरिति । 'उपद्रष्टा' साक्षी, 'कस्य ?' तस्य पुरस्तादिदं भवेदिति शेषः । एवं प्रश्नमुपगम्य तैरेवेदमुत्तरमुक्तम्-तनूनप्तुरेव शाक्वरस्येति । तन्वो देहस्य न पातयिता रक्षको देवः 'तनूनप्ता' (ऐ. ब्रा. १ । ४ । ७ ।) (आ. श्रौ. सू. ११ । १ । १-३) । अथवा सर्वतनूरात्मा प्रजापतिः तस्याकाशः पुत्रः, तत्पुत्रो वायुरिति सः 'तनूनप्ता' स च 'शाक्वरः' शक्तः सर्वं कर्तुम् । तस्य पुरस्तादित्यर्थः । सः कः ? इति, तं विशिनष्टि-यो वा अयं पवत इति । 'योऽयम्' 'पवते' गच्छति, वायुरित्यर्थः । बाह्यस्य वायोः पुरुषचित्तद्रष्टृत्वं कथं घटते ? इति, तत्राह-योऽयं प्रजानामुपद्रष्टा प्रविष्ट इति । प्रविष्टस्य कथं नोपलभ्यतेति तत्राह-ताविमौ प्राणोदानाविति । 'इमौ' प्रसिद्धौ यौ 'प्राणोदानौ' 'तौ' एव स इत्यर्थः ॥ ५ ॥

उक्तेऽर्थे लौकिकवचनं प्रमाणयति-तस्मादाहुर्मनो देवा मनुष्यस्याजानन्तीति । दूरस्थानां देवानां कथं मनुष्यचित्तपरिज्ञानमित्याशङ्क्य तद्द्वारद्वारिकयेति दर्शयति-मनसा सङ्कल्पयति, तत्प्राणमपिपद्यत इत्यादि । प्राणप्रज्ञयोः परस्पराविनाभावान्मनसा सङ्कल्पितं प्राणं प्राप्नोति । बाह्यवायोरिव शरीरप्रवेशेन प्राणत्वात् "प्राणो वातः" इत्युक्तम् । अपिपद्यते सङ्कल्पितार्थविशिष्टः सन्नेवेति भावः । स च 'वातः' सर्वत्राप्रतिहतगतित्वात् देवेभ्यः आचष्टे, यथा पुरुषस्य मनः वर्तते । पुण्ये पापे वा वर्तते, तमनतिवृत्यैवाचष्ट इत्यर्थः ॥ ६ ॥

उक्तेऽर्थे मन्त्रं प्रमाणयति-तस्मादेतदिति । मनसा सङ्कल्पयति, तद्वातमपि गच्छतीत्यादि । स्पष्टोऽर्थः ॥ ७ ॥

विशेषाभिधानाय पूर्वोक्तं तानूनप्त्रमनुवदति-ते देवा जुष्टास्तनूरित्यादिना । तद्देवा इति । 'तत्'

तर्हि नातिक्रामन्ति के हि स्युर्यदतिक्रामेयुरनृतꣳ हि वदेयुरेकꣳ ह वै देवा व्रतं चरन्ति सत्यमेव तस्मादेषां जितमनपजय्यं तस्माद्यश ऽएवꣳ ह वाऽअस्य जितमनपजय्यमेवं यशो भवति य एवं विद्वान्त्सत्यं वदति तदेतत्तानूनप्त्रं निदानेन ॥ ८ ॥

ते देवाः । (०) जुष्टास्तनूः प्रियाणि धामानि सार्धꣳ समवदद्रिरे-ऽथैतऽआज्यान्येव गृह्णाना जुष्टास्तनूः प्रियाणि धामानि सार्धꣳ समवद्यन्ते तस्मादु ह न सर्वेणेव समभ्यवेयान्नेन्मे जुष्टास्तन्वः प्रियाणि धामानि सार्धꣳ समभ्यवायानिति येनो ह समभ्यवेयान्नास्मै द्रुह्येदिदꣳ ह्याहुर्न सतानूनप्त्रिणे द्रोग्धव्यमिति ॥ ९ ॥

विष्वङ्-यो न एतदतिक्रामादिति । तद्देवा अप्येतर्हि नातिक्रामन्ति । के हि स्युर्यदतिक्रामेयुः । अनृतं हि वदेयुः । एकं ह वै देवा व्रतं चरन्ति-सत्यमेव । तस्मादेषां जितमनपजय्यम्, तस्माद्यशः । एवं ह वाऽअस्य जितमनपजय्यम्, एवं यशो भवति-य एवं विद्वान्त्सत्यं वदति । तदेतत् तानूनप्त्रं निदानेन ॥ ८ ॥

ते देवा जुष्टास्तनूः, प्रियाणि धामानि, सार्धं समवददिरे । अथैतऽआज्यान्येव गृह्णाना जुष्टास्तनूः प्रियाणि धामानि सार्धं समवद्यन्ते । तस्मादु ह न सर्वेणेव समभ्यवेयात् । नेन्मे जुष्टास्तन्वः प्रियाणि धामानि सार्धं समभ्यवायानिति । येनो ह समभ्यवेयात्-नास्मै द्रुह्येत् । इदं ह्याहुः-न सतानूनप्त्रिणे द्रोग्धव्यमिति ॥ ९ ॥

" एतेन नः स नानाऽसत् "-इत्युक्तमित्यर्थः । 'अप्येतर्हि' ईदानीमपि । अतिक्रमे बाधमाह-के हि स्युरिति । यद्यतिक्रामेयुः तर्हि के स्युः । उपपत्तिमाह-अनृतं हि वदेयुरिति । देवत्वमतिहाय अनृतवदनात् कुत्सिता मनुष्या भवन्तीत्यर्थः । देवानां सत्यवादित्वनियमे सति (ऐ. ब्रा. १ । १ । ६) अनृतं हीत्ययं दोषः स्यात् । स एव तेषु कुत इत्यत आह-एकं ह वै देवा व्रतमिति । सत्यवादफलमाह-तस्मादेषां जितमनपजय्यमिति । यत् ' अनपजय्यं ' जेतुमशक्यम् (पा.सू. ६ । १ । ८१) तत् ' जितम् ' भवति । तस्माद् यश इति । प्राप्नुवन्तीति शेषः । अथवा यशोरूपा एव भवन्तीत्यर्थः । " एवं ह "-इत्यादिना उक्तार्थप्रशंसा-तदेतत् तानूनप्त्रं निदानेनेति । स्वस्वशरीरसमवदानपूर्वकं शपथकर्म तानूनप्त्रम् (ऐ.ब्रा.१।४।७) । ' तत् ' इदानी-मनुष्ठीयमानं ' तानूनप्त्रम् ' आज्यग्रहणस्पर्शनात्मकं कथमेतद् भवेत् ? तत्राह-' निदानेन ' कारणेनेत्यर्थः ॥ ८ ॥

निदानमेव दर्शयति-ते देवा इत्यादिना । देवा आज्यानि गृह्णाना एव स्वतनूरपि आज्येन ' सार्द्धं ' ' समवददिरे ' अत इदानीन्तनैरपि तानूनप्त्रमेवं समवदातव्यमित्यनुमीयते ॥

प्रसङ्गात् किञ्चित् पुरुषार्थमाह-तस्मादु ह न सर्वेणेवेति । ' सर्वेण ' बहुजनेन सह समवगतिं शपथ-पूर्वकं समयं ' न ' कुर्यात् । तद्दोषमाह-नेन्मे जुष्टास्तन्व इति । ' मे ' मम ' जुष्टाः ' अत्यन्तं प्रियभूताः

१-' तदानीम् ' इ० क० पा० ।

(त्य) अथातो गृह्णात्येव । (व्रा) आपतये त्वा परिपतये गृह्णामीति यो वाऽअयं पवतऽएष आ च पतति परि च पतत्येतस्माऽउ हि गृह्णाति तस्मादाहापतये त्वा परिपतये गृह्णामीति ॥ १० ॥

तनूनप्त्रे शाक्वरायेति । यो वाऽअयं पवतऽएष तनूनपाच्छाक्वरऽएतस्माऽउ हि गृह्णाति तस्मादाह तनूनप्त्रे शाक्वरायेति ॥ ११ ॥

शक्मनऽओजिष्ठायेति । (त्ये) एष वै शक्मौजिष्ठऽएतस्माऽउ हि गृह्णाति तस्मादाह शक्मनऽओजिष्ठायेति ॥ १२ ॥

अथातो गृह्णात्येव–" आपतये त्वा परिपतये गृह्णामि "–(वा. सं. ५ । ५) इति । यो वाऽअयं पवते–एष आ च पतति, परि च पतति । एतस्माऽउ हि गृह्णाति । तस्मादाह–आपतये त्वा परिपतये गृह्णामीति ॥ १० ॥

" **तनूनप्त्रे शाक्वराय** "–(वा. सं. ५ । ५) इति । यो वाऽअयं पवते–एष तनूनपाच्छाक्वरः । एतस्माऽउ हि गृह्णाति । तस्मादाह–तनूनप्त्रे शाक्वरायेति ॥ ११ ॥

" **शक्मनऽओजिष्ठाय** "–(वा. सं. ५ । ५) इति । एष वै शक्मौजिष्ठः । एतस्माऽउ हि गृह्णाति । तस्मादाह–शक्मनऽओजिष्ठायेति ॥ १२ ॥

'तन्वः' प्रियधामभूताः सर्वैः साकम् 'नेत् समभ्यवायान्' नैव सङ्गता भवेयुरिति । 'नेत्' परिभये । अभ्यवपूर्वादितेर्लेट् (पा. सू. ३ । ४ । ७) । " अथापि नेत्येष इदित्येतेन सम्प्रयुज्यते परिभये " (निरु. १ । ३ । ५) इति हि निरुक्तम् । 'येनो ह' येनापि खलु सह अशक्यत्वात् 'अभ्यवेयात्' तस्मै द्रोहं न कुर्यात् । तथा च लौकिका अपि 'इदम्' 'आहुः' । किम् ? इति–'सतानूनप्त्रिणे' सम्भूयशपथकारिणे 'न द्रोग्धव्यम्' इति 'द्रोहो न कर्तव्य इति । " क्रुधद्रुहेर्ष्या–" (पा. सू. १ । ४ । ३७) । इत्यादिना चतुर्थी ॥ ९ ॥

अथ तानूनप्त्रार्थमाज्यग्रहणं समन्त्रकं विधत्ते–**अथातो गृह्णात्येवापतये त्वा परिपतय** इति । अत्र गृह्णामीत्यन्त एको मन्त्रः । **तनूनप्त्रे शाक्वरायेति** द्वितीयः । **शक्मन ओजिष्ठाये**ति तृतीयः । अस्मिन् पक्षे 'गृह्णामि'–इत्ययमुत्तरयोरपि मन्त्रयोरनुषज्यते । तत्र स्रुवेण सर्वस्य ध्रौवाज्यस्यैकवारं ग्रहणम्, स्थाल्याः स्रुवेण द्विर्ग्रहणम् । अथवा "तनूनप्त्रे शाक्वराय"–"शक्मन ओजिष्ठाय" । इत्येतौ पूर्वमन्त्रशेषौ । तथा सत्येक एव मन्त्रः ॥

अत्र ब्राह्मणम्–"**अथैत आज्यान्येव गृह्णाना जुष्टास्तनूः**" इति प्रत्येकमाज्यग्रहणस्य श्रुतत्वात् सर्वे गृह्णीयुः । तथा च कात्यायनः–"ध्रौवं व्रतप्रदाने गृह्णात्यापतय इति, द्विश्च स्थाल्याः स्रुवेण तनूनप्त्रे शाक्वरायेति, शक्मन ओजिष्ठायेति, गृह्णामीति सर्वत्र साकाङ्क्षत्वात् पूर्वशेषौ वोत्तरौ" (का. श्रौ.सू. ८ । १४–१७) । " प्रतिपुरुषं च ग्रहणमाज्यानि गृह्णाना इति श्रुतेः " इति ॥

मन्त्रस्यायमर्थः–'आपतये' आ अभिमुखं पतत्यागच्छतीति 'आपतिः', परिपततीति 'परिपतिः' वायुः, आज्य ! त्वां तस्मै 'गृह्णामि' ॥ १० ॥

तनूनप्त्र इति । उक्तार्थौ तनूनपाच्छाक्वरशब्दौ (श. प. ब्रा. ३ । ४ । २ । ५) । 'शक्मने' सर्वत्र शक्ताय, 'ओजिष्ठाय' अतिशयेन बलवते । " यो वा अयं पवते "–इत्यादि ब्राह्मणं स्पष्टम् ॥ ११ ॥ १२ ॥

(त्य) अथातः समवमृशन्त्येव । (वै) एतद्ध देवा भूयः समामिरऽइत्थं नः सोऽमुथासद्यो न ऽएतदतिक्रामादिति तथोऽएवैतऽएतत्सममन्तऽइत्थं नः सोऽमुथासद्यो न ऽएतदतिक्रामादिति ॥ १३ ॥

ते समवमृशन्ति । (न्त्य) अनाधृष्टमस्यनाधृष्यं देवानामोज ऽइत्यनाधृष्टा हि देवा ऽआसन्ननाधृष्याः सहसन्तः समानं वदन्तः समानं दधाना देवानामोज इति देवानां वै जुष्टास्तन्वः प्रियाणि धामान्यनभिशस्त्यभिशस्तिपा ऽअनभिशस्तेन्यमिति सर्वा ᳬ हि देवा ऽअभिशस्ति तीर्णा ऽअञ्जसा सत्यमुपगेषमिति सत्यं वदानि मेदमतिक्रमिषमित्येवैतदाह स्विते माऽधा ऽइति स्विते हि तद्देवा ऽआत्मानमदधत यत्सत्यमवदन्यत्सत्यमकुर्वंस्तस्मादाह स्विते माऽधा इति ॥ १४ ॥

अथातः समवमृशन्त्येव । एतद्ध देवा भूयः समामिरे—इत्थं नः सोऽमुथासद्—यो न एतदतिक्रामादिति । तथो एवैत एतत्सममन्ते—इत्थं नः सोऽमुथासत्—यो न एतदतिक्रामादिति ॥ १३ ॥

ते समवमृशन्ति—" अनाधृष्टमस्यनाधृष्यं देवानामोजः "—(वा० सं० ५ । ५) इति । अनाधृष्टा हि देवा आसन्, अनाधृष्याः, सहसन्तः, समानं वदन्तः, समानं दधानाः । देवानामोज इति । देवानां वै जुष्टास्तन्वः प्रियाणि धामानि । " अनभिशस्त्यभिशस्तिपा अनभिशस्तेन्यम् "—(वा० सं० ५ । ५) इति । सर्वा हि देवा अभिशस्ति तीर्णाः । " अञ्जसा सत्यमुपगेषम् "—(वा० सं० ५ । ५) इति । सत्यं वदानि, मेदमतिक्रमिषमित्येवैतदाह । " स्विते माऽधाः "—(वा० सं० ५ । ५) इति । स्विते हि तद्देवा आत्मानमदधत—यत् सत्यमवदन्, यत् सत्यमकुर्वन्—तस्मादाह—स्विते माऽधा इति ॥ १४ ॥

गृहीतस्याज्यस्य सर्वैरवमर्शनं विधत्ते—**अथातः समवमृशन्त्येवेति**[१] । स्पर्शकाले देवैः कृतमन्यसङ्केतं दर्शयति—**एतद्ध वै देवा भूयः समामिर** इति । 'एतद्' वक्ष्यमाणं 'भूयः समामिरे' पूर्वोक्तसंकेतमन्तरेण पुनस्सङ्गता अभवन् । " अम गत्यादिषु "—(धा० पा० भ्वा० प० ४६६) 'यः' 'नः' अस्माकं मध्ये 'एतत्' 'अतिक्रामात्' अतिक्रामेत् । 'सः' 'इत्थं' देवभूत एव सन् 'अमुथा' अन्यथा प्रकारेण 'असत्' देवभावाद् विनश्येदित्यर्थः । न केवलं देवानामेवायं सङ्केतः, किन्त्विदानीन्तनानुष्ठातॄणामित्याह—**तथो एवैत** इति ॥ १३ ॥

ते समवमृशन्तीति । अवमर्शनमन्त्रस्यायमर्थः । हे आज्य ! त्वं पूर्वापरैः 'अनाधृष्टम्' आधर्षमप्राप्तं भवसि । तथा अनाधर्षणीयमप्यसि । 'देवानाम्' 'ओजः' बलरूपमसि । 'अनभिशस्ति' निन्दकरहितम् । कर्तरि क्तिच् (पा. सू. ३ । ३ । १७४) । न केवलं तादृगेव, किन्तु 'अभिशस्तिपाः' । लिङ्गव्यत्ययः (पा. सू. ३ । १ । ८५) । अभिशस्तेर्निन्दायाः सकाशात् पातृ असि । 'अनभिशस्तेन्यम्' अर्हि-

---

१–दक्षिणस्यां वेदिश्रोणौ निधायावमृशंत्यृत्विजो यजमानश्चानाधृष्टमिति । का. श्रौ. सू. ८ । १९ ।

(त्यु) अथ यास्तद्देवाः । (०) जुष्टास्तनूः प्रियाणि धामानि सार्द्धꣳ समवदन्दिरे तदिन्द्रे संन्यदधतैष वाऽइन्द्रो य एष तपति न ह वाऽएषोऽग्रे ततापयथा हैवेदमन्यत्कृष्णमेवꣳ हैवास तेनैवैतद्वीर्येण तपति तस्माद्यदि बहवो दीक्षेरन्गृहपतयऽएव व्रतमभ्युत्सिच्य प्रयच्छेयुः स हि तेषामिन्द्रभाजनं भवति यद्यु दक्षिणावता दीक्षेत यजमानायैव व्रतमभ्युत्सिच्य प्रयच्छेयुरिदꣳ ह्याहुरिन्द्रो यजमान इति ॥ १९ ॥

अथ यास्तद्देवा जुष्टास्तनूः प्रियाणि धामानि सार्धं समवददिरे–तदिन्द्रे संन्यदधत । एष वाऽ-इन्द्रो–य एष तपति । न ह वाऽएषोऽग्रे ततापयथा हैवेदमन्यत्कृष्णमेवं हैवास । तेनैवैतद्वीर्येण तपति । तस्माद्यदि बहवो दीक्षेरन्–गृहपतय एव व्रतमभ्युत्सिच्य प्रयच्छेयुः । स हि तेषामिन्द्र-भाजनं भवति । यद्यु दक्षिणावता दीक्षेत–यजमानायैव व्रतमभ्युत्सिच्य प्रयच्छेयुः । इदं ह्याहुः–इन्द्रो यजमान इति ॥ १९ ॥

स्यम् । कृत्यार्थे केन्य–प्रत्ययः न (पा. सू. ३ । ४ । १४) । अथवा अनभिशस्तस्य स्वर्गादेः प्रदातृत्वेन सम्बन्ध्यसि । यत एवं महानुभावं त्वाम् 'अञ्जसा' प्रगुणेन मुख्यया वृत्त्या 'सत्यं' यथार्थस्वरूपम् 'उपगेषम्' उपगच्छेयम् । "गाङ् गतौ"–(धा. पा. भा. आ. ९७५) इत्यस्य "लिङर्थे लेट्"–(पा० सू० ३ । ४ । ७) "सिब्बहुलम्"–(पा० सू० ३ । १ । ३४) इति सिप्त्वं च । तेन सत्येन 'स्विते' सुष्ठु प्राप्तौ 'मा' माम् 'अधाः' धारय ॥

मन्त्रं विभज्य व्याचष्टे–**अनाधृष्टा हि देवा आसन्ननाधृष्या** इति । पूर्वं कैरप्यनाधृष्टा अपि देवाः पर-स्परापरागेणाधर्मविषया अपि सन्तः, पश्चात् सङ्केतपूर्वकेणाज्यग्रहणेन स्वशरीराण्यवमर्शन्तः पुनः 'अनाधृष्या आसन्' अतस्त्वमनाधृष्टानां पुनरनाधर्षहेतुत्वात् तद्रूपमसि । "सहसन्तः"–इत्यादि पदत्रयमनाधृष्यत्वे हेतु-त्वेन निर्दिष्टम् । "सहसन्तः"–परस्परैकमत्येन वर्तमानाः; तथा 'समानं वदन्तः' यदेको ब्रूते, तदन्ये-ऽप्यनुकुर्वन्तः 'समानम्' एकमेव कार्यं मनसि 'दधाणाः' धारयमाणाः । द्वितीयभागस्य तात्पर्यमाह–**देवा-नामोज** इति । ओजोरूपाणां प्रियधाम्नामाज्ये स्थापनात् । अनभिशस्त्यादिपदत्रयस्यैकतात्पर्यतामाह–**सर्वा हि देवा अभिशस्ति तीर्णा** इति । 'सत्यमुपगेषम्'–इत्येतस्य सत्यप्राप्तेः प्रतिज्ञानरूपत्वेन वागात्म-कत्वात् 'सत्यं वदानि'–इत्येवंरूपा सत्यप्राप्तिरुक्ता । तदेव सत्यं 'मेदम्'–इत्यत्र 'इदं'–शब्देन निर्दिष्टम् । 'स्विते माऽधाः'–इत्यत्र 'स्वित' शब्दार्थमाह–**स्विते हि तद्देवा** इति । सुष्ठु प्राप्तव्यं स्वितम्; तदत्र सत्यमेव वदानीति प्रतिज्ञापूर्वकं तदनुष्ठानमेवेत्यर्थः ॥ १४ ॥

तानूनप्त्रमाज्यं सर्वैः स्पृष्टमपि सद् यजमानायैव दातव्यमिति विधातुमाह–**अथ यास्तद्देवा** इति । इन्द्र-शब्दस्य विवक्षितमर्थमाह–**एष वा इन्द्रो य एष तपतीति** । इन्द्रेणैतत्प्राप्तौ कोऽतिशयो लब्ध इति तत्राह–**न ह वा एष** इति । तापकतया, न ततापेत्यर्थः; 'यथा ह एव' 'इदम्' इदानीं परिदृश्यमानं तपनम् ।

१–केन् प्रत्ययो नकारोपजनो यस्य । इ.पा.। २–अपराह्णे व्रतामिश्रं दीक्षिताय प्रयच्छति । बहुषु गृहपतये । का.श्रौ.सू.८।२।२३।

(त्यु) अथ यास्तुद्देवाः । (०) जुष्टास्तनूः प्रियाणि धामानि सार्द्धᳬ समवददिरे तुत्सार्धᳬ सुंजघ्ने तत्सामाभवत्तस्मादाहुः सत्यᳬ साम देवजᳬ सामेति ॥ १६ ॥

इति तृतीयप्रपाठके तृतीयं ब्राह्मणम् ॥ ३ ॥ ३ ॥ [४. २.]

आतिथ्येन वै देवा इष्ट्वा । तान्त्समुदविन्दत्ते तानूनप्त्रैः सुमशाम्यंस्तु ऽएतुस्य प्रायश्चित्तिमैच्छन्युदन्योऽन्यं पापमुवदन्नाह पुराऽवभृथात्पुनर्दीक्षामवाकल्पयंस्त ऽएताुमवान्तरां दीक्षामपश्यन् ॥ १ ॥

अथ यास्तद्देवा जुष्टास्तनूः प्रियाणि धामानि सार्द्धं समवददिरे, तत् सार्धं संजघ्ने । तत्सामाभवत् । तस्मादाहुः–सत्यं साम, देवजं सामेति ॥ १६ ॥

अथ प्रवर्ग्यकर्मण्यवान्तरदीक्षा ।

आतिथ्येन वै देवा इष्ट्वा, तान् समदविन्दत् । ते तानूनप्त्रैः समशाम्यन् । त एतस्य प्रायश्चित्तिमैच्छन्–यदन्योऽन्यं पापमवदन् । नाह पुराऽवभृथात् पुनर्दीक्षामवाकल्पयन् । त एतामवान्तरां दीक्षामपश्यन् ॥ १ ॥

तर्हि कथमास ? 'कृष्णम् एव' कृष्णरूपमेव 'आस'। तस्मात् 'तेनैव' तानूनप्त्राज्यस्वीकारजनितेनैव 'वीर्येण' दुर्द्धर्षः सन् 'तपति' इत्यर्थः। "तस्माद् यदि बहवः" इत्यादि प्रकृतपर्यवसानवाक्यं स्पष्टम्। 'अभ्युत्सिच्य' उपरि तदाज्यमासिच्य। स हि तेषामिन्द्रभाजनं भवतीति। 'इन्द्रभाजनम्' इन्द्रस्थानीयः। फलस्य साम्येऽपि गृहपतित्वेन वरणेन प्राधान्यादिन्द्रत्वम्। यद्यु दक्षिणावतेति । यदि तु दक्षिणायुक्तेनैकाहादिना सोमयागेन दीक्षेतेत्यर्थः। स्पष्टमन्यत् ॥ १५ ॥

यजमानेन क्रियमाणस्य सामोपायस्य देवैः कृतं साम मूलमित्याह–अथ यास्तद्देवा जुष्टास्तनूरित्यादिना। 'तत्' अवत्तं 'सार्द्धम्' 'सञ्जघ्ने'। तदाज्येन साकं प्रक्षिप्तशरीरकदम्बकम् संहतमेकमभूत्, 'तत् सामाभवत्' देवानां सत्येनोत्पन्नत्वात् 'सत्यं देवजम्' च 'साम' ॥ १६ ॥

इति श्रीसायणाचार्यविरचिते माधवीये वेदार्थप्रकाशे माध्यन्दिनशतपथब्राह्मणभाष्ये तृतीयकाण्डे चतुर्थाध्याय द्वितीयं ब्राह्मणम् ॥ (३ । ४ । २) ॥

अवान्तरदीक्षां विधातुमाह–आतिथ्येन वै देवा इष्ट्वा, तानिति। 'ते' 'एतस्य' तानूनप्त्रस्य शपथात्मकस्य दोषपरिहाराय। तानूनप्त्रस्य निन्दितत्वमाह–यदन्योऽन्यं पापमवदन्निति। "सत्यं वदानि, मेदमतिक्रमिषम्" इत्येवंरूपमित्यर्थः। "नाह पुरा" इत्यनेन दोषपरिहारोपायाभाव उक्तः। स्वीकृताया दीक्षाया अवभृथपर्यन्तानुवर्तने सति प्रागतस्य पापवदनस्य परिहारो भवति, सा चानुवृत्तिर्न तैः कृतेत्यर्थः; मध्ये दीक्षापरित्यागादिति भावः। यद्वा स्वीकृताया दीक्षाया इदानीमप्यपरित्यागात् तन्मध्ये नूतनां 'दीक्षां' 'पुनः' 'न' 'अवाकल्पयन्,' किन्तु प्रकृतदीक्षाया अविरोधिनीम् 'अवान्तरदीक्षाम्' 'अपश्यन्' ॥ १ ॥

(इयंस्ते) तेऽग्निमेव त्वचं विपल्याङ्क्यन्त । तपो वाऽअग्निस्तपो दीक्षा तदवान्तरां दीक्षामुपायंस्तद्यदवान्तरां दीक्षामुपायँस्तस्मादवान्तरदीक्षा सन्तरामङ्गुलीराञ्चन्त सन्तरां मेखलां पर्यस्तामेवैनामेतत्सतीं पर्या-स्यन्त तथोऽएवैष एतद्यदतः प्राचीनमव्रत्यं वा करोत्यव्रत्यं वा वदति तस्यैवैतत्प्रायश्चित्तिं कुरुते ॥ २ ॥

सोऽग्निमेव त्वचं विपल्यङ्क्यते । तपो वाऽअग्निस्तपो दीक्षा तदवान्तरां दीक्षामुपैति सन्तरामङ्गुलीरचते सन्तरां मेखलां पर्यस्तामेवैनामेतत्सतीं पर्यस्यते प्रजामु हैव तद्देवा उपायन् ॥ ३ ॥

(युंस्ते) तेऽग्निमेव त्वचं विपल्याङ्क्यन्त । (न्ता) अग्निर्वै मिथुनस्य कर्ता प्रजनयिता तत्प्रजामुपायन्त्सन्तरामङ्गुलीराञ्चन्त सन्तरां मेखलां तत्प्रजामात्मन्नकुर्वत तथो एवैष ऽएतत्प्रजामेवोपैति ॥ ४ ॥

तेऽग्निमेव त्वचं विपल्याङ्क्यन्त । तपो वा अग्निः, तपो दीक्षा । तदवान्तरां दीक्षामुपायन् तद् यद-वान्तरां दीक्षामुपायन्—तस्मादवान्तरदीक्षा । सन्तरामंगुलीराञ्चन्त, सन्तरां मेखलां पर्यस्तामेवैनामेत-त्सतीं पर्यास्यन्त । तथो एवैष एतद्—यदतः प्राचीनमव्रत्यं वा करोति, अव्रत्यं वा वदति । तस्यैवै-तत्प्रायश्चित्तिं कुरुते ॥ २ ॥

सोऽग्निमेव त्वचं विपल्यङ्क्यते । तपो वा अग्निः, तपो दीक्षा । तदवान्तरां दीक्षामुपैति—सन्तरा-मङ्गुलीरचते, सन्तरां मेखलां पर्यस्तामेवैनामेतत्सतीं पर्यस्यते । प्रजामु हैव तद्देवा उपायन् ॥ ३ ॥

तेऽग्निमेव त्वचं विपल्याङ्क्यन्त । अग्निर्वै मिथुनस्य कर्ता प्रजनयिता तत् प्रजामुपायन् । सन्तरा-मङ्गुलीराञ्चन्त, सन्तरां मेखलाम् । तत्प्रजामात्मन्नकुर्वत । तथो एवैष एतत्प्रजामेवोपैति ॥ ४ ॥

अवान्तरदीक्षाकल्पनप्रकार उच्यते—**तेऽग्निमेव त्वचमिति** । ' विपल्याङ्क्यन्त ' विविधं ' परि ' परितः ' आङ्क्यन्त अवेष्टयन्; अग्निमेव त्वचमकुर्वन्नित्यर्थः । अग्नेस्त्वग्भावे कः सम्बन्ध इति, तत्रोच्यते—**तपो वा अग्निरिति** । तपनसाधनत्वात् अग्निः ' तपः ' ' दीक्षा ' तु क्लेशात्मकत्वादेव ' तपः ' । अवान्तरदीक्षां नाम निर्वचनेन प्रशंसति—**तद्यदवान्तरामिति** । **सन्तरामित्यादि** । ' सन्तरामाञ्चन्त ' अतिशयेन, संश्लिष्टा अङ्गुलीरकुर्वन् । तथा मेखलाम् अपि पूर्वां शिथिलबद्धां पुनः संलग्नामकुर्वन् । तदेवाह—**पर्यस्तामेवेति** । ' पर्य-स्तामेव ' परितः क्षिप्तामेव । व्रतमर्हतीति ' व्रत्यम् ,' तद्विरोधि ' अव्रत्यं ' । ' तस्य ' ' एतत् ' अवान्तर-दीक्षाख्यं कर्म ' प्रायश्चित्तम् ' तस्य पापस्य निर्हरणमित्यर्थः ॥ २ ॥

यदर्थमाख्यायिकामुखेनावान्तरदीक्षोक्ता, तामिदानीं विधत्ते—**सोऽग्निमेवेति** । ' सः ' यजमानः । शिष्टं पूर्ववत् । अवान्तरदीक्षां प्रजासाधनत्वेन प्रशंसति—**प्रजामु हैवेत्यादिना** ॥ ३ ॥

तेऽग्निमेव त्वचमिति । **अग्निर्वै मिथुनस्य कर्तेति** । वधूवरयोर्युग्मीभावस्याग्निसव्यपेक्षत्वान्मिथुनकर्ताऽग्नि-

सोऽग्निरेव त्वचं विपल्यङ्ग्यते । (तेऽग्नि) अग्निर्वै मिथुनस्य कर्त्ता प्रजनयिता तत्प्रजामुपैति सन्तरामङ्गुलीरचते सन्तरां मेखलां तत्प्रजामात्मन्कुरुते ॥ ५ ॥

देवानामु ह स्म दीक्षितानाम् । यः समिद्धारो वा स्वाध्यायं वा विसृज्यते तꣳ ह स्मेतरस्यैवेतरꣳ रूपेणेतरस्येतरमसुररक्षसानि जिघाꣳसन्ति ते ह पापं वदन्त ऽउपसमेयुरिति वै मां त्वमचिकीर्षीरिति मा जिघाꣳसीरित्यग्निर्हैव तथा नान्यमुवादाग्नि तथा नान्यः ॥ ६ ॥

(स्ते) ते होचुः । (रु) अपीत्थन्त्वामग्नेऽवादिषू ३ रिति नैवाहमन्यं न मामन्य इति ॥ ७ ॥

सोऽग्निरेव त्वचं विपल्यङ्ग्यते । अग्निर्वै मिथुनस्य कर्ता प्रजनयिता । तत् प्रजामुपैति । सन्तरामङ्गुलीरचते, सन्तरां मेखलाम् । तत्प्रजामात्मन् कुरुते ॥ ५ ॥

देवानामु ह स्म दीक्षितानां यः समिद्धारो वा, स्वाध्यायं वा—विसृज्यते । तं ह स्मेतरस्यैवेतरं रूपेण—इतरस्येतरमसुररक्षांसि जिघांसन्ति । ते ह पापं वदन्त उपसमेयुः—इति वै मां त्वमचिकीर्षीः इति । मा जिघांसीरिति । अग्निर्हैव तथा नान्यमुवाद—अग्नि तथा नान्यः ॥ ६ ॥

ते होचुः—अपीत्थं त्वामग्नेऽवादिषूः ३ इति । नैवाहमन्यं न मामन्य इति ॥ ७ ॥

रुच्यते । सा प्रसिद्धिः 'वै'—शब्देनोक्ता । अशितपीतयोः शुक्रशोणितरूपेण परिणामस्य, पुनश्च देहाकारेण परिणामस्य चाग्न्यधीनत्वात् 'प्रजनयिता' । अथवा कथम् 'अग्निर्मिथुनस्य कर्ता' यतोऽसौ 'मिथुनस्य प्रजनयिता' इति व्याख्यानव्याख्येयभावो द्रष्टव्यः । देवानां प्रजार्थत्वमुक्त्वा इदानीन्तनयजमानस्यापि तदर्थत्वमाह—तथो एवैष एतत्प्रजामेवोपैतीति । 'एतत्' एतया अवान्तरदीक्षया ॥ ४ ॥ ५ ॥

अवान्तरदीक्षारूपेण समिदाधानं विधास्यते, तन्मन्त्रे " या तनूरियं सा मयि " इत्यादि वक्ष्यते, तदुपोद्घातत्वेनाख्यायिकामाह—देवानामु ह स्म दीक्षितानामित्यादिना । 'समिद्धारो वा' समिधं हरतीति 'समिद्धारः' " हरतेरनुद्यमनेऽच् " (पा. सू. ३ । २ । ८) इत्यत्रानुद्यमन इति पर्युदासात्तादृशोद्यमनस्य सम्भवात्सामान्येन प्राप्तः " कर्मण्यण् " (पा. सू. ३ । २ । १) इत्यण् । स्वाध्यायं वा विसृजत इति । 'विसृजते' नोच्चारयति कश्चित् । 'तं ह' समिदाहर्तारं वा ऋत्विजं वा मन्त्रोत्स्रष्टारं वा । उपलक्षणमेतत् । ऋत्विजां मध्ये यं कश्चिन्न व्यापृतम्, तम् । 'इतरम् इतरस्य रूपेण'—'इतरम् इतरस्य रूपेण' समिदाहर्तृरूपेण प्रवचनकर्तारम्, प्रवचनकर्तृरूपेण समिदाहर्तारमित्यर्थः । एवम् 'असुररक्षसानि' असुराश्च रक्षांसि च 'जिघांसन्ति' हन्तुमिच्छन्ति । तथा सति देवाः 'इति' खलु 'मां त्वम्' 'अचिकीर्षीः' कर्तुमैच्छः 'इति' । 'मा' मां 'जिघांसीः' हन्तुमैच्छः, 'इति' । 'पापं वदन्तः' 'उपसमेयुः' अन्योऽन्यं प्राप्नुवन्ति । किमग्निरपि तादृग्विषयापन्नः ? नेत्याह—अग्निर्हैव तथा नान्यमिति । 'उवाद' उदितवान् ॥ ६ ॥

ते होचुरिति । 'ते' असुरैरभिभूता देवाः । 'अग्ने !' 'त्वामपि' 'इत्थम्' अनेन प्रकारेण अस्मा-

---

१–'विसृजते' इति सायणसम्मतः पाठः ।

तेऽविदुः । (र) अयं वै नो विरक्षस्तमोऽस्यैव रूपमसाम तेन रक्षाꣳस्यतिमोक्ष्यामहे तेन स्वर्गं लोकꣳ समश्नुविष्यामह इति तेऽग्नेरेव रूपमभवंस्तेन रक्षाꣳस्यत्यमुच्यन्त तेन स्वर्गं लोकꣳ समाश्नुवत तथोऽएवैष एतदग्नेरेव रूपं भवति तेन रक्षाꣳस्यतिमुच्यते तेन स्वर्गं लोकꣳ समश्नुते स वै समिधमेवाभ्यादधदवान्तरदीक्षामुपैति ॥ ८ ॥

स समिधमभ्यादधाति । (त्यु) अग्ने व्रतपास्त्वे व्रतपा इत्यग्निर्हि देवानां व्रतपतिस्तस्मादाहाग्ने व्रतपास्त्वे व्रतपा इति या तव तनूरियꣳ सा मयि यो मम तनूरेषा सा त्वयि ॥ सह नौ व्रतपते व्रतानीति तदग्निना त्वचं विपल्यङ्ङ्यतेऽनु मे दीक्षां दीक्षापतिर्मन्यतामनुतपस्तप-स्पतिरिति तदवान्तरां दीक्षामुपैति सन्तरामङ्गुलीरचते सन्तरां मेखलां पर्यस्तामेवैनामेतत्सतीं पर्यस्यते ॥ ९ ॥

तेऽविदुः । अयं वै नो विरक्षस्तमः—अस्यैव रूपमसाम—तेन रक्षांस्यतिमोक्ष्यामहे—तेन स्वर्गं लोकं समश्नुविष्यामहे—इति । तेऽग्नेरेव रूपमभवन्, तेन रक्षांस्यत्यमुच्यन्त । तेन स्वर्गं लोकं समाश्नुवत । तथोऽएवैष एतदग्नेरेवं रूपं भवति, तेन रक्षांस्यतिमुच्यते, तेन स्वर्गं लोकं समश्नुते । स वै समिधमेवा-भ्यादधदवान्तरदीक्षामुपैति ॥ ८ ॥

स समिधमभ्यादधाति—" अग्ने व्रतपास्त्वे व्रतपाः "—(वा. सं ५ । ६ ।) इति । अग्निर्हि देवानां व्रतपतिः । तस्मादाह—अग्ने व्रतपास्त्वे व्रतपा इति । " या तव तनूरियं—सा मयि । यो मम तनूरेषा सा त्वयि । सह नौ व्रतपते ! व्रतानि "—(वा. सं. ५।६) इति । तद् अग्निना त्वचं विपल्यङ्ङ्यते । " अनु मे दीक्षां दीक्षापतिर्मन्यताम् । अनुतपस्तपस्पतिः "—(वा. सं. ५ । ६) इति । तदवान्तरां दीक्षामुपैति । सन्तरामंगुलीरचते, सन्तरां मेखलां पर्यस्तामेवैन-मितत्सतीं पर्यस्यते ॥ ९ ॥

न्विव किम् ? 'अवादिषूः ३ ' । (पा. सू. ८ । २ । १००) प्रश्ने प्लुतिः । तस्योत्तरम्—' नैवाहमन्यम्, नमा-मन्यः ' वा अवादीदित्यग्निः प्रत्युवाच ॥ ७ ॥

तेऽविदुरिति । ' अयम् ' अग्निः 'नः' अस्माकं मध्ये 'विरक्षस्तमः' विरक्षो यस्मात् स विरक्षाः, अतिशयेन विरक्षाः ' विरक्षस्तमः ' । " अस्यैव रूपमसाम "—इत्यादि । स्पष्टम् । यद्यपि मेखलाकृष्णाजिनधारणादिकमपि दीक्षाङ्गम्, तथाप्यवान्तरदीक्षायां समिदाधानस्य मुख्यत्वात्—समिधमेवाभ्यादधदवान्तरदीक्षामुपैतीत्युक्तम् ॥ ८ ॥

स समिधमभ्यादधातीति[1] । " अग्ने व्रतपा इत्यादिः समिदाधानमन्त्रः । हे ' व्रतपा अग्ने ' ! ' त्वे ' त्वयि व्रतस्य पातरि सति, अहं ' व्रतपाः ' व्रतस्य पालयिता, भूयासमित्यर्थः । सप्तम्याः शे आदेशः ।

१–अग्नेव्रतपा इत्याहवनीयसमिधमाधाय मदंतीरुपस्पृश्य गाढतरं मुष्टिमेखलं कुरुते । का. श्रौ. सू. ८ । २४ ।

(तेऽथै) अथैनमतो मदन्तीभिरुपचरन्ति तपो वा अग्निस्तपो मदन्त्यस्तस्मादेनं मदन्तीभिरुपचरन्ति ॥ १० ॥

(न्त्यु) अथ मदन्तीरुपस्पृश्य । राजानमाप्याययन्ति तद्यन्मदन्तीरुपस्पृश्य राजानमाप्याययन्ति वज्रो वा आज्यᳬं रेतः सोमो नेद्वज्रेणाज्येन रेतः सोमᳬं हिनसामेति तस्मान्मदन्तीरुपस्पृश्य राजानमाप्याययन्ति॥ ११॥

तदाहुः । (ˆ) यस्माऽएतदाप्यायनं क्रियत ऽआतिथ्यᳬं सोमाय तमेवाग्रऽआप्याययेयुरथावान्तरदीक्षामथ तानूनप्त्राणीति तदु तथा न कुर्याद्य-

---

अथैनमतो मदन्तीभिरुपचरन्ति । तपो वा अग्निः, तपो मदन्त्यः [1] तस्मादेनं मदन्तीभिरुपचरन्ति ॥ १० ॥

अथ मदन्तीरुपस्पृश्य राजानमाप्याययन्ति । तद् यन्मदन्तीरुपस्पृश्य राजानमाप्याययन्ति; वज्रो वा आज्यम्, रेतः सोमः । नेद्वज्रेणाज्येन रेतः सोमं हिनसामेति । तस्मान्मदन्तीरुपस्पृश्य, राजानमाप्याययन्ति ॥ ११ ॥

तदाहुः । यस्माऽएतदाप्यायनं क्रियते—आतिथ्यं सोमाय—तमेवाग्रऽआप्याययेयुः—अथावान्तर-

---

(पा. सू. ७।१।३९) । अथवा ' व्रतपाः ' भवसि ' त्वे ' त्वम् । "अग्निर्हि देवानां व्रतपतिः" इत्यत्र 'हि'—शब्देन " त्वमग्ने व्रतपा असि देव आ मर्त्येषु "—इत्यादि ·(वा. सं. ४ । १६) श्रुत्यन्तरप्रसिद्धिर्द्योत्यते । ' या तव ' तेजोमयी ' तनूः ' अस्ति ' सा ' ' इयं ' ममापि भवतु, तथा ' या मम ' इत्येतद् व्याख्येयम् । हे ' व्रतपते ' अग्ने ! ' नौ ' आवां ' सह ' ' व्रतानि ' चरिष्यावः इति शेषः । ' तत् ' तेन तनूविनिमयेन मन्त्रगतेन । " अनु मे दीक्षाम् " इति मन्त्रभागे ' दीक्षा '—शब्दश्रवणात् तन्मन्त्रभागपाठेनावान्तरदीक्षां प्राप्तवान् भवति ॥

दीक्षाहुत्यनन्तरं पुनरंगुल्यादिसमञ्जनस्याभिधानादादौ दीक्षाहुतिः कर्त्तव्या पश्चात् समञ्जनमिति क्रमोऽवगम्यते॥ ९॥

अथ यद्यद्यजमानस्य तत्तन्मदन्तीभिः कर्तव्यमिति विधत्ते—**अथैनमतो मदन्तीभिरि**ति (का. श्रौ. सू. ८।२४)। एनं सोमं यजमानं वा । तप्ता आपो ' मदन्त्यः ' । अग्नेर्मदन्तीनाञ्च सन्तापकत्वात् तपोरूपत्वम् ॥ १० ॥

मदन्त्युपस्पर्शनपूर्वकं राजाप्यायनं विधत्ते—**मदन्तीभिरुपस्पृश्य राजान**मिति । **वज्रो वा आज्य**मिति । " घृतं वै देवा वज्रं कृत्वा सोममघ्नन् "—(तै. स. ६ । २ । २ । ४) इति श्रुतेराज्यस्य वज्रत्वम् । सोमस्य सर्वौषध्यनुप्रवेशाद्रेतसश्चौषधिजन्यत्वात् रेतस्त्वं सोमस्य । अथवा " पञ्चम्यामाहुतावापः पुरुषवचसो भवन्ति "—(छा. ब्रा. ७ । ९ । १ । श. प. १४ । ९ । १ । १९) इति आहुतिरूपस्य सोमस्य क्रमेण रेतोरूपेण परिणामाद्रेतस्त्वम् ॥ ११ ॥

अनुष्ठेयपदार्थक्रमविषये किञ्चिद् ब्रह्मवादिनश्चोद्यमुद्भावयन्ति—**तदाहुर्यस्मा एतदाप्यायनं क्रियत** इ...

१-मदंतीरुपस्पृश्य यजमानगृह्याः सोममाप्याययंत्य२ शुरिति । का. श्रो. सू. ८।२६। २-'रेतसश्चौषधिसाररूपत्वात्' इति क. पा.।

ज्ञस्य वा ऽएवं कर्मात्र वा ऽएनान्त्समुदविन्दत्ते सᳪशमसमेव पूर्व्वमुपायन्न-थावान्तरदीक्षामथाप्यायनम् ॥ १२ ॥

तद्यदाप्याययन्ति । देवो वै सोमो दिवि हि सोमो व्वृत्रो वै सोम आसी-त्तस्यैतच्छरीरं यद्गिरयो यदश्मानस्तदेषोऽशाना नामौषधिर्जायत इति ह स्माह श्वेतकेतुरौद्दालकिस्तामेतदाहृत्याभिषुण्वन्ति तां दीक्षोपसद्भि-स्तानूनप्त्रैराप्यायनेन सोमं कुर्वन्तीति तथोऽएवैनामेष ऽएतद्दीक्षोपसद्भि-स्तानूनप्त्रैराप्यायनेन सोमं करोति ॥ १३ ॥

मधु सारघमिति वा आहुः । (यं) यज्ञो ह वै मधुसारघमथैतऽएव सरघो

दीक्षाम्—अथ तानूनप्त्राणीति । तद्‌ तथा न कुर्याद्‌ । यज्ञस्य वा एवं कर्म । अत्र वा एनान्त्समद-विन्दत् । ते संशममेव पूर्वमुपायन्—अथावान्तरदीक्षाम्—अथाप्यायनम् ॥ १२ ॥

तद्‌ यदाप्याययन्ति। देवो वै सोमः । दिवि हि सोमः, वृत्रो वै सोम आसीत् । तस्यैतच्छरीरम्—यद्गिरयो, यदश्मानः। तदेषोऽशाना नामौषधिर्जायते—इति ह स्माह श्वेतकेतुरौद्दालकिः। तामेतदाहृ-त्याभिषुण्वन्ति । तां दीक्षोपसद्भिः, तानूनप्त्रैः, आप्यायनेन सोमं कुर्वन्तीति । तथोऽएवैनामेष एत-द्दीक्षोपसद्भिस्तानूनप्त्रैराप्यायनेन सोमं करोति ॥ १३ ॥

मधु सारघमिति वा आहुः। यज्ञो वै मधु सारघम् । अथैत एव सरघो मधुकृतो यदृत्विजः । तद्यथा मधु मधुकृत आप्याययेयुः—एवमेवैतद्यज्ञमाप्याययन्ति ॥ १४ ॥

'यस्मै सोमाय एतदातिथ्यं क्रियते' 'तमेव' 'अग्रे' आप्यायनादिभिः सत्कर्तुं युक्तम् । सोमसम्बन्धाभि-प्रायेण चोद्य उद्भाविते यागसम्बन्धेन परिहरति—**यज्ञस्य वा एवं कर्मे**ति । एवम्प्रकारक्रमविशिष्टं कर्मजातं यज्ञस्य खलु क्रियत इत्यर्थः । 'अत्र' खलु 'एनान्' 'समत्' कलहः 'अविन्दत्' आप्नोत् 'ते' च देवाः 'पूर्वं संशममेवोपायन्' कलहोपशमनरूपं तानूनप्त्रं ते कृतवन्त इत्यर्थः । **अथावान्तरदीक्षामिति** । शपथजनितदोषपरिहाराय अनन्तरमेव अवान्तरदीक्षा कार्या । अतः पारिशेषादाप्यायनस्यान्ते निवेश इति॥१२॥

तद्यदाप्याययन्तीति । आप्यायनं प्रशंसति—**देवो वा** इति । सोमस्य देवत्वं समर्थयते—**दिवि हीति** । अस्त्वेवं सोमस्य, सोमस्याप्यायनं किमायातमित्यत आह—**वृत्रो वा** इत्यादि । त्वष्ट्रेन्द्रघातकोत्पत्त्यर्थं हुतस्येन्द्र-पीतसोमशेषस्य वृत्रत्वेनोत्पत्तेः सोमस्य वृत्रत्वम् । 'तस्य' इन्द्रेण हतस्य वृत्रस्य 'शरीरं' 'गिरयोऽश्मानः' चाभवन् । सोमाख्यं वस्त्वेव सोमशरीरभूतेषु गिर्यादिषु वर्तते 'तत् एषः' अशानाख्या[1] 'ओषधिः' 'जायते' 'इति' एवं 'श्वेतकेतु' रौद्दालकिः आह स्म । अतः 'तामेव' गिरावुत्पन्नामेव इदानीन्तना यजमानाः **अभिषुण्वन्ति, न** साक्षात् 'सोमम्' । अतः 'ताम्' ओषधीं दीक्षादिभिः संस्कारैः साक्षात् 'सोमं कुर्वन्ति' **तथो एवैनामेष** इत्यादि । स्पष्टम् ॥ १३ ॥

ऋत्विग्यजमानकर्तृकमाप्यायनं सरघमधुकल्पनया[2] प्रशंसति—**मधु सारघमिति वा आहुरि**त्यादिना॥१४॥

१–दुषनाख्या इति उषानाख्या इति च क. पा. । २–सारघमधुकल्पनया इति क. सरघसारघमधुकल्पनया इति क. सरघसारघमधुकल्पनया इति च क. पा. ।

मधुकृतो यद्दृत्विजस्तद्यथा मधु मधुकृत ऽआप्याययेयुरेवमेवैतद्यज्ञ-माप्याययन्ति ॥ १४ ॥

यज्ञेन वै देवाः । (०) इमां जितिं जिग्युर्यैषामियं जितिस्ते होचुः कथं न इदं मनुष्यैरनभ्यारोह्यꣳ स्यादिति ते यज्ञस्य रसं धीत्वा यथा मधु मधुकृतो निर्द्धयेयुर्व्विदुह्य यज्ञं यूपेन योपयित्वा तिरोऽभवन्नथ यदेनेना-योपयंस्तस्माद्यूपो नाम ॥ १५ ॥

तद्वा ऋषीणामनुश्रुतमास । ते यज्ञꣳ समभरन्यथाऽयं यज्ञः सम्भृत ऽएवं वा ऽएष यज्ञꣳ सम्भरति यो दीक्षते व्वाग्वै यज्ञस्तद्यदेवात्र यज्ञस्य निर्धीतं यद्विदुग्धं तदेवैतत्पुनराप्याययति ॥ १६ ॥

ते वै षड्भूत्वाऽऽप्याययन्ति । षड्वा ऋतव ऽऋतव ऽएवैतद्भूत्वाऽऽप्या-ययन्ति ॥ १७ ॥

त ऽआप्याययन्ति । (न्त्य) अꣳशुरꣳशुष्टे देव सोमाप्यायतामिति तदस्याꣳशुमꣳशुमेवाप्याययन्तीन्द्रायैकधनविद ऽइतीन्द्रो वै यज्ञस्य देवता तस्मादाहेन्द्रायेत्येकधनविद ऽइति शतꣳ शतꣳ ह स्म वा एष देवान्प्रत्येकैक ऽएवाꣳशुरेकधनानाप्यायते दश दश वा तुभ्यमिन्द्रः प्याय-तामा त्वमिन्द्राय प्यायस्वेतीन्द्रो वै यज्ञस्य देवता सा वैव यज्ञस्य देवता

यज्ञेन वै देवाः इमां जितिं जिग्युः—यैषामियं जितिः । ते होचुः—कथं न इदं मनुष्यैरनभ्यारोह्यं स्यादिति । ते यज्ञस्य रसं धीत्वा—यथा मधु मधुकृतो निर्द्धयेयुः—विदुह्य यज्ञं यूपेन योपयित्वा तिरोऽभवन् । अथ यदनेनायोपयन् । तस्माद्यूपो नाम ॥ १५ ॥

तद्वा ऋषीणामनुश्रुतमास । ते यज्ञं समभरन् । यथाऽयं यज्ञः सम्भृतः—एवं वा एष यज्ञं सम्भरति-यो दीक्षते । वाग् वै यज्ञः । तद्यदेवात्र यज्ञस्य निर्धीतं, यद्विदुग्धं—तदेवैतत्पुनराप्याययति ॥ १६ ॥

ते वै षड्भूत्वाऽऽप्याययन्ति । षड् वा ऋतवः । ऋतव एवैतद् भूत्वाऽऽप्याययन्ति ॥ १७ ॥

त आप्याययन्ति—" अंशुरंशुष्टे देव सोमाप्यायताम् "—(वा. सं. ५।७) इति । तदस्यां-शुमंशुमेवाप्याययन्ति । "इन्द्रायैकधनविदे "—(वा. सं. ५।७) इति । इन्द्रो वै यज्ञस्य देवता । तस्मादाह—इन्द्राय इति । एकधनविदऽइति । शतं शतं ह स्म वा एष देवान्प्रत्येकैक एवांशुः । एक-

---

एतदेवाप्यायनं गतसारत्वपरिहारात्मना प्रशंसति—यज्ञेन वै देवा इमां जितिं जिग्युरित्यादिना । यदेवात्र यज्ञस्य निर्द्धीतं यद्विदुग्धं तदेवैतत् पुनराप्याययन्तीत्यन्तेन एतदसकृद् व्याख्यातम् ॥ १५ ॥ १६ ॥

ते वै षड्भूत्वाऽऽप्याययन्तीत्यादि । स्पष्टम् ॥ १७ ॥

त आप्याययन्तीति । आप्यायनमन्त्रस्य प्रथमभागं व्याचष्टे—अंशुरंशुष्टे देवेत्यादि । यद्यप्याप्यायने सोमस्य सर्वोऽङ्गुर्नाप्यायते, तथापि मन्त्रे ' अंशुरंशुः ' इति वीप्साभिधानसामर्थ्येनैव प्रत्यंशु आप्याययन्तो भवन्तीत्यर्थः ।

तामेवैतदाप्याययत्या त्वमिन्द्राय प्यायस्वेति तदेतस्मिन्नाप्यायनं दधा-त्याप्याययास्मान्त्सखीन्त्सन्या मेधयेति स यत्सनोति तत्तदाह यत्सन्येत्यथ यदनुब्रूते तदु तदाह यन्मेधयेति स्वस्ति ते देव सोम सुत्यामशीयेत्येका वा ऽएतेषामाशीर्भवत्यृत्विजां च यजमानस्य च यज्ञस्योदृचं गच्छेमेति यज्ञस्योदचं गच्छानीत्येवैतदाह ॥ १८ ॥

(द्वा) अथ प्रस्तरे निह्नुवते । (त्र) उत्तरतउपचारो वै यज्ञोऽथैत-

---

-धनानाप्यायते, दश–दश वा । "आतुभ्यमिन्द्रः प्यायतामा त्वमिन्द्राय प्यायस्व"–(वा. सं. ५ । ७) इति। इन्द्रो वै यज्ञस्य देवता । सा थैव यज्ञस्य देवता–तामेवैतदाप्याययति । आ त्वमिन्द्राय प्यायस्व इति । तदेतस्मिन्नाप्यायनं दधाति । " आप्याययास्मान्त्सखीन्त्सन्या मेधया "–(वा. सं ५।७) इति । स यत्सनोति-तत्तदाह यत्सन्येति । अथ यदनुब्रूते । तदु तदाह–यन्मेधयेति । " स्वस्ति ते देव सोम सुत्यामशीय "–(वा. सं. ५ । ७) इति । एका वा एतेषामाशीर्भवति-ऋत्विजां च यजमानस्य च " यज्ञस्योदृचं गच्छेम "–इति । यज्ञस्योदृचं गच्छानीत्येवैतदाह ॥ १८ ॥

अथ प्रस्तरे निह्नवते । उत्तरतउपचारो वै यज्ञः । अथैतद् दक्षिणेवान्वित्याप्याययन्ति । अग्निर्वै

इन्द्रायैकधनविद इति । अत्रेन्द्रशब्दतात्पर्यमाह–**इन्द्रो वै यज्ञस्येति** । **एकधनानाप्यायते दश दश वेति**। एक एव सोमादिरूपो हविःपदार्थ एव धनं येषां ते देवा एकधनाः; तान् विन्दति यज्ञे सोमपानाय लभत इतीन्द्रः 'एकधनवित्' । 'तस्मात्' एकैक एवांशुः शतशो दशशो वा 'एकधनान्' देवान् 'आप्यायते' वर्द्धयति, शरीरोपचयं करोति, अतः उक्तप्रकारेण सोमाख्यैकधनेन देवानामेकधनत्वान्मन्त्रः 'इन्द्रायैकधनविदे' 'इति' 'आह' इत्यर्थः । **आ तुभ्यमिन्द्रः प्यायतामिति** । हे सोम ! 'तुभ्यं' त्वदर्थं त्वां पातुं स इन्द्रः समर्थो भवत्विति । यज्ञसाधनभूतस्य सोमस्येन्द्रार्थत्वावगमादिन्द्रस्यैवाप्यायनं कृतं भवतीत्यर्थः । **आ त्वमिन्द्राय प्यायस्वेति** । अत्र सोमाप्यायनस्येन्द्रार्थत्वावगतेस्तस्मिन्नेवाप्यायनं दधातीत्युक्तम् । **आप्याययास्मान्त्सखीन्त्सन्या मेधयेति** । अनेन मन्त्रभागेन धनमेषां दित्सया प्यायनायास्मत्सखिभूतानामृत्विजामाशासनं क्रियते । अत्र 'सनि-मेधा'–शब्दयोर्दातव्यं धनमनुवचनीयं मन्त्रादिकं चार्थ इत्याह–**स यत् सनोति तत्तदाह यत्सन्येतीति** । 'सन्या' 'इति' एवंरूपेण शब्देन यदाहार्थजातम् 'तद्' 'यत् सनोति' धनं यज्ञेन यजमानः, 'तदाह' इत्यर्थः। एवमुत्तरवाक्यमपि योज्यम् । पूर्वापरभूतस्यानुवचनस्य मेधामन्तरेणासम्भवान्मेधाशब्दस्यानुवचनमर्थ इति व्याख्या-तम् । **स्वस्ति ते देव सोमेति** । 'हे सोम !' तव 'स्वस्ति' विनाशाभावः क्षेमः, अस्त्विति शेषः । अहं त्वदनु-ग्रहात् 'सुत्याम्' सोमाभिषवम् 'अशीय' आप्नुयाम् । सुत्याप्राप्तिप्रार्थनायास्तात्पर्यमाह–**एको वा एतेषामाशी-र्भवतीति** । **यज्ञस्योदृचमिति** । उपरिभाविनी भाग 'उदृक्' तया समाप्तिर्लक्ष्यते ॥ १८ ॥

आप्यायनमभिधाय निह्नवमाह–**अथ प्रस्तरे निह्नुवत इति**[२]। प्रस्तरस्योपरि पाणी सम्पुटीकृत्य "एष्टा रायः"–

१–तदुपरिभाविनी । इ०पा०। २–आज्यमालभ्योपस्पृश्येदपः सोममालिप्समानस्तथाविपर्यस्यप्रत्येत्य प्रस्तरे निह्नुवत उत्तानहस्ता दक्षिणोत्तानावेष्टाराय इति । का० श्रौ० सू० । ८–२७ ।

दक्षिणेवान्वित्याप्याययन्त्यग्निर्वै यज्ञस्तद्यज्ञं पृष्ठतः कुर्वन्ति तन्मिथ्या कुर्वन्ति देवेभ्य ऽआवृश्च्यन्ते यज्ञो वै प्रस्तरस्तद्यज्ञं पुनरारभन्ते तस्यो हैषा प्रायश्चित्तिस्तथो हैषामेतन्न मिथ्याकृतं भवति न देवेभ्य आवृश्च्यन्ते तस्मात्प्रस्तरे निह्नुवते ॥ १९ ॥

तदाहुः । (१) अक्ते निह्नवीरा ३ नुनक्ता ३ इत्यनक्ते हैव निह्नुवीरन्न नु प्रहरणं ह्येवाक्तस्य ॥ २० ॥

ते निह्नुवते । (त ऽ) एष्टा रायः प्रेषे भगाय ऽऋतमृतवादिभ्य इति सत्यꣳ सत्यवादिभ्य ऽइत्येवैतदाह नमो द्यावापृथिवीभ्यामिति तदाभ्यां द्यावापृथिवीभ्यां निह्नुवते ययोरिदꣳ सर्वमाधि ॥ २१ ॥

यज्ञः । तद् यज्ञं पृष्ठतः कुर्वन्ति । तन्मिथ्या कुर्वन्ति, देवेभ्य आवृश्च्यन्ते । यज्ञो वै प्रस्तरः । तद् यज्ञं पुनरारभन्ते । तस्यो हैषा प्रायश्चित्तिः । तथो हैषामेतन्न मिथ्याकृतं भवति । न देवेभ्य आवृश्च्यन्ते । तस्मात् प्रस्तरे निह्नुवते ॥ १९ ॥

तदाहुः–अक्ते निह्नवीरा ३ नवक्ता ३ इति । अनक्ते हैव निह्नुवीरन् । न नु प्रहरणं ह्येवाक्तस्य ॥ २०

ते निह्नुवते । " एष्टा रायः प्रेषे भगाय ऋतमृतवादिभ्यः "– (वा. सं. ५ । ७) इति । सत्यं सत्यवादिभ्य इत्येवैतदाह । " नमो द्यावापृथिवीभ्याम् "–(वा. सं. ५ । ७) इति । तद् आभ्यां द्यावापृथिवीभ्यां निह्नुवते; ययोरिदं सर्वमाधि ॥ २१ ॥

(वा. सं. ५ । ७ ।) इति मन्त्रजपो निह्नवः । निह्नवशब्दोऽपलापे प्रसिद्धो लोके, इह देवानां नमस्कारादिना सान्त्वनं विहितम् । निह्नवं सोमाप्यायनकाले सम्भावितस्यातिक्रमस्य परिहाररूपेण प्रशंसति–उत्तरत उपचारो वै यज्ञ इति । उत्तर उपचार इति व्यतिरेकप्रदर्शनाय अभिधानं साध्यसाधनयोरभेदाभिप्रायेण । अग्नेर्यज्ञत्वमृत्विजां दक्षिणत उपचारेण । पश्चाद्भागस्थितस्य गार्हपत्यस्य पृष्ठतः करणं भवति, तेन 'मिथ्या' अकृतं कुर्वन्ति; अग्नेः सर्वदेवात्मकत्वात् सर्वदेवेभ्योऽपि वर्जितो भवति । तर्हि प्रस्तरनिह्नवेन कथं समाधानमिति, तत्राह–यज्ञो वै प्रस्तर इति । हविराधारकत्वेन यज्ञनिर्वर्त्तकत्वात् प्रस्तरस्य यज्ञत्वोपचारः ॥ १९ ॥

निह्नवस्य कालं निर्द्धारयितुं ब्रह्मवादिनां विचारं दर्शयति–तदाहुरक्ते निह्नवीरा ३ ननक्ता ३ इतीति । किमु 'अक्ते' प्रस्तरे निह्नवः कर्त्तव्यः उतानक्ते ? इति विचार्यमाणत्वात्–(पा. सू. ८ । २ । ९७) । प्लुतिः अक्तस्य अविलम्बेनाग्नौ प्रहरणादनक्त एव प्रस्तरे कर्तव्यमित्यर्थः ॥ २० ॥

ते निह्नुवत एष्टा रायः प्रेष इति । (तै. सं. ६ । २ । २ । ६) निह्नवमन्त्रस्यायमर्थः । हे 'एष्टः' ! तृजन्तस्य सम्बुद्धिः । धनं यजमानार्थमिच्छन् अग्ने ! अत्र ब्राह्मणे सोमाप्यायननिह्नवातिक्रमस्योक्तत्वात् स एव प्रसाध्यः । 'रायः' धनानि, प्रयच्छन्निति शेषः । किमर्थम् ? 'इषे' अन्नाय, 'भगाय' सौख्याय च ।

१–व्यूहनपरिमार्जने इत्यंके । का० श्रौ० सू० । ८–२८ ।

(ध्यु)अथाह समुल्लुप्य प्रस्तरम्। (मु)अग्नीन्मदन्त्यापा ३ इति मदन्तीत्यग्नीदाह ताभिरेहीत्युपर्य्युपर्य्यग्निमतिहरति स यन्नानुप्रहरत्येतेन ह्युत ऊर्ध्वान्यहानि प्रचरिष्यन्भवत्यथ यदुपर्य्युपर्य्यग्निमतिहरति तदेवास्यानुप्रहृतभाजनं भवति तमग्नीधे प्रयच्छति तमग्नीन्निदधाति ॥ २२ ॥

इति तृतीयप्रपाठके चतुर्थं ब्राह्मणम् ॥३॥४॥ (४ । ३)

ग्रीवा वै यज्ञस्योपसदः शिरः प्रवर्ग्यः। (स्तु) तस्माद्यदि प्रवर्ग्यवान्भवति प्रवर्ग्येण प्रचर्य्याथोपसद्भिः प्रचरन्ति तद्ग्रीवाः प्रतिदधाति ॥ १ ॥

अथाह समुल्लुप्य प्रस्तरम्; अग्नीन्मदन्ति–आपा ३॥ इति। मदन्तीत्यग्नीदाह। ताभिरेहीत्युपर्य्युपर्य्यग्निमतिहराति। स यन्नानुप्रहरति; एतेन ह्यतः ऊर्ध्वान्यहानि प्रचरिष्यन्भवति। अथ यदुपर्य्युपर्य्यग्निमतिहराति; तदेवास्यानुप्रहृतभाजनं भवति। तमग्नीधे प्रयच्छति। तमग्नीन्निदधाति ॥२२॥

ग्रीवा वै यज्ञस्योपसदः। शिरः प्रवर्ग्यः। तस्माद् यदि प्रवर्ग्यवान्भवति। प्रवर्ग्येण प्रचर्य्य, अथोपसद्भिः प्रचरन्ति। तद् ग्रीवाः प्रतिदधाति ॥ १ ॥

तथा 'ऋतवादिभ्यः' सत्यवादिभ्योऽस्मभ्यम् 'ऋतं प्रयच्छ' क्रियमाणं कर्म यथा न वृथा स्यात्, तथा कुर्वित्यर्थः। सर्वदेवाश्रयाभ्यां 'द्यावापृथिवीभ्यां' 'नमः' अस्तु। ऋतशब्दस्योदकयज्ञाद्यर्थेषु अभिमतमर्थमाह–**सत्यवादिभ्य इतीति**। द्यावापृथिवीभ्यां नमस्कार एव निह्नव इत्याह–**द्यावापृथिवीभ्यामेव निह्नुवत इति**। अस्तु नमस्कारेण तयोर्निह्नवः, इतरेषां देवानां स कथं कृतः स्यादिति, तत्राह–**ययोरिदं सर्वमधीति**। यस्मात् तयोरन्तः 'इदम्' परिदृश्यमानं सर्वम् 'अधि' स्थितमिति शेषः। तस्मादित्यर्थः। अथवा 'अधि'–इति सप्तम्यर्थानुवादी तयोरधीदं सर्वमिति ॥ २१ ॥

अध्वर्युकर्तृकं प्रैषं दर्शयति–**अथाह समुल्लुप्य प्रस्तरमग्नीन्मदन्त्यापा ३ इतीति**। 'प्रस्तरं' 'समुल्लुप्य' सम्यगाहृत्येत्यर्थः। हे 'अग्नीत्'! 'आपः' किम् 'मदन्ती' मदन्त्यः तप्ताः किमासन्नित्यर्थः। 'ताभिरेहि' इति, 'आह' इति शेषः। तं प्रस्तरम् 'अग्निम् उपर्युपरि' अग्नेरुर्ध्वोर्ध्वभावे 'अतिहरति' अनुँप्रहरेत्। अनुप्रहरणस्य प्रयोजनमाह–**एतेन ह्यत ऊर्ध्वानीति**। 'एतेन' आतिथ्यार्थप्रस्तरेण। उपर्युपरि प्रहरणस्य प्रयोजनमाह–**तदेवास्यानुप्रहृतभाजनं भवतीति**। 'तम्' अध्वर्युणा दत्तं प्रस्तरम्, 'अग्नीत्' आग्नीध्रः सुरक्षिते देशे 'निदधाति' स्थापयेत् ॥ २२ ॥

इति श्रीसायणाचार्यविरचिते माधवीये वेदार्थप्रकाशे माध्यन्दिनशतपथब्राह्मणभाष्ये तृतीयकाण्डे चतुर्थाध्याये तृतीयं ब्राह्मणम् ॥ ३–४–३ ॥

इत्थमातिथ्यमभिधाय अथोपसदस्तत्कालञ्चाह–**ग्रीवा वै यज्ञस्योपसदः। शिरः प्रवर्ग्यः; तस्माद् यदि**

१–मुषा–इ. क. पा.। २–समुल्लुप्य प्रस्तरमक्त्वा परिधीश्चादायाहाग्नीन्मदन्त्यापा ३ इति। मदंतीत्यमदि। का. श्रौ. सू. ८।२९–३०। ३–न प्रहरेत् इति क. प.। ४–ताभिरेहीति ब्रुवन्नभ्याहवनीय२ हृत्वाऽभ्युत्याग्नीधे प्रयच्छति निधानाय। का. श्रौ. सू. ८। ३१।

तद्याः पूर्व्वाह्णेऽनुवाक्या भवन्ति । ता अपराह्णे याज्या या याज्यास्ताऽअनुवाक्यास्तद्व्यतिषजति तस्मादिमानि ग्रीवाणां पर्व्वाणि व्यतिषक्तानीमान्यस्थीनि ॥ २ ॥

देवाश्च वाऽअसुराश्च । (श्वो) उभये प्राजापत्याः पस्पृधिरे ततोऽसुराऽएषु लोकेषु पुरश्चक्रिरेऽयस्मयीमेवास्मिँल्लोके रजतामन्तरिक्षे हरिणीं दिवि ॥ ३ ॥

तद्वै देवाऽअस्पृण्वत । तऽएताभिरुपसद्भिरुपासीदंस्तद्यदुपासीदंस्तस्मादुपसदो नाम ते पुरः प्राभिन्दन्निमाँल्लोकान्प्राजयंस्तस्मादाहुरुपसदा पुरं जयन्तीति यदुहोपासते तेनेमां मानुषीं पुरं जयन्ति ॥ ४ ॥

तद् याः पूर्वाह्णेऽनुवाक्या भवन्ति; ता अपराह्णे याज्याः । या याज्यास्ता अनुवाक्याः । तद् व्यतिषजति । तस्मादिमानि ग्रीवाणां पर्वाणि व्यतिषक्तानीमान्यस्थीनि ॥ २ ॥

देवाश्च वाऽअसुराश्च, उभये प्राजापत्याः पस्पृधिरे । ततोऽसुरा एषु लोकेषु पुरश्चक्रिरे—अयस्मयीमेवास्मिंल्लोके । रजतामन्तरिक्षे । हरिणीं दिवि ॥ ३ ॥

तद्वै देवा अस्पृण्वत । तऽएताभिरुपसद्भिरुपासीदन् । तद् यदुपासीदंस्तस्मादुपसदो नाम । ते

प्रवर्ग्यवान् भवति, प्रवर्ग्येण प्रचर्याथोपसद्भिः प्रचरन्तीति । 'तत्' तेन प्रवर्ग्यानन्तरमुपसदनुष्ठानेन 'ग्रीवाः' अवयवापेक्षया बहुवचनम् । 'प्रतिदधाति' शिरसा सह योजितवान् भवति । "न प्रथमयज्ञे प्रवृञ्ज्यात्"—इति निषेधसम्भवाद् "यदि प्रवर्ग्यवान्" इत्युक्तम् । आश्वलायनोऽपि प्रथमयज्ञेनैके धर्म्मम्" इति (आ. सू. ४ । ८ । ११) ॥ १ ॥

तद्याः पूर्वाह्णेऽनुवाक्या भवन्ति ता अपराह्णे याज्याः"—इति "अग्निर्वृत्राणि जङ्घनद्"—"य उग्र इव शर्यहा:"—(ऋ. सं. ६ । १६ । ३४ ३९ ।) "त्वं सोमासि सत्पतिः"—"गयस्फानो अमीवहा:"—(ऋ. सं. १ । ९१ । ५, १२) "इदं विष्णुर्विचक्रमे"—"त्रीणि पदा विचक्रमे"—(ऋ. सं. १ । २२ । १७ । १८) इति त्रीणि युगलानि क्रमेणाग्निसोमविष्णूनां याज्याः पुरोऽनुवाक्याः । (ऐ. ब्रा. १ । ४ । ८) तेष्वाद्याः प्रातःकालोपसदि पुरोऽनुवाक्या भवन्ति, द्वितीया याज्याः; सायङ्कालीनोपसदि तु द्वितीयाः पुरोऽनुवाक्याः प्रथमा याज्या इत्यर्थः । ग्रीवाणामंगुलिवत् प्रसिद्धपर्वाभावात् 'अस्थीनि' इत्युक्तम् ॥ २ ॥

उपसदो लोकजयसाधनत्वेन प्रशंसति—देवाश्च वा असुराश्चेत्यादिना । 'अयस्मयीम्' इत्यत्र "अयस्मयादीनि च्छन्दसि"—(पा. सू. १ । ४ । २०) इति भसंज्ञायां पदसंज्ञाया बाधादुत्वाभावः । हरिणीं दिवीति । हरितवर्णां पुरीम्, सुवर्णमयीमित्यर्थः ॥ ३ ॥

तद्वै देवा अस्पृण्वतेति । 'तत्' पुरत्रयम् 'अस्पृण्वत' "स्पृ हिंसायाम्" (धा. पा. स्वा. प. १२)

१–प्रवर्ग्योपसदावतः । का. श्रौ. सू. ८ । ३३ । २–उपसदेव वाऽप्रवर्ग्ये । का. श्रौ. सू. ८ । ३४ । ३–शांखायनानां तु–अग्निर्वृत्राणि जंघनत् । य इव उग्र शर्यहाः १ । त्वं सोमक्रतुभिः । सोममषालां कुरु २ । यः पूर्व्याय वेधसे न वीयसे । तमु स्तोतारं पूर्व्यं यथा विदक्षत् ३ । इति क्रमेणाग्निसोमविष्णूनां युगलानि त्रीणि । ४–प्रीत्याद्यर्थकस्य हिंसार्थत्वं छांदसत्वात् इति ।

(न्त्ये) एताभिर्वै देवा ऽउपसद्भिः । पुरः प्राभिन्दन्निमाँल्लोकान्प्राजयं-
स्तथोऽएवैष ऽएतन्नाहैवास्माऽअस्मिँल्लोके कश्चन पुरः कुरुत ऽइमानेवै-
तल्लोकान्प्रभिनत्तीमाँल्लोकान्प्रजयति तस्मादुपसद्भिर्यजते ॥ ५ ॥
ता वा ऽआज्यहविषो भवन्ति । वज्रो वा ऽआज्यमेतेन वै देवा वज्रेणा-
ज्येन पुरः प्राभिन्दन्निमाँल्लोकान्प्राजयंस्तथो ऽएवैष ऽएतेन वज्रेणाज्येने-
माँल्लोकान्प्रभिनत्तीमाँल्लोकान्प्रजयति तस्मादाज्यहविषो भवन्ति ॥ ६ ॥
स वा ऽअष्टौ कृत्वो जुह्वां गृह्णाति । चतुरुपभृत्यथो इतरथाऽऽहुश्चतुरेव
कृत्वो जुह्वां गृह्णीयादष्टौ कृत्व उपभृतीति ॥ ७ ॥

पुरः प्राभिन्दन् । इमाँल्लोकान्प्राजयन् । तस्मादाहुः—उपसदा पुरं जयन्तीति । यदहोपासते तेनेमां मानुषीं पुरं जयन्ति ॥ ४ ॥

एताभिर्वै देवा उपसद्भिः पुरः प्राभिन्दन् । इमाँल्लोकान्प्राजयन् । तथोऽएवैष एतन्नाहैवास्माऽअस्मिँल्लोके कश्चन पुरः कुरुते । इमानेवैतल्लोकान्प्राभिनत्ति । इमाँल्लोकान्प्रजयति । तस्मादुपसद्भिर्यजते ॥ ५ ॥

ता वाऽआज्यहविषो भवन्ति । वज्रो वाऽआज्यम् । एतेन वै देवा वज्रेणाज्येन पुरः प्राभिन्दन् । इमाँल्लोकान् प्राजयन् । तथो एवैष एतेन वज्रेणाज्येनेमाँल्लोकान्प्रभिनत्ति । इमाँल्लोकान् प्रजयति । तस्मादाज्यहविषो भवन्ति ॥ ६ ॥

स वाऽअष्टौ कृत्वो जुह्वां गृह्णाति, चतुरुपभृति । अथो इतरथाऽऽहुः—चतुरेव कृत्वो जुह्वां गृह्णीयात् अष्टौ कृत्व उपभृतीति ॥ ७ ॥

हिंसितवन्तः ते 'देवाः' यस्मात् 'एताभिः' त्रिभिराग्नेयादीष्टिकर्मभिः सामर्थ्येनेत्यर्थः । 'उपासीदन्'—असुरनिर्गमनप्रतिबन्धात् त्रीणि पुराण्यावृत्य न्यवसन्नित्यर्थः । अत उपसदनसाधनत्वादासामुपसन्नाम सम्पन्नमित्यर्थः । उक्तमुपसदां जयसाधनत्वं लोकप्रसिद्ध्या द्रढयति—तस्मादाहुरुपसदा पुरं जयन्तीति । 'आहुः' अभिज्ञाः कथयन्ति, 'उपसदा' उपसदनदुर्गवेष्टनेन । अभिज्ञानामभिधानं न मृषेत्याह—यदहेति । 'उपासते' उपेत्यावृण्वन्ति ॥ ४ ॥

एताभिर्वै देवा इति । तथो एवैष एतदिति । एतया उपसदा 'एषः' यजमानोऽपि पुरः प्रभिनत्ति, जयति चेति शेषः । न केवलं पुरस्य जयः अपि तु जेतव्यपुरमेव न भवेदित्याह—नाहैवास्मा अस्मिँल्लोके कश्चन पुरः कुरुत इति (तै. सं. ६।२।३) (ऐ. ब्रा. १।४।६) ॥ ५ ॥

" तथो एवैष एतत् "—इति यत् सङ्ग्रहेणोक्तम् तदेव स्पष्टयति—ता वा आज्यहविष इत्यादि । स्पष्टम् ॥ ६ ॥

प्रधानयागत्रयार्थमाज्यग्रहणप्रकारमाह—स वा अष्टौ कृत्वो जुह्वां गृह्णाति चतुरुपभृतीति । 'अष्टौ कृत्वः' अष्टवारावृत्त्या ॥ ७ ॥

१–प्रणीतास्वुपसत् । का. श्रौ. सू. ८ । ३५ । २–अष्टगृहीतं जुह्वां चतुरुपभृति यथाप्रकृति वा । का. श्रौ. सू. ८ । ४४ ।

स वा ऽअष्टावेव कृत्वो जुह्वां गृह्णाति । चतुरुपभृति तद्वज्रमभिभारं करोति तेन व्वज्रेणाभिभारेणेमाँल्लोकान्प्रभिनत्तीमाँल्लोकान्प्रजयति ॥ ८ ॥

(त्य) अग्नीषोमौ वै देवानाथ्ंसयुजौ । ताभ्याथ्ं सार्द्धं गृह्णाति व्विष्णव ऽएकाकिने ऽन्यतरमेवाघारमाघारयति यथ्ंं स्रुवेण प्रतिक्रामति वा ऽउत्तर माघारमाघार्याभिजित्या ऽअभिजयानीति तस्मादन्यतरमेवाघारमाघारयति यथ्ंं स्रुवेण ॥ ९ ॥

(णा) अथाश्राव्य न होतारं प्रवृणीते । सीद होतरित्येवाहोपविशति होता होतृषदन ऽउपविश्य प्रसौति प्रसूतोऽध्वर्युः स्रुचावादत्ते ॥ १० ॥

स वाऽअष्टावेव कृत्वो जुह्वां गृह्णाति, चतुरुपभृति । तद् वज्रमभिभारं करोति; तेन वज्रेणाभिभारेणेमाँल्लोकान्प्रभिनत्ति । इमाँल्लोकान्प्रजयति ॥ ८ ॥

अग्नीषोमौ वै देवानां सयुजौ; ताभ्यां सार्द्धं गृह्णाति । विष्णवऽएकाकिनेऽन्यतरमेवाघारमाघारयति । यं स्रुवेण । प्रतिक्रामति वाऽउत्तरमाघारमाघार्य । अभिजित्याऽअभिजयानीति । तस्मादन्यतरमेवाघारमाघारयति यं स्रुवेण ॥ ९ ॥

अथाश्राव्य न होतारं प्रवृणीते—सीद होतरित्येवाह । उपविशति होता होतृषदने । उपविश्य प्रसौति । प्रसूतोऽध्वर्युः स्रुचावादत्ते ॥ १० ॥

स वा अष्टावेव कृत्वो जुह्वामिति । अत्र 'एव'—कारेण "अथो इतरथाऽऽहुः"—इति केषाञ्चित् पक्षो निरस्यते । तद्वज्रमभिभारं करोतीति । 'तत्' तेन जुह्वामष्टौ कृत्वो ग्रहणेन आज्यस्य वज्रत्वात्, तस्य च मुखत एवाष्टवारग्रहणात्, वज्रमेव मुखप्रदेशमायुक्तं कृतवान् भवति ॥ ८ ॥

प्रकारान्तरेण जुह्वामष्टौ कृत्वो ग्रहणं प्रशंसति—**अग्नीषोमौ वै देवानां सयुजौ, ताभ्यां सार्द्धं गृह्णाति; विष्णव एकाकिन** इति । गृह्णातीति शेषः । प्रकृतिवदाघारद्वयप्रसक्तौ स्रुच्यां द्वितियमाघारं निषेधति—**अन्यतरमेवाघारमिति** । 'यं स्रुवेणाघारयति ' तमन्यतरमित्यर्थः । अभिजयसाधनत्वेनान्यतरमाघारं प्रशंसति—**प्रतिक्रामति वेति** । उत्तराघारानन्तरं प्रतिक्रमणसम्भवात् तस्य चाभिजयरूपत्वात् जेतव्याभिजयाय स्रौचमेवाघारमाघारयेदिति स्तुतिः ॥ ९ ॥

अथाश्राव्य न होतारं प्रवृणीत इति । अध्वर्युराह—' आश्रावय ' इत्युक्त्वा, " अग्निर्देवो दैव्यो होता " इत्यादि—" असौ मानुषः " इत्यन्तं—न ब्रूयादित्यर्थः—किन्तु ' सीद होतः ' इत्येव ब्रूयात् । तथा चाश्वलायनः—" ईक्षितः सीद होतरिति वोक्त उपविशेत् "—इति । **होता होतृषदन उपविश्य प्रसौतीति** । वेदेरुत्तरा श्रोणिर्होतृषदनम् । " घृतवतीमध्वर्यो स्रुचमास्यस्व "—इत्यनुजानीयादित्यर्थः । ' स्रुचौ ' जुहूपभृतौ ॥ १० ॥

१—स्रुवाघारमाघार्य सम्मृज्य आश्राव्य सीद होतरित्येव ब्रूयात् । का. श्रौ. सू. ८ । ४७ ।

स आहातिक्रामन्नग्नयेऽनुब्रूहीति । (त्या) आश्राव्याहाग्निं यजेति वषट्कृते जुहोति ॥ ११ ॥

(त्यु) अथाह सोमायानुब्रूहीति । (त्या) आश्राव्याह सोमं यजेति वषट्कृते जुहोति ॥ १२ ॥

(त्यु) अथ यदुपभृत्याज्यं भवति । तत्समानयमान आह विष्णवेऽनुब्रूहीत्याश्राव्याह विष्णुं यजेति वषट्कृते जुहोति ॥ १३ ॥

स यत्समानत्र तिष्ठञ्जुहोति । न यथेदं प्रचरन्त्सञ्चरत्यभिजित्या ऽअभिजयानीत्यथ यदेता देवता यजति वज्रमेवैतत्सꣳस्करोत्यग्निमनीकꣳ सोमꣳ शल्यं विष्णुं कुल्मलम् ॥ १४ ॥

स आहातिक्रामन्—अग्नयेऽनुब्रूहीति । आश्राव्याह—अग्निं यजेति । वषट्कृते जुहोति ॥ ११ ॥
अथाह—सोमायानुब्रूहीति । आश्राव्याह—सोमं यजेति । वषट्कृते जुहोति ॥ १२ ॥

अथ यदुपभृत्याज्यं भवति; तत्समानयमान आह—विष्णवेऽनुब्रूहीति । आश्राव्याह—विष्णुं यजेति । वषट्कृते जुहोति ॥ १३ ॥

स यत् समानत्र तिष्ठन् जुहोति । न यथेदं प्रचरन्त्सञ्चरति । अभिजित्याऽअभिजयानीति । अथ यदेता देवता यजति; वज्रमेवैतत्संस्करोत्यग्निम्—अनीकम्, सोमम् शल्यम्, विष्णुं कुल्मलम् ॥ १४ ॥

स आहातिक्रामन्नित्यादि[1] । 'अतिक्रामन्' आहवनीयस्य दक्षिणभाग प्रतिगन्तुं वेद्यतिक्रमं कुर्वन् "अग्नयेऽनुब्रूहि"—इति होतारम् 'आह' । अग्नेर्यागार्थमनुवचनं ब्रूहीत्यर्थः । पुनराश्रावणप्रत्याश्रावणानन्तरम् "अग्निं यज"—'इति' आह । याज्यां पठेति ब्रूयादित्यर्थः । 'वषट्कृते' होत्रा "वौषट्[2]"—इत्युक्ते ॥ ११ ॥ १२ ॥

विष्णोरनुवचनकालमाह—अथ यदुपभृत्याज्यं भवति तत्, समानयमान आह विष्णवेऽनुब्रूहीतीति (का. श्रौ. सू. ८ । ४९) । 'समानयमानः' जुह्वां प्रक्षिपेत् ॥ १३ ॥

स यत् समानत्र तिष्ठन् जुहोतीति । 'अत्र' एकस्मिन्नेवाहवनीयदक्षिणदेशे । न यथेदं प्रचरन् सञ्चरतीति । दर्शपूर्णमासेष्ट्यां 'यथेदं' येन मार्गेण गतः तेनैव पुनरपि हविरवदानाय गच्छति, तथाऽत्र न कर्तव्यमित्यर्थः । तथाविधे एकत्रैव होमः 'अभिजित्यै' भवति । अतः 'अभिजयानि'—इति एकत्रैव तिष्ठन् जुहुयात् । प्रकृतिवत् प्रतियागमाक्रमणप्रत्याक्रमणे न कार्ये; अपि तु सकृदेवातिक्रम्य त्रीन् यागान् कुर्यादिति तात्पर्यार्थः[3] । अग्न्यादियागत्रयं प्रशंसति—अथ यदेता इति । कथमेतासां यागेन यज्ञः संस्कृतो भवतीति तद्वि-

---

१-प्रसूतोऽतिक्रामन्नग्नयेऽनुवाचयति । का. श्रौ. सू. ८ । ४८ । २-अर्द्धं हुत्वा सोमाय विष्णवे समानीय । का. श्रौ. सू. ८ । ४९ ।
३-अयं तात्पर्यार्थः सूत्रादुदयते-प्रसूतोऽतिक्रामन्नग्नयेऽनुवाचयति-अर्द्धं हुत्वा सोमाय विष्णवे समानीय सादयित्वा स्रुचौ सोमाप्यायनाद्यासुब्रह्मण्याप्रैषात्—इत्येवम् अतिक्रमणादिवैष्णवयागांते स्रुचोरासादनविधिना प्रतियागमाक्रमणप्रत्याक्रमणे न भवतः । किंतु—सकृदतिक्रमणेनैव यागत्रयसिद्धिरिति ।

(ऽ॒) संव्वत्सरो हि व्वज्रः । (ग्रोऽग्नि) अग्निर्वाऽअहः सोमो रात्रिरथ यदन्तरेण तद्विष्णुरेतद्धै परिप्लुवमानऽ॒ संव्वत्सरं करोति ॥ १५ ॥

संवत्सरो व्वज्रः । (ऽ) एतेन वै देवाः संव्वत्सरेण व्वज्रेण पुरः प्राभिन्दन्निमाँल्लोकान्प्राजयंस्तथोऽएवैष एतेन संव्वत्सरेण व्वज्रेणेमाँल्लोकान्प्रभिनत्तीमाँल्लोकान्प्रजयति तस्मादेता देवता यजति ॥ १६ ॥

स वै तिस्रऽउपसदऽउपेयात् । (त्रु) त्रयो वाऽऋतवः संव्वत्सरस्य संव्वत्सरस्यैवैतद्रूपं क्रियते संव्वत्सरमेवैतत्सऽ॒स्करोति द्विरेकया प्रचरति द्विरेकया ॥ १७ ॥

ताः षट् सम्पद्यन्ते । षड्वाऽऋतवः संव्वत्सरस्य संव्वत्सरस्यैवैतद्रूपं क्रियते संव्वत्सरमेवैतत्सऽ॒स्करोति ॥ १८ ॥

संवत्सरो हि वज्रः, अग्निर्वाऽअहः, सोमो रात्रिः । अथ यदन्तरेण; तद् विष्णुः । एतद्धै परिप्लवमानं संवत्सरं करोति ॥ १५ ॥

संवत्सरो वज्रः । एतेन वै देवाः संवत्सरेण वज्रेण पुरः प्राभिन्दन्, इमाँल्लोकान्प्राजयन् । तथो एवैष एतेन संवत्सरेण वज्रेणेमाँल्लोकान् प्राभिनत्ति, इमाँल्लोकान्प्रजयति । तस्मादेता देवता यजति ॥ १६ ॥

स वै तिस्र उपसद उपेयात् । त्रयो वाऽऋतवः संवत्सरस्य, संवत्सरस्यैवैतद्रूपं क्रियते । संवत्सरमेवैतत्संस्करोति । द्विरेकया प्रचरति द्विरेकया ॥ १७ ॥

ताः षट् सम्पद्यन्ते । षड् वाऽऋतवः संवत्सरस्य; संवत्सरस्यैवैतद्रूपं क्रियते । संवत्सरमेवैतत्संस्करोति ॥ १८ ॥

भज्य दर्शयति—**अग्निमनीकमित्यादिना** । 'अनीकम्' वज्रस्य मुखप्रदेशः 'शल्यं' तत्पूर्वो भागः 'कुल्मलम्' तत्पुच्छभागः (तै. सं. १ । २ । ३ । १ । ऐ. ब्रा. १ । ४ । ८) ॥ १४ ॥

उक्तं वज्रत्वं संवत्सरतयोपपाद्य प्रशंसति—**संवत्सरो हि वज्रोऽग्निर्वा अहः सोमो रात्रिरथ यदन्तरेण तद् विष्णुरिति** । अह्नो रात्रेश्च योऽन्तरालः कालः, स विष्णुरित्यर्थः । पूर्वोत्तरोभयकालव्यापित्वादिति भावः । 'एतत्' त्रयं 'परिप्लवमानं' पुनःपुनरावर्तमानं 'संवत्सरं' निष्पादयति ॥ १५ ॥

संवत्सरो वज्र इति । स च 'संवत्सरः' 'वज्रः'; वज्ररूपाग्न्यादित्रयावृत्तिरूपत्वात् । **तस्मादेता देवता यजतीति** । उपसंहारः ॥ १६ ॥

उपसदां त्रित्वं विधाय प्रशंसति—**स वै तिस्र उपसद उपेयात् त्रयो वा ऋतव इत्यादिना**[1] । **द्विरेकया प्रचरतीति**[2] । आग्नेयादियागत्रयस्य व्यापकोपसत्तया एकस्मिन्नह्नि 'द्विः प्रचरति' अनुतिष्ठेत् । तथाविधानुष्ठानस्य दिनत्रयकर्तव्यता वीप्सयोच्यते ॥ १७ ॥

दिनत्रयेऽपि द्विर्द्विरनुष्ठानं प्रशंसति—**ताः षट् सम्पद्यन्त** (तै. सं ६।२।३।४) इत्यादिना ॥ १८ ॥

१–एकाहस्त्र्युपसत्को द्वादश वा । का० श्रौ० सू० ८–५४ । २–द्विरेकया चरति सायं पूर्वाह्णे च । का०श्रौ० सू०८–५२। सूत्रे सायंशब्दोऽपराह्णवाची । तथाः पूर्वाह्णेऽनुवाक्या भवंति ता अपराह्णे याज्याः । इति श्रुतौ ३ । ४ । १ । २ अपराह्णश्रवणात् । इति पितृभूतिः ।

यद्यु द्वादशोपसद उपेयात् । (द्वा) द्वादश वै मासाः संव्वत्सरस्य संव्वत्सरस्यैवैतद्रूपं क्रियते संव्वत्सरमेवैतत्सꣳस्करोति द्विरेकया प्रचरति द्विरेकया ॥ १९ ॥

ताश्चतुर्विꣳशतिः सम्पद्यन्ते । चतुर्विꣳशतिर्वै संव्वत्सरस्यार्द्धमासाः संव्वत्सरस्यैवैतद्रूपं क्रियते संव्वत्सरमेवैतत्सꣳस्करोति ॥ २० ॥

स यत्सायम्प्रातः प्रचरति । तथा ह्येव सम्पत्सम्पद्यते स यत्पूर्वाह्णे प्रचरति तज्जयत्यथ यदपराह्णे प्रचरति सुजितमसदित्यथ यज्जुहोतीदं वै पुरं युद्धयन्ति तां जित्वा स्वाꣳ सतीं प्रपद्यन्ते ॥ २१ ॥

स यत्प्रचरति । तद्युध्यत्यथ यत्सन्तिष्ठते तज्जयत्यथ यज्जुहोति स्वामेवैतत्सतीं प्रपद्यते ॥ २२ ॥

यद्यु द्वादशोपसद उपेयात् । द्वादश वै मासाः संवत्सरस्य; संवत्सरस्यैवैतद्रूपं क्रियते । संवत्सरमेवैतत्संस्करोति । द्विरेकया प्रचरति । द्विरेकया ॥ १९ ॥

ताश्चतुर्विंशतिः सम्पद्यन्ते । चतुर्विंशतिर्वै संवत्सरस्यार्द्धमासाः; संवत्सरस्यैवैतद्रूपं क्रियते । संवत्सरमेवैतत्संस्करोति ॥ २० ॥

स यत् सायम्प्रातः प्रचरति; तथा ह्येव सम्पत्सम्पद्यते । स यत् पूर्वाह्णे प्रचरति; तज्जयति । अथ यदपराह्णे प्रचरति सुजितमसदिति । अथ यज्जुहोति । इदं वै पुरं युद्धयन्ति; तां जित्वा स्वां सतीं प्रपद्यन्ते ॥ २१ ॥

स यत् प्रचरति तद्युध्यति । अथ यत् सन्तिष्ठते । तज्जयति । अथ यज्जुहोति स्वामेवैतत् सतीं प्रपद्यते ॥ २२ ॥

त्रित्वपक्षवदुपसद्द्वादशत्वपक्षमपि विकल्पयति—**यद्यु द्वादशोपसद** इति । अस्मिन्नपि पक्षे प्रतिदिनमुपसदो-द्विर्द्विरनुष्ठानं विधत्ते—**द्विरेकया प्रचरति द्विरेकयेति** । वीप्सा पूर्ववत् ॥ १९ ॥

'द्विरेकया' इत्युक्तं द्विरनुष्ठानमनूद्य शत्रुजयसम्पत्त्यानुकूल्यात्मना प्रशंसति—**ताश्चतुर्विंशतिरित्यादिना** ॥ २० ॥

स यत् सायंप्रातरिति । सम्पत्तिसाम्यं विभज्य दर्शयति—**स यत् पूर्वाह्णे प्रचरतीति** । पूर्वाह्णप्रचारः शत्रुजयमात्ररूपः, अपराह्णप्रचारस्तु साकल्येन जयात्मक इत्यर्थः । आग्नेयादियागत्रयवद्दर्विहोमरूपं कञ्चिदुपसद्धोमं विधत्ते—**अथ यज्जुहोतीति** । अत्रापूर्वार्थत्वाद् यच्छब्दतिरस्कारेण विधिरभ्युपगन्तव्यः । विहितमुपसद्धोमं पूर्वयागैर्जितस्य स्वाधीनीकरणात्मना प्रशंसति—**इदं वै पुरं युद्धयन्ति तां जित्वा स्वां सतीं प्रपद्यन्त इति** । इदं हि लोके दृश्यत इति शेषः । जेतारः प्रथमं पुरं युद्धयन्ति, भिन्दन्ति, पश्चात् तां जयन्ति, सुविजितां च पुनः 'स्वाम्' आत्मीयां प्रपद्यन्त इति ॥ २१ ॥

लोकप्रकारं प्रकृतकर्मणि विभज्य दर्शयति—**स यत् प्रचरतीति** । 'प्रचारः' आनुपूर्व्येण समाप्तिपर्यन्तो यागत्रयप्रयोगः स एव युद्धस्थानीयः । कृत्स्नसमापनं, तज्जयस्थानीयम् । योऽयमुपसद्धोमः, स जितस्य स्वाधीनत्वसम्पादनात्मकः ॥ २२ ॥

स जुहोति । यया द्विरेकस्याह्नः प्रचरिष्यन्भवति या तेऽअग्नेऽयःशया तनूर्व्वर्षिष्ठा गह्वरेष्ठा । उग्रं व्वचो अपावधीत्त्वेषं व्वचो अपावधीत्स्वाहेत्ये-वुᳪ रूपा हि साऽऽसीदयस्मयी हि साऽऽसीत् ॥ २३ ॥

(इ) अथ जुहोति । यया द्विरेकस्याह्नः प्रचरिष्यन्भवति या तेऽअग्ने रजः-शया तनूर्व्वर्षिष्ठा गह्वरेष्ठा । उग्रं व्वचोऽअपावधीत्त्वेषं व्वचोऽअपावधी-त्स्वाहेत्येवुᳪ रूपा हि साऽऽसीद्रजता हि साऽऽसीत् ॥ २४ ॥

(इ) अथ जुहोति । यया द्विरेकस्याह्नः प्रचरिष्यन्भवति या तेऽअग्ने हरिशया तनूर्व्वर्षिष्ठा गह्वरेष्ठा । उग्रं व्वचो ऽ अपावधीत्त्वेषं व्वचोऽ-अपावधीत्स्वाहेत्येवुᳪ रूपा हि साऽऽसीद्धरिणी हि साऽऽसीद्यद्यु द्वादशो-पसदऽ उपेयाच्चतुरहमेकया प्रचरेच्चतुरहमेकया ॥ २५ ॥

स जुहोति यया द्विरेकस्याह्नः प्रचरिष्यन्भवति । " या ते ऽअग्नेऽयःशया तनूर्वर्षिष्ठा गह्वरेष्ठा । उग्रं वचो ऽअपावधीत्त्वेषं वचो अपावधीत् स्वाहा "–(वा. सं. ५।८) इति । एवंरूपा हि साऽऽसीद्; अयस्मयी हि साऽऽसीत् ॥ २३ ॥

अथ जुहोति । यया द्विरेकस्याह्नः प्रचरिष्यन् भवति । " या तेऽअग्ने रजःशया तनूर्वर्षिष्ठा गह्वरेष्ठा । उग्रं वचो ऽअपावधीत्त्वेषं वचो ऽअपावधीत स्वाहा "–(वा. सं.५।८) इति । एवंरूपा हि साऽऽसीद् रजता हि साऽऽसीत् ॥ २४ ॥

अथ जुहोति यया द्विरेकस्याह्नः प्रचरिष्यन्भवति । " या ते ऽअग्ने हरिशया तनूर्वर्षिष्ठा गह्वरेष्ठा । उग्रं वचो ऽअपावधीत्त्वेषं वचो ऽअपावधीत स्वाहा "–(वा. सं. ५।८)

प्रथमदिनोपसद्धोमे मन्त्रं विधातुमाह–स जुहोति यया द्विरेकस्याह्नः प्रचरिष्यन्भवतीति । उक्तानुसङ्कीर्तनमुपसद्यागवदुपसद्धोमोऽपि एकस्मिन्नहनि द्विः कर्तव्य इति ज्ञापनार्थम् । मन्त्रस्यायमर्थः । हे अग्ने ! ' ते ' तव या ' तनूः ' ' अयःशया ' अयसि शेते इत्ययःशया अयोरूपेत्यर्थः । ' वर्षिष्ठा ' उरुतरा ' ' गह्वरेष्ठा ' गह्वरे परैरनिर्गम्ये स्थाने वर्तमाना अस्ति, सा तनूः मम ' उग्रं ' ' त्वेषं ' ' वचः ' अपावधीत् ' । उग्रत्वेषयोरर्थस्तैत्तिरीयके स्पष्टमाम्नातः–" अशनायापिपासे ह वा उग्रं वचः, एनश्च वैरहत्यञ्च त्वेषं वचः "–(तै. सं. १।२।११ सायणभाष्ये) इति मन्त्रे यादृग्रूपा तनूर्निर्दिष्टा, सा न स्तुत्यर्थेत्याह–एवंरूपा हि साऽऽसीदिति ॥ २३ ॥

एवं द्वितीयतृतीयोपसन्मन्त्रावपि व्याख्येयौ ॥ २४ ॥

एवमुपसत्त्रयस्य मन्त्रान् निर्दिश्य, द्वादशोपसत्पक्षे न्यायसिद्धमर्थं ब्राह्मणं स्वयमेव विस्पष्टं दर्शयति–यद्यु द्वादशोपसद उपेयाच्चतुरहमेकया प्रचरेच्चतुरहमेकयेति । अयःशयेत्येतन्मन्त्रसाध्या एकोपसद् तादृशी

१–अक्ष्णयाप्रस्तरमुपसदं जुहोति स्रुवेण या त इत्ययःशयामन्वारब्धे । का. श्रौ. सू. ८।५।१ ।

(याऽथा) अथातो व्रतोपसदामेव । परउर्वींर्वा अन्या ऽउपसदः पुरोऽह्वीरन्याः स यासामेकं प्रथमाहं दोग्ध्यथ द्वावथ त्रींस्ताः परउर्वीरथ यासां त्रीन्प्रथमाहं दोग्ध्यथ द्वावथैकं ताः परोऽह्वीर्या वै पुरोऽह्वीस्ताः परउर्व्वीर्याः परउर्व्वीस्ताः पुरोऽह्वीः ॥ २६ ॥

(स्तु)तपसा वै लोकं जयन्ति । तदस्यैतत्परःपर एव वरीयस्तपो भवति परःपरः श्रेयाᳪंसं लोकं जयति वसीयानु हैवास्मिँल्लोके भवति य एवं विद्वान्पुरोऽह्वीरुपसद ऽउपैति तस्मादु पुरोऽह्वीरेवोपसद ऽउपेयाद्यद्य द्वादशोपसद ऽउपेयात्त्रींश्चतुरहं दोहयेद्द्वौ चतुरहमेकं चतुरहम् ॥ २७ ॥

इति तृतीयप्रपाठके पञ्चमं ब्राह्मणम् ॥ ३ ॥ ५ ॥ (४-४)

तृतीयः प्रपाठकः समाप्तः ॥ ३ ॥

इति । एवंरूपा हि साऽऽसीद् हरिणी हि साऽऽसीद् । यद्य द्वादशोपसद उपेयात; चतुरहमेकया प्रचरेच्चतुरहमेकया ॥ २५ ॥

अथातो व्रतोपसदामेव–परउर्वीर्वा अन्या उपसदः । परोऽह्वीरन्याः । स यासामेकं प्रथमाहं दोग्धि । अथ द्वौ । अथ त्रीन्; ताः परउर्वीः । अथ यासां त्रीन् प्रथमाहं दोग्धि । अथ द्वौ । अथैकम्; ताः परोऽह्वीः । या वै परोऽह्वीस्ताः परउर्वीः । याः परउर्वीस्ताः परोऽह्वीः ॥ २६ ॥

तपसा वै लोकं जयन्ति; तद् अस्यैतत् परः–पर एव वरीयस्तपो भवति । परःपरः श्रेयांसँल्लोकं जयति । वसीयानु हैवास्मिँल्लोके भवति; य एवं विद्वान् परोऽह्वीरुपसद उपैति । तस्मादु परोऽह्वीरेवोपसद उपेयाद् । यद्यु द्वादशोपसद उपेयात; त्रींश्चतुरहं दोहयेद् । द्वौ चतुरहम् । एकं चतुरहम् ॥२७॥

चतुर्ष्वहस्सु आवर्तयेत् । पुनश्च द्वितीयमन्त्रसाध्ययाऽपि चतुर्दिनमावर्तयेत् । तृतीययाऽप्येवम् । एवं द्वादश सम्पाद्याः । कोऽर्थ उक्तो भवति ? अयःशयादीनां त्रयाणां मन्त्राणां मध्ये एकैकस्य मन्त्रस्यैकैकोपसदं गत्वा चतुर्षु दिनेषु प्रथमं "या ते अग्नेऽयःशया"–इति मन्त्रमावर्तयेत्, पुनः पञ्चमादिषु चतुर्षु दिनेषु रजःशयेति मन्त्रमावर्तयेत्, ततो नवमादिषु चतुर्षु दिनेषु हरिशयेति मन्त्रमावर्तयेदित्यर्थः ॥ २५ ॥

अथातो व्रतोपसदामेवेत्यादि । यासूपसत्सु यजमानो व्रतयति पयः, ताः 'व्रतोपसदः' तासां मीमांसा क्रियत इत्यर्थः । 'परउर्वीः' उपर्युपरि एकद्व्यादिस्तनवृद्धया व्रतवृद्धिर्यास्वस्ति ताः 'परउर्व्यः' उपसदः । 'ताः' केचनानुष्ठातारोऽनुतिष्ठन्तीति शेषः । उक्तवैपरीत्ययुक्ताः 'परोऽह्वयः' उपर्युपरि ह्रसीयस्य इत्यर्थः । 'ताः' केचनानुष्ठातारोऽनुतिष्ठन्तीति । तद् द्विविधानामप्युपसदां स्वरूपतो विचार्यमाणे पर्यवसानस्यैकरूपात्र वस्तुतो भेदोऽस्ति ॥ २६ ॥

अथापि परोऽह्वीरेवोपेयात्, कस्माद्धेतोरिति तत्राह–तपसा वै लोकं जयन्तीति । परोऽह्वीषु उपर्युपरि

१–एवमितरे अन्वहं रजःशयां हरिशयां च । का. श्रौ. सू. ८ । ५३ । २–त्रिस्तनं प्रथमायां दोहयति । का० श्रौ० सू० ८–५५ । एकापनयेनोत्तरयोः । ८–५६ ।

स्तनह्रासेन पयोह्रासात् तयोर्वृद्धिरुपर्युपरि भवति, तथा लोकमप्युपर्युपरि जयति तथा परउर्वीपक्षे स्तनबाहुल्य-सम्भवेन शरीरक्षयाभावाच्चिरकालं भूलोके 'वसीयानेव' वसुमत्तर एव 'भवति'। द्वादशोपसत्पक्षो व्रत-प्रकारः कथमिति, तत्राह—यद्यु द्वादशेति। प्रथमं 'चतुरहं' प्रथमेषु चतुर्षु दिनेषु प्रतिदिनं 'त्रींस्त्रीन्' स्तनान् 'दोहयेत्' द्वितीये चतुरहे 'द्वौ—द्वौ' तृतीये च 'एकैकम्' (तै. सं. ६।२।३।५।६।) इति ॥ २७॥

इति श्रीसायणाचार्यविरचिते माधवीये वेदार्थप्रकाशे माध्यन्दिनशतपथब्राह्मणभाष्ये तृतीयकाण्डे चतुर्थेऽध्याये चतुर्थं ब्राह्मणम् ॥ (३–४–४)॥

वेदार्थस्य प्रकाशेन तमो हार्दं निवारयन्। पुमर्थांश्चतुरो देयाद् विद्यातीर्थमहेश्वरः ॥ १ ॥
ब्रह्माण्डं गोसहस्रं कनकहयतुलापूरुषौ स्वर्णगर्भं सताब्धीन् पञ्चसीरींस्त्रिदशतरुलताधेनुसौवर्णभूमीः।
रत्नोस्रां रुक्मवाजिद्विपमहितरथौ सायणिः सिङ्गणार्यो व्यश्राणीद्विश्वचक्रं प्रथितविधिमहाभूतयुक्तं घटञ्च॥२॥
धान्याद्रिं धन्यजन्मा तिलभवमतुलः स्वर्णजं वर्णमुख्यः कार्पासीयं कृपावान् गुडकृतमजडो राजतं राजपूज्यः।
आज्योत्थं प्राज्यजन्मा लवणजमनृणः शार्करं चार्कतेजा रत्नाढ्यो रत्नरूपं गिरिमकृत मुदा पात्रसात्सिङ्गणार्यः ३

इति श्रीमद्राजाधिराजपरमेश्वरवैदिकमार्गप्रवर्तकश्रीवीरहरिहरमहाराजसाम्राज्यधुरन्धरेण सायणाचार्येण विरचिते माधवीये वेदार्थप्रकाशे माध्यन्दिनशतपथब्राह्मणभाष्ये द्वितीयकाण्डे चतुर्थोऽध्यायः समाप्तः ॥ ३॥४॥

चतुर्थप्रपाठके प्रथमं ब्राह्मणं।
पञ्चमाध्याये च प्रथमं ब्राह्मणम्।

तद्यु ऽएषु पूर्वार्द्ध्यो व्वर्षिष्ठः स्थूणाराजो भवति। तस्मात्प्राङ्प्रक्रामति त्रीन्विक्रमांस्तच्छङ्कुं निहन्ति सोऽन्तःपातः ॥ १ ॥

तद्य य एष पूर्वार्द्ध्यो वर्षिष्ठः स्थूणाराजो भवति। तस्मात् प्राङ्प्रक्रामति त्रीन् विक्रमान् तच्छङ्कुं निहन्ति; सोऽन्तःपातः ॥ १ ॥

यस्य निश्वसितं वेदा यो वेदेभ्योऽखिलं जगत्। निर्ममे तमहं वन्दे विद्यतीर्थमहेश्वरम् ॥ १ ॥
आतिथ्या तानूनप्त्रे च सोमाप्यायननिह्नवौ। उपसच्चेति पञ्चार्थाश्चतुर्थेऽत्र निरूपिताः ॥ २ ॥

अथ पञ्चमे सौमिकवेदिकरणादिकं निरूप्यते। अथ यदुक्तं कात्यायनेन—"औपवसथ्यात्पूर्वेऽहनि पौर्वाह्णिक्या प्रचर्य्य वेदिं मिमीते—" (का. श्रौ. सू. ८। ६०) इत्यादि; तदेतदाह—**तद्य एष पूर्वार्द्ध्यो वर्षिष्ठः स्थूणाराजो भवति, तस्मात् प्राङ् प्रक्रामति त्रीन् विक्रमांस्तच्छङ्कुं निहन्तीति**। 'य एषः' स्थूणाराजः 'पूर्वार्द्ध्यः' पूर्वार्द्धमर्हतीति पूर्वार्द्ध्यः। प्राचीनवंशस्य पूर्वभागे आहवनीयपुरोदेशे वर्तमानः पृथुस्तम्भोऽस्ति 'तस्मात्' स्तम्भात् 'प्राङ् प्रक्रमान् प्रक्रामति त्रीन्'। 'तत्' तत्र तृतीयप्रक्रमावसाने 'शङ्कुं' निहन्यात्, स्थापयेत् 'सोऽन्तःपातः' ऐष्टिकवेदेर्महावेदेश्चान्तरालसञ्चरः ॥ १ ॥

१–विपर्यस्य वानमिचित्ये। ८–५७। एवं प्रवृद्धो समं विभजेत्। का० श्रौ० सू०। ८–५८। २–स्वस्थानविवृद्धिः। का० श्रौ० सू० ८–५९। ३–पूर्वार्द्धात्स्तम्भात्पुरस्तात्रिषु प्रक्रमेषु शंकुं निहन्ति सोऽन्तःपात्य इति। का. श्रौ. सू. ८। ६१।

(स्तु) तुस्मान्मध्यमाुच्छङ्कोः । (दं) दक्षिणा पुञ्चदश विक्रमान्प्रक्रामति तुच्छङ्कुं निहन्ति सा दुक्षिणा श्रोणिः ॥ २ ॥

(स्तु) तुस्मान्मध्यमाुच्छङ्कोः । (रु) उुदङ्पुञ्चदश विक्रमान्प्रक्रामति तुच्छङ्कुं निहन्ति सोत्तरा श्रोणिः ॥ ३ ॥

(स्तु) तुस्मान्मध्यमाुच्छङ्कोः । प्राङ्षट्त्रिॅंशतं विक्रमान्प्रक्रामति तुच्छङ्कुं निहन्ति स पूर्वार्धः ॥ ४ ॥

(स्तु) तुस्मान्मध्यमाुच्छङ्कोः । (दं) दक्षिणा द्वादश विक्रमान्प्रक्रामति तुच्छङ्कुं निहन्ति स दुक्षिणोऽॅंसः ॥ ५ ॥

(स्तु) तुस्मान्मध्यमाुच्छङ्कोः । (रु) उुदङ्द्वादश विक्रमान्प्रक्रामति तुच्छङ्कुं निहन्ति स उुत्तरोऽॅंस ऽएषा मात्रा व्वेदेः ॥ ६ ॥

तस्मान्मध्यमाच्छङ्कोः–दक्षिणा पञ्चदश विक्रमान् प्रक्रामति । तत् शङ्कुं निहन्ति–सा दक्षिणा श्रोणिः ॥ २ ॥

तस्मान्मध्यमाच्छङ्कोः–उदङ् पञ्चदश विक्रमान् प्रक्रामति तच्छङ्कुं निहन्ति सोत्तरा श्रोणिः॥ ३॥

तस्मान्मध्यमाच्छङ्कोः–प्राङ् षट्त्रिंशतं विक्रमान् प्रक्रामति । तच्छङ्कुं निहन्ति स पूर्वार्द्धः ॥४॥

तस्मान्मध्यमाच्छङ्कोः–दक्षिणा द्वादश विक्रमान् प्रक्रामति। तच्छङ्कुं निहन्ति स दक्षिणोंऽसः॥५॥

तस्मान्मध्यमाच्छङ्कोः–उदङ् द्वादश विक्रमान्प्रक्रामति । तच्छङ्कुं निहन्ति स उत्तरोंऽसः । एषा मात्रा वेदेः ॥ ६ ॥

दक्षिणश्रोणिप्रमाणमाह–**तस्मान्मध्यमाच्छङ्कोर्दक्षिणेति** । मध्यमशङ्कोर्दक्षिणतः पञ्चदशविक्रमावसाने शङ्कुं स्थापयेत् । 'सा दक्षिणा श्रोणिः' मर्यादा भवति[1] ॥ २ ॥

एवमुत्तरश्रोणिवाक्यमपि–**तस्मान्मध्यमाच्छङ्कोरुदङ्ङित्यादि** ॥ ३ ॥

आयामस्य पश्चाद्भागावधिं प्रदर्श्य प्राचीनावधिमाह–**तस्मान्मध्यमाच्छङ्कोः षट्त्रिंशतं विक्रमान् प्रक्रामतीति**[2] ॥ ४ ॥

अथ दक्षिणोत्तरावंसौ दर्शयति–**तस्मान्मध्यमाच्छङ्कोरिति** । 'तस्मात्' पुरोदेशस्थात् 'मध्यमाच्छङ्कोः' श्रोणितः सकाशादंसयोरीषन्न्यूनत्वादुभयतो द्वादशप्रक्रमाभिधानम्[3] । इत्थं सर्वतो मितायां वेदिमात्रायां न्यूनाधिकत्वशङ्कामाशङ्क्य स्वयमेव व्यवच्छिनत्ति–**एषा मात्रा वेदेरिति** ॥ ५ ॥ ६ ॥

१–दक्षिणोत्तरौ च पञ्चदशसु पञ्चदशसु । का. श्रौ. सू ८ । ६३ । २–तस्मात्पुरस्तात्षट्त्रिंशति । का. श्रौ. सू. ८ । ६२
३–पूर्वार्द्धाच्च द्वादशसु । का. श्रौ. सू. ८ । ६५ ।

(त्यु) अथ युत्त्रिꣳशद्विक्रमा पश्चाद्भवति । त्रिꣳशदक्षरा वै विराड्
विराजा वै देवा ऽअस्मिँल्लोके प्रत्यतिष्ठंस्तथो ऽएवैष ऽ एतद्विराजैवास्मिँ-
ल्लोके प्रतितिष्ठति ॥ ७ ॥

(त्यु) अथोऽअपि त्रयस्त्रिꣳशत्स्युः । (स्तु) त्रयस्त्रिꣳशदक्षरा वै
विराट्तद्विराजैवास्मिँल्लोके प्रतितिष्ठति ॥ ८ ॥

(त्यु) अथ यत्षट्त्रिꣳशद्विक्रमा प्राची भवति । षट्त्रिꣳशदक्षरा वै
बृहती बृहत्या वै देवाः स्वर्गं लोकꣳ समाश्नुवत तथो ऽएवैष ऽएतद्
बृहत्यैव स्वर्गं लोकꣳ समश्नुते सोऽस्य दिव्याहवनीयो भवति ॥ ९ ॥

(त्यु) अथ यच्चतुर्विꣳशतिविक्रमा पुरस्ताद्भवति । चतुर्विꣳशत्य-
क्षरा वै गायत्री पूर्वार्द्धो वै यज्ञस्य गायत्री पूर्वार्द्ध ऽएष यज्ञस्य तस्मा-
च्चतुर्विꣳशतिविक्रमा पुरस्ताद्भवत्येषा मात्रा वेदेः ॥ १० ॥

अथ यत् त्रिंशद्विक्रमा पश्चाद् भवति । त्रिंशदक्षरा वै विराट् । विराजा वै देवाऽअस्मिँल्लोके प्रत्यतिष्ठन् । तथोऽएवैष एतद्विराजैवास्मिँल्लोके प्रतितिष्ठति ॥ ७ ॥

अथो ऽअपि त्रयस्त्रिंशत्स्युः । त्रयस्त्रिंशदक्षरा वै विराट् विराजैवास्मिँल्लोके प्रतितिष्ठति ॥ ८ ॥

अथ यत् षट्त्रिंशद्विक्रमा प्राची भवति । षट्त्रिंशदक्षरा वै बृहती । बृहत्या वै देवाः स्वर्गं लोकं समाश्नुवत । तथोऽएवैषऽएतद् बृहत्यैव स्वर्गं लोकं समश्नुते । सोऽस्य दिव्याहवनीयो भवति ॥ ९ ॥

अथ यत् चतुर्विंशतिविक्रमा पुरस्ताद्भवति । चतुर्विंशत्यक्षरा वै गायत्री । पूर्वार्द्धो वै यज्ञस्य गायत्री, पूर्वार्द्ध एष यज्ञस्य । तस्माच्चतुर्विंशतिविक्रमा पुरस्ताद्भवति । एषा मात्रा वेदेः ॥ १० ॥

अथ विहितं वेदिमानं क्रमेण प्रशिशंसिषुरादौ पश्चान्मानं प्रशंसति–अथ यत् त्रिंशद्विक्रमा पश्चाद् भवतीति । त्रिंशत्पक्षे, विराजः प्रतिपादं दशाक्षरत्वात् त्रिंशदक्षराणि । स्पष्टमन्यत् ॥ ७ ॥

पश्चान्माने पक्षान्तरमाह–अथो अपि त्रयस्त्रिंशत्स्युरिति[1] । 'अथो'–शब्दः पक्षं व्यावर्तयति–"न वा एकेनाक्षरेण छन्दांसि वियन्ति"–(ऐ. ब्रा. १ । १ । ६ ।) इति न्यायात् । प्रतिपादमेकैकाधिक्येन विराजस्त्रयस्त्रिंशदक्षरत्वम् ॥ ८ ॥

अथ प्रागायामस्येयत्तां प्रशंसति–अथ यत्षट्त्रिंशद्विक्रमा प्राची भवतीति । चतुर्विंशत्यक्षरगायत्र्याश्चतुरक्षराधिक्येनोष्णिगादिक्रमेण बृहत्याः षट्त्रिंशदक्षराणि भवन्ति । स्पष्टमन्यत् ॥ ९ ॥

प्राग्दिगवस्थितयोरंसयोः प्रमाणं मिलित्वा प्रशंसति–अथ यच्चतुर्विंशतिविक्रमा पुरस्ताद् भवतीति । पुरस्तात्' पूर्वस्यां दिशि विस्तारेण ' चतुर्विंशतिविक्रमा भवति '। पूर्वार्द्धो वै यज्ञस्येति । ' यज्ञस्य ' यज्ञाङ्गस्य, वेदिस्वरूपस्य ' एषः पूर्वार्द्धः ' इत्यर्थः । गायत्र्याः पूर्वार्द्धत्वं " गायत्रं वै प्रातस्सवनम् "–(ऐ. ब्रा. ६ । १ । २) (नि. ७ । ३ । १) इति श्रुतेः सिद्धम् ॥ १० ॥

---

१ अर्द्धसप्तदशंवा । का. श्रौ. सू. ८ । ६४ ।

(उ) अथ युत्पश्चाद्वरीयसी भवति । पश्चाद्वरीयसी पृथुश्रोणिरिति वै योषां प्रशꣳसन्ति युद्वेव पश्चाद्वरीयसी भवति पश्चादेवैतद्वरीयः प्रजननं करोति तुस्मात्पश्चाद्वरीयसः प्रजुननादिमाः प्रजाः प्रजायन्ते ॥ ११ ॥

नासिका ह वा ऽएषा यज्ञस्य यदुत्तरवेदिः । (उ) अथ यदेनामुत्तरां व्वेदेरुपकिरति तुस्मादुत्तरवेदिर्नाम ॥ १२ ॥

द्वय्यो ह वा ऽइदमग्रे प्रजा आसुः । (रा) आदित्याश्चैवाङ्गिरसश्च ततोऽङ्गिरसः पूर्वे यज्ञꣳ समभरंस्ते यज्ञꣳ सम्भृत्योचुरग्निमिमां नः श्वःसुत्यामादित्येभ्यः प्रब्रूह्यनेन नो यज्ञेन याजयतेति ॥ १३ ॥

अथ यत् पश्चाद्वरीयसी भवति । पश्चाद्वरीयसी पृथुश्रोणिः । इति वै योषां प्रशंसन्ति । यद्वेव पश्चाद्वरीयसी भवति । पश्चादेवैतद्वरीयः प्रजननं करोति । तस्मात् पश्चाद्वरीयसः प्रजननादिमाः प्रजाः प्रजायन्ते ॥ ११ ॥

नासिका ह वा एषा यज्ञस्य–यदुत्तरवेदिः । अथ यदेनामुत्तरां वेदेरुपकिरति; तस्मादुत्तर-वेदिर्नाम ॥ १२ ॥

द्वय्यो ह वा इदमग्रे प्रजा आसुः, आदित्याश्चैव, अङ्गिरसश्च । ततोऽङ्गिरसः पूर्वे यज्ञं समभरन् । ते यज्ञं सम्भृत्योचुरग्निम्–इमां नः श्वःसुत्यामादित्येभ्यः प्रब्रूहि । अनेन नो यज्ञेन याजयतेति॥ १३॥

श्रोणिभागस्योरुत्वमंसभागस्य ह्रस्वत्वं यदस्ति तत् प्रशंसति–**अथ यत्पश्चाद्वरीयसी भवतीति** । श्रोणिभागस्य त्रिंशत्प्रक्रमत्वोक्तेः, अंसभागस्य चतुर्विंशत्यभिधानात् पश्चाद्वरीयस्त्वम् । यस्माल्लोके ' पृथुश्रोणिः योषा ' प्रशस्ता तस्माद् वेद्याः पश्चाद्भागस्यापि श्रोणित्वात् पृथुत्वं युक्तमित्यर्थः । श्रोणिपृथुत्वं कुत्रोपयुज्यते इति, तदुपयोगमाह–**तस्मात् पश्चाद् वरीयस** इति । प्रजायन्तेऽत्रेति ' प्रजननं ' पश्चाद्भागे उरुतरं यत् तत् ' पश्चाद्वरीयः ' । तादृक् प्रजननात् प्रजायन्ते, अतः प्रजननहेतुत्वात् पश्चाद्वरीयस्त्वं प्रशस्तम् ॥ ११ ॥

सार्थवादमुत्तरवेदिनिर्माणं विधत्ते–**नासिका ह वा एषा यज्ञस्येति** । नासिकाया मुखप्रदेशादपि समुच्छ्रितत्वादुत्तरवेदेर्मृदोच्छ्रितता कर्तव्या । उन्नतत्वमुत्तरवेदिनामनिर्वचनद्वारेण प्रशंसति–**अथ यदेनामुत्तरां वेदेरुपकिरतीति** । यस्माद् ' वेदेः ' सौमिक्याः ' उत्तराम् ' अत्युन्नताम् ' उपकिरति ' मृदं क्षिपति ' तस्माद् ' वेदेः प्रागवयवभूतस्य प्रदेशस्योन्नततरत्वात् ' उत्तरवेदिः ' इति ' नाम ' सम्पन्नम् ॥ १२ ॥

अथोत्तरवेदिव्यावारणविध्यर्थमाख्यायिकामाह–**द्वय्यो ह वा इदमग्रे प्रजा आसुरिति** । ' अग्रे ' सृष्टेः पूर्वम् ' द्वय्यः ' द्विविधा एव ' प्रजाः ' ' आसुः ' अभवन् । कास्ताः ? ' आदित्याश्चैवाङ्गिरसश्च । ' ते ' अङ्गिरसः ' ' पूर्वे ' आदित्येभ्यः पूर्वभाविनः सन्तो ' यज्ञं ' सम्भृतवन्तः । सम्भृतयज्ञाः ' ते ' ' अग्निम् ' इत्थम् ' ऊचुः– ' हे अग्ने ! त्वं ' नः ' अस्माकं ' इमाम् ' ' श्वःसुत्यां ' परेद्युः क्रियमाणमभिषवम् ' आदित्येभ्यः प्रब्रूहि; ' त्वमपि ' अनेन ' सोमयागेन ' नः ' अस्मान् ' याजयेति ' । एवमुक्तोऽग्निरादित्येभ्यः पूर्वभाविनः वृत्तान्तं प्रोवाच ॥ १३ ॥

१–याजयति सायणसंमतः पाठः । सच युक्तो भाति ।

ते हादित्या ऽऊचुः । (रु) उपजानीत यथा वाऽस्मानेवाङ्गिरसो याजयान्न व्वयमङ्गिरस इति ॥ १४ ॥

ते होचुः । (र्न) न वाऽअन्येन यज्ञादपक्रमणमस्त्युन्तरामेव सुत्यां ध्रियामहाऽइति ते यज्ञᳬं सञ्जह्रुस्ते यज्ञᳬं सम्भृत्योचुः श्वःसुत्यां वै त्वमस्मभ्यमग्ने प्रावोचोऽथ व्वयमद्य सुत्यामेव तुभ्यं प्रब्रूमोऽङ्गिरोभ्यश्च तेषां नस्त्वᳬं होताऽसीति ॥ १५ ॥

तेऽन्यमेव प्रतिप्रजिघ्युः । (रु) अङ्गिरसोऽच्छ ते हाप्यङ्गिरसोऽग्नयेऽन्वागत्य चुक्रुधुरिव कथं नु नो दूतश्चरन्न प्रत्याहथाऽइति ॥ १६ ॥

ते हादित्या ऊचुः । उपजानीत यथा वाऽस्मानेवाङ्गिरसो याजयान् । न वयम् अङ्गिरस इति ॥ १४ ॥

ते होचुः—न वाऽअन्येन यज्ञादपक्रमणमस्ति । अन्तरामेव सुत्यां ध्रियामहाऽइति । ते यज्ञं संजह्रुः । ते यज्ञं संभृत्योचुः; श्वः सुत्यां वै त्वमस्मभ्यमग्ने प्रावोचः । अथ वयमद्यसुत्यामेव तुभ्यं प्रब्रूमः, अङ्गिरोभ्यश्च, तेषां नस्त्वं होताऽसीति ॥ १५ ॥

तेऽन्यमेव प्रतिप्रजिघ्युः अङ्गिरसः—अच्छ ते हाप्याङ्गिरसोऽग्नयेऽन्वागत्य, चुक्रुधुरिव—कथं नु नो दूतश्चरन् न प्रत्याहथा इति ॥ १६ ॥

ते हादित्या ऊचुरिति । त आदित्या आहूता इत्थं व्यचारयन् । कथम् ? 'यथा' येन प्रकारेण 'अस्मानेव' 'अङ्गिरसः' 'याजयान्' याजयेयुः 'वयं' तु 'न' तान् याजयामः । तत्प्रकारश्चिन्त्यतामिति ॥ १४ ॥

ते होचुरिति । विचार्येत्थमूचुः । न वा अन्येन यज्ञादपक्रमणमस्तीति । 'अन्येन' वक्ष्यमाणात् साद्यस्क्रानुष्ठानात् अन्येन 'यज्ञात्' अङ्गिरोभिरनुष्ठीयमानात् अस्मात् 'अपक्रमणमस्ति;' अतः 'सुत्यामन्तरामेव' अङ्गिरसां सुत्यातः पूर्वमेवास्माकं सुत्याम् 'ध्रियामहे' व्यवस्थापयिष्यामः 'इति' विचारितवन्तः । 'ते' 'यज्ञं' सुत्यालक्षणं 'सम्भृत्य' अग्निम् 'ऊचुः' । 'त्वम्' अस्मभ्यं 'श्वःसुत्यां' 'अग्ने !' प्रावोचः । 'अथ'-शब्दस्त्वर्थे । 'वयं' तु 'तुभ्यम्' 'अङ्गिरोभ्यश्च' अद्यसुत्यां' अद्य क्रियमाणा सुत्या अद्यसुत्या, तां 'प्रब्रूमः' । 'तेषां' 'नः' तथा कुर्वतामस्माकं 'त्वं' 'होता' भव ॥ १५ ॥

तेऽन्यमेव प्रतिप्रजिघ्युरिति । एवमुक्तवन्तस्तु 'अङ्गिरसः' एतद्वृत्तान्तावबोधनाय अग्निप्रतिनिधिम् 'अन्यम्' 'प्रजिघ्युः' । "हि गतौ वृद्धौ च"–(धा. पा. स्वा. प. १०) प्रेरयन् । 'ते' अङ्गिरसः 'अग्नयेऽन्वागत्य' 'चुक्रुधुः' । "क्रुधद्रुहेर्ष्या"–(पा. सू. १ । ४ । ३७) इत्यादिना क्रुधियोगे चतुर्थी । कथं नु नो दूत इति । क्रोधप्रकार उक्तः । 'न प्रत्याहथाः' आदरस्य प्रत्यादरं न कृतवानसि ॥ १६ ॥

स होवाच । (चा) अनिन्द्या वै माऽवृषत सोऽनिन्द्यैर्वृतो नाशकमपक्रमितु-
मिति तस्माद्ु हानिन्द्यस्य वृतो नापक्रामेत्त ऽएतेन सद्यःक्रियाऽङ्गिरस
ऽआदित्यानयाजयन्त्स सद्यःक्रीः ॥ १७ ॥

(स्ते) तेभ्यो वाचं दक्षिणामानयन् । (यंस्तां) तां न प्रत्यगृह्ण-
न्हास्यामहे यदि प्रतिग्रहीष्यामऽइति तद्ु तद्यज्ञस्य कर्म्म न व्यमुच्यत
यद्दाक्षिणमासीत् ॥ १८ ॥

(द) अथैभ्यः सूर्यं दक्षिणामानयन् । (यंस्तं) तं प्रत्यगृह्णंस्तस्माद्ु
ह स्माहुरङ्गिरसो वयं वाऽआर्त्विजीनाः स्मो वयं दक्षिणीया ऽअपि
वाऽअस्माभिरेष प्रतिगृहीतो यऽएष तपतीति तस्मात्सद्यःक्रियोऽश्वः
श्वेतो दक्षिणा ॥ १९ ॥

स होवाच । अनिन्द्या वै माऽवृषत । सोऽनिन्द्यैर्वृतो नाशकमपक्रमितुमिति । तस्माद्ु हानिन्द्यस्य वृतो नापक्रामेत् । त एतेन सद्यःक्रियाऽङ्गिरस आदित्यानयाजयन्, स सद्यःक्रीः ॥ १७ ॥

तेभ्यो वाचं दक्षिणामानयन्, तां न प्रत्यगृह्णन्; हास्यामहे यदि प्रतिग्रहीष्याम इति । तद्ु तद्यज्ञस्य कर्म न व्यमुच्यत; यद्दाक्षिणमासीत् ॥ १८ ॥

अथैभ्यः सूर्यं दक्षिणामानयन्, तं प्रत्यगृह्णन्, तस्माद्ु ह स्माहुः; अङ्गिरसो वयम्, वाऽआर्त्विजीनाः स्मो, वयं दक्षिणीया अपि वाऽअस्माभिरेष प्रतिगृहीतो य एष तपतीति । तस्मात् सद्यःक्रियोऽश्वः श्वेतो दक्षिणा ॥ १९ ॥

अथोत्तरम्—स होवाचानिन्द्या वै माऽवृषतेत्यादि । प्रासङ्गिकं किञ्चिद्धर्मविशेषं विधत्ते—तस्माद्ु हानिन्द्यस्य वृतो नापक्रामेदिति । 'सः' 'सद्यःक्रीः' एकाहः सोमयागः । 'एतेन अङ्गिरसः आदित्यान् अयाजयन्' । दीक्षासोमक्रयादीनां सद्य एव क्रियमाणत्वात् 'सद्यःक्रीः' इति नाम ॥ १७ ॥

तेभ्यो वाचं दक्षिणामिति । तेभ्यः सायस्क्रयाजकेभ्यः 'वाचम्' एव दक्षिणात्वेन प्रादुरित्यर्थः । वागदक्षिणाया निराकरणस्याभिप्रायमाह—हास्यामहे यदि प्रतिग्रहीष्याम इति । 'यदि' स्वीकरिष्यामः, तर्हि 'हास्यामहे' त्यक्ष्यामहे, दक्षिणोत्तरकालमपि वाचोऽपेक्षितत्वात्; तथा सति यज्ञोऽदक्षिणः स्यात् अस्तु, को दोष इत्यत आह—यद्दाक्षिणमासीदिति । दक्षिणासम्बन्धि 'दाक्षिणं' कर्म । 'तद्' 'यज्ञस्य' सम्बन्धि कर्म, ' 'न व्यमुच्यत' विमुक्तं न आसीत्, सम्पूर्णं नाभवदित्यर्थः ॥ १८ ॥

अथैभ्यः सूर्यमित्यादि । स्पष्टम् । तस्माद्ु ह स्माहुरिति । 'आहुः अङ्गिरसः' स्वयं ब्रुवते—'आर्त्विजीनाः' (पा. सू. ५ । १ । ७१ ।) 'स्मः' सम्यगृत्विक्त्वयोग्याः स्मः । तथा 'दक्षिणीयाः' दक्षिणायोग्याः । आर्त्विजीनत्वदक्षिणीयत्वयोरुभयोरपि हेतुरुच्यते—अस्माभिरेष प्रतिगृहीत इति । एतच्छब्दार्थमाह—य एष तपतीति । प्रसङ्गात् सायस्क्रस्य दक्षिणामाह—तस्मात् सद्यःक्रियोऽश्वः श्वेत इति । अश्वः

तुस्य रुक्मुः पुरुस्ताद्भवाति । तुदेतुस्य रूपुं क्रियते य एष तुपति युद्यश्वर्ठं श्वेतं नु विन्देद्पि गौरेवु श्वेतः स्यात्तुस्य रुक्मुः पुरुस्ताद्भवति तुदेतुस्य रूपुं क्रियते युऽएष तुपति ॥ २० ॥

तेभ्यो ह व्वाक् चुक्रोध । कुेन मुदेष श्रेयान्बुन्धुना ३केना३ युदेतुं प्रत्यग्रहीष्ट न मामिति सु हैभ्योऽपचक्रामु सोभुयानुन्तरेण देवासुरान्त्संयत्तान्त्सिर्ठंही भूत्वाऽऽदुदाना चचार तामुपैवु देवाऽअमन्त्रयन्तोपासुरा अग्निरेवु देवानां दूत ऽआस सहुरक्षा ऽइत्यसुररक्षसामुसुराणाम् ॥ २१ ॥

(र्ठं) सा देवानुपावत्स्यर्न्त्युवाच । युद्व ऽउपावुर्तेय किं मे तुतः स्यादिति

तस्य रुक्मः पुरस्ताद् भवति । तद् एतस्य रूपं क्रियते; य एष तपति । यद्यश्वं श्वेतं न विन्देत्, अपि गौरेव श्वेतः स्यात्, तस्य रुक्मः पुरस्ताद् भवति । तद् एतस्य रूपं क्रियते य एष तपति॥ २०॥

तेभ्यो ह वाक् चुक्रोध—केन मद् एष श्रेयान्, बन्धुना ३ केना ३ यद् एतं प्रत्यग्रहीष्ट; न मामिति । सा हैभ्योऽपचक्राम। सोभयानन्तरेण देवासुरान् संयत्तान् सिंही भूत्वाऽऽददाना चचार । तामुपैव देवाऽअमन्त्रयन्त, उपासुराः । अग्निरेव देवानां दूत आस, सहरक्षा इति असुररक्षसामसुराणाम् ॥ २१॥

सा देवानुपावर्त्स्यन्त्युवाच । यद्व उपावर्तेय किं मे ततः स्यादिति । पूर्वामेव त्वाऽग्नेराहुतिः

सूर्यप्रतिनिधित्वेन दीयते । सूर्यस्याश्वत्वेनोपासनाविधानात् (श. प. ब्रा. १० । ६ । ४ । १) अध्वाशनसाम्याच्च सूर्यस्याश्वस्थानीयत्वम् (नि. १ । ४ । १ । २।७।१) । सोऽपि वर्णसाम्याय श्वेतो भवेत् ॥ १९ ॥

तस्य रुक्मः पुरस्ताद्भवतीति । तस्य पुरोदेशे 'रुक्मः' हिरण्यफलको वर्तुलाकारो भवेत् । यद्यश्वमित्यादि स्पष्टम् ॥ २० ॥

तेभ्यो ह वागित्यादि । 'तेभ्यः' अङ्गिरोभ्यः 'वाक्' कुपितवत्यासीत् । केन मदेष श्रेयान् बन्धुना ३ इति । 'केन ३' इति असूयार्थे प्लुतिः (पा. सू. ८ । २।१०३) । 'मत्' मत्तः सकाशात् 'केन' बन्धुना, बध्नातीति बन्धुः विशेषगुणः; केन विशेषगुणेन 'एषः' 'सूर्यः' 'श्रेयान्' अतिशयेन प्रशस्यः । प्रशस्यहेतुभूतानां सर्वगुणानामभिधानाय पुनः 'केना ३—' इति ग्रहणम् । यदेतं प्रत्यग्रहीष्टेति । 'यत्' येन अतिशयेन 'एतम्' आदित्यम् 'प्रत्यग्रहीष्ट,' 'न माम्' । मय्यविद्यमानः[1] कोऽतिशयस्तत्र दृष्टः ? न कोऽप्यस्तीत्यर्थः । 'उभयान् संयत्तान् देवासुरान्' परस्पर-कलहायोपयुक्तान् देवानसुरांश्च 'अन्तरेण' मध्ये 'सा' अङ्गिरोभ्योऽपक्रान्ता वाक् । 'सिंही भूत्वा' 'आददाना'[2] जिघत्सया समीपस्थं सर्वं स्वीकुर्वती 'चचार' । तदानीम् 'अग्निरेव देवानां दूतः' अभवत्; असुरार्थाह्वानाय सहरक्षोनामकोऽसुरो दूतोऽभवदित्यर्थः ॥ २१ ॥

सा देवानिति । उभयैरप्याहूता सती पूर्वं देवान् प्रत्येव उपावर्तमाना, आगमनोत्कोचरूपं किञ्चित्

१-'अप्यविद्यमानः' इति पा । २-'जिघ्रमाना' इति क० पा० ।

पूर्वामेव त्वाऽग्नेराहुतिः प्राप्स्यतीत्यथ हैषा देवानुवाच यां मया काञ्चा-
शिषमाशासिष्यध्वे सा वः सर्वा समर्द्धिष्यत इति सैवं देवानुपाववर्त्त॥२२॥
स यद्धार्यमाणेऽग्नौ । (ग्राऽउ) उत्तरवेदिं व्याघारयति यदेवैनामदो देवाऽ-
अब्रुवन्पूर्वां त्वाऽग्नेराहुतिः प्राप्स्यतीति तदेवैनामेतत्पूर्वामग्नेराहुतिः
प्राप्नोति वाग्घ्येषा निदानेनाथ यदुत्तरवेदिमुपकिरति यज्ञस्यैव सर्व्वत्वाय
वाग्घि यज्ञो वागु ह्येषा ॥ २३ ॥
तां वै युगशम्येन विमिमीते । युगेन यत्र हरन्ति शम्यया यतो हरन्ति
युगशम्येन वै योग्यं युञ्जन्ति सा यदेवादः सिंही भूत्वा शान्तेवाचरत्त-
देवैनामेतद्यज्ञे युनक्ति ॥ २४ ॥

प्राप्स्यतीति । अथ हैषा देवानुवाच—यां मया काञ्चाशिषमाशासिष्यध्वे सा वः सर्वा समर्द्धिष्यत इति । सैवं देवानुपाववर्त ॥ २२ ॥

स यद्धार्यमाणेऽग्नौ उत्तरवेदिं व्याघारयति; यदेवैनामदो देवा अब्रुवन्—पूर्वां त्वाऽग्नेराहुतिः प्राप्स्यतीति । तदेवैनामेतत् वीमग्नेराहुतिः प्राप्नोति । वाग्घ्येषा निदानेन । अथ यदुत्तरवेदिमुपकिरति—यज्ञस्यैव सर्वत्वाय । वाग्घि यज्ञः, वागु ह्येषा ॥ २३ ॥

तां वै युगशम्येन विमिमीते । युगेन यत्र हरन्ति, शम्यया यतो हरन्ति युगशम्येन वै योग्यं युञ्जन्ति । सा यदेवादः सिंही भूत्वा शान्तेवाचरत्—तदेवैनामेतद्यज्ञे युनक्ति ॥ २४ ॥

अर्थयामास । ते च देवाः अग्नेः पूर्वभाविनीमाज्याहुतिमागमनोपाधिना प्राहुः । 'सा' 'देवान्' इदम् 'उवाच' । हे देवाः ! 'यां कां च आशिषम्' 'आशासिष्यध्वे' इच्छथ, 'सा' सर्वाप्याशीः 'वः' युष्माकं 'समर्द्धिष्यते' समृद्धा भविष्यतीति । ततः सा प्रतिनिवृत्ताऽऽसीत् ॥ २२ ॥

इदानीमुत्तरवेदिव्याघारणं विधत्ते—स यद् धार्यमाणेऽग्नावुत्तरवेदिं व्याघारयतीति । अग्नावुत्तर-वेदेरुपरि धार्यमाणे सति तामुत्तरवेदिं व्याघारयेदित्यर्थः । यदेवैनामित्यादि । एतद्व्याघारणेन या आहुतिः अपवृत्तायै वेदिरूपायै वाचे देवैः कल्पिता, सा कृता भवति; अतो व्याघारयेदित्यर्थः । उत्तरवेद्यामा-घारणेन वाचः किमायातमित्यत आह—वाग्घ्येषा निदानेनेति । अत एव वागात्मकत्वात् उत्तरवेदिप्रक्षेपस्यवाप-गताया वाचोऽवरोधनरूपत्वात् उत्तरवेद्युपतापेन यज्ञः सफलो भवतीत्यर्थः ॥ २३ ॥

उत्तरवेद्या मानादिसाधनं द्रव्यं विधत्ते—तां वै युगशम्येनेति । युगेन शम्यया चेत्यर्थः । युगवच्छम्याया अपि साधनत्वमस्तीत्याह—युगेन यत्र हरन्तीति । 'यत्र' यस्मिन् देशे 'युगेन हरन्ति,' 'यतः' यस्मात् तत्र 'शम्यया' अपि 'हरन्ति'; अतो युगवच्छम्याया अपि हरणक्रियासम्बन्धोऽस्त्येवेत्यर्थः । तत् कुत इत्यत आह—युगशम्येन वा इति । 'योग्यम्' योजनार्हमश्वम् । 'अदः' विप्रकृष्टकाले, देवासुरयोर्युद्धकाले 'सा'

१–'वरोधनरूपत्वात्' इति क० पा० ।

तुस्मान्निवृत्तदक्षिणां न प्रुतिगृह्णीयात् । (त्सि) सिꣳह्यी हैनं भूत्वा क्षिणोति नो हामा कुर्वीत सिꣳह्यी हैवैनं भूत्वा क्षिणोति नो हान्युस्मै दद्याद्यज्ञं तुदन्युत्रात्मुनः कुर्वीतु तस्माद्योऽस्यापि पापुऽइव समानुबन्धुः स्यात्तुस्माऽएनां दद्यात्स यद्ददाति तुदेनꣳ सिꣳह्यी भूत्वा नु क्षिणोति यद्दु समानुबन्धवे दुदाति तुद्दु नान्युत्रात्मुनः कुरुतऽएषो निवृत्तदक्षिणायै प्रतिष्ठा॥२५॥

(ष्ठाऽथ) अुथ शम्याश्च स्फ्यश्चादत्ते । तद्य ऽएषु पूर्व्वार्द्ध्यं ऽउत्तरार्द्ध्यः शङ्कुर्भवति तुस्मात्प्रुत्यङ्प्रकामति त्रीन्विक्रमांस्तच्चात्वालं परिलिखति सा चात्वालस्य मात्रा नात्र मात्राऽस्ति यत्रैवु स्वयं मुनसा मुन्येतुाग्रेणोत्करं तच्चात्वालं परिलिखेत् ॥ २६ ॥

तस्मात् निवृत्तदक्षिणां न प्रतिगृह्णीयात्—सिंही हैनं भूत्वा क्षिणोति; नो हामा कुर्वीत, सिंही हैवैनं भूत्वा क्षिणोति; नो हान्यस्मै दद्यात्, यज्ञं तद् अन्यत्रात्मनः कुर्वीत । तस्माद्योऽस्यापि पाप इव समानबन्धुः स्यात् तस्माऽएनां दद्यात् । स यद्ददाति तदेनं सिंही भूत्वा न क्षिणोति । यद्दु समानबन्धवे ददाति तद्दु नान्यत्रात्मनः कुरुते । एषो निवृत्तदक्षिणायै प्रतिष्ठा ॥ २५ ॥

अथ शम्याश्च स्फ्यश्चादत्ते । तद् य एष पूर्वार्द्ध्य उत्तरार्द्ध्यः शङ्कुर्भवति, तस्मात् प्रत्यङ्

यज्ञस्य सम्बन्धिनी वाक् 'सिंही भूत्वा' 'अशान्ता' क्रूरा सती 'अचरत्' । 'तत्' तत्र युगेन शम्यया च मानेन 'एनां' वाचम् 'एतत्' इदानीम् 'यज्ञे' योजितवान् भवति ॥ २४ ॥

प्रासङ्गिकं कञ्चिन्नियमं विधत्ते—तस्मान्निवृत्तदक्षिणां न प्रतिगृह्णीयादिति । अन्[1]येन परित्यक्ता दक्षिणा । नो ह अमा कुर्वीतेति । 'अमा' सह स्वात्मनेत्यर्थः । 'नो ह' नैव कुर्वीत । 'क्षिणोति' हिनस्ति । 'क्षिणु हिंसायाम्' (धा. पा. त. उ. ४) । नो हान्यस्मा इत्यादि । स्पष्टम् । 'अस्य' यजमानस्य । समानबन्धुः एकविधिनिबन्धनः, एकविषय इत्यर्थः । तादृशोऽन्यः 'पाप इवापि स्यात्' पापी यदि भवेत्, 'तस्मै दद्यात्' । तादृग्विधाय दाने उक्तदोषद्वयराहित्यं दर्शयति—स यद्ददाति तदेनमित्यादिना । 'एषा उ निवृत्तदक्षिणायै प्रतिष्ठा' निवृत्तदक्षिणाया एषा गतिरित्यर्थः । अथवा यजमानबन्धुरेव तस्या आस्पदमित्यर्थः॥२५॥

अथ शम्याश्चेति । 'य एषः' शङ्कुः 'पूर्वार्द्ध्यः' सन्नपि 'उत्तरार्द्ध्यः' भवति । सौमिकवेदेरुत्तरांसस्य शङ्कुरित्यर्थः । 'तस्मात्' शङ्कोः सकाशात् 'प्रत्यङ्' प्रत्यङ्मुखः 'त्रीन्' 'विक्रमान्' प्रक्रमान् 'प्रक्रामति' । तत्र चात्वालार्थं परितो लेखनं कुर्यात्, 'सा चात्वालस्य मात्रा' । यै[2]वोत्तरवेदेरुक्ता, सैवेत्यर्थः, चात्वालखननोत्पन्नयैव मृदा उत्तरवेदिकरणात् । तदेवाह—नात्र मात्राऽस्तीति ॥

१–"अन्येन परित्यक्तां दक्षिणाममा सह स्वात्मनि न कुर्वीत"–इति क. पा. । २–उत्तरा१ सात्पश्चादध्यर्द्धे पदे चात्वालम् । का. श्रौ. सू. ८ । ६८ । अत्र प्रक्रमद्वयपरिमाणं पदमिति कर्कः । तथा च शुल्बे कात्यायनः–आधाने पदिकः प्रोक्तः सोमे तु द्विपदो भवेत् । अग्नौ तु त्रिपदो ज्ञेय एतत्प्रक्रमलक्षणम् ॥ इति । पदं द्वादशांगुलमिति च शुल्बे । कात्यायनः–पंचारत्निर्दशवितस्तिर्विंशत्यङ्गुलः पुरुष इत्येतस्माद्द्वादशांगुलं पदमिति चेति स च प्रक्रमस्त्वध्वर्योरेव न यजमानस्येति । का. श्रौ. सू. ५ । ३ । १९ ।

(त्स) स वेद्यन्तात् । (दु) उदीचीꣳ शम्यां निदधाति स परिलि-
खति तप्तायनी मेऽसीतीमामेवैतदाहास्याꣳ हि तप्त एति ॥ २७ ॥
(त्यु) अथ पुरस्तात् । (दु) उदीचीꣳ शम्यां निदधाति स परिलि-
खति वित्तायनी मेऽसीतीमामेवैतदाहास्याꣳ हि विविदान एति ॥ २८ ॥
(त्यु) अथानुवेद्यन्तम् । (म्प्रा) प्राचीꣳ शम्यां निदधाति स परिलिख-
त्यवतान्मा नाथितादितीमामेवैतदाह यत्र नाथे तन्माऽवतादिति ॥ २९ ॥

प्रक्रामति त्रीन् विक्रमान् । तच्चात्वालं परिलिखति । सा चात्वालस्य मात्रा । नात्र मात्राऽस्ति, यत्रैव स्वयं मनसा मन्येताग्रेणोत्करं तच्चात्वालं परिलिखेत् ॥ २६ ॥

स वेद्यन्तात् उदीचीं शम्यां निदधाति । स परिलिखति । " तप्तायनी मेऽसि "-(वा. सं. ५ । ९) इति । इमामेवैतदाह । अस्यां हि तप्त एति ॥ २७॥

अथ पुरस्तात् उदीचीं शम्यां निदधाति । स परिलिखति । " वित्तायनी मेऽसि "-(वा. सं. ५ । ९) इति । इमामेवैतदाह । अस्यां हि विविदान एति ॥ २८ ॥

अथानुवेद्यन्तं प्राचीं शम्यां निदधाति । स परिलिखति । " अवतान्मा नाथितात् "-(वा. सं. ५ । ९) इति । इमामेवैतदाह । यत्र नाथे तन्माऽवतादिति ॥ २९ ॥

उत्तरार्द्धशङ्कोः प्रत्यक्प्रक्रमे चात्वाल इति यः पक्ष उक्तः, तेन सह विकल्पितं पक्षमाह[1]—**यथैव स्वयं मनसा मन्येताग्रेणोत्करमिति** ॥ २६ ॥

चात्वालस्य सर्वतः परिलेखनप्रकारं तन्मन्त्रांश्च दर्शयति—**स वेद्यन्तादुदीचीं शम्या[2]मिति** । दक्षिण-श्रोणिरूपवेद्यन्तादित्यर्थः । ' स परिलिखति ' शम्यानुगुण्येन लेखनं कुर्यात् । अनेनैव पश्चादवधिनिर्देशः कृतो भवति । तस्य मन्त्रः—**तप्तायनी मेऽसीति** । हे भूमे ! त्वं ' तप्तायनी असि ' तप्तः पुमान् यस्यामिति तप्तायनी, तद्रूपा भवसि । मन्त्रं व्याचष्टे—**इमामेवैतदाहेति** । ' हि ' यस्मात् ' तप्तः ' पुरुषो दारिद्र्येण दुःखितः सन् धनादिसाधनेच्छया ' एति ', तस्मादित्यर्थः ॥ २७ ॥

अथ पुरस्तादित्यादि[3] । स्पष्टम् । **अस्यां हि विविदान एती**ति । ' विविदानः ' धनादिकं लब्धवान् पुरुषः पुनः ' अस्याम् ' एव खलु ' एति ' गच्छति अतो ' वित्तायनी ' इति भूम्यभिधानं युक्तमित्यर्थः ॥ २८ ॥

अथानुवेद्यन्तमिति (का. श्रौ. सू. ५ । ६७) । ' अनुवेद्यन्तं प्राचीं शम्यां निदधाति ' अनेन चात्वा-लस्य दक्षिणसीमोच्यते । तत्र खननमन्त्रस्यायमर्थः । ' मा ' मां ' नाथिताद् ' याचिताद्धिरण्यादिरूपादर्थाद् भूमे ! ' अवतात् ' रक्ष । **यत्र नाथे तन्माऽवतादितीति** । ' यत्र ' यस्मिन् विषये ' नाथे ' याचे धनादिकम् ' तत्, ' तस्मात् त्वं माम् ' अवतात् ' अव रक्षेत्यर्थः ॥ २९ ॥

१–यथोक्तं वा । ८ । ६९ । यथोक्तमिति–पूर्व्वेणोत्करसंचरं परिहाप्येति कर्कः । २–शम्यामुदीचीं निदधाति पुरस्ताच्च ५।६५। शम्यामानं शुल्बे-चत्वारोऽष्टकाः शम्येति । द्वात्रिंशदंगुलेत्यर्थः । का. श्रौ. सू. । ३२ । स्फ्येनांतर्लिखतितप्तायनीति प्रतिमंत्रम् । का. श्रौ. सू. ५ । ६८ । ३–" दक्षिणतः प्राचीमुत्तरतश्च " का. श्रौ. सू. ५ । ६६ ।

(त्यु) अथोत्तरतः । प्राचीᳪ शम्यां निदधाति स परिलिखत्यवतान्मा व्यथितादितीमामेवैतदाह यत्र व्यथै तन्माऽवतादिति ॥ ३० ॥

(त्यु) अथ हरति । यत्र हरति तदग्नीदुपसीदति स वाऽअग्नीनामेव नामानि गृह्णन्हरति यान्वाऽअमून्देवाऽअग्रेऽग्नीन्होत्राय प्रावृणत ते प्राधन्वंस्त ऽइमाऽएव पृथिवीरुपासर्पन्निमामहैव ह्वेऽअस्याः पुरे तेनैवैतन्निदानेन हरति ॥ ३१ ॥

स प्रहरति । विदेदग्निर्नभो नामाग्ने ऽअङ्गिर ऽआयुना नाम्नेहीति स यत्प्राधन्वंस्तदायुर्दधाति तत्समीरयति योऽस्यां पृथिव्यामसीति योऽस्यां पृथिव्यामसीति हत्वा निदधाति यत्तेऽनाधृष्टं नाम यज्ञियं तेन त्वाऽऽदध-

---

अथोत्तरतः प्राचीं शम्यां निदधाति । स परिलिखति । "अवतान्मा व्यथितात्"–(वा. सं. ५।९) इति । इमामेवैतदाह । यत्र व्यथै तन्माऽवतादिति ॥ ३० ॥

अथ हरति यत्र हरति तद्–अग्नीदुपसीदति । स वाऽअग्नीनामेव नामानि गृह्णन्हरति । यान् वाऽअमून् देवाऽअग्रेऽग्नीन् होत्राय प्रावृणत । ते प्राधन्वन् । त इमा एव पृथिवीरुपासर्पन् इमामहैव ह्वेऽअस्याः परे । तेनैवैतन्निदानेन हरति ॥ ३१ ॥

स प्रहरति । "विदेदग्निर्नभो नामाग्नेऽअङ्गिर आयुना नाम्नेहि"–(वा. सं. ५।९) इति । स यत् प्राधन्वंस्तदायुर्दधाति । तत् समीरयति । "योऽस्यां पृथिव्यामसि"–(वा. सं. ५।९) इति । योऽस्यां पृथिव्यामसीति हत्वा निदधाति । "यत्तेऽनाधृष्टं नाम यज्ञियं तेन

अथोत्तरत इति । चात्वालस्योत्तरावधिपरिलेखनस्य "अवतान्मा व्यथितात्"–इति मन्त्रः । तस्य व्याख्यानम्–यत्र व्यथै तन्माऽवतादिति । 'यत्र' यस्मिन् धनादिविषये 'व्यथै' लाभोपायमजानानो व्यथितः स्याम् 'तत्' तस्मात् सकाशात् 'अवतात्' अव ॥ ३० ॥

खाताया मृदश्चात्वालादुत्तरवेदिं प्रति हरणं विधत्ते–अथ हरतीति । 'यत्र हरति', 'तत्' तत्र उत्तरवेदिप्रदेशे 'अग्नीदुपसीदति' उपविशति-आग्नीध्रः । 'अग्नीनां' 'नामानि' वक्ष्यमाणानि (श. प. ब्रा. ३।१।२।२१) 'गृह्णन्' एव हरेत् । सत्सु अग्निषु चात्वालप्रदेशे तन्नामग्रहणमुपपद्यते, त एवात्र कुत इत्यत्राह–यान् वा अमून् देवा अग्रेऽग्नीनिति । 'होत्राय' होमनिष्पादनाय हविर्वहनाय 'प्रावृणत' प्रावृण्वन् । 'ते प्राधन्वन्' धन्वतिर्गतिकर्मा (धा. पा. भ्वा. प. ५९८) । 'इमाम्' 'अहेव' । अहेति विनिग्रहार्थीयः (निरु. १।२।२) । इमां पृथिवीं परिविद्वेष्य असुरादयोऽपि 'उपासर्पन्' । 'तेनैव' 'एतत्' एतेन 'निदानेन' मूलकारणेनैव हरणं कृतवान् भवति ॥ ३१ ॥

स प्रहरतीति । 'सः' मृदो हर्त्ता अध्वर्युः स्फ्येन 'प्रहरति' खनेत् । मन्त्रस्यायमर्थः–हे 'अङ्गिरः' अङ्गिरोनामकार्षिरूप ! 'अग्ने' ! त्वम । "येऽङ्गारा आसंस्तेऽङ्गिरसोऽभवन् (ऐ. ब्रा. ३।४।१०)

१–विदेदग्निरिति चात्वाले प्रहरति स्फ्येनाभ्यासम् । का. श्रौ. सू. ५।६९।

इति यत्तेऽनाधृष्टꣳ रक्षोभिर्नाम यज्ञियं तेन त्वाऽऽदधऽइत्येवैतदाहानु त्वा देववीतयऽइति चतुर्थꣳ हरति देवेभ्यस्त्वाजुष्टाꣳ हरामीत्येवैतदाह तां वै चतुःस्रक्तेश्चात्वालाद्धरति चतस्रो वै दिशः सर्व्वाभ्य ऽएवैनामेतद्दिग्भ्यो हरति ॥ ३२ ॥

(त्यु) अथानु व्यूहति । सिꣳह्यसि सपत्नसाही देवेभ्यः कल्पस्वेति सा यद्देवादः सिꣳही भूत्वा शान्तेवाचरत्तदेवैनामेतदाह सिꣳह्यसीति

त्वाऽऽदधे "–(वा. सं. ५ । ९) इति । यत्तेऽनाधृष्टं रक्षोभिर्नाम यज्ञियं तेन त्वाऽऽदध इत्येवैतदाह । " अनु त्वा देववीतये "–(वा. सं. ९ । ५) इति । चतुर्थं हरति देवेभ्यस्त्वा जुष्टां हरामीत्येवैतदाह । तां वै चतुःस्रक्तेश्चात्वालाद्धरति । चतस्रो वै दिशः, सर्वाभ्य एवैनामेतद्दिग्भ्यो हरति ॥ ३२ ॥

अथानु व्यूहति । " सिंह्यसि सपत्नसाही देवेभ्यः कल्पस्व "–(वा. सं. ५ । १०)

(निरु. ५।३।१)"–इति श्रुतिः । अग्निः आहुत्याधारभूतः । ' नभो नाम विदेत् ' । न भातीति ' नभः ', एतत् ' नाम ' विन्देदित्यर्थः । यद्वा, नभो नामाग्निरिति ' विदेः ' जानीया इत्यर्थः । त्वञ्च ' आयुना ' एतदात्मना ' नाम्ना ' अभिधानेन युक्तः ' एहि ' आगच्छ । स यदित्यादि । आयुर्दधातीति । ' आयुः '–शब्दः सामान्येन श्रुतिः । ' तत् ' अवदारितं ' समीरयति ' उत्तरवेदिं प्रति सम्यक् प्रेरयति । तत्र मन्त्रः–योऽस्यां पृथिव्यामसीति । ' यः ' त्वम् ' अस्यां ' चात्वाललक्षणायां 'पृथिव्यां' भूम्यां 'असि' भवसि स त्वमायुना नाम्नेहीति सम्बन्धः । अथवा यो मृत्पिण्डरूपस्त्वं अस्यां खातायां भूम्यां भवसि तं त्वां समीरयामीत्यर्थः ॥

आनीताया मृदो वेद्याकारेण स्थापनं समन्त्रकं विधत्ते–हृत्वा निदधाति यत्तेऽनाधृष्टमिति । मृदा एकीभूत ! यत् ते यद्वा हे तिरोहिताग्निविशिष्टे मृत् ! ' यत् ' ' ते ' ' अनाधृष्टं ' रजोभिरहिंस्यम्, ' यज्ञियम् ' यज्ञार्हं ' नाम ', ' तेन ' नाम्ना ' त्वा ' त्वाम् ' आदधे ' स्थापयामि । " योऽस्याम् "–इति मन्त्रेण त्रिवारं हरेत् ॥

चतुर्थवारहरणमन्त्रस्यायमर्थः–हे आह्रियमाणपदार्थ ! ' त्वा ' त्वाम् ' अनु ' पूर्वं हरणत्रयमनुकृत्य आहरामीति शेषः । किमर्थम् ? ' देववीतये ' देवा व्यन्ति हविर्भक्षयन्ति अत्रेति देववीतिर्यज्ञस्तदर्थम् ॥

अर्थसिद्धमनूद्य प्रशंसति–तां वै चतुःस्रक्तेरिति । चतस्रः स्रक्तयो यस्य चात्वालस्य स तथोक्तः, चतुरस्रात् साकल्येन हरतीत्यर्थः ॥ ३२ ॥

अथानुव्यूहतीति[6] । अनुक्रमेण व्यूहनं मृत्प्रसारणं कुर्यात् । " सिंह्यसि "–इति व्यूहनमन्त्रः । हे अनु-

---

१–अत्र विदेदित्यस्य पुरुषव्यत्ययेन ' विदेः ' इति भाष्यकारो व्याजहार । २–' सम्यगीरयाति '–इति क० पा० । ३–आनेऽग्निर इति पुरीषं हरति हस्तेन च । ५ । ७० । योऽस्यामिति निवपति पूर्वार्द्धे शंकुसहितं । ५ । ७१ आग्नीदुत्करवत्तूष्णीं हृतं । का. श्रौ. सू. ५ । ७२ । ४–एवं द्विरपरं द्वितीयस्यां तृतीयस्यामिति विशेषः । का. श्रौ. सू. ५ । ७३ । ५–अनुत्वेति चतुर्थं चात्वालात् । का. श्रौ. सू. ५ । ७५ । ६–सिंह्यसीति व्यूहत्युत्तरवेदिम् । का. श्रौ. सू. ५ । ७६ ।

सपत्नसाहीति त्वया व्वयᳬं सपत्नान्पापीयसः क्रियास्मेत्येवैतदाह देवेभ्यः कल्पस्वेति योषा वाऽउत्तरवेदिस्तामेवैतद्देवेभ्यः कल्पयति ॥ ३३ ॥

तां वै युगमात्रीं वा सर्व्वतः करोति । यजमानस्य वा दशदश पदानि दशाक्षरा वै व्विराड्वाग्वै व्विराड्वाग्यज्ञो मध्ये नाभिकामिव करोति समानत्रासीनो व्याघारयाणीति ॥ ३४ ॥

तामद्भिरभ्युक्षति । सा यद्देवादः सिᳬंही भूत्वा शान्तेवाचरच्छान्ति-

---

इति । सा यदेवादः सिंही भूत्वा शान्तेवाचरत्, तदेवैनामेतदाह—सिंह्यसीति, सपत्नसाहीति । त्वया वयं सपत्नान् पापीयसः क्रियास्मेत्येवैतदाह—देवभ्यः कल्पस्वेति । योषा वाऽउत्तरवेदिस्तामेवैतद्दे- वेभ्यः कल्पयति ॥ ३३ ॥

तां वै युगमात्रीं वा सर्वतः करोति, यजमानस्य वा दश–दश पदानि । दशाक्षरा वै विराट् । वाग्वै विराट् । वाग्यज्ञः । मध्ये नाभिकामिव करोति; समानत्रासीनो व्याघारयाणीति ॥ ३४ ॥

तामद्भिरभ्युक्षति—सा यदेवादः सिंही भूत्वा शान्तेवाचरत् शान्तिरापस्तामद्भिः शमयति । योषा वाऽउत्तरवेदिस्तामेवैतद्देवेभ्यो हिन्वति । तस्मादद्भिरभ्युक्षति ॥ ३५ ॥

व्यूह्यमाने वेदे ! त्वं ' सिंही असि ' प्रागुक्तप्रकारेण सिंही भवसि । कीदृशी ' सपत्नसाही शत्रूणामभि- भवित्री । तादृशी त्वं ' देवेभ्यः ' तेषामर्थाय ' कल्पस्व ' योषारूपा सती भोगसाधनं भवेत्यर्थः ॥

सिंह्यसीति मन्त्रभागस्य तात्पर्यमाह—**सा यदेवादः सिंही भूत्वेति** । उक्तः सिंहीभावः । सपत्नसाहीत्यस्य तात्पर्यमाह—**त्वया वयं सपत्नानिति** । देवेभ्यः कल्पस्वेत्यस्य तात्पर्याभिधानम्—**योषा वेत्यादि** ॥ ३३ ॥

तां वै युगमात्रीं वेत्यादि[१] । षडशीत्यङ्गुलपरिमिता ' युगमात्री ' । दिक्चतुष्टयापेक्षया "दश–दश"— इति वीप्सा । युगमात्रस्य पूर्वमभिहितत्वात् तत् परित्यज्य दशपदपक्षं प्रशंसति—**दशाक्षरा वै विराडिति** । सर्वत्र विराजमानत्वाद् वाचा उच्चार्यमाणत्वाच्च ' विराड्—वाक् ' । मन्त्रादिरूपतया निष्पाद्यमानत्वाद् ' वाग् यज्ञः' अतो द्वारद्वारिकया यज्ञसम्बन्धात् दशसङ्ख्या युज्यत इति स्तुतिः । **मध्ये नाभिकामिव करोतीति**[३] । अल्पा नाभिर्नाभिका । तस्या निर्माणप्रयोजनमाह—**समानत्रेति** । एकत्र स्थित्वा सर्वत्रोत्तरवेद्यां व्याघारणस्या- शक्यत्वात् तत्सिद्धये मध्ये नाभिकरणमित्यर्थः ॥ ३४ ॥

वेद्या अद्भिरभ्युक्षणं विधत्ते—**तामद्भिरभ्युक्षतीति**[४] । अभ्युक्षणस्य प्रयोजनद्वयम्—सिंही भूत्वा अशान्तायाः

१–शम्यामात्रीं व्वितृतीयामपरिमितां युगमात्रीं यजमानदशपद्यां वा । का. श्रौ. सू. । ५ । ७६ । २–सोमे वोत्तरे व्युपस्फुरण- श्रुतेरसंभवाच्च । का. श्रौ. सू. ५–७७ । ३–मध्ये नाभिं करोति प्रादेशसमां चतुःस्रक्तिं । का. श्रौ. सू. ५ । ७८ । युगमानं शुल्बे कात्यायनः–षडशीत्यंगुलं ८६ युगमिति । युगमात्री त्र्यरत्निः स्यादंगुलानि चतुर्दश इति । ह. । १४ अंगुल । यजमानस्य वा दशदश पदानीत्यत्र सर्व्वतः करोतीत्यस्यानुवृत्तौ–दशदशपदा शतपदक्षेत्रफलका इत्यर्थो भवति । सोमे वोत्तरे व्युपस्फुरणश्रुतेरसंभवाच्चेति वदता कात्यायनेन शतपदक्षेत्रफलैव प्रदर्शिता । शुल्बपरिशिष्टकारस्तु–यजमानदशपद्यां वा– इत्येतावदेव सूत्रमालोच्य–दशपदक्षेत्रफलकामाह ॥ दशपदक्षेत्रफलकासाधनं शुल्बे । पदं तिर्यङ्मानी त्रिपदा पार्श्वमानी तस्याक्ष्णया रज्जुर्दशकरणीति । त्रिपदा पार्श्वमानी तु–त्रिः प्रमाणा नवकरणीति–इति शुल्बम् । त्रिःप्रमाणा करणी तु–४६ अं. ६य. । १ जु. । ४–प्रोक्षत्युत्तरवेदिं सिकताश्च प्रकिरातिसिंह्यसीति प्रतिमंत्रम् । का. श्रौ. सू. । ५–७९ ।

ऽपस्तामद्भिः शमयति योषा वाऽउत्तरवेदिस्तामेवैतद्देवेभ्यो हिन्वति तस्मादद्भिरभ्युक्षति ॥ ३५ ॥

सोऽभ्युक्षति । सिᳫंह्यसि सपत्नसाही देवेभ्यः शुन्धस्वेत्यथ सिकताभिरनुविकिरत्यलङ्कारो न्वेव सिकता भ्राजन्तऽइव हि सिकताऽअग्नेर्वाऽएतद्वैश्वानरस्य भस्म यत्सिकताऽअग्निं वाऽअस्यामाधास्यन्भवति तथो हैनामग्निर्न हिनस्ति तस्मात्सिकताभिरनुविकिरति सोऽनुविकिरति सिᳫंह्यसि सपत्नसाही देवेभ्यः शुम्भस्वेत्यथैनां छादयति सा छन्नैताᳫं रात्रिं वसति ॥ ३६ ॥

इति चतुर्थप्रपाठके प्रथमं ब्राह्मणम् ॥ ४ ॥ १ ॥ (५ । १)

सोऽभ्युक्षति । " सिंह्यसि सपत्नसाही देवेभ्यः शुन्धस्व "-(वा. सं. ५ । १०) इति । अथ सिकताभिरनुविकिरति; अलङ्कारो न्वेव सिकताः, भ्राजन्तऽइव हि सिकताः, अग्नेर्वाऽएतद्वैश्वानरस्य भस्म यत्सिकताः। अग्निं वाऽअस्यामाधास्यन् भवति; तथो हैनामग्निर्न हिनस्ति । तस्मात् सिकताभिरनुविकिरति । सोऽनु विकिरति । " सिंह्यसि सपत्नसाही देवेभ्यः शुम्भस्व "-(वा. सं. ५ । १०) इति । अथैनां छादयति; सा छन्नैतां रात्रिं वसति ॥ ३६ ॥

शान्तिरेकं प्रयोजनम्, स्निग्धभावेन रमणीयत्वमपरम्; तदुभयमुच्यते—**सा यदेवाद** इत्यादिना । **तामेवैतद्देवेभ्यो हिन्वतीति** । हिन्वतिः प्रीणनकर्मा (धा. पा. भ्वा. प. ५९२) । तस्या अभ्युक्षणेन प्रीणनं देवेभ्योऽर्थाय भवति; योषात्वेनाभिधानात् । योषाया अलङ्करणेन पत्युः प्रीतिर्भवतीति सुप्रसिद्धम ॥ ३५ ॥

सोऽभ्युक्षतीति (का. श्रौ. सू. ५ । ७८) । अभ्युक्षणमन्त्रः—**सिंह्यसीति** । अयं स्पष्टार्थः । सिकतानां प्रक्षेपस्योक्तमलङ्काररूपत्वं समर्थयते—**भ्राजन्त इव हि सिकता** इति । अतिधवलत्वाद् भ्राजमाना भवन्ति । वेद्यलङ्कारत्वेन प्रशस्य अग्निसंयोगकृतसन्तापनिवर्तकत्वेन प्रशंसति—**अग्नेर्वा एतद् वैश्वानरस्य भस्मे**त्यादिना । अग्न्यवयवभूतानामेव सिकतानामुत्तरवेद्यवयवत्वसम्पादनेन भूमेः स्वाङ्गस्य स्वात्मदाहकत्वाभावाद्धिंसापरिहार इत्यभिप्रायः । सिकता-प्रकिरणमन्त्रार्थस्तु स्पष्टएव ॥

अथोत्तरवेदेर्यज्ञियवृक्षशाखया प्रच्छादनं विधत्ते—**अथैनां छादयतीति** ॥ ३६ ॥

इति श्रीसायणाचार्यविरचिते माधवीये वेदार्थप्रकाशे माध्यन्दिनशतपथब्राह्मणभाष्ये तृतीयकाण्डे पञ्चमाध्याये प्रथमं ब्राह्मणम् ॥ (३-५-१) ॥

इध्ममभ्यादधति । (त्यु) उपयमनीरुपकल्पयन्त्याज्यमधिश्रयति स्रुवं च स्रुचं च सम्मार्ष्ट्यथोत्पूयाज्यं पञ्चगृहीतं गृह्णीते यदा प्रदीप्त इध्मो भवति ॥ १ ॥

(त्यु) अथोद्यच्छन्तीध्मम् । (मु) उपयच्छन्त्युपयमनीरथाहाग्नये प्रह्रियमाणायानुब्रूह्येकस्फ्ययाऽनूदेहीत्यनूदैति प्रतिप्रस्थातैकस्फ्ययैत-स्मान्मध्यमाच्छङ्कोर्य एष वेदेर्जघनार्धे भवति तद्यदेवात्रान्तःपातेन गार्हपत्यस्य वेदेर्व्यवच्छिन्नं भवति तदेवैतदनुसन्तनोति ॥ २ ॥

तद्धैके । (कु ऽ) ओत्तरवेदेरनूदायन्ति तदु तथा न कुर्यादेवैतस्मान्मध्य-माच्छङ्कोरनूदेयात्तऽआयन्त्यागच्छन्त्युत्तरवेदिम् ॥ ३ ॥ (शतम् १८००)

इध्ममभ्यादधति । उपयमनीरुपकल्पयन्ति, आज्यमधिश्रयति । स्रुवं च स्रुचं च सम्मार्ष्टि । अथोत्पूयाज्यं पञ्चगृहीतं गृह्णीते । यदा प्रदीप्त इध्मो भवति ॥ १ ॥

अथोद्यच्छन्तीध्मम् । उपयच्छन्त्युपयमनीः । अथाह–' अग्नये प्रह्रियमाणायानुब्रूहि । एकस्फ्ययाऽनूदेहि ' इति । अनूदैति प्रतिप्रस्थातैकस्फ्यया । एतस्मान्मध्यमाच्छङ्कोर्य एष वेदेर्जघनार्धे भवति । तद् यदेवात्रान्तःपातेन गार्हपत्यस्य वेदेर्व्यवच्छिन्नं भवति–तदेवैतदनु सन्तनोति ॥ २ ॥

तद्धैके ओत्तरवेदेरनूदायन्ति । तदु तथा न कुर्यात् । एवैतस्मान्मध्यमाच्छङ्कोरनूदेयात् । तऽ-आयन्ति, आगच्छन्त्युत्तरवेदिम् ॥ ३ ॥

उत्तरवेदिनिर्माणमभिधाय अथोत्तरवेद्यामग्निप्रणयनप्रयोग उच्यते–**इध्ममभ्यादधती**त्यादिना । आहवनीयेऽग्नौ प्रणीयमानानामङ्गाराणां सम्पादनाय काष्ठसमूहं स्थापयेयुरित्यर्थः । **उपयमनी**रित्यादि । ' उप ' अग्नेरधस्तात् यम्यन्ते इत्युपयमन्यः, सिकताः । व्याघारणार्थम् ' आज्यम् ' अग्नौ ' अधिश्रयति ' विलापयेत् । आज्यमुत्पूतं कृत्वा स्रुवेण स्रुचि पञ्चवारं गृह्णीयात् ॥ १ ॥

अथोद्यच्छन्तीति । इध्मे प्रदीप्ते सति ' अथ ' अनन्तरमेव ' इध्मम् ' अङ्गारतां प्राप्तमूर्ध्वं धारयेत् । इध्मपात्रस्याधः ' उपयमनीः ' उपयच्छेत् । ' अग्नये प्रह्रियमाणाय ' उत्तरवेदिं प्रति नीयमानाय तदनुकूलं सूक्तं पठेति होतारं ब्रूयात् । ' एकस्फ्यया ' एकः स्फ्यो यस्यां रेखायां सा तथोक्ता, तया मामनुगच्छ; स्फ्येन रेखां कुर्वन्ननुगच्छेति प्रतिप्रस्थातारं ब्रूयात् । एकस्यानुगमनस्यावधिमाह–आ **एतस्मान्मध्यमाच्छङ्कोर्य एष वेदेर्जघनार्धे भवती**ति । ' वेदेः ' सौमिक्याः ' जघनार्द्धे ' ' य एषः ' शंकुर्भवति । स्थूणाराजात् प्रक्रमत्रितये यः शंकुरन्तःपातः स्थापितः, स एव मध्यमशंकुः; तावत्पर्यन्तमित्यर्थः । **गार्हपत्यस्य वेदे**रिति । ' यतः प्रणयति स गार्हपत्यः '–इति न्यायादाहवनीयादुत्तरवेदिं प्रति प्रणयनस्योक्तत्वात् आहवनीय एव गार्हपत्य इत्युच्यते । रेखाकर्षणेनान्तःपात्यरूपो व्यवच्छेदः परिहृतो भवति ॥ २ ॥

रेखानुगतिविषये केषाञ्चित्पक्षमुपन्यस्य व्यवच्छेदपरिहाराय प्रयोजनाभावाभिप्रायेण निराचष्टे **तद्धैके ओत्तरवेदेरनूदायन्ती**ति ॥ ३ ॥

१–अग्नी प्रणयतीध्माभ्यासुपयम्य । का. श्रौ. सू. ५-८१ । २–आज्यप्रोक्षणीरुपयम्याग्नी चाग्निभ्यां प्रह्रियमाणाभ्यामनुब्रूह्येकस्फ्ययानूदेहीति का. श्रौ. सू. ५-८६ । ३–प्रतिप्रस्थाता स्फ्येन लिखत्यावेदिश्रोणेरुत्तरवेदेर्वा । का. श्रौ. सू. ५-८७ । ८८ ।

प्रोक्षणीरध्वर्युरादत्ते । स पुरस्तादेवाग्रे प्रोक्षत्युदङ्तिष्ठन्निन्द्रघोषस्त्वा वसुभिः पुरस्तात्पात्विति इन्द्रघोषस्त्वा वसुभिः पुरस्ताद्गोपायत्विति त्येवैतदाह ॥ ४ ॥

(ब्रा) अथ पश्चात्प्रोक्षति । प्रचेतास्त्वा रुद्रैः पश्चात्पात्विति प्रचेतास्त्वा रुद्रैः पश्चाद्गोपायत्वित्येवैतदाह ॥ ५ ॥

(ब्रा) अथ दक्षिणतः प्रोक्षति । मनोजवास्त्वा पितृभिर्दक्षिणतः पात्विति मनोजवास्त्वा पितृभिर्दक्षिणतो गोपायत्वित्येवैतदाह ॥ ६ ॥

(ब्रा) अथोत्तरतः प्रोक्षति । विश्वकर्मा त्वाऽऽदित्यैरुत्तरतः पात्विति विश्वकर्मा त्वाऽऽदित्यैरुत्तरतो गोपायत्वित्येवैतदाह ॥ ७ ॥

(ब्रा) अथ याः प्रोक्षण्यः परिशिष्यन्ते । तद्येऽएते पूर्वे स्रक्ती तयोर्या दक्षिणा तान्यन्तेन बहिर्वेदि निनयतीदमहं तप्तं वार्बहिर्धा यज्ञान्निःसृजा-

---

प्रोक्षणीरध्वर्युरादत्ते । स पुरस्तादेवाग्रे प्रोक्षति–उदङ्तिष्ठन् । " इन्द्रघोषस्त्वा वसुभिः पुरस्तात्पातु "–(वा. सं. ५ । ११) इति । इन्द्रघोषस्त्वा वसुभिः पुरस्ताद्गोपायत्वित्येवैतदाह ॥ ४ ॥

अथ पश्चात्प्रोक्षति । " प्रचेतास्त्वा रुद्रैः पश्चात्पातु "–(वा. सं. ५ । ११) इति प्रचेतास्त्वा रुद्रैः पश्चाद्गोपायत्वित्येवैतदाह ॥ ५ ॥

अथ दक्षिणतः प्रोक्षति । " मनोजवास्त्वा पितृभिर्दक्षिणतः पातु "–(वा. सं. ५ । ११) इति । मनोजवास्त्वा पितृभिर्दक्षिणतो गोपायत्वित्येवैतदाह ॥ ६ ॥

अथोत्तरतः प्रोक्षति । "विश्वकर्मा त्वाऽऽदित्यैरुत्तरतः पातु"–(वा. सं. ५ । ११) इति । विश्वकर्मा त्वाऽऽदित्यैरुत्तरतो गोपायत्वित्येवैतदाह ॥ ७ ॥

अथ याः प्रोक्षण्यः परिशिष्यन्ते–तद् ये एते पूर्वे स्रक्ती–तयोर्या दक्षिणा–तान्यन्तेन बहिर्वेदि निनयति । " इदमहं तप्तं वार्बहिर्धा यज्ञान्निःसृजामि "–(वा. सं ५ । ११ ।) इति । सा

प्रोक्षणीरध्वर्युरित्यादि[२] । अध्वर्योः प्रोक्षण्यादानविधानात् अग्निप्रणेता अग्नीदेव ' अग्रे ' उत्तरादिभ्यः पूर्वम् ' पुरस्तात् ' पूर्वस्यां दिशि ' प्रोक्षति ' ' उदङ् ' उदङ्मुखस्तिष्ठन् ॥

प्रोक्षणमन्त्रस्यायमर्थः । इन्द्र इति घुष्यते शब्द्यते इति ' इन्द्रघोषः ' इन्द्रनामा देवः, सः ' वसुभिः ' सहितः ' पातु ' रक्षतु, असुरादिभ्यः सकाशाद् ' गोपायतु ' इत्यर्थः । ' प्रचेताः ' प्रकृष्टप्रज्ञो वरुणः । ' पितरः ' अग्निष्वात्तप्रमुखाः । ' मनोजवाः ' मनोवेगोपमवेगः । ' विश्वकर्मा ' विश्वविषयं कर्म यस्य स एतन्नामको देवः । निनेतव्यायाः दक्षिणपूर्वस्रक्तेः स्पष्टप्रदर्शनाय पूर्वदिग्गतस्रक्तिद्वयोपन्यासः ॥ ४ ॥ ५ ॥ ६ ॥ ७ ॥

अथ याः प्रोक्षण्य इति । ता न्यन्तेनेति । ' ताः ' प्रोक्षणीः ' न्यन्तेन ' अत्यन्तान्तदेशेन । तत्रापि

२–व्येधंतरे स्थित्वोदङ्ङुत्तरवेदिं प्रोक्षतीन्द्रघोष इति प्रतिमंत्रं प्रतिदिशं यथालिंगम् । का. श्रौ. सू. ५–८९ ।

ग्नीति सा यदेवादः सिꣳही भूत्वा शान्तेवाचरत्तामेवास्याऽएतच्छुचं बहिर्द्धा यज्ञान्निःसृजति यदि नाभिचरेद्यद्युऽअभिचरेदादिशेदिदमहं तप्तं वारममुमभि निःसृजामीति तमेतया शुचा विध्यति स शोचन्नेवामुं लोकमेति ॥ ८ ॥

स यद्धार्यमाणेऽग्नौ । (यɱऽउ) उत्तरवेदिं व्याघारयति यदेवैनामदो देवा अब्रुवन्पूर्वा त्वाऽग्नेराहुतिः प्राप्स्यतीति तदेवैनामेतत्पूर्वामग्नेराहुतिः प्राप्नोति यद्वेषा देवानब्रवीद्यां मया काञ्चाशिषमाशासिष्यध्वे सा वः सर्वा समर्द्धिष्यतऽइति तामेनयाऽत्रर्त्विजो यजमानायाशिषमाशासते साऽस्मै सर्वा समृद्ध्यते ॥ ९ ॥

तद्वाऽएतदेकं कुर्वन्द्वयं करोति । यदुत्तरवेदिं व्याघारयत्यथ यैषां मध्ये नाभिकेव भवति तस्यै ये पूर्वे स्रक्ती तयोर्या दक्षिणा ॥ १० ॥

यदेवादः सिंही भूत्वा शान्तेवाचरत्—तामेवास्या एतच्छुचं बहिर्द्धा यज्ञान्निःसृजति । यदि नाभिचरेद् । यद्युऽअभिचरेदादिशेदिदमहं तप्तं वारममुमभि निःसृजामीति । तमेतया शुचा विध्यति । स शोचन्नेवामुं लोकमेति ॥ ८ ॥

स यद्धार्यमाणेऽग्नौ उत्तरवेदिं व्याघारयति—यदेवैनामदो देवा अब्रुवन्—पूर्वा त्वाऽग्नेराहुतिः प्राप्स्यतीति । तदेवैनामेतत्पूर्वामग्नेराहुतिः प्राप्नोति । यद्वेषा देवानब्रवीत्—यां मया काञ्चाशिषमाशासिष्यध्वे—सा वः सर्वा समर्द्धिष्यतऽइति । तामेनयाऽत्रर्त्विजो यजमानायाशिषमाशासते । साऽस्मै सर्वा समृद्ध्यते ॥ ९ ॥

तद्वाऽएतदेकं कुर्वन् द्वयं करोति—यदुत्तरवेदिं व्याघारयति । अथ यैषां मध्ये नाभिकेव भवति—तस्यै ये पूर्वे स्रक्ती—तयोर्या दक्षिणा ॥ १० ॥

स्रक्त्यन्ते प्रोक्षणीये शेषनिनयनप्रसक्तावाह—बहिर्वेदी'ति । निनयनमन्त्रस्यायमर्थः । 'इदं' प्रोक्षणीशेषं 'तप्तम्' 'वेद्याः' सिंहीरूपायाः क्रौर्यव्युत्पादनतः तस्मिन् सन्तापप्राप्तेः सम्भवादवशिष्टमम्भस्तप्तं भवति तथाविधं वा; 'अहं' 'यज्ञाद्' यज्ञसाधनाद् वेदिदेशात् 'बहिः निःसृजामि' । सा यदेवाद इत्यादिनिनयनार्थवादः स्पष्टः ॥

अयं निनयनमन्त्रोऽभिचारेच्छाराहित्यविषय इत्याह—यदि नाभिचरेदिति । 'यदि उ' यद्यपि अभिचारं कर्तुमिच्छेत्, तदा 'यज्ञाद्बहिः' स्थाने 'अमुमभि निःसृजामि'—इत्यादिशेत्[1] । अमुमित्यत्र द्वेष्यस्य नाम गृह्णीयात् । 'सः' अभितप्तः 'शोचन्नेवामुं लोकमेति' दुःखेन प्राणान् जहातीत्यर्थः ॥ ८ ॥

इदानीं प्राप्तावसरत्वाद्व्याघारणमाह—स यद्धार्यमाणेऽग्नाविति । आग्नीध्रेण उत्तरवेदेरुपरि देशे 'अग्नौ धार्यमाणे' सत्यध्वर्युर्व्याघारयति । यदेवैनामद इत्यादिकमुत्तरवेदेर्विध्यर्थाख्यायिकाप्रसङ्गे व्याख्यातम् (श. प. ब्रा. ३ । ५ । १ । २३) । यस्मादपक्रान्ताया वाचः प्रतिनिवृत्तये देवैर्व्याघारणं दत्तम्, तस्मादेवेत्थमेतत्कर्तव्यमित्यर्थः । यस्माच्च व्याघारणपरितुष्टया वाचा सर्वाशीःसमृद्धिरूपस्य वरस्य देवेभ्यो दत्तत्वाद् यजमानार्थमृत्विग्भिराशास्यमानाशिषां समृद्धये चोत्तरवेदिव्याघारणं कर्त्तव्यमित्यर्थः ॥ ९ ॥

तद्वा एतदेकमिति । 'एकम्' उत्तरवेदिव्याघारणं कुर्वन् 'द्वयं करोति' व्याघारणं यजमानाशीराशासनं

१–दक्षिणांसस्रहितं बहिर्वेदिशेषं निषिंचतीदमहं तप्तं वारित्यमुमभिचरन् । का. श्रौ. सू. ५–९० ।

तुस्यामाघारयति। सिꣳहस्यसि स्वाहेत्यथापरयोरुत्तरस्याꣳसिꣳहस्या-
दित्यवनिः स्वाहेत्यथापरयोर्दक्षिणस्याꣳसिꣳहसि ब्रह्मवनिः क्षत्रवनिः
स्वाहेति बह्वी वै यजुःष्वाशीस्तद्ब्रह्म च क्षत्रं चाशास्तऽउभे वीर्ये ॥११॥
(सैऽथ) अथ पूर्वयोरुत्तरस्याम् । (ꣳ) सिꣳहसि सुप्रजावनी राय-
स्पोषवनिः स्वाहेति तत्प्रजामाशास्ते यदाह सुप्रजावनिरिति रायस्पोषव-
निरिति भूमा वै रायस्पोषस्तद्भूमानमाशास्ते ॥ १२ ॥
(स्तेऽथ) अथ मध्यऽआघारयति । सिꣳहस्यावह देवान्यजमानाय
स्वाहेति तद्देवान्यजमानायावाहयत्यथ स्रुचमुद्यच्छति भूतेभ्यस्त्वेति प्रजा
वै भूतानि प्रजाभ्यस्त्वेत्येवैतदाह ॥ १३॥

तस्यामाघारयति। "सिंह्यसि स्वाहा"-(वा. सं. ५ । १२) इति। अथापरयोरुत्तरस्याम्। "सिंह्यस्यादित्यवनिः स्वाहा"-(वा. सं. ५ । १२) इति। अथापरयोर्दक्षिणस्याम्। "सिंह्यसि ब्रह्मवनिः क्षत्रवनिः स्वाहा"-(वा. सं. ५ । १२) इति। बह्वी वै यजुःष्वाशीः। तद् ब्रह्म च क्षत्रं चाशास्ते-उभे वीर्ये ॥ ११ ॥

अथ पूर्वयोरुत्तरस्याम् । "सिंह्यसि सुप्रजावनी रायस्पोषवनिः स्वाहा"-(वा. सं. ५ । १२) इति। तत् प्रजामाशास्ते-यदाह-सुप्रजावनिरिति । रायस्पोषवनिरिति। भूमा वै रायस्पोषः। तद् भूमानमाशास्ते ॥ १२ ॥

अथ मध्यऽआघारयति । "सिंह्यस्यावह देवान् यजमानाय स्वाहा"-(वा. सं. ५ । १२) इति। तद्देवान् यजमानायावाहयति। अथ स्रुचमुद्यच्छति। "भूतेभ्यस्त्वा"-(वा. सं. ५ । १२) इति। प्रजा वै भूतानि। प्रजाभ्यस्त्वेत्येवैतदाह ॥ १३ ॥

चेत्यथः । उत्तरवेदिमध्यङ्गतायाश्चतुःस्रक्तेरुत्तरनाभेर्दक्षिणया व्याघारप्रकार उच्यते-**अथ यैषां मध्ये नाभिकेव भवती**त्यादिना। 'ये पूर्वे स्रक्ती' ईशानाग्नेयदिग्गते, 'तयोः' मध्ये 'दक्षिणा' स्रक्तिराग्नेयदिग्गता, तस्यां "सिंह्यसि स्वाहा" 'इति' व्याघारयति । **अथापरयोरुत्तरस्या**मिति । नाभेः पश्चाद्दिग्गतयोर्मध्ये 'उत्तरस्यां' वायव्यदिगवस्थितायां स्रक्त्यामित्यर्थः । आदित्यान् यजमानार्थं वनति भजत इति 'आदित्यवनिः', तादृशी 'सिंह्यसि' तुभ्यं स्वाहुतमस्तु । 'अथ' 'अपरयोः' दक्षिणस्यां' नैर्ऋतकोणकोष्ठे इत्यर्थः । अत्र ब्रह्मक्षत्रोभयाशासनस्याभिप्रायमाह-**बह्वी वै यजुःष्वाशी**रिति । 'यजुःषु' आशीःपरेषु प्रायेण 'बह्वी आशीः' बहुविधान्याशासनान्युपलभ्यन्ते । अतो युक्तमित्यर्थः । 'अथ' 'पूर्वयोरुत्तरस्याम्' ईशानस्रक्त्यां 'सुप्रजावनिः' शोभनपुत्रादिलक्षणप्रजासम्भक्तिः, 'रायस्पोषवनिः' रायस्पोषो धनपुष्टिः ॥ १०-१२ ॥

अथ मध्य आघारयतीति । नाभिमध्यव्याघारणमन्त्रः-"सिंह्यस्यावह देवान्" इत्यादिः । स्पष्टार्थः।

१-नाभ्याः श्रोण्यंसेषु पंचगृहीतं जुहोत्यक्ष्णया दक्षिणेंऽसे श्रोण्यां श्रोण्यां ऽसे मध्ये च-हिरण्यं निधाय सिंह्यसीति प्रतिमंत्रम्। का. श्रौ. सू. ५।९।१।

(ह्रा) अथ परिधीन्परिदधाति । ध्रुवोऽसि पृथिवीं दृᳪहेति मध्यमं ध्रुवक्षिदस्यन्तरिक्षं दृᳪहेति दक्षिणमच्युतक्षिदसि दिवं दृᳪहेत्युत्तरमग्नेः पुरीषमसीति सम्भारानुपनिवपति तद्यत्सम्भारा भवन्त्यग्नेरेव सर्वत्वाय ॥१४॥

शरीरᳪ हैवास्यै पीतुदारु । तद्यत्पैतुदारवाः परिधयो भवन्ति शरीरेणैवैनमेतत्समर्द्धयति कृत्स्नं करोति ॥ १५ ॥

माᳪसᳪ हैवास्य गुल्गुलु । तद्यद्गुल्गुलु भवति माᳪसेनैवैनमेतत्समर्द्धयति कृत्स्नं करोति ॥ १६ ॥

अथ परिधीन् परिदधाति–" ध्रुवोऽसि पृथिवीं दृंह "–(वा. सं. ५ । १३) इति–मध्यमम् । " ध्रुवक्षिदस्यन्तरिक्षं दृंह "–(वा. सं. ५ । १३) इति–दक्षिणम् । " अच्युतक्षिदसि दिवं दृंह "–(वा. सं. ३ । २३) इति–उत्तरम् । " अग्नेः पुरीषमसि "–(वा. सं. ५ । १३) इति–सम्भारानुपनिवपति । तद्यत्सम्भारा भवन्ति–अग्नेरेव सर्वत्वाय ॥ १४ ॥

शरीरं हैवास्य पीतुदारु । तद् यत् पैतुदारवाः परिधयो भवन्ति–शरीरेणैवैनमेतत् समर्द्धयति, कृत्स्नं करोति ॥ १५ ॥

मांसं हैवास्य गुल्गुलु । तद् यत् गुल्गुलु भवति–मांसेनैवैनमेतत् समर्द्धयति–कृत्स्नं करोति॥१६॥

' अथ ' ' स्रुचम् ' ' उद्यच्छेति ' ऊर्ध्वं धारयेत् । स्रुगुद्यमनमन्त्रस्थस्य भूतशब्दस्य भूतकार्यमर्थ इत्याह–प्रजा वै भूतानीति ॥ १३ ॥

अथ परिधीन् परिदधातीति । तन्मन्त्रस्यार्थः–हे परिधे ! त्वं यस्मात् ' ध्रुवोऽसि, ' अतः ' पृथिवीं ' ' दृंह ' दृढां कुरु । अनेन मध्यमपरिधिं परिदधाति । ध्रुवमविचलं क्षियति निवसतीति ' ध्रुवक्षित् ' । अच्युतं परैरच्यावितं यथा न चलति तथा क्षियतीति ' अच्युतक्षित् ' । उत्तरवेदिनाभिदेशे गुग्गुलुसुगन्धितेजनादिसम्भारप्रक्षेपं समन्त्रकं विधत्ते–अग्नेः पुरीषमसीति । सम्भारानुपनिवपतीति । स च सम्भारनिवापः 'अग्नेः' ' सर्वत्वाय ' कृत्स्नत्वाय सम्पद्यते गुग्गुल्वादीनामग्न्यवयवत्वं स्वयमेव वक्ष्यति,–अतस्तेषामग्निना संयोजनेन स सर्वः सम्पूर्णो भवति ॥ १४ ॥

शरीरं हैवेति । ' अस्य ' अग्नेः ' पीतुदारु ' उदुम्बरविशेषः । " स यां वनस्पतिष्ववसत्तां पितुद्रौ " (तै. सं. ६ । २ । ८ । ४) इति च तैत्तिरीयके श्रवणात् पीतुदारुणोऽग्नेः शरीरत्वम् ॥ १५ ॥

मांसं हैवास्येति । " यन्मांसमुपस्नुतं तद् गुल्गुलु " इति (तै. सं. ६ । २ । ८ । ४) श्रुतेः गुग्गुलोरग्नेर्मांसत्वम् ॥ १६ ॥

१–भूतेभ्यस्त्वेति स्रुचमुद्यच्छति । का.श्रौ.सू.५।९२। २–नाभिं पैतुदारवैः परिदधाति पूर्ववद् ध्रुवोऽसीति प्रतिमंत्रम् । का.श्रौ.सू. ५।९३। ३–अग्नेः पुरीषमिति निवपति गुग्गुलुसुगंधितेजनवृष्णिस्तुकाश्चोपरिशीर्षण्या अभावेऽन्याः इति । का. श्रौ. सू. ५–९४।

गन्धो हैवास्य सुगन्धितेजनम् । तद्यत्सुगन्धितेजनं भवति गन्धेनैवैन-
मेतत्समर्द्धयति कृत्स्नं करोति ॥ १७ ॥

(त्यु) अथ यद्वृष्णे स्तुका भवति । व्वृष्णेर्हं वै व्विषाणेऽअन्तरेणा-
ग्निरेकाᳬं रात्रिमुवास तद्यदेवात्राग्नेर्न्यक्तं तदिहाप्यसदिति तस्माद्वृष्णे
स्तुका भवति तस्माद्या शीर्ष्णो नेदिष्ठᳬं स्यात्तामाच्छिद्याहरेद्यद्यु तां
न विन्देदपि यामेव काञ्चाहरेत्तद्यत्परिधयो भवन्ति गुप्त्याऽएव दूरऽइव
ह्येनमुत्तरे परिधय ऽआगच्छन्ति ॥ १८ ॥

इति चतुर्थप्रपाठके द्वितीयं ब्राह्मणम् ॥४॥२॥(५॥२)॥

गन्धो हैवास्य सुगन्धितेजनम् । तद् यत् सुगन्धितेजनं भवति–गन्धेनैवैनमेतत् समर्द्धयति, कृत्स्नं करोति ॥ १७ ॥

अथ यद् वृष्णेः स्तुका भवति । वृष्णेर्हं वै विषाणे अन्तरेणाग्निरेकां रात्रिमुवास । तद् यदेवात्राग्नेर्न्यक्तं–तदिहाप्यसदिति । तस्माद् वृष्णेः स्तुका भवति । तस्माद्या शीर्ष्णो नेदिष्ठं स्यात्–तामाच्छिद्याहरेत् । यद्यु तां न विन्देदपि यामेव काञ्चाहरेत् । तद् यत्परिधयो भवन्ति–गुप्त्याऽएव । दूरऽइव ह्येनमुत्तरे परिधय आगच्छन्ति ॥ १८ ॥

गन्धो हैवास्येति । "यामोषधीषु तां सुगन्धितेजने–" (तै. सं. ६ । २ । ८ । ४) इति श्रुतेः सुगन्धितेजनाख्यौषधिविशेषे अग्नेरेकरात्रनिवासादग्नेर्गन्धः सुगन्धितेजने सङ्क्रान्तः । तदुपवापेन अग्नेर्गन्धाख्यांशस्य पुनर्योजना । अतः कृत्स्नत्वमग्नेः ॥ १७ ॥

अथ यद्वृष्णे स्तुका भवतीति । वृष्णिर्मेषः, तस्य स्तुका रोम । स्तुकाया अग्न्यवयवत्वमुपपादयति–वृष्णेर्हं वै विषाणे अन्तरेणेति । "यां पशुषु तां पेत्वस्यान्तरा शृङ्गे–" (तै. सं. ६ । २ । ८ । ४) इति तैत्तिरीयकम् ॥

या शीर्ष्णो नेदिष्ठं स्यात् तामाच्छिद्याहरेदिति । वृष्णेरलाभे कथमित्यत आह–अपि यामेव कां चाहरेदिति । तदवान्तरजातिसम्बन्धामपीत्यर्थः । परिधीनां परिधानं तद्दारुविशेषत्वं चोक्तम्, इदानीं तदावश्यकत्वमाह–तद् यत् परिधयो भवन्तीत्यादि । यस्मात् ' उत्तरे ' उपरि क्रियमाणाः ' परिधयः ' ' दूरे ' विप्रकृष्टकाले होमकाले ' आगच्छन्ति ' अतोऽग्नेर्गुप्तिस्तावत्पर्यन्तमपेक्षिता; तस्मादिदानीमवश्यं कर्तव्यमित्यर्थः ॥ १८ ॥

इति श्रीसायणाचार्यविरचिते माधवीये वेदार्थप्रकाशे माध्यन्दिनीयशतपथब्राह्मणभाष्ये
तृतीयकाण्डे पञ्चमाध्याये द्वितीयं ब्राह्मणम् ॥ (३–५–२)

१–'शीर्ष्णे' इति क. शा. भाष्येऽपि ' शीर्ष्णो ' इत्येव । २–' सुगन्धितेजनादोषधिविशेषे ' इति जयपुरीयपु० पा० ।

पु॒रु॒षो वै॑ य॒ज्ञः । पु॒रु॒षस्तेन॑ य॒ज्ञो य॒देनं॑ पु॒रु॒षस्त॒नु॒तऽए॒ष वै॒ ता॒यमा॑नो
या॒वा॑नेव पु॒रु॒षस्ता॒वान्वि॒धी॑यते त॒स्मात्पु॒रु॒षो य॒ज्ञः ॥ १ ॥

शिर॒ ऽए॒वास्य ह॑वि॒र्द्धा॑नम् । वै॒ष्ण॒वं दे॒व॒त॒याथ य॒द॒स्मिन्त्सोमो॒ भ॑वति
ह॒विर्वै॑ दे॒वा॒ना॒ᳫं सोम॒स्त॒स्माद्ध॒वि॒र्द्धा॑नं॒ ना॒म ॥ २ ॥

मु॒खमे॒वास्या॑हव॒नी॒यः । स य॒दा॑हव॒नी॒ये जु॒होति॒ य॒था मु॒खऽआसि॒ञ्चे॒देवं तत् ३
(त्स्तु) स्तु॒पऽए॒वास्य यू॒पः । (पो) बा॒हू ऽए॒वास्या॑ग्नी॒ध्री॒यश्च॑
मा॒र्जा॒ली॒यश्च ॥ ४ ॥

अथ हविर्धानकर्म ।

पुरुषो वै यज्ञः । पुरुषस्तेन यज्ञः—यदेनं पुरुषस्तनुते । एष वै तायमानो यावानेव पुरुषस्तावान् विधीयते । तस्मात् पुरुषो यज्ञः ॥ १ ॥

शिर एवास्य हविर्द्धानम्—वैष्णवं देवतया । अथ यदस्मिन् सोमो भवति । हविर्वै देवानां सोमः । तस्माद्धविर्द्धानं नाम ॥ २ ॥

मुखमेवास्याहवनीयः । स यदाहवनीये जुहोति—यथा मुख आसिञ्चेद्; एवं तत् ॥ ३ ॥
स्तुप एवास्य यूपः । बाहूऽएवास्याग्नीध्रीयश्च, मार्जालीयश्च ॥ ४ ॥

उत्तरत्र (श. प. ब्रा. ३ । ५ । ३ । ७) सदोहविर्द्धानादिकं विधास्यति, तदुपोद्घातत्वेन तेषां पुरुषाकारसन्निवेशतामाह—**पुरुषो वै यज्ञ** इत्यादिना । अत्र यज्ञशब्देन तदाधारभूतः सदोहविर्द्धानादिक उच्यते । प्रतिज्ञाते पुरुषत्वे हेतुमाह—**पुरुषस्तेन यज्ञ** इति । 'तेन' कारणेन 'यज्ञः' 'पुरुषः' इत्यर्थः । हेतुं विवृणोति—**यदेनं पुरुषस्तनुत** इति । यस्मात् पुरुषेण यज्ञस्तायते, तेन यज्ञः पुरुष इत्यर्थः । तत् किं पुरुषेण तायमानः सर्वोऽपि पुरुषः ? नेत्याह—**एष वै तायमानो, यावानेव पुरुषः, तावान् विधीयत** इति । पुरुषाकारेण तायमानत्वात् पुरुष इत्यर्थः ॥ १ ॥

शिर एवास्येति । हविर्द्धानस्य यज्ञशिरस्त्वे कारणमाह—**वैष्णवं देवतयेति** । विष्णुदेवताकैर्मन्त्रैर्निर्मातव्यत्वात्, वैष्णवत्वम् । विष्णोः सर्वदेवतानामुत्तमत्वात्, शिरसोऽप्यङ्गानामुत्तमत्वाद युक्तं हविर्द्धानस्य शिरस्त्वम् । हविर्द्धानं नामनिर्वचनेन प्रशंसति—**अथ यदस्मिन्निति** ॥ २ ॥

मुखमेवास्याहवनीय इति । आहवनीयस्य मुखत्वसाम्यं दर्शयति—**स यदाहवनीये जुहोतीति** । अत्र प्रक्षेपसाम्यान्मुखमित्यर्थः ॥ ३ ॥

स्तुप एवास्य यूप इति । 'यूप एव' 'अस्य' यज्ञस्य 'स्तुपः' केशनिचयः, दैर्घ्यसाम्यात् । हविर्द्धानस्योत्तरस्याम् 'आग्नीध्रीयः' दक्षिणस्यां 'मार्जालीयः,' अत एव 'बाहू'; उभयतः समानत्वात्तौ बाहुस्थानीयौ ॥ ४ ॥

(श्रो) उदुरमेवास्य सुदः । (स्तु) तुस्मात्सुदसि भक्षयन्ति युद्धीदं किञ्चाश्नुन्त्युदुरऽएवेदᳬं सर्व्वं प्रतितिष्ठत्युथ युदुस्मिन्विश्वे देवाऽअसीदं-स्तुस्मात्सुदो नाम तु उऽएवास्मिन्नेते ब्राह्मणा विश्वगोत्राः सीदन्ति ॥ ५ ॥

(न्त्यु) अुथ यावेतौ जघुनेनाग्नी । पादावेुवास्यैतावेष वै तायमानो यावानेव पुरुषस्तावान्विधीयते तुस्मात्पुरुषो युज्ञः ॥ ६ ॥

(ऽ) उभयुतोद्वारᳬं हविर्द्धानं भवति । (त्यु) उभयुतोद्वारᳬं सुद-स्तुस्मादयं पुरुषऽआन्तᳬं सुन्तृण्णः प्रणिक्ते हविर्द्धानेऽउपतिष्ठते ॥ ७ ॥

ते समुववर्तयन्ति । दक्षिणेनैवं दक्षिणमुत्तरेणोत्तरं युद्वर्षीयस्तद्द-क्षिणᳬं स्यात् ॥ ८ ॥

उदरमेवास्य सदः । तस्मात् सदसि भक्षयन्ति । यद्धीदं किञ्चाश्नन्ति—उदरऽएवेदं सर्वं प्रतितिष्ठति । अथ यदस्मिन् विश्वेदेवाऽअसीदन्—तस्मात्सदो नाम । त उ एवास्मिन्नेते ब्राह्मणा विश्वगोत्राः सीदन्ति॥

अथ यावेतौ जघनेनाग्नी—पादावेवास्यैतौ । एष वै तायमानो यावानेव पुरुषः, तावान्विधीयते । तस्मात् पुरुषो यज्ञः ॥ ६ ॥

उभयतोद्वारं हविर्द्धानं भवति, उभयतोद्वारं सदः । तस्मादयं पुरुषऽआन्तं सन्तृण्णः । प्रणिक्ते हविर्द्धाने उपतिष्ठते ॥ ७ ॥

ते समववर्तयन्ति—दक्षिणेनैव दक्षिणम्, उत्तरेणोत्तरम् । यद्वर्षीयस्तद्दक्षिणं स्यात् ॥ ८ ॥

उदरमेवास्य सद इति । सदसि भक्षणसम्भवाद् भक्षणसाम्यात् 'सदः उदरम्' । 'सदः'—शब्दो यौगिक इत्याह—**अथ यदस्मिन् विश्वेदेवा असीदन्निति** । सीदन्त्यत्रेति सदः । विश्वेदेवा वस्वादिरूपेण नानाजातीयाः । ब्राह्मणेषु कथं विश्वदेवत्वमिति तत्राह—**ब्राह्मणा विश्वगोत्राः सीदन्ती**ति ॥ ५ ॥

अथ यावेतौ जघनेनाग्नी इति । सौमिकवेदेः पश्चाद्भागे 'अग्नी' आहवनीयगार्हपत्यौ, तौ जघनदेशवर्ति-त्वात् 'पादौ' । उपपादितमर्थं गमयति—**एष वै तायमान** इति ॥ ६ ॥

उभयतोद्वारमिति ("पृष्ठ्यामुभयतोद्वार्ये" इति का. श्रौ. सू. ८ । ११०) हविर्द्धानं सदश्चेत्युभयम्, 'उभयतोद्वारम्' प्राक् पश्चाच्च । यस्मात् पुरुषरूपो यज्ञ उभयतोद्वारकः, 'तस्मात्' 'पुरुषः' मनुष्यः 'आन्तम्' अन्तपर्यन्तम् 'सन्तृण्णः' सुषिरवान् भवति । आन्तसाम्यात् पुरुषाकारत्वं यज्ञस्य सिद्धम् । हविर्द्धानप्रवर्तनायोभयोर्निर्णिज्य स्थापनं विधत्ते—**प्रणिक्ते हविर्द्धाने उपतिष्ठते** इति । अत्र कात्यायनः—"ओपनिवपनात्कृत्वा हविर्द्धाने स्थापयति पृष्ठ्यामुभयतः—" इति (का. श्रौ. सू. ८ । ७३) ॥ ७ ॥

ते समववर्तयन्तीति । 'दक्षिणेन' पृष्ठ्याख्यमध्यरज्ज्वोर्दक्षिणदेशेन 'दक्षिणं' हविर्द्धानम्, तथा 'उत्तरेण उत्तरम्' 'समववर्तयन्ति' हविर्धानमण्डपं प्रति सम्यगगमयन्ति । 'यद्' 'वर्षीयः' अतिशयेन वृद्धम्, 'तद्' 'दक्षिणम्' हविर्द्धानं कर्तव्यम् ॥ ८ ॥

१-व्वर्षीयोदक्षिणं । का. श्रौ. सू. ८ । ७३ ।

(ञु) तयोः समवृत्तयोः । (इछ) छदिरधिनिदधति यदि च्छदिर्नु विन्दे-युश्छदिः सम्मितां भित्तिं प्रत्यानह्यन्ति रराटयां परिश्रयन्त्युच्छ्रायीभ्यां छदिः पश्चादधिनिदधति च्छदिः सम्मितां वा भित्तिम् ॥ ९॥

(मु) अथ पुनः प्रपद्य । चतुर्गृहीतमाज्यं गृहीत्वा सावित्रं प्रसवाय जुहोति सविता वै देवानां प्रसविता सवितृप्रसूताय यज्ञं तनवामहाऽइति तस्मात्सावित्रं जुहोति ॥ १० ॥

स जुहोति । युञ्जते मनऽउत युञ्जते धियऽइति मनसा च वै वाचा च यज्ञं तन्वते स यदाह युञ्जते मनऽइति तन्मनो युनक्त्युत युञ्जते धिय इति तद्वाचं युनक्ति धिया धिया ह्येतया मनुष्या जुज्यूषन्त्यनूक्तेनेव प्रकामोद्येनेव गाथाभिरिव ताभ्यां युक्ताभ्यां यज्ञं तन्वते ॥ ११ ॥

तयोः समववृत्तयोः छदिरधिनिदधति । यदि छदिर्न विन्देयुः—छदिः संमितां भित्तिं प्रत्यानह्यन्ति । रराटयां परिश्रयन्ति । उच्छ्रायीभ्यां छदिः पश्चादधिनिदधति, छदिः सम्मितां वा भित्तिम् ॥ ९

अथ पुनः प्रपद्य चतुर्गृहीतमाज्यं गृहीत्वा सावित्रं प्रसवाय जुहोति । सविता वै देवानां प्रसविता । सवितृप्रसूताय यज्ञं तनवामहाऽइति । तस्मात् सावित्रं जुहोति ॥ १० ॥

स जुहोति । "युञ्जते मन उत युञ्जते धियः"–(वा. सं. ९ । १४) इति । मनसा च वै वाचा च, यज्ञं तन्वते । स यदाह—युञ्जते मनऽइति—तन्मनो युनक्ति । उत युञ्जते धिय—इति—तद्वाचं युनक्ति । धिया—धिया ह्येतया मनुष्या जुज्यूषन्ति—अनूक्तेनेव, प्रकामोद्येनेव, गाथाभिरिव । ताभ्यां युक्ताभ्यां यज्ञं तन्वते ॥ ११ ॥

तयोःसमववृत्तयोरिति । 'समववृत्तयोस्तयोः' 'अधि' उपरि 'छदिः' तृणमयं कटम् उभयतः स्थापयेत् तदभावे 'भित्तिं वा' प्रत्यानह्येत् । तथा च कात्यायनः "वर्षीयो दक्षिणम् तयोश्छदिरध्यस्यति भित्तिं वाऽभावे"[१] (का. श्रौ. सू. ८ । ७३–७९) इति । 'रराटयां' हविर्द्धानयोर्मुखप्रदेशे उच्छ्रायीभ्यां तोरणकाष्ठाभ्यामन्तराले परिश्रये 'पश्चात्' पृष्ठभागेऽपि 'छदिः' 'अधि' निदधात् । तदभावे 'भित्तिः' पूर्ववत् कर्तव्या ॥ ९ ॥

हविर्द्धानप्रवर्तनाभ्यनुज्ञापनाय सावित्रं होमं विधत्ते—**अथ पुनः प्रपद्य चतुर्गृहीतमाज्यं गृहीत्वा सावित्रं प्रसवाय जुहोतीति** । व्याघारणायाज्यं ग्रहीतुं पूर्वमाहवनीयं प्रति गतत्वात् 'पुनः प्रपद्य'—इत्युच्यते । सत्स्वन्येषु देवेषु सवित्रे किमर्थं हूयत इत्यत आह—सविता वै देवानामिति । देवानां मध्ये सविता अनुज्ञाकर्ता ॥ १० ॥

होममन्त्रमाह—स जुहोतीति । मन्त्रस्यायमर्थः—'विप्राः' मेधाविनः, अध्वर्युप्रमुखाः ऋत्विजः । 'विप्रस्य' विशेषेणाभिमतफलपूरकस्य प्रापकस्य 'बृहतः' महतः, 'विपश्चितः' मेधाविनः, यज्ञस्य । इतरे विपश्चितो-

---

१–रराटयांरैक्याद्ररराटीनाम ललाटपट्टिका इत्यर्थः । २–चतुर्गृहीतं शालाद्वार्ये जुहोति युञ्जत इति । का. श्रौ. सू. ८ । ७९ ।

विप्रा विप्रस्य बृहतो विपश्चित इति । ये वै ब्राह्मणाः शुश्रुवाᳬंसोऽनूचानास्ते विप्रास्तानेवैतदभ्याह बृहतो विपश्चितऽइति यज्ञो वै बृहन्विपश्चिद्यज्ञमेवैतदभ्याह विहोत्रा दधे वयुनाविदेक इदिति वि हि होत्रा दधते यज्ञं तन्वाना मही देवस्य सवितुः परिष्टुतिः स्वाहेति तत्सावित्रं प्रसवाय जुहोति ॥ १२ ॥

" **विप्रा विप्रस्य बृहतो विपश्चितः** "–(वा. सं. ५ । १४) इति । ये वै ब्राह्मणाः शुश्रुवांसोऽनूचानास्ते विप्राः । तानेवैतदभ्याह । ' बृहतो विपश्चित '–इति । यज्ञो वै बृहन् विपश्चित् । यज्ञमेवैतदभ्याह । " **विहोत्रा दधे वयुनाविदेकऽइत्** "–(वा. सं. ५ । १४) इति । वि हि होत्रा दधते–यज्ञं तन्वानाः । " **मही देवस्य सवितुः परिष्टुतिः स्वाहा** "–(वा. सं. ५ । १४) इति । तत्–सावित्रं प्रसवाय जुहोति ॥ १२ ॥

ऽल्पविपश्चितः, असौ तु ' यज्ञो बृहन् विपश्चित् ; ' अतः पदद्वयसामर्थ्याद् यज्ञ एवाभिमतः । तं यज्ञं सवित्र-प्रसूतं ' मनः ' ' धियः ' बुद्धीश्च ' युञ्जते ' अन्तः करणस्य मनसः पृथङ् निर्देशात् ' धी '–शब्देन तत्पूर्विका वागुच्यते । तथा ' होत्राः ' वषट्कर्तारः सप्त होत्रकाश्च यज्ञविषये सवित्राऽनुज्ञाता एव मनो धियश्च ' विदधे ' विदधते, कुर्वते । " लोपस्त आत्मनेपदेषु "–(पा. सू. । ७ । १ । ४१) इति तलोपः । कुत ईदृङ्माहात्म्यं सवितुरिति, तत्राह–यस्मात् सविता ' एक इत् ' एक एव ' वयुनावित् ' । वयुनमिति प्रज्ञानाम (निघं. ३ । ९ । १०) प्रज्ञावानित्यर्थः । यद्वा वीयते गम्यत इति वयुनं, यज्ञमार्गः । " वयुनं वेतेः " इति निरुक्तम् (निरु. ५ । ३ । २) । तस्य वेदिता एक एव । तस्य सवितुर्देवस्य ' परिष्टुतिः ' ' मही ' महती ' स्वाहा ' स्तुतिरूपमिदं द्रव्यं स्वाहुतमस्तु ॥

मन्त्रं व्याचष्टे–**मनसा च वै वाचा** चेत्यादिना । ' धी '–शब्दस्य विवक्षितमर्थमाह–**उत युञ्जते धिय इति । तद्वाचं युनक्ती**ति । ' धिया–धिया ' यदा यदा बुद्धिर्जायते तदा–तदा खलु ' एतया ' वाचा ' जुज्यूषन्ति ' जीवितुमिच्छन्ति । अतः केवलबुद्धेर्जीवनसाधनत्वाभावेन वाचोऽपेक्षितत्वात् ' धी '–शब्देन तत्पूर्विका वागुच्यते । जीवनसाधनत्वमेव विशदयति–**अनूक्तेनेवे**ति । 'अनूक्तम्' अनुवचनम्, अध्ययनादिकम् । ' प्रकामः ' स्वैच्छिकलौकिकभाषणम् । ' गाथाः ' गद्यपद्यात्मिकाः ॥ ११ ॥

विप्रा विप्रस्य बृहत इति । मन्त्रगतस्य प्रथमविप्रशब्दस्याभिमतमर्थमाह–**ये वै ब्राह्मणा** इति । ऋत्विज इत्यर्थः । ' एतत् ' ' विप्राः '–इति पदम्, ' तानेव' ब्राह्मणानेव ' अभ्याह ' ब्रूते इत्यर्थः । बृहद्विपश्चिच्छब्दाभ्यां यज्ञो विवक्ष्यत इत्याह–**यज्ञो वै बृहन् विपश्चि**दिति । ' होत्रा '–शब्देन यज्ञकर्तारोऽभिमताः । 'दधे–' इत्येतद् ' दधते '–इत्यस्य बहुवचनस्य स्थाने इति व्याचष्टे–**वि हि होत्रा दधते यज्ञं तन्वाना** इति । **तत् सावित्रं प्रसवाय जुहोती**ति । यस्मान्मन्त्रे " सवितुर्देवस्य "–इति सविता देवः श्रूयते, ' तत् ' तस्मादेव मन्त्रसाध्यं ' सावित्रं ' होमं ' प्रसवाय ' जुहुयात् ॥ १२ ॥

१–' तं निर्वाहाय '–इ. क. पा. ।

(त्य) अथापरं चतुर्गृहीतमाज्यं गृहीत्वा । (त्वो) उपनिष्क्रामति दक्षिणया द्वारा पत्नीं निष्क्रामयन्ति स दक्षिणस्य हविर्द्धानस्य दक्षिणायां वर्तन्या᳘ᳪ हिरण्यं निधाय जुहोतीदं विष्णुर्विचक्रमे त्रेधा निदधे पदम् । समूढमस्य पाᳪसुरे स्वाहेति सᳪस्रवं पत्न्यै पाणावानयति साक्षस्य सन्तापमुपानक्ति देवश्रुतौ देवेष्वाघोषतमिति प्रयच्छति प्रतिप्रस्थात्रे स्रुचं चाज्यविलापनीं च पर्याणयन्ति पत्नीमुभौ जघनेनाग्नी ॥ १३ ॥

चतुर्गृहीतमाज्यं गृहीत्वा । प्रतिप्रस्थातोत्तरस्य हविर्द्धानस्य दक्षिणायां वर्तन्या᳘ᳪ हिरण्यं निधाय जुहोतीरावती धेनुमती हि भूतᳪ᳘ सूयवसिनी

अथापरं चतुर्गृहीतमाज्यं गृहीत्वा उपनिष्क्रामति । दक्षिणया द्वारा पत्नीं निष्क्रामयन्ति । स दक्षिणस्य हविर्द्धानस्य दक्षिणायां वर्तन्यां हिरण्यं निधाय जुहोति । " इदं विष्णुर्विचक्रमे त्रेधा निदधे पदम् । समूढमस्य पांसुरे स्वाहा "–(वा. सं. ५।१५) इति । संस्रवं पत्न्यै पाणावानयति साक्षस्य सन्तापमुपानक्ति । " देवश्रुतौ देवेष्वाघोषतम् "–(वा. सं. ५।१७) इति प्रयच्छति प्रतिप्रस्थात्रे–स्रुचं च आज्यविलापनीं च । पर्याणयन्ति पत्नीमुभौ जघनेनाग्नी ॥ १३ ॥

चतुर्गृहीतमाज्यं गृहीत्वा प्रतिप्रस्थाता उत्तरस्य हविर्द्धानस्य दक्षिणायां वर्तन्यां हिरण्यं निधाय

अथापरमित्यादि । दक्षिणहविर्द्धानशकटवर्त्मनि होमार्थमन्यत्, ' चतुर्गृहीतमाज्यं गृहीत्वा ' प्राचीनवंशादुपनिष्क्रामेत् । ' पत्नीं ' च अक्षधुराभ्यञ्जनाय ' दक्षिणया द्वारा ' निष्क्रामयेत् । ' सः ' अध्वर्युः । ' दक्षिणस्य ' ' हविर्द्धानस्य ' शकटस्य दक्षिणचक्ररेखायां ' हिरण्यं ' ' निधाय ' अध्वर्युर्जुहुयात् ॥

होममन्त्रस्यायं संगृहीतोऽर्थः–' इदं ' विश्वं ' विष्णुः ' त्रिविक्रमावतारधारी ' विचक्रमे ' विक्रान्तवान् । विक्रमणप्रकारमाह–' त्रेधा ' त्रिप्रकारेण त्रिषु स्थानेषु क्षित्यादिषु ' पदं ' ' निदधे ' स्थापितवान् । ' अस्य ' विष्णोः ' पांसुरे ' रजोयुक्ते पदे लोकत्रयं ' समूढम् ' गृहीतं सम्मितमासीदित्यर्थः । 'स्वाहा' इदं सुहुतमस्तु । ' संस्रवं ' जुहूलिप्तम् । ' सा ' पत्नी संस्रवेणाज्येन ' अक्षस्य ' ' सन्तापं ' सन्तप्यते चक्रसङ्घर्षेणेति सन्तापः, चक्रवलयसंस्पर्शप्रदेशः । चक्रद्वयम् ' उपानक्ति ' अनुलोमाञ्जनं कुर्यात्, न प्रतिलोमम् । पुनः पाणिमावर्तयेत् । तथा च कात्यायनः–" पत्नी पाणिभ्यां शेषं प्रतिगृह्याक्षधुरावनक्ति पराग् देवश्रुताविति–" (का. श्रौ. सू. ८।८२) इति ॥

आञ्जनमन्त्रस्यायमर्थः–हे ' देवश्रुतौ ' ! देवान् श्रावयत इति देवश्रुतौ, अक्षयोरावारप्रदेशौ । युवां ' देवेषु ' मध्येऽस्मान् ' आघोषतम् ' ते सम्यग् यजन्तीति शब्दं कुरुतम् ॥

पर्याणयन्ति पत्नीमुभौ जघनेनाग्नी–इति । दक्षिणहविर्द्धानाञ्जनानन्तरप्रादक्षिण्यक्रमेण उभौ ' जघनेन ' आहवनीयगार्हपत्ययोः पश्चाद्भागेन पत्नीं ' पर्याणयन्ति ' परितो गमयन्ति ॥ १३ ॥

चतुर्गृहीतमाज्यमिति । प्रतिप्रस्थाता उत्तरहविर्द्धानस्य दक्षिणवर्तन्यां ' हिरण्यं निधाय ' " इरावती "

१–अपरं दक्षिणे व्वर्त्मनि दक्षिणस्यानसो हिरण्यं निधायाभिजुहोतीदं व्विष्णुरिति । का. श्रौ.सू. ८।८१। २–'निष्क्रामेत्' इति क.

मुनवे दुशस्या ॥ व्यस्कभ्ना रोदसी व्विष्णवेते दाधर्थ पृथिवीमभितो मयूखैः स्वाहेति सᳬंस्रवं पत्न्यै पाणावानयति साक्षस्य सन्तापमुपानक्ति देवश्रुतौ देवेष्वाघोषतमिति तद्यदेवं जुहोति ॥ १४ ॥

देवा ह वै यज्ञं तन्वानाः । (स्ते) तेऽसुररक्षसेभ्य आसङ्गाद्विभयाञ्चक्रुर्व्वज्रो वाऽआज्यं तऽएतेन व्वज्रेणाज्येन दक्षिणतो नाष्ट्रा रक्षाᳬंस्युवाघ्नंस्तथैषां नियानं नान्ववायंस्तथोऽएवैष ऽएतेन व्वज्रेणाज्येन दक्षिणतो नाष्ट्रा रक्षाᳬंस्यवहन्ति तथास्य नियानं नान्ववयन्ति तद्यद्वैष्णवीभ्यामृग्भ्यां जुहोति व्वैष्णवᳬं हि हविर्द्धानम् ॥ १५ ॥

जुहोति–"इरावती धेनुमती हि भूतं सूयवसिनी मनवे दशस्या । व्यस्कभ्ना रोदसी विष्णवेते दाधर्थ पृथिवीमभितो मयूखैः स्वाहा"–(वा. सं. ५।१६) इति । संस्रवं पत्न्यै पाणावानयति साक्षस्य सन्तापमुपानक्ति । "देवश्रुतौ देवेष्वाघोषतम्"–(वा. सं. ५ । १७) इति । तद् यदेवं जुहोति ॥ १४ ॥

देवा ह वै यज्ञं तन्वानाः । तेऽसुररक्षसेभ्य आसङ्गाद् बिभयाञ्चक्रुः । वज्रो वा ऽआज्यम् । त एतेन वज्रेणाज्येन दक्षिणतो नाष्ट्रा रक्षांस्यवाघ्नन्, तथैषां नियानं नान्ववायन् । तथो ऽएवैष एतेन वज्रेणाज्येन दक्षिणतो नाष्ट्रा रक्षांस्यवहन्ति, तथाऽस्य नियानं नान्ववयन्ति । तद् यद्वैष्णवीभ्यामृग्भ्यां जुहोति, वैष्णवं हि हविर्द्धानम् ॥ १५ ॥

इति मन्त्रेण चतुर्गृहीतमाज्यं जुहुयात्[१] । मन्त्रस्यायमर्थः–हे द्यावापृथिव्यौ ! युवां 'मनवे' मनुष्याय यजमानाय 'इरावती' अन्नवत्यौ 'धेनुमती' बहुधेनुयुक्ते च 'भूतम्' भवतम् । तथा 'सूयवसिनी' शोभनघासयुक्ते, 'दशस्या' दशस्यौ अभिमतफलदात्र्यौ भवतम् । एवं महानुभावे एते रोदस्यौ हे विष्णो ! त्वं 'व्यस्कभ्नाः' विविधं स्कम्भितवानसि । तथा विशेषेण 'पृथिवीम्' 'अभितः' सर्वतः मयूखैः मयूखवत् सन्ततैर्जीवैस्तेजोभिर्वा 'दाधर्थ' धारयसि । तादृशाय तुभ्यम् इदमुत्तरहविर्धान–दक्षिणचक्रमार्गे हूयमानमन्नं 'स्वाहा' सुहुतमस्तु ॥

संस्रवमित्यादि पूर्ववत् । तद्यदेवं जुहोतीति । 'यद्' यदा एवं वर्त्मद्वये जुहोति, 'तत्' तदा 'संस्रवं' 'पत्न्यै' पत्न्याः 'पाणौ' इति पूर्वत्र सम्बन्धः ॥ १४ ॥

विहितं मार्गहोमं रक्षसां मार्गानुगमनपरिहारसाधनत्वेन प्रशंसति–देवा ह वै यज्ञं तन्वाना इत्यादिना । आज्यस्य यज्ञस्य असकृत् नियात्यत्रेति नियानो मार्गः । स्पष्टमन्यत् । मन्त्रयोर्विष्णुदेवताकत्वं हविर्द्धानयोरुचितमित्याह–तद्यद्वैष्णवीभ्यामिति । हविर्द्धानस्य वैष्णवत्वं शिर एवास्य हविर्द्धानमित्यत्रोक्तम् (श. प. ब्रा. ३ । ५ । ३ । २) ॥ १५ ॥

१–स्रुक्स्थाल्यौ प्रतिगृह्य प्रतिप्रस्थातोत्तरस्येरावतीति पूर्ववत् । का. श्रौ. सू. ८ । ८४ ।

(मु) अथ यत्पत्न्यक्षस्य सन्तापमुपानक्ति । प्रजननमेवैतत्क्रियते यदा वै स्त्रियै च पुँ्सश्च सन्तप्यतेऽथ रेतः सिच्यते तत्ततः प्रजायते पराग्गुपानक्ति पराग्घ्येव रेतः सिच्यतेऽथाह हविर्द्धानाभ्यां प्रवर्त्यमानाभ्यामनुब्रूहीति ॥ १६ ॥

(त्यु) अथ वाचयति । प्राची प्रेतमध्वरं कल्पयन्तीऽइत्यध्वरो वै यज्ञः प्राची प्रेतं यज्ञं कल्पयन्तीऽइत्येवैतदाहोर्ध्वं यज्ञं नयतं मा जिह्वरतमित्यूर्ध्वमिमं यज्ञं देवलोकं नयतमित्येवैतदाह मा जिह्वरतमिति तदेतस्माऽअह्वलामाशास्ते समुद्गृह्येव प्रवर्तयेयुर्यथा नोत्सर्जेतामसुर्य्या वाऽएषा वाग्याऽक्षे नेदिहासुर्यां वाग्वदादिति यद्युत्सर्जेताम् ॥ १७ ॥

अथ यत्पत्न्यक्षस्य सन्तापमुपानक्ति–प्रजननमेवैतत्क्रियते । यदा वै स्त्रियै च पुंसश्च सन्तप्यते–अथ रेतः सिच्यते, तत् ततः प्रजायते । पराग्गुपानक्ति । पराग्घ्येव रेतः सिच्यते । अथाह–' हविर्द्धानाभ्यां प्रवर्त्यमानाभ्यामनुब्रूहि ' इति ॥ १६ ॥

अथ वाचयति " प्राची प्रेतमध्वरं कल्पयन्ती "–(वा. सं. ५ । १७) इति । अध्वरो वै यज्ञः । प्राची प्रेतं यज्ञं कल्पयन्ती इत्येवैतदाह । " ऊर्ध्वं यज्ञं नयतम् "–(वा. सं. ५ । १७) इति । " मा जिह्वरतम् "–(वा. सं. ५ । १७) इति । ऊर्ध्वम् इमं यज्ञं देवलोकं नयतम् इत्येवैतदाह-मा जिह्वरतम् इति । तत्–एतस्मा ऽअह्वलामाशास्ते समुद्गृह्येव प्रवर्तयेयुः–यथा नोत्सर्जेताम् । असुर्य्या वाऽएषा वाक् याऽक्षे नेदिहासुर्या वाग् वदादिति यद्युत्सर्जेताम् ॥ १७ ॥

अथ यत्पत्न्यक्षस्येत्यादि । सन्ताप्यमानस्याक्षस्योपाञ्जनमेव प्रजननोत्पादनम् । यस्मात् स्त्रीपुरुषयोः सम्भोगकाले सन्तापेन रेतस उत्पादनद्वारा प्रजननसम्भवस्तस्मात् सन्तापोपाञ्जनकरणम् । उपाञ्जनस्य पराग्रूपतां विधाय प्रशंसति–पराग्गुपानक्तीति ॥ १६ ॥

अथ वाचयतीति[1] । अथ प्रैषानन्तरं हविर्द्धानयोः प्रवर्तनकाले ' वाचयति ' । मन्त्रस्यायमर्थः–हे हविर्द्धाने ' प्राची ' प्रागग्रे प्रगच्छतम् ' अध्वरं ' सोमयागं ' कल्पयन्ती ' फलजननसमर्थं कर्तुं शक्ते । ' यज्ञम् ' सोमयागम् ' ऊर्ध्वं ' स्वर्गलोकं ' नयतम् ' प्रापयतम् । ' मा जिह्वरतम् ' चलनभ्रंशं मा कुरुतम् ॥

अध्वरो वै यज्ञ इति । " ध्वरतिर्हिंसाकर्मा । " (निरु. १ । २ । ३ ।) हिंसा नास्तीत्यध्वरः स ' यज्ञः ' नयतमित्युक्ते किमिति कर्मापेक्षायां तद्दर्शयति–**ऊर्ध्वमिमं यज्ञं देवलोकं नयतमिति** । ह्वला चलनम् (धा. पा. भ्वा. प. ८०७) तदभावः, ' अह्वला ' तयोः प्रवर्तनकाले ' समुद्गृह्येव ' सम्यगुद्धृतं गृहीत्वेव । तस्य व्याख्यानम्–**यथा नोत्सर्जेतामिति** । दुष्टध्वनिविसर्गः यथाऽत्यन्तकर्षणे च ध्वनिर्नोत्पद्येतामित्यर्थः । अक्षध्वनेः श्रवणकटुत्वादसुर्यत्वम् ॥ १७ ॥

१–हविर्द्धानाभ्यां प्रवर्त्यमानाभ्यामनुवाचयति । का. श्रौ. सू. ८ । ८६ । प्राची प्रेतमिति वाचयति । ८ । ८८ ।

(मे) एतद्वाचयेत् । (त्स्वु) स्वङ्गोष्ठमावदतं देवी दुर्य्येऽआयुर्मा निर्व्वादिष्टं प्रजां मा निर्व्वादिष्टमिति तस्यो हैषा प्रायश्चित्तिः ॥ १८ ॥

(स्तु) तदाहुः । (रु) उत्तरवेदेः प्रत्यङ्प्रक्रामेत्त्रीन्विक्रमांस्तद्धविर्द्धाने स्थापयेत्सा हविर्द्धानयोर्मात्रेति नात्र मात्राऽस्ति यत्रैव स्वयं मनसा मन्येत नाहैव सत्राऽत्यन्तिके नो दूरे तत्स्थापयेत् ॥ १९ ॥

(त्ते) तेऽअभिमन्त्रयते । (तेऽत्र) अत्र रमेथां व्वर्ष्मन्पृथिव्याऽइति व्वर्ष्म ह्येतत्पृथिव्यै भवति दिवि ह्यस्याहवनीयो भवति नभ्यस्थे करोति तद्धि क्षेमस्य रूपम् ॥ २० ॥

एतद्वाचयेत्–" स्वङ्गोष्ठमावदतम् देवी दुर्ये आयुर्मा निर्वादिष्टम्, प्रजां मा निर्वादिष्टम् "–(वा. सं. ५ । १७) इति । तस्यो हैषा प्रायश्चित्तिः ॥ १८ ॥

तदाहुः–उत्तरवेदेः प्रत्यङ् प्रक्रामेत, त्रीन् विक्रमांस्तद्धविर्द्धाने स्थापयेत्, सा हविर्द्धानयोर्मात्रेति । नात्र मात्राऽस्ति । यत्रैव स्वयं मनसा मन्येत । नाहैव सत्राऽत्यन्तिके, नो दूरे–तत् स्थापयेत् ॥ १९ ॥

तेऽअभिमन्त्रयते–" अत्र रमेथां वर्ष्मन् पृथिव्याः "–(वा. सं. ५ । १७) इति । वर्ष्म ह्येतत् पृथिव्यै भवति । दिवि ह्यस्याहवनीयो भवति । नभ्यस्थे करोति । तद्धि क्षेमस्य रूपम् ॥ २० ॥

एतद्वाचयेदिति[1] । प्रमादाद्ध्वन्युत्पत्तौ " स्वं गोष्ठम् "–इति 'एतद् वाचयेत्' हे 'देवी' हविर्द्धाने ! हे 'दुर्ये गृहेषु साधुरूपे । युवां 'स्वं' यजमानस्य स्वभूतं 'गोष्ठं' गवां स्थानम् 'आवदतं' सर्वतः शब्दयतम् पशवः समृद्धाः स्युरिति ब्रूतमित्यर्थः । 'आयुः' अस्मदायुषं 'मा' 'निर्बाधिष्टम्[2]' 'प्रजां' पुत्रादिरूपां च 'मा निर्बाधिष्टम्' । 'तस्य' ध्वनेरसुर्यस्य 'एषा' मन्त्रोच्चारणरूपा 'प्रायश्चित्तिः' ॥ १८ ॥

हविर्द्धानयोः स्थापनप्रदेशे पक्षान्तरमभिधातुं केषाञ्चित्पक्षमाह–तदाहुरिति । 'उत्तरवेदेः' पश्चात्सञ्चराय विक्रमत्रयं परित्यज्य यत्र देशे तयोः स्थापनं भवति, 'सा हविर्द्धानयोर्मात्रा' स्थापनप्रदेशप्रमाणम् । स्वपक्षमाह–नात्रेति । तत्र स्थापयेदिति शेषः । मनसा यत्र मन्येतेति विशिनष्टि–नाहैवेति । 'सत्रा' अभिमतदेशेऽपि अतिदूरमतिसमीपञ्च विसृज्य मध्ये स्थापयेदित्यर्थः । तथा च कात्यायनः–" पश्चादुत्तरवेदेस्त्रिषु प्रक्रमेषु मत्या वा "–(का. श्रौ. सू. ८ । ९० ।) इति ॥ १९ ॥

ते अभिमन्त्रयते[3] इति । स्थापनानन्तरं हविर्द्धाने अभिमन्त्रयेत–अत्र रमेथामिति । 'पृथिव्यै' पृथिव्याः 'वर्ष्मणि' शरीरे अत्र च देशे हविर्द्धाने 'रमेथाम्' रतिं कुरुतम् । दिवि ह्यस्येति । एतद्धविर्द्धानस्य पृथिवीत्वे हेतुः । । यस्मादुपरिभाग उत्तरवेदिरूपः 'आहवनीयः' द्युलोकस्थानीयः, अतस्तदधोवर्तिवेदिदेशस्य पृथिवीशरीरत्वं युज्यते । 'नभ्यस्थे करोति' यथा नाभ्याधारफलके भूमिष्ठे भवतः, तथा कुर्यात् । " नाभि

१–स्वं गोष्ठमिति च खर्जति । का. श्रौ. सू. ८ । ८९ । २–अत्र मूलपुस्तकेषु सर्वत्र निर्वादिष्टमित्येव दृश्यते । भाष्ये तु निर्बाधिष्टमिति । महीधरस्तु (वा. सं. ५ । १७) मन्त्रभाष्ये 'निर्वादिष्टम्' इत्येव पाठमवलम्ब्य 'निराकार्ष्टम्' इति व्याचख्यौ । ३–अभिमन्त्रयतेऽत्र रमेथामिति । ८ । ९० ।

(म) अथोत्तरेण पर्य्येत्याध्वर्य्युः । (दं) दक्षिणꣳ हविर्द्धानमुपस्तभ्नाति व्विष्णोर्नुकं व्वीर्य्याणि प्रवोचं यः पार्थिवानि विममे रजाꣳसि । यो ऽअस्कभायदुत्तरꣳ सधस्थं व्विचक्रमाणस्त्रेधोरुगायो व्विष्णवे त्वेति मेथीमुपनिहन्तीतरतस्ततो यदु च मानुषे ॥ २१ ॥

(षेऽथ) अथ प्रतिप्रस्थाता । (तो) उत्तरꣳ हविर्द्धानमुपस्तभ्नाति दिवो वा व्विष्णऽउत वा पृथिव्या महो वा व्विष्णऽउरोरन्तरिक्षात् । उभा हि हस्ता व्वसुना पृणस्वा प्रयच्छ दक्षिणादोत सव्याद्विष्णवे त्वेति मेथी-

---

अथोत्तरेण पर्य्येत्याध्वर्य्युर्दक्षिणं हविर्द्धानमुपस्तभ्नाति–" विष्णोर्नुकं वीर्याणि प्रवोचं यः पार्थिवानि विममे रजांसि । यो ऽअस्कभायदुत्तरं सधस्थं विचक्रमाणस्त्रेधोरुगायो विष्णवे त्वा "–(वा. सं. ५ । १८) इति । मेथीमुपनिहन्तीतरतः, ततो यद्द च मानुषे ॥ २१ ॥

अथ प्रतिप्रस्थाता उत्तरं हविर्द्धानमुपस्तभ्नाति–"दिवो वा विष्ण ऽउत वा पृथिव्या महो

नमं च " (पा. सू. ५ । १ । २ । ग. सू. ९५) इति यत्प्रत्यययोगे नभादेशः । उत्तरत्र प्रदेशस्य भूस्पर्शो भ्रंशः कदाचिद् भवेत्, अत एव तत् ' क्षेमस्य रूपम् ' भवति ॥ २० ॥

अथोत्तरेण पर्येत्येति । दक्षिणहविर्द्धानस्योत्तरतः ' परीत्य ' पुरोदेशं गत्वा ' दक्षिणं हविर्द्धानम् ' उपस्तभ्नाति ' । यथाऽधो न पतेत्, तथा कस्मिंश्चित् काष्ठे स्थापयेत् ॥

तन्मन्त्रः–" विष्णोर्नुकम् "–इति । ' विष्णोः ' त्रिविक्रमावतारस्य ' वीर्याणि ' ' प्रवोचम् ' प्रब्रवीमि । कानि तानि ? तदुच्यन्ते–' यः ' विष्णुः 'पार्थिवानि' पृथिवीविकारान्, ' रजांसि ' " लोका रजांस्युच्यन्ते " (निरु० ४ । ३ । ३) इति निरुक्तम्, लोकान् विविधं परिच्छिन्नवान् । 'यः' च 'उत्तरम्' उपरितनं 'सधस्थं' सहस्थानं द्युलोकम् ' अस्कभायत् ' स्तम्भितवान् । किं कुर्वन् ? ' त्रेधा ' त्रिप्रकारेण ' विश्वं ' ' विचक्रमाणः' विविधं क्रममाणः सन्, ' ' उरुगायः ' बहुभिर्महात्मभिर्बहुविधं वा श्रुत्यादिमुखेन गीयमानः । यो विष्णुरेवमकरोत् तस्य वीर्याणि प्रवोचम् इति ॥

विष्णवे त्वेति मेथीमुपहन्तीति[2] । हे ' मेथी ' स्तम्भ ! ' विष्णवे ' हविर्द्धानशकटाय ' त्वा ' त्वाम् उपहन्मीत्यर्थः । कस्मिन् देशे निहन्यादिति तमाह–इतरतस्ततो यद्द च मानुषे इति । ' मानुषे ' शकटधारणे ' यत् ' स्थानमीषाग्रेतरभागः तदुत्तरत्र ' मेथीं ' स्तम्भं निहन्यादित्यर्थः । तथा च सूत्रकार उभयोरपि दक्षिणतो निहननस्येदं ब्राह्मणवाक्यं प्रमाणयामास " उभे वा दक्षिणतः, इतरतस्ततः, यदु च मानुष इति श्रुतेः (का. श्रौ. सू. ८ । ९५–९७) "–इति ॥ २१ ॥

अथ प्रतिप्रस्थातेति[3] । दक्षिणहविर्द्धानोत्तम्भनमन्त्रस्यायमर्थः । हे ' विष्णो ' ! ' दिवः ' द्युलोकात्

१–उत्तरेण परिक्रम्य दक्षिणमुपस्तभ्नाति–व्विष्णोर्नुकमिति । का. श्रौ. सू. ८ । ९१ । २–दक्षिणतः स्थूणामुपनिहंति व्विष्णवे त्वेति । का. श्रौ. सू. ८ ९२ । ३–दिवो वेत्युत्तरं प्रतिप्रस्थाता । का. श्रौ. सू. ८ । ९३ ।

मुपनिहन्तीतरतुस्ततो यदु च मानुषे तद्यद्वैष्णवैर्य्युजुर्भिरुपचुरन्ति व्वैष्णवश्ँहि हविर्द्धानम् ॥ २२ ॥

(मु)अथ मध्यमं छदिरुपस्पृश्य व्वाचयति। प्रतद्विष्णुस्तवते व्वीर्य्येण मृगो नु भीमः कुचरो गिरिष्ठाः। यस्योरुषु त्रिषु व्विक्रमणेष्वधिक्षियन्ति भुवनानि व्विश्वेतीदुश्ँ हैवास्यैतच्छीर्षकपालं यदिदमुपरिष्टादधीव ह्येतत्क्षियन्त्यन्यानि शीर्षकपालानि तस्मादाहाधिक्षियन्तीति ॥ २३ ॥

वा विष्ण ऽउरोरन्तरिक्षात् । उभा हि हस्ता वसुना पृणस्वा प्रयच्छ दक्षिणादोत सव्याद्विष्णवे त्वा "-(वा. सं. ५ । १९) इति । मेथीमुपनिहन्तीतरतस्ततो यदु च मानुषे तद्व यद्वैष्णवैर्यजुर्भिरुपचरन्ति वैष्णवं हि हविर्द्धानम् ॥ २२ ॥

अथ मध्यमं छदिरुपस्पृश्य वाचयति-" प्रतद्विष्णुस्तवते वीर्येण मृगो न भीमः कुचरो गिरिष्ठाः । यस्योरुषु त्रिषु विक्रमणेष्वधिक्षियन्ति भुवनानि विश्वा "-(वा. सं. ५ । २०) इति । इदं हैवास्यैतत् शीर्षकपालम्-यद् इदमुपरिष्टात् । अधीव ह्येतत् क्षियन्त्यन्यानि शीर्षकपालानि । तस्मादाह-अधिक्षियन्तीति ॥ २३ ॥

' वा ' अथवा ' पृथिव्याः ' सकाशात् हे ' विष्णो ! ' ' महः ' महतो गुणात् ' उरोः ' विस्तीर्णात् ' अन्तरिक्षात् ' वा उभौ हस्तौ तावकौ ' वसुना ' धनेन ' पृणस्व ' पूरय । ततो ' दक्षिणात् ' हस्तात्, अपि चोत्तराच्च ' आ ' सर्वतः ' प्रयच्छ ' पूर्णं वसु यजमानार्थम् ॥

"विष्णवे त्वा "-इति उत्तरहविर्द्धानस्य मेथीं प्रतिप्रस्थाता उपहन्यात् "इतरतस्ततः" इति पूर्ववत् (श. प. ब्रा. ३ । ५ । ३ । २१) ॥ २२ ॥

अथ मध्यमं छदिरित्यादि " तयोः समववृत्तयोश्छदिरधि निदधाति " इति छदिः प्रागुक्तम् (श. प. ब्रा. ३ । ५ । ३ । १०) । तत् ' उपस्पृश्य ' " प्रतद्विष्णुः "-इति वाचयेत् ॥

तस्यार्थः-' विष्णुः ' ' वीर्येण ' वीरस्य कर्म वीर्यम् ,तेन निमित्तेन ' प्रस्तवते ' प्रस्तूयते । वीर्येण स्तूयमानत्वे दृष्टान्तः-**मृगो न** इति । ' कुचरः ' कुत्सितं हिंसन् सञ्चरन् ' भीमः ' सर्वप्राणिभीतिजनकः, ' गिरिष्ठाः ' गिरिस्थायी ' मृगो न ' सिंहतुल्यः । ' यस्य ' विष्णोः, ' उरुषु ' लोकत्रयव्यापकत्वेनातिविस्तृतेषु ' त्रिषु ' ' विक्रमणेषु ' ' विश्वा ' सर्वाणि ' भुवनानि ' लोकाः ' अधिक्षियन्ति ' अधिनिवसन्ति ॥

अथवा ब्राह्मणानुसारेणायं मन्त्रोऽधियज्ञपरतया व्याख्येयः । ' विष्णुः ' हविर्द्धानाख्यः, तस्य यदुपरि वर्तमानं मध्यमं छदिरस्ति, तत् स्तूयत इत्यर्थः । उत्तरवेदेः प्रत्यक् त्रिषु विक्रमणेष्वतीतेषु निधीयमानस्य यस्य उपरिशीर्षकपालस्थानीयं मध्यमं छदिरस्ति, तस्य ' अधि ' उपरि सर्वतो विश्वा भुवनानि भवन्तीति । भुवनानि उपरिशीर्षकपालस्थानानि अन्यानि छदींषि क्षियन्ति निवसन्ति ॥

अधिक्षियन्तीत्येतं मन्त्रभागं व्याचष्टे-**इदं हैवास्यैतच्छीर्षकपालमित्यादिना** ॥ २३ ॥

१-उत्तरतः स्थूणां पूर्ववत् । का. श्रौ. सू. ८ । ३४ । २-प्रतद्विष्णुरिति वाचयति मध्यमं छदिरालभ्य । का. सू. ८ । ३८ ।

(त्यु) अथ रराट्यामुपस्पृश्य वाचयति । विष्णो रराटमसीति ललाटꣳ हैवास्यैतदथोच्छ्रयाऽउपस्पृश्य वाचयति विष्णोः श्नप्त्रे स्थ इति स्रक्के हैवास्यैतेऽअथ यदिदं पश्चाच्छदिर्भवतीदꣳ हैवास्यैतच्छीर्षकपालं यदिदं पश्चात् ॥ २४ ॥

(दु) अथ लस्पूजन्या स्पन्द्यया प्रसीव्यति । विष्णोः स्यूरसीत्यथ ग्रन्थिं करोति विष्णोर्ध्रुवोऽसीति नेद्व्यवपद्याताऽइति तं प्रकृते कर्म्मन्विष्यति तथो हाध्वर्युं वा यजमानं वा ग्राहो न विन्दति तन्निष्ठितमभिमृशति वैष्णवमसीति वैष्णवꣳ हि हविर्द्धानम् ॥ २५ ॥

इति चतुर्थप्रपाठके तृतीयं ब्राह्मणम् ॥ ४ ॥ ३ ॥ (५ । ३)

अथ रराट्यामुपस्पृश्य वाचयति–" विष्णो रराटमसि "–(वा. सं. ५ । २१) इति । ललाटं हैवास्यैतत् । अथोच्छ्रया ऽउपस्पृश्य वाचयति–" विष्णो श्नप्त्रे स्थः "–(वा. सं. ५ । २१)इति। स्रक्के हैवास्यैते । अथ यत् इदं पश्चाच्छदिर्भवति इदं हैवास्यैतत् शीर्षकपालं–यदिदं पश्चात् ॥ २४ ॥

अथ लस्पूजन्या स्पन्द्यया प्रसीव्यति । " विष्णो स्यूरसि "–(वा. सं. ५ । २१) इति । अथ ग्रंथिं करोति । " विष्णोर्ध्रुवोऽसि "–(वा. सं. ५ । २१) इति । नेद्व्यवपद्याताऽइति । तं प्रकृते कर्मन् विष्यति । तथो हाध्वर्युं वा यजमानं वा ग्राहो न विन्दति । तन्निष्ठितमभिमृशति । " वैष्णवमसि "–(वा. सं. ५ । २१) इति । वैष्णवं हि हविर्द्धानम् ॥ २५ ॥

अथ रराट्यामुपस्पृश्येति[1] । ' रराट्याम् ' रराटीमित्यर्थः । ' अस्य ' हविर्द्धानस्य ' एतत् ' रराट्याख्यमङ्गं ललाटं खलु ' अथ ' अतः ' उच्छ्रायौ, ' द्वारशाखे द्वारस्योभयपार्श्ववर्तिनी तृणादिनिर्मिते प्रावरणे, तौ ' उपस्पृश्य ' ' वाचयति '–विष्णोरिति । ' विष्णोः ' हविर्द्धानस्य ' श्नप्त्रे ' सृक्किणी, ओष्ठसन्धी ' स्थः ' भवथः । श्नप्त्रशब्दार्थमाह–स्रक्के हैवास्यैते इति । पश्चाच्छदिषः स्थानं प्रशंसति–अथ यदिदं पश्चाच्छदिरिति । ' इदं पश्चाच्छदिः ' हविर्धानाख्यस्य यज्ञशिरसः पश्चात्, कपालस्थानीयमित्यर्थः ॥

अथ मध्यच्छदिष उपरिगतानि त्रीण्यपि छर्दीषि उदगग्राणि कर्तव्यानि; त्रयाणामपि प्रागग्रीकरणे पश्चाच्छदिरिति श्रूयमाणं पश्चादित्युक्तं न युज्येत । तथा च कात्यायनः–" उदगग्राणि च्छर्दीषि भवन्ति पश्चाच्छ्रुतेः " इति (का. श्रौ, सू. ८ । १०२) ॥ २४ ॥

अथ लस्पूजन्या स्पन्द्यया प्रसीव्यतीति[3] । ' लस्पूजनी ' नाम सीवनसाधनसूच्यादिः तत्र सम्बद्धया रज्ज्वेत्यर्थः । द्वारशाखां दर्भैरावेष्ट्य रज्ज्वा " विष्णोः स्यूरसि "–इति मन्त्रेण सीव्येत् । हे द्वार्ये ! यद्वा हे रज्जो ! त्वं ' विष्णोः ' हविर्द्धानस्य ' स्यूः ' स्यूतप्रदेशः ' असि ' । हे ग्रथ्यमानप्रदेश ! त्वं विष्णोः हविर्द्धानस्य ' ध्रुवः ' अच्युतावयवः ' असि ' । अतस्त्वां ग्रथ्नामीत्यर्थः ॥

१–" विष्णवे त्वा " इत्यधिको मन्त्रभागः संहितायाम् । २–विष्णोररराटमिति रराट्याम् । का. श्रौ. सू. ८ । १०० । ३–द्वार्याः परिषीव्यति लस्पूजानिप्रतिहतया रज्ज्वाविष्णोः स्यूरसीति।का.श्रौ.सू. ८।१०३।४–विष्णोर्ध्रुवोऽसीति ग्रंथिं करोति।का.श्रौ.सू.८।१०४।

द्वयं वाऽअभ्युपरवाः खायन्ते । शिरो वै यज्ञस्य हविर्द्धानं तस्यऽइमे शीर्षंश्चत्वारः कूपाऽइमावह द्वाविमौ द्वौ तानेवैतत्करोति तस्मादुपरवा-न्खनति ॥ १ ॥

देवाश्च वाऽअसुराश्च । (श्रो) उभये प्राजापत्याः पस्पृधिरे ततोऽसु-राऽएषु लोकेषु कृत्यां वलगान्निचख्नुरुतैवञ्चिद्देवानभिभवेमेति ॥ २ ॥

तद्वै देवाऽअस्पृण्वत । तऽएतैः कृत्यां वलगानुदखनन्यदा वै कृत्यामुत्ख-नन्त्यथ साऽलसा मोघा भवति तथोऽएवैषु ऽएतद्यस्माऽअत्र कश्चिद्-

---

उपरवविधिः ।

द्वयं वाऽअभ्युपरवाः खायन्ते । शिरो वै यज्ञस्य हविर्द्धानम् । तद्द यऽइमे शीर्षंश्चत्वारः कूपाः इमावह द्वौ, इमौ द्वौ । तानेवैतत् करोति । तस्मादुपरवान् खनति ॥ १ ॥

देवाश्च वाऽअसुराश्च उभये प्राजापत्याः पस्पृधिरे । ततोऽसुरा एषु लोकेषु कृत्यां वलगान् निच-ख्नुः, उतैवञ्चिद्देवानभिभवेमेति ॥ २ ॥

तद्वै देवाऽअस्पृण्वत, तऽएतैः कृत्यां वलगानुदखनन् । यदा वै कृत्यामुत्खनन्ति—अथ साऽलसा

ग्रन्थिकरणप्रयोजनमाह—**नेद् व्यवपद्याता इती**ति । अवाग् विविधं नैव पतेदित्येवमर्थमित्यर्थः । तं ग्रन्थि 'कर्मन्' कर्मणि 'प्रकृते' प्रकर्षेण कृते परिसमाप्ते 'विष्यति' विमुञ्चेत्[१] । तत ऊर्ध्वमपि बन्धने सति तदपरावेन 'अध्वर्युं' 'यजमानं' च 'ग्राहः' गृह्णाति विश्लेषे सति स न भवतीत्यर्थः । **निष्ठितमभिमृ-शति वैष्णवमसीती**ति (का. श्रौ. सू. ८ । १०७) । 'निष्ठितं' सीवनेन सुनिष्पन्नम् । स्पष्ट-मन्यत् ॥ २९ ॥

इति श्रीसायणाचार्यविरचिते माधवीये वेदार्थप्रकाशे माध्यन्दिनशतपथब्राह्मणभाष्ये
तृतीयकाण्डे पञ्चमाध्याये तृतीयं ब्राह्मणम् ॥ (३–५–३) ॥

सोमाभिषवायोपरवाणां खननं विवक्षुः खननस्योभयार्थतामाह—**द्वयं वा** इति । प्रयोजनद्वयमभिलक्ष्य खायन्त इत्यर्थः । प्रथमं प्रयोजनमाह—**शिरो वै यज्ञस्ये**ति । यस्मात् शिरसि 'चत्वारः कूपाः' कर्णच्छिद्रे द्वे, नासिकाछिद्रे द्वे इति 'चत्वारः' 'कूपाः' कूपवन्निम्नप्रदेशाः । 'इमौ'—इति अभिनयोक्तिः । हविर्द्धान-स्यापि यज्ञशिरोरूपत्वात् तत्र चतुरः 'उपरवान्' खनेत्[२] ॥ १ ॥

द्वितीयं प्रयोजनमाह—**देवाश्च वा असुराश्चे**ति । द्वेष्यवधार्थं भूमौ स्थापिताः कृत्याविशेषाः 'वलगाः' तान् निखातवन्तः 'उत' 'एवञ्चित्' एवमपि युद्धेनाशक्नुवन्तः । अनेनाप्युपायेन 'देवान् अभिभवेम' 'इति' तेषामभिप्रायः ॥ २ ॥

तद्वै देवा अस्पृण्वतेति । 'तत्' असुरैः कृतं खननाख्यम् 'अस्पृण्वत' देवाः तदुत्खननेन हिंसितवन्तः ।

१–उपक्रांते प्रमुंचति । का. श्रौ. सू. ८ । १०५ ॥ निष्ठाप्य वैष्णवमसीत्यालभते । १०७ । २–दक्षिणस्यानसोऽधः प्रउगं खनत्युपरवान् । का. श्रौ. सू. ८ । १११ । प्रउगं–ईषाद्वयसंयोजनप्रदेशः ।

द्विषन्भ्रातृव्यः कृत्यां वलगान्निखनति तानेवैतदुत्किरति तस्मादुपरवान्खनति स दक्षिणस्य हविर्धानस्याऽधोऽधः प्रउगं खनति ॥ ३ ॥

सोऽभ्रिमादत्ते । देवस्य त्वा सवितुः प्रसवेऽश्विनोर्बाहुभ्यां पूष्णो हस्ताभ्यामाददे नार्य्यसीति समानऽएतस्य यजुषो बन्धुर्योषो वा ऽएषा यदभ्रिस्तस्मादाह नार्य्यसीति ॥ ४ ॥

तान्प्रादेशमात्रं विना परिलिखति । (ती) इदमहᳪं रक्षसां ग्रीवाऽअपिकृन्तामीति वज्रो वा अभ्रिर्वज्रेणैवैतन्नाष्ट्राणाᳪं रक्षसां ग्रीवाऽअपिकृन्तति ॥ ५ ॥

मोघा भवति । तथोऽएवैष एतद् । यद्यस्माऽअत्र कश्चिद् द्विषन् भ्रातृव्यः कृत्यां वलगान् निखनति, तानेवैतदुत्किरति । तस्मादुपरवान् खनति । स दक्षिणस्य हविर्धानस्याधोऽधः प्रउगं खनति ॥ ३॥

सोऽभ्रिमादत्ते–"देवस्य त्वा सवितुः प्रसवेऽश्विनोर्बाहुभ्यां, पूष्णो हस्ताभ्यामाददे नार्यसि"–(वा. सं. ५। २२) इति । समान एतस्य यजुषो बन्धुः । योषो वा एषा–यदभ्रिः । तस्मादाह–नार्यसीति ॥ ४ ॥

तान् प्रादेशमात्रं विना परिलिखति–" इदमहं रक्षसां ग्रीवा अपि कृन्तामि "–(वा. सं. ५ । २२) इति वज्रो वा ऽअभ्रिः । वज्रेणैवैतन्नाष्ट्राणां रक्षसां ग्रीवा ऽअपि कृन्तति ॥ ५ ॥

हिंसाप्रकारमाह–त एतैरिति । ' एतैः ' उपरवैः । ' अथ ' कृत्योत्खननानन्तरमेव ' सा ' कृत्या ' अलसा ' स्वव्यापारं हननं कर्तुमसहमाना, अत एव ' मोघा ' व्यर्था भवति । यथा देवेषु, एवं मनुष्येषु अयं कृत्यापरिहारोपाय इत्याह–तथो एवैष एतदिति । खननप्रदेशमाह–स दक्षिणस्य हविर्धानस्येति । ईषाद्वयसंयोजनप्रदेशः ' प्रउगम्, ' तस्य ' अधोऽधः ' सन्निहिताधःप्रदेशे । ' अधोऽधः ' शब्दयोगात् प्रउगमिति द्वितीया (पा. सू. २ । ३ । २ ॥ १ । ४ । ४८ । वा. ३) ॥ ३ ॥

खननायाभ्र्यादानं समन्त्रकं विधत्ते–सोऽभ्रिमादत्त इति[1] । " देवस्य त्वा " इति । " नार्यसि "–इति मन्त्रान्तरम् । नरस्यापत्यं स्त्री ' नारी ' । हे अभ्रे ! त्वं नारी असि । इत्यपि स्तुतिः । यत् प्राक् " देवस्य त्वा "–इत्यस्य ब्राह्मणमुक्तं, (श. ब्रा. १ । १ । २ । १७) तदत्रातिदिशति–समान एतस्य बन्धुरिति । ' एतस्य ' ' यजुषः ' देवस्य त्वेत्यस्य यजुर्मन्त्रस्येत्यर्थः । आदीयमानाया अभ्र्याः स्त्रीत्वान्मन्त्रे नारीशब्देनाभ्रिरभिहितेत्याह–योषा उ वा एषेत्यादि ॥ ४ ॥

तान् प्रादेशमात्रं विनेति[3] । मध्ये–मध्ये प्रादेशमात्रान्तरालं विहाय समचतुरस्रे खननप्रदेशे चतुरोऽवटान् प्रादेशमात्रान् परिलिखेदित्यर्थः । इदमहमिति लेखनमन्त्रः ॥ ५ ॥

१–अभ्र्यादि करोत्यवटवदापरिलेखनात् । का. श्रौ. सू. ८ । ११२ । २–देवस्य त्वेत्यभ्रिमादाय । का. श्रौ. सू. ६ । ४१ ।
३–प्रादेशमात्राणन्तदंतरान् । का. श्रौ. सू. ८ । ११८ ।

तद्यावेतौ पूर्व्वौ। तयोर्दक्षिणमेवाग्रे परिलिखेदथापरयोरुत्तरमथापरयो-र्दक्षिणमथ पूर्व्वयोरुत्तरम् ॥ ६ ॥

(मु) अथोऽइतरथाऽऽहुः। (र) अपरयोरेवाग्रऽउत्तरं परिलिखेदथ पूर्व्व-योर्दक्षिणमथापरयोर्दक्षिणमथ पूर्व्वयोरुत्तरमित्यथोऽअपि समीच एव परि-लिखेदेतं त्वेवोत्तमं परिलिखेद्य ऽएष पूर्व्वयोरुत्तरो भवति ॥ ७ ॥

तान्यथापरिलिखितमेव यथापूर्व्वं खनति। बृहन्नसि बृहद्रवा ऽइत्युप-स्तौत्येवैनानेतन्महयत्येव यदाह बृहन्नसि बृहद्रवाऽ इति बृहतीमिन्द्राय व्वाचं व्वदेतीन्द्रो वै यज्ञस्य देवता व्वैष्णवꣳ हविर्द्धानं तत्सेन्द्रं करोति तस्मादाह बृहतीमिन्द्राय व्वाचं व्वदेति ॥ ८ ॥

तद् यावेतौ पूर्वौ तयोर्दक्षिणमेवाग्रे परिलिखेत्। अथापरयोरुत्तरम्। अथापरयोर्दक्षिणम्। अथ पूर्वयोरुत्तरम् ॥ ६ ॥

अथोऽइतरथाऽऽहुः—अपरयोरेवाग्रऽउत्तरं परिलिखेत्। अथ पूर्वयोर्दक्षिणम्। अथापरयोर्दक्षिणम्। अथ पूर्वयोरुत्तरमिति। अथोऽअपि समीच एव परिलिखेत्। एतं त्वेवोत्तमं परिलिखेत्। य एष पूर्वयो-रुत्तरो भवति ॥ ७ ॥

तान् यथापरिलिखितमेव यथापूर्वं खनति। "बृहन्नसि बृहद्रवाः"—(वा. सं. ५।२२) इति। उपस्तौत्येवैनानेतत् महयत्येव यदाह—बृहन्नसि बृहद्रवा इति। "बृहतीमिन्द्राय वाचं वद"—(वा. सं. ५।२२) इति। इन्द्रो वै यज्ञस्य देवता वैष्णवं हविर्द्धानम्। तत् सेन्द्रं करोति। तस्मादाह—बृहतीमिन्द्राय वाचं वदेति ॥ ८ ॥

अवटखनने द्वौ प्रकारौ, अक्ष्णया सम्यक् चेति[1]। अक्ष्णयाऽपि द्विविधोपपद्यते तत्रैकं प्रकारमाह—तद्यावेतौ पूर्वौ तयोर्दक्षिणमेवाग्र इत्येवमादिना। आग्नेयवायव्यनैर्ऋतैशानक्रमेणेत्येकः प्रकारः ॥ ६ ॥

द्वितीयं प्रकारमाह—'अथो इतरथाऽऽहुः' 'अपरयोरेवाग्रउत्तर' मित्यादिना वायव्याग्नेयनैर्ऋतैशानक्रमेणेत्यर्थः। स्वकीयं सम्यक्परिलेखनपक्षमाह—अथो इतरथाऽऽहुरिति। अथो अपि समीच। एवेति आग्नेयादिगाद-क्षिण्यक्रमेणेत्यर्थः[1] ॥ ७ ॥

य एष पूर्वयोरुत्तरः, तमुत्तरं कुर्यादित्यभिधानात् खननमपि परिलेखनक्रमेण कर्तव्यमित्याह—तान् यथा परिलिखितमेवेति[2]। तत्र मन्त्रः—बृहन्नसीति। हे अवट! त्वं 'बृहन्' स्वरूपतो महान् 'असि'। तथा 'बृहद्रवाः' प्रभूतध्वनिरसि। अतो 'बृहतीं' महतीं 'वाचम्' 'इन्द्राय' इन्द्रार्थम्, सोमस्येन्द्रार्थत्वात् तदर्थत्वादुपरवखननस्य स्तुतिकरीं वाचं 'वद' शब्दय ॥

पुनर्वाग्विशेष्यते—'रक्षोहणम्'। हन्तेः "बहुलं छन्दसि" (पा. सू. ३।२।८८) इति क्विप्। रक्षांसि हन्ति तादृशीम्। 'वलगहनम्' वलगान् हन्तीति वलगहा, तां वलगहनम्। 'वैष्णवीम्' विष्णु-देवत्यां वाचम्। वदेति सम्बन्धः ॥

१—अक्ष्णया व्याघारणवत्। उत्तरापरं वा प्रथमम्। सम्यग्वा। उत्तरपूर्वेत्त्वन्त्यम्। का. श्रौ. सू. ८। ११४–११७।
२—बृहन्नसीति यथापरिलिखितं खनति। का. श्रौ. सू. ८–११९।

रक्षोहणं व्वलगहनामिति । रक्षसाᳬं ह्येते व्वलगानां व्वधाय खायन्ते व्वैष्णवीमिति व्वैष्णवी हि हविर्द्धाने व्वाक् ॥ ९ ॥

(क्रा) तान्यथाखातमेवोत्किरति । (ती) इदमहं तं व्वलगमुत्किरामि यम्मे निष्ठ्यो यममात्यो निचखानेति निष्ठ्यो वा वाऽअमात्यो वा कृत्यां व्वलगान्निखनाति तानेवैतदुत्किरति ॥ १० ॥

(ती) इदमहं तं व्वलगमुत्किरामि । यम्मे समानो यमसमानो निचखानेति समानो वा वाऽअसमानो वा कृत्यां व्वलगान्निखनाति तानेवैतदुत्किरति ११

(ती) इदमहं तं व्वलगमुत्किरामि । यम्मे सबन्धुर्यमसबन्धुर्निचखानेति सबन्धुर्व्वा वाऽअसबन्धुर्व्वा कृत्यां व्वलगान्निखनाति तानेवैतदुत्किरति ॥ १२ ॥

" रक्षोहणं वलगहनम् "–(वा. सं. ५ । २३) इति । रक्षसां ह्येते वलगानां वधाय खायन्ते । " वैष्णवीम् "–(वा. सं. ५ । २३) इति । वैष्णवी हि हविर्द्धाने वाक् ॥ ९ ॥

तान् यथाखातमेवोत्किरति । " इदमहं तं वलगमुत्किरामि यम्मे निष्ठ्यो यममात्यो निचखान "–(वा. सं. ५ । २३) इति । निष्ठ्यो वा वा ऽमात्यो वा कृत्यां वलगान् निखनति तानेवैतदुत्किरति ॥ १० ॥

" इदमहं तं वलगमुत्किरामि यं मे समानो यमसमानो निचखान "–(वा. सं. ५ । २३) इति । समानो वा वा ऽसमानो वा कृत्यां वलगान् निखनाति तानेवैतदुत्किरति ॥ ११ ॥

" इदमहं तं वलगमुत्किरामि, यं मे सबन्धुर्यमसबन्धुर्निचखान "–(वा. सं. ५।२३) इति । सबन्धुर्वा वा ऽसबन्धुर्वा कृत्यां वलगान् निखनति । तानेवैतदुत्किरति ॥ १२ ॥

मन्त्रं चतुर्द्धा विभज्य व्याचष्टे–बृहन्नसि बृहद्रवा इत्युपस्तौत्यवनानित्यादिना । प्रत्यक्षतो बृहत्त्वबृहद्रवत्वयोः प्रतीतेरुपस्तुत्यभिधानमित्यर्थः । सा च किमर्थत्यत आह–महयत्येवेति । इन्द्रो वा इत्यादि । " इन्द्राय " इत्यभिधानेनान्यदेवताकस्य हविर्द्धानस्योपरत्वाधारभूतस्य सेन्द्रत्वं कृतवान् भवतीत्यर्थः । रक्षोहणमित्यादि । स्पष्टम् ॥ ८ ॥ ९ ॥

खाताया मृद उद्वपनेऽपि खननक्रम एवेत्याह–तान् यथाखातमेवेति[1] । चतुर्णां खातानां चत्वारो मन्त्राः । " यं मे निष्ठ्यो यममात्यो निचखान " इति प्रथमगर्ते । " यं मे समानो यमसमानः " इति द्वितीये । " यं मे सबन्धुर्यमसबन्धुः " इति तृतीये । " यं मे सजातो यमसजातः " इति चतुर्थे । " इदमहं तं व्वलगमुत्किरामि "–इति, " निचखान "–इति च सर्वशेषः ॥

' इदं ' मृदुत्किरणप्रकारेणाहतम्, निष्ठ्येनामात्येन वा खातम्, वलगकृत्याविशेषम्, मृद्व्याजेन ' उत्किरामि ' ऊर्ध्वं प्रक्षिपामि । ' तम् '-इत्युक्तम्, कमित्याह–यमित्यादि । ' निष्ठ्यः ' असमत्तो नीचः । " सनाभिर्यश्च

१–इदमहमित्युत्किरति यथाखातं प्रतिमंत्रम् । का. श्रौ. सू. ८–१२० ।

(ती) इदमहं तं वलगमुत्किरामि । यं मे सजातो यमसजातो निच-
खानेति सजातो वा वाऽअसजातो वा कृत्यां वलगान्निखनति तानेवै-
तदुत्किरत्युत्कृत्यां किरामीत्यन्ततऽउद्वपति तत्कृत्यामुत्किरति ॥ १३ ॥
तान्बाहुमात्रान्खनेत् । (इ) अन्तो वाऽएषोऽन्तेनैवैतत्कृत्यां मोहयति
तानक्ष्णया सन्तृन्दन्ति यद्यक्ष्णया न शक्नुयादपि समीचस्तस्मादिमे
प्राणाः परः सन्तृण्णाः ॥ १४ ॥

(स्तु) तान्यथाखातमेवावमर्शयति । स्वराडसि सपत्नहा सत्रराडस्यभिमा-
तिहा जनराडसि रक्षोहा सर्वराडस्यमित्रहेत्याशीरेवैषैतस्य कर्मणऽआ-
शिषमेवैतदाशास्ते ॥ १५ ॥

" इदमहं तं वलगमुत्किरामि, यं मे सजातो यमसजातो निचखान "–(वा. सं. ५ । २३) इति । सजातो वा वाऽअसजातो वा कृत्यां वलगान् निखनति । तानेवैतदुत्किरति । " उत्कृत्यां किरामि "–(वा. सं. ५ । २३) इति । अन्तत उद्वपति । तत् कृत्यामुत्किरति ॥ १३

तान् बाहुमात्रान् खनेत् । अन्तो वा ऽएषः, अन्तेनैवैतत् कृत्यां मोहयति । तानक्ष्णया सन्तृन्दन्ति । यद्यक्ष्णया न शक्नुयात्–अपि समीचः । तस्मादिमे प्राणाः परः सन्तृण्णाः ॥ १४ ॥

तान् यथाखातमेवावमर्शयति । " स्वराडसि सपत्नहा, सत्रराडस्यभिमातिहा, जन-

---

निष्ट्यः (ऋ. सं. १० । १३३ । ५) " –इत्यादिमन्त्रवर्णान्नीचार्थता ' निष्ट्य '–शब्दस्य । ' अमात्यः ' सह वर्तमानः । ' अमा '–शब्दः सहवचनो गृहवचनो वा तत्र भवोऽमात्यः । " अव्ययात्त्यप् " (पा. सू. ४ । २ । १०४) एकगृहवासीत्यर्थः । तयोरेव कलहस्य सम्भावितत्वात् । सहोत्पन्नो वा । निखातवान् । तमुत्किरामीति सम्बन्धः । निष्ट्यो वेत्यादि प्रथमस्योत्किरणम् । निष्ट्यामात्ययोर्वलगोत्किरणरूपमित्यर्थः । समानः सदृशः बन्धुः ' सबन्धुः, ' समानबन्धनः । एकस्मिन्नेव विषये व्यापारवानित्यर्थः । ' सजातः ' सहोत्पन्नः । स्पष्टमन्यत् ॥ १०–१३ ॥

खननस्य प्रमाणमाह–**तान् बाहुमात्रानिति**[१] । अंगुलिप्रादेशाद्यपेक्षया बाहुप्रमाणस्य अन्तत्वात् ततोऽधिकाप्रदेशात् मृदुद्धरणस्याशक्यत्वाद्बाहुमात्रस्यान्तत्वम् । छिद्राणामन्तरप्रदेशसन्तर्दनं तत्प्रकारं च विधत्ते–**तानक्ष्णया सन्तृन्दन्तीति**[२] । पूर्वयोर्दक्षिणस्यापरयोरुत्तरस्य चान्तरालदेशम् । अनेनावशिष्टयोरप्युक्तं भवति । **अपि समीच** इति (का. श्रौ. सू. ८ । १२३) । वक्रस्याशक्यत्वे समीचैवाभितृन्द्यात् । **तस्मादिति** । अर्थवादः पक्षद्वयसाधारणः । यस्मादेतेऽन्तः सन्तृण्णाः ' तस्मात् ' ' इमे ' ' प्राणाः ' मुखच्छिद्राणि अन्तः सन्तृण्णानि ॥ १४ ॥

तान् यथाखातमेवावमर्शयतीति । ' अवमर्शयति ' अन्तःप्रदेशस्य निम्नोन्नतत्वपरिहाराय सम्मृशेत् ।

१–बाहुमात्रान् । का. श्रौ. सू. ८ । १२२ । २–अक्ष्णया संभिद्यादशक्तौ सम्यक् । का० श्रौ० सू० ८– । १२३ ।

(स्तेऽथा) अथाध्वर्युश्च यजमानश्च सम्मृशेते । पूर्वयोर्दक्षिणेऽध्वर्युर्भवत्यपरयोरुत्तरे यजमानः सोऽध्वर्युः पृच्छति यजमान किमत्रेति भद्रमित्याह तन्नौ सहेत्युपाᳫंश्वध्वर्युः ॥ १६ ॥

(र) अथापरयोर्दक्षिणेऽध्वर्युर्भवति । पूर्वयोरुत्तरे यजमानः स यजमानः पृच्छत्यध्वर्यो किमत्रेति भद्रमित्याह तन्म इति यजमानस्तद्यदेवᳫं सम्मृशेते प्राणानेवैतत्सयुजः कुरुतस्तस्मादिमे प्राणाः परः संविद्रेऽथ यत्पृष्टो भद्रमिति प्रत्याह कल्याणमेवैतन्मानुष्यै वाचो वदति तस्मात्पृष्टो भद्रमिति प्रत्याहाथ प्रोक्षत्येको वै प्रोक्षणस्य बन्धुर्मेध्यानेवैतत्करोति १७।

राडसि रक्षोहा, सर्वराडस्यमित्रहा "–(वा. सं. ५ । २४) इति । आशीरेवैषैतस्य कर्मणः– आशिषमेवैतदाशास्ते ॥ १५ ॥

अथाध्वर्युश्च यजमानश्च सम्मृशेते । पूर्वयोर्दक्षिणेऽध्वर्युर्भवति । अपरयोरुत्तरे यजमानः । सोऽध्वर्युः पृच्छति–यजमान ! किमत्रेति ? भद्रमित्याह । तन्नौ सह–इत्युपांश्वध्वर्युः ॥ १६ ॥

अथापरयोर्दक्षिणेऽध्वर्युर्भवति । पूर्वयोरुत्तरे यजमानः । स यजमानः पृच्छति–अध्वर्यो ! किमत्रेति ? भद्रमित्याह । तत् मऽइति यजमानः । तद् यदेवं सम्मृशेते प्राणानेवैतत् सयुजः कुरुतः तस्मादिमे प्राणाः परः संविद्रे । अथ यत् पृष्टो भद्रमिति प्रत्याह–कल्याणमेवैतन्मानुष्यै वाचं वदति । तस्मात् पृष्टो भद्रमिति प्रत्याह । अथ प्रोक्षति । एको वै प्रोक्षणस्य बन्धुः,–मेध्यानेवैतत्करोति ॥ १७ ॥

तन्मन्त्रचतुष्टयस्यार्थः–स्वयमेव राजत इति वा स्वकीयमेव राज्यमस्येति वा 'स्वराट्' । हे उपरव ! तादृक् त्वम् 'असि' । 'सपत्नहा' भव । अस्मानपि सपत्नस्य शत्रोर्हननेन स्वराजं कुर्विति भावः । 'सत्रा' सह, एकधा एकोयोगेन राजत इति 'सत्रराट्' । अभितो हिंसकोऽभिमातिः तस्य हन्ता 'अभिमातिहा' । सर्वेषु राजत इति 'सर्वराट्' मितः सकाशात् त्राता 'मित्रः' अतथाभूतः 'अमित्रः' । अत्र कात्यायनः– "स्वराडित्यवमर्शयति यथाख्यातं प्रतिमन्त्रम्" (का० श्रौ० सू० ८ । १२४) इति ॥ १५ ॥

'अध्वर्युश्च यजमानश्च सम्मृशेते–' परस्परं हस्तसंस्पर्शं कुर्यातामित्यर्थः । तयोर्दिशं व्यवस्थापयति– **पूर्वयोर्दक्षिणेऽध्वर्युर्भवति, अपरयोरुत्तरे यजमानः**–इति । सोऽध्वर्युणा किमत्र विद्यत इति पृष्टो यजमानो भद्रमिति प्रतिब्रूयात् । "तन्नौ सह–" 'इति' 'उपांशु' वदतोऽध्वर्योरयमभिप्रायः–यज्ञसंसृष्टं यद्यत् फलम्, तस्य सर्वस्य यजमानस्वामिकत्वादुच्चैरभिधानमयुक्तमिति ॥ १६ ॥

अथापरयोर्दक्षिणेऽध्वर्युरिति । पूर्वस्मिन् सम्मर्शनवाक्येऽध्वर्युः पृच्छेत्, अत्र तु यजमान इति विशेषः ।

१–अध्वर्युयजमानौ सम्मृशेते पूर्वदक्षिणेऽध्वर्युरपरोत्तरे यजमानः । का० श्रौ० सू० ८ । १२५ । २–अध्वर्युः पृच्छति यजमान किमत्रेति । भद्रमित्याह । तन्नौ सहेत्यध्वर्युरुपांशु । का० श्रौ० सू० १२६ । १२७ । १२८ । ३–पुनर्दक्षिणापरेऽध्वर्युः पूर्वोत्तरे यजमानो यजमानः पृच्छत्यध्वर्यो किमत्रेति भद्रमिति प्रोक्ते तन्म इति यजमानः का० श्रौ० सू० ८–१२९ ।

स प्रोक्षति । रक्षोहणो वो व्वलगहन ऽइति रक्षोहणो ह्येते व्वलगहनो ह्येते प्रोक्षामि व्वैष्णवानिति व्वैष्णवा ह्येते ॥ १८ ॥

(तेऽथ) अथ याः प्रोक्षण्यः परिशिष्यन्ते । ताऽअवटेष्ववनयति तद्या ऽइमाः प्राणेष्वापस्ताऽएवैतद्दधाति तस्मादेषु प्राणेष्विमाऽआपः ॥ १९ ॥

सोऽवनयति । रक्षोहणो वो व्वलगहनोऽवनयामि व्वैष्णवानित्यथ बर्हीꣳषि प्राचीनाग्राणि चोदीचीनाग्राणि चावस्तृणाति तद्यानीमानि प्राणेषु लोमानि तान्येवैतद्दधाति तस्मादेषु प्राणेष्विमानि लोमानि ॥ २० ॥

स प्रोक्षति । "रक्षोहणो वो बलगहनः"–(वा. सं. ५ । २५) इति । रक्षोहणो ह्येते, बलगहनो ह्येते । " प्रोक्षामि वैष्णवान् "–(वा. सं. ५ । २५) इति । वैष्णवा ह्येते ॥ १८ ॥

अथ याः प्रोक्षण्यः परिशिष्यन्ते–ता अवटेष्ववनयति । तद् या इमाः प्राणेष्वापः–ता एवैतद्दधाति । तस्मादेषु प्राणेष्विमाऽआपः ॥ १९ ॥

सोऽवनयति । "रक्षोहणो वो बलगहनोऽवनयामि वैष्णवानिति"–(वा. सं. ५ । २५) इति । अथ बर्हींषि प्राचीनाग्राणि च उदीचीनाग्राणि चावस्तृणाति । तद् यानीमानि प्राणेषु लोमानि–तान्येवैतद्दधाति । तस्मादेषु प्राणेष्विमानि लोमानि ॥ २० ॥

यजमानस्य स्वामित्वेन स्वातन्त्र्यादध्वर्युदृष्टस्यापि भद्रस्य स्वद्रव्यत्वात् " तन्मे " ' इति ' ब्रूयात् । सम्मर्शनं प्राणसंयोगहेतुत्वेन प्रशंसति–तद्यदेवमिति । सह युञ्जते इति ' सयुजः ' अन्तरेकीभूतान् कृतवन्तौ भवतः । अत इदानीन्तना मनुष्यशिरस्थाः प्राणाः ' संविद्रे ' संविद्रते सङ्गता भवन्ति । " लोपस्त आत्मनेपदेषु "–(पा. सू. ७ । १ । ४१) इति ' त '–लोपः । " वेत्तेर्विभाषा "–(पा. सू. ७ । १ । ७) इति रुट् । ' भद्रम् '–' इति ' प्रतिवदनं यदस्ति, तद् ' एतन्मानुष्यै वाचः कल्याणं वदति ' हस्तसंस्पर्शनकालकृतभद्रवचनप्रतिवदनमित्यर्थः । तस्माल्लौकिकवचनेषु भद्रत्वाय अवश्यं भद्रवचनं कर्तव्यम् ॥

अथ प्रोक्षतीति । प्रतिगतं प्रोक्षणम् । प्रोक्षणस्य मेध्यत्वलक्षणोऽर्थवादः सर्वत्रैकविध एवेत्याह–एको वै प्रोक्षणस्य बन्धुरिति ॥ १७ ॥

समन्त्रकं प्रोक्षणं विधत्ते–स प्रोक्षतीति । ' रक्षोहणः–' इति बहुवचननिर्देशात्सहप्रोक्षणम् । पृथक्प्रोक्षणपक्षे मन्त्रावृत्तिः । तथा च कात्यायनः–" प्रोक्षत्येनान् रक्षोहण इति, भेदे च मन्त्रावृत्तिः सन्निपातित्वात्–" (का. श्रौ. सू. ८ । १३०–१३१) इति । मन्त्राणां क्रियासहावर्तनत्वेन व्यभिचारादित्यर्थः । सहत्वपक्षे बहुवचनमौपचारिकम् । स्पष्टो मन्त्रार्थः ॥ १८ ॥

अथ याः प्रोक्षण्य इति । अवटेषु प्रोक्षणीशेषावनयनं प्रशंसति–तद्या इमाः प्राणेष्वाप इति । 'प्राणेषु' कर्णनासादिविवरेषु ' याः ' ' आपः ' सन्ति ' ता एव ' ' एतत् ' एतेनावनयनेन यज्ञशिरस्थोपरवाख्यप्राणेषु स्थापितवान् भवति । तस्मादित्यादि । ' एषु प्राणेषु ' मनुष्यप्राणेषु ॥ १९ ॥

सोऽवनयतीति । स्पष्टोऽवनयनमन्त्रः । अवटेषु अन्तर्बर्हिःस्तरणविवितदर्थत्वादतन्मन्त्राः पूर्ववद् व्याख्येयाः ।

सोऽवस्तृणाति । रक्षोहणो वो व्वलगहनोऽवस्तृणामि व्वैष्णवानित्यथ बर्हीᳪंषि तनूनीवोपरिष्टात्प्रच्छादयति केशा हैवास्यैते ॥ २१ ॥

(तेऽथा) अथाधिषवणे फलकेऽउपदधाति । रक्षोहणौ वां व्वलगहना ऽउपदधामि व्वैष्णवीऽइति हनू हैवास्यैते ऽअथ पर्य्यूहति रक्षोहणौ वां व्वलगहनौ पर्य्यूहामि व्वैष्णवीऽइति दृᳪंहत्येवैने ऽएतदशिथिले करोति ॥ २२ ॥

(त्यु) अथाधिषवणं परिकृत्तं भवति । सर्व्वरोहितं जिह्वा हैवास्यैषा तद्यत्सर्व्वरोहितं भवति लोहिनीव हीयं जिह्वा तन्निदधाति व्वैष्णवमसीति व्वैष्णवᳪं ह्येतत् ॥ २३ ॥

सोऽवस्तृणाति । " रक्षोहणो वो वलगहनोऽवस्तृणामि वैष्णवान् "–(वा. सं. ५।२५) इति । अथ बर्हींषि तनूनीवोपरिष्टात् प्रच्छादयति । केशा हैवास्यैते ॥ २१ ॥

अथाधिषवणे फलकेऽउपदधाति । " रक्षोहणौ वां वलगहनाऽउपदधामि वैष्णवी "–(वा. सं. ५ । २५) इति । हनू हैवास्यैते । अथ पर्य्यूहति–" रक्षोहणौ वां वलगहनौ पर्य्यूहामि वैष्णवी "–(वा. सं. ५।२५) इति । दंहत्येवैने एतद् । अशिथिले करोति ॥ २२ ॥

अथाधिषवणं परिकृत्तं भवति । सर्वरोहितम् । जिह्वा हैवास्यैषा । तद् यत् सर्वरोहितं भवति–लोहिनीव हीयं जिह्वा । तन्निदधाति । "वैष्णवमसि"–(वा. सं.५।२५) इति । वैष्णवं ह्येतत ॥२३॥

अवनयनावस्तरणयोर्न्यायः प्रोक्षणवत् । " अवनयनावस्तरणे चावटवत्–"(का. श्रौ. सू. ८ । १३२) इति हि सूत्रम् । यूपावटवदवनयावस्तरणे कार्ये इत्यर्थः । अवटानामुपर्यपि सूक्ष्माणां बर्हिषामाच्छादनं विधत्ते– **अथ बर्हींषि तनूनीति । केशा हैवास्यैत** इति । निर्दिश्यमानानि यद्यपि बर्हींषि, तथापि प्रतिनिर्दिश्यमानकेशापेक्षया 'एते'–इति पुंल्लिङ्गता ॥ २० ॥ २१ ॥

अथाधिषवणे फलके इति । 'अधि' उपरि सूयते सोमोऽनयोरिति 'अधिषवणे' द्वे 'फलके' उपदध्यात् । 'रक्षोहणौ वां व्वलगहनौ'–इत्युपधानमन्त्रः । स च स्पष्टार्थः । 'ते' च 'अस्य' हविर्द्धानस्य शिरसः हनुस्थानीये । अत्र कात्यायनः–" अथाधिषवणे फलके द्व्यंगुलान्तरे प्रक्षालिते प्राची अरत्निमात्रे सन्तृण्णे वोपदधाति "–(का. श्रौ. सू. ८ । १३३) इति ॥

अथ पर्य्यूहतीति । फलके परिदंहति परितो मृदा दृढीकुर्यात् ॥ २२ ॥

अथाधिषवणमिति । सर्वरोहितमित्यादि । एतच्च रक्तवर्णाया जिह्वायाः स्थाने भवति । तच्च " वैष्णवमसि–" इति मन्त्रेण 'निदध्यात्' अधिषवणफलकयोरुपरि स्थापयेत् ॥ २३ ॥

१–तनूनुपरि कुशान् कृत्वा । का. श्रौ. सू. ८ । १३३ । २–पर्य्यूहति च रक्षोहणौ रक्षोहणाविति । का० श्रौ० सू० ८–१३३ । ३–तयोश्चर्माधिषवणं परिकृत्त५ सर्व्वरोहितं निदधाति व्वैष्णवमसीति । का० श्रौ० सू० ८ । १३४ ।

(ढ) अथ ग्राव्ण उपावहरति। दुन्ता हैवास्य ग्रावाणस्तद्यद्ग्रावभिरभिषुण्वन्ति यथा दुद्भिः प्सायादेवं तत्तान्निदधाति वैष्णवा स्थेति वैष्णवा ह्येत ऽएतदु यज्ञस्य शिरः सᳪंस्कृतम्॥ २४॥

इति चतुर्थप्रपाठके चतुर्थं ब्राह्मणम् ॥ ४ ॥४॥ (५.४.)

अथ ग्राव्ण उपावहरति। दन्ता हैवास्य ग्रावाणः। तद् यद् ग्रावभिरभिषुण्वन्ति–यथा दद्भिः प्सायात्–एवं तत्। तान् निदधाति। "वैष्णवा स्थ"–(वा. सं. ५। २५) इति। वैष्णवा ह्येते। एतदु यज्ञस्य शिरः संस्कृतम्॥ २४॥

अथ ग्राव्ण इत्यादि[1]। अधिषवणचर्मणि अभिषवसाधनान् पाषाणान् पञ्च आहरन्ति। ते 'ग्रावाणः' 'अस्य' 'दन्ताः' दन्तस्थानीयाः। तदेवोपपादयति–तद्यद् ग्रावभिरिति। दद्भिः प्सायात् एवं तदिति। यथा दन्तैर्भक्षयति एवं तत्। "प्सा भक्षणे" (धा०पा०अ०प०४५) इति धातुः। एतदु यज्ञस्येति। "पुरुषो वै यज्ञः"–इति प्रतिज्ञाय "शिर एवास्य हविर्द्धानम्"–इति यद्धविर्द्धानस्य शिरस्त्वं निर्दिष्टम्, (श. प. ब्रा. ३। ५। ३। २। १, २) तदिदं 'यज्ञस्य शिरः संस्कृतं' मध्यमच्छदिरादि–सोमाभिषवग्रावान्तानां यज्ञाङ्गानां शिरोललाटादिदन्तान्तकल्पनया हविर्द्धानस्य शिरस्त्वं साधितमित्यर्थः। केवलं प्रयोगजातमानुपूर्व्येणाभिधाय तत्तदवयवरूपकल्पनयाऽभिधीयते, तेन तत्तदङ्गजातं तत्तदवयवध्यानेनानुष्ठीयमानं सन्महते फलाय भवतीत्युक्तं भवति (तै. सं. ६। २। ११)॥ २४॥

इति श्रीसायणाचार्यविरचिते माधवीये वेदार्थप्रकाशे माध्यन्दिनशतपथब्राह्मणभाष्ये तृतीयकाण्डे पञ्चमाध्याये चतुर्थं ब्राह्मणम्॥ ३। ५। ४॥

वेदार्थस्य प्रकाशेन तमो हार्दं निवारयन्। पुमर्थांश्चतुरो देयाद् विद्यातीर्थमहेश्वरः॥ १॥
ब्रह्माण्डं गोसहस्रं कनकहयतुलापूरुषौ स्वर्णगर्भं सप्ताब्धीन् पञ्चसीरीं त्रिदशतरुलताधेनुसौवर्णभूमीः।
रत्नोस्रां रुक्मवाजिद्विपमहितरथौ सायणिः सिङ्गणार्यो व्यश्राणीद्विश्वचक्रं प्रथितविधिमहाभूतयुक्तं घटञ्च॥२॥
धान्याद्रिं धन्यजन्मा तिलभवमतुलः स्वर्णजं वर्णमुख्यः कार्पासीयं कृपावान् गुडकृतमजडो राजतं राजपूज्यः ३
आज्योत्थं प्राज्यजन्मा लवणजमनृणः शार्करं चार्कतेजा रत्नाढ्यो रत्नरूपं गिरिमकृत मुदा पात्रसात्सिङ्गणार्यः ४

इति श्रीमद्राजाधिराजपरमेश्वरवैदिकमार्गप्रवर्तकश्रीवीरहरिहरमहाराजसाम्राज्यधुरन्धरेण सायणाचार्येण विरचिते माधवीये वेदार्थप्रकाशे माध्यन्दिनशतपथब्राह्मणभाष्ये तृतीयकाण्डे पञ्चमोऽध्यायः समाप्तः॥ ३॥५॥

१–तस्मिन् ग्राव्णः पंच वैष्णवाः स्थेति। का० श्रौ० सू० ८। १२५।

षष्ठाध्याये प्रथमं ब्राह्मणम् ।

उदुरमेवास्य सुदः । (स्तु) तुस्मात्सुदसि भक्षयन्ति युद्धीदं किञ्चा-
श्नुन्त्युदरऽएवेद१ँ सुर्व्वं प्रुतितिष्ठत्युथ युदस्मिन्विुश्वे देवाऽअसीदंस्तुस्मा-
त्सुदो नाम तुऽउऽएवास्मिन्नेते ब्राह्मणा विश्वगोत्राः सीदन्त्यैन्द्रं देवुतया॥१॥
तन्मुध्यऽऔदुम्बरीं मिनोति (त्यु) अन्नं वाऽऊर्गुदुम्बुरऽउदुरमे-
वास्य सुदस्तुन्मध्युतोऽन्नाद्यं दधाति तुस्मान्मुध्यऔदुम्बरीं मिनोति ॥२॥
(त्यु) अथ यु एषु मध्यमुः शङ्कुर्भ्भवति । व्वेदेर्जघनार्द्धं तुस्मात्प्राङ्प्र-
क्रामति षुड्विक्रमुान्दक्षिणा सप्तमुमपुक्रामति सम्पदः कामाय तुदवटं
परिलिखति ॥ ३ ॥

औदुम्बरी ।

उदरमेवास्य सदः । तस्मात् सदसि भक्षयन्ति । यद्धीदं किञ्चाश्नन्ति–उदर एवेदं सर्वं प्रतितिष्ठति । अथ यदस्मिन् विश्वे देवा असीदन्–तस्मात् सदो नाम । तऽ उऽएवास्मिन्नेते ब्राह्मणा-विश्वगोत्राः सीदन्ति–ऐन्द्रं देवतया ॥ १ ॥

तन्मध्य औदुम्बरीं मिनोति । अन्नं वाऽऊर्गुदुम्बरः । उदरमेवास्य सदः । तन्मध्यतोऽन्नाद्यं दधाति । तस्मान्मध्य औदुम्बरीं मिनोति ॥ २ ॥

अथ य एष मध्यमः शंकुर्भवति–वेदेर्जघनार्द्धे । तस्मात् प्राङ् प्रक्रामति–षड्विक्रमान्–दक्षिणा सप्तममपक्रामति–सम्पदः कामाय । तदवटं परिलिखति ॥ ३ ॥

यस्य निःश्वसितं वेदा यो वेदेभ्योऽखिलं जगत् । निर्ममे तमहं वन्दे विद्यातीर्थमहेश्वरम् ॥

यज्ञशिरस्त्वं हविर्द्धानस्योक्त्वा तत् समर्थ्य, इदानीं सदसो यज्ञोदरत्वं प्रतिपादयितुं पूर्वोक्तमनुवदति–**उदरमेवास्य सदस्तस्मात् सदसि भक्षयन्तीत्यादिना** । ऐन्द्रं देवतयेति । यथा हविर्द्धानं विष्णुदेवत्यम् । एवं सद इन्द्रदेवत्यमित्यर्थः । तृतीयाविधाने " प्रकृत्यादिभ्य उपसङ्ख्यानम् " (पा. सू. २ । ३ । १ । वा. १।) इति तृतीया ॥ १ ॥

तन्मध्य औदुम्बरीमित्यादि । 'तन्मध्ये' तस्य सदसो मध्यदेशे 'औदुम्बरीं' स्थूणां 'मिनुयात्' । औदुम्बर्या मध्यदेशस्थापनयोग्यतां दर्शयति–**अन्नं वा ऊर्गित्यादिना** । ऊर्ग्वा उदुम्बरः " देवा वा ऊर्जं व्यभजन्त, तत उदुम्बर उदतिष्ठत् ऊर्ग्वा उदुम्बरः "–(तै. ब्रा. १ । १ । २ । १०) इति श्रुतेः ऊर्ग्रूपत्वमुदुम्बरस्य । मध्ये हुतशेषस्य भक्षणात् सदस उदरत्वम्, अतः सदोमध्ये औदुम्बरीमानेन उदरमध्येऽन्नं स्थापितम् ॥ २ ॥

तदपि मध्यदेशं विशिनष्टि–**अथ य एष मध्यमः शंकुरित्यादिना** । सौमिकवेद्या जघनार्द्धस्य मध्यदेशे यः शंकुर्विहितः ततः प्राक् षट्प्रक्रमान् विक्रम्य, सप्तमं दक्षिणाभिमुखं विक्रम्य, तत्र अवटं परिलिखेत् ॥ ३ ॥

१–अतःपात्यात्षट्प्रक्रमान् प्राङ् यात्वा दक्षिणा सप्तमं महान्तं तत्रौदुंबरीं मिनोति यजमानमात्रीं वा । का. श्रौ. सू. ८–१३७ ।

सोऽभ्रिमादत्ते । देवस्य त्वा सवितुः प्रसवेऽश्विनोर्बाहुभ्यां पूष्णो हस्ताभ्यामाददे नार्यसीति समान ऽएतस्य यजुषो बन्धुर्योषो वा एषा यदभ्रिस्तस्मादाह नार्य्यसीति ॥ ४ ॥

(त्यु) अथावटं परिलिखति । (ती) इदमहꣳ रक्षसां ग्रीवाऽअपिकृन्तामीति व्वज्रो वा अभ्रिर्व्वज्रेणैवैतन्नाष्ट्राणाꣳ रक्षसां ग्रीवाऽअपिकृन्तति ॥५॥

(त्यु) अथ खनति । प्राञ्चमुत्करमुत्किरति यजमानेन सम्मायौदुम्बरीं परिवासयति तामग्रेण प्राचीं निदधात्येतावन्मात्राणि बर्हीꣳष्युपरिष्टादधिनिदधाति ॥ ६ ॥

(त्यु) अथ यवमत्यः प्रोक्षण्यो भवन्ति । (न्त्या) आपो ह वा ओषधीनाꣳ रसस्तस्मादोषधयः केवल्यः खादिता न धिन्वन्त्योषधयऽ उ हापाꣳ

सोऽभ्रिमादत्ते-" देवस्य त्वा सवितुः प्रसवेऽश्विनोर्बाहुभ्यां पूष्णो हस्ताभ्यामाददे नार्य्यसि "-(वा. सं. ५ । २६) इति । समान एतस्य यजुषो बन्धुः । योषो वा एषा-यदभ्रिः । तस्मादाह-नार्य्यसीति ॥ ४ ॥

अथावटं परिलिखति-" इदमहं रक्षसां ग्रीवा अपिकृन्तामि "-(वा. सं० ५ । २६) इति । वज्रो वा अभ्रिः । वज्रेणैवैतन्नाष्ट्राणां रक्षसां ग्रीवा अपिकृन्तति ॥ ५ ॥

अथ खनति । प्राञ्चमुत्करमुत्किरति । यजमानेन सम्मायौदुम्बरीं परिवासयति । तामग्रेण प्राचीं निदधाति । एतावन्मात्राणि बर्हींषि उपरिष्टादधिनिदधाति ॥ ६ ॥

अथ यवमत्यः प्रोक्षण्यो भवन्ति । आपो ह वा ओषधीनां रसः । तस्मादोषधयः केवल्यः

अवटखननार्थमभ्र्यादानं समन्त्रकं विधत्ते-सोऽभ्रिमादत्ते देवस्य त्वेति । व्याख्यातमेतत् ॥ ४ ॥

अथावटं परिलिखतीति । अवटपरिलेखनमन्त्रस्यायमर्थः-' इदम् ' एतेन परिलेखनेन ' रक्षसां ' ग्रीवाः ' कण्ठावयवान् ' अपिकृन्तामि ' छिनद्मि । वज्रवत्तीक्ष्णधारत्वादभ्रिर्वज्रत्वेन स्तूयते । ' नाष्ट्राणां ' नाशकानाम् । स्पष्टमन्यत् ॥ ५ ॥

अथ खनतीति । 'उत्करं' खातं मृन्निचयं 'प्राञ्चम्' अवटस्य समीपे प्राग्देशे 'उत्किरति' । 'यजमानेन सम्माय' यजमानप्रमाणं कृत्वा 'परिवासयति' अवशिष्टमंशं छिनत्ति । ' ताम् ' औदुम्बरशाखाम् ' अग्रेण ' अवटस्य प्राग्देशे 'प्राचीं' प्रागग्रां स्थापयेत् । 'एतावन्मात्राणि' औदुम्बरीप्रमाणानि 'बर्हींषि' 'उपरिष्टाद्' औदुम्बर्या उपरि 'निदधाति' आच्छादयेदित्यर्थः ॥ ६ ॥

औदुम्बरीप्रोक्षणसाधनानामपां यवसाहित्यं विधाय प्रशंसति-अथ यवमत्यः प्रोक्षण्यो भवन्तीति । उक्तमपां रसत्वं युक्त्या समर्थयते-तस्मादोषधयः केवल्य इति । ' तस्मात् ' गतरसत्वात् ' न धिन्वन्ति ' न

१-अभ्र्यादि करोत्यावटस्तरणात् । का. श्रौ. सू. ८-१२९ । देवस्यत्वेत्यभ्रिमादाय यूपावटं परिलिखतीदमहमित्याहवनीयस्य पुरस्तादर्धं व्वैर्द्धम् । का. श्रौ. सू. ६-४१ । २-उपरसम्मितं खनति । प्राचः पाः २सूत्रद्रपति का. श्रौ. सू. ६।४२।४३ ।

रुसस्तुस्मादाुपः पीताः केवल्यो नु धिन्वन्ति युदैवोभुय्यः सुᳬसृष्टा भुवन्त्युथैवु धिन्वन्ति तुर्हि हि सुरसा भुवन्ति सुरसाभिः प्रोक्षाणीति ॥७॥

देवाुश्च वाऽअुसुराश्च । (श्चो) उभुये प्राजापत्याुः पस्पृधिरे तुतो देवेुभ्यः सुर्व्वाऽएवौषधय ऽईयुर्य्यवा हैवैभ्यो नेयुः ॥ ८ ॥

(स्त) तद्धै देवा ऽअस्पृण्वत । तऽएतैः सुर्व्वाः सपत्नानामोषधीरयुवत यदयुवत तुस्माद्युवा नाम ॥ ९ ॥

ते होचुः । (हं) हुन्त यः सुर्व्वासामोषधीनाᳬ रसस्तं यवेषु दधामेति स यः सर्व्वासामोषधीनाᳬ रसऽआसीत्तं यवेष्वदधुस्तुस्माद्यत्रान्या ऽओषधयो म्लायन्ति तुदेते मोदमाना व्वर्धन्तऽएवᳬ ह्येषु रसमुदधुस्तथोऽ-एवैषऽएतैः सुर्व्वाः सपत्नानामोषधीर्युते तुस्माद्यवमत्यः प्रोक्षण्यो भवन्ति १०

खादिता न धिन्वन्ति । औषधय उहा अपां रसः । तस्मादापः पीताः केवल्यो न धिन्वन्ति । यदैवो-भय्यः संसृष्टा भवन्ति-अथैव धिन्वन्ति-तर्हि हि सरसा भवन्ति । सरसाभिः प्रोक्षाणीति ॥ ७ ॥

देवाश्च वाऽअसुराश्च उभये प्राजापत्याः पस्पृधिरे । ततो देवेभ्यः सर्वा एवौषधय ईयुः-यवा हैवैभ्यो नेयुः ॥ ८ ॥

तद्धै देवा अस्पृण्वत । तऽएतैः सर्वाः सपत्नानामोषधीरयुवत, यदयुवत; तस्माद्यवा नाम ॥ ९ ॥

ते होचुः-हन्त यः सर्वासामोषधीनां रसः, तं यवेषु दधामेति । स यः सर्वासामोषधीनां रस आसीत् तं यवेष्वदधुः । तस्माद्यत्रान्या ओषधयो म्लायन्ति, तदेते मोदमाना वर्द्धन्ते । एवं ह्येषु रसमदधुः । तथोऽएवैष एतैः सर्वाः सपत्नानामोषधीर्युते । तस्माद्यवमत्यः प्रोक्षण्यो भवन्ति ॥ १० ॥

प्रीणयन्ति । केवलतण्डुलभक्षणे तृप्तेरदर्शनात् । " धिन्विकृण्व्योर च " इत्युप्रत्ययः (पा. सू. ३।१।८०) तत्सन्नियोगेन वकारस्याकारादेशः । ओषधीनां प्रतिज्ञातमप्रसत्वमुपपादयति-तस्मादापः पीताः केवल्य इति । 'यदा' 'उभय्यः' ओषधय आपश्च 'संसृष्टाः' स्युः 'अथ' तथा सति 'धिन्वन्ति' 'तर्हि' तथा सति 'सरसाः' 'भवन्ति' भवेयुः । केनाभिप्रायेणेत्याह--सरसाभिः प्रोक्षाणीति ॥ ७ ॥

अथ शब्दव्युत्पत्तिप्रदर्शनमुखेन यवान् प्रशंसति-देवाश्च वा असुराश्चेत्यादिना । 'सर्वा एव ओषधयः ईयुः' देवेभ्यः सकाशात् पलायिताः ॥ ८ ॥

तद्धै देवा अस्पृण्वतेति । 'अस्पृण्वत' सर्वा ओषधीर्वाञ्छितवन्तः । तदेव विशदयति-त एतैः सर्व्वाः सपत्नानामोषधीरयुवतेति । 'ते' 'एतैः' यवैः 'अयुवत' अमिश्रयन् । 'तस्माद्' यवनसाधनत्वाद् 'यवाः' इति तन्नामनिर्वचनम् । गतानाम् ओषधीनां यवनसाधनाः सम्पन्ना इति यवस्तुतिः ॥ ९ ॥

ते होचुरिति । सर्व्वौषधिरसानां यवेषु स्थापनं प्रत्यक्षप्रमाणेन द्रढयति-तस्माद् यत्रान्या ओषधयो म्लायन्तीति ॥ १० ॥

स यवानावपति। यवोऽसि यवयास्मद्द्वेषो यवयारातीरिति नात्र तिरो-
हितमिवास्त्यथ प्रोक्षत्येको वै प्रोक्षणस्य बन्धुर्मेध्यामेवैतत्करोति ॥११॥
स प्रोक्षति। दिवे त्वाऽन्तरिक्षाय त्वा पृथिव्यै त्वेतीमानेवैतल्लोकानूर्जा
रसेन भाजयत्येषु लोकेषूर्ज॑ँ रसं दधाति ॥ १२ ॥
(त्यु) अथ याः प्रोक्षण्यः परिशिष्यन्ते। ताऽअवटेऽवनयति शुन्धन्तां
लोकाः पितृषदनाऽइति पितृदेवत्यो वै कूपः खातस्तमेवैतन्मेध्यं करोति १३
(त्यु) अथ बर्हीं॑ँषि। प्राचीनाग्राणि चोदीचीनाग्राणि चावस्तृणाति
पितृषदनमसीति पितृदेवत्यं वा ऽअस्या ऽएतद्भवति यन्निखात॑ँ सा यथा
निखातौषधिषु मिता स्यादेवमेतास्त्वोषधिषु मिता भवति॥ १४ ॥

स यवानावपति–"यवोऽसि यवयास्मद्द्वेषो यवयारातीः"–(वा. सं. ५। २६) इति। नात्र तिरोहितमिवास्ति। अथ प्रोक्षति। एको वै प्रोक्षणस्य बन्धुः–मेध्यामेवैतत्करोति ॥ ११ ॥

स प्रोक्षति–"दिवे त्वाऽन्तरिक्षाय त्वा पृथिव्यै त्वा"–(वा. सं. ५।२६) इति। इमानेवैतल्लोकानूर्जा रसेन भाजयति। एषु लोकेषूर्जं रसं दधाति ॥ १२ ॥

अथ याः प्रोक्षण्यः परिशिष्यन्ते–ताऽअवटेऽवनयति–"शुन्धन्तां लोकाः पितृषदनाः"–(वा. सं. ५।२६) इति। पितृदेवत्यो वै कूपः खातः, तमेवैतन्मेध्यं करोति ॥ १३ ॥

अथ बर्हींषि प्राचीनाग्राणि चोदीचीनाग्राणि चावस्तृणाति–"पितृषदनमसि"–(वा.सं.५।२६)

स यवानावपतीति[1]। यवानाणे मन्त्रमाह–**यवोऽसि यवयेति**। हे यवपदार्थ! त्व 'यवोऽसि' पृथक्कर्ताऽसि, अतः 'यवय' अस्मत्तो द्वेष्टॄन् पृथक् कुरु। तथा 'अरातीः' अदानशीलान् ॥

अथ प्रोक्षतीति[2]। औदुम्बरीः। **एको वै प्रोक्षणस्य बन्धुरिति**। यत्र यत्र प्रोक्षणमस्ति तस्य सर्वस्यापि मेध्यमेतत् करोतीति एवंरूपं ब्राह्मणमेकमेवेत्यर्थः ॥ ११ ॥

स प्रोक्षतीति। हे उदुम्बरशाखाग्र! 'त्वा' त्वाम् 'दिवे' द्युलोकाय तद्दूरीभावाय प्रोक्षामीति शेषः[3]। एवमुत्तरवाक्येऽपि योज्यम् ॥ १२ ॥

अथ याः प्रोक्षण्य[4] इति। शुन्धन्तामिति मन्त्रेण प्रोक्षणीशेषमवटेऽवनयेत्। पितरः सीदन्त्येषु इति 'पितृषदनाः' भूम्यधोवर्तिनो लोकाः प्रायेण गर्तस्य पित्र्यकार्येषु दर्शनादवटस्य पितृषदनत्वम्, तदेवाह–**पितृदेवत्यो वै कूपः खात** इति ॥ १३ ॥

अथ बर्हींषीत्यादि[4]। सुविशदम्। **सा यथा निखाता ओषधिषु मिता स्यात्, एवमेतास्त्वोषधिषु मिता। भवती**ति वने 'अनिखाता' दृढमूला स्वभावेनोत्पन्ना 'यथा' ओषधिषु सदोत्पन्नेषु तृणगुल्मादिषु मध्ये 'मिता' भवति, सर्वार्हिष्के गर्ते 'मिता' शाखापि 'एवं' भवतीत्यर्थः ॥ १४ ॥

१–यवोऽसीत्यप्सु यवानोप्य। का.श्रौ.सू। ६। ४८। २–प्रोक्षत्यग्रमध्यमूलानि दिवे त्वेति प्रतिमंत्रम्। का.श्रौ. सू.। ६। ४८।
३–प्रोक्षामीति सर्वत्र साकांक्षत्वात्। का. श्रौ. सू.। ६। ४९। ४–अवटे शेषमासिंचति शुन्धन्तामिति। का. श्रौ. सू.। ६। ५०।
४–बर्हीं॑ँषि प्रांच्युदंचि च प्रास्यति पितृषदनमसीति। ६–५१।

तामुच्छ्रयति । (त्यु) उद्दिवꣳ स्तभानान्तरिक्षं पृण दृꣳहस्व पृथिव्यामितीमानेवैतल्लोकानूर्ज्जा रसेन भाजयत्येषु लोकेषूर्ज्जꣳ रसं दधाति ॥ १५ ॥

(त्यु) अथ मिनोति । द्युतानस्त्वा मारुतो मिनोत्त्विति यो वाऽअयं पवतऽएष द्युतानो मारुतस्तदेनामेतेन मिनोति मित्रावरुणौ ध्रुवेण धर्म्मणेति प्राणोदानौ वै मित्रावरुणौ तदेनां प्राणोदानाभ्यां मिनोति ॥ १६ ॥

(त्यु) अथ पर्य्यूहति । ब्रह्मवनि त्वा क्षत्रवनि रायस्पोषवनि पर्य्यूहामीति बह्वी वै यजुःष्वाशीस्तद्ब्रह्म च क्षत्रं चाशास्तऽउभे व्वीर्ये रायस्पोषवनीति भूमा वै रायस्पोषस्तद्भूमानमाशास्ते ॥ १७ ॥

इति । पितृदेवत्यं वाऽ अस्या एतद्भवति । यन्निखातम् । सा यथा निखातौषधिषु मिता स्यात्—एवमेतास्वोषधिषु मिता भवति ॥ १४ ॥

तामुच्छ्रयति—" उद्दिवं स्तभानान्तरिक्षं पृण दृꣳहस्व पृथिव्याम् "—(वा. सं. ५।२७) इति । इमानेवैतल्लोकानूर्जा रसेन भाजयति । एषु लोकेषूर्जं रसं दधाति ॥ १५ ॥

अथ मिनोति—" द्युतानस्त्वा मारुतो मिनोतु "—(वा. सं. ५ । २७) इति । यो वाऽअयं पवते—एष द्युतानो मारुतः । तदेनामेतेन मिनोति—" मित्रावरुणौ ध्रुवेण धर्मणा—(वा. सं. ५ । २७) इति । प्राणोदानौ वै मित्रावरुणौ । तदेनां प्राणोदानाभ्यां मिनोति ॥ १६ ॥

अथ पर्यूहति—"ब्रह्मवनि त्वा क्षत्रवनि रायस्पोषवनि पर्यूहामि"—(वा. सं. ५ । २७) इति । बह्वी वै यजुःष्वाशीः । तद्ब्रह्म च क्षत्रं चाशास्ते । उभे वीर्ये । रायस्पोषवनीति । भूमा वै रायस्पोषः । तद्भूमानमाशास्ते ॥ १७ ॥

तामुच्छ्रयतीति[१] । 'उच्छ्रयति' ऊर्ध्वं स्थापयेत् । तन्मन्त्रस्यायमर्थः—हे उदुम्बरशाखे ! तवाग्रभागेन ' दिवम् ' ' उत्तभान ' उत्तम्भनं कुरु; शरीरस्थौल्येन ' अन्तरिक्षं ' ' पृण ' पूरय; ' पृथिव्यां ' ' दृंहस्व ' दृढा भव, पृथिवीमपि दृढां कुर्वित्यर्थः; पृथिव्याः शैथिल्ये शाखाया अपि दार्ढ्यायोगात् । ऊर्ध्वरूपस्यौदुम्बरस्य लोकत्रयेऽपि सम्बन्धाल्लोकेषूर्ग्रसस्थापनं कृतं भवति । स्पष्टमन्यत् ॥ १५ ॥

अथ मिनोतीति[२] । औदुम्बरीमानमन्त्रः—' द्युतानः ' दीप्यमानः, एतन्नामको वायुर्देवः, ' मारुतः ' मरुतां देवानां वायूनां सम्बन्धी, सः ' मिनोतु ' अवटे प्रक्षिपतु । तथा ' मित्रावरुणौ ' देवौ ' ध्रुवेण ' अविचलितेन ' धर्म्मणा ' धारणेन मिनुताम् । स्पष्टमन्यत् । मित्रावरुणशब्दयोरर्थमाह—प्राणोदानौ वै मित्रावरुणाविति । एतदधिदैवतम्; अहोरात्राभिमानिनौ देवाविति (ऐ. ब्रा. ४ । २ । ४) अध्यात्मम् ॥ १६ ॥

समन्त्रकं पर्यूहणं विधत्ते—अथ पर्यूहति ब्रह्मवनि त्वेति । हे शाखाद्रव्य ! ' ब्रह्मवनि ' ब्रह्मणः सम्भक्तृ ' त्वा ' त्वाम् ' पर्यूहामि ' प्रक्षिपामि । एवमुत्तरवाक्यान्यपि योज्यानि ।

१–उद्दिवमित्युच्छ्रयति । का. श्रौ. सू. ८ । १४० । २–द्युतान इति मिनोति । का. श्रौ. सू. ८ । १४१ ।
३–ब्रह्मवनि त्वेति पांसुभिः पर्यूहति का. श्रौ. ६ । ६३ ।

(स्तेऽथ) अथ पर्यूषति । ब्रह्म दृꣳह क्षत्रं दृꣳहायुर्दृꣳह प्रजां दृꣳहेत्याशीरेवैषैतस्य कर्मणऽआशिषमेवैतदाशास्ते समम्भूमि पर्य्यूषणं करोति गर्त्तस्य वाऽउपरिभूम्यथैवं देवत्रा तथा हागर्त्तमिद्भवति ॥ १८ ॥

(त्यु) अथापऽउपनिनयति । यत्र वाऽअस्यै खनन्तः क्रूरीकुर्वन्त्यपघ्नन्ति शान्तिरापस्तदद्भिः शान्त्या शमयति तदद्भिः सन्दधाति तस्मादपऽउपनिनयति ॥ १९ ॥

(त्यु) अथैवमभिपद्य वाचयति । ध्रुवाऽसि ध्रुवोऽयं यजमानोऽस्मिन्नायतने प्रजया भूयादिति पशुभिरिति वैवं यं कामं कामयते सोऽस्मै कामः समृद्ध्यते ॥ २० ॥

अथ पर्यूषति–“ ब्रह्म दृंह, क्षत्रं दृंह, आयुर्दृंह, प्रजां दृंह ”–(वा. सं. ५ । २७) इति । आशीरेवैषैतस्य कर्मणः । आशिषमेवैतदाशास्ते । समंभूमि पर्यूषणं करोति । गर्तस्य वाऽउपरि भूमि । अथैवं देवत्रा । तथा हागर्तमिद्भवति ॥ १८ ॥

अथापऽउपनिनयति । यत्र वाऽअस्यै खनन्तः क्रूरीकुर्वन्ति अपघ्नन्ति । शान्तिरापः, तद् अद्भिः शान्त्या शमयति । तदद्भिः सन्दधाति । तस्मादप उपनिनयति ॥ १९ ॥

अथैवमभिपद्य वाचयति–“ ध्रुवाऽसिध्रुवोऽयं यजमानोऽस्मिन्नायतने प्रजया भूयात् ”–

मन्त्रं व्याचष्टे–बह्वी वा इति । प्रायेण ‘यजुःषु’ मन्त्रेषु ‘आशीः’ बह्वी परिदृश्यते । अतोऽत्र ब्रह्मक्षत्रोभयरूपं फलमाशास्यते । “ भूमा वै रायस्पोष इत्याद्यसकृद् गतम् ” (श. प. ब्रा. ३।५।२।१२।) ॥१७॥

अथ पर्यूषतीति । ‘ पर्यूषति ’ परितः सङ्घट्टयेत् । “ ऋषी गतौ ”–(धा. पा. तु. प. ७) इति धातुः । ब्रह्म दृंहेत्यादिर्दृंहणमन्त्रो यजमानापेक्षितस्य कर्मफलस्य प्रतिपादक इत्याह–आशीरेवैतस्य कर्मण इति । ‘ एतस्य ’ शाखादृंहणकर्मणः फलरूपाऽऽशीः प्रतिपाद्यत इत्यर्थः । परिघट्टनं–पर्यूषणम्, भूमिप्रमाणमद्भिः कर्त्तव्यमित्याह–समम्भूमि पर्यूषणमिति । भूम्या समं ‘ समम्भूमि ’, ‘ पर्यूषणं ’ भूमिसमं ‘ करोति ’ । व्यतिरेकमाह–गर्त्तस्य वा इति ॥ अथैवं देवत्रेति । ‘ अथ ’–शब्द उक्तवैलक्षण्यद्योतनार्थः । एवं साम्ये सति ‘ देवत्रा ’ देवेषु अन्वितो भवतीत्यर्थः । तथा हागर्त्तमिद् भवतीति । ‘ तथा ह ’ तथा सति, भूमिसाम्ये सति ‘ अगर्तमित् ’ अगर्तमिता भवति । मिनोतेः कर्मणि क्विप् ॥ १८ ॥

अथाप उपनिनयतीति । ‘ उपनिनयति ’ मृत्परमाणूनां संश्लेषाय ‘ अस्यै खनन्तः ’ अस्या भूम्याः भागं विदारयन्तः, तामेव भूमिम् । अक्रूरां ‘ क्रूरीकुर्वन्ति ’ । ‘ आपः ’ तु शमनहेतुत्वात् ‘ शान्तिः ’ अतः ‘ तत् ’ तेन ‘ अद्भिः ’ ‘ शान्त्या ’ शान्तेरेकत्वादेकवचनम् । ‘ क्रौर्यशमनमदृष्टं प्रयोजनम्; अद्भिः सन्धानं तु संहतिहेतु दृष्टं प्रयोजनम् ॥ १९ ॥

अथैवमभिपद्येति । ‘ अभिपद्य ’ शाखामालभ्य, एवं ‘ वाचयति ’ ध्रुवासीत्येवम्प्रकारेण । हे शाखे !

१–ब्रह्म दृꣳहेति मैत्रावरुणदण्डेन समन्तं त्रिः पर्यूषति । का. श्रौ. सू. ६ । ६४ । २–समां भूमिं कृत्वाऽद्भिरुपसिच्य । का. श्रौ. सू. ६ । ६५ । ३–पर्यूहणाद्योपसेचनात् कृत्वा ध्रुवाऽसीति व्वाचयत्यौदुंबरीमलभ्य प्रजया भूयादिति पशुभिरीति वा । का. श्रौ. सू. ८ । १४२ ।

(तेऽथ) अथ स्रुवेणोपहृत्याज्यम् । विष्टपमभि जुहोति घृतेन द्यावापृथिवी पूर्येथामिति तदिमे द्यावापृथिवीऽऊर्ज्जा रसेन भाजयत्यनयोरूर्ज्जꣳरसं दधाति ते रसवत्याऽउपजीवनीयेऽइमाः प्रजाऽउपजीवन्ति॥२१॥

(न्त्यु) अथ च्छदिरधिनिदधाति । (त्री) इन्द्रस्य च्छदिरसीत्यैन्द्रꣳहि सदो विश्वजनस्य च्छायेति विश्वगोत्रा ह्यस्मिन्ब्राह्मणाऽआसते तदुभयतश्छदिषीऽउपदधात्युत्तरतस्त्रीणि परस्त्रीणि तानि नव भवन्ति त्रिवृद्वै यज्ञो नव वै त्रिवृत्तस्मान्नव भवन्ति ॥ २२ ॥

(वा. सं. ५।२८) इति । " पशुभिः "–(वा. सं. ५।२८) इति । वा एवं यं कामं कामयते–सोऽस्मै कामः समृद्ध्यते ॥ २० ॥

अथ स्रुवेणोपहत्याज्यं विष्टपमभि जुहोति–" घृतेन द्यावापृथिवी पूर्येथाम् "–(वा. सं. ५।२८) इति । तदिमे द्यावापृथिवीऽऊर्ज्जा रसेन भाजयति । अनयोरूर्जं रसं दधाति । ते रसवत्याऽउपजीवनीये इमाः प्रजा उपजीवन्ति ॥ २१ ॥

. अथ च्छदिरधिनिदधाति–"इन्द्रस्य च्छदिरसि"–(वा. सं. ५।२८) इति । ऐन्द्रं हि सदः–" विश्वजनस्य छाया "–(वा. सं. ५ । २८) इति विश्वगोत्रा ह्यस्मिन् ब्राह्मणाऽआसते । तदुभयतश्छदिषी उपदधाति–उत्तरतस्त्रीणि, परस्त्रीणि, तानि नव भवन्ति । त्रिवृद्वै यज्ञो नव वै त्रिवृत् । तस्मान्नव भवन्ति ॥ २२ ॥

त्वमिदानीं कृतप्रकारेण ' ध्रुवा ' अविचला ' असि ' । ' अयं ' ' यजमानः ' अपि ' अस्मिन् ' स्वकीये एव गृहे ' प्रजया ' ' पशुभिः ' सहितः सन् ' ध्रुवः' भवतु । न केवलं ' प्रजया पशुभिः ' इत्यभिधानेन तद्द्वयं समृद्ध्यते, किन्तर्हि ? प्रजापशुव्यतिरिक्तमन्यच्च धनादिकं ' यं कामं कामयते ' स सर्वोऽप्युभयकामनयैव समृद्ध्यते । अत्र ' पशुभिरिति वा ' इति ' वा '–शब्देन ' प्रजया '–इत्यनेन मन्त्रपदेन ' पशुभिः '–इत्यस्य विकल्पः । (का. श्रौ. सू. ८ । १४२) ॥ २० ॥

औदुम्बरीशाखाग्रे होमं विधत्ते–अथेति । विष्टपमभि जुहोतीति । ' विष्टपं ' विशाखम् ' अभि ' विष्टपस्याग्रभागस्याभितः, यथा शाखाया अग्रमूलभागो मध्यदेशश्च अक्ता भवन्ति, एवमाज्यं जुहोति ॥

तन्मन्त्रस्यायमर्थः–' द्यावापृथिवी ' हे द्यावापृथिव्यौ शाखाग्रमूलभागवर्त्तिन्यौ युवां ' घृतेन ' हूयमानेन ' पूर्येथाम् ' पूर्णौ भवतम् । अत्र सूत्रम्–' स्रुवेण विशाखे जुहोति घृतेन द्यावापृथिवी इति भूमिप्राप्ते स्वाहा करोति ' (का. श्रौ. सू. ८ । १४३) इति । द्यावापृथिवीपूर्त्यभिधानस्य प्रयोजनमाह–तदिमे द्यावापृथिवी ऊर्जा रसेन भाजयतीत्यादिना । ऊर्ग्रूपौदुम्बरयुक्तेन आज्येन यद् द्यावापृथिवीपूरणम्, तदूर्ग्रसेनैव द्यावापृथिवीप्रापणं कृतं भवति । तेन तयोः किं कृतं भवति ? " अनयोरूर्जं रसं दधाति " । स्पष्टमन्यत् ॥ २१ ॥

मध्यमच्छदिर्निधानं विधत्ते–अथ च्छदिरधिनिदधातीन्द्रस्य च्छदिरसीति । इन्द्रदेवत्यत्वात् सदोऽत्रेन्द्रः,

---

१–इंद्रस्य च्छदिरिति मध्यमं छदिरारोप्यापरपूर्वे च । त्रिवर्गौ चोत्तरतः । का. श्रौ. सू. ८ । १५१ ।

तदुदीचीनवꣳशꣳ सदो भवति। प्राचीनवꣳशꣳ हविर्द्धानमेतद्धै देवानां निष्केवल्यं यद्धविर्द्धानं तस्मात्तत्र नाश्नन्ति न भक्षयन्ति निष्केवल्यꣳ ह्येतद्देवानाꣳ स यो ह तत्राश्नीयाद्वा भक्षयेद्वा मूर्द्धा हास्य विपते- दथैते मिश्रे यदाग्नीध्रं च सदश्च तस्मात्तयोरश्नन्ति तस्माद्भक्षयन्ति मिश्रे ह्येते ऽउदीची वै मनुष्याणां दिक्तस्मादुदीचीनवꣳशꣳ सदो भवति ॥२३॥

तदुदीचीनवंशं सदो भवति। प्राचीनवंशं हविर्द्धानम्। एतद्धै देवानां निष्केवल्यं-यद्धविर्द्धानम्। तस्मात्तत्र नाश्नन्ति, न भक्षयन्ति। निष्केवल्यं ह्येतद्देवानाम्। स यो ह तत्राश्नीयाद्वा, भक्षयेद्वा- मूर्द्धा हास्य विपतेत्। अथैते मिश्रे-यदाग्नीध्रं च, सदश्च। तस्मात्तयोरश्नन्ति, तस्माद्भक्षयन्ति। मिश्रे ह्येते। उदीची वै मनुष्याणां दिक्, तस्मादुदीचीनवंशं सदो भवति ॥ २३ ॥

तस्याच्छादकमसि तथा 'विश्वजनस्य छायाऽसि' विश्वेषां सदसि स्थितानां जनानां छायाकारी असि। एतयो- र्मन्त्रभागयोर्ब्राह्मणे स्पष्टे। उभयतश्छदिषी उपदधातीति ('परपूर्वे च' का. श्रौ. सू. ८। ९।) मध्यमस्य च्छदिषः 'उभयतः' दक्षिणोत्तरयोः;-तानि मध्यमच्छदींषि त्रीण्यपि प्रमाय, तेषाम् 'उत्तरतः त्रीणि' छदींषि उपदध्यात्, तथा 'परः' परस्तादपि दक्षिणतोऽपि 'त्रीणि' 'उपदधाति' ॥

छदिषां नवत्वं प्रशंसति-तानि नव भवन्तीति। त्रिवृत्स्तोमसाध्यत्वाद् यज्ञस्य त्रिवृत्त्वम्। स च 'त्रिवृत्' स्तोमो 'नव वै' नवस्तोत्रियात्मकः खलु; "तिसृभ्यो हिङ्करोति स एकया" (अ. २ खं. १) इत्यादिसाम- ताण्ड्यब्राह्मणोक्तप्रकारेण त्रिवृत्स्तोमे तिसृणामृचां नवत्वसंपादनात्। तस्मात् छदिषां नवत्वं युक्तम् ॥ २२ ॥

सदस उदगायतत्वं विधत्ते। तदुदीचीनवंशं सदो भवतीति। सदस उदीचीनवंशत्वं प्रशंसितुं हविर्द्धा- नस्य सदोवैलक्षण्यं दर्शयति-प्राचीनवंशं हविर्द्धानमित्यादिना। 'एतत्' हविर्द्धानं 'देवानां निष्केवल्यम्' मनुष्यलक्षणाभावेन निःशेषेणैव देवानां केवलं भवति। "भवे छन्दसि" (पा. सू. ४। ४। ११०) इति यत्। तस्मात् तत्र नाश्नन्ति, न भक्षयन्तीति। 'नाश्नन्ति' पुरोडाशादिकम्, न भक्षयन्ति सोमम्। प्रमादाद्भक्षणे दोषमाह-मूर्द्धा हास्य विपतेदिति। उक्तवैपरीत्यमाग्नीध्रसदसोर्दर्शयति-अथैते मिश्रे इति। 'एते मिश्रे' स्तोत्रशस्त्रादिपाठाश्रयत्वाद् दैवम्, भक्षणसम्भवान्मानुषं चेति 'मिश्रे' भवतः। उदीची वै मनुष्याणां दिगिति। प्रायेणोदीच्यां दिशि मनुष्यवृद्धिदर्शनान्मनुष्यसम्बन्धव्यपदेशः। सदोनिर्माणप्रकारं सूत्रकार आह-"नाभिदघ्नं सदः, मत्या वा, उदग्वंशम्, अष्टादशारत्नि, एकविंशतिश्चतुर्विंशतिर्वा, नव तिर्यक्, अर्द्धायामो वा, औदुम्बरीं मध्ये, पृष्ठ्यामेके, इन्द्रस्य च्छदिरिति मध्यमं छदिरारोप्यापरपूर्वे च, त्रिवर्गौ चोत्तरतः"- (का. श्रौ. सू. ८। १४९-१५२) इति। अष्टादशारत्न्यादयस्त्रयः पक्षाः उदगायामविषये विकल्पिताः; तिर्यक्प्रमाणविषये नवारत्नित्वमायामार्धपरिमाणत्वं[1] च विकल्पितम्। उक्तपरिमाणे सदसि औदुम्बरी मध्या भवति, पृष्ठ्या दक्षिणतः स्थिता वेत्यर्थः[2] ॥ २३ ॥

१-'अर्धपरिमाणत्वम्-'इ. क. पा.। २-इतोऽग्रे-'यथा पृष्ठ्या रज्जुर्मध्या भवति रज्जुर्दक्षिणतः स्थिता औदुम्बरी मध्या भवति यथा पृष्ठ्या रज्जुर्मध्या भवति तथान्यतरपक्षं कुर्यादित्यर्थः'-इ. क. पा.।

तत्परिश्रयन्ति । परि त्वा गिर्वणो गिरऽइमा भवन्तु विश्वतः । वृद्धायुमनु वृद्धयो जुष्टा भवन्तु जुष्टयऽइतीन्द्रो वै गिर्वा विशो गिरो विशैवैतत्क्षत्रं परिबृꣳहति तदिदं क्षत्रमुभयतो विशा परिवृढम् ॥ २४ ॥

(मु) अथ लस्पूजन्या स्पन्द्यया प्रसीव्यति । (ती) इन्द्रस्य स्यूरसीत्यथ ग्रन्थिं करोतीन्द्रस्य ध्रुवोऽसीति नेद्व्यवपद्याताऽइति तं प्रकृते कर्म्मन्विष्यति तथो हाध्वर्युं वा यजमानं वा ग्राहो न विन्दति तन्निष्ठितमभिमृशत्यैन्द्रमसीत्यैन्द्रꣳ हि सदः ॥ २५ ॥

(द्वोऽथ) अथ हविर्द्धानयोः । (र्ज) जघनार्द्धꣳ समन्वीक्ष्योत्तरेणाग्नीध्रं मिनोति तस्यार्द्धमन्तर्वेदि स्यादर्द्धं बहिर्वेद्यथो ऽअपि भूयोऽर्द्धादन्तर्वेदि

तत्परिश्रयन्ति-" परित्वा गिर्वणो गिर इमा भवन्तु विश्वतः । वृद्धायुमनु वृद्धयो जुष्टा भवन्तु जुष्टयः"-(वा. सं. ५ । २९ ।) इति । इन्द्रो वै गिर्वा, विशो गिरः, विशैवैतत् क्षत्रं परिबृंहति । तदिदं क्षत्रमुभयतो विशा परिवृढम् ॥ २४ ॥

अथ लस्पूजन्या स्पन्द्यया प्रसीव्यति-" इन्द्रस्य स्यूरसि " (वा. सं. ५ । ३०) इति । अथ ग्रन्थिं करोति-" इन्द्रस्य ध्रुवोऽसि "-(वा. सं ५ । ३०) इति । नेद्व्यवपद्याताऽइति प्रकृते कर्मन् विष्यति । तथो हाध्वर्युं वा यजमानं वा ग्राहो न विन्दति । तन्निष्ठितमभिमृशति-"ऐन्द्रमसि "-(वा. सं. ५ । ३०) इति । ऐन्द्रं हि सदः ॥ २५ ॥

आग्नीध्रीया भूयोऽष्टौ धिष्ण्याः ।

अथ हविर्द्धानयोर्जघनार्द्धं समन्वीक्ष्योत्तरेणाग्नीध्रं मिनोति । तस्यार्द्धमन्तर्वेदि स्यात्, अर्द्धं बहि-

---

सदसः परिश्रयणं समन्त्रकं विधत्ते-**तत् परिश्रयन्ति परि त्वा गिर्वणो गिर** इतीति । मन्त्रस्यायमर्थः । हे ' गिर्वणः ' गीर्भिः वननीय इन्द्र ! ' त्वा ' त्वाम् ' इमाः ' अस्माभिः प्रयुज्यमानाः ' गिरः ' स्तुतिरूपाः वाचः ' विश्वतः ' सर्वतः ' परिभवन्तु ' । किञ्च ' वृद्धायुम् ' वृद्धा आयवो मनुष्याः, ऋत्विग्यजमानलक्षणाः यस्य स तथोक्तः, तादृशम् ' अनु ' ' वृद्धयः ' समृद्धिमत्यो भवन्तु । तथा ' जुष्टयः ' प्रीणयन्त्यो वाचः ' जुष्टाः ' प्रीताः ' भवन्तु ' । तव गिरां च वृद्धिजोषावुपर्युपरि वर्द्धेतामित्यर्थः ॥

प्रथमपादं व्याचष्टे-**इन्द्रो वै गिर्वा, विशो गिर** इत्यादिना । इन्द्रस्य देवेषु मध्ये क्षत्रियजातित्वाद्गिराञ्च स्त्रीत्वाद् बहुत्वाच्च विशां रूपत्वम्; अतो गीर्भिरिन्द्रपरिग्रहाभिधानात् क्षत्रियस्योभयतस्तत्क्षेमार्थं प्रजाः कल्पितवान् भवति ॥ २४ ॥

सदसो द्वारशाखाप्रभृतीनां हविर्द्धानञ्च दर्भैराच्छाद्य सीवनादिकं विधत्ते-**अथ लस्पूजन्ये**त्येवमादिना । सीवनग्रन्थीकरणाभिमर्शनवाक्यानि हविर्द्धानवद् व्याख्येयानि । मन्त्रेष्वैन्द्रत्वं विशेषः ॥ २५ ॥

आग्नीध्रस्य स्थानमाह-**अथ हविर्द्धानयो**रित्यादिना । हविर्द्धानशकटयोः पश्चाद्भागस्य साम्येन य उत्तरो

१-परित्वेति परिवार्य । का. श्रौ. सू. ८ । १५३ । २-' परिषीवणग्रंथ्यभिमर्शनान्यैंद्रैः । का. श्रौ. सू. ८ । १५३ । ३-हविर्द्धानापरांतमुत्तरेणाग्नीध्रमग्न्यागारद्वारमंतर्वेद्यर्द्धं भूयः सर्व्वं वा । का. श्रौ. सू. ८ । १५४ ॥

स्यात्कुनीयो बहिर्व्वेद्युथो ऽअपि सुर्व्वमेुवान्तर्व्वेदि स्यात्तन्निष्ठितमभिु-
मृशति व्वैश्वदेवुमसीति द्वयेनैतद्वैश्वदेवं युदस्मिन्पूर्व्वेद्युर्व्विश्वे देवा व्वसती-
वुरीषूपवसन्ति तेन व्वैश्वदेवुम् ॥ २६ ॥

देवा ह वै युज्ञं तन्वानाः । (स्ते) तेऽसुररक्षसेभ्य ऽआसङ्गाद्बिभयाञ्चक्रु-
स्तान्दक्षिणुतोऽसुररक्षसान्युासेजुस्तान्त्सदसो जिग्युस्तेषामेतान्धिष्ण्या-
नुद्वापयाञ्चक्रुर्य्यु ऽएते ऽन्तःसदसम् ॥ २७ ॥

(४१) सर्व्वे ह स्म वा ऽएते पुरा ज्वलन्ति । युथाऽयमाहवनीयो युथा गार्ह-
पत्यो युथाऽऽग्नीध्रीयस्तद्युत ऽएनानुदवापयंस्तुतऽएवैतन्न ज्वलन्ति तानाग्नी-
ध्रमभि सुर्ठ॒रुरुधुस्तानुप्यर्द्धमाग्नीध्रस्य जिग्युस्तुतो व्विश्वे देवा ऽअमृत-
त्वमुपाजयंस्तुस्माद्वैश्वदेवम् ॥ २८ ॥

वेदि । अथोऽअपि भूयोऽर्द्धाद् अन्तर्वेदि स्यात्, कनीयो बहिर्वेदि । अथोऽअपि सर्वमेवान्तर्वेदि स्यात् । तन्निष्ठितमभिमृशति–" वैश्वदेवमसि "–(वा. सं. ५ । ३०) इति । द्वयेनैतद्वैश्वदेवम्, यदस्मिन् पूर्वेद्युर्विश्वेदेवा वसतीवरीषूपवसन्ति तेन वैश्वदेवम् ॥ २६ ॥

देवा ह वै यज्ञं तन्वानाः । तेऽसुररक्षसेभ्य आसङ्गाद्बिभयाञ्चक्रुः । तान् दक्षिणतोऽसुररक्षसान्यासेजुः । तान्त्सदसो जिग्युः । तेषामेतान् धिष्ण्यानुद्वापयाञ्चक्रुः–य एतेऽन्तःसदसम् ॥ २७ ॥

सर्वे ह स्म वा एते पुरा ज्वलन्ति–यथाऽयमाहवनीयो, यथा गार्हपत्यो, यथाऽऽग्नीध्रीयः । तद् यत एतानुदवापयंस्तत एवैतन्न ज्वलन्ति । तानाग्नीध्रमभिसंरुरुधुः, तानप्यर्द्धमाग्नीध्रस्य जिग्युः । ततो विश्वेदेवा अमृतत्वमपाजयन्[1], तस्माद्वैश्वदेवम् ॥ २८ ॥

देशः, तत्र 'आग्नीध्रम्' आग्नीध्रीयं मण्डपं कुर्यात् । तत्रापि त्रयः पक्षाः । आग्नीध्रीयस्य यावत् परिमाणं तस्यार्द्धं सौमिकवेद्या उत्तरभागे स्वीकुर्यादित्येकः पक्षः । अर्द्धादधिकमंशं वेद्याः स्वीकुर्यादिति द्वितीयः । सर्वमपि सौमिकवेद्यामिति तृतीयः । तदेतत् पक्षत्रयम्–तस्यार्द्धमन्तर्वेदीत्यादिनोक्तम् । 'निष्ठितं' निष्पन्नमाग्नीध्रीयम्, "वैश्वदेवमसि"–'इति' मन्त्रेण अभिमृशेत् । अस्य वैश्वदेवत्वं कारणद्वयेन । तत्र प्रथमं कारणमाह–यदस्मिन् पूर्वेद्युरिति । 'वसतीवर्यः' सोमाभिषवार्था आपः; तासु विश्वेदेवाः सुत्यादिनात्पूर्वेद्युरधिवसन्ति अतो वैश्वदेवत्वम् । तथा चोपरिष्टादाम्नास्यते–" ता आग्नीध्रे सादयति विश्वेषां देवानां भागधेयी स्थेति "–इति (श. प. ब्रा. ३ । ९ । २ । १६कं.) । तदासु विश्वान् देवान् संवेशयतीत्यतो विश्वेषां देवानामाश्रयभूतानामपामाधारभूतत्वाद् वैश्वदेवत्वम् ॥ २६ ॥

द्वितीयं कारणमाह–देवा ह वा इत्यादिना । तान्त्सदसो जिग्युरिति । 'तान्' सदोनिविष्टान् देवान् 'सदसः' सकाशात् जितवन्तः, ततो निष्कासितवन्त इत्यर्थः । न केवलं तानेव देवान्, अपि तु 'अन्तस्सदसं' सदोमध्येऽवस्थितान् 'धिष्ण्यान्' अग्नीननाशयन्, तेषामग्नीनां तत्र सद्भाव एव नास्ति ॥ २७ ॥

तत्र ते न सन्तीति चेत् कथं ज्वलन्तीत्याह–सर्वे ह स्म वा एत इति । तानाग्नीध्रमभि संरुरुधुरिति ।

१–अयाजयन् इति क. पा. एवमुत्तरकण्डिकायामपि ।

तान्देवाः प्रतिसमैन्धत । यथा प्रत्यवस्येत्तस्मादेनान्त्सवनेसवनऽएव प्रतिसमिन्धते तस्माद्यः समृद्धः स ऽआग्नीध्रं कुर्य्याद्यो वै ज्ञातोऽनूचानः स समृद्धस्तस्मादग्नीधे प्रथमाय दक्षिणां नयन्त्यतो हि विश्वे देवाऽअमृतत्वमपाजयंस्तस्माद्यं दीक्षितानामबल्यं विन्देदाग्नीध्रमेनं नयतेति ब्रूयात्तदनार्त्तं तन्नारिष्यतीति तद्यदतो विश्वे देवा ऽअमृतत्वमपाजयंस्तस्माद्वैश्वदेवम् ॥ २९ ॥

इति चतुर्थप्रपाठके पञ्चमं ब्राह्मणम् ॥ ४ ॥ ५ ॥ (६. १.)

चतुर्थप्रपाठकश्च समाप्तः ॥

तान् देवाः प्रतिसमैन्धत—यथा प्रत्यवस्येत् । तस्मादेनान्त्सवने सवनऽएव प्रतिसमिन्धते । तस्माद्यः समृद्धः स आग्नीध्रं कुर्यात् । यो वै ज्ञातोऽनूचानः—स समृद्धः । तस्मादग्नीधे प्रथमाय दक्षिणां नयन्ति । अतो हि विश्वेदेवाः अमृतत्वमपाजयन् । तस्माद् यं दीक्षितानामबल्यं विन्देत्—'आग्नीध्रमेनं नयत'—इति ब्रूयात् । तदनार्तम्, तन्नारिष्यतीति । तद् यदतो विश्वेदेवा अमृतत्वमपाजयन्—तस्माद् वैश्वदेवम् ॥ २९ ॥

सदसो निष्कासिता आग्नीध्रप्रविष्टाः तत्राप्यसुरैः संरुद्धाः, ते देवा आग्नीध्रधिष्ण्यगतस्याग्नेः 'अर्द्धं' समीपं प्राप्य 'तान्' असुरान् 'जिग्युः' । 'ततः' आग्नीध्रस्याग्नेः सामर्थ्याद् 'विश्वेदेवाः' 'अमृतत्वम्' असुरकृतहिंसारहितत्वं प्राप्ता इत्यर्थः । 'तस्मात्' विश्वेषां देवानामाश्रयत्वाद् 'वैश्वदेवम्' वैश्वदेवत्वम् ॥ २८ ॥

तान् देवा इति । 'तान्' उद्घाटितान् धिष्ण्यान् 'देवाः' 'प्रतिसमैन्धत' पुनरदीपयन् । 'यथा' येन प्रकारेण 'प्रत्यवस्येत्' प्रतितिष्ठेत् । यद्वा प्रत्यवसानं भोजनम्; यथा आहुत्याधारो भवेत् ! तथा समैन्धत । **तस्मादेनानिति** । स्पष्टम् । **तस्माद्य** इति । 'तस्मात्' आग्नीध्रस्य विश्वेषां देवानां जयहेतुत्वात् 'यः समृद्धः', 'सः' 'आग्नीध्रम्' आग्नीध्रस्य कर्म 'कुर्यात्' । **यो वा** इति । 'यो वै' 'ज्ञातः' अयं सदाचारीति विदितः, 'अनूचानः' साङ्गप्रवचनाध्यायी 'समृद्धः' । आग्नीध्रस्य श्रैष्ठ्यं दक्षिणाप्राथम्यभाक्त्वेन समर्थयते—**तस्मादग्नीधे प्रथमायेत्यादि** ।

प्रसङ्गाद्यजमानार्थं कञ्चिदपूर्वनियममाह—**तस्माद्यं दीक्षितानामबल्यं विन्देदिति** । 'दीक्षितानां' मध्ये 'यं' दीक्षितम्, यद्वा तेषां सम्बन्धिनं कञ्चिदृत्विजम् 'अबल्यं' दौर्बल्यं 'विन्देत्,' लभेत, तद्दौर्बल्यपरिहाराय "एनम् आग्नीध्रं नयत"—'इति' ब्रूयात् । एवं वदतामभिप्रायमाह—**यत्तदनार्तं तन्नारिष्यतीतीति** । लोके 'यद्' भयादिरहितम्, 'तत्' 'नारिष्यति' आर्तिं न लभेत; अत एतस्याग्नीध्रस्य देवानामार्तिपरिहारसाधनत्वादसावप्यनार्तो भवेदित्यभिप्रायेण नयतेति ब्रूयादित्यर्थः । **तद् यदत** इत्यादिरुक्तार्थोपसंहारः ॥ २९ ॥

इति श्रीसायणाचार्यविरचिते माधवीये वेदार्थप्रकाशे माध्यन्दिनशतपथब्राह्मणभाष्ये तृतीयकाण्डे षष्ठाऽध्याये प्रथमं ब्राह्मणम् ॥ (३-६-१) ॥

अथ पञ्चमप्रपाठके प्रथमं ब्राह्मणम् ।
षष्ठाध्याये च द्वितीयं ब्राह्मणम् ।

विजामानो हैवास्य धिष्ण्याः । (ऽ) इमे समङ्का ये वै समङ्कास्ते विजामान एतऽउ हैवास्यैतऽआत्मा[1]नः ॥ १ ॥

(नो) दिवि वै सोमऽआसीत् । (द) अथेह देवास्ते देवाऽअकामयन्ता नः सोमो गच्छेत्तेनागतेन यजेमहीति तऽएते मायेऽअसृजन्त सुपर्णीं च कद्रूं च वागेव सुपर्णीयं कद्रूस्ताभ्याᳫं समदं चक्रुः ॥ २ ॥

(स्तु) ते हऽर्त्तीयमाने ऽऊचतुः । (र्य) यतरा नौ दवीयः परापश्यादात्मानं नौ सा जयादिति तथेति सा ह कद्रूरुवाच परेक्षस्वेति ॥ ३ ॥

विजामानो हैवास्य धिष्ण्याः । इमे समङ्काः । ये वै समङ्कास्ते विजामानाः । एतऽउ हैवास्यैत आत्मानः ॥ १ ॥

दिवि वै सोम आसीत्—अथेह देवाः । ते देवा अकामयन्त—आ नः सोमो गच्छेत्; तेनागतेन यजेमहीति । तऽएते मायेऽअसृजन्त—सुपर्णीं च कद्रूं च । वागेव सुपर्णी, इयं कद्रूः । ताभ्यां समदं चक्रुः ॥ २ ॥

ते हऽर्त्तीयमानेऽऊचतुः—यतरा नौ दवीयः परापश्याद्—आत्मानं नौ सा जयादिति । तथेति । सा ह कद्रूरुवाच—परेक्षस्वेति ॥ ३ ॥

धिष्ण्य[2]पदार्थविधानार्थमाख्यायिकामाह—**विजामानो हैवास्येत्यादिना** । ये 'धिष्ण्याः' ते 'अस्य' यज्ञस्य 'विजामानः' भ्रा[3]तरः, बान्धवाः । कुत इत्यत आह—'इमे' 'समङ्काः' समानचिह्नाः, यत एवमतो विजामान इत्यर्थः । समानचिह्नानां भ्रातृत्वे व्याप्तिं दर्शयति—**ये वै समङ्कास्ते विजामान** इति । 'एत उ' एते खलु 'अस्य' यज्ञस्य 'आत्मानः;' अतो विजामान इत्येतदुपपन्नम् । तस्मात् सोमयागे धिष्ण्याः कर्त्तव्या इत्यर्थः ॥ १ ॥

सूत्रत्वेनोक्तं विशदयितुमाह—**दिवि वै सोम आसीदथेह देवा** इत्यादिना । 'इह' भूलोके 'त एते माये' वस्तुतः अतथाभूते । सुपर्णीकद्र्वोस्तयोः किं वास्तवं रूपमिति तद्दर्शयति—**वागेव सुपर्णीयं कद्रूरिति** । 'ताभ्याम्' 'तयोः समदं चक्रुः' परस्परं कलहमुदपादयन् ॥ २ ॥

ते हर्त्तीयमाने इति । 'ऋतीयमाने' परस्परं कलहायमाने । 'ऋतिः' सौत्रो धातुः (पा. सू. ३।१।२९) 'ऊचतुः' । कथम् ? 'नौ' आवयोर्मध्ये 'यतरा' 'दवीयः' अत्यन्तं दूरं 'परापश्यात्' पश्येत् । 'सा' दूरदर्शिनी । सुपर्णी दूरम् 'ईक्षस्व' 'इति' 'उवाच' ॥ ३ ॥

१–'आत्मनः' इति पाठो लेखप्रमादादेव । 'आत्मानः' इति पाठः साधीयान् भाष्यसंमतश्च । २–"धिष्ण्योपधानपदार्थ" इति क. पा. । ३–'अस्तारः' इति क. पा. ।

सा ह सुपर्ण्युवाच । (चा) अस्य सलिलस्य पारेऽश्वः श्वेत स्थाणौ सेवते तमहं पश्यामीति तमेव त्वं पश्यसीति तꣳ हीत्यथ ह कद्रूरुवाच तस्य वालो न्यषञ्जि तममुं वातो धूनोति तमहं पश्यामीति ॥ ४ ॥

सा यत्सुपर्ण्युवाच । (चा) अस्य सलिलस्य पार ऽइति वेदिर्वै सलिलं वेदिमेव सा तदुवाचाश्वः श्वेत स्थाणौ सेवत ऽइत्यग्निर्वा ऽअश्वः श्वेतो यूप स्थाणुरथ यत्कद्रूरुवाच तस्य वालो न्यषञ्जि तममुं वातो धूनोति तमहं पश्यामीति रशना हैव सा ॥ ५ ॥

सा ह सुपर्ण्युवाच । (चे) एहीदं पताव वेदितुं यतरा नौ जयतीति सा ह कद्रूरुवाच त्वमेव पत त्वं वै न आख्यास्यसि यतरा नौ जयतीति ॥ ६ ॥

सा ह सुपर्ण्युवाच–अस्य सलिलस्य पारेऽश्वः श्वेत स्थाणौ सेवते–तमहं पश्यामीति । तमेव त्वं पश्यसीति । तं हीति । अथ ह कद्रूरुवाच–तस्य वालो न्यषञ्जि । तममुं वातो धूनोति । तमहं पश्यामीति ॥ ४ ॥

सा यत् सुपर्ण्युवाच–अस्य सलिलस्य पार इति । वेदिर्वै सलिलम्, वेदिमेव सा तदुवाच । अश्वः श्वेतः, स्थाणौ सेवतऽइति । अग्निर्वाऽअश्वः श्वेतः । यूपः स्थाणुः । अथ यत् कद्रूरुवाच–तस्य वालो न्यषञ्जि, तममुं वातो धूनोति, तमहं पश्यामीति–रशना हैव सा ॥ ५ ॥

सा ह सुपर्ण्युवाच–एहीदं पताव वेदितुम्, यतरा नौ जयतीति । सा ह कद्रूरुवाच–त्वमेव पत । त्वं वै न आख्यास्यसि–यतरा नौ जयतीति ॥ ६ ॥

सा हेति । 'सा' दूरं पश्यन्ती 'सुपर्णी' 'उवाच' । किमिति? उच्यते–'अस्य सलिलस्य पारे अश्वः श्वेतः स्थाणौ सेवते, तमहं पश्यामि इति' । अस्यार्थं श्रुतिरेवाविष्करिष्यति । 'तमेव' मया दृष्टं श्वेताश्वमेव हे कद्रु ! 'त्वम्' अपि 'पश्यसि'–'इति' नतु ततोऽतिरिक्तम् । सा कद्रूः दूरं विलोक्य 'तं हि'–'इति' 'उवाच' । तमश्वं खलु त्वं पश्यसीत्यर्थः । ततोऽधिकमपि दृष्ट्वा कद्रूः पुनर्ब्रूते । किमिति उच्यते–' तस्य वालो न्यषञ्जि, तममुं वातो धूनोति, तमहं पश्यामि इति' । 'वालः' पुच्छं 'न्यषञ्जि' स्थाणौ निषक्तमभूत्, 'तं' वालं 'वातः' वायुः 'धूनोति' कम्पयति ॥ ४ ॥

सुपर्ण्यभिहितस्य अस्य सलिलस्येत्यादेस्तात्पर्यं श्रुतिरेवाह–सा यत्सुपर्ण्युवाचेति । अस्य सलिलस्येत्यादि । 'सलिलं' सागरादिसम्बद्धं यथा अनतिलङ्घ्यं भवति, एवं वेदिरपीति सलिलत्वेन निरूप्यते । अग्नेः शुक्लभास्वरत्वात् सर्वाशनत्वाच्च श्वेतरूपत्वम् । यूपस्य स्थाणुत्वं तु साक्षादेव । कद्र्वा यदुक्तं तस्य वाल इत्यादिकम्, तदभिप्रायं दर्शयति–अथ यत् कद्रूरित्यादिना । रशना हैव सेति । वालवदतिदैर्घ्याद्युपवेष्टिता रशना वालमित्युच्यते ॥ ५ ॥

सा ह सुपर्ण्युवाचेति । सा ह कद्रूरित्यादि । सुपर्ण्या श्वेताश्वादेर्दर्शनार्थमाहूता कद्रूः । सुपर्णि ! स्वदृष्टस्य वालस्य सुसिद्धत्वात् 'त्वमेव' दृष्टवाऽऽवयोः कस्या जय इति ब्रूहीत्यर्थः ॥ ६ ॥

सा ह सुपर्णी पपात । तद्ध तथैवास यथा कद्रूरुवाच तामागतामभ्युवाद त्वमजैषी ३ रहा ३ मिति त्वमिति होवाचैतद्धचारव्यानᳪ सौपर्णीकाद्रवमिति ॥ ७ ॥ (शतम् १९००)

सा ह कद्रूरुवाच । (चा) आत्मानं वै त्वाऽजैषं दिव्यसौ सोमस्तं देवेभ्य ऽआहर तेन देवेभ्यऽआत्मानं निष्क्रीणीष्वेति तथेति सा च्छन्दाᳪसि ससृजे सा गायत्री दिवः सोममाहरत् ॥ ८ ॥

(द्वि) हिरण्मय्योर्ह कुश्योरन्तरवहितऽआस । ते ह स्म क्षुरपवी निमेषं निमेषमभिसन्धत्तो दीक्षातपसौ हैव ते ऽआसतुस्तमेते गन्धर्वाः सोमरक्षा जुगुपुरिमे धिष्ण्याऽइमा होत्राः ॥ ९ ॥

सा ह सुपर्णी पपात । तद्ध तथैवास—यथा कद्रूरुवाच । तामागतामभ्युवाद—त्वमजैषी ३ रहा ३ मिति । त्वमिति होवाच । एतद्धचाख्यानं सौपर्णीकाद्रवमिति ॥ ७ ॥

सा ह कद्रूरुवाच—आत्मानं वै त्वाऽजैषम् । दिव्यसौ सोमः—तं देवेभ्य आहर । तेन देवेभ्य आत्मानं निष्क्रीणीष्वेति । तथेति । सा छन्दांसि ससृजे । सा गायत्री दिवः सोममाहरत् ॥ ८ ॥

हिरण्मय्योर्ह कुश्योरन्तरवहित आस । ते ह स्म क्षुरपवी निमेषं निमेषमभिसन्धत्तः । दीक्षातपसौ हैव तेऽआसतुः । तमेते गन्धर्वाः सोमरक्षा जुगुपुः । इमे धिष्ण्याः, इमा होत्राः ॥ ९ ॥

सा ह सुपर्णी पपातेति । एवमुक्ता सुपर्णी । गत्वा कद्रूक्तं वास्तवमवगत्य पुनः 'आगतां' 'तां' सुपर्णी कद्रूः 'उवाद'—"त्वमजैषी ३ रहा ३ मिति" । प्रश्ने प्लुतिः (पा. सू. ८ । २ । १००) । तया पृष्टा सुपर्णी 'त्वमजैषीः' 'इति' उवाच । विहितस्याख्यानस्य प्रसिद्धत्वाविष्करणाय नाम करोति—एतद्धचाख्यानमिति । 'एतत्' दिवि वै सोम आसीदित्यादि होवाचेत्येतदन्तमित्यर्थः (तै. सं. ६ । १ । ६ । १) (ऐ. ब्रा. ३।३।१।२;६।३।६) ॥ ७ ॥

सा ह कद्रूरुवाचेति । पराजितया सुपर्ण्या गायत्र्यादिच्छन्दांसि सृष्ट्वा गायत्र्या दिवि स्थितं सोममाहृत्य देवेभ्यः सकाशादात्मनिष्क्रयणं कृतमित्यर्थः "सा ह कद्रूरुवाच आत्मानं वै त्वाऽजैषम्" इत्यादिनोक्तः॥८॥

"सा गायत्री दिवः सोममाहरत्"—इति यत् संग्रहेणोक्तम्, तद्विस्पष्टयति—हिरण्मय्योर्ह कुश्योरित्यादिना । हिरण्मय्योः कुश्योः आयुधयोः 'अन्तः' 'अवहितः' आच्छन्नः सोमोऽभूत् । "जानपद०" (पा. सू. ४ । १ । ४२) इत्यादिना अयोविकारार्थात् कुशशब्दात् ङीष् । 'ते' कुश्यौ क्षुरपवी क्षुरधारे इव तीक्ष्णाग्रे 'निमेषं-निमेषं' सर्वदेत्यर्थः । 'अभिसन्धत्तः' यथाऽन्यो नापहरेदेवं रक्षत इत्यर्थः । कुश्योर्वास्तवस्वरूपमाह—दीक्षातपसाविति । तमेते गन्धर्वा इति । 'सोमरक्षाः' सोमरक्षकाः 'एते गन्धर्वाः' 'तं' सोमं 'जुगुपुः' । ते के ? ये इमे' सदसि वर्त्तमानाः 'धिष्ण्याः', 'इमा होत्राः' इमे होत्रकाः, होतृवर्जमैत्रावरुणादयः ॥ ९ ॥

(स्तु) तुयोरन्यतरां कुशीमाचिच्छेद । तां देवेभ्यः प्रददौ सा दीक्षा तया देवाऽअदीक्षन्त ॥ १० ॥

(न्ताथ) अथ द्वितीयां कुशीमाचिच्छेद । तां देवेभ्यः प्रददौ तत्तपस्तया देवास्तपऽउपायन्नुपसदस्तपो ह्युपसदः ॥ ११ ॥

खदिरेण ह सोममाचखाद । तस्मात्खदिरो यदेनेनाखिदत्तस्मात्खादिरो यूपो भवति खादिरः स्फ्योऽच्छावाकस्य हैनं गोपनायां जहार सोऽच्छावाकोऽहीयत ॥ १२ ॥

तमिन्द्राग्नी ऽअनुसमतनुताम् । प्रजानां प्रजात्यै तस्मादैन्द्राग्नोऽच्छावाकः ॥ १३ ॥

तयोरन्यतरां कुशीमाचिच्छेद । तां देवेभ्यः प्रददौ । सा दीक्षा । तया देवा अदीक्षन्त ॥ १० ॥
अथ द्वितीयां कुशीमाचिच्छेद । तां देवेभ्यः प्रददौ । तत्तपः । तया देवास्तप उपायन् उपसदः । तपो ह्युपसदः ॥ ११ ॥
खदिरेण ह सोममाचखाद । तस्मात् खदिरो—यदेनेनाखिदत् । तस्मात् खादिरो यूपो भवति । खादिरः स्फ्यः । अच्छावाकस्य हैनं गोपनायां जहार । सोऽच्छावाकोऽहीयत ॥ १२ ॥
तमिन्द्राग्नी अनुसमतनुताम्—प्रजानां प्रजात्यै । तस्मादैन्द्राग्नोऽच्छावाकः ॥ १३ ॥

तयोरन्यतरां कुशीमाचिच्छेदेति । गायत्री 'तां' छित्वा च 'देवेभ्यः' 'प्रददौ' । 'तया देवा अदीक्षन्त' ॥ १० ॥

अथ द्वितीयामिति । गायत्र्या छिन्ना द्वितीया कुशी देवेभ्यो दत्ता; सा तपोनामोपसद इत्याह—तपो ह्युपसद इति ॥ ११ ॥

खदिरेण हेति । सोमाहरणसमये खदिरस्यातिसारत्वात् तं साधनं कृत्वा सोमं भक्षितवती, अतः खादनसाधनत्वात् खदिर इति नाम सम्पन्नम् । अतः खदिरस्य सोमाहरणोपयोगात् सोमयागे यूपः स्फ्यश्च खादिरौ कर्त्तव्यौ । 'अच्छावाकस्य' 'गोपनायाम' । होत्रकाणामेव सोमरक्षकगन्धर्वरूपत्वादच्छावाकाख्यो होत्रको यदा सोमरक्षकेषु मध्ये रक्षितवान्, तदा गायत्री 'जहार'; अतः 'अच्छावाकः' 'अहीयत' हीनो निकृष्टोऽभूत् । अत एवेतरहोत्रकवत् प्रथमत एव सदःप्रवेशमपि (न) समालभत ॥ १२ ॥

तमिन्द्राग्नी इति । 'तं' हीनमच्छावाकम्, 'इन्द्राग्नी' ऐन्द्राग्नशस्त्रपाठेन सन्तुष्टौ, 'अनुसमतनुताम्' सन्तानमनुप्रवेशमकुरुताम् । अतः 'अच्छावाकः' 'ऐन्द्राग्नः' इन्द्राग्निदेवताकः । तथा चोत्तरत्र अच्छावाकचमसहोमकाले[1] आम्नास्यते (श. प. ब्रा. ४ । ३ । १ । १, २ ।)—"अहीयत वा अच्छावाकस्तमिन्द्राग्नी"—इत्यादिना ॥ १३ ॥

१–'अच्छावाकहोमकाले' इति क. पा. ।

(स्तु) तस्माद्दीक्षिता राजानं गोपायन्ति । नेन्नोऽपहरानिति तस्मात्तत्र सुगुप्तं चिकीर्षेद्यस्य ह गोपनायामपहरन्ति हीयते ह ॥ १४ ॥

तस्माद्ब्रह्मचारिण ऽआचार्यं गोपायन्ति । गृहान्पशून्नेन्नोऽपहरानिति तस्मात्तत्र सुगुप्तं चिकीर्षेद्यस्य ह गोपनायामपहरन्ति हीयते ह तेनैतेन सुपर्णी देवेभ्य ऽआत्मानं निरक्रीणीत तस्मादाहुः पुण्यलोक ऽईजान ऽइति ॥ १५ ॥

(स्तृ) ऋणᳪं ह वै पुरुषो जायमान एव । मृत्योरात्मना जायते स यद्यजते यथैव तत्सुपर्णी देवेभ्य ऽआत्मानं निरक्रीणीतैवमेवैष ऽएतन्मृत्योरात्मानं निष्क्रीणीते ॥ १६ ॥

तेन देवा ऽअयजन्त । तमेते गन्धर्व्वाः सोमरक्षा ऽअन्वाजग्मुस्तेऽन्वागत्याब्रुवन्ननु नो यज्ञ ऽआभजत मा नो यज्ञादन्तर्गातास्त्वेव नोऽपि यज्ञे भाग इति ॥ १७ ॥

ते होचुः । किं नस्ततः स्यादिति यथैवास्यामुत्र गोप्तारोऽभूमैवमेवास्यापीह गोप्तारो भविष्याम इति ॥ १८ ॥

तस्माद् दीक्षिता राजानं गोपायन्ति—नेन्नोऽपहरानिति । तस्मात्तत्र सुगुप्तं चिकीर्षेत्—यस्य ह गोपनायामपहरन्ति । हीयते ह ॥ १४ ॥

तस्माद्ब्रह्मचारिण आचार्यं गोपायन्ति । गृहान् पशून्नेन्नोऽपहरानिति । तस्मात्तत्र सुगुप्तं चिकीर्षेद्—यस्य ह गोपनायामपहरन्ति । हीयते ह । तेनैतेन सुपर्णी देवेभ्य आत्मानं निरक्रीणीत । तस्मादाहुः—पुण्यलोक ईजान इति ॥ १५ ॥

ऋणं ह वै पुरुषो जायमान एव मृत्योरात्मना जायते । स यद् यजते—यथैव तत् सुपर्णी देवेभ्य आत्मानं निरक्रीणीत—एवमेवैष एतन्मृत्योरात्मानं निष्क्रीणीते ॥ १६ ॥

तेन देवा अयजन्त । तमेते गन्धर्वाः सोमरक्षा अन्वाजग्मुः । तेऽन्वागत्याब्रुवन्—अनु नो यज्ञ आभजत, मा नो यज्ञादन्तर्गात, अस्त्वेव नोऽपि यज्ञे भाग इति ॥ १७ ॥

ते होचुः—किं नस्ततः स्यादिति । यथैवास्यामुत्र गोप्तारोऽभूम—एवमेवास्यापीह गोप्तारो भविष्याम इति ॥ १८ ॥

तस्माद्दीक्षिता राजानमित्यादि । औपोद्घातिकं वाक्यं स्पष्टम् । 'अपहरान्' अपहरेयुः ॥ १४ ॥ १५ ॥

सोमाहरणप्रसङ्गात् सुपर्णीदृष्टान्तमुखेन मृत्युभयपरिहाराय सोमयागस्यावश्यकर्त्तव्यतामाह—**ऋणं ह वै पुरुषो जायमान एव मृत्योरात्मना जायत** इत्यादिना । 'जायमान एव मृत्योः' ऋणभावे जननमेवोपाधिरित्यर्थः । इदमृणं प्रातिभाव्यवदन्यत आयातं न भवति, किन्तु स्वत एवायातमित्येवमर्थमाह—'आत्मना'—इति ॥ १६ ॥

तेन देवा अयजन्तेत्यादि । 'तेन' गायत्र्याहृतेन । **अनु नो यज्ञ आ भजतेति** । 'नः' अस्मानपि

तथेति देवा ऽअब्रुवन् । (न्त्सो) सोमक्रयणा व इति तानेभ्य ऽ एतत्सोमक्रयणाननुदिशत्यथैनानब्रुवंस्तृतीयसवने वो घृत्याऽऽहुतिः प्राप्स्यति न सौम्याऽपहृतो हि युष्मत्सोमपीथस्तेन सोमाहुतिं नार्हथेति सैनानेषा तृतीयसवनऽएव घृत्याऽऽहुतिः प्राप्नोति न सौम्या यच्छालाकैर्धिष्ण्यान्व्याघारयति ॥ १९ ॥

(त्यु) अथ यदग्नौ होष्यन्ति । तद्वोऽविष्यतीति स यदग्नौ जुह्वति तदेनानवत्यथ यद्वः सोमं बिभ्रत ऽउपर्युपरि चरिष्यन्ति तद्वोऽविष्यतीति स यदेनान्त्सोमं बिभ्रत ऽउपर्युपरि चरन्ति तदेनानवति तस्मादध्वर्युः समया धिष्ण्यान्नातीयादध्वर्युर्हि सोमं बिभर्त्ति तमेते व्यात्तेन प्रत्यासते सऽएतेषां व्यात्तमापद्येत तमग्निर्वाभिदहेद्यो वाऽयं देवः पशूनामीष्टे स वा हैनमभिमन्येत तस्माद्यद्यध्वर्योः शालायामर्थः स्यादुत्तरेणैवाग्नीध्रीयधं सञ्चरेत् ॥ २० ॥

तथेति देवा अब्रुवन् । सोमक्रयणा व इति । तानेभ्य एतत् सोमक्रयणाननुदिशति । अथैनानब्रुवन्-तृतीयसवने वो घृत्याऽऽहुतिः प्राप्स्यति, न सौम्या; अपहृतो हि युष्मत्सोमपीथः । तेन सोमाहुतिं नार्हथ इति । सैनानेषा तृतीयसवनऽएव घृत्याऽऽहुतिः प्राप्नोति, न सौम्या । यच्छालाकैर्धिष्ण्यान् व्याघारयति ॥ १९ ॥

अथ यदग्नौ होष्यन्ति-तद् वोऽविष्यतीति । स यदग्नौ जुह्वति-तदेनानवति । अथ यद् वः सोमं बिभ्रते उपर्युपरि चरिष्यन्ति-तद्वोऽविष्यतीति । स यदेनान् सोमं बिभ्रते उपर्युपरि चरन्ति-तदे-

---

अस्मिन् ' यज्ञे ' ' अन्वाभजत ' अन्वाभाजयत, हविर्भागयुक्तान् युष्मानस्मानपि भागिनः कुरुत । उक्तवैपरीत्यप्रतिषेधः-मा नो यज्ञादिति । ' अन्तर्गात ' अन्तरितान् मा कार्ष्ट । " इणो गा लुङि "-(पा. सू. २ । ४ । ४५) इति गादेशे, " गातिस्था "-(पा. सू. २।४।७७) इति सिचो लुक् ॥ १७ ॥ १८ ॥

तथेतीति । सोमक्रयणा व इतीति । सोमः क्रीयते यैर्गन्धर्वादिभिः, ते ' सोमक्रयणाः ', ' वः ' युष्माकं ' तान् ' भागान् एतस्मिन् सोमक्रयकाले ' एभ्यः ' गन्धर्वेभ्यः, धिष्ण्यरूपेणावस्थितेभ्यः ' अनुदिशत ' अनुदिशेत; एते युष्मभ्यं भागा इति ब्रूयात् । घृतेभवा ' घृत्या ' घृतसाध्या, ' सा ' ' तृतीयसवने ' युष्मान् ' प्राप्स्यति ', ' न सोम्या '; ' अपहृतो हि युष्मत्सोमपीथः ' इति । पातव्यः सोमः ' सोमपीथः ' सोमस्यास्मदर्थमेवापहृतत्वादित्यर्थः । यच्छालाकैर्धिष्ण्यान् व्याघारयतीति । ' यद् ' यया आहुत्या ' शालाकैः ' तृणसमूहैः विहृतान् ' धिष्ण्यान् ' घृतेन ' व्याघारयति ' सैषा घृतेति ॥ १९ ॥

अथ यदग्नौ होष्यन्तीति । ' अथ ' प्रदीपनानन्तरम्, ' अग्नौ ' प्रदीप्ते, अग्निष्वित्यर्थः । ' होष्यन्ति ', ' तद् ' आज्यं ' वः ' युष्मान् ' अविष्यति ' तर्पयिष्यति ' इति ' देववाक्यम् । तत्तात्पर्यं श्रुतिः स्वयमेव

(त्ते) ते वा ऽएते । सोमस्यैव गुप्त्यै न्युप्यन्तऽआहवनीयः पुरस्ता-न्मार्ज्जालीयो दक्षिणत ऽआग्नीध्रीयऽउत्तरतोऽथ ये सदसि ते पश्चात् ॥२१॥

(त्ते) तेषां वाऽअर्द्धाँनुपकिरन्ति । (न्त्य) अर्द्धाननुदिशन्त्येतऽउ हैवैतद्दध्रिरेऽर्द्धान्न ऽउपकिरन्त्वर्द्धाननुदिशन्तु तथा यस्माल्लोकादागताः स्मो दिवस्तथा तं लोकं प्रति प्रज्ञास्यामस्तथा नु जिह्मा ऽएष्याम इति॥२२॥

स यानुपकिरन्ति । तेनास्मिँल्लोके प्रत्यक्षं भवन्त्यथ याननुदिशन्ति तेनामुष्मिँल्लोके प्रत्यक्षं भवन्ति ॥ २३ ॥

नानवति । तस्मादध्वर्युः समया धिष्ण्यान्नातीयात् । अध्वर्युर्हि सोमं बिभर्ति । तमेते व्यात्तेन प्रत्यासते । स एतेषां व्यस्तमापद्येत। तमग्निर्वाभिदहेत्, यो वाऽयं देवः पशूनामीष्टे–स वा हैनमभि-मन्येत । तस्माद् यद्यध्वर्योः शालायामर्थः स्यात्–उत्तरेणैवाग्नीध्रीयं सञ्चरेत् ॥ २० ॥

ते वा एते सोमस्यैव गुप्त्यै न्युप्यन्ते–आहवनीयः पुरस्तात्, मार्जालीयो दक्षिणतः, आग्नीध्रीय उत्तरतः अथ ये सदसि–ते पश्चात् ॥ २१ ॥

तेषां वाऽअर्द्धानुपकिरन्ति,अर्द्धाननुदिशन्ति । एत उ हैतद् दध्रिरे–अर्द्धान्न उपकिरन्तु,अर्द्धाननु-दिशन्तु । तथा यस्माल्लोकादागताः स्मो दिवः–तथा तं लोकं प्रतिप्रज्ञास्यामः । तथा न जिह्मा एष्याम इति ॥ २२ ॥

स यानुपकिरन्ति–तेनास्मिँल्लोके प्रत्यक्षं भवन्ति । अथ याननुदिशन्ति–तेनामुष्मिँल्लोके प्रत्यक्षं भवन्ति ॥ २३ ॥

दर्शयति–स यदग्नौ जुह्वतीति । तर्हि सोमाहुतिः कथं लभ्यत इति तत्राह–अथ यद् वः सोमं बिभ्रत उपर्युपरि चरिष्यन्ति, तद् वोऽविष्यतीति । स्पष्टमन्यत् । सोमधारकस्याध्वर्योर्धिष्ण्यातिक्रमं प्रसक्तं निषे-धति–तस्मादध्वर्युः समया धिष्ण्यान्नातीयादिति । तमेते व्यात्तेन प्रत्यासत इत्यादि । ‘ तम् ’ अध्वर्युम् ‘ एते ’ सोमरक्षकाः धिष्ण्याग्नयः ‘ व्यात्तेन ’ विवृतेनास्येनोपलक्षिताः सन्तः, प्रतीक्ष्य निवसन्ति । ‘ सः ’ अपि धिष्ण्यानतिक्रामन् ‘ एतेषां ’ ‘ व्यात्तं ’ विवृतं मुखं प्रविशेत् । प्रवेशे का हानिरित्यत आह–तमग्निर्वाऽभिदहेद् यो वाऽयं देवः पशूनामिति । स वा हैनमभि मन्येतेति । अभिमानो हिंसेच्छा । तर्हि सञ्चारेऽपेक्षिते क उपाय इति तं दर्शयति–तस्माद् यद्यध्वर्योः शालायामिति । ‘ यदि ’ ‘ अर्थः स्यात् शालायां ’ प्राग्वंशे प्रयोजनं भवेत् ॥ २० ॥

धिष्ण्यानां सोमरक्षकत्वमभिधातुं सर्वेषां तद्रक्षकत्वमाह–ते वा एते सोमस्यैवेति ॥ २१ ॥

सर्वेषां सोमरक्षकत्वे समाने सदोगतानां धिष्ण्यानामिव कथमितरेषामनुदेशनं नास्तीत्यत आह–तेषां वा अर्द्धा-नुपकिरन्त्यर्द्धाननुदिशन्तीत्यादिना । अनुदेशो नाम विद्यमानपदार्थ एवं भवतीति निर्देशः । अत एवाहव-नीयादौ तत्तद्गन्धर्वात्मना “ सम्राडसि कृशानुः ”–(वा. सं. ५ । ३२ । ८) इत्याद्यनुदेशः क्रियते । अर्द्धा धिष्ण्याः कर्त्तव्याः, केचन अनुदेश्या इति विधिरुन्नीयते । द्वैरूप्ये कारणमाह–तथा यस्मादिति । ‘ तथा ’

ते वै द्विनामानो भवन्ति । (न्त्ये) एत॒ उ॒ हैवैत॒द्द॒धिरे न वा॒ ऽएभि॒र्नामभिररात्स्म ये॒षां नः सोममपाहार्षुर्हन्त द्वितीयानि नामानि करवामहा॒ ऽइति ते द्वितीयानि नामान्यकुर्वत तैरराध्नुवन्यानुपह्वतसोमपीथान्त्सतो॒ ऽथ यज्ञ॒ ऽआभजंस्तस्माद्विनामानस्तस्माद्ब्राह्मणोऽनृध्यमाने द्वितीयं नाम कुर्वीत राध्नोति हैव य॒ एवं विद्वान्द्वितीयं नाम कुरुते ॥ २४ ॥

स य॒दग्नौ जुहोति । त॒द्देवेषु जुहोति त॒स्माद्देवाः सन्त्य॒थ यत्सदसि भक्षयन्ति त॒न्मनुष्येषु जुहोति त॒स्मान्मनुष्याः सन्त्य॒थ य॒द्धविर्द्धानयोर्नाराशꣳसाः सीदन्ति त॒त्पितृषु जुहोति त॒स्मात्पितरः सन्ति ॥ २५ ॥

ते वै द्विनामानो भवन्ति । एतऽउ हैवैतद् दध्रिरे । न वाऽएभिर्नामभिररात्स्म—येषां नः सोममपाहार्षुः, हन्त द्वितीयानि नामानि करवामहाऽइति । ते द्वितीयानि नामान्यकुर्वत । तैरराध्नुवन् । यानपह्वतसोमपीथान् सतोऽथ यज्ञऽआभजन् । तस्माद् द्विनामानः । तस्माद्ब्राह्मणोऽनृध्यमाने द्वितीयं नाम कुर्वीत । राध्नोति हैव—य एवं विद्वान् द्वितीयं नाम कुरुते ॥ २४ ॥

स यदग्नौ जुहोति—तद्देवेषु जुहोति । तस्माद्देवाः सन्ति । अथ यत्सदसि भक्षयन्ति—तन्मनुष्येषु जुहोति । तस्मान्मनुष्याः सन्ति । अथ यद्धविर्द्धानयोर्नाराशंसाः सीदन्ति,—तत्पितृषु जुहोति । तस्मात्पितरः सन्ति ॥ २५ ॥

सति, धिष्ण्यनिवापाभावे सति यल्लोकं पूर्वमवस्थितं द्युलोकं ' प्रति प्रज्ञास्यामः ' जानीम इति, ' तथा न जिह्माः एष्याम इतीति ' । द्युलोकं सर्वथा परित्यज्य भूमौ कृतनिवासानां पुनर्द्युगमने सति जिह्मता स्यात् । सर्वेषां केवलमनुदेशने भूलोके प्रत्यक्षता न स्यात् । अत उभयार्थमुभयथाकरणम् ॥ २२ ॥ २३ ॥

यथा स्थानद्वैविध्यम्, एवं नामद्वैविध्यमपि, तत्तु सङ्केतपूर्वकमित्याह—ते वै द्विनामानो भवन्त्येत उ हैवैतद्दध्रिर इति । नामान्तरधारणविषये मतिं चक्रुरित्यर्थः । पूर्वेषां नाम्नामपरितोषे कारणमाह—न वा एभिर्नामभिररात्स्मेति । ' न अरात्स्म ' समृद्धा न भवामः । येषामित्यादि, स्पष्टम् । " विभूरसि प्रवाहणः "—(वा. सं. ५ । ३१) इत्याद्यग्न्युपस्थानमन्त्रेषु प्रतिपादितानि द्विनामानि । द्वितीयनाम्ना प्राप्तां समृद्धिं दर्शयति—यानपह्वतसोमपीथान्त्सतोऽथ यज्ञ आभजन्निति । यज्ञभागन्तु " तृतीयसवने वो घृत्याऽऽहुतिः प्राप्स्यति " इत्युक्तमित्यर्थः ॥ २४ ॥

अथ प्रसङ्गात् सोमयागं देवमनुष्यपितृद्वारेण सर्वजगत्स्थितिहेतुरिति प्रशंसति—स यदग्नौ जुहोतीति । अग्नौ तत्तद्देवोद्देशेन होम एव सर्वदेवेषु होमो भवति । ' तस्मात् ' यज्ञभागलाभात् ' देवाः ' ' सन्ति ' आत्मानं लभन्ते; इदानीमपि ' अपराभूताः ' अविनष्टा वर्त्तन्त इत्यर्थः । एवं मनुष्यपितृवाक्ये अपि योज्ये । अथ यद्धविर्द्धानयोर्नाराशंसाः सीदन्ति, तत पितृषु जुहोतीति । हविर्द्धानशकटस्य दक्षिणभागे चमसेषु (ऋ. सं. १० । १६ । ८) ये सोमा हुतावशिष्टा भक्षिताः पुनराप्यायिताश्च वर्तन्ते, ते नाराशंसाः; तेन पितृदेवत्याः । तत्र स्थानेषु पितृषु जुहोति ॥ २५ ॥

या वै प्रजा यज्ञेऽनन्वाभक्ताः । पराभूता वै ता एवमेवैतद्या इमाः प्रजाऽअपराभूतास्ता यज्ञ ऽआभजति मनुष्याननु पशवो देवाननु वयाᳪंस्योषधयो वनस्पतयो यदिदं किञ्चैवमु तत्सर्वं यज्ञ ऽआभक्तं ते ह स्मैतऽउभये देवमनुष्याः पितरः सम्पिबन्ते सैषा सम्पा ते ह स्म दृश्यमानाऽएव पुरा सम्पिबन्त ऽउतैतर्ह्यदृश्यमानाः ॥ २६ ॥

इति पञ्चमप्रपाठके प्रथमं ब्राह्मणम् ॥ ५ ॥ १ ॥ (६-२)

सर्वं वा ऽएषोऽभिदीक्षते । यो दीक्षते यज्ञᳪं ह्यभि दीक्षते यज्ञᳪं ह्येवेदᳪं सर्वमनु तं यज्ञᳪं सम्भृत्य यमिममभि दीक्षते सर्वमिदं विसृजते ॥ १ ॥

या वै प्रजा यज्ञेऽनन्वाभक्ताः–पराभूता वै ताः । एवमेवैतद्–या इमाः प्रजा अपराभूताः–ता यज्ञऽआभजति । मनुष्याननु पशवः, देवाननु वयांसि, ओषधयः, वनस्पतयो–यदिदं किञ्च । एवमु तत्सर्वं यज्ञ आभक्तम् । ते ह स्मैतऽउभये देवमनुष्याः पितरः सम्पिबन्ते । सैषा सम्पा । ते ह स्म दृश्यमाना एव पुरा सम्पिबन्ते, उतैतर्ह्यदृश्यमानाः ॥ २६ ॥

वैसर्जनहोमः ।

सर्वं वाऽएषोऽभिदीक्षते यो दीक्षते–यज्ञं ह्यभिदीक्षते । यज्ञं ह्येवेदं सर्वमनु । तं यज्ञं सम्भृत्य–यमिममभिदीक्षते–सर्वमिदं विसृजते ॥ १ ॥

या वै प्रजा इति । 'या वै प्रजाः' देवपितृमनुष्यव्यतिरिक्ताः, असुररक्षःप्रभृतिकाः, 'ताः' 'पराभूताः' विनष्टा अभवन् । याप्येवं पूर्वमासीत् परमा च । 'एतद्' इदानीमपि, 'अपराभूताः' 'याः' सन्ति, 'ताः' देवतायाः 'यज्ञे' 'आभजति' । अस्तु तेषां यज्ञभागः, तदितरेषां पशुपक्षिप्रभृतीनां कथं यज्ञेऽनुप्रवेश इति, तत्प्रकारमाह–**मनुष्याननु पशव** इति । वयसामन्तरिक्षसञ्चारसाम्येन देवानुप्रवेशाभिधानम् । ओषध्यादीनां रक्षकाभावेन देवाधीनस्थितिकत्वम् । **उभये देवमनुष्याः पितर** इति । देवमनुष्य एको राशिः, पितरश्चैकः, द्वैराश्यमापन्ना उभयेऽपि 'सम्पिबन्ते' साहित्येनैकीभावेन सह पानं कुर्वन्ति । 'सैषा' 'सम्पा' सहपीतिः । "आतश्चोपसर्गे"–(पा. सू. ३ । १ । १३६) इति भावे अङ् । प्रथमं देवैरग्निमुखेन पानम्, पश्चान्मनुष्यैः सदसि शेषपानम्, पश्चाच्चाराशंसेन पितॄणाम्; इत्येवंरूपानुसन्धेयेत्यर्थः । तेषामागमनमेव न दृश्यते, कुतः सहपानमिति, तत्राह–**ते ह स्म दृश्यमाना एवे**ति (का. श्रौ. सू. ८ । १५६–१६४) ॥ २६ ॥

इति श्रीसायणाचार्यविरचिते माधवीये वेदार्थप्रकाशे माध्यन्दिनशतपथब्राह्मणभाष्ये

तृतीयकाण्डे षष्ठाध्याये द्वितीयं ब्राह्मणम् ॥ (३–६–२) ॥

वैसर्जनीयानि विधातुमाह–**सर्वं वा एषोऽभिदीक्षत** इति । यो दीक्षते एष इति सम्बन्धः । कथं सर्वमभीति, तत्राह–**यज्ञं ह्यभिदीक्षत** इति । यज्ञस्य कथं सर्वत्वमिति, तत्राह–**यज्ञं ह्येवेदं सर्वमन्विति** । 'इदं सर्वं' 'यज्ञम्' 'अनु'–सृत्य उत्पन्नम्; कर्म्मफलं वा सर्वस्य जगतः । 'यमिमं' सर्वं भूतं 'यज्ञम्'

१–धिष्ण्यान्निवपत्युद्धतावोक्षिते पुरीषन्निवपति स्फ्ये नान्वारब्ध उदङ्ङुपविश्य विभूरसीति प्रतिमंत्रं, आग्नीध्रीयं पूर्वं, सिकताश्चोपरि, रौद्रेणेति सर्वत्र, षट्सदसि, प्रत्यङ्मुखो द्वारमपरेण होतुः, दक्षिणपूर्वेणौदुम्बरीं मैत्रावरुणस्य, होतृधिष्ण्यमुत्तरेण चतुरः समान्तरान्ब्राह्मणाच्छ २ सिपोतृनेष्टृच्छावाकानाम्, आग्नीध्राद्दक्षिण२सम्प्रति–वेध्यन्ते दक्षिणामुखो मार्जालीयम् ॥ इति ॥

यद्वैसर्जनानि जुहोति । स यदिदꣳ सर्वं विसृजते तस्माद्वैसर्जनानि नाम तस्माद्योऽपिव्रतः स्यात्सोऽन्वारभेत यद्यऽअन्यत्र चरेन्नाद्रियेत यद्वै जुहोति तदेवेदꣳ सर्वं विसृजते ॥ २ ॥

यद्देव वैसर्जनानि जुहोति । यज्ञो वै विष्णुः स देवेभ्य इमां विक्रान्तिं विचक्रमे यैषामियं विक्रान्तिरिदमेव प्रथमेन पदेन पस्पाराथेदमन्तरिक्षं द्वितीयेन दिवमुत्तमेनैतामु वेवैष ऽएतस्मै विष्णुर्यज्ञो विक्रान्तिं विक्रमते यज्जुहोति तस्माद्वैसर्जनानि जुहोति ॥ ३ ॥

यद्वैसर्जनानि जुहोति । स यदिदं सर्वं विसृजते–तस्माद्वैसर्जनानि नाम । तस्माद्योऽपिव्रतः स्यात्–सोऽन्वारभेत । यद्यऽअन्यत्र चरेन्नाद्रियेत । यद्वै जुहोति–तदेवेदं सर्वं विसृजते ॥ २ ॥

यद्देव वैसर्जनानि जुहोति । यज्ञो वै विष्णुः, स देवेभ्य इमां विक्रान्तिं विचक्रमे–यैषामियं विक्रान्तिः । इदमेव प्रथमेन पदेन पस्पार, अथेदमन्तरिक्षं द्वितीयेन दिवमुत्तमेन । एतामु वेवैष एतस्मै विष्णुर्यज्ञो विक्रान्तिं विक्रमते–यज्जुहोति । तस्माद्वैसर्जनानि जुहोति ॥ ३ ॥

'अभि–' लक्ष्य 'दीक्षते' 'तं' यज्ञं 'सम्भृत्य' वैसर्जनहोमान्तं प्राचीनमङ्गजातं कृत्वेत्यर्थः । कृष्णाजिन-मेखलादिकं तदिदं 'सर्वं' 'विसृजते' । पूर्वं व्रतपरित्यागासम्भवात् होमानन्तरं व्रतपरित्यागः ॥ १ ॥

यद् वैसर्जनानि जुहोतीति । विसर्जनसाधनत्वाद् वैसर्जनानीति नाम सम्पन्नम् । 'तस्माद्' विसर्जन-सम्बन्धित्वाद् 'योऽपिव्रतः स्यात्' व्रतं भोजनं, यजमानेन सह प्राप्तभोजनः स्याद्, बन्धुवर्गः स्यादित्यर्थः । "समपिव्रतान् ह्वयध्वमिति सम्प्रेष्यति–" (आप. श्रौ. सू. ११ । १६ । १२) इत्यापस्तम्बेनोक्तम् । 'सः' यजमानः 'अन्वारभेत' । यद्यपि कश्चिद् 'अन्यत्र' देशान्तरे वर्त्तते, 'तन्नाद्रियेत' सर्वथाऽऽह्वातव्य इति बुद्धिं न कुर्य्यात् । तथा च कात्यायनः–"अपिव्रताश्चान्वारभन्ते यजमानं, वाससाऽऽच्छादयत्येनान्, चरत्सु नाद्रियेत"–इति (का. श्रौ. सू. ८ । १७८–१८०) 'यद् वै' यदेव जुहोति वैसर्जनानि, 'तदेवेदं' 'सर्वं' व्रतं 'विसृजते' विसर्जयेत् ॥ २ ॥

वैसर्जनहोमं प्रकारान्तरेण प्रशंसति–**यद्देव वैसर्जनानि जुहोति यज्ञो वै विष्णु**रित्यादिना (तै. सं. ६ । ३ । २ । १) । विक्रान्तिं विशिनष्टि–**यैषामियं विक्रान्ति**रिति । येयमिदानीं परिदृश्यमानप्रकारा स्वाधीनलोकत्रयरूपा 'विक्रान्तिः' इति एष यज्ञाख्यो 'विष्णुः' 'एतस्मै' यजमानाय 'विक्रमते' । विष्णोर्विक्रमणं कुतो लभ्यत इति तद् दर्शयति–**यज्जुहोती**ति । आहवनीयाग्नीध्रोत्तरवेदिरूपेषु त्रिषु स्थानेषु होम एवात्र यज्ञाख्यस्य विष्णोर्यजमानार्थभूरादिलोकत्रयव्याप्तिरित्यर्थः । तस्माद्वैसर्जनहोमाः कर्त्तव्या इत्यर्थः (तै. सं ६ । ३ । २ । १) ॥ ३ ॥

१–वैसर्जिनानिं इति क्वचित् पाठः । २–"अपिव्रतास्त उच्यन्ते येषां यजमानव्रते अपित्वमस्ति । दायाद्येनाविभक्ता इति पितृभूतिः । अपिः संसर्गे । व्रतमिति कर्मनाम । संसृष्टं साधारणं कर्म येषां ते अपिव्रता अविभक्तदायादाः, ते ह्येकेनापि कृतं कृष्यादि-कर्म सर्व "उपजीवन्ति" इति हरिस्वामिनः ।

सोऽपराह्णे व्वेदिᳬं स्तीर्त्वा । (त्वाऽर्द्ध) अर्द्धव्व्रतं प्रदाय सम्प्रपद्यन्त ऽइध्ममभ्यादधत्युपयमनीरुपकल्पयन्त्याज्यमधिश्रयति स्रुचः सम्मार्ष्ट्युपस्थे राजानं यजमानः कुरुतेऽथ सोमक्रयण्यै पदं जघनेन गार्हपत्यं परिकिरति पदा वै प्रतितिष्ठति प्रतिष्ठित्या ऽएव ॥ ४ ॥

तद्धैके । चतुर्द्धा कुर्व्वन्ति यत्राहवनीयमुद्धरन्ति तासूपयमनीषु चतुर्भागमक्षं चतुर्भागेणोपाञ्जन्त्येतासूपयमनीषु चतुर्भागं जघनेन गार्हपत्यं चतुर्भागं परिकिरति ॥ ५ ॥

तदु तथा न कुर्य्यात् । (त्सा) सार्द्धमेव परिकिरेज्जघनेन गार्हपत्यमथोत्पूयाज्यं चतुर्गृहीते जुह्वां चोपभृति च गृह्णाति पञ्चगृहीतं पृषदाज्यं

सोऽपराह्णे वेदिं स्तीर्त्वा, अर्द्धव्रतं प्रदाय, सम्प्रपद्यन्ते । इध्ममभ्यादधाति । उपयमनीरुपकल्पयन्ति । आज्यमधिश्रयति । स्रुचः सम्मार्ष्टि । उपस्थे राजानं यजमानः कुरुते । अथ सोमक्रयण्यै पदं जघनेन गार्हपत्यं परिकिरति । पदा वै प्रतितिष्ठति प्रतिष्ठित्याऽएव ॥ ४ ॥

तद्धैके चतुर्द्धा कुर्वन्ति । यत्राहवनीयमुद्धरन्ति । तासूपयमनीषु चतुर्भागमक्षं चतुर्भागेणोपाञ्जन्ति । एतासूपयमनीषु चतुर्भागं जघनेन गार्हपत्यं चतुर्भागं परिकिरति ॥ ५ ॥

तदु तथा न कुर्यात् । सार्द्धमेव परिकिरेत् । जघनेन गार्हपत्यम् । अथोत्पूयाज्यं चतुर्गृहीते

इत्थं वैसर्जनानि विधाय तद्धोमकालं मन्त्रं च विधास्यन् अन्तरालवर्तिनमग्नीषोमीयप्रयोगमाह—सोऽपराह्णे वेदिं स्तीर्त्वेत्यादिना[1] । ' अपराह्णे तृतीययामे दिनस्यापराह्णकाले सौमिकवेदिं स्तीर्त्वा । अर्द्धव्रतं प्रदायेति । तस्मिन् दिने एकस्नानम्, व्रतार्द्धस्य प्रातर्व्रतार्थमुपयुक्तत्वादर्द्धव्रतं प्रदायेत्युक्तम् । स्पष्टमन्यत् । अथ सोमक्रयण्यै पदं जघनेन गार्हपत्यं परिकिरतीति । सोमक्रयकाले य एकहायन्याः सप्तमपदपांसुर्धृतः (श. प. ब्रा. ३ । ३ । १ । ३–१०) तं प्राचीनवंशगतस्याहवनीयस्य पश्चाद्भागे प्रक्षिपेदित्यर्थः प्रक्षेपं प्रशंसति—पदा वै प्रतितिष्ठति प्रतिष्ठित्या एवेति । पदसम्बद्धपांसोः प्रतिष्ठारूपायामाहवनीयजघनार्द्धप्रदेशलक्षणपृथिव्यां स्थापनं यजमानस्य ' पदा ' प्रतिष्ठितिर्भवति; अतः स क्षेपः ' प्रतिष्ठित्यै ' सम्पद्यते ॥ ४ ॥

पदपांसोः चतुर्द्धा विभज्य विनियोगः केषाञ्चित् पक्षः, तमुदाहृत्य निराचष्टे—तद्धैके चतुर्द्धा कुर्वन्तीत्यादिना । एतासूपयमनीष्विति । अग्नीषोमीयप्रणयनकालीनास्वित्यर्थः । अनेनैवाभिप्रायेण जघनेन सोमक्रयणी पदपांसोर्विनियोगो नोक्तः कात्यायनेन । अत्र " अग्नीषोमीयावेदेः स्तरणमग्रहणं प्रस्तरस्यापराह्णेऽर्द्धव्रते "—इत्यादि, " शालाद्वार्यमपरेण सोमक्रयणीपदं प्रकिरति चतुर्द्धैके "— इत्यन्तं सूत्रजातं द्रष्टव्यम् ॥ ५ ॥

तदु तथेति । अग्नीषोमीयार्थमाज्यपृषदाज्ययोर्ग्रहणं विधत्ते—अथोत्पूयाज्यं चतुर्गृहीतमिति । पृषदाज्य-

---

१–इध्मं निधायाग्नीषोमीयायवेदेःस्तरणमग्रहणंप्रस्तरस्यापराह्णे, अर्द्धव्रते प्रत्ते प्रविश्यप्रणयनीयाधानम् । का. श्रौ. सू. ८।१७१–१७२
२–अग्नीषोमीयवेदेः स्तरणमग्रहणं प्रस्तरस्यापराह्णे । अर्द्धव्रतेप्रत्तेप्रविश्य प्रणयनीयाधानम् । आज्याधिश्रयणस्रुक्समार्जनोद्वासनावेक्षणानिकृत्वा शालाद्वार्यमपरेणास्ते यजमान उपस्थे सोमंकृत्वा । शालाद्वार्यमपरेण सोमक्रयणीपदं परिकिरति । चतुर्द्धैक आहवनीयस्योपयमनीष्वाग्नीध्रीयस्याक्षोपांजने च । का. श्रौ. सू. ८।७१–७५। ३–आज्यप्रोक्षणीरंतःपात्यदेश उत्पूयपश्चाज्यग्रहणम् । का. ८।७६।

ज्योतिरसि विश्वरूपं विश्वेषां देवानाᳩं समिदिति वैश्वदेवᳩं हि पृषदाज्यं धारयन्ति स्रुचो यदा प्रदीप्त इध्मो भवति ॥ ६ ॥

(त्यु) अथ जुहोति । त्वᳩं सोम तनूकृद्भ्यो द्वेषोभ्योऽन्यकृतेभ्यऽउरु यन्ताऽसि वरूथᳩं स्वाहेति तदेतेनैवास्यां पृथिव्यां प्रतिष्ठायां प्रतितिष्ठत्येतेनेमं लोकᳩं स्पृणुते ॥ ७ ॥

(तेऽथा) अथाप्तवे द्वितीयामाहुतिं जुहोति । जुषाणोऽ अप्तुराज्यस्य वेतु स्वाहेत्येष उ हैवैतदुवाच रक्षोभ्यो वै बिभेमि यथा माऽन्तरा नाष्ट्रा रक्षाᳩंसि न हिनसन्नेवं मा कनीयाᳩंसमेव वधात्कृत्वाऽतिनयत स्तोकमेव स्तोको ह्यप्तुरिति तमेतत्कनीयाᳩंसमेव वधात्कृत्वाऽत्यनयन्त्स्तोकमेव स्तोको ह्यप्तू रक्षोभ्यो भीषा तस्मादप्तवे द्वितीयामाहुतिं जुहोति॥८॥

जुह्वां चोपभृति च गृह्णाति । पञ्चगृहीतं पृषदाज्यम् । "ज्योतिरसि विश्वरूपं विश्वेषां देवानां समित्"–(वा.सं.५।३५) इति । वैश्वदेवं हि पृषदाज्यं धारयन्ति । स्रुचो–यदा प्रदीप्त इध्मो भवति॥६॥

अथ जुहोति–"त्वं सोम तनूकृद्भ्यो द्वेषोभ्योऽन्यकृतेभ्य उरु यन्तासि वरूथं स्वाहा"–(वा. सं.५।३५) इति । तदेतेनैवास्यां पृथिव्यां प्रतिष्ठायां प्रतितिष्ठति, एतेनेमं लोकं स्पृणुते ॥ ७ ॥

अथाप्तवे द्वितीयामाहुतिं जुहोति–" जुषाणोऽप्तुराज्यस्य वेतु स्वाहा "–(वा.सं. ५। ३५) इति । एष उ हैवैतदुवाच–' रक्षोभ्यो वै बिभेमि–यथा माऽन्तरा नाष्ट्रा रक्षांसि न हिनसन्,

---

ग्रहणमन्त्रमाह–ज्योतिरसीति । हे पृषदाज्य ! त्वं ' ज्योतिः ' द्योतमानो द्योतको वा भवसि । ज्योतिर्विशेष्यते–विश्वरूपमिति । वैचित्र्याद् विश्वरूपत्वम् । आज्यस्य साधारण्येन इतरद्रव्यवत् प्रतिनियतदैवतत्वाभावात् पृषदाज्यमपि विश्वेषां देवानां समिदित्युच्यते । अनेकद्रव्यात्मकत्वाद्वा वैश्वदेवत्वम् ॥ ६ ॥

इदानीं समन्त्रकमाहवनीये वैसर्जनहोमं विधत्ते–अथ जुहोति त्वं सोम तनूकृद्भ्य इति । जुह्वा व्यापृतत्वात् प्रचरण्या होमः । मन्त्रस्यायमर्थः–हे ' सोम ' ! ' त्वं ' ' तनूकृद्भ्यः ' तनूं शरीरं कृन्तन्ति तृन्दन्तीति तनूकृन्ति रक्षांसि, द्विषन्तीति द्वेषांसि, अन्यैः अस्मद्विरोधिभिरभिचरद्भिः कृतानि प्रेरितानि, तादृशेभ्यो नियन्ताऽसि । यथा तादृशानि अस्मान् न बाधन्ते, तथा पालयसि । तस्मात् त्वमेवास्माकम् ' उरु ' प्रभूतं ' वरूथं बलम् ' असि ' । तस्मै तुभ्यमिदं सुहुतमस्तु ॥

तदेतेनेत्यादि । वैसर्जनानां लोकत्रयजयरूपत्वस्योक्तत्वाद्गार्हपत्यहोमः पृथिव्यां प्रतिष्ठारूपः । अस्यां जायापत्योश्च प्रतिष्ठोपपद्यत इति तदर्थमाह–एतेनेमं लोकं स्पृणुत इति (तै. सं. ६ । ३ । २ । २) ॥७॥

आहुत्यन्तरं समन्त्रकं विधत्ते–अथाप्तवे द्वितीयामाहुतिमिति[3] ' अप्तुः ' सूक्ष्मरूपः सोमः । सः 'अप्तुः'

१–ध्रुवायाः पुरस्तात् पृषदाज्यमाज्यं दधिमिश्रं पंचगृहीतं ज्योतिरसीति समिदंतेन । का. श्रौ. सू. ५ । १०३ ।
२-प्रदीप्तमिध्मं त्वᳩं सोमेति प्रचरण्याऽभिजुहोति । का. श्रौ. सू. ८।१८१। ३–जुषाणो अप्तुरिति द्वितीयाम् । का.श्रौ.सू.८।१८२।

(त्यु) उद्यच्छन्तीध्मम् । (मु) उपयच्छन्त्युपयमनीरथाहाग्नये प्रह्रियमाणायानुब्रूहि सोमाय प्रणीयमानायेति वाऽग्नये प्रह्रियमाणायानुब्रूहीति त्वेव ब्रूयात् ॥ ९ ॥

(दा) आददते ग्राव्णः । (णो) द्रोणकलशं वायव्यानीध्मं कार्ष्मर्य्यमयान्परिधीनाश्ववालं प्रस्तरमैक्षव्यौ विधृती तद्बर्हिरुपसन्नद्धं भवति वपाश्रपण्यौ रशनेऽअरणीऽअधिमन्थनः शकलो वृषणौ तत्समादाय प्राञ्चऽआयन्ति स ऽ एष ऊर्ध्वो यज्ञ एति ॥ १० ॥

एवं मा कनीयांसमेव वधात् कृत्वाऽतिनयत, स्तोकमेव–स्तोको ह्यमुः ' इति । तमेतत् कनीयांसमेव वधात्कृत्वाऽत्यनयन्–स्तोकमेव-स्तोको ह्यमुः । रक्षोभ्यो भीषा । तस्मादप्सवे द्वितीयामाहुतिं जुहोति ॥८॥

उद्यच्छन्तीध्मम् । उपयच्छन्त्युपयमनीः । अथाह अग्नये प्रह्रियमाणायानुब्रूहि सोमाय प्रणीयमानाय–इति वा । अग्नये प्रह्रियमाणायानुब्रूहीति त्वेव ब्रूयात् ॥ ९ ॥

आददते ग्राव्णः, द्रोणकलशम्, वायव्यानि, इध्मम्, कार्ष्मर्यमयान् परिधीन्, आश्ववालं प्रस्तरम्, ऐक्षव्यौ विधृती । तद् बर्हिरुपसन्नद्धं भवति, वपाश्रपण्यौ, रशने अरणी, अधिमन्थनः शकलः वृषणौ । तत् समादाय प्राञ्च आयन्ति । स एष ऊर्ध्वो यज्ञ एति ॥ १० ॥

आज्यस्य ' जुषाणः ' प्रीयमाणः 'वेतु' भक्षयतु आज्यम्, 'स्वाहा' सुहुतमस्तु । मन्त्रतात्पर्य्यमाह–एष उ हैवेति । ' एषः ' मन्त्रः एव, ' एतद् ' वक्ष्यमाणम् ' उवाच ' । एतच्छब्दार्थमाह–**रक्षोभ्यो वा** इत्यादिना । **यथा माऽन्तरेति** । प्रणयनकाले मध्यमार्गे शालामुखीयहविर्द्धानयोरन्तराले इत्यर्थः । **कनीयांसमेव वधात्कृत्वेति** । रक्षःकृताद् ' वधात् ' हेतोः ' कनीयांसं कृत्वा ' । कनीयःशब्दार्थमाह–**स्तोकमेवेति** । **स्तोको ह्यमुरित्यादि** । स्पष्टम् ॥ ८ ॥

उद्यच्छन्तीध्ममिति । **उपयच्छन्त्युपयमनीरिति** । इध्माधानोपयमन्युपकल्पादीनां तु कृते (श. प. ब्रा. ३ । ९ । २ । १) प्रदीप्तेध्मगतम् अग्निम् ' उद्यच्छन्ति ' ऊर्ध्वं धारयेत् । तदाधारेषु नीयमानाः सिकता अपि ' उपयच्छन्ति ' अधो धारयेत् ॥

अग्नीषोमप्रणयनप्रैषविषये विकल्पपक्षं निराकृत्य ' अग्नये प्रह्रियमाणाय ' इति पक्षं सिद्धान्तयति–**अथाहाग्नय** इत्यादिना ॥ ९ ॥

आददते ग्राव्ण इत्यादि । ' ग्राव्णः ' सोमाभिषवार्थान् पाषाणान् । ' द्रोणकलशः[3] ' सोमाधारः प्रभूतः पात्रविशेषः । ' वायव्यान् ग्रहान्, वायुदेवत्यानि सोमपात्राणि[4] । " ग्राव्णो वायव्यानि " (तै. सं. ६ । ३ ।

१–अग्नये प्रह्रियमाणायानुवाचयति सोमाय प्रणीयमानायेति वा । का. श्रौ. सू. ८ । १८३ । २–आहवनीयं गच्छन्त्यादाय ग्रावद्रोणकलशसोमपात्राण्यिध्मचतुष्टयं च सन्नद्धं वपाश्रपण्यौ रशने शकलवृषणमरणी च । का. श्रौ. सू. ८ । १८४ । ३–द्रोणकलशो द्रुममयः कलशाकारो वैकङ्कतः, यस्योपरि धाराग्रहा गृह्यन्ते । इति का. श्रौ. सू. ८ । १८४ टिप्पन्याम् । ४–नव ग्रहपात्राणि, दश चमसा, परिप्लवा, ऋतुपात्रे, ऊर्गापात्रे, स्थाल्यश्वतसः, पूतभृदाहवनीयौ, उदञ्चनः, सोमासन्दी, इत्येतमादीनि ।

तदायत्सु व्वाचयति । (त्यु) अग्ने नय सुपथा रायेऽअस्मान्विश्वानि देव व्वयुनानि व्विद्वान् ॥ युयोध्यस्मज्जुहुराणमेनो भूयिष्ठां ते नमउक्तिं व्विधेमेत्यग्निमेवैतत्पुरस्तात्करोत्यग्निः पुरस्तान्नाष्ट्रा रक्षाꣳस्यपघ्नन्नेत्यथाभयेनानाष्ट्रेण हरन्ति तऽआयन्त्यागच्छन्त्याग्नीध्रं तमाग्नीध्रे निदधाति॥ ११॥

स निहिते जुहोति । (त्य) अयं नोऽअग्निर्व्वरिवस्कृणोत्वयं मृधः पुरऽएतु प्रभिन्दन् ॥ अयं व्वाजाञ्जयतु व्वाजसाताव्वयꣳ शत्रूञ्जयतु जर्हृषाणः स्वाहेति तदेतेनैवैतस्मिन्नन्तरिक्षे प्रतिष्ठायां प्रतितिष्ठत्येतेनैतँल्लोकꣳ स्पृणुते ॥ १२ ॥

तदायत्सु वाचयति–"अग्ने नय सुपथा राये अस्मान् विश्वानि देव वयुनानि विद्वान् । युयोध्यस्मज्जुहुराणमेनो भूयिष्ठां ते नमउक्तिं विधेम "–(वा. सं. ५ । ३६) इति । अग्निमेवैतत् पुरस्तात्करोति । अग्निः पुरस्तान्नाष्ट्रा रक्षांस्यपघ्नन्नेति । अथाभयेनानाष्ट्रेण हरन्ति । तऽआयन्ति । आगच्छन्त्याग्नीध्रम् । तमाग्नीध्रे निदधाति ॥ ११ ॥

स निहिते जुहोति–" अयं नोऽअग्निर्वरिवस्कृणोतु । अयं मृधः पुर एतु प्रभिन्दन् । अयं वाजान् जयतु वाजसातावयं शत्रून् जयतु जर्हृषाणः स्वाहा "–(वा. सं. ५।३७) इति । तदेतेनैवैतस्मिन्नन्तरिक्षे प्रतिष्ठायां प्रतितिष्ठति, एतेनैतं लोकं स्पृणुते ॥ १२ ॥

---

२ । ३) इत्यादिश्रुतेरेव पात्राणां वायव्यत्वम् । ' इध्मम् ' । काष्मर्यपरिध्याद्याः पश्वर्थाः **तद्बर्हिरुपसन्नद्धं भवतीति** । आतिथ्यायामास्तीर्णमित्यर्थः; " यदातिथ्यायां बर्हिस्तदुपसदस:, तदाग्नीषोमीयस्य " (ऐ. ब्रा. १ । ४ । ८ ।२९। सा. भा.) इति श्रुतेः । ' वपाश्रपण्यौ ' पशुवपायाः श्रपणसाधने काष्मर्यशाखे ।'रशने ' यूपपश्वर्थे द्वे । अरणी द्वे ' अधिमन्थनः शकलः ' उत्तरारणेरधस्तात् स्थाप्यः । ' वृषणौ ' वृषणस्थानीयौ दर्भौ । एतान् सोमार्थान् आग्नीषोमीयार्थांश्च ' समादाय ' ' प्राञ्चः ' ' आयन्ति ' गच्छेयुः । **स एष उर्ध्वो यज्ञ एतीति** । अध्वर्युप्रमुखैर्यज्ञाङ्गानामुद्यमनाद् ' यज्ञः ' एव ' ऊर्द्ध्वः एति ' ऊध्व गतो भवति ॥ १० ॥

तदायत्सु वाचयतीति[2] । तेषु सर्वेषु ' आयत्सु ' " अग्ने नय "–इति 'वाचयति' अध्वर्युः । तस्यायमर्थः- हे ' अग्ने ' ! ' देव ! ' ' नय ' प्रापय ' अस्मान् ' 'राये' धनार्थं 'सुपथा' शोभनेन मार्गेण । त्वं 'विश्वानि' ' वयुनानि ' मार्गान् ' विद्वान् ' जानन् । किञ्च ' जुहुराणं ' कौटिल्यम्, आचरतः ' एनः ' पापं कुटिलं चेत्युभयम् ' अस्मत् ' अस्मत्तः ' युयोधि ' पृथक् कुरु । ' ते ' तुभ्यं ' भूयिष्ठाम् ' अतिप्रभूतां ' नमउक्तिं ' ' विधेम ' करवामेति ॥

अग्निमेवेत्यादि । स्पष्टम् । **त आयन्तीति** । ते प्राञ्चो गता आगच्छेयुः । कुत्रागच्छेयुः । आग्नीध्रमागच्छन्ति । सौमिकवेदेरुत्तरेण मार्गेण । तम् ' आग्नीद्ध्रे निदधाति ' तं प्रणीतमग्निम्[3] ॥ ११ ॥

स निहिते जुहोतीति[4] । ' सः ' अध्वर्युः ' निहिते ' अग्नौ स्थापिते । तत्र होममन्त्रोऽयम्–**अयं नो**

१–काष्मर्यमयाः परिधय आश्ववालः प्रस्तर ऐक्षव्यौ विधृतौ बर्हिश्च । का. श्रौ. सू. ८ । १० । २–अग्ने नयेति व्वाचयति । का. श्रौ. सू. ८ ।१८५। ३–उत्तरेण सदो हृत्वाऽऽग्नीध्रेऽग्निं निदधाति । का. श्रौ. सू. ८।१८६ । ४–अयन्न इति जुहोत्यास्मिन्। का. श्रौ. सू. ८ । १८८ ।

तदेव निदधाति ग्राव्णः । (व्णो) द्रोणकलशं वायव्यान्यथेतरमादाया-
यन्ति तदुत्तरेणाहवनीयमुपसादयन्ति ॥ १३ ॥

प्रोक्षणीरध्वर्युरादत्ते । स इध्ममेवाग्रे प्रोक्षत्यथ वेदिमथास्मै बर्हिः प्रय-
च्छन्ति तत्पुरस्ताद्ग्रन्थ्यासादयति तत्प्रोक्ष्योपनिनीय विस्रंस्य ग्रन्थि-
माश्ववालः प्रस्तर ऽउपसन्नद्धो भवति तं गृह्णाति गृहीत्वा प्रस्तरमेकवृ-
द्बर्हिस्तृणाति स्तीर्त्वा बर्हिः कार्ष्मर्यमयान्परिधीन्परिदधाति परिधाय
परिधीन्त्समिधावभ्यादधात्यभ्याधाय समिधौ ॥ १४ ॥

(धावु) अथ जुहोति । (त्यु) उरु विष्णो विक्रमस्वोरु क्षयाय नस्कृधि ।

तदेव निदधाति ग्राव्णः, द्रोणकलशम्, वायव्यानि, अथेतरमादायायन्ति । तदुत्तरेणाहवनीय-मुपसादयन्ति ॥ १३ ॥

प्रोक्षणीरध्वर्युरादत्ते । स इध्ममेवाग्रे प्रोक्षति, अथ वेदिम्, अथास्मै बर्हिः प्रयच्छन्ति, तत्पुरस्ताद्ग्रन्थ्यासादयति, तत्प्रोक्ष्योपनिनीय विस्रंस्य ग्रन्थिम् । आश्ववालः प्रस्तर उपसन्नद्धो भवति । तं गृह्णाति । गृहीत्वा प्रस्तरमेकवृद्बर्हिः स्तृणाति । स्तीर्त्वा बर्हिः कार्ष्मर्यमयान् परिधीन् परिदधाति । परिधाय परिधीन् समिधावभ्यादधाति । अभ्याधाय समिधौ ॥ १४ ॥

अथ जुहोति-" **उरु विष्णो विक्रमस्व, उरु क्षयाय नस्कृधि । घृतं घृतयोने पिब**

अग्निरिति । तस्यायमर्थः-'अयम्' 'अग्निः' 'नः' अस्माकं 'वरिवः' धनं 'कृणोतु' । तथा 'अयम्' एव 'मृधः' संग्रामान् 'प्रभिन्दन्' 'पुर एतु' । तथा 'अयं' 'वाजसातौ' संग्रामे 'वाजान्' 'जयतु' अस्मदर्थम् । 'अयं' 'जर्हृषाणः' पुनः पुनः हृष्यन् 'शत्रून् जयतु' । 'स्वाहा' सुहुत-मस्तु इदमाज्यम् ॥

तदेतेनेत्यादि । शालामुखीयाग्नीध्रीयोत्तरवेदीनां क्रमेण भूम्यादिलोकत्रयात्मकत्वात् 'अन्तरिक्षे' 'स्पृणुते' पालयति ॥ १२ ॥

तदेव निदधातीति । स्थापयेद् ग्रावादिकम्[1] । 'इतरम्' इध्मबर्हिरादिकम्, अग्नीषोमीयार्थम् । **उत्तरे-णाहवनीयमुपसादयन्ती**ति । उत्तरवेदिस्थस्यैवाहवनीयत्वात्तदुत्तर इत्यर्थः ॥ १३ ॥

प्रोक्षणीरध्वर्युरादत्त इति । प्रोक्षणीरादाय अध्वर्युरिध्ममेव पूर्वं प्रोक्षेत् । " प्रोक्षणीरध्वर्युरादत्ते स इध्म-मेव पूर्वं प्रोक्षति" इत्यादिना प्राकृतः प्रयोगः पुनरभिधीयते; तत्र तत्र विशेषविधानार्थं प्रस्तरं पृथग्गृहीत्वा बर्हिरेकावृत्त्यैव स्तृणीयात् । "खरोत्तरार्द्धे एकवृत् स्तरणं पश्चाद्वोत्तरवेदेः"-इति हि सूत्रम् (का. श्रौ. सू. ८ । १९२) ॥ १४ ॥

अथ जुहोतीति[4] । 'अथ' आघारसमिदाधानपर्यन्तं पश्वर्थमङ्गजातं कृत्वा, पश्चाद् वैसर्जनीयं होमं तुरीयं

१-ग्रावद्रोणकलशसोमपात्राणि च । का. श्रौ. सू. ८ । १८७ २-उत्तरेण परिक्रम्याहवनीयस्योत्तरतो निदधात्यन्यदाज्य[?]सोम-वर्जम् । का. श्रौ. सू. ८ । १८९ । ३-इध्मप्रोक्षणादि करोति का. श्रौ. सू. ८ । १९१ । ४-आहवनीयेक्षणात्कृत्वोरुविष्णविति-जुहोति । का. श्रौ. सू. ८ । १९३ । ५-'अथाघारसमिद्वयाधान' इति क. पा. ।

घृतं घृतयोने पिब प्रप्र यज्ञपतिं तिर स्वाहेति तदेतेनैवैतस्यां दिवि प्रतिष्ठायां प्रतितिष्ठत्येतेनैतं लोकᳬं स्पृणुते यदेतया जुहोति ॥ १५ ॥

यद्वेव वैष्णव्यर्चा जुहोति । कनीयाᳬंसं वा ऽएनमेतद्दधात्कृत्वात्यनैषु स्तोकमेव स्तोको ह्यमुस्तमेतदभयं प्राप्य य एवैष तं करोति यज्ञमेव यज्ञो हि विष्णुस्तस्माद्वैष्णव्यर्चा जुहोति ॥ १६ ॥

(त्यु) अथासाद्य स्रुचः । (चोऽपु) अपऽउपस्पृश्य राजानं प्रपादयति तद्यदासाद्य स्रुचोऽप ऽउपस्पृश्य राजानं प्रपादयति वज्रो वाऽआज्यᳬं रेतः सोमो नेद्वज्रेणाज्येन रेतः सोमᳬं हिनसानीति तस्मादासाद्य स्रुचोऽप ऽउपस्पृश्य राजानं प्रपादयति ॥ १७ ॥

प्रप्र यज्ञपतिं तिर स्वाहा "–(वा. सं. ५ । ३८) इति । तदेतेनैवैतस्यां दिवि प्रतिष्ठायां प्रतितिष्ठति एतेनैतं लोकं स्पृणुते–यदेतया जुहोति ॥ १५ ॥

यद्वेव वैष्णव्यर्चा जुहोति कनीयांसं वा एनमेतद्दधात्कृत्वात्यनैषुः–स्तोकमेव । स्तोको ह्यमुः । तमेतदभयं प्राप्य–य एवैष तं करोति–यज्ञमेव । यज्ञो हि विष्णुः । तस्माद्वैष्णव्यर्चा जुहोति ॥१६॥

अथासाद्य स्रुचः, अप उपस्पृश्य, राजानं प्रपादयति । तद्यदासाद्य स्रुचः, अप उपस्पृश्य राजानं प्रपादयति । वज्रो वा आज्यम्, रेतः सोमः । नेद्वज्रेणाज्येन रेतः सोमं हिनसानीति । तस्मादासाद्य स्रुचः, अप उपस्पृश्य राजानं प्रपादयति ॥ १७ ॥

' जुहोति ' " उरु विष्णो–" इति मन्त्रेण । अयं मन्त्रार्थः–हे ' विष्णो ! यज्ञात्मक ! त्वम् , ' उरु ' प्रभूतं द्युलोकपर्यन्तं विक्रमस्व विक्रमणं कुरु । विक्रमणप्रयोजनमाह–' क्षयाय ' अस्माकं निवासाय ' उरु ' विस्तीर्णं ' कृधि ' कुरु । ' घृतयोने ' अग्ने ! ' घृतं ' हुतं ' पिब ' । ' यज्ञपतिं ' यजमानं ' प्रतिर ' प्रपूर्वस्तिरतिर्वर्द्धने वर्तते । ' स्वाहा ' सुहुतमस्तु । तदेतेनेत्यादि । पूर्ववत् ॥ १५ ॥

मन्त्रस्य यद् वैष्णवत्वं प्राक् प्रतिपादितम्, तस्याल्पत्वपरिहारेण स्वाभाविकरूपप्राप्तिरूपत्वेन प्रशंसति–यद्वेव वैष्णव्यर्चा जुहोतीत्यादिना । तमेतदभयं प्राप्य य एवैष तं करोतीति । ' एतत् ' एतेन वैष्णवत्वकरणेन 'अभयं ' नाशकारिरक्षोभयरहितं कृत्वा ' एषः ' सोमः पूर्वं ' य एव ' यादृग्यज्ञरूपः, ' तं ' तादृग्रूपं ' करोति ' । विष्णुत्वप्रापणेन कथं स्वाभाविकरूपप्राप्तिरिति तत्राह–यज्ञो हि विष्णुरिति ॥ १६ ॥

अथासाद्य स्रुचोऽप उपस्पृश्य राजानं प्रपादयतीति । 'आसाद्य' उत्तरवेदेः पश्चाद्देशे बर्हिषि ' स्रुचः ' आसाद्य ' राजानं ' सोमं ' प्रपादयति' हविर्द्धानं प्रवेशयति । उदकोपस्पर्शनं प्रशंसति–तस्मादासाद्येत्यादिना । वज्रो वा इत्यादि । प्रागु व्याख्यातम् (श. प. ब्रा. ३।४।३।११ ॥ १७ ॥

१–' प्रसमुपोदः पादपूरणे ' इति पा. सू. ८ । १ । ६ । प्रशब्दस्य द्वित्वम् । २–तच्च सोमानयनं यजमानकर्तृकं ब्रह्मकर्तृकं वा भवति–" हुते च सोममादायाग्निमन्वेति" " यजमानो वा सोमᳬ हरेत् " इति कात्यायनोक्तेः । का.श्रौ.सू. (९।१३।१४।)

स दक्षिणस्य हविर्द्धानस्य नीडे कृष्णाजिनमास्तृणाति । तदेनमासा-
दयति देव सवितरेष ते सोमस्तᳪं रक्षस्व मा त्वा दभन्निति तदेनं
देवायैव सवित्रे परिददाति गुप्त्यै ॥ १८ ॥

(प्त्याऽअ) अथानुसृज्योपतिष्ठते (तऽ) एतत्त्वं देव सोम देवो देवा ँ॥
ऽउपागा इदमहं मनुष्यान्त्सह रायस्पोषेणेत्यग्नीषोमौ वाऽएतमन्त-
र्जम्भऽआदधाते यो दीक्षतऽआग्नावैष्णवᳪं ह्यदो दीक्षणीयᳪं हवि-
र्भवति यो वै विष्णुः सोमः स हविर्वाऽएष देवानां भवति यो दीक्षते
तदेनमन्तर्जम्भऽआदधाते तत्प्रत्यक्षᳪं सोमान्निर्मुच्यते यदाहैतत्त्वं देव
सोम देवो देवा ँ॥ ऽउपागा ऽइदमहं मनुष्यान्त्सह रायस्पोषेणेति भूमा वै
रायस्पोषः सह भूम्नेत्येवैतदाह ॥ १९ ॥

स दक्षिणस्य हविर्द्धानस्य नीडे कृष्णाजिनमास्तृणाति । तदेनमासादयति–" देव सवितरेष ते सोमः, तं रक्षस्व । मा त्वा दभन्– "–(वा० सं० ५ । ३९) इति । तदेनं देवायैव सवित्रे परिददाति गुप्त्यै ॥ १८ ॥

अथानुसृज्योपतिष्ठते–"एतत् त्वं देव सोम देवो देवान् ँ॥ उपागा इदमहं मनुष्यान्त्सह रायस्पोषेण "–(वा. सं. ५ । ३९) इति । अग्नीषोमौ वा एतमन्तर्जम्भ आदधाते–यो दीक्षते । आग्नावैष्णवं ह्यदो दीक्षणीयं हविर्भवति । यो वै विष्णुः–सोमः सः । हविर्वाऽएष देवानां भवति यो दीक्षते । तदेनमन्तर्जम्भे आदधाते । तत्प्रत्यक्षं सोमान्निर्मुच्यते । यदाह–एतत्त्वं देव सोम देवो देवान् ॥ उपागाः । इदमहं मनुष्यान्त्सह रायस्पोषेणेति । भूमा वै रायस्पोषः । सह भूम्नेत्येवैतदाह ॥ १९ ॥

स दक्षिणस्येति ' दक्षिणस्य ' ' हविर्द्धानस्य ' ' नीडे ' परिवृते मध्यप्रदेशे कृष्णाजिनोपरि सोमं निदध्यात् । " आसाद्याज्यानि दक्षिणेऽनसि कृष्णाजिनमास्तीर्य तस्मिन् सोमं निदधाति देव सवितरिति "–(का. श्रौ. सू. ८।१९५) इति सूत्रम् । " देव सवितरेष ते "–इत्यासादनमन्त्रः । स्पष्टोऽर्थः । हे सोम ! त्वां ' मा दभन् ' मा हिंसिषुः ॥ १८ ॥

अथानुसृज्योपतिष्ठत इति । ' अनुसृज्य ' विसृज्येत्यर्थः । तथा च कात्यायनः–" एतत्त्वमिति विसृज्योपतिष्ठते–" (का. श्रौ. ८ । १९६) इति । मन्त्रस्यार्थः–हे ' सोम देव ! ' ' त्वम् ' इदानीं ' देवान् ' ' उपागाः ' प्राप्तोऽसि, ' अहम् ' अपि मनुष्यः सन् ' एतत् ' इदानीं ' मनुष्यान् ' अस्मदीयान् ' उपागाः ' उपागां प्राप्तोऽस्मि न केवलः अहमेव किन्तु ' रायस्पोषेण सह ' धनपोषणसहित एव । यजमानस्याग्नीषोमयोर्जम्भानुप्रवेशेन तदीयधनस्यापि अनुप्रवेशात्, इदानीं निर्गमसाहित्यमपेक्षितम् । " अग्नीषोमौ वा एतमन्तर्जम्भे " इत्यादिकम्, एतन्मन्त्रब्राह्मणम्, " अथ प्रतिप्रस्थाता अग्रेण शालामग्नीषोमीयेण पशुना"–इत्यत्र व्याख्यातम् (श. प. ब्रा. ३ । ३ । ४ । २१) । तत् **एतत्त्वं देव सोम देवो देवाँ उपागा इदमहं मनुष्यान्**–इत्यभिधानेन ' प्रत्यक्षम् ' एव ' सोमाद् ' विमुच्यते ॥ १९ ॥

(ह्रा) अथोपनिष्क्रामति । स्वाहा निर्व्वरुणस्य पाशान्मुच्यऽइति व्वरुणपाशे वा एषोऽन्तर्भवति योऽन्यस्यासंस्तत्प्रत्यक्षं व्वरुणपाशान्निर्मुच्यते यदाह स्वाहा निर्व्वरुणस्य पाशान्मुच्यऽइति ॥ २० ॥

(य) अथेत्याहवनीये समिधमभ्यादधाति । (त्य) अग्ने व्व्रतपास्त्वे व्व्रतऽपाइत्यग्निर्हि देवानां व्व्रतपतिस्तस्मादाहाग्ने व्व्रतपास्त्वे व्व्रतपा इति या तव तनूर्म्मय्यभूदेषा सा त्वयि यो मम तनूस्त्वय्यभूदिय ँ सा मयि । यथायथं नौ व्व्रतपते व्व्रतान्यनु मे दीक्षां दीक्षापतिरमँस्तानु तपस्तपस्पतिरिति तत्प्रत्यक्षमग्नेर्निर्मुच्यते स स्वेन सतात्मना यजते तस्मादस्यात्राश्नन्ति मानुषो हि भवति तस्मादस्यात्र नाम गृह्णन्ति मानुषो हि भवन्त्यथ यत्पुरा नाश्नन्ति यथा हविषोऽहुतस्य नाश्नीयादेवं तत्तस्माद्दीक्षितस्य नाश्नीयादथात्राङ्गुलीर्व्विसृजते ॥ २१ ॥

इति पञ्चमप्रपाठके द्वितीयं ब्राह्मणम् ॥ ५-२ (६. ३.) ॥

अथोपनिष्क्रामति । " स्वाहा निर्वरुणस्य पाशान्मुच्ये "-(वा. सं. ५ । ३९) इति । वरुणपाशे वा एषोऽन्तर्भवति–योऽन्यस्यासन् । तत्प्रत्यक्षं वरुणपाशान्निर्मुच्यते । यदाह स्वाहा निर्वरुणस्य पाशान्मुच्यऽइति ॥ २० ॥

अथेत्याहवनीये समिधमभ्यादधाति " अग्ने व्रतपास्त्वे व्रतपाः "-(वा. सं ५ । ४०) । इति । अग्निर्हि देवानां व्रतपतिः । तस्मादाह–अग्ने व्रतपास्त्वे व्रतपा इति । " या तव तनूर्मय्यभूदेषा सा त्वयि । यो मम तनूस्त्वय्यभूदियं सा मयि । यथायथं नौ व्रतपते व्रतान्यनु मे दीक्षां दीक्षापतिरमंस्तानु तपस्तपस्पतिः " (वा. सं. ५ । ४०) इति । तत् प्रत्यक्षमग्नेर्निर्मुच्यते । स स्वेन सतात्मना यजते । तस्मादस्यात्राश्नन्ति । मानुषो हि भवति । तस्मादस्यात्र नाम गृह्णन्ति । मानुषो हि भवति । अथ यत् पुरा नाश्नन्ति–यथा हविषोऽहुतस्य नाश्नीयात् एवं तत् । तस्माद्दीक्षितस्य नाश्नीयात् । अथात्रांगुलीर्विसृजते ॥ २१ ॥

हविर्द्धानात् समन्त्रकं निष्क्रमणं विधत्ते–**अथोपनिष्क्रामतीति** । **स्वाहा निर्वरुणस्येति** । "स्वाहा निरिति निष्क्रम्य "-(का. श्रौ. सू. ८ । १९७) इति सूत्रम् । मन्त्रे वरुणपाशप्रसङ्गं दर्शयति–**वरुणपाशो वा एषोऽन्तर्भवतीति** ॥ २० ॥

अथेत्याहवनीये समिधमभ्यादधातीति[1] । समिधमेवाभ्यादधदवान्तरदीक्षा उपैति " अग्ने व्रतपाः "– इति । तत्र स्वशरीरमग्नावेव संस्थाप्य अग्निशरीरस्य स्वस्मिन्धारणमुक्तम्, इह तु तद्वैपरीत्येन यथायथं शरीर-

---

१–अग्नेव्रतपा इत्याहवनीये समिधमाधाय । का० श्रौ० सू० ८ । १९.७ ।

यूपं व्रक्ष्यन्वैष्णव्यर्चा जुहोति । वैष्णवो हि यूपस्तस्माद्वैष्णव्यर्चा जुहोति ॥ १ ॥

यद्वेव वैष्णव्या जुहोति । यज्ञो वै विष्णुर्यज्ञेनैवैतद्यूपमच्छैति तस्माद्वैष्णव्यर्चा जुहोति ॥ २ ॥

स यदि स्रुचा जुहोति । चतुर्गृहीतमाज्यं गृहीत्वा जुहोति यद्यु स्रुवेण स्रुवेणैवोपहत्य जुहोत्युरु विष्णो विक्रमस्वोरु क्षयाय नस्कृधि ॥ घृतं घृतयोने पिब प्र प्र यज्ञपतिं तिर स्वाहेति ॥ ३ ॥

अथ यूपसम्पादनम् ।

यूपं व्रक्ष्यन् वैष्णव्यर्चा जुहोति । वैष्णवो हि यूपः । तस्माद्वैष्णव्यर्चा जुहोति ॥ १ ॥

यद्वेव वैष्णव्या जुहोति । यज्ञो वै विष्णुः । यज्ञेनैवैतद्यूपमच्छैति । तस्माद् वैष्णव्यर्चा जुहोति ॥ २ ॥

स यदि स्रुचा जुहोति—चतुर्गृहीतमाज्यं गृहीत्वा जुहोति । यद्यु स्रुवेण—स्रुवेणैवोपहत्य जुहोति—"उरु विष्णो विक्रमस्वोरु क्षयाय नस्कृधि । घृतं घृतयोने पिब प्र प्र यज्ञपतिं तिर स्वाहा"—(वा. सं. ५ । ४१) इति ॥ ३ ॥

स्वीकार इति विशेषः । **स स्वेन सतात्मना यजत** इति । पूर्वमन्यात्मना सता, इदानीं 'स्वेन' यजमानात्मना सता 'यजते'; स्वशरीरस्य पुनः प्राप्तत्वात् । दीक्षितान्ननिषेधभावाभावयोरप्ययमेवाभिप्राय इत्याह—**तस्मादस्यात्राश्नन्ती**ति । तस्मादिति हेतुं विवृणोति—**मानुषो ही**ति नामग्रहणस्यापि मानुषभाव एव; अतोऽर्वाग् वैसर्जनहोमपर्यन्तं दीक्षितस्य नाम न गृह्णीयादिति विधिरुन्नीयते । **यथा हविषोऽहुतस्य नाश्नीयादेवं तदि**ति । 'अहुतं' यथा देवातिथिषु मनुष्यो 'नाश्नीयात्' 'एवं तत्' अपि भवति; धनस्यापि यजमानेन सह प्रवेशादित्यभिप्रायः । "नामग्रहणभोजने अस्यातःकुर्वन्ति"(का. श्रौ. सू. ८।२००) इति सूत्रम् ॥ २१ ॥

इति श्रीसायणाचार्यविरचिते माधवीये वेदार्थप्रकाशे माध्यन्दिनशतपथब्राह्मणभाष्ये
तृतीयकाण्डे षष्ठाध्याये तृतीयं ब्राह्मणम् ॥ (३-६-३)

अथ यूपयागोऽभिधीयते—**यूपं व्रक्ष्यन्नि**त्यादिना । 'व्रक्ष्यन्' छेत्स्यन् । 'वैष्णव्यर्चा' आहवनीये जुहुयात् । "साऽस्य देवता"—(पा. सू. ४ । २ । २४) इत्यण् । "दिवं मा लेखीरन्तरिक्षं मा हिंसीः पृथिव्या सम्भव"—(वा. सं. ५ । ४३) इति मन्त्रेण । मन्त्रादौ लोकत्रयाक्रमणस्योक्तत्वेन विष्णुसाम्याद्वैष्णवत्वमतस्तदर्थवाच्यृचो वैष्णवत्वं युक्तम् ॥ १ ॥

ऋचो वैष्णवत्वं प्रशंसति—**यद्वेव वैष्णव्या जुहोती**ति । **यज्ञेनैवैतद्यूपमच्छैती**ति । यज्ञेनैव यूपमभिलक्ष्य गतवान् भवति ॥ २ ॥

स यदि स्रुचेत्यादि । स्पष्टम् । उरु विष्णविति । एष मन्त्रो वैसर्जनीयहोममधिकृत्य व्याख्यातः, अत एष ब्राह्मणे नेह व्याख्यातः । अत्र सूत्रम्—"यूपाहुतिं जुहोति चतुर्गृहीतं स्रुवेण वोरु विष्णविति", (का. श्रौ. सू. ६ । ४ ।) इति ॥ ३ ॥

१—यूपाहुतिं जुहोति चतुर्गृहीतं स्रुवेणोरुव्विष्णविति । का. श्रौ. सू. ६ । ४ ।

यदाज्यं परिशिष्टं भवति । तदादत्ते यत्तक्ष्णः शस्त्रं भवति तत्तक्षा-दत्तेतऽआयन्ति स यं यूपं जोषयन्ते ॥ ४ ॥

तमेव माभिमृश्य जपति । पश्चाद्धैव प्राङ्तिष्ठन्नभिमन्त्रयतेऽत्यन्या ३ँ ॥ ऽअगां नान्या ३ँ॥ ऽउपागामित्याति ह्यन्यानेति नान्यानुपैति तस्मादाहा-त्यन्या ३ँ॥ऽअगां नान्या ३ँ॥ऽउपागामिति ॥ ५ ॥

(त्व) अर्व्वाक्त्वा परेभ्योऽविदं परोऽवरेभ्य इति । (त्व) अर्व्वाग्घ्येनं परेभ्यो व्वृश्चति यऽएतस्मात्पराञ्चो भवन्ति परोऽवरेभ्य इति परो ह्येन-मवरेभ्यो व्वृश्चति यऽएतस्मादर्व्वाञ्चो भवन्ति तस्मादाहार्व्वाक्त्वा परेभ्यो ऽविदं परोऽवरेभ्य इति ॥ ६ ॥

तं त्वा जुषामहे देव व्वनस्पते देवयज्यायाऽइति । तद्यथा बहूनां मध्या-त्साधवे कर्मणे जुषेत स रातमनास्तस्मै कर्मणे स्यादेवमेवैनमेतद्बहूनां मध्यात्साधवे कर्मणे जुषते सुरातमना व्व्रश्चनाय भवति ॥ ७ ॥

यदाज्यं परिशिष्टं भवति–तदादत्ते । यत्तक्ष्णः शस्त्रं भवति–तत्तक्षाऽऽदत्ते । त आयन्ति । स यं यूपं जोषयन्ते ॥ ४ ॥

तमेवमभिमृश्य जपति । पश्चाद्धैव प्राङ् तिष्ठन्नभिमन्त्रयते–"अत्यन्या ३ँ॥ ऽअगाम्, नान्या ३ँ॥ ऽउपागाम्"–(वा. सं. ५ । ४२) इति । अति ह्यन्यानेति, नान्यानुपैति । तस्मा-दाह–अत्यन्या ३ँ॥ऽअगाम्, नान्या ३ँ॥ऽउपागामिति ॥ ५ ॥

"अर्वाक् त्वा परेभ्योऽविदम्, परोऽवरेभ्यः" (वा. सं. ५ । ४२) इति । अर्वाग्घ्येनं परेभ्यो वृश्चति–य एतस्मात्पराञ्चो भवन्ति । परोऽवरेभ्य इति । परो ह्येनमवरेभ्यो वृश्चति–यऽएत-स्मादर्वाञ्चो भवन्ति । तस्मादाह–अर्वाक् त्वा परेभ्योऽविदम्, परोऽवरेभ्य इति ॥ ६ ॥

"तं त्वा जुषामहे देव वनस्पते देवयज्यायै"–(वा. सं. ५ । ४२) इति । तद् यथा–बहूनां मध्यात्साधवे कर्मणे जुषेत, स रातमनास्तस्मै कर्मणे स्यात्–एवमेवैनमेतद् बहूनां मध्या-त्साधवे कर्मणे जुषते, स रातमना व्रश्चनाय भवति ॥ ७ ॥

यदाज्यं परिशिष्टं भवतीति । अवशिष्टमाज्यमध्वर्युरादत्ते । यत्तक्ष्ण इति । 'यत्' तक्षकस्य 'शस्त्रं भवति' वाशीनिशानं शिलादौ । जोषयन्ते यं यूपायालमिति, त आयन्तीति सम्बन्धः ॥ ४ ॥

तमेवमभिमृश्य जपतीति[२] 'तम्' 'यूपम्' 'एवम्' 'अभिमृश्य जपति' "अत्यन्यानगाम्"–इत्येवंरूपेणेत्यर्थः । अथवा अभिमर्शनं न कर्त्तव्यम्, 'पश्चात्' 'प्राङ्' 'तिष्ठन् एव' 'अभिमन्त्रयते' । अत्र "यूपमभिमृशत्यत्यन्यानिति प्राङ् तिष्ठन्नभिमन्त्रयते वा पालाशं बहुलपर्णम्"–इत्यादि सूत्रं

१–आज्यशेषमादाय सतक्षागच्छति यूपम् । का. श्रौ. सू. ६ । ५ । २–अभिमृशत्यत्यन्यानिति । का. श्रौ. सू. ६ । ६ ॥

देवास्त्वा देवयज्यायै जुषन्तामिति । तद्वै सुमृद्धं यं देवाः साधवे कर्मणे जुषान्तै तस्मादाह देवास्त्वा देवयज्यायै जुषन्तामिति ॥ ८ ॥

(त्यु) अथ स्रुवेणोपस्पृशति । विष्णवे त्वेति वैष्णवो हि यूपो यज्ञो वै विष्णुर्यज्ञाय ह्येनं वृश्चति तस्मादाह विष्णवे त्वेति ॥ ९ ॥

(त्यु) अथ दर्भतरुणकमन्तर्दधाति (त्यो) ओषधे त्रायस्वेति वज्रो वै परशुस्तथो हैनमेष वज्रः परशुर्न हिनस्त्यथ परशुना प्रहरति स्वधिते

"देवास्त्वा देवयज्यायै जुषन्ताम्"–(वा. सं. ५ । ४२) इति । तद्वै समृद्धं–यं देवाः साधवे कर्मणे जुषान्तै–तस्मादाह–देवास्त्वा देवयज्यायै जुषन्तामिति ॥ ८ ॥

अथ स्रुवेणोपस्पृशति–"विष्णवे त्वा"–(वा. सं. ५ । ४२) इति । वैष्णवो हि यूपः । यज्ञो वै विष्णुः । यज्ञाय ह्येनं वृश्चति । तस्मादाह–विष्णवे त्वेति ॥ ९ ॥

अथ दर्भतरुणकमन्तर्दधाति–"ओषधे त्रायस्व"–(वा. सं. ५ । ४२) इति । वज्रो वै

द्रष्टव्यम् (का. श्रौ. सू. ६ । ९–१०) । मन्त्रस्यायमर्थः–हे पुरोवर्त्तिपालाशादिरूपवृक्ष ! तव प्राप्तेः पूर्वम् 'अन्यान्' यूप्यानपि नानाजातीयान् वृक्षान् 'अत्यगाम्' अतिक्रम्य त्वां प्राप्तोऽस्मि । एवम् 'अन्यान्' ब्राह्मणोक्तातिरिक्तानितः परमपि 'नोपागाम्' नोपगच्छामि । 'त्वा' त्वाम् 'परेभ्यः' त्वत्तोऽप्युपरि वर्त्तमाना ये सन्ति, तेभ्यः 'अर्वाक्' अधस्तात् प्रथमं वर्त्तमानम् 'अविदम्'। तथा 'अवरेभ्यः' पूर्वभाविभ्यः सकाशात् त्वां 'परः' परस्ताद् वर्त्तमानम् 'अविदम्'। आद्यन्तयोर्वर्त्तमानानां वातातपादिकृतदोषसम्भवात् निकृष्टत्वम्, अतः सर्वेषां मध्ये वर्त्तमानं त्वामेव निर्दोषमविदमित्यर्थः । हे 'देव ! वनस्पते' 'तं' तादृशं वर्तमानं यूपार्हं 'त्वा' त्वां 'देवयज्यायै' यागार्थं 'जुषामहे' इति । मन्त्रभागस्य तात्पर्यमाह–तद्यथेति । 'यथा' 'बहूनां' पुरुषाणां 'मध्यात्' एकमवकृष्य 'साधवे' शोभनाय 'कर्मणे' 'जुषेत' सेवेत, 'सः' जोष्टा 'रातमनाः' दत्तचित्तः, कर्मार्थमङ्गीकृतमनस्कः सन् 'तस्मै कर्मणे' तत् कर्म कर्तुं भवेत्, अथवा 'कर्मणे रातमनाः स्यात्' कर्म कर्तुं बुद्धिः प्रवृत्तेत्यर्थः । 'एवमेवैतत्' इति दार्ष्टान्तिकाभिधानमुक्तार्थम् ॥ ५–७ ॥

देवास्त्वेति । देवानां जोषणाभिधानस्य प्रार्थनायाः प्रयोजनमाह–तद्वै समृद्धं यं देवाः साधवे कर्मणे जुषान्ता इति । 'जुषान्ते' जुषेरन् ॥ ८ ॥

अथ स्रुवेणेति[1] । "विष्णवे त्वा"–' इति ' मन्त्रेण 'स्रुवेण' 'उपस्पृशति' वृक्षम । 'विष्णवे' यूपायेत्यर्थः । स्पृशामीति शेषः । कथं यूपस्य विष्णुत्वमिति, तत्राह–वैष्णवो हि यूप इति । 'यूपः' 'वैष्णवो हि' विष्णुदेवत्यः खलु । तदेव कथमिति, तत्राह–यज्ञो वै विष्णुरिति । यज्ञस्यापि विष्णुत्वे यूपस्य किमायातमित्यत आह–यज्ञाय ह्येनं वृश्चतीति ॥ ९ ॥

अथ दर्भतरुणकमिति[2] । "ओषधे त्रायस्व"–इति । कुशतरुणेन यूपं व्यवहितं कुर्यात् । हे 'ओषधे !'

१–स्रुवेणोपस्पृशति विष्णवे त्वेति । का. श्रौ. सू. ६ । ११ । २–ओषध इति कुशतरुणं तिरस्कृत्य स्वधित इति परशुना प्रहरति । का. श्रौ. सू. ६ । १२ ।

मैनꣳ हिꣳसीरिति वज्रो वै परशुस्तथो हैनमेष वज्रः परशुर्न हिनस्ति ॥ १० ॥

स यं प्रथमꣳ शकलमपच्छिनत्ति । तमादत्ते तं वाऽअनक्षस्तम्भं वृश्चेदुत ह्येनमनसा वहन्ति तथोऽनो न प्रतिबाधते ॥ ११ ॥

तं प्राञ्चं पातयेत् । प्राची हि देवानां दिगथो उदञ्चमुदीची हि मनुष्याणां दिगथो प्रत्यञ्चं दक्षिणायै त्वेवैनं दिशः परिविबाधिषेतैषा वै दिक्पितॄणां तस्मादेनं दक्षिणायै दिशः परिविबाधिषेत ॥ १२ ॥

तं प्रच्युवमानमनुमन्त्रयते । द्यां मा लेखीरन्तरिक्षं मा हिꣳसीः पृथिव्या सम्भवेति वज्रो वाऽएष भवति यं यूपाय वृश्चन्ति तस्माद्वज्रात्प्रच्युवमानादिमे लोकाः सꣳरेजन्ते तदेभ्यऽएवैनमेतल्लोकेभ्यः शमयति तथेमाँल्लोकाञ्छान्तो न हिनस्ति ॥ १३ ॥

परशुः । तथो हैनमेष वज्रः परशुर्न हिनस्ति । अथ परशुना प्रहरति–"स्वधिते मैनं हिंसीः"–(वा. सं. ६ । ४२) इति । वज्रो वै परशुः । तथो हैनमेष वज्रः परशुर्न हिनस्ति ॥ १० ॥

स यं प्रथमं शकलमपच्छिनत्ति–तमादत्ते । तं वाऽअनक्षस्तम्भं वृश्चेद्–उत ह्येनमनसा वहन्ति–तथोऽनो न प्रतिबाधते ॥ ११ ॥

तं प्राञ्चं पातयेत् । प्राची हि देवानां दिक् । अथो उदञ्चम् । उदीची हि मनुष्याणां दिक् । अथो प्रत्यञ्चम् । दक्षिणायै त्वेवैनं दिशः परिविबाधिषेत । एषा वै दिक् पितॄणाम् । तस्मादेनं दक्षिणायै दिशः परिविबाधिषेत ॥ १२ ॥

तं प्रच्यवमानमनुमन्त्रयते–"**द्यां मा लेखीरन्तरिक्षं मा हिंसीः पृथिव्या सम्भव**"–

त्वं प्रहारव्यथातः 'एनं' वृक्षं 'त्रायस्व'। 'वज्रो वै परशुः' छेदकत्वात् परशोर्वज्रत्वम् । "स्वधिते मैनम्"–इति छेदनमन्त्रः स्पष्ट एव ॥ १० ॥

स यं प्रथममिति । प्रथमच्छिन्नं शकलं यूपावटे प्रक्षेपार्थमाददीत[1] । **तं वा अनक्षस्तम्भमित्यादि**[2] । न विद्यते 'अक्षस्य' शकटाङ्गस्य स्तम्भो यस्मिन् व्रश्चनकर्मणि, 'तम् अनक्षस्तम्भम्'; अक्षसंस्पर्शो यथा न स्यात्, एवं सर्वं वृश्चेदित्यर्थः । तत्प्रयोजनमाह–**उत ह्येनमनसेति** । (पक्षे) अतो ह्यनसा यूपं नयेयुः, तदा अक्षं मा बाधिष्टेति ॥ ११ ॥

यूपस्याधः पातनविषये प्रागादिदिक्त्रयं विकल्पयति–**तं प्राञ्चं पातयेदि**त्यादिना । अन्यस्यां दिशि पातनं निषेधति–**दक्षिणायै त्वेवैनं दिशः परिविबाधिषेते**ति[3] । 'एनं' यूपं दक्षिणायै दक्षिणस्याः 'दिशः' परिबाधकं कारयितुमिच्छेदित्यर्थः; तस्याः पितृदेवत्यत्वात् ॥ १२ ॥

तं प्रच्यवमानमनुमन्त्रयत इति[4] । 'प्रच्यवमानम्' अधः पतन्तमित्यर्थः । तत्प्रयोजनमाह–**वज्रो वा**

१–प्रथमं शकलं निदधाति । का. श्रौ. सू. ६ । १३ । २–अनक्षस्तंभं व्रश्चति । एकजं । का. श्रौ. सू. ६ । १४ । १५ । ३–न दक्षिणापतेत् । का. श्रौ. सू. ६ । १७ । ४–द्याम्मालेखीरिति पतंतमभिमंत्रयते । का. श्रौ. सू. ६ । १६ ।

स यदाह । द्यां मा लेखीरिति दिवं मा हिᳯंसीरित्येवैतदाहान्तरिक्षं मा हिᳯंसीरिति नात्र तिरोहितमिवास्ति पृथिव्या सम्भवेति पृथिव्या सञ्ज्ञानीष्वेत्येवैतदाहायᳯं हि त्वा स्वधितिस्तेतिजानः प्रणिनाय महते सौभगायेत्येष ह्येनᳯं स्वधितिस्तेजमानः प्रणयति ॥ १४ ॥

(त्यु) अथाव्रश्चनमभिजुहोति । नेदतो नाष्ट्रा रक्षाᳯंस्यनूत्तिष्ठानिति वज्रो वाऽआज्यं तद्वज्रेणैवैतन्नाष्ट्रा रक्षाᳯंस्यवबाधते तथातो नाष्ट्रा रक्षाᳯंसि नानूत्तिष्ठन्त्यथो रेतो वाऽआज्यं तद्वनस्पतिष्वेवैतद्रेतो दधाति तस्माद्रेतस आव्रश्चनाद्वनस्पतयोऽनु प्रजायन्ते ॥ १५ ॥

(वा. सं. ५ । ४३) इति । वज्रो वाऽएष भवति—यं यूपाय वृश्चन्ति । तस्माद्वज्रात्प्रच्यवमानादिमे लोकाः संरेजन्ते । तदेभ्य एवैनमेतल्लोकेभ्यः शमयति । तथेमाँल्लोकाञ्छान्तो न हिनस्ति ॥ १३ ॥

स यदाह—" द्यां मा लेखीः " इति । दिवं मा हिंसीरित्येवैतदाह । अन्तरिक्षं मा हिंसीः—इति । नात्र तिरोहितमिवास्ति । " पृथिव्या सम्भव " इति । पृथिव्या सञ्ज्ञानीष्वेत्येवैतदाह—" अयं हि त्वा स्वधितिस्तेतिजानः प्रणिनाय महते सौभगाय "—(वा. सं. ५ । ४३) इति । एष ह्येनं स्वधितिस्तेजमानः प्रणयति ॥ १४ ॥

अथाव्रश्चनमभिजुहोति—नेदतो नाष्ट्रा रक्षांस्यनूत्तिष्ठानिति । वज्रो वाऽआज्यम् । तद् वज्रेणैवैतन्नाष्ट्रा रक्षांस्यवबाधते । तथातो नाष्ट्रा रक्षांसि नानूत्तिष्ठन्ति । अथो रेतो वाऽआज्यम् । तद् वनस्पतिष्वेवैतद् रेतो दधाति । तस्माद्रेतस आव्रश्चनाद्वनस्पतयोऽनुप्रजायन्ते ॥ १५ ॥

एष भवतीति । " स्फ्यस्तृतीयं, रथस्तृतीयं, यूपस्तृतीयं " (तै. सं. ५ । २ । ६ । २) इति श्रुतेः । वज्रावयवत्वाद् यूपस्य वज्रत्वम् । अतो वज्रपात इव यूपार्थवृक्षपातः । **लोकाः संरेजन्त** इति । " भ्यसते रेजत इति भयवेपनयोः "—(निरु. ३।४।४) इति यास्कः ॥ १३ ॥

स यदाहेति । " पृथिव्या सम्भव "—इत्यस्य तात्पर्यमाह—**सञ्ज्ञानीष्वेत्येवैतदाहे**ति । स[illegible]कमत्यं गागुदीत्यर्थः । **अयं हि त्वे**ति । सूत्रकारः पूर्वमन्त्र[1]शेषत्वेन स्वातन्त्र्येण चेति प्रविकल्पेनोक्तवान् । ' अयं ' खलु ' स्वधितिः ' छेदनसाधनपरशुः ' तेतिजानः ' निशितो भवन् ' महते ' ' सौभगाय ' सुभगत्वाय, अष्टाश्रयाद्याकाराश्रयणाद्धि सुभगवते; अथवा सुभगो यज्ञः, स एव सौभगः, तदर्थत्वात् प्रणयनस्य । ' प्रणिनाय ' प्रणयनं कृतवान्, पृथक् कृतवानित्यर्थः । छेदनाभावे प्रणयनासम्भवात् पूर्वशेषत्वपक्षे परशुना यज्ञार्थं छिन्नस्त्वं लोकत्रयमपीडयन्नधः पतेत्यर्थः । पृथग्विनियोगपक्षे उक्तलक्षणं त्वां शोधयामी[2]त्यर्थः ॥ १४ ॥

आव्रश्चनहोमं विधाय प्रशंसति—**अथाव्रश्चनमभिजुहोति नेदतो नाष्ट्रे**त्यादिना । आ समन्ताद् व्रश्चनम् ' आव्रश्चम् ', तदभि तस्मिन् जुहोति । उक्तहोमविषये सूत्रकारो विकल्पयामास—" अतस्त्वमित्याव्रश्चनेऽभिजुहोति, यूपे वा तत्संस्कारात्, स्थाणौ श्रुतेश्च " इति (का. श्रौ. सू. ६ । २०–२२) होमसाधनस्याज्यस्य

१–अभिमंत्रणशेषो वाऽविशेषोपदेशात् । का. श्रौ. सू. ६ । १९ । २–अयᳯं हि त्वेति शोधनम् । का. श्रौ. सू. ६ । १८ ।

स जुहोति (त्य) अतस्त्वं देव वनस्पते शतवल्शो विरोह सहस्रवल्शा वि वयथं रुहेमेति नात्र तिरोहितमिवास्ति ॥ १६ ॥

तं परिवासयति । स यावन्तमेवाग्रे परिवासयेत्तावान्त्स्यात् ॥ १७ ॥

पञ्चारत्निं परिवासयेत् । (त्पा) पाङ्क्तो यज्ञः पाङ्क्तः पशुः पञ्चर्तवः संवत्सरस्य तस्मात्पञ्चारत्निं परिवासयेत् ॥ १८ ॥

(त्षु)षडरत्निं परिवासयेत् । (त्ष) षड्वाऽऋतवः संवत्सरस्य संवत्सरो वज्रो वज्रो यूपस्तस्मात्षडरत्निं परिवासयेत् ॥ १९ ॥

स जुहोति–"अतस्त्वं देव वनस्पते शतवल्शो विरोह सहस्रवल्शा वि वयं रुहेम"–(वा० सं० ५ । ४३ ।) इति । नात्र तिरोहितमिवास्ति ॥ १६ ॥

तं परिवासयति । स यावन्तमेवाग्रे परिवासयेत्–तावान्त्स्यात् ॥ १७ ॥

पञ्चारत्निं परिवासयेत् । पाङ्क्तो यज्ञः, पाङ्क्तः पशुः, पञ्चर्तवः संवत्सरस्य । तस्मात् पञ्चारत्निं परिवासयेत् ॥ १८ ॥

षडरत्निं परिवासयेत् । षड्वाऽऋतवः संवत्सरस्य । संवत्सरो वज्रः । वज्रो यूपः । तस्मात् षडरत्निं परिवासयेत् ॥ १९ ॥

द्वे सामर्थ्ये; वज्ररूपेण रक्षकत्वम्, रेतोरूपेणोत्पादकत्वं चेति । अत आव्रश्चनप्रदेशहोमो वज्रः । तस्मात् स्थानाद्राक्षसादिकमुत्पन्नं न भवेत्, उत्पन्नश्च परिकृतं भवति; तथा तत्र आव्रश्चनप्रदेशे रेतःस्थापनात् शाखाः बहुधा जायन्ते (तै. सं. २।१।१।४) ॥ १५ ॥

स जुहोतीति । आव्रश्चनहोममन्त्रस्यायमर्थः–हे ' वनस्पते ' ' देव ! ' ' त्वम् ' ' अतः ' अस्मात् प्रदेशात् ' शतवल्शः ' अपरिमिताङ्कुरः सन् ' विरोह ' प्रादुर्भव । ' वयं ' च ' सहस्रवल्शाः ' सन्तः ' विरुहेम ' विविधं प्रादुर्भवेम ॥ १६ ॥

तं परिवासयतीति[1] । ' तं ' यूपं वक्ष्यमाणेन परिमाणेन कृत्वा ' परिवासयति ' आच्छिनत्ति । परिवासने विशेषमाह– स यावन्तमेवाग्र इति । ' अग्रे ' प्रथमम्, प्रथमच्छेदकाले ' यावन्तं ' यावत्परिमाणं ' परिवासयेत् ', ' तावान् स्यात् ' तावतैव भवितव्यम्, स्वापेक्षितप्रमाणाय न पुनश्छिन्द्यादित्यर्थः ॥ १७ ॥

यूपमानविषये पञ्चारत्निप्रभृति पञ्चदशारत्निपर्यन्तान् बहून् प्रकारान् विकल्पितान् दर्शयति–पञ्चारत्निं परिवासयेत् पाङ्क्तो यज्ञ इत्यादिना[2] । " यो वै यज्ञे हविष्पंक्तिं वेद " (ऐ. ब्रा २ । ३ । ६) इत्यादिना यज्ञस्य हविरादित्रिपञ्चसंख्यायोगात् पशोः पांक्तत्वम् ॥ १८ ॥

षडरत्निमिति । संवत्सरो वज्र इति । संवत्सरस्य, वृत्रप्रहरणकाले पुनःपुनरावर्त्तनसाम्याद्वा, संवत्सरनिर्वर्त्तकत्वादादित्यस्यासुरघातकत्वाद्वा सारभूतत्वाद्वा वज्रत्वम् ॥ १९ ॥

१–परिवास्योच्छेदनं पुनः । का० श्रौ० सू० ६।२३ । २–त्र्यरत्निश्चतुररत्निर्वा एकारत्निप्रभृतीनेके । का० श्रौ०सू० ६।२४।२६। पंचारत्निः पंचदशपर्यंतः सोमे दशासप्तचतुर्दशवर्जमपरिमितो वा । का० श्रौ० सू० ६ । २९ ।

(८) अष्टारत्निं परिवासयेत् । (८) अष्टाक्षरा वै गायत्री पूर्वार्द्धो वै यज्ञस्य गायत्री पूर्वार्द्ध एष यज्ञस्य तस्मादष्टारत्निं परिवासयेत् ॥ २० ॥

(९) नवारत्निं परिवासयेत् । (९) त्रिवृद्वै यज्ञो नव वै त्रिवृत्तस्मान्नवारत्निं परिवासयेत् ॥ २१ ॥

(१०) एकादशारत्निं परिवासयेत् । (१०) एकादशाक्षरा वै त्रिष्टुब्वज्रस्त्रिष्टुब्वज्रो यूपस्तस्मादेकादशारत्निं परिवासयेत् ॥ २२ ॥

(११) द्वादशारत्निं परिवासयेत् । (११) द्वादश वै मासाः संवत्सरस्य संवत्सरो वज्रो वज्रो यूपस्तस्माद्द्वादशारत्निं परिवासयेत् ॥ २३ ॥

(१२) त्रयोदशारत्निं परिवासयेत् । (१२) त्रयोदश वै मासाः संवत्सरस्य संवत्सरो वज्रो वज्रो यूपस्तस्मात्त्रयोदशारत्निं परिवासयेत् ॥ २४ ॥

पञ्चदशारत्निं परिवासयेत् । पञ्चदशो वै वज्रो वज्रो यूपस्तस्मात्पञ्चदशारत्निं परिवासयेत् ॥ २५ ॥

अष्टारत्निं परिवासयेत् । अष्टाक्षरा वै गायत्री पूर्वार्द्धो वै यज्ञस्य गायत्री । पूर्वार्द्ध एष यज्ञस्य । तस्मादष्टारत्निं परिवासयेत् ॥ २० ॥

नवारत्निं परिवासयेत् । त्रिवृद्वै यज्ञः । नव वै त्रिवृत् । तस्मान्नवारत्निं परिवासयेत् ॥ २१ ॥

एकादशारत्निं परिवासयेत् । एकादशाक्षरा वै त्रिष्टुप् वज्रस्त्रिष्टुप् । वज्रो यूपः । तस्मादेकादशारत्निं परिवासयेत् ॥ २२ ॥

द्वादशारत्निं परिवासयेत् । द्वादश वै मासाः संवत्सरस्य । संवत्सरो वज्रः । वज्रो यूपः । तस्माद् द्वादशारत्निं परिवासयेत् ॥ २३ ॥

त्रयोदशारत्निं परिवासयेत् । त्रयोदश वै मासाः संवत्सरस्य । संवत्सरो वज्रः । वज्रो यूपः । तस्मात्त्रयोदशारत्निं परिवासयेत् ॥ २४ ॥

पञ्चदशारत्निं परिवासयेत् । पञ्चदशो वै वज्रः । वज्रो यूपः । तस्मात् पञ्चदशारत्निं परिवासयेत् ॥ २५ ॥

अष्टारत्निं परिवासयेदिति । पूर्वार्द्धो वै यज्ञस्य गायत्रीति--साक्षादवयवत्वेन 'गायत्री' प्रातस्सवनसम्बन्धाद् यज्ञस्य 'पूर्वार्द्धः' एषः यूपोऽपि पुरस्तान्मीयमानत्वात् 'पूर्वार्द्धः' ॥ २० ॥

नवारत्निमिति । त्रिवृद्वै यज्ञ इति । त्रिवृदादिस्तोमसाध्यत्वात् सवनभेदेन त्रिवृत्त्वाद्वा, 'यज्ञस्त्रिवृत्' । स च 'त्रिवृत्' स्तोमः 'नव वै'; स्तोत्रियनवकरूपत्वात् ॥ २१ ॥

एकादशारत्निमिति । वज्रस्त्रिष्टुबिति । त्रिष्टुभा सह प्रजापतेः सकाशादुत्पन्नत्वात् । सा चोत्पत्तिरिन्द्रद्वारा वेदितव्या (तै. सं. ७ । १ । १ । ४) ॥ २२ ॥

द्वादशारत्निमिति । उक्तं संवत्सरस्य वज्रत्वम् ॥ २३ ॥ २४ ॥

पञ्चदशारत्निमिति । पञ्चदशो वै वज्र इति । एतदपि "उरसो बाहुभ्यां पञ्चदशं निरमिमीत, तमिन्द्रो देवताऽन्वसृज्यत "– (तै. सं. ७ । १ । १ । ४) इति श्रुतेः । पञ्चदशस्येन्द्रसम्बन्धाद् द्रष्टव्यम् ॥ २५ ॥

सप्तदशारत्निर्व्वाजपेययूपः । (पो॰प) अपरिमित एव स्यादपरिमितेन वा ऽएतेन व्वज्रेण देवाऽअपरिमितमजयंस्तथो ऽएवैषऽएतेन व्वज्रेणापरिमितेनैवापरिमितं जयति तस्मादपरिमितऽएव स्यात् ॥ २६ ॥

त्स वा ऽअष्टाश्रिर्भवति । (त्य) अष्टाक्षरा वै गायत्री पूर्व्वार्द्धो वै यज्ञस्य गायत्री पूर्व्वार्द्ध ऽएष यज्ञस्य तस्मादष्टाश्रिर्भवति ॥ २७ ॥

इति पञ्चमप्रपाठके तृतीयं ब्राह्मणम् ॥ ५।३ ॥ (६।४.)

सप्तदशारत्निर्वाजपेययूपः, अपरिमित एव स्यात् । अपरिमितेन वाऽएतेन वज्रेण देवा अपरिमितमजयन् । तथोऽएवैष एतेन वज्रेणापरिमितेनैवापरिमितं जयति । तस्मादपरिमित एव स्यात् ॥ २६ ॥

स वाऽअष्टाश्रिर्भवति । अष्टाक्षरा वै गायत्री । पूर्वार्द्धो वै यज्ञस्य गायत्री । पूर्वार्द्ध एष यज्ञस्य । तस्मादष्टाश्रिर्भवति ॥ २७ ॥

सप्तदशारत्निर्वाजपेययूप[1] इति । अतोऽत्र स न गृह्यते । इत्थं बहून् पक्षानुपन्यस्यातोऽप्यधिकमप्युन्मानमनुजानाति–अपरिमित एव स्यादिति । तत्र कारणमाह–अपरिमितेन वेति । वज्रस्याचिन्त्यमहिमत्वाद् देवानां प्रयोजनानुसारेण तत्प्रमाणस्वीकाराद् यूपोऽप्यपरिमितो भवेदित्यर्थः ॥ २६ ॥

स वा अष्टाश्रिर्भवतीत्यादि (का. श्रौ. सू. ६ । २७) स्पष्टम् । कात्यायनोऽपि पञ्चारत्न्यादिपक्षान् विकल्पयामास–" पञ्चारत्निः पञ्चदशपर्यन्तः सोमे, दशसप्तचतुर्दशवर्जमपरिमितो वा "–(का. श्रौ. सू. ६ । २९) इति ॥ २७ ॥

इति श्रीसायणाचार्यविरचिते माधवीये वेदार्थप्रकाशे माध्यन्दिनशतपथब्राह्मणभाष्ये तृतीयकाण्डे षष्ठाध्याये चतुर्थं ब्राह्मणम् ॥ ३–६–४ ॥

वेदार्थस्य प्रकाशेन तमो हार्दं निवारयन् । पुमर्थांश्चतुरो देयाद्विद्यातीर्थमहेश्वरः ॥

ब्रह्माण्डं गोसहस्रं कनकहयतुलापूरुषौ स्वर्णगर्भं,
सप्ताब्धीन् पञ्चसीरींस्त्रिदशतरुलताधेनुसौवर्णभूमीः ।
रत्नोस्रां रुक्मवाजिद्विपमहितरथौ सायणिः सिङ्गणार्यो,
व्यश्राणीद्विश्वचक्रं प्रथितविधिमहाभूतयुक्तं घटञ्च ॥ १ ॥

धान्याद्रिं धन्यजन्मा तिलभवमतुलः स्वर्णजं वर्णमुख्यः
कार्पासीयं कृपावान् गुडकृतमजडो राजतं राजपूज्यः ।
आज्योत्थं प्राज्यजन्मा लवणजमनृणः शार्करं चार्कतेजाः
रत्नाढ्यो रत्नरूपं गिरिमकृत मुदा पात्रसात्सिङ्गणार्यः ॥ २ ॥

इति श्रीमद्राजाधिराजपरमेश्वरवैदिकमार्गप्रवर्त्तकश्रीवीरहरिहरमहाराजसाम्राज्यधुरन्धरेण सायणाचार्येण विरचिते माधवीये वेदार्थप्रकाशे माध्यन्दिनशतपथब्राह्मणभाष्ये तृतीयकाण्डे षष्ठोऽध्यायः समाप्तः ॥ ३ ॥ ६ ॥

१–सप्तदश व्वाजपेये । का. श्रौ. सू. ६ । ३० । २–अग्राच्चषालं पृथमात्रमष्टाश्रं मध्यसंगृहीतम् । इति ।

सप्तमाध्याये प्रथमं ब्राह्मणम् ।

अभ्रिमादत्ते । देवस्य त्वा सवितुः प्रसवेऽश्विनोर्बाहुभ्यां पूष्णो हस्ताभ्यामाददे नार्य्यसीति समानऽएतस्य यजुषो बन्धुर्योषो वा ऽएषा यदभ्रिस्तस्मादाह नार्यसीति ॥ १ ॥

(त्यु) अथावटं परिलिखति । (ती) इदमहꣳ रक्षसां ग्रीवा अपिकृन्तामीति वज्रो वा ऽअभ्रिर्व्वज्रेणैवैतन्नाष्ट्राणाꣳ रक्षसां ग्रीवा अपिकृन्तति ॥ २ ॥

(त्यु) अथ खनति । प्राञ्चमुत्करमुत्किरत्युपरेण सम्मायावटं खनति तदग्रेण प्राञ्चं यूपं निदधात्येतावन्मात्राणि बर्हीꣳष्युपरिष्टादधिनिदधाति तदेवोपरिष्टाद्यूपशकलमधिनिदधाति पुरस्तात्पार्श्वतश्चषालमुपनिदधात्यथ यवमत्यः प्रोक्षण्यो भवन्ति सोऽसावेव बन्धुः ॥ ३ ॥

स यवानावपति । यवोऽसि यवयास्मद्द्वेषो यवयारातीरिति नात्र तिरोहितमिवास्त्यथ प्रोक्षत्येको वै प्रोक्षणस्य बन्धुर्मेध्यमेवैतत्करोति ॥ ४ ॥

अभ्रिमादत्ते—"देवस्य त्वा सवितुः प्रसवेऽश्विनोर्बाहुभ्यां पूष्णो हस्ताभ्यामाददे नार्य्यसि"—(वा. सं. ६ । १) इति । समानऽ एतस्य यजुषो बन्धुः । योषो वाऽ एषा—यदभ्रिः । तस्मादाह—नार्यसीति ॥ १ ॥

अथावटं परिलिखति—"इदमहं रक्षसां ग्रीवा अपिकृन्तामि"—(वा. सं. ६ । १) । इति । वज्रो वाऽ अभ्रिः । वज्रेणैवैतन्नाष्ट्राणां रक्षसां ग्रीवा अपिकृन्तति ॥ २ ॥

अथ खनति । प्राञ्चमुत्करमुत्किरति उपरेण सम्मायावटं खनति । तदग्रेण प्राञ्चं यूपं निदधाति । एतावन्मात्राणि बर्हींष्युपरिष्टादधिनिदधाति । तदेवोपरिष्टाद्यूपशकलमधिनिदधाति । पुरस्तात्पार्श्वतश्चषालमुपनिदधाति । अथ यवमत्यः प्रोक्षण्यो भवन्ति—सोऽसावेव बन्धुः ॥ ३ ॥

स यवानावपति—"यवोऽसि यवयास्मद्द्वेषो यवयारातीः"—(वा. सं. ६ । १) इति । नात्र तिरोहितमिवास्ति । अथ प्रोक्षति । एको वै प्रोक्षणस्य बन्धुः—मेध्यमेवैतत्करोति ॥ ४ ॥

यस्य निःश्वसितं वेदा यो वेदेभ्योऽखिलं जगत् । निर्ममे तमहं वन्दे विद्यातीर्थमहेश्वरम् ॥

अभ्रिमादत्ते देवस्य त्वा (१ कण्डिका)—इत्यादिकम्, स यथानिखात ओषधिषु मितः स्यादेवमेतास्वोषधिषु मितो भवति । (७ कण्डिका)-इत्यन्तञ्च ग्रन्थजातमौदुम्बर्याः अवटनिर्माणविधानेनैव व्याख्यातप्रायम् (श. प. ब्रा. ३ । ६ । १ । ४–१४) उपरेण सम्मायेति । यूपस्यातष्टो मूलभाग उपरः; तावत्परिमितं यूपावटं कुर्यात् । एतावन्मात्राणीति । मुष्टिपरिमितानि यूपाग्रे निदध्यात् यूपशकलं च (का. श्रौ. सू. ६ । ४१–४९) ॥ १–७ ॥

१–देवस्य त्वेत्यभ्रिमादाय यूपावटं परिलिखति–इदमहमित्याहवनीयस्य पुरस्तादन्तर्वेद्यर्द्धं, उपरसंमितं खनति, प्राचः पांसूनुद्वपति, तदग्रेण यूपं प्राचं निदधाति, कुशमुष्टिमुपरि तास्मिन् । इति ॥

स प्रोक्षति । दिवे त्वान्तरिक्षाय त्वा पृथिव्यै त्वेति वज्रो वै यूप एषां लोकानामभिगुप्त्या ऽएषां त्वा लोकानामभिगुप्त्यै प्रोक्षामीत्येवैतदाह ॥५॥

(द्वा) अथ याः प्रोक्षण्यः परिशिष्यन्ते । ता अवटे ऽवनयति शुन्धन्तां लोकाः पितृषदना इति पितृदेवत्यो वै कूपः खातस्तमेवैतन्मेध्यं करोति ॥६॥

(त्य) अथ बर्हीᳬंषि । प्राचीनाग्राणि चोदीचीनाग्राणि चावस्तृणाति पितृषदनमसीति पितृदेवत्यं वा ऽअस्यैतद्भवति यन्निखातᳬं स यथानिखात ओषधिषु मितः स्यादेवमेतास्वोषधिषु मितो भवति ॥ ७ ॥

(त्य) अथ यूपशकलं प्रास्यति । तेजो ह वा ऽएतद्वनस्पतीनां यद्बाह्या शकलस्तस्माद्यदा बाह्याशकलमपतक्ष्णुवन्त्यथ शुष्यन्ति तेजो ह्येषामेतत्तद्यद्यूपशकलं प्रास्यति सतेजसं मिनवानीति तद्यदेष एव भवति नान्य ऽएष हि यजुष्कृतो मेध्यस्तस्माद्यूपशकलं प्रास्यति ॥ ८ ॥

स प्रास्यति । (त्य) अग्रेणीरसि स्वावेश उन्नेतॄणामिति पुरस्ताद्वा ऽअस्मा-

---

स प्रोक्षति–" दिवे त्वाऽन्तरिक्षाय त्वा पृथिव्यै त्वा "–(वा. सं. ६ । १) इति । वज्रो वै यूपः । एषां लोकानामभिगुप्त्यै । एषां त्वा लोकानामभिगुप्त्यै प्रोक्षामीत्येवैतदाह ॥ ५ ॥

अथ याः प्रोक्षण्यः परिशिष्यन्ते–ता अवटेऽवनयति–"शुन्धन्तां लोकाः पितृषदनाः "–(वा. सं. ६ । १) इति । पितृदेवत्यो वै कूपः खातः । तमेवैतन्मेध्यं करोति ॥ ६ ॥

अथ बर्हींषि प्राचीनाग्राणि चोदीचीनाग्राणि चावस्तृणाति–" पितृषदनमसि"–(वा. सं. ६ । १) इति । पितृदेवत्यं वाऽअस्यैतद्भवति–यन्निखातम् । स यथा निखात ओषधिषु मितः स्यात्–एवमेतास्वोषधिषु मितो भवति ॥ ७ ॥

अथ यूपशकलं प्रास्यति । तेजो ह वाऽएतद्वनस्पतीनां–यद् बाह्याशकलः । तस्माद्यदा बाह्याशकलमपतक्ष्णुवन्ति–अथ शुष्यन्ति । तेजो ह्येषामेतत् । तद् यद्यूपशकलं प्रास्यति । सतेजसं मिनवानीति । तद् यदेष एव भवति, नान्यः । एष हि यजुष्कृतो मेध्यः । तस्माद्यूपशकलं प्रास्यति ॥८॥

स प्रास्यति–" अग्रेणीरसि स्वावेश उन्नेतॄणाम् "–(वा. सं. ६ । २ ।) इति । पुरस्ताद्वा

यूपशकलस्य गर्त्ते स्थापनं सार्थवादं विधत्ते–अथ यूपशकलं प्रास्यति तेजो ह वा एतदित्यादिना । तत्तेजस्त्वमिदानीन्तनप्रसिद्ध्या समर्थयते–तस्माद् यदा बाह्याशकलमित्यादिना । ' अपतक्ष्णुवन्ति ' तक्षणेन लघूकुर्वन्ति ।" तनूकरणे तक्षः"–(पा. सू. ३।१।७६) इति श्नुः । एष एव भवतीति । यूपत्वगात्मक एव भवेत् ' नान्यः ' शकलः । अत्र शकलनियमे कारणमाह–एष हि यजुष्कृतो मेध्य इति । यजुषा " स्वधिते मैनम् "–इति मन्त्रेण निष्पादितः, अत एव मेध्यः ॥ ८ ॥

शकलप्रासनं समन्त्रकं विधत्ते–स प्रास्यति अग्रेणीरसीति । छिद्यमानस्य यूपस्य प्रथमम् अग्रे नीयत इति

१–प्रथमशकलं निदधाति । का. श्रौ. सू. ६।४६ । २.–'बाह्यशकलम्' इति क. । ३–प्रथमशकलं चाग्रेणीरसीति का. ६।५२ ।

देशोऽपच्छिद्यते तस्मादाहाग्रेणीरसि स्वावेश उन्नेतॄणामित्येतस्य वित्ता-दधि त्वा स्थास्यतीत्यधि ह्येनं तिष्ठति तस्मादाहैतस्य वित्तादधि त्वा स्थास्यतीति ॥ ९ ॥

(त्यु) अथ स्रुवेणोपहत्याज्यम् । (म) अवटमभिजुहोति नेदधस्ता-न्नाष्ट्रा रक्षाᳬँस्युपोत्तिष्ठानिति वज्रो वा ऽआज्यं तद्वज्रेणैवैतं नाष्ट्रा रक्षाᳬँस्यवबाधते तथाधस्तान्नाष्ट्रा रक्षाᳬँसि नोपोत्तिष्ठन्त्यथ पुरस्तात्परीत्यो-दङ्ङासीनो यूपमनक्ति स आह यूपायाज्यमानायानुब्रूहीति ॥ १० ॥

सोऽनक्ति देवस्त्वा सविता मध्वानक्त्विति सविता वै देवानां प्रसविता यजमानो वा ऽएष निदानेन यद्यूपः सर्व्वं वा ऽइदं मधु यदिदं किञ्च

अस्मादेशोऽपच्छिद्यते । तस्मादाह–अग्रेणीरसि स्वावेश उन्नेतॄणामिति । "**एतस्य वित्तादधि त्वा स्थास्यति**"–(वा. सं. ६ । २) इति । अधि ह्येनं तिष्ठति । तस्मादाह–एतस्य वित्तादधि त्वा स्थास्यतीति ॥ ९ ॥

अथ स्रुवेणोपहत्याज्यम् । अवटमभिजुहोति । नेदधस्तात् नाष्ट्रा रक्षांस्युपोत्तिष्ठानिति । वज्रो वा आज्यं तत् वज्रेणैवैतत् नाष्ट्रा रक्षांस्यवबाधते । तथाधस्तान्नाष्ट्रा रक्षांसि नोपोत्तिष्ठन्ति । अथ पुरस्तात्परीत्योदङ्ङासीनो यूपमनक्ति । स आह–'यूपायाज्यमानायानुब्रूहि इति ॥ १० ॥

सोऽनक्ति–"**देवस्त्वा सविता मध्वानक्तु**"–(वा. सं० ६ । २) इति । सविता वै

'अग्रेणीः' यूपावयवभूत इत्यर्थः । यद्वा अग्रेऽवस्थितो यूपोऽवटं प्रति नीयत इति 'अग्रेणीः' पुरस्सर इत्यर्थः । यस्त्वम् अग्रेणीरसि, स त्वम् 'उन्नेतॄणाम्' ऊर्ध्वं नेतॄणामध्वर्यूणां 'स्वावेशः' यूपावटे सुखेन तैरा-विश्यत इति स्वावेशः । स त्वं हे यूपशकल ! 'एतस्य' कर्मणः 'वित्तात्' । "विद् ज्ञाने" (धा. पा. अ. प. ५४) । कर्मणि षष्ठी । विदिर्विदितार्थो भवति । कर्म कृतवान् न भवति । **अधि त्वा स्थास्यतीति** । अधीत्युपरिभावे । हे यूपशकल ! 'त्वामधि' तवोपरि यूपः 'स्थास्यति' तस्यावस्थानं वित्तात् । अग्रेणीरित्यस्य तात्पर्यमाह–**पुरस्ताद्वा अस्मादिति** । यस्मादेव शकलः 'अस्माद्' यूपात् 'पुरस्तात्' अपि छिद्यते। अस्य प्रथमशकलत्वात्, यूपात् प्रथमं नीयमानत्वात् 'अग्रेणीः' स्वावेश इत्यर्थः । 'एतस्य' सम्यग्बन्धनं वित्तादित्यादि स्पष्टम् ॥ ९ ॥

अथ स्रुवेणोपहत्याज्यमिति । 'आज्यम् उपहत्य' स्रुवेण आदाय, 'अवटमभि' तूष्णीं 'जुहोति' "स्रुवेणावटे जुहोति तूष्णीम्" (का. श्रौ. सू. ६ । ५३) इति सूत्रम् । आव्रश्चनहोमार्थवादे "**नेद-धस्ता**" दित्यादिकम् । (श. प. ब्रा. ३ । ६ । ४ । १९) व्याख्यातम् । **अथ पुरस्ताद् परीत्येति** । अवटस्य 'पुरस्तात्' 'परीत्य' परिक्रम्य 'उदङ्' उदङ्मुखः ; 'आसीनः' अध्वर्युर्यजमानो वा 'यूपम-नक्ति' "पुरस्तात्परिक्रम्य अध्वर्युर्यजमानो वा यूपमनक्ति उदङ्ङुपविश्य" (का. श्रौ. सू. ६ । ५४) इति सूत्रकारवचनात् । स्पष्टार्थो यूपाञ्जनशेषः ॥ १० ॥

सोऽनक्तीति ("देवस्त्वेत्यनक्ति" का. श्रौ. सू. ६ । ५६) "देवस्त्वा"–इत्यञ्जनमन्त्रस्य तात्पर्य-

तुदेनमनुेन सुर्व्वेण सुᳫँस्पर्शयति तुदस्मै सविता प्रसविता प्रसौति तुस्मादाह देवुस्त्वा सविता मध्वानक्त्विुति ॥ ११ ॥

(त्यु) अुथ चषालमुभयुतः प्रत्युज्य प्रतिमुञ्चति । सुपिप्पलाभ्यस्त्वौषधीभ्य इति पिप्पलᳫँ हैवास्यैतत्तद्यन्मुध्ये सङ्गृहीतमिव भुवति तिर्यग्वाऽइदं वृक्षे पिप्पलमाहतᳫँ स युदेवेदᳫंसम्बुन्धनं चान्तरोपेनितमिव तुदेवैतुत्करोति तुस्मान्मुध्ये सुङ्गृहीतमिव भवति ॥ १२ ॥

(त्या)आन्तुमग्निष्ठामनक्ति । युजमानो वाऽअग्निष्ठा रुस आुज्यᳫं रुसेनैुवैतद्युजमानमनक्ति तुस्मादान्तुमग्निष्ठामनक्त्यथ परिव्ययणं प्रुति समन्तं पुरिमृशत्युथाहोच्छ्रीयमाणायानुब्रूहीति ॥ १३ ॥

देवानां प्रसविता । यजमानो वाऽएष निदानेन–यद्यूपः । सर्वं वाऽइदं मधु यदिदं किञ्च । तदेनमनेन सर्वेण संस्पर्शयति । तदस्मै सविता प्रसविता प्रसौति । तस्मादाह–देवस्त्वा सविता मध्वानक्त्विति ॥ ११ ॥

अथ चषालमुभयतः प्रत्यज्य प्रतिमुञ्चति–"सुपिप्पलाभ्यस्त्वौषधीभ्यः"–(सं. वा. ६ २।) इति । पिप्पलं हैवास्यैतद्–यन्मध्ये संगृहीतमिव भवति । तिर्यग्वाऽइदं वृक्षे पिप्पलमाह । तम् स यदेवेदं सम्बन्धनं चान्तरोपेनितमितमिव–तदेवैतत्करोति । तस्मान्मध्ये संगृहीतमिव भवति ॥ १२ ॥

आन्तमग्निष्ठामनक्ति । यजमानो वाऽअग्निष्ठा । रस आज्यम् । रसेनैवैतद्यजमानमनक्ति । तस्मादान्तमग्निष्ठामनक्ति । अथ परिव्ययणं प्रतिसमन्तं परिमृशति । अथाह–'उच्छ्रीयमाणायानुब्रूहि इति ॥ १३ ॥

माह–सविता वै देवानामित्यादिना । यजमाननिष्पाद्यस्य यागस्य यूपेनापि निष्पाद्यत्वात्, तत्सिद्धिन्यायाद् यजमान एव यूपत्वेनोपचर्यते । "इयं पृथिवी सर्वेषां भूतानां मधु"–(श. प. ब्रा. १४।५।५।१) इत्याद्युक्तप्रकारेण 'सर्वमिदं मधु'। 'ततः' 'एनम्' यूपमेव, यूपद्वारेण 'अनेन सर्वेण' मधुभूतेन चराचरेण आज्यद्वारेण 'संस्पर्शयति' ॥ ११ ॥

अथ चषालमुभयतः प्रत्यज्येति । चषालो यूपस्योपरि प्रतिमोक्तव्योऽष्टाश्रिर्मध्ये सन्नतो वलयः तम् 'उभयतः' आज्येन 'प्रत्यज्य' 'प्रति मुञ्चति' उपरि बध्नाति । मन्त्रार्थस्त्वेषः–हे चषाल ! त्वां 'सुपिप्पलाभ्यः' शोभनफलाभ्यः 'ओषधीभ्यः' तासामर्थाय, प्रतिमुञ्चामीति शेषः । अस्य यूपस्य चषालं सुपिप्पलं खलु, तच्चषालं मध्ये संगृहीतमिव कुर्यात् ।

उक्तं यूपफलरूपत्वं लौकिकवृक्षदृष्टान्तेन द्रढयति–तिर्यग्वा इदमिति । 'आहतं' सम्बद्धम्, 'यदेवेदं सम्बन्धनं' सम्यग्बन्धनसाधनं वृन्तं फलं च, 'अन्तरा' वृन्तफलयोर्मध्ये "उपेनितमिव" 'उपेनितम्' अल्पपरिमाणं विद्यते, 'तदेव' 'एतत्' एतेन चषालोपेनितेन कृतवान् भवति । 'तस्मान्मध्ये' इदमित्युपसंहारः ॥ १२ ॥

पुनराञ्जनं विधत्ते–आन्तमग्निष्ठामनक्तीति । 'अग्निष्ठा; अग्नेरभिमुखाश्रिः, ताम् 'अग्निष्ठाम्' 'आन्तम्'

१–चषालमुभयतः । क. श्रौ. सू. ६।५७। २–अक्तं प्रतिमुञ्चति सुपिप्पलाभ्य इति । का श्रौ. सू. ६।५८।

स उच्छ्रयति । द्यामग्रेणास्पृक्ष ऽआन्तरिक्षं मध्येनाप्राः पृथिवीमुपरेणा-
दृꣳहीरिति वज्रो वै यूप एषां लोकानामभिजित्यै तेन वज्रेणेमाँल्लोका-
न्स्पृणुतऽएभ्यो लोकेभ्यः सपत्नान्निर्भजति ॥ १४ ॥

(त्यु) अथ मिनोति । या ते धामान्युश्मसि गमध्यै यत्र गावो भूरि शृङ्गा
अयासः ॥ अत्राह तदुरुगायस्य विष्णोः परमं पदमव भारि भूरीत्ये-
तया त्रिष्टुभा मिनोति वज्रस्त्रिष्टुब्वज्रो यूपस्तस्मात्त्रिष्टुभा मिनोति ॥ १५ ॥

स उच्छ्रयति–" द्यामग्रेणास्पृक्षऽआन्तरिक्षं मध्येनाप्राः पृथिवीमु परेणादृंहीः "–(वा. सं. ६ । २) इति । वज्रो वै यूपः । एषां लोकानामभिजित्यै । तेन वज्रेणेमाँल्लोकान्त्स्पृणुते । एभ्यो लोकेभ्यः सपत्नान्निर्भजति ॥ १४ ॥

अथ मिनोति–" या ते धामान्युश्मसि गमध्यै यत्र गावो भूरिशृङ्गाऽअयासः । अत्राह तदुरुगायस्य विष्णोः परमं पदमवभारि भूरि "–(वा. सं. ६ । ३) इति । एतया त्रिष्टुभा मिनोति । वज्रस्त्रिष्टुप् । वज्रो यूपः तस्मात्त्रिष्टुभा मिनोति ॥ १५ ॥

उपरिप्रदेशपर्यन्तम् ' अनक्ति ' । " सोपरमग्निष्ठादेशमक्त्वा " (का. श्रौ. सू. ६।५९)–इत्यादि च सूत्रम् । ' सोपरम् ' उपरसहितम् । अग्निसन्निधिसाम्यात् ' अग्निष्ठाः ' यजमानः । अथ परिव्ययणमित्यादि । ' परिव्ययणं ' परिव्ययणो रशनावेष्टनप्रदेशः ' तं ' प्रति ' ' समन्तम् ' आज्येन ' परिमृशति ' परिमृशेत् । " उच्छ्रीयमाणायानुब्रूहि "–' इति ' सम्प्रैषमुक्त्वा ॥ १३ ॥

स उच्छ्रयति द्यामग्रेणेत्यादि । " द्यामग्रेण "–इति मन्त्रेण उच्छ्रयणं कुर्यात् । हे यूप ! ' द्याम् ' अन्तरिक्षम् ' अग्रेण ' अग्रभागेन ' अस्पृक्षः ' स्पृष्टवानसि, तथा तव ' मध्येन ' मध्यभागेन ' अन्तारिक्षम् आ 'अप्राः' आपूरितवानसि, ' पृथिवीम् उपरेण ' भूमौ स्थाप्यो भाग उपरः, तेन भूलोकम् 'अदृंहीः' दृढमकरोः । " वज्रो वै यूपः "–इत्यादि कृतशब्दार्थम् ॥ १४ ॥

अथ मिनोतीत्यादि । " या ते "–इति मन्त्रेण यूपं मिनुयात् । हे विष्णो ; ' ते ' ' या ' यानि ' धामानि ' स्थानानि ' गमध्यै ' गमनाय प्राप्तये ' उश्मसि ' कामयामहे, ' यत्र ' येषु धामसु ' गावः ' रश्मयः ' भूरिशृङ्गाः ' प्रभूतोर्द्ध्वप्रदेशाः ' अयासः ' अयनाः गन्तारो रश्मयः, तं परिवेषं हे विष्णो ! ' अत्रा ' एषु स्थानेषु ' उरुगायस्य ' प्रभूतवाग्गीयमानस्य, ' विष्णोः ' व्यापकस्य, तव श्रुति-स्मृति-प्रसिद्धं ' परमम् ' उत्कृष्टं ' पदम् ' ' भूरि ' प्रभूतम् ' अवभाति ' सर्वदा प्रकाशते, तत् प्रार्थयामह इति शेषः । अयमधिदैवतः सङ्ग्रहेणोक्तार्थः ॥

अथवा प्रकृतेऽधियज्ञपरतया व्याख्येयः । अस्मिन् पक्षे ' विष्णोः ' सवनत्रयव्याप्तस्य, यज्ञस्य धामानीत्यादि पूर्ववत्; अत्रोरुगायस्य विष्णोस्ते ' परमं ' परार्द्ध्यं ' पदं ' यूपाख्यमवभातीति ॥

मन्त्रस्य त्रिष्टुप्त्वं यूपमानस्योचितमिति प्रशंसति–**एतया त्रिष्टुभेति** ॥ १५ ॥

१–परिव्ययणदेशे समंतं परिमृश्याध्वर्युर्नावसृजेदापरिव्ययणात् । इति सूत्र शेषः । का. श्रौ. सू. । ६ । ५९ । २–उच्छ्रीयमाणायानुवाचयति । का. श्रौ. सू. ६ । ६० । ३–द्यामग्रेणेत्युच्छ्रयति । का. श्रौ. सू. ६ । ६१ । ४–या त इतिमिनोत्यग्निष्ठासम्प्रत्याहवनीयम् । का. श्रौ. सू. । ६ । ६२ ।

सम्प्रत्यग्निमग्निष्ठां मिनोति । यजमानो वा ऽअग्निष्ठाग्निरु वै यज्ञः स यदग्नेरग्निष्ठा ᳫँ ह्वलयेद्ध्वलेद्ध यज्ञाद्यजमानस्तस्मात्सम्प्रत्यग्निमग्निष्ठां मिनोत्यथ पर्यूहत्यथ पर्यृषत्यथाप उपनिनयति ॥ १६ ॥

(त्य) अथैवमभिपद्य वाचयति । विष्णोः कर्माणि पश्यत यतो व्रतानि पस्पशे । इन्द्रस्य युज्यः सखेति वज्रं वा ऽएष प्राहार्षीद्यो यूपमुदशिश्रियद्विष्णोर्विजितिं पश्यतेत्येवैतदाह यदाह विष्णोः कर्म्माणि पश्यत यतो व्रतानि पस्पशे । इन्द्रस्य युज्यः सखेतीन्द्रो वै यज्ञस्य देवता वैष्णवो यूपस्त ᳫँ सेन्द्रं करोति तस्मादाहेन्द्रस्य युज्यः सखेति ॥ १७ ॥

सम्प्रत्यग्निमग्निष्ठां मिनोति । यजमानो वाऽअग्निष्ठा । अग्निरु वै यज्ञः । स यदग्नेरग्निष्ठां ह्वलयेद्-ह्वलेद्ध यज्ञाद्यजमानः । तस्मात् सम्प्रत्यग्निमग्निष्ठां मिनोति । अथ पर्यूहति । अथ पर्यृषति । अथाप उपनिनयति ॥ १६ ॥

अथैवमभिपद्य वाचयति–"विष्णोः कर्माणि पश्यत यतो व्रतानि पस्पशे । इन्द्रस्य युज्यः सखा"-(वा.सं. ६।४) इति। वज्रं वाऽएष प्राहार्षीद्–यो यूपमुदशिश्रियत् । विष्णोर्विजितिं पश्यत इत्येवैतदाह–यदाह–विष्णोः कर्माणि पश्यत यतो व्रतानि पस्पशे इन्द्रस्य युज्यः सखेति । इन्द्रो वै यज्ञस्य देवता । वैष्णवो यूपः । तं सेन्द्रं करोति । तस्मादाह–इन्द्रस्य युज्यः सखेति ॥ १७ ॥

माने विशेषमाह–**सम्प्रत्यग्निमिति** । 'अग्निष्ठाम्' 'सम्प्रत्यग्निम्' अग्न्यभिमुखं 'मिनोति' प्रक्रमार्थम् । विपक्षे दोषप्रदर्शनेन द्रढयति–**यजमानो वा अग्निष्ठाग्निरिति** । 'सः' अध्वर्युः 'यद्' यदि 'अग्नेः' सकाशात् 'अग्निष्ठाम्' 'ह्वलयेत्' चालयेत् 'यज्ञात्' 'यजमानः' अपि 'ह्वलेत्' पश्येत्, 'तस्मात्' 'सम्प्रत्यग्निं' मिनुयात् ॥' **अथ पर्यूहतीति** । मृदामेकीभावापादने पर्यूहणादिमन्त्राणामौदुम्बर्यामुक्तत्वात् (श. प. ब्रा. ३ । ६ । १ । १७–१९) अत्र ब्राह्मणे उपेक्षिताः ॥ १६ ॥

अथैवमभिपद्येति । एवं कर्मकलापं कृत्वा यूपमन्वारभ्य 'वाचयति' "विष्णोः कर्माणि"–इत्यमुं मन्त्रम् । "विष्णोः कर्माणीति वाचयति यूपमन्वारब्धम्"–इति हि सूत्रम् (का. श्रौ. सू. ६ । ६५) अयमर्थः–'विष्णोः' यज्ञात्मनः कर्माणि पश्यत' इह नराः ! 'यतः' यस्माद् 'व्रतानि' कर्माणि जायन्ते यानि च 'पस्पशे' स्पृष्टवान् । यो विष्णुः 'इन्द्रस्य' च यज्ञाभिमानिनो देवस्य 'युज्यः' योग्यः 'सखा' सखिभूतः । मन्त्रतात्पर्यं व्याचष्टे–**वज्रं वा एष इत्यादिना** । 'उदशिश्रियत्'–इति, "श्रिञ् सेवायाम्"–(धा. पा. ९२२) इत्यस्य लुङि रूपम् । 'विजितिम्' विजयम् । कर्मणां बहुत्वेऽपि विजितेरेकत्वादेकवचनान्तं निर्दिष्टम् । चतुर्थपादे इन्द्रश्रवणं सङ्गतमित्याह–**इन्द्रो वै यज्ञस्य देवतेति** ॥ १७ ॥

१–ब्रह्मवनित्वेतिपा॰ सुभिः पर्यूहति । २–ब्रह्मद॰ इतिमैत्रावरुणदण्डेन समंतं त्रिः पर्यृषति । का. श्रौ. सू. ६ । ६३ । ६४ ।
३–समां भूमिं कृत्वाऽद्भिरुपसिच्य विष्णोः कर्म्माणीति वाचयति यूपमन्वारब्धम् । का. श्रौ. सू. ६ । ६५ ।

(त्यु) अथ चषालमुदीक्षते । तद्विष्णोः परमं पदꣳ सदा पश्यन्ति सूरयः । दिवीव चक्षुराततमिति वज्रं वाऽएष प्राहार्षीद्यो यूपमुदशिश्रियत्तां विष्णोर्विजितिं पश्यतेत्येवैतदाह यदाह तद्विष्णोः परमं पदꣳ सदा पश्यन्ति सूरयः ॥ दिवीव चक्षुराततमिति ॥ १८ ॥

(त्यु) अथ परिव्ययति । (त्य) अनग्नतायै न्वेव परिव्ययति तस्मादत्रेव परिव्ययत्यत्रेव हीदं वासो भवत्यन्नाद्यमेवास्मिन्नेतद्दधात्यत्रेव हीदमन्नं प्रतितिष्ठति तस्मादत्रेव परिव्ययति ॥ १९ ॥

त्रिवृता परिव्ययति । त्रिवृद्ध्यन्नं पशवो ह्यन्नं पिता माता यज्जायते तत्तृतीयं तस्मात्त्रिवृता परिव्ययति ॥ २० ॥

अथ चषालमुदीक्षते–"तद्विष्णोः परमं पदं सदा पश्यन्ति सूरयः । दिवीव चक्षुराततम्"–(वा. सं. ६ । ५) इति ' वज्रं वाऽएष प्राहार्षीद्–यो यूपमुदशिश्रियत् । तां विष्णोर्विजितिं पश्यत–इत्येवैतदाह–तद्विष्णोः परमं पदं सदा पश्यन्ति सूरयः दिवीव चक्षुराततमिति ॥ १८

अथ परिव्ययति । अनग्नतायै न्वेव परिव्ययति । तस्मादत्रेव परिव्ययति । अत्रेव हीदं वासो भवति । अन्नाद्यमेवास्मिन्नेतद्दधाति । अत्रेव हीदमन्नं प्रतितिष्ठति । तस्मादत्रेव परिव्ययति ॥१९॥

त्रिवृता परिव्ययति । त्रिवृद्ध्यन्नम् । पशवो ह्यन्नम् । पिता, माता, यज्जायते तत्तृतीयम् । तस्मात् त्रिवृता परिव्ययति ॥ २० ॥

अथ चषालमुदीक्षते तद्विष्णोरित्यादि[1] । ' उदीक्षते ' ऊर्ध्वमीक्षेत । ' विष्णोः ' यज्ञस्य ' तत् ' ' परमं पदम् ' पद्यत इति पदं यूपः, तं ' सदा पश्यन्ति ' ' सूरयः ' विद्वांसः । कीदृशम् ? ' दिवि ' आकाशे निरावरणे ' आततं ' प्रसृतम् ' चक्षुरिव ' । मन्त्रस्य तात्पर्यमाह–परमपदस्य यूपस्य शत्रुवधार्थमुद्यतवज्ररूपत्वात्, तद्दर्शनेन यज्ञविघातकानामसुराणां पलायनात्, उच्छ्रितयूप एव विष्णोर्विजितिस्तं ' पश्यत ' ' इति ' मन्त्र ' आह ' इत्यर्थः ॥ १८ ॥

रशनापरिव्ययणं विधाय प्रशंसति–**अथ परिव्ययती**ति[2] । परिव्ययणप्रदेशमभिनयेन निर्दिशति–' अत्रेव ' नाभिप्रदेशे इत्यर्थः । " नाभिदघ्ने परिव्ययति "–इति तैत्तिरीयकम् (तै. सं. ६ । ३ । ४) । उक्तार्थे लोकस्थितिं हेतूकरोति–**अत्रेव ही**ति । लोके हि मध्यदेशे खलु ' इदं ' वसनं ' भवति '; तस्मादित्यर्थः । **अन्नाद्यमेवे**त्यादि । रशनाया अन्नसम्बन्धिविकारत्वेनान्नरूपत्वादन्नमेवास्मिन्नुपस्थापितवान् भवति ॥ १९ ॥

रशनायास्त्रैगुण्यमाह–**त्रिवृते**ति (का. श्रौ. सू. ६ । ६७) । अन्नस्य त्रिवृत्त्वं कुत्र दृष्टमिति, तद्दर्शयति–**पशवो ह्यन्नमि**ति । कथं तेषु त्रिवृत्त्वमिति तदुपपादयति–**पिता माते**त्यादि । दधिपयोरूपस्यान्नस्य त्रयाणामपि कारणत्वात् तेषामप्यन्नत्वोपचारः ॥ २० ॥

१–तद्विष्णोरिति चषालमीक्षमाणम् । का. श्रौ. सू. ६ । ६६ । २–परिवीयमाणायानुवाचयति । त्रिगुणात्रिव्यामाकौशीरशनासतया नाभिमात्रे त्रिव्नृतं परिव्ययति परिवीरसीति । का. श्रौ. सू. ६ । ६७ । स२स्रज्यान्यतरस्यामंतं प्रवेशयति । का. श्रौ. सू. ६।६८ ।

स परिव्ययति । परिवीरसि परि त्वा दैवीर्व्विशो व्ययन्तां परीमं यज-
मानꣳ रायो मनुष्याणामिति तद्यजमानायाशिषमाशास्ते यदाह परीमं
यजमानꣳ रायो मनुष्याणामिति ॥ २१ ॥

(त्यु) अथ यूपशकलमवगूहति । दिवः सूनुरसीति प्रजा हैवास्यैषा
तस्माद्यदि यूपैकादशिनी स्यात्स्वꣳ स्वमेवावगूहेदविपर्यासं तस्य हैषा
मुग्धानुव्रता प्रजा जायतेऽथ यो विपर्यासमवगूहति न स्वꣳ स्वं तस्य हैषा
मुग्धाननुव्रता प्रजा जायते तस्मादु स्वꣳ स्वमेवावगूहेदविपर्यासम् ॥ २२ ॥

(ॡं) स्वर्गस्यो हैष लोकस्य समारोहणः क्रियते । यद्यूपशकल इयꣳ
रशना रशनायै यूपशकलो यूपशकलाच्चषालं चषालात्स्वर्गं लोकꣳ
समश्नुते ॥ २३ ॥

स परिव्ययति–" परिवीरसि परि त्वा दैवीर्विशो व्ययन्तां परीमं यजमानं रायो मनुष्याणाम् "–(वा. सं. ६ । ६) इति । तद् यजमानायाशिषमाशास्ते–यदाह परीमं यज-मानं रायो मनुष्याणामिति ॥ २१ ॥

अथ यूपशकलमवगूहति–" दिवः सूनुरसि "–(वा. सं. ६ । ६) इति । प्रजा हैवास्यैषा । तस्माद् यदि यूपैकादशिनी स्यात्–स्वं स्वमेवावगूहेद्–अविपर्यासम् । तस्यै हैषा मुग्धानुव्रता प्रजा जायते । अथ यो विपर्यासमवगूहति–न स्वं स्वम् । तस्य हैषा मुग्धाननुव्रता प्रजा जायते तस्मादु स्वं स्वमेवावगूहेदविपर्यासम् ॥ २२ ॥

स्वर्गस्यो हैष लोकस्य समारोहणः क्रियते यद्यूपशकलः । इयं रशना । रशनायै यूपशकलः । यूपशकलाच्चषालम् । चषालात्स्वर्गं लोकं समश्नुते ॥ २३ ॥

स परिव्ययतीति । परिव्ययणे मन्त्रमाह– **परिवीरसीति** । हे यूप ! त्वं ' परिवीरसि ' परितो रशनया वेष्टितोऽसि । ' दैवीः विशः ' देवसम्बन्धिन्यः प्रजाः त्वा ' परिव्ययन्ताम् ' वेष्टयन्तु । तथा ' इमं यजमानम् ' एव ' मनुष्याणाम् ' इतरेषां मध्ये ' रायः धनानि परिव्ययन्तु ॥ २१ ॥

अथ यूपशकलमवगूहतीति । ' यूपशकलं ' स्वरुम् अवगूहेत् रशनामध्ये । तस्मात् 'स्वरोर्यूपरूपत्वात् । एवं सर्वथाऽवगूहनीयत्वात् यूपैकादशित्वपक्षेऽपि स्वस्वयूपानतिक्रमेणैवावगूहेत् । ' अविपर्यासं ' विपर्यासायाः क्रमेणाग्रहणात् । दोषाविधानेनाविपर्यासं प्रशंसति–**तस्य हैषा मुग्धानुव्रतेत्यादिना** । अमुग्धामाह–' अनुव्रता ' यजमानव्यापारानुकूला । विपर्यासपक्षे उक्तवैपरीत्यं व्याख्येयम् ॥ २२ ॥

यूपशकल–रशना–चषालानां क्रमेणोर्ध्वभावित्वात् स्वर्गारोहणसोपानत्वेन प्रशंसति–**स्वर्गस्यो हैष लोकस्य समारोहण** इत्यादिना ॥ २३ ॥

१–यूपशकलमस्यामवगहत्युत्तरेणाऽग्निष्ठां दिवः सूनुरसीति । बहुषु यथास्वम् । का. श्रौ. सू. ६ । ६९ । ७० ।

(तेऽथ) अथ यस्मात्स्वरुर्नाम । (मै) एतस्माद्वा एषोऽपच्छिद्यते तद-स्यैतत्स्वमेवारुर्भवति तस्मात्स्वरुर्नाम ॥ २४ ॥

तस्य यन्निखातम् । तेन पितृलोकं जयत्यथ यदूर्ध्वं निखाताद्वा रशनायै तेन मनुष्यलोकं जयत्यथ यदूर्ध्वꣳ रशनाया आचषालात्तेन देवलोकं जयत्यथ यदूर्ध्वं चषालाद्व्यङ्गुलं वा त्र्यङ्गुलं वा साध्या इति देवास्तेन तेषां लोकं जयति सलोको ह वै साध्यैर्देवैर्भवति य एवमेतद्वेद ॥ २५ ॥

तं वै पूर्वार्द्धे मिनोति वज्रो वै यूपो वज्रो दण्डः पूर्वार्द्धं वै दण्डस्याभिपद्य प्रहरति पूर्वार्द्ध एष यज्ञस्य तस्मात्पूर्वार्द्धे मिनोति ॥ २६ ॥

यज्ञेन वै देवाः । (ऽ) इमां जितिं जिग्युर्यैषामियं जितिस्ते होचुः कथं

अथ यस्मात् स्वरुर्नाम । एतस्माद्वाऽएषोऽपच्छिद्यते। तस्यैतत् स्वमेवारुर्भवति । तस्मात् स्वरुर्नाम २४

तस्य यन्निखातं–तेन पितृलोकं जयति । अथ यदूर्ध्वं निखाताद्–आरशनायै, तेन मनुष्यलोकं जयति । अथ यदूर्ध्वं रशनाया–आचषालात, तेन देवलोकं जयति । अथ यदूर्ध्वं चषालाद्–द्व्यङ्गुलं वा, त्र्यङ्गुलं वा–साध्या इति देवाः तेन तेषां लोकं जयति । सलोको ह वै साध्यैर्देवैर्भवति–य एवमेतद्वेद ॥ २५ ॥

तं वै पूर्वार्द्धे मिनोति । वज्रो वै यूपः । वज्रो दण्डः । पूर्वार्द्धं वै दण्डस्याभिपद्य प्रहरति पूर्वार्द्ध एष यज्ञस्य । तस्मात्पूर्वार्द्धे मिनोति ॥ २६ ॥

यज्ञेन वै देवा इमां जितिं जिग्युः–यैषामियं जितिः । ते होचुः–कथं न इदं मनुष्यैरनभ्यारोह्यं

यूपावयवत्वेन स्वरोः सर्वथावगूहनं प्रशंसितुं तन्नाम निर्वक्ति–**अथ यस्मात्स्वरुर्नामे**ति । 'एतस्मात्' एव 'एषः' यूपशकलः 'अपच्छिद्यते'। तत् 'एतत्' छिन्नं द्रव्यम् अस्य यूपसम्बन्धि पुनः 'स्वमेव' स्वकीयमेव 'अरुः' गन्ता भवति । 'तस्मात्' स्वमियर्तीति 'स्वरुः' ("त एतं स्वरुमपश्यन् यूपशकलम्" ऐ. ब्रा. २ । १ । ३) 'नाम' सम्पन्नम् ॥ २४ ॥

यूपं लोकत्रयजयात्मना प्रशंसति–**तस्य यन्निखातमि**ति । निखन्यत इति निखातो गर्त्तान्तरालः । **तेन पितृलोकं जयती**ति । चषालादुपरि यूपाग्रे द्वित्र्यंगुलभागो द्रष्टव्यः, 'तेन' भागेन 'साध्या इति' एवं प्रसिद्धाः 'देवाः' सन्ति, 'तेषां लोकं जयति' (तै. सं. ६ । ३ । ४ । ७)। वेदितुः फलमाह–**सलोको ह वा** इति ॥ २५ ॥

यूपस्य पूर्वार्द्धे भूमौ मानम्, तद्दण्डसाम्यतः स्तौति–**तं वै पूर्वार्द्धे मिनोती**ति । यज्ञस्य प्रहरणसाधनत्वात् दीर्घत्वाच्च वज्रो दण्डः । 'दण्डस्य पूर्वार्द्धम्' 'अभिपद्य' गृहीत्वा 'प्रहरति'; 'यज्ञस्य' अपि 'एषः' यूपः 'पूर्वार्द्धः' होमात् पूर्वमनुष्ठेयत्वात् । 'तस्मात्' 'पूर्वार्द्धे पूर्वभागे 'मिनोति' ॥ २६ ॥

प्रकारान्तरेण पूर्वार्द्धमभिमातुं भूयो द्योतयति–**यज्ञेन वै देवा** इत्यादिना । एतदसकृद्गतम् (श. प.

नऽइदं मनुष्यैरनभ्यारोह्यꣳस्यादिति ते यज्ञस्य रसं धीत्वा यथा मधु मधुकृतो निर्द्धयेयुर्व्विदुह्य यज्ञं यूपेन योपयित्वा तिरोऽभवन्नथ यदेनेना योपयंस्तस्माद्यूपो नाम पुरस्ताद्धै प्रज्ञा पुरस्तान्मनोजवस्तस्मात्पूर्व्वार्द्धे मिनोति ॥ २७ ॥

स वाऽअष्टाश्रिर्भवति । अष्टाक्षरा वै गायत्री पूर्व्वार्द्धो वै यज्ञस्य गायत्री पूर्व्वार्द्धे एष यज्ञस्य तस्मादष्टाश्रिर्भवति ॥ २८ ॥

तꣳ ह स्मैतं देवा अनुप्रहरन्ति । यथेदमप्येतर्ह्येकेऽअनुप्रहरन्तीति देवा अकुर्व्वन्निति ततो रक्षाꣳसि यज्ञमनूदपिबन्त ॥ २९ ॥

ते देवा अध्वर्युमब्रुवन् । (न्यू) यूपशकलमेव जुहुधि तदा हैष स्वगाकृतो भविष्यति तथो रक्षाꣳसि यज्ञं नानूत्पास्यन्ते ऽयं वै वज्र ऽउद्यत इति ॥ ३० ॥

स्यादिति । ते यज्ञस्य रसं धीत्वा—यथा मधु मधुकृतो निर्द्धयेयुः—विदुह्य यज्ञं यूपेन योपयित्वा तिरोऽभवन् । अथ यदेनेनायोपयन्—तस्माद्यूपो नाम । पुरस्ताद्धै प्रज्ञा । पुरस्तान्मनोजवः । तस्मात्पूर्वार्द्धे मिनोति ॥ २७ ॥

स वाऽअष्टाश्रिर्भवति । अष्टाक्षरा वै गायत्री । पूर्वार्द्धो वै यज्ञस्य गायत्री । पूर्वार्द्धे एष यज्ञस्य । तस्मादष्टाश्रिर्भवति ॥ २८ ॥

तं ह स्मैतं देवा अनुप्रहरन्ति । यथेदमप्येतर्ह्येकेऽनुप्रहरन्तीति—देवा अकुर्वन्निति । ततो रक्षांसि यज्ञमनूदपिबन्त ॥ २९ ॥

ते देवा अध्वर्युमब्रुवन्—यूपशकलमेव जुहुधि, तदा हैष स्वगाकृतो भविष्यति, तथो रक्षांसि यज्ञं नानूत्पास्यन्ते—अयं वै वज्र उद्यत इति ॥ ३० ॥

ब्रा. १ । ६ । २ । १) । देवैस्तिरोभावितस्य यज्ञस्य यूपस्य इतरेषामनुष्ठातॄणां प्रज्ञापकत्वात्, प्रज्ञापकस्य पुरस्ताद्भावित्वदर्शनाद्यूपोऽपि पुरस्ताद्देशे स्थाप्य इत्यर्थः । 'मनोजवः' मनसो वेगः । यूपस्य देवैराच्छादितयज्ञस्य प्रज्ञापकत्वं तैत्तिरीयकेऽप्युक्तम्—" यज्ञेन वै देवाः सुवर्गं लोकमायन्; तेऽमन्यन्त, मनुष्या नोऽन्वाभविष्यन्तीति; ते यूपेन योपयित्वा सुवर्गं लोकमायन् । तमृषयो यूपेनैवानुप्राजानन्; तद् यूपस्य यूपत्वम् "—(तै. सं. ६ । ३ । ४ । ७) इति ॥ २७ ॥

स वा अष्टाश्रिरित्यादि । स्पष्टम् ॥ २८ ॥

यूपे[1] निगूढस्य स्वरोस्तत्र प्रतिपत्तिकर्मत्वेन यूपप्रतिनिध्यात्मना होममभिधातुमाह—तं ह स्मैतमित्यादिना । यथेदमप्येतर्ह्येक इति । 'अप्येतर्हि' इदानीमपि, 'एके' अनुष्ठातारः, 'इदम्'—इत्यनुप्रहरणक्रियाविशेषणम् । देवा यथा, तथा अनुप्रहरन्तीत्यर्थः । इदानीमपि अनुप्रहरणमेव कुर्वन्ति । देवा अकुर्वन्निति । न तावद् यज्ञस्थानीयस्य यूपस्य दग्धत्वेन बाधकाभावात् यथाकामम् 'उदपिबन्त' ॥ २९ ॥ ३० ॥

१-स्रुवेणावटे जुहोति तूष्णीम् । का. श्रौ. सू. ६ । ५३ ।

सोऽध्वर्युः । (यूं) यूपशकलमेवाजुहोत्तदहैष स्वगाकृतऽआसीत्तथो रक्षाᳬसि यज्ञं नानूदपिबन्तायं वै वज्रऽ उद्यत इति ॥ ३१ ॥

तथो ऽएवैषऽ एतत् । (यू) यूपशकलमेव जुहोति तदहैष स्वगाकृतो भवति तथो रक्षाᳬसि यज्ञं नानूत्पिबन्तेऽयं वै वज्र उद्यत इति स जुहोति दिवं ते धूमो गच्छतु स्वर्ज्योतिः पृथिवीं भस्मनापृण स्वाहेति॥३२॥

इति पञ्चमप्रपाठके चतुर्थं ब्राह्मणम् ॥ ५ ॥ ४ ॥ (७ । १)

यावती वै वेदिस्तावती पृथिवी । वज्रा वै यूपास्तदिमामेवैतत्पृथिवीमेतैर्वज्रैः स्पृणुतेऽस्यै सपत्नान्निर्भजति तस्माद्यूपैकादशिनी भवति द्वादश उपशयो भवति वितष्टस्तं दक्षिणतऽ उपनिदधाति तद्यद्द्वादश उपशयो भवति ॥ १ ॥

सोऽध्वर्युर्यूपशकलमेवाजुहोत् । तद् हैष स्वगाकृत आसीत् । तथो रक्षांसि यज्ञं नानूदपिबन्त अयं वै वज्र उद्यत इति ॥ ३१ ॥

तथोऽएवैष एतद्यूपशकलमेव जुहोति । तदहैव स्वगाकृतो भवति । तथो रक्षांसि यज्ञं नानूत्पिबन्ते–अयं वै वज्र उद्यत इति । स जुहोति–" दिवं ते धूमो गच्छतु स्वर्ज्योतिः । पृथिवीं भस्मना पृण स्वाहा "-(माध्यं. सं. ६ । २१) (तै. सं. ६।३।३।४) इति ॥ ३२ ॥

यावती वै वेदिस्तावती पृथिवी । वज्रा वै यूपाः तद् इमामेवैतत् पृथिवीमेतैर्वज्रैः स्पृणुते । अस्यै सपत्नान्निर्भजति । तस्माद् यूपैकादशिनी भवति । द्वादश उपशयो भवति वितष्टः । तं दक्षिणत उपनिदधाति । तद् यद्द्वादश उपशयो भवति ॥ १ ॥

सोऽध्वर्युरिति । देवाः ' तत् ' तेनैव खलु ' एषः ' यज्ञः ' स्वगाकृतः ' स्वं स्थानं प्राप्तः, कृतप्रतिपत्तिकः ' आसीत् ' । स्पष्टमन्यत् ॥ ३१ ॥ ३२ ॥

इति श्रीसायणाचार्यविरचिते माधवीये वेदार्थप्रकाशे माध्यन्दिनशतपथब्राह्मणभाष्ये
तृतीयकाण्डे सप्तमाध्याये प्रथमं ब्राह्मणम् ॥ (३–७–१)

अग्नीषोमीययूपप्रसङ्गात् यूपैकादशिनीं विधातुमुपोद्घातयति—यावती वै वेदिरिति । इयं वेदिः परो अन्तः पृथिव्याः " (माध्यं. सं. २३।६२) (ऋ. सं १ । १६४ क. ३५) " वेदिमाहुः परमन्तं पृथिव्याः " (माध्यं. सं. २३।६२) (तै० सं ७ ।४।१८।२) इत्यादिश्रुतेः । ' इमां ' पृथिवीम् ' एतैः ' यूपैः ' वज्रैः ' ' स्पृणुते ' बलवतीकरोति । अतोऽत्यन्तदार्ढ्याय यूपैकादशिनी कर्त्तव्या । अत्र यूपैकादशिनीविधानं " यूपैकादशिनी चेत् रथाक्षमात्राण्यन्तराणि " (का. श्रौ. सू. ८ । २१०–२१७) इत्यादिसूत्रेषु द्रष्टव्यम् ।

१–यूपैकदशिनींचेद्रथाक्षमात्राण्यंतराणि । पूर्वार्द्धवा समं विभज्य । पक्षसम्मितावाऽग्नौ । यूपाहुत्यभ्यादानयवावपनानि सकृत् । भेदेनान्यत्सान्निपातित्वात् । मध्यमं परिलिख्योत्तरं दक्षिणं वाव्यत्यासमितरान् । आवटहोमात्करोति । अञ्जनाद्याचषालेक्षणात्कृत्वैकैकस्य ॥ का. श्रौ. सू. ८।२१०–२१७ ॥ रथाक्षप्रमाणं शुल्बे । चतुःशतमक्षः १०४ अंगुलानि । अष्टांगुलाधिकं हस्तचतुष्टयमित्यर्थः ।

देवा ह वै यज्ञं तन्वानाः । (स्ते) तेऽसुररक्षसेभ्यऽ आसङ्गाद्बिभयाञ्चक्रुस्तद्यऽ एत ऽउच्छ्रिता यथेषुरस्ता तया वै स्तृणुते वा न वा स्तृणुते यथा दण्डः प्रहतस्तेन वै स्तृणुते वा न वा स्तृणुतेऽथ यऽ एष द्वादश ऽउपशयो भवति यथेषुरायतानस्ता यथोद्यतमप्रहृतमेवमेष वज्र ऽउद्यतो दक्षिणतो नाष्ट्राणाॅं रक्षसामपहत्यै तस्माद्द्वादश ऽउपशयो भवति ॥२॥

तं निदधाति । (त्ये) एष ते पृथिव्यां लोक आरण्यस्ते पशुरिति पशुश्च वै यूपश्च तदस्मा ऽआरण्यमेव पशूनामनुदिशति तेनो ऽएष पशुमान् भवति तद् द्वयं यूपैकादशिन्यै सम्मयनमाहुः श्वःसुत्यायै ह न्वेवैके सम्मिन्वन्ति प्रकुब्द्रतायै[1] चैव श्वः सुत्यायै यूपं मिन्वन्तीत्यु च ॥ ३ ॥

देवा ह वै यज्ञं तन्वानाः, तेऽसुररक्षसेभ्य आसङ्गाद् बिभयाञ्चक्रुः । तद् य एतं ऽउच्छ्रिता–यथेषुरस्ता तया वै स्तृणुते वा न वा स्तृणुते । यथा दण्डः प्रहृतः तेन वै स्तृणुते वा, न वा स्तृणुते । अथ य एष द्वादश उपशयो भवति । यथेषुरायतानस्ता, यथोद्यतमप्रहृतम्,–एवमेष वज्र उद्यतो दक्षिणतो नाष्ट्राणां रक्षसामपहत्यै । तस्माद्द्वादश उपशयो भवति ॥ २ ॥

तं निधदाति । “ एष ते पृथिव्यां लोकः, आरण्यस्ते पशुः ”–(वा, सं. ६ । ६) इति । पशुश्च वै यूपश्च । तदस्माऽआरण्यमेव पशूनामनुदिशाति । तेनोऽएष पशुमान् भवति । तद्द्वयं यूपैकादशिन्यै सम्मयनमाहुः । श्वः सुत्यायै ह न्वेवैके सम्मिन्वन्ति । प्रकुब्द्रतायै चैव श्वः सुत्यायै यूपं मिन्वन्तीत्यु च ॥ ३ ॥

तस्मिन् पक्षे ‘ उपशयः ’ यूपानां समीपे शेते इत्युपशयोऽन्यो यूपः, (तै० सं ६ । ६ । ४) स ‘ द्वादशो भवति ’ स च , ‘ वितष्टः ’ विशेषेणोपरप्रदेशेऽपि तष्टः । ‘ तं ’ यूपानां दक्षिणदेशे भूमौ निखातं कृत्वा तूष्णीं स्थापयेत् ॥ १ ॥

उपशयं रक्षोनाशकत्वेन प्रशंसति–देवा ह वै यज्ञं तन्वाना इत्यादिना । यथा मुक्तेषुः प्रहृतो दन्तिदण्डो वा यदा ऋजुर्गच्छति, तदा लक्ष्यं विध्यति, न चेन्न; एवं यूपोऽपि उपशयसहितः स्थापितः तत्पतनाशङ्काया अपगतत्वाद्रक्षसां यूपविषयं भयं नोदियादित्यर्थः । अतो यूपस्य सोपशयत्वे सति मुक्तेषुवत् यदोपशयाख्यं वज्रमुच्छतीति रक्षसां भयमुत्पद्यते । तस्मादुपशयः कर्त्तव्य इत्यर्थः ॥ २ ॥

निधानमन्त्रमाह–तं निदधात्येष ते पृथिव्यां लोक आरण्यस्ते पशुरितीति । हे उपशय ! यूप ! यूपानां दक्षिणप्रदेशः ‘ पृथिव्यां ’ ‘ ते ’ तव ‘ लोकः ’ स्थानम्, अतो न भूम्यामन्तर्मिनामीत्यर्थः । तर्ह्यस्य कः पशुः ? इत्याकांक्षायां तं दर्शयति–आरण्यस्ते पशुरिति । अरण्ये भवः ‘ आरण्यः ’ व्याघ्रादिरिति निर्दिशेत पृथिव्यां स्थापयेत् । तथा च सूत्रम् “वितष्टं द्वादशं निदधात्येषत इति ” (का० श्रौ० सू० ८।२२१) इति ।

---

[1]–‘ ककुब्रतायै ’ इति जर्मनीपुस्तके, ‘ ककुब्वतायै ’ इति जयपुरीयपुस्तके, ‘ ककुब्द्रतायै ’ इति वैदिकपाठपुस्तके पाठः अस्य शब्दस्यार्थस्तु न ज्ञायते ।

तद्द तथा न कुर्यात् । (द) अग्निष्ठमेवोच्छ्रयेदिदं वै यूपमुच्छ्रित्याध्वर्यु-रापरिव्ययणान्नान्वर्जत्यपरिवीता वा ऽएत ऽएताᳪं रात्रिं वसन्ति सा न्वेव परिचक्षा पशवे वै यूपमुच्छ्रयन्ति प्रातर्वै पशूनालभन्ते तस्माद्द प्रातरे-वोच्छ्रयेत् ॥ ४ ॥

(त्स) स य उत्तरोऽग्निष्ठात्स्यात् (त्तु) तमेवाग्र ऽउच्छ्रयेदथ दक्षिण-मथोत्तरं दक्षिणार्द्ध्यमुत्तमं तथोदीची भवति ॥ ५ ॥

तद्द तथा न कुर्यात् । अग्निष्ठमेवोच्छ्रयेत् । इदं वै यूपमुच्छ्रित्याध्वर्युरापरिव्ययणान्नान्वर्जति अपरिवीता वा एते । एतां रात्रिं वसन्ति । सा न्वेव परिचक्षा । पशवे वै यूपमुच्छ्रयन्ति । प्रातर्वै पशूनालभन्ते । तस्माद्द प्रातरेवोच्छ्रयेत् ॥ ४ ॥

स य उत्तरोऽग्निष्ठात्स्यात्—तमेवाग्रऽउच्छ्रयेत् । अथ दक्षिणम् । अथोत्तरम् । दक्षिणार्द्ध्यमुत्तमम् । तथोदीची भवति ॥ ५ ॥

यूपस्य सर्वथा पशुसम्बन्धोऽपेक्षित इत्याह—**पशुश्च वै यूपश्चेति** । अविनाभूतावित्यर्थः । 'वै'-शब्द इतर-यूपानां पशुसम्बन्धनियमप्रसिद्धिद्योतनार्थः 'तत्' तस्मादव्यभिचारात् । **तद्द्वयमिति** । यूपैकादशिन्या 'सम्म-यनं' 'द्वयं' द्विविधमित्यर्थः । 'आहुः' विवदन्ते अभिज्ञाः ॥

तत्रैकेषाञ्चित् पक्षमाह—**श्वः सुत्यायै ह त्वेवैके सम्मिन्वन्तीति** । 'श्वः' परेद्युः क्रियमाणायाः सुत्यायाः पूर्वस्मिन् दिने अग्निष्ठप्रमुखान् सर्वान् यूपान् निखनन्ति ॥ ३ ॥

तं पक्षं निराचष्टे—**तद्द तथेति** । तस्मिन् काले 'अग्निष्ठम्' एकम् एव उत्तरवेदेः पुरोदेशस्थमेवाग्नीषो-मीयपश्वर्थम् 'उच्छ्रयेत्' । इतरेषामपि पूर्वेद्युरुच्छ्रयणे दोषमाह—**इदं वा** इत्यादिना । 'इदं' वक्ष्यमाणं भव-तीत्यर्थः । आ परिव्ययणात् ' रशनापरिव्ययणपर्यन्तम्, 'अध्वर्युः' 'नान्वर्जति' नैव हस्तस्य स्पर्शं परित्य-जेत् । अतोऽग्निव्यतिरिक्तानां परिव्ययणस्य 'प्रातः' परेद्युः पशूपकरणकाले कर्त्तव्यत्वात्कृत्स्नां 'रात्रिम्' 'अपरिवीता' नग्ना वसन्ति । 'सा न्वेव' सैव, उक्तलक्षणैव 'परिचक्षा' पूर्वेद्युरुच्छ्रयमाणपक्षस्य निन्दा ॥

स्वपक्षे युक्तिमाह—**पशवे वै यूपमुच्छ्रयन्तीति** । 'तस्मात्' 'प्रातरेव' परेद्युरेव उच्छ्रयणं कुर्यादिति निगमनम् ॥ ४ ॥

एकादशिनीपक्षे केन क्रमेणोच्छ्रयणमिति, तमाह—**स य उत्तरोऽग्निष्ठात्स्या**दिति । अग्निष्ठमध्यमवधिं कृत्वा तत उत्तरतः प्रथमम्, ततो दक्षिणतो द्वितीयम्, तत उत्तरतस्तृतीयम्, ततो दक्षिणतश्चतुर्थमित्येवमुभयोः पार्श्वयोरुत्तरप्राथम्येन पञ्च पञ्च यूपा उच्छ्रिताः । एवं क्रमेण दक्षिणार्द्धे भवम् 'उत्तमं' कुर्यात् । '**तथा**' सति 'उदीची भवति' उत्तरोपक्रमा भवतीत्यर्थः[३८] ॥ ५ ॥

१—घो वा दक्षिणोत्तराणामत्रगूहनान्तमालंभनासंभवात् । का.श्रौ.सू.८।२१८। २—परिवीयमध्यममगूहनांतम् । का. श्रौ. सू.८। २१९।३—अग्निष्ठैचषाऽ रशनाः परिवेष्टय व्यासयति । अभ्यंजनप्रभृति करोति । यथाखातमुच्छ्रयति । व्वर्षिष्ठो दाक्षिणोऽनुपूर्वा इतरे । तीव्र सुत्याग्निष्ठः प्राची च । यथायूपं व्वेदिस्वर्द्धनम् । का. श्रौ. सू. ८।२२०-२२५।

(त्यु) अथो ऽइतरथाहुः। (ई) दक्षिणमेवाग्रेऽग्निष्ठादुच्छ्रयेदथोत्तरमथ दक्षिणमुत्तरार्द्धर्चमुत्तमं तथो हास्योदगेव कर्मानुसन्तिष्ठत ऽइति ॥ ६ ॥

स यो वर्षिष्ठः स दक्षिणार्द्धर्चः स्यात्। (इ) अथ ह्रसीयानथ ह्रसीयानुत्तरार्द्धर्चो ह्रसिष्ठस्तथोदीची भवति ॥ ७ ॥

(त्यु) अथ पत्नीभ्यः पत्नीयूपमुच्छ्रयन्ति। सर्वत्वाय न्वेव पत्नीयूप उच्छ्रीयते तत्त्वाष्ट्रं पशुमालभते त्वष्टा वै सिक्तꣳ रेतो विकरोति तदेष एवैतत्सिक्तꣳ रेतो विकरोति मुष्करो भवत्येष वै प्रजनयिता यन्मुष्करस्तस्मान्मुष्करो भवति तन्न सꣳस्थापयेत्पर्यग्निकृतमेवोत्सृजेत्स यत्सꣳस्थापयेत्प्रजायै हान्तमियात्तत्प्रजामुत्सृजति तस्मान्न सꣳस्थापयेत्पर्यग्निकृतमेवोत्सृजेत् ॥ ८ ॥

इति पञ्चमप्रपाठके पञ्चमं ब्राह्मणम् ॥ ५।५॥ (७।२) ॥

अथोऽइतरथाहुः। दक्षिणमेवाग्रेऽग्निष्ठादुच्छ्रयेत्। अथोत्तरम्। अथ दक्षिणम्। उत्तरार्द्धर्चमुत्तमम्। तथो हास्योदगेव कर्मानुसान्तिष्ठतऽइति ॥ ६ ॥

स यो वर्षिष्ठः—स दाक्षिणार्द्धर्चः स्यात्। अथ ह्रसीयान्। अथ ह्रसीयानुत्तरार्द्धर्चो ह्रसिष्ठस्तथोदीची भवति ॥ ७ ॥

अथ पत्नीभ्यः पत्नीयूपमुच्छ्रयन्ति। सर्वत्वाय न्वेव पत्नीयूपमुच्छ्रीयते। तत् त्वाष्ट्रं पशुमालभते। त्वष्टा वै सिक्तं रेतो विकरोति। तदेष एवैतत् सिक्तं रेतो विकरोति मुष्करो भवति। एष वै प्रजनयिता—यन्मुष्करः। तस्मान्मुष्करो भवति। तन्न संस्थापयेत्। पर्यग्निकृतमेवोत्सृजेत्। स यत्संस्थापयेत्—प्रजायै हान्तमियात्। तत्प्रजामुत्सृजति। तस्मान्न संस्थापयेत्—पर्यग्निकृतमेवोत्सृजेत् ॥ ८ ॥ इति यूपसम्पादनम् ॥

अथो इतरथाहुरिति। "दक्षिणमेवाग्रे" इत्यादिकं पूर्ववाक्यवैपरीत्येन व्याख्येयम्। **तथो हास्येति**। एवं कुर्वतः कर्म 'उदगेव' आनुपूर्व्येण 'सन्तिष्ठते' समाप्यते। पूर्वस्मिन् पक्षे उदगुपक्रमः, द्वितीये उदगपवर्ग इति भेदः ॥ ६ ॥

स यो वर्षिष्ठ इति। तेषामुत्तरो 'यः वर्षिष्ठः' 'सः दक्षिणार्द्धर्यः स्यात्' **अथ ह्रसीयानित्यादिना**। दक्षिणोपक्रममुदगपवर्गम्। प्रथमं वर्षिष्ठमत्युच्छ्रितं ततः परमीषदुच्छ्रितमित्येवं क्रमेणोच्छ्रयेत्। तथा सति सर्वेषामुत्तरस्तु 'ह्रसिष्ठः' अतिशयेन ह्रस्वो भवति ॥ ७ ॥

प्रसङ्गात् पात्नीवतपशुप्रयोगमाह[1]—**अथ पत्नीभ्यः पत्नीयूपमुच्छ्रयन्तीति**[2]। 'पत्नीयपम्' इति पात्नीवत-

---

१–'पशुप्रयोजनमाह' इति क. पा. २–यूपैकादशिन्यां वसावपामार्जनांतं कृत्वा शालाद्वार्येपत्नीयूपोच्छ्रयणं नाभिमात्रस्य। परिस्तरणपात्रसंसादनप्रोक्षणाज्यनिर्वपणाधिश्रयणानि कृत्वास्फ्यादि करोति। त्वाष्ट्रोबस्तःपर्यग्निकृतमुत्सृजंति।का०श्रौ.८।२४१–२४३।

प॒शुश्च॒ वै यू॒पश्च॒ । न वा॒ ऽऋ॒ते यू॒पात्प॒शुमा॒लभ॑न्ते॒ क॒दाच॒न त॒द्यत्तथा॒
न॒ ह॒ वा॒ ऽए॒तस्मा॒ ऽअग्रे॑ प॒शव॑श्चक्षमि॒रे य॒दन्न॒मभ॑विष्यन्य॒थेद॒मन्नं॑ भू॒ता
य॒था हैवा॒यं द्वि॒पात्पु॒रुष॒ उच्छ्रि॑त ए॒वꣳ॑ हैव॒ द्वि॒पाद॒ उच्छ्रि॑ताश्चेरुः ॥ १ ॥
(स्तु) त॒तो दे॒वा॒ऽए॒तं व॒ज्रं द॑दृशुः । (र्ष) य॒द्यू॒पं त॒मु॒च्छि॒श्रियु॒स्त॒स्माद्भी॒षा
प्राव्लीयन्त त॒तश्च॒तुष्पा॒दा अ॒भवं॒स्त॒तो॒ऽन्न॒मभ॑वन्त्य॒थेद॒मन्नं॑ भू॒ता ए॒तस्मै॑
हि॒ वा॒ ऽए॒ते॒ऽतिष्ठ॑न्त॒ त॒स्मा॒द्यू॒प॒ऽए॒व॒ प॒शुमा॒लभ॑न्ते॒ नर्ते॒ यू॒पात्क॒दाच॒न॒॥२॥

अग्नीषोमीयपशुयागः ।

पशुश्च वै यूपश्च । न वाऽऋते यूपात्पशुमालभन्ते । कदाचन । तद्-यत्तथा । न ह वाऽएतस्मा-ऽअग्रे पशवश्चक्षमिरे । यदन्नमभविष्यन्-यथेदमन्नं भूता । यथा हैवायं द्विपात् पुरुष उच्छ्रितः । एवं हैव द्विपाद उच्छ्रिताश्चेरुः ॥ १ ॥

ततो देवा एतं वज्रं ददृशुः-यद्यूपम् । तमुच्छिश्रियुः । तस्माद् भीषा प्राव्लीयन्त । ततश्चतुष्पादा अभवन् । ततोऽन्नमभवन्-यथेदमन्नं भूता । एतस्मै हि वाऽएतेऽतिष्ठन्त । तस्माद् यूपऽएव पशु-मालभन्ते । नर्ते यूपात् कदाचन ॥ २ ॥

यूपस्य सञ्ज्ञा, तं ' पत्नीभ्यः ' अर्थाय उच्छ्रयेत् । एतत्प्रशंसति-सर्वत्वाय न्विति । तत्त्वाष्ट्रमित्यादि । (का. श्रौ. सू. ८ । २४३) ' तत् ' तत्र यूपे ' त्वाष्ट्रं ' त्वष्टृदेवताकं ' पशुम् ' आलभेत । देवतां प्रशं-सति-त्वष्टा वै सिक्तं रेत इति । ' वै ' शब्देन " यावच्छो वै रेतसः सिक्तस्य त्वष्टा रूपाणि विकरोति तावच्छो वै तत्प्रजायते-"(तै. सं. १ । ५ । २) इत्यादि श्रुत्यन्तरप्रसिद्धिर्द्योत्यते । विशेषमाह-मुष्करो भवतीति । ' मुष्करः ' प्रकृष्टमुष्कः । " ऊषसुषि-(पा. सू. ५-२-१०७) " इत्यादिना रप्रत्ययः । इतरपशुवत्सञ्ज्ञपनप्रसक्तावाह-तं न संस्थापयेत्, पर्यग्निकृतमेवोत्सृजेदिति । ' संस्थापनम् ' पशुसञ्ज्ञप-नम् । 'एव ' शब्दो भिन्नक्रमः । उत्सृजेदेव, न संस्थापयेत् । संस्थापनपक्षे दोषमाह-स यत्संस्थापयेदिति । ' प्रजायै ' प्रजायाः, पुत्रपौत्रादिरूपायाः ' अन्तम् ' अवसानम् ' इयात् ' प्राप्नुयात् । मुष्करस्य प्रजननेन पितृत्वोपन्यासात्सञ्ज्ञपनमयुक्तम्[1] ॥ ८ ॥

इति श्रीसायणाचार्यविरचिते माधवीये वेदार्थप्रकाशे माध्यन्दिनीयशतपथब्राह्मणभाष्ये तृतीय-काण्डे सप्तमाध्याये द्वितीयं ब्राह्मणम् ॥ (३-७-२) ॥

पशुनियोजनाय सर्वथा यूपेनैव भवितव्यमित्यमुमर्थमाख्यानमुखेनोपपादयति-पशुश्च वै यूपश्चेत्यादिना । अविनाभूतावित्यर्थः । व्याप्तिं दर्शयति-न वा ऋत इति । यतो यूपं विना पश्वालम्भो नास्ति, केनापि प्रकारेण न तथा स्यात्, यथा पशोर्यूपेन; अतस्तदुपपद्यत इत्यर्थः । तत् प्रदर्श्यते-न ह वा इत्यादिना । ' एतस्मै ' वक्ष्यमाणाय देवानामन्नभावाय ' न ' ' चक्षमिरे ' क्षममाणा भवन्ति, ' अन्नमभविष्यन्निति ' 'यत्' अस्ति, तस्मा इत्यर्थः । ' यथा ' ' इदम् ' इदानीं यूपनियुक्ताः ' अन्नं भूता ' अन्नमभवन्, तथा यूपाख्य-वज्रोन्नताया रहिते काले इत्यर्थः । अन्नाभावाभावे कारणमाह-यथा हैवायं द्विपात्पुरुष इति ॥ १ ॥

ततो देवा इति । ' तं यूपम् ' ' उच्छिश्रियुः ' उच्छ्रयणमकुर्वन् । ' तस्मात् ' भयाद्धेतोः ' प्राव्लीयन्त '

[1] ' संज्ञपनमयुक्तः ' इति क. पा. ।

(त्ता) अथोपाकृत्य पशुम् । (म) अग्निं मथित्वा नियुनक्ति तद्यत्तथा न ह वा ऽएतस्मा ऽअग्रे पशवश्चक्षमिरे यद्धविरभविष्यन्यथैनानिदᳫँ हविर्भूतानग्नौ जुह्वति तान्देवा उपनिरुरुधुस्त ऽउपनिरुद्धा नोपावेयुः ॥ ३ ॥

(स्ते) ते होचुः । (र्न) न वा ऽइमेऽस्य यामं विदुर्यदग्नौ हविर्जुह्वति नैतां प्रतिष्ठामुपरुध्यैव पशूनग्निं मथित्वाग्नावग्निं जुहवाम ते वेदिष्यन्त्येष वै किल हविषो याम एषा प्रतिष्ठाऽग्नौ वै किल हविर्जुह्वतीति ततोऽभ्युवैष्यन्ति ततो रातमनस आलम्भाय भविष्यन्तीति ॥ ४ ॥

त उपरुध्यैव पशून् । (न) अग्निं मथित्वाग्नावग्निमजुहवुस्तेऽविदुरेष वै किल हविषो या त एषा प्रतिष्ठाग्नौ वै किल हविर्जुह्वतीति ततोऽभ्युवायंस्ततो रातमनस आलम्भायाभवन् ॥ ५ ॥

अथोपाकृत्य पशुम्, अग्निं मथित्वा नियुनक्ति । तद्यत्तथा । न ह वाऽएतस्माऽअग्रे पशवश्चक्षमिरे । यद्धविरभविष्यन्–यथैनानिदं हविर्भूतानग्नौ जुह्वति । तान् देवा उपनिरुरुधुः । तऽउपनिरुद्धा नोपावेयुः ॥ ३ ॥

ते होचुः । न वाऽ इमेऽस्य यामं विदुः–यदग्नौ हविर्जुह्वति । नैतां प्रतिष्ठामुपरुध्यैव पशूनग्निं मथित्वाग्नावग्निं जुहवाम । ते वेदिष्यन्ति–एष वै किल हविषो यामः, एषा प्रतिष्ठा । अग्नौ वै किल हविर्जुह्वतीति । ततोऽभ्यवैष्यन्ति । ततो रातमनस आलम्भाय भविष्यन्तीति ॥ ४ ॥

त उपरुध्यैव पशून्, अग्निं मथित्वा, अग्नावग्निमजुहवुः । तेऽविदुः–एष वै किल हविषो यामः, एषा प्रतिष्ठा । अग्नौ वै किल हविर्जुह्वतीति । ततोऽभ्यवायन् । ततो रातमनस आलम्भायाभवन् ॥ ५ ॥

प्रकर्षेण व्लीना अवचनीया अभवन् । 'ततः' हेतोः मनुष्यवद् द्विपादाः सन्तः पश्चात् 'चतुष्पादा अभवन्' ॥ २ ॥

प्रासङ्गिकं यूपैकादशिनीपक्षं परिसमाप्य प्रकृतमग्नीषोमीयपशुप्रयोगमाह–**अथोपाकृत्य पशुमिति** । पशूपाकरणानन्तरम् अग्निमन्थनानन्तरमेव पशुं यूपे नियुञ्जीत । पशुनियोजनस्य अग्निमन्थनानन्तरकालं प्रशंसति–**तद्यत्तथा न ह वा एतस्मा अग्रे पशव** इत्यादिना । पूर्वार्थवादवाक्यवत्तद्व्याख्येयम् । 'नोपावेयुः' नोपगताः पशवः ॥ ३ ॥

ते होचुरिति । 'न वा' 'इमे' पशवः 'यदग्नौ जुह्वति' । यतः 'अस्य' नियोजनस्य 'यामं' प्रायनम्, अग्नौ होमलक्षणं 'न विदुः' न ज्ञातवन्तः । तदेव विशिनष्टि–**नैतां प्रतिष्ठामिति** । 'एतां' होमलक्षणां 'प्रतिष्ठाम्' अन्याख्यपरमपदस्थितिम् 'अग्नौ' उत्तरवेदिस्थे 'अग्निम्' मन्थनजन्यम् । 'एष वै किल'–इत्येतच्छब्दार्थमाह–**अग्नौ वै किल हविर्जुह्वतीति** । 'अभ्यवैष्यन्ति' अवगतिं प्राप्स्यन्ति । 'आलम्भाय' 'रातमनसः' दत्तमनस्काः 'भविष्यन्ति' 'इति' । शिष्टं स्पष्टार्थम् ॥ ४–६ ॥

१–अग्नीषोमीयोऽतःपशुः । का. श्रौ. सू. ८ । २०३ । तद्देवत्यः पशुपुरोडाशः । २०४ । अक्र्यादि करोति । २०५ ।

(वंस्तु) तथो ऽएवैष एतत्। (दु) उपरुद्धचैव पशुमग्निं मथित्वाग्नावग्निं जुहोति स वेदैष वै किल हविषो याम एषा प्रतिष्ठाग्नौ वै किल हविर्जुह्वतीति ततोऽभ्यवैति ततो रातमना आलम्भाय भवति तस्मादुपाकृत्य पशुमग्निं मथित्वा नियुनक्ति ॥ ६ ॥

तदाहुः। (नों) नोपाकुर्यान्नाग्निं मन्थेद्रशनामेवादायाञ्जसोपपरेत्याभिधाय नियुञ्ज्यादिति तदु तथा न कुर्याद्यथाधर्मं तिरश्चथा चिकीर्षेदेवं तत्तस्मादेतदेवानुपरीयात् ॥ ७ ॥

(दु) अथ तृणमादायोपाकरोति। द्वितीयवान्निरुणधा ऽइति द्वितीयवान् हि वीर्यवान् ॥ ८ ॥

स तृणमादत्ते। (त्तऽ) उपावीरसीत्युप हि द्वितीयोऽवति तस्मादाहोपावीरसीत्युप देवान्दैवीर्विशः प्रागुरिति दैव्यो वाऽएता विशो यत्पशवोऽस्थिपत देवेभ्य इत्येवैतदाह यदाहोप देवान्दैवीर्विशः प्रागुरिति ॥ ९ ॥

तथोऽएवैष एतदुपरुद्धचै पशुमग्निं मथित्वा अग्नावग्निं जुहोति। स वेद एष वै किल हविषो यामः एषा प्रतिष्ठा। अग्नौ वै किल हविर्जुह्वतीति। ततोऽभ्यवैति। ततो रातमना आलम्भाय भवति तस्मादुपाकृत्य पशुमग्निं मथित्वा नियुनक्ति ॥ ६ ॥

तदाहुः-नोपाकुर्यात्, नाग्निं मन्थेद्, रशनामेवादायाञ्जसोपपरेत्याभिधाय नियुञ्ज्यादिति। तदु तथा न कुर्यात्। यथा-धर्मं तिरश्चथा चिकीर्षेद्-एवं तत्। तस्मादेतदेवानुपरीयात् ॥ ७ ॥

अथ तृणमादायोपाकरोति। द्वितीयवान्निरुणधाऽइति। द्वितीयवान् हि वीर्यवान् ॥ ८ ॥

स तृणमादत्ते-"उपावीरसि"-(वा. सं. ६। ७) इति। उप हि द्वितीयोऽवति। तस्मादाह-उपावीरसीति। "उप देवान् दैवीर्विशः प्रागुः"-(वा. सं. ६। ७) इति। दैव्यो वाऽएता विशो-यत्पशवः। अस्थिपत देवेभ्य इत्येवैतदाह-यदाह-उपदेवान् दैवीर्विशः प्रागुरिति ॥ ९ ॥

केवलनियोजनपक्षमुदाहृत्य निराचष्टे--**तदाहुर्नोपाकुर्यादिति**। उपकरणाद्यकृत्वा प्रथमत एव 'रशनामादाय' साम्मुख्येन यूपसमीपं गत्वा 'अभिधाय' पशुं बद्ध्वा 'नियुञ्ज्यात्' नियुञ्जीत ॥ ७ ॥

क्रममुक्त्वा इदानीं सार्थवादमुपाकरणं विधत्ते--**अथ तृणमादायेति**। तृणादानस्य प्रयोजनमाह--**द्वितीयवानिति**। 'निरुणधै' पशोर्निरोधं करवाणि। तावता किमायातमित्यत आह--**द्वितीयवान् हि वीर्यवानिति**। असहायस्य व्यापाराक्षमत्वं लोकसिद्धम् ॥ ८ ॥

स तृणमादत्त इति[१]। तृणादानमन्त्रस्यायमर्थः-हे तृण! त्वम् 'उपावीरसि' समीपे स्थित्वा रक्षकोऽसि,

---

१-'पशोर्निरोधं करवाणि, इति क. पा.। २-उपवीरसीति तृणमादाय तेन पशुमुपस्पृशत्युपदेवानिति। का. श्रौ. सू. ६। ७१।

(त्यु) उशिजो व्वह्नितमानिति । व्विद्वाᳫंसो हि देवास्तस्मादाहोशिजो व्वह्नितमानिति ॥ १० ॥

देव त्वष्टर्व्वसु रमेति । त्वष्टा वै पशूनामीष्टे पशवो व्वसु तानेतद्देवा अतिष्ठमानांस्त्वष्टारमब्रुवन्नुपनिमदेति यदाह देव त्वष्टर्व्वसु रमेति ॥ ११ ॥

हव्या ते स्वदन्तामिति । यदा वा ऽएत ऽएतस्मा ऽअध्रियन्त यद्धविर-भविष्यंस्तस्मादाह हव्या ते स्वदन्तामिति ॥ १२ ॥

"उशिजो वह्नितमान्"–(वा. सं. ६ । ७) इति । विद्वांसो हि देवाः । तस्मादाह–उशिजो वह्नितमानिति ॥ १० ॥

"देव त्वष्टर्वसु रम "–(वा. सं. ६ । ७) इति । त्वष्टा वै पशूनामीष्टे । पशवो वसु । तानेतद् देवा अतिष्ठमानांस्त्वष्टारमब्रुवन्–उपनिमदेति । यदाह–देव त्वष्टर्वसु रमेति ॥ ११ ॥

" हव्या ते स्वदन्ताम् "–(वा. सं. ६ । ७) इति । यदा वाऽएतऽएतस्माऽअध्रियन्त, यद्धविरभविष्यन् । तस्मादाह–हव्या ते स्वदन्तामिति ॥ १२ ॥

एकः कार्यकरोऽसीत्यर्थः । " अवितॄस्तॄ "–(पा. सू. उ. ३ । ४६६) इति ई–प्रत्ययः । ' दैवीः विशः ' पशुलक्षणा देवसम्बन्धिन्यः प्रजाः ' देवान् ' ' उपप्रागुः ' प्राप्ताः देवतार्थमुपस्थिता इत्यर्थः ॥ ९ ॥

उशिजो वह्नितमानितीति देवान् विशिनष्टि । ' उशिजः ' मेधाविनामैतत्, विद्वांस इत्यर्थः । ' वह्नित-मान् ' वोढृतमान् ॥ १० ॥

देव त्वष्टरिति । ' त्वष्टः ! देव ! ' पशुस्वामिन् ! 'वसु' वस्वाख्यं धनं ' रम ' रमय, नियोजयेत्यर्थः॥ ११॥

हव्या ते स्वदन्तामितीति । हे पशो ! ' ते ' ' हव्या ' हवींषि ' स्वदन्ताम् ' रेवती रमध्वमितीति । ' रेवतीः ' रेवत्यो गावः पशवः ' रमध्वं ' सङ्क्रीडध्वम् । हे बृहस्पते ' ! बृहतः परिबृंहणकर्मणः स्वमिन् ! त्वं ' वसूनि ' पशुलक्षणानि ' धारय ' अत्र स्थापय ॥

मन्त्रं व्याचष्टे–उप हि द्वितीयोऽवतीत्यादिना । ' हि ' शब्दो लोकप्रसिद्धिद्योतनार्थः । लोक एकः कर्म कर्त्तुमशक्तः, द्वितीयः तत्साहाय्यकरणेन तमवतीति प्रसिद्धम् । दैवीर्विश इत्यस्य तात्पर्यमाह–दैव्यो वा एता विशो यत् पशव इति । यथा विशः स्वस्वामिनं पुष्णन्ति, एवं पशवो हविषा पुष्णन्तीति तेषां प्रजारूपत्वोपचारः । अस्थिषत देवेभ्य इतीति । तेषामर्थायात्मानं प्रकाशितवन्त इत्यर्थः । " प्रकाशनस्थेयाख्ययोश्च "–(पा. सू. १ । ३ । २३) इत्यात्मनेपदम् । उशिक्छब्दार्थमाह–विद्वांसो हि देवा इति । त्वष्टुः प्रार्थनायाः कारणमाह–त्वष्टा वै पशूनामित्यादिना । ' वै ' शब्दः " त्वष्टा वै पशूनां मिथुनानां रूपकृत् "–(तै. सं. ६ । ३ । ६ । २) (श. प. १३ । १ । ८ । ७) । इत्यादिश्रुत्यन्तरप्रसिद्धिद्योतनार्थः । "देव त्वष्टर्वसु"–' इति ' मन्त्रभागो ' यदाह, ' ' अतिष्ठ-मानान्' पशून् प्रति ' त्वष्टारं ' ' देवाः ' ' उपनिमद ' ' इति ' यत् ' अब्रुवन् ' ' एतत् ' एव ' आह ' इत्यर्थः । ' उपनिमद ' अस्मत्समीपे नितरां मादयेति तस्यार्थः । अथवा ' यत् ' अध्वर्युणा ' देवत्वष्टः ' इत्यभिधानम्, तत्; पुरा यद् देवैरुक्तलक्षणं त्वष्टृप्रार्थनमुक्तम्, तत्स्थानीयमित्यर्थः । एवंविधेषु वाक्येषु सर्वत्रैवं

रेवती रमध्वमिति । रेवन्तो हि पशवस्तस्मादाह रेवती रमध्वमिति बृहस्पते धारया वसूनीति ब्रह्म वै बृहस्पतिः पशवो वसु तानेतद्देवा ऽअतिष्ठमानान्ब्रह्मणैव परस्तात्पर्यदधुस्तन्नात्यायंस्तथो ऽएवैनानेष ऽएतद्ब्रह्मणैव परस्तात्परिदधाति तन्नातियन्ति तस्मादाह बृहस्पते धारया वसूनीति पाशं कृत्वा प्रतिमुञ्चत्यथातो नियोजनस्यैव ॥ १३ ॥

इति पञ्चमप्रपाठके षष्ठं ब्राह्मणम् ॥ ५ । ६ ॥ (७।३)

षष्ठप्रपाठके प्रथमं ब्राह्मणम् ।

पाशं कृत्वा प्रतिमुञ्चति । (त्वं) ऋतस्य त्वा देवहविः पाशेन प्रतिमुञ्चामीति वरुण्या वा ऽएषा यद्रज्जुस्तदेनमेतदृतस्यैव पाशेन प्रतिमुञ्चति तथो हैनमेषा वरुण्या रज्जुर्न हिनस्ति ॥ १ ॥

"रेवती रमध्वम्"-(वा. सं. ६ । ८) इति रेवन्तो हि पशवः । तस्मादाह—रेवतीरमध्व मिति । "बृहस्पते धारया वसूनि"-(वा. सं. ६ । ८) इति । ब्रह्म वै बृहस्पतिः । पशवो वसु । तानेतद्देवा अतिष्ठमानान् ब्रह्मणैव परस्तात्पर्यदधुः । तन्नात्यायन् । तथोऽएवैनानेष एतद् ब्रह्मणैव परस्तात्परिदधाति तन्नातियन्ति । तस्मादाह—बृहस्पते धारया वसूनीति । पाशं कृत्वा प्रति-मुञ्चति । अथातो नियोजनस्यैव ॥ १३ ॥

पाशं कृत्वा प्रतिमुञ्चति । "ऋतस्य त्वा देवहविः पाशेन प्रति मुञ्चामि-" (वा. सं. ६ । ८) इति । वरुण्या वाऽएषा यद्रज्जुः । तदेनमेतदृतस्यैव पाशेन प्रतिमुञ्चति । तथो हैन-मेषा वरुण्या रज्जुर्न हिनस्ति ॥ १ ॥

व्याख्येयम् । **हव्या ते स्वदन्ता**मिति । अस्याभिप्रायमाह—**यदा वा एत** इति । यद्यप्युपाकरणकाले हविषा-मनिष्पत्तेः स्वदनं नोपपद्यते, तथापि पलायनमकृत्वा यदावृता अभवन्, तदेव हविर्भविष्यतीर्थः । अत एव-मभिधानमुपपद्यते ॥ १२ ॥ (९–१२)

रेवन्तो हि पशव इत्यादि ब्राह्मणं स्पृष्टम् । 'ब्रह्मणैव' 'परस्तात्' परे देशे 'पर्यदधुः' परितो अधारयन् । **अथातो नियोजनस्यैवे**ति । विधानमभिधीयत इति शेषः ॥ १३ ॥

इति श्रीसायणाचार्यविरचिते माधवीये वेदार्थप्रकाशे माध्यन्दिनशतपथब्राह्मणभाष्ये
तृतीयकाण्डे सप्तमाध्याये तृतीयं ब्राह्मणम् ॥ (३–७–३) ॥

समन्त्रकं संबन्धनमाह—**पाशं कृत्वा प्रतिमुञ्चती**ति । पाशाग्रग्रन्थ्या सुषिरं कृत्वा, तस्मिन्नितरमग्रं बहिः प्रसार्य, बहिर्गतं पाशमाकृष्य, यथा शिरो न गलति, तथा कृत्वा बध्नीयात् ॥

ऋतस्य त्वेति । हे 'देवहविः'! पशो! त्वाम् 'ऋतस्य पाशेन' 'प्रतिमुञ्चामि'। 'मानुषः' अहं केवलं 'धर्षा' धर्षणधर्मा । **वरुण्ये**त्यादि । नभार्गीति बन्धनकर्मणो वरुणाभिमानिकत्वात् तत्साधनभूताया वरुणसम्बन्धिरज्जोः तत्त्वम्, तमपि परिहाय मन्त्रेण बन्धे सति ऋतपाशेन बन्धो भवेत् ॥ १ ॥

---

१ द्विगुणरशनया द्विव्यामया कौश्या पाशं कृत्वांऽतराश्रृंगाभिदक्षिणं बध्नात्यृतस्यत्वेति । देवस्यत्वेतियूपे । का. श्रौ. सू. ६।७८।७९.

धर्षा मानुष इति । न वा ऽएतमग्रे मनुष्यो ऽधृष्णोत्स यदैवत्तस्य पाशेनैत्तद्देवहविः प्रतिमुञ्चत्यथैनं मनुष्यो धृष्णोति तस्मादाह धर्षा मानुष इति ॥ २ ॥

(त्यु) अथ नियुनक्ति । देवस्य त्वा सवितुः प्रसवेऽश्विनोर्बाहुभ्यां पूष्णो हस्ताभ्यामग्नीषोमाभ्यां जुष्टं नियुनज्मीति तद्यथैवादो देवतायै हविर्गृह्णन्नादिशत्येवमेवैतद्देवताभ्यामादिशत्यथ प्रोक्षत्येको वै प्रोक्षणस्य बन्धुर्मेध्यमेवैतत्करोति ॥ ३ ॥

स प्रोक्षति । (त्य) अद्भ्यस्त्वौषधीभ्य इति तद्यत एव सम्भवति तत एवैतन्मेध्यं करोतीदᳬ हि यदा व्वर्षत्यथौषधयो जायन्त ऽओषधीर्जग्ध्वापः पीत्वा तत एष रसः सम्भवति रसाद्रेतो रेतसः पशवस्तद्यत ऽएव सम्भवति यतश्च जायते तत एवैतन्मेध्यं करोति ॥ ४ ॥

(त्यु) अनु त्वा माता मन्यतामनु पितेति स हि मातुश्चाधि पितुश्च जायते

" धर्षा मानुषः "–(वा. सं. ६ । ८) इति । न वाऽएतमग्रे मनुष्योऽधृष्णोत् । स यदैवय पाशेनैतद्देवहविः प्रतिमुञ्चति–अथैनं मनुष्यो धृष्णोति । तस्मादाह धर्षा मानुष इति ॥ २ ॥

अथ नियुनक्ति । " देवस्य त्वा सवितुः प्रसवेऽश्विनोर्बाहुभ्यां पूष्णो हस्ताभ्यामग्नीषोमाभ्यां जुष्टं नियुनज्मि "–(वा. सं. ६ । ९) इति । तद् यथैवादो देवतायै हविर्गृह्णन्नादिशति–एवमेवैतद्देवताभ्यामादिशति । अथ प्रोक्षति । एको वै प्रोक्षणस्य बन्धुः–मेध्यमेवैतत्करोति ॥

स प्रोक्षति । " अद्भ्यस्त्वौषधीभ्यः "–(वा. सं. ६ । ९) इति । तद् यत एव सम्भवति–तत एवैतन्मेध्यं करोति । इदं हि यदा वर्षति–अथौषधयो जायन्ते । औषधीर्जग्ध्वा, अपः पीत्वा, तत एष रसः सम्भवति । रसाद्रेतः । रेतसः पशवः । तद् यत एव सम्भवति, यतश्च जायते–तत एवैतन्मेध्यं करोति ॥ ४ ॥

" अनु त्वा माता मन्यतामनुपिता "–(वा. सं. ६ । ९) इति । स हि मातुश्चाधि

धर्षा मानुष इतीति मन्त्रभागस्य तात्पर्यमाह–न वा एतमग्र इत्यादिना । यस्मात् पशुधर्षणसामर्थ्यं मनुष्यस्य देवकृतपाशविमोकायत्तम्, अतो मन्त्रो " धर्षा मानुषः " ' इति ' ब्रूत इत्यर्थः ॥ २ ॥

अथ नियुनक्तीत्यादि । स्पष्टम् । देवतानिर्देशस्य प्रयोजनमाह–यथैवाद इति । ' यथैव ' ' अदः ' अमुष्मिन् दर्शपूर्णमासयागे हविर्निर्वापे देवतादर्शनम्, ' एवम् ' इदानीमपि प्रोक्षतीति । " एको वा " इत्यसकृद् गतम् ॥ ३ ॥

प्रोक्षणमन्त्रमाह–स प्रोक्षतीति । अद्भ्यस्त्वौषधीभ्य इतीति । ' अद्भ्यः ' च ' ओषधीभ्यः ' च सम्भूतं त्वां ' प्रोक्षामि ' । मेध्यं करोतीति । सञ्ज्ञपनार्थं प्रोक्ष्यमाणं त्वां मात्रादिरनुमन्यताम् ' ' सगर्भ्यः ' समाने उदरे

१–अद्भ्यस्त्वेतिपशुं प्रोक्षणीभिः प्रोक्षति । का. श्रौ. सू. ६ । ८१ ।

तद्यत एव जायते तत एवैतन्मेध्यं करोत्यनुभ्राता सगर्भ्योऽनुसखा सयूथ्य इति स यत्ते जन्म तेन त्वानुमतमारभ ऽइत्येवैतदाहाग्नीषोमाभ्यां त्वा जुष्टं प्रोक्षामीति तद्याभ्यां देवताभ्यामारभते ताभ्यां मेध्यं करोति ॥५॥

(त्य) अथोपगृह्णाति । (त्य) अपाम्पेरुरसीति तदेनमन्तरतो मेध्यं करोत्यथाधस्तादुपोक्षत्यापो देवीः स्वदन्तु स्वात्तं चित्सद्देवहविरिति तदेनꣳ सर्व्वतो मेध्यं करोति ॥ ६ ॥

(त्य) अथाहाग्नये समिध्यमानायानुब्रूहीति । स उत्तरमाघारमाघार्य्या-सꣳस्पर्शयन्त्स्रुचौ पर्य्येत्य जुह्वा पशुꣳ समनक्ति शिरो वै यज्ञस्योत्तर

पितुश्च जायते । तद् यत एव जायते-तत एवैतन्मेध्यं करोति । "अनु भ्राता सगर्भ्योऽनुसखा सयूथ्यः"-(वा. सं. ६ । ९) इति । स यत्ते जन्म तेन त्वानुमतमारभे-इत्येवैतदाह । "अग्नीषोमाभ्यां त्वा जुष्टं प्रोक्षामि"-(वा. सं. ६ । ९) इति । तद् याभ्यां देवताभ्यामारभते-ताभ्यां मेध्यं करोति ॥ ५ ॥

अथोपगृह्णाति । "अपाम्पेरुरसि"-(वा. सं. ६ । १०) इति । तदेनमन्तरतो मेध्यं करोति । अथाधस्तादुपोक्षति । "आपो देवीः स्वदन्तु स्वात्तं चित्सद्देवहविः"-(वा. सं. ६ । १०) इति । तदेनं सर्वतो मेध्यं करोति ॥ ६ ॥

अथाह-'अग्नये समिध्यमानायानुब्रूहि' इति । स उत्तरमाघारमाघार्यासंस्पर्शयन्स्त्रुचौ पर्येत्य

भवः, 'अनुसखः' समानस्थानः, 'सयूथ्यः' समानयूथे भवः, सर्वैरनुमतं त्वाम् 'अग्नीषोमाभ्याम्' अर्थाय 'प्रोक्षामि' ॥

मन्त्रस्य परमप्रयोजनमाह-तद् यत एवेत्यादिना । कथं ताभ्यः सकाशात् पाशासम्भव इति, तदुपपादयति-इदं हि स यदा वर्षतीत्यादिना । आपश्चौषधयश्चोपादानकारणम्, मातापितरावाश्रयत्वेन निमित्तकारणम् । अतस्तत्सकाशान्मेध्यं करोति । सगर्भ्यादीनामपि जन्मसम्बन्धसम्भवात् तेन सम्बन्धिना सगर्भ्यादिनाऽनुमन्यत इत्युक्तं भवति । स्पष्टमन्यत् ॥ ४ ॥ ५ ॥

अथोपगृह्णातीति[1] । प्रोक्षणशेषं पानार्थं मुखसमीपे धारयेत् । हे पशो ! त्वम् 'अपां' जलानां 'पेरुः' पानशीलोऽसि । 'तत्' तस्योदकस्यान्तःप्रवेशात् 'एनं' पशुम् 'अन्तरतः मेध्यं करोति' अथाधस्तादिति[2] । अधस्तादुपोक्षणमन्त्रस्यायमर्थः-हे 'आपो देवीः' आपो देव्यः ! 'स्वदन्तु' स्वादयन्तु । तथा स पशुः 'स्वात्तं' सुष्ठु स्वीकृतं भवतु । पशुर्विशेष्यते-'देवहविः' देवतयोर्हविर्भूतमिति स पशुः स्वात्तं च भवतु ॥ ६ ॥

अथाहाग्नये समिध्यमानायेति[3] । सामिधेन्यर्थं सम्प्रैषं कुर्यात् । स उत्तरमाघारमाघार्येति[4] । द्वितीय-

---

१-अपांपेरुरित्यास्य उपगृह्णाति । का. श्रौ. सू. ६ । ८२ । २-आपो देवीरित्यधस्तादुपोक्षति । का. श्रौ. सू. ६ । ८३ । ३-इध्मप्रैषादिकरोत्याप्रयाजेभ्यः । का. श्रौ. सू. ६ । ८४ । ४-उत्तराघारमाघार्य पशुं पूर्व्वे समनक्ति ललाटांसश्रोणिषु संत इति प्रतिमंत्रम् । का. श्रौ. सू. ६ । ८५ ।

आघार ऽएष वा ऽअत्र यज्ञो भवति यत्पशुस्तद्यज्ञ ऽएवैतच्छिरः प्रतिदधाति तस्माज्जुह्वा पशुᳫं समनक्ति ॥ ७ ॥

स ललाटे समनक्ति । सन्ते प्राणो व्वातेन गच्छतामिति समङ्गानि यजत्रैरित्यᳫंसयोः सं यज्ञपतिराशिषेति श्रोण्योः स यस्मै कामाय पशुमालभन्ते तत्प्राप्नुहीत्येवैतदाह ॥ ८ ॥

इदं वै पशोः सञ्ज्ञप्यमानस्य । प्राणो व्वातमपिपद्यते तत्प्राप्नुहि यत्ते प्राणो व्वातमपिपद्याता ऽइत्येवैतदाह समङ्गानि यजत्रैरित्यङ्गैर्व्वा ऽअस्य यजन्ते तत्प्राप्नुहि यत्ते ऽङ्गैर्यजान्ता ऽइत्येवैतदाह सं यज्ञपतिराशिषेति यजमानाय वा ऽएतेनाशिषमाशासते तत्प्राप्नुहि यत्त्वया यजमानायाशिषमाशासान्ता ऽइत्येवैतदाह सादयति स्रुचावथ प्रवरायाश्रावयति सोऽसावेव बन्धुः ॥ ९ ॥

जुह्वा पशुं समनक्ति । शिरो वै यज्ञस्योत्तर आघारः । एष वाऽअत्र यज्ञो भवति–यत्पशुः । तद् यज्ञ एवैतच्छिरः प्रतिदधाति । तस्माज्जुह्वा पशुं समनक्ति ॥ ७ ॥

स ललाटे समनक्ति । "सन्ते प्राणो वातेन गच्छताम्"–(वा. सं. ६ । १०) इति । "समङ्गानि यजत्रैः"–(वा. सं. ६ । १०) इत्यंसयोः । "सं यज्ञपतिराशिषा"–(वा. सं. ६ । १०) इति श्रोण्योः । स यस्मै कामाय पशुमालभन्ते–तत् प्राप्नुहीत्येवैतदाह ॥ ८ ॥

इदं वै पशोः सञ्ज्ञप्यमानस्य प्राणो वातमपिपद्यते । तत्प्राप्नुहि–यत्ते प्राणो वातमपिपद्यातै–इत्येवैतदाह–समङ्गानि यजत्रैरिति । अङ्गैर्वाऽअस्य यजन्ते । तत्प्राप्नुहि–यत्तेऽङ्गैर्यजान्तै–इत्येवैतदाह । सं यज्ञपतिराशिषेति । यजमानाय वाऽएतेनाशिषमाशासते । तत् प्राप्नुहि–यत्त्वया यजमानायाशिषमाशासान्तै इत्येवैतदाह । सादयति स्रुचौ । अथ प्रवरायाश्रावयति । सोऽसावेव बन्धुः ॥ ९ ॥

मित्यर्थः । 'स्रुचौ' जुह्वूपभृतौ 'असंस्पर्शयन्', पुनरुत्तरतः 'पर्येत्य' 'जुह्वा' उत्तराघारावशिष्टेनाज्येन 'पशुम्' 'अनक्ति' आर्द्रीकरोति । तत् प्रशंसति–शिरो वै यज्ञस्योत्तराघार इति । प्रधानत्वात् 'पशुर्यज्ञः', तस्य प्रथमतोऽनुष्ठेयत्वात् शिरस्त्वम् । अत आघारशेषेणाञ्जनेन 'यज्ञे' 'शिरः' स्थापितवान् भवति ॥ ७ ॥

अवयवावयविभेदेन मन्त्रभेदमाह–स ललाटे समनक्ति सन्ते प्राण इति । (का. श्रौ. सू. ६ । ८९) बाह्यवातस्यैव शरीरान्तःप्रवेशेन प्राणत्वात् तस्य वातप्राप्तिर्युक्ता । 'अङ्गानि' 'यजत्रैः' यागैः 'सङ्गच्छन्ताम्' । तथा 'यज्ञपतिः' यजमानः 'आशिषा' 'सङ्गच्छताम्' । एतेन 'श्रोण्योः' अनक्ति । अथ कृत्स्नतात्पर्यं यज्ञविषया आशीरेवेत्याह–स यस्मै कामायेति ॥ ८ ॥

मन्त्रान् क्रमेण व्याचष्टे–इदं वै पशोरित्यादि । 'इदं' वक्ष्यमाणम्, लोकप्रसिद्धमित्यर्थः । सामान्येनोक्तं विशेषणं योजयति–ततः प्राप्नुहीति । यदेतन्निमित्तेन प्राणो वातमभिपद्येत, तत् प्राप्नुहीत्येवैतदाहेत्यर्थः ।

(२) अथ द्वितीयमाश्रावयति । द्वौ ह्यत्र होतारौ भवतः स मैत्रावरुणा-
याहैवाश्रावयति यजमानं त्वेव प्रवृणीतेऽग्निर्ह दैवीनां विशां पुर एतेत्य-
ग्निर्हि देवतानां मुखं तस्मादाहाग्निर्ह दैवीनां विशां पुर एतेत्ययं यजमानो
मनुष्याणामिति तꣳहि सोऽन्वर्द्धो भवति यस्मिन्नर्द्धे यजते तस्मादाहायं
यजमानो मनुष्याणामिति तयोरस्थूरि गार्हपत्यं दीदयच्छतꣳहिमाद्वायू
ऽइति तयोरनार्त्तानि गार्हपत्यानि शतं वर्षाणि सन्त्वित्येवैतदाह ॥ १० ॥

राधाꣳसीत्सम्पृश्चानावसम्पृश्चानौ तन्व इति । राधाꣳस्येव सम्पृश्चाथां
मापि तनूरित्येवैतदाह तौ ह यत्तनूरपि सम्पृश्चीयातां प्राग्निर्यजमानं दहेत्स
यदग्नौ जुहोति तदेषोऽग्नये प्रयच्छत्यथ यामेवात्रर्त्विजो यजमानायाशिष-
माशासते तामस्मै सर्व्वामग्निः समर्द्धयति तद्राधाꣳस्येव सम्पृश्चाते नापि
तनूस्तस्मादाह राधाꣳसीत्सम्पृश्चानावसम्पृश्चानौ तन्व इति ॥ ११ ॥

इति षष्ठप्रपाठके प्रथमं ब्राह्मणम् ॥ ६ ॥ १ ॥ ७ ॥ ४ ॥

अथ द्वितीयमाश्रावयति । द्वौ ह्यत्र होतारौ भवतः। स मैत्रावरुणायाहैवाश्रावयति । यजमानं त्वेव प्रवृणेते । "अग्निर्ह दैवीनां विशां पुर एता"–इति । अग्निर्हि देवतानां मुखम् । तस्मादाह–अग्निर्ह दैवीनां विशां पुर एतेति । "अयं यजमानो मनुष्याणाम्"–इति । तं हि सोऽन्वर्द्धो भवति–यस्मिन्नर्द्धे यजते । तस्मादाह अयं यजमानो मनुष्याणामिति । " तयोरस्थूरि गार्हपत्यं दीदयच्छतं हिमाद्वायू "–इति । तयोरनार्तानि गार्हपत्यानि शतं वर्षाणि सन्त्वित्येवैतदाह॥ १०॥

" राधांसीत्सम्पृश्चानावसम्पृश्चानौ तन्व "–इति । राधांस्येव सम्पृश्चाथां मापि तनूरित्येवैतदाह । तौ ह यत् तनूरपि सम्पृश्चीयाताम्; प्राग्निर्यजमानं दहेत् । स यदग्नौ जुहोति–तदेषोऽग्नये प्रयच्छति । अथ यामेवात्रर्त्विजो यजमानायाशिषमाशासते–तामस्मै सर्वामग्निः समर्द्धयति । तद् राधांस्येव सम्पृश्चाते, नापि तनूः । तस्मादाह–राधांसीत्सम्पृश्चानावसम्पृश्चानौ तन्व इति ॥ ११ ॥

गतप्रायमन्यत् । अत्र सूत्रम्–" आ प्रयाजेभ्य उत्तराघारमाघार्य पशुं पूर्वं समनक्ति ललाटांसश्रोणिषु सन्त इति प्रतिमन्त्रम् "–इति । (का. श्रौ. सू. ६ । ८४–८५) । सादयति स्रुचावथ प्रवरायाश्रावयतीति । जुहूपभृतौ सादयित्वा प्रवरायाश्रावयेत् । आश्रावणार्थवादं प्रकृतिगतमत्रादिशति–सोऽसावेव बन्धुरिति ॥९॥

अथ द्वितीयमाश्रावयतीति । मैत्रावरुणस्यापि हौत्रकर्तृत्वाद् " द्वौ ह्यत्र होतारौ भवतः " इत्युक्तम् । द्वितीयाश्रावणं किमर्थमित्याह–स मैत्रावरुणायाहैवाश्रावयतीति । 'सः' अध्वर्युः । यजमानं त्वेवेति । 'एव'–कारेणर्त्विजां प्रवरणं निषिध्यते ॥

१–अयं मन्त्रः प्रचलितसंहितायां न दृश्यते । १–प्रवृत्य होतारमाश्राव्याग्निर्ह दैवीनां विशां पुरएतायं यजमानो मनुष्याणा६ सुन्वन्निति सुत्येतयोरस्थूरिगार्हपत्यंदीदयधृत ꣳहिमाद्वायूराधाꣳसीत्संपृश्चानावसंपृश्चानौ तन्व इति । का. श्रौ. सू. ६ । ८६ ।

यजमानप्रवरनिगदस्यायमर्थः—'अग्निः' खलु 'दैवीनां विशां' देवसम्बन्धिनीनां प्रजानां 'पुर एता' मुख्य इत्यर्थः । तथा 'मनुष्याणां विशां' 'यजमानः' 'पुर एता' मुख्यः । सर्वेऽपि प्राणिनस्तमनुसृत्य भवन्तीत्यर्थः । 'तयोः' अग्नियजमानयोः 'गार्हपत्यं' गृहपतिकर्म 'अस्थूरि' अनाश्यम् । शतवर्षपर्यन्तं हि दीक्षानुयष्टव्यत्वेन अग्नेस्तत्त्वं यजमानस्य च गार्हपत्यसम्बन्धः । 'राधांसि इत्' अन्नान्येव 'सम्पृञ्चानौ' मिश्रयन्तौ । 'तन्वः' तनूः 'असम्पृञ्चानौ' शरीरसम्पर्कौ यथा न स्यात्; शरीरसंपर्के दाहः स्यात् ॥

क्रमेण व्याचष्टे—अग्निर्हेत्यादिना । **तं हि सोऽन्वर्द्धो भवति, यस्मिन्नर्द्धे यजत** इति । 'यस्मिन्' 'अर्द्धे' राष्ट्रे अयं यजमानो 'यजते' 'सोऽन्वर्द्धः' 'तं हि' तमनु । "हीने"—(पा. सू. १।४।३६) इत्यनोः कर्मप्रवचनीयत्वम । 'अस्थूरि'-शब्दार्थमाह—**अनार्त्तानि गार्हपत्यानीति** । 'राधांसि'—इत्येतद् विभज्य व्याचष्टे—**राधांस्येवे**त्यादिना । इच्छब्द एवार्थे । तेन निरसनीयमाह—**नापि तनूरि**ति । विपक्षे बाधकमाह—**तौ ह यत्तनूरपी**ति । ननु "सं राधांसि सम्पृञ्चानौ"—इत्युक्तम्, सम्पर्कश्च परस्परप्रदानसव्यपेक्षः कथमत्र सम्भवतीति, तदुपपादयति—**स यदग्नौ जुहोती**ति । यदग्नौ प्रदानम्, यश्च तदग्नौ सम्पर्कः, ऋत्विग्भिः यजमानार्थमाशास्यमानानां फलानां तुष्टेनाग्निना दानमस्ति, तदेवाग्नेर्यजमानसम्पर्कः । 'तत्' तेन प्रतिपादितप्रकारेण तौ 'राधांसि सम्पृञ्चाते' इति ॥ १० ॥ ११ ॥

इति श्रीसायणाचार्यविरचिते माधवीये वेदार्थप्रकाशे माध्यन्दिनशतपथब्राह्मणभाष्ये तृतीयकाण्डे सप्तमाध्याये चतुर्थं ब्राह्मणम् ॥ ३ । ७ । ४ ॥

वेदार्थस्य प्रकाशेन तमो हार्दं निवारयन् । पुमर्थांश्चतुरो देयाद् विद्यातीर्थमहेश्वरः ॥ १ ॥
ब्रह्माण्डं गोसहस्रं कनकहयतुलापूरुषौ स्वर्णगर्भं सप्ताब्धीन् पञ्चसीरीस्त्रिदशतरुलताधेनुसौवर्णभूमीः ।
रत्नोक्षां रुक्मवाजिद्विपमहितरथौ सायणिः सिङ्गणार्यो व्यश्राणीद्विश्वचक्रं प्रथितविधिमहाभूतयुक्तं घटञ्च ॥ २ ॥
धान्याद्रिं धन्यजन्मा तिलभवमतुलः स्वर्णजं वर्णमुख्यः कार्पासीयं कृपावान् गुडकृतमजडो राजतं राजपूज्यः ॥ ३ ॥
आज्योत्थं प्राज्यजन्मा लवणजमनृणः शार्करं चार्कतेजा रत्नाढ्यो रत्नरूपं गिरिमकृत मुदा पात्रसात्सिङ्गणार्यः ॥ ४ ॥

इति श्रीमद्राजाधिराजपरमेश्वरवैदिकमार्गप्रवर्तकश्रीवीरहरिहरमहाराजसाम्राज्यधुरन्धरेण सायणाचार्येण विरचिते माधवीये वेदार्थप्रकाशे माध्यन्दिनशतपथब्राह्मणभाष्ये तृतीयकाण्डे सप्तमोऽध्यायः समाप्तः ॥ ३–७ ॥

अष्टमाध्याये प्रथमं ब्राह्मणम् ।

तद्यत्रैतत्प्रवृतो होता होतृषदन ऽउपविशति । तदुपविश्य प्रसौति प्रसूतोऽध्वर्युः स्रुचावादत्ते ॥ १ ॥

(तेऽथा) अथाप्रीभिश्चरन्ति । तद्यदाप्रीभिश्चरन्ति सर्व्वेणेव वा ऽएष मनसा सर्व्वेणेवात्मना यज्ञꣳसम्भरति सञ्जिहीर्षति यो दीक्षते तस्य रिरिचान इवात्मा भवति तमेताभिराप्रीभिराप्याययन्ति तद्यदाप्याययन्ति तस्मादाप्रियो नाम तस्मादाप्रीभिश्चरन्ति ॥ २ ॥

ते वा ऽएत ऽएकादश प्रयाजा भवन्ति । दश वाऽइमे पुरुषे प्राणा आत्मैकादशो यस्मिन्नेते प्राणाः प्रतिष्ठिता ऽएतावान्वै पुरुषस्तदस्य सर्व्वमात्मानमाप्याययन्ति तस्मादेकादश प्रयाजा भवन्ति ॥ ३ ॥

तद् यत्रैतत्प्रवृत्तो होता होतृषदनऽउपविशति । तद् उपविश्य प्रसौति । प्रसूतोऽध्वर्यु स्रुचावादत्ते ॥ १ ॥

अथाप्रीभिश्चरन्ति । तद् यदाप्रीभिश्चरन्ति । सर्वेणेव वाऽएष मनसा सर्वेणेवात्मना यज्ञं सम्भरति, सञ्जिहीर्षति । यो दीक्षते—तस्य रिरिचान इवात्मा भवति । तमेताभिराप्रीभिराप्याययन्ति । तद् यदाप्याययन्ति—तस्मादाप्रियो नाम । तस्मादाप्रीभिश्चरन्ति ॥ २ ॥

ते वाऽएतऽएकादश प्रयाजा भवन्ति । दश वाऽइमे पुरुषे प्राणाः—आत्मैकादशः—यस्मिन्नेते प्राणाः प्रतिष्ठिताः । एतावान्वै पुरुषः । तदस्य सर्वमात्मानमाप्याययन्ति । तस्मादेकादश प्रयाजा भवन्ति ॥ ३ ॥

यस्य निश्वसितं वेदा यो वेदेभ्योऽखिलं जगत् । निर्ममे तमहं वन्दे विद्यातीर्थमहेश्वरम् ॥

होत्रादिप्रवरणानन्तरभाविनं प्रयोगमाह—**तद्यत्रैतत्प्रवृतो होता होतृषदन उपविशती**त्यादिना । होतृषदनं वेदेरुत्तरा श्रोणिः । ' तत् ' तत्र ' उपविश्य ' 'प्रसौति' "अग्निर्होता वेतु" इत्यादि स्रुगादापनम् । निगदेनानुजानाति—" घृतवतीमध्वर्यो स्रुचमास्यस्व " (श. प. ब्रा. १ । १ । २ । १) इत्येवंरूपेण ॥ १ ॥

अथाप्रीभिश्चरन्तीति । समित्तनूनपादित्याद्येकादश प्रयाजा आप्रियः (नि. रु. ८।२।१-७) नामनिर्वचनेनाप्रियं प्रशंसितुं तत्प्रवृत्तिनिमित्तस्याप्यायनस्य सम्भावनामाह—**सर्वेणेव वा एष मनसा सर्वेणेवात्मना यज्ञं सम्भरती**त्यादिना । ' एषः ' दीक्षितः ' सर्वेणेव मनसा ' ' सर्वेणात्मना ' मनोव्यतिरिक्तेन प्राणादिसङ्घातेन, सर्वेषां तत्रैवोपजीव्यत्वात् अतः ' सञ्जिहीर्षति ' संहर्तुमिच्छति । ततो ' रिरिचान इव ' रिक्तः शून्य इव ' आत्मा भवति ' ' तस्मात् ' आप्यायनसाधनत्वात् ' आप्रियः ' इति तन्नामनिर्वचनम् ॥ २ ॥

आप्यायनसाधनत्वमेवोपजीव्यैकादशत्वं विधाय प्रशंसति—**ते वा एत एकादश प्रयाजा** इति । सप्त शीर्षण्याः, द्वावपानौ, नाभिर्दशमी, तेषामाधारो देह एकादश इति तद्विवेकः ॥ ३ ॥

१-अग्निर्होतेतिस्रुगादापनं प्रयाजेषु सन्निधेः । का० श्रौ० सू ३ । ३४

स आश्राव्याह । समिधः प्रेष्येति प्रेष्य प्रेष्येति चतुर्थे-चतुर्थे प्रयाजे समानयमानो दशभिः प्रयाजैश्चरति दश प्रयाजानिष्ट्वाह शासमाहरेत्यसिं वै शास इत्याचक्षते ॥ ४ ॥

(तेऽथ) अथ यूपशकलमादत्ते । तावग्रे जुह्वा अक्त्वा पशोर्ललाटमुपस्पृशति घृतेनाक्तौ पशूंस्त्रायेथामिति वज्रो वै यूपशकलो वज्रः शासो वज्र आज्यं तमेवैतत्कृत्स्नं वज्रं[१] सम्भृत्य तमस्याभिगोप्तारं करोति नेदेनं नाष्ट्रा रक्षाᳬसि हिनसन्निति पुनर्यूपशकलमवगूहत्येषा ते प्रज्ञाताश्रिरस्त्वित्याह शासं प्रयच्छन्त्सादयति स्रुचौ ॥ ५ ॥

स आश्राव्याह-समिधः प्रेष्येति । प्रेष्य प्रेष्येति । चतुर्थे चतुर्थे प्रयाजे समानयमानो दशभिः प्रयाजैश्चरति । दश प्रयाजानिष्ट्वाह शासमाहरेति । असिं वै शास इत्याचक्षते ॥ ४ ॥

अथ यूपशकलमादत्ते । तावग्रे जुह्वा अक्त्वा पशोर्ललाटमुपस्पृशति-" घृतेनाक्तौ पशूंस्त्रायेथाम् " (वा. सं. ६ । ११) इति । वज्रो वै यूपशकलः । वज्रः शासः । वज्र आज्यम् । तमेवैतत् कृत्स्नं वज्रं सम्भृत्य तमस्याभिगोप्तारं करोति । नेदेनं नाष्ट्रा रक्षांसि हिनसन्निति । पुनर्यूपशकलमवगूहति । ' एषा ते प्रज्ञाताश्रिरस्तु ' इत्याह-शासं प्रयच्छन् सादयति स्रुचौ ॥ ५ ॥

स आश्राव्याहेत्यादि । समिद्याग एव ' समिधः प्रेष्य ' ' इति ' एवं ब्रूयात् । तनूनपात्प्रभृतीनां ' प्रेष्य प्रेष्य ' ' इति ' एवं नाम निर्दिशेत् । चतुर्थे चतुर्थे प्रयाजे समानयमान इति । जुहूगतेनाज्येन प्रयाजत्रयं कृत्वा, पुनरुपभृति स्थितमाज्यमथ चतुर्थादिसप्तमान्तप्रयाजचतुष्टयाय समवनीय पुनरष्टमाद्येकादशान्तप्रयाजचतुष्टयार्थमष्टममवनयेदित्यर्थः । दशमप्रयाजानन्तरं ' शासम् ' असिम् ' आहर ' ' इति ' ब्रूयात् । " शसु हिंसायाम् " (धा. पा. भ्वा. प. ७२९) शस्यते हिंस्यते अनेनेति ' शासः ' असिः । शासशब्दस्याप्रसिद्धस्य प्रसिद्धार्थतामभिप्रेत्य व्याचष्टे-असिर्वै शास इतीति ॥ ४ ॥

अथ यूपशकलाविति । यूपशकलौ जुह्वा अग्रगतेनाज्येन समज्य ताभ्यामक्ताभ्यां पशोर्ललाटमुपस्पृशति । तन्मन्त्रस्यायमर्थः-हे घृतेनाक्तौ स्वरुस्वधिती ! युवां ' पशून् ' त्रायेथाम् । अत्र सूत्रम्- " स्वरुमादायाक्त्वोभौ जुह्वग्रे ताभ्यां पशोर्ललाटमुपस्पृशति घृतेनाक्ताविति " (का. श्रौ. सू. ६ । ९३) इति ॥ वज्रो वा इत्यादि । यूपशकलादीनां वज्रत्वं प्रागुक्तम् (श. प. ब्रा. ३ । ७ । १ । ३०-३२) । " एषा ते "-इति ब्रुवन्, ' शासम् ' उत्सृजतोऽस्य हविषोऽवदानाय ' प्रयच्छन् ' । ' एषा ' अष्टाश्रिः हे शमितः ! ते ' प्रज्ञाता अस्तु '-' इति आह ' ॥ ५ ॥

१-स्वरुमवगुह्यासिं प्रयच्छन्नाहैषा ते प्रज्ञाताश्रिरस्त्विति । का० श्रौ सू ६ । ९४ । इति च ।

(चात्वा)अथाह पर्य्यग्नयेऽनुब्रूहीति ।(त्यु)उल्मुकमादायाग्नीत्पर्यग्निं करोति तद्यत्पर्य्यग्निं करोत्यच्छिद्रमेवैनमेतदग्निना परिगृह्णाति नेदेनं नाष्ट्रा रक्षाᳫँसि प्रमृशानित्यग्निर्हि रक्षसामपहन्ता तस्मात्पर्यग्निं करोति तद्यत्रैनᳫँ श्रपयन्ति तदभि परिहरति ॥ ६ ॥

तदाहुः । पुनरेतदुल्मुकᳫँ हरेदथात्रान्यमेवाग्निं निर्म्मथ्य तस्मिन्नेनᳫँ श्रपयेयुराहवनीयो वा ऽएष न वा ऽएष तस्मै यदस्मिन्नश्रृतᳫँ श्रपयेयुस्तस्मै वा ऽएष यदस्मिञ्छृतं जुहुयुरिति ॥ ७ ॥

तदु तथा न कुर्यात् । (द्य) यथा वै ग्रसितमेवमस्यैतद्भवति यदेनेन पर्यग्निं करोति स यथा ग्रसितमनुहायाच्छिद्य तदन्यस्मै प्रयच्छेदेवं तत्तस्मादेतस्यैवोल्मुकस्याङ्गारान्निर्मृद्य तस्मिन्नेनᳫँश्रपयेयुः ॥ ८ ॥

अथाह–पर्य्यग्नयेऽनुब्रूहीति । उल्मुकमादायाग्नीत्, पर्यग्निं करोति । तद् यत्पर्य्यग्निं करोति–अच्छिद्रमेवैनमेतदग्निना परिगृह्णाति । नेदेनं नाष्ट्रा रक्षांसि प्रमृशानिति । अग्निर्हि रक्षसामपहन्ता । तस्मात्पर्यग्निं करोति । तद् यत्रैनं श्रपयन्ति–तदभि परिहरति ॥ ६ ॥

तदाहुः–पुनरेतदुल्मुकं हरेत्–अथात्रान्यमेवाग्निं निर्मथ्य तस्मिन्नेनं श्रपयेयुः । आहवनीयो वाऽएषः । नवाऽएष तस्मै–यदस्मिन्नश्रृतं श्रपयेयुः । तस्मै वाऽएष–यदस्मिञ्छृतं जुहुयुरिति ॥ ७ ॥

तदु तथा न कुर्यात् । यथा वै ग्रसितम्–एवमस्यैतद्भवति–यदेनेन । पर्यग्निं करोति । स यथा ग्रसितमनुहायाच्छिद्य तदन्यस्मै प्रयच्छेद्–एवं तत् । तस्मादेतस्यैवोल्मुकस्याङ्गारान्निर्मृद्य तास्मिन्नेनं श्रपयेयुः ॥ ८ ॥

अथाह पर्यग्नयेऽनुब्रूहीति । 'अथ' स्रुचोः सादनानन्तरम्, 'पर्यग्नयेऽनुब्रूहीति' उक्त्वा, 'पर्यग्निं करोति' पशोः परितः अग्निं करोति, उल्मुकेनाग्नीद्ध्रः । 'अच्छिद्रमेवैनम्' इत्याद्यर्थवादः स्पष्टार्थः । अत्र तन्त्रम्–"सादयित्वा स्रुचौ चात्वालमुत्तरेण शामित्रायोल्लिखति, पर्यग्नयेऽनुवाचयति, आहवनीयेल्मुकमादाय आग्नीत् त्रिः समन्तं पर्येति, पश्वाज्यशामित्रदेशयूपचात्वालाहवनीयान्, आज्यपशुशामित्रान् वा" इति । (का. श्रौ. सू. ६–९५।९८) **तद्यत्रैनं श्रपयन्ति, तदभिपरिहरतीति** । 'यत्र' शामित्रोत्तरभागे 'एनं पशुं 'श्रपयन्ति' 'तत्' स्थानम् 'अभि'–लक्ष्य 'एनम्' उल्मुकं पाकार्थमाहरेत् ॥ ६ ॥

उल्मुकहरणविषये केषाञ्चित् पक्षं, तद्युक्तिश्चोपन्यस्य निराकृत्य स्वपक्षं स्थापयति–**तदाहुः पुनरेतदुल्मुकं हरेदथात्रान्यमेवाग्निं निर्मथ्य तस्मिन्नेनं श्रपयेयुरि**त्यादिना । 'पुनः' पर्यग्निकरणानन्तरम् 'एतत् उल्मुकम्' 'हरेत्' आहवनीये स्थापयेत् । **आहवनीयो वा एष** इति । यतोऽयमाहवनीयः, अतः श्रृतहोमार्थ एषः, अश्रृतश्रपणाय नार्हतीति तेषामभिप्रायः ॥ ७ ॥

तदु तथा न कुर्यादिति । पर्यग्निकरणादेवायं पशुस्तेनाग्निना ग्रसितोऽभूत्; अतो मुखस्थं हविः पुनराकृष्य पुनर्मन्थनाग्नौ श्रपणादन्यस्मै प्रदानं कृतं भवति । तस्मात् तेषां पक्षो न युक्त इत्यर्थः ॥ ८ ॥

१–प्रतिप्रस्थोल्मुकं तावत्प्रतिपर्येति । का. श्रौ. सू. । ९९ । इति ।

(र) अथोल्मुकमादायाग्नीत्पुरस्तात्प्रतिपद्यते । (तेऽग्नि) अग्निमेवैतत्पुरस्तात्करोत्यग्निः पुरस्तान्नाष्ट्रा रक्षांꣳस्यपघ्नन्नेत्यथाभयेनानाष्ट्रेण पशुं नयन्ति तं व्वपाश्रपणीभ्यां प्रतिप्रस्थातान्वारभते प्रतिप्रस्थातारमध्वर्युरध्वर्युं यजमानः ॥ ९ ॥

(स्तु) तदाहुः । (नै) नैष यजमानेन्वारभ्यो मृत्यवे ह्येतं नयन्ति तस्मान्नान्वारभेतेति तदन्वेवारभेत न वा ऽएतं मृत्यवे नयन्ति यं यज्ञाय नयन्ति तस्मादन्वेवारभेत यज्ञादु हैवात्मानमन्तरियाद्यन्नान्वारभेत तस्मादन्वेवारभेत तत्परोक्षमन्वारब्धं भवति व्वपाश्रपणीभ्यां प्रतिप्रस्थाता प्रतिप्रस्थातारमध्वर्युरध्वर्युं यजमान एतदु परोक्षमन्वारब्धं भवति ॥ १० ॥

(त्यु) अथ स्तीर्णायै व्वेदेः । (द्वे) द्वे तृणे ऽअध्वर्युरादत्ते स आश्राव्याहोपप्रेष्य होतर्हव्या देवेभ्य इत्येतदु व्वैश्वदेवं पशौ ॥ ११ ॥

अथोल्मुकमादायाग्नीत् पुरस्तात्प्रतिपद्यते । अग्निमेवैतत्पुरस्तात्करोति । अग्निः पुरस्तान्नाष्ट्रा रक्षांस्यपघ्नन्नेति । अथाभयेनानाष्ट्रेण पशुं नयन्ति । तं वपाश्रपणीभ्यां प्रतिप्रस्थातान्वारभते । प्रतिप्रस्थातारमध्वर्युः । अध्वर्युं यजमानः ॥ ९ ॥

तदाहुः—नैष यजमानेनान्वारभ्यः । मृत्यवे ह्येतं नयन्ति । तस्मान्नान्वारभेतेति । तदन्वेवारभेत । न वाऽएतं मृत्यवे नयन्ति—यं यज्ञाय नयन्ति । तस्मादन्वेवारभेत । यज्ञादु हैवात्मानमन्तरियात्—यन्नान्वारभेत । तस्मादन्वेवारभेत । तत् परोक्षमन्वारब्धं भवति । वपाश्रपणीभ्यां प्रतिप्रस्थाता । प्रतिप्रस्थातारमध्वर्युः । अध्वर्युं यजमानः । एतदु परोक्षमन्वारब्धं भवति ॥ १० ॥

अथ स्तीर्णायै वेदेर्द्वे तृणेऽध्वर्युरादत्ते । स आश्राव्याह—'उपप्रेष्य । होतर्हव्या देवेभ्य इति । एतदु वैश्वदेवं पशौ ॥ ११ ॥

अथाग्नीध्रप्रतिप्रस्थात्रध्वर्युयजमानानां शामित्रं प्रति गमनमाह—अथोल्मुकमादायाग्नीदित्यादिना । उल्मुकस्य पुरोगमनप्रयोजनमाह—अग्निमेवैतदिति । ततश्च किमित्यत आह—अग्निः पुरस्तादिति । अग्न्यनुगमनं न युक्तमिति ॥ ९ ॥

तदाहुरिति । तेषामभिप्रायमन्यथयति—न वा एनमिति । केवलहननार्थं नयनं चेत् मृत्यवे नयति । यज्ञार्थं नयनं पशोः स्वर्गप्राप्त्यर्थत्वान्न मृत्यवे नयनमिति स्वपक्षे शङ्कितं बाधं परिहृत्य विपक्षे बाधमाह—यज्ञादु हैवात्मानमिति । तस्मिन् समये प्रतिप्रस्थाता वपाश्रपणीभ्यां काष्मर्यमयीभ्यां पशुम् अन्वारभते, तमनु अध्वर्युश्च; अतस्ताभ्यां व्यवधानात् म्रियमाणस्य पशोः न साक्षादन्वारम्भो भवति । अतोऽपि नोक्त इत्यर्थः ॥ १० ॥

अथ स्तीर्णायै वेदेर्द्वे तृणे अध्वर्युरादत्त इति[2] । अन्वारम्भसमये वेद्यास्तीर्णे बर्हिषि, तृणद्वयमादाय

१–" आहवनीयोल्मुकमादायाग्नीत्रिः समन्तं पर्येति पश्चाज्यशामित्रदेशयूपचात्वालाहवनीयान् । आज्यपशुशामित्रान्वा । प्रतिप्रस्योल्मुकं तावत्प्रतिपर्येति " इति । का. श्रौ. सू. ६ । ९७-९९ ।

२–पुनरादायोदङ् प्रतिपद्यते । पशुश्चान्वक् । प्रतिप्रस्थाताऽन्वारभत एनं व्वपाश्रपणीभ्यां काष्मर्यमयीभ्यां व्विशाखाऽविशाखाभ्याम् । तमध्वर्युर्यजमानोऽध्वर्युम् । व्वेदितृणेऽध्वर्युरादायाऽश्राव्याहोपप्रेष्यहोतर्हव्यादेवेभ्य इति । का. श्रौ. सू. १००-१०४ ।

(शावु) अथ व्वाचयति । रेवति यजमान इति व्वाग्वै रेवती सा यद्धा-ग्बहु व्वदति तेन व्वाग्रेवती प्रियं धा आविशेत्युनार्तिमाविशेत्येवैतदाहो-रोरन्तरिक्षात्सजूर्देवेन व्वातेनेत्यन्तरिक्षं वा ऽअनु रक्षश्चरत्यमूलमुभयतः परिच्छिन्नं यथायं पुरुषो ऽमूल ऽउभयतः परिच्छिन्नोऽन्तरिक्षमनुचरति तद्वातेनैनᳪ संविदानान्तरिक्षाद्गोपायेत्येवैतदाह यदाहोरोरन्तरिक्षात्सजूर्देवेन व्वातेनेति ॥ १२ ॥

(त्य) अस्य हविषस्त्मना यजेति । व्वाचमेवैतदाहानार्त्तस्यास्य हविष आत्मना यजेति समस्य तन्वा भवेति व्वाचमेवैतदाहानर्त्तस्यास्य हविषस्तन्वा सम्भवेति ॥ १३ ॥

अथ वाचयति–"रेवति यजमाने"–(वा. सं. ६ । ११) इति । वाग्वै रेवती । सा यद्वाग् बहु वदति–तेन वाग्रेवती । "प्रियं धा आविश"–(वा. सं. ६ । ११) इति । अनार्तिमाविशेत्येवैतदाह–"उरोरन्तरिक्षात् सजूर्देवेन वातेन"–(वा. सं. ६ । ११) इति । अन्तरिक्षं वाऽअनु रक्षश्चरत्यमूलमुभयतः परिच्छिन्नम्–यथायं पुरुषोऽमूलमुभयतः परिच्छिन्नोऽन्तरिक्षमनुचरति । तद्वातेनैनं सम्विदानान्तरिक्षाद्गोपायेत्येवैतदाह–यदाह–उरोरन्तरिक्षात्सजूर्देवेन वातेनेति ॥ १२ ॥

"अस्य हविषस्त्मना यज"–(वा. सं. ६ । ११) इति । वाचमेवैतदाह–अनार्तस्यास्य हविष आत्मना यजेति । "समस्य तन्वा भव"–(वा. सं. ६ । ११) इति । वाचमेवैतदाह; अनार्तस्यास्य हविषस्तन्वा सम्भवेति ॥ १३ ॥

अन्वारभते । 'सः' तृणग्रहीता अध्वर्युः आश्रावणमुक्त्वा, प्रपद्य, "होतर्हव्या देवेभ्यः"–' इति ' आह । होतुर्हव्यान्युद्दिश्य, देवेभ्य उपप्रैष्य, मैत्रावरुणप्रैषादनन्तरमध्वर्युप्रैषं पठतीति तस्यार्थः । अत्र 'देवेभ्यः'–इत्यभिधानादेव पशोर्वैश्वदेवत्वापादनम् ॥ ११ ॥

अथ वाचयतीति । रेवतीति । हे 'रेवति' रयिमति धनवति वाग्देवते 'यजमाने' 'प्रियम्' अभिमतम् अनार्त्तिलक्षणं 'धाः' येहि । दधातेर्लुङि सिचो लुकि रूपम् । यद्वा दधातेः क्विप् । धारयित्री त्वम् आविशदिन्द्रियमिति सम्बन्धः, अनार्त्तिं कुर्वित्यर्थः । यद्वा अनार्त्तस्यास्य हविषः आत्मना यजेति वक्ष्य-माणत्वात् 'प्रियम्' अनार्त्तिं कर्त्तुं पशूनाविशेत्यर्थः । हे वाग्देवि ! 'उरोः अन्तरिक्षात्' विस्तीर्णादन्तरि-क्षात् 'वातेन' 'सजूः' समानप्रीतिः सती यजमानम् अन्तरिक्षाद्, 'गोपाय'–इति शेषः । किञ्च 'अस्य हविषः' यज्ञपशुलक्षणस्य हविषः 'त्मना' आत्मना, स्वरूपेण 'यज' । 'अस्य' 'पशोः' 'तन्वा सम्भव' शरीरेण सम्भव । हे रेवति ! यजमानपशौ च सम्भूय यागं साधयेत्यर्थः । अत्रत्यरेवतीशब्दस्य वाग्वाचकत्वमुपपादयति–**सा यद् वाग् बहु वदति तेन वाग् रेवतीति** । तदपेक्षितं दानादिधनार्जनं लोक-प्रसिद्धम् । प्रियशब्दार्थमाह–**अनार्त्तिमाविशेति** । न विद्यते आर्त्तिर्यस्मिन्नित्यनार्त्तिः, प्रियः पदार्थः । उरो-

---

१–रेवति यजमान इति व्वाचयति । शामित्रं नातीयात् । शामित्रेऽग्निं निदधाति । निर्मथ्यमेके । का. श्रौ. सू. ६ ।१०५–१०८।

तद्यत्रैनं विशसन्ति । तत्पुरस्तात्तृणमुपास्यति वर्षो वर्षीयसि यज्ञे यज्ञपतिं धा इति बर्हिरेवास्मा ऽएतत्स्तृणात्यस्कन्नᳬं हविरसदिति तद्य-देवास्यात्र विशस्यमानस्य किञ्चित्स्कन्दति तदेतस्मिन्प्रतितिष्ठति तथा नामुया भवति ॥ १४ ॥

(त्यु) अथ पुनरेत्याहवनीयमभ्यावृत्यासते । नेदस्य सञ्ज्ञप्यमानस्या-ध्यक्षा असामेति तस्य न कूटेन घ्नन्ति मानुषᳬं हि तन्नो ऽएव पश्चात्कर्णं पितृदेवत्यᳬं हि तदपिगृह्य वैव मुखं तमयन्ति वेष्कं वा कुर्वन्ति तन्नाह जहि मारयेति मानुषᳬं हि तत्सञ्ज्ञपयान्वगन्निति तद्धि देवत्रा स यदा-हान्वगन्नित्येतर्हि ह्येष देवाननुगच्छति तस्मादाहान्वगन्निति ॥ १५ ॥

तद् यत्रैनं विशसन्ति–तत् पुरस्तात्तृणमुपास्यति । "वर्षो वर्षीयसि यज्ञे यज्ञपतिं धाः"–(वा. सं. ६ । ११) इति । बर्हिरेवास्माऽएतत् स्तृणाति । अस्कन्नं हविरसत्–इति । तद् यदेवा-स्यात्र विशस्यमानस्य किञ्चित् स्कन्दति–तदेतस्मिन् प्रतितिष्ठति–तथा नामुया भवति ॥ १४ ॥

अथ पुनरेत्याहवनीयमभ्यावृत्यासते नेदस्य सञ्ज्ञप्यमानस्याध्यक्षा असामेति । तस्य न कूटेन घ्नन्ति । मानुषं हि तत् । नोऽएव पश्चात्कर्णम् । पितृदेवत्यं हि तत् । अपिगृह्य वैव मुखं तमयन्ति । वेष्कं वा कुर्वन्ति । तन्नाह जहि मारय–इति । मानुषं हि तत् । सञ्ज्ञपय, अन्वगन्–इति । तद्धि देवत्रा । स यदाह–अन्वगन्निति । एतर्हि ह्येष देवाननुगच्छति । तस्मादाह–अन्वगन्निति ॥ १५ ॥

रन्तरिक्षादित्यभिधानस्य प्रयोजनमाह–**अन्तरिक्षं वा अनु रक्षश्चरती**त्यादिना । 'अमूलं' मूलसम्बन्धरहितम् । न केवलममूलमेव, किन्तु 'उभयतः' उपरि अधस्ताच्च 'परिच्छिन्नम्' संश्लेषरहितं सद्रक्षश्चरति । तत्र दृष्टान्तः–**यथायं पुरुष** इति । 'तत्' तेन, अन्तरिक्षे रक्षःसञ्चारकारणेनैतस्माद् वातादान्तरिक्षाद् गोपायतीत्याह मन्त्रः । अस्य हविषस्त्मना यज–इत्यस्याभिप्रायमाह–**वाचामेवैतदाहे**ति । एतत्त्रयमेव विशदयति–**अनार्त्तस्यास्ये**ति । एतद्धर्वीरूपः सन् देवान् प्रीणातीत्यर्थः । एवमुत्तरवाक्यमपि व्याख्येयम् ॥ १२ ॥ १३ ॥

तद्यत्रैनं विशसन्तीति । ("पश्चात्तृणमुपास्यति वर्षो वर्षीयसीति" का.श्रौ.सू.६।१०९) **वर्षीयसी**ति । विशसनप्रदेशेऽध्वर्युः तृणमपास्यति–हे तृण ! 'वर्षः' वर्षीयः प्रवृद्ध त्वं 'वर्षीयसि' प्रवृद्धे 'यज्ञपतिं' 'धाः' स्थापय । एतद्बर्हिस्तरणेन स्थापनीयमिति स्तौति–**बर्हिरेवास्मा एतदि**त्यादिना । 'अस्मै' पशवे । तदपि किमर्थमित्यत आह–**अस्कन्नं हविरसदि**ति । तद् विशदयति–**तद् यदेवे**ति । 'तत्' अन्यत्र पतितमपि 'एतस्मिन्' केवलबर्हिषि 'प्रतितिष्ठति' । **तथा नामुया भवती**ति । 'तथा' कृते सति अन्यत्र पतितमङ्गम् 'अमुया' अमुत्र, अन्तरिक्षेऽनभिमतप्रदेशे 'न भवति' न विनश्यतीत्यर्थः ॥ १४ ॥

अथ पुनरेत्याहवनीयमिति । पुनराहवनीयमभ्यावर्त्तनस्याभिप्रायमाह–**नेदस्ये**ति । 'अध्यक्षाः' न भवामेति, सन्निहिताः सन्तो वा रक्षितारो न भवामेति । **न कूटेने**ति । 'कूटेन' शृङ्गेण साधनेन, शृङ्गं गृहीत्वा,

तद्यत्रैनं निविध्यन्ति तत्पुरा सञ्ज्ञपनाज्जुहोति स्वाहा देवेभ्य इत्यथ यदा प्राह सञ्ज्ञप्तः पशुरित्यथ जुहोति देवेभ्यः स्वाहेति पुरस्तात्स्वाहाकृतयो वा ऽअन्ये देवा ऽउपरिष्टात्स्वाहाकृतयोऽन्ये तानेवैतत्प्रीणाति त ऽएनमुभये देवाः प्रीताः स्वर्गं लोकमभिवहन्ति ते वा ऽएते परिपशव्ये ऽइत्याहुती स यदि कामयेत जुहुयादेते यद्यु कामयेतापि नाद्रियेत ॥१६॥

इति षष्ठप्रपाठके द्वितीयं ब्राह्मणम् ॥ ६।२ ॥ (८।३)

तद् यत्रैनं निविध्यन्ति, तत्पुरा सञ्ज्ञपनाज्जुहोति–"स्वाहा देवेभ्यः"–(वा. सं. ६ । ११) इति । अथ यदा प्राह–सञ्ज्ञप्तः पशुरिति–अथ जुहोति–"देवेभ्यः स्वाहा"–(वा. सं. ६ । ११) इति । पुरस्तात् स्वाहाकृतयो वाऽअन्ये देवाः, उपरिष्टात् स्वाहाकृतयोऽन्ये । तानेवैतत् प्रीणाति त एनमुभये देवाः प्रीताः स्वर्गं लोकमभिवहन्ति । ते वाऽएते परिपशव्येऽइत्याहुती । स यदि कामयेत–जुहुयादेते । यद्यु कामयेत–अपि नाद्रियेत ॥ १६ ॥

न हन्यात् । नैव कर्णस्य पश्चाद्भागमग्रभागं वा गृहीत्वा । तर्हि कथम् ? 'मुखमपिगृह्य' म्लानं कुर्यात् । 'वेष्कं' मुखवेष्टनं च शब्दाभावाय कुर्यात् ॥

सञ्ज्ञपनप्रकारः सूत्रे दर्शितः–"तस्मिन्नेनं निघ्नन्ति प्रत्यक्छिरसमुदक्पादं, प्राक्छिरसं वा, सङ्गृह्य मुखं तमयन्त्यवाश्यमानम्, वेष्केण वा, एत्याहवनीयमावृत्त्यासते, सञ्ज्ञपयान्वगन्नित्येव ब्रूयात्"–इति । (का. श्रौ. सू. ६ । ११०–११९) 'जहि' 'मारय' इत्यादि मानुषवधवत् क्रूरवचनं न ब्रूयात्, किन्तु हे शमितः ! 'सञ्ज्ञपय' असौ तु 'अन्वगन्' अनुगतोऽभूत् । तद्धीत्यादि । स्पष्टम् ॥ १९ ॥

तद्यत्रैनं निविद्ध्यन्तीति । 'सञ्ज्ञपनात्' प्राक् "स्वाहा देवेभ्यः" 'इति' जुहुयात् । सञ्ज्ञपनानन्तरं "देवेभ्यः स्वाहा" 'इति' जुहुयात् । होमभेदेन स्वाहाकारप्रयोगवैपरीत्यम् । प्रयोजनाभिधानेन प्रशंसति–**पुरस्तात् स्वाहाकृतयो वा अन्ये देवा** इत्यादिना । एतयोराहुत्योर्नाम करोति–**ते वा एते परिपशव्ये इत्याहुती** इति । उक्ते द्वे आहुती 'परिपशव्ये' परित आज्यं तयोः पशोर्हितं यतः, अत 'परिपशव्ये' इति नामधेये इत्यर्थः । "उगवादिभ्यो यत्"–(पा. सू. ५ । १ । २) इति यत्, "ओर्गुणः"–(पा. सू. ६ । ४ । १४६) इति भसञ्ज्ञकस्य गुणः । एतयोरनुष्ठाने ऐच्छिकत्वमाह–**स यदि कामयेतेति** ॥ १६ ॥

इति श्रीसायणाचार्यविरचिते माधवीये वेदार्थप्रकाशे माध्यन्दिनशतपथब्राह्मणभाष्ये तृतीये काण्डे अष्टमाध्याये प्रथमं ब्राह्मणम् ॥ ३–८–१ ॥

१–स्वाहा देवेभ्य इति जुहोति । २–देवेभ्यः स्वाहेति जुहोति का. श्रौ. सू. ६ । १२०–१२१ । ३–नवैते जुहुयात् । का. श्रौ. सू. ६ । १२२ ।

यदा प्राह सञ्ज्ञप्तः पशुरिति । (त्यु) अथाध्वर्युराह नेष्टः पत्नीमुदानयेत्युदानयति नेष्टा पत्नीं पान्नेजनं बिभ्रतीम् ॥ १ ॥

तां व्वाचयति । नमस्त ऽआतानेति यज्ञो वा ऽआतानो यज्ञꣳ हि तन्वते तेन यज्ञ आतानो जघनार्द्धो वा ऽएष यज्ञस्य यत्पत्नी तामेतत्प्राचीं यज्ञं प्रसादयिष्यन्भवति तस्मा ऽएवैतद्यज्ञाय निह्नुते तथो हैनामेष यज्ञो न हिनस्ति तस्मादाह नमस्त ऽआतानेति ॥ २ ॥

(त्य) अनर्व्वा प्रेहीति । (त्य) असपत्नेन प्रेहीत्येवैतदाह घृतस्य कुल्या ऽउप ऽऋतस्य पथ्या ऽअन्विति साधूपेत्येवैतदाह देवीरापः शुद्धा व्वोढ्वꣳ सुपरिविष्टा देवेषु सुपरिविष्टा व्वयं परिव्वेष्टारो भूयास्मेत्यप एवैतत्पावयति ॥ ३ ॥

यदा प्राह–सञ्ज्ञप्तः पशुरिति । अथाध्वर्युराह–नेष्टः पत्नीमुदानयेति । उदानयति नेष्टा पत्नीं–पान्नेजनं बिभ्रतीम् ॥ १ ॥

तां वाचयति । "नमस्तऽआतान"–(वा० सं० ६ । १२) इति । यज्ञो वाऽआतानः । यज्ञं हि तन्वते–तेन यज्ञ आतानः । जघनार्द्धो वाऽएष यज्ञस्य–यत्पत्नी । तामेतत् प्राचीं यज्ञं प्रसादयिष्यन् भवति । तस्माऽएवैतद्यज्ञाय निह्नुते । तथो हैनामेष यज्ञो न हिनस्ति । तस्मादाह–नमस्तऽआतानेति ॥ २ ॥

"अनर्वा प्रेहि" (वा० सं० ६ । १२) इति । असपत्नेन प्रेहीत्येवैतदाह । "घृतस्य कुल्याऽउपऽऋतस्य पथ्याऽअनु" (वा० सं ६ । १२ । इति । साधूपेत्येवैतदाह । "देवीरापः शुद्धा वोढ्वं सुपरिविष्टा देवेषु सुपरिविष्टा वयं परिवेष्टारो भूयास्म" (वा० सं ६ । १३) इति । अप एवैतत्पावयति ॥ ३ ॥

मञ्ज्ञपनानन्तरप्रयोगमाह–यदा प्राह सञ्ज्ञप्तः पशुरित्यध्वर्युराहेत्यादिना[२] ॥ १ ॥

तां वाचयतीति[३] 'तां' पशुं प्रति आगच्छतीं पत्नीं 'वाचयति' "नमस्ते आतान" इति । आसमन्तात् तन्यत इत्यातानो 'यज्ञः' हे आतान !–'ते' तुभ्यं 'नमः' । यज्ञ ! त्वम् 'अनर्वा' असपत्नः सन् प्रेहि । 'घृतस्य कुल्याः' जुह्वादिषु बह्वाज्यसम्भवात् । ता विशिनष्टि–'ऋतस्य पथ्याः' इति । पथि भवा पथ्याः । ताः कुल्याः 'अनु' [लक्ष्य] 'उप' प्रेहीति सम्बन्धः । इत्थं यज्ञं प्रसाध्य, अथापः प्रसाधयति 'सुपरिविष्टाः' पात्रेषु परिपूरिताः 'देवीः द्योतमानाः' 'आपः' 'शुद्धाः' स्वभावतः संस्कारेण च विशुद्धाः सत्यो यूयं 'देवेषु' विषयभूतेषु पशुम् 'वोढ्वम्' अपहत । 'वयं' च देवेषु मध्ये सुपरिविष्टाः, देवानां 'परिवेष्टारः' । नमस्कारवचनं

१–इह संहितायां "माहिर्भूर्मा पृदाकुः" (अ. ६ । १२) इति मन्त्रोऽधिकः पठ्यते । २–संज्ञप्तः पशुरितिप्रोक्ते शेतान्मुहूर्तमित्याहासोमे । का. श्रौ. सू. ६ । ११७ । प्रतिप्रस्थातः पत्नीमुदानयेत्याहनेष्टरितिसोमे । का. श्रौ. सू. ६ । १२० । ३–पान्नेजनहस्तां व्वाचयति नयन्नमस्तआतानेति । का. श्रौ. सू. । ६ । १२१ ।

(त्यु) अथ पशोः प्राणानद्भिः पत्न्युपस्पृशति । तद्यदद्भिः प्राणानुपस्पृशति जीवं वै देवानाᳪं हविरमृतममृतानामथैतत्पशुं घ्नन्ति यत्सञ्ज्ञपयन्ति यद्विशासत्यापो वै प्राणास्तदस्मिन्नेतान्प्राणान्दधाति तथैतज्जीवमेव देवानाᳪं हविर्भवत्यमृतममृतानाम् ॥ ४ ॥

(मु) अथ यत्पत्न्युपस्पृशति । योषा वै पत्नी योषायै वा ऽइमाः प्रजाः प्रजायन्ते तदेनमेतस्यै योषायै प्रजनयति तस्मात्पत्न्युपस्पृशति ॥ ५ ॥

सोपस्पृशति । व्वाचं ते शुन्धामीति मुखं प्राणं ते शुन्धामीति नासिके चक्षुस्ते शुन्धामीत्यक्ष्यौ श्रोत्रं ते शुन्धामीति कर्णौ नाभिं ते शुन्धामीति योऽयमनिरुक्तः प्राणो मेढ्रं ते शुन्धामीति वा पायुं ते शुन्धामीति योऽयं

अथ पशोः प्राणानद्भिः पत्न्युपस्पृशति ।तद्यदद्भिः प्राणानुपस्पृशति । जीवं वै देवानां हविः, अमृतममृतानाम् । अथैतत् पशुं घ्नन्ति । यत् सञ्ज्ञपयन्ति, यद्विशासति । आपो वै प्राणाः । तदस्मिन्नेतान् प्राणान् दधाति । तथैतज्जीवमेव देवानां हविर्भवति, अमृतममृतानाम् ॥ ४ ॥

अथ यत्पत्न्युपस्पृशति । योषा वै पत्नी । योषायै वाऽइमाः प्रजाः प्रजायन्ते । तद् एनमेतस्यै योषायै प्रजनयति । तस्मात्पत्न्युपस्पृशति ॥ ५ ॥

सोपस्पृशति । " वाचं ते शुन्धामि "–(वा. सं. ६ । १४) इति मुखम् । " प्राणं ते शुन्धामि "–(वा. सं. ६ । १४) इति नासिके । " चक्षुस्ते शुन्धामि "–(वा. सं. ६ । १४)

यज्ञातिक्रमपरिहारत्वेन प्रशंसति–जघनार्द्ध इति । यज्ञस्य जघनार्द्धे पत्नीशालायामवस्थिता पत्न्यपि जघनार्द्ध इत्युच्यते । 'तां प्राङ् नयति,' तस्मिन् यज्ञायतने जघननिह्नवनकृता भवति । घृतकुल्याद्युपन्यासः, आगमनानुकूल्यप्रदर्शनायेति व्याचष्टे–साधूपेत्येवैतदाहेति । उपेत्युपसर्गसामर्थ्यात् एतीति क्रिया सम्बध्यते । देवीराप इत्यादिमन्त्रभागस्य तात्पर्यमाह–अप एवैतत्पावयतीति । अत्र ' शुद्धा वोढ्वम् '–इति शुद्धिविधानात् शुद्धीकरणम् ॥ २ ॥ ३ ॥

अथ पशोरित्यादि[1] । प्राणमुखनासाचक्षुरादीनि अद्भिः पत्नी ' उपस्पृशति ' प्रक्षालयेदित्यर्थः । अपामुपस्पर्शनं पशोः सजीवत्वकरणात्मना प्रशंसति–जीवो वै देवानामित्यादिना । पदद्वयं व्याचष्टे–अमृतममृतानामिति । देवाः अमृताः अमृतधर्माणः, जीवनमप्यमृतं मृतिरहितम्; अतो योग्यत्वाद् देवानां जीवनं युज्यते । संज्ञपनविशसने उभे अपि हननात्मके, अतो हेतोरस्य पुनः प्राणापेक्षत्वात्, अपां च " आपोमयः प्राणः "–इति श्रुतेः प्राणरूपत्वात्, छिद्रेष्वपां प्रक्षेप एव प्राणनिवारणमित्यर्थः । ततश्च देवानां सजीवं हविर्दत्तं भवति ॥ ४ ॥

अपामुपस्पर्शनं प्रशस्य, पत्नीकर्त्तृकत्वं प्रशंसति–अथ यत् पत्न्युपस्पृशति ; योषा वा इत्यादिना ॥५॥

अवयवावयविभेदेनोपस्पर्शनमन्त्रमाहाह–सोपस्पृशतीति । वाचं ते शुन्धामीति मुखमिति । ' मुखं '

१–पशोः प्राणान् शुंधति पत्नी । का. श्रौ. सू. ६ । १२३ । २–मुखं नासिके चक्षुषी कर्णौ नाभिं मेढ्रं पायुं पादां॰सं॰ हृत्य व्वाचं ते शुंधामीति प्रतिमंत्रम् । शेषेण यजमानश्च शिरः प्रभृत्यनुषिञ्चतः । का. श्रौ. सू. ६ । १२४ । १२५ ।

पश्चात्प्राणस्तत्प्राणान्दधाति तत्समीरयत्यथसꣳहृत्य पदश्चरित्रांस्ते शुन्धामीति पद्भिर्वै प्रतितिष्ठति प्रतिष्ठित्याऽएव तदेनं प्रतिष्ठापयाति ॥ ६ ॥

(त्यु) अथ या आपः परिशिष्यन्ते । (न्तेऽर्धा) अर्द्धा वा यावत्यो वा ताभिरेनं यजमानश्च शीर्षतोऽग्रेऽनुषिञ्चतस्तत्प्राणांश्चैवास्मिंस्तत्तौ धत्तस्त च्चैनमतः समीरयतः ॥ ७ ॥

(स्त) तद्यत्क्रूरीकुर्वन्ति । यदास्थापयन्ति शान्तिरापस्तदद्भिः शान्त्या शमयतस्तदद्भिः सन्धत्तः ॥ ८ ॥

(स्ता) तावनुषिञ्चतः । (तो) मनस्त ऽआप्यायतां वाक्त ऽआप्यायतां प्राणस्त ऽआप्यायतां चक्षुस्त ऽआप्यायताꣳ श्रोत्रं त ऽआप्यायतामिति

इति अक्ष्यौ । " श्रोत्रं ते शुन्धामि "–(वा.सं. ६ । १४) इति कर्णौ । " नाभिं ते शुन्धामि " (वा. सं. ६ । १४) इति–योऽयमनिरुक्तः प्राणः । " मेढ्रं ते शुन्धामि–" (वा. सं. ६ । १४) इति वा, " पायुं ते शुन्धामि "–(वा. सं. ६ । १४) इति–योऽयं पश्चात्प्राणः । तत् प्राणान् दधाति । तत् समीरयति । अथ संहृत्य पदः–" चरित्रांस्ते शुन्धामि "–(वा. सं. ६ । १४) इति । पद्भिर्वै प्रतितिष्ठति । प्रतिष्ठित्याऽएव । तदेनं प्रतिष्ठापयति ॥ ६ ॥

अथ या आपः परिशिष्यन्ते–अर्द्धा वा, यावत्यो वा । ताभिरेनं यजमानश्च शीर्षतोऽग्रेऽनुषिञ्चतः । तत् प्राणांश्चैवास्मिंस्तत्तौ धत्तः । तच्चैनमतः समीरयतः ॥ ७ ॥

तद् यत् क्रूरीकुर्वन्ति-यदास्थापयन्ति । शान्तिरापः । तदद्भिः शान्त्या शमयतः, तदद्भिः । सन्धत्तः ॥ ८ ॥

तावनुषिञ्चतः । " मनस्तऽआप्यायतां, वाक्तऽआप्यायतां, प्राणस्तऽआप्यायतां, चक्षुस्तऽआप्यायतां, श्रोत्रं तऽआप्यायताम् "–(वा. सं. ६ । १५)–इति । तत् प्राणान्

वदनम् । हे पशो ! ' ते ' ' प्राणं ' प्राणनम्, नासिकाभ्यामुत्पद्यमानं प्राणवायुम् ' शुन्धामि ' विशुद्धं करोमि एवमुत्तरत्रापि योज्यम् । चक्षुःश्रोत्रे दर्शनश्रवणशक्तीन्द्रिये । " नाभिं ते शुन्धामि "–इति ' अनिरुक्तम् ' अनभिव्यक्तप्राणम् ; अथवा किमनिरुक्तेन प्राणेन ? " मेढ्रं ते "–इति ब्रूयात् । ' पश्चात्प्राणः ' अधस्ताद् वर्त्तमानोऽपानः, तं तत्र पायौ स्थापितवान् भवति । ' अथ संहृत्य पदः ' पादानेकीकृत्य " चरित्रांस्ते शुन्धामि "–' इति ' पादानपि शोधयेत् । पादशोधनं शंसति–**पद्भिर्वा** इति ॥ ६ ॥

अथ या आपः परिशिष्यन्त इति । परिशिष्टाभिः अर्द्धाभिरल्पीयसीभिर्वा यजमानः पत्नी च पशोः शीर्षाग्रं प्रथमं तदारभ्य निषिञ्चतः ' तौ ' पत्नीयजमानौ ' तत् ' तेन निषिञ्चनेन 'पशोः' 'प्राणान्' 'धत्तः' धारयतः । ' तत् तेन ' एनं ' पशुम् ' अतः ' अस्मात् स्थानात् ' समीरयतः ' ॥ ७ ॥

तद् यत् क्रूरीकुर्वन्तीति । ' आस्थापयन्ति ' सञ्ज्ञपयन्तीत्यर्थः ॥ ८ ॥

तावनुषिञ्चत इत्यादि । तदेव क्रूरीकरणं ' तौ ' पत्नीयजमानौ ' अनुषिञ्चतः शिरसि अवशिष्टोदक-

तत्प्राणान्धत्तस्तत्समीरयतो यत्ते क्रूरं यदास्थितं तत्त ऽआप्यायतां निष्ट्यायतामिति ॥ ९ ॥

तद्यत्क्रूरीकुर्व्वन्ति। यदास्थापयन्ति शान्तिरापस्तदद्भिः शान्त्या शमयतस्तदद्भिः सन्धत्तस्तत्ते शुध्यत्विति तन्मेध्यं कुरुतः शमहोभ्य इति जघनेन पशुं निनयतः ॥ १० ॥

(स्त) तद्यत्क्रूरीकुर्व्वन्ति। यदास्थापयन्ति नेदेतदन्वशान्तान्यहोरात्राण्यसन्निति तस्माच्छमहोभ्य इति जघनेन पशुं निनयतः ॥ ११ ॥

(तोऽथो) अथोत्तानं पशुं पर्य्यस्यन्ति। स तृणमन्तर्द्दधात्योषधे त्रायस्वेति व्वज्रो वा ऽअसिस्तथो हैनमेष व्वज्रोऽसिर्न हिनस्त्यथासिनाभिनि-

---

धत्तः, तत् समीरयतः। "यत्ते क्रूरं यदास्थितं तत्तऽआप्यायतां निष्ट्यायताम्"–(वा. सं. ६। १५)–इति ॥ ९ ॥

तद् यत् क्रूरीकुर्वन्ति–यदास्थापायन्ति। शान्तिरापः। तदद्भिः शान्त्या शमयतः। तदद्भिः सन्धत्तः। "तत्ते शुध्यतु"–(वा. सं. ६। १५)–इति। तन्मेध्यं कुरुतः। "शमहोभ्यः"–(वा. सं. ६। १५)–इति। जघनेन पशुं निनयतः ॥ १० ॥

तद् यत् क्रूरीकुर्वन्ति–यदास्थापयन्ति। नेदेतदन्वशान्तान्यहोरात्राण्यसन्निति। तस्माच्छमहोभ्य इति। जघनेन पशुं निनयतः ॥ ११ ॥

अथोत्तानं पशुं पर्य्यस्यन्ति। स तृणमन्तर्दधाति। "ओषधे त्रायस्व"–(वा. सं. ६। १५)–

स्यैकदेशेनानुषिञ्चनं कुर्याताम्। शिरस्सेचनमन्त्रमाह–**मनस्त इति**। मन आदिपञ्चकस्य शिरःस्थानात् तैः पञ्चभिर्मन्त्रैः शिरो निषिञ्चत। **तत्प्राणान्धत्तस्तत्समीरयत** इत्याप्यायनप्रयोजनाभिधानम्। इतराङ्गनिषेकमन्त्रमाह–**यत् क्रूरं ते यदास्थितमिति**। "यत्ते क्रूरम्"–इत्यस्य व्याख्यानं 'यदास्थितम्' इति। आस्था सञ्ज्ञप्तिः, इत्युक्तम्। न हि सञ्ज्ञपनादन्यत् क्रूरमस्ति। 'तत् ते आप्यायताम्', कोऽर्थः? 'निष्ट्यायताम्' संहतं भवत्वित्यर्थः ॥ ९ ॥

तद्यत् क्रूरीकुर्वन्तीति। 'ते' तव 'तत्' निश्चितमङ्गं 'शुध्यतु' मेध्यं भवतु ॥ १० ॥

तद्यत्क्रूरीकुर्वन्तीति। पशोर्जघनार्द्धस्य समन्त्रकं निनयनं विधत्ते–**शमहोभ्य इतीति**। **जघनेनेति**। पशोर्जघनप्रदेशं निनयतः स्थानभेदेन मन्त्रभेदं सूत्रकार आह–"शेषेण यजमानश्च शिरःप्रभृत्यनुषिञ्चतः, मनस्त इति शिरः, यत् ते क्रूरमित्यङ्गानि, शमहोभ्यः इति पश्चात् पशोर्निषिञ्चतः"–इति (का. श्रौ. सू. १२६ १२७)। मन्त्रे अहर्विषयं यत्सुखप्रार्थनमस्ति, तत्र कारणमाह–**यत्क्रूरीकुर्वन्तीति** ॥ ११ ॥

विशसनप्रयोगमाह–**अथोत्तानमिति**। **असिनाभिनिदधाति**। अत्रासेः कर्मभूतस्य कारणत्वोपचारेण तृतीया ॥ १२ ॥

१–मनस्त इति शिरः। अनुषिंचत इति पूर्वसूत्रादनुवर्तते। द्विवचनाद्यजमानः पत्नी च। का० श्रौ० सू० ६।१२५। २–यत्ते-क्रूरमित्यंगानि। का. श्रौ. सू. ६। १२६। ३–शमहोभ्य इति पश्चात्पशोर्निषिंचतः। स्वरूपावगुह्यासिं प्रयच्छन्नाहैषा ते प्रज्ञाता श्रीरस्त्विति। का. श्रौ. सू. ६। १२७। ४–उत्तानं पशुं कृत्वाऽग्रेण नाभिं तृणं निदधात्योषध इति। का. श्रौ. सू. ६। १२८।

दधाति स्वधिते मैनꣳ हिꣳसीरिति वज्रो वा ऽअसिस्तथो हैनमेष वज्रो-ऽसिर्न हिनस्ति ॥ १२ ॥

सा या प्रज्ञाताश्रिः । (स्त) तयाभिनिदधाति सा हि यजुष्कृता मेध्या तद्यदग्रं तृणस्य तत्सव्ये पाणौ कुरुतेऽथ यद्बुध्नं तद्दक्षिणेनादत्ते ॥ १३ ॥

स यत्राच्छ्यति । यत एतल्लोहितमुत्पतति तदुभयतोऽनक्ति रक्षसां भागोऽसीति रक्षसाꣳ ह्येष भागो यदसृक् ॥ १४ ॥

(कु) तदुपास्याभितिष्ठति । (ती) इदमहꣳ रक्षोऽभितिष्ठामीदमहꣳ रक्षोऽवबाध ऽइदमहꣳरक्षोऽधमन्तमो नयामीति तद्यज्ञेनैवैतन्नाष्ट्रा रक्षाꣳस्यवबाधते तद्यदमूलमुभयतः परिच्छिन्नं भवत्यमूलं वा ऽइदमुभयतः परिच्छिन्नꣳरक्षोऽन्तरिक्षमनुचरति यथायं पुरुषोऽमूल उभयतःपरिच्छिन्नोऽन्तरिक्षमनुचरति तस्मादमूलमुभयतः परिच्छिन्नं भवति ॥ १५ ॥

इति । वज्रो वाऽअसिः । तथो हैनमेष वज्रोऽसिर्न हिनस्ति । अथासिनाभिनिदधाति– “ स्वधिते मैनं हिंसीः ”–(वा. सं. ६ । १५)–इति । वज्रो वाऽअसिः । तथो हैनमेष वज्रोऽसिर्न हिनस्ति ॥ १२ ॥

सा या प्रज्ञाताश्रिस्तयाभिनिदधाति । सा हि यजुष्कृता मेध्या । तद् यदग्रं तृणस्य–तत्सव्ये पाणौ कुरुते । अथ यद् बुध्नं–तद् दक्षिणेनादत्ते ॥ १३ ॥

स यत्राच्छ्यति, यत एतल्लोहितमुत्पतति–तत् उभयतोऽनक्ति । “ रक्षसां भागोऽसि ”–(वा. सं. ६ । १६)–इति । रक्षसां ह्येष भागो–यदसृक् ॥ १४ ॥

तदुपास्याभितिष्ठति । “ इदमहं रक्षोऽभितिष्ठामि । इदमहं रक्षोऽवबाधे । इदमहं रक्षोऽधमन्तमो नयामि ”–(वा. सं. ६।१६)–इति । तद् यज्ञेनैवैतद् नाष्ट्रा रक्षांस्यवबाधते ।

सा या प्रज्ञाताश्रिरिति । ‘ या ’ पूर्वं पश्वञ्जनायासीत्, याभिर्निदध्यात्, सा यथा पशोरुपरि भवति, तथा स्थापयित्वा विन्द्यादभिनिधानं छेदनोपलक्षणतया भवितव्यमिति । अत्र हेतुमाह–सा हि यजुष्कृतेति॥ १३॥

स यत्राच्छ्यतीति । तदुभयतोऽनक्तीत्यादि । ‘ तत् ’ तस्य छिन्नस्य दर्भस्य यत् अग्रम्, तत् सव्ये पाणौ गृहीत्वा; यन्मूलम्, तद् दक्षिणेनादाय; ‘ यत्र ’ यस्मिन् प्रदेशे ‘ आच्छ्यति ’ आच्छिनत्ति, तत्र प्रदेशे ‘ यतः ’ यस्मात् ‘ लोहितमुत्पतति ’ ‘ तत् ’ तत्र मूलतृणस्य ‘ उभयतः ’ मूलमग्रञ्च ‘ अनक्ति ’ “ रक्षसामिति ” मन्त्रेणेति ॥ १४ ॥

तदुपास्याभितिष्ठतीति[3] । ‘ तत् ’ दर्भाग्रम् । इदमहमिति–यजमानोऽतिक्रामति । ‘ इदम् ’ इदानीम् अनेन

१–इह संहितायां ‘ निरस्त ꣳ रक्षः ’ इत्यधिकं पठ्यते । २–स्वधित इति प्रज्ञातयाऽभिनिधायच्छित्वाग्रꣳसव्ये कृत्वा दक्षिणेन मूलमुभयतोऽनक्ति लोहितेन रक्षसामिति । का. श्रौ. सू. ६ । १२९ ॥ ३–निरस्तमित्यपास्यति । उत्करे इति शेषः । रुधिराक्तं तृणमूलमिति कर्म । इदमहमित्यभितिष्ठति यजमानः का० श्रौ० सू० ६ । १३०–१३१ ।

(त्यु) अथ व्वपामुत्खिदन्ति । तया व्वपाश्रपण्यौ प्रोर्णौति घृतेन द्यावा-
पृथिवी प्रोर्णुवाथामिति तदिमे द्यावापृथिवीऽऊर्ज्जा रसेन भाजयत्यनयो-
रूर्जॐरसं दधाति ते रसवत्याऽउपजीवनीयेऽइमाः प्रजाऽउपजीवन्ति॥ १६॥

कार्ष्मर्य्यमय्यौ व्वपाश्रपण्यौ भवतः । (तो) यत्र वै देवा अग्रे पशुमा-
लेभिरे तदुदीचः कृष्यमाणस्यावाङ्मेधः पपात स ऽएष व्वनस्पतिरजा-
यत तद्यत्कृष्यमाणस्यावाङपतत्तस्मात्कार्ष्मर्य्यस्तेनैवैनमेतन्मेधेन समर्द्ध-
यति कृत्स्नं करोति तस्मात्कार्ष्मर्य्यमय्यौ व्वपाश्रपण्यौ भवतः ॥ १७ ॥

तद् यदमूलमुभयतः परिच्छिन्नं भवति । अमूलं वाऽइदमुभयतः परिच्छिन्नं रक्षोऽन्तरिक्षमनुचरति– यथायं पुरुषोऽमूल उभयतः परिच्छिन्नोऽन्तरिक्षमनुचरति। तस्मादमूलमुभयतः परिच्छिन्नं भवति १५॥

अथ वपामुत्खिदन्ति–तया वपाश्रपण्यौ प्रोर्णौति । " घृतेन द्यावापृथिवी प्रोर्णुवाथाम् "– (वा. सं. ६ । १६)–इति । तादिमे द्यावापृथिवीऽऊर्ज्जारसेन भाजयति । अनयोरूर्जं रसं दधाति । ते रसवत्याऽउपजीवनीयेऽइमाः प्रजाः उपजीवन्ति ॥ १६ ॥

कार्ष्मर्य्यमय्यौ वपाश्रपण्यौ भवतः । यत्र वै देवा अग्रे पशुमालेभिरे–तद् उदीचः कृष्यमाणस्यावाङ्मेधः पपात । स एष वनस्पतिरजायत । तद् यत् कृष्यमाणस्यावाङपतत्–तस्मात् कार्ष्मर्य्यः । तेनैवैनमेतन्मेधेन समर्द्धयति–कृत्स्नं करोति । तस्मात्–कार्ष्मर्य्यमय्यौ वपाश्रपण्यौ भवतः ॥ १७ ॥

दर्भाक्रमणव्याजेन 'रक्षः' 'अभितिष्ठामि आक्रमामि । तथा 'अधमं तमः' निकृष्टमन्धकारं भूमेरधस्ताद्वर्त्तमानं तम एव प्रापयामि । गतमन्यत् ॥ १५ ॥

अथ वपामुत्खिदन्तीति । तया वपाश्रपण्यौ प्रोर्णौतीति । 'तया' उद्धृतया वपया वपाश्रपण्योः शाखयोरुपरि 'प्रोर्णौति' प्रच्छादयेत् । घृतेनेत्यादि, तत्र मन्त्रः । हे 'द्यावापृथिवी' द्यावापृथिव्यौ ! युवां वपाश्रपण्योराच्छादनद्वारा 'घृतेन' दीप्यमानेन वपापदार्थेन 'प्रोर्णुवाथां' प्रकर्षेणाच्छादयेथाम् । यद्वा विस्तृत्वाद् वपाश्रपण्यावेव द्यावापृथिव्याविस्युपचर्यते । " तदिमे द्यावापृथिवी "–(श. प. ब्रा. ३।६।१।२१। मा.) इत्यादि प्राग् व्याख्यातम् ॥ १६ ॥

वपाश्रपण्योः कार्ष्मर्यमयत्वं विधाय प्रशंसति–कार्ष्मर्यमय्यौ वपाश्रपण्यौ भवतो यत्र वै देवा अग्रे पशुमालेभिर इत्यादिना । पशोः कर्षणादधःपतितस्य मेधस्य कार्ष्मर्यरूपेणोत्पत्तेः तस्य पशोः सम्बन्धेन यज्ञः कृत्स्नो भवति । अत एव कर्षणसम्बन्धात् कार्ष्मर्यमयी इति नाम सम्पन्नम् । पशोः कर्षणसम्बन्धादपि कार्ष्मर्यं प्रशस्तमित्यभिप्रायः ॥ १७ ॥

२–व्वपामुत्खिद्य व्वपाश्रपण्यौ प्रोर्णौति घृतेन द्यावापृथिवी इति । का. श्रौ. सू. ६ । १२१ ।

(स्तां) तां परिवासयति । तां पशुश्रपणे प्रतपति तथो हास्यात्रापि शृता भवति पुनरुल्मुकमग्नीदादत्ते ते जघनेन चात्वालं यन्ति तऽआयन्त्यागच्छन्त्याहवनीयꣳ स एतत्तृणमध्वर्युराहवनीये प्रास्यति वायो वेः स्तोकानामिति स्तोकानाꣳहैषा समित् ॥ १८ ॥

(द्र) अथोत्तरतस्तिष्ठन्वपां प्रतपति । (त्य) अत्येष्यन्वाऽएषोऽग्निं भवति दक्षिणतः परीत्य श्रपयिष्यंस्तस्मा ऽएवैतन्निह्नुते तथो हैनमेषोऽतियन्तमग्निर्न हिनस्ति तस्मादुत्तरतस्तिष्ठन्वपां प्रतपति ॥ १९ ॥

तामन्तरेण यूपश्चाग्निं च हरन्ति । तद्यत्समया न हरन्ति येनान्यानि हवीꣳषि हरन्ति नेदशृतया समया यज्ञं प्रसजामेति यदु बाह्येन न हरन्त्यग्रेण यूपं बहिर्द्धा ह यज्ञात्कुर्युस्तस्मादन्तरेण यूपं चाग्निं च हरन्ति दक्षिणतः परीत्य प्रतिप्रस्थाता श्रपयति ॥ २० ॥

तां परिवासयति। तां पशुश्रपणे प्रतपति। तथो हास्यात्रापि शृता भवति । पुनरुल्मुकमग्नीदादत्ते ते जघनेन चात्वालं यन्ति । तऽआयन्ति । आगच्छन्त्याहवनीयम् । स एतत्तृणमध्वर्युराहवनीये प्रास्यति । "वायो वेः स्तोकानाम्"–(वा. सं. ६।१६) इति। स्तोकानां हैषा समित् ॥१८॥

अथोत्तरतस्तिष्ठन्वपां प्रतपति । अत्येष्यन्वाऽएषोऽग्निं भवति दक्षिणतः परीत्य श्रपयिष्यन् । तस्माऽएवैतन्निह्नुते। तथो हैनमेषोऽतियन्तमाग्निर्न हिनस्ति। तस्मादुत्तरतस्तिष्ठन्वपां प्रतपति ॥ १९॥

तामन्तरेण यूपश्चाग्निं च हरान्ति । तद्द् यत्समया न हरन्ति–येनान्यानि हवींषि हरन्ति । नेद-

---

तां परिवासयतीति । तां तयोरुपस्तृतां 'परिवासयति' पशोः सकाशात् छिनत्ति । छिन्नां 'तां' 'पशुश्रपणे' पशुः श्रप्यते यस्मिन्नग्नौ स पशुश्रपणः तत्र, "प्रतपति' । 'तथा' सति 'अस्य' पशोर्वपा 'अत्रापि' 'शृता' स्यादित्यभिप्रायः । 'अत्रापि'–इत्यपिशब्द आहवनीयेन सह समुच्चयार्थः । **पुनरुल्मुकमग्नीदादत्त** इति । प्रागाहृतमुल्मुकं श्रपणार्थमपहृताङ्गारं पुनरग्नीदादाय सर्वेऽपि चात्वालात् पश्चाद्भागादाहवनीयं प्राप्नुयुः । तत्राध्वर्युरेतत्पुरा सव्ये धृतं तृणाग्रमाहवनीये "वायो वेः"–इति प्रास्येत् । अत्र कात्यायनः–"परिवास्य चात्वालेऽवसिच्य शामित्रे प्रतपति, शामित्रकदेशमाहवनीये, प्रास्यत्यग्नीत्, तृणाग्रं चाध्वर्युर्वायोवेरिति"–(का. श्रौ. सू. ६ । १३३–१३९) इति। हे 'वायो'! 'स्तोकानाम्' वपाया उपरि आज्याभिघारणकालेऽधः पतिता बिन्दवः स्तोकाः, तेषाम्, आधारत्वेनेदं तृणाग्रं समित्स्थानीयं 'वेः' विद्धि, अग्निं गमय वा ॥ १८ ॥

अथोत्तरतस्तिष्ठन्नित्यादि । एतत् उत्तरतः प्रतितपनम्, उपरि तपनं दक्षिणतः प्रतितपनार्थो यः प्रतिप्रस्थातुरग्न्यतिक्रमः, तत्समाधानार्थमित्यर्थः ॥ १९ ॥

दक्षिणतः प्रतितापोपगमनमार्गं दर्शयति–**तामन्तरेण यूपमिति** । **तद्यदिति** । 'समया' समीपे, वेदि-

---

१–उत्तरतस्तिष्ठन् प्रतप्य वपामंतरायूपाग्रे हृत्वा दक्षिणतः प्रतिप्रस्थाता श्रपयति परीत्य । का. श्रौ. सू. ६–१३६ ।

(त्यु) अथ स्रुवेणोपहत्याज्यम् । (म) अध्वर्युर्वपामभिजुहोत्यग्नि-राज्यस्य वेतु स्वाहेति तथो हास्यैते स्तोकाः शृताः स्वाहाकृता आहुतयो भूत्वाग्निं प्राप्नुवन्ति ॥ २१ ॥

(न्त्यु) अथाह स्तोकेभ्योऽनुब्रूहीति । स आग्नेयी स्तोकेभ्योऽन्वाह तद्यदाग्नेयी स्तोकेभ्योऽन्वाहेतःप्रदाना वै वृष्टिरितो ह्यग्निर्वृष्टिं वनुते स एतैः स्तोकैरेतान्त्स्तोकान्वनुते त एते स्तोका वर्षन्ति तस्मादाग्नेयी स्तोकेभ्योऽन्वाह यदा शृता भवति ॥ २२ ॥

शृतया समया यज्ञं प्रसजामेति । यदु बाह्येन न हरन्ति । अग्रेण यूपम् । बहिर्द्धा ह यज्ञात् कुर्युः । तस्मादन्तरेण यूपं चाग्निं च हरन्ति । दक्षिणतः पर्येत्य प्रतिप्रस्थाता श्रपयति ॥ २० ॥

अथ स्रुवेणोपहत्याज्यमध्वर्युर्वपामभिजुहोति–" अग्निराज्यस्य वेतु स्वाहा "–(वा० सं० ६ । १६) इति । तथो हास्यैते स्तोकाः शृताः स्वाहाकृता आहुतयो भूत्वाग्निं प्राप्नुवन्ति ॥ २१ ॥

अथाह–स्तोकेभ्योऽनुब्रूहीति । स आग्नेयी स्तोकेभ्योऽन्वाह । तद्यदाग्नेयी स्तोकेभ्योऽन्वाह । इतःप्रदाना वै वृष्टिः । इतो ह्यग्निर्वृष्टिं वनुते । स एतैः स्तोकैरेतान्त्स्तोकान् वनुते । त एते स्तोका वर्षन्ति । तस्मादाग्नेयी स्तोकेभ्योऽन्वाह–यदा शृता भवति ॥ २२ ॥

मध्यदेशे ' न हरन्ति ' । केनाभिप्रायेण ? अस्य पशोस्तया ' वपया ' समया ' साम्मुख्येनैव सामीप्येन ' यज्ञम् ' आहवनीयेनैव ' प्रसजाम ' प्रकर्षेण संराध्नुमः ' इति ' । प्रसञ्जन चेष्टनम् । आहवनीयात् पुरोदेशतो हरणेऽपि यूपाद्बहिर्न हरेत्; ' यज्ञात् सकाशात् ' बहिर्द्धा ' कुर्यात् यूपस्यापि यज्ञावयवत्वात् उत्तरतः प्रतपनमध्वर्युकर्तृकम्; विशेषाश्रवणात् ॥ २० ॥

अथ स्रुवेणोपहत्याज्यमिति । तथाध्वर्युः प्रतिप्रस्थात्रा वपायां तप्यमानायां स्रुवेणाज्यमुपहत्यादाय वपोपरि अध्वर्युर्जुहुयात् "अग्निराज्यस्य वेतु" इति । 'आज्यस्य' आज्यं 'वेतु' भक्षयतु, ' स्वाहा ' इदं सुहुतमस्तु । **तथो** हेत्यादि । ' अस्य ' वपाद्रव्यस्य, वपाद्वारा पशोर्वा । " स्वाहाकारेण वा वषट्कारेण वा देवेभ्योऽन्नं हूयते "–(ऐ. ब्रा. २ २-३) इति श्रुतेः ' स्वाहाकृताः ' स्वाहाकारेण दत्ते सति ' आहुतयः ' भवन्तीत्यर्थः ॥ २१ ॥

अथाह स्तोकेभ्योऽनुब्रूहीतीति । होत्रा स्तोकेभ्योऽनूच्यमानानां मन्त्राणामाग्नेयत्वं वृष्टिसाधनत्वेन प्रशंसति–**तद्यदाग्नेयी स्तोकेभ्योऽन्वाहे**त्यादिना । ' इतः प्रदाना वै वृष्टिः ' अस्माद् भूलोकात् प्रजाता प्रसाध्यति । " इतो ह्यग्निर्वृष्टिं वनुते "–इति सङ्ग्रहेणोक्तं विशदयति–**स एतैरि**ति । ' एतैः ' घृतस्तोकैः 'एतान्' वृष्ट्यवयवभूतान् ' वनुते ' ' ते ' अग्निना भक्षिताः ' एते ' घृतस्तोकाः पुनरुदकात्मना परिणताः पृथिव्यां ' वर्षन्ति ' । ' तस्मात् ' उक्तप्रकारेण वृष्टेरग्न्यायत्तत्वात् ' आग्नेयी ' । ' स्तोकेभ्यः ' अनुब्रूयात् ' यदा ' वपा ' शृता ' ' भवति ' ॥ २२ ॥

१–व्वपा२ स्रुवेणाभिघारयत्यग्निराज्यस्येति । का. श्रौ. सू. ६-१३७ । २–स्तोकेभ्योऽनुवाचयति । शृताया२ शृताप्रचरेत्याह प्रतिप्रस्थाता स्वाहाकृतिभ्यः प्रेष्येति । का. श्रौ. सू. ६ । १३८ ।

(त्यु) अथाह प्रतिप्रस्थातः शृता प्रचरेति । स्रुचावादायाध्वर्युरतिक्रम्याश्राव्याह स्वाहाकृतिभ्यः प्रेष्येति व्वषट्कृते जुहोति ॥ २३ ॥

हुत्वा व्वपामेवाग्रेऽभिघारयति । (त्यु) अथ पृषदाज्यं तदु ह चरकाध्वर्य्यवः पृषदाज्यमेवाग्रेऽभिघारयन्ति प्राणः पृषदाज्यमिति व्वदन्तस्तदु ह याज्ञवल्क्यं चरकाध्वर्य्युरनुव्याजहारैवं कुर्व्वन्तं प्राणं वा ऽअयमन्तरगादध्वर्युः प्राण एनꣳ हास्यतीति ॥ २४ ॥

स ह स्म बाहू ऽअन्ववेक्ष्याह । (हे) इमौ पलितौ बाहू क्व स्विद्ब्राह्मणस्य व्वचो बभूवेति न तदाद्रियेतोत्तमो वा ऽएष प्रयाजो भवतीदं वै हविर्यज्ञ उत्तमे प्रयाजे ध्रुवामेवाग्रेऽभिघारयति तस्यै हि प्रथमावाज्यभागौ होष्यन्भवति व्वपां वा ऽअत्र प्रथमाꣳ होष्यन्भवति तस्माद्वपामेवाग्रेऽ-

---

अथाह–प्रतिप्रस्थाता–शृता प्रचरेति । स्रुचावादायाध्वर्युरतिक्रम्याश्राव्याह–स्वाहाकृतिभ्यः प्रेष्येति । वषट्कृते जुहोति ॥ २३ ॥

हुत्वा वपामेवाग्रेऽभिघारयति । अथ पृषदाज्यम् । तद्ध ह चरकाध्वर्यवः–पृषदाज्यमेवाग्रेऽभिघारयन्ति–प्राणः पृषदाज्यमिति वदन्तः । तद्ध ह याज्ञवल्क्यं चरकाध्वर्युरनुव्याजहार–एवं कुर्वन्तम् । प्राणं वाऽअयमन्तरगात् अध्वर्युः प्राण एनं हास्यतीति ॥ २४ ॥

स ह स्म बाहूऽअन्ववेक्ष्याह । इमौ पलितौ बाहू क्व स्विद् ब्राह्मणस्य वचो बभूवेति । न तदाद्रियेत । उत्तमो वाऽएष प्रयाजो भवति । इदं वै हविर्यज्ञ उत्तमे प्रयाजे ध्रुवामेवाग्रेऽभिघारयति । तस्यै

अथाह प्रतिप्रस्थातेति । अनन्तरं 'प्रतिप्रस्थाता' तद्वपापरिपक्वासीत् अतः 'अध्वर्यो! प्रचारं कुरु' इति ब्रूयात् । 'प्रेष्यः' स्पष्टः प्रयोगप्रकारः, स्वाहाकृतयोऽन्त्यप्रयाजदेवताः सन्ति ॥ २३ ॥

हुत्वा वपामेवेति । अन्त्यप्रयाजं हुत्वा 'अग्रे' पृषदाज्यात् प्राक् 'वपामेव' प्रयाजशेषेणाभिघारयेत् । 'अथ' पश्चात् अनूयाजाद्यर्थं 'पृषदाज्यम्' । चरकशाखोक्ताऽऽध्वर्यवप्रयोगकर्त्तारः 'चरकाध्वर्य्यवः' । 'पृषदाज्यमेवाग्रेऽभिघारयन्ति' । दधिमिश्रमाज्यं पृषदाज्यम् । प्राणवत् गवामन्तर्वर्त्तमानत्वात्; प्राणः पुष्टिः, तद्धेतुत्वाद्वा पृषदाज्यस्य प्राणत्वम् । 'तदु' तस्मिन्नभिघारणप्राथम्यविषये 'याज्ञवल्क्यम्' 'अनु' लक्ष्यीकृत्य 'व्याजहार' उक्तवान् । अनुव्याजहारः शापः । याज्ञवल्क्यं विशिनष्टि–**एवं कुर्वन्तमिति** । पृषदाज्यमतिक्रम्य वपामेवादावभिघारयन्तम् 'अयमध्वर्युः' पृषदाज्यमतिक्रामन् 'प्राणं' खलु 'अन्तरगात्' अतः 'एनम्' अध्वर्युं 'प्राणो हास्यति'–'इति' याज्ञवल्क्यं सम्बोध्य वक्ता अध्वर्युः साधारण्येनाह ॥ २४ ॥

स ह स्मेति । एवमधिक्षिप्तः 'सः' याज्ञवल्क्यः 'ह' 'बाहू' 'अन्ववेक्ष्य' समवेक्ष्य, तस्मै प्रकाशनाय 'इमौ बाहू' 'पलितौ' जरसा युक्तौ शुक्लरोमयुक्तावभूताम् । अयमभिप्रायः–एतावान् कालो वपाप्रथमा-

---

१–हुत्वा व्वपामभिघारयति पृषदाज्यं ध्रुवां प्रथमनाज्यभागौ चेत् । का. श्रौ. सू. ६ । १३९ ॥

भिघारयेदुथ पृषदाज्यमुथ युत्पशुं नाभिघारयति नेदशृतमभिघारयाणी-त्येतदेवास्य सुर्व्वः पशुरभिघारितो भवति युद्वपामभिघारयति तस्मा-द्वपामेवाग्रेऽभिघारयेदुथ पृषदाज्यम् ॥ २५ ॥

(म) अथाज्यमुपस्तृणीते । (तेऽथ) अथ हिरण्यशकलमुवदधात्युथ व्वपामवद्यन्नाहाग्नीषोमाभ्यां छागस्य व्वपायै मेदसोऽनुब्रूहीत्युथ हिरण्य-शकलमवदधात्यथोपरिष्टाद्द्विराज्यस्याभिघारयति ॥ २६ ॥

तद्यद्धिरण्यशकलावभितो भवतः । (तो) घ्नन्ति व्वा ऽएतुत्पशुं यदग्नौ जुह्वत्यमृतमायुर्हिरण्यं तदमृत ऽआयुषि प्रतितिष्ठति तथात उदेति तथा सञ्जीवति तस्माद्धिरण्यशकलावभितो भवत आश्राव्याहाग्नीषोमाभ्यां छागस्य व्वपां मेदः प्रेष्येति न प्रस्थितमित्याह प्रसुते प्रस्थितमिति व्वष-ट्कृते जुहोति ॥ २७ ॥

हि प्रथमावाज्यभागौ होष्यन् भवति । वपां वाऽअत्र प्रथमां होष्यन् भवति । तस्माद्वपामेवाग्रेऽभिघारयेत् । अथ पृषदाज्यम्, अथ यत् पशुं नाभिघारयति । नेदशृतमभिघारयाणीति । एतदेवास्य सर्वः पशुरभिघारितो भवति—यद्वपामभिघारयति । तस्माद्वपामेवाग्रेऽभिघारयेत्—अथ पृषदाज्यम् ॥ २५ ॥

अथाज्यमुपस्तृणीते । अथ हिरण्यशकलमवदधाति । अथ वपामवद्यन्नाह—अग्नीषोमाभ्यां छागस्य वपायै मेदसोऽनुब्रूहीति । अथ हिरण्यशकलमवदधाति । अथोपरिष्टाद् द्विराज्यस्याभिघारयति ॥ २६ ॥

तद् यद्धिरण्यशकलावभितो भवतः घ्नन्ति वाऽएतत् पशुम्—यदग्नौ जुह्वति । अमृतमायुर्हिरण्यम् । तद् अमृतऽआयुषि प्रतितिष्ठति । तथा त उदेति । तथा सञ्जीवति । तस्माद्धिरण्यशकलावभितो भवतः । आश्राव्याह—अग्नीषोमाभ्यां छागस्य वपां मेदः प्रेष्येति । न प्रस्थितमित्याह—प्रसुते प्रस्थितमिति । वषट्कृते जुहोति ॥ २७ ॥

भिघारणेनैव गतः, अथापि प्राणश्च न निर्गत इति स्वयमपि चरकाध्वर्युवत् परीक्षणेनैव ब्रूते—'ब्राह्मणस्य' चरकाध्वर्योः 'वचः' प्राण एनं हास्यतीत्येतदात्मकम् 'क बभूव' नावगतमित्यर्थः । तस्मात् 'तत्' वचनं नादर्त्तव्यमित्युपसंहारः । हविष्ट्वे समानेऽपि पशोरनभिघारणस्याभिप्रायमाविष्करोति—**नेदशृतमिति** । अभिघारणं होतव्यहविःसंस्कारः । अशृतस्य होमानर्हत्वात् अभिघारणं न युज्यत इत्यभिप्रायः । तर्हि संस्कारस्यास्य पशुसंस्पर्श एव नोपलभ्यत इत्याशङ्क्य तत्प्राप्त्युपायमाह—**एतदेवास्येति** ॥ २५ ॥

वपायागमाह—**अथाज्यमुपस्तृणीत** इति । उभयतो हिरण्यशकलस्थापनमप्राणस्य पशोः सप्राणत्व-सम्पादनाय ॥ २६ ॥

तद्यद्धिरण्यशकलावभितो भवत इति । अथामृताद्यात्मना स्तौति । **घ्नन्ति वा एतत् पशुं यदग्नौ जुह्वती**-त्यादिना । **वपां मेद** इति । मेदो नाम मांससारभूतमङ्गं तदात्मना वपोच्यते । सारस्वतसंपादनाय वपां मेदः प्रेष्यति । "प्रेष्यब्रुवोर्हविषो देवतासम्प्रदाने" इत्यत्र (पा० सू० २।३।६१) 'हविषोऽप्रस्थितस्य

१–वपया चरिष्यन्नुपस्तीर्य हिरण्यमवधाय व्वपामवद्यन्नाह इन्द्राग्निभ्यां छागस्य वपायै मेदसोऽनुब्रूहि का. श्रौ. सू. ।६।१४१। इति निरूढे पैषः । "अग्नीषोमाभ्यां छागस्य वपायै मेदसोऽनुब्रूहीति का. श्रौ. सू. ६।१४३ सौमिकोऽग्नीषः । हिरण्यमवधाय द्विरभिघारण सोमे । का. श्रौ. सू. ।६।१४२। आश्राव्याहेन्द्राग्निभ्यां छागस्य वपां मेदःप्रेष्येति । का. श्रौ. सू. ६।१४६ ।

हुत्वा व्वपाᳬसमीच्यौ । व्वपाश्रपण्यौ कृत्वानुप्रास्यति स्वाहाकृते ऽऊर्ध्वनभसम्मारुतं गच्छतमिति नेदिमे ऽअमुया सतो याभ्यां व्वपामशिश्रपामेति ॥ २८ ॥

तद्यद्वपया चरन्ति । यस्यै वै देवतायै पशुमालभन्ते तामेवैतद्देवतामेतेन मेधेन प्रीणाति सैषा देवतैतेन मेधेन प्रीता शान्तोत्तराणि हवीᳬषि श्रप्यमाणान्युपरमति तस्माद्वपया चरन्ति ॥ २९ ॥

(न्त्यु) अथ चात्वाले मार्ज्जयन्ते । क्रूरं वा ऽएतत्कुर्वन्ति यत्सञ्ज्ञपयन्ति यद्विशासति शान्तिरापस्तदद्भिः शान्त्या शमयन्ते तदद्भिः सन्दधते तस्माच्चात्वाले मार्ज्जयन्ते ॥ ३० ॥

इति षष्ठप्रपाठके तृतीयं ब्राह्मणम् ॥ ६ ॥ ३ ॥ (८।२)

हुत्वा वपां समीच्यौ वपाश्रपण्यौ कृत्वानुप्रास्यति–" स्वाहाकृते । ऊर्ध्वनभसं मारुतं गच्छतम् " (वा. सं. ६ । १६) इति । नेदिमेऽमुया सतो याभ्यां वपामशिश्रपामेति ॥ २८ ॥

तद् यद्वपया चरन्ति । यस्यै वै देवतायै पशुमालभन्ते–तामेवैतद्देवतामेतेन मेधेन प्रीणाति । सैषा देवतैतेन मेधेन प्रीता शान्तोत्तराणि हवींषि श्रप्यमाणान्युपरमति । तस्माद्वपया चरन्ति ॥ २९ ॥

अथ चात्वाले मार्ज्जयन्ते । क्रूरं वाऽएतत् कुर्वन्ति यत् सञ्ज्ञपयन्ति, यद्विशासति । शान्तिरापः तदद्भिः शान्त्या शमयन्ते । तदद्भिः सन्दधते । तस्माच्चात्वाले मार्ज्जयन्ते ॥ ३० ॥

प्रतिषेधो वक्तव्यः " इत्युक्तम् । अतः षष्ठी प्रतिषेधार्यतस्य प्रयोगे प्राप्ते प्रतिषेधति–**न प्रस्थितामित्याहेति** । सर्वत्रावचनप्रसक्तौ सवनीयपशोः पुनः प्रसञ्जयति–**प्रसुते प्रस्थितमिति**[2] । ब्रूयादिति शेषः । 'प्रसुते' अभिषवे कृते सति यो वपायागस्तत्रेत्यर्थः ॥ २७ ॥

हुत्वा वपां समीच्यौ वपाश्रपण्यौ कृत्वानुप्रास्यतीति ' समीच्यौ ' परस्पराभिमुखे । तथा च सूत्रम्– " वपाश्रपण्यावनुप्रास्यति प्राचीं विशाखां प्रतीचीमितराम् " (का० श्रौ० सू० ६ । १४९) इति । ' स्वाहाकृते ' स्वाहाशब्दे उच्चरिते, हविर्षीत्यर्थः । अस्य प्रासने मन्त्रः–**ऊर्ध्वनभसमिति** । ' ऊर्ध्वम् ' उपरि भूतं ' नभः ' अन्तरिक्षं यस्य वायोः स तथोक्तः, तम ' ऊर्ध्वनभसम् ' तं मारुतं वायुम्, हे वपाश्रपण्यौ ! युवां ' गच्छतम् ' । ' याभ्यां शाखाभ्यां ' वपाम् अशिश्रपाम ' वपाश्रपणमकार्ष्म ते ' इमे ' ' अमुया ' अमुत्र, समुच्छ्रयरहिते अनभिमते देशे प्रणष्टे ' न ' भवत इत्यभिप्रायेणाग्नौ प्रास्यत् ॥ २८ ॥

वपायागं प्रशंसति–**तद् यद् वपया चरन्तीति** । अयं वपायागो विप्रकृष्टकालीनस्याङ्गयागस्य मध्यव्यवधानेन क्षुधार्त्ताया देवताया अवान्तरक्षुन्निवर्त्तकत्वेन क्रोधशान्तिहेतुरित्यर्थः ॥ २९ ॥

अथ चात्वाल इत्यादि[3] । स्पष्टम् ॥ ३० ॥

इति श्रीसायणाचार्यविरचिते माधवीये वेदार्थप्रकाशे माध्यन्दिनीयशतपथब्राह्मणभाष्ये तृतीयकाण्डेऽष्टमाध्याये द्वितीयं ब्राह्मणम् ॥ (३–८–२)

१–चात्वालसमीपे 'इदमापः प्रवहत' (६ अ. १७ कं.) इत्यादिरात्माभ्युक्षणमन्त्रः संहितायां पठ्यते इह तु नोक्तः । २–प्रस्थित-प्रेतित्व प्रसुते । का. श्रौ. सू. ६।१४४। ३–चात्वाले मार्जयन्ते सपत्नीका इदमापः प्रवहतेति। का० श्रौ० सू० ६ । १४६ ।

यद्देवत्यः पशुर्भवति । तद्देवत्यं पुरोडाशमनुनिर्व्वपति तद्यत्पुरोडाशमनुनिर्व्वपति सर्व्वेषां वा ऽएष पशूनां मेधो यद्व्रीहियवौ तेनैवैनमेतन्मेधेन समर्द्धयति कृत्स्नं करोति तस्मात्पुरोडाशमनुनिर्व्वपति ॥ १ ॥

(त्यु) अथ यद्वपया प्रचर्य । (यैं) एतेन पुरोडाशेन प्रचरति मध्यतो वा ऽइमां व्वपामुत्खिदन्ति मध्यत ऽएवैनमेतेन मेधेन समर्द्धयति कृत्स्नं करोति तस्माद्वपया प्रचर्य्यैतेन पुरोडाशेन प्रचरत्येष न्वेवैतस्य बन्धुर्यत्र क्व चैष पशुं पुरोडाशोऽनुनिरुप्यते ॥ २ ॥

(तेऽथ) अथ पशुं व्विशास्ति । त्रिः प्रच्यावयतात्त्रिः प्रच्युतस्य हृदयमुत्तमं कुरुतादिति त्रिवृद्धि यज्ञः ॥ ३ ॥

यद्देवत्यः पशुर्भवति, तद्देवत्यं पुरोडाशमनुनिर्वपति । तद् यत्पुरोडाशमनुनिर्वपति । सर्वेषां वाऽएष पशूनां मेधो यद्व्रीहियवौ । तेनैवैनमेतन्मेधेन समर्द्धयति । कृत्स्नं करोति । तस्मात्पुरोडाशमनुनिर्वपति ॥ १ ॥

अथ यद्वपया प्रचर्य–एतेन पुरोडाशेन प्रचरति, मध्यतो वाऽइमां वपामुत्खिदन्ति, मध्यत एवैनमेतेन मेधेन समर्द्धयति, कृत्स्नं करोति । तस्माद्वपया प्रचर्यैतेन पुरोडाशेन प्रचरति । एष न्वेवैतस्य बन्धुः–यत्र क्व चैष पशुं पुरोडाशोऽनुनिरुप्यते ॥ २ ॥

अथ पशुं विशास्ति । त्रिः प्रच्यावयता(त्) त्रिः प्रच्युतस्य हृदयमुत्तमं कुरुताद्–इति । त्रिवृद्धि यज्ञः ॥ ३ ॥

अथानुनिर्वाप्यपुरोडाशं तद्देवतां च विवक्ते–यद्देवत्य इति[1] । या देवता पशोः पुरोडाशोऽपि तद्देवताकः कर्त्तव्यः । पुरोडाशानुनिर्वापं पूर्यमाणस्य पशोः समृद्धिहेतुत्वेन प्रशंसति–**सर्वेषां वा एष पशूनामिति** । सर्वपशूनां मेधरूपत्वमैतरेयब्राह्मणे "पुरुषं वै देवाः पशुमालभन्त, तस्मादालब्धान्मेध उदक्रामत्" (ऐ. ब्रा. २ । १ । ८) इत्यादिना प्रपञ्चितम् ॥ १ ॥

पुरोडाशस्य वपानन्तर्यं प्रशंसति–**अथ यद्वपया प्रचर्यैति** । पशुपुरोडाशस्य पशुच्छिद्रपूर्त्तिरूपप्रयोजनं सर्वेषु पशुष्वतिदिशति–**एष न्वेवैतस्य बन्धुरिति** ॥ २ ॥

अथ पशुं विशास्तीति । (धा. पा. न्वा. प. ७२७) । शमिता । तदा शमितुरेवमनुशासनं कुर्यात्–हे शमितः ! 'त्रिः प्रच्यावय' प्रधानस्विष्टकृदुपयड्भेदेन त्रिविधाङ्गानि त्रिविधचिह्नानि यथा स्युः, तथा प्रच्यावय 'त्रिः प्रच्युतस्य' पशोः 'हृदयम्' अवयवम् 'उत्तमम्' उपरिभावं 'कुरुतात्' 'इति'[3] । यद्वा

१–अग्नीषोमीयोऽतःपशुः । तद्देवत्यः पशुपुरोडाशः । का० श्रौ०सू० ८–२०३।२०४। पशुदेवतायै पुरोडाश एकादशकपालः । का. श्रौ. सू. ६ । १६४ । अग्नीषोमीयो वाविशेषोपदेशात् । का. श्रौ. सू. ६ । १६५ । २–विशास्तिपशुमन्यः । ऋत्विजां वैकोऽप्रक्लृप्तत्वाच्छामित्रे । अपगादर्शनाच्च । विक्रयी त्वन्यः शूद्रसंयोगात् । का. श्रौ. सू. ६ । १४७–१५० । ३–त्रिः प्रच्यावयतात् इति मूलपाठः ।

(ण्रोऽथ) अथ शमितारꣳ सꣳशास्ति । यत्त्वा पृच्छाच्छृतꣳ हविः शमिता ३ रिति शृतमित्येव ब्रूतान्न शृतं भगवो न शृतꣳ हीति ॥ ४ ॥

(त्यु) अथ जुह्वा पृषदाज्यस्योपहत्य । (त्या) अध्वर्युरुपनिष्क्रम्य पृच्छति शृतꣳ हविः शमिता३रिति शृतमित्याह तद्देवानामित्युपाꣳश्वध्वर्युः ॥ ५ ॥

(स्त)तद्यत्पृच्छति । शृतं वै देवानाꣳ हविर्नाशृतꣳशमिता वै तद्वेद यदि शृतं वा भवत्यशृतं वा ॥ ६ ॥

तद्यत्पृच्छति । शृतेन प्रचराणीति तद्यद्यशृतं भवति शृतमेव देवानाꣳ हविर्भवति शृतं यजमानस्यानेनाऽध्वर्युर्भवति शमितरि तदेनो भवति

अथ शमितारं संशास्ति–यत्त्वा पृच्छात्–शृतं हविः शमिताः३–इति–शृतमित्येव ब्रूतात्न शृतं भगवो न शृतं हीति ॥ ४ ॥

अथ जुह्वा पृषदाज्यस्योपहत्य, अध्वर्युरुपनिष्क्रम्य, पृच्छति–शृतं हविः शमिताः ३ इति । शृतमित्याह । तद्देवानामित्युपांश्वध्वर्युः ॥ ५ ॥

तद् यत्पृच्छति–शृतं वै देवानां हविः, नाशृतम् । शमिता वै तद्वेद यदि शृतं वा भवत्यशृतं वा ॥ ६ ॥

तद् यत् पृच्छति–शृतेन प्रचराणीति । तद् यद्यशृतं भवति–शृतमेव देवानां हविर्भवति, शृतं

' त्रिः प्रच्यावय ' अवयवान् यथाङ्गानि त्रिः प्रच्युतानि स्युः, तथा पाकं कुरु । ' त्रिः प्रच्युतस्य ' पक्वस्य ' हृदयं ' शूलाग्रेण पक्वम् ' उत्तमम् ' उपरिवर्त्तमानं कुरु । प्रच्यावनस्य त्रित्वं प्रशंसति–**त्रिवृद्धि यज्ञ** इति । उक्तं त्रिवृत्त्वम् ॥ ३ ॥

अथ शमितारं संशास्तीति[1] । अनुशासनं कुर्यात् । यत् यदा हे शमितः !–त्वा त्वां पृच्छात् पृच्छेत् । प्रश्न प्रकारमाह–**शृतं ह विः शमिता ३** रिति प्रश्नार्थे प्लुतः । तदा शृतं चेच्छृतमित्येव ब्रूतात् । अशृतं चेत् हे भगवन्निदानीमपि न शृतमिति ब्रूतात् । प्रमादादशृतस्य शृतत्वाभिधानभीत्या प्रथमत एव संशासनम् ॥ ४ ॥

अथ जुह्वेति । अथ पाकानन्तरं जुह्वा पृषदाज्यस्योपहत्य ' जुह्वां पृषदाज्यं हृदयावदानार्थमादाय शामित्रं प्रति गत्वा ' शमितारं ' ' शृतं हविः ' ? ' इति ' पृच्छेत् । ' शृतम् ' ' इति ' प्रत्युक्ते ' तद् देवानाम् ' ' इति ' ' उपांशु ' ब्रूयात् ॥ ५ ॥

प्रश्नप्रयोजनमाह–**तद् यत् पृच्छतीति** । प्रश्नाभावपक्षे ' अशृतम् ' इति । ' शृतं वा ' स्यात् । तच्च रौद्रं नैर्ऋतं वा भवेत्, न दैवम्; " यो विदग्धः स नैर्ऋतो योऽशृतः स रौद्रो यः शृतः स दैवः " (तै॰ सं. २ । ६ । ३ । ४) इति हि तैत्तिरीयकम् । अतः शृताशृतविभागं शमिता जानातीति " शृतं हविः शमितः ३" ?–इति प्रश्नो युज्यत इत्यर्थः ॥ ६ ॥

तद्यत् पृच्छतीति । अत एव प्रश्नसामर्थ्यात् प्रमादादशृतमपि भवेत् । ' यजमानस्य शृतं भवति ' शृते

१–शमितारꣳशास्ति त्रिः प्रच्यावयतात् त्रिः प्रच्युतस्य हृदयमुत्तमं कुरुतायत्वापृछाच्छृतꣳहविः शमिता ३ रिति शृतमित्येवब्रूतान्न शृतंभगवोनशृतꣳहीति । त्रिः प्रच्युते हृदयंप्रवृह्योत्तमंकरोति । शूलं चाभूमौ । जुह्वापृषदाज्यस्यादायोपनिष्क्रम्य पृछति शृतꣳहविः शमिता ३ रिति त्रिरभिक्रामम् । प्रोक्ते तद्देवानामित्याहोपाꣳशु । का. श्रौ. सू. ६ । १७८–१८२ । २–'एव'–इ० अ० पा० ।

त्रिष्कृत्वः पृच्छति त्रिवृद्धि यज्ञोऽथ यदाह तद्देवानामिति तद्धि देवानां यच्छृतं तस्मादाह तद्देवानामिति ॥ ७ ॥

स हृदयमेवाग्रेऽभिघारयति । (त्या) आत्मा वै मनो हृदयं प्राणः पृषदाज्यमात्मन्येवैतन्मनसि प्राणं दधाति तथैतज्जीवमेव देवानाᳩं हविर्भवत्यमृतममृतानाम् ॥ ८ ॥

(ᳩं) सोऽभिघारयति । सं ते मनो मनसा सं प्राणः प्राणेन गच्छतामिति न स्वाहाकरोति न ह्येषाहुतिरुद्वासयन्ति पशुम् ॥ ९ ॥

यजमानस्य । अनेनाः—अध्वर्युर्भवति । शमितरि तदेनो भवति । त्रिष्कृत्वः पृच्छति, त्रिवृद्धि यज्ञः । अथ यदाह—तद्देवानामिति । तद्धि देवानाम्—यच्छृतम् । तस्मादाह—तद्देवानामिति ॥ ७ ॥

स हृदयमेवाग्रेऽभिघारयति । आत्मा वै मनो, हृदयम्, प्राणः पृषदाज्यम् । आत्मन्येवैतन्मनसि प्राणं दधाति । तज्जीवमेव देवानां हविर्भवति—अमृतममृतानाम् ॥ ८ ॥

सोऽभिघारयति—" सं ते मनो मनसा सं प्राणः प्राणेन गच्छताम् "—(वा. सं. ६।१८) इति । न स्वाहाकरोति न ह्येषाहुतिः, उद्वासयन्ति पशुम् ॥ ९ ॥

यत् फलं तदविकलं भवतीत्यर्थः । अत एव प्रश्नादेव ' अध्वर्युः ' ' अनेनाः ' अपापः ' भवति '; शमितारमेव ' तदेनः ' आश्रयति । **त्रिः कृत्वः** इत्यादि । स्पष्टम् ॥ ७ ॥

स हृदयमेवाग्रेऽभिघारयतीति[1] । हृदयाभिघारणं प्रशंसति—**आत्मा वै मन** इत्यादिना । यदेतद्धृदयाख्यमङ्गम्, तन्मन आख्यकः ' आत्मा ' खलु; "एतं मनोमयमात्मानमुपसंक्रामति"—(तै. उ. ब्र. व. अनु. ८) इत्यादौ आत्मत्वव्यवहारात् । अथवा मनउपाधिकः ' आत्मा ' खलु, परिपूर्णस्य परमात्मनः परिच्छेदेन जीवभावः, मनस उपाधित्वात् । उक्तं पृषदाज्यस्य प्राणत्वम् अतः एतेन हृदयाभिघारणेन आत्मभूते मनसि प्राणं स्थापितवान् भवति । तथा सति हृदयद्वारा प्राणप्रज्ञयोः स्थापितत्वात् 'देवानाम्' इदं सजीवं 'हविः' सम्पद्यते । अग्रशब्दश्रुतेः सामर्थ्यादितराण्यङ्गान्यपि पश्चादाज्येनाभिघारयेत् ॥ ८ ॥

सोऽभिघारयतीत्यादि । मन्त्रस्यार्थः—हे अभिघार्यमाण हृदय ! ' ते ' ' मनः ' । मनःप्राणयोर्हृद्यवस्थानात् आश्रयाश्रयिणोरभेदात् ' ते ' मनः इति स्वस्वामिभावसम्बन्धोपचारः । ' मनसा ' पृषदाज्यलक्षणेन । पृषदाज्यस्य मनोलक्षणत्वेन स्तुतत्वात् प्राणमनसोरवियोगात् पृषदाज्यमपि मन इत्युच्यते । तेन ' सङ्गच्छताम् ' सङ्गतं भवतु । तथा ' ते ' ' प्राणः ' ' प्राणेन ' पृषदाज्यलक्षणेन ' सङ्गच्छताम् ' । यद्वा-हे 'पशो' !'ते' यौ मनःप्रणौ अपगतौ, ताभ्यां मनःप्राणाभ्यां हृदयरूपेणावस्थिताभ्यां सङ्गच्छतामित्यर्थः । **न ह्येषाहुतिरिति** । अभिघारणरूपत्वेनाहुतिसंस्कारत्वात् स्वत आहुतित्वाभावान्न स्वाहा कुर्यात् ॥ ९ ॥

१-संतेमन इति हृदयमभिघार्य सर्व्वम् । का. श्रौ. सू. ६ । १८३ ।

तं जघनेन चात्वालमन्तरेण यूपं चाग्निं च हरन्ति । तद्यत्समया न हरन्ति येनान्यानि हवीꣳषि हरन्ति शृतꣳ सन्तं नेदङ्गशो विकृतेन क्रूरीकृतेन समया यज्ञं प्रसजामेति यदु बाह्येन न हरन्त्यग्रेण यूपं बहिर्द्धा ह यज्ञात्कुर्युस्तस्मादन्तरेण यूपं चाग्निं च हरन्ति दक्षिणतो निधाय प्रतिप्रस्थातावद्यति प्लक्षशाखा ऽउत्तरबर्हिर्भवन्ति ता अध्यवद्यति तद्यत्प्लक्षशाखाऽउत्तरबर्हिर्भवन्ति ॥ १० ॥

यत्र वै देवाः । (५) अग्रे पशुमालेभिरे तं त्वष्टा शीर्षतोऽग्रेऽभ्युवामो-तैवं चिन्नालभेरन्निति त्वष्टुर्हि पशवः सऽएष शीर्षन्मस्तिष्कोनूक्यश्च मज्जा तस्मात्स वान्त इव त्वष्टा ह्येतमभ्युवमत्तस्मात्तं नाश्नीयात्त्वष्टुर्ह्येतदभिवान्तम् ॥ ११ ॥

तं जघनेन चात्वालम्--अन्तरेण यूपं चाग्निं च हरन्ति । तद् यत्समया न हरन्ति--येनान्यानि हवींषि हरन्ति--शृतं सन्तं नेदङ्गशो विकृतेन क्रूरीकृतेन समया यज्ञं प्रसजामेति । यदु बाह्येन न हरन्ति--अग्रेण यूपम्--बहिर्द्धा ह यज्ञात् कुर्युः । तस्मादन्तरेण यूपं चाग्निं च हरन्ति । दक्षिणतो निधाय प्रतिप्रस्थातावद्यति । प्लक्षशाखा उत्तरबर्हिर्भवन्ति । ता अध्यवद्यति । तद् यत्प्लक्षशाखा उत्तरबर्हिर्भवन्ति ॥ १० ॥

यत्र वै देवाः अग्रे पशुमालेभिरे, तं त्वष्टा शीर्षतोऽग्रेऽभ्युवाम--उतैवं चिन्नालभेरन्निति । त्वष्टुर्हि पशवः । स एष शीर्षन् मस्तिष्कोऽनूक्यश्च मज्जा । तस्मात् स वान्त इव । त्वष्टा ह्येतमभ्यवमत् । तस्मात्तं नाश्नीयात् । त्वष्टुर्ह्येतदभिवान्तम् ॥ ११ ॥

तं जघनेनेत्यादि ("वनिष्ठुजाघनी चावद्यति" का. श्रौ. सू. ६ । १९८) । पूर्ववद् व्याख्येयम् । संसर्जनस्य निषेधोपयोगसिद्धये हविषः क्रूरतामाह--नेदङ्गश इति । अङ्गशः अङ्गादङ्गात् । "सङ्ख्यैकवचनाच्च वीप्सायाम्"--(पा. सू. ५।४।४३) इति शस् । दक्षिणत आहृतं हविः 'प्रतिप्रस्थाता' अवद्येत् । प्लक्षशाखा उत्तरबर्हिर्भवन्तीति । बर्हिष उपरिभूताः स्युः । बर्हिष उपरि हविषामवदानार्थमाच्छादयेत्, तासामुपरि अवद्येत् । प्लक्षशाखाः प्रशंसति--तद् यत् प्लक्षशाखा इत्यादिना ॥ १० ॥

यत्र वै देवा इति । पुरा देवानां पश्वालम्भनसमये 'त्वष्टा' देवः, पशुस्वामी । एवमेवोत्तरकालेऽपि आलम्भनं करिष्यति, स न भवेदिति पशुशिरसि वमनं कृतवान्, स उच्छिष्टपदार्थः, शिरसि मस्तिष्कादिरूपेण परिणतोऽभूत् । अथवा शिरसः उच्छिष्टसंस्पर्शनात् 'स एषः शिरःसम्बद्धो 'मस्तिष्कः' कपालः, 'अनूक्यश्च' तन्मांसम्, 'मज्जा' तदाश्रितः सार इत्यभक्ष्योऽभूत् ॥ ११ ॥

१--पचसी व्यपाकृत् कृत्वा दक्षिणतः प्रतिप्रस्थाता तेषां प्लक्षशाखास्ववद्यति । का. श्रौ. सू. ६ । १८४ ।

तस्यावाङ्मेधः पपात । स ऽएष वनस्पतिरजायत तं देवाः प्रापश्यंस्त-स्मात्प्रख्यः प्रख्यो ह वै नामैतद्यत्प्लक्ष इति तेनैवैनमेतन्मेधेन समर्द्धयति कृत्स्नं करोति तस्मात्प्लक्षशाखा उत्तरबर्हिर्भवन्ति ॥ १२ ॥

(न्त्य) अथाज्यमुपस्तृणीते । जु_ां चोपभृति च वसाहोमहवन्याᳪं समवत्तधान्यामथ हिरण्यशकलाववदधाति जुह्वां चोपभृति च ॥ १३ ॥

(चा) अथ मनोतायै हविषोऽनुवाच आह । तद्यन्मनोतायै हविषोऽनु-वाच आह सर्व्वा ह वै देवताः पशुमालभ्यमानमुपसङ्गच्छन्ते मम नाम ग्रहीष्यति मम नाम ग्रहीष्यतीति सर्व्वासाᳪं हि देवतानाᳪं हविः पशु-स्तासाᳪं सर्व्वासां देवतानां पशौ मनाᳪंस्योतानि भवन्ति तान्येवैतत्प्री-णाति तथो हामोघाय देवतानां मनाᳪंस्युपसङ्गतानि भवन्ति तस्मान्मनो-तायै हविषोऽनुवाच आह ॥ १४ ॥

तस्यावाङ्मेधः पपात । स एष वनस्पतिरजायत । तं देवाः प्रापश्यन् । तस्मात्प्रख्यः । प्रख्यो ह वै नामैतद्-यत्प्लक्ष इति । तेनैवैनमेतन्मेधेन समर्द्धयति । कृत्स्नं करोति । तस्मात् प्लक्षशाखा उत्तर-बर्हिर्भवन्ति ॥ १२ ॥

अथाज्यमुपस्तृणीते–जुह्वां चोपभृति च वसाहोमहवन्यां समवत्तधान्याम् । अथ हिरण्यशकलाव-वदधाति–जुह्वां चोपभृति च ॥ १३ ॥

अथ मनोतायै हविषोऽनुवाच आह । तद् यन्मनोतायै हविषोऽनुवाच आह । सर्वा ह वै देवताः पशुमालभ्यमानमुपसङ्गच्छन्ते–मम नाम ग्रहीष्यति, मम नाम ग्रहीष्यतीति । सर्वासां हि देवतानां हविः पशुः । तासां सर्वासां देवतानां पशौ मनांस्योतानि भवन्ति । तान्येवैतत् प्रीणाति । तथो हामो-घाय देवतानां मनांस्युपसङ्गतानि भवन्ति । तस्मान्मनोतायै हविषोऽनुवाच आह ॥ १४ ॥

तस्यावाङ्मेध इति । 'तस्य' देवैरालभ्यमानस्य पशोः सकाशादेव अवाङ् मध्ये 'मेधः' तु अधः 'पपात'। पतितो वृक्षोऽभूत् । वृक्षत्वेनाभ्युत्पन्नं 'तं' 'देवाः' 'प्रापश्यन्' अतो देवैः प्रकर्षेणाख्यानात् 'प्रख्यः' इत्युच्यते । इदानीं यः 'प्लक्षः इति' उच्यते, स वस्तुतः 'प्रख्य' इत्यर्थः ॥ १२ ॥

अथाज्यमिति । जुह्वादिषु 'उपस्तृणीते' । 'जुह्वाम्' प्रधानपश्वङ्गावदानार्थम् । 'उपभृति' स्विष्टकृद-र्थम् । वसाहोमार्थं वसाहोमहवन्याम् । 'समवत्तधान्याम्' समवत्तधानी इडापात्रम् । जुहूपभृतोर्हिरण्यशकलम-वधायावदीयमानस्य हविषः सम्बन्धिन्यै मनोतादेवतायै अनुवचनार्थं होतारं ब्रूयात् । मनोतानामनिर्वचनेन तदनु-

---

१–वपया चरिष्यन्नुपस्तीर्य हिरण्यमवधाय वपामवद्यन्नाह । हिरण्यमवधाय द्विरभिघारणᳬ सोमे । का. श्रौ. सू. ६ । १४१–१४२

२–जुहूपभृतोरुपस्तृणाति वसाहोमहवन्यां पात्र्यां च मनोतायै हविषोऽवदीयमानस्यानुब्रूहीत्युक्ते स्रुचोरवद्यति यथोक्तं द्विर्द्विः । अशेषे गुदतृतीये । वपावद्धिरण्यम् । का. श्रौ. सू. ६ । १८५–१८७ ॥

स हृदयस्यैवाग्रेऽवद्यति । तद्यन्मध्यतः सतो हृदयस्याग्रेऽवद्यति प्राणो वै हृदयमतो ह्ययमूर्ध्वः प्राणः सञ्चरति प्राणो वै पशुर्यावद्ध्येव प्राणेन प्राणिति तावत्पशुरथ यदास्मात्प्राणोऽपक्रामति दार्वेव तर्हि भूतोऽनर्थ्यः शेते ॥ १५ ॥

हृदयमु वै पशुः । (स्तु) तदस्यात्मन ऽएवाग्रेऽवद्यति तस्माद्यदि किञ्चिदवदानꣳ हीयेत न तदाद्रियेत सर्वस्य हैवास्य तत्पशोरवत्तं भवति यद्धृदयस्याग्रेऽवद्यति तस्मान्मध्यतः सतो हृदयस्यैवाग्रेऽवद्यत्यथ यथापूर्वम् ॥ १६ ॥

(मु) अथ जिह्वायै । सा हीयं पूर्वार्द्धात्प्रतिष्ठत्यथ वक्षसस्तद्धि ततोऽथैकचरस्य दोष्णोऽथ पार्श्वयोरथ तनिम्नोऽथ वृक्कयोः ॥ १७ ॥

स हृदयस्यैवाग्रेऽवद्यति । तद् यन्मध्यतः सतो हृदयस्याग्रेऽवद्यति । प्राणो वै हृदयम् । अतो ह्ययमूर्ध्वः प्राणः सञ्चरति । प्राणो वै पशुः । यावद्ध्येव प्राणेन प्राणिति—तावत्पशुः । अथ यदस्मात् प्राणोऽपक्रामति—दार्वेव तर्हि भूतोऽनर्थ्यः शेते ॥ १५ ॥

हृदयमु वै पशुः । तस्यात्मन एवाग्रेऽवद्यति । तस्माद्यदि किञ्चिदवदानं हीयेत—न तदाद्रियेत । सर्वस्य हैवास्य तत् पशोरवत्तं भवति—यद् हृदयस्याग्रेऽवद्यति । तस्मान्मध्यतः सतो हृदयस्यैवाग्रेऽवद्यति । अथ यथापूर्वम् ॥ १६ ॥

अथ जिह्वायै । सा हीयं पूर्वार्द्धात्प्रतिष्ठति । अथ वक्षसः । ताद्धि ततः । अथैकचरस्य दोष्णः । अथ पार्श्वयोः । अथ तानिम्नः । अथ वृक्कयोः ॥ १७ ॥

वचनं प्रशंसति—**तद्यन्मनोतायाः** इत्यादिना । 'ओतानि' सम्बद्धानि मनांसि यस्याम् । अत्र "त्वꣳ ह्यग्ने प्रथमो मनोता—" (ऋ. सं. ६ । १ । १) इति मन्त्रवर्णात् 'अग्निः' 'मनोता' पशोर्मनस्सम्बन्धः । सम्बन्धस्य निमित्तमाह—**सर्वासां देवानामिति** । 'पशौ' आज्यवत्प्रियत्वसाधारण्यात् 'तानि' 'मनांसि' 'ओतानि' । 'एतत्' एतेन आग्नेयेनानुवचनेन । स्पष्टमन्यत् ॥ १३ ॥ १४ ॥

प्रवानार्थवद्यमानाङ्गानि तत्क्रमं च विधाय प्रशंसति—**स हृदयस्यैवाग्र** इत्यादिना । हृदयस्यावदानप्रदेशं विशिनष्टि—**तद्यन्मध्यतः सत** इति । 'सतः' देहमध्यप्रदेशे वर्त्तमानस्य । हृदयस्य प्राणत्वं तदुत्पत्तिस्थानत्वेनेत्याह—**अतो ह्ययमूर्द्ध्वः प्राणः सम्भवतीति** । प्राणपशुत्वब्राह्मणं प्राग्व्याख्यातम् । अत एव प्राणस्याभावे पशुत्वाभावाद्धृदयस्य प्रथमं समवदाने सति हृदयव्यतिरिक्तानामङ्गानामवदानमपि सम्पन्नम्; यदि प्रमादात् किञ्चिदेवाङ्गहीनमपि स्यात्, तथापि कृत्स्नपश्ववदानं सम्पद्यत इत्यर्थः । तस्माद्धृदयमेवाग्रेऽवद्येत् 'अथ' 'यथापूर्वं' पशोः पूर्वमङ्गमनतिक्रम्य ॥ १५ ॥ १६ ॥

सङ्ग्रहेणोक्तं विवृणोति—**अथ जि[illegible]याः** इति । जिह्वायाः सकाशात्सा खलु जिह्वा पूर्वार्द्धात्पूर्वार्द्धे प्रतिष्ठिता । अतः पूर्वस्य पूर्वमवदानाय जिह्वाया [illegible]द्येत् । अथ जिह्वानन्तरं वक्षोपि पूर्वार्द्धे प्रतितिष्ठति । 'तद्धि ततोऽथ'

(गुं) गुदं त्रेधा करोति । स्थविमोपयड्भ्यो मध्यं जुह्वां द्वेधाकृत्वा-ऽवद्यत्यणिम त्र्यङ्गेष्वथैकचरायै श्रोणेरेतावन्नु जुह्वामवद्यति ॥ १८ ॥

(त्यु) अथोपभृति । त्र्यङ्ग्यस्य दोष्णो गुदं द्वेधा कृत्वावद्यति त्र्यङ्ग्यायै श्रोणेरथ हिरण्यशकलावुवदधात्यथोपरिष्टादाज्यस्याभिघारयति ॥ १९ ॥

गुदं त्रेधा करोति । स्थविमोपयड्भ्यो मध्यं जुह्वां द्वेधा कृत्वावद्यति । अणिम त्र्यङ्गेषु । अथैक-चरायै श्रोणेः । एतावन्नु जुह्वामवद्यति ॥ १८ ॥

अथोपभृति । त्र्यङ्ग्यस्य दोष्णो गुदं द्वेधा कृत्वावद्यति । त्र्यङ्ग्यायै श्रोणेः । अथ हिरण्यशकलाव-वदधाति । अथोपरिष्टादाज्यस्याभिघारयति ॥ १९ ॥

अथापि वक्षोनन्तरम्, 'पूर्वार्द्धात् प्रतिष्ठति' । 'एकचरस्य दोष्णः' सव्यादित्यर्थः । 'अथ' 'तनिम्नः' यकृत्तः इत्यर्थः । तस्य चातिकोमलत्वात् तनिमत्त्वम् । 'वृक्कः' वृक्कं कुक्ष्युभयपार्श्वस्थमाम्रफलाकारं मांसद्वयम् । एवं हृदयादीनि नव सम्पन्नानि ॥ १७ ॥

दशमं वक्तुमाह-**गुदं त्रेधेति** । त्रिधाकृतेषु गुदेषु गुदाङ्गेषु यदतिस्थूलं तदुपयाजार्थमवद्येत्; मध्यमं जुह्वां प्रधानहोमार्थं द्विधाकृत्वाऽवद्येत्, यद्वयणुतरं त्र्यङ्गेषु, तन्मध्ये अवद्येत् ॥

एकादशं दर्शति-**गुदं त्रेधा करोती**ति । **अथैकचरायै श्रोणे**रीति । दक्षिणाया इत्यर्थः ॥ १८ ॥

स्विष्टकृदर्थमाह-**अथोपभृति अङ्गस्ये**ति । त्रीणि अङ्गानि यस्येति त्र्यङ्गम्, सौविष्टकृतं हविः । तान्येवाह-**दोष्ण** इति । सव्यस्य प्रधानार्थत्वविहितत्वाद् दक्षिणस्य दोष्णः सकाशादित्यर्थः । 'गुदं' गुदस्याणुभागं 'द्वेधा कृत्वा' उपभृति स्विष्टकृदर्थम् 'अवद्यति' अवद्येत् । 'त्र्यङ्गायै श्रोणेः' स्विष्टकृदर्थायाः श्रोणेः सकाशात्, सव्यायाः श्रोणेरित्यर्थः । प्रधानस्य इडायाश्चावदानं प्रत्यङ्गं द्विर्द्विः कुर्यात् । "स्रुचोरवद्यति यथोक्तं द्विर्द्विः" (का. श्रौ. सू. ६-१८९)-इति सूत्रात् ॥

अथ हिरण्यशकलाविति । जुह्वामुपभृति तस्योपरि हिरण्यशकलौ स्थापयेत्, अथाभिघारयेत् ॥ १९ ॥

अथ वसाहोमं गृह्णातीति । रेडसीति वसाहोमं गृह्णीयात्; हूयत इति यत् होमद्रव्यम्, तद् वसाहोम-हवन्यां गृह्णीयादित्यर्थः ॥

मन्त्रस्यायमर्थः-हे वसाद्रव्य ! त्वं 'रेडसि' हिंसकमसि रिषेर्हिंसार्थस्य विचि लघूपधगुणे रेडिति रूपम्; (धा. पा. ६९९) ब्राह्मणानुगुणं लत्वाऽदिकं कृत्वा 'लेलया'-रूपम् । **लेलयेवे**ति । द्रवद्रव्यत्वात् इत-स्ततश्चलनं विवक्षित्वा व्याख्यातम् । तादृशं 'त्वा' त्वाम् 'अग्निः' 'श्रीणातु' श्रपयतु, तेन सह मिश्रयतु वा । 'आपस्त्वा समरिणन्' "री गतिरेषणयोः" (धा. पा. प. २८)-इत्यस्य लुङि रूपम् । उदकानि त्वां समतरन्नित्यर्थः । उदकैः सह सर्वाङ्गेभ्यो निस्सृतत्वात् । 'वातस्य' वायोः 'ध्राज्यै' गत्यै गृह्णामि ।

१-'त्र्यङ्गेषु मध्ये' इति क. पा. । २-'अथैकतरायै' इति पा. ज. ।

३-अंगान्यवद्यत्यभंजन् । हृदयं जिह्वां क्रोऽ६ सव्यसक्थिपूर्वकं पार्श्वयकृद्वृक्कौ गुदमध्यंदश्रोणिरितिजोह्वानि । दक्षिणासक्थि-पूर्व्वनडकं गुदतृतीयाणिष्ठं ६ सव्यश्रोणिरित्यौपसृतानि । व्वर्षिष्ठमुपयड्भ्यः । अवदानकालेप्रभागः । व्वनिष्ठुजाघनींचावद्यति । क्लोमप्लीहाऽप्यूम्नीपुरीततं चेच्छन् । रेडऽसीतिव्वसांगृहीत्वाद्विरभिघार्य । का. श्रौ. सू. ६।१८८ । ४-ब्राह्मणे तु लत्वं कृत्वा वर्ण-साम्येन लिपोरूपं कृत्वा लेलयेवेति । इ. पा. ५-'विवक्षितत्वाद्' इति क. पा. ।

(त्यु) अथ वसाहोमं गृह्णाति । रेडसीति लेलयेव हि यूस्तस्मादाह रेडसीत्यग्निष्ट्वा श्रीणात्वित्यग्निर्ह्येतच्छ्रपयति तस्मादाहाग्निष्ट्वा श्रीणात्वित्यापस्त्वा समरिणन्नित्यापो ह्येतमङ्गेभ्यो रसꣳ सम्भरन्ति तस्मादाहापस्त्वा समरिणन्निति ॥ २० ॥

वातस्य त्वा ध्राज्या ऽइति । (त्य) अन्तरिक्षं वा ऽअयमनुपवते योऽयं पवतेऽन्तरिक्षाय वै गृह्णाति तस्मादाह वातस्य त्वा ध्राज्या ऽइति ॥ २१ ॥

पूष्णो रꣳह्या ऽइति । (त्ये) एष वै पूष्णो रꣳहिरेतस्मा ऽउ हि गृह्णाति तस्मादाह पूष्णो रꣳह्या इति ॥ २२ ॥

(त्यू) ऊष्मणो व्यथिषदिति । (त्ये) एष वा ऊष्मैतस्मा ऽउ हि गृह्णाति तस्मादाहोष्मणो व्यथिषदित्यथोपरिष्टाद्द्विराज्यस्याभिघारयति ॥ २३

अथ वसाहोमं गृह्णाति । " रेडसि "–(वा. सं. ६।१८) इति । लेलयेव हि यूस्तस्मादाह–रेडसीति । " अग्निष्ट्वा श्रीणातु "–(वा. सं. ६ । १८) इति । अग्निर्ह्येतच्छ्रपयति । तस्मादाह–अग्निष्ट्वा श्रीणात्विति । " आपस्त्वा समरिणन् "–(वा० सं० ६ । १८) इति । आपो ह्येतमङ्गेभ्यो रसं सम्भरन्ति । तस्मादाह–आपस्त्वा समरिणन्निति ॥ २० ॥

"वातस्य त्वा ध्राज्यै"–(वा. सं. ६।१८) इति । अन्तरिक्षं वाऽअयमनुपवते । योऽयं पवते । अन्तरिक्षाय वै गृह्णाति । तस्मादाह–वातस्य त्वा ध्राज्याऽइति ॥ २१ ॥

" पूष्णो रꣳह्या " (वा. सं. ६।१८) इति । एष वै पूष्णो रंहिः । एतस्मा उ हि गृह्णाति–तस्मादाह–पूष्णो रंह्या इति ॥ २२ ॥

" ऊष्मणो व्यथिषत् " (वा. सं. ६ । १८) इति । एष वाऽऊष्मा । एतस्माऽउ हि गृह्णाति तस्मादाहोष्मणो व्यतिषदिति । अथोपरिष्टाद् द्विराज्यस्याभिघारयति ॥ २३ ॥

तथा ' पूष्णः ' ' रंह्यै ' वेगाय गृह्णामि । वाय्वादित्ययोरन्तरिक्षाश्रयत्वाद्ध्राजिरंह्योरन्तरिक्षपरतया ब्राह्मणे व्याख्यातम् । ' ऊष्मणो व्यथिषत् ' इति वसाविशेषणम् । ऊष्मा, ततः सकाशाद् व्यथयतीति व्यथिषत्; तादृक् त्वमसि । तादृशं त्वां गृह्णामि ॥

' रेट् ' शब्दं व्याचष्टे–लेलयेव हि यूरिति । यौति मिश्रयतीति यूः वसा, सा 'लेलयेव'; चलनेन च इतस्ततो गमनमुपमीयते । श्रीणात्वित्यस्य पाकार्थ इति व्याचष्टे–अग्निर्ह्येतच्छ्रपयतीति । वातस्य ध्राजिः, पूष्णो रंहिश्चान्तरिक्षपराविति व्याचष्टे–अन्तरिक्षं वा अयमनुपवत इत्यादिना । ऊष्मशब्दोऽप्यन्तरिक्षपर इत्याह–एष वा ऊष्मैतस्मा उ हि गृह्णातीति ॥ २०–२३ ॥

(त्यु) अथ पार्श्वेन वाऽसिना वा प्रयौति। प्रयुतं द्वेष इति तन्नाष्ट्रा एवै-
तद्रक्षाᳪंस्यतोऽपहन्ति ॥ २४ ॥

(न्त्यु) अथ यद्यूषपरिशिष्यते। तत्समवत्तधान्यामानयति तद्धृदयं प्रा-
स्यति जिह्वां वक्षस्तनिम मतस्ने वनिष्ठुमथोपरिष्टाद्विराज्यस्याभि-
घारयति ॥ २५ ॥

तद्यद्धिरण्यशकलावभितो भवतः। (तो) घ्नन्ति वा ऽएतत्पशुं यदग्नौ
जुह्वत्यमृतमायुर्हिरण्यं तदमृत ऽआयुषि प्रतितिष्ठति तथात उदेति तथा
सञ्जीवति तस्माद्धिरण्यशकलावभितो भवतः ॥ २६ ॥

(तोऽथ) अथ यदक्ष्णयावद्यति। सव्यस्य च दोष्णो दक्षिणायाश्च श्रोणे-
र्दक्षिणस्य च दोष्णः सव्यायाश्च श्रोणेस्तस्मादयं पशुरक्ष्णया पदो हर-

---

अथ पार्श्वेन वासिना वा प्रयौति। "प्रयुतं द्वेषः" (वा. सं. ६। १८) इति। तन्नाष्ट्रा एवैतद्रक्षांस्यतोऽपहन्ति ॥ २४ ॥

अथ यद् यूषपरिशिष्यते—तत् समवत्तधान्यामानयति। तद् हृदयं प्रास्यति। जिह्वां, वक्षः, तनिम, मतस्ने, वनिष्ठुम्। अथोपरिष्टाद् द्विराज्यस्याभिघारयति ॥ २५ ॥

तद् यद्धिरण्यशकलावभितो भवतः। घ्नन्ति वाऽएतत् पशुम्—यदग्नौ जुह्वति। अमृतमायुर्हिरण्यम्। तदमृतऽआयुषि प्रतितिष्ठति। तथात उदेति। तथा सञ्जीवति। तस्माद्धिरण्यशकलावभितो भवतः ॥ २६ ॥

अथ यदक्ष्णयावद्यति। सव्यस्य च दोष्णो, दक्षिणायाश्च श्रोणेः, दक्षिणस्य च दोष्णः सव्यायाश्च श्रोणेः। तस्मादयं पशुरक्ष्णया पदो हरति। अथ यत् सम्यगवद्येत्—समीचो हैवायं

अथ पार्श्वेनेत्यादि[1]। "प्रयुतं द्वेषः"—'इति' मन्त्रेण 'पार्श्वेन' पार्श्वास्थिना 'असिना वा' गृहीतां वसां विभजति। 'द्वेषः' अनिष्टेभ्यः सकाशात् 'प्रयुतं' पृथक् कृतं भवति ॥ २४ ॥

अथ यद् यूषपरिशिष्यत इति। गृहीतावशिष्टां वसां 'समवत्तधान्याम्' इडापात्र्याम् आनयेत्[2]। इडार्थं तत्र प्रधानावशिष्टानि हृदयादीनि प्रास्य पुनर्द्विरभिघारयति। 'मतस्ने' वृक्कौ। तनिमादयः प्राग्व्याख्याताः ॥ २५ ॥

अत्र सूत्रकारेण "वपावद्धिरण्यम्"—(का. श्रौ. सू. ६। १८७) इति हविषामुभयतो हिरण्यप्रक्षेप उक्तः, तं प्रशंसति—**तद्यद्धिरण्यशकलावभितो भवत** इति। एतद् वपायां व्याख्यातम् ॥ २६ ॥

प्रधानस्विष्टकृदर्थं यदवदानम्, तत् समुच्चित्य प्रशंसति—**अथ यदक्ष्णयावद्यति सव्यस्य च दोष्ण** इत्यादिना। 'सव्यस्य' 'दोष्णः' भुजस्य 'दक्षिणायाः श्रोणेश्च' प्रधानावदानसमये, 'दक्षिणस्य च

१—प्रयुतमितिपार्श्वेन संसृजत्यसिना वा। का० श्रौ० सू० ६। १८८।

२—शेषमिडापात्र्यामासिच्य क्रोडमनस्थीनि च प्रास्यति श्रोणिवर्जम्। जाघनीं मुदं निधाय। का. श्रौ. सू. ६। १८९। १९०।

त्यथ यत्सम्यगवद्येत्समीचो हैवायं पशुः पदो हरेत्तस्मादक्ष्णयावद्यत्यथ यन्नु शीर्ष्णोऽवद्यति नांꣳसयोर्नानूकस्य नापरसक्थयोः ॥ २७ ॥

(३)असुरा ह वा ऽअग्रे पशुमालेभिरे तद्देवा भीषा नोपावेयुस्तान्हेयं पृथिव्युवाच मैतदादृद्ध्वमहं व एतस्याध्यक्षा भविष्यामि यथायथैत ऽएतेन चरिष्यन्तीति ॥ २८ ॥

सा होवाच । (चा) अन्यतरामेवाहुतिमहौषुरन्यतरां पर्यशिषन्निति स यां पर्यशिꣳषंस्तानीमान्यवदानानि ततो देवाः स्विष्टकृते त्र्यङ्गाण्युपाभजं-स्तस्मात्र्यङ्गाण्यथासुरा अवाद्यञ्छीर्ष्णोंꣳसयोरनूकस्यापरसक्थयोस्तस्मा-त्तेषां नावद्येद्यन्न्वेव त्वष्टानूकमभ्यवमत्तस्मादनूकस्यनावद्येदथाहाग्नीषो-माभ्यां छागस्य हविषोऽनुब्रूहीत्याश्राव्याहाग्नीषोमाभ्यां छागस्य हविः प्रेष्येति न प्रस्थितमित्याह प्रसुते प्रस्थितमिति ॥ २९ ॥

पशुः पदो हरेत् । तस्मादक्ष्णयावद्यति । अथ यत्र शीर्ष्णोऽवद्यति, नांसयोः, नानूकस्य नापर-सक्थयोः-॥ २७ ॥

असुरा ह वाऽअग्रे पशुमालेभिरे । तद् देवा भीषा नोपावेयुः । तान् हेयं पृथिव्युवाच–मैतदादृद्ध्वम् । अहं व एतस्याध्यक्षा भविष्यामि–यथा यथैतऽएतेन चरिष्यन्तीति ॥ २८ ॥

सा होवाच–अन्यतरामेवाहुतिमहौषुः, अन्यतरां पर्यशिषन्निति । स यां पर्यशिषन्–तानीमान्य-वदानानि । ततो देवाः स्विष्टकृते त्र्यङ्गाण्यपाभजन् । तस्मात्त्र्यङ्गाणि । अथासुरा अवाद्यन्–शीर्ष्णः, अंसयोः, अनूकस्य, अपरसक्थयोः । तस्मात्तेषां नावद्येत् । यन्न्वेव त्वष्टानूकमभ्यवमत्–

दोष्णः ' सव्यायाः श्रोणेरिति स्विष्टकृतीत्येवमवदानं सम्पद्यते । उक्तलक्षणमवदानं प्रसिद्धपशोर्यदक्ष्णया पाद-सञ्चरणं तन्मूलमिति प्रशंसति–**तस्मादयं पशुरक्ष्णया पदो हरतीति** । ' अक्ष्णया ' पादश्रोण्योर्व्यत्यासेन । उक्तं द्रढयति–**अथ यत् सम्यगवद्येत् समीचो हैवायं पशुः पदो हरेदिति** । अथ शिरआदीनामनवदेय-त्वोपपत्तिमाख्यानमुखेन प्रदर्शयति–**अथ यत्र शीर्ष्णोऽवद्यति नांसयोरित्यादिना** । अंसौ बाह्वोरुपरिप्रदेशौ । अनूको वङ्क्र्याधारः, आयतः पृष्ठास्थिविशेषः । तत्रत्यमपि मांसं नावदेयम् । तथा ' न अपरसक्थयोः ' ऊर्वोरुपरिभूतौ उच्छ्रितावयवौ सक्थौ ॥ २७ ॥

असुरा ह वा इति । असुराः किल पशुमालभन्ते, तदालभनं देवाः ' नोपावेयुः ' नोपगताः, तदा ' पृथिवी ' ' उवाच ' ' एतत् ' भयमासुरं ' मा दृद्ध्वम् ' आदरं मा कार्ष्ट ' अहं ' ' वः ' युष्मदर्थम् ' एतस्य ' पश्वालम्भस्य ' अध्यक्षा ' उपद्रष्टा ' भविष्यामि ', ' यथा ' येन प्रकारेण ' एते ' असुराः ' एतेन ' पशुना ' चरिष्यन्ति ' ' इति ' उक्त्वा, तथैव सम्यगवगता ॥ २८ ॥

सा होवाचेति । तत्सकाशं सम्यगवगत्योवाच । तेऽसुराः ' अन्यत्तरामेवाहुतिमहौषुः ' प्रधानमेव हुतवन्तः, ' अन्यतरां ' स्विष्टकृतमाहुतिं ' पर्यशिषन् ' परित्यक्तवन्तः । परिशिष्टा का ? इति, तां स्वयं श्रुतिः प्रदर्शयति–

(त्यु) अन्तरेणार्द्धर्चौ याज्यायै व्वसाहोमं जुहोति । (ती) इतो वा ऽअयमूर्द्ध्वो मेध उत्थितो यमस्या इमꣳ रसं प्रजा उपजीवन्त्यर्वाचीनं दिवो रसो वै व्वसाहोमो रसो मेधो रसेनैवैतद्रसं तीव्व्रीकरोति तस्मादयꣳ रसोऽव्द्यमानो न क्षीयते ॥ ३० ॥

तद्यदन्तरेण । (णा) अर्द्धर्चौ याज्यायै व्वसाहोमं जुहोतीयं वा ऽअर्द्धर्चोऽसौ द्यौरर्द्धर्चोऽन्तरा वै द्यावापृथिवी ऽअन्तरिक्षमन्तरिक्षाय वै जुहोति तस्मादन्तरेणार्द्धर्चौ याज्यायै व्वसाहोमं जुहोति ॥ ३१ ॥

तस्मादनूकस्य नावद्येत् । अथाह–'अग्नीषोमाभ्यां छागस्य हविषोऽनुब्रूहि' इति । आश्राव्याह–अग्नीषोमाभ्यां छागस्य हविः प्रेष्येति । न प्रस्थितमित्याह । प्रसुते प्रास्थितामिति ॥ २९ ॥

अन्तरेणार्द्धर्चौ याज्यायै वसाहोमं जुहोति । इतो वाऽअयमूर्ध्वो मेध उत्थितः; यमस्या इमं रसं प्रजा उपजीवन्ति, अर्वाचीनं दिवः । रसो वै वसाहोमः । रसो मेधः । रसेनैवैतद्रसं तीव्रीकरोति । तस्मादयं रसोऽवद्यमानो न क्षीयते ॥ ३० ॥

तद् यदन्तरेणार्द्धर्चौ याज्यायै वसाहोमं जुहोति । इयं वाऽअर्द्धर्चः, असौ द्यौरर्द्धर्चः । अन्तरा वै द्यावापृथिवीऽअन्तरिक्षम् । अन्तरिक्षाय वै जुहोति । तस्मादन्तरेणार्द्धर्चौ याज्यायै वसाहोमं जुहोति ॥ ३१

तानीमानीति । 'दक्षिणं दोः' सव्या श्रोणिः, गुदं तृतीयं चेति त्रीणि । 'ततः' तस्मादसुरपरित्यक्तत्वेनादुष्टत्वात् 'त्र्यङ्गाणि' 'देवाः' प्रापाः । अथ यस्मात् शिर आदीनि 'अवादान्', 'तस्मात्' तैरवत्तत्वेन दुष्टत्वात् तानि 'नावद्येत' । अनूकस्य प्रकारान्तरेणापि तत्त्वं दर्शयति–त्वष्टेति । एतच्छिरसोऽप्युपलक्षणं गतम्, समानत्वात् ॥

इत्थमवदानप्रकारमुक्त्वा प्रदानप्रकारमाह–**अथाहाग्नीषोमाभ्यां छागस्येत्यादि**[1] । वपाप्रैषवदग्नीषोमीयहोम-प्रैषेऽपि प्रस्थितपदं निषेधति–**न प्रस्थितमित्याहेति** ॥ २९ ॥

वसाहोमस्य कालमाह–**अन्तरेणार्द्धर्चाविति**[2] । प्रधानाहुतियाज्यायाः पूर्वार्द्धावसाने प्रतिप्रस्थाता 'वसा-होमं जुहोति' अर्द्धर्चयोरूर्ध्वभावित्वं प्रशंसति–**इतो वा अयमूर्ध्व** इत्यादिना । पूर्वोत्तरार्द्धर्चौ द्युपृथिव्या-त्मकौ; तथा सति 'इतः' पृथिव्याः सकाशात् उत्पन्नो 'मेधः', 'यं' साराङ्गवसेत्यादिरूपमूर्ध्वमुद्गतं मनुष्याः उपभुञ्जते, तथा 'दिवः' सकाशात् उत्थितमुदकात्मकमधो निर्गतमुपभुञ्जते । एवं स लोकद्वयसार-स्यान्तरिक्षे उपभोक्तव्यत्वेनावस्थानादर्द्धर्चयोरन्तरालहोमेन द्यावापृथिव्योः 'रसेन' 'एतत्' वसाख्यं 'रसं' 'तीव्रीकरोति' । होमस्यान्तरिक्षार्थत्वाचार्द्धर्चयोरन्तरालं कृतवान् भवति । अतस्तीव्ररसोत्पादकत्वात् होमः कर्त्तव्य इत्यर्थः ॥ ३० ॥ ३१ ॥

१–आहेंद्राग्निभ्यां छागस्य हविषोऽनुब्रूहीति । का. श्रौ. सू. ६ । १९० । आश्राव्याहैंद्राग्निभ्यां छागस्य हविः प्रेष्येति । प्रस्थित-मिति च प्रसुते । का. श्रौ. सू. ६ । १९१ । १९२ । २–अर्धर्चान्तरे याज्यायै वसैकदेशं जुहोति घृतं घृतपावानः इति । का. श्रौ. सू. ६ । १९३ ।

स जुहोति । घृतं घृतपावानः पिबत वसां वसापावानः पिबतान्तरिक्षस्य हविरसि स्वाहेत्येतेन वैश्वदेवेन यजुषा जुहोति वैश्वदेवं वा ऽअन्तरिक्षं तद्यदेनेनेमाः प्रजाः प्राणत्यश्चोदनत्यश्चान्तरिक्षमनुचरन्ति तेन वैश्वदेवं वषट्कृते जुहोति यानि जुह्वामवदानानि भवन्ति ॥ ३२ ॥

(न्त्य) अथ जुह्वा पृषदाज्यस्योपघ्नन्नाह । वनस्पतयेऽनु ब्रूहीत्याश्राव्याह वनस्पतये प्रेष्येति वषट्कृते जुहोति तद्यद्वनस्पतये जुहोत्येतमेवैतद्यूपं भागिनं करोति सोमो वै वनस्पतिः पशुमेवैतत्सोमं करोति तद्यदन्तरेणोभे ऽआहुती जुहोति तथोभयं व्याप्नोति तस्मादन्तरेणोभे ऽआहुती जुहोति ॥ ३३ ॥

स जुहोति–" घृतं घृतपावानः पिबत, वसां वसापावानः पिबतान्तरिक्षस्य हविरसि स्वाहा " (वा. सं. ६ । १९)–इति। एतेन वैश्वदेवेन यजुषा जुहोति। वैश्वदेवं वाऽअन्तरिक्षम्। तद् यदेनेनेमाः प्रजाः प्राणत्यश्चोदनत्यश्चान्तरिक्षमनुचरन्ति–तेन वैश्वदेवम् । वषट्कृते जुहोति–यानि जुह्वामवदानानि भवन्ति ॥ ३२ ॥

अथ जुह्वा पृषदाज्यस्योपघ्नन्नाह–'वनस्पतयेऽनुब्रूहि' इति–आश्राव्याह–'वनस्पतये प्रेष्य' इति । वषट्कृते जुहोति । तद् यद्वनस्पतये जुहोति। एतमेवैतद्यूपं भागिनं करोति। सोमो वै वनस्पतिः । पशुमेवैतत्सोमं करोति । तद् यदन्तरेणोभेऽआहुती जुहोति–तयोभयं व्याप्नोति। तस्मादन्तरेणोभेऽआहुती जुहोति ॥ ३३ ॥

वसाहोममन्त्रमाह–**स जुहोति घृतं घृतपावान** इति। ' घृतं ' क्षरणरूपं रसात्मकमिदं हविः हे ' घृतपावानः ' घृतस्य रसद्रव्यस्य पातारः सर्वे देवाः यूयं ' पिबत ' । एतदेव विशिनष्टि–**वसां वसापावान** इति। हे वसाद्रव्य ! त्वम् ' अन्तरिक्षस्य हविरसि ' । अन्तरिक्षस्य सर्वदेवाश्रयत्वादस्यापि तदर्थत्वाद् अन्तरिक्षस्य देवताद्वारा अन्तरिक्षस्यैव हविष्ट्वम्। अत्र सूत्रम् । " अर्द्धर्चान्तरे याज्यायै वसैकदेशं जुहोति "–(का. श्रौ. सू. ६ । १९३) इति।

मन्त्रस्य वैश्वदेवत्वं प्रकृतहोमसङ्गतमित्याह–**एतेन वैश्वदेवेनेति**। अत्र बहुत्वलिङ्गाद् वैश्वदेवत्वं यजुषः 'अन्तरिक्षम् ' अपि सर्वासां देवानां प्राणोदानव्यापारयोराश्रयत्वेन ' वैश्वदेवम् ', अन्तरिक्षार्थश्च वसाहोमः; ' तेन ' होमस्य वैश्वदेवत्वेन एतदपि वैश्वदेवं यजुरत्र युज्यत इत्यर्थः। मध्ये होतव्यं वसाहोममभिधाय प्रधानहोममाह–**वषट्कृते जुहोति यानि जुह्वामित्यादि** ॥ ३२ ॥

अथ जुह्वेति[1] । ' अथ ' वसाहोमानन्तरं ' जुह्वा ' जुहूद्वारा ' पृषदाज्यस्य ' एकदेशम् ' उपघ्नन् ' अवद्यन् " वनस्पतयेऽनुब्रूहि "–' इति ' होतारं ब्रूयात्। वनस्पतिर्यूपाभिमानी देवः। स्पष्टमन्यत् ॥

१–दैवतं[?] हुत्वाप्रदक्षिणमावृत्त्यजुह्वापृषदाज्यस्योपघ्नन्नाह वनस्पतयेऽनुब्रूहीति। का. श्रौ. सू. ६।१९४ । २–आश्राव्याह वनस्पतये प्रेष्येति । का. श्रौ. सू. ६ । १९५ ।

(त्यु) अथ यान्युपभृत्यवदानानि भवन्ति। तानि समानयमान ऽआहाग्नये स्विष्टकृतेऽनुब्रूहीत्याश्राव्याहाग्नये स्विष्टकृते प्रेष्येति व्वषट्कृते जुहोति॥३४

(त्यु) अथ यद्वसाहोमस्य परिशिष्यते। तेन दिशो व्याघारयति दिशः प्रदिश आदिशो विदिश उद्दिशो दिग्भ्यः स्वाहेति रसो वै व्वसाहोमः सर्वा स्वेवैतद्दिक्षु रसं दधाति तस्मादयं दिशि दिशि रसोऽभिगम्यते ॥ ३५ ॥

(तेऽथ) अथ पशुँ सम्मृशति। (त्ये) एतर्हि सम्मर्शनस्य कालोऽथ यत्पुरा संमृशति य ऽइम ऽउपतिष्ठन्ते ते व्विमथिष्यन्त ऽइति शङ्कमानो यद्यु विमाथान्न शङ्केतात्रैव संमृशेत् ॥ ३६ ॥

अथ यान्युपभृत्यवदानानि भवन्ति–तानि समानयमानआह–' अग्नये स्विष्टकृतेऽनुब्रूहि '–इति। आश्राव्याह–' अग्नये स्विष्टकृते प्रेष्यै ' इति। वषट्कृते जुहोति ॥ ३४॥

अथ यद्वसाहोमस्य परिशिष्यते–तेन दिशो व्याघारयति। " दिशः प्रदिशऽआदिशो विदिशऽ उद्दिशो दिग्भ्यः स्वाहा "–(वा. सं. ६। १९) इति। रसो वै वसाहोमः। सर्वा-स्वेवैतद्दिक्षु रसं दधाति। तस्मादयं दिशि दिशि रसोऽभिगम्यते ॥ ३६ ॥

अथ पशुं सम्मृशति। एतर्हि सम्मर्शनस्य कालः। अथ यत् पुरा सम्मृशति–यऽइमऽउपतिष्ठन्ते–ते विमथिष्यन्ते–इति शङ्कमानः। यद्यु विमाथात्–नशङ्केत; अत्रैव सम्मृशेत् ॥ ३६ ॥

वनस्पतियागं यूपद्वारा पशोः सोमत्वसम्पादकत्वेन च प्रशंसति–तद्वनस्पतय इत्यादिना। सोमस्यामावस्यायां वनस्पतिषु वासात् सोमस्वामिकत्वात् वनस्पतिः सोमः, अतस्तत्सम्बन्धिनं पशुं सोमं कृतवान् भवति। ' तत् ' तस्मात् ' यत् ' यथा ' अन्तरेण उभे आहुती ' उभयोर्दैवतसौविष्टकृतयोर्मध्ये वनस्पत्याहुतिं ' जुहोति ', ' तथा ' ' उभयं ' दैवतं सौविष्टकृतं च यूपाहुत्या व्याप्नोति ' ॥ ३३ ॥

स्विष्टकृत्प्रयोगप्रकारमाह–अथ यान्युपभृत्यवदानानि भवन्ति। तानि समानयमान आहेत्यादिना[1]। उपद्वारापेक्षया बहुवचनम्। ' समानयमानः ' जुह्वां प्रक्षिपन् ॥ ३४ ॥

वसाहोमशेषेण दिग्व्याघारणं विधत्ते–अथ यद्वसाहोमस्य परिशिष्यते तेन दिशो व्याघारयतीति[2]। वसाहोमस्य द्रव्यस्य ' दिशः प्रदिशः '–इत्यादिका मन्त्राः। दिशो व्याघारयतीति श्रुतेरेकैको मन्त्र एकैक-दिगर्थः। ' दिशः ' प्राग्दिग्भ्यः स्वाहा; ' प्रदिशः ' दक्षिणदिग्भ्यः स्वाहा, ' आदिशः ' पश्चिमदिग्भ्यः स्वाहा, ' विदिशः ' उत्तरदिग्भ्यः स्वाहा, ' उद्दिशः ' उर्ध्वदिग्भ्यः स्वाहा, ' दिग्भ्यः ' सर्वाभ्यो दिग्भ्यः ' स्वाहा '। वसाहोमो ' रसो वै ' द्रवद्रव्यात्मकः खलु; दिशि दिशि सम्भूतो रसोऽभिगम्यते ॥ ३५ ॥

सम्यग्गतावयवस्य पशोः सम्मर्शनं विधत्ते–अथ पशुं सम्मृशतीति। ' अथ ' दिग्घोमानन्तरम् ' एतर्हि ' एतस्मिन् काले पशुसम्मर्शनं कुर्यात् ॥

१–हुत्वासमानीय सौविष्टकृतम्। का. श्रौ. सू. ६। १९६। २–प्रत्येत्य वा दिशोव्याघारयति व्वसाशेषेणव्वाजिनवत्। सर्वं जुहोति। का. श्रौ, सू. ६। १९७। १९८। वाजिनवद्रक्षार्थं नावशेषयतीत्यर्थः।

(दै) ऐन्द्रः प्राणः । (णो ऽ) अङ्गेऽअङ्गे निदीध्यदैन्द्र उदानो ऽअङ्गे ऽअङ्गे निधीत ऽइति यदङ्गशो विकृत्तो भवति तत्प्राणोदानाभ्याᳬं सन्दधाति देव त्वष्टर्भूरि ते सᳬं स मेतु सलक्ष्मा यद्विषुरूपं भवातीति कृत्स्नवृतमेवै-तत्करोति देवत्रा यन्तमवसे सखायोऽनु त्वा मातापितरो मदन्त्विति तद्य-त्रैनमहौषीत्तदेनं कृत्स्नं कृत्वानुसमस्यति सोऽस्य कृत्स्नोऽमुष्मिँल्लोक ऽआत्मा भवति ॥ ३७ ॥

इति षष्ठप्रपाठके चतुर्थं ब्राह्मणम् ६ ॥ ४ ॥ (८-३)

" ऐन्द्रः प्राणोऽअङ्गेऽअङ्गे निदीध्यद् । एन्द्र उदानोऽअङ्गेऽअङ्गे निधीतः"–(वा० सं० ६ । २०) इति । यदङ्गशो विकृत्तो भवति–तत् प्राणोदानाभ्यां सन्दधाति । " देवत्वष्टर्भूरि ते संसमेतु सलक्ष्मा यद्विषुरूपं भवाति "–(वा. सं. ६ । २०) इति । कृत्स्नवृतमेवैतत्करोति । " देवत्रा यन्तमवसे सखायोऽनु त्वा मातापितरो मदन्तु "–(वा. सं. ६ । २०) इति । तद् यत्रैनमहौषीत्–तदेनं कृत्स्नं कृत्वानुसमस्याति। सोऽस्य कृत्स्नोऽमुष्मिँल्लोकऽआत्मा भवाति॥ ३७॥

विशसनानन्तरकालस्यैतस्य व्यवस्थां दर्शयति–**अथ यत् पुरा सम्मृशतीति** । ' ये ' च राक्षसाः ' इमे ' मदीयं यज्ञम् ' उपतिष्ठन्ते ' प्राप्नुवन्ति, ' ते ' पशुं ' विमथिष्यन्ते ' ' इति ' ' शङ्कमानः ' चेत्, पूर्वस्मिन्नेव काले सम्मृशेत्; अतथाभूतश्चेत् अत्रैव दिग्व्योमानन्तरकाले सम्मृशेत् । अत्र सूत्रम्–" ऐन्द्रः प्राण इति पशुं सम्मृशति ' अवदाय वेडां प्राक् प्रदानात् "–(का. श्रौ. सू. ६ । १९९–२००) इति ॥ ३६ ॥

सम्मर्शने मन्त्रमाह–**ऐन्द्रः प्राणोऽङ्गेऽङ्गे निदीध्यदिति** । इन्द्रः परमात्मा, तत्सम्बन्धी ' ऐन्द्रः ' ' प्राणः ' हे पशो ! ते ' अङ्गे अङ्गे ' सर्वेष्वङ्गेषु ' निदीध्यत् ' नितरां दीप्तो भवतु, दीप्यतु वा । एवं व्यानोऽपि । अत्र सर्वत्र अपानस्थाने उदानव्यवहारः । हे ' त्वष्टः ' पशुरूपकर्त्तः ! ' देव ! ' " त्वष्टा वै पशूनां मिथुनानां रूपकृत् "–(तै. सं. ६ । ३ । ३ । ११ । १ ।) इति श्रुतेः । ' ते ' तव पशोः, ' यत् ' अङ्गं छेदनेन ' सलक्ष्म ' अत एव ' विषुरूपं ' ' भवाति ' भवति, तत् ' ते ' त्वत्सम्बन्धि ' सम् ' सम्यक्, पूर्वस्मादपि ' भूरि ' प्रभूतं 'समेतु' सङ्गतो भवतु । पूर्वं यादृशसंवेशेनाविशिष्टं तादृशसंवेशेन विशिष्टं भवेदिति; प्रवृद्धं भवत्वित्यर्थः । किञ्च ' देवत्रा ' देवेषु मध्ये ' यन्तं ' गच्छन्तम् । किमर्थम् ? ' अवसे ' अस्माकं रक्षणाय, देवानां प्रीतये वा यन्तं त्वां सखिप्रभृतयः ' अनुमदन्तु ' साधु जातमिति कथयन्त्वित्यर्थः ॥

क्रमेण विभज्य व्याचष्टे–**यदङ्गशो विकृत्त इत्यादिना** । " **कृत्स्नवृतमेवैतत्करोतीति** । ' एतत् ' पशुद्रव्यम् । यद्वा ' एतत् ' एतेन " देव त्वष्टः "–इति मन्त्रेण वागुच्चारणसामर्थ्येन कृत्स्नैरङ्गैः वृतं व्याप्तं करोति, ' यत्र ' यस्मिन् प्रदेशे ' एनं ' पशुम् ' अहौषीत्, तत् तेन ' एनं कृत्स्नं कृत्वा ' विकलं सकलं कृत्वा ' अनु समस्यति ' गतप्राणेन त्वगस्थिमांसेन सह प्राणान् अङ्गानि चानुक्रमेण सङ्घट्टनं कृतवान् भवति । तेन ' सः ' पशुः ' अमुष्मिन् ' स्वर्गे लोके ' सात्मा ' सजीवो ' भवति ' ॥ ३७ ॥

इति श्रीसायणाचार्यविरचिते माधवीये वेदार्थप्रकाशे माध्यन्दिनशतपथब्राह्मणभाष्ये
तृतीयकाण्डे ऽष्टमाध्याये तृतीयं ब्राह्मणम् ॥ (३–८–३) ॥

त्रीणि ह वै पशोरेकादशानि । (न्युं) एकादश प्रयाजा एकादशानु-
याजा ऽएकादशोपयजो दश पाण्या ऽअङ्गुलयो दश पाद्या दश
प्राणाः प्राण ऽउदानो व्यान ऽइत्येतावान्वै पुरुषो यः पराद्ध्यः पशूनां
यᳫं सर्व्वेऽनु पशवः ॥ १ ॥

(स्तु) तदाहुः । किं तद्यज्ञे क्रियते येन प्राणः सर्व्वेभ्योऽङ्गेभ्यः
शिव इति ॥ २ ॥

यदेव गुदं त्रेधा करोति । प्राणो वै गुदः सोऽयं प्राङातततस्तमयं प्राणोऽनु-
सञ्चरति ॥ ३ ॥

स यदेव गुदं त्रेधा करोति । तृतीयमुपयड्भ्यस्तृतीयं जुह्वां ततीयमुप-
भृति तेन प्राणः सर्व्वेभ्योऽङ्गेभ्यः शिवः ॥ ४ ॥

त्रीणि ह वै पशोरेकादशानि—एकादश प्रयाजाः, एकादशानुयाजाः, एकादशोपयजः । दश पाण्या अंगुलयः, दश पाद्याः, दश प्राणाः, प्राण उदानो व्यानः—इत्येतावान्वै पुरुषो—यः पराद्ध्यः पशूनाम्—सर्वेऽनु पशवः ॥ १ ॥

तदाहुः—किं तद् यज्ञे क्रियते—येन प्राणः सर्वेभ्योऽङ्गेभ्यः शिव इति ॥ २ ॥

यदेव गुदं त्रेधा करोति । प्राणो वै गुदः । सोऽयं प्राङाततः । तमयं प्राणोऽनु सञ्चरति ॥ ३ ॥

स यदेव गुदं त्रेधा करोति । तृतीयमुपयड्भ्यः, तृतीयं जुह्वाम्, तृतीयमुपभृति । तेन प्राणः सर्वेभ्योऽङ्गेभ्यः शिवः ॥ ४ ॥

प्राणस्य श्रेष्ठत्वकरणाभिधानमुखेन गुदस्य प्रधानस्विष्टकृदुपयडिष्ट्यर्थं त्रेधा विभज्य विनियोगं प्रशंसन् प्रयाजादीनामितराङ्गत्वमाह—त्रीणि ह वै पशोरेकादशानीत्यादिना । प्रयाजा अनुयाजाश्च एकादशैकादश प्रसिद्धाः, अनुयाजानन्तरं यष्टव्या एकादशोपयाजा उपरिष्टादाम्नास्यन्ते; एकादशत्रयं मिलित्वा त्रयस्त्रिंशत् सम्पद्यन्ते । पशुषूत्कृष्टस्य पुरुषस्य द्विपात्पशोरपि शीर्षण्याः प्राणाः सप्त, अवाञ्चौ द्वौ, नाभिर्दशमीति 'दश प्राणाः' । ते च पाणिपादगतविंशत्यंगुलिभिः सहिताः त्रिंशद् भवन्ति; प्राण उदानो व्यान इति त्रयो मुख्यप्राणाः; इति त्रयस्त्रिंशदेव सन्ति यज्ञाङ्गानि ॥ १ ॥

तदाहुरिति । 'शिवः' श्रेष्ठः । पुरुषपशोर्हस्तपादांगुलयः प्राणरूपाङ्गानि भवन्ति; तथाच मुख्यप्राणस्यापि इतरांगुलिवत् साधारण्यमेव प्राप्तम्, न श्रेष्ठत्वम्; अतो यज्ञे सर्वेभ्योऽङ्गेभ्यः सकाशात् प्राणस्य श्रेष्ठत्वं केन प्रकारेण कृतमिति प्रश्नः ॥ २ ॥

तस्योत्तरमुच्यते—यदेव गुदं त्रेधा करोतीत्यादिना । तेन प्राणः सर्वेभ्योऽङ्गेभ्यः शिवः—इत्यन्तेन प्राणो वै गुदः । तस्मात् प्राणसञ्चरणाधिष्ठानत्वात् 'प्राणः' एव गुद इत्युक्तम् ॥ कथं गुदस्य प्राणत्वमिति तदुपपादयति । सोऽयं प्राङाततः इति । गुदः प्राङाततः शरीरमध्ये ब्रह्मरन्ध्रपर्यन्तं ऊर्ध्वं प्रवृत्तः सन्वर्तते तं गुदमन्वयं प्राणः संचरति । अतः प्राणसंचारणाधिष्ठानत्वात्प्राण एव गुदः । तस्य प्रधानस्विष्टकृदुपयड्भेदेन त्रिषु स्थानेषु विभज्य विनियोग एव सर्वेभ्योऽङ्गेभ्यः श्रेष्ठत्वकारणमित्यर्थः ॥ ३ ॥ ४ ॥

स ह त्वेव पशुमालभेतय एनं मेधमुपनयेद्यदि कृशः स्याद्यदुदर्यस्य मेदसः परिशिष्येत तद्गुदे न्यृषेत्प्राणो वै गुदः सोऽयं प्राङ्गततस्तमयं प्राणोऽनुसञ्चरति प्राणो वै पशुर्यावद्ध्येव प्राणेन प्राणिति तावत्पशुरथ यदास्मात्प्राणोऽपक्रामति दार्व्वेव तर्हि भूतोऽनर्थ्यः शेते ॥ ५ ॥

गुदो वै पशुः । (मे) मेदो वै मेधस्तदेनं मेधमुपनयति यद्यु ऽअंसलो भवति स्वयमुपेत एव तर्हि मेधं भवति ॥ ६ ॥

(त्यु) अथ पृषदाज्यं गृह्णाति । द्वयं वा ऽइदꣳ सर्पिश्चैव दधि च द्वन्द्वं वै मिथुनं प्रजननं मिथुनमेवैतत्प्रजननं क्रियते ॥ ७ ॥

स ह त्वेव पशुमालभेत—य एनं मेधमुपनयेत् । यदि कृशः स्यात् यद् उदर्यस्य मेदसः परिशिष्येत तद् गुदे न्यृषेत् । प्राणो वै गुदः । सोऽयं प्राङ्गततः । तमयं प्राणोऽनु सञ्चरति । प्राणो वै पशुः यावद्ध्येव प्राणेन प्राणिति—तावत्पशुः । अथ यदाऽस्मात् प्राणोऽपक्रामति—दार्वेव तर्हि भूतोऽनर्थ्यः शेते ॥ ५ ॥

गुदो वै पशुः । मेदो वै मेधः । तदेनं मेधमुपनयति । यद्युऽअंसलो भवति—स्वयमुपेत एव तर्हि मेधं भवति ॥ ६ ॥

अथ पृषदाज्यं गृह्णाति । द्वयं वाऽइदम्—सर्पिश्चैव दधि च । द्वन्द्वं वै मिथुनं प्रजननम् । मिथुनमेवैतत् प्रजननं क्रियते ॥ ७ ॥

अथ गुदस्य प्राणत्वेन श्रेष्ठत्वाभिधानप्रसङ्गात् यदि कथञ्चित् तत्पशोः कृशत्वं स्यात्, तर्हि गुदस्य सम्पूर्णत्वाय उदर्यं मांसं तेन सह मिश्रणीयमित्याह—**स ह त्वेव पशुमालभेते**त्यादिना । 'सः' एव 'पशुमालभेत' 'यः' यजमानः 'एतं' 'मेधं' मेधार्हम् प्रवृद्धमित्यर्थः । पशुम् 'उपनयेत्' उपगच्छेत्, प्राप्नुयात् सर्वावयवपूर्णमेव पशुमालभेत न कृशं पशुम्; अयमेव मुख्यः पक्षः । 'यदि' पशुः 'कृशो लब्धः स्यात्' तदा अकरणात् करणस्य श्रैष्ठ्यात् वक्ष्यमाणप्रकारं कुर्यात् । 'उदर्यस्य' उदरे भवमुदर्यम्, तस्य 'मेदसः' सकाशादिडार्थमुद्धृत्य यन्मांसं 'परिशिष्येत्', 'तत्' आदाय अल्पीयसि 'गुदे' 'न्यृषेत्' निगमयेत्, तेन तं प्रवर्द्धयेदित्यर्थः । **प्राणो वै गुद** इत्यादि, व्याख्यातम् ॥ ५ ॥

गुदो वै पशुरिति । 'यद्यु' यद्यपि पशुः 'अंसलः' प्रवृद्धांसः, पुष्टांगो(न) भवेत्, 'तर्हि' 'स्वयम्' एव 'मेधं' प्राप्तवान् भवति ॥ ६ ॥

अनुयाजार्थं पृषदाज्यग्रहणं विधाय प्रशंसति—**अथ पृषदाज्यं गृह्णाती**त्यादिना । 'इदं' वक्ष्यमाणं द्वयं खलु 'द्वन्द्वम्' । इदंशब्दार्थमाह—**सर्पिश्चैव दधि चे**ति । अस्तु द्वयम्, ततः किमित्यत आह—**द्वन्द्वं वै मिथुन**मिति । तच्च 'प्रजननम्' अन्यस्योत्पादकम् । अतः पृषदाज्यग्रहणेन प्रजननमिथुनमेव कृतवान् भवति ॥ ७ ॥

१—ध्रुवायाः पुरस्तात् पृषदाज्यमाज्यं दधिमिश्रं पंचगृहीतं ज्योतिरसीति समिदंतेन । अनुयाजार्थं सर्व्वत्र । का. श्रौ. सू. ५ । १०३ । १०४ ।

तेनानुयाजेषु चरति। पशवो वा ऽअनुयाजाः पयः पृषदाज्यं तत्पशुष्वेवैतत्पयो दधाति तदिदं पशुषु पयो हितं प्राणो हि पृषदाज्यमन्नꣳ हि पृषदाज्यमन्नꣳ हि प्राणः॥ ८॥

(स्ते) तेन पुरस्तादनुयाजेषु चरति। स योऽयं पुरस्तात्प्राणस्तमेवैतद्दधाति तेन पश्चादुपयजति स योऽयं पश्चात्प्राणस्तमेवैतद्दधाति ताविमा ऽउभयतः प्राणौ हितौ यश्चायमुपरिष्टाद्यश्चाधस्तात्॥ ९॥

त्त) तद्वा ऽएतदेको द्वाभ्यां व्वषट्करोति। (त्य) अर्ध्वर्यवे च यश्चैष उपयजत्यथ यद्यजन्तमुपयजति तस्मादुपयजो नामाथ यदुपयजति प्रैवैतज्जनयति पश्चाद्ध्युपयजति पश्चाद्धि योषायै प्रजाः प्रजायन्ते॥ १०॥

तेनानुयाजेषु चरति। पशवो वाऽअनुयाजाः, पयः पृषदाज्यम्। तत् पशुष्वेवैतत्पयो दधाति। तदिदं पशुषु पयो हितम्। प्राणो हि पृषदाज्यम्। अन्नं हि पृषदाज्यम्। अन्नं हि प्राणः॥ ८॥

तेन पुरस्तादनुयाजेषु चरति। स योऽयं पुरस्तात्प्राणः—तमेवैतद्दधाति। तेन पश्चादुपयजति। स योऽयं पश्चात्प्राणः—तमेवैतद्दधाति। ताविमाऽउभयतः प्राणौ हितौ—यश्चायमुपरिष्टाद्यश्चाधस्तात्॥९॥

तद्वाऽएतदेको द्वाभ्यां वषट्करोति—अध्वर्यवे च, यश्चैष उपयजति। अथ यद्यजन्तमुपयजति—तस्मादुपयजो नाम। अथ यदुपयजति—प्रैवैतज्जनयति। पश्चाद्ध्युपयजति। पश्चाद्धि योषायै प्रजाः प्रजायन्ते॥ १०॥

तेनानुयाजेष्विति। 'तेन' पृषदाज्येन 'अनुयाजेषु चरति' अनुयाजान् यजेदित्यर्थः। तदुभयं प्रशंसति—**पशवो वा अनुयाजा** इति। अनुयाजानां फलोपभोगहेतुकत्वात् पशुत्वम्, पयोविकारत्वात् 'पृषदाज्यम्' एव 'पयः'; 'तत्' तेनानुयाजानुष्ठानेन 'पशुषु' 'एव' पयःस्थापनम् 'भवति'।

विहिताननुयाजान् विधास्यमानैरुपयड्भिः सह पुरस्तादुपरिष्टाच्च विधास्यन् प्राणात्मना प्रशंसति—**प्राणो हि पृषदाज्यमिति**। 'हि' शब्दद्योत्यां प्रसिद्धिमुपपादयति—'पृषदाज्यं तावत् 'अन्नम्' तत् 'अन्नं' अन्वयव्यतिरेकानुविधायित्वात् 'प्राणः'; अतः 'पृषदाज्यं प्राणः'॥ ८॥

तेन पुरस्तादिति। उपयड्भ्यः 'पुरस्तात् अनुयाजेषु' पृषदाज्यानुष्ठानेन पुरस्तात्—प्राणं मुखस्थप्राणं अप्राणे पशौ निहितवान् भवति; 'पश्चात्' उपयडनुष्ठानस्य पश्चात्—'प्राणम्' उदानाख्यं पशौ स्थापितवान् भवति। मिलित्वा 'यः' 'अयम्' प्राणिषु 'उपरिष्टाच्चाधस्ताच्च' प्राणः, तत् प्राणद्वयं स्थापितवान् भवति॥ ९॥

तद्वा एतदित्यादि। 'एकः' होता, 'द्वाभ्याम्' 'अध्वर्यवे' 'उपयष्ट्रे' प्रतिप्रस्थात्रे 'च,' प्रयाजार्थम् उपयड्यागार्थं च 'वषट्' कुर्यात्॥

उपयजं नामनिर्वचनेन प्रशंसति—**अथ यद् यजन्तम् उपयजति, तस्मादुपयजो नामेति**। 'यजन्तम्' अध्वर्युम् 'उप' लक्ष्य एतान्यङ्गानि प्रतिप्रस्थाता 'यजति' इति पश्चाद्यष्टव्या उपयज "विजुपे छन्दसि" (पा. सू. ३। २। ७३) इत्यर्थः॥

स उ॒पय॑जति । स॒मु॒द्रं ग॑च्छ॒ स्वाहे॒त्यापो॒ वै स॑मु॒द्रऽआपो॒ रेतो॒ रेत॑ ए॒वै-
तत्सि॑ञ्चति ॥ ११ ॥

(त्य) अ॒न्तरि॑क्षं गच्छ॒ स्वाहे॑ति । (त्य) अ॒न्तरि॑क्षं वा ऽअनु॑ प्र॒जाः
प्र॒जाय॑न्तेऽन्तरि॑क्षमे॒वैतद॑नु प्र॒जन॑यति ॥ १२ ॥

दे॒वꣳ स॑वि॒तारं॑ गच्छ॒ स्वाहे॑ति । स॒वि॒ता वै दे॒वानां॑ प्रसवि॒ता स॑वि॒तृप्र॑सूत
ए॒वैतत्प्र॒जन॑यति ॥ १३ ॥

मि॒त्रावरु॑णौ गच्छ॒ स्वाहे॑ति । प्रा॒णो॒दा॒नौ वै मि॒त्रावरु॑णौ प्रा॒णो॒दा॒नावे॒-
वैतत्प्र॒जासु॑ दधाति ॥ १४ ॥

(त्य) अ॒हो॒रा॒त्रे ग॑च्छ॒ स्वाहे॑ति । (त्य) अ॒हो॒रा॒त्रे वाऽअनु॑ प्र॒जाः प्र॒जा-
य॑न्तेऽहोरा॒त्रेऽए॒वैतद॑नुप्र॒जन॑यति ॥ १५ ॥

स उपयजति–" समुद्रं गच्छ स्वाहा "–(वा. सं. ६ । २१) इति । आपो वै समुद्रः । आपो रेतः । रेत एवैतत्सिञ्चति ॥ ११ ॥

" अन्तरिक्षं गच्छ स्वाहा "–(वा. सं. ६ । २१) इति । अन्तरिक्षं वाऽअनु प्रजाः प्रजायन्ते । अन्तरिक्षमेवैतदनु प्रजनयति ॥ १२ ॥

" देवं सवितारं गच्छ स्वाहा "–(वा. सं. ६ । २१) इति । सविता वै देवानां प्रसविता । सवितृप्रसूत एवैतत् प्रजनयति ॥ १३ ॥

" मित्रावरुणौ गच्छ स्वाहा "–(वा. सं. ६ । २१) इति । प्राणोदानौ वै मित्रावरुणौ प्राणोदानावेवैतत् प्रजासु दधाति ॥ १४ ॥

" अहोरात्रे गच्छ स्वाहा "–(वा सं. ६ । २१) इति । अहोरात्रे वाऽअनु प्रजाः प्रजायन्ते । अहोरात्रेऽएवैतदनुप्रजनयति ॥ १५ ॥

अथ यदुपयजति प्रैवैतज्जनयतीति । पृषदाज्यरूपैरनुयाजैः प्रजननस्य कृतत्वादुपयड्भिर्जनयति । कथमेतेन प्रजनयति ? उच्यते–पश्चाद्ध्युपयजतीति । योषायाः पश्चाद्भागेन प्रजा उत्पद्यन्ते ॥ १० ॥

स उपयजतीति । " समुद्रं गच्छ–" इत्यादय उपयड्यागमन्त्राः । हे गुदावयवरूप हविः ! त्वं ' समुद्रं ' समुद्राभिमानिनं देवं ' गच्छ ' ' स्वाहा ' इदं द्रव्यं सुहुतमस्तु । एवमुत्तरत्रापि द्रष्टव्यम् । एषु मन्त्रेषु मध्ये यत्र देवता स्पष्टं न प्रतिभाति, तत्र तदभिमानिदेवता द्रष्टव्या ॥ उपयाजानां प्रजननरूपत्वस्योक्तत्वात् तदनुकूलप्रयत्नपरतया मन्त्रान् व्याचष्टे–आपो वै समुद्र आपो रेत इति । पदार्थस्तु स्पष्ट एव ॥

अत्र कात्यायनः–" शामित्रादङ्गारानाहृत्य वेदिश्रोण्यां निवपत्युत्तरस्याम्, आग्नीध्रीयाद्वा–सोमे होतृधिष्ण्ये, प्रतिप्रस्थातोपयजति गुदतृतीयस्य प्रच्छेदमनुयाजेषु समुद्रं गच्छेति प्रतिमन्त्रम् प्रतिवषट्कारम्–" (का. श्रौ. सू. ६ । २०६–२०८) इति ॥ ११–१७ ॥

छन्दाᳬंसि गच्छ स्वाहेति । सप्त वै छन्दाᳬंसि सप्त ग्राम्याः पशवः सप्तारण्यास्तानेवैतदुभयान्प्रजनयति ॥ १६ ॥

द्यावापृथिवी गच्छ स्वाहेति । प्रजापतिर्वै प्रजाः सृष्ट्वा ता द्यावापृथिवीभ्यां पर्यगृह्णात्ता इमा द्यावापृथिवीभ्यां परिगृहीतास्तथोऽएवैषऽ एतत्प्रजाः सृष्ट्वा ता द्यावापृथिवीभ्यां परिगृह्णाति ॥ १७ ॥

(त्य) अथात्युपयजति । स यन्नात्युपयजेद्यावत्यो हैवाग्रे प्रजाः सृष्टास्तावत्यो हैव स्युर्न प्रजायेरन्नथ यदत्युपयजति प्रैवैतज्जनयति तस्मादिमाः प्रजाः पुनरभ्यावर्तं प्रजायन्ते ॥ १८ ॥

इति षष्ठप्रपाठके पञ्चमं ब्राह्मणम् ॥ ६–५ (८. ४.) ॥

इति षष्ठः प्रपाठकः समाप्तः ।

" छन्दांसि गच्छ स्वाहा "-(वा. सं, ६ । २१) इति सप्त वै छन्दांसि —सप्त ग्राम्याः पशवः सप्तारण्याः तानेवैतदुभयान्प्रजनयति ॥ ॥ १६ ॥

" द्यावापृथिवी गच्छ स्वाहा "–(वा. सं. ६ । २१) इति । प्रजापतिर्वै प्रजाः सृष्ट्वा ता द्यावापृथिवीभ्यां पर्यगृह्णात् । ता इमा द्यावापृथिवीभ्यां परिगृहीताः । तथोऽएवैष एतत्प्रजाः सृष्ट्वा ता द्यावापृथिवीभ्यां परिगृह्णाति ॥ १७ ॥

अथात्युपयजति । स यन्नात्युपयजेत् । यावतो हैवाग्रे प्रजाः सृष्टाः—तावत्यो हैव स्युः—न प्रजायेरन् । अथ यद् अत्युपयजति—प्रैवैतज्जनयति । तस्मादिमाः प्रजाः पुनरभ्यावर्तं प्रजायन्ते ॥ १८ ॥

अत्युपयाजं विधत्ते—अथात्युपयजतीति । अत्युपयाजनामकाश्चत्वारे उपयागाः सप्तकानामनन्तरमाधिक्येन यष्टव्याः । विहितानत्युपयागानन्वयव्यतिरेकाभ्यां पुनः पुनः प्रजाभिवृद्धिहेतुतया प्रशंसति–स यन्नात्युपयजेद्यावत्यो हैवाग्रे प्रजाः सृष्टा इत्यादिना ॥ १८ ॥

इति श्रीसायणाचार्यविरचिते माधवीये वेदार्थप्रकाशे माध्यन्दिनशतपथब्राह्मणभाष्ये तृतीयकाण्डे अष्टमाध्याये चतुर्थं ब्राह्मणम् ॥ (३–८–४) ॥

१–'अत्युपयड्होमकाश्चत्वार उपयागसप्तकानामनन्तरमाधिक्येन इति क. पा. । २–तै. सं. ६ । ३ । ११ अनुवाको द्रष्टव्यः ।

सप्तमप्रपाठके प्रथमं ब्राह्मणम् ।
अष्टमाध्याये च पञ्चमं ब्राह्मणम् ।

सोऽत्युपयजति । यज्ञं गच्छ स्वाहेत्यापो वै यज्ञ आपो रेतो रेत एवै-
तत्सिञ्चति ॥ १ ॥

सोमं गच्छ स्वाहेति । रेतो वै सोमो रेत एवैतत्सिञ्चति ॥ २ ॥

दिव्यं नभो गच्छ स्वाहेति । (त्या) आपो वै दिव्यं नभऽआपो रेतो
रेत एवैतत्सिञ्चति ॥ ३ ॥

(त्य) अग्निं वैश्वानरं गच्छ स्वाहेति । (ती) इयं वै पृथिव्यग्नि-
र्वैश्वानरः सेयं प्रतिष्ठेमामेवैतत्प्रतिष्ठामभिप्रजनयति ॥ ४ ॥

(त्यु) अथ मुखं विमृष्टे । मनो मे हार्दिं यच्छेति तथो होपयष्टात्मानं
नानुप्रवृणक्ति ॥ ५ ॥

सोऽत्युपयजति—" यज्ञं गच्छ स्वाहा "—(वा. सं. ६ । २१) इति । आपो वै यज्ञः आपो-
रेतः । रेत एवैतत् सिञ्चति ॥ १ ॥

" सोमं गच्छ स्वाहा "—(वा. सं. ६ । २१) इति । रेतो वै सोमः रेत, एवैतत् सिञ्चति॥ २॥

" दिव्यं नभो गच्छ स्वाहा "—(वा. सं ६ । २१) इति । आपो वै दिव्यं नभः आपो
रेतः । रेत एवैतत् सिञ्चति ॥ ३ ॥

" अग्निं वैश्वानरं गच्छ स्वाहा "—(वा. सं. ६ । २१) इति । इयं वै पृथिव्यग्निर्वैश्वानरः ।
सेयं प्रतिष्ठा । इमामेवैतत्प्रतिष्ठामभिप्रजनयाति ॥ ४ ॥

अथ मुखं विमृष्टे—" मनो मे हार्दिं यच्छ "—(वा. सं. ६ । २१) इति । तथो होपयष्टात्मानं
नानुप्रवृणक्ति ॥ ५ ॥

अत्युपयाजमन्त्रान् विधाय पुनः सृष्टयभिवृद्धिहेतुतया प्रशंसति—सोऽत्युपयजति यज्ञं गच्छ स्वाहेत्यादिना ।
" यत्र वै यज्ञस्य शिरोऽच्छिद्यत तस्य रसो द्रुत्वापः प्रविवेश " (श. प. ३. ९. २. १)—इति वक्ष्यमाणात्वात्
यज्ञरसानुप्रवेशेन यज्ञस्याप्रूपत्वम् ॥ १ ॥

सोमं गच्छेति । सोमस्य रसात्मकत्वादोषधित्वादोषधिविकारत्वाद्वा रेतस इति वा सोमस्य रेतस्त्वम् ॥ २ ॥

दिव्यं नभ इति । 'दिव्यं नभः' लोकः; ततो वृष्ट्युत्पत्तेस्तस्याप्रूपत्वम्; अधिष्ठानाधिष्ठात्रोरभेदोपचारात्॥ ३॥

अग्निं वैश्वानरमिति । इयं पृथिव्यग्निर्वैश्वानरः (निरु. ७ । २१–३१) इत्युच्यते, तस्याः सर्वगतत्वेन
प्रतिष्ठारूपत्वं स्पष्टमेव ॥ ४ ॥

अथ मुखं विमृष्टे मनो मे हार्दीत्यादि । मुखविमर्शनमन्त्रस्यायमर्थः—हे प्राणरूप गुद ! 'मे' 'हार्दिं'

---

१ प्रतिवषट्कार २ हुत्वा मनो म इति मुखोपस्पर्शनम् । का० श्रौ० सू० ६ । २०९ ।

(त्यु) अ॒थ जा॒घन्या प॒त्नीः सं॑याजयन्ति । जघनार्द्धो वै जा॒घनी जघनार्द्धाद्धि॒ योषायै प्रजाः प्र॒जायन्ते त॒त्प्रैवैत॒ज्जनयति य॒ज्जाघन्या प॒त्नीः संया॒जयन्ति ॥ ६ ॥

(त्य) अन्तरतो॒ देवा॒नां प॒त्नीभ्यो॒ ऽवद्यति । (त्य) अन्तरतो वै॒ योषायै प्रजाः प्र॒जायन्त ऽउपरि॒ष्टादग्न॒ये गृह॒पतय ऽउपरि॒ष्टाद्धि॒ व्वृषा॒ योषामधिद्रवति ॥ ७ ॥

(त्यु) अ॒थ हृदयशू॒ले॒नावभृथं यन्ति । पशोर्ह वा॒ ऽआलभ्य॒मानस्य हृदयᳫं शु॒क्समभ्य॒वैति हृ॒दयाद्धृदयशू॒लम॒थ य॒च्छृत॒स्य परितृन्द॒न्ति त॒दल॒ञ्जु॒षं त॒स्मादु परितृ॒द्यैव॒ शूला॒कुर्या॒त्तन्त्रिः प्रच्यु॒ते पशौ हृ॒दयं प्रवृह्यो॒त्तमं॒ प्रत्यु॒वदधाति ॥ ८ ॥

अथ जाघन्या पत्नीः संयाजयन्ति । जघनार्द्धो वै जाघनी जघनार्द्धाद्धि योषायै प्रजाः प्रजायन्ते । तत् प्रैवैतज्जनयति–जघन्या पत्नीः सं याजयन्ति ॥ ६ ॥

अन्तरतो देवानां पत्नीभ्योऽवद्यति । अन्तरतो वै योषायै प्रजाः प्रजायन्ते–उपरिष्टादग्नये गृहपतये । उपरिष्टाद्धि वृषा योषामधिद्रवति ॥ ७ ॥

अथ हृदयशूलेनावभृथं यन्ति । पशोर्ह वाऽआलभ्यमानस्य हृदयं शुक् समभ्यवैति । हृदयाद्धृदयशूलम् । अथ यच्छृतस्य परितृन्दन्ति; तदलञ्जुषम् । तस्मादु परितृद्यैव शूलाकुर्यात् । तत त्रिःप्रच्युते पशौ हृदयं प्रवृह्योत्तमं प्रत्यवदधाति ॥ ८ ॥

हृदयसम्बन्धि 'मनो' 'यच्छ' । यद्वा 'हार्दि' हृदये स्थापितम् । पशोः प्राणरूपस्य गुदस्य विच्छिद्य होमात् उपयष्टुः मनोऽपि प्राणाविनाभूतं अपगच्छति, अत एवं प्रार्थ्यते । **तथा होपयष्टेति** । स्पष्टम् ॥ ९ ॥

अथ जाघन्या पत्नीः संयाजयन्तीति[1] । जाघनी बालदण्डः तया 'पत्नीः पत्न्युपलक्षिताः सोमत्वष्ट्राद्या देवताः संयाजयेत् । **जघनार्द्धो वै जाघनी**त्यादि । स्पष्टम् ॥ ६ ॥

जाघन्या अपि प्रदेशविशेषमाह–**अन्तरतो देवानां पत्नीभ्योऽवद्यतीति**[2] । देवानां पत्नीभ्य इति चतुर्थी, तासामर्थाय । 'अन्तरतः' ऊर्ध्वमुत्थितस्य बालस्य 'अन्तरतः' अलोमकप्रदेशादित्यर्थः । **उपरिष्टादग्नये गृहपतय** इति । सरोमके बाह्यप्रदेशे ॥ ७ ॥

अथ हृदयशूलेनेत्यादि[3] । हृदयशूलस्यावभृथनयनस्य प्रयोजनमाह–**पशोर्ह वा** इति । सुखदुःखयोर्हृदयेऽनुभूयमानत्वान्निरुद्धश्वासस्य पशोः शुक् शोको हृदयमभिगच्छति हृदयाद्धृदयशूलमभिगच्छति । तत्प्रकारमाह–**अथ यदि**ति । शृतस्य पक्वस्य । हृदयस्य पश्चात् शूलेन परितर्द्दने 'तत्' जोषाय भक्षणाय 'अलं' पर्याप्तं भवति; शुगनुविद्धत्वान्न यागार्हं स्यादित्यर्थः । तस्मात् पाकात् पूर्वं शूलं 'परितृद्य' पाकं कुर्यात् । " शूलात्

१–जाघन्या पत्नीसंयाजनम् । का. श्रौ. सू. ६ ।२१२। २–उत्तानाया देवानां पत्नीभ्योऽवद्यति । इडां च । परिवर्त्याग्नये गृहपतयेऽभिघेच । आज्येन पूर्व्वं । सर्व्वावाजाघान्याऽविशेषात् । का.श्रौ.सू. ६।२१३-२१७ । ३–बर्हिर्हुत्वाऽपोगच्छन्तिहृदयशूलमादाय । आहवनीयं वोपस्थाय व्रतादीनिचेत् । का. श्रौ. सू. २१८ । २१९ ।

(त्यु) अथ हृदयशूलं प्रयच्छति। तन्न पृथिव्यां परास्येन्नाप्सु स यत्पृथिव्यां परास्येदोषधीश्च व्वनस्पतींश्चैषा शुक्प्रविशेद्यदप्सु परास्येदप ऽएषा शुक्प्रविशेत्तस्मान्न पृथिव्यां नाप्सु ॥ ९ ॥

(प्स्व) अप एवाभ्यवेत्य । यत्र शुष्कस्य चार्द्रस्य च सन्धिः स्यात्तदुपगूहेद्यद्यु ऽअभ्यवायनाय ग्लायेदग्रेण यूपमुदपात्रं निनीय यत्र शुष्कस्य चार्द्रस्य च सन्धिर्भवति तदुपगूहति मापो मौषधीर्हिꣳसीरिति तथा नापो नौषधीर्हिनस्ति धाम्नो धाम्नो राजंस्ततो व्वरुण नो मुञ्च ॥ यदाहुरघ्न्या इति व्वरुणेति शपामहे ततो व्वरुण नो मुञ्चेति तदेनꣳ सर्व्वस्माद्वरुणपाशात्सर्व्वस्माद्वरुण्यात्प्रमुञ्चति ॥ १० ॥

अथ हृदयशूलं प्रयच्छति । तन्न पृथिव्यां परास्येत्; नाप्सु । स यत् पृथिव्यां परास्येद्—ओषधीश्च वनस्पतींश्चैषा शुक् प्रविशेत् । यदप्सु परास्येद्—अप एषा शुक् प्रविशेत् । तस्मान्न पृथिव्याम्, नाप्सु ॥ ९ ॥

अप एवाभ्यवेत्य यत्र शुष्कस्य चार्द्रस्य च सन्धिः स्यात्—तदुपगूहेत् । यद्यु ऽअभ्यवायनाय ग्लायेद्—अग्रेण यूपमुदपात्रं निनीय यत्र शुष्कस्य चार्द्रस्य च सन्धिर्भवति—तदुपगूहति । "**मापो मौषधीर्हिंसीः**"—(वा. सं. ६ । २२ ।) इति । तथा नापो नौषधीर्हिनस्ति—"**धाम्नो धाम्नो**

पाके" (पा. सू. ५ । ६ । ६५ ।) इति डाजन्तः । अतः पाकात् पूर्वं शूलेन परितर्दनात् 'शुक्' हृदयशूलं प्राप्नोतीत्यर्थः । 'त्रिः प्रच्युते पशौ' पाकोत्तरकालं 'हृदयं' शूलात् 'प्रवृह्य' 'उत्तमं प्रत्यवदधाति' इतरावयवानामुपरि स्थापयेत् ॥ ८ ॥

अथ हृदयशूलं प्रयच्छतीति[1] । परिकर्मिणे प्रयच्छति । स 'तत्' शूलं 'पृथिव्याम्' 'अप्सु' च 'न परास्येत् । परास्यतो दोषमाह—**ओषधीश्चे**ति । 'ओषधीश्च वनस्पतींश्च एषा शुक् प्रविशेत्', 'यत्' यदि 'पृथिव्यां परास्येत्' । तस्यामुत्पन्नेष्वोषधिवनस्पतिषु प्रवेशो युक्तः ॥ ९ ॥

उक्तदोषाभावोपायमाह—**अप एवे**ति । 'अपः' सम्प्राप्य तत्समीपे 'यत्र' देशे अतीवारसः सरसश्च न भवति, 'तत्' तत्र 'उपगूहेत्' । अपामेवातिदूरत्वे उपायान्तरमाह—**यद्यु** इति ।

यदाव्विषये ग्लानिं प्राप्नुयात्, तदा यूपस्य प्राग्देशे उदपात्रनिनयनं कृत्वा, तत्रापीषदार्द्रदेशे उपगूहेत् । तत्र मन्त्रः—"मापो मौषधीर्हिंसीः"—इति । हे शूल ! अपामोषधीनाञ्च हिंसां मा कुरु । ईषदार्द्रे उपगूहनादपां हिंसाप्रसङ्गः, पृथिव्यामुपगूहनात् तदीयौषधीनां बाधप्रसङ्गः, अतस्तत्रोभयत्र हिंसापरिहारः प्रार्थ्यते ॥

तत्र मन्त्रः—**धाम्नो धाम्नो राजन्नि**ति[2] । निगूहनस्य बन्धनरूपत्वात्, तस्य वरुणाधिष्ठातृकत्वात् वरुणस्य सम्बोधनम्—हे 'राजन्' वरुण ! यस्मिन् पापरूपबन्धने अवस्थाने बद्धाः स्मः, 'ततः' तस्मात् धाम्नो बन्धस्थानात्

१—अभ्यवेत्य शुष्कार्द्रसन्धौ हृदयशूलमुपगूहति शुगसि तमभिशोच योऽस्मान् द्वेष्टि यं च व्वयं द्विष्मो मापो मौषधीरिति च । का. श्रौ. सू. ६ । २२० । २—ग्लायन्नुदपात्रं निषिच्य पूर्व्वेण यूपं यथोक्तमुपगूहति । का. श्रौ. सू. ६ । २२१ ।

(त्यु) अथाभिमन्त्रयन्ते । सुमित्रिया न ऽआप ऽओषधयः सन्तु दुर्मित्रियास्तस्मै सन्तु योऽस्मान्द्वेष्टि यं च व्वयं द्विष्म इति यत्र वाऽएतेन प्रचरन्त्यापश्च ह वाऽअस्मात्तावदोषधयश्चापक्रम्येव तिष्ठन्ति तदु ताभिर्मित्रधेयं कुरुते तथो हैनं ताः पुनः प्रविशन्त्येषो तत्र प्रायश्चित्तिः क्रियते स वै नाग्नीषोमीयस्य पशोः करोति नाग्नेयस्य व्वशायाऽएवानूबन्ध्यायै ताᳬं हि सर्व्वोऽनु यज्ञः सन्तिष्ठतऽएतदु हास्याग्नीषोमीयस्य पशोराग्नेयस्य च हृदयशूलेन चरितं भवति यद्वशायाश्चरन्ति ॥ ११ ॥

इति सप्तमप्रपाठके प्रथमं ब्राह्मणम् ॥ ७ ॥ १ ॥ (८ । ५)

राजंस्ततो वरुण नो मुञ्च। यदाहुरघ्न्या इति वरुणेति शपामहे ततो वरुण नो मुंच"–(वा. सं. ६ । २२ ।) इति। तदेनं सर्वस्माद्वरुणपाशात्, सर्वस्माद्वरुण्यात् प्रमुञ्चति ॥ १० ॥

अथाभिमन्त्रयते–" सुमित्रिया न आप ओषधयः सन्तु, दुर्मित्रियास्तस्मै सन्तु–योऽस्मान द्वेष्टि, यं च वयं द्विष्मः "–(वा. सं. ६।२२)–इति। यत्र वाऽएतेन प्रचरन्ति। आपश्च ह वाऽअस्मात्तावदोषधयश्चापक्रम्येव तिष्ठन्ति। तदु ताभिर्मित्रधेयं कुरुते। तथो हैनं ताः पुनः प्रविशन्ति। एषो तत्र प्रायश्चित्तिः क्रियते। स वै नाग्नीषोमीयस्य पशोः करोति, नाग्नेयस्य। वशायाऽएवानूबन्ध्यायै। तां हि सर्वोऽनुयज्ञः सन्तिष्ठते। एतदु हास्याग्नीषोमीयस्य च पशोराग्नेयस्य च हृदयशूलेन चरितं भवति–यद् वशायाश्चरन्ति ॥ ११ ॥ इत्यग्नीषोमीयपशुयागः ॥

' नः ' अस्मान् ' मुञ्च ' पापेन विमुक्तान् कुरु। किञ्च ' यत् ' यस्मिन् आगसि सम्भाविते, आगस्कर्त्तारोऽपि ' अघ्न्याः ' अहन्तव्याः, रक्षणीयाः ' वरुण ' ' इति ' ' वयमित्याहुः ' मनुष्याः वयमपि इत्येवं प्रकारेणापराधीनोऽप्यघ्न्याः वयं किं तु पालयितव्यां इति शपामहे आक्रोशामः। ततोऽपि नोऽस्मान्मुंच। तत्ते न धाम्नो धाम्न इत्यादि मंत्रपाठेन वरुण्यादिति पुनरभिधानात्पाशव्यतिरिक्तात्सर्वस्मात्पाशाद्विमोक्षः प्रार्थ्यते ॥ १० ॥

अथाभिमन्त्रयन्त इति। अध्वर्युप्रभृतयः। **सुमित्रिया न** इति। ' नः ' अस्मदर्थम् ' आपः ओषधयः ' च ' सुमित्रियाः ' शोभनमित्रेषु साधवः ' सन्तु ' मित्रवद्धितकारिण्यो भवन्तु। 'यः' ' अस्मान् द्वेष्टि ' अस्मासु द्वेषमाचरन्ति ' यं च वयं द्विष्मः तस्मै तदर्थं दुर्मित्रियास्सन्तु द्वेषिण्यो भवन्तु। अत्र सूत्रकारः–"सुमित्रिया न इत्युपस्पृशन्त्यपः, उपगूहनशेषो वा पूर्वः, अभिमन्त्रणं वोत्तरेण "–(का. श्रौ. सू. ६।२२२–२२४) इति ॥

एतत्प्रशंसति–**यत्र वा एतेनेति**। ' एतेन ' हृदयशूलनिगूहनेन ' आपश्च ' ' ओषधयश्च ' ' अस्मात् ' स्थानात् ' अपक्रम्य ' अपसृत्य ' इव ' ' तिष्ठन्ति '। ' तदु ' तस्मादेव कारणात् ' ताभिः ' सह " सुमित्रिया "–इति पाठेन मित्रत्वं कृतवान् भवति। स्पष्टमन्यत् ॥

शूलोपगूहनं विषयविशेषे निषेधति–**स वै नाग्नीषोमीयस्य पशोः करोती**त्यादिना। ' स वै ' सोऽध्वर्युः। " न सोमेऽनूबन्ध्यावर्जम् "–(का. श्रौ. सू. ६।२३९) इति। सूत्रम् ॥ ११ ॥

इति श्रीसायणाचार्यविरचिते माधवीये वेदार्थप्रकाशे माध्यन्दिनशतपथब्राह्मणभाष्ये

तृतीयकाण्डे अष्टमेऽध्याये पञ्चमं ब्राह्मणम् ॥ ३–८–५ ॥

वेदार्थस्य प्रकाशेन तमो हार्दं निवारयन्। पुमर्थांश्चतुरो देयाद्विद्यातीर्थमहेश्वरः ॥

नवमाध्याये प्रथमं ब्राह्मणम् ।

प्रजापतिर्वै प्रजाः ससृजानो रिरिचान इवामन्यत । तस्मात्पराच्यः प्रजा ऽआसुर्नास्य प्रजाः श्रियेऽन्नाद्याय तस्थिरे ॥ १ ॥

स ऐक्षतारिक्ष्यहम् । (मु) अस्माऽउ कामायासृक्षि न मे स कामः समार्द्धि पराच्यो मत्प्रजा अभूवन्न मे प्रजाः श्रियेऽन्नाद्यायास्थिषतेति ॥ २ ॥

स ऐक्षत प्रजापतिः । कथं नु पुनरात्मानमाप्याययेयोप मा प्रजाः समावर्त्तेरंस्तिष्ठेरन्मे प्रजाः श्रियेऽन्नाद्यायेति ॥ ३ ॥

अथ पञ्चैकादशिनी ।

प्रजापतिर्वै प्रजाः ससृजानो रिरिचान इवामन्यत । तस्मात्पराच्यः प्रजा आसुः । नास्य प्रजाः श्रिये अन्नाद्याय तस्थिरे ॥ १ ॥

स ऐक्षत–' अरिक्ष्यहम् । यस्माऽउ कामायासृक्षि '–न मे स कामः समार्द्धि, पराच्यो मत्प्रजा अभूवन्–न मे प्रजाः श्रिये अन्नाद्यायास्थिषत इति ॥ २ ॥

स ऐक्षत प्रजापतिः–कथं नु पुनरात्मानमाप्यायेय, उप मा प्रजाः समावर्तेरन्, तिष्ठेरन्मे प्रजाः श्रियेऽन्नाद्याय इति ॥ ३ ॥

ब्रह्माण्डं गोसहस्रं कनकहयतुलापूरुषौ स्वर्णगर्भं सताब्धीन् पञ्चसीरींस्त्रिदशतरुलताधेनुसौवर्णभूमीः ।
रत्नोस्रां रुक्मवाजिद्विपमहितरथौ सायणिः सिङ्गणार्यो व्यश्राणीद्विश्वचक्रं प्रथितविधिमहाभूतयुक्तं घटञ्च ॥ २ ॥
धान्याद्रिं धन्यजन्मा तिलभवमतुलः स्वर्णजं वर्णमुख्यः कार्पासीयं कृपावान् गुडकृतमजडो राजतं राजपूज्यः ॥ ३ ॥
आज्योत्थं प्राज्यजन्मा लवणजमनृणः शार्करं चार्कतेजा रत्नाढ्यो रत्नरूपं गिरिमकृत मुदा पात्रसात्सिङ्गणार्यः ॥ ४ ॥

इति श्रीमद्राजाधिराजपरमेश्वरवैदिकमार्गप्रवर्त्तकश्रीवीरहरिहरमहाराजसाम्राज्यधुरन्धरेण सायणाचार्येण विरचिते माधवीये वेदार्थप्रकाशे माध्यन्दिनशतपथब्राह्मणभाष्ये तृतीयकाण्डे अष्टमोऽध्यायः समाप्तः ॥ ३ ॥ ८ ॥

यस्य निःश्वसितं वेदा यो वेदेभ्योऽखिलं जगत् । निर्ममे तमहं वन्दे विद्यातीर्थमहेश्वरम् ॥

पञ्चैकादशिनीं विधातुमाख्यायिकामाह–**प्रजापतिर्वै प्रजाः ससृजान** इत्यादिना । ' रिरिचान इवामन्यत ' आत्मानं रिक्तमिवाबुद्ध्यत । कुत इत्यत आह–**तस्मात् पराच्यः प्रजा आसुरिति** । ' तस्मात् ' प्रजापतेः सकाशात् 'प्रजाः' 'पराच्यः' पराङ्मुखा एव अभवन् । रिक्तत्वमेव विशदयति–**नास्य प्रजा** इति । लोके यथा बहुप्रजः कश्चित् ताभिरर्जितैर्धनादिभिः श्रीयुक्तोऽन्नादिमांश्च भवति, एवमस्य तथा न स्थितवत्य इत्यर्थः ॥ १ ॥

स ऐक्षतेति । विचारं कृतवान् ' अरिक्षि ' अतिरिक्तोऽभूवम् । रिचेर्लुङुत्तमैकवचने रूपम् । तदेव विशदयति–**अहमस्मा उ कामायासृक्षी**ति । अहं यस्मै कामाय ' असृक्षि ' प्रजासृष्टिमकार्षम् । ' स कामो न मे ' ' समार्द्धि ' समृद्धियुक्तोऽभूत् । तमेव विशिनष्टि–**न मे प्रजाः श्रिये चान्नाद्यायेति** । प्रजाभ्यः सकाशात् श्रीलाभोऽन्नलाभश्च तस्य काम इत्यर्थः ॥ २ ॥

स ऐक्षत इति । अथ स एव प्रजापतिः केनोपायेनात्मन आप्यायनं करोमि तदय ' अर्चन् ' आत्मानं पूजयन् बुद्धिचाञ्चल्यान्निवर्त्य विचारे स्थापनमेवात्रपूजा, तदर्थं ' श्राम्यन् ' आत्मानं खेदयन् ' विचारः ' अयमेवोपायः इति । विचारविषयां बुद्धिं प्रसारितवानित्यर्थः ॥ ३ ॥

सोऽर्चञ्छ्राम्यंश्चचार प्रजाकामः । स ऽएतामेकादशिनीमपश्यत्स ऽ एका-
दशिन्येष्ट्वा प्रजापतिः पुनरात्मानमाप्याययतोपैनं प्रजाः समावर्तन्ता-
तिष्ठन्तास्य प्रजाः श्रियेऽन्नाद्याय स व्वसीयानेवेष्ट्वाभवत् ॥ ४ ॥
(त्त) तस्मै कमेकादशिन्या यजेत । (तै) एवꣳ हैव प्रजया पशुभिराप्या-
यत उपैनं प्रजाः समावर्तन्ते तिष्ठन्तेऽस्य प्रजाः श्रियेऽन्नाद्याय स व्वसी-
यानेवेष्ट्वा भवत्येतस्मै कमेकादशिन्या यजते ॥ ५ ॥
स ऽआग्नेयं प्रथमं पशुमालभते । (तेऽग्नि) अग्निर्व्वै देवतानां मुखं
प्रजनयिता स प्रजापतिः स उऽएव यजमानस्तस्मादाग्नेयो भवति ॥ ६ ॥

सोऽर्चञ्छ्राम्यंश्चचार प्रजाकामः । स एतामेकादशिनीमपश्यत् । स एकादशिन्येष्ट्वा प्रजापतिः पुनरात्मानमाप्याययत–उपैनं प्रजाः समावर्तन्त–अतिष्ठन्तास्य प्रजाः श्रियेऽन्नाद्याय–स वसीयानेवेष्ट्वाभवत् ॥ ४ ॥

तस्मै कमेकादशिन्या यजेत । एवं हैव प्रजया पशुभिराप्यायते, उपैनं प्रजाः समावर्तन्ते, तिष्ठन्तेऽस्य प्रजाः श्रियेऽन्नाद्याय–स वसीयानेवेष्ट्वा भवति । एतस्मै कमेकादशिन्या यजते ॥ ५ ॥

स आग्नेयं प्रथमं पशुमालभते । अग्निर्वै देवानां मुखम्, प्रजनयिता, स प्रजापतिः, स उऽएव यजमानः । तस्मादाग्नेयो भवति ॥ ६ ॥

सोऽर्चन्निति । यदा बाह्यव्यापारेणैव 'अर्चन्' 'श्राम्यन्' तपः 'चचार' इत्यर्थः । **स एतामिति** । 'सः' च एवं कृत्वा बहुत्वाय पश्वेकादशिनीम् 'अपश्यत्' प्रजाप्राप्तिसाधनत्वेन ज्ञातवान् । **एकादशिन्येष्ट्वा प्रजापति**रित्यादि स्पष्टम् । **वसीयानेवेष्ट्वाभवद्**िति । 'वसीयान्' वसुमत्तरः ॥ ४ ॥

न केवलं प्रजापतेरेवैकादशिनीप्रयोगादेतदुक्तं फलम्, किन्तु इदानीन्तनमपि तत्फलं तदनुष्ठानाद्भवतीत्याह–**तस्मै कमेकादशिन्या यजेते**त्यादिना । कमिति पुरुषम् । य एकादशिन्या यजते, 'तस्मै' आप्यायनादिकामाय । स यजमानः 'प्रजया पशुभिः' 'आप्यायते' प्रवर्द्धते । आप्यायनेन 'एनं' यजमानं 'प्रजाः' पुत्रभृत्यादिरूपाः 'समावर्त्तन्ते' प्रतिनिवर्तन्ते । आगत्य च तदाप्यायनाय 'श्रिये अन्नाद्याय' च 'प्रजाः' 'तिष्ठन्ते' आत्मानं प्रकाशयन्ति, अनेन श्रिया चाप्यायनं प्रसिद्धम् ॥ ५ ॥

इत्थं सामान्येनैकादशिन्याः फलमभिधाय, तानेकादशिनान् पशून् क्रमेण विधाय, तत्फलं च विभज्य दर्शयति–**स आग्नेयं प्रथमं पशुमालभत** इत्यादिना । अग्निर्देवता अस्य स आग्नेयः पशुः, तम्, 'प्रथममालभते' । सत्स्वनेकदेवताकेषु प्रथममाग्नेयेन भवितव्यमित्येतस्मिन्नर्थे कारणमाह–**अग्निर्वै देवतानां मुखं प्रजनयिते**ति । यः परिपाकहेतुत्वेन सर्वस्य प्रजनयिता अग्निः, सः 'देवतानां मुखम्' खलु । देवानां प्रमुखत्वम् "अग्निर्वै देवानामवमः" (ऐ. ब्रा. १ । १ । १) इति, "अग्निमुखा वै देवाः" (ता. ब्रा. २५ । १५ । ४)–इति–श्रुत्यन्तराच्च सिद्धम् । अथवा देवानां मध्ये अग्निरेव 'मुखम्' प्रजनयिता,–मुख्यत्वेनोत्पादकः,

---

१–आग्नेयः प्रथमो गच्छत्यन्वारब्धोऽनुपूर्व्या इतरे । का. श्रौ. सू. ८ । २ । ३१ ।

(त्यु) अथ सारस्वतम् । वाग्वै सरस्वती वाचैव तत्प्रजापतिः पुनरात्मानमाप्याययत वागेनमुपसमावर्तत वाचमनुकामात्मनोऽकुरुत वाचो एवैष ऽएतदाप्यायते वागेनमुपसमावर्तते वाचमनुकामात्मना कुरुते ॥ ७ ॥

(तेऽथ) अथ सौम्यम् (मु) अन्नं वै सोमोऽन्नेनैव तत्प्रजापतिः पुनरात्मानमाप्याययतान्नमेनमुपसमावर्ततान्नमनुकमात्मनोऽकुरुतान्नेनो ऽएवैष एतदाप्यायतेऽन्नमेनमुपसमावर्ततेऽन्नमनुकमात्मनः कुरुते ॥ ८ ॥

तद्यत्सारस्वतमनुभवाति । वाग्वै सरस्वत्यन्नꣳसोमस्तस्माद्यो वाचा प्रसाम्यन्नादो हैव भवति ॥ ९ ॥

अथ सारस्वतम् । वाग्वै सरस्वती । वाचैव तत् प्रजापतिः पुनरात्मानमाप्याययत, वागेनमुपसमावर्तत, वाचमनुकामात्मनोऽकुरुत । वाचो एवैष एतदाप्यायते, वागेनमुपसमावर्तते, वाचमनुकामात्मना कुरुते ॥ ७ ॥

अथ सौम्यम् । अन्नं वै सोमः । अन्नेनैव तत्प्रजापतिः पुनरात्मानमाप्याययत, अन्नमेनमुपसमावर्तत, अन्नमनु कमात्मनोऽकुरुत । अन्नेनोऽएवैष एतदाप्यायते, अन्नमेनमुपसमावर्तते, अन्नमनु कमात्मनः कुरुते ॥ ८ ॥

तद् यत् सारस्वतमनुभवति । वाग्वै सरस्वती । अन्नं सोमः । तस्माद्यो वाचा प्रसामि–अन्नादो हैव भवति ॥ ९ ॥

"तामग्निरिन्धते, सोमो रेतो दधातन, सविता प्राजनयत्"–इत्यादौ अग्नेरेवेन्धकत्वदर्शनात्[1] । 'सः' अग्निः प्रजापतिना समत्वात् 'प्रजापतिः' । 'स एव' अग्निः 'यजमानः' च गार्हपत्यः सन् यजमानरूपेणावस्थानात्, यज्ञनिष्पादकत्वसाम्याद्वा यजमानत्वम् । तस्मात् स्वात्मलाभाय आग्नेयः पशु, कर्त्तव्यः ॥ ६ ॥

अथ सारस्वतमिति । आलभत इति शेषः । या 'सरस्वती' अस्ति सा 'वाग्वै' वाग्रूपा खलु । 'वाचैव' द्वितीयपशोर्देवतया स्वातिरिक्तं स्वात्मानं 'पुनराप्याययत' । 'वाग्' वाग्रूपा प्रजा एनं प्रजापतिम् उपावृत्ततया 'समावर्त्तत' । 'वाचमात्मनोऽनुकां' अनुकामयत इत्यनुका अनुकूलां अकरोत् । 'वाचम्' 'अनु' 'एव' 'एषः' यजमानः 'आत्मनः' कामनादिकं करोति ॥ एवमुत्तरेषां पशूनां[2] ब्राह्मणानि [च] व्याख्येयानि ॥ ७॥८॥

सौम्यस्य पशोः सारस्वतानन्तर्यं प्रशंसति–तद्यत्सारस्वतमनुभवतीति । वाग्वै सरस्वत्यन्नमिति । सोमस्यौषध्यधिपतित्वात् तत्स्वरूपमधिदैवम्, देवैरद्यमानत्वादधिभूतम्, ओषध्यात्मकत्वादन्नमिति । 'तस्माद्' 'यः' पुमान् 'वाचा' 'प्रसामि' अत्यल्पं[3]:, सः 'अन्नादो भवति' । वाचोऽन्नसाधनत्वात् सारस्वतानन्तरः सौम्यो युक्तः ॥ ९ ॥

१–अग्निरेव प्रथमत्वदर्शनात् । इति क. पाठः । २–यथोच्छ्रित सवनीयानालभत एकतृणेनोपाकृत्याग्नेयसारस्वतसौम्यपौष्णबार्हस्पत्यवैश्वदेवैंद्र मारुतैंद्राग्नसावित्रवारुणान् । का. श्रौ. सू. ८ । २२९ । ३–'अनल्पः' इति क. पा.

(त्यु) अथ पौष्णम् । पशवो वै पूषा पशुभिरेव तत्प्रजापतिः पुनरात्मानमाप्याययत पशव ऽएनमुपसमावर्तन्त पशूननुकानात्मनोऽकुरुत पशुभिर्व्वैवैषु ऽएतदाप्यायते पशव एनमुपसमावर्तन्ते पशूननुकानात्मनः कुरुते ॥ १० ॥

(तेऽथ) अथ बार्हस्पत्यम् । ब्रह्म वै बृहस्पतिर्ब्रह्मणैवैतत्प्रजापतिः पुनरात्मानमाप्याययत ब्रह्मैनमुपसमावर्तत ब्रह्मानुकमात्मनोऽकुरुत ब्रह्मणोऽएवैषु ऽएतदाप्यायते ब्रह्मैनमुपसमावर्त्तते ब्रह्मानुकमात्मनः कुरुते ॥ ११ ॥

तद्यत्पौष्णमनुभवति । पशवो वै पूषा ब्रह्म बृहस्पतिस्तस्माद्ब्राह्मणः पशूनभिधृष्णुतमः पुराहिता ह्यस्य भवन्ति मुख ऽआहितास्तस्मादु तत्सर्व्वं दत्त्वाजिनवासी चरति ॥ १२ ॥

अथ पौष्णम् । पशवो वै पूषा । पशुभिरेव तत्–प्रजापतिः पुनरात्मानमाप्याययत, पशव एनमुपसमावर्तन्त, पशूननुकानात्मनोऽकुरुत । पशुभिर्वैवैष एतदाप्यायते, पशव एनमुपसमावर्तन्ते, पशूननुकानात्मनः कुरुते ॥ १० ॥

अथ बार्हस्पत्यम् । ब्रह्म वै बृहस्पतिः । ब्रह्मणैवैतत्प्रजापतिः पुनरात्मानमाप्याययत, ब्रह्मैनमुपसमावर्तत, ब्रह्मानुकमात्मनोऽकुरुत । ब्रह्मणोऽएवैष एतदाप्यायते, ब्रह्मैनमुपसमावर्तते, ब्रह्मानुकमात्मनः कुरुते ॥ ११ ॥

तद् यत् पौष्णमनु भवति । पशवो वै पूषा । ब्रह्म बृहस्पतिः । तस्माद् ब्राह्मणः पशूनभिधृष्णुतमः । पुराहिता ह्यस्य भवन्ति–मुख आहिताः । तस्मादु तत्सर्वं दत्त्वाजिनवासी चरति ॥ १२ ॥

अथ पौष्णमिति । 'अथ' सौम्यानन्तरं 'पौष्णं' पूषदेवताकं पशुमालभते । पशवो वै पूषेत्यादि, पूर्ववत् ॥ १० ॥

अथ बार्हस्पत्यमिति । 'बार्हस्पत्यं' बृहस्पतिदेवताकं पशुमालभते । बृहस्पतेर्मन्त्राभिमानिदेवत्वाद् ब्रह्मत्वम्; अथवा 'बृहस्पतिः' 'ब्रह्म वै' ब्राह्मणजातिः खलु ॥ ११ ॥

बार्हस्पत्यस्य पौष्णानन्तर्ये युक्तिमाह–तद्यत् पौष्णमनु भवतीति । पूष्णः पूषाधिदेवत्वात् पशूनां पोषकत्वात् 'पूषा पशवः' । 'तस्मात्' बार्हस्पत्यस्य पौष्णानन्तर्याद्धेतोः 'ब्राह्मणः' 'पशून्' 'अभिधृष्णुतमो भवति' अत्यन्तधर्षको भवति । 'अस्य' एवंक्रमेणानुष्ठातुर्यजमानस्य 'पुराहिताः' पुरोहिताः, पुरः स्थापिताः 'भवन्ति' पशवः । तदेव व्याचष्टे–मुख आहिता इति । यस्माद्ब्राह्मणस्य पशुषु स्वामित्वमस्ति 'तस्मादु' तस्मादेव कारणात् 'सर्वं' ब्राह्मणेभ्यो 'दत्त्वा' 'अजिनवासी' अजिनमाच्छाद्य 'सञ्चरति' ।

१–'मन्त्राधिदेवत्वात्–' इ. पा. । २–'पूषाभिमानित्वात्' इति ज. । ३–'पुराहिताः'–पुरा इत्यव्ययमग्रे इत्यर्थम् । फलितमाह–पुरोहिता इति ।

(त्यु) अथ वैश्वदेवम् । (ध्रं) सर्वं वै विश्वे देवाः सर्वेणैव तत्प्रजापतिः पुनरात्मानमाप्याययत सर्वमेनमुपसमावर्तत सर्वमनुकमात्मनोऽकुरुत सर्वेणो ऽएवैष एतदाप्यायते सर्वमेनमुपसमावर्तते सर्वमनुकमात्मनः कुरुते ॥ १३ ॥

तद्यद्बार्हस्पत्यमनु भवति । ब्रह्म वै बृहस्पतिः सर्वमिदं विश्वे देवाऽ अस्यैतत्सर्वस्य ब्रह्म मुखं करोति तस्मादस्य सर्वस्य ब्राह्मणो मुखम् ॥ १४ ॥

(मु) अथैन्द्रम् । (मि) इन्द्रियं वै वीर्यमिन्द्र इन्द्रियेणैव तद्वीर्येण प्रजापतिः पुनरात्मानमाप्याययतेन्द्रियमेनं वीर्यमुपसमावर्ततेन्द्रियं वीर्यमनुकमात्मनोऽकुरुतेन्द्रियेणो ऽएवैष एतद्वीर्येणाप्यायतऽइन्द्रियमेनं वीर्यमुपसमावर्तत ऽइन्द्रियं वीर्यमनुकमात्मनः कुरुते ॥ १५ ॥

अथ वैश्वदेवम् । सर्वं वै विश्वे देवाः । सर्वेणैव तत् प्रजापतिः पुनरात्मानमाप्याययत, सर्वमेनमुपसमावर्तत, सर्वमनुकमात्मनोऽकुरुत । सर्वेणोऽएवैष एतदाप्यायते, सर्वमेनमुपसमावर्तते, सर्वमनुकमात्मनः कुरुते ॥ १३ ॥

तद् यद् बार्हस्पत्यमनु भवति । ब्रह्म वै बृहस्पतिः । सर्वमिदं विश्वे देवाः अस्यैवैतत् सर्वस्य ब्रह्म मुखं करोति । तस्मादस्य सर्वस्य ब्राह्मणो मुखम् ॥ १४ ॥

अथैन्द्रम् । न्द्रियं वै वीर्यम् । इन्द्र इन्द्रियेणैव तद्वीर्येण प्रजापतिः पुनरात्मानमाप्याययत, इन्द्रियमेनं वीर्यमुपसमावर्तत न्द्रियं वीर्यमनुकमात्मनोऽकुरुत । इन्द्रियेणोऽएवैष एतद्वीर्येणाप्यायते, इन्द्रियमेनं वीर्यमुपसमावर्तते, इन्द्रियं वीर्यमनु कमात्मनः कुरुते ॥ १५ ॥

सर्वस्वदक्षिणाके विश्वजिदादौ सर्वस्वं दत्त्वा अजिनवासोधारणं सामब्राह्मणे प्रपञ्चेनाम्नातम् (सा. ब्रा. १६ । ४।९।६) आपस्तम्बोऽपि–"उदवसाय रोहिणं दशाच्छदीः"–इति प्रक्रम्य, "बहिर्लोम परिधाय"–इति ॥१२॥

अथ वैश्वदेवमिति । बार्हस्पत्यानन्तरं 'वैश्वदेवं' पशुमालभते । वैश्वदेवस्य बार्हस्पत्यानन्तर्यार्थवादः स्पष्टार्थः १३

तद्यद् बार्हस्पत्यमनु भवतीति । अस्यैवैतत् सर्वस्य ब्रह्म मुखं करोतीति । 'अस्य' 'सर्वस्य' अपि जगतः 'एतत्' एतेन सर्वरूपस्य वैश्वदेवस्य आदौ ब्राह्मणजात्यात्मकस्य बृहस्पतेः पुरोभावित्वसम्पादनेन 'ब्रह्म मुखं करोति' ब्राह्मणजातिमेव मुखं कृतवान् भवति ॥ १४ ॥

अथैन्द्रमिति । 'ऐन्द्रं' पशुमालभते । सप्तमस्य पशोर्यद्देवता इन्द्रोऽस्ति, तम् । इन्द्रियं वै वीर्यमिति । इन्द्रेण सृष्टम् 'इन्द्रियम्,' तच्च 'वीर्य' वीर्यात्मकम्, सृज्यस्रष्ट्रोरभेदात् 'इन्द्रः' एवेन्द्रियम्; शक्तिशक्तिमतोरभेदादिन्द्रियत्वम् ॥ १५ ॥

१–'मुखत्वं' इ. पा. । २–'प्रमुखां' इ. पा. ।

तद्यद्वैश्वदेवमनु भवति । क्षत्रं वा ऽइन्द्रो विशो विश्वे देवा अन्नाद्यमेवास्मा ऽएतत्पुरस्तात्करोति ॥ १६ ॥

(त्यु) अथ मारुतम् । विशो वै मरुतो भूमो वै विड्भूम्नैव तत्प्रजापतिः पुनरात्मानमाप्याययत भूमैनमुपसमावर्तत भूमानमनुकमात्मनोऽकुरुत भूम्नो ऽएवैष एतदाप्यायते भूमैनमुपसमावर्तते भूमानमनुकमात्मनः कुरुते ॥ १७ ॥

तद्यदैन्द्रमनु भवति । क्षत्रं वा ऽइन्द्रो विशो विश्वे देवा विशो वै मरुतो विशैवैतत्क्षत्रं परिबृꣳहति तदिदं क्षत्रमुभयतो विशा परिबृढम् ॥ १८ ॥

(म) अथैन्द्राग्नम् । (न्ते) तेजो वा ऽअग्निरिन्द्रियं वीर्यमिन्द्र उभाभ्यामेव तद्वीर्याभ्यां प्रजापतिः पुनरात्मानमाप्याययतोभे ऽएनं वीर्ये ऽउपसमावर्तेतामुभे वीर्ये ऽअनुके ऽआत्मनोऽकुरुतोभाभ्याम्वेवैष एतद्वीर्याभ्यामाप्यायत ऽउभे ऽएनं वीर्ये ऽउपसमावर्तेते ऽउभे वीर्ये ऽअनुके ऽआत्मनः कुरुते ॥ १९ ॥

तद् यद् वैश्वदेवमनु भवति । क्षत्रं वाऽइन्द्रः । विशो विश्वे देवाः । अन्नाद्यमेवास्माऽएतत्पुरस्तात्करोति ॥ १६ ॥

अथ मारुतम् । विशो वै मरुतः । भूमो वै विट् । भूम्नैव तत् प्रजापतिः पुनरात्मानमाप्याययत भूमैनमुपसमावर्तत, भूमानमनुकमात्मनोऽकुरुत । भूम्नोऽएवैष एतदाप्यायते भूमैनमुपसमावर्तते, भूमानमनुकमात्मनः कुरुते ॥ १७ ॥

तद् यदैन्द्रमनु भवति । क्षत्रं वा इन्द्रः। विशो विश्वे देवाः । विशो वै मरुतः। विशे वैतत्क्षत्रं परिबृंहति । तदिदं क्षत्रमुभयतो विशा परिबृढम् ॥ १८ ॥

अथैन्द्राग्नम् । तेजो वाऽअग्निः । इन्द्रियम् वीर्यमिन्द्रः । उभाभ्यामेव तद्वीर्याभ्यां प्रजापतिः पुनरात्मानमाप्याययत, उभेऽएनं वीर्येऽउपसमावर्तेताम् । उभे वीर्येऽअनुकेऽआत्मनोऽकुरुत । उभाभ्याम्वेवैष एतद्वीर्याभ्यामाप्यायते। उभेऽएनं वीर्येऽउपसमावर्तेते, उभे वीर्येऽअनुकेऽआत्मनःकुरुते ॥ १९॥

तद्यदिति । इन्द्रस्य देवेषु मध्ये क्षत्रियजातित्वमसकृदुक्तम्, विश्वेषां देवानां तु तदधीनत्वाद् बहुत्वसाम्याद् विशां रूपत्वम्; अत ऐन्द्रस्य वैश्वदेवानन्तर्यकरणम् । नास्य स्वामिन इन्द्रस्य पुरस्ताद्भाविनो विशः कृतत्वात् कृतं भवति ॥ १६ ॥

अथ मारुतमिति । 'अथ' ऐन्द्रानन्तरं 'मारुतं' मरुद्देवताकं पशुमालभते ॥ १७ ॥

तद्यदिति । तदिदं क्षत्रमुभयतो विशा परिबृढमिति । पूर्वत्र विश्वदेवात्मिकया विशा, उत्तरत्र मरुद्रूपयेति द्रष्टव्यम् ॥ १८ ॥

अथैन्द्राग्नमिति । 'अथ' मारुतानन्तरम् 'ऐन्द्राग्नम्' इन्द्राग्निदेवताकम् ॥ १९ ॥

(तेऽथ) अथ सावित्रम् । (७ऌ) सविता वै देवानां प्रसविता तथो हास्मा ऽएते सवितृप्रसूता ऽएव सर्व्वे कामाः समृद्ध्यन्ते ॥ २० ॥

(तेऽथ) अथ व्वारुणमन्तत आलभते । तदेन७ सर्व्वस्माद्वरुणपाशा-त्सर्व्वस्माद्वरुण्यात्प्रमुञ्चति ॥ २१ ॥

तस्माद्यदि यूपैकादशिनी स्यात् । (दा) आग्नेयमेवाग्निष्ठे नियुञ्ज्या-दथेतरान्व्युपनयेयुर्यथापूर्वम् ॥ २२ ॥

यद्यु पश्वेकादशिनी स्यात् । (दा) आग्नेयमेव यूप ऽआलभेरन्नथेतरा-न्यथापूर्वम् ॥ २३ ॥

तान्यत्रोदीचो नयन्ति । (न्त्या) आग्नेयमेव प्रथमं नयन्त्यथेतरा-न्यथापूर्वम् ॥ २४ ॥

अथ सावित्रम् । सविता वै देवानां प्रसविता । तथो हास्माऽएते सवितृप्रसूताऽएव सर्वे कामाः समृद्ध्यन्ते ॥ २० ॥

अथ वारुणमन्तत आलभते । तद् एनं सर्वस्माद्वरुणपाशात् सर्वस्माद्वरुण्यात्प्रमुञ्चति ॥ २१ ॥

तस्माद्यदि यूपैकादशिनी स्यात्—आग्नेयमेवाग्निष्ठे नियुञ्ज्याद् । अथेतरान्व्युपनयेयुः—यथा-पूर्वम् ॥ २२ ॥

यद्यु पश्वेकादशिनी स्यात्—आग्नेयमेव यूपऽआलभेरन् । अथेतरान् यथापूर्वम् ॥ २३ ॥

तान्यत्रोदीचो नयन्ति । आग्नेयमेव प्रथमं नयन्ति । अथेतरान्यथापूर्वम् ॥ २४ ॥

अथ सावित्रमिति । आलभते । सावित्रवारुणयोर्ब्राह्मणे स्पष्टे ॥ २० ॥ २१ ॥

तस्माद्यदीति[1] । 'तस्मात्' पशूनामेकादशत्वात् 'यदि स्यादेकादशिनी' स्यादेकादशयूपसम्मानम्, तदा प्रतिपशु यूपसम्भवात् 'अग्निष्ठे' पूर्वेद्युर्निखाते मध्ययूपे 'आग्नेयमेव' प्रथमं 'पशुं' नियुञ्जीत, 'अथ' 'इतरान्' पशून्; 'यथापूर्वं व्युपनयेयुः' यूपोच्छ्रयणानुक्रमेण प्रतियूपं पृथक् पृथक् नियुञ्जीरन्नित्यर्थः[2] । स च क्रमः—**स उत्तरोऽग्निष्ठात् स्यात्, तमेवाग्रे उच्छ्रयेदथ दक्षिणमथोत्तरम्**इत्यादिना प्राङ्निर्दिष्टः (श. प. ब्रा. ३ । ७ । २ । ९) ॥ २२ ॥

यद्यु पश्वेकादशिनीति[3] । 'यद्यु' यद्यपि 'पश्वेकादशिनी स्यात्', यूपस्त्वेक एव, तदा 'आग्नेयमेव प्रथमं यूपे आलभेरन्', 'अथ' 'इतरान्' सौम्यादिकान् 'यथापूर्वम्' तस्मिन्नेकयूपे नियुञ्जीत सञ्ज्ञ-पनार्थम् ॥ २३ ॥

तान्यत्रोदीचो नयन्तीति । उदङ्नयनकालेऽपि 'आग्नेयमेव प्रथमं नयेत्, अथेतरान्' इदानीमुक्त-क्रमेण नयेत् ॥ २४ ॥

१–पश्वेकादशिनी द्विविधा–प्रतिपशुरूपा एकपशुरूपा च, इत्यादि ८ । ८ । २७ । कात्यायनसूत्रवृत्तौ द्रष्टव्यम् ।

२–एकयूपेपश्वेकादशिन्यामाग्नेयं नियुज्यत तस्मिंस्तस्मिन्नितरानुदीचः । ३–आग्नेयः प्रथमो गच्छत्यन्वारब्धोऽनुपूर्व्या इतरे । का. श्रौ. सू. ८ । २३० । २३१ ।

तान्युत्र निविद्ध्यन्ति (न्त्या) आग्नेयमेवु प्रथमं दक्षिणार्द्धर्चे निविध्यन्त्यु-थेतरानुदीचोऽतिनीय यथापूर्वम् ॥ २५ ॥

तेषां यत्र व्वपाभिः प्रचुरन्ति । (न्त्या) आग्नेयुस्यैवु प्रथमुस्य व्वपया प्रचरन्त्यथेतरेषां यथापूर्वम् ॥ २६ ॥

तैर्यत्र प्रचुरन्ति । (न्त्या) आग्नेयेनैवु प्रथमेन प्रचरन्त्यथेतरैर्यथापूर्वम् ॥ २७ ॥

इति सप्तमप्रपाठके द्वितीयं ब्राह्मणम् ॥ ७ । २ ॥ (९-१)

यत्र वै यज्ञस्य शिरोऽच्छिद्यत । तस्य रसो द्रुत्वापः प्रविवेश तेनैवैतद्र-सेनापः स्यन्दन्ते तमेवैतद्रसꣳ स्यन्दमानं मन्यन्ते ॥ १ ॥

तान्यत्र निविध्यन्ति । आग्नेयमेव प्रथमं दक्षिणार्द्धर्चे निविध्यन्ति । अथेतरानुदीचोऽतिनीय यथापूर्वम् ॥ २५ ॥

तेषां यत्र वपाभिः प्रचरन्ति–आग्नेयस्यैव प्रथमस्य वपया प्रचरन्ति । अथेतरेषां यथापूर्वम्॥२६॥

तैर्यत्र प्रचरन्ति–आग्नेयेनैव प्रथमेन प्रचरन्ति । अथेतरैर्यथापूर्वम् ॥ २७ ॥

वसतीवरीग्रहणम् ।

यत्र वै यज्ञस्य शिरोऽच्छिद्यत–तस्य रसो द्रुत्वापः प्रविवेश । तेनैव तद्रसेनापः स्यन्दन्ते, तमेवैतद्रसं स्यन्दमानं मन्यन्ते ॥ १ ॥

तान्यत्र निवध्यन्तीति[1] । सञ्ज्ञप्यानय्य 'आग्नेयमेव प्रथमं दक्षिणार्द्धर्चे निविद्ध्येत, पीडयेत् ॥ २५ ॥

तेषां यत्र वपाभिः प्रचरन्तीति[2] । एवं वपाप्रचारेऽप्याग्नेयस्यैव वपां प्रथमं प्रचरेत् । किं बहुना अङ्गानां यागावसरेऽप्याग्नेयाङ्गानि प्रथमं यजेत्, 'अथेतरेषाम्' अङ्गानि 'यथापूर्वम्' ॥ २६ ॥ २७ ॥

इति श्रीसायणाचार्यविरचिते माधवीये वेदार्थप्रकाशे माध्यन्दिनशतपथब्राह्मणभाष्ये तृतीयकाण्डे नवमाध्याये प्रथमं ब्राह्मणम् ॥ (३-९-१)

अथ सोमाभिषवार्थं वसतीवरीणां ग्रहणं विधातुमाह–**यत्र वै यज्ञस्येत्यादि** । यस्मिन् काले यज्ञरूपस्य विष्णोः देवतानां यश आहृत्य गतवत्यो वधार्थं देवैः प्रेषिता उपदीका तत्कृतधनुर्ज्याच्छेदनेन तच्छिरः चिच्छिदुः, स कालो "यत्र वै यज्ञस्य"–इत्यनेन परामृश्यते । तत्प्रकारः प्रवर्ग्ये प्रपञ्चितः (श. प. ब्रा. १४ । १ । १) पुरा 'यत्र' यस्मिन् काले 'यज्ञस्य' 'शिरः' '**अच्छिद्यत**' छिन्नमभूत्, तस्मिन् काले छिन्नशिरसो यज्ञस्यरसोऽद्रवत् । 'रसः' 'द्रुत्वा' धावित्वा अपः उदकानि 'प्रविवेश', 'तेनैव रसेन' 'एतत्' इदानीमपि यथापूर्वमस्यन्दनस्वभावाः 'आपः' 'स्यन्दन्ते' । 'तमेव' छिन्नशिरस्काद् यज्ञादुद्रुतमेव 'रसम्' इदानीमप्सु 'स्यन्दमानं प्रवहन्तं 'मन्यन्ते' अभिज्ञाः ॥ १ ॥

१–दक्षिणं च निघ्नन्त्येनमुत्तरमुत्तरमितरान् । २–समानमुपप्रेष्य परिपशव्ये संज्ञपयान्वगन् प्रोक्षण्युल्मुकासिशामित्रांवर्द्धानप्रच्छेदस्तोकसंप्रैषशामित्रनुशासनसंवादवनस्पतिस्विष्टकृदिडादिव्याघारणं समासिच्य प्रभृत्वात् । का. श्रौ. सू. ८ । २३२–२३३ ॥

स युद्वसतीवुरीरच्छैति । तुमेुवैतद्रसमाहृत्य यज्ञे दधाति रुसवन्तं युज्ञं करोति तुस्माद्वसतीवरीुरच्छैति ॥ २ ॥

ता वै सुर्व्वेषु सुवनेषु विुभजति । सुर्व्वेष्वुवैतत्सुवनेषु रुसं दधाति सुर्व्वाणि सुवनानि रुसवन्ति करोति तुस्मात्सुर्वेषु सुवनेषु विभजति ॥ ३ ॥

ता वै स्युन्दमानानां गृह्णीयात् । (दै) ऐद्धि सु यज्ञस्य रुसस्तुस्मात्स्युन्द- मानानां गृह्णीयात् ॥ ४ ॥

(द्वो) गोपीथाय वुाऽएता गृह्यन्ते । सुर्व्वं वुाऽइदुमन्युदिलयुति युदिदं किञ्चापि योऽयं पुवतेऽथैता एवु नेलयन्ति तुस्मात्स्युन्दमानानां गृह्णीयात् ॥ ५ ॥

स यद्वसतीवरीरच्छैति—तमेवैतद्रसमाहृत्य यज्ञे दधाति, रसवन्तं यज्ञं करोति । तस्माद्वसती वरीरच्छैति ॥ २ ॥

ता वै सर्वेषु सवनेषु विभजति—सर्वेष्वेवैतत्सवनेषु रसं दधाति। सर्वाणि सवनानि रसवन्ति करोति तस्मात्सर्वेषु सवनेषु विभजति ॥ ३ ॥

ता वै स्यन्दमानानां गृह्णीयात् । ऐद्धि स यज्ञस्य रसः । तस्मात् स्यन्दमानानां गृह्णीयात् ॥४॥

गोपीथाय वाऽएता गृह्यन्ते । सर्वं वाऽइदमन्यदिलयति—यदिदं किंचापि योऽयं पवते । अथैता एव नेलयन्ति । तस्मात्स्यन्दमानानां गृह्णीयात् ॥ ५ ॥

अथ वसतीवरीग्रहणं विधत्ते—**स यद् वसतीवरीरच्छैतीति** 'अच्छैति' अभिमुखं गच्छति 'तमेव रसं पुनराहृत्य यज्ञे सन्दधाति' वसतीवरीग्रहणकालः सूत्रे उक्तः—"अग्नीषोमीयस्य वपामार्जनान्ते वसतीवरी- ग्रहणम्" (का. श्रौ सू. ८ । २४८) इति ॥ २ ॥

गृहीतानां सवनत्रयार्थं विभागमाह—**ता वै सर्वेषु सवनेषु विभजतीति** ॥ ३ ॥

गृहीतव्यानि उदकानि विशिनष्टि—**ता वै स्यन्दमानानामिति** (का. श्रौ. सू. ८ । २४८)[1] 'हि' यस्मात् 'स' यज्ञरसः 'ऐत्' अस्रवत्, अथ ततो गच्छन्तीनामेवाषां सम्बन्धिनीः 'गृह्णीयात्' ॥ ४ ॥

स्यन्दमानग्रहणे उपपत्त्यन्तरमाह—**गोपीथाय वा इत्यादि** । यज्ञरसानाम् 'अन्यत्' प्रवाहोदकव्यतिरिक्तं 'सर्वम्' 'इलयति' इतस्ततश्चलति । 'इदं' शब्दार्थं विशिनष्टि—**यदिदं किञ्चेति** । 'यत् किञ्च' 'इदं' परिदृश्यमानं जगत् । इदं शब्दोक्तानां मध्ये प्रसिद्धं किञ्चिदिहोदाहरति—**अपि योऽयं पवत इति** । 'योऽयं' वायुः 'पवते' गच्छति, सोऽपि नियतचलनवान् । 'एता एव' 'नेलयन्ति' न प्रतिनिवर्त्तन्ते[2] । यद्यपि स्यन्दमानानामितरेषां च पदार्थानां चलनं साधारणम्, तथापि स्यन्दमानानां व्यावृत्तेरपेक्षितत्वादिलनमितस्ततश्चलनं विवक्षितम् । 'स्यन्दमानानाम्' एकरूपेण प्रवहन्तीनामपां तथाविधचाञ्चल्याभावात् 'गोपीथाय स्यन्दमाना गृह्णीयात्' ॥ ५ ॥

१–स्यंदमानानामनस्तमिते । का.श्रौ. सू. ।८।२४८। २–'विवर्तन्ते' इति 'विवर्तते–' इति च क० पा०।

(द्दि) दिवा गृह्णीयात्। (त्य) पश्यन्यज्ञस्य रसं गृह्णानीति तस्मा-
द्दिवा गृह्णीयादेतस्मै वै गृह्णाति य एष तपति विश्वेभ्यो ह्येना देवेभ्यो
गृह्णाति रश्मयो ह्यस्य विश्वे देवास्तस्माद्दिवा गृह्णीयाद्दिवेव वा एष तस्मा-
द्देव दिवा गृह्णीयात्॥ ६॥

(दे) एतद्ध वै विश्वे देवाः। (वा) यजमानस्य गृहानागच्छन्ति स यः
पुरादित्यस्यास्तमयाद्वसतीवरीर्गृह्णाति यथा श्रेयस्यागमिष्यत्यावसथे-
नोपक्लृप्तेनोपासीतैवं तत्तऽएतद्धविः प्रविशन्ति तऽएतासु वसतीवरी-
षूपवसन्ति स ऽउपवसथः॥ ७॥

स यस्या गृहीता अभ्यस्तमियात्। (त्त) तत्र प्रायश्चित्तिः क्रियते यदि

दिवा गृह्णीयात् पश्यन् यज्ञस्य रसं गृह्णानीति। तस्माद् दिवा गृह्णीयाद् एतस्मै वै गृह्णाति य एष तपति। विश्वेभ्यो ह्येना देवेभ्यो गृह्णाति रश्मयो ह्यस्य विश्वे देवाः। तस्माद्दिवा गृह्णीयात्। दिवेव वा एषः। तस्माद्देव दिवा गृह्णीयात्॥ ६॥

एतद्ध वै विश्वे देवा यजमानस्य गृहानागच्छन्ति। स यः पुरादित्यस्यास्तमयाद्वसतीवरीर्गृह्णाति—यथा श्रेयस्यागमिष्यत्यावसथेनोपक्लृप्तेनोपासीत—एवं तत्। तऽएतद्धविः प्रविशन्ति। तऽएतासु वसतीवरीषूपवसन्ति। स उपवसथः॥ ७॥

स यस्या गृहीता अभ्यस्तमियात्—तत्र प्रायश्चित्तिः क्रियते। यदि पुरेजानः स्यात्—निनाह्याद्-

---

दिवा गृह्णीयादिति। दिवाग्रहणस्याभिप्रायमाह—पश्यन् यज्ञस्य रसं गृह्णानीति। दर्शनपूर्वकग्रहणे सति यज्ञरसस्य परिज्ञातत्वात् तथाविधाभिरद्भिः क्रियमाणोऽभिषवः साङ्गो भवतीत्यभिप्रायः। दिवाग्रहणस्य प्रयोजनान्तरमाह—एतस्मै वै गृह्णाति य एष तपतीति। कथमेतदर्थतेति तत्र हेतुमाह—विश्वेभ्यो ह्येना देवेभ्यो गृह्णातीति। हि यस्माद् विश्वेभ्यो देवेभ्यो गृह्णाति तस्मादेतस्मै गृह्णाति। तेषामत्र कथं सम्भावनेति तत्राह—रश्मयो ह्यस्य विश्वे देवा इति। सूर्यस्य[1] चन्द्रवह्निभूतिरूपाणां विश्वेषां देवानां रश्म्यात्मनावस्था-नादित्यभिप्रायः। अतो रश्मिरूपाणां विश्वेषां देवानाम्, तदधिपतेः सवितुश्च दिवैव सम्भवाद् दिवैव गृह्णीया-दित्यर्थः। किञ्चैष आदित्यो दिवैव प्रकाशमानो भवति, तस्मादपि दिवैव गृह्णीयात्॥ ६॥

अस्तमयात् पूर्वकालीनं ग्रहणं प्रशंसति। एतद्ध वा इत्यादि। अग्नीषोमीयेऽहनि रात्रौ विश्वेषां देवानां प्रात-र्यष्टव्यत्वात्, तत्पूर्वम् यजमानगृहे प्रत्यागमनसंभवात्। श्रेयस्यागमिष्यतीति। यथा लोके गुर्वादेः पूज्य-स्यागमनात्पूर्वम्। 'उपक्लृप्तेन' सम्पन्नेनैव। 'आवसथेन' आवसथमावासस्थानम्, तत्सदादिकं सर्वं यज्ञोप-करणमुपलक्ष्यते, तत्संस्करोति, तेन सत्कारोचितेन पूजोपकरणेन सम्भावयति। 'एतद्ध वै' एतत् खलु अतिथि-भूतानां विश्वेषां देवानामागमनात् पूर्वं यदि चेद् ग्रहणमस्ति, 'तत्' तत्स्थानीयमित्यर्थः। शब्दनिर्वचनं दर्शयति—एत-द्धविः प्रविशन्तीति। सोमरसेष्वनुप्रवेशाद्धविः सम्पद्यते। प्रसङ्गादुपवसथशब्दनिर्वचनं दर्शयति—त एतासु वसतीवरीषूपवसन्तीति। उपवसन्त्यासु वसतीवरीषु देवा अस्मिन् काले इत्युपवसथः, उपवासकाल इत्यर्थः॥ ७॥

वसतीवरीग्रहणात्प्रागस्तमये सति तद्ग्रहणोपायमाह—स यस्या गृहीता अभ्यस्तमियात्, तत्र प्रायश्चित्तिः

1—'सूर्यस्येवेन्द्रत्वात्तद्विभूतीनां' इ. पा.।

पुरेजानः स्यान्निनाह्याद्गृह्णीयाद्दिवा हि तस्य ताः पुरा गृहीता भवन्ति यद्यु ऽअनीजानः स्याद्य एनमीजान उपावसितो वा पर्यवसितो वा स्यात्तस्य निनाह्याद् गृह्णीयाद्दिवा हि तस्य ताः पुरा गृहीता भवन्ति ॥ ८ ॥

यद्यु ऽएतदुभयं न विन्देत् । (दु) उल्कुषीमेवादायोपपरेयात्तामुपर्युपरि धारयन्गृह्णीयाद्धिरण्यं वोपर्युपरि धारयन्गृह्णीयात्तदेतस्य रूपं क्रियते य एष तपति ॥ ९ ॥

(त्य) अथातो गृह्णात्येव । हविष्मतीरिमा ऽआप इति यज्ञस्य ह्यासु रसः प्राविशत्तस्मादाह हविष्मतीरिमा आप इति हविष्माँ३ऽआविवासतीति हविष्मान्ह्येना यजमान आविवासति तस्मादाह हविष्माँ३ऽआविवासतीति ॥ १० ॥

गृह्णीयात् । दिवा हि तस्य ताः पुरा गृहीता भवन्ति । यद्यु ऽअनीजानः स्याद्-य एनमीजान उपावसितो वा पर्यवसितो वा स्यात्-तस्य निनाह्याद् गृह्णीयाद् । दिवा हि तस्य ताः पुरा गृहीता भवन्ति॥८॥

यद्यु ऽएतदुभयं न विन्देत्-उल्कुषीमेवादायोपपरेयात् । तामुपर्युपरि धारयन् गृह्णीयात् । हिरण्यं वोपर्युपरि धारयन् गृह्णीयात् । तदेतस्य रूपं क्रियते-य एष तपति ॥ ९ ॥

अथातो गृह्णात्येव-" हविष्मतीरिमा आपः "-(वा. सं. ६ । २३ ।)-इति । यज्ञस्य ह्यासु रसः प्राविशत्-तस्मादाह-हविष्मतीरिमा आप इति। " हविष्माँ३ आविवासति "-(वा.

क्रियत इति । प्रायश्चित्तिभिर्दिवाग्रहणाकरणे दोषस्पर्शाभावोपायः क्रियत इत्यर्थः । तत्प्रकारः प्रदर्श्यते-यदीति । स यजमानो ' यदि ' ' पुरेजानः , इष्टप्रथमसोमयागः ' स्यात् ' स ' निनाह्यात् ' स्वगृहस्थितप्रभूतघटादेः सकाशात् ' गृह्णीयात् ' ' ताः ' आपः ' पुरा ' अस्तमयात् पूर्वं तस्य ' गृहीता भवन्ति '; प्रथमानुष्ठानेऽस्तमयात् पुरा गृहीतत्वादित्यभिप्रायः[१] । स्वयम् ' अनीजानः ' चेद् , ' यः ' ' एनं ' यजमानम् ' ईजानः ' इष्टवान्, अन्यः ' उपावसितः ' समीपे गृहे अवस्थितः, ' पर्यवसितो वा ' दूरगृहस्थितो वा ईजानः ' स्यात् ' ' तस्य ' ' निनाह्याद् ' घटादेः सकाशाद् ' गृह्णीयात् ' । एवं सति ताः पुरा दिवा परिगृहीता भवन्ति। " ब्राह्मणो बहुयाजी तस्य कुम्भ्यानां गृह्णीयात् "-(तै. सं. ६।४।२।२) इति श्रुत्यन्तरम् ॥ ८ ॥

तदुभयासम्भवे आह-**यद्यु एतदुभयं न विन्देदित्यादिना** । ' उल्कुषीम् ' उल्कामित्यर्थः । ' एतस्य ' ऽस्य व्याख्यानम्-**य एष तपतीति** । उल्काया हिरण्यस्य च सूर्यवर्णसाम्यात्तद्रूपकरणम् । अत्र सूत्रम्-

---

वसितः ' इ. क. पा. । २-अस्तमितश्चेन्निनाह्यात्पुरेजानश्चेत् । का. श्रौ. सू. ८ । २४९ । निनाह्यो मणिक इति कर्कः ।

हविष्मान्देवो ऽअध्वर इति । (त्य) अध्वरो वै यज्ञस्तद्यस्मै यज्ञाय गृह्णाति तꣳ हविष्मन्तं करोति तस्मादाह हविष्मान्देवो ऽअध्वर इति ॥ ११ ॥

हविष्माँ३ऽअस्तु सूर्य इति । (त्य) एतस्मै वै गृह्णाति य एष तपति विश्वेभ्यो ह्येना देवेभ्यो गृह्णाति रश्मयो ह्यस्य विश्वे देवास्तस्मादाह हविष्माँ३ ऽअस्तु सूर्य इति ॥ १२ ॥

ता आहृत्य जघनेन गार्हपत्यꣳ सादयति । (त्य) अग्नेर्वोऽपन्नगृहस्य सदसि सादयामीत्यग्नेर्वोऽनार्त्तगृहस्य सदसि सादयामीत्येवैतदाहाथ यदाग्नीषोमीयः पशुः सन्तिष्ठतेऽथ परिहरति व्युत्क्रामतेत्याहाग्रेण हविर्द्धाने यजमान आस्ते ता आदत्ते ॥ १३ ॥

सं. ६ । २३) इति । हविष्मान् ह्येना यजमान आविवासाति । तस्मादाह—हविष्माँ३ आविवासतीति ॥ १० ॥

" हविष्मान् देवोऽध्वरः "—(वा. सं. ६ । २३) इति । अध्वरो वै यज्ञः । तद्यस्मै यज्ञाय गृह्णाति—तं हविष्मन्तं करोति । तस्मादाह—हविष्मान् देवो अध्वर इति ॥ ११ ॥

" हविष्माँ ३ ऽअस्तु सूर्यः "—(वा. सं. ६ । २३) इति । एतस्मै वै गृह्णाति; य एष तपति विश्वेभ्यो ह्येना देवेभ्यो गृह्णाति । रश्मयो ह्यस्य विश्वे देवाः । तस्मादाह—हविष्माँ ३ ऽअस्तु सूर्य इति ॥ १२ ॥

ता आहृत्य जघनेन गार्हपत्यं सादयति—" अग्नेर्वोऽपन्नगृहस्य सदसि सादयामि "—(वा. सं. ६ । २४) इति । अग्नेर्वोऽनार्तगृहस्य सदसि सादयामीत्येवैतदाह । अथ यदाग्नीषोमीयः पशुः सन्तिष्ठते—अथ परिहरति व्युत्क्रामतेत्याह । अग्रेण हविर्द्धाने यजमान आस्ते । ता आदत्ते॥ १३॥

'हविष्मतीः' अभिषूयमाणेन सोमरूपान्नेन हविषा, स्वासु प्रविष्टेन यज्ञरसरूपेण हविषा वा तद्वत्यः । एताभिर्निष्पन्नेन सोमेन हविषा 'हविष्मान्', 'यजमानः' 'आविवासति' परिचरति एता वसतीवरीः ॥ १० ॥

हविष्मान् देवो अध्वर इतीति । 'देवः' द्योतमानः 'अध्वरः' हिंसारहितः 'यज्ञः' गृह्यमाणैर्वसतीवरीलक्षणैर्हविर्भिः 'हविष्मान्' भवति ॥ ११ ॥

हविष्माँ ३ ऽअस्तु सूर्य इतीति । ग्रहणस्य विश्वेदेवार्थत्वात्, विश्वेषां देवानां रश्मिरूपत्वात्, तद्वान् सूर्योऽपि गृह्यमाणैर्वसतीवरीलक्षणैर्हविर्भिर्हविष्मान् भवति । मन्त्रं प्रतिपादं विभज्य व्याचष्टे—**हविष्मतीरिमा आप इति यज्ञस्य ह्यासु रसः प्राविशत् तस्मादाह हविष्मतीरित्यादिना** । 'आसु' अप्सु ॥ १२ ॥

आहृतानामपां गार्हपत्यस्य पश्चाद्भागे सादनं तन्मन्त्रं च विधत्ते—**ता आहृत्येति** । **अग्नेर्वोऽपन्नगृहस्येति** । 'अपन्नगृहस्य' अपतितगृहस्य, अशीर्णगृहस्येत्यर्थः । तस्य 'अग्नेः' 'सदसि' स्थाने 'सादयामि' ।

१—अग्नेर्व इति निदधाति शालाद्वार्यमपरेण । का. श्रौ. सू. । ८ । २५२ ।

स दक्षिणेन निष्क्रामति । ता दक्षिणायाᳪं श्रोणौ सादयतीन्द्राग्न्योर्भागधेयी स्थेति विश्वेभ्यो ह्येना देवेभ्यो गृह्णातीन्द्राग्नी हि विश्वे देवास्ताः पुनराहृत्याग्रेण पत्नीᳪं सादयति स जघनेन पत्नीं पर्य्येत्य ता आदत्ते ॥१४॥

स उत्तरेण निष्क्रामति । ता उत्तरायाᳪं श्रोणौ सादयति मित्रावरुणयोर्भागधेयी स्थेति नैवᳪं सादयेदतिरिक्तमेतन्नैवᳪं सम्पत्सम्पद्यत ऽइन्द्राग्न्योर्भागधेयी स्थेत्येव ब्रूयात्तदेवानतिरिक्तं तथा सम्पत्सम्पद्यते ॥ १५ ॥

स दक्षिणेन निष्क्रामति । ता दक्षिणायां श्रोणौ सादयति । "इन्द्राग्न्योर्भागधेयी स्थ"–(वा, सं. ६ । २४) इति । विश्वेभ्यो ह्येना देवेभ्यो गृह्णाति । इन्द्राग्नी हि विश्वे देवाः । ताः पुनराहृत्याग्रेण पत्नीं सादयति । स जघनेन पत्नीं पर्येत्य ता आदत्ते ॥ १४ ॥

स उत्तरेण निष्क्रामति । ता उत्तरायां श्रोणौ सादयति । "मित्रावरुणयोर्भागधेयीं स्थ"–(वा. सं. ६ । २४) इति । नैवं सादयेत् । अतिरिक्तमेतत् । नैवं सम्पत्सम्पद्यते । इन्द्राग्न्योर्भागधेयी स्थेत्येव ब्रूयात् । तदेवानतिरिक्तम् । तथा सम्पत्सम्पद्यते ॥ १५ ॥

'अथ यदाग्नीषोमीयः पशुः सन्तिष्ठते' पत्नीसंयाजान्तः समाप्तो भवति । 'अथ' तदा 'परिहरति' वसतीवरीर्वेदेः परितो नयेत् । वेदिमध्ये स्थिता दीक्षिताः ! 'व्युत्क्रामत' 'इत्याह' अध्वर्युस्त्रिर्ब्रूयात् "व्युत्क्रामतेत्याह त्रिः[२]" इति कात्यायनः । 'हविर्द्धाने' हविर्द्धानस्य पुरोदेशे 'यजमानः आस्ते' । "उत्तरवेदिमपरेण यजमान उपस्थे सोमं कृत्वा"–(का. श्रौ. सू. ८ । २५६) इति सूत्रम् ॥ १३ ॥

स दक्षिणेन निष्क्रामतीति । अथ 'ताः' अध्वर्युरादाय, 'दक्षिणेन' द्वारेण प्राग्वंशान्निष्क्रम्य उत्तरवेद्या दक्षिणश्रोणौ 'सादयति' "इन्द्राग्न्योर्भागधेयी स्थ."–' इति ' भागधेय्यौ । मन्त्रं व्याचष्टे–विश्वेभ्यो ह्येना इति । "ते देवा बिभ्यतोऽग्निं प्राविशन् तस्मादाहुरग्निः सर्वा देवताः" इति हि तैत्तिरीयकश्रुतिः (तै. सं. १ । ८ । १ । साय. भा.) अत्रैव काण्डे–"देवानामुहे स्म दीक्षितानाम्"–(श. ब्रा. ३ कां. ४ अ. ३ ब्रा. ६ कं.) इत्यत्र "ते विदुरयं वै नो विरक्षस्तमोऽस्यैव रूपमसाम" (श. ब्रा. ३ कां. ४ अ. ३ ब्रा. ८ कं.) इति देवानामग्निरूपधारणसाधारण्यस्योक्तत्वाच्चाग्नेः सर्वदेवमयत्वम् । इन्द्रस्य तु देवाधिपतित्वं प्रसिद्धम् । अत इन्द्राग्न्योर्भागधेयी स्थेत्यभिधानम् ॥

ताः पुनराहृत्याग्रेण पत्नीं सादयतीति । पत्न्याः पश्चाद्देशेन 'पर्येत्य' पत्न्याः पुरोदेशेऽवस्थिताः 'ताः' वसतीवरीः 'आदत्ते' (का. श्रौ. सू. ८ । २६० । २६१) ॥ १४ ॥

आदाय, 'उत्तरेण' मार्गेण 'निष्क्रामति' । निष्क्रम्य, उत्तरवेदेरुत्तरश्रोणौ सादयेत् । उत्तरश्रोणौ सादने कश्चिन्मन्त्रं निर्दिश्य तस्य वक्ष्यमाणसम्पदतिरेकेण प्रातिकूल्यमभिधाय, दक्षिणवेदिश्रोणिसादनमन्त्रमेव सम्पदनुकूलत्वात् सिद्धान्तयति–मित्रावरुणयोर्भागधेयी स्थेति नैवं सादयेदित्यादिना । 'एवं' यस्मादयं मन्त्रः 'अतिरिक्तः' अधिकः, अतो वक्ष्यमाणा सप्तपदोपेतशक्वरीच्छन्दःप्राप्तिलक्षणा 'सम्पत्' 'न सम्पद्यते' "इन्द्राग्न्योः"–इत्यनेनैव चेदनतिरेकात् सम्पद्यते ॥ १५ ॥

१–शालाद्वार्यमपरेण व्वसतीवरीः परिहरति । २–दक्षिणाग्निहोमान्तमग्नीषोमीयमस्तामितेस २ स्थाप्य व्युत्क्रामतेत्याह त्रिः । ३–निर्हृत्यदक्षिणस्यामुत्तरवेदिश्रोणौ निदधातीन्द्राग्न्योः । ४–आहृत्य स्थाने निदधाति । का. श्रौ. सू. ८।२५५–२५९। ५–कलशं पत्न्या लभते । उत्तरेण परिक्रम्यात्तरस्यांपूर्व्ववत् । का. श्रौ. सू. ८।२६०।२६१। ६–मित्रावरुणयोरिति वा । का. श्रौ. सू. ८।२६२।

गुप्त्यै वा ऽएताः परिह्रियन्ते । (नेदग्निः) अग्निः पुरस्तादथैताः समन्तं पर्यङ्चन्ते नाष्ट्रा रक्षाᳫंस्यपघ्नत्यथैता आग्नीध्रे सादयति विश्वेषां देवानां भागधेयी स्थेति तदासु विश्वान्देवान्त्संवेशयत्येते वै वसतां वरं तस्माद्वसतीवर्यो नाम वसताᳫं ह वै वरं भवति य एवमेतद्वेद ॥ १६ ॥

तानि वा ऽएतानि सप्त यजूᳫंषि भवन्ति । चतुर्भिर्गृह्णात्येकेन जघनेन गार्हपत्यᳫं सादयत्येकेन परिहरत्येकेनाग्नीध्रे तानि सप्त यत्र वै वाचः प्रजातानि छन्दाᳫंसि सप्तपदा वै तेषां परार्द्ध्या शक्वर्येतामभिसम्पदं तस्मात्सप्त यजूᳫंषि भवन्ति ॥ १७ ॥

इति सप्तमप्रपाठके तृतीयं ब्राह्मणम् ॥ ७ ॥ ३ ॥ (९. २)

गुप्त्यै वाऽएताः परिह्रियन्ते । अग्निः पुरस्तात् । अथैताः समन्तं पल्यङ्चन्ते नाष्ट्रा रक्षांस्यपघ्नत्यः । ता आग्नीध्रे सादयति । "विश्वेषां देवानां भागधेयी स्थ"–(वा. सं. ६ । २४) इति । तदासु विश्वान् देवान्त्संवेशयति । एते वै वसतां वरम् । तस्माद्वसतीवर्यो नाम । वसतां ह वै वरं भवति । य एवमेतद्वेद ॥ १६ ॥

तानि वाऽएतानि सप्त यजूंषि भवन्ति । चतुर्भिर्गृह्णाति, एकेन जघनेन गार्हपत्यं सादयति, एकेन परिहरति, एकेनाग्नीध्रे । तानि सप्त । यत्र वै वाचः प्रजातानि छन्दांसि । सप्तपदा वै तेषां परार्द्ध्या शक्वरी एतामभिसम्पदम् । तस्मात्सप्त यजूंषि भवन्ति ॥ १७ ॥

सर्वतः परिहरणमुत्तरवेदेरपरिहरणञ्च प्रशंसति–**गुप्त्यै वा एताः परिह्रियन्त** इति । अपां वज्रत्वेन रक्षोविघातकत्वात् सर्वतः परिहरणेन यज्ञस्य रक्षस्सकाशात् सर्वतो गुप्तिर्भवति । साक्षाद्रक्षोद्वेषिणोऽग्नेः पुरस्ताद् वर्त्तमानत्वान्न तदपेक्षा, पुरस्तात् परिहारापेक्षा नास्ति । "पल्यङ्चयन्ते" परितोऽङ्चयन्ते, ह्रियन्त इत्यर्थः । 'ता आग्नीध्रे' इति । उत्तरश्रोणितश्चादाय आग्नीध्रमण्डपे "विश्वेषां देवानामिति" मन्त्रेण सादयेत । 'तत्' तेन, "विश्वेषां देवानाम्"–इति मन्त्रपाठेन । संवेशनप्रसङ्गाद् वसतीवरीशब्द निरुक्तिः–**एते वै वसतां वरं तस्माद् वसतीवर्यो नामेति** । 'वसतां' क्वचित् क्वचित् स्थानेषु निवसतां मध्ये 'एते' खलु देवाः 'वरम्' एतेषां वासो वरं श्रेष्ठ इत्यर्थः । वसतां देवानां श्रेष्ठत्वोपादकत्वाद् वसतीवर्य इति नाम निष्पन्नम् । यद्वा एतेषु 'एताः' आपः "वसतां" विश्वेषां देवानां "वरम्" उत्कृष्टं स्थानमिति वसतीवर्य इति नाम । उक्तार्थज्ञं प्रशंसति–**वसतां ह वै वरं भवतीति** ॥ १६ ॥

वसतीवरीग्रहणप्रभृतीनामाग्नीध्रसादनान्तानां मन्त्राणां या सप्तसङ्ख्या, तां शक्वरीत्वसम्पत्त्या प्रशंसति–**तानि वा एतानि सप्त यजूंषीत्यादिना** । **चतुर्भिर्गृह्णातीत्यादि** । सङ्ख्याविभागस्तु स्पष्ट एव । **यत्र वै वाचः प्रजातानि छन्दांसीति** । वाचः सकाशाच्छन्दसामुत्पत्तिः सोमाहरणप्रस्तावे "वागेव सुपर्णी"–इत्युक्त्वा

१–विश्वेषां देवानामित्यग्नौ । का० श्रौ० सू० ८ । २६३ ।

तान्त्सम्प्रबोधयन्ति । तेऽप उपस्पृश्याग्नीद्ध्रमुपसमायन्ति त ऽआज्यानि गृह्णते गृहीत्वाज्यान्यायन्त्यासाद्याज्यानि ॥ १ ॥

(न्यु) अथ राजानमुपावहरति । (ती) इयं वै प्रतिष्ठा जनूरासां प्रजाना-मिमामेवैतत्प्रतिष्ठामभ्युपावहरति तमस्यै तनुते तमस्यै जनयति ॥ २ ॥

(त्यु) अन्तरेणेषेऽउपावहरति । यज्ञो वा ऽअनस्तन्न्वेव यज्ञान्न बहिर्द्धा करोति ग्रावसु सम्मुखेष्वधिनिदधाति क्षत्रं वै सोमो विशो ग्रावाणः क्षत्रमे-

---

तान्त्सम्प्रबोधयन्ति । तेऽप उपस्पृश्याग्नीद्ध्रमुपसमायन्ति । तऽआज्यानि गृह्णते । गृहीत्वाज्या-न्यायन्ति । आसाद्याज्यानि ॥ १ ॥

अथ राजानमुपावहरति । इयं वै प्रतिष्ठा जनूरासां प्रजानाम् । इमामेवैतत् प्रतिष्ठामभ्युपावहरति । तमस्यै तनुते । तमस्यै जनयति ॥ २ ॥

अन्तरेणेषेऽउपावहरति । यज्ञो वाऽअनः । तन्वेव यज्ञान्न बहिर्द्धा करोति । ग्रावसु सम्मुखेष्वधि-

---

" तथेति सा छन्दांसि ससृजे "-(श. प. ब्रा. ३ । ६ । २ । २-८) । इति प्राक् प्रतिपादिता । 'तेषां' मध्ये ' पराध्र्या ' परार्द्धे भवा श्रेष्ठा ' शक्करी ' सप्तपदा सप्तभिः पादैरुपेता । परार्द्ध्यत्वं प्रधानभूतानां सप्तच्छंदसा-मुपरि भावित्वम् । एतां संख्याद्वारा शक्करीप्राप्तिलक्षणां संपदमभिलक्ष्य सप्त मंत्राः कृता भवंति । तस्मात्सप्तेति निगमनम् । एतामेव संपदमभिप्रेत्य प्राक्सम्पत्तिः-सप्तपदसद्भावरूपा ऋक् निर्वृत्ता ॥ १७ ॥

इति श्रीसायणाचार्यविरचिते माधवीये वेदार्थप्रकाशे माध्यन्दिनशतपथब्राह्मणभाष्ये

तृतीयकाण्डे नवमाध्याये तृतीयं ब्राह्मणम् ॥ (३-९-३) ॥

अथ सुत्यादिवसे प्रातःकालीनं सवनीयपश्वर्थं प्रयोगमाह-**तान्त्सम्प्रबोधयन्तीत्यादिना** । 'तान्' ऋत्विजः रात्रेरपरभागे प्रबोधयेयुरध्वर्यवः । " अपररात्रे ऋत्विजः प्रबोधयन्ति "-(का. श्रौ. सू. ९ । १) इति सूत्रम् । उदकोपस्पर्शनं विहितकर्मण उपलक्षणम् । **गृहीत्वाज्यान्यायन्तीति** । उत्तरवेदिसमीपम् । अत्र प्रयोग उक्तः सूत्रे-"अप उपस्पृश्य शालाद्वार्ये परिस्तरणपात्रसंसादनप्रोक्षणाज्यानिर्वपणाधिश्रयणस्रुक्सम्मार्जनोद्वासना-वेक्षणानि कृत्वाग्नीध्र उत्पूय पश्वाज्यग्रहणम्, आज्यान्यादाय सोमं चार्थवच्चाहवनीय इध्मप्रोक्षणादि करोति, अग्नीषोमीयवत् स्तरणम्, आज्यासादनात् कृत्वेषान्तरेणार्द्धसोममद्रिषु सम्मुखेषु निदधाति इदे त्वेति "-(का. श्रौ. सू. ९ । २-५) इति ॥ १ ॥

तदिदं सोमोपावहरणं समन्त्रकं विधत्ते-**अथ राजानमुपावहरतीति** । अधिषवणचर्म्मोपरिप्रदेशं प्रति अधो नयेत् । अधःप्रापणं प्रशंसति-**इयं वै प्रतिष्ठा जनूरिति** । ' आसाम् ' उत्पत्तिमतीनां सर्वासां परिदृश्य-मानानां ' प्रजानाम् ' ' इयं ' खलु भूमिः ' प्रतिष्ठा ' । अस्य इदं ' जनूः ' जन्मभूमिः । अस्यापि प्रजान्तः-पातित्वात् ' इमां ' ' प्रतिष्ठाम् ' ' अभि ' लक्ष्य ' एव ' ' उपावहरति ' उपावहरणं कृतवान् भवति । तथा सति ' तं ' सोमम् ' अस्यै ' अस्याः सकाशात् ' तनुते ' विस्तारितवान् भवति, ' अस्यै ' अस्याः सका-शात् उत्पादितवांश्च भवति ॥ २ ॥

उपावहरणमार्गमाह-**अन्तरेणेष** इति । ' ईषे ' आयतौ शकटदण्डौ । यज्ञसाधनसोमाश्रयत्वात् ' अनसः '

१-" असूर्या उपसूर्ये " इत्यादिमन्त्र इहाधिकः संहितायाम् । २-' आयत्यै ' इति क. पा. ।

वैतद्विश्यध्यूहति तद्यत्सम्मुखा भवन्ति विशमेवैतत्सम्मुखां क्षत्रियमभ्यविवादिनीं करोति तस्मात्सम्मुखा भवन्ति ॥ ३ ॥

स उपावहरति । हृदे त्वा मनसे त्वेति यजमानस्यैतत्कामायाह हृदयेन हि मनसा यजमानस्तं कामं कामयते यत्काम्या यजते तस्मादाह हृदे त्वा मनसे त्वेति ॥ ४ ॥

दिवे त्वा सूर्याय त्वेति । देवलोकाय त्वेत्येवैतदाह यदाह दिवे त्वेति सूर्याय त्वेति देवेभ्यस्त्वेत्येवैतदाहोर्ध्वमिममध्वरं दिवि देवेषु होत्रा यच्छेत्यध्वरो वै यज्ञ ऊर्ध्वमिमं यज्ञं दिवि देवेषु धेहीत्येवैतदाह ॥ ५ ॥

निदधाति । क्षत्रं वै सोमः । विशो ग्रावाणः । क्षत्रमेवैतद् विश्यध्यूहति । तद्यत्सम्मुखा भवन्ति—विशमेवैतत्समुखां क्षत्रियमभ्यविवादनीं करोति । तस्मात्सम्मुखा भवन्ति ॥ ३ ॥

स उपावहराति । "हृदे त्वा मनसे त्वा "–(वा. सं. ६ । २९ ।) इति । यजमानस्यैतत्कामायाह । हृदयेन हि मनसा यजमानस्तं कामं कामयते–यत्काम्या यजते । तस्मादाह–हृदे त्वा मनसे त्वेति ॥ ४ ॥

" दिवे त्वा सूर्याय त्वा "– (वा. सं. ६ । २९) इति । देवलोकाय त्वेत्येवैतदाह–यदाह–दिवे त्वेति । सूर्याय त्वेति । देवेभ्यस्त्वेत्येवैतदाह–ऊर्ध्वमिममध्वरं दिवि देवेषु होत्रा यच्छेति । अध्वरो वै यज्ञः । ऊर्ध्वमिमं यज्ञं दिवि देवेषु धेहीत्येवैतदाह ॥ ५ ॥

शकटस्य यज्ञत्वम् । तयोरन्तरालादधः सुस्त्वावरोहणेन ' यज्ञाद् ' हविर्द्धानाद् बाह्यं न कृतवान् भवति । ग्राव्णां मध्ये स्थापनं विधाय प्रशंसति–**ग्रावसु सम्मुखेष्विति** । सोमस्य वेदेषु क्षत्रियजातित्वमसकृदुक्तम्; ग्राव्णां तु बहुत्वात् शेषत्वेनोपसर्जनत्वाच्च विशो रूपत्वम् । मध्ये स्थापनेन यत् सर्वग्रावसाम्मुख्यम्, तत् प्रशंसति–**तद्यत्सम्मुखा भवन्तीति** । ' क्षत्रियम् ' क्षत्रियजातिं ' अभि '–लक्ष्य विशेषम् ' अविवादिनीम् ' अविवादनशीलां ' करोति ' ॥ ३ ॥

उपावहरणप्रकारमाभिधायोपावहरणे मन्त्रमाह–**स उपावहरति हृदे त्वा मनसे त्वेति**–(का. श्रौ. सू. ९ । ९) । हे सोम ! त्वां ' हृदे ' हरति । दूरस्थं विषयमिति विषयाभिमुखं स्वोपहितमात्मानं हरतीति वा । हृदयमन्तःकरणम्, तद्विशेषरूपं सङ्कल्पविकल्पात्मकं मनः, यजमानसम्बन्धिनोस्तयोरुभयोर्विषयोऽयं कामः, तस्य लाभार्थम् ' उपावहरामि ' । कर्मकारकस्य द्विराम्नानादुपावहरामीति द्विरभ्यासः; अतो वाक्यद्वयम्; न व्याख्यान व्याख्येयभावः ॥ ४ ॥

तथा ' दिवे ' देवलोकाय त्वाम् । ' सूर्याय त्वा ' एतद्रश्मिभूतानां देवानामुपलक्षणम् । सर्वत्रोपावहरामीति योज्यम । किञ्च हे सोम ! ' ऊर्ध्वम् ' उपरि, तायमानत्वेनोन्नतम्, ' इमं ' सोमयागं ' दिवि ' द्युलोके ' देवेषु ' ' यच्छ '; ' होत्राः ' होत्रकाश्च देवेषु यच्छन्त्वित्यर्थः ॥ ५ ॥

१–आज्यासादनात् कृत्वेषान्तरेणार्धसोममद्रिषु संमुखेषु निदधाति हृदे त्वेति । इति ।

सोम राजन्विश्वास्त्वं प्रजा उपावरोहेति । तदेनमासां प्रजानामाधिपत्याय राज्यायोपावहरति ॥ ६ ॥

(न्यु) अथानुसृज्योपतिष्ठते । विश्वास्त्वां प्रजा ऽउपावरोहन्त्वित्ययथायथमिव वा ऽएतत्करोति यदाह विश्वास्त्वां प्रजा उपावरोहेति क्षत्रं वै सोमस्तत्पापवस्यसङ्करोति तद्धेदमनु पापवस्यसं क्रियतेऽथात्र यथायथं करोति यथापूर्वं यदाह विश्वास्त्वां प्रजा उपावरोहन्त्विति तदेनमाभिः प्रजाभिः प्रत्यवरोहयति तस्माद्‌ क्षत्रियमायन्तमिमाः प्रजा विशः प्रत्यवरोहन्ति तमधस्तादुपासत ऽउपसन्नो होता प्रातरनुवाकमनुवक्ष्यन्भवति ॥ ७ ॥

"सोम राजन् विश्वास्त्वं प्रजा उपावरोह"–(वा. सं. ६ । २६) इति । तदेनमासां प्रजानामाधिपत्याय राज्यायोपावहरति ॥ ६ ॥

अथानुसृज्योपतिष्ठते । "विश्वास्त्वां प्रजा उपावरोहन्तु"–(वा. सं. ६ । २६) इति । अयथायथमिव वाऽएतत्करोति–यदाह–विश्वास्त्वां प्रजा उपावरोहेति । क्षत्रं वै सोमः । तत् पापवस्यसं करोति । तद्धेदमनु पापवस्यसं क्रियते । अथात्र यथायथं करोति–यथापूर्वम्–यदाह–विश्वास्त्वां प्रजा उपावरोहन्त्विति । तदेनमाभिः प्रजाभिः प्रत्यवरोहयति । तस्माद्‌ क्षत्रियमायन्तमिमाः प्रजा विशः प्रत्यवरोहन्ति । तमधस्तादुपासते । उपसन्नो होता प्रातरनुवाकमनुवक्ष्यन् भवति ॥ ७ ॥

तदर्थं हे 'सोम राजन्!' 'त्वं' 'विश्वाः प्रजाः' 'उप' लक्ष्य 'अवरोह' इति ॥ ६ ॥

उपावरोहमन्त्रं विभज्य व्याचष्टे–हृदे त्वा मनसे त्वेति यजमानस्यैतत्कामायेत्यादिना । सूर्याय त्वेत्यत्र सूर्यशब्दः सर्वदेवतोपलक्षक इति व्याचष्टे–देवेभ्यस्त्वेत्येवैतदाहेति । "रश्मयो ह्यस्य विश्वे देवाः"–इति (श. ब्रा. कां. ३. अ. ९ ब्रा. २ कं. ६ इत्यत्र) प्रागुक्तत्वादित्यभिप्रायः । ऊर्ध्वमिममित्यादेर्ब्राह्मणं स्पष्टम् ॥ ६ ॥

उपावहृतस्य सोमस्य समन्त्रकमुपस्थानमाह–अथानुसृज्योपतिष्ठत इति । 'अनुसृज्य' वेष्टित वस्त्रं विसृज्येत्यर्थः । विश्वास्त्वामिति । मन्त्रार्थः स्पष्टः । अयथायथमिव वा इत्यादि । उपावहरणे यो विश्वास्त्वामिति मन्त्रशेषः, तत्र विश्वाः प्रजा उद्दिश्य तुच्छजनवत् परिचारकपुरुषनिष्पादितावरोहणमन्तरेण स्वत एवावरोहणस्य प्रजाः प्रति सोमस्योपसर्जनलक्षणस्य च प्रतीतिः । तस्याश्च क्षत्रियभूतस्य सोमस्यानुचितत्वाद् विश्वास्त्वामित्यभिधानेन 'अयथायथम्' यथास्वरूपस्य यदुचितं तस्य तद्वैपरीत्यं कृतं भवति । 'तत्' च 'पापवस्यसं' पापं च वसीयश्च, पापवस्यसम्, साध्वसाधुमिश्रणम् । तन्मूलत्वेनेदानीमपि जनैः 'पापवस्यसं क्रियते' । अत उक्तवैलक्षण्येनोपस्थानमन्त्रे विश्वास्त्वामित्यभिधानाद् विश्वाभिः 'प्रजाभिः' सोमोपावरोहणस्य कृतत्वात्, अवतरन्तं प्रति विश्वासां प्रजानां स्वस्वस्थानादवतरणस्योक्तत्वाद्वा नोक्तदोषावकाशः । पूर्वस्मिन्यथा 'अवरोहन्तु' अवरोहयन्त्वित्यर्थः । 'तस्मात्' त्वामवरोहन्त्विति विधानात् हेतोः 'राजानं प्रति' प्रजानामुपक्षीणत्वसम्पादनादिदानीमपि सम्पादयन्तमवरोहन्त 'क्षत्रियं' सर्वाः 'प्रजाः' परिवाररूपाः 'अवरोहन्ति' । यद्वा 'आयन्तं'

१–विश्वास्त्वामिति विसृज्योपतिष्ठते । का. श्रौ. सू. ९ । ६ । २–'परिचारकरूपाः' इति क. पा. ।

(त्यु)अथ सुमिधमभ्यादधदाह । देवेभ्यः प्रातर्यावभ्योऽनुब्रूहीति च्छन्दा-
र्ठ्ँसि वै देवाः प्रातर्यावाणश्छन्दार्ठ्ँस्यनुयाजा देवेभ्यः प्रेष्य देवान्यजेति
वा अनुयाजैश्चरन्ति ॥ ८ ॥

तदु हैक आहुः (दं) देवेभ्योऽनुब्रूहीति तदु तथा न ब्रूयाच्छन्दार्ठ्ँसि
वै देवाः प्रातर्यावाणश्छन्दार्ठ्ँस्यनुयाजा देवेभ्यः प्रेष्य देवान्यजेति वा
अनुयाजैश्चरन्ति तस्मादु ब्रूयाद्देवेभ्यः प्रातर्यावभ्योऽनुब्रूहीत्येव ॥ ९ ॥

(वा) अथ यत्समिधमभ्यादधाति । छन्दार्ठ्ँस्येवैतत्समिन्धेऽथ यद्धोता
प्रातरनुवाकमन्वाह च्छन्दार्ठ्ँस्येवैतत्पुनराप्याययत्ययातयामानि करोति

अथ समिधमभ्यादधदाह । देवेभ्यः प्रातर्यावभ्योऽनुब्रूहीति । छन्दांसि वै देवाः प्रातर्यावाणः छन्दांस्यनुयाजाः । देवेभ्यः प्रेष्य, देवान्यजेति वा अनुयाजैश्चरन्ति ॥ ८ ॥

तदु हैक आहुः—देवेभ्योऽनुब्रूहीति । तदु तथा न ब्रूयात् । छन्दांसि वै देवाः प्रातर्यावाणः । छन्दांस्यनुयाजाः । देवेभ्यः प्रेष्य देवान्यजेति वा अनुयाजैश्चरन्ति । तस्मादु ब्रूयाद् देवेभ्यः प्रातर्यावभ्योऽनुब्रूहीत्येव ॥ ९ ॥

अथ यत् समिधमभ्यादधाति । छन्दांस्येवैतत्समिन्धे । अथ यद् यद्धोता प्रातरनुवाकमन्वाह—

'प्रति' सर्वाः प्रजाः स्वस्वस्थानाद् 'अवरोहन्ति,' तदनन्तरं राजानमुपरि कृत्वा 'अधस्तात् उपासते' प्रजाः । यद्वेदं पृथगेव वाक्यम्,—'तम्' एव सोमम् 'अधस्तात् उपासते' ऋत्विजोऽध्वर्युप्रमुखाः ॥ प्रातरनुवाक-प्रयोगमाह—उपसन्नो होतेत्यादि । 'होता' 'उपसन्नः' स्वसूत्रोक्तप्रकारेण प्रातरनुवाकस्थाने उपविष्टः । अथ होतर्युपसन्ने सति स एव प्रातरनुवाकसम्प्रैषकाल इत्यर्थः ॥ ७ ॥

अथ समिधमभ्यादधदिति । "देवेभ्योऽनुब्रूहि"—इत्येवालम्, किम् "प्रातर्यावभ्यः"—इति विशेषणे-नेत्याशङ्क्य तदुपयोगं दर्शयति—छन्दांसि वै देवा इत्यादिना । प्रातःकाले यान्ति यज्ञं गच्छन्तीति "प्रात-र्यावाणः" । ते चानुयाजदेवाश्चाभिधेऽपि "छन्दांसि" एव, गायत्र्यादिच्छन्दोरूपाः । एतेन सति अनुयाजच्छन्दो-देवाना प्रैषानुवचनसमये "देवेभ्य प्रेष्य देवान् यज"—इति, सर्वत्र केवलदेवशब्देन व्यवहारादत्रापि तथैव प्रैषे सति, अत्रापि "छन्दोदेवान् यज"—इति प्रैषादनुयाजदेवताच्छन्दांस्यपि आगमिष्यन्तीति तद्व्यावर्त्तनाय "देवेभ्यः प्रातर्यावभ्यः"—इति विशेषणेन भवितव्यमित्यर्थः ॥ ८ ॥

तदु हैक आहुरिति । अत्र देवेभ्य इत्येवालं किं प्रातर्यावभ्य इति विशेषणेनेति "एके" शाखिनो ब्रुवते । 'तदु' 'तथा' उक्तप्रकारेण 'न ब्रूयात्' । तेषां मतातिक्रमे उपपत्तिस्तु अनुयाजव्यावृत्तिसिद्धिरेवेत्याह—छन्दांसि वै देवा इत्यादि । अत्र सूत्रम्—" देवेभ्यः प्रातर्यावभ्योऽनुब्रूहीति समिधमादधात्, देवेभ्य इत्येके " (का. श्रौ. ९।१०।११) इति ॥ ९ ॥

प्रातरनुवाकोपक्रमाङ्गभूतं समिदाधानं छन्दोदेवतासमिन्धनरूपत्वेन प्रशंसति—अथ यत्समिधमभ्यादधातीति ।

१—प्रतरनुवाकोपाकरणं देवेभ्यः प्रातर्यावभ्योऽनुब्रूहीति समिधमादधत्का० श्रौ० सू० ९।१०।११ इति सूत्रपूर्वभागः ।

यातयामानि वै देवैश्छन्दाᳬसि च्छन्दोभिर्हि देवाः स्वर्गं लोकᳬसमाश्नु-
वत न वाऽअत्र स्तुवते न शᳬसन्ति तच्छन्दाᳬस्येवैतत्पुनराप्याययत्य-
यातयामानि करोति तैरयातयामैर्यज्ञं तन्वते तस्माद्धोता प्रातरनुवाकमन्वाह॥
तदाहुः । कः प्रातरनुवाकस्य प्रतिगर इति जाग्रद्धैवाध्वर्युरुपासीत स य-
न्निमिषति स हैवास्य प्रतिगरस्तदु तथा न कुर्याद्यदि निद्रायादपि कामᳬ-
स्वप्यात्स यत्र होता प्रातरनुवाकं परिदधाति तत्प्रचरणीति स्रुग्भवति
तस्यां चतुर्गृहीतमाज्यं गृहीत्वा जुहोति ॥ ११ ॥

छन्दांस्येवैतत्पुनराप्याययति । अयातयामानि करोति । यातयामानि वै देवैश्छन्दांसि । छन्दोभिर्हि देवाः स्वर्गं लोकं समाश्नुवत । न वाऽअत्र स्तुवते, न शंसन्ति । तत् छन्दांस्येवैतत् पुनराप्याययति। अयातयामानि करोति । तैरयातयामैर्यज्ञं तन्वते । तस्माद्धोता प्रातरनुवाकमन्वाह ॥ १० ॥

तदाहुः कः प्रातरनुवाकस्य प्रतिगर इति । जाग्रद्धैवाध्वर्युरुपासीत । स यन्निमिषति–स हैवास्य प्रतिगरः । तदु तथा न कुर्याद् । यदि निद्रायात्–अपि कामं स्वप्यात् । स यत्र होता प्रातरनुवाकं परिदधाति–तत्प्रचरणीति स्रुग्भवति; तस्यां चतुर्गृहीतमाज्यं गृहीत्वा जुहोति ॥ ११ ॥

होतृकर्त्तव्यं प्रातरनुवाकानुवचनं छन्दसां पुनराप्यानरूपत्वेन प्रशंसति–**अथ यद्धोता प्रातरनुवाकमन्वाहेति** । तेनाप्यायनेन ' छन्दांसि ' एव ' ' अयातयामानि ' अगतसाराणि ' करोति ' । उक्तस्याप्यायनस्य सार्थकत्वाय गतसारत्वप्रसक्तिं दर्शयति–**यातयामानि वा** इति । देवैः कृतानीति शेषः । **छन्दोभिर्हि देवाः स्वर्गं लोकमिति** । स्वर्गार्थमुपयुक्तत्वात् तेषां यातयामत्वप्राप्तिः तदेव यातयामत्वं प्रातरनुवाकस्य स्तुतशस्त्रत्वाभिधानेन समर्थयते–**न वा अत्रेति** । स्तौति शंसति वोभयोरभावात् अनुवचनाभिधानाच्च निगमयति–**तस्माद्धोता प्रातरनुवाकमन्वाहेति** ("सुब्रह्मण्यां च प्रेष्यति'का.श्रौ.सू.९।१२)॥ १०॥

प्रातरनुवाकस्य प्रतिगरविषये केषाञ्चिन्मतं प्राप्तिपूर्वकमुदाहृत्य निराचष्टे–**तदाहुः कः प्रातरनुवाकस्येति** । केचन महर्षयः एवं ब्रुवते,–होतुः प्रातरनुवाककाले अध्वर्युः विनिद्रः सनिमेषं करोति । सनिमेषव्यापार एव प्रतिगरणक्रियावत्वात्प्रतिगरस्थानीय इति । ' तदु तथा न कुर्यात् ' निद्राभङ्गं निमेषं च न कुर्यादित्यर्थः । तर्हि किं कुर्यात् ? ' यदि निद्रा आयात् ' निद्रामात्मन इच्छेत्, ' अपि कामं ' ' स्वप्यात् ' यथेच्छं स्वापं कुर्यात् । अत्र सूत्रम्–" प्रातरनुवाकं जाग्रदुपासीताध्वर्युः, स्वप्याद्वा "–(का. श्रौ. सू.९।१३ । १४) इति ॥

अत्र मध्ये–" अग्नीदैन्द्रमेकादशकपालम् " इत्यादि–(का. श्रौ. सू. ९ । १९) सूत्रोक्तः सवनीय निर्वापः, ग्रहचमसपात्राणामासादनप्रयोगश्च द्रष्टव्यः ॥

१–अग्नीदैंद्रमेकादशकपालं निर्व्वपति हरिभ्यां धानाः पूष्णे करंभ२ सरस्वत्यै दधि मित्रावरुणाभ्यां पयस्याम् । इन्द्राय वा हरिपूषसरस्वतिमित्रावरुणवते धानादीनि यथासंख्यम् । अग्नेतुः पात्रयोजनम् । खरोत्तरपूर्व्वार्द्धे उपा९ शंतर्यामयोः । दक्षिणमुपा९ शोः । तदपरेण द्विदेवत्यानि प्रत्यंचि । रास्नावमैंद्रवायवम्। अजकावं मैत्रावरुणम् । औष्टमाश्विनम् । दक्षिणपूर्व्वार्द्धे शुक्रामंथिनोः । दक्षिण२ शुक्रस्याग्रयणस्थालीमध्ये । दक्षिणोक्थ्यस्थाली सपात्रा । तथादित्यस्थाल्युत्तरा । ऋतुपात्रे पूर्व्वे स्रुक्पुष्कराकृती उभयतो मुखे कार्ष्मर्यमये आश्वत्थे वा । ऊर्ध्वानीतराणि प्रादेशमात्राणि मध्यसंगृहीतानि । आग्रयणादपरां परिप्लवा२ स्रुक्पुष्करामधोऽधोऽक्षं प्रत्यंचं द्रोण-

य॒त्र वै य॒ज्ञस्य॒ शिरो॑ऽच्छिद्यत॒। तस्य॒ रसो॑ द्रु॒त्वाऽऽपः॑ प्रवि॑वेश॒ तम॒दः
पू॒र्व्वैद्यु॒र्व्वसतीवरी॑भि॒राह॑रत्य॒थ यो॑ऽत्र य॒ज्ञस्य॒ रसः॒ परि॑शिष्ट॒स्तमे॒वैत॑-
द॒च्छैति ॥ १२ ॥

यद्धे॒वैता॒माहु॑तिं जु॒होति॑। (त्ये) ए॒तमे॒वैत॒द्यज्ञस्य॒ रस॑मभि॒प्रस्तृ॑णीते
तमा॒रु॒न्धे या॒भ्य उ चै॒वैतां॒ दे॒वता॑भ्य आ॒हुतिं॑ जु॒होति॒ ता ए॒वैत॒त्प्रीणाति
ता अ॒स्मै तृ॒प्ताः प्री॒ता ऽए॒तं य॒ज्ञस्य॒ रस॒ꣳ सन्न॑मन्ति॥१३॥शतम्॥१२००॥
स जु॑होति। शृ॒णोत्व॒ग्निः स॒मिधा॒ हवं॑ म॒ऽइति॒ शृणोतु म॒ऽइद॑म॒ग्निर॒नु

यत्र वै यज्ञस्य शिरोऽच्छिद्यत। तस्य रसो द्रुत्वापः प्रविवेश–तमदः पूर्वेद्युर्वसतीवरीभिराहरति। अथ योऽत्र यज्ञस्य रसः परिशिष्टः तमेवैतदच्छैति ॥ १२ ॥

यद्धेवैतामाहुतिं जुहोति–एतमेवैतद् यज्ञस्य रसमभिप्रस्तृणीते। तमारुन्धे। याभ्य उ चैवैतां देवताभ्य आहुतिं जुहोति–ता एवैतत्प्रीणाति। ता अस्मै तृप्ताः प्रीता एतं यज्ञस्य रसं सन्नमन्ति॥१३॥

स जुहोति–"शृणोत्वग्निः समिधा हवं मे"–(वा. सं. ६।२६) इति। शृणोतु मऽइद-

---

एकधनाख्यानामुदकानामानयनार्थं यः प्रचरण्या होमोऽस्ति, तं विधाय प्रशंसति–स यत्र होतेति। 'यत्र' यस्मिन् समये 'स होता' 'तं प्रातरनुवाकं' 'परिदधाति', परिधानीयाम् "अभूदुषा" (ऋ. सं. ५।७५।९। कं.) इत्येतां ब्रूयात्, 'तत्' तदा 'प्रचरणी'। प्रचरन्त्यनया जुहूपभृतोर्व्यापारदशायामिति 'प्रचरणी'। सा 'स्रुग् भवति'। 'तस्यां चतुर्गृहीतमाज्यं गृहीत्वा' 'जुहोति' जुहुयात्। प्रातरनुवाकपरिधानप्रचरणीहोमयोरभिन्नकर्तृकत्वात् कालार्थसम्प्रयोगः ॥ ११ ॥

होमं प्रशंसति–यत्र वै यज्ञस्येति। 'द्रुत्वा' गत्वा 'रसः' यज्ञरसः सः 'अपः' 'प्रविवेश'। यः प्रविष्टो यज्ञरसः 'पूर्वेद्युः' वसतीवर्यरूपेणावशिष्टोऽस्ति, 'तमेव' रसम् 'अच्छ' अभिमुखीकृत्याभिगच्छति। पशुहोमाभावे यज्ञरसहरणार्थगमनासम्भवात् प्रचरण्याज्याहुतिहोम एव यज्ञरसाभिमुखगमनमित्यभिप्रायः ॥ १२ ॥

आहुतिप्रस्तरणात्मनापि प्रशंसति–यद्धेवैतामाहुतिं जुहोतीति। 'यद्ध एव' यदेव। एतत्' एतेन होमेन 'एतमेव' अवशिष्टमेव 'यज्ञस्य रसम अभिप्रस्तृणीते' रसस्य स्तरणं कृतवान् भवति। तेन च 'तमारुन्धे' स्वाधीनं कृतवान् भवति। न केवलमेतावदेव, अपि च 'याभ्यो देवताभ्यः' अग्न्यादिभ्यः 'एतामाहुतिं जुहोति,' 'ता एव' 'एतत्' एतेन होमेन 'प्रीणाति'। ताः 'रसं' 'सन्नमन्ति' प्रापयन्ति॥१३॥

होममन्त्रं विच्छिद्यानूद्य व्याचष्टे–स जुहोति शृणोत्वग्निरित्यादिना। (का. श्रौ. सू. ९।३७)।

–कलशमत्युद्योपर्युपर्यक्षं पवित्रमस्मिन् करोति। शुक्रं जीवोर्णानाम्। उभयतोदस्त्रं परिप्लवायाम्। पूर्वेणोपस्तंभनमुत्तरं ध्रुवस्थालीमनन्तर्हिते। धुरि प्रचरणीम्। पूर्व्वेणाक्षमुपरि पूतभृतम्। परेणाधवनीयम्। प्रागक्षाद्दशचमसान्दसव्वृतानथः प्रत्यगेकधनानयुग्मानुदहरणाभिप्रसृत्यापचंदशभ्योऽभूदुषा रुशत्पशुरित्युच्यमाने चतुर्गृहीतं प्रचरण्या जुहोति शृणोत्वग्निरिति। का. श्रौ. सू. ९-१५-३७।

(आश्वलायनानां तु अभूदुषारुशत्पशुरग्निधात्यृत्विजः। इति।) (अयोजिवां वृषण्वसूदयोदस्रावयत्यो ३ म्। इति)।

(शांखायनानां प्रातरनुवाकपरिधानीया अभूदुषारुशत्पशुरग्निरधाय्यृत्विजो ध्योजिषां वृषण्वसू। रथोदस्राचमसोमार्ध्वीमम श्रुतोहवो ३ म्। इति।

१–'तया चतुर्गृहीतमाज्यं गृहीत्वा' इति क.।

मे जानात्वित्युवैवैतदाह शृण्वन्त्वापो धिषणाश्च देवीरिति शृण्वन्तु मऽइद-
मापोऽनु मे जानन्त्वित्युवैवैतदाह श्रोता ग्रावाणो विदुषो न यज्ञमिति
शृण्वन्तु मऽइदं ग्रावाणोऽनु मे जानन्त्वित्युवैवैतदाह विदुषो न यज्ञमिति
विद्वाᳬसो हि ग्रावाणः शृणोतु देवः सविता हवं मे स्वाहेति शृणोतु म
ऽइदं देवः सवितानु मे जानात्वित्युवैवैतदाह सविता वै देवानां प्रसविता
तत्सवितृप्रसूत एवैतद्यज्ञस्य रसमच्छैति ॥ १४ ॥

(१) अथापरं चतुर्गृहीतमाज्यं गृहीत्वा । (२) उदङ्ङभ्युपप्रयन्नाहाप ऽइष्य
होतरित्यप इच्छ होतरित्युवैवैतदाह तद्यदतो होतारमिच्छत्येवैतद्यज्ञस्य
रसमभिप्रस्तृणीते तमारुन्ध ऽएतानु यैवैतदनुतिष्ठते नेदेनानन्तरा नाष्ट्रा
रक्षाᳬसि हिनसान्निति ॥ १५ ॥

मेऽग्निः—अनु मे जानातु—इत्येवैतदाह—"शृण्वन्त्वापो धिषणाश्च देवीः" (वा. सं. ६।२६)
इति । शृण्वन्तु मऽइदमापो—अनु मे जानन्तु—इत्येवैतदाह—"श्रोता ग्रावाणो विदुषो न यज्ञम्"
(वा. सं. ६।२६) इति । शृण्वन्तु मऽइदं ग्रावाणो—अनु मे जानन्तु इत्येवैतदाह—विदुषो न
यज्ञम् इति । विद्वांसो हि ग्रावाणः—"शृणोतु देवः सविता हवं मे स्वाहा" (वा. सं. ६।२६)
इति । शृणोतु मऽइदं देवः सविता—अनु मे जानातु—इत्येवैतदाह । सविता वै देवानां प्रसविता ।
तत्—सवितृप्रसूत एवैतद् यज्ञस्य रसमच्छैति ॥ १४ ॥

अथापरं चतुर्गृहीतमाज्यं गृहीत्वोदङ् प्रयन्नाह—अप इष्य होतरिति । अप इच्छ होतरित्येवैत-
दाह । तद् यदतो होतारमाह—एतमेवैतद्यज्ञस्य रसमभिप्रस्तृणीते । तमारुन्धे । एतान् यैवैतदनुतिष्ठते ।
नेदेनानन्तरा नाष्ट्रा रक्षांसि हिनसान्निति ॥ १५ ॥

'अग्निः', 'आपः', 'धिषणाः', 'वाचः', 'देवीः' देव्यः, 'विदुषो' मेधाविनः, 'सविता' 'मे'
'हवम्' आह्वानं 'यज्ञमिमं शृण्वन्तु'—इति संग्रहार्थः । अत्र सर्वत्र 'शृणोतु' 'शृण्वन्तु' इति,
"अनुजानातु" 'अनुजानन्तु'—इति तात्पर्यतया व्याख्यातम् । 'श्रोता ग्रावाणः'—इत्यत्र "द्वाकोऽन्त-
स्तिङः" (पा. सू. ६।३।१३५) इति दीर्घः । विदुषः—इत्यादेः प्रकृतिविशेषतया व्याचष्टे—
विद्वांसो हि ग्रावाण इति । प्रथमाबहुवचने छान्दसं द्वितीयाबहुवचनम् । चरमपादे सवितृशब्दप्रयोगस्य
तात्पर्यमाह—सविता वै देवानां प्रसवितेति ॥ १४ ॥

अथापरं चतुर्गृहीतमिति । पूर्वमेकवारग्रहणस्योक्तत्वादपरमित्युक्तम् । चत्वारि गृहीतानि ग्रहणानि यस्याज्यस्य तच्चतुर्गृहीतम् । अप्सु होमार्थं गृहीत्वा उदङ्मुखं गच्छन् यजमानः प्रैषान् ब्रूयात् ॥

१—इतोऽग्रे—"शृण्वन्तु म इदं ग्रावाणोऽनु मे जानन्त्वित्येवैतदाह विदुषो न यज्ञमिति" इति पाठस्तु क. पुस्तकविशेषः स प्रामादिकः । २—अपरं गृहीत्वोदङ्ङुपगच्छन्नाहाप इष्य होतः । का. श्रौ. सू. ९।३८ ।

(त्यु) अथ सम्प्रेष्यति । मैत्रावरुणस्य चमसाध्वर्यवेहि नेष्टः पत्नीरुदा-नयैकधनिन एताग्नीच्चात्वाले व्वसतीवरीभिः प्रत्युपतिष्ठासै होतृचमसेन चेति सम्प्रैष एवैषः ॥ १६ ॥

(ष त) त उदञ्चो निष्क्रामन्ति । जघनेन चात्वालमग्रेणाग्नीध्रᳪ स यस्यां ततो दिश्यापो भवन्ति तद्यन्ति ते वै सह पत्नीभिर्यन्ति तद्यत्सह पत्नीभिर्यन्ति ॥ १७ ॥

अथ सम्प्रेष्यति–मैत्रावरुणस्य चमसाध्वर्यो ! एहि । नेष्टः ! पत्नीरुदानय । एकधनिनः ! एत । अग्नीत् ! चात्वाले वसतीवरीभिः प्रत्युपतिष्ठासै । होतृचमसेन चेति । सम्प्रैष एवैषः ॥ १६ ॥

त उदञ्चो निष्क्रामन्ति–जघनेन चात्वालम्, अग्रेणाग्नीध्रम् । स यस्यां ततो दिश्यापो भवन्ति–तद्यन्ति । ते वै सह पत्नीभिर्यन्ति । तद् यत्सह पत्नीभिर्यन्ति ॥ १७ ॥

तत्र प्रथमप्रैषमुक्त्वा व्याचष्टे–अप इष्य होतरिति–इत्यादि । हे 'होतः!' 'अपः' प्रति 'इष्य' इच्छ, अपः प्रतिगमनोचितं "प्रदेवत्रा" (ऋ. सं. १० । ३० सू.)–इति अपोनप्त्रीयमनुब्रूहीत्यर्थः । (ऐ. ब्रा. २ । ३ । १.) इष्यतेरिच्छतिरर्थ इति व्याचष्टे–अप इच्छ होतरित्येवैतदाहेति पदं व्याख्याय तात्पर्यमाचष्टे–तद्यदतो होतान्वाहेति । गतोऽर्थः । "एता उ चैवेतदाहेति । 'उ'–शब्दोऽप्यर्थे । अपि च 'एताः' एकधनाख्या अप उद्दिश्य 'एतत्' अनुतिष्ठते । एतदित्युक्तम्, किं तदित्याह–नेदेना इति । 'एनाः' अपः । 'नाष्ट्रा' नाशकानि 'रक्षांसि' 'हिनसन्' हिंस्युः । नेदिति परिभवे । "नेत्येष इदित्येतेन सम्प्रयुज्यते परिभवे"–(निरु १ । २ । ९) इति नैरुक्तम् । अतस्तासां हिंसा माभूदित्यर्थः ॥ १५ ॥

अन्यान् प्रैषान् दर्शयति–अथ सम्प्रेष्यतीति । "मैत्रावरुणस्य चमसाध्वर्यवेहीति । दश चमसाध्वर्यवः चमसप्रयोक्तारः, तेषु यो मैत्रावरुणस्य चमसाध्वर्युः, स सम्बोध्यते । 'एहि' उदकानयनार्थमागच्छेति ॥

नेष्टः पत्नीरुदानयेति । हे 'नेष्टः!' त्वं 'पत्नीः' पात्नेजनोदकाहरणार्थम् 'उदानय' एकधनिन एतेति । एकधना उदकानि, तेषां धारकाः कुम्भा वा; प्रत्यगेकधनानयुग्मानिच्छासादनाभिधानात्; तेषां ग्रही-तारः 'एकधनिनः' 'एत' आगच्छत ॥

अग्नीच्चात्वाल इति । हे 'अग्नीत्!' त्वं पूर्वेद्युर्गृहीताभिः वसतीवरीभिः, 'होतृचमसेन' 'च' युक्तः सन्, चात्वालदेशे यावदागमनं 'प्रति' 'उपतिष्ठासै' उपतिष्ठेति निर्दिष्टः । एतेन मन्त्राश्चेद् व्याख्यातव्याः विधयश्चेत् स्तोतव्या इत्याशङ्क्याह–सम्प्रैष एवैष इति । 'एषः' "मैत्रावरुणस्य चमसाध्वर्यो"–इत्यादिकः कर्त्तव्यः 'सम्प्रैष एव' विस्मृतिपरिहारार्थं प्रेरणमित्यर्थः ॥ १६ ॥

तेषां जलानयनार्थं निर्गमनमार्गमाह–त उदञ्चो निष्क्रामन्तीति । आग्नीध्रचात्वालयोरन्तरालदेशेन उदग्-

---

१–'इमौ प्रैषमन्त्रौ संहितायां न स्तः । २–अपोनप्तृदेवताकं सूक्तमपोनप्त्रीयं' इति ऋ. सं. १० । ३० । 'अपोनप्त्रीयं' इति क. पा. । ३–प्रेष्यति च मैत्रावरुणस्य चमसाध्वर्यवेहि नेष्टः पत्नीरुदानयैकधनिन एताग्नीच्चात्वाले व्वसतीवरीभिः प्रत्युपतिष्ठासै होतृचमसेन चेति । का. श्रौ. सू. ९-३९ । ४–'प्रेषणम्'–इ० क० पा० ।

यत्र वै यज्ञस्य शिरोऽच्छिद्यत । तस्य रसो द्रुत्वापः प्रविवेश तमेते गन्धर्व्वाः सोमरक्षा जुगुपुः ॥ १८ ॥

(स्ते) ते ह देवा ऊचुः । (रि) इयमु न्वेवेह नाष्ट्रा यदिमे गन्धर्व्वा कथं न्विममभयेऽनाष्ट्रे यज्ञस्य रसमाहरेमेति ॥ १९ ॥

ते होचुः । (यौ) योषित्कामा वै गन्धर्वाः सहैव पत्नीभिरयाम ते पत्नीष्वेव गन्धर्वा गर्द्धिष्यन्त्यथैतमभयेऽनाष्ट्रे यज्ञस्य रसमाहरिष्याम इति ॥ २० ॥

ते सह पत्नीभिरीयुः । (स्ते) ते पत्नीष्वेव गन्धर्वा जगृधुरथैतमभयेऽनाष्ट्रे यज्ञस्य रसमाजह्रुः ॥ २१ ॥

(स्त) तथो ऽएवैष एतत् । (त्स) सहैव पत्नीभिरेति ते पत्नीष्वेव गन्धर्वा गृद्धयन्त्यथैतमभयेऽनाष्ट्रे यज्ञस्य रसमाहरति ॥ २२ ॥

यत्र वै यज्ञस्य शिरोऽच्छिद्यत–तस्य रसो द्रुत्वापः प्रविवेश । तमेते गन्धर्वाः सोमरक्षा जुगुपुः ॥ १८ ॥

ते ह देवा ऊचुः–'इयमु न्वेवेह नाष्ट्रा–यदिमे गन्धर्वाः–कथं न्विममभयेऽनाष्ट्रे यज्ञस्य रसमाहरेम' इति ॥ १९ ॥

ते होचुः । योषित्कामा वै गन्धर्वाः । सहैव पत्नीभिरयाम । ते पत्नीष्वेव गन्धर्वा गर्द्धिष्यन्ति । अथैतमभयेऽनाष्ट्रे यज्ञस्य रसमाहरिष्याम इति ॥ २० ॥

ते सह पत्नीभिरीयुः । ते पत्नीष्वेव गन्धर्वा जगृधुः । अथैतमभयेऽनाष्ट्रे यज्ञस्य रसमाजह्रुः ॥ २१ ॥

तथोऽएवैष एतत् सहैव पत्नीभिरेति । ते पत्नीष्वेव गन्धर्वा गृद्ध्यन्ति । अथैतमभयेऽनाष्ट्रे यज्ञस्य रसमाहरन्ति ॥ २२ ॥

देशेन । तत्र नोपलभ्यन्ते कथमित्यत आह–स यस्यां ततो दिशीति । निर्गमने एव उदङ्नियमः । गमनसमये पत्नीसाहित्यं विधाय तदाख्यानमुखेन प्रशंसति–सहपत्नीभिर्यन्तीति ॥ १७ ॥

यत्र वै यज्ञस्येत्यादि । पुरा किल देवैर्यज्ञशिरश्छेदाद्द्रुतो रसः पलाय्य अप्सु निविष्टः, तं रसं गन्धर्वाः सोमपालकाः ररक्षुः ॥ १८ ॥

ते ह देवा इति । 'ते देवा ऊचुः'–'इमे गन्धर्वाः' एव 'नाष्ट्राः' नाशकरूपाः, 'कथम्' 'अनाष्ट्रे' नाशरहिते देशे 'रसं' यज्ञरसम् 'आहरेम' 'इति' ॥ १९ ॥

एवं विचार्य–ते होचुर्योषित्कामा इति । गन्धर्वा योषित्प्रियाः, तद्वयं पत्नीभिः सहिता एव गच्छामः, ते च गन्धर्वाः पत्नीषु कांक्षन्ति, तस्मिन् समये वयमभयेऽनाष्ट्रे यज्ञस्य रसमाहरिष्याम इति ॥ २० ॥

ते सह पत्नीभिरीयुरिति । ताभिः सह गताः ते च तथैव तास्वाकांक्षां कृतवन्तः । तस्मिन् समये देवाः यज्ञरसम् 'आजह्रुः' ॥ २१ ॥

तथो एवैष एतदिति । यथा पुरा, इदानीमपि तथैव । तदेतेन पत्नीभिः सह गमनेन एते गन्धर्वाः पत्नीषु कांक्षां कुर्वन्तो भवन्ति, तथा अबाधितस्थले रसमाहृतवान् भवति ॥ २२ ॥

सोऽपोऽभिजुहोति । (त्ये) एताᳬं ह वा ऽआहुतिᳬं हुतामेष यज्ञस्य रस ऽउपसमैति तां प्रत्युत्तिष्ठति तमेवैतदाविष्कृत्य गृह्णाति ॥ २३ ॥

यद्वेवैतामाहुतिं जुहोति । (त्ये) एतमेवैतद्यज्ञस्य रसमभिप्रस्तृणीते तमारुन्धे तमपो याचति याभ्य उ चैवैतां देवताभ्य आहुतिं जुहोति ता एवैतत्प्रीणाति ता अस्मै तृप्ताः प्रीता ऽएतं यज्ञस्य रसᳬं सन्नमन्ति ॥२४॥

स जुहोति । देवीरापो ऽअपान्नपादिति देव्यो ह्यापस्तस्मादाह देवीरापो ऽअपान्नपादिति यो व ऊर्म्मिर्हविष्य इति यो व ऊर्म्मिर्यज्ञिय इत्येवैतदाहेन्द्रियावान्मदिन्तम इति वीर्य्यवानित्येवैतदाह यदाहेन्द्रियावानिति मदिन्तम इति स्वादिष्ठ इत्येवैतदाह तं देवेभ्यो देवत्रा दत्तेत्येतदेना अयाचिष्ट यदाह तं देवेभ्यो देवत्रा दत्तेति शुक्रपेभ्य इति सत्यं वै शुक्रᳬं सत्यपेभ्य इत्येवैतदाह येषां भागः स्थ स्वाहेति तेषामु ह्येष भागः ॥२५॥

सोऽपोऽभिजुहोति । एतां ह वाऽआहुतिं हुतामेष यज्ञस्य रस उपसमैति । तां प्रत्युत्तिष्ठति । तमेवैतदाविष्कृत्य गृह्णाति ॥ २३ ॥

यद्वेवैतामाहुतिं जुहोति । एतमेवैतद् यज्ञस्य रसमभिप्रस्तृणीते तमारुन्धे । तमपो याचति । याभ्य उ चैवैतां देवताभ्य आहुतिं जुहोति—ता एवैतत्प्रीणाति । ता अस्मै तृप्ताः प्रीता एतं यज्ञस्य रसं सन्नमन्ति ॥ २४ ॥

स जुहोति । "**देवीरापोऽअपान्नपाद्**"—(वा. सं. ६ । २७) इति । देव्यो ह्यापः । तस्मादाह—देवीरापोऽअपान्नपादिति—"**यो व ऊर्म्मिर्हविष्यः**"—(वा. सं. ६ । २७) इति । यो व ऊर्म्मिर्यज्ञिय इत्येवैतदाह—"**इन्द्रियावान्मदिन्तमः**"—(वा. सं. ६ । २७) इति । वीर्य्यवानित्येवैतदाह—यदाहेन्द्रियावानिति । मदिन्तम इति । स्वादिष्ठ इत्येवैतदाह—"**तं देवेभ्यो देवत्रा**

प्रचरणीगृहीतस्याज्यस्याप्सु होमं विधाय प्रशंसति—**सोऽपोऽभिजुहोतीति**[1]। 'हुतामाहुतिम्' अनुसृत्य 'एषः' अनुप्रविष्टः ' यज्ञस्य रसः ' 'उपसमेति' अभिमुखं सम्प्राप्नोति । एतस्यैव व्याख्यानम्—**तां प्रत्युत्तिष्ठतीति** । ' तमेव ' रसम् ' एतत् ' एतेन होमेन 'आविष्कृत्य' उदकेष्वनुप्रविष्टं प्रादुर्भाव्य गृहीतवान् भवति ॥ २३ ॥

प्रकारांतरेणापि प्रशंसति—**यद्वेवैतामाहुतिं जुहोतीति** । न केवलं रसार्थं प्रस्तरणं किन्तु तं प्रवर्द्धन्तं रसमारुद्धवान् भवति । किञ्च ' तम् ' अपेक्षितं यज्ञरसम् ' अपः ' उदकानि ' याचति ' ' उ ' अपि च ' याभ्यः देवताभ्यः एताम् आहुतिं जुहोति ', ' ता एव ' ' एतत् एतेन ' प्रीणाति ' । ' तृप्ताः ' ' प्रीताः ' च ' ताः ' ' अस्मै ' यजमानाय ' एतं यज्ञस्य रसं ' 'सन्नमन्ति' सन्नमयन्ति, यजमानाधीनं कुर्वन्ति ॥२४॥

मन्त्रं विधाय विच्छिद्य व्याचष्टे—**स जुहोतीति** । **देवीराप** इति । हविष्य इति पदं व्याचष्टे—**यो व ऊर्म्मिर्हविष्य इति, यो व ऊर्म्मिर्यज्ञिय इत्येवैतदाहेति** । हविश्शब्देन तत्साध्यो यज्ञो लभ्यते, द्रव्यदेवतयोर्हि

१—अपो गत्वा देवीराप इत्यप्सु जुहोति । का० श्रौ० सू ६ । ४० ।

(ग्रो॒ऽथ) अथ मैत्रावरुणचमसेनैतामाहुतिमुपप्लावयति । कार्षिरसीति यथा वा ऽअङ्गारोऽग्निना प्सातः स्यादेवमेषाहुतिरेतया देवतया प्साता भवति राजानं वा ऽएताभिरद्भिरुपस्रक्ष्यन्भवति या एता मैत्रावरुणचमसे वज्रो वा ऽआज्यꣳ रेतः सोमो नेद्वज्रेणाज्येन रेतः सोमꣳ हिनसानीति तस्माद्वा ऽअपप्लावयति ॥ २६ ॥

दत्त "–(वा. सं. ६ । २७) इति । एतदेना अयाचिष्ट–यदा–तं देवेभ्यो देवत्रा दत्तेति । "शुक्रपेभ्यः "–(वा. सं. ६ । २७) इति । सत्यं वै शुक्रम् । सत्यपेभ्य इत्येवैतदाह–" येषां भागस्थ स्वाहा "–(वा. सं. ६ । २७) इति । तेषामु ह्येष भागः ॥ २५ ॥

अथ मैत्रावरुणचमसेनैतामाहुतिमपप्लावयति । " कार्षिरसि "–(वा. सं. ६ । २८) इति । यथा वाऽअङ्गारोऽग्निना प्सातः स्याद्–एवमेषाहुतिरेतया देवतया प्साता भवति । राजानं वाऽएताभिरद्भिरुपस्रक्ष्यन् भवति–या एता मैत्रावरुणचमसे । वज्रो वाऽआज्यम् । रेतः सोमः । नेद्वज्रेणाज्येन रेतः सोमं हिनसानीति । तस्माद्वाऽअपप्लावयति ॥ २६ ॥

यज्ञस्वरूपत्वात् । इन्द्रियशब्दस्य वीर्यमर्थ इति व्याचष्टे–इन्द्रियावान् मन्दिन्तम इति वीर्यवानित्येवैतदाहेति । स्पष्टमेतत् । तत्रैव वाक्ये मदिन्तमशब्दस्यार्थमाह–मदिन्तम इति, स्वादिष्ठ इत्येवैतदाहेति । यत् स्वदन्तमुन्मादयतीति व्याप्तिदर्शनात् । "तं देवेभ्यः"–इति भागस्य प्रार्थनायां तात्पर्यमिति व्याचष्टे–'एतत्' एतेन 'अयाचिष्ट' 'यदाह तं देवेभ्यो देवत्रा दत्तेति' । "लोट् च"–(पा. सू. ३ । ३ । १६२) इति लोटो विध्यार्थेषु मध्ये प्रार्थनायाः सम्भवात्, 'एतत्' एतेन मन्त्रभागेन 'एनाः' अपः 'अयाचिष्ट' देवतार्थं याचितवान् भवति । " देवेभ्यः "–इत्यस्य यत् " शुक्रपेभ्यः"–इति विशेषणम् । तस्य तात्पर्यमाह–सत्यं वै शुक्रम्, सत्यपेभ्य इत्येवैतदाहेति । शुक्रं दीप्तं रसाख्यं वस्तु, तत् सत्यम् । सोमद्वारेण सत्यस्यामृतत्वधर्मस्य साधनत्वात् सत्यमित्युच्यते । तादृशस्य पातृभ्य इत्येतदेवैतत् शुक्रपेभ्य इति वाक्यमाहेत्यर्थः । " येषां भागः स्थ स्वाहा"–इति चरमभागस्य तात्पर्यमाह–तेषामु ह्येष भाग इति । 'एषः' अपां शुक्ररसरूपो भागः, 'तेषामु' तेषां शुक्रपानां देवानां 'भागः' प्रतिनियतांशः खलु, अतो येषामिति मन्त्रे निर्दिष्ट इत्यभिप्रायः । मन्त्रस्यायमर्थः–हे 'देवीः' देव्यः ! 'आपः' ! हे 'अपान्नपात्!' न पातयति तत् (निरु. १० । २ । ९) 'यः' अयं 'वः' युष्माकं सम्बन्धी 'ऊर्मिः' प्रवृद्धः 'हविष्यः' रसः, 'इन्द्रियावान्' " मन्त्रे सोमाश्वेन्द्रिय–" इत्यादिना (पा. सू. ६ । ३ । १३१) दीर्घः, इन्द्रियावान्, 'मदिन्तमः' मादयितृतमः, 'तं' रसं 'देवत्रा' "देवमनुष्ये०" (पा. सू. ५ । ४ । ५६) इत्यादिना–सप्तम्यर्थे त्रा-प्रत्ययः । देवेषु मध्ये 'शुक्रपेभ्यो देवेभ्यः' 'दत्त' प्रयच्छत । हे आपः ! यूयं 'येषां' देवानां 'भागः' 'स्थ' भवथ, तदर्थं 'स्वाहा' इदं द्रव्यं स्वाहुतमस्त्विति ॥ २५ ॥

हुताया आहुत्या अपसारणं समन्त्रकं विधत्ते–अथ मैत्रावरुणचमसेनेति । तत्र मन्त्रः–"कार्षिरसीति" । हे हुताज्यपदार्थ ! त्वं 'कार्षिः' कृषेर्देवतायाः, कर्षणस्य भक्षणस्य वा सम्बन्धी 'असि' । अतस्त्वां 'समु-

---

१–कार्षिरसीति मैत्रावरुणचमसेनाज्यमपोहति । का. श्रौ. सू. ९ । ४१ ।

(त्यु) अथ गृह्णाति । समुद्रस्य त्वाक्षित्या ऽउन्नयामीत्यापो वै समुद्रो-ऽप्स्वेवैतदक्षितिं दधाति तस्मादाप ऽएतावति भोगे भुज्यमाने न क्षीयन्ते तदन्वेकधनानुन्नयन्ति तदनु पान्नेजनान् ॥ २७ ॥

(नांस्त) तद्यन्मैत्रावरुणचमसेन गृह्णाति । यत्र वै देवेभ्यो यज्ञोऽपाक्रा-मत्तमेतद्देवाः प्रैषैरेव प्रैषमैच्छन्पुरोरुग्भिः प्रारोचयन्निविद्भिर्न्यवेदयंस्तस्मा-न्मैत्रावरुणचमसेन गृह्णाति ॥ २८ ॥

अथ गृह्णाति । "समुद्रस्य त्वाक्षित्याऽउन्नयामि"–(वा. सं. ६ । २८) इति । आपो वै समुद्रः । अप्स्वेवैतदक्षितिं दधाति । तस्मादापऽएतावति भोगे भुज्यमाने न क्षीयन्ते । तदन्वेकधना-नुन्नयन्ति । तदनु पान्नेजनान् ॥ २७ ॥

तद्यन्मैत्रावरुणचमसेन गृह्णाति । यत्र वै देवेभ्यो यज्ञोऽपाक्रामत्–तमेतद्देवाः प्रैषैरेव प्रैषमैच्छन्, पुरोरुग्भिः प्रारोचयन्, निविद्भिर्न्यवेदयन् । तस्मान्मैत्रावरुणचमसेन गृह्णाति ॥ २८ ॥

द्रस्य' समुन्दनरूपस्योदकस्य 'अक्षित्यै' अक्षीणतायै 'त्वा' त्वाम् 'अपनयामि' अपसारयामि । उक्त-स्यापसारणस्य प्रयोजकं प्सातत्वमाह–यथा वा अङ्गारोऽग्निना प्सातः स्यादिति । 'प्सातः' भक्षितः; 'अग्निना' भक्षितः 'अङ्गारः' 'यथा' करीषभावेन त्याज्यो भवति, 'एवम्' 'एषा आहुतिः' 'एतया' अब्देवतया 'प्साता भवति' । सोमहिंसापरिहारत्वेनापि परित्यक्तव्यमित्याह–राजानं वा एताभिरिति । 'मैत्रावरुणचमसे' 'याः' 'एताः' इदानीं गृह्यमाणा आपः सन्ति, 'एताभिः' अद्भिः 'उपस्रक्ष्यन्' अभिषवकाले सोमस्य संसर्गं करिष्यन् 'भवति' अत एव "आधवनीये समवनयति"–(श. प. ब्रा. ३ । ९ । ३ । ३०) इति वक्ष्यते; आधवनीये संस्पृष्टस्योदकस्य सोमरसेन संसृज्यमानत्वात् । "वज्रो वा आज्यम्"–इत्यादि, प्रागसकृद् व्याख्यातम्, (श. प. ब्रा. १ । ५ । ३ । ४) "घृतं खलु वै देवा वज्रं कृत्वा" (तै. सं. ६ । ३ । ७ । ५ । ६) इत्यादिप्रदर्शनेन ॥ २६ ॥

समन्त्रकं मैत्रावरुणचमसेनोन्नयनं विधत्ते–अथ गृह्णाति समुद्रस्य त्वेति । यद्यप्यत्र मैत्रावरुणचमसेनेति न श्रुतम्, तथापि "समुद्रस्य त्वेति तेन गृह्णाति"–(का. श्रौ. सू. ९ । ४२)। इति सूत्राद् गम्यते । अपां सङ्घातात्मकत्वात् समुद्रस्य "आपो वै समुद्रः"–इत्येकदेशस्य कृत्स्नात्मना स्तुतिः । 'एतत्' एतेन "समुद्रस्य त्वाक्षित्यै"–इति पाठेन 'अप्सु एव' 'अक्षितिम्' अक्षयमक्षीणत्वं 'दधाति' स्थापितवान् भवति । 'तस्मात्' "अक्षित्यै"–इत्युक्तत्वात् 'एतावति भोगे भुज्यमाने' स्थावरजङ्गमात्मकजगत्पर्याप्तेऽपि भोगे सर्वैर्भुज्यमानेऽपि 'न क्षीयन्ते' क्षयं न प्राप्नुवन्ति, अजस्रं प्रवहन्त्येव । तदन्वित्यादि । होतृचमसोन्नय-नानन्तरमेकधनानां पान्नेजनानां चानुक्रमेणोन्नयनम् एकधनाः सोमरसाभिवृद्ध्यर्था उदकविशेषाः पाच्छब्देनोरु-प्रदेशो लक्ष्यते' पत्न्या ऊरुक्षालनसाधनोदकविशेषाः पान्नेजनाः । ताः पत्न्यो गृह्णीयुः । तथाच सूत्रम् । "पान्नेजनाँश्च पत्न्यो" इति (का. श्रौ. सू. ९।४४) ॥ २७ ॥

सत्स्वितरेषां चमसेषु किं मैत्रावरुणचमसेनेत्यत आह–तद्यन्मैत्रावरुणचमसेनेति । यस्माद् देवेभ्योऽपक्रान्तं यज्ञम्, एतेन मैत्रावरुणाख्येनर्त्विजा 'प्रैषैः' तत्कृतिगमनसाधनैः आह्वानवाक्यैः 'प्रैषं' यज्ञस्य गमनम्,

---

१ एकधनाश्चोन्नयन्ति । का. श्रौ. सू. ९ । ४३ । पान्नेजनांश्च पत्न्यो द्वौ द्वौ । ९ । ४४ ।

त ऽआयन्ति । प्रत्युपतिष्ठतेऽग्नीच्चात्वाले व्वसतीवरीभिश्च होतृचमसेन च स उपर्य्युपरि चात्वालꣳ सꣳस्पर्शयति व्वसतीवरीश्च मैत्रावरुणचमसं च समापो ऽअद्भिरग्मत समोषधीभिरोषधीरिति यश्चासौ पूर्व्वेद्युराहृतो यज्ञस्य रसो यश्चायमाहृतस्तमेवैतदुभयꣳ सꣳसृजति ॥ २९ ॥

तद्धैके । (क०८) एव मैत्रावरुणचमसे व्वसतीवरीर्नयन्त्या मैत्रावरुणचमसाद्वसतीवरीषु यश्चासौ पूर्व्वेद्युराहृतो यज्ञस्य रसो यश्चायमाहृतस्तमेवैतदुभयꣳ सꣳसृजाम इति व्वदन्तस्तदु तथा न कुर्याद्यद्वा ऽआधवनीये समवनयति तदेवैष उभयो यज्ञस्य रसः सꣳसृज्यतेऽथ होतृचमसे व्वसती-

---

तऽआयन्ति । प्रत्युपतिष्ठते अग्नीच्चात्वाले वसतीवरीभिश्च होतृचमसेन च स उपर्युपरि चात्वालं संस्पर्शयति–वसतीवरीश्च, मैत्रावरुणचमसं च । " समापोऽअद्भिरग्मत । समोषधीभिरोषधीः "–(वा. सं. ६।२८) इति । यश्चासौ पूर्वेद्युराहृतो यज्ञस्य रसो, यश्चायमाहृत–स्तमेवैतदुभयं संसृजति ॥ २९ ॥

तद्धैके–आ एव मैत्रावरुणचमसे वसतीवरीर्नयन्ति । आ मैत्रावरुणचमसाद् वसतीवरीषु । यश्चासौ पूर्वेद्युराहृतो यज्ञस्य रसो, यश्चायमाहृतः–तमेवैतदुभयं संसृजाम–इति वदन्तः । तदु

' ऐच्छन् ' ' निविद्भिः ' निवेदनसाधनैः " अग्निर्देवेद्धः "–(ऐ. ब्रा. २ । ५ । २ ।) इत्यादिभिर्वाक्यैः ' न्यवेदयन् ' परस्परं निवेदितवन्तः ' पुरोरुग्भिः ' पुरः ' याज्यानुवाक्याभ्यां पुरस्तात् ' रुचिम् ' इच्छां जनयन्ति देवताया इति पुरोरुचो " वायुरग्रेगाः " (ऐ. ब्रा. ३ । १ । ९)–इत्याद्याः, ताभिः ' प्रारोचयन् ' प्ररोचनामजनयन् । अतो मैत्रावरुणस्य प्रैषादिसाधनत्वात् तदीयश्चमसः प्रशस्त इत्यर्थः । तस्मान्मैत्रावरुणचमसेन गृह्णातीति ॥ २८ ॥

अप्सम्भरणानन्तरमनुष्ठेयं विधत्ते–त आयन्तीति । पुनर्देवयजनं प्रति आगच्छेयुः । ' अग्नीत् ' च निर्गमनकाले सम्प्रेषितप्रकारेण ' चात्वाले ' ' वसतीवरीभिः ' अद्भिः ' होतृचमसेन च ' युक्तः सन् प्रत्युपस्थानं कुर्यात् । यदुक्तं सूत्रकृता–"प्रत्येत्य चात्वालस्योपरि मैत्रावरुणचमसं वसतीवरीश्च संस्पर्शयति समाप इति, इतरस्मिन् व्यानयन्त्येके, मैत्रावरुणचमसे प्रथमम् (का. श्रौ. सू. ९ । ४५-४६) इति । तदिदं सर्वं विधत्ते–स उपर्युपरि चात्वालं संस्पर्शयति, वसतीवरीश्च मैत्रावरुणचमसञ्चेति । स्पष्टम् । तत्र मन्त्रमाह–समापो अद्भिरिति । ' आपः ' मैत्रावरुणचमसगताः, ' अद्भिः ' होतृचमसस्थाभिर्वसतीवरीभिः ' समग्मत ' सङ्गता अभवन् । तथा ' ओषधीः ' ओषध्यः, वर्द्धनीयाः व्रीह्यादिरूपाः, ' ओषधीभिः ' व्रीह्यादिरूपाभिः ' समग्मत ' । यद्वा, उभयत्र ओषधिशब्देन प्रकृता मैत्रावरुणहोतृचमसगता आपो विवक्ष्यन्ते–यश्चासौ पूर्वेद्युरित्यादि स्पष्टम् ॥ २९ ॥

अथ केषाञ्चित्साक्षादुदकसंसर्जनपक्षमुदाहृत्य तदभिप्रायमप्याविष्कृत्य तस्यान्यथासिद्धित्वप्रदर्शनेन निराचष्टे–तद्धैक इति । ' ऐवैं नयन्ति '–इति सम्बन्धः, आनयन्त्येवेत्यर्थः । ' आ मैत्रावरुणचमसाद् वसतीवरीषु ' उप-

---

१–' अत्र '–इति क. पु. पा. । २–' एवं ' नयन्ति ' इ. क. पा. ।

वरीर्गृह्णाति निग्राभ्याभ्यस्तद्यदुपर्युपरि चात्वालꣳसꣳस्पर्शयत्यतो वै देवा दिवमुपोदक्रामंस्तद्यजमानमेवैतत्स्वर्ग्यं पन्थानमनुसङ्ख्यापयति॥३०॥
त आयन्ति । तꣳ होता पृच्छत्यध्वर्योऽवेरपा३ऽइत्यविदोऽपा३ऽइत्येवैतदाह तं प्रत्याहोतेव नन्नमुरित्यविदमथो मेऽनꣳसतेत्येवैतदाह॥३१॥
स यद्यग्निष्टोमः स्यात् ।(१) यदि प्रचरण्याꣳ सꣳस्रवः परिशिष्टोऽलꣳ होमाय स्यात्तं जुहुयाद्यद्यु नालꣳ होमाय स्यादुपरं चतुर्गृहीतमाज्यं

तथा न कुर्याद् । यद्वाऽऽधवनीये समवनयति–तदेवैष उभयो यज्ञस्य रसः सं सृज्यते । अथ होतृचमसे वसतीवरीर्गृह्णाति–निग्राभ्याभ्यः । तद् यदुपर्युपरि चात्वालं संस्पर्शयाति । अतो वै देवा दिवमुपोदक्रामन् । तद् यजमानमेवैतत् स्वर्ग्यं पन्थानमनु सङ्ख्यापयाति ॥ ३० ॥

त आयन्ति । तं होता पृच्छति–"अध्वर्योऽवेरपा३ऽ" इति । "अविदोऽपा३ऽ" इत्येवैतदाह । तं प्रत्याह–"उतेव नन्नमुः" इति । अविदम् । अथो मेऽनंसत इत्येवैतदाह ॥ ३१ ॥

स यद्यग्निष्टोमः स्यात्–यदि प्रचरण्यां संस्रवः परिशिष्टोऽलं होमाय स्यात्–तं जुहुयात् । यद्यु नालं होमाय स्यात्–अपरं चतुर्गृहीतमाज्यं गृहीत्वा जुहोति–"यमग्ने पृत्सु मर्त्यमवा वाजेषु

सर्गवशान्नयन्तीत्यनुषज्यते । एवं कुर्वतां पूर्वेद्युराहृतस्य यज्ञरसस्य, अद्याहृतस्य च संसर्ग एवोपेक्षितः स उपरिष्टात् आधवनीये समवनयनाद् भविष्यति; अतः 'तत् तथा न कुर्यात्' इत्यर्थः । यदुक्तम्–"होतृचमसे वसतीवरीः कृत्वा यजमानाय प्रयच्छति निग्राभ्याः" (का. श्रौ. सू. ९।४७) इति, तदेतदाह–**अथ होतृचमस** इति । आग्नीद्रहस्तस्थं होतृचमसमध्वर्युरादाय पूर्वेद्युराहृता 'वसतीवरीः' अध्वर्युः गृह्णाति' । कस्मै उपयोगाय ? 'निग्राभ्याभ्यः' होतृचमसे निगृह्यमाणत्वात् "निग्राभ्या" इति सञ्ज्ञा; निग्राभ्यासु च्यावयति, निग्राभ्यासु संसिञ्चति, इत्येवमर्थाय । पूर्वं यदुक्तम्–"यश्चासौ पूर्वेद्युरित्यादिना वसतीवरीमैत्रावरुणचमसयोः संसर्गार्थवाद उक्तः । इदानीं तस्य संसर्गस्य चात्वालोपरिभाविच्वम्, तत् प्रशंसति–**तद्यदुपर्युपरि चात्वालमिति** । 'अतः' अस्माच्चात्वालोपरिप्रदेशात् 'देवा दिवमुपोदक्रामन्' 'तत्' तस्मात् कारणात् 'एतत्' एतेन चात्वालोपरि संस्पर्शेन 'यजमानम्' अयं स्वर्गस्य पन्था इति 'पन्थानम्' 'अनुसङ्ख्यापयति अनुक्रमेण सङ्ख्यापयति सम्यक् प्रख्यापयतीति प्रकाशयतीति यावत् ॥ ३० ॥

त आयन्तीति । अथाध्वर्युमुद्दिश्याब्विषयं होतुः प्रश्नमवतारयति–**तं होता पृच्छत्यध्वर्योऽवेरपा ३ इति** । 'तम्' अध्वर्युं होता 'पृच्छति', हे 'अध्वर्यो !' 'अपः' उदकानि 'अवेः' लब्धवानसि । "प्लुतिः प्रश्नार्थे" (पा. सू. ८।२।१००) । "अवेः"–इत्यस्य 'अविदः' इत्यर्थ इति व्याचष्टे–**अविदोऽपा ३ इत्येवैतदाहेति** । अथाध्वर्योर्होतारं प्रति प्रतिवचनमाह–**तं प्रत्याहोतेव नन्नमुरितीति** (का. श्रौ. सू. ९। ४८) वयमिदानीं न केवलमपो लब्धार एव, अपि च 'नन्नमुः' अत्यर्थमानता अभवन् । प्रतिवचनस्य तात्पर्यमाह–**अविदमथो मेऽनंसतेत्येवैतदाहेति** । 'अविदम्' अपो लब्धवानस्मि 'अथो' अपि च मे आपः 'अनंसत' आनता आगता अभूवन् 'इत्येव' 'एतत्' उत्तररूपं वाक्यम् 'आह' ॥ ३१ ॥

यदुक्तं सूत्रकृता–"प्रचरणीसंस्रवमग्निष्टोमे जुहोत्यभावे चतुर्गृहीतं यमग्न इति, । उक्थ्ये प्रथमं परिधिमालभते,

---

१–शांखायनो होता वेत् । अध्वर्यवै वीरपा ३ इत्यध्वर्युं पृच्छति । आश्वलायनश्चेत् । अवेरपोऽध्वर्यो३ इत्यध्वर्युं पृच्छति । शतपथे तु अध्वर्योऽवेरपा ३ इति पृच्छति । का. सूत्रकर्कभाष्ये तु अवेरपोऽध्वर्यो इति ।

गृहीत्वा जुहोति यमग्ने पृत्सु मर्त्यमवा वाजेषु यं जुनाः ॥ स यन्ता शश्वतीरिषः स्वाहेत्याग्नेय्या जुहोत्यग्निर्वा ऽअग्निष्टोमस्तदग्नावग्निष्टोमं प्रतिष्ठापयति मर्त्तवत्या पुरुषसम्मितो वा ऽअग्निष्टोमऽएवं जुहुयाद्यद्यग्निष्टोमः स्यात् ॥ ३२ ॥

(ख) यद्युक्थ्यः स्यात् । (न्म) मध्यमं परिधिमुपस्पृशेत्त्रयः परिधयस्त्रीण्युक्थान्येतैरु हि तर्हि यज्ञः प्रतितिष्ठति यद्यु ऽअतिरात्रो वा षोडशी वा स्यान्नैव जुहुयान्न मध्यमं परिधिमुपस्पृशेत्समुद्यैव तूष्णीमेत्य प्रपद्येत तद्यथायथं यज्ञक्रतून्व्यावर्त्तयति ॥ ३३ ॥

" यं जुनाः स यन्ता शाश्वतीरिषः स्वाहा "–(वा. सं. ६ । २९) इत्याग्नेय्या जुहोति । अग्निर्वाऽअग्निष्टोमः । तद् अग्नावग्निष्टोमं प्रतिष्ठापयति । मर्तवत्या । पुरुषसम्मितो वाऽअग्निष्टोमः । एवं जुहुयाद्–यद्यग्निष्टोमः स्यात् ॥ ३२ ॥

यद्युक्थ्यः स्यात् । मध्यमं परिधिमुपस्पृशेत् । त्रयः परिधयः–त्रीण्युक्थानि । एतै रु हि तर्हि यज्ञः प्रतितिष्ठति । यद्युऽअतिरात्रो वा षोडशी वा स्यात्–नैव जुहुयात् । न मध्यमं परिधिमुपस्पृशेत् । समुद्यैव तूष्णीमेत्य प्रपद्येत । तद् यथायथं यज्ञक्रतून् व्यावर्तयति ॥ ३३ ॥

प्रविशत्येवान्यत्र "–(का. श्रौ. सू. ९ । ४९, ५०, ५१) इति, तदेतत् क्रमेण दर्शयन्नादावग्निष्टोममाह–**स यद्यग्निष्टोमः स्यादिति** । ' सः ' वर्तमानः क्रतुरग्निष्टोमसंस्थश्चेत् ' प्रचरण्यां ' यः ' संस्रवः अवशिष्टः ' होमाय ' ' अलम् ' पर्याप्तः ' स्यात्, ' तदा ' तम ' एव जुहुयात् ' नो चेत् पुनश्च ' चतुर्गृहीतमाज्यं ' ' गृहीत्वा ' " यमग्ने पृत्सु "–इति मन्त्रेण जुहुयात् । मन्त्रस्यायमर्थः–हे ' अग्ने ! ' ' यम् ' ' मर्त्यं ' मनुष्यं ' पृत्सु ' संग्रामेषु ' अवाः ' रक्षसि, तथा ' वाजेषु ' अन्नेषु निमित्तभूतेषु ' यम् ' मर्त्यं ' जुनाः ' जवतिर्गत्यर्थः । प्राप्तवानसि, ' सः ' उभयविषयो जनः ' शश्वतीः ' शाश्वतीः ' इषः ' अन्नानि ' यन्ता ' प्राप्तवान् भवति; ' स्वाहा ' सुहुतमस्तु । मन्त्रस्याग्नेयत्वं प्रकृते ज्योतिष्टोमकर्मणि सङ्गतमिति व्याचष्टे–**आग्नेय्या जुहोतीति** । **अग्निर्वा अग्निष्टोम इति** । यज्ञायज्ञीयस्यान्तिमस्तोत्रस्याग्निदेवताकत्वात् अग्निष्टोमोऽग्निः; ततोऽन्यात्मकमग्निष्टोममाग्नेय्या होमेन ' अग्नौ ' एव प्रतिष्ठापितवान् भवति । मन्त्रे यन्मर्त्यलिङ्गकत्वम्, तत् प्रशंसति–**मर्त्तवत्त्या पुरुषसम्मितो वा अग्निष्टोम** इति । " द्वौ स्तोमौ प्रातस्सवनं वहतो यथा प्राणश्चापानश्च " इत्युपक्रम्य तैत्तिरीयके " पुरुषसम्मितो वा एष यज्ञः " (तै. सं. ७ । १ । १ । १) इति श्रुतत्वात् पुरुषसम्मितत्वमस्य यतः, अत एवैतया मर्त्तवत्या होमो युक्त इत्यर्थः । निगमयति–**एवं जुहुयात् तद्यग्निष्टोमः स्यादिति** ॥ ३२ ॥

उक्थसंस्थायां तु कथमित्यत आह–**यद्युक्थ्यः स्यान्मध्यमं परिधिमुपस्पृशेदिति** । (का. श्रौ. सू. ९।५०) अग्नेः परितो निधीयमाना परिधयः । प्राच्यां दिशि सूर्यस्यैव परिधित्वात् ते त्रय एव । ' उक्थानि ' अग्निष्टोमादुपारि उक्थसंस्थे क्रतौ स्तोतव्यानि " त्रीणि " उक्थस्तोत्राणि । अस्तु त्रित्वम्, किं तत इत्यत आह–

(त्यु)अयुङ्गा ऽअयुङ्गा ऽएकधना भवन्ति। त्रयो वा पञ्च वा पञ्च वा सप्त वा सप्त वा नव वा नव वैकादश वैकादशं वा त्रयोदश वा त्रयोदश वा पञ्चदश वा द्वन्द्वमह मिथुनं प्रजननमथ य एष एकोऽतिरिच्यते स यजमानस्य श्रियमभ्यतिरिच्यते स वा एषाᳪ सधनं यो यजमानस्य श्रियमभ्यतिरिच्यते तद्यदेषाᳪ सधनं तस्मादेकधना नाम ॥ ३४ ॥

इति सप्तमप्रपाठके चतुर्थं ब्राह्मणम् ॥ ७ । ४ ॥ (९. ३.)

अयुङ्गा अयुङ्गा एकधना भवन्ति। त्रयो वा पञ्च वा। पञ्च वा सप्त वा। सप्त वा नव वा। नव वा एकादश वा। एकादश वा त्रयोदश वा। त्रयोदश वा पञ्चदश वा। द्वन्द्वमह मिथुनं प्रजननम्। अथ य एष एकोऽतिरिच्यते—स यजमानस्य श्रियमभ्यतिरिच्यते। स वा एषां सधनम्—यो यजमानस्य श्रियमभ्यतिरिच्यते। तद् यदेषां सधनम्—तस्मादेकधना नाम ॥ ३४ ॥

एतैरु हि तर्हीति। यतः 'एतैः' उक्थैः यज्ञः 'प्रतितिष्ठति', अतस्त्रिषु परिधिषु 'मध्यमं परिधिं' पश्चादिग्गतं प्रचरण्या 'उपस्पृशेत' अतिरात्रषोडशिनोस्तु कथमित्यत आह—**यद्यु अतिरात्रो वा षोडशी वा, स्यात्** (का. श्रौ. सू. ९। ९१।) इति तत्रोभयत्र होममुपस्पर्शनं च न कुर्यात्, किन्तु 'समुद्रैव' "यमग्ने पृत्सु"—इति मन्त्रमुक्त्वैव 'तूष्णीमेत्य' देवयजनं 'प्रपद्येत'। 'तत्' तथा सति क्वचिद्धोमः क्वचित् परिधिसंस्पर्शः, क्वचित् तूष्णीमिति 'यथायथं' पृथक्पृथक्प्रकारेण 'यज्ञक्रतून्' अग्निष्टोमादिकान् 'व्यावर्त्तयति' परस्परव्यावृत्तान् करोति। तथाच तैत्तिरीयकम्—"यदग्निष्टोमो जुहोति यदुक्थः परिधौ निर्मार्ष्टि यदतिरात्रो यजुर्वदन् प्रपद्यते यज्ञक्रतूनां व्यावृत्त्यै"—(तै. सं. ६। ४। २। ९) इति। कात्यायनस्तु अतिरात्रषोडशिनौ प्रति विकल्पमुक्तवान्—"रराट्यालम्भनं वा षोडशिनि, छदिरतिरात्रे" (का. श्रौ. ९। ९२)—इति ॥ ३३ ॥

इदानीमेकधननामघटानामयुग्मसङ्ख्याविकल्पमाह—**अयुङ्गा अयुङ्गा एकधना भवन्तीति**। वक्ष्यमाणत्रिपञ्चादिपक्षबहुत्वाभिप्रायेण वीप्सा। 'अयुङ्गाः' त्रिःपञ्चादयः। तानेवायुग्मविकल्पानुदाहरति—**त्रयो वा पञ्च** वेत्यादिना। त्रयो वा पञ्च वेत्येकोऽयुग्मविकल्पः, पञ्च वा सप्त वेत्यपरः। एवमुत्तरेष्वपि द्रष्टव्यम्। तथा चासादनप्रस्तावे कात्यायनः—"प्रत्यगेकधनानयुग्मानुदहरणांस्त्रिप्रभृत्यापञ्चदशभ्यः"—(का. श्रौ. सू. ९। ३७) इति ॥

अथ युग्मसङ्ख्यया एकधनशब्दनिर्वचनं प्रदर्शयन् प्रशंसति—**द्वन्द्वमह मिथुनं प्रजननमथ य एष एकोऽतिरिच्यत** इत्यादिना। एषु विकल्पेषु मध्ये यदि त्रयस्तदा द्वावेकं द्वन्द्वं तृतीयोऽतिरिच्यते; यदि पञ्च, तदा द्वे द्वन्द्वे पञ्चमोऽतिरिच्यते। एवं सप्त-नवैकादश-त्रयोदश-पञ्चदशस्वपि योज्यम्। तत्र यत् 'द्वन्द्वं' तत् 'मिथुनम्', तच्च यजमानस्य पुत्रपौत्रादिप्रजननरूपम्; 'य एषोऽतिरिच्यते' तृतीयादिकः 'सः' सर्वोऽपि 'यजमानस्य' 'श्रियम्' 'अभि' लक्ष्य 'अतिरिच्यते'। 'स वै' सोऽतिरिक्तः 'एषां' विकल्पितानां युग्मानां 'सधनम्' समानमेकमेव धनम्; तदन्तःपातित्वात्। यस्मादपां सधनमासीत् अतिरिक्तः 'तस्मात्' अयुग्मसङ्ख्याका उदकविशेषा एकधननामकाः सम्पन्नाः। अत एकधनात्मकत्वात् अयुग्मसङ्ख्याका एकधनाः प्रशस्ता इति स्तुतिः ॥ ३४ ॥

इति श्रीसायणाचार्यविरचिते माधवीये वेदार्थप्रकाशे माध्यन्दिनशतपथब्राह्मणभाष्ये तृतीये काण्डे नवमाध्याये तृतीयं ब्राह्मणम् ॥ ३-९-३ ॥

अथाधिषवणे पर्युपविशन्ति । (न्त्य) अथास्याꣳहिरण्यं बध्नीते द्वयं वा ऽइदं न तृतीयमस्ति सत्यं चैवानृतं च सत्यमेव देवा अनृतं मनुष्या अग्निरेतसं वै हिरण्यꣳ सत्येनाꣳशूनुपस्पृशानि सत्येन सोमं पराहणानीति तस्माद्वा ऽअस्याꣳ हिरण्यं बध्नीते ॥ १ ॥

(तेऽथ) अथ ग्रावणमादत्ते । ते वाऽएतेऽश्ममया ग्रावाणो भवन्ति देवो वै सोमो दिवि हि सोमो वृत्रो वै सोम ऽआसीत्तस्यैतच्छरीरं यद्गिरयो यदश्मानस्तच्छरीरेणैवैनमेतत्समर्द्धयति कृत्स्नं करोति तस्मादश्ममया भवन्ति घ्नन्ति वा ऽएनमेतद्यदभिषुण्वन्ति तमेतेन घ्नन्ति तथातऽउदेति तथा सञ्जीवति तस्मादश्ममया ग्रावाणो भवन्ति ॥ २ ॥

अथ निग्राभ्याप्रयोगः ।

अथाधिषवणे पर्युपविशन्ति । अथास्यां हिरण्यं बध्नीते । द्वयं वाऽइदं न तृतीयमस्ति—सत्यं चैवानृतं च । सत्यमेव देवाः, अनृतं मनुष्याः । अग्निरेतसं वै हिरण्यम् । सत्येनांशूनुपस्पृशानि, सत्येन सोमं पराहणानीति । तस्माद्वाऽअस्यां हिरण्यं बध्नीते ॥ १ ॥

अथ ग्रावाणमादत्ते । ते वाऽएतेऽश्ममया ग्रावाणो भवन्ति । देवो वै सोमः । दिवि हि सोमः । वृत्रो वै सोम आसीत् । तस्यैतच्छरीरम्—यद्गिरयः, यदश्मानः । तच्छरीरेणैवैनमेतत्समर्द्धयति—कृत्स्नं करोति । तस्मादश्ममया भवन्ति । घ्नन्ति वाऽएनमेतद्; यदभिषुण्वन्ति । तमेतेन घ्नन्ति । तथा त उदेति, तथा सञ्जीवति । तस्मादश्ममया ग्रावाणो भवन्ति ॥ २ ॥

इत्थमभिषवसाधनानामपां ग्रहणमभिधाय अथ सोमाभिषवप्रयोगं वक्तुमुपक्रमते—अथाधिषवणे पर्युपविशन्तीति (का. श्रौ. सू. ९ । ५६) । 'अधि' उपरि सूयेते इत्यधिषवणे दारुमये फलके, तयोरुपरि ते 'उपविशन्ति' । उपवेशनप्रकारः सूत्रे दर्शितः—"उत्तरतोऽध्वर्युयजमानौ, पूर्वोऽध्वर्युः, अपरेण परीत्येतरे त्रयः देवस्य त्वेत्यादिना (का. श्रौ. सू. ९ । ५७–५९) । 'इतरे' अध्वर्युपुरुषा इत्यर्थः । हिरण्यबन्धनं विधाय, तत् सत्यरूपत्वेन प्रशंसति—अथास्यां हिरण्यं बध्नीते द्वयं वा इदं न तृतीयमस्तीत्यादिना । 'अस्याम्' अनामिकांगुल्यामित्यर्थः । "द्वयं वा" इत्यादि । प्रागसकृद् व्याख्यातम् (श. प. ब्रा १ । १ । १ । ४) १ । ३ । २३ कं.) अग्नेतस्त्वं हिरण्यस्येत्थं श्रूयते—"आपो वरुणस्य पत्नय आसन्, ता अग्निरभ्यध्यायत्, ताः समभवत्, तस्य रेतः परापतत्, तद्धिरण्यमभवत्" इति । (तै. सं. ५ । ५ । ४ । १) अध्वर्योर्मनुष्यत्वेनानृतरूपत्वात् सत्यभूतस्याग्निरेतसो हिरण्यस्यात्राभिषवसमये स्पर्शनेनानृतबाधात् 'सत्येन' 'अंशून्' सोमांशून् 'उपस्पृशानि,' 'सत्येन' 'सोमम्' 'पराहणानि' अभिषुणोमीत्यभिप्रायेण हिरण्यं बध्नीयात् ॥ १ ॥

अथेति । 'अथ' अंशुग्राहाभिषवार्थम् अध्वर्युः 'ग्रावाणमादत्ते' । अभिषवसाधनस्य ग्राव्णोऽश्ममयत्वं विधाय प्रशंसति—ते वा एत इति । सोमस्य देवत्वसमर्थनाय दिवि हीति । 'हि'—शब्दः "तृतीयस्यामितो दिवि सोम आसीत्" (तै. सं. ३ । ५ । ७ । १) इत्यादिश्रुत्यन्तरप्रसिद्ध्यर्थः । तस्य द्युस्थस्य सोमस्य वृत्रत्वप्रकारः प्राग्वर्णितः (श. प. ३ । ६ । ३ । १३) । तस्य वृत्रीभूतस्य सोमस्य 'शरीरं' परिदृश्यमानाः

तमादत्ते । देवस्य त्वा सवितुः प्रसवेऽश्विनोर्बाहुभ्यां पूष्णो हस्ताभ्यामाददे ग्रावासीति सविता वै देवानां प्रसविता तत्सवितृप्रसूत एवैनमेतदादत्तेऽश्विनोर्बाहुभ्यामित्यश्विनावध्वर्यू तत्तयोरेव बाहुभ्यामादत्ते न स्वाभ्यां पूष्णो हस्ताभ्यामिति पूषा भागदुघस्तत्तस्यैव हस्ताभ्यामादत्ते न स्वाभ्यां वज्रो वा ऽएष तस्य नु मनुष्यो भर्त्ता तमेताभिर्देवताभिरादत्ते ॥ ३ ॥

(त्तऽ) आददे ग्रावासीति । यदा वा ऽएनमेतेनाभिषुण्वन्त्यथाहुतिर्भवति यदाहुतिं जुहोत्यथ दक्षिणा ददात्येतद्द्वयेषु द्वयꣳ रासत ऽआहुतीश्च दक्षिणाश्च तस्मादाह ग्रावासीति ॥ ४ ॥

तमादत्ते–" देवस्य त्वा सवितुः प्रसवेऽश्विनोर्बाहुभ्यां पूष्णो हस्ताभ्यामाददे रावासि "–(वा. सं. ६।३०) इति । सविता वै देवानां प्रसविता । तत् सवितृप्रसूत एवैनमेतदादत्ते–अश्विनोर्बाहुभ्यामिति–अश्विनावध्वर्यू । तत् तयोरेव बाहुभ्यामादत्ते–न स्वाभ्याम् । पूष्णो हस्ताभ्यामिति । पूषा भागदुघः तत् तस्यैव हस्ताभ्यामादत्ते न स्वाभ्याम् । वज्रो वाऽएष तस्य न मनुष्यो भर्ता तमेताभिर्देवताभिरादत्ते ॥ ३ ॥

आददे रावासीति । यदा वाऽएनमेतेनाभिषुण्वन्ति–अथाहुतिर्भवति । यदाहुतिं जुहोति–अथ दक्षिणा ददाति । एतद्द्वयेष द्वयं रासते–आहुतीश्च दक्षिणाश्च । तस्मादाह–रावासीति ॥ ४ ॥

' गिरयः ' तदवयवाः ' अश्मानः ' । अतः ' एतत् ' एतेन ग्राव्णामश्ममयत्वकरणेन ' एनं ' सोमं समृद्धं कृतवान् भवति । न हि स्वशरीरं स्वस्य बाधकं भवति, अतस्तेनाभिषवणापि समृद्धिरेवेत्यर्थः । किञ्चापरावयविनौ विश्लिष्टाविदानीं सोमाभिषवव्याजेन सम्बन्धयन् सोमं ' कृत्स्नं ' सकलं कृतवान् भवति । किञ्चाभिषवो नामास्य वधः, तं कुर्वन्तोऽप्येते अश्ममया ग्रावाणः तदवयवत्वात् ' न घ्नन्ति ' न हिंसन्ति । ' अतः ' ' अस्मात् ' अभिषवस्थानात् सोमः ' उदेति ' पुनरुदितो भवति । तथैव ' सञ्जीवति ' च पुनः सम्यग्जीवोपेतो भवति । तस्मादिति पुनरुपसंहारः ॥ २ ॥

अथ तत्र मन्त्रं विधाय व्याचष्टे–तमादत्ते देवस्य त्वेत्यादिना । गतमेवैतत् । पूषा भागदुघ इति । " दुहेः कब्घश्च "–(पा. सू. ३ । २ । ७०) इति कप्, घकारश्च । किं कारणं सवित्राद्यभिधानम् ? उच्यते–वज्रो वा एष इति । ' एषः ' ग्रावाप्रक्षेपसाधनत्वसाम्यात् सारवत्त्वाच्च ' वज्रः ' ' अतः ' ' तस्य ' अस्य देवः ' भर्ता ' स्वामी ' न मनुष्यः '; यत एवमतः ' तं ' ग्रावाणम् ' एताभिः ' सवित्रादिभिः ' देवताभिः ' ' आदत्ते ' अध्वर्युः ॥ ३ ॥

आददे रावासीति । मन्त्रभागे ग्रावाणं सम्बोध्य त्वं रावासीति मन्त्रोऽभिवक्ते, तस्य तथात्वं कुत इत्याशङ्क्य परम्परया भविष्यतीत्युपपादयति–यदा वा एनमेतेनाभिषुण्वन्तीत्यादिना । अभिषवाभावे आहुत्यसम्भवात्, आहुत्यभावे दक्षिणानामप्रसक्तेः ' आहुतीश्च दक्षिणाश्च ' इति ' एतद् ' द्वयम् ' एषः ' ग्रावा ' रासते '

१–' देवस्यत्वेत्यद्रिमादाय ' का. श्रौ. सू. ९ । ५९ ।

गभीरुमिमुमध्वरं कृधीति । (त्य) अध्वरो वै यज्ञो महान्तमिमं यज्ञं कृधीत्येवैतुदाहेन्द्राय सुषूतममितीन्द्रो वै यज्ञस्य देवुता तुस्मादाहेन्द्रायेति सुपूतमुमिति सुसुतममित्येवैतुदाहोत्तमेन पविनेत्येष वा ऽउत्तमः पविर्य-त्सोमस्तुस्मादाहोत्तमेन पविनेत्यूर्ज्जस्वन्तं मुधुमन्तं पयस्वन्तमिति रस-वन्तमित्येवैतुदाह यदाहोर्ज्जस्वन्तं मुधुमन्तं पयस्वन्तमिति ॥ ५ ॥

(त्यु) अथ व्वाचं यच्छति । देवा ह वै यज्ञं तन्वानास्तेऽसुररक्षसेभ्य

" गभीरमिममध्वरं कृधि "-(वा. सं. ६ । ३०) इति । अध्वरो वै यज्ञः । महान्तमिमं यज्ञं कृधीत्येवैतदाह । " इन्द्राय सुषूतमम् "-(वा. सं. ६ । ३०) इति । इन्द्रो वै यज्ञस्य देवता । तस्मादाह-इन्द्रायेति । सुषूतममिति । सुसुतममित्येवैतदाह । " उत्तमेन पविना "-(वा. सं. ६ । ३०) इति एष वाऽउत्तमः पविः-यत्सोमः । तस्मादाह उत्तमेन पविनेति । " ऊर्ज्ज-स्वन्तं मधुमन्तं पयस्वन्तम् "-(वा. सं. ६।३०) इति । रसवन्तमित्येवैतदाह-यदाह ऊर्ज्जस्वन्तं मधुमन्तं पयस्वन्तमिति ॥ ५ ॥

अथ वाचं यच्छति । देवा ह वै यज्ञं तन्वानाः । तेऽसुररक्षसेभ्य आसङ्गाद्बिभयाञ्चक्रुः । ते होचुः-उपांशु यजाम, वाचं यच्छामेति । तऽउपांश्वयजन्, वाचमयच्छन् ॥ ६ ॥

ददाति । अतो 'रासत इति रावेति; रासतेर्दानार्थात्' (निरु० ३।२२।५) रावशब्दो निष्पन्न इत्यभिप्रायेण मन्त्रो ' रावासीति आह ' इत्यर्थः ॥ ४ ॥

गभीरमिममध्वरमिति मन्त्रं व्याचष्टे-योऽयम् ' अध्वरः ' सः ' यज्ञः ' ' वै ' एव, उभौ शब्दौ पर्यायावित्यर्थः । यदतिगुम्फितत्वेन महत्, तद् ' गभीरम् ' इति लोके व्यवह्रियते । अतो गभीरे महत्वदर्शनात् ' इमम् अध्वरं महान्तं कृधि ' ' इत्याह ' मन्त्रः । सुषूतममित्यत्र सुसुतममिति वक्तव्ये सकारलोपो दीर्घश्च छान्दस इत्यभिप्रायेण व्याचष्टे-**सुपूतममिति सुसुततममित्येवैतदाहेति** । पविशब्दस्य वज्रादौ प्रसिद्धत्वा-दत्र सोमार्थ इति व्याचष्टे-**एष वा उत्तमः पविः, यत् सोम** इति । पवतिर्गतिकर्मा (निघ. २ । १४ । १०८) पवति, दशापवित्रे स्रवतीति पविः सोमः । अथ वा पविवद् बलरूपत्वात् पविः सोमः । सोम ' इति ' यदस्ति, ' एषः ' सोमः ' उत्तमः ' पविः ' खलु, सोमपानेन प्रबलस्येन्द्रस्य वृत्रादिवधश्रवणादत्र मधुररसानां वाचका ये ऊर्ज-मधु-पयः-शब्दाः, तेषां तात्पर्यतो रस एवार्थ इति व्याचष्टे-**ऊर्जस्वन्तं पयस्वन्तमित्यादिना** । अत्रोर्जमधुपयसां रसविशेषरूपत्वात् सामान्यविशेषरूपादिति भावः । नैते माधुर्यार्थतया प्रसिद्धाः, अतः कथं त एवं सङ्गच्छन्त इत्यस्या आशङ्काया अपनोदनाय, पुनर्निर्देशः कृतः-**यदाहोर्जस्वन्तं मधुमन्तं पयस्वन्त-मितीति** । मन्त्रस्यायमर्थः-हे ग्रावन् ! त्वं ' रावासि ', अतस्त्वां ' सवितुः देवस्य ' अनुज्ञायां सत्याम् ' अश्विनोर्बाहुभ्यां ' ' पूष्णो हस्ताभ्याम् ' च ' आददे ' । उक्तो बाहुहस्तविभागः । ' इदम् ' ' अध्वरं ' यज्ञं ' गभीरं ' महान्तं ' कृधि ' कुरु । ' इन्द्राय ' इन्द्रार्थं ' सुषूतमं ' सुष्ठ्वभिषुतं कुरु । ' उत्तमेन पविना ' सोमेन युक्तं चेममध्वरम् ऊर्जादिराश्रयभूतरसोपेतं कुर्विति ॥ ५ ॥

अथ वाचं यच्छतीति । वाग्यमनार्थवादो देवा ह वा इत्यादिः, प्राग्व्याख्यातः । वाग्यमनस्यावधिः

आसङ्गादिभयाच्चक्रुस्ते होतुरुपाᳪंशु यजाम व्वाचं यच्छामेति तु-ऽउपाᳪंश्वयजन्वाचमयच्छन् ॥ ६ ॥

(ब्र)अथ निग्राभ्या आहरति । तास्वेनं व्वाचयति निग्राभ्या स्थ देवश्रुतस्तर्पयत मा मनो मे तर्पयत व्वाचं मे तर्पयत प्राणं मे तर्पयत चक्षुर्मे तर्पयत श्रोत्रं मे तर्पयतात्मानं मे तर्पयत प्रजां मे तर्पयत पशून्मे तर्पयत गणान्मे तर्पयत गणा मे मा व्वितृषन्निति रसो वा ऽआपस्तास्वेवैतामाशिषमाशास्ते सर्वं च म ऽआत्मानं तर्पयत प्रजां मे तर्पयत पशून्मे तर्पयत गणान्मे तर्पयत गणा मे मा व्वितृषन्निति स य एष उपाᳪंशुसवनः स व्विवस्वानादित्यो निदानेन सोऽस्यैष व्यानः ॥ ७ ॥

अथ निग्राभ्या आहरति । तास्वेनं वाचयति–"निग्राभ्यास्थ देवश्रुतस्तर्पयत, मा मनो मे (६।३०।) तर्पयत, वाचं मे तर्पयत, प्राणं मे तर्पयत, चक्षुर्मे तर्पयत, श्रोत्रं मे तर्पयत, आत्मानं मे तर्पयत, प्रजां मे तर्पयत पशून्मे तर्पयत, गणान्मे तर्पयत, गणा मे मावितृषन्"–(वा. सं. ६ । ३१) इति । रसो वाऽआपः । तास्वेवैतामाशिषमाशास्ते । सर्वञ्च मऽआत्मानं तर्पयत, प्रजां तर्पयत, पशून्मे तर्पयत, गणान्मे तर्पयत, गणा मे मा वितृषन्निति । स य एष उपांशुसवनः–स विवस्वानादित्यो निदानेन । सोऽस्यैष व्यानः ॥ ७ ॥

सूत्रे दर्शितः–" देवस्य त्वेत्यद्रिमादाय, वाचं यच्छति प्राग्विङ्गारात् "–(का. श्रौ. सू. ९ । १९) इति॥६॥

यदुक्तं सूत्रकृता–" निग्राभ्या सुवाचयति उरस्येना निगृह्य निग्राभ्याः स्थेति " (का. श्रौ.सू.९।६१)तदिदमाह–अथ निग्राभ्या आहरति, तास्वेनं वाचयति निग्राभ्याः स्थ देवश्रुत इत्यादिना । ' तासु ' आगतासु ' एनं ' यजमानं ' निग्राभ्याः स्थ ' इत्यादि-मन्त्रं ' वाचयति ' अध्वर्युः । हे आपः ! ' देवश्रुतः ' देवेषु प्रसिद्धाः सत्यो यूयं ' निग्राभ्याः स्थ ' इन्द्रेणोरसि गृहीतत्वात् । वक्ष्यति हि–" तद्यदेना उरसि न्यगृह्णीत, तस्मान्निग्राभ्या नाम " इति । तादृश्यो यूयं ' मा ' मां ' तर्पयत ' प्रीणयत ॥

सङ्गृह्योक्तमवयवशोऽभिधत्ते–मनो म इत्यादिना । ' आत्मानं ' शरीरम् । ' प्रजां ' पुत्रादिकाम् । ' गणान् ' बन्धुभृत्यादीन् । युष्माभिस्तर्पिता अस्मदीयाः ' गणाः ' ' मा वितृषन् ' विवृद्धतृष्णा मा भूवन् । आपः स्वल्पमेव तर्पणसाधनं द्रव्यम्, तर्पयितव्यास्तु बहवः, अतस्तासां तादृशी शक्तिः कुत इत्याशङ्कायामाह–रसो वा आपस्तास्वेवैतामाशिषमाशास्त इति । अपां ' रसरूपत्वात् तारवप्स्वेवैतां तृप्तिरूपामाशिषमाशास्ते; अतः सारवतामाशासनं युक्तम् । मन आदिकं सर्वमपि सङ्गृह्यानुवदति–सर्वं च म इति । आत्मानमित्यादिर्विविच्यानुवादः ॥

" उपांशुसवने सोमं मिमीत इन्द्राय त्वा वसुमत " इत्यादिसूत्रोक्तमर्थं दर्शयति–य एष उपांशुसवनः, स विवस्वानादित्यो निदानेन सोऽस्यैष व्यान इति । उपांशुग्रहार्थः सोमोऽभिषूयते येन, स ' उपांशु-

(स्तु) तमुभिमिमीते । घ्नन्ति वा ऽएनमेतद्यदभिषुण्वन्ति तमेतेन घ्नन्ति तथात उदेति तथा सञ्जीवति यद्वेव मिमीते तस्मान्मात्रा मनुष्येषु मात्रो यो चाप्यन्या मात्रा ॥ ८ ॥

स मिमीते । (त ऽ) इन्द्राय त्वा वसुमते रुद्रवत ऽइतीन्द्रो वै यज्ञस्य देवता तस्मादाहेन्द्राय त्वेति वसुमते रुद्रवत इति तदिन्द्रमेवानु वसूंश्च रुद्रांश्चाभजतीन्द्राय त्वादित्यवत ऽइति तदिन्द्रमेवान्वादित्यानाभजतीन्द्राय त्वाभिमातिघ्न ऽइति सपत्नो वा ऽअभिमातिरिन्द्राय त्वा सपत्नघ्न ऽइत्येवैतदाह सो ऽस्योद्धारो यथा श्रेष्ठस्योद्धार एवमस्यैष ऽऋते देवेभ्यः ॥ ९ ॥

तमभिमिमीते । घ्नन्ति वाऽएनमेतद्–यदभिषुण्वति । तमेतेन घ्नन्ति । तथा त उदेति, तथा सञ्जीवति । यद्वेव मिमीते–तस्मान्मात्रा–मनुष्येषु । मात्रो यो चाप्यन्या मात्रा ॥ ८ ॥

स मिमीते–" इन्द्राय त्वा वसुमते रुद्रवते "–(वा. सं. ६ । ३२) इति । इन्द्रो वै यज्ञस्य देवता । तस्मादाह–इन्द्रायत्वेति, वसुमते रुद्रवत इति । तदिन्द्रमेवानु वसूंश्च रुद्रांश्चाभजति । " इन्द्राय त्वादित्यवते "–(वा. सं. ६ । ३२) इति । तदिन्द्रमेवान्वादित्यानाभजति । " इन्द्राय त्वाभिमातिघ्न "–(वा. सं. ६ । ३२) इति । सपत्नो वाऽअभिमाति । इन्द्राय त्वा सपत्नघ्नऽइत्येवैतदाह । सोऽस्योद्धारो–यथा श्रेष्ठस्योद्धारः–एवमस्यैष–ऋते देवेभ्यः ॥ ९ ॥

सवनः ' पाषाणः; ' सः ' ' निदानेन ' मूलकारणविचारेण विवस्वत्सञ्ज्ञक आदित्य एव । तस्यैवैतदात्मनावस्थानात् । ' स एषः ' ' अस्य ' यज्ञस्य ' व्यानः '; प्राणापानरूपयोरुपांश्वन्तर्यामयोर्मध्ये स्थाप्यत्वात् । " अथ यः प्राणापानयोः सन्धिः स व्यानः "–(छां. ब्रा. ९ । ३ । ३) इति श्रुतेरस्य व्यानत्वम् । उपांशुसवन इति वैदिकी संज्ञा व्यवहारार्था, तदुपांशुसवनेन मिश्रयतीत्येवमर्था ॥ ७ ॥

तमभिमिमीत इति । ' तम् ' उपांशुसवनम् ' अभि ' तस्योपरि सोमं ' मिमीते ' क्रयकालीनमानेन सोमं संस्कुर्यात् । " घ्नन्ति वा " इत्यादिरूपोपांशुसवनरूपोपरिमानार्थवादवद् व्याख्यायमानस्य ग्रावोपरिभावं प्रशस्येदानीं मानं प्रशंसति–**यद्वेव मिमीते तस्मान्मात्रा मनुष्येष्विति** । ' उ ' शब्दोऽप्यर्थः । याऽपि मात्रा सोमे कृता, ' तस्मात् ' सोमस्य मितत्वात् ' मनुष्येषु ' व्यवहारार्थं प्रस्थ-कुडवाढकद्रोणादिका ' मात्रा ' सम्पन्ना । " यो चापि "–इत्यत्र उकारः प्रश्लेषः । ' अपि च ' ' या उ ' च ' अन्या मात्रा ' एकद्वित्र्यादिसङ्ख्याप्रयुक्ता, सापि सोममानप्रयुक्तेत्यर्थः ॥ ८ ॥

सोमोन्माने मन्त्रं विधाय व्याचष्टे–**स मिमीत इन्द्राय त्वा वसुमत** इत्यादिना । इन्द्रस्य विशेष्यतया निर्देशस्य वसुरुद्राणां तद्विशेषणतया निर्देशस्य च प्रयोजनमाह–**इन्द्रो वै यज्ञस्य देवते**त्यादिना । ' यज्ञस्य ' सोमयागस्य ' इन्द्रो देवता '; " प्रातःसुतमपिबो हर्यश्वमाध्यन्दिनं सवनं केवलं ते । समृभुभिः पिबस्व रत्नधेभिः "–(ऋ. सं. ४ । ३२ । ७) इत्यादिमन्त्रलिङ्गात्सवनत्रयेऽपि इन्द्रस्य प्राधान्यात् " इन्द्रो वै यज्ञस्य देवता "–

१–' पात्रो ' इति वैदिकपाठपुस्तके पाठः ।

श्येनाय त्वा सोमभृत ऽइति । तद्गायत्र्यै मिमीतेऽग्नये त्वा रायस्पोषद ऽइत्यग्निर्वै गायत्री तद्गायत्र्यै मिमीते स यद्गायत्री श्येनो भूत्वा दिवः सोममाहरत्तेन सा श्येनः सोमभृत्तेनैवास्या एतद्वीर्येण द्वितीयꣳ मिमीते ॥ १० ॥

(तेऽथ) अथ यत्पञ्चकृत्वो मिमीते । संव्वत्सरसम्मितो वै यज्ञः पञ्च वा ऽऋतवः संव्वत्सरस्य तं पञ्चभिराप्नोति तस्मात्पञ्चकृत्वो मिमीते ॥ ११ ॥

तमभिमृशति । यत्ते सोम दिवि ज्योतिर्यत्पृथिव्यां यदुरावन्तरिक्षे । तेनास्मै यजमानायोरु राये कृद्ध्यधि दात्रे व्वोच ऽइति यत्र वा ऽएषोऽग्रे

"श्येनाय त्वा सोमभृते"-(वा. सं. ६ । ३२) इति । तद् गायत्र्यै मिमीते । "अग्नये त्वा रायस्पोषदे"-(वा. सं. ६ । ३२) इति । अग्निर्वै गायत्री । तद् गायत्र्यै मिमीते । स यद् गायत्री श्येनो भूत्वा दिवः सोममाहरत्-तेन सा श्येनः सोमभृत् । तेनैवास्या एतद्वीर्येण द्वितीयं मिमीते ॥ १० ॥

अथ यत् पञ्चकृत्वो मिमीते । सम्वत्सरसम्मितो वै यज्ञः । पञ्च वा ऽऋतवः सम्वत्सरस्य । तं पञ्चभिराप्नोति । तस्मात्पञ्चकृत्वो मिमीते ॥ ११ ॥

तमभिमृशति-"यत्ते सोम दिवि ज्योतिर्यत् पृथिव्यां यदुरावन्तरिक्षे । तेनास्मै यजमाना-

इत्युक्तम् । 'वसुमते रुद्रवते' इत्यादौ वस्वादेरिन्द्रशेषत्वप्रतीतेः इन्द्रप्रधानभूतं मुख्यं भागिनं कृत्वा वस्वादीनपि 'अन्वाभजति' पश्चाद्भागिनः करोति, इन्द्रस्यानुचरान् कृतवान् भवतीति यावत् । "इन्द्राय त्वाभिमातिघ्ने"-इत्यत्राभिमातिशब्दः सपत्नमभिधत्त इत्याह-सपत्नो वा अभिमातिरिति । "इन्द्राय त्वाभिमातिघ्ने"-इत्यत्र देवतान्तरसम्बन्धवैधुर्यं प्रशंसति-सोऽस्योद्धारो यथा श्रेष्ठस्येति । यथा धान्यादिविभागसमये मुख्यस्य राज्ञो देयो भागः प्रातिस्विकः, तं प्रथममेवापोद्धृत्य पश्चात् स्वं स्वमंशं विभजन्ति, एवं रुद्रवस्विन्द्रेभ्यः देवतान्तरसहभावमन्तरेण केवल उद्धारः कृतो भवति । श्रेष्ठत्वे बीजमभिमातिहन्तृत्वम् । यतोऽयमभिमातिहाः, अत उद्धारार्ह इत्यभिप्रायः ॥ ९ ॥

श्येनाय त्वेति । 'श्येनाय त्वा'-'अग्नये त्वा'-इति वाक्यद्वयस्य तात्पर्यमाह-तद्गायत्र्यै मिमीत इति । 'सोमभृते श्येनाय' इति सोमोन्माने कृते गायत्र्यर्थत्वं कथं स्यादित्याशङ्क्य तदुपपादयति-स यद् गायत्री श्येनो भूत्वा दिवः सोममाहरादिति । अग्न्यर्थमितस्य, गायत्र्यर्थत्वं तु स्पष्टत्वाद् ब्राह्मणे उपेक्षितम् । तत्रेत्थमेवावगन्तव्यम्-"अग्नेर्गायत्र्यभवत्"-इति मन्त्रवर्णात् गायत्र्या निदानमग्निः; अतो जन्यजनकयोरभेदोपचारेण गायत्र्यर्थता स्यादित्यभिप्रेत्य "तद्गायत्र्यै मिमीते"-इत्युक्तम् ॥ १० ॥

मानगतपञ्चसङ्ख्यां प्रशंसति-अथ यत्पञ्चकृत्वो मिमीत इति । "एकमन्त्राणि कर्माणि" इति न्यायस्यौत्सर्गिकत्वान्मन्त्राणां पञ्चत्वान्मानमपि पञ्चकृत्व इत्यर्थसिद्धम् । गवामयनादिसत्रस्य संवत्सरसम्मितयज्ञत्वं प्रसिद्धम् । 'तस्मात्' 'पञ्च कृत्वः' मानं प्रशस्तम् । "इन्द्राय त्वा वसुमते रुद्रवत इति पञ्चकृत्वः प्रतिमन्त्रम्" (का. श्रौ. सू. ९ । ६२) इति सूत्रम् ॥ ११ ॥

मितस्य[१] सोमस्य समन्त्रकमभिमर्शनं विधत्ते-तमभिमृशति यत्ते सोम दिवि ज्योतिरिति । ("यत्त इति

१-'तद्वदनु' इति क. पु. पाठः २-'संवत्सरसाध्यत्वाद्यज्ञः संवत्सरसम्मितः । अतो मानगतपंचसंख्याद्वारेण पंचर्त्वात्मकं संवत्सरसंमितं यज्ञमाप्नोति । इति क. पु. पाठः ।

देवानाᳫँ हविर्बभूव तद्धेक्षाञ्चक्रे मैव सर्व्वेणेवात्मना देवानाᳫँ हविर्भूवमिति
स एतास्तिस्रस्तनूरेषु लोकेषु विन्यधत्त ॥ १२ ॥

तद्धै देवा अस्पृण्वत । तेऽस्यैतेनैवैतास्तनूराप्नुवन्त्स कृत्स्नऽएव देवानाᳫँ
हविरभवत्तथो ऽएवास्यैष ऽएतेनैवैतास्तनूराप्नोति स कृत्स्न एव देवानाᳫँ
हविर्भवति तस्मादेवमभिमृशति ॥ १३ ॥

(त्यु)अथ निग्राभ्याभिरुपसृजति ।(त्या)आपो ह वै वृत्रं जघ्नुस्तेनैवैतद्वीर्ये-
णापः स्यन्दन्ते तस्मादेनाः स्यन्दमाना न किञ्चन प्रतिधारयते ता ह स्वमेव
वशञ्चेरुः कस्मै नु वयं तिष्ठेमहि याभिरस्माभिर्वृत्रो हत इति सर्व्वं वा
ऽइदमिन्द्राय तस्थानुमास यदिदं किञ्चापि योऽयं पवते ॥ १४ ॥

योरु राये कृद्ध्यधि दात्रे वोचः "–(वा.सं. ६।३२) इति । यत्र वाऽएषोऽग्रे देवानां हविर्बभूव । तद्धेक्षाञ्चक्रे–मैव सर्वेणेवात्मना देवानां हविर्भूवमिति । स एतास्तिस्रस्तनूरेषु लोकेषु विन्यधत्त ॥१२॥

तद्धै देवा अस्पृण्वत । तेऽस्यैतेनैवैतास्तनूराप्नुवन् । स कृत्स्न एव देवानां हविरभवत् । तथोऽएवास्यैष एतेनैवैतास्तनूराप्नोति । स कृत्स्न एव देवानां हविर्भवति । तस्मादेवमभिमृशति ॥ १३ ॥

अथ निग्राभ्याभिरुपसृजति । आपो ह वै वृत्रं जघ्नुः । तेनैवैतद्वीर्येणापः स्यन्दन्ते । तस्मादेनाः

मितालम्भनम् " इति का.श्रौ.सू. ९।६३) हे सोम ! 'ते' तव 'यत्' 'ज्योतिः' द्युतिमत्त्वं 'दिवि' अस्ति, 'यत्' 'पृथिव्यां' ज्योतिः वल्लीरूपः सोमः 'यद्' अपि 'उरौ' विस्तीर्णे 'अन्तरिक्षे' षोडशकलात्मकः, 'तेन' सर्वेण तव स्वरूपेण सहितः सन् 'अस्मै' अभिषुण्वते 'यजमानाय' 'राये' तस्य धनार्थम् 'उरु कृधि' प्रभूतं कुरु । तव शरीरमिति शेषः । 'दात्रे' हविःप्रदात्रे 'अधिवोचः' यजमानेन वचनमधिवचनम्, मदीयोऽयं सर्वथा अनुग्राह्य इति प्रब्रूहीत्यर्थः ।

सोमस्य लोकान्तरस्थाय्यंशस्य यत् परिग्रहाभिधानम्, तदाख्यायिकामुखेन प्रशंसति–**यत्र वा एषोऽग्रे देवानामित्यादिना** । 'यत्र' यत्काले 'अग्रे' सृष्टेः प्राक् 'देवानां' 'हविः बभूव' सोमः, 'तत्' तदा अहं 'सर्वेणात्मना' 'देवानां' 'हविः' 'मा भूवम्' न भवामि 'इति' विचार्य, 'एषु' त्रिषु 'लोकेषु' स्वाः 'तनूः' 'विन्यधत्त' विभज्य स्थापितवान् ॥ १२ ॥

तद्धै देवा अस्पृण्वतेति । 'तद्' वृत्तान्तं 'देवाः' 'अस्पृण्वत' । " स्पृ प्रीतिबलनयोः " (धा. पा. स्वा. प. १३) बलोपलक्षितव्यापारं कृतवन्तः, ज्ञातवन्त इत्यर्थः । 'ते' देवाः 'अस्य' अग्नेः 'एताः' लोकत्रयस्थिताः 'तनूः' 'एतेन' " यत् ते सोम दिवि ज्योतिः "–इत्यादिमन्त्रेण 'आप्नुवन्' प्राप्तवन्तः 'सः' 'कृत्स्न एव' अविकल एव 'देवानां हविरभवत्' । तथो एवेत्यादि, दृष्टान्तवाक्यवद्व्याख्येयम् । **तस्मादेवमिति** निगमयति ॥ १३ ॥

अथ निग्राभ्योदकैः सोमसेचनं विधत्ते–**अथ निग्राभ्याभिरुपसृजतीति** । मिश्रयेदित्यर्थः ।

१–श्वात्राःस्थेत्याभिषवति निग्राभ्याः । का. श्रौ. सू. ९ । ६५ ।

स इन्द्रोऽब्रवीत् । (त्सु) सर्व्वं वै म ऽइदं तस्थानं ग्रदिदं किञ्च तिष्ठध्वमेव म ऽइति ता होचुः किं नस्ततः स्यादिति प्रथमभक्ष एव वः सोमस्य राज्ञ ऽइति तथेति ता अस्मा ऽअतिष्ठन्त तास्तस्थाना उरसि न्यगृह्णीत तद्य-देना उरसि न्यगृह्णीत तस्मान्निग्राभ्या नाम तथैवैना एतद्यजमान उरसि निगृह्णीते स आसामेष प्रथमभक्षः सोमस्य राज्ञो यन्निग्राभ्याभिरुपसृजति १९

स्यन्दमाना न किञ्चन प्रतिधारयते । ता ह स्वमेव वशं चेरुः । कस्मै नु वयं तिष्ठेमहि, याभिरस्माभि-र्वृत्रो हत इति । सर्वं वाऽइदमिन्द्राय तस्थानमास—यदिदं किञ्च—अपि योऽयं पवते ॥ १४॥

स इन्द्रोऽब्रवीत् । सर्वं वै मऽइदं तस्थानम्—यदिदं किञ्च तिष्ठध्वमेव । मऽइति । ता होचुः—किं नस्ततः स्यादिति । प्रथमभक्ष एव वः सोमस्य राज्ञ इति । तथेति । ता अस्माऽअतिष्ठन्त । तास्तस्थाना उरसि न्यगृह्णीत । तद् यदेना उरसि न्यगृह्णीत । तस्मान्निग्राभ्या नाम । तथैवैता एत-द्यजमान उरसि निगृह्णीते । स आसामेष प्रथमभक्षः सोमस्य राज्ञः, यन्निग्राभ्याभिरुपसृजति ॥ १९॥

मिश्रणमाख्यामुखेन प्रशंसति—आपो ह वै वृत्रं जघ्नुरित्यादिना । 'तेनैव वीर्येण' केनाप्यवध्यो वृत्रोऽस्माभिर्हत इत्येवमात्मकेन 'एतत्' इदानीमपि 'आपः' 'स्यन्दन्ते' वेगेन गच्छन्ति । तस्मादेवं तस्मात् 'स्यन्दमानाः' 'एनाः' आपः 'न किञ्चन' वस्तु, लोष्टकाष्ठपाषाणादिकं 'प्रतिधारयति' प्रति-बध्नाति, किन्तु, 'ताः' आपः 'स्वमेव वशं' स्वतन्त्रं यथा भवति तथा विश्रम्भेण 'चेरुः' अगच्छन् । तेषां स्वातन्त्र्ये कारणमाह—**कस्मै नु वयं तिष्ठेमहि, याभिरस्माभिर्वृत्रो हत इतीति** । सर्वस्यापि लोकस्य घातको वृत्रः, सोऽप्यस्माभिर्घातितः; अतो 'वयं' 'कस्मै' अन्यस्मै 'तिष्ठेमहि' आत्मानं प्रकाशयेमेति । इत्थमपां स्वातन्त्र्यं प्रतिपाद्य, तासामिन्द्राधीनत्वं प्रतिपादयति—**सर्वं वा इदमिन्द्राय तस्थानमासेति** । 'तस्थानम्' इति तिष्ठतेः कानचि रूपम् । (पा. सू. ३ । २ । १०९ । १०६ सू.) कैमुतिकन्यायसिद्ध्यर्थमाह—**अपि योऽयं पवत** इति । 'योऽयं' दुर्वहत्वेन प्रसिद्धो वायुः 'पवते' सोऽपि इन्द्राधीनः स्थितवान् किल, किमु वक्तव्यमेतत् सर्वमिन्द्रवशे स्थितमिति ॥ १४ ॥

स इन्द्रोऽब्रवीदिति । अथ 'स इन्द्रः' एवम् 'अब्रवीत्' । 'यत्' 'किञ्च' 'इदं' भूतजातं 'मे' मदर्थं स्थितम्, अतो यूयमपि 'तिष्ठध्वमेव' न गच्छत 'इति' । अथ तेन तथोक्ताः 'ताः' आपः, वयं तिष्ठेमहि, 'नः' अस्माकं 'ततः' 'किं' लब्धं 'स्यात्' ? 'इति' अब्रुवन् । अथ तासामिन्द्रः 'सोमस्य राज्ञः प्रथमभक्षे' इतरेभ्यो देवेभ्यः प्राक्, अभिषवकाले 'एव' 'वः' अस्तु 'इति' प्रादात् । 'ताः' अस्तु 'तथेति' अङ्गीकृत्य अस्मै 'इन्द्राय' 'अतिष्ठन्त' ॥

प्रसङ्गात् निग्राभ्यशब्दनिर्वचनमाह—**तास्तस्थाना उरसि न्यगृह्णीत** इति । इन्द्रेणोरसि निगृहीतत्वात् 'निग्राभ्याः' इति तासामपां नाम सम्पन्नम् । "हग्रहोर्भश्छन्दसि" (वै.प्र. ३।१।८४वा१.) इति हकारस्य भत्वम् । निग्राह्या इत्यर्थः । कर्मणि कृत्यः । तथैवैताः एतद्यजमान उरसि निगृह्णीत इत्यर्थः । **अत्र विधिकल्पयो निगृह्णीयादिति** । न चात्र प्रथमभक्षः श्रूयत इत्याशङ्क्य अभिषवकाले ताभिः संसर्ग एव भक्ष इत्याह—**स आसामेष इति** ॥ १९॥

स ऽउपसृजति । श्वात्रा स्थ व्वृत्रतुर ऽइति शिवा ह्यापस्तस्मादाह श्वात्रा
स्थेति व्वृत्रतुर ऽइति व्वृत्रꣳ ह्येता ऽअघ्नन्राधो गूर्त्ताऽअमृतस्य पत्नीरित्य-
मृता ह्यापस्ता देवीर्द्देवत्रेमं यज्ञं नयतेति नात्र तिरोहितमिवास्त्युपहूताः
सोमस्य पिबतेति तदुपहूता ऽएव प्रथमभक्षꣳ सोमस्य राज्ञो भक्षयन्ति ॥ १६
(न्त्यु) अथ प्रहरिष्यन् । (न्यं) यं द्विष्यात्तं मनसा ध्यायेदमुष्मा ऽअहं
प्रहरामि न तुभ्यमिति यो न्वेवेमं मानुषं ब्राह्मणꣳ हन्ति तं न्वेव परिच-

स उपसृजति–" श्वात्रा स्थ वृत्रतुरः "–(वा. सं. ६।३४) इति । शिवा ह्यापः । तस्मादाह–श्वात्रा स्थेति वृत्रतुर इति । वृत्रं ह्येता अघ्नन् । " राधो गूर्ताऽअमृतस्य पत्नीः "–(वा. सं. ६।३४) इति । अमृता ह्यापः । " ता देवीर्देवत्रेमं यज्ञं नयत "–(वा. सं. ६।३४) इति । नात्र तिरोहितमिवास्ति । " उपहूताः सोमस्य पिबत "–(वा. सं. ६ । ३४) इति । तद् उपहूता एव प्रथमभक्षं सोमस्य राज्ञो भक्षयन्ति ॥ १६ ॥

अथ प्रहरिष्यन्–यं द्विष्यात्तं मनसा ध्यायेद्–अमुष्याऽअहं प्रहरामि, न तुभ्यमिति । यो न्वेवेमं मानुषं ब्राह्मणं हन्ति–तं न्वेव परिचक्षते अथ किमु–य एतम् । देवो हि सोमः । घ्नन्ति वाऽएनमेतद्–

उपसर्गे मन्त्रमभिधाय व्याचष्टे–**स उपसृजति श्वात्राः स्थ वृत्रतुर** इत्यादिना । श्वात्र–शब्दस्याभिप्रायमाह–**शिवा ह्याप** इति । यद्यपि " श्वात्रमिति क्षिप्रनाम (निघं. ४ । २ । १४) आशु अतनं भवति "–(निरु. ५ । १ । ३) इति निरुक्तम्, तथाप्यक्षरसामान्यान्निर्ब्रूयादितिन्यायेन[1] श्वात्रशब्दविश्लेषणेन शिवशब्द-प्रतिभानादपां च सर्वाप्यायनरूपत्वेन शिवत्वप्रसिद्धेः "श्वात्राः स्थ " इत्यभ्युक्तमित्यर्थः । यस्मात् ' एताः ' आपः ' वृत्रमघ्नन् ' तस्माद् वृत्रतुरः । इति ' मन्त्रो ब्रूते । तुर्वी हिंसार्थः (धा. पा. भ्वा. प. ५७१) । वृत्रं तुर्वन्ति घ्नन्तीति वृत्रतुरः । ' अमृतस्य ' ' पत्नीः ' पालयित्र्यः । यदि ह्यापोऽमृता न भवेयुः, तर्हि तादृशीनामपां स्वामित्वमेव नोपपद्यत इत्यनया प्रसिद्ध्या " अमृता ह्यापः "–इति ब्राह्मणम् । प्रसिद्धिवाचकं हिशब्दमाह–**ता देवीर्देवत्रेति** । मन्त्रभागस्य स्पष्टार्थतामाह–**नात्र तिरोहितमिवास्तीति** । इदानीन्तनं सोमपानविषयमुपह्वानम् " उपहूताः सोमस्य पिबतेति " मन्त्राभिधानादायातमिति दर्शयति–**उपहूता एव प्रथमभक्षं सोमस्य राज्ञो भक्षयन्तीति** । मन्त्रस्यायमर्थः सम्पन्नः–हे निग्राभ्या आपः ! यूयं ' श्वात्राः स्थ ' शिवा भवथ, ' वृत्रतुरः ' वृत्रस्य हिंसकाः स्थ, ' राधः ' धनस्य ' गूर्ताः ' उद्यमयित्र्यः । " गुरी उद्यमने " (धा.पा.तु.आ.१५) " नसत्तनिषत्त–" इत्यादिना निपातितो गूर्त-शब्दः (पा. सू. ८।२।६१) । 'अमृतस्य' ' पत्नीः ' पालयित्र्यः स्थ । अतस्तादृङ्महिमोपेताः ' देवीः ' हे देव्यः ! ' देवत्रा ' देवान् प्रति ' इमं यज्ञं ' सोमात्मकं ' नयत ' प्रापयत, ' उपहूताः ' अनुज्ञाताः सत्यो यूयं ' सोमस्य ' सोमं पिबतेति मन्त्रार्थः । " श्वात्रा स्थेत्यासिञ्चति निग्राभ्याः "–(का. श्रौ. सू. ९।६५) इति कात्यायनः ॥ १६ ॥

यदुक्तं तेन " प्रहरिष्यन् द्वेष्यं मनसा ध्यायेदमुष्मा अहं प्रहरामि, न तुभ्यं सोमेति । अभावे तृणम् । मा भेरिति प्रहरति । एवं त्रिः–(का. श्रौ. सू ९ । ६६–६९) इति, तदिदमाह–**अथ प्रहरिष्यन्नित्यादिना** ।

१–" अविद्यमाने सामान्येऽप्यक्षरवर्णसामान्यान्निर्ब्रूयान्नत्वेव निर्ब्रूयात् " इति निरु. २ । १ । १ । २–अभिषुणात्यासेचं निग्राभ्याः इति सूत्रशेषः ।

क्षतेऽथ किंमु एतं देवो हि सोमो घ्नन्ति वाऽएनमेतद्यदभिषुण्वन्ति तमेतेन घ्नन्ति तथा त उदेति तथा सञ्जीवति तथाऽनेनस्यं भवति यद्यु न द्विष्यादपि तृणमेव मनसा ध्यायेत्तथो ऽअनेनस्यं भवति ॥ १७ ॥

स प्रहरति । मा भेर्मा संविक्था इति मा त्वं भैषीर्मा संविक्थाऽअमुष्मा ऽअहं प्रहरामि न तुभ्यमित्येवैतदाहोर्ज्जं धत्स्वेति रसं धत्स्वेत्येवैतदाह धिषणे वीड्वी सती वीडयेथामूर्ज्जं दधाथामितीमे ऽएवैतत्फलके आहुरित्युहैक ऽआहुः किन्नु तत्र योऽप्येते फलके भिन्द्यादिमे ह वै द्यावापृथिवी ऽएतस्माद्वज्राद्युद्यतात्सᳪंरेजेते तदाभ्यामेवैनमेतद्द्यावापृथिवीभ्याᳪं शमयति तथेमे शान्तो न हिनस्त्यूर्ज्जं दधाथामिति रसं दधाथामित्येवैतदाह पाप्मा हतो न सोम इति तदस्य सर्व्वं पाप्मानᳪं हन्ति ॥ १८ ॥

यदभिषुण्वन्ति । तमेतेन घ्नन्ति । तथा त उदेति, तथा सञ्जीवति, तथाऽनेनस्यं भवति । यद्यु न द्विष्याद्–अपि तृणमेव मनसा ध्यायेत् । तथोऽअनेनस्यं भवति ॥ १७ ॥

स प्रहरति–" माभेर्मा सं विक्थाः "–(वा. सं. ६ । ३५) इति । मा त्वं भैषीः, मा सं विक्थाः, अमुष्माऽअहं प्रहरामि–न तुभ्यम्–इत्येवैतदाह–" ऊर्ज्जं धत्स्व "–(वा. सं. ६।३५)

' अमुष्मै ' द्वेष्ट्रे; अत्र सोमशर्म्मणे इति द्वेष्टुर्नाम मनसा गृह्णीयात्, प्रहरामि प्रक्षिपामि, पाषाणरूपं वज्रमिति शेषः । हे सोम ! 'न तुभ्यमिति' [1]नैव प्रहरणं चेत् को बाध इति, तत्राह–यो न्वेवेमं मानुषं ब्राह्मणमिति । अत्यन्तदोषाविष्करणमितीमं ब्राह्मणमिति विशेषितम् । ' तं ' ब्राह्मणस्य हन्तारं, परिचक्षते ' ' न्वेव ' खल्वेव । ' परिख्यानं ' दूष्यत्वेन वर्जनम्, ' अथ ' ' किं ', वक्तव्यमिति शेषः । ' एतं ' माहात्म्यवन्तं पुरोवर्तिनं यो हन्ति, तं परिचक्षत इति किमुतेत्यर्थः । कैमुतिकन्यायस्य बीजमाह–देवो हि सोम इति । हि-शब्दो " देवो वै सोमः "–इत्यादिश्रुतिप्रसिद्धिद्योतनार्थः । अस्तु तथा, यदि हन्तिः स्यात्, सैवात्र कुत इत्यत आह–घ्नन्ति वा एनमिति । प्रागुव्याख्यातमिदम् । ' एते ' शत्रुनामग्रहणपूर्वकमभिषुण्वन्तः ' तं ' सोमं ' न घ्नन्ति ' ' तथा ' द्वेष्यत्वभावनायां सत्याम । ' अतः ' अस्माद्धननसकाशात्, अस्मात् स्थानाद्वा । ' तथा ' सति अभिषुण्वन्तोऽध्वर्योः ' अनेनस्यं भवति ' न विद्यते एनः पापं यस्य सः अनेनाः, तस्य भावः अनेनस्यं भवति ॥

द्वेष्याभावे तत् कथमित्याशङ्क्याह–यद्यु न द्विष्यादपि तृणमेव मनसा ध्यायेदिति । अमुष्मै तृणाय वज्रं प्रहरामि, हे सोम ! न तुभ्यमिति ध्यायेदित्यर्थः ॥ १७ ॥

प्रहरणमनूद्य मन्त्रं विधाय व्याचष्टे–स प्रहरति माभेरित्यादिना । मा भेरिति पदं व्याकुर्वन्नेव द्वेष्यत्वभावनायां यत् प्रयोजनं प्रागुक्तम्, तदेव माभेरिति मन्त्रभागस्यापि तात्पर्यमिति व्याचष्टे–माभेर्मा संविक्था इति, मा त्वं भैषीर्मा संविक्था अमुष्मा अहं प्रहरामि, न तुभ्यमित्येवैतदाहेति । ' एतत् ' माभेरिति मन्त्रवाक्यम् । ऊर्क्शब्दस्यान्ननामसु पाठात् (निघं. २ । ७ । १९) अत्रान्नसारो रसो विवक्षित इति व्याचष्टे–रसं धत्स्वेत्येवैतदाहेति । " धिषणे वीड्वी "–इति मन्त्रभागस्य धिषणफलके अर्थ इति केषाञ्चि-

---

[1] ' तस्मै ' इति क. पु. अधिकः पाठः ।

स वै त्रिरभिषुणोति । त्रिः सुम्भरति चतुर्न्निग्राभमुपैति तद्दश दशाक्षरा वै व्विराड्वैराजः सोमस्तस्माद्दशकृत्वः सम्पादयति ॥ १९ ॥

इति । रसं धत्स्वेत्येवैतदाह । "धिषणे वीड्वी सती वीडयेथामूर्ज्जं दधाथाम्"–(वा. सं. ६ । ३५) इति । इमेऽएवैतत् फलके आहुः–इत्यु हैकऽआहुः । किं नु तत्र–योऽन्ये फलके भिन्द्यात् । इमे ह वै द्यावापृथिवी । एतस्माद्वज्राद्युद्यतात्संरेजेते । तदाभ्यामेवैनमेतद् द्यावापृथिवीभ्यां शमयति तथेमे । शान्तो न हिनस्ति । ऊर्ज्जं दधाथाम्–इति । रसं दधाथामित्येवैतदाह । "पाप्मा हतो न सोमः"–(वा. सं. ६ । ३५) इति । तदस्य सर्वं पाप्मानं हन्ति ॥ १८ ॥

स वै त्रिरभिषुणोति, त्रिःसम्भरति, चतुर्न्निग्राभमुपैति–तद्दश । दशाक्षरा वै विराड् वैराजः सोमः । तस्माद्दशकृत्वः सम्पादयति ॥ १९ ॥

दाचार्याणां मतम्; तन्मतं निराकर्त्तुमुदाहरति–इमे एवैतत् फलके आहुरित्यु हैक आहुरित्यादिना । प्रथमम् 'आहुः' इति शब्दस्य पदानि 'धिषणे' इत्यादीनि । 'एतत्' एतस्मिन् वाक्ये 'इमे' सोमाधारभूते 'फलके' ब्रुवते इत्यर्थः । 'इति' अमुमर्थमेकशाखिन आहुः । 'नु' प्रश्ने । 'किं' 'तत्र' त्वदभिमते, विद्यत इति शेषः । विद्यत एवेत्याशङ्क्याह–योऽप्येते फलके भिन्द्यादिति । यद्येते चे द्वे स्यातां, तर्हि कदाचिदपि भग्ने स्याताम्, अतः किन्तु तत्रेत्यर्थः । इदानीं स्वाभिमतमर्थं सोपपत्तिकं दर्शयति–इमे ह वै द्यावापृथिवी इत्यादिना । अत्र धिषणे अनूद्येते, तयोर्दार्ढ्यमाशास्यते, तच्च सति शैथिल्यकारणे उपपद्यते; अतस्तत्प्रसक्तिमाह–एतस्माद् वज्राद्युद्यतात् संरेजेते इति । वज्रवद्धिंसकात् अभिषवायोद्यतशस्त्रसकाशात् 'इमे द्यावापृथिवी' 'संरेजेते' कम्पेते । 'द्यावापृथिवीभ्याम्' इति चतुर्थीद्विवचनम् । 'एतत्' इदानीम्, आभ्यामर्थाय 'एनं' येज्ञं 'शमयति' शान्तं करोति, यथासौ उत्क्षेकावक्षेपाभ्यां द्यावापृथिव्यौ न हिनस्ति तथा करोति । 'तथा' सति, "धिषणे वीड्वी सती वीडयेथाम्"–इत्यभिधाने सति 'शान्तः' असौ यज्ञ इति 'इमे' द्यावापृथिव्यौ 'न हिनस्ति', प्रोत्साहनेन तयोर्दृढत्वस्य प्राप्तत्वादिति भावः । गत ऊर्गर्थवादः । "पाप्मा हतो न सोम इति तदस्य सर्वं पाप्मानं हन्तीत्यार्थवादिकं फलं मा मा सन्तातमिति च देवताभूतस्य सोमस्याभिषवरूपो वधोऽध्वर्योरेव सम्भावित इति तस्यैवेति मन्तव्यम् ॥ १८ ॥

यदुक्तं कात्यायनेन–"एवं त्रिरभिषुणोति"–इति, तदिदं त्रित्वं विधाय सम्भरणनिग्राभोपायनयोः सङ्ख्यया सह समुचित्य प्रशंसति–स वै त्रिरभिषुणोतीत्यादिना । 'त्रिः संभरति' त्रिः सन्निषीदयति । निग्राभोपायनम् प्रागपादित्यादि मन्त्रजपः, तच्चतुर्वारं कर्त्तव्यम् । 'तत्' मिलित्वा 'दश' सम्पद्यन्ते; विराट्छन्दसश्च दशाक्षराणि; सोमोऽपि वैराजः विराट्सम्बन्धी; पञ्चकृत्वो यजुषा मिमीते पञ्चकृत्वस्तूष्णीमिति दशसङ्ख्यया मितत्वात्; अतो वैराजस्य सोमस्य समत्वाय अभिषवादिगता दशसङ्ख्या प्रशस्ता । ततोऽत्र सम्भरणत्रित्वस्य निग्राभोपायनचतुष्टयस्य च विधिर्निर्देशादेव द्रष्टव्यः (श. प. ४।१।१४–१६) ॥ १९ ॥

१–'अनुवत' इ. क. पा. । २–'वड्वी' इत्याधिकः पाठः क्वचित् । ३–'माभूतां'–इ. क. पा. । ४–'युताद्वाज्ञः सकाशात्' इ. क. पा. । ५–'वज्रं' इ. क. पाठः । ६–एवं त्रिरभिषुणोत्यासेचं निग्राभ्याः । का. श्रौ. सू. ९ । ६९ । ७–'निष्पीडयति' इ. क. पा. । ८–अष्टकृत्व एकादशकृत्वो द्वादशकृत्वः । सर्व्वे पंचवर्गाः पशुकामस्याष्टवर्गा ब्रह्मवर्चसकामस्य । का. श्रौ. सू. ९ । ७०-७१ ।

(त्यु) अथ यन्निग्राभमुपैति । यत्र वा ऽएषोऽग्रे देवानाᳬं हविर्बभूव तद्धेमा दिशोऽभिदध्यावाभिर्दिग्भिर्मिथुनेन प्रियेण धाम्ना सᳬंस्पृशेयेति तमेतद्देवा आभिर्दिग्भिर्मिथुनेन प्रियेण धाम्ना समस्पर्शयन्यन्निग्राभमुपायंस्तथो ऽएवैनमेष एतदाभिर्दिग्भिर्मिथुनेन प्रियेण धाम्ना सᳬंस्पर्शयति यन्निग्राभमुपैति ॥ २० ॥

स उपैति । प्रागपागुदगधराक्सर्वतस्त्वा दिश ऽआधावन्त्विति तदेनमाभिर्दिग्भिर्मिथुनेन प्रियेण धाम्ना सᳬंस्पर्शयत्यम्ब निष्पर समरीर्विदामिति योषा वा ऽअम्बा योषा दिशस्तस्मादाहाम्ब निष्परेति समरीर्विदामिति प्रजा वा ऽअरीः सम्प्रजा जानतामित्येवैतदाह तस्माद्या ऽअपि विदूरमिव प्रजा भवन्ति समेव ता जानते तस्मादाह समरीर्विदामिति ॥ २१ ॥

अथ यन्निग्राभमुपैति । यत्र वाऽएषोऽग्रे देवानां हविर्बभूव–तद्धेमा दिशोऽभिदध्यौ, आभिर्दिग्भिर्मिथुनेन प्रियेण धाम्ना संस्पृशेयेति । तमेतद्देवा आभिर्दिग्भिर्मिथुनेन प्रियेण धाम्ना समस्पर्शयन्–यन्निग्राभमुपायन् । तथोऽएवैनमेषऽएतदाभिर्दिग्भिर्मिथुनेन प्रियेण धाम्ना संस्पर्शयति–यन्निग्राभमुपैति ॥ २० ॥

स उपैति–"प्रागपागुदगधराक् सर्वतस्त्वा दिश आधावन्तु"–(वा. सं. ६ । ३६) इति । तदेनमाभिर्दिग्भिर्मिथुनेन प्रियेण धाम्ना संस्पर्शयति । "अम्ब निष्पर समरीर्विदाम्"–(वा. सं. ६ । ३६) इति । योषा वा ऽअम्बा । योषा दिशः, तस्मादाह–अम्ब निष्परेति । समरीर्विदामिति । प्रजा वाऽअरीः । संप्रजा जानतामित्येवैतदाह । तस्माद् या अपि विदूरामिव प्रजा भवन्ति समेव ता जानते । तस्मादाह–समरीर्विदामिति ॥ २१ ॥

अथ निग्राभोपायनमनूद्य प्रशंसति–**अथ यन्निग्राभमुपैति, यत्र वा एषो ऽग्रे देवानां हविर्बभूवे**त्यादिना । **इमा दिशोऽभिदध्याविति** ! अभिध्यानं मैथुनविषयं ध्यानम् । अभिध्यानप्रकारमाह–**आभिर्दिग्भि**रिति । 'मिथुनेन' तद्योगेन, 'प्रियेण' दिशामभिमतेन, 'धाम्ना' मम शरीरेण 'संस्पृशेयेति' । यद्वा, दिग्भिः मिथुनेन प्रियेण धाम्ना' दिशां मिथुनार्हेण प्रियेण धाम्ना शरीरेण संस्पृशेयेति व्याख्येयम् । एवं कामयमानस्य सोमस्य निग्राभोपायनेन 'देवाः' 'आभिर्दिग्भिः' स० 'मिथुनेन प्रियेण धाम्ना' 'समस्पर्शयन्' संयोगमकारयन्, निग्राभ्भोपायनमेव संस्पर्श इत्यर्थः । **तथो एवैनामिति** । दार्ष्टान्तिकं वाक्यं दृष्टान्तवद् व्याख्येयम् । यद्वा पूर्वत्र सङ्ख्याविधिः सः, **यन्निग्राभ**मित्यत्र तु यच्छब्दमुपेक्ष्य विधिरवगन्तव्यः ॥ २० ॥

तत्र मन्त्रं विधाय प्रशंसति–**स उपैति प्रागपा**गित्यादिना । अपाञ्चतीत्यपाक्, प्रतीची दिक् । **अधरागिति**, उदक्प्रतियोगिनी दक्षिणा दिगुच्यते ("अञ्चेर्लुक्" इति । पा. सू. ५ । ३ । ३०) पश्चात्पुरस्तादधरादुदक्तादित्यादिषु तथा दर्शनात् । प्रागाद्या दिशस्तदभिमानिन्यो देवताः हे सोम त्वां सर्वतः

१–प्रतिवर्गं निग्राभं व्वाचयति होतृचमसऽल्पान५ शूलवधाय प्रागपागिति । अद्रिणा चतुर्थम् । का. श्रौ. सू. ९ । ७२-७३ ।

(त्यु) अथ यस्मात्सोमो नाम । यत्र वा ऽएषोऽग्रे देवानाᳫं हविर्बभूव तद्धेक्षाञ्चक्रे मैव सर्व्वेणेवात्मना देवानाᳫं हविर्भूवमिति तस्य या जुष्टतमा तनूरास तामपनिदधे तद्धै देवा अस्पृण्वत ते होचुरुपैवैतां प्रवृहस्व सहैव न एतया हविरेधीति तां दूर ऽइवोपप्राबृहत स्वा वै म ऽएषेति तस्मात्सोमो नाम ॥ २२ ॥

(मा) अथ यस्माद्यज्ञो नाम । घ्नन्ति वा ऽएनमेतद्यदभिषुण्वन्ति तद्यदेनं तन्वते तदेनं जनयन्ति स तायमानो जायते स यञ्जायते तस्माद्यञ्जो यञ्जो ह वै नामैतद्यद्यज्ञ इति ॥ २३ ॥

अथ यस्मात्सोमो नाम । यत्र वाऽएषोऽग्रे देवानां हविर्बभूव । तद्धेक्षाञ्चक्रे—मैव सर्वेणेवात्मना देवानां हविर्भूवमिति । तस्य या जुष्टतमा तनूरास—तामपनिदधे । तद्धै देवा अस्पृण्वत । ते होचुः—उपैवैतां प्रवृहस्व, सहैव न एतया हविरेधीति । तां दूरऽइवोपप्राबृहत—स्वा वै मऽएषेति । तस्मात्सोमो नाम ॥ २२ ॥

अथ यस्माद्यज्ञो नाम । घ्नन्ति वाऽएनमेतद्—यदभिषुण्वन्ति । तद् यदेनं तन्वते—तदेनं जनयन्ति । स तायमानो जायते । स यन् जायते तस्माद्यञः, यञो ह वै नामैतद्—यद्—यज्ञ इति ॥ २३ ॥

सर्वस्मात्स्थानात्, आधावन्तु सम्भोगार्थमागच्छन्तु । हे अम्ब हे योषे निष्पर नितरां सोमस्य कामं पूरयेति परस्परं ब्रुवाणा इत्यर्थः । तथा अरीः अर्थः प्रजाः पुत्रादिरूपाः संविदां विप्रकृष्टमपि सोमं विदतां संजानतामित्यर्थः । प्रागपागित्यादेर्मंत्रप्रथमभागस्य तात्पर्यमाह—' तदेनमाभिर्दिग्भिर्मिथुनेन प्रियेण धाम्ना संस्पर्शयतीति ' । तत्तेन मन्त्रपाठेन । गतमन्यत् । अम्ब निष्परेत्यस्य तात्पर्यमाह—' योषा वा अम्बेति ' । अम्बेति मातरि प्रसिद्धेः । स्वाभिमतयोषित्सामान्यरूपोऽर्थ उक्तः । समरीर्व्विदामित्येतद्व्याचष्टे । प्रजा वा अरीरित्यादिना । अर्तेरिदं रूपं इयर्ति पुत्रादिप्रवाहरूपेण गच्छन्तीत्यर्थः । प्रजाः संविदां संजानतामित्येवैतदाहेति वाऽर्तेरिदं रूपमिति व्याकृतं भवति । सञ्जानतां सञ्ज्ञानमेकमनस्कत्वं प्राप्नुवन्त्वित्यर्थः । उक्तमर्थमिदानींतनव्यवहारप्रसिद्ध्या समर्थयति । तस्माद्या अपि विदूरमिव प्रजा भवंति समेव जानत इति । यस्मान्मन्त्र एवमुक्तं तस्मात्पितुर्विदूरमिव दूरदेशेऽपि प्रजा भवंति ताः संजानत एव ॥ २१ ॥

अथ सोमस्याभिषवप्रसंगात्तन्नामनिर्वचनं दर्शयति—**अथ यस्मात्सोमो नाम यत्र वा एषोऽग्र** इत्यादिना । एतत्सोमाभिमर्शनमंत्रार्थवादवद्व्याख्येयम् । अपि निदधे अपगमय्यान्यत्र स्थापितवान् । एतामपसारितां तनूं उपप्रबृहस्व तव समीपं प्रापय । एतया तन्वा सहैव नो हविरेधि भव । एवमुक्तः सोमः तां दूरतर इव अत्यंत दूरदेश एवोपप्राबृहत उपागमयत् । किं कुर्वन् ? स्वा वै म एषेति वदन् । एषा तनूः मे मम स्वा स्वकीया आत्मीयेतिब्रुवन् । ' स्वा मे ' इत्युक्तत्वात्सोमनाम सम्पन्नम् । पृषोदरादित्वादभिमतरूपसिद्धिः ॥ २२ ॥

अथ सोमास्याभिषवसम्भरणादिप्रसङ्गाद्यज्ञनामनिर्वचनं दर्शयति—**अथ यस्माद् यज्ञो नामेति** । ' यस्मात् ' प्रवृत्तिनिमित्ताद् यज्ञस्य ' यज्ञः ' ' इति ' ' नाम ' अभूत् । तस्योत्तरम्—**घ्नन्तीत्यादि** । अभिषवेन हतम् ' एनं ' सोमं ' तन्वते ' सम्भरणग्रहणहोमादिना विस्तारयन्तीति यावत्, तदेव तस्य पुनरुत्पादनम् । ' सः ' सोमः ' तायमानः ' सन् ' जायते ', अतो ' यन् ' परम्परया आहुतिभावं गच्छन् ' जायते ' पुनः पुनः सम्भवति । अतो यन् जायत इति ' यञः ' । अतो वस्तुतो ' यञः ' इति तस्य ' नाम, ' ' तद्यज्ञ इति ' परोक्षेण व्यवहरति (निरु. ३ । ४ । २) ॥ २३ ॥

तत्रैतामपि वाचमुवाद । त्वमङ्ग प्रशꣳसिषो देवः शविष्ठ मर्त्यम् ॥ न त्वदन्यो मघवन्नस्ति मर्डितेन्द्र ब्रवीमि ते वच इति मर्त्यो हैवैतद्भवन्नुवाच त्वमेवैतो जनयितासि नान्यस्त्वदिति ॥ २४ ॥

(त्यु) अथ निग्राभ्याभ्यो ग्रहान्विगृह्णते । (त2) आपो ह वै वृत्रं जघ्नुस्तेनैवैतद्वीर्येणापः स्यन्दन्ते स्यन्दमानानां वै वसतीवरीर्गृह्णाति वसतीवरीभ्यो निग्राभ्या निग्राभ्याभ्यो ग्रहान्विगृह्णते तेनैवैतद्वीर्येण ग्रहान्विगृह्णते होतृचमसाद्योषा वा ऽऋग्घोता योषायै वा ऽइमाः प्रजाः प्रजायन्ते तदेनमेतस्यै योषाया ऽऋचो होतुः प्रजनयति तस्माद्धोतृचमसात् ॥ २५ ॥

इति सप्तमप्रपाठके पञ्चमं ब्राह्मणम् ॥ ७ । ५ ॥ (९. ४.)

इति तृतीयकाण्डे सप्तमप्रपाठकः समाप्तः ॥

तत्रैतामपि वाचमुवाद–" त्वमङ्ग प्रशंसिषो देवः शविष्ठ मर्त्यम् । न त्वदन्यो मघवन्नास्ति मर्डिता । इन्द्र ! ब्रवीमि ते वचः "–(वा. सं. ६ । ३७) इति । मर्त्यो हैवैतद् भवन्नुवाच । त्वमेवैतो जनयितासि–नान्यस्त्वदिति ॥ २४ ॥

अथ निग्राभ्याभ्यो ग्रहान्विगृह्णते । आपो ह वै वृत्रं जघ्नुः । तेनैवैतद्वीर्येणापः स्यन्दन्ते । स्यन्दमानानां वै वसतीवरीर्गृह्णाति, वसतीवरीभ्यो निग्राभ्याः, निग्राभ्याभ्यो ग्रहान्विगृह्णते । तेनैवैतद्वीर्येण ग्रहान्विगृह्णते–होतृचमसात् । योषा वाऽऋग्घोता । योषायै वाऽइमाः प्रजाः प्रजायन्ते । तदेनमेतस्यै योषायाऽऋचो होतुः प्रजनयति, तस्माद्धोतृचमसात् ॥ २५ ॥ इति निग्राभ्याप्रयोगः ॥

उक्तार्थसंवादत्वेन सोमप्रार्थनारूपं मन्त्रसंवादं दर्शयति–तत्रैतामपि वाचमुवाद, त्वमङ्ग प्रशंसिष इति । ' तत्र ' तस्मिन्नभिषवकाले ' एतां ' प्रार्थनारूपां त्वमङ्गेति ' वाचम् ' ' उवाद ' उक्तवान् । हे ' शविष्ठ ' अतिशयेन बलवन् ! ' अङ्ग ' हे इन्द्र ! ' देवः ' ' त्वं ' ' मर्त्यं ' मरणधर्माणं मां सोमं ' प्रशंसिषः ' प्रशस्तं कुरु, आहुत्यात्मना विस्तारयन् देवात्मना पुनरुत्पादयेत्यर्थः । " शंसु स्तुतौ " (धा. पा. भ्वा. ५. ७२९) " सिब्बहुलं लेटि " (पा. सू. ३ । १ । ३४) इति सिप्, आर्द्धधातुकत्वादिट् (पा. सू, ७ । २ । ३५) " इतश्च लोपः "–(पा. सू. ३ । ४ । ९७) इतीकारलोपः, " लेटोऽडाटौ "–(पा. सू. ३ । ४ । ९४) इत्यडागमः । अस्त्यन्यो देवः किमिन्द्रप्रार्थनयेति तत्राह–' हे मघवन् ! ' तत् ' त्वत्तः ' ' अन्यः ' ' मर्डिता ' सुखयिता ' न अस्ति ', यत एवम् अतः ' ते ' तुभ्यं ' वचः ' प्रशंसाप्रार्थनारूपम् ' ब्रवीमि '। अस्य मन्त्रस्य तात्पर्यमाह–मर्त्यो हैवैतद् भवन्नुवाच, त्वमेवैतो जनयितासि नान्यस्त्वदिति । स्पष्टोऽर्थः ॥ २४ ॥

अथ निग्राभ्याभ्योऽद्धयो होतृचमसेन यद् ग्रहणम्[१], तत्प्रशंसति–अथ निग्राभ्याभ्यो ग्रहान् विगृह्णत इति । (का. श्रौ. सू. ९ । ७२–७४) । ' निग्राभ्याः ' अभिषवसमये सोमोपसर्गायोपयुक्ता आपः । कथं ताभ्यो ग्रहणमिति परम्परयेति दर्शयति–आपो ह वै वृत्रं जघ्नुरित्यादिना । वीर्यवत्यः स्यन्दमाना आपः, ताभ्यो वसतीवरीणां ग्रहणम्, ताभ्यश्च होतृचमसनिग्राभ्याणां ग्रहणम्, निग्राभ्याभ्यः सकाशात् सोमरसद्वारा

---

[१]–तूष्णीं वा. का. श्रौ. सू. ९ । ७४ ।

ग्रहान् विगृह्णते । तदा 'तेनैव' वृत्रवधप्रयुक्तसामर्थ्येनैव 'एतत्' एतेन निग्राभ्याभ्यो 'ग्रहान् विगृह्णते'। तच्च ग्रहणं होतृचमससकाशाद् भवति; होतृचमसं दशापवित्रस्योपरि धारयित्वा, तत्र सोमरसमासिच्य, धारां सम्पाद्य ग्रहग्रहणात् । 'योषा वै' स्त्री खलु 'ऋक्' सैव 'होता' ऋचः शस्त्राद्यवयवरूपायाः होतृप्रयोज्यत्वाद-भेदविवक्षया ऋग्घोतेति सामानाधिकरण्यम् । तदेनमेतस्या इति । 'एतस्यै योषायै' षष्ठ्यर्थे चतुर्थी । (पा. सू. २ । ३ । ६२ । सू. वा. १) । एतस्या योषायाः ऋग्घोतृलक्षणायाः सम्बन्धितया 'एनं' सोमम् 'एतद्' एतेन होतृचमसाद् ग्रहणेन 'प्रजनयति' पुनरुत्पादयति । तस्माद्धोतृचमसादिति पुनर्निर्गमनम् । तस्मा-न्निग्राभ्योदकैर्होतृचमसेन ग्रहान् गृह्णीयादिति विधिः ॥ २९ ॥

इति श्रीसायणाचार्यविरचिते माधवीये वेदार्थप्रकाशे माध्यन्दिनशतपथब्राह्मणभाष्ये तृतीयकाण्डे नवमाध्याये चतुर्थं ब्राह्मणम् ॥ ३–९–४ ॥

वेदार्थस्य प्रकाशेन तमो हार्दं निवारयन् । पुमर्थांश्चतुरो देयाद् विद्यातीर्थमहेश्वरः ॥ १ ॥

ब्रह्माण्डं गोसहस्रं कनकहयतुलापूरुषौ स्वर्णगर्भं सप्ताब्धीन् पञ्चसीरींस्त्रिदशतरुलताधेनुसौवर्णभूमीः ।
रत्नोस्रां रुक्मवाजिद्विपमहितरथौ सायणिः सिङ्गणार्यो व्यश्राणीद्विश्वचक्रं प्रथितविधिमहाभूतयुक्तं घटञ्च ॥ १ ॥
धान्याद्रिं धन्यजन्मा तिलभवमतुलः स्वर्णजं वर्णमुख्यः कार्पासीयं कृपावान् गुडकृतमजडो राजतं राजपूज्यः ।
आज्योत्थं प्राज्यजन्मा लवणजमनृणः शार्करं चार्कतेजा रत्नाढ्यो रत्नरूपं गिरिमकृत मुदा पात्रसात्सिङ्गणार्यः ॥२॥

इति श्रीमद्राजाधिराजपरमेश्वरवैदिकमार्गप्रवर्तकश्रीवीरहरिहरमहाराजसाम्राज्यधुरन्धरेण सायणाचार्येण विरचिते माधवीये वेदार्थप्रकाशे माध्यन्दिनशतपथब्राह्मणभाष्ये तृतीयकाण्डे नवमोऽध्यायः समाप्तः ॥ ३–९॥

इति श्रीशतपथब्राह्मणे सायणभाष्यसमेतं अध्वरं नाम तृतीयं काण्डं समाप्तम् ।

ॐ

श्रीमद्वाजसनेयिमाध्यन्दिन-

शतपथब्राह्मणम् ।

सायणभाष्यसमेतम् ।

तत्र

चतुर्थं काण्डम् ४ ।

अथ चतुर्थकाण्डे प्रथमः प्रपाठकः ।

प्रथमोऽध्यायः प्रारभ्यते ।

तत्र प्रथमं ब्राह्मणम् ।

ओम् । प्राणो ह वा ऽअस्योपाᳯशुः । (व्यां) व्यान ऽउपाᳯशुसवन ऽउदान ऽएवान्तर्यामः ॥ १ ॥

अथ ग्रहयागाः ।

तत्रादौ प्रातःसवनीयाः षोडश ग्रहाः । तत्रायमुपांशुग्रहः ॥

प्राणो ह वाऽअस्योपांशुः, व्यान उपांशुसवनः, उदान एवान्तर्यामः ॥ १ ॥

यस्य निःश्वसितं वेदा यो वेदेभ्योऽखिलं जगत् । निर्ममे तमहं वन्दे विद्यातीर्थमहेश्वरम् ॥ १ ॥
प्रागुपांशुग्रहात्काण्डे तृतीये यन्निरूपितम् । तदादिसोमशेषो यश्चतुर्थे स निरूप्यते ॥ २ ॥

एकाहाहीनसत्रात्मनां सोमयागानां प्रकृतिभूतस्य ज्योतिष्टोमस्य दीक्षणीयाद्युपांशुग्रहात् प्राक्तनं प्रयोगजातमभिहितं तृतीये काण्डे । उपांशुग्रहणादिकः सकलः सोमशेषश्चतुर्थेऽभिधीयते । उपांशुग्रहमन्त्रेष्वपि "आददे" इत्यारभ्य–" वाचस्पतये " इत्यतः प्राक्तना मन्त्रास्तृतीयकाण्ड एव विनियुक्ता व्याख्याताश्च । "वाचस्पतये"–इति मन्त्रो बहिष्पवित्र उपांशुग्रहणे विनियुज्यते[1] । बहिर्ग्रहणस्य च प्रयोजनं प्राणस्य बहिः संचारप्रातिबन्धनिरासं वक्ष्यति '**सोऽस्यायं पराङेव**' इति । तदुपपादनायोपोद्घातत्वेनोपांशोः प्राणरूपतामाह–**प्राणो ह वाऽअस्योपांशुरिति** । 'अस्य' सोमयागस्यादौ गृह्यमाणः योऽयम् 'उपांशुः' एषोऽस्य क्रतोः सकलस्य वा लोकस्य प्राणत्वेन प्रसिद्धः । 'ह वा' इति निपातद्वयस्य प्रसिद्धिद्योतकत्वेनापौनरुक्त्यम् "तत्प्रयोगावसेयत्वाद्वाच्यस्तेषां स गम्यते । समुच्चयादिरर्थात्मा वाच्य एषां गवादिकः ॥ " इति प्रपठ्य, उक्तं हि निपातानां द्योतकत्वम्–"षष्ठ्यभावादसत्त्वोक्तेरेकानुक्तेः परिस्थिते । गुणाभावात्स्मृतेश्चैषां द्योतकत्वं सुनिश्चितम् ॥ " इति । यावता हि तन्तुजातेन यः पटो निष्पादितः स एव तन्त्वन्तरैर्न निष्पाद्यत इति स्वतन्त्राणामुपादानानामसमुच्चयो युक्तः । य एव पटः एकेन दीपेन प्रकाश्यते स एवान्यैर्बहुभिरपि दीपैरिति निरपेक्षसाधनेष्वपि द्योतकेषु समुच्चयो न विरुध्यते । अथवा हशब्दोक्तां शाखान्तरगतप्राणत्वप्रसिद्धिं वैशब्दः स्मारयति । उक्तं हि तैत्तिरीयके–" प्राणो वा एष यदुपांशुः"–(तै. सं. ६।४।९) इति । उक्तमुपांशोः प्राणत्वं द्रढयितुम् उपांशुसहचारिणः उपांशुसवनस्य अन्तर्यामस्य च व्यानोदानतामाह–**व्यान उपांशु** इति । अन्तर्यामस्य चेतरद्वयसाहचर्यम् उपांश्वन्तर्यामयोर्मध्ये उपांशुसवनस्योभयसंस्पर्शेनासादनविधानात् । यदाह कात्यायनः–" उपांशुसवनं पाणिना प्रमृज्योदञ्चं व्यानाय त्वेति संस्पृष्टम्, उपविष्टयो रभिषुण्वन्तिचत्वारः पर्युपवेशनसामर्थ्यात् " (का. श्रौ. सू. ९ । ९२ । ९३) इति । तैत्तिरीयके च–" यं कामयेत प्रमायुकः स्यादित्यसंस्पृष्टौ तस्य सादयेद्व्यानेनैवास्य प्राणापानौ विच्छिनत्ति ताजक्प्रमीयते[2] । यं कामयेत सर्वमायुरियादिति संस्पृष्टौ तस्य सादयेद्व्यानेनैवास्य प्राणापानौ सन्तनोति सर्वमायुरेति "–(तै. सं. ६ । ४ । ६) इति ॥ १ ॥

१–उपा२शुं च गृह्णाति व्वाचस्पतये देवो देवेभ्यो मधुमतीरिति । का. श्रौ. सू. ९ । ७५ । २–' प्रमिन्वते ' इ. क. पा. ।

(मो) अथ यस्मादुपाᳫंशुर्नाम। (मा) अᳫंशुर्वै नाम ग्रहः स प्रजापतिस्तस्यैष प्राणस्तद्यदस्यैष प्राणस्तस्मादुपाᳫंशुर्नाम ॥ २ ॥

तं बहिष्पवित्राद्गृह्णाति। पराञ्चमेवास्मिन्नेतत्प्राणं दधाति सोऽस्यायं पराङेव प्राणो निरर्दति तमᳫंशुभिः पावयति पूतोऽसदिति षड्भिः पावयति षड्वाऽऋतव ऋतुभिरेवैनमेतत्पावयति ॥ ३ ॥

अथ यस्मादुपांशुर्नाम। अंशुर्वै नाम ग्रहः। स प्रजापतिः। तस्यैष प्राणः। तद्यदस्यैष प्राणः—तस्मादुपांशुर्नाम ॥ २ ॥

तं बहिष्पवित्राद्‌गृह्णाति। पराञ्चमेवास्मिन्नेतत्प्राणं दधाति। सोऽस्यायं पराङेवं प्राणो निरर्दति। तमंशुभिः पावयति—पूतोऽसदिति। षड्भिः पावयति। षड् वाऽऋतवः। ऋतुभिरेवैनमेतत्पावयति॥ ३॥

उक्तमुपांशोः प्राणत्वं प्रश्नपूर्वकमुपांशुनामव्युत्पत्त्याऽपि समर्थयितुं पृच्छति—**अथ, यस्मादुपांशुर्नामेति**। यस्माच्छब्दप्रवृत्तिनिमित्तादयमुपांशुरिति प्रसिद्धः किं तदिति ? 'अथ' शब्दद्योतितप्रश्नपदाध्याहारेण वाक्यं पूरणीयम्। उत्तरमाह—**अंशुर्वै नामेति**। गृह्यतेऽनेनेति करणव्युत्पत्त्या 'ग्रहः' दारुमयं पात्रमंशुनामकम्। तस्य यज्ञसाधनत्वेन यज्ञत्वोपचारात्, यज्ञस्य च "यज्ञो वै प्रजापतिः" (तै. ब्रा. १। ३। १०) इति प्रजापतित्वप्रसिद्धेः स ग्रहः प्रजापतिस्तस्य प्रजापत्यात्मकस्य ग्रहस्य प्राणवदन्तश्चरति तेनैष सोमरसः प्राणः। तत्सोमरसात्मकं द्रव्यं यस्मादस्यांशुग्रहात्मकप्रजापतेरेष उक्तोपपादनः प्राणस्तस्मादुपगतोऽशुमिति विगृह्य "अत्यादयः क्रान्ताद्यर्थे द्वितीयया" इति—(पा. सू. १। ४। ७९ वा. २) द्वितीयासमासादुपांशुनामकत्वमित्यर्थः। यद्वा अंशुं गृह्णातीति विहितः सोमग्रहोंऽशुः, स चानिरुक्तया प्राजापत्यया गृह्यत इति प्रजापत्यात्मकः, तं प्राणरूपेणोपगतो ग्रह उपांशुः। शिष्टं समानम्। ननु प्राणत्वे नामव्युत्पत्तिर्हेतुरित्युक्तम्। नाम्नि च प्राणत्वं हेतुरधुनोच्यत इति विपरीतम्। न नामनिष्पत्तौ प्राणत्वं हेतुरधुनोक्तः। निष्पन्नं तु नाम प्राणत्वज्ञाने हेतुः प्रागुक्तः। कारकज्ञापकयोश्च हेतुहेतुमत्त्ववैपरीत्यं भूषणमेव न दूषणम्। यतोऽग्निर्धूमस्योत्पत्तौ हेतुः, धूमश्चाग्नेर्ज्ञाने हेतुरिति ॥ २ ॥

उक्तस्य प्राणात्मकस्य सोमस्य गुणविशिष्टं ग्रहणं विधत्ते—**तं बहिष्पवित्राद् गृह्णातीति**। 'तं' प्रकृतं प्राणात्मकं सोमरसं, पवित्रात् दशापवित्रात् 'बहिः' पृथक् पवित्रमन्तरेण गृह्णातीत्यर्थः। अविधानादर्थसिद्धः पवित्रविरहो नान्तरिक्ष इतिवन्नित्यप्राप्तोऽनूद्यते। नित्यप्राप्तत्वेन च कात्यायनेन बहिष्ट्वेन सूत्रितम्। आपस्तम्बेन तु अर्थसिद्धमपि विस्पष्टार्थं सूत्रितम्। "पवित्रमुपयामः सादनं च न विद्यते" इति। पवित्रविरहस्य प्रयोजनमाह—**पराञ्चमेवेति**। 'एतद्' इति निधानक्रियाया विशेषणम्, तस्याश्चाख्याताभिधेयां भावनां प्रति कर्मत्वादेतदिति तद्विशेषणे द्वितीया। 'अस्मिन्' ग्रहाख्ये प्रजापतौ 'बहिः' सुखसञ्चारक्षमप्राणकर्मकमेतन्निधानं करोति। एवं चास्य प्रजापतेस्तत्स्रष्टतया वा तदात्मकस्य सकललोकस्य 'सोऽयं' परिदृश्यमानः 'प्राणः' बहिरपि 'निरर्दति' निर्गच्छत्येव। "अर्द गतौ याचने च" (भ्वा. प. १८।) ननु प्रत्यगन्तरेवावतिष्ठते प्रत्यङ्मात्ररूपत्वं ह्यभिचारकर्मफलतया प्रतिकूलं श्रूयते—"अभिचरता प्रतिलोमं होतव्याः प्राणानेवास्य प्रतीचः प्रतियौति"—(तै. सं. ३। ४। ८) इति। ततश्च श्वासप्रश्वासप्रतिबन्धो न

तदाहुः । (यं) यदᳪंशुभिरुपाᳪंशुं पुनाति सर्वे सोमाः पवित्रपूताऽ अथ केनास्याᳪंशवः पूता भवन्तीति ॥ ४ ॥

तानुपनिवपति । यत्ते सोमादाभ्यं नाम जागृवि तस्मै ते सोम सोमाय

तदाहुः—यद् अंशुभिरुपांशुं पुनाति । सर्वे सोमाः पवित्रपूताः । अथ केनास्यांशवः पूता भवन्तीति ॥ ४ ॥

तानुपनिवपति । " यत्ते सोमादाभ्यं नाम जागृवि तस्मै ते सोम सोमाय स्वाहा "–

कदाचिद्भवतीत्यर्थः । पवनसाधनदशापवित्राद् बहिस्त्वे विहितं ग्रहणमपूतस्यैव स्यात् । तथा मा भूदिति । पावनमंशुकरणकं विधत्ते—तमᳪंशुभिः पावयतीति । पूतोऽसदिति । इकारलोपः (पा. सू. ३ । ४ । ९७) " लेटोऽडाटौ " (३ । ४ । ९४) इत्यडागमः । बिलस्योपरि अंशुं निधाय तत्र रसावनयनेन ' तं ' रसं शोधयेदित्यर्थः । अतीतानामंशूनां विनियोगासंभवादर्थसिद्धमादानमिति ब्राह्मणे न पृथग्विहितम् । विस्पष्टीकरणार्थं तु सूत्रकारेण उच्यते—" प्रतिप्रस्थाताᳪंशून्षडादत्ते "–(का. श्रौ. सू. ९ । ६४) इति कात्यायनः । " षडाद्रीनंशून्संश्लिष्टानादाय चर्माणि निधाय " इत्यापस्तम्ब, श्रौ. सू. । अंशुभिरित्युक्तस्य बहुत्वसामान्यस्य तद्विशेषे पर्यवसानमाह—षड्भिः पावयतीति । विहिता षट्त्वसंख्या अंशूनामृतुरूपसम्पादकत्वेन स्तूयते—षड्वा ऋतव इति । सोमरसकर्मकमेतत्पावनमृतुरूपैरेवांशुभिः कृतवान् भवेदित्यर्थः । आत्तानां षण्णामंशूनां मध्ये वक्ष्यमाणेषु उपांशुग्रहणपर्यायेषु त्रिष्वप्येकैकस्मिन्पर्याये द्वौ द्वावंशू ग्रहबिले निदध्यात् । यदाह कात्यायनः—" आत्तानां च द्वौ द्वावन्तर्दधाति ग्रहणभेदात्, मन्त्रलिङ्गाच्च "–(का. श्रौ. सू. ९ । ७७ । ७८) इति । ग्रहणपर्यायाणां त्रित्वाद् " वृष्णो अᳪंशुभ्यामिति "–(वा. सं. ७ । १) मन्त्रगतद्विवचनलिङ्गाच्चेत्युदाहृतसूत्रस्यार्थः । अस्मिन्पक्षे पर्यायत्रयगतांशुसंङ्ख्यां सङ्कलय्य " षड्भिः " इति ब्राह्मणे षट्त्वं द्रष्टव्यम् । "अंशुभ्यां ह्येनं पावयति" मन्त्रव्याख्यानब्राह्मणगतांशुद्वित्वपरामर्शादपि ' षड्भिः ' इति बहुवचनं संकलनाभिप्रायमेवेति गम्यते । एकैकस्मिन् ग्रहणपर्याये अंशुषट्कविधिपरं " षड्भिः पावयति " इति । ब्राह्मणवाक्यमिति तु मत्वा कात्यायनेनोक्तम्—"षड्वा श्रुतिसामर्थ्यात् "– (का. श्रौ.सू.९।७९) इति"अंशुभ्याम् " इति हि मन्त्रे द्विवचने लिङ्गम्, अंशुभ्यां ह्येनं पावयतीति तद्व्याख्यानं, ब्राह्मणवाक्यं च यथावस्थितमन्त्रार्थानिष्करणमात्रपरं; न तु द्वित्वविधिपरं, हीति च प्रसिद्धिर्मन्त्राभिप्रायविवक्षयैव । इत्थं मन्त्रलिङ्गाद्द्वित्वं, " षड्भिः " इति विधिश्रुत्या तु बहुत्वम् । श्रुतिश्च लिङ्गाद्बलीयसी यथा "कदाचनस्तरीरसि" इति (वा. सं. ३ । ३४) ऐन्द्रया गार्हपत्यमुपतिष्ठत इत्यत्र कात्यायनस्याभिप्रायः । ' षड्भिः पावयति ' इति वाक्यस्य प्रथमकृतव्याख्यानमनुसृत्य आपस्तम्बेनाप्युक्तम् । " अथ प्रतिप्रस्थातोपांशुपात्रं धारयन्नुपात्तानामुपरि द्वावंशू अन्तर्दधाति " (आप. श्रौ. सू.) इति ॥ ३ ॥

आत्तानामंशूनां पुनरपि सोमे योजनविधानाय याज्ञिकानां जिज्ञासामवतारयति—तदाहुरिति । ' तत् ' तस्मिन् अंशुविषये किंचित् ' आहुः ' जिज्ञासन्ते याज्ञिकाः । ' यत् ' यस्मात् कारणादुपांशुसोमरस आस्ते, षड्भिरंशुभिः पूयते । अन्तर्यामादिसोमास्तु दशापवित्रेण पूयन्ते न च तृतीयं पावनसाधनमस्ति । अत एते अंशवः केन पूयन्त इति ॥ ४ ॥

उक्तप्रश्नस्योत्तरत्वेन समन्त्रकमुपनिवापं विदधाति—तानुपनिवपतीति । ' तान् ' षडंशूनन्तर्यामाद्यर्थे

स्वाहेति तदस्य स्वाहाकारेणैवाꣳशवः पूता भवन्ति सर्वं वाऽएष ग्रहः सर्वेषाꣳ हि सवनानाꣳ रूपम् ॥ ५ ॥

देवा ह वै यज्ञं तन्वानाः । (स्ते) तेऽसुररक्षसेभ्य आसङ्गाद्बिभयां-चक्रुस्ते होचुः सꣳस्थापयाम यज्ञं यदि नोऽसुररक्षसान्यासजेयुः सꣳस्थित एव नो यज्ञः स्यादिति ॥ ६ ॥

ते प्रातःसवनऽएव । सर्वं यज्ञꣳ समस्थापयन्नेतस्मिन्नेव ग्रहे यजुष्टः प्रथमे स्तोत्रे सामतः प्रथमे शस्त्रऽऋक्तस्तेन सꣳस्थितेनैवात ऊर्ध्वं यज्ञे-

---

(वा. सं. ७ । २) इति । तदस्य स्वाहाकारेणैवांशवः पूता भवन्ति । सर्वं वाऽएष ग्रहः । सर्वेषां हि सवनानां रूपम् ॥ ५ ॥

देवा ह वै यज्ञं तन्वानाः । तेऽसुररक्षसेभ्य आसङ्गाद्बिभयाञ्चक्रुः । ते होचुः–संस्थापयाम यज्ञम्-यदि नोऽसुररक्षसान्यासजेयुः, संस्थित एव नो यज्ञः स्यादिति ॥ ६ ॥

ते प्रातःसवनऽएव सर्वं यज्ञं समस्थापयन्–एतस्मिन्नेव ग्रहे यजुष्टः, प्रथमे स्तोत्रे सामतः, प्रथमे

सन्निहिते सोमे 'यत्ते' इत्यनेन मन्त्रेण क्षिपतीत्यर्थः । मन्त्रार्थस्तु–'हे सोम !' त्वदीयं 'यत्' 'नाम' शत्रुभिः अदाभ्यम् अतिरस्कार्यं 'जागृवि' जागरूकं हे 'सोम' 'तस्मै' सोमाय 'ते' तादृक्सोमनामधारिणे तुभ्यमिदं सोमांशुद्वयं 'स्वाहा' स्वाहुतमस्त्विति क्षेपे च सति तैरेवान्तर्यामादिसोमैः सह प्रक्षिप्तानामंशूनामपि वसतीवरीसंसर्गोऽभिषवो दशापवित्रेण पवनमिति संस्कारा भविष्यन्ति, तदिदमाह–**तदस्य स्वाहाकारेणैवांशवः पूता भवन्तीति** । 'तत्' तथा सति 'अस्य' उपांशोरन्तर्धानार्थाः 'अंशवः' अपि स्वाहेति क्रियते यस्मिन् प्रक्षेपे तेन प्रक्षेपेण पूता भवन्ति इति योजना ॥

उपांशोरन्तर्धानाय पृथगात्तानामंशूनां सवनत्रयसम्बन्धिनि सोमे पुनः प्रक्षेपे हेतुमाह–**सर्वं वा इति** । अयं 'ग्रहः' सकलसोमयागात्मकः, यतः सवनत्रयरूपमिह दृश्यते । अतः सवनत्रयात्मकैतद्ग्रहसम्बन्धिना-मंशूनां सवनत्रयसम्बन्धिनि सोमे योजनमुचितमिति भावः । अस्य ग्रहस्य सवनत्रयात्मकत्वमभिषवविधिब्राह्मणे स्पष्टीभविष्यति ॥ ५ ॥

उपांशुग्रहस्य सवनत्रयात्मकत्वं प्रातःसवनस्य सवनत्रयात्मकत्वनिदर्शनेन द्रढयितुमाख्यायिकामाह–**देवा ह वा इति** । आ सायमनुष्ठीयमाने यज्ञे असुरा राक्षसा ज्ञात्वा आसक्ताः सन्तो जघ्नुरिति ॥ ६ ॥

प्रातःसवन एव सवनत्रयात्मकं यज्ञं समस्थापयन् । ऋग्यजुःसाममन्त्रैर्हि सवनत्रयात्मकं कर्म सम्पद्यते । अतः प्रातःसवने उपांशुग्रहगतयजुर्मन्त्रैरेव यजुष्ट्वाविशेषात् सवनान्तरवर्तियजुःसाध्यमपि कर्म सम्पन्नम् । एवं प्रथम-स्तोत्रशस्त्रगताभ्यामृक्सामाभ्यामिति संग्रहेण संस्थिते एव तु द्वितीयतृतीयसवने पुनर्विस्तारेणान्वतिष्ठन्निति ॥

अत इदानीमपि तथा अतो यथा प्रातःसवनस्य सवनत्रयात्मकत्वम्, एवमुपांशुग्रहस्यापीति । असुराश्च रक्षांसि च 'असुररक्षसानि' "अनसन्तान्नपुंसकाच्छन्दसि" (पा. सू. ५ । ४ । १०३) इति

१–यत्त इत्यात्तान्सोमे निदधाति । का. श्रौ. सू. ९ । ८० । २–अस्मिन्नेव ब्राह्मणेऽष्टमीं कण्डिकामारभ्य षोडशीकण्डिका-पर्यन्तमित्यवगन्तव्यम् ।

नाचरन्त्स एषोऽप्येतर्हि तथैव यज्ञः संतिष्ठतऽएतस्मिन्नेव ग्रहे यजुष्टः प्रथमे स्तोत्रे सामतः प्रथमे शस्त्रऽऋक्तस्तेन सꣳस्थितेनैवात ऊर्ध्वं यज्ञेन चरति ७॥

स वाऽअष्टौ कृत्वोऽभिषुणोति । (त्य) अष्टाक्षरा वै गायत्री गायत्रं प्रातः-सवनं प्रातःसवनमेवैतत्क्रियते ॥ ८ ॥

स गृह्णाति । १वाचस्पतये पवस्वेति प्राणो वै वाचस्पतिः प्राण एष ग्रहस्तस्मादाह वाचस्पतये पवस्वेति वृष्णो ऽअꣳशुभ्यां गभस्तिपूत इति सोमाꣳशुभ्याꣳ ह्येनं पावयति तस्मादाह वृष्णो ऽअꣳशुभ्यामिति गभ-स्तिपूत इति पाणी वै गभस्ती पाणिभ्याꣳ ह्येनं पावयति ॥ ९ ॥

शस्त्रऽऋक्तः । तेनैवात ऊर्ध्वं यज्ञेनाचरन् । स एषोऽप्येतर्हि तथैव यज्ञः सन्तिष्ठते—एतस्मिन्नेव ग्रहे यजुष्टः, प्रथमे स्तोत्रे सामतः, प्रथमे **शस्त्रऽऋक्तः** । तेन संस्थितेनैवात ऊर्ध्वं यज्ञेन चरति ॥ ७ ॥

स वाऽअष्टौ कृत्वोऽभिषुणोति । अष्टाक्षरा वै गायत्री । गायत्रं प्रातःसवनम् । प्रातःसवन-मेवैतत्क्रियते ॥ ८ ॥

स गृह्णाति ।"**वाचस्पतये पवस्व**"–(वा. सं. ७ । १)–इति ।"**वृष्णोऽअंशुभ्याम्**"–(वा. सं. ७ । १) इति । सोमांशुभ्यां ह्येनं पावयति । तस्मादाह—वृष्णोऽअंशुभ्यामिति ।"**गभ-स्तिपूतः**"–(वा. सं. ७ । १) इति । पाणी वै गभस्ती । पाणिभ्यां ह्येनं पावयति ॥ ९ ॥

समासान्तः (टच्) । असुररक्षसानां तदासङ्गस्य च भयहेतुत्वेन " भीत्रार्थानाम् " (पा. सू. १।४।२५) इत्यपादानतगोभयत्र पञ्चमी ॥ ७ ॥

" स प्रहरति त्रिरभिषुणोति " इति विहिताभिषवपर्यायत्रयमध्ये प्रथमपर्याये प्रहारसंख्याविशेषं विधत्ते—**स वाऽअष्टौ कृत्वोऽभिषुणोती**ति । 'अभिषुणोति ' प्रहरति । संख्यासामान्येन प्रहारस्य गायत्र्यात्मकत्वात्तदा-त्मकप्रातःसवनरूपमेतत् कर्म सम्पन्नमित्यर्थः । प्रातिपदिकाद्विहितस्य (पा. सू. ५।४।१७) कृत्वसुचः पदादुत्पत्तिर्विभक्त्यलोपश्च छान्दसौ ॥ ८ ॥

बहिष्पवित्राद्गृह्णातीति विहितं ग्रहणं स गृह्णातीत्यनूद्य मन्त्रं विनियुज्य व्याचष्टे—**स गृह्णाति वाचस्पतये पवस्व** इत्यादिना **गभस्तिपूतः** इत्यन्तेन मन्त्रेण । प्रथमपर्याये गृह्णातीत्यर्थः । मन्त्रं विभज्य क्रमेण व्याचष्टे—**प्राणो वा** इति । ' वै '–शब्दः प्रसिद्धौ " एष एव बृहस्पतिर्वाग्वै बृहती तस्या एष पतिस्तस्मादु बृहस्पतिः " (बृ. उ. १ । ३ । २०) इति बृहस्पतिपदनिर्वचने वागात्मिकां बृहतीं प्रति प्राणस्य पतित्वाभिधाना-द्वाचस्पतित्वं प्राणस्य प्रसिद्धम् । उपांशुपात्रे गतस्य च सोमरसस्य प्राणत्वं प्रागुक्तम् " प्राणो ह वा अस्येति " (श. प. ४ । १ । १ । १) हे सोमरस त्वं वाचस्पतित्वाय प्राणत्वाय पूतो भवेति मन्त्रभागार्थः ॥

द्वितीयभागं व्याचष्टे—**वृष्णो अंशुभ्या**मिति । वर्षति रसमिति वृषा सोमः, तस्य ' अंशुभ्यां गभस्तिपूत इति ' इति । अत्र पात्रधारणे पाण्योः करणत्वं तद्द्वाराऽन्तर्द्धानेन तु सोमांशोरिति द्वारभेदादेकस्मिन्नपि पात्रे पाण्यो-रंशोश्च न विकल्पः ॥ ९ ॥

---

१ उपांशुं च गृह्णाति वाचस्पतये देवो देवेभ्यो मधुमतीरिति । का० श्रौ० सू० ९ । ७५ ।

(त्य) अथैकादश कृत्वोऽभिषुणोति। (त्ये) एकादशाक्षरा वै त्रिष्टुप्त्रैष्टुभं माध्यन्दिनᳬं सवनं माध्यन्दिनमेवैतत्सवनं क्रियते ॥ १० ॥

स गृह्णाति । देवो देवेभ्यः पवस्वेति देवो ह्येष देवेभ्यः पवते येषां भागोऽसीति तेषामु ह्येष भागः ॥ ११ ॥

(गोऽ) अथ द्वादश कृत्वोऽभिषुणोति । द्वादशाक्षरा वै जगती जागतं तृतीयसवनं तृतीयसवनमेवैतत्क्रियते ॥ १२ ॥

स गृह्णाति। मधुमतीर्न इषस्कृधीति रसमेवास्मिन्नेतद्दधाति स्वदयत्येवैनमेतद्देवेभ्यस्तस्मादेष हतो न पूयत्यथ यज्जुहोति सᳬंस्थापयत्येवैनमेतत् ॥ १३ ॥

अथैकादश कृत्वोऽभिषुणोति । एकादशाक्षरा वै त्रिष्टुप्, त्रैष्टुभं माध्यन्दिनं सवनम् । माध्यन्दिनमेवैतत्सवनं क्रियते ॥ १० ॥

स गृह्णाति । "देवो देवेभ्यः पवस्व"–(वा० सं० ७ । १) इति । देवो ह्येष देवेभ्यः पवते । "येषां भागोऽसि"–(वा० सं० ७ । १) इति । तेषामु ह्येष भागः ॥ ११ ॥

अथ द्वादश कृत्वोऽभिषुणोति । द्वादशाक्षरा वै जगती, जागतं तृतीयसवनम्, तृतीयसवनमेवैतत् क्रियते ॥ १२ ॥

स गृह्णाति। "मधुमतीर्न इषस्कृधि"–(वा० सं० ७ । २) इति । रसमेवास्मिन्नेतद्दधाति । स्वदयत्येवैनमेतद्देवेभ्यः । तस्मादेष हतो न पूयति । अथ यज्जुहोति–संस्थापयत्येवैनमेतत् ॥ १३ ॥

द्वितीये ग्रहणपर्याये प्रहारसंख्याविशेषं विधत्ते–अथेति। संख्यासामान्येन प्रहारं त्रिष्टुबात्मकमाध्यन्दिनसवनमेवैतत् कर्म भवतीत्यर्थः ॥ १० ॥

द्वितीयग्रहणपर्याये मन्त्रं विनियुञ्जानः क्रमेण तद्भागौ व्याचष्टे–स गृह्णातीति । शुक्लप्रतिपदादितिथिषु चन्द्रस्यैकैककलावृद्धौ सोमलताया एकैकं पत्रमुत्पद्यते, कृष्णप्रतिपदादिषु चन्द्रस्यैकैककलाह्रासे सोमलताया एकैकं पत्रं निपततीति सुश्रुतादौ[1] प्रसिद्धम्। अतोऽयं सोमश्चन्द्रात्मकतया 'देवः' सा प्रसिद्धिर्हिशब्देनोच्यते–देवो हीति । येषां भागोऽसीति । तेषामु ह्येष भाग इति । 'तेषां' देवानाम् ॥ ११ ॥

तृतीये ग्रहणपर्याये प्रहारसंख्याविशेषं विधत्ते–अथ द्वादश कृत्व इति । अत्रापि पूर्ववत्सङ्ख्यासामान्यात् तृतीयसवनात्मकत्वम् ॥ १२ ॥

तृतीयपर्याये ग्रहणमनूद्य मन्त्रं विनियुङ्क्ते–स गृह्णाति मधुमतीर्न इषस्कृधीति (का. श्रौ. सू. ९।७९)। हे 'सोम' त्वं 'नः' अस्माकम् 'इषः' अन्नानि 'मधुमतीः' माधुर्योपेताः कुर्वित्यर्थः । अर्थात्त्वमपि देवानामन्नात्मकः स्वादुर्भवेति गम्यते । तदाह–रसमेवास्मिन्नेतद्दधाति स्वदयत्येवैनमेतद्देवेभ्यस्तस्मादेष हतो न पूयतीति । एतन्मन्त्रवाक्यम् । 'तस्मात्' स्वादूकरणात् अभिषुतो रसान्तरं नापद्यते ॥

गृहीतस्य सोमरसस्य होमं विधत्ते–अथ यज्जुहोतीति । यत्र 'एतत्' होमाख्यं कर्म एतदुपांशुग्रहव्यापारं परिपूरयत्येव अर्थाज्जुहुयादिति गम्यते ॥ १३ ॥

१–सुश्रुते चिकित्सितस्थाने २९ अध्याये २५–२७ श्लोका द्रष्टव्याः ॥

(द) अ॒ष्टाव॒ष्टौ कृत्वः । (त्वो) ब्रह्मवर्चसका॑मस्याभिषुणुया॒दित्या॑हु॒-र॒ष्टाक्ष॑रा वै गा॑य॒त्री ब्रह्म॑ गाय॒त्री ब्र॑ह्मवर्च॒सी है॒व भ॑वति ॥ १४ ॥

त॒च्चतुर्वि॑ꣳशतिं कृत्वो॑ऽभिषुतं भवति । चतुर्वि॑ꣳशति॒र्वै संव्व॑त्सर॒स्या-र्धमा॒साः संव्व॑त्स॒रः प्र॒जाप॑तिः प्र॒जाप॑तिर्य॒ज्ञः स यावा॑ने॒व य॒ज्ञो याव॑त्यस्य मात्रा॒ ताव॑न्तमे॒वैतत्सꣳस्था॑पयति ॥ १५ ॥

पञ्च॒ पञ्च॒ कृत्वः । प॒शुका॑मस्याभिषुणुया॒दित्या॑हुः पाङ्क्ताः प॒शवः प॒शून् है॒वाव॑रुन्धे पञ्च॒ वाऽऋ॒तव॑ः संव्व॑त्सर॒स्य संव्व॑त्स॒रः प्र॒जाप॑तिः प्र॒जाप॑ति-र्य॒ज्ञः स यावा॑नेव य॒ज्ञो याव॑त्यस्य मात्रा॒ ताव॑न्तमे॒वैतत्सꣳस्था॑पयति सो॑ऽएषा मी॑माꣳसै॒वेत॑रं त्वे॒व क्रि॑यते ॥ १६ ॥

अष्टावष्टौ कृत्वो ब्रह्मवर्चसकामस्याभिषुणुयादित्याहुः । अष्टाक्षरा वै गायत्री, ब्रह्म गायत्री, ब्रह्मवर्चसी हैव भवति ॥ १४ ॥

तच्चतुर्विंशतिं कृत्वोऽभिषुतं भवति । चतुर्विंशतिर्वै संवत्सरस्यार्धमासाः, संवत्सरः प्रजापतिः, प्रजापतिर्यज्ञः, स यावानेव यज्ञो यावत्यस्य मात्रा तावन्तमेवैतत्संस्थापयति ॥ १५ ॥

पञ्च पञ्च कृत्वः पशुकामस्याभिषुणुयादित्याहुः । पाङ्क्ताः पशवः, पशून् हैवावरुन्धे । पञ्च वाऽऋतवः संवत्सरस्य, संवत्सरः प्रजापतिः, प्रजापतिर्यज्ञः, स यावानेव यज्ञो यावत्यस्य मात्रा तावन्तमेवैतत् संस्थापयति । सोऽएषा मीमांसैव । इतरं त्वेव क्रियते ॥ १६ ॥

अभिषवे काम्यं संख्याविशेषमाह—**अष्टावष्टौ कृत्वो ब्रह्मवर्चसकामस्याभिषुणुयादित्याहुरिति** । प्रतिपर्यायमष्टवारमभिषुणुयादित्यर्थः । अत्र (पा. सू. ५ । ४ । १७) कृत्वसुचाऽभिषवस्यावृत्तय उच्यन्ते । आवृत्तिगता तु सङ्ख्याऽष्टाविति पदेन । उक्तसङ्ख्याया आवृत्तेः पर्यायत्रयसम्बन्धो वीप्सयोच्यते । "इत्याहुः" इति परोक्तिरप्राप्तविषयत्वाद्विधिपरैव । विधेयामष्टसंख्यां ब्रह्मवर्चसफलसम्बन्धप्रदर्शनेन स्तौति—**अष्टाक्षरा वै गायत्रीति** । "स मुखतस्त्रिवृतं निरममीत तमग्निर्देवताऽन्वसृज्यत गायत्रीछन्दः" (तै०सं०७।१।१) इति श्रुतेः । सगुणब्रह्मणः प्रजापतेर्मुखादुत्पन्नत्वाद्गायत्र्या ब्रह्मत्वम् "गायत्री ब्रह्मवर्चसम्" (तै. सं. ७ । १ । १ । ४) इति श्रुतेः । गायत्र्यात्मकब्रह्मवर्चससम्बन्ध इत्यर्थः ॥ १४ ॥

पर्यायत्रयेऽप्यष्टसङ्ख्याविधिं प्रकारान्तरेण स्तौति—**तच्चतुर्विंशतिं कृत्व इति** । "संवत्सरः प्रजापतेरात्मा" इति श्रुतेः संवत्सरस्य प्रजापत्यात्मकत्वम् । "यज्ञो वै प्रजापतिः" (तै. ब्रा. १ । ३ । १०) इति श्रुतेः प्रजापतेर्यज्ञत्वम् । 'अस्य' यज्ञस्य 'यावती' परम्परया सम्बन्धिनी 'मात्रा' परिच्छेदिनी चतुर्विंशतिसङ्ख्या तद्योगाद् यावान्यज्ञस्तावतः सकलस्यैव यज्ञस्यैतत् परिपूरणमिति पर्यायत्रयगतैस्त्रिभिरभिषुताष्टकृत्वश्चतुर्विंशतिसङ्ख्यानिष्पत्तेः प्राशस्त्यमित्यर्थः ॥ १५ ॥

अभिषवावृत्तिषु फलान्तराय सङ्ख्यान्तरं विधत्ते—**पञ्च पञ्च कृत्व इति** । सङ्ख्यावीप्साकृत्वसुचो व्याख्याताः । पंक्तिगतां पञ्चत्वसंख्यां प्रशंसति—**पाङ्क्ताः पशव इति** । चतुर्भिः पादैरेकेन शिरसा च पञ्चसङ्ख्यायोगात्पञ्चाक्षरपंक्तिच्छन्दःसादृश्यात्पशूनां पांक्तत्वम् । तामेव पञ्चसंख्यामन्यथापि स्तौति—**पञ्च वा ऋतव इति** । हेमन्तशिशिरयोः समासेन ऋतूनां पञ्चत्वम् । इत्याहुरिति परोक्तिः सूचिताऽननुरूपा नैतत् स्वमतमिति प्रतीयते, तद्वि-

तं गृ॒हीत्वा परि॑मार्ष्टि । नेद्व्य॑व॒श्च्योत॒दिति॒ तं न सा॑दयति प्रा॒णो ह्य॑स्यै॒ष त॒स्माद॒यम॑सन्नः प्रा॒णः सं॑चरति यदी॒त्त्व॑भि॒चरे॒दथै॑नꣳ सादये॒दमु॒ष्य त्वा॑ प्रा॒णꣳ सा॑दया॒मीति॒ तथा॑ ह त॒स्मिन्न पुन॑रस्ति॒ यन्ना॑नुसृ॒जति॒ तेनो॑ ऽअध्व॒र्युश्च॒ यज॑मानश्च॒ ज्योग्जी॑वतः ॥ १७ ॥

तं गृहीत्वा परिमार्ष्टि, नेद्व्यवश्च्योतदिति । तं न सादयति, प्राणो ह्यस्यैषः । तस्मादयमसन्नः प्राणः सञ्चरति । यदीत्त्वभिचरेद्, अथैनं सादयेत् । "अमुष्य त्वा प्राणं सादयामि"–(का० श्रौ० सू० ९-८२) इति । तथा ह तस्मिन्न पुनरस्ति, यन्नानुसृजति । तेनो अध्वर्युश्च यजमानश्च ज्योग्जीवतः ॥ १७ ॥

शदमाह–सोऽएषा मीमांसैवेति । प्रशस्तविचारवचनो मीमांसाशब्दः । स चात्र विशेषणभूतां प्रशंसामेव लक्षयति यथा "नमस्तुङ्ग शिरस्तुबि" इत्यत्र तुबेर्वक्रसंयोगवाचिनो धातोरुत्पन्नः तुबिशब्दः संयोगमात्रं लक्षयति । अतस्त्रिष्वपि पर्यायेषु पञ्चत्वाष्टत्वयोः पशुब्रह्मवर्चसे फलमिति यत्परोक्त्या प्रतीयते न तत् फलं, किन्तु तयोः सङ्ख्ययोः प्रशंसैव सेत्यर्थः । तत् किं त्रिष्वपि पर्यायेषु अष्टत्वं पञ्चत्वं वाऽनुष्ठेयमेव नेत्याह–इतरं त्वेव क्रियत इति । "नेतराच्छन्दसि" (पा० सू० ७ । १ । २६) इत्यद्डभावः । फलादितरसङ्ख्यासाम्यं सङ्ख्यावैषम्यकल्पेनानुष्ठेयमेवेत्यर्थः । अत एव तैत्तिरीयके–"अष्टौ कृत्वोऽग्रेऽभिषुणोत्येषां विहितो द्वितीयस्तृतीयश्च" इति सङ्ख्यासाम्यं विधायैकादश कृत्वो द्वितीयं द्वादश कृत्वस्तृतीयमिति नित्यप्रयोगे संख्यावैषम्यं द्वैविध्यं च तत्रैव प्रयोगे–"अथो खल्वाहुरिति"–वैकल्पिकपक्षान्तरत्वेन "तस्मादष्टावष्टौ कृत्वोऽभिषुत्यम्" इति संख्यासाम्यं विहितम् । अत एवापस्तम्बे "अष्टौ कृत्वोऽग्रेऽभिषुणोत्येवं विहितो द्वितीयस्तृतीयश्च" इति संख्यासाम्यं विधाय तत्रैव "अपि वैकादश कृत्वो द्वितीयमभिषुणोति द्वादश कृत्वस्तृतीयम्" इति संख्यासाम्येन सह संख्यावैषम्यं विकल्पितमाह । कात्यायनस्तु नित्ये प्रयोगे सङ्ख्यावैषम्यं विधाय सङ्ख्यासाम्यं काम्यमेवाह–"आसेचं निग्राभ्या, अष्टकृत्व एकादशकृत्वो द्वादशकृत्वः, सर्वे पञ्चवर्गाः पशुकामस्याष्टवर्गा ब्रह्मवर्चसकामस्य" इति (का. श्रौ. सू. । ९ । ६९ । ७१) । अस्मिन् पक्षे ब्राह्मणे "इत्याहुरिति परोक्तिकथनं नानूच्याभिप्रायं किन्तु सर्वेषामपि सम्मतत्वेन सङ्ख्यासाम्यस्य काम्यत्वं युक्तमेव इत्येवंपरम् । तमिमं परोक्त्यभिप्रायं श्रुतिः स्वयमेव विवृणोति–सोऽएषा मीमांसैव इति । सा त्वेषा परोक्तिः 'मीमांसा' सर्वसंमत्या काम्यत्वस्य प्रशंसैव न पुनरनुच्येत्यर्थः । अरुचित्वशङ्का तु तैत्तिरीयके नित्यत्वदर्शनात् । यदि सफलत्वेन प्रशस्तं सङ्ख्यासाम्यं तत् किं सङ्ख्यावैषम्यमनुष्ठेयमेव; तत्राह–इतरं त्वेव क्रियते इति । इतरं सङ्ख्यावैषम्यं तु नित्यप्रयोगे गुणफलमनपेक्षमाणैः क्रियत एवेत्यर्थः ॥ १६ ॥

ग्रहणानन्तरकृत्यमाह–तं गृहीत्वा परिमार्ष्टीति[1] । तत्र प्रयोजनमाह–नेद्व्यवश्च्योतदिति । अपरिमार्जने रसो विश्च्योतेत नेत् ततो महद्भयमित्यर्थः । नेदिति परिभये निपातः (निरु. १ । ३ । ९) यथा नेत्पाप्मानं मृत्युमन्ववायानीति । व्यवश्च्योतदिति "छन्दसि लुङ्-लङ्-लिटः" "लिङर्थे लेट्" (पा. सू. ३ । ४ । ६-७) इति लिङर्थे हेतौ लेट् । अन्नाधायाविश्च्योतनप्रसङ्गाद्धेतोरित्यर्थः । ग्रहान्तरसाम्यादत्र

१-परिमृज्यासादनमुपांश्वन्तर्यामयोः । का. श्रौ, सू. ९ । ८५ ।

(तोऽ) अथो ऽअप्येवैनं दध्यात्। (द) अमुष्य त्वा प्राणमपि दधामीति तथा ह तस्मिन्न पुनरस्ति यन्न सादयति तेनो प्राणान्न लोभयति॥ १८॥

स वाऽअन्तरेव सन्त्स्वाहेति करोति। देवा ह वै बिभयांचक्रुर्यद्वै नः पुरैवास्य ग्रहस्य होमादसुररक्षसानीमं ग्रहं नु हन्युरिति तमन्तरेव सन्तः स्वाहाकारेणाजुहवुस्तꣳ हुतमेव सन्तमग्नावजुहवुस्तथो ऽएवैनमेष एतदन्तरेव सन्त्स्वाहाकारेण जुहोति तꣳ हुतमेव सन्तमग्नौ जुहोति॥ १९॥

अथोऽअप्येवैनं दध्यात्। "अमुष्य त्वा प्राणमपिदधामि"-(का. श्रौ. सू. ९। ८३) इति। तथा ह तस्मिन्न पुनरस्ति, यन्न सादयति। तेनो प्राणान्न लोभयति॥ १८॥

स वाऽअन्तरेव सन् स्वाहेति करोति। देवा ह वै बिभयाञ्चक्रुः-यद्वै नः पुरैवास्य ग्रहस्य होमाद् असुररक्षसानीमं ग्रहं न हन्युरिति। तमन्तरेव सन्तः स्वाहाकारेणाजुहवुः। तं हुतमेव सन्तमग्नावजुहवुः। तथोऽएवैनमेष एतदन्तरेव सन् स्वाहाकारेण जुहोति। तं हुतमेव सन्तमग्नौ जुहोति॥१९॥

शङ्कितस्य सादृश्याविधानादेव सिद्धमभावं स्तुत्या द्रढयितुमनूद्य स्तौति-तं न सादयतीति। 'अस्य' प्राजापत्यात्मकस्य ग्रहस्य 'एषः' सोमरसः 'प्राणः' इति काण्डादौ (श. ब्रा. ४।१। १) प्रसाधितम्। तां प्रसिद्धिं 'हि'-शब्दो द्योतयति, 'तस्मात्' प्राणात्मकसोमरसानासादनात्, 'असन्नः' अन्तरे वा शीर्णः लोकानां 'प्राणः' बहिः 'सञ्चरति' इत्यर्थः। अभिचरतो मन्त्रविशिष्टं सादनमाह-यदीत्त्वभिचरेदिति। ग्रहणमन्वेनं ग्रहम् 'अविसृजन्' सादयन्। हे सोम! अमुकनाम्नः शत्रोः प्राणरूपं त्वां विशीर्णमवसन्नं वा करोमीति मन्त्रार्थः। तादृक्सादनफलमाह-तथा ह तस्मिन्निति। तथा कृते 'तस्मिन्' शत्रौ 'पुनः' स प्राणो न तिष्ठति किंतु तत्रैव विशीर्यत्यवसीदति वा यतः पात्रं न विसृजति। विसृजति चेदवसन्नः श्वासो निर्गच्छेदपि तेन शत्रोरवसादनेनैव निरुपद्रवावध्वर्युयजमानौ चिरञ्जीवतः॥ १७॥

सादितस्य पात्रस्य समन्त्रकं पिधानमाह-अथो अपीति। अथो एनं ग्रहम् "अमुष्य" इत्यादिमन्त्रेण 'अपि दध्याद्' आच्छादयेत् 'एव' आच्छादने च 'तस्मिन्' प्राणो 'न' तिष्ठेत्। सादनापिधानयोरकरणे बाधकमाह-यन्न सादयतीति। 'न लोभयति' न विमोहयेत्, वा नाकुलीकुर्यादित्यर्थः॥ १८॥

अभिचरता हि यत्तु प्राणा आकुलीकर्तव्याः इति विधत्ते-स वा अन्तरेवेति। हविर्द्धानमध्ये वर्तमान एव सन् 'स्वाहा' इत्युच्चरेदित्यर्थः। तथोच्चारणस्य प्रयोजनमाह-देवा ह वै बिभयांचक्रुरित्यादिना। होमात् प्रागसुरराक्षसकर्तृकं ग्रहस्य विघातं परिहर्तुं देवा हविर्द्धानमध्ये स्थितमेव सोमं स्वाहाकारमात्रेण हुत्वा पश्चाद् हुतमेव सन्तं ग्रहं "स्वांकृतः" (वा. सं. ७।३) इत्यादिमन्त्रेणाग्नावजुहवुः। अत इदानीमपि तथा कुर्यादित्यर्थः॥१९॥

१-अभिचरन्सादयेदविसृजन्नमुष्य त्वा प्राणꣳ सादयामीत्युदानमित्यन्तर्याममम्। का. श्रौ. सू. ९। ८२।

२-पाणिना चापिदधत्यमुष्य त्वा प्राणमपिदधामीत्युदानमित्यन्तर्याममम्। का. श्रौ. सू. ९। ८३।

(त्यु) अथोपनिष्क्रामति । (त्यु) उर्वन्तरिक्षमन्वेमीत्यन्तरिक्षं वाऽअनु रक्षश्चरत्यमूलमुभयतः परिच्छिन्नं यथाऽयं पुरुषोऽमूल ऽउभयतः परिच्छिन्नोऽन्तरिक्षमनुचरत्येतद्वै यजुर्ब्रह्म रक्षोहा स एतेन ब्रह्मणाऽन्तरिक्षमभयमनाष्ट्रं कुरुते ॥ २० ॥

(तेऽथ) अथ वरं वृणीते । बलवद्ध वै देवा एतस्य ग्रहस्य होमं प्रेप्सन्ति तेऽस्माऽएतं वरꣳ समर्धयन्ति क्षिप्रे न इमं ग्रहं जुहवदिति तस्माद्वरं वृणीते ॥ २१ ॥

अथोपनिष्क्रामति । " उर्वन्तरिक्षमन्वेमि "-(वा० सं० ७ । २) इति । अन्तरिक्षं वा अनु रक्षश्चरत्यमूलमुभयतः परिच्छिन्नम् । यथाऽयं पुरुषोऽमूल उभयतः परिच्छिन्नोऽन्तरिक्षमनुचरति । एतद्वै यजुर्ब्रह्म रक्षोहा, स एतेन ब्रह्मणाऽन्तरिक्षमभयमनाष्ट्रं कुरुते ॥ २० ॥

अथ वरं वृणीते । बलवद्ध वै देवा एतस्य ग्रहस्य होमं प्रेप्सन्ति । तेऽस्माऽएतं वरं समर्धयन्ति क्षिप्रे न इमं ग्रहं जुहवदिति । तस्माद् वरं वृणीते ॥ २१ ॥

स्वाहाकारोच्चारणानन्तरं हविर्धानान्निर्गमनमाह-**अथोपनिष्क्रामतीति**[1] । तत्र मन्त्रमाह-**उर्वन्तरिक्षमन्वेमीति** । विस्तीर्णेनान्तरिक्षपथेनाहमाहवनीयं गच्छामि, न भूपथेनाहमाहवनीयं गच्छामि, न भूपथेन इति मन्त्रार्थं भावयन् गच्छेत् । तथा भावने कारणमाह-**अन्तरिक्षं वा** इति । मूले भूलोकेन, अग्रे च स्वर्गलोकेनेति ' उभयतो ' लोकद्वयेन परिच्छिन्नेन अमूलेन भुवं ' रक्षश्चरति ' इति प्रसिद्धम् । तृतीयादौ कर्मप्रवचनेनानुपयोगात् स्पृशन् अन्तरिक्षमिति द्वितीया । येनोक्तरूपेणान्तरिक्षपथेन 'अयं पुरुषश्चरति' । तत्र मन्त्रात्मकमिदं ' यजुः ' रक्षोजातिं हन्ति । तथा सति ' सः ' अध्वर्युर्नाष्ट्राणां रक्षसामभावेन ' अन्तरिक्षमभयं ' ' कुरुते ' इत्यर्थः । वीप्सार्थस्य यथाशब्देनैवाभिधानात् " नित्यवीप्सयोः " (पा० सू० ८ । १ । ४) इति न द्विर्भावः । सादृश्ये च यथार्थे नित्यस्याव्ययीभावश्छान्दसः (पा० सू० २ । १ । ७) । पुरुषरूपस्यामूलत्वमुभयतः परिच्छेदश्च भावनामात्रसिद्धादपि तादृगन्तरिक्षपथेन गमनाद्भूपृष्ठस्य चान्तरिक्षमागस्याधोभागतया मूलत्वम् । वृक्षादेरधोभागो हि मूलम्, उपरिभागश्चाग्रमिति ॥ २० ॥

वरवरणं विधत्ते-**अथ वरं वृणीत** इति । निष्क्रमानन्तरं वरप्रार्थनाहेतुमाह-**बलवद्ध वै देवा** इति । 'एतस्य' उपांशुसोमरसस्य ' होमं ' 'देवाः' अत्यन्तमिच्छन्ति । इत्थम् ' अस्मै ' अध्वर्यवे तं यजमानार्थं वृतं वरं समृद्धं कुर्वन्ति । समर्द्धयतां च देवानामयमाशयः-समृद्धिमभिलक्षयन्यजमानोऽध्वर्यवे वरं ददातु, दत्तवरश्चाध्वर्युस्तुष्टः सन् अस्माकम् ' इमं ' उपांशुग्रहमसुरसमागमात्प्रागेव त्वरया जुहोत्विति । देवानां च त्वराकारणं सवनत्रयात्मके अस्मिन् यज्ञे[4] असुरसमागमात्प्राक् क्षिप्रं हुते सति संपूर्णो यज्ञो नः सम्पन्नः स्यादिति यस्मादेवकृतां समृद्धिमिच्छन् यजमानोऽवश्यं दास्यति । तस्मादध्वर्युर्वरं वृणीते ॥ २१ ॥

१-स्वाहेत्युक्त्वोर्वन्तरिक्षमिति निष्क्रमणम् । का. श्रौ. सू. ९।८४। २-अत्र प्रकरणेऽव्ययीभावस्यानुपलभ्यमानत्वाद्भाष्यकाराणां समासविचारो न संगच्छते । ३-वरं वृत्वा ददाति च । का. श्रौ. सू. ९ । ८६ । ४- ग्रहे इति क० पा० ।

स जुहोति । स्वांकृतोऽसीति प्राणो वाऽअस्यैष ग्रहः स स्वयमेव कृतः स्वयं जातस्तस्मादाह स्वांकृतोऽसीति विश्वेभ्य इन्द्रियेभ्यो दिव्येभ्यः पार्थिवेभ्य इति सर्वाभ्यो ह्येष प्रजाभ्यः स्वयं जातो मनस्त्वाऽष्ट्विति प्रजापतिर्वै मनः प्रजापतिष्ट्वाऽश्नुतामित्येवैतदाह स्वाहा त्वा सुभव सूर्यायेति तदवरꣳ स्वाहाकारं करोति परां देवताम् ॥ २२ ॥

(म) अमुष्मिन्वाऽएतमहौषीत् । (ग्र) य एष तपति सर्वं वाऽएष तदेनꣳ सर्वस्यैव पराध्यं करोत्यथ यदवरां देवतां कुर्यात्परꣳ स्वाहाकारꣳ स्याद्‌ हैवामुष्मादादित्यात्परं तस्मादवरꣳ स्वाहाकारं करोति परां देवताम् ॥ २३ ॥

स जुहोति । "स्वांकृतोऽसि"–(वा. सं. ७ । ३) इति । प्राणो वाऽअस्यैष ग्रहः । स स्वयमेव कृतः, स्वयं जातः । तस्मादाह स्वाङ्कृतोऽसीति । "विश्वेभ्य इन्द्रियेभ्यो दिव्येभ्यः पार्थिवेभ्यः"–(वा. सं. ७ । ३) इति । सर्वाभ्यो ह्येष प्रजाभ्यः स्वयं जातः । "मनस्त्वाऽष्टु"–(वा. सं. ७ । ३) इति । प्रजापतिर्वै मनः, प्रजापतिष्ट्वाऽश्नुतामित्येवैतदाह । "स्वाहा त्वा सुभव सूर्याय"–(वा. सं. ७ । ३) इति । तदवरं स्वाहाकारं करोति, परां देवताम् ॥ २२ ॥

अमुष्मिन् वाऽएतमहौषीद् य एष तपति । सर्वं वाऽएषः । तदेनं सर्वस्यैव पराध्यं करोति । अथ यद् अवरां देवतां कुर्यात्, परं स्वाहाकारम् । स्याद् उ हैवामुष्मादादित्यात्परम् । तस्मादवरं स्वाहाकारं करोति, परां देवताम् ॥ २३ ॥

समन्त्रकं होमं विधत्ते–स जुहोतीत्यादिना । तत्र "स्वांकृतः" इत्यादिः, "सूर्याय" इत्यन्तो मन्त्रः । तं चतुर्द्धा विभज्य प्रथमं भागं व्याख्यातुमाह–"स्वांकृतोऽसीति । व्याचष्टे–प्राणो वा इति । 'अस्य' सोमयागस्य सम्बन्धी 'एषः' उपांशुग्रहः गृह्यत इति व्युत्पत्त्या सोमरसः, स प्राणो वै । "स प्रजापतिस्तस्यैष प्राणः" इति हि प्रागुक्तम् (श. प. ४ । १ । १ । २) । प्राणश्च हिरण्यगर्भः परं ब्रह्म तच्च कर्त्रन्तराभावात् स्वात्मनैव कृतम् । श्रूयते हि–"तदात्मानं स्वयमकुरुत" (तै. उ. आ. व. अनु. ७) इति । स्वात्मना कृतं स्वयं जातमेव । स्वयंकृत इत्यत्र छान्दसे यलोपे सवर्णदीर्घत्वे च स्वाङ्कृत इति जातम् । द्वितीयं भागमाह–विश्वेभ्य इति । व्याचष्टे–सर्वाभ्यो ह्येष प्रजाभ्यः स्वयं जात इति । दिव्यानि यानि देवानामिन्द्रियाणि पार्थिवानि च मनुष्याणां तेषां तृप्त्यर्थः सोम इति । "वाग्देवी जुषाणा सोमस्य तृप्यतु–" इति (वा. सं. ८।३७) मन्त्रे प्रसिद्धः । सा प्रसिद्धिः 'हि'–शब्देनोच्यते । तृतीयमाह–मनस्त्वाऽष्ट्विति । व्याचष्टे–प्रजापतिर्वै मन इति । 'मन इव हि प्रजापतिः' इति श्रुत्यन्तरान्मनसः प्रजापतित्वम् । चतुर्थमाह–स्वाहा त्वा सुभव सूर्यायेति । तं व्याचष्टे–तदवरं स्वाहाकारमिति । अग्नये स्वाहेत्यादिषु हि मन्त्रेषु प्रथमं देवतापदं, चरमं च स्वाहापदम्, इह तु तद्वैपरीत्यं, तत्रायं हेतुः 'य एषः' सूर्यः 'तपति' सर्वात्मको हि सः, 'अमुष्मिन्' सूर्ये एष उपांशुग्रहो हूयते एष च परार्द्धतया सर्वस्योपरि व्यवहर्तव्यः, स्वाहाकारे पुनरुपरि प्रयुज्यमाने स व्यवहारो न स्यादिति ।

१–स्वांकृत इति हुत्वा । का. श्रौ. सू. ९ । ८७ ।

(मु) अथ हुत्वोर्ध्वं ग्रहमुन्मार्ष्टि । पुराञ्चमेवास्मिन्नेतत्प्राणं दधात्यथोत्तानेन पाणिना मध्यमे परिधौ प्रागुपमार्ष्टि पुराञ्चमेवास्मिन्नेतत्प्राणं दधाति देवेभ्यस्त्वा मरीचिपेभ्य इति ॥ २४ ॥

(त्य) अमुष्मिन्वाऽएतं मुण्डलेऽहौषीत् । (ह्यु) यु एष तपति तस्य ये रश्मयस्ते देवा मरीचिपास्तानेवैतत्प्रीणाति तऽएनं देवाः प्रीताः स्वर्गं लोकमभिवहन्ति ॥ २५ ॥

तस्य वा ऽएतस्य ग्रहस्य । नानुवाक्याऽस्ति न याज्या तं मन्त्रेण जुहो-

---

अथ हुत्वोर्ध्वं ग्रहमुन्मार्ष्टि, पराञ्चमेवास्मिन्नेतत्प्राणं दधाति । अथोत्तानेन पाणिना मध्यमे परिधौ प्रागुपमार्ष्टि, पराञ्चमेवास्मिन्नेतत्प्राणं दधाति । " देवेभ्यस्त्वा मरीचिपेभ्यः "–(वा० सं० ७ । ३) इति ॥ २४ ॥

अमुष्मिन्वाऽएतं मण्डलेऽहौषीद्, य एष तपति । तस्य ये रश्मयः । ते देवा मरीचिपास्तानेवैतत्प्रीणाति । तऽएनं देवाः प्रीताः स्वर्गं लोकमभिवहन्ति ॥ २५ ॥

तस्य वाऽएतस्य ग्रहस्य नानुवाक्याऽस्ति । न याज्या । तं मन्त्रेण जुहोति । एतेनो हास्यैषोऽनुवाक्यवान्भवति, एतेन याज्यवान् । अथ यद्यभिचरेत्, योऽस्यांशुराश्लिष्टः स्याद्–बाह्वोर्वा, उरसि

इत्थं च हे उपांशुसोमदेव ! मनुष्याणां सर्वेन्द्रियतृप्त्यर्थं प्राणात्मकतया त्वं स्वात्मनैव निर्मितोऽसि अतः सर्वेन्द्रियसहकारी मनोरूपः प्रजापतिरपि ' त्वा ' त्वाम् व्याप्नोतु । हे शोभनजन्मन् ! सोम जुहोमि त्वां सूर्यायेति मन्त्रार्थः ॥ २२ ॥ २३ ॥

होमानंतरं कर्तव्यं विधत्ते–अथ हुत्वोर्ध्वं ग्रहमुन्मार्ष्टीति । होमोत्तरकाले ' अथ ' अनन्तरमविलम्बमानः ऊर्ध्वमुखत्वेन स्थितं 'ग्रहं' मूलत आरभ्याग्रपर्यन्तं गृह्यादित्यर्थः । होममार्जनयोः पौर्वापर्यं क्त्वाप्रत्ययेनोच्यते, तच्च तयोः कालव्यवधानेऽपि भवति, तथा मा भूदित्यव्यवधानम् ' अथ '–शब्दार्थः । मार्जनस्योन्मुखतां स्तौति–पराञ्चमेवास्मिन्नेतत्प्राणं दधातीति । ' एतत् ' उन्मार्जनम् ' अस्मिन् ' यजमाने ' प्राणम् ' अप्रतिबद्धोर्ध्वसञ्चारं करोति । उन्मार्जनानंतरं कर्तव्यं विधत्ते–अथोत्तानेनेति । ' प्राक् ' प्रागपवर्गं तिर्यङ् मृज्यात् । स्तौ ति–पराञ्चमेवेति । उन्मुखस्य प्राणस्य बहिःसञ्चारप्रतिबन्धनिरसनमुपमार्जनस्य फलम् । तत्र मन्त्रं विधत्ते–देवेभ्यस्त्वा मरीचिपेभ्य इतीति ॥ २४ ॥

व्याचष्टे–अमुष्मिन्वा इति । ' य एषः ' आदित्यः ' तपति ' अमुष्मिन् ' मण्डलरूपेण स्थिते 'एतम्' उपांशुम् ' अहौषीत् ' " स्वाहा त्वा सुभव सूर्याय " इति । तत्सम्बन्धिनो ' ये ' रश्मयः ' ' देवाः ' ते मरीचय एव सन्तः संक्रतिरित्यादयो याज्यान् पिबन्तीति ' मरीचिपाः । ' एतत् ' मध्यमपरिधौ सोमलेपस्योपमार्जनं ' तान् ' देवान् ' प्रीणात्येव ' ' प्रीताश्च ' ' ते ' एनं ' यजमानं ' स्वर्गं ' प्रापयन्ति । श्रुतौ–" देवेभ्यः " इत्यादिमार्जनमन्त्रः ॥ २५ ॥

" स्वांकृतः " इत्यादिहोममन्त्रमधुना स्तौति–तस्य वा एतस्य ग्रहस्येति । शुक्रामन्थ्यादिग्रहहोममन्त्रो हि सः प्रथमः, संक्रतिरित्यादयो याज्यानुवाक्ये अपेक्षन्ते । " स्वाङ्कृतः " इत्याद्युपांशुहोम-

---

१–स्वांकृत इति हुत्वा पात्रमुन्मार्ष्टि । का० श्रौ० सू० ९ । ८७ । २–मार्जनमन्त्रस्तु चतुर्विंशतिकण्डिकायामुक्तः ॥

त्येतेनो ह्यस्यैषोऽनुवाक्यवान्भवत्येतेन याज्यवानुथ युद्यभिचरेद्योऽस्याᳫं-शुग्रश्लिष्टः स्याद्वाह्वोर्वोरसि वा व्वाससि वा तं जुहुयाद्देवाᳫंशो यस्मै त्वेडे तत्सत्यमुपरिप्रुता भङ्गेन हतोऽसौ फडिति युथा ह वै हन्यमानाना-मपधावेदेवमेषोऽभिषूयमाणानाᳫं स्कन्दति तथा ह तस्य नैव धावन्नाप-धावत्परिशिष्यते यस्माऽएवं करोति तᳫं सादयति प्राणाय त्वेति प्राणो ह्यस्यैषः ॥ २६ ॥

(षु द) दक्षिणार्धे हैके सादयन्ति । (न्त्ये) एताᳫं ह्येष दिशमनु संचरतीति

वा, वाससि वा, तं जुहुयात् । "देवांशो यस्मै त्वेडे तत्सत्यम् । उपरिप्रुता भङ्गेन हतो-ऽसौ फट्"– (वा. सं. ७ । ३) इति । यथा ह वै हन्यमानानामपधावेद्, एवमेषोऽभिषूयमा-णानां स्कन्दति । तथा ह–तस्य नैव धावन्नापधावत्परिशिष्यते । यस्माऽएवं करोति तं सादयति । "प्राणाय त्वा"–(वा० सं० ७ । ३ ।) इति । प्राणो ह्यस्यैषः ॥ २६ ॥

दक्षिणार्धे हैके सादयन्ति–एतां ह्येष दिशमनु सञ्चरतीति । तदु तथा न कुर्यात् । उत्तरार्धऽए-

मन्त्रस्तु याज्यानुवाक्ये अनपेक्ष्य तत्कृत्यमपि स्वयमेव करोतीति प्रशस्त इत्यर्थः । अस्य मन्त्रस्य सम्बन्धी 'एषः' ग्रहः 'एतेन' एव मन्त्रेणोभयवान् भवति । 'अनुवाक्यवान् याज्यवान्' इति । "ङ्यापोः संज्ञाछन्दसो-र्बहुलम्" (पा० सू० ६ । ३ । ६३) इति आपो ह्रस्वत्वम् । अभिचरतो बाह्वादिश्लिष्टांशुहोममाह–यद्यभिचरे-दिति । तत्र होममन्त्रः । "देवांशो यस्मै त्वेडे तत् सत्यमुपरिप्रुता भङ्गेन हतोऽसौ फट्" इति । हे 'देवांशो' हे सोमांशो । 'यस्मै' शत्रुवधाय 'त्वा' त्वाम् 'ईडे' स्तुवे 'तद्' वधकर्म 'सत्यम्' अस्तु 'भङ्गेन' अभिषवामर्देन 'उपरिप्रुता' उपरिभावाय वाऽऽगतेन त्वया 'असौ' एतन्नामा शत्रुः 'हतः' सन् 'फट्' विशीर्यताम् । "ञिफला विशरणे" (धा. पा. ५१८) इत्यस्य क्विपि लडयोरभेदश्छान्दसः । अभि-चारे स्वाहाकारस्य स्थाने 'फट्' इति प्रयुज्यत एव । "वषड्वश्ये षडुच्चाटे फट् द्वेष्ये पौष्टिके स्वधा" इति वचनात् । एतन्मन्त्रकरणकं विहितं होमं स्तौति– यथा ह वा इति । 'हन्यमानानां' शत्रूणां मध्ये 'यथा' यः कश्चिदेकः 'अपधावेत्' पलायेत तद्वत् 'अभिषूयमाणानां' सोमांशूनां मध्ये 'एषः' बाह्वादि-लग्नांशुः 'स्कन्दति' अपगच्छति 'यस्मै' पुनर्यजमानाय 'एवम्' उक्तमन्त्रकं स्कन्नांशुहोमं करोति 'अस्य' यजमानस्य तथा होमदेवते अभिषुते । सोमे स्थितो वा एवमपधावन्वा कोऽप्यंशुर्न परिक्लिष्यत इति । खरे सादनं विधत्ते–तᳫं सादयतीति । तत्र मन्त्रः–प्राणाय त्वेति । 'प्राणाय' 'त्वा' त्वां साद-यामि इति शेषः । व्याचष्टे–प्राणो ह्यस्यैष इति । 'अस्य' सोमयागस्य 'एषः' उपांशुग्रहः प्राणो हि प्रागुक्तस्य रसस्य धारणात् अतस्तत्सादनस्य प्राणनार्थता मन्त्रेणोच्यते इति हि शब्दः ॥ २६ ॥

विहितस्य सादनस्योत्तरार्धं स्थानं विधातुं मतान्तरमनूद्य निरस्य स्वाभिमतं दधाति–दक्षिणार्धे हैके साद-यन्तीति । 'एके' याज्ञिका होमानन्तरमेतं ग्रहं खरस्य दक्षिणभागे 'सादयन्ति' तत्रोपपत्तिं च ते कथ-यन्ति ग्रहणात् प्राक् खरे पात्राणामासादनकाले 'एषः' ग्रह उपांशुपात्रमुत्तरादाग्नीध्रमण्डपादासादनाय खरं

१–व्वासवरोबाहुषु श्लिष्टम २शुमभिचरन् जुहुयाद्देवा २ शाविति । का. श्रौ. सू. ९ । ८९ । २–प्राणाय त्वेति पात्रसादनम् । का. श्रौ. सू. ९ । ९१ ।

तदु तथा न कुर्यादुत्तरार्धऽएवैनꣳ सादयेन्नो ह्येतस्या आहुतेः काचन पराऽस्ति तꣳ सादयति प्राणाय त्वेति प्राणो ह्यस्यैषः ॥ २७ ॥

(षोऽथो) अथोपाꣳशुसवनमादत्ते । तं न दशाभिर्न पवित्रेणोपस्पृशति यथा ह्यद्भिः प्रणिक्तमेवं तद्यद्यꣳशुराश्लिष्टः स्यात्पाणिनैव प्रध्वꣳस्योदञ्चमुपनिपादयेद्व्यानाय त्वेति व्यानो ह्यस्यैषः ॥ २८ ॥

इति प्रथमप्रपाठके प्रथमं ब्राह्मणम् ॥ ४ ॥ १ ॥ १ ॥

वैनं सादयेत् । नो ह्येतस्या आहुतेः काचन पराऽस्ति । तं सादयति । " प्राणाय त्वा "–(वा० सं० ७ । ३) इति । प्राणो ह्यस्यैषः ॥ २७ ॥

अथोपांशुसवनमादत्ते । तं न दशाभिर्न पवित्रेणोपस्पृशति । यथा ह्यद्भिः प्रणिक्तमेवं तत् । यद्यंशुराश्लिष्टः स्यात्, पाणिनैव प्रध्वंस्योदंचमुपनिपादयेत् । " व्यानाय त्वा "–(वा० सं० ७ । ३) इति । व्यानो ह्यस्यैषः ॥ २८ ॥ इत्युपांशुग्रहः ।

प्रत्यानीयमानम् ' एतां ' दक्षिणां दिशम् ' अनुसञ्चरति ' गच्छतीति । तथा चापस्तम्बः–" दक्षिणेंऽश उपांशुपात्रम् " इति । ' तत् ' तु सादनं ' तथा ' दक्षिणांशे 'न कुर्यात्' इति परमतं निरस्य उत्तरभाग एवैनं ग्रहं सादयेदिति स्वमतविधिः । विहितमुत्तरार्द्धं स्तौति–नो ह्येतस्या इति । ' एतस्याः ' उपांशुसोमाहुतेः " परा ' प्रशस्ता ' न ' काचिदाहुतिः ' अस्ति' । सवनत्रयात्मिका ह्ययमित्युक्तम् । अतस्तदीयपात्रासादनस्य उत्तरभागो युक्तः, सोऽपि तर्हि प्रशस्तः " तस्मादुत्तरार्द्धस्तेजस्वितरः " इति श्रुतेः । सादने विहितं मन्त्रं स्तोतुमनुवदति–तं सादयति प्राणाय त्वेति । स्तौति–प्राणो ह्यस्यैष इति । यतः ' अस्य ' पात्रस्य सम्बन्धी ' एषः ' सोमः ' प्राणः ' । अतोऽस्यानेन मन्त्रेण सादनं प्रशस्तमित्यर्थः ॥ २७ ॥

उपांशुसवनमादानं विधत्ते -अथोपाꣳशुसवनमादत्ते इति । उपांशुग्रहसादनानन्तरमुपांशुसवनं ग्रावाणमाददीत । सोमलेपापनोदाय प्रसक्तं दशापवित्रेणोपस्पर्शं निषेधति–तं न दशाभिरिति । पवनसाधनेन वस्त्रेण तद्दशाभिर्वा सोमलेपापनोदाय ' तं ' पाषाणं ' न ' उन्मृज्यात् । तत्रानुपस्पर्शे कारणमाह–यथा ह्यद्भिः प्रणिक्तमेवमिति । ' प्रणिक्तं ' प्रक्षालितं–" णिजिर् शौचपोषणयोः "–(धा. पा. जु. प . ११) " उपसर्गादसमासेऽपि णोपदेशस्य " (पा. सू. ८ । ४ । १४) इति णत्वम् । यथा शुद्ध्यर्थं जलेन क्षालितं वस्तु जललेपापनोदाय न पुनर्जलान्तरेण क्षाल्यते । जललेपस्य शुद्धत्वात् । ' एवं ' सोमशेषलिप्तं ' तद् ' ग्रावस्वरूपम् । सोमशेषस्यापि पवित्रत्वादित्यर्थः । तत् किं सोमसंकलनप्राप्ति लग्नः सोमांशुरपि नापनेयः ? अपनीय वा स ग्राव्णः सकाशादासादनीयस्तत्राह–यद्यंशुरिति । उपर्यन्तर्यामग्रहहोमतदासादनोत्तरकाले सादितयोरुपांश्वन्तर्यामयोर्मध्ये उदगग्रं स्थापयेत् । तथा च कात्यायनः–" उपाꣳशुसवनं पाणिना प्रमृज्योदञ्चं व्यानाय त्वेति संस्पृष्टम्, उपविष्टयोः" (का. श्रौ. सू. ९ । ९२ । ९३) इति ' उपविष्टयोः ' सादितयोरुपांश्वंतर्यामयोर्मध्ये तदुभयसंस्पृष्टमिति सूत्रार्थः । ग्रावसादने मन्त्रः–" व्यानाय त्वा " इति । हे ग्रावन् ! यज्ञस्य ' व्यानाय ' व्यापाराय त्वामिह सादयामि । व्याचष्टे–व्यानो ह्यस्यैष इति । प्राणापानात्मकग्रहद्वयसन्धौ वर्त्तमानत्वाद्वा ग्राव्णो व्यानत्वम् । तदुभयसन्धौ वर्त्तमानस्य व्यानत्वप्रसिद्धेः " अथ यः प्राणापानयोः सन्धिः स व्यानः " इति छन्दोगोपनिषदि (छां. उ. १ । ३ । ३) स्थितिं ' हि ' शब्द आह ॥ २८ ॥

इति श्रीसायणाचार्यविरचिते माधवीये वेदार्थप्रकाशे माध्यन्दिनशतपथब्राह्मणभाष्ये चतुर्थकाण्डे प्रथमाध्याये प्रथमं ब्राह्मणम् ॥ ४–१–१ ॥

प्राणो ह वाऽअस्योपाꣳशुः । (व्यां) व्यान उपाꣳशुसवन उदान एवा-
न्तर्यामः ॥ १ ॥

(म्रो) अथ यस्मादन्तर्यामो नाम । यो वै प्राणः स उदानः स व्यान-
स्तमेवास्मिन्नेतत्पराञ्चं प्राणं दधाति यदुपाꣳशुं गृह्णाति तमेवास्मिन्नेत-
त्प्रत्यञ्चमुदानं दधाति यदन्तर्यामं गृह्णाति सोऽस्यायमुदानोऽन्तरात्मन्य-
तस्तद्यदस्यैषोऽन्तरात्मन्यतो यद्वैनेनेमाः प्रजा यतास्तस्मादन्तर्यामो
नाम ॥ २ ॥

तमन्तः पवित्राद्गृह्णाति । प्रत्यञ्चमेवास्मिन्नेतदुदानं दधाति सोऽस्याय-
मुदानोऽन्तरात्मन्हित एतेनो हास्याप्युपाꣳशुरन्तः पवित्राद्गृहीतो भवति

अन्तर्यामग्रहः ।

प्राणो ह वाऽअस्योपांशुः, व्यान उपांशुसवनः, उदान एवान्तर्यामः ॥ १ ॥

अथ यस्मादन्तर्यामो नाम । यो वै प्राणः स उदानः स व्यानः । तमेवास्मिन्नेतत्पराञ्चं प्राणं दधाति; यदुपांशुं गृह्णाति–तमेवास्मिन्नेतत्प्रत्यञ्चमुदानं दधाति यदन्तर्यामं गृह्णाति । सोऽस्यायमुदानोऽन्तरात्मन्–यतस्तद्यदस्यैषोऽन्तरात्मन्–यतः । यद्वाएनेनेमाः प्रजा यताः।तस्मादन्तर्यामो नाम॥२॥

तमन्तः पवित्राद्गृह्णाति । प्रत्यञ्चमेवास्मिन्नेतदुदानं दधाति । सोऽस्यायमुदानोऽन्तरात्मन्

विधास्यमानस्य ग्रहस्य अन्तर्यामताव्युत्पादनायोदानतामन्तर्यामसहचारिणोरुपांशूपांशुसवनयोः प्राणव्या-नात्मकत्वेन समर्थयते–**प्राणो ह वाऽअस्योपांशुरि**ति । उदानस्य प्राणव्यानसाहित्यवदुपांशूपांशुसवनसाहि-त्यादन्तर्यामस्योदानात्मकतेत्यर्थः ॥ १ ॥

उदानात्मकस्याप्यन्तर्यामग्रहस्य कथमेतन्नामेति समर्थयितुं पृच्छति–**अथ यस्मादन्तर्यामो नामे**ति । यस्मात् शब्दप्रवृत्तिनिमित्तात् ‘ अन्तर्यामः ’ इति ‘ नाम ’ भवति किं तदित्यर्थः । ततः समर्थयते–**यो वै प्राणः स उदान** इति । प्राण एक एव हि सन् प्रवृत्तिभेदात् प्राणोदानव्याननामभिर्व्यवह्रियते । तत्र पराग् वृत्तिः प्राण-स्तदात्मकोपांशुग्रहणेन यथा पराङ्प्रतिबद्धसञ्चारो निधीयते । एवं प्रत्यग्वृत्तिरुदानस्तदात्मकान्तर्यामग्रहणेन अन्तर्निधीयते । निहितश्चान्तर्नियम्यते यतोऽन्तर्नियम्यते अत उदानस्यान्तर्याम इति नाम । उदानात्म-कत्वाच्च ग्रहस्यापि तन्नाम । एवमन्तर्यम्यत इति कर्मसाधनोऽन्तर्यामशब्दो व्युत्पादितः । ‘ यद्वा ’ अनेनो-दानेन अन्तर्वर्त्तमानेन सता ‘ इमाः ’ ‘ प्रजाः ’ यथा न म्रियन्ते तथा नियमिताः । अतोऽन्तर्नियम्यतेऽनेनेति करणसाधनं वोदानस्यान्तार्यामनाम, उदानात्मतया च ग्रहस्येत्यर्थः ॥ २ ॥

तस्य ग्रहणं विधत्ते–**तमन्तः पवित्राद्गृह्णाती**ति । ‘तम्’ अन्तर्यामनामकं सोमरसं दशापवित्रस्यान्तःप्रदेशा-द्धारारूपेण स्रवन्तं गृह्णीयात् । अन्तःपवित्रादित्येतत्स्तौति–**प्रत्यञ्चमेवास्मिन्नि**ति । अन्तर्यामसोमस्य यदेत-दन्तःपवित्रदेशप्रापणम्, एतदुदानस्य सर्वस्मिन् जने प्रत्यङ्मुखतया स्थापनं भवति । अतः ‘ अयमुदानः ’ सर्वजनस्य शरीरमध्ये निहितो दृश्यते । अन्तर्यामस्यान्तःपवित्रदेशमन्यथा स्तौति–**एतेनो हास्ये**ति ।

समानुᳬं ह्येतद्युदुपाᳬंश्वन्तर्यामौ प्राणोदानौ ह्येतेनो हैवास्यैषोऽपीतरेषु ग्रहेष्वुनाक्षिद्भवति ॥ ३ ॥

(त्यु) अुथ युस्मात्सोमं पवित्रेण पावयति । युत्र वै सोमः स्वं पुरोहितं बृहस्पतिं जिज्यौ तुस्मै पुनर्ददौ तेन सᳬंशशाम तुस्मिन्पुनर्ददुष्यासैवातिशिष्टमेनो यदीन्नूनं ब्रह्मज्यानायाभिदध्यौ ॥ ४ ॥

हितः । एतेनो हास्याप्युपांशुरन्तः पवित्राद्गृहीतो भवति । समानं ह्येतद्–यदुपांश्वन्तर्यामौ–प्राणोदानौ हि । एतेनो हैवास्यैषोऽपीतरेषु ग्रहेष्वनाक्षिद्भवति ॥ ४ ॥

अथ यस्मात्सोमं पवित्रेण पावयति । यत्र वै सोमः स्वं पुरोहितं बृहस्पतिं जिज्यौ तस्मै पुनर्ददौ । तेन संशशाम । तस्मिन्पुनर्ददुषि । आसैवातिशिष्टमेनो यदीन्नूनं ब्रह्मज्यानायाभिदध्यौ ॥ ४ ॥

' उ ' इत्यवधारणे ' ह ' इति प्रसिद्धौ । ' एतेन ' अन्तर्यामरसस्यान्तःपवित्रदेशप्रापणेनैव ' अस्य ' यजमानस्योपांशुरसो बहिःपवित्राद् ' गृहीतोऽपि ' अन्तःपवित्राद्गृहीतो भवति इति प्रसिद्धम् । ' उपांश्वन्तर्यामौ ' नाम ' यद्युगलम् ' एतत् ' समानम् ' एकं वस्तु ' हि ' यतः एतौ ' प्राणोदानौ ' तौ चैकः प्राण एव । तद्वृत्तिभेदत्वादित्यनन्तरमुक्तम् । प्रस्तुतधारास्रावस्याविच्छेदं विधत्ते–**एतेनो हैवेति** । ' इतरेष्वपि ' ऐन्द्रवायव्यादिग्रहेषु ग्राह्यस्य ' अस्य ' सोमरसस्य ' एतेनैव ' दशापवित्रेण क्रियमाणः ' एषः ' धारास्रावः ' अनाक्षित् ' अविच्छिन्नः कर्तव्यः । तदाहापस्तम्बः–" सन्तताया आस्रावयितव्याया धाराया अन्तर्यामं गृह्णाति, सर्वांश्चातो ग्रहानाध्रुवात् " इति ॥ ३ ॥

पवित्रेणैव सोमस्य शोधने कारणं जिज्ञासते–**अथ यस्मात्सोमं पवित्रेण पावयतीति** । ' यस्मात् ' कारणात् ' पवित्रेण पावयति ' तत् ' किं कारणमित्यर्थः । आख्यायिकया कारणमाह–**यत्र वै सोम इति** । ' यत्र ' यस्मिन् काले यदेत्यर्थः । अत्र कालस्य समभिव्याहारादिभिर्लाभादधिकरणमात्रविवक्षया सप्तम्या अलुक् । कालस्यापि तूद्देशेनोपमानविवक्षायां " सर्वैकान्यकिंयत्तदः काले दा " (पा. सू. ५ । ३ । १५) इति त्रलोऽपवादो दाप्रत्ययः स्यात् । ' सोमः ' चन्द्रः स्वकीयं ' पुरोहितं ' बृहस्पतिं ' जिज्यौ ' दारापहरणेन मानहीनमकरोत् । " ज्या वयोहानौ "–(क्या. प. २८) "लिट्यभ्यासस्योभयेषाम्–" (पा. सू. ६ । १ । १७) इत्यभ्यासस्य संप्रसारणम् । वयोहानिवचनोऽपि जिनातिरिह हानिमात्रं लक्षयति । सा तु हानिरिह मानस्येति प्रकरणादवगम्यते । अपहृतान् दारान् इन्द्रबृहस्पत्यादिदेवानां वचनमनादृत्य युद्धे च ताडितोऽपि तैः प्रार्थ्यमानस्तान् दारान् ' पुनः ' बृहस्पतये ' ददौ ' । ' तेन ' दानेन स बृहस्पतिः सम्यगेकान्तहृदयोऽभूत् । दारान्पुनर्बृहस्पतये ' ददुषि ' दत्तवत्यपि ' तस्मिन् ' सोमे दारा एव गताः । 'ब्रह्मज्यानाय' ब्राह्मणमानहानाय चिन्तितवानिति यत्, तत् ' एनः ' पापम् ' अतिशिष्टं ' स्थितम् 'आस' बभूव एव ॥४॥

तं देवाः पवित्रेणापावयन् ।(न्स) स मेध्यः पूतो देवानाᳯं हविरभवत्तथो-ऽएवैनमेषु एतत्पवित्रेण पावयति स मेध्यः पूतो देवानाᳯं हविर्भवति ॥५॥

तद्यदुपयामेन ग्रहा गृह्यन्ते । (न्तऽ) इयं वाऽअदितिस्तस्या अदः प्रायणीयᳯं हविरसावादित्यश्चरुस्तद्वैतत्पुरेव सुत्यायै सा हेयं देवेषु सुत्यायामपि त्वमीषेऽस्त्वेव मेऽपि प्रसुते भाग इति ॥ ६ ॥

ते ह देवा ऊचुः। (व्यां) व्यादिष्टोऽयं देवताभ्यो यज्ञस्त्वयैव ग्रहा गृह्यन्तां देवताभ्यो हूयन्तामिति तथेति सोऽस्या एष प्रसुते भागः ॥ ७ ॥

तं देवाः पवित्रेणापावयन् । स मेध्यः पूतो देवानां हविरभवत् । तथो एवैनमेष एतत्पवित्रेण पावयति । स मेध्यः पूतो देवानां हविर्भवति ॥ ५ ॥

तद् यदुपयामेन ग्रहा गृह्यन्ते । इयं वाऽअदितिः। तस्या अदः प्रायणीयं हविः–असावादित्यश्चरुः । तद्वैतत् पुरेव सुत्यायै । सा हेयं देवेषु । सुत्यायामपि त्वमीषे अस्त्वेव मेऽपि प्रसुते भाग इति ॥६॥

ते ह देवा ऊचुः–व्यादिष्टोऽयं देवताभ्यो यज्ञः त्वयैव ग्रहा गृह्यन्ताम्, देवताभ्यो हूयन्तामिति । तथेति । सोऽस्या एष प्रसुते भागः ॥ ७ ॥

इत्थं पापिनं चन्द्रं सोमलतारसरूपं विधाय दशापवित्रेण अपावयन् तथा पावितश्चन्द्रः 'पूतः' सन् 'देवानां' 'हविः' अभूत् । एषैवास्याख्यायिका पुराणेषु प्रसिद्धा । 'तथैव' तु 'एषः' यजमानः । 'एनम्' अभिषुत-सोमरसम् 'एतत्पवित्रेण' एतेन दशापवित्रेण 'पावयति' । 'स' च सोमरसो 'देवानां' हविष्ट्वाय योग्यो 'भवति' ॥ ५ ॥

पवित्रेण पावने कारणमुक्तम्, पूतस्योपयामेन ग्रहणे कारणं वक्तुं प्रतिजानीते–**तद्यदुपयामेन ग्रहा गृह्यन्त** इति । उपयच्छति सोममित्युपयामो दारुपात्रं तेन दारुपात्रेण सोमरसो गृह्यत इति यत् तत्रायं वक्ष्यमाणो हेतुरित्यर्थः । कोऽयम् ? तमाह–**इयं वा आदितिरिति** । "उपयामः पृथिवी" इति वक्ष्यति । सेयमुपयामा-त्मिका पृथिव्येवादितिर्देवता प्रायणीयेष्टिसम्बन्धिहविरात्मको यः चरुः 'असौ' आदित्यः अदितिदेवताक इति प्रसिद्धम् । अतोऽसावुपयामात्मिका पृथिव्येव भवति । तदेतद्धविः सुत्यादिवसात् प्रागेव दीक्षानन्तरं प्रथमो-पसद्दिवसे क्रियते । 'सेयम्' अदितिः सुत्यादिवसेऽपि देवानां मध्ये 'अपि त्वं' चरुरूपाद्भागादन्यं सोमरूपं भागम् 'ईषे' इयेष । इषेर्व्यत्ययेनात्मनेपदम् । 'त्व' शब्दोऽकारान्तः सर्वनामस्वन्यपर्यायः । "उतो त्वस्मै तन्वं विसस्रे" (ऋ. सं. ८ । २ । २३) इति हि श्रूयते । अदित्या एतद्वाक्यम् । 'प्रसुते' अभिषुते सोमे पूर्वं चरुं स्वीकृतवत्या अपि मम भागोऽस्त्वेवेति ॥ ६ ॥

'ते ह देवाः' ऊचुः, आहुः 'अयं' 'यज्ञो' 'देवताभ्यो' विभज्य 'व्यादिष्टः' दत्तः अतः सर्वे सोमरसाः 'त्वयैव' 'गृह्य-न्ताम्' । त्वयैव 'देवताभ्यो' 'हूयन्ताम्' । एतावतैव त्वं सोमे लब्धभागा भविष्यसीति । सा च तथाऽस्त्वित्याह ॥७॥

(स्त) तद्यदुपयामेन ग्रहा गृह्यन्ते । (न्त ऽ) इयं वाऽउपयाम इयं वा-ऽइदमन्नाद्यमुपयच्छति पशुभ्यो मनुष्येभ्यो वनस्पतिभ्य इतो वाऽऊर्ध्वा देवा दिवि हि देवाः ॥ ८ ॥

(स्त) तद्यदुपयामेन ग्रहा गृह्यन्ते । (न्तेऽनु) अनयैव तद्गृह्यन्ते-ऽथ यद्योनौ सादयतीयं वाऽअस्य सर्वस्य योनिरस्यै वाऽइमाः प्रजाः प्रजाताः ॥ ९ ॥

(स्तं) तं वाऽएतꣳ रेतोभूतꣳ सोममृत्विजो बिभ्रति यद्वाऽअयोनौ रेतः सिच्यते प्र वै तन्मीयतेऽथ यद्योनौ सादयत्यस्यामेव तत्सादयति ॥१०॥

प्राणोदानौ ह वाऽअस्यैतौ ग्रहौ । तयोरुदितेऽन्यतरं जुहोत्यनुदितेऽन्यतरं प्राणोदानयोर्व्याकृत्यै प्राणोदानावेवैतद्व्याकरोति तस्मादेतौ समानावेव सन्तौ नानेवाचक्षते प्राण इति चोदान इति च ॥ ११ ॥

तद् यदुपयामेन ग्रहा गृह्यन्ते । इयं वाऽउपयामः । इयं वाऽइदमन्नाद्यमुपयच्छति–पशुभ्यो मनुष्येभ्यो वनस्पतिभ्यः । इतो वाऽऊर्ध्वा देवाः । दिवि हि देवाः ॥ ८ ॥

तद् यदुपयामेन ग्रहा गृह्यन्ते । अनयैव तद्गृह्यन्ते । अथ यद् योनौ सादयति–इयं वाऽअस्य सर्वस्य योनिः । अस्यै वाऽइमाः प्रजाः प्रजाताः ॥ ९ ॥

तं वाऽएतं रेतोभूतं सोममृत्विजो बिभ्रति । यद्वाऽअयोनौ रेतः सिच्यते प्र वै तन्मीयते । अथ यद्योनौ सादयति अस्यामेवैतत्सादयति ॥ १० ॥

प्राणोदानौ ह वाऽअस्यैतौ ग्रहौ । तयोरुदितेऽन्यतरं जुहोति–अनुदितेऽन्यतरम् । प्राणोदानयो-

---

तद्यदुपयामेन ग्रहा गृह्यन्त इति । 'यत्' एष तस्या अदित्यै भागो नाम पृथिव्याश्च 'उपयाम' इति नाम प्रसिद्धम् । यत 'इयं' पृथिवी पश्वादिभ्यस्तृणादिरूपमन्नं प्रयच्छति । मृन्मयशरावादित्यागे-नोपयामनामकोर्ध्वपात्ररूपातयैव च पृथिव्या सोमग्रहे अयं हेतुः । यत् 'इतः' 'ऊर्ध्वं' स्वर्गे 'देवाः' वर्तन्त इति ॥ ८ ॥

ग्रहाणां खरे सादनमभिधातुं स्तौति–अथ यद्योनौ सादयतीति । 'योनौ' खरे ग्रहान् 'सादयति' इति यत्, तत्राऽयं हेतुः–'इयं' खरात्मिका भूमिः 'अस्य' 'सर्वस्य' जगत उत्पत्तिस्थानम् । यतः पृथिव्याः सकाशात् 'प्रजाः' 'प्रजाताः' कृत्स्नपृथिव्यात्मकश्चायं खरप्रदेशः । लतासारतया रेतोवत् 'रेतो-भूतम्' 'एतं' 'सोमम्' 'ऋत्विजः' 'बिभ्रति' खरात्मिकया भूम्या उद्धृतं कुर्वन्ति । यदि हि खराद-न्यत्र साद्येत तदा 'अयोनौ' रेतः सिक्तः रेतोभूतः स सोमः स्वप्रयोजनप्रसवाय समर्थो न भवेत् । खरे सादनं योनावेव सादनम् । नायं दोषः ॥ ९ ॥ १० ॥

उपांश्वन्तर्यामयोर्होमे कालभेदं स्तुवन्विधत्ते–प्राणोदानौ ह वा इति । 'अस्य' सोमयागस्य सम्बन्धिनौ

(चा) अहोरात्रे ह वाऽअस्यैतौ ग्रहौ । तयोरुदितेऽन्यतरं जुहोत्यनुदिते-ऽन्यतरमहोरात्रयोर्व्याकृत्याऽअहोरात्रेऽएवैतद्व्याकरोति ॥ १२ ॥

(त्यु) अहः सन्तमुपाᳫँशुम् । (न्तᳫँ) तᳫँ रात्रौ जुहोत्यहरेवैतद्रात्रौ दधाति तस्मादपि सुतमिस्रायामुपैव किंचित्ख्यायते ॥ १३ ॥

रात्रिᳫँ सन्तमन्तर्यामं तमुदिते जुहोति । रात्रिमेवैतदहन्दधाति तेनो हासावादित्य उद्यन्नेवेमाः प्रजा न प्रदहति तेनेमाः प्रजास्त्राताः ॥ १४ ॥

व्याकृत्यै । प्राणोदानावेवैतद्व्याकरोति । तस्मादेतौ समानावेव सन्तौ नानेवाचक्षते—प्राण इति चोदान इति च ॥ ११ ॥

अहोरात्रे ह वाऽअस्यैतौ ग्रहौ । तयोरुदितेऽन्यतरं जुहोति, अनुदितेऽन्यतरम् । अहोरात्रयोर्व्या-कृत्यै । अहोरात्रेऽएवैतद् व्याकरोति ॥ १२ ॥

अहः सन्तमुपांशुम्, तं रात्रौ जुहोति । अहरेवैतद्रात्रौ दधाति तस्माद्—अपि सुतमिस्राया-मुपैव किञ्चित् ख्यायते ॥ १३ ॥

रात्रिं सन्तमन्तर्यामं, तमुदिते जुहोति । रात्रिमेवैतदहन्दधाति । तेनो हासावादित्य उद्यन्नेवेमाः प्रजा न प्रदहति । तेनेमाः प्रजास्त्राताः ॥ १४ ॥

'एतौ' उपांश्वन्तर्यामग्रहौ क्रमेण प्राणोदानात्मकौ यतः, अतः 'तयोः' 'अन्यतरम्' अन्तर्यामं सूर्ये 'उदिते' जुहुयात्[1] । 'अन्यतरं' चोपांशुम् 'अनुदिते' । एवं हि कालभेदात्प्राणोदानावसंकीर्णौ द्विधा कृतौ भवतः । अनेन हि कालभेदेन तावुभौ विभक्तौ करोति । विभागादेव च 'एतौ' समानरूपावपि 'सन्तौ' एकं प्राण इति, अपरं उदान इति भेदेन व्यवहरन्ति ॥ ११ ॥

न केवलं प्राणोदानविभागः । अहोरात्रव्याकृतिरपि प्रयोजनमित्यनन्तरमेव विधिमनूद्य स्तौति—अहोरात्रे ह वा इति । स्पष्टम् ॥ १२ ॥

उक्तं कालविभागमन्यथापि स्तौति—अहः सन्तमुपांशुमिति । एकस्यैव सतः प्राणस्य वृत्तिभेदात् प्राणोदानव्यवहार इत्युक्तम् । सूर्यश्च प्राणात्मकः । अग्निवाय्वादित्यान्प्रकृत्य श्रूयते हि—"स एष प्राण-स्त्रेधा विहितः" इति । सूर्यस्य उपरि सञ्चारो दिनम् । अधः सञ्चारो रात्रिः । अतः सूर्यात्मक-प्राणस्यापि ऊर्ध्वगमनात्मिका प्राणवृत्तिरहः । अधःसञ्चारात्मिका उदानवृत्ती रात्रिः । इति स्थिते प्राण-वृत्तिरूपतया अहरात्मकस्योपांशो रात्रिशेषे होमेन अहरेव रात्रौ दत्तं भवति । अह्नो रात्रौ दानादेव निबिड-तमस्कायामपि च रात्रौ उदयसमीपे कियाँश्चित्प्रकाशो जायते । एवमपानवृत्तिरूपतया रात्र्यात्मकस्यान्तर्यामस्य अहरुपक्रमे होमेन रात्रिरहनि दत्ता भवति । अतः प्रभाते मध्याह्न इव नातितापः । तेनाहोरात्रव्यत्यासेनाहरा-दावपि शैत्याद्रात्रिशेषेऽपि प्रकाशान्मुख्यव्यवहारसंगत्या प्रजाः परित्राताः । अत उक्तः कालविभागः प्रशस्त इति विहितं ॥ १३ ॥ १४ ॥

१—उदितेऽन्तर्यामग्रहणमुपयामगृहीत इति । का. श्रौ. सू. ९ । १२४ ।

(६) अथातो गृह्णात्येव । (वो) उपयामगृहीतोऽसीत्युक्तऽउपयामस्य बन्धुरन्तर्यच्छ मघवन्पाहि सोममितीन्द्रो वै मघवानिन्द्रो यज्ञस्य नेता तस्मादाह मघवन्निति पाहि सोममिति गोपाय सोममित्येवैतदाहोरुष्य राय एषो यजस्वेति पशवो वै रायो गोपाय पशूनित्येवैतदाहेषो यजस्वेति प्रजा वाऽइषस्ता एवैतद्यायजूकाः करोति ता इमाः प्रजा यजमाना अर्चन्त्यः श्राम्यन्त्यश्चरन्ति ॥ १५ ॥

(न्त्य) अन्तस्ते द्यावापृथिवी दधामि । (म्य) अन्तर्दधाम्युर्वन्तरिक्षम् ॥ सजूर्देवेभिरवरैः परैश्चेति तदेनं वैश्वदेवं करोति तद्यदेनेनेमाः प्रजाः प्राण-

---

अथातो गृह्णात्येव । "उपयामगृहीतोऽसि "-(वा० सं० ७ । ४) इति । उक्त उपयामस्य बन्धुः । " अन्तर्यच्छ मघवन् पाहि सोमम् "-(वा. सं. ७ । ४) इति । इन्द्रो वै मघवान्, इन्द्रो यज्ञस्य नेता । तस्मादाह-मघवन्निति । पाहि सोमामिति । गोपाय सोममित्येवैतदाह । " उरुष्य राय एषो यजस्व "-(वा. सं. ७ । ४) इति । पशवो वै रायः । गोपाय पशूनित्येवैतदाह । इषो यजस्वेति । प्रजा वाऽइषः, ता एवैतद्यायजूकाः करोति । ता इमाः प्रजा यजमाना अर्चन्त्यः श्राम्यन्त्यश्चरन्ति ॥ १५ ॥

"अन्तस्ते द्यावापृथिवी दधामि । अन्तर्दधाम्युर्वन्तरिक्षम् । सजूर्देवेभिरवरैः परैश्च"-(वा० सं० ७ । ५) इति । तदेनं वैश्वदेवं करोति । तद्व यदेनेनेमाः प्रजाः प्राणत्यश्चोदनत्यश्चान्त-

---

विहितमन्तर्यामग्रहणमनूद्य तत्र मन्त्रं विनियुज्य पञ्चधा विभागेन व्याचष्टे-अथातो गृह्णात्येवेति । मन्त्रस्तु-" उपयामगृहीतोऽस्यन्तर्यच्छ मघवन्पाहि सोमम्,-उरुष्य राय एषो यजस्व; अन्तस्ते द्यावापृथिवी दधाम्यन्तर्दधाम्युर्वन्तरिक्षं, सजूर्देवेभिरवरैः परैश्चान्तर्यामे मघवन् मादयस्व"(वा.सं७।४।५)-इति ग्रहणादिखरासादनान्तप्रयोगकथनानन्तरं । यतो विहितग्रहणे तत्साधनमन्त्रापेक्षा,अतो यद् गृह्णातीति ग्रहणमनूद्य तत्र "उपयाम "-इत्यादिमन्त्रः साधनं विधीयते । " उपयामगृहीतोसि " इति मन्त्रस्य प्रथमो भागः । हे सोम ! त्वम् उपयामेन ग्रहेण गृहीतोऽसि । व्याचष्टे-उक्त उपयामस्य बन्धुरिति । बध्यते नियमेन प्रयुज्यते स्वार्थे शब्दो येन तत् प्रवृत्तिनिमित्तं 'बन्धुः' । " तद्यदुपयाम "-इति तत्रोक्तम् । " इयं वा उपयामः "-(श. प. ४ । १ । २ । ८) इत्यत्र । द्वितीयो भागः-" अन्तर्यच्छ मघवन् पाहि सोमम् "-इति । व्याचष्टे-इन्द्रो वै मघवानिति । ' मघवन् ' इत्येतेन इन्द्र उच्यते । तस्य यज्ञं प्रति नेतृत्वेन सोमस्यान्तर्नियमने स सम्बोध्यते । ' पाहि '-इत्यादि स्पष्टम् । तृतीयभागः-" उरुष्य राय एषो यजस्व "-इति । व्याचष्टे-पशवो वै राय इति । उरुष्यती रक्षार्थः कण्ड्वादियगन्तः । इच्छन्ति स्वर्गादिफलमिति ' इषः ' । 'प्रजाः' 'यजस्व ' इत्यन्तर्भावितण्यर्थः । ' यायजूकाः, यज्ञशीलाः कृते चैतद्भवति-'ता इमा' इत्यादि॥१५॥

चतुर्थो भागः-" अन्तस्ते द्यावापृथिवी दधाम्यन्तर्दधाम्युर्वन्तरिक्षं, सजूर्देवेभिरवरैः परैश्च "इति । व्याचष्टे-तदेनं वैश्वदेवं करोतीति । ' तत् ' ' तेन ' मन्त्रपठनेन ' एनं ' ग्रहं विश्वदेवोपकारकं ' करोति ' । कथ-

---

१-उदितेऽन्तर्याममग्रहणमुपयामगृहीत इति । का. श्रौ. सू. ९-१२४ ।

त्यश्चोदनुत्यश्चान्तरिक्षमनुचरन्ति तेन वैश्वदेवोऽन्तर्यामे मघवन्मादय-
स्वेतीन्द्रो वै मघवानिन्द्रो यज्ञस्य नेता तस्मादाह मघवन्नित्यथ यदन्तरन्त-
रिति गृह्णात्यन्तस्त्वाऽऽत्मन्दधऽइत्येवैतदाह ॥ १६ ॥

तं हीत्वा परिमार्ष्टि । नेद्व्यवश्चोतदिति तं न सादयत्युदानो ह्यस्यैष
तस्मादयमसन्न उदानः संचरति यदीत्त्वभिचरेदथैनꣳ सादयेदमुष्य त्वो-
दानꣳ सादयामीति ॥ १७ ॥

स यद्युपाꣳशुꣳ सादयेत् । (दु) अथैनꣳ सादयेद्यद्युपाꣳशुं न साद-
येन्नैनꣳ सादयेद्यद्युपाꣳशुमपिदध्यादप्येनं दध्याद्यद्युपाꣳशुं नापिदध्या-
न्नैनमपिदध्याद्यथोपाꣳशोः कर्म तथैतस्य समानꣳ ह्येतद्यदुपाꣳश्वन्त-
र्यामौ प्राणोदानौ हि ॥ १८ ॥

रिक्षमनुचरन्ति—तेन वैश्वदेवः । "अन्तर्यामे मघवन् मादयस्व" –(वा० सं० ७ । ५) इति । इन्द्रो वै मघवान्, इन्द्रो यज्ञस्य नेता । तस्मादाह—मघवन्निति । अथ यदन्तरन्तरिति गृह्णाति । अन्तस्त्वाऽऽत्मन्दधऽइत्येवैतदाह ॥ १६ ॥

तं गृहीत्वा परिमार्ष्टि । नेद्व्यवश्चोतदिति । तं न सादयति । उदानो ह्यस्यैषः । तस्मादयमसन्न उदानः संचरति । यदीत्त्वभिचरेद्—अथैनं सादयेद् । अमुष्य त्वोदानं सादयामीति ॥ १७ ॥

स यद्युपांशुं सादयेत्—अथैनं सादयेत् । यद्युपांशुं न सादयेत्—नैनं सादयेत् । यद्युपांशुमपि-

---

मिति चेत्, लोकत्रयस्य तदन्तर्वर्तिपरावरदेवानां च एतद्ग्रहमध्ये स्मरणात्मकेन निधानेन ते पराश्चावराश्च सर्वे देवा अव्याहतप्राणोदानवृत्तयो यतोऽन्तारिक्षेण सुखिनश्चरन्ति । अतो विश्वेदेवोपकारकताऽस्य ग्रहस्य । "तृतीयार्थे" (पा. सू. १।४।८५) इत्यनुः कर्मप्रवचनीयः । तद्योगाद् 'अन्तरिक्षम्' इति द्वितीया (पा. सू. २।३।८) । पञ्चमो भागः "अन्तर्यामे मघवन् मादयस्व"--इति । व्याचष्टे--इन्द्रो वै मघवानिति । अथ यदन्तरिति । 'मघवन्' इत्यनेनेन्द्र उच्यते । तस्य यज्ञं प्रति नेतृत्वेनात्मनः प्राणनं स सम्बोध्यते । अत्र च समस्ते मन्त्रे योऽयं 'अन्तः' 'अन्तः' इत्यसकृत् संप्रयोगः तेन हे सोमात्मक उदान ! त्वामहमात्मनि अन्तः स्थापयामीत्युच्यत इत्यर्थः । इत्थं च उदानात्मक हे सोम ! त्वं पात्रेण गृहीतोऽसि । हे मघवन् ! उदानात्मक त्वमिमं सोममन्तरे नियमय रक्ष च अस्मिन् यज्ञे प्रवर्ग्यार्थस्य च पयसो दोग्ध्रीर्गाश्च रक्ष यथा च लोकाः सर्वेऽमुना सोमेन यजन्ते तथा कुरु । हे सोम ! त्वय्येव लोकत्रयं प्रणिधानेन स्थापयामि । हे मघवन् स्वर्गमर्त्यलोकवार्तिभिर्देवैः सह अस्मिन्नन्तर्यामे ग्रहे स्वात्मानं तर्पयेति समस्तस्य मन्त्रस्यार्थः ॥ १६ ॥

परिमार्जनं विधत्ते--तं गृहीत्वा परिमार्ष्टीति उपांशुग्रहे गतमेतत् । (श. प. ४।१।१।१७) तत्रत्यप्राणपदस्थाने अत्रोदानपदमित्येव विशेषः ॥ १७ ॥

उपांशोरभिचारे सादनविधानं च नान्यत्रेत्युक्तम् । उभयमन्तर्यामेऽपि तथेत्याह—स यद्युपांशुं सादयेदिति ।

१–अपमार्ष्टयत्र का. श्रौ. सू. ९ । १२६

ता ऽउ ह चरकाः । (का ना) नानैव मन्त्राभ्यां जुह्वति प्राणोदानौ वा-ऽअस्यैतौ नानावीर्यौ प्राणोदानौ कुर्म इति वदन्तस्तदु तथा न कुर्यान्मोहयन्ति ह ते यजमानस्य प्राणोदानावपीद्धाऽएनं तूष्णीं जुहुयात् ॥ १९ ॥

(त्स) स यद्धाऽउपाᳬंशु मन्त्रेण जुहोति । तदेवास्यैषोऽपि मन्त्रेण हुतो भवति किमु तत्तूष्णीं जुहुयात्समानᳬं ह्येतद्यदुपाᳬंश्वन्तर्यामौ प्राणोदानौ हि ॥ २० ॥

स येनैवोपाᳬंशु मन्त्रेण जुहोति । तेनैवैतं मन्त्रेण जुहोति स्वांकृतोऽसि विश्वेभ्य इन्द्रियेभ्यो दिव्येभ्यः पार्थिवेभ्यो मनस्त्वाऽष्टु स्वाहा त्वा सुभव सूर्यायेत्युक्तो यजुषो बन्धुः ॥ २१ ॥

दध्यात्–अप्येनं दध्यात् । यद्युपांशुं नापिदध्यात्–नैनमपिदध्यात् । यथोपांशोः कर्म–तथैतस्य । समानं ह्येतद्–यदुपांश्वन्तर्यामौ–प्राणोदानौ हि ॥ १८ ॥

ताऽउ ह चरकाः–नानैव मन्त्राभ्यां जुह्वति । प्राणोदानौ वा अस्यैतौ नानावीर्यौ । प्राणोदानौ कुर्म इति वदन्तः । तदु तथा न कुर्यात् । मोहयन्ति ह ते यजमानस्य प्राणोदानौ । अपीद्धाऽएनं तूष्णीं जुहुयात् ॥ १९ ॥

स यद्धाऽउपांशुं मन्त्रेण जुहोति । तदेवास्यैषोऽपि मन्त्रेण हुतो भवति । किमु तत्तूष्णीं जुहुयात् । समानं ह्येतद्–यदुपांश्वन्तर्यामौ–प्राणोदानौ हि ॥ २० ॥

स येनैवोपांशुं मन्त्रेण जुहोति । तेनैवैतं मन्त्रेण जुहोति । "स्वांकृतोऽसि विश्वेभ्य इन्द्रियेभ्यो दिव्येभ्यः पार्थिवेभ्यो मनस्त्वाऽष्टु स्वाहा त्वा सुभव सूर्याय "–(वा. सं. ७ । ६) इति । उक्तो यजुषो बन्धुः ॥ २१ ॥

यदुक्तमुपांशोः स्वाहेत्युक्त्वा निष्क्रमणं वरवरणं च–(श. प. ४ । १ । १ । १९–२१ कं.) तदन्तर्यामे समानमित्याह–यथोपांशोः कर्म्म तथैव तस्येति । तत्र हेतुः–समानं ह्येतादिति ॥ १८ ॥

होमे शाखान्तरमतमुपन्यस्यति–ताऽउ ह चरका इति । चरकनामानः केचिच्छाखिनः 'तौ' उपांश्वन्तर्यामग्रहौ भिन्नाभ्यां 'मन्त्राभ्यां' 'जुह्वति' । तथा जुह्वतामयमाशयः । 'एतौ' ग्रहौ 'अस्य' यजमानस्य 'प्राणोदानौ' । तौ च भिन्नव्यापारौ निर्गमनकर्मा प्राणः, प्रवेशकर्मा चोदान इति । भिन्नमन्त्रकरणेन एतौ ग्रहौ स्वयं प्राणापानात्मकौ 'कुर्म इति वदन्तः' । तथाविधं च तच्च कर्म तन्न कुर्यात् । 'यतः' ते 'यजमानस्य' 'प्राणोदानौ' 'मोहयन्ति' व्याकुलीकुर्वन्ति । एकस्यैव सतः प्राणस्य वृत्तिभेदान्नानात्मनोः प्राणोदानयोः नानामन्त्रकरणेन स्वरूपभेदजननाय फलीकरणमपि भ्रमजननाद् व्याकुलीकरणं यत् द्वेधा करणम् । स्वमतमाह–अपीद्धा एनमिति । 'अपि' 'वा' 'एनम्' 'इत्' इत्थमेव । इत्थंभावं विवृणोति । 'तूष्णीं' 'जुहुयात' । वक्ष्यमाणैकमन्त्रपक्षापेक्षया विकल्पः ॥ १९ ॥

न चैवं मन्त्रैकतया होमस्य वैकल्यम् । उपांशोर्मन्त्रवत्त्वेनैवास्यापि तत्सिद्धेः । किंच यद्युपांशुमन्त्रान्मन्त्रान्तरेणान्तर्यामः क्रियेत तथाप्युपांशुमन्त्रेण कृत एव–अनयोरैक्यात् । यदा त्वमन्त्रकः क्रियते तदा

(रु) अथ हुत्वाऽवाञ्चं ग्रहमवमार्ष्टि ।(र्ष्टी) इदं वाऽउपाᳪंशुᳪं हुत्वोर्ध्व-मुन्मार्ष्ट्यथात्रावाञ्चमवमार्ष्टि प्रत्यञ्चमेवास्मिन्नेतदुदानं दधाति ॥ २२ ॥

(त्यु) अथ नीचा पाणिना । मध्यमे परिधौ प्रत्यगुपमार्ष्टीदं वा उपाᳪं-शुᳪं हुत्वोत्तानेन पाणिना मध्यमे परिधौ प्रागुपमार्ष्ट्यथात्र नीचा पाणिना मध्यमे परिधौ प्रत्यगुपमार्ष्टि प्रत्यञ्चमेवास्मिन्नेतदुदानं दधाति देवेभ्यस्त्वा मरीचिपेभ्य इति सोऽसावेव बन्धुः ॥ २३ ॥

(स्तुं) तं प्रत्याक्रम्य सादयति । (त्यु) उदानाय त्वेत्युदानो ह्यस्यैष तानि वै सᳪंस्पृष्टानि सादयति प्राणोदानानेवैतत्सᳪंस्पर्शयति प्राणोदा-नान्त्सन्दधाति ॥ २४ ॥

अथ हुत्वाऽवाञ्चं ग्रहमवमार्ष्टि । इदं वाऽउपांशुं हुत्वोर्ध्वमुन्मार्ष्टि । अथात्रावाञ्चमवमार्ष्टि । प्रत्यञ्च-मेवास्मिन्नेतदुदानं दधाति ॥ २२ ॥

अथ नीचा पाणिना मध्यमे परिधौ प्रत्यगुपमार्ष्टि । इदं वाऽउपांशुं हुत्वोत्तानेन पाणिना मध्यमे परिधौ प्रागुपमार्ष्टि । अथात्र नीचा पाणिना मध्यमे परिधौ प्रत्यगुपमार्ष्टि । प्रत्यञ्चमेवास्मिन्नेतदुदानं दधाति । "देवेभ्यस्त्वा मरीचिपेभ्यः"–(वा. सं. ७ । ६) इति । सोऽसावेव बन्धुः ॥ २३ ॥

तं प्रत्याक्रम्य सादयति । "उदानाय त्वा"–(वा. सं. ७ । ६) इति । उदानो ह्यस्यैषः । तानि वै संस्पृष्टानि सादयति । प्राणोदानानेवैतत्संस्पर्शयति । प्राणोदानान्त्सन्दधाति ॥ २४ ॥

विरोधिमन्त्रान्तराभावत्वेनैव मन्त्रेण कृत इति किमु वक्तव्यम् । एक एव हि स ग्रह इत्युक्तं, प्राणोदानात्मक-त्वात् । तयोश्चैकप्राणवृत्तिभेदमात्रात्मकत्वादिति । यदि तु अमन्त्रकत्वानुशयपरिहाराय मन्त्रेणैवायमपि कर्तव्य इति विनिर्बन्धः । तर्हि येनैवोपांशुः क्रियते, तेनैव–"स्वांकृतः" इत्यादिना मन्त्रेणायमपि क्रियता-मिति । अस्य च यजुष उपांशुग्रहलक्षणस्वार्थेन सह यो बन्धुसम्बन्ध उक्तः ; स एव प्राणद्वारा तदात्मकस्या-न्तर्यामस्यापीति पृथगनुक्तोऽप्युक्त एवेति मन्तव्यम् ॥ २० ॥ २१ ॥

उपांशौ उन्मार्जनोपमार्जने यथा विहिते तद्वैलक्षण्यमन्तर्यामे सोपपत्तिकं विधत्ते–**अथ हुत्वे**ति । 'हुत्वा' अन्तर्यामम्--' अवमार्ष्टि ' इति । यदस्योपांशुवैलक्षण्यार्थं तत्र ह्युन्मार्जनमुक्तम् । इदञ्चान्तर्यामस्यावमार्जने प्रयो-जनम् । यदुदानस्य प्रत्यग्विधानमिति । ' मध्यमे परिधौ ' अवाङ्मुखेन पाणिना ' प्रत्यग् ' अन्तर्यामे उप-मृज्यात् । यत एतद्विपरीतमुपांशावुपमार्जनमिति । प्रयोजनान्तरं चान्तर्यामे परिधौ प्रत्यगुपमार्जने उदानस्य प्रत्यक्त्वाविधानं नाम[1] । उपमार्जने मन्त्रः–**देवेभ्यस्त्वा मरीचिपेभ्यः** इति । अस्य मन्त्रस्योपांशावुक्तं ब्राह्मण-मतिदिशति (श.प. ४ । १ । १ । २४) इति । **सोऽसावेव बन्धुरि**ति ॥ २२ ॥ २३ ॥

अन्तर्यामस्य तन्मन्त्रं च विधाय स्तौति–**तं प्रत्याक्रम्येति**[2] । यतोऽन्तर्याम उदानः, अतस्तदासादने–"उदा-

---

१–प्रथमे च न्युब्जेन पाणिना प्रत्यक् । का. श्रौ. सू. ९ । १२' ।

२–उपांशुसवनसंस्पृष्टस्योदानाय त्वेति पात्रासादनम् । का. श्रौ. सू. ९ । १२८ ।

तानि वाऽअनिङ्ग्यमानानि शेरे । (र॒ऽआ) आ तृतीयसवनात्तस्मादिमे मनुष्याः स्वपन्ति तानि पुनस्तृतीयसवने प्रयुज्यन्ते तस्मादिमे मनुष्याः सुप्त्वा प्रबुध्यन्ते तेऽनिशिताश्चराचरा यज्ञस्यैवैतद्विधामनु व्वय इव ह वै यज्ञो व्विधीयते तस्योपाᳫंश्वन्तर्यामावेव पक्षावात्मोपाᳫंशुसवनः ॥२५॥

(स्ता) तानि वाऽअनिङ्ग्यमानानि शेरे । (र॒ऽआ) आ तृतीयसवनात्तायते यज्ञ एति वै तद्यत्तायते तस्मादिमानि व्वयाᳫंसि विगृह्य पक्षावनायुवानानि पतन्ति तानि पुनस्तृतीयसवने प्रयुज्यन्ते तस्मादिमानि व्वयाᳫंसि समासं पक्षावायुवानानि पतन्ति यज्ञस्यैवैतद्विधामनु ॥ २६ ॥ (शतम् २३०० ॥)

तानि वाऽअनिङ्ग्यमानानि शेरे–आ तृतीयसवनात् । तस्मादिमे मनुष्याः स्वपन्ति । तानि पुनस्तृतीयसवने प्रयुज्यन्ते । तस्मादिमे मनुष्याः सुप्त्वा प्रबुध्यन्ते । तेऽनिशिताश्चराचरा यज्ञस्यैवैतद्विधामनु । वय इव ह वै यज्ञो विधीयते । तस्योपांश्वन्तर्यामावेव पक्षौ । आत्मोपांशुसवनः ॥२५॥

तानि वाऽअनिङ्ग्यमानानि शेरे–आ तृतीयसवनात् । तायते यज्ञः । एति वै तद्–यत्तायते । तस्मादिमानि वयांसि विगृह्य पक्षावनायुवानानि पतन्ति । तानि पुनस्तृतीसवने प्रयुज्यन्ते । तस्मादिमानि वयांसि समासं पक्षावायुवानानि पतन्ति । यज्ञस्यैवैतद्विधामनु ॥ २६ ॥

नाय त्वा " इति मन्त्र इत्यर्थः । सादने विशेषं विधाय स्तौति–**तानि वा** इति । उपांश्वन्तर्यामोपांशुसवनानि परस्परं यथा ' संस्पृष्टानि ' भवन्ति तथा सादयेत् । एतत् संस्पृष्टासादनं प्राणोदानव्यानान् सदा संस्पृष्टान् करोति । तस्य च प्रयोजनं प्राणोदानव्यानानां सदासंगत्याऽवस्थानम् । प्राणोदानयोः सन्ध्यात्मकतया व्यानोऽपि ताभ्यामेव गृह्यत–इति तदपेक्षया ' प्राणोदानान् ' इति बहुवचनम् । तस्य तदुभयसन्धिरूपता च च्छन्दोगैराम्नायते–" अथ यः प्राणापानयोः सन्धिः स व्यानः " (छां. उप. १ । ३ ३) इति ॥ २४ ॥

आसादितानां त्रयाणां तृतीयसवनपर्यन्तमव्यापारं तत्र हेतुमाह–**तानि वा अनिङ्ग्यमानानी**ति । ' तानि ' ' अनिङ्ग्यमानानि ' अव्याप्रियमाणानि ' शेरे ' शेरते " लोपस्त आत्मनेपदेषु "(पा. सू. ७ । १ । ४१) इति तलोपः । ' पुनः ' च ' तृतीयसवने प्रयुज्यन्ते ' इति यत् । तत्रायं हेतुः–' तस्माद् ' ' इमे ' मनुष्याः कियन्तमपि कालं ' सुप्त्वा प्रबुध्यन्ते ' । स्वापापनीताश्च ' तेऽनिशिताः ' अनलसाः व्याप्रियन्ते । मनुष्याणां च यौ स्वापप्रबोधौ तौ यज्ञस्य प्रकारमनुसृत्य सम्पन्नौ । कथमिति चेत्–**वय इव ह वै यज्ञ** इति । यतो ' यज्ञो ' ' वय इव ' पक्षीव । पक्षिणो हि यथा पक्षौ मध्यभागश्च । एवं यज्ञात्मकस्य पक्षिणः ' उपांश्वन्तर्यामौ ' ' पक्षौ ' । ' उपांशुसवनः ' च । मध्यभागः । अत एकरूपत्वादुपांश्वादित्रयानुविधानमेव उक्तानुवादपुरःसरमुक्तम् ॥ २५ ॥

यज्ञस्य पक्षिरूपतामुदाहरणान्तरेणापि विशदयति–**तानि वा** इति । उपांश्वादीनि तृतीयसवनारम्भपर्यन्तं निर्व्यापाराणि तिष्ठन्ति । तदयात्मकस्य यज्ञस्य स्वापः । तृतीयसवने च तैः गात्रैः स ' यज्ञस्तायते ' विस्ता-

(न्वि) इयꣳ ह वाऽउपाꣳशुः । प्राणो ह्युपाꣳशुरिमाꣳ ह्येव प्राणन्नभिप्राणित्यसावेवान्तर्यामऽ उदानो ह्यन्तर्यामोऽसुꣳ ह्येव लोकमुदनन्नभ्युदनित्यन्तरिक्षमेवोपाꣳशुसवनो व्यानो ह्युपाꣳशुसवनोऽन्तरिक्षꣳ ह्येव व्यनन्नभिव्यनिति ॥ २७ ॥

इति प्रथमप्रपाठके द्वितीयं ब्राह्मणम् ॥ (४-१-२)

इयं ह वाऽउपांशुः । प्राणो ह्युपांशुः । इमां ह्येव प्राणन्नभिप्राणिति । असावेवान्तर्यामः । उदानो ह्यन्तर्यामः । अमुं ह्येव लोकमुदनन्नभ्युदनिति । अन्तरिक्षमेवोपांशुसवनः । व्यानो ह्युपांशुसवनः । अन्तरिक्षं ह्येव व्यनन्नभिव्यनिति ॥ २७ ॥

येते । यश्च यज्ञस्य विस्तारः प्रबुद्धः । यज्ञपक्षिणो गमनं—यज्ञविस्तारसमये पात्राणि नैकत्रासादितानि तिष्ठन्ति, किन्तु तत्र तत्र व्याप्रियन्ते । तदेतद्यज्ञपक्षिणो लौकिकपक्षिवत् प्रबोधानन्तरं 'पक्षौ' विक्षिप्य पक्ष्यन्तरसङ्गमं वियुक्तं वियति विष्कम्भेण गमनम् । अनायुवानानीति । "यु मिश्रणामिश्रणयोः"—इति (पा. धा. अ. प. २३) मिश्रणे मेलने वर्तमानात् । व्यत्ययेन शानच् (पा. सू. ३।२।१२४) । ताच्छील्ये वा चानश् (पा. सू. ३ । २ । १२९) तानि पुनः 'तृतीयसवने' कार्यनिष्पत्त्यनन्तरं खरे 'प्रयुज्यन्ते' सह साद्यन्ते—तदेतद्विशदयति । श्रान्तस्य पक्षिणः पक्षौ संक्षिप्य पुनः स्वनिवासगमनं यज्ञपक्षिणः खरे सह पात्रसादनमिह भवति । 'समासे' समस्य संक्षिप्येत्यर्थः इत्थं यज्ञपक्षिणम् 'अनु' विवक्ते लौकिकः पक्षी ॥ २६ ॥

आसादितानामुपांश्वादीनां त्रयाणां लोकत्रयात्मकत्वेनापि प्राशस्त्यमाह—**इयं ह वाऽउपांशुरि**त्यादि । तत्र 'उपांशुः' भूलोकात्मकः, स हि प्राणात्मक इत्युक्तम् (श. प. ४ । १ । १ । १) । भुवमाश्रित्यैव सर्वे प्राणन्ति, अतो भूरपि प्राणात्मिका यतः—अन्तर्यामो द्युलोकात्मकः, स ह्युदानात्मक इत्युक्तम् (श.प.४।१।१।१) उदानश्चावाग्वृत्तितया प्राणोत्क्रमप्रतिबन्धकत्वेन जीवनहेतुः । जीवन्तश्च सर्वे यागदानादिभिः 'अमुं' लोकं साधयाम इत्येव जीवन्तीति । अमुमेव लोकं लक्षयित्वोदनन्तीत्यसौ लोक उदानात्मकः । उपांशुसवनोऽन्तरिक्षलोकात्मकः । स च प्राणोदानसन्धिरूपो व्यानात्मक इत्युक्तम् । व्यानव्यापाराणां च ऋक्सामाभिव्याहाराग्निमन्थनाजिसरणदृढधनुरायमनादीनामप्राणताऽनपानता चैव । म्रियमाणानामन्तरिक्षलोकमाश्रित्यैव निष्पत्तेः । अन्तरिक्षलोकोऽपि व्यानात्मको यतः । इत्युपांश्वादित्रयस्य लोकत्रयात्मकतया प्राशस्त्यमिति । "अभिरभागे" (पा. सू. १ । ४ । ९४) इति । "अन्तर्लक्षणे" कर्मप्रवचनीयत्वम् । तद्योगात् 'इमाम् अमुं अन्तरिक्षं' इति द्वितीया ॥ २७ ॥

इति श्रीसायणाचार्यविरचिते माधवीये वेदार्थप्रकाशे माध्यन्दिनशतपथब्राह्मणभाष्ये चतुर्थकाण्डे प्रथमाध्याये द्वितीयं ब्राह्मणम् ॥ (४-१-२) ॥

१–'क्रियमाणानां' इति क. पाठ ।

वागघ वाऽअस्यैन्द्रवायवः । (८) एतन्न्वध्यात्ममिन्द्रो ह यत्र वृत्राय वज्रं प्रजहार सोऽबलीयान्मन्यमानो नास्तृषीतीव बिभ्यन्निलयाञ्चक्रे तदेवापि देवा ऽअपन्यलयन्त ॥ १ ॥

ते ह देवा ऊचुः । (नं) न वै हतं वृत्रं विद्म न जीवꣳ हन्त न एको वेत्तु यदि हतो वा वृत्रो जीवति वेति ॥ २ ॥

ते वायुमब्रुवन् । (न्न) अयं वै वायुर्योऽयं पवते वायो त्वमिदं विद्धि यदि हतो वा वृत्रो जीवति वा त्वं वै न आशिष्ठोऽसि यदि जीविष्यति त्वमेव क्षिप्रं पुनरागमिष्यसीति ॥ ३ ॥

ऐन्द्रवायवग्रहः ।

वागघ वाऽअस्यैन्द्रवायवः । एतन्न्वध्यात्मम् । इन्द्रो ह यत्र वृत्राय वज्रं प्रजहार । सोऽबलीयान् मन्यमानो 'नास्तृषि' इतीव बिभ्यन्निलयाञ्चक्रे । तदेवापि देवा अपन्यलयन्त ॥ १ ॥

ते ह देवा ऊचुः–न वै हतं वृत्रं विद्म, न जीवम् । हन्त न एको वेत्तु–यदि हतो वा वृत्रो जीवति वेति ॥ २ ॥

ते वायुमब्रुवन् । अयं वै वायुर्योऽयं पवते । 'वायो त्वमिदं विद्धि'–यदि हतो वा वृत्रो जीवति वा, त्वं वै न आशिष्ठोऽसि । यदि जीविष्यति–त्वमेव क्षिप्रं पुनरागमिष्यसीति ॥ ३ ॥

उपांश्वादित्रयप्रयोगानन्तरमैन्द्रवायवस्य प्रयोगमभिधास्यन् तस्य तदानन्तर्ये कारणमाह–**वागघ वा अस्यैन्द्रवायव** इति । प्राणापानव्यानात्मकं हि तत्त्रयम् । व्यानकार्या च वाक् तत्कार्यतया तदात्मकश्चैन्द्रवायवो व्यानात्मकोपांशुसवनसृष्ट्यनन्तरमेव सृष्टश्च । अतो युक्तं तस्य तदानन्तर्यमित्यर्थः । 'ह'–शब्दः प्रसिद्धौ । 'वै'–शब्दस्तां स्मारयति । तथा हि तैत्तिरीयके–"प्राणापानाभ्यामेवोपांश्वन्तर्यामौ निरमिमीत । व्यानादुपांशुसवनं, वाच ऐन्द्रवायवम्"–(तै. शा. अ १।५।४) इति । देहाद्बहिरुपलभ्यमानस्यैन्द्रवायवस्य देहान्तर्वर्तिवागिन्द्रियात्मकता कथमिति तत्राह–**एतन्न्वध्यात्ममि**ति । द्विविधो ह्यैन्द्रवायवः, आधिभौतिक आध्यात्मिकश्चेति । यो बहिः स आधिभौतिकः । यस्त्वेष वाग्रूपः स आध्यात्मिक इत्यर्थः । आत्मनि 'अध्यात्मम्' विभक्त्यर्थे अत्रेः "अव्ययं विभक्ति" (पा. सू. २।१।६) इत्यादिनाऽव्ययीभावः । "अनश्च" (पा. सू. ४ । ६ । १०८) इति टच् समासान्तः । "नाव्ययीभावाद्–" (पा. सू. २ । ४ । ८३) इति विभक्तेर्लुगभावोऽमादेशश्च । विधास्यमाने ग्रहे वायोः प्रथमवषट्कारः । तस्य द्विदेवत्यत्वम् ऐन्द्रवायवनाम सर्वेषां पात्राणां वायव्यनामेत्यादिव्युत्पादनार्थमाख्यायिका आरभ्यते–**इन्द्रो ह यत्र वृत्राये**त्यादि । 'इन्द्रो' वृत्रं हन्तुं 'वज्रं' चिक्षेप । 'वृत्राय' इति–"क्रियार्थोपपदस्य च कर्मणि स्थानिनः" (पा. सू. २ । ३ । १४) इति चतुर्थी । 'प्रजहार' इति प्रहरणे हेतुः प्रक्षेपो लक्ष्यते । 'स' इन्द्रः कृतप्रहारो न बलवान् । अतो नूनमनेनाहं वृत्रं 'नास्तृषि' न हतवान् इति मन्यमानस्तदागमनाद् भीतः सन् निलीनोऽभूत् । 'निलयांचक्रे' इति आम्–प्रत्ययः (पा. सू. ३ । १ । ३६) । 'तत्' तस्माद् भयादेव कारणात् 'देवाः' 'अपन्यलयन्त । न्यलयन्त इति व्यत्ययेन (पा. सू. ३ । २ । १२४) शप् ॥ १ ॥

वृत्रहननसंशये वृत्रो हतो जीवति वेति न ज्ञायते, अस्माकमेको गत्वा जानात्विति ते देवा उक्त्वा, देवै-

स होवाच । किं मे ततः स्यादिति प्रथमवषट्कार एव ते सोमस्य राज्ञ इति तथेत्येयाय वायुरैद्धतं वृत्रꣳ स होवाच हतो वृत्रो यद्धते कुर्यात्तत्कुरुतेति ॥ ४ ॥

ते देवा अभ्यसृज्यन्त । यथा वित्तिं वेत्स्यमाना एवꣳ स यमेकोऽलभत स एकदेवत्योऽभवद्यं द्वौ स द्विदेवत्यो यं बहवः स बहुदेवत्यस्तद्यदेनं पात्रैर्व्यगृह्णत तस्माद्ग्रहा नाम ॥ ५ ॥

स एषामापूयत । (तस) स एनाञ्छुक्तः पूतिरभिववौ स नालमाहुत्याऽआस नालं भक्षाय ॥ ६ ॥

ते देवा वायुमब्रुवन् । (न्वा) वायविमं नो विवाहीमं नः स्वदयेति स होवाच

स होवाच—किं मे ततः स्यादिति । प्रथमवषट्कार एव ते सोमस्य राज्ञ इति । तथेत्येयाय वायुरैद्धतं वृत्रम् । स होवाच—हतो वृत्रः । यद्धते कुर्यात्—तत् कुरुतेति ॥ ४ ॥

ते देवा अभ्यसृज्यन्त—यथा वित्तिं वेत्स्यमानाः—एवम् । स यमेकोऽलभत—स एकदेवत्योऽभवत् । यं द्वौ—स द्विदेवत्यः । यं बहवः—स बहुदेवत्यः । तद् यदेनं पात्रैर्व्यगृह्णत—तस्माद्ग्रहा नाम ॥ ५ ॥

स एषामापूयत । स एनाञ्छुक्तः पूतिरभिववौ । स नालमाहुत्याऽआस, नालं भक्षाय ॥ ६ ॥

ते देवा वायुमब्रुवन् । वायो ! इमं नो विवाहि, इमं नः स्वदयेति । स होवाच—किं मे ततः स्यादिति । त्वय्येवैतानि पात्राण्याचक्षीरन्निति । तथेति होवाच—यूयं तु मे राच्युपवातेति ॥ ७ ॥

राज्ञुतरत्वेन ज्ञातुं नियुक्तो वायुस्ततो गमनान्मे किं फलं स्यादिति वरं वव्रे । सोमरसात्मकस्य हविषः सम्बन्धिनि यस्मिन् ऐन्द्रवायवग्रहे प्रथमं वषट्क्रियते स 'प्रथमवषट्कारः' सोमांशस्तव भाग इति । 'तथा' इत्युक्त्वा वायुः देवेभ्यो निरगच्छत् । "आङ् स्वार्थे" । हतं वृत्रं च प्राप । पुनरागत्य 'हतो वृत्रः' हते च यद् विभजनाय सोमग्रहविभागादिकं कर्त्तव्यं 'तत्' 'कुरुत' इति देवेभ्यो न्यवेदयत् ॥ २ ॥ ३ ॥ ४ ॥

ते देवाः 'अभि' सोममभिलक्ष्य 'असृज्यन्त' अन्तरिक्षं गतवन्तः—"सृज विसर्गे"—(धा. पा. दि. आ. ७२) दैवादिकोऽनुदात्तेत् । विद्यते लभ्यत इति वित्तिः, प्राप्तव्योऽर्थः, तं येन प्रकारेण विभजन्ते 'एवं' हि 'सः' सोमग्रहविभाग इति । अतो 'यं' ग्रहं महेन्द्रादिः 'एकः' अलभत' 'सः' माहेन्द्रादिः 'एकदेवत्यः' 'यं' 'द्वौ' स आश्विनादिः 'द्विदेवत्यः' । 'यं' 'बहवः' 'स' वैश्वदेवादिः 'बहुदेवत्यः' इति—"देवतान्तात्तादर्थ्ये" (पा. सू. ५ । ४ । २४) इति यत् । तदा 'एनं' सोमं यस्मात्कारणात् 'पात्रैः' विभज्य देवा 'अगृह्णत' 'तस्मात्' तानि पात्राणि 'ग्रहाः' इति प्रसिद्धाः । "ग्रहवृदृनिश्चिगमश्च"—(पा. सू. ३ । ३ । ५८) इति करणे अप् ॥ ५ ॥

'एषां' सम्बन्धी 'सः' गृहीतः सोमः पूतिगन्धोऽभवत् । 'सः' पर्युषितः पूतिगन्धः 'एनान्' देवान् प्रत्याजगाम आहुत्यर्थं हुतशिष्टभक्षणार्थं वा दुर्गन्धत्वेन 'सः' सोमरसो योग्यो नासीत् ॥ ६ ॥

'देवाः' 'वायुं' सोमं 'विवाहि' विगतदुर्गन्धं कुरु अस्मभ्यमिमं रोचयेत्यूचुः । तेन च वरे वृते तन्नाम्ना

किं मे ततः स्यादिति त्वय्यैवैतानि पात्राण्याचक्षीरन्निति तथेति होवाच यूयं तु मे सच्युपवातेति ॥ ७ ॥

तस्य देवाः। (वा) यावन्मात्रमिव गन्धस्यापजघ्नुस्तं पशुष्वदधुः स एष पशुषु कुणपगन्धस्तस्मात्कुणपगन्धान्नापिगृह्णीत सोमस्य हैष राज्ञो गन्धः ॥ ८ ॥

(न्धो) नो ऽएव निष्ठीवेत्। (त्त) तस्माद्यद्यप्यासक्त इव मन्येताभिवातं परीयाच्छ्रीर्वै सोमः पाप्मा यक्ष्मः स यथा श्रेयस्यायति पापीयान्प्रत्यवरोहे-देवꣳ हास्माद्यक्ष्मः प्रत्यवरोहति ॥ ९ ॥

(त्य) अथेतरं वायुर्व्यवात्। (त्त) तदस्वदयत्ततोऽलमाहुत्याऽ-आसालं भक्षाय तस्मादेतानि नानादेवत्यानि सन्ति वायव्यानीत्या-

---

तस्य देवा यावन्मात्रमिव गन्धस्यापजघ्नुः, तं पशुष्वदधुः। स एष पशुषु कुणपगन्धः। तस्मात् कुणपगन्धान्नापिगृह्णीत। सोमस्य हैष राज्ञो गन्धः ॥ ८ ॥

नोऽएव निष्ठीवेत्। तस्मात् यद्यप्यासक्त इव मन्येत–अभिवातं परीयात्। श्रीर्वै सोमः पाप्मा यक्ष्मः, स यथा श्रेयस्यायति पापीयान्प्रत्यवरोहेद्–एवं हास्माद्यक्ष्मः प्रत्यवरोहति ॥ ९ ॥

अथेतरं वायुर्व्यवात्। तदस्वदयत्। ततोऽलमाहुत्या आस, अलं भक्षाय। तस्मादेतानि

पात्राणां व्यवहारं प्रायच्छन् 'तथा' 'इति'–अङ्गीकृत्य 'यूयं' 'मे' सर्वे 'सचि' सहायकाः स्थिता वातोपकारिणं व्यापारं कुरुत इति आह ॥ ७ ॥

'तस्य' सोमस्य सम्बन्धिनो 'गन्धस्य' यावन्तं दोषांशं 'देवाः' अपनीतवन्तः 'तं' 'पशुषु' प्राणिषु स्थापितवन्तः। 'स एषः' प्राणिषु दृश्यमानः स्वेदादिनिबन्धनो दुर्गन्धः। तत् किं? प्रयोगमध्ये स्वेदादिनिबन्धने तस्मिन् गन्धे जुगुप्सा कृता सा चायुक्ता। यतोऽसौ पशुषु क्षिप्तोऽपि क्षेपात् प्राक् सोमस्य राज्ञो गन्धो जातः। तदनाघ्राणाय वस्त्रादिना नासिका आच्छादनीया। मुखगतस्य परिहाराय निष्ठीवेदिति। नापि गृह्णीयात्। न निष्ठीवेत्। अपिपूर्वो गृह्णातिराच्छादने वर्तते। यथा तस्माद्दीक्षितेनापिगृह्य ष्ठीवितव्य इत्यादावपिग्रहणनिष्ठीवनाभ्यां हि तस्मिन् गन्धे जुगुप्सा कृता स्यात्। सा चायुक्ता। यतः पशुषु क्षिप्तोऽपि क्षेपात् प्राक् सोमस्य राज्ञो गन्धः। अतः पिधाननिष्ठीवनाभ्यां सोम एवावज्ञातः स्यात्। अतोऽपवित्रेण गन्धेन 'आ' समन्तात् सक्तं व्याप्तमात्मानं 'मन्येत' तदा तत्परिहाराय पक्षिण इव प्रवातप्रदेशमासेवेत। तेन च तमपनीय प्रयुञ्जीत। न पुनस्तमपवित्रगन्धं सहमानेनैव प्रयोगो निष्पादनीयः। यतः साक्षाच्छ्रीरूपः सोमः। अपवित्रगन्धः पुनर्व्याधिरूपः पाप्मा। यथा च प्रशस्ततरे राजादावागच्छति सति उन्नतं पर्यङ्कप्रासादादिकमारुह्य स्थितः पापीयान्–एवं सोमे राजन्यागच्छति सति प्रवातसेवया रोपितो भवति ॥ ८ ॥ ९ ॥

अनन्तरमपनीताद्गन्धात् 'इतरं' स्थितं सोमं 'वायुर्व्यवात्' स सगन्धादियुक्तो भवति तथा व्याप्नोत्। "वा गतिगन्धनयोः"–(धा.पा.अ.प.४०) इति। तेन च तं सोमं देवानां स्वादुमकरोत्। ततश्च स

चक्षते सोऽस्यैष प्रथमवषट्कारश्च सोमस्य राज्ञ एतान्यु ऽएनेन पात्रा-ण्याचक्षते ॥ १० ॥

(त इ) इन्द्रो ह वाऽईक्षांचक्रे। व्वायुर्वै नोऽस्य यज्ञस्य भूयिष्ठभाग्यस्य प्रथमवषट्कारश्च सोमस्य राज्ञ एतान्यु ऽएनेन पात्राण्याचक्षते हन्ता-स्मिन्नपित्वमिच्छाऽइति ॥ ११ ॥

स होवाच । व्वायव्वा माऽस्मिन्ग्रहे भजेति किं ततः स्यादिति निरुक्त-मेव व्वाग्वदेदिति निरुक्तं चेद्वाग्वदेदा त्वा भजामीति तत एष ऐन्द्रवायवो ग्रहोऽभवद्वायव्यो हैव ततः पुरा ॥ १२ ॥

नानादेवत्यानि सन्ति वायव्यानीत्याचक्षते। सोऽस्यैष प्रथमवषट्कारश्च सोमस्य राज्ञः । एतान्यु-ऽएनेन पात्राण्याचक्षते ॥ १० ॥

इन्द्रो ह वाऽईक्षांचक्रे—वायुर्वै नोऽस्य यज्ञस्य भूयिष्ठभाक्—यस्य प्रथमवषट्कारश्च सोमस्य राज्ञः। एतान्युऽएनेन पात्राण्याचक्षते, हन्तास्मिन्नपि त्वमिच्छाऽइति ॥ ११ ॥

स होवाच—वायो ! आ माऽस्मिन्ग्रहे भजेति । किं ततः स्यादिति । निरुक्तमेव वाग्वदेदिति । निरुक्तं चेद्वाग्वदेद्—आ त्वा भजामीति । तत एष ऐन्द्रवायवो ग्रहोऽभवत् । वायव्यो हैव ततः पुरा ॥ १२ ॥

सोमो होमाय हुतशिष्टभक्षणाय च शक्यो जातः । यतो वृत्रविनाशविषयप्रियवार्त्ताकथनेन सोमस्य स्वादू-करणेन च लब्धवरद्वयो वायुः, 'तस्मात्' हेतोः'एतानि' पात्राणि देवतार्थतया तत्तद्देवैश्च व्यपदेशमर्हन्ति 'सन्ति' अपि वायोर्दत्तवरतया 'वायव्यानि' इत्युच्यन्ते । 'स एषः' इदानीं क्रियमाणः 'प्रथमवषट्कारश्च' 'अस्य' वायोरेव जातो—न केवलं तत्तद्देवैः सोमग्रहणार्थतया सोमेन व्यपदेशार्हाण्यपि सन्ति तानि 'पात्राणि' च तेन वायुनैव वायव्यानीत्याचक्षते याज्ञिकाः । "छन्दसि लुङ्लङ्लिटः"-(पा. सू. ३ । ४ । ६)-इति वर्त्तमाने लट् । एवं वायोः प्रथमवषट्काररूपवरलाभादयं ग्रहो वायव्योऽस्तु कथमिति ? चेत्, उच्यते—वायावेवं दत्तवरे 'इन्द्रः' 'ईक्षांचक्रे' पर्यालोचितवान् । अस्मदीये अमुष्मिन् पक्षे वायोर्वा जुह्वातं यदस्मासु ज्यायस्सु स्थितेषु यस्य वायोः कनीयसः प्रथमो भागः । अस्मन्नामान्यपनीय पात्राणामपि वायव्यानीति वायुनाम्ना व्यपदेशश्चेति तर्हि किं कर्तव्यमिति कर्तव्यार्थोपलम्भनिबन्धनो हर्षो 'हन्त' इति । यदि नाम ऐन्द्राग्ने अग्निना सह भागोऽस्ति । यद्यपि चोक्थ्यमरुत्वतीयादौ ममैवासाधारणो भागोऽस्ति । तथाऽपि त्वं तेभ्योऽन्यं भागम् अस्मिन् प्रथमग्रहेऽपि अहं 'इच्छै' इच्छतेर्व्यत्ययेनात्मनेपदे लोडुत्तमैकवचनम ॥ १० ॥ ११ ॥

इत्थमिच्छित्वा च 'सः' इन्द्रः हे वायो! 'ग्रहे' 'मा' मां 'भज' मम भागं देहीति 'उवाच'। 'ततः' तव भागप्रदानान्मम 'किं' फलं स्यादिति च वायुनोक्ते वरमिन्द्रो ददौ । 'निरुक्तमेव वाग्व-देत्' इति । तं च वरं वायावङ्गीकुर्वति सति तद्वरप्रदानात् पूर्वं वायुदेवत्योऽपि 'ग्रहः' इन्द्रसम्बन्धेन 'ऐन्द्र-वायवः अभवत्' । 'निरुक्तं' नाम निःशेषमुक्तं विस्पष्टमित्यर्थः । अत एव देवताविशेषरूपस्यार्थस्या-

स इन्द्रोऽब्रवीत् । (द) अर्धं मेऽस्य ग्रहस्येति तुरीयमेव तऽइति व्वायुरर्धमेव मऽइतीन्द्रस्तुरीयमेव तऽइति व्वायुः ॥ १३ ॥ [अर्धप्रपाठकः ॥ ६८ कंडिकाः] ॥

तौ प्रजापतिं प्रति प्रश्नमेयतुः । स प्रजापतिर्ग्रहं द्वेधा चकार स होवाचेदं व्वायोरित्यथ पुनरर्धं द्वेधा चकार स होवाचेदं व्वायोरितीदं तवेतीन्द्रं तुरीयमेव भाजयांचकार यद्वै चतुर्थं तत्तुरीयं तत एष ऐन्द्रतुरीयो ग्रहोऽभवत् ॥ १४ ॥

(त्त) तस्य वाऽएतस्य ग्रहस्य । द्वे पुरोरुचौ व्वायव्यैव पूर्वैन्द्रवायव्युत्तरा द्वेऽअनुवाक्ये व्वायव्यैव पूर्वैन्द्रवायव्युत्तरा द्वौ प्रैषौ व्वायव्य एव पूर्वऽऐन्द्रवायव उत्तरो द्वे याज्ये वायव्यैव पूर्वैन्द्रवायव्युत्तरैवमेनं तुरीयं तुरीयमेव भाजयांचकार ॥ १५ ॥

स इन्द्रोऽब्रवीत्–अर्धं मेऽस्य ग्रहस्येति । तुरीयमेव तऽइति वायुः । अर्धमेव मऽइतीन्द्रः । तुरीयमेव तऽइति वायुः ॥ १३ ॥

तौ प्रजापतिं प्रति प्रश्नमेयतुः । स प्रजापतिर्ग्रहं द्वेधा चकार । स होवाच इदं वायोरिति । अथ पुनरर्द्धं द्वेधा चकार । स होवाच–इदं वायोरिति, इदं तवेति । इन्द्रं तुरीयमेव भाजयाञ्चकार । यद्वै चतुर्थं तत्तुरीयम् । तत एष ऐन्द्रतुरीयो ग्रहोऽभवत् ॥ १४ ॥

तस्य वाऽएतस्य ग्रहस्य द्वे पुरोरुचौ–वायव्यैव पूर्वा, ऐन्द्रवायव्युत्तरा । द्वेऽअनुवाक्ये–वायव्यैव पूर्वा, ऐन्द्रवायव्युत्तरा । द्वौ प्रैषौ–वायव्य एव पूर्वः, ऐन्द्रवायव उत्तरः । द्वे याज्ये–वायव्यैव पूर्वा, ऐन्द्रवायव्युत्तरा । एवमेनं तुरीयं तुरीयमेव भाजयाञ्चकार ॥ १५ ॥

प्रत्यायनेनाविस्पष्टाया ऋचः प्राजापत्यत्वमन्यत्र श्रूयते–" अनिरुक्तया प्राजापत्यया गृह्णाति " इति । अथवा परा, पश्यन्ती, मध्यमा, वैखरी, इत्येवं चतुरवस्था वागवतिष्ठते । तत्र पूर्वस्मिन् वागवस्थाभेदे उत्तरोत्तरस्याभावात् सावशेषत्वम् । वैखर्यां तु परादीनां तिसृणामपि संग्रहेण निःशेषत्वान्निरुक्तत्वम् ॥ १२ ॥

प्रजापतिकृते ऐन्द्रवायवे इन्द्रवाय्वोर्विवादपूर्वकमिन्द्रस्य चतुर्थांशभाक्त्वं तुरीयशब्दार्थं चाह–स इन्द्र इत्यादि । ' अर्धम् ' इत्यादिनोभयोर्विवादः । एवं विवदमाना इन्द्रवायू प्रजापतिं पृच्छाव इति तत्समीपमगमताम् । ' सः ' च ' प्रजापतिः ' तं ' ग्रहं ' विभज्य ' इन्द्रं ' चतुर्थेनांशेन भागिनमकरोत्, अवशिष्टेन तु वायुम् । ' तुरीयम् ' इति चतुर्थमित्यर्थः । " चतुरश्छयतावाद्यक्षरलोपश्च "–(पा. सू. ५।२।५१ वा.) इति छप्रत्यये आदिवर्णलोपे च तुरीयशब्दव्युत्पत्तेः ॥ १३ ॥ १४ ॥

इन्द्रवाय्वोः स्वकीयग्रहभागानुसारेण ग्रहाङ्गभूतानामपि मन्त्राणां विभागमाह–तस्य वाऽएतस्येत्यादि । पुरोरुचाविति । " उपयामगृहीतोऽसि " (श. प. ४ । १ । २ । १९) इत्यस्मात् पूर्वं ग्रहप्रशंसया तद्विषयां रुचिं

स होवाच। तुरीयं तुरीयं चेन्मामबीभजुँस्तुरीयमेव तर्हि व्वाङ्निरुक्तं व्वदिष्यतीति तदेतत्तुरीयं व्वाचोऽनिरुक्तं यन्मनुष्या व्वदन्त्यथैतत्तुरीयं व्वाचोऽनिरुक्तं यत्पशवो व्वदन्त्यथैतत्तुरीयं व्वाचोऽनिरुक्तं यद्वयाᳬंसि व्वदन्त्यथैतत्तुरीयं व्वाचोऽनिरुक्तं यदिदं क्षुद्रᳬं सरीसृपं व्वदति ॥ १६ ॥

तस्मादेतदृषिणाऽभ्यनूक्तम् । (ऋ) चत्वारि व्वाक्परिमिता पदानि तानि व्विदुर्ब्राह्मणा ये मनीषिणः । गुहा त्रीणि निहिता नेङ्गयन्ति तुरीयं व्वाचो मनुष्या वदन्तीति ॥ १७ ॥

स होवाच–तुरीयं तुरीयं चेन्मामबीभजुः–तुरीयमेव तर्हि वाङ्निरुक्तं वदिष्यतीति । तदेतत्तुरीयं वाचोऽनिरुक्तम्–यन्मनुष्या वदन्ति । अथैतत्तुरीयं वाचोऽनिरुक्तम्–यत्पशवो वदन्ति । अथैतत्तुरीयं वाचोऽनिरुक्तम्–यद्वयांसि वदन्ति । अथैतत्तुरीयं वाचोऽनिरुक्तम्–यदिदं क्षुद्रं सरीसृपं वदति ॥ १६ ॥

तस्मादेतदृषिणाऽभ्यनूक्तम्–" चत्वारि वाक् परिमिता पदानि तानि विदुर्ब्राह्मणा ये मनीषिणः । गुहा त्रीणि निहिता नेङ्गयन्ति तुरीयं वाचो मनुष्या वदन्ति ॥" इति ॥ १७ ॥

देवतार्थे करोतीति पुरोरुक् । ण्यन्तात् क्विप् (पा. सू. ३ । २ । ७६), णिलोपे (पा. सू. ६ । ४ । ९१) " संज्ञापूर्वको विधिरनित्यः "–इति गुणो न भवति । अथवा अन्तर्भावितण्यर्थात् क्विपि रूपम् । पुरोरुगादीनां पूर्वा वायव्या एव, उत्तरास्त्वैन्द्रवायवा इति सर्वत्रेन्द्रस्य चतुर्थांशभाक्त्वमेव जातम् ॥ १५ ॥

स्वकीयग्रहादिभागानुसारेण वाचश्चतुर्थमेव निरुक्तं स्यादित्याह–**स होवाचे**त्यादि । ग्रहादौ सर्वत्र चतुर्थभागस्यैव मदीयत्वाद्वागपि चतुर्थभागमेव भागं विस्पष्टं वदिष्यति । वाचो विस्पष्टिश्चतुर्थे भागे वैखरी वदत इत्यर्थः । परा-पश्यन्ती-मध्यमा-वैखरीत्येवं चतुरवस्था वागवतिष्ठते । तत्र परादीनां तिसृणां देहमध्य एवावस्थानेन परश्रोत्रग्रहणयोग्यताभावादविस्पष्टार्थत्वम् । वैखरी पुनः परश्रोत्रैर्गृह्यतेऽतिवाहितार्थप्रत्यये च समर्था भवति–इति विस्पष्टेत्यर्थः । 'अबीभजन्' भजतेर्ण्यन्ताल्लुङि चङि रूपम् । यत इन्द्रेण वैखर्यात्मकं वायुमनु जातम् तदिदानीं मनुष्यादिभिस्तदेव व्यवह्रियत इत्याह–**तदेतत्तुरीय**मित्यादिना । मनुष्यादय इदानीं यद्वाग्रूपं वदन्ति तदिन्द्रेणाभ्यनुज्ञानं विस्पष्टं चतुर्थं वाग्रूपमित्यर्थः । **क्षुद्र** ᳬ**सरीसृप**मिति । पुनः पुनस्तानेव गच्छदन्यत् प्राणिजातमित्यर्थः । **सरीसृप**मिति । सृपेरचि 'यङोऽचि च' (पा. सू. २ । ४ । ७४) इति यङो लुक् । " सन्यङोः " (पा. सू ६ । १ । ९) इति द्विर्वचनम् । उपधादिकाय " रुग्रिकौ च लुकि "(पा. सू. ७ । ४ । ९१) इति रीगागमः । अन्यापेक्षया गुणे प्राप्ते–" न धातुलोप आर्द्धधातुके " (पा. सू. १ । १ । ४) इति प्रतिषेधः ॥ १६ ॥

उक्तेऽर्थे मन्त्रसंवादं दर्शयति–**तस्मादेतदि**त्यादि । इन्द्रो वाचश्चतुर्थभागं विस्पष्टमन्वजानात् । तस्मादेतदुक्तमर्थरूपमनुसृत्य 'ऋषिणा' मन्त्रेणैवमुक्तम् । वाचः 'पदानि' परापश्यन्तीत्यादयोऽवस्थाभेदाः

१–अबीभजन् इति भाष्यकारपाठः । २– अयं च ब्राह्मणोत्पन्न एव मंत्रः । स च प्रायः सर्वत्र श्लोकशब्देन व्यवहृतो भवति ॥

(त्य) अथातो गृह्णात्येव । (वा) आ वायो भूष शुचिपा उप नः सहस्रं ते नियुतो विश्ववार । उपो तेऽअन्धो मद्यमयामि यस्य देव दधिषे पूर्वपेयं वायवे त्वेति ॥ १८ ॥

अथातो गृह्णात्येव । " आ वायो भूष शुचिपा उप नः सहस्रं ते नियुतो विश्ववार । उपो तेऽअन्धो मद्यमयामि यस्य देव दधिषे पूर्वपेयम्–वायवे त्वा "–(वा. सं. ७।७) इति ॥ १८ ॥

चत्वारि 'परिमिता' परिमितानि यतः चत्वारि अतः परिच्छिन्नानीत्यर्थः । अथवा 'वाक्'–परिमितानि 'चत्वारि' 'पदानि' परिच्छिन्नपराद्यवस्थाभेदरूपचतुष्पदात्मिका । पूर्वस्मिन् पक्षे–" सुपां सुलुक् " (पा. सू. ७ । १ । ३९) इत्यादिना षष्ठ्या लुकि सति वागित्येतद्रूपं भवति । " परिमिता " इति " शेश्छन्दसि बहुलम् " (पा. सू. ६ । १ । ७०) इति (अमादेशस्य) शेर्लोपः । ' ये ' मनीषिणः ' विद्वांसस्ते ' ब्राह्मणाः ' ' तानि ' वाचः पदानि जानन्ति । ' मनीषिणः ' इति व्रीह्यादित्वादिनिः (पा. सू. ५ । २ । ११६) अथवा "शिखादिभ्य इनिर्वाच्यः" इति । तेषां मध्ये ' 'त्रीणि' पदानि पराद्यवस्थाभेदरूपाणि शरीरमध्यरूपायां गुहायां निहितानि 'नेङ्गयन्ति' न चेष्टन्ते न विस्पष्टीभवन्तीत्यर्थः । गुहेति पूर्ववत् "सुपामिति" (पा. सू. ७ । १ । ३९) सप्तम्या लुक् । आकारादेशो वा । चतुर्थमेव रूपं वैखर्यात्मकमिदानीं मनुष्या वदन्ति । मनुष्या इत्येतत् पश्वादीनामप्युपलक्षणार्थम् । पश्वादयोऽपि चतुर्थं वाग्रूपं वदन्तीति ॥ १७ ॥

इत्थमाख्यायिकया ग्रहस्य देवतादिकं प्रदर्श्य तस्य समन्त्रकं ग्रहणसंस्कारं विधत्ते–**अथात** इत्यादि[1] । 'अथातः' इत्यनेनान्तर्यामग्रहानन्तर्यं द्योत्यते । प्रकृतत्वादैन्द्रवायवं ग्रहम् "आ वायो भूष" इत्यादिना गृह्णीयात् । एतन्मंत्रकरणकेन ग्रहणेन सोमं संस्कुर्यादित्यर्थः । नन्वत्र ग्रहणवाक्ये द्रव्यदेवतासम्बन्धदर्शनाद्यागविधायकत्वं प्रतीयते । यथा "यदाग्नेयोऽष्टाकपालोऽमावास्यायां वा" (तै. सं. २ । ६ । ३) इति तत्कुतः संस्कारो विधीयत इति । न " सोमेन यजेत " इत्यनेनैव यागस्य विहितत्वात् । ननु " यदाग्नेय " इत्यादिभिर्वाक्यैर्विहितानां यागानां यथा विद्वद्वाक्यमनुवादकं, तथा ग्रहणवाक्यविहितानां यागानामेतत् " सोमेन " इत्यादि वाक्यमनुवादकं भविष्यतीति चेत् (न) अनुवादासम्भवात् । सति हि पुरोवादेऽनुवादः सम्भवति । न चात्र पुरोवादोऽस्ति सोमेन यजेतेत्यनेन प्रतीतस्यार्थस्य ग्रहणवाक्येष्वप्रतीतेः । न हि ग्रहणं यजनं भवति नापि तद्धितप्रत्ययोक्तो रसः सोमलता । न च वाच्यं सर्वनामार्थे विहितस्तद्धितः प्रकृतं ब्रूते, न तु रसमिति । "अन्तः पवित्राद्गृह्णाति" इति रसस्यैव प्रकृतत्वात् । अतोऽनुवादसम्भवात् सोमेनत्येतस्य विधायकत्वम् । विहिते तु तस्मिन् आग्नेयादिवाक्यानि तु संस्कारस्य विधायकानि"यदाग्नेयोऽष्टाकपालः"इत्यादिषु तु वाक्येषु द्रव्यदेवतासम्बन्धान्यथानुपपत्त्या यागः कल्प्यत इति पुरोवादसम्भवाद्विद्वद्वाक्यमनुवादकं भवति । न चैवं व्यत्यासेन विद्वद्वाक्यं यागस्य विधायकम् । विहिते तस्मिन् आग्नेयादिवाक्यानि गुणविधायकानीति शंकनीयम् । विहितयागानुवादेन नानागुणविधाने वाक्यभेदप्रसङ्गात् । तथा चोक्तम् " प्राप्ते कर्मणि नानेको विधातुं शक्यते गुणः । अप्राप्ते तु विधीयन्ते बहवोऽप्येकयत्नतः" (तंत्र वार्तिक अ. ३) इति ॥ तस्मादनेन ग्रहणवाक्येन सोमरसस्य देवताविशिष्टो ग्रहणसंस्कारो विधीयते ॥ नन्वेवमपि ग्रहणस्य गुणकर्मत्वं न सम्भवति गुणकर्मलक्षणरहितत्वात्, प्रधानकर्मलक्षणयुक्तत्वाच्च । तथा हि सूत्रकृता कर्म्मणां भेदस्तल्लक्षणं च सूत्रितम्–" तानि द्वैधं गुणप्रधानभूतानि । यैस्तु द्रव्यं चिकीर्ष्यते गुण-

---

१–' ऐन्द्रवायवं गृह्णात्यावायोविति । का० श्रौ० सू० ९ । १२९ ।

(त्यु) अथापगृह्य पुनरानयति । (त्री) इन्द्रवायूऽइमे सुता उप प्रयोभिरागतम् । इन्दवो वामुशन्ति हि । उपयामगृहीतोऽसि व्वायवऽइन्द्रवायुभ्यां त्वैषु ते योनिः सजोषोभ्यां त्वेति सादयति स यदाह सजोषोभ्यां त्वेति यो वै व्वायुः स इन्द्रो य इन्द्रः स व्वायुस्तस्मादाहैषु ते योनिः सजोषोभ्यां त्वेति ॥ १९ ॥ ३ ॥

इति प्रथमप्रपाठके तृतीयं ब्राह्मणम् ॥ ४-१-३ ॥

अथापगृह्य पुनरानयति । " इन्द्रवायूऽइमे सुता उप प्रयोभिरागतम् । इन्दवो वामुशन्ति हि । उपयामगृहीतोऽसि वायवऽइन्द्रवायुभ्यां त्वैष ते योनिः सजोषोभ्यां त्वा "-(वा० सं० ७ । ८) इति सादयति । स यदाह-सजोषोभ्यां त्वेति, यो वै वायुः स इन्द्रो य इन्द्रः स वायुः । तस्मादाह-एष ते योनिः सजोषोभ्यां त्वेति ॥ १९ ॥

स्तत्र प्रतीयते, तस्य द्रव्यप्रधानत्वात् । यैस्तु द्रव्यं न चिकीर्ष्यते तानि प्रधानभूतानि, द्रव्यस्य गुणभूतत्वात् " इति । यैः कर्मभिर्द्रव्यं चिकीर्ष्यते उत्पादयितुं संस्कर्तुं चेष्यते तानि गुणकर्म्माणि । यैस्तु न तथा क्रियते तानि प्रधानकर्माणि । तथा च सति यूपं भक्षतीत्यादौ यूपादिकस्योत्पादयितुमिष्टत्वात् व्रीहीनवहन्तीत्यादौ व्रीह्यादिकस्य संस्कर्तुमिष्टत्वाद् गुणकर्मत्वम् । प्रयाजादिषूक्तवैपरीत्यात्, प्रयाजादिवत् प्रधानकर्मत्वम् । एवं च सत्यवघातेन यथा व्रीहीणां तुषविमोको दृष्टः संस्कारः तथा ग्रहणेन सोमरसे न कश्चिद् विशेष उत्पद्यते, अतोऽवघातवैषम्यात्प्रयाजादिवत्प्रधानकर्मत्वमिति चेन्न । "ऐन्द्रवायवम्" इति द्वितीया कर्मकारके विहिता । कर्मत्वं चेप्सिततमत्वे भवति, "कर्तुरीप्सिततमं कर्म" (पा० सू० १।४।४९) इति कर्मसंज्ञाविधानात् । अस्ति च सोमरसस्येप्सिततमत्वं, यागसाधनत्वात् । अतः सोमरसः प्रधानभूतः । तथा सति ग्रहणक्रियाया गुणकर्मत्वमवघातवत्संसिद्धम् । एवं सर्वत्र द्रष्टव्यं ग्रहणवाक्येषु । ग्रहणमन्त्रस्त्वेवमाम्नायते-आ वायाविति । यदि सोमरसे दृष्टोऽतिशयो न स्यात्, तर्ह्यपूर्वं कल्पनीयम्, तस्माद् ग्रहणस्य गुणकर्मत्वम् । हे 'वायो!' 'शुचिपाः' शुद्धस्य सोमस्य पातः 'नः' अस्माकं समीपे 'आभूष' अलंकुरु "भूष अलङ्कारे" (धा. भ्वा. वा. प. ६८।३) हे विश्वस्य व्यापक ! 'ते' तव सहस्रसंख्याः नियुतो (निघ. १ । १५ । ८) वाहनानि सन्ति, तादृशस्य च तव सम्बन्धि मदनीयं-" गदमदचरयमश्चानुपसर्गे "-(पा. सू. ३ । १ । १००) इति यत् । 'अन्धः' अन्नं सोमरसात्मकम् । 'उपो' उप 'अयामि' उपगमयामि । 'अय गतौ' (भ्वा. प. ४७६) हे 'देव!' द्योतमानः वायो ! यस्य सोमस्य 'पूर्वपेयं' प्रथमवषट्कारलक्षणं प्रथमपानं 'दधिषे' धारयसि । " छन्दसि लुङ्लङ्लिटः " (पा. सू. ३ । ४ । ६) इति लिट् । हे सोमरस ! 'त्वा वायवे' गृह्णामीति मन्त्रस्यार्थः ॥ १८ ॥

पुनर्ग्रहणं विधत्ते-अथेति । वायव्यग्रहणानन्तरमपच्छिद्य पुनरपीन्द्रवायव्यम् 'आनयति' गृह्णीयादित्यर्थः । तत्र ग्रहणे मन्त्रः-" इन्द्रवायूऽइमे सुता उप प्रयोभिरागतम् । इन्दवो वामुशन्ति हि, उपयामगृहीतोऽसि वायवऽइन्द्रवायुभ्यां त्वा" (वा.सं. ७।८)-इति । हे 'इन्द्रवायू'! यस्मात् कारणात् 'इमे' सोमाः 'सुताः' अभिषुताः

१--अपगृह्य पुनरिंद्रवायू इति । का. श्रौ. सू. ९ । १३० ॥

क्रतूदक्षौ ह वाऽअस्य मित्रावरुणौ । (णावे) एतन्न्वध्यात्मꣳ स यदेव मनसा कामयतऽइदं मे स्यादिदं कुर्व्वीयेति स एव क्रतुरथ यदस्मै तत्स-मृध्यते स दक्षो मित्र एव क्रतुर्व्वरुणो दक्षो ब्रह्मैव मित्रः क्षत्रं व्वरुणोऽभिग-न्तैव ब्रह्म कर्त्ता क्षत्रियः ॥ १ ॥

मैत्रावरुणग्रहः ।

क्रतूदक्षौ ह वाऽअस्य मित्रावरुणौ । एतन्न्वध्यात्मम् । स यदेव मनसा कामयते—इदंमे स्यात्, इदं कुर्वीयेति । स एव क्रतुः । अथ यदस्मै तत्समृध्यते—स दक्षः । मित्र एव क्रतुः । वरुणो दक्षः । ब्रह्मैव मित्रः । क्षत्रं वरुणः । अभिगन्तैव ब्रह्म । कर्ता क्षत्रियः ॥ १ ॥

तस्माद्युवां 'प्रयोभिः' शीघ्रगामिभिरश्वैः समीपे 'आगतम्' आगच्छतम् । 'प्रयोभिः'—इति—" इण् गतौ "—(धा. पा. अ. प. ३९) इत्यस्मात् शतृप्रत्ययः । " व्यत्ययो बहुलम् "—(पा. सू. ३ । १ । ९८) इति हल्व्यत्ययेन तकारस्य सकारादेशः । रुत्वादिकार्ये कृते प्रपूर्वस्य रूपम् । 'आगतम्' इति—लोटि— " बहुलं छन्दसि "—(पा. सू. २।४।७३) इति शपो लुक् । अनुनासिकलोपः । किंच 'इन्दवः' सोमाः 'वां' युवाम् 'उशन्ति' कामयन्ते " वश कान्तौ "—(धा. पा. अ. प. ७०) युवयोरागमनमभिलषन्तीत्यर्थः । यस्मादुशन्ति अत आगतमिति सम्बन्धः । हे सोमरस ! उपयामेन दारुपात्रेण गृहीतोऽसि 'वायवे' 'इन्द्रवायुभ्यां' 'त्वा' गृह्णामीति शेषः । अत्रापि वायव इत्येतस्य ग्रहणमस्मिन् ग्रहे इन्द्रस्य तुरीयांशभाक्त्वाभिप्रायेण । गृहीतस्य सोमरसस्य समन्त्रकं सादनं विधत्ते—**एष त** इत्यादिना । हे सोमरस ! 'एषः' खरप्रदेशः 'तव' स्थानम् अतोऽत्र समानप्रीतिभ्यामिन्द्रवायुभ्यां 'त्वा' सादयामीति शेषः । व्याचष्टे—**स यदाहे**-त्यादि । 'स' मन्त्रः सजोषोभ्याम् इति । आह इति यत्, तत्कारणमुच्यत इत्यर्थः । इन्द्रवाय्वोरेकस्मिन्नेव ग्रहे हविःस्वीकारादभिन्नत्वमुपचर्यते अत इन्द्रवाय्वोर्भेदान्मन्त्रः—"सजोषोभ्याम् "—इति युक्तमाहेत्यभिप्रायः ॥ १९ ॥

इति श्रीसायणाचार्यविरचिते माधवीये वेदार्थप्रकाशे माध्यन्दिनशतपथब्राह्मणभाष्ये
चतुर्थकाण्डे प्रथमाध्याये तृतीयं ब्राह्मणम् ॥ (४ । १ । ३) ॥

विधास्यमानस्य ग्रहस्य देवतां प्रशंसन् तस्यैन्द्रवायवानन्तर्ये कारणं चाह—**क्रतुदक्षावित्यादि** । मित्रश्च वरुणश्चेति 'मित्रावरुणौ'—" देवताद्वन्द्वे च "—(पा. सू. ७ । ३ । २१) इति पूर्वपदस्यानङादेशः । तौ 'अस्य' यज्ञस्य समस्तस्य लोकस्य वा 'क्रतुदक्षौ ह वै' क्रतुदक्षशब्दयोरर्थौ विवरिष्यते, तस्मात्प्रशस्ताविन्त्यर्थः । 'ह वा' इत्येतौ निपातौ शाखान्तरगतां प्रसिद्धिं द्योतयतः । तथा च तैत्तिरीयकम्—" दक्षक्रतुभ्यां मैत्रावरुणम्"(तै.शा. १।९।४)इति।ऐन्द्रवायवग्रहस्तु वागात्मक इति पूर्वं प्रतिपादितम् "वाग्घ वा अस्यैन्द्रवायवः" (श. प. ४।१।३।१) इति । वाक् पुनर्मनोऽधीना, "मनसा हि वाग्धृता " (तै.सं. ६।१।७) इत्यादि श्रुतेः। संकल्पोत्साहौ च मनोऽधीनौ । ततो वागात्मकैन्द्रवायवानन्तर्यं दक्षक्रत्वात्मकमित्रावरुणदेवत्यस्य ग्रहस्य युक्तमिति भावः।अत एवानेन क्रमेण तैत्तिरीयके श्रूयते—"वायव ऐन्द्रवायवं दक्षक्रतुभ्यां मैत्रावरुणम्"(तै.शा. १।९।४)इति। द्विविधौ हि मित्रावरुणौ, आध्यात्मिकावाधिभौतिकौ चेति । तत्रोक्तावाध्यात्मिकावित्याह—**एतन्न्वध्यात्ममिति** ।

(स्ते) ते हैतेऽअग्रे नानेवासतुः । (ब्र) ब्रह्म च क्षत्रं च ततः शशाकैव ब्रह्म मित्र ऋते क्षत्राद्वरुणात्स्थातुम् ॥ २ ॥

न क्षत्रं व्वरुणः । (ऽ) ऋते ब्रह्मणो मित्राद्यद्ध किं च व्वरुणः कर्म चक्रेऽप्रसूतं ब्रह्मणा मित्रेण न हैवास्मै तत्समानृधे ॥ ३ ॥

ते हैतेऽअग्रे नानेवासतुः—ब्रह्म च क्षत्रं च । ततः शशाकैव ब्रह्म मित्र ऋते क्षत्राद्वरुणात्स्थातुम् ॥ २ ॥
न क्षत्रं वरुण ऋते ब्रह्मणो मित्रात् । यद्ध किञ्च वरुणः कर्म चक्रे—अप्रसूतं ब्रह्मणा मित्रेण—न हैवास्मै तत्समानृधे ॥ ३ ॥

' अध्यात्मम् ' आत्मनि । विभक्त्यर्थेऽव्ययीभावः (पा. सू. २ । १ । ६) । " अनश्च " (पा. सू. ५ । ४ । १०८) इति टच् समासान्तः । तत्रात्मनि विद्यमानयोर्मित्रावरुणयोः रूपम् ' एतत् ' उक्तप्रकारमित्यर्थः । क्रतुदक्षशब्दयोरर्थं विवृणोति—स यदेवेत्यादि । ' सः ' लोकः ' इदं ' पुरोवर्ति ' मे ' ' स्यात् ' भवेत् । ' इदं कुर्वीयेति ' मनसाऽभिलषतीति यत ' सः ' ' क्रतुः ' संकल्प इत्यर्थः । तत् सकल्पितं 'अस्मै' लोकाय येन ' समृद्ध्यते ' ' सः ' ' दक्षः ' । "दक्ष वृद्धौ" (धा. पा. भ्वा. आ. ६०९) क्रतुदक्षाविति क्रमो विवक्षित इत्याह—मित्र एवेत्यादि । मित्रावरुणयोराधिभौतिकरूपं सोपपत्तिकमाह—ब्रह्मैवेत्यादिना । 'ब्रह्म' इति ब्राह्मणजातिः, सैव ' मित्रो ' देवः । क्षत्रियजातिरेव, ' वरुणो ' देवः । ' अभिगन्ता ' अभिगमनशीलः ज्ञानशक्तियुक्त इत्यर्थः । 'कर्त्ता' क्रियाशक्तियुक्तः । उभयत्रापि ताच्छील्ये तृन् प्रत्ययः (पा. सू. ३।२।१३५) । यतो मित्रावरुणौ क्रतुदक्षशब्दाभिधेयज्ञानक्रियाशक्तिरूपौ, ब्रह्मक्षत्रे च ज्ञानक्रियाशक्तिमती, अत आधिभौतिकमित्रावरुणरूपत्वमनयोर्युज्यत इत्यर्थः[1] ॥ १ ॥

ब्रह्मक्षत्रयोरुक्तमेवाधिभौतिकत्वमाख्यायिकया दृढीकुर्वन् ग्रहस्य द्विदेवत्यत्वमाह—ते हैत इत्यादिना । ' अग्रे ' पूर्वं ' ते एते ' ब्रह्म च क्षत्रं च विभिन्ने अभूताम् । ततो विभेदानन्तरं मित्रात्मकं ' ब्रह्म ' वरुणात्मकेन क्षत्रेण विनापि स्वत एव स्थातुं शक्तमभूत् । तथा वरुणात्मकं क्षत्रं मित्रात्मकेन ब्रह्मणा विना स्वत एव स्थातुं न शक्तमभूत् । ततो वरुणरूपं क्षत्रं ' यत् किं च ' ' कर्म ' ' चक्रे ' तत् सर्वं ' मित्रेण ' ' ब्रह्मणा ' ' अप्रसूतम् ' । अननुज्ञातमनुपदिष्टमित्यर्थः । तथाविधमेवाकरोत् । ततः ' तत् ' कृतं कर्म्म ' अस्मै ' क्षत्राय न समृद्धमभूत् ' यस्मात् स्वत एव कृतं कर्म न समृद्धम् अतः स्थातुं न शक्तमभूत् । ततो वरुणरूपं क्षत्रं यत् किंचित् कर्म चक्रे तत् सर्वं मित्रेण ब्रह्मणा अप्रसूतमननुज्ञातं शशाकेति पूर्वेण सम्बन्धः । ' आनृध ' इति " ऋधु वृद्धौ "—(धा. पा. स्वा. प. २५) इत्यस्माल्लिटि (पा. सू. ३ । २ । १५) द्विर्वचने (पा. सू. १ । १ । ५९) उरत्वादिकार्ये (पा. सू. ७ । ४ । ६६) " अत आदेः "—(पा. सू. ७ । ४ । ७०) इति दीर्घे च—" तस्मान्नुड्द्विहलः " (पा. सू. ७ । ४ । ७१) इति नुडागमः । ननु ऋधेरेकहल्त्वाद्द्विहल इति कथं नुडागमो विधीयते—उच्यते—नुड्विधिहलादेशविनामेष्वृकारप्रतिविधानं कर्त्तव्यमिति ऋकारस्थस्यापि रेफस्य हल्त्वेनाङ्गीकारात् तन्निबन्धनं कार्यं भविष्यति ॥ २ ॥ ३ ॥

---

[1]—मूले ' क्रतूदक्षौ ' इति दीर्घपाठस्तु—सत्यवस्वादित्रयोदशविश्वेदेवनिष्ठत्वसङ्गतयुगत्वाभिप्रायिक इति ध्येयम् ॥

स क्षत्रं वरुणः । (णो) ब्रह्म मित्रमुपमन्त्रयांचक्रऽउप माऽऽवर्तस्व सᳫंसृजावहै पुरस्त्वा करवै त्वत्प्रसूतः कर्म करवाऽइति तथेति तौ समसृजेतां तत एष मैत्रावरुणो ग्रहोऽभवत् ॥ ४ ॥

(त्सो) सो एव पुरोधा । तस्मान्न ब्राह्मणः सर्वस्येव क्षत्त्रियस्य पुरोधां कामयेत सᳫंह्येवैतौ सृजेते सुकृतं च दुष्कृतं च नोऽएव क्षत्त्रियः सर्वमिव ब्राह्मणं पुरोदधीत सᳫंह्येवैतौ सृजेते सुकृतं च दुष्कृतं च स यत्ततो वरुणः कर्म चक्रे प्रसूतं ब्रह्मणा मित्रेण सᳫं हैवास्मै तदानृधे ॥ ५ ॥

स क्षत्रं वरुणो ब्रह्म मित्रमुपमन्त्रयाञ्चक्रे–उप माऽऽवर्तस्व, संसृजावहै, पुरस्त्वा करवै, त्वत्प्रसूतः कर्म करवाऽइति । तथेति तौ समसृजेताम् । तत एष मैत्रावरुणो ग्रहोऽभवत् ॥ ४ ॥

सोऽएव पुरोधा । तस्मान्न ब्राह्मणः सर्वस्येव क्षत्रियस्य पुरोधां कामयेत । संह्येतौ सृजेते–सुकृतं च दुष्कृतं च । नोऽएव क्षत्रियः सर्वमिव ब्राह्मणं पुरोदधीत । सं । ह्येवैतौ सृजेते--सुकृतं च दुष्कृतं च । स यत्ततो वरुणः कर्म चक्रे प्रसूतं ब्रह्मणा मित्रेण--सं हैवास्मै तदानृधे ॥ ५ ॥

ततस्तद्वरुणात्मकं ' क्षत्रम् ' अशक्तं सत् मित्रात्मकं ब्रह्माऽऽमन्त्रयांचक्रे । हे ब्रह्मन् ! त्वं मामनुवर्त्तस्व, आवां संसृष्टौ भवाव ' संसृजावहै ' इति व्यत्ययेनात्मनेपदम् (पा. सू. ३ । १ । ८९) । त्वां ' पुरः ' करिष्यामि त्वयोपदिष्टमेव कर्म करिष्यामीति । तथाऽस्त्विति ब्रह्मण्यङ्गीकुर्वति सति ' तौ ' ब्रह्मक्षत्रात्मकौ मित्रावरुणौ संसृष्टावभूताम् । ततः संसर्गाद्धेतोरयं ' ग्रहो ' मित्रावरुणार्थं द्विदेवत्योऽभवत् ॥ ४ ॥

ततो वरुणेन संसृष्टत्वाद्ब्राह्मणजात्यात्मको मित्रं च क्षत्रियजात्यात्मकस्य वरुणस्य पुरोहितोऽभूत् । अत्र ब्रह्मक्षत्त्रयोर्विभागे क्षत्त्रस्य सामर्थ्याभावमुपन्यस्य पुनस्तदुपगमाय तयोः संसर्गोऽभिहितः । उत्साहश्च संकल्पाभावे न शक्नोति क्रियां निष्पादयितुम् । अतोऽनयोस्तत्सद्द्वयलाभात्तदात्मकमित्रावरुणयोराधिभौतिकरूपत्वमुपपद्यत इति भावः । यतोऽत्र मित्रोऽनुरूपः पुरोहितोऽभूत् वरुणश्चानुरूपो राजा; अतो लोकेऽपि पुरोहितेन राज्ञा चानुरूपाभ्यामेव भवितव्यमिति दर्शयति–**तस्मान्न ब्राह्मण** इत्यादिना । यस्मादनुरूपावेतौ ब्राह्मणक्षत्त्रियौ ' सुकृतं दुष्कृतं ' च ' संसृजेते ' संसर्जयतः । सृजिरन्तर्भावितण्यर्थः । तस्माद्ब्राह्मणः अविशेषेण ' सर्वस्य ' ' क्षत्रियस्य ' ' पुरोधां ' पुरोहितत्वं ' न कामयेत ' किं तु स्वानुरूपं सुकृतिनमेव क्षत्त्रियं कामयेतेत्यर्थः । ' पुरोधाम् ' इति दधातेः सम्पदादिलक्षणो भावे क्विप् । ' क्षत्त्रियः ' अपि एवमनुरूपमेव ब्राह्मणं ' पुरोदधीत ' पुरोहितं कुर्यात् । प्रकृते अनुरूपपुरोहितस्य मित्रस्य संसर्गेण प्राप्तं फलमाह–**स यदित्यादि** । ' ततः ' संसर्गानन्तरं ' सः ' ' वरुणो ' ' यत् ' ' कर्म चक्रे ' तत् ' मित्रेण ' ब्रह्मणोपदिष्टमिति ' अस्मै ' वरुणाय समृद्धमभूत् ॥ ५ ॥

तत्तदवक्लृप्तमेव । यद्ब्राह्मणोऽराजन्यः स्याद्यद्यु राजानं लभेत समृद्धं तदेतद्धु त्वेवानवक्लृप्तं यत्क्षत्रियो ब्राह्मणो भवति यद्ध किं च कर्म कुरुते ऽप्रसूतं ब्रह्मणा मित्रेण न हैवास्मै तत्समृध्यते तस्माद्धु क्षत्रियेण कर्म करिष्यमाणेनोपसर्तव्य एव ब्राह्मणः स९७ हैवास्मै तद्ब्रह्मप्रसूतं कर्मऽर्ध्यते ६॥

(तेऽथा) अथातो गृह्णात्येव । (वा) अयं वां मित्रावरुणा सुतः सोम ऋतावृधा ॥ ममेदिह श्रुत९७ हवम् । उपयामगृहीतोऽसि मित्रावरुणाभ्यां त्वेति ॥ ७ ॥

तत् तदवक्लृप्तमेव--यद् ब्राह्मणो राजन्यः स्यात् । यद्यु राजानं लभेत--समृद्धं तत् । एतद्ध त्वेवानवक्लृप्तम्--यत् क्षत्रियो ब्राह्मणो भवति । यद्ध किं च कर्म कुरुते--प्रसूतं ब्रह्मणा मित्रेण न हैवास्मै तत्समृध्यते । तस्माद्धु क्षत्रियेण कर्म करिष्यमाणेनोपसर्तव्य एव ब्राह्मणः । सं हैवास्मै तद् ब्रह्मप्रसूतं कर्मऽर्ध्यते ॥ ६ ॥

अथातो गृह्णात्येव--"अयं वां मित्रावरुणा सुतः सोम ऋतावृधा । ममेदिह श्रुतं हवम् ॥ उपयामगृहीतोऽसि मित्रावरुणाभ्यां त्वा "--(वा. सं. ७ । ९) इति ॥ ७ ॥

ब्राह्मणस्य स्वाभाविकज्ञानशक्तिसम्भवात् क्षत्रियस्य तदभावात् क्षत्रियेण ब्राह्मणोऽनुसरणीय इत्याह-**तत्तदवक्लृप्तमित्यादि** । यस्माद्ब्राह्मणस्य स्वाभाविकज्ञानशक्तिमत्तया अन्यत उपदेशापेक्षा नास्ति तस्माद्ब्राह्मणो यदि राजन्यो भवेत् । अथवा पुरोहितो भूत्वा राजानं लभेतेति यत् ' तदवक्लृप्तं "युक्तम् । तेन कृतं तत् कर्म समृद्धं भवेदिति । "क्षत्रियो ब्राह्मणो भवति" इत्येतदुक्तम् । ब्राह्मणः सन् ' यत् ' ' किंच ' किञ्चित् ' कर्म कुरुते ' तन्मित्रात्मकेन ब्रह्मणा नोपदिष्टं स्यात् । तथा च तदस्मै न समृद्धं भवति । क्षत्रियस्य पुरोहितकृत्यज्ञानसम्भवेऽपि स्वाभाविकज्ञानाभावात्तत्कर्म समृद्धं न भवतीत्यभिप्रायः । ब्राह्मणस्य प्रजापतेर्मुखतः उत्पन्नत्वादुपदेशकर्तृत्वं स्वाभाविकम्, क्षत्रियस्य बाहुभ्यामुत्पन्नत्वात् कर्तृत्वं स्वाभाविकम् । तथा च श्रूयते-"स मुखतस्त्रिवृतं निरमिमीत" इत्यारभ्य,०-"ब्राह्मणो मनुष्याणामजः पशूनां तस्मात्ते मुख्या मुखतो ह्यसृज्यन्त " (तै. सं. ७ । १ । १) इति, तथा-"उरसो बाहुभ्यां पञ्चदशं निरमिमीता" इत्यारभ्य०-"राजन्यो मनुष्याणाम् " (तै.सं.७।१।१) इति । अन्यत्राप्याम्नायते- "ब्राह्मणोऽस्य मुखमासीद्बाहू राजन्यः कृतः"-(वा. सं. ३१।११) इति । तस्मात् पुरोहितकृत्यविदापि क्षत्रियेण कर्म करिष्यमाणेन ब्राह्मण एवोपसरणीयः । तथा च सति तेनोपदिष्टत्वात् तत्कृतं कर्म समृद्ध्यत इत्यर्थः ॥ ६ ॥

एवं ग्रहस्य द्विदेवत्यत्वादिकमभिधाय समन्त्रकं ग्रहणं विधत्ते-**अथात** इत्यादि । ऐन्द्रवायवग्रहानन्तरम्-" अयं वाम् " इत्यादिना मन्त्रेण प्रकृतं मैत्रावरुणग्रहं गृह्णीयात् । हे ' मित्रावरुणा' " सुपां सुलुक् "-(पा. सू. ७ । १ । ३९) इत्यादिना आकारादेशः । हे ' ऋतावृधा ' ऋतस्य यज्ञस्य वर्द्धयितारौ । पूर्ववदा-

---

१-मैत्रावरुणमयं वामिति । का० श्रौ० सू० ९ । १२१ ।

तं पयसा श्रीणाति । तद्यत्पयसा श्रीणाति वृत्रो वै सोम आसीत्तं यत्र देवा अघ्नंस्तं मित्रमब्रुवंस्त्वमपि हꣳसीति स न चकमे सर्वस्य वाऽअहं मित्रमस्मि न मित्रꣳ सन्नमित्रो भविष्यामीति तं वै त्वा यज्ञादन्तरेष्याम इत्यहमपि हन्मीति होवाच तस्मात्पशवोऽपाक्रामन्मित्रꣳ सन्नमित्रोऽभूदिति स पशुभिर्व्यार्ध्यत तमेतद्देवाः पशुभिः समार्धयन्यत्पयसाऽश्रीणंस्तथोऽएवैनमेष एतत्पशुभिः समर्धयति यत्पयसा श्रीणाति ॥ ८ ॥

तदाहुः । शश्वद्ध नैव चकमे हन्तुमिति तद्यदेवात्र पयस्तन्मित्रस्य सोमऽएव वरुणस्य तस्मात्पयसा श्रीणाति ॥ ९ ॥

तं पयसा श्रीणाति । तद्द यत्पयसा श्रीणाति–वृत्रो वै सोम आसीत्–तं यत्र देवा अघ्नन्–तं मित्रमब्रुवन्–त्वमपि हंसीति । स न चकमे, सर्वस्य वाऽअहं मित्रमस्मि । न मित्रं सन्नमित्रो भविष्यामीति । तं वै त्वा यज्ञादन्तरेष्याम इति । अहमपि हन्मीति होवाच । तस्मात्पशवोऽपाक्रामन्–मित्रं सन्नमित्रोऽभूदिति । स पशुभिर्व्यार्ध्यत । तमेतद्देवाः पशुभिः समार्धयन्–यत्पयसाऽश्रीणन् । तथोऽएवैनमेष एतत्पशुभिः समर्धयति–यत्पयसा श्रीणाति ॥ ८ ॥

तदाहुः–शश्वद्ध नैव चकमे हन्तुमिति । तद्द यदेवात्र पयः–तन्मित्रस्य, सोम एव वरुणस्य । तस्मात्पयसा श्रीणाति ॥ ९ ॥

कारादेशः । " अन्येषामपि दृश्यते " (पा. सू. ६ । ३ । १३७) इति पूर्वपदस्य दीर्घः । युवाभ्याम् 'अयं' ' सोमः ' अभिषुतः । ' इह ' यजमानानां मध्ये ' मम ' एवाह्वानं शृणुतम् । ' इदित्यवधारणे ' । 'हवम् ' इति–"भावेऽनुपसर्गस्य" (पा. सू. ३।३।७५) इत्यप्रत्ययः संप्रसारणं च । ' श्रुतम् ' इति लोटि–"बहुलं छन्दसि "–(पा. सू. ९ । २ । १२२) इति शपो लुक् । हे सोमरस ! त्वम् उपयामेन ' गृहीतोऽसि ' त्वां ' मित्रावरुणाभ्यां ' गृह्णामीति शेषः ॥ ७ ॥

गृहीतस्य सोमरसस्य पयसा मिश्रणं विधत्ते–**तं पयसा श्रीणातीति** । ' श्रीणाति ' मिश्रयति अनेकार्थत्वाद्धातूनामिति श्रीणातिरिह मिश्रणार्थः । विहितस्य मिश्रणस्य आख्यायिकया हेतुमाह–**तद्यदित्यादिना** । पयसा श्रीणातीति यत् तत्कारणमुच्यते–' वृत्रो ' नाम कश्चिदसुरः सोमो बभूव । ' तं ' वृत्रं यदा ' देवाः ' अवधिषुस्तदा ' त्वमपि ' जहीति ' मित्रमब्रुवन् ' । एवमुक्तः ' सः ' तं हन्तुं नाभिललाष । अनभिलषणे तस्यायमाशयः–' अहं ' ' सर्वस्य ' लोकस्य ' मित्रम् ' इष्ट एव भवामि । तादृशोऽहमपकारेण शत्रुर्न ' भविष्यामीति ' । एवं तर्हि त्वां यज्ञे भागहीनं करिष्याम इति देवैरुक्तः स मित्रो भागलोभात् ' अहमपि ' ' हन्मीति ' अङ्गीचकार । ततोऽस्यामित्रत्वात् पशुष्वपगतेषु स्वयं पशुविहीनोऽभवत् । ततो देवा एतद्भागं पयसा श्रीत्वा एनं ' पशुभिः ' समृद्धमकुर्वन् । अत इदानीमपि ' पयसा ' सोमरसस्य मिश्रणेन ' एनं ' मित्रमेव ' पशुभिः ' समर्द्धितवान् भवतीत्यर्थः ॥ ८ ॥

प्रकारान्तरेणापि पयसा मिश्रणस्यावश्यकत्वमाह–**तदाहुरित्यादि** । ' तत् ' तस्मिन् मित्रविषये वदन्ति

१–पयसा श्रीणात्येनं कुशावंतर्द्धाय राया वयमिति । का. श्रौ. सू. ९ । १३२ ।

स श्रीणाति । राया व्वयᳬ᳘ᳬ ससवाᳬᳬसो मदेम हव्व्येन देवा यवसेन गावः ॥ तां धेनुं मित्रावरुणा युवं नो विश्वाहा धत्तमनपस्फुरन्तीमेष ते योनिर्ऋतायुभ्यां त्वेति सादयति स यदाहर्तायुभ्यां त्वेति ब्रह्म वाऽऋतं ब्रह्म हि मित्रो ब्रह्मो ह्यृतं व्वरुण एवायुः संव्वत्सरो हि व्वरुणः संव्वत्सर आयुस्तस्मादाहैष ते योनिर्ऋतायुभ्यां त्वेति ॥ १० ॥

इति प्रथमप्रपाठके चतुर्थं ब्राह्मणम् ॥ ४–१–४ ॥

स श्रीणाति–" राया वयं ससवांसो मदेम हव्येन देवा यवसेन गावः । तां धेनुं मित्रावरुणा युवं नो विश्वाहा धत्तमनपस्फुरन्तीम् । एष ते योनिर्ऋतायुभ्यां त्वा"–(वा० सं० ७।१०) इति सादयति । स यदाह–ऋतायुभ्यां त्वेति । ब्रह्म वा ऋतम् । ब्रह्म हि मित्रः । ब्रह्मो ह्यृतम् । वरुण एवायुः, संवत्सरो हि वरुणः, संवत्सर आयुः । तस्मादाह–एष ते योनिर्ऋतायुभ्यां त्वेति ॥ १० ॥

याज्ञिकाः । पुनः पुनर्देवैरुक्तोऽपि मित्रः सर्वथा सोमं हन्तुं नैव चकमे यतस्तस्मादत्र ग्रहे 'यत्' 'पयः' 'तदेव' 'मित्रस्य' भागः 'सोमः' तु वरुणस्यैव भागः । अत एनं ग्रहं मित्रार्थं पयसा मिश्रयेदित्यर्थः ॥९॥

विहितं पयसा मिश्रणमनूद्य मन्त्रं विधत्ते–स श्रीणातीति । राया वयमित्यादि । हे मित्रावरुणौ ! यथा 'हव्येन' 'देवाः' हृष्यन्ति । यथा 'यवसेन' (यवस) तृणेन 'गावः' हृष्यन्ति । तथा च 'वयं' 'राया' येन धेनुरूपेण धनेन 'ससवांसः' संभक्ताः । " वन षण संभक्तौ "–(धा. पा. भ्वा. प. ४६६) इत्यस्मात् क्वसुप्रत्ययः (पा. सू. ३ । २ । १०७) । अनुनासिकलोपश्छान्दसः । तथाविधाः सन्तो हृष्टा भवामः । 'युवं' युवां 'प्रथमायाश्च' (पा. सू. ७ । २ । ८८) इत्यात्वं न भवति । भाषायामिति वचनात् । 'विश्वाहा' सर्वदा विश्वानि च तान्यहानि चेति कर्मधारयः । तत उत्तरस्य सप्तमीबहुवचनस्यादेशात् शिलोपः । अनपगच्छन्तीं 'तां धेनुं' 'नः' अस्मभ्यं धनं दत्त सर्वदा अनन्यगामिनी सती यथा अस्मासु निवसति तथा संपादयतमित्यर्थः । गृहीतसोमरसस्य खरे सादनं विधत्ते–एष इत्यादिना । सादनमन्त्रभागगतम् " ऋतायुभ्याम् "–इत्येतत्पदं व्याचष्टे–स यदाहेति । 'ऋतं' सत्यं तदात्मकं 'ब्रह्म' इति प्रसिद्धम् । ब्रह्म च मित्र इति प्रागुक्तम् (श. प. ४ । १ । २ । १) । ब्रह्मैव मित्र इति द्विरुक्तिः शाखान्तरप्रसिद्ध्या चानुभवप्रसिद्ध्या चोपपद्यते । 'आयुः' इति–प्राणिनां जीवनकालः । तदात्मकः 'संवत्सरः' । 'वरुणः' च संवत्सररूपः । तथा च 'ऋतायु' शब्दाभ्यां मित्रावरुणावभिधेये, तस्मात् मन्त्रे ऋतायुपदप्रयोगो युज्यत इत्यर्थः ॥ १० ॥

इति श्रीसायणाचार्यविरचिते माधवीये वेदार्थप्रकाशे माध्यन्दिनशतपथब्राह्मणभाष्ये चतुर्थकाण्डे प्रथमाध्याये चतुर्थं ब्राह्मणं समाप्तम् ॥ (४-१-४)

श्रोत्रꣳ ह वाऽअस्याश्विनः । (स्तु) तुस्मात्सर्व्वुतः परिहारं भक्षयति सर्व्वुतो ह्येनेन श्रोत्रेण शृणोति युत्र वै भृगवो वाङ्गिरसो वा स्वर्गं लोकꣳ समाश्नुवत तच्च्युवनो वा भार्गवश्च्युवनो वाऽङ्गिरसस्तुदेव ज्रीर्णिः कृत्यारूपो जहे ॥ १ ॥

शुर्यातो ह वाऽइदं मानवो ग्रामेण चचार । स तुदेव प्रतिवेशो निविविशे तुस्य कुमाराः क्रीडन्तऽइमं ज्रीर्णिं कृत्यारूपमनर्थ्यं मन्यमाना लोष्टै-र्व्विपिपिषुः ॥ २ ॥

स शार्यातेभ्यश्चुक्रोध । तेभ्योऽसंज्ञां चकार पितैव पुत्रेण युयुधे भ्राता भ्रात्रा ॥ ३ ॥

शुर्यातो ह वाऽईक्षांचक्रे । यत्किमकरं तुस्मादिदमापदीति स गोपालांश्चाविपालांश्च सꣳह्वयितवाऽउवाच ॥ ४ ॥

आश्विनग्रहः ।

श्रोत्रं ह वाऽअस्याश्विनः । तस्मात्सर्वतः परिहारं भक्षयति, सर्वतो ह्येनेन श्रोत्रेण शृणोति । यत्र वै भृगवो वाऽङ्गिरसो वा स्वर्गं लोकं समाश्नुवत । तत् च्यवनो वा भार्गवः, च्यवनो वाऽऽङ्गिरसः । तदेव जीर्णिः कृत्यारूपो जहे ॥ १ ॥

शर्यातो ह वाऽइदं मानवो ग्रामेण चचार । स तदेव प्रतिवेशो निविविशे । तस्य कुमाराः क्रीडन्त इमं जीर्णिं कृत्यारूपमनर्थ्यं मन्यमाना लोष्टैर्विपिपिषुः ॥ २ ॥

स शार्यातेभ्यश्चुक्रोध । तेभ्योऽसंज्ञां चकार । पितैव पुत्रेण युयुधे, भ्राता भ्रात्रा ॥ ३ ॥

शर्यातो ह वाऽईक्षांचक्रे—यत् किमकरम्, तस्मादिदमापदीति । स गोपालांश्चाविपालांश्च संह्वयितवाऽउवाच ॥ ४ ॥

उपांश्वादीनां ग्रहाणां विधास्यमानानां प्राणात्मकत्वेन यथा प्रशंसा विहिता तद्वदत्रापि विधित्सित आश्विनो-ग्रहो भक्षणविध्युपयोगित्वेन श्रोत्रात्मना स्तूयते—**श्रोत्रं** हेत्यादि । ' अस्य ' यज्ञस्य ' आश्विनः ' 'श्रोत्रम्' इति प्रसिद्धम् । "श्रोत्रादाश्विनम्"—(तै.शा. १।९।४) इति तदुत्पत्तिश्रुतेः। अतः श्रोत्रस्य 'सर्वतः' ग्राहकत्वात्तदात्मक-माश्विनं ' सर्वतः ' परिहृत्य भक्षयेत् । 'परिहारम्' आभीक्ष्ण्ये (ऽपि) (पा. सू. ३ । ४ । २२) इति णमुल् प्रत्ययः । अथैतमाश्विनं ग्रहं विधातुमुपोद्घातत्वेनाख्यायिकामवतारयति—**यत्र वा** इत्यादि । पुरा खलु भृगूणामंगिरसां वा स्वर्गगमने भार्गवः ' आंगिरसो वा ' जीर्णः ' कृत्यारूपः ' अभिचारदेवतारूपः स्वर्गा-रोहणसमये च्युतस्तैस्त्यक्तोऽभूत् । अत्रोभयत्राप्युपाख्यानार्थस्य समानत्वाद्वाशब्दप्रयोगः ॥ १ ॥

तदा स्वकीयप्रजाभिः सह भुवं चरतः शर्यातनाम्नो राज्ञः शिबिरे तत्र निविष्टे तत्कुमारा अनर्थभ्रान्त्या एनं ' लोष्टैर्विपिपिषुः ' । अर्थादनपेतोऽर्थ्यो हितः, स न भवतीत्यनर्थ्यः । 'धर्मपथ्यर्थन्यायादनपेते ' (पा. सू. ४ । ४ । ९२) इति यत् । ततः क्रुद्धेन तेनोन्मादिताः परस्परम् अयुध्यन्त ॥ २ ॥ ३ ॥

ततः ' शर्यातः ' ' यदकरं ' तत् किं ' तस्मादिदं ' प्राप्तमिति विचार्य ' गोपालान् ' ' अविपालांश्च '

स होवाच । को वोऽद्येह किंचिदद्राक्षीदिति ते होचुः पुरुष ऽएवायं जीर्णिः कृत्यारूपः शेते तमनर्थ्यं मन्यमानाः कुमारा लोष्टैर्व्यपिक्षन्निति स विदांचकार स वै च्यवन इति ॥ ५ ॥

स रथं युक्त्वा । सुकन्याᳬं शार्यातीमुपाधाय प्रसिष्यन्द सऽआजगाम यत्रर्ऽषिरास तत् ॥ ६ ॥

(त्स) स होवाच । (ऽ) ऋषे नमस्ते यन्नावेदिषं तेनाहिᳬंसिषमियᳬं सुकन्या तया तेऽपह्नुवे संजानीतां मे ग्रामऽइति तस्य ह तत एव ग्रामः संजज्ञे स ह ततऽएव शर्यातो मानवऽउद्युयुजे नेदपरᳬं हिनसानीति॥ ७॥

(त्य) अश्विनौ ह वाऽइदं भिषज्यन्तौ चेरतुः । (स्तौ) तौ सुकन्यामुपेयतुस्तस्यां मिथुनमीषाते तन्न जज्ञौ ॥ ८ ॥

स होवाच—को वोऽद्येह किंचिदद्राक्षीदिति । ते होचुः पुरुष एवायं जीर्णिः कृत्यारूपः शेते, तमनर्थ्यं मन्यमानाः कुमारा लोष्टैर्व्यपिक्षन्निति । स विदांचकार—स वै च्यवन इति ॥ ५ ॥

स रथं युक्त्वा सुकन्यां शार्यातीमुपाधाय प्रसिष्यन्द । स आजगाम यत्रर्ऽषिरास—तत् ॥ ६ ॥

स होवाच—ऋषे ! नमस्ते, यन्नावेदिषम्—तेनाहिंसिषम् । इयं सुकन्या, तया तेऽपह्नुवे, संजानीतां मे ग्राम इति । तस्य ह तत एव ग्रामः संजज्ञे । स ह तत एव शर्यातो मानव उद्युयुजे—नेदपरं हिनसानीति ॥ ७ ॥

अश्विनौ ह वाऽइदं भिषज्यन्तौ चेरतुः । तौ सुकन्यामुपेयतुः । तस्यां मिथुनमीषाते । तन्न जज्ञौ॥८॥

अद्राक्षीत् । 'वः' भवतां मध्ये किम् 'अद्राक्षीत्' इत्युक्त्वा तन्मुखात् कुमारकृतं वृत्तान्तं श्रुत्वा पश्चाच्च्यवन इत्यजानात् । अकरम् इति—"कृमृदृरुहिभ्यश्छन्दसि" (पा. सू. ३ । १ । ५९) इत्यङ् । 'व्यपिक्षन्' इति—"शल इगुपधादनिटः क्सः"—(पा. सू. ३ । १ । ४५) ॥ ४ ॥ ५ ॥

ततः स रथं सज्जीकृत्य सुकन्यामादाय ऋषिसमीपं गत्वा अज्ञानेन 'त्वामहिंसिषं' नमस्ते अस्तु । अनया कन्यया तवापराधमपनयामि, मदीयो वर्गः पर्यवस्थितो भवत्वित्युक्ते तदनुग्रहात्तथाऽजनिष्ट । ततःप्रभृति शर्यातोऽन्यहिंसाविषये भीतः तदनुकूलमुद्योगमकरोत् "नेदिति" (निरु. १ । ३ । ५) निपातः परिभये वर्त्तते ॥ ६ ॥ ७ ॥

एतस्मिन् समये भुवं विचरन्तौ 'भिषज्यन्तौ' "कण्ड्वादिभ्यो यक्"—(पा. सू. ३ । १ । २७) तौ 'अश्विनौ' इमां कन्यामुपेत्य 'तस्यां' 'मिथुनं' मैथुनभावम् 'ईषाते' । "इषु इच्छायाम्"—(धा. पा. तु. प. ७०) व्यत्ययेनात्मनेपदम् (पा. सू. ३ । १ । ८५) च्यवनस्तु तन्न विवेद ॥ ८ ॥

तौ होचतुः । सुकन्ये कमिमं जीर्णिं कृत्यारूपमुपशेषऽआवामनुप्रेहीति
सा होवाच यस्मै मां पिताऽदान्नैवाहं तं जीवन्त ँ हास्यामीति तद्धाय-
मृषिराजज्ञौ ॥ ९ ॥

स होवाच । सुकन्ये किं त्वैतदवोचतामिति तस्माऽएतद्व्याचचक्षे स
ह व्याख्यातऽउवाच यदि त्वैतत्पुनर्ब्रुवतः सा त्वं ब्रूतान्न वै सुसर्व्वाविव
स्थो न सुसमृद्धाविवाथ मे पतिं निन्दथ इति तौ यदि त्वा ब्रुवतः केनाव-
मसर्व्वौ स्वः केनासमृद्धाविति सा त्वं ब्रूतात्पतिं नु मे पुनर्युवाणं कुरुत-
मथ वां वक्ष्यामीति तां पुनरुपेयतुस्ताँ हैतदेवोचतुः ॥ १० ॥

सा होवाच । न वै सुसर्व्वाविव स्थो न सुसमृद्धाविवाथ मे पतिं निन्दथ
इति तौ होचतुः केनावमसर्व्वौ स्वः केनासमृद्धाविति सा होवाच पतिं नु
मे पुनर्युवाणं कुरुतमथ वां वक्ष्यामीति ॥ ११ ॥

तौ होचतुः । (रे) एतँ ह्रदमभ्यवहर स येन वयसा कमिष्यते तेनो-
दैष्यतीति तँ ह्रदमभ्यवजहार स येन वयसा चकमे तेनोदेयाय ॥ १२ ॥

तौ होचतुः—सुकन्ये ! कमिमं जीर्णिं कृत्यारूपमुपशेषे । आवामनुप्रेहीति । सा होवाच—यस्मै मां पिताऽदात्; नैवाहं तं जीवन्तं हास्यामीति । तद्धायमृषिराजज्ञौ ॥ ९ ॥

स होवाच—सुकन्ये ! किं त्वैतदवोचतामिति । तस्माऽएतद्व्याचचक्षे । स ह व्याख्यात उवाच—यदि त्वैतत्पुनर्ब्रुवतः; सा त्वं ब्रूतात् । न वै सुसर्वाविव स्थः, न सुसमृद्धाविव । अथ मे पतिं निन्दथ इति । तौ यदि त्वा ब्रुवतः—केनावमसर्वौ स्वः, केनासमृद्धाविति । सा त्वं ब्रूतात्—पतिं नु मे पुनर्युवाणं कुरुतम्—अथ वां वक्ष्यामीति । तां पुनरुपेयतुः । तां हैतदेवोचतुः ॥ १० ॥

सा होवाच—न वै सुसर्वाविव स्थः, न सुसमृद्धाविव । अथ मे पतिं निन्दथ इति । तौ होचतुः—केनावमसर्वौ स्वः, केनासमृद्धाविति । सा होवाच—पतिं नु मे पुनर्युवाणं कुरुतम् । अथ वां वक्ष्यामीति ॥ ११ ॥

तौ होचतुः—एतं ह्रदमभ्यवहर । स येन वयसा कमिष्यते—तेनोदैष्यतीति । तं ह्रदमभ्यवजहार । स येन वयसा चकमे—तेनोदेयाय ॥ १२ ॥

ताभ्यां पत्यौ अरुचिमुत्पाद्य स्वानुसरणं ब्रुवद्भ्यामुक्ता नैतं 'जीवन्तं' हातुं युक्तमित्युवाच । तत एतत् ज्ञातवता ऋषिणा पृष्टा सर्वमकथयत् । स पुनः 'व्याख्यातः' उक्तः सन्नुवाच—तावागत्य 'पुनः' अपि 'त्वा' 'यदि' 'ब्रुवतः' ब्रूतः "बहुलं छन्दसि—" (पा. सू. २ । ४ । ३७) इति शपो लुगभावः । तदैवं ब्रूहि युवामसम्पूर्णौ असमृद्धौ 'अथ' अपि मदीयं पतिं 'निन्दथ इति' 'केन' कारणेनावामेवं बभूविवेति पृष्टे मदीयस्य पत्युर्यौवने कृते 'वक्ष्यामीति' । तथैव सर्वमपि समजनि ॥ ९–११ ॥

ततस्तौ तादिष्टवयःप्राप्तौ कस्मिंश्चिद् ह्रदे मज्जनमुपायं प्रदर्श्य पुनरात्मवैकल्यमप्राष्टाम् । 'कुरुक्षेत्रे' य

तौ होचतुः। सुकन्ये केनावमुसर्वौ स्वः केनासमृद्धाविति तौ ह्वर्षिरेव प्रत्युवाच कुरुक्षेत्रेऽमी देवा यज्ञं तन्वते ते वां यज्ञादन्तर्यन्ति तेनासर्वौ स्थस्तेनासमृद्धाविति तौ ह तत ऽएवाश्विनौ प्रेयतुस्तावाजग्मतुर्देवान्यज्ञं तन्वानान्त्स्तुते बहिष्पवमाने ॥ १३ ॥

तौ होचतुः। (रु) उप नौ ह्वयध्वमिति ते ह देवा ऽऊचुर्न वामुपह्वयिष्यामहे बहु मनुष्येषु सꣳसृष्टमचारिष्टं भिषज्यन्ताविति ॥ १४ ॥

तौ होचतुः। (विं) विशीर्ष्णा वै यज्ञेन यजध्वऽइति कथं विशीर्ष्णेत्युप नु नौ ह्वयध्वमुथ वो वक्ष्याव इति तथेति ताऽ उपाह्वयन्त ताभ्यामेतमाश्विनं ग्रहमगृह्णंस्तावध्वर्यू यज्ञस्याभवत्तां तावेतद्यज्ञस्य शिरः प्रत्यधत्तां तददस्तद्दिवाकीर्त्यानां ब्राह्मणे व्याख्यायते यथा तद्यज्ञस्य शिरः प्रतिदधतुस्तस्मादेष स्तुते बहिष्पवमाने ग्रहो गृह्यते स्तुते हि बहिष्पवमानऽआगच्छताम् ॥ १५ ॥

तौ होचतुः—सुकन्ये ! केनावमसर्वौ स्वः, केनासमृद्धाविति। तौ हर्षिरेव प्रत्युवाच—कुरुक्षेत्रेऽमी देवा यज्ञं तन्वते; ते वां यज्ञादन्तर्यन्ति—तेनासर्वौ स्थः, तेनासमृद्धाविति। तौ ह तत एवाश्विनौ प्रेयतुः। तावाजग्मतुर्देवान्यज्ञं तन्वानान्—स्तुते बहिष्पवमाने ॥ १३ ॥

तौ होचतुः—उप नौ ह्वयध्वमिति। ते ह देवा ऊचुः—न वामुपह्वयिष्यामहे। बहु मनुष्येषु संसृष्टमचारिष्टं भिषज्यन्ताविति॥ १४ ॥

तौ होचतुः—विशीर्ष्णा वै यज्ञेन यजध्वऽइति। कथं विशीर्ष्णेति। उप नु नौ ह्वयध्वम्, अथ वो वक्ष्याव इति तथेति। ताऽउपाह्वयन्त। ताभ्यामेतमाश्विनं ग्रहमगृह्णन्। तावध्वर्यू यज्ञस्याभवताम्। तावेतद्यज्ञस्य शिरः प्रत्यधत्ताम्। तददस्तद्दिवाकीर्त्यानां ब्राह्मणे व्याख्यायते। यथा तद् यज्ञस्य शिरः प्रतिदधतुः। तस्मादेष स्तुते बहिष्पवमाने ग्रहो गृह्यते। स्तुते हि बहिष्पवमानऽआगच्छताम् ॥ १५ ॥

तन्वाना देवाः 'वां' यज्ञनिर्गतौ कुर्वन्ति 'तेन' उक्तं भवतोर्विकल्यमिति। ऋषिरेव प्रत्युवाच—ततस्तौ बहिष्पवमानस्तोत्रानन्तरं देवानगमताम्। आवां भवत्समीपे 'ह्वयध्वमिति' अवोचतां च। भवतोश्चिरं 'मनुष्येषु' संसृष्टत्वान्नोपह्वयिष्याम इति देवैरुक्ते शिरोहीनेन 'यज्ञेन' 'यजध्वम्' इत्यूचतुः। 'कथं' विशिरस्त्वमिति तैरुक्ते तान् 'उपह्वयध्वम्' पश्चाद् 'वक्ष्याव' इत्यवोचताम्। ततः 'ताभ्यां 'ग्रहमगृह्णन्'। 'तावध्वर्यू भूत्वा यज्ञस्य शिरः' प्रत्यदधातां, शिरसः प्रतिधानप्रकारस्तु प्रवर्ग्यमन्त्रब्राह्मणे व्याख्यायते इति नात्र प्रपञ्च्यत इत्यर्थः ॥ १२–१४ ॥

इत्थमाख्यायिकया अश्विनोर्ग्रहप्राप्तिः प्रदर्शिता। "अथातो गृह्णाति" इति ग्रहोऽपि विधास्यते, तदनुवादेनात्र कालो विधीयते—**तस्मादि**त्यादि। बहिष्पवमानानन्तरमेव तयोरागमनात्तत्र 'ग्रहं' गृह्णीयात् ॥ १५ ॥

१–संहितायां 'ऋचं वाचम्' इत्यादि, द्यावापृथिवीभ्या९ स्वाहा' इत्यन्तः पंचाध्यायात्मको मंत्रभागो दिवाकीर्त्यसंज्ञकः। तद्व्याख्यानभूतं ब्राह्मणमपि तयोगाद्दिवाकीर्त्यमित्युच्यते। तच्च ब्राह्मणं प्रवर्ग्यकाण्डेऽस्ति। २–बृहदारण्यकान्तर्गतप्रवर्ग्यकाण्डे इतिबोध्यम्।

तौ होचतुः । (मुं) मुख्यौ वाऽआवां यज्ञस्य स्वो यावध्वर्यूऽइह नाविमं
पुरस्ताद्ग्रहं पर्याहरताभि द्विदेवत्यानिति ताभ्यामेतं पुरस्ताद्ग्रहं पर्याज-
ह्रुरभि द्विदेवत्याँस्तस्मादेष दशमो ग्रहो गृह्यते तृतीय एव वषट्क्रियतेऽथ
यदश्विनावितीमे ह वै द्यावापृथिवी प्रत्यक्षमश्विनाविमे हीदꣳ सर्वमाश्नु-
वातां पुष्करस्रजावित्यग्निरेवास्यै पुष्करमादित्योऽमुष्यै ॥ १६ ॥

(ष्याऽअ) अथातो गृह्णात्येव । या वां कशा मधुमत्यश्विना सूनृता-
वती ॥ तया यज्ञं मिमिक्षतम् ॥ उपयामगृहीतोऽस्यश्विभ्यां त्वैष ते
योनिर्माध्वीभ्यां त्वेति सादयति तं वै मधुमत्यर्चा गृह्णाति माध्वीभ्यां
त्वेति सादयति तद्यन्मधुमत्यर्चा गृह्णाति माध्वीभ्यां त्वेति सादयति ॥ १७ ॥

तौ होचतुः—मुख्यौ वाऽआवां यज्ञस्य स्वः—यावध्वर्यू । इह नाविमं पुरस्ताद् ग्रहं पर्याहरत—अभिद्विदेवत्यानिति ताभ्यामेतत्पुरस्ताद्ग्रहं पर्याजह्रुरभिद्विदेवत्यान् तस्मादेष दशमो ग्रहो गृह्यते । तृतीय एव वषट् क्रियते । अथ यदश्विनाविति । इमे ह वै द्यावापृथिवी प्रत्यक्षमश्विनौ । इमे हीदं सर्वमाश्नुवातां पुष्करस्रजाविति । अग्निरेवास्यै पुष्करम्, आदित्योऽमुष्यै ॥ १६ ॥

अथातो गृह्णात्येव । "या वां कशा मधुमत्यश्विना सूनृतावती । तया यज्ञं मिमिक्षतम् । उपयामगृहीतोऽस्यश्विभ्यां त्वा । एष ते योनिर्माध्वीभ्यां त्वा"—(वा. सं. ७ । ११) इति सादयति । तं वै मधुमत्यर्चा गृह्णाति, माध्वीभ्यां त्वेति सादयति । तद् यन्मधुमत्यर्चा गृह्णाति, माध्वीभ्यां त्वेति सादयति ॥ १७ ॥

ग्रहस्य होमकालं विधत्ते—**तौ होचतुरित्यादि** । अध्वर्युत्वेन 'आवां' 'यज्ञस्य' मुख्यौ इति । 'द्विदेवत्यान्' अभिलक्ष्यावयोः 'ग्रहं' पूर्वमेव समर्पयत इत्युक्ते देवास्तथैवान्वतिष्ठन् । द्विदेवत्यादिवद्बहुवचनं प्रसिद्ध्यपेक्षया । अतः पश्चात् 'दशमो' गृह्यमाणोऽपि द्विदेवत्यानां तृतीय एव सन् हूयते । अश्विनोरश्विनामप्रातिपशुपूर्वकं दर्शयति—**अथेत्यादि** । "अश्विनौ" इति 'यत्' नाम तत् कथमित्यर्थः । 'इमे' दृश्यमाने 'द्यावापृथिवी' द्यावापृथिव्यौ साक्षाद् 'अश्विनौ' देवौ—"वा छन्दसि" (पा. सू. ६ । १ । १०६) इति पूर्वसवर्णदीर्घः । द्यावापृथिव्यौ कृत्स्नं जगद् व्याप्नुतः अतस्तदात्मकयोरश्विनोरपि व्यापकत्वादश्वित्वम् । 'पुष्करस्रजौ' इति अश्वित्वमेव समर्थ्यते । अश्विनोः पुष्करस्रक्त्वं कस्मिंश्चिन्मन्त्रे अम्नायते—"मेधां मे अश्विनावुभावाधत्तां पुष्करस्रजौ"—इति (पा. गृ. सू. १ । ३ । १९) ॥ १६ ॥

समन्त्रकं ग्रहणं विधत्ते—**अथात इत्योदि** । अत्र 'अथात' इत्यनेन बहिष्पवमानस्तोत्रानन्तर्यं द्योत्यते । ननु मैत्रावरुणग्रहस्यैन्द्रवायवानन्तरमेव पाठात् तद्ग्रहणवाक्ये—"अथात" इत्यनेन यथैन्द्रवायवानन्तर्यं द्योत्यते, तथात्रापि मैत्रावरुणानन्तरपाठात्तदानन्तर्यमेवाथशब्दो द्योतयतीति चेन्न; "स्तुते बहिष्पवमाने दशमो गृह्यते" इति श्रुत्या विहितत्वात् । एवं तर्हि यथा श्रुतिः क्रमबोधप्रमाणम्, तथा पाठोऽपि ।

१—आश्विनं गृह्णात्यन्वारब्धे वा या वामिति । का. श्रौ. सू. ९ । १६५ ।

दध्युङ् ह् वाऽआभ्यामाथर्वणः । (णो) मधु नाम ब्राह्मणमुवाच तदेनयोः प्रियं धाम तदेवैनयोरेतेनोपगच्छति तस्मान्मधुमत्यर्चा गृह्णाति माध्वीभ्यां त्वेति सादयति ॥ १८ ॥

तानि वाऽएतानि । श्लक्ष्णानि पात्राणि भवन्ति रास्नावमैन्द्रवायवपात्रं तत्तस्य द्वितीयꣳ रूपं तेन तद्द्विदेवत्यमजकावं मैत्रावरुणपात्रं तत्तस्य द्वितीयꣳरूपं तेन तद्द्विदेवत्यमौष्ठमाश्विनपात्रं तत्तस्य द्वितीय ꣳ रूपं तेन

दध्यङ् ह वाऽआभ्यामाथर्वणो मधु नाम ब्राह्मणमुवाच । तदेनयोः प्रियं धाम, तदेवैनयोरेतेनो-पगच्छति । तस्मान्मधुमत्यर्चा गृह्णाति, माध्वीभ्यां त्वेति सादयति ॥ १८ ॥

तानि वाऽएतानि श्लक्ष्णानि पात्राणि भवन्ति । रास्नावमैन्द्रवायवपात्रम् । तत् तस्य द्वितीयं रूपम् । तेन तद्द्विदेवत्यम् । अजकावं मैत्रावरुणपात्रम् । तत् तस्य द्वितीयं रूपम् । तेन तद्द्विदेव-

---

समिधो यजतीत्यादौ पाठस्य क्रमबोधप्रमाणत्वेनाङ्गीकारात् । तथा च सत्युभयोः प्रमाणयोः सम-बलत्वात् कदाचिन्मैत्रावरुणग्रहानन्तरं ग्रहणं कदाचिद्बहिष्पवमानानन्तरमिति ऐच्छिकक्रमोऽस्त्विति चेत् नैवमपि शङ्क्यम् । पाठः साक्षात् क्रमस्य न विधायकः, किन्तु अन्यथानुपपत्त्या कल्पयति । श्रुतिस्तु साक्षादेव क्रममभिधत्ते, अतः प्रत्यक्षत्वेन प्राबल्यात् श्रुत्या पाठो बाधनीयः । तथा च सत्येवं "अथात" इत्यनेन बहिष्पवमा-नानन्तर्यं द्योत्यत इति—उक्तं तदुपपन्नं भवति । ग्रहणमन्त्रस्यायमर्थः—हे 'अश्विना' अश्विनौ ! युवयोः शोभना 'ऋतावती'[1] मधुब्राह्मणवती च 'या' 'कशा' (निघं १ । ११ । ४३) वागस्ति 'तया' वाचा मिमिक्षतं मह्यं सेक्तुमिच्छताम् "मिह सेचने"– (धा. पा. भ्वा. प. १०१७) हे सोमरस ! उपयामेन 'गृहीतोऽसि' त्वाम् 'अश्विभ्यां' गृह्णामीति शेषः । विधत्ते—तद्यदित्यादि । ग्रहणसादने—एष त इत्यादि । हे सोमरस ! 'माध्वीभ्यां' मधुब्राह्मणमधीतवद्भ्यामश्विभ्यामित्यर्थः । माध्वीशब्द "ऋत्व्यवास्त्व्य–" (पा. सू. ६ । ४ । १७५) इति निपातितः । उक्तमर्थकारणमभिधित्सुरनुवदति—तं वा इत्यादि । अनूद्य कारणमाह—तद्यदि-त्यादि । ग्रहणसादनयोरनयोरुभयोः मधुशब्दप्रयोगस्यायमभिप्रायः ॥ १७ ॥

अथर्वणः पुत्रो 'दध्यङ्' नाम ऋषिः 'मधु' 'ब्राह्मणम्' अनयोः उपदिदेश । "अन्"–(पा. सू. ६ । ४ । १६७) इति प्रकृतिभावात् "नस्तद्धिते" (पा. सू. ६ । ४ । १४४) इति टिलोपो न भवति । 'तत्' ब्राह्मणमनयोः 'प्रियं' स्थानम् । अतो ग्रहणसादनयोर्मधुशब्दप्रयोगेण तदेव ब्राह्मणं सम्पादितं भवतीति ॥ १८ ॥

तद्द्विदेवत्यपात्राणां लक्षणान्याह—तानि वा इत्यादिना । 'श्लक्ष्णानि' स्निग्धानि एकरूपाणीत्यर्थः । ऐकरूप्ये द्विदेवत्यत्वात्तत्सिद्धेस्तदनुसारेण द्वैरूप्यसिद्धये ऐन्द्रवायवपात्रं 'रास्नावम्' रास्ना रशना,

---

[1]–महीधरेण तु–'मधुमती' मधु ब्रह्म तद्वती, मधुब्राह्मणोपनिषत्प्रशंसायुता तथा 'सूनृतावती' प्रियं सत्यं वचः सूनृतं तद्वती, सत्यप्रियवचनोपेतेत्युक्तम् ।

तुद्विदेवुत्यमुथ युदश्विनाविुति मुख्यौ वुाऽअश्विनावौष्ठमिव वुाऽइदं मुखं तुस्मादौष्ठमाश्विनपात्रं भवति ॥ १९ ॥

इति प्रथमप्रपाठके पञ्चमं ब्राह्मणम् ॥ ४-१-५ ॥

त्यम् । अथ यदश्विनाविति । मुख्यौ वाऽअश्विनौ । औष्ठमिव वा इदं मुखम्, तस्मादौष्ठमाश्विनपात्रं भवति ॥ १९ ॥

परितः स्रगित्यर्थः । तद्युक्तं कर्त्तव्यम् । मत्वर्थीयो वकारः-(पा. सू. ५।२।१०९ वा. १) । एवमुत्तरत्रापि द्विदेवत्यत्वसिद्धये उक्तलक्षणेन द्वैरूप्यं कार्यम् । अजकाशब्देन अजागलस्तनो विवक्ष्यते । तद्युक्तम् 'अजकावम्' । 'औष्ठं' ओष्ठाकारसहितम् । अश्विनोर्मुखत्वात् मुखसम्बन्ध्योष्ठाकारसहितत्वं तत्पात्रस्य युज्यत इत्यर्थः ॥ १९ ॥

इति श्रीसायणाचार्यविरचिते माधवीये वेदार्थप्रकाशे माध्यन्दिनशतपथब्राह्मणभाष्ये चतुर्थकाण्डे प्रथमाध्याये पञ्चमं ब्राह्मणम् ॥ (४-१-५)॥

वेदार्थस्य प्रकाशेन तमो हार्दं निवारयन् । पुमर्थांश्चतुरो देयाद् विद्यातीर्थमहेश्वरः ॥ १ ॥

ब्रह्माण्डं गोसहस्रं कनकहयतुलापूरुषौ स्वर्णगर्भं सप्ताब्धीन् पञ्चसीरींस्त्रिदशतरुलताधेनुसौवर्णभूमीः ।
रत्नोस्रां रुक्मवाजिद्विपमहितरथौ सायणिः सिङ्गणार्यो व्यश्राणीद्विश्वचक्रं प्रथितविधिमहाभूतयुक्तं घटञ्च ॥ १ ॥
धान्याद्रिं धन्यजन्मा तिलभवमतुलः स्वर्णजं वर्णमुख्यः कार्पासीयं कृपावान् गुडकृतमजडो राजतं राजपूज्यः ।
आज्योत्थं प्राज्यजन्मा लवणजमनृणः शार्करं चार्कतेजा रत्नाढ्यो रत्नरूपं गिरिमकृत मुदा पात्रसात्सिङ्गणार्यः ॥२॥

इति श्रीमद्राजाधिराजपरमेश्वरवैदिकमार्गप्रवर्तकश्रीवीरहरिहरमहाराजसाम्राज्यधुरन्धरेण सायणाचार्येण विरचिते माधवीये वेदार्थप्रकाशे माध्यन्दिनशतपथब्राह्मणभाष्ये चतुर्थकाण्डे प्रथमोऽध्यायः समाप्तः ॥ ४-१॥

प्रथमप्रपाठके षष्ठं ब्राह्मणम्
द्वितीयेऽध्याये च प्रथमं ब्राह्मणम् ।

चक्षुषीह वाऽअस्य शुक्रामन्थिनौ । तद्वाऽएष ऽएव शुक्रो य ऽएष तपति
तद्यदेष ऽएतत्तपति तेनैष शुक्रश्चन्द्रमा ऽएव मन्थी ॥ १ ॥

तᳪं सक्तुभिः श्रीणाति । तदेनं मन्थं करोति तेनो ऽएष मन्थ्येतौ
ह वाऽआसां प्रजानां चक्षुषी स यद्धैतौ नोदियातां न हैवेह स्वौ चन
पाणी निर्जानीयुः ॥ २ ॥

(स्तु) तयोरत्तैवान्यतरः । (ऽ) आद्योऽन्यतरोऽत्तैव शुक्र ऽआद्यो
मन्थी ॥ ३ ॥

तयोरत्तैवान्यतरमनु । (न्वा) आद्योऽन्यतरमन्वत्तैव शुक्रमन्वाद्यो
मन्थिनमनु तौ वाऽअन्यस्मै गृह्येते ऽन्यस्मै हूयेते शण्डामर्कावित्यसुर-
रक्षसे ताभ्यां गृह्येते देवताभ्यो हूयेते तद्यत्तथा ॥ ४ ॥

शुक्रामन्थिनौ ग्रहौ ।

चक्षुषी ह वाऽअस्य शुक्रामन्थिनौ । तद्वाऽएष एव शुक्रः—य एष तपति । तद् यदेष एतत्तपति तेनैष शुक्रः । चन्द्रमा एव मन्थी ॥ १ ॥

तं सक्तुभिः श्रीणाति । तदेनं मन्थं करोति । तेनोऽएष मन्थी । एतौ ह वाऽआसां प्रजानां चक्षुषी । स यद्धैतौ नोदियाताम्—न हैवेह स्वौ चन पाणी निर्जानीयुः ॥ २ ॥

तयोरत्तैवान्यतरः, आद्योऽन्यतरः । अत्तैव शुक्रः, आद्यो मन्थी ॥ ३ ॥

तयोरत्तैवान्यतरमनु, आद्योऽन्यतरमनु । अत्तैव शुक्रमनु, आद्यो मन्थिनमनु । तौ वाऽअन्यस्मै गृह्येते, अन्यस्मै हूयेते । शण्डामर्कौ—इत्यसुररक्षसे । ताभ्यां गृह्येते । देवताभ्यो हूयेते तद्यथा ॥४॥

यस्य निःश्वसितं वेदा यो वेदेभ्योऽखिलं जगत् । निर्ममे तमहं वन्दे विद्यातीर्थमहेश्वरम् ॥ १ ॥

आश्विनं ग्रहं विधाय शुक्रामन्थिग्रहौ विधातुं चक्षुरात्मना स्तौति—**चक्षुषी ह वा** इत्यादि । शुक्रश्च मन्थी च 'शुक्रामन्थिनौ' । भाव्यस्य यज्ञस्य 'चक्षुषी' खलु । उक्तमेवानयोश्चक्षुष्ट्वं प्रतिपादयति—**तद्वा** इत्यादिना । 'तत्' तत्र 'एष' दृश्यमानस्तपति 'एष' 'एव' सूर्यः 'शुक्रः' ग्रहः 'तपति' । शोचते दीप्यते इति तस्य शुक्रनामधेयम् । 'मन्थी' 'चन्द्रमा' 'एव' 'सक्तुभिः' यवचूर्णैर्मिश्रितस्य सोमस्याऽपि मन्थत्वात् तद्भागिनोऽस्य मन्थित्वम् । अनयोः सूर्याचन्द्रमसोरनुदये 'प्रजानां' स्वकीययोरपि पाण्योरदर्शनात्तदुदये तत्सम्भवाच्चक्षुष्ट्वमिति तदात्मकौ शुक्रामन्थिनावपि चक्षूरूपावित्यर्थः । प्रजापतेश्चक्षुषः सकाशादुत्पन्नत्वाच्चानयोश्चक्षुष्ट्वम्, तथा च श्रूयते—"चक्षुषः शुक्रामन्थिनौ" (तै. शा. १ । ९ । ४) इति ॥ १ ॥ २ ॥

चक्षुरात्मना स्तुतौ शुक्रामन्थिनौ पुनर्भोक्तृभोग्यात्मना स्तौति—**तयोरित्यादिना** । 'तयोः' शुक्रामन्थिनो-

यत्र वै देवाः । (ऽ) असुररक्षसान्यपजघ्निरे तदेतावेव न शेकुरपहन्तुं यद्ध स्म देवाः किं च कर्म कुर्व्वते तद्ध स्म मोहयित्वा क्षिप्र ऽएव पुनरुपद्रवतः ॥ ५ ॥

(स्ते)ते ह देवा ऊचुः । (रू) उपजानीत यथेमावपहनामहा ऽइति ते होचुर्ग्रहावेवाभ्यां गृह्णाम तावभ्युपैष्यतस्तौ स्वीकृत्यापहनिष्यामह ऽ इति ताभ्यां ग्रहौ जगृहुस्तावभ्युपैतां तौ स्वीकृत्यापाघ्नत तस्माच्छण्डामर्काभ्यामिति गृह्येते देवताभ्यो हूयेते ॥ ६ ॥

(तेऽअ) अपि होवाच याज्ञवल्क्यः । (ल्क्यो) नो स्विद्देवताभ्य ऽएव गृह्णीयामा ३ विजितरूपमिव हीदमिति तद्वै स तन्मीमाᳬसामेव चक्रे नेत्तु चकार ॥ ७ ॥

यत्र वै देवाऽअसुररक्षसान्यपजघ्निरे तद्–एतावेव न शेकुरपहन्तुम् । यद्ध स्म देवाः । किञ्च कर्म कुर्वते–तद्ध स्म मोहयित्वा क्षिप्रऽएव पुनरपद्रवतः ॥ ५ ॥

ते ह देवा ऊचुः–उपजानीत–यथेमावपहनामहाऽइति । ते होचुः–ग्रहावेवाभ्यां गृह्णामः । तावभ्यवैष्यतः । तौ स्वीकृत्यापहनिष्यामहऽइति । ताभ्यां ग्रहौ जगृहुः, तावभ्यवैताम् । तौ स्वीकृत्यापाघ्नत । तस्माच्छण्डामर्काभ्यामिति गृह्येते, देवताभ्यो हूयेते ॥ ६ ॥

अपि होवाच याज्ञवल्क्यः–नो स्विद्देवताभ्य एव गृह्णीयामा ३ विजितरूपमिव हीदमिति । तद्वै स तन्मीमांसामेव चक्रे नेत्तु चकार ॥ ७ ॥

रन्यतरः ' अत्ता ' भोक्ता अन्यतरश्च ' आद्यो ' भोग्यस्तयोर्भोक्तृभोग्यरूपसूर्यचन्द्रात्मत्वेन स्तुतत्वात् । अत्तैवेति । तस्यैव विशेषः । यत एवमनयोर्भोक्तृभोग्यत्वमतो लोकेऽपि भोक्तृवर्गस्तयोरन्यतरं सूर्यात्मकं शुक्रमनुसृत्य वर्तते । शुक्रेऽन्तर्भूत इत्यर्थः । भोग्यवर्गोऽन्यतरं चन्द्रात्मकमेव मन्थिनमनुसृत्य वर्तते । चन्द्रात्मके मन्थिन्यन्तर्भवति । ग्रहयोर्ग्रहणहोमौदर्शयति–तौ वा अन्यस्मा इत्यादि । सुरविरोधिनौ राक्षसौ ' असुररक्षसे ' " अनसन्तान्नपुं० "–(पा. सू. ५ । ४ । १०३) इत्यादिना टच् । ' ताभ्यां शण्डामर्काभ्यां ' गृह्येते ' । होमस्तु 'देवताभ्यः' क्रियते । ग्रहणे शण्डामर्कयोर्देवतात्वेनोद्दिष्टत्वात् "देवताद्वन्द्वे च "–(पा. सू. ७।३।२१) इति पूर्वपदस्यानङादेशः। ग्रहणे शण्डामर्कयोः स्वीकारस्य, होमे तत्परित्यागस्य च हेतुं दर्शयिष्यन्नाख्यायिकां प्रस्तौति-तद्यत्तथा यत्रेति । ' तत् ' ' तथा ' ग्रहणकारणं ग्रहणे शण्डामर्कस्वीकरणमिति यत तदुच्यत इत्यर्थः । पुरा खलु देवा असुररक्षसामपहननसमये शण्डामर्कौ ' हन्तुं ' न शक्तवन्तस्तौ सर्वं देवकृतं कर्म तिरस्कृत्यागच्छताम् । ततस्ते देवा एतयोर्हननोपायं विचारयतेत्युक्त्वा ग्रहग्रहणेन तावागमिष्यतः, पश्चात् ' तौ ' ' स्वीकृत्य ' हनिष्याम इति पर्यालोच्य तथैवाचरन् । यत एवमकुर्वन्, अत इदानीमपि शण्डामर्कावुद्दिश्यैव ग्रहणम् । होमास्तु ' देवताभ्यः ' क्रियन्ते ' अपजघ्निरे '–इत्येवमादौ सर्वत्र च्छान्दसमात्मनेपदम् ॥ ३–६ ॥

शण्डामर्कावुद्दिश्य गृह्यत इति यत्प्रतिपादितं तदेव द्रढयति–अपि होवाचेत्यादि । याज्ञवल्क्योप्येवमुवाच ।

(रे) इमामु हैके शुक्रस्य पुरोरुचं कुर्व्वन्ति। (न्त्य) अयं व्वेनश्चोदय-
त्पृश्निगर्भा ज्योतिर्जरायू रजसो व्विमानऽइति तदेतस्य रूपं कुर्मो य ऽएष
तपतीति यदाह ज्योतिर्जरायुरिति ॥ ८ ॥

(ती)इमां त्वेव शुक्रस्य पुरोरुचं कुर्यात् । (त्तं) तं प्रत्नथा पूर्व्वथा व्विश्व-
थेमथा ज्येष्ठतातिं बर्हिषदᳬं स्वर्व्विदमित्यत्ता ह्येतमन्वत्ता हि ज्येष्ठस्त-
स्मादाह ज्येष्ठतातिं बर्हिषदᳬं स्वर्व्विदम् । प्रतीचीनं व्वृजनं दोहसे
धुनिमाशुं जयन्तमनु यासु व्वर्धसे । उपयामगृहीतोऽसि शण्डाय त्वैष ते
योनिर्व्वीरतां पाहीति सादयत्यत्ता ह्येतमन्वत्ता हि व्वीरस्तस्मादाहैष
ते योनिर्व्वीरतां पाहीति दक्षिणार्धे सादयत्येताᳬं ह्येष दिशमनु
संचरति ॥ ९ ॥

इमामु हैके शुक्रस्य पुरोरुचं कुर्वन्ति । "**अयं वेनश्चोदयत्पृश्निगर्भा ज्योतिर्जरायू रजसो विमाने**"-(वा० सं० ७ । १६) इति । तदेतस्य रूपं कुर्मो य एष तपतीति यदाह- ज्योतिर्जरायुरिति ॥ ८ ॥

इमां त्वेव शुक्रस्य पुरोरुचं कुर्यात्-"**तं प्रत्नथा पूर्वथा विश्वथेमथा ज्येष्ठतातिं बर्हिषदं स्वर्विदम्**"-(वा० सं० ७ । १२) इति । अत्ता ह्येतमनु । अत्ता हि ज्येष्ठः । तस्मादाह- ज्येष्ठतातिं बर्हिषदं स्वर्विदम् । "**प्रतीचीनं वृजनं दोहसे धुनिमाशुं जयन्तमनु यासु वर्धसे । उपयामगृहीतोऽसि शण्डाय त्वैष ते योनिर्वीरतां पाहि**"-(वा० सं० ७ । १२)

अथवा अस्मदीयाभ्यो देवताभ्य एव नो गृह्णीयाम उत गृह्णीयाम इति । "संप्रश्ने" (पा. सू. ३ । ३ । १६१) इति लिङ् । "विचार्यमाणानाम्" (पा. सू. ८ । २ । ९७) इति प्लुतः । एतद्देवतोद्देशेन ग्रहग्रहणं विजयरूपं खल्विति । एवं संप्रधार्य स याज्ञवल्क्यस्तत्र विचारमेव 'चक्रे', 'न तु चकार' । ततः पूर्वोक्त एव पक्षोऽनुष्ठेय इति भावः ॥ ७ ॥

विहिते शुक्रस्य ग्रहणे स्वाभिमतं मन्त्रं विवित्सुः शाखान्तरमतं स्वस्यानभिमतमुपन्यस्यति-**इमामु हेत्यादिना** । पुरा रोचयतीति पुरोरुक् "अयं वेन" इत्येतामृचं 'पुरोरुचं' कुर्वतामयमाशयः-मन्त्रे 'ज्योतिर्जरायुः' इत्यस्योच्चारणेन उभयतोऽस्य सूर्यस्य रूपं सम्पादयन इति । एतत्तैत्तिरीयकशाखामतम् । तत्र हि मन्त्रकाण्डे उपांश्वादीनां ग्रहाणां ग्रहणं मन्त्रपाठानन्तरं शुक्रस्य क्रमे "अयं वेन" इत्यस्य पाठात् । अत एव बोधायनः- "अयं वेनश्चोदयत् इति शुक्रं गृहीत्वा" इति ॥ ८ ॥

स्वाभिमतं पक्षं सोपपत्तिकमाह- **इमां त्वेवेत्यादि** । **तं प्रत्नथेति** । 'इमां' ऋचमेव कुर्यात् न पुनः शाखान्तरमतप्राप्तमित्यर्थः । अत्रेयमुपपत्तिः-सूर्यस्य भोक्तृत्वं तदात्मकत्वं च लौकिकभोक्तृजातस्य प्रागुक्तम्-"अत्रैव

१-अयं व्वेन इत्येके । का० श्रौ० सू० ९ । १३५ । २-शुक्रं बैल्वेन वा तं प्रत्नथेति । का० श्रौ० सू० ९ । १३४ ।

(त्यु) अथ मन्थिनं गृह्णाति । (त्य) अयं वेनश्चोदयत्पृश्निगर्भा ज्योतिर्जरायू रजसो विमाने । इममपाᳪं संगमे सूर्यस्य शिशुं न विप्रा मतिभी रिहन्ति । उपयामगृहीतोऽसि मर्काय त्वेति ॥ १० ॥

इति सादयति । अत्ता ह्येतमनु । अत्ता हि वीरः । तस्मादाह–एष ते योनिर्वीरतां पाहीति । दक्षिणार्द्धे सादयति एतां ह्येष दिशमनु संचरति ॥ ९ ॥

अथ मन्थिनं गृह्णाति–"अयं वेनश्चोदयत्पृश्निगर्भा ज्योतिर्जरायू रजसो विमाने । इममपां सङ्गमे सूर्यस्य शिशुं न विप्रा मतिभी रिहन्ति । उपयामगृहीतोऽसि मर्काय त्वा"–(वा० सं० ७ । १६) इति ॥ १० ॥

शुक्रः, अत्तैव शुक्रमनु" इति । भोक्तृभोग्ययोर्भोक्ता प्राधान्येन ज्येष्ठः । "अतोऽत्र ज्येष्ठतातिम्" इति ज्येष्ठशब्देन भोक्ता शुक्रात्मकः सूर्यः प्रकाश्यत इति, शुक्रग्रहणे इयमेव पुरोरुक्कार्येति । होममन्त्रे–"तस्मा इन्द्राय" (वा. सं. ७ । १९) इति निर्देशादस्या इन्द्रो देवता । माहेन्द्रत्वप्रसिद्धम् त्वां स्तुम इति शेषः । प्रत्नथेत्यादौ "प्रत्नपूर्व–" (पा. सू. ५ । ३ । २६)इत्यादिना थाल्प्रत्ययः । अतोऽयमुपमार्थीयः । प्रत्नाः (निरु ३ । २७ । १) पुरातनाः भृग्वादय इव, पूर्वे पित्रादय इव, विश्व इव, समस्ता अवशिष्टा ऋषय इव, 'इमथा' इमे इदानीन्तना यजमाना इव, त्वा स्तुमः । कीदृशं 'ज्येष्ठतातिं' प्रशस्तं "वृकज्येष्ठाभ्यां" (पा. सू. ५ । ४ । ४१) इति स्वार्थिकस्तातिल्प्रत्ययः । स्तीर्णे बर्हिषि यज्ञे स्थितं स्वर्गं लब्धवन्तं प्रत्यगात्मभूतं त्वां स्तुमः । त्वं च 'धुनिम्' अस्मान् कम्पयन् 'वृजनं' वर्जनीयं पापं 'दोहसे' क्षारयसि, विनाशयसीत्यर्थः । क्व पुनः स्तोत्रं 'यासु' क्रियासु क्षिप्रमन्यान् यजमानान् 'जयन्तं' यजमानं वर्द्धयसे तासु स्तुमः इति पूर्वेण सम्बन्धः । हे सोमरस ! 'उपयामगृहीतोऽसि' त्वां 'शण्डाय' गृह्णामि । नन्वस्य मन्त्रस्य "अत्ता हि ज्येष्ठः"–इत्येतद्ब्राह्मणानुसारेण सूर्यपरत्वमवगम्यते–तत् कथमिन्द्रपरत्वेन व्याख्यानमिति । उच्यते–इन्द्रोऽपि सूर्यात्मकस्तन्मूर्तिभेदत्वात् । तथा च श्रूयते–"धाता चार्यमा च अंशश्च भगश्च इन्द्रश्च विवस्वांश्चेत्येते" (तै. आ. उ. १–१३) इति । तथा मन्त्रशास्त्रेऽपि इन्द्रस्य सूर्यात्मकत्वं प्रसिद्धम्–"धाता चार्यममित्रावरुणांशभगा विवस्वदिन्द्रयुताः । पूषाह्वयपर्जन्यौ त्वष्टा विष्णुश्च मानवः प्रोक्ताः ॥"–इति । अत इन्द्रपरत्वेन व्याख्यानमुपपद्यते ॥

गृहीतस्य सोमरसस्य समन्त्रकं सादनं विधाय व्याचष्टे–एष ते योनिरित्यादि । भोक्तृवर्गः सूर्यरूपः शुक्रात्मकः अत एव समर्थः । तस्मात्प्रजानां सामर्थ्यं 'पाहि' पालयेति मन्त्र आहेत्यर्थः । पात्रप्रयोगकाले दक्षिणभागे प्रयुज्यत इति तत्रैव सादयेत् । तथा च कात्यायनः–"दक्षिणपूर्वार्द्धे शुक्रामन्थिनोर्दक्षिणं शुक्रस्य" (का. श्रौ. सू. ९ । २४ । २९) इति ॥ ९ ॥

विहितं मन्थिनोर्ग्रहणमनूद्य मन्त्रं विधत्ते–अथेत्यादि । मन्त्रस्यायमर्थः–अत्र पूर्वार्द्धे अधिदैवतमवस्थितः सोमः स्तूयते । उत्तरार्द्धे अधियज्ञम् । 'वेनः' कान्तः । "वेनो वेनतेः कान्तिकर्मणः" इति यास्कः । (निरु. १० । ४ । १) "विन कान्तौ" इत्यस्मादजन्तः । 'जरायुः' इति गर्भवेष्टनम् । 'ज्योतिः' एव

१–मंथिनमयं व्वेन इति । का० श्रौ० सू० ९ । १३६ ।

तं[१] सक्तुभिः श्रीणाति । तद्यत्सक्तुभिः श्रीणाति व्वरुणो ह वै सोमस्य राज्ञोऽभीवाक्षि प्रतिपिपेष तदश्वयत्ततोऽश्वः समभवत्तद्यच्छ्वयथात्समभवत्तस्मादश्वो नाम तस्याश्रु प्रास्कन्दत्ततो यवः समभवत्तस्मादाहुर्व्वरुण्यो यवऽइति तद्यदेवास्यात्र चक्षुषोऽमीयत तेनैवैनमेतत्समर्धयति कृत्स्नं करोति तस्मात्सक्तुभिः श्रीणाति ॥ ११ ॥

स श्रीणाति । मनो न येषु हवनेषु तिग्मं व्विपः शच्या व्वनुथो द्रवन्ता । आ यः शर्याभिस्तुविनृम्णोऽअस्याश्रीणीता दिशं गभस्तावेष ते योनिः प्रजाः पाहीति सादयत्याद्यो ह्येतमन्वाद्या हीमाः प्रजा व्विशस्तस्मादाहैष ते योनिः प्रजाः पाहीति ॥ १२ ॥

तं सक्तुभिः श्रीणाति । तद् यत्सक्तुभिः श्रीणाति । वरुणो ह वै सोमस्य राज्ञोऽभीवाक्षि प्रति-पिपेष । तदश्वयत् । ततोऽश्वः समभवत् । तद् यच्छ्वयथात्समभवत्—तस्मादश्वो नाम । तस्याश्रु प्रास्कन्दत् । ततो यवः समभवत् । तस्मादाहुः—वरुण्यो यव इति । तद् यदेवास्यात्र चक्षुषोऽमीयत—तेनैवैनमेतत्समर्धयति, कृत्स्नं करोति । तस्मात्सक्तुभिः श्रीणाति ॥ ११ ॥

स श्रीणाति—मनो न येषु हवनेषु तिग्मं विपः शच्या वनुथो द्रवन्ता । आ यः शर्याभि-

---

जरायुर्वेष्टनं यस्य सः तथोक्तः । 'रजसः' उदकस्य 'विमाने' निर्माणस्थाने आकाश इत्यर्थः । तस्मिन् 'अयं' सोमः 'पृश्निगर्भाः' आदित्यगर्भा अपः 'चोदयत्' चोदयेत् । "लिङर्थे लेट्" (पा. सू. ३ । ४ । ७) "इतश्च लोपः परस्मैपदेषु" (पा. सू. ३ । ४ । ९७) इतीकारलोपः । बहुलग्रहणात् (पा. सू. ३ । १ । ३४) सिप्प्रत्ययो न भवति । अपामादित्यगर्भत्वम् "आपः सूर्ये समाहिताः" (तै. आ. उ. १–८.) इति श्रुतेः । अथाधियज्ञं सोमः स्तूयते—'इमं' सोमम् 'अपां' 'सूर्यस्य' च संपर्कैर्गृहीताभिर्वसतीवरीभिरभिषुतं 'विप्राः' मेधाविनः क्षीरादिना 'शिशुं न' शिशुमिव 'मतिभिः' मतिपूर्विकाभिः स्तुतिभिः 'रिहन्ति' अर्चन्ति । रिहतिरर्चाकर्मसु पठितः (निघं. ३ । १४ । ११) ॥ १० ॥

गृहीतस्य सोमरसस्य यवपिष्टैर्मिश्रणं, तस्योपाख्यानेन हेतुं चाह—तं सक्तुभिरित्यादिना । तद्यदिति । 'सक्तुभिः श्रीणाति' इति यत् तत्कारणमुच्यत इत्यर्थः । 'अश्वयत्' प्रवृद्धमभूत् । "टुओश्वि गतिवृद्ध्योः" (धा. पा. भ्वा. प. १०३९) इति धातुः । 'श्वयथात्' इति (इ)उकारस्य व्यत्ययेनाकारः । वरुण्य इति । "भवे छन्दसि"–(पा. सू. ४ । ४ । ११०) इति यत्प्रत्ययः । तद्यदिति । 'अस्य' सोमस्य 'चक्षुषः' सकाशात् देवांशरूपम् 'अमीयत' अपगतमभूत् । यदेतेन यवपिष्टमिश्रणेन 'तेनैव' अंशेन 'एनं' सोमं 'समर्द्धयति' तेन च 'कृत्स्नं' संपूर्णं करोतीत्यर्थः ॥ ११ ॥

विहितं मिश्रणमनूद्य मन्त्रं विधत्ते—स श्रीणातीति । मनो न येष्विति । हे 'विपः' विपश्चितः ।

१–सक्तुभिः श्रीणात्यनेन मनो न येष्विति । का० श्रौ० सू० ९ । १३७ ।

द्वौ प्रोक्षितौ यूपशकलौ भवतः । (तौ) द्वावप्रोक्षितौ प्रोक्षितं चैवाध्वर्यु-रादत्तेऽप्रोक्षितं चैवमेव प्रतिप्रस्थाता प्रोक्षितं चैवादत्तेऽप्रोक्षितं च शुक्रमे-वाध्वर्युरादत्ते मन्थिनं प्रतिप्रस्थाता ॥ १३ ॥

सोऽध्वर्युः । (१) अप्रोक्षितेन यूपशकलेनापमार्ष्ट्यपमृष्टः शण्डऽइत्येव-मेव प्रतिप्रस्थातापमृष्टो मर्कऽइति तदाददानावेवासुररक्षसेऽअपहतो देवा-स्त्वा शुक्रपाः प्रणयन्त्वित्येवाध्वर्युर्निष्क्रामति देवास्त्वा मन्थिपाः प्रणय-न्त्वितिप्रतिप्रस्थाता तदेतौ देवताभ्यऽएव प्रणयतः ॥ १४ ॥

स्तुविनृम्णोऽस्याश्रीणीता दिशम् । गभस्तावेष ते योनिः प्रजाः पाहि–" (वा. सं. ७-१७) इति सादयति । आद्यो ह्येतमनु । आद्या हीमाः प्रजा विशः । तस्मादाह–एष ते योनिः प्रजाः पाहीति१२

द्वौ प्रोक्षितौ यूपशकलौ भवतः, द्वावप्रोक्षितौ । प्रोक्षितं चैवाध्वर्युरादत्ते, अप्रोक्षितं च । एवमेव प्रतिप्रस्थाता प्रोक्षितं चैवादत्तेऽप्रोक्षितं च । शुक्रमेवाध्वर्युरादत्ते, मन्थिनं प्रतिप्रस्थाता ॥ १३ ॥

सोऽध्वर्युरप्रोक्षितेन यूपशकलेनापमार्ष्टि–" अपमृष्टः शण्डः"(वा. सं.७।१२)–इति । एवमेव प्रतिप्रस्थाता–" अपमृष्टो मर्कः " (वा. सं. ७।१७)–इति । तदाददानावेवासुररक्षसेऽअपहतः– "देवास्त्वा शुक्रपाः प्रणयन्तु" (वा.सं. ७।१२) इत्येवाध्वर्युर्निष्क्रामति । " देवास्त्वा मन्थिपाः प्रणयन्तु–वा.सं.७।१७) " इति प्रतिप्रस्थाता । तदेतौ देवताभ्य एव प्रणयतः ॥१४॥

प्रातिपदिकैकदेशः । सलोपश्छान्दसः । ' येषु ' होमेषु ' तिग्मं ' ' मनो ' ' न ' तीव्रं मन इव (निरु. १ । २ । १) ब्रुवन्तौ–" सुपां सुलुग् " (पा. सू. ७ । १ । ३९) इत्याकारादेशः । शुक्रा-मन्थिनौ ' शच्या ' कर्मणा निमित्तेन ' वनुथः ' प्राप्नुतः । व्यत्ययेन मध्यमपुरुषः (पा. सू. ३ । १ । ८५) (सकाशात्) देवांशभूतेषु होमेषु प्राप्तो ' यः ' ' तुविनृम्णो ' (निघं. ३ । १ । २) बहुबलो (निघं. २।९।९) मन्थ्यस्ति । ' अस्य ' इमं ग्रहं ' गभस्तौ ' पाणौ धृत्वा ' शर्याभिः ' स्वाङ्गुलीभिः ' आदिशं ' प्रतिदिशं यवपिष्टैः । ' आश्रीणीत ' मिश्रयत । गभस्तिशब्दः पाणिवचनः, " पाणी वै गभस्ती " इति श्रुतेः । ग्रहस्य सादनं समन्त्रकं विधाय व्याचष्टे–एष त इत्यादि । आद्यो हीति । ' आद्यो ' भोग्यवर्गः, चन्द्रात्मकस्य मन्थिनोऽवस्थाभेद इत्युक्तम् (श. प. ४ । २ । १ । २–३) । प्रजाश्च भोग्याः; अतश्चन्द्रात्मकस्य मन्थिनो भोग्यप्रजारक्षकत्वं मन्त्र आहेत्यर्थः ॥ १२ ॥

प्रसङ्गाच्छुक्रामन्थिग्रहयोर्होमकाले कर्त्तव्यमनुष्ठानविशेषं विधत्ते–द्वौ प्रोक्षिताविति । आह–अपमार्ष्टीति । ग्रहगतं धूल्यादिकमपध्वंसयेत् । तदित्यादि । एतेन रक्षोपध्वंसनेन ग्रहौ ' आददानौ ' स्वीकुर्वाणौ । ' एव ' ' असुररक्षसे ' सुरविरोधिनौ राक्षसावपसार्य्य ' हतो ' हिंस्त इत्यर्थः ॥

उभयोर्निष्क्रमणं समन्त्रकमाह–देवास्त्वेत्यादि । हे शुक्रग्रह ! ' शुक्रपाः ' शुक्रग्रहस्य पातारो देवास्त्वा

१–प्रोक्षितौ यूपशकलावादायापिधानं प्रोक्षिताभ्यामपमार्जनमप्रोक्षिताभ्यामपमृष्टः शंडइत्यध्वर्युरपमृष्टो मर्क इति प्रतिप्रस्थाता । का०श्रौ०सू० ९ । २१४ । २–देवास्त्वेति निष्क्रामतो यथालिंगम् । का०श्रौ० सू० ९ । २१५ ।

(स्तौ) तौ जघनेनाहवनीयमरत्नी संधत्तः । (स्ता) ताऽउत्तरवेदौ सादयतो दक्षिणायामेव श्रोणावध्वर्युः सादयत्युत्तरायां प्रतिप्रस्थातानुसृजन्तावेवानाधृष्टासीति तद्रक्षोभिरेवैतदुत्तरवेदिमनाधृष्टां कुरुतो विपर्येष्यन्तौ वाऽएतावग्निं भवतोऽत्येष्यन्तौ तस्माऽएवैतान्निह्नुवाते तथो हैनौ विपरियन्तावग्निर्न हिनस्ति ॥ १५ ॥

सोऽध्वर्युः पर्येति । सुवीरो व्वीरान्प्रजनयन्परीहीत्यन्ता ह्येतमन्वत्ता हि व्वीरस्तस्मादाह सुवीरो व्वीरान्प्रजनयन्परीहीत्यभि रायस्पोषेण यजमानमिति तद्यजमानायाशिषमाशास्ते यदाहाभि रायस्पोषेण यजमानमिति ॥१६ ॥

तौ जघनेनाहवनीयमरत्नी सन्धत्तः । ता उत्तरवेदौ सादयतः दक्षिणायामेव श्रोणावध्वर्युः सादयति, उत्तरायां प्रतिप्रस्थाता अननुसृजन्तावेव । " अनाधृष्टासि "–(वा. सं. ७ । १२) इति । तद्रक्षोभिरेवैतदुत्तरवेदिमनाधृष्टां कुरुतः । विपर्येष्यन्तौ वाऽएतावग्निं भवतोऽत्येष्यन्तौ तस्माऽएवैतन्निह्नुवते । तथो हैनौ विपरियन्तावग्निर्न हिनस्ति ॥ १५ ॥

सोऽध्वर्युः पर्येति–"सुवीरो वीरान्प्रजनयन् परीहि"–(वा. सं. ७ । १३) इति । अत्ता ह्येतमनु अत्ता हि वीरः । तस्मादाह–सुवीरो वीरान्प्रजनयन्परीहीति । "अभि रायस्पोषेण यज-

---

' प्रणयन्तु ' यत्र स्थित्वा यागः क्रियते तं देशं प्रापयन्त्वित्यर्थः । एवमुत्तरत्रापि मन्त्रयोजना । तदिति । 'तत्' तेन मन्त्रोच्चारणेन देवतार्थमेव ' एतौ ' ग्रहौ प्रापयतः । शण्डामर्कार्थं गृह्यमाणावपि न तदर्थमित्यर्थः ॥ १३ ॥ १४ ॥

निष्क्रमणानन्तरं कर्त्तव्यमरत्निसन्धानादिकं विधत्ते–तौ जघनेनेत्यादि । ' आहवनीयं ' ' जघनेन ' आहवनीयस्य पश्चाद्भागे । ता उत्तरवेदाविति । ' तौ ' शुक्रामन्थिग्रहौ, " लोपः शाकल्यस्य "–(पा. सू. ८ । २ । १९) इति वकारलोपः । ' अननुसृजन्तौ ' अपरित्यजन्तौ दक्षिणस्यां श्रोणौ ' अध्वर्युः ' उत्तरस्यां ' प्रतिप्रस्थाता ' सादयेत् । तत्र " अनाधृष्टाऽसि " इति मन्त्रः । हे उत्तरवेदि ! 'अनाधृष्टाऽसि' अनाधर्षिता अहिंसितेत्यर्थः । " आदितश्च "–(पा. सू. ७ । २ । १६) इतीडभावः । ' तत् ' इत्यनेन ' रक्षोभिः ' ' उत्तरवेदिम् ' अहिंसितां ' कुरुतः ' । किं च होमार्थमुत्तरवेदेः प्रत्यग्देशात्सकाशादाहवनीयं ' विपर्येष्यन्तौ ' विविधं दक्षिणत उत्तरतश्च परितो गमिष्यन्ताविति व्यतिक्रममेव करिष्यमाणौ भवतः । अत एतेन वेदिश्रोण्योर्ग्रहासादनेन अतिक्रमणरूपमपराधं ' तस्मा ' ' अग्नये ' ' अपह्नुवाते ' अपनयतः कार्यार्थं गमिष्यावो न तु त्वामतिक्रमिष्याव इत्येतत्सूचयित्वा अग्निरनुसृतो भवति । अतः पश्चात् ' तथा ' गच्छन्तावपि ' अग्निः ' न हिनस्ति इत्यर्थः ॥ १५ ॥

अध्वर्युप्रतिप्रस्थात्रोः परितो गच्छतोर्गमनं समन्त्रकं विदधानो व्याचष्टे–" सोऽध्वर्युरित्यादिना ।

१–अपरेणोत्तरवेदिमरत्नी संधायोत्तरवेदिश्रोण्योर्नयत्तोऽविसृजतो दक्षिणस्यामध्वर्युरुत्तरस्यां प्रतिप्रस्थाताऽनाधृष्टासीति । का० श्रौ० सू० । ९ । २१६ । २–सुवीर इति दक्षिणं यूपदेशं गच्छत्यध्वर्युः सुप्रजा इति प्रतिप्रस्थातोत्तरम् । का० श्रौ० सू० ९ । २१७

(त्यु) अथ प्रतिप्रस्थाता पर्य्येति । सुप्रजाः प्रजाः प्रजनयन्परीहीत्याद्यो ह्येतमन्वाद्या हीमाः प्रजा विशस्तस्मादाह सुप्रजाः प्रजाः प्रजनयन्परीहीत्यभि रायस्पोषेण यजमानमिति तद्यजमानायाशिषमाशास्ते यदाहाभि रायस्पोषेण यजमानमिति ॥ १७ ॥

तावपिधाय निष्क्रामतः।(स्ति)तिरऽएवैनावेतत्कुरुतस्तस्मादिमौ सूर्याचन्द्रमसौ प्राञ्चौ यन्तौ न कश्चन पश्यति तौ पुरस्तात्परीत्यापोर्णुतः पुरस्तात्तिष्ठन्तौ जुहुतऽआविरेवैनावेतत्कुरुतस्तस्मादिमौ सूर्याचन्द्रमसौ प्रत्यञ्चौ यन्तौ सर्व्व एव पश्यति तस्मात्पराग्रेतः सिच्यमानं न कश्चन पश्यति तदु पश्चात्प्रजायमानꣳ सर्व्व एव पश्यति ॥ १८ ॥

मानम् "-(वा. सं. ७ । १३) इति । तद्यजमानायाशिषमाशास्ते-यदाह अभि रायस्पोषेण यजमानमिति ॥ १६ ॥

अथ प्रतिप्रस्थाता पर्येति-" सुप्रजाः प्रजाः प्रजनयन्परीहि "-(वा. सं. ७ । १८) इति। आद्यो ह्येतमनु । आद्या हीमाः प्रजा विशः । तस्मादाह-सुप्रजाः प्रजाः प्रजनयन्परीहीति । " अभि रायस्पोषेण यजमानम् "-(वा० सं० ७ । १८) इति । तद् यजमानायाशिषमाशास्ते । यदाह-अभिरायस्पोषेण यजमानमिति ॥ १७ ॥

तावपिधाय निष्क्रामतः । तिर एवैनावेतत्कुरुतः । तस्मादिमौ सूर्याचन्द्रमसौ प्राञ्चौ यन्तौ न कश्चन पश्यति । तौ पुरस्तात्परीत्यापोर्णुतः, पुरस्तात्तिष्ठन्तौ जुहुतः-आविरेवैनावेतत्कुरुतः । तस्मादिमौ सूर्याचन्द्रमसौ प्रत्यञ्चौ यन्तौ सर्व एव पश्यति । तस्मात्पराग्रेतः सिच्यमानं न कश्चन पश्यति । तदु पश्चात्प्रजायमानं सर्व एव पश्यति ॥ १८ ॥

" सुवीरो वीरान् " इत्यनेनाध्वर्युः परीयात् । अत्र भोक्तृवर्गः सूर्यात्मकस्य शुक्रस्यावस्थाभेदः । भोक्तार एव वीराः । अतः सुवीरो वीरानिति मन्त्रभाग आह-' रायस्पोषेण यजमानम् ' इत्यस्य मन्त्रभागस्योच्चारणेन यजमानस्याशीः सम्पाद्यत इत्यर्थः । कृत्स्नमन्त्रस्यायमर्थः-हे शुक्रग्रह ! लोके ' वीरान् ' भोक्तॄन् उत्पादयन् तैः सुवीरस्त्वं धनसमृद्ध्या सह यजमानं परिगच्छेति ॥ १६ ॥

अथ प्रतिप्रस्थातेत्यत्राप्येवं योज्यम् । (का. श्रौ. सू. ९ । २१७) ' आद्यो ' भोग्यवर्गश्च चन्द्रात्मकस्य मन्थिनोऽवस्थाभेदः । प्रजायमाना ' विशः ' च भोग्याः । स्पष्टमन्यत् ॥ १७ ॥

आहवनीयस्य पश्चाद्भागे ग्रहयोराच्छादनं, पुरस्ताद् गत्वा तदपनयनं च विधत्ते-तावपिधायेत्यादि । अत्रानन्तरमेवोपात्तत्वेन प्रकृतत्वात् प्रोक्षिताभ्यां शकलाभ्यामपिदध्याताम् । पिधानस्य तु प्रयोजनं ग्रहयोः प्राग्गमनसमये लोकैरनुपलम्भाय तिरोधानम् । शुक्रामन्थिनौ सूर्यचन्द्रात्मकौ, तयोश्च प्राग्गतिर्न केनचिदुपलभ्यते, अतस्तदात्मकयोरनयोर्ग्रहयोरपि प्राग्गत्या लोकैरनुपलब्धयैव भवितव्यमिति । ' पुरस्तात् ' स्थित्वा

तौ जघनेन यूपमरत्नी सुंधत्तः। (त्तो) यद्यग्निर्नोद्द्वाधेत यद्युऽअग्निरुद्द्वाधेताप्युग्रेणैव यूपमरत्नी सुंदध्याताᳬसंजग्मानो दिवा पृथिव्या शुक्रः शुक्रशोचिषेत्येवाध्वर्युः संजग्मानो दिवा पृथिव्या मन्थी मन्थिशोचिषेति प्रतिप्रस्थाता चक्षुषोरेवैतेऽआरमणे कुरुतश्चक्षुषीऽएवैतत्संधत्तस्तस्मादिमेऽअभितोऽस्थिनी चक्षुषी सुᳬहिते॥ १९॥

तौ जघनेन यूपमरत्नी संधत्तोः-यद्यग्निर्नोद्द्वाधेत। यद्युऽअग्निरुद्द्वाधेत-अप्यग्रेणैवयूपमरत्नी सन्दध्याताम्-"संजग्मानो दिवा पृथिव्या शुक्रः शुक्रशोचिषा"-(वा. सं. ७। १२) इत्येवाध्वर्युः। "सं जग्मानो दिवा पृथिव्या मन्थी मन्थिशोचिषा"-(वा. सं. ७। १८) इति प्रतिप्रस्थाता। चक्षुषोरेवैतेऽआरमणे कुरुतः चक्षुषीऽएवैतत्सन्धत्तः। तस्मादिमेऽअभितोऽस्थिनी चक्षुषी संहिते॥ १९॥

आच्छादनम् अपोर्णुतः अपनयतः। तस्य च प्रयोजनं ग्रहयोराविष्करणं; सूर्याचन्द्रमसौ च प्राग्गतौ सर्वैर्दृश्येते, अतस्तदात्मकयोरनयोर्ग्रहयोरपि प्राग्भागे प्रकाशनमुपपद्यत इत्यर्थः। अत एव शाखान्तरेऽप्येवमाम्नायते-"असौ वा आदित्यः शुक्रश्चन्द्रमा मन्थ्यपिगृह्य प्राञ्चौ निष्क्रामतस्तस्मात् प्राञ्चौ यन्तौ न पश्यन्ति प्रत्यञ्चावावृत्य जुहुतस्तस्मात् प्रत्यञ्चौ यन्तौ पश्यन्ति" (तै. सं. ६। ४। १०) इति। ननु सर्वेषां ग्रहाणां प्रत्यग्गतिरेव प्रसिद्धा न तु प्राग्गतिः, अतः सूर्याचन्द्रमसोः प्राग्गतिरिति यदुक्तं तदनुपपन्नमिति चेत्; उच्यते-यदा सूर्यश्चन्द्रमाश्च यस्मिन् नक्षत्रे तिष्ठति तदा तेनैव सह प्रत्यग्गच्छति। तत्र प्रवहणवायुवशेन तस्मिन्नक्षत्रे पुरतः शीघ्रं नीयमाने सति स्वयं पश्चाद्धीयते। स तथाविधः सन् ततः प्राचीनेन नक्षत्रान्तरेण युज्यते। सैव प्राग्गतिः। सा तु न केनचिदप्युपलभ्यते। तथा च ज्योतिःसिद्धान्तेऽभिहितम्-"पश्चाद्व्रजन्तोऽतिजवान्नक्षत्रैः सततं ग्रहाः। नीयमानास्तु लम्बन्ते तुल्यमेव स्वमार्गगाः॥ प्राग्गतित्वमतस्तेषां भगणैः प्रत्यहं गतिः॥"-(सूर्यसि. म. प्र.) इति। अथ च प्रागुदितौ सूर्याचन्द्रमसौ प्रत्यगस्तं गत्वा पुनः प्रागुदयाय प्रत्यक्तः सकाशात् पाताले प्राग्गच्छतः। तथा गच्छन्तौ तौ न दृश्येते, भूभागव्यवधानात्। तावेव तु प्रागुदयं गतौ दृश्येते। प्राक्तस्तु प्रत्यग् गच्छन्तावव्यवहितत्वात् सर्वैरेव दृश्येते। अतस्तदात्मनोर्ग्रहयोरपि प्राग्गतिसमये सकलाभ्यां पिधानम्। प्रत्यग्गतिसमये तदपनयनं किञ्चित्, यस्मात् प्राग्गमनसमये ग्रहयोराच्छादनं पुरतो गत्वा तदपनयनं कृतम्। 'तस्मात्' लोकेऽपि 'पराक्' पराचीनं 'सिच्यमानं' 'रेतः' 'न' कश्चिदपि 'पश्यति' 'पश्चात्' प्रत्यगभिमुखं 'जायमानं' तत् 'सर्व एव' 'पश्यति'॥१८॥

यूपस्य पश्चात् पुरतो वा तयोः पुनरभिसन्धानं समन्त्रकमाह-तौ जघनेनेत्यादि। उद्बाधेत इति बहेदित्यर्थः। सन्धानमन्त्रस्यायमर्थः-'दिवा' द्युलोकेन पृथिव्या च 'संजग्मानः' सङ्गच्छमानः, "समो गमृच्छी"-(पा. सू. १। ३। २९) इत्यादिना-आत्मनेपदविधानाल्लिटः कानजादेशः (पा. सू. ३। २।१०६) द्विर्वचनम् (पा. सू. ६।१।८)। "गमहन" (पा. सू. ६।४।९८)। इत्यादिना-उपधालोपः। तथाविधः शुक्रग्रहः शुक्रदेवतासम्बन्धिना तेजसा रक्षसामपघातं करोत्विति शेषः। एवमुत्तरत्रापि मन्त्रे

१-अपरेण यूपमरत्नी संधत्तः संजग्मान इति यथालिंगम्। का० श्रौ० सू० ९। २१८।

सोऽध्वर्युः । (रु) अप्रोक्षितं यूपशकलं निरस्यति निरस्तः शण्ड इत्ये-वमेव प्रतिप्रस्थाता निरस्तो मर्क इति तत्पुराहुतिभ्योऽसुररक्षसेऽअ-पहतः ॥ २० ॥

(तोऽथा) अथाध्वर्युः । प्रोक्षितं यूपशकलमाहवनीये प्रास्यति शुक्रस्या-धिष्ठानमसीत्येवमेव प्रतिप्रस्थाता मन्थिनोऽधिष्ठानमसीति चक्षुषोऽएवैते समिधौ चक्षुषीऽएवैतत्समिन्धे तस्मादिमे समिद्धे चक्षुषी ॥ २१ ॥

तत्र जपति (त्यु) अच्छिन्नस्य ते देव सोम सुवीर्यस्य रायस्पोषस्य ददितारः स्यामेत्याशीरेवैषैतस्य कर्मण आशिषमेवैतदाशास्ते ॥ २२ ॥

सोऽध्वर्युरप्रोक्षितं यूपशकलं निरस्यति–" निरस्तः शण्डः "–(वा० सं० ७ । १३) इति । एवमेव प्रतिप्रस्थाता–" निरस्तो मर्कः "–(वा० सं० ७ । १८) इति । तत्पुराहुतिभ्यो ऽसुररक्षसे ऽअपहतः ॥ २० ॥

अथाध्वर्युः प्रोक्षितं यूपशकलमाहवनीये प्रास्यति–"शुक्रस्याधिष्ठानमसि"–(वा० सं० ७।१३) इति । एवमेव प्रतिपस्थाता–" मन्थिनोऽधिष्ठानमसि "–(वा० सं० ७ । १८) इति । चक्षुषोरेवैते समिधौ । चक्षुषीऽएवैतत्समिन्द्धे । तस्मादिमे समिद्धे चक्षुषी ॥ २१ ॥

तत्र जपति–"अच्छिन्नस्य ते देव सोम सुवीर्यस्य रायस्पोषस्य ददितारः स्याम"–(वा० सं० ७ । १४) इति । आशीरेवैषैतस्य कर्मणः । आशिषमेवैतदाशास्ते ॥ २२ ॥

योजनीयम् ॥ एतेन सन्धानेन 'चक्षुषोरेव आरमणे' सञ्चारस्थाने 'कुरुतः'। एतस्मिन् स्थाने 'चक्षुषी' अपि 'सन्धत्तः' संहिते कुरुतः । यत एवं 'तस्मात्' लौकिकानां 'चक्षुषी' उभयतोऽस्थिमती 'संहिते' भवतः ॥ १९ ॥

अप्रोक्षितस्य यूपशकलस्य निरसनं प्रोक्षितस्याहवनीये प्रासनं च समन्त्रकं विधत्ते–सोऽध्वर्युरित्यादि । तत् तेन निरसनेन आहुतिकालात् प्रागेव 'असुररक्षसे अपहतः' अपगमय्य हिंस्तः । चक्षुषोरित्यादि । 'एते' 'चक्षुषोः' चक्षुरात्मकयोर्ग्रहयोः सम्बन्धिन्यौ 'समिधौ' यतः, अतः 'चक्षुषी' 'एव' 'ताभ्यां समिन्धे' उज्ज्वलयत्यध्वर्युः प्रतिप्रस्थाता च 'तस्मात्' लौकिकानाम् । 'इमे' दृश्यमाने 'चक्षुषी' प्रकाशमाने भवतः ॥ २० ॥ २१ ॥

होमात् पुरा अध्वर्योर्मन्त्रजपं विधत्त–तत्रेत्यादि । हे 'देव' द्योतमान ! 'सोम' 'अच्छिन्नस्य' अनवखण्डितस्य शोभनप्रभावस्य 'रायो' धनस्य 'पोषस्य' पुष्टिसाधनभूतस्य । करणे घञ् (पा. सू. ६ । ४ । २७) " षष्ठयाः पतिपुत्र–" (पा. सू. ८ । ३ । ५३) इत्यादिना–विसर्जनीयस्य सकारः । तादृशस्य ते 'ददितारः' देवेभ्यो दातारः 'स्याम'. । अत्र सोमदानस्याभिहितत्वात् सोमसाधनकर्म्मविषयैवेयं प्रार्थना, अत एतेन मन्त्रोच्चारणेन ताम् 'एवाशिषमाशास्ते' ॥ २२ ॥

१–पूर्व्वेणाहवनीयं प्राक्षौ । निरस्यतो निरस्तः शंड इत्यध्वर्युर्निरस्तो मर्क इति प्रतिप्रस्थाता । आहवनीये प्रोक्षितौ प्रास्यतः शुक्रस्याधिष्ठानमसीत्यध्वर्युर्मन्थिन इति प्रतिप्रस्थाता । का० श्रौ० सू० ९।२१९–२२१ । २–अच्छिन्नस्येति जपित्वा–का० श्रौ० सू० ९।२२२।

(स्तुऽथा) अथाश्राव्याह । प्रातः प्रातः सवस्य शुक्रवतो मधुश्चुत-ऽइन्द्राय सोमान्प्रस्थितान्प्रेष्येति व्वषट्कृतेऽध्वर्युर्जुहोति तदनु प्रतिप्र-स्थाता तदनु चमसाध्वर्यवः ॥ २३ ॥

(स्तौ) तौ वै पुरस्तात्तिष्ठन्तौ जुहुतः । (श्च) चक्षुषी वाऽएतौ तत्पु-रस्तादेवैतच्चक्षुषी धत्तस्तस्मादिमे पुरस्ताच्चक्षुषी ॥ २४ ॥

(षी ऽअ) अभितो यूपं तिष्ठन्तौ जुहुतः । (तो) यथा वै नासिकैवं यूपस्तस्मादिमेऽअभितो नासिकां चक्षुषी ॥ २५ ॥

अथाश्राव्याह–' प्रातः प्रातःसवस्य शुक्रवतो मधुश्चुत इन्द्राय सोमान्प्रस्थितान्प्रेष्य ' इति । वषट्कृतेऽध्वर्युर्जुहोति । तदनु प्रतिप्रस्थाता । तदनु चमसाध्वर्यवः ॥ २३ ॥

तौ वै पुरस्तात्तिष्ठन्तौ जुहुतः । चक्षुषी वाऽएतौ । तत् पुरस्तादेवैतच्चक्षुषी धत्तः । तस्मादिमे पुरस्ताच्चक्षुषी ॥ २४ ॥

अभितो यूपं तिष्ठन्तौ जुहुतः । यथा वै नासिका–एवं यूपः । तस्मादिमेऽअभितो नासिकां चक्षुषी ॥ २५ ॥

मन्त्रजपानन्तरमाश्रावणपूर्वकं प्रैषं विधत्ते–अथेत्यादि । आश्रावयेत्येतच्छब्दरूपमाश्रावणम् । प्रातःकाले प्रातःसवनस्य सम्बन्धिनः ' शुक्रवतः ' सारवतो ' मधुश्चुतः ' माधुर्यरसस्यन्दिनः ' इन्द्रार्थं ' ' प्रस्थितान् ' प्रयतान् ' सोमान् ' होतुं होतारं प्रति याज्यापाठार्थं प्रेरयेति मैत्रावरुणं विनियुञ्जीतेत्यर्थः । वषट्कारावसाने ग्रहचमसानां होमं होमार्थमेव स्थानविशेषं चाह–वषट्कृत इत्यादि । ' तदनु ' तद्वचनमनुसृत्येत्यर्थः । ' पुरस्ताद् ' आहवनीयस्य पूर्वभागे ' जुहुतः ' । शुक्रामन्थिग्रहयोश्चक्षुरात्मकत्वात् तयोः पूर्वभागे यद्धारणं तेन लौकिकानाम् ' इमे ' ' चक्षुषी ' ' पुरस्तादेव ' ध्रियेते । तथा यूपस्योभयपार्श्वयोः स्थित्वा होमाल्लोकेऽपि नासिकामुभयतश्चक्षुषी ध्रियेते इत्यर्थः । यद्यप्यत्र सौमिका एवर्त्विजश्चमससम्बन्धाच्चमसाध्वर्यव इति व्यपदिश्यन्त इति प्रतीयते–यथा देवदत्तः पचिक्रियासम्बन्धात् पाचक इति; तथापि " मध्यतः कारिणां चमसाध्वर्यवो, होत्रकाणां चमसाध्वर्यवः " इति षष्ठ्या भेदप्रतीतेरन्य एव चमसाध्वर्यवः । न चैवं शमितेत्यत्रापि यौगिक्याः सञ्ज्ञाया अनाश्रयणादन्य एव स्यादिति शङ्कनीयम्, वैषम्यात् । तत्र हि वरणं नास्ति । अत्र पुनश्चमसाध्वर्यून् वृणीत इति वरणमस्ति । षष्ठी च भेदस्य ज्ञापिकेति वैषम्यम् ॥ २३–२५ ॥

१–आश्राव्याह प्रातः प्रातःसवस्य शुक्रवतो मधुश्चुत इंद्राय सोमान्प्रस्थितान्प्रेष्येति । उभयतो यूपं प्रत्यङ्मुखौ जुहुतः सा प्रथमेत्यध्वर्युः प्रथमम् । तमनु प्रतिप्रस्थाता । चमसाध्वर्यवश्च । का०श्रौ० सू० ९ । २२२–२२५ ।

२–नात्र यौगिकीसंज्ञाश्रयणाच्छमितुः प्राप्तिः । किंतु शतपथश्रुतौ " शमितैनं कंठे बध्वा नयति " " श्रृतं हविः शमिता ३ रीति " ऋत्विग्व्यातिरिक्तस्य शमितुर्दर्शनात् तत्प्रकल्पनं "विशास्ति पशुमन्यः" इति सूत्रकारः सूत्रयामास । अतोऽत्र अन्यशब्देन ऋत्विग्व्यतिरिक्तः शमितोच्यते। नर्त्विजामेवैकोऽन्यः शमिता यत्र नाम नान्यः प्रकल्प्यते तत्रर्त्विजां कर्तृत्वम् । अपवादर्शनाच्चेति कर्कभाष्यात् । ऋत्विक्षु व्यापृतेषु सत्सु अन्यशब्देन ऋत्विग्व्यतिरिक्तस्य प्रकल्पनं नान्यथा इति अत्रैव सूत्रे कर्क–सिद्धांतश्चेति ॥

३–षोडशर्त्विजो ब्रह्मोद्गातृ०–दुन्नेतॄन् वृणीते का० श्रौ० सू० ७ । ७ । अत्र कर्कभाष्यात्–चपममादेव तत्सिद्धेः चोक्ष्यग्रहण न कर्तव्यम् । न कर्तव्यम् । चमसाध्वर्युव्युदासार्थम् । तेषामपि हि क्रतौ यजतामृत्विग्व्यपदेश्या मा भूदिति । अस्त्विवति चेत् । न, संख्या-

तौ वै व्वुषट्कृतौ सुन्तौ मुन्त्रेण हूयेते । (५) एतेनो हैतौ तद्दुदश्नु- वाते युदेनौ सुर्व्वथ्ँ सुवनमुनु हूयुते युद्वेवैतौ सुर्व्वथ्ँसवनमनुहूयुतऽएतौ वै प्रजापतेः प्रत्यक्षतमां चुक्षुषी ह्येतौ सत्यं वै चुक्षुः सत्यथ्ँहि प्रजापति- स्तुस्मादेनौ सुर्व्वथ्ँ सुवनमुनु हूयते ॥ २६ ॥

सु जुहोति । सा प्रथमा सुंस्कृतिर्व्विश्ववारा सु प्रथमो व्वुरुणो मित्रोऽ- ग्निः । सु प्रथमो बृहस्पतिश्चिकित्वांस्तुस्माऽइन्द्राय सुतमाजुहोत स्वाहेति ॥ २७ ॥

तौ वै वषट्कृतौ सन्तौ मन्त्रेण हूयेते । एतेनो हैतौ तद्दुदश्नुवाते—यदेनौ सर्वं सवनमनुहूयते । यद्वेवैतौ सर्वं सवनमनु हूयते—एतौ वै प्रजापतेः प्रत्यक्षतमाम् । चक्षुषी ह्येतौ । सत्यं वै चक्षुः । सत्यं हि प्रजापतिः । तस्मादेनौ सर्वं सवनमनुहूयते ॥ २६ ॥

स जुहोति—" सा प्रथमा संस्कृतिर्विश्ववारा । स प्रथमो वरुणो मित्रोऽअग्निः । स प्रथमो बृहस्पतिश्चिकित्वान् । तस्माऽइन्द्राय सुतमाजुहोत स्वाहा "—(वा. सं. ७ । १४, १५) इति ॥ २७ ॥

उक्तः शुक्रामन्थिग्रहयोर्होमः समन्त्रकः कर्त्तव्य इत्याह—तौ वा इत्यादि । ' तौ ' ' वषट्कृतौ ' ' सन्तौ ' वषट्कारेण याज्योपलक्ष्यते, तया दीयमानावपि मन्त्रेणाहूयेताम् । इतरेषां ग्रहाणां होमः केवलं याज्ययैव, अनयोस्तु तदतिरिक्तेन मन्त्रेणापीत्यर्थः । उक्तेऽर्थे हेतुं दर्शयति—एतेनेत्यादिना । ' एनौ ' ग्रहौ व्यत्ययेनैनादेशः । (पा. सू. ३ । १ । ८९) ' सर्वं सवनमनु ' सर्वस्मिन् सवने प्रातःसवने माध्यन्दिनसवने चेत्यर्थः । ऐन्द्र- वायवादयो ग्रहा एकस्मिन्नेव सवने हूयन्ते; एतौ ग्रहौ पुनः सवनान्तरेऽपि हूयेते इति, तदभिप्रायेणात्र सर्वशब्द- प्रयोगः । ' एतेन ' व्याप्तिनिबन्धनेन ' एतौ ' शुक्रामन्थिनौ ' तत् ' समन्त्रकहोमरूपं गौरवं प्राप्नुतः । ' एतौ वै प्रजापतेः ' इत्यादिना सवनद्वये होमस्य हेतुः प्रतिपाद्यते । प्रत्यक्षतमामिति । अतिशयेन सन्नि- कृष्टौ । स च सन्निकर्षः प्रजापतेश्चक्षूरूपे तद्ग्रहयोश्च सत्यत्वाभिधानात् प्रत्यक्षमिति । " लक्षणेनाभिप्रती आभिमुख्ये "—(पा. सू. २ । १ । १४) इत्यव्ययीभावसमासः । " अतिशायने तमप् "—(पा. सू. ५।३।५५) " किमेत्तिङ्— "(पा. सू. ५ । ४ । ११) इत्यादिना आम् प्रत्ययः । स्वरादित्वादव्ययत्वम् (पा. सू. १।१।३७) चक्षुरन्यथा न पश्यतीति ' सत्यम् ' । तथा चान्यत्र श्रूयते—" चक्षुर्वै सत्यमद्राक्षम् इत्याह—अदर्शमिति । तद् सत्यम "इति । प्रजापतेश्च कृत्स्नप्रपञ्चहेतुत्वेन नित्यत्वात् सत्यत्वम् ॥ २६ ॥

" मन्त्रेण हूयेते " इति होमे यो मन्त्रः सामान्येन निर्दिष्टस्तं होमानुवादेन दर्शयति—स जुहोतीत्यादि । मन्त्रस्यायमर्थः—यस्येन्द्रस्यार्थे " सा देवि देवमच्छेहीन्द्राय सोमम् "—(वा. सं. ४ । २०) इत्यादिना

-सत्वात् । ज्योतिष्टोमस्य यज्ञक्रतोः षोडशर्त्विज इति । अतश्च तेषामृत्विग्निबंधनं कार्यं न भवतीति कर्कः । देवयाज्ञिकैरपि अत्रैव सूत्रे अतर्ष्विक्संबंधिवरणमधुपर्कतानूनप्त्रसर्पणक्रतुदक्षिणादानदविधानाभक्षणादिकं चमसाध्वर्यूणां न भवतीति प्रस्फोटितम् । अतश्चमसाध्वर्यूणां न वरणमिति ॥

स यु॒ज्जु॒होति । सा प्र॑थ॒मा स प्र॑थ॒मऽइति॒ शश्व॒द्ध वै रेत॑सः सि॒क्तस्य॒ चक्षु॑षीऽएव प्र॑थ॒मे सं॒भव॑त॒स्तस्मा॑ज्जु॒होति॒ सा प्र॑थ॒मा स प्र॑थ॒मऽइति॥२८

(त्यु) अथ॒ संप्रे॑ष्यति । प्रैतु॒ होतु॑श्चम॒सः प्र ब्र॒ह्मणः॒ प्रोद्गा॒तॄणां॒ प्र यज॑मानस्य॒ प्रय॑न्तु सद॒स्याना॑ᳫ॒ होत्रा॒णां च॑मसाध्वर्यव॒ उपा॒वर्त॑ध्वᳫ॒ शु॒क्रस्या॒भ्युन्न॑यध्व॒मिति॒ संप्रै॒षऽए॒वैष॒ पर्ये॒त्य प्रतिप्रस्थाताध्व॒र्योः पात्रे॒ सᳫ॒स्रव॑मु॒वन॑यत्य॒त्रऽए॒वैतदा॒द्यं बलि॑ᳫ॒ हार॑यति॒ तम॒ध्वर्यु॒र्होतृ॑चम॒सेऽवन॑यति भ॒क्षाय॒ व्व॒षट्क॒र्तुर्हि॒ भ॒क्षः प्रा॒णो वै व्व॒षट्का॒रः सो॑ऽस्मा॒देतद्व॒षट्कु॒र्व॒तः पराङि॑वाभूत्प्रा॒णो वै भ॒क्षस्तत्प्रा॒णं पुन॑रा॒त्मन्ध॑त्ते ॥ २९ ॥

स यज्जुहोति सा प्रथमा, स प्रथम इति । शश्वद्ध वै रेतसः सिक्तस्य चक्षुषी एव प्रथमे सम्भवतः । तस्माज्जुहोति—सा प्रथमा, स प्रथम इति ॥ २८ ॥

अथ संप्रेष्यति—प्रैतु होतुश्चमसः, प्र ब्रह्मणः, प्रोद्गातॄणाम्, प्रयजमानस्य, प्रयन्तु सदस्यानाम्, होत्राणाम्, चमसाध्वर्यव उपावर्तध्वम्, शुक्रस्याभ्युन्नयध्वम् इति । संप्रैष एवैषः । पर्येत्य प्रतिप्रस्थाताऽध्वर्योः पात्रे संस्रवमवनयति—अत्रऽएवैतदाद्यं बलिं हारयति । तमध्वर्युर्होतृचमसेऽवनयति—भक्षाय । वषट्कर्तुर्हि भक्षः प्राणो वै वषट्कारः । सोऽस्मादेतद्वषट् कुर्वतः पराङिवाभूत् । प्राणो वै भक्षः, तत् प्राणं पुनरात्मन्धत्ते ॥ २९ ॥

मन्त्रेण सोमस्य क्रयरूपा या संस्कृतिः क्रियते 'सा' 'प्रथमा' अभिषवादिसंस्काराणां तदनन्तरभावित्वात् । 'विश्ववारा' विश्वैः समस्तैर्ऋत्विग्भिर्वरणीया । 'स' एव प्रथमसंस्कृतः सोमः वरुणादयो देवाः । 'स' एव 'चिकित्वान्' अभिज्ञो बृहस्पतिरपि, इति सर्वदेवात्मना सोमः स्तूयते । हे अध्वर्यवः ! 'तस्मा इन्द्राय' 'सुतम्' अभिषुतम् इमं सोमं स्वाहाकारेण 'आजुहोत' होममाहारयत । "ततनतनथनाश्च" (पा. सू. ७ । १ । ४५) इति तस्य तबादेशेनाङिच्चाद्गुणः ॥ २७ ॥

अस्मिन् मन्त्रे प्रथमशब्दप्रयोगस्य तात्पर्यमाह—स यज्जुहोति सा प्रथमा स प्रथम इत्यादि । 'शश्वत्' सर्वदा 'सिक्तस्य' 'रेतसः' सकाशात् चक्षुषोरेव प्रथमोत्पत्तेश्चक्षूरूपयोः शुक्रामन्थिग्रहयोर्होममन्त्रेऽपि तत्प्राथमिकत्वसूचनाय 'सा प्रथमा स प्रथमः' इति प्रथमशब्दप्रयोग इत्यर्थः ॥ २८ ॥

होमानन्तरं कर्त्तव्यमध्वर्योः प्रैषमाह—अथ संप्रेष्यतीति । 'प्रेष्यति' तत्कर्तव्ये विनियुङ्क्ते 'प्रैतु' इति—"एत्येधत्यूठ्सु" (पा. सू. ६।१।८९) इति "एङि पररूपम्"—(पा. सू. ६।१।९४) इत्यस्यापवादत्वेन वृद्धिः । होत्राणामिति । मैत्रावरुणो, ब्राह्मणाच्छंसी, पोता, नेष्टा, आग्नीध्रश्चेत्येते होत्राशब्देन विवक्षिताः । होत्राशब्दोऽपि नियतस्त्रीलिङ्गः । शुक्रस्याभ्युन्नयध्वमिति । आपस्तम्बेनापि—"तस्मै चमसाध्वर्यवः स्वस्वं चमसं द्रोणकलशादभ्युन्नीय हरन्ति" (आप. श्रौ. सू.) इत्युक्तम् । चमसाध्वर्यवः सचेतना इति तद्भागेऽयं

१-प्रेष्यति च । प्रैतु होतुश्चमसः प्र ब्रह्मणः प्रोद्गातॄणां प्र यजमानस्य प्र यंतु सदस्याना१ होत्राणां चमसाध्वर्यव उपावर्तध्व१ शुक्रस्याभ्युन्नयध्वमिति । का० श्रौ० सू० ९ । २२६ । २२७ ।

(त्तुऽथ) अथ यदेते प्रतीची पात्रे न हरन्ति । हरन्त्यन्यान्ग्रहांश्चक्षुषी ह्येते सꣳस्त्रवमेव होतृचमसेऽवनयति॥ ३० ॥

(त्यु) अथ होत्राणां चमसानभ्युन्नयन्ति । हुतोच्छिष्टा वाऽएते सꣳस्त्रवा भवन्ति नालमाहुत्यै तानेवैतत्पुनराप्याययन्ति तथालमाहुत्यै भवन्ति तस्माद्धोत्राणां चमसानभ्युन्नयन्ति ॥ ३१ ॥

अथ यदेते प्रतीची पात्रे न हरन्ति, हरन्त्यन्यान्ग्रहान् । चक्षुषी ह्येते । संस्त्रवमेव होतृचमसेऽवनयति ॥ ३० ॥

अथ होत्राणां चमसानभ्युन्नयन्ति । हुतोच्छिष्टा वाऽएते संस्त्रवा भवन्ति–नालमाहुत्यै । तानेवैतत्पुनराप्याययन्ति–तथाऽलमाहुत्यै भवन्ति । तस्माद्धोत्राणां चमसानभ्युन्नयन्ति ॥ ३१ ॥

संप्रैषोऽस्तु, चमसानामचेतनत्वेन प्रैषावधारणसामर्थ्यविरहात् तद्भागेऽदृष्टार्थ इत्येतां शङ्कां निरसितुमाह–**संप्रैष एवैष** इति । यद्यपि ते अचेतनास्तथापि तद्व्यापारेण तेषां नयने नियुक्ताः पुरुषा लक्ष्यन्ते, यथा–" कुम्भाः प्रविशन्तु " इति । तस्मादेष सर्वोऽपि संप्रैष इत्यर्थः । प्रतिप्रस्थात्राऽध्वर्युपात्रे शेषस्यावनयनं विधत्ते–**पर्येत्य प्रतिप्रस्थातेति** । ' पर्येत्य ' परि आहवनीयस्य पश्चाद्भागं गत्वा ।'संस्त्रवम्' शेषम् । ' एतद् ' एतेन शेषावनयनेन ' अस्मै ' भोक्तृवर्गाय ' आद्यं बलिं ' भोगरूपां पूजां ' हारयति ' मन्थिग्रहस्य भोग्यरूपस्य चन्द्रात्मकत्वादित्यर्थः । अध्वर्युपात्रगतं सोमं भक्षार्थं होतृचमसेऽवनयेदित्याह–**तमध्वर्युरि**त्यादिना । **वषट्कर्तुर्हीति** । वषट्कर्तुः होतुः भक्षणं प्रसिद्धम् । " वषट्कर्त्ता प्रथमः सर्वभक्षान्भक्षयति "–(ऐ. ब्रा. ३।३२) इति श्रुतेः । **प्राणो वा** इति । वषट्कारस्य प्राणत्वमैतरेयके श्रूयते–" वाक्च वै प्राणापानौ वषट्कारः " (ऐ. ब्रा. ३।८) इति । **पराङिवेति** । पराङ्मुखो निर्गतोऽभूदित्यर्थः । भक्षणस्य तु प्राणत्वं प्राणपुष्टिहेतुत्वात् ॥ २९ ॥

पूर्वस्मिन् वाक्ये–" होतृचमसेऽवनयति भक्षाय " इत्यनेन शुक्रामन्थिग्रहयोः सदः प्रति गमनं निवारितम् सदोगमनस्य भक्षणार्थत्वाद्, भक्षणस्य होतृचमसेनैव सिद्धत्वादिति तदनूद्य तत्रोपपत्तिमाह–**अथ यदेते** इत्यादिना । ' अन्यान् ' ऐन्द्रवायवादीन् ग्रहान् सदः प्रति–' हरन्ति ' । ' एते ' ' पात्रे ' ' प्रतीची ' ' न हरन्ति ' सदः प्रति न हरन्त्यध्वर्यव इति यत्, तत्कारणमुच्यते–अत्र पात्रशब्देन तदन्तर्वर्त्तिनौ शुक्रामन्थिग्रहौ चक्षुरात्मकावित्युक्तम्, " चक्षुषी ह वा अस्य शुक्रामन्थिनौ "–(श. प. ४ । २ । १ । १) इति । तथा चक्षुषोः पुरत एवावस्थानात् तदात्मकयोरपि पुरत एवावस्थानं युक्तम्, न तु प्रत्यग्गमनम् । भक्षणं तु होतृचमसे शेषस्यावनीतत्वात् सिद्ध्यतीत्यर्थः ॥ ३० ॥

होतृचमसे शेषावनयनानन्तरं होत्रकाणां चमसाभ्युन्नयनं सहेतुकमाह–**अथ होत्राणामि**त्यादि । **संस्त्रवा** इति । संस्रावणीयाः प्रतिपत्त्यर्हाः, अतस्तादृशाः सन्तः ' आहुत्यै ' ' नालं भवन्ति ' न पर्याप्ता भवन्तीत्यर्थः ॥ ३१ ॥

१–आगम्य प्रतिप्रस्थाता शेष२ शुक्रपात्रेऽवनयति । का० श्रौ० सू० ९।१२८। २–त२ होतृचमसे। का० श्रौ०सू० ९।२२९। ३–पंचसूक्ष्यंति का. श्रौ. सू. ९ । २३० ।

(न्त्यु) अथ होत्राः संयाजयन्ति । होत्रा ह वै युक्ता देवेभ्यो यज्ञं वहन्ति ता एवैतत्संतर्पयन्ति तृप्ताः प्रीता देवेभ्यो यज्ञं वहानिति तस्माद्धोत्राः संयाजयन्ति ॥ ३२ ॥

स प्रथमायां वा होत्रायाम् । (मि) इष्टायामुत्तमायां वाऽनुमन्त्रयते तृम्पन्तु होत्रा मध्वो याः स्विष्टा याः सुप्रीताः सुहुता यत्स्वाहेति होत्राणामेवैषा तृप्तिरथेत्य प्रत्यङ्ङुपविशत्ययाडग्नीदित्यग्नीद्धचत्र यजतामुत्तमः संयजति तस्मादाहायाडग्नीदिति ॥ ३३ ॥

इति प्रथमप्रपाठके षष्ठं ब्राह्मणम् ॥ ४-१-६ । (४-२-१) ॥
प्रथमः प्रपाठकश्च समाप्तः ॥

अथ होत्राः संयाजयन्ति । होत्रा ह वै युक्ता देवेभ्यो यज्ञं वहन्ति–ता एवैतत्सन्तर्पयन्ति, तृप्ताः प्रीता देवेभ्यो यज्ञं वहानिति । तस्माद्धोत्राः संयाजयन्ति ॥ ३२ ॥

स प्रथमायां वा होत्रायामिष्टायामुत्तमायां वाऽनुमन्त्रयते–"तृम्पन्तु होत्रा मध्वो याः स्विष्टा याः सुप्रीताः सुहुता यत्स्वाहा"–(वा. सं. ७ । १९) इति । होत्राणामेवैषा तृप्तिः । अथेत्य प्रत्यङ्ङुपविशति । "अयाडग्नीद्"–(वा० सं० ७ । १९) इति । अग्नीद्धचत्र यजतामुत्तमः संयजति । तस्मादाह अयाडग्नीदिति ॥ ३३ ॥

होत्रकाणां याजनं विधत्ते–**अथ होत्रा** इत्यादि । चमसाभ्युन्नयनानन्तरं होत्राः होत्रकान् मैत्रावरुणादीन् 'संयाजयन्ति' अध्वर्यवो याजयेयुः । मैत्रावरुणादयो नियुक्ताः सन्तो देवार्थं यज्ञं वहन्ति, तेषां याज्यापाठादिना यज्ञनिष्पत्तेर्यज्ञवाहकत्वात् । एतत् एतेन संयाजनेन तानेव मैत्रावरुणादीन् 'सन्तर्पयन्ति' तृप्तान् कुर्वन्ति । यजमानेन तेषां सोमशेषभक्षणस्य सम्पादनात् । (पा. सू. ३ । ४ । ९७) तर्पयतां चाशयः–'तृप्ताः' तृप्तिं प्राप्ताः 'प्रीताः' हृष्टाः 'देवेभ्यो यज्ञं' वहन्त्विति । 'वहान्' इति लेट् । "लेटोऽडाटौ"-(पा. सू. ३ । ४ । ९४) इत्याडागमः । "इतश्च लोपः परस्मैपदेषु" (पा. सू. ३।४।९७) इतीकारलोपः । "संयोगान्तलोपः" (पा. सू. ८ । २ । २३) ॥ ३२ ॥

प्रथमहोत्रकस्योत्तमहोत्रकस्य वा याज्यापाठानन्तरं हुत्वाऽध्वर्युर्मन्त्रयेदित्याह–**स प्रथमायामित्यादि** । 'प्रथमायां' होत्रायामिष्टायां ' प्रथमे होत्रके वषट्कृते यागे सति सुमन्त्रयेदध्वर्युः । तथा च कात्यायनः–"प्रथमं हुत्वोत्तमं वा तृम्पन्त्विति जपति" (का. श्रौ. सू. ९।२३३) इति । मन्त्रस्यायमर्थः–'यत्' यस्मात् मया 'स्वाहा' स्वाहाकृतम् अतो मद्द्वारा 'सुहुताः' 'सुप्रीताः' 'स्विष्टाः' च 'याः' 'होत्राः' 'ताः' 'मध्वः' मधुवन्मधुररसस्य सोमस्य सकाशात् 'तृम्पन्तु' तृप्यन्तु "तृपतृम्फ तृप्तौ" (धा. पा. तु. प. २८) इति ।

१–तानाश्राव्याश्राव्य प्रेष्यति नामग्राहं यज यजेति प्रशास्त्रादीन् । ब्रह्मन्यजेति ब्राह्मणाच्छंसिनम् ।का०श्रौ०सू०९।२३१। १३२।

द्वितीयप्रपाठके प्रथमं ब्राह्मणम् ।
द्वितीयाध्याये च द्वितीयं ब्राह्मणम् ।

आत्मा ह वाऽअस्याग्रयणः । सोऽस्यैष सर्व्वमेव सर्व्वꣳ ह्ययमात्मा तस्मादनया गृह्णात्यस्यै हि स्थाली भवति स्थाल्या ह्येनं गृह्णाति सर्व्वं वाऽइयꣳ सर्व्वमेष ग्रहस्तस्मादनया गृह्णाति ॥ १ ॥

आग्रयणग्रहः ।

आत्मा ह वाऽअस्याग्रयणः । सोऽस्यैष सर्वमेव । सर्वं ह्ययमात्मा । तस्मादनया गृह्णाति । अस्यै हि स्थाली भवति । स्थाल्या ह्येनं गृह्णाति । सर्वं वाऽइयम्, सर्वमेष ग्रहः-तस्मादनया गृह्णाति ॥ १ ॥

धातुः । मध्व इति नुमभावपक्षे "संज्ञापूर्वको विधिरनित्यः" (पा. सू. ६ । ४ ।-१४६ प. ९४) इति "घेर्ङिति"(पा.सू.७।३।१११)इति गुणो न भवति । होत्राशब्दप्रयोगस्योपपत्तिमाह-होत्राणामेवेति । एषा अभिहिता 'तृप्तिः' 'होत्राणामेव' नान्येषाम् । होत्राशब्दो मन्त्र उच्चारित इत्यर्थः । चमसहोमानन्तरं सदो गत्वोपविशेदित्याह-अथेत्यादि[1] । अयाडग्नीदिति । एतद्वाक्यमुक्त्वा प्रत्यङ्मुख उपविशेदित्यर्थः । 'अयाट्' इति यजेर्लुङ् । "बहुलं छन्दसि" (पा.सू.७।३।९७) इति इडागमाभावः, "सिचि वृद्धिः"(पा. सू.:७।२।१)"झलो झलि" (पा.सू.८।२।२६) इति सिचो लोपः । व्रश्चादिना षत्वं जश्त्वं च (पा. सू. ८ । २ । ३६ ॥ ८ । २ । ३९ ॥ ८ । ४ । ५६) मैत्रावरुणादिपरित्यागेनाग्नीध्रकर्तृकयागसमाप्तिकथने कारणमाह-अयाडग्नीदिति । 'यजताम्' अस्मिन् प्रस्तावे याज्याः पठतां मध्ये आग्नीध्र एव 'उत्तमः' अन्तिमो यजति, अतस्तत्कर्तृकयागसमाप्तिकथनेन एवार्त्विजां सोमशेषभक्षणावसरस्तवनाद्धर्षमुत्पादयति । अत एवापस्तम्बः-"अयाडग्नीदिति सभद्रमं कार्यो नः सोमं पाययिष्यतीतरे प्रत्याहुः" इति । अतः 'अयाडग्नीत्' इत्येतदेवं ब्रूयादित्यर्थः ॥ ३३ ॥

इति श्रीसायणाचार्यविरचिते माधवीये वेदार्थप्रकाशे माध्यन्दिनशतपथब्राह्मणभाष्ये चतुर्थकाण्डे द्वितीयाध्याये प्रथमं ब्राह्मणम् ॥ ४-२-१ ॥

गतेषु ब्राह्मणेषु उपांश्वादयो ग्रहाः प्राणाद्यात्मकत्वेन विहिताः । अत्र तेषां प्राणादीनामाश्रयो यो मध्यदेहस्तदात्मना विधास्यमानमाग्रयणं स्तौति-आत्मा ह वा इत्यादि । 'आग्रयणः' अस्य प्रजापतेर्मध्यदेहः तदुत्पत्तिस्तैत्तिरीयके श्रूयते-"आत्मन आग्रयणम्"(तै. शा. १।५।४)इति । प्रजापतिरिति यज्ञ एव, "यज्ञो वै प्रजापतिः" (तैं ब्रा. १।३।१०) इति श्रुतेः । अतोऽस्य यज्ञस्याग्रयणः'आत्मा ह वै'मध्यदेह इति प्रसिद्ध इत्यर्थः । अत उक्तेनात्मनाऽस्य ग्रहस्य लब्धं सर्वत्वमाह-सोऽस्यैष इत्यादि । यस्मात् 'अयं' दृश्यमानो लौकिकानां मध्यदेहः । 'आत्मा' 'सर्वं' शरीरम्, अतस्तदात्मक एष आग्रयणोऽपि यज्ञस्य यजमानस्य वा सर्वं शरीरम् । उक्तं सर्वत्वमुपजीव्य पृथिव्या ग्रहस्य ग्रहणं विधत्ते-तस्मादित्यादि । 'अनया' इति पृथिव्येत्यर्थः । ननु पृथिव्या ग्रहस्य

---

[1] १-होतारं प्रत्यङ्ङुपसीदत्ययाडग्नीदिति । का० श्रौ० सू० ९ । २३४ ।

पूर्णं गृह्णाति । सर्व्वं वै पूर्णᳩं सर्व्वमेष ग्रहस्तस्मात्पूर्णं गृह्णाति ॥ २ ॥
विश्वेभ्यो देवेभ्यो गृह्णाति । सर्व्वं वै विश्वे देवाः सर्व्वमेष ग्रहस्तस्माद्विश्वेभ्यो देवेभ्यो गृह्णाति ॥ ३ ॥
सर्व्वेषु सवनेषु गृह्णाति । सर्व्वं वै सवनानि सर्व्वमेष ग्रहस्तस्मात्सर्व्वेषु सवनेषु गृह्णाति ॥ ४ ॥
स यदि राजोपदस्येत् । (त्त) तमत ऽएव तन्वीरन्नतः प्रभावयेयुरात्मा वाऽआग्रयण ऽआत्मनो वाऽइमानि सर्व्वाण्यङ्गानि प्रभवन्त्येतस्मादन्ततो हारियोजनं ग्रहं गृह्णाति तदात्मन्येवास्यां प्रतिष्ठायामन्ततो यज्ञः प्रतितिष्ठति ॥ ५ ॥

पूर्णं गृह्णाति । सर्वं वै पूर्णम्, सर्वमेष ग्रहः । तस्मात्पूर्णं गृह्णाति ॥ २ ॥
विश्वेभ्यो देवेभ्यो गृह्णाति । सर्वं वै विश्वेदेवाः, सर्वमेष ग्रहः । तस्माद् विश्वेभ्यो देवेभ्यो गृह्णाति ॥ ३
सर्वेषु सवनेषु गृह्णाति । सर्वं वै सवनानि । सर्वमेष ग्रहः । तस्मात्सर्वेषु सवनेषु गृह्णाति ॥ ४ ॥
स यदि राजोपदस्येत्—तमत एव तन्वीरन्, अतः प्रभावयेयुः । आत्मा वाऽआग्रयणः । आत्मनो वाऽइमानि सर्वाण्यङ्गानि प्रभवन्ति । एतस्मादन्ततो हारियोजनं ग्रहं गृह्णाति । तदात्मन्येवास्यां प्रतिष्ठायामन्ततो यज्ञः प्रतितिष्ठति ॥ ५ ॥

ग्रहणं न सम्भवति, अशक्यत्वादेतदनुपपन्नमित्याह—अस्यै हीत्यादि । अस्या इति षष्ठ्यर्थे चतुर्थी (पा. सू. २।३।६२। वा.१।) अस्याः पृथिव्याः सकाशात् 'स्थाली' 'भवति' उत्पद्यते । अतस्तादृश्या स्थाल्या ग्रहस्य ग्रहणे पृथिव्यैव ग्रहणं भवति । ग्रहस्य पृथिव्या ग्रहणे तदीयं सर्वत्वकारणमुक्तम्, तत् कथमिति तदाह—सर्वं वा इयमित्यादि । 'इयं' पृथिवी 'सर्वं' सर्वाश्रयभूता 'एषः' आग्रयणग्रहश्च मध्यदेहात्मत्वेन सर्वेषामङ्गानामाश्रयः । अतस्तस्य तया ग्रहणमुपपद्यत इत्यर्थः ॥ १ ॥

विहितं ग्रहणमनूद्य तस्य ग्रहणस्य भूयिष्ठत्वं सोपपत्तिकं विधत्ते—**पूर्णं गृह्णाती**ति । ग्रहं 'पूर्णं' पात्रान्तराले यथा किञ्चिदप्यवकाशो न सम्भवति तथा गृह्णीयात् । लोके यत् किञ्चित् पूर्णं तत् सर्वं कृत्स्नं भवति यतः, अतोऽस्य सर्वशरीरत्वादिमं ग्रहं पूर्णं गृह्णीयात् ॥ २ ॥

विहिते ग्रहणे देवतासम्बन्धं दर्शयति—**विश्वेभ्यो देवेभ्य** इत्यादि । **सर्वं वै विश्वेदेवा** इत्यादि । विश्वेदेवाः इति काश्चन देवतास्ताः सर्वदेवताः स्तासां सर्वदेवतात्मकत्वं विश्वेदेवा इत्येतन्नामधेयेनैवावगम्यते । तत्र सर्वशब्दार्थस्य विश्वशब्दस्य सद्भावेन साधारण्यावगमात् । न ह्यग्न्यादयः शब्दाः तथा साधारणानि नामधेयानि । तस्माद्विश्वेदेवाः सर्वदेवात्मका इत्यर्थः ॥ ३ ॥

उक्तमेव सर्वत्वमवलम्ब्य ग्रहस्य सवनत्रयेऽपि ग्रहणमाह—**सर्वेषु सवनेष्वि**त्यादि । **सर्वं वै सवनानी**ति । प्रातःसवनादीनि त्रीणि सवनानि 'सर्वं' यज्ञस्य सकलं शरीरमित्यर्थः ॥ ४ ॥

पात्रान्तरगतस्य सोमरसस्य क्षये अस्मादेव ग्रहात्तं समर्वयेदित्याह—**स यदी**त्यादि । 'तन्वीरन्'

(त्यु) अुथ युस्मादाग्रयणो नुाम । यां वुाऽअमूं ग्रावाणमाददानो व्वाचं युच्छत्युत्र वै साग्रेऽवदत्तद्यत्सात्राऽग्रेवदत्तुस्मादाग्रयणो नुाम ॥ ६ ॥

रुक्षोभ्यो वै तुां भीषा व्वुाचमयच्छन् । (न्ष) षड्वाऽअुतः प्राचो ग्रुहान्गृ-ह्णात्युथैषु सप्तमः षड्वुाऽऋतुवः संव्वत्सरुस्य सुर्व्वं वै संव्वत्सरः ॥ ७ ॥

अथ यस्मादाग्रयणो नाम । यां वा ऽअमूं ग्रावाणमाददानो वाचं यच्छति–अत्र वै साऽग्रेऽवदत् । तद् यत्सात्राग्रेऽवदत् । तस्मादाग्रयणो नाम ॥ ६ ॥

रक्षोभ्यो वै तां भीषा वाचमयच्छन् । षड् वाऽअतः प्राचो ग्रहान् गृह्णाति । अथैष सप्तमः । षड् वाऽऋतवः संवत्सरस्य । सर्वं वै संवत्सरः ॥ ७ ॥

विस्तारयेयुः समर्द्धयेयुरध्वर्यवः । अतः प्रभावयेयुरिति । अतः अस्माद्ग्रहात् पुनरुत्पादयेयुः । 'आत्मा वा' इत्यादिनोक्तस्यार्थस्योपपत्तिः प्रदर्श्यते–'आत्मनो' मध्यदेहाद्धि 'सर्वाणीमानि' करचरणादीनि 'अङ्गानि' 'प्रभवन्ति' उत्पद्यन्ते । "भुवः प्रभवः"–(पा. सू. १ । ४ । ३१) । इत्यपादानसंज्ञायाम् "अपादाने पञ्चमी (पा. सू. २ । ४ । २८) अतस्तदात्मकानां सोमानामुत्पादनमुपपन्नम् । सवनत्रय-परिसमाप्त्यनन्तरम् अस्माद् ग्रहाद्धारियोजनं गृह्णीयादित्याह–एतस्मादित्यादि । तदात्मन्येवेति । 'तत्' तेन ग्रहणेन 'आत्मनि' स्वकीयमध्यदेहलक्षणायां प्रतिष्ठायां 'यज्ञः' उपांशुग्रहादिरूपः प्रतिष्ठितो भवति । मध्यशरीरं हि सर्वेषामङ्गानां प्रतिष्ठा ॥ ५ ॥

ग्रहस्याग्रयण इत्येतन्नामधेयं प्रश्नपूर्वकं निर्वक्ति–अथ यस्मादित्यादि । 'यस्मात्' शब्दप्रवृत्तिनिमित्ता-दाग्रयणशब्दो ग्रहस्य नामधेयं, तत् 'अथ' किमित्यर्थः । 'अथ'–शब्दः प्रश्ने (अमर. ३ । ३।२४६) यं 'ग्रावाणम्' उपांशुसवनाख्यम् । 'आददानः' यां वाचम्' अयच्छत् । 'सा' वाक् 'अत्र' समये 'अग्रे' पुरस्तात् 'अवदत्' । अत्र वदतेर्गत्यर्थे पर्यवसानम्, 'तस्मात्' कारणात् अग्रे वाचः अयनम् अग्रयणम् । शकन्ध्वादित्वात् पररूपम् (पा. सू. ६ । १ । ९४) । अग्रयणस्य सम्बन्धी आग्रयण इति ग्रहस्य नामधेयमित्यर्थः । आग्रयणशब्दस्य अग्रे वाच आगमनं प्रवृत्तिनिमित्तमितिप्रत्यक्षं तैत्तिरीयके श्रूयते–"साऽमन्यत वागन्तर्यन्ति वै मेति साऽऽग्रयणं प्रत्यागच्छत्तदाग्रयणस्याग्रयणत्वम्." (तै. सं. ६ । ४ । ११ । २) इति ॥ ६ ॥

रक्षोभ्यो वा इत्यादिना वाग्यमनस्य हेतुरभिधीयते । भीषेति । 'भीषा' भयहेतुव्यापारेणेत्यर्थः । त्रि भी भये"–(धा. पा. जु. प. २) इत्यस्माण्णिचि (पा. सू. ३ । १ । २६) "भियो हेतुभये षुक्" (पा. सू. ७ । ३ । ४०) इति षुगागमे क्विपि (पा. सू. ३ । २ । ७६) रूपम् । यतो ग्रहस्याग्रयण-नामधेयव्युत्पादने वाचो वचनं सिद्धवत्कृत्याभिहितम् । "अत्र वै साग्रेऽवददत्" इति, अतस्तेनैवाध्वर्योराग्रयणे वाग्वदनं प्राप्तम् । तत्रानन्तरेण ग्रन्थेनोपपत्तिमाह–षड्वा अतः प्राच इत्यादि । सर्वं वै संवत्सर इत्यादि । सर्वोऽपि कालः संवत्सरात्मक इति संवत्सरः ॥ ७ ॥

(स्ता) ताँ देवाः । सर्व्वस्मिन्विजितेऽभयेऽनाष्ट्रेऽग्ग्रे व्वाचमवदंस्तथो ऽएवैष एताᳬं सर्व्वस्मिन्विजितेऽभयेऽनाष्ट्रेऽग्ग्रे व्वाचं व्वदति ॥ ८ ॥

(त्य) अथातो गृह्णात्येव । ये देवासो दिव्येकादश स्थ पृथिव्यामध्येकादश स्थ ॥ अप्सुक्षितो महिनैकादश स्थ ते देवासो यज्ञमिमं जुषध्वम् ॥ उप-यामगृहीतोऽस्याग्रयणोऽसि स्वाग्रयण इति व्वाचमेवैतदयातयाम्नीं करोति तस्मादनया समानᳬं सद्विपर्य्यासं व्वदत्यजामितायै जामि ह कुर्याद्य-दाग्रयणोऽस्याग्रयणोऽसीति गृह्णीयात्तस्मादाहाग्रयणोऽसि स्वाग्रयण इति९॥

पाहि यज्ञं पाहि यज्ञपतिमिति । व्वाचमेवैतदुत्सृष्टामाह गोपाय यज्ञमिति

तां देवाः सर्वस्मिन्विजितेऽभयेऽनाष्ट्रेऽग्रे वाचमवदन्—तथोऽएवैष एतां सर्वस्मिन्विजितेऽभये-नाष्ट्रेऽग्रे वाचं वदति ॥ ८ ॥

अथातो गृह्णात्येव—"ये देवासो दिव्येकादश स्थ पृथिव्यामध्येकादश स्थ । अप्सु-क्षितो महिनैकादश स्थ ते देवासो यज्ञमिमं जुषध्वम्"—(वा. सं. ७। १९) "उपयाम-गृहीतोऽस्याग्रयणोऽसि स्वाग्रयणः"—(वा. सं. ७ । २०) इति । वाचमेवैतदयातयाम्नीं करोति । तस्मादनया समानं सद्विपर्यासं वदति—अजामितायै । जामि ह कुर्याद् यदाग्रयणोऽस्या ग्रयणोऽसीति गृह्णीयात् । तस्मादाह—आग्रयणोऽसि स्वाग्रयण इति ॥ ९ ॥

"पाहि यज्ञं पाहि यज्ञपतिम्"—(वा. सं. ७ । २०) इति । वाचमेवैतदुत्सृष्टामाह—गोपाय

सर्वे 'देवाः' सर्वस्मिन्' संवत्सरे 'विजिते' स्वायत्ते 'अभयेऽनाष्ट्रे' नाशयितृ रक्षःप्रभृति नाष्ट्रं तद्रहिते सति 'अग्रे' पुरस्तात् 'तां' 'वाचमवदन्' । अत ऋतुषट्करूपसंवत्सरात्मके ग्रहषट्के गृहीते सति सर्वं विजितमभयमनाष्ट्रं भवतीति तदनन्तरमाग्रयणग्रहे देवानुसारेणाध्वर्युः 'एतां' वाचमुदितवान्भवति, तस्मादाग्रयणग्रहेऽध्वर्योर्वाग्वदनमुपपन्नमिति भावः ॥ ८ ॥

ग्रहस्य विहितं ग्रहणमनूद्य मन्त्रं चतुर्धा कृत्य विदधानो मन्त्रस्य प्रथमे भागे "आग्रयणोऽसि स्वाग्रयणः" इत्येतद्वाक्यस्याभिप्रायमाह—अथात इत्यादिना[1] । वाचमेवैतदिति । 'एतत्' एतेन आग्रयणोऽसि स्वाग्रयण इत्येवमुच्चारणेनोक्तरूपां वाचमयातयाम्नीम् अनपगतसारां 'करोति' यदि आग्रयणोऽस्याग्रयणोऽसि इत्युक्त्वा गृह्णीयात् तर्हि 'जामि' नैरस्यं हि कुर्यात् । वाक्यद्वयेनाप्येकरूपस्यार्थस्य प्रतीतेरर्थविशेषानवगमाद् वाचो नैरस्यम् । 'तस्मादनया' आग्रयणोऽसि स्वाग्रयण इत्येवंविधया वाचा 'समानम्' एकरूपं सत्' अपि सोमद्रव्यं 'विपर्य्यासं' विपर्यस्यान्यथाकृत्वाऽध्वर्युर्वदति । विपर्यासमिति बहुलग्रहणादनाभीक्ष्ण्येऽपि णमुल्प्रत्ययः (पा. सू. ३।१।८९) एवं च स्वाग्रयण इत्यत्र सु इत्यस्य शब्दस्य प्रयोगादर्थविशेषावगतेर्नैरस्यं न भवतीत्यर्थः । मन्त्रस्य द्वितीयं भागमुपादाय व्याचष्टे—पाहि यज्ञमित्यादि । वाचमेवैतत् इति यद्वाक्यं 'गोपाय यज्ञम्

१—आग्रयणं द्वयोर्धारयोर्ये देवास इति । का० श्रौ० सू० ९ । १३८ ।

पाहि यज्ञपतिमिति व्वाचमेवैतदुत्सृष्टामाह गोपाय यजमानमिति यजमानो हि यज्ञपतिर्व्विष्णुस्त्वामिन्द्रियेण पातु व्विष्णुं त्वं पाहीति व्वाचमेवैतदुत्सृष्टामाह यज्ञो वै व्विष्णुर्यज्ञस्त्वां व्वीर्येण गोपायत्विति व्विष्णुं त्वं पाहीति व्वाचमेवैतदुत्सृष्टामाह यज्ञं त्वं गोपायेत्यभि सवनानि पाहीति तदेतं ग्रहमाह सर्व्वाणि ह्येष सवनानि प्रति ॥ १० ॥

यज्ञमिति। पाहि यज्ञपतिमिति। वाचमेवैतदुत्सृष्टामाह—गोपाय यजमानमिति। यजमानो हि यज्ञपतिः। "विष्णुस्त्वामिन्द्रियेण पातु विष्णुं त्वं पाहि"—(वा. सं. ७। २०) इति। वाचमेवैतदुत्सृष्टामाह। यज्ञो वै विष्णुः। यज्ञस्त्वां वीर्येण गोपायत्विति। विष्णुं त्वं पाहीति। वाचमेवैतदुत्सृष्टामाह—यज्ञं त्वं गोपायेति। "अभि सवनानि पाहि"—(वा. सं. ७। २०) इति। तदेतं ग्रहमाह। सर्वाणि ह्येष सवनानि प्रति ॥ १० ॥

इति ' ' उत्सृष्टां ' ' वाचमेव ' सम्बोध्याह, न त्वाग्रयणमिति भावः। प्रथमभागस्य व्याख्यानेन व्यवधानात् पाहि यज्ञपतिमिति पुनरवयवस्योपादानम्। एवं सर्वत्र पुनरवयवस्योपादानेऽवगन्तव्यम्।

तृतीयं भागं व्याचष्टे—विष्णुस्त्वामित्यादि। यज्ञो वै विष्णुरिति। व्याप्नोतीति 'विष्णुः' यज्ञश्च व्यापकत्वाद्विष्णुरिति व्यपदिश्यते। 'वै'—शब्दोऽत्र यज्ञस्य व्याप्तेः प्रत्यक्षप्रसिद्धिं द्योतयति। अथवा "तेनापशीर्ष्णो यज्ञेन यजमानः" इति क्वचिद् ब्रुवता तत्र "पूर्वं तेषां मखं वैष्णवं यदा आच्छीत—" इत्यादिना महतोपाख्यानेन विष्णुविषय एवार्थो वर्णितः, अतस्तस्य प्रकृतत्वादपशीर्ष्णा यज्ञेन विष्णुरेवाभिहितः। तामेतां प्रसिद्धिमत्रत्यो 'वै—' शब्दः सूचयति।

चतुर्थं भागं व्याचष्टे—अभि सवनानि पाहीत्यादिना। 'तत्' तेनोक्तेन वाक्येनाध्वर्युः 'एतं' प्रकृतमाग्रयणं 'ग्रहमाह—' न तूत्सृष्टां वाचमित्यर्थः। कुत इत्यत आह—सर्वाणि ह्येष सवनानि प्रतीति। 'एषः' चाग्रयणग्रहः 'सर्वाणि' 'सवनानि' 'प्रति' प्रातरादीनि त्रीणि सवनानि 'प्रति-' लक्ष्य दृश्यते यतः, अतोऽभिसवनानीत्यादिवाक्यमाग्रयणं प्रत्येव प्रयुक्तमित्यर्थः। हे देवासः! 'देवाः' "आज्जसेरसुक्" (पा. सू. ७। १। ५०) 'दिवि' द्युलोके 'एकादश स्थ' एकादशसङ्ख्याका भवथ। 'पृथिव्यामधि' उपरि 'एकादश स्थ' ये च देवाः 'अप्सुक्षितः' 'अप्सु' इत्यन्तरिक्ष नाम (निघं. १। ३। ८)' तत्र हि ते निवसन्तः। "क्षि निवासगत्योः" (धा. पा. तु. प. १२६) इति धातुः 'एकादश स्थ'। 'महिना' महिम्ना, मकारलोपश्छान्दसः। महिनेत्येतस्य त्रिष्वपि सम्बन्धः। 'ते' सर्वे देवाः यूयम् 'इमं' 'यज्ञम्' आग्रयणलक्षणं जुषध्वम्। हे ग्रह! त्वम् उपयामेन गृहीतोऽसि, आग्रयणनामासि, अतः 'स्वाग्रयणः' शोभनमग्रे वाचः अयनमागमनं यस्य तादृशोऽसि। हे वाक्! 'यज्ञं' 'पाहि,' यज्ञपतिं याज्ञिकं च पाहि 'विष्णुः' यज्ञः 'त्वाम्' 'इन्द्रियेण' वीर्येण 'पातु' त्वं च 'विष्णुं पाहि'। हे आग्रयणग्रह! त्वं 'सवनानि' अभितः 'पाहि' इति कृत्स्नमन्त्रस्यार्थः। यद्यप्यत्र केचित् पाहि यज्ञमित्याद्यपि ग्रहमेव सम्बोध्य व्याचक्षते तथापि "वाचमेवैतदुत्सृष्टामाह" इत्येतद्ब्राह्मणानुसारेणैवं व्याख्यातम् ॥ ९ ॥ १० ॥

(त्यु) अथ दशापवित्रमुपगृह्य हिङ्करोति सा हैषा व्वागनुद्यमाना तता-
म तस्यां देवा व्वाचि तान्तायाᳬं हिङ्कारेणैव प्राणमदधुः प्राणो वै हिङ्कारः
प्राणो हि वै हिङ्कारस्तस्मादपिगृह्य नासिके न हिङ्कर्तुᳬं शक्नोति सैतेन
प्राणेन समजिहीत यदा वै तान्तः प्राणं लभतेऽथ स संजिहीते तथोऽएवैषऽ
एतद्वाचि तान्तायाᳬं हिङ्कारेणैव प्राणं दधाति सैतेन प्राणेन संजिहीते
त्रिष्कृत्वो हिङ्करोति त्रिवृद्धि यज्ञः ॥ ११ ॥

(ज्रोऽथा) अथाह सोमः पवत इति । स यामेवामूं भीषाऽसुररक्षसेभ्यो
न निरब्रुवंस्तामेवैतत्सर्वस्मिन्विजितेऽभयेऽनाष्ट्रेऽत्र निराह तामाविष्क-
रोति तस्मादाह सोमः पवतऽइति ॥ १२ ॥

अथ दशापवित्रमुपगृह्य हिङ्करोति। सा हैषा वागनुद्यमाना ततान। तस्यां देवा वाचि तान्तायां हिङ्कारेणैव प्राणमदधुः। प्राणो वै हिङ्कारः। प्राणो हि वै हिङ्कारात्तस्माद् अपिगृह्य नासिके न हिङ्कर्तुं शक्नोति। सैतेन प्राणेन समजिहीत। यदा वै तान्तः प्राणं लभते–अथ स संजिहीते। तयो-ऽएवैष एतद्वाचि तान्तायां हिङ्कारेणैव प्राणं दधाति। सैतेन प्राणेन सञ्जिहीते। त्रिष्कृत्वो हिङ्करोति। त्रिवृद्धि यज्ञः ॥ ११ ॥

अथाह–"सोमः पवते"–(वा. सं. ७।२१) इति। स यामेवामूं भीषाऽसुररक्षसेभ्यो न

ग्रहणानन्तरं दशापवित्रेण सह ग्रहं स्वीकृत्य हिंकुर्यादित्याह–अथेत्यादि। **दशापवित्रमिति**। दशापवित्र-वन्तं ग्रहमित्यर्थः। अर्शआदित्वादच्–प्रत्ययः (पा. सू. ५।२।१२७)। एवं च दशापवित्रेण सहितं ग्रहमित्ययमर्थो लभ्यते। तथा च कात्यायनः–"दशापवित्रेणाग्रयणमुपगृह्य त्रिर्हिङ्कृत्य" (का. श्रौ. सू. ९।१३९) इति। विहितं हिङ्कारं प्राणात्मना स्तौति–**सा हैषे**त्यादि। **अनुद्यमाने**ति। अनुच्चार्यमाणा सती 'ततान' वाच उच्चारणमेवोज्जीवनं तदभावात् ग्लानिं प्राप्तवतीत्यर्थः। "प्राणो वै हिङ्कारः" इत्यादि हिङ्का-रस्य प्राणत्वं प्रसिद्धमिति सामान्येनोक्त्वा तत्प्राणत्वं प्रत्यक्षप्रसिद्धमिति वक्तुम्–"प्राणो हि वै हिङ्कार!"–इति पुनरभिनयेनोक्तम्। **तस्मादि**ति। हिङ्कारस्य प्राणत्वाल्लोके कश्चिदपि नासिके अपिगृह्य हिङ्कर्तुं न शक्नोति, नासिकयोः प्राणसञ्चारस्थानत्वात् तयोर्ग्रहणे प्राणात्मकत्वाद्धिङ्कारो न सञ्चरतीति। **सैतेने**त्यादि। तेन प्राणेन 'सा' वाक् 'समजिहीत' सङ्गताऽभूत्, अतो लोकेऽपि यदा जनः 'तान्तः' सन् 'प्राणं' 'लभते' तदा वाचा सङ्गच्छते तद्वदेव 'एषः' अध्वर्युः 'हिङ्कारेण' 'तान्तायां' 'वाचि' प्राणं दधाति। 'सा' च तेन 'प्राणेन' सङ्गच्छते। हिङ्कारस्यावृत्तिसङ्ख्याविशेषं सोपपत्तिकं विधत्ते–**त्रिष्कृत्वो हिङ्करोति त्रिवृद्धि यज्ञ** इति। यतो 'यज्ञः' 'त्रिवृत्' त्रिगुणः यज्ञेऽग्निपरिध्यादीनां त्रित्वात् तस्मात् त्रिवारं हिं कुर्यात् ॥ ११ ॥

हिङ्कारानन्तरमध्वर्योर्वाग्विसर्गसाधनं मन्त्रमाह–**अथाह सोमः पवत** इत्यादि। 'सः' अध्वर्युः 'असुर-

(त्य) अस्मै ब्रह्मणेऽस्मै क्षत्रायेति । तद्ब्रह्मणे च क्षत्राय चाहास्मै सुन्वते यजमानाय पवतऽइति तद्यजमानायाह ॥ १३ ॥

तदाहुः । (रे) एतावदेवोक्त्वा सादयेदेतावद्वाऽइदᳫँ सर्व्वं यावद्ब्रह्म क्षत्रं विडिन्द्राग्नी वाऽइदᳫँ सर्व्वं तस्मादेतावदेवोक्त्वा सादयेदिति ॥ १४ ॥

तदु ब्रूयादेव भूयः । (ऽ) इषऽऊर्ज्जे पवतऽइति वृष्ट्यै तदाह यदाहेष-ऽइत्यूर्ज्जऽइति यो वृष्टादूर्ग्रसो जायते तस्मै तदाहाद्भ्य ओषधीभ्यः पवत-ऽइति तदद्भ्यश्चौषधिभ्यश्चाह द्यावापृथिवीभ्यां पवतऽइति तदाभ्यां द्यावा-पृथिवीभ्यामाह ययोरिदᳫँ सर्व्वमधि सुभूताय पवतऽइति साधवे पवत-ऽइत्येवैतदाह ॥ १५ ॥

निरब्रुवन्–तामेवैतत्सर्वस्मिन्विजितेऽभयेऽनाष्ट्रेऽत्र निराह । तामाविष्करोति । तस्मादाह–सोमः पवतऽइति ॥ १२ ॥

"अस्मै ब्रह्मणेऽस्मै क्षत्राय"–(वा० सं० ७ । २१) इति । तद् ब्रह्मणे च क्षत्राय चाह । "अस्मै सुन्वते यजमानाय पवते"–(वा० सं० ७ । २१) इति । तद् यजमानायाह ॥ १३ ॥

तदाहुः–एतावदेवोक्त्वा सादयेत् । एतावद्वाऽइदं सर्वम् । यावद्ब्रह्म क्षत्रं विट् इन्द्राग्नी वाऽइदं सर्वम् । तस्मादेतावदेवोक्त्वा सादयेदिति ॥ १४ ॥

तदु ब्रूयादेव भूयः । "इष ऊर्जे पवते"–(वा० सं० ७ । २१) इति । वृष्ट्यै–तदाह–

रक्षसेभ्यो ' ' भीषा ' भयेन ' याममूं ' वाचं न निरब्रुवन् नावोचत् । व्यत्ययेन (पा. सू. ३ । १ । ८५) बहुवचनम् । ' एतत् ' एतेन ' सोमः पवते ' इत्यस्योच्चारणेन ' सर्वस्मिन् ' स्वायत्ते सति ' तां ' वाचं ' निराह ' । अस्यैव व्याख्यानं **तामाविष्करोति** इति । तस्मादेवमुच्चारयेत् । तथा चापस्तम्बः–" आग्रयणं गृहीत्वा त्रिर्हिङ्कृत्य वाचं विसृजते" (आप. श्रौ. सू.) इति । सोमः पवते "–इत्यस्य पुनरुच्चारणं भया-पगमसूचनार्थम् । कात्यायनोऽपि सोमः पवत इत्यस्य त्रिरुच्चारणमसूत्रयत्–" त्रिर्हिङ्कृत्य सोमः पवत इति सकृच्छेषम् " (का. श्रौ० सू० ९ । १३९) इति ॥ १२ ॥

मन्त्रे द्वितीयभागस्योपयोगमाह–**अस्मै ब्रह्मण** इत्यादि । **तद्ब्रह्मणे च क्षत्राय चाहेति** । ब्राह्मणजातेः क्षत्रियजातेश्च समृद्ध्यै ब्रूत इत्यर्थः–एवम् ' अस्मै ' 'सुन्वते' इत्यादिष्ववगन्तव्यम् । मन्त्रशेषं विधातुमात्मनो-ऽनभिमतं केषाञ्चिन्मतमुपन्यस्यति–**तदाहुरित्यादिना** । ' तत् ' तत्र मन्त्रे ' एतावदेव ' उक्तमेव मन्त्रभागं पठित्वा सादयेदिति केचिदाहुः । तथा वदतां चायमाशयः–' ब्रह्म क्षत्रं विट् ' ब्रह्मक्षत्रात्मिका प्रजावती ' एताव देव ' ' इदं ' दृश्यं समस्तं खलु ' इन्द्राग्नी ' हि प्राधान्येन सर्वात्मकौ तौ च ब्रह्मक्षत्रयोरधिदेवते अतस्तयो-स्तद्रूपकत्वेन सर्वात्मकत्वात् " अस्मै ब्रह्मणेऽस्मै क्षत्राय " एतावदेवोक्त्वा ' सादयेदिति ॥ १३ ॥ १४ ॥

स्वमतमाह–**तदु ब्रूयादेव भूयः** इत्यादि । तत्र पुनश्च " इष ऊर्जे पवते " इत्यादि ' ब्रूयादेव '

तदु हैकऽआहुः । (ब्रं) ब्रह्मवर्चसाय पवतऽइति तदु तथा न ब्रूयाद्यद्वाऽआहास्मै ब्रह्मणऽइति तदेव ब्रह्मवर्चसायाह विश्वेभ्यस्त्वा देवेभ्यऽएष ते योनिर्विश्वेभ्यस्त्वा देवेभ्य इति सादयति विश्वेभ्यो ह्येनं देवेभ्यो गृह्णाति तं वै मध्ये सादयत्यात्मा ह्यस्यैष मध्यऽइव ह्ययमात्मा दक्षिणोक्थ्यस्थाली भवत्युत्तराऽऽदित्यस्थाली ॥ १६ ॥

इति द्वितीय प्रपाठके प्रथमं ब्राह्मणम् ॥ ४-२-१ ॥ (२-२) ॥

यदाह-इषऽइति । ऊर्जेऽइति । यो वृष्टादूर्ग्रसो जायते तस्मै तदाह । "अद्भ्य ओषधीभ्यः पवते"--(वा. सं. । ७ । २१) इति । तदद्भ्यश्चौषधिभ्यश्चाह " द्यावापृथिवीभ्यां पवते"-(वा. सं. ७ । २१) इति । तदाभ्यां द्यावापृथिवीभ्यामाह ययोऽरिदं सर्वमधि । " सुभूताय पवते "-(वा०सं० ७ । २१) इति । साधवे पवतऽइत्येवैतदाह ॥ १५ ॥

तदु हैकऽआहुः-ब्रह्मवर्चसाय पवतऽइति । तदु तथा न ब्रूयात् । यद्वाऽआह-अस्मै ब्रह्मणऽइति-तदेव ब्रह्मवर्चसायाह । "विश्वेभ्यस्त्वा देवेभ्य एष ते योनिर्विश्वेभ्यस्त्वा देवेभ्यः "-(वा० सं० ७ । २१) इति सादयति । विश्वेभ्यो ह्येनं देवेभ्यो गृह्णाति । तं वै मध्ये सादयाति । आत्मा ह्यस्यैषः, मध्यऽइव ह्ययमात्मा दक्षिणोक्थ्यस्थाली भवति, उत्तराऽऽदित्यस्थाली ॥ १६ ॥

यद्यपि ब्रह्मक्षत्रे सर्वात्मके इति तावतैव पर्याप्तम् तथापि ब्रह्मणे क्षत्राय चेत्युक्तेस्तयोरेव समृद्धयर्थमिति प्रतीयेत; अत "इष ऊर्जे" इत्याद्यपि ब्रूयादेवेत्यभिप्रायः । 'इषे' इति यदाह-तत् 'वृष्टयै' इडित्यन्नं (निघं. २ । ७ । १९) तत्साधनस्य वृष्टेरपि तत्कार्यकारणभेदविवक्षया इडिति व्यपदेशः । तथा 'वृष्टाद्' वृष्टेः सकाशात् " नपुंसके भावे क्तः "-(पा. सू. ३ । ३ । ११४) 'ऊर्क्' अन्नरसो 'जायते' तत्समृद्धये 'ऊर्जे' इति वचनम् । **ययोरिदं सर्वमधीति** । 'ययोः' द्यावापृथिव्योः इदं दृश्यमानं सर्वमप्याश्रितं तस्मात् " द्यावापृथिवीभ्यां पवते " इत्युक्ते तदाश्रितस्य समस्तजगतः समृद्धये भवतीत्यर्थः । सुभूतपदस्यार्थमाह-**साधवे पवत** इत्यादि । लोके यः कश्चन न्यायवर्त्ती जनस्तस्मै पवत इति मन्त्र आह ॥ १५ ॥

मन्त्रे ब्रह्मवर्चसायेत्येतत्पदं केचित् पठन्ति तत् पदमात्मनोऽनभिमतमित्यनूद्य निराकरोति-**तदु हैक** इत्यादि । ब्रह्मणे पवत इति यत्, 'तत्' 'ब्रह्मवर्चसाय पवत' इत्युक्तं भवति । तस्मात् 'तत्' पदं '**न ब्रूयात्**' । ब्रह्मवर्चसम् इति वृत्तस्याध्ययनस्य समृद्धिः । "स्याद्ब्रह्मवर्चसं वृत्ताध्ययनर्द्धिः"(अम. को. २।७।३८) इत्यभिधानात् । "ब्रह्महस्तिभ्यां वर्चसः" (पा. सू. ५ । ३ । ७८) इत्यच् समासान्तः । मन्त्रे वाग्विसृज्यते; तथा च पूर्वं ग्रहणमन्त्रव्याख्याने " वाचमेवैतदुत्सृष्टामाह " इति यदुक्तं तदनुपपन्नमिति चेन्न, तत्र भक्षिष्यद्वाग्विसर्जनाभिप्रायेणोक्तत्वादिति । ननु च पूर्वग्रहेष्वपि मन्त्राणामाम्नातत्वात् कथं तूष्णीं ग्रहणम् । एवं तर्हि

अयुꣳ ह वाऽअस्यैषोऽनिरुक्त आत्मा युदुक्थ्यः । सोऽस्यैषु आत्मै-वात्मा ह्ययमुनिरुक्तः प्राणः सोऽस्यैष आयुरेव तुस्मादनुया गृह्णात्यस्यै हि स्थाली भवति स्थाल्या ह्येनं गृह्णात्यजरा हीयममृताऽजरꣳ ह्यमृतमायु-स्तुस्मादनुया गृह्णाति ॥ १ ॥

उक्थग्रहः ।

अयं ह वाऽअस्यैषोऽनिरुक्त आत्मा, यदुक्थ्यः, सोऽस्यैष आत्मैव । आत्मा ह्ययमनिरुक्तः प्राणः । सोऽस्यैष आयुरेव । तस्मादनया गृह्णाति । अस्यै हि स्थाली भवति । स्थाल्या ह्येनं गृह्णाति । अजरा हीयममृता, अजरं ह्यमृतमायुः । तस्मादनया गृह्णाति ॥ १ ॥

" वाचं यच्छति " इत्यनेनोपांशुध्वनिर्विवक्ष्यते–" वाचं विसृजत "–इत्यनेनोच्चैर्ध्वनिः । यत एव तैत्तिरीयके उपांशुवाक्यकाण्डे समाम्नायते–"यान् प्राचीनमाग्रयणाद् ग्रहान् गृह्णीयात् तानुपांशु गृह्णीयात्, यानूर्ध्वांस्तानुपव्दिमतः "–(तै. सं. ३ । १ । ९)इति । गृहीतस्य सोमरसस्य समन्त्रकं सादनं विधत्ते–**विश्वेभ्यस्त्वा देवेभ्य** इत्यादि । हे आग्रयण त्वां ' विश्वेभ्यो ' ' देवेभ्यो ' गृह्णामि ' एषः ' खरप्रदेशस्तव स्थानम्, अतस्त्वां विश्वेभ्यो देवेभ्यः सादयामीति मन्त्रस्यार्थः । मन्त्रे विश्वेभ्यो देवेभ्य इत्यस्योच्चारणमुपपन्नम् इत्याह–**विश्वेभ्यो हीति** । विहितं सादनमनूद्य मध्यदेशं तत्रासादने कारणं चाह–**तं वै मध्य** इत्यादि । ' अस्य ' यज्ञस्याग्रयणग्रह आत्मेत्युक्तम् । " आत्मा ह वा अस्याग्रयणः "–(श.प.४।२।२।१) इति । ' आत्मा ' च ' मध्य इव ' हि मध्यभाग इत्यर्थः। इवशब्दो वाक्यालङ्कारे। यथा सादितस्य ग्रहस्य ' उक्थ्यस्थाली दक्षिणा ' ' उत्तरा ' च ' आदित्यस्थाली ' ' भवति ' तथा मध्यशरीररूपमाग्रयणं मध्ये सादयेदित्यर्थः ॥ १६ ॥

इति श्रीसायणाचार्यविरचिते माधवीये वेदार्थप्रकाशे माध्यन्दिनशतपथब्राह्मणभाष्ये चतुर्थकाण्डे द्वितीयाध्याये द्वितीयं ब्राह्मणम् ॥ ४–२–२ ॥

पूर्वस्मिन् ब्राह्मणे आग्रयणग्रहो यज्ञस्य स्थूलशरीरात्मना स्तुत्वा विहितः । अथात्रोक्थ्यग्रहं विधातुं सूक्ष्मशरीरात्मना स्तूयते–**अयं ह वा अस्ये**त्यादि । 'उक्थ्यः ' इति ' यत् ' 'एषोऽस्य' यज्ञस्य 'अनिरुक्त आत्मा' अविस्पष्ट आत्मा सूक्ष्मशरीरमित्यर्थः । अयमित्यभिनयेन निर्देशः। **सोऽस्यैष** इति । 'स ' ' एष ' ग्रहो यज्ञस्य ' आत्मैव ' सूक्ष्मशरीरात्मकत्वादासंसारमनुवर्त्तमानश्च आत्मा च स्थूलशरीरवत् प्रतिजन्म विनश्वर आत्मेत्यर्थः । उक्तं सूक्ष्मशरीरस्यात्मत्वं प्रतिपादयति–**आत्मा हीति** । प्राण आत्मा इति लोके प्रसिद्धः, अतः सूक्ष्मशरीरस्यापि प्राणात्मकत्वेनात्मत्वमित्यर्थः । **सोऽस्येति** । ' स ' ' एष ' सूक्ष्मशरीरात्मको ग्रहः ' अस्य ' यज्ञस्य ' आयुरेव ' भवति । आयुरिति जीवनकालः उक्तमायुष्ट्वमवलम्ब्य ग्रहस्य पृथिव्या ग्रहणमाह–**तस्मादि**त्यादि । आयुष्ट्वे पृथिव्या ग्रहणे कथं हेतुरित्यत आह–**अजरा हीति** । ' आयुः ' च अक्षरं ' अमृतं ' भवति । यस्य यावदायुरस्ति तावत आयुषो जरा शैथिल्यं तदभावः अमृतत्वमनष्टत्वं च भवति ॥ १ ॥

तं वै पूर्णं गृह्णाति । सुर्व्वं वै तद्युत्पूर्णॅं सुर्व्वं तद्यदायुस्तुस्मात्पूर्णं गृह्णाति ॥ २ ॥ (शतम् २४००) ॥

तुस्यासावेवु ध्रुव आयुः । (ग) आत्मैवास्यैतेन सुॅंहितः पुर्व्वांणि संततानि तद्वाऽअगृहीत एवैतुस्मादच्छावाकायोत्तमो ग्रहो भवति ॥ ३ ॥

(त्यु) अथ राजानमुपावहरति । तृतीयं व्वसतीवरीणामवनयति तत्पुर्व समैति प्रथममहोत्तरस्य सुवनस्य करोत्युत्तमं पूर्व्वस्य स यदुत्तरस्य सुवनस्य तत्पूर्व्वं करोति यत्पूर्व्वस्य तुदुत्तमं तद्व्युतिषजति तुस्मादिमानि पुर्व्वाणि व्युतिषक्तानीदमित्थमतिहानमिदमित्थम् ॥ ४ ॥

तं वै पूर्णं गृह्णाति । सर्वं वै तत्—यत्पूर्णम् । सर्वं तत्—यदायुः । तस्मात्पूर्णं गृह्णाति ॥ २ ॥

तस्यासावेव ध्रुव आयुरात्मैव । अस्यैतेन संहितः, पर्वाणि संततानि । तद्वाऽअगृहीत एवैतस्मादच्छावाकायोत्तमो ग्रहो भवति ॥ ३ ॥

अथ राजानमुपावहरति । तृतीयं वसतीवरीणामवनयति । तत् पर्व समैति प्रथममहोत्तरस्य सवनस्य करोति, उत्तमं पूर्वस्य । स यदुत्तरस्य सवनस्य तत्पूर्वं करोति, यत्पूर्वस्य तदुत्तमम्—तद्व्यतिषजाति । तस्मादिमानि पर्वाणि व्यतिषक्तानि । इदमित्थमतिहानमिदमित्थम् ॥ ४ ॥

विहितग्रहणानुवादेन तस्य सम्पूर्णतां विधत्ते—**तं वै पूर्णं गृह्णातीति** । 'सर्वं तद्यदायुः' इति यत् तत् सर्वं सकलं नैकदेश आयुरित्यर्थः ॥ २ ॥

नन्वयं ग्रह आयुरित्यभिधीयते आत्मेति च पूर्वमुक्तम्—"अयं ह वा अस्यैषोऽनिरुक्त आत्मा"(पूर्वस्यां कंडिकायां) इति । तथा च सत्ययमुभयात्मकः स्यादित्यत आह—**तस्यासावेव ध्रुव** इत्यादि । 'असौ' इत्युत्तरस्मिन् ब्राह्मणे विधास्यमानो ध्रुवग्रह एव यज्ञस्यायुः । 'एतेन' उक्थ्यग्रहेण 'आत्मैव' सूक्ष्मशरीररूपः 'संहितः' संयोजितः स्वयं यज्ञस्यात्मरूप एव भवति न पुनरायूरूप इत्यर्थः । आयुरिति व्यवहारस्तु आत्मसन्धानार्थत्वादुपपद्यत इत्युत्तरत्र वक्ष्यते । "तद्यस्यैतेनात्मा संहितस्तेनास्यैष आयुः"(पंचम्यां कंडिकायां)इति । यतोऽयं ग्रहो यज्ञस्यात्मा अतोऽनेन यज्ञस्य पर्वाणि सवनत्रयरूपाणि संहितानि परस्परं संश्लिष्टानि कार्याणि । प्राणरूपेण ह्यात्मनोऽङ्गानां पर्वाणि सन्धीयन्ते । तमेव सन्धानप्रकारं विधत्ते—**तद्वा अगृहीत एवैतस्मादित्यादि** । उक्थ्यग्रहस्त्रेधा विभज्य हूयते; तत्र प्रथमे उक्थ्यविग्रहे मैत्रावरुणः शस्त्रं पठति । द्वितीये ब्राह्मणाच्छंसी । तृतीये अच्छावाकः । एवं सति एतस्मादुक्थ्यग्रहादच्छावाकसम्बन्धिनि चरमे उक्थ्यविग्रहे अगृहीते सति माध्यन्दिनसवनार्थं सोममभिषवस्थाने स्थापयेत् । 'वसतीवरीणां' च 'तृतीयं' भागमवनयेत् 'तत्' तथा सति 'पर्व' प्रातःसवनलक्षणं माध्यन्दिनसवनलक्षणं च 'समैति' परस्परसमेतं भवति । यतः 'उत्तरस्य' 'सवनस्य' सोमोऽप्यवहरणरूपं 'प्रथमम्' एवाङ्गं पूर्वं करोति । 'पूर्वस्य' सवनस्य 'उत्तमम्' अङ्गं अच्छावाकोक्थ्यविग्रहहोमरूपं पश्चात् करोति । अतः परस्परं सन्नद्धं भवतीत्यर्थः । उत्तरसवनसम्बन्धिनः प्रथमाङ्गस्य पूर्वमनुष्ठाने पूर्वसवनसम्बन्धिनश्चान्तिमाङ्गस्य पश्चादनुष्ठाने व्यतिषङ्गाल्लोकेऽपि शारीराणि पर्वाणि व्यतिषक्तानि

(मे) एवुमेव मुाध्यन्दिने सुवनेु । (ऽ) अुगृहीतऽएवैतुस्मादच्छावाकायो-
त्तमो ग्रहो भवत्युथ ततीयं व्वुसतीवुरीणामुवनयाति तत्पुर्व्वं समैुति प्रथम-
मह्नोत्तरस्य सुवनस्य करोुत्युत्तमं पूर्व्वस्य स यदुत्तरस्य सुवनस्य तत्पूर्व्वं
करोुति यत्पूर्व्वस्य तुदुत्तमं तद्व्युतिषजति तुस्मादिमुानि पुर्व्वाणि व्युति-
षक्तानीदुमित्थमुतिहानामिदुमित्थं तद्युदस्यैुतेनात्मा सछुँहितस्तुेना-
स्यैषऽआयुुः ॥ ५ ॥

सैषुा कामदुुघैवेन्द्रस्योद्धाुरः । (त्रि) त्रिभ्यु ऽएवैनं प्रातःसवनुऽउक्थेुभ्यो
व्विगृह्णाति त्रिभ्यो मुाध्यन्दिने सुवने तत्षट्कृत्वः षड्वुाऽऋुतवु ऽऋुतवो
वुाऽइमान्त्सुर्व्वान्कुामान्पचन्त्येतेुनो हैषा कामदुुघैवेन्द्रस्योद्धारः ॥ ६ ॥

एवमेव माध्यन्दिने सवने अगृहीत एवैतस्मादच्छावाकायोत्तमो ग्रहो भवति । अथ तृतीयं वसतीवरीणामवनयाति । तत् पर्व समैति । प्रथममहोत्तरस्य सवनस्य करोति, उत्तमं पूर्वस्य । स यदुत्तरस्य सवनस्य तत् पूर्वं करोति, यत्पूर्वस्य तदुत्तमम्—तद्व्यतिषजति । तस्मादिमानि पर्वाणि व्यतिषक्तानि । इदमित्थमतिहानमिदमित्थम् । तद् यदस्यैतेनात्मा संहितः; तेनास्यैष आयुः ॥५॥

सैषा कामदुघैवेन्द्रस्योद्धारः । त्रिभ्य एवैनं प्रातःसवनऽउक्थेभ्यो विगृह्णाति, त्रिभ्यो माध्यन्दिने सवने—तत् षट्कृत्वः । षड्वाऽऋतवः । ऋतवो वाऽइमान्त्सर्वान्कामान्पचन्ति । एतेनो हैषा कामदुघैवेन्द्रस्योद्धारः ॥ ६ ॥

भवन्तीत्याह—स यदुत्तरस्येत्यादि । इदमित्थमित्यादि । 'इदम्' उपरितनमङ्गम् 'इत्थम्' अनेन प्रकारेण 'अतिहानम्' अतिगमनयुक्तम् , 'इदं' वाऽधस्तनमङ्गम् 'इत्थम' इत्यभिनयेन दर्शयति ॥ ३ ॥ ४ ॥

उक्तः सवनसन्धानप्रकारो माध्यन्दिनसम्बन्धिन्युक्थ्यविग्रहेऽपि कर्त्तव्य इत्याह—एवमेव माध्यन्दिने सवन इत्यादि । अत्र कात्यायनः—"प्रागच्छावाकविग्रहात्सोमोपावहरणम्, वसतीवर्यर्धं चासिञ्चत्याधवनीये"[1]—(का० श्रौ० सू० ९ । ३१९, ३२० ।) इति ग्रहस्यायुष्ट्वे व्यवहारोपपत्तिमाह—तद्यदस्यैतेनात्मेत्यादि । उक्थ्यग्रहस्य यज्ञसम्बन्ध्यात्मसन्धानार्थत्वात् 'आयुः' इति व्यवहार इत्यर्थः ॥ ५ ॥

प्रकृतं ग्रहं प्रशंसति—सैषेत्यादि । 'इन्द्रस्योद्धारः' साधारणो भागो योऽयमुक्थ्यग्रहः 'सैषा' 'कामदुघैव' कामधेनुरेव । "दुहः कब्घश्च"—(पा. सू. ३ । २ । ७०) इति कप्प्रत्ययः । यद्यप्युक्थ्यविग्रहेषु देवतान्तरसम्बन्धोऽस्ति तथापीन्द्रस्य प्राधान्यान्माध्यन्दिनसवने तस्यैव देवतात्वाच्चैन्द्रस्य भाग इत्युक्तम् । उक्तेऽर्थे कारणमाह—त्रिभ्य एवैनमित्यादि । उक्थ्यमिति स्तुतशस्त्रविशेषनामधेयम् । प्रातःसवने उक्थ्यत्रयार्थम्, माध्यन्दिनसवने चोक्थ्यत्रयार्थम् इति तद्ग्रहणं 'षट्कृत्वः' सम्पद्यते । षट्संख्याका 'ऋतवः' 'सर्वान्' 'इमान्' 'कामान्' 'पचन्ति' पाकं प्रापयन्ति उपभोगयोग्यान् कुर्वन्ति । कालस्य सर्वोत्पत्तिमन्निमित्तकारणत्वादित्यर्थः । अतः सङ्ख्यासामान्येन विगृह्यमाणस्योक्थ्यग्रहस्य ऋतुरूपत्वात्कामधेनुत्वम् ॥ ६ ॥

१—"विश्वेदेवा मरुत इन्द्रो अस्मानस्मिन्द्वितीये सवने न ज रायुष्मन्तः प्रियमेषां वदन्तो वयं देवानाᳲ सुमतौ स्यामेति" सूत्रशेषः ॥

(स्तं) तं वाऽअपुरोरुक्कं गृह्णाति ॥(त्यु)उक्थᳪं हि पुरोरुगृग्घि पुरोरुगृग्घ्यु-क्थᳪं साम ग्रहोऽथ यदन्यज्जपति यद्युजुस्ता हैता ऽअभ्यर्धं एवाग्रऽऋग्भ्यु आसुरभ्यर्धो यजुर्भ्योऽभ्यर्धः सामभ्यः ॥ ७ ॥

तं वा अपुरोरुक्कं गृह्णाति । उक्थं हि पुरोरुक् । ऋग्घि पुरोरुक् । ऋग्घ्युक्थम् । साम ग्रहः । अथ यदन्यज्जपति–तद्यजुः । ता हैता अभ्यर्ध एवाग्रऽऋग्भ्य आसुः, अभ्यर्धो यजुर्भ्यः, अभ्यर्धः सामभ्यः ॥ ७ ॥

नन्वैन्द्रवायवादिग्रहाणाम् "आ वायो" (वा.सं.७।७) इत्यादयः पुरोरुचो जाताः। का पुनरस्य ग्रहस्य पुरोरुगित्यत आह–**तं वा** इत्यादि । ग्रहणात् पूर्वो रोचयिता मन्त्रविशेषः पुरोरुक्, तद्रहितमेव 'तम्' एतमुक्थ्यग्रहं 'गृह्णाति' । ननु यदि ग्रहणे अपुरोरुक्त्वं होमे वा का पुरोरुगित्यत आह–**उक्थं हीति** । 'उक्थम्' शस्त्रं 'हि' होमात् पूर्वमेव प्रयुज्यमानं होमदेवतायै हवी रोचयतीति तेन शस्त्रेण होमः सपुरोरुक्कः । तर्हि "उपयामगृहीतोऽसीन्द्राय त्वा"–इत्ययमपि मन्त्रो ग्रहणात् पूर्वमेव ग्रहीष्यमाणं हविर्देवतायै रोचयतीत्यस्यापि पुरोरुक्त्वात् कथं ग्रहणमपुरोरुक्कमित्यत आह–**ऋग्घि पुरोरुगिति** । न पुरोरोचयितृमात्रं पुरोरुक्-शब्दस्य प्रवृत्तिनिमित्तम्, किन्तु पादबद्धत्वहेतुकेन ऋगात्मकत्वेन विशिष्टम्। न चेह पादबद्धत्वमस्ति, उक्थ्य-शस्त्रस्य तु ऋगात्मकत्वेन युक्तमनन्तरोक्तं पुरोरुक्त्वमित्याह–**ऋग्घ्युक्थमिति** । उक्थशस्त्रस्य ऋगात्मकत्वादस्तु पुरोरुक्त्वम्। उक्थस्तोत्रस्य तु कथं न हि तदृगात्मकम्, किन्तु सामात्मकमित्यत आह–**साम ग्रह** इति । गृह्यतेऽनेनाभिव्यज्यत इति ग्रहः प्रगीतो मन्त्रः सामेत्युच्यते। न च गानमात्रेण तस्य ऋक्त्वं व्यावर्त्यते। पादनिबन्धनं हि तत्। उक्तं तल्लक्षणं जैमिनिना–"तेषामृग्यत्रार्थवशेन पादव्यवस्था" (जै.सू.२।१।३५) इति। तेनाप्रगीतवत् प्रगीतस्यापि ऋग्लक्षणयोगेन ऋक्त्वात्, ऋग्घि पुरोरुगित्यनेनैव प्रगीतोऽपि सङ्ग्रहीष्यते। प्रगीतमन्त्रात्मकस्य साम्नोऽप्यृक्त्वे सत्यपि–"ऋचः सामानि यजूंषि, ऋक्सामे वै देवेभ्यः" (साम. तां. ब्रा.)–इत्यभेदेन व्यवहारः प्रगीताप्रगीतत्ववैलक्षण्यमात्रनिबन्धनो भविष्यति । यदपि जैमिनीयं सामलक्षणं "गीतिषु सामाख्या" (जै. सू. २ । १ । ३६) इति, तत्रापि गीयत इति गीतिरिति कर्मणि क्तिना (पा. सू. ३।३। ९४) मन्त्रो विधीयते। मन्त्रभेदा एव हि तत्र लक्षणीयतया प्रस्तुताः। मन्त्राश्च विवक्षितार्था इति प्रपञ्चितं मन्त्राधिकरणे (जै. सू. २ । १ । ३० । ३१) । न च गीतिक्रियाऽर्थवती । अथतु "ऋच्यध्यूढं साम गायति रेवेति इषुवारवन्तीयं कवतीषु रथन्तरम्" (साम. तां. ब्रा.)–इत्यादिषु गीतिक्रियामात्रे सामादि-पदं व्यवहृतमिति मन्यसे, तर्हि गीतिक्रियाया अर्थानवबोधकत्वेन पुरोरुक्त्वानङ्गीकारादेव कथं पुरोरुक्त्वमिति प्रश्नानवकाशः। अस्मिन् यज्ञे "साम ग्रहः" इति श्रुतौ ग्रहशब्दो गृह्यते । ऋगक्षराण्यभिव्यज्यन्तेऽनेनेति करणसाधनो गानक्रियामेव विधत्ते–तदात्मकस्य साम्नोऽर्थानवबोधकत्वादेव पुरोरुक्त्वाभावात् ऋग्घि पुरोरुगिति न व्याहन्यते। यत्तु प्रगीताप्रगीतरूपाया ऋचोऽन्यत् "उपयाम" इत्यादि तत् पुरोरोचयितृत्वेऽपि न पुरो-रुक्, किन्तु यजुरेव केवलमिति। प्रकृतमहस्यापुरोरुक्त्वे चोपपत्तिरित्याह–**अथ यदन्यदिति** । पुरोरोचयि-तॄणामुपयामेत्यादीनामनृक्त्वेन पुरोरुक्त्वाभावे सति अपरेणापि केनचनासाधारणेन विशेषेण भवितव्यम्, न यजुर्मात्रसाधारण्येन गणनं युक्तमिति चेत्, तत्राह–**ता हैता** इति । सत्यम्, अत एव ता 'एताः' उपया-मेत्यादयः पुरोरोचयित्र्यो मन्त्रजातयः, 'अग्रे' पूर्वस्मिन् काले ऋग्यजुःसाममात्रेभ्यो मन्त्रेभ्यः पुरोरोचयितृत्वे-

(स्तु) ते देवा अब्रुवन् । (न्ह) हन्तेमा यजुःषु दधाम तथेयं बहुलतरेव विद्या भविष्यतीति ता यजुःष्वदधुस्तत ऽएषा बहुलतरेव विद्याऽभवत् ॥ ८ ॥

(त्तं) तं यदपुरोरुक्कं गृह्णाति । (त्यु) उक्थँ हि पुरोरुगृग्घि पुरोरुगृग्घ्युक्थँ स यदेवैनमुक्थेभ्यो विगृह्णाति तेनो हास्यैष पुरोरुङ्मान्भवति तस्मादपुरोरुक्कं गृह्णाति ॥ ९ ॥

(त्य) अथातो गृह्णात्येव । (वो) उपयामगृहीतोऽसीन्द्राय त्वा बृहद्वते व्वयस्वतऽइतीन्द्रो वै यज्ञस्य देवता तस्मादाहेन्द्राय त्वेति बृहद्वते व्वयस्वतऽइति व्वीर्यवतऽइत्येवैतदाह यदाह बृहद्वते व्वयस्वतऽइत्युक्थाव्यं गृह्णामीत्युक्थेभ्यो ह्येनं गृह्णाति यत्तऽइन्द्र बृहद्वय ऽइति यत्तऽइन्द्र व्वीर्यमित्येवैतदाह तस्मै त्वा विष्णवे त्वेति यज्ञस्य ह्येनमायुषे गृह्णाति तस्मा-

---

ते देवा अब्रुवन्–'हन्तेमा यजुःषु दधाम । तथेयं बहुलतरेव विद्या भविष्यति' इति । ता यजुःष्वदधुः । तत एषा बहुलतरेव विद्याऽभवत् ॥ ८ ॥

तं यदपुरोरुक्कं गृह्णाति उक्थं हि पुरोरुक् । ऋग्घि पुरोरुक् । ऋग्घ्युक्थम् । स यदेवैनमुक्थेभ्यो विगृह्णाति–तेनो हास्यैष पुरोरुङ्मान्भवति । तस्मादपुरोरुक्कं गृह्णाति ॥ ९ ॥

अथातो गृह्णात्येव–" उपयामगृहीतोऽसीन्द्राय त्वा बृहद्वते वयस्वते "–(वा. सं. ७।२२) इति । इन्द्रो वै यज्ञस्य देवता । तस्मादाह–इन्द्राय त्वेति । बृहद्वते वयस्वत इति । वीर्यवत इत्येवै-

---

नैवासाधारणेनाभिहिताः । समृद्धा आसुः " ऋधु वृद्धौ "–(धा. पा. दि. प. १३९) इत्यस्य " अन्येभ्योऽपि दृश्यन्ते "–(पा. सू. ३ । २ । ७५) इति विचि लघूपधगुणे (पा. सू. ७ । ३ । ८६) बहुवचनान्तमभ्यर्द्ध इति ॥ ७ ॥

इत्थं पृथग्भूतानां जरसां कथं यजुष्ट्वमिति तत्राह–ते देवा इति । ऋग्यजुःसामाख्याभ्यो मन्त्रजातिभ्यः अपरस्याश्चतुर्थ्या अपि पुरोरोचयितृजातेरङ्गीकारे गौरवादेषैता 'यजुःषु' एव निहिताः; अत एषां यजुषां पुरोरोचयितृत्वेऽप्यनुक्तत्वेन पुरोरुक्त्वाभावात् प्रकृतं ग्रहमपुरोरुक्कं गृह्णातीति युक्तमित्यर्थः ॥ ८ ॥

अस्य मन्त्रस्य पुरोरुक्त्वाभावेऽपि ग्रहस्य पुरोरुक्त्वं समर्थयितुमाह–तं यदित्यादि । 'यत्' यद्यपि ग्रहणसमये 'तम्' अपुरोरुक्कं गृह्णाति, तथापि विभज्य ग्रहणानन्तरमुक्थ्यस्तोत्राणि भविष्यन्ति तेषां च पुरोरुक्त्वात्तैर्विगृह्यमाणोऽयं सपुरोरुक्को भविष्यति । विग्रहानन्तरैः स्तोत्रशस्त्रैः सपुरोरुक्त्वेऽपि स्वसाधनस्य यजुषोऽपुरोरुक्त्वादपुरोरुक्त्वमित्यपि सिद्धमित्याह–तस्मादिति ॥ ९ ॥

ग्रहस्य ग्रहणमनूद्य मन्त्रं चतुर्धा विभज्य विनियुञ्जानो व्याचष्टे–अथातो गृह्णात्येव । उपयामगृहीतोसीत्यादि । इन्द्रो वै यज्ञस्य देवतेति । उक्थ्यग्रहलक्षणस्य 'यज्ञस्य' 'इन्द्रो' 'देवता' खलु, तथा च

१–उक्थ्यमुपयामगृहीत इति । का. श्रौ. सू. ९-१४४ ।

दाह तस्मै त्वा विष्णवे त्वेत्येष ते योनिरुक्थेभ्यस्त्वेति सादयत्युक्थेभ्यो ह्येनं गृह्णाति ॥ १० ॥

तदाह-यदाह- बृहद्वते वयस्वतऽ इति । " उक्थाव्यं गृह्णामि "-(वा. सं. ७ । २२) इति । उक्थेभ्यो ह्येनं गृह्णाति । " यत्तऽइन्द्र बृहद्वयः "-(वा. सं. ७ । २२) इति । यत्तऽ इन्द्र वीर्यमित्येवैतदाह । " तस्मै त्वा विष्णवे त्वा "-(वा. सं. ७ । २२) इति । यज्ञस्य ह्येनमायुषे गृह्णाति । तस्मादाह-तस्मै त्वा विष्णवे त्वेति । " एष ते योनिरुक्थेभ्यस्त्वा "-(वा. सं. ७ । २२) इति सादयति । उक्थेभ्यो ह्येनं गृह्णाति ॥ १० ॥

पूर्वमुक्तम्, " सैषा कामदुघैवेन्द्रस्योद्धारः "-(श.प.४।२।३।६) इति । अथवा सोमस्य मानमन्त्रेषु " इन्द्राय त्वा वृत्रघ्ने " (ऋ. सं.) इत्येवमादिषु सर्वत्र इन्द्र एव देवतात्वेन निर्दिष्टः । अतः प्राधान्यात् स एव यज्ञस्य देवता । तस्मात् ' इन्द्राय त्वा '-इति मन्त्रपदमुपपन्नम् । वीर्यवत इत्येवैतदित्यादि । ' वीर्यवतः ' इति तेनैवाभिप्रायेणैतत्, " वयस्वत " इति " बृहद्वत " इति च पदमध्वर्युराह । अत्र ' बृहद्वत ' इति, बृहदिति बृहत्साम, यच्च वीर्येण सृष्टत्वाद्वीर्यरूपम् । तथा च तैत्तिरीयकम्-"उरसो बाहुभ्याम् ' इति प्रक्रम्य-' वीर्याद्बृह-सृज्यन्त " (तै. सं. ७-१-१)-इति । ' वयस्वत ' इत्यत्रापि अतिशायने मतुप् (पा. सू. ५-२-९४) । मतुबादयः प्रत्यया अस्तिविवक्षायामेव भूमादिष्वर्थेषु भवन्ति । तथा चोक्तम्-"भूमनिन्दाप्रशंसासु नित्ययोगेऽतिशायने । संसर्गेऽस्तिविवक्षायां भवन्ति मतुबादयः " ॥ (पा. सू. ५ । २ । ९४ । वा. ३१८३) इति । तथा च सति ' वयः '-शब्देनात्रातिशायि यौवनलक्षणं वयोऽभिधीयते । तच्च वीर्यस्य हेतुः । अतो वीर्यवत इत्येतदभिप्रायेण ' वयःस्वत ' इत्युक्तमित्यर्थः ।

मन्त्रस्य द्वितीयं भागं व्याचष्टे-उक्थाव्यमित्यादि । उक्थेभ्यो ह्येनमिति । उक्थानि शस्त्रस्तोत्राणि तैः स्तुतिं सम्पादयितुम् 'एनं' ग्रहं ' गृह्णाति ' अतः ' उक्थाव्यम् ' इत्युक्तम । अवतिः (निघं.२।१४।१।१२) अत्र गत्यर्थो गृह्यते । उक्थान्यवति गच्छतीत्युक्थावीः, तम् । "अवितृस्तृतन्त्रिभ्य ईः" (उणादि पा. ३) इति ईकारप्रत्ययः । अथवा उक्थैराव्यः गन्तव्यः । " ऋहलोर्ण्यत् "-(पा. सू. ३ । १ । १२४) इति । स्तुत्यं हि स्तुतिसाधनेन गम्यते ।

तृतीयं भागं व्याचष्टे-यत्त इन्द्रेत्यादि । अत्रापि बृहद्वय इत्यनेन वीर्यमभिहितमित्यर्थः ।

चतुर्थं भागं व्याचष्टे-तस्मै त्वेत्यादि । यज्ञस्य ह्येनमिति । अत्र आयुरिति लिङ्गशरीरमभिधीयते, लिङ्गशरीररूपात्मसन्धानार्थत्वादस्यायुष्ट्वव्यवहार इति पूर्वमुक्तत्वात्तदर्थमस्य ग्रहणात्-" विष्णवे त्वा "-इति अध्वर्युराह । "यज्ञो वै विष्णुः"(शत.का.१।१।२।१३) इति श्रुतेः विष्णुरिति यज्ञ उच्यते । हे उक्थ्यग्रह! 'उपयामेन' स्थाल्या गृहीतोऽसि, बृहत्सामयुक्ताय ' यौवनलक्षणवयोयुक्ताय ' इन्द्रायोक्थ्यशस्त्रगामिनं त्वां गृह्णामि । हे इन्द्र ! 'यत्'यस्मात् ' बृहत् ' महद् 'वयो' यौवनलक्षणं तस्मात् इन्द्राय तुभ्यं त्वां ग्रहं गृह्णामि । इन्द्रार्थे ग्रहे इन्द्रत्वमुपचर्यते । हे ग्रह ! त्वां विष्णवे च गृह्णामीति कृत्स्नमन्त्रस्यार्थः । ग्रहस्य समन्त्रकं सादनं विधत्ते-एष त इत्यादि । उक्थेभ्यो ह्येनं गृह्णातीति । उक्थैः स्तोत्रशस्त्रैः स्तुतिं सम्पादयितुमस्य ग्रहस्य ग्रहणान्मन्त्रे ' उक्थेभ्यः ' इत्यस्य शब्दस्य प्रयोग उपपद्यत इत्यर्थः ॥ १० ॥

तं विगृह्णाति । देवेभ्यस्त्वा देवाव्यं यज्ञस्यायुषे गृह्णामीति प्रशासनꣳ स कुर्याद्य एवं कुर्याद्यथादेवतं त्वेव विगृह्णीयात् ॥ ११ ॥

(द्वि) मित्रावरुणाभ्यां त्वा । देवाव्यं यज्ञस्यायुषे गृह्णामीत्येव मैत्रावरुणाय मैत्रावरुणीषु हि तस्मै स्तुवते मैत्रावरुणीरनुशꣳसति मैत्रावरुण्या यजति १२

(तृ) इन्द्राय त्वा । देवाव्यं यज्ञस्यायुषे गृह्णामीत्येव ब्राह्मणाच्छꣳसिनऽऐन्द्रीषु हि तस्मै स्तुवतऽऐन्द्रीरनुशꣳसत्यैन्द्र्या यजति ॥ १३ ॥

तं विगृह्णाति–" देवेभ्यस्त्वा देवाव्यं यज्ञस्यायुषे गृह्णामि "–(वा. सं. ७ । २२) इति । प्रशासनं स कुर्यात् य एवं कुर्यात्–यथादेवतं त्वेव विगृह्णीयात् ॥ ११ ॥

"मित्रावरुणाभ्यां त्वा देवाव्यं यज्ञस्यायुषे गृह्णामि"–(वा० सं० ७ । २३ ।) इत्येव मैत्रावरुणाय । मैत्रावरुणीषु हि तस्मै स्तुवते । मैत्रावरुणीरनुशंसति । मैत्रावरुण्या यजति ॥ १२ ॥

"इन्द्राय त्वा देवाव्यं यज्ञस्यायुषे गृह्णामि"–(वा. सं. ७ । २३) इत्येव ब्राह्मणाच्छंसिने । ऐन्द्रीषु हि तस्मै स्तुवते । ऐन्द्रीरनुशंसति । ऐन्द्र्या यजति ॥ १३ ॥

इत्थं ग्रहस्य ग्रहणादिकं विधाय होमकाले तस्यैव समन्त्रकं विभज्य ग्रहणं विधत्ते–**तं विगृह्णातीत्यादि** । उक्थग्रहस्त्रेधं विभज्य हूयते । अत एव कात्यायनः–"उक्थं विगृह्णाति त्रैधम् (देवेभ्यस्त्वेतिसर्वेभ्यः)"–(का. श्रौ. सू. ९।३१०) इति । तथा च सति पर्यायत्रयेऽपि " देवेभ्यस्त्वा "–इत्यनेनैव मन्त्रेण विभज्य गृह्णीयादित्यर्थः ।

उक्तमन्त्रसाधने विग्रहणे ग्रहस्य साधारणलक्षणं दोषमुद्भावयति–**प्रशासनं स** इत्यादि । योऽध्वर्युरेवमुक्तमन्त्रसाधनकं विग्रहणं कुर्यात् । 'सः' 'प्रशासनं' ग्रहस्य प्रकर्षेणात्यन्तं शासनं विनियोजनं कुर्यात् । मन्त्रे 'देवेभ्य' इति सर्वदेवतासाधारणस्य शब्दस्य प्रयोगादिति भावः । यत एवम्, अतस्तत्तद्देवतानुसारेण ग्रहं विगृह्णीयादित्याह–**यथादेवतमित्यादि** । देवतामनतिक्रम्य इति विग्रहे " यथाऽसादृश्ये "–(पा. सू. २।१।७) इति पदार्थानतिक्रमे यथाशब्दस्याव्ययीभावः । " अव्ययीभावश्च"–(पा. सू. १ । १ । ४१) इति नपुंसकत्वे " ह्रस्वो नपुंसके "–(पा. सू. १ । १ । ४७) इति ह्रस्वत्वम् ॥ ११ ॥

देवताप्रतिपादकं मन्त्रमाह–**मित्रावरुणाभ्यामिति** । अनेनैव मन्त्रेण ' मैत्रावरुणाय ' उक्थ्यं विगृह्णीयात्, न पुनः " देवेभ्यस्त्वा " इत्यनेनेत्यर्थः । हे उक्थ्यग्रह ! ' देवाव्यं ' देवै रक्षणीयं गन्तव्यं ' त्वा ' त्वाम् ' यज्ञस्यायुषे ' ' मित्रावरुणाभ्यां ' ' गृह्णामि इति मन्त्रार्थः । न केवलं तस्य मन्त्रस्य ग्रहसाधारण्यपरिहारः प्रयोजनम्, अपि तु एतदुक्थ्यविग्रहसम्बन्धिनां मन्त्रान्तराणां सादृश्यलाभोऽपीत्याह–**मैत्रावरुणीष्वित्यादि** । ' तस्मै ' मैत्रावरुणसम्बन्धिने उक्थ्यविग्रहाय मैत्रावरुणसम्बन्धिनीष्वृक्षु " आ नो मित्रावरुणा "–(वा. सं. २१ । ८) इत्यादिषु ' स्तुवते ' उद्गातारः । मैत्रावरुणश्च ' मैत्रावरुणीरनु ' मैत्रावरुणीभिर्ऋग्भिः । " आ नो मित्रा "–इत्यादिभिरेव 'शंसति' स्तौति । अनोस्तृतीयार्थे कर्मप्रवचनीयत्वात् " कर्मप्रवचनीययुक्ते द्वितीया " (पा. सू. २।३ । ८)–इति द्वितीया । तथा यजमानमपि "आ नो मित्रावरुणा " इति मैत्रावरुण्यैवेति सर्वत्र मन्त्रेषु मित्रावरुणसम्बन्धाद्विग्रहणे साधनभूतोऽपि मन्त्र इतरमन्त्रसादृश्यलाभाय मैत्रावरुण एव कर्त्तव्य इत्यर्थः ॥ १२ ॥

द्वितीयतृतीययोरुक्थ्यविग्रहणे साधनभूतोऽपि मन्त्र इतरमन्त्रसादृश्ययोरपि तत्तद्देवताप्रतिपादकौ मन्त्रौ दर्शयति–**इन्द्राय त्वा देवाव्यमित्यादिना** । **ऐन्द्रीषु हीति** । "आ याहि सुखमादय ऐन्द्यः"(हो.सू.शां.)'ऐन्द्री' इत्यत्रापि

१–मित्रावरुणाभ्यां त्वेति वा प्रशास्त्रे का. श्रौ. सू. ९ । ३११ ।

(ती) इन्द्राग्निभ्यां त्वा । देवाव्यं यज्ञस्यायुषे गृह्णामीत्येवाच्छावाकायै-न्द्राग्नीषु हि तस्मै स्तुवत ऐन्द्राग्नीरनुशꣳसत्यैन्द्राग्न्या यजतीन्द्राय त्वेत्येव माध्यन्दिने सवन ऐन्द्रꣳहि माध्यन्दिनꣳ सवनम् ॥ १४ ॥

(न्त)तदु ह चरकाध्वर्यवो विगृह्णन्ति । (न्त्यु) उपयामगृहीतोऽसि देवे-भ्यस्त्वा देवाव्यमुक्थेभ्य उक्थाव्यं मित्रावरुणाभ्यां जुष्टं गृह्णाम्येषु ते योनिर्मित्रावरुणाभ्यां त्वेति सादयति पुनर्हविरसीति स्थालीमभिमृशति १५

(त्यु) उपयामगृहीतोऽसि । देवेभ्यस्त्वा देवाव्यमुक्थेभ्य उक्थाव्यमि-न्द्राय जुष्टं गृह्णाम्येषु ते योनिरिन्द्राय त्वेति सादयति पुनर्हविरसीति स्थालीमभिमृशति ॥ १६ ॥

"इन्द्राग्निभ्यां त्वा देवाव्यं यज्ञस्यायुषे गृह्णामि"–(वा. सं. ७ । २३) इत्येवा-च्छावाकाय । ऐन्द्राग्नीषु हि तस्मै स्तुवते । ऐन्द्राग्नीरनुशंसति । ऐन्द्राग्न्या यजाति । इन्द्राय त्वा इत्येव माध्यन्दिने सवने । ऐन्द्रं हि माध्यन्दिनं सवनम् ॥ १४ ॥

तदु ह चरकाध्वर्यवो विगृह्णन्ति–"उपयामगृहीतोऽसि देवेभ्यस्त्वा देवाव्ययम्। उक्थेभ्य उक्थाव्यम् । मित्रावरुणाभ्यां जुष्टं गृह्णाम्येष ते योनिर्मित्रावरुणाभ्यां त्वा"–इति सादयति । "पुनर्हविरसि"–इति स्थालीमभिमृशति ॥ १५ ॥

"उपयामगृहीतोऽसि, देवेभ्यस्त्वा देवाव्यम् । उक्थेभ्य उक्थाव्यम् । इन्द्राय जुष्टं गृह्णाम्येष ते योनिरिन्द्राय त्वा"–इति सादयति । "पुनर्हविरसि"–इति स्थाली-मभिमृशति ॥ १६ ॥

"आ याहि"–इत्यादय एव । **ऐन्द्या** इति । "इन्द्र क्रतुविदं सुतम्" (ऋ. स. ३।३।१)–इत्यनया ॥ १३॥

ऐन्द्राग्नीषु हि इत्यादि, "इन्द्राग्नी आगतं सुतम्" (वा. सं. ७ । ३१) इत्यादय ऐन्द्राग्न्य ऋचः । **ऐन्द्राग्नी** इति । ता एव **ऐन्द्राग्न्येति** । 'इन्द्राग्नी आगतम्' इत्यनयैवेत्यर्थः प्रसङ्गान्माध्यन्दिनसवनेऽपि उक्थ्यविग्रहाणां मन्त्रं तत्रोपपत्तिं चाह–**इन्द्राय त्वे**त्यादि । **ऐन्द्रं हि** इति । 'माध्यन्दिनं' 'सवनं' केवलम् 'ऐन्द्रम्' इन्द्रदेवत्यमेव खलु । तथा च दाशतय्यां कश्चिन्मन्त्र आम्नायते–"प्रातःसुतमपिबोहर्यश्व माध्यन्दिनं सवनं केवलं ते" (ऋ. सं.३।७।६)इति । अत उक्थ्यपर्यायत्रयेऽपि "इन्द्राय"इत्येव विगृह्णीयादित्यर्थः॥ १४॥

उक्ते उक्थपर्यायाणां त्रये शाखान्तरमतं निरसितुमुपन्यस्यति–**तदु** हेत्यादिना **तूष्णीं तृतीयं निद-धाति** इत्यन्तेन । 'तत्' तस्मिन् उक्थ्यविग्रहे 'चरकाध्वर्यवः' चरकशाखाध्यायिनोऽध्वर्यवः वक्ष्यमाणेन

१–इन्द्रावरुणाभ्यां त्वेत्यादि, इन्द्राबृहस्पतिभ्यां त्वेत्यादि, इन्द्राविष्णुभ्यां त्वेत्यादि च मन्त्रत्रयमधिकं संहितायाम् । २–'उपयामगृहीतोऽसि देवेभ्यस्त्वा' इत्यादिः, 'पुनर्हविरसि' इत्यादिश्च मन्त्रसङ्घः संहितायां न पठ्यते, पठ्यते च 'इन्द्रावरुणाभ्यां त्वा' इत्यादि पूर्वोक्तं मन्त्रत्रितयम् । ३–तूष्णीं सादनम् । का. श्रौ. सू. ९ । ३१२ ।

(त्यु) उपयामगृहीतोऽसि । देवेभ्यस्त्वा देवाव्यमुक्थेभ्यऽउक्थाव्यमिन्द्राग्निभ्यां जुष्टं गृह्णाम्येष ते योनिरिन्द्राग्निभ्यां त्वेति सादयति नात्र पुनर्हविरसीति स्थालीमभिमृशतीन्द्राय त्वेन्द्राय त्वेत्येव माध्यन्दिने सवनऽऐन्द्रᳬं हि माध्यन्दिनᳬं सवनं द्विर्हि पुनर्हविरसीति स्थालीमभिमृशति तूष्णीं तृतीयं निदधाति ॥ १७ ॥

तं वै नोपयामेन गृह्णीयात् । (न्न) न योनौ सादयेदग्रे ह्येवैषऽउपयामेन गृहीतो भवत्यग्रे योनौ सन्नोऽजामितायै जामि ह कुर्याद्यदेनमत्राप्युपयामेन गृह्णीयाद्यद्योनौ सादयेदथ यत्पुनर्हविरसीति स्थालीमभिमृशति पुनर्ह्यस्यै ग्रहं ग्रहीष्यन्भवति न तदाद्रियेत तूष्णीमेव निदध्यात् ॥ १८॥

इति द्वितीयप्रपाठके द्वितीयं ब्राह्मणम् ॥४-२-२॥ [२.३.] ॥

" उपयामगृहीतोऽसि, देवेभ्यस्त्वा देवाव्यम् । उक्थेभ्यऽउक्थाव्यम् । इन्द्राग्निभ्यां जुष्टं गृह्णाम्येष ते योनिरिन्द्राग्निभ्यां त्वा "-इति सादयति । नात्र पुनर्हविरसि इति स्थालीमभिमृशति । " इन्द्राय त्वेन्द्राय त्वेत्येव माध्यन्दिने सवने । ऐन्द्रं हि माध्यन्दिनं सवनम् ।" द्विर्हि पुनर्हविरसीति स्थालीमभिमृशति । तूष्णीं तृतीयं निदधाति ॥ १७ ॥

तं वै नोपयामेन गृह्णीयात् । न योनौ सादयेत् । अग्रे ह्येवैष उपयामेन गृहीतो भवति, अग्रे योनौ सन्नः । अजामितायै । जामि ह कुर्याद्-यदेनमत्राप्युपयामेन गृह्णीयात् । यद्योनौ सादयेत् । अथ यत्पुनर्हविरसीति स्थालीमभिमृशति पुनर्ह्यस्यै ग्रहं ग्रहीष्यन्भवति । न तदाद्रियेत । तूष्णीमेव निदध्यात् ॥ १८ ॥

प्रकारेण ' विगृह्णन्ति ' विभज्य गृह्णन्ति । मैत्रावरुणब्राह्मणाच्छंस्यच्छावाकसम्बन्धिनामुक्थ्यविग्रहाणाम् " उपयामगृहीतोऽसि "-इत्यादिना क्रमेण विग्रहणादि प्रार्थ्यते । तृतीये पर्याये " पुनर्हविरसि " इति ' स्थालीं ' नाभिमृशेत् । माध्यन्दिनसवनस्यैन्द्रदेवत्यत्वात् । तत्र ' इन्द्राय ' इत्येव विगृह्णीयात् । यतोऽध्वर्युः प्रातःसवने प्रथमद्वितीययोः द्विःस्थालीमभिमृशति । तृतीयपर्याये तूष्णीं स्थालीमनभिमृश्यैव ग्रहं निदधाति, अतोऽत्रापि माध्यन्दिने सवने तथैव कुर्यादित्यर्थः ॥ १६-१७ ॥

उपन्यस्तं शाखान्तरमतं निरस्यसि-तं वै नेत्यादि । ' तम् ' एतमुक्थ्यविग्रहम् ' उपयामेन ' " उपयामगृहीतोऽसि "-इत्येतदुच्चार्य-' न ' ' गृह्णीयात् ' । " एष ते योनिः " इत्यनेन खरे सादनं योनौ सादनं तदपि ' न ' कुर्यात् । ' हि ' यस्मात् ' अग्रे ' पूर्वं ग्रहग्रहणसमय एव ' एष ' ग्रहः उपयामशब्दोच्चारणेन ' गृहीतः ' । " एष ते योनिः " इत्यादिना च खरे सादितः, अतोऽत्र न तदुच्चारणं कुर्यात्, एवञ्चेतत् तथाकरणम् ' अजामितायै ' अनालस्याय भवति । आलस्यप्रसक्तिं दर्शयति-यदेनमित्यादि । " उपयामगृहीतोऽसि "-"एष ते योनिः" इत्यनयोर्ग्रहणसमये प्रयुक्तत्वात्, अत्रापि पुनस्तयोरुच्चारणं विशेषाभावादालस्याय

अयᳮं ह वाऽअस्यैष प्राणः । (णो) योऽयं पुरस्तात्स वै वैश्वानर एवाथ योऽयं पश्चात्स ध्रुवस्तौ ह स्मैतौ द्वावेवाग्रे ग्रहौ गृह्णन्ति ध्रुववैश्वानराविति तयोरयमप्येतर्ह्यन्यतरऽएव गृह्यते ध्रुवऽएव स यदि तं चरकेभ्यो वा यतो वाऽनुब्रुवीत यजमानस्य तं चमसेऽवनयेदथैतमेव होतृचमसे ॥ १ ॥

ध्रुवग्रहः ।

अयं ह वाऽअस्यैष प्राणः–योऽयं पुरस्ताद् । स वै वैश्वानर एव। अथ योऽयं पश्चात्स ध्रुवः । तौ ह स्मैतौ द्वावेवाग्रे ग्रहौ गृह्णन्ति–ध्रुववैश्वानराविति । तयोरयमप्येतर्ह्यन्यतर एव गृह्यते–ध्रुव एव । स यदि तं चरकेभ्यो वा यतो वाऽनुब्रुवीत–यजमानस्य तं चमसेऽवनयेत्, अथ तमेव होतृचमसे ॥ १ ॥

कल्पत इत्यर्थः । चरकाध्वर्यूणां मते 'पुनर्हविरसि' (मैत्रा. सं.) इत्ययं मन्त्र उक्थ्यस्थाल्यभिमर्शने विनियुज्यत इत्युक्तम् । तन्मन्त्रेण स्थाल्या अभिमर्शने तेषामुपपत्तिमाह–अथ यत्पुनरित्यादि । 'गस्यै' 'स्थाल्यै' स्थाल्याः सकाशाद् ' ग्रह ' ' ग्रहीष्यन् ' ' भवति ' यतः, अतः ' पुनर्हविरसि ' इति ' स्थालीम् ' अभिमृशेत् । ' अस्यै ' इति षष्ठ्यर्थे चतुर्थी (पा० सू० २।३।६२। वा १०) तदेतन्निराकरोति–न तदाद्रियेतेति । ' तूष्णीं ' स्थालीं मन्त्रेणानभिमृश्यैव ग्रहं 'निदध्यात्' 'पुनर्हविरसि' इति स्थालीमभिमृशतामयमाशयः–एकस्मिन् पर्याये गृहीतस्यैव हविष्ट्वम्, स्थालीगतस्तु सोमरसो न हविष्ट्वयोग्यः किन्तु प्रतिपत्त्यर्हः, अवशिष्टत्वात् इति शङ्का स्यात्, न तदर्थं प्रयतितव्यम् । ग्रहणकाले ग्रहस्य सम्पूर्णगृहीतत्वात् सर्वस्यापि हविष्ट्वसिद्धौ पश्चाद्विभज्य ग्रहणेऽप्यहविष्ट्वशङ्का न सम्भाव्यत इति । तत् समन्त्रकमभिमर्शनं नाद्रियेतेति ब्राह्मणस्याभिप्रायः । अत एव कात्यायनेन स्थाल्यभिमर्शनं न सूत्रितम् ॥ १८ ॥

इति श्रीसायणाचार्यविरचिते माधवीये वेदार्थप्रकाशे माध्यन्दिनशतपथब्राह्मणभाष्ये चतुर्थकाण्डे द्वितीयाध्याये तृतीयं ब्राह्मणम् ॥ ४–२–३ ॥

उपांश्वादीनां ग्रहाणां प्राणाद्यवयवात्मकत्वात्, आग्रयणोक्थ्ययोः स्थूलसूक्ष्मशरीरद्वयात्मकत्वात्, तद्विधानेन कृत्स्नमपि यज्ञशरीरं निष्पादितम्, आयुर्विशेषविशिष्टमेव हि शरीरं कार्यजनकत्वेन सार्थकं भवति; अतस्तस्सार्थकत्वाय आयुषः सम्पादनीयत्वात्, तत्सम्पादनायेदानीमस्मिन् ब्राह्मणे तदात्मकत्वेन ध्रुवग्रहं विधातुं प्रस्तौति–अयं ह वा इति । 'अस्य' यज्ञस्य 'एषः' वक्ष्यमाणो ग्रहः–'अयं' सर्वेषां प्रत्यक्षः प्राणः खलु । अत्र प्राणशब्देन आयुर्विवक्ष्यते । आयुषः प्राणशरीरसम्बन्धात्मकत्वात् । एतच्चोत्तरत्र–"सोऽस्यैष आयुरेव" (द्वितीयस्यां कंडिकायां) इति स्वयमेव विवरणादवगम्यते । 'ह वा'–इत्यनेन शाखान्तरप्रसिद्धिर्द्योत्यते । अत एव तैत्तिरीयकम्–"आयुर्वा एतद्यज्ञस्य यद्ध्रुवः"–(तै. सं. ६ । ५ । २) इति । प्राणस्य मूलाधारे निष्पत्तिः । निष्पन्नस्य च तस्य मुखनासाविवरेणाभिव्यक्तिः, ततश्चैकस्यापि निष्पत्त्यभिव्यक्तिस्थानभेदमङ्गीकृत्य तदनुसारेण ग्रहद्वैविध्यमाह–योऽयं पुरस्तादिति । ' योऽयं ' मुखनासाविवरेणाभिव्यज्यमानः ' प्राणः ' ' स ' ' एव ' ' वैश्वानरः ' तदात्मको वैश्वानरग्रहः । ' योऽयं ' प्राणः ' पश्चात् ' मूलाधारे निष्पद्यते, ' स ' एव ध्रुवग्रहः । 'तौ' 'एतौ'

यद्वाऽअस्यावाचीनं नाभेः । (स्तु) तदस्यैष आत्मनः सोऽस्यैष आयुरेव तस्मादनया गृह्णात्यस्यै हि स्थाली भवति स्थाल्या ह्येनं गृह्णात्यजरा हीयममृताऽजरᳬं ह्यमृतमायुस्तस्मादनया गृह्णाति ॥ २ ॥

तं वै पूर्णं गृह्णाति । सर्व्वं वै तद्यत्पूर्णᳬं सर्व्वं तद्यदायुस्तस्मात्पूर्णं गृह्णाति ॥ ३ ॥

यद्वाऽअस्यावाचीनं नाभेः—तद् अस्यैष आत्मनः—सोऽस्यैष आयुरेव । तस्मादनया गृह्णाति । अस्यै हि स्थाली भवति । स्थाल्या ह्येनं गृह्णाति । अजरा हीयममृता । अजरं ह्यमृतमायुः । तस्मादनया गृह्णाति ॥ २ ॥

तं वै पूर्णं गृह्णाति । सर्वं वै तद्यत्पूर्णम् । सर्वं तद् यदाऽयुः । तस्मात्पूर्णं गृह्णाति ॥ ३ ॥

उक्तप्रकारेण द्विसङ्ख्याकौ ध्रुववैश्वानराख्यौ 'ग्रहौ' पूर्वं गृह्णाति, इति केषाञ्चिच्छाखिनाम्मतमनुवदति—तौ ह स्मैताविति । यद्यपि प्राणस्य भेदनिबन्धनो भेदोऽस्ति, तथापि न स्वरूपनिबन्धन इति, तस्यैकत्वात्तदात्मकः 'तयोरन्यतरः' 'एव' ग्रहो ग्रहीतव्य इति । स्वमतमाह—तयोरयमिति । 'तयोः' अपि 'अयमन्यतरः' 'एव' एतस्मिन् काले 'गृह्यते' । अयमिति सामान्येन निर्दिष्टार्थः प्रदर्श्यते—ध्रुव एवेति । मुखनासाविवरेण व्यज्यमानः प्राणो मूलाधारादुत्पन्न 'एव' इति तदात्मकध्रुवग्रहणेन वैश्वानरग्रहणमपि सम्पादितं भवतीति 'ध्रुव' 'एव' इत्युक्तम् । तदेवेदमेतच्छाखाध्यायिनां—द्वावेवाग्रे ग्रहौ गृह्णातीति सूचितम् । तदुभयग्रहप्रतिपादकचरकादिशाखाध्यायिनां पुनरुभयोरपि ग्रहणात् कथं तत्प्रतिपत्तिरिति, तत्राह—स यदि तानिति । चरका नाम केचन शाखिनः । तेभ्यः 'यतो वा' अन्येभ्यो वा शाखिभ्य इदं प्रतिपादकं ब्राह्मणं यद्यधीयीत तदा 'तम्' वैश्वानरग्रहं होमकाले 'यजमानस्य' 'चमसेऽवनयेत्' । एवं ध्रुवग्रहं तु होतृचमस एव 'अवनयेत्' तयोरप्यन्यतर एव गृह्यते, "ध्रुव एव" इति स्वेनोपादानात् "एतम्" इति ध्रुवस्य प्रत्यक्षनिर्देशः, तदभावात् 'तम्' इति वैश्वानरस्य परोक्षनिर्देशः ॥ १ ॥

ग्रहस्य स्थाल्या ग्रहणमुपपादयितुमायुरात्मकत्वमाह—यद्वा अस्येति । 'अस्य' यज्ञस्य 'नाभेः' अधस्तनं यच्छरीरं, यस्यात्मनस्तच्छरीरमेतस्य 'एषः' ध्रुवग्रहः, 'तत्' तस्य प्राणात्मकत्वात्, अत एव 'अस्य' यज्ञस्य 'सः' अयं ग्रह आयुरात्मकः । प्राणशरीरसम्बन्धात्मकत्वादायुष इति (अत्रैव १ कण्डिकाभाष्ये) प्रागुक्तम् । यतः एवमुक्तप्रकारेण ग्रहस्यायुष्ट्वं 'तस्मात्' 'एनं' ग्रहम् 'अनया' पृथिव्या गृह्णीयात् इति । ननु चायं स्थाल्या गृह्यते तत् कथमुच्यते पृथिव्या गृह्णीयादित्यत आह—अस्यै हि स्थालीति । कार्यकारणयोरभेदात् स्थाल्या ग्रहणेन पृथिव्यैव ग्रहणमस्तु, तथाऽपि ग्रहस्य पृथिव्या ग्रहणे कथमायुष्ट्वं हेतुरित्यत आह—अजरा हीति । जरा शैथिल्यम्, मरणं स्वरूपनाशः, आयुषश्च न तदुभयम्—यस्य यावद् 'आयुः' तावदिति तस्मिन् तदुभयाभावात् ॥ २ ॥

असाकल्येनापि ग्रहणे ग्रहणविधिश्चरितार्थः स्यादित्याशयेनाह—तं वै पूर्णमिति । 'तम्' 'वै' पूर्णस्य सर्वत्वमुपयवकाशाभावात् । आयुषस्तु यस्य यावद् 'आयुः' तस्य तावदविकल्पमेवेति ॥ ३ ॥

१—"वैश्वानरं च जानन्" (का. श्रौ. सू. ९ । १४७) जानन्शब्दो ज्ञानार्थ एवेत्यपरे इति कर्कः ।

व्वैश्वानराय गृह्णाति । संव्वत्सरो वै व्वैश्वानरः संव्वत्सरऽआयुस्तस्माद्वैश्वानराय गृह्णाति ॥ ४ ॥

स प्रातःसवने गृहीतः । (ऽ) एतस्मात्कालादुपशेते तदेनथ्ँ सर्व्वाणि सवनान्यतिनयति ॥ ५ ॥

तं न स्तूयमानेऽवनयेत् । (न्नु) न ह संव्वत्सरं यजमानोऽतिजीवेद्यत्स्तूयमानेऽवनयेत् ॥ ६ ॥

(त्तथ्ँ) तथ्ँ शस्यमानेऽवनयति । तदेनं द्वादशथ्ँ स्तोत्रमतिनयति तथा परम्परमायुः समश्नुते तथो ह यजमानो ज्योग्जीवति तस्माद्ब्राह्मणोऽग्निष्टोमसत्स्यादेतस्य होमान्न सर्पेन्न प्रस्तावयेत तथा सर्व्वमायुः समश्नुतऽआयुर्व्वाऽअस्यैष तथा सर्व्वमायुरेति ॥ ७ ॥

वैश्वानराय गृह्णाति । संवत्सरो वै वैश्वानरः । संवत्सर आयुः । तस्माद्वैश्वानराय गृह्णाति ॥ ४ ॥

स प्रातःसवने गृहीत एतस्मात्कालादुपशेते । तदेनं सर्वाणि सवनान्यतिनयति ॥ ५ ॥

तं न स्तूयमानेऽवनयेत् । न ह संवत्सरं यजमानोऽतिजीवेत्—यत्स्तूयमानेऽवनयेत् ॥ ६ ॥

तं शस्यमानेऽवनयति । तदेनं द्वादशं स्तोत्रमतिनयति—तथा परम्परमायुः समश्नुते—तथो ह यजमानो ज्योग्जीवति—तस्माद्ब्राह्मणोऽग्निष्टोमसत्स्यात् । एतस्य होमान्न सर्पेत्, न प्रस्तावयेत, तथा सर्वमायुः समश्नुते । आयुर्वाऽअस्यैषः । तथा सर्वमायुरेति ॥ ७ ॥

प्रकृतग्रहस्य देवतासम्बन्धं दर्शयति—**वैश्वानरायेति** । 'वैश्वानरो' नाम समस्तजनहितोऽग्निरुच्यते । तस्य च संवत्सरत्वं संवत्सरपर्यन्तमुखायां निष्पादितत्वात् । **संवत्सर आयुरिति** । प्राणशरीरसम्बन्धकालः "आयुर्जीवितकालो ना" इत्यभिधानात्, (अम. २ । ८ । १२०) स एव च कालः उपाधिविशेषवशादहोरात्रपक्षमासर्त्वयनसंवत्सरादिभिः शब्दैर्व्यपदिश्यत इति संवत्सरोऽप्यायुरित्यर्थः ॥ ४ ॥

उपांश्वाद्या ग्रहाः प्रातःसवन एव गृह्यन्ते तत्रैव च हूयन्ते, अयन्तु ग्रहो न तथेत्याह—**स प्रातःसवन इति** । 'एतस्मात् कालात्' इत्येतच्छब्देन तृतीयसवने अग्निमारुतशस्त्रकालोऽवधित्वेन निर्दिश्यते । **तदेनमिति** । तथावस्थानेन तस्य 'सर्वाणि' 'सवनानि' अतिनीतत्वादायुरात्मकत्वमुपपादितं भवतीत्यर्थः ॥ ५ ॥

अग्निष्टोमस्तोत्रावसरे स्वल्पस्यापि सोमशेषस्यानवस्थापनात्तदाऽस्यावनयनप्रसक्तौ सोपपत्तिकं निषेधति—**तन्न स्तूयमान** इति ॥ ६ ॥

कदा तर्ह्येनमवनयेदिति तत्राह—**तं शस्यमान** इति । **तदेनामिति** । अग्निमारुतशंसनकाले द्वादशानामपि स्तोत्राणां समापितत्वेन द्वादशमासात्मकस्य संवत्सरस्य साकल्येन तदात्मकस्योत्तरोत्तरस्यायुषः प्राप्त्या 'यजमानः' चिरञ्जीवेदित्यर्थः । यतोऽग्निष्टोमस्तोत्रे समापिते द्वादशमासात्मकः संवत्सरः साकल्येन प्रयत इति तदैव

यद्वाऽअस्यावाचीनं नाभेः । (स्तु) तदस्यैषऽआत्मनः स यत्पुरैतस्य होमात्सर्पेद्वा प्र वा स्रावयेत ध्रुव ᳪ हावमेहेन्नेद्ध्रुवमवमेहानीति तस्माद्वाऽअग्निष्टोमसद्भवति तद्धैतद्यजमान एव यजमानस्य ह्येष तदात्मनः ॥८॥

स वाऽअग्निष्टोमसद्भवति । यशो वै सोमस्तस्माद्यश्च सोमे लभते यश्च नोभावेवागच्छतो यशऽएवैतद्द्रष्टुमागच्छन्ति तद्वाऽएतद्यशो ब्राह्मणाः संप्रसृप्यात्मन्दधते यद्भक्षयन्ति स ह यश एव भवति य एवं विद्वान्भक्षयति॥९॥

यद्वाऽअस्यावाचीनं नाभेः—तदस्यैष आत्मनः । स यत्पुरैतस्य होमात्सर्पेद्वा, प्र वा स्रावयेत—ध्रुवं हावमेहेत्-नेद्ध्रुवमवमेहानीति । तस्माद्वाऽअग्निष्टोमसद्भवति । तद्धै तद् यजमान एव, यजमानस्य ह्येषः तदात्मनः ॥ ८ ॥

स वाऽअग्निष्टोमसद्भवति । यशो वै सोमः । तस्माद् यश्च सोमे लभते, यश्च न—उभावेवागच्छतः । यश एवैतद्द्रष्टुमागच्छन्ति । तद्वाऽएतद्यशो ब्राह्मणाः सम्प्रसृप्यात्मन्दधते—यद्भक्षयन्ति । स ह यश एव भवति । य एवं विद्वान्भक्षयति ॥ ९ ॥

ध्रुवग्रहो हूयते । अतस्तद्धोमपर्यन्तं तत्रैव तिष्ठेत् । न त्वन्यत्र गच्छेदित्याह—तस्माद्ब्राह्मण इति । अत्र ब्राह्मण-शब्देन दीक्षितास्त्रैवर्णिका अप्युच्यन्ते । तदाहापस्तम्बः—" ब्राह्मणो वा एष जायते यो दीक्षते ततोऽस्माद्रा-जन्यवैश्यावपि ब्राह्मणा: " इत्येवावेदयति, न केवलमायुषोऽनन्तरायान्यत्र गमनं न कार्यम् अपि तु मूत्रमपि नो कार्यमित्याह—न प्रस्रावयेतेति ॥ ७ ॥

ननु ध्रुवग्रह आयुरात्मकोऽस्तु, मूत्रावसेचने तु तस्य को बाध इत्यत आह—यद्वा अस्येति । ध्रुवग्रहो यज्ञस्य नाभेरधस्तनं शरीरमित्युक्तम् । अत एव तस्य होमात्पूर्वमन्यत्र गमने मूत्रावसेचने वा ध्रुवमेवावसिञ्चेत् । नेद्ध्रुव-मवमेहानीति । नाहं ध्रुवमवसिञ्चानीति अन्यत्र न गच्छेन्नापि मूत्रमवसिञ्चेत्, किन्तु तावत्पर्यन्तं तत्रैव तिष्ठेदित्यर्थः । ननु यजमानेन मूत्रस्य सेचने यज्ञकर्मसम्बन्धी ध्रुवग्रहः सिच्यत इत्येतदनुपपन्नमित्यत आह—तद्धै तदित्यादि । ' तत् ' एतत् कर्म ' यजमान एव ' अतः ' तदात्मनः ' ' यजमानस्य ' सम्बन्धी भवत्येष ध्रुवग्रह इत्युक्त-मुपपद्यत इत्यर्थः ॥ ८ ॥

अग्निष्टोमस्तोत्रपर्यन्तं सदनश्चावश्यकर्त्तव्यत्वाय प्रशंसति—स वा अग्निष्टोम इत्यादि । यशो वै सोम इति । सोमस्य यशोरूपत्वं तैत्तिरीयके श्रूयते—" सोमो वै यशः, य एवं विद्वान् सोममागच्छति यश एवैनमृच्छति, तस्मादाहुः, यश्चैवं वेद यश्च न, तावुभौ सोममागच्छतः" (तै. शा.) इति । सोमे लभत इति । सोमयागे दक्षिणां ' लभते ' इत्यर्थः । यश एवैतदिति । दक्षिणावांस्तद्व्यतिरिक्तश्च यशोरूपं सोमं द्रष्टुमा-गच्छति । अदक्षिणावानपि आगच्छतीत्यनेन सोमस्य यशस्त्वं समर्थितं भवति । 'आगच्छन्ति' इति—" बहुलं छन्दसि" (पा. सू. २।४।७६) इति बहुवचनम् । संप्रसृप्येति । सदोमध्यं गत्वा । " अभिषुत्याहवनीये हुत्वा प्रत्यञ्चः परेत्य सदसि भक्षयन्ति " (तै. सं. ६।१।२।११) इति श्रुतेः ॥ ९ ॥

१—आहोमादस्य सुतवत्र मूत्रपुरीषे कुर्यात् का. श्री. सू. ९।१४६।

ते वाऽएते । सर्पन्त एवाग्निष्टोमसद्ये तद्यशः संनिधाय सर्पन्ति ते पराञ्चो-ऽयशसो भवन्ति तदेषु परिगृह्यैव पुनरात्मन्यशो धत्ते तेषाᳬं हैषऽएव यशस्वितमो भूत्वा प्रैति य एवं विद्वानग्निष्टोमसद्भवति ॥ १० ॥

देवाश्च वाऽअसुराश्च । (श्रो) उभये प्राजापत्याः पस्पृधिरऽएतस्मिन्यज्ञे प्रजापतौ पितरि संव्वत्सरेऽस्माकमयं भविष्यत्यस्माकमयं भविष्यतीति ११

ततो देवाः । (ऽ) अर्चन्तः श्राम्यन्तश्चेरुस्तऽएतदग्निष्टोमसद्यं ददृशुस्त-ऽएतेनाग्निष्टोमसद्येन सर्व्वं यज्ञᳬं समवृञ्जन्तान्तरायन्नसुरान्यज्ञात्तथो ऽएवैष एतेनाग्निष्टोमसद्येन सर्व्वं यज्ञᳬं संवृङ्क्तेऽन्तरेति सपत्नान्यज्ञात्त-स्माद्वाऽअग्निष्टोमसद्भवति ॥ १२ ॥

ते वाऽएते सर्पन्त एवाग्निष्टोमसद्ये तद्यशः सन्निधाय सर्पन्ति । ते पराञ्चोऽयशसो भवन्ति । तदेषु परिगृह्यैव पुनरात्मन्यशो धत्ते । तेषां हैष एव यशस्वितमो भूत्वा प्रैति । य एवं विद्वानग्निष्टोमसद्भवति ॥ १० ॥

देवाश्च वा असुराश्च, उभये प्राजापत्याः पस्पृधिरे—एतस्मिन्यज्ञे प्रजापतौ पितरि संवत्सरे अस्माकमयं भविष्यति, अस्माकमयं भविष्यतीति ॥ ११ ॥

ततो देवा अर्चन्तः श्राम्यन्तश्चेरुः । तऽएतदग्निष्टोमसद्यं ददृशुः । तऽएतेनाग्निष्टोमसद्येन सर्वं यज्ञं समवृञ्जन्त । अन्तरायन्नसुरान्यज्ञात् । तथोऽएवैष एतेनाग्निष्टोमसद्येन सर्वं यज्ञं संवृङ्क्ते । अन्तरेति सपत्नान्यज्ञात् । तस्माद्वाऽअग्निष्टोमसद्भवति ॥ १२ ॥

ते वा इत्यादि । 'ते' एते ब्राह्मणाः सवनसमाप्तौ गच्छन्त 'एव' 'अग्निष्टोमसद्ये' अग्निष्टोमपर्यन्तं यत्सदनं तदग्निष्टोमसद्यम् । भावे ण्यत् प्रत्ययः (पा. सू. ३ । १ । १२४) । "संज्ञापूर्वकस्य विधेरनित्यत्वाद्" (पा. सू.६।४।१४६।प.९४) वृद्ध्यभावः । तस्मिन् तत्र स्वायत्तं सोमरूपं 'यशो' निधाय गच्छन्ति। **अयशस** इति। अतोऽमो लुगभावश्छान्दसः । ते तद्यागे गच्छन्तो यशोहीना 'भवन्ति', अतोऽग्निष्टोमसद्येन यजमानः पुनरपि तद्यशः स्वाधीनीकुरुते । पश्चाद्यज्ञसमाप्तौ तेषां मध्ये यशस्वितम एव भूत्वा पतिगच्छति । अतोऽग्निष्टोमसदन सोमरूपयशसः प्राप्तिहेतुत्वेन प्रशस्तमित्यर्थः ॥ १० ॥

पुनरप्याख्यायिकया तदेव स्तौति—**देवाश्च वा असुराश्चे**त्यादि । **एतस्मिन्यज्ञ** इति । 'यज्ञे' इति यज्ञरूपे संवत्सरात्मके 'पितरि' विषये 'अयमस्माकमयमस्माकम्' इत्येवंरूपेण 'पस्पृधिरे' स्पर्द्धां कृत-वन्तः । यज्ञस्य संवत्सरात्मकत्वकथनं साकल्यसूचनार्थम् । संवत्सरावयवीभूतमासगतद्वादशत्वसङ्ख्याविशिष्टैः स्तोत्रैः शस्त्रैः कृत्स्नस्य यज्ञस्य समाप्यत्वात् । **पस्पृधिर** इति । 'अपस्पृधेथाम्" (पा. सू. ६ । १ । ३६) इत्यस्य छन्दसि स्पर्द्धतेरुपलक्षणार्थत्वाल्लिटयपि संप्रसारणम् ॥ ११ ॥

ततो देवा इत्यादि । 'ततः' स्पर्द्धानन्तरं ते देवाश्च 'अर्चन्तः' पूजयन्तः 'श्राम्यन्तः' तपस्यन्तश्च 'चेरुः' ततः स्वकीयतपःप्रभावेण यज्ञप्राप्तौ 'अग्निष्टोमसद्यं' साधनं 'ददृशुः' ततस्तेन समस्तं यज्ञं 'समवृञ्जन्त' असुरेभ्यो-ऽपच्छिद्य स्वायत्तं कृतवन्तः । अतः 'असुरान्' 'यज्ञाद्' 'अन्तरायन्' अन्तरितान् यज्ञहीनानकुर्वन् । तस्मा-त्तथैव 'अग्निष्टोमसद्येन' यजमानोऽपि सर्वं यज्ञं स्वायत्तं कुरुते, 'सपत्नान् च यज्ञहीनान् कुरुत इत्यर्थः ॥१२॥

तुं गृहीत्वोत्तरे हविर्धाने सादयति । प्राणा वै ग्रहा नेत्प्राणान्मोहयानीत्युपकीर्णे वा ऽइतरान्ग्रहान्सादयत्यथैतं व्युह्य न तृणं चनान्तर्धाय ॥ १३ ॥

यद्वा ऽअस्योर्ध्वं नाभेः । (स्तु) तदस्यैत ऽआत्मन ऽ उपरीव वै तद्यदूर्ध्वं नाभेरुपरीवैतद्यदुपकीर्णं तस्मादुपकीर्णे सादयत्यथैतं व्युह्य न तृणं चनान्तर्धाय ॥ १४ ॥

यद्वाऽअस्यावाचीनं नाभेः । (स्तु) तदस्यैष आत्मनोऽध ऽइव वै तद्यदवाचीनं नाभेरध ऽइवैतद्यद्व्युह्य न तृणं चनान्तर्धाय तस्मादेतं व्युह्य न तृणं चनान्तर्धाय सादयति ॥ १५ ॥

(त्ये) एष वै प्रजापतिः । (सं) य एष यज्ञस्तायते यस्मादिमाः प्रजाः प्रजाता ऽएतम्वेवाप्येतर्ह्यनु प्रजायन्ते स यानुपकीर्णे सादयति तस्माद्यास्तानु प्रजाः प्रजायन्ते ता अन्येनात्मनोऽस्यां प्रतितिष्ठन्ति या वै

तं गृहीत्वोत्तरे हविर्धाने सादयति । प्राणा वै ग्रहाः, नेत्प्राणान्मोहयानीति । उपकीर्णे वाऽइतरान् ग्रहान्सादयति । अथैतं व्युह्य न तृणं चनान्तर्धाय ॥ १३ ॥

यद्वाऽअस्योर्ध्वं नाभेः–तदस्यैतऽआत्मनः । उपरीव वै तद् यदूर्ध्वं नाभेः । उपरीवैतद्यदुपकीर्णम् । तस्मादुपकीर्णे सादयति । अथैतं व्युह्य न तृणं चनान्तर्धाय ॥ १४ ॥

यद्वाऽअस्यावाचीनं नाभेः–तदस्यैष आत्मनः । अध इव वै तद् यदवाचीनं नाभेः । अध इवैतद् व्युह्य न तृणं चनान्तर्धाय सादयति ॥ १५ ॥

एष वै प्रजापतिः–य एव यज्ञस्तायते । यस्मादिमाः प्रजाः प्रजाता एतम्वेवाप्येतर्ह्यनु प्रजायन्ते । स यानुपकीर्णे सादयति–तस्माद् यास्तानु प्रजाः प्रजायन्ते ता अन्येनात्मनोऽस्यां प्रति-

---

गृहीतस्य सोमरसस्य देशविशेषसादनं तत्रोपपत्तिश्चाह–तं गृहीत्वेत्यादि । प्राणा वै ग्रहा इति । ' ग्रहाः ' ' प्राणाः ' इन्द्रियात्मकाः, इन्द्रियाणां प्राणत्वव्यवहारः "तस्माद्द्वौ द्वौ प्राणाः" (तै. सं. ६।४।९) इत्येवमादि-श्रुतेः । प्राणात्मकैर्ग्रहैः सहापानात्मकध्रुवग्रहस्य सादनेऽपानवाय्वनुसारेण वर्त्तमानत्वात् प्राणा मूढा भवेयुः । अतो नैव प्राणान् मोहयामीत्युत्तरहविर्द्धाने सादयेदित्यर्थः । ग्रहान्तरसादनवैलक्षण्येनैतत्सादनप्रदेशस्य विशेषमाह–उपकीर्णे वा इत्यादि । ' इतरान् ' उपांश्वादीन् ' ग्रहान् ' 'उपकीर्णे' पांसुभिर्न्युप्तखरप्रदेशे सादयेत् । 'एतम्' ध्रुवं ग्रहन्तु ' व्युह्य ' सादनस्थानगतं यत्किञ्चिदपसार्य तत्र तृणमात्रमप्यव्यवहितं कृत्वा सादयेत् ॥ १३ ॥

उक्तेऽर्थे कारणमुपन्यस्यति–यद्वा अस्येत्यादि । ' नाभेः ' ऊर्ध्वभागस्य पुरुषस्योपरिभागत्वात्तद्भागत्वा-च्चक्षुरादिरूपाणां ग्रहाणामुच्छ्रिते खरे सादनं प्रयुज्यते । नाभ्यधोभागरूपस्य तु ध्रुवग्रहस्य तृणमप्यनन्तर्धायाधो-भागे पृथिव्यामेव सादनं युक्तमित्यर्थः ॥ १४ ॥ १५ ॥

उक्तावुपकीर्णाविनुपकीर्णौ ग्रहसादनप्रदेशौ प्रशंसति–एष वै प्रजापतिरित्यादि । 'यः' 'यज्ञस्तायते' विस्तार्यते 'एषः' 'प्रजापतिः' इति प्रसिद्धम् " यज्ञो वै प्रजापतिः " (तै. ब्रा. १।३।१०)–इत्यादिश्रुतेः । अतो 'यस्माद्'

शफैः प्रतितिष्ठन्ति ता ऽअन्येनात्मनोऽस्यां प्रतितिष्ठन्त्यथ यदेतं व्युह्य न तृणं चनान्तर्धाय सादयति तस्माद्या ऽएतमनु प्रजाः प्रजायन्ते ता आत्मनैवास्यां प्रतितिष्ठन्ति मनुष्याश्च श्वापदाश्च ॥ १६ ॥

तद्वा ऽएतत् । (द) अस्या एवान्यदुत्तरं करोति यदुपकिरति स यानुपकीर्णे सादयति तस्माद्यास्ताननु प्रजाः प्रजायन्ते ता अन्येनैवात्मनोऽस्यां प्रतितिष्ठन्ति शफैः ॥ १७ ॥

(स्त) तद्वा ऽएतत् । (द्वा) आहवनीये जुहति पुरोडाशं धानाः करम्भं दध्यामिक्षामिति तद्यथा मुख ऽआसिञ्चेदेवं तदथैष ऽएकरूप ऽउपक्षेत-

---

तिष्ठन्ति । या वै शफैः प्रतितिष्ठन्ति—ता अन्येनात्मनोऽस्यां प्रतितिष्ठन्ति । अथ यदेतं व्युह्य न तृणं चनान्तर्धाय सादयति—तस्माद् याऽएतमनु प्रजाः प्रजायन्तेऽता आत्मनैवास्यां प्रतितिष्ठन्ति—मनुष्याश्च श्वापदाश्च ॥ १६ ॥

तद्वाऽएतदस्या एवान्यदुत्तरं करोति—यदुपकिरति स यानुपकीर्णे सादयति । तस्माद्यास्ताननु प्रजाः प्रजायन्ते—ताः अन्येनैवात्मनोऽस्यां प्रतितिष्ठन्ति—शफैः ॥ १७ ॥

तद्वाऽएतदाहवनीये जुह्वति पुरोडाशम्, धानाः, करम्भम्, दधि, आमिक्षामिति । तद्—यथा मुख

यज्ञाद् 'इमाः' 'प्रजाः' पूर्वमपि 'प्रजाताः' । 'एतर्हि' 'अपि' अस्मिन् कालेऽपि 'एतम्' यज्ञमेवानुलक्ष्य 'प्रजायन्ते' । यज्ञश्च ग्रहात्मकः 'तस्माद्' उपकीर्णखरप्रदेशे 'यान्' ग्रहान् सादयति 'प्रजाः' 'तान्' ग्रहान् अनुलक्ष्य 'प्रजायन्ते' 'ताः' 'आत्मनः' 'अन्येन' वस्तुना 'अस्यां' पृथिव्यां प्रतिष्ठिता भवन्ति । ता एव प्रदर्श्यन्ते—या वै शफैरित्यादिना । गवाश्वादयः 'शफैः' प्रतिष्ठिताः 'प्रजाः' शफशब्देनात्र शफाग्राणि विवक्ष्यन्ते, तेषाञ्च छेदनेऽपि न व्यथत इत्यात्मनोऽन्यत्वम् । 'अथ' यस्माद् 'एनं' ध्रुवं ग्रहं 'व्युह्य' 'तृणम्' अप्यनन्तर्द्धाय पृथिवीतल एव सादयन्ति 'तस्माद्' 'एतम्' ध्रुवं ग्रहमनुलक्ष्य याः 'प्रजाः' 'प्रजायन्ते' 'ताः' 'आत्मनैव' आत्मसम्बन्धिनाऽङ्गेनैव 'अस्याम्' भूमौ प्रतिष्ठिता भवन्ति, न त्वन्येन ताश्च प्रजाः 'मनुष्याः' 'श्वापदाश्च' व्याघ्रादयो वनचराः श्वापदाः । अतोऽत्रोपकीर्णानुपकीर्णयोर्ग्रहसादनप्रदेशयोयज्ञस्योभयविधप्रजासृष्टौ साधनत्वात् प्रशस्तत्वमित्यर्थः ॥ १६ ॥

उपकीर्णे ग्रहाणां सादनात्ततो जाताः प्रजाः कथमात्मनोऽन्येन प्रतितिष्ठन्तीत्यत आह—तद्वा इत्यादि । 'उपकिरति' खराकारेण पांसून् विक्षिपन्ति यत्, 'तदस्याः' पृथिव्याः । सकाशात् 'एवान्यदुत्तरम्' ऊर्ध्वरूपं कक्षान्तरं 'करोति' । 'तस्मात्' तत्र सादितेभ्यो ग्रहेभ्यः 'प्रजाताः' 'प्रजाः' 'आत्मनः' 'अन्येन' प्रतिष्ठिता भवन्ति । शफैरिति, अन्येनेत्यस्य विशेषः । अन्येनेति यत्किञ्चिद्वस्तुपरतया सामान्यनिर्देशत्वादेकवचनम् ॥ १७ ॥

अपानवाय्वात्मकत्वादस्य ग्रहस्य पृथिवीतल एव सादनात्ततो जाताः प्रजा आत्मनैव प्रतिष्ठिता इत्युक्तम् । तत्र यद्ययं ग्रहोऽपानात्मकः स्यात्तदेवं भवतु, न चासावपानात्मक इत्युक्तमनुपपन्नमित्यत आह—तद्वा एतदित्यादि ।

ऽआप इवैव तस्माद्यदनेन मुखेन नानारूपमशनमश्नात्यथैतेन प्राणेनैकरूपमेव प्रस्रावयतेऽप इवैवाथ यस्माद्ध्रुवो नाम ॥ १८ ॥

देवा ह वै यज्ञं तन्वानाः । (स्ते) तेऽसुररक्षसेभ्य ऽआसङ्गाद्बिभयांचक्रुस्तान्दक्षिणतोऽसुररक्षसान्यासेजुस्तेषामेतान्दक्षिणान्ग्रहानुज्जघ्नुरप्येतद्दक्षिणꣳ हविर्धानमुज्जघ्नुरथैतमेव न शेकुरुद्धन्तुं तदुत्तरमेव हविर्धानं दक्षिणꣳ हविर्धानमदृꣳहत्तद्यदेतं न शेकुरुद्धन्तुं तस्माद्ध्रुवो नाम ॥ १९ ॥

तं वै गोपायन्ति । शिरो वाऽएष ऽएतस्यै गायत्र्यै यज्ञो वै गायत्री द्वादश स्तोत्राणि द्वादश शस्त्राणि तच्चतुर्विꣳशतिश्चतुर्विꣳशत्यक्षरा वै गायत्री

ऽआसिञ्चेत्-एवं तत् । अथैष एकरूप उपशेते आप इवैव । तस्माद्-यदनेन मुखेन नानारूपमशनमश्नाति-अथैतेन प्राणेनैकरूपमेव प्रस्रावयते-अप इवैव । अथ यस्माद् ध्रुवो नाम ॥ १८ ॥

देवा ह वै यज्ञं तन्वानास्तेऽसुररक्षसेभ्य आसङ्गाद्बिभयांचक्रुः । तान् दक्षिणतोऽसुररक्षसान्यासेजुः । तेषामेतान्दक्षिणान्ग्रहानुज्जघ्नुः । अप्येतद्दक्षिणं हविर्धानमुज्जघ्नुः । अथैतमेव न शेकुरुद्धन्तुम् । तदुत्तरमेव हविर्धानं दक्षिणं हविर्धानमदृंहत् । तद्यदेतं न शेकुरुद्धन्तुम्-तस्मात् ध्रुवो नाम ॥ १९ ॥

तं वै गोपायन्ति । शिरो वाऽएष एतस्यै गायत्र्यै । यज्ञो वै गायत्री । द्वादश स्तोत्राणि, द्वादश

'तद्' 'एतत्' पुरोडाशधानादिकम् 'आहवनीये' जुह्वति' प्रक्षिपन्ति । 'तत्' तेन हेतुना यथा मुखमध्ये 'आसिञ्चेत्' प्रक्षिपेद् 'एवम्' आसेचनप्रकारः 'तत्' क्षेपणम् 'अथ' 'आप इव' 'एषः' ध्रुवग्रहोऽवतिष्ठते यतः 'तस्माद्' अनेन 'मुखेन' बहुविधम् 'अशनमश्नाति' । 'अथ' अनन्तरम् 'एतेन' अवाचीनेन 'प्राणेन' 'अप इव' 'एकरूपमेव' मूत्रं 'प्रस्रावयते' । तस्मादेकरूपस्य ध्रुवग्रहस्यैकरूपमूत्रविस्रंसनकरणभूतापानवाय्वात्मकत्वादुक्तमुपपन्नमिति भावः ।

ग्रहस्य ध्रुवनामधेयप्राप्तिमाख्यायिकया दर्शयति-**अथ यस्मादित्यादि** । 'यस्मात्' कारणात् ध्रुवशब्दो ग्रहस्य नामधेयम् तत् कारणं किमित्यर्थः । अथ शब्देनात्र प्रश्नः प्रस्तूयते ॥ १८ ॥

तान् दक्षिणत इत्यादि । 'दक्षिणतो' दक्षिणभागे । सप्तम्यर्थे तसिः । (पा.सू.५।३।८) तत्र 'असुररक्षसानि' 'तान्' देवान् 'आसेजुः' आसक्ता बभूवुः । बहुलवचनेन "दंशसञ्जस्वञ्जां शपि" (पा. सू. ६।४।२६) इति । शबभावेऽपि नकारलोपे कृते एत्वाभ्यासलोपौ (पा.सू ६।४।१२०) । 'तेषाम्' असुररक्षसानामर्थे 'एतान्' दक्षिणहविर्द्धानगतान् 'ग्रहान्' 'उज्जघ्नुः' प्रचिक्षिपुः । अत्र हिंसार्थेन हन्तिना तदर्थः प्रक्षेपो लक्ष्यते । न केवलं ग्रहमात्रं प्रक्षिप्तं 'दक्षिणम्' 'हविर्द्धानम्' 'अपि' प्रचिक्षिपुः । पश्चाद् 'एतं' ग्रहमप्युद्धृत्य प्रक्षेप्तुमुद्युक्तास्तथा कर्त्तुं न शक्नुवन्तः । अत उत्तरम 'हविर्धानम्' 'दक्षिणम्' 'हविर्द्धानम्' प्रति 'अदृंहत्' दृढमभूत् । 'तस्माद्' अस्य ग्रहस्योद्धर्त्तुमशक्यत्वाद् ध्रुवनामधेयम् । "ध्रु गतिस्थैर्ययोः"-(धा. पा. तु.प. ११९) इत्यस्मात्स्थैर्यवचनात् पचाद्यचि "संज्ञापूर्वको विधिरनित्यः" (पा. सू. ६।४।१४६। प. ९४) इति गुणे निवृत्ते उवङादेशे (पा. सू. ६।४।७७) 'ध्रुवः' इति भवति ॥ १९ ॥

विधत्ते-तं वै गोपायन्तीति । ग्रहणमारभ्य होमपर्यन्तं रक्षेयुरित्यर्थः । 'गोपायन्ति" इति "गुपूधूप-"

तस्या ऽएष शिरः श्रीर्वै शिरः श्रीर्हि वै शिरस्तस्माद्योऽर्धस्य श्रेष्ठो भवत्यसावमुष्यार्धस्य शिर इत्याहुः श्रेष्ठो ह व्यथेत यदेष व्यथेत यजमानो वै श्रेष्ठो नेद्यजमानो व्यथताऽइति तस्माद्वै गोपायन्ति ॥ २० ॥

वत्सो वाऽएषः । (८) एतस्यै गायत्र्यै यज्ञो वै गायत्री द्वादश स्तोत्राणि द्वादश शस्त्राणि तच्चतुर्विँशतिश्चतुर्विँशत्यक्षरा वै गायत्री तस्या-ऽएष वत्सस्तं यद्गोपायन्ति गोपायन्ति वाऽइमान्वत्सान्दोहाय यदिदं पयो दुह्रऽएवमियं गायत्री यजमानाय सर्व्वान्कामान्दोहाताऽइति तस्माद्वै गोपायन्ति ॥ २१ ॥

शस्त्राणि—तच्चतुर्विंशतिः । चतुर्विंशत्यक्षरा वै गायत्री । तस्याऽएष शिरः । श्रीर्वै शिरः । श्रीर्हि वै शिरः । स्तस्माद्योऽर्धस्य श्रेष्ठो भवति । असावमुष्यार्धस्य शिर इत्याहुः । श्रेष्ठो ह व्यथेत । यदेष व्यथेत । यजमानो वै श्रेष्ठः । नेद् यजमानो व्यथताऽइति । तस्माद्वै गोपायन्ति ॥ २० ॥

वत्सो वाऽएष एतस्यै गायत्र्यै । यज्ञो वै गायत्री । द्वादश स्तोत्राणि, द्वादश शस्त्राणि—तच्चतुर्विंशतिः । चतुर्विंशत्यक्षरा वै गायत्री । तस्या एष वत्सः तं यद्गोपायन्ति—गोपायन्ति वा इमान्वत्सान्दोहाय—यदिदं पयो दुहे । एवमियं गायत्री यजमानाय सर्वान्कामान्दोहाताऽइति । तस्माद्वै गोपायन्ति ॥ २१ ॥

(पा. सू. ३।१।२८) इत्यादिनाऽऽयप्रत्ययः । रक्षणे प्रयोजनमाह—**शिरो वा** इत्यादि । **श्रीर्वै शिर** इत्यादि । 'शिरः श्रीः' इति प्रसिद्धमिति लोकप्रसिद्ध्यभिधानम् । 'श्रीर्हि वै शिरः' इत्यभिनयेन स्थाने च प्रसिद्धिः प्रदश्यते । 'तस्मात्' शिरसः श्रीरूपत्वाद् 'यो' यस्य 'अर्धस्य' भागस्य 'श्रेष्ठः' श्रिया प्रशस्ततरो भवति । 'असावमुष्यार्धस्य शिरः' इति वा ये लोका वदन्ति । लोके च श्रेष्ठस्य समृद्धिमन्ये न सहन्त इति ततो बिभेति । अतोऽत्र श्रेष्ठत्वादेव ग्रहो 'व्यथेत' इति, (एतत्) एतेन लोके श्रेष्ठ एव व्यथते । तथा च सत्यत्र यजमानस्य श्रेष्ठत्वात्तस्यापि व्यथा स्यात् । अतो नैव यजमानो व्यथतामिति तदर्थं ध्रुवग्रहं गोपायेयुरित्यर्थः । "व्यथ भयसंचलनयोः" (धा. पा. भ्वा. आ. ७६६) "लिङर्थे लेट्" (पा. सू. ३ । ४ । ७ "लेटोऽडाटौ" (पा० सू० ३।४। ९४) इत्यडागमः । "एत ऐ" (पा० सू० ३ । ४ । ९३) इत्यकारादेशः ॥२०॥

प्रकारान्तरेण ग्रहस्य रक्षणं प्रशंसति—**वत्सो वा एष** इत्यादि । **यदिदं पय** इत्यादि । वत्सानां रक्षणेन गौयथा 'इदम् पयः' 'दुह्रे' दुग्धे । "लोपस्त आत्मनेपदेषु"—(पा. सू. ७ । १ । ४१) इति तकारलोपः । "बहुलं छन्दसि"—(पा. सू. ७ । १ । ८) इति रुडागमः । 'एवमियम्' यज्ञरूपा 'गायत्री' वत्सरूपस्य ध्रुवग्रहस्य रक्षणेन 'यजमानाय' 'सर्वान्' 'कामान्' 'दोहाता इति' तदर्थं ध्रुवग्रहं चक्रे रक्षेयुः । ध्रुवग्रहरक्षणस्य सर्वकामप्राप्तिहेतुत्वात् प्रशस्तत्वम् ॥ २१ ॥

(न्त्यु) अथ युदध्वर्युश्च प्रतिप्रस्थाता च । निश्च क्रामतः प्र च पद्येते यथा बद्धवत्सोपाचरेदेवमेतं ग्रहमुपाचरतस्तमवनयति गायत्रीमेवैतत्प्रस्ना-वयति प्रत्तेयं गायत्री यजमानाय सर्व्वान्कामान्दोहाताऽइति तस्माद्वा ऽअवनयति ॥ २२ ॥

सोऽवनयति । ध्रुवं ध्रुवेण मनसा व्वाचा सोममवनयामीति गृह्णामीति वाथा न इन्द्र इद्विशोऽसपत्नाः समनसस्करदिति यथा न इन्द्र इमाः प्रजा व्विशः श्रियै यशसेऽन्नाद्यायासपत्नाः संमनसस्करवदित्येवैतदाह ॥२३॥

अथ यदध्वर्युश्च प्रतिप्रस्थाता च निश्च क्रामतः प्र च पद्येते । यथा बद्धवत्सोपाचरेद्–एवमेतं ग्रहमुपाचरतः । तमवनयति । गायत्रीमेवैतत्प्रस्नावयति । प्रत्तेयं गायत्री यजमानाय सर्वान्कामान्दो-हाताऽइति । तस्माद्वाऽअवनयति ॥ २२ ॥

सोऽवनयति–" ध्रुवं ध्रुवेण मनसा वाचा सोममवनयामि "–(वा० सं० ७ । २५) इति । गृह्णामीति वा । " अथा न इन्द्र इद्विशोऽसपत्नाः समनसस्करत् "–(वा० सं० ७।२५) इति । यथा न इन्द्र इमाः प्रजाः; विशः श्रियै यशसेऽन्नाद्यायासपत्नाः संमनसः करवदित्ये-वैतदाह ॥ २३ ॥

अध्वर्युप्रतिप्रस्थात्रोर्निर्गमनागमनाभ्यां ग्रहस्य वत्सरूपतां प्रतिपादयति–अथ यदध्वर्युश्चेत्यादि । ' निश्च क्रामतः ' ग्रहणानन्तरं निष्क्रामतः । " व्यवहिताश्च "–(पा. सू. १ । ४ । ८२ ।) इति निसश्च-कारात्पूर्वं प्रयोगः। ततो होमकाले ग्रहं 'प्रपद्येते च' अत्रापि पूर्ववत् प्रशब्दस्य प्रयोगः। इत्थञ्च 'यथा बद्धवत्सा' गौर्गत्वा पश्चाद् वत्सम् 'उपाचरेत्' वत्ससमीपमागच्छेत् । 'एवम्' तावध्वर्यू वत्सरूपं ध्रुवग्रहमुपचरितवन्तौ भवत इत्यर्थः । ग्रहस्यावनयनं विधत्ते–तमवनयतीत्यादि । " तं शस्यमानेऽवनयति " (श. प. ४।२।४।७) "अथैतमेव होतृचमसेऽवनयति" (शत. ४ । २ । ४ । १) इति, कालस्य होतृचमसस्य च विहितत्वादग्नि-मारुतशस्त्रशंसनकाले होतृचमसे ध्रुवग्रहमासिञ्चेत् । गायत्रीमेवैतादित्यादि । 'प्रस्नावयति' इति प्रस्नुतं करोति । दोहार्थं पयःपरिपूरितस्तनाग्रतः पयःक्षरणात् क्षारयन्ती प्रस्नुता । प्रत्ता इति । प्रदातुमुपक्रान्ता ॥ २२ ॥

विहितमवनयनमनूद्य मन्त्रं विदधानो व्याचष्टे–सोऽवनयति ध्रुवमित्यादि । गृह्णामीति वेति । ' अव-नयामि ' इत्यस्य स्थाने ' गृह्णामि ' इति शब्दो 'वा' प्रयोक्तव्य इत्यर्थः । अत एव कात्यायनः–"अवनँयामि-स्थाने गृह्णामीति च " । अथात इत्यस्य मन्त्रभागस्योच्चारणेऽयमभिप्रायः–' नः ' अस्माकम् ' विशः ' ' प्रजाः ' ' श्रियै ' ' यशसे ' ' अन्नाद्याय ' ' असपत्नाः ' शत्रुरहिताः ' समनसः ' इन्द्र एव करोत्विति । हे ग्रह ! ' ध्रुवेण ' एकाग्रेण ' मनसा वाचा ' मन्त्रोच्चारणेन च होतृचमसगतं सोमं प्रति त्वाम् ' ध्रुवम् ' अवनयामि । ' अथ ' ' इन्द्रः ' एव ' नः ' अस्माकम् ' विशः ' ' असपत्नाः ' ' समनसः ' करोत्विति मन्त्रस्यार्थः ॥ २३ ॥

१–अयं मन्त्रः संहितायां " मूर्द्धानं दिव " इत्युत्तरमन्त्रादूर्ध्वं पठ्यते । २–' इद् ' एवार्थे इति (वा. सं. अ. ७ कं. २५ । भाष्ये महीधरः । ३–नेदं सूत्रं कातीयसूत्र उपलभ्यते । परंचैतदभिप्रायकं भाष्यं तु दृश्यते । अत इदं भाष्यमेव मंतव्यम् ।

(ह्य)अथातो गृह्णात्येव । मूर्धानं दिवोऽअरतिं पृथिव्या व्वैश्वानरमृतऽआ जातमग्निम् । कविᳲं सम्राजमतिथिं जनानामासन्ना पात्रं जनयन्त देवाः । उपयामगृहीतोऽसि ध्रुवोऽसि ध्रुवक्षितिर्ध्रुवाणां ध्रुवतमोऽच्युतानामच्युतक्षित्तमऽ एष ते योनिर्व्वैश्वानराय त्वेति सादयति व्युह्य न तृणं चनान्तर्धाय व्वैश्वानराय ह्येनं गृह्णाति ॥ २४ ॥

इति द्वितीयप्रपाठके तृतीयं ब्राह्मणम् ॥ ४-२-३ ॥ [२. ४.]

अथातो गृह्णात्येव-" मूर्धानं दिवोऽअरतिं पृथिव्या वैश्वानरमृतऽआ जातमग्निम् । कविं सम्राजमतिथिं जनानामासन्ना पात्रं जनयन्त देवाः "-(वा० सं० ७ । २४) उपयामगृहीतोऽसि ध्रुवोऽसि ध्रुवक्षितिर्ध्रुवाणां ध्रुवतमोऽच्युतानामच्युतक्षित्तमः, एष ते योनिर्वैश्वानराय त्वा "-(वा० सं० ७ । २५) इति सादयति । व्युह्य न तृणं चनान्तर्धाय । वैश्वानराय ह्येनं गृह्णाति ॥ २४ ॥

ग्रहस्य ग्रहणमनूद्य मन्त्रं विधत्ते-अथातो गृह्णात्येव मूर्द्धानं दिव इत्यादि । अत्र मन्त्रे सर्वात्मा वैश्वानराग्निः स्तूयते । ' दिवः ' द्युलोकस्य ' मूर्द्धानम् ' सूर्यात्मनाऽवस्थितम् ' पृथिव्याः ' पृथिवीशब्दोऽत्रान्तरिक्षवचनः (निघं. १ । ३ । ९ ।) तस्य ' अरतिं ' पर्याप्तमतिं तदभिमानिनीं देवताम् । वायुरूपत्वाश्रयणात् । वायोश्चान्तरिक्षलोकाभिमानित्वं श्रूयते-" वायुर्वा अन्तरिक्षस्याध्यक्षाः " इति । भूमौ च तृतीये यज्ञे ' आजातम् ' अरण्योरुत्पन्नम् ' वैश्वानरम् ' विश्वेषां नराणां सम्बन्धिनम् ' अग्निम् ' ' कविम् ' प्रत्यगात्मत्वेन क्रान्तदर्शनम् ' सम्राजम् ' सम्यग्राजमानम् । ' जनानाम् ' यजमानलक्षणानाम् । 'अतिथिम्' । अत एवातिथ्येष्टौ "अग्नेरातिथ्यमसि विष्णवे त्वा" (शत.३।४।१।११) इत्यतिथिरूपायाग्नये निर्वापः क्रियते । योऽयमुक्तगुणो वैश्वानरोऽग्निस्तम् ' देवाः ' इन्द्रादयः ' आसन् ' आसनि आस्ये । आस्यशब्दस्य " पद्न्नोमास्हृ० "-(पा. सू. ६ । १ । ६३) इत्यादिनाऽऽसन्नादेशः । ' पात्रम् ' पानसाधनमाभिमुख्येन ' जनयन्त ' "बहुलं छन्दस्यमाङ्योगेऽपि" (पा. सू.६।४।७५) इति अडागमाभावः । अग्निना प्रापितः सोमो देवैः पीयत इत्यग्नेः पानसाधनत्वम् । तथा च श्रूयते-"अग्निमुखा वै देवाः" (आश्व.गृ.सू.५।प्र.)इति । हे सोमरस ! त्वम् उपयामेन स्थालीरूपेण गृहीतोऽसि । त्वाम् ' वैश्वानराय ' अग्नये गृह्णामि । किञ्च ' ध्रुवोऽसि ' ध्रुवनामकोऽसि । अत एव ' ध्रुवक्षितिः ' स्थिरनिवासोऽसि । लोके ' ध्रुवाणाम् ' मध्ये ' ध्रुवतमः ' अतिशयेन ध्रुवोऽसि ' अस्यैव व्याख्यानम् ' अच्युतानामच्युतक्षित्तमः ' इति । अथ ' एनम् ' ' व्युह्य न तृणं चनान्तर्द्धाय ' ' सादयति ' इति सादनं विहितम् । तदनूद्यात्र मन्त्रं विधत्ते-एष ते योनिरित्यादि । मन्त्रे वैश्वानरपदप्रयोगस्योपपत्तिमाह-वैश्वानराय हीति । " उपयामगृहीतोऽस्यग्नये त्वा वैश्वानराय " इति ग्रहस्य गृहीतत्वात्तस्य सादनेऽपि वैश्वानरपदं प्रयुक्तमित्यर्थः ॥ २४ ॥

इति श्रीसायणाचार्यविरचिते माधवीये वेदार्थप्रकाशे माध्यन्दिनशतपथब्राह्मणभाष्ये चतुर्थकाण्डे द्वितीयेऽध्याये चतुर्थं ब्राह्मणम् ॥ (४ । २ । ४) ॥

१-ध्रुवं मूर्द्धानं दिव इति । का. श्रौ. सू. ९ । १४५ ।

ग्रहान्गृहीत्वा। (त्वो)उपनिष्क्रम्य विप्रुषाᳪं होमं जुहोति तद्यद्विप्रुषाᳪं होमं जुहोति याऽएवास्यात्र विप्रुष स्कन्दन्ति ताऽएवैतदाहवनीये स्वगा करोत्याहवनीयो ह्याहुतीनां प्रतिष्ठा तस्माद्विप्रुषाᳪं होमं जुहोति॥ १॥

स जुहोति । यस्ते द्रप्स स्कन्दति यस्तेऽअᳪंशुरिति यो वै स्तोकः स्कन्दति स द्रप्सस्तत्तमाह यस्तेऽअᳪंशुरिति तदᳪंशुमाह ग्रावच्युतो धिषणयोरुपस्थादिति ग्राव्णा हि च्युतोऽधिषवणाभ्याᳪं स्कन्दत्यध्वर्योर्वा परि वा यः पवित्रादित्यध्वर्योर्वा हि पाणिभ्याᳪं स्कन्दति पवित्राद्वा तं ते जुहोमि मनसा वषट्कृतᳪं स्वाहेति तद्यथा वषट्कृतᳪं हुतमेवमस्यैतद्भवति ॥ २ ॥

ग्रहान्गृहीत्वा उपनिष्क्रम्य विप्रुषां होमं जुहोति । तद्व यद्विप्रुषां होमं जुहोति । या एवास्यात्र विप्रुषः स्कन्दन्ति–ता एवैतदाहवनीये स्वगा करोति । आहवनीयो ह्याहुतीनां प्रतिष्ठा । तस्माद्व विप्रुषां होमं जुहोति ॥ १ ॥

स जुहोति–"यस्ते द्रप्स स्कन्दति यस्ते ऽअंशुः"–(वा. सं. ७ । २६) इति । यो वै स्तोकः स्कन्दति स द्रप्सस्तत्–तमाह । यस्ते ऽअंशुरिति । तदंशुमाह । "ग्रावच्युतो धिषणयो-

---

गतेषु ब्राह्मणेषु प्रातःसवनिकानामुपांश्वादीनां ग्रहाणां ग्रहणं विहितम् । तदनन्तरकर्त्तव्यं बहिष्पवमानस्तोत्रादिकमस्मिन् ब्राह्मणेऽभिधीयते । तत्र तावदभिषवकाले ग्रहणकाले च स्कन्नानां सोमबिन्दूनां स्कन्दनप्रत्यवायपरिहाराय विप्रुषां होमं विधत्ते–ग्रहान्गृहीत्वोपनिष्क्रम्य विप्रुषां होमं जुहोति इति । 'उपनिष्क्रम्य' हविर्द्धानान्निर्गत्य 'विप्रुषाम्' अर्थे तत्र स्कन्दनप्रायश्चित्तत्वेन होमं कुर्यादित्यर्थः । यद्यप्यत्र 'जुहोति' इत्यनेनैव होमं कुर्यादित्ययमर्थो लभ्यते । तथाप्यत्र 'होमम्' इति पृथगुपात्तत्वाज्जुहोतिनैकदेशलक्षणया करोत्यर्थो लक्ष्यते । यथा "वाचमवोचत्" इत्यत्र । विहितस्य होमस्योपयोगमाह–तद्यद्विप्रुषां होममित्यादि । 'विप्रुषां होमं जुहोति' इति यत्, तत्कारणमुच्यते । 'अस्य' सोमस्य 'विप्रुषः' 'अत्र' 'स्कन्दन्ति' विशीर्णा भवन्ति । 'ताः' एतेन विप्रुड्ढोमेन 'आहवनीये' 'स्वगा करोति' स्वस्थानमाहवनीयं गच्छन्तीति स्वगाः, तादृशीः कृतवान् भवति । यत आहवनीयः सर्वासाम् 'आहुतीनाम्' 'प्रतिष्ठा' आधारः । अत उक्तेन होमेन विप्रुषामाहवनीयम्प्रति प्रापणात् स्कन्दनप्रत्यवायो न भवतीत्यर्थः । 'स्वगा' इति "अन्येष्वपि दृश्यते" (पा. सू. ३ । २ । १०१) इति डप्रत्ययः । ततः स्त्रीलिङ्गाद् द्वितीयाबहुवचनस्य "सुपां सुलुक्" (पा. सू. ७ । १ । ३९) इत्याकारादेशः ॥ १ ॥

विहितहोमे मन्त्रं चतुर्द्धा विभज्य विनियुञ्जानो मन्त्रस्य प्रथमभागे द्रप्सपदस्यार्थमाह–स जुहोति यस्ते द्रप्स इत्यादि । यो वै स्तोक इत्यादि । 'स्तोकः' लग्नो बिन्दुः स द्रप्सशब्दार्थः । अतोऽत्र 'तत्' द्रप्सपदं 'तम्' 'स्तोकम्' 'आह' इत्यर्थः ॥

१–अध्वर्युप्रतिप्रस्थातृप्रस्तोत्रुद्गातृप्रतिहर्तृसुन्वन्तः समन्वारब्धा निष्क्रामंति । अध्वर्युः प्रथमो यथासंख्यमितरे । का. श्रौ. सू. ९० १४९-१५० । २–हुत्वा वा समन्वारभेरन् । यस्त इति विप्रुषां होमं जुहोति । अध्वर्युर्वा जुहोति । का. श्रौ. सू. ९।१५१-१५३॥

(त्यु) अथ स्तीर्णायै वेदेः । (द्वे) द्वे तृणेऽअध्वर्युरादत्ते तावध्वर्यू प्रथमौ प्रतिपद्येते प्राणोदानौ यज्ञस्याथ प्रस्तोता वागेव यज्ञस्याथोद्गातात्मैव प्रजापतिर्यज्ञस्याथ प्रतिहर्ता भिषग्वा व्यानो वा ॥ ३ ॥

तान्वाऽएतान् । पञ्चर्त्विजो यजमानोऽन्वारभतऽएतावान्वै सर्वो यज्ञो

रुपस्थात्"–(वा० सं० ७ । २६) इति । ग्राव्णा हि च्युतोऽधिषवणाभ्यां स्कन्दति । "अध्वर्योर्वा परि वा यः पवित्रात्"–(वा० सं० ७ । २६) इति । अध्वर्योर्वा हि पाणिभ्यां स्कन्दति, पवित्राद्वा । "तं ते जुहोमि मनसा वषट्कृतं स्वाहा" (वा. सं. ७ । २६)–इति । तद्यथा वषट्कृतं हुतम्–एवमस्यैतद्भवति ॥ २ ॥

अथ स्तीर्णायै वेदेः द्वे तृणेऽअध्वर्युरादत्ते । तावध्वर्यू प्रथमौ प्रतिपद्येते प्राणोदानौ यज्ञस्य । अथ प्रस्तोता वागेव यज्ञस्य । अथोद्गाता आत्मैव प्रजापतिर्यज्ञस्य । अथ प्रतिहर्ता भिषग्वा व्यानो वा ॥ ३ ॥

तान्वाऽएतान् पञ्चर्त्विजो, यजमानोऽन्वारभते । एतावान्वै सर्वो यज्ञो–यावन्त एते पञ्चर्त्विजो भवन्ति । पाङ्क्तो वै यज्ञः । तद् यज्ञमेवैतद्यजमानोऽन्वारभते ॥ ४ ॥

द्वितीयं भागं व्याचष्टे–ग्रावच्युत इत्यादि । अभिषवार्थेन ग्रा (व्णा) वाऽधिषवणयोरभिषवफलकयोश्च्युतस्ततोऽपि सोमसम्बन्धी द्रप्सोंऽशुश्च पतति यतः, अतोऽस्य मन्त्रस्योच्चारणम् ।

तृतीयं भागं व्याचष्टे–अध्वर्योर्वेत्यादि । 'अध्वर्योः' 'पाणिभ्याम्' 'पवित्राद्वा' 'स्कन्दति' इत्यनेनाभिप्रायेणाध्वर्योर्वेत्यादि प्रयुक्तम् ।

चतुर्थं व्याचष्टे–तं ते जुहोमीत्यादि । अत्र 'वषट्कृतम्' इत्येतदुच्चारणेन सवषट्कारो होम एव भवतीत्यर्थः । हे सोम ! ग्राव्णश्च्युतः अधिषवणयोरुपस्थाच्च' च्युतः । अध्वर्योर्वा पवित्राद्वा च्युतो 'यस्तेंऽशुर्द्रप्सश्च' 'ते' तव सम्बन्धिनं तमंशुं द्रप्सं च मनसा 'वषट्कृतं' सन्तं जुहोमि' । इदं द्रव्यं स्वाहुतमस्तु । इति मन्त्रार्थः ॥ २ ॥

वैप्रुषहोमानन्तरं बहिष्पवमानार्थमध्वर्युणा तृणयोरादानं प्रथमं विधत्ते–अथेत्यादि । (वेदितृणेऽध्वर्युरादत्ते प्रह्वा उदंचो गच्छन्ति । का० श्रौ० सू० ९ । १५४ ।) 'स्तीर्णायै' इति षष्ठ्यर्थे चतुर्थी (पा. सू. २ । ३ । ६२ । वा. १) स्तीर्णायाः 'वेदेः' सकाशात् 'तृणे' आददीतेत्यर्थः । बहिष्पवमानायाध्वर्युप्रभृतीनां गमनम्, तेषां (तत्र) चानन्तर्यं विधत्ते–तावध्वर्यू प्रथमावित्यादि । 'तौ' 'यज्ञस्य' प्राणापानात्मकावध्वर्युप्रतिप्रस्थातारौ 'प्रथमौ' 'प्रतिपद्येते' गन्तुमुपक्रामतः । एवमुत्तरत्र वाक्येष्वपि योजना । अथोद्गातेति, यज्ञस्योच्यते । उद्गाता च यज्ञाङ्गत्वात् 'प्रजापतिः' । स च 'यज्ञस्य' 'आत्मा' मध्यशरीरम् । अत्राध्वर्युप्रभृतीनां यज्ञसम्बन्धिप्राणाद्यात्मकत्वकथनेन यज्ञस्य मुख्याङ्गं बहिष्पवमानंप्रति गन्तृत्वे योग्यता प्रदर्शिता ॥ ३ ॥

यजमानेनाध्वर्युप्रभृतीनां स्पर्शनं सोपपत्तिकं विधत्ते–तान्वा एतानित्यादि । 'एते' 'पञ्चर्त्विजो'

यावन्तऽएते पञ्चर्त्विजो भवन्ति पाङ्क्तो वै यज्ञस्तद्यज्ञमेवैतद्यजमानो-ऽन्वारभते ॥ ४ ॥

(तृऽथा)अथान्यतरत्तृणम्। (स्रा)चात्वालमभिप्रास्यति देवानामुत्क्रमणम-सीति यत्र वै देवा यज्ञेन स्वर्गं लोकꣳ समाश्नुवत तऽएतस्माच्चात्वालादूर्ध्वाः स्वर्गं लोकमुपोदक्रामꣳस्तद्यजमानमेवैतत्स्वर्ग्यं पन्थानमनुसंख्यापयति ॥५॥

(त्यु)अथान्यतरत्तृणम्।(म्पु)पुरस्तादुद्गातॄणामुपास्यति तूष्णीमेव स्तोमो वाऽएष प्रजापतिर्यदुद्गातारः स इदꣳसर्वं युतऽइदꣳ सर्वꣳ संभवति तस्माऽएवैतत्तृणमपिदधाति तथो हाध्वर्युं न युते नैनꣳ सम्भवत्यथ यदा जपन्ति जपन्ति ह्यत्रोद्गातारः ॥ ६ ॥

अथान्यतरत्तृणं चात्वालमभि प्रास्यति–“देवानामुत्क्रमणमसि”–(वा. सं. ७ । २६) इति । यत्र वै देवा यज्ञेन स्वर्गं लोकं समाश्नुवत, तऽएतस्माच्चात्वालादूर्ध्वाः स्वर्गं लोकमुपोदक्रामन् । तद्यजमानमेवैतत् स्वर्ग्यं पन्थानमनुसङ्ख्यापयति ॥ ५ ॥

अथान्यतरत्तृणं पुरस्तादुद्गातॄणामुपास्यति–तूष्णीमेव । स्तोमो वाऽएष प्रजापतिः–यदुद्गातारः । स इदं सर्वं युते, इदं सर्वं सम्भवति । तस्माऽएवैतत्तृणमपिदधाति । तथो हाध्वर्युर्न युते, नैनं सम्भवति । अथ यदा जपन्ति । जपन्ति ह्यत्रोद्गातारः ॥ ६ ॥

‘ यावन्तो ’ यावत्परिमाणयुक्ताः । ‘ सर्वो यज्ञः ’ अपि ‘ एतावान् ’ एतत्परिमाणयुक्तः । एते पञ्चर्त्विज एव सकलो यज्ञः, तेषां यज्ञसम्बन्धिप्राणाद्यात्मकत्वेनाभिधानादित्यर्थः ॥ ४ ॥

विधत्ते–अथेत्यादि । (“अन्यतरत्तृणं चात्वाले प्रास्यति देवानामिति” का० श्रौ० सू० ९ । १९९ ।) ‘ अथ ’ अध्वर्य्वाद्दिगमनानन्तरमुपात्तयोस्तृणयोरन्यतरं ‘ चात्वालमभि ’ चात्वाले “ देवानाम् ” इत्यादिना मन्त्रेण ‘ प्रास्यति ’ प्रक्षिपेत् । हे चात्वाल ! त्वम् ‘ देवानामुत्क्रमणमसि ’ स्वर्गं प्रत्युत्क्रमणसमयेऽधिकरण-मसि । चात्वाले तृणप्रक्षेपस्योपयोगमाह-यत्र वा इत्यादि । तद्यजमानमिति । ‘ तत् ’ तेन “ देवाना-मुत्क्रमणमसि ” इति मन्त्रं समुच्चार्य चात्वाले तृणप्रक्षेपेण ‘ यजमानमेव ’ ‘ स्वर्ग्यम् ’ स्वर्गप्राप्तिहेतुभूतम् ‘ पन्थानमनुसंख्यापयति ’ ज्ञापयति । सङ्ख्यातेरत्र ज्ञानार्थत्वाद् “ गतिबुद्धि–” (पा. सू. १ । ४ । ५२) इत्यादिना द्विकर्मकत्वम् ॥ ५ ॥

अवशिष्टस्य तृणस्य विनियोगं दर्शयति–अथान्यतरादित्यादि । स्तोमो वा, इति । स्तोत्रसाधनभूतानामृचां सङ्घः ‘ स्तोमः ’ । तेन च यज्ञो निष्पद्यत इति ‘ स्तोमः ’ एव ‘ एषः ’ प्रजापतिः ’ यज्ञः । स्तोमनिष्पा-दकानामुद्गातॄणामपि कार्यकारणाभेदविवक्षया स्तोमत्वम् । तेन प्रजापत्यात्मकत्वम् । प्रजापतिः स इदं ‘ सर्वम् ’ प्रपञ्चम् ‘ युते ’ मिश्रयति एकीकरोति । “ यु मिश्रणामिश्रणयोः ” (धा. पा. अ. प. २३) इति धातुः ।

१–उद्गातॄणां पुरस्तादितरत्तूष्णीम् । का. श्रौ. सू. ९ । १५६ ।

(गु॒ऽथ) अथ स्तो॒त्रमु॒पाक॑रोति । सो॒मः॑ पवत॒ऽइ॒ति स वै पु॒रागे॑व स्तो॒त्र-मु॒पाक॑रोति पु॒राञ्च॑ स्तुवते दे॒वान्वा॒ऽए॒तानि॑ स्तो॒त्राण्य॒भ्यु॒पावृ॒त्तानि॒ यत्पव॑-मानाः पु॒राञ्चो॒ ह्ये॒तैर्दे॒वाः स्व॒र्गं लो॒कꣳ सम॒श्नु॒वत त॒स्मात्पु॒रागे॑व स्तो॒त्र-मु॒पाक॑रोति पु॒राञ्च॑ स्तुवते ॥ ७ ॥

अथ स्तोत्रमुपाकरोति । " सोमः पवते "–(वा० सं० ७ । २४) इति । स वै परागेव स्तोत्रमुपाकरोति, पराञ्चः स्तुवते । देवान्वाऽएतानि स्तोत्राण्यभ्युपावृत्तानि–यत् पवमानाः । पराञ्चो ह्येतैर्देवाः स्वर्गं लोकं समाश्नुवत । तस्मात्परागेव स्तोत्रमुपाकरोति, पराञ्च स्तुवते ॥७॥

एकीकृत्य च ' इदम् ' एव ' सर्वम् ' स्वयं ' सम्भवति ' । एतत् सर्वमात्मन्येव निधाय कारणात्मनाऽवतिष्ठत इत्यर्थः । ' तस्मात् ' कारणादेतत्तृणप्रक्षेपेण प्रजापत्यात्मकानामुद्गातृणामात्मनश्च मध्ये व्यवधानं सम्पादयति । एवञ्च प्रजापतिः ' अध्वर्युम् ' ' न ' मिश्रयति । ' न ' अपि ' एनम् ' ' सम्भवति ' । तेन सह नैकी भवति, तस्य स्वरूपनाशो न भवतीत्यर्थः । कालविशेषे स्तोत्रोपाकरणं समन्त्रकं विधत्ते–अथ यदा जपन्तीत्यादि । ' यदा ' यस्मिन् काले ' जपन्ति ' तदा " सोमः पवते " (वा. सं. ७ । २१) इत्यनेन स्तोत्रमुपाकुर्यात् आरम्भयेत् । ' जपन्ति ' ह्यत्रोद्गातारः ' इत्यनेन बहिष्पवमानप्रदेशे जपः प्रसिद्ध इति दर्शितम् । यतो ब्रह्म-क्षत्राद्यर्थं सोमः पवते, अतस्तं पवमानं सोमस्तुत्या समर्द्धयितुमुपक्रमभ्वमित्यर्थः । अत एव " उपास्मै गायता नरः पवमानायेन्दवे " (वा. सं. ३३ । ६२)–इति श्रूयते । मन्त्रश्चाग्रयणब्राह्मण एव (श. प. ४ । २ । २ । १२) व्याख्यातः ॥ ६ ॥

उक्ते उपाकरणमन्त्रे पवमानस्तोत्रेषु चानावृत्तिं विधत्ते–स वै परागेवेत्यादि । ' परागेव ' अनावृत्त्यैव ' स्तोत्रम् ' उपाकुर्यात्, स्तोत्रोपाकरणार्थं मन्त्रमुच्चारयेत् । तथाऽनावृत्त्यैव पवमानस्तोत्राणि निष्पादयेयुः । नन्वत्र पराञ्चोऽनावृत्ता एव चात्वालं गत्वा स्तुवत इति पराक्त्वं स्तोतॄणामेव विधीयते, तदनुपपन्नम् । उक्तं स्तोत्रय पराक्त्वमिति । नन्वत्र पराञ्च इति स्तोतॄणां पराक्त्वविधानेनैतन्निष्पाद्यस्तोत्रस्यापि पराक्त्वं विहितम्भव-तीति । अत एव तैत्तिरियके श्रूयते–" पराञ्चो हि यन्ति परानीभिः स्तुवते "(तै. सं. २ । १ । १०) इति नाऽनावृत्ति-प्रसक्तावनावृत्तिर्विधातुं शक्यते, कथमत्र तत्प्रसक्तिरिति । उच्यते–तत्र च तावत् " सोमः पवते सोमः पवतेऽस्मै ब्रह्मणे " (वा.सं.७ । २१) इत्यादिरत्रोपाकरणमन्त्र आम्नायते–अयञ्च मन्त्र आग्रयणग्रहग्रहानन्तरं वाग्विसर्जने विनि-युक्तः । " अथाह सोमः पवते " (श.प.४ । २ । २ । १२) इति । तद्वदेवात्रापि "सोमः पवत"–इत्येतस्य पदस्या-वृत्तिः प्राप्तेत्यनावृत्तिरनुविधीयते । पवमानस्तोत्राणामपि स्तोत्रसाधारण्येनेतरस्तोत्रवदावृत्त्या गानं प्राप्तमित्यत्रानावृत्ति-र्विधीयते यतः, अत एव बहिष्पवमाने त्रिवृत्स्तोमस्य विधायकं ब्राह्मणवाक्यमेवमाम्नायते । [1] "तिसृभ्यो हिङ्करोति स पराचीभिस्तिसृभ्यो हिङ्करोति स पराचीभिः" (साम.तां.ब्रा.) इति । विहिते पराक्त्वे कारणमाह–देवान्वा

१–जपत्सु सोमः पवत इति पवमानोपाकरणं प्रस्तोत्रे तृणं प्रयच्छन् । सर्व्वेषु । अतृणो वा कुशमुष्टिं वा । [illegible] । [illegible]षु । प्रातःसवनएवायमितिकर्कः । प्रत्यङ्मुखा उपविशतः पुरस्ताद्दक्षिणो यजमानः । द्विवचनादध्वर्युः प्रतिप्रस्थाता चेति कर्कः । स्तूयमान उन्नेताऽध्वर्नीयं पवित्रमंतर्द्धाय पूतभृत्यासिंचति । सोममितिशेषः । का. श्रौ. सू. १५७–१६१ ।

(तऽउ) उपावर्त्तध्वमिति वाऽअन्यानि स्तोत्राणि । (ण्य) अभ्यावर्तं धुर्यै स्तुवत इमाऽवै प्रजा एतानि स्तोत्राण्यभ्युपावृत्तास्तस्मादिमाः प्रजाः पुनरभ्यावर्तं प्रजायन्ते ॥ ८ ॥

(न्तेऽथ) अथ यदत्र बहिष्पवमानेन स्तुवते । (तेऽत्र) अत्र ह वाऽअसावग्रऽआदित्यऽआस तमृतवः परिगृह्यैवात ऽऊर्ध्वाः स्वर्गं लोकमुपोदक्रामन्त्सऽएष ऋतुषु प्रतिष्ठितस्तपति तथो एवैतदृत्विजो यजमानं परिगृह्यैवात ऊर्ध्वाः स्वर्गं लोकमुपोत्क्रामन्ति तस्मादत्र बहिष्पवमानेन स्तुवते ॥ ९ ॥

उपावर्तध्वम् इति वाऽअन्यानि स्तोत्राणि, अभ्यावर्तं धुर्यै स्तुवते । इमा वै प्रजा एतानि स्तोत्राण्यभ्युपावृत्ताः । तस्मादिमाः प्रजाः पुनरभ्यावर्तं प्रजायन्ते ॥ ८ ॥

अथ यदत्र बहिष्पवमानेन स्तुवते । अत्र ह वाऽअसावग्रऽआदित्य आस । तमृतवः परिगृह्यैवात ऊर्ध्वाः स्वर्गं लोकमुपोदक्रामन् । स एष ऋतुषु प्रतिष्ठितस्तपति । तथोऽएवैतदृत्विजो यजमानं परिगृह्यैवात ऊर्ध्वाः स्वर्गं लोकमुपोत्क्रामन्ति । तस्मादत्र बहिष्पवमानेन स्तुवते ॥ ९ ॥

इत्यादि । पवमानस्तोत्राणि देवानभिलक्ष्याभ्युपावृत्तत्वादितः परागभूतानि यतश्च 'देवाः' 'एतैः' स्तोत्रैः 'पराञ्चः' अनावृत्ता एव 'स्वर्गं लोकम्' प्राप्नुवन् 'तस्मात्' उपाकरणमन्त्रे पवमानस्तोत्रेषु च पराक्त्वमित्यर्थः ॥ ७ ॥

प्रसङ्गात् पवमानव्यतिरिक्तानां स्तोत्राणामुपाकरणे मन्त्रान्तरं सोपपत्तिकं दर्शयति—उपावर्त्तध्वमिति वा, इत्यादि । धुर्यशब्देनात्र पवमानव्यतिरिक्तानि स्तोत्राण्यभिधीयन्ते । तेषां यज्ञनिर्वाहकत्वात् । पुनःपुनरावर्त्तिं कृत्वा स्तुवते । यतः ण्यन्ताद् "आभीक्ष्ण्ये णमुल् च"–(पा. सू. ३ । ४ । २२) इति णमुल्प्रत्ययः । द्विर्वचनाभावश्छान्दसः । अतस्तेषां स्तोत्राणामुपाकरणे "उपावर्त्तध्वम्"–इति मन्त्रः । "उपावर्त्तध्वम्" इत्यत्र अन्तर्भावितण्यर्थस्य व्यवहृतत्वात् पुनःपुनरावृत्तिं कृत्वा स्तुध्वमित्यर्थः । अत्र कात्यायनः–"स्तोत्रमुपाकरोति तृणाभ्यां ग्रहमुपस्पृश्योपावर्त्तध्वमिति । एवं धुर्येषु सर्वत्र"–(का. श्रौ. सू. ९ । ३०६, ३०७) इति । अस्तु तैरभ्यावृत्तिं कृत्वा स्तवने "उपावर्त्तध्वम्"–इति मन्त्रेणोपाकरणम्, सा चाभ्यावृत्तिस्तेषां कुत इत्यत आह–इमा वै प्रजा इत्यादि । 'एतानि' पवमानव्यतिरिक्तानि 'स्तोत्राणि' अभिलक्ष्य 'इमाः' 'प्रजाः' 'आवृत्ताः', यत एवम् 'तस्माद्' इदानीं 'प्रजाः' मृत्वापि पुनरभ्यावृत्य 'प्रजायन्ते' तस्मात् प्रजानां तथोत्पत्तिसिद्ध्यर्थं धुर्यस्तोत्राणामावृत्तिः कार्येत्यर्थः ॥ ८ ॥

चात्वालप्रदेशे बहिष्पवमानस्तोत्रसम्पादनस्य कारणमाह–अथ यदत्रेत्यादि । 'अत्र' प्रदेशे 'बहिष्पवमानेन' 'स्तुवते' इति यत्, तत्कारणमुच्यते–असाविति । अदःशब्दो विप्रकृष्टपदार्थवाची । द्युलोकगतोऽसावादित्यः पूर्वस्मिन् प्रदेशेऽभूत् । तमादित्यमृतवः स्वीकृत्यैतस्माद् भूदेशादूर्ध्वाः 'स्वर्गं' 'लोकम्' आरोहन्त । अतः एष आदित्य इदानीमृतुष्वेव प्रतिष्ठितस्तपति तस्मादत्र प्रदेशे बहिष्पवमानसम्पादनेन ऋत्विजो यजमानमादाय स्वर्गं लोकमारोहन्तीत्यर्थः ॥ ९ ॥

नौर्ह वाऽएषा स्वर्ग्या । यद्बहिष्पवमानं तस्या ऋत्विजऽएव स्फ्याश्चा-
रित्राश्च स्वर्गस्य लोकस्य सम्पारणास्तस्याऽएकऽएव मज्जयिता य एव
निन्द्यः स यथा पूर्णामभ्यारुह्य मज्जयेदेवꣳ हैनाꣳ स मज्जयति तद्वै सर्व
एव यज्ञो नौः स्वर्ग्या तस्मादु सर्वस्मादेव यज्ञान्निन्द्यं परिबिबाधिषेत ॥ १०

(ता) अथ स्तुतऽएतां वाचं वदति । (त्यु) अग्नीदग्नीन्विहर बर्हि-
स्तृणीहि पुरोडाशाँ२॥ अलंकुरु पशुनेहीति विहरत्यग्नीदग्नीन्त्समिन्द्ध एवै-
नानेतत्स्तृणाति बर्हिः स्तीर्णे बर्हिषि समिद्धे देवेभ्यो जुहवानीति पुरोडा-
शाँ२॥ऽअलंकुर्विति पुरोडाशैर्हि प्रचरिष्यन्भवति पशुनेहीति पशुꣳ
ह्युपाकरिष्यन्भवति ॥ ११ ॥

नौर्ह वाऽएषा स्वर्ग्या—यद्बहिष्पवमानम् । तस्या ऋत्विज एव स्फ्याश्च अरित्राश्च स्वर्गस्य लोकस्य सम्पारणाः । तस्या एक एव मज्जयिता—य एव निन्द्यः । स यथा पूर्णामभ्यारुह्य मज्जयेत्—एवं हैनां स मज्जयति । तद्वै सर्व एव यज्ञो नौः स्वर्ग्या । तस्मादु सर्वस्मादेव यज्ञान्निन्द्यं परिबिबाधिषेत ॥ १० ॥

अथ स्तुतऽएतां वाचं वदति—" अग्नीदग्नीन्विहर । बर्हिस्तृणीहि । पुरोडाशाँ २॥ ऽअल

प्रकृतं बहिष्पवमानस्तोत्रं नौरूपत्वसम्पादनेन प्रशंसति—नौर्ह वा इत्यादि । ' बहिष्पवमानम् ' ए ' स्वर्ग्या ' स्वर्गप्राप्त्यर्हा ' नौः ' । " छन्दसि च "—(पा. सू. ५ । १ । ६७) इत्यर्हार्थे यत्प्रत्ययः नावश्च कैश्चित्साधनैर्भवितव्यम् । अतो बहिष्पवमानात्मिकाया नावः ' ऋत्विज एव ' ' स्फ्याश्च ' ' अरित्राश्च ' भवन्ति । ' स्फ्याः ' इति स्फ्याकाराः केचन तरणसाधनविशेषाः । ' अरित्राः ' इति तरणसाधनभूता वंशाः । ते च ' स्वर्गस्य ' 'लोकस्य' ' संपारणाः ' स्वर्गलोकस्य प्रापकाः । " पार तीर कर्मसमाप्तौ " (धा. पा. चु. उ. ३७८) इत्यस्मात्करणे (पा. सू. ३ । ३ । ११७) ल्युट् प्रत्ययः । अतो बहिष्पवमानस्तोत्रं स्वर्गप्राप्तिहेतुत्वात् प्रशस्तमित्यर्थः ॥

उक्तं नौरूपत्वमुपजीव्य सर्वस्मिन् यज्ञेऽपि निन्दितः परिहरणीय इत्याह—तस्या एक एवेत्यादि। 'यः' जनः कुतश्चित्कारणात् ' निन्द्यः ' ' सः ' 'एव' ' तस्याः ' बहिष्पवमानात्मिकाया नावः 'मज्जयिता' नाशयितेत्यर्थः । ' यथा ' लोकेऽनिन्द्यैः ' पूर्णाम् ' नावम् ' आरुह्य ' निन्द्यो ' मज्जयेद् ' अवगाहयेज्जलस्याधः प्रापयेत् । रजस्वलादिभिर्निन्द्यैरारूढा नौर्मज्जतीति प्रसिद्धम् । तद्वदत्रापि निन्दितो मज्जयेत् । न केवलं बहिष्पवमानस्तोत्रे निन्द्यस्य परिहरणम्, किन्तु कृत्स्नस्यापि यज्ञस्य प्राप्तौ नौरूपत्वात् ' सर्वस्माद् ' ' यज्ञात् ' ' निन्द्यम् ' ' परिबिबाधिषेत ' इति परिबाधितुमपसारयितुमिच्छेत् । अपसारणेच्छाया अपसारणप्रयोजनत्वादपसारयेदित्यर्थः ॥ १० ॥

बहिष्पवमानस्तोत्रसमाप्त्यनन्तरमध्वर्योः कर्त्तव्यं प्रैषमन्त्रमुत्साद्य व्याचष्टे—अथ स्तुत एतां वाचं वदतीति' ।

१—स्तोत्रांते प्रेष्यत्यग्नीदग्नीन् विहर बर्हिस्तृणीहि पुरोडाशाँ २ अलंकुरु प्रतिप्रस्थातः पशुनेहीति । का० श्रौ० सू० ९ । १६२ ॥

(त्यु) अथ पुनः प्रपद्य । (द्या) आश्विनं ग्रहं गृह्णात्याश्विनं ग्रहं गृहीत्वोपनिष्क्रम्य यूपं परिव्व्ययति परिवीय यूपं पशुमुपाकरोति रसमेवास्मिन्नेतद्दधाति ॥ १२ ॥ [अर्धप्रपाठकः] ॥

स प्रातःसवनऽआलब्धः । (ऽ) आतृतीयसवनाच्छ्रप्यमाणऽउपशेते सर्व्वस्मिन्नेवैतद्यज्ञे रसं दधाति सर्व्वं यज्ञꣳ रसेन प्रसजति ॥ १३ ॥

ङ्कुरु । पशुनेहि "–इति । विहरत्यग्नीदग्नीन्, समिन्ध एवैनानेतत्, स्तृणाति बर्हिः । स्तीर्णे बर्हिषि, समिद्धे देवेभ्यो जुहवानीति । पुरोडाशाँ२॥ऽअलंकुर्विति । पुरोडाशैर्हि प्रचरिष्यन्भवति । पशुनेहीति । पशुं ह्युपाकरिष्यन्भवति ॥ ११ ॥

अथ पुनः प्रपद्य आश्विनं ग्रहं गृह्णाति । आश्विनं ग्रहं गृहीत्वोपनिष्क्रम्य यूपं परिव्ययति । परिवीय यूपं पशुमुपाकरोति । रसमेवास्मिन्नेतद्दधाति ॥ १२ ॥

स प्रातःसवनऽआलब्धः, आ तृतीयसवनाच्छ्रप्यमाण उपशेते । सर्वस्मिन्नेवैतद् यज्ञे रसं दधाति । सर्वं यज्ञं रसेन प्रसजति ॥ १३ ॥

अग्नीदग्नीन्विहरेति । 'अग्नीत्' इति आग्नीध्रीयात् सकाशादग्नीन् विभज्य होत्रियादिषु धिष्ण्येषु यथाक्रमं निवपेत् । एतेन निवपनेनैतानग्निरूपान् 'समिन्धे' प्रज्वालितवान् भवति । धिष्ण्यानामग्न्यात्मकत्वं तैत्तिरीयके श्रूयते–" अग्नयो वा अथ धिष्णियाः " (तै. सं. ६।३।१) इति । आग्नीध्र एव 'बर्हिः' पृष्ठ्याया उपरि स्तृणीयात् । महावेदेर्मध्ये त्रितायमाना रज्जुः पृष्ठ्या । अत्र कात्यायनः–" यथा न्युप्तं धिष्ण्येष्वाग्नीध्राद‌ङ्गारान्निवपति, अनुपृष्ठ्यां बर्हिस्तृणाति "–(का० श्रौ० सू० ९ । १६३, १६४) इति । 'स्तीर्णे बर्हिषि'–इत्यादिना 'अग्नीदग्नीन्विहर बर्हिस्तृणीहि' इति सम्प्रेष्यतोऽध्वर्योरभिप्रायः प्रदर्श्यते । पुरोडाशानलंकुर्वित्यादि । स्पष्टार्थम् ॥ ११ ॥

प्रथमाध्यायस्य पञ्चमब्राह्मणे आश्विनग्रहस्य ग्रहणकालविशेषोऽपि विहितः–" अथातो गृह्णाति या वाङ्केति "–(श. प. ४ । १ । ५ । १७) । " स्तुते बहिष्पवमाने ग्रहो गृह्यते "–इति च (श. प. ४ । १ । ५ । १५) । तदवसरप्राप्तं विशेषविधित्सयाऽनुवदति–अथ पुनः प्रपद्येत्यादि । अनूद्य तदुत्तरकाले यूपस्य परिव्ययणं विधत्ते–आश्विनं ग्रहं गृहीत्वेत्यादि । यूपं परिव्ययतीति । रशनया यूपं परितो वेष्टयेत् । यूपपरिव्ययणानन्तरं पशूपाकरणं विधत्ते–परिवीय यूपं पशुमुपाकरोतीति । विहितमुपाकरणं प्रशंसति–रसमेवेत्यादि । 'अस्मिन्' पशौ 'रसमेव' स्वादमेव 'एतद्' उपाकरणेन कृतवान् भवति । अत्रायमभिप्रायः–उपाकरणमिति देवतार्थं निर्देशः । तेन पशोर्देवतायोग्यत्वसूचनात्तद्योग्यतायाश्च रसवत्त्वमन्तरेणानुपपत्तेरुपाकरणमेव रसनिधानहेतुरिति । अत एवोपाकरणमन्त्रे–" हव्या ते स्वदन्ताम् " (वा. सं. ६।७) इत्याम्नायते ॥ १२ ॥

आलब्धस्य पशोः सवनत्रयव्यापित्वमाह–स प्रातःसवन इत्यादि । सर्वं यज्ञमित्यादि । सवनत्रयमेव सर्वो

१–आश्विनं गृह्णात्यन्वारब्धे वा या वामिति । का० श्रौ० सू० ९ । १६५ । ध्रुवगोपं कृत्वा परिव्ययणादि करोति रशनामुदग्ग्र पूर्वार्धम् का० श्रौ० सू० ९।१७२ ।

तस्मादाग्नेयमग्निष्टोमऽआलभेत । तद्धि सलोम यदाग्नेयमग्निष्टोमऽआलभेत यद्युक्थ्यः स्यादैन्द्राग्नं द्वितीयमालभेतैन्द्राग्नानि ह्युक्थानि यदि षोडशी स्यादैन्द्रं तृतीयमालभेतेन्द्रो हि षोडशी यद्यतिरात्रः स्यात्सारस्वतं चतुर्थमालभेत वाग्वै सरस्वती योषा वै वाग्योषा रात्रिस्तद्यथायथं यज्ञक्रतून्व्यावर्तयति ॥ १४ ॥

तस्मादाग्नेयमग्निष्टोमऽआलभेत । **तद्धि सलोम–यदाग्नेयम्; अग्निष्टोमऽआलभेत** । **यद्युक्थ्यः स्यात्–ऐन्द्राग्नं द्वितीयमालभेत** । **ऐन्द्राग्नानि ह्युक्थानि** । **यदि षोडशी स्यात्–ऐन्द्रं तृतीयमालभेत** । **इन्द्रो हि षोडशी** । **यद्यतिरात्रः स्यात्–सारस्वतं चतुर्थमालभेत, वाग्वै सरस्वती** । **योषा वै वाक्, योषा रात्रिः** । **तद् यथायथं यज्ञक्रतून् व्यावर्तयति** ॥ १४ ॥

यज्ञः । तत्र पशोरवस्थानेन पशोश्च रसात्मकत्वात्, तेन 'रसेन' सकलम् 'यज्ञम्' 'प्रसजति' प्रसञ्जयति मिश्रयतीत्यर्थः ॥ १३ ॥

प्रकृतस्य पशुद्रव्यस्य देवतासम्बन्धं सोपपत्तिकमाह–**तस्मादाग्नेयमिति** । **अग्निष्टोम** इति । अग्निष्टोमस्तोत्रं "यज्ञा यज्ञा वो अग्नये" (वा० सं० २७ । ४) (ऋ० सं० ४ । ८ । १)–इत्यादिकम् । तेन समाप्यत्वाद्यज्ञोऽपि 'अग्निष्टोम' इति व्यपदिश्यते । तस्मिन् "आग्नेयं पशुमालभेत"–इति यत्, 'तद्' अग्निदेवत्यपश्वालम्भनम् 'सलोम' अनुलोममुचितम् । अग्निष्टोमसाम्ना क्रतोर्व्यपदेशादिति भावः । '**तस्मादाग्नेयमालभेत**' । प्रसङ्गादुक्थ्यादिक्रतूनां पशुक्लृप्तिमाह–**यद्युक्थ्यः स्यादित्यादि** । आग्नेयमालभ्य **तस्य** '**द्वितीयमैन्द्राग्नमा**लभेत' । ऐन्द्राग्नानि ह्युक्थानीत्यनेनैन्द्राग्नपश्वालम्भने कारणमभिधीयते । 'उक्थानि' **शस्त्राणि तेषामैन्द्राग्नत्वम्** "**एह्युपब्रवाणि** ते" (वा० सं० २६ । १३)–इत्यादिष्विन्द्राग्निसम्बन्धात् इति **द्रष्टव्यम्** । **इन्द्रो हि षोडशीति** । "असावि सोम इन्द्र ते" (ऋ० सं० १।६।९)–इत्यादिकं षोडशिशस्त्रम्, **तस्येन्द्रसम्बन्धात्** । षोडशिसंस्थायाम् 'ऐन्द्रम्' पशुमाग्नेयैन्द्राग्नयोः 'तृतीयमालभेत' । **वाग्वा** इति । **सरस्वत्या रात्रेश्च स्त्री**सम्बन्धादिति द्रष्टव्यम् । रात्रेः सरस्वतीदेवत्यं पशुम् उक्तानां पशूनाम् 'चतुर्थमालभेत' । एवं च '**यज्ञक्रतून्**' इज्यन्ते देवा एभिरिति यज्ञाः, यज्ञाश्च ते क्रतवश्च यज्ञक्रतवः । तानग्निष्टोमादीन् 'यथायथम्' **यथास्वम्** । यस्य यो यो विशेषस्तमनतिक्रम्य 'व्यावर्त्तयति' व्यावृत्तान् परस्परविलक्षणान् करोति । **अत एव तैत्तिरी**यके वाजपेयेऽग्निष्टोमादियज्ञक्रत्ववरोधः स तद्व्यावर्तकपशुसम्बन्धात्–इति श्रूयते । "**ब्रह्मवादिनो वदन्ति**–नाग्निष्टोमो नोक्थ्यः, न षोडशी नातिरात्रः, अथ कस्माद्वाजपेये सर्वे यज्ञक्रतवोऽवरुध्यन्त इति, पशुभिरिति ब्रूयात् । आग्नेयं पशुमालभते । अग्निष्टोममेव तेनावरुन्धे । ऐन्द्राग्नेनोक्थ्यम् । ऐन्द्रेण षोडशिनस्तोत्रम् । **सार**स्वतेनातिरात्रम्"–(तै. ब्रा. १ । ३ । ४ । १) इति ॥ १४ ॥

१–आग्नेयोऽग्निष्टोमे सवनीयः पशुरैन्द्राग्नश्चोक्थ्ये द्वितीयः । ऐन्द्रो वृष्णिः षोडशिनि तृतीयः सारस्वती चतुर्थ्यतिरात्रे मेषी वा । एतत् स्तोमायनम् । का. श्रौ. सू. । ९ । १७२–१७५ ।

(तु) अथ सवनीयैः पुरोडाशैः प्रचरति । देवो वै सोमो दिवि हि सोमो वृत्रो वै सोम ऽआसीत्तस्यैतच्छरीरं यद्गिरयो यदश्मानस्तदेषोशाना-नामौषधिर्जायत इति ह स्माह श्वेतकेतुरौद्दालकिस्तामेतदाहृत्याभि-षुण्वन्तीति ॥ १५ ॥

स यत्पशुमालभते । रसमेवास्मिन्नेतद्दधात्यथ यत्सवनीयैः पुरोडाशैः प्रचरति मेधमेवास्मिन्नेतद्दधाति तथो हास्यैष सोम एव भवति ॥ १६ ॥

अथ सवनीयैः पुरोडाशैः प्रचरति । देवो वै सोमः । दिवि हि सोमः । वृत्रो वै सोम आसीत् । तस्यैतच्छरीरं यद्गिरयो, यदश्मानः । तदेषोशानानामौषधिर्जायते–इति ह स्माह श्वेतकेतुरौद्दा-लकिः । तामेतदाहृत्याभिषुण्वन्तीति ॥ १५ ॥

स यत्पशुमालभते–रसमेवास्मिन्नेतद्दधाति । अथ यत्सवनीयैः पुरोडाशैः प्रचरति–मेधमेवास्मि-न्नेतद्दधाति । तथो हास्यैष सोम एव भवति ॥ १६ ॥

पश्वालम्भनादुपरितनं सदःसर्पणान्तं प्रयोगमुपेक्ष्य तदनन्तरं सवनीयपुरोडाशहोमं विधत्ते–अथ सवनीयै-रित्यादि । अत्र पुरोडाशो धानाः करम्भो दध्यामिक्षेति सवनीयानि पञ्च हवींषि तेषां पुरोडाशलिङ्गसमवायात् प्राणस्यान्वायेन पुरोडाशैरिति व्यपदेशः । तथा चोक्तम्–" तत्सिद्धिजातिसारूप्यप्रशंसालिङ्गभूमिभिः । षड्भिः सर्वत्र शब्दानां गौणी वृत्तिः प्रकल्पिता ॥ " इति । सवनीयपुरोडाशानां होमं प्रशंसितुं तत्प्रयोजनाभिधि-त्सयोपोद्घातमाह–देवो वै सोम इत्यादिना । 'दिवि' स्वर्गे 'सोमः' 'आसीत्' इति प्रसिद्धम् । " तृतीयस्या-मितो दिवि सोम आसीत् "–(तै. सं. ३।५।७) इत्यादिश्रुतेः । अतो द्युलोकसम्बन्धात् 'सोमः' 'देवः' । अनेन सोमस्य महत्वमभिहितम् । स एव सोमो वृत्रासुर ' आसीत् ' । सोमस्य वृत्रात्मनोत्पत्तिस्त्वष्टुर्यज्ञे श्रूयते–"तस्य यदत्यशिष्यत तत्त्वष्टाऽहवनीयमुपप्रावर्त्तयत्स्वाहेन्द्रशत्रुर्वर्धस्व इति यदवर्त्तयत्।तद्वृत्रस्य वृत्रत्वम्" (तै. सं. २-५-२) इति । तस्य वृत्रासुरस्य पर्वताः पाषाणाश्च ' शरीरम् ' ' तत् ' तत्र ' उशानानाम ' 'एषा' इदानीं यज्ञे उप-युज्यमाना ' ओषधिर्जायते ' । तत्र वसतीति तस्या ओषधेरुषाणेति नामधेयम् । " वस निवासे "–(धा. पा. भ्वा. प. १०३०) इत्यस्मात् कानजन्तः (पा. सू. ३ । ३ । १०६) ' उषाणा ' शब्दः । ' एतद् ' एतस्मिन् काले ' ताम् ' ' आहृत्याभिषुण्वन्तीति ' उद्दालकस्यापत्यम् ' औद्दालकिः ' ' श्वेत-केतुः ' उवाच । अनेनेदानीन्तनस्य सोमस्य सोमरूपवृत्रशरीरं गिरिपाषाणजातत्वात् परम्परया सोमत्व-मित्यभिप्रायः ॥ १५ ॥

एवमुपोद्घातमभिधाय प्रसङ्गात्पश्वालम्भनसवनीयहविषां होमस्य च प्रयोजनमभिधत्ते–स यत्पशुमालभत इत्यादि । ' रसम् ' स्वादं रुचिमित्यर्थः । मेध इति सारांशः । तथो हेति । ' तथो ' ' एव ' रुचिसारयोरेव विधाने कृतेऽस्य यजमानस्य पर्वतसकाशादाहृता ओषधिः ' एष ' "देवो वै सोमो दिवि हि सोमः "–इत्युक्त-लक्षणः सोम एव भवति । ' एष ' इति विधेयसोमापेक्षया पुँल्लिङ्गत्वम् ॥ १६ ॥

सर्व्वेऽऐन्द्रा भवन्ति । (न्ती) इन्द्रो वै यज्ञस्य देवता तस्मात्सर्व्वेऽ-ऐन्द्रा भवन्ति ॥ १७ ॥

(न्त्यु) अथ यत्पुरोडाशः । (शो) धानाः करम्भो दध्यामिक्षेति भवति या यज्ञस्य देवतास्ताः सुप्रीता असन्निति ॥ १८ ॥

(ती) इदं वाऽअपूपमशित्वा कामयते । धानाः खादेयं करम्भमश्नीयां दध्यश्नीयामामिक्षामश्नीयामिति ते सर्व्वे कामा या यज्ञस्य देवतास्ताः सुप्रीता असन्नित्यथ यदेषा प्रातःसवनऽएव मैत्रावरुणी पयस्याऽवक्लृप्ता भवति नेतरयोः सवनयोः ॥ १९ ॥

सर्वेऽऐन्द्रा भवन्ति । इन्द्रो वै यज्ञस्य देवता । तस्मात्सर्वेऽऐन्द्रा भवन्ति ॥ १७ ॥

अथ यत्–पुरोडाशः, धानाः, करम्भो, दधि, आमिक्षेति भवति–या यज्ञस्य देवताः–ताः सुप्रीता असन्निति ॥ १८ ॥

इदं वा अपूपमशित्वा कामयते–धानाः खादेयम्, करम्भमश्नीयाम्, दध्यश्नीयाम्, आमिक्षामश्नीयाम्–इति । ते सर्वे कामाः–या यज्ञस्य देवतास्ताः सुप्रीता असन्निति । अथ यदेषा प्रातः सवनऽ एव मैत्रावरुणी पयस्याऽवक्लृप्ता भवति, नेतरयोः सवनयोः ॥ १९ ॥

सवनीयानां हविषां होमकाले देवताविशेषसम्बन्धमाह–सर्वे ऐन्द्रा भवन्तीति । इन्द्रो वै यज्ञस्य देवतेति । इन्द्रस्य प्राधान्यादित्यर्थः । अत एव सुब्रह्मण्याह्वाने–" त्र्यहे सुत्यामागच्छ मघवन् "(साम. तां. ब्रा.)–इत्येवमिन्द्र एवाहूयते ॥ १७ ॥

पुरोडाशादीनां नानात्वे कारणमाह–अथ यत्पुरोडाशो धाना इत्यादि । ' याः यज्ञस्य ' सवनीयपुरोडाशैः कर्त्तव्यस्य यज्ञस्य ' याः ' देवता निर्वापकाले निर्दिष्टा इन्द्रादयः । ' ताः ' ' सुप्रीताः ' सुष्टु तृप्ताः सन्त्विति पुरोडाशादयो निरूप्यन्त इत्यर्थः । ' असन् ' इति लेट् । "लेटोऽडाटौ"–(पा. सू. ३।४।९४) इत्यडागमः । " इतश्च लोपः परस्मैपदेषु "–(पा. सू. ३।४।९७) इतीकारलोपः ॥ १८ ॥

उक्तानां पुरोडाशादीनां कामनाविषयत्वकथनेन तत्प्रीतिसाधनत्वमाह–इदं वा अपूपमशित्वेत्यादि । लोके यः कश्चिज्जनः ' इदम् ' ' अपूपम् ' पिष्टनिर्मितं भक्ष्यं भक्षयित्वा एवं ' कामयते ' । ' धानाः ' भृष्टयवास्ताः ' खादेयम् ' । ' करम्भम् ' आज्यमिश्रं मन्थम् ' अश्नीयाम् ', भुञ्जीयाम् । ' दध्यश्नीयाम् ' ' आमिक्षाम् ' अश्नीयामिति । अतोऽत्रापि 'याः' 'यज्ञस्य' 'देवताः' ते सर्वेऽपि देवा एवं बहूनि वस्तूनि कामयन्ते । अतस्तासां प्रीत्यर्थं पुरोडाशादिबहुहविर्निर्वाप इत्यर्थः । प्रसङ्गान्माध्यन्दिनसवने तृतीयसवने च पयस्याया अभावं सूचयितुं तत्कारणं पृच्छति–अथ यदेषेत्यादि । 'एषां' हविषां मध्ये 'मैत्रावरुणी' आमिक्षा 'प्रातःसवन' एव ' ' अवक्लृप्ता ' युक्ता ' नेतरयोः ' ' सवनयोः ' इति यत् तद् 'अथ'तत्कारणं किमित्यर्थः ॥ १९ ॥

(गां) गायत्री वै प्रातःसवनं व्वहति । त्रिष्टुम्माध्यन्दिनᳫँ सवनं जगती तृतीयसवनं तद्वाऽअनेकाकिन्येव त्रिष्टुम्माध्यन्दिनᳫँ सवनं व्वहति गायत्र्या च बृहत्या चानेकाकिनी जगती तृतीयसवनं गायत्र्योष्णिहककुब्भ्यामनुष्टुभा ॥ २० ॥

गायत्र्येवैकाकिनी प्रातःसवनं व्वहति । सैताभ्यां पङ्क्तिभ्याᳫँ स्तोत्रपङ्क्त्या च हविष्पङ्क्त्या च चत्वार्य्याज्यानि बहिष्पवमानं पञ्चमं पञ्चपदा पङ्क्तिः सैतया स्तोत्रपङ्क्त्याऽनेकाकिनी गायत्री प्रातःसवनं व्वहति ॥ २१ ॥

(त्री) इन्द्रस्य पुरोडाशः । (शो) हर्य्योर्धानाः पूष्णः करम्भः सरस्वत्यै दधि मित्रावरुणयोः पयस्या पञ्चपदा पङ्क्तिः सैतया हविष्पङ्क्त्याऽनेका-

---

गायत्री वै प्रातःसवनं वहति, त्रिष्टुम्माध्यन्दिनं सवनम्, जगती तृतीयसवनम् । तद्वा अनेकाकिन्येव त्रिष्टुम्माध्यन्दिनं सवनं वहति-गायत्र्या च बृहत्या च अनेकाकिनी । जगती तृतीयसवनम्-गायत्र्योष्णिहककुब्भ्यामनुष्टुभा ॥ २० ॥

गायत्र्येवैकाकिनी प्रातःसवनं वहति । सैताभ्यां पङ्क्तिभ्यां-स्तोत्रपङ्क्त्या च हविष्पङ्क्त्या च । चत्वार्याज्यानि, बहिष्पवमानं पञ्चमम् । पञ्चपदा पङ्क्तिः । सैतया स्तोत्रपङ्क्त्यानेकाकिनी गायत्री प्रातःसवनं वहति ॥ २१ ॥

इन्द्रस्य पुरोडाशः, हर्योर्धानाः, पूष्णः करम्भः, सरस्वत्यै दधि, मित्रावरुणयोः पयस्या । पञ्च-

---

कारणमाह-गायत्री वै प्रातःसवनमित्यादिना । तद्वा इत्यादि । 'तत्' तत्र सवनेषु त्रिष्टुप् 'अनेकाकिन्येव' एकाकिनी, न भवतीत्यनेकाकिनी सहाययुक्तेत्यर्थः । कया अनेकाकिनी ? 'गायत्र्या' 'बृहत्या' चेति । तत्र माध्यन्दिने पवमाने-" उच्चा ते जातमन्धसः"-(वा. सं. २६ । ११) (ऋ. सं. ७।१।१९) " पुनानः सोमधारया-" ऋ. सं. ७ । १ । ३९) " प्रतुद्रवपरिकोशविमिन्य "- (ऋ. सं. ७।३।२२) एतेषां त्रयाणां तृचानां क्रमेण गायत्रीबृहतीत्रिष्टुप्छन्दोयुक्तत्वात् । तथा जगतीच्छन्दोऽपि तृतीयसवनं गायत्र्यादिभिः ससहायं सद् 'वहति' तत्र तृतीयसवने आर्भवपवमाने "स्वादिष्ठया" (वा. सं. २६ । २५)- (ऋ. सं. ६ । ७ । १६) इत्येष तृचो गायत्रीच्छन्दाः । " पवस्वमधुमत्तमम् " (ऋ. सं. ७ । ५ । १७) " इन्द्र सोम " (ऋ. सं. ७ । ७ । १०) इत्येतौ ककुप्छन्दस्कौ । " पुरोजिती वो अन्धसः "-(ऋ. सं. ७ । ५ । १) इत्येषाऽनुष्टुप्छन्दाः । 'गायत्री' तु 'एकाकिनी' असहाया 'एव' 'प्रातःसवनं' 'वहति' तत्र छन्दोऽन्तरस्याभावात् । 'सा' एषा गायत्री 'स्तोत्रपङ्क्त्या च हविष्पङ्क्त्या च' इति 'एताभ्यां पंक्तिभ्याम्' 'अनेकाकिनी' सती 'प्रातःसवनं वहति' इति योजना । चत्वार्याज्यानि इत्यादिना स्तोत्रपंक्तिस्वरूपं प्रदर्श्यते । स्तोत्रपंक्तिरिति । स्तोत्रपञ्चकम् । कथम् ? पंक्तिच्छन्दःसम्बन्धिपादगतपञ्चसंख्यासम्बन्धात् पंक्तिरिति व्यपदेशसिद्धेः ॥ २० ॥ २१ ॥

इन्द्रस्य पुरोडाश इत्यादिना हविष्पंक्तिः प्रदर्श्यते । ननु च " सर्वे ऐन्द्रा भवन्ति " इति सवनीय-

किनी गायत्री प्रातःसवनं व्वहत्येतस्या एव पङ्क्तेः सम्पदः कामाय प्रातः-सवन ऽएवैषा मैत्रावरुणी पयस्याऽवक्लृप्ता भवति नेतरयोः सवनयोः ॥२२॥

इति द्वितीयप्रपाठके चतुर्थं ब्राह्मणम् ॥ ४-२-४ ॥ (२.५)

पदा पङ्क्तिः । सैतया हविष्पङ्क्त्यानेऽकाकिनी गायत्री प्रातःसवनं वहति-एतस्या एव पङ्क्तेः सम्पदः कामाय । प्रातःसवनऽएवैषा मैत्रावरुणी पयस्यावक्लृप्ता भवति, नेतरयोः सवनयोः ॥ २२ ॥

पुरोडाशानामिन्द्र एव देवतेत्युक्तम् । तत्कथमत्र-“ इन्द्रस्य पुरोडाशः ” इत्यादिनेन्द्रादयो देवता निर्दिश्यन्त इति । उच्यते-“सर्व ऐन्द्रा भवन्ति ” इत्यनेन होमकाले इन्द्रो देवतात्वेन विधीयते । “ इन्द्रस्य पुरोडाशः ” इत्यादिना तु निर्वापकाले इन्द्रादयो देवता विधीयन्त इत्यविरोधः । यद्यपि निर्वापकाले या देवता होमकालेऽपि तयैव भवितव्यम् । तथाप्यत्र निर्वापकालीना देवता स्वकीयैर्हविर्भिरिन्द्रमेव विचिकित्सितवतीतीन्द्र एव होमस्य देवता । एतच्च तैत्तिरीयके श्रूयते-“सोऽब्रवीत् सप्तदशेन ह्रियमाणो व्यलेशिषि । भिषज्यत मा इति । तमश्विनौ धानाभिरभिषज्यताम् । पूषा करम्भेण, भारती परिवापेण, मित्रावरुणौ पयस्यया; तदाहुः-यदश्विभ्यां धानाः । पूष्णः करम्भः । भारत्यै परिवापः । मित्रावरुणयोः पयस्या । अथ कस्मादेतेषां हविषामिन्द्रमेव यजन्ति इति । एता ह्येनं देवता इति ब्रूयात् । एतैर्हविर्भिरभिषज्यंस्तस्मादिति ” (तै.शा.१।५।११।१) इति । होमकाले देवता-पनयस्येयमेवावस्था । कश्चिद्द्रव्यदेवताभेदस्तु शाखाभेदादुपपद्यते । उक्तमर्थं कारणमुपन्यस्योपसंहरति-एतस्या एव पङ्क्तेः सम्पदः कामायेत्यादि । ‘ एतस्या एव ’ हविष्पंक्तेः ‘ सम्पदः ’ सम्पादनस्य ‘ कामाय ’ काम इच्छा तत्सिद्ध्य इत्यर्थः ॥ २२ ॥

इति श्रीसायणाचार्यविरचिते माधवीये वेदार्थप्रकाशे माध्यन्दिनशतपथब्राह्मणभाष्ये चतुर्थकाण्डे द्वितीयाध्यायस्य पञ्चमं ब्राह्मणं समाप्तम् ॥४-२-५॥

वेदार्थस्य प्रकाशेन तमो हार्दं निवारयन् । पुमर्थांश्चतुरो देयाद् विद्यातीर्थमहेश्वरः ॥ १ ॥

ब्रह्माण्डं गोसहस्रं कनकहयतुलापूरुषौ स्वर्णगर्भं सप्ताब्धीन् पञ्चसीरींस्त्रिदशतरुलताधेनुसौवर्णभूमीः ।
रत्नोस्रां रुक्मवाजिद्विपमहितरथौ सायणिः सिङ्गणार्यो व्यश्राणीद्विश्वचक्रं प्रथितविधिमहाभूतयुक्तं घटञ्च ॥ १ ॥
धान्याद्रिं धन्यजन्मा तिलभवमतुलः स्वर्णजं वर्णमुख्यः कार्पासीयं कृपावान् गुडकृतमजडो राजतं राजपूज्यः ।
आज्योत्थं प्राज्यजन्मा लवणजमनृणः शार्करं चारुतेजा रत्नाढ्यो रत्नरूपं गिरिमकृत मुदा पात्रसात्सिङ्गणार्यः ॥२॥

इति श्रीमद्राजाधिराजपरमेश्वरवैदिकमार्गप्रवर्तकश्रीवीरहरिहरमहाराजसाम्राज्यधुरन्धरेण सायणाचार्येण विरचिते माधवीये वेदार्थप्रकाशे माध्यन्दिनशतपथब्राह्मणभाष्ये चतुर्थकाण्डे द्वितीयोऽध्यायः समाप्तः ॥४-२॥

१-इह संहितायामवकाशमन्त्रा एकादश पठ्यन्ते, ततो द्रोणकलशावेक्षणमन्त्रो जपनीयमन्त्रश्च । त इत्थं त्रयोदश मन्त्राः शत-पथेऽस्मिन्ब्राह्मणे अग्निष्टोमगयोऽद्रि पृष्ठ्यषडहाधिकारेण्य उपरिष्टात्कर्तव्यतया निर्दिश्यन्ते ।

तृतीयाध्याये प्रथमं ब्राह्मणम् ॥

भक्षयित्वा समपहूताः स्म इत्युक्त्वोत्तिष्ठति । पुरोडाशबृगलमादाय तद्यत्रैतदुपसन्नोऽच्छावाकोऽन्वाह तदस्मै पुरोडाशबृगलं पाणावादधदाहाच्छावाक वदस्व यत्ते वाद्यमित्यहीयत वाऽअच्छावाकः ॥ १ ॥

(स्तु)तमिन्द्राग्नीऽअनुसमतनुताम् ।(म्प्र) प्रजानां प्रजात्यै तस्मादैन्द्राग्नो- ऽच्छावाकः स ऽएतेन च हविषा यदस्माऽएतत्पुरोडाशबृगलं पाणावादधात्येतेन चार्षेयेण यदेतदन्वाह तेनानुसमश्नुते ॥ २ ॥

ऋतुग्रहाः ।

भक्षयित्वा 'समुपहूताः स्मः'–इत्युक्त्वोत्तिष्ठति पुरोडाशबृगलमादाय । तद् यत्रैतदुपसन्नोऽच्छावाकोऽन्वाह–तदस्मै पुरोडाशबृगलं पाणावादधदाह–'अच्छावाक ! वदस्व–यत्ते वाद्यम्' इति । अहीयत वाऽअच्छावाकः ॥ १ ॥

तमिन्द्राग्नीऽअनुसमतनुतां प्रजानां प्रजात्यै । तस्मादैन्द्राग्नोऽच्छावाकः । स एतेन च हविषा यदस्माऽएतत्पुरोडाशबृगलं पाणावादधाति, एतेन चार्षेयेण–यदेतदन्वाह–तेनानुसमश्नुते ॥ २ ॥

यस्य निःश्वसितं वेदा यो वेदेभ्योऽखिलं जगत् । निर्ममे तमहं वन्दे विद्यातीर्थमहेश्वरम् ॥ १ ॥

द्वितीयाध्याये शुक्रामन्थ्यादिग्रहणादिकं प्रयोगजातमभिहितम्, अत्र तृतीयाध्याये सोमशेषभक्षणानन्तरभावि कर्तव्यमुपदिश्यते । तत्र तावदध्वर्युः सवनीयपुरोडाशशकलमच्छावाकस्य पाणौ प्रक्षिपेदिति विधत्ते–भक्षयित्वेत्यादि । 'पुरोडाशबृगलं' पुरोडाशस्य शकलम् 'आदाय' 'समुपहूताः स्मः' इत्युक्त्वोत्तिष्ठेत् । सवनीयपुरोडाशभक्षणावसरे पुरोडाशस्य शकलमच्छावाकार्थं विधातव्यम् । अत एव कात्यायनः–"पुरोडाशमात्रामैन्द्रवायवे प्रास्यति पयस्यां मैत्रावरुण आश्विने धानाः"(का.श्रौ.सू.९।२४७) इति।अत्र समुपहूता इत्येतद्वचनं सोमशेषभक्षणार्थे अनुज्ञाते प्रयुज्यते । तथा च सति सोमस्य तृप्तिहेतुत्वात्तत्प्रयोगेण सोमशेषभक्षणानुज्ञानार्थेन त्वेषां सोमशेषभक्षणसूचनान्मनोहर्षप्रकटनं कृतं भवति । सोमभक्षणस्य तृप्त्यर्थत्वं "वाग् जुषाणा सोमस्य तृप्यतु हिन्व मे गात्रा हरिवः" इत्येवमादिनाऽवगम्यते । उत्थितश्च 'यत्र' यस्मिन्प्रदेशे 'उपसन्नोऽच्छावाकः' 'तत्' 'एतत्' निगदस्वरूपमन्वाह । तत्र 'अस्मै' अस्य अच्छावाकस्य 'पाणौ' पुरोडाशशकलं प्रक्षिपन् 'अच्छावाक !' 'वदस्व' 'यत्ते वाद्यम्' इति ब्रूयादित्यर्थः । पाणौ पुरोडाशशकलप्रक्षेपस्य निगदानुवचनार्थस्य च संप्रैषस्य कारणमाह–अहीयत वाऽअच्छावाक इत्यादिना । मैत्रावरुणादीनां होत्रकाणां यागसमये अच्छावाकस्याभावात्तेभ्यः 'अहीयत' हीनोऽपच्छिन्नोऽभूत् ॥ १ ॥

तम् अपच्छिन्नमच्छावाकम् 'इन्द्राग्नी अनुसमतनुताम्' तैः सह संयोजयामासतुः । तत्र संयोजनमिन्द्राग्निसम्बन्धादच्छावाकस्य मिथुनत्वे 'प्रजानां' 'प्रजात्यै' उत्पत्त्यै भवति । 'तस्मात्' 'अच्छावाकः'

१–पुरोडाशशकलमादाय समुपहूताः स्म इत्युक्त्वोत्तिष्ठति का. श्रौ. सू. ९-२६० । २–अच्छावाकायैनत्प्रयच्छन्नाहाच्छावाक वदस्व येत्त व्याद्यमिति । का. श्रौ. सू. ९-२६१ ।

स वै सुन्ने॑ऽच्छावाके॑ । (क॰ऽ) ऋतुग्रहै॑श्चरति तद्युत्सन्ने॑ऽच्छावाकऽऋतु-ग्रहै॑श्चरति मिथुनं वाऽ अच्छावाकः ऽऐन्द्राग्नो ह्यच्छावाको द्वौ हीन्द्राग्नी द्वन्द्वꣳ हि मिथुनं प्रजननꣳ स ऽएतस्मान्मिथुनात्प्रजननादृतूꣳत्संव्वत्सरं प्रजनयति ॥ ३ ॥

यद्वेव सन्ने॑ऽच्छावाके॑ । (क॰ऽ) ऋतुग्रहै॑श्चरति सर्व्वं वाऽऋतवः संव्वत्सरः सर्व्वमेवैतत्प्रजनयति तस्मात्सन्ने॑ऽच्छावाकऽऋतुग्रहै॑श्चरति ॥ ४ ॥

तान्वै द्वादश गृह्णीयात् । (द्वा) द्वादश वै मासाः संव्वत्सरस्य तस्मा-द्वादश गृह्णीयादथोऽअपि त्रयोदश गृह्णीयादस्ति त्रयोदशो मास इति द्वादश त्वेव गृह्णीयादेषैव सम्पत् ॥ ५ ॥

स वै सन्नेऽच्छावाके ऋतुग्रहैश्चरति । तद् यत्सन्नेऽच्छावाकऽऋतुग्रहैश्चरति । मिथुनं वाऽअच्छा-वाकः । ऐन्द्राग्नो ह्यच्छावाकः । द्वौ हीन्द्राग्नी । द्वंद्वं हि मिथुनं प्रजननम् । स एतस्मान्मिथुनात्प्रजनना-दृतून्त्संवत्सरं प्रजनयति ॥ ३ ॥

यद्वेव सन्नेऽच्छावाके ऋतुग्रहैश्चरति । सर्वं वाऽऋतवः संवत्सरः । सर्वमेवैतत्प्रजनयति । तस्मा-त्सन्नेऽच्छावाकऽऋतुग्रहैश्चरति ॥ ४ ॥

तान्वै द्वादश गृह्णीयात् । द्वादश वै मासाः संवत्सरस्य । तस्माद्द्वादश गृह्णीयात् । अथोऽअपि त्रयोदश गृह्णीयात्—अस्ति त्रयोदशो मास इति । द्वादश त्वेव गृह्णीयाद्—एषैव सम्पत् ॥ ५ ॥

'ऐन्द्राग्नः' इन्द्राग्निदेवताकः । न केवलं वचनमात्रेणैन्द्राग्नः; किन्तु 'यत्' 'एतत्पुरोडाशशकलं पाणावाद-धाति' 'एतेन च' यदेतदच्छावाकः अग्निमित्यादिनिगदस्वरूपमन्वाह 'एतेन' 'आर्षेयेण' ऋषिर्वेदस्तत्सम्बन्धिना निगदात्मकेन मन्त्रेण चैन्द्राग्नः । तस्मिन्निगदे "इन्द्राग्निभ्यां सोमं वोचत"—इति श्रूयमाणत्वात् । पुरोडाश-शकलं धृत्वा इन्द्राग्निप्रतिपादकस्य निगदस्यानुवचनात् पुरोडाशशकलधारणेनाप्यैन्द्राग्नः । 'तेन' ऐन्द्राग्न-निगदानुवचनेन 'अनुसमश्नुते' पश्चादपच्छिन्नोऽपि पुनस्तैर्होत्रकैः सङ्गतो भवतीत्यर्थः ॥ २ ॥

अच्छावाककर्तृकयागस्यानन्तरकालमृतुग्रहाणां यागं विधत्ते—स वै सन्नेऽच्छावाक इत्यादि । 'सन्न' इति सदनस्य यागार्थत्वात् कृतयाग इत्यर्थः । विहितमृतुग्रहयागकालं संवत्सरोत्पत्तिसाधनत्वेन प्रशंसति—तद्यत्सन्ने-ऽच्छावाक इत्यादि । स एतस्मादिति । 'सः' अध्वर्युः 'एतस्मात्' 'प्रजननात्' प्रजोत्पत्तिसाधनाच्छा-वाकरूपात् 'मिथुनात्' 'ऋतून्' 'संवत्सरं' कृत्वा ऋत्वात्मकं संवत्सरमुत्पादितवान् भवतीत्यर्थः ॥ ३ ॥

पुनरपि तमेव कालं सर्वोत्पत्तिहेतुत्वेन प्रशंसति—यद्वेव सन्नेऽच्छावाक इत्यादि । सर्वं वा ऋतवः संवत्सर इति । ऋत्वात्मकस्य संवत्सरस्य सर्वोत्पत्तिनिमित्तकारणत्वात्सर्वात्मकत्वम् ॥ ४ ॥

"ऋतुग्रहैश्चरति" इति सङ्ख्याविशेषानुपादानेन सामान्येन विधानादत्र ग्रहाणां सङ्ख्याविशेषं विधत्ते—तान्वै द्वादश गृह्णीयादित्यादि । द्वादश वै मासा इति । ऋतुग्रहाणामृतुरूपसंवत्सरात्मकत्वात्संवत्सरावयवभूतमास-

---

१–ऋतुग्रहैश्चरतो द्रोणकलशादुपयामगृहीतोऽसि मधवे त्वेति द्वादश प्रातमन्त्रम् । चरत इति द्विवचनोपदेशात्प्रतिप्रस्थाता च । द्रोणकलशादिति नियमो वचनात् । द्वादशग्रहणाच्च द्वादशानामुत्तमयोर्यौगपद्यम् । न तु त्रयोदशस्येति कर्कः । अध्वर्योः पूर्वः पूर्वो मन्त्रः । उत्तर उत्तरः प्रतिप्रस्थातुः । का. श्रौ. सू. ९ । २७०–२७२ ।

(द्रो) द्रोणकलशाद्गृह्णाति । प्रजापतिर्वै द्रोणकलशः सुऽएतस्मात्प्रजापतेर्ऋतून्त्संव्वत्सरं प्रजनयति ॥ ६ ॥

(त्यु) उभयतोमुखाभ्यां पात्राभ्यां गृह्णाति । कुतस्तुयोरन्तो येऽउभयतोमुखे तस्मादयमनन्तः संव्वत्सरः परिप्लवते तं गृहीत्वा न सादयति तस्मादयमसन्नः संव्वत्सरः ॥ ७ ॥

द्रोणकलशाद् गृह्णाति । प्रजापतिर्वै द्रोणकलशः । स एतस्मात्प्रजापतेर्ऋतून्संवत्सरं प्रजनयति ॥ ६ ॥

उभयतोमुखाभ्यां पात्राभ्यां गृह्णाति । कुतस्तयोरन्तो–येऽउभयतोमुखे । तस्मादयमनन्तः संवत्सरः परिप्लवते । तं गृहीत्वा न सादयति । तस्मादयमसन्नः संवत्सरः ॥ ७ ॥

गतद्वादशत्वसङ्ख्यैतेषां ग्रहाणां युज्यत इत्यर्थः । अत्रैव पक्षान्तरं सोपपत्तिकमाह–अथो अपीति । 'अथो' 'अपि' इत्ययं निपातसमुदायः पक्षान्तरे । 'त्रयोदशः' अधिको मासः 'अस्ति' इति हेतोः 'त्रयोदश' ग्रहान् 'गृह्णीयात्' । अधिकमासलक्षणमप्यत्र दर्शितम्–" असङ्क्रान्तावेकवर्षे द्वौ चेत्संसर्प्य आदितः । क्षयमासो द्विसङ्क्रान्तः स बार्हस्पत्यसंज्ञकः ॥" इति । पूर्वमभिहितो द्वादशपक्ष एवानुष्ठेय इत्याह–द्वादश त्वेवेत्यादि । यदेतद् द्वादशानां ग्रहणम् 'एषैव' 'संपत्' सम्पत्तिः पर्याप्तमित्यर्थः । अत्रायमभिप्रायः–चान्द्रमासपक्षे मासाधिक्यं भवति, सौरमासपक्षे तु मेषादिराशीनां द्वादशत्वाद्द्वादशैव मासा इति तत्रैवाधिको मासोऽन्तर्भवतीति द्वादशपक्ष एव पर्याप्त इति, एष च पक्षो लाघवमपेक्षमाणस्य नियम्यते । त्रयोदशमपि ग्रहीतुं यदीच्छेत्तदा त्रयोदशमपि गृह्णीयादेव । अनेनैवाभिप्रायेण कात्यायनेन सूत्रितम्–" त्रयोदशं गृह्णीयादिच्छन् " (का. श्रौ. सू. ९ । २८३) इति ॥ ५ ॥

ध्रुवग्रहग्रहणानन्तरं धाराया विरतत्वादुक्तसङ्ख्याकानृतुग्रहान्–द्रोणकलशाद् गृह्णातीति । अधाराग्रहाणां द्रोणकलशाद्ग्रहणमापस्तम्बेन सूत्रितम्–" द्रोणकलशादधारा ग्रहाः परिप्लवेया गृह्यन्ते "–इति । प्रजापतिर्वै द्रोणकलश इति । 'प्रजापतिः' समस्तस्य जगतः कारणम् । द्रोणकलशमपि सर्वेषां ग्रहाणां कारणम्, तत एव तेषां ग्रहणात् । तस्माद् 'द्रोणकलशः' प्रजापतिरूपः । अतः प्रजापत्यात्मकात् 'द्रोणकलशात्' ऋतुग्रहाणां ग्रहणे प्रजापतेः सकाशादेवर्त्वात्मकं 'संवत्सरम्' उत्पादितवान्भवतीत्यर्थः ॥ ६ ॥

ग्रहणसाधने पात्रे उभयतोमुखे भवत इत्याह–उभयतोमुखाभ्यां पात्राभ्यां गृह्णातीति । उभयतोमुखत्वस्य प्रयोजनमाह–कुतस्तयोरन्त इत्यादि । ऋतुग्रहणपात्रयोरुभयतोमुखत्वे पृष्ठभागरूपस्यावसानस्याभावादृतुग्रहात्मकः 'संवत्सरः' अपि 'अनन्तः' अनवसानः सन् पर्यावर्तते । ग्रहणानन्तरं ग्रहवत् प्राप्तं खरे सादनं निषेधति–तं गृहीत्वा न सादयतीति । तस्मादिति । 'तस्मात्' असादनात् 'अयं' 'संवत्सरः' असन्नः' अविरतो वर्तते ॥ ७ ॥

(ग्रो)नानुवाक्यामन्वाह । ह्वयति वाऽअनुवाक्ययाऽऽगतो ह्येवायमृतुर्यदि दिवा यदि नक्तं नानु वषट्करोति नेदृतूनपवृणजाऽइति सहैव प्रथमौ ग्रहौ गृह्णीतः सहोत्तमाविदमेवैतत्सर्व्वꣳ संवत्सरेण परिगृहीतस्तदिदꣳ सर्व्वꣳ संवत्सरेण परिगृहीतम् ॥ ८ ॥

नानुवाक्यामन्वाह । ह्वयति वाऽअनुवाक्यया । आगतो ह्येवायमृतुः । यदि दिवा । यदि नक्तम् । नानु वषट् करोति—नेदृतूनपवृणजाऽइति । सहैव प्रथमौ ग्रहौ गृह्णीतः । सहोत्तमौ । इदमेवैतत्सर्वं संवत्सरेण परिगृहीतः । तदिदं सर्वं संवत्सरेण परिगृहीतम् ॥ ८ ॥

ग्रहणावसरे कर्तव्यामनुवाक्यां सोपपत्तिकं निषेधति—नानुवाक्यामित्यादि[1] । अनुवाक्याऽनुवचनं हविः-स्वीकाराय देवताह्वानार्थं भवति, प्रकृतग्रहाणां तु देवता ऋत्वात्मिका, 'ऋतुः' च 'यदि' 'दिवा' 'यदि' वा 'नक्तं' भवति; तदा सर्वदा 'आगतः' 'एव' । ऋत्वन्तर्भूतस्याहोरात्रस्याभावात् । तस्मात्तदाह्वाना-र्थम् 'अनुवाक्या' अनुवाचनीयं न करणीयमित्यर्थः ।

सर्वेष्वपि ग्रहेषु वषट्कारानन्तरं "सोमस्याग्नेर्वीही वौषट्"—इत्यनेन पुनरपि स्विष्टकृदर्थं हविःशेषो हूयते सोऽनुवषट्कारः; तमत्र प्राप्तं निषेधति—नानु वषट् करोतीत्यादि । अनुवषट्कारस्याकरणे अयमभिप्रायः 'नेदृतू-नपवृणजै' अपवर्जयानीति । अनुवषट्कारे कृते देवतान्तरस्य स्विष्टकृतोऽग्नेः स्वीकारात् प्रकृता ऋत्वात्मिका देवताः परित्यक्ताः स्युः, तथा मा भूदिति । अथवा अनुवषट्कारस्य यागावसानरूपत्वात्तस्मिन्नृतूनामप्यवसानं स्यात्, अतस्तन्मा भूदिति नानुवषट्कारं कुर्यादित्यर्थः । प्रथमद्वितीययोरेकादशद्वादशयोश्च सह ग्रहणं विधत्ते—सहैवेत्यादि[2] । द्वितीयस्यापि प्रथमसन्निकर्षात् प्रथमत्वमुपचर्यते, तथैकादशस्याप्युत्तमत्वम् । अनेन प्रथमोत्त-मानां सहग्रहणविधानेनैव मध्यपातिनां ग्रहाणां पर्यायेण ग्रहणमित्यवसीयते । सहग्रहणस्य कारणमाह—इदमेवै-तादित्यादि । तदेतेन सहग्रहणेन अध्वर्युप्रतिप्रस्थातारौ 'इदमेव' 'सर्वं' जगत् संवत्सरेण 'परिगृहीतः' परितो गृहीतः । 'तत्' तस्मात् 'इदं सर्वम्' 'संवत्सरेण' 'परिगृहीतम्' परितो व्याप्तं दृश्यते । यत एव तत्सर्वं संवत्सरेण परिगृहीतं परितो व्याप्तं दृश्यते, तस्मात्तत्सिद्धये आदावन्ते च सह गृह्णीयातामित्यर्थः ।

ननु चात्र संवत्सरग्रहणं संवत्सरेण सर्वस्य परिग्रहणे हेतुत्वेनोपन्यस्तम्, तथा परिग्रहणमपि सहग्रहणस्य हेतुत्वेनोपन्यस्तमित्यन्योन्याश्रयणाद्विरोध इति चेत्, न । कारकज्ञापकयोर्हेतुहेतुमद्भाववैपरीत्यमनुकूलमेव न तु प्रति-कूलम्, यथा धूमस्याग्निः कारकहेतुः, अग्नेश्च धूमो ज्ञापकहेतुरिति । तद्वदत्रापि ग्रहयोः सहग्रहणं कारकहेतुः, संवत्सरेण जगतः परिग्रहणं ज्ञापकहेतुरित्यविरोधः । एवमेतादृशेषु विषयेषु सर्वत्रावगन्तव्यम् ॥ ८ ॥

१—यज्ञपार्श्वे कात्यायनः " ऋतुग्रहा द्विदैवत्या ये च पात्नीवतग्रहाः । आदित्यग्रहसाविमा एते नानुवषट्कृताः ॥ " इति ।
२—युगपत्प्रथमौ गृह्णीत उत्तमौ च व्यत्यासम् । मध्ये प्रचरणं च सर्व्वेषाम् । का. श्रौ. सू. ९ । २७३ ।

(तस्मि) निरेवान्यतरः क्रामति । प्रान्यतरः पद्यते तस्मादिमेऽन्वञ्चो मासा सन्त्यथ यदुभौ वा सह निष्क्रामेतामुभौ वा सह प्रपद्येयातां पृथग्घ हैवेमे मासाऽईयुस्तस्मान्निरेवान्यतरः क्रामति प्रान्यतरः प्रद्यते ॥ ९ ॥

तौ वाऽऋतुनेति षट् प्रचरतः । (स्तु) तद्देवा अहरसृजन्तऽर्तुभिरिति चतुस्तद्रात्रिमसृजन्त स यद्धैतावदेवाभविष्यद्रात्रिर्हैवाभविष्यन्न व्यवत्स्यत् ॥ १० ॥

(त्तौ) तौ वाऽऋतुनेत्युपरिष्टाद्द्विश्चरतः । (स्तु) तद्देवाः परस्तादहरदद्धुस्तस्मादिदमद्याहरथ रात्रिरथ श्वोऽहर्भविता ॥ ११ ॥

निरेवान्यतरः क्रामति, प्रान्यतरः पद्यते । तस्मादिमेऽन्वञ्चो मासा यन्ति । अथ यदुभौ वा सह निष्क्रामेताम्, उभौ वा सह प्रपद्येयाताम्--पृथग्घ हैवेमे मासा ईयुः । तस्मान्निरेवान्यतरः क्रामति, प्रान्यतरः पद्यते ॥ ९ ॥

तौ वाऽऋतुनेति षट् प्रचरतः । तद् देवा अहरसृजन्त । ऋतुभिरिति चतुः । तद्रात्रिमसृजन्त । स यद्धैतावदेवाभविष्यद्--रात्रिर्हैवाभविष्यत्--न व्यवत्स्यत् ॥ १० ॥

तौ वाऽऋतुनेत्युपरिष्टाद्द्विश्चरतः । तद् देवाः परस्तादहरदद्धुः । तस्मात् इदम् अद्याहः । अथ रात्रिः, अथ श्वोऽहर्भविता ॥ ११ ॥

अध्वर्युप्रतिप्रस्थात्रोर्निष्क्रमणं प्रवेशश्च पर्यायेण कर्तव्यावित्याह--**निरेवान्यतरः क्रामती**त्यादि । ' अन्यतरः '[1] ' निष्क्रामति ' ' अन्यतरश्च प्रपद्यते ' प्रविशति । **तस्मा**दिति । यत एवं पर्यायेण ऋतुग्रहणं निष्क्रमणं प्रवेशश्च सम्भवति, ' तस्मात् ' तदात्मका ' मासाः ' अपि ' अन्वञ्चः ' अनु पर्यायेणाञ्चन्ति गच्छन्तीत्यन्वञ्चः तादृशा भवन्ति । विपक्षे बाधं प्रदर्श्योक्तमेव निष्क्रमणप्रवेशप्रकारं द्रढयति--**यदुभौ वा सह निष्क्रामेता**मित्यादि । **पृथग्घ हैवे**ति । 'इमे' ' मासाः ' 'पृथगेव' 'ईयुः' । परस्परमसम्बद्धा 'एव' भवेयुरित्यर्थः ॥ ९ ॥

यागकाले अध्वर्युप्रतिप्रस्थात्रोः प्रैषमन्त्रानुत्पादयन्नहोरात्रसृष्टिहेतुत्वेन तान् प्रशंसति--**तौ वा ऋतुने**त्यादि । ' तौ ' अध्वर्युप्रतिप्रस्थातारौ ' ऋतुना ' प्रेष्येति 'षट्' कृत्वः प्रचरतः । अत एव तैत्तिरीयके श्रूयते--" ऋतुना प्रेष्येति षट्कृत्व आह "--(तै. सं. ६ । ५ । ३ । २) इति । अत्र प्रथमतृतीयपञ्चमेष्वध्वर्युः प्रचरेत्, द्वितीयचतुर्थषष्ठेषु प्रतिप्रस्थाता प्रचरेदित्येवं षट्कृत्वः प्रचरणम् । ' तत् ' तेन ऋतुना प्रेष्येत्यनेन च षट्कृत्वः प्रचरणेन ' देवाः ' अहःसृष्टिं कृतवन्तः । पुनश्च ' ऋतुभिः ' प्रेष्येत्यनेन चतुर्वारं प्रचरतः । अत्रापि सप्तमनवमयोरध्वर्युः, अष्टमदशमयोः प्रतिप्रस्थाता । तेन रात्रिसृष्टिं कृतवन्तः । 'एतावदेव' ऋतुभिरिति चतुर्वारप्रचरणान्तमेव यदि ' अभविष्यत् ' तदा ' रात्रिः ' ' एव ' अभविष्यत् । तथा च ' रात्रिः '

१--निष्क्रामत्येकः प्रविशतीतरः । उत्तरः उत्तरः प्रतिप्रस्थाताऽपरकालत्वात् । का० श्रौ० सू० ९ । २७४, २७५ । २--ऋतुनेति षड्प्रेष्यतः । का. श्रौ. सू. । ९ । २७८ ।

(तर्तुं) ऋतुनेति वै देवाः । (०) मनुष्यानसृजन्तऽर्तुभिरिति पशून्त्स यत्तन्मध्ये येन पशूनसृजन्त तस्मादिमे पशवऽउभयतः परिगृहीता व्वश-मुपेता मनुष्याणाम् ॥ १२ ॥

तौ वाऽऋतुनेति षट् प्रचर्य्य । (यँ) इतरथा पात्रे व्विपर्यस्येतेऽऋतुभि-रिति चतुश्चरित्वेतरथा पात्रे व्विपर्यस्येतेऽन्यतरत एव तद्देवा अहरसृज-न्तान्यतरतो रात्रिमन्यतरतऽएव तद्देवा मनुष्यानसृजन्तान्यतरतः पशून् १३

ऋतुनेति वै देवा मनुष्यानसृजन्त, ऋतुभिरिति पशून् । स यत्तन्मध्ये-येन पशूनसृजन्त । तस्मा-दिमे पशव उभयतः परिगृहीता वशमुपेता मनुष्याणाम् ॥ १२ ॥

तौ वाऽऋतुनेति षट् प्रचर्य्य, इतरथा पात्रे विपर्यस्येते । ऋतुभिरिति चतुश्चरित्वा-इतरथा पात्रे विपर्यस्येते । अन्यतरत एव तद्देवा अहरसृजन्त, अन्यतरतो रात्रिम् । अन्यतरत एव तद्देवा मनुष्यान-सृजन्त, अन्यतरतः पशून् ॥ १३ ॥

'न व्यवत्स्यत्' न व्युष्टाऽभविष्यत् । पुनरहरुपक्रमो न भवतीत्यर्थः । तस्मात् 'तौ' अध्वर्यू 'ऋतुनेत्युपरिष्टात्' द्विवारं यजतः । 'तत्' तेन 'देवाः' 'परस्तात्' रात्रेः, उपरिष्टात् 'अहः' धारयामासुः । यस्मादह्नो रात्रेः पुनरप्यह्नश्च सृष्टौ कारणम् ऋतुना ऋतुभिः ऋतुनेति क्रमेण यागः सम्पादितः 'तस्मात्' 'अद्य' इदानीम् 'इदम्' 'अहः' भवति । 'अथ' अह्नोऽनन्तरं 'रात्रिः' रात्रेरनन्तरं 'श्वः' परेद्युः, पुनरपि 'अहः' 'भविता' । तत उक्ताः प्रैषमन्त्राः प्रशस्ता इत्यर्थः । अत्र कात्यायनः- "निष्क्रामत्येकः प्रविशतीतरः । उत्तर उत्तरः प्रतिप्रस्थाताऽपरकालत्वात् । उभयतोऽध्वर्यु पात्रेण परिप्रगृह्णाति, सर्वहुताः प्रागुत्तमा-भ्याम् । ऋतुनेति षट् प्रेष्यतः । ऋतुभिरिति चतुरः पात्रमुखे विपर्यस्य । षड्ढुत्तमौ"-(का. श्रौ. सू. ९ । २७४-२८०) इति ॥ १० ॥ ११ ॥

विहितानुक्तक्रमसहितान्प्रैषमन्त्रान्प्रकारान्तरेण प्रशंसति-**ऋतुनेति वै देवा** इत्यादि । 'ऋतुनेति' 'मनु-ष्यानसृजन्त' 'ऋतुभिरिति' 'पशून्' असृजन्त । तथा च ऋतुनेत्यस्य मनुष्यसृष्टिहेतोर्मन्त्रस्याद्यन्तयोः प्रयुक्तत्वात्, ऋतुभिरित्यस्य पशुसृष्टिहेतोर्मन्त्रस्य मध्ये प्रयुक्तत्वात् 'इमे' 'पशवः' मनुष्यैः 'उभयतः' 'परिगृहीताः' पार्श्वद्वयेऽपि यत्र गच्छन्ति तत्रापि कैश्चित्स्वीक्रियन्त इति । तथाविधाः सन्तः वशमुपेताः भवन्ति ॥ १२ ॥

होममध्ये पात्रमुखयोर्विपर्यासं विधत्ते-**तौ वा ऋतुनेत्यादि** । **अन्यतरत** इति । 'अन्यतरतः' मुखात् 'ऋतुनेति' मन्त्रेण 'देवाः' अहःसृष्टिं कृतवन्तः । ततः 'अन्यतरतः' च मुखात् ऋतुभिरिति रात्रिसृष्टिं कृतवन्तः । तथा 'पशून्' 'मनुष्यान्' 'असृजन्त' तस्मात्तत्तन्मन्त्रसाधने यागे पात्रमुखे विपर्य-स्येदित्यर्थः ॥ १३ ॥

(न) अथातो गृह्णात्येव । (वो) उपयामगृहीतोऽसि मधवे त्वेत्येवाध्वर्युर्गृह्णात्युपयामगृहीतोऽसि माधवाय त्वेति प्रतिप्रस्थातैतावेव वासन्तिकौ स यद्वसन्तऽओषधयो जायन्ते वनस्पतयः पच्यन्ते तेनो हैतौ मधुश्च माधवश्च ॥ १४ ॥

(श्वो) उपयामगृहीतोऽसि । शुक्राय त्वेत्येवाध्वर्युर्गृह्णात्युपयामगृहीतोऽसि शुचये त्वेति प्रतिप्रस्थातैतावेव ग्रैष्मौ स यदेतयोर्बलिष्ठं तपति तेनो हैतौ शुक्रश्च शुचिश्च ॥ १५ ॥

(श्वो) उपयामगृहीतोऽसि । नभसे त्वेत्येवाध्वर्युर्गृह्णात्युपयामगृहीतोऽसि नभस्याय त्वेति प्रतिप्रस्थातैतावेव वार्षिकावमुतो वै दिवो वर्षति तेनो हैतौ नभश्च नभस्यश्च ॥ १६ ॥

अथातो गृह्णात्येव–" उपयामगृहीतोऽसि मधवे त्वा "–(वा. सं. ७ । ३०) इत्येवाध्वर्युर्गृह्णाति । " उपयामगृहीतोऽसि माधवाय त्वा "–(वा. सं. ७ । ३०) इति प्रतिप्रस्थाता । एतावेव वासन्तिकौ । स यद्वसन्तऽओषधयो जायन्ते, वनस्पतयः पच्यन्ते । तेनो हैतौ मधुश्च माधवश्च ॥ १४ ॥

"उपयामगृहीतोऽसि शुक्राय त्वा"–(वा. सं. ७ । ३०) इत्येवाध्वर्युर्गृह्णाति । " उपयामगृहीतोऽसि शुचये त्वा "–(वा. सं. ७ । ३०)–इति प्रतिप्रस्थाता । एतावेव ग्रैष्मौ । स यदेतयोर्बलिष्ठं तपति–तेनो हैतौ शुक्रश्च शुचिश्च ॥ १५ ॥

"उपयामगृहीतोऽसि नभसे त्वा"–(वा० सं० ७ । ३०) इत्येवाध्वर्युर्गृह्णाति । " उप-

---

इत्थमृतुग्रहाणां होमकालसङ्ख्याविशेषादिकमभिधायेदानीं प्रथमद्वितीयग्रहयोः कर्तृमन्त्रविशिष्टं ग्रहणं विधत्ते–अथातो गृह्णात्येवेत्यादि (का. श्रौ. सू. ९ । २७०–२७२) । मधुमाधवाविति चैत्रवैशाखौ, ऋतुग्रहाणां चैत्रादयो मासाः देवताः । तस्माद्दतुग्रहत्वान्मधुमाधवमासार्थं गृह्णामीति मन्त्रार्थः । एवमुत्तरत्रापि ।

चैत्रवैशाखयोर्मधुमाधवनामधेयप्राप्तिं दर्शयति–एतावेवेति । 'एतौ' उक्तौ मासौ 'वासन्तिकौ' । "वसन्ताच्च" (पा. सू. ४ । ३ । २०) इति ठञ् प्रत्ययः । 'वसन्ते' च 'ओषधयः' माधुर्यरसहेतुभूता जायन्ते । 'वनस्पतयः' च 'पच्यन्ते' स्वत एव परिपक्वा भवन्ति । कर्मकर्तरि रूपम् (पा. सू. ३ । १ । ८७) । परिपाके च माधुर्यरसोत्पत्तेरुपभोगयोग्या भवन्ति । तस्मात्तत्संबन्धी मासो 'मधुः' । 'माधवः' इति । मधुरेव माधव इति स्वार्थिकोऽण् प्रत्ययः । अथवा मधुमासस्यायं माधव इति–" तस्येदम् "–(पा. सू. ४ । ३ । १२०) इत्यण् । मधुमासानन्तरभावीत्यर्थः ॥ १४ ॥

यथोक्तगुणविशिष्टं तृतीयचतुर्थयोर्ग्रहणं विधत्ते–उपयामगृहीतोऽसीत्यादि । एतावेवेति । 'एतावेव' मासौ 'ग्रैष्मौ' ग्रीष्मर्तुसम्बन्धिनौ । एतयोर्मासयोः सूर्योऽपि 'बलिष्ठम्' अत्यन्तं 'तपति' शोचते यतः, तस्मादेतयोः 'शुक्रः' 'शुचिः' इति नामधेयम् ॥ १५ ॥

पञ्चमषष्ठयोर्ग्रहणं विधत्ते–उपयामगृहीतोऽसीत्यादि । एतावेवेत्यादि । वार्षिकाविति । " वर्षाभ्यष्ठक् "–

(श्रो) उपयामगृहीतोऽसि । (सी) इषे त्वेत्येवाध्वर्युर्गृह्णात्युपयामगृहीतोऽस्यूर्जे त्वेति प्रतिप्रस्थातैतावेव शारदौ स यच्छरद्यूर्ग्रस ऽओषधयः पच्यन्ते तेनो हैतावि॑षश्चोर्जश्च ॥ १७ ॥

(श्रो) उपयामगृहीतोऽसि । सहसे त्वेत्येवाध्वर्युर्गृह्णात्युपयामगृहीतोऽसि सहस्याय त्वेति प्रतिप्रस्थातैतावेव हैमन्तिकौ स यद्धेमन्त ऽइमाः प्रजाः सहसेव स्वं व्वशमुपनयते तेनो हैतौ सहश्च सहस्यश्च ॥ १८ ॥

(श्रो) उपयामगृहीतोऽसि । तपसे त्वेत्येवाध्वर्युर्गृह्णात्युपयामगृहीतोऽसि तपस्याय त्वेति प्रतिप्रस्थातैतावेव शैशिरौ स यदेतयोर्बलिष्ठꣳ श्यायति तेनो हैतौ तपश्च तपस्यश्च ॥ १९ ॥

यामगृहीतोऽसि नभस्याय त्वा "–(वा० सं० ७ । ३०) इति प्रतिप्रस्थाता । एतावेव वार्षिकौ, अमुतो वै दिवो वर्षति–तेनो हैतौ नभश्च नभस्यश्च ॥ १६ ॥

"उपयामगृहीतोऽसि इषे त्वा "–(वा० सं० ७ । ३०) इत्येवाध्वर्युर्गृह्णाति । "उपयामगृहीतोऽस्यूर्जे त्वा "–(वा० सं० ७ । ३०) इति प्रतिप्रस्थाता । एतावेव शारदौ । स यच्छरद्यूर्ग्रस ओषधयः पच्यन्ते–तेनो हैताविषश्चोर्जश्च ॥ १७ ॥

"उपयामगृहीतोऽसि सहसे त्वा "–(वा० सं० ७ । ३०) इत्येवाध्वर्युर्गृह्णाति । "उपयामगृहीतोऽसि सहस्याय त्वा "–(वा० सं० ७ । ३०) इति प्रतिप्रस्थाता । एतावेव हैमन्तिकौ । स यद्धेमन्त इमाः प्रजाः सहसेव स्वं वशमुपनयते–तेनो हैतौ सहश्च सहस्यश्च ॥ १८ ॥

"उपयामगृहीतोऽसि तपसे त्वा "–(वा० सं० ७ । ३०) । इत्येवाध्वर्युर्गृह्णाति ।

(पा. सू. ४ । ३ । १८)–इति ठक् प्रत्ययः । अनयोर्मासयोः 'अमुतः' 'दिवः' नभसः सकाशाद् 'वर्षति', 'तेन' मासावपि नभोनभस्याविति व्यपदिश्येते । नभस्य इति । नभोमासानन्तरं भवतीति नभस्यः । "भवे छन्दसि "–(पा. सू. ४ । ४ । ११०)–इति यत् । अथवा "वसुशब्दात्स्वार्थे यद् वक्तव्यः " इत्यत्र वसुशब्दस्य नभआदीनामुपलक्षणार्थत्वात्स्वार्थिको यत्प्रत्ययः । एवं सहस्यस्तपस्य इत्यत्राप्यवगन्तव्यम् ॥ १६ ॥

सप्तमाष्टमयोर्ग्रहणं विधत्ते–उपयामगृहीतोऽसीषे त्वेति । ऊर्जशब्दस्यैवार्थकथनम्–ओषधयः पच्यन्ते इति अनेनान्नस्योत्पत्तिः सूच्यते । इडन्नं तदस्मिन्नस्तीति इषः । ऊर्क्शब्दाभिधेयोऽन्नरसश्चास्मिन्नस्तीत्यूर्जः । मत्वर्थीयोऽकारप्रत्ययः । ग्रहणमन्त्रयोः 'इषे' 'ऊर्जे' इति यश्चतुर्थ्यन्तनिर्देशः, स तु निमित्तनैमित्तिकप्रभेदाविवक्षायां मत्वर्थीयाकारप्रत्ययाभावादुपपद्यते ॥ १७ ॥

नवमदशमयोर्ग्रहणं विधत्ते–उपयामगृहीतोऽसि सहस इत्यादि । हैमन्तिकाविति । "हेमन्ताच्च"–(पा. सू. ४।३।२१)इति छन्दसि ठञ्प्रत्ययः । स्ववशमुपनयत इति । स्वकीयं वशम् स्ववशं नयतीत्यर्थः ॥१८॥

एकादशद्वादशयोर्ग्रहणं विधत्ते–उपयामगृहीतोऽसि तपस इत्यादि । श्यायतीति । 'श्यायति' तपति शुष्यतीत्यर्थः ॥ १९ ॥

१–स्ववशमिति भाष्यपाठः ।

(श्रो) उपयामगृहीतोऽसि । (स्यथ्ँ) अथ्ँहसस्पतये त्वेति त्रयोदशं ग्रहं गृह्णाति यदि त्रयोदशं गृह्णीयादथ प्रतिप्रस्थाताऽध्वर्योः पात्रे सथ्ँस्रवमवनयत्यध्वर्युर्वा प्रतिप्रस्थातुः पात्रे सथ्ँस्रवमवनयत्याहरति भक्षम् ॥ २० ॥

(मु) अथ प्रतिप्रस्थाताऽभक्षितेन पात्रेण । (णै) ऐन्द्राग्नं ग्रहं गृह्णाति तद्यदभक्षितेन पात्रेणैन्द्राग्नं ग्रहं गृह्णाति न वाऽऋतुग्रहाणामनुवषट्कुर्वन्त्येतेभ्यो वाऽऐन्द्राग्नं ग्रहं ग्रहीष्यन्भवति तदस्यैन्द्राग्नेनैवानुवषट्कृता भवन्ति ॥ २१ ॥

यद्वेवैन्द्राग्नं ग्रहं गृह्णाति । सर्वं वाऽइदं प्राजीजनद्य ऽऋतुग्रहानग्रहीत्स इदथ्ँ सर्वं प्रजनयस्वेदमेवैतत्सर्वं प्राणोदानयोः प्रतिष्ठापयति तदिदथ्ँ

" उपयामगृहीतोऽसि तपस्याय त्वा "–(वा० सं० ७ । ३०) इति प्रतिप्रस्थाता । एतावेव शैशिरौ । स यदेतयोर्बलिष्ठं श्यायति–तेनो हैतौ तपश्च तपस्यश्च ॥ १९ ॥

" उपयामगृहीतोऽसि अंहसस्पतये त्वा "–(वा० सं० ७ । ३०) इति त्रयोदशं ग्रहं गृह्णाति–यदि त्रयोदशं गृह्णीयात् । अथ प्रतिप्रस्थाताऽध्वर्योः पात्रे संस्रवमवनयति । अध्वर्युर्वा प्रतिप्रस्थातुः पात्रे संस्रवमवनयति । आहरति भक्षम् ॥ २० ॥

अथ प्रतिप्रस्थाताऽभक्षितेन पात्रेण ऐन्द्राग्नं ग्रहं गृह्णाति । तद् यदभक्षितेन पात्रेणैन्द्राग्नं ग्रहं गृह्णाति । न वाऽऋतुग्रहाणामनुवषट्कुर्वन्ति । एतेभ्यो वाऽऐन्द्राग्नं ग्रहं ग्रहीष्यन्भवति । तदस्यैन्द्राग्नेनैवानुवषट्कृता भवन्ति ॥ २१ ॥

यद्वेवैन्द्राग्नं ग्रहं गृह्णाति । सर्वं वाऽइदं प्राजीजनत्–य ऋतुग्रहानग्रहीत् । स इदं सर्वं प्रजनय्ये-

---

त्रयोदशग्रहणपक्षे मन्त्रमाह–उपयामगृहीतोऽस्यंहसस्पतये त्वेति (का. श्रौ. सू. ९ । २८३ ।) होमानन्तरमध्वर्योः पात्रे प्रतिप्रस्थातुर्वा पात्रे शेषमवनयेदित्याह–अथ प्रतिप्रस्थातेति (का.श्रौ.सू. ९।२८३) । संस्रवशेषमाहरति–भक्षमिति । यस्मिन् 'पात्रे' शेषोऽवनीयते तत्रस्थं भक्षणार्थं सोमं सदः प्रत्याहरतीत्यर्थः ॥ २० ॥

भक्षाहरणानन्तरमैन्द्राग्नस्य ग्रहणं विधत्ते–अथ प्रतिप्रस्थातेति[1] । अभक्षितेनेति । पात्रगतस्य सोमशेषस्याभक्षितत्वात्पात्रमप्यभक्षितमित्युपचर्यते । अभक्षितपात्रेणैन्द्राग्नग्रहणे कारणमाह–तद्यदभक्षितेनेत्यादि । अनुवषट्कारे कृते ऋतूनामपवर्गः स्यादिति तयोरनुवषट्कारो न्यषेधि । " नानु वषट् करोति, नेदृतूनपवृणजै " (श. ब्रा. ४ । ३ । १ । ८) इति । तस्मादस्य यज्ञस्य सम्बन्धिन ऋतुग्रहा 'ऐन्द्राग्नेनैव 'ऐन्द्राग्नग्रहस्यानुवषट्कारेणैव 'अनुवषट्कृता भवन्ति' इति । 'एतेभ्यः' ऋतुग्रहेभ्यः 'ऐन्द्राग्नं ग्रहं ग्रहीष्यन् भवति' तत्राभक्षितेन पात्रेणैतस्य ग्रहणमन्तरेण न सम्भवतीति तेन गृह्णीयादित्यर्थः ॥ २१ ॥

ऐन्द्राग्नग्रहस्य ग्रहणं प्रयोजनान्तरेण प्रशंसति–यद्वेवैन्द्राग्नं ग्रहं गृह्णातीति । 'यः' अध्वर्युः 'ऋतु-

---

१–[illegible] कृत्वा [illegible] प्रतिप्रस्थातेन्द्राग्नं इति । का. श्रौ. सू. ९ । २८५ ।

सुर्व्वं प्राणोदानयोः प्रतिष्ठितमिन्द्राग्नी हि प्राणोदानाविमे हि द्यावापृथिवी प्राणोदानावनयोर्हीदथ्ँ सुर्व्वं प्रतिष्ठितम् ॥ २२ ॥

युद्धेवैन्द्राग्नं ग्रहं गृह्णाति । सुर्व्वं वाऽइदं प्राजीजनद्य ऽऋतुग्रहानुग्रहीत्स इदथ्ँ सुर्व्वं प्रजनयथास्मिन्नेवैतत्सुर्व्वस्मिन्प्राणोदानौ दधाति ताविमाव-स्मिन्त्सुर्व्वस्मिन्प्राणोदानौ हितौ ॥ २३ ॥

(ताव) अथातो गृह्णात्येव । (वे) इन्द्राग्नीऽआगतथ्ँ सुतं गीर्भिर्नभो व्वरेण्यम् ॥ अस्य पातं धियेषिता ॥ उपयामगृहीतोऽसीन्द्राग्निभ्यां त्वैष ते योनिरिन्द्राग्निभ्यां त्वेति सादयतीन्द्राग्निभ्याथ्ँ ह्येनं गृह्णाति ॥ २४ ॥

दमेवैतत्सर्वं प्राणोदानयोः प्रतिष्ठापयति । तदिदं सर्वं प्राणोदानयोः प्रतिष्ठितम् । इन्द्राग्नी हि प्राणोदानौ । इमे हि द्यावापृथिवी प्राणोदानौ । अनयोर्हीदं सर्वं प्रतिष्ठितम् ॥ २२ ॥

यद्वेवैन्द्राग्नं ग्रहं गृह्णाति । सर्वं वाऽइदं प्राजीजनत्–य ऋतुग्रहानग्रहीत् । स इदं सर्वं प्रजनय्यास्मिन्नेवैतत्सर्वस्मिन्प्राणोदानौ दधाति । ताविमावस्मिन्त्सर्वस्मिन् प्राणोदानौ हितौ ॥ २३ ॥

अथातो गृह्णात्येव–"इन्द्राग्नीऽआगतं सुतं गीर्भिर्नभो वरेण्यम् । अस्य पातं धियेषिता "–(वा सं. ७।३१) इति । "उपयामगृहीतोऽसीन्द्राग्निभ्यां त्वा"–(वा. सं. ७।३१) इति सादयति । इन्द्राग्निभ्यां ह्येनं गृह्णाति ॥ २४ ॥

ग्रहानग्रहीत्' । 'सः' 'इदम्' 'सर्वम' 'प्राजीजनत्' उदपादयत् । ऋतुग्रहाणां कृत्स्नजगदुत्पत्तिसाधनत्वं प्रागुक्तम् । "सर्वमेवैतत्प्रजनयति"–'इदं सर्वं प्रजनय्य' 'एतत्' ऐन्द्राग्नग्रहणेन प्राणापानयोः प्रतिष्ठापयति । तस्मादिदानीमपि प्राणापानयोः प्रतिष्ठितं वर्तते ॥

ननु कथं प्राणापानयोर्जगत् प्रतितिष्ठतीति । नात्र प्राणोदानशब्दाभ्यां प्राणवृत्तिभेदौ विवक्षितौ । किन्तु इन्द्राग्नीप्राणोदानात्मकत्वाद् द्यावापृथिव्योरपीन्द्राग्नित्वम् । द्यावापृथिव्योश्चेदं सर्वं प्रतिष्ठितम् । तस्मादैन्द्राग्नस्य ग्रहणं द्यावापृथिव्योः कृत्स्नजगत्प्रतिष्ठाहेतुत्वात्प्रशस्तमित्यर्थः ॥ २२ ॥

ऐन्द्राग्नग्रहस्य ग्रहणं प्रकारान्तरेण प्रशंसति–**यद्वेवैन्द्राग्नमित्यादि** । **ताविमावस्मिन्निति** । इन्द्राग्न्योः प्राणापानात्मकत्वादैन्द्राग्नग्रहणेन प्रजापतेः 'सर्वस्मिन्' प्राणापानौ 'दधाति' । तस्मात् 'ताविमौ' प्राणापानौ 'अस्मिन्' 'सर्वस्मिन्' निहितौ वर्तेते ॥ २३ ॥

विहितं ग्रहणमनूद्य मन्त्रं विधत्ते–**अथातो गृह्णात्येवेन्द्राग्नीऽआगतमिति** । हे इन्द्राग्नी ! 'सुतम्' अभिषुतम् । 'गीर्भिः' स्तुतिरूपाभिर्वाग्भिः 'वरेण्यम्' वरणीयम् 'नभः' लुप्तोपमानश्चैतत् । नभ इव आदित्यमिव (निरु. २।४।२) गीर्भिर्वरेण्यमिमं सोमं प्रति 'आगतम्' आगच्छतम् । "बहुलं छन्दसि"–(पा. सू. ६।४।२६) इति विकरणस्य लुक् । आगत्य च 'धिया' अस्मदीयया

१–एष मन्त्र इन्द्राग्निदैवत्ये विहितः । यदि तु अग्नीन्द्रदैवत्यो ग्रहो विधीयते तदा "आघा ये अग्निमिन्धते" इत्यादिर्मन्त्रः प्रयोज्यतया संहितायां पठ्यते ।

(त्य) अथ वैश्वदेवं ग्रहं गृह्णाति । सर्व्वं वाऽइदं प्राजीजनद्य ऽऋतुग्रहानग्रहीत्स यद्धैतावदेवाभविष्यद्यावत्यो हैवाग्रे प्रजाः सृष्टास्तावत्यो हैवाभविष्यन्न प्राजनिष्यन्त ॥ २५ ॥

(न्ता)अथ यद्वैश्वदेवं ग्रहं गृह्णाति ।(ती)इदमेवैतत्सर्व्वमिमाः प्रजा यथायथं व्यवसृजति तस्मादिमाः प्रजाः पुनरभ्यावर्तं प्रजायन्ते शुक्रपात्रेण गृह्णात्येष वै शुक्रो य एष तपति तस्य ये रश्मयस्ते विश्वे देवास्तस्माच्छुक्रपात्रेण गृह्णाति ॥ २६ ॥

(त्य) अथातो गृह्णात्येव ।(वौ) ओमासश्चर्षणीधृतो विश्वेदेवास आगत ।

वैश्वदेवग्रहः ।

अथ वैश्वदेवं ग्रहं गृह्णाति । सर्वं वाऽइदं प्राजीजनत्–य ऋतुग्रहानग्रहीत् । स यद्धैतावदेवाभविष्यत्–यावत्यो हैवाग्रे प्रजाः सृष्टाः–तावत्यो हैवाभविष्यन् । न प्राजनिष्यन्त ॥ २५ ॥

अथ यद्वैश्वदेवं ग्रहं गृह्णाति–इदमेवैतत्सर्वमिमाः प्रजा यथायथं व्यवसृजति । तस्मादिमाः प्रजाः पुनरभ्यावर्तं प्रजायन्ते । शुक्रपात्रेण गृह्णाति । एष वै शुक्रो, य एष तपति । तस्य ये रश्मयः–ते विश्वेदेवाः । तस्माच्छुक्रपात्रेण गृह्णाति ॥ २६ ॥

अथातो गृह्णात्येव–" ओमासश्चर्षणीधृतो विश्वेदेवास आगत । दाश्वांसो दाशुषः

बुद्धया 'इषिता' (पा. सू. ७ । १ । ३९) । अध्येषितौ प्रार्थितौ युवाम् 'अस्य' सोमस्य 'पातम्' सोमं पिबतम् । अत्रापि विकरणस्य लुक् (पा. सू. ६ । ४ । २६) । हे सोम ! उपयामेन दारुपात्रेण गृहीतोऽसि । त्वाम् 'इन्द्राग्निभ्याम्' गृह्णामीति शेषः । गृहीतस्य सोमरसस्य समन्त्रकं खरे सादनं विधत्ते–एष ते योनिरित्यादि । इन्द्राग्निभ्यां हीति । इन्द्राग्नी आगतमित्यादिनेन्द्राग्न्यर्थं गृहीतत्वादेष ते योनिरिन्द्राग्निभ्यामित्यनेन सादनं युज्यत इत्यर्थः ॥ २४ ॥

ऐन्द्राग्नग्रहस्य ग्रहणानन्तरं वैश्वदेवग्रहस्य ग्रहणं सार्थवादं विधत्ते–अथ वैश्वदेवं गृह्णातीत्यादि । स यद्धैतावदिति । 'एतावद्' ऋतुग्रहणान्तमेव, यदि 'अभविष्यत्' तदा 'अग्रे' पूर्वं 'यावत्यः' 'प्रजाः' 'सृष्टाः', 'तावत्यः' एवाभविष्यन् 'न' तु परम् 'प्राजनिष्यन्त' ॥ २५ ॥

अथ वैश्वदेवग्रहस्य ग्रहणेन 'इदमेव' 'सर्वम्' 'यथायथम्' यथास्वम् 'व्यवसृजति' विशेषेण प्रजा उत्पादयति । वैश्वदेवस्य सर्वदेवत्यत्वात्सर्वप्रजासृष्टिहेतुत्वम् । तस्मादिमाः प्रजाः पुनरभ्यावृत्योत्पद्यन्ते ॥

विहिते ग्रहणे साधनतया शुक्रपात्रं विधत्ते–शुक्रपात्रेण गृह्णातीत्यादि । " एष वै शुक्रः " इत्यादिकं निगदव्याख्यानम् ॥ २६ ॥

ग्रहणानुवादेन मन्त्रं विधत्ते–अथातो गृह्णात्येव ओमासश्चर्षणीधृत इति[२] । मन्त्रस्यायमर्थः–

१–वैश्वदेवग्रहे विकल्पेन प्रयोज्यौ द्वौ मन्त्रौ संहितायामाम्नायेते । इह तु ब्राह्मणे तयोरेक एवाम्नायते न द्वितीयः । स च मन्त्रः 'विश्वे देवास आगत' इत्येवमादिर्द्रष्टव्यः । २–भक्षप्रभृत्यानिधानात् कृत्वा वैश्वदेवं गृह्णाति । शुक्रपात्रेण द्रोणकलशादन्वारब्धे वौमास इति । ९ । ३०२ । ३०३ ।

दाश्वाᳫंसो दाशुषः सुतम् ॥ उपयामगृहीतोऽसि विश्वेभ्यस्त्वा देवेभ्य एषु ते योनिर्विश्वेभ्यस्त्वा देवेभ्यऽइति सादयति विश्वेभ्यो ह्येनं देवेभ्यो गृह्णाति ॥ २७ ॥

इति द्वितीयप्रपाठके पञ्चमं ब्राह्मणम् ॥ ४-२-५ ॥ (३. १.)

गृणाति ह वाऽएतद्धोता यच्छᳫंसति । तस्माऽएतद्गृणते प्रत्येवाध्वर्यु-रागृणाति तस्मात्प्रतिगरो नाम ॥ १ ॥

तं वै प्राञ्चमासीनमाह्वयते । सर्वे वाऽअन्यऽउद्गातुः प्राञ्चऽआर्त्विज्यं कुर्वन्ति तथो हास्यैतत्प्रागेवार्त्विज्यं कृतं भवति ॥ २ ॥

सुतम् । उपयामगृहीतोऽसि विश्वेभ्यस्त्वा देवेभ्यः, एष ते योनिर्विश्वेभ्यस्त्वा देवेभ्यः "–(वा. सं. ७ । ३३ ।) इति सादयाति । विश्वेभ्यो ह्येनं देवेभ्यो गृह्णाति ॥ २७ ॥

अथ माध्यन्दिनसवनग्रहाः ।

गृणाति ह वाऽएतद्धोता–यच्छंसति । तस्माऽएतत्–गृणते प्रत्येवाध्वर्युरागृणाति । तस्मात् प्रतिगरो नाम ॥ १ ॥

तं वै प्राञ्चमासीनमाह्वयते । सर्वे वाऽअन्यऽउद्गातुः प्राञ्च आर्त्विज्यं कुर्वन्ति, तथो हास्यैतत् प्रागेवार्त्विज्यं कृतं भवति ॥ २ ॥

' ओमासः ' अवतेर्मन्प्रत्यये " ज्वरत्वर "–(पा. सू. ६ । ४ । २०) इत्यादिना ऊठादेशे गुणे असुकि (पा. सू. ७।१।५०) च कृते जसि "ओमासः" इति । निपातनात् क्वस्वन्तस्य रूपम् " दाशुष " इति । दानशीलास्तादृशाः ' विश्वे देवाः ' यूयं ' दाशुषः ' यागदानादिकरणशीलस्य यजमानस्य ' सुतम् ' अभिषुतं सोमं प्रति ' आगत ' आगच्छत " बहुलं छन्दसि " (पा. सू. २ । ४ । ७६) इति विकरणस्य लुक् । हे सोम ! त्वम् 'उपयामगृहीतोऽसि '–इति त्वाम् ' विश्वेभ्यः ' ' देवेभ्यः ' गृह्णामि । गृहीतस्य सोमस्य खरे सादनं समन्त्रकमाह–एष ते योनिरित्यादि ॥ २७ ॥

इति श्रीसायणाचार्यविरचिते माधवीये वेदार्थप्रकाशे माध्यन्दिनशतपथब्राह्मणभाष्ये चतुर्थकाण्डे तृतीयाध्याये प्रथमं ब्राह्मणम् ॥ (४-३-१)

प्रथमे ब्राह्मणे ऋतुग्रहैन्द्राग्नवैश्वदेवग्रहा विहिताः । तत्रैन्द्राग्नवैश्वदेवयोः होत्रा शस्त्रं पठनीयम् । तत्रैवाध्वर्युणा शंसनकाले प्रतिगरः कर्तव्यः । स्तोत्रं द्वितीये ब्राह्मणेऽभिधीयते । तत्र तावदादौ प्रतिगरं विद्वानस्तच्छब्दं निर्वक्ति–गृह्णाति ह वा इत्यादि । होता शंसतीति । ' यत् ' एतत् ' गृणाति ' ' ह ' ' वै ' शब्दायते । ' तस्मै ' होत्रे ' अध्वर्युः ' ' एतत् ' प्रत्यागृणीयात् प्रतिशब्दायेत । अतः प्रतिगरशब्दो व्युत्पन्न इत्यर्थः॥ १॥

प्राञ्चमासीनमध्वर्युं प्रति शस्त्रमुपक्रमेतेत्याह–तं वै प्राञ्चमित्यादि। आहूयत इति। शोंऽसावोमित्येष आहावः शस्त्रस्योपक्रमे प्रयुज्यते तमुच्चारयेदित्यर्थः । सर्वे वा इति । उद्गातृव्यतिरिक्ताः ' सर्वे ' ' प्राञ्चः ' एव

प्रजापतिर्वाऽउद्गाता । योषऽऋग्घोता सुऽएतत्प्रजापतिरुद्गाता योषायामृचि होतरि रेतः सिञ्चति यत्स्तुते तद्धोता शस्त्रेण प्रजनयति तच्छ्यति यथाऽयं पुरुषः शितस्तद्यदेनच्छ्यति स्तुमाच्छस्त्रं नाम ॥ ३ ॥

तदुपपल्युय्य प्रतिगृणाति । (तौ)इदमेवैतद्रेतः सिक्तमुपनिमदत्यथ यत्पराङ्तिष्ठन्प्रतिगृणीयात्पराग्घ हैवैतद्रेतः सिक्तं प्रणश्येत्तन्न प्रजायेत सम्यङ्ङाऽउ चैवैतद्भूत्वैतद्रेतः सिक्तं प्रजनयतः ॥ ४ ॥

प्रजापतिर्वाऽउद्गाता, योषऽऋग्घोता । स एतत्प्रजापतिरुद्गाता योषायामृचि होतरि रेतः सिञ्चति । यत्स्तुते तद्धोता—शस्त्रेण प्रजनयति । तच्छ्यति—यथाऽयं पुरुषः शितः । तद् यदेनच्छ्यति—तस्माच्छस्त्रं नाम ॥ ३ ॥

तदुपपल्यय्य प्रतिगृणाति । इदमेवैतद्रेतः सिक्तमुपनिमदति । अथ यत् पराङ्तिष्ठन्प्रतिगृणीयात् । पराग्घ हैवैतद्रेतः सिक्तं प्रणश्येत् । तन्न प्रजायेत । सम्यङ्ङाऽउ चैवैतद् भूत्वैतद्रेतः सिक्तं प्रजनयतः ॥ ४ ॥

आर्त्विज्यम् ' ऋत्विक्कर्म ' कुर्वन्ति ' । ' तथा ' च सत्यत्रोपक्रमकाले ' प्राक् ' आसनेनोपरिष्टात् प्रतिगरे प्रत्यङ्मुखेऽपि तेन ' प्रागेव ' ऋत्विक्कर्म ' कृतं ' ' भवति ' । अत्र कात्यायनः—" निर्हृत्य पात्रं होतुः पुरस्तात्प्राङास्ते, अभिहुतः शोꣳसावोमित्यावृत्त्योथामो दैवेति प्रतिगृणाति प्रणवावसानयोः, ओमिति वा "—(का० श्रौ० सू० ९ । २९३–२९४) इति । आश्वलायनोऽपि—" पराङध्वर्यावावृत्ते " इत्युपक्रम्य " अनभिहिङ्कृत्य शोꣳसावोमित्युच्चैराहूय—" इति ॥ २ ॥

प्रसङ्गात्स्तोत्रशस्त्रयोः पौर्वापर्यमुपजीव्य शस्त्रशब्दं निर्वक्ति—**प्रजापतिर्वा** इत्यादि । ' उद्गाता ' इत्यनेन गाननिष्पाद्यं साम लक्ष्यते । तच्च प्राजापत्यात्मकमिति प्रसिद्धम् । " प्रजापतिः साम बृहस्पतिरुद्गाता " (तै. सं. ३।३।२)—इति श्रुतेः । प्रजापतेश्च सर्वसृष्टिहेतुत्वात्पतिरिति तदात्मकं सामापि पतिः । 'होता' 'ऋक्' 'योषा' । निष्पाद्यनिष्पादकभावभेदाविवक्षया ऋचो होत्रात्मकत्वम् । ऋक्सामयोर्जायापतित्वमैतरेयके श्रूयते—" ऋक्त्वा वा इदमग्रे साम चास्तां सैव नाम ऋगासीदमो नाम साम सा वा ऋक् सामोपावदन्मिथुनं सम्भवाव प्रजात्यै " इत्युपक्रम्य " ते द्वे भूत्वोपावदताम् " इति । तच्छ्यतीत्यस्यैव व्याख्यानम्—' यथाऽयम् ' पुरोवर्ती ' पुरुषः ' ' शितः ' तीक्ष्णीकृतोऽवयवभागेन स्पष्टीकृतः । तथा शस्त्रेण ' तद् ' रेतः ' श्यति ' स्पष्टीकरोति । यत एवम् ' तस्मात् ' श्यत्यनेनेति शस्त्रमिति ऋक्समुदायस्य नामधेयम् । " शो तनूकरणे " (धा. पा. दि. प. ३९) इत्यस्मात् त्रप्रत्यये टिलोपे असुगागमे च कृते ' शस्त्रम् ' इति भवति ॥ ३ ॥

प्रतिगरावसरेऽध्वर्योः पर्यावृत्तिं विधत्ते **तदुपपल्यय्येति** । प्रागासीनोऽध्वर्युः पर्यावृत्य प्रतिगृणीयात् । " उपसर्गस्यायतौ "—(पा. सू. ८।२।१९) इति रेफस्य लत्वम् । ' एतत् ' एतेन ' इदम् ' समासिक्तं 'रेतः' एव 'उपनिमदति' तर्पयति समर्द्धयति । ' मद तृप्तियोगे ' (धा. पा. चु. आ. १७२) । होतृकर्तृकं शंसनं रेतसः समर्थने कारणमित्युक्तम् । प्रतिगरस्यापि प्रतिशंसनत्वात्सोऽपि रेतसः समर्थने कारणमिति भावः ।

(तो) यातयामानि वै देवैश्छन्दाᳫँसि । छन्दोभिर्हि देवाः स्वर्गं लोकᳫँ समाश्नुवत मदो वै प्रतिगरो यो वाऽऋचि मदो यः सामन्रसो वै स तच्छन्दःस्वेवैतद्रसं दधात्ययातयामानि करोति तैरयातयामैर्यज्ञं तन्वते ॥ ५ ॥

तस्माद्यदर्धर्चशः शᳫँसेत् । (द) अर्धर्चेऽर्धर्चे प्रतिगृणीयाद्यदि पच्छः शᳫँसेत्पदेपदे प्रतिगृणीयाद्यत्र वै शᳫँसन्नवानिति तदसुररक्षसानि यज्ञमन्ववचरन्ति तत्प्रतिगरेण संदधाति नाष्ट्राणाᳫँ रक्षसामनन्ववचाराय यजमानस्यो चैवैतद्भ्रातृव्यलोकं छिनत्ति ॥ ६ ॥

यातयामानि वै देवैश्छन्दांसि । छन्दोभिर्हि देवाः स्वर्गं लोकं समाश्नुवत । मदो वै प्रतिगरः । यो वाऽऋचि मदः, यः सामन् । रसो वै सः । तच्छन्दःस्वेवैतद्रसं दधाति—अयातयामानि करोति । तैरयातयामैर्यज्ञं तन्वते ॥ ५ ॥

तस्माद्यदर्धर्चशः शंसेत्—अर्धर्चेऽर्धर्चे प्रतिगृणीयात् । यदि पच्छः शंसेत्—पदे पदे प्रतिगृणीयात् । यत्र वै शंसन्नवानिति—तदसुररक्षसानि यज्ञमन्ववचरन्ति । तत् प्रतिगरेण सन्दधाति—नाष्ट्राणां रक्षसामनन्ववचाराय । यजमानस्यो चैवैतद्भ्रातृव्यलोकं छिनत्ति ॥ ६ ॥

प्रतिगरेऽध्वर्योः पराक्त्वे बाधमुपन्यस्योक्तां पर्यावृत्तिं द्रढयति—**अथ यत्पराङि**त्यादि । **सम्यञ्चा उ** इति । पर्यासौ सत्यां 'सम्यञ्चौ' परस्परं साम्मुख्ये वर्तमानौ 'एत' 'रेतः' 'प्रजनयतः' । **सम्यञ्चा उ चैवे**ति "लोपः शाकल्यस्य" (पा. सू. ८ । ३ । १९) इति वकारलोपः । "पूर्वत्रासिद्धम्" (पा. सू. ८।२।१) इति वकारलोपस्यासिद्धत्वादाद्गुणो न भवति ॥ ४ ॥

विहितं प्रतिगरं छन्दःसम्बन्धिरसरूपेण प्रशंसति—**यातयामानि वा** इत्यादि । **छन्दोभिर्हीति** । 'छन्दोभिः' साधनैः 'देवाः' 'स्वर्गं लोकम्' प्राप्नुवन्निति प्रसिद्धम् । "छन्दोभिर्वै देवाः स्वर्गं लोकमायन्"—(तै. सं. ५ । २ । ३) इति श्रुतेः । **सामन्निति**—"सुपां सुलुक्"—(पा. सू. ७ । १ । ३९) इत्यादिना सप्तम्या लुक् । 'रसो वै सः' इति मदशब्दस्यार्थकथनम् ॥ ५ ॥

प्रतिगरस्य कालं विधत्ते—**तस्मादि**त्यादि । 'यद्यर्द्धर्चशः' अर्द्धर्चमर्द्धर्चं शंसेत् । तदा अर्द्धर्चं प्रतिगृणीयात् । 'यदि पच्छः' पदं 'शंसेत्' तदा 'पदे पदे प्रतिगृणीयात्' । अर्द्धर्चशः पच्छ इति "सङ्ख्यैकवचनाच्च वीप्सायाम्" (पा. सू. ५ । ४ । ४३) इति शस्प्रत्ययः । अवसानेषु प्रतिगरोच्चारणस्य कारणमाह—**यत्र वै शंसन्निति** । 'यत्र' च 'चरन्ति' अनुप्रविशन्ति । **नाष्ट्राणामिति** । नाशकानां 'रक्षसाम्' अननुप्रवेशाय । एवम् 'यजमानस्य' 'एव' शत्रुजनप्रवेशनिवारणादपहन्ति । तस्माद्धोता यत्रावस्येत् तत्र प्रतिगृणीयादित्यर्थः ॥ ६ ॥

चतुरक्षराणि ह वाऽअग्रे च्छन्दाᳬंस्यासुः । (स्तु) ततो जगती सोममुच्छापतत्सा त्रीण्यक्षराणि हित्वाऽऽजगाम ततस्त्रिष्टुप्सोममच्छापतत्सैकमक्षरᳬं हित्वाऽऽजगाम ततो गायत्री सोममच्छापतत्सैतानि चाक्षराणि हरन्त्यागच्छत्सोमं च ततोऽष्टाक्षरा गायत्र्यभवत्तस्मादाहुरष्टाक्षरा गायत्रीति ॥ ७ ॥

तया प्रातःसवनमतन्वत । तस्माद्गायत्रं प्रातःसवनं तयैव माध्यन्दिनᳬं सवनमतन्वत ताᳬं ह त्रिष्टुबुवाचोप त्वाऽहमायानि त्रिभिरक्षरैरुप माऽऽह्वयस्व मा मा यज्ञादन्तर्गा इति तथेति तामुपाह्वयत तत ऽएकादशाक्षरा त्रिष्टुबभवत्तस्मादाहुस्त्रैष्टुभं माध्यन्दिनᳬं सवनमिति ॥ ८ ॥

तयैव तृतीयसवनमतन्वत । ताᳬं ह जगत्युवाचोप त्वाऽहमायान्येकेनाक्षरेणोप माऽऽह्वयस्व मा मा यज्ञादन्तर्गाऽइति तथेति तामुपाह्वयत ततो द्वादशाक्षरा जगत्यभवत्तस्मादाहुर्जागतं तृतीयसवनमिति ॥ ९ ॥

चतुरक्षराणि ह वाऽअग्रे छन्दांस्यासुः । ततो जगती सोममच्छापतत् । सा त्रीण्यक्षराणि हित्वाऽऽजगाम । ततस्त्रिष्टुप्सोममच्छापतत् । सैकमक्षरं हित्वाऽऽजगाम । ततो गायत्री सोममच्छापतत् । सैतानि चाक्षराणि हरन्त्यागच्छत् सोमं च । ततोऽष्टाक्षरा गायत्र्यभवत् । तस्मादाहुरष्टाक्षरा गायत्रीति ॥ ७ ॥

तया प्रातःसवनमतन्वत । तस्माद् गायत्रं प्रातःसवनम् । तयैव माध्यन्दिनं सवनमतन्वत । तां ह त्रिष्टुबुवाच–उप त्वाऽहमायानि त्रिभिरक्षरैः, उप माऽऽह्वयस्व, मा मा यज्ञादन्तर्गा इति । तथेति तामुपाह्वयत । तत एकादशाक्षरा त्रिष्टुबभवत् । तस्मादाहुः–त्रैष्टुभं माध्यन्दिनं सवनमिति ॥ ८ ॥

तयैव तृतीयसवनमतन्वत । तां ह जगत्युवाच–उप त्वाऽहमायान्येकेनाक्षरेण, उप माऽऽह्वयस्व । मा मा यज्ञादन्तर्गा इति । तथेति तामुपाह्वयत ततो द्वादशाक्षरा जगत्यभवत् । तस्मादाहुर्जागतं तृतीयसवनमिति ॥ ९ ॥

प्रसङ्गात्प्रातःसवनादीनां क्रमेण गायत्रत्रैष्टुभजागतत्वानि प्रदर्शयन् सवनत्रयेऽपि प्रतिगरे विशेषं वक्तुं प्रस्तौति–**चतुरक्षराणि ह वा** इत्यादि । **सोममच्छापतदि**ति । 'सोमम्' अभिलक्ष्याऽऽगच्छत् । **उप त्वाऽह**मिति । 'अहम्' त्वाम् 'उपायानि' त्वत्समीपम् आगमिष्यामि 'त्रिभिरक्षरैः' युक्तां माम् 'उपाह्वयस्व' आमन्त्रयस्व । 'मा' माम् 'यज्ञात्' 'मा' 'अन्तर्गाः' यज्ञादन्तरितां मा कार्षीरित्यर्थः । 'ततः' त्रिष्टुबाह्वानानन्तरम् 'गायत्री' त्रिष्टुप्सम्बन्धिभिस्त्रिभिरक्षरैर्युक्ता सती 'त्रिष्टुबभवत्' । 'तस्माद्' 'माध्यन्दिनम्' 'सवनम्' 'त्रैष्टुभम्'–इत्याहुः । यद्यप्यत्र गायत्र्याः प्राधान्यात्तथैव व्यपदेशो युज्यते । तथापि त्रिष्टुबक्षरसम्बन्धाद्गायत्र्यास्त्रिष्टुप्त्वे सति विशेषेण व्यपदेशो भवतीति त्रैष्टुभमिति व्यपदिश्यते । एवमेव 'जागतं तृतीयसवनम्' इत्यत्रापि ॥ ७–९ ॥

तदाहुः। (गां) गायत्राणि वै सर्वाणि सवनानि गायत्री ह्येवैतदुपसृजमानैदिति तस्मात्सᳬंसिद्धं प्रातःसवने प्रतिगृणीयात्सᳬंसिद्धा हि गायत्र्यागच्छत्सकृन्मद्वन्माध्यन्दिने सवनऽएकᳬंहि साऽक्षरᳬंहित्वाऽऽगच्छत्तेनैवैनामेतत्समर्धयति कृत्स्नां करोति ॥ १० ॥

यत्र त्रिष्टुभः शस्यन्ते। त्रिमद्वत्तृतीयसवने त्रीणि हि साऽक्षराणि हित्वाऽऽगच्छत्तैरेवैनामेतत्समर्धयति कृत्स्नां करोति ॥११॥ [शतम् २५००॥]

यत्र द्यावापृथिव्यᳬं शस्यते। (तऽ) इमे ह वै द्यावापृथिवीऽइमाः प्रजा ऽउपजीवन्ति तदनयोरेवैतद्द्यावापृथिव्यो रसं दधाति ते रसवत्याऽउपजीवनीयेऽइमाः प्रजाऽ उपजीवन्ति स वाऽओ ३ मित्येव प्रतिगृणीयात्तद्धि सत्यं तद्देवा विदुः ॥ १२ ॥

तदाहुः—गायत्राणि वै सर्वाणि सवनानि। गायत्री ह्येवैतदुपसृजमानैदिति। तस्मात्संसिद्धं प्रातःसवने प्रतिगृणीयात्। संसिद्धा हि गायत्र्यागच्छत्। सकृन्मद्वन्माध्यन्दिने सवने। एकं हि साऽक्षरं हित्वाऽऽगच्छत्। तेनैवैनामेतत्समर्धयति—कृत्स्नां करोति ॥ १० ॥

यत्र त्रिष्टुभः शस्यन्ते। त्रिमद्वत्तृतीयसवने। त्रीणि हि साऽक्षराणि हित्वाऽऽगच्छत्। तैरेवैनामेतत्समर्धयति कृत्स्नां करोति ॥ ११ ॥

यत्र द्यावापृथिव्यं शस्यते। इमे ह वै द्यावापृथिवी इमाः प्रजा उपजीवन्ति। तदनयोरेवैतद् द्यावापृथिव्यो रसं दधाति। ते रसवत्याऽउपजीवनीयेऽइमाः प्रजा उपजीवन्ति। स वै "ओ३म्" इत्येव प्रतिगृणीयात्। तद्धि सत्यम्। तद्देवा विदुः ॥ १२ ॥

तदाहुरिति। यतो 'गायत्री' 'एव' छन्दोऽन्तरसंबन्धिभिरक्षरैरुपसृष्टा सती 'ऐत्' सवनान्तरं प्राप्नोत्। तस्मात्सर्वाणि सवनानि संभूय गायत्राणीत्यप्याहुरित्यर्थः। इत्थमुपोद्घातमुक्त्वा प्रकृते प्रतिगरसवनत्रयेऽपि विशेषमाह—**तस्मा**दित्यादि। यतो 'गायत्री' 'संसिद्धा' सोमाहरणार्थं गत्वा स्वकीयान्यक्षराण्यपरित्यज्याविकृता सती 'आगच्छत्'। 'तस्मात्' कारणाद् गायत्रे 'प्रातःसवने' 'संसिद्धम्' अविकृतं विधास्यमानम् "ओ३म्" इत्येव 'प्रतिगृणीयात्'। माध्यन्दिने सवने तु प्रतिगरस्थाने 'सकृत्' एकवारम् 'मद्वत्' मदिधातुयुक्तं मदामो दैवेति प्रतिगरः। 'एतत्' एतेन 'एव' हीनेनाक्षरेण 'एनाम्' त्रिष्टुभम् 'समर्द्धयति'। अस्यैव व्याख्यानम् 'कृत्स्नां करोति'—इति ॥ १० ॥

यत्र त्रिष्टुभः शस्यन्त इति। अनेनोक्तस्य प्रतिगरस्य कालः प्रदर्श्यते। अत्र कात्यायनः—"जनिष्ठा उग्र इत्येतस्यां मदामो दैवेति प्रतिगरः सकृत्," "तत्स्थाने त्रिःकृत्वो"—(का. श्रौ. सू. १० । ७२–७३) इति। "जनिष्ठा उग्र" इत्येषा त्रिष्टुप् (वा. सं. ३३ । ६४)—'त्रिमद्वद्' इत्यादिकं विस्पष्टार्थम् ॥ ११ ॥

"**यत्रे**ति। 'यत्र' 'द्यावापृथिव्यां शस्यते' तत्र **मदामो दैवेति** त्रिः प्रतिगृणीयादित्यर्थः। अत एव कात्यायनः—"प्र द्यावा यज्ञैरित्येतासु मदामो दैवेति त्रिः प्रतिगरः"—(का. श्रौ. सू. १० । ११९) इति।

(स्त) तद्धैके । (क ऽओ) ओथामो दैव व्वागिति प्रतिगृणन्ति व्वाक्प्रतिगर ऽएतद्वाचमुपाप्नुमऽ इति व्वदन्तस्तदु तथा न कुर्याद्यथा वै कथा च प्रतिगृणात्युपाप्तैवास्य व्वाग्भवति व्वाचा हि प्रतिगृणाति तस्मादो ३ मित्येव प्रतिगृणीयात्तद्धि सत्यं तद्देवा व्विदुः ॥ १३ ॥

इति द्वितीयप्रपाठके षष्ठं ब्राह्मणम् ॥ ४-२-६ ॥ (३. २.) ॥

इहा ३ऽइहा ३ऽइत्यभिषुणोति । (त्री) इन्द्रमेवैतदाच्यावयति बृहद्बृहदितीन्द्रमेवैतदाच्यावयति ॥ १ ॥

तद्धैके—ओथामो दैव वागिति प्रतिगृणन्ति । वाक्प्रतिगरः । एतद्वाचमुपाप्नुम इति वदन्तः । तदु तथा न कुर्यात् । यथा वै कथा च प्रतिगृणाति—उपाप्तैवास्य वाग्भवति । वाचा हि प्रतिगृणाति । तस्माद् "ओ३म्" इत्येव प्रतिगृणीयात् । तद्धि सत्यम् । तद्देवा विदुः ॥ १३ ॥

शुक्रः, मन्थी, आग्रयणः, मरुत्वतीयः, उक्थ्यः ।

"इहा ३ऽ इहा ३ऽ" इत्यभिषुणोति—इन्द्रमेवैतदाच्यावयति । बृहद्बृहदिति—इन्द्रमेवैतदाच्यावयति ॥ १ ॥

इत्थं प्रतिगरस्य कालादिकं विधाय तत्स्वरूपं विधत्ते—स वा ओमित्येवेति । तद्धि सत्यमिति । 'तद्' 'ओम्'—इत्येतदक्षरं 'सत्यम्' अविनश्वरं ब्रह्मेति प्रसिद्धम् । 'तद्' ब्रह्म 'देवाः' 'विदुः' जानन्ति । तस्माद्ब्रह्मरूपत्वेन प्रशस्तत्वादोमिति तत्प्रतिगृणीयादित्यर्थः । अत एव तैत्तिरीयके उपासनाकाण्डे श्रूयते—"ओमिति ब्रह्म, ओमित्यध्वर्युः प्रतिगरं प्रतिगृणाति" (तै, आ. शी. व.) ॥ १२ ॥

प्रतिगरे केषाञ्चिच्छाखिनां सोपपत्तिकं मतं निराकर्तुमनुवदति—तद्धैक इत्यादि । एतत्तस्मिन्प्रतिगरे 'ओथामो दैव वागिति प्रतिगृणन्ति' ते चात्रेमामुपपत्तिं वदन्ति । 'एतद्' ओथामो दैवेत्येतद्वाक्यं वाक्शब्दयुक्तत्वाद् 'वाक्प्रतिगरः' अतो 'वाचम्' प्राप्नुम इति ॥

उपन्यस्तं मतं निराकृत्य स्वमतं निगमयति—तदु तथा न कुर्यादित्यादि । यथा वै कथा च । 'यथा' 'कथा' येन केन प्रकारेण प्रतिगृणीयात् । न तु वाक्छब्दयुक्तः प्रतिगर एवेति नियमः । यतो वाचैव प्रतिगरः कर्तव्यः । वाचमन्तरेण प्रतिगरयितुमशक्यत्वात् अतस्तेनैव 'अस्य' अध्वर्योः 'वाक्' 'उपाप्ता' 'भवति' । 'तस्माद्' ब्रह्मात्मकत्वेन प्रशस्तत्वाद् 'ओ३म्' इत्येव प्रतिगृणीयात् । कात्यायनस्तु अत्र निराकृतं वाक्प्रतिगरपक्षं शाखान्तरीयत्वाद्विकल्पेन सूत्रयामास—"ओथामो दैवेति प्रतिगृणाति प्रणवावसानयोः, ओमिति वा, शस्त्रान्ते नित्यम्, वागन्तो वा पूर्वः,–(का. श्रौ. सू. ९।२९४–२९७ ।) इति । १३ ॥

इति श्रीसायणाचार्यविरचिते माधवीये वेदार्थप्रकाशे माध्यन्दिनशतपथब्राह्मणभाष्ये चतुर्थकाण्डे तृतीयाध्यये द्वितीयं ब्राह्मणम् ॥ (४–३–२) ॥

ऐन्द्राग्नवैश्वदेवग्रहौ विधाय तत्रत्ययोः शस्त्रयोः प्रतिगरापेक्षायां तत्प्रकारो गते ब्राह्मणेऽभिहितः । वैश्वदेवग्रहानन्तरमुक्थ्ययागो विधातव्यः । स तु ग्रहणप्रसङ्गात्पूर्वमेवाऽभिहितः । अत उक्थ्यग्रहान्तं प्रातःसवनं सन्तिष्ठते ।

१–"अभिहुतः शो३सावेत्यावृत्य" इति सूत्रस्यादिः ।

स शुक्रामन्थिनौ प्रथमौ गृह्णाति । शुक्रवद्ध्येतत्सवनमथाग्रयणꣳ सर्वेषु ह्येष सवनेषु गृह्यतेऽथ मरुत्वतीयमथोक्थ्यमुक्थ्यानि ह्यत्रापि भवन्ति ॥ २ ॥

तद्धैके । (क८) उक्थ्यं गृहीत्वाऽथ मरुत्वतीयं गृह्णन्ति तदु तथा न कुर्यान्मरुत्वतीयमेव गृहीत्वाऽथोक्थ्यं गृह्णीयात् ॥ ३ ॥

स शुक्रामन्थिनौ प्रथमौ गृह्णाति । शुक्रवद्ध्येतत्सवनम् । अथाग्रयणम् । सर्वेषु ह्येष सवनेषु गृह्यते । अथ मरुत्वतीयम् । अथोक्थ्यम् । उक्थ्यानि ह्यत्रापि भवन्ति ॥ २ ॥

तद्धैके–उक्थ्यं गृहीत्वाऽथ मरुत्वतीयं गृह्णन्ति । तदु तथा न कुर्यात् । मरुत्वतीयमेव गृहीत्वाऽथोक्थ्यं गृह्णीयात् ॥ ३ ॥

तत्समाप्य माध्यन्दिनसवनाय सोमाभिषवं विधत्ते–इहा३ऽइहा३ऽइत्यभिषुणोतीति । अभिषवकाले 'इहा३ऽइहा३' इत्युच्चार्य अभिषुणुयात् । तथा च सत्यागच्छेतीन्द्रं प्रत्युक्तत्वादेतेन ''इन्द्रमेव' 'आच्यावयति' आगमयति । आगच्छेत्यस्मिन् पदेऽध्याहृते सति 'इहा' इति एतदेव वाक्यं संपद्यते । एवं च "वाक्यस्य टेः प्लुत उदात्तः" (पा. सू. ८ । २ । ८२) "दूराद्धूते च" (पा. सू. ८ । २ । ८४) इति प्लुतो भवति । तथोत्तरमपि 'इहा' इति पदे वाक्यं सम्पादनीयम् । इन्द्रस्य विप्रकृष्टत्वात्तच्छ्रवणार्थं वाक्यं द्विरुच्चार्यते । द्वितीयपर्यायस्योत्तमेऽभिषवे 'बृहद्' 'बृहत्' 'इति' द्विवारमुच्चारयेत् । 'एतद्' बृहच्छन्दोच्चारणेन अभिषवमहत्त्वस्य सूचितत्वादिन्द्र आगमिष्यतीति इन्द्रमेवागमयतीत्यर्थः । अत्र कात्यायनः–"इहा इहा इति प्रथमः पर्यायः । अविलम्बितो द्वितीयस्तूर्णस्तृतीयः । अविलम्बितस्थान उत्तमे बृहद्बृहदिति ।" (का. श्रौ. सू. १० । ६–८) आपस्तम्बस्तु बृहच्छन्दोच्चारणस्य स्थानान्तरमाह–"संरावयन्तश्चाभिषुण्वन्तीहा इहेति उत्तमस्याभिषवस्य मध्यमे पर्याये बृहदधाति बृहद्बृहदिति" (आप. श्रौ. सू.) इति ॥ १ ॥

अभिषवानन्तरं शुक्रादीनां पञ्चानां ग्रहाणां ग्रहणं क्रमेण विधत्ते–स शुक्रामन्थिनावित्यादि । शुक्रवद्ध्येतत्सवनमिति । 'एतत्' माध्यन्दिनं 'सवनम्' 'शुक्रवत्' सारवत् इति प्रसिद्धम् । तथा च तैत्तिरीयके श्रुतिः–"तस्माद्द्वे सवने शुक्रवती प्रातःसवनं च माध्यन्दिनं च"–(तै. सं. ६।१।६।४) इति । सर्वेषु ह्येषु सवनेषु गृह्यत इति प्रसिद्धम्–"सवने सवनेऽभिगृह्णाति" (तै. सं. ६ । ६ । ११) इति श्रुतेः । उक्थ्यानि ह्यत्रापि भवन्तीति 'अत्रापि' माध्यन्दिनसवनेऽपि 'उक्थ्यानि' स्तोत्राणि 'भवन्ति' । तस्मादुक्थ्यं गृह्णीयात् ॥ २ ॥

उक्थ्यमरुत्वतीययोः पौर्वापर्ये शाखान्तरमतमनूद्य, निराकृत्य, स्वमतमेव निगमयति–तद्धैक उक्थ्यं गृहीत्वेत्यादि । अत्र प्रातःसवने आग्रयणानन्तरमुक्थ्यग्रहस्य ग्रहणेन तत्समत्वादत्रापि तदनन्तरं ग्रहणं प्रयुक्तमिति शाखान्तरीयाणामभिप्रायः । प्रातःसवनग्रहणकाले तथाविधक्रमाङ्गीकारेऽपि तत्र माध्यन्दिनसवने मरुत्वतीयस्य ग्रहस्य होमः प्राथमिकः । उक्थ्यग्रहस्य तु पश्चादिति होमानुसारेण ग्रहणमपि मरुत्वतीयस्य प्रथममेव भवितुमर्हतीत्येतद्ब्राह्मणस्याभिप्रायः ॥ ३ ॥

(त्ता) तान्वाऽएतान् । (न्पु) पञ्च ग्रहान्गृह्णात्येष वै वज्रो यन्माध्यन्दिनः पवमानस्तस्मात्पञ्चदशः पञ्चसामा भवति पञ्चदशो हि वज्रः स एतैः पञ्चभिर्ग्रहैः पञ्च वाऽइमाऽ अङ्गुलयोऽङ्गुलिभिर्वै प्रहरति ॥ ४ ॥

(त्री) इन्द्रो वृत्राय वज्रं प्रजहार । स वृत्रं पाप्मानꣳ हत्वा विजितेऽभयेऽनाष्ट्रे दक्षिणा निनाय तस्मादप्येतर्हि यदेवैतेन माध्यन्दिनेन पवमानेन स्तुवतेऽथ विजितेऽभयेऽनाष्ट्रे दक्षिणा नीयन्ते तथोऽएवैष एतैः पञ्चभिर्ग्रहैः पाप्मने द्विषते भ्रातृव्याय वज्रं प्रहरति स वृत्रं पाप्मानꣳ हत्वा विजितेऽभयेऽनाष्ट्रे दक्षिणा नयति तस्माद्वाऽएतान्पञ्च ग्रहान्गृह्णाति ॥ ५ ॥

तद्यन्मरुत्वतीयान्गृह्णाति ।(त्ये) एतद्वाऽइन्द्रस्य निष्केवल्यꣳ सवनं

तान्वाऽएतान् पञ्च ग्रहान्गृह्णाति । एष वै वज्रो–यन्माध्यन्दिनः पवमानः । तस्मात्पञ्चदशः पञ्चसामा भवति । पञ्चदशो हि वज्रः । स एतैः पञ्चभिर्ग्रहैः । पञ्च वाऽइमाऽअङ्गुलयः । अङ्गुलिभिर्वै प्रहरति ॥ ४ ॥

इन्द्रो वृत्राय वज्रं प्रजहार । स वृत्रं पाप्मानं हत्वा विजितेऽभयेऽनाष्ट्रे दक्षिणा निनाय । तस्मादप्येतर्हि यदेवैतेन माध्यन्दिनेन पवमानेन स्तुवते–अथ विजितेऽभयेऽनाष्ट्रे दक्षिणा नीयन्ते । तथोऽएवैष एतैः पञ्चभिर्ग्रहैः पाप्मने द्विषते भ्रातृव्याय वज्रं प्रहरति । स वृत्रं पाप्मानं हत्वा विजितेऽभयेऽनाष्ट्रे दक्षिणा नयति तस्माद्वाऽएतान्पञ्च ग्रहान् गृह्णाति ॥ ५ ॥

तद् यन्मरुत्वतीयान् गृह्णाति । एतद्वाऽइन्द्रस्य निष्केवल्यं सवनम्–यन्माध्यन्दिनं सवनम् । तेन

सम्भूय पञ्चानां ग्रहाणां ग्रहणमनूद्य प्रशंसति–**तान्वा एतानित्यादि** । **माध्यन्दिनः पवमान** इति । 'यत्' एषः 'वज्रो वै' 'तस्माद्' वज्रत्वात् 'पञ्चदशः' पञ्चदशस्तोमः । "स्तोमे डविधिः" (पा. सू. ५ । १ । ५८ वा. १ पञ्चदशर्चे)–इति डप्रत्ययः । वज्रो हि पञ्चदशात्मकः । "पञ्चदशो वज्रो भ्रातृव्याभिभूत्यै" (तै.सं.६।३।३) इति श्रुतेः । एतैः प्रकृतैः पञ्चभिर्ग्रहैर्हेतुना स माध्यन्दिनः पवमानः 'पञ्चसामा भवति' । **इमा अङ्गुलय** इति । ताभिः 'प्रहरति' इति च प्रत्यक्षं प्रसिद्धम् । तस्मात् पञ्चसङ्ख्याका एतेऽपि ग्रहास्तत्प्रहरणसाधनभूताः 'अङ्गुलयः' ते च सङ्ख्यासामान्यात् सामरूपाः सन्तः वज्रात्मकेन माध्यन्दिनपवमानेन सम्बध्यन्ते ॥ ४ ॥

इन्द्रो वृत्राय इत्यादिना **दक्षिणा नीयन्ते** इत्यन्तेन पञ्चसाम्नः पञ्चदशस्तोमकस्य माध्यन्दिनपवमानस्य वज्रत्वमेव प्रदर्श्यते । **तथो एवैष** इति । 'तथैव' 'एषः' अध्वर्युः 'पञ्चभिः' ग्रहैः 'अङ्गुलिभिः' अङ्गुलिस्थानीयैः 'द्विषते' द्वेषं कुर्वते भ्रातृव्याय 'वज्रम्' माध्यन्दिनपवमानरूपम् वृत्रं 'हत्वा' 'विजिते' शत्रौ 'अभये' 'अनाष्ट्रे' नाशकाभावे 'दक्षिणा नयति' 'तस्मात्' माध्यन्दिनपवमानरूपवज्रप्रक्षेपसाधनाङ्गुलिस्थानत्वेन पापरूपत्वेन पापरूपवृत्रविघातहेतुत्वात्प्रशस्तमेतेषां पञ्चानां ग्रहाणां ग्रहणमित्यर्थः ॥ ५ ॥

कारणाभिधित्सया मरुत्वतीयानां ग्रहणमनुवदति–**तद्यन्मरुत्वतीयान् गृह्णातीति** । "तेभ्य एतौ मरुत्वतीयौ

न्माध्यन्दिनꣳ सवनं तेन वृत्रमजिघाꣳसत्तेन व्यजिगीषत मरुतो वाऽइत्यश्वत्थेऽपक्रम्य तस्थुः क्षत्रं वाऽइन्द्रो विशो मरुतो विशा वै क्षत्रियो बलवान्भवति तस्मादाश्वत्थेऽऋतुपात्रे स्यातां कार्ष्मर्यमये त्वेव भवतः ॥६॥

(स्ता) तानिन्द्रऽउपमन्त्रयांचक्रे । (ऋऽ) उप माऽऽवर्तध्वं युष्माभिर्बलेन वृत्रꣳ हनानीति ते होचुः किं नस्ततः स्यादिति तेभ्यऽएतौ मरुत्वतीयौ ग्रहावगृह्णात् ॥ ७ ॥

(त्ते) ते होचुः। (र) अपनिधायैनमोजऽउपावर्तामहाऽइति तऽएनमपनिधायैवौजऽउपाववृतुस्तद्वाऽइन्द्रोऽस्पृणुतापनिधाय वै मौज उपावृतन्निति॥८॥

स होवाच । सहैव मौजसोपावर्तध्वमिति तेभ्यो वै नस्तृतीयं ग्रहं गृहाणेति तेभ्यऽएतं तृतीयं ग्रहमगृह्णादुपयामगृहीतोऽसि मरुतां त्वौजसऽइति

वृत्रमजिघांसत् । तेन व्यजिगीषत । मरुतो वाऽइत्यश्वत्थेऽपक्रम्य तस्थुः । क्षत्रं वाऽइन्द्रः, विशो मरुतः । विशा वै क्षत्रियो बलवान्भवति । तस्मादाश्वत्थेऽऋतुपात्रे स्याताम् । कार्ष्मर्यमये त्वेव भवतः ॥ ६ ॥

तानिन्द्रऽउपमन्त्रयांचक्रे–उप माऽऽवर्तध्वम्, युष्माभिर्बलेन वृत्रं हनानीति । ते होचुः–किं नस्ततः स्यादिति । तेभ्य एतौ मरुत्वतीयौ ग्रहावगृह्णात् ॥ ७ ॥

ते होचुः–अपनिधायैनमोज उपावर्तामहाऽइति । त एनमपनिधायैवौज उपाववृतुः । तद्वाऽइन्द्रोऽस्पृणुत । अपनिधाय वै मौज उपावृतन्निति ॥ ८ ॥

स होवाच–सहैव मौजसोपावर्तध्वमिति । तेभ्यो वै नस्तृतीयं ग्रहं गृहाणेति । तेभ्य एतं तृतीयं ग्रहमगृह्णात्–" उपयामगृहीतोऽसि मरुतां त्वौजसे "–(वा. सं. ७ । ३६) इति । त एनं

ग्रहावगृह्णात्, तेभ्यो वै नस्तृतीयं ग्रहं गृहाण " । (श. प. ४ । ३ । ३ । ७–९) इति वक्ष्यमाणत्वात् ' त्रीन्मरुत्वतीयान्गृह्णाति ' इति यत्–तत्कारणमुच्यत इत्यर्थः ।

नन्वेकस्यैव मरुत्वतीयस्य ग्रहणमभिहितम्, तत्कथं त्रयाणामप्यनुवादः सम्भवतीति । एवं तर्ह्यनेन सिद्धवत्कृत्यानुवादनेनेतरयोर्ग्रहयोरपि विधिरुन्नेयः । कारणमाह–**एतद्वा इन्द्रस्ये**त्यादिना । ' निष्केवल्यम् ' निष्कृष्य केवल इन्द्रो देवता यस्य तन्निष्केवल्यम् । **मरुतो वा इत्यश्वत्थ** इति । ' इति ' शब्देनापक्रमणप्रकारोऽभिनयेन प्रदर्श्यते । **तस्मादि**ति । ऋतुपात्राभ्यामेव मरुत्वतीयानां ग्रहणात्, मरुतां चाश्वत्थे स्थितत्वात्, तदवारोधाय ' आश्वत्थे ऋतुपात्रे स्याताम् ' नैतदादरणीयम्, किन्तु ' कार्ष्मर्यमये ' ' एव ' ' ऋतुपात्रे ' ' भवतः ' । न त्वाश्वत्थे स्याताम् । कार्ष्मर्यो नाम कश्चिद् वृक्षविशेषः । तत्रायमाशयः–' वृत्रमजिघांसत् ' इति वृत्रस्य जिघांसितत्वाद्रक्षोघातकत्वेन कार्ष्मर्यस्य, तन्मये एव पात्रे भवत इति । मरुतामवरोधस्तु " इन्द्राय मरुत्वते " (श. प. ४ । ३ । ३ । १०) इतीन्द्रेण सह मरुतां निर्देशादेव सेत्स्यति । कार्ष्मर्यस्य रक्षोघातकत्वं तैत्तिरीयके श्रूयते–" यत्कार्ष्मर्यमयाः परिधयो भवन्ति रक्षसामपहत्यै " (तै. सं. ६ । २ । १) इति । एतद् ' आश्वत्थे ' इत्यादिकम् ' अश्वत्थेऽपक्रम्य तस्थुः ' इत्यस्य प्रसङ्गादभिहितम् । ' उपाववृतुः ' इति

त॒ऽए॒न॒ꣳ स॒हैवौ॒ज॒सो॒पा॒व॒र्त॒न्त॒ तै॒र्व्य॒ज॒य॒त॒ तै॒र्वृ॒त्र॒म॒ह॒न्क्ष॒त्रं॒ वा॒ऽइ॒न्द्रो॒ वि॒शो॒ म॒रु॒तो॒ वि॒शा॒ वै॒ क्ष॒त्रि॒यो॒ ब॒ल॒वा॒न्भ॒व॒ति॒ त॒त्क्ष॒त्र॒ऽए॒वै॒त॒द्ब॒लं॒ द॒धा॒ति॒ त॒स्मा॒न्म॒रु॒त्व॒ती॒या॒न्गृ॒ह्णा॒ति॒ ॥ ९ ॥

स॒ वा॒ऽइ॒न्द्रा॒यै॒व॒ म॒रु॒त्व॒ते॒ गृ॒ह्णी॒या॒त् । (न्ना) न्ना॒पि॒ म॒रु॒द्भ्यः॒ स॒ य॒द्धा॒पि॒ म॒रु॒द्भ्यो॒ गृ॒ह्णी॒या॒त्प्र॒त्यु॒द्या॒मि॒नी॒ꣳ ह॒ क्ष॒त्रा॒य॒ वि॒शं॒ कु॒र्या॒द॒थै॒त॒दि॒न्द्र॒मे॒वा॒नु॒ म॒रु॒त॒ऽआ॒भ॒ज॒ति॒ त॒त्क्ष॒त्रा॒यै॒वै॒त॒द्वि॒शं॒ कृ॒ता॒नु॒क॒रा॒म॒नु॒व॒र्त्मा॒नं॒ क॒रो॒ति॒ त॒स्मा॒दि॒न्द्रा॒यै॒व॒ म॒रु॒त्व॒ते॒ गृ॒ह्णी॒या॒न्ना॒पि॒ म॒रु॒द्भ्यः॒ ॥ १० ॥

(द्भ्योऽप) अ॒प॒क्र॒मा॒दु॒ है॒वै॒षा॒मे॒त॒द्बि॒भ॒यां॒च॒का॒र॒ । य॒दि॒मे॒ म॒न्ना॒प॒क्रा॒मे॒यु॒र्य॒न्ना॒न्य॒द्भ्रि॒ये॒र॒न्नि॒ति॒ ता॒नु॒वै॒त॒द॒न॒प॒क्र॒मि॒णो॒ऽकु॒रु॒त॒ त॒स्मा॒दि॒न्द्रा॒यै॒व॒ म॒रु॒त्व॒ते॒ गृ॒ह्णी॒या॒न्ना॒पि॒ म॒रु॒द्भ्यः॒ ॥ ११ ॥

सहैवौजसोपावर्तन्त । तैर्व्यजयत । तैर्वृत्रमहन् । क्षत्रं वाऽइन्द्रः, विशो मरुतः । विशा वै क्षत्रियो बलवान्भवति । तत् क्षत्रऽएवैतद्बलं दधाति । तस्मान्मरुत्वतीयान् गृह्णाति ॥ ९ ॥

स वाऽइन्द्रायैव मरुत्वते गृह्णीयात् । नापि मरुद्भ्यः । स यद्धापि मरुद्भ्यो. गृह्णीयात्—प्रत्युद्यामिनीं ह क्षत्राय विशं कुर्यात् । अथैतदिन्द्रमेवानु मरुत आभजति । तत् क्षत्रायैवैतद्विशं कृतानुकरामनुवर्त्मानं करोति । तस्मादिन्द्रायैव मरुत्वते गृह्णीयात् । नापि मरुद्भ्यः ॥ १० ॥

अपक्रमाद्ध हैवैषामेतद्बिभयाञ्चकार । यदिमे मन्नापक्रामेयुर्यन्नान्यद्भ्रियेरन्निति । तानेवैतदनपक्रमिणोऽकुरुत । तस्मादिन्द्रायैव मरुत्वते गृह्णीयात् । नापि मरुद्भ्यः ॥ ११ ॥

व्यत्ययेन परस्मैपदम् (पा. सू. ३ । १ । ८५) । स्पष्टार्थमन्यत् । 'उपावृतन्' इति "द्युद्भ्यो लुङि" (पा. सू. १ । ३ । ९१) इति परस्मैपदम् । स्पष्टार्थमन्यत् ॥ ६–९ ॥

ग्रहाणां मरुदर्थत्वस्य कथितत्वात्तेभ्य एव ग्रहणे प्राप्ते तत्सहितायेन्द्राय गृह्णीयादिति विधत्ते—**स वा इन्द्रायैवेति** । मरुद्भ्य एव ग्रहणे दोषं—तत्सहितायेन्द्राय ग्रहणे गुणं च प्रदर्श्य तदेव निगमयति—**स यद्धापि मरुद्भ्य** इत्यादि । 'क्षत्राय' 'प्रत्युद्यामिनीम्' प्रातिकूल्येनोद्यतां 'विशम्' प्रजां 'कुर्यात्' । अथेन्द्रमेवानुलक्ष्य 'मरुतः' 'आभजति' भागिनः करोति । तेन 'क्षत्राय' 'विशं' 'कृतानुकारम् करोति' क्षत्त्रायत्तां करोति । तदेतदानुकूल्येन यथा करोति तादृशीम् 'अनुवर्त्मानम्' अनुगतवर्त्मानं 'करोति' । 'तस्मात्' 'मरुत्वते' 'इन्द्राय' 'गृह्णीयात्' ॥ १० ॥

कारणान्तरमुपन्यस्योक्तमर्थं द्रढयति—**अपक्रमाद्ध** इत्यादि । 'एषाम्' मरुताम् 'अपक्रमादेवेन्द्रो 'बिभयाञ्चकार' । "भीह्रीभृहुवां श्लुवच्च" (पा. सू. ३ । १ । ३९) इति आम्प्रत्ययः । भीतश्च 'यत्' येनोपायेन मत्तः सकाशाद् 'इमाः' प्रजाः 'नापक्रामेयुः' येनोपायेनान्यत्र 'न भ्रियेरन्निति' विचार्य; तेनोपायेन 'तान्' मरुतः 'अनपक्रमिणः' अनपक्रमणशीलानात्मना सङ्गतानेव 'अकुरुत' । यत एवम्, 'तस्माद्' मरुत्सहिताय 'इन्द्रायैव' 'गृह्णीयात्' । 'न' केवलं 'मरुद्भ्यः' ॥ ११ ॥

(ऽ) ऋतुपात्राभ्यां गृह्णाति। (त्यृ) ऋतवो वै संवत्सरो यज्ञस्तेऽदः प्रातःसवने प्रत्यक्षमवकल्प्यन्ते यदृतुग्रहान्गृह्णात्यथैतत्परोऽक्षं माध्यन्दिने सवनेऽवकल्प्यन्ते यदृतुपात्राभ्यां मरुत्वतीयान्गृह्णाति विशो वै मरुतोऽन्नं वै विशऽऋतवो वाऽइदꣳ सर्वमन्नाद्यं पचन्ति तस्मादृतुपात्राभ्यां मरुत्वतीयान्गृह्णाति ॥ १२ ॥

(त्य) अथातो गृह्णात्येव। (वे) इन्द्र मरुत्व इह पाहि सोमं यथा शार्याते ऽअपिबः सुतस्य। तव प्रणीती तव शूर शर्मन्ना विवासन्ति कवयः सुयज्ञाः॥ उपयामगृहीतोऽसीन्द्राय त्वा मरुत्वतऽएष ते योनिरिन्द्राय त्वा मरुत्वते ॥ १३ ॥

ऋतुपात्राभ्यां गृह्णाति। ऋतवो वै संवत्सरो यज्ञः। तेऽदः प्रातःसवने प्रत्यक्षमवकल्प्यन्ते—यदृतुग्रहान्गृह्णाति। अथैतत्परोऽक्षं माध्यन्दिने सवनेऽवकल्प्यन्ते—यदृतुपात्राभ्यां मरुत्वतीयान् गृह्णाति। विशो वै मरुतः, अन्नं वै विशः। ऋतवो वाऽइदं सर्वमन्नाद्यं पचन्ति। तस्मादृतुपात्राभ्यां मरुत्वतीयान् गृह्णाति ॥ १२ ॥

अथातो गृह्णात्येव—"इन्द्र मरुत्व इह पाहि सोमं यथा शार्यातेऽअपिबः सुतस्य। तव प्रणीती तव शूर शर्मन्ना विवासन्ति कवयः सुयज्ञाः। उपयामगृहीतोऽसीन्द्राय त्वा मरुत्वतऽएष ते योनिरिन्द्राय त्वा मरुत्वते"—(वा० सं० ७।३५) इति ॥ १३ ॥

प्रकृतग्रहणादृतुपात्राभ्यां ग्रहणं विधत्ते—ऋतुपात्राभ्यां गृह्णातीति। ऋतवो वा इत्यादि। तत्र प्रयोजनमभिधीयते—'ते' यज्ञसंवत्सरात्मकाः 'ऋतवः' 'प्रातःसवने प्रत्यक्षमेवावकल्प्यन्ते' अवक्लृप्ताः स्वायत्ता भवन्ति। यस्माद् 'ऋतुग्रहान्गृह्णाति'। 'अथ' 'माध्यन्दिने सवने' 'परोक्षम्' 'अवकल्प्यन्ते'। 'यदृतुपात्राभ्यां मरुत्वतीयान्गृह्णाति'। अत्र ऋतुग्रहाभावेन ऋतुपात्रसम्बन्धादृतूनां परोक्षावक्लृप्तिः। तदर्थमृतुपात्राभ्यां ग्रहणम्। किञ्च 'मरुतः' 'विशः' हि। "मरुतो वै देवानां विशः" (तै. सं. ५।४।७) इति श्रुतेः। 'विशश्च' 'अन्नम्' कृष्यादिना तत्सम्पादनात्। 'ऋतवः' च 'इदम्' पुरोवर्ति 'अन्नाद्यम्' अद्यमन्नम् 'पचन्ति' उपभोगयोग्यं कुर्वन्ति। ऋतूनां सर्वोत्पत्तिमन्निमित्तकारणत्वात्, अतो मरुतामृतूनां च सम्बन्धादपि ऋतुपात्राभ्याम् 'मरुत्वतीयान्' गृह्णीयादित्यर्थः ॥ १२ ॥

क्रमेण ग्रहाणां ग्रहणसादनमन्त्रानाह—अथाऽतो गृह्णात्येवेन्द्र मरुत्व इत्यादि। तत्र प्रथममरुत्वतीयग्रहणमन्त्रस्यायमर्थः—हे 'इन्द्र मरुत्वः'! मरुतोऽस्य सन्ति इति मरुत्वान् तस्य सम्बुद्धौ "मतुवसो रु सम्बुद्धौ छन्दसि" (पा. सू. ८।३।१) इति रुत्वम्। 'इह' यज्ञे 'सोमं' 'पाहि' पिब। "बहुलं छन्दसि" (पा. सू. २।४।७६) इति शपो लुकि पिबादेशाभावे पिबते रूपम्। कथं पाहीति—शर्यातिर्मानवः, तस्यापत्यं शार्यातः, तस्मिन् 'यथा' 'सुतस्य' अभिषुतस्य सोमस्यांशम् 'अपिबः' पीतवानसि। किञ्च

१—मरुत्वतीयग्रहग्रहणे त्रयो मन्त्राः संहितायां पठ्यन्ते। इह त्वेक एव।

२—प्रागुक्थ्यान्मरुत्वतीयमृतुपात्रेणेन्द्र मरुत्व इति। का. श्रौ. सू.। १०। १२।

मरुत्वन्तं वृषभम्।(म्वा)व्वावृधानमकवारिं दिव्युꣳ शासमिन्द्रम्। व्विश्वा-साहमवसे नूतनायोग्रꣳ सहोदामिह तुꣳ हुवेम। उपयामगृहीतोऽसीन्द्राय त्वा मरुत्वतऽएष ते योनिरिन्द्राय त्वा मरुत्वते। उपयामगृहीतोऽसि मरुतां त्वौजसऽइति तृतीयं ग्रहं गृह्णाति॥ १४ ॥

(त्यु) अथ माहेन्द्रं ग्रहं गृह्णाति। पाप्मना वाऽएतदिन्द्रः सꣳसृष्टो-ऽभूद्यद्विशा मरुद्भिः स यथा व्विजयस्य कामाय व्विशा समाने पात्रेऽश्नीया-देवं तद्यदस्माऽएतं मरुद्भिः समानं ग्रहमगृह्णन्॥ १५ ॥

"मरुत्वन्तं वृषभं वावृधानमकवारिं दिव्यं शासमिन्द्रम्। विश्वासाहमवसे नूतनायोग्रं सहोदामिह तं हुवेम। उपयामगृहीतोऽसीन्द्राय त्वा मरुत्वते, एष ते योनिरिन्द्राय त्वा मरुत्वते। उपयामगृहीतोऽसि मरुतां त्वौजसे"-(वा.सं. ७।३९) इति तृतीयं ग्रहं गृह्णाति १४

माहेन्द्रग्रहः।

अथ माहेन्द्रं ग्रहं गृह्णाति। पाप्मना वाऽएतदिन्द्रः संसृष्टोऽभूद्-यद् विशा मरुद्भिः। स यथा विजयस्य कामाय विशा समाने पात्रेऽश्नीयाद्-एवं तद्-यदस्माऽएतं मरुद्भिः समानं ग्रहमगृह्णन् १५

हे शूर! 'तव' 'प्रणीती' प्रणीत्या, तृतीयैकवचनस्य ईकारादेशः। त्वत्कर्तृकेन प्रणयनेन 'सुयज्ञाः' कल्याणयज्ञाः 'कवयः' क्रान्तदर्शनाः। 'शर्मन्' शरणे गृहे यज्ञगृहे 'तव' 'आविवासन्ति' त्वा विवासन्ति। विवासतिः परिचर्यायाम् (निघं० ३।५।१०)। हे ग्रह! उपयामेन गृहीतोऽसि 'इन्द्राय मरुत्वते त्वां गृह्णामीति शेषः। खरप्रदेशस्तव 'योनिः' स्थानमतोऽत्र त्वाम् 'इन्द्राय' 'मरुत्वते' सादयामीति सादनमन्त्रस्यार्थः॥ १३॥

मरुत्वन्तमित्येष द्वितीयमरुत्वतीयग्रहणस्य मन्त्रस्तस्यायमर्थः-'मरुत्वन्तम्' मरुद्भिः सहितम् 'वृषभम्' वर्षितारम्, श्रेष्ठं वा 'वावृधानम्' वर्द्धमानञ्च 'अकवारिम्' अकुत्सितारातिम्, यस्य शत्रवोऽप्यकुत्सिताः 'दिव्यम्' दिविभवम्, 'शासम्' शासितारम्, 'विश्वासाहम्' सहतिरभिभवार्थः। स्वधर्मच्युतस्य सर्वस्याभिभवितारम्, 'उग्रम्' उद्गूर्णवज्रम् 'सहोदाम्' बलस्य दातारम्, यमित्थंभूतमिन्द्रमाहुः 'तम्' इन्द्रम् 'नूतनाय' नवीनभूताय 'अवसे' अवसानायस्थित्यै 'इह' यज्ञगृहे, 'हुवेम' आह्वयामः उपयामगृहीतोऽसीत्यादि व्याख्यातम्।

उपयामेत्यादिना मन्त्रेण तृतीयं मरुत्वतीयं गृह्णीयात्[२]। हे ग्रह! उपयामेन दारुपात्रेण 'गृहीतोऽसि' त्वा मरुतामोजसे गृह्णामीति मन्त्रार्थः॥ १४॥

मरुत्वतीयग्रहानन्तरं माहेन्द्रं ग्रहं विधत्ते-**अथ माहेन्द्रमित्यादि**। विहितं माहेन्द्रग्रहं पापनिरसनहेतुत्वेन प्रशंसति-**पाप्मना वा एतादित्यादि**। 'मरुद्भिः' 'विशा' मरुद्देवतारूपया विशा 'संसृष्ट' इति; एतेनेन्द्रः 'पाप्मना' पापेन 'संसृष्टोऽभूत्'। यतः 'अस्मै' इन्द्राय 'मरुद्भिः समानम्' साधारणमेतम् 'ग्रहम्' 'अगृह्णन्' इति यत्; 'तद्' एवंप्रकारो भवति। 'यथा' विजयकामार्थं 'विशा' सा

१-वशिना मरुत्वतीयग्रहणं मरुत्वन्तमिति। का. श्रौ. सू. १०।७०। २-ऋतुपात्रेण मरुत्वतीयग्रहणमुपयामगृहीतोऽसि मरुतां त्वौजस इति। का.श्रौ.सू.१०।६६।

(ह्लस्तं) तं देवाः । सर्व्वस्मिन्विजितेऽभयेऽनाष्ट्रे यथेषीकां मुञ्जाद्विवृहे-देवध्ँ सर्व्वस्मात्पाप्मनो व्यवृहन्यन्माहेन्द्रं ग्रहमगृह्णंस्तथोऽएवैष ऽएत-द्यथेषीका विमुञ्जा स्यादेवध्ँ सर्व्वस्मात्पाप्मनो निर्मुच्यते यन्माहेन्द्रं ग्रहं गृह्णाति ॥ १६ ॥

यद्वेव माहेन्द्रं ग्रहं गृह्णाति । (ती) इन्द्रो वाऽएष पुरा व्वृत्रस्य व्वधादथ व्वृत्रध्ँ हत्वा यथा महाराजो व्विजिग्यानऽएवं महेन्द्रोऽभवत्तस्मान्माहेन्द्रं ग्रहं गृह्णाति महान्तमु चैवैनमेतत्खलु करोति व्वृत्रस्य व्वधाय तस्मादेव माहेन्द्रं ग्रहं गृह्णाति शुक्रपात्रेण गृह्णात्येष वै शुक्रो य एष तपत्येष उऽएव महांस्तस्माच्छुक्रपात्रेण गृह्णाति ॥ १७ ॥

(त्य) अथातो गृह्णात्येव । महाँ२॥ऽइन्द्रो नृवदाचर्षणिप्राऽउत द्विबर्हा अमिनः सहोभिः । अस्मद्र्यग्वावृधे व्वीर्यायोरुः पृथुः सुकृतः कर्तृभिर्भूत ।

तं देवाः सर्वस्मिन्विजितेऽभयेऽनाष्ट्रे यथेषीकां मुञ्जाद्विवृहेद्-एवं सर्वस्मात्पाप्मनो व्यवृहन्-यन्माहेन्द्रं ग्रहमगृह्णन् । तथोऽएवैष एतद्-यथेषीका विमुञ्जा स्याद्-एवं सर्वस्मात्पाप्मनो निर्मुच्यते-यन्माहेन्द्रं ग्रहं गृह्णाति ॥ १६ ॥

यद्वेव माहेन्द्रं ग्रहं गृह्णाति । इन्द्रो वाऽएष पुरा वृत्रस्य वधात् । अथ वृत्रं हत्वा यथा महाराजो विजिग्यानः-एवं महेन्द्रोऽभवत् । तस्मान्माहेन्द्रं ग्रहं गृह्णाति । महान्तमु चैवैनमेतत्खलु करोति-'वृत्रस्य वधाय तस्मादेव माहेन्द्रं ग्रहं गृह्णाति । शुक्रपात्रेण गृह्णाति । एष वै शुक्रो-य एष तपति । एष उ एव महान् । तस्माच्छुक्रपात्रेण गृह्णाति ॥ १७ ॥

अथातो गृह्णात्येव-" महाँ२॥इन्द्रो नृवदाचर्षणिप्रा उत द्विबर्हा अमिनः सहोभिः ।

'समाने' 'पात्रे' भोजनम् । तस्मात्पाप संसृष्टोऽभूदिति ॥ ते 'देवाः' 'सर्वस्मिन्विजितेऽभयेऽनाष्ट्रे' सति 'तम्' इन्द्रम् 'मुञ्जाद्' 'यथेषीकां' तद्गताग्रम् 'विवृहेद्' उद्धरेद् । 'एवम्' माहेन्द्रग्रहग्रहणेन 'सर्वस्मात्पाप्मनो व्यवृहन्' । तस्मात्तथैव ' एषः ' यजमानो मुञ्जादुद्धृतेषीकेव माहेन्द्रग्रहणेन सर्वस्मात्पापान्मुच्यत इत्यर्थः ॥ १९ ॥ १६ ॥

पुनरपि तमेव माहेन्द्रग्रहं यजमानस्य महत्त्वहेतुत्वेन प्रशंसति-**यद्वेव माहेन्द्रमित्यादि** । **यथा महाराज इति** । लोके ' विजिग्यानः ' विजितवान् राजा ' यथा महाराजः ' भवति । ' एवम् ' ' इन्द्रः ' वृत्रं हत्वा ' महेन्द्रोऽभवत् ' ' तस्मात् ' माहेन्द्रग्रहणेन ' वृत्रस्य ' पापरूपस्य वधार्थम् ' एनम् ' यजमानम् ' महान्तम् ' ' एव ' करोति । विहितं ग्रहणमनूद्य तत्र शुक्रपात्रं विधत्ते-**शुक्रपात्रेणेत्यादि** । **एष वा इति** । शुक्रस्य सर्वात्मकत्वेन महत्त्वात्तत्पात्रेण माहेन्द्रग्रहस्य ग्रहणं युक्तमित्यर्थः ॥ १७ ॥

ग्रहणमनूद्य मन्त्रं विधत्ते-**अथाऽतो गृह्णात्येव महाँ२ इन्द्र** इत्यादि । ' महान् ' महत्त्वगुणविशिष्टः । ' नृवत् ' मनुष्यवत् । ' आचर्षणिप्राः ' चर्षणयो मनुष्या आगत्य तानीप्सितफलप्रदानेन पूरयतीत्याचर्ष-

---

१-माहेन्द्रग्रहग्रहणे मन्त्रद्वयं संहितायां पठ्यते । इह त्वेक एव । २-आनिधानात्कृत्वा माहेंद्रं गृह्णाति व्वैश्वदेववन्महाँ२ इंद्र इति । वैश्वदेववदित्यनेन शुक्रपात्रेण द्रोणकलशादन्नारम्भे वेत्यतिदेशः । इत्यत्र कर्कः । (का. श्रौ. सू. १० । ७४) ।

उपयामगृहीतोऽसि महेन्द्राय त्वैष ते योनिर्महेन्द्राय त्वेति सादयति महेन्द्राय ह्येनं गृह्णाति ॥ १८ ॥

(त्यु) अथोपाकृत्यैतां वाचं वदति । (त्यु) अभिषोतारोऽभिषुणुतौलूखलानुद्वादयताग्नीदाशिरं विनय सौम्यस्य वित्तादिति ते वै तृतीयसवनायैवाभिषोतारोऽभिषुण्वन्ति तृतीयसवनायौलूखलानुद्वादयन्ति तृतीयसवनायाग्नीदाशिरं विनयति तृतीयसवनाय सौम्यं चरुꣳश्रपयत्येते वै शुक्रवती रसवती सवने यत्प्रातःसवनं च माध्यन्दिनं च सवनमथैतन्निर्धीतशुक्रं यत्तृतीयसवनं तदेवैतस्मान्माध्यन्दिनात्सवनान्निर्मिमीते तथो हास्यैतच्छुक्रवद्रसवत्तृतीयसवनं भवति तस्मादेतामत्र वाचं वदति ॥ १९ ॥

इति द्वितीयप्रपाठके सप्तमं ब्राह्मणम् ॥ ४-२-७ ॥ (३. ३.)

द्वितीयः प्रपाठकश्च समाप्तः ॥ २ ॥

अस्मद्र्यग् वावृधे वीर्यायोरुः पृथुः सुकृतः कर्तृभिर्भूत् । उपयामगृहीतोऽसि महेन्द्राय त्वैष ते योनिर्महेन्द्राय त्वा "-(वा० सं० ७ । ३९) इति । सादयति महेन्द्राय ह्येनं गृह्णाति ॥ १८ ॥

अथोपाकृत्यैतां वाचं वदति- अभिषोतारोऽभिषुणुत, औलूखलानुद्वादयत, अग्नीदाशिरं विनय, सौम्यस्य वित्तादिति । ते वै तृतीयसवनायैवाभिषोतारोऽभिषुण्वन्ति । 'तृतीयसवनायौलूखलानुद्वादयन्ति । तृतीयसवनायाग्नीदाशिरं विनयति । तृतीयसवनाय सौम्यं चरुं श्रपयति । एते वै शुक्रवती रसवती सवने-यत्प्रातःसवनं च, माध्यन्दिनं च सवनम् । अथैतन्निर्धीतशुक्रं-यत्तृतीयसवनम् ।

णिप्राः । यथा राजामात्यादिर्मनुष्यः सेवकान्फलप्रदानेन पूरयति तद्वत् । 'उत' किञ्च 'द्विबर्हाः' द्वयोरपि स्थानयोर्मध्यमस्थाने उत्तमे च बर्हाः बृहत्परिवृढः अथवा द्वयोः प्रकृतिविकृतिरूपयोर्बर्हो वृद्धिर्यस्यासौ 'द्विबर्हाः' 'सहोभिः' बलैः 'अमिनः' अमितोऽपरिमितबल इत्यर्थः । अथ वा शत्रुसम्बन्धिभिर्बलैः । 'अमिनः' अहिंसितः । 'अस्मद्र्यक्' अस्मदभिमुखतया गन्ता । 'महानिन्द्रः' 'वावृधे' वर्द्धताम् । किमर्थम् 'वीर्याय' वीरकर्मणे । किञ्च अस्मदीयैः 'कर्तृभिः' स्तूयमानः 'उरुः' विस्तारेण 'पृथुः' प्राणेन 'सुकृतः' शोभनकृद् 'भूत्' (पा. सू. ६ । ४ । ७५) भूयात् । उपयामेत्यादि व्याख्यातम् ॥ १८ ॥

माहेन्द्रग्रहे पृष्ठस्तोत्रोपाकरणानन्तरमध्वर्योः प्रैषरूपां वाचमुत्पादयति-अथोपाकृत्येत्यादि । 'उपाकृत्य' "उपावर्तध्वम्" इत्यनेन मन्त्रेण पृष्ठस्तोत्रमुपाकृत्येत्यर्थः । अत एव कात्यायनः-" पृष्ठमुपाकृत्य प्रेष्यत्यभिषो-

---

१-अयं प्रैषमन्त्रः संहितायां नास्ति । २-शुक्रं पूतभृत्यासिच्य पृष्ठमुपाकृत्य प्रेष्यत्यभिषोतारोऽभिषुणुतौलूखलानुद्वादयताग्नीदाशिरं विनय सौम्यस्य वित्तादिति । का. श्रौ. सू. १० । ७५ ।

अथ तृतीयप्रपाठके प्रथमं ब्राह्मणम्
तृतीयाध्याये च चतुर्थं ब्राह्मणम् ।

घ्नन्ति वा॒ऽएतद्य॒ज्ञम् । यदे॒नं तन्व॒ते यन्वे॒व रा॒जान॑मभिषुण्व॒न्ति तत्तं॑ घ्नन्ति यत्प॒शुᳪं संज्ञपयन्ति विशा॒सति तत्तं घ्नन्त्युलूखलमुसला॒भ्यां दृषदुप॒लाभ्याᳪं हविर्य॒ज्ञं घ्नन्ति ॥ १ ॥

स ए॒ष य॒ज्ञो ह॒तो न द॑दक्षे । तं दे॒वा दक्षि॑णाभिरदक्षयँस्तद्य॒देनं

तदेवैतस्मान्माध्यन्दिनात्सवनान्निर्मिमीते । तथो हास्यैतच्छुक्रवद्रसवत्तृतीयसवनं भवति । तस्मादेतामत्र वाचं वदति ॥ १९ ॥

दक्षिणादानम् ।

घ्नन्ति वाऽएतद्यज्ञम्—यदेनं तन्वते । यन्वेव राजानमभिषुण्वन्ति—तत् तं घ्नन्ति, यत्पशुं संज्ञपयन्ति, विशासति—तत् तं घ्नन्ति, उलूखलमुसलाभ्यां दृषदुपलाभ्यां हविर्यज्ञं घ्नन्ति ॥ १ ॥

स एष यज्ञो हतो न ददक्षे । तं देवा दक्षिणाभिरदक्षयन् । तद्य यदेनं दक्षिणाभिरदक्षयंस्तस्माद्

तारोऽभिषुणुत "–(का. श्रौ सू. १० । ७९) इति । माध्यन्दिनसवनमध्ये प्रयुक्तत्वादस्य प्रैषस्य तदर्थता स्यात् । अतस्तृतीयसवनार्थोऽयं प्रैष इति व्याचष्टे–ते वै तृतीयसवनायैवेत्यादि । 'उद्धखलानुद्वादयन्ति' इत्यनेनैवावहननकालीनोद्धखलमुसलोद्वादनस्याभिधानात्सवनीयपुरोडाशसम्पादनं लक्ष्यते । 'आशिरम्' विनयति' ऋजीषीकृते सोमेऽवनेतुमाशिरं संस्करोति । "आशिरम्" इति उपवसथदिवसस्य सायङ्काले यजमानस्य व्रतदुहो गोः पयो दुग्ध्वा दधि क्रियते तदुच्यते । माध्यन्दिनसवने तृतीयसवनार्थाभिषवादिसम्पादनार्थस्य प्रैषस्य प्रयोजनमाह–एते वै शुक्रवती इत्यादि । 'रसवती' इति, 'शुक्रवती' इत्यस्यैव व्याख्यानम् । 'निर्धीतशुक्रम्' निष्पीतरसम्, पक्षिरूपा गायत्री तृतीयसवनार्थं सोमं मुखेनाहरन्त्यपिबदिति प्रसिद्धम् । तेन तृतीयसवनं नीरसम् । एतच्च तैत्तिरीयके श्रूयते–" पद्भ्यां द्वे सवने समगृह्णान्मुखेनैकं यन्मुखेन समगृह्णात्तदधयत् तस्माद्द्वे सवने शुक्रवती प्रातःसवनं च माध्यन्दिनं च तस्मात्तृतीयसवन ऋजीषमभिषुण्वन्ति धीतमिव हि मन्यन्त आशिरमवनयति सशुक्रत्वाय "–(तै० सं० ६ । १ । ६ । ४, ५) इति । तदेवैतस्मादिति । 'तत्' तेनैवाभिषवादिसम्पादनेनैव 'तस्मात्' शुक्रवतो रसवतो 'माध्यन्दिनसवनात्' 'तृतीयसवनम्' 'निर्मिमीते' उत्पादयति । सवनोत्पादकस्य सोमाभिषवादेरत्र सम्पादनादित्यर्थः ॥ १९ ॥

इति श्रीसायणाचार्यविरचिते माधवीये वेदार्थप्रकाशे माध्यन्दिनशतपथब्राह्मणभाष्ये
चतुर्थकाण्डे तृतीयाध्याये तृतीयं ब्राह्मणम् (४–३–३) ॥

शुक्रामन्थ्यादिग्रहणप्रसङ्गाद्द्वितीयतृतीयमरुत्वतीयमाहेन्द्रग्रहाणां ग्रहणमभिधाय तत्र शुक्रामन्थिग्रहयागानन्तरं कर्तव्यं दक्षिणादानादिकं विधीयते, तत्रादावुपयोगमभिदधानः प्रसङ्गाद्दक्षिणापदनिर्वचनं च प्रदर्शयन् दक्षिणादानं विधत्ते–घ्नन्ति वा एतद्यज्ञमित्यादिना । 'एनम्' यज्ञं 'तन्वते' विस्तारयन्तीति यत्, एतेन 'यज्ञं घ्नन्ति' 'वै' कथं विस्तारेण हननमित्याह–यन्वेवेति । 'पशुं संज्ञपयन्ति' मारयन्तीति यत्, तत् 'विशासति' छिन्दन्ति । अतस्तदपि हननम् 'उद्धखलमुसलाभ्यां दृषदुपलाभ्याम्' वा हननपेषणयोः सम्पादनात् 'हवि-

दक्षिणाभिरदक्षयंस्तस्माद्दक्षिणा नाम तद्यदेवात्र यज्ञस्य हतस्य व्यथते तदे-
वास्यैतद्दक्षिणाभिर्दक्षयत्यथ समृद्धऽएव यज्ञो भवति तस्माद्दक्षिणा ददाति २
तद्वै षड्द्वादशेत्येव हविर्यज्ञे ददाति । न ह त्वेवाशतदक्षिणः सौम्यो-
ऽध्वरः स्यादेष वै प्रत्यक्षं यज्ञो यत्प्रजापतिः पुरुषो वै प्रजापतेर्नेदिष्ठꣳ सो-
ऽयꣳऽ शतायुः शततेजाः शतवीर्यस्तꣳ शतेनैव दक्षयति नाशतेन तस्मा-
न्नाशतदक्षिणः सौम्योऽध्वरः स्यान्नो हैवाशतदक्षिणेन यजमानस्यऽर्त्वि-
क्स्यान्नेदस्याक्षिभूरसानि यमिमे हनिष्यन्त्येव न दक्षयिष्यन्तीति ॥ ३ ॥

दक्षिणा नाम । तद्द यदेवात्र यज्ञस्य हतस्य व्यथते–तदेवास्यैतद्दक्षिणाभिर्दक्षयति–अथ समृद्ध एव यज्ञो भवति । तस्माद्दक्षिणा ददाति ॥ २ ॥

तद्वै षड् द्वादशेत्येव हविर्यज्ञे ददति । न ह त्वेवाशतदक्षिणः सौम्योऽध्वरः स्यात् । एष वै प्रत्यक्षं यज्ञो–यत्प्रजापतिः । पुरुषो वै प्रजापतेर्नेदिष्ठम् । सोऽयं शतायुः शततेजाः शतवीर्यः । तं शतेनैव दक्षयति–नाशतेन । तस्मान्नाशतदक्षिणः सौम्योऽध्वरः स्यात् । नो हैवाशतदक्षिणेन यजमानस्यर्त्विक्स्यात् । नेदस्याक्षिभूरसानि यमिमे हनिष्यन्त्येव–न दक्षयिष्यन्तीति ॥ ३ ॥

र्यज्ञम् ' अपहन्ति । तस्मात् ' स ' ' एषः ' 'यज्ञः' हतत्वात् ' न ददक्षे ' न समृद्धोऽभूदिति ' देवा दक्षिणाभिरदक्षयन् ' । अतो दक्षणसाधनत्वाद् 'दक्षिणा' इति नामधेयम् । " द्रुदक्षिभ्यामिनन् "–(उणा. सू. २।५०।)[1] इत्यौणादिक इनन्प्रत्ययः । ततः ' अत्र ' ' हतस्य ' ' यज्ञस्य ' ' यद् ' अङ्गम् ' व्यथते ' पीडां प्राप्नोति ' तत् ' ' दक्षिणाभिर्दक्षयति ' समर्धयति । तथा च ' यज्ञः ' ' एव ' ' समृद्धो भवति ' । ' तस्माद् ' यज्ञस्य समृद्ध्यर्थं दक्षिणां दद्यादित्यर्थः ॥ १ ॥ २ ॥

प्रसङ्गाद्धविर्यज्ञे हविर्यज्ञदक्षिणाक्लृप्तिं दर्शयन् प्रकृते सोमयागे दक्षिणाक्लृप्तिमाह–तद्वा इत्यादिना । न ह त्वेवेति । ' सौम्योऽध्वरः ' ' अशतदक्षिणः ' ' न ' ' एव ' 'स्यात्' । किन्तु शतदक्षिण इत्यर्थः । तत्र शतमिति गवां शतं विवक्ष्यते " गवां शतं द्वादशं वा " (का. श्रौ. सू. १० । ३९)–इति कात्यायनवचनात् । " गवां सङ्ख्या भवति "–इत्यापस्तम्बवचनाच्च ।

शतदक्षिणत्वेन यज्ञस्य समृद्धिर्भवतीत्यत्रोपपत्तिमाह–एष वै प्रत्यक्षमित्यादि । ' प्रजापतेर्नेदिष्ठम् ' इति नेदिष्ठं यथा भवति तथा वर्तते । तत एवोत्पन्नत्वादित्यर्थः । ' शततेजाः, ' शतवीर्यः ' इति आयुरनुसारेण तेजोवीर्ययोरपि शतत्वं द्रष्टव्यम् ।

उक्तसङ्ख्याया न्यूनत्वेनार्त्विज्यं न कुर्यादित्याह–नो हैवेत्यादि । ' अशतदक्षिणेन ' यज्ञेन हेतुना ' यजमानस्य ' ' न ' ऋत्विक् ' स्यात् । आर्त्विज्यं कुर्वतोऽयमाशयः–' इमे ' यजमानसम्बन्धिनः पुरुषाः ' यं ' यज्ञम् ' हनिष्यन्त्येव ' हतं च तं न समर्द्धयन्ति । 'अस्य' ' यज्ञस्य अक्षिभूः ' अक्षिगतो द्वेष्यो नैव भवानीति । अभिषवादिसम्पादनाद्धतस्य यज्ञस्य शतसङ्ख्याभिर्दक्षिणाभिः समृद्धिर्भवतीत्युक्तम्, तथा च सति शतदक्षिणाभावेऽसमृद्धो यज्ञो भवतीति तत्रार्त्विज्यं कुर्वतो यज्ञवैकल्येन बाधा स्यात् । तस्माच्छतदक्षिण एव ऋत्विक् स्यादिति भावः ॥ ३ ॥

१–" वाऽति कामाति " इति सूत्र शेषः ।

द्वया वै देवा देवाः । (ऽ) अहैव देवाऽअथ ये ब्राह्मणाः शुश्रुवाᳬंसो-ऽनूचानास्ते मनुष्यदेवास्तेषां द्वेधा विभक्तऽएव यज्ञऽआहुतयऽएव देवानां दक्षिणा मनुष्यदेवानां ब्राह्मणानाᳬं शुश्रुवुषामनूचानानामाहुतिभिरेव देवान्प्रीणाति दक्षिणाभिर्मनुष्यदेवान्ब्राह्मणाञ्छुश्रुवुषोऽनूचानांस्तऽएनमुभये देवाः प्रीताः स्वर्गं लोकमभिवहन्ति ॥ ४ ॥

ता वाऽएताः । (ऽ) ऋत्विजामेव दक्षिणा ऽअन्यं वाऽएतऽएतस्यात्मानᳬं संस्कुर्वन्त्येतं यज्ञमृङ्मयं यजुर्मयᳬं साममयमाहुतिमयᳬं सोऽस्यामुष्मिँल्लोकऽआत्मा भवति तद्ये माऽजीजनन्तेति तस्मादृत्विग्भ्य एव दक्षिणा दद्यान्नानृत्विग्भ्यः ॥ ५ ॥

(ग्भ्योऽथ)अथ प्रतिपरेत्य गार्हपत्यम् । (न्दा)दाक्षिणानि जुहोति स दशाहोमीये व्वासिस हिरण्यं प्रबध्यावधाय जुहोति देवलोके मेऽप्यसदिति वै

द्वया वै देवाः । देवाऽअहैव देवाः, अथ ये ब्राह्मणाः शुश्रुवांसोऽनूचानाः–ते मनुष्यदेवाः । तेषां द्वेधा विभक्त एव यज्ञः । आहुतय एव देवानाम्, दक्षिणा मनुष्यदेवानां ब्राह्मणानां शुश्रुवुषामनूचानानाम् । आहुतिभिरेव देवान्प्रीणाति, दक्षिणाभिर्मनुष्यदेवान्ब्राह्मणाञ्छुश्रुवुषोऽनूचानान् । तऽएनमुभये देवाः प्रीताः स्वर्गं लोकमभिवहन्ति ॥ ४ ॥

ता वाऽएता ऋत्विजामेव दक्षिणाः । अन्यं वाऽएतऽएतस्यात्मानं संस्कुर्वन्ति–एतं यज्ञमृङ्मयं यजुर्मयं साममयमाहुतिमयम् । सोऽस्यामुष्मिंल्लोकऽआत्मा भवति । तद् ये माऽजीजनन्तेति–तस्मादृत्विग्भ्य एव दक्षिणा दद्यात्, नानृत्विग्भ्यः ॥ ५ ॥

अथ प्रतिपरेत्य गार्हपत्यं दाक्षिणानि जुहोति । स दशाहोमीये वासिस हिरण्यं प्रबध्यावधाय

विहितदक्षिणां प्रकारान्तरेण प्रशंसति–द्वया वै देवा इत्यादिना । 'देवाः' 'द्वया वै' द्विविधाः प्रसिद्धाः । "प्रथमचरमतया०"–इत्यादिना (पा. सू. १ । १ । ३३) जसि सर्वनामसंज्ञाया विकल्पेन विधानात्तदभावपक्षे रूपम् । द्वैविध्यमेव प्रदर्श्यते–अहैव देवा इति । 'देवाः' 'अहैव' स्वत एव स्वर्गे विद्यमाना ये देवास्ते एकविधा देवाः । 'अथ ये ब्राह्मणाः' कीदृशाः 'अनूचानाः' साङ्गे वेदे अधीतिनः । "उपेयिवाननाश्वाननूचानश्च" (पा. सू. ३ । २ । १०९) इति अनूचानशब्दो निपातितः । 'शुश्रुवांसः' श्रवणवन्तो ज्ञानवन्तः । "क्वसुश्च"–(पा. सू. ३ । २ । १०७) इति क्वसुः । 'ते मनुष्यदेवाः' इति द्विविधा देवा इत्यर्थः । 'तेषां द्वेधा विभक्तः' इत्यादिकं तु निगदव्याख्यातम् ॥ ४ ॥

उक्ताया दक्षिणाया ऋत्विक्सम्बन्धं सहेतुकं विधत्ते–ता वा इत्यादि । अन्यं वा इति । यत ऋत्विजः 'एतस्य' यजमानस्य 'अन्यम्' 'आत्मानम्' दृश्यमानशरीरव्यतिरिक्तं शरीरं 'संस्कुर्वन्ति' । एतं यज्ञमृङ्मयमिति । तद्ये मेति । 'तत्' तदा यज्ञरूपशरीरान्तरोत्पादनाद्यजमान इमे ऋत्विजो माम् 'अजीजनन्त इति' मन्यते । 'तस्मादृत्विग्भ्य एव' 'दद्यात्' तद्व्यतिरिक्तेभ्यो न दद्यादित्यर्थः ॥ ५ ॥

दाक्षिणहोमं विधत्ते–अथेत्यादि । दक्षिणां दित्सुना कर्तव्यानि 'दाक्षिणानि' । होमे विशेषमाह–स दशा-

---

१–इडां भक्षयित्वा शालाद्वार्ये दाक्षिणहोमः व्वासःप्रबद्ध ९ हिरण्य २ हवन्यामवधाय चतुर्गृहीतमुदु त्यमिति का. श्रौ. सू. १०।२९।

यजते यो यजते सोऽस्यैष यज्ञो देवलोकमेवाभिप्रैति तदनूची दक्षिणा यां ददाति सैति दक्षिणामन्वारभ्य यजमानः ॥ ६ ॥

(अ) चतस्रो वै दक्षिणाः। (०) हिरण्यं गौर्वासोऽश्वो न वै तदव-कल्पते यदश्वस्य पादमवदध्याद्यद्वा गोः पादमवदध्यात्तस्माद्दशाहोमीये वाससि हिरण्यं प्रबध्यावधाय जुहोति ॥ ७ ॥

सौरीभ्यामृग्भ्यां जुहोति। तमसा वाऽअसौ लोकोऽन्तर्हितः स एतेन ज्योतिषा तमोऽपहत्य स्वर्गं लोकमुपसंक्रामति तस्मात्सौरीभ्यामृग्भ्यां जुहोति ॥ ८ ॥

स जुहोति। उदु त्यं जातवेदसं देवं वहन्ति केतवः ॥ दृशे विश्वाय सूर्यꣳ स्वाहेत्येतया गायत्र्या गायत्री वाऽइयं पृथिवी सेयं प्रतिष्ठा तदस्या-मेवैतत्प्रतिष्ठायां प्रतितिष्ठति ॥ ९ ॥

जुहोति। देवलोके मेऽप्यसदिति वै यजते–यो यजते। सोऽस्यैष यज्ञो देवलोकमेवाभिप्रैति। तत् अनूची दक्षिणा। यां ददाति सैति। दक्षिणामन्वारभ्य यजमानः ॥ ६ ॥

चतस्रो वै दक्षिणाः–हिरण्यम्, गौः, वासः, अश्वः। न वै तदवकल्पते यदश्वस्य पादमवदध्याद्, यद्वा गोः पादमवदध्यात्। तस्माद्दशाहोमीये वाससि हिरण्यं प्रबध्यावधाय जुहोति ॥ ७ ॥

सौरीभ्यामृग्भ्यां जुहोति। तमसा वाऽअसौ लोकोऽन्तर्हितः। स एतेन ज्योतिषा तमोऽपहत्य स्वर्गं लोकमुपसंक्रामति। तस्मात्सौरीभ्यामृग्भ्यां जुहोति ॥ ८ ॥

स जुहोति–"उदुत्यं जातवेदसं देवं वहन्ति केतवः। दृशे विश्वाय सूर्यं स्वाहा"–(वा. सं. ७। ४१) इत्येतया गायत्र्या। गायत्री वाऽइयं पृथिवी। सेयं प्रतिष्ठा। तदस्यामेव प्रतिष्ठायां प्रतितिष्ठति ॥ ९ ॥

होमीय इति। वाससि हिरण्यबन्धनस्य कारणमाह–देवलोक इत्यादि। तदनूची दक्षिणेति। तं यज्ञमनु अञ्चति गच्छतीति 'अनूची' तादृशी भवति। तस्माद् 'याम्' दक्षिणाम् 'ददाति' 'सा' स्वर्गं प्राप्नोति। 'दक्षिणामन्वारभ्य' अवलम्ब्य 'यजमानः' अपि स्वर्गं प्राप्नोति ॥ ६ ॥

'यज्ञे हिरण्यादयः' 'चतस्रः' 'दक्षिणाः' दातव्या हि। तत्र यदि 'अश्वस्य' 'गोः' वा पादे 'हिरण्यम्' 'अवदध्यात्' तदा तदसम्बन्धात्स्वर्गं प्राप्तुं न शक्नोति। वाससि तु प्रबद्धं सहैव गन्तुं शक्नोति। 'तस्माद्' 'हिरण्यम्' स्वर्गगमनार्थम् 'वाससि' 'प्रबध्य' जुहुयात् ॥ ७ ॥

विहिते गार्हपत्याधिकरणे होमे मन्त्रौ विधत्ते–सौरीभ्यामिति। "सूर्यतिष्य०"–(पा. सू. ६। ४। १४९) इत्यादिना यकारलोपः। 'तमसा वै' इत्यादिनोक्तयोर्मन्त्रयोः सूर्यदेवत्यत्वे हेतुरुपन्यस्यते ॥ ८ ॥

विहितयोर्मन्त्रयोः प्रथमं दर्शयति–स जुहोति। उदु त्यं जातवेदसमिति (का. श्रौ. सू.। १०। २९)। उत्तरत्र एतन्मन्त्रगतस्य गायत्रीछन्दसः प्रयोजनं दर्शयितुम् 'एतया गायत्र्या' इति वर्णितम्। मन्त्रस्यायमर्थः–'केतवः' रश्मयः 'त्यम्' तम्, त्यच्छब्दस्यैतद्रूपम्। 'जातवेदसम्' जातं वेत्ति, वेदयति वा जातवेदास्तं

(त्यु) अथ द्वितीयां जुहोति । चित्रं देवानामुदगादनीकं चक्षुर्मित्रस्य व्वरुणस्याग्नेः ॥ आप्रा द्यावापृथिवीऽअन्तरिक्षꣳ सूर्य आत्मा जगतस्तस्थुषश्च स्वाहेत्येतया त्रिष्टुभा लोकमेवैतयोपप्रैति ॥ १० ॥

(त्य) अथाग्नीध्रे । द्वे वैकां वा जुहोति तद्यदग्नावाग्नीध्रे द्वे वैकां वा जुहोत्यग्निर्व्वै पशूनामीष्टे तऽएनमभितः परिणिविशन्ते तमेतयाऽऽहुत्या प्रीणाति सोऽस्मै प्रीतोऽनुमन्यते तेनानुमतान्ददाति ॥ ११ ॥

अथ द्वितीयां जुहोति—" चित्रं देवानामुदगादनीकं । चक्षुर्मित्रस्य वरुणस्याग्नेः । आप्रा द्यावापृथिवीऽअन्तरिक्षं । सूर्य आत्मा जगतस्तस्थुषश्च स्वाहा"—(वा. सं.७।४२) इत्येतया त्रिष्टुभा लोकमेवैतयोपप्रैति ॥ १० ॥

अथाग्नीध्रे द्वे वैकां वा जुहोति । तद् यदग्नावाग्नीध्रे द्वे वैकां वा जुहोति । अग्निर्वै पशूनामीष्टे । तऽएनमभितः परिणिविशन्ते । तमेतयाऽऽहुत्या प्रीणाति । सोऽस्मै प्रीतोऽनुमन्यते । तेनानुमतान् ददाति ॥ ११ ॥

सर्वज्ञम् ' देवम् ' दानादिगुणयुक्तम् ' सूर्यम् ' ' विश्वाय ' विश्वस्य जगतः ' दृशे ' दर्शनाय समस्तस्य लोकस्य दर्शनादिव्यवहारसिद्धयर्थम् ' उद्–वहन्ति ' ऊर्ध्वदेशं प्रापयन्ति । उक्तमन्त्रगतस्य गायत्रीछन्दसः प्रयोजनं दर्शयति—**गायत्री वा** इत्यादि । गायत्र्या अग्निना सहोत्पत्तिराम्नाता—"स मुखतस्त्रिवृतं निरमिमीत तमग्निर्देवताऽन्वसृज्यत गायत्री छन्दः" (तै.सं.७।१।१) इति । अग्निश्च पृथिव्यभिमानिनी देवता, अतस्तत्सम्बन्धाद्गायत्र्याः पृथिवीत्वम् । अत एव श्रूयते—"गायत्री वै पृथिवी " इति ॥ ९ ॥

द्वितीयाहुतेर्मन्त्रं दर्शयति—**अथ द्वितीयां जुहोति चित्रं देवानामित्यादि** । अत्रापि, पूर्ववत्प्रयोजनाभिधित्सया ' एतया त्रिष्टुभा ' इत्युक्तम् । ' चित्रम् ' चयनीयं पूजनीयम् ' देवानाम् ' ' अनीकम् ' संघातरूपं मण्डलम् ' उदगात् ' । उदगादिति "छन्दसि लुङ्लङ्लिटः" (पा. सू. ३ । ४ । ६) इति लुङ् । "गातिस्था"—(पा. सू. २ । ४ । ७७) इत्यादिना सिचो लुक् । कीदृशं मण्डलम् ' मित्रस्य वरुणस्याग्नेः ' चक्षुःस्थानीयम् । उपलक्षणं चैतत् । सर्वेषां देवानां चक्षूरूपम् । किञ्चैतन्मण्डलान्तर्गतः ' सूर्यः ' कीदृशः ' जगतः ' जङ्गमस्य ' तस्थुषः ' स्थावरस्य च ' आत्मा ' । ' द्यावापृथिवी ' । द्यावापृथिव्यौ । " वा च्छन्दसि "—(पा. सू. ६ । १ । १०६) इति पूर्वसवर्णदीर्घः । ' अन्तरिक्षम् ' च 'आप्राः' आपूरयति । पुरुषव्यत्ययः (पा. सू. ३ । १ । ८५) । अदादित्वाच्छपो लुक् (पा. सू. २ ।४। ७२) । मन्त्रगतस्य त्रिष्टुप्छन्दसः प्रयोजनं दर्शयति—**लोकमेवेति** । ' एतया त्रिष्टुभा ' ' लोकम् ' ऊर्ध्वलोकमभिलक्ष्य प्रगच्छति । त्रिष्टुप्छन्दसोर्ध्वलोकसम्बन्धः क्वचिदाम्नायते—" त्रिष्टुभमन्तरिक्षम् " इति ॥ १० ॥

विधत्ते—**अथाग्नीध्र** इत्यादि । आग्नीध्रमग्नीधो गृहम् । " अग्नीधः शरणे रण् भं च इति—" (पा. सू. ४ । ३ । १२० । वा. २) इति रण् प्रत्ययः । तत्रत्ये अग्नौ 'द्वे वा एकां वा' आहुतिं जुहुयात् । विहितमर्थमनूद्य तत्र कारणमाह—**तद्यदग्नावित्यादि । अग्निर्वै पशूनामीष्ट** इति । अग्निरिति रुद्रः । एतच्च तैत्तिरीयके श्रूयते—" देवासुराः संयत्ता आसन् ते देवा विजयमुपयन्तोऽग्नौ वामं वसु संन्यदधतेदमु नो भविष्यति यदि नो

१–चित्रं देवानामिति द्वितीयाम् । का. श्रौ. सू. १० । ३० । २–"आश्चर्यं यथा तथोदगात् । उदयन्नेव स्वतेजसा नैशं तमो हन्ति, अन्येषां ज्योतींष्यादत्त इत्याश्चर्यम् " इति महीधरः ।

स जुहोति ।(त्य) अग्ने नय सुपथा रायेऽअस्मान्विश्वानि देव व्वयुनानि व्विद्वान् । युयोध्यस्मज्जुहुराणमेनो भूयिष्ठां ते नमऽउक्तिं व्विधेम स्वाहेत्यथ यद्यश्वं युक्तं वाऽयुक्तं वा दास्यन्त्स्यादथ द्वितीयां जुहुयाद्यद्यु न नाद्रियेत ॥ १२ ॥

स जुहोति । (त्य) अयं नोऽअग्निर्व्वरिवस्कृणोत्वयं मृधः पुर ऽएतु प्रभिन्दन् ॥ अयं व्वाजाञ्जयतु व्वाजसातावयꣳ शत्रूञ्जयतु जर्हृषाणः स्वाहेति व्वाजसा ह्यश्वः ॥ १३ ॥

स जुहोति–" अग्ने नय सुपथा रायेऽअस्मान्विश्वानि देव वयुनानि विद्वान् । युयोध्यस्मज्जुहुराणमेनो भूयिष्ठां ते नमउक्तिं विधेम स्वाहा "–(वा. सं. ७ । ४३) इति । अथ यद्यश्वं युक्तं वाऽयुक्तं वा दास्यन्त्स्यात्–अथ द्वितीयां जुहुयाद्–यद्यु न नाद्रियेत॥ १२॥

स जुहोति–" अयं नोऽअग्निर्वरिवस्कृणोत्वयं मृधः पुर एतु प्रभिन्दन् । अयं वाजाञ्जयतु वाजसातावयं शत्रूञ्जयतु जर्हृषाणः स्वाहा "–(वा. सं. ७ । ४४) इति । वाजसा ह्यश्वः ॥ १३ ॥

जेष्यन्तीति । तदग्निर्न्यकामयत तेनापक्रामत्तद्देवा विजित्यावरुरुत्समाना अन्वायन् तदस्य सहसाऽदित्सन्त सोऽरोदीद्यदरोदीत्तद्रुद्रस्य रुद्रत्वम्" (तै.सं.१।५।१) इति । रुद्रश्च पशूनामधिपतिः । "रुद्रः पशूनामधिपतिः"–(तै.सं. ६।२।४) इति श्रुतेः । तस्मादग्निः पशूनामिति "अधीगर्थदयेशां कर्मणि" (पा. सू २।३।५२) इति षष्ठी । 'ते' पशवः 'एनम्' स्वामिनमग्निम् ' अभितः ' ' परिणिविशन्ते ' परिवेष्टन्ते । " नेर्विशः " (पा. सू. १।३।१७) इति आत्मनेपदम् । परं च ' एतयाऽऽहुत्या ' प्रीणितोऽग्निः स्वकीयान् पशून् ' अस्मै ' यजमानायानुजानाति । पश्चात्तदनुज्ञातानेव ' ददाति ' ॥ ११ ॥

विहितं होममनूद्य मन्त्रं विधत्ते–स जुहोत्यग्ने नयेत्यादि[1] । हे ' अग्ने !' ' विश्वानि ' ' वयुनानि ' ज्ञानानि ' विद्वान् ' त्वम् ' अस्मान् ' ' राये ' धनाय ' सुपथा ' शोभनेन मार्गेण । " न पूजनात् "–(पा. सू. ५ । ४ । ६९) इति समासान्तो निषिध्यते । ' नय ' प्रापय । किंच ' जुहुराणम् ' कुटिलम् ' एनः ' पापम् ' अस्मत् ' अस्मत्तः ' युयोधि ' पृथक् कुरु । " वा छन्दसि "–(पा. सू. ३ । ४ । ८८) इति सिबादेशस्य हेरपित्त्वं विकल्पितम् । तथा च पित्त्वपक्षे अङित्त्वाद् " अङितश्च "–(पा. सू. ६ । ४ । १०३) इति धिरादेशः । वयं च ' ते ' ' भूयिष्ठाम् ' नमउक्तिम् ' नमस्कारम् ' विधेम ' कुर्याम । ' विध विधाने ' (धा. पा. तु. प. ३४) इति । ' स्वाहा ' इदं हविः स्वाहुतमस्तु ।

द्वितीयाहुतेर्नैमित्तिकत्वमाह–अथ यद्यश्वमित्यादि । ' युक्तम् ' रथे विनियुक्तम् ' अयुक्तम् ' अविनियुक्तम् ॥ १२ ॥

द्वितीयाहुतेः कर्तव्यपक्षे मन्त्रमाह स जुहोत्ययं नो अग्निरित्यादि[2] । आग्नीध्रीयः ' अग्निः ' ' नः ' अस्माकम् ' वरिवः ' धनम् ' कृणोतु ' सम्पादयतु । " कृवि हिंसाकरणयोः "–(धा.पा.भ्वा.प. ९४) " धिन्विकृण्व्योर च "(पा.सू.३।१।८०)इति उप्रत्ययः, अकारश्चान्तादेशः। तस्य स्थानिवद्भावाल्लघूपधगुणो न भवति ।

१-आग्नीध्रीयेऽग्ने नयेति । का. श्रौ. सू. १० । ३१ । २-अयन्न इत्यपरामश्वं चेद्युक्तं दद्यादयुक्तं वा । का. श्रौ. सू. १०।३२।

(श्रो॒ऽथ) अथ हि॒रण्यमा॒दाय शा॒लाम॒भ्यैति । द॒क्षिणेन॒ वेदिं॒ द॒क्षिणा उ॒पति॑ष्ठन्ते सो॒ऽग्रेण शा॒लां तिष्ठन्न॒भिम॑न्त्रयते रू॒पेण॑ वो रू॒पम॒भ्यागा॒मिति न॒ ह वा॒ऽअग्रे॑ पश॒वो दा॒नाय॑ चक्षमि॒रे ते॒ऽपनि॒धाय॒ स्वानि॑ रू॒पाणि॒ शरी॑रैः प्रत्यु॒पाति॑ष्ठन्त ता॒नेत॒द्देवाः॒ स्वै॒रे॒व रू॒पैर्य॒ज्ञस्या॒र्धा॒दुपा॒यं॒स्ते स्वा॒नि रू॒पाणि॒ जा॒नाना॒ अ॒भ्यु॒वायं॒स्ते रा॒तम॑नसो॒ऽलं दा॒नाया॒भवं॒स्तथो॒ऽए॒वै॒नाने॒ष ए॒तत्स्वै॒रे॒व रू॒पैर्य॒ज्ञस्या॒र्धा॒दुपै॒ति ते॒ स्वा॒नि रू॒पाणि॒ जा॒नाना॒ऽ अ॒भ्यु॒वाय॑न्ति ते॒ रा॒तम॑नसो॒ऽलं दा॒नाय॒ भवन्ति ॥ १४ ॥

अथ हिरण्यमादाय शालामभ्यैति–दक्षिणेन वेदिम्–दक्षिणा उपतिष्ठन्ते । सोऽग्रेण शालां तिष्ठन्नभिमन्त्रयते–" रूपेण वो रूपमभ्यागाम् "–(वा. सं. ७ । ४५) इति । न ह वा अग्रे पशवो दानाय चक्षमिरे । तेऽपनिधाय स्वानि रूपाणि शरीरैः प्रत्युपातिष्ठन्त । तानेतद्देवाः स्वैरेव रूपैर्यज्ञस्यार्धादुपायन् । ते स्वानि रूपाणि जानाना अभ्यवायन् । ते रातमनसोऽलं दानायाभवन् । तथोऽएवैनानेष एतत्स्वैरेव रूपैर्यज्ञस्यार्धादुपैति । ते स्वानि रूपाणि जानाना अभ्यवायन्ति । ते रातमनसोऽलं दानाय भवन्ति ॥ १४ ॥

न केवलमयं धनमेव करोतु किन्तु ' मृधः ' संग्रामान् ' प्रभिन्दन् ' पुरस्ताद् ' एतु ' गच्छतु । किंच ' अयम् ' ' वाजसातौ ' वाजोऽन्नं (निघं० २ । ७ । २) सोऽस्मिन् सायते सम्भज्यत इति वाजसातिः संग्रामस्तस्मिन्, ' वाजान् ' अन्नानि ' जयतु ' स्वाधीनं करोतु ' । ' जर्हृषाणः ' अतिशयेन हृष्यन् ' शत्रूंश्च जयतु ' । मन्त्रे वाजशब्दप्रयोगस्य तात्पर्यमाह–वाजसा ह्यश्व इति । 'अश्वः' वाजमन्नं सनोति सम्भजतीति ' वाजसाः ' " जनसनखनक्रमगमो विट् "–(पा. सू. ३ । २ । ६७) इति विट्प्रत्ययः । " विड्वनोरनुनासिकस्यात् "–(पा.सू. ६।४।४१) इति आत्वम् । अस्य जयसिद्धिसाधकत्वादन्नसम्पादकत्वम् । अनेनैवाभिप्रायेण साध्यसाधनभेदाविवक्षयाऽश्वस्यान्नरूपत्वं क्वचिदाम्नायते–"अश्वो वै बृहद्वयः"(तै.शा. ३।९।५) इति । वय इत्यन्ननामधेयम् (निघं. २।७।७) यतोऽश्वोऽस्य वाजसाः तस्मात्तद्दानाङ्गभूतस्य साधने मन्त्रे वाजशब्दप्रयोग इत्यर्थः ॥ १३ ॥

विधत्ते–अथ हिरण्यमादायेत्यादि । दक्षिणेन वेदिमिति । " एनपा द्वितीया " (पा. सू. २ । ३ । ३१) इति द्वितीया । दक्षिणा इति । दक्षिणार्था गावः । सोऽग्रेणेति । शालाया अग्रभागे तिष्ठन् " रूपेण वः " इत्यादिना मन्त्रेण दक्षिणार्था गाः ' अभिमन्त्रयते ' इत्यर्थः ॥

मन्त्रस्य प्रथमभागं व्याचष्टे–न ह वा इति । ' अग्रे ' पूर्वम् ' पशवो दानाय ' ' न ' समर्था बभूवुः किल यतः ' ते ' पशवः ' स्वानि रूपाणि ' सामर्थ्यानि ' अपनिधाय ' शरीरमात्रेणैवोपस्थिताः; ' एतत् ' एतेन रूपेण व इत्यादि मन्त्रभागस्योच्चारणेन ' देवाः ' ' तान् ' दानसमर्थान्पशून् ' स्वैरेव रूपैः ' सहिताः ' यज्ञस्यार्द्धात् ' मध्यात् ' उपायन् ' यज्ञमध्यं माध्यन्दिनसवनमाश्रित्य प्राप्नुवन्नित्यर्थः । अर्द्धादिति कर्मणि ल्यब्लोपे पञ्चमी (पा. सू. १ । ४ । ३१ वा. १) । ततश्चैते ' स्वानि ' सामर्थ्यानि ' जानानाः ' अभिमुखमागताः पश्चात् स्वसामर्थ्योपेतत्वात् ' रातमनसः ' सन्तो दानाय समर्था बभूवुः । एतन्मन्त्रभागोच्चारणेन तथैव भवतीत्यर्थः ॥ १४ ॥

१–सहिरण्यो यजमानः शालां पूर्वेण तिष्ठन्नभिमंत्रयते दक्षिणा बहिर्वेदि तिष्ठन्तीर्दक्षिणतो रूपेण व इति । का०श्रौ०सू० १०।३४।

तुथो वो व्विश्ववेदा व्विभजत्त्विति । ब्रह्म वै तुथस्तदेना ब्रह्मणा व्विभजति ब्रह्म वै दक्षिणीयं चादक्षिणीयं च व्वेद तुथो हास्यैता दक्षिणीयायैव दत्ता भवन्ति नादक्षिणीयाय ॥ १५ ॥

(यर्तु) ऋतस्य पथा प्रेतेति । यो वै देवानां पथैति स ऽऋतस्य पथैति चन्द्रदक्षिणा इति तदेतेन ज्योतिषा यन्ति ॥ १६ ॥

(न्त्यु) अथ सदोऽभ्यैति । व्वि स्वः पश्य व्यन्तरिक्षमिति व्वि त्वया दक्षिणया लोकं ख्येषमित्येवैतदाह ॥ १७ ॥

" तुथो वो विश्ववेदा विभजतु "–(वा०सं० ७ । ४५) इति । ब्रह्म वै तुथः । तद् एना ब्रह्मणा विभजति । ब्रह्म वै दक्षिणीयं चादक्षिणीयं च वेद । तथो हास्येता दक्षिणीयायैव दत्ता भवन्ति, नादक्षिणीयाय ॥ १५ ॥

" ऋतस्य पथा प्रेत "–(वा० सं० ७ । ४५) इति । यो वै देवानां पथैति–स ऋतस्य पथैति । " चन्द्रदक्षिणाः "–(वा. सं. ७ । ४५) इति । तदेतेन ज्योतिषा यन्ति ॥ १६ ॥

अथ सदोऽभ्यैति–" वि स्वः पश्य व्यन्तरिक्षम् "–(वा० सं० ७ । ४५) इति । वि त्वया दक्षिणया लोकं ख्येषमित्येवैतदाह ॥ १७ ॥

द्वितीयं भागं व्याचष्टे– तुथो व इत्यादि । तुथ इति साक्षात् परब्रह्म 'दक्षिणीयम्' दक्षिणार्हम् 'अदक्षिणीयम्' दक्षिणानर्हम् 'च' जानाति " कडङ्करदक्षिणाच्छ च "– (पा. सू. ५ । १ । ६९) इति । अर्हार्थे छप्रत्ययः । अतः 'तुथो' 'विभजतु' इत्युक्तेऽनेनैवादिभागः कृतो भवतीति । प्रमाददक्षिणीयाय दत्तापि दक्षिणीयायैव दत्ता भवतीति भावः ॥ १५ ॥

तृतीयं भागं व्याचष्टे–ऋतस्येत्यादि । देवानां मार्गेण गच्छतेत्यनेनाभिप्रायेण 'ऋतस्य' यज्ञस्य 'पथा' प्रगच्छतेत्युक्तम् । यज्ञमार्गस्य देवसम्बन्धादित्यर्थः ।

चतुर्थं भागं व्याचष्टे–चन्द्रदक्षिणा इति । चन्द्रं हिरण्यमध्वर्युहस्तंगतं तद् दक्षिणा समर्थकं यासां तास्तथोक्ताः । अनेन चन्द्ररूपेण 'ज्योतिषा' सदैव गच्छेयुः । हे दक्षिणार्था गावः 'रूपेण' सामर्थ्येन पूर्वं भवतीभिरग्निनिहितेन सह वो 'रूपम्' स्वरूपम् 'अभ्यागाम्' आभिमुख्येन प्राप्तोऽस्मि । " गातिस्था"– (पा. सू. २ । ४ । ७७) इत्यादिना सिचो लुक् । 'वो विश्ववेदाः' सर्वज्ञः 'तुथः' ब्रह्म विभजतु । यूयं च चन्द्रदक्षिणाः सत्यः यज्ञसम्बन्धिना मार्गेण गच्छतेति कृत्स्नमन्त्रस्यार्थः ॥ १६ ॥

समन्त्रकं सदोगमनं विधाय मन्त्रस्य तात्पर्यमाह–अथेत्यादि । वि स्वः इति । हे सदः ! त्वदीयया 'दक्षिणया स्वर्लोकमन्तरिक्षलोकं च 'वि' 'ख्येषम्' समीक्षिषीयेत्येवमर्थम् 'एतत्' मन्त्रवाक्यम् 'आह' अस्ति च दक्षिणायाः सदसश्च सम्बन्धः सदस्यासीनेभ्य ऋत्विग्भ्यो दक्षिणाया दातव्यत्वात् । मन्त्रे 'पश्य' इति पुरुषव्यत्ययः–(पा. सू. ३ । १ । ८५) पश्यामीत्यर्थः । एवं च 'वि ख्येषम्' इति व्याख्यानमुपपद्यते ॥ १७ ॥

१–सदो गच्छति व्वि स्वरिति । का. श्रौ. सू. १० । ४१ ।

(ह्राथ) अथ सदः प्रेक्षते । यतस्व सदस्यैरिति मा त्वा सदस्याऽ अतिरिक्षतेत्येवैतदाह ॥ १८ ॥

(ह्राथ) अथ हिरण्यमादायाग्नीध्रमभ्यैति । ब्राह्मणमद्य विदेयं पितृमन्तं पैतृमत्यमिति यो वै ज्ञातो ज्ञातकुलीनः स पितृमान्पैतृमत्यो या वै ज्ञातायापि कतिपयीर्दक्षिणा ददाति ताभिर्महज्जयत्यृषिमार्षेयमिति यो वै ज्ञातोऽनूचानः स ऋषिरार्षेयः सुधातुदक्षिणमिति स हि सुधातुदक्षिणः॥१९॥

(णोऽथै) अथैवमुपसद्य । (ह्रा) अग्नीधे हिरण्यं ददात्यस्मद्राता देवत्रा

अथ सदः प्रेक्षते "यतस्व सदस्यैः"–(वा० सं० ७।४५) इति। मा त्वा सदस्या अतिरिक्षतेत्येवैतदाह ॥ १८ ॥

अथ हिरण्यमादायाग्नीध्रमभ्यैति–" ब्राह्मणमद्य विदेयं पितृमन्तं पैतृमत्यम् "–(वा० सं० ७। ४६) इति । यो वै ज्ञातो ज्ञातकुलीनः स पितृमान् पैतृमत्यः । या वै ज्ञातायापि कतिपयीर्दक्षिणा ददाति, ताभिर्महज्जयति । " ऋषिमार्षेयम् "–(वा० सं० ७। ४६) इति । यो वै ज्ञातोऽनूचानः स ऋषिरार्षेयः । " सुधातुदक्षिणम् "–(वा० सं० ७। ४६) इति । स हि सुधातुदक्षिणः ॥ १९ ॥

अथैवमुपसद्याग्नीधे (१) हिरण्यं ददाति–" अस्मद्राता देवत्रा गच्छत "–(वा.

विधत्ते–अथेत्यादि । हे 'सदः' ! त्वम् 'सदस्यैः' सहितमेव यज्ञकार्ये प्रयतस्वेति मन्त्रस्यार्थः । मन्त्रस्य, सदसः सर्वदा सदस्यैः सह सम्बन्धोऽभिप्रेत इति व्याचष्टे–मा त्वेत्यादि । तथा च तैत्तिरीयके– " यतस्व सदस्यैरित्याह मित्रत्वाय "–(तै. सं. ६।६।१।४)–इति । अतिरिक्षतेति । " रिचिर् विरेचने " (धा. पा. रु. उ. ४) इत्यस्माल्लुङि च्लेर्व्यत्ययेन (पा. सू. ३ । १ । ८५) क्सादेशे रूपम् ॥ १८ ॥

सहिरण्यमाग्नीध्रं प्रति गमनं विधत्ते–अथ हिरण्यमित्यादि । दातव्यम् 'हिरण्यम्' स्वीकृत्य 'ब्राह्मणम्' 'अद्य'–इत्यादिना मन्त्रेण 'आग्नीध्रम्' अभिगच्छेत् । मन्त्रे पितृमत्पैतृमत्यशब्दयोस्तात्पर्यमाह–यो वै ज्ञात इत्यादि। 'पितृमन्तं पैतृमत्यम्' इत्येताभ्यां शब्दाभ्याम् 'ज्ञातः' 'ज्ञातकुलीनः' च विवक्षितः । ज्ञातः प्रसिद्धः । तत्रायमभिप्रायः–'पितृमान्' इति प्रशंसायां मतुप् इति प्रशस्तपितृमान्, प्रशस्तपितृमत्त्वेन च प्रसिद्धिर्लभ्यते । 'पैतृमत्यः' इति पितृमति कुले भवः । " भवे छन्दसि "–(पा. सू. ४ । ४ । ११०) इति यत् । कुलस्य ज्ञातत्वं प्रशस्तपुरुषसम्बन्धनिबन्धनम् । एवं च प्रशस्तपितृयुक्ते कुले जात इत्यनेन प्रशस्तकुलोत्पत्तिर्लभ्यते । तादृशाय 'ज्ञाताय' 'याः' 'कतिपयीः' 'अपि' 'दक्षिणाः ददाति ताभिर्महत्' फलम् 'जयति' स्वाधीनीकरोति । तस्मादनेनाभिप्रायेण पितृमन्तं पैतृमत्यमिति शब्दप्रयोग इत्यर्थः । ऋष्यार्षेयशब्दयोरर्थमाह–यो वा इति । 'अनूचानः' साङ्गे प्रवचनेऽधीती । 'आर्षेयः' " इतश्चानिञः "–(पा. सू. ४ । १ । १२२) इति ढक्प्रत्ययः । स हीति । प्रकृतत्वात् 'स' ज्ञातः 'अनूचानः' 'सुधातुदक्षिणः' सुधातुर्हिरण्यं तद् दक्षिणा यस्य स तथोक्तः । प्रसिद्धाय खलु हिरण्यं दीयते ॥ १९ ॥

उपसदनानन्तरमग्नीधे समन्त्रकं हिरण्यदानं विधत्ते–अथैवमित्यादि । मन्त्रार्थस्तु हिरण्यरूपा दक्षिणाः

१–प्रेक्षते यतस्व सदस्यैरिति सदस्यान् । का. श्रौ. सू. १० । २ । २–ब्राह्मणमद्येत्याग्नीध्रगमनम् । का. श्रौ. सू. १० । ४३ । ३–उपविश्य हिरण्यमस्मै ददात्यस्मद्राता इति का. श्रौ. सू. १० । ४४ ।

गच्छतेति यां वै रातमनाऽअविचिकित्सन्दक्षिणां ददाति तया महज्जयति देवत्रा गच्छतेति देवलोके मेऽप्यसदिति वै यजते यो यजते तद्देवलोकऽएवैनमेतदपित्विनं करोति प्रदातारमाविशतेति मामाविशतेत्येवैतदाह तथो हास्मादेताः पराच्यो न प्रणश्यन्ति तद्यदग्नीधे प्रथमाय दक्षिणां ददात्यतो हि विश्वे देवा अमृतत्वमपाजयंस्तस्मादग्नीधे प्रथमाय दक्षिणां ददाति ॥ २० ॥

(त्यु) अथैवमेवोपसद्य। (व्रा) आत्रेयाय हिरण्यं ददाति यत्र वाऽअदः प्रातरनुवाकमन्वाहुस्तद्ध स्मैतत्पुरा शꣳसन्त्यत्रिर्वाऽऋषीणाꣳ

सं. ७।४६।) इति। यां वै रातमना अविचिकित्सन्दक्षिणां ददाति, तया महज्जयति। देवत्रा गच्छत इति। देवलोके मेऽप्यसदिति वै यजते–यो यजते तद्देवलोकऽएवैनमेतदपित्विनं करोति। "प्रदातारमाविशत"–(वा. सं. ७।४६।) इति। मामाविशतेत्येवैतदाह तथो हास्मादेताः पराच्यो न प्रणश्यन्ति। तद्व यदग्नीधे प्रथमाय दक्षिणां ददाति। अतो हि विश्वेदेवा अमृतत्वमपाजयन्। तस्मादग्नीधे प्रथमाय दक्षिणां ददाति ॥ २० ॥

अथैवमेवोपसद्य आत्रेयाय (२)। हिरण्यं ददाति। यत्र वाऽअदः प्रातरनुवाकमन्वाहुः–तद्ध स्मैतत् पुरा शंसन्ति। अत्रिर्वाऽऋषीणां होतास। अथैतत्सदोऽसुरतमसमभिपुप्रुवे। तऽऋषयोऽत्रि-

---

'अस्मद्राताः' अस्माभिर्दत्ताः 'देवत्रा' "देवमनुष्य"–(पा. सू. ५।४।५६) इत्यादिना द्वितीयार्थे त्राप्रत्ययः। देवान् गच्छतेत्यर्थः। किञ्च 'प्रदातारम्' मां च 'आविशत' प्रविशत। बहुवचनं पूजार्थम्। मन्त्रपदानामभिप्रायमाह–यां वा इत्यादि। 'रातमनाः' दानमनाः 'अविचिकित्सन्' सन्देहमकुर्वन् 'याम्' 'दक्षिणां ददाति' तादृश्या 'तया' दक्षिणया 'महत्' फलम् 'जयति' तस्मादस्मद्राता इति मन्त्रम् आह–यजमानो न केवलमस्मिँल्लोक एव भवत्विति यजते, किन्तु स्वर्गेऽपि। तस्माद्देवत्रा गच्छतेत्युक्तम्। एवञ्च 'एतत्' हिरण्यम् 'देवलोक एव' 'अपित्विनम्' गमनयुक्तं कृतवान्भवति। अपित्विनमिति लिङ्गव्यत्ययः (पा. सू. ३।१।८५)। प्रदातारमिति। यद्येतन्न प्रयुज्येत, तदा 'अस्माद्' यजमानाद् 'एताः' दक्षिणाः पराच्य एव सत्यः प्रणश्येयुः। 'प्रदातारमाविशतेति' प्रयुङ्क्ते 'मामा विशत' इत्युक्तत्वात् तथा न प्रणश्येयुरित्यर्थः।

दक्षिणादाने प्राप्तमाग्नीध्रस्य प्राथमिकत्वमनूद्य तत्र कारणमुपन्यस्यति–तद्यदित्यादिना। अतो हीति। 'अतः' आग्नीध्रात् सकाशाद् 'देवाः' 'अमृतत्वम्' अविनश्वरत्वं प्राप्नुवन्निति प्रसिद्धम्। देवानां यज्ञे अग्निरेवाग्नीध्रः–अत एव "अग्नय आग्नीध्रङ्कुर्वते" (शत. ४।३।४।२४)। इत्युत्तरत्र वक्ष्यते "अग्निनैव साधनेन देवा असुरानभिभूय निर्बाधा अभवन्। "अग्निमेव वरूथङ्कृत्वाऽसुरानभ्यभवन्" (तै. सं. ६।२।२)–इत्यादिश्रुतेः। 'तस्माद्' आग्नीध्रस्याग्न्यात्मकत्वात्, ततो देवा अमृतत्वमापुरिति प्रसिद्धमित्यर्थः ॥ २० ॥

आग्नीध्राय हिरण्यं दत्त्वा अथात्रेयाय हिरण्यं दद्यादिति विधत्ते–अथैवमेवेत्यादि। 'एवमेव' अनेनैव

होताऽऽस्राथैतत्सदोऽसुरतमसमभिपुप्रुवे तऽऋषयोऽत्रिमब्रुवन्नेहि प्रत्युङ्ङिदं तमोऽपजहीति सऽएतत्तमोऽपाहन्नयं वै ज्योतिर्य इदं तमोऽपावधीदिति तस्माऽएतज्ज्योतिर्हिरण्यं दक्षिणामनयञ्ज्योतिर्हि हिरण्यं तद्वै स तत्तेजसा वीर्येणऽर्षिस्तमोऽपजघानाथैष एतेनैवैतज्ज्योतिषा तमोऽपहन्ति तस्मादात्रेयाय हिरण्यं ददाति ॥ २१ ॥

(त्यु) अथ ब्रह्मणे । ब्रह्मा हि यज्ञं दक्षिणतोऽभिगोपायत्यथोद्गात्रेऽथ होत्रेऽथाध्वर्युभ्याँ हविर्धानऽआसीनाभ्यामथ पुनरेत्य प्रस्तोत्रेऽथ मैत्रावरुणायाथ ब्राह्मणाच्छँसिनेऽथ पोत्रेऽथ नेष्ट्रेऽथाच्छावाकायाथाग्नीत्रेऽथ ग्रावस्तुतेऽथ सुब्रह्मण्यायै प्रतिहर्त्रे उत्तमाय ददाति प्रतिहर्ता वाऽएष सोऽस्माऽएतदन्ततः प्रतिहरति तथो हास्मादेताः पुराच्यो न प्रणश्यन्ति ॥२२॥

मब्रुवन्–एहि प्रत्यङ्ङिदं तमोऽपजहीति । स एतत्तमोऽपाहन् । अयं वै ज्योतिर्य इदं तमोऽपावधीदिति । तस्माऽएतज्ज्योतिर्हिरण्यं दक्षिणामनयन् । ज्योतिर्हि हिरण्यम् । तद्वै स तत्तेजसा वीर्येणऽर्षिस्तमोऽपजघान । अथैष एतेनैवैतज्ज्योतिषा तमोऽपहन्ति । तस्मादात्रेयाय हिरण्यं ददाति ॥ २१ ॥

अथ ब्रह्मणे (३) । ब्रह्मा हि यज्ञं दक्षिणतोऽभिगोपायति । अथोद्गात्रे (४)। अथ होत्रे (५)। अथाध्वर्युभ्यां (६–७) । हविर्धान आसीनाभ्याम् । अथ पुनरेत्य प्रस्तोत्रे (८) । अथ मैत्रावरुणाय (९)। अथ ब्राह्मणाच्छंसिने (१०)। अथ पोत्रे (११)। अथ नेष्ट्रे (१२)। अथा-

---

प्रकारेण येन प्रकारेणोपसद्याग्नीध्राय हिरण्यं दत्तं तेनैव प्रकारेणोपसद्यात्रेयाय हिरण्यं दद्यात् । "ब्राह्मणमद्य" इत्यादिना मन्त्रेणोपसद्य दद्यादित्यर्थः । अत एव कात्यायनः–"आत्रेयायाग्नीध्रवत्" (का. श्रौ. सू. १०।४५) इत्यादि[1] । आत्रेयाय हिरण्यदाने हेतुमाह–**यत्र वा अद** इत्यादिना । **पुरा शंसन्तीति** । पूर्वस्मिन्प्रदेशे आहवनीयस्य समीपे 'शंसन्ति' । **सोऽथैतदिति** । अत्रिः स्वयं पूर्वभागे शंसन् 'एतत्सदोऽसुरतमसम्' असुररूपं तमः । अमो लुगभावश्छान्दसः । तम् 'अभिपुप्रुवे' 'प्रुङ् गतौ' (धा. पा. भ्वा. आ. ९८२) अन्तर्भावितण्यर्थः । अभ्यप्रावयत् । पूर्वभागे शंसतः स्थितत्वात् तत्र प्राप्तुमशक्ता असुराः पश्चात्सदः प्राप्नुवन्नित्यर्थः । **तद्वै स तदिति** । 'तत्' तदा हिरण्यदानानन्तरकाले 'तत्तेजसा' तस्य हिरण्यस्य तेजसा स्वकार्येण पश्चात् 'तमोऽपजघान' स्पष्टार्थमन्यत् ॥ २१ ॥

आत्रेयहिरण्यदानानन्तरं ब्रह्मादिभ्यः क्रमेण दानं विधत्ते–**अथ ब्रह्मण** इत्यादिना[2] । यज्ञसंरक्षकत्वेन ब्रह्मणः प्राधान्यसूचनाद्दाने प्राथमिकत्वमुचितमिति प्रदर्शितम् । **अथ पुनरेत्येति**[3] । पुनरपि सदो गत्वेत्यर्थः । 'प्रति-

---

१– सदसः पुरस्तादुपविश्याय क आत्रेयं क आत्रेयमिति त्रिरुक्त्वा सकृच्छेवमहालेयमवालेयमकौद्रेयमशौभ्रेयमवासग्ध्यमर्गोपवनमिति । ऋत्विग्भ्यो दक्षिणां ददाति । ऋत्विग्ग्रहणं चमसाध्वर्युव्युदासार्थम् । नेषामनुत्विक्त्वात् इति तत्रकर्कः का. श्रौ. सू. १० । ४५–४६ सूत्रशेषः । २–ब्रह्मोद्गातृहोतृभ्यः । अध्वर्युभ्यां च । हविर्द्धान उपविष्टाभ्यां ददाति का. श्रौ. सू. १० । ५०–५२ । ३–प्रत्येत्य प्रस्तोतृप्रशास्तृब्राह्मणाच्छंसिपोतृनेष्टृच्छावाकाग्नीत्तृग्रावस्तुत्सुब्रह्मण्येभ्यः । प्रत्रसेभ्यश्च सप्त । कण्वकश्यपयाचमानवर्जम् । ज्ञातये चाश्रोत्रियाय । न रजतं दद्याद्बर्हिषि पुराऽस्य संवत्सराद्गृहे रुदन्तीति श्रुतेः । पत्नी च ददाति । सर्वेभ्यो दत्वा प्रतिहर्त्रे पश्चात् । का. श्रौ. सू. १० । ५७–६३ ।

(न्त्यु) अथाहेन्द्राय मरुत्वतेऽनुब्रूहीति । यत्र वै प्रजापतिरग्रे ददौ तद्धेन्द्र ईक्षांचक्रे सर्व्वं वाऽअयमिदं दास्यति नास्मभ्यं किंचन परिशेक्ष्यतीति स एतं वज्रमुदयच्छदिन्द्राय मरुत्वतेऽनुब्रूहीत्यदानाय ततो नाददात्स एषोऽप्येतर्हि तथैव वज्र उद्यम्यतऽइन्द्राय मरुत्वतेऽनुब्रूहीत्यदानाय ततो न ददाति ॥ २३ ॥

चतस्रो वै दक्षिणाः । (०) हिरण्यमायुरेवैतेनात्मनस्त्रायतऽआयुर्हि हिरण्यं तदग्नयऽआग्नीध्रं कुर्व्वतेऽददात्तस्मादप्येतर्ह्यग्नीधे हिरण्यं दीयते २४

च्छावाकाय (१३) । अग्नीध्रे (१४) । अथ ग्रावस्तुते (१५) । अथ सुब्रह्मण्यायै प्रतिहर्त्रे (१६) उत्तमाय ददाति । प्रतिहर्ता वाऽएषः । सोऽस्माऽएतदन्ततः प्रतिहरति । तथो हास्मादेताः पराच्यो न प्रणश्यन्ति ॥ २२ ॥

अथाह–इन्द्राय मरुत्वतेऽनुब्रूहीति । यत्र वै प्रजापतिरग्रे ददौ । तद्धेन्द्र ईक्षाञ्चक्रे–सर्वं वाऽअयमिदं दास्यति, नास्मभ्यं किंचन परिशेक्ष्यतीति । स एतं वज्रमुदयच्छत्–' इन्द्राय मरुत्वतेऽनुब्रूहि ' इत्यदानाय । ततो नाददात् । स एषोऽप्येतर्हि तथैव वज्र उद्यम्यते–' इन्द्राय मरुत्वतेऽनुब्रूहि ' इत्यदानाय । ततो न ददाति ॥ २३ ॥

चतस्रो वै दक्षिणाः । हिरण्यम्, आयुरेवैतेनात्मनस्त्रायते । आयुर्हि हिरण्यम् । तदग्नयेऽआग्नीध्रं कुर्वतेऽददात् । तस्मादप्येतर्ह्यग्नीधे हिरण्यं दीयते ॥ २४ ॥

हर्त्रे ' ' उत्तमाय ' अन्तिमाय ' ददाति ' ' एषः ' ' प्रतिहर्ता ' समाप्तिरूपस्य प्रतिहारभागस्य कर्ता खलु, अतः ' सोऽस्मै ' यजमानाय ' अन्ततः ' दक्षिणाः समापयति । ' तथा ' च सति ' एताः ' दक्षिणाः पराग्भूता एव न प्रणश्येयुः । अन्यथा समाप्त्यभावात् 'पराच्यः' सत्यः प्रणश्येयुरिति भावः। "न ह त्वेवाशतदक्षिणः सौम्योऽध्वरः स्यात्" (श.प. ४।३।४।३) इति । प्रकृतसोमयागे शतसङ्ख्याका गावो दक्षिणा विहितास्ताः प्रविभज्योक्तक्रमेण ब्रह्मादिभ्यो दद्यात् । विभागप्रकारस्तु कात्यायनेन दर्शितः–" यथारम्भं द्वादश द्वादशाद्येभ्यः षट्षट् द्वितीयेभ्यश्चतस्रश्चतस्रस्तृतीयेभ्यस्तिस्रस्तिस्र इतरेभ्यः "–इति[1]। आपस्तम्बेनाप्येवमेवोक्तम्–" यावदध्वर्यवे ददाति तस्यार्द्धं प्रतिप्रस्थात्रे तृतीयं नेष्ट्रे चतुर्थमुन्नेत्रे " । एतेनेतरेषां दानमुक्तमिति ॥ २२ ॥

दक्षिणादानानन्तरं मरुत्वद्ग्रहस्यानुवाक्यासम्प्रैषं विधत्ते–अथाहेत्यादि[2]। उक्तसम्प्रैषोच्चारणानन्तरं न दद्यादिति विधातुमाख्यायिकामाह–यत्र वा इत्यादि[3]। पुरा खलु ' यत्र ' यस्मिन् काले ' प्रजापतिः ' स्वसम्बन्धिनि यज्ञे दक्षिणाः ' ददौ ' तदा प्रजापतिपुत्रः ' इन्द्रः ' विचारयामास–' अयम् ' मम 'इदम्' ' सर्वम् ' अपि धनम् ' दास्यति ' तदा ' अस्मभ्यम् ' तु किमवशेक्ष्यतीति । एवं विचार्याप्रदानाय ' इन्द्राय मरुत्वते ऽनुब्रूहि ' 'इति' एतद्वाक्यरूपं ('वज्रं') चक्षुः 'उदयच्छत्' । पश्चात् 'सः' प्रजापतिः नो 'अददात्'। विधत्ते–तथैवेति । 'तथैव' इदानीमपि 'अदानाय' 'इन्द्राय' इत्यादिवाक्यरूपः 'वज्र उद्यम्यते' । तस्मान्न दद्यादित्यर्थः ॥ २३ ॥

विहितशतदक्षिणातिरिक्तानां चतुर्णां द्रव्याणां प्रयोजनाभिधानपूर्वकमृत्विग्विशेषेषु दानमाह–चतस्रो वै

१–षट् द्वितीयेभ्यश्चतस्रस्तृतीयेभ्यस्तिस्र इतरेभ्यः–इति क. का० श्रौ० सू० पु. पा. । २–इन्द्राय मरुत्वतेऽनुवाचयति । का. श्रौ. सू. १० । ६४ । ३–अदानमतः का. श्रौ. सू. १० । ६५ ।

(तेऽथ) अथ गौः । प्राणमेवैतयाऽऽत्मनस्त्रायते प्राणो हि गौरन्नᳬं हि गौरन्नᳬं हि प्राणस्ताᳬं रुद्राय होत्रेऽददात् ॥ २५ ॥

(द) अथ वासः । (स्त्व) त्वचमेवैतेनात्मनस्त्रायते त्वग्घि वासस्तद्बृहस्पतयऽउद्गायतेऽददात् ॥ २६ ॥

(द) अथाश्वः । (श्वो) वज्रो वाऽअश्वो वज्रमेवैतत्पुरो गां कुरुते यमलोके मेऽप्यसदिति वै यजते यो यजते तद्यमलोकऽएवैनमेतदपित्विनं करोति तं यमाय ब्रह्मणेऽददात् ॥ २७ ॥

(त्स)स हिरण्यं प्रत्येति । (त्य) अग्नये त्वा मह्यं वरुणो ददात्वित्यग्नये

अथ गौः । प्राणमेवैतयाऽऽत्मनस्त्रायते । प्राणो हि गौः । अन्नं हि गौः । अन्नं हि प्राणः तां रुद्राय होत्रेऽददात् ॥ २५ ॥

अथ वासः । त्वचमेवैतेनात्मनस्त्रायते । त्वग्घि वासः । तद् बृहस्पतयऽउद्गायतेऽददात् ॥ २६ ॥

अथाश्वः । वज्रो वाऽअश्वः । वज्रमेवैतत् पुरोगां कुरुते । यमलोके मेऽप्यसदिति वै यजते—यो यजते । तद् यमलोकऽएवैनमेतदपिशिनं करोति । तं यमाय ब्रह्मणेऽददात् ॥ २७ ॥

स हिरण्यं प्रत्येति—" अग्नये त्वा मह्यं वरुणो ददातु "—(वा० सं० ७ । ४७) इति ।

दक्षिणा इत्यादिना । यज्ञे उक्तशतदक्षिणातिरिक्ताः 'दक्षिणाः' 'चतस्रः' हि । तत्र 'हिरण्यम्' प्रथमा दक्षिणा " आयुर्हि हिरण्यम् "(शत. ४ । ३ । ४ । २४)—इत्यादिश्रुतेः ' हिरण्यमायुः "—इति प्रसिद्धम् । अत एतेन यजमानः स्वात्मन आयुरेव रक्षति । ' तत् ' च हिरण्यं प्रजापतिः ' आग्नीध्रम् ' अग्नीधः कर्म ' कुर्वते ' अग्नये ' अददात् ' । ' तस्माद् ' एतस्मिन् कालेऽपि ' अग्नीधे हिरण्यं दीयते ' ॥ २४ ॥

अथ गौरित्यादिकं तु स्पष्टार्थम् । तामिति । 'तां' गाम् प्रजापतिर्होतृभूताय ' रुद्राय ' ' अददात् ' तस्माद् होत्रे गां दद्यादित्यर्थः । एवमुत्तरत्रापि विधिवाक्यमध्याहार्यम् ॥ २५ ॥

त्वग्घि वास इति । ' हि ' शब्दः प्रसिद्धिद्योतकः । तृतीयकाण्डे दीक्षाप्रकरणे " अथ वासः परिधत्ते " (श. प. ३ । १ । २ । १३–१६) इत्युपक्रम्याम्नातम् । " तस्मिन्नेतामस्मिंस्त्वचमदधुः, वास एव । तस्मान्नान्यः पुरुषाद्वासो बिभर्ति "—इति ॥ २६ ॥

" वज्रो वा आपः " इत्यपां वज्रत्वं श्रूयते । अश्वश्चाद्भ्यः सम्भूतः "अप्सुयोनिर्वा अश्वः" (तै. सं. ५।३।१२)इति श्रुतेः । तस्मात् कारणभूतानामपां वज्रत्वात्कार्यभूतः 'अश्वः' अपि 'वज्रः' इत्यर्थः । 'पुरोगां कुरुते' यमलोकबाधपरिहारत्वेन पुरोगामिनं कुरुते ॥ २७ ॥

क्रमेण विहितानां हिरण्यादीनां चतुर्णां प्रतिग्रहमन्त्रान्दर्शयति—स हिरण्यं प्रत्येत्यग्नये त्वेत्यादि ।

१—वासोहिरण्ये ददाति । का. श्रौ. सू. १० । ३३ । २—अग्नये त्वेति हिरण्यं प्रतिगृह्णीतः । रुद्राय त्वेति गां बृहस्पतये त्वेति वासो यमाय त्वेत्यश्वम् । का. श्रौ. सू. १० । ५३ । ५४ ।

ह्येतद्वरुणोऽददात्सोऽमृतत्वमशीयायुर्दात्रऽएधि मयो मह्यं प्रतिग्रहीत्रऽइति ॥ २८ ॥

(त्यु) अथ गां प्रत्येति । रुद्राय त्वा मह्यं वरुणो ददात्विति रुद्राय ह्येतां वरुणोऽददात्सोऽमृतत्वमशीय प्राणो दात्रऽएधि वयो मह्यं प्रतिग्रहीत्र इति ॥ २९ ॥

(त्यु) अथ वासः प्रत्येति । बृहस्पतये त्वा मह्यं वरुणो ददात्विति बृहस्पतये ह्येतद्वरुणोऽददात्सोऽमृतत्वमशीय त्वग्दात्रऽएधि मयो मह्यं प्रतिग्रहीत्रऽइति ॥ ३० ॥

(त्य) अथाश्वं प्रत्येति । यमाय त्वा मह्यं वरुणो ददात्विति यमाय ह्येतं वरुणोऽददात्सोऽमृतत्वमशीय हयो दात्रऽएधि वयो मह्यं प्रतिग्रहीत्रऽइति ॥ ३१ ॥

अग्नये ह्येतद्वरुणोऽददात् । " सोऽमृतत्वमशीयायुर्दात्र ऽ एधि मयो मह्यं प्रतिग्रहीत्रे "–(वा० सं० ७ । ४७) इति ॥ २८ ॥

अथ गां प्रत्येति–" रुद्राय त्वा मह्यं वरुणो ददातु "–(वा० सं० ७ । ४७) इति । रुद्राय ह्येतां वरुणोऽददात् । " सोऽमृतत्वमशीय प्राणो दात्रऽएधि वयो मह्यं प्रतिग्रहीत्रे "–(वा० सं० ७ । ४७) इति ॥ २९ ॥

अथ वासः प्रत्येति–" बृहस्पतये त्वा मह्यं वरुणो ददातु "–(वा० सं० ७ । ४७) इति । बृहस्पतये ह्येतद्वरुणोऽददात् । " सोऽमृतत्वमशीय त्वग्दात्रऽएधि मयो मह्यं प्रतिग्रहीत्रे "–(वा० सं० ७ । ४७) इति ॥ ३० ॥

अथाश्वं प्रत्येति–" यमाय त्वा मह्यं वरुणो ददातु "–(वा० सं० ७ । ४७) इति । यमाय ह्येतं वरुणोऽददात् । " सोऽमृतत्वमशीय हयो दात्रऽएधि वयो मह्यं प्रतिग्रहीत्रे "–(वा० सं० ७ । ४७) इति ॥ ३१ ॥

' प्रत्येति ' प्रतिगृह्णीयात् । ' अग्नये ह्येतद्वरुणोऽददात् ' इति ब्राह्मणवाक्यम् । अनेन च मन्त्रगतस्याग्निपदस्य प्रयोगे उपपत्तिरभिधीयते । सर्वमपि वृणोति व्याप्नोतीति ' वरुणः ' प्रजापतिः । वृणोतेः (धा. पा. स्वा. उ. ८) नित्यौणादिकः (उ. सू. ३ । ५३) उनन्प्रत्ययः । ' स ' च ' अग्नये ' ' एतद् ' हिरण्यम् ' अददात् ' इति प्रसिद्धम् । अनन्तरमेव " आयुर्हि हिरण्यं तदग्नये आग्नीध्रङ्कुर्वतेऽददात् " (श. प. ४ । ३ । ४ । २४) इत्युक्तत्वात् तस्मान्मन्त्रे अग्निपदप्रयोगः । एवमुत्तरत्रापि मन्त्रमध्यगतानां ब्राह्मणवाक्यानां मन्त्रेषु तत्तद्देवतापदप्रयोगोपपत्तिप्रतिपादनार्थत्वमवगन्तव्यम् । मन्त्रस्यायमर्थः–हे हिरण्य ! अग्निरूपाय ' मह्यम ' ' वरुणः ' प्रजापतिरूपस्त्वां ' ददातु ' । ' सः ' अहं त्वां प्रतिगृह्णन् 'अमृतत्वम्' अविनश्वरताम् ' अशीय ' प्राप्नुयाम् । आशिषि लिङ्प्रत्ययः (पा. सू. ३ । ३ । १७३) । किञ्च त्वम् ' दात्रे ' यजमानाय ' आयुः ' ' एधि ' भव । अस्तेः (धा. पा. अ. प. ५९) लोटि मध्यमपुरुषैक-

(त्य)अथ यदन्यद्ददाति । कामेनैव तद्ददातीदं मेऽप्यमुत्रासदिति तत्प्र-त्येति कोऽदात्कस्माऽअदात्कामोऽदात्कामायादात् ॥ कामो दाता कामः प्रतिग्रहीता कामैतत्तऽइति तद्देवतायाऽअतिदिशति ॥ ३२ ॥

तदाहुः । (नु) न देवतायाऽअतिदिशेदिदं वै यां देवताᳫं᳭ समिन्द्धे सा दीप्यमाना श्वःश्वः श्रेयसी भवतीदं वै यस्मिन्नग्रावभ्यादधति स दीप्यमान

अथ यदन्यद्ददाति—कामेनैव तद्ददाति—इदं मेऽप्यमुत्रासदिति । तत्प्रत्येति—" कोऽदात्कस्मा-अदात्कामोऽदात्कामायादात् । कामो दाता कामः प्रतिग्रहीता कामैतत्ते "—(वा० सं० ७ । ४८) इति । तद्देवताया ऽअतिदिशति ॥ ३२ ॥

तदाहुः—न देवतायाऽअतिदिशेत् । इदं वै यां देवतां समिन्द्धे । सा दीप्यमाना श्वःश्वः श्रेयसी भवति । इदं वै यस्मिन्नग्रावभ्यादधति—स दीप्यमान एव श्वःश्वः श्रेयान्भवति । श्वःश्वो ह वै श्रेया-

---

वचने " ध्वसोरेद्धावभ्यासलोपश्च " (पा० सू० ६ । ४ । ११९) इत्येत्वम् । " असिद्धवदत्राभात् " (पा० सू० ६ । ४ । २२) इत्यसिद्धवद्भावाद् "हुझल्भ्यो हेर्धिः" (पा० सू० ६ । ४ । १०१) इति । धित्वम् । ' प्रतिग्रहीत्रे ' ' मह्यम् ' च ' मयः ' सुखं भव । ' मयः ' इति सुखनामधेयम् (निघं० ३ । ६ । ७) । श्रूयते च तैत्तिरीयके—" मयो मह्यमस्तु प्रतिग्रहीत्र इत्याह । यद्वै शिवं तन्मयः " (तै. शा. २ । २।९)इति । एवमेवोपरितना अपि मन्त्रा व्याख्येयाः ॥ २८–३१ ॥

हिरण्यादिदानानंतरं यत्किंचिन्मन्थादिदानं विधत्ते—अथेत्यादि । 'अथ' उक्तदक्षिणादानानन्तरम् अन्यद्वस्तु यदि दद्यात् तदा कामेनैव यथैवामुष्मिँल्लोके स्वर्गेऽप्यस्त्विति दद्यात् । न पुनरिज्यायामपि पूर्वोक्तदक्षिणाद्रव्यवदवश्यं दातव्यमित्यर्थः । इच्छया दत्तस्य वस्तुनः प्रतिग्रहमन्त्रमाह—तत्प्रत्येति कोऽदादिति । मन्त्रस्तु प्रश्नोत्तररूपमर्थमाह । तत्र 'कोऽदात्, कस्मा अदात्' इत्यनेन प्रश्नोऽभिधीयते । 'कामोऽदात्' इत्यादिनोत्तरम् । दाता च स्वर्गादिफलं प्रेप्सन् ददाति, प्रतिग्रहीता च भोगेच्छया प्रतिगृह्णातीति सर्वस्यापि ' काम ' एव कर्तेत्युच्यते । कामैतत्त इति । हे काम ! यतः सर्वस्यापि त्वमेव कर्त्ता; तस्मादेतत् प्रतिगृहीतं वस्तु 'ते' त्वदीयमेव; न पुनरस्मदीयमित्यर्थः ।

प्रतिग्रहणमन्त्रेषु तत्तद्देवतावाचकशब्दोच्चारणस्य प्रयोजनमाह—तद्देवताया अतिदिशतीति । ' तत् ' तेन मन्त्रेषु देवतावाचकशब्दोच्चारणेन ' देवतायै ' देवतार्थम् ' अतिदिशति ' स्वकीयं प्रतिग्रहीतृत्वमारोपयति । देवतामेव प्रतिग्रहस्य कर्त्रीं करोति । प्रतिग्रहीतुरात्मनः प्रतिग्रहीतृत्वे दोषम्, देवतारूपेण प्रतिग्रहीतृत्वे गुणं च तैत्तिरीयकश्रुतिराह—"देवा वै वरुणमयाजयन् । स यस्यै यस्यै देवतायै दक्षिणामनयत् । तामव्लीनात् । तेऽब्रुवन् । व्यावृत्य प्रतिगृह्णाम । तथानो दक्षिणा न व्लेष्यतीति । ते व्यावृत्य प्रत्यगृह्णन् । ततो वै तान् दक्षिणानाव्लीनात् । य एवं विद्वान् व्यावृत्य दक्षिणां प्रतिगृह्णाति । नैनं दक्षिणाव्लीनाति "(तै.शा. २।२।९) इति । तस्माद्देवतायै प्रतिग्रहीतृत्वे निर्दिष्टे स्वात्मनो न कश्चिद्दोषो भवतीत्यर्थः ॥ ३२ ॥

अत्रैव केषांचिन्मतमाह—तदाहुरित्यादि । ' तत् ' तस्मिन्प्रतिग्रहे केचिदाहुः । किमिति ?

१–कोऽदादित्यन्यत् । इच्छतो मंत्रवचनम् । का. श्रौ. सू. । १० । ५५ । ५६ ।

ऽएव श्वःश्वः श्रेयान्भवति श्वःश्वो ह वै श्रेयान्भवति य एवं विद्वान्प्रतिगृह्णाति तद्यथा समिद्धे जुहुयादेवमेतां जुहोति यामधीयते ददाति तस्मादधीयन्नातिदिशेत् ॥ ३३ ॥

इति तृतीयप्रपाठके प्रथमं ब्राह्मणम् ॥ ४-३-१ ॥ (३ । ४) ॥

त्रया वै देवाः । (०) वसवो रुद्रा ऽआदित्यास्तेषां विभक्तानि सवनानि वसूनामेव प्रातःसवनꣳ रुद्राणां माध्यन्दिनꣳ सवनमादित्यानां तृतीयसवनं तद्वाऽअमिश्रमेव वसूनां प्रातःसवनममिश्रꣳ रुद्राणां माध्यन्दिनꣳ सवनं मिश्रमादित्यानां तृतीयसवनम् ॥ १ ॥

भवति—य एवं विद्वान्प्रतिगृह्णाति । तद् यथा समिद्धे जुहुयाद्—एवमेतां जुहोति । यामधीयते ददाति । तस्मादधीयन्नातिदिशेत् ॥ ३३ ॥

अथ तृतीयसवनग्रहाः ।

आदित्यग्रहः ।

त्रया वै देवाः—वसवो, रुद्रा, आदित्याः । तेषां विभक्तानि सवनानि । वसूनामेव प्रातःसवनम् । रुद्राणाम्माध्यन्दिनं सवनम् । आदित्यानां तृतीयसवनम् । तद्वाऽअमिश्रमेव वसूनां प्रातःसवनम् । अमिश्रं रुद्राणां माध्यन्दिनं सवनम् । मिश्रमादित्यानां तृतीयसवनम् ॥ १ ॥

'देवतायै' 'मा, अतिदिशेत्' किन्तु स्वयमेव प्रतिगृह्णीयादिति । तथा वदतां च तेषामयमाशयः—'इदम्' इदानीं च 'यां देवताम्' हविःप्रदानात् 'समिन्द्रे' दीपयति, 'सा दीप्यमाना' सत्युत्तरोत्तरं श्रेयस्करी 'भवति'। सामान्येनैव तदुक्तम्। 'इदं वै यस्मिन्नग्नौ' इत्यादिना विशेषविषयः प्रदर्श्यते । 'य एवं विद्वान्' प्रतिग्रहीता स्वयमेव 'प्रतिगृह्णीयात्' तदुत्तरोत्तरम् 'श्रेयान्' एव 'भवति' । 'अधीयते' अधीयानाय। व्यत्ययेन परस्मैपदम् (पा. सू. ३ । १ । ८५)। 'याम्' दक्षिणाम् 'ददाति' सा 'समिद्धे' अग्नौ प्रक्षिप्तं हविरिव भवति । तस्मादधीयानो देवतायै नातिदिशेत् । अयमर्थः—दाता यस्मै ददाति तस्मै देवतारूपायैव ददामीति ददाति। तथा च सति तस्य साद्गुण्यसम्भवादुत्तरोत्तरं श्रेय एव भवति । तस्माद्दातुः साद्गुण्यसम्पादनेन श्रेयोनिमित्तं देवताया अतिदिशन् न प्रतिगृह्णीयात् । किन्तु स्वयमेव प्रतिगृह्णामीत्येवोच्चार्य गृह्णीयादित्यर्थः ॥ ३३ ॥

इति श्रीसायणाचार्यविरचिते माधवीये वेदार्थप्रकाशे माध्यन्दिनशतपथब्राह्मणभाष्ये चतुर्थकाण्डे तृतीयाध्याये चतुर्थं ब्राह्मणम् ॥ ४-३-४ ॥

दक्षिणादानानन्तरं मरुत्वतीयमाहेन्द्रोक्थ्यग्रहाणां यागे कृते माध्यन्दिनं सवनं सन्तिष्ठते । ततस्तृतीयसवनस्योपक्रमे आदित्यग्रहयागः क्रियते । तमेतमादित्यग्रहयागं तृतीयसवनादौ विधातुं प्रस्तौति—**त्रया वै देवा** इत्यादिना । **वसूनामेवेति** । 'प्रातःसवनम्' गायत्रीछन्दस्कम् । गायत्रीपादश्चाष्टाक्षरः सा चाक्षरगताष्टत्वसंख्या वसुष्वपि विद्यते । "अष्टौ वसवः" इति वसूनामप्यष्टत्वात् । अतः संख्याद्वारा गायत्रीसम्बन्धाद्

(न्ते) ते हादित्या ऊचुः । (य॒) यथेदममिश्रं व्वसूनां प्रातःसवनममिश्रꣳ रुद्राणां माध्यन्दिनꣳ सवनमेवं न इमं पुरा मिश्राद्ग्रहं जुहुथेति तथेति देवा अब्रुवंस्ते सꣳस्थितऽएव माध्यन्दिने सवने पुरा तृतीयसवनादेतमजुहवुः स एषोऽप्येतर्हि तथैव ग्रहो हूयते सꣳस्थितऽएव माध्यन्दिने सवने पुरा तृतीयसवनात् ॥ २ ॥

(त्ते) ते हादित्या ऊचुः । (नै) नेव वाऽइतरस्मिन्त्सवने स्मो नेवेतरस्मिन्यद्वै नो रक्षाꣳसि न हिꣳस्युरिति ॥ ३ ॥

ते ह द्विदेवत्यानूचुः । (र॒) रक्षोभ्यो वै बिभीमो हन्त युष्मान् प्रविशामेति ॥ ४ ॥

ते ह द्विदेवत्या ऊचुः । किमस्माकं ततः स्यादित्यस्माभिरनुवषट्कृता भविष्यथेत्यु हादित्या ऽऊचुस्तथेति ते द्विदेवत्यान्प्राविशन् ॥ ५ ॥

ते हादित्या ऊचुः–यथेदममिश्रं वसूनां प्रातःसवनम्, अमिश्रं रुद्राणां माध्यन्दिनं सवनम्, एवं न इमं पुरा मिश्राद्ग्रहं जुहुयेति । तथेति देवा अब्रुवन् । ते संस्थितऽएव माध्यन्दिने सवने पुरा तृतीयसवनादेतमजुहवुः । स एषोऽप्येतर्हि तथैव ग्रहो हूयते–संस्थितऽएव माध्यन्दिने सवने पुरा तृतीयसवनात् ॥ २ ॥

ते हादित्या ऊचुः–नेव वाऽइतरस्मिन्त्सवने स्मो, नेवेतरस्मिन् । यद्वै नो रक्षांसि न हिंस्युरिति ॥ ३ ॥

ते ह द्विदेवत्यानूचुः–रक्षोभ्यो वै बिभीमो, हन्त युष्मान्प्रविशामेति ॥ ४ ॥

ते ह द्विदेवत्या ऊचुः–किमस्माकं ततः स्यादिति । अस्माभिरनुवषट्कृता भविष्यथ–इत्यु हादित्या ऊचुः । तथेति ते द्विदेवत्यान् प्राविशन् ॥ ५ ॥

गायत्रं प्रातःसवनं वसूनामेव विभक्तम् । एवमुत्तरयोरपि सवनयोः क्रमेण त्रैष्टुभजागतत्वादुक्तप्रकारेण 'रुद्राणां माध्यन्दिनं सवनम्, आदित्यानां तृतीयसवनम्' इत्यवगन्तव्यम् । तद्वा अश्रिमामिति । प्रातःसवनं केवलं गायत्रमतश्छन्दोऽन्तरसम्बन्धविरहादमिश्रम् । माध्यन्दिनं सवनं छन्दोऽन्तरसम्बन्धसहितमपि केवलमिन्द्रदेवत्यमिति तदप्यमिश्रम् । माध्यन्दिनं सवनं केवलमिन्द्रदेवत्यमिति क्वचिच्छ्रूयते । "प्रातःसुतमपिबो हर्यश्व माध्यन्दिनं सवनं केवलं ते"–इति । तृतीयसवनं तु छन्दोऽन्तरसङ्गतत्वान्नानादेवत्यत्वाच्च मिश्रमित्येवं द्रष्टव्यम् । पुरा मिश्रादिति । 'मिश्रात्' तृतीयसवनात् पूर्वमित्यर्थः । विधत्ते–स एषोऽपीत्यादि । 'संस्थित एव' इत्येवकारेण माध्यन्दिनसवनसमाप्त्यनन्तरमविलम्ब्याभिधीयते । नन्वादित्यग्रहस्तृतयीसवनस्योपक्रमरूपः, तत्कथम्? पुरा तृतीयसवनमादित्यात् । नादित्यग्रहस्य प्राक् तृतीयसवनाद्विभेदेन निर्देशः । एवं तर्ह्यनेनैव "पुरा तृतीयसवनात्"–इति वचनेनादित्यग्रहस्तृतीयसवनाद्बहिर्भूत इत्यवगम्यते । अत एव कात्यायनः– "माध्यन्दिनसवनसमाप्तौ प्रसूतीनं भवति" इत्युक्त्वाऽऽदित्यग्रहं विधाय तत्समाप्तौ प्रसूतान्तं भवति "अत्र

(न्त्स) स यत्र प्रातःसवने । द्विदेवत्यैः प्रचरति तत्प्रतिप्रस्थाताऽऽदित्यपात्रेण द्रोणकलशात्प्रतिनिगृह्णीतऽउपयामगृहीतोऽसीत्येतावताध्वर्युरेवाश्रावयत्यध्वर्योरनु होमं जुहोति प्रतिप्रस्थाताऽऽदित्येभ्यस्त्वेति सꣳस्रवमवनयत्येतावतैवमेव सर्वेषु ॥ ६ ॥

तद्यत्प्रतिप्रस्थाता प्रतिनिगृह्णीते । द्विदेवत्यान्वै प्राविशन्नस्माभिरनुवषट्कृता भविष्यथेत्यु हादित्या ऊचुर्यां वाऽअमूं द्वितीयामाहुतिं जुहोति स्विष्टकृते वै तां जुहोति स्विष्टकृतो वाऽएतेऽनुवषट्क्रियन्ते तथो हास्यैतेऽनुवषट्कृताऽ इष्टस्विष्टकृतो भवन्त्युत्तरार्द्धे जुहोत्येषा ह्येतस्य देवस्य दिक्तस्मादुत्तरार्द्धे जुहोति ॥ ७ ॥

स यत्र प्रातःसवने द्विदेवत्यैः प्रचरति—तत् प्रतिप्रस्थाताऽऽदित्यपात्रेण द्रोणकलशात्प्रतिनिगृह्णीते । "उपयामगृहीतोऽसि"–(वा० सं० ८ । १) इति । एतावताऽध्वर्युरेवाश्रावयति । अध्वर्योरनु होमं जुहोति प्रतिप्रस्थाता । "आदित्येभ्यस्त्वा"–(वा० सं० ८ । १) इति । संस्रवमवनयत्येतावता । एवमेव सर्वेषु ॥ ६ ॥

तद् यत्प्रतिप्रस्थाता प्रतिनिगृह्णीते । द्विदेवत्यान्वै प्राविशन् । अस्माभिरनुवषट्कृता भविष्यथ—इत्यु हादित्या ऊचुः । यां वा अमूं द्वितीयामाहुतिं जुहोति—स्विष्टकृते वै तां जुहोति । स्विष्टकृतो वा एतेऽनुवषट्क्रियन्ते । तथो हास्यैतेऽनुवषट्कृता इष्टस्विष्टकृतो भवन्ति । उत्तरार्द्धे जुहोति । एषा ह्येतस्य देवस्य दिक् । तस्मादुत्तरार्द्धे जुहोति ॥ ७ ॥

सर्पणम् "–इति सर्पणमभिधाय "आदित्यग्रहस्य प्राक् तृतीयसवनश्रुतेः"–(का. श्रौ. सू. १० । १८) । इति सूत्रयामास ।

प्रकृतादित्यग्रहोपयोगिनीमाख्यायिकामाह–ते हादित्या ऊचुरित्यादिना । यद्वा इति । येनोपायेन मा 'रक्षांसि न हिंस्युः' इति विचार्येत्यर्थः । 'वै' शब्दः स्मरणे ॥ १–५ ॥

अस्माभिरनुवषट्कृता भविष्यथ इति प्रतिश्रुतं द्विदेवत्यानामनुवषट्कारं दर्शयितुं द्विदेवत्ययागकाले तदुपयुक्तं प्रयोगमाह–स यत्रेत्यादि । 'सः' अध्वर्युः प्रातःसवने यदा 'द्विदेवत्यैः प्रचरति' । तदा 'प्रतिप्रस्थाता' 'आदित्यपात्रेण' 'द्रोणकलशात् प्रतिनिगृह्णीते' द्विदेवत्यग्रहस्य द्वितीयत्वेन गृह्णीते । तत्र "उपयामगृहीतोऽसि"—इति एतावन्मन्त्रः । अध्वर्युरेवाश्रावयेत् । न पुनः प्रतिप्रस्थाता । अध्वर्युणा कृतं होममनुलक्ष्य जुहुयात् । आदित्यस्थाल्यामासिञ्चति । "आदित्येभ्यस्त्वा"–इति 'सर्वेषु' ऐन्द्रवायवमैत्रावरुणाश्विनेषु 'एवमेव' उक्तप्रकारेणैव प्रतिनिग्रहणादिकं कुर्यादित्यर्थः ॥ ६ ॥

प्रतिप्रस्थातृकृतया द्वितीयाहुत्या द्विदेवत्यानामनुवषट्कारसिद्धिमाह–यां वा अमूमिति । 'याम्' 'अमूम्'

१–द्विदेवत्यैश्चरति । व्वायव इंद्रवायुभ्यामनुवाचयति प्रतिप्रस्थाताऽऽदित्यपात्रेण द्रोणकलशादुपयामगृहीतोऽसीति गृहीत्वा-गृहीत्वा द्विदेवत्याननुजुहोत्युत्तरार्द्धे । का. श्रौ. सू. ९ । २०० । २०१ ।

२–शेष २ शेषमादित्यस्थाल्यामासिंचत्यादित्येभ्यस्त्वेति । का. श्रौ. सू. ९ । २०६ ।

यद्वेव प्रतिप्रस्थाता प्रतिनिगृह्णीते । द्विदेवत्यान्वै प्राविशंस्त यानेव प्राविशंस्तेभ्य एवैतन्निर्मिमीतेऽथापि दधाति रक्षोभ्यो ह्यबिभयुर्विष्णऽउरुगायैष ते सोमस्तꣳ रक्षस्व मा त्वा दभन्निति यज्ञो वै विष्णुस्तद्यज्ञायैवैतत्परिददाति गुप्त्याऽअथाह सꣳस्थितऽएव माध्यन्दिने सवने पुरा तृतीयसवनादेहि यजमानेति ॥ ८ ॥

ते संप्रपद्यन्ते । (न्तेऽध्व) अध्वर्युश्च यजमानश्चाग्नीध्रश्च प्रतिप्रस्थाता चोन्नेताऽथ योऽन्यः परिचरो भवत्युभे द्वारेऽअपिदधति रक्षोभ्यो ह्यबिभयुरथाध्वर्युरादित्यस्थालीं चादित्यपात्रं चादत्ते स उपर्युपरि पूतभृतं विगृह्णाति नेद्व्यवश्चोतदिति ॥ ९ ॥

यद्वेव प्रतिप्रस्थाता प्रतिनिगृह्णीते । द्विदेवत्यान्वै प्राविशन् । स यानेव प्राविशन्–तेभ्य एवैतन्निर्मिमीते । अथापिदधाति रक्षोभ्यो ह्यबिभयुः । " विष्णऽउरुगायैष ते सोमस्तं रक्षस्व मा त्वा दभन् "–(वा. सं. ८ । १) इति । यज्ञो वै विष्णुः । तद् यज्ञायैवैतत् परिददाति गुप्त्यै । अथाह–संस्थिते एव माध्यन्दिने सवने पुरा तृतीयसवनाद् एहि यजमान इति ॥ ८ ॥

ते सम्प्रपद्यन्ते–अध्वर्युश्च, यजमानश्च, आग्नीध्रश्च, प्रतिप्रस्थाता च, उन्नेता । अथ योऽन्यः परिचरो भवति । उभे द्वारेऽअपिदधाति । रक्षोभ्यो ह्यबिभयुः । अथाध्वर्युरादित्यस्थालीं चादित्यपात्रं चादत्ते । स उपर्युपरि पूतभृतं विगृह्णाति–नेद्व्यवश्चोतदिति ॥ ९ ॥

' द्वितीयामाहुतिं जुहोति ' स्विष्टकृदर्थं हि तां करोति । यतः ' एते ' सर्वेऽपि ग्रहाः ' स्विष्टकृतः ' अर्थेऽनुवषट्क्रियन्ते । सोमस्याग्रे " वीही वौषट् " इत्यनेन क्रियमाणो होमोऽनुवषट्कारः । ' तथो ह ' तथैवेतरग्रहवद् 'अस्य' यज्ञस्य सम्बन्धिनः 'एते' द्विदेवत्या अपि प्रतिप्रस्थातृकृतयाऽऽहुत्याऽनुवषट्कृताः । अत एव ' स्विष्टकृतो भवन्ति ' । उक्तहोमस्योत्तरार्द्धे देशं विधत्ते–उत्तरार्द्धे जुहोतीत्यादि । एषा हीति । ' एतस्य देवस्य ' स्विष्टकृतोऽग्नेः सम्बन्धिनी ' एषा ' उत्तरा ' दिक् ' । अग्निरिति । रुद्रस्य तूत्तरा दिगिति श्रुतिषु प्रसिद्धम् । " एषा वै रुद्रस्य दिक् " (तै. सं. ५।४।३) इत्यादिश्रुतेः ॥ ७ ॥

विहितं प्रतिनिग्रहणं द्विदेवत्यसंसृष्टादित्योत्पादकत्वेन च प्रशंसति–यद्वेवेति । द्विदेवत्यग्रहयागानन्तरमादित्यपात्रेणादित्यस्थाल्याच्छादनं समन्त्रकं विधत्ते–अथेत्यादि । अत्र कात्यायनः–" समासिच्य तेनापिदधाति विष्ण उरुगाय "–(का.श्रौ.सू. ९।२०७) इति । तेनेति । प्रकृतत्वादादित्यपात्रेण स्थालीमपिदध्यादित्युदाहृतसूत्रस्यार्थः । रक्षोभ्यो हीति । पिधानस्य प्रयोजनाभिधानम् । हे ' विष्णो ! ' यज्ञ ' उरुगाय ' विस्तीर्णव्याप्ते ! ' एषः ' सोमः तव सम्बन्धी, अतः त्वं ' रक्षस्व ' गोपाय ' त्वा ' त्वां रक्षांसि ' मा दभन् ' मा हिंसिषुः इति मन्त्रस्यार्थः । ' यज्ञो वै विष्णुः ' इत्यदिना मन्त्रोच्चारणस्य प्रयोजनमभिधीयते । द्विदेवत्यग्रहशेषैरादित्यग्रहो गृह्यते; अतः " ते हादित्या ऊचुः "–(श. प. ४ । ३ । ५ । २) इत्यादिना । ' अथापिदधाति यज्ञायैवैतत् परिददाति गुप्त्यै ' इत्यन्तेन तच्छेषप्राप्तिप्रचारः प्रदर्शितः ।

(त्यु) अथ गृह्णाति । कदा चन स्तरीरसि नेन्द्र सश्चसि दाशुषे ॥ उपोपेन्नु मघवन्भूय इन्नु ते दानं देवस्य पृच्यतऽआदित्येभ्यस्त्वेति ॥ १० ॥

तं वै नोपयामेन गृह्णीयात् । (ढु) अग्रे ह्येवैष ऽउपयामेन गृहीतो भवत्यजामितायै जामि ह कुर्याद्यदेनमत्राप्युपयामेन गृह्णीयात् ॥ ११ ॥

अथ गृह्णाति–" कदा चन स्तरीरसि नेन्द्र सश्चसि दाशुषे । उपोपेन्नु मघवन् भूय इन्नु ते दानं देवस्य पृच्यते, आदित्येभ्यस्त्वा "-(वा. सं. ८ । २) इति ॥ १० ॥

तं वै नोपयामेन गृह्णीयात् । अग्रे ह्येवैष उपयामेन गृहीतो भवति--अजामितायै । जामि ह कुर्याद् । यदेनमत्राप्युपयामेन गृह्णीयात् ॥ ११ ॥

अथ विहिते काले ग्रहस्य ग्रहणात् प्राक्कर्तव्यमनुष्ठानविशेषं विधत्ते–अथाह संस्थित एवेत्यादिना । योऽन्यः परिचरो भवतीति । ' यः ' च ' अन्यः ' जनः परिचरवर्ती ' भवति ' अत्र परिचर इत्यनेन पत्नी विवक्ष्यते, सा हि हविर्द्धानं प्रपद्यते । तथा च कात्यायनः -" हविर्द्धानं प्रविशन्ति अध्वर्युयजमानप्रतिप्रस्थातृनेष्टुन्नेतारः । पत्नी चापरेण "–(का. श्रौ. सू. १० । ८८, ८९) इति । स उपर्युपरीति । ' पूतभृत-मुपर्युपरि ' पूतभृतः समीप उपरिप्रदेशे । " उपर्यध्यधसः सामीप्ये "--(पा. सू. ८ । १ । ७) इति द्विर्भावः । "त्रिगुपर्यादिषु त्रिषु । द्वितीयाऽऽम्रेडितान्तेषु" (पा. सू. १ । ४ । ४८ वा. २) इति द्वितीया । तत्र नैव भूमौ सोमबिन्दुः क्षरत्वित्यभिप्रायेण गृह्णीयादित्यर्थः ॥ ८ ॥ ९ ॥

समन्त्रकग्रहणं विधत्ते–अथ गृह्णाति कदा चनेत्यादि । हे इन्द्र ! ' कदा चन ' कदाचिदपि ' स्तरीः ' हिंसको न भवसि । अथवा स्तरीराच्छादकः स तु विस्तृतं वितत्य धनानामाच्छादको न वितरसि । किंतु ' दाशुषे ' हविर्दत्तवते यजमानाय फलदानार्थम् 'सश्चसि' गच्छसि । 'उप' शब्दः पादपूरणे । " प्रसमुपोदः पादपूरणे"(पा. सू. ८ । १ । ६) इति द्विर्वचनम् । ' इत् ' इत्यवधारणम् । ' नु ' शब्दः क्षिप्रवचनः । हे मघवन् ! ' इन्नु ' क्षिप्रमेव ' देवस्य ' ' ते ' तव ' दानम् ' देयं हविः ' भूय इन्नु ' पुनरेव ' पृच्यते ' सम्बध्यते । यजमानेन हविर्दीयत इत्यर्थः । हे सोमग्रह ! ' उपयामेन ' गृहीतोऽसि त्वाम् ' आदित्येभ्यः ' गृह्णामीति शेषः ॥ १० ॥

अत्र इन्द्रनामभिरादित्य एव स्तूयते मन्त्रान्ते " उपयामगृहीतोऽसि "-इत्यस्य निषेधं सकारणमाह–तं वै नोपयामेनेत्यादि । अग्रे हीति । द्विदेवत्यानां यागकाले प्रतिप्रस्थाता उपयामगृहीतोऽसि गृहीतः खलु । तस्मात्तस्यैतन्मन्त्रशेषत्वादत्र तन्न प्रयोक्तव्यम् । अत एव तत्र उपयामगृहीतोऽसीत्येतावच्यक्तम् । स्पष्टमन्यत् ॥ ११ ॥

१–अपिहितद्वार आदित्यं पात्रमादाय स २ स्रवं श्येापरि पूतभृतस्तत आदित्यग्रहं गृह्णाति स २ स्रवेभ्यः कदा चनेति । का. श्रौ. सू. १० । ९० ।

(द्व) अथापगृह्य पुनरानयति । कदा चन प्रयुच्छस्युभे निपासि जन्मनी ॥ तुरीयादित्य सवनं त इन्द्रियमातस्थावमृतं दिव्यादित्येभ्यस्त्वेति ॥ १२ ॥

(त्यु) अथ दधि गृह्णाति । (त्या) आदित्यानां वै तृतीयसवनमादित्यान्वाऽअनु पशवस्तत्पशुष्वेवैतत्पयो दधाति तदिदं पशुषु पयो हितं मध्यतऽइव गृह्णीयादित्याहुर्मध्यतऽइव हीदं पशूनां पय इति पश्चादिव त्वेव गृह्णीयात्पश्चादिव हीदं पशूनां पयः ॥ १३ ॥

अथापगृह्य पुनरानयति—“ कदा चन प्रयुच्छस्युभे निपासि जन्मनी । तुरीयादित्य सवनं तऽइन्द्रियमातस्थावमृतं दिव्यादित्येभ्यस्त्वा ”–(वा. सं. ८।३) इति ॥ १२ ॥

दधिग्रहः ।

अथ दधि गृह्णाति । आदित्यानां वै तृतीयसवनम्, आदित्यान्वाऽअनु पशवः । तत् पशुष्वेवैतत्पयो दधाति । तदिदं पशुषु पयो हितम् । मध्यत इव गृह्णीयादित्याहुः । मध्यत इव हीदं पशूनां पय इति । पश्चादिव त्वेव गृह्णीयात् । पश्चादिव हीदं पशूनां पयः ॥ १३ ॥

उक्तमन्त्रविशिष्टग्रहणानन्तरं पात्रमपगृह्य पुनरपि च समन्त्रकं ग्रहणं विधत्ते–अथापगृह्येत्यादि[1] । अत्र आदित्यग्रह एवामन्त्रयते । हे ग्रह ! ‘ कदा चन ’ कदाचिदपि ‘ प्रयुच्छसि ’ न प्रमाद्यसि । ‘ युच्छ प्रमादे ’ (धा. पा. भ्वा. प. २१४) इति धातुः । प्रशब्दोऽत्र धात्वर्थनिवृत्तिवचनः । यथास्मरणमिति यागनिष्पादनरूपं स्वकार्यं प्रति न कदाचिदपि प्रमादं गच्छसीत्यर्थः । तदेवावधानं दर्शयितुमाह–उभे निपासि जन्मनी इति । यजमानस्य वर्तमानभविष्यल्लक्षणे ‘ उभे ’ ‘ जन्मनी ’ ‘ निपासि ’ नियमेन पाहि[2] । अधुना आदित्यमेव चतुर्थसवनत्वेन रूपयन्नामन्त्रयते–हे आदित्यग्रह ! “ दित्यदित्या–” (पा. सू. ४।१।८५)–इत्यादिना देवतार्थे ण्यप्रत्ययः । ‘ तुरीय ’ चतुर्थसवनात्मक, स एकोऽप्येतर्हि तथैव ग्रहो हूयते । संस्थित एव माध्यन्दिने सवने पुरा तृतीयसवनात्पूर्वकालस्य विहितत्वादादित्यग्रहस्य चतुर्थसवनात्मकत्वम् । ‘ ते ’ तव सम्बन्धि चतुर्थसवनम् ‘ इन्द्रियम ’ इन्द्रस्य प्रीतिकरम् ‘ दिवि ’ द्युलोके ‘ अमृतम् ’ नास्मिन् मृतमस्तीत्यमृतम्, अमरणहेतुः ‘ आतस्थौ ’ आस्थितम् । हे सोम ! ‘ त्वाम् ’ ‘ आदित्येभ्यः ’ गृह्णामि ॥ १२ ॥

गृहीते सोमरसे दधिग्रहणं सार्थवादं विधत्ते[3]–अथ दधि गृह्णातीति । आदित्यान्वाऽअनु पशवः इति । ‘ अनु ’–शब्दोऽत्र “हीने” (पा. सू. १ । ४ । ८६) इति हीनार्थे कर्मप्रवचनीयत्वात् “ कर्मप्रवचनीययुक्ते द्वितीया ” (पा. सू. १ । ४ । ८३) इति द्वितीया । अत्रादित्यानां वृष्टिप्रदानद्वारा पशूपकारित्वात् प्राधान्यम्, पशूनामुपकार्यत्वाद्धीनत्वम् । अनेनैवाभिप्रायेण तैत्तिरीयके पश्वादित्यानामभेदः श्रूयते–“ पशवो वा एते यदादित्यः ”–(तै० सं० ६ । ५ । ६ । ४) इति ॥

1–अपगृह्य पुनः कदा चनेति का. श्रौ. सू. १०।९।१ कर्कभाष्यम् । 2–महीधरस्तु ‘नितरां पालयसि ’ इति वर्तमानानुसारिणीं क्रियामाह । 3–दध्ना श्रीणात्येनं पश्चिमेऽन्ते मध्ये वा यज्ञो देवानामिति । का. श्रौ. सू. १० । ९२ ।

(यो) यद्वेव दधि गृह्णाति । हुतोच्छिष्टा वाऽएते सꣳस्रवा भवन्ति नालमाहुत्यै तानेवैतत्पुनराप्याययति तथाऽलमाहुत्यै भवन्ति तस्माद्दधि गृह्णाति ॥ १४ ॥

स गृह्णाति । यज्ञो देवानां प्रत्येति सुम्नमादित्यासो भवता मृडयन्तः । आ वोऽर्वाची सुमतिर्ववृत्याद꣡ꣳहोश्चिद्या वरिवोवित्तराऽसदादित्येभ्यस्त्वेति ॥ १५ ॥

यद्वेव दधि गृह्णाति । हुतोच्छिष्टा वाऽएते संस्रवा भवन्ति–नालमाहुत्यै । तानेवैतत्पुनराप्याययति । तथाऽलमाहुत्यै भवन्ति । तस्माद्दधि गृह्णाति ॥ १४ ॥

स गृह्णाति–"यज्ञो देवानां प्रत्येति सुम्नमादित्यासो भवता मृडयन्तः। आ वोऽर्वाची सुमतिर्ववृत्यादंहोश्चिद्या वरिवोवित्तराऽसद् । आदित्येभ्यस्त्वा"–(वा० सं० ८।४) इति ॥ १५ ॥

दधिग्रहणस्य स्थानविषये केषाञ्चिन्मतमुपन्यस्य स्वमतमेव निगमयति–मध्यत इवेत्यादि । 'इव'–शब्दो वाक्यालङ्कारे । मध्यस्थाने । "सार्वविभक्तिकस्तसिः"–(पा.सू. ५।४।४४। वा. १) इति सप्तम्यर्थे तसिः "कदा चन" इत्यादिमन्त्रद्वयसाध्ये द्वे ग्रहणे, तयोर्मध्ये दधि 'गृह्णीयात्' । एवं च पशूनां मध्यभागे पयसोऽवस्थानान्मध्य एव पयो निहितं भवतीति केचिच्छाखिन आहुः । एतच्च तैत्तिरीयकशाखामतम् । तत्र–"दध्ना मध्यतः श्रीणात्यूर्जमेव पशूनां मध्यतो दधाति"–(तै०.सं० ६।५।६।४) इत्याम्नातत्वात् । नैतदादरणीयम् । किन्तु प्रग्रहणादनन्तरमेव 'गृह्णीयात्' । यतः 'पशूनां पयः' पश्चाद्भाग एवावतिष्ठत इत्यर्थः । अत्र पयसो मध्यभागावस्थानमात्रमभिप्रेत्य शाखान्तरीयैर्मध्यतो ग्रहणमभिहितम् । पशूनां मध्यशरीरे पयो नावतिष्ठते, किंतु शरीरस्य पश्चाद्भागेऽवतिष्ठते । अतः पश्चादेव ग्रहणं युक्तमित्येतद्ब्राह्मणस्याभिप्रायः ॥ १३ ॥

दधिग्रहणमादित्यग्रहस्य सम्पूर्णताहेतुत्वेन प्रशंसति–यद्वेव दधि गृह्णातीत्यादि । 'एते' आदित्यग्रहार्थाः सोमाः हुतोच्छिष्टत्वात् संस्रावणीयाः प्रतिपत्त्यर्हाः सन्त आहुत्यर्थं 'न' पर्याप्ताः 'भवन्ति' । एत इति बहुवचनं द्विदेवत्यग्रहगतसोमापेक्षम् । तस्मात् 'तानेव' सोमानेतेन दधिग्रहणेन समर्द्धयति । समर्द्धिताः 'आहुत्यै' पर्याप्ताः 'भवन्ति' इति 'दधि गृह्णीयात्' इत्यर्थः ॥ १४ ॥

विहिते दधिग्रहणे मन्त्रं विनियुङ्क्ते–स गृह्णाति यज्ञो देवानामित्यादि (का. श्रौ. सू. १०।९१)। योऽस्मदीयो 'यज्ञो' 'देवानाम्' आदित्यानाम् 'सुम्नम्' सुखं (निघं० ३।६।१६) सम्पादयितुम् 'प्रत्येति' प्राप्नोति । यज्ञे हविःप्रदानेन देवानां तृप्तिसम्पादनसुखमुत्पद्यते । तस्माद् हे 'आदित्यासः' आदित्याः ! "आज्जसेरसुक्"–(पा० सू० ७।१।५०) इति असुगागमः । 'मृडयन्तः' अस्मान्सुखयन्तो 'भवता' सांहितो दीर्घः । किंच 'वः' युष्माकम् 'सुमतिः' शोभना भक्तानुग्रहपरा मतिः सा 'अर्वाची' अर्वागञ्चनशीला अस्मदभिमुखी 'आ' 'ववृत्यात्' आवर्तताम् । पुनरपि मतिर्विशेष्यते

तमुपाꣳशुसवनेन मेक्षयति । विवस्वान्वाऽएषऽआदित्यो निदानेन यदुपाꣳशुसवनऽआदित्यग्रहो वाऽएष भवति तदेनꣳ स्वऽएव भागे प्रीणाति ॥ १६ ॥

तं न दशाभिर्न पवित्रेणोपस्पृशति । (त्ये) एते वै शुक्रवती रसवती सवने यत्प्रातःसवनं च माध्यन्दिनं च सवनमथैतन्निर्धीतशुक्रं यत्तृतीयसवनꣳ स यन्न दशाभिर्न पवित्रेणोपस्पृशति तेनो हास्यैतच्छुक्रवद्रसवत्तृतीयसवनं भवति तस्मान्न दशाभिर्न पवित्रेणोपस्पृशति ॥ १७ ॥

तमुपांशुसवनेन मेक्षयति । विवस्वान्वाऽएष आदित्यो निदानेन, यदुपांशुसवनः। आदित्यग्रहो वा एष भवति । तदेनं स्वऽएव भागे प्रीणाति ॥ १६ ॥

तं न दशाभिर्न पवित्रेणोपस्पृशति । एते वै शुक्रवती रसवती सवने—यत्प्रातःसवनं च माध्यंदिनं च सवनम् । अथैतन्निर्धीतशुक्रं तृतीयसवनम् । स यन्न दशाभिर्न पवित्रेणोपस्पृशति—तेनो हास्यैतच्छुक्रवद्रसवत्तृतीयसवनं भवति । तस्मान्न दशाभिर्न पवित्रेणोपस्पृशति ॥ १७ ॥

'अंहोश्चिद्या वरिवोवित्तराऽसत्'। या सुमतिः 'अंहोश्चित्' "अहि गतौ" (धा. पा. भ्वा. आ. ६३६) इत्यस्मादौणादिक उत्प्रत्ययः । सर्वे गत्यर्था ज्ञानार्था भवन्तीति 'अंहु' शब्दो विद्वांसमाचष्टे, स चात्र यजमानः । चिदिति निपातोऽपिशब्दार्थे । विदुषो यजमानस्यापि 'वरिवोवित्तरा' वरिवो धनम् (निघं०—२ । १० । ९) तद् विन्दति वेदयति लम्भयतीति वरिवोवित् । अतिशयेन वरिवोविद् वरिवोवित्तरा, तादृशी 'असत्' स्यात् । आ सुमतिः अस्मदभिमुखी सत्यावर्त्ततामिति संबन्धः । हे दधि ! आदित्येभ्यस्त्वां गृह्णामीति शेषः ॥ १५ ॥

आदित्यग्रहस्योपांशुसवनाख्येन ग्राव्णाऽऽलोडनं विधत्ते—**तमुपांशुसवनेन मेक्षयती**ति । 'मेक्षयति' आलोडयेत् । **विवस्वान्वा** इति । 'उपांशुसवनः' इति यत् 'एषः' 'निदानेन' कारणात्मना 'विवस्वान्' नामकः 'आदित्यः' एव । अत एव तैत्तरीयकश्रुतिः—"एष वै विवस्वानादित्यो यदुपांशुसवनः"—(तै० सं० ६ । ९ । ६ । ९) इति । अतस्तेनादित्यग्रहस्यालोडने स्वकीये भाग आदित्यमेव प्रीणितवान् भवतीत्यर्थः ॥ १६ ॥

ग्रहान्तरसाधारण्येन ग्रहणानन्तरं प्राप्तं दशापवित्रेण परिमार्जनं निषेधति—**तं न दशाभि**रिति । 'दशाभिः' स्वाञ्चलैः 'पवित्रेण' पावनार्थेन वस्त्रेण 'तम्' आदित्यग्रहम् 'नोपस्पृशति' न परिमृज्यात् । उक्तपरिमार्जननिषेधस्य प्रयोजनमाह—**एते वै शुक्रवती** इति । प्रातर्माध्यन्दिनसवनयोः रसवत्त्वेन तृतीयसवनस्य नीरसत्वे हेतुरस्यैवाध्यायस्य तृतीयब्राह्मणे प्रदर्शितः (श. प. ४ । ३ । ३ । १९) अतो दशापवित्रेण परिमार्जनस्याकरणे तृतीयसवनस्य रसवत्त्वं भवतीति दशाभिः पवित्रेण च न परिमृज्यात् ॥ १७ ॥

१-उपांशुसवनेन मिश्रयति विवस्वन्नादित्येति । का. श्रौ. सू. । १० । ९२ ।

स मेक्षयति । विवस्वन्नादित्यैष ते सोमपीथस्तस्मिन्मत्स्वेत्यथोन्नेत्रऽउपाꣳशुसवनं प्रयच्छत्यथाहोन्नेतारमासृज ग्राव्ण इति तानाधवनीये वा सृजति चमसे वा ॥ १८ ॥

राजानमुन्नीय । (या) आदित्यानां वै तृतीयसवनमादित्यान्वाऽअनु ग्रावाणस्तदेनान्त्स्वऽएव भागे प्रीणात्यपोर्णुवन्ति द्वारे ॥ १९ ॥

(रेऽअ) अथापिधायोपनिष्क्रामति । रक्षोभ्यो ह्यबिभयुरथाहादित्येभ्योऽनुब्रूहीत्यत्र संपश्येद्यदि कामयेताश्राव्य त्वेव संपश्येदादित्येभ्यः

स मेक्षयति–" विवस्वन्नादित्यैष ते सोमपीथः, तस्मिन्मत्स्व "–(वा. सं. ८ । ९) इति । अथोन्नेत्रऽउपांशुसवनं प्रयच्छति । अथाहोन्नेतारम्–आसृज ग्राव्णा इति । तानाधवनीये वा सृजति चमसे वा ॥ १८ ॥

राजानमुन्नीय । आदित्यानां वै तृतीयसवनम्, आदित्यान्वाऽअनु ग्रावाणः । तदेनान्त्स्वऽएव भागे प्रीणाति । अपोर्णुवन्ति द्वारे ॥ १९ ॥

अथापिधायोपनिष्क्रामति । रक्षोभ्यो ह्यबिभयुः । अथाह–आदिभ्योऽनुब्रूहि इत्यत्र संपश्येत्–यदि कामयेत आश्राव्य त्वेव संपश्येत् । आदित्येभ्यः प्रेष्य, प्रियेभ्यः प्रियधामभ्यः प्रितव्रतेभ्यो

उपांशुसवनेन ग्रहस्य यन्मेक्षणं विहितं तदनूद्य तत्र मन्त्रं विनियुङ्क्ते–स मेक्षयति विवस्वन्निति।"विवस्वान्वा एषऽ आदित्यो निदानेन यदुपांशुसवनः"(अस्मिन्नेव ब्राह्मणे १६कं.)इति उपांशुसवनस्यादित्यत्वविधानादादित्यात्मक उपांशुसवनः सम्बोध्यते । हे विवस्वन्नामक आदित्यात्मक उपांशुसवन ! 'ते' तव 'एषः' 'सोमपीथः' सोमपानम् । अतः 'तस्मिन्' सोमपाने 'मत्स्व' तृप्तिं प्राप्नुहि । "मद तृप्तियोगे" (धा. पा. चु. आ. १७२) अस्माल्लोण्मध्यमपुरुषैकवचने " बहुलं छन्दसि " (पा. सू. २ । ४ । ७६) इति विकरणस्य लुकि सति हि मत्स्वेति भवति ।

ग्रहणानन्तरं कर्तव्यमाह–अथेत्यादिना । ग्राव्ण इति । अभिषवार्थान् पाषाणान् । राजानमुन्नीयेति । सोममापूर्य ' चमसे वा ' ' विसृजति ' निदध्यादिति सम्बन्धः । तथा हि कात्यायनः–"चमसे वा सोमवति[3] " इति । " आदित्यानां वा " इत्यादिना ग्राव्णां निधानस्य प्रयोजनमाख्यायते–आदित्यान्वा अनुग्रावाण इति । अत्रापि अनुः " हीने " (पा. सू. १ । ४ । ८६) इति कर्मप्रवचनीय.; तेन ' आदित्यान् ' इति " कर्मप्रवचनीययुक्ते द्वितीया " (पा. सू. २ । ३ । ८) इति द्वितीया । आदित्यानामत्र ग्रावाभिमानिदेवतात्वाम्नानात्तेषां प्राधान्यम् । ग्राव्णां च हीनत्वमनेनानुशब्देन द्योत्यते । अपोर्णुवन्तीति । उभे ' द्वारे ' अपिदधाति इति हविर्धानस्य द्वारयोरपिधानं विहितम् । तदिदानीमपनयेयुरित्यर्थः ॥१८॥१९॥

द्वारपिधानापनयनानन्तरं निष्क्रमणादिकं विधत्ते–अथेत्यादि । अपिधाय ग्रहं स्वकीयेन–पाणिनाऽऽदित्य-

---

१–' श्रदस्मै नरो वचसे ' दधातनेइत्यादिरेको मन्त्र इहाधिकः संहितायाम् । २–अपा१शुसवनमुन्नेत्रे प्रयच्छत्यासृज ग्राव्ण इति चाह । का. श्रौ. सू. १० । ९३ । ३–आधवनीये चमसे वा सोमवति ग्राव्णोऽवधाय स्थाने निदधाति । का. श्रौ.सू. १०।९४। ४–अपावृतद्वारे निष्क्रामतो ग्रहमपिधाय पाणिना स्थाल्या वा । का. श्रौ. सू. । १० । ९५ ।

प्रेष्य प्रियेभ्यः प्रियधामभ्यः प्रियव्रतेभ्यो महस्वसरस्य पतिभ्य उरोरन्तुरिक्षस्याध्यक्षेभ्य इति वुषट्कृते जुहोति नानुवषट्करोति नेत्पशून्ग्नौ प्रवृणजानीति प्रयच्छति प्रतिप्रस्थात्रे सᳬस्रवौ ॥ २० ॥

(वावु) अथ पुनः प्रपद्य । (द्या) आग्रयणमादत्तऽउदीचीनदशं पवित्रं

महस्वसरस्य पतिभ्य उरोरन्तरिक्षस्याध्यक्षेभ्य इति । वषट्कृते जुहोति । नानुवषट्करोति–नेत् पशून्ग्नौ प्रवृणजानीति । प्रयच्छति प्रतिप्रस्थात्रे संस्रवौ ॥ २० ॥

अथ पुनः प्रपद्याग्रयणमादत्ते । उदीचीनदशं पवित्रं वितन्वन्ति । प्रस्कन्दयत्यध्वर्युः आग्रयणस्य संपगृह्णाति प्रतिप्रस्थाता । संस्रवावानयत्युन्नेता चमसेन वोदञ्चनेन वा ॥ २१ ॥

स्थाल्या वा आच्छाद्य हविर्द्धानान्निष्क्रामेत् । अत एव कात्यायनः–" ग्रहमपिधाय पाणिना स्थाल्या वा " (का. श्रौ. सू. १०।९९) इति। **रक्षोभ्यो हीति** । ' हि ' यस्मात्कारणादादित्याः ' रक्षोभ्यः ' ' अबिभयुः ' भीता बभूवुः । " सिजभ्यस्तविदिभ्यश्च " (पा. सू. ३ । ४ । १०९) इति झेर्जुस् । तस्मात्तदीयस्य ग्रहस्यापिधानं युक्तमिति भावः । **आश्राव्य त्वेवेति** । यदि ग्रहं द्रष्टुमिच्छेत्तर्हि आश्रावणानन्तरमेव सम्पश्येत् न पुनः पूर्वोक्तानुवचनानन्तरमित्यर्थः । सम्पश्येदित्यत्र " समो गम्यृच्छि " इत्यादिके सूत्रे ' दशिभ्यश्चेति वक्तव्यम् " (पा. सू० १ । ३ । २९ वा० १) इत्यनेनात्मनेपदं न भवति, तत्राकर्मकादित्यधिकारात् । अनेनोपरि होमकाले ग्रहो नावेक्षणीय इति दर्शितम्। अत एवापस्तम्बः "अन्यत्रे(न्वे)क्षमाण आदित्यं जुहोति" -इति आ० स्तं० श्रौ० सू०) अध्वर्योः प्रैषमुत्पाद्य कालविशिष्टं होमं विधत्ते–**आदित्येभ्यः प्रेष्येत्यादि**[1]। आदित्येभ्यः ' इत्यादिकं प्रैषमुच्चार्य होत्रा वषट्कारे ' कृते ' ग्रहमग्नौ जुहुयात् । प्रैषस्यायमर्थः–' प्रियेभ्यः ' प्रीतिकरेभ्यः । " इगुपधज्ञाप्रीकिरः कः " (पा० सू० ३ । १ । १३५) ' धाम ' स्थानं तत्र प्रियं धाम येषां ते प्रियधामानस्तेभ्यः ' प्रियव्रतेभ्यः ' व्रतमिति कर्मनामधेयम् । प्रियं कर्म यज्ञरूपं येषां तेभ्यः । ' महस्वसरस्य पतिभ्यः ' स्वसरमित्यहर्विधीयते । (निघ० १ । ९ । ५) महसां विशिष्टं स्वसरं महःस्वसरम् तस्य पतिभ्यः अहर्पतिभ्यः ' उरोः ' विस्तीर्णस्य ' अन्तरिक्षस्य ' ' अध्यक्षेभ्यः ' साक्षिभ्यः । तत्रैव सर्वदा वर्तमानत्वात् । एवंविधेभ्य आदित्येभ्यो हविर्दातुं मैत्रावरुणयाज्यापाठार्थं होतारं प्रेरयेदित्यर्थः ।

ग्रहान्तरसाधारण्येन प्राप्तमनुवषट्कारं निषेधति–**नानुवषट्करोतीति । नेत्पशूनिति** । अनुवषट्कारो हि स्विष्टकृदग्न्यर्थं क्रियते । " स्विष्टकृतो वा एतेऽनुवषट्क्रियन्ते " इत्युक्तत्वात् । तथा च सत्यनुवषट्कारे कृते " पशवो वा एते यदादित्यः " (तै. सं. का. ६।५।६) इति आदित्यग्रहस्य पश्वात्मकत्वात् पशव एवाग्नौ परित्यक्ताः स्युः । तस्मान्नैव 'पशूनग्नौ' ' प्रवृणजानि ' परित्यजानीति च नानुवषट्कुर्यादिति ।

यथावत् प्रतिप्रस्थात्रे विशेषप्रदानमाह–**प्रयच्छति प्रतिप्रस्थात्रे संस्रवाविति** । आदित्यपात्रस्थालीगतसोमशेषापेक्षया ' संस्रवौ ' इति द्विवचनम् ॥ २० ॥

आदित्यग्रहयागानन्तरं हविर्द्धानगमनपूर्वकमाग्रयणस्य ग्रहणप्रकारं विधत्ते–**अथ पुनः प्रपद्येत्यादि । उदी-**

१–अन्वारब्ध आदित्येभ्योऽनुब्रूहीत्याह प्रैषानुवाचनयोरन्यतरास्मिन्नाह प्रियेभ्यः प्रियधामभ्यः प्रियव्रतेभ्यो महस्वसरस्य पतिभ्य उरोरंतरिक्षस्याध्यक्षेभ्य इति । का० श्रौ० सू०१०।९६। २–हुत्वा प्रतिप्रस्थात्रे प्रयच्छति शेषौ । का० श्रौ० सू०।१०।९७।

विुतन्वन्ति प्रुस्कन्दयत्यध्वर्युराग्रयणुस्य संप्रगृह्णाति प्रतिप्रस्थाता सᳫंस्रवावानयत्युन्नेता चमसेन वोदञ्चनेन वा ॥ २१ ॥

तुं चतसृणां धाराणामाग्रयणं गृह्णाति । (त्या) आदित्यानां वै तृतीयसवनुमादित्यान्वाऽअनु गावस्तुस्मादिदं गवां चतुर्धा विहितं पयस्तुस्माच्चतसृणां धाराणामाग्रयणं गृह्णाति ॥ २२ ॥

तद्युत्प्रातिप्रस्थाता सᳫंस्रवौ सम्प्रगृह्णाति । (त्या) आदित्यग्रहो वाऽएषु

तं चतसृणां धाराणामाग्रयणं गृह्णाति । आदित्यानां वै तृतीयसवनम्, आदित्यान्वाऽअनु गावः। तस्मादिदं गवां चतुर्धा विहितं पयः । तस्माच्चतसृणां धाराणामाग्रयणं गृह्णाति ॥ २२ ॥

तद् यत्प्रतिप्रस्थाता संस्रवौ सम्प्रगृह्णाति । आदित्यग्रहो वा एष भवति । न वाऽआदित्यग्रह-

---

चीनदशमिति । तृतीयसवनार्थाभिषवानन्तरं पूतभृत उपरि उदङ्मुखाञ्चलम् ' पवित्रम् ' पवनार्थं 'वितन्वन्ति ' विस्तारयन्ति उद्गातारः । तस्मिन्पवित्रे ' अध्वर्युः ' 'आग्रयणस्य' इति कर्मणि षष्ठी (पा. सू. २।३।५०) । ' प्रस्कन्दयति ' आसिञ्चेत् । तदा ' प्रतिप्रस्थाता ' अपि पवित्रे आदित्यपात्रस्थालीगतौ संस्रवौ 'संप्रगृह्णाति ' ' सम् ' इत्येकीभावे । सह सिञ्चेत् । ' उन्नेता ' वाऽऽधवनीयाद् 'उदञ्चनेन' 'चमसेन' वितत आग्रयणं गृह्णातीति । आपस्तम्बस्तु आग्रयणस्य ग्रहणे किञ्चित्प्रकारान्तरमाह–" ग्रहकाल आग्रयणमेव चतसृभ्यो धाराभ्य आग्रयणादुत्सिच्य द्वितीयां धारां करोति । आदित्यस्थाल्यास्तृतीयाम् । आदित्यग्रहसम्पाताच्चतुर्थीम् " (आप. श्रौ. सू.) इति । यद्यप्यत्रादित्यग्रहयागानन्तरं तृतीयसवनार्थमभिषवमभिधाय पश्चादाग्रयणस्य ग्रहणमभिधातव्यम्, तथापि माध्यन्दिनसवने माहेन्द्रग्रहस्य स्तोत्रोपाकरणानन्तरमेवाभिषवो विहितः–" अथोपाकृत्यैतां वाचं वदत्यभिषोतारोऽभिषुणुत " इत्युपक्रम्य ; " ते वै तृतीयसवनायैवाभिषोतारोऽभिषुण्वन्ति " इति । तस्मादत्राभिषवानन्तरकर्तव्यमाग्रयणग्रहणमेवाभिहितम् । अत एव कात्यायनोऽप्यत्राभिषवं नाभिदधौ किंतु तत्रैवाभिदधौ । तत्रेदं सूत्रम्–" पृष्ठ्यमुपाकृत्य प्रेष्यत्यभिषोतारोऽभिषुणुत " इत्युपक्रम्य " ऋजीषमिश्रमंशुमभिषुण्वन्ति यथा कथा चानुदकम्, आधवनीये करोति, त्रिपर्यायान्वाऽभिषवोपदेशात्, मानाभिमर्शनवर्ज्जं कृतत्वात्, पूतभृति पावनं शुक्राभावात् "–(का. श्रौ. सू. १० । ७६–८०) इति । सारसं वस्तु (?) शाखान्तरानुसारेणादित्यग्रहयागानन्तरमेव महाभिषवमभ्यधात् । तद्वदादित्यपात्रमायतने सादयित्वा शुक्रमुपांशुपावनौ यश्चोपांशुपात्रेंऽशुस्तान्नृजीषे विसृज्य प्रातःसवनवन्महाभिषवः ऋजीषं त्वेताभिषुण्वन्तीति ॥ २१ ॥

धाराचतुष्टयाद्ग्रहणं प्रशंसति–**आदित्यानां वै तृतीयसवनमित्यादि** । " सङ्ख्याद्वारा जगतीसम्बन्धित्वाज्जागतं तृतीयसवनम् " आदित्यानां विभक्तं सवनम् "–इति अस्यैव ब्राह्मणस्यादौ व्याख्यातम् । गावश्च वृष्टिप्रदानेनादित्यानुपजीव्य वर्तन्ते । तस्मादादित्यसम्बन्धितृतीयसवनगतस्याग्रयणस्य चतसृभ्यो धाराभ्यो गृहीतत्वादिदानीमादित्यसम्बन्धिनीनां गवां पयश्चतुर्धा विहितं दृश्यते । चतुर्भिः स्तनमुखैः पयस उद्गमात् । अतश्चतसृभ्यो ग्रहणं प्रशस्तमित्यर्थः ॥ २२ ॥

आग्रयणस्य ग्रहणे प्रतिप्रस्थातृकृतं संस्रवासेचनमादित्यग्रहस्यानुवषट्कारलाभहेतुत्वेन प्रशंसति–**तद्यत्प्राति**-

भवति न वाऽआदित्यग्रहस्यानुवषट्करोत्येतस्माद्धै सावित्रं ग्रहं ग्रहीष्यन्भवति तदस्य सावित्रेणैवानुवषट्कृतो भवति ॥ २३ ॥

यद्वेव प्रतिप्रस्थाता सꣳस्रवौ सम्प्रगृह्णाति । पुरा वाऽएभ्य एतन्मिश्राद्ग्रहमहौषुः पुरा तृतीयसवनात्तृतीयसवनाय वाऽएष ग्रहो गृह्यते तदादित्यास्तृतीयसवनमपियन्ति तथा न बहिर्धा यज्ञाद्भवन्ति तस्मात्प्रतिप्रस्थाता सꣳस्रवौ सम्प्रगृह्णाति ॥ २४ ॥

इति तृतीयप्रपाठके द्वितीयं ब्राह्मणम् ॥ ४-३-२ ॥ [३--९]

स्यानुवषट्करोति । एतस्माद्धै सावित्रं ग्रहं ग्रहीष्यन्भवति । तद् अस्य सावित्रेणैवानुवषट्कृतो भवति ॥ २३ ॥

यद्वेव प्रतिप्रस्थाता संस्रवौ सम्प्रगृह्णाति । पुरा वाऽएभ्य एतन्मिश्राद्ग्रहमहौषुः—पुरा तृतीयसवनात् । तृतीयसवनाय वाऽएष ग्रहो गृह्यते । तद् आदित्यास्तृतीयसवनमपियन्ति । तथा न बहिर्धा यज्ञाद्भवन्ति । तस्मात्प्रतिप्रस्थाता संस्रवौ सम्प्रगृह्णाति ॥ २४ ॥

प्रस्थातेत्यादि । 'एषः' संस्रवरूपः सोमः 'आदित्यग्रहः' खलु तच्छेषत्वात् 'आदित्यग्रहस्य' तु 'अनुवषट्करोति' इति तस्य निषिद्धत्वात् । अत आग्रयणे तच्छेषावनयने सत्येतत्सावित्रग्रहस्य ग्रहीष्यमाणत्वात्, सावित्रस्य चानुवषट्कारसम्भवात्तेनैवायमादित्यग्रहः 'अनुवषट्कृतो भवति' ॥ २३ ॥

प्रकारान्तरेणापि तदेव प्रशंसति—**यद्वेव प्रतिप्रस्थाते**त्यादि । पुरा 'तृतीयसवनाद्' इत्यादित्यस्य व्याख्यानम् । 'एष ग्रहः' इति, आदित्यग्रह इत्यर्थः । स्पष्टमन्यत् ॥ २४ ॥

इति श्रीसायणाचार्यविरचिते माधवीये वेदार्थप्रकाशे माध्यन्दिनशतपथब्राह्मणभाष्ये
चतुर्थकाण्डे तृतीयाध्याये पञ्चमं ब्राह्मणम् ॥ (४–३–९) ॥

वेदार्थस्य प्रकाशेन तमो हार्दं निवारयन् । पुमर्थांश्चतुरो देयाद् विद्यातीर्थमहेश्वरः ॥ १ ॥

ब्रह्माण्डं गोसहस्रं कनकहयतुलापूरुषौ स्वर्णगर्भं सप्ताब्धीन् पञ्चसीरींस्त्रिदशतरुलताधेनुसौवर्णभूमीः ।
रत्नोस्रां रुक्मवाजिद्विपमहितरथौ सायणिः सिङ्गणार्यो व्यश्राणीद्विश्वचक्रं प्रथितविधिमहाभूतयुक्तं घटञ्च ॥ १ ॥
धान्याद्रिं धन्यजन्मा तिलभवमतुलः स्वर्णजं वर्णमुख्यः कार्पासीयं कृपावान् गुडकृतमजडो राजतं राजपूज्यः ।
आज्योत्थं प्राज्यजन्मा लवणजमनृणः शार्करं चार्कतेजा रत्नाढ्यो रत्नरूपं गिरिमकृत मुदा पात्रसात्सिङ्गणार्यः ॥ २ ॥

इति श्रीमद्राजाधिराजपरमेश्वरवैदिकमार्गप्रवर्तकश्रीवीरहरिहरमहाराजसाम्राज्यधुरन्धरेण सायणाचार्येण विरचिते माधवीये वेदार्थप्रकाशे माध्यन्दिनशतपथब्राह्मणभाष्ये चतुर्थकाण्डे तृतीयोऽध्यायः समाप्तः ॥ ४–३ ॥

चतुर्थाध्याये प्रथमं ब्राह्मणम् ।

मनो ह वाऽअस्य सविता । तस्मात्सावित्रं गृह्णाति प्राणो ह वाऽअस्य सविता तमेवास्मिन्नेतत्पुरस्तात्प्राणं दधाति यदुपाꣳशुं गृह्णाति तमेवास्मिन्नेतत्पश्चात्प्राणं दधाति यत्सावित्रं गृह्णाति ताविमा उभयतः प्राणौ हितौ यश्चायमुपरिष्टाद्यश्चाधस्तात् ॥ १ ॥

(इ) ऋतवो वै संवत्सरो यज्ञः । (स्ते) तेऽदः प्रातःसवने प्रत्यक्षमवकल्पन्ते यदृतुग्रहान्गृह्णात्यथैतत्परोऽक्षं माध्यन्दिने सवनेऽवकल्पन्ते यदृतुपात्राभ्यां मरुत्वतीयान्गृह्णाति न वा अत्रर्तुभ्यऽइति कं चन ग्रहं गृह्णन्ति नऽर्तुपात्राभ्यां कश्चन ग्रहो गृह्यते ॥ २ ॥

सावित्रग्रहः ।

मनो ह वाऽअस्य सविता । तस्मात्सावित्रं गृह्णाति । प्राणो ह वाऽअस्य सविता—तमेवास्मिन्नेतत्पुरस्तात्प्राणं दधाति—यदुपांशुं गृह्णाति । तमेवास्मिन्नेतत्पश्चात्प्राणं दधाति—यत् सावित्रं गृह्णाति । ताविमाऽउभयतः प्राणौ हितौ—यश्चायमुपरिष्टात्, यश्चाधस्तात् ॥ १ ॥

ऋतवो वै संवत्सरो यज्ञः । तेऽदः प्रातःसवने प्रत्यक्षमवकल्पन्ते—यदृतुग्रहान्गृह्णाति । अथैतत्परोऽक्षं माध्यन्दिने सवनेऽवकल्पन्ते—यदृतुपात्राभ्यां मरुत्वतीयान्गृह्णाति । न वाऽअत्रऽर्तुभ्य इति कश्चन ग्रहं गृह्णन्ति । नऽर्तुपात्राभ्यां कश्चन ग्रहो गृह्यते ॥ २ ॥

हरिस्वामिभाष्यम् * ।

मनो ह वा अस्येति । सप्तभिरेताभिः कण्डिकाभिः सावित्रग्रह उच्यते । 'मनः' इत्यत्राध्यवसायात्मिका बुद्धिः परिगृह्यते । सा हि क्रियासु प्रसौतीति 'सविता' अनध्यवसिते प्राणवृत्त्यभावात् प्राणानुरूपं **मनः 'सविता'** । तदन्तत्वात्सावित्रो ग्रहः 'अस्य' यज्ञपुरुषस्य मन एवेति चावश्यं भावनीयम् । अत आह—यस्मान्मनसाऽवश्यभाव्यं चमसं सावित्रमित्युत्पत्तिवाक्यम् । **प्राणो ह वा अस्येति** । दर्शनानन्तरं 'प्राणः' अपि वृत्त्यङ्गत्वात्प्रसौतीति सोऽपि 'सविता' । रविमण्डलमपि वायुनैवोह्यमानं जगतः स्वकर्मप्रवृत्तिषु हेतुर्वायुना भवतीति वायुरपि सवितेत्यभिप्रायः । **तमेवास्मिन्नेतदि**ति । उपांशुमिति । अस्य च विपर्य्ययेणानुवचनम् । **पुरस्तादि**ति । मुखतः । **पश्चादि**ति । जघनतः । ताविमौ वायू प्राणौ इत्युक्तम् । नैष दोषः । यो मेहनकर्मा पश्चात्प्राणः स ध्रुवः, यस्त्ववागातिमात्ररूपः स सविता भविष्यतीति ॥ १ ॥

ऋतवो वा इति । दर्शनानन्तरं कण्डिकाद्वयेनाह । 'ऋतवः' 'संवत्सरः' अवयवेभ्योऽवयविनोऽस्यव्यतिरेकाभावात् संवत्सरश्च यज्ञपूर्वपरिमाणात्मकत्वाद्यज्ञः । संवत्सररूपो यज्ञः प्रतिसवनं दर्शनीयोऽवयवशून्य-

---

*—उपलब्धेषु सर्वेष्वपि पुस्तकेषु शतपथब्राह्मणीयचतुर्थकाण्डस्यैतदन्तमेव सायणभाष्यं दृश्यते । एतदारभ्य काण्डसमाप्तिपर्यन्तं हरिस्वामिकृतं भाष्यमेव सर्वत्र विद्यते । अतस्तदेव संगृह्यते । काण्डस्यावशिष्टं सायणीयं भाष्यं लुप्तकल्पतामुपगतमिति मंतव्यम्, तदन्वेषणे च यावच्छक्यं प्रयतनीयं प्राच्यवैदिकवाङ्मयसंशोधकैः ॥ इति ॥

(तऽ) एष वै सविता य एष तपति । (त्ये) एष उऽएव सर्व्वऽऋतु-वस्तद्दतवः संव्वत्सरस्तृतीयसवने प्रत्यक्षमवकल्प्यन्ते तस्मात्सावित्रं गृह्णाति ॥ ३ ॥

तं वाऽउपाᳬंशुपात्रेण गृह्णाति । मनो ह वाऽअस्य सविता प्राण उपाᳬं-शुस्तस्मादुपाᳬंशुपात्रेण गृह्णात्यन्तर्यामपात्रेण वा समानᳬं ह्येतदुदु-पाᳬंश्वन्तर्यामौ प्राणोदानौ हि ॥ ४ ॥ (अर्धप्रपाठकः) ॥

(ह्या) आग्रयणाद् गृह्णाति । मनो ह वाऽअस्य सविताऽऽत्माऽऽग्रयण ऽआत्मन्येवैतन्मनो दधाति प्राणो ह वाऽअस्य सविताऽऽत्माऽऽग्रयण ऽआत्मन्येवैतत्प्राणं दधाति ॥ ५ ॥

(त्य) अथातो गृह्णात्येव । व्वाममद्य सवितर्व्वाममु श्वो दिवेदिवे व्वाम-मस्मभ्यᳬं सावीः ॥ व्वामस्य हि क्षयस्य देव भूरेरया धिया व्वाम-भाजः स्याम ॥ उपयामगृहीतोऽसि सावित्रोऽसि चनोधाश्चनोधा असि चनो मयि धेहि ॥ जिन्व यज्ञं जिन्व यज्ञपतिं भगायेति ॥ ६ ॥

एष वै सविता य एष तपति । एष उऽएव सर्वऽऋतवः । तद् ऋतवः संवत्सरस्तृतीयसवने प्रत्यक्षमवकल्प्यन्ते । तस्मात्सावित्रं गृह्णाति ॥ ३ ॥

तं वाऽउपांशुपात्रेण गृह्णाति । मनो ह वाऽअस्य सविता, प्राण उपांशुः । तस्मादुपांशुपात्रेण गृह्णाति, अन्तर्यामपात्रेण वा । समानं ह्येतद्—यदुपांश्वन्तर्यामौ—प्राणोदानौ हि ॥ ४ ॥

आग्रयणाद् गृह्णाति । मनो ह वाऽअस्य सविता । आत्माऽऽग्रयणः । आत्मन्येवैतन्मनो दधाति । प्राणो ह वाऽअस्य सविता, आत्माऽऽग्रयणः । आत्मन्येवैतत्प्राणं दधाति ॥ ५ ॥

अथातो गृह्णात्येव—" वाममद्य सवितर्वाममु श्वो दिवेदिवे वाममस्मभ्यं सावीः । वामस्य हि क्षयस्य देव भूरेरया धिया वामभाजः स्याम । उपयामगृहीतोऽसि

स्यानुपपत्तेः । अवयवानाञ्च यज्ञावयवत्वात् । स च सवनयोर्द्वयोर्दर्शितः । ऋतुग्रहैः ' ऋतुपात्राभ्यां वा ' अत्रापि सावित्रेण दर्शित इति समस्तार्थः । एष उ एव सर्व ऋतव इति । मेषादिक्षेत्रविशेषत्वादेष एव सत्तारूपाण्य-भिव्यनक्तीत्यभिप्रायः ॥ २ ॥ ३ ॥

तं वा उपांशुपात्रेणेति । मनो ह वा अस्येति । यस्मात् ' मनः ' सावित्रः, ' प्राण उपांशुः ' प्राणमन-सोश्चात्यन्तमव्यभिचारः ' तस्मात् ' मनसः प्राणेनाविनाभावो यत् ' उपांशुपात्रेण ' वहतीत्यभिप्रायः । यदपि प्राणः सविता, तदापि पूर्वापरयोः प्राणयोः सातत्ये ' उपांशुपात्रेण ' गृह्णातीति द्रष्टव्यम् ॥ ४ ॥

आग्रयणात् इत्यतः प्रसन्नास्तिस्रः ॥ ५–७ ॥

१–मक्षयित्वेडामुपा२ अंतर्यामपात्रयोरन्यतरेण सावित्रग्रहणं वाममद्येति काले पात्नीवतमितरेण । का० श्रौ० सू० १०।१।१४।

२–प्रसन्नाः–स्पष्टार्थाः–इत्यर्थः ।

तुं गृहीत्वा नु सादयति । मुनो ह् वाऽअस्य सविता तुस्मादिदमसन्नं मुनः प्राणो ह् वाऽअस्य सविता तुस्मादयमुसन्नः प्राणः सुंचरत्यथाह देवाय सवित्रेऽनुब्रूहीत्याश्राव्याह देवाय सवित्रे प्रेष्येति व्वषट्कृते जुहोति नानुवषट्करोति मुनो ह् वाऽअस्य सविता नेन्मनोऽग्नौ प्रवृणजानीति प्राणो ह् वाऽअस्य सविता नेत्प्राणमग्नौ प्रवृणजानीति ॥ ७ ॥

(त्यु) अथाभक्षितेन पात्रेण । व्वैश्वदेवं ग्रहं गृह्णाति तद्यदभक्षितेन पात्रेण व्वैश्वदेवं ग्रहं गृह्णाति न वै सावित्रस्यानुवषट्करोत्येतस्माद्धै व्वैश्वदेवं ग्रहं ग्रहीष्यन्भवति तुदस्य व्वैश्वदेवेनैवानुवषट्कृतो भवति ॥ ८ ॥

युद्वेव व्वैश्वदेवं ग्रहं गृह्णाति । मुनो ह् वाऽअस्य सविता सुर्व्वमिदं व्विश्वे देवा इदमेवैतत्सुर्वं मुनसः कृतानुकरमनुवर्त्म करोति तुदिदꣳ सुर्वं मुनसः कृतानुकरमनुवर्त्म ॥ ९ ॥

सावित्रोऽसि चनोधाश्चनोधा असि चनो मयि धेहि । जिन्व यज्ञं जिन्व यज्ञपतिं भगाय "-(वा. सं. ८ । ६, ७) इति ॥ ६ ॥

तं गृहीत्वा न सादयति । मनो ह वाऽअस्य सविता । तस्मादिदमसन्नं मनः । प्राणो ह वाऽअस्य सविता । तस्मादयमसन्नः प्राणः सञ्चरति । अथाह–"[1]देवाय सवित्रे "–अनुब्रूहि–इति । आश्राव्याह–देवाय सवित्रे प्रेष्येति । वषट्कृते जुहोति । नानुवषट् करोति । मनो ह वाऽअस्य सविता–नेन्मनोऽग्नौ प्रवृणजानीति । प्राणो ह वाऽअस्य सविता–नेत्प्राणमग्नौ प्रवृणजानीति ॥ ७ ॥

वैश्वदेवग्रहः ।

अथाभक्षितेन पात्रेण वैश्वदेवं ग्रहं गृह्णाति । तद् यदभक्षितेन पात्रेण वैश्वदेवं ग्रहं गृह्णाति । न वै सावित्रस्यानुवषट्करोति । एतस्माद्धै वैश्वदेवं ग्रहं ग्रहीष्यन्भवति । तदस्य वैश्वदेवेनैवानुवषट्कृतो भवति ॥ ८ ॥

यद्वेव वैश्वदेवं ग्रहं गृह्णाति । मनो ह वाऽअस्य सविता । सर्वमिदं विश्वेदेवाः । इदमेवैतत्सर्वं मनसः कृतानुकरमनुवर्त्म करोति । तदिदं सर्वं मनसः कृतानुकरमनुवर्त्म ॥ ९ ॥

अथाभक्षितेनेति । सप्तभिरेताभिर्महावैश्वदेवग्रह उच्यते, यस्यार्भवःपवमानस्तोत्रम्, एवं वैश्वदेवं च शस्त्रं भविष्यति । तास्वेताः प्रसन्नाः । एतदुच्यते–' सामतः ' सोमास्तु ' यस्माद् वैश्वदेवं तृतीयसवनम् ' विश्वे

१–इह ' देवाय त्वा सवित्रे ' इति संहितायां पाठः ।

यद्वेव वैश्वदेवं ग्रहं गृह्णाति । प्राणो ह वाऽअस्य सविता सर्वमिदं विश्वे देवाऽअस्मिन्नेवैतत्सर्वस्मिन्प्राणोदानौ दधाति ताविमावस्मिन्त्सर्वस्मिन्प्राणोदानौ हि तौ॥ १० ॥

यद्वेव वैश्वदेवं ग्रहं गृह्णाति । वैश्वदेवं वै तृतीयसवनं तदुच्यतऽएव सामतो यस्माद्वैश्वदेवं तृतीयसवनमुच्यतऽऋक्तोऽथैतदेव यजुष्टः पुरश्चरणतो यदेतं महावैश्वदेवं गृह्णाति ॥ ११ ॥

तं वै पूतभृतो गृह्णाति । वैश्वदेवो वै पूतभृदतो हि देवेभ्यऽउन्नयन्त्यतो मनुष्येभ्योऽतः पितृभ्यस्तस्माद्वैश्वदेवः पूतभृत् ॥ १२ ॥

(त्तं) तं वाऽअपुरोरुक्कं गृह्णाति । विश्वेभ्यो ह्येनं देवेभ्यो गृह्णाति सर्वं वै विश्वे देवा यदृचो यद्यजूꣳषि यत्सामानि स यदेवैनं विश्वेभ्यो देवेभ्यो गृह्णाति तेनो हास्यैष पुरोरुङ्मान्भवति तस्मादपुरोरुक्कं गृह्णाति ॥ १३ ॥

यद्वेव वैश्वदेवं ग्रहं गृह्णाति । प्राणो ह वाऽअस्य सविता । सर्वमिदं विश्वे देवाः । अस्मिन्नेवैतत् सर्वस्मिन् प्राणोदानौ दधाति । ताविमावस्मिन्त्सर्वस्मिन् प्राणोदानौ हि तौ ॥ १० ॥

यद्वेव वैश्वदेवं ग्रहं गृह्णाति । वैश्वदेवं वै तृतीयसवनम् । तदुच्यतऽएव सामतः । यस्माद्वैश्वदेवं तृतीयसवनम्–उच्यत ऋक्तः । अथैतदेव यजुष्टः पुरश्चरणतो–यदेतं महावैश्वदेवं गृह्णाति ॥ ११ ॥

तं वै पूतभृतो गृह्णाति । वैश्वदेवो वै पूतभृत् । अतो हि देवेभ्य उन्नयन्ति, अतो मनुष्येभ्यः, अतः पितृभ्यः–तस्माद्वैश्वदेवः पूतभृत् ॥ १२ ॥

तं वाऽअपुरोरुक्कं गृह्णाति । विश्वेभ्यो ह्येनं देवेभ्यो गृह्णाति । सर्वं वै विश्वे देवाः–यद् ऋचो यद्यजूंषि यत् सामानि । स यदेवैनं विश्वेभ्यो देवेभ्यो गृह्णाति–तेनो हास्यैष पुरोरुङ्मान्भवति । तस्मादपुरोरुक्कं गृह्णाति ॥ १३ ॥

हि देवाः स्तूयन्ते, एवमुच्यन्ते । स ' ऋक्तः ' विश्वे हि देवाः शस्यन्ते । अथैतेनैव कारणेन ' यजुष्टः ' यजुःषु पुरश्चरन्ति, प्रचरन्ति, प्रथमतरमस्य सामभ्यश्चरन्त्येभिरिति पुरश्चरणं यजूंषि, तत्राप्येतेन कारणेन ' वैश्वदेवं ' ' तृतीयसवनम् ' पर्यस्यत् । ' एतं महावैश्वदेवं ग्रहं गृह्णाति ' 'अतो' देवेभ्य उन्नयन्ति । चमसानां पूतभृत उन्नयनं दर्शयत्यनादिष्टानाञ्च । **अतो मनुष्येभ्य** इति । भक्षितानां पुनर्भक्षणार्थमेवायं पूतभृतो दर्शयति । **अतः पितृभ्य** इति । त एवाप्यायितानां शंसिताश्चमसाः पितृदेवत्या भवन्ति । ततश्च तदाप्यायनं पितृभ्योऽप्युन्नयन्ति ' पूतभृत ' इति दर्शयति । **सर्वं वै विश्वे देवा** इति । विश्वेषामेव देवानामृगादीनि शब्दमयानि शरीराणि, ततश्च विश्वेभ्यो देवेभ्यो गृह्यमाणस्तदन्तर्गतया पुरोरुचा युक्त एव भवति । अतः पितृभ्य इत्युक्ते किं तत्र पुरोरुचेत्यर्थः (?) ॥ ८–१३ ॥

१–अभक्षितेन महावैश्वदेवग्रहणमुपयामगृहीतोऽसि सुशर्माऽसीति । का. श्रौ. सू. १० । ११६ ।

(त्य) अथातो गृह्णात्येव। (वो) उपयामगृहीतोऽसि सुशर्मासि सुप्रतिष्ठान इति प्राणो वै सुशर्मा सुप्रतिष्ठानो बृहदुक्षाय नम इति प्रजापतिर्वै बृहदुक्षः प्रजापतये नम इत्येवैतदाह विश्वेभ्यस्त्वा देवेभ्य एष ते योनिर्विश्वेभ्यस्त्वा देवेभ्यऽइति सादयति विश्वेभ्यो ह्येनं देवेभ्यो गृह्णात्यथेत्य प्राङुपविशति ॥ १४ ॥

स यत्रैताᳩं होता शᳩंसति। (त्ये) एकया च दशभिश्च स्वभूते द्वाभ्यामिष्टये विᳩंशती च। तिसृभिश्च वहसे त्रिᳩंशता च नियुद्भिर्वायविह ता विमुञ्चेति तदेतस्यां वायव्यायामृचि पात्राणि विमुच्यन्ते वायुप्रणेत्रा वै पशवः प्राणो वै वायुः प्राणेन हि पशवश्चरन्ति ॥ १५ ॥

अथातो गृह्णात्येव–" उपयामगृहीतोऽसि, सुशर्मासि सुप्रतिष्ठानः "–(वा० सं० ८।८) इति। प्राणो वै सुशर्मा सुप्रतिष्ठानः। " बृहदुक्षाय नमः "–(वा० सं० ८। ८) इति। प्रजापतिर्वै बृहदुक्षः। प्रजापतये नम इत्येवैतदाह। " विश्वेभ्यस्त्वा देवेभ्यः एष ते योनिर्विश्वेभ्यस्त्वा देवेभ्यः "–(वा० सं० ८। ८) इति सादयति। विश्वेभ्यो ह्येनं देवेभ्यो गृह्णाति। अथेत्य प्राङुपविशति ॥ १४ ॥

स यत्रैतां होता शंसति–" एकया च दशभिश्च स्वभूते द्वाभ्यामिष्टये विंशती च। तिसृभिश्च वहसे त्रिंशता च नियुद्भिर्वायविह ता विमुञ्च "–(वा. सं. २७। ३३)

प्राणो वै सुशर्मेति। स एष ग्रहः। प्राणस्यात्मिति कृत्वा प्राण इति उच्यते। स एव ' सुशर्मा '। ' सु ' शोभनं प्रतिष्ठानं विश्वेदेवा अस्येति सुप्रतिष्ठानः। प्रजापतिर्वै बृहदुक्ष इति। बृहच्चासावुक्षा च। प्रजानां सेक्तेति ' प्रजापतिः ' बृहदुक्षाः। एतदन्नं हि प्रजानां भवति न चेत्तर्थेत उक्षाण इत्यभिप्रायः। " प्रजापतये नमः " इति। यद्विश्वेषां देवानां मतं तदविरोधात्मकाय प्रजापतये भवत्येतात्मित्यभिप्रायः। ' प्राङुपविशति '। वैश्वदेवशस्त्रप्रतिगरम् ॥ १४ ॥

स यत्रैतामिति। एतामिश्चतसृभिर्द्विदेवत्यपात्राणां विमोक्षा उच्यन्ते। ' यत्र ' काले ' एताम् ' वक्ष्यमाणात्मकया च दशभिश्चेत्येवं ' होता ' ' शंसति ' तस्मिन्नेव काले ' एतस्याम् ' वायुदेवत्यायाम् ' ऋचि '

१–एकया च दशभिश्चेति ऋक् वैश्वदेवशस्त्रे पठ्यते। तत्राश्वलायननानां पाठस्त्वेवम्–एकया च दशभिश्च स्वभूते। द्वाभ्यामिष्टये विंशत्या चों ३। तिसृभिश्च वहसे त्रिंशता च। नियुद्भिर्वायविहामुंचों ३इति। शांखायननानां पाठश्चैवम्–एकया च दशभिश्च स्वभूते। द्वाभ्यामिष्टये विंशती चों ३। तिसृभिश्च वहसे त्रिंशता च। नियुद्भिर्वायविह ता विमुंचों ३ इति। माध्यंदिनसंहितायां २७–३३ शतपथोक्तानुपूर्वीक एव मंत्रः। अत्र–स यत्रैता ९ होता शंसति। एकया चेत्युपक्रमे होतुरुपादानात् शांखायनाग्वेदिक्या ऋच एव पाठाच्च योगीश्वरमहर्षिणा याज्ञवल्क्येन स्पष्टं निर्णीतम्। वाजसनेयिभिः शांखायनमेव हौत्रमादर्तव्यमिति नाश्वलायनीयमिति। तस्तद्वः पाठाभावादेवावगम्यते। होतुरिति पदेनैव नायं माध्यंदिनसंहितोक्तो मन्त्र इतीयमपि शंका निरस्यते।

स ह देवेभ्यः पशुभिरपचक्राम । तं देवाः प्रातःसवनेऽन्वमन्त्रयन्त स नोपाववर्त तं माध्यन्दिने सवनेऽन्वमन्त्रयन्त स ह नैवोपाववर्त तं तृतीयसवनेऽन्वमन्त्रयन्त ॥ १६ ॥

स होपावर्त्स्यन्नुवाच । यद्वऽउपावर्तेय किं मे ततः स्यादिति त्वय्यैवैतानि पात्राणि युज्येरंस्त्वया विमुच्येरन्निति तदेनेनैतत्पात्राणि युज्यन्ते यदैन्द्रवायवाग्रान्प्रातःसवने गृह्णात्यथैनेनैतत्पात्राणि विमुच्यन्ते यदाह नियुद्भिर्वायविह ता विमुञ्चेति पशवो वै नियुतस्तत्पशुभिरेवैतत्पात्राणि विमुच्यन्ते ॥ १७ ॥

इति । तदेतस्यां वायव्यायामृचि पात्राणि विमुच्यन्ते । वायुप्रणेत्रा वै पशवः । प्राणो वै वायुः । प्राणेन हि पशवश्चरन्ति ॥ १५ ॥

स ह देवेभ्यः पशुभिरपचक्राम । तं देवाः प्रातःसवनेऽन्वमन्त्रयन्त । स नोपाववर्त । तं माध्यन्दिने सवनेऽन्वमन्त्रयन्त । स ह नैवोपाववर्त । तं तृतीयसवनेऽन्वमन्त्रयन्त ॥ १६ ॥

स होपावर्त्स्यन्नुवाच—यद्व उपावर्तेय—किं मे ततः स्यादिति । त्वय्यैवैतानि पात्राणि युज्येरन्, त्वया विमुच्येरन्—इति । तद् एनेनैतत्पात्राणि युज्यन्ते, यदैन्द्रवायवाग्रान्प्रातःसवने गृह्णाति । अथैनेनैतत्पात्राणि विमुच्यन्ते—यदाह नियुद्भिर्वायविह ता विमुञ्चेति । पशवो वै नियुतः । तत् पशुभिरेवैतत्पात्राणि विमुच्यन्ते ॥ १७ ॥

शस्यमानायामिति शेषः । "यस्य च भावेन भावलक्षणम्"—(पा. सू. २ । ३ । ३७) इत्येवं सप्तमी । 'पात्राणि' शाखान्तराद् द्विदेवत्यपात्राणि 'विमुच्यन्ते' कथं ? प्रक्षाल्य खरे निधीयन्ते । एष हि तेषां विमोकः शाखान्तरादेवावबोद्धव्यः । यागोऽपि हि तेषां शाखान्तरीय एव । प्रातःसवने भक्षितानां कुतो दक्षिणस्य वर्त्मनि निधाने अध्वर्योश्च प्रतिगरे व्यापृतत्वात् प्रतिप्रस्थात्रा विमुच्यन्ते । किं पुनः कारणं वायव्यायामृचि विमुच्यन्त इत्यत आह—**वायुप्रणेत्रा वा** इति । वायुः प्रणेता नायको येषां ते 'वायुप्रणेत्राः' 'पशवः' कथम् ? प्राणो ह्यध्यात्मं वायुः तेन हेतुना 'पशवः' गच्छन्ति । यदि हि प्राणो न स्यादरण्येष्वेवार्ता इमाः प्रजाः शयीरन् ॥ १५ ॥

ततः किं—यदि वायुः पशूनां नेतेत्यत आह—**स ह देवेभ्य** इति । 'स' वायुः 'देवेभ्यः' अपक्रान्तः पशुभिर्वन्यैः सह तृतीयसवने देवैरेतेन भागेनानीतः ॥ १६ ॥

त्वया वै सहितानि द्विदेवत्यपात्राणि विमुच्यन्ते । 'यदाह' होता 'नियुद्भिः वायो ! इह ता विमुञ्च' इति । एतेन वायुः शस्यत इत्यभिप्रायः । 'पशवो वै नियुतः' इति पशूनामप्येष संविभागो भवति वेत्यर्थः ॥ १७ ॥

स यत्प्रातःसवनऽउपावर्त्स्यत् । (द्वा) गायत्रं वै प्रातःसवनं ब्रह्म गायत्री ब्राह्मणेषु ह पशवोऽभविष्यन्नथ यन्माध्यन्दिने सवनऽउपावर्त्स्यदैन्द्रं वै माध्यन्दिनꣳ सवनं क्षत्रमिन्द्रः क्षत्रियेषु ह पशवोऽभविष्यन्नथ यत्तृतीयसवन उपावर्तत वैश्वदेवं वै तृतीयसवनꣳ सर्वमिदं विश्वे देवास्तस्मादिमे सर्वत्रैव पशवः ॥ १८ ॥

इति तृतीयप्रपाठके तृतीयं ब्राह्मणम् ॥४।३।३॥ (४. १.)

सौम्येन चरुणा प्रचरति । सोमो वै देवानाꣳ हविरथैतत्सोमायैव हविष्क्रियते तथाऽतः सोमोऽनन्तर्हितो भवति चरुर्भवति चरुर्वै देवानामन्नमोदनो हि चरुरोदनो हि प्रत्यक्षमन्नं तस्माच्चरुर्भवति ॥ १ ॥

तेन न प्रातःसवने प्रचरति । न माध्यन्दिने सवनऽएते वै देवानां निष्केवल्ये सवने यत्प्रातःसवनं च माध्यन्दिनं च सवनं पितृदेवत्यो वै सोमः ॥ २ ॥

स यत्प्रातःसवनऽउपावर्त्स्यत् । गायत्रं वै प्रातःसवनम् । ब्रह्म गायत्री । ब्राह्मणेषु ह पशवोऽभविष्यन् । अथ यन्माध्यन्दिने सवनऽउपावर्त्स्यद्–ऐन्द्रं वै माध्यन्दिनं सवनम्, क्षत्रमिन्द्रः, क्षत्रियेषु ह पशवोऽभविष्यन् । अथ यत्तृतीयसवनऽउपावर्तत । वैश्वदेवं वै तृतीयसवनम्, सर्वमिदं विश्वे देवाः, तस्मादिमे सर्वत्रैव पशवः ॥ १८ ॥

सौम्यश्चरुः ।

सौम्येन चरुणा प्रचरति । सोमो वै देवानां हविः । अथैतत्सोमायैव हविष्क्रियते । तथाऽतः सोमोऽनन्तर्हितो भवति । चरुर्भवति । चरुर्वै देवानामन्नम् । ओदनो हि चरुः । ओदनो हि प्रत्यक्षमन्नम् । तस्माच्चरुर्भवति ॥ १ ॥

तेन न प्रातःसवने प्रचरति, न माध्यन्दिने सवने । एते वै देवानां निष्केवल्ये सवने–यत्प्रातःसवनञ्च, माध्यन्दिनञ्च सवनम् । पितृदेवत्यो वै सोमः ॥ २ ॥

यत्प्रातरिति । प्रसन्ना ॥ १८ ॥

इति आचार्यहरिस्वामिनः कृतौ माध्यन्दिनशतपथब्राह्मणभाष्ये चतुर्थकाण्डे
चतुर्थाऽध्याये प्रथमं ब्राह्मणम् ॥ (४-४-१)

सौम्येनेति । एताभिः षड्भिः कण्डिकाभिः ' सौम्येन चरुणा ' चर्वणमुच्यते । ओदनो हि प्रत्यक्षमन्नमिति । चर्वणीयो ह्योदन इत्यभिप्रायः ॥ १ ॥

' पितृदेवत्यः ' पितरो देवता अस्येति पितृदेवत्यः । " देवतान्तात्तादर्थ्ये यत् " (पा. सू. ५ । ४ । २४) । पितृप्रधानः सोम इत्यर्थः । पितॄणां ज्योतिरन्नम् ॥ २ ॥

स यत्प्रातःसवने वा प्रचरेत् । (न्मा) माध्यन्दिने वा सवने समदᳬं ह कुर्याद्देवेभ्यश्च पितृभ्यश्च तेन तृतीयसवने प्रचरति वैश्वदेवं वै तृतीयसवनं तथा हासमदं करोति नानुवाक्यामन्वाह सकृदु ह्येव पराञ्चः पितरस्तस्मान्नानुवाक्यामन्वाह ॥ ३ ॥

(ह्या) अथ चतुर्गृहीतमाज्यं गृहीत्वा । (त्वाश्रा) आश्राव्याह घृतस्य यजेति वषट्कृते जुहोति तद्या ऽअतः प्राच्य ऽआहुतयो हुता भवन्ति ताभ्य ऽएवैतदन्तर्दधाति तथा हासमदं करोति ॥ ४ ॥ (शतम् २६००)

स आज्यस्योपस्तीर्य । द्विश्चरोरवद्यत्यथोपरिष्टादाज्यस्याभिघारयत्याश्राव्याह सौम्यस्य यजेति वषट्कृते जुहोति ॥ ५ ॥

(त्य) अथापरं चतुर्गृहीतमाज्यं गृहीत्वा । (त्वाश्रा) आश्राव्याह घृतस्य यजेति वषट्कृते जुहोति तद्या ऽअत ऽऊर्ध्वा ऽआहुतीर्होष्यन्भवति ताभ्य ऽएवैतदन्तर्दधाति तथा हासमदं करोति स यदि कामयेतोभयतः परियजेद्यद्यु कामयेतान्यतरतः परियजेत् ॥ ६ ॥

स यत्प्रातःसवने वा प्रचरेत्, माध्यन्दिने वा सवने—समदं ह कुर्यात् देवेभ्यश्च, पितृभ्यश्च । तेन तृतीयसवने प्रचरति । वैश्वदेवं वै तृतीयसवनम् । तथा हासमदं करोति । नानुवाक्यामन्वाह । सकृदु ह्येव पराञ्चः पितरः । तस्मान्नानुवाक्यामन्वाह ॥ ३ ॥

अथ चतुर्गृहीतमाज्यं गृहीत्वा, आश्राव्याह—घृतस्य यजेति । वषट्कृते जुहोति । तद् या अतः प्राच्य आहुतयो हुता भवन्ति—ताभ्य एवैतदन्तर्दधाति, तथा हासमदं करोति ॥ ४ ॥

स आज्यस्योपस्तीर्य द्विश्चरोरवद्यति । अथोपरिष्टादाज्यस्याभिघारयति । आश्राव्याह—सौम्यस्य यजेति । वषट्कृते जुहोति ॥ ५ ॥

अथापरं चतुर्गृहीतमाज्यं गृहीत्वा आश्राव्याह—घृतस्य यजेति । वषट्कृते जुहोति । तद् या अत

'समदं' विरोधं कुर्यात् । देवानां पितॄणां षष्ठ्यर्थे चतुर्थी (पा. सू. २ । ३ । ६२ वा. १) । नानुवाक्यामन्वाहेति । अनुवाद एव । यावदुक्तत्वात् ॥ ३ ॥

अथ चतुर्गृहीतमित्यत्राप्याज्ये यावदुक्तमेव आश्रावणादिषु पुनर्वचनात् ॥ ४ ॥

स आज्यस्योपस्तीर्येति । उपस्तरणादीनां प्रकृतित एव प्राप्तत्वात् पुनर्वचनाद्यावदुक्तमः । ततश्च स्विष्टकृदिडाद्यकृत्वैवायं चरुरुद्गात्रे हर्तव्यः । शाखान्तरात् ॥ ५ ॥

'परियजेत्' सौम्यमाज्यभागं न परिगृह्णीयादित्यर्थः ॥ ६ ॥

१–आपात्रप्रक्षालनात् कृत्वा सौम्येन चरति । आज्येनोभयतः परियजति । अन्यतरतो वा । घृतस्य यजेत्याह घृतशब्द उपांशु । सौम्यस्य यजेति सौम्येन चरन् । यावदुक्त २सौम्यस्य पुनर्ग्रहणात् । का. श्रौ. सू. १०।१२१–१२६ । २–आज्यमासिच्योद्गात्रे सौम्यं प्रयच्छति चतुर्गृहीतं प्रचरण्या धिष्ण्येषु जुहोति यथान्युप्तं प्रभावयञ्छालाकान् प्रदीप्य प्रदीप्य विभूरसीति प्रतिमंत्रम् । का. श्रौ. सू. १० । १२७ ।

(द) अथ प्रचरणीति स्रुग्भवति । तस्यां चतुर्गृहीतमाज्यं गृहीत्वाऽध्वर्युः शालाकैर्धिष्ण्यान्व्याघारयति तद्यच्छालाकैर्धिष्ण्यान्व्याघारयति यदेवैनानदो देवा ऽअब्रुवंस्तृतीयसवने वो घृत्याऽऽहुतिः प्राप्स्यति न सौम्याऽपहृतो हि युष्मत्सोमपीथस्तेन सोमाहुतिं नार्हथेति सैनानेषा तृतीयसवनऽएव घृत्याऽऽहुतिः प्राप्नोति न सौम्या यच्छालाकैर्धिष्ण्यान्व्याघारयति तानेतैरेव यजुर्भिर्यथोपकीर्णं यथापूर्वं व्याघारयति मार्जालीयऽएवोत्तमम् ७

तद्धैके । (क८) आग्नीध्रीये पुनराघारयन्त्युदग्नऽइदं कर्मानुसंतिष्ठाताऽइति तदु तथा न कुर्यान्मार्जालीयऽएवोत्तमम् ॥ ८ ॥

ऊर्ध्वा आहुतीर्होष्यन्भवति—ताभ्य एवैतदन्तर्दधाति । तथा हासमदं करोति । स यदि कामयेत—उभयतः परियजेत् । यद्यु कामयेत—अन्यतरतः परियजेत् ॥ ६ ॥

पात्नीवतग्रहः ।

अथ प्रचरणीति स्रुग्भवति । तस्यां चतुर्गृहीतमाज्यं गृहीत्वाऽध्वर्युः शालाकैर्धिष्ण्यान्व्याघारयति । तद् यच्छालाकैर्धिष्ण्यान्व्याघारयति । यदेवैनानदो देवा अब्रुवन्—तृतीयसवने वो घृत्याऽऽहुतिः प्राप्स्यति । न सौम्याऽपहृतो हि युष्मत्सोमपीथः । तेन सोमाहुतिं नार्हथ इति । सैनानेषा तृतीयसवनऽएव घृत्याऽऽहुतिः प्राप्नोति, न सौम्या । यच्छालाकैर्धिष्ण्यान्व्याघारयति—तानेतैरेव यजुर्भिर्यथोपकीर्णं यथापूर्वं व्याघारयति । मार्जालीयऽएवोत्तमम् ॥ ७ ॥

तद्धैके आग्नीध्रीये पुनराघारयन्ति—उदग्नऽइदं कर्मानुसन्तिष्ठाताऽइति । तदु तथा न कुर्यात् । मार्जालीयऽएवोत्तमम् ॥ ८ ॥

अथ प्रचरणीति । द्वाभ्यामेताभ्यां धिष्ण्यानां व्याघारगमुच्यते । 'शालाकैः' शलाकावयवैः । "प्रदीप्य धिष्ण्यानिति" शाखान्तरात् । धिष्ण्यानाग्नीध्रीयादीन् विभज्य तदेवैकमजं तेनाभिघारयति । अभिजुहोति । घृतमयी 'घृत्या' । सोममयी 'सौम्या' । तानेतैरेवेति । "विभूरसि प्रवाहणः" इत्यादिभिर्यथोक्तमन्त्रवर्णैरिति । यो धिष्ण्यो येन यजुषोपकीर्णस्तं तेनाभिघारयेदित्यर्थः । यथापूर्वमिति । यः पूर्वमुपकीर्णस्तं पूर्वमेवाभिघारयेत् । यो द्वितीयस्तं द्वितीयमित्यादि क्रमवचनम् । मार्जालीय एवोत्तममित्यनुदेश्यानामाहवनीयादीनां निवृत्त्यर्थम् ॥ ७ ॥ ८ ॥

१—आग्नीध्रीये पुनः पश्चादिच्छन् । अत्र कर्कः—जुहोति तच्च तूष्णीं, काण्वशाखापाठादिति । तथा चात्र काण्वश्रुतिपाठः तदाहुः स्रुग्गामुत्तममाग्नीध्र आघारयेदिति । इदग्नः कर्मानुसंतिष्ठाता इति । तदुपरांगे वाऽऽभिघारयेदिति । का०श्रौ०सू० १०। १२८ ।

(मर्ठ्ठँ) स युत्राध्वर्युः । शालाकैर्धिष्ण्यान्व्याघारयति तत्प्रतिप्रस्थाता पात्नीवतं ग्रहं गृह्णाति यज्ञाद्वै प्रजाः प्रजायन्ते यज्ञात्प्रजायमाना मिथुनात्प्रजायन्ते मिथुनात्प्रजायमाना ऽअन्ततो यज्ञस्य प्रजायन्ते तदेना ऽएतदन्ततो यज्ञस्य मिथुनात्प्रजननात्प्रजनयति तस्मान्मिथुनात्प्रजननादन्ततो यज्ञस्येमाः प्रजाः प्रजायन्ते तस्मात्पात्नीवतं गृह्णाति ॥ ९ ॥

तं वाऽउपाꣳशुपात्रेण गृह्णाति । यदि सावित्रमुपाꣳशुपात्रेण गृह्णीयादन्तर्यामपात्रेणैतं यदि सावित्रमन्तर्यामपात्रेण गृह्णीयादुपाꣳशुपात्रेणैतꣳ समानꣳ ह्येतद्यदुपाꣳश्वन्तर्यामौ प्राणो हि यो वै प्राणः स ऽउदानो वृषा वै प्राणो योषा पत्नी मिथुनमेवैतत्प्रजननं क्रियते ॥ १० ॥

तं वाऽअपुरोरुक्कं गृह्णाति । वीर्यं वै पुरोरुङ्नेत्स्त्रीषु वीर्यं दधानीति तस्मादपुरोरुक्कं गृह्णाति ॥ ११ ॥

(त्य) अथातो गृह्णात्येव । (वो) उपयामगृहीतोऽसि बृहस्पतिसुतस्य देव सोम तऽइति ब्रह्म वै बृहस्पतिर्ब्रह्मप्रसूतस्य देव सोम तऽइत्येवैतदाहे-

---

स यत्राध्वर्युः । शालाकैर्धिष्ण्यान्व्याघारयति । तत् प्रतिप्रस्थाता पात्नीवतं ग्रहं गृह्णाति । यज्ञाद्वै प्रजाः प्रजायन्ते, यज्ञात्प्रजायमाना मिथुनात्प्रजायन्ते, मिथुनात्प्रजायमाना अन्ततो यज्ञस्य प्रजायन्ते । तदेना एतदन्ततो यज्ञस्य मिथुनात्प्रजननात्प्रजनयति । तस्मान्मिथुनात्प्रजननादन्ततो यज्ञस्येमाः प्रजाः प्रजायन्ते । तस्मात्पात्नीवतं गृह्णाति ॥ ९ ॥

तं वाऽउपांशुपात्रेण गृह्णाति–यदि सावित्रमुपांशुपात्रेण गृह्णीयात्–अन्तर्यामपात्रेणैतम् । यदि सावित्रमन्तर्यामपात्रेण गृह्णीयाद्–उपांशुपात्रेणैतम् । समानं ह्येतत्–यदुपांश्वन्तर्यामौ । प्राणो हि । यो वै प्राणः स उदानः । वृषा वै प्राणः, योषा पत्नी । मिथुनमेवैतत्प्रजननं क्रियते ॥ १० ॥

तं वाऽअपुरोरुक्कं गृह्णाति । 'वीर्यं वै पुरोरुग्–नेत् स्त्रीषु वीर्यं दधानीति । तस्मादपुरोरुक्कं गृह्णाति ॥ ११ ॥

अथातो गृह्णात्येव–" उपयामगृहीतोऽसि बृहस्पतिसुतस्य देव सोम ते "–(वा०

अतः परं पात्नीवतमुच्यते–प्रागन्त्याभ्यां कण्डिकाभ्याम् । न सम्प्रति साक्षात् पत्नीभ्यो गृह्णाति इति । कथं तर्हि परोक्षवृत्त्या सोम उच्यते । हे सोम! तव 'पत्नीवतः' सतो 'ग्रहान्' अहम् 'ऋध्यासम्' । कथं च सोमः पत्नीवान् भवति । यदि पत्न्यस्तस्य देवता भवन्ति । एवं परोक्षं पत्नीभ्यो गृह्णाति तद्देवान्तरवद्विस्पष्टम् ॥ ९–११ ॥

उपयामगृहीतोऽसीति । पत्नीभ्यः–इत्येवम् । नेत्स्त्रीषु वीर्यमिति । देवपत्नीषु किल देवैस्तुल्या सुकृता-

---

१–उपयामगृहीतोसि बृहस्पतिसुतस्येति प्रतिप्रस्थाता पात्नीवतं गृह्णाति । का. श्रौ. सू. १० । १२९ ।

न्दोरिन्द्रियावत इति व्वीर्यवतऽ इत्येवैतदाह यदाहेन्दोरिन्द्रियावत इति पत्नीवतो ग्रहाँ२॥ ऽऋध्यासमिति नु संप्रति पत्नीभ्यो गृह्णाति नेत्स्त्रीषु व्वीर्यं दधानीति तस्मान्न सम्प्रति पत्नीभ्यो गृह्णाति ॥ १२ ॥

(त्यु) अथ युः प्रचरण्याᳪ सᳪस्रवः परिशिष्टो भवति । तेनैनᳪ श्रीणाति सुमर्धयति वाऽअन्यान्ग्रहाञ्छ्रीणन्नथैतं व्यर्धयति व्वज्रो वाऽआज्यमेतेन वै देवा व्वज्रेणाज्येनाघ्नन्नेव पत्नीर्निराक्ष्णुवंस्ता हता निरष्टा नात्मनश्चनैशत नु दायस्य चनैशत तथोऽएवैष ऽएतेन व्वज्रेणाज्येन हन्त्येव पत्नीर्निरक्ष्णोति ता हता निरष्टा नात्मनश्चनेशते नु दायस्य चनेशते ॥ १३ ॥

सं० ८ । ९) इति । ब्रह्म वै बृहस्पतिः । ब्रह्मप्रसूतस्य देव सोम त इत्येवैतदाह । "इन्दोरिन्द्रियावतः"–(वा०सं०८।९) इति । वीर्यवत इत्येवैतदाह–यदाह–इन्दोरिन्द्रियावत इति । "पत्नीवतो ग्रहां २॥ ऋध्यासम्"–(वा० सं० ८ । ९) इति । न सम्प्रति पत्नीभ्यो गृह्णाति–नेत्स्त्रीषु वीर्यं दधानीति । तस्मान्न सम्प्रति पत्नीभ्यो गृह्णाति ॥ १२ ॥

अथ यः प्रचरण्यां संस्रवः परिशिष्टो भवति–तेनैनं श्रीणाति । समर्धयति वाऽअन्यान्ग्रहाञ्छ्रीणन् । अथैतं व्यर्धयति । वज्रो वाऽआज्यम् । एतेन वै देवा वज्रेणाज्येनाघ्नन्नेव पत्नीर्निराक्ष्णुवन् । ता हता निरष्टा नात्मनश्चनैशत, न दायस्य चनैशत । तथोऽएवैष एतेन वज्रेणाज्येन हन्त्येव पत्नीर्निरक्ष्णोति । ता हता निरष्टा नात्मनश्चनेशते, न दायस्य चनेशते ॥ १३ ॥

स्तदनुकरणान्मानुष्योऽपि स्त्रियो वीर्यवत्यः पुंसि तुल्याः कृताः स्युः । तच्चायुक्तं व्यवहारस्यानवक्लृप्तेरित्यभिप्रायः ॥ १२ ॥

अथ यः प्रचरणीशेषेणैव पात्नीवतं 'श्रीणाति' अध्वर्युरेव । 'एतेन' 'चाज्येन' 'देवाः' 'पत्नीं' हतवन्तः ताडितवन्तः । ताडयित्वा च 'निराक्ष्णुवन्' ऐश्वर्यान्निर्भक्तवन्तः । "अक्षु व्याप्तौ"–(धा. पा. भ्वा. आ. ८७) इत्येष भौवादिकस्तस्य व्यत्ययेन श्नुविकरणः । पत्न्यः 'हताः' वाग्वज्रेण ताडिताः । 'निरष्टाः' ऐश्वर्याद्बहिर्भूताः सत्यः आत्मनोऽपि स्वशरीरस्यापि न ईशितवत्यः । तथा चाहुः–"न स्त्री स्वातन्त्र्यमर्हति"–इति । 'न दायस्य चन' दायस्य अपि पित्र्यस्य धनस्य ईशते; स्त्रीधनं वा षड्विधं दायस्तस्यापि नैवेशत इति । तदनुकारेणायमध्वर्युस्तथैव करोति । स्त्रियश्चाद्यापि तथैव नेशते ॥ १३ ॥

१–प्रचरणीशेषेण श्रीणात्येनमहं परस्तादिति । का. श्रौ. सू. १० । १३० ।

सु श्रीणाति ।(त्य) अहं परस्तादहमवस्ताद्यदन्तरिक्षं तदु मे पिताऽभूत् । अहꣳ सूर्यमुभयतो ददर्शाहं देवानां परमं गुहा यदिति स यदहमहमिति श्रीणाति पुꣳस्येवैतद्वीर्यं दधाति ॥ १४ ॥

(त्यु) अथाहाग्नीत्पात्नीवतस्य यजेति वृषा वाऽअग्नीद्योषा पत्नी मिथुनमेवैतत्प्रजननं क्रियते स जुहोत्यग्ना ३ऽइ पत्नीवन्निति वृषा वा अग्निर्योषा पत्नी मिथुनमेवैतत्प्रजननं क्रियते ॥ १५ ॥

सजूर्देवेन त्वष्ट्रेति । त्वष्टा वै सिक्तꣳ रेतो विकरोति तदेषुऽएवैतत्सिक्तꣳ रेतो विकरोति सोमं पिब स्वाहेत्युत्तरार्द्धे जुहोति या इतरा आहुतयस्ते देवाऽअथैताः पत्न्यऽएवमिव हि मिथुनं क्लृप्तमुत्तरतो हि स्त्री पुमाꣳसमुपशेतऽआहरत्यध्वर्युरग्नीधे भक्षꣳ सऽआहाध्वर्युऽउप माऽऽह्वयस्वेति तं न प्रत्युपह्वयेत को हि हतस्य निरस्तस्य प्रत्युपहवस्तं वै प्रत्येवोपह्वयेत जुह्वत्यस्याग्नौ वषट्कुर्वन्ति तस्मात्प्रत्येवोपह्वयेत ॥ १६ ॥

स श्रीणाति–" अहं परस्तादहमवस्ताद्यदन्तरिक्षं तदु मे पिताऽभूत । अहं सूर्यमुभयतो ददर्शाहं देवानां परमं गुहा यद् "–(वा० सं० ८ । ९) इति । स यदहमहमिति श्रीणाति–पुंस्येवैतद्वीर्यं दधाति ॥ १४ ॥

अथाह–अग्नीत् । पात्नीवतस्य यजेति । वृषा वाऽअग्नीद्, योषा पत्नी, मिथुनमेवैतत्प्रजननं क्रियते । स जुहोति–" अग्ना ३ऽइ पत्नीवन् "–(वा० सं० ८ । १०) इति । वृषा वाऽअग्निः, योषा पत्नी । मिथुनमेवैतत्प्रजननं क्रियते ॥ १५ ॥

" सजूर्देवेन त्वष्ट्रा "–(वा० सं० ८ । १०) इति । त्वष्टा वै सिक्तं रेतो विकरोति । तदेष

पुꣳस्येवैतद्वीर्यं दधातीति । अध्वर्युः किल पुमांसं वा तमुच्चारयन् पुंस्त्वसामान्यात् सर्वेष्वेवं सर्वं दधाति येन स्वतन्त्राः पुमांसः सर्वस्येशते ॥ १४ ॥

अथाहाग्नीदिति[1] । प्रतिप्रस्थातुर्हस्तादादायाग्नेर्गुरग्नीध्रमाह । " अग्नीत् पात्नीवतस्य यजेति " आश्रावणमप्यत्र द्रष्टव्यमेव । प्रैषाङ्गत्वात् । पुरोनुवाचनप्रभृति स्तुतशस्त्रं, तेनापि प्रैषस्याङ्गं ग्रहः ' अग्नीत् पात्नीवतस्य यजेति ' ॥ १५ ॥

' या इतरा ' उपांश्वाज्या ' आहुतयः ' ' ते देवाः ' देवान्नत्वाद्देवास्तद्वन्तः । ' अथैताः पत्न्यः ' पत्नीदेवत्यत्वात् पात्नीवतस्येति । पत्नीनां चोत्तरतः स्थानमतस्तदन्तर्गतताश्च अप्याहुतेरुत्तरत एव स्थानं युक्तमित्यभिप्रायः[2] । आहरत्यध्वर्युरिति । प्रतिप्रस्थातृशङ्कानिवृत्त्यर्थमध्वर्युग्रहणम् । ' को हि हतस्य ' इत्यनादर-

---

१–अग्नीत्पात्नीवतस्य यजेत्याह । का० श्रौ० सू० १०।१३१। २–अग्ना ३इ पत्नीवन्नित्युत्तरार्द्धे जुहोति । का० श्रौ० सू० १०।१३२।

(त्ता) अथ सम्प्रेष्यति (त्यु) अग्नीन्नेष्टुरुपस्थमासीद नेष्टः पत्नीमुदानयोद्गात्रा सुंख्यापयोन्नेतर्होतुश्चमसमनून्नय सोमं माऽतिरीरिच इति यद्यग्निष्टोमः स्यात् ॥ १७ ॥

(द्य) यद्युक्थ्यः स्यात् । (त्सो) सोमं प्रभावयेति ब्रूयात्स बिभ्रदेवैतत्पात्रमग्नीन्नेष्टुरुपस्थमासीदत्यग्निर्वाऽएषु निदानेन यदाग्नीध्रो योषा नेष्टा व्वृषा वाऽअग्नीद्योषा नेष्टा मिथुनमेवैतत्प्रजननं क्रियतऽउदानयति नेष्टा पत्नीं तामुद्गात्रा सुंख्यापयति प्रजापतिर्व्वृषाऽसि रेतोधा रेतो मयि धेहीति प्रजापतिर्व्वाऽउद्गाता योषा पत्नी मिथुनमेवैतत्प्रजननं क्रियते ॥ १८ ॥

इति तृतीयप्रपाठके चतुर्थं ब्राह्मणम् ॥ ४ । ३ । ४ ॥ (४. २.)

एवैतत् सिक्तं रेतो विकरोति । " सोमं पिब स्वाहा "–(वा० सं० ८ । १०) इति । उत्तरार्द्धे जुहोति । या इतरा आहुतयस्ते देवाः, अथैताः पत्न्यः । एवमिव हि मिथुनं क्लृप्तम् । उत्तरतो हि स्त्री पुमांसमुपशेते । आहरत्यध्वर्युरग्नीधे भक्षम् । स आह–अध्वर्यऽउप माऽऽह्वयस्वेति । तं न प्रत्युपह्वयेत । को हि हतस्य निरस्तस्य प्रत्युपहवः । तं वै प्रत्येवोपह्वयेत जुह्वत्यस्याग्नौ वषट् कुर्वन्ति । तस्मात्प्रत्येवोपह्वयेत ॥ १६ ॥

अथ सम्प्रेष्यति–अग्नीन्नेष्टुरुपस्थमासीद, नेष्टः पत्नीमुदानय । उद्गात्रा सङ्ख्यापय, उन्नेतर्होतुश्चमसमनून्नय, सोमं माऽतिरीरिच इति । यद्यग्निष्टोमः स्यात् ॥ १७ ॥

यद्युक्थ्यः स्यात्–सोमं प्रभावयेति ब्रूयात् । स बिभ्रदेवैतत्पात्रमग्नीन्नेष्टुरुपस्थमासीदति । अग्निर्वाऽएष निदानेन–यदाग्नीध्रः, योषा नेष्टा, वृषा वाऽअग्नीद् । योषा नेष्टा । मिथुनमेवैतत्प्रजननं

प्रकाशनार्थम् । प्रतिवचनमपि न देयम् । एवं हि पत्न्यः सुतरामवीर्याः कृता भवन्तीत्यभिप्रायः । तत्र प्रत्युपह्वयेत 'उपह्वय' इत्येवमनुजानीतेत्यर्थः । किं कारणं यस्माज्जुहोति । अस्यैकदेशे 'अग्नौ वषट्कुर्वन्ति' न वैतदनादरणीये प्रयुज्येत । तस्मात् उपह्वयेतैव ॥ १६ ॥

अथ सम्प्रेष्यतीति । सङ्ख्यायाः प्रदेशा 'उन्नेतर्होतुश्चमसमनु सर्वांश्चमसानुन्नय सोमं माऽतिरीरिचः' सर्वमेव पूतभृतः 'सोमम्' उन्नयन्ति । होमप्रदानमित्यभिप्रायः । 'यद्यग्निष्टोमः स्यात्' अग्निष्टोमसंस्थाक्रतुः स्यादित्यर्थः ॥ १७ ॥

एते च तेऽग्निष्टोमचमसा येषु द्वादशं स्तोत्रं यज्ञायज्ञियमाग्निमारुतं च शस्त्रं शस्यते । यद्युक्थ्यः स्या॥दिति ।

१–प्रेष्यति चाग्नीन्नेष्टुरुपस्थमासीद नेष्टः पत्नीमुदानयोद्गात्रा संख्यापयोन्नेतर्होतुश्चमसमनुन्नय सोमं माऽतिरीरिच इति । का. श्रौ. सू. १० । १३३ । २–प्रभावयेत्युक्थ्यादिषु । आग्नीध्रे भक्षणं व्वषट्कारोपाह्वानाभ्याम् । सपात्र आसीदति नेष्टुरुपस्थम् । अत्र वा भक्षणं पात्रहरणसामर्थ्यात् । अग्नीत्प्रक्षाल्य पात्रं खरे करोति । पात्रं पात्नीवतसंबन्धीति कर्कः । का० श्रौ० सू० १०।१३४–१३८।

पशवो वै देवानां छन्दाᳪंसि। तद्यथेदं पशवो युक्ता मनुष्येभ्यो वहन्त्येवं छन्दाᳪंसि युक्तानि देवेभ्यो यज्ञं वहन्ति तद्यत्र च्छन्दाᳪंसि देवान्त्समतर्पयन्नथ च्छन्दा¹ᳪंसि देवाः समतर्पयंस्तदतस्तत्प्रागभूद्यच्छन्दाᳪंसि युक्तानि देवेभ्यो यज्ञमवाक्षुर्यदेनान्त्समतीतृपन् ॥ १ ॥

(ब्रा) अथ हारियोजनं गृह्णाति। च्छन्दाᳪंसि वै हारियोजनश्छन्दाᳪंस्येवैतत्संतर्पयति तस्माद्धारियोजनं गृह्णाति ॥ २ ॥

ऽयते। उदानयति नेष्टा पत्नीम्। तामुद्गात्रा सङ्ख्यापयति। "प्रजापतिर्वृषासि रेतोधा तो मयि धेहि¹"–(वा० सं० ८। १०) इति। प्रजापतिर्वाऽउद्गाता, योषा पत्नी। मिथुनतत्प्रजननं क्रियते ॥ १८ ॥

हारियोजनग्रहः।

पशवो वै देवानां छन्दांसि। तद् यथेदं पशवो युक्ता मनुष्येभ्यो वहन्ति। एवं छन्दांसि युक्तानि ेभ्यो यज्ञं वहन्ति। तद् यत्र छन्दांसि देवान् समतर्पयन्–अथ छन्दांसि देवाः समतर्पयन्। तदतत्प्रागभूद् यच्छन्दांसि युक्तानि देवेभ्यो यज्ञमवाक्षुः–यदेनान्त्समतीतृपन् ॥ १ ॥

अथ हारियोजनं गृह्णाति। छन्दांसि वै हारियोजनः। छन्दांस्येवैतत् संतर्पयति। तस्माद्धारिजनं गृह्णाति ॥ २ ॥

ध्यग्रहणमुत्तराणां संस्थानां लक्षणार्थम्। उक्थ्यादिषु संस्थासु 'सोमं प्रभावय' प्रभूतं कुरु। यथोत्तराण्यपि ानानि सिध्यन्तीत्यर्थः। सोऽग्नीदेतत् पात्नीवतपात्रं हस्ते धारयन्नेव नेष्टुरुत्सङ्गमभ्यास्ते। 'योषा नेष्टा' स 'पत्नी' भवति वाचयति च ॥ १८ ॥

इति आचार्यहरिस्वामिनः कृतौ माध्यन्दिनशतपथब्राह्मणभाष्ये चतुर्थकाण्डे
चतुर्थाऽध्याये द्वितीयं ब्राह्मणम् ॥ ४–४–२ ॥

पशवो वा इति। हारियोजनग्रहब्राह्मणमेतत्–उत्तमाः सप्त कण्डिका वर्जयित्वा। तद्यत्र च्छन्दांसीति। काले अग्निष्टोमसंस्थे तूक्थ्यादिसंस्थे वा क्रतौ समाप्ते सति छन्दांसि देवान् स्तोत्रशस्त्रैः सन्तर्पितवन्ति अथ' अनन्तरं कृतोपकाराणि च्छन्दांसि देवाः सन्तर्पितवन्तः–इतीतिहासः। तमधुना यज्ञमुपसंहरति–दिति। अतः हारियोजनात् प्राक् स्रोतसि च्छन्दोभिर्देवास्तर्पिताः ॥ १ ॥

अथ हारियोजनमिति। 'अथ' यथासंकलितसंज्ञे यज्ञे छन्दोऽभिरूढे देवेषु तर्पितेषु, पात्नीवतेऽपि ऽनुयाजादौ स्रुग्विमोकान्ते कृते, अनन्तरं हारियोजनं गृह्णाति। हरिवतो योजनो हरियोजनो देवता अस्य रियोजनो ग्रहः। 'छन्दांसि वै हारियोजनः' छान्दसमिति कृत्वा ॥ २ ॥

१–इह धेहीत्यनन्तरं संहितायां–'प्रजापतेस्ते वृष्णो रेतोधसो रेतोधामशीय' इत्यधिको भागः पठ्यते।
२–विमुच्य स्रुचौ द्रोणकलशे हारियोजनग्रहणमुपयामगृहीतोऽसि हरिरसीति। का. श्रौ. सू. १०। १५४ ॥

७१

तं वाऽअतिरिक्तं गृह्णाति । यदा हि शंयोराहाथैनं गृह्णातीदं वै देवा-ऽअथ च्छन्दाᳬस्यतिरिक्तान्यथ मनुष्या ऽअथ पशवोऽतिरिक्तास्तस्मा-दतिरिक्तं गृह्णाति ॥ ३ ॥

द्रोणकलशे गृह्णाति । वृत्रो वै सोम ऽआसीत्तं यत्र देवा अघ्नंस्तस्य मूर्धोद्ववर्त स द्रोणकलशोऽभवत्तस्मिन्यावान्वा यावान्वा रसः समस्रव-दतिरिक्तो वै स ऽआसीदतिरिक्त ऽएष ग्रहस्तदतिरिक्तऽएवैतदतिरिक्तं दधाति तस्माद्द्रोणकलशे गृह्णाति ॥ ४ ॥

तं वाऽअपुरोरुक्कं गृह्णाति । च्छन्दोभ्यो ह्येनं गृह्णाति स यद्देवैनं च्छन्दो-भ्यो गृह्णाति तेनो हास्यैष पुरोरुङ्मान्भवति तस्मादपुरोरुक्कं गृह्णाति ॥५

(त्य) अथातो गृह्णात्येव । (वो) उपयामगृहीतोऽसि हरिरसि हारि-योजनो हरिभ्यां त्वेत्यृक्सामे वै हरीऽऋक्सामाभ्याᳬ ह्येनं गृह्णाति ॥ ६

तं वाऽअतिरिक्तं गृह्णाति । यदा हि शंयोराह–अथैनं गृह्णाति । इदं वै देवाः–अथ छन्दांस्यतिरिक्तानि । अथ मनुष्याः–अथ पशवोऽतिरिक्ताः । तस्मादतिरिक्तं गृह्णाति ॥ ३ ॥

द्रोणकलशे गृह्णाति । वृत्रो वै सोम आसीत् । तं यत्र देवा अघ्नन् । तस्य मूर्धोद्ववर्त । स द्रोणकलशोऽभवत् । तस्मिन् यावान्वा–यावान्वा रसः समस्रवत्–अतिरिक्तो वै स आसीत् । अतिरिक्त एष ग्रहः । तद् अतिरिक्तऽएवैतदतिरिक्तं दधाति । तस्माद् द्रोणकलशे गृह्णाति ॥ ४ ॥

तं वाऽअपुरोरुकं गृह्णाति । छन्दोभ्यो ह्येनं गृह्णाति । स यद्देवैनं छन्दोभ्यो गृह्णाति–तेनो हास्यैष पुरोरुङ्मान्भवति । तस्मादपुरोरुकं गृह्णाति ॥ ५ ॥

अथातो गृह्णात्येव–" उपयामगृहीतोऽसि हरिरसि हारियोजनो हरिभ्यां त्वा ' (वा. सं. ८ । ११) इति । ऋक्सामे वै हरी । ऋक्सामाभ्यां ह्येनं गृह्णाति ॥ ६ ॥

तं वा इति । देवदेवत्येभ्यो ग्रहेभ्यो देवयज्ञाद्वाऽतिरिक्तं गृह्णाति । कथम्? यदा हि शंयोराह होता । अनन्तरकालं क्रतौ विमुच्य तं गृह्णाति तदा च देवानां यज्ञः सम्पन्नः, समाप्तो भवतीत्यभिप्रायः । किं पुनः कयज्ञ एतदतिरिक्तं गृह्णाति यस्मादस्याधिदैवाधिभूते अतिरिक्ते । एतदाह–इदं वै देवा इति । सन्तीति शेषः ' अथ च्छन्दांसि ' तेषामतिरिक्तानि । पशव उपकारकाणि उपकार्यास्तु देवाः । अथशब्दोऽत्र विशेषणार्थः एवं तावदधिदैवतमतिरिक्ता दर्शिताः । अधिभूतमित्याह–अथ मनुष्या इति । ' अथ मनुष्याः' देवानामन्तः सन्ति । तेषाम् ' अथ पशवोऽतिरिक्ताः ' तदुपकारकत्वात् ॥ ३ ॥

द्रोणकलश इति । ऊर्ध्वंच्छिन्नस्तस्य मूर्धोर्ध्वमुद्गतो गतः उद्ववर्त तस्मिन् ' यावान्वा यावान्वा ' इति पदद्वयं विभक्तमल्पार्थे वर्त्तते । यथा यद्वा तद्वा भुक्तं तथा जीर्णं जितमिति तस्मिन् द्रोणे यो रसः ' समस्रवत् ' इत्यर्थः । ' अतिरिक्तो वै ' रसः ' स आसीत् ' अधः स्पृष्टः । शरीरे यः तं देवाः पात्रे विगृह्णाना तेनातिरिक्तो यो द्रोणकलशे गृह्णाति तदतिरिक्तेनास्मिन् कलशेऽतिरिक्तमिमं ग्रहं दधाति ॥ ४ ॥ ५ ॥

अथात इति । ऋक्सामे वै हरी इति । छन्दआत्मके इत्यभिप्रायः ॥ ६ ॥

(त्यु) अथ धानाऽआवपति । हुर्योर्धाना स्थ सहुसोमाऽइन्द्रायेति तद्य-देवात्र मितं च च्छन्दोऽमितं च तुदेवैतत्सर्वं भक्षयति ॥ ७ ॥

तस्योन्नेताऽऽश्रावयति । (त्यु) अतिरिक्तो वाऽउन्नेता न ह्येषोऽन्यस्याश्रा-यवत्यतिरिक्त एष ग्रहस्तस्मादतिरिक्तऽएवैतदतिरिक्तं दधाति तस्मादुन्नेताऽऽश्रावयति ॥ ८ ॥

मूर्धन्नभिनिधायाश्रावयति । मूर्धा ह्यस्यैषोऽथाह धानासोमेभ्योऽनुब्रूही-त्याश्राव्याह धानासोमान्प्रस्थितान्प्रेष्येति व्वषट्कृते जुहोत्यनुवषट्कृते-ऽथ धाना व्विलिप्सन्ते भक्षाय ॥ ९ ॥

तद्धैके । होत्रे द्रोणकलशं प्रतिपराहरन्ति व्वषट्कर्तुर्भक्ष इति व्वदन्तस्तदु तथा न कुर्याद्यथाचमसं वाऽअन्ये भक्षाऽअथैषोऽतिरिक्तस्तस्मादेत-स्मिन्त्सर्वेषामेव भक्षस्तस्माद्धाना व्विलिप्सन्ते भक्षाय ॥ १० ॥

अथ धाना आवपति—"हर्योर्धाना स्थ सहसोमा इन्द्राय"—(वा. सं. ८ । ११) इति । तद् यदेवात्र मितं च छन्दः, अमितं च—तदेवैतत् सर्वं भक्षयति ॥ ७ ॥

तस्योन्नेताऽऽश्रावयति । अतिरिक्तो वाऽउन्नेता—न ह्येषोऽन्यस्याश्रावयति । अतिरिक्त एष ग्रहः । तस्मादतिरिक्तऽएवैतदतिरिक्तं दधाति । तस्मादुन्नेताऽऽश्रावयति ॥ ८ ॥

मूर्धन्नभिनिधायाश्रावयति । मूर्धा ह्यस्यैषः । अथाह—धानासोमेभ्योऽनुब्रूहीति । आश्राव्याह—धानासोमान्प्रस्थितान् प्रेष्येति । वषट्कृते जुहोति—अनुवषट्कृते । अथ धाना विलिप्सन्ते भक्षाय ९

तद्धैके—होत्रे द्रोणकलशं प्रतिपराहरन्ति—वषट्कर्तुर्भक्ष इति वदन्तः। तदु तथा न कुर्याद् । यथा-

---

अथ धाना इति[1] । यदेता ' धाना आवपति ' तदेव ' अत्र ' यज्ञे ' मितं ' नियताक्षरपादं ऋचूनाम-लक्षणम् । यद्वाऽनियताक्षरपादं यजुः ' तदेवैतत् सर्वं छन्दः ' । सोमं धानावन्तं भक्षयति न ह्यावपेत । सोमः पीतो भवत्यस्मिन् छन्दसा शक्तोऽतितर्पयितुमित्यभिप्रायः ॥ ७ ॥

तस्योन्नेतेति[2] । आश्रावणद्वारेणानुवाचनादौ होमान्ते सर्वत्रैवोन्नेतानाम विधीयते । ततश्चासौ तत्रानु-वाचयेत्, जुहुयात् । भक्षः केवलं निवर्तते । किं कारणं ? यस्मादनुवाचनादिकमेव प्रतियज्ञे उपावर्तते । तथा च चरकाणां ग्रहणमप्युन्नेतुरेवाम्नातम् । धानासहिताः सोमाः 'अनुवषट्कृते' जुहोतीति वर्तते । 'अथ' होमानन्तरम् । धानाविभागे लब्धुमिच्छन्ति । लिप्सया तत्पूर्वकमादानं लक्ष्यते । विभज्य गृह्णन्तीत्यर्थः कथम् ? ' एतस्मिन् सर्वेषामेव भक्षः ' इति वाक्यशेषादेव । भक्ष इति वाक्यशेषात् सर्वे ऋत्विग्यजमाना भक्षन्ति ॥ ८ ॥ ९ ॥

तद्धैके होत्र इति । यथाचमसम्, यो यस्य चमसस्तस्य तस्मिंश्चमसे इत्येतस्मिन्नर्थे ' यथाचम-

---

१—धानाआवपति हर्योर्धाना इति । का० श्रौ०सू०१०।१५५। २—उन्नेताऽनुवाचयति मूर्द्धनि कृत्वा धानासोमेभ्योऽनुब्रूहीति । आश्राव्याह धानासोमान् प्रस्थितान् प्रेष्येति । भक्षं होरदिच्छन् । उत्तरवेदौ वा निधाय विलाभम् । का.श्रौ. सू.१०।१५६–१५९

ता नु दुद्भिः खादेयुः। पशवो वाऽएते नेत्पशून्प्रम्रदे करवामहाऽइति प्राणैरेव भक्षयन्ति यस्तेऽअश्वसनिर्भक्षो यो गोसनिरिति पशवो ह्येते तस्मादाह यस्तेऽअश्वसनिर्भक्षो यो गोसनिरिति तस्य तऽइष्टयजुष स्तुतस्तोमस्येतीष्टानि हि यजूꣳषि भवन्ति स्तुता स्तोमाः शस्तोक्थस्येति शस्तानि ह्युक्थानि भवन्त्युपहूतस्योपहूतो भक्षयामीत्युपहूतस्य ह्येतदुपहूतो भक्षयति ॥ ११ ॥

चमसं वाऽअन्ये भक्षाः–अथैषोऽतिरिक्तस्तस्माद्द । एतस्मिन्त्सर्वेषामेव भक्षः । तस्माद्धाना विलिप्सन्त भक्षाय ॥ १० ॥

ता न दद्भिः खादेयुः। पशवो वाऽएते–नेत् पशून्प्रम्रदे करवामहाऽइति। प्राणैरेव भक्षयन्ति। "**यस्तेऽअश्वसनिर्भक्षो यो गोसनिः**"–(वा. सं. ८ । १२) इति। पशवो ह्येते। तस्मादाह–यस्ते अश्वसनिर्भक्षो यो गोसनिरिति। "**तस्य तऽइष्टयजुष स्तुतस्तोमस्य**"–(वा. सं. ८।१२) इति। इष्टानि हि यजूंषि भवन्ति, स्तुताः स्तोमाः। "**शस्तोक्थस्य**"–(वा.सं. ८।१२) इति । शस्तानि ह्युक्थानि भवन्ति। "**उपहूतस्योपहूतो भक्षयामि**"–(वा. सं. ८ । १२) इति । उपहूतस्य ह्येतदुपहूतो भक्षयति ॥ ११ ॥

सम्' इत्येतत् पदं वर्त्तते । 'अन्ये भक्षाः' चमसानुभक्षितानां सर्वे चमसा भवन्ति। अनुचमसानामपि वषट्कारादिना निमित्तेन भवन्ति । 'अथ' इति विशेषणार्थः। तस्मिंस्तु हारियोजनानां सर्वेषामेव ऋत्विग्यजमानानां भक्षः। ततश्चात्र होताऽन्ये च तुल्या एवेति न होत्रे द्रोणकलशो नेयः, किन्तूत्तरवेदाविव धानाः सर्वेभ्यो लिप्समानेभ्यो देयाः ॥ १० ॥

ता न दद्भिरिति। 'दद्भिः' दन्तैः। "पद्दन्नोमास्हृत्"–(पा. सू. ६ । १ । ६३) इति छन्दसि दन्तस्य दद्भावः। 'पशवो वा एते' धानाः पशूनां छन्दसामन्नमिति कृत्वा। 'नेत्पशून्प्रम्रदे' प्रकर्षेण मृद्यन्ते वध्यन्तेऽस्मिन्निति 'प्रम्रदः' आघातस्थानम्। धानारूपाः किल पशवो दन्तान्तर एवाघातस्थाने क्रियेरन् यदि दन्तैर्धाना भक्षयेरन्। 'प्राणैरेवं' नासिकाभिरेव जिघ्रन्तो 'भक्षयन्ति'। अवघ्राणमेव भक्षणमित्यर्थः। 'पशवो ह्येते' गोश्वाः। छन्दोरूपाः पशवः सम्भक्ता अनेन भक्षणेनेत्यभिप्रायः। 'इष्टानि हि यजूंषि भवन्ति' तस्मिन् सोमे यानि यजूंषि गृह्यन्त इत्यभिप्रायः। 'स्तुताः स्तोमाः' स्तोमाः स्तोत्राणि। 'शस्तानि उक्थानि'। उक्थयुक्तानीति ॥ ११ ॥

१–इह संहितायां 'देवकृतस्य' इत्यादयः पञ्चमन्त्राः शाकलाः पठ्यन्ते। त इह ब्राह्मणे न सन्ति।

२–यस्ते अश्वसनिरिति प्राणभक्षं भक्षयित्वोत्तरवेदौ निवपन्ति। शाकलाधानं देवकृतस्येति प्रतिमन्त्रम्। का. श्रौ. सू. १०। १६०। १६१। शाखांतरोपदेशाच्छाकलाधानमिति पितृभूतिः।

ता नाग्नौ प्रकिरेयुः । (नें) नेदुच्छिष्टमग्नौ जुहवामेत्युत्तरवेदावेव निवपन्ति तथा न बहिर्धा यज्ञाद्भवन्ति ॥ १२ ॥

(न्त्यु) अथ पूर्णपात्रान्त्समुवमृशन्ति । यानेकेऽप्सुषोमाऽइत्याचक्षते यथा वै युक्तो व्वहेदेवमेते यऽआर्त्विज्यं कुर्व्वन्त्युत वै युक्तः क्षणुते वा वि वा लिशते शान्तिरापो भेषजं तद्यदेवात्र क्षण्वते वा वि वा लिशन्ते शान्तिरापस्तदद्भिः शान्त्या शमयन्ते तदद्भिः संदधते तस्मात्पूर्णपात्रान्त्समुवमृशन्ति ॥ १३ ॥

ता नाग्नौ प्रकिरेयुः-नेदुच्छिष्टमग्नौ जुहवामेति । उत्तरवेदावेव निवपन्ति । तथा न बहिर्धा यज्ञाद्भवन्ति ॥ १२ ॥

अथ पूर्णपात्रान्त्समवमृशन्ति-यानेकेऽप्सुषोमा इत्याचक्षते । यथा वै युक्तो वहेद्-एवमेते यऽआर्त्विज्यं कुर्वन्ति । उत वै युक्तः क्षणुते वा, वि वा लिशते । शान्तिरापः । भेषजं तद् । यदेवात्र क्षण्वते वा, वि वा लिशन्ते । शान्तिरापः । तदद्भिः शान्त्या शमयन्ते । तदद्भिः संदधते । तस्मात्पूर्णपात्रान्त्समवमृशन्ति ॥ १३ ॥

ता नाग्नाविति प्रसन्ना ॥ १२ ॥

अथ पूर्णपात्रानिति । पूर्णान् पात्रान् अपाम् । कुत एतत् ? शान्तिरापो भेषजमिति वाक्यशेषात् । 'समवमृशन्ति' सर्व ऋत्विजः । कुत एतत् ? 'य आर्त्विज्यं कुर्वन्ति' इति वाक्यशेषात् । यजमानश्च युक्तत्वात् । कीदृशान् पूर्णपात्रान् 'यानेके' शाखिनः 'अप्सुषोमाः' अबात्मकाः सोमा इत्येवम् 'आचक्षते' । सुशब्द उपजनः । के पुनरप्सुषोमाः ? हरितकुशवन्तः पूर्णपात्राः सोमचमसास्तांश्च शाखान्तरादेव यथास्वं चमसिनोऽवमृशन्ति । एवमपि नानृत्विजः सर्वे चमसमवमृशन्ति । यथा वै युक्तो गौरश्वो वा वहेदेवमेते पुरुषं वहन्ति य आर्त्विज्यं कुर्वन्ति । तुल्यन्यायत्वाद्यजमानश्च करोतीति द्रष्टव्यम् । 'युक्तः' 'उत' अपि च 'क्षिणुते' "क्षिणु हिंसायाम्"-(धा. पा. त. उ. ४) हिनस्ति विनाशयति । 'विलिशते वा' "लिश अल्पीभावे"-(धा. पा. दि. आ. ७३) विपूर्वो विश्लेषणे वर्त्तते । विश्लेषयतीति । यद्यन्तर्युक्तः क्षिणुते वा विलिशते वा तस्यापगमनं भेषजं च प्रसिद्धम् । तद्वदत्रापि यदयज्ञियं नाम किञ्चिदुक्त्वा 'क्षिण्वते' हिंसन्ति 'लिशन्ते' वा विश्लेषयन्ति तद् 'अद्भिः' अवमृश्यमानाभिः शान्त्या शमनीभिः प्रसिद्धाभिः शमयन्ते सन्दधते च ॥ १३ ॥

१-अपरेण चात्वालं यथास्वं चमसान् पूर्णपात्रानवमृशन्ति हरितकुशानवधाय सं व्वर्चसेति । का. श्रौ. सू. १०-१६२ ।
२-इह सर्वत्र भाष्ये क्षिणुधातोः प्रयोगे स्वरसो लभ्यते । श्रुतौ तु क्षणुते इति पाठो दृश्यते ॥

ते सम॒वमृशन्ति। सं व्व॒र्चसा प॒यसा सं॒ त॒नू॒भिरगन्महि म॒नसा स॒ᳬ᳖ शि॒वेन। त्व॒ष्टा सु॒दत्रो व्वि॒दधातु॒ रायो॒ऽनु॑मार्ष्टु त॒न्वो य॒द्विलिष्ट॒मिति य॒द्विवृढं तत्सं॒दधते ॥ १४ ॥

(तेऽथ) अ॒थ मु॒खान्यु॒पस्पृशन्ते। द्व॒यं तद्य॒स्मान्मु॒खान्यु॒पस्पृश॒न्तेऽमृ॒तं वाऽआ॒पोऽमृ॒तेनै॒वैतत्स॒ᳬ᳖स्पृश॒न्तऽएत॒दु चैवैतत्क॒र्मा॒त्मन्कु॒र्वते त॒स्मान्मु॒खान्यु॒पस्पृश॒न्ते ॥ १५ ॥

इति तृतीयप्रपाठके पञ्चमं ब्राह्मणम् ॥ ४–३–५ ॥ (४-३) ॥

ता॒नि वा॒ऽएता॒नि। न॒व स॒मिष्टयजू॒ᳬ᳖षि जु॒होति॒ तद्य॒न्नव स॒मिष्टयजू॒ᳬ᳖षि जु॒होति न॒व वा॒ऽअमूर्ब॒हिष्पवमा॒ने॒ स्तोत्रि॒या भ॒वन्ति॒ सै॒षोभय॒तो न्यूना व्वि॒राट् प्र॒जननायै त॒स्माद्वा॒ऽउभय॒तो न्यूनात्प्र॒जननात्प्र॒जापतिः प्र॒जाः ससृ॒जऽइतश्चो॒र्ध्वाऽइतश्चा॒वाचीस्त॒थो॒ऽएवैष॒ एत॒स्मादुभय॒त एव॒ न्यूनात्प्र॒जननात्प्र॒जाः सृ॒जतऽइतश्चो॒र्ध्वाऽइतश्चा॒वाचीः ॥ १ ॥

ते समवमृशन्ति–" सं वर्चसा पयसा सन्तनूभिरगन्महि मनसा सं शिवेन। त्वष्टा सुदत्रो विदधातु रायोऽनुमार्ष्टु तन्वो यद्विलिष्टम् "–(वा० सं० ८। १६) इति। यद्विवृढं तत्र सन्दधते ॥ १४ ॥

अथ मुखान्युपस्पृशन्ते। द्वयं तद्–यस्मान्मुखान्युपस्पृशन्ते। अमृतं वाऽआपः। अमृतेनैवैतत्संस्पृशन्ते। एतदु चैवैतत्कर्मात्मन् कुर्वते। तस्मान्मुखान्युपस्पृशन्ते ॥ १५ ॥

समिष्टयजुः।

तानि वाऽएतानि नव समिष्टयजूंषि जुहोति। तद् यन्नव समिष्टयजूंषि जुहोति। नव वाऽअमूर्बहिष्पवमाने स्तोत्रिया भवन्ति। सैषोभयतो न्यूना विराट् प्रजननाय। एतस्माद्वाऽउभयतो न्यूनात्

ते समवमृशन्तीति। हविर्यज्ञे (श. प. १। ७। ४। ६) ते व्याख्याते ॥ १४ ॥

'एतदु चैवैतत् कर्मात्मन्कुर्वते' इत्येतत्त्वत्र न युज्यते। न ह्यृत्विग्भिः कर्मात्मनि कर्त्तव्यम्। नैष दोषः। "यां वै कां च यज्ञ"–इत्येवं यजमानात्मन्येव ते कुर्वते इति विज्ञायते। बहुभिस्तु तद्विलिष्टमिति वै बहवः 'संदधते' अयं वा यजमानः करोतीति ॥ १५ ॥

इति आचार्यहरिस्वामिनः कृतौ माध्यन्दिनशतपथब्राह्मणभाष्ये चतुर्थकाण्डे

चतुर्थोऽध्याये तृतीयं ब्राह्मणम् ॥ (४–४–३) ॥

तानि वा इति। समिष्टयजुर्ब्राह्मणमेतत्। समिष्टयजूंषि जुहोति–इत्यत्रापूर्व एव समिष्टयजुर्धर्मका नव होमा ज्योतिष्टोमाङ्गभूता विधीयन्ते। न पशौ प्राप्तस्यैव समिष्टयजुषः संख्यामात्रम्। किं कारणम्? पशौ समिष्टयजुषः

१–मुखान्यालभंते दधिक्राव्ण इत्याग्नीध्रे दधिभक्षणम्। पत्नीसंयाजाः पशुवत्। का. श्रौ. सू. १०। १६३। १६४।

(हिं) हिङ्कारः स्तोत्रियाणां दशमः । स्वाहाकारऽएतेषां तथो हास्यैषा न्यूना विराड्दशंदशिनी भवति ॥ २ ॥

(त्यु) अथ यस्मात्समिष्टयजूँषि नाम । या वाऽएतेन यज्ञेन देवता ह्वयति याभ्यऽएष यजुस्तायते सर्व्वा वै तत्ताः समिष्टा भवन्ति तद्यत्तासु सर्व्वासु समिष्टास्वथैतानि जुहोति तस्मात्समिष्टयजूँषि नाम ॥ ३ ॥

प्रजननात्प्रजापतिः प्रजाः ससृजे–इतश्चोर्ध्वाः, इतश्चावाचीः । तथोऽएवैष एतस्मादुभयत एव न्यूनात्प्रजननात् प्रजाः सृजते–इतश्चोर्ध्वाः, इतश्चावाचीः ॥ १ ॥

हिङ्कारः स्तोत्रियाणां दशमः स्वाहाकार एतेषाम् । तथो हास्यैषा न्यूना विराड् दशंदशिनी भवति॥ २॥

अथ यस्मात्समिष्टयजूंषि नाम । या वाऽएतेन यज्ञेन देवता ह्वयति, याभ्य एष यज्ञस्तायते–सर्वा वै तत्ताः समिष्टा भवन्ति । तद् यत् तासु सर्वासु समिष्टास्वथैतानि जुहोति–तस्मात्समिष्टयजूंषि नाम ॥ ३ ॥

प्राप्तेरभावात् । कथं वाऽग्नीषोमीये हि तस्य तत्प्रकृतितः प्राप्नुवतस्तस्य समिष्टयजूंषि आहुतान्यासुरित्यवलुप्त-तद्विकारत्वात् सवनीयेनेव प्राप्नोति । कुतस्तस्य सङ्ख्या विधास्यते । तेन होमान्तराण्येवैतानि । समिष्टयजुः-शब्दप्रयोगात् । तत् क्रमेण, तेनैव द्रव्येण क्रियन्ते । मन्त्रान्तरैश्च प्रत्यक्षाम्नातैश्च विशेषः । तथा च स्तोत्रि-याभिस्तुल्यवत् प्रसङ्गादुपपत्स्यते । समिष्टयजुःशब्दस्य चापूर्ववन्निर्वचनम् । तदपि चैतेन ज्योतिष्टोमयज्ञेन देवता हूयत इति ज्योतिष्टोमसमत्वमेव पशुयज्ञस्त्वेकस्या एव देवताया अग्नये तायते येनैतद्वचनमनुपपन्नं स्यात् । तथा च 'अथ यस्मात् समिष्टयजूंषि जुहोतीति' कर्मविधानं यत् क्रियते । "यद्यस्य भवति तस्य हि ददातीति" च सोमयागे । एतेनाप्यापनार्थतामेवाह । एवमुत्तरोऽपि, वाक्यशेषात् । मन्त्राश्च दर्शनीयाः । तथा च–" उभयानि जुहोत्यध्वरस्य चाग्नेश्च " इत्यध्वरस्य सम्बन्धमेवाह । तस्माद्विशिष्टविधिरेषः । एवं च सवनीयविकारेषु [1]वैहिस्तन्त्रेषु वचनादृते समिष्टयजुषैव न भवति । निरूढे तु प्रत्यक्षशिष्टमन्त्राणि समिष्टयजूंषि । विकारेष्वपि तान्यपि दर्शितानि च । तदाहुः–नैतस्य पशोः समिष्टयजूंषि जुहुयादिति सौत्रामण्यामपि च त्रीण्येव समिष्टयजूंषि बोधायनेन पठितानि । ततश्च तत्रापि त्रीण्येव होतव्यानि । ननु च सवनीयपुरोडाशानामनुपनीतं समिष्टयजुः, सूत्रसङ्ख्या नवमात्रं कस्मान्न विधीयते ? उच्यते–समिष्टयजुस्तत्पुरोडाशानां नैव प्राप्नोति, प्राप्नुवद्वा पुरोडाशप्रचारकाले एव प्राप्नोति न पाशुकानुषङ्गेण । न चोत्कर्षेणैतदुत्कर्षति । प्रासङ्गिकं च नोत्कर्षेद-सम्बन्धानीति न्यायात् । अथापि पौरोडाशिकं समिष्टयजुस्तत्पुरोडाशानामपि नव सङ्ख्या विधीयते । तथापि न कश्चित् कर्मणि विशेषः । तस्माद्विशिष्टो होमान्तरविधिरेवायं युक्तः । **इतश्चोर्ध्वा** इति । त्रिःपवमानात्मका-न्मुखादूर्ध्वाः ससृजे । 'इतश्चावाचीः' समिष्टयजुर्नवात्मकादवाचः प्राणात् ॥ १ ॥

हिङ्कारः स्तोत्रियाणामिति । हिङ्कार–स्वाहाकाराभ्यां सह त्रिर्णवेयमुभयतो विराड् भवति ।' दशंदशिनी' दशदशपरिमाणमस्येत्येतस्मिन्नर्थे दशदशशब्दादिनिप्रत्ययः । पूर्वपदस्य च नुमागमः । अथ यस्मान्निर्वचनकण्डि-कैषा । समिष्टेषु देवेषु इज्यन्ते समिष्टयजूंषि ॥ २ ॥ ३ ॥

१–बहिःसत्रेषु इति पाठान्तरम् ।

(मु) अथ यस्मात्समिष्टयजूꣳषि जुहोति । रिरिचानऽइव वाऽएतदीजानस्यात्मा भवति यद्ध्यस्य भवति तस्य हि ददाति तमेवात-स्त्रिभिः पुनराप्याययति ॥ ४ ॥

(त्यु) अथ यान्युत्तराणि त्रीणि जुहोति । या वाऽएतेन यज्ञेन देवता ह्वयति याभ्य एष यज्ञस्तायतऽउप हैव ताऽआसते यावन्न समिष्टयजूꣳषि जुह्वतीमानि नु नो जुह्वत्विति ताऽएवैतद्यथायथं व्यवसृजति यत्रयत्रासां चरणं तदनु ॥ ५ ॥

(न्वु) अथ यान्युत्तमानि त्रीणि जुहोति । यज्ञं वाऽएतदजीजनत यदेनमतत तं जनयित्वा यत्रास्य प्रतिष्ठा तत्प्रतिष्ठापयति तस्मात्समिष्टयजूꣳषि जुहोति ॥ ६ ॥

स जुहोति । समिन्द्र णो मनसा नेषि गोभिरिति मनसेति तन्मनसा रिरिचानमाप्याययति गोभिरिति तद्गोभी रिरिचानमाप्याययति सꣳ सूरिभिर्मघवन्त्सꣳ स्वस्त्या । सं ब्रह्मणा देवकृतं यदस्तीति ब्रह्मणेति तद् ब्रह्मणा रिरिचानमाप्याययति सं देवानाꣳ सुमतौ यज्ञियानाꣳ स्वाहा ॥७॥

अथ यस्मात्समिष्टयजूंषि जुहोति । रिरिचानऽइव वाऽएतदीजानस्यात्मा भवति । यद्ध्यस्य भवति–तस्य हि ददाति । तमेवातस्त्रिभिः पुनराप्याययति ॥ ४ ॥

अथ यान्युत्तराणि त्रीणि जुहोति । या वाऽएतेन यज्ञेन देवता ह्वयति, याभ्य एष यज्ञस्तायते–उप हैव ता आसते–यावन्न समिष्टयजूंषि जुह्वति; इमानि नु नो जुह्वत्विति । ता एवैतद् यथायथं व्यवसृजति–यत्रयत्रासां चरणम्–तदनु ॥ ५ ॥

अथ यान्युत्तमानि त्रीणि जुहोति । यज्ञं वाऽएतदजीजनत–यदेनमतत । तं जनयित्वा, यत्रास्य प्रतिष्ठा–तत् प्रतिष्ठापयति । तस्मात्समिष्टयजूंषि जुहोति ॥ ६ ॥

स जुहोति–(१) "समिन्द्र णो मनसा नेषि गोभिः"–(वा. सं. ८।१५) इति । मनसेति । तन्मनसा रिरिचानमाप्याययति । गोभिरिति । तद्गोभी रिरिचानमाप्याययति । "सं सूरिभिर्मघवन्त्सं स्वस्त्या । सं ब्रह्मणा देवकृतं यदस्ति"–(वा. सं. ८ । १५) इति । ब्रह्मणेति । तद्ब्रह्मणा रिरिचानमाप्याययति । "सं देवानां सुमतौ यज्ञियानां स्वाहा"–(वा. सं. ८ । १५) इति ॥ ७ ॥

अथ यस्मादिति । 'अथ' अत्र प्रथमानि यजमानस्याप्यायनार्थानीत्येतदुच्यते ॥ ४ ॥

अथ यान्युत्तराणीति । अथात्र यानि मध्यमानि त्रीणि देवताविसर्गार्थानीत्याह ॥ ५ ॥

अथ यानीति । अत्रोत्तमस्य त्रिकस्य यज्ञप्रतिष्ठापनार्थतामाह ॥ ६ ॥

स जुहोतीति[1] । अत आरभ्य मन्त्राणां वक्ष्यमाणानां यथोक्तं प्रयोजनं सामर्थ्यं त्रिकाणां दर्शयति ।

१–समिन्द्र ण इति नव समिष्टयजूꣳषि जुहोति प्रतिमंत्रम् । का० श्रौ० सू० १०–१६५ ।

सं व्वर्चसा । पयसा सं तनूभिरिति व्वर्चसेति तद्वर्चसा रिरिचानमाप्याययति पयसेति रसो वै पयस्तत्पयसा रिरिचानमाप्याययत्यगन्महि मनसा सᳬं शिवेन । त्वष्टा सुदत्रो व्विदधातु रायोऽनुमार्ष्टु तन्वो यद्विलिष्टमिति यद्विवृढं तत्संदधाति ॥ ८ ॥

धाता रातिः । सवितेदं जुषन्तां प्रजापतिर्निधिपा देवोऽअग्निः । त्वष्टा व्विष्णुः प्रजया सᳬं रराणा यजमानाय द्रविणं दधात स्वाहेति तद्देव रिरिचानं पुनराप्याययति यदाह यजमानाय द्रविणं दधात स्वाहेति ॥ ९ ॥

सुगावो देवाः । सदना अकर्म यऽआजग्मेदᳬं सवनं जुषाणा इति सुगानि वो देवाः सदनान्यकर्म यऽआगन्तेदᳬं सवनं जुषाणा इत्येवैतदाह भरमाणा व्वहमाना हवीᳬंषीति तद्देवता व्यवसृजति भरमाणा अह ते यन्तु येऽवाहना व्वहमाना उ ते यन्तु ये व्वाहनवन्तऽइत्येवैतदाह तस्मादाह भरमाणा व्वहमाना हवीᳬंष्यस्मे धत्त व्वसवो व्वसूनि स्वाहा ॥ १० ॥

याँ२॥ आवह । (५) उशतो देव देवांस्तान्प्रेरय स्वेऽअग्ने सधस्थऽइत्यग्निं वाऽआहामून्देवानावहामून्देवानावहेति तमेवैतदाह यान्देवानावाक्षी-

---

(२) "सं वर्चसा पयसा सं तनूभिः"–(वा० सं० ८।१६) इति । वर्चसेति । तद् वर्चसा रिरिचानमाप्याययति । पयसेति । रसो वै पयः । तत् पयसा रिरिचानमाप्याययति । "अगन्महि मनसा सं शिवेन । त्वष्टा सुदत्रो विदधातु रायोऽनुमार्ष्टु तन्वो यद्विलिष्टम्"–(वा० सं० ८।१६) इति । यद् विवृढं तत् सन्दधाति ॥ ८ ॥

(३) " धाता रातिः सवितेदं जुषन्तां प्रजापतिर्निधिपा देवोऽअग्निः । त्वष्टा विष्णुः प्रजया संरराणा यजमानाय द्रविणं दधात स्वाहा "–(वा० सं० ८ । १७) इति । तद्देव रिरिचानं पुनराप्याययति । यदाह–यजमानाय द्रविणं दधात स्वाहेति ॥ ९ ॥

(४) " सुगा वो देवाः सदना अकर्म यऽआजग्मेदं सवनं जुषाणाः "–(वा० सं० ८।१८) इति । सुगानि वो देवाः सदनान्यकर्म–यऽआगन्तेदं सवनं जुषाणा इत्येवैतदाह । "भरमाणा वहमाना हवींषि "–(वा० सं० ८ । १८) इति । तद् देवता व्यवसृजति । भरमाणा अह ते यन्तु–येऽवाहनाः । वहमाना उ ते यन्तु–ये वाहनवन्तः इत्येवैतदाह । तस्मादाह–भरमाणा वहमाना हवींषि । " अस्मे धत्त वसवो वसूनि स्वाहा "–(वा० सं० ८ । १८) ॥ १० ॥

(५) "यान् २॥ऽआवह उशतो देव देवांस्तान् प्रेरय स्वे अग्ने सधस्थे" (वा० सं०

व्यवसृजति विमुञ्चतीत्यर्थः । 'भरमाणा' एव 'ते' 'देवा' 'यन्तु' 'ये अवाहना वहमानाः' स्कन्धे धारयन्त इत्यर्थः । 'वहमानाः' तु रथादीनां ते । 'यन्तु' सवाहनाः ॥ ७–१४ ॥

इति आचार्यहरिस्वामिनः कृतौ माध्यन्दिनशतपथब्राह्मणभाष्ये चतुर्थकाण्डे चतुर्थेऽध्याये चतुर्थं ब्राह्मणं समाप्तम् ॥४–४–४॥

स्तान्गमयु युत्रयत्रैषां चुरणं तदन्विुति जक्षिवाꣳसः पपिवाꣳसश्च विश्व इति जक्षिवाꣳसो हि पशुं पुरोडाशं भुवन्ति पपिवाꣳस इति पपिवाꣳसो हि सोमꣳ गुजानं भुवन्ति तुस्मादाह जक्षिवाꣳसः पपिवाꣳसश्च विश्वेऽसुं घर्मꣳ स्वरातिष्ठतानु स्वाहेति तुद्वेवु देवुता व्युवसृजति ॥ ११ ॥

व्वयꣳ हि त्वा । प्रयति यज्ञेऽअस्मिन्नग्ने होतारमवृणीमहीह । ऋधगयाऽऋधगुताशमिष्ठाः प्रजानुन्यज्ञमुपयाहि विद्वान्स्वाहेत्यग्निमेवैतया विमुञ्चत्यग्निं व्युवसृजति ॥ १२ ॥

देवा गातुविद इति । गातुविदो हि देवा गातुं वित्त्वेति यज्ञं वित्त्वेत्येवैतदाह तुस्मादाह तुदेतेन यथायथं व्युवसृजति मनसस्पतऽइमं देव यज्ञꣳ स्वाहा व्वाते। इत्ययं वै यज्ञो योऽयं पवते तुदिमं यज्ञꣳ सम्भृत्यैतस्मिन्य प्रतिष्ठापयति यज्ञेन यज्ञꣳ सुंदधाति तुस्मादाह स्वाहा व्वाते धा इति ॥ १३ ॥

युज्ञ यज्ञं गच्छ । यज्ञपतिं गच्छ स्वां योनिं गच्छ स्वाहेति तत्प्रतिष्ठितमेवैतद्यज्ञꣳ सुन्तꣳ स्वायां योनौ प्रतिष्ठापयत्येषु ते यज्ञो यज्ञपते सहसूक्तवाकः सुर्व्ववीरस्तं जुषस्व स्वाहेति तत्प्रतिष्ठितमेवैतद्यज्ञꣳ सुन्तꣳ सहसूक्तवाकꣳ सुर्व्ववीरं यजमानेऽन्ततः प्रतिष्ठापयति ॥ १४ ॥

इति तृतीयप्रपाठके षष्ठं ब्राह्मणम् ॥४–३–६॥ (४-४) ॥

---

८ । १९)–इति । अग्निं वाऽआह–अमून् देवानावह अमून्देवानावहेति । तमेवैतदाह–यान्देवानावाक्षीस्तान्–गमय, यत्रयत्रैषां चरणं तदन्विति । " जक्षिवांसः पपिवांसश्च विश्वे "–(वा० सं० ८ । १९) इति । जक्षिवांसो हि पशुं पुरोडाशं भवन्ति । पपिवांस इति; पपिवांसो हि सोमं गजानं भवन्ति । तस्मादाह–जक्षिवांसः पपिवांसश्च विश्वे । " असुं घर्मं स्वरातिष्ठतानु स्वाहा " (वा. सं. ८ । १९) इति । तद्वेव देवता व्यवसृजति ॥ ११ ॥

(६) " वयं हि त्वा प्रयति यज्ञेऽअस्मिन्नग्ने होतारमवृणीमहीह । ऋधगया ऋधगुताशमिष्ठाः प्रजानन्यज्ञमुपयाहि विद्वान्त्स्वाहा "–(वा० सं० ८ । २०) इति । अग्निमेवैतया विमुञ्चति । अग्निं व्यवसृजति ॥ १२ ॥

(७) " देवा गातुविदः "–(वा० सं० ८ । २१) इति । गातुविदो हि देवाः । " गातुं वित्वा "–(वा. सं. ८ । २१) इति । यज्ञं वित्वेत्येवैतदाह । " गातुमित "–(वा. सं. ८ । २१) इति । तदेतेन यथायथं व्यवसृजति । " मनसस्पतऽइमं देव यज्ञं स्वाहा वाते धाः "–(वा. सं. ८ । २१) इति । अयं वै यज्ञो योऽयं पवते । तद् इमं यज्ञं सम्भृत्यैतस्मिन्यज्ञे प्रतिष्ठापयति । यज्ञेन यज्ञं सन्दधाति । तस्मादाह–स्वाहा वाते धा इति ॥ १३ ॥

(८) " यज्ञ यज्ञं गच्छ यज्ञपतिं गच्छ स्वां योनिं गच्छ स्वाहा "–(वा. सं. ८ । २२)

अथ चतुर्थप्रपाठके प्रथमं ब्राह्मणम् ।

चतुर्थाध्याये च पञ्चमं ब्राह्मणम् ।

स वाऽअवभृथमभ्युवैति । तद्यदवभृथमभ्यवैति यो वाऽअस्य रसोऽभूदाहुतिभ्यो वाऽअस्य तमजीजनदथैतच्छरीरं तस्मिन्न रसोऽस्ति तन्न परास्यंस्तदपोऽभ्युवहरन्ति रसो वाऽआपस्तदस्मिन्नेतꣳ रसं दधाति तदेनमेतेन रसेन संगमयति तदेनमतो जनयति सऽएनं जातऽएव संजनयति तद्यदपोऽभ्यवहरन्ति तस्मादवभृथः ॥ १ ॥

इति । तत् प्रतिष्ठितमेवैतद्यज्ञं सन्तं स्वायां योनौ प्रतिष्ठापयति । (९) "एष ते यज्ञो यज्ञपते सहसूक्तवाकः सर्ववीरस्तं जुषस्व स्वाहा"-(वा० सं० ८। २२) इति । तत् प्रतिष्ठितमेवैतद्यज्ञं सन्तं सहसूक्तवाकं सर्ववीरं यजमानेऽन्ततः प्रतिष्ठापयति ॥ १४ ॥

अवभृथस्नानम् ।

स वाऽअवभृथमभ्यवैति । तद् यदवभृथमभ्यवैति । यो वा अस्य रसोऽभूद्-आहुतिभ्यो ऽवा अस्य तमजीजनद् । अथैतच्छरीरं-तस्मिन्न रसोऽस्ति-तन्न परास्यन् । तदपोऽभ्यवहरन्ति । रसो वाऽआपः । तदस्मिन्नेतं रसं दधाति । तदेनमेतेन रसेन संगमयति । तदेनमतो जनयति । स एनं जात एव सञ्जनयति । तद् यदपोऽभ्यवहरन्ति-तस्मादवभृथः ॥ १ ॥

स वा इति । अवभृथब्राह्मणमेतत् । अवभृथस्नानाद्वारुणपुरोडाशयागस्योत्पत्तिः । "अथ वारुण एककपालः पुरोडाशो भवति" इत्यत्रावभृथकण्डिकायामवभृथशब्दनिर्वचनमुच्यते । अवभृथार्थं चाप्स्ववतरणम् । तत्र च ऋजीषस्याभ्यवहरणम् एतद्द्वयं वक्ष्यमाणविशेषनिर्वचनार्थमत्रोपन्यस्यते स वा इति । स वै अवभृथं कर्तुमिति शेषः । 'अभ्यवैति' अवतरति । " स यः स्यन्दमानानां स्थावरो ह्रदः स्यात्" इति वचनाद्ध्रदादयो वक्ष्यमाणाः । 'यो वै अस्य ' सोमस्य ' रसः ' ' अभूत् ' तमस्य सोमस्याहुत्यर्थं जनितवानयमध्वर्युरभिषवादिभिः । अथ सम्प्रति एतच्छरीरम्-ऋजीषं वर्त्तते स्म । 'तस्मिन् नरसोऽस्ति' तथाऽपि 'तत्' देवाः 'न पराऽस्यन्' न बहिः क्षिप्तवन्तोऽद्भिः प्रयोजनं भवेदिति कृत्वाऽधुनाऽपि तदृजीषम् ' अपोऽभ्यवहरन्ति ' अध्वर्यवः सहकार्यपेक्षं बहुवचनम् । किमर्थं तदपोऽभ्यवहरन्त्यत आह-रसो वा आप इति । ' रसः ' ' वै ' ' आपः ' ' तदस्मिन् ' शरीरे ' एतं रसम् ' उदकं ' दधाति ' ' तत् ' च ' एनं ' सोमम् ' एतेन रसेन ' ' सङ्गमयति ' यजमानः । तच्च

१-अस्मिन्नेव ब्राह्मणे १५ कण्डिकायाम् ।

(थ्रोऽथ) अथ समिष्टयजूꣳषि जुहोति । समिष्टयजूꣳषि ह्येवान्तो यज्ञस्य स हुत्वैव समिष्टयजूꣳषि यदेतमभितो भवति तेन चात्वालमुपसमायन्ति स कृष्णविषाणां च मेखलां च चात्वाले प्रास्यति ॥ २ ॥

माऽहिर्भूर्मा पृदाकुरिति । (त्य) असौ वाऽऋजीषस्य स्वगाकारो यदेनदपोऽभ्यवहरन्त्यथैषऽएवैतस्य स्वगाकारो रज्जुरिव हि सर्पाः कूपाऽइव हि सर्पाणामायतनान्यस्ति वै मनुष्याणां च सर्पाणां च विभ्रातृव्यमिव नेत्तदतः सम्भवदिति तस्मादाह माऽहिर्भूर्मा पृदाकुरिति ॥ ३ ॥

अथ समिष्टयजूंषि जुहोति। समिष्टयजूंषि ह्येवान्तो यज्ञस्य । स हुत्वैव समिष्टयजूंषि, यदेतमभितो भवति–तेन चात्वालमुपसमायन्ति । स कृष्णविषाणां च मेखलां च चात्वाले प्रास्यति ॥ २ ॥

"माहिर्भूर्मा पृदाकुः"–(वा० सं० ८ । २३) इति । असौ वाऽऋजीषस्य स्वगाकारो यदेनदपोऽभ्यवहरन्ति । अथैष एवैतस्य स्वगाकारः । रज्जुरिव हि सर्पाः । कूपा इव हि सर्पाणामायतनानि । अस्ति वै मनुष्याणां च सर्पाणां च विभ्रातृव्यमिव। नेत्तदतः संभवदिति । तस्मादाह–माऽहिर्भूर्मा पृदाकुरिति ॥ ३ ॥

एनं सोमवत् ततोऽद्ध्वर्योऽनुनयति । स च सोमो जातः सन्नेनं यजमानं 'जनयति'। असृजत तेनात्मना एनं तस्मिन्नवभृथयागे यस्मादपोऽभ्यवहरन्ति तस्मात् यागोऽवभृथः । अवपूर्वात् हरतेस्थन् प्रत्ययः, हकारस्य भकार इत्येतस्मिन्निर्वचनं दर्शयति ॥ १ ॥

अथ समिष्टयजूंषीति "अथ समिष्टयजूꣳषि जुहोति" इति क्रमार्थं पुनर्वचनमाह–'स हुत्वैव समिष्टयजूꣳषि'–बर्हिर्होममकृत्वेत्यर्थः । यत्किञ्चिदेव तं सोममभित उपकरणं भवति चमसादि तेन सह चात्वालमुपसंयोगिन उपगच्छन्ति । 'स कृष्णविषाणां च मेखलां च चात्वाले' प्रक्षिपति ॥ २ ॥

माऽहिर्भूर्मेति । 'स्वगाकारः' स्वस्थाननयनम् 'ऋजीषस्याप्स्वभ्यवहरणम् । 'अथ' 'एतस्य'। कृष्णविषाणा मेखला एतयोरेव स्वस्थानोपनयः । यद्वा चात्वालोपनयः प्रासनम् । रज्जुर्हि सर्पाणां रूपं, कृष्णविषाणा इत्येतदपि द्रष्टव्यम्। ततः किम् ? कूपाश्च सर्पाणाम् 'आयतनानि'। तेन कृष्णविषाणामेखलयोरपि सर्परूपयोः कूपा एवायतनानि । चात्वालप्रासनार्थवादः 'अस्ति वै मनुष्याणां च' इति । मन्त्रार्थवादः । अन्योन्यभ्रातृव्यभावो 'विभ्रातृव्यम्'। तदस्ति मनुष्याणां च सर्पाणां च । ततश्च सर्परूपा रज्जुर्यदि स्थाने क्रियते तेन च मे 'माऽहिर्भूः' इत्येवमहिभावः प्रतिषिध्येत । ततो यज्ञेन संबध्येत । तेषु सम्बन्धिषु च विभ्रातृव्यं सम्भवेत् । तच्चायुक्तम्। तन्न सम्भवेदित्येवमर्थं 'माऽहिर्भूः' इत्याह ॥ ३ ॥

१–आसंद्यौदुंबर्यौ चात्वाले इति सोमलिप्तं च । कृष्णविषाणामेखले चात्वाले प्रास्यति माऽहिर्भूरिति । प्रतिप्रस्थाता च शंकुयोक्त्रे तूष्णीम्। का. श्रौ. सू. १६७–१६८।

(त्यु) अ॒थ व्वा॑चयति । (त्यु) उ॒रुᳬं॑ हि॒ राजा॒ व्वरु॑णश्च॒कार॒ सूर्य्या॑य॒ पन्था॒मन्वे॑तवा॒ऽउऽइति॒ य॒थाऽयमु॒रुरु॒भयो॒ऽनाष्ट्रः॒ सूर्य्या॑य॒ पन्था॑ऽए॒वं मे॑ऽयमु॒रुरु॒भयो॒ऽनाष्ट्रः॒ पन्था॑ऽअस्त्वि॒त्ये॒वैत॒दाह॑ ॥ ४ ॥

(ह्रा) अप॒दे पादा॒ प्रति॑धातवे॒ऽक॒रिति॑ । य॒दि॒ ह॒ वाऽअ॒प्यपा॒द्भव॒त्यल॑मे॒व प्र॒तिक्र॑मणाय भव॒त्यु॒ताप॑वक्ता॒ हृ॑दया॒विध॑श्चि॒दिति॒ त॒देन॒ᳬं॑ स॒र्व्वस्मा॒द्वृ॒द्यादेन॑सः पा॒प्मनः॒ प्र॒मुञ्चति ॥ ५ ॥

(त्यु) अ॒थाह॒ सा॒म गा॒ये॑ति । सा॒म ब्रूही॒ति वा गा॒ये॒ति॒ त्वे॒व ब्रू॒याद्ग॒ायन्ति॒ हि॒ सा॒म त॒द्यत्सा॒म गा॒यति॒ ने॒दि॒दं ब॒हि॒र्धा य॒ज्ञाच्छ॒रीरं॒ ना॒ष्ट्रा र॒क्षाᳬं॑सि॒ हि॒नस॒न्नि॒ति सा॒म॒ हि॒ ना॒ष्ट्रा॒णाᳬं॑ र॒क्षसा॒मप॒ह॒न्ता ॥ ६ ॥

(न्ताऽऽग्ने) आ॒ग्ने॒य्यां गा॒यति । (त्य) अ॒ग्नि॒र्हि॒ र॒क्षसा॒मप॒ह॒न्ता॒ऽति॒च्छन्द॑सि गा॒यत्ये॒षा॒ वै॒ स॒र्व्वा॑णि॒ च्छ॒न्दा॒ᳬं॑सि॒ य॒द॒ति॒च्छन्दा॒स्त॒स्मा॒द॒ति॒च्छन्द॑सि गा॒यति ॥ ७ ॥

अथ वाचयति–" उरुं हि राजा वरुणश्चकार सूर्याय पन्थामन्वेतवाऽउ "–(वा० सं० ८ । २३) इति । यथाऽयमुरुरभयोऽनाष्ट्रः सूर्याय पन्थाः–एवं मेऽयमुरुरभयोऽनाष्ट्रः पन्थाः अस्त्वित्येवैतदाह ॥ ४ ॥

" अपदे पादा प्रतिधातवेऽकः "–(वा० सं० ८ । २३) इति । यदि ह वाऽअप्यपाद्भवति–अलमेव प्रतिक्रमणाय भवति । " उतापवक्ता हृदयाविधश्चित् "–(वा० सं० ८ । २३) इति । तदेनं सर्वस्माद्वृद्यादेनसः पाप्मनः प्रमुञ्चति ॥ ५ ॥

अथाह–' साम गाय ' इति । 'साम ब्रूहि' इति वा । गायेति त्वेव ब्रूयात् । गायन्ति हि साम । तद् यत्साम गायति–नेदिदं बहिर्धा यज्ञाच्छरीरं नाष्ट्रा रक्षांसि हिनसन्निति । साम हि नाष्ट्राणां रक्षसामपहन्ता ॥ ६ ॥

आग्नेय्यां गायति । अग्निर्हि रक्षसामपहन्ता । अतिच्छन्दसि गायति एषा वै सर्वाणि च्छन्दांसि–यदतिच्छन्दाः । तस्मादतिच्छन्दसि गायति ॥ ७ ॥

अथ वाचयतीति । " यथाऽयमुरुः " इति मन्त्रव्याहारं दर्शयति ॥ ४ ॥

अपदे पादा इति । यदि ह वा अपगणादिति । मन्त्रवचनात् यद्यप्यपादको यजमानस्तथाऽप्यलं गमनाय भवति यथा, एवम् । वरुणकृतस्तु तस्य स गुणः मन्त्रवचनेनैव । यजमानोऽध्वर्युर्वाचं यच्छति । कथम् ? अत्र हीदमुच्यते । योऽप्ययुक्तवक्ताऽनृतवादी हृदयं दुर्वचनैर्जनानां विध्यति पिशुनस्तस्यापि पादप्रतिधान एव योग्यं वरुणः पन्थानं करोत्विति । तव हृद्ये सर्वस्मिन्नेनसि अनपनीतेऽस्य पथः प्रतिक्रमणे योऽलं पापकारी स्यात् तेनेदृशं पन्थानं वरुणः करोत्विति वचनेनैव सा मुञ्चतीत्युपपन्नम् ॥ ५ ॥

अथाह साम गायेति । इदं शरीरमृजीषं बहिर्द्धा यज्ञादेव यजमानात् ॥ ६ ॥

आग्नेय्यां गायतीति । प्रसन्नास्तिस्रः ॥ ७–९ ॥

१–उरु१ हीति व्वाचयति यजमानम् । साम प्रेष्यति गाय ब्रू ३ हीति वा । का० श्रौ० सू० १० । १६९ । १७० ।

स गायति। (त्य) अग्निष्टपति प्रतिदहत्यहावोऽहावऽइति तन्नाष्ट्रा एवैतद्रक्षाᳬंस्यतोऽपहन्ति ॥ ८ ॥

तऽउदञ्चो निष्क्रामन्ति। जघनेन चात्वालमग्रेणाग्नीध्रᳬं स यस्यां ततो दिश्यापो भवन्ति तद्यन्ति ॥ ९ ॥

स यः स्यन्दमानानाᳬं स्थावरो ह्रदः स्यात्। (त्त) तमपोऽभ्युवेयादेता वाऽ अपां व्वरुणगृहीता याः स्यन्दमानानां न स्यन्दन्ते व्वरुण्यो वाऽअवभृथो निर्व्वरुणतायै यद्यु ता नु व्विन्देदपि या एव काश्चापोऽभ्युवेयात्॥१०॥

(त्तु) तमपोऽवक्रमयन्वाचयति। नमो व्वरुणायाभिष्ठितो व्वरुणस्य पाश इति तदेनᳬं सर्व्वस्माद्वरुणपाशात्सर्व्वस्माद्वरुण्यात्प्रमुञ्चति ॥ ११ ॥

स गायति–"अग्निष्टपति प्रतिदहत्यहावोऽहावः"–(साम संहिता) इति। तन्नाष्ट्रा एवैतद्रक्षांस्यतोऽपहन्ति ॥ ८ ॥

तऽउदञ्चो निष्क्रामन्ति–जघनेन चात्वालम्–अग्रेणाग्नीध्रम्। स यस्यां ततो दिश्यापो भवन्ति–तद् यन्ति ॥ ९ ॥

स यः स्यन्दमानानां स्थावरो ह्रदः स्यात्–तमपोऽभ्यवेयाद्। एता वाऽअपां वरुणगृहीताः–याः स्यन्दमानानां न स्यन्दन्ते। वरुण्यो वाऽअवभृथः। निर्वरुणतायै। यद्यु ता न विन्देद्–अपि या एव काश्चापोऽभ्यवेयात् ॥ १० ॥

तमपोऽवक्रमयन्वाचयति–"नमो वरुणायाभिष्ठितो वरुणस्य पाशः"–(वा.सं. ८। २३) इति। तदेनं सर्वस्माद्वरुणपाशात्, सर्वस्माद्वरुण्यात्प्रमुञ्चति ॥ ११ ॥

स यः स्यन्दमानानामिति[1]। यत्तूक्तमवभृथं कर्तुमपोऽभ्यवैतीति, तत्रायं विशेष उच्यते। वरुणगृहीताः, गमनप्रतिघातात्। 'वरुण्यो वा अवभृथः' वरुणार्हः। स वरुणाकारैर्दैवतात्वेनाधिकरणं भविष्यतीति। तथा च सति यजमानो निर्मुक्तवरुणो भविष्यति। ह्रदात्मकोऽपि वरुण एतावता विवक्ष्यत इत्यभिप्रायः ॥ १० ॥

तमपोऽवक्रमयन्निति। तदेनं सर्वस्मादिति[2]। 'अभिष्ठितः' अवभृथः, स 'वरुणस्य पाशो' नालं बन्धनायेत्यभिप्रायः। होतुरपि चानेनैव मन्त्रेणाप्स्ववतरणमाम्नातम्। ततश्च सोऽप्यप्स्वेवावतीर्णो हौत्रं करोति। तस्य च पुरस्तादन्यैश्चरितव्यम्। तेन सामर्थ्यादितरे दूरतरमवतीर्णाश्चरन्तीति गम्यते। तत्र चासम्भवाद् वेदिर्निवर्त्तते। तदभावाच्च बर्हिः। ततश्च सामर्थ्याच्च हस्तगृहीताया एव स्थाल्या अवदाय इह वरणीयम्। जुह्वैव केवलया प्रचरेद्, अपि वा सद्वितीयया, न तिस्रोऽपि स्रुचः प्रयोज्या इति वक्ष्यामः ॥ ११ ॥

१–व्यध्वोदकांतयोश्च। सर्वे निधनमुपयंति। आहुतमादायावभृथं गच्छंति स्यंदमानाना९ स्थावराः। तदभावेऽन्याः। का. श्रौ. सू. १०।७१-७४। २–नमो व्वरुणायेति व्वाचयत्यपोऽवक्रमयन्। का. श्रौ. सू. १०। ७५।

(त्यु) अथ चतुर्गृहीतमाज्यं गृहीत्वा । समिधं प्रास्याभिजुहोत्यग्नेरनीकमप॒ऽआविवेशापान्नपात्प्रतिरक्षन्नसुर्यम् । दमे दमे समिधं यक्ष्यग्ने प्रति ते जिह्वा घृतमुच्चरण्यत्स्वाहेति ॥ १२ ॥

(त्य) अग्निर्ह वै देवाः । (०) यावद्वा यावद्वाऽप्सु प्रवेशयाञ्चक्रुर्नेदतो नाष्ट्रा रक्षांस्युपोत्तिष्ठानित्यग्निर्हि रक्षसामपहन्ता तमेतया च समिधैतया चाहुत्या समिन्द्धे समिद्धे देवेभ्यो जुहवानीति ॥ १३ ॥

(त्य) अथापरं चतुर्गृहीतमाज्यं गृहीत्वा । (त्वाऽऽश्रा) आश्राव्याह समिधो यजेति सोऽपबर्हिषश्चतुरः प्रयाजान्यजति प्रजा वै बर्हिर्वरुण्यो वाऽअवभृथो नेत्प्रजा वरुणो गृह्णादिति तस्मादुपबर्हिषश्चतुरः प्रयाजान्यजति ॥१४॥

अथ चतुर्गृहीतमाज्यं गृहीत्वा समिधं प्रास्य, अभिजुहोति–" अग्नेरनीकमप आविवेशापां नपात्प्रतिरक्षन्नसुर्यम् । दमे दमे समिधं यक्ष्यग्ने प्रति ते जिह्वा घृतमुच्चरण्यत्स्वाहा "–(वा० सं० ८ । २४) इति ॥ १२ ॥

अग्निर्ह वै देवा यावद्वा यावद्वाऽप्सु प्रवेशयाञ्चक्रुः । नेदतो नाष्ट्रा रक्षांस्युपोत्तिष्ठानिति । अग्निर्हि रक्षसामपहन्ता । तमेतया च समिधैतया चाहुत्या समिन्द्धे–समिद्धे देवेभ्यो जुहवानीति ॥ १३ ॥

अथापरं चतुर्गृहीतमाज्यं गृहीत्वा आश्राव्याह–समिधो यजेति । सोऽपबर्हिषश्चतुरः प्रयाजान्यजति । प्रजा वै बर्हिः । वरुण्यो वाऽअवभृथो–नेत्प्रजा वरुणो गृह्णादिति । तस्मादपबर्हिषश्चतुरः प्रयाजान्यजति ॥ १४ ॥

अथ चतुर्गृहीतमिति[1]। अवतरणानन्तरमेवाज्यग्रहणम् । तदत्र पूर्वसंस्कृतमेवाज्यस्थालीस्थमानीतं दर्शयति । स्रुवं स्रुचं च परार्थमेव संस्कृतमपवृतं, प्रायश्चित्ताशङ्कया ह्य (न) पवृतमेव तदादत्ते कर्मापवर्गाहुत्यर्थं च । अन्येऽवभृथार्थं पृथगाज्यादि संस्कार्यं द्रार्य एवेच्छन्ति । समिधं प्रास्य तामेवैतेन चतुर्गृहीतेनापि जुहोति कुतः ? एतयाऽप्स्वग्निर्देवैः प्रवेशितः ।' तमेतया च समिधैतया चाहुत्या समिन्द्धे '–इति मन्त्रवाक्यशेषाभ्याम् उत्तरा अपि च प्रयाजाद्या आहुतयस्तत्रैव चापां प्रदेशे होतव्याः " समिद्धे देवेभ्यो जुहवानि " इति वाक्यशेषाद् । अत एव वाक्यशेषान्नाग्निध्मोऽस्ति, न सामिधेन्य इति गम्यते। समिधश्च आभ्यामेव समिदाहुतिभ्यां सिद्धत्वात् ॥१२॥१३॥

अथापरमिति । आहुतेरनन्तरमेव चतुर्गृहीतकरणादन्तराले न किञ्चित् करणीयमिति दर्शयति। एकस्य चतुर्गृहीतस्य वचनादौपभृतस्याभावं दर्शयति । आश्रावणवचनात्संमार्गहोतृवरणादि निवर्त्तते । **सोऽपबर्हिष** इति[2] । बर्हिर्वर्जितानां विधिर्न बर्हिषः प्रतिषेधः । प्रतिषेधाभावात् । ततश्चतुःप्रयाजं न पुनः श्रवणादयमवभृथो गम्यते ॥ १४ ॥

१–प्रास्य समिधं चतुर्गृहीतेनाभिजुहोत्यग्नेरनीकमिति । का. श्रौ. सू. १० । १७६ ।

२–अपरेण प्रयाजान् बर्हिर्वर्जम् । अप्सु जुहोति । एककपालेनावदाय चरति । का. श्रौ. सू. १० । १७७–१७९ ।

(त्यु) अथ व्वारुणऽएककपालः पुरोडाशो भवति। यो व्वाऽअस्य रसोऽभूदाहुतिभ्यो व्वाऽअस्य तमजीजनदथैतच्छरीरं तस्मिन्न रसोऽस्ति रसो वै पुरोडाशस्तदस्मिन्नेतꣳ रसं दधाति तदेनमेतेन रसेन संगमयति तदेनमतो जनयति सऽएनं जातऽएव संजनयति तस्माद्वारुणऽएककपालः पुरडाशो भवति ॥ १५ ॥

स आज्यस्योपस्तीर्य। पुरोडाशस्यावद्यन्नाह व्वरुणायानुब्रूहीत्यत्र हैकऽऋजीषस्य द्विरवद्यन्ति तदु तथा न कुर्याच्छरीरं व्वाऽएतद्भवति नालमाहुत्यै द्विरवद्यति सकृदभिघारयति प्रत्यनक्त्यवदानेऽआश्राव्याह व्वरुणं यजेति व्वषट्कृते जुहोति ॥ १६ ॥

अथ वारुण एककपालः पुरोडाशो भवति। यो वाऽअस्य रसोऽभूत्। आहुतिभ्यो वाऽअस्य तमजीजनत्। अथैतच्छरीरम् तस्मिन्न रसोऽस्ति। रसो वै पुरोडाशः। तद् अस्मिन्नेतं रसं दधाति। तदेनमेतेन रसेन सङ्गमयति। तदेनमतो जनयति। स एनं जात एव सञ्जनयति। तस्माद्वारुण एककपालः पुरोडाशो भवति ॥ १५ ॥

स आज्यस्योपस्तीर्य पुरोडाशस्यावद्यन्नाह—'वरुणायानुब्रूहि' इति। अत्र हैके ऋजीषस्य द्विरवद्यन्ति। तदु तथा न कुर्यात्। शरीरं वाऽएतद्भवति नालमाहुत्यै। द्विरवद्यति। सकृदभिघारयति। प्रत्यनक्त्यवदाने। आश्राव्याह—'वरुणं यज' इति। वषट् कृते जुहोति ॥ १६ ॥

अथ वारुण इति। अवभृथेष्टेरुत्पत्तिवचनमेतत्। यद्यपि च प्रयाजादीनां पुनः श्रवणादपूर्वैषा इष्टिस्तथापि धर्मवानयं पुरोडाशः। कथम्? वारुण एककपाल इत्येतावतैव यागोत्पत्तौ सिद्धायां पुरोडाश इति यथाप्राप्तं पुरोडाशस्य पुनःश्रवणं विज्ञायते। ततश्च यद्यपि द्रव्यत्वात्पुरोडाशः केवलेनापूर्वभावं करोति, तथापि प्रयाजादिपुनःश्रवणेनापूर्वः। क्रियमाणे कर्मणि स कस्माच्छक्नोति रक्षितुम्। प्रकृतौ हि धर्मैरेव पुरोडाशे निष्पादिते निष्पन्नस्यैवेदं श्रवणं यथा पर्यग्निकृतमुत्सृजन्तीति कृताः पूर्वाऽवस्थान्तर्गताऽपूर्वधर्मा इति न पर्यग्निकरणेन तेपि प्रत्याख्यायन्ते, पर एव धर्मा निरस्यन्ते, तद्वदत्रापि द्रष्टव्यम्। एतेन गृहमेधीयोपसद्द्रव्येष्वपि धर्मलाभो वाच्यः। योऽस्य सोमस्य रसोऽभूत् तं यागार्थं जनितवान् नैतदजीषं नीरसं वर्त्तते। 'रसो वै पुरोडाशः' यथोक्तम् "पुरुषं ह वै देवा अग्रे पशुमालेभिरे—" इति। तदस्मिन् ऋजीषे एतं रसं दधाति। पूर्वतरमप्सु पुरोडाशो हूयते। यत्पुनः पश्चादजीषं, तेन ऋजीष एव रसो निहितो भवति—इत्यभिप्रायः ॥

अत्रापि च "अथ वारुण" इति प्रयाजानन्तर्यादाज्यभागाभावो गम्यते ॥ १५ ॥

स आज्यस्योपस्तीर्येति। प्रयोगात्पुनः श्रवणेनापूर्वकृतत्वादुपस्तरणादि निवर्त्तमानं प्रतिश्रूयते। ध्रुवायास्त्वभावात्स्थाल्या एवोपस्तरणाभिघारणौ द्रष्टव्यौ। प्रकृतावदानप्रतिप्रसवाज्यमध्यपूर्णत्वाभ्यां पुरोडाशस्य द्विरवदेयमिति गम्यते ॥ १६ ॥

(त्य) अथाज्यस्योपस्तीर्य । पुरोडाशमवद्यदाहाग्नीवरुणाभ्यामनुब्रूहीति तत्स्विष्टकृते स यन्नाग्नयऽइत्याह नेदग्निं वरुणो गृह्णादिति स यद्यमुत्रऽर्जीषस्य द्विरवद्येदथात्र सकृद्यद्यु न नाद्रियेताथोपरिष्टाद्विराज्यस्याभिघारयत्याश्राव्याहाग्नीवरुणौ यजेति वषट्कृते जुहोति ॥ १७ ॥

ता वाऽएताः । षडाहुतयो भवन्ति षड्वाऽऋतवः संवत्सरस्य संवत्सरो वरुणस्तस्मात्षडाहुतयो भवन्ति ॥ १८ ॥

(न्त्ये) एतदादित्यानामयनम् । (मा) आदित्यानीमानि यजूंषीति वा आहुः स यावदस्य वशः स्यादेवमेव चिकीर्षेद्यद्युऽएनमितरथा यजमानः कर्तवे ब्रूयादितरथो तर्हि कुर्यादेतानेव चतुरः प्रयाजानुपबर्हिषो यजेद्वावाज्यभागौ वरुणमग्नीवरुणौ द्वावनुयाजावुपबर्हिषौ तद्दश दशाक्षरा वै विराड्विराड्वै यज्ञस्तद्विराजमेवैतद्यज्ञमभिसम्पादयति ॥ १९ ॥

अथाज्यस्योपस्तीर्य पुरोडाशमवद्यदाह—'अग्नीवरुणाभ्यामनुब्रूहि' इति । तत्स्विष्टकृते । स यन्नाग्नयऽइत्याह—नेदग्निं वरुणो गृह्णादिति । स यद्यमुत्रऽर्जीषस्य द्विरवद्येद्—अथात्र सकृत् । यद्यु न नाद्रियेत । अथोपरिष्टाद्विराज्यस्याभिघारयति । आश्राव्याह—'अग्नीवरुणौ यज' इति । वषट्कृते जुहोति ॥ १७ ॥

ता वाऽएताः षडाहुतयो भवन्ति । षड्वा ऋतवः संवत्सरस्य । संवत्सरो वरुणः । तस्मात्षडाहुतयो भवन्ति ॥ १८ ॥

एतदादित्यानामयनम् । आदित्यानीमानि यजूंषीति वा आहुः । स यावदस्य वशः स्याद्—एवमेव चिकीर्षेत् । यद्युऽएनमितरथा यजमानः कर्तवे ब्रूयाद्—इतरथो तर्हि कुर्याद् । एतानेव चतुरः प्रयाजा-

---

अथाज्यस्येति । अत्र मान्त्रिकवर्णिकोऽग्नीवरुणयागविधिर्द्रष्टव्यः । स च यागः—"तत् स्विष्टकृते" इति वचनात् स्विष्टकृत्कालो वर्तते । अत एव च केचिदत्राग्नीवरुणाभ्यां स्विष्टकृद्भ्यामिति स्विष्टकृच्छब्दं प्रयुञ्जते । तदयुक्तम्, देवतान्तरप्रसङ्गात् । यथाश्रुतदेवताक एव यागः कामं स्विष्टकृतः कार्यो न तु मन्त्र एवाम्नातोऽन्यथा करणीयः ॥ १७ ॥

ता वाऽएता इति । 'एताः' इति प्रयाजाः द्वे च पुरोडाशाहुती । अर्थवादार्थं पुनर्वचनम् । संख्यार्थमित्यन्ये । त्रिदोषानुपरिसंख्येति नानुपन्यसामहे । संवत्सरो वरुणः । तेन हीदं सर्वं वृतं तस्मै विधेया काचिदवस्थेत्यभिप्रायः ॥ १८ ॥

एतदादित्यानामिति । द्वयाः किलैताः प्रजा बभूवुः आदित्याश्चाङ्गिरसश्च । तत्रावभृथकर्म एवादित्याना-

---

१—ऋजीषस्येत्यत्रावद्येदग्नीवरुणाभ्यां२ सर्वहुतं२ शेषम् । ऋजीषस्य सकृत्पर्वं चेत् । का. श्रौ. सू. १० । १८०–१८१ ॥

२—वश एतत् कुर्यात् । यजमानोक्तावाज्यभागौ बर्हिर्वर्जं चानुयाजौ । अन्यतरत् कृत्वा समुद्रे त इत्यृजीषकुम्भं प्लावयति । का. श्रौ. सू. १० । १८२–१८४ ।

(त्ये) एतदङ्गिरसामयनम् । (मु) अतोऽन्यतरत्कृत्वा यस्मिन्कुम्भऽऋजीषं भवति तं प्रप्लावयति समुद्रे ते हृदयमप्स्वन्तरित्यापो वै समुद्रो रसो वाऽआपस्तदस्मिन्नेतꣳ रसं दधाति तदेनमेतेन रसेन संगमयति तदेनमतो जनयति स एनं जात एव संजनयति सं त्वा विशन्त्वोषधीरुताप इति तदस्मिन्नुभयꣳ रसं दधाति यश्चौषधिषु यश्चाप्सु यज्ञस्य त्वा यज्ञपते सूक्तोक्तौ नमोवाके विधेम यत्स्वाहेति तद्यदेव यज्ञस्य साधु तदेवास्मिन्नेतद्दधाति ॥ २० ॥

नपबर्हिषो यजेत् । द्वावाज्यभागौ, वरुणमग्नीवरुणौ, द्वावनुयाजावपबर्हिषौ—तद् दश । दशाक्षरा वै विराट् । विराड् वै यज्ञः । तद्विराजमेवैतद्यज्ञमभिसम्पादयति ॥ १९ ॥

एतदङ्गिरसामयनम् । अतोऽन्यतरत्कृत्वा यस्मिन्कुम्भऽऋजीषं भवति तं प्रप्लावयति—"समुद्रे ते हृदयमप्स्वन्तः"-(वा० सं० ८ । २५) इति । आपो वै समुद्रः । रसो वाऽआपः । तदस्मिन्नेतं रसं दधाति । तदेनमेतेन रसेन सङ्गमयति । तदेनमतो जनयति । स एनं जात एव सञ्जनयति । "सन्त्वा विशन्त्वोषधीरुतापः"-(वा० सं० ८ । २५) इति । तदस्मिन्नुभयं रसं दधाति—यश्चौषधिषु, यश्चाप्सु । "यज्ञस्य त्वा यज्ञपते सूक्तोक्तौ नमोवाके विधेम यत् स्वाहा"-(वा० सं० ८ । २५) इति । तद् यदेव यज्ञस्य साधु तदेवास्मिन्नेतद्दधाति ॥ २० ॥

मयनम् । पुरोडाशाहुतिरङ्गिरसामयनं बभूव । आदित्या ईदृशेनावभृथेन सर्वदा यजतां तादृशं प्रयुक्तवन्तः । ततश्च वाजसनेयी अध्वर्युरेवमेवावभृथं कर्तुमिच्छेत् । यावदस्य अवभृथ एवेच्छा कारणम् । यस्मात् 'आदित्याग्निः' आदित्यस्य ऋषेरार्षमिमानि वाजसनेयकाख्यानि यजूंषि । एवं विशिष्टवेदविदश्चाहुः । तस्मादेवैर्यजुर्भिः प्रचरेत् । वाजसनेयी आदित्यानामेव मार्गमन्वियात्—नाङ्गिरसाम् । अङ्गिरसां मार्गो लघुकर्मा विद्याप्रधानः । षडाहुतिकं च यथोक्तं लघ्वित्यभिप्रायः । यदि पुनः 'एनम्' अध्वर्युमितरथाऽङ्गिरसामयनं 'कर्तवै' कर्तव्यम्—इति 'यजमानो ब्रूयात्' तत 'इतरथा' पूर्वोक्तादन्यथा कुर्यात् । कथम् ? 'एतानेव' पूर्वोक्तधर्मकानेकेनैव गुरुगृहीतेन चतुरः प्रयाजानपबर्हिषो यजेत् । ततो द्वावाज्यभागौ—तौ च विशेषानभिधानात्प्रकृताविव ध्रुवया एवावदाय कार्यौ । तदर्थं ध्रुवाऽत्र प्रयोक्तव्या । उपस्तरणाभिघारणार्थं च वरुणं च यजेदिति वर्तते । तेनोक्तेनैव पुरोडाशावदानेनाग्नीवरुणौ यजेत् । उक्तेनैव पुरोडाशेन शेषेण द्वावनुयाजौ प्रकृतिवदौपभृतेन ॥ १९ ॥

एतदङ्गिरसामिति । 'एतद्' गुरुतरमयनम् 'अङ्गिरसाम्' अङ्गिरसः पुत्रपौत्राणां मनुष्यादीनाम् ।

१-षडाहुतिकोऽवभृथयागः लघुतरः । आदित्यानामयनं दशाहुतिको गुरुतरः । अंगिरसामयनं वाजसनेयिनां षडाहुतिक एव । दशाहुतिकस्तु यजमानस्येच्छया । न स्वेच्छया । अंगिरसां लघुकर्माचरणशीलत्वेऽपि यजमानस्येच्छया दशाहुतिकः पक्षः । अंगिरसामपि लघुकर्माचरणशीलत्वेन यजमानेच्छया दशाहुतिकस्य व्यवस्थापनेन च षडाहुतिक एव पक्ष इति निष्कृष्यते भाष्यस्वरसादिति ।

अंगिरसामुत्पत्तिः-अत्रैवाग्रे । ४ । ५ । १ । ८ । कण्डिकायां यथा-तद्देवा रेतः सिक्तं प्राजनयन् । ततोऽगाराः समभवन् । अंगारेभ्योऽङ्गिरसः । तदन्वन्ये पशवः । इति । अत्र हरिस्वामिनः । यत्र काले प्रजापतिना स्वस्यां दुहितरि रेतः सिक्तं देवाः प्राजनयन् तस्मिन् काले रेतसः प्रजन्यमानात् अंगाराः संभूताः । तेभ्यश्चांगिरस इति । अंगारेभ्योऽङ्गिराः । तस्मादंगिरस इति । अनेन क्रमेण द्रष्टव्यम् । एषामंगिरसामुत्पत्तिरत्र नोपयुज्यते इति कृत्वा अंगिरसामयनमित्यादौ योजनीया इति ।

(त्यु) अथानुसृज्योपतिष्ठते । देवीराप एष वो गर्भ इत्यपाᳶ ह्येष गर्भस्तᳶ सुप्रीतᳶ सुभृतं बिभृतेति तदेनमद्भ्यः परिददाति गुप्त्यै देव सोमैष ते लोक इत्यापो ह्येतस्य लोकस्तस्मिञ्छं च वक्ष्व परि च वक्ष्वेति तस्मिन्नः शं चैधि सर्वाभ्यश्च न ऽआर्त्तिभ्यो गोपायेत्येवैतदाह ॥ २१ ॥

(हा) अथोपमारयति । (त्यु) अवभृथ निचुम्पुण निचेरुरसि निचुम्पुणः । अव देवैर्देवकृतमेनोऽयासिषमव मर्त्यैर्मर्त्यकृतमित्यव ह्येतद्देवैर्देवकृतमेनोऽयासीत्सोमेन राज्ञाऽव मर्त्यैर्मर्त्यकृतमित्यव ह्येतन्मर्त्यैर्मर्त्यकृतमेनोऽयासीत्पशुना पुरोडाशेन पुरुराव्णो देव रिषस्पाहीति सर्वाभ्यो माऽऽर्त्तिभ्यो गोपायेत्येवैतदाह ॥ २२ ॥

अथानुसृज्योपतिष्ठते—" देवीराप एष वो गर्भः "–(वा० सं० ८ । २६) इति । अपां ह्येष गर्भः । " तं सुप्रीतं सुभृतं बिभृत "–(वा. सं. ८ । २६) इति । तद् एनमद्भ्यः परिददाति गुप्त्यै । " देव सोमैष ते लोकः "–(वा० सं० ८ । २६) इति । आपो ह्येतस्य लोकः । " तस्मिञ्छं च वक्ष्व परि च वक्ष्व "–(वा० सं० । ८ । २६) इति । तस्मिन्नः शं चैधि सर्वाभ्यश्च न आर्त्तिभ्यो गोपायेत्येवैतदाह ॥ २१ ॥

अथोपमारयति—" अवभृथ निचुम्पुण निचेरुरसि निचुम्पुणः । अव देवैर्देवकृतमेनोऽयासिषमव मर्त्यैर्मर्त्यकृतम् "–(वा० सं० ८ । २७) इति । अव ह्येतद्देवैर्देवकृतमेनोऽयासीत्सोमेन राज्ञा अव मर्त्यैर्मर्त्यकृतम्—इति । अव ह्येतन्मर्त्यैर्मर्त्यकृतमेनोऽयासीत्पशुना पुरोडाशेन । " पुरुराव्णो देव रिषस्पाहि "–(वा० सं० ८ । २७) इति । सर्वाभ्यो माऽऽर्त्तिभ्यो गोपायेत्येवैतदाह ॥ २२ ॥

अत्रापि च संस्कृतैरेवाज्यपुरोडाशमात्रैरयोगत्वाच्चतुर्गृहीतं हुत्वा त्रीणि चतुर्गृहीतानि गृहीत्वा तिष्ठन्त एवाङ्ग-प्रधानसाधारण्येनाग्निसंस्कारानप्सु कुर्वन्तो हस्तधृतैरेवाज्यहविर्भिश्चरेयुः । तत्रापि चेध्मसामिधेनीहोत्रार्षेय-वरणानि च न कुर्युः, शाखान्तरे तदभावस्येष्टत्वात् । अत्रापि " तमेतया वाऽऽहुत्या समिन्धयति "—इतीध्मसामि-धेन्यर्थस्यान्यथासिद्धिदर्शनात् । एतदङ्गिरसामयनमिति साहचर्यवचनम् । यदाऽऽज्यभागौ तदाऽनुयाजावप्यवश्यं यथा स्याताम् । मा भूत्प्रथगाज्यभागयोर्विकल्पः, पृथगनुयाजयोः । अतोऽन्यतरं कृत्वेतरेषां धारानुयाजादीनां पदार्थानामभावं दर्शयति । ततश्च न किञ्चिदतः परमैष्टिकं करणीयम् । " यस्मिन् कुम्भ ऋजीषम् "—इत्यादि प्रसन्नमाऽध्यायसमाप्तेः । प्रत्येतव्य सवनीयशेषं समापयेत् ॥ २०–२२ ॥

१—देवीराप इति विसृज्योपतिष्ठते । अवभृथेति मज्जयति । ऋजीषकुम्भमिति कर्कः । कृष्णाजिनान्तं च मा मैद्यं ज्यैष्ठ्य श्रैष्ठ्यं व्योधीरिति । चशब्दान्मज्जयतीत्यर्थः । पुत्रायैनत्प्रदाय वरुणप्रघासवत्स्नानप्रभृत्यासमिदाधानात् । सोमलिप्तं प्रास्यति । अदानं पूर्वयोः । वाससोरित्यर्थः । वरुणप्रघासवदित्यतिदेशापवादोऽयम् । उद्वयमित्युत्तरेत्रोत्तीता आमहीयां जपन्तो गच्छ-न्त्यपाम सोममृता अभूमागन्म ज्योतिरविदाम देवान् । किं नूनमस्मान् कृणवदरातिः किमु धूर्तिरमृत मर्त्यस्य । अस्मिन्नवसरे व्रतग्रहणं भवति । उन्मुक्तदीक्षत्वात् । ततो बर्हिर्होमादि । इति कर्कः । शालाद्वार्यमपरेणास्ते यजमानः कृष्णाजिनमंके कृत्वा स्रुवा-हुतिं जुहोति—मैन्द्यं ज्यैष्ठ्यं श्रैष्ठ्यमभिर्दधातु स्वाहा । का. श्रौ. सू. १० । १८५–१९२ ।

(१) अथाभ्यवेत्य स्नातः । (तोऽ) अन्योऽन्युस्य पृष्ठे प्रधावतस्तावन्ये वाससी परिधायोदेतः स यथाऽहिस्त्वचो निर्मुच्येतैवᳪं सर्व्वस्मात्पाप्मनो निर्मुच्यते तस्मिन्न तावच्चनैनो भवति यावत्कुमारेऽदति स येनैव निष्क्रामन्ति तेन पुनरायन्ति पुनरेत्याहवनीये समिधमभ्यादधाति देवानाᳪं समिदसीति यजमानमेवैतया समिन्द्धे देवानाᳪं हि समिद्धिमनु यजमानः समिध्यते ॥ २३ ॥

इति चतुर्थप्रपाठके प्रथमं ब्राह्मणम् ॥ ४-४-१ ॥ [४-५] ॥

अथाभ्यवेत्य स्नातोऽन्योऽन्यस्य पृष्ठे प्रधावतः। तावन्ये वाससी परिधायोदेतः । स यथाऽहिस्त्वचो निर्मुच्येत-एवं सर्वस्मात्पाप्मनो निर्मुच्यते; तस्मिन्न तावच्चनैनो भवति-यावत्कुमारेऽदति । स येनैव निष्क्रामन्ति-तेन पुनरायन्ति । पुनरेत्याहवनीये समिधमभ्यादधाति-" देवानां समिदसि "-(वा० सं० ८ । २७) इति । यजमानमेवैतया समिन्द्धे । देवानां हि समिद्धिमनु यजमानः समिध्यते॥२३॥

इति श्रीमदाचार्यहरिस्वामिनः कृतौ माध्यन्दिनशतपथब्राह्मणभाष्ये चतुर्थकाण्डे चतुर्थाध्याये पञ्चमं ब्राह्मणम् ॥ ४-४-५ ॥

इति चतुर्थोऽध्यायः ॥ ४-४ ॥

१-तूष्णींमेत्याभ्यवेत्य मज्जयत्यवभृथेति । वरुणप्रघासे तूष्णींमेत्येति सामगानप्रतिषेधः । अभ्यवेत्य च तूष्णीमिति अपोऽवक्रमणवाचनप्रतिषेधः । अवभृथेति निष्काशस्थालीमज्जनम् । जायापती स्नातोऽमज्जंतौ । अन्योऽन्यस्य पृष्ठे धावतः । धाव गतिशुद्ध्योरिति धातुः । प्रक्षालयत इत्यर्थः । अन्ये ग्वाससी परिदधाते । जायापती । पूर्व्वे दद्यादधिकृतेभ्यो यस्मा इच्छेत् । यथेतमेत्याहवनीये समिदाधानं देवानाᳪं समिदसीति । यथेतमिति तूष्णीमेवेत्यर्थः । तेनामहीत्यामंत्रजपप्रतिषेधो वरुणप्रघासे । पत्नी च गार्हपत्ये तूष्णीम् । का. श्रौ. सू. । ५ । १४०-१४६ ।

पञ्चमाध्याये प्रथमं ब्राह्मणम् ।

आदित्येन चरुणोदयनीयेन प्रचरति । तद्यदादित्यश्चरुर्भवति यदेवैनामदो देवाऽअब्रुवंस्तवैव प्रायणीयस्तवोदयनीयऽइति तमेवास्याऽएतदुभयत्र भागं करोति ॥ १ ॥

स यदमुत्र राजानं क्रेष्यन्नुपप्रैष्यन्यजते । तस्मात्तत्प्रायणीयं नामाथ यदत्रावभृथादुदेत्य यजते तस्मादेतदुदयनीयं नाम तद्वाऽएतत्समानमेव हविरदित्याऽएव प्रायणीयमदित्याऽउदयनीयमियꣳ ह्येवादितिः ॥ २ ॥

स वै पथ्यामेवाग्रे स्वस्तिं यजति । तद्देवाऽअप्रज्ञायमाने वाचैव प्रत्यपद्यन्त वाचा हि मुग्धं प्रज्ञायतेऽथात्र प्रज्ञाते यथापूर्वं करोति ॥ ३ ॥

सोऽग्निमेव प्रथमं यजति । (त्य) अथ सोममथ सवितारमथ पथ्याꣳ

उदयनीयेष्टिः ।

आदित्येन चरुणोदयनीयेन प्रचरति । तद् यदादित्यश्चरुर्भवति—यदेवैनामदो देवा अब्रुवन्—तवैव प्रायणीयः, तवोदयनीय इति । तमेवास्याऽएतदुभयत्र भागं करोति ॥ १ ॥

स यदमुत्र राजानं क्रेष्यन्नुपप्रैष्यन्यजते—तस्मात्प्रायणीयं नाम । अथ यदत्रावभृथादुदेत्य यजते—तस्मादेतदुदयनीयं नाम । तद्वाऽएतत् समानमेव हविः—अदित्याऽएव प्रायणीयम्—अदित्याऽउदयनीयम् । इयं ह्येवादितिः ॥ २ ॥

स वै पथ्यामेवाग्रे स्वस्तिं यजति । तद्देवा अप्रज्ञायमाने वाचैव प्रत्यपद्यन्त । वाचा हि मुग्धं प्रज्ञायते । अथात्र प्रज्ञाते यथापूर्वं करोति ॥ ३ ॥

सोऽग्निमेव प्रथमं यजति, अथ सोमम्, अथ सवितारम्, अथ पथ्यां स्वस्तिम्, अथादितिम् ।

आदित्येनेति । उदयनीयब्राह्मणमेतत् । आदित्यश्चरुः । तत्र—' आदित्येन ' इत्युत्पत्तिवाक्यम् । यदेवैनामद इति । प्रायणीयायां य इतिहासस्तस्येहातिदेशः ॥ १ ॥

स यदमुत्रेति । द्वयोरप्यर्थवचनम्—तद्वा एतत्समानमेव हविरिति । समानधर्मकं समानम् । यदेव प्रायणीये क्रियेत, तदुदयनीये क्रियेतेत्यस्यायमनुवादः । इयं ह्येवादितिरिति । यदि किल पृथिव्यां भागः कल्पितस्ततोऽदितेः किमापतितमित्यत आह—इयं ह्येवादितिरिति ॥ २ ॥

स वै पथ्यामिति । प्रायणीये ' पथ्यामेवाग्रे स्वस्तिं यजति ' तदिह मुग्धो यज्ञोऽप्रज्ञात एव । यज्ञे सति यथापूर्वं करोति या प्रथमा देवता तां प्रथमां यजेति या द्वितीया तां द्वितीयामित्यादि ॥ ३ ॥

तत् कथमित्यत आह—सोऽग्निमेवेति । अग्निः प्राच्यां दिशि, सा च प्रथमा ततः प्रदक्षिणं गण्यमाने

१–कृष्णाजिनं निधायोदयनीया प्रायणीयावत् । का० श्रौ० सू० १० । १९३ ।

२–पथ्या स्वस्तिश्चतुर्थी । शाखामुख्यांये उदयनीया चरंतीति च शाखांतराच्छालाद्वार्ये कर्तव्येति कर्कः । का. श्रौ. सू. १०।१९४।

स्वस्तिमथादितिं व्वाग्वै पथ्या स्वस्तिरियमदितिरस्यामेव तद्देवा व्वाचं प्रत्यष्ठापयन्त्सेयं व्वागस्यां प्रतिष्ठिता व्वदति ॥ ४ ॥

(त्यु) अथ मैत्रावरुणीं व्वशामनुबन्ध्यामालभते । सऽएषोऽन्य एव यज्ञस्तायते पशुबन्धऽएव समिष्टयजूꣳषि ह्येवान्तो यज्ञस्य ॥ ५ ॥

तद्यन्मैत्रावरुणी व्वशा भवति । यद्वाऽईजानस्य स्विष्टं भवति मित्रोऽस्य तद्गृह्णाति यद्वस्य दुरिष्टं भवति व्वरुणोऽस्य तद्गृह्णाति ॥ ६ ॥

वाग्वै पथ्या स्वस्तिः इयमदितिः । अस्यामेव तद् देवा वाचं प्रत्यष्ठापयन् । सेयं वागस्यां प्रतिष्ठिता वदति ॥ ४ ॥

अनुबन्ध्यायागः ।

अथ मैत्रावरुणीं वशामनुबन्ध्यामालभते । स एषोऽन्य एव यज्ञस्तायते—पशुबन्ध एव समिष्टयजूंषि ह्येवान्तो यज्ञस्य ॥ ५ ॥

तद् यन्मैत्रावरुणी वशा भवति । यद्वाऽईजानस्य स्विष्टं भवति—मित्रोऽस्य तद् गृह्णाति । यद्वस्य दुरिष्टं भवति—वरुणोऽस्य तद् गृह्णाति ॥ ६ ॥

पथ्यास्वस्तिरुत्तरतः सा चतुर्थी भवतीत्यभिप्रायः । सेयं वागस्यां प्रतिष्ठितेति । देवतादयोऽपि यद्वदन्ति तदुपस्तम्भिकां पृथिवीमेवाश्रित्येत्यभिप्रायः ॥ ४ ॥

अथ मैत्रावरुणीमिति । पञ्चभिः कण्डिकाभिर्मैत्रावरुणी वशोच्यते । 'मैत्रावरुणीम्' मित्रावरुणदेवत्यां 'वशां' वत्सरिक्तां बन्ध्यां (ऋ. २ । ७ । ५ । सा. भा.) यज्ञे समाप्ते पश्चाद् 'अनुबन्ध्याम् तृतीयामालभते स्मृतीति यागविधिः संपृष्यन् यज्ञ एव पूर्वस्मात् सवनसावने सवनीयसम्बन्धात् रूपादयम् । 'अन्य एव' भिन्नमतः सवनीयादित्यर्थः । पशुबन्ध एव सवनीयरहितः । अथ सवनीयपुरोडाशावर्त्तगतः एवं कस्मान्न भवतीत्याह—**समिष्टयजूंषि ह्येवान्तो यज्ञस्य ।** तस्मिन् समाप्ते यदा गच्छति पृथक् न भवतीत्यभिप्रायः ॥ ५ ॥

तन्मैत्रावरुणीयत्वे यत् कारणं तद्वक्ष्यते-'यद्' अस्य 'ईजानस्य' इष्टवतः 'स्विष्टं' सम्यगविगुणं 'भवति' 'तन्मित्रः' तावत् अस्य' एतद् 'गृह्णाति' अवितथाप्तिफलदानाय प्रवर्त्तमानः प्रतिबध्नाति, मन्यमानः ॥ ६ ॥

१–पात्रप्रोक्षणाद्याज्यासादनात्सवनीयवत्परिव्ययणादि मैत्रावरुणी व्वशाऽनूबंध्या । अत्र कर्कः । पात्रप्रोक्षणं शालाद्वार्ये श्रपणनियमव्युदासार्थम् । सवनीये हि पात्रासादनविधानेन शालाद्वार्ये श्रपणनियमो ज्ञापितः । तद्वदत्रापि म भूदिति पात्रप्रोक्षणादीत्युक्तम् । सा च सवनीयवदिति परिव्ययणं यदुक्तं भवति । सकृत्प्रोक्षितमिध्ममाग्नीध्र उपयत्वं एकक्रमन्तरणमिति । परिव्ययणस्य पश्वंगत्वेन विधानात्तदपवर्गे चापवर्ग्यगाशंक्य परिव्ययणादीत्युक्तम् । इति । स्वर्व्वगूहनादि वा कृतत्वात । अत्र कर्कः । स्वर्वगूहनादि वा कर्तव्यं । न परिव्ययणादीति । कुत एतत् । कृतत्वात्परिव्ययणसंस्कारस्य । यूपसंस्कारो ह्ययम् । स च यूपः सर्वपश्वर्थः । संस्कारोऽपि तद्वदेवेति । अत एव स्वर्वगूहनादि इत्युत्तरपदप्रधानो बहुव्रीहिः । स्वर्वगूहनं यस्यादौ तदादि । तच्चोपाकरणम् । एवं सति । उपाकरणमंथनयोरत्र नियम इति । का० श्रौ० सू० १० । १९५–१९६ ॥

तदाहुः । केजानोऽभूदिति तद्यदेवास्यात्र मित्रः स्विष्टं गृह्णाति तदेवास्माऽएतया प्रीतः प्रत्युवसृजति यदु चास्य वरुणो दुरिष्टं गृह्णाति तन्नैवास्माऽएतया प्रीतः स्विष्टं करोति तदु चास्मै प्रत्युवसृजति सोऽस्यैष स्वऽएव यज्ञो भवति स्वᳪं सुकृतम् ॥ ७ ॥

(न्त) तद्यन्मैत्रावरुणी वशा भवति । यत्र वै देवा रेतः सिक्तं प्राजनयंस्तदाग्निमारुतमित्युक्थं तस्मिंस्तद्व्याख्यायते यथा तद्देवा रेतः सिक्तं प्राजनयंस्ततोऽङ्गाराः समभवन्नङ्गारेभ्योऽङ्गिरसस्तदन्वन्ये पशवः ॥ ८ ॥

(वोऽथ) अथ यदासाः पाᳪंसवः पर्यशिष्यन्त । ततो गर्दभः समभवत्तस्माद्यत्र पाᳪंसुलं भवति गर्दभस्थानमिव बतेत्याहुरथ यदा न कश्चन रसः पर्यशिष्यत ततऽएषा मैत्रावरुणी वशा समभवत्तस्मादेषा न प्रजायते रसाद्धि रेतः सम्भवति रेतसः पशवस्तद्यदन्ततः समभवत्तस्मादन्तं यज्ञ-

---

तदाहुः—केजानोऽभूदिति । तद् यदेवास्यात्र मित्रः स्विष्टं गृह्णाति—तदेवास्माऽएतया प्रीतः प्रत्यवसृजति, यदु चास्य वरुणो दुरिष्टं गृह्णाति—तन्नैवास्माऽएतया प्रीतः स्विष्टं करोति । तदु चास्मै प्रत्यवसृजति । सोऽस्यैष स्व एव यज्ञो भवति, स्वं सुकृतम् ॥ ७ ॥

तद् यन्मैत्रावरुणी वशा भवति । यत्र वै देवा रेतः सिक्तं प्राजनयन्—तदाग्निमारुतमित्युक्थम् । तस्मिंस्तद्व्याख्यायते—यथा तद्देवा रेतः प्राजनयन्, ततोऽङ्गाराः समभवन्, अङ्गारेभ्योऽङ्गिरसः, तदन्वन्ये पशवः ॥ ८ ॥

अथ यदासाः पांसवः पर्यशिष्यन्त—ततो गर्दभः समभवत् । तस्माद्यत्र पांसुलं भवति—गर्दभस्थानमिव बतेत्याहुः । अथ यदा न कश्चन रसः पर्यशिष्यत—तत एषा मैत्रावरुणी वशा समभ-

---

तदाहुरिति । के तत्र चोदका आहुः—स इदानीमिष्टवान् क अन्तरिदुत्पुरुषयोः स्विष्टदुरिष्टयोः युफलं सौविष्टत इति प्रस्तुतं (?) तत्तद्विवस्पतिवचनम् ॥ ७ ॥

तथा 'मैत्रावरुणी वशा' वक्तव्यान्तर्वर्तिनित्वस्य चेत् कण्डिकाद्वयेन कारणमुच्यते—'यत्र' काले प्रजापतिना स्वस्यां दुहितरि 'रेतः सिक्तम्' 'देवाः' 'प्राजनयन्' । तस्मिन् काले रेतसः प्रजन्यमानादङ्गाराः सम्भूतास्तेभ्यश्चाङ्गिरस इत्यङ्गारेभ्योऽङ्गिरास्तस्माद् 'अङ्गिरसः' इत्यनेन क्रमेण द्रष्टव्यम् । एषामङ्गिरसामुत्पत्तिरत्र नोपयुज्यत इति कृत्वाऽङ्गिरसामयनमित्यादौ योजनीया । तदन्वन्ये पशव इति । एषां च पशूनामुत्पत्तिं पश्चन्तरेषु 'अन्ये' वत्सा गर्दभादयः 'पशवः' तेषामङ्गिरसोऽनुसमभवंस्ततस्तमपि प्रजापतिप्रभावान्महात्मानोऽग्नीषोमीयादय इति ॥ ८ ॥

अथ यदिति । यस्मिन् काले 'आसाः' भस्माः 'पांसवः' परिशिष्टास्तदा 'ततः' तेभ्यः पांसुभ्यो 'गर्दभः' सम्भूत इति प्रासङ्गिकं गर्दभस्य ब्राह्मणम् । तस्मादेव 'यत्र' तत्स्थानं 'पांसुलं भवति' ।

स्यानुवर्त्तते तस्माद्धा ऽएषा ऽत्र मैत्रावरुणी व्वशा ऽवक्लृप्ततमा भवति यदि व्वशां न व्विन्देदप्युक्षवश एव स्यात् ॥ ९ ॥

(द) अथेतरं व्विश्वे देवा ऽअमरीमृश्यन्त । ततो व्वैश्वदेवी समभवदथ बार्हस्पत्या सोऽन्तोऽन्तो हि बृहस्पतिः ॥ १० ॥

स यः सहस्रं वा भूयो वा दद्यात् । (त्स) स ऽएनाः सर्व्वा आलभेत सर्व्वं वै तस्याप्तं भवति सर्व्वं जितं यः सहस्रं वा भूयो वा ददाति सर्व्वमेता ऽएवमेव यथापूर्व्वं मैत्रावरुणीमेवाग्रेऽथ व्वैश्वदेवीमथ बार्हस्पत्यम् ॥ ११ ॥

वत् । तस्मादेषा न प्रजायते । रसाद्धि रेतः सम्भवति । रेतसः पशवः । तद् यदन्ततः समभवत्—तस्मादन्तं यज्ञस्यानुवर्त्तते । तस्माद्धाऽएषाऽत्र मैत्रावरुणी वशाऽवक्लृप्ततमा भवति । यदि वशां न विन्देदप्युक्षवश एव स्यात् ॥ ९ ॥

अथेतरं विश्वेदेवा अमरीमृश्यन्त । ततो वैश्वदेवी समभवत् । अथ बार्हस्पत्या । सोऽन्तः । अन्तो हि बृहस्पतिः ॥ १० ॥

स यः सहस्रं वा भूयो वा दद्यात्—स एनाः सर्वा आलभेत । सर्वं वै तस्याप्तं भवति, सर्वं जितम्—यः सहस्रं वा भूयो वा ददाति । सर्वमेताः । एवमेव यथापूर्वं मैत्रावरुणीमेवाग्रे, अथ वैश्वदेवीम्, अथ बार्हस्पत्यम् ॥ ११ ॥

पांसवो विद्यन्ते यस्मिन्निति पांसुमदित्यध्याहारः । तद्गर्दभस्थानमिवेत्याहुः । 'इव बत' इत्यनुकम्पायां निपातः । यस्य तत्स्थानं सोऽनुकम्प्यते । 'अथ यदा न' कश्चिदपि रससारो रेतसः परिशिष्टस्तदा 'ततः' 'एषा' वशा सम्भूता सा च 'मैत्रावरुणी' यस्माच्च क्षीणे रसे सूता तस्मादेषा 'न प्रजायते' । कथम् ? 'रसाद्धि रेतः' 'सम्भवति' । 'रेतसः' च 'पशवः' गर्भे न रसोऽस्या अस्तीत्यभिप्रायः । 'तद्यदन्ततः' तदन्यत्वे कारणम् 'अवक्लृप्ततमा' (?) उक्तम् । वशायाः स्वातिशयेनावक्लृप्तये दितुं वशां न लभते । अपि उक्षवशेः । उक्षा सेचनसमर्थो बलीवर्दो वशश्चेत्युक्षवश इत्यनुवादे वा । स उक्षवशो मैत्रावरुणः स्यात्तत्साहचर्याद्वशापि गौरेवेति गम्यते ॥ ९ ॥

अथेतरमिति । 'अथ' मैत्रावरुण्यां वशायां भस्मपांसुभ्यो यदितरदवशिष्टं तद्विश्वेदेवा अत्यर्थं पाणिभिः पिष्टवन्तस्तदा वैश्वदेवी वशा संभूता । यैव ततः संभूता सैव विश्वेदेवत्यवद्वैश्वदेवी 'अभवत्' । 'ततो' ऽप्यनन्तरं 'बार्हस्पत्या' सापि तथैव साप्यसंभूततयैवेति गम्यते । मैत्रावरुणीभ्यां मृश्यमाने भस्मनि जाता मित्रावरुणासम्बन्धस्यावचनादप्यस्य सन्निधानात् । सोन्तः पशूनाम् । ततो रेतस उत्पन्नः । 'अन्तो हि बृहस्पतिः' ब्राह्मणानां प्रकृष्टतमत्वात् ॥ १० ॥

स यः सहस्रमिति । विकृतौ कस्यां विधौ सहस्रादि 'दद्यात्' । प्रकृतावपि वा प्रतिहर्तुरपच्छेदे सर्वस्व-

---

१—व्वशाभावे वक्षा । वक्षाभावे पयस्वा । आसादैतामाज्यभागप्रभृतीडांतामेके । एके आदितो ब्राह्मणतर्पणांताम् ! विकल्प एवायमिति कर्कः । का. श्रौ. सू. १० । १९७—१९९ ।

(मु) अथो ये दीर्घसत्रमासीरन् । (न्त्सं) संव्वत्सरं वा भूयो वा तऽएनाः सर्व्वा आलभेरन्त्सर्व्वं वै तेषामाप्तं भवति सर्व्वं जितं ये दीर्घसत्रमासते संव्वत्सरं वा भूयो वा सर्व्वमेता एवमेव यथापूर्वम् ॥ १२ ॥

(मु) अथोदवसानीययेष्ट्या यजते । सऽआग्नेयं पञ्चकपालं पुरोडाशं निर्व्वपति तस्य पञ्चपदाः पङ्क्तयो याज्यानुवाक्या भवन्ति यातयामेव वाऽएतदीजानस्य यज्ञो भवति सोऽस्मात्पराङिव भवत्यग्निर्वै सर्व्वे यज्ञा अग्नौ हि सर्व्वान्यज्ञांस्तन्वते ये च पाकयज्ञा ये चेतरे तद्यज्ञमेवैतत्पुनरारभते तथाऽस्यायातयामा यज्ञो भवति तथोऽअस्मान्न पराङ्भवति ॥ १३ ॥

तद्यत्पञ्चकपालः पुरोडाशो भवति । पञ्चपदाः पङ्क्तयो याज्यानुवाक्याः पाङ्क्तो वै यज्ञस्तद्यज्ञमेवैतत्पुनरारभते तथाऽस्यायातयामा यज्ञो भवति तथोऽअस्मान्न पराङ्भवति ॥ १४ ॥

अथो ये दीर्घसत्रमासीरन् । सवंत्सरं वा भूयो वा । त एनाः सर्वा आलभेरन् । सर्वं वै तेषामाप्तं भवति, सर्वं जितम्–ये दीर्घसत्रमासते–सवंत्सरं वा भूयो वा, सर्वमेता एवमेव यथापूर्वम् ॥ १२ ॥

उदवसानीयेष्टिः ।

अथोदवसानीययेष्ट्या यजते । स आग्नेयं पञ्चकपालं पुरोडाशं निर्वपति । तस्य पञ्चपदाः पङ्क्तयो याज्यानुवाक्या भवन्ति । यातयामेव वाऽएतदीजानस्य यज्ञो भवति । सोऽस्मात्पराङिव भवति । अग्निर्वै सर्वे यज्ञाः । अग्नौ हि सर्वान्यज्ञांस्तन्वते–ये च पाकयज्ञाः, ये चेतरे । तद् यज्ञमेवैतत्पुनरारभते–तथाऽस्यायातयामा यज्ञो भवति–तथोऽअस्मान्न पराङ् भवति ॥ १३ ॥

तद् यत्पञ्चकपालः पुरोडाशो भवति । पञ्चपदाः पङ्क्तयो याज्यानुवाक्याः । पाङ्क्तो वै यज्ञः । तद्यज्ञमेवैतत्पुनरारभते–तथाऽस्यायातयामा यज्ञो भवति–तथोऽअस्मान्न पराङ् भवति ॥ १४ ॥

मददत् । कदाचित्सहस्रं दद्यात् । रार्वसंख्याव्याप्तिरिलागमिकम् । सर्वमेता इति व्यानसंभूता इति देवता सर्वमैत्रावरुणानु तस्यान्त्यस्यैकदेशः । एवमेवेत्युत्पत्तिक्रमेणेत्यर्थः ॥ ११ ॥

अथो य इति । प्रसन्ना ॥ १२ ॥

अथोदवसानीययेति[1] । एतानि तिसृभिस्तिसृभिः ' उदवसानीयेष्टिः ' ज्योतिष्टोमाङ्गभूतैवोच्यते । अथोच्यते । आहुतिरत्रोदवसानीयस्थाने विधीयते वैकल्पिकीति । **तथो** इति । तथा चेत्यर्थः ॥ १३–१५ ॥

१–उदवसानीयाऽऽग्नेयः पंचकपालः समारूढनिर्मथिते । अत्र कर्कः । समारोपश्च प्राजहिते कर्तव्यः । गार्हपत्यो हि स इति । का० श्रौ० सू० १० । २०० ॥ हिरण्यं दक्षिणाऽनड्वान्वा । वेति विकल्प इति कर्कः । का० श्रौ० सू० १० । २०१ ॥

तस्य हिरण्यं दक्षिणा । (णाऽऽग्ने) आग्नेयो वाऽएष यज्ञो भवत्यग्ने रेतो हिरण्यं तस्माद्धिरण्यं दक्षिणाऽनड्वान्वा स हि वहेनाग्नेयोऽग्निदग्धमिव ह्यस्य वहं भवति ॥ १५ ॥

(त्यु) अथो चतुर्गृहीतमेवाज्यं गृहीत्वा । वैष्णव्यऽर्चा जुहोत्युरु विष्णो विक्रमस्वोरु क्षयाय नस्कृधि । घृतं घृतयोने पिब प्रप्र यज्ञपतिं तिर स्वाहेति यज्ञो वै विष्णुस्तद्यज्ञमेवैतत्पुनरारभते तथाऽस्यायातयामा यज्ञो भवति तथोऽअस्मान्न पराङ्भवति तन्नो यच्छक्नुयात्तद्दद्यान्नादक्षिणꣳ हविः स्यादिति ह्याहुरथ यदेवैषोदवसानीयेष्टिः संतिष्ठतेऽथ सायमाहुतिं जुहोति कालऽएव प्रातराहुतिम् ॥ १६ ॥

इति चतुर्थप्रपाठके द्वितीयं ब्राह्मणम् ॥ ४–४–२ । (५. १) ॥

तस्य हिरण्यं दक्षिणा । आग्नेयो वाऽएष यज्ञो भवति । अग्ने रेतो हिरण्यम् । तस्माद्धिरण्यं दक्षिणा । अनड्वान्वा । स हि वहेनाग्नेयः । अग्निदग्धमिव ह्यस्य वहं भवति ॥ १५ ॥

अथो चतुर्गृहीतमेवाज्यं गृहीत्वा वैष्णव्यर्चा जुहोति–" **उरु विष्णो विक्रमस्वोरु क्षयाय नस्कृधि । घृतं घृतयोने पिब प्रप्र यज्ञपतिं तिर स्वाहा** "–(वा. सं. ५ । ३८) इति । यज्ञो वै विष्णुः । तद् यज्ञमेवैतत्पुनरारभते–तथाऽस्यायातयामा यज्ञो भवति–तथोऽअस्मान्न पराङ् भवति । तन्नो यच्छक्नुयात्–तद्दद्यात् । नादक्षिणं हविः स्यादिति ह्याहुः । अथ यदेवैषोदवसानीयेष्टिः सन्तिष्ठते–अथ सायमाहुतिं जुहोति । कालऽएव प्रातराहुतिम् ॥ १६ ॥

कुत एतत् चतुर्गृहीतमेवं नाग्नेयपञ्चकपालमित्यवधारणात्तद्यज्ञमेवैतदिति च तुल्यार्थत्ववचनात् ' यदेवैषा सन्तिष्ठते, अथ सायमाहुतिं जुहोति ' इत्येतावदत्र; तत्र ' उदवसायनीयेष्टिः ' इत्येतत्प्रदर्शनार्थम् । नित्यायाः सायमाहुतेरनित्येष्टिकालेन संयोगस्य विरोधात् कार्यस्य लक्षणमात्रेष्टः कालः स च एक एव ततस्तत-श्चाहुतिपक्षे नाहुतेरनन्तरं सायमाहुतिं जुहोतीति सिद्धम् । नित्याया एव सायमाहुतेरपकर्षवचनमेतत् । ज्योतिष्टोम-गतया विधानं कुत एतत् । काल एव प्रातराहुतिरिति वाक्यशेषात्सायमाहुतौ ह्यपकृष्टायां प्रातराहुतेरप्यप-कर्षशङ्कायां युक्तम् । अवधारणे काल एव प्रातराहुतिमिति । यदि तु सायमाहुतिः सोमाङ्गत्वेन विहिता स्यात्ततः सायमाहुतिरपि काल एव क्रियते । अथ नित्या तत्र केवलायाः प्रातराहुतेः काल एव । वचनं नोपपद्यते । अथोच्यते काल इत्येतदपि प्रातराहुतेः सोमाङ्गत्वेन निमित्तं न प्राप्तत्वादीक्षितस्याप्यग्निहोत्रं निषिद्धम् । दीक्षा चावभृथ एवोक्ता । वाक्यशेषात् । ततश्च नित्यत्वादत एव काले प्रातराहुतिः प्राप्तेत्यनुवाद एवायं विज्ञायते । तत्प्रसङ्गाद्दातिरात्राद्या साहस्रीप्रहव्यूहानि (?) च ॥ १६ ॥

इति श्रीमदाचार्यहरिस्वामिनः कृतौ माध्यन्दिनशतपथब्राह्मणभाष्ये चतुर्थकाण्डे पञ्चमाध्याये प्रथमं ब्राह्मणम् (४–५– १) ॥

१–पशुवद्वाऽऽहुतिः । चतुर्गृहीतेनैवेत्यर्थः । तदन्ते सायमाहुतिः । सोमाङ्ग२ सान्निधिविरोधाभ्यां । नित्या वा प्रातराहुतिश्रुतेः । नित्यक्रियाऽतः । अत्र कर्कः । अतः परं नित्यानां क्रिया । न प्रागतः । उन्मुक्तदीक्षस्वेऽपि अवभृथादूर्ध्वमिति । का. श्रौ. सू. १० । २०२–२०६ ॥

व्वशामालभन्ते । तामालभ्य संज्ञपयन्ति संज्ञप्याह व्वपामुत्खिदेत्यु-त्खिद्य व्वपामनुमर्शं गर्भमेष्टवै ब्रूयात्स यदि न व्विन्दन्ति किमाद्रियेरन्यद्यु व्विन्दन्ति तत्र प्रायश्चित्तिः क्रियते ॥ १ ॥

न वै तदवकल्पते। यदेकां मन्यमाना एकयैवैतया चरेयुर्यद्द्वे मन्यमाना द्वाभ्यामिव चरेयुः स्थालीं चैवोष्णीषं चोपकल्पयितवै ब्रूयात् ॥ २ ॥

अनुबन्ध्याप्रायश्चित्तम्।

वशामालभन्ते । तामालभ्य संज्ञपयन्ति । संज्ञप्याह-वपामुत्खिदेति । उत्खिद्य वपामनुमर्शं गर्भमेष्टवै ब्रूयात् । स यदि न विन्दन्ति-किमाद्रियेरन्। यद्यु विन्दन्ति-तत्र प्रायश्चित्तिः क्रियते॥१॥

न वै तदवकल्पते-यदेकां मन्यमाना एकयैवैतया चरेयुः। यद्द्वे मन्यमाना द्वाभ्यामिव चरेयुः-स्थालीं चैवोष्णीषं चोपकल्पयितवै ब्रूयात् ॥ २ ॥

वशामालभन्ते इति । अनुबन्ध्याशेषप्रायश्चित्तब्राह्मणमेतत् । तत् सम्बन्धार्थमनुद्रवति वशामालभन्ते । तां वपाश्रपणीभ्यां प्रतिप्रस्थाताऽन्वारभत इत्यादिना 'आलभ्य' तत् समर्थाचरणेनैव संज्ञपयन्ति । ततोऽध्वर्युः संज्ञप्य तत्समर्थाचरणेन शमितारमाह-वपामुत्खिदेति । तत एतेनैव प्रैषणेन तामुत्खिद्याध्वर्युः शमितारम् 'अनुमर्शम्' अवमृश्यावमृशति प्रदेशं 'गर्भमेष्टवै' "कर्त्तरि कृत्-"(३।४।६७) इत्यर्थे तवै । एवं ब्रूयात् । तं यदा तत्र लभन्ते ततो न किञ्चिदपि प्रायश्चित्तविशुद्ध्यै क्रियते ॥ १ ॥

कस्तत्र दोष इति चेदत आह-न वै तदिति । यदि तावदेकैवेयं वशा चोदिता किं ततो गर्भेणेति 'मन्यमाना' एकयैवानया 'चरेयुः' ततो गर्भस्य यागार्थस्य हिंसा कृता स्यात्तेनैतन्नावकल्पते । अथ त्वेकस्यामपि चोदितायां कथमप्येते द्वे आयाति तेनालब्धत्वात् पृथगेव वस्तुभ्यामिव 'द्वाभ्याम्' अपि चराम इति मन्यमानाः चरेयुः तदप्ययुक्तम् ।

१-अनुबंध्यायै व्वपामुत्खिद्यानुमर्शं गर्भमेष्टवै ब्रूयात्। अनेन च शमिता प्रेष्यते । ततश्चाध्वर्युः प्रैषदाने । इति कर्कः। दर्शने स्थालीं चैवोष्णीषं चोपकल्पयितवै ब्रूयात्। अयं च शमितुः प्रति प्रैषः । तदर्थोऽध्वर्योरेव । इति कर्कः । व्वपांतेऽनपेक्षमध्वर्युः प्रेष्यति निरूहैतं गर्भमिति निरुह्य श्रोणी प्रत्यंचं निणहितवै ब्रूयात् । अत्र कर्कः। प्रैषद्वयं चैतत् । उभयत्र हि क्रियापदमात्रातम् । प्रेष्येति च न्न ३हीति च। तत्रेतिकरणपरिच्छिन्न एकः प्रैषः। शेषो द्वितीयः। प्रयोजनं मध्ये विरामः। इति। निरूह्यमाणमभिमंत्रयत एजतु दशमास्य इति पशुवदवदानं गर्भस्य । कण्ठं वाऽवकृत्य स्थाल्यां मेधश्रावणम्। अत्र कर्कः । मेधपक्षे च स्थाल्या अमंत्रकं प्रोक्षणम्, जुहोतिस्वादिति । अवदानसहितमर्धश्रितयोष्णीषवेष्टितं गर्भं पार्श्वतो निदधात्यनभिघारितमवदानवद्धृत्वा दक्षिणतो मेधं निदधाति । अत्र कर्कः। अनभिघारितमेधम् अंतरा यूपाग्नी हृत्वा दक्षिणतोऽग्नानां । स्थापयेदिति । प्रतिप्रस्थाता वशावदानकाले प्रचरण्याम्मेधमवद्यति। अत्र कर्कः। प्रचरण्याश्च मंत्ररहिता जुहूवत्संस्कारक्रिया । मेधस्य चोपस्तं.ये द्विरवदानं प्रत्युपस्तारश्चेति। अवदानान्यनुजुहोति यस्यै त इति। वशावदानान्यनुमेधं जुहोति यस्यै त इत्यनेन मंत्रेणेति कर्कः। अंगान्यहुता यस्य यस्या इति यथालिंगम्। यल्लिंगो गर्भ इति कर्कः। अविज्ञाते पुंवत्। अविज्ञाते गर्भे पुंवत्प्रयोग इति कर्कः। स्विष्टकृद्वनस्पत्यंतरे प्रत्येत्य प्रतिप्रस्थाता प्रचरण्या २सर्व्वं मेधमवद्यति। स्विष्टकृतमनुजुहोति पुरुदस्म इति। स्विष्टकृदंत उष्णीषवेष्टितस्य वृक्षासंजनं वाऽप्स्ववहरणं वाऽऽखूत्करोपकिरणं वा। अनुव्याहारभयं त्वेतेषु। समिष्टयजुरंते शामित्र एव जुहुयात्त्रिग्न् मरुत इत्यस्वाहाकृत्य महीं द्यौरित्यंगारैरभ्यूहति। गर्भमित्यर्थः। का. श्रौ. सू.। २५। २२८-२४२।

(ट) अथ वपया चरन्ति । यथैव तस्यै चरणं वपया चरित्वाऽध्वर्युश्च यजमानश्च पुनरेतः स आहाध्वर्युर्निरूहैतं गर्भमिति तꣳ ह नोदरतो निरूहेदार्ताया वै मृताया उदरतो निरूहन्ति यदा वै गर्भः समृद्धो भवति प्रजननेन वै स तर्हि प्रत्यङ्ङैति तमपि विरुज्य श्रोणी प्रत्यञ्चं निरूहितवै ब्रूयात् ॥ ३ ॥

(ठ) तं निरूह्यमाणमभिमन्त्रयते । एजतु दशमास्यो गर्भो जरायुणा सहेति स यदाहैजत्विति प्राणमेवास्मिन्नेतद्दधाति दशमास्य इति यदा वै गर्भः समृद्धो भवत्यथ दशमास्यस्तमेतदप्यदशमास्यꣳ सन्तं ब्रह्मणैव यजुषा दशमास्यं करोति ॥ ४ ॥

जरायुणा सहेति । तद्यथा दशमास्यो जरायुणा सहेयादेवमेतदाह यथाऽयं

अथ वपया चरन्ति–यथैव तस्यै चरणम् । वपया चरित्वाऽध्वर्युश्च यजमानश्च पुनरेतः । स आह–अध्वर्युर्निरूहैतं गर्भम्–इति । तं ह नोदरतो निरूहेद् । आर्ताया वै मृताया उदरतो निरूहन्ति । यदा वै गर्भः समृद्धो भवति–प्रजननेन वै स तर्हि प्रत्यङ्ङैति । तमपि विरुज्य श्रोणी प्रत्यञ्चं निरूहितवै ब्रूयात् ॥ ३ ॥

तं निरूह्यमाणमभिमन्त्रयते–"एजतु दशमास्यो गर्भो जरायुणा सह"–(वा. सं. ८।२८) इति । स यदाह–एजत्विति । प्राणमेवास्मिन्नेतद्दधाति । दशमास्य इति ।.यदा वै गर्भः समृद्धो भवति–अथ दशमास्यः । तमेतदप्यदशमास्यं सन्तं ब्रह्मणैव यजुषा दशमास्यं करोति ॥ ४ ॥

जरायुणा सहेति । तद्यथा दशमास्यो जरायुणा सहेयाद्–एवमेतदाह । "यथाऽयं वायुरेजति

अचोदितत्वात्तदवस्थ एव यज्ञार्थे हिंसादोषः । तस्याः 'स्थालीं चैव' मेधश्रपणार्थे 'उष्णीषं' च गर्भवेष्टनार्थम् 'उपकल्पयितवै' उपकल्पयतेति यजमानपुरुषः 'ब्रूयात्' ॥ २ ॥

अथ वपयेति । 'पुनरेतः' अध्वर्युर्वपोत्खेदनार्थं पूर्वमेव । ततो यजमानोऽपि तृणाधिष्ठानार्थं तदभिप्रायं पुनर्वचनम् । 'स आहाध्वर्युर्निरूहैतं गर्भम् इति' शमितारमाह–'तं' गर्भान्तरप्रदेशेन 'निरूहेत्' । "ऊह वितर्के"–(धा. पा. भ्वा. प. ८८४) निःपूर्वो निष्कर्षणे वर्तते । निष्कर्षेत किं कारणम् । 'आर्त्तायाः' हि 'मृतायाः' गोविकर्त्तारः 'उदरतो' निष्कर्षन्ति । तच्चात्रामङ्गलमयुक्तम् । बहिर्हविषो जीवद्वचनात् । यदा तु 'समृद्धो' निष्पन्नगर्भो 'भवति' तदा 'प्रजननेन' तत् प्राङ् गच्छति । नोदरेण तिर्यक् । अयं च समृद्ध इष्यते । ततश्चैवमपि ब्रूयात् । 'विरुज्य' विपाद्य 'श्रोणी' 'प्रत्यञ्चं' समृद्धमभवत् 'निरूहितवै' इति । अथ कस्मादपिशब्द इदमपि ब्रूयात् ॥ ३ ॥

तं निरूह्यमाणमिति । आभ्यां द्वाभ्यां कण्डिकाभ्यामभिमन्त्रणमन्त्रो व्याख्यायते । सप्तभिर्मेदसा शोणितेन चरणमुच्यते । यत्र यत्पाशुकाङ्गकीर्तनं तदङ्गगतकर्मणः क्रमसिद्ध्यर्थम् । ततः परैः षड्भिर्गर्भस्य प्रतिपत्तिरुच्यते ४–१८

इति श्रीमदाचार्यहरिस्वामिनः कृतौ माध्यन्दिनशतपथब्राह्मणभाष्ये चतुर्थकाण्डे

पञ्चमाध्याये द्वितीयं ब्राह्मणम् ॥ ४ । ५ । २ ॥

वायुरेजति यथा समुद्र एजतीति प्राणमेवास्मिन्नेतद्दधात्येवायं दशमास्यो ऽअस्रज्जरायुणा सहेति तद्यथा दशमास्यो जरायुणा सह स्रꣳसेतैवमेतदाह ॥ ५ ॥

तदाहुः । कथमेतं गर्भं कुर्यादित्यङ्गादङ्गाद्धैवास्यावद्येयुर्यथैवेतरेषामवदानानामवदानं तदु तथा न कुर्यादुत ह्येषोऽविकृताङ्गो भवत्यधस्तादेव ग्रीवा अपिकृत्यैतस्याꣳ स्थाल्यामेतं मेधꣳ श्चोतयेयुः सर्वेभ्यो वाऽअस्यैषोऽङ्गेभ्यो मेध श्चोतति तदस्य सर्वेषामेवाङ्गानामवत्तं भवत्यवद्यन्ति वशाया ऽअवदानानि यथैव तेषामवदानम् ॥ ६ ॥

तानि पशुश्रपणे श्रपयन्ति । तदेवैतं मेधꣳ श्रपयन्त्युष्णीषेणावेष्ट्य गर्भं पार्श्वतः पशुश्रपणस्योपनिदधाति यदा शृतो भवत्यथ समुद्यावदानान्येवाभिजुहोति नैतं मेधमुद्वासयन्ति पशुं तदेवैतं मेधमुद्वासयन्ति ॥ ७ ॥

तं जघनेन चात्वालमन्तरेण यूपं चाग्निं च हरन्ति । दक्षिणतो निधाय प्रतिप्रस्थाताऽवद्यत्यथ स्रुचोरुपस्तृणीतेऽथ मनोतायै हविषोऽनुवाच आहावद्यन्ति वशाया अवदानानां यथैव तेषामवदानम् ॥ ८ ॥

यथा समुद्र एजति "–(वा. सं. ८ । २८) इति । प्राणमेवास्मिन्नेतद्दधाति । " एवायं दशमास्योऽअस्रज्जरायुणा सह "–(वा. सं. ८ । २८) इति । तद्यथा दशमास्यो जरायुणा सह स्रंसेत–एवमेतदाह ॥ ५ ॥

तदाहुः–कथमेतं गर्भं कुर्यादिति । अङ्गादङ्गाद्धैवास्यावद्येयुः–यथैवेतरेषामवदानानामवदानम् । तदु तथा न कुर्यात् । उत ह्येषोऽविकृताङ्गो भवति । अधस्तादेव ग्रीवा अपिकृत्यैतस्यां स्थाल्यामेतं मेधं श्चोतयेयुः । सर्वेभ्यो वाऽअस्यैषोऽङ्गेभ्यो मेध श्चोतति । तदस्य सर्वेषामेवाङ्गानामवत्तं भवति । अवद्यन्ति वशाया अवदानानि–यथैव तेषामवदानम् ॥ ६ ॥

तानि पशुश्रपणे श्रपयन्ति । तदेवैतं मेधं श्रपयन्ति । उष्णीषेणावेष्ट्य गर्भं पार्श्वतः पशुश्रपणस्योपनिदधाति । यदा शृतो भवति । अथ समुद्यावदानान्येवाभिजुहोति । नैतं मेधमुद्वासयन्ति । पशुं तदेवैतं मेधमुद्वासयन्ति ॥ ७ ॥

तं जघनेन चात्वालमन्तरेण यूपं चाग्निं च हरन्ति । दक्षिणतो निधाय प्रतिप्रस्थाताऽवद्यति । अथ स्रुचोरुपस्तृणीते । अथ मनोतायै हविषोऽनुवाच आह । अवद्यन्ति वशाया अवदानानाम्–यथैव तेषामवदानम् ॥ ८ ॥

(मु) अथ प्रचरणीति स्रुग्भवति । तस्यां प्रतिप्रस्थाता मेधायोपस्तृणीते द्विरवद्यति सकृदभिघारयति प्रत्यनक्त्यवदानेऽअथानुवाच आहाश्राव्याह प्रेष्येति व्वषट्कृतेऽध्वर्य्युर्जुहोत्यध्वर्योरनु होमं जुहोति प्रतिप्रस्थाता ॥ ९ ॥

यस्यै ते यज्ञियो गर्भ इति । (त्यु) अयज्ञिया वै गर्भास्तमेतद्ब्रह्मणैव यजुषा यज्ञियं करोति यस्यै योनिर्हिरण्ययीत्यदो वाऽएतस्यै योनिं व्विच्छिन्दन्ति यददो निष्कर्षन्त्यमृतमायुर्हिरण्यं तामेवास्याऽएतदमृतां योनिं करोत्यङ्गान्यहुता यस्य तं मात्रा समजीगमꣳ स्वाहेति यदि पुमान्त्स्याद्यद्यु स्त्री स्यादङ्गान्यहुता यस्यै तां मात्रा समजीगमꣳ स्वाहेति यद्युऽअविज्ञातो गर्भो भवति पुꣳस्कृत्यैव जुहुयात्पुमाꣳसो हि गर्भा अङ्गान्यहुता यस्य तं मात्रा समजीगमꣳ स्वाहेत्यदो वाऽएतं मात्रा व्विष्वञ्चं कुर्वन्ति यददो निष्कर्षन्ति तमेतद्ब्रह्मणैव यजुषा समर्ध्य मध्यतो यज्ञस्य पुनर्मात्रा सङ्गमयति ॥ १० ॥

(त्यु) अथाध्वर्य्युर्व्वनस्पतिना चरति । व्वनस्पतिनाऽध्वर्य्युश्चरित्वा यान्युपभृत्यवदानानि भवन्ति तानि समानयमानऽआहाग्नये स्विष्टकृतेऽनुब्रूहीत्यत्याक्रामति प्रतिप्रस्थाता स एतꣳ सर्व्वमेव मेधं गृहीतेऽथोपरिष्टाद्द्वि-

---

अथ प्रचरणीति स्रुग्भवति । तस्यां प्रतिप्रस्थाता मेधायोपस्तृणीते द्विरवद्यति सकृदभिघारयति प्रत्यनक्त्यवदाने । अथानुवाच आह । आश्राव्याह–'प्रेष्य' इति । वषट्कृतेऽध्वर्युर्जुहोति । अध्वर्योरनु होमं जुहोति प्रतिप्रस्थाता ॥ ९ ॥

"यस्यै ते यज्ञियो गर्भः"–(वा. सं. ८ । २९) इति । अयज्ञिया वै गर्भाः । तमेतद्ब्रह्मणैव यजुषा यज्ञियं करोति । "यस्यै योनिर्हिरण्ययी"–(वा. सं. ८ । २९) इति । अदो वाऽएतस्यै योनिं विच्छिन्दन्ति । यददो निष्कर्षन्ति–अमृतमायुर्हिरण्यम् । तामेवास्या एतदमृतां योनिं करोति । "अङ्गान्यहुता यस्य तं मात्रा समजीगमं स्वाहा"–(वा. सं. ८ । २९) इति, यदि पुमान्त्स्यात् । यद्यु स्त्री स्यात्–अङ्गान्यहुता यस्यै तां मात्रा समजीगमं स्वाहेति । यद्युऽअविज्ञातो गर्भो भवति, पुंस्कृत्यैव जुहुयात् । पुमांसो हि गर्भाः । अङ्गान्यहुता यस्य तं मात्रा समजीगमं स्वाहा–इति । अदो वाऽएतं मात्रा विष्वञ्चं कुर्वन्ति–यददो निष्कर्षन्ति । तमेतद्ब्रह्मणैव यजुषा समर्ध्य मध्यतो यज्ञस्य पुनर्मात्रा सङ्गमयति ॥ १० ॥

अथाध्वर्युर्वनस्पतिना चरति । वनस्पतिनाऽध्वर्युश्चरित्वा यान्युपभृत्यवदानानि भवन्ति–तानि समानयमान आह–'अग्नये स्विष्टकृतेऽनुब्रूहि' इति । अत्याक्रामति प्रतिप्रस्थाता । स एतं सर्वमेव मेधं

राज्यस्याभिघारयत्याश्राव्याह प्रेष्येति व्वषट्कृतेऽध्वर्युर्जुहोत्यध्वर्योरनु होमं जुहोति प्रतिप्रस्थाता ॥ ११ ॥

पुरुदस्मो व्विषुरूपऽइन्दुरिति । बहुदानऽइति हैतद्यदाह पुरुदस्म इति व्विषुरूप इति व्विषुरूपाऽइव हि गर्भाऽइन्दुरन्तर्महिमानमानञ्ज धीरऽइत्यन्तर्ह्येष मातर्यक्तो भवत्येकपदीं द्विपदीं त्रिपदीं चतुष्पदीमष्टापदीं भुवनानु प्रथन्ताᳬं स्वाहेति प्रथयत्येवैनामेतत्सुभूयो ह जयत्यष्टापद्येष्ट्वा यदु चानष्टापद्या ॥ १२ ॥

तदाहुः । क्वैतं गर्भं कुर्यादिति व्वृक्षऽएवैनमुद्दध्युरन्तरिक्षायतना वै गर्भा अन्तरिक्षमिवैतद्यद्वृक्षस्तदेनᳬं स्वऽएवायतने प्रतिष्ठापयति तदु वाऽआहुर्य एनं तत्रानुव्याहरेद्वृक्षऽएनं मृतमुद्वास्यन्तीति तथा हैव स्यात् ॥ १३ ॥

(द) अप एवैनमभ्युवहरेयुः । (ग) आपो वाऽअस्य सर्वस्य प्रतिष्ठा तदेनमप्स्वेव प्रतिष्ठापयति तदु वाऽआहुर्यऽएनं तत्रानुव्याहरेदप्स्वेव मरिष्यतीति तथा हैव स्यात् ॥ १४ ॥

(दा) आखूत्करऽएवैनमुपकिरेयुः । (रि) इयं वाऽअस्य सर्वस्य प्रतिष्ठा तदेनमस्यामेव प्रतिष्ठापयति तदु वाऽआहुर्य एनं तत्रानुव्याहरेत्क्षिप्रेऽस्मै मृताय श्मशानं करिष्यन्तीति तथा हैव स्यात् ॥ १५ ॥

गृहीते । अथोपरिष्टाद् द्विराज्यस्याभिघारयति । आश्राव्याह—'प्रेष्य' इति । वषट्कृतेऽध्वर्युर्जुहोति । अध्वर्योरनु होमं जुहोति प्रतिप्रस्थाता ॥ ११ ॥

"पुरुदस्मो विषुरूप इन्दुः"—(वा. सं. ८ । ३०) इति । बहुदाना इति हैतद्—यदाह—पुरुदस्म इति । विषुरूप इति । विषुरूपा इव हि गर्भाः । "इन्दुरन्तर्महिमानमानञ्ज धीरः"—(वा. सं. ८ । ३०) इति । अन्तर्ह्येष मातर्यक्तो भवति । "एकपदीं द्विपदीं त्रिपदीं चतुष्पदीमष्टापदीं भुवनानु प्रथन्तां स्वाहा"—(वा. सं. ८ । ३०) इति । प्रथयत्येवैनामेतत् । सुभूयो ह जयति—अष्टापद्येष्ट्वा, यदु चानष्टापद्या ॥ १२ ॥

तदाहुः—क्वैतं गर्भं कुर्यादिति । वृक्षऽएवैनमुद्दध्युः । अन्तरिक्षायतना वै गर्भाः । अन्तरिक्षमिवैतद् यद्वृक्षः । तदेनं स्वऽएवायतने प्रतिष्ठापयति । तदु वाऽआहुः—य एनं तत्रानुव्याहरेद्—वृक्षऽएनं मृतमुद्वास्यन्तीति । तथा हैव स्यात् ॥ १३ ॥

अप एवैनमभ्यवहरेयुः । आपो वाऽअस्य सर्वस्य प्रतिष्ठा । तदेनमप्स्वेव प्रतिष्ठापयति । तदु वाऽआहुः—य एनं तत्रानुव्याहरेद—अप्स्वेव मरिष्यतीति । तथा हैव स्यात् ॥ १४ ॥

आखूत्करऽएवैनमुपकिरेयुः । इयं वाऽअस्य सर्वस्य प्रतिष्ठा । तदेनमस्यामेव प्रतिष्ठापयति । तदु वाऽआहुः—य एनं तत्रानुव्याहरेत्—क्षिप्रेऽस्मै मृताय श्मशानं करिष्यन्तीति । तथा हैव स्यात् ॥ १५ ॥

(त्प)पशुश्रपणऽएवैनं मरुद्भ्यो जुहुयात् । (द) अहुतादो वै देवानां मरुतो विडहुतमिवैतद्यदशृतो गर्भऽआहवनीयाद्वाऽएष आहृतो भवति पशुश्रपणस्तथा ह नु बहिर्धा यज्ञाद्भवति नु प्रत्यक्षमिवाहवनीये देवानां वै मरुतस्तदेनं मरुत्स्वेव प्रतिष्ठापयति ॥ १६ ॥

स हुत्वैव समिष्टयजूᳩषि । प्रथमावशान्तेष्वङ्गारेष्वेतᳩ सोष्णीषं गर्भमादत्ते तं प्राङ्तिष्ठञ्जुहोति मारुत्यऽर्चा मरुतो यस्य हि क्षये पाथा दिवो विमहसः ॥ स सुगोपातमो जन इति न स्वाहाकरोत्यहुतादो वै देवानां मरुतो विडहुतमिवैतद्यदस्वाहाकृतं देवानां वै मरुतस्तदेनं मरुत्स्वेव प्रतिष्ठापयति ॥ १७ ॥

(त्य) अथाङ्गारैरभिसमूहति । मही द्यौः पृथिवी च न इमं यज्ञं मिमिक्षताम् । पिपृतां नो भरीमभिरिति ॥ १८ ॥ (शतम् २७००)

इति चतुर्थप्रपाठके तृतीयं ब्राह्मणम् ॥ ४-४-३ ॥ (९-२)

पशुश्रपणऽएवैनं मरुद्भ्यो जुहुयात् । अहुतादो वै देवानां मरुतो विट् । अहुतामिवैतद्-यदशृतो गर्भः । आहवनीयाद्वाऽएष आहृतो भवति । पशुश्रपणः । तथा ह न बहिर्धा यज्ञाद्भवति । न प्रत्यक्षमिव आहवनीये । देवानां वै मरुतः । तदेनं मरुत्स्वेव प्रतिष्ठापयति ॥ १६ ॥

स हुत्वैव समिष्टयजूंषि, प्रथमावशान्तेष्वङ्गारेष्वेतं सोष्णीषं गर्भमादत्ते । तं प्राङ्तिष्ठञ्जुहोति-मारुत्यऽर्चा । "मरुतो यस्य हि क्षये पाथा दिवो विमहसः ॥ स सुगोपातमो जनः"-(वा. सं. ८ । ३१) इति । न स्वाहा करोति । अहुतादो वै देवानां मरुतो विट् । अहुतमिवैतद्-यदस्वाहाकृतम् । देवानां वै मरुतः । तदेनं मरुत्स्वेव प्रतिष्ठापयति ॥ १७ ॥

अथाङ्गारैरभिसमूहति-"मही द्यौः पृथिवी च न इमं यज्ञं मिमिक्षताम् । पिपृतां नो भरीमभिः"-(वा. सं. ८ । ३२ ।) इति ॥ १८ ॥

इत्यग्निष्टोमः ।

१-एष प्रथमः सोमः । सर्वविकाराणामयं प्रथमः सोम इति कर्कः । का. श्रौ. सू. १० । २०७ ।

इन्द्रो ह वै षोडशी । तं नु सकृदिन्द्रं भूतान्युत्यरिच्यन्त प्रजा वै भूतानि ता हैनेन सदृग्भुवमिवासुः ॥ १ ॥

(ऐ) इन्द्रो ह वाऽईक्षांचक्रे । कथं न्वहमिदꣳ सर्व्वमतितिष्ठेयमर्व्वागेव मदिदꣳ सर्व्वꣳ स्यादिति सऽएतं ग्रहमपश्यत्तमगृह्णीत स इदꣳ सर्व्वमेवात्यतिष्ठदर्व्वागेवास्मादिदꣳ सर्व्वमभवत्सर्व्वꣳ ह वाऽइदमतितिष्ठत्यर्व्वागेवास्मादिदꣳ सर्व्वं भवति यस्यैवं विदुषऽएतं ग्रहं गृह्णन्ति॥२॥

अथ षोडशी ग्रहः ।

इन्द्रो ह वै षोडशी तं नु सकृदिन्द्रं भूतान्यत्यरिच्यन्त । प्रजा वै भूतानि । ता हैनेन सदृग्भवमिवासुः ॥ १ ॥

इन्द्रो ह वाऽईक्षाञ्चक्रे ' कथं न्वहमिदं सर्वमतितिष्ठेयम् । अर्वागेव मदिदं सर्वं स्याद् ' इति । स एतं ग्रहमपश्यत् । तमगृह्णीत । स इदं सर्वमेवात्यतिष्ठत्, अर्वागेवास्मादिदं सर्वमभवत् । सर्वं ह वाऽइदमतितिष्ठति, अर्वागेवास्मादिदं सर्वं भवति यस्यैवं विदुष एतं ग्रहं गृह्णन्ति ॥ २ ॥

इन्द्रो ह वै षोडशीति । ' षोडशी ' नाम ग्रहोऽत्र ज्योतिष्टोमो ग्रह एव काम्यो विधीयते तदर्थमितिहासोपन्यासः । ' इन्द्रः ' देवराजः षोडशावयववशाकर्षणश्चक्षुः षोडशः सोऽस्यास्तीति ' षोडशी ' तच्छब्दः श्रूयत इत्यध्याहारः । योऽयं षोडशीन्द्रः । (प्रसिद्धानसक्तन्नित्यमेव प्रसिद्धः ।) प्राक् ' भूतानि ' तान्येवेच्छाकामाय ' अत्यरिच्यन्त ' । ज्ञानैश्वर्यप्रभावैः । ' प्रजा वै भूतानि ' देवराजव्यतिरिक्ताः ' प्रजाः ' ' भूतानि ' 'ताः' च प्रजा 'एनेन' इन्द्रेण ' सदृग्भवम् ' ' आसुः ' सदृश्यो भूत्वा भूत्वा आसुः स्थिताः । इन्द्र अग्निष्टोमाभ्यां ईजे ताऽअपि ताभ्यामीजिरे एवेत्यभिप्रायः ॥ १ ॥

अथैवं सति—इन्द्रो ह वा इति । स एतं ग्रहमिति । यद्यपि पूर्वं नोपन्यस्तो ग्रहस्तथाप्यातिप्रैत्यनया पुरोरुचा क्रमादुपस्थितायाः प्रत्यक्षवन्निर्दिश्यते वक्ष्यमाणम् । स इदꣳ सर्वमेवात्यतिष्ठदिति । यदस्मादिन्द्रात् कर्मविद्याभावनाभिर्निकृष्टं तत् सर्वमतिक्रम्य अतिष्ठत् । सर्वꣳ ह वा इदमिति । 'तिष्ठति' इति फलवचनम् । ननु च तं वै प्रातःसवने गृह्णीयादिति प्रातःसवनान्तर्गतोऽयं क्रमाज्ज्योतिष्टोमेन ग्रहीष्यते । ततश्च परार्थे फलश्रुतिरर्थवादः स्यात् यथाऽतिग्राह्येषु प्रवर्ग्ये च । नैतदेवं, तथा हि सति क्रत्वर्थोऽयं नित्यः स्यात्तत्र ' यद्यग्निष्टोमः स्यात् । यद्युक्थ्यः स्यात् । यदि षोडशी स्यात् ' इत्यनित्यता । दर्शनानि विहस्येरन् शाखान्तरवत्स्फुट एव स्यात्कामनिर्देशः । षोडशिना वीर्यकामः स्तुवीत । अतिग्राह्यास्तु नित्याः पृष्ठ्ये विश्वजिति च । प्रवर्ग्योऽपि नित्य एव चानेन कश्चित्प्रथमप्रयोगाद्वौ निरस्त इति विशेषः ॥ २ ॥

१–षडुत्तरेऽग्नयमिष्टेम उक्थ्यः षोडशी वाजपेयोऽतिरात्रोऽप्तोर्यामः । संस्थाविकारा इमे । न क्रतुविकाराः । तत्रोक्थ्यषोडश्यतिरात्राणामग्निष्टोमविकारत्वम् । अत्यग्निष्टेमस्यापि अग्निष्टोमशब्दनात् अग्निष्टोमविकारत्वम् । वाजपेयस्य षोडशिविकारत्वम् । अप्तोर्यामस्यातिरात्रविकारत्वम् । इति कर्कः । का. श्रौ. सू. । १० । २०९ ।

तस्मादेतदृषिणाभ्युनूक्तम् । न ते महित्वमनुभूदध द्यौर्यदन्यया स्फिग्या क्षामवस्थाऽइति न ह वाऽअस्यासौ द्यौरन्यतरां चन स्फिगीमनुबभूव तथेदꣳ सर्वमेवात्यतिष्ठदर्वागेवास्मादिदꣳ सर्वमभवत्सर्वꣳ ह वाऽइदमतितिष्ठत्यर्वागेवास्मादिदꣳ सर्वं भवति यस्यैवं विदुषऽएतं ग्रहं गृह्णन्ति ॥३॥

तं वै हरिवत्यऽर्चा गृह्णाति । हरिवतीषु स्तुवते हरिवतीरनुशꣳसति वीर्यं वै हर इन्द्रोऽसुराणाꣳ सपत्नानाꣳ समवृङ्क्त तथोऽएवैष एतद्वीर्यꣳ हरः सपत्नानाꣳ संवृङ्क्ते तस्माद्धरिवत्यऽर्चा गृह्णाति हरिवतीषु स्तुवते हरिवतीरनुशꣳसति ॥ ४ ॥

तं वाऽअनुष्टुभा गृह्णाति । गायत्रं वै प्रातःसवनं त्रैष्टुभं माध्यन्दिनꣳ

तस्मादेतदृषिणाभ्यनूक्तम्–"न ते महित्वमनुभूदध द्यौर्यदन्यया स्फिग्या क्षामवस्थाः" इति । न ह वाऽअस्यासौ द्यौरन्यतराञ्चन स्फिगीमनुबभूव । तथेदं सर्वमेवात्यतिष्ठत्, अर्वागेवास्मादिदं सर्वमभवत् । सर्वं ह वा इदमतितिष्ठति । अर्वागेवास्मादिदं सर्वं भवति–यस्यैवं विदुष एतं ग्रहं गृह्णन्ति ॥ ३ ॥

तं वै हरिवत्यऽर्चा गृह्णाति । हरिवतीषु स्तुवते, हरिवतीरनुशंसति । वीर्यं वै हर इन्द्रोऽसुराणां सपत्नानां समवृङ्क्त । तथो एवैष एतद्वीर्यं हरः सपत्नानां संवृङ्क्ते । तस्माद्धरिवत्यऽर्चा गृह्णाति । हरिवतीषु स्तुवते, हरिवतीरनुशंसति ॥ ४ ॥

तं वाऽअनुष्टुभा गृह्णाति । गायत्रं वै प्रातःसवनम्–त्रैष्टुभं माध्यन्दिनं सवनं जागतं तृतीयसवनम् । अथातिरिक्तानुष्टुब् अत्येवैनमेतद्रेचयति । तस्मादनुष्टुभा गृह्णाति ॥ ५ ॥

तस्मादेतदृषिणेति । (मैत्रेणैतदिन्द्रस्यातिष्ठातृत्वम् 'अभ्यनूक्तम्' 'न ते महित्वम्' इह उच्यते–हे भगवन्निन्द्र ! विजानतः बहूनि जातानि मरुदादीन्यस्येति विजानतः । तव महित्वं नानुभवति 'द्यौः' 'अध' अतः कारणात् चन 'यत्' यस्मात् कारणात् महाबलतया बलमिवात्मानमाचरितव्या एतव्या बलवत्तरा ? अहन्नहि परिशयानमर्त्यो जायमानं नु विधातव्या । "न ते महित्वमनुभूदध द्यौर्यदन्यया स्फिग्या क्षामवस्थाः" इति नैव यस्यैकमपि सव्यां दक्षिणां वा स्फिगामन्तमनुभूता" । "अनुर्लक्षणे"–(पा. सू. १ । ४ । ८४) इति कर्मप्रवचनीयः ।) यस्मिन्नुपदेशस्य निष्पन्नस्य का स्फिगी तमपि प्रदेशमुन्नतया द्यौर्न प्राप्तेत्यर्थः ॥ ३ ॥

तथा तेन प्रकारेणेदं सर्वमिन्द्रोऽत्यतिष्ठत् । यथा द्यौरादर्श्यपि न जातेति मन्त्रेणेतिहासं द्रढयति । तेनायं फलविधिः । तं वै हरिवत्येति । 'वीर्यं वै हरः' ज्योतिः । तव 'इन्द्रोऽसुराणाम्' स्वभूतं संवृक्तवानाच्छिन्नवान् वृतवानित्यर्थः । (ततश्च हाराहुतवानिति हरिरिन्द्रं) 'तथो एव' ततश्च हरिशब्दं हर्तृवाचिनं प्रयुञ्जानो हर्तैव वीर्यस्य भवतीति ॥ ४ ॥

तं वा इति । प्रसन्ना ॥ ५ ॥ ६ ॥

१–प्रातःसवनेऽतिग्राह्यान् गृहीत्वा षोडशिनं खादिरेण चतुःस्रक्तिनातिष्ठ युक्ष्वाहीति वा । अतिग्राह्यस्य बहुत्वाभावात् बहुवचनमुच्चारणार्थम् । अतिग्राह्यषोडशिनोः पौर्वापर्यं शाखांतरादिति कर्कः । आतिष्ठवृत्रहन् ८ । ३३ युक्ष्वाहिकेशिना ८ । ३४ इति मंत्रविकल्पः । इंद्रमिद्धरीइति ८ । ३५ । तृतीयमंत्रविकल्पस्तु आग्रयणाद्रेंद्रमिद्धरी इति गृहीत्वेति कठसूत्रोक्तेरिति महीधरः । का. श्रौ. सू. १२ । ९५

सवनं जागतं तृतीयसवनमथातिरिक्तानुष्टुबत्येवैनमेतद्रेचयति तस्मादनुष्टुभा गृह्णाति ॥ ५ ॥

तं वै चतुःस्रक्तिना पात्रेण गृह्णाति । त्रयो वाऽइमे लोकास्तदिमानेव लोकांस्तिसृभिः स्रक्तिभिराप्नोत्यत्येवैनं चतुर्थ्या स्रक्त्या रेचयति तस्माच्चतुःस्रक्तिना पात्रेण गृह्णाति ॥ ६ ॥ [अर्धप्रपाठकः] ॥

तं वै प्रातःसवने गृह्णीयात् । (दा) आग्रयणं गृहीत्वा स प्रातःसवने गृहीत ऐतस्मात्कालादुपशेते तदेनꣳ सर्व्वाणि सवनान्यतिरेचयति ॥७॥

माध्यन्दिने वैनꣳ सवने गृह्णीयात् । (दा) आग्रयणं गृहीत्वा सोऽएषा मीमाꣳसैव प्रातःसवनऽएवैनं गृह्णीयादाग्रयणं गृहीत्वा स प्रातःसवने गृहीत ऐतस्मात्कालादुपशेते ॥ ८ ॥

(तेऽथा) अथातो गृह्णात्येव । (वा) आतिष्ठ व्वृत्रहन्रथं युक्ता ते ब्रह्मणा हरी । अर्व्वाचीनꣳ सु ते मनो ग्रावा कृणोतु व्वग्नुना । उपयामगृहीतोऽसीन्द्राय त्वा षोडशिनऽएष ते योनिरिन्द्राय त्वा षोडशिनऽइति ॥ ९ ॥

तं वै चतुःस्रक्तिना पात्रेण गृह्णाति । त्रयो वाऽइमे लोकाः । तद् इमानेव लोकाँस्तिसृभिः स्रक्तिभिराप्नोति । अत्येवैनं चतुर्थ्या स्रक्त्या रेचयति । तस्माच्चतुःस्रक्तिना पात्रेण गृह्णाति ॥ ६ ॥

तं वै प्रातःसवने गृह्णीयात्—आग्रयणं गृहीत्वा स प्रातःसवने गृहीत ऐतस्मात्कालादुपशेते । तदेनं सर्वाणि सवनान्यतिरेचयति ॥ ७ ॥

माध्यन्दिने वैनं सवने गृह्णीयात् आग्रयणं गृहीत्वा सो एषा मीमांसैव प्रातःसवन एवैनं गृह्णीयादाग्रयणं गृहीत्वा स प्रातःसवने गृहीत ऐतस्मात्कालादुपशेते ॥ ८ ॥

अथातो गृह्णात्येव " आतिष्ठ वृत्रहन्रथं युक्ता ते ब्रह्मणा हरी । अर्वाचीनं सु ते मनो ग्रावा कृणोतु वग्नुना । उपयामगृहीतोऽसीन्द्राय त्वा षोडशिने एष ते योनिरिन्द्राय त्वा षोडशिने "-(वा. सं. ८ । ३३ ।) इति ॥ ९ ॥

तं वै प्रातःसवन इति । ऐतस्मात् कालादिति । तृतीयसवनप्रान्तात् कुत एतत् " तदेनꣳ सर्वाणि सवनान्यतिरेचयति " इति वाक्यशेषात् । तथापि " तं वै पुरास्तमयादुपाकरोति "—इति वचनादस्तमितं यावदुपशेते ॥ ७ ॥

माध्यन्दिने वैनमिति । प्रसन्नास्तिस्रः ॥ ८–९–१० ॥

१–माध्यंदिने वाऽऽग्रयणादुत्तरः । उत्तरः षोडशी गृह्यत इत्यर्थः । धाराग्रहांते वाऽतिग्राह्यान् । पूतभृतो वोपाकरिष्यन् पृथग्ग्रहम् । अत्र कर्कः । षोडशिनं गृह्णाति पृथग्ग्रहमुपाकरिष्यन्नतिग्राह्यान् गृह्णातीति योगविभागः । एवं चातिग्राह्याणां कालत्रयम् । षोडशिग्रहस्य तु चत्वारः कालाः । अंतराग्रयणोक्थ्यौ तृतीयसवने काण्वपाठाच्चतुर्थः काल इति । तथाच काण्वीया श्रुतिः । अथो अप्याहुः । तृतीयसवन एवैनं गृह्णीयादिति । आग्रयणमेव गृहीत्वाथैतमथोक्थ्यमिति । का० श्रौ० सू० १२ । ९६–९८ ।

(त्य) अनुया वा । युक्ष्वा हि केशिना हरी वृषणा कक्ष्यप्रा । अथा न इन्द्र सोमपा गिरामुपश्रुतिं चर । उपयामगृहीतोऽसीन्द्राय त्वा षोडशिनऽएष ते योनिरिन्द्राय त्वा षोडशिनऽइति ॥ १० ॥

(त्य) अथेत्य स्तोत्रमुपाकरोति । सोमोऽत्यरेच्युपावर्तध्वमित्युत्यैवैनमेतुद्रेचयति तं वै पुरास्तमयादुपाकरोत्यस्तमितेऽनुशꣳसति तदेनेनाऽहोरात्रे संदधाति तस्मात्पुरास्तमयादुपाकरोत्यस्तमितेऽनुशꣳसति ११

इति चतुर्थप्रपाठके चतुर्थं ब्राह्मणम् ॥ ४–४–४ ॥ (९. ३.)

अनया वा "युक्ष्वा हि केशिना हरी वृषणा कक्ष्यप्रा । अथा न इन्द्र सोमपा गिरामुपश्रुतिं चर । उपयामगृहीतोऽसीन्द्राय त्वा षोडशिन ऽएष ते योनिरिन्द्राय त्वा षोडशिने "–(वा. सं. ८ । ३४) इति ॥ १० ॥

अथेत्य स्तोत्रमुपाकरोति । सोमोऽत्यरेच्युपावर्तध्वमिति । अत्येवैनमेतद्रेचयति । तं वै पुरास्तमयादुपाकरोति, अस्तमितेऽनुशंसति । तदेनेनाहोरात्रे सन्दधाति । तस्मात्पुरास्तमयादुपाकरोति, अस्तमितेऽनुशंसति ॥ ११ ॥

अथेत्य स्तोत्रमुपाकरोतीति । न ग्रहणानन्तरम् " तं वै प्रातःसवने गृह्णाति "–इति " तं वै पुरास्तमयादुपाकरोति " इति च कालभेदात्तस्मादेतदेव द्रष्टव्यम् । यावत्तार्तीयसवनाभ्याम् उक्थविग्रहाभ्यां प्रतिप्रस्थात्रा चरिते हविर्द्धानमध्वर्युर्गत्वा यस्मान्न जात इति षोडशिनमुपस्थार्य तृणहिरण्यैरुपस्पृश्योपास्तमयमागत्य (?) स्तोत्रं षोडशिनस्तृणहिरण्यैरुपाकरोति । कथं ? हे उद्गातारोऽतिरेचितः सोमोऽस्माभिः षोडश्यनुहोमे चमसार्थमन उपावर्त्तध्वं यूयं स्तोत्रायेति । एवं ब्रुवन्नेतं षोडशिनमतिरेचयति । एवं सवनानि षोडश्यनुकारेण च यजमानं तं वै पुरास्तमयादिति ग्रहार्थत्वात् स्तोत्रस्य स्तोत्र उपाक्रियमाणे ग्रह एवोपाक्रियत इत्येतदङ्गीकृत्य तं षोडशिनं ग्रहं स्तोत्रात्मकं पुरास्तमयादुपाकरोत्यस्तमिते तु तमेवानुशंसति शस्त्रात्मना तथा च क्रियमाणं तेन षोडशिनाहोरात्रे सन्दधातीत्याह ॥ ११ ॥

इति श्रीमदाचार्यहरिस्वामिनः कृतौ माध्यन्दिनशतपथब्राह्मणभाष्ये चतुर्थकाण्डे
पञ्चमाऽध्याये तृतीयं ब्राह्मणम् ॥ ४–५–३ ॥

१–उक्थ्यांते षोडशिचरणमुपस्थायैनं यस्मान्न जात इति चमसानुनीय । अत्र प्रयोगक्रमः । उक्थ्यप्रचारांते षोडशिग्रहप्रचारः । ततः प्रथमं चमसोन्नयनम् । ततो यस्मान्न जात इति षोडशिग्रहोपस्थानम् । इति कर्कः । का. श्रौ. सू. १२ । ११३ ।

२–तृणहिरण्यैः स्तोत्रोपाकरणमुपास्तमये सोमोऽत्यरेच्युपावर्तध्वमिति कृष्णोऽश्व उपतिष्ठति । इंद्रं जुषो ३ स्वः प्रवेहा । प्र । इति षोडशिस्तोत्रम् । का. श्रौ. सू. १२ । ११४ ।

३–आश्वलायनानां विहतषोडशीशस्त्रम् । हिं भूर्भुवः स्वरोम् । अध्वर्यो शोशोंसावो ३ मिन्द्रजुषस्व प्रवहायाहीत्यादि उग्रस्य विष्टपमित्यन्तम् । षोडशीयागो द्विविधः । विहृतो अविहृतश्च । यत्र गौरीवीतं साम पठ्यते स विहृतः । यत्र निन९ सामे पठ्यते स अविहृतः । इति । षोडशीयागे षोडश शस्त्राणि १६ सौमिकानि द्वादश १२ त्रीणि उक्थ्यशस्त्राणि ३ । चतुर्थ षोडशिशस्त्रं च १–१६ ।

४–इंद्रस्य सम्राडिति भक्षणम् का. श्रौ. सू. १२–११५ । इति षोडशी परिसमाप्तः ।

सर्वे ह वै देवाः। (८) अग्रे सदृशा आसुः सर्वे पुण्यास्तेषाᳪं सर्वेषाᳪं सदृशानाᳪं सर्वेषां पुण्यानां त्रयोऽकामयन्तातिष्ठावानः स्यामेत्यग्निरिन्द्रः सूर्यः ॥ १ ॥

(स्ते) तेऽर्चन्तः श्राम्यन्तश्चेरुः। (स्त) तऽएतानतिग्राह्यान्ददृशुस्तानत्यगृह्णत तद्यदेनानत्यगृह्णत तस्मादतिग्राह्या नाम तेऽतिष्ठावानोऽभवन्यथैतऽएतदतिष्ठेवातिष्ठेव ह वै भवति यस्यैवं विदुषऽएतान्ग्रहान् गृह्णन्ति ॥ २ ॥

नो ह वाऽइदमग्रेऽग्नौ व्वर्च आस। यदिदमास्मिन्वर्चः सोऽकामयतेदं मयि व्वर्चः स्यादिति स ऽएतं ग्रहमपश्यत्तमगृह्णीत ततोऽस्मिन्नेतद्वर्चऽआस ॥ ३ ॥

सर्वे ह वै देवा अग्रे सदृशा आसुः—सर्वे पुण्याः। तेषां सर्वेषां सदृशानां सर्वेषां पुण्यानां त्रयोऽकामयन्त 'आतिष्ठावानः स्याम' इति—अग्निः इन्द्रः सूर्यः ॥ १ ॥

तेऽर्चन्तः श्राम्यन्तश्चेरुः। तऽएतानतिग्राह्यान्ददृशुः। तानत्यगृह्णत। तद्यत् एनान् अत्यगृह्णत। तस्मादतिग्राह्या नाम। तेऽतिष्ठावानोऽभवन्। यथैतऽएतदतिष्ठेव। अतिष्ठेव ह वै भवति। यस्यैवं विदुष एतान्ग्रहान्गृह्णन्ति ॥ २ ॥

नो ह वाऽइदमग्रेऽग्नौ वर्च आस—यदिदमास्मिन्वर्चः सोऽकामयत। इदं मयि वर्चः स्यादिति। स एतं ग्रहमपश्यत् तमगृह्णीत। ततोऽस्मिन्नेतद्वर्च आस ॥ ३ ॥

सर्वे ह वै देवा इति। एतेनातिग्राह्या नाम ग्रहाः पृष्ठ्ये षडहे विश्वजिति च विधीयन्ते। 'अतिष्ठावानः' अतिपूर्वात् ष्ठाधातोः "आतो मनिन्क्वनिब्वनिपश्च"—(पा. सू. ३। २। ७४) इति वनिप्। अत्यन्यान्देवांस्तिष्ठन्तीत्यतिष्ठावानः 'तान्' ग्रहानतिरिक्तान् गृह्णन्तो देवाश्च 'अतिष्ठावानोऽभवन्' कथं 'यथा' 'एते' अग्न्यादय (एव सर्वं लोकप्रसिद्धम्) 'अतिष्ठेव' तिष्ठतेर्मनिनि "आतश्चोपसर्गे"—(पा. सू. ३।३।१०६।) इति अतिष्ठानमतिष्ठाश्चेति वा एषामस्तीत्यतिष्ठावन्त इति प्राप्ते लुप् मतुपः। इवेति वाक्यपूरणोऽतिष्ठावान् एव भवति। 'यस्यैवं विदुष एतान् ग्रहान् गृह्णन्ति'। क्रतुफलमेवार्थं चादाय कीर्त्यते "तान्वै पृष्ठ्ये षडहे गृह्णीयादिति" क्रत्वर्थत्वात्। तत्रैव क्रतुभावे तदेव विदुषः फलं भवति नान्यस्यात एवेति वचनात् ॥ १ ॥ २ ॥

नो ह वा इति। त्रिभिरेताभिरग्न्यादय ऋषय एषां ग्रहाणां यथासङ्ख्यं तं वै त्रिभिः 'वर्चो' वीर्यं

१–पृष्ठ्यः षडहः प्रथमोऽग्निष्टोमश्चतुर्थः षोडश्युक्थ्या इतरे। का. श्रौ. सू. १२–४७। २–तत्रातिग्राह्यग्रहणं त्र्यहे पूर्वेऽग्ने पवस्वोत्तिष्ठन्नुदग्रमित्यन्वहमेवैकम्। उत्तरे वा। उत्तरे त्र्यहे वेति पक्षांतरम्। उभयोर्वा उभयोस्त्र्यहयोर्वा ग्रहणमिति च पक्षांतरम्। एवञ्च पक्षत्रयं विकल्पेन इति कर्कमतम्। संप्रदाये तु पक्षद्वयम् पूर्वे वा त्र्यहे उभयोर्वेति। का. श्रौ. सू. १२। ४८–५०।

नो ह वाऽइदमग्रऽइन्द्रऽओज आस । यदिदमस्मिन्नोजः सोऽकामयतेदं मय्योजः स्यादिति स एतं ग्रहमपश्यत्तमगृह्णीत ततोऽस्मिन्नेतदोज आस ॥ ४ ॥

नो ह वाऽइदमग्रे सूर्ये भ्राज ऽआस । यदिदमस्मिन्भ्राजः सोऽकामयतेदं मयि भ्राजः स्यादिति स ऽएतं ग्रहमपश्यत्तमगृह्णीत ततोऽस्मिन्नेतद्भ्राज ऽआसैतानि ह वै तेजाᳪंस्येतानि व्वीर्याण्यात्मन्धत्ते यस्यैवं विदुष ऽएतान्ग्रहान्गृह्णन्ति ॥ ५ ॥

तान्वै प्रातःसवने गृह्णीयात् । (द्रा) आग्रयणं गृहीत्वात्मा वाऽआग्रयणो बहु वाऽइदमात्मन ऽएकैकमतिरिक्तं क्लोम हृदयं त्वद्यत्त्वत् ॥ ६ ॥

(न्मा) माध्यन्दिने वैनान्त्सवने गृह्णीयात् । (दु) उक्थ्यं गृहीत्वोपाकरिष्यन्वा पूतभृतोऽयᳪं ह वाऽअस्यैषोऽनिरुक्त ऽआत्मा यदुक्थ्यः सोऽएषा मीमाᳪंसैव प्रातःसवनऽएवैनान्गृह्णीयादाग्रयणं गृहीत्वा ॥ ७ ॥

ते माहेन्द्रस्यैवानु होमᳪं हूयन्ते । (न्तऽ) एष वाऽइन्द्रस्य निष्केवल्यो

नो ह वाऽइदमग्रऽइन्द्रऽओज आस—यदिदमस्मिन्नोजः । सोऽकामयत । इदं मय्योजः स्यादिति । स एतं ग्रहमपश्यत् । तमगृह्णीत ततोऽस्मिन्नेतदोज आस ॥ ४ ॥

नो ह वाऽइदमग्रे सूर्ये भ्राज आस—यदिदमस्मिन्भ्राजः । सोऽकामयत । इदं मयि भ्राजः स्यादिति । स एतं ग्रहमपश्यत् । तमगृह्णीत । ततोऽस्मिन्नेतद्भ्राज आस । एतानि ह वै तेजांसि । एतानि वीर्याण्यात्मन्धत्ते—यस्यैवं विदुषः एतान्ग्रहान्गृह्णन्ति ॥ ५ ॥

तान्वै प्रातःसवने गृह्णीयादाग्रयणं गृहीत्वा । आत्मा वाऽआग्रयणः । बहु वाऽइदमात्मन एकैकमतिरिक्तं क्लोम, हृदयं त्वत् यत्त्वत् ॥ ६ ॥

माध्यन्दिने वैनान्त्सवने गृह्णीयात् । उक्थ्यं गृहीत्वा उपाकरिष्यन्वा पूतभृतः । अयं ह वाऽअस्यैषोऽनिरुक्त आत्मा—यदुक्थ्यः सोऽएषा मीमांसैव । प्रातःसवनऽएवैनान्गृह्णीयादाग्रयणं गृहीत्वा ॥ ७ ॥

ते माहेन्द्रस्यैवानु होमं हूयन्ते । एष वाऽइन्द्रस्य निष्केवल्यो ग्रहो यन्माहेन्द्रः । अप्यस्यैतान्नि-

---

भ्राजः ' इत्येतदर्शनं क्रियते । तेजांसि दीप्तयः वीर्याणि वीरयन्ति विक्रमन्ते कार्यं साधयन्ते तैरिति ॥ ३-५ ॥

तान्वै प्रातःसवन इति । ' आत्मा ' शरीरस्यैव ' बहु ' अतिरिक्तमस्ति । किं किं ' क्लोम ' शोणिताधारम् ' हृदयं त्वत् ' त्वच्छब्दश्चशब्दार्थे । क्लोमवद्धृदयं च ' यत् त्वत् ' अन्यत् यकृत्प्लीहादि तदात्मनोऽतिरिक्तम् । यस्मादेकैकमतिरिक्तं लक्षयत्येकैकं पृथगवस्थितमेवेत्यर्थः । ततः किं यद्यात्मनो बह्वतिरिक्तमस्ति । एतेऽप्यतिग्राह्याः अतिरिक्ताः तेनैतैरतिरिक्तस्थान एवात्मनोऽन्तरे भवितव्यमित्यभिप्रायः ॥ ६ ॥

माध्यन्दिन इति । ' उपाकरिष्यन्वा ' पृष्ठ्यं कुत एतत् । ते माहेन्द्रस्यैवानुहोमं हूयन्त इति[१] ।

१–माहेन्द्रमनुहोमः । अतिग्राह्याणामिति शेषः । का० श्रौ० सू० १२ । ५ । १ ।

ग्रहो यन्माहेन्द्रोऽप्यस्यैतन्निष्केवल्यमेव स्तोत्रं निष्केवल्यꣳ शस्त्रमिन्द्रो वै यजमानो यजमानस्य वाऽएते कामाय गृह्यन्ते तस्मान्माहेन्द्रस्यैवानु होमꣳ हूयन्ते ॥ ८ ॥

(न्तेऽथा) अथातो गृह्णात्येव । (व्रा) अग्ने पवस्व स्वपा ऽअस्मे वर्चः सुवीर्यम् ॥ दधद्रयिं मयि पोषम् ॥ उपयामगृहीतोऽस्यग्नये त्वा वर्चसऽएष ते योनिरग्नये त्वा वर्चसे ॥ ९ ॥

(सऽ) उत्तिष्ठन्नोजसा । सह पीत्वी शिप्रेऽअवेपयः ॥ सोममिन्द्र चमू सुतम् ॥ उपयामगृहीतोऽसीन्द्राय त्वौजसऽएष ते योनिरिन्द्राय त्वौजसे ॥ १० ॥

(सेऽद्ब) अदृश्रमस्य केतवः । (वो) विरश्मयो जनाꣳ२ ॥ अनु ॥ भ्राजन्तो अग्नयो यथा ॥ उपयामगृहीतोऽसि सूर्याय त्वा भ्राजायैष ते योनिः सूर्याय त्वा भ्राजायेति ॥ ११ ॥

ष्केवल्यमेव स्तोत्रम्, निष्केवल्यं शस्त्रम् । इन्द्रो वै यजमानः । यजमानस्य वाऽएते कामाय गृह्यन्ते । तस्मान्माहेन्द्रस्यैवानुहोमं हूयन्ते ॥ ८ ॥

अथातो गृह्णात्येव । " अग्ने पवस्व स्वपा अस्मे वर्चः सुवीर्यम् । दधद्रयिं मयि पोषम् । उपयामगृहीतोऽस्यग्नये त्वा वर्चसऽएष ते योनिरग्नये त्वा वर्चसे "–(वा० सं० ८ । ३८) इति ॥ ९ ॥

" उत्तिष्ठन्नोजसा सह पीत्वी शिप्रेऽअवेपयः । सोममिन्द्र चमू सुतम् । उपयामगृहीतोऽसीन्द्राय त्वौजसऽएष ते योनिरिन्द्राय त्वौजसे "–(वा० सं० ८ । ३९) इति ॥ १० ॥

" अदृश्रमस्य केतवः विरश्मयो जनां २॥ अनु । भ्राजन्तो अग्नयो यथा । उपयामगृहीतोऽसि सूर्याय त्वा भ्राजायैष ते योनिः सूर्याय त्वा भ्राजाय "–(वा० सं० ८ । ४०) इति ॥ ११ ॥

माहेन्द्रसंनिबन्धात्तांश्च ग्रहान् " पूतभृतो गृह्णीयात् " किं पुनः कारणम् उक्थ्यं गृहीत्वा गृह्णीयात् ' अयऽह वा अस्यैष ' यज्ञस्य ' अनिरुक्त आत्मा यदुक्थ्यः ' ततः किंतेनापि (तदतिरिक्तमादित्यं ब्रह्ममेवेत्यभिप्रायः) ॥ प्रातःसवन एवैनानिति । (यद्यपि नासासह प्रत्यासत्तिमात्रमस्ति । तथापि शरीरस्यायं क्लोमादिभिः सत्यत्वेन नाभेरित्यभिप्रायः) ॥ ७ ॥ ८ ॥

अथात इति । ' अग्ने पवस्व ' इत्यादीनां तु मन्त्र एवार्थलिङ्गक्रमाभ्यामेव तु ग्रहणसादनेष्वपि नियोज्यः ॥ ९–११ ॥

तेषां भक्षः । (क्षोऽग्ने) अग्ने वर्चस्विन्वर्चस्वांस्त्वं देवेष्वसि वर्चस्वानहं मनुष्येषु भूयासमिन्द्रौजिष्ठौजिष्ठस्त्वं देवेष्वस्योजिष्ठोऽहं मनुष्येषु भूयासम्॥ सूर्य भ्राजिष्ठ भ्राजिष्ठस्त्वं देवेष्वसि भ्राजिष्ठोऽहं मनुष्येषु भूयासमित्येतानि ह वै भ्राजाᳬंस्येतानि वीर्याण्यात्मन्धत्ते यस्यैवं विदुषऽएतान्ग्रहान्गृह्णन्ति ॥ १२ ॥

तान्वै पृष्ठ्ये षडहे गृह्णीयात् । (त्पू) पूर्वे त्र्यहऽआग्नेयमेव प्रथमेऽहन्नैन्द्रं द्वितीये सौर्यं तृतीयऽएवमेवान्वहम् ॥ १३ ॥

तानु हैकऽउत्तरे त्र्यहे गृह्णन्ति । तदु तथा न कुर्यात्पूर्वऽएवैनांस्त्र्यहे गृह्णीयाद्यद्युत्तरे त्र्यहे ग्रहीष्यन्त्स्यात्पूर्वऽएवैनांस्त्र्यहे गृहीत्वाथोत्तरे त्र्यहे गृह्णीयादेवमेव यथापूर्वं विश्वजिति सर्वपृष्ठऽएकाहऽएव गृह्यन्ते ॥ १४॥

इति चतुर्थप्रपाठके पञ्चमं ब्राह्मणम् ॥ ४-४-५ ॥ (५. ४.) ॥

तेषां भक्षः । " अग्ने वर्चस्विन्वर्चस्वांस्त्वं देवेष्वसि, वर्चस्वानहं मनुष्येषु भूयासम् । इन्द्रौजिष्ठौजिष्ठस्त्वं देवेष्वसि, ओजिष्ठोहं मनुष्येषु भूयासम् । सूर्य भ्राजिष्ठ भ्राजिष्ठस्त्वं देवेष्वसि, भ्राजिष्ठोऽहं मनुष्येषु भूयासम् "–(वा. सं. ८ । ३८-४०) इति । एतानि ह वै भ्राजांसि । एतानि वीर्याण्यात्मन्धत्ते । यस्यैवं विदुष एतान्ग्रहान्गृह्णन्ति ॥ १२ ॥

तान्वै पृष्ठ्ये षडहे गृह्णीयात् । पूर्वे त्र्यहे–आग्नेयमेव प्रथमेऽहन् । ऐन्द्रं द्वितीये । सौर्यं तृतीये–एवमेवान्वहम् ॥ १३ ॥

तानु हैकऽउत्तरे त्र्यहे गृह्णन्ति । तदु तथा न कुर्यात् । पूर्वऽएवैनांस्त्र्यहे गृह्णीयाद् । यद्युत्तरे त्र्यहे ग्रहीष्यन्त्स्यात्–पूर्वऽएवैनांस्त्र्यहे गृहीत्वा–अथोत्तरे त्र्यहे गृह्णीयात् । एवमेव यथापूर्वं विश्वजिति–सर्वपृष्ठऽएकाहऽएव गृह्यन्ते ॥ १४ ॥ इति पृष्ठ्यः षडहः । विश्वजिदेकाहो वा ॥

तेषां भक्ष इति । अत्रापि लिङ्गक्रमाभ्यामेव विनियोगः । यजमानस्यैव च भक्षो मन्त्रवर्णात् ' आत्मन्धत्ते ' इति च वाक्यशेषात् ॥ १२ ॥

तान्वै पृष्ठ्य इति । प्रथमे माहेन्द्रस्तोत्रं तत्साधनत्वाद्रथन्तरादीनि सामानि पृष्ठानि तत्सम्बन्धादहानि षट् पृष्ठानि तेषां समूहः पृष्ठ्यः षडहः । " तस्य समूहः " (पा. सू. ४ । २ । ३७ ।) इति प्रकृत्य यत्प्रकरणे–पृष्ठ्यादिभ्य उपसङ्ख्यानमाह–इति । प्रातःसवनसम्बन्धादन्यदारभ्य यावत्प्रकृतिकमिदं कर्मविशेषसम्बन्धवचनम् । तानु हैक इति । यद्युत्तरे त्र्यहे ग्रहीष्यन्स्यादुत्तरे त्र्यहे गृह्णातीत्यतो वचनात्ततः पूर्वे गृहीत्वैव गृह्णीयात् । विश्वजिति नाम्ना सर्वपृष्ठशब्दोऽत्र पृष्ठसाधने रथन्तरादिषु सामसु वर्तते । सर्वाणि पृष्ठसाधनानि रथन्तरादीनि यस्य सन्ति स सर्वपृष्ठस्तस्मिन्नेकाह एवैते गृह्यन्त इति विनियोगान्तरम् ॥१३॥१४॥

इति श्रीमदाचार्यहरिस्वामिनः कृतौ माध्यन्दिनशतपथब्राह्मणभाष्ये चतुर्थकाण्डे

पञ्चमाध्याये चतुर्थं ब्राह्मणम् ॥ ४-५-४ ॥

१-अग्ने वर्चस्विन्निन्द्रौजिष्ठ सूर्य भ्राजिष्ठेति भक्षणं यजमानैः । का० श्रौ० सू० १२ । ५२ ।

एष वै प्रजापतिः । (र्यु) र्य एष यज्ञस्तायते यस्मादिमाः प्रजाः प्रजाताऽ एतम्वेवाप्येतर्ह्यनु प्रजायन्ते ॥ १ ॥

(न्तऽउ) उपाᳫँशुपात्रमेवान्वजाः प्रजायन्ते । तद्वै तत्पुनर्यज्ञे प्रयुज्यते तस्मादिमाः प्रजाः पुनरभ्यावर्त्तं प्रजायन्ते ॥ २ ॥

(न्तेऽन्त) अन्तर्यामपात्रमेवान्ववयः प्रजायन्ते तद्वै तत्पुनर्यज्ञे प्रयुज्यते तस्मादिमाः प्रजाः पुनरभ्यावर्तं प्रजायन्ते ॥ ३ ॥

(न्तेऽथ) अथ यदेतयोरुभयोः । सह सतोरुपाᳫँशुं पूर्वं जुहोति तस्मादु सह सतोऽजाविकस्योभयस्यैवाजाः पूर्वा यन्त्यनूच्योऽवयः॥४॥

(योऽथ) अथ यदुपाᳫँ शुᳫं हुत्वा । (त्वो) ऊर्ध्वमुन्मार्ष्टि तस्मादिमा ऽअजाऽअराडीतरा आक्रममाणाऽइव यन्ति ॥ ५ ॥

(न्त्यु) अथ यदन्तर्यामᳫं हुत्वा । (त्वा) अवाञ्चमवमार्ष्टि तस्मादिमाऽ-अवयोऽवाचीनशीर्ष्ण्यः खनन्त्य इव यन्त्येता वै प्रजापतेः प्रत्यक्ष-

---

एष वै प्रजापतिर्य एष यज्ञस्तायते । यस्मादिमाः प्रजाः प्रजाताः। एतम्वेवाप्येतर्ह्यनु प्रजायन्ते॥१

उपांशुपात्रमेवान्वजाः प्रजायन्ते । तद्वै तत् पुनर्यज्ञे प्रयुज्यते । तस्मादिमाः प्रजाः पुनरभ्यावर्तं प्रजायन्ते ॥ २ ॥

अन्तर्यामपात्रमेवान्ववयः प्रजायन्ते। तद्वै तत् पुनर्यज्ञे प्रयुज्यते । तस्मादिमाः प्रजाः पुनरभ्यावर्तं प्रजायन्ते ॥ ३ ॥

अथ यदेतयोरुभयोः । सह सतोरुपांशुं पूर्वं जुहोति–तस्मादु सह सतोऽजाविकस्योभयस्यैवाजाः पूर्वा यन्ति–अनूच्योऽवयः ॥ ४ ॥

अथ यदुपांशुं हुत्वा ऊर्ध्वमुन्मार्ष्टि–तस्मादिमा अजा अराडीतरा आक्रममाणा इव यन्ति ॥ ५ ॥

अथ यदन्तर्यामं हुत्वाऽवाञ्चमवमार्ष्टि–तस्मादिमा अवयोऽवाचीनशीर्ष्ण्यः खनन्त्य इव यन्ति ।

एष वै प्रजापतिरिति । यज्ञात्मकस्य प्रजापतेरुपांशुपात्रादिभ्यः प्रदेशेभ्योऽजावयः 'प्रजायन्ते' तेषां च पात्राणां पुनःपुनः प्रयोगात्ता अपि प्रजाः पुनःपुनः प्रजायन्ते यदा यदाऽन्ते प्राजापत्यात्मकात् स लेशो यदन्ततो हारियोजनस्तद्देवताः 'प्रजाः' पालयितुम् अभिजिघ्रति । उपांशुपात्रासादनेनैव सर्वाः प्रजाः प्रजायन्त इत्येतद्दर्शनं ब्राह्मणेन क्रियते। (प्रायमेव वातः प्रभृति) अजा अराडीतरा अतिशयेन शीघ्रमुच्चैर्गच्छन्त्यराडीतराः । कथमरमिति निपातः शैघ्र्यवचनस्तस्य च्छान्दसो मकारलोपः । आ इत्युपसर्गऽउपार्थे उच्चैस्त्वम् । "डीङ् विहायस गतौ "–(धा. पा. भ्वा. आ. ९९३) तस्मात् क्विप् । अरमाडयन्ते शीघ्रमुच्चैर्गच्छन्ते इत्यराडयः । अवयोऽपि च शीघ्रमुच्चैश्च डयन्ते । अतिशयेन त्वजा अराडीतराः अरशब्दाद् आडीशब्दस्तदग्रे प्रसिद्धे तरप् । अराडीतरा इति शीघ्रप्रकृष्टोदग्रतायां प्रयुज्यते ॥ १–५ ॥

'अवाचीनशीर्ष्ण्यः' इत्येतस्य चोदग्रताया एव विपर्ययः । अवाचीनशीर्ष्ण्यः चाधोगतशिरस्का 'एता वै

तमां युदजावुयस्तुस्मादेताुस्त्रिः संव्वत्सरुस्य व्विजुायमाना द्वौ त्रीुनिति जनयन्ति ॥ ६ ॥

शुक्रपात्रमेवुानु मनुुष्याः प्रुजायन्ते। तद्वै तत्पुुनर्य्यज्ञे प्रयुुज्यते तुस्मादिमुाः प्रजाः पुुनरभ्यावुर्त्तं प्रुजायन्तऽएष वै शुुक्रो यु एष तुपत्येषुऽउऽएवेुन्द्रः पुुरुषो वै पशूनुामैन्द्रस्तुस्मात्पशूनुामीष्टे ॥ ७ ॥

(षष्ठ) ऋतुपात्रमेवान्वेुकशफं प्रुजायते। तद्वै तत्पुुनर्य्यज्ञे प्रयुुज्यते तुस्मादिमुाः प्रजाः पुुनरभ्यावुर्त्तं प्रुजायन्तऽइुतीव वुाऽऋतुपात्रमितीुवैकशफस्य शिुर आग्रयणपात्रमुक्थ्यपात्रमादित्यपात्रमेतुान्येवुानु गावः प्रुजायन्ते तुानि वै तुानि पुुनर्य्यज्ञे प्रयुुज्यन्ते तुस्मादिमुाः प्रजाः पुुनरभ्यावुर्त्तं प्रुजायन्ते ॥ ८ ॥

(न्तेुऽथ) अुथ युदजाः। कुनिष्ठानि पुात्राण्युनु प्रजुायन्ते तुस्मादेताुस्त्रिः संव्वत्सरुस्य व्विजुायमाना द्वौ त्रीुनिति जनुयन्त्यः कुनिष्ठाः कुनिष्ठानि हि पुात्राण्युनु प्रजुायन्ते ॥ ९ ॥

एता वै प्रजापतेः प्रत्यक्षतमां–यदजावयः । तस्मादेतास्त्रिः संवत्सरस्य विजायमाना द्वौ, त्रीन्, इति जनयन्ति ॥ ६ ॥

शुक्रपात्रमेवानु मनुष्याः प्रजायन्ते । तद्वै तत् पुनर्यज्ञे प्रयुज्यते–तस्मादिमाः प्रजाः पुनरभ्यावर्ती प्रजायन्ते । एष वै शुक्रो–य एष तपति । एवऽउऽएवेन्द्रः । पुरुषो वै पशूनामैन्द्रः । तस्मात्पशूनामीष्टे ॥ ७ ॥

ऋतुपात्रमेवान्वेकशफं प्रजायते । तद्वै तत् पुनर्यज्ञे प्रयुज्यते । तस्मादिमाः प्रजाः पुनरभ्यावर्त्ती प्रजायन्ते । इतीव वाऽऋतुपात्रम् । इति वैकशफस्य शिरः। आग्रयणपात्रम्, उक्थ्यपात्रम्, आदित्यपात्रम्–एतान्येवानु गावः प्रजायन्ते । तानि वै तानि पुनर्यज्ञे प्रयुज्यन्ते । तस्मादिमाः प्रजाः पुनरभ्यावर्त्ती प्रजायन्ते ॥ ८ ॥

अथ यदजाः कनिष्ठानि पात्राण्यनु प्रजायन्ते–तस्मादेतास्त्रिः सम्वत्सरस्य विजायमाना द्वौ, त्रीन् इति जनयन्त्यः कनिष्ठाः कनिष्ठानि हि पात्राण्यनु प्रजायन्ते ॥ ९ ॥

प्रजापतेः प्रत्यक्षतमां ' प्रत्यक्षत्वेन सन्निकर्षो लक्ष्यते । बहुप्रजत्वेन प्रजापतेः सन्निकृष्टतमाः प्राण्यन्तरेभ्यः । एष वै शुक्र इति । (मार्जनान्यनुकारेणाजादीनामुदग्रतादिकारेण धर्म्मो दर्शित एवमत्रापीति ।) तत्त्वं नाम शुक्रधर्मः पुरुषाणां दृश्यते । एकशफमन्वितर इति ' ऋतुपात्रम् ' ' इत्येकशफस्य ' ' शिर ' इत्यभिहितया दीर्घं त्रिकोणं प्रउग इव दर्शयति । एतानीति विचाररूपस्य प्रदर्शनमेतत् ॥ ६–८ ॥

अथ यदजा इति । कनिष्ठानामनेकत्वादुपांशुपात्रस्य बहुवचनमुपपन्नम् । प्रयोगान्तर्गतोपांशुपात्रान्तराभि-

(न्तेऽथ) अथ यद्गावः । (वो) भूयिष्ठानि पात्राण्यनु प्रजायन्ते तस्मा-देताः सकृत्संवत्सरस्य विजायमानाऽएकैकं जनयन्त्यो भूयिष्ठा भूयिष्ठानि हि पात्राण्यनु प्रजायन्ते ॥ १० ॥

(न्तेऽथ) अथ द्रोणकलशे । (शेऽन्त) अन्ततो हारियोजनं ग्रहं गृह्णाति प्रजापतिर्वै द्रोणकलशः स इमाः प्रजा उपावर्तते ता अवति ता अभिजि-घ्रत्येतद्वाऽएना अवति यदेनाः प्रजनयति ॥ ११ ॥

पञ्च ह त्वेव तानि पात्राणि । यानीमाः प्रजा अनु प्रजायन्ते समानमुपाᳬंश्वन्तर्यामयोः शुक्रपात्रमृतुपात्रमाग्रयणपात्रमुक्थ्यपात्रं पञ्च वाऽऋतवः संवत्सरस्य संवत्सरः प्रजापतिः प्रजापतिर्यज्ञो यद्यु षडेवऽर्तवः संवत्स रस्येत्यादित्यपात्रमेवैतेषाᳬं षष्ठम् ॥ १२ ॥

(मे) एकᳬं ह त्वेव तत्पात्रम् । यदिमाः प्रजा अनु प्रजायन्तऽउपा-

---

अथ यद्गावो भूयिष्ठानि पात्राण्यनु प्रजायन्ते । तस्मादेताः सकृत्सम्वत्सरस्य विजायमाना एकैकं जनयन्त्यो भूयिष्ठाः । भूयिष्ठानि हि पात्राण्यनु प्रजायन्ते ॥ १० ॥

अथ द्रोणकलशेऽन्ततो हारियोजनं ग्रहं गृह्णाति । प्रजापतिर्वै द्रोणकलशः स इमाः प्रजा उपा-वर्त्तते । ता अवति । ता अभिजिघ्रति । एतद्वाऽएना अवति—यदेनाः प्रजनयति ॥ ११ ॥

पञ्च ह त्वेव तानि पात्राणि—यानीमाः प्रजा अनु प्रजायन्ते—समानमुपांश्वन्तर्यामयोः, शुक्र-पात्रम्, ऋतुपात्रम्, आग्रयणपात्रम्, उक्थ्यपात्रम् । पञ्च वाऽऋतवः सम्वत्सरस्य । सम्वत्सरः प्रजापतिः । प्रजापतिर्यज्ञः । यद्यु षडेवऽर्तवः सम्वत्सरस्य—इत्यादित्यपात्रमेवैतेषां षष्ठम् ॥ १२ ॥

एकं ह त्वेव तत् पात्रम्—यदिमाः प्रजा अनु प्रजायन्ते—उपांशुपात्रमेव । प्राणो ह्युपांशुः, प्राणो हि प्रजापतिः । प्रजापतिं ह्येवेदं सर्वमनु ॥ १३ ॥

प्रायं तु द्रष्टव्यम् । तथापि तु आग्रयणोक्थ्यादित्यपात्रेभ्यः स्तोकान्येव भवन्ति तान्यपि हि प्रयोगभेदे प्रत्येकं बहूनि भवन्ति ॥ ९ ॥

‘ भूयिष्ठानि ’ इति बहुतमानि (स्वयाभवान्तानि) प्रयोगभेदापेक्षया तु बहुतमानि । ‘ प्रजापतिर्वै द्रोणकलश ’ इतराणि पात्राण्यपेक्ष्यत्वात् सर्वोपकारित्वाच्च ‘ स इमाः प्रजा ’ इतरपात्रे भवा ‘ उपावर्त्तते ’ ततः प्रयुज्यमान उपावृत्तश्चापि (ते धत्तेव) ‘अवत्यभिजिघ्रति’ कथं पुनः ‘ अवति ’ रक्षतीत्यत आह—‘ प्रजनयति ’॥ १० ॥ ११ ॥

‘ समानमुपांश्वन्तर्यामयोः ’ पात्रं तयोरेव समानत्वान्न तयोश्च समानत्वमध्यात्मं वायोर्वृत्तिभेदाङ्गीकरणादवत्येव पुनः ‘ यश्च ’ पुनः प्रयोगित्वात् प्रजानामनुरूपाणि चैतान्येव तेनैव चानुरूपता लक्ष्यते तेभ्य एव प्रदेशेभ्यः प्रजायन्ते नान्यत इत्यभिप्रायः ॥

ᳫँ शुपात्रमेव प्राणो ह्युपाᳫँ शुः प्राणो हि प्रजापतिः प्रजापतिᳫँ ह्येवेदᳫँ सर्व्वमनु ॥ १३ ॥

इति चतुर्थप्रपाठके षष्ठं ब्राह्मणम् ॥ ४।४।६ ॥ (५.५.)

एष वै प्रजापतिः । (य) य एष यज्ञस्तायते यस्मादिमाः प्रजाः प्रजाता एतम्वेवाप्येतर्ह्यनु प्रजायन्ते स आश्विनं ग्रहं गृहीत्वावकाशानवकाशयति ॥ १ ॥

स उपाᳫँ शुमेव प्रथममवकाशयति । प्राणाय मे व्वर्चोदा व्वर्चसे पवस्वेत्यथोपाᳫँ शुसवनं व्यानाय मे व्वर्चोदा व्वर्चसे पवस्वेत्यथान्तर्यामुमुदानाय मे व्वर्चोदा व्वर्चसे पवस्वेत्यथैन्द्रवायवं व्वाचे मे व्वर्चोदा व्वर्चसे

अथावकाशमन्त्राः ।

एष वै प्रजापतिर्य एष यज्ञस्तायते । यस्मादिमाः प्रजाः प्रजाताः । एतम्वेवाप्येतर्ह्यनु प्रजायन्ते । स आश्विनं ग्रहं गृहीत्वावकाशानवकाशयति ॥ १ ॥

स उपांशुमेव प्रथममवकाशयति–" प्राणाय मे वर्चोदा वर्चसे पवस्व "–(वा.सं.७।२७) इति । अथोपांशुसवनम्–" व्यानाय मे वर्चोदा वर्चसे पवस्व "–(वा. सं. ७।२७) इति।

'आदित्यपात्रमेवैतेषाम्' इति तदपि ह्यनुहोमेषु प्रयुक्तं सत् पुनरादित्यग्रहे प्रयुज्यत इत्यभिप्रायः । प्रजापतिं ह्येवेदमिति ।(यद्यपि [1]ध्रुवस्थानीयाच्छुक्रादिपर्वणः प्रजापतेस्तथापि प्राणानुगृहीत एवेत्यभिप्रायः)॥ १२॥ १३॥

इति श्रीहरिस्वामिनः कृतौ माध्यन्दिनीयशतपथब्राह्मणभाष्ये चतुर्थकाण्डे पञ्चमेऽध्याये पञ्चमं ब्राह्मणम् ॥ (४–५–५) ॥

एष वै प्रजापतिरिति । अध्वर्युर्ग्रहानवकाशाय यजमानस्तु सप्राणं कृत्स्नं यज्ञं जनयित्वा येन कुरुते । " प्राणाय म "–इत्यादिभिर्मन्त्रैरात्मानमेव प्रजापतिं करोत्ययं मन्त्रसमस्तार्थः। सोऽध्वर्युराश्विनं ग्रहं गृहीत्वाऽवकाशा उपांश्वादयस्तान् ' अवकाशयति ' अवेक्षयति । यजमानोऽवेक्षते अध्वर्युस्तमवेक्षयति । ' प्राणाय म ' इत्युपांशुमवेक्षस्वेत्येवमुत्तरानपि । तन्त्रकारस्तु मन्त्रानवकाशाननुवाचयतीति व्याजहार ॥ १ ॥

स उपांशुमिति । प्रसन्ना ॥ २ ॥

१–इमे पात्रावकाशमन्त्राः, द्रोणकलशावेक्षणमन्त्रः, आशीर्मन्त्रश्च–संहितायामग्निष्टोमाधिकार एव ध्रुवग्रहग्रहणानन्तरं कर्तव्यतयाऽऽम्नाताः । न त्विह ते मन्त्रा दृश्यन्ते ।

२–' यद्यपि ध्रुवस्थानीयाच्छुक्रादिपर्वणः '–इत्यादिः पाठश्चेत्–सुबोधः स्यादिति भाति ।

३–ग्रहानवेक्षयति यथागृहीतमवकाशान्वाचयति प्राणाय म इति प्रतिमन्त्रम् । उपांशुसवनं द्वितीयम् । उपांशुसवनस्याग्रहणादिदं सूत्रम् । आश्विनं षष्ठं शुक्रामन्थिनौ युगपत् पूतभृदाधवनीयौ च विश्वाभ्यो म इति । पूतभृदाधवनीयावपि चशब्दाद् युगपत् इति कर्कः । का. श्रौ. सू. ९ । १६६–१६८ ।

पवस्वेत्युथ मैत्रावरुणं क्रतूदक्षाभ्यां मे व्वर्चोदा व्वर्चसे पवस्वेत्युथाश्विनꣳ श्रोत्राय मे व्वर्चोदा व्वर्चसे पवस्वेत्युथ शुक्रामन्थिनौ चक्षुर्भ्यां मे व्वर्चोदसौ व्वर्चसे पवेथामिति ॥ २ ॥

(त्यु)अथाग्रयणम् । (मा) आत्मने मे व्वर्चोदा व्वर्चसे पवस्वेत्युथोक्थ्यमोजसे मे व्वर्चोदा व्वर्चसे पवस्वेत्युथ ध्रुवमायुषे मे व्वर्चोदा व्वर्चसे पवस्वेत्युथाम्भृणौ व्विश्वाभ्यो मे प्रजाभ्यो व्वर्चोदसौ व्वर्चसे पवेथामिति व्वैश्वदेवौ वाऽअम्भृणावतो हि देवेभ्य उन्नयन्त्यतो मनुष्येभ्योऽतः पितृभ्यस्तस्माद्वैश्वदेवावम्भृणौ ॥ ३ ॥

(णावु) अथ द्रोणकलशम् । कोऽसि कतमोऽसीति प्रजापतिर्वै कः कस्यासि को नामासीति प्रजापतिर्वै को नाम यस्य ते नामामन्महीति मनुते ह्यस्य नाम यं त्वा सोमेनातीतृपामेति तर्पयति ह्येनꣳ सोमेन

अथान्तर्यामम्–" उदानाय मे वर्चोदा वर्चसे पवस्व"–(वा. सं. ७ । २७ ।) इति । अथैन्द्रवायवम्–" वाचे मे वर्चोदा वर्चसे पवस्व "–(वा. सं. ७ । २७) इति । अथ मैत्रावरुणम्–" क्रतूदक्षाभ्यां मे वर्चोदा वर्चसे पवस्व "–(वा. सं. ७ । २७ ।) इति । अथाश्विनम्–" श्रोत्राय मे वर्चोदा वर्चसे पवस्व "–(वा. सं. ७ । २७) इति । अथ शुक्रामन्थिनौ–" चक्षुर्भ्यां मे वर्चोदसौ वर्चसे पवेथाम्"–(वा. सं. ७।२७) इति॥२॥

अथाग्रयणम्–" आत्मने मे वर्चोदा वर्चसे पवस्व "–(वा. सं. ७ । २८) इति । अथोक्थ्यम्–" ओजसे मे वर्चोदा वर्चसे पवस्व "–(वा. सं. ७ । २८) इति । अथ ध्रुवम्–" आयुषे मे वर्चोदा वर्चसे पवस्व "–(वा. सं. ७ । २८) इति । अथाम्भृणौ–" विश्वाभ्यो मे प्रजाभ्यो वर्चोदसौ वर्चसे पवेथाम् "–(वा. सं. ७ । २८) इति । वैश्वदेवौ वाऽअम्भृणौ अतो हि देवेभ्य उन्नयन्ति, अतो मनुष्येभ्यः, अतः पितृभ्यः । तस्माद्वैश्वदेवावम्भृणौ ॥ ३ ॥

अथ द्रोणकलशम् । " कोऽसि कतमोऽसि "–(वा. सं. ७ । २९) इति । प्रजापतिर्वै कः । " कस्यासि को नामासि "–(वा. सं. ७ । २९) इति । प्रजापतिर्वै को नाम ।

अथाग्रयणमिति । अवकाशावस्तीर्यादेरुत्तीरथाम्भृणौ पूतभृदाधवनीयावत आभ्यां पूतभृदाधवनीयाभ्यां देवेभ्य उन्नयन्ति सोमयागार्थमत एव मनुष्येभ्यः पितृभ्यश्च नाराशंस एतदभिप्रायमेतत् ॥ ३ ॥

अथ द्रोणकलशमिति । ' मनुते ह्यस्य नाम ' क इत्येतत् । ' स आश्विनं ग्रहं गृहीत्वा ' समर्थाचरणेन

१–' एवाभिप्रायमेतत् '–इ० पा० । २–कोऽसीति द्रोणकलशम् । भूर्भुवः स्वरिति जपति–यजमानः । का.श्रौ.सू. ९।१६९।१७०।

स आश्विनं ग्रहं गृहीत्वान्वङ्गमाशिषमाशास्ते तर्पयति सुप्रजाः प्रजाभिः स्यामिति तत्प्रजामाशास्ते सुवीरो वीरैरिति तद्वीरानाशास्ते सुपोषः पोषैरिति तत्पुष्टिमाशास्ते ॥ ४ ॥

तान्वै न सर्व्वमिवावकाशयेत् । (यो) यो न्वेव ज्ञातस्तमवकाशयेद्यो वास्य प्रियः स्याद्यो वानूचानोऽनूक्तेनैनान्प्राप्नुयात्स आश्विनं ग्रहं गृहीत्वा कृत्स्नं यज्ञं जनयति तं कृत्स्नं यज्ञं जनयित्वा तमात्मन्धत्ते तमात्मन्कुरुते ॥ ५ ॥

इति चतुर्थप्रपाठके सप्तमं ब्राह्मणम् ॥ ४-४-७ ॥ (५. ६.)

“ यस्य ते नामामन्महि ”-(वा. सं. ७ । २९) इति । मनुते ह्यस्य नाम । “ यं त्वा सोमेनातीतृपाम ”-(वा. सं. ७ । २९) इति । तर्पयति ह्येनं सोमेन । स आश्विनं ग्रहं गृहीत्वान्वङ्गमाशिषमाशास्ते-“ सुप्रजाः प्रजाभिः स्याम् ”-(वा. सं. ७ । २९) इति । तत् प्रजामाशास्ते । “ सुवीरो वीरैः ”-(वा. सं. ७।२९) इति । तद् वीरानाशास्ते । “ सुपोषः पोषैः ”-(वा. सं. ७ । २९) इति । तत् पुष्टिमाशास्ते ॥ ४ ॥

तान्वै न सर्वमिवावकाशयेत् । यो न्वेव ज्ञातः-तमवकाशयेत्, यो वास्य प्रियः स्याद्, यो वानूचानोऽनूक्तेनैनान्प्राप्नुयात् । स आश्विनं ग्रहं गृहीत्वा कृत्स्नं यज्ञं जनयति । तं कृत्स्नं यज्ञं जनयित्वा तमात्मन्धत्ते, तमात्मन्कुरुते ॥ ५ ॥ इति पात्रावकाशमन्त्राः ।

यजमानः । ‘ अन्वङ्गम् ’ प्राणतो प्राणादीनां पश्चात् । अङ्गेषु कल्पितेषु स लब्धात्मकः सन् ‘ आशिषमाशास्ते ’ भूर्भुवः स्वरिति । यक्षितव्यं लिङ्गक्रमाभ्यामेव विनियोगस्य सिद्धे तत् सत्येनैवेतद्वावः समर्द्धयतीति ब्राह्मणस्य च प्रदेशान्तरेऽभावात् ॥ ४ ॥

तान्वै न सर्वमिति । उपांश्वादिभिः सम्बन्धादवकाशान् सर्वप्रयोगविषयं प्राप्ते ज्ञातादिप्रयोग एव व्यवस्थाप्यते तत्रोपन्यासः । तानवकाशान्न सर्वं यजमानमज्ञातादिकमप्यवकाशयेत् । किंचिदेवावकाशयेदित्यर्थः । एतस्मादेव वचनात् सर्वशब्दादनवकाश्योऽपि (यजत दर्शयतीतरथा) अनवकाश्योऽकृरनकारित्वादनधिकृत एव, स्याद्यो न्वेव ज्ञातः शुच्याभिजनतया यो वास्याध्वर्योः ‘ प्रियः ’ प्रियोऽतिशयेन ‘ यो वानूचानो ’ वेदार्थानुवचनसमर्थोऽनूक्तेनानुवचनेन विद्ययैव ‘ एनान् ’ उपांश्वादिरूपान् प्राणान् प्राप्नुयात् ।

यथा ह ते वेहैते विद्याविन एवेति तमेव गुणं यजमानमवकाशयन् नान्यमन्यस्त्वनवकाशित एव यजमान आश्विनग्रहं गृहीत्वा कृत्स्नं यज्ञं जनयति तदा हि प्राणैर्ग्रहैर्योजितो भवतीत्यभिप्रायः ॥ ५ ॥

इति श्रीहरिस्वामिनः कृतौ माध्यन्दिनीयशतपथब्राह्मणभाष्ये चतुर्थकाण्डे पञ्चमेऽध्याये षष्ठं ब्राह्मणम् ॥ ४-५-६ ॥

१-ज्ञातप्रियानूचानानवकाशयेत् । का. श्रौ. सू. ९ । १७१ ।

ता वाऽएताः । (श्च) चतुस्त्रिꣳ शद्व्याहृतयो भवन्ति प्रायश्चित्तयो नामैष वै प्रजापतिर्य एष यज्ञस्तायते यस्मादिमाः प्रजाः प्रजाता एतम्वेवाप्येतर्ह्यनु प्रजायन्ते ॥ १ ॥

(न्तेऽष्टौ) अष्टौ वसवः । (ऽ) एकादश रुद्रा द्वादशादित्या इमेऽएव द्यावापृथिवी त्रयस्त्रिꣳश्यौ त्रयस्त्रिꣳशद्वै देवाः प्रजापतिश्चतुस्त्रिꣳशस्तदेनं प्रजापतिं करोत्येतद्वाऽअस्त्येतद्ध्यमृतं यद्ध्यमृतं तद्ध्यस्त्येतदु तद्यन्मर्त्यꣳ स ऽ एष प्रजापतिः सर्वं वै प्रजापतिस्तदेनं प्रजापतिं करोति तस्मादेताश्चतुस्त्रिꣳशद्व्याहृतयो भवन्ति प्रायश्चित्तयो नाम ॥ २ ॥

अथ प्रायश्चित्तम् ।

ता वाऽएताश्चतुस्त्रिंशद्व्याहृतयो भवन्ति–प्रायश्चित्तयो नाम । एष वै प्रजापतिः–य एष यज्ञस्तायते । यस्मादिमाः प्रजाः प्रजाताः । एतम्वेवाप्येतर्ह्यनु प्रजायन्ते ॥ १ ॥

अष्टौ वसवः, एकादश रुद्राः, द्वादशादित्याः । इमेऽएव द्यावापृथिवी त्रयस्त्रिंश्यौ । त्रयस्त्रिंशद्वै देवाः, प्रजापतिश्चतुस्त्रिंशः । तदेनं प्रजापतिं करोति । एतद्वाऽअस्ति, एतद्ध्यमृतम् । यद्ध्यमृतं

ता वा एता इति । ज्योतिष्टोमस्येदमखिलमारब्धं तत्र च मन्त्रपाठानुरोधेनातिग्राह्या विकृता अपि सत्र उक्ताः । तदनन्तरं मन्त्रानुरोधेन विषुवा ग्रहः महाव्रतीयो विश्वदास्यः । सत्रोत्थानं सोमप्रायश्चित्तानीत्येष ब्राह्मणक्रमः प्राप्नोति तत्र मन्त्रक्रममनादृत्यातिपर्यनुयोज्यत्वाच्च ज्योतिष्टोम एव पात्रविवोक्तावकाशवचनं चाधुनाऽपि ज्योतिष्टोम एव प्रायश्चित्तान्युच्यन्ते । तदर्थमुपक्रमते । 'ता वै एताः' मन्त्रसमाम्नाये "परमेष्ठ्यभिधीत" इत्यत्र "परमेष्ठिने स्वाहेति जुहुयात्" इत्यादि ब्राह्मणसहिते सिद्धाश्चतुस्त्रिंशद्व्याहृतयो भवन्ति । विभक्तिव्यवच्छिन्नाः परस्परं व्याह्रियन्ते पठ्यन्त इति व्याहृतयः परमेष्ठिने स्वाहेत्यादयः प्रायश्चित्तय इत्येवंनामिका यादृशमेव प्राप्तं नाशात् कर्म तादृशमेव प्रायश्चित्तम् उत्तरकालमपीत्येवं चेत्येते सञ्ज्ञायन्ते । आभिर्मेषव्यात्मिकाभिरिति प्रायश्चित्तस्य एतद्वैषज्यात्मकः प्रजापतिः ॥ १ ॥

अष्टौ वसव इति । (देविको याज्ञिकफलभूतः ।) 'वसवः' अग्न्यादय आरण्यके वक्ष्यन्ते । 'रुद्रा' आदित्या एकादश प्राणा आदित्या द्वादशमासास्ते अनुगृह्यन्ते द्यावापृथिव्योस्त्रिंशद्देवाः प्रजापतिसामान्यरूपास्त्रयस्त्रिंशद्वचनात् । तेनात्रेतिहाससिद्धा वस्वादयो देवगणाः (प्रातःसवनादिनाजादि पृथिव्यादिस्थाना) ग्रहीतव्याः । शेषस्य देवजातस्य द्यावापृथिवीभ्यां परिग्रहात्तेन त्रयस्त्रिंशद्देवाः प्रजापतिसामान्यरूपास्त्रयस्त्रिंश एव सः अवि-(देवैश्चतुस्त्रिंशकाजः प्रजापतिः।) ततः किं यद् 'एताश्चतुस्त्रिंशद् व्याहृतयो भवन्ति[1]' । तदेनं यज्ञमविकलमिवाधि-

१–परमेष्ठ्यादींश्च चतुस्त्रिंशतं जुहोति । इदं घर्मस्य मृन्मयपात्रभेदे प्रायश्चित्तं । चकारेण । यस्कृते चिदभिश्रिषः पुराजत्रुभ्य आतृदः । सधाता संधिं मघवा पुरूवसुरिष्कर्ता विहुतं पुनरिति च घर्म्यामिति पूर्वसूत्रोक्तेन मंत्रेण मृन्मयघर्म्यभिन्नपात्राभिमर्शनमपि प्रायश्चित्तं । का. श्रौ. सू. २५ । १३७ । पृषदाज्यस्कंदने चैके । परमेष्ठ्यादिचतुस्त्रिंशद्व्याहृतिहोमः । एकीयग्रहणाद्विकल्पः । का. श्रौ. सू. २५ । १४२ । अद्रिभेदने मारुतेन ब्रह्मसाम्ना स्तुवीरन् । मरुल्लिंगास्वृक्षु गीयमानं ब्रह्मसाम । माध्यंदिने ब्राह्मणाच्छंसि विग्रहरतोत्रमिदं । चतुस्त्रिंशद्धोमश्च । अद्रिभेदने भवतीत्यर्थः । का. श्रौ. सू. २५ । २९८ । २९९ ।

ता हैके । यज्ञं तन्व इत्याचक्षते यज्ञस्य ह त्वेवैतानि पर्वाणि स ऽएष यज्ञस्तायमान ऽएता ऽएव देवता भवन्तीति ॥ ३ ॥

सा यदि घर्मदुघा ह्वलेत् । (द) अन्यामुपसंक्रामेयुः स यस्यामेवैनां वेलायां पुरा पिन्वयन्ति तद्धैवैनामुदीचीं स्थापयेदग्रेण वा शालां प्राचीम् ॥ ४ ॥

तद्ध्यस्ति । एतदु तद्यन्मर्त्यम् । स एष प्रजापतिः । सर्वं वै प्रजापतिः । तदेनं प्रजापतिं करोति । तस्मादेताश्चतुस्त्रिंशद्व्याहृतयो भवन्ति-प्रायश्चित्तयो नाम ॥ २ ॥

ता हैके यज्ञं तन्व इत्याचक्षते । यज्ञस्य ह त्वेवैतानि पर्वाणि । स एष यज्ञस्तायमान एता एव देवता भवन्तीति ॥ ३ ॥

सा यदि घर्मदुघा ह्वलेत्-अन्यामुपसंक्रामेयुः । स यस्यामेवैनां वेलायां पुरा पिन्वयन्ति-तद्धैवैनामुदीचीं स्थापयेत्, अग्रेण वा शालां प्राचीम् ॥ ४ ॥

देविकं प्रजापतिं करोति तदनुकारेण च यजमानमेतद्वा अस्तीति पुनः सदात्मकतया वस्वादीनां यज्ञस्य व्याहृतीभावं प्रजापतित्वमापादयेदिति । एतद्धै व्याहृतियज्ञं व स्वादिरूपकमस्ति किमपि यदेतन्न तदन्यदित्यर्थः । कथम् ? ' एतद्ध्यमृतम् ' अविनाश्यमूर्तमित्यर्थः । कथं वस्वादयस्तावत् प्राणपिण्डात्मकाः सङ्घातरूपास्तेषामात्मरूपं तावन्निरूपवारमेवामृतप्राणपिण्डापेक्षयामृताः । (पिण्ड एव चतुर्मर्त्यो एवं यज्ञोऽपि देवतामृता हविर्मर्त्यं व्याहृतिष्वपि देवता परमेष्ठ्यादिका अमृताः । स्वाहाकारप्रदानं हविर्मर्त्यं पश्चमृतागसमङ्गीकृत्याह-) एतद्ध्यमृतमिति । ततः किमित्यत आह-यद्यमृतमस्ति न हि तत् कदाचिदपि नास्तीत्येवं तद्रूपं प्रतिपद्यते, तस्मान्नित्या अमृतास्ति सच्छब्दपर्याया इत्यभिप्रायः । एतदु तद्यन्मर्त्यमिति । तस्यैव व्याहृतियज्ञावस्थादे (?) मर्त्यांशेन यथोक्तेनासद्रूपतामाह-यन्मर्त्यमिति । प्रसिद्धं लोके स्थूलं विनाशि तदप्येतद्देवतारूपं समाप्तम् ॥ २ ॥

(तत्त्वयज्ञस्य ते इतस्तस्मात्तत्र एव ता भिन्ना एव ता भिन्ना एव ता भिन्ना एव यज्ञस्यानेकस्यास्तत्वएते चेष) प्रजा एव इत्येकेषां मतम् । यज्ञस्य ह त्वेवेति । देवतारूपाण्येव प्रत्येकं तानि समस्तानि । यज्ञस्तु तत्र व्यासज्यवल्लोक एव परमेष्ठ्यादीनि च पर्वाणीत्यर्थः । एता एव देवता इति । परमेष्ठ्यादिक अभिध्याता विरूपो यज्ञो भवन्तीति ॥ ३ ॥

ननु च व्याहृतिकालो यज्ञ इत्येवं पूर्वमुपन्यस्तमधुना तु देवताफलं दर्शयति । व्याहृतिग्रहणेन व्याहृतिसम्बद्धा देवता होमद्रव्यं कर्त्तेत्यादि सर्वमाक्षिप्तम् । यथैव यज्ञस्यात्तस्योत्तरकालं मन्त्रादिकाङ्गं चिकित्सनीयम्, एवं भिषज्यमप्यन्तकर्म आभिकोसिकमेव कदाचित्कथंचिद् व्यवह्रियते । कदाचिद् व्याहृतिभिः कदाचिद्द्रोऽनया कदाचिद् व्याहृतिभिश्चतुस्त्रिंशतिमाज्याहुतीति । सा यदि घर्मप्रवर्ग्यार्थं पयो दुग्धे या धेनुः सा घर्मदुघा " दुहः कब्घश्च "-(पा० सू० ३ । २ । ७० ।) इति हकारस्य घकारः । ' ह्वलेद् ' विनश्येद्वैद्याद्व्यादिना न वा गूर्हं ता तथापि सा घर्मधुग्भवेदित्युच्यते । ततोऽन्यां घर्मदुघामुपसंक्रामेयुः । अथ नान्या घर्मधुग्यतरतत्कथं तामुपगच्छेयुः । यस्यामेव वेलायां तस्मिन्नेव प्रदेशे गार्हपत्यस्य दक्षिणतो होतुः सन्दर्शने पुरा (अविनष्टा पूर्वापित्वं यन्निति सेवनार्था बहुदुग्धमालदुहमाम्नात्वन्ती ?) प्रयुञ्जते दोहयन्ति तद्वा तच्छब्दात् सप्तम्या लुक् तस्यामेकविधवेलायामेनामन्यां गामुदीचीं तथावस्थिते किं कुर्यादित्यत आह-॥ ४ ॥

१-घर्मधुग्व्याले चादोहे च । ह्वाले मरणे सतीत्यर्थः । का. श्रौ. सू. । २५ । ११८

तद्येऽएतेऽअभितः । पुच्छकाण्डꣳ शिखण्डास्थेऽनुच्छ्रयाते तयोर्यद्दक्षिणं तस्मिन्नेताश्चतुस्त्रिꣳशतमाज्याहुतीर्जुहोत्येतावान्वै सर्व्वो यज्ञो यावत्य एताश्चतुस्त्रिꣳशद्व्याहृतयो भवन्ति तदस्यां कृत्स्नमेव सर्व्वं यज्ञं दधात्येषा ह्यतो घर्मं पिन्वतऽएषो तत्र प्रायश्चित्तिः क्रियते ॥ ५ ॥

(तेऽथ) अथ यद्यज्ञस्य ह्वलेत् (त्त) तत्समन्वीक्ष्य जुहुयाद्दीक्षोपसत्स्वाहवनीये प्रसुतऽआग्नीध्रे वि वाऽएतद्यज्ञस्य पर्व्व स्रꣳसते यद्ध्वलति सा यैव तर्हि तत्र देवता भवति तयैवैतद्भिषज्यति तया संदधाति ॥ ६ ॥

तद् येऽएतेऽअभितः पुच्छकाण्डं शिखण्डास्थेऽअनुच्छ्रयाते—तयोर्यद्दक्षिणं-तस्मिन्नेताश्चतुस्त्रिंशतमाज्याहुतीर्जुहोति । एतावान्वै सर्वो यज्ञो—यावत्य एताश्चतुस्त्रिंशद्व्याहृतयो भवन्ति । तदस्यां कृत्स्नमेव सर्वं यज्ञं दधाति । एषा ह्यतो घर्मं पिन्वते एषो तत्र प्रायश्चित्तिः क्रियते ॥ ५ ॥

अथ यद्यज्ञस्य ह्वलेत्—तत् समन्वीक्ष्य जुहुयात्—दीक्षोपसत्सु, आहवनीये प्रसुतऽआग्नीध्रे । विवाऽएतद्यज्ञस्य पर्व स्रंसते—यद्ध्वलति । सा यैव तर्हि तत्र देवता भवति—तयैवैतद्भिषज्यति—तया सन्दधाति ॥ ६ ॥

तद्येऽएते इति । तस्या ये एते पुच्छकाण्डस्य पार्श्वतः उच्चैः स्थिते शिखण्डेइवास्थिनी शिखण्डास्थे । अस्थिशब्दस्य "छन्दस्यपि दृश्यते"–(पा० सू० ७ । १ । ७६) इत्यनङि कृते "अनसन्तान्नपुंसकाच्छन्दसि"–(पा० सू० ५ । ४ । १०३) इति समासान्तः । तयोरस्थि यद्दक्षिणं तस्मिन्नेताः परमेष्ठ्यादिरेवोपसंहारात् । ततश्चैवं विज्ञायते । **तस्मिन्नेता** इति । एताः व्याहृतिनामकाः आहुतीर्जुहोति' इति । 'एतावान्वै सर्वो यज्ञः' इत्यभिधीयते । 'एवं चतुस्त्रिंशदवस्थाविशेषा य इमे एते च परमेष्ठ्यादिकालका इत्यभिप्रायः । **तदस्यामिति** । (परमेष्ठ्यादयस्तत् कथं चाहुतिस्तत्रैवावतिष्ठते इत्यभिप्रायः ।) **कृत्स्नमिति** । कल्प्यते सर्वमित्यग्निष्टोमादिभेदभिन्नं किमर्थं पुनरस्यां 'यज्ञं' 'दधाति' इत्यत आह–'एषा' ह्यभिनवा धेनुरन्तर्भूतं 'घर्मं' प्रवर्ग्यसाधनं पयः 'पिन्वते' दुग्धे तच्च यज्ञस्य शिरः शिरसः सकलस्य स्त्रीसारो यदि वा अस्याः सकलोपयोगो भवतीति । ततोऽस्याः सुत्यायांधृतधर्मप्रादुर्भावो युज्यते नान्यथेति शेषेणेव 'तत्र प्रायश्चित्तिः' 'क्रियते' यदि धर्मदुधा ह्वलेदित्युपसंहारः ॥ ५ ॥

अथ यदिति । अन्यदपि कचित् सोमस्य विनश्येत् तत् तत्सम्यगनुदृश्य या देवता तस्यै परमेष्ठ्यादिकायै एकामाज्याहुतिं हुत्वा ब्रह्मा सकृद्गृहीतां जुहुयात् । 'दीक्षोपसत्सु' च वर्त्तमानासु 'आहवनीयस्य' शालाद्वार्यवत् 'जुहुयात्' । प्रसुते तु सुत्यायां यदि ह्वले कृत आग्नीध्रीये जुहुयात् । (आज्याहुत्योरभिधानाच्छालायामनुपक्रान्त एव क्रान्तौ गृह एवाहवनीये होतव्यतायै चैतद् भिषज्याहुत्यां तृप्तये इत्यभिप्रायः ।) अथ यास्ता उक्ताहुतय इति ।

१–उदीच्या दोहस्थानेऽन्यस्याः । अन्यस्या गोर्व्यवस्थिताया इत्यर्थः । शालाया वा पुरस्तात्प्राच्याः । शालाया वा पुरस्तादवस्थितायाः इत्यन्यस्या गोरवस्थानेविकल्पः । पुच्छकांडाद्दक्षिणेऽस्थनि हुत्वा दोहयेत् । तामेव गां दोहयेदित्यर्थः । का. श्रौ. सू. २५ । १३९–१४१ ।

(त्यु) अथ यदि स्कन्देत्। (त्तु) तदद्भिरुपनिनयेदद्भिर्वाऽइदꣳ सर्व्वमाप्तꣳ सर्व्वस्यैवाप्त्यै व्वैष्णववारुण्यऽर्चा यद्वाऽइदं किंचार्च्छति व्वरुण एवेदꣳ सर्व्वमार्पयति यथोरोजसा स्कभिता रजाꣳसि व्वीर्य्येभिर्व्वीरतमा शविष्ठा ॥ या पत्येतेऽअप्रतीता सहोभिर्व्विष्णूऽअगन्वरुणापूर्व्वहूताविति यज्ञो वै व्विष्णुस्तस्यैतदार्च्छति व्वरुणो वाऽआर्पयिता तद्यस्याश्चैवैतद्देवताया आर्च्छति यो च देवतार्पयति ताभ्यामेवैतदुभाभ्यां भिषज्यत्युभाभ्याꣳ संदधाति ॥ ७ ॥

अथ यदि स्कन्देत्–तदद्भिरुपनिनयेत् । आद्भिर्वाऽइदं सर्वमाप्तम् । सर्वस्यैवाप्त्यै । वैष्णववारुण्यऽर्चा । यद्वाऽइदं किं चार्च्छति–वरुण एवेदं सर्वमार्पयति । " यथोरोजसा स्कभिता रजांसि वीर्येभिर्वीरतमा शविष्ठा । या पत्येतेऽअप्रतीता सहोभिः, विष्णूऽअगन्वरुणा पूर्वहूतौ "–(वा. सं. ८ । ५९) इति । यज्ञो वै विष्णुः । तस्यैतदार्च्छति । वरुणो वाऽआर्पयिता तद् यस्याश्चैवैतद्देवतायाऽआर्छति, यो च देवतार्पयति–ताभ्यामेवैतदुभाभ्यां भिषज्यति, उभाभ्यां सन्दधाति ॥ ७ ॥

चतुर्गृहीतमित्यादयः प्रायश्चित्तयस्ताभिः सह किमासां भिषज्यतीति कार्यसाम्याद्विकल्पः । आहोस्वित् समुच्चयः ? भिन्नाङ्गवर्त्तित्वात् समुच्चयः। सत्यपि भैषज्ये सामान्ये ऋग्वेदाद्यंशस्ताभिर्भिषज्यति । (यागाद्यंशमाव्याभाव्यशस्याभिस्ततश्चावर्त्तेरकार्ये नानात्वात्समुच्चयः ।) तद्यथैकस्मिन्नेव कार्ये वातपित्तादिभेषजानामभिन्नदेशानामप्यवान्तरकार्यभेदानामवधयो न विकल्प एवमिहापि द्रष्टव्यम् । तथा च दर्शयत्युभयं ह्येतत् कर्माध्वरकर्म चेति तत्रैव तत्रापि सन्धाने च क्षुद्रात्रभयं ह्येतत् कर्म ऋग्वेदादिकं चेत्येवं सति यत्र विशेषतो नादिष्टं प्रायश्चित्तं तत्र कालाहुतिं हुत्वा वेदाहुतिं ब्रह्मा हुजुयात् । आदिष्टे तु प्रायश्चित्ते कालाहुतयस्तस्य च पात्रक्रमेण क्रिया एवमष्टावपि कालाहुतिं जप्त्वा यथोक्तां प्रायश्चित्तिं कुर्यात् ॥ ६ ॥

अथ यदीति । यज्ञस्येति वर्त्तते येन सम्बन्धी सोमोऽभिषुतः ' स्कन्देत् ' तत एव सोम इति न तावदाश्यादिपतन एतत्प्रायश्चित्तं पतितेऽपि तस्मिन्यज्ञस्य वैगुण्याभावात्तथैष्टिकश्च यदा स्कन्देत्तत्रापि प्राकृतस्यैव प्रायश्चित्तस्य भावात् । अनभिषुते सोमे स्कन्ने पुनर्गृहीतुं शक्यत्वाद्गृहीते च तस्मिन् वैगुण्याभावादभिषुतस्तु यः स्कन्दति तत्रावश्यं कियांश्चिदंशः प्रत्याहरणीयो भवति तन्न्यूनः सोमो भवतीति वैगुण्यात्तत्रैव युक्तं प्रायश्चित्तेन । यदि सोमस्य रसः किञ्चित्स्कन्देत्तदद्भिरुपसिञ्चेत । वैष्णवी चासौ वारुणीत्येतया वैष्णववारुण्या [ऋयाय द्वे । इदं किञ्चिल्लोके चार्छति । " ऋगतौ "–(धा. पा. १६ । ५.) इत्येष आङ्पूर्वो विनाशे वर्त्तते । तस्य च ऋच्छादेशः । यत् किञ्चिन्नश्यति सर्वमिदं वरुण एव ' अर्पयति ' विनाशयति, तस्यैवर्त्तेर्णिचि पुगागमः ' " ययोरोजसेति " एतया ऋचा यत्र वा ' देवता ' ' अर्पयति ' यस्माच्च विमृशति ' ताभ्यामुभाभ्यां । ' भिषज्यति ' तस्य कृत्स्नस्य ताभ्यामनुदेशादित्यभिप्रायः ॥ ७ ॥

१–ययोरोजसेवोदके नोपसिंचेत् । सोम एवस्कन्नहविर्यज्ञियप्रायश्चित्तमिदामिति कर्कः । स्कन्नसोमप्रायश्चित्तमिदामिति देवयाज्ञिकाः । ययोर्व्वैष्णववारुणी त्रिष्टुबिति कात्यायनसर्वानुक्रमः । का. श्रौ. सू. २५ । २८ ।

(त्यु) अथोऽअभ्येवु मृशेत् । (दे) देवान्दिवमगन्यज्ञस्तुतो मा द्रविणमष्टु मनुष्यानन्तुरिक्षमगन्यज्ञस्तुतो मा द्रविणमष्टु पितन्पृथिवीमगन्यज्ञस्तुतो मा द्रविणमष्टु यं कं च लोकमुगन्यज्ञस्तुतो मे भद्रमभूदित्युेवैतुदाह ॥ ८ ॥

तुद्ध स्मैतदारुणिराह । कि ऽँ सु यजेत यो युज्ञस्यु व्यृद्ध्या पापीयान्मुन्येत युज्ञस्यु वाऽअहुं व्यृद्ध्या श्रेयान्भवामीत्येतुद्ध स्म स तुदभ्याह युदेतुा आशिष ऽउपगुच्छति ॥ ९ ॥

इति चतुर्थप्रपाठकेऽष्टमं ब्राह्मणम् ॥ ८ ॥ ५. ७. ॥

अथोऽअभ्येव मृशेत्–" देवान्दिवमगन्यज्ञः ततो मा द्रविणमष्टु, मनुष्यानन्तरिक्षमगन्यज्ञः ततो मा द्रविणमष्टु, पितॄन्पृथिवीमगन्यज्ञः ततो मा द्रविणमष्टु–यं कं च लोकमगन्यज्ञः । ततो मे भद्रमभूत " (वा. सं. ८ । ६०) इत्येवैतदाह ॥ ८ ॥

तद्ध स्मैतदारुणिराह–किं स यजेत–यो यज्ञस्य व्यृद्ध्या पापीयान्मन्येत । यज्ञस्य वाऽअहं व्यृद्ध्या श्रेयान्भवामीत्येतद्ध स्म स तदभ्याह–यदेता आशिष उपगच्छति ॥ ९ ॥

इति प्रायश्चित्तम् ।

अथो अभ्येव मृशेदिति । देवैस्कन्नं सोमं नाद्भिरुपनिनयेत् । कालाहुतिभिश्चैतत्समुच्चीयते । भिन्नांशवर्त्तित्वादध्वर्युश्चेदं कुर्यात् । समाख्यानात् । कालाहुतिमात्रब्राह्मणश्रवणात् ॥ ८ ॥

तद्ध स्मैतदिति । या एता आशिषस्ततो मा द्रविणमष्ट्वित्यादयः । एवं तु स्कन्दनविशेषात्स (नभ्यनन सर्वस्माद्दूह्यते न लिङ्गक्रमात्) प्राप्तं यज्ञस्य दोह इत्यस्य वाचनं दर्शयति पूर्वासु कालाहुतिषु ॥ ९ ॥

इति श्रीहरिस्वामिनः कृतौ माध्यन्दिनीयशतपथब्राह्मणभाष्ये चतुर्थकाण्डे पञ्चमेऽध्याये सप्तमं ब्राह्मणम् ॥ ४–७ ॥

१–' यं कञ्च ' इत्यादिभागो मन्त्रतयैवाम्नातः संहितायाम् । इह तु सोंऽशः फलितार्थकथनमात्रं प्रतीयते । अत्र संहितायाम्–' चतुस्त्रिंशत्तन्तवः '–इति, ' यज्ञस्य दोहः '–इति, ' आपवस्व '–इत्येवं त्रयः प्रायश्चित्तार्था होममन्त्रा अन्येऽप्युक्तास्त इह ब्राह्मणे न दृश्यन्ते ।

२–देवान् दिवमगन्निति सोमे । सोमे स्कन्नहविर्येन्द्रियप्रायश्चित्तमिदमिति कर्कः । का. श्रौ. सू. २५ । २७ ।

३–सोमेज्योपपाते चैकैकांयथाकालं हुत्वा यज्ञस्यदोह इति व्वाचयति । अत्र कर्कः । सोमेज्यायामुपपातः सोमेज्योपपात इति समास इति । तेन न सोमयागोपपातः । इति फलितं । चतुस्त्रिंशद्धोमोऽध्वर्युकर्तृकः । एकैकहोममेवांगीकृत्य कालाहुतिहोमस्तु ब्रह्मकर्तृक इति कर्कः । आग्नीध्रीये सुत्यासु । सुत्यासु वर्तमानासु कालाहुतिराग्नीध्रीये इत्यर्थः । का. श्रौ. सू. २५ । १४३ । १४४ ।

तद्यत्रैतत्त्रिरात्रे सहस्रं ददाति। तदेषा साहस्री क्रियते स प्रथमेऽहंस्त्रीणि च शतानि नयति त्रयस्त्रिंशं शतं चैवमेव द्वितीयेऽहंस्त्रीणि चैव शतानि नयति त्रयस्त्रिंशं शतं चैवमेव तृतीयेऽहंस्त्रीणि चैव शतानि नयति त्रयस्त्रिंशं शतं चाथैषा साहस्र्यतिरिच्यते ॥ १ ॥

सा वै त्रिरूपा स्यादित्याहुः। (१) एतद्ध्यस्यै रूपतममिवेति रोहिणी ह त्वेवोपध्वस्ता स्यादेतद्ध्येवास्यै रूपतममिव ॥ २ ॥

सा स्यादप्रवीता। वाग्वाऽएषा निदानेन यत्साहस्र्ययातयाम्नी वाऽइयं वागयातयाम्न्यप्रवीता तस्मादप्रवीता स्यात् ॥ ३ ॥

गर्गत्रिरात्रमहीनम्।

तद् यत्रैतत्त्रिरात्रे सहस्रं ददाति–तदेषा साहस्री क्रियते। स प्रथमेऽहं स्त्रीणि च शतानि नयति, त्रयस्त्रिंशतं च। एवमेव द्वितीयेऽहं स्त्रीणि चैव शतानि नयति, त्रयस्त्रिंशतं च। एवमेव तृतीयेऽहं स्त्रीणि चैव शतानि नयति त्रयस्त्रिंशतं च। अथैषा साहस्र्यतिरिच्यते ॥ १ ॥

सा वै त्रिरूपा स्यादित्याहुः। एतद्ध्यस्यै रूपतममिवेति। रोहिणी ह त्वेवोपध्वस्ता स्यात्। एतद्ध्येवास्यै रूपतममिव ॥ २ ॥

सा स्यादप्रवीता। वाग्वाऽएषा निदानेन–यत्साहस्री अयातयाम्नी वाऽइयं वाग्, अयातयाम्नी अप्रवीता। तस्मादप्रवीता स्यात् ॥ ३ ॥

तद्यत्रैतदिति। साहस्रीब्राह्मणमेतत्। संवत्सरसत्रविषयो वैषुवतो ग्रह इति। मन्त्रक्रमादुपस्थितमप्युत्सार्याहीने गता 'साहस्री' तावदुच्यते। यत्र यस्मिँश्च त्रिरात्रे तिस्रो रात्रयः समाहतास्त्रिरात्रः। रात्र्या चाहोरात्रं लक्ष्यते, तेनाप्यहोरात्रपरिमितं सोमयागस्तत्तश्च यत्र त्रिरात्रे सोमयागस्तत्र सद्वाते गार्गाख्ये सहस्रं दक्षिणां ददाति तत्तत्रैषा वक्ष्यमाणा त्रिरूपादिका गौः साहस्री सहस्रस्य पूरणीत्येतस्मिन्नर्थे वक्ष्यमाणं द्रष्टव्यम्। सहस्राहवासा क्रियते इति वक्ष्यमाण सम्बन्धार्थ उपन्यासः। कथं नाम स यदेतत् प्रथमेऽहनि इत्याद्येतद्गर्गत्रिरात्रविषयं विज्ञाय ततः स प्रथमेऽहनीत्यसममर्थानुवाद एव। स एव समविभक्ताः प्रत्यहं ददातीत्यसद्धर्मस्य सर्वाहीनविषयत्वात्। 'अथैषा साहस्र्यतिरिच्यते' विभक्तुमशक्यत्वात् ॥ १ ॥

सा वै त्रिरूपेति। 'त्रिरूपा' त्रिवर्णा 'रोहिणी' रक्ता 'उपध्वस्ता' वर्णान्तरेणाहता 'रूपतमम्' रूपान्तरेभ्यः प्रकृष्टं रूपम् ॥ २ ॥

सा स्यादप्रवीतेति। वृषेणानुपगता। वाग्वा एवेति। वागेव देवता अस्या अधिदैवतमित्यर्थः। 'अयातयाम्नी' अनुपक्षीणवीर्या वाक् ससारा स्वकार्यादपि हरिणा 'अप्रवीता' असंस्कृतवीर्यत्वात् ॥ ३ ॥

१–सहस्रदक्षिणे त्रिरात्रे प्रतिविभज्य नयन् रोहिणीमुपध्वस्तामप्रवीतामतिरेचयति त्रिरूपां वा। का. श्रौ. सू.। १३। ७४।

(त्तां) तां प्रथमेऽहन्नयेत् । (द्रा) वाग्वाऽएषा निदानेन यत्साहस्री तस्या एतत्सहस्रं वाचः प्रजातं पूर्वा हैपैति पश्चादेनां प्रजातमन्वेत्युत्तमे वैनामहन्नयेत्पूर्वमहास्यै प्रजातमेति पश्चादेपान्वेति सोऽएषा मीमाᳫँसैवोत्तमऽएवैनामहन्नयेत्पूर्वमहास्यै प्रजातमेवैति पश्चादेपान्वेति ॥ ४ ॥

तामुत्तरेण हविर्धाने । दक्षिणेनाग्नीध्रं द्रोणकलशमवघ्रापयति यज्ञो वै द्रोणकलशो यज्ञमेवैनामेतद्दर्शयति ॥ ५ ॥

(न्या) आजिघ्र कलशम् । (म्म)मह्या त्वा विशन्त्विन्दव इति रिरिचान इव वाऽएष भवति यः सहस्रं ददाति तमेवैतद्रिरिचानं पुनराप्याययति यदाहाजिघ्र कलशं मह्या त्वा विशन्त्विन्दव ऽइति ॥ ६ ॥

पुनरूर्जा निवर्तस्वेति । तद्देव रिरिचानं पुनराप्याययति यदाह पुनरूर्जा निवर्तस्वेति ॥ ७ ॥

तां प्रथमेऽहन्नयेत् । वाग्वाऽएषा निदानेन—यत्साहस्री । तस्या एतत्सहस्रं वाचः प्रजातम् । पूर्वा हैपैति । पश्चादेनां प्रजातमन्वेति । उत्तमे वैनामहन्नयेत्, पूर्वमहास्यै प्रजातमेति, पश्चादेपान्वेति । सोऽएषा मीमांसैव । उत्तमऽएवैनामहन्नयेत् । पूर्वमहास्यै प्रजातमेवैति, पश्चादेपान्वेति ॥ ४ ॥

तामुत्तरेण हविर्धाने दक्षिणेनाग्नीध्रं द्रोणकलशवमघ्रापयति । यज्ञो वै द्रोणकलशः । यज्ञमेवैनामेतद्दर्शयति ॥ ५ ॥

" आजिघ्र कलशं मह्या त्वा विशन्त्विन्दवः "–(वा. सं. ८ । ४२) इति । रिरिचान इव वाऽएष भवति—यः सहस्रं ददाति । तमेवैतद्रिरिचानं पुनराप्याययति—यदाह—आजिघ्र कलशं मह्या त्वा विशन्त्विन्दव इति ॥ ६ ॥

" पुनरूर्जा निवर्तस्व "–(वा. सं. ८ । ४२) इति । तद्देव रिरिचानं पुनराप्याययति—यदाह—पुनरूर्जा निवर्तस्वेति ॥ ७ ॥

तां प्रथमेऽहन्निति । **पूर्वा हैपैतीति** । (गवामेष नाव इत्यभिधाय पूर्वमाह एषा इत्येवमपि ।) एनां स्त्रीणामग्रतो धावन्तो वत्सा इत्याशयः । **उत्तमे वैनामिति** । ये पुष्टा वत्सास्ते अग्रतो भवन्ति (तेहमुक्तमिति । एतस्मादेव वाक्यशेषात् प्रथमे इति यजमानो नान्यः प्रथमो न, धातव्याः ।) उत्तमे त्वनुनीयमानाः पश्चादिति गम्यते ॥ ४ ॥

तामुत्तरेणेति । अन्तरा शालासदसि नीत्वा ' द्रोणकलशम् ' एव ' अवघ्रापयति ' ' यज्ञो वै द्रोणकलशः ' वृत्रस्य शिरसो धारणात् सोमाधारश्चेति । **यज्ञ एवैनामिति** । यज्ञो यजमानस्तं सहस्रेण रिरिचानमनया सहस्रस्य पात्रभूतया रिच्यमानमभ्यानयतीत्यभिप्रायः ॥ ५ ॥

आजिघ्रेति । प्रसन्नार्थतस्तः ॥ ६–९ ॥

१–आद्येऽहन् प्रथमां नयेदंत्ये वा पश्चात् । आद्येऽहनिपक्षे प्रथमां अंत्येऽवाऽऽइनि पश्चान्नयेदिति । का. श्रौ. सू. १३ । ७५ ।

२–हविर्द्धानाग्नीध्रांतरे द्रोणकलशमेनामाघ्रापयत्याजिघ्रेति । का. श्रौ. सू. । १३ । ७६ ।

सा नः सहस्रं धुक्ष्वेति । तत्सहस्रेण रिरिचानं पुनराप्याययति यदाह सा नः सहस्रं धुक्ष्वेति ॥ ८ ॥

(त्यु) उरुधारा पयस्वती पुनर्मांविशताद्रयिरिति । तद्वेव रिरिचानं पुनराप्याययति यदाह पुनर्मांविशताद्रयिरिति ॥ ९ ॥

(त्यु) अथ दक्षिणे कर्णऽआजपति । (ती) इडे रन्ते हव्ये काम्ये चन्द्रे ज्योतेऽदिति सरस्वति महि विश्रुति ॥ एता तेऽअघ्न्ये नामानि देवेभ्यो मा सुकृतं ब्रूतादिति व्वोचेरिति वैतानि ह वाऽअस्यै देवत्रा नामानि सा यानि ते देवत्रा नामानि तैर्मा देवेभ्यः सुकृतं ब्रूतादित्येवैतदाह ॥ १० ॥

तामवार्जन्ति । सा यद्यपुरुषाभिवीता प्राचीयात्तत्रव्विद्यादरात्सीदयं यजमानः कल्याणं लोकमजैषीदिति यद्युदीचीयाच्छ्रेयानस्मिँल्लोके यजमानो भविष्यतीति व्विद्याद्यदि प्रतीचीयादिभ्यतिंल्विल इव धान्यतिल्विलो भविष्यतीति व्विद्याद्यदि दक्षिणेयात्क्षिप्रेऽस्माल्लोकाद्यजमानः प्रैष्यतीतिव्विद्यादेतानि व्विज्ञानानि ॥ ११ ॥

"सा नः सहस्रं धुक्ष्व"–(वा. सं. ८।४२) इति । तत्सहस्रेण रिरिचानं पुनराप्याययति–यदाह–सानः सहस्रं धुक्ष्वेति ॥ ८ ॥

"उरुधारा पयस्वती पुनर्मांविशताद्रयिः"–(वा. सं. ८।४२) इति । तद्वेव रिरिचानं पुनराप्याययति–यदाह–पुनर्मा विशताद्रयीरिति ॥ ९ ॥

अथ दक्षिणे कर्णऽआजपति–"इडे रन्ते हव्ये काम्ये चन्द्रे ज्योतेऽदिति सरस्वति महि विश्रुति । एता तेऽअघ्न्ये नामानि देवेभ्यो मा सुकृतं ब्रूतात"–(वा. सं. ८।४३) इति । वोचेरिति वा । एतानि ह वाऽअस्यै देवत्रा नामानि । सा यानि ते देवत्रा नामानि तैर्मा देवेभ्यः सुकृतं ब्रूतादित्येवैतदाह ॥ १० ॥

तामवार्जन्ति । सा यद्यपुरुषाभिवीता प्राचीयात्–तत्र विद्यात्–अरात्सीदयं यजमानः, कल्याणं लोकमजैषीदिति । यद्युदीचीयात्–श्रेयानस्मिँल्लोके यजमानो भविष्यतीति विद्यात् । यदि प्रतीची-

---

अथ दक्षिण[1] इति । 'वोचेरित्येतत्तथाभूता ब्रूयाद्' 'ब्रूताद्' इत्यस्य स्थाने 'वोचेरिति' ब्रूयात् । 'एतानि ह वै अस्यै' गोर्देवत्रा देवेषु नामानि ॥ १० ॥

तामवार्जन्तीति । तामवार्जितां साहस्रीमवघ्राय निरुक्तां सतीम् 'अवार्जन्ति' अवसृजन्ति विमुञ्चन्ति साऽवसृष्टासती 'पुरुषेणाभिवीता' अभिगमिता अजेर्गत्यर्थस्य (वीर्यस्य) वी आदेशः । यदि 'प्राचीयात्'

१–इडे रंत इति दक्षिणेऽस्याः कर्णे यजमानो जपति । रोहिणीसंदृक्‌रोऽस्यमिति कर्कः । व्वोचेरितिवाऽन्ते । ब्रूतादित्यस्यस्थाने 'व्वोचे" रिति वा ब्रूयादित्यर्थः का. श्रौ. सू. । १३ । ७७ । ७८ ।

तद्या ऽएतास्तिस्रस्तिस्रस्त्रिᳬंशत्यधि भवन्ति । तास्वेतामुपसमाकुर्वन्ति वि वा ऽएतां विराजं वृहन्ति यां व्याकुर्वन्ति विच्छिन्नोऽएषा विराड्या विवृढा दशाक्षरा वै विराट्तत्कृत्स्नां विराजᳬं संदधाति ताᳬं होत्रे दद्याद्धोता हि साहस्रस्तस्मात्ताᳬं होत्रे दद्यात् ॥ १२ ॥

(द्वौ) द्वौ वोन्नेतारौ कुर्वीत तयोर्यतरो नाश्रावयेत्तस्मा ऽएनां दद्याद्व्यृद्धो वा ऽएष उन्नेता य ऋत्विक्सन्नाश्रावयति व्यृद्धोऽएषा विराड्या विवृढा तद्यद्व्यृद्ध ऽएवैतद्व्यृद्धं दधाति ॥ १३ ॥

यात्—इभ्यतिल्विल इव, धान्यतिल्विलो भविष्यतीति विद्यात् । यदि दक्षिणेयात्—क्षिप्रेऽस्माल्लोका-द्यजमानः प्रैष्यतीति विद्यात् । एतानि विज्ञानानि ॥ ११ ॥

तद् या एतास्तिस्रस्तिस्रस्त्रिंशत्याधिभवन्ति—तास्वेतामुपसमाकुर्वन्ति । वि वाऽएतां विराजं वृहन्ति—यां व्याकुर्वन्ति । विच्छिन्नोऽएषा विराट्—या विवृढा । दशाक्षरा वै विराट् । तत् कृत्स्नां विराजं सन्दधाति । तां होत्रे दद्यात् । होता हि साहस्रः । तस्मात्तां होत्रे दद्यात् ॥ १२ ॥

द्वौ वोन्नेतारौ कुर्वीत । तयोर्यतरो नाश्रावयेत्—तस्मा एनां दद्यात् । व्यृद्धो वाऽएष उन्नेता—य ऋत्विक्सन्नाश्रावयति । व्यृद्धोऽएषा विराट् या विवृढा । तद् व्यृद्धऽएवैतद्व्यृद्धं दधाति ॥ १३ ॥

गच्छेत् ' तत्र ' निमित्ते ' विद्यादरात्सीत् ' " ऋधु वृद्धौ "—(धा. पा. स्वा. प. २९) । इति धातो रूपम् । सिद्धकर्मा ' यजमानः ' ' कल्याणम् ' शोभनं स्वर्गं ' लोकं ' जितवान् ' अयम् ' यदि च ' प्रतीचि ' ' इयात् ' तत ' इभ्यतिल्विलो भविष्यतीति ' ' विद्यात् ' । " विल संवरणे "–(धा. पा. तु. ६७) तिल इव शाखाभिः पुष्पफलेन वर्धते तिल्विलं छान्दसोऽकारलोपः । इभा हस्तिनः इभेभ्यो हिता इभ्याः हस्तिपका इभ्यः तिल्विलो वृत इति (इभ्यतिल्विलत्वामभ्यहस्तिभ्यां भवतीति तत्प्रदानार्था एव इभ्याः ।) हस्तिनो भवन्तीत्यर्थः । इवशब्दः समुच्चये । धान्यावृत इव धान्यावृतश्चेत्यर्थः ।

तद्या एता इति । अथैतां विसृष्टां सतीं किं कुर्वन्तीत्यत आह—'या एताः' प्रतिदिवसं 'तिस्रस्तिस्रो गावः त्रिंशतिरधिका अपि 'भवन्ति' " यस्मादधिकं यस्य चेश्वरवचनं–तत्र सप्तमी " (पा. सू. २।३।९) ' तासु ' 'एतासु' पूर्वनीतासु एतां साहस्रीमुपनीय स एकादशभिः कुर्वन्नेकादशतं कुर्वन्तीत्यर्थः । 'विवृहन्ति' "वृहू उद्यमे"—(धा. पा. तु. प. ६६) । विविधं हि वैतां ' विराजं ' ' यां ' पृथक् आनयन्ति । ' विच्छिन्ना उ एषा ' ' विराड् ' दक्षिणात्मिका ' या ' ' विवृढा ' विभज्योद्यम्य नीता ततस्तस्मादुद्यताभवत् समं सृजति ' विराजं संदधाति ' । दशाक्षरा हि विराट् विराड्यज्ञो भुवनात्मा च [सर्वा न्याभिरवावदसद्वेप्रमु] संहित एवानया नु ' कृत्स्नां ' ' संदधाति ' इत्याशयः । होता दक्षिणां नयतीति । नयतेर्दाने प्रयुक्तत्वात् । ' तां[1] होत्रे दद्यात् ' इति वदतो दाने दर्शनात् । तास्वेतामुपसमाकुर्वन्तीति च पूर्वनीतायाः संसर्गवचनात् यदि तु संसृज्यैव ताभिर्नवभिः साहस्रं नीयते ततः कथं सा विराड्विवृढा व्याकृतार्थाः स्यात्तस्मादर्पण एवायं नियमो न्यूना दशतोपनायदिति ।

१–सव्वतों नवसु दशमीं कृत्वा होत्रे दद्यात् । उन्नेतारौ वा कृत्वा नाश्रावयते । दशदशाभेदेन दक्षिणा दद्यात् । का. श्रौ. सू. १३ । ७९-८१ ।

तुदाहुः । (नुं) नु सहस्रेऽधि किं चनु दद्यात्सहुस्रेण ह्येव सुर्व्वान्कामानाप्नोतीति तुदु होवाचासुरिः कुाममेवु दद्यात्सहुस्रेणाह सुर्व्वान्कामानाप्नोति कुामेनोऽअस्येतरद्दत्तं भवतीति ॥ १४ ॥

(त्यु) अुथ युदि रथं वा युक्तं दास्यन्त्स्यात् । (त्रु) युद्वा व्वशायै वा व्वपायाᳪं हुतायां दद्यादुदवसानीयायां वेष्टौ ॥ १५ ॥

स वै दुक्षिणा नुयन् । (न्नु) अुन्यूना दशुतो नयेद्युस्माऽएकां दास्यन्त्स्याद्दशुभ्यस्तेभ्यो दशुतमुपावर्तयेद्युस्मै द्वे दास्यन्त्स्यात्पञ्चभ्यस्तेभ्यो

तदाहुः—न सहस्रेऽधि किंचन दद्यात् सहस्रेण ह्येव सर्वान्कामानाप्नोतीति । तदुहोवाचासुरिः—काममेव दद्यात् । सहस्रेणाह सर्वान्कामानाप्नोति । कामेनोऽअस्येतरद्दत्तं भवतीति ॥ १४ ॥

अथ यदि रथं वा युक्तं दास्यन्त्स्यात्, यद्वा वशायै वा, वपायां हुतायां दद्यात्, उदवसानीयायां वेष्टौ ॥ १५ ॥

स वै दक्षिणा नयन्, अन्यूना दशतो नयेत् । यस्माऽएकां दास्यन्त्स्याद् दशभ्यस्तेभ्यो दशतमुपा-

---

नयनो नयनं तु त्रयस्त्रिंशता सहितानां त्रयाणां शतानां सहितानामेवेति द्रष्टव्यम् । तत्र तु प्रकृतशतविभागानुसारेण मुख्यस्यैकैकस्य चतस्रश्चतस्रो दशतोऽर्पणीयाः प्रपद्यन्ते । होतुस्तिस्रो दशतः सप्त च त्रिभागोनगावः प्राप्नुवन्ति । तस्य हि साहस्र्या सहिते एकादशकार्यमिष्यते । ततश्च तृतीयिनामिहास्यैषो सदर्पणीया प्राप्नोति । अर्धिनां तु द्वे द्वे दशतावन्येन एवं (प्राप्नुतायादीचैवैका तृतीयिनां सत्रिभागा त्रयोदशैकादशश्लोको कसा प्राप्नुवन्ति) तत्तद्दशतमर्पयित्वा पुनस्त्रयाणामेकादशतमर्पयेन्, चतुर्होत्रा सह पूर्णामर्पयेदित्येवं प्राकृतविभागेनार्पणे प्रसज्यमाने आह—यस्मा एकामेकादशते आह-होता हि साहस्रं सत्युक्थे बृहतीनां सहस्रमर्हतीति साहस्रः य ऋत्विक् सन्नित्युन्नेता सन्नित्यर्थः । स ऋत्विक्छब्द उन्नेतुर्लक्षणार्थः । इतरथा तु बहव एव ऋत्विजो नाश्रावयन्ति तेषामपि बृहती स्यात् । ' तदाहुर्न सहस्रे ' दीयमानेऽधिकमश्वादिकं प्रतिषिध्यते तेन विनैव क्रतुफलं सिद्ध्यतीत्येतद्दर्शयति ' सहस्रेण ह्येव काममेव ' ददाति विविधसामर्थ्याद्विशेषः । तदाह-सत्यं तावत् सहस्रेणैव ' सर्वान्कामानाप्नोति ' ' कामेन ' एव इच्छयाऽस्य यजमानस्येतरद्दत्तं भवति (तं च निष्फले दाने इव युक्ता तत्र भूमेच्छया ' इतरद्दत्तं भवति ' सफलमभूदत एवं सिद्धे नान्य एवेत्यभिप्रायः) ॥ १४ ॥

अथेति । ' अथ यदि ' तत्राधिकारार्थं वा युक्तं यद्वान्यत्किञ्चिद्यदि ' दास्यन्स्यात् ' ततो वशायै वपायां ' दद्यादुदवसानीयायां वेष्टौ '[1] । सूत्रकारेणात्र " साहस्रीमेव तद्ददाती " त्युक्तम् । तच्छ्रुत्यन्तरतो ज्ञेयम् ॥ १५ ॥

स वै दक्षिणेति । स वै यजमानकाल इत्यर्थः । नयनेन दानं लक्ष्यते किं कारणम् । त्रीणि च शतानि नयति त्रयस्त्रिंशमेवेति ।(त्रयस्त्रिंशानामन्यूनाभिर्दशभिर्नेतुमशक्यत्वात् । तस्मादाग्नीध्रे दक्षिणा इयं भाष्ये व्याख्या-

---

१-अनूबंध्यवपाहोमांते दद्यादेनाम् । एनां दशमीमिति सूत्रशेषः । उदवसानीयायां वा । अन्यदिच्छन् । का. श्रौ.सू. १३।८२-८४

दशतमुपावर्तयेद्यस्मै तिस्रो दास्यन्त्स्यात्त्रिभ्यस्तेभ्यो दशतमुपावर्तयेद्यस्मै पञ्च दास्यन्त्स्याद्द्वाभ्यां ताभ्यां दशतमुपावर्तयेदेवमाशतात्तथो हास्यैषाऽन्यूना विराडमुष्मिँल्लोके कामदुघा भवति ॥ १६ ॥

इति चतुर्थप्रपाठके नवमं ब्राह्मणम् ॥ ९ ॥ (९. ८.) ॥

चतुर्थः प्रपाठकः ॥ कण्डिकासंख्या ॥ १२९ ॥

वर्तयेत् । यस्मै द्वे दास्यन्त्स्यात्–पञ्चभ्यस्तेभ्यो दशतमुपावर्तयेत् । यस्मै तिस्रो दास्यन्त्स्यात्–त्रिभ्यस्तेभ्यो दशतमुपावर्तयेत् । यस्मै पञ्च दास्यन्त्स्याद्–द्वाभ्यां ताभ्यां दशतमुपावर्तयेत् । एवमाशतात् । तथो हास्यैषाऽन्यूना विराडमुष्मिँल्लोके कामदुघा भवति ॥ १६ ॥

इति गर्गत्रिरात्रम् ।

पूर्वं कर्तव्या ।) ' यस्मा एकाम् ' इत्यादि । तत्रैतावानेवार्थो विधेयो दशभ्यो मुख्यादिभ्यो ' दशतमुपावर्तयेत् ' अर्पयेत् पुनः पञ्चभ्यस्तेभ्यो मुख्येभ्य एकादशतमुपावर्तयेदित्येतदपि प्राप्नोति तथाप्यर्थविरोधान्न भवति । पञ्चदशतमित्येतदेव भवति पञ्चभ्य एकेभ्यो द्विभ्य एकादशायनसामर्थ्यात् । ततस्त्रिभ्य उपावर्तयेत्प्रशास्तृ प्रस्तोतृभ्यां तिस्रस्तिस्र उद्गात्रे चतस्र इत्येवं ततो द्वाभ्यां दशतमुपावर्तयेत् होत्रध्वर्युभ्यां यतो ' यस्मै ' वमाशतात् दशभ्यः पञ्चदशभ्यो दशतमुपावर्तयेदिति प्राप्नोति तथाप्यविरोधात् त्रिभ्य एव दशतमुपावर्तयेत् कथं नु नवमदशमाभ्यामिति तिस्रस्तिस्रो होत्रे च तिस्रः पुनः पात्रादिभ्य स्तिस्र इति तिलोऽभ्यर्गने चतस्रः पुनरपि या दिशां तिस्रस्तिस्रो नेष्ट्रे चतस्र इत्येवं चार्गितासु तास्वन्ते प्रतिग्रहमन्त्रः सकृदेव हि प्राकृतेन क्रमेण ब्रूयुः । यास्तु तास्त्रयस्त्रिंशत्तासां तिस्रो होत्र उन्नेत्रे वा स्थापयित्वा दशकर्मोक्तसंख्यादिभ्यो वा चतुष्कत्वो ग्रावस्तुद्भ्य एवोन्नेतारं तत्रोन्नेयातेषां मध्यात् दशरात्रे साहस्र्या सह दास्यते । यदि तून्नेत्रे दास्यते तेन उत्तमेऽहन्प्रथमं शतं दद्दुन्नेत्रे द्वे एव दद्यात् (नोष्टुतं पञ्चमं) द्वितीयं तु शतं दद्याद्ग्रावस्तुते नेष्ट्रे च पञ्चमं दद्यादुन्नेतारमन्तरा । यदेव तृतीये पुनः शते दीयमाने नेष्ट्रे दद्याच्चतस्रो ग्रावस्तुते नयेदेवोन्नेतारमन्तरेण ततोऽनेन सादयित्रे उन्नेत्रे तामथैकादशतं दद्यादित्येषा कर्मयोजना । अत्र च यस्मादित्येकामित्येकसंप्रदानं यच्छब्देनोद्दिश्यते ' तेभ्य ' इति बहुवचनात् तेन परामृशति तच्च विरुद्धमिति सामर्थ्याद्यस्मै एकामेकां दास्यन्स्यादित्यभ्यासो द्रष्टव्यः । एवमुत्तरत्रापि द्रष्टव्यम् । एवमपि च प्रसिद्धे तेन संप्रदानस्योपलक्षणमुपपद्येत । न चैका देया कस्मैचिदित्येतदस्यापि प्रसिद्धं कथं तेन पुरुषा उपलक्ष्यन्ते ? सत्यमेतत् किन्तु उपलक्षणान्यत्वानुपपत्त्यैवैकादशतो विधिर्योऽत्र द्रष्टव्यः । एकामेकामेकस्मै दद्यात्तेभ्यश्च तामेकैकां दद्यात् तेभ्यस्तामेवं दशतं कृत्वा दद्यात् । येन पृथक् पृथगेव यस्मै द्वे दास्यन्स्यादित्यादि योज्यम् । अथवा दशभ्यो दशतं दित्सन्नर्थादेव तेभ्य एकैकां दास्यन् भवतीत्यनुवादो वाऽयम् । एवं यस्मै पंचेत्यादि । ननु पञ्चभ्यो दशतं दित्सन्संस्तन्नियोगतो द्वे द्वे दास्यन् भवति । कदाचिद्द्विषडेकस्मै दद्यादथ शतस्य वा एकैकामेवमपि पञ्चभ्य एव दशको दत्तो भवति; नैतदेवं समं स्यादश्रुतत्वादिति दशतो न्यायेन समो

विभागः प्राप्नोति । तस्माद्दशभ्यो दशतं दद्यात्ततः पञ्चभ्यश्चतसृभ्यस्ततो द्वाभ्यां पुनश्चैवं यथासंभवमाशतादि-त्येतावदेवात्र विधीयते । (यस्मात्तत्प्रैषतुमित्यनुवादः) तथा क्रियमाणस्य यजमानस्यैष दशात्मिका विराड्-वर्तते शतानि नव दशन्यूनानि तेषामेकैकस्मिन् दशतस्ता ' अन्यूना ' विराडथिप्रज्ञमुपात्ताऽमुष्मिंल्लोके तादृश्येव ' कामदुघा भवति । (विराज्यो एष्वेव सर्वे एत्र दोहो न्यजते (?) कामा इत्यभिप्रायः) ॥ १६ ॥

इति श्रीहरिस्वामिनः कृतौ माध्यन्दिनशतपथब्राह्मणभाष्ये चतुर्थकाण्डे पञ्चमेऽध्याये अष्टमं ब्राह्मणम् ॥ (४ । ५ । ८) ॥

१—अथ गर्गत्रिरात्रादौ सहस्रदक्षिणाके यज्ञे गोसाहस्री दक्षिणाविभागः ॥ दशदशाभेदेन दक्षिणा दद्यात् । अनूबंध्यवपा होमांते दद्यादेनां । ८२ । उदवसानीयायां वा । ८३ । अन्यदिच्छन् । ८४ । गर्गत्रिरात्रादेः सहस्रदक्षिणाकस्य यज्ञस्य त्र्यहसाध्य-त्वेन विभज्यदानमन्वहमुक्तं । तत्र प्रतिदिनं त्रयस्त्रिंशदधिकशतत्रयं गवां दातव्यं भवति । तत्र च दशदश गाः संख्याय षोडश-र्त्विग्भ्यो दातव्याः । तत्रचायं क्रमः । १ प्रथमत एकं दशकं गृहीत्वा ब्रह्मो १ द्गातृ २ होत्र ३ ध्वर्यु ४ ब्राह्मणाच्छंसि ५ प्रस्तोतृ ६ मैत्रावरुण ७ प्रतिप्रस्थातृ ८ पोतृ ९ प्रतिहर्तृभ्यो १० दशभ्यः ऋत्विग्भ्यः एकैकां गां दद्यात् । इति प्रथमं दशकं । १० । २ द्वितीयं दशकं प्रथमदशकवद्देयं । ३ तृतीयं दशकं द्वे द्वे गावौ इति पंचधा गवां विभागः ब्राह्मणाच्छंसि १ प्रस्तोतृ २ मैत्रावरुण ३ प्रतिप्रस्थातृ ४ पोतृभ्यः ५ पंचभ्यः द्वे द्वे दद्यात् । ४ चतुर्थं दशकं तृतीयदशकवत् पंचधा विभागः पंचभ्यो दानंच । पंचानां दाने क्रमः । ब्राह्मणाच्छंसि १ प्रस्तोतृ २ मैत्रावरुण ३ प्रतिप्रस्थातृ ४ प्रतिहर्तृभ्यः ५ (इति पंचभ्यो) द्वे द्वे दद्यात् । ५ पंचमं दशकं चतस्रः ४ तिस्रः ३ तिस्रः ३ इति वैषम्येण विभागः । अच्छावाकाय चतस्रः४अग्नीधे तिस्रः ३ । सुब्रह्मण्याय तिस्रः ३ । इति त्रिभ्यो दानं । ६ षष्ठं दशकं पंचमदशकवत् वैषम्येण विभागः । ४ । ३ । ३ । इति । नेष्ट्रे चतस्रः४ । ग्रावस्तुते तिस्रः ३ । उन्नेत्रे तिस्रः ३ । इति त्रिभ्यो दानं । ७ सप्तमं दशकं द्वेधा विभागः । २ पंच ५ । पंचेति । ब्रह्मणे पंच ५ उद्गात्रे पंच ५ । इति द्वाभ्यां दानं । ८ अष्टमं दशकं सप्तमदशकवत् पंच पंचेति द्वेधा विभागः । ब्रह्मणे ५ उद्गात्रे ५ इति द्वाभ्यां दानं । ९ नवमं दशकं द्वेधा विभागः । २ । होत्रे पंच ५ । अध्वर्यवे पंच ५ । इति द्वाभ्यां दानं । १० दशमं दशकं नवमदशकवत् द्वेधा विभागः २ होत्रे ५ अध्वर्यवे ५ इति द्वाभ्यां दानं । एवमेकगोशतीविभागः । १०० । एवमेव द्वितीयगोशती १०० । तृतीयगो-शतीच । १०० । एवं त्रिशती । ३०० । १ अथ त्रयस्त्रिंशदुर्वरिताः । ३३ । तत्रैकं दशकं । १० । प्रथमदशकवत् ब्रह्मादिप्रति-हर्तृभ्यो दशर्त्विग्भ्य एकैकां दद्यात् । २ द्वितीयं दशकं प्रथमदशकवत् ब्रह्मादिप्रतिहर्तृभ्यो दशर्त्विग्भ्य एकैकां दद्यात् । ३ तृतीयं दशकं । द्वे द्वे इति पंचधा विभागः । ५ । ब्राह्मणाच्छंसि १ प्रस्तोतृ २ मैत्रावरुण ३ प्रतिप्रस्थातृ ४ प्रतिहर्तृभ्यः ५इति पंचभ्यो द्वे द्वे दद्यात् । तिस्रस्तिस्रः परिशिष्यंते ता अत्र न देयाः । इति प्रथमाहः । अथ द्वितीयेऽहनि । एवमेव शतत्रयीदानं । त्रयस्त्रिंशन्मध्ये तु । १ प्रथमं दशकं पंचधा विभज्य । ब्राह्मणाच्छंसि १ प्रस्तोतृ २ मैत्रावरुण ३ प्रतिप्रस्थातृ ४प्रतिहर्तृभ्यो ५ द्वे द्वे दद्यात् । २ द्वितीयं दशकं चतस्रः ४ तिस्रः ३ तिस्रः ३ । इति वैषम्येण त्रेधा विभागः । नेष्ट्रे चतस्रः ४ । ग्रावस्तुते तिस्रः ३ । उन्नेत्रे तिस्रः ३ । इति त्रिभ्यो दानं । तृतीयं दशकं पंचधा विभज्य ब्राह्मणाच्छंसि १ प्रस्तोतृ २ मैत्रावरुण ३ प्रतिप्रस्थातृ ४ प्रतिहर्तृभ्यो द्वे द्वे दद्यात् । तृतीयेऽहनि । शतत्रयीदानं पूर्ववत् । त्रयस्त्रिंशन्मध्ये तु । १ प्रथमं दशकं पंच ५ पंचेति द्वेधा विभागः । २ । ब्रह्मणे पंच ५ उद्गात्रे ५ इति द्वाभ्यां दानं । २ द्वितीयं दशकं प्रथमदशकवत् द्वेधा विभागः । ब्रह्मोद्गातृभ्यां द्वाभ्यां च दानं । ३ तृतीयं दशकं पंच ५ पंचेति द्वेधा विभज्य । अध्वर्यवे पंच दत्वा पुनस्तस्मा एव पंच दद्यात् । इति एकस्मै १ दानं । ततः सर्वेषां यास्तिस्रस्तिस्रोऽवशिष्टाः । ताः सर्वा आदाय । तासु नवसु संपन्नासु । इमां साहस्रीं दशमीं कृत्वा । तद्दशकं । अनूबंध्यवपाहोमांते । उदवसनीयायामिष्टौ वा होत्रे दद्यात् । अथवा पक्षांतरम् । अस्मिन्पक्षे द्वावुन्नेतारौ कृत्वा । तयोर्मध्ये य आश्रावणं न करोति तस्मै एतद्दशकं अनूबंध्यवपाहोमांते उदवसानीयायां वा दद्यादिति पक्षांतरं । अस्मिन्नवे पक्षे प्रथमेऽह्नि ५ शतत्रयीदानांते त्रयस्त्रिंशत्सु ये द्वे गावौ होतुर्भागौ भवतः । ते उन्नेत्रे दद्यात् । न होत्रे । द्वितीयेऽहनि २ त्रय-स्त्रिंशत्सु यास्तिस्रः उन्नेतुर्भागा भवंति । ता होत्रे दद्यात् । नोन्नेत्रे । तृतीयेऽहनि त्रयस्त्रिंशत्सु यास्तिस्र उन्नेतुर्भागा भवंति । ताः प्रतिशतकं होत्रे देयाः । इति गोसाहस्रीदक्षिणाविभागः । तथाऽत्र देवयाज्ञिकः–दशभ्यो दशकौ दत्वा चतुर्भ्योऽष्टौ च पंचकान् ॥ द्विकेन पूरयेत् षड्भ्यः षड्भ्यो द्विकमिति स्थितिरिति । १ । यदत्र श्लोके क्रमांतरं तच्छ्रुतिविरोधात्रादर्तव्यं । दानंतु श्रुत्यनुरोधेनैव कर्तव्यं । श्रुत्युक्तः क्रमस्तु प्रथममेकैकस्याः १ ततो द्वयोर्द्वयोः २ ततस्तिसृणां तिसृणां ३ ततः पंचानां पंचानामिति । ५ इति श्रुत्युक्तः क्रमः । श्लोकोक्तः क्रमस्तु एकैकदानानंतरं पंचभ्यो दानमभिहितमिति श्लोकोक्तः क्रमः । का. श्रौ. सू. । १३ । ८१ ।

तद्यत्रैतद्द्वादशाहेन व्यूढच्छन्दसा यजते। तद्ग्रहान्व्यूहति व्यूहतऽउद्गाता च होता च च्छन्दाꣳसि स ऽएष प्रज्ञात ऽएव पूर्व्वस्त्र्यहो भवति समूढच्छन्दास्तदैन्द्रवायवाग्रान्गृह्णाति ॥ १ ॥

(त्यु) अथ चतुर्थेऽहन्व्यूहति। ग्रहान्व्यूहन्ति च्छन्दाꣳसि तदाग्रयणाग्रान्गृह्णाति प्राजापत्यं वाऽएतच्चतुर्थमहर्भवत्यात्मा वाऽआग्रयण आत्मा वै प्रजापतिस्तस्मादाग्रयणाग्रान्गृह्णाति ॥ २ ॥

व्यूढद्वादशाहः।

तद् यत्रैतद् द्वादशाहेन व्यूढच्छन्दसा यजते–तद्ग्रहान्व्यूहति। व्यूहत उद्गाता च होता च छन्दांसि। स एष प्रज्ञात एव पूर्वस्त्र्यहो भवति समूढच्छन्दाः। तदैन्द्रवायवाग्रान्गृह्णाति ॥ १ ॥

अथ चतुर्थेऽहन्व्यूहति। ग्रहान् व्यूहन्ति छन्दांसि। तदाग्रयणाग्रान्गृह्णाति। प्राजापत्यं वाऽएतच्चतुर्थमहर्भवति। आत्मा वाऽआग्रयणः। आत्मा वै प्रजापतिः। तस्मादाग्रयणाग्रान्गृह्णाति ॥ २ ॥

तद्यत्रैतद्द्वादशाहेनेति 'व्यूढच्छन्दसा' दशरात्रस्य चतुर्थनवमयोरह्नोर्द्वारा ग्रहाणामाग्रयणः पूर्वं ग्रहीतव्यः। षष्ठसप्तमयोस्तु शुक्रस्तावद्धारणीयो 'यावत् पूर्वे ग्रहा गृहीतास्ततः परिमृज्य सादनीयाः। आग्रयणस्तु हिंकृत्य सादनीयः। वैराजा व्यूढच्छन्दांस्यपि दशरात्रे ग्रहा व्यूहनीया इत्येतदत्र ब्राह्मणे विधीयते। 'एतत्' इति श्रुत्यन्तरप्रसिद्धम्। द्वादशाहेन यजनं प्रत्यक्षवदुत्तरविवक्षया परामृशति। तत्तत्र ग्रहानेवाध्वर्युर्वक्ष्यमाणं व्यूहति। आग्रयणादीनामन्यस्य स्थानं भवति होतोद्गातारौ अपि तत्र च्छन्दांसि व्यूहन्तौ अन्योन्यस्य स्थानं नयतः स एवार्गलापसिद्ध एवाधिकृतं पूर्वं प्रथमस्त्र्यहः 'प्रज्ञातः' त्रिको भवति। कीदृशा समूढं (कुंदरहोतृणावत्) तत्राध्वर्युरप्यैन्द्रवायवानेवाधिकृतान् गृहान् गृह्णातीत्युत्तरविवक्षयाऽनुवादः। अनुवादत्वादेव बादरोत्रिरहस्त्र्यह इति गम्यते। होतुरुद्गातॄणां द्विदशरात्रं चतुर्थादहोरात्र्याख्यो द्वादशाहस्य ॥ १ ॥

अथ चतुर्थ इति 'चतुर्थे' अहनि इह सत्रस्य 'व्यूहति' ग्रहानध्वर्युः। ते "धारयन्त एवे" ति

१ अहीने व्यूढच्छंदसि दशरात्रस्य चतुर्थनवमयो रन्ह्रोराग्रयणग्रहणं प्रथमः। द्वादशाहो द्विधा। व्यूढच्छंदाः १ समूढच्छंदाश्चे २ ति। स्वस्वस्थानविपरीतत्वेन ऊढानि स्थानांतरे प्रक्षिप्तानि छंदांसि यस्मिन् द्वादशाहे सोऽयं व्यूढच्छंदाः। इति सायणः।४।४।५। ऐ० ब्रा०) यथोदाहरणं। ज्योतिष्टोमे प्रातःसवने गायत्रीछंदः। माध्यंदिने त्रिष्टुप्छंदः। तृतीयसवने च जगतीछंदः। तत्र माध्यंदिनसवनीयत्रिष्टुप्स्थाने प्रातःसवनिका गायत्री पठ्यते। तार्तीयसवनजगतीस्थाने माध्यंदिनसवनिका त्रिष्टुप् पठ्यते। प्रातःसवनिकागायत्रीस्थाने तार्तीयसवनिका जगती पठ्यते। इदमेव छंदसां व्यूहनं। तदेतद्व्यूहनं होतुरुद्गातुश्च विहितं सूत्रे। व्यूढच्छन्दसीत्युक्तेः। समूढच्छन्दसि नैतच्चच्छन्दोव्यूहनं। साम्येन ऊहा यत्र स समूढः। वैषम्येनोहा यत्र स व्यूढः। द्वादशाहे द्वादशस्वपि अहःसु ग्रहाग्रता विहिता। तत्र ग्रहाग्रता नाम अनेकेषु ग्रहेषु गृह्यमाणेषु प्रथमं यस्य ग्रहस्य ग्रहणं सा तद्ग्रहाग्रता। यथा अस्मिन्नेव ब्राह्मणे त्रयोदश्यां कंडिकायामुक्ता। प्रातःसवने ऐंद्रवायवाग्राः। माध्यंदिने शुक्राग्राः। तृतीये आग्रयणाग्राः। इमे ग्रहाग्रतोहाः साम्येन यस्मिन् स समूढः। इमे ग्रहाग्रतोहाः व्यूढछंदस्यपि भवंति। अव्यूढो वा (१२। १३५) इति वक्ष्यमाणसूत्रात्। तत्र द्वादशाहस्याहीनस्य व्यूढछंदसो दशरात्रस्यायं क्रमः। चतुर्थनवमयोरन्ह्रोराग्रयणाग्राः। षष्ठसप्तमयोः शुक्राग्राः। पंचमनवमयोरैंद्रवायवाग्राः। तृतीयं नवमं चाहः प्रज्ञातमिति शब्देनोच्यते। तथाच सूत्रं। शुक्रस्य षष्ठसप्तमयोरिति। (१२। १३२) असादनमापूर्व्वेषां ग्रहणात्। पूर्वेषां ग्रहणादर्वाक् शुक्रस्याग्रयणस्य च स्वस्वस्थाने नासादनं किंतु उभयोः परिमार्जनप्रभृति कृत्वा प्राकृते काले आसादनं कर्तव्यं तदप्यासादनं यस्य हिंकारो विहितः। तस्य हिंकृत्यासादनं। इतरस्य तु अहिंकृत्यैवासादनं। तथाच सूत्रं। परिमार्जनप्रभृतिकाले हिंकृत्य सादनमिति। का. श्रौ. सू. १२। १३१–१३४।

तं गृहीत्वा नु सादयति । प्राणा वै ग्रहा नेत्प्राणान्मोहयानीति मोहयेद्ध प्राणान्युत्सादयेत्तं धारयन्त ऽएवोपासतेऽथ ग्रहान्गृह्णात्यथ यदा ग्रहान्गृह्णात्यथ युत्रैवैतस्य कालस्तदेनꣳ हिङ्कृत्य सादयत्यथैतत्प्रज्ञातमेव पञ्चममहर्भवति तदैन्द्रवायवाग्रान्गृह्णाति ॥ ३ ॥

(त्यु) अथ षष्ठेऽहन्व्यूहति । ग्रहान्व्यूहन्ति छन्दाꣳसि तच्छुक्राग्रान्गृह्णात्यैन्द्रं वाऽएतत्षष्ठमहर्भवत्येष वै शुक्रो य एष तपत्येष उऽएवेन्द्रस्तस्माच्छुक्राग्रान्गृह्णाति ॥ ४ ॥

तं गृहीत्वा नु सादयति । प्राणा वै ग्रहा नेत्प्राणान्मोहयानीति मोहयेद्ध प्राणान्युत्सादयेत्तं धारयन्त ऽएवोपासतेऽथ ग्रहान्गृह्णात्यथयदा ग्रहान्गृह्णात्यथ युत्रैवैतस्य कालस्तदेनꣳ सादयति ॥ ५ ॥

तं गृहीत्वा न सादयति । प्राणा वै ग्रहाः । नेत्प्राणान्मोहयानीति । मोहयेद्ध प्राणान् यत्सादयेत् । तं धारयन्त एवोपासते, अथ ग्रहान्गृह्णाति अथ यदा ग्रहान्गृह्णाति, अथ यत्रैवैतस्य कालः—तदेनं हिंकृत्य सादयति । अथैतत् प्रज्ञातमेव पञ्चममहर्भवति । तदैन्द्रवायवाग्रान्गृह्णाति ॥ ३ ॥

अथ षष्ठेऽहन्व्यूहति ग्रहान्, व्यूहन्ति छन्दांसि तच्छुक्राग्रान्गृह्णाति । ऐन्द्रं वाऽएतत्षष्ठमहर्भवति । एष वै शुक्रः य एष तपति । एष उऽएवेन्द्रः । तस्माच्छुक्राग्रान्गृह्णाति ॥ ४ ॥

तं गृहीत्वा न सादयति । प्राणा वै ग्रहाः । नेत्प्राणान्मोहयानीति । मोहयेद्ध प्राणान् यत्सादयेत् । तं धारयन्त एवोपासते, अथ ग्रहान्गृह्णाति । अथ यदा ग्रहान्गृह्णाति, अथ यत्रैवैतस्य कालः—तदेनं सादयति ॥ ५ ॥

प्रयोगान्तरं धारयदभिप्रायं बहुवचनमेक एवात्र धारणात् । अथ यदाग्रहानिति येन तस्मादाग्रयणात्पूर्वे चैन्द्रवायवादयः ॥ २ ॥ ३ ॥

अथ षष्ठ इति । प्रसन्नो ब्राह्मण एष प्रायेण बार्हतः । बृहत्या आयतनं बृहतीति छन्दांस्यनुसंपद्यन्ते । एवं जागतमपि द्रष्टव्यम् । अङ्गानि वै ग्रहा इति सत्यं प्राणा ग्रहा एव प्राणाः स्वायतनानि नयनगोलकादीनि हित्वाऽन्यत्रैव वर्तन्ते तथापि तु यानि तान्यङ्गानि नयनगोलकादीनि तान्यपि प्राणायतनत्वात् ग्रहा एव तानि च पुरुषविधानि अन्यस्यान्यं निक्षिप्य शेषेषु व्याक्षिप्यमाणेषु प्राणानपि व्यत्यस्यात् तस्मादस्य यमध्यात्मिकानां ग्रहाणां व्यत्यास इत्यवियाज्ञिकानामपि युक्तावत्रैव ग्रहानिति पुनर्वचनं । किन्तु तत्राध्वर्योरित्येतद्[illegible]नोपक्रमार्थं, किन्तु तत्राध्वर्योरिति । यदध्वर्युर्ग्रहान्व्यूहतीतरौ च छन्दांसि व्यूहतः । ततः कथं यज्ञस्य क्षत्रमाभ्यामसंस्कृतं भवति । (सामो मूर्तिस्त्रिरपि भवतीयमपीति प्रश्न एतद्वाऽध्वर्युरिति प्रतिवचनम्) ॥ ४ ॥

(त्यु) अथ सप्तमेऽहुन्व्यूहति । ग्रहान्व्यूहन्ति च्छन्दाᳪंसि तच्छुक्राग्रान्गृह्णाति बार्हतं वाऽएतत्सप्तममहर्भवत्येष वै शुक्रो य एष तपत्येष उऽएव बृहंस्तस्माच्छुक्राग्रान्गृह्णाति ॥ ६ ॥

तं गृहीत्वा न सादयति । प्राणा वै ग्रहा नेत्प्राणान्मोहयानीति मोहयेद्ध प्राणान्यत्सादयेत्तं धारयन्तऽएवोपासतेऽथ ग्रहान्गृह्णात्यथ यदा ग्रहान्गृह्णात्यथ यत्रैवैतस्य कालस्तदेनᳪं सादयत्यथैतत्प्रज्ञातमेवाष्टममहर्भवति तदैन्द्रवायवाग्रान्गृह्णाति ॥ ७ ॥

(त्यु) अथ नवमेऽहुन्व्यूहति । ग्रहान्व्यूहन्ति च्छन्दाᳪंसि तदाग्रयणाग्रान्गृह्णाति जागतं वाऽएतन्नवममहर्भवत्यात्मा वाऽआग्रयणः सर्वं वाऽइदमात्मा जगत्तस्मादाग्रयणाग्रान्गृह्णाति ॥ ८ ॥

तं गृहीत्वा न सादयति । प्राणा वै ग्रहा नेत्प्राणान्मोहयानीति मोहयेद्ध प्राणान्यत्सादयेत्तं धारयन्त एवोपासते ऽथ ग्रहान्गृह्णात्यथ यदा ग्रहान्गृह्णात्यथ यत्रैवैतस्य कालस्तदेनᳪं हिङ्कृत्य सादयति ॥ ९ ॥

तदाहुः । (नं) न व्यूहेद्ग्रहान्प्राणा वै ग्रहा नेत्प्राणान्मोहयानीति मोहयेद्ध प्राणान्यद्व्यूहेत्तस्मान्न व्यूहेत् ॥ १० ॥

(त्तु) तद्व व्यूहेदेव (वाऽ) अङ्गानि वै ग्रहाः कामं वाऽइमान्यङ्गानि व्यत्यासᳪं शेते तस्माद्व व्यूहेदेव ॥ ११ ॥

अथ सप्तमेऽहन्व्यूहति ग्रहान् व्यूहन्ति छन्दांसि तच्छुक्राग्रान्गृह्णाति । बार्हतं वाऽएतत्सप्तममहर्भवति । एष वै शुक्रो य एष तपति । एष उऽएव बृहन् । तस्माच्छुक्राग्रान्गृह्णाति ॥ ६ ॥

तं गृहीत्वा न सादयति । प्राणा वै ग्रहाः । नेत्प्राणान्मोहयानीति । मोहयेद्ध प्राणान् यत्सादयेत् । तं धारयन्त एवोपासते, अथ ग्रहान्गृह्णाति । अथ यदा ग्रहान्गृह्णाति, अथ यत्रैवैतस्य कालः–तदेनं सादयति । अथैतत्प्रज्ञातमेवाष्टममहर्भवति । तदैन्द्रवायवाग्रान्गृह्णाति ॥ ७ ॥

अथ नवमेऽहन् व्यूहति ग्रहान्, व्यूहन्ति छन्दांसि । तदा ग्रयणाग्रान्गृह्णाति । जागतं वाऽएतन्नवममहर्भवति । आत्मा वा आग्रयणः, सर्वं वाऽइदमात्मा जगत् । तस्मादाग्रयणाग्रान्गृह्णाति ॥ ८ ॥

तं गृहीत्वा न सादयति । प्राणा वै ग्रहाः । नेत्प्राणान्मोहयानीति । मोहयेद्ध प्राणान्–यत्सादयेत् । तं धारयन्त एवोपासते, अथ ग्रहान्गृह्णाति अथ यदा ग्रहान् गृह्णाति, अथ यत्रैवैतस्य कालः–तदेनं हिंकृत्य सादयति ॥ ९ ॥

तदाहुः–न व्यूहेद्ग्रहान् । प्राणा वै ग्रहाः । नेत्प्राणान्मोहयानीति । मोहयेद्ध प्राणान्–यद्व्यूहेत् । तस्मान्न व्यूहेत् ॥ १० ॥

तद्व व्यूहेदेव । अङ्गानि वै ग्रहाः । कामं वाऽइमान्यङ्गानि व्यत्यासं शेते । तस्माद्व व्यूहेदेव ११

तदु नैव व्यूहेत् । (त्रा) प्राणा वै ग्रहा नेत्प्राणान्मोहयानीति मोहयेद्ध प्राणान्यद्व्यूहेत्तस्मान्न व्यूहेत् ॥ १२ ॥

(तिं) किं नु तत्राध्वर्योः । (यं) यदुद्गाता च होता च च्छन्दाᳬसि व्यूहत एतद्वाऽअध्वर्युर्व्यूहति ग्रहान्युदैन्द्रवायवाग्रान्प्रातःसवने गृह्णाति शुक्राग्रान्माध्यन्दिने सवनऽआग्रयणाग्रांस्तृतीयसवने ॥ १३ ॥

इति पञ्चम प्रपाठके प्रथमं ब्राह्मणम् ॥ १ ॥ (५. ५. ॥)

यदि सोममपहरेयुः । (विं) विधावतेच्छतेति ब्रूयात्स यदि विन्दन्ति किमाद्रियेरन्यद्यु नु विन्दन्ति तत्र प्रायश्चित्तिः क्रियते ॥ १ ॥

द्वयानि वै फाल्गुनानि । लोहितपुष्पाणि चारुणपुष्पाणि च स यान्यरुण-

---

तदु नैव व्यूहेत् । प्राणा वै ग्रहाः नेत्प्राणान्मोहयानीति । मोहयेद्ध प्राणान्–यद्व्यूहेत् । तस्मान्न व्यूहेत् ॥ १२ ॥

किं नु तत्राध्वर्योः–यदुद्गाता च होता च छन्दांसि व्यूहतः । एतद्वाऽअध्वर्युर्व्यूहति ग्रहान्–यदैन्द्रवायवाग्रान्प्रातः सवने गृह्णाति, शुक्राग्रान्माध्यन्दिने सवने, आग्रयणाग्रान् तृतीयसवने ॥ १३ ॥

यदि सोममपहरेयुः विधावतेच्छतेति ब्रूयात् । स यदि विन्दन्ति किमाद्रियेरन् । यद्यु न विन्दन्ति–तत्र प्रायश्चित्तिः क्रियते ॥ १ ॥

द्वयानि वै फाल्गुनानि–लोहितपुष्पाणि चारुणपुष्पाणि च । स यान्यरुणपुष्पाणि फाल्गुनानि

इति श्री हरिस्वामिनःकृतौ माध्यन्दिनशतपथब्राह्मणभाष्ये चतुर्थकाण्डे
पञ्चमेऽध्याये बार्हतं नाम नवमं ब्राह्मणम् ॥ (४ । ५ । ९) ॥

यदि सोममिति । अत्र ब्राह्मणे सोमापहारे तत्प्रतिनिधिनियमो गम्यते । कलशभेदसोमातिरेकयोश्च प्रायश्चित्तमुच्यते । (यद्यप्यपहारयुक्तस्वराः सोममतिद्रष्टव्यम्) । स्वीकृतस्य प्रयोगापहारोपपत्तेरक्रीतस्तु सोमविक्रयिणो यदि ह्रियते तेन यजमानस्याभिध्यानादिति विपत्तिनिमित्तां तु कालाहुतिं हुत्वाऽयं क्रेतव्यः 'यदि विन्दन्ति' तमेवोपहृतं न सोमान्तरमपि कुतस्तस्यालाभे प्रायश्चित्तानुपपत्तेः ॥ १ ॥

द्वयानि वा इति 'द्वयानि, द्विभागानि' 'फाल्गुनानि' अर्जुनाख्यानि । कथम् द्विभागानि लोहितपुष्पाणि

१–सोमापहरणे विधावतेच्छथेति ब्रूयात् । अध्वर्युः । बहुविषयत्वात्प्रेषणस्येति कर्कः । शत्रुणा सोमापहरणे कृते यजमानः पुरुषान् प्रेष्येत् । त्वरया गच्छत, अन्वेषयत, इति प्रैषद्वयार्थः । अदर्शनेऽरुणपुष्पाण्यर्जुनान्यभिषुणुयात् । अर्जुनशब्दस्तृणवाचकः । शष्पं बालतृणं घासो यवसं तृणमर्जुनमित्यभिधानात् । श्रुतप्रतिनिधिरयं । ततश्च सोमशब्देनोपलक्षणं, इति कर्कः । श्येनहृतं पूतीकाना-दारानरुणदूर्वाहरितकुशान् पूर्वालाभे पूर्वालाभ उत्तरान् । खदिरादेर्बहुकालीनवृक्षस्य ये वल्लीरूपा अंकुरा उत्पद्यंते ते श्येनहृत मित्युच्यंते । पूतीकाः रोहिततृणं । आदार इति पूतिकानां नामांतरं । एकां गां दत्वा समाप्य पुनर्यज्ञः । अपहृतसोमद्रव्ये यज्ञे गोशतस्थाने एका गौर्दक्षिणेत्यर्थः । अत्रच गोः संख्यासंबंधः । ततश्च हिरण्यादीनामनिवृत्तिः, इति कर्कः । अवभृथांते वा श्रुतिसामर्थ्यात् । उदयनीयावकत्वैव अवभृथांत एव वा पुनर्यज्ञो भवतीत्यर्थः । का. श्रौ. सू. २५ । ३००–३०४ ।

पुष्पाणि फाल्गुनानि तान्यभिषुणुयादेष वै सोमस्य न्यङ्गो यदरुणपुष्पाणि फाल्गुनानि तस्मादरुणपुष्पाण्यभिषुणुयात् ॥ २ ॥

(ब्रा) यद्यरुणपुष्पाणि न विन्देयुः । श्येनहृतमभिषुणुयाद्यत्र वै गायत्री सोममच्छापतत्तस्याऽआहरन्त्यै सोमस्याꣳशुरपतत्तच्छ्येनहृतमभवत्तस्माच्छ्येनहृतमभिषुणुयात् ॥ ३ ॥

(ब्रा) यदि श्येनहृतं न विन्देयुः । (रा) आदारानभिषुणुयाद्यत्र वै यज्ञस्य शिरोऽच्छिद्यत तस्य यो रसो व्यप्रुष्यत्तत आदाराः समभवंस्तस्मादादारानभिषुणुयात् ॥ ४ ॥

(ब्रा) यद्यादारान्न विन्देयुः । (र) अरुणदूर्वा अभिषुणुयादेष वै सोमस्य न्यङ्गो यदरुणदूर्वास्तस्मादरुणदूर्वा ऽअभिषुणुयात् ॥ ५ ॥

(ब्रा) यद्यरुणदूर्वा न विन्देयुः ।(र) अपि यानेव कांश्च हरितान्कुशानभिषुणुयात्तत्राप्येकामेव गां दद्यादथावभृथादेवोदेत्य पुनर्दीक्षेत पुनर्यज्ञो ह्येव तत्र प्रायश्चित्तिरिति नु सोमापहृतानाम् ॥ ६ ॥

तान्यभिषुणुयात् । एष वै सोमस्य न्यङ्गो यदरुणपुष्पाणि फाल्गुनानि । तस्मादरुणपुष्पाण्यभिषुणुयात् ॥ २ ॥

यद्यरुणपुष्पाणि न विन्देयुः श्येनहृतमभिषुणुयात्, यत्र वै गायत्री सोममच्छापतत् । तस्याऽआहरन्त्यै सोमस्यांशुरपतत्, तच्छ्येनहृतमभवत् । तस्माच्छ्येनहृतमभिषुणुयात् ॥ ३ ॥

यदि श्येनहृतं न विन्देयुः–आदारानभिषुणुयात् । यत्र वै यज्ञस्य शिरोऽच्छिद्यत–तस्य यो रसो व्यप्रुष्यत्–तत आदाराः समभवन् । तस्मादादारानभिषुणुयात् ॥ ४ ॥

यद्यादारान्न विन्देयुः–अरुणदूर्वा अभिषुणुयात् । एष वै सोमस्य न्यङ्गो–यदरुणदूर्वाः । तस्मादरुणदूर्वा अभिषुणुयात् ॥ ५ ॥

यद्यरुणदूर्वा न विन्देयुः–अपि यानेव कांश्च हरितान्कुशानभिषुणुयात् । तत्राप्येकामेव गां दद्यात् । अथावभृथादेवोदेत्य पुनर्दीक्षेत । पुनर्यज्ञो ह्येव तत्र प्रायश्चित्तिः–इति नु सोमापहृतानाम् ॥ ६ ॥

वारुणं गौरं गौरपुष्पाणि च तत्रैवं सति यान्यरुणपुष्पाण्यर्जुनतृणानि तान्यभिषुणुयात् । सोमोपहृते यागे (द्रव्यमसंस्काराभिषवसत्त्वद्वारेण) यागसाधनत्वमेव तेषामुच्यते । 'एष वै सोमस्य न्यङ्गः' (निकृष्टो यो वत्वा सोमः । अव्या न व्यथते तस्मिन्निति न्यङ्गः) सोमः अरुणपुष्पेष्वर्जुनेषु श्येनेष्वस्थित इत्यर्थः ॥ २ ॥

यद्यरुणपुष्पाणीति । श्येनहृतं वृक्षेण सोमेन कामवृक्षसंबन्धं ज्ञायते ॥ ३ ॥

यदि श्येनहृतमिति । 'आदाराः' प्रसिद्धानि मध्यदेशतृणानीति अरुणा (गोयो वा) दूर्वाङ्कुशदर्भा हरितान् शुष्कानपि यानेव कांश्चिदपि तथान्यप्रकरणानामवस्थानियमः । (प्रस्वः प्रस्तरम) एकां गां दद्यादिति च संबन्धे

(मु) अथ कलशदिराम् । यदि कलशो दीर्येतानुलिप्सध्वमिति ब्रूयात्स यद्यनुलभेरन्प्रसृतमात्रं वाऽञ्जलिमात्रं वा तदन्यैरेकधनैरभ्युन्नीय यथाप्रभावं प्रचरेयुर्यद्यु नानुलभेरन्नाग्रयणस्यैव प्रस्कन्द्यान्यैरेकधनैरभ्युन्नीय यथाप्रभावं प्रचरेयुः स यद्युनीतासु दक्षिणासु कलशो दीर्येत तत्राप्येकामेव गां दद्यादथावभृथादेवोदेत्य पुनर्दीक्षेत पुनर्यज्ञो ह्येव तत्र प्रायश्चित्तिरिति नु कलशदिराम् ॥ ७ ॥

अथ कलशदिराम् । यदि कलशो दीर्येत—अनुलिप्सध्वमिति ब्रूयात् । स यद्यनुलभेरन्—प्रसृतमात्रं वाऽञ्जलिमात्रं वा—तदन्यैरेकधनैरभ्युन्नीय—यथाप्रभावं प्रचरेयुः । यद्यु नानुलभेरन्—आग्रयणस्यैव प्रस्कन्द्य, अन्यैरेकधनैरभ्युन्नीय यथाप्रभावं प्रचरेयुः । स यद्युनीतासु दक्षिणासु कलशो दीर्येत—तत्राप्येकामेव गां दद्यात् । अथावभृथादेवोदेत्य पुनर्दीक्षेत पुनर्यज्ञो ह्येव तत्र प्रायश्चित्तिः—इति नु कलशदिराम् ॥ ७ ॥

सति गामित्यनुवाद एकैव संख्यायाः शतसंख्यामात्राविकारिण्याः स्वयमेव गोविषयतोपपत्तेः स्वतन्त्रां गामेकां दद्याद्धिरण्यादि यथाप्राप्तमित्येतदापद्येत । (एवं शब्दस्वनिस्वानुवाहेन एवाथवा कृते (द) प्रसङ्गादेकशब्दाच्च परोसौ स तन्निवृत्तिमेव द्योतयति) । विपक्षत्वात्तद्द्रव्यान्तरे निवृत्तिस्तेन देयमेवात्र हिरण्यादीति गम्यते । अवभृथादेवेत्युदयनीयामप्यकृत्वेत्यर्थः । पुनर्दीक्षेत पुनर्यज्ञायेत्यभिप्रायः । कुत एतत् । अत्र ह्येतावदेव विधीयते पुनः कुर्यादिति । कुर्याद्यत् कृत्वा यादृशेनैव पुनर्यजेत तया चाह—पुनर्यज्ञो ह्येव तत्र प्रायश्चित्तिरिति । ततश्च तस्मिन्नेव देवयजने तिष्ठेत शालासदोहविर्द्धानविहारे पुनःशब्दात् सर्वत्रापि दीक्षां कुर्यात् । तत्र च पुनर्यज्ञवचनादेव तद्ददाति यत् पूर्वस्मिन्कृतप्रयोगे दास्यन्स्यादिति सोमापहृतानामिति वाक्योपसंहारः । सोमोऽपहृतो येषां यजमानानां ते सोमापहृताः । "वाऽऽहिताग्न्यादिषु" । (पा. सू. २।२ ३७) इति निष्ठायाः परनिपात । तेषामेतत् कर्म भवति । अथ यद्यपहृते सोममेवान्यं विन्देयुस्ततः कथं न तमभिषुणुयुस्तत्रास्य विशेषोपहृते प्रतिनिधिता स्यात् । चरकाणां तु सोमे लब्धे सोमोपहर्त्रे किंचिद्दत्वा सोम एवाभिषोतव्य इति वचनम् ॥ ४–६ ॥

अथ कलशदिरामिति । 'कलशो' द्रोणकलशः तत्रैव नित्यं कलशशब्दस्य प्रयोगाद् "आजिघ्र कलशे" त्यादौ 'कलशदिराम्' (इति दारुनिश्चयदादि) "कलशो दीर्णो येषां कर्तॄणां ते कलशदिरस्तेषां कर्म वक्ष्यते इति शेषः 'अनुलिप्सध्वम्' अनुलब्धुमिच्छतेत्यर्थः । अन्यैरिति (पूर्वसवनांता यज्ञे योत्तरसवनार्थं) ये

१—कलशभेदने वषट्कारनिधनं ब्रह्म स.म । द्रोणकलशभेद एवेदं प्रायश्चित्तम् । वसतीवर्येकधनादिकलशभेदे तु अभिमर्शनादि, अनुलिप्सध्वमिति प्रेष्यति । अध्वर्युरिति शेषः । प्रतिप्रस्थात्रादीन् प्रति । कलशभेदने सति स्कन्नं सोमं ग्रहीतुमिच्छतेति प्रैषार्थः । यदनुलभेरंस्तदेकधनैरभ्युन्नीय प्रभावयंतः प्रचरेयुः । अभ्युन्नीय बहुलं कृत्वा प्रभावयंतः द्रोणकलशसंबंधि कर्म कुर्वंतः प्रचरेयुः द्रोणकलशसंबंधि सर्वं सोमकर्म तेन सोमेन कुर्युरित्यर्थः । आग्रयणाद्वाऽनुपलभमानेषु पूर्ववत् । अनुपलभमाने सोमे आग्रयणादादाय एकधनैरभ्युन्नीय पूर्ववत् प्रचरेयुरिति सूत्रार्थः । आनीतासु चेद्दक्षिणासु भेदनं पूर्ववद्दत्वा तथैव यज्ञः । आनीतासु परं अदत्तासु । भेदनं द्रोणकलशभेदनं चेत् पूर्ववद्दत्वेति एकस्या गोर्दानं तथैव यज्ञः अवभृथानंतरमेव पुनर्यज्ञः आदित आरभ्य आदीप्य प्रवेशनांत इति सूत्रार्थः । का० श्रौ० सू० २५ । ३०५–३०९ ।

(मु) अथ सोमातिरिक्तानाम् । यद्यग्निष्टोममतिरिच्येत पूतभृत एवोक्थ्यं गृह्णीयाद्यद्युक्थ्यमतिरिच्येत षोडशिनमुपेयुर्यदि षोडशिनमतिरिच्येत रात्रिमुपेयुर्यदि रात्रिमतिरिच्येताहरुपेयुर्नेत्त्वेवातीरेकोऽस्ति ॥ ८ ॥ इति पञ्चमप्रपाठके द्वितीयं ब्राह्मणम् ॥ ४ । ५ । २ ॥ (५-१०) ॥

इति चतुर्थकाण्डे पञ्चमोऽध्यायः ॥ (४ । ५) ॥

अथ सोमातिरिक्तानाम् । यद्यग्निष्टोममतिरिच्येत–पूतभृत एवोक्थ्यं गृह्णीयात् । यद्युक्थ्यमतिरिच्येत–षोडशिनमुपेयुः । यदि षोडशिनमतिरिच्येत–रात्रिमुपेयुः । यदि रात्रिमतिरिच्येत–अहरुपेयुः । नेत्त्वेवातीरेकोऽस्ति ॥ ८ ॥

स्थापितास्तेभ्यो 'यथाप्रभावं' प्रभावनं प्रभाव आप्यायनमित्यर्थः । यथा यथा प्रभावस्तथा तथा इत्येतस्मिन्नर्थे समासः । तावतैव सोमेन यथा सर्वेषु प्रभावनं भवति तथा प्रचरेयुः । आग्रयणस्यैकदेशमिति शेषः । प्रस्कन्द्य "स्कन्दिर् गतिशोषणयोः"–(धा. पा. भ्वा. प. १००४) । प्रपातयेत्यर्थः । 'यद्यनीतासु' इत्यनुवादमात्रम् । एकामेवेत्यस्यानेकनिवृत्तिपरत्वात्;(नीतायेव तानेकनिवृत्तेः सतवत्)। अथावभृथादित्येतद्यथाप्रभावं प्रचरेयुरित्येतेन संबध्यते । ततश्च नीतास्वपि दक्षिणासु कलशे दीर्णे पुनर्यज्ञः स्यादेव; एवमिहापरेष्वपि द्रष्टव्यम् ॥ ७ ॥

अथ सोमातिरिक्तानामिति । सोमोऽतिरिक्तो येषां ते सोमातिरिक्तास्तेषां कर्म प्रवक्ष्यत इति शेषः । यदि तावदग्निष्टोमसंस्थः प्रक्रान्तः सोमोऽतिरिच्यते न सर्वस्तोत्रोपयुक्तः स्यादित्यर्थः । तत्रोक्थ्यं तदुपयोगाय गृह्णीयात् । तत्रापि विगृह्यमाणे दशचमसा हूयन्ते तेन सर्वः सोमान्वयः उपयोक्ष्यत इत्यभिप्रायः । तत्र चोक्थ्यस्यान्तःपवित्राद्ग्रहणं प्राप्तमत आह–'पूतभृत एवोक्थ्यं गृह्णीयात्' नान्तःपवित्रादिति । अत्र चोक्थ्यग्रहणचोदनायैव विग्रहाणां स्तोत्रशस्त्रं चमसोन्नयनहोमादि चोदितमित्यभिप्रायः । यदि तु उक्थ्यसंस्थं क्रतुमारब्धं सोमोऽतिरिच्यत्येव ततः षोडशिनं ग्रहमुपगच्छेयुः । तस्यापि हि चमसेष्वतिरिक्तः सोम उपयोक्ष्यते । यदि षोडशिनं क्रतुमारब्धं सोमोऽतिरिच्येत ततोऽतिरात्रमुपगच्छेयुः । रात्रिरिति श्रुत्यन्तर-

---

१–प्रातःसवनाच्चेत्सोमोऽतिरिच्येत तमुन्नीयोपाकरणमस्ति सोमो अयमिति । उक्थ्यग्रहोन्नयनानंतरं चमसेष्वपि पूर्णेषु सोमः पूतभृत्येवावशिष्येत चेत् तमतिरिक्तं सोमं विभागेन दशसु चमसेषून्नीय तृणाभ्यां होतृचमसमुपस्पृश्य अस्ति सोमो अयमिति मंत्रेण स्तोत्रोपाकरणं कुर्यादिति सूत्रार्थः । मरुत्वतीषु गायत्रेण स्तुवीरन् । मरुत्वतीषु मरुल्लिंगास्वृक्षु गायत्रेण साम्ना स्तुवीरन्नुद्गातार इति सूत्रार्थः । ऐंद्रावैष्णव२ होता श२सति । ऐंद्रावैष्णवं शस्त्रं यस्मात्स्तोमादतिरिच्येत स एव कार्यः सर्वत्र । यस्मात्त्रिवृत्पंचदशसप्तदशैकविंशादेः स्तोमात् सोमो अतिरिच्येत स एव स्तोम प्रायश्चित्तार्थे स्तोत्रेऽपि कार्यः । सर्वत्र त्रिष्वपि सवनेषु । इति सूत्रार्थः । माध्यंदिनाच्चेत्पूर्ववदुपाकरणम् । माध्यंदिनसवने अंतिमोक्थ्यचमसोन्नयनानंतरं पूतभृत्सोमातिरेके होमादि दशसु चमसेष्वित्यादिप्रातःसवनवत् कुर्यादिति सूत्रार्थः । बण्महा२असीति बृहतीष्वादित्यवतीषु गौरीवीतेन स्तुवीरन् । गौरीवीतं साम । पूर्ववद्धोता । ऐंद्रावैष्णव२ शस्त्रं शंसतत्यर्थः । तृतीयसवनाच्चेद्विष्णोः शिपिविष्टवतीषु गौरीवीतेन । तृतीयसवने अंतिमचमसोन्नयनानंतरं पूतभृति सोमातिरेके तमतिरिक्तं सोमं दशसु चमसेषु विभज्य अस्ति सोमो अयमिति स्तोत्रोपाकरणं तत उद्गातारः शिपिविष्टविष्णुलिंगासु ऋक्षु गौरीवीतेन स्तुवीरन्निति सूत्रार्थः । एतत्कृत्वोक्थ्यं वा गृह्णीयात् । एतत् प्रायश्चित्तं कृत्वा पूतभृति सोमातिरेके पूतभृत एव उक्थ्यस्थाल्यामुक्थ्यं गृहीत्वा आसाद्य ततो विगृह्णीयाद्वा । इति सूत्रार्थः । उक्थ्याच्चेत्षोडशी कार्यः । उक्थ्यसंस्था चेत् तृतीयसवने सोमोऽतिरिच्येत तदा सोमस्योपयोगाय षोडशी कार्यं उक्थ्यसंस्थः प्रारब्धोऽपि निमित्त-

अथ षष्ठाध्याये प्रथमं ब्राह्मणम् ।

प्रजापतिर्वाऽएष यदंशुः । सोऽस्यैष आत्मैवात्मा ह्ययं प्रजापतिस्तदस्यैतमात्मानं कुर्वन्ति यत्रैतं गृह्णन्ति तस्मिन्नेतान्प्राणान्दधाति यथाय थैते प्राणा ग्रहा व्याख्यायन्ते स ह सर्वतनूरेव यजमानोऽमुष्मिँल्लोके सम्भवति ॥ १ ॥

अंशुग्रहः ।

प्रजापतिर्वाऽएष यदंशुः सोऽस्यैष आत्मैव । आत्मा ह्ययं प्रजापतिः । तदस्यैतमात्मानं कुर्वन्ति--यत्रैतं गृह्णन्ति । तस्मिन्नेतान्प्राणान्दधाति । यथा--यथैते प्राणा ग्रहा व्याख्यायन्ते । स ह सर्वतनूरेव यजमानोऽमुष्मिंल्लोके सम्भवति ॥ १ ॥

प्रसिद्धानि द्वादशप्रदानानि रात्र्यां पूर्वं तानि गृह्यन्ते तेषां चैकं दशभिर्दशभिश्चमसैस्तथैव च [ग्रहोऽग्रांतिरोह्णीय] चमसप्रदानंसन्धिस्तोत्रमाश्विनं शस्त्रमेनामीदृशीं रात्रिमुपेयुः । यदि तु रात्रिप्रक्रान्त्या सोमोऽतिरिच्येत ततोऽहरूपेषु स्तवध्यपूर्वस्मादेवोक्थ्याद्यनुक्रमणादप्तोर्यामात्मकमहरिति गम्यते ततश्च तिरोह्णीयेभ्य ऊर्ध्वं रात्रिपर्याय उत्तमः कार्यः । (स तु भृष्ट च समास) प्रायणीये नेत्थेव अतीरेकोऽस्तीति सामान्यवचनमेतदुक्तं भवति न क्वचिदपि सोमस्यातिरेकः स्वीकार्यः सर्वस्यातिरिक्तप्रदानविधेर्वृद्ध्या वा श्रुत्यन्तरोक्तेन चोपायेन प्रदेयत्वमिति । ते च श्रुत्यन्तरोक्ताः प्रदानोपायाः प्रातःसवनत्वात्सोमोऽतिरिच्येतेत्युपक्रम्य दर्शिताः सर्वेषु सोमापहारादिषु परमेष्ठ्यादिहोमोऽप्यस्ति कलशभेदने स्कन्नप्रायश्चित्तमित्यपरोविशेषः ॥ ८ ॥

इति श्रीहरिस्वामिनः कृतौ माध्यन्दिनीयशतपथब्राह्मणभाष्ये चतुर्थकाण्डे पञ्चमेऽध्याये दशमं ब्राह्मणम् ॥ (४-५-१०) इति पञ्चमोऽध्यायः समाप्तः ॥ (४-५) ॥

प्रजापतिर्वा इति । अंशुब्राह्मणमेतत् । प्रजापतिरभिमानी अंशवोऽधिदैवम् । अयं ह्यपो भिधाय प्रागित्येताभ्योऽतिरिक्तस्तूष्णीमुपचर्यते, द्वादशदक्षिणश्चेत्युपपद्यते ' प्रजापतिः ' ' अंशुः ' इति च सोमसम्बन्धाद् ग्रहस्य

--वशात् षोडशीसंस्थः कार्यः । इति सूत्रार्थः । षोडशिनश्चेदतिरात्रः । षोडशीसंस्थाकक्रतोः तृतीयसवने सोमातिरेके षोडशीसंस्थः प्रारब्धोऽपि अतिरात्रसंस्थः कार्य इति सूत्रार्थः । अतिरात्राच्चेद्बृहत् । अतिरात्रसंस्था चेत् आश्विनार्थे चमसेषून्नीतेषु पूतभृति सोमातिरेके तदुपयोगाय शिपिविष्टविष्णुलिंगास्वृक्षु बृहत्साम कुर्वीरन्नुद्गातार इति सूत्रार्थः । महाव्रतमेके यथोक्तम् । अतिरात्रातिरिक्ते सोमे महाव्रतं साम । यथोक्तं प्रदेशांतरे । यथा गवामयने उक्तं तथाऽत्र कुर्वन्त्येके । इति सूत्रार्थः । अप्तोर्यामो वेति पक्षांतरम् । अतिरात्रे सोमातिरेके अतिरात्रसंस्थः प्रारब्धोऽपि अप्तोर्यामसंस्थाकः कार्यः । अंत्याच्चेत्तस्यैवावृत्तिर्नातिरेकोऽस्तीति श्रुतेः । अप्तोर्यामे सोमातिरेके तस्याप्तोर्यामस्यैवावृत्तिः कार्या । नह्यप्तोर्यामात्परं संस्थांतरमस्ति अतिरिक्तसोमोपयोगाय । इति सूत्रार्थः । पूर्वात्सवनादतिरिक्तस्योत्तरे संपावनमेके । सर्वेषु सवनेषु सोमातिरेके पक्षांतरमिदम् । तं निकामयमानोऽभ्यतिरिच्यत इति श्रुतेः । एके आचार्याः पूर्वसवनातिरिक्तसोमं उत्तरे सोमे संपातयंति प्रक्षिपंति कुत एतत् श्रुतेः । इति सूत्रद्वयार्थः । तृतीयसवनाच्चेद्धारियोजनेऽवनीयहोमः अस्मिन् पक्षांतर एव तृतीयसवने । अस्मृतान्वृजीषश्चस्याप्स्ववहरणम् । सोमातिरेके उत्तरस्य सवनस्याभावात् कथं क्रियतामितीतिकर्तव्यताकांक्षायां द्रोणकलशस्थं सोमं हारियोजनमध्ये अवनीय प्रक्षिप्य जुहुयात् । हारियोजनमध्ये प्रक्षेपस्यास्मृतौ अतिरिक्तं सोमं ऋजीषमध्ये प्राक्षिप्य अवभृथमज्जनसमये अप्सु अवहरणं प्रक्षेपणं विदधीत इति सूत्रार्थः । इति सौत्राणि सोमातिरेकप्रायश्चित्तानि । का० श्रौ० सू० २५ । ३१०-३२८ ।

१-इह संहितायां 'उपयामगृहीतोऽसी'त्यादयोऽदाभ्यग्रहग्रहणमन्त्राः, त्रेशीनां त्वेत्यादयो जलचालनमन्त्राः, अग्निःपूर्वं देवेत्यादयः सोमे अंशुक्षेपमन्त्राश्चाम्नायन्ते । त इह ब्राह्मणे न सन्ति ।

तदारम्भणवत् । (ख) यत्रैतं गृह्णन्त्यथैतदनारम्भणमिव यत्रैतं न गृह्णन्ति तस्माद्वाऽअꣳशुं गृह्णाति ॥ २ ॥

तं वाऽऔदुम्बरेण पात्रेण गृह्णाति । प्रजापतिर्व्वा ऽएष प्राजापत्य ऽउदुम्बरस्तस्मादौदुम्बरेण पात्रेण गृह्णाति ॥ ३ ॥

तद् आरम्भणवद्--यत्रैतं गृह्णन्ति । अथैतदनारम्भणमिव--यत्रैतं न गृह्णन्ति । तस्माद्वाऽअंशुं गृह्णाति ॥ २ ॥

तं वाऽऔदुम्बरेण पात्रेण गृह्णाति । प्रजापतिर्वाऽएषः । प्राजापत्य उदुम्बरः । तस्मादौदुम्बरेण पात्रेण गृह्णाति ॥ ३ ॥

नामधेयम् साधकोंऽशुरिति सौऽसौष आत्मैवेत्यभ्यात्मआत्मा ह्ययं प्रजापतिरिति यत्प्रजापतिः लिङ्गं तत्सर्वेषामेव प्राणिनामन्यो लिङ्गात्मकः यदपि प्रजापतेः शरीरं वैराजं तदपि साधारणं शरीरिणाम् आत्मा सर्वप्राणिनामित्यभिप्रायः । ननु चात्मा ह वाऽस्याग्रयण आत्मा शरीरमित्युक्तं नैष न दोषः । स हि स्थूलोऽयं च निरुक्तो लिङ्गानां भविष्यति एवमपि ध्रुवो निरुक्त आत्मेत्युक्तमेवमपि तद्विशिष्टं लिङ्गमिदं सामान्यमिति दोषः । तत्तस्मिन्नुतावस्थेयं यजमानस्यैवमात्मानं महान्तं कुर्वन्ति ऋत्विजो यत्र चैतं गृह्णन्त्यंशुमस्मिंश्च अंश्वात्मके आत्मनि 'एतान्' महात्मकान् 'प्राणान्' दधात्यध्वर्युः । कथं ? 'यथायथा एते' उपांश्वादयो ग्रहाः प्राणोदानवागादिरूपेण व्याख्यायन्ते । अथ तथा कृते आत्मनि क्रियमाणस्य यजमानस्यान्येभ्यो यजमानेभ्यः प्रविष्टं भवतीत्यत आह--स हेति । यत्स य उपांशुक्रतौ गृह्यतेंऽशुः 'सर्वतनूः' सर्वं जगत्तनूरस्येति सर्वतनूः सर्वात्मक इत्यर्थः ॥ १ ॥

स यजमानोऽमुष्मिंल्लोके सम्भवति तदारम्भः अस्यायं वाऽपरो विशेषः 'यत्र' कर्मणि 'एतम्' अंशुं गृह्णन्ति इत्येतत् 'आरम्भणवत्' आरम्भते कार्यमनेनेत्यारम्भणम् उपादानं तदेवंभूतं संपृक्तं लिङ्गं संयुक्तं तद्यत्र विद्यते तदारम्भणवत् । एतदुक्तं भवति योंऽशुमता क्रतुना यजेत तस्मै तदुपादानमारम्भतेऽयमेव भवेति । यस्तु प्राकृतेन क्रतुना यजते स परक्रीतोपादानेन परिमितकार्यमाप्नोति तत्तदाहैवैतत्कर्मणा प्रज्ञातादौ । 'यत्रैतं न गृह्णन्ति' इति ॥ २ ॥

तं वा औदुम्बरेणेति । प्रजापतिरयमित्येतस्मिन्नर्थे 'प्राजापत्यः' तद्धितो ण्यप्रत्ययः । 'उदुम्बरः' 'तस्मात्' सर्वस्मादात्मनः फलनिष्पत्तेः ॥ ३ ॥

१--अपो निधायाऽभ्यदाभ्यग्रहणमौदुंबरेण चतुःस्रक्तिना । अ२६शोस्तूष्णी२४सर्वत्र । अनुच्छ्वसंश्चेच्छन् । अद्यादानाः शुनिवपनोपमार्जनसकृत्प्रहरणग्रहणहोमान् हिरण्यं चोपजिघ्रति । का. श्रौ. सू. १२ । ९९-१०२ ।

तं वै चतुःस्रक्तिना पात्रेण गृह्णाति । त्रयो वाऽइमे लोकास्तदिमानेव लोकांस्तिसृभिराप्नोति प्रजापतिर्वाऽअतीमाँल्लोकांश्चतुर्थस्तत्प्रजापतिमेव चतुर्थ्याऽऽप्नोति तस्माच्चतुःस्रक्तिना पात्रेण गृह्णाति ॥ ४ ॥

स वै तूष्णीमेव ग्रावाणमादत्ते । तूष्णीमꣳशून्निवपति तूष्णीमप ऽउपसृजति तूष्णीमुद्यत्य सकृदभिषुणोति तूष्णीमेनमनवानञ्जुहोति तदेनं प्रजापतिं करोति ॥ ५ ॥

(त्यु) अथास्याꣳ हिरण्यं बद्धं भवति । तदुपजिघ्रति स यदेवात्र क्षणुते वा वि वा लिशतेऽमृतमायुर्हिरण्यं तदमृतमायुरात्मन्धत्ते ॥ ६ ॥

तदु होवाच राम औपतस्विनिः । काममेव प्राण्यात्काममुदन्याद्यद्वै तूष्णीं जुहोति तदेवैनं प्रजापतिं करोतीति ॥ ७ ॥

(त्यु) अथास्याꣳ हिरण्यं बद्धं भवति । तदुपजिघ्रति स यदेवात्र क्षणुते वा वि वा लिशतेऽमृतमायुर्हिरण्यं तदमृतमायुरात्मन्धत्ते ॥ ८ ॥

तं वै चतुःस्रक्तिना पात्रेण गृह्णाति । त्रयो वाऽइमे लोकाः । तदिमानेव लोकांस्तिसृभिराप्नोति । प्रजापतिर्वाऽअतीमांल्लोकांश्चतुर्थः । तत् प्रजापतिमेव चतुर्थ्याऽऽप्नोति । तस्माच्चतुःस्रक्तिना पात्रेण गृह्णाति ॥ ४ ॥

स वै तूष्णीमेव ग्रावाणमादत्ते । तूष्णीमंशून्निवपति । तूष्णीमप उपसृजति । तूष्णीमुद्यत्य, सकृदभिषुणोति । तूष्णीमेनमनवानञ्जुहोति । तदेनं प्रजापतिं करोति ॥ ५ ॥

अथास्यां हिरण्यं बद्धं भवति । तदुपजिघ्रति । स यदेवात्र क्षणुते वा, वि वा लिशते–अमृतमायुर्हिरण्यं, तदमृतमायुरात्मन् धत्ते ॥ ६ ॥

तदु होवाच राम औपतस्विनिः–काममेव प्राण्यात्, काममुदन्यात् । यद्वै तूष्णीं जुहोति; तदेवैनं प्रजापतिं करोतीति ॥ ७ ॥

अथास्यां हिरण्यं बद्धं भवति । तदुपजिघ्रति । स यदेवात्र क्षणुते वा, वि वा लिशते । अमृतमायुर्हिरण्यम् । तदमृतमायुरात्मन्धत्ते ॥ ८ ॥

तं वै चतुःस्रक्तिनेति । प्रसन्नप्रायमतः परम् । 'स यदेवात्र क्षणुते वा' (घ्राणौत्रवात्मद्विलिङ्गाद्विशेषयति । तद्विरः) पूर्वब्राह्मणे तत्समर्थयति ॥ ४ ॥ ५ ॥ ६ ॥

उपतस्विनस्यापत्यम् 'औपतस्विनिः' ॥ ७ ॥

अथास्यां हिरण्यमिति । पुनरवघ्राणवचनमुच्छ्वासवचनपक्षस्यानिवृत्त्यर्थम् । (पूर्वत्राप्यनुच्छ्वासवचनपक्षेऽप्यनिवृत्त्यर्थं पूर्वत्राप्यनुच्छ्वासकृतं दोषं समानार्थकार्यमिव हिरण्यस्यावघ्राणमित्यर्थः)॥ ८ ॥

तदु होवाच बुडिल आश्वतराश्विः । (रु) उद्यत्यैव गृह्णीयान्नाभिषुणुयादभिषुण्वन्ति वाऽअन्याभ्यो देवताभ्यस्तदन्यथा ततः करोति यथो चाऽन्याभ्यो देवताभ्योऽथ यदुद्यच्छति तदेवास्याभिषुतं भवतीति ॥ ९॥

तदु होवाच याज्ञवल्क्यः । (ल्क्योऽभ्ये) अभ्येवषुणुयान्न सोम इन्द्रमसुतो ममाद नाब्रह्माणो मघवानꣳ सुतास इत्यृषिणाभ्युऽनूक्तं न वाऽअन्यस्यै कस्यै चन देवतायै सकृदभिषुणोति तदन्यथा ततः करोति यथो चान्याभ्यो देवताभ्यस्तस्मादभ्येवषुणुयादिति ॥ १० ॥

तस्य द्वादश प्रथमगर्भाः । पष्ठौह्यो दक्षिणा द्वादश वै मासाः संव्वत्सरस्य संव्वत्सरः प्रजापतिः प्रजापतिरꣳशुस्तदेनं प्रजापतिं करोति॥११॥
(शतम् ॥ २८०० ॥)

तदु होवाच बुडिल आश्वतराश्विः—उद्यत्यैव गृह्णीयाद, नाभिषुणुयात् । अभिषुण्वन्ति वाऽअन्याभ्यो देवताभ्यः । तदन्यथा ततः करोति । यथो चान्याभ्यो देवताभ्यः । अथ यदुद्यच्छति—तदेवास्याभिषुतं भवतीति ॥ ९ ॥

तदु होवाच याज्ञवल्क्यः—अभ्येव षुणुयात । "न सोम इन्द्रमसुतो ममाद, नाब्रह्माणो मघवानं सुतासः" इति ऋषिणाऽभ्यनूक्तम् । न वा अन्यस्यै कस्यै चन देवतायै सकृदभिषुणोति । तद् अन्यथा ततः करोति । यथो चान्याभ्यो देवताभ्यः । तस्मादभ्येव षुणुयादिति ॥ १० ॥

तस्य द्वादश प्रथमगर्भाः पष्ठौह्यो दक्षिणा । द्वादश वै मासाः सम्वत्सरस्य । सम्वत्सरः प्रजापतिः। प्रजापतिरंशुः । तदेनं प्रजापतिं करोति ॥ ११ ॥

'बुडिलो' नाम ब्रह्मवादी अश्वतरोऽश्वोऽस्यास्तीत्यश्वतराश्वः । अश्वतराश्वस्यापत्यम् 'आश्वतराश्विः' स उवाच—'उद्यत्य' उद्यम्यैव ग्रावाणमधिषवणस्थानामंशूनामुपरि[1] ततोऽशव उत्सृष्टा आर्पोऽशुं गृहीत्वा गृह्णीयात् । प्राक्प्रांशूनतिहन्यात् । किं कारणम् । 'अभिषुण्वन्ति' सोममन्याभ्यो ग्रहदेवताभ्यः प्रजापतेरेकादशीभूताभ्यां न यथा प्रजापतेः सामान्यात्मकस्य, ततश्च यदुद्यम्यानभिषुत्य गृह्णाति तद्यथा 'अन्याभ्यो देवताभ्यो वै' तथा करोति ततः । अथ 'यदुद्यच्छतीति' (तत्प्रातरभिएयाभिषुत्याग्नौ) जुहोति तं हुत्वा यज्ञमग्नावेव योनौ रेतोभूतं सिञ्चतीति (वाभ्रा दभिषवेण) सर्वत्र भाव्यमित्यभिप्रायः ॥ ९ ॥

तदु होवाचेति । याज्ञवल्क्यस्तु 'अभिषुणुयादेव' (संछत्वौघत्यै गृह्णीयादिति) किं कारणम् । मन्त्रेणानभिषुतस्य सोमस्य देवतर्पणत्वप्रतिषेधात् "न सोम इन्द्रमि" ति मन्त्रः । अस्यार्थः—उत्तरस्मिन्नर्द्धे तच्छब्दः श्रूयते । पूर्वस्मिन् यच्छब्दोऽध्याहार्यः । यमिन्द्रं मघवानमभिषुतः सोमो न मादयति न चाभिषुतः अपि सोमः अब्रह्माणः [प्रत्यक् कल्पयन्ति तस्मै इन्द्राय त्वां स्तुतिं जनयेऽहम् कीदृशमुक्थ्यं यज्ञे योषित् यदुक्थ्यं क्रियमाणं

१—उद्यम्य वा प्रहरणम् । का. श्रौ. सू, १२ । १०३ ।

तासां द्वादश गुर्भाः । (स्ता) ताश्चतुर्वि॑ᳫँशतिश्चतुर्वि॑ᳫँ शतिर्वै संव्वत्सरस्यार्धमासाः संव्वत्सरः प्रजापतिः प्रजापतिरᳫँशुस्तदेनं प्रजापतिं करोति ॥ १२ ॥

तदु ह कौकूस्तः । (श्च) चतुर्वि॑ᳫँशतिमेवैताः प्रथमगर्भाः पष्ठौहीर्दक्षिणा ददावृषभं पञ्चवि॑ᳫँशᳫँ हिरण्यमेतद्ध ह स ददौ ॥ १३ ॥

स वाऽएष न सर्व्वस्यैव ग्रहीतव्यः । (ऽ) आत्मा ह्यस्यैष यो न्वेव ज्ञातस्तस्य ग्रहीतव्यो यो वाऽस्य प्रियः स्याद्यो वाऽनूचानोऽनूक्तेनैनं प्राप्नुयात् ॥

(त्स) सहस्रे ग्रहीतव्यः । सर्व्वं वै सहस्रᳫँ सर्व्वमेष सर्व्ववेदसे ग्रहीतव्यः सर्व्वं वै सर्व्ववेदसᳫँ सर्व्वमेष विश्वजिति सर्व्वपृष्ठे ग्रहीतव्यः सर्व्वं वै विश्वजित्सर्व्वपृष्ठः सर्व्वमेष व्वाजपेये राजसूये ग्रहीतव्यः सर्व्वᳫँ हि तत्सत्रे ग्रहीतव्यः सर्व्वं वै सत्रᳫँ सर्व्वमेष एतानि ग्रहणानि ॥ १५ ॥

इति पञ्चमप्रपाठके तृतीयं ब्राह्मणम् ॥ ४-५-३ ॥ (६-१) ॥

तासां द्वादश गर्भाः । ताश्चतुर्विंशतिः । चतुर्विंशतिर्वै संवत्सरस्यार्धमासाः । सम्वत्सरः प्रजापतिः। प्रजापतिरंशुः । तदेनं प्रजापतिं करोति ॥ १२ ॥

तद्ध ह कौकूस्तः—चतुर्विंशतिमेवैताः प्रथमगर्भाः पष्ठौहीर्दक्षिणा ददौ, ऋषभं पञ्चविंशम् । हिरण्यम्, एतद्ध ह स ददौ ॥ १३ ॥

स वाऽएष न सर्वस्यैव ग्रहीतव्यः । आत्मा ह्यस्यैषः । यो न्वेव ज्ञातः—तस्य ग्रहीतव्यः । यो वाऽस्य प्रियः स्याद्, यो वाऽनूचानः । अनूक्तेनैनं प्राप्नुयात् ॥ १४ ॥

सहस्रे ग्रहीतव्यः । सर्वं वै सहस्रम् । सर्वमेषः । सर्ववेदसे ग्रहीतव्यः । सर्वं वै सर्ववेदसम् । सर्वमेषः। विश्वजिति सर्वपृष्ठे ग्रहीतव्यः । सर्वं वै विश्वजित्सर्वपृष्ठः । सर्वमेषः । वाजपेये राजसूये ग्रहीतव्यः । सर्वं हि तत् सत्रे ग्रहीतव्यः । सर्वं वै सत्रम् । सर्वमेषः । एतानि ग्रहणानि ॥ १५ ॥

स इन्द्रो जुषति सेवते किमर्थं तादृशं जनयति यथा स तज्जन्यमानं नवीयो नवतरं शब्दं 'शृणवत्' शृणुयात् तन्मनुष्य इवास्माकं स्वभूतमुक्तं तस्मादुक्थ्यं जनयेयं जुषेयं तृतीयं शृणवद्यथा न इति शेषः । ततः स्वयं नाभिषुतो तमेव प्रजापतिरित्यभिप्रायः ।] यथा चान्याभ्यो देवताभ्यइति कुर्वत अप्राजापत्योऽशुरिति दर्शयति—न सर्वग्रहस्य ग्रहीतव्योंऽशुरित्युपपत्त्या समात्रा ज्ञानादिप्रयोगेष्वेवाविधानात् । यो वाऽनूचानोऽभिजितः शुद्धस्य प्रयोगे ग्रहीतव्य इत्यत आह—सहस्रे इति । सहस्रेण सहस्रदक्षिणः क्रतुर्लभ्यते सहस्रदक्षिणे क्रतौ ग्रहीतव्य

१—सत्र १ सहस्र २ सर्व्ववेदस ३ वाजपेय ४ राजसूय ५ विश्वजि ६ त्सर्व्वपृष्ठयेषु ७ ग्रहणमवकाश्यश्चेत् । अवकाश्य इति यजमान विशेषणम् । अवकाश्यः ज्ञातः प्रियोऽनूचानश्च । का. श्रौ. सू. १२ । १०४ । २—द्वादश वत्सतर्यो गर्भिण्यो दक्षिणाऽसत्रे । का. श्रौ. सू. १२ । १०५ ।

एतं वाऽएते गच्छन्ति । षड्भिर्मासैर्य्य एष तपति ये संवत्सरमासते तदुच्यतऽएव सामतो यथैतस्य रूपं क्रियतऽउच्यतऽऋक्तोऽथैतदेव यजुष्टः पुरश्चरणतो यदेतं गृह्णन्त्येतेनोऽएवैनं गच्छन्ति ॥ १ ॥

(न्त्य) अथातो गृह्णात्येव । (वो) उदु त्यं जातवेदसं देवं वहन्ति केतवः ॥ दृशे विश्वाय सूर्यम् ॥ उपयामगृहीतोऽसि सूर्याय त्वा भ्राजायैष ते योनिः सूर्याय त्वा भ्राजायेति ॥ २ ॥

इति पञ्चमप्रपाठके चतुर्थं ब्राह्मणम् ॥ ४-५-४ ॥ (६.२.) ॥

अथातः पश्वयनस्यैव । पश्वेकादशिन्यैवेयात्स ऽआग्नेयं प्रथमं पशुमालभतेऽथ वारुणमथ पुनराग्नेयमेवमेवैतया पश्वेकादशिन्येयात् ॥ १ ॥

विषुवदहः ।

एतं वाऽएते गच्छन्ति षड्भिर्मासैः य एष तपति, ये सम्वत्सरमासते । तदुच्यतऽएव सामतो-यथैतस्य रूपं क्रियते उच्यतऽऋक्तः, अथैतदेव यजुष्टः पुरश्चरणतो-यदेतं गृह्णन्ति । एतेनो ऽएवैनं गच्छन्ति ॥ १ ॥

अथातो गृह्णात्येव-" उदु त्यं जातवेदसं देवं वहन्ति केतवः । दृशे विश्वाय सूर्यम् ॥ उपयामगृहीतोऽसि सूर्याय त्वा भ्राजाय, एष ते योनिः सूर्याय त्वा भ्राजाय "-(वा. सं. ८ । ४१) इति ॥ २ ॥

अथातः पश्वयनस्यैव । पश्वेकादशिन्यैवेयात् । स आग्नेयं प्रथमं पशुमालभते, अथ वारुणम् अथ पुनराग्नेयम्-एवमेवैतया पश्वेकादशिन्येयात् ॥ १ ॥

एव । सर्वस्वदक्षिणे च क्रतौ विश्वजिदादिरितावेव च । एतानि महणानीत्युपसंहारः । तत्र तेषु क्रतु-ज्ञानादीनां ग्राह्येत्यन्वेशामिति ॥ १०-१९ ॥

इति श्रीहरिस्वामिनः कृतौ माध्यन्दिनीयशतपथब्राह्मणभाष्ये चतुर्थकाण्डे षष्ठेऽध्याये प्रथमं ब्राह्मणम् ॥ (४-६-१) ॥

एतं वा इति । सौमिकानां क्रतूनामखिलमेतदनेनैतेरत्यत्रैव गवामयनेति विषुवन्तेषु महो विकुर्वात् । विषुवत्प्रधाय-प्रायं विधयिने प्रसन्नाभ्यामेव कण्डिकाभ्याम् ॥ १ ॥ २ ॥

इति श्रीहरिस्वामिनः कृतौ माध्यन्दिनीयशतपथब्राह्मणभाष्ये चतुर्थकाण्डे षष्ठेऽध्याये द्वितीयं ब्राह्मणम् ॥ (४-६-२) ॥

अथातो गवामयन एव सवनीयविकल्पास्त्रयो दृश्यन्ते । अथात इति । 'अथातः' 'पश्वयनस्य' विधानमिति शेषः । पशूनामयनं पश्वयनं प्रतिकर्म समेत्यनेनेत्ययनं मार्गः कल्पः । तत्र तावत्प्रथमं कल्पमाह-

(दु) अथोऽअप्यैन्द्राग्नमेवाहरहः पशुमालभेत । (ता) अग्निर्वै सर्वा देवता अग्नौ हि सर्वाभ्यो देवताभ्यो जुह्वतीन्द्रो वै यज्ञस्य देवता तत्सर्वाश्चैवैतद्देवता नापराध्नोति यो च यज्ञस्य देवता तां नापराध्नोति ॥ २ ॥

(त्य) अथातः स्तोमायनस्यैव । (वा) आग्नेयमग्निष्टोमऽआलभेत तद्धि सलोम यदाग्नेयमग्निष्टोमऽआलभेत यद्युक्थ्यः स्यादैन्द्राग्नं द्वितीयमालभेतैन्द्राग्नानि ह्युक्थानि यदि षोडशी स्यादैन्द्रं तृतीयमालभेतेन्द्रो हि षोडशी यद्यतिरात्रः स्यात्सारस्वतं चतुर्थमालभेत वाग्वै सरस्वती योषा वै वाग्योषा रात्रिस्तद्यथायथं यज्ञक्रतून्व्यावर्तयत्येतानि त्रीण्ययनानि तेषां यतमत्कामयेत तेनेयाद्वाऽउपालम्भ्यौ पशू सौर्यं द्वितीयं पशुमालभते वैपुवतेऽहन्प्राजापत्यं महाव्रते ॥ ३ ॥

इति पञ्चमप्रपाठके पञ्चमं ब्राह्मणम् ॥ ४-५-५ ॥ (६. ३.) ॥

अथोऽअप्यैन्द्राग्नमेवाहरहः पशुमालभेत । अग्निर्वै सर्वा देवताः । अग्नौ हि सर्वाभ्यो देवताभ्यो जुह्वति । इन्द्रो वै यज्ञस्य देवता । तत् सर्वाश्चैवैतद्देवता नापराध्नोति—यो च यज्ञस्य देवता—तां नापराध्नोति ॥ २ ॥

अथातः स्तोमायनस्यैव आग्नेयमग्निष्टोमऽआलभेत । तद्धि सलोम—यदाग्नेयमग्निष्टोमऽआलभेत । यद्युक्थ्यः स्याद्—ऐन्द्राग्नं द्वितीयमालभेत । ऐन्द्राग्नानि ह्युक्थ्यानि । यदि षोडशी स्यात्—ऐन्द्रं

'पश्वेकादशिन्या' आग्नेयः, सारस्वतः, सौम्य इत्यादिकया 'इयात्'—गवामयनं स्यात् । एवशब्दो नियमानुवादः । प्रतिदिवसमेव ह्येकादशिनी समस्ता स्तोमयज्ञेन तेन सह विकल्प्यमाना प्राप्ता सर्वेष्वहस्सु नियम्यते पश्वेकादशिन्या एव सर्वत्रैव यागान्तराले कल्पान्तरमाश्रयेदित्यर्थः । न पुनः सकल एव गवामयने कल्पान्तराभावमयं (येत इति ।) कल्पान्तरयोरपि वक्ष्यमाणत्वात्, स आग्नेयमिति पूर्ववाक्यात् प्रत्यहं समस्ता एकादशिनी प्राप्स्यतीत्यनेन विहियते स आग्नेयं पशुं प्रथममालभते प्रथममित्यालम्भविशेषणम् । प्रथमेऽहन्याग्नेयमालभत इत्यर्थः । य उत्तरेष्वप्यहःसु सारस्वतीष्वालभ्य उत्तरापेक्षया प्रथमेऽहनि प्रथममालभते । कुत एतत् । उत्तरग्रहापेक्षमेतत् प्राथम्यं पुनरेकस्मिन्नेवाहनि पश्वन्तरापेक्षं स्यात् ॥ १ ॥

अथो अप्यैन्द्राग्नमेवाहरहः इत्युत्तराह्णां श्रवणात् एकस्मिन्नहनि वचनमनर्थकमेव स्यात् । अथ पुनराग्नेयमिति वाऽऽवृत्तिरेकस्मिन्प्राप्ते विधीयते ततस्तस्माद्विहारवाक्यमेवैतद् । ततश्चाथ सारस्वतमथ पौष्णमथ सौम्यमित्येवं

१–यथोच्छ्रितस्य सवनीयाना ११ लभत एकतूणेनोपाकल्याग्नेय १ सारस्वत २ सौम्य ३ पौष्ण ४ बार्हस्पत्य ५ वैश्वदे ६ वैन्द्र ७ मारुतं ८ द्वाम ९ सावित्र १० वारुणान् ११ । एकयूपे पश्वेकादशिन्यामाग्नेयं नियुज्य तस्मिन्नितरस्मिन्नितरानुदीचः । एकयूपे यदा-पश्वेकादशिनी भवति तदा एवं नियोजनं कर्तव्यं इति सूत्रार्थः । आग्नेयः प्रथमो गच्छत्यन्वारब्धोऽनुपूर्व्या इतरे । प्रतिप्रस्थात्रान्वारब्ध आग्नेयः । इतरे सारस्वतादयः अनन्वारब्धाः । आनुपूर्व्याः क्रमेणानुगामिनः । संज्ञपनार्थं पशुनयनक्रमोऽयम् । स्तोमायने तु युगपद्गमनम् । दक्षिणं च निधयेनमुत्तरमुत्तरमितरान् । पशुसंज्ञपने क्रमोऽयम् । एनमाग्नेयम् । का. श्रौ. सू. ८ । २२९–२३२ ।

अथातो महाव्रतीयस्यैव । प्रजापतेर्ह वै प्रजाः ससृजानस्य पर्व्वाणि विसस्रꣳसुः स विस्रस्तैः पर्व्वभिर्न शशाक सꣳहातुं ततो देवा ऽअर्चन्तः श्राम्यन्तश्चेरुस्तऽएतं महाव्रतीयं ददृशुस्तमस्मा ऽअगृह्णꣳस्तेनास्य पर्व्वाणि समदधुः ॥ १ ॥

स सꣳहितैः पर्व्वभिः । (रि) इदमन्नाद्यमभ्युत्तस्थौ यदिदं प्रजापतेरन्नाद्यं यद्वै मनुष्याणामशनं तद्देवानां व्व्रतं महद्वा ऽइदं व्व्रतमभूद्येनायꣳ समहास्तेति तस्मान्महाव्रतीयो नाम ॥ २ ॥

तृतीयमालभेत । इन्द्रो हि षोडशी । यद्यतिरात्रः स्यात्-सारस्वतं चतुर्थमालभेत । वाग्वै सरस्वती । योषा वै वाक्, योषा रात्रिः । तद् यथायथं यज्ञक्रतून्व्यावर्तयति । एतानि त्रीण्ययनानि । तेषां यतमत्कामयेत-तेनेयात् । द्वाऽउपालम्भ्यौ पशू । सौर्यं द्वितीयं पशुमालभते वैषुवतेऽहन्, प्राजापत्यं महाव्रते ॥ ३ ॥

अथातो महाव्रतीयस्यैव । प्रजापतेर्ह वै प्रजाः ससृजानस्य पर्वाणि विसस्रंसुः । स विस्रस्तैः पर्वभिर्न शशाक संहातुम् । ततो देवा अर्चन्तः श्राम्यन्तश्चेरुः । त एतं महाव्रतीयं ददृशुः । तमस्माऽअगृह्णन् । तेनास्य पर्वाणि समदधुः ॥ १ ॥

स संहितैः पर्वभिः इदमन्नाद्यमभ्युत्तस्थौ-यदिदं प्रजापतेरन्नाद्यम् । यद्वै मनुष्याणामशनम्-तद्देवानां व्रतम् । महद्वाऽइदं व्रतमभूद् येनायं समहास्तेति । तस्मान्महाव्रतीयो नाम ॥ २ ॥

एतया विहृतया पञ्चैकादशिन्या गच्छेद्यावदृतुसत्रस्येति । अथो अप्येताभ्यां कण्डिकाभ्यामपरौ कल्पावुच्येते । (उपचया या) स्वस्मिन्सवनीये सत्यालभ्यन्त इत्युपालभ्यन्ते वैषुवतेऽहन्निति यद्वयोः संवत्सरार्द्धयोर्वसन्तशरदोश्चान्तरालं स विषुवानेवं याग उच्यते आत्मा विषुवानित्यादौ महाव्रतमुपान्त्यमहर्गवामयनस्यं ॥ २॥३ ॥

इति श्रीहरिस्वामिनः कृतौ माध्यन्दिनीयशतपथब्राह्मणभाष्ये चतुर्थकाण्डे षष्ठेऽध्याये तृतीयं ब्राह्मणम् ॥ (४-६-३) ॥

अथात इति महाव्रतीयस्य ब्राह्मणमेतत् । महच्च तद्व्रतं चेति महाव्रतम् उपान्त्यं गवामयनेऽहस्तत्र भवो महाव्रतीयः " महादिभ्यश्च " (पा. सू. ४ । २ । १३८) इति च्छप्रत्ययः । ' ससृजानस्य ' सृष्टवतः पर्वाणि विस्रस्तानि ' स विस्रस्तैः ' ' पर्वभिर्न ' शक्तवान् ' संहातुं ' " ओहाङ्गतौ "-(धा. पा. जु. आ. ७) संगृहीतपर्वभिः ' त एतं ' महाव्रतीयमेव नाम्ना ग्रहं दृष्टवन्तः । कुत एतत् । ग्रहमित्युत्तरत्र ' तमस्मै अगृह्णन्

१-आग्नेयोऽग्निष्टोमे सवनीयः पशुः । ऐन्द्राग्नश्चोक्थ्ये द्वितीयः । ऐन्द्रो वृष्णिः षोडशिनि तृतीयः । सरस्वत्यै चतुर्थोऽतिरात्रे मेषी वा । एतत् स्तोमायनं । का. श्रौ. सू. ९ । १७३-१७५ । २-ऐन्द्राग्नः सवनीयोऽन्वहम् । द्वादशस्वहःसु इमानि त्रीणि पक्षांतराणि । स्तोमायनं वा । एकादशिना वा विहृताः । द्वादश आद्यः । एकादशिना विहृता इति तृतीयपक्षे इमानि पक्षांतराणि । सर्व्वसमासोवा । ऐन्द्राग्नो वा । यावच्छेषमुत्तरेषु । उत्तरेषु अहर्गणेषु । का. श्रौ. सू. । १२ । १२४-१२९ । ३-अग्निष्टोमो विषुवान् । प्रातरनुवाकः संधिवेलायामुदितं यथोक्तं वा । सौर्य उपालंभ्यः । उदुत्यमिति ग्रहग्रहणमतिग्राह्यवद्भक्षवर्जम् । का. श्रौ. सू. १३ । २२-२५ । षष्ठे मासे त्रयोऽभिप्लवाः गो आयुषी दशरात्रो महाव्व्रतमग्निष्टोमः । का. श्रौ. सू. १३ । १९ ।

(मै) एवं वाऽएते भवन्ति । ये संव्वत्सरमासते यथैव तत्प्रजापतिः प्रजाः ससृजानऽआसीत्स यथैव तत्प्रजापतिः संव्वत्सरेऽन्नाद्यमभ्युदतिष्ठदेवमेवैतऽएतत्संव्वत्सरेऽन्नाद्यमभ्युत्तिष्ठन्ति येषामेवं विदुषामेतं ग्रहं गृह्णन्ति ॥ ३ ॥

तं वाऽइन्द्रायैव विमृधे गृह्णीयात् । (त्सु) सर्व्वा वै तेषां मृधो हता भवन्ति सर्व्वं जितं ये संव्वत्सरमासते तस्माद्विमृधे वि न इन्द्र मृधो जहि नीचा यच्छ पृतन्यतः ॥ योऽअस्मा२ँ॥ऽअभिदासत्यधरं गमया तमः ॥ उपयामगृहीतोऽसीन्द्राय त्वा विमृधऽएष ते योनिरिन्द्राय त्वा विमृधऽइति ॥ ४ ॥

(त्यु) अथो विश्वकर्मणे । विश्वं वै तेषां कर्म कृतᳪं सर्व्वं जितं भवति ये संवत्सरमासते तस्माद्विश्वकर्मणे व्वाचस्पतिं विश्वकर्माणमूतये

एवं वाऽएते भवन्ति—ये सम्वत्सरमासते । यथैव तत्प्रजापतिः प्रजाः ससृजान आसीत्—स यथैव तत्प्रजापतिः सम्वत्सरेऽन्नाद्यमभ्युदतिष्ठद्—एवमेवैतऽएतत्सम्वत्सरेऽन्नाद्यमभ्युत्तिष्ठन्ति—येषामेवं विदुषामेतं ग्रहं गृह्णन्ति ॥ ३ ॥

तं वाऽइन्द्रायैव विमृधे गृह्णीयात् । सर्वा वै तेषां मृधो हता भवन्ति, सर्वं जितम्—ये सम्वत्सरमासते । तस्माद्विमृधे " वि न इन्द्र मृधो जहि नीचा यच्छ पृतन्यतः । योऽअस्मां २॥ऽअभिदासाति, अधरं गमया तमः । उपयामगृहीतोऽसीन्द्राय त्वा विमृधे; एष ते योनिरिन्द्राय त्वा विमृधे "–(वा. सं. ८ । ४४) इति ॥ ४ ॥

अथो विश्वकर्मणे । विश्वं वै तेषां कर्म कृतं, सर्वं जितं भवति--ये सम्वत्सरमासते । तस्माद्विश्वकर्मणे–" वाचस्पतिं विश्वकर्माणमूतये मनोजुवं वाजेऽअद्या हुवेम । स नो विश्वानि

इत्यादिग्रहणवचनादिना चरतः प्रजापतेः प्राणस्यान्नार्थमिदमिति[2] चतुर्थ्यन्ते शब्दे अस्मै अन्नाद्यायाभ्युत्तस्थाविन्त्यर्थः । यद्वै मनुष्याणामिति व्रतशब्दस्यान्नवाचित्वं व्याख्यातं ' महद्वा इदं प्रजापतेः ' व्रतमन्नं जातं ' येन ' अन्नेन ' अयं ' ' समहास्त ' संगतः स्वान्नैरित्येव यस्मादनिरुक्तं तस्मान्महाव्रतं नामेति वक्तव्ये ' महाव्रतीयों नाम ' इति ब्रुवन् स्वार्थिकमेव छप्रत्ययं दर्शयति एतत्समानि वचनानि प्रदर्शनार्थम् ॥ १ ॥ २ ॥

एवं वा एत इति । प्रसन्नो ब्राह्मणशेषः ॥ ३–६ ॥

इति श्रीहरिस्वामिनः कृतौ माध्यन्दिनीयशतपथब्राह्मणभाष्ये चतुर्थकाण्डे षष्ठेऽध्याये महाव्रतीयं नाम चतुर्थं ब्राह्मणम् ॥ (४-६-४) ॥

१–ग्रहं गृह्णाति व्विन इंद्र व्वाचस्पतिं विश्वकर्मन्निति वा । उप मा यंतुमज्जयस्सनीडा उप मा जुक्षरुप मा मनीषा प्रियामहं तन्वं पश्यमानो मयि रसो देवानां तेजसे ब्रह्मवर्चसायेति भक्षणं यजमानैः । गृहीतस्य विधिरयम् । का० श्रौ० सू०।१३।३१।३२।

२–गवामयनस्य नवममहः महाव्रतं । प्राजापत्य उपालंभ्यः । का. श्रौ, सू, १३ । ३० ।

मनोजुवं व्वाजेऽअद्या हुवेम ॥ स नो व्विश्वानि हवनानि जोषद्विश्वशम्भूरवसे साधुकर्मा ॥ उपयामगृहीतोऽसीन्द्राय त्वा व्विश्वकर्मणऽएष ते योनिरिन्द्राय त्वा व्विश्वकर्मण इति ॥ ५ ॥

यद्युऽऐन्द्रीं व्वैश्वकर्मणीं व्विद्यात् । (तु) तयैव गृह्णीयाद्विश्वकर्मन्हविषा व्वर्धनेन त्रातारमिन्द्रमकृणोरवध्यम् ॥ तस्मै व्विशः समनमन्त पूर्वीरयमुग्रो व्विहव्यो यथासत् ॥ उपयामगृहीतोऽसीन्द्राय त्वा व्विश्वकर्मणऽएष ते योनिरिन्द्राय त्वा व्विश्वकर्मणऽइति ॥ ६ ॥

इति पञ्चमप्रपाठके षष्ठं ब्राह्मणम् ॥ ४–५–६ ॥ (६. ४.) ॥

एष वै ग्रहः । (हो) य एष तपति येनेमाः सर्व्वाः प्रजा गृहीतास्तस्मादाहुर्ग्रहान्गृह्णीम इति चरन्ति ग्रहगृहीताः सन्त इति ॥ १ ॥

व्वागेव ग्रहः । (हो) व्वाचा हीदᳫं सर्व्वं गृहीतं किमु तद्यद्वाग्ग्रहः ॥ २ ॥

हवनानि जोषद्; विश्वशम्भूरवसे साधुकर्मा । उपयामगृहीतोऽसीन्द्राय त्वा विश्वकर्मणे; एष ते योनिरिन्द्राय त्वा विश्वकर्मणे--(वा. सं. ८ । ४५) इति ॥ ५ ॥

यद्यु ऐन्द्रीं वैश्वकर्मणीं विद्यात् तयैव गृह्णीयात् । " विश्वकर्मन् हविषा वर्धनेन त्रातारमिन्द्रमकृणोरवध्यम् । तस्मै विशः समनमन्त पूर्वीरयमुग्रो विहव्यो यथासत् । उपयामगृहीतोऽसीन्द्राय त्वा विश्वकर्मणे; एष ते योनिरिन्द्राय त्वा विश्वकर्मणे "–(वा. सं. ८ । ४६) इति ॥ ६ ॥

ग्रहोपासनाब्राह्मणम् ।

एष वै ग्रहो य एष तपति, येनेमाः सर्वाः प्रजा गृहीताः । तस्मादाहुः--ग्रहान्गृह्णीम इति । चरन्ति ग्रहगृहीताः सन्त इति ॥ १ ॥

वागेव ग्रहः । वाचा हीदं सर्वं गृहीतम् । किमु तद्--यद्वाग्ग्रहः ॥ २ ॥

एष वै ग्रह इति । [सूर्यात्मकस्य व्याधिर्विं (?) कस्य] ग्रहस्याभिचारिकस्यैवमुपस्थानमत्राभिधीयते । ग्रहाधिकारात्प्रसङ्गाच्चाध्यात्मिकाधिभौतिका ग्रहाः प्रदर्श्यन्ते । ग्रहशब्दस्य निर्वचनान्तरमुच्यते । तत्रोपस्थेयं तावद् ग्रहमाह–एष वै ग्रह इति । येनेमाः सर्वाः प्रजा गृहीता इति सौरेण तेजसा सर्व एव देहा अधिष्ठिताः । यथोक्तं तस्येमाः सर्वाः प्रजा रश्मिभिः प्राणेष्वभिहिता " तस्य हैतस्य हृदये पादावतिहतौ तदेषा सविता " विभक्तिभ्यः प्रजाभ्यो विभजतीति वा । येनेति कर्तरि तृतीया ततश्च गृह्णातीति ग्रह इति कर्तरि एव कारके "ग्रहवृदनिश्चिगमश्च" इति (पा. सू. ३-३-५८) अपूप्रत्ययं दर्शयति–यस्माच्चैष आदित्यो ग्रहः 'तस्मादाहुः' ब्रह्मविदो ' ग्रहान् गृह्णीम इति ' एवं मन्यमाना ऋत्विजः ' चरन्ति ग्रहेणादित्येन गृहीताः ' सन्तः ' इत्यादि स्वस्वावकाशे " स उद्यन्तं चादित्यमुपतिष्ठते " एतत्पठितव्यं व्यवहर्तुमिस्तदुत्सार्यास्यैवादित्यस्य ग्रहस्य ग्रह एव-

(ह्रो) नामैव ग्रहः । (ह्रो) नाम्ना हीदꣳ सर्व्वं गृहीतं किमु तद्यन्नाम ग्रहो बहूनां वै नामानि विद्माथ नस्तेन ते नु गृहीता भवन्ति ॥ ३ ॥

(न्त्यु) अन्नमेव ग्रहः । (ह्रोऽन्ने) अन्नेन हीदꣳ सर्व्वं गृहीतं तस्माद्यावन्तो नोऽशनमश्नन्ति ते नः सर्व्वे गृहीता भवन्त्येषैव स्थितिः ॥ ४ ॥

स य एष सोमग्रहः । (ह्रोऽन्नं) अन्नं वाऽएष स यस्यै देवतायाऽएतं ग्रहं गृह्णाति साऽस्मै देवतैतेन ग्रहेण गृहीता तं कामꣳ समर्धयति यत्काम्या

नामैव ग्रहः । नाम्ना हीदं सर्वं गृहीतम् । किमु तद् यन्नाम ग्रहः । बहूनां वै नामानि विद्माथ नस्तेन ते न गृहीता भवन्ति ॥ ३ ॥

अन्नमेव ग्रहः । अन्नेन हीदं सर्वं गृहीतम् । तस्माद् यावन्तो नोऽशनमश्नन्ति ते नः सर्वे गृहीता भवन्ति । एषैव स्थितिः ॥ ४ ॥

स य एष सोमग्रहः । अन्नं वाऽएष स यस्यै देवतायाऽएतं ग्रहं गृह्णाति साऽस्मै देवतैतेन ग्रहेण गृहीता तं कामं समर्धयति–यत्काम्या गृह्णाति । स उद्यन्तं वाऽऽदित्यमुपतिष्ठते, अस्तं यन्तं वा–

परमागलाभायान्यग्रहानुपन्यस्य निराकरोति वागेवेति । आध्यात्मिकया 'वाचा हि' इति करणे तृतीया । वाचा स यथाऽऽदित्यरूपे व्यावहारिकम् इदं सर्वं व्यवहारजातं परिगृहीतं व्यवहर्तृभिर्न हि यद्येन यद्भाषितं तदतिक्रमितुमर्हति किमु तद्यद्वाक् इति दूषणं किंशब्दे द्रष्टव्यम् । यदेतद्वाग्ग्रह इत्येतत्किमिति मिथ्यैतदित्यर्थः । कथं तत्रेदं द्रष्टव्यम् । नहि वचने सर्वे गृह्यन्तेऽतिक्रमस्य निदर्शनात्ततश्चान्यदेवता तत्र भूयादिति नियामकं न वाङ्मात्रमिति ॥ १ ॥ २ ॥

नामैव ग्रह इति । 'नाम्ना' करणभूतेन व्यवहर्तृभिरिदं सर्वं नामजातं परिगृहीतं बुद्ध्या चानीय इत्यभिप्रायः । 'किमु तद्यत् वाङ्नाम' इति पूर्वपक्षः । 'बहूनां वै' अर्थानामिन्द्रादीनां मघवानिन्द्र इत्यादीनि 'विद्म' जानीम "विदो लटो वा"–(पा. सू. ३ । ४ । ८३) इति मसो मादेशः । अथ तथापि 'नः' अस्माकं 'ते' इन्द्रादयो 'न' 'तेन' नाम्ना 'गृहीता' बद्धा इव वशवर्त्तिनो भवन्ति । वशवर्तित्वं च ग्रहणं न स्मरणमात्रमित्यभिप्रायः ॥ ३ ॥

'अन्नमेव' 'अन्नेन हि' करणभूतेन दातृभिः 'इदं' 'सर्वं' सर्वजातीयकं वशीकृतम् । यस्मात् यावन्तः' प्राणिनोऽस्माकमन्नम् 'अश्नन्ति' 'ते' अस्माकं 'सर्वे' 'गृहीता' वश्या 'भवन्ति' इति 'एषैव' अत्र 'स्थितिः' ॥ ४ ॥

स य एष इति । अत्र ग्रहणमाधिभौतिकमाधियज्ञिके सोमग्रहमुपसंहरति । ततश्चोपस्थानदाद् ग्रहणेनायं

१–यावान् बह्वशनस्तावान्मनुष्योऽन्नग्रहगृहीतो भवति । तत्र ऋत्विक् यजमानो वा ज्योतिष्टोमादिक्रतुषु बह्वशनेन तदार्त्याऽऽर्तश्चेत् । तदा यस्मिन्ग्रहे स आर्तो भवति । स ग्रहो यद्देवत्यः । सा देवता तदार्तिग्रहस्य । तां देवतां एष वै ग्रह इत्येवं विधयोपासनयोपासीत । उपस्थानमपि कुर्यात् । तदुपस्थानं 'उद्यंतं अस्तं यंतं वा आदित्यं ग्रहोऽस्यमुमनयाऽर्त्या गृहाणासावदो मां प्रापत्' इति (५) मंत्रेणोपतिष्ठेत । एवंविधं काम्यमुक्तमत्र ब्राह्मणे । इदं काम्यमाभिचारिकमप्युक्तमत्र । यं द्विष्यादसावस्मै कामो समर्द्धीति वेत्यनेन । अदःशब्दस्थाने शत्रुनामादेशः । सूत्रानुपनिबद्धमिदम् ।

गृह्णाति स उद्यन्तं वाऽऽदित्यमुपतिष्ठतेऽस्तं यन्तं वा ग्रहोऽस्यमुमनयार्त्या गृहाणासावदो मा प्रापदिति यं द्विष्यादसावस्मै कामो मा समर्धीति वा न हैवास्मै स कामः समृध्यते यस्माऽएवमुपतिष्ठते ॥ ९ ॥

इति पञ्चमप्रपाठके सप्तमं ब्राह्मणम् ॥ ४-५-७ ॥ (६-५)॥

देवा ह वै यज्ञं तन्वानाः । (स्ते) तेऽसुररक्षसेभ्य आसङ्गाद्बिभयांचक्रुस्ते होचुः को नो दक्षिणत आसिष्यतेऽथाभयेऽनाष्ट्रऽउत्तरतो यज्ञमुपचरिष्याम इति ॥ १ ॥

ते होचुः । (यं) य एव नो वीर्यवत्तमः स दक्षिणत आस्तामथाभयेऽनाष्ट्रऽउत्तरतो यज्ञमुपचरिष्याम इति ॥ २ ॥

ते होचुः । (रि) इन्द्रो वै नो वीर्यवत्तम ऽइन्द्रो दक्षिणतऽआस्तामथाभयेऽनाष्ट्रऽउत्तरतो यज्ञमुपचरिष्याम इति ॥ ३ ॥

" ग्रहोऽसि अमुमनयार्त्या गृहाण असावदो मा प्रापत् " इति । यं द्विष्यात् असावस्मै कामो मा समर्धीति वा । न हैवास्मै स कामः समृध्यते--यस्माऽएवमुपतिष्ठते ॥ ९ ॥

यज्ञोपचारः ।

देवा ह वै यज्ञं तन्वानास्तेऽसुररक्षसेभ्य आसङ्गाद्बिभयाञ्चक्रुः । ते होचुः-को नो दक्षिणत आसिष्यते, अथाभयेऽनाष्ट्रेऽउत्तरतो यज्ञमुपचरिष्याम इति ॥ १ ॥

ते होचुः-य एव नो वीर्यवत्तमः स दक्षिणत आस्ताम्, अथाभयेऽनाष्ट्रऽउत्तरतो यज्ञमुपचरिष्याम इति ॥ २ ॥

ते होचुः-इन्द्रो वै नो वीर्यवत्तमः । इन्द्रो दक्षिणत आस्ताम्, अथाभयेऽनाष्ट्रऽउत्तरतो यज्ञमुपचरिष्याम इति ॥ ३ ॥

साधारणो वादो द्रष्टव्यः । उपासनकमुक्त्वा तदुपस्थानमाह-स उद्यन्तं वेति । हविर्यज्ञादिदं विदुषः इत्यन्नग्रहणगापिदैविकम् । आथिथक्षियं सोममुपसंहरति । उपस्थानमत्र च ग्रहोऽस्यमुमनयार्त्या गृहाणेत्येतया । (उत् ऊर्ध्वं शेषद्वयमुपनयेभ्यः सविकल्पः।)अमुमनयेत्यभिवरणीयपात्र्यां ग्राहयित्वा ततः कर्मविघात आह-'अमुम्'इति इष्टनिर्देशः । ' अनया ' इति ज्वराद्यार्तिविशेषनिर्देशः । ' असौ ' इति द्वेष्यस्य च निर्देशः । एवं ' अदः ' इति यद्द्वेष्यः कामयते तन्निर्देशः । ' असौ ' (स्वदि स्वत्ता अहो ग्रामादीयन्ते तन्मा प्रापत् ।) ' यं द्विष्यात् ' तस्यैव नामादिशेत्; अथवा ' असौ कामो ' ग्रहादिकः ' अस्मै ' खदिरवर्म ' मा समार्धि ' इत्येवं ब्रूयात् ॥ ९ ॥

इति श्रीहरिस्वामिनः कृतौ माध्यन्दिनीयशतपथब्राह्मणभाष्ये चतुर्थकाण्डे षष्ठेऽध्याये ग्रहोपासनं नाम पञ्चमं ब्राह्मणम् ॥ (४-६-५) ॥

देवा ह वा इति । ब्रह्मिष्ठो ब्रह्मा दक्षिणत आसीत स च प्रस्तोत्रा मन्त्रजपं जपित्वाऽनुजानीयादित्येतावद्ब्रह्मत्वमत्रोच्यते तत्प्रसङ्गाच्च ब्राह्मणाच्छंसिनो वरणम्। मैत्रावरुणजपश्च।प्रसन्नप्रायश्चिताश्चतस्रः कण्डिकाः॥ १-४॥

ते हेन्द्रमूचुः । (त्त्वं) त्वंवै नो व्वीर्यवत्तमोऽसि त्वं दक्षिणत आस्वाथाभयेऽनाष्ट्रऽउत्तरतो यज्ञमुपचरिष्याम इति ॥ ४ ॥

स होवाच । किं मे ततः स्यादिति ब्राह्मणाच्छꣳस्या ते ब्रह्मसाम तऽइति तस्माद्ब्राह्मणाच्छꣳसिनं प्रवृणीतऽइन्द्रो ब्रह्मा ब्राह्मणादितीन्द्रस्य ह्येषा स इन्द्रो दक्षिणत ऽआस्ताथाभयेऽनाष्ट्रऽउत्तरतो यज्ञमुपाचरंस्तस्माद्य एव व्वीर्यवत्तमः स्यात्स दक्षिणत ऽआसीताथाभये ऽनाष्ट्रऽउत्तरतो यज्ञमुपचरेयुर्यो वै ब्राह्मणानामनूचानतमः सऽ एषां व्वीर्यवत्तमोऽथ यदिदं य एव कश्च ब्रह्मा भवति कुवित्तूष्णीमास्तऽइति तस्माद्य

ते हेन्द्रमूचुः–त्वं वै नो वीर्यवत्तमोऽसि । त्वं दक्षिणत आस्व । अथाभयेऽनाष्ट्रऽउत्तरतो यज्ञमुपचरिष्याम इति ॥ ४ ॥

स होवाच–किं मे ततः स्यादिति । ब्राह्मणाच्छंस्या ते ब्रह्मसाम तऽइति । तस्माद्ब्राह्मणाच्छंसिनं प्रवृणीते । इन्द्रो ब्रह्मा ब्राह्मणादिति इन्द्रस्य ह्येषा । स इन्द्रो दक्षिणत आस्त, अथाभयेऽनाष्ट्रऽउत्तरतो यज्ञमुपाचरन् । तस्माद्य एव वीर्यवत्तमः स्यात् स दक्षिणत आसीत । अथाभयेऽनाष्ट्रऽउत्तरतो यज्ञमुपचरेयुः । यो वै ब्राह्मणानामनूचानतमः स एषां वीर्यवत्तमः । अथ यदिदं य एव कश्च

स होवाचेति । इन्द्रो दक्षिणतः स्थाप्यमानो देवानुवाच 'किं' मम फलं 'ततः स्यादिति' देवास्तु तमिन्द्रमूचुर्ब्राह्मणाच्छंस्यानाम होत्रा प्रथमो ब्रह्मपुरुषः सो (?) ततः प्रत्यात्मिका यावत्किंचित्सा करिष्यति शस्त्रं वा आज्यं वा तत्सर्वं तव भविष्यतीत्यर्थः । न केवलं सा किं तर्हि 'ब्रह्मसाम' अपरं तव भविष्यति माध्यन्दिने सवने ब्रह्मणाच्छंसिनः शस्त्रं स्तोत्रं तद्ब्रह्मसाम तदपि तव एवं देवा ऊचुस्तस्मादवृत्वाऽध्यर्ध्वयुर्ऋतुग्रहयाज्यर्थमन्यासु होत्रासु व्रियमाणासु इममपि ब्राह्मणाच्छंसिनं प्रवृतमेव स तवैव रूपं यत्ते वृणीते इन्द्रो ब्रह्मेत्यनेन मन्त्रेण इन्द्रस्य ह्येषा स्वभूता ब्राह्मणाच्छंस्या (दौवैव व दंत त्वादिति) ब्रह्मा इन्द्र इति सामानाधिकरण्ये क्रतुः । अत्र च ब्राह्मणाच्छंस्येति प्रकृते तस्माद्ब्राह्मणाच्छंसिनमिति प्रयोगाद् ब्राह्मणाच्छंस्येव ब्राह्मणाच्छंस्याशब्देनोच्यत इति अनुमन्त्रस्यार्थं दर्शयामः । 'इन्द्रो' देवराजः ब्रह्मास्तीति शेषः । कुत एतत् प्रवृणीत इति वचनाद्वरणं हि साम्ना कर्मणि प्रवर्तते । तत्वाध्येषणा या शिष्यस्यैव भवति स एव शेषः कथं पुनरिन्द्रो (?)

१–होतॄनामग्रहणांतं कुर्वेतरांश्चाश्राव्याश्राव्य प्रवृणीते यथालिंगम् । होतुरनभिहितमपि इदं होत्रात् इति वरिष्ठम् । इति कर्कः । अश्विनाऽध्वर्यू आध्वर्यवात् । अत्र चाध्वर्योर्द्वितीयः प्रतिप्रस्थाता । वरणं च नेष्टा करोतीति कर्कः । मित्रावरुणौ प्रशास्तारौ प्राशास्त्रात् । अत्र द्वितीयोऽच्छावाकः । इति कर्कः । इंद्रो ब्रह्मा ब्राह्मणादिति ब्राह्मणाच्छंसिनम् । ब्रह्मणो वरणमपीति कर्कः । ब्राह्मणाच्छंसिनो ब्राह्मणाच्छंस्या इति नामांतरं । ब्राह्मणाच्छंसी अनुब्रह्मा ऋत्विगुच्यते । उपब्रह्मेत्यर्थः । अस्मादुपब्रह्मवरणलिंगादन्यत्रापि क्रियमाणं उपर्त्विजां वरणं वैधमिति बोद्धव्यम् । मरुतः पोत्रात् । ग्रावो नेष्ट्रात् । अग्निराग्नीध्रात् । अग्निर्हि दैवीनामिति यजमानम् । वृणीते । का, श्रौ, सू, ९ । १७६–१८० ।

एव व्वीर्यवत्तमः स्यात्स दक्षिणत ऽआसीताथाभयेऽनाष्ट्र्ऽउत्तरतो यज्ञमुपचरेयुस्तस्माद्ब्राह्मणा दक्षिणत ऽआसतेऽथाभयेऽनाष्ट्रऽउत्तरतो यज्ञमुपचरन्ति ॥ ९ ॥

ब्रह्मा भवति–कुवित्तूष्णीमास्तऽइति । तस्माद्य एव वीर्यवत्तमः स्यात् । स दक्षिणत आसीत अथाभयेऽनाष्ट्रऽउत्तरतो यज्ञमुपचरेयुः । तस्माद्ब्राह्मणा दक्षिणत आसते, अथाभयेऽनाष्ट्रऽउत्तरतो यज्ञमुपचरन्ति ॥ ९ ॥

साम्नादिष्वित्यत आह–ब्राह्मणात् कर्मणो हेतोः ब्रह्मा ऋत्विक् कतमः ब्राह्मणस्तस्माद्धेतोः ब्राह्मणमधितद्ब्रह्मत्वं कुर्वन्निन्द्रो ब्रह्मास्त्वित्यर्थः । द्वे च सतीन्द्रोऽत्र क्रियमाणो ब्रह्मा न भवति कथं स ऋत्विक् (?) नैष दोषः । नैवानुऋत्विग्वरणेनायं मानुषः स्यात्प्रयोगादावेव वृतत्वात् । एवमपि ब्रह्मणो वरणं मन्त्रेण क्रियते न वा ब्राह्मणाच्छंसिनः नैष दोषः । ब्राह्मणाच्छंस्येवानुब्रह्मेति ब्रह्मपुरुषत्वात् । ततश्चायमर्थः । इन्द्रो ब्राह्मणाच्छंसि कर्म करोति । कथं पुनरवसीयते मन्त्रार्थ इति । पूर्वोत्तरेषु मन्त्रेष्वीदशानामेवार्थानां दर्शनात् । अश्विनौ अध्वर्यूतौ आध्वर्यवाद्धेतोर्मित्रावरुणौ प्रशास्तारौ तौ (?) प्रशस्तौ कर्मणा एवमेव इन्द्रो ब्राह्मणाच्छंसीयादिति वक्तव्ये लक्षणयाऽयमर्थः सेत्स्यतीति तथोक्तं तथोत्तरेषु मरुतः पोतारः सन्तु पोत्रात्पवमानादग्नावः स्त्रियो देवपत्न्यः । तद्वान्नेष्ट्रानयनात्पत्नीनां सोऽग्निराग्नीध्रोऽस्तु आग्नीध्रात्कर्मण इति । अथ कस्मादेवं न भवति य एष ब्रह्मा एष इन्द्रोऽस्त्विति न तदेवं न ह्येवं सति वरणं कृतं स्यादपि च मित्रावरुणौ प्रशास्तारावित्येतन्न संभवति । न हि द्वौ प्रशास्तारौ मित्रावरुणात्मकौ स्यातां, तस्माद्यथोक्त एव मन्त्रार्थः । ननु ब्रह्मणः कर्म ब्रह्मत्वं स्याद्ब्रह्मत्वम् इति विशेषविधानात् । नैतदेवं मन्त्रान्तरवशात्तावदयं मन्त्रार्थो विशिष्टस्ततश्च (एतद्वसन) इन्द्रादिष्वपि ब्रह्मशब्दः पठितव्यः । (उच्यते इह तावद्धि तुल्यं तत्पुरुषस्य वा शंसनमुचितमयं नु होतारौ न तत्पुरुषः) तथापि ब्राह्मणात्कर्मणा होता शंसतीति ब्राह्मणाच्छंसी । पञ्चम्या अलुग्द्रष्टव्यः । ब्रह्मणा किल त्रिभिरपि देवकर्मकर्तव्यं तत्स एतैः पुरुषैः कारयित्वा वैदिकं ब्राह्मणाच्छंसिना अग्नीधा यज्ञार्थमच्छावाकपोत्रा सामादिकं ततश्च यस्माद्ब्रह्मणः कर्म कर्तव्यं तस्माच्छंसीति ब्राह्मणाच्छंसतीति एवमेव ब्रह्मत्वं स्यात्–" कृत्यल्युटो बहुलम् "–(पा.सू. ३।३।११३) । इति कर्तरि ण्यप्रत्ययः । ' इन्द्रो दक्षिणत आस्ते ' –" आस उपवेशने "–(धा. पा.अ.आ. ११) उपविष्टः । ' अथ यदिदम् ' इति प्रसिद्धानुवादो निंदार्थे यदि वा लोके दृश्यते यः कश्चिदवीर्यवत्तमोऽपि ब्रह्मा भवति तत्र किं प्रवृत्तिकारणं आह–' कुवित् ' बहुप्रायः ' तूष्णीं ' ब्रह्मा ' आस्ते ' तूष्णीमिति न होत्र्युद्गातृवद्वाचानेव करोति (मन्यसे इति एवमध्वर्युवदतीव परिसतीत्यभिप्रायः ।) एवं ब्रह्मा प्रायस्तूष्णीमास्ते । (ततोऽहमपि सव्यामि तूष्णीमासीति त्रायेति मन्यमानो) यः कश्चिदपि ब्रह्मा भवति । तत्र युक्तमवीर्यवत्त्वमेव अवीर्यत्वस्य गोपायितुमशक्यत्वात्तस्माद्वीर्यवत्तम एव ब्रह्मा स्यादिति वक्तव्ये ब्रह्मणो दक्षिणावस्थानमुपसंहरति । ' तस्माद्ब्राह्मण ' इत्यन्येऽपि ब्राह्मणा अवृता एतामेव दिशमधितिष्ठेयुरिति दर्शयति ॥ ९ ॥

१–उत्तरतउपचारो यज्ञः । २–दक्षिणतो ब्रह्मयजमानयोरासने । का, श्रौ, सू, १।२०२।२०१ ।

स यत्राह । ब्रह्मन्त्स्तोष्यामः प्रशास्तरिति तद्ब्रह्मा जपत्येतं ते देव सवितर्यज्ञं प्राहुर्बृहस्पतये ब्रह्मणे । तेन यज्ञमव तेन यज्ञपतिं तेन मामव । स्तुत सवितुः प्रसवऽइति सोऽसावेव बन्धुरेतेन न्वेव भूयिष्ठाऽइवोपचरन्ति ॥६॥

(न्त्य)अनेन त्वेवोपचरेत् । (इ) देव सवितरेतद्बृहस्पते प्रेति तत्सवितारं प्रसवायोपधावति स हि देवानां प्रसविता बृहस्पते प्रेति ब्बृहस्पतिर्व्वै देवानां ब्रह्मा तद्यऽएव देवानां ब्रह्मा तस्माऽएवैतत्प्राह तस्मादाह ब्बृहस्पते प्रेति ॥७

(त्यु) अथ मैत्रावरुणो जपति । प्रसूतं देवेन सवित्रा जुष्टं मित्रावरुणाभ्यामिति तत्सवितारं प्रसवायोपधावति स हि देवानां प्रसविता जुष्टं मित्रावरुणाभ्यामिति मित्रावरुणौ वै मैत्रावरुणस्य देवते तद्येऽएव मैत्रावरुणस्य देवते ताभ्यामेवैतत्प्राह तस्मादाह जुष्टं मित्रावरुणाभ्यामिति ॥८॥

इति पंचमप्रपाठकेऽष्टमं ब्राह्मणम् ॥ ४–५–८ ॥ (६.६.) ॥

स यत्राह--ब्रह्मन् स्तोष्यामः प्रशास्तरिति । तद् ब्रह्मा जपति । " एतं ते देव सवितर्यज्ञं प्राहुः, बृहस्पतये ब्रह्मणे । तेन यज्ञमव, तेन यज्ञपतिम्, तेन मामव (वा. सं. २ । १२) । स्तुत सवितुः प्रसवे " इति । सोऽसावेव बन्धुः । एतेन न्वेव भूयिष्ठा--इवोपचरन्ति ॥ ६ ॥

अनेन त्वेवोपचरेत् । " देव सवितरेतद्बृहस्पते प्र "--इति । तत् सवितारं प्रसवायोपधावति । स हि देवानां प्रसविता । बृहस्पते प्रेति । बृहस्पतिर्वै देवानां ब्रह्मा । तद् य एव देवानां ब्रह्मा--तस्माऽएवैतत्प्राह--तस्मादाह--बृहस्पते प्रेति ॥ ७ ॥

अथ मैत्रावरुणो जपति । " प्रसूतंदेवेन सवित्रा जुष्टं मित्रावरुणाभ्याम् "--इति । तत् सवितारं प्रसवायोपधावाति । स हि देवानां प्रसविता । " जुष्टं मित्रावरुणाभ्याम् " इति । मित्रावरुणौ वै मैत्रावरुणस्य देवते । तद् येऽएव मैत्रावरुणस्य देवते--ताभ्यामेवैतत्प्राह--तस्मादाह--जुष्टं मित्रावरुणाभ्यामिति ॥ ८ ॥

स यत्राहेति । प्रसन्ना । बृहस्पते प्रसूतेति शेषः ॥ ६–८ ॥

इति श्रीहरिस्वामिनाः । क्रतौ-माध्यन्दिनीयशतपथब्राह्मणभाष्ये चतुर्थकाण्डे षष्ठेऽध्याये षष्ठं ब्राह्मणम् ॥ (४-६-६) ॥

१-३ॐ प्रसूतं देवेन सवित्राजुष्टम्मित्रावरुणाभ्यामिति मैत्रावरुणस्य जपो विहितः । अयमाश्वलायनीये शांखायनीयेच न दृश्यते । तथाप्यत्रासौ निष्कर्षः । मैत्रावरुणो वाजसनेयी चेत् तदा तेन आदौ " प्रसूतं देवेनेतिजप्त्वा अनंतरं आयुष्मस्यऋच इति प्रसवे-इत्यंतमितिजपादि शांखायनीयमनुष्ठेयम् । का० श्रौ० सू० । १९-२१ ।

२-प्रस्तोत्रामंत्रित एतं ते देवसवितः स्तुतसवितुः प्रसव इत्युक्त्वा प्रसौति । देवसवितरेतत् बृहस्पते इति वा । रश्मिना सत्यायेति वा प्रतिमंत्रं । संहितायां पंचदशेऽध्याये रश्मिना सत्यायेति एकोनत्रिंशत् २९ स्तोमभागमंत्राः ज्योतिष्टोमे द्वादश स्तोत्राणि तत्राद्यैर्द्वादशभिर्मंत्रैः प्रतिमंत्रं प्रतिस्तोत्रं रश्मिना सत्यायेत्यादिकं क्रमेणैकैकं मंत्रमुक्त्वा स्तुतसवितुरित्यनेन सर्वं-त्रानुजानीयात् । इति सूत्रार्थः । प्रस्तोत्रामंत्रणं तु ब्रह्मन् स्तोष्यामः प्रशास्तः । इति ।

त्रयी वै विद्या । (ऋचो) ऋचो यजूꣳषि सामानीयमेवर्चोऽस्याꣳ ह्यर्चति योऽर्चति स वागेवर्चो वाचा ह्यर्चति योऽर्चति सोऽन्तरिक्ष-मेव यजूꣳषि द्यौः सामानि सैषा त्रयी विद्या सौम्येऽध्वरे प्रयुज्यते ॥१॥

(त८) इममेव लोकमृचा जयति । (त्य) अन्तरिक्षं यजुषा दिवमेव साम्ना तस्माद्यस्यैका विद्यानूक्ता स्यादन्वेवापीतरयोर्निर्मितं विवक्षेते-ममेव लोकमृचा जयत्यन्तरिक्षं यजुषा दिवमेव साम्ना ॥ २ ॥

पुरश्चरणोपनिषत् ।

त्रयी वै विद्या-ऋचो, यजूंषि, सामानि । इयमेवऽर्चः । अस्यां ह्यर्चति-योऽर्चति-सः । वागेवऽर्चः । वाचा ह्यर्चति-योऽर्चति-सः अन्तरिक्षमेव यजूंषि । द्यौः सामानि सैषा त्रयी विद्या सौम्येऽध्वरे प्रयुज्यते ॥ १ ॥

इममेव लोकमृचा जयति, अन्तरिक्षं यजुषा, दिवमेव साम्ना । तस्माद्यस्यैका विद्यानूक्तास्याद्-अन्वेवापीतरयोर्निर्मितं विवक्षेत। इममेव लोकमृचा जयति, अन्तरिक्षं यजुषा, दिवमेव साम्ना ॥ २ ॥

त्रयी वै विद्येति । अत्र सदोहविर्द्धाने अद्वारेण प्रेक्षमाणं ब्रूयात् प्रेक्षित्वोत्प्रेक्षते एष ऋत्वर्थो ज्योतिष्टोमे विधिः उपांशुर्यजुर्भिः सरस्वती इत्येष सर्वकर्मसु एतस्यैवावृतं मत्वाऽऽवर्तते इति ज्योतिष्टोमे एतद्विधीयते यदु-द्दिश्य प्रवृत्तमिदं ब्राह्मणम् । अनुषङ्गात्त्रय्यां विद्यायां वह्नेरदर्शनं करिष्यति । यत्त्वत्र न कृतं तदग्निरहस्येषु करि-ष्यते । 'त्रयी' त्र्यवयवा 'विद्या' "विद ज्ञाने"-(धा. पा. अ. प. ५४) विद्ययाऽनया विद्यत इति विद्या । क पुनस्तस्याः त्रयोऽवयवा ऋगादयः ते च त्रिधाशब्दाद्द्वेदयंते मन्त्रात्मका एव ऋगादय इत्येवर्चो इत्यृचामपि लोकं एवञ्च सामानि चेन्द्र इत्यधिदेवमुपरिष्टाद्वक्ष्यति । इदम् 'अस्यां ह्यर्चति' इत्यर्चन-कारणत्वात् 'इयम्' ऋच एव इति कूवरं त्वन्यामिरित्यृच इत्यृक्शब्दे पृथिव्यां शब्दस्य व्युत्पत्तिं दर्शयति— पृथिव्यां तु कारणत्वस्यानुपपत्तेरधिकरणत्वं दर्शितम् । योऽर्चति सोऽस्यामर्चतीति संबन्धः । (वाणग सर्व द्रव्यात्मकत्रिद्वियातिस्कामनः) साहचर्यात् शब्दात्मिकायामस्यां ह्यर्चतीति पृथिवीत्वेन स्तूयते । न च तस्यार्थोऽयं योगोऽस्ति, तत्तस्मात् कारणयोः साधर्म्यप्रदर्शनमेव द्रष्टव्यम् । तथाहि लोकेषु सृज्यमानेषु ऋग्वेदात्सूक्ष्मत्वान्मनःपृथिवीसंसर्जनात्ताद्यवेदीसूक्ष्मान्मनःपृथिवीसंसर्जनात्पुनः पिण्डेषु सृज्यमानेषु पृथिव्या समुत्थिता तदग्रे ऋग्वेदं पिण्डात्मकं ससर्ज । एवं वाचाऽपि स कार्यकारणभावो दर्शनीयः । स च स्थूल एव दृश्यते ऋग्वेदसाध्यं हि कर्म कर्तव्यमिति तद्वागिन्द्रियं प्रयुंक्ते न चर्ग्वेदसाधनानि कर्माणि क्रियन्त इति । एष एव प्रपञ्चो यजुर्वेदसामवेदयोरपि यथायोगं दर्शनीयः । अन्तरिक्षमन्तरिक्षलोकं स यजुर्वेद उक्तार्थत्वात्त-श्चाग्निमुक्तकारणधर्मत्वात् एवं याजुषाद्यध्यात्ममुत्तरत्र वक्ष्यते—सोमं (तू वा) गन्धर्वेश्च सामानि वेति को वा सामवेदः तत्कार्यत्वात्साधर्म्यान्निरुक्तत्वं च सैषा त्रय्यधिविद्या 'सौम्ये' सोमसाधके यज्ञे प्रयुज्यते नाग्निहोत्रा-दावेकेन द्वाभ्यां तस्य निष्पत्तिरित्यभिप्रायः ॥ १ ॥

अथ किं तया प्रयुक्तया भवतीत्याह—इममेवेति । 'इममेव लोकम्' इति । ज्योतिष्टोम एवावयुत्यनु-वादः । 'तस्माद्यस्यैका विद्या' इति यस्माज्ज्योतिष्टोमोऽवगतः स ऋगादीनां पृथिव्यादिजयकारणत्वं तस्माद्-

१-दशमकाण्डे । २-नियतपादाक्षरावसानोऽवयवः ऋगित्युच्यते । अनियतपादाक्षरावसानोऽवयवो यजुरित्युच्यते प्रगीतसाध्या ऋगेव सामेत्युच्यते ।

तद्वाऽएतत् । (त्स) सहस्रं व्वाचः प्रजातं द्वेऽइन्द्रस्तृतीये तृतीयं व्विष्णु-र्ऋचश्च सामानि चेन्द्रो यजूꣳषि व्विष्णुस्तस्मात्सदस्यृक्सामाभ्यां कुर्वन्त्यैन्द्रꣳ हि सदः ॥ ३ ॥ (अर्धप्रपाठकः) ॥

(द्वोऽथै) अथैतं व्विष्णुं यज्ञम् । (मे) एतैर्यजुर्भिः पुरऽइवैव बिभ्रति तस्मात्पुरश्चरणं नाम ॥ ४ ॥

व्वागेवऽर्चश्च सामानि च । मन एव यजूꣳषि सा यत्रेयं व्वागासीत्स-

तद्वाऽएतत् सहस्रं वाचः प्रजातम् । द्वेऽइन्द्रस्तृतीये, तृतीयं विष्णुः ऋचश्च सामानि च इन्द्रः यजूंषि विष्णुः । तस्मात्सदसि ऋक्सामाभ्यां कुर्वन्ति ऐन्द्रं हि सदः ॥ ३ ॥

अथैतं विष्णुं यज्ञमेतैर्यजुर्भिः पुर इवैव बिभ्रति । तस्मात्पुरश्चरणं नाम ॥ ४ ॥

वागेवऽर्चश्च सामानि च, मन एव यजूंषि । सा यत्रेयं वागासीत्-सर्वमेव तत्राक्रियत, सर्वं

हिरपि स्तोमादनूक्तेनैव (लोकाक्षि गीधौनीषा) एका विद्या देवानूक्ता स्याद् ग्रन्थतोऽर्थतश्च स्वयं गृहीत्वा पश्चाच्छिष्येभ्य उक्ता सा इत्यध्याहारः । इतरयोरपि विद्ययो र्निमितं बहुशाखासंघातात्मकान् वेदान् (त्रिशत्यतमः (?) शाखात्मनापि तमिष्टयादितम्) अन्यतमां शाखामित्यर्थः । अनुविवक्षेतैवानुवक्तुमिच्छेत् ततश्चाचार्य्याद्धीयते । (एवेपिदे शक्तिश्च सन्नित्येतदुक्तं भवति) स्मरन्ति च "वेदानधीत्य वेदौ वेति"[1] इतरयोरपि निमितमिति । (नापि शब्दपूर्वस्यापि विद्ययो नासौ निर्मिता वैका शाखेयमित्यर्थः) अनुशाखाऽनूक्तास्यादेतदिति नियम्यते—इममेव लोकमिति ॥ २ ॥

इतरस्यानुवचनविधेः एवमानुषंगिकमनुवचनं विधाय प्रयोगमेवाह—तद्वा एतदिति । तदेतत्त्रयीविद्यात्मकं सहस्रं बहुतमं वाच आध्यात्मिकायाः प्रजातं वागिन्द्रियाणामग्न्यादीनामभिव्यक्तिः । अधियज्ञियाश्च शब्दमात्रात्मिकाया ऋगादेः 'प्रजातं' विशेषविकासाधिदैवत्यामुपचर्य वाचा गायत्र्याविति च्छंदांसि 'प्रजातं' । तस्यास्य सहस्रस्य वाचः प्रजातं 'द्वे' 'तृतीये' द्वौत्रिभागाविन्द्र एकं 'तृतीयं' विष्णुरित्यधिदेवम् इन्द्राविष्ण्वोरेतौ शब्द (प्रयोगा) शेषावित्यर्थः । 'ऋचश्च सामानि चेन्द्र' इति विभागात्तावद्वचनं तस्मात्सदसीति यस्माद्दृष्टो नैव इन्द्रस्तस्मात्ताभ्यां सदसि स्तोत्रादि कुर्वन्ति च 'ऐन्द्रं हि' इन्द्रस्य स्वभूतं सदः स्वायतने युक्तं स्तोत्रमित्यभिप्रायः । वेदसिद्धस्यैव चायं सदसिकरणस्यानुवादो वक्ष्यमाणमिथुनोपोद्घातार्थः ॥ ३ ॥

अथैतं विष्णुमिति । अथशब्दो विशेषणार्थः । एतत्तद्धोतोद्गातारः सदस्यृक्सामाभ्यां कुर्वन्त्यध्वर्यवस्तु 'एतं' प्रत्यक्षं सोमशरीरं 'विष्णुं' 'यज्ञम्' 'एतैः' वेदार्थवत् क्रिया प्रत्यासन्नैः 'यजुर्भिः' 'पुरः' सदसः पूर्वस्यां दिशि हविर्द्धाने वितन्वन्ति विपुनंति संस्कारैर्यस्मादेवमृक्सामाभ्यां सदसः पुरस्ताद्यजुर्भिश्चरति 'तस्मात्' यत् 'पुरश्चरणम्' इत्येव प्रसिद्धानि यजूंष्याधियज्ञिकदेशनिमित्तत्वं पुराणत्वं कालनिमित्तमपि वक्ष्यति । तद्वा एतत् मनोऽध्वर्युरित्यध्यात्मिकं च नो ह्यनभिगतमिति विष्णुं यज्ञं यजुर्भिर्ह वर्द्धते बिभ्रातीत्ययमनुवाद एव वक्ष्यमाणस्य मिथुनक्रमस्योपन्यासार्थः ॥ ४ ॥

वागेवर्चश्चेति । 'वाक्' आध्यात्मिकीन्द्रियात्मिकाधिदैविकी सुपर्णात्मिकास्ता ऋचः सामानि च । कथं

[1] मनु अ० ३ श्लो० २ ।

र्वमेव तत्राक्रियत सर्वं प्राज्ञायताथ यत्र मन आसीन्नैव तत्र किं चना-क्रियत न प्राज्ञायत नो हि मनसा ध्यायतः कश्चनाजानाति ॥ ५ ॥

ते देवा वाचमब्रुवन् । (न्प्रा) प्राची प्रेहीदं प्रज्ञपयेति सा होवाच किं मे ततः स्यादिति यत्किंचावषट्कृत ँ स्वाहाकारेण यज्ञे हूयते तत इति तस्माद्यत्किंचावषट्कृत ँ स्वाहाकारेण यज्ञे हूयते तद्वाचः सा प्राची प्रैत्सैतत्प्राज्ञपयदितीदं कुरुतेतीदं कुरुतेति ॥ ६ ॥

प्राज्ञायत । अथ यत्र मन आसीत्–नैव तत्र किंचनाक्रियत, न प्राज्ञायत । नो हि मनसा ध्यायतः कश्चनाजानाति ॥ ५ ॥

ते देवा वाचमब्रुवन्–प्राची प्रेहि; इदं प्रज्ञपयेति । सा होवाच–किं मे ततः स्यादिति । यत्किंचावषट्कृतं स्वाहाकारेण यज्ञे हूयते–ततऽइति । तस्माद्यत्किंचावषट्कृतं स्वाहाकारेण यज्ञे हूयते–तद् वाचः । सा प्राची प्रैत् । सैतत्प्राज्ञपयत्–इतीदं कुरुत, इतीदं कुरुतेति ॥ ६ ॥

शब्दात्मकानि तानि तावदृक्सामानीति विस्पष्टमेव; देवता त्वभिमानिनी मन्त्रे ऋक्साम्नामिन्द्रियत्वसमुत्थापनं तेषामपि चैतदपि तद्ग्रहणेन गृह्यन्ते मनश्च यजूंषीति मनः करणं तत्र आसीत् सर्वमेव तत्राधिक्रियते यज्ञाय तत्राधिदैविक्येन्द्रियात्मिकया वाचाऽधिष्ठितशब्दात्मिकया इन्द्रियात्मिकया वाचेरितमृगादीत्यभिप्रायः । अथ यत्र हविर्द्धाने न किंचिदप्याक्रियत न प्राज्ञायत तत्र किं कारणं 'नोहि मनसा ध्यायतः' कस्यचित्कदाचिदपि चिकीर्षितं जानाति न चाज्ञातं क्रियते इत्यभिप्रायः । ततः किं मनसस्तावद्बहिः प्रकाशकधर्मस्तदात्मनामपि यजुषां विष्णोश्च स एव धर्मस्तेन तत्र हविर्द्धाने न किञ्चित्प्रज्ञायते ॥ ५ ॥

ते देवा इति । 'वाचं' विग्रहवतीं 'देवा अब्रुवन्' तस्याम् उक्तायामिन्द्रियात्मिका प्रोक्तैव च भवत्यनया-ऽन्यत्वादेकस्या एव ह्येते संव्यवहारार्था अवस्थाभेदाः 'स्वाहाकारेण' इति । योऽयं स्वाहाकार एष वाचा निरुक्तत्वादुद्धृतो यथाह–" तं स्वा महिमाभ्युवाद जुहुधीति स प्रजापतिर्विदांचकार स्वो वै मा महिमाहेति स स्वाहेत्येवाजुहोदिति " तेन स्वाहाकारप्रदाने हविस्त इत्युक्तवन्तः । तस्माद्यत्किंचिदिहास्य यज्ञस्य उपसंहारः स्यात् । ननु च स्वाहाकारप्रदानेषु मान्त्रवर्णिक्य एव देवताः सन्त्यग्नये स्वाहेत्यादयः । तानि कथं वाचो भविष्यन्त्येवं यत्र नास्ति विस्पष्टाऽन्या देवानां तद्वाचो भविष्यन्ति नैतदेवम्; एवं हि सति यत्किञ्चिदिति वीप्सार्थं वचनं विहन्येत एवं तर्ह्यन्यासु देवतासु सतीषु (आवावाचोभिमं निजमिति) इदमुच्यते । ननु च सर्व एव यज्ञ (इन्द्रस्यैन्द्रस्वाकृतत्र)स्वाहाकारप्रदानेषु को विशेष इत्यत्रोच्यते । स्वाहाकारप्रदानेषु(वागस्याभिमानीत्येव) सा वा देवता प्राची सदसः (स्वात्मातनाश्च) हविर्धानं प्रैत् प्राप्ता शस्त्रशास्त्रकारेभ्योऽध्वर्युं प्राची इन्द्रंगत्वा च सा एतत्कर्म प्रज्ञपितवती कथमध्वर्युः प्रतिप्रस्थातृवत् प्रैषानुवचनोपाकरणे प्रज्ञापिता भवतीति एवमिदं कर्म कुतः हविः (एतविमसपरं) कुरुतेति ॥ ६ ॥

तस्मादु कुर्व्वन्त्येवऽर्चां हविर्धाने । प्रातरनुवाकमन्वाह सामिधेनीरन्वाह ग्राव्णोऽभिष्टौत्येव ᳪ हि सयुजावभवताम् ॥ ७ ॥

तस्मादु कुर्व्वन्त्येव सदसि । यजुषौदुम्बरीमुच्छ्रयन्ति सदः संमिन्वन्ति धिष्ण्यानुपकिरन्त्येव ᳪ हि सयुजावभवताम् ॥ ८ ॥

तद्वाऽएतत्सदः परिश्रयन्ति । (न्त्ये) एतस्मै मिथुनाय तिरऽइवेदं मिथुनं चर्यातऽइति व्यृद्धं वाऽएतन्मिथुनं यदन्यः पश्यति तस्माद्यद्यपि जायापती मिथुनं चरन्तौ पश्यन्ति व्येव द्रवत आगऽ एव कुर्व्वाते तस्मादुद्वारेण सदः प्रेक्षमाणं ब्रूयान्मा प्रेक्षथा इति यथा ह मिथुनं चर्य्यमाणं पश्येदेवं तत्कामं द्वारेण देवकृत ᳪ हि द्वारम् ॥ ९ ॥

तस्मादु कुर्वन्त्येवऽर्चा हविर्धाने । प्रातरनुवाकमन्वाह । सामिधेनीरन्वाह । ग्राव्णोऽभिष्टौति । एवं हि सयुजावभवताम् ॥ ७ ॥

तस्मादु कुर्वन्त्येव सदसि । यजुषौदुम्बरीमुच्छ्रयन्ति । सदः संमिन्वन्ति । धिष्ण्यानुपकिरन्ति । एवं हि सयुजावभवताम् ॥ ८ ॥

तद्वाऽएतत्सदः परिश्रयन्ति--एतस्मै मिथुनाय । तिर इवेदं मिथुनं चर्यातऽ इति । व्यृद्धं वाऽएतन्मिथुनम्--यदन्यः पश्यति । तस्माद्यद्यपि जायापती मिथुनं चरन्तौ पश्यन्ति--व्येव द्रवतः, आग एव कुर्वाते । तस्मादद्वारेण सदः प्रेक्षमाणं ब्रूयाद्--मा प्रेक्षथा इति । यथा ह मिथुनं चर्यमाणं पश्येद्--एवं तत् । कामं द्वारेण । देवकृतं हि द्वारम् ॥ ९ ॥

अभिषोतारोऽभिउण्वते अग्नयेऽनुब्रूहि उपावर्तध्वमित्यादि । हविःस्थानेऽपि दर्शयति--तस्मादुक्तवते दर्शेत तस्मादुक्त्वा वाग्वेदेन वागात्मकेन च कुर्वन्त्येवर्चा (कालकर्मप्रातरनुवाकानुवचनादि हविर्द्धानमनो यजुष्ट्वात्मके एषां तोजि विष्णुं च सयुजौ एकस्यामनुवचनादि) यां यां सह प्रयुज्येत इन्द्रः करणत्वेन विष्णुरधिकरणत्वेनेति सयुजौ चर्याते तस्मादुक्ता अत्राप्युक्तसामसद आत्मिकाया वाचो मनो यज्ञः स्वभावस्यावयज्ञस्य च मिथुनं गम्यत एवेति नोक्तम् ॥ ७ ॥ ८ ॥

तद्वा एतादिति एतस्मै मिथुनायेति । यदेतद् गम्यते वाच ऋक्सामात्मिकायाः सदसश्च यजुरात्मकस्य तिरोहितम् ' इदं मिथुनं ' चर्याते इत्येतत्प्रार्थयमानाः ' परिश्रयन्ति ' " प्रार्थनायां लिङ् " इत्यर्थे लेट् । व्यृद्धमपुष्कलं परिसमाप्त्यमतो वायोऽति निःफलं कथ्याह--) तदेतन्मिथुनं यदन्यस्ताभ्यां पश्यति यस्मादर्थेन तस्माद्यद्यपि दम्पती अचिरमिथुनं चरन्तौ केचिदन्ये पश्यन्ति तथापि तौ जायापती विशेषत एव न ज्ञायेते (स्ववाचो स्मायं (?) कर्मणो ददते न दृश्यमानो म (?) दृश्यमानो म (?) दृश्यमानेन लभ्यते वा स्यादेष इत्यभिप्रायः ।) ' आगः ' अपराध एव कुर्वाते दंपती द्रष्टुः किमित्येष दुरात्मा आवां मिथुनं चरन्तौ पश्यतीति । यस्माच्चैव दृश्यमानं मिथुनं हन्यते तस्मान्मिथुनव्यृद्धिपरिहाराय द्वारेण प्रेक्षमाणं ब्रूयात् । मा प्रेक्षथा इति । मा

(मे) एवमेवैतद्धविर्धानं परिश्रयन्ति । (न्त्ये) एतस्मै मिथुनाय तिरऽइवेदं मिथुनं चर्याताऽइति व्यृद्धं वाऽएतन्मिथुनं यदन्यः पश्यति तस्माद्यद्यपि जायापती मिथुनं चरन्तौ पश्यन्ति व्येव द्रवत आगऽ एव कुर्वाते तस्माद्द्वारेण हविर्धानं प्रेक्षमाणं ब्रूयान्मा प्रेक्षथाऽइति यथा ह मिथुनं चर्यमाणं पश्येदेवं तत्कामं द्वारेण देवकृत ᳪ हि द्वारम् ॥ १० ॥

तद्वाऽएतद्वृषा साम । योषामृच ᳪ सदस्यध्येति तस्मान्मिथुनादिन्द्रो जातस्तेजसो वै तत्तेजो जातं यदृचश्च साम्नश्चेन्द्रऽ इन्द्रऽ इति ह्येतमाचक्षते यऽएष तपति ॥ ११ ॥

(त्यु) अथैतद्वृषा सोमः (मो) योषाऽ अपो हविर्धानेऽध्येति तस्मान्मिथुनाच्चन्द्रमा जातोऽन्नाद्वै तदन्नं जातं यदद्भ्यश्च सोमाच्च चन्द्रमाश्चन्द्रमा

एवमेवैतद्धविर्धानं परिश्रयन्ति—एतस्मै मिथुनाय । तिर—इवेदं मिथुनं चर्यातऽइति । व्यृद्धं वा ऽएतन्मिथुनम्—यदन्यः पश्यति । तस्माद्यद्यपि जायापती मिथुनं चरन्तौ पश्यन्ति—व्येव द्रवतः, आग एव कुर्वाते । तस्माद्द्वारेण हविर्धानं प्रेक्षमाणं ब्रूयाद्—मा प्रेक्षथा इति । यथा ह मिथुनं चर्यमाणं पश्येद्—एवं तत् । कामं द्वारेण । देवकृतं हि द्वारम् ॥ १० ॥

तद्वाऽएतद्वृषा साम योषामृचं सदस्यध्येति । तस्मान्मिथुनादिन्द्रो जातः । तेजसो वै तत्तेजो जातम्—यदृचश्च साम्नश्च इन्द्रः । इन्द्र इति ह्येतमाचक्षते—य एष तपति ॥ ११ ॥

अथैतद् वृषा सोमः, योषा अपो हविर्धानेऽध्येति । तस्मान्मिथुनाच्चन्द्रमा जातः । अन्नाद्वै तदन्नं जातम्—यदद्भ्यश्च सोमाच्च चन्द्रमाः । चन्द्रमा ह्येतस्यान्नम्—य एष तपति । तद्यजमानं

प्रेक्षथा इति मान्त्रवर्णिकदृष्टप्रतिषेधः स तस्य पुरुषार्थस्तथा चाग एव द्रष्टुः न कुर्वतेति दर्शितम् । यथाह—मिथुनमिति लौकिकमिथुनदर्शनोपमानं (द्रष्टु इयाये स्वे दोषदर्शनसमुत्थं दर्शयति—) कामगिच्छया द्वारेण सदस-उत्तरतः प्रेक्षतेऽत्र न दोषः । किं कारणं देवैरिह दर्शनार्थमेव द्वारं कृतम् । यदि न तेनापि दृश्यमाने दोषः स्यात्ततो न तद्देवैरुपायः करिष्यत इति दर्शनोपायव्यवस्थयापि च दोषोऽवतिष्ठते । यथा तदेत मिथुनं लोके चानुमानिकं तमपि लज्जयन्ति किं तर्हि प्रत्यक्षमेव ॥ ९ ॥

एवमेवैतदिति । पूर्वमेषा व्याख्याता ॥ १० ॥

तद्वा एतदिति । सत्येवं पूर्वस्मिन्वाङ्मनसयोर्मिथुने इमामपरामृक्सामयोर्वाक्प्राणयोश्च मिथुनसंपदं दर्शयति ' तेजसस्तेजो जातम् ' इत्येतस्य सिद्धार्थः । तेजस इति प्रकाशस्वभावकत्वादृक्सामे तेज इति अस्य नु तेजस्त्वं सूर्यो वा ॥ ११ ॥

अथैतद्वृषेति । इदमपि सत्येव यज्ञस्य वाचश्च मिथुने यजुर्वेदिकमेवोत्तरं मिथुनमपां सोमस्य च संपर्कस्त-

ह्येतस्यान्नं य एष तपति तद्यजमानं चैवैतज्जनयत्यन्नाद्यं चास्मै जनयत्यृचश्च साम्नश्च यजमानं जनयत्यद्भ्यश्च सोमाच्चास्माऽअन्नाद्यम् ॥ १२ ॥

यजुषा ह वै देवाः। (८) अग्रे यज्ञं तेनिरेऽथर्चाथ साम्ना तदिदमप्येतर्हि यजुषैवाग्रे यज्ञं तन्वतेऽथऽर्चाथ साम्ना यजो ह वै नामैतद्यद्यजुरिति ॥ १३ ॥

यत्र वै देवाः (८) इमा विद्याः कामान्दुदुहे तद्ध यजुर्विद्यैव भूयिष्ठान्कामान्दुदुहे सा निर्धीततमेवास सा नेतरे विद्ये प्रत्यास नान्तरिक्षलोकऽ इतरौ लोकौ प्रत्यास ॥ १४ ॥

चैवैतज्जनयति–अन्नाद्यं चास्मै जनयति। ऋचश्च साम्नश्च यजमानं जनयति, अद्भ्यश्च सोमाच्चास्माऽअन्नाद्यम् ॥ १२ ॥

यजुषा ह वै देवा अग्रे यज्ञं तेनिरे–अथऽर्चा, अथ साम्ना। तदिदमप्येतर्हि यजुषैवाग्रे यज्ञं तन्वते–अथऽर्चा, अथ साम्ना। यजो ह वै नामैतद्–यद्यजुरिति ॥ १३ ॥

यत्र वै देवा इमा विद्याः कामान्दुदुहे–तद्ध यजुर्विद्यैव भूयिष्ठान्कामान्दुदुहे। सा निर्धीततमेवास। सा नेतरे विद्ये प्रत्यास। नान्तरिक्षलोक इतरौ लोकौ प्रत्यास ॥ १४ ॥

स्माच्च चन्द्रमा जात इति दर्शनानुपहतस्य मिथुनस्य कार्यप्रदर्शनम्। 'अन्नाद्वै तदन्नम्' इत्यप्सोमत्वादन्नं चन्द्रमा अप्यन्नं चेत्यभिप्रायः। तथा यजमानमिति इतिहासस्य यज्ञ उपसंहारः। यजमानमत्तारं जनयत्यृचश्च साम्नश्चाध्वर्युर्मा प्रेक्षथा इति वचनं मिथुनं रक्षम् (?) एवमेव हविर्द्धानेऽन्नाद्यं मिथुनमेव रक्षं (?) जनयित्वा च मा प्रेक्षथा इत्येष विधिः समाप्तः ॥ १२ ॥

यजुषा हेति। एताभिरष्टाभिः कण्डिकाभिः यजुर्वेदसाध्यकर्मण उपांशुचरणं नाम धर्मो विधीयते। तत्रैवैका तावदुपपत्तिर्यथाध्यात्मार्थमिन्द्रियाणां पुरश्चरणं बहिः प्रकाशमेव यजुर्वेदीयोत्तरयोः पुरश्चरणमध्वर्युश्च स्तोत्रशस्त्रकारिणां ततश्च तेन बहिः प्रकाशधर्मकेण स(तेवेत्युक्तं)भवितुमिति तस्या उपपत्तेरुत्तरत्र वक्ष्यमाणाया उपोद्घातार्थमिदं यजुर्वेदस्य कालतः पुरश्चरणत्वमत्र प्रदर्श्यते इति। यजेर्द्धातोः करणसाधनप्रत्ययोऽत्र युक्त इत्येतद्दर्शयति। ततश्च इज्यतेऽनेनेति यज इत्येवं प्राप्ते यजुरिति निरूढः। ननु च यदत्र प्राप्तिर्विभाव्यते ततो यजुरिशष्टयागेनैतानि रूपाणि प्राप्नुवन्ति न यजत इति नैष दोषः। न व्याकरणकृतप्राप्तमेतद्वचनं कथं तर्हि यज इत्येव धातुः तिरोहितो दृष्टः प्रयोगश्चात्र कर्तरि कारके चायं प्रत्ययः (अहो वर इत्यादौ यागः। इष्टिरित्यत्र धातुरेव तिरोधीयत इत्यभिप्रायः) ॥ १३ ॥

यत्र वै देवा इति। एताभिः पञ्चभिः कण्डिकाभिरुपांशुत्वे कारणमाह–'निर्धीततमेवास सा नेतरे'–यजुर्विद्यैषामुपांशुचरणेनाप्यत इति 'यत्र' काले 'देवाः इमा विद्याः' विग्रहवतीरिमान् 'कामान्' भोगान् दुदुहे ततस्तत्र काले यजुर्विद्यैव बहुतमान् 'कामान्' दुग्धवती सुता। ततश्च सा निःसारत्वात् 'इतरे

ते देवाऽअकामयन्त । कथं न्वियं विद्येतरे विद्ये प्रतिस्यात्कथमन्तरिक्षलोक इतरौ लोकौ प्रतिस्यादिति ॥ १५ ॥

ते होचुः । (रु) उपाᳬशेव यजुर्भिश्चराम ततऽएषा विद्येतरे विद्ये प्रतिभविष्यति ततोऽन्तरिक्षलोक इतरौ लोकौ प्रतिभविष्यतीति ॥ १६ ॥

तैरुपाᳬश्वचरन् । (न्ना) आप्याययन्नेवैनानि तत्तत एषा विद्येतरे विद्ये प्रत्यासीत्ततोऽन्तरिक्षलोक इतरौ लोकौ प्रत्यासीत्तस्माद्यजूᳬषि निरुक्तानि सन्त्यनिरुक्तानि तस्मादयमन्तरिक्षलोको निरुक्तः सन्ननिरुक्तः ॥ १७ ॥

स य उपाᳬशु यजुर्भिश्चरति । (त्या) आप्याययत्येवैनानि स तान्येन

ते देवा अकामयन्त—कथं न्वियं विद्येतरे विद्ये प्रतिस्यात्, कथमन्तरिक्षलोक इतरौ लोकौ प्रतिस्यादिति ॥ १५ ॥

ते होचुः—उपांश्वेव यजुर्भिश्चराम—तत एषा विद्येतरे विद्ये प्रतिभविष्यति, ततोऽन्तरिक्षलोक इतरौ लोकौ प्रतिभविष्यतीति ॥ १६ ॥

तैरुपांश्वचरन्—आप्याययन्नेवैनानि तत् । तत एषा विद्येतरे विद्ये प्रत्यासीत्, ततोऽन्तरिक्षलोक इतरौ लोकौ प्रत्यासीत् । तस्माद्यजूंषि निरुक्तानि सन्त्यनिरुक्तानि । तस्मादयमन्तरिक्षलोको निरुक्तः सन्ननिरुक्तः ॥ १७ ॥

स य उपांशु यजुर्भिश्चरति—आप्याययत्येवैनानि सः तान्येनमापीनान्याप्याययन्ति । अथ य उच्चैश्चरति—रूक्षयत्येवैनानि सः । तान्येनं रूक्षाणि रूक्षयन्ति ॥ १८ ॥

विद्ये प्रति ' न बभूव । प्रति प्रतिनिधौ कर्मप्रवचनीयः तद्युक्ते द्वितीया (पा. सू. २।३।८) सानु प्रतिनिधे रिति निधे (?) इतिहासेन च यस्मादिति पंचमी सा एव प्रयोगात् । न गम्येति गम्यते । ततश्च इतरे विद्ये प्रतीतरयोर्विद्ययोः प्रतिनिधिसदृशी समाना बभूवेत्यर्थः । तदनुकारित्वादन्तरिक्षलोकेऽपि यजुर्वेदभक्तिरिति । यो लोकयोः समानो बभूव ॥ १४ ॥

ते देवा इति । प्रसन्ना ॥ १५ ॥

ते होचुरिति । 'यजुर्भिः' यजुर्वेदेनेत्यर्थः । अवयवैरवयविन उपलक्षणैर्यजुर्विद्यायामिवैताभ्यामपि आप्यानस्यापेक्षत्वादेषा विद्येत्यभिगमनम ॥ १६ ॥

तैरुपांश्विति । ' आप्याययन् ' इत्यल्पायासोऽप्युपांशु प्रयुज्यमानं संवर्द्धितं वार्द्धितवन्तः । यस्मादेव देवाः ' तस्मात् ' एतानि ' यजूंषि ' निरुक्तानि ' अर्थतः ' सन्त्यनिरुक्तानि ' प्रयोगतोऽन्येषामश्रवणीयानि प्रयुज्यन्ते । तदनुकारेण वायुरन्तरिक्षलोकान्तरितानि विमानचरैर्देवैः प्रयोगादिषु कीर्तितत्वान्निरुक्तान्यपि विस्पष्टपृथिवीचन्द्रार्कतारकादीव न दृश्यत इत्यर्थः ॥ १७ ॥

स य उपांश्विति । अर्थवादेनायं विधिः ' यजुर्भिः ' यजुर्वेदावयवैरित्यर्थः । यजुर्भिर्विधोपक्रमाद्वेदो लक्ष्यते ।

स्रापीनान्याप्याययन्त्यथ यऽउच्चैश्चरति रूक्षयत्येवैनानि स तान्येनᳪ रूक्षाणि रूक्षयन्ति ॥ १८ ॥

वागेवऽर्चश्च सामानि च । मन एव यजूᳪषि स यऽऋचा च साम्ना च चरन्ति वाक्ते भवन्त्यथ ये यजुषा चरन्ति मनस्ते भवन्ति तस्मान्नानभिप्रेषितमध्वर्युणा किं चन क्रियते यदैवाध्वर्युराहानुब्रूहि यजेत्यथैव ते कुर्वन्ति यऽऋचा कुर्वन्ति यदैवाध्वर्युराह सोमः पवतऽउपावर्तध्वमित्यथैव ते कुर्वन्ति ये साम्ना कुर्वन्ति नो ह्यनभिगतं मनसा वाग्वदति ॥ १९ ॥

वागेवऽर्चश्च सामानि च, मन एव यजूंषि । स यऽऋचा च साम्ना च चरन्ति--वाक्ते भवन्ति । अथ ये यजुषा चरन्ति–मनस्ते भवन्ति । तस्मान्नानभिप्रेषितमध्वर्युणा किं चन क्रियते । यदैवाध्वर्युराह--' अनुब्रूहि ' ' यज ' इति । अथैव ते कुर्वन्ति यऽऋचा कुर्वन्ति । यदैवाध्वर्युराह–सोमः पवतऽउपावर्तध्वमिति । अथैव ते कुर्वन्ति–ये साम्ना कुर्वन्ति । नो ह्यनभिगतं मनसा वाग्वदति ॥ १९ ॥

वेदो हि यजुर्मंत्रः । कुत एतत् । अङ्गानिवेदाश्चत्वार इति प्रकृत्य विद्याह्येताश्चतुर्दशेति वचनात् । तेनापि यजुर्वेदेनेह स्वावयवैः पुनर्मन्त्रात्तां लक्ष्यन्ते किं कारणं सकलयज्ञे कारणत्वेन विधानादुपांशुयजुश्चरतीत्यत्र च यजुश्चरणे उपांशुत्वस्य श्रवणात् । ननु च जयसाधकतममिदमित्यत्र सकलस्य वेदस्य सामर्थ्यात्कारणत्वं नैतद्विपर्ययमुपांशुत्वं किं न ज्ञायते ? किं लक्षणया पुनरवयवाख्या श्रीयन्त इत्युच्यते । "यजुषा ह वै देवा अग्रे यज्ञं तेनिरे" [त्रयोदशकण्डिकायां]इत्यत्र यज्ञकरणभूतानि यजूंषि प्रकृतानि न जयसाधनानि तेनोपक्रमवशात्पुरश्चरणोपसंहारः।शाखावयवैरेवैतदुपांशुत्वं विधीयते,ततश्च यजुर्वेदविधायास्तद्गतानामृचामपि सिद्धमुपांशुत्वं प्रयोगकाले । नन्वेवं सति सोमाध्वरेणोपक्रम्य तासां सौम्येऽध्वर एवेदुपांशुत्वं प्राप्नोति । ननु कर्मान्तराणि तदेवं यदि हि यजुर्वेदरूपा(?)सौम्येऽध्वरे परिसमाप्तं स्यात्। तत्तत्रोपक्रमवशात्तावन्मात्र एवावतिष्ठते । अथ तु यजुर्विद्या सर्वकर्मसु वर्तते । ततश्च यजुर्विद्याऽव्ययवत्वात् सर्वकर्ममन्त्रेष्वेवोपांशुत्वस्यावतारो यत्र सौम्याध्वरोपक्रमादिति । तत्रोच्यते–त्रय्या विशिष्ट उपक्रमोऽसौ वर इत्ययमुत्प्रेक्षणप्रतिषेधे विश्वोपयोगी तत्रैवाचक्षाणो (नात्राप्युत्थानो) ऽवयऽवान्तरेभ्यः शक्नोति उपांशुत्वं निवर्तयितुम् । तस्मादुपपन्नं सर्वकर्मसु यजुषामुपांशुत्वधर्मस्तथाच तदेतद्यजुरुपांश्वनिरुक्तमिति प्रकृत्योपांशु यजुषां हविर्निर्वपति सर्वधर्मतामेव (दनामिष्यप्नोते) " स्फायी ओप्यायी वृद्धौ "–(धा. पा. भ्वा. आ. ४८९।४९०) । " प्यायः पी "–(पा. सू. ६ । १ । २८) निष्ठायां तकारस्य नत्वम् (पा. सू. ८ । २ । ४९) । ' आपीनानि वृद्धानीत्यर्थः ॥ १८ ॥

वागेवर्चश्चेति अत्र यजुषां (तत्वारिणावसमनसरत (!) मुच्यते) उपांशुचरणोपपत्तिस्तु (द्वये) यजुषा चरन्ति इति बहुवचनात् सर्वे एवाध्वर्युपुरुषा आग्नीध्रश्चोपांशु चरन्तीति गम्यते ॥ १९ ॥

१–" अङ्गानि वेदाश्चत्वारो मीमांसा न्यायविस्तरः । पुराणं धर्मशास्त्रं च विद्या ह्येताश्चतुर्दश ॥ " इति स्मृतिः ।

तद्वाऽएतन्मनोऽध्वर्युः । पुरऽइवैव चरति तस्मात्पुरश्चरणं नाम पुरऽइव ह वै श्रिया यशसा भवति य एवमेतद्वेद ॥ २० ॥

तद्वाऽएतदेव पुरश्चरणम् । यऽ एष तपति स ऽएतस्यैवावृता चरेद्ग्रहं गृहीत्वैतस्यैवावृतमन्वावर्तेत प्रतिगीर्यैतस्यैवावृतमन्वावर्तेत ग्रहꣳ हुत्वैतस्यैवावृतमन्वावर्तेत स हैष भर्ता स यो हैवं विद्वानेतस्यावृता शक्नोति चरितुꣳ शक्नोति हैव भार्यान्भर्तुम् ॥ २१ ॥

इति पञ्चम प्रपाठके नवमं ब्राह्मणम् ॥ ४–५–९ ॥ (६.७.) ॥

या वै दीक्षा सा निषत्। (त्त)तत्सत्रं तस्मादेनानासतऽइत्याहुरथ यत्ततो यज्ञं तन्वते तद्यन्ति तन्नयति यो नेता भवति स तस्मादेनान्यन्तीत्याहुः ॥१॥

तद्वाऽएतन्मनोऽध्वर्युः पुर–इवैव चरति । तस्मात्पुरश्चरणं नाम । पुर–इव ह वै श्रिया यशसा भवति–य एवमेतद्वेद ॥ २० ॥

तद्वाऽएतदेव पुरश्चरणम्–य एष तपति । स एतस्यैवावृता चरेत् । ग्रहं गृहीत्वैतस्यैवावृतमन्वावर्तेत । प्रतिगीर्यैतस्यैवावृतमन्वावर्तेत । ग्रहं हुत्वैतस्यैवावृतमन्वावर्तेत । स हैष भर्ता । स यो हैवं विद्वानेतस्यावृता शक्नोति चरितुं–शक्नोति हैव भार्यान्भर्त्तुम् ॥ २१ ॥

सत्रोत्थानम् ।

या वै दीक्षा सा निषत्, तत् सत्रम् । तस्मादेनान्–आसतऽइत्याहुः । अथ यत्ततो यज्ञं तन्वते–तद्यन्ति, तन्नयति–यो नेता भवति सः । तस्मादेनान्यन्तीत्याहुः ॥ १ ॥

तद्वा एतदिति । अत्राध्वर्युः पुरश्चरणनिमित्तमित्युच्यते उत्तरविवक्षया ॥ २० ॥

तद्वा एतदेवेति । अवैदिकस्य पुरश्चरणस्य 'आवृता' अध्वर्युश्चरेद् ग्रहग्रहणादेतस्येत्युच्यते, सस्तोत्रशस्त्रे चाग्रहेष्वेव तदावर्त्तनं द्रष्टव्यं, पुरश्चरणसंबन्धविधानात् । तत्र स्व (१) नरापेक्षया पुरश्चरणस्योत्पत्तेः 'स यो हैवं विद्वान्' इति शक्तिमात्रेऽध्वर्योः फलम् ॥ २१ ॥

इति श्रीमदाचार्यहरिस्वामिनः कृतौ माध्यन्दिनशतपथब्राह्मणभाष्ये चतुर्थकाण्डे षष्ठेऽध्याये सप्तमं ब्राह्मणम् ॥ ४–६–७ ॥

या वै दीक्षेति । सत्रधर्मा वैशेषिका अत्र ब्राह्मणे उच्यन्ते । सत्राणां च प्रथमा प्रवृत्तिः (आग्नेयवौदमो) द्वादशाहस्तथ सत्राणामावृतौ वा निरुक्तत्वादिति सत्रात्मको द्वादशाहो विज्ञायते; तस्मादेवोत्तरेषु एतेषु एते विशेषधर्मा लभ्यन्त इति तदर्थमप्याम्नायन्ते । तत्र द्वाभ्यां कण्डिकाभ्यां सत्रादीञ्छन्दांस्याचष्टे सत्राधिकाराथ प्रायेणैव हि सत्र एतैः शब्दैः सर्ववेदेषु व्यवहारः सत्रमासते उपयन्ति गवादीनामयनं तत्रोदतिष्ठत्तत्सत्रोत्थानमिति । नवैतेऽतीव वक्ष्यमाणप्रसिद्धत्वेन तान्व्याचष्टे । तत्र चैतद्ध्यधिकृतं भविष्यति चैवाव्याख्याता

(य्गं) या ह दीक्षा सा निषत्। (त्तु) तत्सत्त्रं तदयनं तत्सत्त्रायणमथ यत्ततो यज्ञस्योदृचं गत्वोत्तिष्ठन्ति तदुत्थानं तस्मादेनानुदस्थुरित्याहुरिति नु पुरस्ताद्वदनम् ॥ २ ॥

(मु) अथ दीक्षिष्यमाणाः समवस्यन्ति । ते यद्यग्निं चेष्यमाणा भवन्त्यरणिष्वेवाग्नीन्त्समारोह्योपसमायन्ति यत्र प्राजापत्येन पशुना यक्ष्यमाणा भवन्ति मथित्वोपसमाधायोद्धृत्याहवनीयं यजन्तऽएतेन प्राजापत्येन पशुना ॥ ३ ॥

या ह दीक्षा—सा निषत्, तत्सत्त्रम्, तदयनम्, तत्सत्त्रायणम् । अथ यत्ततो यज्ञस्योदृचं गत्वोत्तिष्ठन्ति—तदुत्थानम् । तस्मादेनानुदस्थुरित्याहुः—इति नु पुरस्ताद्वदनम् ॥ २ ॥

अथ दीक्षिष्यमाणाः समवस्यन्ति । ते यद्यग्निं चेष्यमाणा भवन्ति—अरणिष्वेवाग्नीन्त्समारोह्योपसमायन्ति—यत्र प्राजापत्येन पशुना यक्ष्यमाणा भवन्ति । मथित्वोपसमाधायोद्धृत्याहवनीयं यजन्ते—एतेन प्राजापत्येन पशुना ॥ ३ ॥

इति तावत्पर्यन्तं यावानाह—' या वै दीक्षा सा निषात् ' इति वाक्याश्रयणीया यो अविवक्षिते वेदे सर्वैकैव दीक्षाऽत्राभिहिता सा दीक्षा निषत्"षद्लृ विशरणगत्यवसादनेषु"(धा.पा.तु.प.१४१)निपूर्वः (त्रोदामर्थयादीनि धत्ते) निवर्त्तते 'निषद्' अवसादः । अथासनमेव केवलमिदमिति नियमवचनान्न कस्यचित् कर्मण उत्सर्पणम इत्यभिप्रायः । या सा निषत्तत्तन्त्रमिति प्रदर्शनमिदमेव भेदनिदर्शनमपि द्रष्टव्यम् । यथैव हि निषदनं निषत् एवं सदनमवसादनमिति । यस्माच्च निषसदनमवसादनमासीत् ' तत् ' दीक्षात्मकं ' सत्रं ' ' तस्माद् ' एतस्माद् ' एनान् ' सत्रिणो दीक्षितान्मन्त्रशासन ' इत्याहुः ' (वै देवा दाश्वतद्विदसति धात्वन्तरं पर्यायतया दर्शितम) । ' अथ यत्ततः ' ऊर्ध्वं प्रायणीयादि ' यज्ञं तन्वते ' यज्ञस्य समाप्तिं तदेव ' नयति ' ' यो नेता ' च ' भवति ' ' स ' गृहपतिं नयतीति वा सत्रिणः अस्माद्यज्ञायतनं दर्शिता उपयन्ति ॥ १ ॥

दीक्षाशब्दस्य प्रायणीयाद्यशेषवचनव्रतानुष्ठानत्वेन नेतव्यतया पुनः सत्रादीनां सकलप्रयोगवचनं दर्शयति—या ह दीक्षेति । दीक्षया इदानीं सर्व एव प्रयोगो लक्ष्यते । अवियुक्तदीक्षैः क्रियमाणत्वात्सर्व एव प्रयोगो दीक्षेत्यभिप्राः । अत एव च लौकिकेभ्यः कर्मभ्यः व्यावृत्तानां कर्मगामिनां मन्यते सदनमिदं च निषदनं ' निषद् ' तदेव च सदनं ' सत्रं ' तदेव यज्ञस्योत्सर्पणमित्यभिप्रायेण ' अयनं ' गमनं तदेव 'सत्रायणं' सत्रं च तदयनं चेति सत्रायणं युगपत् कामनयाऽनया विवक्षयेत्यभिप्रायः । ' अथ यत् ' तत् यत्रह्यभयं व्यास्तं प्रायउपतिष्ठन्ति कर्मान्तरं देशान्तरवद्यन्ति एवं ते तदुत्थानं यस्माच्चैवं ' तस्मादेनान् ' मन्त्रपरिसमासेः समासतः ' उदस्थुः ' उत्थिताः सत्राद् ' इति ' एवम् ' आहुः ' वेदविदः । (यदि सत्राय दीक्षितानां प्रसीयेताथ सोः (१) स्युछिष्टप्रदित्वादिव (१) एवमाद्ययने शतैतत्तत्र शब्दनिरूपणं द्रष्टव्यम् ।) इतिनु एतावदेव वैतद्वैशेषिकसत्रकर्मसिद्धेः पुरस्तादुपन्यासायैव ' वदनं ' व्याख्यानमुपसंहारः ॥ २ ॥

अथ दीक्षितेष्वारभ्य वैशेषिककर्मविधिः समवस्यन्ति एकस्मिन्देशे तूपकरणानि विमुञ्चन्ति ततश्च सामर्थ्या-

मुस्य शिरो निदधाति । तेषां यदि तदहर्दीक्षा न समैत्यरणिष्वेवाग्नीन्त्स-मारोह्य यथायथं विपरेत्य जुह्वति ॥ ४ ॥

(त्यु) अथ यदहरेषां दीक्षा समैति । (त्य) अरणिष्वेवाग्नीन्त्समा-रोह्योपसमायन्ति यत्र दीक्षिष्यमाणा भवन्ति गृहपतिरेव प्रथमो मन्थते मध्यं प्रति शालायाऽ अथेतरेषामर्धा दक्षिणत ऽउपविशन्त्यर्धाऽ उत्तरतो मथित्वोपसमाधायैकैकमेवोल्मुकमादायोपसमायन्ति गृहपतेर्गार्हपत्यं गृह-पतेरेव गार्हपत्यादुद्धृत्याहवनीयं दीक्षन्ते तेषाᳪं समान ऽआहवनीयो भवति नाना गार्हपत्या दीक्षोपसत्सु ॥ ५ ॥

तस्य शिरो निदधति । तेषां यदि तदहर्दीक्षा न समैति—अरणिष्वेवाग्नीन्त्समारोह्य यथायथं विपरेत्य जुह्वति ॥ ४ ॥

अथ यदहरेषां दीक्षा समैति—अरणिष्वेवाग्नीन्त्समारोह्योपसमायन्ति—यत्र दीक्षिष्यमाणा भवन्ति । गृहपतिरेव प्रथमो मन्थते—मध्यं प्रति शालायाः । अथेतरेषामर्धा दक्षिणत उपविशन्ति,

---

दग्न्यादीन्संसृज्य यजन्त इत्येतावदेवैतमभिसमवेक्षमाणानामतःपरमाब्राह्मणपरिसमाप्ति । अपि साधारणं कल्पत्रैय-माह—अथेति । प्राजापत्यस्य नियमविकल्पविशेषनिबन्धनाद्वा विशेषो मंथने । प्रत्येकं गृहपतेर्दक्षिणोत्तरा कुत एतत् । एतस्मिन्नेव चाज्ये दीक्षाकालस्य नियमस्य वचनादविरोधः । 'उपसमाधाय' पृथक् पृथग्गार्ह-पत्याहवनीयं सर्वेभ्य एकैकमङ्गारं गृहपतेराहवनीये प्रास्येयुरेवमाहवनीयमुद्धृत्य । कुत एवं शाखान्तराद् गार्हपत्ये एव प्रासनस्येह श्रवणात् । 'यजन्त एतेन प्राजापत्येन पशुना'—इति प्राजापत्यनियमार्थं वचनम् ॥ ३ ॥

तस्य शिरो निदधतीति । अनुवाद एव ॥ ४ ॥

अथ यदहरिति । यदहरिति सप्तम्या लुक् द्रष्टव्यः । यस्मिन्नहनीत्यर्थः । 'समैति' संपद्यतेऽस्मिन्नित्य-ध्याहारः । 'यत्र' देशे 'दीक्षिष्यमाणा भवन्ति' तत्रेति शेषः । 'गृहपतिरेव प्रथमः' इति क्रमो

१—अथ द्वादशाहधर्माः । अग्निं चेष्यमाणाः समारोह्य गृहपतिर्मध्यं मंथत्यर्द्धश इतरे दक्षिणोत्तराः । गृहपत्याहवनीयेंऽगारप्रास-नम् । तत्र प्राजापत्यः पशुः । आज्येन पत्नीसंयाजा गृहपतिवर्जम् । तदहर्दीक्षा अनेन सूत्रेण दीक्षायाः प्राजापत्यपशोश्चैककाल-तोच्यते । तत्र दीक्षाकाले प्राजापत्यः कर्तव्यः । न पशुकाले दीक्षा । इति सूत्रार्थः । अशक्तौ नियतक्रिया समारूढनिर्मथितेषु सर्वत्र । पशुदीक्षयोरेककालता अशक्तौ स्वकाले पशुं कृत्वा समारोपनिर्मंथनपूर्विकाऽनियतानां क्रियाः । सर्वत्रग्रहणाच्च त्रिष्वपि मंथनपक्षेषु । इति कार्कः सूत्रार्थः । अर्थादिनांतरे दीक्षा । दीक्षाकाल उदवसशायां पूर्ववन्मंथनम् । अनेन दीक्षाकाले मंथन बोध्यते । तत्रायं मंथनकालस्यैकः पक्षः । गार्हपत्ये प्रासनमत्र । अस्मिन्नेव पक्षे । आहवनीयस्ततः । अस्मिन्नेव पक्षे । तुल्यन्या-याद्दक्षिणाभिरप्युच्छ्रियते इति कर्कः । तत्र दीक्षा । का० श्रौ० सू० । १२ । १६–२५ ।

अथ मंथने द्वितीयः पक्षः । गृहपतिं वा पर्युपविश्य मंथन्ते । गृहपतिः प्रथमः प्रथमः सर्वत्र । सर्वत्र सर्वमंथनपक्षेषु । जातं जातं गृहपतिर्गार्हपत्ये प्रास्यत्युभयत्र । पर्युपवेशनपक्षे पशौ दीक्षायाश्चोभयत्र ग्रहणादिति कर्कः । का० श्रौ० सू० १२।३२–३४ ।

अथ मंथने तृतीयः पक्षः । अरण्योर्वाहुर्गृहपतेर्य इतोऽभिर्जनिष्यते स नः सह यदनेन यज्ञेन जेष्यामोऽनेन पशुबंधेन तन्नः सह सह नः साधुकृत्या नानापापकृत्या य एव पापं करवत्तस्यैव तदित्युक्त्वा गृहपतिः समारोहयते स्वौ प्रथमम् । यथास्वं वेतरे । इति मंथने तृतीयः पक्षः । का० श्रौ० सू० १२ । ३६ । ३७ ।

(त्स्वु) अथ यदहरेषां क्रयो भवति । तदहर्गार्हपत्यां चितिमुपदधात्यथेतरेभ्यऽ उपवसथे धिष्ण्यान्वैसर्जिनानां काले प्राच्यः पत्न्यऽ उपसमायन्ति प्रजहत्येतानुपरानग्नीन्हुतऽएव वैसर्जिने ॥ ६ ॥

राजानं प्रणयति । (त्यु) उद्यत एवैष ऽआग्नीध्रीयोऽग्निर्भवत्यथैतऽएकैकमेवोल्मुकमादाय यथाधिष्ण्यं विपरायन्ति तैरेव तेषामुल्मुकैः प्रघ्नन्तीति ह स्माह याज्ञवल्क्यो ये तथा कुर्वन्तीत्येतन्न्वेकमयनम् ॥ ७ ॥

अर्धा उत्तरतः । मथित्वोपसमाधायैकैकमेवोल्मुकमादायोपसमायन्ति-गृहपतेर्गार्हपत्यम् । गृहपतेरेव गार्हपत्यादुद्धृत्याहवनीयं दीक्षन्ते । तेषां समान आहवनीयो भवति, नाना गार्हपत्यादीक्षोपसत्सु ॥ ५ ॥

अथ यदहरेषां क्रयो भवति-तदहर्गार्हपत्यां चितिमुपदधाति । अथेतरेभ्य उपवसथे धिष्ण्यान् । वैसर्जिनानां काले प्राच्यः पत्न्य उपसमायन्ति । प्रजहत्येतानपरानग्नीन् हुतऽएव वैसर्जिने ॥ ६ ॥

राजानं प्रणयति । उद्यत एवैष आग्नीध्रीयोऽग्निर्भवति । तऽएकैकमेवोल्मुकमादाय यथाधिष्ण्यं विपरायन्ति । तैरेव तेषामुल्मुकैः प्रघ्नन्तीति ह स्माह-याज्ञवल्क्यः-ये तथा कुर्वन्तीति । एतन्न्वेकमयनम् ॥ ७ ॥

'मध्यं प्रति' अतिदेश उभयविशिष्टमन्थनं विधीयते । 'अथेतरेषामर्धा दक्षिणतः' इति यथाक्रमं प्रत्यासत्तिः । ब्रह्मगृहपतेरनन्तरो दक्षिण इति । उद्गातोत्तरतो ब्रह्मणो दक्षिणतो होतोद्गातुरुत्तरतोऽध्वर्युरेवमपि द्रष्टव्यम ॥ ५ ॥

अथ यदिति । गार्हपत्यां गृहपतिना संयुक्तामिति । गृहपतिर्गार्हपत्यस्य 'चितिं' क्रयणीयेऽहनि चिनोति इतरेभ्यस्त्वितरदीक्षितगार्हपत्येभ्यः 'उपवसथे' चिनोति । तान् स्वधिष्ण्यरूपानिष्टकानेकविंशतिम् इष्टकानि 'वैसर्जिनानां काले' प्राप्ते 'प्राच्यः पत्न्यो' यथास्वधिष्ण्यं संतत एव युगपदुपागच्छन्ति । 'प्रजहति' च प्रमुञ्चन्ति च एतानपरान्पश्चिमान्निर्मथ्यानग्नीन्प्रजहतीत्येतच्च नाग्नीनामुपगमनमुच्यते, किं तर्हि प्रतिगमाशंका निवर्त्यते नैवमाशङ्कनीयं वचनात् । प्राप्यागत्य पुनस्तानेव पराग्नीकृतेषु वैसर्जिनेषु व्रजन्तीति हुत एव वैसर्जिने द्वितीये राजानं प्रणयतीत्यनुवाद एवोत्तरवचनार्थः ॥ ६ ॥

राजानं प्रणयतीति । 'उद्यत एव' आक्षिप्त एव 'एष' 'आग्नीध्रीयो भवति' यावच्छालाया न निष्क्राम्यात् । तावदेवैतदितरे सत्रिणः साधारण्याच्छालाद्वार्याद् 'एकैकमुल्मुकमादाय' पृथक् पृथक् पराङ्मुखा गच्छन्तीति । एकोऽग्निविकल्पः । एवं यज्ञं याज्ञवल्क्यमतेन विन्दति । तैरेवेति । यैरुल्मुकैर्गृहपतयोऽनुगच्छन्ति दीक्षाकाले तैरेवोल्मुकैस्तेषां सत्रिणां पुत्रादीन् प्रकर्षेण घ्नन्ति तथा कुर्वन्तीत्येतद्याज्ञवल्क्यवचन एवैकमित्युपसंहारः ॥ ७ ॥

१-उपवसथप्रभृति प्रागग्नीषोमप्रणयनादुपशमय्य चिनोत्येनान् शालाद्वार्याद्दक्षिणोत्तरान् धिष्ण्यवत् । श्रुतेः । वा यथोक्तं गृहपतेः । आग्नीध्रीये उद्यतेऽङ्गारमेकैकः हरंति प्रतिचिति शालाद्वार्यात् । का. श्रौ. सू. १२ । २६-२९ ।

(मु) अथेदं द्वितीयम् । (म) अरणिष्वेवाग्नीन्त्समारोह्योपसमायन्ति यत्र प्राजापत्येन पशुना यक्ष्यमाणा भवन्ति मथित्वोपसमाधायोद्धृत्याहवनीयं यजन्तऽएतेन प्राजापत्येन पशुना ॥ ८ ॥

तस्य शिरो निदधाति । तेषां यदि तदहर्दीक्षा न समेत्यरणिष्वेवाग्नीन्त्समारोह्य यथायथं विपरेत्य जुह्वति ॥ ९ ॥

(त्यु) अथ यदहरेषां दीक्षा समैति । (त्य) अरणिष्वेवाग्नीन्त्समारोह्योपसमायन्ति यत्र दीक्षिष्यमाणा भवन्ति गृहपतिरेव प्रथमो मन्थतेऽथेतरे पर्युपविश्य मन्थन्ते ते जातं जातमेवानुप्रहरन्ति गृहपतेर्गार्हपत्ये गृहपतेरेव गार्हपत्यादुद्धृत्याहवनीयं दीक्षन्ते तेषाᳬं समान आहवनीयो भवति समानो गार्हपत्यो दीक्षोपसत्सु ॥ १० ॥

(त्स्वु) अथ यदहरेषां क्रयो भवति । तदहर्गार्हपत्यां चितिमुपदधात्यथेतरेभ्य ऽउपवसथे धिष्ण्यान्वैसर्जिनानां काले प्राच्यः पत्न्य ऽउपसमायन्ति प्रजहत्येतमपरमग्निᳬं हुतऽएव वैसर्जिने ॥ ११ ॥

राजानं प्रणयति । (त्यु) उद्यत ऽएवैष ऽआग्नीध्रीयोऽग्निर्भवत्यथैतऽएकैकमेवोल्मुकमादाय यथाधिष्ण्यं विपरायन्ति समदमु हैव ते कुर्वन्ति

अथेदं द्वितीयम् अरणिष्वेवाग्नीन्त्समारोह्योपसमायन्ति—यत्र प्राजापत्येन पशुना यक्ष्यमाणा भवन्ति । मथित्वोपसमाधायोद्धृत्याहवनीयं यजन्ते—एतेन प्राजापत्येन पशुना ॥ ८ ॥

तस्य शिरो निदधाति । तेषां यदि तदहर्दीक्षा न समैति—अरणिष्वेवाग्नीन्त्समारोह्य यथायथं विपरेत्य जुह्वति ॥ ९ ॥

अथ यदहरेषां दीक्षा समैति- अरणिष्वेवाग्नीन्त्समारोह्योपसमायन्ति—यत्र दीक्षिष्यमाणा भवन्ति। गृहपतिरेव प्रथमो मन्थते—अथेतरे पर्युपविश्य मन्थन्ते । ते जातं जातमेवानुप्रहरन्ति—गृहपतेर्गार्हपत्ये गृहपतेरेव गार्हपत्यादुद्धृत्याहवनीयं दीक्षन्ते । तेषां समान आहवनीयो भवति, समानो गार्हपत्यो—दीक्षोपसत्सु ॥ १० ॥

अथ यदहरेषां क्रयो भवति—तदहर्गार्हपत्यां चितिमुपदधाति । अथेतरेभ्य उपवसथे धिष्ण्यान् । वैसर्जिनानां काले प्राच्यः पत्न्य उपसमायन्ति । प्रजहत्येतमपरमग्निम् हुतऽएव वैसर्जिने ॥ ११ ॥

राजानं प्रणयति उद्यत एवैष आग्नीध्रीयोऽग्निर्भवति । अथैतऽएकैकमेवोल्मुकमादाय यथाधिष्ण्यं

अथेदमिति । प्रसन्नाक्षरतत्त्वः ॥ ८–११ ॥

राजानं प्रणयतीति । समदमिति । यत्र जातमग्निं गृहपतेर्गार्हपत्ये प्रास्यन्ति तत्समदं संमरणं विरोध-

समृद्धैनाविन्दत्यर्तुका ह भवन्त्यपि ह तमर्धꣳ समृद्विन्दति यस्मिन्नर्धे यजन्ते ये तथा कुर्वन्त्येतद्द्वितीयमयनम् ॥ १२ ॥

(मु) अथेदं तृतीयम् । गृहपतेरेवारण्योः संवदन्ते य इतोऽग्निर्जनिष्यते स नः सह यदनेन यज्ञेन जेष्यामोऽनेन पशुबन्धेन तन्नः सह सह नः साधुकृत्या यऽएव पापं करवत्तस्यैव तदित्येवमुक्त्वा गृहपतिरेव प्रथमः समारोहयतेऽथेतरेभ्यः समारोहयति स्वयं वैव समारोहयन्ते तऽआयन्ति यत्र प्राजापत्येन पशुना यक्ष्यमाणा भवन्ति मथित्वोपसमाधायोद्धृत्याहवनीयं यजन्तऽएतेन प्राजापत्येन पशुना ॥ १३ ॥

तस्य शिरो निदधति । तेषां यदि तदहर्दीक्षा न समैत्यरणिष्वेवाग्नीन्त्समारोह्य यथायथं विपरेत्य जुह्वति ॥ १४ ॥

(त्यु) अथ यदहरेषां दीक्षा समैति । गृहपतेरेवारण्योः संवदन्ते य इतोऽग्निर्जनिष्यते स नः सह यदनेन यज्ञेन जेष्यामोऽनेन सत्रेण तन्नः सह सह नः साधुकृत्या य एव पापं करवत्तस्यैव तदित्येवमुक्त्वा गृहपति-

---

विपरायन्ति । समदमु हैव ते कुर्वन्ति । समर्द्धैनाविन्दति । अर्तुका ह भवन्ति । अपि ह तमर्धं समृद्विन्दाति–यस्मिन्नर्धे यजन्ते–ये तथा कुर्वन्ति एतद्द्वितीयमयनम् ॥ १२ ॥

अथेदं तृतीयम्–गृहपतेरेवारण्योः सम्वदन्ते–' य इतोऽग्निर्जनिष्यते–स नः सह, यदनेन यज्ञेन जेष्यामः–अनेन पशुबन्धेन–तन्नः सह, सह नः साधुकृत्या य एव पापं करवत्–तस्यैव तत्–इत्येवमुक्त्वा गृहपतिरेव प्रथमः समारोहयते। अथेतरेभ्यः समारोहयति । स्वयं वैव समारोहयन्ते । तऽआयन्ति–यत्र प्राजापत्येन पशुना यक्ष्यमाणा भवन्ति । मथित्वोपसमाधायोद्धृत्याहवनीयं यजन्ते–एतेन प्राजापत्येन पशुना ॥ १३ ॥

तस्य शिरो निदधति । तेषां यदि तदहर्दीक्षा न समैति–अरणिष्वेवाग्नीन्त्समारोह्य यथायथं विपरेत्य जुह्वति ॥ १४ ॥

अथ यदहरेषां दीक्षा समैति–गृहपतेरेवारण्योः संवदन्ते–' य इतोऽग्निर्जनिष्यते–स नः सह, यदनेन यज्ञेन जेष्यामः–अनेन सत्रेण; तन्नः सह, सह नः साधुकृत्या य एव पापं करवत्–तस्यैव

मग्नीनां कुर्वन्ति । तदनुकारेण चैनान् सत्रिणो विरोधः प्राप्नोति अंतकस्तस्य स्पर्द्धनशीलाः परस्परं भवन्ति ये तथा कुर्वन्ति तस्य कल्पस्यापवादः । न केवलं सत्रिणः ' समद्विन्दति ' यस्मिन्नर्द्धे जनपदे तमपि जनपदविरोधं प्राप्नोति ॥ १२ ॥

अथेदं तृतीयमिति । प्रसन्नाश्वतल्पः । ' गृहपतिरेव ' प्रथमः स्वमग्निं समारोहयति स्वयोररण्योरथेतरेभ्यः स्वयोरेव समारोहयति अनेन साधारण्यार्थेन यासु अरणिष्वेव दीक्षासमारोपणं वक्ष्यते । राजानं प्रकृत-

रेव प्रथमः समारोहयतेऽथेतरेभ्यः समारोहयति स्वयं वैव समारोहयन्ते तऽआयन्ति यत्र दीक्षिष्यमाणा भवन्ति मथित्वोपसमाधायोद्धृत्याहवनीयं दीक्षन्ते तेषाᳬं समान आहवनीयो भवति समानो गार्हपत्यो दीक्षोपसत्सु ॥ १५ ॥

(त्स्व) अथ यदहरेषां क्रयो भवति । तदहर्गार्हपत्यां चितिमुपदधात्यथेतरेभ्य ऽउपवसथे धिष्ण्यान्वैसर्जिनानां काले प्राच्यः पत्न्य ऽउपसमायन्ति प्रजहत्येतमपरमग्निᳬं हुतऽएव वैसर्जिने ॥ १६ ॥

राजानं प्रणयति । [त्य] उद्यतऽ एवैष ऽ आग्नीध्रीयोऽग्निर्भवत्यथैतऽएकैकमेवोल्मुकमादाय यथाधिष्ण्यं विपरायन्ति तत्तत्कृतं नानाकृतं यन्नानाधिष्ण्या भवन्ति वरीयानाकाशोऽसत्परिचरणायेत्यथ यन्नानापुरोडाशा भूयो हविरुच्छिष्टमसत्समाप्त्याऽइति ॥ १७ ॥

तत्–इत्येवमुक्त्वा गृहपतिरेव प्रथमः समारोहयते । अथेतरेभ्यः समारोहयति । स्वयं वैव समारोहयन्ते । तऽआयन्ति–यत्र दीक्षिष्यमाणा भवन्ति । मथित्वोपसमाधायोद्धृत्याहवनीयं दीक्षन्ते । तेषां समान आहवनीयो भवति, समानो गार्हपत्यो–दीक्षोपसत्सु ॥ १५ ॥

अथ यदहरेषां क्रयो भवति–तदहर्गार्हपत्यां चितिमुपदधाति । अथेतरेभ्य उपवसथे धिष्ण्यान् । वैसर्जिनानां काले प्राच्यः पत्न्य उपसमायन्ति । प्रजहत्येतमपरमग्निम् । हुतऽएव वैसर्जिने ॥ १६ ॥

राजानं प्रणयति । उद्यत एवैष आग्नीध्रीयोऽग्निर्भवति । अथैतऽएकैकमेवोल्मुकमादाय यथाधिष्ण्यं विपरायन्ति । तत्तत्कृतं–नानाकृतम्–यन्नानाधिष्ण्या भवन्ति । वरीयानाकाशोऽसत्परिचरणायेति । अथ यन्नानापुरोडाशा भूयो हविरुच्छिष्टमसत्समाप्त्याऽइति ॥ १७ ॥

मिति तच्छब्दो वाक्योपन्यासे । यदेतयोररण्योः समुपजाताग्नीनां साधारण्यं कृतमस्मिन्कल्पे तत्कृतमेव नाशयितव्यम् । गृहपतेररणिभ्यां जातोऽग्निः संवादमात्रेण साधारणो भवतीति न तत्कृतमित्युल्मुकप्रेष्यानसगप्राप्तिदोषमेवं दर्शयति–दोषे हि सति साधारण्यं कृतं स्यादित्यभिप्रायः । नन्वेवं सति धिष्ण्यपुरोडाशैरपि साधारणैरेव भवितव्यम्, भेदे कारणाभावादित्याशङ्कित आह । यत्र नाना पृथग्धिष्ण्या भवन्ति तत्रैव तत्प्रयोजनं कथं नाम वरीयान् । उत्तरः–शालायामाकाशोऽवकाशः स्यादिति किं तेनावकाशेनेति चेदत आह–परिचरणाय कस्यचिद्दीक्षितस्यातुरस्याह–तथाहि वक्ष्यति नानाधिष्ण्या एव स्युर्यदि दीक्षितस्यैतत् प्रेत्य पार्श्वतोऽग्निहोत्रे जुहुदित्यर्थोऽभिप्रायः । अथ यत्र पुरोडाशा इति त्रिष्वपि पूर्वेषु विधिरयं प्राप्तत्वात् पुरोडाशा इति सवनीयानाह । भूयो बहुतरं हविर्देवानामुच्छिष्टमुपभुक्तादासमाप्तेः समाप्त्यर्थं तद्वन्मत्तो(?) तद्वयश्नन्तो दीक्षिता जीवन्तः समापयन्तीतरथा महान्तमन्नराशिमल्पेनाशनेन समापयेयुरिति ब्रुवन्ति विशेषादन्य आहारो नास्ति दीक्षितस्येति दर्शयति ॥ १३–१७ ॥

१–प्रत्यग्नि सवनीयपुरोडाशा “ भूयो हविरुच्छिष्टमसत्समाप्त्या इति ” श्रुतेः । का. श्रौ. सू. ११ । ३० ’

(त्यु) अथ येन सत्त्रेण देवाः । क्षिप्रऽएव पाप्मानमपाघ्नतेमां जितिमजयन्यैषामियं जितिस्तदुतऽ उद्यतऽएकगृहपतिका वै देवाऽएकपुरोडाशाऽ एकधिष्ण्याः क्षिप्रऽएव पाप्मानमपाघ्नत क्षिप्रे प्राजायन्त तथोऽएवैतऽएकगृहपतिका एकपुरोडाशा एकधिष्ण्याः क्षिप्रऽएव पाप्मानमपघ्नते क्षिप्रे प्रजायन्ते ॥ १८ ॥

(न्तेऽथा) अथादः पूर्वस्मिन्नुदीचीनवꣳशा शाला भवति । तन्मानुषꣳ समानु आहवनीयो भवति नाना गार्हपत्यास्तद्विक्रुष्टं गृहपतेरेव गार्हपत्ये जाघन्या पत्नीः संयाजयन्त्याज्येनेतरे प्रतियजन्तऽआसते तद्विक्रुष्टम् ॥१९॥

(म) अथात्र प्राचीनवꣳशा शाला भवति । तदेवत्रा समानऽ आहवनीयो भवति समानो गार्हपत्यः समानऽ आग्नीध्रीयस्तदेतत्सत्रꣳसमृद्धं

अथ येन सत्रेण देवाः क्षिप्रऽएव पाप्मानमपाघ्नत । इमं जितिमजयन्–यैषामियं जितिः । तदुत उद्यते । एकगृहपतिका वै देवा एकपुरोडाशा एकधिष्ण्याः क्षिप्रऽएव पाप्मानमपाघ्नत, क्षिप्रे प्राजायन्त । तयोऽएवैतऽएकगृहपतिका एकपुरोडाशा एकाधिष्ण्याः क्षिप्रऽएव पाप्मानमपघ्नते क्षिप्रे प्रजायन्ते ॥ १८ ॥

अथादः पूर्वस्मिन्नुदीचीनवंशा शाला भवति–तन्मानुषम् । समान आहवनीयो भवति, नाना गार्हपत्याः–तद्विक्रुष्टम् । गृहपतेरेव गार्हपत्ये जाघन्या पत्नीः संयाजयन्ति, आज्येन । इतरे प्रतियजन्त आसते, तद्विक्रुष्टम् ॥ १९ ॥

अथात्र प्राचीनवंशा शाला भवति–तदेवत्रा । समान आहवनीयो भवति, समानो गार्हपत्यः,

---

अथ येन सत्रेणेति । शाला गार्हपत्यपुरोडाशपत्नीसंयाजा एकाहवत्कार्या इत्येतदेतेन कण्डिकात्रयेणोच्यते 'येन सत्रेण' यादृशेनेत्यर्थः । एकगृहपतिका इति श्रुत्यन्तरे बहवोऽपि गृहपतयो दृश्यन्ते । "सप्तदशावराश्चतुर्विंशतिपरमाः सत्रमासीरन्" इत्यत्र हि ये सप्तदशभ्योऽधिकास्ते गृहपतयो भवन्ति तन्निवृत्त्यर्थमेकगृहपतिकवचनम् । कथं नामास्मिन्पक्षे एक एव गृहपतिः स्यादित्येकपुरोडाश इत्येकशब्दः समानार्थे नानात्वप्रतिपक्षे आहवनीय इति निन्दार्थमपि प्रवृत्तमिदमेव वचनमुदीचीनवंशत्वे द्रष्टव्यम् । समान आहवनीय इत्येतत्तु प्राप्तमेव निन्दार्थमनूद्यते । विक्रुष्टं विभिन्नमन्यथा कृष्टफलं सालक्षण्येन गार्हपत्याहवनीययोर्भवतीत्यभिप्रायः । गृहपतेरेवेत्येतदप्यत एव वचनादवसीयते । इतरे दीक्षिता आज्येन प्रतियजन्तः प्रत्यात्मसाधारण्यान्यजन्त आसते सत्रमेवं नयन्तीत्यर्थः । तद्विक्रुष्टम् अपि पापिष्वविशेषात् किंचित्साधारणं किञ्चिन्नेति तस्माच्च विशेषात् ॥ १८ ॥ १९ ॥

अथात्रेति । प्राचीनवंशेत्येकगृहपतित्वमादित्सन्नियोगेन नियमविधिः । 'समानो गार्हपत्यः' इत्ययं च 'समान आहवनीयः' 'समान आग्नीध्रीयश्च' इत्यनुवाद एवाविक्रुष्टत्वप्रदर्शनार्थः । 'यथैकाहः समृद्धमिति'

यथैकाहः समृद्धऽ एवं तस्य न ह्वलाऽस्ति तस्यैषैव समान्यावृद्यदन्यद्धि-ष्ण्येभ्यः ॥ २० ॥

इति पञ्चमप्रपाठके दशमं ब्राह्मणम् ॥ ४-५-१० ॥ (६ ॥ ८)

देवा ह वै सत्रमासत । श्रियं गच्छेम यशः स्यामान्नादाः स्यामेति तेभ्यऽ एतदन्नाद्यमभिजितमपाचिक्रमिषत्पशवो वाऽअन्नं पशवो हैवैभ्यस्तदपाचिक्रमिषन्यद्वै न इमे श्रान्ता न हिꣳस्युः कथमिव स्विन्नः सक्ष्यन्तऽइति ॥ १ ॥

तऽएते गार्हपत्ये द्वेऽआहुतीऽअजुहवुः । (गृं) गृहा वै गार्हपत्यो गृहा वै प्रतिष्ठा तदेनान्गृहेष्वेव न्ययच्छंस्तथैभ्य एतदन्नाद्यमभिजितं नापाक्रामत् ॥ २ ॥

(त्तु) तथोऽएवेमे सत्रमासते । ये सत्रमासते श्रियं गच्छेम यशः स्यामान्नादाः स्यामेति तेभ्यऽएतदन्नाद्यमभिजितमपचिक्रमिषति पशवो वाऽअन्नं

समान आग्नीध्रीयः । तदेतत्सत्रं समृद्धम् । यथैकाहः समृद्धः—एवम् । तस्य न ह्वलाऽस्ति । तस्यैषैव समान्यावृत्—यदन्यद्धिष्ण्येभ्यः ॥ २० ॥

देवा ह वै सत्रमासत—श्रियं गच्छेम, यशः स्याम, अन्नादाः स्यामेति । तेभ्य एतदन्नाद्यमभिजितमपाचिक्रमिषत् । पशवो वाऽ अन्नम् । पशवो हैवैभ्यस्तदपाचिक्रमिषन् । यद्वै न इमे श्रान्ता न हिंस्युः—कथमिव स्विन्नः सक्ष्यन्तऽइति ॥ १ ॥

तऽएते गार्हपत्ये द्वेऽआहुतीऽअजुहवुः । गृहा वै गार्हपत्यः, गृहा वै प्रतिष्ठा । तद् एनान्गृहेष्वेव न्ययच्छन् । तथैभ्य एतदन्नाद्यमभिजितं नापाक्रामत् ॥ २ ॥

तथोऽएवेमे सत्रमासते ये सत्रमासते—श्रियं गच्छेम, यशः स्याम अन्नादाः स्यामेति । तेभ्य

च्छन्दः ' तस्य ' सत्रस्य ' एषैव ' तुल्या आवृत्क्रिया । या तृतीयमन्थनमुपक्रम्याथेदं तृतीयमित्यादिका; सा किं सर्वैवानेन पक्षेण तुल्या अत आह—यदन्यद्धिष्ण्येभ्य इति । धिष्ण्यविषयाया आवृतः अन्या या आवृत्संवादादिका सा समानी या धिष्ण्येष्वथ चयनं पुरोडाशनिष्पादनेन पत्नीसंयाजादिका सा समानी-इत्यनुवाद एवायम् ॥ २० ॥

इति श्रीहरिस्वामिनः कृतौ माध्यन्दिनीयशतपथब्राह्मणभाष्ये चतुर्थकाण्डे
षष्ठेऽध्यायेऽष्टमं ब्राह्मणम् ॥ (४-६-८) ॥

देवा ह वा इति । सत्रात्मकस्य द्वादशाहस्य यो मध्ये दशरात्रस्तस्य दशमेऽहनि सत्रोत्थानकालोऽधिकोऽनेन ब्राह्मणेन विधीयते; तदर्थमाद्याभिश्चतसृभिः कण्डिकाभिरितिहासप्रक्रमेणाहुतिद्वयोत्पत्तिः क्रियते । ततो द्वाभ्यां पुरुषार्थासने नियमस्तत आब्राह्मणसमाप्तेः सत्रोत्थानप्रकल्पनम् । एतदिति प्रत्यक्षं स्थूलं दर्शयति । 'अभिजितं'

पशवो हैवैभ्यस्तुदुपचिक्रमिषन्ति यद्वै न इमे श्रान्ता नु हिꣳस्युः कथमिव स्विन्नः सक्ष्यन्तऽइति ॥ ३ ॥

तुऽएते गार्हपत्ये द्वेऽआहुती जुह्वति । गृहा वै गार्हपत्यो गृहा वै प्रतिष्ठा तुदेनान्गृहेष्वेव नियच्छन्ति तुथैभ्यऽ एतुदन्नाद्यमभिजितं नापक्रामति ॥ ४

तुथोऽएवैतुस्मात् । (दे) एतुदन्नाद्यमुपाहृतमुपचिक्रमिषति यद्वै माऽयं नु हिꣳस्यात्कथमिव स्विन्मा सक्ष्यतऽइति ॥ ५ ॥

तुस्य परुस्तादेवाग्रेऽल्पशुऽइव प्राश्नाति । तुदेनदुपनिमदति तुद्वेद न वै तथाऽभूद्यथाऽमꣳसि न वै माऽहिꣳसीदिति तुदेनमुपावश्रयते सु ह प्रियुऽएवान्नस्यान्नादो भवति यु ऽएवं विद्वानेतुस्य व्रतुꣳ शक्नोति चरितुम् ॥ ६ ॥

एतदन्नाद्यमभिजितमपचिक्रमिषति । पशवो वाऽअन्नम् । पशवो हैवैभ्यस्तदपचिक्रमिषन्ति । यद्वै न इमे श्रान्ता न हिंस्युः, कथमिव स्विन्नः सक्ष्यन्तऽइति ॥ ३ ॥

तऽएते गार्हपत्ये द्वेऽआहुती जुह्वति । गृहा वै गार्हपत्यः, गृहा वै प्रतिष्ठा । तद् एनान्गृहेष्वेव नियच्छन्ति । तथैभ्य एतदन्नाद्यमभिजितं नापक्रामति ॥ ४ ॥

तथोऽएवैतस्मादेतदन्नाद्यमुपाहृतमपचिक्रमिषति । यद्वै माऽयं न हिंस्यात्, कथमिव स्विन्मा सक्ष्यतऽइति ॥ ५ ॥

तस्य परस्तादेवाग्रेऽल्पश ऽइव प्राश्नाति । तदेनदुपनिमदति- तद्वेद । न वै तथाऽभूद्-यथाऽमंसि । न वै माऽहिंसीदिति । तदेनमुपावश्रयते । स ह प्रिय एवान्नस्यान्नादो भवति य एवं विद्वानेतस्य व्रतं शक्नोति चरितुम् ॥ ६ ॥

कर्मभिरुपात्तं वशीकृतम् ' अपाचिक्रमिषत् ' अपक्रमितुमैच्छत् इति । ' यद्वै न ' (इति तूरनमोशंकोपक्रमणकारणे) ' स्वित् ' इति वितर्के । नो जानीमः केन प्रकारेणास्मानेव देवाः ' सक्ष्यन्ते ' " षच सेवायां " (धा. पा. भ्वा. आ. १६३) कथं ? सेविष्यन्ते कथं करिष्यन्तीत्यर्थः ॥ १–३ ॥

तथोऽएवेति । तस्माद्वोक्ष्यमाणमेतदन्नाद्यं भाजन उपाहृतमपचिक्रमिषति ॥ ४ ॥ ५ ॥

तस्येति । ' तस्य एतस्यान्नस्य भाजन उपाहृतस्य । 'परस्तात्' परभागात्प्रथमं प्राणाहुतीः ' अल्पशः अल्पमल्पं ' प्राश्नाति ' 'तत्' तेनाल्पशः प्राशनेन ' एनद् ' अन्नम् ' उपनिमदति ' उपहर्षयति । ' तत् ' हर्षमाणं 'वेद' जानाति । 'यथाऽमंसि' "मन ज्ञाने" (धा.पा.दि.आ. ७०) यथाऽहं ज्ञातवान् बभूव कथं न वै माहिंसीदिति नैष भोक्ताऽल्पशः परस्तात् प्रथमं (शंखेनय इति) ईषदन्नमेव भोक्तारमुपगम्याल्पतया श्रूयते स च प्रिय एव भवत्यत्रा [दोग्र] एवं विद्वानेतस्येदं यथोक्तं परस्तादग्रेऽल्पशः प्राशनं ' व्रतं शक्नोति चरितुम् ' ॥ ६ ॥

तद्वाऽएतत् । (ह) दशमेऽहन्त्सत्रोत्थानं क्रियते तेषामेकैकऽएव वाचंयम आस्ते वाचमाप्याययंस्तयाऽऽपीनयाऽयातयाम्न्योत्तरमहस्तन्वतेऽथेतरे विसृज्यन्ते समिद्धारा वा स्वाध्यायं वा तत्राप्यश्नन्ति ॥ ७ ॥

तेऽपराह्णऽउपसमेत्य । (त्या) अप उपस्पृश्य पत्नीशालꣳ सम्प्रपद्यन्ते तेषु समन्वारब्धेष्वेतेऽआहुती जुहोतीह रतिरिह रमध्वमिह धृतिरिह स्वधृतिः स्वाहेति पशूनेवैतदाह पशूनेवैतदात्मन्नियच्छन्ते ॥ ८ ॥

(न्तेऽथ) अथ द्वितीयां जुहोति । (त्यु) उपसृजन्धरुणं मात्रऽइत्यग्निमेवैतत्पृथिव्याऽउपसृजन्नाह धरुणो मातरं धयान्नित्यग्निमेवै तत्पृथिवीं

तद्वाऽएतद् दशमेऽहन्त्सत्रोत्थानं क्रियते। तेषामेकैक एव वाचंयम आस्ते–वाचमाप्याययन्। तयाऽऽपीनयाऽयातयाम्न्योत्तरमहस्तन्वते। अथेतरे विसृज्यन्ते। समिद्धारा वा स्वाध्यायं वा।तत्राप्यश्नन्ति७॥

तेऽपराह्णऽ उपसमेत्य, अप उपस्पृश्य, पत्नीशालं सम्प्रपद्यन्ते । तेषु समन्वारब्धेष्वेतेऽआहुती जुहोति। "इह रतिरिह रमध्वमिह धृतिरिह स्वधृतिः स्वाहा"–(वा. सं. ८।५१) इति। पशूनेवैतदाह–पशूनेवैतदात्मन्नियच्छन्ते ॥ ८ ॥

अथ द्वितीयां जुहोति–"उपसृजन्धरुणं मात्रे"–(वा. सं. ८।५१) इति। अग्निमेवै-

---

तद्वाऽएतदिति। दशमेऽहनि दशरात्रस्य (क्षतन्नया ?) "तयाऽऽपीनयाऽयातयाम्न्याऽतिरात्रं तन्वते" इति ज्योतिष्टोमातिरात्रस्योदयनीयस्य दर्शनात्। अहन्नित्यहःकर्मात्मकं सत्रोत्थानस्याङ्गत्वेनोपात्तम्। कुत एतत्कर्मणा सत्रमासत इति प्रकृतत्वात् 'उत्तरमहस्तन्वत' इति तायमाने श्रवणात्सत्रोत्थानमिति क्रियत इत्युपेक्षितं वक्ष्यते–"तेऽपराह्ण उपसमेत्येति[2]"। इतरे तु तद्व्यतिरिक्ता दीक्षिताः 'विसृज्यन्ते' पृथक् पृथक् गच्छन्ति। किमर्थं 'समिद्धारा वा' समिधं हर्तुमानेतुं समिद्धारा "भाववचनाश्च" (पा. सू. ३।३।११) इति क्रिया क्रियार्थेयं यत्र 'स्वाध्यायं वा' कर्तुमिति शेषः । ते च विगमाः सन्तः समं यन्तीति संबन्धः। तत्रापि गताः सन्तो ये कुतश्चिदासादयन्ति तद् 'अश्नन्ति' ते वै सृष्टा अहविरुच्छिष्टमपीति प्रासङ्गिको विधिः ॥ ७ ॥

तेऽपराह्ण इति । पत्न्याः शाला 'पत्नीशालम्' "विभाषा सेनासुराच्छायाशालानिशानाम्–" (पा. सू. २।४।२५) इति नपुंसकत्वम्। 'तेषु' सत्रेषु अध्वर्युणा 'समन्वारब्धेषु' इति कर्तरि निष्ठा 'पशूनेवैतद्' अध्वर्युराह। 'इह' सत्रेषु 'रतिः' वः 'इह रमध्वम्' इत्यादि 'नियच्छन्ते' सर्वे सत्रिणः अनपक्रमिणः पशून्कुर्वन्ति ॥ ८ ॥

अथ द्वितीयामिति[3]। अग्निमेवैतत्सवनीयं मातृभूतायाः पृथिव्याः पानायेति शेषः। पृथिव्याः पानायोप-

---

१–सत्रात्मकस्य द्वादशाहस्य मध्ये यो दशरात्रः तस्य दशमेऽहनि सत्रोत्थानं कर्म तद्धर्मो विधीयते।

२–दशमेऽपराह्णेऽप उपस्पृश्य शालाप्रवेशनम्। शालाद्वार्येऽन्वारब्धेष्विह रतिरिति जुहोति। का. श्रौ. सू. १२।७४।७५।

३–अपरामुपसृजन्निति। उत्तरेण परिक्रम्यापरेण हविर्द्धानं प्रविश्य। का. श्रौ. सू.। १२।७६।७७।

धयन्तमाह रायस्पोषमस्मासु दीधरत्स्वाहेति पशवो वै रायस्पोषः पशूनेवैतदात्मन्नियच्छन्ते ॥ ९ ॥

ते प्राञ्चऽउपनिष्क्रामन्ति । ते पश्चात्प्राञ्चो हविर्धाने सम्प्रपद्यन्ते पुरस्ताद्धै प्रत्यञ्चस्तँ स्यमानाऽअथैवँ सत्रोत्थाने ॥ १० ॥

तऽउत्तरस्य हविर्धानस्य । जघन्यायां कूबर्याँ सामाभिगायन्ति सत्रस्य ऋद्धिरिति राद्धिमेवैतदभ्युत्तिष्ठन्त्युत्तरवेदेर्वोत्तरायाँ श्रोणावितरं तु कृततरम् ॥ ११ ॥

यदुत्तरस्य हविर्धानस्य । जघन्यायां कूबर्यामगन्म ज्योतिरमृताऽअभूमेति ज्योतिर्वाऽएते भवन्त्यमृता भवन्ति ये सत्रमासते दिवं पृथिव्याऽअद्ध्यारुहामेति दिवं वाऽएते पृथिव्याऽअद्ध्यारोहन्ति ये सत्रमासतेऽविदाम

तत्पृथिव्याऽउपसृजन्नाह । "धरुणो मातरं धयन्" (वा. सं. ८।५१)–इति । अग्निमेवैतत्पृथिवीं धयन्तमाह । "रायस्पोषमस्मासु दीधरत्स्वाहा"–(वा. सं. ८ । ५१) इति । पशवो वै रायस्पोषः । पशूनेवैतदात्मन्नियच्छन्ते ॥ ९ ॥

ते प्राञ्च उपनिष्क्रामन्ति । ते पश्चात्प्राञ्चो हविर्धाने सम्प्रपद्यन्ते । पुरस्ताद्धै प्रत्यञ्चस्तंस्यमानाः। अथैवं सत्रोत्थाने ॥ १० ॥

तऽउत्तरस्य हविर्धानस्य जघन्यायां कूबर्यां सामाभिगायन्ति । "सत्रस्य ऋद्धिः"–इति । राद्धिमेवैतदभ्युत्तिष्ठन्ति । उत्तरवेदेर्वोत्तरायां श्रोणौ । इतरं तु कृततरम् ॥ ११ ॥

यदुत्तरस्य हविर्धानस्य जघन्यायां कूबर्याम् । "अगन्म ज्योतिरमृता अभूम"–इति । ज्योतिर्वाऽएते भवन्ति । अमृता भवन्ति ये सत्रमासते । "दिवं पृथिव्या अद्ध्यारुहाम"–इति ।

सृजन्नाह । किमाह ' रायस्पोषमस्मासुदीधरत् ' धारयतु त एवं वाऽध्वर्व्यौ कुर्वन्ति । सत्रिणः पशून्पश्चिमेन द्वारेण हविर्द्धानं प्रवेशयन्तीत्यर्थः । किं कारणं पुरस्तात्पूर्वस्या दिशः ' प्रत्यञ्चस्तंस्यमानाः ' करिष्यमाणाः सोमनिधानार्थं प्रपद्यन्ते । ' अथ ' शब्दो विशेषार्थः । ' अथैवं ' विपरीतं ' सत्रोत्थाने ' प्रपद्यन्ते प्रक्रमसमाप्त्यर्थे लक्षणयेत्यभिप्रायः ॥ ९ ॥ १० ॥

त उत्तरस्येति । कूबरी नाम ईषाविधारिणी विष्कंभिका सा चाग्रतः पृष्ठतश्च भवतीति विशिनष्टि–जघन्यायां कूबर्यामिति तस्यां च बहूनामारोहणस्यासंभवात्तामालम्ब्य गायन्तीत्यर्थः । "सत्रस्य ऋद्धिः" इत्येतस्मिन्मन्त्रे सामभिर्गायन्तीति वचनात्सर्वे । ' इतरं ' तु कर्म ' कृततरम् ' अतिशयेन पूर्वैः वादिभिः कृतं कृततरं कर्म ॥ ११ ॥

यदुत्तरस्य हविर्धानस्येति । कूबर्यां गतमेतत्कृतमेतस्मादुत्तर हविर्धानात् । "अगन्म ज्योतिरि"त्यादि मन्त्रः

१–उत्तरस्य हविर्द्धानस्यापरकूबरीमालम्ब्य सत्रस्यर्द्धिं गायंति सत्रस्य ऋद्धिरिति । उत्तरवेदिश्रोण्यां वोत्तरस्याम् ॥ का. श्रौ. सू. १२।७७।७८।

देवानिति विन्दन्ति हि देवान्त्स्वर्ज्योतिरिति त्रिर्निधनमुपावयन्ति स्वर्ह्येते ज्योतिर्ह्येते भवन्ति तद्यदेवैतस्य साम्नो रूपं तदेवैते भवन्ति ये सत्रमासते ॥ १२ ॥

ते दक्षिणस्य हविर्धानस्य।(स्या)धोऽधोऽक्षꣳ सर्पन्ति स यथाऽहिस्त्वचो निर्मुच्येतैवꣳ सर्वस्मात्पाप्मनो निर्मुच्यन्तेऽतिच्छन्दसा सर्पन्त्येषा वै सर्वाणि छन्दाꣳसि यदतिच्छन्दास्तथैनान्पाप्मा नान्वत्येति तस्मादतिच्छन्दसा सर्पन्ति ॥ १३ ॥

ते सर्पन्ति । युवं तमिन्द्रापर्वता पुरोयुधा यो नः पृतन्यादपतंतमिद्धतं वज्रेण तंतमिद्धतम् । दूरे चत्ताय च्छन्त्सद्गहनं यदिनक्षत् । अस्माकꣳ शत्रून्परि शूर विश्वतो दर्मा दर्षीष्ट विश्वत इति ॥ १४ ॥

ते प्राञ्च उपनिष्क्रामन्ति । ते पुरस्तात्प्रत्यञ्चः सदः सम्प्रपद्यन्ते पश्चाद्धै प्राञ्चस्तꣳस्यमानाऽ अथैवꣳ सत्रोत्थाने ॥ १५ ॥

दिवं वाऽएते पृथिव्या अध्यारोहन्ति—ये सत्रमासते। "अविदाम देवान्" इति। विन्दन्ति हि देवान् "स्वर्ज्योतिः"–(वा. सं. ८।५२) इति। त्रिर्निधनमुपावयन्ति। स्वर्ह्येते, ज्योतिर्ह्येते भवन्ति। तद् यदेवैतस्य साम्नो रूपम्–तदेवैते भवन्ति—ये सत्रमासते ॥ १२ ॥

ते दक्षिणस्य हविर्धानस्याधोऽधोऽक्षं सर्पन्ति। स यथाऽहिस्त्वचो निर्मुच्येत। एवं सर्वस्मात्पाप्मनो निर्मुच्यन्ते। अतिच्छन्दसा सर्पन्ति। एषा वै सर्वाणि छन्दांसि यदतिच्छन्दाः। तथैनान्पाप्मा नान्वत्येति। तस्मादतिच्छन्दसा सर्पन्ति ॥ १३ ॥

ते सर्पन्ति–" युवं तमिन्द्रापर्वता पुरोयुधा यो नः पृतन्यादपतंतमिद्धतम्, वज्रेण तंतमिद्धतम्। दूरे चत्ताय च्छन्त्सद्गहनं यदिनक्षत्। अस्माकं शत्रून्परि शूर विश्वतो दर्मा दर्षीष्ट विश्वतः"–(वा. सं. ८। ५३)–इति ॥ १४ ॥

ते प्राञ्च उपनिष्क्रामन्ति। ते पुरस्तात्प्रत्यञ्चः सदः सम्प्रपद्यन्ते। पश्चाद्धै प्राञ्चस्तंस्यमानाः। अथैवं सत्रोत्थाने ॥ १५ ॥

शेषं व्याख्यातम्। (यज्ज्योतिरित्येतत्साम्नो विधानमेव सा न त्वप्रुत ?) उपगच्छंति वाङ्मनसाभ्यां कुर्वन्तीत्यर्थः। 'अथ' शब्दोऽवसानद्योतकः ' यदेवैतस्य साम्नो रूपं ' मान्त्रवर्णिकं तद्धि ज्योतिरमृतमित्यादि 'तदेवैते भवंति' तद्वन्तो भवन्ति ' ये सत्रमासते ' ॥ १२ ॥

ते दक्षिणस्येति[1]। प्रसन्नास्तिस्रः ॥ १३–१५ ॥

१-युवं तमिति दक्षिणस्याधोऽक्षं प्राञ्चो निष्क्रामंति। का. श्रौ. सू.। १२। ७९।

ते यथाधिष्ण्युमेवोपविशन्ति । देवेभ्यो ह वै व्वाचो रसोऽभिजितोऽपचिक्रमिषांचकार स ऽइमामेव पराङ्त्यसिसृप्सदियं वै व्वाक्तस्या ऽएष रसो यदोषधयो यद्वनस्पतयस्तमेतेन साम्नाऽऽप्नुवन्त्स ऽ एनानाप्तोऽभ्यावर्तत तस्मादस्यामूर्ध्वा ओषधयो जायन्तऽऊर्ध्वा व्वनस्पतयस्तथोऽएवैतेभ्यऽएतद्वाचो रसोऽभिजितोऽपचिक्रमिषति स ऽइमामेव पराङ्तिसिसृप्सतीयं वै व्वाक्तस्या ऽएष रसो यदोषधयो यद्वनस्पतयस्तमेतेन साम्नाऽऽप्नुवन्ति स ऽएनानाप्तोऽभ्यावर्तते तस्मादस्यामूर्ध्वा ओषधयो जायन्तऽऊर्ध्वा व्वनस्पतयः ॥ १६ ॥

ते यथाधिष्ण्यमेवोपविशन्ति । देवेभ्यो ह वै वाचो रसोऽभिजितोऽपचिक्रमिषाञ्चकार । स इमामेव पराङ्त्यसिसृप्सत् । इयं वै वाक्—तस्या एष रसो—यदोषधयः, यद्वनस्पतयः । तमेतेन साम्नाऽऽप्नुवन् । स एनानाप्तोऽभ्यावर्तत। तस्मादस्यामूर्ध्वा ओषधयो जायन्ते, ऊर्ध्वा वनस्पतयः । तथो ऽएवैतेभ्य एतद्वाचो रसोऽभिजितोऽपचिक्रमिषति । स इमामेव पराङ्तिसिसृप्सति । इयं वै वाक्—तस्या एष रसो—यदोषधयः, यद्वनस्पतयः । तमेतेन साम्नाऽऽप्नुवन्ति । स एनानाप्तोऽभ्यावर्तते । तस्मादस्यामूर्ध्वा ओषधयो जायन्ते, ऊर्ध्वा वनस्पतयः ॥ १६ ॥

ते यथाधिष्ण्यमिति । ' यथाधिष्ण्यं ' यद्यस्य धिष्ण्यमेतस्मिन्नित्येतस्मिन्नर्थे यथाधिष्ण्यमित्येतत्पदं वर्तते । यथाधिष्ण्यमुपविष्टेष्वध्वर्युर्ग्रहं गृह्णाति प्राजापत्यं वायुं पृथिव्या पात्रेण तूष्णीं सादयित्वा च स्तोत्रमुपाकरोति । तत्रोद्गातारो याम्येन साम्ना स्तुवत इत्येतावति श्रुत्यन्तरात्सिद्धे केनाथ तत्साम्ना स्तुवत इत्यादि इत्यपेक्षिते देवेभ्यो वै वाक् इत्याह देवेभ्यो हेति । (देवेसोदशरंते) 'वाचः' वागिन्द्रियस्य संबन्धी रसोऽपि (तयोक्तसमुत्थ) अभिजितः स्तोत्रशस्त्राणां सततप्रयोगादभिक्षयितः यथा कुपितो व्याधिजित इत्युच्यते ' अपचिक्रमिषाञ्चकार ' अपक्रमितुमियेष । इमामेव भूमिम् अत्यसिसृप्सत् अतिसर्पितुमतिक्रमितुमैच्छत् । ' पराङ् ' मुखः पातालं प्रतीत्यर्थः । किन्तु पुनः कारणमत्यसिसृप्सदत आह—' इयं ' ' वाक् ' कथं वागिन्द्रियस्य मुखमायतनं तत्त्वपार्थिवं ततश्चैव पराङ् मुखशरीरा वागियमेव पृथिवी एतावांस्तु विशेषो मुखात्मतायामस्ति; ताल्वाद्यभिघाताद्वर्षात्मकः शब्दोऽभिव्यज्यते । इतरदध्वर्युरात्मन इति तस्या एव रस इति ' तस्या ' आधिदैविक्याः पृथिव्यात्मिकाया वाचः ' एष रसः ' सारः ओषध्यादिः स च तस्मादाध्यात्मिकाद्रसादशितपीतसमुत्थादभितस्तत्कारणत्वात् । ततश्च तस्मिन्वागाध्यात्मिकी शरीरादपचिक्रमिषति तस्मादभिन्नोऽयमिति पार्थिवो रसः पृथिवीमतिसिसृप्सतीत्युपपन्नम् । ' सृप्लृ गतौ '—(धा. पा. तु.प. १००८) (वस्तुतुकारित्वा यातमेतेन साम्नुनि(?) तं रसशरीरेभ्यः पृथिव्या दग्धापचिक्रमिषति) तमेतेन याम्येन साम्ना मानसप्रहस्तोत्राङ्गभूतेनापूर्वकर्मणा वशीकृतवन्तः स च वशीकृतः सन्ने तान्देवानभिमुख आवृतः शरीरमपि सरसं जातं पृथिव्योषध्यादिमती जातेत्यर्थः । तस्मादित्यभ्यावृत्तिप्रदर्शनं तथो एवैतेभ्य इति पूर्ववद्व्याख्येयम् ॥ १६ ॥

१–सदः प्रविश्य पूर्वेण स्वासनेषूपविशंति । ग्रहं गृह्णाति प्राजापत्यं व्वायुं पृथिव्या पात्रेण । ग्रहणप्रदानस्तोत्रोपाकरणहोमभक्षाहरणभक्षणानि मनसा । का० श्रौ० सू० । १२ । ८० । ८१ ॥

सर्पराज्ञ्या ऋक्षु स्तुवते । (त ऽ) इयं वै पृथिवी सर्पराज्ञी तदनयैवैतत्सर्वमाप्नुवन्ति स्वयम्प्रस्तुतमनुपगीतं यथा नान्यऽउपशृणुयादति ह रेचयेद्यदन्यः प्रस्तुयादतिरेचयेद्यदन्य ऽउपगायेदतिरेचयेद्यदन्य उपशृणुयात्तस्मात्स्वयम्प्रस्तुतमनुपगीतम् ॥ १७ ॥

चतुर्होतॄन्होता व्याचष्टे । (ध ऽ) एतद्वैवैतत्स्तुतमनुशꣳसति यदि होता न विद्याद्गृहपतिर्व्याचक्षीत होतुस्त्वेव व्याख्यानम् ॥ १८ ॥

(मु) अथाध्वर्योः प्रतिगरः । (रो ऽ) अरात्सुरिमे यजमाना भद्रमेभ्यो यजमानेभ्योऽभूदिति कल्याणमेवैतन्मानुष्यै वाचो वदति ॥ १९ ॥

सर्पराज्ञ्या ऋक्षु स्तुवते । इयं वै पृथिवी सर्पराज्ञी, तदनयैवैतत्सर्वमाप्नुवन्ति । स्वयम्प्रस्तुतमनुपगीतम् । यथा नान्य उपशृणुयात् । अति ह रेचयेद्—यदन्यः प्रस्तुयात् । अतिरेचयेद्—यदन्य उपगायेत् । अतिरेचयेद्—यदन्य उपशृणुयात् । तस्मात्स्वयं प्रस्तुतमनुपगीतम् ॥ १७ ॥

चतुर्होतॄन्होता व्याचष्टे । एतद्वैवैतत् स्तुतमनुशंसति । यदि होता न विद्याद्—गृहपतिर्व्याचक्षीत । होतुस्त्वेव व्याख्यानम् ॥ १८ ॥

अथाध्वर्योः प्रतिगरः । अरात्सुरिमे यजमानाः—भद्रमेभ्योऽभूदिति । कल्याणमेवैतन्मानुष्यै वाचो वदति ॥ १९ ॥

सर्पराज्ञ्या ऋक्ष्विति । सर्पराज्ञी कद्रूः पृथिव्या अभिमानिनी तस्या आर्ष्यः ऋचः "आयं गौः पृश्निरक्रमीत्" (वा. सं. ३।६–८) इत्यादयः । तासु 'स्तुवते' स्वयं प्रस्तुतं यथाऽन्येषु स्तोत्रेषु प्रस्तोता प्रस्तौति उद्गातोद्गायति प्रतिहर्ता प्रतिहरति तथाऽत्र । कथं तर्हि स्वयमेव प्रस्तुत्य सर्वमाप्नुवन्त्यनुपगीतं यथा अत्र हुकारहोकाराभ्याम् उपगायंति नैव मन्त्रं गीयमानमन्यः समीपस्थोऽपि शृणुयात् । शृणुयाच्चेत् दुर्यागः स्यादित्यर्थः । किं कारणमतिरेचयेदात्मानं न साम्नस्तस्यैकादशं पुरुषान्तरे कुर्यात् । आत्मनि कृत्वा न कुर्यात् । यद् 'अन्यः प्रस्तुयात्' उपगायेत 'उपशृणुयाद्' वा ततश्च तदनुकारेणैतत् सर्वमेकेन सत्रिणा न प्रस्तुयादित्यभिप्रायः ॥ १७ ॥

चतुर्होतॄनिति । चतुर्होतॄनपि मन्त्रसम्बन्धित्वात्पृथिवी होता द्यौरध्वर्युरित्यादयश्चत्वारो होतारस्तान् होता स्तोत्रान्ते 'व्याचष्टे' विभक्त्यर्थान् दर्शयति ॥ १८ ॥

अथाध्वर्योरिति[२] । 'कल्याणं' प्रशस्तम् 'एतन्मानुष्यै' मानुष्या 'वाचः' हता ध्वस्ता इत्येवमादिरूपं कल्याणत्वे ॥ १९ ॥

१–चतुर्होतृव्याख्यानं होतुः । गृहपतिरजानाति । का० श्रौ० सू० । १२ । ८१ । ८२ ।
२–प्रतिगृणात्यरात्सुरिमे यजमाना भद्रमेभ्यो यजमानेभ्योऽभूदिति । का. श्रौ. सू. १२ । ८३ ।

(त्यु) अथ व्वाकोवाक्ये ब्रह्मोद्यं व्वदन्ति । सर्व्वं वै तेषामाप्तं भवति सर्व्वं जितं ये सत्रमासतेऽचारिषुर्यजुर्भिस्तत्तान्यापंस्तदवारुत्सताशᳬसिषुर्ऋग्भिस्तत्ताऽआपंस्तदवारुत्सतास्तोषत सामभिस्तत्तान्यापंस्तदवारुत्सताथैषामेतदेवानाप्तमनवरुद्धं भवति यद्वाकोवाक्यं ब्राह्मणं तदेवैतेनाप्नुवन्ति तदवरुन्धते ॥ २० ॥

(तऽऔ) औदुम्बरीमुपसᳬस्पृश्य व्वाचं यच्छन्ति । व्विदुहन्ति वाऽएते यज्ञं निर्धयन्ति ये व्वाचा यज्ञं तन्वते व्वाग्घि यज्ञस्तामेषां पुरैकैक ऽएव

अथ वाकोवाक्ये ब्रह्मोद्यं वदन्ति । सर्वं वै तेषामाप्तं भवति, सर्वं जितम्-ये सत्रमासते । अचारिषुर्यजुर्भिः-तत्तान्यापन्, तदवारुत्सत । आशंसिषुर्ऋग्भिः-तत्ता आपन्; तदवारुत्सत । अस्तोषत सामभिः-तत्तान्यापन्; तदवारुत्सत । अथैषामेतदेवानाप्तमनवरुद्धं भवति-यद्वाकोवाक्यं ब्राह्मणम् । तदेवैतेनाप्नुवन्ति, तदवरुन्धते ॥ २० ॥

औदुम्बरीमुपसंस्पृश्य वाचं यच्छन्ति । विदुहन्ति वाऽएते यज्ञम्, निर्धयन्ति । ये वाचा यज्ञं तन्वते ।

अथ वाकोवाक्य इति । उच्यते इति वाकः पूर्वपक्षवचनं यथा "अब्रवीन्म उदङ्कः शौल्बायनः प्राणो वै ब्रह्मेति" (श. प. ब्रा. १४ । ६ । १० । २) उच्यत इति । वाक्यम् उत्तरपक्षवचनं यथा "एकपाद्वा एतत्सम्राडु" (श. प. ब्रा. १४ । ६ । १० । २) इति । वाकाश्च वाक्यानि चेति वाकवाक्यानीति प्राप्ते विभक्तेरलुक् द्रष्टव्यः । वाकोवाक्यानि वाकोवाक्यानां समूहो वाकोवाक्यं पूर्वोत्तरपक्षवचनसंघातो जनक याज्ञवल्क्यसंवादादिस्तस्मिन् 'वाकोवाक्ये' विषयभूते 'ब्रह्मोद्यं' 'वदन्ति' सर्वे परस्परं यजमाना ब्रह्मणो ब्राह्मणज्ञातीयस्य द्रष्टव्यम् । ब्रह्मोद्यं किञ्चिद्ब्राह्मणानां वेदितव्यं ज्ञाते प्रकर्षविचिख्यापयिषया प्रश्नो विषये प्रश्नप्रतिवचनसंघातस्तावद्ब्रह्मोद्यप्रभृतिवाकोवाक्यं ब्राह्मणः कविर्मन्त्रिणः कश्चित्पृच्छत्यर्थं ग्रन्थं वा अन्ये तु प्रतिक्रियन्त इत्यर्थः । 'सर्वं वै' मन्त्रजातं 'तेषामाप्तं भवति' इत्यभिप्रायः । 'सर्वं जितं' प्रयोगेण वशीकृतं कथं यजुर्भिस्तावद् 'अचारिषुः' चरितवन्तः । 'तत्' तेनैव चरणेन 'तानि' यजूंषि 'आपन्' आपन्नाः । तेनैव वचनानि 'अवारुत्सत' अवरुद्धवन्तो वशीकृतवन्तः । एवम् 'अस्तोषत' स्तुतवन्तः 'सामभिः' 'आशंसिषुः' शस्तवन्तः शस्त्रैर्ऋचः । 'अथैषाम्' 'अथ' शब्दो विशेषणार्थः । एतच्च तेषां सत्रिणाम् 'अनाप्तं' भवति । यद्वाकोवाक्यमुक्तिप्रत्युक्तिका ब्राह्मणं "जनको ह वैदेह आसांचक्रे" (श. प. ब्रा. १४-६-१०-१) " इत्यादि तदेवैतेन ब्रह्मोद्येनाप्नुवन्ति तद्धि प्रश्नप्रतिवचनाभ्यां पाठ्यमानं व्याख्यानं च प्रयुक्तमेव भवतीत्यभिप्रायः ॥ २० ॥

'औदुम्बरीं' स्थूणामुपसङ्गम्य वागिन्द्रियं यच्छन्ति अस्तमिते गृहीत्वौदुंबरीं व्वाचं यच्छंति ।

१-ब्रह्मोद्यं व्वदति । प्रजापतेरगुणाख्यानम् । अप्रतिभायां वा तद्वादः आश्वमेधिकं वा नामधेयात् । का. श्रौ. सू. १२।८४-८७

व्वाचंयमु आस्ते व्वाचमाप्यायुयंस्तयाऽऽपीनयाऽयातयाम्न्योत्तरमहुस्तन्वतेऽथात्र सुर्व्वैव व्वागाप्ता भवत्युपवृक्ता ताᳬं सुर्वऽएवु व्वाचंयमा व्वाचमाप्याययन्ति तयाऽऽपीनयाऽयातयाम्न्याऽतिरात्रं तन्वते ॥ २१ ॥

(तऽ) औदुम्बरीमन्वारुभ्यासते । (तेऽन्नं) अन्नं वाऽऊर्गुदुम्बर ऊर्जैवैतद्वाचमाप्याययन्ति ॥ २२ ॥

तेऽस्तमेति प्राञ्च ऽउपनिष्क्रामन्ति । ते जघुनेनाहवनीयमासतेऽग्रेण हविर्धाने तान्वाचंयमानेवु व्वाचंयमः प्रतिप्रस्थाता व्वसतीवुरीभिरभिपरिहरति ते यत्कामा ऽआसीरंस्तेन व्वाचं व्विसृजेरन्कामैर्द्द स्म वै पुरऽर्षयः सत्रमासतेऽसौ नः कामः स नः समृध्यतामिति यद्युऽअनेककामाः स्युर्लोककामा वा प्रजाकामा वा पशुकामा वा ॥ २३ ॥

वाग्वि यज्ञः । तामेषां पुरैकैक एव वाचंयम आस्ते—वाचमाप्याययन् । तयाऽऽपीनयाऽयातयाम्न्योत्तरमहस्तन्वते । अथात्र सर्वैव वागाप्ता भवति । अपवृक्ता । तां सर्वऽएव वाचंयमा वाचमाप्याययन्ति । तयाऽऽपीनयाऽयातयाम्न्याऽतिरात्रं तन्वते ॥ २१ ॥

औदुम्बरीमन्वारभ्यासते । अन्नं वा ऊर्गुदुम्बरः । ऊर्जैवैतद्वाचमाप्याययन्ति ॥ २२ ॥

तेऽस्तमेति प्राञ्च उपनिष्क्रामन्ति । ते जघनेनाहवनीयमासते—अग्रेण हविर्धाने । तान्वाचंयमानेव वाचंयमः प्रतिप्रस्थाता वसतीवरीभिरभिपरिहरति । ते यत्कामा आसीरन्—तेन वाचं विसृजेरन् ।

(का. श्रौ. सू. १२।८८) व्यापारादुपरमयन्ति । किं कारणं 'विदुहन्ति' बहुप्रकारं क्षारयन्तो यज्ञं वागिन्द्रियेण तदभिव्यक्तया ' वाचा ' शब्देन यज्ञं विस्तारयन्ति कथं पुनर्वाचा यज्ञं तन्वानाश्च यज्ञं दुहन्तीत्यन्तवाचमेव [स्तृतृणा ?] एकैकस्य एव सत्री 'पुरा' पूर्वेष्वहःसु वाचम् आप्याययन् तावतैव अनया उत्तरमहस्तन्वते । 'अथात्र' दशमेऽहन्ययं विशेषः । 'सर्वैव ' वागिन्द्रियात्मिका अपि ' वाक् ' [य?] शब्दात्मिका ' आप्ता ' भवति । वाकोवाक्यं ब्रह्मोद्यस्य सर्वे युगपदवहिता इत्यभिप्रायः । स चाप्रकृता समाता नालं पुनः प्रयोगायतनेनैव 'तां' सर्व एव सत्रिणो ' वाचमाप्याययन्ति ' ' तया ' तावा ' आपीनयाऽतिरात्रं तन्वते ' महत्तरत्वात् ॥ २१ ॥

औदुम्बरीमिति । प्रसन्ना ॥ २२ ॥

तेऽस्तमेतीति । सदसो निष्क्रम्योत्तरवेदिमुपविशन्ति । तत्रैव चोपविष्टान् ' प्रतिप्रस्थाता वसतीवरीभिः परिहरति ' व्याप्नोति । अद्भिरभिहताश्च संतः ' ते ' ' यत्कामाः ' यः काम एषां यत्कामाः सत्रम् ' आसीरन् '

१–अस्तमिते निष्क्रम्यापरेणोत्तरवेदिमासते । प्रतिप्रस्थाता वसतीवरीःपरिहरति । व्वाग्विसर्जनं सत्रकामेन पृथकामेषु भूर्भुव इति । का० श्रौ० सू० १२ । ८८-९१ ॥

(वाऽनु) अनेनैव वाचं विसृजेरन् । (भू) भूर्भुवः स्वरिति तत्सत्येनै-वैतद्वाचꣳ समर्धयन्ति तया समृद्ध्याऽऽशिष ऽआशास्ते सुप्रजाः प्रजाभिः स्यामेति तत्प्रजामाशासते सुवीरा वीरैरिति तद्वीरानाशासते सुपोषाः पोषै-रिति तत्पुष्टिमाशासते ॥ २४ ॥

(तेऽथ) अथ गृहपतिः सुब्रह्मण्यामाह्वयति । यं वा गृहपतिर्ब्रूयात्पृथग्घ हैवैके सुब्रह्मण्यामाह्वयन्ति गृहपतिस्त्वेव सुब्रह्मण्यामाह्वयेद्यं वा गृहपति-र्ब्रूयात्तस्मिन्त्समुपहवमिष्ट्वा समिधोऽभ्यादधाति ॥ २५ ॥

इति पञ्चमप्रपाठके एकादशं ब्राह्मणम् ॥ ४-५-११ ॥ [६. ९]

पञ्चमः प्रपाठकः ॥ षष्ठोऽध्यायः ॥ अस्मिन्काण्डे
कण्डिकासंख्या ॥ ६४८ ॥

इति माध्यन्दिनीये शतपथब्राह्मणे ग्रहनामकं चतुर्थं काण्डं समाप्तम् ॥ ४ ॥

कामैर्ह स्म वै पुरर्षयः सत्रमासते-असौ नः कामः-स नः समृध्यतामिति । यद्वाऽनेककामाः स्युः, लोककामा वा, प्रजाकामा वा, पशुकामा वा ॥ २३ ॥

अनेनैव वाचं विसृजेरन्-" भूर्भुवः स्वः "-इति । तत् सत्येनैवैतद्वाचं समर्धयन्ति । तया समृद्ध्याऽशिष आशास्ते । " सुप्रजाः प्रजाभिः स्याम "-इति । तत् प्रजामाशासते । " सुवीरा वीरैः "-इति । तद्वीरानाशासते । " सुपोषाः पोषैः "-(वा० सं० २ । ५३) इति । तत् पुष्टिमाशासते ॥ २४ ॥

अथ गृहपतिः सुब्रह्मण्यामाह्वयति, यं वा गृहपतिर्ब्रूयात् । पृथग्घ हैवैके सुब्रह्मण्यामाह्वयन्ति । गृह-पतिस्त्वेव सुब्रह्मण्यामाह्वयेत् । यं वा गृहपतिर्ब्रूयात् । तस्मिन्त्समुपहवमिष्ट्वा समिधोऽभ्यादधाति ॥ २५ ॥

इति सत्रोत्थानम् ॥

' तेन ' एव कामेन युक्तां तत्कामाभिवादिनीं ' वाचं ' ' विसृजेरन् ' । कथम् ' असौ ' यागः ' कामः ' ' स नः ' ' समृध्यतामिति ' एवं किं कारणं ' कामैर्ह स्म वै पुरा ' यज्ञैः ह स्म ' ऋषयः सत्रमासते ' न नित्यकर्म निष्कामादधुनापि कामेन तेन वाचं विसृजेरन्यदितु नानाकामाः स्युः सत्रिणः ॥ २३ ॥

अनेनेति । तदाः 'अनेनैव' प्रमाणेन 'भूर्भुवः स्वरिति' मन्त्रेण ' वाचं विसृजेरन् ' यागादिना कामेन ॥ २४ ॥

एतच्च ब्रुवन्नानाकामानामप्यस्ति सत्रमिति दर्शयति । अथेति अतोऽनेन वाचि विसृष्टायां गृहपतिः ' सुब्रह्मण्या-

माह्वयति[1]" यथा 'गृहपतिर्ब्रूयात्' त्वमाह्वयेति 'सुब्रह्मण्याम्' आह्वयेत् यश्च तामाह्वयति । 'तस्मिन्' अधीतेन (धारं वा) 'समुपहवं' अनुज्ञाम् 'इष्ट्वा' "इषु इच्छायाम्"—(धा. पा. तु. प. ७१) तत्पूर्वं प्राक् लक्ष्यते 'सुब्रह्मण्यामाह्वयस्वेत्यैवमुक्त्वा ? एकैकेन ततः 'समिधोऽभ्यादधति' आहवनीये ॥ २९ ॥

इत्याचार्यहरिस्वामिनः कृतौ शतपथब्राह्मणभाष्ये चतुर्थकाण्डे षष्ठेऽध्याये नवमं ब्राह्मणम् ॥४–६–९।

इति पञ्चमः प्रपाठकः समाप्तः ॥ ५ ॥

नागस्वामिसुतोऽवन्त्यां पाराशर्यो वसन् हरिः । श्रुत्यर्थं दर्शयामास शक्तितः पौष्करीयकः ॥
श्रीमतोऽवन्तिनाथस्य विक्रमार्कस्य भूपतेः । धर्माध्यक्षो हरिस्वामी व्याख्यच्छातपथीं श्रुतिम् ॥

इति श्रीमदाचार्यहरिस्वामिनः कृतौ शतपथब्राह्मणभाष्ये चतुर्थकाण्डे
षष्ठोऽध्यायः समाप्तः ॥ ६ ॥

भूभर्त्रा विक्रमार्केण क्लृप्तां कनकवेदिकाम् । दानायाध्यास्य कृतवान् श्रुत्यर्थविवृतिं हरिः ॥ १ ॥

इति श्रीसर्वविद्यानिधानकवीन्द्राचार्यसरस्वतीनां हरिस्वामिनां शुक्लयजुर्वेदीये माध्यन्दिन-
शतपथब्राह्मणभाष्ये ग्रहनामकं चतुर्थं काण्डं समाप्तम् ॥ ४ ॥

१—सुब्रह्मण्याह्वानं गृहपतिर्वै वाऽऽह । सुब्रह्मण्य उपमाह्वयस्वेत्युक्त्वा समिदाधानम् । अप उपस्पर्शनाद्येतत्सत्रोत्थानम् । इति सत्रोत्थानम् । तद्धर्माः । का० श्रौ० सू० १२ । ९३–९५ ॥

इति श्रीशतपथब्राह्मणे सायणभाष्यसमेतं
चतुर्थं काण्डम् ।

(तत्र ४ अध्यायादारभ्य हरिस्वामिन
एव भाष्यमुपलब्धम् ।)

ॐ

श्रीमद्वाजसनेयिमाध्यन्दिन-

शतपथब्राह्मणम् ।

सायणभाष्यसमेतम् ।

तत्र

पञ्चमं काण्डम् ५ ।

॥ श्रीः ॥

सवनामकपञ्चमकाण्डे प्रथमः प्रपाठकः ।

प्रथमोऽध्यायः प्रारभ्यते ।

तत्र प्रथमं ब्राह्मणम् ।

देवाश्च वा ऽअसुराश्च । (श्रो) उभये प्राजापत्याः पस्पृधिरे ततोऽसुरा
ऽअतिमानेनैव कस्मिन्नु वयं जुहुयामेति स्वेष्वेवास्येषु जुह्वतश्चेरुस्ते-
ऽतिमानेनैव पराबभूवुस्तस्मान्नातिमन्येत पराभवस्य हैतन्मुखं यदतिमानः १
(नोऽथ) अथ देवाः । (ऽ) अन्योऽन्यस्मिन्नेव जुह्वतश्चेरुस्तेभ्यः प्रजा-
पतिरात्मानं प्रददौ यज्ञो हैषामास यज्ञो हि देवानामन्नम् ॥ २ ॥

अथ वाजपेययज्ञः ।

देवाश्च वाऽअसुराश्चोभये प्राजापत्याः पस्पृधिरे । ततोऽसुरा अतिमानेनैव–' कस्मिन्नु वयं जुहुयामेति'–स्वेष्वेवास्येषु जुह्वतश्चेरुः । तेऽतिमानेनैव पराबभूवुः । तस्मान्नातिमन्येत । पराभवस्य हैतन्मुखं–यदतिमानः ॥ १ ॥

अथ देवा अन्योऽन्यस्मिन्नेव जुह्वतश्चेरुः । तेभ्यः प्रजापतिरात्मानं प्रददौ । यज्ञो हैषामास । यज्ञो हि देवानामन्नम् ॥ २ ॥

वागीशाद्याः सुमनसः सर्वार्थानामुपक्रमे । यं नत्वा कृतकृत्याः स्युस्तं नमामि गजाननम् ॥ १ ॥
यस्य निःश्वसितं वेदा यो वेदेभ्योऽखिलं जगत् । निर्ममे तमहं वन्दे विद्यातीर्थमहेश्वरम् ॥ २ ॥
काश्चित् संस्थाः समुदितास्तुर्येऽग्निष्टोमपूर्विकाः । काण्डे तु पञ्चमे वाजपेयः प्रस्तूयते ततः ॥ ३ ॥
राजसूयः सम्प्रपन्नो मंत्राम्नानक्रमेण तु । प्रकृतावुपदिष्टत्वादङ्गजातस्य नो वचः ॥ ४ ॥
वैशेषिकास्तु वक्ष्यन्ते यज्ञद्वयगता गुणाः । व्याख्यायते तन्निपुणं ब्राह्मणं तद्विधायकम् ॥ ५ ॥

तत्र वाजपेयं विधातुं प्रस्तौति–**देवाश्च वा असुराश्चेति** । 'प्राजापत्याः' प्रजापतिना सृष्टाः 'उभये'द्विविधाः ' देवाश्च असुराश्च ' ' पस्पृधिरे' स्पर्द्धाञ्चक्रुः । 'ततोऽसुराः' स्वतोऽन्यः प्रबलो नास्तीति ' अतिमानेन ' अभिमानेन भूयिष्ठेन दर्पेण ' कस्मिन्नु ' खलु होमाधिकरणे 'वयं' ' जुहुयाम ' होमं कुर्याम ' इति ' धिकृत्य स्वकीयेषु आस्येषु होमं चक्रुः । ' ते ' असुराः अत्यन्तगर्वेण पराजिताः । ' तस्मात् ' अद्यापि कश्चिदपि नातिमानं कुर्यात् ' अतिमानः ' अभिमानः ' यत् ' तत् 'पराभवस्य ' प्रापकमिति ॥ १ ॥

देवानां तद्विपर्ययं दर्शयति–**अथ देवा इति** । ' देवाः ' खलु ' अन्योऽन्यस्मिन् ' जुहुवुः, इन्द्रः अग्नौ अग्निः इन्द्रे इत्यादिक्रमेणेत्यर्थः । 'तेभ्यः' देवेभ्यः, अन्योऽस्मिन् देवतात्वेन होमकरणात् प्रीतः ' प्रजापतिः '

ते होचुः । कस्य न ऽइदं भविष्यतीति ते मम ममेत्येव न सम्पादयाञ्चक्रुस्ते हासम्पाद्योचुराजिमेवास्मिन्नजामहै स यो न उज्जेष्यति तस्य न इदं भविष्यतीति तथेति तस्मिन्नाजिमाजन्त ॥ ३ ॥

स बृहस्पतिः । सवितारमेव प्रसवायोपाधावत्सविता वै देवानां प्रसवितेदं मे प्रसुव त्वत्प्रसूत ऽइदमुज्जयानीति तदस्मै सविता प्रसविता प्रासुवत्तत्सवितृप्रसूत ऽउदजयत्स इदᳪं सर्व्वमभवत्स इदᳪं सर्व्वमुदजयत्प्रजापतिᳪं ह्युदजयत्सर्व्वमु ह्येवेदं प्रजापतिस्तेनेष्ट्वैतामेवोर्ध्वां दिशमुदक्रामत्तस्माद्यश्च वेद यश्च नैषोर्ध्वा बृहस्पतेर्दिगित्येवाहुः ॥ ४ ॥

ते होचुः कस्य न इदं भविष्यतीति । ते–मम ममेत्येव न सम्पादयाञ्चक्रुः । ते हासम्पाद्योचुः–आजिमेवास्मिन्नजामहै, स यो न उज्जेष्यति–तस्य न इदं भविष्यतीति । तथेति । तस्मिन्नाजिमाजन्त ॥ ३ ॥

स बृहस्पतिः सवितारमेव प्रसवायोपाधावत् । सविता वै देवानां प्रसविता । इदं मे प्रसुव, त्वत्प्रसूत इदमुज्जयानीति । तद् अस्मै सविता प्रसविता प्रासुवत् । तत्सवितृप्रसूत उदजयत् । स इदं सर्वमभवत् । स इदं सर्वमुदजयत् । प्रजापतिं ह्युदजयत् । सर्वमु ह्येवेदं प्रजापतिः । तेनेष्ट्वैतामेवोर्ध्वां दिशमुदक्रामत् । तस्माद् यश्च वेद, यश्च न, एषोर्ध्वा बृहस्पतेर्दिगित्येवाहुः ॥ ४ ॥

'आत्मानं' शरीरं दत्तवान् । यज्ञो हैषामिति । 'हि' यस्मात् ' देवानामन्नं यज्ञः ' अतोऽत्रान्योऽन्यस्मिन् हविःप्रदानेनान्नसम्भवात् प्रजापतिशरीरं यज्ञ एव तेषामासीदित्यर्थः । यज्ञशब्देन वाजपेय उच्यते, प्रकरणबलात्, तथा च तैत्तिरीयके–"एष वाव यज्ञो यद् वाजपेयः" (तै०ब्रा० १।३।२।९) इति ॥ २ ॥

तत्र वाजपेये सर्वदेवानां पुरस्ताद् वाजपेयस्यानुष्ठानेन बृहस्पतेरेव श्रैष्ठ्यं वक्तुमाजिधावनं दर्शयति–ते होचुरिति । ' ते ' देवाः आगच्छन्तं यज्ञं दृष्ट्वा 'नः' अस्माकं मध्ये ' इदम् ' इति सामान्येन निर्देशः । अयं वाजपेयः यज्ञः ' कस्य भविष्यति ? ' 'इति' ' ऊचुः ' । ततः ' ते ' सर्वेऽपि ममैवायं यज्ञो ममैवायं यज्ञ इति विवदमानाः ' न सम्पादयाञ्चक्रुः ' अस्यैवायं यज्ञ इति न निश्चितवन्तः । 'ते' देवाः ' अस्मिन् ' विषये ' आजिम् अजामहै ' गच्छाम इति समयञ्चक्रुः । 'नः' अस्माकं मध्ये आजिधावनेन 'यः' कश्चित् 'उज्जेष्यति' ' तस्य ' अयं यज्ञो भवत्विति सर्वैरङ्गीकृत्य ' तस्मिन् ' वाजपेयविषये विजयार्थम् ' आजिम् ' आजन्त ' अधावन् । " अज गतिक्षेपणयोः" (धा.पा. भ्वा. प. २३०)" आजिर्नाम धावनप्रदेशस्यावधिर्भूमिविशेषः (श.प. ३।४।३।४) ॥३॥

उत्तरत्र वाजपेयस्य सकलकर्मप्रारम्भे सावित्रहोमो[1] विधास्यते । तदर्थं बृहस्पतेरपि प्रथमं सवितृविषयमुपधावनं दर्शयति–स बृहस्पतिरित्यादिना । तत्राजिं प्रधावन् ' बृहस्पतिः ' ' सवितारमेव ' ' प्रसवाय ' अनुज्ञानाय ' उपाधावत् ' । इतरदेववद् धावनप्रदेशमेव न लक्षीकृत्य गत इत्येवकारार्थः । सवितुरुपधावने कारणमाह–सविता वा इति । ' प्रसविता ' अनुज्ञाता । इदं म इति बृहस्पतेः प्रार्थनावाक्यस्यायमर्थः–हे सवितः ! मह्यम्

१–देव सवितरिति जुहोति यजत्यादिषु । का. श्रौ. सू. १४।११ ।

(स्त) तद्ये ह स्म पुरा व्वाजपेयेन यजन्ते । (न्तऽ) एताᳬं ह स्मैवोर्ध्वां दिशमुत्क्रामन्ति तत ऽऔपाविनैव जानश्रुतेयेन प्रत्यवरूढं ततोऽर्व्वाचीनं प्रत्यवरोहन्ति ॥ ५ ॥

तद् ये ह स्म पुरा वाजपेयेन यजन्ते—एतां ह स्मैवोर्ध्वां दिशमुत्क्रामन्ति । तत औपाविनैव जानश्रुतेयेन प्रत्यवरूढम्, ततोऽर्वाचीनं प्रत्यवरोहन्ति ॥ ५ ॥

' इदं ' वक्ष्यमाणं कार्यं ' प्रसुव ' अनुजानीहि । "षू प्रेरणे " (धा. पा. तु. प. १२७)—इति धातुः ।'त्वत्प्रसूतः ' त्वयाऽनुज्ञातः 'इदम्' उज्जयानि साधयामि । सर्वदेवेभ्यः पुरस्तात् तेनानुज्ञातः ' उदजयत् ' । यत उदजयत् ततः 'स' 'इदं' परिदृश्यमानं 'सर्वं' जगत् ' अभवत् '। सर्वोज्जयेन प्रजापतिमेव जितवान् भवति । अनेन वाजपेयस्य सर्वजगदात्मकप्रजापतिरूपप्राप्तिः फलमित्युक्तं भवति । **तेनेष्ट्वेति** । तेन वाजपेयेन ' इष्ट्वा ' बृहस्पतिः 'ऊर्ध्वां दिशमुदक्रामत्' । यत एवं'तस्मात्' 'यः'पुमान् एतामाख्यायिकां बृहस्पतिरिष्ट्वोर्ध्वां दिशं प्राप्तवानित्येवं रूपां ' वेद " यो ' वा ' न ' वेत्ति, ते सर्वेऽपि ' ऊर्ध्वा दिक् बृहस्पतेः ' स्वभूता ' इति ' ' आहुः ' तथा च तैत्तिरीयके समाम्नातम्—" ऊर्ध्वादिशाः हेमन्तशिशिरावृतूनां बृहस्पतिर्देवता " (तै० सं ४ । ३ । ३ । २) इति ॥ ४ ॥

वाजपेययाजिनस्तदानीमेवोत्क्रमणम्, भूलोके यावदत्यन्तभोगाभिलाषस्तावदिहावस्थानम्; तत्र जानश्रुतेयो यज्ञमित्युभयमुपपादयति—**तद्ये ह स्मेति** । यद्वा उत्तरत्र यूपारोहणं " वो रोहाव " (तै० ब्रा० १ । ३ । ७ । २) (तै० सं० १ । ७ । ९ । १) इति मन्त्रलिङ्गात् स्वर्गारोहणप्रतिनिमित्तेन लक्ष्यते[1] । ' ततः ' स्वर्गरूपाद् यूपादवरोहणं जानश्रुतेयेनैव पूर्वं कृतमित्यर्थः । प्रत्यवरोहश्च लिङ्गादनुमीयत इत्याह—**तद् ये हेति** । अथ वाजपेययाजिनः " अग्नेष्ट्वा साम्राज्येनाभिषिञ्चामि " (तै० सं० १ । ७ । १० । ३ ।) इत्याद्यैर्मन्त्रलिङ्गैरग्न्यादिसाम्राज्येऽभिषिक्तत्वाद् देववदेव-सोऽपि मनुष्यं प्रति गजादिवाहनान्न प्रत्यवरोहेदिति प्रत्यवरोहप्रतिषेधो विहितस्तैत्तिरीयके—" तस्माद् वाजपेययाजी न कञ्चन प्रत्यवरोहति " इति (तै०ब्रा० १ । ३ । ९ । २) न च प्रत्यवरोहणं विहितम् । आपस्तम्बेन तु तन्निषेधस्तदुपायश्च दर्शितः—"यावज्जीवं न कञ्चन प्रत्यवरोहेत् बृहस्पतिसवेन वा प्रत्यवरोहणीयेन यजेत " इति । तस्मादुभयत्रानुग्राहकमिदं ब्राह्मणमित्याह—**तद् ये ह स्मेति** । अक्षरार्थस्तु—'तत्' तस्माद् बृहस्पतिनाऽनुष्ठितत्वाद् ये 'पुरा' पूर्वं 'वाजपेयेन यजन्ते,' ते सर्वे ऊर्ध्वं गच्छन्ति, ' ततः ' ऊर्ध्वदिशः सकाशात् ' जानश्रुतेयेन ' जानश्रुतेः पुत्रेण ' औपाविना ' तन्नाम्ना ' एव ' एकेन राजर्षिणा ' प्रत्यवरूढं ' प्रत्यवरोहः कृतः । भावे निष्ठा । " इतश्चानिञः (पा० सू० ४।१।१२२) " इति जनश्रुतेर्ढक् प्रत्ययः । ' ततः ' आरभ्य इदानीमनुष्ठातारोऽपि ' अर्वाचीनम् ' अवाङ्मुखं ' प्रत्यवरोहन्ति ' इति ॥ ५ ॥

---

[1] स रोक्ष्यन् जायामामंत्रयते जायऽएहि स्वो रोहावेति रोहावेत्याहेत्यादि । श० प० ५ । २ । १ । १० ।

तेनेन्द्रोऽयजत । स इदꣳ सर्व्वमभवत्स इदꣳ सर्व्वमुदजयत्प्रजापतिꣳ ह्युदजयत्सर्व्वꣳ ह्येवेदं प्रजापतिस्तेनेष्ट्वैतामेवोर्ध्वां दिशमुदक्रामत् ॥६॥ (शतम् २९००)

तद्ये ह स्म पुरा व्वाजपेयेन यजन्ते । (न्तऽ) एताꣳ ह स्मैवोर्ध्वां दिशमुत्क्रामन्ति तत ऽऔपाविनैव जानश्रुतेयेन प्रत्यवरूढं ततोऽर्व्वाचीनं प्रत्यवरोहन्ति ॥ ७ ॥

स यो व्वाजपेयेन यजते । स इदꣳ सर्व्वं भवति स इदꣳ सर्व्वमुज्जयति प्रजापतिꣳ ह्युज्जयति सर्व्वमुह्येवेदं प्रजापतिः ॥ ८ ॥

(स्तु) तदाहुः । (र्नं) न व्वाजपेयेन यजेत सर्व्वं वाऽएष ऽइदमुज्जयति यो व्वाजपेयेन यजते प्रजापतिꣳ ह्युज्जयति सर्व्वमुह्येवेदं प्रजापतिः स ऽइह न किञ्चन परिशिनष्टि तस्येश्वरः प्रजा पापीयसी भवितोरिति ॥ ९ ॥

तेनेन्द्रोऽयजत । स इदं सर्वमभवत् । स इदं सर्वमुदजयत् । प्रजापतिं ह्युदजयत् । सर्वमु ह्येवेदं प्रजापतिः । तेनेष्ट्वैतामेवोर्ध्वां दिशमुदक्रामत् ॥ ६ ॥

तद् ये ह स्म पुरा वाजपेयेन यजन्ते एतां ह स्मैवोर्ध्वां दिशमुत्क्रामन्ति । तत् औपाविनैव जानश्रुतेयेन प्रत्यवरूढम्, ततोऽर्वाचीनं प्रत्यवरोहन्ति ॥ ७ ॥

स यो वाजपेयेन यजते । स इदं सर्वं भवति । स इदं सर्वमुज्जयति । प्रजापतिं ह्युज्जयति । सर्वमु ह्येवेदं प्रजापतिः ॥ ८ ॥

तदाहुः—न वाजपेयेन यजेत । सर्वं वाऽएष इदमुज्जयति—यो वाजपेयेन यजते । प्रजापतिं ह्युज्ज-

---

एवं वाजपेये ब्राह्मणस्याधिकारविधिमुक्त्वा बृहस्पतिवृत्तान्तं प्रदर्श्य क्षत्रियस्यापि तं समर्थयितुमिन्द्रवृत्तान्तं दर्शयति—तेनेन्द्रोऽयजतेति । निगदव्याख्यातोऽर्थः । अस्मिन् पर्यायेऽपि ' तद्ये ह स्म '—इति वाक्यसन्दर्भः पूर्ववद् व्याख्येयः ॥ ६ ॥ ७ ॥

इत्थमाख्यायिकया वाजपेये ब्राह्मणराजन्यावधिकारिणौ प्रदर्श्य, इदानीं तं वाजपेयं विधत्ते—स यो वाजपेयेन यजत इत्यादिना ॥ ८ ॥

सर्वजयेन विराडात्मकप्रजापतिजयस्यानुचितत्वात् तत्साधनभूतो वाजपेयो न कर्त्तव्य इति पूर्वपक्षमुद्भावयति—तदाहुर्न वाजपेयेनेत्यादि । इह न किञ्चनेति । सर्वात्मकप्रजापतिजयेन ' इह ' लोके ' न किञ्चन '

१—वाजपेयः शरदि वैश्यस्य । का. श्रौ. सू. १४ । १ । २—उभयतः शुक्लपक्षौ बृहस्पतिसवेन यजते । ज्योतिष्टोमेन वा । द्वादशे वा । पुरस्तादयुक्षु ज्योतिष्टोमः पार्ष्ठिकानीतरेषु । प्रतिलोमं पार्ष्ठिकान्युपरि । सर्वाग्निष्टोमैर्वा राजसूयसोमैः । प्रतिलोममुपरि । इमे परियज्ञाः । का. श्रौ. सू. १४ । २–८ । ३—अनिष्टिनो वाजपेयेन । का० श्रौ० सू० १५ । २ ।

तदु वै युजेतैव । युऽएवमेतं यज्ञं क्लृप्तं विदुर्ऋक्तो यजुष्टः सामतो ये प्रजज्ञयस्तुऽएनं याजयेयुरेषा ह त्वेवैतस्य यज्ञस्य समृद्धिर्यदेनं विद्वाᳬसो याजयन्ति तस्मादु युजेतैव ॥ १० ॥

स वा ऽएष ब्राह्मणस्यैव यज्ञः । (ज्ञो) यदेनेन बृहस्पतिरयजत ब्रह्म हि बृहस्पतिर्ब्रह्म हि ब्राह्मणोऽथो राजन्यस्य यदेनेनेन्द्रोऽयजत क्षत्रᳬ हीन्द्रः क्षत्रᳬ राजन्यः ॥ ११ ॥

(न्यो) राज्ञ एव राजसूयम् । (ᳬ) राजा वै राजसूयेनेष्ट्वा भवति न वै ब्राह्मणो राज्यायालमवरं वै राजसूयं परं वाजपेयम् ॥ १२ ॥

यति, सर्वमु ह्येवेदं प्रजापतिः । स इह न किञ्चन परिशिनष्टि । तस्येश्वरः प्रजा पापीयसी भवितोरिति ॥ ९ ॥

तदु वै यजेतैव । यऽ एवमेतं यज्ञं क्लृप्तं विदुः—ऋक्तो यजुष्टः सामतः, ये प्रजज्ञयः तऽ एनं याजयेयुः । एषा ह त्वेवैतस्य यज्ञस्य समृद्धिः—यदेनं विद्वांसो याजयन्ति । तस्मादु यजेतैव ॥ १० ॥

स वाऽ एष ब्राह्मणस्यैव यज्ञः—यदेनेन बृहस्पतिरयजत । ब्रह्म हि बृहस्पतिः । ब्रह्म हि ब्राह्मणः । अथो राजन्यस्य—यदेनेनेन्द्रोऽयजत । क्षत्रं हीन्द्रः । क्षत्रं राजन्यः ॥ ११ ॥

राज्ञ एव राजसूयम् । राजा वै राजसूयेनेष्ट्वा भवति । न वै ब्राह्मणो राज्यायालम् । अवरं वै राजसूयम्, परं वाजपेयम् ॥ १२ ॥

परिशिष्टम्; तस्मात् 'तस्य' यजमानस्य 'प्रजा' 'पापीयसी' अतिशयेन दारिद्र्यवती 'भवितोः' भवितुम् 'ईश्वरः' समर्था, 'इति' अतो हेतोः वाजपेयो न कर्त्तव्य इति ॥ ९ ॥

तन्निषेधमधिकारिविशेषनिरूपणेन परिहरति—**तदु वै यजेतैवेति** । सर्वथा वाजपेययागः कर्त्तव्य इत्यवधारणार्थः । तत्र विदुष एव यष्टृत्वं विदुषामेव याजयितृत्वमित्युभयमेवोपपादयति—**य एवमिति** । 'यः' पुमान् 'एतं' वाजपेयं यज्ञम्, ऋगादिवेदत्रयेण 'क्लृप्तं' सेतिकर्त्तव्यत्वेन विहित इति 'विद्यात्' जानीयात्, 'ये' च 'प्रजज्ञयः' प्रज्ञातवन्तः साङ्गोपाङ्गं कर्म ज्ञातवन्त ऋत्विजः, 'ते' 'एनम्' अन्वादिष्टं विद्वांसं यष्टारं 'याजयेयुः' । अतः साधारणैर्वाजपेययागो न कर्त्तव्य इत्यभिप्रायेण "न वाजपेयेन यजेत"—इत्युक्तम् । **एषा ह त्वेवैतस्येति** । क्रियाकुशलानामृत्विजां याजयितृत्वमेव यज्ञसमृद्धिः; अङ्गवैकल्याभावेन यज्ञसम्पूर्त्तेः सम्भवात् ॥ १० ॥

तत्र वाजपेये अधिकारिविधिमुन्नयति—**स वा एष ब्राह्मणस्येति** । यतो बृहस्पतिनाऽनुष्ठितः, यतो देवानां मध्ये बृहस्पतिः ब्राह्मणजात्यभिमानी, ब्राह्मणबृहस्पत्योर्ब्रह्मसम्बन्धाद् ऐकरूप्यम्; 'ब्रह्म अधीते वेद वा ब्राह्मणः'—इति व्युत्पत्तेः । इन्द्रेणाप्ययमनुष्ठितः, यतो देवानां मध्ये इन्द्रः क्षत्रियजात्यभिमानी । इन्द्रराजन्ययोः क्षत्रसम्बन्धादैकरूप्यम् । क्षत्रं नाम बलम्, तत्सद्भावात् उभयोः । अतो मनुष्येष्वपि ब्राह्मणराजन्ययोरेवाधिकारो न तु वैश्यस्य । अत एव कात्यायनेनोक्तम्—"वाजपेयः शरद्यवैश्यस्य"—(का. श्रौ. सू. १४ । १) इति ॥ ११ ॥

वाजपेयस्य साम्राज्यं फलमिति वक्तुं प्रसङ्गात् राजसूयस्याधिकारिभेदेन फलभेदेन वा अवरत्वं दर्शयति-**राज्ञ**

(१३) राजा वै राजसूयेनेष्ट्वा भवति । सम्राड्वाजपेयेनावरꣳ हि राज्यं परꣳ साम्राज्यं कामयेत वै राजा सम्राड् भवितुमवरꣳ हि राज्यं परꣳ साम्राज्यं न सम्राट्कामयेत राजा भवितुमवरꣳ हि राज्यं परꣳ साम्राज्यम् ॥ १३ ॥

(१४) स यो वाजपेयेनेष्ट्वा सम्राड्भवति । स इदꣳ सर्वꣳ संवृङ्क्ते स कर्मणः कर्मणः पुरस्तादेताꣳ सावित्रीमाहुतिं जुहोति देव सवितः प्रसुव यज्ञं प्रसुव यज्ञपतिं भगायेति ॥ १४ ॥

राजा वै राजसूयेनेष्ट्वा भवति सम्राड्वाजपेयेन । अवरं हि राज्यम्, परं साम्राज्यम् । कामयेत वै राजा सम्राड्भवितुम् । अवरं हि राज्यम्, परं साम्राज्यम् । न सम्राट् कामयेत राजा भवितुम् । अवरं हि राज्यम्, परं साम्राज्यम् ॥ १३ ॥

स यो वाजपेयेनेष्ट्वा सम्राड्भवति । स इदं सर्वं संवृङ्क्ते । स कर्मणः कर्मणः पुरस्तादेतां सावित्रीमाहुतिं जुहोति–“ देव सवितः प्रसुव यज्ञं प्रसुव यज्ञपतिं भगाय ”–(वा० सं० ९ । १) इति ॥ १४ ॥

एव राजसूयमित्यादिना । एवकारोऽन्ययोगव्यवच्छेदार्थः । राजशब्देन क्षत्रिय उच्यते, न तु राज्ययोगाद्राजेति व्युत्पत्त्या ब्राह्मणादिर्विवक्ष्यते । अवरं वा इति । राजसूयाख्यं कर्म ‘ अवरं ’ निकृष्टम्; कतिपयदेशाधिपतित्वलक्षणराज्यफलमात्रसाधनत्वात् । वाजपेयाख्यं कर्मैव ‘ परम् ’ उत्कृष्टम्; सर्वदेशाधिपतित्वरूपसाम्राज्यफलसाधनत्वात् । राज्यात् साम्राज्यस्याधिक्यमाह–कामयेत वै राजेति ॥ १२ ॥ १३ ॥

अथ वाजपेयस्य साम्राज्यफलं दर्शयति–स यो वाजपेयेनेति । ‘ स ’ सम्राट् वाजपेययाजी ‘ इदं ’ परिदृश्यमानं ‘ सर्वं ’ जगत् ‘ संवृङ्क्ते ’ संवर्जयति, वशीकरोतीत्यर्थः । एवं साम्राज्यफलं वाजपेयं विधाय तत्र कर्मादौ सावित्रहोमं विधत्ते–स कर्मणः कर्मणइति । कर्मणः कर्मण इति वीप्सया सर्वकर्मादौ कर्त्तव्यत्वमभिधीयते । येषां कर्मणामादौ सावित्रहोमः कर्त्तव्यः, तानि कर्माणि कात्यायनेन सङ्गृहीतानि–“ देवसवितरिति जुहोति यजत्यादिषु, सकृद् दीक्षारम्भे कर्मैकत्वात्, क्रयणवेद्यारम्भणप्रवर्ग्योत्सादनाग्निप्रणयनहविर्द्धानाग्नीषोमाणां सदआग्नीध्रधिष्ण्यनिवपनवसतीवरीग्रहणपरिहरणेषु च कर्मान्तरत्वात्” इति ॥ (का० श्रौ०सू० १४–११–१३) तत्र मंत्रं विधत्ते–देव सवितरिति । तस्य मन्त्रस्यायमर्थः; हे ‘ सवितः देव ’ प्रेरक अन्तर्यामिन् ‘ यज्ञं ’ वाजपेयं ‘ प्रसुव ’ प्रवर्तय, ‘ यज्ञपतिं ’ यजमानं ‘ भगाय ’ अनुष्ठानरूपायैश्वर्याय ‘ दिव्यः ’ दिवि भवः यो ‘ गन्धर्वः ’ सवितुरनुग्रहात् ‘ केतपूः ’ केतान् पुनाति, प्राणिनां विज्ञानानि शोधयन् भवति, सः ‘ नः ’ अस्माकं ‘ केतं ’ वाजपेयविज्ञानं ‘पुनातु’ शोधयतु । वाचस्पतिः प्रजापतिश्च सवित्राऽनुज्ञातः ‘ नः ’ अस्मदीयं ‘ वाजं ’ हवीरूपमन्नम् अत्र अस्मिन्नहनि ‘ स्वदतु ’ स्वदयतु ॥ १४ ॥

१–राज्ञो राजसूयः । का० श्रौ० सू० । १५ । १।

तद्ध्यथैवादो बृहस्पतिः । सवितारं प्रसवायोपाधावत्सविता वै देवानां प्रसवितेदं मे प्रसुव त्वत्प्रसूत ऽइदमुज्जयानीति तदस्मै सविता प्रसविता प्रासुवत्तत्सवितृप्रसूत उदजयदेवमेवैष ऽएतत्सवितारमेव प्रसवायोपधावति सविता वै देवानां प्रसवितेदं मे प्रसुव त्वत्प्रसूत ऽइदमुज्जयानीति तदस्मै सविता प्रसविता प्रसौति तत्सवितृप्रसूत ऽउज्जयति ॥ १५ ॥

तस्मादाह । देव सवितः प्रसुव यज्ञं प्रसुव यज्ञपतिं भगाय । दिव्यो गन्धर्व्वः केतपूः केतं नः पुनातु व्वाचस्पतिर्व्वाजं नः स्वदतु स्वाहेति प्रजापतिर्व्वै व्वाचस्पतिरन्नं व्वाजः प्रजापतिर्न्न ऽइदमद्यान्नꣳ स्वदत्वित्येवैतदाह स ऽएतामेवाहुतिं जुहोत्या श्वः सुत्याया ऽएतद्ध्यस्यैतत्कर्म्मारब्धं भवति प्रसन्न ऽएतं यज्ञं भवति ॥ १६ ॥

इति प्रथमप्रपाठके प्रथमं ब्राह्मणम् ॥ ५-१-१ ॥ (१. १.) ॥

तद् यथैवादो बृहस्पतिः सवितारं प्रसवायोपाधावत् । सविता वै देवानां प्रसविता । इदं मे प्रसुव, त्वत्प्रसूत इदमुज्जयानीति । तदस्मै सविता प्रसविता प्रासुवत् । तत् सवितृप्रसूत उदजयत् । एवमेवैष एतत् सवितारमेव प्रसवायोपधावति । सविता वै देवानां प्रसविता । इदं मे प्रसुव । त्वत्प्रसूत इदमुज्जयानीति । तदस्मै सविता प्रसविता प्रसौति । तस्मात्सवितृप्रसूत उज्जयति ॥ १५ ॥

तस्मादाह–"देव सवितः प्रसुव यज्ञं प्रसुव यज्ञपतिं भगाय । दिव्यो गन्धर्वः । केतपूः केतं नः पुनातु, वाचस्पतिर्वाजं नः स्वदतु स्वाहा" (वा० सं० ९।१) इति । प्रजापतिर्वै वाचस्पतिः । अन्नं वाजः । प्रजापतिर्न इदमद्यान्नं स्वदत्वित्येवैतदाह । स एतामेवाहुतिं जुहोति । आ श्वः सुत्यायाः । एतद्ध्यस्यैतत्कर्मारब्धं भवति । प्रसन्न एतं यज्ञं भवति ॥ १६ ॥

सवितुरुपधावनं बृहस्पतिसम्बन्धेन स्तौति–तद्यथैवाद इति । 'अदः' अस्मिन् विप्रकृष्टे पूर्वस्मिन् काले यथा 'बृहस्पतिः सवितारम्' 'उपाधावत्', ततः तस्मै सविता चानुज्ञां ददौ, एवम् 'एषः' इदानीमनुष्ठाताऽपि तमेव 'उपधावति', तस्मै च 'प्रसविता' प्रेरयिता सविता प्रसौति, अनुजानातीत्यर्थः ॥ १५ ॥

तस्मादाहेति । सावित्रहोमस्य संकुचद्वृत्तितां दर्शयति–आ श्वः सुत्याया इति । आङ् मर्यादायाम् । 'श्वः । सुत्यायाः' सुत्यादिनात् पूर्वम्, नोत्तरत्रेत्यर्थः । अत एव कात्यायनः—"प्राक् सुत्यायाः" इति ॥ (का० श्रौ० सू० १४ । १३ ।) ॥ १६ ॥

इति श्रीसायणाचार्यविरचिते माधवीये वेदार्थप्रकाशे माध्यन्दिनशतपथब्राह्मणभाष्ये पञ्चमकाण्डे प्रथमेऽध्याये प्रथमं ब्राह्मणम् ॥ (५-१-१) ॥

अथाᳪंशुं गृह्णाति । सर्वत्वायैव तस्माद्वा ऽअᳪंशुं गृह्णात्यथैतान्प्रज्ञातानेवाग्निष्टोमिकान्ग्रहान्गृह्णात्याग्रयणात् ॥ १ ॥

(द्व) अथ पृष्ठ्यान्गृह्णाति । तद्यदेवैतैर्देवा ऽउदजयंस्तदेवैष ऽएतैरुज्जयति ॥ २ ॥

(त्यु) अथ षोडशिनं गृह्णाति । तद्यदेवैतेनेन्द्र ऽउदजयत्तदेवैष एतेनोज्जयति ॥ ३ ॥

(त्यु) अथैतान्पञ्च वाजपेयग्रहान्गृह्णाति । ध्रुवसदं त्वा नृषदं मनःसदमुपयामगृहीतोऽसीन्द्राय त्वा जुष्टं गृह्णाम्येष ते योनिरिन्द्राय त्वा जुष्टतममिति सादयत्येषां वै लोकानामयमेव ध्रुव ऽइयं पृथिवीममुमेवैतेन लोकमुज्जयति ॥ ४ ॥

अंशुं गृह्णाति सर्वत्वायैव । तस्माद्वाऽअंशुं गृह्णाति । अथैतान् प्रज्ञातानेवाग्निष्टोमिकान् ग्रहान् गृह्णात्याग्रयणात् ॥ १ ॥

अथ पृष्ठ्यान् गृह्णाति । तद् यदेवैतैर्देवा उदजयन्, तदेवैष एतैरुज्जयति ॥ २ ॥

अथ षोडशिनं गृह्णाति । तद्यदेवैतेनेन्द्र उदजयत्, तदेवैष एतेनोज्जयति ॥ ३ ॥

अथैतान् पञ्च वाजपेयग्रहान्गृह्णाति—" ध्रुवसदं त्वा नृषदं मनःसदम्, उपयामगृही-

---

एवं विहिते वाजपेये ग्रहविशेषा द्वितीयब्राह्मणेऽभिधीयन्ते, प्राकृतास्त्वतिदिश्यन्ते, तत्र तावदंशुग्रहं विधत्ते—अंशुं गृह्णातीति । 'अंशुं' सोमग्रहं सोमद्रव्येण गृह्णीयात् । 'सर्वत्वाय' स्वविरहप्रयुक्तन्यूनतादोषपरिहारेण यज्ञस्य समृद्धये इत्यर्थः । अंश्वदाभ्ययोरप्राकृतत्वेन चोदकादप्राप्तयोरिह विधानं युक्तम् । अत एवापस्तम्बः—"भ्रातृव्यवतादाभ्यो ग्रहीतव्यो बुभूषतांशुस्तौ न सर्वत्र ग्रहीतव्यौ वाजपेये राजसूये सत्रे सर्ववेदसे" (आ० श्रौ० सू० १२।८।१२।१३।) इति । अथ प्रकृतिगतानुपांश्वन्तर्यामादीनतिदिशति—अथैतानिति । 'प्रज्ञातान्' प्रसिद्धान् 'आग्निष्टोमिकान्' अग्निष्टोमे विहितान् 'ग्रहान्' 'आ आग्रयणात्' आग्रयणपर्यन्तान्, गृह्णीयात् । उपांश्वन्तर्यामौ, ऐन्द्रवायवमैत्रावरुणाश्विनान्, शुक्रामन्थिनौ, आग्रयणञ्च गृह्णीयादित्यर्थः ॥ १ ॥

अथातिग्राह्यान् विधत्ते—अथ पृष्ठ्यानिति । 'पृष्ठ्यान्' अतिग्राह्यान् । ते हि पृष्ठस्तोत्रसम्बन्धात् पृष्ठ्या इत्यर्थः । पृष्ठ्यषडहे प्रतिदिवसमेकैकस्य, विश्वजिति सर्वपृष्ठे चैकाहे ग्रहणात् एतेषां पृष्ठ्यसंज्ञा । तथा च चतुर्थकाण्डे समाम्नातम्—"अग्नीन्द्रसूर्या अतिग्राह्यान् ददृशुः"—इत्यारभ्य, "तान् वै पृष्ठ्ये षडहे गृह्णीयात्, पूर्वे त्र्यह आग्नेयमेव प्रथमेऽहन्नैन्द्रं द्वितीये सौर्यं तृतीय एवमेवान्वहम्"—इति, तथा "विश्वजिति सर्वपृष्ठ एकाह एव गृह्णन्ते"—इति च (श प. ४।५।४।२–१३) तेषां प्रकृतिगता त्रित्वसङ्ख्यैव शाखान्तरवत्; सङ्ख्यान्तरानुपदेशात् । अत्र कात्यायनः—"प्रातस्सवनेऽतिग्राह्यान् गृहीत्वा षोडशिनम्" (का.श्रौ.सू.१४।२६) २॥३

ग्रहान्तराणि विधत्ते—अथैतान् पञ्चेति । सूत्रितं हि—"पञ्च चैन्द्रान्, ध्रुवसदमिति प्रतिमन्त्रं" (का.श्रौ.सू.

(त्य) अप्सुषदं त्वा । घृतसदं व्योमसदमुपयामगृहीतोऽसीन्द्राय त्वा जुष्टं गृह्णाम्येष ते योनिरिन्द्राय त्वा जुष्टतममिति सादयत्येषां वै लोकानामयमेव व्योमेदमन्तरिक्षमन्तरिक्षलोकमेवैतेनोज्जयति ॥ ५ ॥

पृथिविसदं त्वा । (त्वाऽन्त) अन्तरिक्षसदं दिविसदं देवसदं नाकसदमुपयामगृहीतोऽसीन्द्राय त्वा जुष्टं गृह्णाम्येष ते योनिरिन्द्राय त्वा जुष्टतममिति सादयत्येष वै देवसन्नाकसदेष एव देवलोको देवलोकमेवैतेनोज्जयति ॥ ६ ॥

तोऽसि, इन्द्राय त्वा जुष्टं गृह्णामि, एष ते योनिः, इन्द्राय त्वा जुष्टतमम्"–(वा.सं.९।२) इति सादयति । एषां वै लोकानामयमेव ध्रुवः–इयं पृथिवी इममेवैतेन लोकमुज्जयति ॥ ४ ॥

"अप्सुषदं त्वा घृतसदं व्योमसदम्, उपयामगृहीतोऽसि, इन्द्राय त्वा जुष्टं गृह्णामि, एष ते योनिरिन्द्राय त्वा जुष्टतमम्"–(वा. सं. ९।२) इति सादयति एषां वै लोकानामयमेव व्योम–इदमन्तरिक्षलोकमेवैतेनोज्जयति ॥ ५ ॥

"पृथिविसदं त्वाऽन्तरिक्षसदं दिविसदं देवसदं नाकसदम्, उपयामगृहीतोऽसि, इन्द्राय त्वा जुष्टं गृह्णामि, एष ते योनिरिन्द्राय त्वा जुष्टतमम्"–(वा. सं. ९ । २) इति सादयति । एष वै देवसन्नाकसत् । एष एव देवलोकः । देवलोकमेवैतेनोज्जयति ॥ ६ ॥

१४।२६।२७) अथैतान् तेषां पञ्चानां ग्रहाणामपि पञ्च मन्त्रान् विधत्ते–ध्रुवसदं त्वेत्यादिना । तत्र, प्रथमग्रहमन्त्रस्यायमर्थः–'ध्रुवसदं' ध्रुवे स्थिरे भूलोके सीदन्तम्, 'नृषदं' नृषु नेतृषु सीदन्तम्, 'मनस्सदं' मनसि वर्त्तमानं 'त्वा' त्वां ग्रहम् 'इन्द्राय' 'जुष्टम्' अभिरुचितं 'गृह्णामि' त्वं तु 'उपयामगृहीतोऽसि' पृथिव्यात्मकेन पात्रेण गृहीतोऽसि; "इयं वा उपयामः"–(श.प. ४।१।२।७) इति श्रुतेः । अत्र भिन्नक्रमः, यत उपयामगृहीतोऽसि अतस्त्वां गृह्णामीति । 'ते' तव एष खरप्रदेशो 'योनिः' स्थानम्, तस्मात् 'इन्द्राय' 'जुष्टतमम्' अतिप्रियतमं त्वामिह सादयामीति । "एष ते योनिः"–इति मन्त्रान्त्यभागस्य विनियोगमाह–सादयतीति । मन्त्रगतं ध्रुवपदं व्याचष्टे–एषां वा इति । 'एषां लोकानां' भूम्यादीनाम् 'अयं' परिदृश्यमानो लोको 'ध्रुवः' । इदंशब्दस्यार्थमाह–इयं वै पृथिवीति ॥ ४ ॥

अप्सुदषमिति । द्वितीयग्रहमन्त्रस्यायमर्थः–अप्सु सीदतीत्यप्सुषत् तम्, घृते सीदन्तम्, 'व्योम्नि' अन्तरिक्षे सीदन्तम् । उपयामगृहीतोऽसीत्यादि पूर्वेण समानार्थ इति नेह विक्रियते । व्योमसदिति पदस्य तात्पर्यमाह–इदमेव व्योमेति । विशेषेण ओम् अवनं व्याप्तिर्यस्य तद्व्योम । तदेव 'अन्तरिक्षम्' तदेतेद्वितीयग्रहणेन जितवान् भवतीत्यर्थः ॥ ५ ॥

पृथिविसदमिति । तृतीयमन्त्रस्यायमर्थः–पृथिव्यादिषु लोकेषु सीदन्तमत एव देवसदम् । लोकत्रयाभिमानिषु अग्निवायुसूर्येषु, अन्येष्विन्द्रादिषु च आसीदन्तम् । 'नाकसदम्' न विद्यते अकं दुःखं यस्मिन्निति नाकः स्वर्गो-

---

१–'तद्विपरीतग्रहणेन'–इ. क. पु. पा. ।

(त्य) अपाᳪ रसमुद्वयसᳪ सूर्ये सन्तᳪ समाहितम् । अपाᳪ रसस्य यो रसस्तं वो गृह्णाम्युत्तममुपयामगृहीतोऽसीन्द्राय त्वा जुष्टं गृह्णाम्येष ते योनिरिन्द्राय त्वा जुष्टतममिति सादयत्येष वाऽअपाᳪ रसो योऽयं पवते स ऽएष सूर्ये समाहितः सूर्यात्पवतऽएतमेवैतेन रसमुज्जयति ॥ ७ ॥

ग्रहा ऊर्जाहुतयः । (यो) व्यन्तो विप्राय मतिम् । तेषां विशिप्रियाणां वोऽहमिषमूर्जᳪ समग्रभमुपयामगृहीतोऽसीन्द्राय त्वा जुष्टं गृह्णाम्येष ते योनिरिन्द्राय त्वा जुष्टतममिति सादयत्यूर्ग्वै रसो रसमेवैतेनोज्जयति ॥ ८ ॥

" अपां रसमुद्वयसं सूर्ये सन्तं समाहितम् । अपां रसस्य यो रसः, तं वो गृह्णाम्युत्तमम्-उपयामगृहीतोऽसि, इन्द्राय त्वा जुष्टं गृह्णामि, एष ते योनिः, इन्द्राय त्वा जुष्टतमम् "-(वा. सं. ९ । ३) इति सादयति । एष वाऽअपां रसो योऽयं पवते । स एष सूर्ये समाहितः । सूर्यात् पवते । एतमेवैतेन रसमुज्जयति ॥ ७ ॥

" ग्रहा ऊर्जाहुतयो व्यन्तो विप्राय मतिम् । तेषां विशिप्रियाणां वोऽहमिषमूर्जं समग्रभम्-उपयामगृहीतोऽसि । इन्द्राय त्वा जुष्टं गृह्णामि, एष ते योनिः, इन्द्राय त्वा जुष्टतमम् "-(वा. सं. ८ । ४) इतिं सादयति । ऊर्ग्वै रसः । रसमेवैतेनोज्जयति ॥ ८ ॥

देवलोकः । अत एव स्वर्गपदस्य सुखवाचकत्वमन्यत्रोक्तम्-"यन्न दुःखेन सम्भिन्नं न च ग्रस्तमनन्तरम् । अभिलाषोपनीतं च सुखं स्वर्गपदास्पदम् " इति । तत्र नाकसत्पदं व्याचष्टे-**एष एव देवलोक** इति ॥ ६ ॥

अपां रसमिति । चतुर्थग्रहमन्त्रस्यायमर्थः-' अपां ' ' रसं ' सारभूतम्; उदकस्यैव सोमरसत्वेन परिणतत्वात् । ' उद्वयसम् ' उद्गच्छन्तम् । " वी गतिव्याप्तिप्रजनकान्त्यसनखादनेषु " (धा. पा. अ. प. ३८) इत्यस्मादसुनि रूपम् । यद्वा, वय इत्यन्ननाम, (निघं. २ । ७ । ७) उद्गतमन्नं जीवनं वा यस्मिन् । सोमरसोऽन्नभूतो जीवनहेतुश्च; " अपाम सोमममृता अभूम "-(ऋ. सं. ८ । ४८ । ३) इत्युक्तत्वात् । 'सूर्ये' ' सन्तं ' विद्यमानं ' समाहितं ' तत्रैव सम्यगाहितम्; रसस्योदकादिरूपस्य आदित्ये एवावस्थानात् । ' अपां ' ' रसस्य ' सारभूतस्य वल्लीरूपेण परिणतस्य सोमस्य ' यो रसः ' दशापवित्रात्पवमानः, तम् आपः ! ' वः ' युष्माकं सम्बन्धिनम् ' उत्तमम् ' उत्कृष्टं स्वरसं ' गृह्णामि ' । **उपयामेत्यादि** । व्याख्यातम् । मन्त्रं व्याचष्टे-**एष वा अपामिति** । ' योऽयं पवते ' दशापवित्रात् स्रवति, ' सः ' अपां रसः । **एष सूर्ये** इति । ' एषः ' खलु सोमरसः उदकात्मना पूर्वं ' सूर्ये ' ' समाहितः ' सम्यगवस्थितः, इदानीं ' सूर्यात् ' सूर्यात्मकाद् दशापवित्रात् ' पवते ' स्रवति ॥ ७ ॥

ग्रहा ऊर्जाहुतय इति । पञ्चमग्रहमन्त्रस्यायमर्थः-हे ग्रहाः ! गृह्यन्त इति ' ग्रहाः ' सोमाः । ' ऊर्जाहुतयः ' ऊर्जमन्नं सवनीयं पुरोडाशमभिलक्ष्य हूयमानाः; यद्वा, अन्नाहुतिभूता यूयम् । ' विप्राय ' मेधाविने, स्वापेक्षितफलपरिपूरकाय वा यजमानाय । ' मतिं ' विवक्षितां बुद्धिं ' व्यन्तः ' पश्यन्तोऽनुजानन्तो भवतेति शेषः ।

तान्वाऽएतान्। (न्पु) पञ्च व्वाजपेयग्रहान्गृह्णाति प्रजापतिं वाऽएष उज्जयति यो व्वाजपेयेन यजते संव्वत्सरो वै प्रजापतिः पञ्च वाऽऋतवः संव्वत्सरस्य तत्प्रजापतिमुज्जयति तस्मात्पञ्च व्वाजपेयग्रहान्गृह्णाति ॥ ९ ॥

(त्यु) अथ सप्तदश सोमग्रहान्गृह्णाति। सप्तदश सुराग्रहान्प्रजापतेर्व्वाऽएतेऽअन्धसी यत्सोमश्च सुरा च ततः सत्यँश्री ज्योतिः सोमोऽनृतं पाप्मा तमः सुरैतेऽएवैतदुभेऽअन्धसीऽउज्जयति सर्व्वं वाऽएष इदमुज्जयति यो व्वाजपेयेन यजते प्रजापतिँ ह्युज्जयति सर्व्वमु ह्येवेदं प्रजापतिः ॥ १० ॥

तान्वाऽएतान् पञ्च वाजपेयग्रहान्गृह्णाति। प्रजापतिं वाऽएष उज्जयति—यो वाजपेयेन यजते। सम्वत्सरो वै प्रजापतिः। पञ्च वाऽऋतवः सम्वत्सरस्य। तत् प्रजापतिमुज्जयति। तस्मात्पञ्च वाजपेयग्रहान्गृह्णाति ॥ ९ ॥

अथ सप्तदश सोमग्रहान् गृह्णाति। सप्तदश सुराग्रहान्। प्रजापतेर्वाऽएतेऽअन्धसी—यत् सोमश्च सुरा च। ततः सत्यं श्रीः—ज्योतिः—सोमः। अनृतं पाप्मा। तमः—सुरा। एतेऽएवैतदुभेऽअन्धसीऽउज्जयति। सर्वं वाऽएष इदमुज्जयति—यो वाजपेयेन यजते। प्रजापतिं ह्युज्जयति। सर्वमु ह्येवेदं प्रजापतिः ॥ १० ॥

'विशिप्रियाणां' "शिप्रे हनू नासिके वा"—(निरुक्त ६। ४। १) इति हि यास्कवचनम्; इह हि हनू गृह्येते, तत्र भवं कर्म शिप्रियम्, विगतं शिप्रियं येषां ते। अत्र हनुव्यापाराभावात् शोभनाभिषवसंस्कृता इत्यर्थः। यद्वा, विविधानि शिप्रिदाणि हनुस्थानीयानि पात्राग्राणि, तत्पर्यन्तं, तेषां 'वः' युष्माकं सम्बन्धिनम्, 'इषम्' अन्नम् 'ऊर्जम्' बलप्रदं सोमरसं 'समग्रभम' "ह्रग्रहोर्भः" (पा. सू. ३। १। ३४) समग्रहम्, सङ्गृह्णामि। शिष्टं पूर्ववत्। ऊर्क्—शब्दसूचितमर्थमाह—**ऊर्ग् वै रस** इति ॥ ८ ॥

ग्रहाणां पञ्चसङ्ख्यां प्रशंसति—**तान्वा एतानिति**। वाजपेययागस्य स्वरूपावाप्तिसाधनत्वात् प्रजापतेश्च संवत्सरात्मतया पञ्चर्तुरूपत्वात् ग्रहाणां पञ्चसङ्ख्या युक्तेत्यर्थः ॥ ९ ॥

ग्रहांतराणि सद्रव्याणि विधत्ते—**अथ सप्तदशेति**। गृह्यन्त इति ग्रहाः सोमाः, सोमाश्च ते ग्रहाश्चेति विग्रहः, सोमस्य वा ग्रहाः। उभयेषां ग्रहाणां द्रव्यद्वयमनूद्य प्रशंसति—**प्रजापतेर्वा** इति। 'अन्धसी' अन्ने इत्यर्थः। सत्यं श्रीः ज्योतिः सोमः' सत्य—श्री—ज्योतिरात्मकत्वं सोमस्य, इतरस्यास्तु 'अनृतं पाप्मा तमः'—अनृतपापतमोरूपत्वम्। पाप्मेति दारिद्र्यम् ॥ १० ॥

१—ध्रुवसदमिति प्रतिमंत्रमतिग्राह्यवद्धोमः। का० श्रौ० सू० १४। २७। २—सप्तदशापरान्। सोमग्रहान् गृह्णातीति सूत्रशेषः। नेष्टा च तावतः सौरान्। चकारात् गृह्णाति। का० श्रौ० सू० १४। २८। २९।

स यत्सप्तदश । सोमग्रहान्गृह्णाति सप्तदशो वै प्रजापतिः प्रजापतिर्यज्ञः स यावानेव यज्ञो यावत्यस्य मात्रा तावतैवास्यैतत्सत्यꣳ श्रियं ज्योतिरुज्जयति ॥ ११ ॥

(त्यु) अथ यत्सप्तदश । सुराग्रहान्गृह्णाति सप्तदशो वै प्रजापतिः प्रजापतिर्यज्ञः स यावानेव यज्ञो यावत्यस्य मात्रा तावतैवास्यैतदनृतं पाप्मानं तमऽउज्जयति ॥ १२ ॥

तऽउभये चतुस्त्रिꣳशद्ग्रहाः सम्पद्यन्ते । त्रयस्त्रिꣳशद्वै देवाः प्रजापतिश्चतुस्त्रिꣳशस्तत्प्रजापतिमुज्जयति ॥ १३ ॥

(त्यु) अथ यत्र राजानं क्रीणाति । तद्दक्षिणतः प्रतिवेशतः केशवात्पुरुषात्सीसेन परिस्रुतं क्रीणाति न वाऽएष स्त्री न पुमान्यत्केशवः पुरुषो

स यत् सप्तदश सोमग्रहान् गृह्णाति । सप्तदशो वै प्रजापतिः । प्रजापतिर्यज्ञः । स यावानेव यज्ञो यावत्यस्य मात्रा—तावतैवास्यैतत्सत्यं श्रियं ज्योतिरुज्जयति ॥ ११ ॥

अथ यत् सप्तदश सुराग्रहान् गृह्णाति । सप्तदशो वै प्रजापतिः । प्रजापतिर्यज्ञः । स यावानेव यज्ञो यावत्यस्य मात्रा—तावतैवास्यैतदनृतं पाप्मानं तम उज्जयति ॥ १२ ॥

तेऽउभये चतुस्त्रिंशद्ग्रहाः सम्पद्यन्ते । त्रयस्त्रिंशद्वै देवाः, प्रजापतिश्चतुस्त्रिंशः । तत् प्रजापतिमुज्जयति ॥ १३ ॥

अथ यत्र राजानं क्रीणाति—तद्दक्षिणतः प्रतिवेशतः केशवात्पुरुषात् सीसेन परिस्रुतं क्रीणाति । न वाऽएष स्त्री, न पुमान् यत्केशवः पुरुषः । यदह पुमान्—तेन न स्त्री । यदु केशवः—तेनो न

उक्तग्रहसङ्ख्यां प्राजापत्यात्मकत्वेन स्तौति—स यत्सप्तदशेति । प्रजापतेः सप्तदशत्वम् "आश्रावय" इत्यादि सप्तदशाक्षरमन्त्रात्मकत्वादित्यवगन्तव्यम् स एव यज्ञः, आश्रावयेत्यादिमन्त्राभावे यज्ञस्यासिद्धेः । श्रूयते च "प्रजापतिर्वै यज्ञः" इति । अतः 'स यज्ञः' 'यावान्' यत्परिमाणः, कियत्सङ्ख्याकावयव इत्यर्थः । 'यावती' 'मात्रा' परिमितिः, 'तावतैव' सप्तदशसोमग्रहवता यज्ञेन 'अस्यैतत्' अस्य यज्ञात्मकस्य प्रजापतेः सत्यादिकं यष्टा अर्जितवान् भवतीति ॥ ११ ॥

अथ यत्सप्तदशेति । यथा सोमग्रहवाक्यं योजितम्, एवमेव सुराग्रहवाक्यं योज्यम्; एतावांस्तु विशेषः—तत्र सत्यादेरुज्जयप्राप्तिः, अत्रानृतादेर्निरासाज्जय इति ॥ १२ ॥

द्विविधग्रहाणां सङ्ख्यां मिलित्वा स्तौति—त उभये चतुस्त्रिंशदिति । अष्टौ वसव एकादश रुद्रा द्वादशादित्या इन्द्रवषट्काराविति 'त्रयस्त्रिंशद्' देवताः, 'प्रजापतिः' तु 'चतुस्त्रिंशः' इति ॥ १३ ॥

प्राकृतं सोमक्रयणविधिमनूद्य परिस्रुत्क्रयणं विधत्ते—अथ यत्रेति । 'यत्र' प्रदेशे 'राजानं' सोमलता—

१—"आश्रावयेति चतुरक्षरमस्तु श्रौषडिति चतुरक्षरं यजेति द्व्यक्षरं ये यजामह इति पञ्चाक्षरं द्व्यक्षरो वषट्कार एष वै सप्तदश प्रजापतिः" इति (तै० सं० १।६।११।१)

२—"अनिरुक्तो वै प्रजापतिः प्रजापतिर्यज्ञस्तत्प्रजापतिमेवैतद्यज्ञम्" इति । श० प० ब्रा० ५।१।१।१३ कण्डिकायां द्रष्टव्यम् ।

यदह पुमांस्तेन न स्त्री यदु केशवस्तेन न पुमान्नैतदयो न हिरण्यं यत्सीसं नैष सोमो न सुरा यत्परिस्रुत्तस्मात्केशवात्पुरुषात्सीसेन परिस्रुतं क्रीणाति १४

(त्यु) अथ पूर्व्वेद्युः ।(द्वौ) द्वौ खरौ कुर्व्वन्ति पुरोऽक्षमेवान्यं पश्चादक्षमन्यं नेत्सोमग्रहांश्च सुराग्रहांश्च सह सादयामेति तस्मात्पूर्व्वेद्युर्द्वौ खरौ कुर्व्वन्ति पुरोऽक्षमेवान्यं पश्चादक्षमन्यम् ॥ १५ ॥

पुमान् । नैतदयो, न हिरण्यम्—यत्सीसम् । नैष सोमो, न सुरा यत्परिस्रुत् । तस्मात् केशवात्पुरुषात्सीसेन परिस्रुतं क्रीणाति ॥ १४ ॥

अथ पूर्वेद्युर्द्वौ खरौ कुर्वन्ति—पुरोऽक्षमेवान्यम्, पश्चादक्षमन्यम् । नेत्सोमग्रहांश्च सुराग्रहांश्च सह सादयामेति । तस्मात् पूर्वेद्युर्द्वौ खरौ कुर्वन्ति—पुरोऽक्षमेवान्यम्, पश्चादक्षमन्यम् ॥ १५ ॥

मित्यर्थः, क्रीणीयात्, तस्य दक्षिणे प्रतिवेशे स्थाने ' केशवात् ' केशा अस्य सन्तीति स तथोक्तः । " केशाद्वोऽन्यतरस्याम् " (पा० सू० ५ । २ । १०९) इति वप्रत्ययः । तस्मात् ' पुरुषात् ' सीसद्रव्येण ' परिस्रुतं ' क्रीणीयात् । लोके हि सुरा तत्साधनभूतैः परिपक्वद्रव्यैः क्रियते, अत्र तु सुरासाधनाय पर्याप्तपरिपाकैः शष्पैर्निष्पन्नो रसः परिस्रुदित्युच्यते । कात्यायनेन तस्यास्तत्साधनद्रव्याणां वा क्रयणं विकल्पेनोक्तम्— " सोमात्क्रीयमाणात् सहितं दक्षिणतः सीसेन परिस्रुतः क्रयणं केशवात्तद्रव्याणां वा " (का० श्रौ० सू० १४ । १४ । १९) इति । तैत्तिरीये तु द्रव्यक्रय एवोक्तः—" सीसेन क्लीबाच्छष्पाणि क्रीणाति " (तै० ब्रा० १ । ८ । ५ । ३) इति । न वा एष स्त्री इत्यादिकस्यायमर्थः । सीस—केशव—परिस्रुताम् अन्तरालवर्तित्वं साम्यम् । ' यत् ' यतः, परिस्रुत् क्रेता ' पुमान् ' पुँल्लक्षणवान् श्मश्रुयुक्त इत्यर्थः ' तेन ' कारणेन ' स्त्री न भवति ' यस्मात् ' केशवः ' केशयुक्तः, ' तेन ' केशबाहुल्यवत्त्वेन ' पुमान् ' च ' न ' भवति; केशबाहुल्यं तु स्त्रीलक्षणम्; अतः केशवत्क्लीबः पुरुषः स्त्रिया अधिकः पुरुषात् न्यूनः, सीसमप्ययसोऽधिकं, हिरण्यात्तु न्यूनम् । परिस्रुच्च सा दत्ता सुरा न भवतीति ततोऽधिका, सोमवत्पूतत्वाभावात् ततो न्यूना । तस्माद् यथोक्तमेव कर्त्तव्यमिति स्थितम् ॥ १४ ॥

अथ द्वितीयमेव ग्रहाणां ग्रहासादनं मा भूदिति प्रदेशविशेषं विधत्ते-अथ पूर्वेद्युर्द्वौखराविति । 'पुरोऽक्षम्' शकटस्याधस्तात् अक्षस्य पुरोभागे एकम्, ' पश्चादक्षम् ' अक्षस्य पश्चाद्भागेऽपरम्, इति 'द्वौ खरौ' 'पूर्वेद्युः' पूर्वदिवसे कुर्युः " खरं कृत्वा नाराशंसस्थानेऽपरम् " (का० श्रौ० सू० १६ । १८ ।) तत्र कारणमाह—**नेत्सोमग्रहानिति । नेत्सादयामेति** । सहसादनमयुक्तमित्यभिप्रायेण पृथक्—सादनार्थं खरद्वयं कर्त्तव्यमित्यर्थः । ' नेत् ' इति परिभये (निरु० १ । ३ । ६) ॥ १५ ॥

(मु) अथ यत्र पूर्वया द्वारा । व्वसतीवरीः प्रपादयन्ति तदपरया द्वारा नेष्टा परिस्रुतं प्रपादयति दक्षिणतः पात्राण्यभ्यवहरन्ति पुरोऽक्षमेव प्रत्यङ्ङासीनोऽध्वर्युः सोमग्रहान्गृह्णाति पश्चादक्षं प्राङासीनो नेष्टा सुराग्रहान्त्सोमग्रहमेवाध्वर्युर्गृह्णाति सुराग्रहं नेष्टा सोमग्रहमेवाध्वर्युर्गृह्णाति सुराग्रहं नेष्टैवमेवैनान्व्यत्यासं गृह्णीतः ॥ १६ ॥

(तो) न प्रत्यञ्चमक्षमध्वर्युः । सोमग्रहमतिहरति न प्राञ्चमक्षं नेष्टा सुराग्रहं नेज्ज्योतिश्च तमश्च सᳬसृजावेति ॥ १७ ॥

(त्यु) उपर्युपर्येवाक्षमध्वर्युः । सोमग्रहं धारयत्यधोऽधोऽक्षं नेष्टा सुरा-

---

अथ यत्र पूर्वया द्वारा वसतीवरीः प्रपादयन्ति—तदपरया द्वारा नेष्टा परिस्रुतं प्रपादयति । दक्षिणतः पात्राण्यभ्यवहरन्ति । पुरोऽक्षमेव प्रत्यङ्ङासीनोऽध्वर्युः सोमग्रहान्गृह्णाति । पश्चादक्षं प्राङासीनो नेष्टा सुराग्रहान् । सोमग्रहमेवाध्वर्युर्गृह्णाति, सुराग्रहं नेष्टा । सोमग्रहमेवाध्वर्युर्गृह्णाति, सुराग्रहं नेष्टा । एवमेवैनान् व्यत्यासं गृह्णीतः ॥ १६ ॥

न प्रत्यञ्चमक्षमध्वर्युः सोमग्रहमतिहरति, न प्राञ्चमक्षं नेष्टा सुराग्रहम् । नेज्ज्योतिश्च तमश्च संसृजावेति ॥ १७ ॥

उपर्युपर्येवाक्षमध्वर्युः सोमग्रहं धारयति, अधोऽधोऽक्षं नेष्टा सुराग्रहम् । " **सम्पृचौ स्थः,**

वसतीवरीणां हविर्द्धानप्रपादनमनूद्य परिस्रुत्प्रपादने कञ्चिद्विशेषं विधत्ते—**अथ यत्रेति** । 'अपरया' पश्चिमया 'द्वारा' 'नेष्टा' नाम ऋत्विक्, अध्वर्युवर्गे तृतीयः 'प्रपादयति' प्रवेशयेदित्यर्थः । **दक्षिणत इति** । हविर्द्धानस्य दक्षिणतो द्वारं कृत्वा तेन सोमग्रहपात्राणि सुराग्रहपात्राणि च प्रवेशयतीत्यर्थः । सूत्रितं हि—" दक्षिणतः सन्धिं करोति, यूपवेष्टनं सप्तदशभिर्वस्त्रैर्युद्ग्रन्थनं वा परिव्ययणकाले, सन्धिना पात्राण्याहृत्य "—(का. श्रौ. सू. १४ । १९-२१) इति । वर्गद्वयग्रहणे ऋत्विजोर्नियमं दर्शयति—**पुरोऽक्षमित्यादिना** । विभागेन धारणाय व्यत्यासं विधत्ते—**सोमग्रहमेवाध्वर्युरिति** । 'व्यत्यासम्' व्यत्यस्य व्यत्यस्येत्यर्थः । अध्वर्युणा प्रथमे सोमग्रहे गृहीते सति, नेष्टा प्रथमं सुराग्रहं गृह्णीयात्; " व्यत्यासं ग्रहणम् " (का. श्रौ. सू. १४।२०) ।ततो द्वितीये द्वितीयमिति सोऽयं व्यत्यासः ॥ १६ ॥

ग्रहाणामन्यप्रदेशप्रापणं निषेधति—**न प्रत्यञ्चमक्षमिति** । 'प्रत्यञ्चमक्षम्' अक्षस्य पश्चाद्भागं 'प्रति' 'सोमग्रहम्' 'अध्वर्युः' 'न अतिहरति' नातिहरेत् नातिक्रामयेत् । एवं च 'नेष्टा' अपि 'सुराग्रहं' 'प्राञ्चमक्षम्' शकटाक्षस्य पुरोदेशं नातिहरेत् । उभयत्र कारणमाह—**नेज्ज्योतिरिति** । यदि ग्रहाणामन्योन्यदेशातिक्रमणं स्यात्, तर्हि तेजस्तिमिरयोः संसर्गः स्यात्, स मा भूदिति व्यतिहरणनिषेधः । सोमस्य ज्योतीरूपत्वं सुरायास्तु तमोरूपत्वं च प्रागावेदितम् । " अक्षानतिक्रमणं ग्रहाणाम् " । (का. श्रौ. सू. १४।२१) ॥ १७ ॥

उभयग्रहधारणे कञ्चिद् विशेषं विधत्ते—**उपर्युपर्येवाक्षमध्वर्युरिति** । अक्षस्य सन्निकृष्टोपरिभाग एव सोम-

ग्रहौ सम्पृचौ स्थः सं मा भद्रेण पृङ्क्तमिति नेत्पापमिति ब्रवावेति तौ पुनर्विहरतो विपृचौ स्थो वि मा पाप्मना पृङ्क्तमिति तद्यथेषीकां मुञ्जाद्विवृहेदेवमेनꣳ सर्वस्मात्पाप्मनो विवृहतस्तस्मिन्न तावच्चनैनो भवति यावत्तृणस्याग्रं तौ सादयतः ॥ १८ ॥

(तोऽथा) अथाध्वर्युः । (हिं) हिरण्यपात्रेण मधुग्रहं गृह्णाति तं मध्ये सोमग्रहाणाꣳ सादयत्यथोक्थ्यं गृह्णात्यथ ध्रुवमथैतान्त्सोमग्रहानुत्तमे स्तोत्रऽऋत्विजां चमसेषु व्यवनीय जुह्वति तान्भक्षयन्त्यथ माध्यन्दिने सवने मधुग्रहस्य च सुराग्रहाणां चोद्यते तस्यातः ॥ १९ ॥

इति प्रथमप्रपाठके द्वितीयं ब्राह्मणम् ॥ ५-१-२ ॥ (१.२.) ॥

सं मा भद्रेण पृङ्क्तम् "-इति । नेत्पापमिति ब्रवावेति । तौ पुनर्विहरतः । " विपृचौ स्थो, वि मा पाप्मना पृङ्क्तम् "-(वा. सं. ९ । ४) इति । तद्यथेषीकां मुञ्जाद्विवृहेदेवमेनं सर्वस्मात्पाप्मनो विवृहतः । तस्मिन्न तावच्चनैनो भवति-यावत्तृणस्याग्रम् । तौ सादयतः ॥ १८ ॥

अथाध्वर्युर्हिरण्यपात्रेण मधुग्रहं गृह्णाति । तं मध्ये सोमग्रहाणां सादयति । अथोक्थ्यं

ग्रहस्य, सन्निकृष्टाधःप्रदेश एव सुराग्रहस्य । " उपर्यध्यधसः सामीप्ये "-(पा. सू. ८ । १ । ७) इति द्विर्वचनम् । धारणमन्त्रं विधत्ते-सम्पृचौ स्थ इति । तस्यार्थः;-वर्गद्वयमध्ये एकैकस्योक्तप्रदेशे धारणात् उभयोर्द्वित्वेन मन्त्रे ' सम्पृचौ '-इति, ' पृङ्क्तम् '-इति च द्विवचनमुक्तम् । हे सोमसुराग्रहौ ! ' सम्पृचौ ' संस्पृष्टौ ' स्थः ' यतो युवां सम्पृक्तावभवतम्, अतो ' मा ' माम् अपि ' भद्रेण ' प्रजादिना " प्रजा वै भद्रम्, पशवो भद्रम् "-- (तै. ब्रा. १ । ३ । ४ । ६) इति श्रुतेः । ' पृङ्क्तं ' संयोजयतमिति । कात्यायनस्तु शाखान्तरानुसारेण धारणाहरणमन्त्रयोः प्रतीकं बहुवचनत्वेनोदाजहार-" अक्षानतिक्रमणं ग्रहाणाम्, उपर्युपर्यक्षमध्वर्युर्धारयत्यधोऽधो नेष्टा सम्पृचाविति, विपृचावित्याहरतः "-(का. श्रौ. सू. १४।३१-३३) इति । प्रयोजनकथनमुखेन मन्त्रस्य तात्पर्यमाह-नेत्पापमिति ब्रवावेति । यद्युभयोर्ग्रहयोर्धारणसमये सम्पर्कवाचकमन्त्रे ' भद्रेण पृङ्क्तमिति ' यत् प्रार्थनम्, तत् सुराग्रहं पापमित्येवं नैव ब्रवावेत्यभिप्रायेणेत्यर्थः । अक्षप्रदेशात् तयोः स्वस्वप्रदेशेऽवस्थापनं समन्त्रकं विधत्ते-तौ पुनर्विहरत इति । हे ग्रहौ ! ' विपृचौ ' वियुक्तौ ' स्थः ' । यत एवम्, अतो ममापि प्रार्थनां वियोजयतमिति । मन्त्रस्योत्तरभागं व्याचष्टे-तद्यथेषीकामिति । यथा ' मुञ्जात् ' मुञ्जतृणात् ' इषीकाम् ' मध्यवर्तितृणं ' विवृहेत् ' पृथक् कुर्यात्, ' एवम् ' ' एनं ' यजमानं ' सर्वस्मात् ' ' पाप्मनः ' पापात् ' विवृहतः ' द्वौ ग्रहौ वाऽध्वर्युनेष्टारौ । एतदेवाह-तस्मिन्न तावच्चनेति । ' चन '-शब्दोऽप्यर्थे । (अम. को. ३ । ४ । ३ ।) असाकल्ये तु चिच्चनेति । यावत् तृणाग्रं तावन्मात्रं स्वल्पमपि ' एनः ' पापं ' तस्मिन् ' ' न ' भवति ॥ १८ ॥

अथ मधुग्रहग्रहणं विधत्ते-अथाध्वर्युरिति । तस्य सादनप्रदेशं विधत्ते-तं मध्य इति । अत्र कात्यायनः-

---

१-सुरारूपम् ' इति क. पा. ।

आग्नेयमग्निष्टोमऽआलभते । (तेऽग्नि) अग्निर्वा ऽअग्निष्टोमोऽग्निष्टोममेवैतेनोज्जयत्यैन्द्राग्नमुक्थेभ्य ऽआलभत ऽऐन्द्राग्नानि वा ऽउक्थान्युक्थान्येवैतेनोज्जयत्यैन्द्रꣳ षोडशिन ऽआलभत ऽइन्द्रो वै षोडशी षोडशिनमेवैतेनोज्जयति ॥ १ ॥

गृह्णाति । अथ ध्रुवम् । अथैतान्त्सोमग्रहान् उत्तमे स्तोत्रऽऋत्विजां चमसेषु व्यवनीय जुह्वति । तान्भक्षयन्ति । अथ माध्यन्दिने सवने मधुग्रहस्य च सुराग्रहाणां चोद्यते । तस्यातः ॥ १९ ॥

आग्नेयमग्निष्टोमऽआलभते । अग्निर्वाऽअग्निष्टोमः । अग्निष्टोममेवैतेनोज्जयति । ऐन्द्राग्नमुक्थेभ्य आलभते । ऐन्द्राग्नानि वाऽउक्थानि उक्थान्येवैतेनोज्जयति । ऐन्द्रं षोडशिनऽआलभते । इन्द्रो वै षोडशी । षोडशिनमेवैतेनोज्जयति ॥ १ ॥

" हिरण्मयेन मधुग्रहं गृहीत्वा खरमध्ये सादयति "-(का. श्रौ. सू. १४ । ३४) इति । अथ प्राकृतावुक्थ्यध्रुवग्रहौ दर्शयति-**अथोक्थ्य**मित्यादि।सूत्रकृता अनयोश्चोदकादेव ग्रहणं सिद्धमिति सूत्रितम्-"उक्थ्यादि" (का. श्रौ. सू. १४।३४) पृथग्ग्रहणप्रसङ्गाद्विविधग्रहाणां होमकालं भक्षणं च विधत्ते-**अथैतान्त्सोमग्रहानि**ति। 'एतान्' प्रातस्सवने गृहीतान् 'सोमग्रहान्' 'उत्तमे स्तोत्रे' तृतीयसवने बृहत्स्तोत्रे वाजपेयसंस्थापननिमित्ते स्तुते सति ' ऋत्विजां चमसेषु ' ' व्यवनीय ' व्यवनयनं कृत्वा जुहुयुर्भक्षयेयुश्च। तत्प्रसङ्गात् सुराग्रहाणां मधुग्रहस्य च माध्यन्दिनसवनमध्ये विनियोगो भविष्यतीत्याह-**अथ माध्यन्दिन** इति। 'उद्यते'-इति, "वद व्यक्तायां वाचि"-(धा. पा. भ्वा. प. १०३४)कर्मणि यकि सम्प्रसारणम्। एतेषां होमास्तावत् तद्विनियोगप्रकारोऽपि "अथाध्वर्युश्च यजमानश्च पूर्वया द्वारा मधुग्रहमादाय निष्क्रामतः"-इत्यारभ्य," अथ नेष्टाऽपरया द्वारा सुराग्रहानादाय निष्क्रामति "-इत्यादिना अस्मिन्नेवाध्याये वक्ष्यत इत्यर्थः (श. प. ५।१।५।२८) । **तस्यात** इति । ' अतः ' सोमग्रहहोमभक्षणप्रतिपादनानन्तरं ' तस्य ' आम्नातस्य सुराग्रहविनियोगप्रतिपादकवाक्यस्य पाठानुसन्धानं कार्यमित्यर्थः ॥ १९ ॥

इति श्रीसायणाचार्यविरचिते माधवीये वेदार्थप्रकाशे माध्यन्दिनीयशतपथब्राह्मणभाष्ये
पञ्चमकाण्डे प्रथमेऽध्याये द्वितीयं ब्राह्मणम् ॥ (५-१-२) ॥

तृतीये पशुतन्त्रमभिधीयते। तत्र तावद्वाजपेयस्याग्निष्टोमोक्थ्यषोडश्यतिरात्रसंस्थालक्षणसद्भावेन सर्वक्रतवरोधकत्वमस्तीति वैदिकप्रसिद्धिः[1] तत्तत्क्रतुसाधारणपशुसद्भावे सत्युपपद्यते, नान्यथा। तथा च तैत्तिरीयकम्-"**ब्रह्म**वादिनो वदन्ति, नाग्निष्टोमो नोक्थ्यो न षोडशी नातिरात्रः, अथ कस्माद् वाजपेये सर्वे यज्ञक्रतवोऽवरुध्यन्त इति, पशुभिरिति ब्रूयात्"-(तै. ब्रा. १।३।४।१) इति। यज्ञशब्देन यजतिचोदिता वषट्कारप्रदाना अङ्गप्रधानभूता यागा अभिधीयन्ते। तत्समूहरूप एकफलसाधनायापूर्ववान् कर्मविशेषः क्रतुरित्यर्थः। अतस्तानग्निष्टोमादिगतानाग्नेयादिसवनीयपशून् विधत्ते-**आग्नेयमग्निष्टोम** इति। तत्राग्निष्टोमस्य द्वादशस्तोत्रशस्त्राणि; उक्थ्यस्य उक्थत्रयेण पञ्चदश; षोडशिनः षोडशिस्तोत्रेण सह षोडश; वाजपेयस्य बृहत्स्तोत्रेण सह सप्तदश, अति-

---

१-' वैदिकत्वप्रसिद्धिः ' इति क. पा. ।

सारस्वतुꣳ सप्तदशाय स्तोत्रायालभते । तुदेतदनतिरात्रे सति रात्रे रूपं क्रियते प्रजापतिं वाऽएष उज्जयति यो व्वाजपेयेन यजते संव्वत्सरो वै प्रजापतिस्तदेतेन सारस्वतेन रात्रिमुज्जयति तस्मादेतदनतिरात्रे सति रात्रे रूपं क्रियते ॥ २ ॥

(तेऽथ) अथ मरुद्भ्य उज्जेषेभ्यः । (भ्यो) व्वशां पृश्निमालभतऽइयं वै व्वशा पृश्निर्यदिदमस्यां मूलि चामूलं चान्नाद्यं प्रतिष्ठितं तेनेयं व्वशा

सारस्वतं सप्तदशाय स्तोत्रायालभते । तदेतदनतिरात्रे सति रात्रे रूपं क्रियते । प्रजापतिं वाऽएष उज्जयति—यो वाजपेयेन यजते । सम्वत्सरो वै प्रजापतिः । तदेतेन सारस्वतेन रात्रिमुज्जयति । तस्मादेतदनतिरात्रे सति रात्रे रूपं क्रियते ॥ २ ॥

अथ मरुद्भ्य उज्जेषेभ्यो वशां पृश्निमालभते । इयं वै वशा पृश्निः—यदिदमस्यां मूलि चामूलं चान्नाद्यं प्रतिष्ठितम् । तेनेयं वशा पृश्निः । अन्नं वाऽएष उज्जयति—यो वाजपेयेन यजते । अन्नपेयं ह वै

रात्रपर्यायत्रयेण सह षोडशिपक्षे एकोनत्रिंशत्, अन्यदा अष्टाविंशतिः पशूनाम् । तत्तत्क्रत्वसाधारण्यं द्योतयितुमग्निष्टोमादिपदाभिधानम् । अग्निः स्तूयते अस्मिन्निति अग्निष्टोमो नाम साम, तस्मिन् विषयभूते 'आग्नेयमालभते' । एतेन पशुना अस्मिन् वाजपेये अग्निष्टोमसंस्थं क्रतुमेवानुष्ठितवान् भवतीत्यर्थः । एवमुत्तरत्रापि योज्यम् । 'उक्थेभ्यः' तृतीयसवने स्तूयमानेभ्योऽन्येभ्यस्त्रिभ्य उक्थस्तोत्रेभ्यः इन्द्रादिदेवताकः पशुरालम्भनीयः । 'षोडशिने' षोडशिस्तोत्राय 'ऐन्द्रं' पशुम् आलभेत ॥ १ ॥

सारस्वतमिति । 'सप्तदशाय' सप्तदशसङ्ख्यापूरकाय बृहत्स्तोत्राय 'सारस्वतं' सरस्वतीदेवत्यं पशुमालभेत । नन्वन्तिममिदं बृहत्स्तोत्रं वाजपेयस्यासाधारणं लिङ्गम्; श्रूयते हि—"मारुत्या बृहतः स्तोत्रम्"—(तै. ब्रा. १।३।४।२) इति । कथं वाजपेये अतिरात्रान्तर्भाव इत्याशङ्क्य, अनेन सारस्वतालम्भनेनातिरात्रस्यान्तर्भावं दर्शयति—तदेतदिति । 'अनतिरात्रे, सति' प्रस्तुते वाजपेये यज्ञे अतिरात्रान्तर्भावविधुरे 'तदेतत्' सारस्वतालम्भनं 'रात्रेः' रात्रिपर्यायस्येत्यर्थः । 'रूपं क्रियते' अतिरात्रस्यासाधारणं रूपं क्रियते तेन तदन्तर्भावोऽपि सिद्ध इत्यर्थः । एतेषामाग्नेयादीनामग्निष्टोमादिसंस्थाचतुष्टयसारूप्यं सूत्रे दर्शितम्—"आग्नेयोऽग्निष्टोमे सवनीयः पशुः, ऐन्द्राग्नश्चोक्थे द्वितीयः, ऐन्द्री पृश्निः षोडशिनि तृतीयः, सरस्वत्यै चतुर्थोऽतिरात्रे मेषी वा, सारस्वती मेष्यतिरात्रे चतुर्थी" (का. श्रौ. सू. ९।१७३–१७४।) इति । नन्वतिरात्रान्तर्भावाय रात्रिसामान्यपि कस्मान्न प्रयोज्यानीत्यत आह—प्रजापतिं वा एष इति । प्रजापतेस्तु संवत्सरात्मकता सङ्ख्यासाम्यात्; 'द्वादश मासाः पञ्चर्त्तवः' इति संवत्सरस्य सप्तदशत्वम्, प्रजापतेरप्याश्रावयेत्यादिसप्तदशाक्षरमन्त्रात्मकत्वात् । अतः सप्तदशेनैव बृहत्स्तोत्रेण सप्तदशात्मकप्रजापतेरुज्जितिः सिद्धेति प्रयोजनाभावाद्रात्रिसामानि न प्रयोज्यानि । तस्मादुक्तविध एवातिरात्रान्तर्भावः साधीयानित्याह—तदेतेन सारस्वतेनेति ॥ २ ॥

अथास्य यज्ञस्यासाधारणपशुं विधत्ते—अथ मरुद्भ्य इति । उज्जेषगुणकेभ्यो मरुद्भ्यो देवेभ्यः 'पृश्नि'

पृश्निरन्नं वाऽएष उज्जयति यो वाजपेयेन यजतेऽन्नपेयᳶ ह वै नामैतद्य-द्वाजपेयं विशो वै मरुतोऽन्नं वै विश ऽउज्जेषेभ्य ऽइत्युज्जित्याऽएव दुर्व्विदेऽउज्जेषवत्यौ याज्यानुवाक्ये यद्युज्जेषवत्यौ न विन्देदपि येऽएव के च मारुत्यौ स्यातां दुर्व्विदो ऽएव व्वशा पृश्निर्यदि व्वशां पश्निं न विन्दे-दपि यैव का च व्वशा स्यात् ॥ ३ ॥

(च) तस्या आवृत् । (छ) यत्र होता माहेन्द्रं ग्रहमनुशᳶसति तदस्यै व्वपया प्रचरेयुरेष वा ऽइन्द्रस्य निष्केवल्यो ग्रहो यन्माहेन्द्रोऽप्यस्यैत-न्निष्केवल्यमेव स्तोत्रं निष्केवल्यᳶ शस्त्रमिन्द्रो वै यजमानस्तन्मध्यत ऽएवैतद्यजमाने व्वीर्यं दधाति तस्मादस्या ऽअत्र व्वपया प्रचरेयुः ॥ ४ ॥

नामैतद्–यद्वाजपेयम् । विशो वै मरुतः । अन्नं वै विशः । उज्जेषेभ्य इत्युज्जित्याऽएव दुर्वेदे उज्जेष-वत्यौ याज्यानुवाक्ये । यद्युज्जेषवत्यौ न विन्देद्–अपि येऽएव के च मारुत्यौ स्याताम् । दुर्वेदोऽएव वशा पृश्निः । यदि वशां पृश्निं न विन्देद् । अपि यैव का च वशा स्यात् ॥ ३ ॥

तस्या आवृत् । यत्र होता माहेन्द्रं ग्रहमनुशंसति–तदस्यै वपया प्रचरेयुः । एष वाऽइन्द्रस्य निष्केवल्यो ग्रहो यन्माहेन्द्रः । अप्यस्यैतान्निष्केवल्यमेव स्तोत्रम्, निष्केवल्यं शस्त्रम् । इन्द्रो वै यजमानः । तन्मध्यत एवैतद्यजमाने वीर्यं दधाति । तस्मादस्या अत्र वपया प्रचरेयुः ॥ ४ ॥

नानावर्णी 'वशां' वन्ध्याम् आलभेत । उक्तं पशुं भूम्यात्मत्वेन स्तौति–इयं वै वशेति । ' इयं ' भूमिः, वशा पृश्निः ' । भूमेः पृश्नित्वमुपपादयति–' यदिदम् ' ' अस्यां ' भूमौ ' मूलि ' मूलवत् स्थावरम्, ' अमूलं ' पश्वादिकम्, एवमुभयम् ' अन्नाद्यं ' आद्यम् अदनीयम् अन्नं ' प्रतिष्ठितम् ' ' तेन ' अस्याः पृश्नित्वम् । अस्य पशोर्मरुद्देवतात्वं प्रशंसति–अन्नं वा एष इति । ' वाजपेयम् ' इति यत्, तत् ' अन्नपेयम् ' । वाजशब्दोऽन्न-वाची । अन्नम् अन्नविकारभूतं सुराद्रव्यं पीयते अत्रेति हि व्युत्पत्तिः । ' मरुतः ' खलु ' विशः ' प्रजाः; " मरुतो वै देवानां विशः " (तै. सं. २ । २ । ५ । ७) इति श्रुतेः । कथमेतावता मरुतामन्नरूपत्वम् ? तत्राह–अन्नं वै विश इति । 'अन्नं' ' वै ' खलु ' विशः ' प्रजाः; अन्नोपजीवनात् तच्छब्देन व्यपदिश्यन्ते । तेषामुज्जेषविशेषणस्य प्रयोजनमाह–उज्जेषेभ्य इति । तत्र वशावपाहोमे उज्जेषपदवत्यौ याज्यापुरोऽनुवाक्ये विधत्ते–दुर्वेदे उज्जेषवत्याविति । ' दुर्वेदे ' लब्धुमशक्ये, अतस्ते एव सम्पाद्ये इत्यर्थः । तयोरसुलभत्वं मत्वा स्वयमेव श्रुतिः पक्षान्तरमाह–यद्युज्जेषवत्याविर्त्यादि । ' मारुत्यौ ' मरुद्देवत्ये भवे वा । पशोरपि पृश्निवर्णास्या-लाभे पक्षान्तरं दर्शयति–दुर्वेदो एवेत्यादिना । ' दुर्वेदो ' लब्धुमशक्यः ' उ ' खलु इति निपातेन सह प्रयोगः । अत एव कात्यायनः—" वशां पृश्निं मरुद्भ्य उज्जेषेभ्यस्तदभावे पृश्निम् " (का० श्रौ० सू० १४ । ३५–३६) इति ॥ ३ ॥

मारुतीवपाप्रचरणं प्राकृतानामाग्नेयैन्द्राग्नप्रभृतीनां वपाप्रचरणेन सह विधास्यते । तत्र तावदेकेषां मत-मुपन्यस्यति–तस्या आवृद् यत्र होतेति । ' तस्याः ' मारुत्या वशायाः ' आवृत् ' तन्त्रम्, वक्ष्यत इति शेषः ।

(३) द्वेधाऽवदानानि श्रपयन्ति । ततोऽर्द्धानां जुह्वामुपस्तीर्य द्विर्द्विरवद्यति सकृदभिघारयति प्रत्यनक्त्यवदानान्यथोपभृति सकृत्सकृदवद्यति द्विरभिघारयति न प्रत्यनक्त्यवदानानि तद्यदर्द्धानां द्विर्द्विरवद्यति तथैषा कृत्स्ना भवत्यथ यदेतैः प्रचरति तेन दैवीं विशमुज्जयत्यथार्द्धानि मानुष्यै विश ऽउपहरति तेनो मानुषीं विशमुज्जयति ॥ ९ ॥

द्वेधाऽवदानानि श्रपयन्ति । ततोऽर्द्धानां जुह्वामुपस्तीर्य द्विर्द्विरवद्यति, सकृदभिघारयति।प्रत्यनक्त्यवदानानि । अथोपभृति सकृत्सकृदवद्यति । द्विरभिघारयति । न प्रत्यनक्त्यवदानानि । तद्-यदर्द्धानां द्विर्द्विरवद्यति-तथैषा कृत्स्ना भवति । अथ यदेतैः प्रचरति-तेन दैवीं विशमुज्जयति । अथार्द्धानि मानुष्यै विशाऽउपहरति तेनो मानुषीं विशमुज्जयति ॥ ९ ॥

यत्र होता माहेन्द्रं ग्रहम् 'अनुशंसति' अनुशंसितवान् भवतीति भूतार्थपरत्वेन व्याख्येयम्; " माहेन्द्रान्ते वशावपाचरणम्"-(का. श्रौ.सू. १४।४०) इति कात्यायनेन सूत्रितत्वात् । 'तत्' तदा 'अस्यै' अस्या माल्याः 'वपया' 'प्रचरेयुः' । प्रचरणं माहेन्द्र इति यत् ' एष वै इन्द्रस्य ' असाधारणो 'ग्रहः'; ग्रहणमन्त्रे केवलेन्द्रस्यैव देवतात्वेन प्रतिपादनात् । निश्शेषेण केवलमिन्द्रस्यायमिति 'निष्केवल्यो ग्रहः' । माध्यन्दिने सवने हि माहेन्द्रग्रहग्रहणम्; तच्च सवनमिन्द्रस्येति नियतम् । श्रूयते हि " प्रातः सुतमपिबो हर्यश्व माध्यन्दिनं सवनं केवलं ते"-(ऋ. सं. ४।३।१७) न केवलं माहेन्द्रग्रह एव निष्केवल्यः, अपि तु तद्ग्रहणानन्तरं प्रयोज्ये स्तुतशस्त्रे अपि केवलेन्द्रदेवताकत्वात् इन्द्रस्यासाधारणमित्यत आह-अप्यस्यैतन्निष्केवल्यमेवेति । अस्तु ग्रहादीनां केवलेन्द्रदेवताकत्वं तेन प्रकृते किमायातमित्यत आह-इन्द्रो वै यजमान इति । यस्माद्यागलक्षणेन परमैश्वर्येण योगाद् 'यजमानः' इन्द्ररूपः । ' वैशब्दः शाखान्तरीयां प्रसिद्धिं द्योतयति; " एष खलु वा एतर्हीन्द्रो यो यजते"-(तै. सं. ६।१।११।१)इति तैत्तिरीयके श्रवणात् । ' अतः ' इन्द्रयजमानयोस्तादात्म्यान्माध्यन्दिनसवनवर्तिमाहेन्द्रग्रहान्ते वपाचरणेन यज्ञमध्ये एव ' यजमाने ' ' वीर्यं ' निहितवान् भवतीत्यर्थः ॥ ४ ॥

पश्ववदानानामप्यैकध्येन श्रवणं सिद्धान्तयितुं द्वैविध्यं पूर्वपक्षयति-द्वेधाऽवदानानि श्रपयन्तीति । कात्यायनस्तु उक्तं वपाप्रचरणमवदानानां द्वेधा श्रपणं च विकल्पेन सूत्रयामास-" माहेन्द्रान्ते वशावपाचरणम्, अवदानैश्च द्वैधं श्रुतेः "-(का. श्रौ. सू. १४ । ४० । ४१) इति । " यथान्यायं वोभयोः, वशायाश्च, ऐकध्यञ्च श्रपणम् " (का. श्रौ. सू. १६ । ४१।४७) इति च । ब्राह्मणे तु " तद् तथा न कुर्यात् "-इत्येकं निषिध्य, अन्यत् सिद्धान्तितम् । कथमनयोर्विकल्पः सिध्यतीति चेत्, सत्यम् मतान्तरनिषेधस्तु प्रसक्तिपूर्वको भवितुमर्हति, प्रसक्तिस्तु शाखान्तरीयेति तन्मतानुसारेण सूत्रकृता विकल्पः कृत इत्यविरोधः। हृदयं जिह्वा वक्षो यकृद्-वृक्कौ सव्यो दोरुभे पार्श्वे दक्षिणा श्रोणिः गुदतृतीयमिति दैवतानि; दक्षिणो दोः सव्या श्रोणिः गुदतृतीयमिति सौविष्टकृतानीति । एतानि सर्वाण्यवदानानि द्विधा पृथक् श्रपयन्ति पक्वानि कुर्युः । दैवतानां हृदयादीनां सौविष्टकृतानां त्र्यङ्गाणां च पृथक् श्रपणमित्यर्थः । हविषामवदानप्रकारमाह-ततोऽर्द्धानामिति । अथ जुहूवामाज्येनोपस्तरणं कृत्वा ' अर्द्धानां ' प्रधानहविषां हृदयादीनां मध्ये एकैकस्माद् 'द्विर्द्विः' अवद्येत् । एवमेकादशावदानान्यवदाय पुनराज्येनैकवारमभिघारणं कुर्यात् । एवमुपस्तरणद्विरवदानपुनरभिघारणैर्हविषां चतुरवत्तत्वं

तदु तथा न कुर्यात् । (द्ध्वु) ह्वलति वा ऽएष यो यज्ञपथादेत्येति वा ऽएष यज्ञपथाद्य ऽएवं करोति तस्माद्यत्रैवेतरेषां पशूनां वपाभिः प्रचरन्ति तदेवैतस्यै वपया प्रचरेयुरेकधाऽवदानानि श्रपयन्ति न मानुष्यै विश ऽउपहरन्ति ॥ ६ ॥

(न्त्यु) अथ सप्तदश प्राजापत्यान्पशूनालभते । ते वै सर्व्वे तूपरा भवन्ति

तदु तथा न कुर्यात् । ह्वलति वाऽएष—यो यज्ञपथादेति । एति वाऽएष यज्ञपथाद्—य एवं करोति । तस्माद्यत्रैवेतरेषां पशूनां वपाभिः प्रचरति—तदेवैतस्यै वपया प्रचरेयुः । एकधाऽवदानानि श्रपयन्ति । न मानुष्यै विशऽउपहरन्ति ॥ ६ ॥

अथ सप्तदश प्राजापत्यान् पशूनालभते । ते वै सर्वे तूपरा भवन्ति, सर्वे श्यामाः, सर्वे मुष्कराः ।

सम्पादितम् । अनन्तरं स्विष्टकृदर्थान्यवदानानि घृतेन प्रत्यञ्ज्यात् । अथोपभृतीति । वाक्यं स्पष्टार्थम् । अत्र उपस्तरणावदाने सकृत् सकृद् द्विरभिघारणमिति चतुरवदानसम्पत्तिः । अत्र स्थितानि अवत्तशेषाणि न प्रत्यञ्ज्यात्; उत्तरत्र विनियोगाभावात् । एतेषां द्विरवदानं प्रशंसति—तद्यदर्द्धानामिति । अर्द्धानां हृदयादीनां प्रत्येकं देवतार्थं स्विष्टकृदर्थं च द्विरवद्यतीति 'यत्' तेन द्विरवदानेन 'एषा' वशा 'कृत्स्ना' सम्पूर्णा भवति यथेतरः पशुस्तथेत्यर्थः । अथैतेषां प्रचरणं स्तौति—यदेतैरिति । दैवीं विशमिति । अवदानानां देवतोद्देशेनाग्नौ प्रक्षिप्तत्वात् तेन प्रचरणेन 'दैवीं' देवसम्बन्धिनीं 'विशम्' प्रजाम् 'उज्जयति । एवमर्द्धानां हविषां विनियोगमभिधाय, अर्द्धान्तरस्यापि दर्शयति—अथार्द्धानीति । यागार्थार्द्धहविषः पृथक् पक्वानि अङ्गानि मानुष्यै' मनुष्यसम्बन्धिन्यै 'विशे' प्रजायै 'उपहरति' ददाति 'तेन' दानेन 'मानुषीं' प्रजां जितवान् भवतीति । अत एव सूत्रितम्—"पूर्वेभ्यो देवतास्विष्टकृद्भ्यामवद्यत्युत्तराणि विशे ददाति"—(का. श्रौ. सू. १४ । ४२) इति । अत्र पूर्वोत्तरशब्दौ कर्कोपाध्यायेनैवं व्याख्यातौ—"पूर्वाणि हृदयादीनि, उत्तराणि त्र्यङ्गानि"—इति ॥ ५ ॥

तदिदं माहेन्द्रान्ते वपाचरणं हविषां द्विधा श्रपणं च दूषयति—तदु तथा न कुर्यादिति । करणे प्रत्यवायं दर्शयति—ह्वलति वा एष इति । 'यो' यज्ञमार्गादेः सकाशाद् 'एति' प्रच्युतो भवति, सः 'ह्वलति' विभ्रष्टो भवतीत्यर्थः । कस्य यज्ञपथाद् भ्रंशनम्, तमाह—एति वा एष इति । 'एवम्' उक्तरीत्या 'वपया' प्रातस्सवनकर्त्तव्यं वपाहोमं माहेन्द्रान्ते श्रपणञ्च करोति, स यज्ञमार्गात् प्रच्युतो भवेत्, अतस्तथा न कुर्यादिति सम्बन्धः ॥ अथ प्राकृतपशुवपाप्रचरणकाले मारुती-वपा-प्रचरणं हविषामैकध्येन श्रपणञ्च विधत्ते—तस्माद् यत्रैवेत्यादिना । अस्मिन् पक्षे त्र्यङ्गेभ्यः स्विष्टकृद्यागावदानमिति पृथक् पक्वस्य हविषोऽभावान्मानुष्यै विशे अवदानमिति शेषः ॥ ६ ॥

पश्वन्तराणि विधत्ते—अथ सप्तदशेति । 'प्राजापत्यान्' प्रजापतिदेवताकान् सप्तदशसङ्ख्याकान् पशून्

१–'पात्रस्थितानि' इति क० पा० । २–'तदिदमादिकं माहेन्द्रान्ते' इति क० पा० । ३–यथान्यायं वोभयोः । यथान्यायं ऐकध्यं च श्रपणम् । का० श्रौ० सू० १४ । ४५–४७ । ४–'द्विपश्वन्तराणि विधत्ते' इति क० पा० ।

सुर्व्वे श्यामाः सुर्व्वे मुष्करुाः प्रजुापतिं वुाऽएष उुज्जयति युो व्वाजपेयेन युजतेऽन्नं वै प्रजुापतिः पशुर्व्वा ऽअुन्नं तुत्प्रजुापतिमुुज्जयति सोमो वै प्रजुापतिः पशुर्व्वै प्रत्यक्षꣳ सोमस्तुत्प्रत्युक्षं प्रजुापतिमुुज्जयति सप्तदश भवन्ति सप्तदशो वै प्रजुापतिस्तुत्प्रजुापतिमुुज्जयति ॥ ७ ॥

ते वै सुर्वे तूपरुा भवन्ति । पुुरुषो वै प्रजुापतेर्नेदिष्ठꣳ सोऽयं तूपरोऽविषाणुस्तूपरो वुा ऽअविषाणुः प्रजुापतिः प्राजापत्युा ऽएते तुस्मात्सुर्वे तूपरुा भवन्ति ॥ ८ ॥

सुर्व्वे श्यामाः । (०) द्वे वै श्यामुस्य रूपे शुक्लं चैव लोम कृष्णं च द्वन्द्वं वै मिथुनं प्रजुननं प्रजुननं प्रजुापतिः प्राजापत्युा ऽएते तुस्मात्सुर्वे श्यामुा भवन्ति ॥ ९ ॥

प्रजापतिं वाऽएष उज्जयति–यो वाजपेयेन यजते । अन्नं वै प्रजापतिः । पशुर्वाऽअन्नम् । तत् प्रजापतिमुज्जयति । सोमो वै प्रजापतिः । पशुर्वै प्रत्यक्षं सोमः । तत् प्रत्यक्षं प्रजापतिमुज्जयति । सप्तदश भवन्ति । सप्तदशो वै प्रजापतिः । तत् प्रजापतिमुज्जयति ॥ ७ ॥

ते वै सर्वे तूपरा भवन्ति । पुरुषो वै प्रजापतेर्नेदिष्ठम् । सोऽयं तूपरो विषाणः । तूपरो वाऽअविषाणः प्रजापतिः । प्राजापत्या एते । तस्मात् सर्वे तूपरा भवन्ति ॥ ८ ॥

सर्वे श्यामाः । द्वे वै श्यामस्य रूपे–शुक्लं चैव लोम, कृष्णं च । द्वन्द्वं वै मिथुनं प्रजननम् । प्रजननं प्रजापतिः । प्राजापत्या एते । तस्मात् सर्वे श्यामा भवन्ति ॥ ९ ॥

आलभेत । अत्र देवतासङ्ख्यालक्षणद्वयविशिष्टपशुविधिः । तेषु पशुषु गुणत्रयं विधत्ते–ते वै सर्वे तूपरा इति । 'तूपराः' अविषाणा इत्यर्थः । 'श्यामाः' शुक्लकृष्णवर्णाः, 'मुष्कराः' मुष्को येषामस्तीति । "ऊषसुषिमुष्कमधो रः" (पा. सू. ५ । २ । १०७) इति मत्वर्थीयो रप्रत्ययः । मुष्कवृद्धिः सर्वाङ्गवृद्धिमन्तरेण न घटते इति सर्वे पुष्टाङ्गा भवेयुरित्यर्थः ॥ पशुतन्त्ररूपेण प्रत्यक्षसोमात्मना च स्तुवंस्तदात्मकप्रजापतिप्राप्तिं प्रतिपादयति–प्रजापतिर्वा इत्यादिना । सोमवत्पशोरपि सवनत्रयव्यापित्वात्ताच्छब्द्यम्, अत्र देवतार्थपारोक्ष्याभावात्प्रत्यक्षत्वम् ॥ ७ ॥

पशुगतां सङ्ख्यामुपजीव्य प्रशंसति–ते वै सर्वे तूपरा इति । अस्यायमर्थः;–यस्मात् 'पुरुषः' 'प्रजापतेः' 'नेदिष्ठम्' अन्तिकतमं वस्तु, वस्तुमत्सृष्टेः प्रथमभावित्वात्; 'सः' 'अयं' पुरुषः 'तूपरः' । तूपरशब्दार्थं स्वयमेव दर्शयति–अविषाण इति । पुरुषत्वादविषाणः, ततः प्रजापतिदेवत्यानां पशूनां तूपरत्वगुणेन भाव्यमिति ॥ ८ ॥

श्यामत्वमनूद्य व्याचष्टे–सर्वे श्यामा इति । शुक्लकृष्णवर्णद्वयात्मकं श्यामत्वमित्यर्थः । द्वित्वमालम्ब्य प्रशंसति–द्वन्द्वं वा इति । 'प्रजापतिः प्रजननम्' सर्वोत्पादकत्वात् ॥ ९ ॥

सर्व्वे मुष्कराः । प्रजननं वै मुष्करः प्रजननं प्रजापतिः प्राजापत्या ऽएते
तस्मात्सर्व्वे मुष्करा भवन्ति । दुर्वेदा एवꣳ समृद्धाः पशवो यद्येवꣳ समृद्धा-
न्न व्विन्देदपि कतिपयाऽएवैवꣳ समृद्धाः स्युः सर्व्वमु ह्येवेदं प्रजापतिः १०
(त्त) तद्धैके । व्वाचऽउत्तममालभन्ते यदि वै प्रजापतेः परमस्ति
व्वागेव तदेतद्वाचमुज्जयाम इति व्वदन्तस्तदु तथा न कुर्यात्सर्व्वं वाऽइदं
प्रजापतिर्यदिमे लोका यदिदं किं च सा यदेवैषु लोकेषु व्वाग्वदति तद्वाच-
मुज्जयति तस्मादु तन्नाद्रियेत ॥ ११ ॥
तेषामावृत् । (द्य) यत्र मैत्राव्वरुणो व्वामदेव्यमनुशꣳसति तदेषां

सर्वे मुष्कराः । प्रजननं वै मुष्करः । प्रजननं प्रजापतिः । प्राजापत्या एते । तस्मात् सर्वे मुष्करा भवन्ति । दुर्वेदा एवं समृद्धाः पशवः । यद्येवं समृद्धान् न विन्देदपि कतिपया एव । एवं समृद्धाः स्युः । सर्वमु ह्येवेदं प्रजापतिः ॥ १० ॥

तद्धैके वाचऽउत्तममालभन्ते । यदि वै प्रजापतेः परमस्ति—वागेव । तदेतद्वाचमुज्जयाम इति वदन्तः । तदु तथा न कुर्यात् । सर्वं वाऽइदं प्रजापतिः—यदिमे लोकाः, यदिदं किञ्च । सा यदेवैषु लोकेषु वाग्वदति—तद्वाचमुज्जयति । तस्मादु तन्नाद्रियेत ॥ ११ ॥

तेषामावृत् । यत्र मैत्रावरुणो वामदेव्यमनुशंसति—तदेषां वपाभिः प्रचरेयुः । प्रजननं वै वामदेव्यम् । प्रजननं प्रजापतिः । प्राजापत्या एते । तस्मादेषामत्र वपाभिः प्रचरेयुः ॥ १२ ॥

सर्वे मुष्करा इति, वाक्यं निगदव्याख्यातम् । उक्तत्रिविधगुणानां पशूनामसुलभत्वप्रतिपादनपूर्वकं पक्षान्तरमाह—दुर्वेदा इति । उक्तगुणानां पशूनामसम्भवे कतिपया एव पशवो गुणत्रयवन्तो भवेयुः । अत्र सूत्रम्—" प्राजापत्यांश्च सप्तदश श्याम-तूपरान् बस्तांस्तद्गुणाभावे सर्वेषामेकदेशोऽपि "—(का. श्रौ. सू. १४।३७।३८) इति । यद्येवं तर्हि कतिपयपशूनां वर्णान्तरयुक्तत्वेऽपि कर्मणोऽङ्गवैकल्यं परिहरति—सर्वमु हीति । प्रजापतेः सर्वात्मकत्वाद् वर्णान्तरयुक्तत्वं पशूनां प्राजापत्यत्वं न विरुध्यत इत्यर्थः ॥ १० ॥

अत्र केचित् सप्तदशप्राजापत्यपशूनामन्ते वाग्देवत्यं पशुम्, तत्र चोपपत्तिं वदन्ति; तेषां पक्षं निरसितुमनुवदति—तद्धैके वाच इति । "वाच उत्तममेके" (का श्रौ. सू. १४।४।३९) । 'एके' शाखान्तरीयाः 'वाचे' वाग्देवतायै 'उत्तमम्' अन्ते कर्त्तव्यत्वाच्चरममित्यर्थः, तम् 'आलभन्ते' । न हि 'प्रजापतेः' 'परम्' उत्कृष्टं पूर्वभावि किञ्चिदपि 'अस्ति', यदर्थं पशुरालभ्यते; यद्यस्ति, 'वागेव' अस्ति तस्या अव्यक्तशब्दब्रह्मत्वेन पूर्वमवस्थानादिति भावः । ताम् 'उज्जयामः' साधयामः 'इति' बुद्धया वाग्देवत्यः पशुरालम्भनीय इति । तद् दूषयति—तदु तथेति । सर्वं वा इदमिति । अस्यायमर्थः;—प्रजापते सर्वात्मकत्वेन लोकात्मकत्वम्, तत्रत्यचराचरसर्वभूतात्मकत्वञ्चास्त्येव; अतो लोकेषूद्यमाना वाक् अपिप्रजापति रूपैवेति तदर्थं वाग्देवत्यपश्वालम्भनं नादरणीयमिति ॥ ११ ॥

उक्तानां प्राजापत्यपशूनां वपाप्रचरणस्य हविर्योगस्य च प्राकृतपशुवपाहविर्भिः सह होमकालं विधास्यति ।

१—' प्रजापतिपदावासैवाच्यपि प्रासत्वात् ? ' इति क. पाठः । ' प्रजापतिवदारास्ये वाच्यपि ? ' इत्यपि क्वचित्पाठः । एतच्च पाठद्वयमपि न समीचीनं प्रतिभाति ।

व्वपाभिः प्रचरेयुः प्रजननं वै व्वामदेव्यं प्रजननं प्रजापतिः प्राजापत्या ऽएते तस्मादेषामत्र व्वपाभिः प्रचरेयुः ॥ १२ ॥

(३) अथेष्टा ऽअनुयाजा भवन्ति । (न्त्यु) अव्यूढे स्रुचावथैषाᳪं᳭ हविर्भिः प्रचरन्ति सोऽन्तोऽन्तो वै प्रजापतिस्तदन्तत ऽएवैतत्प्रजापतिमुज्जयत्यथ यत्पुरा प्रचरेद्यथा यमध्वानमेष्यन्स्यात्तं गत्वा स क्व ततः स्यादेवं तत्तस्मादेषामत्र हविर्भिः प्रचरन्ति ॥ १३ ॥

तदु तथा न कुर्यात् । (द्भु) ह्वलति वाऽएष यो यज्ञपथादेत्येति वाऽएष यज्ञपथाद्य एवं करोति तस्माद्यत्रैवेतरेषां पशूनां व्वपाभिः प्रचरन्ति तदेवैतेषां व्वपाभिः प्रचरेयुर्यत्रैवेतरेषां पशूनाᳪं᳭ हविर्भिः प्रचरन्ति तदेवैतेषाᳪं᳭

अथेष्टा अनुयाजा भवन्ति । अव्यूढे स्रुचौ । अथैषां हविर्भिः प्रचरन्ति । सोऽन्तः । अन्तो वै प्रजापतिः । तदन्तत एवैतत् प्रजापतिमुज्जयति । अथ यत् पुरा प्रचरेद् यथा यमध्वानमेष्यन्त्स्यात् । तं गत्वा—स क्व ततः स्याद् । एवं तत् । तस्मादेषामत्र हविर्भिः प्रचरन्ति ॥ १३ ॥

तदु तथा न कुर्यात् । ह्वलति वाऽएष—यो यज्ञपथादेति । एति वाऽएष यज्ञपथाद् य एवं करोति । तस्माद्यत्रैवेतरेषां पशूनां वपाभिः प्रचरन्ति तदेवैतेषां वपाभिः प्रचरेयुः । यत्रैवेतरेषां पशूनां हविर्भिः

तत्र तावत् पूर्वपक्षमाह—तेषामावृद्यत्रेति । 'मैत्रावरुणः' नामर्त्विक् माध्यन्दिने सवने 'वामदेव्यं' साम 'अनुशंसति' अनुशंसितवान् भवतीति भूतार्थपरतया व्याख्येयम् । अत एव कात्यायनः—"वामदेव्यग्रहान्ते प्राजापत्यानाम्"—(का. श्रौ. सू. १४।४३) इति । अनुष्ठानमिति शेषः । तदा एषां सप्तदशानां वपायागः कर्त्तव्य इत्यर्थः ॥ १२ ॥

अथेष्टा इति । तृतीयसवने अनुयाजयागानन्तरं जुहूपभृतोर्व्यूहनादर्वागेषां प्राजापत्यानां हविर्यागः कर्त्तव्यः अत्र कात्यायनः "स्रुग्व्यूहनात्प्राग्घविषा" (का० श्रौ० सू० १४ । ४४) इति । तं कालं प्रशंसति—सोऽन्त इति । 'सः' एव कालः 'अन्तः' सवनीये कर्त्तव्यानां यागानामवधिः । प्रजापतेः सर्वोत्तमत्वादन्तत्वम् । तस्मादन्तरूपे तस्मिन् काले क्रियमाणेन हविर्होमेन 'प्रजापतिमेव' उज्जितवान् भवतीत्यर्थः । अथ यत् पुरेति । अस्यार्थः;—'यत्' यदि उक्तकालात् 'पुरा' प्राकृत एव काले वपाहविर्भिः प्रचरेत्, तर्हि व्यर्थमेव । प्रजापतिप्राप्तेरुत्तरकर्मकलापकरणमयुक्तमितीममर्थं प्रदर्शयितुं दृष्टान्तः—यथा यमिति । 'यथा' लोके पुरुषो यं मार्गं गमिष्यन् भवेत्, 'तं' लक्ष्यं देशं प्राप्य 'क्व' कुत्र गच्छति; लक्ष्यप्राप्तेः सिद्धत्वात् । 'एवम्' एतत्काले होमकरणफलरूपप्रजापतिप्राप्तेः सिद्धत्वात्, उपरितनकर्मानुष्ठानं निष्फलं स्यात् । तस्मादनुयाजान्ते स्रुग्व्यूहनात् प्राक् पशुहविर्होम इति केषाञ्चिन्मतम् ॥ १३ ॥

तद्दूषयन् सिद्धान्तयति—तदु तथेति । अत्र सूत्रम्—"यथान्यायं वोभयोः" (का० श्रौ० सू० १४।४६) इति । 'उभयोः' वपाहविर्यागयोः यथान्यायं प्रकृतिवत् कर्त्तव्यमित्यर्थः । एतेषां पशूनामिति । तद्धितश्रुत्या

हविषा प्रचरेयुरेकाऽनुवाक्या भवत्येका याज्यैकदेवत्या हि प्रजापतय ऽइत्युपाᳫँशूक्त्वा च्छागानाᳫँ हविषोऽनुब्रूहीति प्रजापतयऽइत्येवोपाᳫँशूक्त्वा च्छागानाᳫँ हविः प्रस्थितं प्रेष्येति वषट्कृते जुहोति ॥ १४ ॥

इति प्रथमप्रपाठके तृतीयं ब्राह्मणम् ॥ ५–१–३ ॥ (१. ३.)

तं वै माध्यन्दिने सवनेऽभिषिञ्चति । माध्यन्दिने सवन ऽआजिं धावन्त्येष वै प्रजापतिर्य एष यज्ञस्तायते यस्मादिमाः प्रजाः प्रजाता ऽएतम्वेवाप्येतर्ह्यनु प्रजायन्ते तन्मध्यत ऽएवैतत्प्रजापतिमुज्जयति ॥ १ ॥

प्रचरन्ति । तदेवैतेषां हविषा प्रचरेयुः । एकानुवाक्या भवति । एका याज्या । एकदेवत्या हि प्रजापतयः—इत्युपांशूक्त्वा छागानां हविषोऽनुब्रूहीति । प्रजापतय इत्येवोपांशूक्त्वा छागानां हविः प्रस्थितं प्रेष्येति वषट्कृते जुहोति ॥ १४ ॥

तं वै माध्यन्दिने सवनेऽभिषिञ्चति । माध्यन्दिने सवनऽआजिं धावन्ति । एष वै प्रजापतिः—यः एष यज्ञस्तायते । यस्मादिमाः प्रजाः प्रजाताः । एतम्वेवाप्येतर्ह्यनु प्रजायन्ते । तन्मध्यत एवैतत् प्रजापतिमुज्जयति ॥ १ ॥

पृथक् पृथग्देवतासम्बन्धप्रतिपादकेन सप्तदशयागात्मकत्वात् प्रतियागं याज्यापुरोऽनुवाक्याभेदमाशङ्क्य देवतैक्यात् सह प्रदानमिति मन्त्रानो याज्यापुरोऽनुवाक्ययोरैक्यमाह—एकानुवाक्येति । यत एते पशवः प्राजापत्यैकदेवत्यास्तस्माद् याज्यानुवाक्ययोरैक्यमित्यर्थः । अनुवाक्यापाठात् प्रागध्वर्युणा कर्त्तव्येऽनुवचनप्रैषे विशेषं विधत्ते—प्रजापतय इति । देवतावाचकं पदमुपांशूक्त्वा छागानामित्यादिकमुच्चैर्ब्रूयादित्यर्थः । हे मैत्रावरुण ! 'प्रजापतये देवतायै ' छागानां ' पशूनां ' हविषः ' अवदीयमानस्य अर्थाय ' अनुब्रूहीति ' अनुवचनं कुर्विति तस्यार्थः ॥

आश्रावणान्तरकर्त्तव्ये प्रैषेऽपि विशेषं विधत्ते—प्रजापतय इति । अत्रापि मैत्रावरुणः सम्बोध्यः । अथ होतुः कर्त्तव्यं दर्शयति—वषट्कृत इति । होत्रा याज्यान्ते वषट्कारे कृते सति ' जुहोति अध्वर्युरिति शेषः ॥ १४ ॥

इति श्रीसायणाचार्यविरचिते माधवीये वेदार्थप्रकाशे माध्यन्दिनीयशतपथब्राह्मणभाष्ये पञ्चमकाण्डे प्रथमाऽध्याये तृतीयं ब्राह्मणम् ॥ (५-१-३) ॥

अथ माध्यन्दिने सवने कर्त्तव्ये प्रयोगोऽभिधीयते-तत्र, यजमानाभिषेकमाजिधावनं च प्राधान्येन विधत्ते—तं वै माध्यन्दिन इति । अभिषेकाजिधावनयोः स्वरूपमुत्तरत्र विशदीभविष्यति । एष वा इति । ' य एष यज्ञः ' सवनत्रयात्मना ' तायते ' विस्तार्यते, ' एषः ' एव खलु सः ' प्रजापतिः ', ' यस्मात् ' ' इमाः प्रजाः ' मनुष्याद्या उत्पन्नाः । ' एतर्हि ' इदानीम् ' अपि ' ' एतम्वेव ' यज्ञात्मकं प्रजापतिम् ' अनु ' लक्ष्य, प्रजा उत्पद्यन्ते । ' तत् ' तेन माध्यन्दिने सवने अभिषेकेण आजिधावनेन च यज्ञमध्ये एव तं ' प्रजापतिं ' जितवान् भवतीति ॥ १ ॥

(स्यु) अगृहीते माहेन्द्रे । (न्द्र१) एष वाऽइन्द्रस्य निष्केवल्यो ग्रहो यन्माहेन्द्रोऽप्यस्यैतन्निष्केवल्यमेव स्तोत्रं निष्केवल्यꣳ शस्त्रमिन्द्रो वै यजमानस्तदेनꣳ स्वऽएवायतने ऽभिषिञ्चति तस्मादगृहीते माहेन्द्रे ॥ २ ॥

(न्द्रेऽथ) अथ रथमुपावहरति । (तीन्द्र) इन्द्रस्य वज्रोऽसीति वज्रो वै रथ ऽइन्द्रो वै यजमानस्तस्मादाहेन्द्रस्य वज्रोऽसीति वाजसा इति वाजसा हि रथस्त्वयाऽयं वाजꣳ सेदित्यन्नं वै वाजस्त्वयाऽयमन्नमुज्जयत्वित्येवैतदाह ॥ ३ ॥

अगृहीते माहेन्द्रे । एष वाऽइन्द्रस्य निष्केवल्यो ग्रहो यन्माहेन्द्रः । अप्यस्यैतन्निष्केवल्यमेव स्तोत्रम्, निष्केवल्यं शस्त्रम् । इन्द्रो वै यजमानः । तदेनं स्वऽएवायतनेऽभिषिञ्चति । तस्मादगृहीते माहेन्द्रे ॥ २ ॥

अथ रथमुपावहरति-"इन्द्रस्य वज्रोऽसि"-इति । वज्रो वै रथः । इन्द्रो वै यजमानः तस्मादाह-इन्द्रस्य वज्रोऽसीति । "वाजसा"-इति । वाजसा हि रथः । "त्वयाऽयं वाजꣳ सेत्"-अन्नं वै वाजः । त्वयाऽयमन्नमुज्जयत्वित्येवैतदाह ॥ ३ ॥

तत्र कालं विधत्ते-अगृहीत इति । महेन्द्रदेवत्ये ग्रहे 'अगृहीते' माहेन्द्रग्रहात् पूर्वमित्यर्थः । अत्र सूत्रम्-"मरुत्वतीयान्त इन्द्रस्य वज्र इति रथावहरणम्"-(का. श्रौ. सू. १४ । ९७) इति । "एष वा इन्द्रस्य निष्केवल्यः"-(श. प. ५ । १ । ३ । ४ । भा.) इत्यादिकं वाक्यं पूर्ववद् व्याख्येयम् । स्व एवायतन इति । यजमानस्येन्द्रतादात्म्यादिन्द्रस्य यदसाधारणं माहेन्द्रग्रहादिलक्षणं स्थानम्, तद् यजमानस्यापि स्वकीयं भवतीति स्व-शब्दस्याभिप्रायः ॥ २ ॥

पूर्वं रथवाहने काष्ठविशेषे स्थापितम्, आजिधावनाय सज्जीकर्तुं तस्य रथस्य तस्मात् काष्ठादवहरणं समन्त्रकं विधत्ते-अथ रथमिति । 'उपावहरति' ऊर्ध्वप्रदेशादवतारयेत् । मन्त्रस्यायमर्थः;-हे रथ ! त्वम् 'इन्द्रस्य; वज्रोऽसि' । वज्र एव हि स्फ्यरथयूपभेदेन त्रिधा विभक्तः; "इन्द्रो वृत्राय वज्रं प्राहरत्, स त्रेधा व्यभवत् स्फ्यस्तृतीयं, रथस्तृतीयं, यूपस्तृतीयम्"-(तै. सं. ५ । २ । ६ । १. २.) इति श्रुतेः । 'वाजसाः' वाजमन्नं सनोति ददातीति वाजसाः, अन्नदाता च भवसि । अतः 'अयं' यजमानः 'त्वया' वज्रभूतेन 'वाजम्' 'अन्नं' 'सेत्' सिनोतेः सेधतेर्वा रूपम्, सिनुयात् बध्नीयात्, साधयतु वेति । तं मन्त्रं भागशोऽनूद्य व्याचष्टे-वज्रो वा इति । 'वै'-शब्दः सर्वतः प्रसिद्धिद्योतनार्थः । श्रुतिस्तूदाहृता । मन्त्रव्याख्यानेनैव गतार्थमन्यत् ॥ ३ ॥

१-विमुच्य सर्वतृकः २ रथवाहणे करोत्यनस्तत्कर्म शालाया दक्षिणतः । का. श्रौ. सू. १५ । १७९ । २-'भेदात्'-इ. क, पा. ।

तं धूर्गृहीतमन्तर्वेद्यभ्युववर्तयति । व्वाजस्य नु प्रसवे मातरं महीमित्यन्नं वै व्वाजोऽन्नस्य नु प्रसवे मातरं महीमित्येवैतदाहादितिं नाम व्वचसा करामह ऽइतीयं वै पृथिव्यदितिस्तस्मादाहादितिं नाम व्वचसा करामह ऽइति यस्यामिदं व्विश्वं भुवनमाविवेशेत्यस्याᳬं हीदᳬं सर्वं भुवनमाविष्टं तस्यां नो देवः सविता धर्म साविषदिति तस्यां नो देवः सविता यजमानᳬं सुवतामित्येवैतदाह ॥ ४ ॥

(ह्रा) अथाश्वानद्भिरभ्युक्षति । स्नपनायाभ्यवनीयमानान्त्स्नपितान्वोदानीतानद्भ्यो ह वाऽअग्रेऽश्वः सम्बभूव सोऽद्भ्यः सम्भवन्न सर्व्वः समभवदसर्व्वो हि वै समभवत्तस्मान्न सर्वैः पद्भिः प्रतितिष्ठत्येकैकमेव पादमुदच्य तिष्ठति तद्यदेवास्यात्राप्स्वहीयत तेनैवैनमेतत्समर्द्धयति कृत्स्नं

तं धूर्गृहीतमन्तर्वेद्यभ्यववर्तयति–"वाजस्य नु प्रसवे मातरं महीम्"-इति । अन्नं वै वाजः । अन्नस्य नु प्रसवे मातरं महीम्-इत्येवैतदाह । "अदितिं नाम वचसा करामहे"-इति । इयं वै पृथिव्यदितिः । तस्मादाह-अदितिं नाम वचसा करामहऽइति । " यस्यामिदं विश्वं भुवनमाविवेश"-इति । अस्यां हीदं सर्वं भुवनमाविष्टम् । "तस्यां नो देवः सविता धर्म साविषत्"–(वा० सं० ९ । ५) इति । तस्यां नो देवः सविता यजमानं सुवतामित्येवैतदाह ॥ ४ ॥

अथाश्वानद्भिरभ्युक्षति–स्नपनायाभ्यवनीयमानान्, स्नपितान् वोदानीतान् । अद्भ्यो ह वाऽअग्रेऽश्वः सम्बभूव । सोऽद्भ्यः समभवन्न सर्वः समभवत् । असर्वो हि वै समभवत् । तस्मान्न सर्वैः पद्भिः

धूर्गृहीतस्य रथस्य वेदिमध्येऽभ्यावर्त्तनं समन्त्रकं विधत्ते–तं धूर्गृहीतमिति । धूरिति अश्वबन्धनस्थानं युगम्, ' अन्तर्वेदि ' सौमिकवेदिमध्ये प्रादक्षिण्येनानयेदित्यर्थः । अत्र सूत्रम्–"दक्षिणेन चात्वालमावर्त्तयति वाजस्येति "–(का. श्रौ. सू. १४ । ९८) इति । " धूर्गृहीतमिति " मन्त्रस्यार्थः;–' वाजस्य ' अन्नस्य ' प्रसवे ' प्रेरणे अनुज्ञानविषये ' करामहे '–करवामहै इति सम्बन्धः । ' मातरम् ' अन्नस्य निर्मात्रीं, ' महीं ' वेदिरूपां पृथिवीम्, ' अदितिं नाम ' अखण्डनीयामेव ' वचसा ' वेदवाक्येन मन्त्रेण ' करामहे ' अन्नप्रदात्रीं करवामहै ' इति ' । ' यस्यां ' पृथिव्याम् ' इदं विश्वं भुवनं ' सर्वं भूतजातम् ' आविवेश ' ' आविष्टम् ' ' तस्यां ' पृथिव्यामेव ' सविता ' प्रसविता ' देवः ' ' नः ' अस्माकं ' धर्म ' धरणमनुष्ठानं ' साविषत् ' अनुजानातु । मन्त्रप्रतिपाद्यमनूद्य व्याचष्टे–अन्नं वै वाज इति । व्याख्यातम् (श. प. ५ । १ । ३ । ३ । भा.) ॥ ४ ॥

अथाश्वानां प्रोक्षणं तत्कालञ्च विधत्ते–अथाश्वानिति । ' स्नपनाय ' प्रक्षालनाय जलाशयम् ' अभि ' लक्ष्य ' नीयमानान् ' ' स्नपितान् ' ' कृतस्नानान् ' ' उदानीतान् ' आगतान् वा प्रोक्षेत् । स्नपनार्थं गम-

करोति तुस्मादुश्वानुद्भिरुभ्युक्षति स्नपनायाभ्यवनीयमानान्त्स्नपितान्वोदानीतान् ॥ ५ ॥

(न्सो) सोऽभ्युक्षति । (त्यु) अुप्स्वन्तुरमृतमप्सु भेषजमपामुत प्रशस्तिष्वुश्वा भवत व्वाजिन ऽइत्यनेनापि देवीरापो यो व ऊर्मिः प्रतूर्तिः ककुन्मान्वाजसास्तेनायं व्वाजꣳ सेदित्युन्नं वै व्वाजस्तेनायमन्नमुज्जयत्वित्युवैतुदाह ॥ ६ ॥

(ह्रा) अुथ रुथं युनक्ति । स दक्षिणायुग्युमेवाग्रे युनक्ति सव्यायुग्यं वाऽअग्रे मानुषेऽथैवं देवत्रा ॥ ७ ॥

प्रातितिष्ठति । एकैकमेव पादमुदच्य तिष्ठति । तद्यदेवास्यात्राप्स्वहीयत–तेनैवैनमेतत्समर्द्धयाति । कृत्स्नं करोति । तस्मादश्वानद्भिरभ्युक्षति स्नपनायाभ्यवनीयमानान्, स्नपितान् वोदानीतान् ॥ ५ ॥

सोऽभ्युक्षाति–"अप्स्वन्तरमृतमप्सु भेषजमपामुत प्रशस्तिष्वश्वा भवत वाजिनः" इति । अनेनापि–"देवीरापो यो व ऊर्मिः प्रतूर्तिः ककुन्मान् वाजसाः, तेनायं वाजं सेत्-" (वा. सं. ९ । ६) इति । अन्नं वै वाजः तेनायमन्नमुज्जयतु–इत्येवैतदाह ॥ ६ ॥

अथ रथं युनक्ति । स दक्षिणायुग्यमेवाग्रे युनक्ति । सव्यायुग्यं वाऽअग्रे मानुषे । अथैवं देवत्रा ॥ ७ ॥

काले तदुत्तरकाले वा प्रोक्षणमित्यर्थः (का. श्रौ. सू. १४ । ५९) । अद्भिः क्रियमाणं प्रोक्षणं प्रशंसति–अप्सुयोनिर्वा इति । अद्भ्योऽश्वोत्पत्तिः प्रसिद्धा "अप्सुयोनिर्वा अश्वः"–(श. प. १३ । २ । २ । १९) इति श्रुतेः । यस्मादप्सु प्रतिष्ठितोऽश्वः, तस्मादिदानीं भूमावश्वो न सर्वैः पादैरवतिष्ठते । तदेवाह–एकैकमिति । 'उदच्य' उद्यम्येत्यर्थः । तद्यदेवेति ।[1] 'तत्' तत्र आसु कारणभूतासु 'अप्सु' यदेवाङ्गम् 'अहीयत हीनमवशिष्टमभूत्, 'तेन' अङ्गेन 'एनम्' अश्वम् 'एतत्' एतेन प्रोक्षणेन कृत्स्नं सर्वपादयुक्तं 'करोति' कृतवान् भवतीत्यर्थः ॥ ५ ॥

प्रोक्षणविधिमनूद्य मन्त्रद्वयं विधत्ते–सोऽभ्युक्षतीति । तत्र "अप्स्वन्तर्"–इति मन्त्रेण, "देवीरापः"–इत्यनेनापि प्रोक्षणं कुर्यात् । 'अपि' शब्दः समुच्चयवाची । मन्त्रद्वयेन कुर्यात् । अत्र सूत्रम्–"अश्वान् प्रोक्षत्यपोऽवसा नीयमानान् स्नातान् वाऽऽगतानप्स्वन्तरिति, देवीराप इति वा, समुच्चयो वा"–(का. श्रौ. सू. १४ । ५९–६०) इति । मन्त्रयोरयमर्थः;–'अप्सु' मध्ये 'अमृतम्' अपमृत्युनिवारकं रोगनिवारकं च वीर्यं वर्त्तते, हे 'वाजिनः ।' अन्नवन्तः 'अश्वाः' 'अपां' सम्बन्धिषु 'प्रशस्तिषु' अमृतत्वेन भेषजत्व सदृशीष्वन्यास्वपि गुणवत्वप्रशंसासु प्रशस्तप्रदेशेषु वा यूयं सम्बद्धा भवतेति । 'देवीः' द्योतमानाः, हे 'आपः!' 'वः' युष्माकं 'यः' 'ऊर्मिः' जलसङ्घः 'प्रतूर्तिः' प्रतरणशीलः, निमज्जनेन प्रसक्तस्योपद्रवस्य प्रकर्षेण हिंसकः, 'ककुन्मान् ककुच्छब्देन वृषभस्कन्धे उन्नतप्रदेश उच्यते, तत्समानैरुदकनिचयैस्तद्वान्, 'वाजसाः' अन्नस्य संसक्तः, य एवंविधः तेन 'अयम्' अश्वः प्रोक्षितः सन् 'वाजम्' अन्नं 'सेत्' सिनुयात्, साधयतुवेति । तत्र द्वितीयमन्त्रगतं 'वाजं सेत्'–इति पदं व्याचष्टे–अन्नं वा इति ॥ ६ ॥

अथाश्वेन रथयोजनं विधत्ते–अथ रथमिति । तत्र, 'अग्रे' प्रथमं 'दक्षिणा' दक्षिणतः 'युग्यं' युगस्य वोढारम्

१–'तद्यदेवेत्यादि' इति क० पुस्तके विशेषः । २–दक्षिणं युनक्ति वातो वेति । । का. श्रौ. सू. १४ । ६१ ।

स युनक्ति । व्वातो वा मनो वेति न वै व्वातात्किञ्चनाशीयोऽस्ति न मनसः किञ्चनाशीयोऽस्ति तस्मादाह व्वातो वा मनो वेति गन्धर्व्वाः सप्तविꣳशतिः ॥ ते ऽअग्रेऽश्वमयुञ्जन्निति गन्धर्व्वा ह वा ऽअग्रेऽश्वं युयुजुस्तद्येऽग्रे ऽश्वमयुजंस्ते त्वा युञ्जन्त्वित्येवैतदाह तेऽअस्मिञ्जवमादधुरिति तद्येऽस्मिञ्जवमादधुस्ते त्वयि जवमादधत्वित्येवैतदाह ॥ ८ ॥

(ह्रा) अथ सव्यायुग्यं युनक्ति । व्वातरꣳहा भव व्वाजिन्युज्यमान ऽइति व्वातजवो भव व्वाजिन्युज्यमान ऽइत्येवैतदाहेन्द्रस्येव दक्षिणः श्रियैधीति यथेन्द्रस्य दक्षिणः श्रियैवं यजमानस्य श्रियैधीत्येवैतदाह

स युनक्ति–"वातो वा मनो वा"–इति । न वै वातात् किञ्चनाशीयोऽस्ति । न मनसः किञ्चनाशीयोऽस्ति । तस्मादाह–"वातो वा मनो वा" इति । "गन्धर्वाः सप्तविंशतिः । तेऽग्रेऽश्वमयुञ्जन्" इति । गन्धर्वा ह वा अग्रेऽश्वं युयुजुः । तद्येऽग्रेऽश्वमयुजन् ते त्वा युञ्जन्तु इत्येवैतदाह । "ते अस्मिन् जवमादधुः"–(वा० सं० ९।७) इति । तद् येऽस्मिन् जवमादधुः ते त्वयि जवमादधतु इत्येवैतदाह ॥ ८ ॥

अथ सव्यायुग्यं युनक्ति–"वातरंहा भव वाजिन् युज्यमानः"–इति । वातजवो भव वाजिन् युज्यमानः–इत्येवैतदाह । "इन्द्रस्येव दक्षिणः श्रियैधि"–इति । यथेन्द्रस्य दक्षिणः श्रिया–एवं यजमानस्य श्रियैधि–इत्येवैतदाह । "युञ्जन्तु त्वा मरुतो विश्ववेदसः"–इति ।

अश्वं युञ्ज्यात् । सव्या युग्यमिति । अस्यायमर्थः–लोके 'मानुषे' मनुष्यसम्बन्धिनि कर्मणि 'सव्या युग्यं' सव्यभागयोजनीयमेवाश्वं प्रथमं युञ्जन्ति । दीर्घश्छान्दसः । (पा. सू. ६।३।१३७) । अत्र तु दक्षिणस्य प्रथमं योजनम्, 'एवं देवत्रा' देवयोग्यमेव कर्म कृतवान् भवतीति । 'देवत्रा' देवशब्दाद् देयार्थे सप्तम्यर्थे वा त्राप्रत्ययः ॥ ७ ॥

योजनमनूद्य मन्त्रं विधत्ते–स युनक्ति वातोवेति । 'वा' शब्दः समुच्चयार्थः । वायुश्च मनश्च सप्तविंशति सङ्ख्याकाः 'गन्धर्वाः' नक्षत्राणीत्यर्थः । 'ते' सर्वे 'अग्रे' अस्मत्तः पुरा रथे 'अश्वं' योजितवन्तः । 'ते' पुनः 'अस्मिन्' अश्वे जवं वेगम् 'आदधुः' स्थापितवन्तः । लोडर्थे लिट् । अस्मिन्नश्वे त्वयि जवमादधत्विति व्याचष्टे–न वै वातादिति । 'वाताद्' वायोः 'मनसः' च 'आशीयः' आशुतरं किञ्चिदपि वस्तु अतिवेगवत् 'न अस्ति' । उत्तरवाक्यं स्पष्टम् ॥ ८ ॥

अथ सव्यस्याश्वस्य रथे योजनं समन्त्रकं विधत्ते–अथ सव्यायुग्यमिति । 'सव्यायुग्यं' सव्ये भागे योजनीयम् । अच्–प्रत्ययश्छान्दसो द्रष्टव्यः । हे 'वाजिन्!' अश्व ! युज्यमानस्त्वं 'वातरंहाः' वायुवेगो 'भव' ।

१–'अत्र च' इति क. । २–'प्रथमयोजनेन' इति क. पा. । ३–उत्तरं वातरꣳहा इति । का. श्रौ. सू. १४।६२ ।

युञ्जन्तु त्वा मरुतो विश्ववेदस इति युञ्जन्तु त्वा देवा इत्येवैतदाहा ते त्वष्टा पत्सु जवं दधात्विति नात्र तिरोहितमिवास्त्यथ दक्षिणाप्रष्टिं युनक्ति सव्याप्रष्टिं वा ऽअग्रे मानुषेऽथैवं देवत्रा ॥ ९ ॥

स युनक्ति । जवो यस्ते वाजिन्निहितो गुहा यः श्येने परीत्तोऽअचरच्च वात ऽइति जवो यस्ते वाजिन्नप्यन्यत्रापनिहितस्तेन नऽइमं यज्ञं प्रजापतिमुज्जयेत्येवैतदाह तेन नो वाजिन्बलवान्बलेन वाजजिच्च भव समने च पारयिष्णुरित्यन्नं वै वाजोऽन्नजिच्च न ऽएध्यस्मिंश्च नो यज्ञे देवसमनऽइमं यज्ञं प्रजापतिमुज्जयेत्येवैतदाह ॥ १० ॥

युञ्जन्तु त्वा देवा इत्येवैतदाह । "आ ते त्वष्टा पत्सु जवं दधातु"–(वा० सं० ९ । ८) इति नात्र तिरोहितमिवास्ति । अथ दक्षिणाप्रष्टिं युनक्ति । सव्याप्रष्टिं वाऽअग्रे मानुषे । अथैवं देवत्रा ॥९॥

स युनक्ति–" जवो यस्ते वाजिन् निहितो गुहा, यः श्येने परीत्तो अचरच्च वाते "–इति । जवो यस्ते वाजिन्नप्यन्यत्रापनिहितः तेन न इमं यज्ञं प्रजापतिमुज्जय–इत्येवैतदाह । " तेन नो वाजिन् बलवान् बलेन वाजजिच्च भव, समने च पारयिष्णुः "–(वा० सं० ९ । ९) इति । अन्नं वै वाजः, अन्नजिच्च न एधि । अस्मिंश्च नो यज्ञे देवसमनऽइमं यज्ञं प्रजापतिमुज्जय–इत्येवैतदाह ॥ १० ॥

' इन्द्रस्य ' अश्वः ' इव ' ' दक्षिणः ' प्रवृद्धः पुष्टाङ्गः त्वं ' श्रिया ' शोभया युक्तः ' एधि ' भव यद्वा, श्री-शब्दात् परस्य सोर्यादेशः । ' यथेन्द्रस्य ' अश्वस्य श्रीर्भवति, ' एवं यजमानस्य ' श्रीर्भव । ' विश्ववेदसः ' सर्वज्ञाः ' मरुतो ' देवाः ' त्वा ' त्वाम् अश्वं ' युञ्जन्तु ' । ' त्वष्टा ' ' ते ' तव रथे युक्तस्य ' पत्सु ' पादेषु ' जवं ' वेगं ' दधातु ' ' इति ' । नात्र तिरोहितमिति । मन्त्रगतचतुर्थपादे अनवबुद्धोऽर्थो नास्तीत्यर्थः ।

तृतीयस्याश्वस्य योजनं विधत्ते–अथ दक्षिणेति । प्रष्टिर्नाम पादत्रयोपेतो भोजनपात्रादेराधारः, तद्वत् (ऋ० सं० १ । २९ । ६) (ऋ० सं० १ । १०० । १७) (अथ. सं. १० । ४ । ९ । ८) अश्वैस्त्रिभिर्युक्तं रथं कुर्यात् । अत्र पूर्वमश्वद्वयस्य युक्तत्वात् तृतीयस्य प्रष्टित्वमुक्तम् । अत एवापस्तम्बः–" प्रष्टिवाहितं रथं युनक्ति " इति । तृतीयेनाश्वेन रथं युञ्ज्यादित्यर्थः । तं ' दक्षिणा ' दक्षिणतः प्रथमं युञ्ज्यात् । सव्याप्रष्टिमित्यादि, पूर्ववद् व्याख्येयम् ॥ ९ ॥

योजनमनूद्य मन्त्रं विधत्ते–स युनक्ति जवो य इति । हे 'वाजिन्' ! ' ते ' तव हृदये ' यः ' जवः ' वेगः ' गुहा ' गुहायां गूढप्रदेशे ' निहितः ' स्थापितः, ' श्येने ' पक्षिणि च यो जवः ' परीत्तः ' व्यवस्थितः, यो वेगो ' वाते ' वायौ ' अचरत ' तिष्ठति । हे 'वाजिन्' ! तेन बलेन बलवान् त्वं ' नः ' अस्माकं बलेन ' वाज-

---

१–' भोजनपात्रादिकाधारः ' इति क. । ' भोजनपात्रादिवाधारः ' इति च क० । ' प्रष्टिः ' ' तिपाई ' ' आडनी ' इति । महाराष्ट्रेषु ख्यातः । ' तिपाई ' इति प्राच्येषु ख्यातः । २–दक्षिणा प्रष्टिं जवो यस्त इति । का० श्रौ० सू० १४ । ६३ ।

ते वा ऽएत ऽएव त्रयो युक्ता भवन्ति । त्रिवृद्धि देवानां तद्धि देवत्राऽधिप्रष्टियुग एव चतुर्थोऽन्वेति मानुषो हि स तं यत्र दास्यन्भवति तच्चतुर्थमुपयुज्य ददाति तस्मादपीतरस्मिन्यज्ञ ऽएत ऽएव त्रयो युक्ता भवन्ति त्रिवृद्धि देवानां तद्धि देवत्राऽधिप्रष्टियुग एव चतुर्थोऽन्वेति मानुषो हि स तं यत्र दास्यन्भवति तच्चतुर्थमुपयुज्य ददाति ॥ ११ ॥

(त्यु) अथ बार्हस्पत्यं चरुं नैवारꣳ सप्तदशशरावं निर्वपति । (त्यु) अन्नं वा ऽएष उज्जयति यो वाजपेयेन यजतेऽन्नपेयꣳ ह वै नामैतद्यद्वाजपेयं तद्यदेवैतदन्नमुदजैषीत्तदेवास्मा ऽएतत्करोति ॥ १२ ॥

ते वाऽएतऽएव त्रयो युक्ता भवन्ति । त्रिवृद्धि देवानाम् । तद्धि देवत्रा । अधिप्रष्टियुग एव चतुर्थोऽन्वेति । मानुषो हि सः । तं यत्र दास्यन् भवति–तच्चतुर्थमुपयुज्य ददाति । तस्मादपीतरस्मिन्–यज्ञऽएतऽएव त्रयो युक्ता भवन्ति । त्रिवृद्धि देवानाम् । तद्धि देवत्रा । अधिप्रष्टियुग एव चतुर्थोऽन्वेति । मानुषो हि सः । तं यत्र दास्यन् भवति–तच्चतुर्थमुपयुज्य ददाति ॥ ११ ॥

अथ बार्हस्पत्यं चरुं नैवारं सप्तदशशरावं निर्वपति । अन्नं वाऽ एष उज्जयति–यो वाजपेयेन यजते । अन्नपेयं ह वै नामैतद्–यद्वाजपेयम् । तद्यदेवैतदन्नमुदजैषीत्–तदेवास्माऽएतत् करोति ॥ १२ ॥

जित् भव ' अन्नस्य जेता दाता भव । ' समने ' यज्ञरूपे सङ्ग्रामे ' पारयिष्णुः ' पारयिता पारगमनशीलश्च भवेति ॥ तमिमं मन्त्रं व्याचष्टे–जवो यस्त इति । अप्यन्यत्रापनिहित इति । ' अन्यत्र ' गुहाशयेत्याद्युपलक्ष्यते, प्रदेशान्तरे ' अपनिहितः ' निक्षिप्तः । पूर्वार्द्धस्य तात्पर्यमाह–तेन न इति । यज्ञप्रजापत्योस्तादात्म्यं युक्तम् । ' समने पारयिष्णुः '–इत्यस्याभिप्रायमाह–अस्मिंश्चनो यज्ञ इति । ' देवसमने ' समनमिति सङ्ग्रामनाम (निघ० २ । १७ । १६) । देवसमाज लक्षणेऽस्मिन् यज्ञे । गतार्थमन्यत् ॥ १० ॥

उक्तानामश्वानां त्रित्वसङ्ख्यामनूद्य प्रशंसति–ते वा एत इति । त्रिवृत्त्वं त्रिरावृत्तिः । दैवे कर्मणि प्रोक्षणादौ प्रसिद्धेति ' हि '–शब्दस्यार्थः । चतुर्थस्याश्वस्यानुगमनं विधत्ते–अधिप्रष्टीति । तृतीयस्याश्वस्य युगप्रदेशे । ' अधिः ' सप्तम्यर्थानुवादी । मन्त्रेण युक्तः सन्नेवानुगच्छेत् । यस्मात् स चतुर्थो ' मानुषः ' मनुष्यसम्बन्धी मानुषे हि कर्मणि चतुर्णां वाहानां योजनं दृष्टम् । अत्र मानुषरूपव्युदासाय तस्यायोजनमिति । अत्र सूत्रम्–" अयुक्तश्चतुर्थोऽनुगच्छति "–(का. श्रौ. सू. १४ । ६४) इति ॥ यदैष चतुर्युक्तो रथोऽध्वर्यवे दीयते, तस्मिन् प्रदानसमये चतुर्थस्य रथे योजनं दर्शयति–तं यत्र दास्यन्निति । तदुक्तं सूत्रे–"चतुर्थं युक्त्वाऽध्वर्यवे ददाति "–(का. श्रौ. सू. १४ । ९०) इति । उक्तमर्थमन्यत्राप्यतिदिशति–तस्मादपीति । ' इतरस्मिन् ' राजसूयादावित्यर्थः । शिष्टं गतार्थम् ॥ ११ ॥

विधत्ते–अथ बार्हस्पत्यमिति । अत्र द्रव्यदेवताविशिष्टचरुविधिः । सप्तदशशरावमिति । सप्तदशशराव-

(त्यु) अथ युद्बार्हस्पत्यो भवति । बृहस्पतिर्ह्येतमुग्रऽउदुजयत्तुस्माद्बार्हस्पत्यो भवति ॥ १३ ॥

(त्यु) अथ युन्नैवारो भवति । ब्रुह्म वै बृहस्पतिरेते वै ब्रह्मणा पच्यन्ते युन्नीवारास्तुस्मान्नैवारो भवति सप्तदशशरावो भवति सप्तदशो वै प्रजापतिस्तुत्प्रजापतिमुज्जयति ॥ १४ ॥

तमुश्वानुवघ्रापयति । व्वाजिन इति व्वाजिनो ह्युश्वास्तुस्मादाह व्वाजिन इति व्वाजजित इत्युन्नं वै व्वाजोऽन्नजित ऽइत्युवैतुदाह व्वाजं सरिष्युन्तऽइत्याजिं हि सरिष्युन्तो भवन्ति बृहस्पतेर्भागमुवजिघ्रतेति बृहस्पुतेर्ह्येषु भागो भवति तुस्मादाह बृहस्पतेर्भागमुवजिघ्रतेति तद्युदुश्वानवघ्रापुयतीमुमुज्जयानीति तुस्माद्वा ऽअुश्वानुवघ्रापयति ॥ १५ ॥

इति प्रथमप्रपाठके चतुर्थं ब्राह्मणम् ॥ ५-१-४ ॥ (१. ४)

अथ यद्बार्हस्पत्यो भवति । बृहस्पतिर्ह्येतमग्र उदजयत्—तस्माद्बार्हस्पत्यो भवति ॥ १३ ॥

अथ यन्नैवारो भवति । ब्रह्म वै बृहस्पतिः । एते वै ब्रह्मणा पच्यन्ते यन्नीवाराः । तस्मान्नैवारो भवति । सप्तदशशरावो भवति । सप्तदशो वै प्रजापतिः । तत् प्रजापतिमुज्जयति ॥ १४ ॥

तमश्वानवघ्रापयति—"वाजिनः"—इति । वाजिनो ह्यश्वाः । तस्मादाह—वाजिन इति । "वाजजितः"—इति । अन्नं वै वाजः । अन्नजित—इत्येवैतदाह । "वाजं सरिष्यन्तः"—इति । आजिं हि सरिष्यन्तो भवन्ति । "बृहस्पतेर्भागमवजिघ्रत"—(वा. सं. ९।९) इति । बृहस्पतेर्ह्येष

परिमितम् । मुष्टिप्रतिनिधित्वेन शरावस्य तत्सङ्ख्यायाश्च पृथग्विधानात् प्रकृतिगतमुष्टितत्संख्यानिवृत्तिः । तथा च कात्यायनः—"माध्यन्दिनीयैः सह नैवारचरुर्बार्हस्पत्यः सप्तदशशरावः, संख्यामुष्टिनिवृत्तिः"—(का. श्रौ. सू. १४ । ४९) इति । चरुविधिं प्रशंसति—अन्नं वा एष इति । तद्यदेवेत्यादि । तत्र वाजपेये 'यत्' 'एतत्' अन्नम् 'उदजैषीत्', पुरा बृहस्पतिरनेन क्रतुना यदेतत्फलभूतमन्नं साधितवान्, 'तदेव' अन्नम् 'अस्मै' बृहस्पतये 'एतत्' एतेन चरुणा 'करोति' ॥ १२ ॥

देवताशरावसंख्याविधित्रयमनूद्य प्रशंसति—अथ यादित्यादिना । पुरा बृहस्पतिः 'एतं' चरुं साधितवान्, अतोऽस्य चरोर्बृहस्पतिर्देवतेति युक्तम् ॥ १३ ॥

अथ यन्नैवार इति । 'नीवारा' इति यत्, 'एते' 'ब्रह्मणा' एव 'पच्यन्ते' न तु कृष्टक्षेत्रोत्पशाल्यादिवत्, अतः कालवशात् पक्वा नीवारा ब्रह्मरूपस्य बृहस्पतेर्योग्या इत्यर्थः ॥ १४ ॥

विधत्ते—तमश्वानवघ्रापयतीति । 'तं' चरुम् 'अश्वान्' रथे युक्तान् अवघ्रापयेत् । "आ गन्धोपा-

---

१—बार्हस्पत्यमश्वेनानाघ्रापयति वाजिन इति । का. श्रौ. सू. १४ । ६५

तद्यदाजिं धावन्ति । (न्ती) इममेवैतेन लोकमुज्जयत्यथ यद्ब्रह्मा रथचक्रे साम गायति नाभिदघ्न उद्धिते ऽन्तरिक्षलोकमेवैतेनोज्जयत्यथ यद्यूपꣳ रोहति देवलोकमेवैतेनोज्जयति तस्माद्वा ऽएतत्त्रयं क्रियते ॥ १ ॥

स ब्रह्मा रथचक्रमधिरोहति । नाभिदघ्न ऽउद्धितं देवस्याहꣳ सवितुः सवे सत्यसवसो बृहस्पतेरुत्तमं नाकꣳ रुहेयमिति यदि ब्राह्मणो यजते ब्रह्म हि बृहस्पतिर्ब्रह्म हि ब्राह्मणः ॥ २ ॥

भागो भवति । तस्मादाह बृहस्पतेर्भागमवजिघ्रतेति । तद् यदश्वानवघ्रापयति—इममुज्जयानीति । तस्माद्वाऽश्वानवघ्रापयति ॥ १९ ॥

तद् यदाजिं धावन्ति—इममेवैतेन लोकमुज्जयति । अथ यद्ब्रह्मा रथचक्रे साम गायति—नाभिदघ्नऽउद्धिते—अन्तरिक्षलोकमेवैतेनोज्जयति । अथ यद् यूपं रोहति—देवलोकमेवैतेनोज्जयति । तस्माद्वाऽएतत्त्रयं क्रियते ॥ १ ॥

स ब्रह्मा रथचक्रमधिरोहति—नाभिदघ्नऽउद्धितम्—"**देवस्याहं सवितुः सवे सत्यसवसो बृहस्पतेरुत्तमं नाकं रुहेयम्**"—इति । यदि ब्राह्मणो यजते । ब्रह्म हि बृहस्पतिः । ब्रह्म हि ब्राह्मणः ॥ २ ॥

दाने" (धा० पा० भ्वा० प० ९२१) । तस्य मन्त्रमाह—**वाजिन इति** । हे 'वाजिनः !' अश्वाः ! 'वाजजितः' अन्नस्य जेतारः, 'वाजः' अन्नम् अन्नसाधनमाजिं प्रति सरिष्यन्तो यूयम्, 'बृहस्पतेर्भागम्' 'अवजिघ्रत' अवाङ्मुखा गन्धोपादानं कुरुतेति तस्यार्थः । तद्व्याचष्टे—**वाजिनो ह्यश्वा इति** । आजिꣳ हि सरिष्यन्त इति । साध्यभूतान्नवाची वाजशब्दः उपचारात् तत्साधने आजौ वर्त्तत इत्यर्थः । अवघ्रापणस्य प्रयोजनमाह—**तद्यदश्वानिति** । इमं यज्ञं साधयामीति बुद्ध्या 'अश्वान्' अवघ्रापयेत् ॥ १९ ॥

इति श्रीसायणाचार्यविरचिते माधवीये वेदार्थप्रकाशे माध्यन्दिनशतपथब्राह्मणभाष्ये
पञ्चमकाण्डे प्रथमाध्याये चतुर्थं ब्राह्मणम् ॥ ५—१—४ ॥

विहितमाजिधावनमनूद्य प्रशंसति—**तद्यदिति** । आजिधावनेन भूलोकं जितवान् भवतीत्यर्थः । अथ सामगानं यूपारोहणं च सार्थवादं विधत्ते—**अथ यद् ब्रह्मेत्यादि** । 'ब्रह्मा' नामर्त्विक् 'नाभिदघ्ने' नाभिमात्रे 'उद्धिते' उन्नते 'रथचक्रे' स्थित्वा 'साम' गायेत् । 'एतेन' भूम्यूर्ध्वप्रदेशयोर्मध्यदेशे गीयमानेन साम्ना 'अन्तरिक्षलोकं' जितवान् भवति । चक्रादुन्नतस्य सप्तदशारत्निपरिमितस्य यूपस्यारोहणेन तृतीयलोकमेव स्वाधीनं कृतवान् भवतीत्यर्थः ॥ १ ॥

ब्रह्मणो रथचक्रे गानं विहितम्, तदारोहणमन्तरेण न सम्भवतीति तदिदानीं विधत्ते—**स ब्रह्मेति** । तत्र वाजपेये द्वावधिकारिणौ, ब्राह्मणो राजन्यश्चेति; तत्र यजमानभेदेन मन्त्रभेदं विवक्षुः प्रथमं ब्राह्मणपक्षे मन्त्रं पठति—**देवस्याहमिति** । 'सत्यसवसः' सत्यानुज्ञानस्य 'सवितुः' सर्वेषां प्रसवितुर्देवस्य 'सवे' प्रसवे

१—देवस्याहमिति ब्रह्मा रथचक्रमारोहत्युत्करे नाभिमात्रे स्थाणौ स्थितम् । का० श्रौ० सू० १४।६७।

(णो३थ) अथ यदि राजन्यो यजते । देवस्याहᳪँ सवितुः सवे सत्यसवस ऽइन्द्रस्योत्तमं नाकᳪँ रुहेयमिति क्षत्रᳪँ हीन्द्रः क्षत्रᳪँ राजन्यः ॥३॥

(त्रिः) त्रिः सामाभिगायति । त्रिरभिगीयावरोहति देवस्याहᳪँ सवितुः सवे सत्यप्रसवसो बृहस्पतेरुत्तमं नाकमरुहमिति यदि ब्राह्मणो यजते ब्रह्म हि बृहस्पतिर्ब्रह्म हि ब्राह्मणः ॥ ४ ॥

(णो३थ) अथ यदि राजन्यो यजते । देवस्याहᳪँ सवितुः सवे सत्यप्रसवसऽइन्द्रस्योत्तमं नाकमरुहमिति क्षत्रᳪँ हीन्द्रः क्षत्रᳪँ राजन्यः ॥ ५ ॥

अथ यदि राजन्यो यजते-" देवस्याहं सवितुः सवे सत्यसवस इन्द्रस्योत्तमं नाकं रुहेयम्"-इति । क्षत्रं हीन्द्रः । क्षत्रं राजन्यः ॥ ३ ॥

त्रिः सामाभिगायति । त्रिरभिगीयावरोहति-" देवस्याहं सवितुः सवे सत्यप्रसवसो बृहस्पतेरुत्तमं नाकमरुहम् "-इति । यदि ब्राह्मणो यजते । ब्रह्म हि बृहस्पतिः । ब्रह्म हि ब्राह्मणः ॥ ४ ॥

अथ यदि राजन्यो यजते-" देवस्याहं सवितुः सवे सत्यप्रसवस इन्द्रस्योत्तमं नाकमरुहम् "-(वा० सं० ९ । १०) इति । क्षत्रं हीन्द्रः । क्षत्रं राजन्यः ॥ ५ ॥

अनुज्ञायां वर्त्तमानो हि ' बृहस्पतेः ' सम्बन्धिनः ' उत्तमम् ' उत्कृष्टं ' नाकं ' स्वर्गं ' रुहेयम् ' आरोहणं करवै । रुहेराशीर्लिङि, ' लिङयाशिष्यङ् '-(पा. सू. ३ । १ । ८६) इत्यङ् । ब्रह्म हीति । देवानां मध्ये बृहस्पतिर्ब्राह्मणजातिः ॥ २ ॥

राजन्यपक्षेऽपि मन्त्रं पठति-अथ यदीति बृहस्पतेरित्यस्य स्थाने इन्द्रस्येति विशेषः । अर्थस्तु पूर्ववत् । क्षत्रं हीन्द्र इति । देवानां मध्ये इन्द्रः क्षत्रियजातिः ॥ ३ ॥

विहितस्य ब्रह्मकर्त्तृकस्य सामगानस्य त्रित्वसङ्ख्यां विधत्ते-त्रिः सामेति । ' त्रिः ' त्रिवारमित्यर्थः । " देवस्य वयम् "-इति, " रुहेम "-इति च बहुवचनान्तः शाखान्तरीयो मन्त्रः । तथैव कात्यायनोऽपि सूत्रयामास-" देवस्य वयमिति, ब्रह्मा रथचक्रमारोहति " (का. श्रौ. सू. १४ । ६७) इति । अत्र " अरुहम् "-इति, " रुहेयम् "-इति च एकवचनान्तत्वेन संहितायामाम्नानात्तमनुसृत्यैव ब्राह्मणे विहितमित्यविरोधः ॥

प्रसङ्गाद्ब्रह्मणो रथावरोहणं विधत्ते-त्रिः सामाभिगायतीति । त्रिरभिगीयावरोहतीति । प्रयोगक्रमस्तु

१-देवस्य वयमित्यादि विहितमित्यविरोध इत्यंतं भाष्यं वाजसनेयिभिस्तादितरैरपि न विश्वसनीयम् । भगवतः कात्यायनमहर्षेः संहितां शतपथब्राह्मणं चानुसृत्यैव सूत्ररचनाशैलीशीलतया तादृगेव देवस्याहमिति ब्रह्मा रथचक्रमारोहतीति एकवचनांतसूत्रक्लृप्तत्वेऽपि तत्सूत्रस्य पितृभूतिकर्कप्रभृतिभाष्यकृतां तथैव व्याख्यानसत्तायामपि केवलं स्वशाखीयमंत्रगतं बहुवचनमादृत्य परशाखीयार्षसूत्रस्य स्वकपोलकल्पनेनाक्षरसंधिं प्रेक्ष्य अन्यथाकरणं भाष्यकृतामतिसाहसम् ॥ तथैवाग्रे ब्रह्माऽरोहति देवस्याहमिति इत्येवं वदता स्वयमेव कात्यायनस्य " देवस्याहमिति " एकवचनांतपाठघटितं सूत्रकरणं स्वीकृतमेव । अन्यत्र स्वयं-देवस्य वयमिति बहुवचनांतं सूत्रयित्वा कातीयमेतत्सूत्रमिति च परस्परमसंबद्धं प्रलपन् सायनाचार्यस्तु भ्रांत एवेत्यलं दिक्प्रदर्शनेनेति ॥

(न्योऽथ) अथ सप्तदश दुन्दुभीननुवेद्यन्तᳪ᳭ सम्मिन्वन्ति । प्रतीच आग्नीध्रात्प्रजापतिं वाऽएष उज्जयति यो वाजपेयेन यजते व्वाग्वै प्रजापतिरेषा वै परमा व्वाग्या सप्तदशानां दुन्दुभीनां परमामेवैतद्वाचं परमं प्रजापतिमुज्जयति सप्तदश भवन्ति सप्तदशो वै प्रजापतिस्तत्प्रजापतिमुज्जयति ॥ ६ ॥

(त्यु) अथैतेषां दुन्दुभीनाम् । (मे) एकं यजुषाऽऽहन्ति तत्सर्वे यजुषाऽऽहता भवन्ति ॥ ७ ॥

अथ सप्तदश दुन्दुभीननुवेद्यन्तं सम्मिन्वन्ति प्रतीच आग्नीध्रात् । प्रजापतिं वाऽएष उज्जयति यो वाजपेयेन यजते । वाग्वै प्रजापतिः । एषा वै परमा वाग्—या सप्तदशानां दुन्दुभीनाम् । परमामेवैतद्वाचं परमं प्रजापतिमुज्जयति । सप्तदश भवन्ति । सप्तदशो वै प्रजापतिः । तत् प्रजापतिमुज्जयति ॥ ६ ॥

अथैतेषां दुन्दुभीनामेकं यजुषाऽऽहन्ति । तत् सर्वे यजुषाऽऽहता भवन्ति ॥ ७ ॥

सूत्रे दर्शितः—" ब्रह्मा त्रिः साम गायति, दुन्दुभीन् वादयति, एष स्य इति प्रत्यृचं जुहोति "—(का. श्रौ. सू. १४ । ७८-८०) इत्युपक्रम्य "प्रदक्षिणं कृत्वाऽऽयन्ति, आगतेषु ब्रह्मावरोहति देवस्याहमिति[२] " (का. श्रौ. सू. १४ । ८४, ८५) इति । अत्रापि पूर्ववद् यजमानभेदेनावरोहणं मन्त्रभेदं च दर्शयति—देवस्याहामिति । अरुहमिति, रुहेर्लुङि " कृ-मृ-दृ-रुहिभ्यः "—इति (पा. सू. ३ । १। ५९) च्लेरङादेशः ॥ ४ ॥ ५ ॥

विधत्ते—अथ सप्तदशेति । सप्तदशसङ्ख्याकान् ' दुन्दुभीन् ' ' अनुवेद्यन्तं ' वेदिसमीपे ' प्रतीचः आग्नीध्रात् आग्नीध्रीयपश्चिमप्रदेशे स्थितान् ' सम्मिन्वन्ति ' वादयितुमावध्नन्तीत्यर्थः । अत्र सूत्रम्—" सप्तदश दुन्दुभीनासजत्यनुवेदि पश्चादाग्नीध्रात् "—(का. श्रौ. सू. १४ । ६९ ।) इति । " एषा वै इत्यादिकस्यायमर्थः; दुन्दुभीनां नादस्य महत्त्वात् परमवाक्त्वम्; अतो वाग्रूपप्रजापत्युज्जयहेतुदुन्दुभिवाद इत्यर्थः । गतमन्यत् ॥ ६ ॥

विधत्ते—अथैतेषामिति । सप्तदशानां दुन्दुभीनां मध्ये एकं दुन्दुभिम् "बृहस्पते वाजम्" इति वक्ष्यमाणेन मन्त्रेण समाहन्यात् । इतरान् षोडश दुन्दुभीन् तूष्णीं वादयेत् । एकस्य समन्त्रकाहननेन सर्वेऽपि दुन्दुभयश्छत्रिन्यायेन समन्त्रकमेवाहताः ताडिता वादिताः स्युरित्यर्थः । अत्र सूत्रम्—बृहस्पते वाजमित्येकं दुन्दुभिमाहन्ति, तूष्णीमितरान् " (का. श्रौ. सू. १४ । ७०) इति ॥ ७ ॥

१–अनुमन्त्रयते वा (इत्यप्यनुसंधेयम्) का. श्रौ. सू. १४ । ८१ ।

२–उत्तरेण च तृचेन । सुम्बन् जयति । शाखां प्रदक्षिणं कृत्वा यंति । आगतेषु ब्रह्माऽवरोहति देवस्याहमिति । का. श्रौ. सू. । १४ । ८२–८५ ।

स आहन्ति बृहस्पते व्वाजं जय बृहस्पतये व्वाचं व्वदत बृहस्पतिं व्वाजं जापयतेति यदि ब्राह्मणो यजते ब्रह्म हि बृहस्पतिर्ब्रह्म हि ब्राह्मणः ॥ ८ ॥

(णोऽथ) अथ यदि राजन्यो यजते । (तऽ) इन्द्र व्वाजं जयेन्द्राय व्वाचं व्वदतेन्द्रं व्वाजं जापयतेति क्षत्रᳫँ हीन्द्रः क्षत्रᳫँ राजन्यः ॥ ९ ॥

(न्योऽथै) अथैतेष्वाजिसृत्सु रथेषु । पुनरासृतेष्वेतेषां दुन्दुभीनामेकं यजुषोपावहरति तत्सर्व्वे यजुषोपावहृता भवन्ति ॥ १० ॥

स उपावहरति । (त्ये) एषा वः सा सत्या संव्वागभूद्यया बृहस्पतिं व्वाजमजीजपताजीजपत बृहस्पतिं व्वाजं व्वनस्पतयो विमुच्यध्वमिति यदि ब्राह्मणो यजते ब्रह्म हि बृहस्पतिर्ब्रह्म हि ब्राह्मणः ॥ ११ ॥

स आहन्ति–"बृहस्पते वाजं जय, बृहस्पतये वाचं वदत, बृहस्पतिं वाजं जापयत"–इति । यदि ब्राह्मणो यजते । ब्रह्म हि बृहस्पतिः । ब्रह्म हि ब्राह्मणः ॥ ८ ॥

अथ यदि राजन्यो यजते–"इन्द्र वाजं जय, इन्द्राय वाचं वदत, इन्द्रं वाजं जापयत" (वा. सं. ९।११) इति । क्षत्रं हीन्द्रः । क्षत्रं राजन्यः ॥ ९ ॥

अथैतेष्वाजिसृत्सु रथेषु पुनरासृतेष्वेतेषां दुन्दुभीनामेकं यजुषोपावहरति । तत् सर्वे यजुषोपावहृता भवन्ति ॥ १० ॥

स उपावहरति–"एषा वः सा सत्या संवागभूत् । यया बृहस्पतिं वाजमजीजपत, अजीजपत बृहस्पतिं वाजं वनस्पतयो विमुच्यध्वम्"–इति । यदि ब्राह्मणो यजते । ब्रह्म हि बृहस्पतिः । ब्रह्म हि ब्राह्मणः ॥ ११ ॥

हननविधिमनूद्य मन्त्रं विधत्ते–स आहन्तीति । हे 'बृहस्पते !' 'वाजम्' अन्नं 'जय' । हे दुन्दुभयः ! 'बृहस्पतये' बृहस्पतेरर्थाय 'वाचं' सत्यभूतां यूयं 'वदत' । 'बृहस्पतिम्' 'वाजम्' अन्नं 'जापयत' अन्नविषयं जयं प्रापयत । बृहस्पतिः स्वयमेव वाजं जयति, तं जापयत । जयतेर्ण्यन्तस्य "क्रीङ्जीनां णौ" (पा. सू. ६।१।४८) इत्यात्वे कृते पुगागमः ॥ ८ ॥

राजन्यमन्त्रभेदं दर्शयति–अथ यदीति । बृहस्पतिस्थाने इन्द्रपदं प्रक्षेपणीयम् । अन्यत् समानम् ॥ ९ ॥

विधत्ते–अथैतेष्विति । 'रथेषु' 'आजिसृत्सु' लक्ष्यस्थानं प्रति सृतवत्सु गतवत्सु 'पुनरासृतेषु' पुनरागतेषु सत्सु 'एतेषां' सर्वेषां 'दुन्दुभीनां' मध्ये 'एकं' प्राग् 'यजुषा' मन्त्रेण 'उपावहरति' अवरोहयेत्; अन्येषां तु तूष्णीमित्यर्थः ॥ १० ॥

उपावहरतीति । अवरोहणमन्त्रस्यायमर्थः;–हे दुन्दुभयः 'वः' युष्माकं सम्बन्धिनी 'सा सत्या' 'संवाक्' समुदिता वाक् 'अभूत्', 'यया' वाचा 'बृहस्पतिं' 'वाजम्' 'अजीजपत' अन्नविषयं जयं प्रापयत । एतस्यैव पुनर्वचनमजीजपतेति वाक्यम् । हे 'वनस्पतयः !' कार्ये कारणशब्दः, वानस्पत्या दुन्दुभयः 'विमुच्यध्वम्' विमुक्ता भवतेति ॥ ११ ॥

१–एषा ह व इति मन्त्राहतमवहरते । तूष्णीमितरान् । का. श्रौ. सू. १४ । ८६ । ८७ ।

(णोऽथ) अथ यदि राजन्यो यजते । (तऽ) एषा वः सा सत्या संवागभूद्ययेन्द्रं वाजमजीजपताजीजपतेन्द्रं वाजं वनस्पतयो विमुच्यध्वमिति क्षत्रँ हीन्द्रः क्षत्रँ राजन्यः ॥ १२ ॥

(न्योऽथ) अथ वेद्यन्तात् । (द्रा) राजन्य ऽउदङ्सप्तदश प्रव्याधान्प्रविध्यति यावान्वाऽएकः प्रव्याधस्तावांस्तिर्यङ्प्रजापतिरथ यावत्सप्तदश प्रव्याधास्तावानन्वङ्प्रजापतिः ॥ १३ ॥

(स्त) तद्यद्राजन्यः प्रविध्यति । (त्ये) एष वै प्रजापतेः प्रत्यक्षतमां यद्राजन्यस्तस्मादेकः सन्बहूनामीष्टे यद्वेव चतुरक्षरः प्रजापतिश्चतुरक्षरो राजन्यस्तस्माद्राजन्यः प्रविध्यति सप्तदश प्रव्याधान्प्रविध्यति सप्तदशो वै प्रजापतिस्तत्प्रजापतिमुज्जयति ॥ १४ ॥

अथ यदि राजन्यो यजते-"एषा वः सा सत्या संवागभूत्, ययेन्द्रं वाजमजीजपताजीजपत इन्द्रं वाजं वनस्पतयो विमुच्यध्वम्"-(वा. सं. ९ । १२) इति । क्षत्रं हीन्द्रः । क्षत्रं राजन्यः ॥ १२ ॥

अथ वेद्यन्ताद्राजन्य उदङ् सप्तदश प्रव्याधान् प्रविध्यति । यावान्वाऽएकः प्रव्याधः तावांस्तिर्यङ् प्रजापतिः । अथ यावत् सप्तदश प्रव्याधाः तावानन्वङ् प्रजापतिः ॥ १३ ॥

तद्यद्राजन्यः प्रविध्यति । एष वै प्रजापतेः प्रत्यक्षतमां—यद्राजन्यः । तस्मादेकः सन् बहूनामीष्टे । यद्वेव चतुरक्षरः प्रजापतिः, चतुरक्षरो राजन्यः । तस्माद्राजन्यः प्रविध्यति । सप्तदश प्रव्याधान् प्रविध्यति । सप्तदशो वै प्रजापतिः । तत् प्रजापतिमुज्जयति ॥ १४ ॥

अथेति । अत्रापि पूर्ववन्मन्त्रभेदो " यदि राजन्यः " इत्यादिना प्रदर्शितः ॥ १२ ॥

दुन्दुभ्युपावहरणसमनन्तरकर्त्तव्यं क्षत्रियस्य विधत्ते—अथ वेद्यन्तादिति । 'प्रव्याधान्' प्रकर्षेण बलाधिक्येन विमुक्तो बाणो यावति देशे लक्ष्यं विध्यति, तावानेकः प्रव्याधः । तथाविधान् सप्तदशसङ्ख्याकान् 'वेद्यन्तात्' आरभ्य उदङ्मुखः उदगपवर्गान् 'प्रविध्येति' । तमिमं प्रशंसति-यावान् वा एक इति । 'प्रजापतिः' एकप्रव्याधपरिमाणेन 'तिर्यङ्' स्थौल्येन विस्तारवान् वर्त्तते, सप्तदशप्रव्याधपरिमाणेन 'अन्वङ्' आयामवान् वर्त्तते । अतः सप्तदशप्रव्याधकरणं प्रजापतिशरीरपरिमितत्वात् प्रशस्तमित्यर्थः ॥ १३ ॥

एषामिषुप्रव्याधानां राजन्यकरणीयत्वे कारणमाह-तद्यद्राजन्य इति । 'एष राजन्यः' खलु 'प्रजापतेः' 'प्रत्यक्षतमां' प्रत्यक्षसमं रूपम्; 'तस्मात्' प्रजापतेः प्रत्यक्षरूपत्वात् 'एकः' अपि 'सन्' 'राजन्यः'

१-क्षत्रियः सप्तदशेषु प्रव्याधामस्यति तीर्थादुदीचः । (का. श्रौ. सू. १४ । ७१ ।)

(त्यु) अथ यं युजुषा युनक्ति। तं युजमानऽआतिष्ठति देवुस्याहꣳ सवितुः सवे सत्युप्रसवसो बृुहस्पतेर्व्वाजजितो व्वाजं जेषमिति ॥ १५ ॥

तद्यथैवादो बृहस्पतिः। सवितारं प्रसवायोपाधावत्सविता वै देवानां प्रसवितेदं मे प्रसुव त्वत्प्रसूत ऽइदमुज्जयानीति तुदस्मै सविता प्रसविता प्रासुवत्तत्सवितृप्रसूत ऽउदजयदेवमेवैष ऽएतत्सवितारमेव प्रसवायोपधावति सविता वै देवानां प्रसवितेदं मे प्रसुव त्वत्प्रसूतऽइदमुज्जयानीति तुदस्मै सविता प्रसविता प्रसौति तत्सवितृप्रसूत ऽउज्जयति ॥ १६ ॥

(त्यु) अथ युद्यध्वर्योः। (र) अन्तेवासी वा ब्रह्मचारी वैतद्युजुरधीयात्सोऽन्वास्थाय व्वाचयति व्वाजिन इति व्वाजिनो ह्युश्वास्तस्मादाह

अथ यं यजुषा युनक्ति–तं यजमान आतिष्ठति–"देवस्याहं सवितुः सवे सत्यप्रसवसा बृहस्पतेर्वाजजितो वाजं जेषम्"–इति ॥ १५ ॥

तद्यथैवादो बृहस्पतिः सवितारं प्रसवायोपाधावत्। सविता वै देवानां प्रसविता। इदं मे प्रसुव, त्वत्प्रसूत इदमुज्जयानीति। तदस्मै सविता प्रसविता प्रासुवत्। तत्सवितृप्रसूत उदजयत्। एवमेवैष एतत्सवितारमेव प्रसवायोपधावति। सविता वै देवानां प्रसविता। इदं मे प्रसुव, त्वत्प्रसूत इदमुज्जयानीति। तदस्मै सविता प्रसविता प्रसौति। तत्सवितृप्रसूत उज्जयति ॥ १६ ॥

अथ यद्यध्वर्योरन्तेवासी वा, ब्रह्मचारी वा–एतद्यजुरधीयात्। सोऽन्वास्थाय वाचयति–

'बहूनां' प्रजानाम् 'ईष्टे' ईश्वरो भवति। 'प्रजापतिः' अपि 'चतुरक्षरः,' 'राजन्यः' अपि 'नियः'–इत्यक्षरविश्लेषात् 'चतुरक्षरः'। 'तस्मात्' प्राजापत्यात्मकत्वाद् राजन्यकर्तृक इषुप्रव्याधः करणीयः। प्रव्याधानां सप्तदशत्वं प्रजापत्यात्मना स्तौति–सप्तदशेति। सप्तदशप्रव्याधकरणमुदीरितरीत्या प्रजापतिशरीरसम्पादनम्। तदन्ते या औदुम्बरी शाखा स्थापिता, तस्यामवस्थितेन यजमानेनाजिधावनं कुर्वता प्राप्तत्वात् कृत्स्नं प्रजापतिशरीरमेव प्राप्तं भवतीत्यर्थः ॥ १४ ॥

अश्वैर्युक्तस्य रथस्य यजमानकर्तृकं समन्त्रकमारोहणं विधत्ते–अथ यमिति। उक्तं सप्तदशप्रव्याधान्तपथाजिधावनं कर्तुम् 'आतिष्ठति' आरोहेदित्यर्थः। अत्र सूत्रम्–"देवस्याहमिति यजुर्युक्तमारोहति यजमानः"–(का. श्रौ. सू. १४। ७३) इति। आरोहणमन्त्रस्यायमर्थः;–'सत्यसवसः' यथार्थप्रसवस्य 'सवितुर्देवस्य' 'सवे' अभ्यनुज्ञायां वर्तमानः 'अहम्' 'वाजजितः' अन्नस्य जेतुः 'बृहस्पतेः' सम्बन्धि 'वाजम्' अन्नम् 'जेषम्' जीयासमिति। सवितुरनुज्ञयैव प्रवर्त्तने वाजोज्जयो भवतीत्यर्थः ॥ १५ ॥

इममर्थं बृहस्पतिदृष्टान्तेन द्रढयति–तद्यथैवाद इत्यादिना। 'अदः' अमुष्मिन् विप्रकृष्टे काले, आजिधावनकाले 'बृहस्पतिः' 'सवितारम्' अनुससार। एवमेवैष इत्यादिना दार्ष्टान्तिके योजयति ॥ १६ ॥

विधत्ते–अथ यदीति। 'अथ' यजमानस्य रथारोहणानन्तरम्, 'अध्वर्योः' शिष्यो वा, अन्यो 'ब्रह्मचारी'

व्वाजिन इति व्वाजजित ऽइत्यन्नं वै व्वाजोऽन्नजितऽइत्येवैतदाहाध्वन स्कभ्नुवन्त ऽइत्यध्वनो हि स्कभ्नुवन्तो धावन्ति योजना मिमाना इति योजनशो हि मिमाना अध्वानं धावन्ति काष्ठां गच्छतेति यथैनानन्तरा नाष्ट्रा रक्षाᳬंसि न हिᳬंस्युरेवमेतदाह धावन्त्याजिमाघ्नन्ति दुन्दुभीनभि साम गायति ॥ १७ ॥

(त्य) अथैताभ्यां जगतीभ्याम्। (अु) जुहोति वाऽनु वा मन्त्रयते यदि जुहोति यद्यनुमन्त्रयते समान ऽएव बन्धुः ॥ १८ ॥

"वाजिनः"–इति। वाजिनो ह्यश्वाः। तस्मादाह–वाजिन इति। "वाजजितः" इति। अन्नं वै वाजः। अन्नजित इत्येवैतदाह। "अध्वनः स्कभ्नुवन्तः" इति। अध्वनो हि स्कभ्नुवन्तो धावन्ति। "योजना मिमानाः" इति। योजनशो हि मिमाना अध्वानं धावन्ति। "काष्ठां गच्छत" (वा. सं. ९।१३) इति। यथैनानन्तरा नाष्ट्रा रक्षांसि न हिंस्युः। एवमेतदाह। धावन्त्याजिम्। आघ्नन्ति दुन्दुभीन्। अभि साम गायाति ॥ १७ ॥

अथैताभ्यां जगतीभ्यां जुहोति वा, अनु वा मन्त्रयते। यदि जुहोति, यद्यनुमन्त्रयते–समान एव बन्धुः ॥ १८ ॥

वा 'एतद्' वक्ष्यमाणं मन्त्रम् 'अधीयात्' स्मरेत्; 'सः' तमेव रथम् 'अन्वास्थाय' तूष्णीमारुह्य "वाजिनः" इति मन्त्रं 'वाचयति', यजमानमिति शेषः। अत्र सूत्रम्–"अध्वर्योश्च तूष्णीं ब्रह्मचार्यन्तेवासी वा वाचनाय" (का. श्रौ. सू. १४। ७४) इति, "वाजिन इति वाचयति" (का. श्रौ. सू. १४।७७) इति। 'हे वाजिनः!' अश्वाः! 'वाजजितः' अन्नस्य जेतारः 'अध्वनः' मार्गान् 'स्कभ्नुवन्तः'। "स्कभि स्तभि प्रतिबन्धे" सौत्रोधातुः (पा. सू. ३।१।८२)। स्कम्भनं नाम वेगेनाक्रमणम्, मार्गान् पृष्ठतः कृत्वा पुरोगमनम्। तत् कुर्वन्तः, क्षोभयन्तो वा 'योजना' योजनानि 'मिमानाः'। "माङ् माने" (धा.पा.जु.आ. ६) शीघ्रगत्या परिच्छिन्दन्तः शीघ्रगामिनः, 'काष्ठाम्' आजिधावनस्यावधिभूताम्। "आज्यन्तोऽपि काष्ठोच्यते" (निरु. २। ५। १) इति हि यास्कः। सप्तदशप्रव्याधान्ते निर्मितामौदुम्बरीं शाखां लक्ष्यभूतस्वर्गातिमकाम्; "स्वर्गो वै लोकः काष्ठा" (तै. ब्रा. १।३।६।५) इति श्रुतेः। वेगेन गच्छतेति ॥

तमिमं व्याचष्टे–वाजिनोऽश्वा इति। योजनशो हीति। लोके 'हि' अध्वगाः 'योजनशः' एकैकं योजनं 'मिमानाः' परिच्छिन्दन्तो महान्तम् 'अध्वानम्' 'धावन्ति' गच्छन्ति, एवमश्वा अपीति। यथैनानिति। अस्यायमर्थः; 'अन्तरा' आजिधावनमध्ये 'नाष्ट्रा' नाशकानि 'रक्षांसि' 'एनान्' अश्वान् 'यथा' 'न हिंस्युः', तथा लक्ष्यस्थानं गच्छतेति। विहितानामाजिधावनदुन्दुभ्याहननब्रह्मकर्तृकसामगानानां प्रयोगकालं विधत्ते–धावन्त्याजिमिति। अत्र सूत्रम्–"अन्तेवासी वा वाचनाय" (का. श्रौ. सू. १४।७४) इत्येतस्मादनन्तरम् "आजिं शीघ्रं यन्ति, वाजिन इति वाचयति, ब्रह्मा त्रिः साम गायति, दुन्दुभीन् वादयन्ति" इति (का. श्रौ. सू. १४। ७६-७९) ॥ १७ ॥

विधत्ते–अथैताभ्यामिति। 'एताभ्यां' वक्ष्यमाणाभ्यां मन्त्राभ्यां हवनमनुमन्त्रणं वा विकल्पेन कर्त-

स जुहोति । (त्ये) एष स्य व्वाजी क्षिपणिं तुरण्यति ग्रीवायां बद्धोऽअपिकक्ष ऽआसनि ॥ क्रतुं दधिक्रा अनु सꣳसनिष्यदत्पथामङ्काꣳस्यन्वापनीफणत्स्वाहा ॥ १९ ॥

(हो) उत स्म । (स्मा) अस्य द्रवतस्तुरण्यतः पर्णं न वेरनुवाति प्रगर्द्धिनः ॥ श्येनस्येव ध्रजतोऽअङ्कसं परिदधिक्राव्णः सहोर्जा तरित्रतः स्वाहेति ॥ २० ॥

स जुहोति-" एष स्य वाजी क्षिपणिं तुरण्यति; ग्रीवायां बद्धोऽअपिकक्षऽआसनि, क्रतुं दधिक्रा अनु संसनिष्यदत् पथामङ्कास्यन्वापनीफणत् स्वाहा "-(वा० सं० ९ । १४) ॥ १९ ॥

"उत स्मास्य द्रवतस्तुरण्यतः पर्णं न वेरनुवाति प्रगर्द्धिनः । श्येनस्येव ध्रजतोऽअङ्कसं परि दधिक्राव्णः सहोर्जा तरित्रतः स्वाहा "-(वा० सं० ९।१५) इति ॥ २० ॥

व्यम् । उभयत्रार्थवादवाक्यशेषः समान इत्याह-यदि जुहोतीति । 'बन्धुः' बध्यतेऽनेन स्तुतिरिति बन्धुर्वाक्यशेषः, स तु समानः । " एतानेवैतदश्वान् धावत उपवाजयति, एतेषु वीर्यं दधाति "-इति वाक्यशेषो वक्ष्यते । 'एतत्' एतेन हवनेन अनुमन्त्रणेन वा 'धावतः' शीघ्रगामिनः तान् 'अश्वान्' 'उपवाजयति' अत्यन्तवेगयुक्तान् करोति, एतेष्वश्वेषु 'वीर्यं' सामर्थ्यं निहितवान् भवतीत्यर्थः । अतो वेगसाधनत्वाद् हवनमनुमन्त्रणं वा कर्त्तव्यमित्यर्थः ॥ १८ ॥

हवनमनूद्य मन्त्रद्वयं विधत्ते-स जुहोत्येष स्य इति । 'एषः' 'स्यः' सः 'वाजी' वेजनवान् अश्वः 'ग्रीवायाम्' 'अपि' 'कक्षे' कक्षमूले 'आसनि' आस्ये तदुचितरज्जुविशेषैः 'बद्धः' 'क्षिपणिं' कशां 'तुरण्यति' त्वरयति । 'दधिक्राः' धारकान् मार्गावरोधकान् पाषाणादीन् अपि अतिक्रामन् अश्वः 'क्रतुं' क्रतुसादिनोऽभिप्रायम् 'अनुसंसनिष्यदत्' सम्यगनुसन्दधानः 'पथां' मार्गाणाम् 'अङ्कांसि' लक्षणानि कुटिलानि निम्नोन्नतानि च 'अन्वापनीफणत्' अनुक्रमेण ऋजुत्वं समत्वं वाऽऽपादयन्, तुरण्यतीति पूर्वत्र सम्बन्धः 'स्वाहा'-इति होमलिङ्गं वषट्कारनिवृत्त्यर्थम् ॥ १९ ॥

उत स्मेति । द्वितीयमन्त्रस्यायमर्थः-'उत स्म' अपि च 'अस्य' यजमानस्य रथे नियुक्तस्य 'द्रवतः' गच्छतः 'तुरण्यतः' तूर्णमध्वानमश्नुवानस्य 'प्रगर्द्धिनः' अवधिं प्राप्तुमभिकाङ्क्षतोऽश्वस्य 'अङ्कसं' शृङ्गारचिह्नं वस्त्रचामरादिकं 'परि' सर्वस्मिन्नपि देहे वर्त्तमानम् अनुगच्छति । तत्र दृष्टान्तः 'वेः' पक्षिणः 'पर्णं न' वातोद्गतं पत्रम् इव । यथा त्वरया गच्छतः पक्षिणः पक्ष उत्क्षिप्तो गच्छन् नावलोक्यते, तथेत्यर्थः । शीघ्रधावने श्येनो दृष्टान्त्यते-'ध्रजतः' परिधावतः 'श्येनस्य इव' 'दधिक्राव्णः' धारकपर्वताद्यतिक्रामिणोऽश्वस्य 'ऊर्जा' बलेन 'सह' 'तरित्रतः' भृशं तरतोऽश्वस्येति योज्यः । 'स्वाहा'-इति पूर्ववत् ॥ २० ॥

१-एष स्य इति प्रत्यृचं जुहोति । अनुमन्त्रयते वा । का० श्रौ० सू० १४ । ८० । ८१ । २-श्वानान्तरावेद्धं इति क. पा. ।

(त्य) अथोत्तरेण त्रिचेन । जुहोति वाऽनु वा मन्त्रयते द्वयं तद्यस्मा-ज्जुहोति वाऽनु वा मन्त्रयते यदि जुहोति यद्यनुमन्त्रयते समान ऽएव बन्धु-रेतानेवैतदश्वान्धावत ऽउपवाजयत्येतेषु व्वीर्यं दधाति तिस्रो वा ऽइमाः पृथिव्य इयमहैका द्वे ऽअस्याः परे ता ऽएवैतदुज्जयति ॥ २१ ॥

सोऽनुमन्त्रयते । शं नो भवन्तु व्वाजिनो हवेषु देवताता मितद्रवः स्वर्काः । जम्भयन्तोऽहिं व्वृकꣳ रक्षाꣳसि सनेम्यस्मद्युयवन्नमीवाः॥२२॥

अथोत्तरेण त्रिचेन जुहोति वाऽनुवा मन्त्रयते द्वयं तद्यस्माज्जुहोति वा अनु वा मन्त्रयते । यदि जुहोति, यद्यनुमन्त्रयते–समान एव बन्धुः । एतानेवैतदश्वान्धावत उपवाजयति । एतेषु वीर्यं दधाति । तिस्रो वाऽइमाः पृथिव्यः–इयमहैका । द्वे ऽअस्याः परे । ता एवैतदुज्जयति ॥ २१ ॥

सोऽनुमन्त्रयते–"शं नो भवन्तु वाजिनो हवेषु । देवताता,मितद्रवः, स्वर्काः । जम्भयन्तोऽहिं वृकं रक्षांसि, सनेम्यस्मद्, युयवन्नमीवाः"–(वा. सं. ९।१६) ॥ २२ ॥

कर्त्तव्यान्तरं विधत्ते–**अथोत्तरेणेति** । वक्ष्यमाणेन तृचेन हवनमनुमन्त्रणं वा कुर्यात् । **द्वयं तदिति** । अस्यायमर्थः–'जुहोत्यनुमन्त्रयते वा'इति यत्, तद् द्वयं सत्यानृतात्मकत्वेन द्विप्रकारमिति, "द्वयं वा इदं न तृतीयमस्ति, सत्यञ्चैवानृतञ्च"–(श. प. १।१।१।४) इति श्रुतेः । हवनानुमन्त्रणयोरुभयत्रार्थवादवाक्यशेषः समान इत्याह-**यदि जुहोतीति** । 'बन्धुः' वाक्यशेषः समानः; जागतमन्त्रकरणयोस्तृचकरणयोश्च हवनानुमन्त्रणयोः स्तावकवाक्यशेषः समान इत्यर्थः । कः पुनरसावित्याह-**एतानेवैतदिति** । हवनानुमन्त्रणार्थवादवाक्यशेषः"तिस्रो वा इमाः' इत्यादिकं तृचेन त्रित्वसंख्यार्थवादब्राह्मणम् । 'पृथिव्यस्तिस्रः', "त्रयो वा इमे त्रिवृतो लोकाः"–इति एकैकस्य त्र्यात्मकत्वश्रुतेः । तत्र 'इयं' परिदृश्यमाना भूमिः 'एका' 'अस्याः' भूमेः'परे' उपरि दृश्यमाने ' द्वे ' पृथिव्यौ;' ' ताः' तिस्रो भूमीः तृचकरणकेन होमेनानुमन्त्रणेन वा उज्जितवान् भवति ॥ २१ ॥

तत्रानुमन्त्रणमनूद्य मन्त्रत्रयं पठति--**सोऽनुमन्त्रयत** इति । अन्यदन्यस्योपलक्षकम्; अत्रानुमन्त्रणानुवादत्वात्, मन्त्रान्ते हवनं वा कार्यम्; वचनबलादित्यवगन्तव्यम् । तत्र, प्रथममन्त्रस्यायमर्थः;–' वाजिनः ' अश्वाः ' हवेषु ' यज्ञेषु, संग्रामेषु वा ' नः ' अस्माकं ' शं भवन्तु ' सुखप्रापका भवन्तु । ' देवताता ' देवयोग्याः । यद्वा, देवास्तन्यन्ते विस्तार्यन्ते यत्र सा देवतातिर्यज्ञः, तस्मिन् । ' हवेषु ' आह्वानेषु शं भवन्त्विति योजना । ' मितद्रवः ' मितमल्पं द्रवन्ति गच्छन्तीति मितद्रवः, ' स्वर्काः ' शीघ्रधावनेन सु अर्चनीयाः ' अहिं ' ' वृकं ' ' रक्षांसि ' सर्पवत् आरण्यकश्ववत् बाधकान् राक्षसान् 'जम्भयन्तः' जम्भन्तः, वर्णव्यत्ययः, क्षोभयन्तः । ' सनेमि '–इति पुराणनाम, (निघं. ३ । २९ । ४) इह 'तु' क्षिप्रवचनम् । शीघ्रम् ' अमीवान् ' रोगाः ' अस्मत् ' अस्मत्तः ' युयवन् ' वियोजितवन्त इत्यर्थः ॥ २२ ॥

१–अनुमंत्रयते वा । उत्तरेण च तृचेन । का० श्रौ० सू० १४।८।१८२।

(वास्तु) ते नोऽअर्वन्तः । (न्तो) हवनश्रुतो हवं विश्वे शृण्वन्तु वाजिनो मितद्रवः ॥ सहस्रसा मेधसाता सनिष्यवो महो ये धनᳬ समिथेषु जभ्रिरे ॥ २३ ॥

वाजे वाजेऽवत । वाजिनो नो धनेषु विप्रा ऽअमृता ऽऋतज्ञाः ॥ अस्य मध्वः पिबत मादयध्वं तृप्ता यात पथिभिर्देवयानैरिति ॥ २४ ॥

(त्य) अथ बार्हस्पत्येन चरुणा ऽश्वमुपतिष्ठते । तमुपस्पृशत्यन्नं वा ऽएष ऽउज्जयति यो वाजपेयेन यजतेऽन्नपेयᳬ ह वै नामैतद्यद्वाजपेयं तदुद्दैवैतदन्नमुदजैषीत्तेनैवैतद्देवतां गतिं गत्वा संस्पृशते तदात्मन्कुरुते॥२५

" ते नोऽअर्वन्तो हवनश्रुतो हवं विश्वे शृण्वन्तु वाजिनो मितद्रवः । सहस्रसा, मेधसाता सनिष्यवो महो ये धनं समिथेषु जभ्रिरे "-(वा. सं. ९ । १७) ॥ २३ ॥

" वाजे वाजेऽवत वाजिनो नो धनेषु विप्रा, अमृता, ऋतज्ञाः । अस्य मध्वः पिबत, मादयध्वम्, तृप्ता यात पथिभिर्देवयानैः "-(वा. सं. ९ । १८) इति ॥ २४ ॥

अथ बार्हस्पत्येन चरुणा ऽश्वमुपतिष्ठते । तमुपस्पृशति । अन्नं वा एष उज्जयति-यो वाजपेयेन यजते । अन्नपेयं ह वै नामैतद्--यद्वाजपेयम् । तद् यदेवैतदन्नमुदजैषीत्--तेनैवैतद्देवतां गतिं गत्वा संस्पृशते तदात्मन् कुरुते ॥ २५ ॥

ते नो अर्वन्त इति । द्वितीयमन्त्रस्यायमर्थः--' ते ' ' अर्वन्तः ' गतिकुशला अश्वाः, ' हवनश्रुतः ' आस्मदाह्वानश्रोतारो ' वाजिनः ' अन्नवन्तोऽश्वाः सर्वेऽपि ' नः ' अस्माकं ' हवम् ' आह्वानम् आस्मदीयं ' शृण्वन्तु ' । ' मितद्रवः ' पूर्ववत् । ' सहस्रसाः ' सहस्रसङ्ख्यस्य सनितारो दातारः । ' मेधसाता ' यज्ञे । सुपां सुलुगित्यादिना (पा. सू. ७ । १ । ३९) । ' सनिष्यवः ' सनिं द्रव्यदानम् आत्मन इच्छन्तः । ईदृशाः ' ये ' अश्वाः ' समिथेषु ' संग्रामेषु ' महः ' महतः शत्रोः ' धनम् ' । मह इति धनविशेषणं वा, महद्धनं ' जभ्रिरे ' आहृतवन्तः । शृण्वन्त्विति पूर्वेणान्वयः ॥ २३ ॥

वाजे वाजेऽवतेति । तृतीयमन्त्रस्यायमर्थः-- हे ' वाजिनः ' । अश्वाः ! ' वाजे-वाजे ' सर्वस्मिन्नपि अन्ननिमित्ते च ' नः ' अस्मान् ' अवत ' । ' विप्राः ' मेधाविनः ' अमृताः ' अमरणधर्माणः ' ऋतज्ञाः ' ऋतं सत्यं गन्तव्यदेशे आगताः । तादृशाश्वाभिमानिनो हे देवाः ! ' अस्य मध्वः पिबत ' इदं पायनात् पूर्वं पश्चाच्चाघ्रायमाणं मधुरमाने नीवारचरुगन्धाख्यं पिबत । पीत्वा च ' मादयध्वम् ' हृष्टा भवत । ततः ' तृप्ताः ' सन्तो ' देवयानैः पथिभिः ' देवानां गन्तव्यैर्मार्गैः अश्वभिराजि प्रति ' यात ' इति ॥ २४ ॥

विधत्ते--अथ बार्हस्पत्येनेति[1] ' अश्वमुपतिष्ठते ' आजिधावनं कृत्वा तीर्थदेशं प्रत्यागच्छतोऽश्वान् प्रति

1--अथ दक्षिणेनारत्निमात्रे तीर्थं स्थितमा वाजसवेति । का. श्रौ. सू. १४ । ६६ ।

स ऽउपस्पृशति । (त्या) आ मा व्वाजस्य प्रसवो जगम्यादित्यन्नं वै व्वाज आ माऽन्नस्य प्रसवो जगम्यादित्येवैतदाहेमे द्यावापृथिवी व्विश्वरूपेऽइति द्यावापृथिवी हि प्रजापतिरा मा गन्तां पितरा मातरा चेति मातेव च हि पितेव च प्रजापतिरा मा सोमोऽअमृतत्वेन गम्यादिति सोमो हि प्रजापतिः ॥ २६ ॥

(स्त) तमश्वानवघ्रापयति । व्वाजिन इति व्वाजिनो ह्यश्वास्तस्मादाह व्वाजिन इति व्वाजजित ऽइत्यन्नं वै व्वाजोऽन्नजित ऽइत्येवैतदाह व्वाजꣳ ससृवाꣳस इति सरिष्यन्त ऽइति वा ऽअग्रऽआह सरिष्यन्त ऽइव हि तर्हि भवन्त्यथात्र ससृवाꣳस इति ससृवाꣳस इव ह्यत्र भवन्ति

स उपस्पृशति-"आ मा वाजस्य प्रसवो जगम्यात्"-इति । अन्नं वै वाजः । आ माऽन्नस्य प्रसवो जगम्याद्-इत्येवैतदाह । "इमे द्यावापृथिवी विश्वरूपे"-इति । द्यावापृथिवी हि प्रजापतिः । "आ मा गन्तां पितरा मातरा च"-इति । मातेव च हि, पितेव च प्रजापतिः । "आ मा सोमोऽअमृतत्वेन गम्यात्"-इति । सोमो हि प्रजापतिः ॥ २६ ॥

तमश्वानवघ्रापयति-"वाजिनः"-इति । वाजिनो ह्यश्वाः । तस्मादाह वाजिन इति । "वाजजितः"-इति । अन्नं वै वाजः । अन्नजित इत्येवैतदाह । "वाजं ससृवांसः"-इति ।

नैवारचरुणा सह गच्छेदित्यर्थः । तस्य चरोः स्पर्शनं विधत्ते-तमुपेति । तत् प्रशंसति-अन्नं वेत्यादिना । 'एतां गतिम्' आजिधावनलक्षणं गत्वा चरूपस्पर्शनेन एतदाजिधावनोजितमन्नमेवात्मनि निहितवान् भवतीत्यर्थः ॥ २५ ॥

उपस्पर्शनमनूद्य मन्त्रं विधत्ते-स उपेति । मन्त्रस्यायमर्थः-'वाजस्य' अन्नस्य 'प्रसवः' अभ्यनुज्ञा उत्पत्तिर्वा 'मा' मां प्रति 'आजगम्यात्' आगच्छतु । 'विश्वरूपे' नानारूपे 'इमे' 'द्यावापृथिवी' द्यावापृथिव्यौ प्रजापत्यात्मिके, तत्सृष्टत्वात् 'आगन्ताम्' आगच्छताम् । 'पितरा मातरा च' "छन्दसि"-इत्यानङ् (पा. सू. ६ । ३ । ३३ ।) निपात्यते । अस्मदीयः पिता माता च मां प्रत्यागतम्; चिरं जीवित्वा आगच्छताम् । यद्वा, द्यावापृथिव्योः पितेति मातेति च परोक्षनाम्ना निर्देशः । तत्र पितृरूपा द्यौः; मातृरूपा पृथिवीति; "द्यौर्वा पिता पृथिवी माता"-इति (ऋ. सं. १ । १९ । ६ ।) । 'सोमः' च 'अमृतत्वेन मां प्रति 'आगम्यात्' आगच्छतु; "अपाम सोमममृता अभूम" (ऋ. सं. ८ । ४८ । ३)-इति ह्यन्यत्र श्रुतम् । मन्त्रं प्रतिपादमनूद्य द्यावापृथिव्यादिके प्रजापत्यात्मना स्तौति-आ मा वाजस्येति ॥ २६ ॥

विधत्ते-तमश्वानिति 'तम्' उपस्थापितं चरुम् 'अश्वान्' अवघ्रापयेत् तन्मन्त्रस्यायमर्थः-हे 'वाजिनः!' अश्वाः! 'वाजजितः' वाजस्यान्नस्य जेतारः, वाजमन्नं जेतुमिति शेषः । 'ससृवांसः' आजि-

---

१-यजुर्युक्तानाघ्रापयति वाजिन इति । का. श्रौ. सू. १४-८९ ।

तस्मादाह ससृवाꣳस इति बृहस्पतेर्भागमवजिघ्रतेति बृहस्पतेर्ह्येष भागो भवति तस्मादाह बृहस्पतेर्भागमवजिघ्रतेति निमृजानाऽइति तद्यजमाने वीर्यं दधाति तद्यदश्वानवघ्रापयतीममुज्जयानीति वा ऽअग्रे ऽवघ्रापयत्यथात्रेममुदजैषमिति तस्माद्वा ऽअश्वानवघ्रापयति ॥ २७ ॥

(ख) अथैतेषामाजिसृताꣳ रथानाम् । (ग) एकस्मिन्वैश्यो वा राजन्यो वोपास्थितो भवति स वेदेरुत्तरायाꣳ श्रोणाऽउपविशत्यथाध्वर्युश्च यजमानश्च पूर्वया द्वारा मधुग्रहमादाय निष्क्रामतस्तं वैश्यस्य वा राजन्यस्य वा पाणावाधत्तोऽथ नेष्टाऽपरया द्वारा सुराग्रहानादाय निष्क्रामति स जघनेन शालां पर्येत्येकं वैश्यस्य वा राजन्यस्य वा पाणावादधदा-

---

सरिष्यन्त–इति वा–अग्रेऽआह । सरिष्यन्त इव हि तर्हि भवन्ति–अथात्र ससृवांस इति । ससृवांस इव ह्यत्र भवन्ति–तस्मादाह–ससृवांस इति । " बृहस्पतेर्भागमवजिघ्रत " इति । बृहस्पतेर्ह्येष भागो भवति–तस्मादाह–बृहस्पतेर्भागमवजिघ्रतेति । "निमृजानाः"–(वा. सं. ९।१९) इति । तद्यजमाने वीर्यं दधाति । तद्–यदश्वानवघ्रापयति–इममुज्जयानीति वाऽअग्रेऽवघ्रापयति–अथात्रेममुदजैषमिति । तस्माद्वाऽअश्वानवघ्रापयति ॥ २७ ॥

अथैतेषामाजिसृतां रथानामेकस्मिन् वैश्यो वा, राजन्यो वा उपास्थितो भवति । स वेदेरुत्तरायां श्रोणाउपविशति । अथाध्वर्युश्च यजमानश्च पूर्वया द्वारा मधुग्रहमादाय निष्क्रामतः ।

सरण कृतवन्तः सन्तो ' बृहस्पतेः ' सम्बन्धिनं ' भागम् ' अन्नरूपम् ' अवजिघ्रत ' अवघ्राणं कुरुत । ' निमृजानाः ' चक्षुरादिनिमार्जनं कुर्वाणाः ' इति ' । मन्त्रं पदशोऽनूद्य व्याचष्टे–वाजिनो हीति । ससृवांस इति भूतार्थविहितक्वस्वन्तत्वेन प्रयोगस्याभिप्रायमाह–सरिष्यन्त इति । पूर्वमाजिधावनप्राक्काले चरोरश्वैरवघ्राणं विहितम्, तन्मन्त्रे ' वाज सरिष्यन्तः '–इति तु भविष्यदन्तत्वेन प्रयुक्तम्; आजिधावनस्य करिष्यमाणत्वात्, अत्र तस्य कृतत्वात् तदन्ते विधीयमाने चर्वाघ्रापणमन्त्रे ससृवांस इति भूतार्थवाचकत्वेन प्रयोगो युक्त इत्यभिप्रायः । निमृजाना इत्यस्य तात्पर्यमाह–तद्यजमान इति । अश्वरसनिमार्जनस्य वीर्यहेतुत्वात् ' तत् ' तेन ' निमृजाना इति '–पदेन ' यजमाने ' ' वीर्यं ' स्थापितवान् भवति ॥ आजिधावनस्यादौ तदन्ते च विहितस्य चर्वाघ्रापणस्य प्रयोजनभेदं दर्शयति–तद्यदश्वानिति । ' अग्रे ' पूर्वं वाजोज्जित्यर्थम्, अत्र तूज्जितस्य वाजस्य स्वार्थीकरणार्थम्; अतः पूर्वमिमं वाजमुज्जयानीति, अत्रेमं वाजमुदजैषमित्याशीर्वादार्थवाचि भूतार्थवाचि च पदं युक्तमित्यर्थः ॥ २८ ॥

सुराग्रहाणां मधुग्रहस्य च विनियोगप्रकारो माध्यन्दिने सवने वक्ष्यत इति द्वितीयब्राह्मणान्ते–(श. प.–५।१।२।१९.मा.) प्रतिज्ञातम्, तमिदानीमवसरप्राप्तं दर्शयितुमाह–अथैतेषामिति । ' आजिसृताम् ' आजिं प्रति सरिष्यतां रथानां यजमानरथव्यतिरिक्तानामेकस्मिन् रथे वैश्यराजन्ययोरन्यतरः सुराग्रहान् प्रतिग्रहीतुमासीनो

ह्यनेन तऽइमं निष्क्रीणामीति सत्यं वै श्रीर्ज्योतिः सोमोऽनृतं पाप्मा तमः सुरा सत्यमेवैतच्छ्रियं ज्योतिर्यजमाने दधात्यनृतेन पाप्मना तमसा वैश्यं विध्यति तैः स यं भोगं कामयते तं कुरुतेऽथैतᳪं स हिरण्यपात्रमेव मधुग्रहं ब्रह्मणे ददाति तं ब्रह्मणे ददद्मृतमायुरात्मन्धत्तेऽमृतᳪं ह्यायुर्हिरण्यं तेन स यं भोगं कामयते तं कुरुते ॥ २८ ॥

इति प्रथमप्रपाठके पञ्चमं ब्राह्मणम् ॥ ५-१-५ ॥ (१.५) ॥

इति प्रथमोऽध्यायः ॥ ५ । १ ॥

तं वैश्यस्य वा राजन्यस्य वा पाणावाधत्तः । अथ नेष्टाऽपरया द्वारा सुराग्रहानादाय निष्क्रामति । स जघनेन शालां पर्येत्य एकं वैश्यस्य वा राजन्यस्य वा पाणावादधदाह—अनेन तऽइमं निष्क्रीणामीति । सत्यं वै श्रीर्ज्योतिः—सोमः अनृतं, पाप्मा तमः—सुरा । सत्यमेवैतच्छ्रियं ज्योतिर्यजमाने दधाति । अनृतेन पाप्मना तमसा वैश्यं विध्यति । तैः स यं भोगं कामयते—तं कुरुते । अथैतं स हिरण्यपात्रमेव मधुग्रहं ब्रह्मणे ददाति । तं ब्रह्मणे दददमृतमायुरात्मन् धत्ते । अमृतं ह्यायुर्हिरण्यम् । तेन स यं भोगं कामयते—तं कुरुते ॥ २८ ॥

भवति । अत्र कात्यायनो यजुर्युक्तरथारोहणमध्वर्युशिष्यस्य यजमानवाचनार्थमुक्त्वा सूत्रयामास—" इतरेषामेकस्मिन् राजन्यो वैश्यो वा सौरप्रतिग्रहार्याजि शीघ्रं यन्ति "—(का. श्रौ. सू. १४ । ७१ । ७६) इति । स वेदेरिति । अस्यायमर्थः,—' सः ' वैश्यराजन्ययोरन्यतरो स्यादवेर्दक्षिणोत्तरस्या ' श्रोणौ ' उपविशेत् । 'अथ' अनन्तरम् अध्वर्युयजमानौ 'पूर्वया द्वारा' हविर्द्धानस्य पूर्वद्वारेण ' मधुग्रहम् ' आदाय, निष्क्रम्य, वैश्यराजन्ययोरन्यतरस्य हस्ते निदध्याताम् । ' नेष्टा ' अपि हविर्द्धानस्य पश्चिमद्वारेण ' सुराग्रहान् आदाय निष्क्रम्य ' शालां जघनेन ' पत्नीशालायाः पश्चिमप्रदेशादागत्योत्तरस्या वेदिश्रोणावुपविश्य उक्तयोरन्यतरस्य पाणावेकं सुराग्रहं प्रयच्छन् " अनेन त इम निष्क्रीणामि "—इति वाक्यं पठेत् । ' अनेन ' सुराग्रहेण ' ते ' तव सम्बन्धिनम् 'इम' मधुग्रह 'निष्क्रीणामि' स्वाधीनं करोमीति तस्यार्थः ॥

तमिम निष्क्रयं प्रशंसति—सत्यं वै श्रीरिति । सोमस्य सत्यात्मकत्वम्, इतरस्य अनृताद्यात्मकत्वं च प्रागेव व्याख्यातम् (श.प १।२।२।१० । मा०) । सुराग्रहप्रतिग्रहीतारं ' वैश्य ' ' विध्यति ' बाधते । अनेन राजन्यं च विध्यतीत्यर्थो लक्ष्यः. वैश्यराजन्ययोरन्यतरस्य हस्ते प्रदानस्योक्तत्वात् ॥

प्रतिगृहीतानां तु सुराग्रहाणामिच्छिकव्यवहारं दर्शयति—तैः स यं भोगमिति । क्रीतस्य मधुग्रहस्य दानं विधत्ते—अथैतमिति । एतं मधुग्रहं हिरण्यपात्रसहितं ब्रह्मणे दद्यात् । आपस्तम्बेन सौवर्णपात्रपरिमाणमुक्तम्—" ब्रह्मणे ददाति हि मधुग्रहस्यालाभे सौवर्णं शतमानस्य कृतम् "—(का. श्रौ. सू. १८।५।१) इति ।

१—नेष्टा च सौत्राम्यविभेन निर्हृत्य शालामपरेण हविक् गौणपतिप्रदाय प्रयच्छन्नाहानेन त इम निष्क्रीणामीति । का. श्रौ. सू. १४।५१ । २—ब्रह्मणे मधुग्रहं ददाति सचमम् । का. श्रौ सू. १४।७० ॥ ३—' काम्यत्वम् ' इ. क. ।

तद्दानं प्रशंसति—**तं ब्रह्मण** इति। 'तं' मधुग्रहं 'ब्रह्मणे 'ददत्' प्रयच्छन्। हेतौ शतृप्रत्ययः। हिरण्यदानेन 'अमृतम्' अमरणशीलम् ' आयुः ' 'आत्मन्' आत्मनि निहितवान् भवतीति। ब्रह्मप्रतिगृहीतस्य मधुग्रहस्यैच्छिकं व्यवहारं दर्शयति—**स यं भोगमिति**। " ब्रह्मणे मधुग्रहं ददाति सपात्रम्। तं स यथेष्टं कुरुते "—(का. श्रौ. सू. १४।९४।९९) इति हि कात्यायनेन सूत्रितमिति ॥ २८ ॥

इति श्रीसायणाचार्यविरचिते माधवीये वेदार्थप्रकाशे माध्यन्दिनशतपथब्राह्मणभाष्ये पञ्चमकाण्डे प्रथमाऽध्याये पञ्चमं ब्राह्मणम् ॥ (५-१-५) ॥

वेदार्थस्य प्रकाशेन तमो हार्दं निवारयन्। पुमर्थांश्चतुरो देयाद् विद्यातीर्थमहेश्वरः ॥ १ ॥

ब्रह्माण्डं गोसहस्रं कनकहयतुलापूरुषौ स्वर्णगर्भं,
सप्ताब्धीन्पञ्चसीरीत्रिदशतरुलताधेनुसौवर्णभूमीः।
रत्नोस्रां रुक्मवाजिद्विपमहितरथौ सायणिः सिङ्गणार्यो,
व्यश्राणीद्विश्वचक्रं प्रथितविधिमहाभूतयुक्तं घटं च ॥
धान्याद्रिं धन्यजन्मा तिलभवमतुलः स्वर्णजं वर्णमुख्यः,
कार्पासीयं कृपावान्गुडकृतमजडो राजतं राजपूज्यः।
आज्योत्थं प्राज्यजन्मा लवणजमनृणः शार्करं चार्कतेजा,
रत्नाढ्यो रत्नरूपं गिरिमकृत मुदा पात्रसात्सिङ्गणार्यः ॥

इति श्रीमद्राजाधिराजपरमेश्वरवैदिकमार्गप्रवर्तकश्रीहरिहरमहाराजसाम्राज्यधुरन्धरेण सायणाचार्येण विरचिते माधवीये वेदार्थप्रकाशे माध्यन्दिनशतपथब्राह्मणभाष्ये पञ्चमकाण्डे प्रथमाध्यायः समाप्तः॥५-१॥

अथ पञ्चमकाण्डे द्वितीयाध्याये प्रथमं ब्राह्मणम् ।

अथ स्रुवं चाज्यविलापनीं चादाय (या) आहवनीयमभ्यैति स ऽएता द्वादशाप्तीर्जुहोति वा व्वाचयति वा यदि जुहोति यदि व्वाचयति समान ऽएव बन्धुः ॥ १ ॥

स जुहोति । (त्या) आपये स्वाहा स्वापये स्वाहाऽपिजाय स्वाहा क्रतवे स्वाहा व्वसवे स्वाहाऽहर्पतये स्वाहाऽह्ने मुग्धाय स्वाहा मुग्धाय व्वैनꣳशिनाय स्वाहा व्विनꣳशिन ऽआन्त्यायनाय स्वाहाऽऽन्त्याय भौवनाय स्वाहा भुवनस्य पतये स्वाहाऽधिपतये स्वाहेत्येता द्वादशाप्तीर्जुहोति द्वादश वै मासाः संव्वत्सरस्य संव्वत्सरः प्रजापतिः प्रजापतिर्यज्ञस्तद्यैवास्याप्तिर्या सम्पत्तामेवैतदुज्जयति तामात्मन्कुरुते ॥ २ ॥

अथ स्रुवं चाज्यविलापनीं चादायाहवनीयमभ्यैति । स एता द्वादशाप्तीर्जुहोति वा वाचयति वा। यदि जुहोति, यदि वाचयति समान एव बन्धुः ॥ १ ॥

स जुहोति–"आपये स्वाहा, स्वापये स्वाहा, अपिजाय स्वाहा, क्रतवे स्वाहा, वसवे स्वाहा, अहर्पतये स्वाहा, अह्ने मुग्धाय स्वाहा, मुग्धाय वैनꣳशिनाय स्वाहा, विनꣳशिनऽआन्त्यायनाय स्वाहा, आन्त्याय भौवनाय स्वाहा, भुवनस्य पतये स्वाहा, अधिपतये स्वाहा"–(वा० सं० ९।२०) इति । एता द्वादशाप्तीर्जुहोति । द्वादश वै मासाः सम्वत्सरस्य संवत्सरः प्रजापतिः । प्रजापतिर्यज्ञः । तद् यैवास्याप्तिः, या सम्पत्–तामेवैतदुज्जयति–तामात्मन् कुरुते ॥ २ ॥

यस्य निःश्वसितं वेदा यो वेदेभ्योऽखिलं जगत् । निर्ममे तमहं वन्दे विद्यातीर्थमहेश्वरम् ॥ १ ॥

अथ द्वितीयाध्यायस्य प्रथमब्राह्मणे यूपारोहणमुच्यते; तत्र प्रथममाप्तिहोमं विधित्सुराह–अथ स्रुवमिति । आज्यं विलाप्यतेऽस्यामित्याज्यविलापनी स्थाली; स्रुववचनं जुह्वूपभृन्निवृत्त्यर्थम्, अत्र सूत्रम् "द्वादश स्रुवाहुतीर्जुहोत्यापये स्वाहेति प्रतिमन्त्रं, वाचयति वा "(का.श्रौ.सू. १४–९६) इति । होमं विधत्ते–स एता द्वादशेति । द्वादशसंख्याका आप्तिसाधनत्वादाप्त्याख्या आज्याहुतीर्जुहुयात्, "आपये स्वाहा" इत्याप्तिलिङ्गसमवायात् प्राणभृत उपदधातीतिवत् आप्त्यनाप्तिसमुदाये आप्तिशब्दः । विकल्पेन यजमानवाचनं विधत्ते–वाचयति वेति । आप्ती र्जुहुयाद् यजमानं वा वाचयेदित्यर्थः । अत्रोभयत्रार्थवादवाक्यशेषः समान इत्याह–यदि जुहोतीति । 'बन्धुः' वाक्यशेषः, "द्वादश वै मासाः"–इत्यादिना वक्ष्यते ॥ १ ॥

होममनूद्य द्वादश मन्त्रान् विधत्ते–स जुहोत्यापये स्वाहेति । संवत्सरस्य यज्ञात्मकप्रजापतेरेतानि नामानि। आप्नोतीत्याप्तिः तस्मै 'स्वाहा' सुहुतमस्तु । 'स्वापये' शोभनमाप्नुवते देवाय । 'अपिजाय' अप्सु जाताय ।

(तु॒ऽथ) अथ षट्क्लृप्तीः । (जु॑) जुहोति वा व्वाचयति वा यदि जुहोति यदि व्वाचयति समान एव बन्धुः ॥ ३ ॥

स व्वाचयति । (त्या) आयुर्यज्ञेन कल्पतां प्राणो यज्ञेन कल्पतां चक्षुर्यज्ञेन कल्पताँ॒ श्रोत्रं यज्ञेन कल्पतां पृष्ठं यज्ञेन कल्पतां यज्ञो यज्ञेन कल्पतामित्येताः षट्क्लृप्तीर्व्वाचयति षड्वाऽऋतवः संव्वत्सरस्य संव्वत्सरः प्रजापतिः प्रजापतिर्यज्ञस्तद्यैवास्य क्लृप्तिर्या सम्पत्तामेवैतदुज्जयति तामात्मन्कुरुते ॥ ४ ॥

अथ षट् क्लृप्तीर्जुहोति वा वाचयति वा । यदि जुहोति यदि वाचयति-समान एव बन्धुः ॥ ३ ॥

स वाचयति-" आयुर्यज्ञेन कल्पताम्, प्राणो यज्ञेन कल्पताम्, चक्षुर्यज्ञेन कल्पताम्, श्रोत्रं यज्ञेन कल्पताम्, पृष्ठं यज्ञेन कल्पताम्, यज्ञो यज्ञेन कल्पताम् "-इति । एताः षट् क्लृप्तीर्वाचयति । षड्वाऽऋतवः सम्वत्सरस्य । सम्वत्सरः प्रजापतिः । प्रजापतिर्यज्ञः । तद् यैवास्य क्लृप्तिः, या सम्पत्-तामेवैतदुज्जयति । तामात्मन् कुरुते ॥ ४ ॥

'क्रतवे' संकल्पाय, यज्ञाय वा । 'वसवे' वासकाय । अह्नां पतिः अहर्पतिः संवत्सरः, तस्मै । " मुह वैचित्त्ये" (धा. पा. दि. प. ९२) अपकर्त्तुमजानते 'अह्ने' दिवसाय 'अह्ने मुग्धाय' इत्येकं नाम । एवमुत्तरत्रापि विशेषणयुक्तमेकैकं नाम । 'वैनंशिनाय' विनाशयुक्तेषु हितकारित्वेन वसतीति वैनंशिनः, विनंशिनः पुत्रो वा वैनंशिनः तस्मै । एवमुत्तरत्राप्यपत्यार्थे प्रत्यय इति वेदितव्यम् । 'विनंशिने' शत्रुविनाशकाय । अन्त्ये अयने भवः आन्त्यायनः, अन्त्याख्यस्य पुत्राय वा, तस्मै । 'आन्त्याय' अन्ते भवाय । 'भौवनाय' (तै. सं. १ । ७ । ९ । ६ ॥ ४ । ७ । ११ । २ ॥ ५ । ४ । ९ । १९) भुवनस्यापत्याय । 'भुवनस्य पतये' इत्येकं नाम, भुवनस्य पतिः प्रजापतिः, "प्राजापतिर्वै भुवस्यपतिः" (तै. ब्रा. १ । ३ । ७ ऋ. सं ४।५३।२) इति हि तैत्तिरीयकम् । तथा 'अधिपतये' इति, अधिपतिः प्रजापत्यात्मको वाजपेययज्ञः । अत्र स्वाहान्त एकैको मन्त्र इत्यर्थः ॥

आहुतिगतां द्वादशसंख्यां प्रशंसति-द्वादश वै मासा इति । अयं वाक्यशेषो होमवाचनयोरुभयोरपि समानः । तद्यैवास्याप्तिरिति । 'अस्य' संवत्सरस्य प्रजापत्यात्मकस्य यज्ञस्य 'या' 'आप्तिः' सर्वात्मकत्वेन व्यापनशक्तिः, 'या' 'सम्पत्' संवत्सरसमृद्धिः, सर्वात्मकता, तामेतामुभयीमेतेनाप्तिहोमेन जितवान् भवति । जित्वा च 'ताम्' 'आत्मन्' आत्मनि स्वस्मिन् कृतवान् भवति ॥ २ ॥

विधत्ते-अथ षट् क्लृप्तीरिति[1] । 'क्लृप्तीः' क्लृपिधातुनिष्पन्नशब्दयुक्तमन्त्रकरणिका आहुतीर्जुहुयात् । मन्त्राणां वाचनं कार्यमिति वा ॥ ३ ॥

वाचनमनूद्य मन्त्रान् विधत्ते-स वाचयतीति । अत्र वाचनविवक्षया मन्त्रान्ते स्वाहाशब्दो न प्रयुक्तः;

---

१ षड्वोत्तराः । क्लृप्तीरित्यर्थः । का० श्रौ० सू० १४ । ९६ । द्रष्टव्य कर्कः ।

(तेऽष्टा) अष्टाश्रिर्यूपो भवति । (त्य) अष्टाक्षरा वै गायत्री गायत्रमग्नेश्छन्दो देवलोकमेवैतेनोज्जयति सप्तदशभिर्वासोभिर्यूपो वेष्टितो वा विग्रथितो वा भवति सप्तदशो वै प्रजापतिस्तत्प्रजापतिमुज्जयति ॥ ५ ॥

गौधूमं चषालं भवति । पुरुषो वै प्रजापतेर्नेदिष्ठꣳ सोऽयमत्वगेते वै पुरुषस्यौषधीनां नेदिष्ठतमां यद्गोधूमास्तेषां न त्वगस्ति मनुष्यलोकमेवैतेनोज्जयति ॥ ६ ॥

अष्टाश्रिर्यूपो भवति । अष्टाक्षरा वै गायत्री । गायत्रमग्नेश्छन्दः । देवलोकमेवैतेनोज्जयति । सप्तदशाभिर्वासोभिर्यूपो वेष्टितो वा विग्रथितो वा भवति । सप्तदशो वै प्रजापतिः । तत्प्रजापतिमुज्जयति ॥ ५ ॥

गौधूमं चषालं भवति । पुरुषो वै प्रजापतेर्नेदिष्ठम् । सोऽयमत्वक् । एते वै पुरुषस्यौषधीनां नेदिष्ठतमां—यद्गोधूमाः । तेषां न त्वगस्ति । मनुष्यलोकमेवैतेनोज्जयति ॥ ६ ॥

वचनबलाद्धवनं वा कार्यम्, तदा स्वाहाशब्दः प्रयोक्तव्यः । मन्त्रार्थस्तु—'आयुः' मदीयं, 'यज्ञेन' वाजपेयाख्येन 'कल्पतां' समर्थं भवतु 'पृष्ठं' रथन्तरादि; यद्वा पृष्ठं वंशवदायुःप्राणादेराधारभूतो मध्यदेहः । 'यज्ञः' विष्णुः । अन्यत् स्पष्टम् । तामिमां षट्संख्यां प्रशंसति—षड् वा ऋतव इति । हवनवाचनयोरयं वाक्यशेषः समान इत्यर्थः । तत्रैवास्य क्लृप्तिरित्यादि, पूर्ववद् योज्यम् ॥ ४ ॥

क्लृप्तिवाचनमन्त्रतदर्थाभिज्ञस्य यजमानस्य यूपारोहणं विवक्षुरादौ स्वर्गत्वेन निरूपयिष्यमाणस्य यूपस्य प्राकृतं गुणमनुवदति अष्टाश्रिर्यूप इति । अश्रिगतामष्टसंख्यां प्रशंसति—अष्टाक्षरेति । यतः 'अग्नेश्छन्दो गायत्रम्' ततस्तद्रूपत्वाद् देवलोकजयहेतुरष्टाश्रिर्यूप इत्यर्थः । यूपस्य वेष्टनं विधत्ते—सप्तदशभिरिति । 'वेष्टितः' यथा यूपो न दृश्यते, तथा छादनं 'वा' कार्यम्; 'विग्रथितः' यूपस्यैकत्र प्रदेशे वाससां ग्रन्थनं 'वा' कार्यम् । वासोगतां संख्यां प्रजापत्यात्मना स्तौति—सप्तदशेति ॥ ५ ॥

चषालनामकस्य यूपशकलस्य दारुमयत्वापवादाय विधत्ते—गौधूममिति । गोधूमपिष्टमयं चषालं कुर्यादित्यर्थः । पुरुषो वा इत्यादि । अस्यायमर्थः—'पुरुषो' नु 'प्रजापतेः' 'नेदिष्ठम्' अन्तिकतमं वस्तु; पुरुषसृष्टेः प्रथमभावित्वात् । 'सोऽयम् अत्वक्' अश्वत्थादि वृक्ष इव बाह्यत्वग्रहितः 'ओषधीनां' मध्ये एते 'गोधूमा' अपि 'पुरुषस्य' सन्निहिततमं वस्तु बलकारित्वात् । तेषां तु त्वगभावः प्रसिद्धः । अतो गोधूमचषालकरणेन 'मनुष्यलोकमेव' जितवान् भवतीति ॥ ६ ॥

१–यूपवेष्टनं सप्तदशभिर्वस्त्रैर्बन्धनं वा परिव्ययणकाले । का. श्रौ. सू. १४ । २० । २–उत्कीर्णसमाप्तो गौधूमचषालः । का. श्रौ. सू. १४ । १२ ।

गर्त्तन्वान्यूपोऽतीक्ष्णाग्रो भवति । पितृदेवत्यो वै गर्त्तः पितृलोकमेवैतेनो-ज्जयति सप्तदशारत्निर्भवति सप्तदशो वै प्रजापतिस्तत्प्रजापतिमुज्जयति ॥७॥

(त्यु) अथ नेष्टा पत्नीमुदानेष्यन् । (न्कौ) कौशं व्वासः परिधापयति कौशं वा चण्डातकमन्तरं दीक्षितवसनाज्जघनार्द्धो वा ऽएष यज्ञस्य यत्पत्नी तामेतत्प्राचीं यज्ञं प्रसादयिष्यन्भवत्यस्ति वै पत्न्या ऽअमेध्यं यदवाचीनं नाभेर्मेध्या वै दर्भास्तद्यदेवास्या ऽअमेध्यं तदेवास्याऽएतद्दर्भैर्मेध्यं कृत्वा-ऽथैनां प्राचीं यज्ञं प्रसादयति तस्मान्नेष्टा पत्नीमुदानेष्यन्कौशं व्वासः परि-धापयति कौशं वा चण्डातकमन्तरं दीक्षितवसनात् ॥ ८ ॥

गर्तन्वान् यूपोऽतीक्ष्णाग्रो भवति । पितृदेवत्यो वै गर्तः । पितृलोकमेवैतेनोज्जयति । सप्तदशा-रत्निर्भवति । सप्तदशो वै प्रजापतिः । तत्प्रजापतिमुज्जयति ॥ ७ ॥

अथ नेष्टा पत्नीमुदानेष्यन् कौशं वासः परिधापयति । कौशं वा चण्डातकमन्तरं दीक्षितवस-नात् । जघनार्द्धो वाऽएष यज्ञस्य यत्पत्नी । तामेतत्प्राचीं यज्ञं प्रसादयिष्यन् भवति । अस्ति वै पत्न्या अमेध्यं—यदवाचीनं नाभेः । मेध्या वै दर्भाः । तद्यदेवास्या अमेध्यं—तदेवास्या एतद् दर्भैर्मेध्यं कृत्वाऽथैनां प्राचीं यज्ञं प्रसादयति । तस्मान्नेष्टा पत्नीमुदानेष्यन् कौशं वासः परिधापयति । कौशं वा चण्डातकमन्तरं दीक्षितवसनात् ॥ ८ ॥

तस्मिन् यूपे गुणविशेषं विधत्ते—गर्त्तन्वानिति । गर्तवान्, यूपस्याग्रे निम्नप्रदेशः । गर्तन्वान् " अनो नुट् "—(पा. सू. ८ । २ । १६) इति अन्नन्तात्परस्य मतुपो नुडागमो विहितः, व्यत्ययेनाकारान्तादपि भवति । ' अतीक्ष्णाग्रः ' अतनूकृताग्रः, स्थूलाग्रप्रदेशो भवेत् । गर्त्तं पितृलोकात्मना प्रशंसति—पितृदेवत्य इति । " पितॄणां सदनमसि "—(तै. सं. ६ । ३ । ४ । २) इत्यादिमन्त्रवर्णाद्यूपावटस्य पितृदेवता-स्थानत्वं प्रतीयते । अत एव तैत्तिरीयके यूपस्य सर्वदेवतामयत्वकथनप्रस्तावे—" पितॄणां निखातं मनुष्याणामूर्ध्वं निखातात् "—(तै. सं. ६ । ३ । ४ । ६) इति गर्त्तावच्छिन्नस्य यूपभागस्य पितृदेवत्यत्वम् । ईदृशी प्रसिद्धिरत्र ' वै ' शब्देन द्योत्यते । आरोहणीययूपस्य चोदकप्राप्तं प्रमाणमपवदितुं परिमाणान्तरं विधत्ते—सप्तदशेति । चतुर्विंशत्यङ्गुलपरिमितोऽरत्निः; सप्तदशसंख्याका अरत्नयः प्रमाणं यस्य यूपस्येति विग्रहः ॥ ७ ॥

विधत्ते—अथ नेष्टेति । ' उदानेष्यन् ' शालातो निर्गमयिष्यन् ' कौशं ' दर्भमयं ' वासः ' पत्नीं परिधा-पयेत् । अत्र आपस्तम्बः—" क्षत्रस्य योनिरसीति दर्भमयं पत्नीम् "—(आ. श्रौ. सू. १८ । ५ । ७) (तै. सं. १ । ७ । ९ । १) इति । श्रुतिश्च भवति—" दर्भमयं परिधापयति "—(तै. ब्रा. १।३।७।१) इति यद्वा क्रिमिकोशविकारभूतं वासः ' कौशम् ' तेन परित आच्छादयेत् । यद्वा, ' कौशम् ' कुशमयं, चण्डातकम् अर्द्धोरुकं परिधापयेत् । एवमेव हि चण्डातकपदं कर्काेपाध्यायेन व्याख्यातम्—" चण्डातकं चलनेक-

---

१- नेष्टा पत्नीमानेष्यन् कौशं वासः परिधापयति चंडातकं दहरं वा । का० श्रौ० सू० १४।५।७। २-'चलनमुच्यते' इति क.पा.।

(द) अथ निश्रयणीं निश्रयति । स दक्षिणत ऽउदङ्रोहेदुत्तरतो वा दक्षिणा दक्षिणतस्त्वेवोदङ्रोहेत्तथा ह्युदग्भवति ॥ ९ ॥

स रोक्ष्यञ्जायामामन्त्रयते । जायऽएहि स्वो रोहावेति रोहावेत्याह जाया तद्यज्जायामामन्त्रयतेऽर्द्धो ह वा ऽएष ऽआत्मनो यज्जाया तस्माद्यावज्जायां न विन्दते नैव तावत्प्रजायतेऽसर्व्वो हि तावद्भवत्यथ यदैव जायां विन्दतेऽथ प्रजायते तर्हि हि सर्व्वो भवति सर्व्वऽएतां गतिं गच्छानीति तस्माज्जायामामन्त्रयते ॥ १० ॥

अथ निश्रयणीं निश्रयति । स दक्षिणत उदङ्रोहेत्, उत्तरतो वा दक्षिणा । दक्षिणतस्त्वेवोदङ् रोहेत्। तथा ह्युदग् भवति ॥ ९ ॥

स रोक्ष्यन् जायामामन्त्रयते—'जायऽएहि स्वो रोहाव' इति । रोहावेत्याह—जाया । तद् यज्जायामामन्त्रयते। अर्द्धो ह वाऽएष आत्मनो यज्जाया। तस्माद्यावज्जायां न विन्दते—नैव तावत

मुच्यते। एवं ह्यभियुक्तोपदेशः—" अर्द्धोरुकं विलासिन्या वासश्चण्डातकं स्मृतम् "—इति । नृत्तोपयिकत्वेना-च्छादनीयमूरुकञ्चुकमर्द्धोरुकं वासः" इति वसनस्य प्रदेशं विधत्ते—अन्तरमिति । दीक्षाकाले यद्वस्त्रं परिहितम् तस्माद् बहिःप्रदेशे इत्यर्थः । अन्तरशब्दो बहिर्योगे वर्त्तते ॥

दर्भैरेव वासः कर्त्तव्यमिति अत्रोपपत्तिं दर्शयति—जघनार्द्ध इत्यादिना । पूर्वदेशस्याहवनीयसाध्यत्वाद्, यज्ञः प्राच्यां दिश्यवस्थितः, तस्य यज्ञस्य पश्चिमभागे पत्नीशालायामवस्थानात् पत्नी यज्ञस्य जघनार्द्ध इति निरूप्यते। तां पत्नीम् एतर्हि 'प्राचीं प्राङ्मुखां पूर्वदिगवस्थितं यज्ञं प्रापयिष्यन् भवति। तदुपायत्वेन दर्भमयवासःपरिधापनस्य मेध्यत्वापादकत्वमाह—अस्ति वा इति । पत्नीसम्बन्धिनाभेर्यदवाचीनमङ्गम्, तद् 'अमेध्यम्' अपवित्रम्, तत्प्रदेशे मेध्यदर्भमयवासःपरिधापनेन तदङ्गं परिशुद्धं 'कृत्वा' 'एनां' 'प्राचीं' 'यज्ञं' प्रापितवान् भवति। दर्भाणां मेध्यत्वम् " पवित्रं " वै दर्भाः पुनात्येवैनम् "—(तै. ब्रा. १। ३। ७। १) इति श्रुत्यन्तरादवगम्यते। तस्मान्नेद्वेत्यादि। प्रतिज्ञातार्थनिगमनम् ॥ ८ ॥

विधत्ते—अथ निश्रयणीमिति। 'निश्रयणीम्' निश्रेणी यूपारोहणार्थं सोपानसदृशः काष्ठनिर्मितपदार्थः 'निश्रयति' यूपे निदध्यात्। तथा सावनेन यजमानस्य यूपारोहणे कश्चिद् विशेषं विधत्ते—स दक्षिणत इति। दक्षिणप्रदेशादुदङ्मुखो यूपमारोहेत्, उदक्प्रदेशाद् दक्षिणमुखो वा आरोहेदिति विकल्पः। तत्रैकं पक्षं सिद्धान्त-यति—दक्षिणत इति। 'तु' शब्दः पक्षान्तरव्यावृत्त्यर्थः। तथा हि एवं कृते सति 'उदग्भवति' कर्मण उदगपवर्गता सिद्ध्यति, तस्मादयमेव पक्षः श्रेयान् ॥ ९ ॥

रोहणकाले जायाऽऽमन्त्रणं विधत्ते—स रोक्ष्यन्निति। रोहणं करिष्यन् हे 'जाये!' 'एहि' आगच्छ, 'स्वः'

१–अंतरं दीक्षितवसनात्। का० श्रौ० सू० १४। ९८। २–यद्यपि भाष्यपुस्तकेषु सर्वत्र 'निश्रेणीम्' इत्येव पदं दृश्यते तथापि मूलानुरोधेन का. श्रौ. सूत्रानुरोधेन च 'निश्रयणीम्' इत्येव भवितव्यम्। निश्रयणीं यूप उच्छ्रयत्युत्तरां वा। का. श्रौ. सू. १४। ९९।

स रोहति । प्रजापतेः प्रजाऽअभूमेति प्रजापतेर्ह्येष प्रजा भवति यो व्वाजपेयेन यजते ॥ ११ ॥

(तेऽथ) अथ गोधूमानुपस्पृशति । स्वर्देवाऽअगन्मेति स्वर्ह्येष गच्छति यो व्वाजपेयेन यजते ॥ १२ ॥

तद्यद्गोधूमानुपस्पृशति । (त्यु) अन्नं वै गोधूमा ऽअन्नं वा ऽएष उज्जयति यो वाजपेयेन यजतेऽन्नपेयꣳ ह वै नामैतद्यद्वाजपेयं तद्यदेवैतदन्नमुदजैषीत्तेनैवैतदेतां गतिं गत्वा सꣳस्पृशते तदात्मन्कुरुते तस्माद्गोधूमानुपस्पृशति ॥ १३ ॥

प्रजायते । असर्वो हि तावद्भवति । अथ यदैव जायां विन्दते अथ प्रजायते । तर्हि हि सर्वो भवति । एतां गतिं गच्छानीति । तस्माज्जायामामन्त्रयते ॥ १० ॥

स रोहति–" प्रजापतेः प्रजा अगन्म "–इति । प्रजापतेर्ह्येष प्रजा भवति–यो वाजपेयेन यजते ॥ ११ ॥

अथ गोधूमानुपस्पृशति–" स्वर्देवा अगन्म " इति । स्वर्ह्येष गच्छति–यो वाजपेयेन यजते ॥ १२ ॥

तद् यद्गोधूमानुपस्पृशति । अन्नं वै गोधूमाः । अन्नं वाऽएष उज्जयति–यो वाजपेयेन यजते । अन्नपेयं ह वै नामैतद्–यद्वाजपेयम् । तद् यदेवैतदन्नमुदजैषीत्–तेनैवैतां गतिं गत्वा संस्पृशते–तदात्मन् कुरुते । तस्माद्गोधूमानुपस्पृशति ॥ १३ ॥

स्वर्गं ' रोहाव ' आरोहणं करवावेति । जायायाः प्रत्युक्तिं दर्शयति– रोहावेत्याह जायेति । अथान्वयव्यतिरेकाभ्यां जायासहितस्य संपूर्णावयवत्वं प्रतिपादयन्नत्र जायाऽऽमन्त्रणं विधत्ते–तद्यदिति । प्रथमपर्याये असर्व इति परिच्छेदः, असम्पूर्ण इत्यर्थः । ' ह ' यस्माद् यजमानस्य ' अर्द्धः एषः यत् जाया आत्मनः, ' तदभावे प्रजोत्पत्त्यभावात्, यदा जायासाहित्यं तदा प्रजोत्पादनक्षमत्वम् । तथा च ' सर्वः ' सम्पूर्णावयवोऽस्त्वित्याह–एतां गतिमिति । ' एतां ' यूपारोहणलक्षणां ' गतिं ' ' गच्छामि ' प्राप्नवानीत्यभिप्रायेण जायाऽऽमन्त्रणं कार्यमिति ॥ १० ॥

एतद्यूपारोहणमनूद्य मन्त्रं विधत्ते–स रोहतीति । प्रजापतेः ' प्रजाः ' अपत्यभूताः 'अभूम' इति ॥ ११ ॥

गोधूममयचषालस्पर्शनं समन्त्रकं विधत्ते–अथ गोधूमानिति । वयं 'देवाः' सन्तः ' स्वः ' स्वर्गम् 'अगन्म' गतवन्त इति मन्त्रस्यार्थः ॥ १२ ॥

तद् यद् गोधूमानित्यादि । गोधूमस्पर्शनेन वाजपेयजिन्मन्त्रं स्वाधीनं कृतवान् भवतीति तात्पर्यार्थः ॥ १३ ॥

१–आरोक्ष्यन् जायामामन्त्रयते जाय एहि स्वो रोहावेति । रोहावेति प्रत्याह । प्रजापतेरित्यारोहतः । का. श्रौ. सू. १४।१००।

२–स्वरिति गोधूममालभते । का० श्रौ० सू० । १४ । १०१ ।

(त्यु) अथ शीर्ष्णा यूपमत्युज्जिहीते। (तेऽमृ) अमृता ऽअभूमेति देवलोकमेवैतेनोज्जयति ॥ १४ ॥ (शतम् २०००)

(त्यु) अथ दिशोऽनुवीक्षमाणो जपति । (त्य) अस्मे वोऽअस्त्विन्द्रियमस्मे नृम्णमुत क्रतुरस्मे वर्चाꣳसि सन्तु व इति सर्व्वं वा ऽएषऽइदमुज्जयति यो व्वाजपेयेन यजते प्रजापतिꣳ ह्युज्जयति सर्व्वमु ह्येवेदं प्रजापतिः सोऽस्य सर्व्वस्य यश ऽइन्द्रियं व्वीर्य्यꣳ संवृज्य तदात्मन्धत्ते तदात्मन्कुरुते तस्माद्दिशोऽनुवीक्षमाणो जपति ॥ १५ ॥

(त्यु) अथैनमूषपुटैरनूदस्यन्ति। पशवो वाऽऊषा अन्नं वै पशवोऽन्नं वाऽएषऽउज्जयति यो व्वाजपेयेन यजतेऽन्नपेयꣳ ह वै नामैतद्यद्वाजपेयं

अथ शीर्ष्णा यूपमत्युज्जिहीते-" अमृता अभूम "-(वा० सं० ९। २१) इति । देवलोकमेवैतेनोज्जयति ॥ १४ ॥

अथ दिशोऽनुवीक्षमाणो जपति-" अस्मे वोऽअस्त्विन्द्रियमस्मे नृम्णमुत क्रतुः " अस्मे वर्चांसि सन्तु वः "-इति। सर्वं वाऽएष इदमुज्जयति-यो वाजपेयेन यजते। प्रजापतिं ह्युज्जयति। सर्वमुह्येवेदं प्रजापतिः। सोऽस्य सर्वस्य यशः-इन्द्रियं वीर्यं संवृज्य तदात्मन् धत्ते-तदात्मन् कुरुते। तस्माद् दिशोऽनुवीक्षमाणो जपति ॥ १५॥

अथैनमूषपुटैरनूदस्यन्ति। पशवो वाऽऊषाः। अन्नं वै पशवः। अन्नं वाऽएष उज्जयति-यो वाजपे-

---

विधत्ते-अथ शीर्ष्णेति । 'शीर्ष्णा' शिरसा 'यूपम्' 'अत्युज्जिहीते' अतिक्रम्योद्गमयति । यूपं शिरसा स्पृशन् तमतिक्रम्य स्वशिर उन्नमयेदित्यर्थः । 'अमृताः' अमरणधर्माणः 'अभूम' सम्भूता इति उद्गमनमन्त्रस्यार्थः। 'एतेन' यूपाग्रात् स्वशिरस उन्नमनाद् यूपस्यातिक्रान्तत्वाद् देवलोकजयः ॥ १४ ॥

विधत्ते-अथ दिश इति । यूपे तिष्ठन्नेव यजमानः सर्वा दिशोऽनुक्रमेण पश्येद् " अस्मे "-इति मन्त्रं जपन्। तन्मन्त्रस्यायमर्थः;-हे दिशः ! 'वः' युष्मत्सम्बन्धि 'इन्द्रियं' वीर्यम् 'अस्मे' अस्मासु 'अस्तु' तथा 'नृम्णं' युष्मत्सम्बन्धि धनम् 'अस्मे' अस्मासु 'अस्तु' 'उत' अपि च 'क्रतुः' सङ्कल्पः, तत्पूर्वको यज्ञोऽपि 'अस्मे' अस्तु; 'वः वर्चांसि' युष्मत्सम्बन्धीनि तेजांसि 'अस्मे' अस्मासु 'सन्तु' इति। इन्द्रियादीनामाशासनं युक्तमित्याह-सर्वं वा इत्यादि । प्रजापतेः सर्वात्मकत्वाद् वाजपेयेन च प्रजापतिप्राप्तित्वाद् 'अस्य सर्वस्य' जगतो यशआदिकं 'संवृज्य' विभज्याधाय स्वात्मनि धारयति, अनन्तरं स्वात्मनि कुरुते, आत्मसात् कृतवान् भवतीत्यर्थः ॥ १५ ॥

अत्र कात्यायनः-"सप्तदशाश्वत्थपत्रोपनद्धानूषपुटानुदस्यत्यस्मै विशः प्रतिगृह्णात्येनान् " (का. श्रौ. सू. १४। १०४।१०९) इति यदसूत्रयत्, तत् क्रमेण विधत्ते-अथैनमिति। 'ऊषपुटैः' ऊषाः क्षेत्रपांशवः तानश्वत्थपत्रैः

१-शिरसा यूपमुज्जिहीतेऽमृता इति। का० श्रौ० सू०१४।१०२॥ २-अस्मे व इति दिशो वीक्षते। का०श्रौ०सू०१४।१०३॥

तद्यदेवैतदन्नमुदजैषीत्तेनैवैतदेतां गतिं गत्वा सꣳस्पृशते तदात्मन्कुरुते तस्मादेनमूषपुटैरनूदस्यन्ति ॥ १६ ॥

(न्त्या) आश्वत्थेषु पलाशेषूपनद्धा भवन्ति । स यदेवादोऽश्वत्थे तिष्ठत इन्द्रो मरुत ऽउपामन्त्रयत तस्मादाश्वत्थेषु पलाशेषूपनद्धा भवन्ति विशोऽनूदस्यन्ति विशो वै मरुतोऽन्नं विशस्तस्माद्विशोऽनूदस्यन्ति सप्तदश भवन्ति सप्तदशो वै प्रजापतिस्तत्प्रजापतिमुज्जयति ॥ १७ ॥

(त्यु) अथेमामुपावेक्षमाणो जपति । नमो मात्रे पृथिव्यै नमो मात्रे पृथिव्या ऽइति बृहस्पतेर्ह वाऽअभिषिषिचानात्पृथिवी बिभयाञ्चकार महद्वाऽअयमभूद्योऽभ्युषेचि यद्वै माऽयं नावद्दणीयादिति बृहस्पतिर्ह पृथिव्यै

येन यजते । अन्नपेयं ह वै नामैतद्—यद्वाजपेयम् । तद्यदेवैतदन्नमुदजैषीत्—तेनैवैतदेतां गतिं गत्वा संस्पृशते—तदात्मन् कुरुते । तस्मादेनमूषपुटैरनूदस्यन्ति ॥ १६ ॥

आश्वत्थेषु पलाशेषूपनद्धा भवन्ति । स यदेवादोऽश्वत्थे तिष्ठत इन्द्रो मरुत उपामन्त्रयत । तस्मादाश्वत्थेषु पलाशेषूपनद्धा भवन्ति । विशोऽनूदस्यन्ति । विशो वै मरुतः । अन्नं विशः । तस्माद्विशोऽनूदस्यन्ति । सप्तदश भवन्ति । सप्तदशो वै प्रजापतिः । तत्प्रजापतिमुज्जयति ॥ १७ ॥

अथेमामुपावेक्षमाणो जपति—" नमो मात्रे पृथिव्यै नमो मात्रे पृथिव्यै "—इति । बृहस्पतेर्ह वाऽअभिषिषिचानात्पृथिवी बिभयाञ्चकार—' महद्वाऽअयमभूद्—योऽभ्यषेचि, यद्वै माऽयं नावद्दणी-

---

पुटीकृत्य तैः पुटैः यूपेऽवस्थितं यजमानमभिलक्ष्य 'उदस्यन्ति' ऊर्ध्वान् प्रतिदिशं प्रक्षिपेयुरित्यर्थः । अत एव आपस्तम्बः—"तमाश्वत्थैरासपुटैरूषपुटैरुमयैर्वा विशः प्रतिदिशमर्पयन्ति "—(आ. श्रौ. सू. १८ । ५ । ११) इति । " पशवो वा ऊषाः "—इत्यादिकस्यायमर्थः, ऊषाणां यज्ञद्वारा पशुसाधनत्वात् ताच्छब्द्यम् । पशूनाञ्च अन्नत्वं क्षीरादिसाधनत्वेन प्रसिद्धम् । अतः पशुद्वारा ऊषाणामन्नत्वादूषपुटहननेन यजमानेऽन्नमेव निहितवान् भवतीति ॥ १६ ॥

विधत्ते—आश्वत्थेष्विति । अश्वत्थपलाशेपूपनद्धान् सन्नद्धान् कुर्यात् । आश्वत्थैरेव करणे कारणमाह—स यदेवेति । 'अमुष्मिन्' 'अदः' विप्रकृष्टे काले, 'अश्वत्थे' अवस्थितान् 'मरुतः' 'इन्द्रः' आह्वयत । एवमयमश्वत्थो देवविशां मरुतामाश्रयभूतः अतस्तदीयेषु पत्रेषु अन्नसंस्तुतानामूषाणामुपनिबन्धनं प्रशस्तमित्यर्थः । ऊषपुटेषु क्षेपणकर्तॄन् विधत्ते-विश इति । 'विशः' वैश्या अर्पयेयुः । मरुतां विट्त्वमिन्द्रस्य प्रजात्वात्; अतो मनुष्यविशामपि तत्साजात्येन तदात्मकत्वम् । तेषां वैश्यानामन्नत्वं कृषीवलत्वात् । ऊषपुटानां संख्यां विधत्ते—सप्तदशेति ॥ १७ ॥

तत्रैव यजमानस्य भूम्यवेक्षणं समन्त्रकं विधत्ते—अथेमामिति । ' मात्रे ' सर्वस्य निर्मातृत्वान्मातृभूतायै

१-नमो मात्र इति भूमिमवेक्षते । का. श्रौ. सू. १४ । १०६ ।

बिभयाञ्चकार यद्वै मेयं नावधून्वीतेति तदनयैवैतन्मित्रधेयमकुरुत न हि माता पुत्रꣳ हिनस्ति न पुत्रो मातरम् ॥ १८ ॥

बृहस्पतिसवो वाऽएष यद्वाजपेयम् । पृथिव्यु हैतस्माद्बिभेति महद्वाऽअयमभूद्योऽभ्यषेचि यद्वै माऽयं नावदृणीयादित्येष उ हास्यैऽ बिभेति यद्वै मेयं नावधून्वीतेति तदनयैवैतन्मित्रधेयं कुरुते न हि माता पुत्रꣳ हिनस्ति न पुत्रो मातरम् ॥ १९ ॥

(मु) अथ हिरण्यमभ्यवरोहति । (त्य) अमृतमायुर्हिरण्यं तदमृतऽआयुषि प्रतितिष्ठति ॥ २० ॥

थाद्' इति । बृहस्पतिर्हि पृथिव्यै बिभयाञ्चकार–'यद्वै मेयं नावधून्वीत' इति । तदनयैवैतन्मित्रधेयमकुरुत । नाहि माता पुत्रं हिनस्ति, न पुत्रो मातरम् ॥ १८ ॥

बृहस्पतिसवो–वाऽएष यद्वाजपेयम् । पृथिव्यु हैतस्माद्बिभेति । महद्वाऽअयमभूद्–योऽभ्यषेचि, 'यद्वै माऽयं नावदृणीयात्' इति । एष उ हास्यै बिभेति–'यद्वै मेयं नावधून्वीत' इति । तदनयैवैतन्मित्रधेयं कुरुते । न हि माता पुत्रं हिनस्ति, न पुत्रो मातरम् ॥ १९ ॥

अथ हिरण्यमभ्यवरोहति । अमृतमायुर्हिरण्यम् । तदमृतऽआयुषि प्रतितिष्ठति ॥ २० ॥

'पृथिव्यैः' 'नमः' इति आदरार्थो मन्त्रवाक्याभ्यासः । मन्त्रगतमातृशब्दस्य जननीवाचकत्वं विवक्षितमिति वदन् भूम्यवेक्षणं बृहस्पतिदृष्टान्तमुखेन प्रशंसति–बृहस्पतेरिति । पूर्वं वाजपेययज्ञे बृहस्पतेरभिषिक्ताद् भूमिर्बिभेति स्म । भयकारणमाह–योऽभ्यषेचीति । यद् 'अयम्' अभिषिक्तः पुरुषो 'महदभूत्' इत्यन्वयः । 'यद्' यस्मात् अभिषेकेण महत्त्वगुणवान् 'अयं' बृहस्पतिः 'मा' मां भूमिम् 'न अवदृणीयात्' मावदारयेत् 'इति;' अतो हेतोः 'मित्रधेयमकुरुत'–इति उत्तरवाक्यशेषसम्बन्धः । तथा 'बृहस्पतिः' अपि भूम्याः सकाशाद् बिभेति स्म; 'यद्' यस्मात् 'इयं' भूमिः 'मा' माम् अभिषिक्तं 'नावधून्वीत' न विचालयेत् 'इति' । 'तत्' तस्मात् कारणात् 'अनया' पृथिव्या सह 'एव' 'एतत्' निरीक्षणरूपं 'मित्रधेयं' मैत्रीम् 'अकुरुत.' भूमिरपि सख्यमकरोदित्यर्थः उपक्रमोपसंहाराभ्यामवगम्यते,–उपक्रमे तावदुभयोरपि भीतिरुक्ता, अवदारणपरिहाराय मित्रधेयकरणमिति चोक्तम्; उपसंहारेऽपि 'न पुत्रो मातरम्' इति मातुः पुत्रकर्तृकोपद्रवस्य निषेधात् ॥ १८ ॥

इदानीमनुष्ठानेऽपि भूम्यवेक्षणं मित्रत्वप्रयोजनमित्याह–बृहस्पतिसवो वा इति । वाजपेयमिति । यदेष बृहस्पतिसवः बृहस्पतेरभिषेको यस्मिन्निति स तथोक्तः । शिष्टं पूर्वपर्यायवद् व्याख्येयम् ॥ १९ ॥

विधत्ते–अथ हिरण्यमिति । 'हिरण्यम्' 'अभि'–लक्ष्य यूपादवरोहेत्; यतः 'हिरण्यम्' मरणरहितायुरात्मकम्, तत्रावरोहणेन तथाविधे 'आयुषि' एव प्रतिष्ठितो भवतीत्यर्थः ॥ २० ॥

(त्यु) अथाजर्षभस्याजिनमुपस्तृणाति। तदुपरिष्टाद्रुक्मं निदधाति तमभ्यवरोहतीमां वैव ॥ २१ ॥

(वाथा) अथास्मा ऽआसन्दीमाहरन्ति । (न्त्यु) उपरिसद्यं वा ऽएष जयति यो जयत्यन्तरिक्षसद्यं तदेनमुपर्यासीनमधस्तादिमाः प्रजा उपासते तस्मादस्मा ऽआसन्दीमाहरन्ति ॥ २२ ॥

(न्त्यौ) औदुम्बरी भवति । (त्यु) अन्नं वा ऽऊर्गुदुम्बर ऊर्जोऽन्नाद्यस्यावरुद्ध्यै तस्मादौदुम्बरी भवति तामग्रेण हविर्द्धाने जघनेनाहवनीयं निदधाति ॥ २३ ॥

अथाजर्षभस्याजिनमुपस्तृणाति । तदुपरिष्टाद्रुक्मं निदधाति । तमभ्यवरोहतीमां वैव ॥ २१ ॥

अथास्माऽआसन्दीमाहरन्ति । उपरिसद्यं वाऽएष जयति—यो जयत्यन्तरिक्षसद्यम् । तदेनमुपर्यासीनमधस्तादिमाः प्रजा उपासते । तस्मादस्माऽआसन्दीमाहरन्ति ॥ २२ ॥

औदुम्बरी भवति । अन्नं वाऽऊर्गुदुम्बरः । ऊर्जोऽन्नाद्यस्यावरुद्ध्यै । तस्मादौदुम्बरी भवति । तामग्रेण हविर्द्धाने, जघनेनाहवनीयं निदधाति ॥ २३ ॥

हिरण्यनिधानार्थं वस्ताजिनास्तरणं विधत्ते—अथाजेति । तत्रास्यास्तीर्णाजचर्मणः ‘ उपरिष्टात् ’ ‘ रुक्मं ’ निदध्यात् । हिरण्ये अवरोहणं वैकल्पिकमित्याह—इमां वैवेति । रुक्मे वाऽवरोहेदिति । अत एव कात्यायनः—“ स रुक्मे बस्तचर्मण्यवरोहति, भूमौ वा ”—। (का. श्रौ. सू. १४ । १०६) इति ॥ २१ ॥

विधत्ते-अथास्मा इति । ‘ अस्मै ’ यूपादवरोढ्राय । आसन्दीलक्षणमुक्तं कात्यायनेन—“ औदुम्बरीमासन्दीं नाभिदघ्नामरत्निमात्राङ्गीभूतामाहरन्ति ”—(का. श्रौ. सू. ७।२४८) इति । ‘ उपरिसद्यम् ’—इत्यस्यायमर्थः—वाजपेयेन यागेन ‘ उपरिसद्यम् ’ उपरिसदनम् ‘ जयति ’ भद्रपीठादेरुपर्यवस्थानं प्राप्नोति । एतदुपपादनायाह-यो जयतीति । ‘ यः ’ यूपारोहणेन ‘ अन्तरिक्षसद्यम् ’ आकाशे उपवेशनं ‘ जयति ’ ‘ एषः ’ इति पूर्वेण सम्बन्धः ॥ २२ ॥

औदुम्बरीति । उदुम्बरनिर्मिता आसन्दी (श. प. ब्रा. ६।७।१।१२–१५) । अन्नं वा ऊर्गिति । यदेतत् ‘ ऊर्ग् ’ बलकरम् ‘ अन्नम् ’ तदात्मकः ‘ उदुम्बरः ’ वृक्षः, तज्जन्यत्वात् । श्रूयते हि-“ देवा वा ऊर्जं व्यभजन्त, तत उदुम्बर उदतिष्ठत् ”—इति । तामग्रेणेति । अस्यार्थः—‘ हविर्द्धाने ’—इति द्वितीयाद्विवचनान्तं पदम्, ते ‘ अग्रेण ’ तयोरग्रप्रदेशम् ‘ आहवनीयं जघनेन ’ सोमाहुत्यधिकरणाग्नेः पश्चिमप्रदेशे ‘ ताम् ’ आसन्दीं निदध्यात् । अत्र सूत्रम्—“ उत्तरवेदिमपरेणौदुम्बरीमासन्दीं बस्तचर्मणाऽऽस्तृणातीयं तेइति ”—(का. श्रौ. सू. १४ । १०७) इति ॥ २३ ॥

१—“ चतुर्भिः पादैरुपेता खट्वाकारा ”—इति तै. सं. ७ । ५ । ८ । १७ । सा. भाष्ये द्रष्टव्यम् ।

(त्यु) अथाजर्षभस्याजिनमास्तृणाति । प्रजापतिर्व्वा ऽएष यदजर्षभ ऽएता वै प्रजापतेः प्रत्यक्षतमां यदजास्तस्मादेतास्त्रिः संव्वत्सरस्य विजायमाना द्वौ त्रीनिति जनयन्ति तत्प्रजापतिमेवैतत्करोति तस्मादजर्षभस्याजिनमास्तृणाति ॥ २४ ॥

स आस्तृणाति । (ती) इयं ते राडिति राज्यमेवास्मिन्नेतद्दधात्यथैनमासादयति यन्ताऽसि यमन इति यन्तारमेवैनमेतद्यमनमासां प्रजानां करोति ध्रुवोऽसि धरुणऽ इति ध्रुवमेवैनमेतद्धरुणमास्मिँल्लोके करोति कृष्यै त्वा क्षेमाय त्वा रय्यै त्वा पोषाय त्वेति साधवे त्वेत्येवैतदाह ॥ २५ ॥

इति प्रथमप्रपाठके षष्ठं ब्राह्मणम् ॥ ५-१-६ ॥ (२.१.)

इति प्रथम प्रपाठकः समाप्तः ॥ ५ । १ ॥

अथाजर्षभस्याजिनमास्तृणाति । प्रजापतिर्वाऽएष यदजर्षभः । एता वै प्रजापतेः प्रत्यक्षतमाम् यदजाः । तस्मादेतास्त्रिः सम्वत्सरस्य विजायमाना द्वौ, त्रीनिति जनयन्ति । तत् प्रजापतिमेवैतत् करोति । तस्मादजर्षभस्याजिनमास्तृणाति ॥ २४ ॥

स आस्तृणाति–"इयं ते राट्"–इति।राज्यमेवास्मिन्नेतद्दधाति। अथैनमासादयति–"यन्ताऽसि यमनः" इति। यन्तारमेवैनमेतद्यमनमासां प्रजानां करोति। "ध्रुवोऽसि धरुणः"–इति। ध्रुवमेवैनमेतद्धरुणमास्मिँल्लोके करोति। "कृष्यै त्वा क्षेमाय त्वा रय्यै त्वा पोषाय त्वा"–(वा. सं. ९ । २२) इति। साधवे त्वेत्येवैतदाह ॥ २५ ॥

आसन्द्यामजाजिनेनाच्छादनं विधत्ते–अथाजर्षभस्याजिनमिति । बस्तप्रजापत्योर्बहुप्रजोत्पादकत्वादैक- रूप्यं समर्थयते–एता वा इत्यादि । 'एताः अजाः' 'प्रजापतेः' 'प्रत्यक्षतमाम्' अतिशयेन प्रत्यक्षं रूपम्, यस्मादेवं 'तस्मात्' संवत्सरमध्ये 'त्रिः' त्रिवारं 'द्वौ त्रीन्' वा पुत्रान् 'विजायमानाः' सुवाना भवन्ति ॥ २४ ॥

आस्तरणमनूद्य मन्त्रं विधत्ते–स आस्तृणातीति। हे अभिषिच्यमानवाजपेययाजिन् ! 'ते' तव 'इयम्' आसन्दी 'राट्' राज्यसाधनम्, पीठादेरुपरिसदनमेव राज्यमित्यर्थः । तस्याभिप्रायमाह–राज्यमिति । यदेतेनास्तरणेन यजमाने राज्यं निहितवान् भवति ॥

विधत्ते–अथैनमिति[1] । 'एनं' यजमानम् अस्यामासन्द्याम् उपवेशयेत् । तन्मन्त्रस्यायमर्थः;–हे यजमान ! 'यन्ता' सर्वस्य नियन्ता 'असि', 'यमनः' 'प्रजानां' नियमिता असि, 'ध्रुवः' स्थिरः 'असि', 'धरुणः' धारकः असि । 'कृष्यै' कर्षणाय 'त्वा' 'त्वाम्', उपवेशयामीति शेषः । एवमुत्तरत्रापि योज्यम् 'क्षेमाय' लब्धवस्तुपरिपालनाय । 'रय्यै' धनाय, 'पोषाय' इति ॥

१–सुन्वंतमस्यामुपवेशयति यंताऽसीति का० श्रौ० सू० १४ । १०८ ।

अथ द्वितीयप्रपाठके प्रथमं ब्राह्मणम् ।
द्वितीयाध्याये द्वितीयं ब्राह्मणम् ।

बार्हस्पत्येन चरुणा प्रचरति । तस्यानिष्टऽएव स्विष्टकृद्भवत्यथास्माऽअन्नꣳ सम्भरत्यन्नं वाऽएषऽउज्जयति यो वाजपेयेन यजतेऽन्नपेयꣳ ह वै नामैतद्यद्वाजपेयं तद्यदेवैतदन्नमुदजैषीत्तदेवास्माऽएतत्सम्भरति ॥ १ ॥

(त्यौ) औदुम्बरे पात्रे । (त्रेऽन्नं) अन्नं वा ऽऊर्गुदुम्बरऽऊर्जोऽन्नाद्यस्यावरुद्ध्यै तस्मादौदुम्बरे पात्रे सोऽप एव प्रथमाः सम्भरत्यथ पयोऽथ यथोपस्मारमन्नानि ॥ २ ॥

बार्हस्पत्येन चरुणा प्रचरति । तस्यानिष्ट एव स्विष्टकृद्भवति । अथास्माऽअन्नं सम्भरति । अन्नं वाऽएष उज्जयति-यो वाजपेयेन यजते । अन्नपेयं ह वै नामैतद्-यद्वाजपेयम् । तद्यदेवैतदन्नमुदजैषीत्-तदेवास्माऽएतत् सम्भरति ॥ १ ॥

औदुम्बरे पात्रे । अन्नं वाऽऊर्गुदुम्बरः । ऊर्जोऽन्नाद्यस्यावरुद्ध्यै । तस्मादौदुम्बरे पात्रे । सोऽप एव प्रथमाः सम्भरति, अथ पयः, अथ यथोपस्मारमन्नानि ॥ २ ॥

गन्नं व्याचष्टे--यन्तारामिति । ध्रुवमेवैनमिति । 'अस्मिन् लोके' 'ध्रुवं' सन्तम् 'एव' 'एनं' यजमानम् 'एतत्' एतेन मन्त्रभागेन 'धरुणं' धारकं 'करोति' । कृष्यादिपदानामर्थं सङ्कल्प्याह--साधवे त्वेति । श्रेयसे त्वामुपवेशयामीति । अनेन कृष्यादिश्रेयांसि, अन्यान्यपि संगृहीतानि भवन्तीत्यर्थः ॥ २९ ॥

इति श्रीसायणाचार्यविरचिते माधवीये वेदार्थप्रकाशे माध्यन्दिनशतपथब्राह्मणभाष्ये पञ्चमकाण्डे द्वितीयाध्याये प्रथमं ब्राह्मणम् ॥ (५-२-१) ॥

इति पञ्चमकाण्डे प्रथमः प्रपाठकः समाप्तः ॥ ५--१ ॥

अथ नैवारचरुप्रचारं विधत्ते-बार्हस्पत्येनेति । प्रधाननैवाराहुतेरनन्तरं कर्त्तव्यं वाजप्रसवीयहोमं विधातुं कालं विधत्ते-तस्यानिष्ट एवेति । 'तस्य' नैवारस्य स्विष्टकृत् 'अनिष्टः' अनिष्टकृद् 'भवति' प्रधानयागादूर्ध्वं स्विष्टकृतः प्रागित्यर्थः । होमार्थमन्नसम्भरणं विधत्ते-अथास्मा इति । 'अस्मै' यजमानाय अभिषेकार्थम् 'अन्नं सम्भरेत्' ॥ १ ॥

अन्नसम्भरणार्थं पात्रविशेषं विधत्ते-औदुम्बरेमिति । तत्र प्रथममपां सम्भरणं विधत्ते-सोऽप एवेति । प्रथमम् 'अपः' जलानि सम्भरेत् । 'अथ पयः' क्षीरं तदनन्तरम् 'यथोपस्मारम्' उपस्मृतिमनतिक्रम्य

१-नैवारेण प्रचरति । का.श्रौ. सू. १४।१०९।२-प्राक् । स्विष्टकृत औदुंबरे पात्रेऽप आसिच्य पयश्च । का श्रौ. सू. १४।१० ।

तद्धैके । सप्तदशान्नानि सम्भरन्ति सप्तदशः प्रजापतिरिति वदन्तस्तदु तथा न कुर्यात्प्रजापतेर्न्वेव सर्वमन्नमनवरुद्धं क उ तस्मै मनुष्यो यः सर्वमन्नमवरुन्धीत तस्मादु सर्वमेवान्नं यथोपस्मारꣳ सम्भरन्नेकमन्नं न सम्भरेत् ॥ ३ ॥

स यन्न सम्भरति । तस्योद्ब्रुवीत तस्य नाश्नीयाद्यावज्जीवं तथा नान्तमेति तथा ज्योग्जीवति स ऽएतस्य सर्वस्यान्नाद्यस्य सम्भृतस्य स्रुवेणोपघातं वाजप्रसवीयानि जुहोति तद्याभ्य ऽएवैतद्देवताभ्यो जुहोति ता ऽअस्मै प्रसुवन्ति ताभिः प्रसूत ऽउज्जयति तस्माद्वाजप्रसवीयानि जुहोति ॥ ४ ॥

तद्धैके सप्तदशान्नानि सम्भरन्ति । सप्तदशः प्रजापतिरिति वदन्तः । तदु तथा न कुर्यात् । प्रजापतेर्न्वेव सर्वमन्नमवरुद्धम् । क उ तस्मै मनुष्यो–यः सर्वमन्नमवरुन्धीत । तस्मादु सर्वमेवान्नं यथोपस्मारं सम्भरन्नेकमन्नं न सम्भरेत् ॥ ३ ॥

स यन्न सम्भरति–तस्योद्ब्रुवीत । तस्य नाश्नीयाद् यावज्जीवम् । तथा नान्तमेति । तथा ज्योग्जीवति स एतस्य सर्वस्यान्नाद्यस्य सम्भृतस्य स्रुवेणोपघातं वाजप्रसवीयानि जुहोति । तद् याभ्य

'अन्नानि' सम्भरेत्, यानि तदा स्मृतिपथमवतरन्ति तानीत्यर्थः । तत्र ग्राम्यारण्यभेदेन चतुर्दशान्नान्यापस्तम्बेन 'सूत्रितानि, तान्यपि यथोपस्मारपदेन ग्राह्याणि–" तिलमाषा व्रीहियवाः प्रियङ्गवणवो गोधूमा वेणुश्यामाक-नीवाराः जर्त्तिलाश्च गवेधुका अरण्यजा मर्कटका विज्ञेया गार्मुतसप्तमाः कुलत्थसप्तमा वा "–(का. श्रौ. सू. १७ । ११ । ३) इति । बुद्धिस्थानि यानि वा, तानि सम्भरेत् ॥ २ ॥

'यथोपस्मारमन्नानि संविभृयात्'–इत्यत्र सङ्ख्याया अनुक्तेः यावन्ति स्मर्यमाणानि तावन्ति सम्भरेदित्यर्थो भवति, तत्र सङ्ख्याविशेषं पूर्वपक्षयति–तद्धैक इति । 'सप्तदश' सप्तदश–संख्याकानि 'अन्नानि' 'सम्भरन्ति ।' तत्रोपपत्तिमाह–सप्तदशः प्रजापतिरितीति । प्रजापतेः सप्तदशत्वं प्रागुक्तम् (श. प. ५।१।२।११) भाष्ये । तन्मतं निराचष्टे–" तदु तथेति । प्रजापतेः–इति । अस्यायमर्थः,–पूर्वं प्रजापतेरपि सकलमन्नं न वशीकृतम्, इदानीं 'तस्मै' प्रजापत्यर्थं 'मनुष्यः' 'कः' समर्थः ? सर्वान्नावरोधने; तस्माद् यावत्स्मृति सम्भर्त्तव्यानीति । बुद्धिस्थानामपि सर्वेषां सम्भरणे प्राप्ते एकस्य निषेधति-' एकमन्नमिति ॥ ३ ॥

असम्भ्रियमाणान्नविषयं कञ्चिद् विशेषं विधत्ते–स यदिति । 'यत्' अन्नं 'न' सम्भरेत्, 'तस्य'

१–सप्तदशान्नान्यावपति । यावत्स्मृति वा । का. श्रौ. सू. १४ । ११०–११२ । सप्तदशान्नानि तु व्रीहयः १ यवाः २ मसूराः ३ गोधूमाः ४ मुद्गाः ५ माषाः ६ तिलाः ७ चणकाः ८ अणवः ९ प्रियंगवः १० कोद्रवाः ११ मकुष्ठकाः १२ कलायाः १३ कुलित्थाः १४ मठाः १५ सर्षपाः १६ अतस्यः १७ इति मुकुटः । पा. सू. ५ । २ । ४ । अत्र पातंजलमहाभाष्ये सप्तदशं धान्यं शणाः १७ इत्युक्तम् । सप्तदशसु ग्राम्यारण्ययोर्भेदः; दशग्राम्याणि अत्रैवाग्रे चतुर्दशे कांडे श्रीमंथकर्मणि प्रतिपादितानि । दश ग्राम्याणि धान्यानि भवंति । व्रीहियवास्तिलमाषा अणुप्रियंगवो गोधूमाश्च मसूराश्च खल्वाश्च खलकुलाश्चेति । शेषान्यारण्यानि ।
२–एकवर्जम् । का श्रौ. सू. १४ । ११३ ।

स जुहोति । वाजस्येमं प्रसवः सुषुवेऽग्रे सोमꣳ राजानमोषधीष्वप्सु ॥
ता ऽअस्मभ्यं मधुमतीर्भवंतु व्वयꣳ राष्ट्रे जागृयाम पुरोहिताः स्वाहा ॥ ५ ॥

व्वाजस्येमाम् । (म्प्र) प्रसवः शिश्रिये दिवमिमा च व्विश्वा भुवनानि सम्म्राट् ॥
अदित्सन्तं दापयति प्रजानन्त्स नो रयिꣳ सर्व्ववीरं नियच्छतु स्वाहा ॥ ६ ॥

एवैतद् देवताभ्यो जुहोति । ताऽअस्मै प्रसुवन्तिः । ताभि प्रसूत उज्जयति । तस्माद्वाजप्रसवीयानि जुहोति ॥ ४ ॥

स जुहोति-" वाजस्येमं प्रसवः सुषुवेऽग्रे सोमं राजानमोषधीष्वप्सु । ता अस्मभ्यं मधुमतीर्भवन्तु । वयं राष्ट्रे जागृयाम पुरोहिताः स्वाहा" । (१) (वा. सं. ९ । २३) ॥ ५ ॥

"वाजस्येमां प्रसवः शिश्रिये दिवम्, इमा च विश्वा भुवनानि सम्म्राट् । अदित्सन्तं दापयति प्रजानन् स नो रयिं सर्ववीरं नियच्छतु स्वाहा " । (२) (वा. सं. ९ । २४) ॥ ६ ॥

'उद्ब्रुवीत' न सम्भृतमित्युच्चैः तन्नाम ब्रूयात् यथा असम्भृतस्य अन्नस्य यावज्जीवनमभोजनेन 'अन्तं' विनाशं 'न एति,' 'ज्योक्' चिरकालं 'जीवति।' भोक्तव्यस्य सर्वस्य भोगे सति विनाशो भवति, अतस्तदेकमवशिष्य भुञ्जीतेति तात्पर्यम् ॥ विधत्ते–स एतस्येति । मिलितस्य 'एतस्य' 'सर्वस्य' अन्नस्य एकदेशं 'स्रुवेण' 'उपघातम्' उपहत्योपहत्य गृहीत्वा 'वाजप्रसवीयानि जुहोति' वाजप्रसवशब्दयुक्तमन्त्रकरणकहोमान् कुर्यादित्यर्थः । तद्याभ्य इति । मान्त्रवर्णिकीभ्यो 'याभ्यः' अष्टादिदेवताभ्यो हूयते तदेव । 'ताः' 'अस्मै' यजमानाय एतद्यागफलभूतमन्नमवरोद्धुं 'प्रसुवन्ति' अनुजानन्ति, ताभिरनुज्ञातः पश्चात् स्वाधीनं करोतीत्यर्थः ॥ ४ ॥

होममनूद्य मन्त्रान् विधत्ते–स जुहोति वाजस्येममिति । सर्वत्र 'स्वाहा'–शब्दो हवनलिङ्गम् । प्रथमस्यायमर्थः–'अग्रे' पूर्वं 'वाजस्य' अन्नस्य 'प्रसवः' उत्पादकः परमेश्वरः 'ओषधीषु' 'अप्सु' च सारभूतम् 'इमं सोमं सोमवल्लीरूपं राजानं' 'सुषुवे' उत्पादयामास, 'ताः' ओषधय आपश्च 'अस्मभ्यम्' अस्मदर्थं 'मधुमतीः' माधुर्योपेता भवन्तु । 'वयम्' अपि अस्मिन् 'राष्ट्रे' 'पुरोहिताः' यागानुष्ठानादौ पुरोगामिनो 'जागृयाम' जागरूका भूयास्मेति ॥ ५ ॥

अथ द्वितीयः–वाजस्येमामिति । 'वाजस्य प्रसवः' ईश्वरः 'इमां' भूमिं 'दिवम्' इमानि चान्यानि सर्वाणि '...नि' 'शिश्रिये' आश्रितवान् । स च 'सम्राट्' सर्वेषां भुवनानां भूत्वा 'अदित्सन्तं' दातु-
-मनिच्छन्तं 'प्रजानन्' 'दापयति' धनम् । ततः सः' 'नः' अस्मभ्यं 'सर्ववीरं' पुत्रादियुक्तं 'रयिं' धनं 'ददातु ॥ ६ ॥

तस्योच्छ्वासात् । का. श्रौ. सू. १४ । ११४ । २–स्रुवेण संभृज्जुहोति वाजस्येमामिति प्रतिमंत्रम् । का. श्रौ. ११५ ।

व्वाजस्य नु । प्रसवऽ आबभूवेमा च व्विश्वा भुवनानि सर्व्वतः ॥ सनेमि राजा परियाति व्विद्वान्प्रजां पुष्टिं व्वर्द्धयमानोऽअस्मे स्वाहा ॥ ७ ॥

सोमछं राजानम् । (मु) अवसेऽग्निमन्वारभामहे । आदित्यान्विष्णुछं सूर्यं ब्रह्माणं च बृहस्पतिछं स्वाहा ॥ ८ ॥

(हाऽर्य) अर्यमणं बृहस्पतिम् । (मि) इन्द्रं दानाय चोदय । व्वाचं व्विष्णुछं सरस्वतीछं सवितारं च व्वाजिनछं स्वाहा ॥ ९ ॥

(ह्राऽग्ने) अग्नेऽअच्छा । व्वदेह नः प्रति नः सुमना भव । प्र नो यच्छ सहस्रजित्त्वछं हि धनदा असि स्वाहा ॥ १० ॥

"वाजस्य नु प्रसव आबभूव, इमा च विश्वा भुवनानि सर्वतः । सनेमि राजा परियाति विद्वान् प्रजां पुष्टिं वर्द्धयमानोऽअस्मे स्वाहा" (३) (वा० सं० ९।२५) ॥ ७ ॥

" सोमं राजानमवसेऽग्निमन्वारभामहे । आदित्यान्, विष्णुम्, सूर्यम्, ब्रह्माणं च बृहस्पतिम्, स्वाहा" (४) (वा. सं. ९।२६) ॥ ८ ॥

" अर्यमणं बृहस्पतिमिन्द्रं दानाय चोदय । वाचं विष्णुं सरस्वतीं सवितारं च वाजिनं स्वाहा " (५) (वा. सं. ९।२७) ॥ ९ ॥

" अग्ने अच्छा वदेह नः प्रति नः सुमना भव । प्र नो यच्छ सहस्रजित; त्वं हि धनदा असि स्वाहा "(६) (वा. सं. ९।२८) ॥ १० ॥

अथ तृतीयः;–वाजस्य न्विति । 'वाजस्य प्रसवः' ' नु ' खलु ' इमा ' इमानि ' विश्वा ' सर्वाणि ' भुवनानि' सर्वतः 'आबभूव' व्याप्नोत् । 'सनेमि'–इति पुराणवचनम् (निरु० ३।२८।४) इति । ' सः ' चिरन्तनो ' राजा' 'परियाति' सर्वतः सञ्चरति । 'विद्वान्' अनुष्ठीयमानं कर्म प्रजानन् । ' अस्मे'अस्मदर्थं 'प्रजां ' 'पुष्टिं' च 'वर्द्धयमानः' परियातीति सम्बन्धः ॥ ७ ॥

अथ चतुर्थः;–सोममिति । वयं सोमादीन् देवान् 'अवसे' रक्षणाथ तर्पणाय वा ' अन्वारभामहे ' ते सर्वे अनुगृह्णन्त्विति वाक्यशेषः ॥ ८ ॥

अथ पञ्चमः;–अर्यमणमिति । हे वाजस्य प्रसव त्वमर्यमादीन् ' दानाय चोदय ' अस्मभ्यं धनदानार्थं प्रेरय । वाक्सरस्वत्योरीषद्भेदो द्रष्टव्यः ॥ ९ ॥

अथ षष्ठः;–अग्ने अच्छेति । हे ' अग्ने ! ' ' इह ' अस्मिन् कर्मणि ' नः ' अस्माकम् ' अभिमुख्येन ' वद ' हित कथय । ' नः ' अस्मान् प्रति ' सुमनाः ' करुणार्द्रचित्तो भव । हे सहस्रस्य धनस्य जेतः ' हि ' हेतौ । यतः ' त्वं ' स्वभावतो ' धनदा असि ' अतः ' नः ' अस्मभ्यं धनमिति शेष ॥ १० ॥

प्र नः । (नो) यच्छत्वर्यमा प्र पूषा प्र बृहस्पतिः । प्र वाग्देवी ददातु नः स्वाहेति ॥ ११ ॥

(त्यु) अथैनं परिशिष्टेनाभिषिञ्चति । (त्य) अन्नाद्येनैवैनमेतदभिषिञ्चत्यन्नाद्यमेवास्मिन्नेतद्दधाति तस्मादेनं परिशिष्टेनाभिषिञ्चति ॥ १२ ॥

सोऽभिषिञ्चति । देवस्य त्वा सवितुः प्रसवेऽश्विनोर्बाहुभ्यां पूष्णो हस्ताभ्यामिति देवहस्तैरेवैनमेतदभिषिञ्चति सरस्वत्यै वाचो यन्तुर्यन्त्रिये दधामीति वाग्वै सरस्वती तदेनं वाच एव यन्तुर्यन्त्रिये दधाति १३

तदु हैकऽआहुः । (विंशु) विश्वेषां त्वा देवानां यन्तुर्यन्त्रिये दधामीति सर्वं वै विश्वे देवास्तदेनꣳ सर्वस्यैव यन्तुर्यन्त्रिये दधाति तदु तथा न ब्रूयात्सरस्वत्यै त्वा वाचो यन्तुर्यन्त्रिये दधामीत्येव ब्रूयाद्वाग्वै सरस्वती

" प्र नो यच्छत्वर्यमा, प्र पूषा, प्र बृहस्पतिः । प्र वाग्देवी ददातु नः स्वाहा "–(७) (वा. सं. ९ । २९) इति ॥ ११ ॥

अथैनं परिशिष्टेनाभिषिञ्चति । अन्नाद्येनैवैनमेतदभिषिञ्चति । अन्नाद्यमेवास्मिन्नेतद्दधाति । तस्मादेनं परिशिष्टेनाभिषिञ्चति ॥ १२ ॥

सोऽभिषिञ्चति " देवस्य त्वा सवितुः प्रसवेऽश्विनोर्बाहुभ्यां पूष्णो हस्ताभ्याम् "–इति । देवहस्तैरेवैनमेतदभिषिञ्चति । " सरस्वत्यै वाचो यन्तुर्यन्त्रिये दधामि "–इति । वाग्वै सरस्वती । तदेनं वाच एव यन्तुर्यन्त्रिये दधाति ॥ १३ ॥

तदु हैकऽआहुः–विश्वेषां त्वा देवानां यन्तुर्यन्त्रिये दधामि–इति । सर्वं वै विश्वे देवाः । तदेनं सर्वस्यैव यन्तुर्यन्त्रिये दधाति । तदु तथा न ब्रूयात् । सरस्वत्यै त्वा वाचो यन्तुर्यन्त्रिये दधामि–

अथ सप्तमः;–प्र न इति । अर्यमादयो ' नः ' अस्मभ्यं धनं प्रयच्छन्तु । पूषादिदेवतान्तरवाचकपदेऽपि क्रियापदस्यानुषङ्गं द्योतयितुं पृथक् पृथक् प्रोपसर्गप्रयोगः, ' प्र ' ' ददातु ' प्रकर्षेण प्रयच्छत्विति ॥ ११ ॥

हुतशेषस्याज्यस्य विनियोगं दर्शयति–अथैनमिति । अथ ' एनं ' सुन्वन्तं यजमानं ' परिशिष्टेन ' अनेन अभिषिञ्चेत् हुतशेषाभिषेकेण यजमाने अन्नमेव निहितवान् भवति ॥ १२ ॥

अभिषेकमनूद्य मन्त्रं विधत्ते–स इति । देवस्य त्वेति । व्याख्यातः । ' सरस्वत्यै ' षष्ठ्यर्थे चतुर्थी (पा.सू. २ । ३ । ६२ वा.) सरस्वत्याः ' वाचः ' ' यन्तुः ' अन्तर्यामिणश्च ' यन्त्रिये ' नियमे अभ्यनुज्ञायां ' निदधामि ' इति ॥ १३ ॥

अत्र तु ' सरस्वत्यै वाचः ' इत्यस्य स्थाने ' सरस्वत्यै त्वा वाचः ' इति युष्मच्छब्दं प्रक्षिप्य प्रयोक्तव्यमिति विधातुं पूर्वपक्षं सोपपत्तिकमुद्भावयति–तदु हैक इति । केचिच्छाखिनः ' आहुः ' किमिति । ' सरस्वत्यै

१–शेषेणाभिषिञ्चति यजमानं देवस्य त्वेति । का० श्रौ० सू० १४ । ११३ ।

तदेनं व्वाच ऽएव यन्तुर्यन्त्रिये दधाति बृहस्पतेष्ट्वा साम्राज्येनाभिषिञ्चाम्यसाविति नाम गृह्णाति तद्बृहस्पतेरेवैनमेतत्सायुज्यꣳ सलोकतां गमयति ॥ १४ ॥

(त्यु) अथाह । सम्राडयमसौ सम्राडयमसाविति निवेदितमेवैनमेतत्सन्तं देवेभ्यो निवेदयत्ययं महावीर्यो योऽभ्यषेचीत्ययं युष्माकैकोऽभूत्तं गोपायतेत्येवैतदाह त्रिष्कृत्व ऽआह त्रिवृद्धि यज्ञः ॥ १५ ॥

(ज्ञोऽथो) अथोज्जितीः । (र्जु) जुहोति वा व्वाचयति वा यदि जुहोति यदि व्वाचयति समान ऽएव बन्धुः ॥ १६ ॥

इत्येव ब्रूयात् । वाग्वै सरस्वती । तदेनं वाच एव यन्तुर्यन्त्रिये दधाति । "बृहस्पतेष्ट्वा साम्राज्येनाभिषिञ्चाम्यसौ"–(वा. सं ९।३०) इति । नाम गृह्णाति । तद् बृहस्पतेरेवैनमेतत्–सायुज्यं सलोकतां गमयति ॥ १४ ॥

अथाह–'सम्राडयमसौ, सम्राडयमसौ' इति । निवेदितमेवैनमेतत्सन्तं देवेभ्यो निवेदयति । 'अयं महावीर्यो योऽभ्यषेचि' इति । अयं युष्माकैकोऽभूत्–तं गोपायतेत्येवैतदाह । त्रिष्कृत्व आह त्रिवृद्धि यज्ञः ॥ १५ ॥

अथोज्जितीर्जुहोति वा वाचयति वा । यदि जुहोति, यदि वाचयति–समान एव बन्धुः ॥ १६ ॥

वाचः' इत्यस्य स्थाने 'विश्वेषां त्वा देवानाम्' इति प्रक्षिप्य 'यन्तुः' इत्यादि पूर्ववद्वक्तव्यमिति स्वमतं दर्शयितुमुक्तम् । परमतं निराकरोति । तदु तथेति । अत एव कात्यायनः–"सरस्वत्यै वाचः स्थाने विश्वेषां त्वा देवानां, सरस्वत्यै त्वेति वा" (का. श्रौ. सू. १४ । ११७ । ११८ ।) इति । 'बृहस्पतेः' इत्यादिः पूर्वोक्तमन्त्रशेषः । मन्त्रान्ते असावित्यस्य स्थाने यजमानस्य नाम सम्बुद्ध्यन्तं गृह्णीयात् ॥ १४ ॥

आवेदनं विधत्ते–अथाह सम्राडिति । अत्रापि असावित्यस्य स्थाने प्रथमान्तं यजमाननाम ग्रहीतव्यम् । एतन्नामाऽयमभिषिक्तः सम्राट् महावीर्यो जात इति वदेत् । आवेदनवाक्यावृत्तेरभिप्रायमाह–निवेदितमिति । एवं नामग्रहोक्त्या प्रथमं मनुष्येभ्यो 'निवेदितमेव सन्तम्' 'एनम्' तदेतेन द्वितीयेन सम्राडयमसावित्यनेन 'देवेभ्यः' 'निवेदयति' ज्ञापयति । किमिति । 'यः' यजमानः 'अभ्यषेचि' 'अयं महावीर्यः' सम्पन्न इति । वाक्यस्य पर्यवसितमर्थमाह–अयं युष्माकेति । 'अयम्' अभिषिक्तो यजमानः युष्माकं मध्ये 'एकः' 'अभूत्' देवत्वं प्राप्तवानित्यर्थः, हे देवा ! तं गोपायतेति । अत्र सूत्रम्–" सम्राडयमसावित्याह नामग्राहं त्रिरुच्चैः" (का. श्रौ. सू १४ । ११९) इति ॥ तदेतत् त्रित्वं विधत्ते–त्रिष्कृत्व इति । यज्ञस्य त्रिवृत्त्वं सवनत्रयात्मकत्वात् ॥ १५ ॥

विधत्ते–अथोज्जितीरिति । उज्जयलिङ्गयुक्तमन्त्रकरणिका आहुतय उज्जितयः, ता जुहुयात् । यजमानस्य तन्मन्त्रेण वाचनं वा कार्यमित्यर्थः । 'बन्धुः' हवनवाचनस्तावकार्थवादवाक्यशेषः, आम्नास्यमानः समान इत्यर्थः ॥ १६ ॥

१–अभिरेकाक्षरेणेत्यनुवाकं द्वादशवत् कृत्वा नैवारस्विष्टकृदिडं करोति माहेन्द्रादि च । का० श्रौ० सू० १४ । १२० ।

स व्वाचयति । (त्य) अग्निरेकाक्षरेण प्राणमुदजयत्तमुज्जेषं प्रजापतिः सप्तदशाक्षरेण सप्तदशꣳ स्तोममुदजयत्तमुज्जेषमिति तद्यदेवैताभिरेता देवता ऽउदजयंस्तदेवैष ऽएताभिरुज्जयति सप्तदश भवन्ति सप्तदशो वै प्रजापतिस्तत्प्रजापतिमुज्जयति ॥ १७ ॥

(त्यु) अथाहाग्नये स्विष्टकृतेऽनुब्रूहीति । तद्यदन्तरेणाहुती ऽएतत्कर्म क्रियत ऽएष वै प्रजापतिर्य्यऽएष यज्ञस्तायते यस्मादिमाः प्रजाः प्रजाता ऽएतम्वेवाप्येतर्ह्यनु प्रजायन्ते तन्मध्यत ऽएवैतत्प्रजापतिमुज्जयति तस्मादन्तरेणाहुती ऽएतत्कर्म क्रियत ऽआश्राव्याहाग्निꣳ स्विष्टकृतं यजेति व्वषट्कृते जुहोति ॥ १८ ॥

स वाचयति–" अग्निरेकाक्षरेण प्राणमुदजयत्–तमुज्जेषम् प्रजापतिः सप्तदशाक्षरेण सप्तदशं,स्तोममुदजयत्–तमुज्जेषम्"–(वा० सं० ९ । ३१–३४) इति । तद्यदेवैताभिरेता देवता उदजयन्–तदेवैष एताभिरुज्जयति । सप्तदश भवन्ति । सप्तदशो वै प्रजापतिः । तत् प्रजापतिमुज्जयति ॥ १७ ॥

अथाह–' अग्नये स्विष्टकृतेऽनुब्रूहि ' इति । तद्यदन्तरेणाहुती ऽएतत् कर्म क्रियते । एष वै प्रजापतिः–य एष यज्ञस्तायते । यस्मादिमाः प्रजाः प्रजाताः–एतम्वेवाप्येतर्ह्यनुप्रजायन्ते । तन्मध्यत एवैतत् प्रजापतिमुज्जयति । तस्मादन्तरेणाहुतीऽएतत् कर्म क्रियते । आश्राव्याह–'अग्निं स्विष्टकृतं यज'–इति । वषट्कृते जुहोति ॥ १८ ॥

वाचनमनूद्य मन्त्रान् विधत्ते–स वाचयतीति । संहितायाम् " अग्निरेकाक्षरेण "–इत्यनुवाके सप्तदश मन्त्राः पठिताः; अत्र अग्निरेकाक्षरेणेति प्रजापतिः सप्तदशाक्षरेणेत्याद्यन्तयोर्ग्रहणेन सप्तदश मन्त्राः सर्वेऽपि गृह्यन्त इत्यभिप्रायः । तेषां संग्रहेणायमर्थः; ओश्रावयेति चतुरक्षरमस्तु श्रौषडिति, चतुरक्षरं यजेति द्व्यक्षरं ये यजामह इति पञ्चाक्षरं द्व्यक्षरो वषट्कारः स एष सप्तदशः प्रजापतिः "– इति (तै. सं. १।६।११।२।३) (श. प. ब्रा. १।[illegible]६।१७) । सप्तदशाक्षराणि विद्यन्ते । तत्राग्न्यादिसप्तदश देवाः एकाक्षरप्रभृत्येकैकाक्षरवृद्धियुक्तैः प्राण[illegible]दीन् जितवन्तः । तानग्न्यादिभिर्जितान् प्राणमरादीनहमिदानीम् 'उज्जेषम्' उज्जीयासम् । अश्विदेवतादि[illegible]मन्त्राक्षरसंख्यानुसारेण द्विपान्मनुष्यत्रिलोकादेर्जयो विज्ञेयः । त्रिवृत्स्तोमगतानामृचां नवसंख्योपेतत्वान्नवाक्षरेण उज्जयो द्रष्टव्यः । त्रयोदशस्तोमादावपि तिसृणां स्तोत्रियाणामृचामावृत्तिविशेषेण तत्संख्या द्रष्टव्या । इममेव तात्पर्यार्थं प्रतिपादयति–तद्यदेवैताभिरिति । ' एताभिः ' उज्जितिभिः । तेषां मन्त्राणां सप्तदशसंख्यामनूद्य प्रजापत्यात्मना स्तौति–सप्तदशेति ॥ १७ ॥

नैवारहविषः प्रधानस्विष्टकृतोर्मध्येऽनुष्ठेयं कर्मजातमुपदर्श्य चोदकप्राप्तं स्विष्टकृद्यागादिकमनुसन्धत्ते–अथाहेत्यादि । " अग्नये स्विष्टकृतेऽनुब्रूहि "–' इति ' अध्वर्युर्वदेत् । ' ' अनुब्रूहि ' अनुवाक्यां पठेत्यर्थः ।

(त्य) अथेडामादधाति । (त्यु) उपहूतायामिडायामप ऽउपस्पृश्य माहेन्द्रं ग्रहं गृह्णाति माहेन्द्रं ग्रहं गृहीत्वा स्तोत्रमुपाकरोति तॅं स्तोत्राय प्रमीवति स ऽउपावरोहति सोऽन्ते स्तोत्रस्य भवत्यन्ते शस्त्रस्य ॥ १८ ॥

तद्धैके । (क्ऽ) एतत्कृत्वाऽथैतत्कुर्वन्ति तदु तथा न कुर्यादात्मा वै स्तोत्रं प्रजा शस्त्रमेतस्माद्ध स यजमानं प्रणाशयति स जिह्मऽएति स ह्वलति तस्मादेतदेव कृत्वाऽथैतत्कुर्यात् ॥ २० ॥

अथेडामादधाति । उपहूतायामिडायामप उपस्पृश्य माहेन्द्रं ग्रहं गृह्णाति । माहेन्द्रं ग्रहं गृहीत्वा स्तोत्रमुपाकरोति । तं स्तोत्राय प्रमीवति । स उपावरोहति । सोऽन्ते स्तोत्रस्य भवति; अन्ते शस्त्रस्य ॥ १९ ॥

तद्धैके एतत्कृत्वाऽथैतत्कुर्वन्ति । तदु तथा न कुर्यात् । आत्मा वै स्तोत्रम्, प्रजा शस्त्रम् । एतस्माद्ध स यजमानं प्रणाशयति । स जिह्म एति । स ह्वलति । तस्मादेतदेव कृत्वाऽथैतत् कुर्यात् ॥ २० ॥

अत्र सम्बोध्यो होता । तदनन्तरेणेत्यस्यायमर्थः—नैवारहविः स्विष्टकृद्यागाहुत्योर्मध्ये क्रियमाणेन अन्नसम्भरणवाजप्रसवीयहोमादिना यज्ञरूपं प्रजापतिं जितवान् भवतीति । अनुवचनानन्तरमाश्रावणादिकं प्रकृतिवत् स्विष्टकृतः कार्यमित्यनुक्रमति-आश्राव्येति । 'वषट्कृते' होत्रा याज्यान्ते वषट्कारे प्रयुक्ते सति 'जुहोति' सौविष्टकृतं हविः ॥ १८ ॥

अथ स्विष्टकृदनन्तरभावीनि कर्माण्याह—अथेडामिति । माहेन्द्रग्रहणानन्तरं तदीयं पृष्ठं 'स्तोत्रम्' 'उपाकरोति' आरम्भयेदित्यर्थः । 'तम्' आसन्द्यामधिष्ठितमभिषिक्तं यजमानं 'स्तोत्राय' 'प्रमीवति' ज्ञापयेत्, आह्वयेदित्यर्थः । अत्र सूत्रम्—"अवरुह्य गच्छति स्तोत्राय प्रहितः" इति (का. श्रौ. सू. १४।१२१) । 'सः' सुन्वन् 'उपावरोहति' आसन्द्याः सकाशात् 'सः' एवं स्तोत्रशस्त्रयोः 'अन्ते' समीपे स्थितो भवेत् ॥ १९ ॥

अत्र केचिदुज्जितिवाचनानन्तरं माहेन्द्रग्रहणं स्तोत्रशस्त्रे च कृत्वा स्विष्टकृदादिकं यजमानस्य पश्चादवरोहणमिच्छन्ति तद् दूषयितुमनुवदति—तद्धैक इति । 'एतत्' माहेन्द्रग्रहणादि होमान्तं तन् कर्म कृत्वा 'अथ' अनन्तरम 'एतत्' उक्तं स्विष्टकृदिडोपह्वानान्तं कर्म कुर्वन्ति । अत एव सूत्रकृता शाखान्तरीयं पक्षमङ्गीकृत्योक्तम् "उज्जितिभ्यो वोत्तरो माहेन्द्रः" -(का. श्रौ. सू. १४।१२२ ।) इति ॥

तद्दूषयति—तदु तथेति । यद्यासन्द्यामासीन एव यजमाने सत्येव आत्मप्रजारूपे स्तोत्रशस्त्रे कुर्यात्, तर्हि 'यजमानम' आत्मप्रजाहीनं कुर्यात्; असान्निध्यकरणेनेत्यर्थः । 'जिह्मः' कुटिलो गच्छति 'ह्वलति' यज्ञपथाद् भ्रश्यति ॥ २० ॥

१–माहेन्द्रग्रहानन्तरम् । इति क. पा. ।

(द) अथेडामादधाति । (त्यु) उपहूतायामिडायामप ऽउपस्पृश्य माहेन्द्रं ग्रहं गृह्णाति माहेन्द्रं ग्रहं गृहीत्वा स्तोत्रमुपाकरोति तꣳ स्तोत्राय प्रमीवति स ऽउपावरोहति सोऽन्ते स्तोत्रस्य भवत्यन्ते शस्त्रस्य ॥ २१ ॥

इति द्वितीयप्रपाठके प्रथमं ब्राह्मणम् ॥ (५.२.१) (२-२) ॥

पूर्णाहुतिं जुहोति । सर्वं वै पूर्णꣳ सर्वं परिगृह्य सूया ऽइति तस्यां व्वरं ददाति सर्वं वै व्वरः सर्वं परिगृह्य सूया ऽइति स यदि कामयेत जुहुयादेतां यद्यु कामयेतापि नाद्रियेत ॥ १ ॥

अथेडामादधाति । उपहूतायामिडायामप उपस्पृश्य माहेन्द्रं ग्रहं गृह्णाति । माहेन्द्रं ग्रहं गृहीत्वा स्तोत्रमुपाकरोति । तं स्तोत्राय प्रमीवति । स उपावरोहति । सोऽन्ते स्तोत्रस्य भवति, अन्ते शस्त्रस्य ॥ २१ ॥

इति वाजपेययज्ञाधिकारः ।

अथ राजसूययज्ञः ।

पूर्णाहुतिं जुहोति । सर्वं वै पूर्णम् । सर्वं परिगृह्य सूयाऽइति । तस्यां वरं ददाति । सर्वं वै वरः । सर्वं परिगृह्य सूयाऽइति । स यदि कामयेत-जुहुयादेताम् । यद्यु कामयेत -अपि नाद्रियेत ॥ १ ॥

अथ उक्त एव पक्षः श्रेयानिति दर्शयितुं पुनः पठति-अथेडामित्यादि । पूर्ववद् ॥ २१ ॥

इति श्रीसायणाचार्यविरचिते माधवीये वेदार्थप्रकाशे माध्यन्दिनशतपथब्राह्मणभाष्ये पञ्चमकाण्डे द्वितीयाऽध्याये द्वितीयं ब्राह्मणम् ॥ (५-२-२) ॥

ब्राह्मणक्षत्रियोभयकर्तृकसंस्थारूपो वाजपेय उक्तः, अथैकतरकर्तृको विकृतिभूतो राजसूयो विधास्यते । तत्र अकृतवाजपेयस्य राजन्यस्यैव राजसूयेऽधिकारः, न तु तेनेष्टवतः; राज्यफलादपि साम्राज्यफलस्यातिशयितत्वेन उत्तमफलसाधनयागानन्तरमवरफलहेतुकतुकरणस्यायुक्तत्वात् । अत एव कात्यायनः-" राज्ञो राजसूयोऽनिष्टिनो वाजपेयेन "-(का. श्रौ. सू. १५ । १ । २ ।) इति । इष्टि-पशु-सोम-दर्वीहोमैः शतप्रचारो राजसूयः । तत्र " श्वोभूतेऽनुमत्यै पुरोडाशमष्टाकपालम् "-इत्यादिना विहिताः इष्टयः, " अथ श्येनीं विचित्रगर्भामदित्या आलभते "-इत्यादिना विहिताः पशवः, पवित्राभिषेचनीय-दशपेय-केशवपनीय-व्युष्टि-द्विरात्र-क्षत्रधृतिसंज्ञकाः सप्त सोमयागाः पञ्चवातीयादयो दर्वीहोमाः । तत्र पवित्रनामके प्रथमसोमयागे प्रकृतिसमानत्वेन वक्तव्याभावात् तं परित्यज्य तदवसाने कर्तव्यं पूर्णाहुतिप्रभृति [illegible] षिकमुत्तरतन्त्रमभिधीयते (तै. स. १ । ८ । १९) ॥ पूर्णाहुतेः कालं कात्यायनः सूत्रयामास-" पवित्रेणा [illegible] दीक्षः, सहस्रदक्षिणः, माघीपक्षयजनीये दीक्षा, तदन्ते पूर्णाहुतिर्गृहेष्विच्छतः " (का. श्रौ. सू. [illegible])

१-इष्टिसोमपशवो भिन्नतंत्राः कालभेदात् । का. श्रौ. सू. १५ । १ ।

(ताथ) अथ श्वोभूते । (तेऽनु) अनुमत्यै हविरष्टाकपालं पुरोडाशं निर्व्वपति स ये जघनेन शम्यां पिष्यमाणानामवशीयन्ते पिष्टानि वा तण्डुला वा तान्त्स्रुवे सार्द्धᳪ संव्वपत्यन्वाहार्यपचनादुल्मुकमाददते तेन दक्षिणा यन्ति स यत्र स्वकृतं व्वेरिणं व्विन्दति श्वभ्रप्रदरं वा ॥ २ ॥

तदग्निᳪ समाधाय जुहोति । (त्ये) एष ते निर्ऋते भागस्तं जुषस्व

(१) अथ श्वोभूतेऽनुमत्यै हविरष्टाकपालं पुरोडाशं निर्वपति । स ये जघनेन शम्यां पिष्यमाणानामवशीयन्ते–पिष्टानि वा तण्डुला वा—तान् स्रुवे सार्द्धं संवपति । अन्वाहार्यपचनादुल्मुकमाददते । तेन दक्षिणा यन्ति । स यत्र स्वकृतं वेरिणं विन्दति, श्वभ्रप्रदरं वा ॥ २ ॥

तदग्निं समाधाय जुहोति–" एष ते निर्ऋते भागस्तं जुषस्व स्वाहा "–(वा. सं. ९।३५)

४–७) इति । तद्विधत्ते–पूर्णेति । आज्यपूर्णया जुह्वा हूयत इति पूर्णाहुतिः । सा अनाम्नातमन्त्रत्वात् प्राजापत्या " यत् तूष्णीं तत् प्राजापत्यम् "–(श. प. ६ । २ । २ । २०) इति श्रुतेः । तां जुहुयादित्यर्थः । पूर्णाहुतिकरणस्य कामनाधीनत्वं विवृणोति–सर्वमिति । पूर्णपदेन सर्वमुच्यते । ' सर्वं ' जगत् ' परिगृह्य ' स्वाधीनं कृत्वा, पश्चाद्राजसूयानुष्ठानेन ' सूयै ' अभिषिक्तो भूयासम् ' इति ' अभिप्रायेण पूर्णाहुतिं कुर्यादित्यर्थः ॥ तस्यां दक्षिणां विधत्ते–तस्यामिति । ' तस्यां ' हुतायामित्यर्थः । पूर्णाहुतेरितराङ्गवद् अवश्यकर्त्तव्यत्वे प्राप्ते कामनानुसारेणैव करणीयत्वमाह–स यदि कामयेतेति । पूर्णाहुतिकरणेच्छायां सत्यां तदनुष्ठानं विपर्यये तद्विपर्यय इत्यर्थः ॥ १ ॥

आरम्भणीयस्थानीयात् पवित्राख्यादग्निष्टोमादह्नः परस्मिन्नहनि कर्त्तव्यं विधत्ते–अथ श्वोभूत इति । सूत्रकृता पवित्रादनन्तरमुक्तम्–" श्वः प्रभृत्यन्वहं पञ्चोत्तराणि हवीᳪष्यष्टाकपालोऽनुमत्यै "–(का. श्रौ. सू. १५ । ८ । ९) इति[२] । यागानुष्ठानस्याधारत्वेनानुज्ञाकरणात् अनुमतिः पृथिवी; ' इयं वा अनुमतिः '–इति ह्याम्नायते । तस्यै अष्टसु कपालेषु संस्कृतं पुरोडाशात्मकं हविर्निर्वपेत् ॥ अत्रोत्तरं तन्त्रं सूत्रे संगृहीतम्–" शम्यायाः पश्चात् हविष्यमन्नं स्रुवे कृत्वा दक्षिणाग्न्युल्मुकमादाय दक्षिणा गत्वा स्वयं प्रदीर्ण इरिणे वाऽग्नौ जुहोत्येष ते निर्ऋत इति, अनपेक्षमैत्यानुमतस्य संवपनादि करोति, वासो देयम् "–(का. श्रौ सू. १५।१०-१२) इति । तत्सर्वं क्रमेण विधत्ते–स ये जघनेनेत्यादिना, " श्वोभूत आग्नावैष्णवम् "–इत्यतः प्राक्तनेन । ' शम्यां जघनेन ' "एनपा द्वितीया" (पा. सू. २।३ । ३१) इति द्वितीया । पश्चिमायां दिशि दृषदमभ्याधातुमत्रः-स्थापितायाः शम्यायाः पश्चाद् ' ये ' तण्डुलपिष्टलेशा ' अवशीयन्ते ' अधः पतन्ति, 'तान्' स्रुवेण सोऽध्वर्युः 'सार्द्धं' सह संवपेत् ॥ उल्मुकेन सार्द्धं दक्षिणदिग्गमनं विधत्ते–अन्वाहार्येति । तस्योल्मुकस्य स्थापनाय देशविशेषं विधत्ते–स यत्रेति । ' इरिणम् ' ऊषरक्षेत्रम्, तच्च ' स्वकृतं ' स्वतः सिद्धम्, न तु यतः कुतश्चिदानीयोर्वाः प्रक्षिप्ताः; तस्मिन् ' श्वभ्रप्रदरे ' गर्ताकारेण विदीर्णप्रदेशे ' वा ' ॥ २ ॥

उल्मुकाग्निमाधाय, स्रुवपूरितेन द्रव्येण जुहुयात् । तत्र मन्त्रं विधत्ते–एष त इति । ' निर्ऋते ' पापदेवते !

१–वरदक्षिणा । का. श्रौ. सू. १५।७ २–पञ्चोत्तराणीत्युत्तरम्, " हवींषि " इति विशेषः ॥

स्वाहेतीयं वै निर्ऋतिः सा यं पाप्मना गृह्णाति तं निर्ऋत्या गृह्णाति तद्य-देवास्या ऽअत्र नैर्ऋतꣳ रूपं तदेवैतच्छमयति तथो हैनꣳ सूयमानं निर्ऋतिर्न गृह्णात्यथ यत्स्वकृते वेरिणे जुहोति श्वभ्रप्रदरे वैतद्वु ह्यस्यै निर्ऋतिगृहीतम् ॥ ३ ॥

(म) अथाप्रतीक्षं पुनरायन्ति । (न्त्य) अथानुमत्या ऽअष्टाकपालेन पुरोडाशेन प्रचरतीयं वा अनुमतिः स यस्तत्कर्म शक्नोति कर्तुं यच्चिकीर्षतीयꣳ हास्मै तदनुमन्यते तदिमामेवैतत्प्रीणात्यनया ऽनुमत्या ऽनुमतः सूया ऽइति ॥ ४ ॥

इति । इयं वै निर्ऋतिः । सा यं पाप्मना गृह्णाति—तं निर्ऋत्या गृह्णाति । तद्यदेवास्या अत्र नैर्ऋतं रूपम्—तदेवैतच्छमयति । तथो हैनं सूयमानं निर्ऋतिर्न गृह्णाति । अथ यत् स्वकृते वेरिणे जुहोति, श्वभ्रप्रदरे वा—एतदु ह्यस्यै निर्ऋतिगृहीतम् ॥ ३ ॥

अथाप्रतीक्षं पुनरायन्ति । अथानुमत्याऽअष्टाकपालेन पुरोडाशेन प्रचरति । इयं वा अनुमतिः । स यस्तत्कर्म शक्नोति कर्तुम्—यच्चिकीर्षति—इयं हास्मै तदनुमन्यते । तदिमामेवैतत् प्रीणाति । अनयाऽनुमत्याऽनुमतः सूयाऽइति ॥ ४ ॥

'एषः' तण्डुलपिष्टशेषः 'ते' तव 'भागः' 'तं' भागं 'जुषस्व' सेवस्व । 'स्वाहा'—शब्दो हवनलिङ्गम् 'इति' ॥ भूमिर्द्विविधा; शालिगोधूमादिसर्वसस्याढ्या, तदयोग्या च । तत्र आद्यभूमिरूपा अनुमतिः, द्वितीयभूमिरूपा निर्ऋतिः; (तै. सं. १ । ८ । १ । १) सैवानिष्टकारिणी पापदेवता,—तया भूमिः पापिष्ठं जनं पीडयितुं गृह्णाति । 'तत्' तथा सति 'अस्याः' भूमेः 'अत्र' अस्मिन् राजसूयानुष्ठानदेशे 'नैर्ऋतं रूपम्' एतेन होमेन शमितवान् भवतीति । "तथो हैनम्"—इत्यादिना नैर्ऋतहोमस्य प्रयोजनकथनम् । एतदु ह्यस्या इति । 'एतत्' एव इरिणप्रदरात्मकं स्थानम् 'अस्यै' अस्याः भूमेः सम्बन्धि 'निर्ऋतिगृहीतम्' निर्ऋत्या पापदेवतया आश्रयत्वेन स्वीकृतम्; अतस्तत्र नैर्ऋतहोमानुष्ठानं युक्तमिति ॥ ३ ॥

पुनरागमनं विधत्ते—अथाप्रतीक्षमिति । 'अप्रतीक्षं' यत्र निर्ऋत्यै होमः कृतः; तं प्रदेशम् अनभीक्षमाणा एव पुनर्गच्छेयुः । अथानुमतस्य हविषः प्रचारं विधत्ते—अथानुमत्या इति । प्रचरन्तीति । आनुमतहविषः संस्रपनादिकं कुर्युरित्यर्थः । तथैवाम्नातमुदाहृतम्—इयं वा अनुमतिरिति । भूमिरूपा अनुमतिः; तत्र यत् कर्म करोति यत् कर्तुमिच्छति, तत् सर्वं भूम्यात्मिका अनुमतिर्देवता अनुजानाति, तया 'अनुमत्या' अनुज्ञातः 'सूये' राजसूयाख्यं कर्म करवाणि, इत्यनेनाभिप्रायेणानुमतहविर्निर्वापः । 'तत्' तेन हविषा भूमिमेव प्रीणितवान् भवति ॥ ४ ॥

(त्यु) अथ यदष्टाकपालो भवति । (त्य) अष्टाक्षरा वै गायत्री गायत्री वा ऽइयं पृथिव्यथ यत्समानस्य हविष ऽउभयत्र जुहोत्येषा ह्येवैतदुभयं तस्य व्वासो दक्षिणा यद्वै सवासाऽअरण्यं नोदाशꣳसते निधाय वै तद्वासोऽतिमुच्यते तथो हैनꣳ सूयमानमासङ्गो न व्विन्दति ॥ ५ ॥

(त्यु) अथ श्वोभूते । (त ऽ) आग्नावैष्णवमेकादशकपालं पुरोडाशं निर्व्वपति तेन यथेष्ट्यैवं यजते तद्यदेवादः प्रज्ञातमाग्नावैष्णवं दीक्षणीयꣳ हविस्तदेवैतदग्निर्व्वै सर्व्वा देवताऽअग्नौ हि सर्व्वाभ्यो देवताभ्यो जुह्वत्यग्निर्व्वै यज्ञस्यावराध्यो व्विष्णुः परार्ध्यस्तत्सर्व्वाश्चैवैतद्देवताः परिगृह्य सर्व्वं च यज्ञं परिगृह्य सूयाऽइति तस्मादाग्नावैष्णवऽ एकादशकपालः पुरोडाशो भवति तस्य हिरण्यं दक्षिणाऽऽग्नेयो वा ऽएष यज्ञो भवत्यग्ने रेतो हिरण्यं यो वै व्विष्णुः स यज्ञोऽग्निरु वै यज्ञऽएव तदु तदाग्नेयमेव तस्माद्धिरण्यं दक्षिणा ॥ ६ ॥

अथ यदष्टाकपालो भवति । अष्टाक्षरा वै गायत्री । गायत्री वाऽइयं पृथिवी । अथ यत् समानस्य हविष उभयत्र जुहोति । एषा ह्येवैतदुभयम् । तस्य वासो दक्षिणा । यद्वै सवासा अरण्यं नोदाशंसते—निधाय वै तद्वासोऽतिमुच्यते । तथो हैनं सूयमानमासङ्गो न विन्दति ॥ ५ ॥

(२) अथ श्वोभूतऽआग्नावैष्णवमेकादशकपालं पुरोडाशं निर्वपति,। तेन यथेष्ट्या—एवं यजते । तद्यदेवादः प्रजातमाग्नावैष्णवं दीक्षणीयं हविः—तदेवैतत्। अग्निर्वै सर्वा देवताः । अग्नौ हि सर्वाभ्यो देवताभ्यो जुह्वति । अग्निर्वै यज्ञस्यावराध्यो—विष्णुः परार्ध्यः । तत् सर्वाश्चैवैतद्देवताः परिगृह्य, सर्वं

हविःश्रपणसाधनकपालगतामष्टसंख्यां गायत्रीद्वारा पृथिवीयोग्यत्वेन प्रशंसति—अथ यदष्टेति । अथ यत् समानस्येति । अस्यार्थः,—'समानस्य' एकमेव हविः 'उभयत्र' अनुमत्यै निर्ऋत्यै च हूयते; उभयोरपि पृथिव्यात्मकत्वादिति । तस्य दक्षिणां विधत्ते—तस्य वास इति । तत् प्रशंसति—यद्वै सवासा इति । यथा लोके पुरुषो वस्त्रसहितः सन्नरण्यगमनं चौरादिभयात् न कामयते; तद् वस्त्रं भयरहिते स्थाने 'निधाय' चेद्गच्छति तदा 'अतिमुच्यते' भयाद् विमुक्तो भवति; तद्वद् वासोदानेन 'सूयमानम्' 'एनं' यजमानम् 'आसङ्गः' भयं 'न' प्राप्नोति ॥ ५ ॥

तदनन्तरदिवसेऽनुष्ठेयं कर्म विधत्ते—अथ श्वोभूत इति । अग्निविष्णुश्चोभौ देवता यस्य हविषः; तं निर्वपेत् । तेन यथेष्ट्येति । प्रकृतीष्टिवदेवेष्टिः कार्या । तेन अनुमतीष्टिवत् तन्मध्ये वैकृतं तन्त्रं किञ्चिदपि न विद्यत इति

१-अष्टाकपालोऽनुमत्यै । का० श्रौ० सू० १५।१।२-'प्राकृतीष्टिवदेवेष्टिः' इति क । 'प्रकृतीष्टिवदेवेष्टिः' इति क०पु०पा०।

(कण्डिका) अथ श्वोभूते । (तेऽग्नी) अग्नीषोमीयमेकादशकपालं पुरोडाशं निर्वपति तेन यथेष्ट्यैवं यजतऽएतेन वाऽइन्द्रो वृत्रमहन्नेतेनोऽएव व्यजयत याऽस्येयं विजितिस्तां तथो ऽएवैष ऽएतेन पाप्मानं द्विषन्तं भ्रातृव्यᳬं हन्ति तथो ऽएव विजयते विजितेऽभयेऽनाष्ट्रे सूया इति तस्मादग्नीषोमीय ऽएकादशकपालः पुरोडाशो भवति तस्योत्सृष्टो गौर्दक्षिणो-

---

च यज्ञं परिगृह्य, सूयाऽइति । तस्मादाग्नावैष्णवः एकादशकपालः पुरोडाशो भवति । तस्य हिरण्यं दक्षिणा । आग्नेयो वाऽएष यज्ञो भवति । अग्ने रेतो हिरण्यम् । यो वै विष्णुः स यज्ञः । अग्निरु वै यज्ञ एव । तदु तदाग्नेयमेव । तस्माद्धिरण्यं दक्षिणा ॥ ६ ॥

(३)अथ श्वोभूतेऽग्नीषोमीयमेकादशकपालं पुरोडाशं निर्वपति । तेन यथेष्ट्या-एवं यजते । एतेन वाऽइन्द्रो वृत्रमहन् । एतेनोऽएव व्यजयत-याऽस्येयं विजितिस्ताम् । तथो एवैष एतेन पाप्मानं

भावः । तद्व्यदेवेति । 'अदः' अमुष्मिन् विप्रकृष्टे सोमप्रकरणे 'प्रज्ञातं' 'दीक्षणीयं' दीक्षायां निरुप्तम् 'आग्नावैष्णवं हविः' 'तदेव' इदानीं निरूप्यमाणं हविरिति तत्तादात्म्येन प्रशंसा । हविषो देवतासम्बन्धं प्रशंसति-अग्निर्वा इति । अग्नेः सर्वदेवतात्मकत्वं प्रतिपादयति-अग्नौ हीति । अग्नौ हि सर्वा देवता हूयन्ते, अतः सर्वदेवतार्थं हविर्होमाधिकरणत्वादग्निः सर्वदेवतात्मकः । सः 'अग्निः' 'यज्ञस्य' 'अवरार्द्धः' आदौ स्थितः 'विष्णुः परार्द्धः' यज्ञस्य चरमभागेऽवस्थितः । तथा हि प्रकृतिभूतस्याग्निष्टोमस्य आदौ दीक्षणीयायाम् आग्नावैष्णवे हविषि अग्नेः प्रथमदेवतात्वेन सम्बन्धः, अवसाने चोदवसानीयेष्टिस्थाने विष्णुदेवताका पूर्णाहुतिर्हूयते । यद्वा आज्यशस्त्रे प्रथमे "भूरग्निर्ज्योतिः"-(ऐ. ब्रा. २।५।५) इति अग्नेः प्राथम्यम्, चरमशस्त्रे चाग्निमारुते "विष्णोर्नुकम्"-(ऋ. सं. १।१५४।१) इति श्रवणाद् विष्णोश्चरमत्वम् । एतदेवाभिप्रेत्यैतरेयकम्-"अग्निर्वै देवानामवमो विष्णुः परमस्तदन्तरेण सर्वा अन्या देवताः"-(ऐ. ब्रा. १।१।१) इति । तत् सर्वा इत्यादि । तस्मात् तन्मध्यवर्त्तिनीः वक्ष्यमाणाः 'सर्वाश्च' सोमदेवता अग्निसाध्यं विश्वात्मकं सर्वं यज्ञम् 'एतेन' आग्नावैष्णवेन हविषा 'परिगृह्य' परिवेष्ट्य स्वाधीनं कृत्वा 'सूयै' राजसूयाख्यं कर्म करवाणि 'इति' हेतोर्यस्मादेवं तस्मादित्यन्वयः ॥

दक्षिणां विधत्ते-तस्य हिरण्यमिति । आग्नेयो वा इति । अस्यायमर्थः;-यज्ञोऽग्निदेवत्यः खलु, तमन्तरेण यज्ञनिष्पत्तेरसंभवात् । 'हिरण्यम् अग्नेः रेतः' विष्णोर्यज्ञात्मकत्वं श्रुतिप्रसिद्धं (श. प. ३ । ५ । ३ । ५) विश्वात्मकस्य यज्ञस्य चाग्निसाध्यत्वात् तद्रूपत्वम्; तस्मात् परम्परया 'तदु' तद् विष्णुदेवत्यमपि कर्म, 'तदाग्नेयम्' अग्निदेवत्यमेव जातम् । तस्मादाग्नावैष्णवस्य हविषः 'आग्नेयं हिरण्यं' दक्षिणाऽङ्गत्वेन भवितुं युक्तमिति ॥ ६ ॥

तस्मात् परेद्युरनुष्ठेयं कर्म विधत्ते-अथ श्वोभूत इति । 'तेन' अग्नीषोमीयेण हविषा यजेत । यथेष्ट्येति । सर्वेष्टीनां पौर्णमासेष्टिः प्रकृतिभूता; तद्वदत्रापि तदीयमङ्गजातं कुर्यादित्यर्थः । एतेन वा इत्यादि । 'एतेन'

१-हिरण्यमाग्नावैष्णवे । का० श्रौ० सू० १५।१।३ ।

उत्सुर्जं वा ऽअमुं चन्द्रमसं घ्नन्ति पौर्णमासेनाह घ्नन्त्यामावास्येनोत्सृजन्ति तुस्मादुत्सृष्टो गौर्दक्षिणा ॥ ७ ॥

(णाऽथ) अथ श्वोभूते । (तऽ) ऐन्द्राग्नं द्वादशकपालं पुरोडाशं निर्व्वपति तेन यथेष्ट्यैवं यजते यत्र वाऽइन्द्रो व्वृत्रमहंस्तदस्य भीतस्येन्द्रियं व्वीर्यमपचक्राम सऽ एतेन हविषेन्द्रियं व्वीर्यं पुनरात्मन्नधत्त तथो ऽएवैष ऽएतेन हविषेन्द्रियं व्वीर्यमात्मन्धत्ते तेजो वाऽअग्निरिन्द्रियं व्वीर्यमिन्द्र ऽउभे व्वीर्ये परिगृह्य सूयाऽइति तस्मादैन्द्राग्नो द्वादशकपालः पुरोडाशो भवति तस्यर्षभोऽनड्वान्दक्षिणा स हि व्वहेनाग्नेय ऽआण्डाभ्यामैन्द्रस्तस्मादृषभोऽनड्वान्दक्षिणा ॥ ८ ॥

द्विषन्तं भ्रातृव्यं हन्ति । तथोऽएव विजयते । विजितेऽभयेऽनाष्ट्रे सूया इति । तस्मादग्नीषोमीय एकादशकपालः पुरोडाशो भवति । तस्योत्सृष्टो गौर्दक्षिणा । उत्सर्जं वाऽअमुं चन्द्रमसं घ्नन्ति । पौर्णमासेनाह घ्नन्ति । आमावास्येनोत्सृजन्ति । तस्मादुत्सृष्टो गौर्दक्षिणा ॥ ७ ॥

(४) अथ श्वोभूतऽऐन्द्राग्नं द्वादशकपालं पुरोडाशं निर्वपति । तेन यथेष्ट्या—एवं यजते । यत्र वाऽइन्द्रो वृत्रमहन्—तस्य भीतस्येन्द्रियं वीर्यमपचक्राम । स एतेन हविषेन्द्रियं वीर्यं पुनरात्मन्नधत्त । तथो एवैष एतेन हविषेन्द्रियं वीर्यमात्मन्धत्ते । तेजो वाऽअग्निरिन्द्रियं वीर्यम् । इन्द्र उभे वीर्ये परिगृह्य सूयाऽइति । तस्मादैन्द्राग्नो द्वादशकपालः पुरोडाशो भवति । तस्यर्षभोऽनड्वान् दक्षिणा । स हि वहेनाग्नेयः, आण्डाभ्यामैन्द्रः । तस्मादृषभोऽनड्वान् दक्षिणा ॥ ८ ॥

हविषा वृत्रं हत्वा विजितवतः 'अस्य' इन्द्रस्य 'इयं' परिदृश्यमाना 'या' 'विजितिः' अस्ति, 'ताम्' 'इन्द्रो व्यजयत' इति सम्बन्धः । 'तथा' 'एषः' अपि अनुष्ठाता 'एतेन' हविषा सर्वान् शत्रून् जयति ॥

तस्य दक्षिणां विधत्ते—उत्सृष्टो गौरिति[1] । कियन्तं कालं शकटवहनादौ विनियोज्य पश्चात् य उत्सृज्यते, स 'उत्सृष्टः' । तां दक्षिणां प्रशंसति—उत्सर्जमिति । 'अमुम्' अन्तरिक्षे दृश्यमानं 'चन्द्रमसम्' उत्सृज्योत्सृज्य 'घ्नन्ति' । तदेव विवृणोति—पौर्णमासेनेति । पौर्णमासीमारभ्य खलु देवाः 'घ्नन्ति' 'प्रतिदिवसमेकैककलापचारः एव तस्य हननमित्यर्थः । अमावास्याकालमारभ्य 'उत्सृजन्ति' प्रतिदिवसं तस्यैकैककलावृद्धेः । 'तस्मात्' अस्य हविषः सोमदेवतासम्बन्धादेव तादृशो गौर्दक्षिणात्वेन युक्त इत्यर्थः ॥ ७ ॥

तदनन्तरदिवसकर्त्तव्यमिष्ट्यन्तरं विधत्ते—अथ श्वोभूत इति । पुरा वृत्रहननाद्भीत इन्द्रोऽपक्रान्तं स्वकीयं वीर्यम् 'एतेन हविषा' 'पुनः' आत्मन्यधारयत्; एवम् 'एषः' अपि अनुष्ठाता 'एतेन' हविषा । यदिदं तेजः, स एवाग्निः; यदिदम् 'इन्द्रियम्' इन्द्रस्यासाधारणं सत्त्वं, स एवेन्द्रः; धर्मधर्मिणोरभेदोपचारात् तादृ-

---

१–पुनरुत्सृष्टो गौरग्नीषोमीये । का० श्रौ० सू० १५ । १४ । २–'कलापकार' इति क० पा० ।

(णाऽथा) अथाग्रयणेष्ट्या यजते । सर्वान्वाऽएष यज्ञक्रतूनवरुन्धे सर्वा ऽइष्टीरपि दर्विहोमान्यो राजसूयेन यजते देवसृष्टो वाऽएषेष्टिर्यदाग्रयणेष्टि-रनया मेऽपीष्टमसदनयापि सूयाऽइति तस्मादाग्रयणेष्ट्या यजतऽओष-धीर्वाऽएष सूयमानोऽभिसूयते तदोषधीरेवैतदनमीवाऽअकिल्बिषाः कुरुतेऽनमीवा ऽअकिल्बिषा ऽओषधीरभिसूयाऽइति तस्य गौर्दक्षिणा॥९॥

(णाऽथ) अथ चातुर्मास्यैर्यजते । सर्वान्वा ऽएष यज्ञक्रतूनवरुन्धे सर्वा

(९) अथाग्रयणेष्ट्या यजते। सर्वान्वाऽएष यज्ञक्रतूनवरुन्धे, सर्वा इष्टीः अपि दर्विहोमान्-यो राजसूयेन यजते। देवसृष्टो वाऽएषेष्टिः-यदाग्रयणेष्टिः। अनया मेऽपीष्टमसत्। अनयाऽपि सूयाऽइति। तस्मादाग्रयणेष्ट्या यजते। ओषधीर्वाऽएष सूयमानोऽभिसूयते। तदोषधीरेवैतदनमीवा अकिल्बिषाः कुरुते। अनमीवा अकिल्बिषा ओषधीरभिसूयाऽइति। तस्य गौर्दक्षिणा॥ ९ ॥

(६) अथ चातुर्मास्यैर्यजते। सर्वान्वाऽएष यज्ञक्रतूनवरुन्धे, सर्वा इष्टीः अपिदर्विहोमान्-यो

स्यम्। ते 'उभे' तेजोबललक्षणे 'वीर्ये' 'परिगृह्य' 'सूयै' 'इति' अभिप्रायेण ऐन्द्राग्नहविःप्रचारः कर्त्तव्यः॥ दक्षिणां विधत्ते-तस्यर्षभ इति। ऐन्द्राग्नस्य हविषो दक्षिणात्वेन विहितस्य साण्डस्यानडुहो देवताद्वययोग्यतां दर्शयति-स हि वहेनेति। वहं नाम युगवहनदेशः, ककुत्प्रदेशः। तस्य दग्धप्रदेशवत् कृष्ण-वर्णत्वादाग्नेयत्वम् 'आण्डाभ्याम् ऐन्द्रः' सेचनसमर्थत्वादिति॥ ८॥

तदनन्तरकर्त्तव्यमिष्ट्यन्तरं विधत्ते-अथाग्रयणेष्ट्येति। सा चाग्रयणेष्टिः द्वितीयकाण्डे विहिता (श. प. २। ४। ३।) तस्या अत्र राजसूयाङ्गत्वेन प्रयोगः। सर्वान् वा इत्यादि। इष्टि पशु सोम-दर्वीहोमात्मकत्वाद्राजसूयस्य, तदनुष्ठानेन यज्ञक्रत्विष्ट्यादयः सर्वेऽनुष्ठिता भवन्ति। आग्रयणेष्टिरपि देवसृष्टत्वेन प्रशस्तत्वादत्रावरोद्धव्या। अतः 'अनया' आग्रयणेष्ट्या 'अपि' 'मे' मम 'इष्टम् असत्' यागः कृतो भवतु। 'अनयाऽपि' इष्ट्या 'सूयै' अभिषिक्तो भूयासम् 'इति' अनेनाभिप्रायेण आग्रयणेष्टिः कार्येत्यर्थः॥

तस्या इष्टेः प्रयोजनमाह-ओषधीर्वा इति। 'एषः सूयमानः' यजमानः 'ओषधीः' परिपक्वा व्रीहि-यवाद्याः 'अभि'-लक्ष्य 'सूयते' अभिषिच्यते। 'तत्' तथा सति 'अनया' आग्रयणेष्ट्या ता एव '......' 'अनमीवाः' रोगरहिताः आरोग्यकारिणीः, 'अकिल्बिषाः' पापरहिताश्च 'कुरुते'। आग्र-यणेष्टेर्नवान्नभोजनार्हत्वात्, तदकरणे भोक्तॄणां रोगः पापं च स्यात्, इह तु तदनुष्ठाने तादृग्दोषरहिताः ओषधी-रभिलक्ष्य राजसूयाख्यं कर्म करवाणीति यजुराशयः॥ दक्षिणां विधत्ते-तस्य गौरिति 'गौराग्रयणे'। (का. श्रौ. सू. १९। १। ११) 'तस्य' आग्रयणस्य॥ ९॥

अथ चातुर्मास्यानि विधत्ते-अथ चातुर्मास्यैरिति। तेषां कालः सूत्रितः उक्तहविःपञ्चकादनन्तरम्-

१-अनड्वान् सांड ऐन्द्राग्ने। का० श्रौ० सू० १५। १५।

इष्टीरुपि दर्विहोमान्यो राजसूयेन युजते देवसृष्टो वाऽएषु यज्ञक्रतुर्यच्चातुर्मास्यान्येभिर्मेऽपीष्टमसदेभिरुपि सूयाऽइति तुस्माच्चातुर्मास्यैर्यजते ॥ १० ॥

इति द्वितीयप्रपाठके द्वितीयं ब्राह्मणम् ॥ ५ । २ । २ ॥ (२-३) ॥

वैश्वदेवेन यजते । वैश्वदेवेन वै प्रजापतिर्भूमानं प्रजाः ससृजे भूमानं प्रजाः सृष्ट्वा सूया ऽइति तथो ऽएवैष ऽएतद्वैश्वदेवेनैव भूमानं प्रजाः सृजते भूमानं प्रजाः सृष्ट्वा सूया ऽइति ॥ १ ॥

(त्यु) अथ वरुणप्रघासैर्यजते । वरुणप्रघासैर्वै प्रजापतिः प्रजा वरुण-

---

राजसूयेन यजते । देवसृष्टो वाऽएष यज्ञक्रतुः—यच्चातुर्मास्यानि । एभिर्मेऽपीष्टमसत् । एभिरपि सूयाऽ इति । तस्माच्चातुर्मास्यैर्यजते ॥ १० ॥

चातुर्मास्यादियागाः ।

(१) वैश्वदेवेन यजते । वैश्वदेवेन वै प्रजापतिर्भूमानं प्रजाः ससृजे । भूमानं प्रजाः सृष्ट्वा सूयाऽ इति । तथोऽएवैष एतद्वैश्वदेवेनैव भूमानं प्रजाः सृजते । भूमानं प्रजाः सृष्ट्वा सूयाऽ इति ॥ १ ॥

(२) अथ वरुणप्रघासैर्यजते । वरुणप्रघासैर्वै प्रजापतिः प्रजा वरुणपाशात्प्रामुञ्चत् । ता

" चातुर्मास्यप्रयोगः फाल्गुन्याम् " (का. श्रौ. सू. १५ । १७) इति । सर्वान्वा इत्यादि । सर्वक्रत्विष्टि-दर्वीहोमावरोधरूपराजसूयमध्ये चातुर्मास्याख्यो यज्ञक्रतुरप्यवरोद्धव्य इत्यनेनाभिप्रायेण तदनुष्ठानम् । अन्यत् पूर्ववद् योज्यम् ॥ १० ॥

इति श्रीसायणाचार्यविरचिते माधवीये वेदार्थप्रकाशे माध्यन्दिनीयशतपथब्राह्मणभाष्ये पञ्चमकाण्डे द्वितीयाऽध्याये तृतीयं ब्राह्मणम् ॥ (५-२-३) ॥

एवं चातुर्मास्यानि सामान्येन विधाय वैश्वदेवाख्यं प्रथमं पर्व विधत्ते—वैश्वदेवेनेति । वैश्वदेवमित्याग्नेयादि-हविरष्टकरूपप्रथमपर्वणो नामधेयम् । अत्र वैश्वदेवादीनां चतुर्णां पर्वणामपेक्षितान्यङ्गानि मासाग्निहोत्रन्यायेन नामातिदेशादतिदेष्टव्यानि । तदुपदेशस्तु द्वितीयकाण्डे पञ्चमेऽध्याये समाम्नातः—" वैश्वदेवेन वै प्रजापतिः " इति । (श. प. २।५।२।१) अत्र वैश्वदेवशब्देन शाखान्तरीया प्रसिद्धिर्द्योत्यते । तथा च तैत्तिरीयके—"वैश्वदेवेन वै प्रजापतिः प्रजा असृजत "—(तै. ब्रा. १ । ६ । २ । १) इति । ' भूमानं ' 'प्रजा' इति । भूयसीः प्रजा इत्यर्थः तथो एवैष इति । यथा पुरा प्रजापतिः वैश्वदेवयागेन भूयसीः प्रजाः सृष्टवान्, एवमयं यजमानोऽपि तेन यागेन तथाविधाः ' प्रजाः ' ' सृजते ' सृजति । ताः ' सृष्टाः ' प्रजाः अभिलक्ष्य ' सूयै ' सवं यज्ञं करवाणीति ॥ १ ॥

द्वितीयं पर्व विधत्ते—अथ वरुणेति । 'अथ' वैश्वदेवानन्तरं चतुर्षु मासेषु व्यतीतेषु 'वरुणप्रघासैः' यजेत

पाशात्प्रामुञ्चत्ता अस्यानमीवा ऽअकिल्बिषाः प्रजाः प्राजायन्तानमीवा ऽअकिल्बिषाः प्रजा अभि सूया ऽइति तथो एवैष ऽएतद्वरुणप्रघासैरेव प्रजा वरुणपाशात्प्रमुञ्चति ता ऽअस्यानमीवा ऽअकिल्बिषाः प्रजाः प्रजायन्तेऽनमीवा ऽअकिल्बिषाः प्रजा ऽअभि सूयाऽइति ॥ २ ॥

(३) अथ साकमेधैर्यजते । साकमेधैर्वै देवा वृत्रमघ्नंस्तैर्वेव व्यजयन्त येयमेषां विजितिस्तां तथो ऽएवैष ऽएतैः पाप्मानं द्विषन्तं भ्रातृव्यꣳ हन्ति तथो ऽएव विजयते विजितेऽभयेऽनाष्ट्रे सूयाऽइति ॥ ३ ॥

(४) अथ शुनासीर्येण यजते । (५) उभौ रसौ परिगृह्य सूया ऽइत्यथ पञ्चवातीयꣳ स पञ्चधाऽऽहवनीयं व्युह्य स्रुवेणोपघातं जुहोति ॥ ४ ॥

अस्यानमीवा अकिल्बिषाः प्रजाः प्राजायन्त । अनमीवा आकिल्बिषाः प्रजा अभि सूयाऽइति । तथो एवैष एतद्वरुणप्रघासैरेव प्रजा वरुणपाशात् प्रमुञ्चति । ता अस्यानमीवा अकिल्बिषाः प्रजाः प्रजायन्ते । अनमीवा अकिल्बिषाः प्रजा अभि सूयाऽइति ॥ २ ॥

(३) अथ साकमेधैर्यजते । साकमेधैर्वै देवा वृत्रमघ्नन् । तैर्वेव व्यजयन्त-येयमेषां विजितिस्ताम् । तथोऽएवैष एतैः पाप्मानं द्विषन्तं भ्रातृव्यं हन्ति । तथोऽएव विजयते । विजितेऽभयेऽनाष्ट्रे सूयाऽइति ॥ ३ ॥

(४) अथ शुनासीर्येण यजते । उभौ रसौ परिगृह्य सूयाऽइति । अथ पञ्चवातीयम् । स पञ्चधाऽऽहवनीयं व्युह्य स्रुवेणोपघातं जुहोति ॥ ४ ॥

तान् वरुणपाशमोचनसाधनत्वेन प्रशंसति—**वरुणप्रघासैर्वा** इति । **ता अस्येति** । वरुणप्रघासयागेन पाश-विमोचनस्य कृतत्वात् 'अस्य' प्रजापतेः 'ताः' वैश्वदेवेन सृष्टाः 'प्रजाः' रोगपापरहिताः सत्यः पुत्रपौत्रादि-रूपेण प्रजायन्ते । गतमन्यत् । दार्ष्टान्तिके योजयति· **तथो एवैष** इति । **ता अस्येति** । 'अस्य' यजमानस्येत्यर्थः ॥ २ ॥

तृतीयं पर्व विधत्ते—**अथ साकमेधैरि**ति । 'अथ' वरुणप्रघासानुष्ठानानन्तरं चतुर्षु मासेषु साकमेधाख्या यागाः कार्याः । तान् पापरूपशत्रुजयसाधनत्वेन सदृष्टान्तं प्रशंसति—**साकमेधैर्वा** इति । 'वृत्रं' वृत्रासुरम् 'अघ्नन्' हतवन्तः । 'एषां' देवानां 'येयं विजितिः' इदानीं दृश्यते 'तां' तैरेव' साकमेधैः 'व्यज-यन्त' प्राप्नुवन् । **तथो एवे**त्यादि, सिद्धम् ॥ ३ ॥

अथ चतुर्थं पर्व विधत्ते—**अथ शुनासीर्येणे**ति । शुनो वायुः, सीर आदित्यः, तद्देवत्यं हविः शुनासीरी-यम्; तद्योगात् चतुर्थं पर्व शुनासीर्यमित्युच्यते । **उभौ रसावि**ति । शुनासीरयो रसरूपत्वं हि द्वितीये काण्डे

१-पौर्णमासेन कृष्णपक्षानित्यामावास्येन शुक्लानाशुनासीर्यात् । का. श्रौ. सू. १५ । १८ ।

सु पूर्वार्ध्ये जुहोति । (त्य) अग्निनेत्रेभ्यो देवेभ्यः पुरःसद्भ्यः स्वाहे-
त्यथ दक्षिणार्ध्ये जुहोति यमनेत्रेभ्यो देवेभ्यो दक्षिणासद्भ्यः स्वाहेत्यथ
पश्चार्ध्ये जुहोति विश्वदेवनेत्रेभ्यो देवेभ्यः पश्चात्सद्भ्यः स्वाहेत्यथोत्तरार्ध्ये
जुहोति मित्रावरुणनेत्रेभ्यो वा मरुन्नेत्रेभ्यो वा देवेभ्यऽउत्तरासद्भ्यः स्वाहे-
त्यथ मध्ये जुहोति सोमनेत्रेभ्यो देवेभ्यऽ उपरिसद्भ्यो दुवस्वद्भ्यः स्वाहेति९

(त्य) अथ सार्द्धꣳ समुह्य जुहोति । ये देवाऽ अग्निनेत्राः पुरःसद-
स्तेभ्यः स्वाहा ये देवा यमनेत्रा दक्षिणासदस्तेभ्यः स्वाहा ये देवा विश्व-

---

स पूर्वार्ध्ये जुहोति–" अग्निनेत्रेभ्यो देवेभ्यः पुरःसद्भ्यः स्वाहा "–इति । अथ दक्षिणार्ध्ये जुहोति–" यमनेत्रेभ्यो देवेभ्यो दक्षिणासद्भ्यः स्वाहा "–इति । अथ पश्चार्ध्ये जुहोति–" विश्वेदेवनेत्रेभ्यो देवेभ्यः पश्चात्सद्भ्यः स्वाहा "–इति । अथोत्तरार्ध्ये जुहोति–" मित्रावरुणनेत्रेभ्यो वा मरुन्नेत्रेभ्यो वा देवेभ्य उत्तरासद्भ्यः स्वाहा "–इति । अथ मध्ये जुहोति–" सोमनेत्रेभ्यो देवेभ्यः उपरिसद्भ्यो दुवस्वद्भ्यः स्वाहा "–(वा० सं० ९ । ३५) इति ॥ ९ ॥

अथ सार्द्धं समुह्य जुहोति–" ये देवा अग्निनेत्राः पुरस्सदस्तेभ्यः स्वाहा " (१) " ये देवा यमनेत्रा दक्षिणासदस्तेभ्यः स्वाहा "(२)"ये देवा विश्वदेवनेत्राः पश्चात्सदस्तेभ्यः

स्पष्टमुक्तम्–" अथ यस्माच्छुनासीर्येण यजेत या वै देवानाꣳ श्रीरासीत् साकमेधैरीजानानां विजिग्यानानां तच्छुनमथ यः संवत्सरस्य प्रजितस्य रस आसीत्तत् सीरꣳ सा या चैव देवानाꣳ श्रीरासीत् साकमेधैरीजानानां विजिग्यानानां, य उ च संवत्सरस्य प्रजितस्य रस आसीत् तमेवैतदुभयं परिगृह्यात्मन् कुरुते–" इति (श.प.२।६।३।२) शुनासीरीयप्रयोगकालः सूत्रितः–" पवित्रदीक्षास्थाने शुनासीरीयम् "–का. श्रौ. सू. १९।१९।) इति । पवित्राख्यस्य सोमयागस्य सवत्सरे यस्यां तिथौ दीक्षा कृता, तस्यां फाल्गुनशुक्लप्रतिपदि चतुर्थं पर्व कार्यम् । अर्थात् पवित्रशुनासीरीययोर्मध्ये वैश्वदेवादीनि त्रीणि पर्वाणि क्रमेण चतुर्षु मासेषु कार्याणीत्युक्तं भवति॥

पञ्चवातीयहोमं विधत्ते–(तै. स. १ । ८ । ७ ।) अथ पञ्चेति । ' पञ्चवातीयम् ' इति कर्मनामधेयम् । ' आहवनीयम् ' अग्निं ' पञ्चधा ' ' व्युह्य ' प्रतिदिशं मध्ये च पृथक् कृत्वेत्यर्थः । आज्यस्थाल्याः ' स्रुवेण ' ' उपघातम् ' उपहत्योपहत्य गृहीत्वा ' जुहोति ' ॥ ८ ॥

तत्र पूर्वादिक्रमेण पञ्चस्वग्निषु समन्त्रकं हवनं विधत्ते–**स पूर्वार्द्धर्य** इत्यादिना पूर्वार्द्धे भवः ' पूर्वार्द्धर्यः ' अग्निः । **अग्निनेत्रेभ्य** इत्यादि । अग्निः ' नेत्रं ' नयनस्येष्टप्राप्तेः साधनं येषां तेभ्यः 'पुरस्सद्भ्यः' पूर्वस्यां दिशि सीदन्तीति तथोक्ताः, तेभ्यः ' देवेभ्यः ' ' स्वाहा ' सुहुतमस्तु । एवमुत्तरत्रापि योज्यम् । ' दुवस्वद्भ्यः ' दुव इत्यन्ननाम; (निघ. १० । २ । ७) । हविर्लक्षणान्नयुक्तेभ्यः ॥ ९ ॥

इत्थं पञ्चभिर्मन्त्रैः कृतेष्वग्निषु हुत्वा पुनस्तानग्नीनेकीकृत्य तैरेव मन्त्रैर्हवनं विधत्ते–**अथ सार्द्धमिति** ।

१–पंचवातीयमाहवनीयं प्रतिदिशं व्युह्य मध्ये च स्रुवेणाग्निषु जुहोत्यग्निनेत्रेभ्य इति प्रतिमंत्रमुत्तराः समस्य ये देवा इति प्रतिमंत्रम् । का. श्रौ. सू. १५ । ११ । २० ।

देवनेत्राः पश्चात्सदस्तेभ्य स्वाहा ये देवा मित्रावरुणनेत्रा वा मरुन्नेत्रा वोत्तरासदस्तेभ्यः स्वाहा ये देवाः सोमनेत्राऽउपरिसदो दुवस्वन्तस्तेभ्यः स्वाहेति तद्यदेवं जुहोति ॥ ६ ॥

यत्र वै देवाः । साकमेधैर्व्यजयन्त येयमेषां विजितिस्तां तद्धोचुरुत्पिबन्ते वा ऽइमानि दिक्षु नाष्ट्रा रक्षाᳬसि हन्तैभ्यो वज्रं प्रहरामेति वज्रो वा ऽआज्यं त ऽएतेन वज्रेणाज्येन दिक्षु नाष्ट्रा रक्षाᳬस्यवाघ्नंस्ते व्यजयन्त येयमेषां विजितिस्तां तथोऽएवैष एतेन वज्रेणाज्येन दिक्षु नाष्ट्रा रक्षाᳬस्यवहन्ति तथो ऽएव विजयते विजितेऽभयेऽनाष्ट्रे सूया ऽइति ॥ ७ ॥

(त्यु) अथ यदेताऽ अपराः पञ्चाहुतीर्जुहोति । क्षण्वन्ति वा ऽएतदग्नेर्विवृहन्ति यत्पञ्चधाऽऽहवनीयं व्यूहन्ति तदेवास्यैतेन सन्दधाति तस्मादेता ऽअपराः पञ्चाहुतीर्जुहोति ॥ ८ ॥

स्वाहा " (३) " ये देवा मित्रावरुणनेत्रा वा मरुन्नेत्रा वोत्तरासदस्तेभ्यः स्वाहा " (४) " ये देवाः सोमनेत्रा उपरिसदो दुवस्वन्तस्तेभ्यः स्वाहा " (५)–(वा० सं० ९ । ३६) इति । तद्यदेवं जुहोति ॥ ६ ॥

यत्र वै देवाः साकमेधैर्व्यजयन्त–येयमेषां विजितिस्ताम् । तद्धोचुः–उत्पिबन्ते वाऽइमानि दिक्षु नाष्ट्रा रक्षांसि, हन्तैभ्यो वज्रं प्रहरामेति । वज्रो वाऽआज्यम् । तऽएतेन वज्रेणाज्येन दिक्षु नाष्ट्रा रक्षांस्यवाघ्नन् । ते व्यजयन्त–येयमेषां विजितिस्ताम् । तथोऽएवैष एतेन वज्रेणाज्येन दिक्षु नाष्ट्रा रक्षांस्यवहन्ति । तथोऽएव विजयते । विजितेऽभयेऽनाष्ट्रे सूयाऽइति ॥ ७ ॥

अथ यदेता अपराः पञ्चाहुतीर्जुहोति । क्षण्वन्ति वाऽएतदग्नेर्विवृहन्ति–यत् पञ्चधाऽऽहवनीयं व्यूहन्ति । तदेवास्यैतेन सन्दधाति । तस्मादेता अपराः पञ्चाहुतीर्जुहोति ॥ ८ ॥

पश्चाप्यग्नीन् ' सार्द्धं ' ' समुह्य ' समस्य जुहुयात् । तानेव मन्त्रान् पुनः पठति–ये देवा इति । अर्थस्तु पूर्ववत् ॥ ६ ॥

पञ्चवातीयहोमस्य द्रव्यं विधातुमाह–यत्र वै देवा इति । तद्धोचुरिति । ' तत् ' तत्र विजितप्रदेशे देवाः ' ऊचुः ' उक्तवन्तः किम् । ' इमानि ' ' नाष्ट्रा ' नाशकारीणि ' रक्षांसि ' ' दिक्षु ' ' उत्पिबन्ते ' उत्कटं पिबन्ति, प्राणिनो भक्षयन्ति । ' हन्त ' इति हर्षे । ' एभ्यः ' रक्षोभ्यः ' वज्रं प्रहराम इति ' विचार्य, आज्यरूपेण वज्रेण तान् राक्षसान् एव अघ्नन् । श्रूयते हि आज्यस्य वज्रत्वम् । " घृतं वै देवा वज्रं कृत्वा "–(तै. सं. ६ । २ । २ । ४) इति । " तथो एवैष " इत्यादिना इदानीमनुष्ठातुरपि तथाविधफलप्राप्तिदर्शनम् ॥ ७ ॥

आग्नीनां समासेन कृतमाहुतिपञ्चकं प्रशंसति–अथ यदेता इति । पूर्वमाहवनीयस्य पञ्चधा व्यूहनेन तमग्निं

तस्य प्रष्टिवाहनोऽश्वरथो दक्षिणा । त्रयोऽश्वा द्वौ सव्यष्टृसारथी ते पञ्च प्राणा यो वै प्राणः स व्वातस्तद्यदेतस्य कर्मणऽएषा दक्षिणा तस्मात्पञ्चवातीयं नाम ॥ ९ ॥

स हैतेनापि भिषज्येत् । (द) अयं वै प्राणो योऽयं पवते यो वै प्राणः सऽआयुः सोऽयमेक इवैव पवते सोऽयं पुरुषेऽन्तः प्रविष्टो दशधा व्विहितो दश वाऽएता ऽआहुतीर्जुहोति तदस्मिन्दश प्राणान्कृत्स्नमेव सर्व्वमायुर्द्दधाति स यदिहापि गतासुरिव भवत्या हैवैनेन हरति ॥ १० ॥

तस्य प्रष्टिवाहनोऽश्वरथो दक्षिणा । त्रयोऽश्वाः । द्वौ सव्यष्टृसारथी । ते पञ्च प्राणाः । यो वै प्राणः स वातः । तद् यदेतस्य कर्मण एषा दक्षिणा—तस्मात् पञ्चवातीयं नाम ॥ ९ ॥

स हैतेनापि भिषज्येत् । अयं वै प्राणो—योऽयं पवते । यो वै प्राणः—स आयुः । सोऽयमेक इवैव पवते । सोऽयं पुरुषेऽन्तः प्रविष्टो दशधा विहितः । दश वाऽएता आहुतीर्जुहोति । तदस्मिन् दश प्राणान् कृत्स्नमेव सर्वमायुर्दधाति । स यदिहापि गतासुरिव भवति—आ हैवैनेन हरति ॥ १० ॥

'क्षण्वन्ति' हिंसन्ति । "क्षणु हिंसायाम्" (धा. पा. रु. प. ३) इति धातुः । तथा तस्य 'अग्नेः' अवयवान् 'विवृहन्ति' विश्लेषयन्ति । "वृहू उद्यमने" (धा. पा. तु. प. १६) इति धातुः । तमनेन पुनःसमस्य पञ्चाहुतिकरणेन संहितवान् भवतीति ॥ ८ ॥

तस्य होमस्य त्रियुक्तमश्वरथं दक्षिणात्वेन विधत्ते—**तस्य प्रष्टिवाहन** इति । **सव्य इति** । रथस्य सव्यभागे तिष्ठन्नेकः, सारथिश्चैक इति द्वौ । अश्वगतां त्रित्वसंख्यां सारथिगतां द्वित्वसंख्याञ्च मिलित्वा पञ्चप्राणात्मना प्रशंसति--ते पञ्चेति । प्राणवातयोरेकत्वात् पञ्चवातीयहोमस्य सङ्ख्याद्वारा प्राणात्मकस्य रथो दक्षिणात्वेन युज्यते । 'तस्मात्' कर्मणोऽपि पञ्च वाताः प्राणा अस्मिन् सन्तीति 'पञ्चवातीयं' 'नाम' सम्पन्नम् ॥ ९ ॥

आरोग्यकाम़स्यापीमं होमं विधत्ते—स **हैतेनापी**ति । 'एतेन' होमेन 'भिषज्येत' चिकित्सेत् । "भिषज् चिकित्सायाम्" (धा. पा. कं. प. २३) इति धातुः । अत एव सूत्रितम्—"व्याधितस्याप्येवम्" (का. श्रौ. सू. १९ । २२) इति । प्राणस्यायुष्ट्वं शरीरधारकत्वात् । 'सः' प्राणरूपेण 'एकः' अपि पुरुषशरीरेऽनुप्रविष्टः सन् वृत्तिभेदात् दशसु चक्षुःश्रोत्रादिद्वारेषु सञ्चरन् 'दशधा विहितः' भवति । अत उक्तदशाहुतिकरणात् 'दश प्राणान्' व्याधिते 'पुरुषे' 'कृत्स्नं' 'सर्वमायुः' वि-'दधाति' । 'यः' तु 'गतासुः इव भवति' 'तम्' 'अपि' अनेन होमेन आहरति एव पुनर्जीवयत्येवेत्यर्थः ॥ १० ॥

१-त्रियुक्तोऽश्वरथो दक्षिणा । का० श्रौ० सू० १५ । २१ ।

(त्यु) अथेन्द्रतुरीयम् । (मा) आग्नेयोऽष्टाकपालः पुरोडाशो भवति वारुणो यवमयश्चरू रौद्रो गावेधुकश्चरुरनडुह्यै वहलाया ऽऐन्द्रं दधि तेनेन्द्रतुरीयेण यजत ऽइन्द्राग्नी उ हैवैतत्समूदाते ऽउत्पिबन्ते वा ऽइमानि दिक्षु नाष्ट्रा रक्षाᳪँसि हन्तैभ्यो वज्रं प्रहरावेति ॥ ११ ॥

स हाग्निरुवाच । त्रयो मम भागाः सन्त्वेकस्तवेति तथेति तावेतेन हविषा दिक्षु नाष्ट्रा रक्षाᳪँस्युपाहतां तौ व्यजयेतां यैनयोरियं विजितिस्तां तथो ऽएवैषु ऽएतेन हविषा दिक्षु नाष्ट्रा रक्षाᳪँस्यवहन्ति तथो ऽएव विजयते विजितेऽभयेऽनाष्ट्रे सूयाऽइति ॥ १२ ॥

स यु एष ऽआग्नेयोऽष्टाकपालः पुरोडाशो भवति सोऽग्नेरेको भागोऽथ यद्वारुणो यवमयश्चरुर्भवति यो वै वरुणः सोऽग्निः सोऽग्नेर्द्वितीयो भागोऽथ यद्रौद्रो गावेधुकश्चरुर्भवति यो वै रुद्रः सोऽग्निः सोऽग्नेस्तृतीयो भागोऽथ

अथेन्द्रतुरीयम् । आग्नेयोऽष्टाकपालः पुरोडाशो भवति, वारुणो यवमयश्चरुः, रौद्रो गावेधुकश्चरुः, अनडुह्यै वहलाया ऐन्द्रं दधि । तेनेन्द्रतुरीयेण यजते । इन्द्राग्नीऽउ हैवैतत् समूदाते–उत्पिबन्ते वाऽइमानि दिक्षु नाष्ट्रा रक्षांसि, हन्तैभ्यो वज्रं प्रहरावेति ॥ ११ ॥

स हाग्निरुवाच–त्रयो मम भागाः सन्तु । एकस्तवेति । तथेति । तावेतेन हविषा दिक्षु नाष्ट्रा रक्षांस्यावाहताम् । तौ व्यजयेताम्–यैनयोरियं विजितिस्ताम् । तथोऽएवैष एतेन हविषा दिक्षु नाष्ट्रा रक्षांस्यवहन्ति । तथोऽएव विजयते । विजितेऽभयेऽनाष्ट्रे सूयाऽइति ॥ १२ ॥

स य एष आग्नेयोऽष्टाकपालः पुरोडाशो भवति । सोऽग्नेरेको भागः । अथ यद्वारुणो यवमयश्चरुर्भवति । यो वै वरुणः सोऽग्निः । सोऽग्नेर्द्वितीयो भागः । अथ यद्रौद्रो गावेधुकश्चरुर्भवति । यो

यागांतरं विधत्ते–अथेन्द्रेति । 'अथ' पञ्चवातीयहोमानन्तरम्, इन्द्रस्तुरीयश्चतुर्थहविर्देवता यस्मिन् कर्मणि, तत् 'इन्द्रतुरीयम्' कर्म वक्ष्यत इत्यर्थः (तै. सं. १ । ८ । ७) तस्य हविश्चतुष्टयं विधत्ते–आग्नेय इत्यादि । गवेधुका. आरण्यगोधूमाः । 'वहलायै' वहं नाम ककुत्प्रदेशः, तद्वत्यै 'अनडुह्यै' षष्ठ्यर्थे चतुर्थी (पा. सू. २।३।६२ वा.) तस्याः । 'दधि' 'ऐन्द्रम्' इन्द्रदेवत्यं कुर्यात् । अथ विधत्ते–तेनेन्द्रतुरीयेणेति ॥

यागस्येन्द्रतुरीयत्वमाख्यायिकया दर्शयति–इन्द्राग्नी उ हैवैतदिति । 'समूदाते' सम्वादं कृतवन्तौ ॥ ११ ॥

स हाग्निरित्यादिना अग्नेस्त्रयो भागाः इन्द्रस्य तुरीय एको भाग इति यागस्यार्थात् इन्द्रतुरीयमिति नाम निरुक्तम् । स्पष्टमन्यत् ॥ १२ ॥

अग्नेर्भागत्रयं क्रमेण प्रतिपादयति–स य एष आग्नेय इति[3] । यो वै वरुण इत्यादि । वरुणो रुद्रश्चोभाव-

---

१-इंद्रतुरीयम् । का० श्रौ० सू० १५ । २३ । २–आग्नेयः । का० श्रौ० सू० १५ । २४ । ३–आग्नेयः । वारुणो यवमयश्चरुः । अन्यत्रापि । रौद्रश्च गावेधुकः । का. श्रौ. सू. १५ । २४-२८ ।

यद्गावेधुको भवति वास्तव्यो वा ऽएष देवो वास्तव्या गवेधुकास्तस्मा-द्गावेधुको भवत्यथ यदनडुह्यै वहलाया ऽऐन्द्रं दधि भवति स ऽ इन्द्रस्य चतुर्थो भागो यद्वै चतुर्थं तत्तुरीयं तस्मादिन्द्रतुरीयं नाम तस्यैषैवानडुही वहला दक्षिणा सा हि वहेनाग्नेय्यग्निदग्धमिव ह्यस्यै वहं भवत्यथ यत्स्त्री सती वहत्यधर्मेण तदस्यै वारुणꣳ रूपमथ यद्गौस्तेन रौद्र्यथ यदस्या ऽऐन्द्रं दधि तेनैन्द्र्येषा हि वा ऽएतत्सर्वं व्यश्नुते तस्मादेषैवान-डुही वहला दक्षिणा ॥ १३ ॥

(णाऽथा) अथापामार्गहोमं जुहोति । (त्य) अपामार्गैर्वै देवा दिक्षु नाष्ट्रा रक्षाꣳस्यपामृजत ते व्यजयन्त सेयमेषां विजितिस्तां तथो ऽएवैष ऽएतदपामार्गैरेव दिक्षु नाष्ट्रा रक्षाꣳस्यपमृष्टे तथो ऽएव विजयते विजि-तेऽभयेऽनाष्ट्रे सूयाऽइति ॥ १४ ॥

वै रुद्रः सोऽग्निः। सोऽग्नेस्तृतीयो भागः। अथ यद्गावेधुको भवति। वास्तव्यो वाऽएष देवः। वास्तव्या गवेधुकाः। तस्माद्गावेधुको भवति। अथ यदनडुह्यै वहलायाऽऐन्द्रं दधि भवति—स इन्द्रस्य चतुर्थो भागः। यद्वै चतुर्थं तत्तुरीयम्। तस्मादिन्द्रतुरीयं नाम। तस्यैषैवानडुही वहला दक्षिणा। सा हि वहेनाग्नेयी। अग्निदग्धमिव ह्यस्यै वहं भवति। अथ यत् स्त्री सती वहति—अधर्मेण। तदस्यै वारुणं रूपम्। अथ यद्गौः, तेन रौद्री। अथ यदस्याऽऐन्द्रं दधि, तेनैन्द्री। एषा हि वाऽएतत्सर्वं व्यश्नुते। तस्मादेषैवानडुही वहला दक्षिणा ॥ १३ ॥

अथापामार्गहोमं जुहोति। अपामार्गैर्वै देवा दिक्षु नाष्ट्रा रक्षांस्यपामृजत। ते व्यजयन्त—येय-

---

प्यग्निरेव। तथा च तैत्तिरीयके—" ते देवा अग्निमब्रुवन् " इति—प्रस्तुत्य " स त्रेधाऽऽत्मानं व्यकुरुताग्निं तृतीयं रुद्रं तृतीयं वरुणं तृतीयम् "– (तै. ब्रा. १ । ७ । १) इति। **वास्तव्य** इति। रुद्रः खलु वास्तुभवः। ग्रामाद्बाह्यो यज्ञभूमिश्मशानादिर्वास्तुः। गवेधुका अपि ' वास्तुभवाः '। अतो गावेधुकहविषो रुद्रदैवत्यत्वं युक्तमिति। **अथ यदनडुह्या** इत्यादि। उक्तार्थम् ॥ तस्य दक्षिणां विधत्ते—**तस्यैषैवेति**। दक्षिणारूपाया अनडुह्या अग्निवरुणरुद्रेन्द्रदेवतानामौचित्यं दर्शयति—**सा हि वहेनेति**। युगवहनप्रदेशे कृष्णवर्णत्वात् अग्नेः सम्बन्धिनी; स्त्रीत्वे सत्यपि, ' अधर्मेण ' स्त्रिया अयोग्येनानोवहनेन वारुणी; वरुणो हि स्वपाशैः सर्वान् बध्नाति। गवां रुद्रदेवत्यत्वात् ' तेन रौद्री '। एतदीयस्य दध्न ऐन्द्रत्वात् ' तेन ' ' ऐन्द्री ' इन्द्रदेवताका। एतादृशी ' अनडुही ' एतस्येन्द्रतुरीयकर्मणो दक्षिणात्वेन संयुज्यत इत्यर्थः (तै. सं. १ । ८ । ७ । १) ॥ १३ ॥

विधत्ते—**अथापामार्गेति**[2]। तं राज्ञो विजितिसाधनत्वेन प्रशंसति—**अपामार्गैर्वै देवा** इति। 'अपामृजत' अपमार्जनं कृतवन्तः। **अपमृष्ट** इति। इदानीं मनुष्योऽप्यपमार्जनं करोति ॥ १४ ॥

१–वहिनी दध्यैन्द्रम्। का। श्रौ। सू, १५। २८। २–अपामार्गहोमः। का. श्रौ. सू. १५। २९ ॥

स पालाशे वा स्रुवे वैकङ्कते वा । (वाऽपा) अपामार्गतण्डुलानादत्तेऽन्वाहार्यपचनादुल्मुकमाददते तेन प्राञ्चो वोदञ्चो वा यन्ति तदग्निᳬं समाधाय जुहोति ॥ १५ ॥

स ऽउल्मुकमादत्ते । (तेऽग्ने) अग्ने सहस्व पृतना इति युधो वै पृतना युधः सहस्वेत्युवैतदाहाभिमातीरपास्येति सपत्नो वाऽअभिमातिः सपत्नमपजहीत्युवैतदाह दुष्टरस्तरन्नरातीरिति दुस्तरो ह्येष रक्षोभिर्नाष्ट्राभिस्तरन्नरातीरिति सर्वᳬं ह्येष पाप्मानं तरति तस्मादाह तरन्नरातीरिति वर्चो धा यज्ञवाहसीति साधु यजमाने दधदित्युवैतदाह ॥ १६ ॥

मेषां विजितिस्ताम् । तथोऽएवैष एतदपामार्गैरेव दिक्षु नाष्ट्रा रक्षांस्यपमृष्टे । तथोऽएव विजयते । विजितेऽभये नाष्ट्रे सूयाऽइति ॥ १४ ॥

स पालाशे वा स्रुवे, वैकङ्कते वा, अपामार्गतण्डुलानादत्ते । अन्वाहार्यपचनादुल्मुकमाददते । तेन प्राञ्चो वोदञ्चो वा यन्ति । तदग्निं समाधाय जुहोति ॥ १५ ॥

स उल्मुकमादत्ते-" अग्ने सहस्व पृतनाः "-इति । युधो वै पृतनाः । युधः सहस्वेत्येवैतदाह । " अभिमातीरपास्य "-इति । सपत्नो वाऽअभिमातिः । सपत्नमपजहीत्येवैतदाह । " दुष्टरस्तरन्नरातीः "-इति । दुस्तरो ह्येष रक्षोभिर्नाष्ट्राभिः । " तरन्नरातीः "-इति । सर्वं ह्येष पाप्मानं तरति । तस्मादाह-तरन्नरातीरिति । " वर्चो धा यज्ञवाहसि "-(वा. सं. ९।३७) इति । साधु यजमाने दधद्-इत्येवैतदाह ॥ १६ ॥

तस्यानुष्ठानं सविशेषमाह-स पालाशे वेति । पलाशवैकङ्कतयोरन्यतरवृक्षनिर्मिते 'स्रुवे' अपामार्गतण्डुलानादाय अन्वाहार्यपचनाग्नेरुल्मुकञ्चादाय प्राङ्मुखा उदङ्मुखा वा 'यन्ति' तत्राग्निं प्रतिष्ठाप्य होमः कर्तव्यः॥१५॥

उल्मुकादानमनूद्य मन्त्रं विधत्ते-स उल्मुकमिति[२] । हे 'अग्ने!' 'पृतनाः' संग्रामान् 'सहस्व' 'अभिमातीः' अभिमन्यमानान् सपत्नान् 'अपास्य' अपक्षिप " असु क्षेपणे " (धा. पा. दि. प. १०३) एवमनिष्टनिवृत्तिमुक्त्वेष्टप्राप्तिं प्रार्थयते-'दुष्टरः' अन्यैस्तरितुमशक्यः स्वयम् 'अरातीः' शत्रून् 'तरन्' 'यज्ञवाहसि' यजमाने 'वर्चः' अन्नम् 'धाः' धारयसि इति । मन्त्रं प्रतिपादमनूद्य व्याचष्टे-अग्ने सहस्वेति । वर्चः-पदस्य श्रेयःपरत्वमाह-साधु यजमान इति । 'दधत्' धारयन्नित्यर्थः ॥ १६ ॥

१-स्रुवे पालाशे वैकंकते वाऽपामार्गतंडुलान् कृत्वा । त्र्यंबकवद्दिग्गमी । प्राची वा । का. श्रौ. सू. १५ । ३०-३२ । २-अग्ने सहस्वेत्युल्मुकादानम् । का० श्रौ० सू० १५ । ३३ ।

तुदग्निꣳ समाधाय जुहोति । देवस्य त्वा सवितुः प्रसवेऽश्विनोर्बाहुभ्यां पूष्णो हस्ताभ्यामुपाꣳशोर्वीर्येण जुहोमीति यज्ञमुखं वा ऽउपाꣳशुर्यज्ञमुखेनैवैतन्नाष्ट्रा रक्षाꣳसि हन्ति हतꣳ रक्षः स्वाहेति तन्नाष्ट्रा रक्षाꣳसि हन्ति ॥ १७ ॥

स यदि पालाशः स्रुवो भवति । ब्रह्म वै पलाशो ब्रह्मणैवैतन्नाष्ट्रा रक्षाꣳसि हन्ति यद्यु वैकङ्कतो वज्रो वै विकङ्कतो वज्रेणैवैतन्नाष्ट्रा रक्षाꣳसि हन्ति रक्षसां त्वा वधायेति तन्नाष्ट्रा रक्षाꣳसि हन्ति ॥ १८ ॥

स यदि प्राङिस्त्वा जुहोति । प्राञ्चꣳ स्रुवमस्यति यद्युदङिस्त्वा जुहोत्युदञ्चꣳ स्रुवमस्यत्यवधिष्म रक्ष ऽइति तन्नाष्ट्रा रक्षाꣳसि हन्ति ॥ १९ ॥

तदग्निं समाधाय जुहोति–" देवस्य त्वा सवितुः प्रसवेऽश्विनोर्बाहुभ्यां पूष्णो हस्ताभ्यामुपांशोर्वीर्येण जुहोमि "–इति । यज्ञमुखं वाऽउपांशुः । यज्ञमुखेनैवैतन्नाष्ट्रा रक्षांसि हन्ति । " हतं रक्षः स्वाहा "–इति । तन्नाष्ट्रा रक्षांसि हन्ति ॥ १७ ॥

स यदि पालाशः स्रुवो भवति । ब्रह्म वै पलाशः । ब्रह्मणैवैतन्नाष्ट्रा रक्षांसि हन्ति । यद्यु वैकङ्कतः । वज्रो वै विकङ्कतः । वज्रेणैवैतन्नाष्ट्रा रक्षांसि हन्ति । " रक्षसां त्वा वधाय "- इति । तन्नाष्ट्रा रक्षांसि हन्ति ॥ १८ ॥

स यदि प्राङिस्त्वा जुहोति–प्राञ्चं स्रुवमस्यति । यद्युदङिस्त्वा जुहोति–उदञ्चं स्रुवमस्यति । " अवधिष्म रक्षः " इति । तन्नाष्ट्रा रक्षांसि हन्ति ॥ १९ ॥

हवनमनूद्य मन्त्रं विधत्ते–तदग्निमिति । देवस्येत्वेति । व्याख्यातम् । उपांशोरिति । ' उपांशुः ' नाम ' यज्ञमुखं ' प्रथमो ग्रहः, तस्य ' वीर्येण ' ' जुहोमि ' । तेन हवनेन ' रक्षः ' हतं निहतं नष्टं भवतु । ' स्वाहा ' इदं हविः सुहुतमस्तु इति ॥ १७ ॥

पालाशवैकङ्कतयोरेकतरस्य हवनोपयुक्तस्य स्रुवस्य क्षेपणं सार्थवादं विधत्ते–स यदि पालाश इति । क्षेपणमन्त्रं पठति–रक्षसामिति । हे स्रुव ! ' रक्षसां वधाय ' ' त्वा ' त्वाम्, अस्यामीति शेषः ॥ १८ ॥

क्षेपणे दिग्विशेषमाह–स यदीति । ' यदि ' अध्वर्युः ' प्राङ् ' प्राङ्मुखः पूर्वस्यां दिशि गत्वा जुहुयात्, तर्हि ' स्रुवं ' ' प्राञ्चं ' प्राग्दिक्सम्बद्धम् ' अस्यति ' क्षिपति । उदङिस्त्वादावप्येवं योज्यम् । हवनप्रदेशात् तन्निवर्त्तनं विधित्सुरादौ तन्मन्त्रं पठित्वा व्याचष्टे–अवधिष्मेति । अनेनापामार्गहोमेन ' रक्षः ' ' अवधिष्म ' वयं हतवन्तः । भूते लुङ् ॥ १९ ॥

१–देवस्य त्वेति जुहोति । का० श्रौ० सू० १५ । ३४ । २–रक्षसां त्वेति स्रुवमस्यति तां दिशं यस्यां जुहोत्यवधिष्म रक्ष इत्यायंत्यनपेक्षम् । का. श्रौ. सू. १५ । ३५ ।

(न्त्य) अथाप्रतीक्षं पुनरायन्ति । स हैतेनापि प्रतिसरं कुर्व्वीत स यस्यां ततो दिशि भवति तत्प्रतीत्य जुहोति प्रतीचीनफलो वा ऽअपामार्गः स यो हास्मै तत्र किञ्चित्करोति तमेवैतत्प्रत्यग्धूर्व्वति तस्य नामादिशेदव-धिष्मामुमसौ हत इति तन्नाष्ट्रा रक्षाᳩसि हन्ति ॥ २० ॥

इति द्वितीयप्रपाठके तृतीयं ब्राह्मणम् ॥ ५–२–३ ॥ (२. ४.)

आग्नावैष्णवमेकादशकपालं पुरोडाशं निर्व्वपति । (त्यै) ऐन्द्रा-वैष्णवं चरुं व्वैष्णवं त्रिकपालं वा पुरोडाशं चरुं वा तेन त्रिषंयुक्तेन यजते पुरुषानेतद्देवा ऽउपायंस्तथो ऽएवैष ऽएतत्पुरुषानेवोपैति ॥ १ ॥

अथाप्रतीक्षं पुनरायन्ति । स हैतेनापि प्रतिसरं कुर्वीत । स यस्यां ततो दिशि भवति–तत्प्रतीत्य जुहोति । प्रतीचीनफलो वाऽअपामार्गः । स यो हास्मै तत्र किञ्चित्करोति–तमेवैतत् प्रत्यग्धूर्वति । तस्य नामादिशेत् । "अवधिष्मामुम् असौ हतः"–(वा० सं० ९ । ३८) इति । तन्नाष्ट्रा रक्षांसि हन्ति ॥ २० ॥

त्रिषंयुक्तादियागाः ।

आग्नावैष्णवमेकादशकपालं पुरोडाशं निर्वपति, ऐन्द्रावैष्णवं चरुं वैष्णवं त्रिकपालं वा

एतम्मन्त्रकरणकं पुनरागमनं विधत्ते–अथाप्रतीक्षमिति (का. श्रौ. सू. १५ । ३१) । 'अथ' 'अप्रतीक्षं' तं प्रदेशं प्रतिनिवृत्त्य, अनवेक्ष्येत्यर्थः । अभिवर्द्धमानस्यापि स्वोपद्रवपरिहारायेमं होमं विधत्ते–स हैतेनापीति । 'एतेन' अपामार्गहोमेन 'अपि' न केवलं पञ्चवातीयहोमेन, एतेनापि 'प्रतिसरं' स्वरक्षा-मभिचार्यमाणः कुर्यात् । हवने कञ्चिद्विशेषं विधत्ते–स यस्यामिति । अभिचारको यस्यां 'दिशि' भवेत्, तां दिशं 'प्रतीत्य' गत्वा जुहुयात्–प्रतीचीनफल इति । अपामार्गमञ्जर्यो यतः प्रतीचीनफलाः स्वात्मानं प्रतिगतैरवाङ्मुखैः फलैर्युक्ताः अतो योऽभिचारकः 'अस्मै' यजमानाय किञ्चित् पीडादिकं कुर्यात् । 'तमेव' एतेनापामार्गहोमेन प्रतिमुखं 'धूर्वति' हिनस्ति, तत्कृतोऽभिचारः तमेव प्रतिनिवृत्य हिनस्तीत्यर्थः । निवर्त्तन-मन्त्रेण शत्रुनामादेशनं विधत्ते–तस्य नामेति । अवधिष्मामुमिति । 'अमुम्' 'असौ' इति पदयोः स्थाने अभिचारकनामधेयं द्वितीयान्तत्वेन प्रथमान्तत्वेन चादिशेदित्यर्थः ॥ अत्र सूत्रम्–" देवस्य त्वेति जुहोति, रक्षसां त्वेति स्रुवमस्यति तां दिशं यस्यां जुहोत्यवधिष्म रक्ष इत्यायन्त्यनपेक्षम् "–(का. श्रौ. सू. १५ । ३४ । ३५) इति । " अभिचर्यमाणोऽपि तां दिशं गत्वाऽभिचरतो नामादिशेत् "–इति कर्कोक्तिः ॥ २० ॥

इति श्रीसायणाचार्यविरचिते माधवीये वेदार्थप्रकाशे माध्यन्दिनीयशतपथब्राह्मणभाष्ये
पञ्चमकाण्डे द्वितीयाऽध्याये चतुर्थं ब्राह्मणम् ॥ (५-२-४) ॥

अथ त्रिषंयुक्तेष्टित्रयं विधित्सुः प्रथमं त्रिषंयुक्तमनुक्रामति–आग्नावैष्णवमिति । तद् विधत्ते-तेन

स यदाग्नावैष्णवः । (ऽ) एकादशकपालः पुरोडाशो भवत्यग्निर्वै दाता व्वैष्णवाः पुरुषास्तदस्माऽअग्निर्दाता पुरुषान्ददाति ॥ २ ॥

(त्यु) अथ यदैन्द्राव्वैष्णवः । (श्व) चरुर्भवतीन्द्रो वै यजमानो व्वैष्णवाः पुरुषाः स यानेवास्मा ऽअग्निर्दाता पुरुषान्ददाति तैरेवैतत्सᳬंस्पृशते तानात्मन्कुरुते ॥ ३ ॥

(तुऽथा) अथ यद्वैष्णवः । (त्रि) त्रिकपालो वा पुरोडाशो भवति चरुर्व्वा यानेवास्माऽअग्निर्दाता पुरुषान्ददाति तेष्वेवैतदन्ततः प्रतितिष्ठति यद्वै पुरुषवान्कर्म चिकीर्षति शक्नोति वै तत्कर्तुं तत्पुरुषानेवैतदुपैति पुरुषवान्त्स्यूयाऽइति तस्य व्वामनो गौर्दक्षिणा स हि व्वैष्णवो यद्वामनः ॥ ४ ॥

पुरोडाशं, चरुं वा । तेन त्रिषंयुक्तेन यजते । पुरुषानेतद्देवा उपायन् । तथोऽएवैषऽएतत् पुरुषानेवोपैति ॥ १ ॥

स यदाग्नावैष्णवऽएकादशकपालः पुरोडाशो भवति—अग्निर्वै दाता, वैष्णवाः पुरुषाः—तदस्माऽअग्निर्दाता पुरुषान् ददाति ॥ २ ॥

अथ यदैन्द्रावैष्णवश्चरुर्भवति—इन्द्रो वै यजमानो, वैष्णवाः पुरुषाः—स यानेवास्माऽअग्निर्दाता पुरुषान् ददाति । तैरेवैतत्संस्पृशते । तानात्मन् कुरुते ॥ ३ ॥

अथ यद्वैष्णवस्त्रिकपालो वा पुरोडाशो भवति, चरुर्वा—यानेवास्माऽअग्निर्दाता पुरुषान् ददाति—तेष्वेवैतदन्ततः प्रतितिष्ठति । यद्वै पुरुषवान्कर्म चिकीर्षति—शक्नोति वै तत् कर्तुम् । तत् पुरुषानेवैतदुपैति । पुरुषवान् सूयाऽइति । तस्य वामनो गौर्दक्षिणा । स हि वैष्णवो—यद्वामनः (१) ॥ ४ ॥

त्रिषंयुक्तेनेति । त्रिभिर्हविर्भिः संयुक्तं कर्म त्रिषंयुक्तं तेन यजेत । पुरुषप्राप्तिहेतुतामाह—पुरुषानेवैतदिति । यतो देवा एतेन त्रिषंयुक्तेन सहायभूतान् कर्मकरान् पुरुषान् प्राप्तवन्तः, तथा यजमानोऽपि तथाविधान् पुरुषान् अनेन यागेन प्राप्नोतीत्यर्थः ॥ १ ॥

त्रिणि हवींषि विभज्य स्तौति—स यदाग्नावैष्णव इति । वैष्णवाः पुरुषा इति । विष्णोरवतारस्वीकारेण मनुष्यसम्बन्धात् मनुष्याः सर्वे 'वैष्णवाः' विष्ण्वधिष्ठिता इत्यर्थः । 'तत्' तथा सति 'अस्मै' यजमानाय आग्नावैष्णवयागेन 'दाता अग्निः' विष्णवात्मकान् 'पुरुषान्' 'ददाति' इत्यर्थः ॥ २ ॥

प्रयोजनमाह—अथ यदैन्द्रावैष्णव इति । (तै. सं. १ । ८ । ८ । १ । तै. ब्रा. १ । ७ । २) ॥ ३ ॥

अथ यद् वैष्णव इति । तेष्वेवैतदन्तत इति । 'अन्ततः' अवसाने केवलवैष्णवयागेन 'तेषु' अग्निदत्तेषु स्वसम्बद्धेषु विष्ण्वात्मकेष्वेव पुरुषेषु प्रतिष्ठितो भवति । अथ पुरुषप्राप्तेः फलमाह—यद्वै पुरुषवानिति । यतः पुरुषसहायवानेव 'कर्म' कर्तुमिच्छति 'तत् कर्तुं' 'शक्नोति' च; अतः 'तत्' तेन प्रथमेन त्रिषं-

---

१-त्रिषंयुक्तेषु । का० श्रौ० सू० १५ । १६ ।

(नोऽथा) अथापरेण त्रिषंयुक्तेन यजते । स आग्नापौष्णमेकादशकपालं पुरोडाशं निर्व्वपत्यैन्द्रापौष्णं चरुं पौष्णं चरुं तेन त्रिषंयुक्तेन यजते पशूनेव तद्देवाऽउपायंस्तथोऽएवैष एतत्पशूनेवोपैति ॥ ५ ॥

स यदाग्नापौष्णः । (ऽ) एकादशकपालः पुरोडाशो भवत्यग्निर्वै दाता पौष्णाः पशवस्तदस्माऽअग्निरेव दाता पशून्ददाति ॥ ६ ॥

(त्य) अथ यदैन्द्रापौष्णः । (श्च) चरुर्भवतीन्द्रो वै यजमानः पौष्णाः पशवः स यानेवास्माऽअग्निर्दाता पशून्ददाति तैरेवैतत्सꣳस्पृशते तानात्मन्कुरुते ॥ ७ ॥

(तेऽथ) अथ यत्पौष्णः । (श्च) चरुर्भवति यानेवास्माऽअग्निर्दाता पशून्ददाति तेष्वेवैतदन्ततः प्रतितिष्ठति यद्वै पशुमान्कर्म चिकीर्षति

अथापरेण त्रिषंयुक्तेन यजते । स आग्नापौष्णमेकादशकपालं पुरोडाशं निर्वपति, ऐन्द्रापौष्णं चरुम्, पौष्णं चरुम् । तेन त्रिषंयुक्तेन यजते । पशूनेव तद्देवा उपायन् । तथोऽएवैष एतत् पशूनेवोपैति ॥ ५ ॥

स यदाग्नापौष्णऽएकादशकपालः पुरोडाशो भवति–अग्निर्वै दाता, पौष्णाः पशवः–तदस्माऽअग्निरेव दाता पशून् ददाति ॥ ६ ॥

अथ यदैन्द्रापौष्णश्चरुर्भवति–इन्द्रो वै यजमानः; पौष्णाः पशवः–स यानेवास्माऽअग्निर्दाता पशून् ददाति–तैरेवैतत् संस्पृशते । तानात्मन् कुरुते ॥ ७ ॥

अथ यत् पौष्णश्चरुर्भवति–यानेवास्माऽअग्निर्दाता पशून् ददाति–तेष्वेवैतदन्ततः प्रतितिष्ठति । यद्वै पशुमान् कर्म चिकीर्षति–शक्नोति वै तत् कर्तुम् । तत् पशूनेवैतदुपैति । पशुमान्त्स्याऽइति ।

युक्तेन 'पुरुषानेव' प्राप्नोति । तस्य दक्षिणां विधाय स्तौति–तस्य वामन इति । 'वामनः' ह्रस्वाङ्गः । यतो वामनो विष्णुसम्बन्धी, अतो वैष्णवयागे दक्षिणात्वेन भवितुं युज्यत इत्यर्थः ॥ ४ ॥

द्वितीयं त्रिहविष्कं विधत्ते–अथापरेणेति । अस्य त्रिषंयुक्तस्य पशुप्राप्तिहेतुतामाह–पशूनेवेति । पूर्ववद् योज्यम् । अत्र विष्णुस्थाने पूषैव विशेषः ॥ ५ ॥

स यदाग्नापौष्ण इति । **पौष्णाः पशव** इति । पूषा हि पशूनामुत्पादकः अतस्ते पौष्णाः । श्रूयते हि–" पूषा पशूनां प्रजनयिता " (तै. ब्रा. १ । ७ । २ । १) इति ॥ ६ ॥

अथ यदैन्द्रापौष्ण इति ॥ ७ ॥

अथ यत्पौष्ण इति । अथैतस्य दक्षिणां विधत्ते–**तस्य श्याम** इति । **श्यामो गौरि**ति । 'यत्' स

– १–आग्नावैष्णव ऐंद्रावैष्णवो वैष्णवो वामनो दक्षिणा । कां. श्रौ. सू. १५ । ३७ । २–लिं प्रहणे गौः सर्वत्र । का० श्रौ० सू० । १५ । ३८ ।

शक्नोति वै तत्कर्त्तुं तत्पशू नेवैतदुपैति पशुमान्त्स्याऽइति तस्य श्यामो गौर्दक्षिणा स हि पौष्णो यच्छ्यामो द्वे वै श्यामस्य रूपे शुक्लं चैव लोम कृष्णं च द्वन्द्वं वै मिथुनं प्रजननं प्रजननं वै पूषा पशवो हि पूषा पशवो हि प्रजननं मिथुनमेवैतत्प्रजननं क्रियते तस्माच्छ्यामो गौर्दक्षिणा ॥ ८ ॥

(णाऽथा) अथापरेण त्रिषंयुक्तेन यजते। सोऽग्नीषोमीयमेकादशकपालं पुरोडाशं निर्व्वपत्यैन्द्रासौम्यं चरुँ सौम्यं चरुं तेन त्रिषंयुक्तेन यजते व्वर्च्च ऽएव तद्देवा ऽउपायंस्तथोऽएवैष ऽएतद्वर्च्च ऽएवोपैति ॥ ९ ॥

स यदग्नीषोमीयः। (ऽ) एकादशकपालः पुरोडाशो भवत्यग्निर्व्वै दाता व्वर्च्चः सोमस्तदस्माऽअग्निरेव दाता व्वर्चो ददाति ॥ १० ॥

तस्य श्यामो गौर्दक्षिणा। स हि पौष्णो यच्छ्यामः। द्वे वै श्यामस्य रूपे—शुक्लं चैव लोम, कृष्णं च। द्वन्द्वं वै मिथुनं प्रजननम्। प्रजननं वै पूषा। पशवो हि पूषा। पशवो हि प्रजननम्। मिथुनमेवैतत् प्रजननं क्रियते। तस्माच्छ्यामो गौर्दक्षिणा (१) ॥ ८ ॥

अथापरेण त्रिषंयुक्तेन यजते। सोऽग्नीषोमीयमेकादशकपालं पुरोडाशं निर्वपति, ऐन्द्रासौम्यं चरुम्, सौम्यं चरुम्। तेन त्रिषंयुक्तेन यजते। वर्च एव तद्देवा उपायन्। तथोऽएवैष एतद्वर्च एवोपैति ॥ ९ ॥

स यदग्नीषोमीयऽएकादशकपालः पुरोडाशो भवति—अग्निर्वै दाता, वर्चः सोमः। तदस्माऽअग्निरेव दाता वर्चो ददाति ॥ १० ॥

हि 'पौष्णः' पूषदेवताकः। तदेवोपपादयति—द्वे वा इति। श्यामवर्णस्य शुक्लकृष्णात्मकद्विरूपयोगाद् द्वित्वसंख्याद्वारा पूषरूपतामाह—द्वन्द्वं वा इति। लोके हि स्त्रीपुरुषात्मकं 'द्वन्द्वं' 'मिथुनं' परस्परं संसृष्टं तत् 'प्रजननं' प्रजोत्पत्तिकारणम्; पूष्णोऽपि तदेव स्वरूपमिति तत्सृष्टाः पशवोऽपि पूषैव। यतः पूषात्मकाः 'पशवः' तेऽपि 'प्रजननं' प्रजोत्पत्ति निमित्तम्; अतः शुक्लकृष्णात्मकस्य श्यामस्य गोदानेन पशूत्पत्तिनिमित्तं मिथुनमेव संपादितं भवतीत्यर्थः। अतः पशुफलके यागे दक्षिणात्वेन युज्यत इत्यर्थः ॥ ८ ॥

तृतीयं त्रिषंयुक्तं विधत्ते—अथापरेणेति। तस्य वर्चस्साधनतामाह—वर्च्च एवैतदिति। 'वर्चः' ब्राह्मं तेजः। अत्र विष्णुस्थाने सोमो विशेषः ॥ ९ ॥

स यदग्नीषोमीय इति। वर्च्चः सोम इति। सोमस्य यागद्वारा ब्रह्मवर्चसनिमित्तत्वात् तादात्म्यव्यपदेशः। अन्यत्पूर्ववद्योज्यम् ॥ १० ॥ ११ ॥

१—आग्नापौष्ण ऐंद्रापौष्णः पौष्णः श्यामो दक्षिणा। का० श्रौ० सू० १५। ३९।

(त्यु) अथ यदैन्द्रासौम्यः। (श्च) चरुर्भवतीन्द्रो वै यजमानो व्वर्चः सोमः स यदेवास्माऽअग्निर्दाता व्वर्चो ददाति तेनैवैतत्सᳫँस्पृशते तदा-त्मन्कुरुते ॥ ११ ॥

(तेऽथ) अथ यत्सौम्यः। (श्च) चरुर्भवति यदेवास्मा ऽअग्निर्दाता व्वर्चो ददाति तस्मिन्नेवैतदन्ततः प्रतितिष्ठति यद्वै व्वर्चस्वी कर्म चिकीर्षति शक्नोति वै तत्कर्त्तुं तद्वर्च ऽएवैतदुपैति व्वर्चस्वी सूयाऽइति नो ह्यवर्चसो व्याप्त्या चनार्थोऽस्ति तस्य बभ्रुर्गौर्दक्षिणा स हि सौम्यो यद्बभ्रुः ॥ १२ ॥

(र) अथ श्वोभूते। व्वैश्वानरं द्वादशकपालं पुरोडाशं निर्व्वपति व्वारुणं यवमयं चरुं ताभ्यामनूचीनाहं व्वेष्टिभ्यां यजते समानबर्हिर्भ्यां वा ॥ १३ ॥

अथ यदैन्द्रासौम्यश्चरुर्भवति। इन्द्रो वै यजमानः। वर्चः सोमः। स यदेवास्माऽअग्निर्दाता वर्चो ददाति; तेनैवैतत् संस्पृशते। तदात्मन् कुरुते ॥ ११ ॥

अथ यत् सौम्यश्चरुर्भवति–यदेवास्माऽअग्निर्दाता वर्चो ददाति तस्मिन्नेवैतदन्ततः प्रतितिष्ठति। यद्वै वर्चस्वी कर्म चिकीर्षति–शक्नोति वै तत्कर्तुम्। तद्वर्च एवैतदुपैति। वर्चस्वी सूयाऽइति। नो ह्यवर्चसो व्याप्त्या चनार्थोऽस्ति। तस्य बभ्रुर्गौर्दक्षिणा। स हि सौम्यो यद् बभ्रुः (३) ॥ १२ ॥

अथ श्वोभूते वैश्वानरं द्वादशकपालं पुरोडाशं निर्वपति। वारुणं यवमयं चरुम्। ताभ्यामनूचीनाहं वेष्टिभ्यां यजते समानबर्हिर्भ्यां वा ॥ १३ ॥

अथ यत्सौम्य इति। नो ह्यवर्चस इति। 'अवर्चसः' अतेजस्कस्य यद्यपि व्याप्तिः सर्वपदार्थव्यापनशक्ति-रस्ति 'चन'–शब्दोऽप्यर्थे, तथापि तया 'व्याप्त्या' अपि 'न' खलु 'अर्थः' प्रयोजनं विद्यते इति। तस्य दक्षिणां विधत्ते–बभ्रुर्गौरिति। 'स हि सौम्यः' इति 'बभ्रुः' भवत्येव; "एतद्वै सोमस्य रूपम्"–(तै. सं. २।१। ३।४) इति श्रवणात् ॥ १२ ॥

अथानन्तरदिवसकर्त्तव्यं द्विहविष्कं यागं विधत्ते–अथ श्वोभूत इति। अनूचीनाहमिति। अनूचीने पूर्वापरीभूते अहनी 'अनूचीनाहं' क्रियाविशेषणमेतत्। वैश्वानरेष्ट्या पूर्वस्मिन् दिने यजेत, वारुण्या अपर-स्मिन् दिने; एवं भिन्नतन्त्रेणैतौ यागौ कार्यौ। एकस्मिन्नेवाहनि वा समानतन्त्राभ्यां यष्टव्यमित्याह–समान बर्हिर्भ्यामिति। बर्हिरुपलक्षितं कृत्स्नं तन्त्रं समानं साधारणं ययोः ते समानबर्हिषी। अत्र सूत्रम्–"श्वो वैश्वा-नरो द्वादशकपालो वारुणश्चैकतन्त्रे, श्वो वैकः"–(का. श्रौ. सू. १९। ४३।४४) इति ॥ १३ ॥

१–अग्नीषोमीय ऐन्द्रासौम्यः सौम्यो बभ्रुर्दक्षिणा। का. श्रौ. सू.। १५। ४०।

स युद्वैश्वानरो भुवति । संव्वत्सरो वै व्वैश्वानरः संव्वत्सरः प्रजापतिः प्रजापतिरेव तद्भूमानं प्रजाः ससृजे भूमानं प्रजाः सृष्ट्वा सूयाऽइति तथोऽएवैष ऽएतद्भूमानं प्रजाः सृजते भूमानं प्रजाः सृष्ट्वा सूयाऽइति ॥ १४ ॥

(त्यु) अथ यद्द्वादशकपालो भवति । द्वादश वै मासाः संव्वत्सरस्य संव्वत्सरो व्वैश्वानरस्तुस्माद्द्वादशकपालो भवति ॥ १५ ॥

(त्यु) अथ यद्वारुणो यवमयश्चरुर्भवति । तत्सर्व्वस्मादेवैतद्वरुणपाशात्सर्व्वस्माद्वरुण्यात्प्रजाः प्रमुञ्चति ता ऽअस्यानमीवा अकिल्बिषाः प्रजाः प्रजायन्तेऽनमीवा ऽअकिल्बिषाः प्रजा ऽअभि सूया ऽइति ॥ १६ ॥

(त्यृ) ऋषभो व्वैश्वानरस्य दक्षिणा । संव्वत्सरो वै व्वैश्वानरः संव्वत्सरः प्रजापतिर्ऋषभो वै पशूनां प्रजापतिस्तस्मादृषभो व्वैश्वानरस्य दक्षिणा

स यद् वैश्वानरो भवति । सम्वत्सरो वै वैश्वानरः । सम्वत्सरः प्रजापतिः । प्रजापतिरेव तद् भूमानं प्रजाः ससृजे । भूमानं प्रजाः सृष्ट्वा सूयाऽइति । तथो एवैष एतद्भूमानं प्रजाः सृजते । भूमानं प्रजाः सृष्ट्वा सूया इति ॥ १४ ॥

अथ यद् द्वादशकपालो भवति । द्वादश वै मासाः सम्वत्सरस्य । सम्वत्सरो वैश्वानरः । तस्माद् द्वादशकपालो भवति ॥ १५ ॥

अथ यद्वारुणो यवमयश्चरुर्भवति । तत् सर्वस्मादेवैतद् वरुणपाशात्, सर्वस्माद् वरुण्यात् प्रजाः प्रमुञ्चति । ता अस्यानमीवा अकिल्बिषाः प्रजाः प्रजायन्ते । अनमीवा अकिल्बिषाः प्रजा अभि सूयाऽइति ॥ १६ ॥

ऋषभो वैश्वानरस्य दक्षिणा । सम्वत्सरो वै वैश्वानरः, सम्वत्सरः प्रजापतिः । ऋषभो वै पशूनां प्रजापतिः । तस्मादृषभो वैश्वानरस्य दक्षिणा । कृष्णं वासो वारुणस्य । तद्धि वारुणं–यत्–

प्रथमस्य हविषो वैश्वानरदेवताकत्वं प्रशंसति–स यद् वैश्वानर इति । अग्नेः संवत्सरात्मकत्वमुख्याग्नेः संवत्सरणादिति षष्ठे काण्डे समाम्नास्यते (श. प. ६ । ९ । १ । १२) । भूमानं प्रजा इति । भूयसीः प्रजा इत्यर्थः ॥ १४ ॥

कपालसंख्यां प्रशंसति–अथ यद्द्वादशकपाल इति । वैश्वानराग्नेः संवत्सरात्मकत्वात् तस्य मासद्वादशकरूपत्वात् तदीयस्य हविषः कपालेषु द्वादशसंख्या युज्यत इत्यर्थः ॥ १५ ॥

द्वितीयं हविः प्रशंसति–अथ यद् वारुण इति । तत्सर्वस्मादिति । 'तत्' तत्र 'एतत्' एतेन वारुणयागेन सर्वस्मादेव 'वरुणपाशात्,' तथा 'वरुण्यात्' वरुणपाशकृतात् सर्वस्माद् दुःखात् प्रजाः 'प्रमुञ्चति' ॥ १६ ॥

अनयोर्हविषोः क्रमेण दक्षिणामभिधाय प्रशंसति–ऋषभो, वैश्वानरस्य दक्षिणेति । ऋषभो वै पशू–

कृष्णं व्वासो व्वारुणस्य तद्धि व्वारुणं यत्कृष्णं यदि कृष्णं न व्विन्देदपि यदेव किञ्च व्वासः स्याद्ग्रन्थिभिर्हि व्वासो वारुणं व्वरुण्यो हि ग्रन्थिः १७॥

इति द्वितीयप्रपाठके चतुर्थं ब्राह्मणम् ॥ ५-२-४ ॥ (२ ५.) ॥

इति द्वितीयोऽध्यायः ॥ ५।२ ॥

कृष्णम्। यदि कृष्णं न विन्देद्-अपि यदेव किञ्च वासः स्यात्। ग्रन्थिभिर्हि वासो वारुणम्। वरुण्यो हि ग्रन्थिः (४) ॥ १७ ॥

नामिति। यतो वैश्वानरः परम्परया 'प्रजापतिः' वृषभोऽपि पशूनां पतित्वात् प्रजापतिः, अतो वैश्वानरदेवताकयागस्य दक्षिणात्वेन युज्यत इत्यर्थः। तद्धि वारुणमिति। रात्र्यभिमानिदेवता वरुणः रात्रिश्च कृष्णवर्णा, अतो लोकेऽपि यत् कृष्णं तद् वारुणमित्युच्यते। कृष्णवस्त्रालाभे वर्णान्तरयुतं 'वासः' देयमित्युक्तम्। तस्योपाध्यन्तरेण वरुणसम्बन्धित्वमुपपादयति-ग्रन्थिभिर्हीति। ग्रन्थिर्नाम पाशः, पाशो हि वरुणस्येति तथात्वम्। अयं दक्षिणाभेद इष्ट्योर्भिन्नतन्त्रत्वेन वेदितव्यः। समानतन्त्रत्वे हि एकेनैव द्रव्येण परिक्रीता ऋत्विजः कृत्स्नं प्रयोगजातं कुर्वन्तीतीतरवैयर्थ्यम्। तदुक्तम् कर्कोपाध्यायेन-"तन्त्रभेदे चैतद् भवति, ऐकतन्त्र्ये तु चोदकपरिप्राप्तोऽन्वाहार्य इति ॥ १७ ॥ ४ ॥

इति श्रीसायणाचार्यविरचिते माधवीये वेदार्थप्रकाशे माध्यन्दिनशतपथब्राह्मणभाष्ये पञ्चमकाण्डे द्वितीयाध्याये पञ्चमं ब्राह्मणम् ॥ (५-२-५) ॥

वेदार्थस्य प्रकाशेन तमो हार्दं निवारयन्। पुमर्थांश्चतुरो देयाद् विद्यातीर्थमहेश्वरः ॥ १ ॥

ब्रह्माण्डं गोसहस्रं कनकहयतुलापूरुषौ स्वर्णगर्भं,
सप्ताब्धीन्पञ्चसीरीस्त्रिदशतरुलताधेनुसौवर्णभूमीः।
रत्नोस्रां रुक्मवाजिद्विपमहितरथौ सायणिः सिङ्गणार्यो,
व्यश्राणीद्विश्वचक्रं प्रथितविधिमहाभूतयुक्तं घटं च ॥
धान्याद्रिं धन्यजन्मा तिलभवमतुलः स्वर्णजं वर्णमुख्यः,
कार्पासीयं कृपावान्गुडकृतमजडो राजतं राजपूज्यः।
आज्योत्थं प्राज्यजन्मा लवणजमनृगः शार्करं चार्कतेजा,
रत्नाढ्यो रत्नरूपं गिरिमकृत मुदा पात्रसात्सिङ्गणार्यः ॥

इति श्रीमद्राजाधिराजपरमेश्वरवैदिकमार्गप्रवर्तकश्रीहरिहरमहाराजसाम्राज्यधुरन्धरेण सायणाचार्येण विरचिते माधवीये वेदार्थप्रकाशे माध्यन्दिनशतपथब्राह्मणभाष्ये पञ्चमकाण्डे द्वितीयाध्यायः समाप्तः॥५-२॥

१-वृषभः पूर्वस्य दक्षिणा कृष्णं वास उत्तरस्याभावेऽकृष्णम्। का० श्रौ० सू० १५।४५॥ २-का० श्रौ० सू० १५।४५। इत्यत्र भाष्ये।

अथ पञ्चमकाण्डे तृतीयाध्याये प्रथमं ब्राह्मणम् ।

अरण्योरग्नी समारोह्य । सेनान्यो गृहान्परेत्याग्नयेऽनीकवतेऽष्टाकपालं पुरोडाशं निर्वपत्यग्निर्वै देवतानामनीकꣳ सेनाया वै सेनानीरनीकं तस्मादग्नयेऽनीकवतऽएतद्वा ऽअस्यैकꣳ रत्नं यत्सेनानीस्तस्माऽएवैतेन सूयते तꣳ स्वमनपक्रमिणं कुरुते तस्य हिरण्यं दक्षिणाऽऽग्नेयो वाऽएष यज्ञो भवत्यग्ने रेतो हिरण्यं तस्माद्धिरण्यं दक्षिणा ॥ १ ॥

रत्नयागाः ।

अरण्योरग्नी समारोह्य, सेनान्यो गृहान्परेत्य, अग्नयेऽनीकवतेऽष्टाकपालं पुरोडाशं निर्वपति । अग्निर्वै देवतानामनीकम् । सेनाया वै सेनानीरनीकम् । तस्मादग्नयेऽनीकवते । एतद्वाऽअस्यैकं रत्नं यत् सेनानीः । तस्माऽएवैतेन सूयते । तं स्वमनपक्रमिणं कुरुते । तस्य हिरण्यं दक्षिणा । आग्नेयो वाऽएष भवति । अग्ने रेतो हिरण्यम् । तस्माद्धिरण्यं दक्षिणा ॥ १ ॥

यस्य निःश्वसितं वेदा यो वेदेभ्योऽखिलं जगत् । निर्ममे तमहं वन्दे विद्यातीर्थमहेश्वरम् ॥ १ ॥

तृतीयाध्याये प्रथमब्राह्मणे द्वादशरत्नहवींष्यनुदिनं क्रमेण कर्तव्यान्युच्यन्ते । अत्र कात्यायनो नैर्ऋतरत्नहविषां द्वादशहवींषीति सूत्रितवान्–" द्वादशोत्तराणि रत्नहवींषि, प्रतिगृहमेकैकं श्वः श्वः, समारूढेऽग्नौ निर्वपितेऽग्नयेऽनीकवते "–(का. श्रौ. सू. १५ । ४६–४८) इत्यादि । तत्र प्रथमं हविर्विधत्ते–अरण्योरग्नी इति । अग्नी गार्हपत्याहवनीयौ ' अरण्यो ' पृथक् पृथक् ' समारोह्य ' समारोप्य प्रतिदिवसं तत्तद्गृहं गत्वा तत्र तत्र निर्मथ्य यष्टव्यमिति सर्वेष्विसाधारणमिदम् ॥

' सेनान्यः ' सेनापतेः ' गृहान् ' ' परेत्य ' प्रथमं गत्वा ' अनीकवते ' अनीकवद्गुणकाय ' अग्नये ' अष्टाकपालेन पुरोडाशेन प्रचरेत् । सेनानीगृहेऽनीकवद्गुणकाग्निदेवत्यहविरनुष्ठाने कारणमाह–अग्निर्वा इति । देवानाम् ' अनीकं ' मुखम् ' अग्निः ' ' सेनायाः ' ' अनीकं ' मुखं ' सेनानी ' अस्य । रत्नहविष्ट्वमुपपादयितुमाह–एतद्वा इति । ' सेनानीः ' इति । यदस्ति ' एतत् ' ' वै ' खलु ' अस्य ' राज्ञो यजमानस्य ' एकं ' ' रत्नं ' रत्नवत् प्रशस्तं गवेषणीयं वस्तु । ' एतेन ' तस्य गृहेऽनुष्ठितेनाग्नेययागेन ' तस्मै ' सेनान्ये ' सूयते ' तेनानुज्ञायत इत्यर्थः । तद्गृहगमनेन ' तं ' सेनान्यं ' स्वम् ' आत्मीयम् ' अनपक्रमिणम् ' अनतिलङ्घिनं कृतवान् भवतीति । एवमुत्तरत्रापि व्याख्येयम् (तै. सं. १ । ८ । ९ । १) ।

दक्षिणां विधत्ते–तस्य हिरण्यमिति[1] । ' तस्य ' अग्निदेवताकस्य यागस्य अग्निरेतोरूपं ' हिरण्यं ' दक्षिणा-

---

१–यथार्थदैवं दक्षिणा हिरण्यं शितिपृष्ठो गौर्धेनुरश्वः । श्यामा उपध्वस्ता ग्रामणी इत्यन्यमत्सरभावेऽनुपूर्वं रुक्मो इत्यमात्रिदक्षिणो रौद्रः शितिबाहुशितिवालयोरन्यतरः । का॰ श्रौ॰ सू॰ १५ । ६० ।

(णाऽथ) अथ श्वोभूते । पुरोहितस्य गृहान्परेत्य बार्हस्पत्यं चरुं निर्व्वपति बृहस्पतिर्वै देवानां पुरोहित एष वा ऽएतस्य पुरोहितो भवति तस्माद्बार्हस्पत्यो भवत्येतद्वा ऽअस्यैकꣳ रत्नं यत्पुरोहितस्तस्माऽएवैतेन सूयते तꣳ स्वमनपक्रमिणं कुरुते तस्य शितिपृष्ठो गौर्दक्षिणैषा वाऽऊर्ध्वा बृहस्पतेर्दिक्तदेषऽउपरिष्टादर्यम्णः पन्थास्तस्माच्छितिपृष्ठो बार्हस्पत्यस्य दक्षिणा ॥ २ ॥

(णाऽथ) अथ श्वोभूते । सूयमानस्य गृहऽऐन्द्रमेकादशकपालं पुरोडाशं निर्व्वपति क्षत्रं वा ऽइन्द्रः क्षत्रꣳ सूयमानस्तस्मादैन्द्रो भवति तस्यर्षभो दक्षिणा स ह्यैन्द्रो यदृषभः ॥ ३ ॥

अथ श्वोभूते पुरोहितस्य गृहान्परेत्य, बार्हस्पत्यं चरुं निर्वपति । बृहस्पतिर्वै देवानां पुरोहितः । एष वाऽएतस्य पुरोहितो भवति । तस्माद्बार्हस्पत्यो भवति । एतद्वाऽअस्यैकं रत्नम्—यत्पुरोहितः । तस्माऽएवैतेन सूयते । तं स्वमनपक्रमिणं कुरुते । तस्य शितिपृष्ठो गौर्दक्षिणा । एषा वाऽऊर्ध्वा बृहस्पतेर्दिक् । तदेष उपरिष्टादर्यम्णः पन्थाः । तस्माच्छितिपृष्ठो बार्हस्पत्यस्य दक्षिणा ॥ २ ॥

अथ श्वोभूते सूयमानस्य गृहऽऐन्द्रमेकादशकपालं पुरोडाशं निर्वपति । क्षत्रं वाऽइन्द्रः । क्षत्रं सूयमानः । तस्मादैन्द्रो भवति । तस्यर्षभो दक्षिणा । स ह्यैन्द्रो—यदृषभः ॥ ३ ॥

त्वेन युक्तमित्यर्थः । हिरण्यस्याग्निरेतस्त्वमाम्नायते—"आपो वरुणस्य पत्नय आसन्, ता अग्निरभ्यध्यायत्, ताः समभवत्, तस्य रेतः परापतत्, तद्धिरण्यमभवत्"—(तै. ब्रा. १ । १ । ३ । ८ । तै. सं. ५ । ५ । ४ । १ ।) इति ॥ १ ॥

द्वितीयदिवसेऽनुष्ठेयं रत्नहविर्विधत्ते—अथ श्वोभूत इति । पुरोहितस्य गृहे बार्हस्पत्यचरुप्रचारे उपपत्तिमाह—बृहस्पतिर्वै देवानामिति । बृहस्पतेर्देवपुरोहितत्वात् तद्देवत्यो यागः पुरोहितगृहे कर्त्तुमुचित इत्यर्थः । एतद्वा इत्यादि गतम् । दक्षिणां विधत्ते—तस्य शितिपृष्ठ इति । श्वेतपृष्ठः । तत्प्रशंसति—ऊर्ध्वेति 'उर्ध्वा दिक्' बृहस्पतिदेवताका तस्या उपरिभागे 'अर्यम्णः' सूर्यस्य 'एषः' परिदृश्यमानः 'पन्थाः' मार्गः । स च किरणसम्बन्धात् श्वेतः । अतो बृहस्पतियागदक्षिणाभूतस्य गोः श्वेतपृष्ठत्वं युक्तम् ॥ २ ॥

तृतीयदिवसे कर्त्तव्यं यागं विधत्ते—अथ श्वोभूत इति । सूयमानस्येति । सुन्वतो यजमानस्यैव 'गृहे' । अत एवास्मिन् पर्याये "एतद्वा अस्यैकं रत्नम्"—इत्यादि वाक्यानुपन्यासः । सूयमानपदं यजमानवाचकमित्यभिप्रेत्य सूत्रकृता यजमानपदमेवोक्तम्—"ऐन्द्रो यजमानस्य"—(का. श्रौ. सू. १५ । ६०) इति । क्षत्रं वा इत्यादि । इन्द्रयजमानयोरेकजात्यभिसम्बन्धाद् यजमानस्य गृहे ऐन्द्रस्य हविषो निर्वापो युक्तः ॥

१-बार्हस्पत्यश्चरुः पुरोहितस्य । का० श्रौ० सू० १५ । ४९ । २-का० श्रौ. सू. १५ । ६० इत्यत्रभाष्ये ।

(भो ऽथ) अथ श्वोभूते । महिष्यै गृहान्परेत्य । (त्या) आदित्यं चरुं निर्व्वपतीयं वै पृथिव्यदितिः सेयं देवानां पत्न्येषा वा ऽएतस्य पत्नी भवति तस्मादादित्यो भवत्येतद्वा ऽअस्यैकᳪं रत्नं यन्महिषी तस्या ऽएवैतेन सूयते ताᳪं स्वामनपक्रमिणीं कुरुते तस्यै धेनुर्दक्षिणा धेनुरिव वा ऽइयं मनुष्येभ्यः सर्व्वान्कामान्दुहे माता धेनुर्मातेव वा ऽइयं मनुष्यान्बिभर्त्ति तस्माद्धेनुर्दक्षिणा ॥ ४ ॥

(णा ऽथ) अथ श्वोभूते । सूतस्य गृहान्परेत्य व्वारुणं यवमयं चरुं निर्व्वपति सवो वै सूतः सवो वै देवानां व्वरुणस्तस्माद्वारुणो भवत्येतद्वा ऽअस्यैकᳪं रत्नं यत्सूतस्तस्मा ऽएवैतेन सूयते तᳪं स्वमनपक्रमिणं कुरुते तस्याश्वो दक्षिणा स हि व्वारुणो यदश्वः ॥ ५ ॥

अथ श्वोभूते महिष्यै गृहान् परेत्य, आदित्यं चरुं निर्वपति । इयं वै पृथिव्यदितिः । सेयं देवानां पत्नी । एषा वा ऽएतस्य पत्नी भवति । तस्मादादित्यो भवति । एतद्वा ऽअस्यैकं रत्नं यन्महिषी । तस्या ऽएवैतेन सूयते । तां स्वामनपक्रमिणीं कुरुते । तस्यै धेनुर्दक्षिणा । धेनुरिव वा ऽइयं मनुष्येभ्यः सर्वान् कामान् दुहे । माता धेनुर्मातेव वा ऽइयं मनुष्यान् बिभर्ति । तस्माद्धेनुर्दक्षिणा ॥ ४ ॥

अथ श्वोभूते सूतस्य गृहान्परेत्य, वारुणं यवमयं चरुं निर्वपति । सवो वै सूतः । सवो वै देवान

दक्षिणां विधत्ते- तस्यर्षभ इति (का. श्रौ. सू. १५।६० ।) । स ह्यैन्द्र इति । "आण्डाभ्यामैन्द्रः"- (श. प. ५ । २ । ३ । ८) इति प्रागाम्नातत्वात् तद्वत ऋषभस्यैन्द्रत्वं प्रसिद्धमिति 'हि' शब्दस्यार्थः ॥ ३ ॥

चतुर्थदिवसकर्त्तव्यामिष्टिं विधत्ते–अथ श्वोभूत इति । महिष्या इति । कृताभिषेकस्य राज्ञो मुख्या स्त्री महिषी; तस्या गृहे । षष्ठ्यर्थे चतुर्थी (पा. सू. २ । ३ । ६२ वा.) । इयं वै पृथिवीति । देवानां हविस्सम्पादनद्वारा भोग्यत्वात् पृथिव्यात्मिकाया अदितेर्देवपत्नीत्वम् । तस्मादिति । यस्माददितेर्देवपत्नीत्वम् 'तस्मात्' तद्देवत्यहविषः पत्नीगृहे निर्वापो युक्त इत्यर्थः ॥

दक्षिणां विधत्ते–तस्यै धेनुरिति (का. श्रौ. सू. १५ । ५०) । 'तस्यै' अदित्यै तद्देवत्यस्य यागस्येत्यर्थः । धेनुरिव वा इति । यथा 'धेनुः' क्षीरादिरूपान् सर्वान् कामान् दोग्धि, एवम् 'इयं' पृथिव्यात्मिका अदितिः 'मनुष्येभ्यः' 'सर्वान्' 'कामान्' 'दुहे' दुग्धे । दुहेः "लोपस्त आत्मनेपदेषु" (पा. सू. ७ । १ । ४१) इति तलोपः । 'धेनुः' हि 'माता' प्रत्यग्रप्रसूतत्वात्, तथा 'इयं' भूमिरपि 'मातेव' 'मनुष्यान्' 'बिभर्ति' पोषयति । 'तस्मात्' उदीरितरीत्या अदितेर्द्धेनोः, तत्सम्बन्धादादित्यचरोः धेनुर्दक्षिणात्वेन युज्यते (तै. सं. १।८।९।१) ॥ ४ ॥

पञ्चमदिवसे कर्त्तव्यामिष्टिं विधत्ते–अथ श्वोभूत इति ॥ ५ ॥

१–अदित्यै महिष्याः । । का० श्रौ० सू० १५ । ५१ । २–वारुणः सूतस्य । का० श्रौ० सू० १५।५२ ।

(श्वोऽथ) अथ श्वोभूते । ग्रामण्यो गृहान्परेत्य मारुतꣳ सप्तकपालं पुरोडाशं निर्व्वपति विशो वै मरुतो वैश्यो वै ग्रामणीस्तस्मान्मारुतो भवत्येतद्वा ऽअस्यैकꣳ रत्नं यद्ग्रामणीस्तस्मा ऽएवैतेन सूयते तꣳ स्वमनपक्रामिणं कुरुते तस्य पृषन्गौर्दक्षिणा भूमा वा ऽएतद्रूपाणां यत्पृषतो गोर्व्विशो वै मरुतो भूमो वै विट्तस्मात्पृषन्गौर्दक्षिणा ॥ ६ ॥

(णाऽथ) अथ श्वोभूते । क्षत्तुर्गृहान्परेत्य सावित्रं द्वादशकपालं वाऽष्टाकपालं वा पुरोडाशं निर्व्वपति सविता वै देवानां प्रसविता प्रसविता वै क्षत्ता तस्मात्सावित्रो भवत्येतद्वा ऽअस्यैकꣳ रत्नं यत्क्षत्ता तस्मा ऽएवैतेन सूयते तꣳ स्वमनपक्रामिणं कुरुते तस्य श्येतोऽनड्वान्दक्षिणैष वै

वरुणः । तस्माद् वारुणो भवति । एतद्वाऽअस्यैकं रत्नं-यत् सूतः । तस्माऽएवैतेन सूयते । तं स्वमनपक्रामिणं कुरुते । तस्याश्वो दक्षिणा । स हि वारुणो--यदश्वः ॥ ५ ॥

अथ श्वोभूते ग्रामण्यो गृहान् परेत्य, मारुतं सप्तकपालं पुरोडाशं निर्वपति । विशो वै मरुतः । वैश्यो वै ग्रामणीः । तस्मान्मारुतो भवति । एतद्वाऽअस्यैकं रत्नं-यद् ग्रामणीः । तस्माऽएवैतेन सूयते । तं स्वमनपक्रमिणं कुरुते । तस्य पृषन् गौर्दक्षिणा । भूमा वाऽएतद्रूपाणां-यत्पृषतो गोः । विशो वै मरुतः । भूमो वै विट् । तस्मात् पृषन् गौर्दक्षिणा ॥ ६ ॥

अथ श्वोभूते क्षत्तुर्गृहान् परेत्य, सावित्रं द्वादशकपालं वा अष्टाकपालं वा पुरोडाशं निर्वपति । सविता वै देवानां प्रसविता । प्रसविता वै क्षत्ता । तस्मात्सावित्रो भवति । एतद्वा अस्यैकं रत्नं-

---

षष्ठदिवसे कर्त्तव्यामिष्टिं विधत्ते-**अथ श्वोभूते** इति । 'ग्रामण्यः' ग्रामं नयतीति ग्रामणीः, वैश्यानां महत्तरः तस्य 'गृहान्' । मरुतां सप्तगणात्मकत्वात् तद्देवत्यहविषः सप्तसु कपालेषु श्रपणं युक्तमित्याह-**सप्तकपालमिति** । ग्रामणीगृहे मारुतकरणमुभयोर्वैश्यत्वनिबन्धनयुक्ततमित्याह-**विशो वा** इति । 'विशः' प्रजाः देवानामिति शेषः ॥

मारुतस्य दक्षिणां विधत्ते-**तस्य पृषन्निति** । (का. श्रौ. सू. १५ । ६०) । पृषन्' बिन्दुमान् श्वेतरक्तकृष्णबिन्दुयुत इत्यर्थः । पृषत्त्वं प्रशंसति-**भूमा वा** इति । 'पृषतः'-इति षष्ठ्यन्तं गोविशेषणम् । पृषतो गोर्यदस्ति एतद् रूपाणां भूमा इति पदयोजना । तादृशे गवि नानाविधवर्णानां सद्भावाद्रूपबाहुल्यमित्यर्थः । भूमानमेवावलम्ब्य विचित्रवर्णस्य गोर्मारुतहविर्योग्यतामाह-**विशो वा** इति । **भूमो वा** इति । **भूमा उ** इति । भूमरूपैव खलु वैश्यजातिः ॥ ६ ॥

सप्तमदिवसकर्त्तव्यामिष्टिं विधत्ते-**अथ श्वोभूते** इति । **क्षत्तुर्गृहानिति** । क्षत्ता नाम यष्टिहस्तोऽन्तः-

---

१-मारुतो ग्रामण्यः । का. श्रौ. सू. १५ । ५३ । २-सावित्रः क्षत्तुः । का० श्रौ० सू० १५ । ५४ ।

सविता व ऽएष तपत्येति वा ऽएष ऽएत्यनड्वान्युक्तस्तद्यच्छ्वेतो भवति
श्येत इव ह्येष उद्यंश्चास्तं च यन्भवति तस्माच्छ्वेतोऽनड्वान्दक्षिणा ॥७॥

(णाऽथ) अथ श्वोभूते । सङ्ग्रहीतुर्गृहान्परेत्याश्विनं द्विकपालं पुरोडाशं
निर्वपति सयोनी वा ऽअश्विनौ सयोनी सव्यष्टृसारथी समानꣳ हि रथ-
मधितिष्ठतस्तस्मादश्विनो भवत्येतद्वा ऽअस्यैकꣳ रत्नं यत्संग्रहीता तस्मा
ऽएवैतेन सूयते तꣳ स्वमनपक्रमिणं कुरुते तस्य यमौ गावौ दक्षिणा तौ
हि सयोनी यद्यमौ यदि यमौ न विन्देदप्यनूचीनगर्भाविव गावौ दक्षिणा
स्यातां ता ऽउ ह्यपि समानयोनी ॥ ८ ॥

यत्क्षत्ता । तस्माऽएवैतेन सूयते । तं स्वमनपक्रमिणं कुरुते । तस्य श्येतोऽनड्वान् दक्षिणा । एष वै सविता–य एष तपति । एति वाऽएषः । एत्यनड्वान् युक्तः । तद् यच्छ्वेतो भवति । श्येत इव ह्येष उद्यंश्चास्तं च यन् भवति । तस्माच्छ्वेतोऽनड्वान् दक्षिणा ॥ ७ ॥

अथ श्वोभूते सङ्ग्रहीतुर्गृहान्परेत्याश्विनं द्विकपालं पुरोडाशं निर्वपति । सयोनी वाऽअश्विनौ, सयोनी सव्यष्टृसारथी । समानं हि रथमधितिष्ठतः । तस्मादाश्विनो भवति । एतद्वाऽअस्यैकं रत्नम् । यत् सङ्ग्रहीता । तस्माऽएवैतेन सूयते । तं स्वमनपक्रमिणं कुरुते । तस्य यमौ गावौ दक्षिणा ।

पुराध्यक्षः, सर्वेषां नियन्ता, प्रतिहारापरपर्यायः । 'सावित्रं' सवितृदेवत्यम् । क्षत्तुः सवितुश्च प्रसवितृत्वं साधारणो धर्म इत्याह–सविता वै देवानामिति ॥

दक्षिणां विधत्ते–तस्य श्येत इति । 'श्येतः' शुक्लवर्णः 'अनड्वान्' (तै. सं. १ । ८ । ९ । १, २) । श्वेतस्यानडुहः सवितृसम्बन्धमाह–एष वा इति । 'यः' 'एषः' सूर्यः 'तपति' 'एषः' 'वै' खलु 'सविता' स च सूर्यः 'एति' प्रकर्षप्रकाशादिना जगन्निर्वाहं कुर्वन् सर्वदा सञ्चरति; 'अनड्वान्' अपि शकटरथवहनादौ 'युक्तः' सन् सर्वत्र गच्छति, अतो गन्तृत्वमुभयोः सम्बन्धहेतुः साधारणो धर्मः श्वेतत्व-मनूद्य स्तौति–तद्यच्छ्वेत इति । 'एषः' सूर्यात्मकः सविता 'उद्यन्' उदयन् 'अस्तं' यन् च उदयास्त-कालेषु 'श्येतः' शुक्लवर्णः 'इव हि' भवति ॥ ७ ॥

अष्टमदिवसकर्त्तव्यामिष्टिं विधत्ते–अथ श्वोभूत इति । संग्रहीतुर्गृहानिति[1] (तै. सं. १।८।९।२) संग्रहीता नाम रथयोजयिता । 'आश्विनम्' अश्विदेवत्यम् । संग्रहीतृगृहे आश्विनहविषो निर्वापे कारणमाह–सयोनी इति । 'हि' यस्मात् 'सव्यष्टृसारथी' सव्यष्टृपदेन संग्रहीतोच्यते, स च सारथिश्च 'सयोनी' समान-स्थानौ, एवम्, 'अश्विनौ' अपि 'सयोनी' सहोत्पन्नौ । तौ द्विविधौ 'समानम्' एकं 'रथम्' 'अधिति-ष्ठतः'; "युवं कवीष्ठः पर्यश्विना रथम्" (ऋ. सं. १० । ४० । ६) इति श्रवणात् ॥

१–आश्विनः संग्रहीतुः । का. श्रौ. सू. १५।५५ ।

(नीऽअ) अथ श्वोभूते । भागदुघस्य गृहान्परेत्य पौष्णं चरुं निर्व्वपति पूषा वै देवानां भागदुघऽएष वा ऽएतस्य भागदुघो भवति तस्मात्पौष्णो भवत्येतद्वा ऽअस्यैकꣳ रत्नं यद्भागदुघस्तस्मा ऽएवैतेन सूयते तꣳ स्वमनपक्रमिणं कुरुते तस्य श्यामो गौर्दक्षिणा तस्यासावेव बन्धुर्योऽसौ त्रिषंयुक्तेषु ॥ ९ ॥

(स्वु) अथ श्वोभूते । (तेऽक्षा) अक्षावापस्य च गृहेभ्यो गोविकर्त्तस्य च गवेधुकाः सम्भृत्य सूयमानस्य गृहे रौद्रं गावेधुकं चरुं निर्व्वपति ते

तौ हि सयोनी—यद्यमौ । यदि यमौ न विन्देद्—अप्यनूचीनगर्भाविव गावौ दक्षिणा स्याताम् । ताऽउ ह्यपि समानयोनी ॥ ८ ॥

अथ श्वोभूते भागदुघस्य गृहान् परेत्य, पौष्णं चरुं निर्वपति । पूषा वै देवानां भागदुघः । एष वाऽएतस्य भागदुघो भवति । तस्मात् पौष्णो भवति । एतद्वाऽअस्यैकं रत्नं—यद्भागदुघः । तस्माऽएवैतेन सूयते । तं स्वमनपक्रमिणं कुरुते । तस्य श्यामो गौर्दक्षिणा । तस्यासावेव बन्धुः—योऽसौ त्रिषंयुक्तेषु ॥ ९ ॥

अथ श्वोभूतेऽक्षावापस्य च गृहेभ्यो, गोविकर्त्तस्य च गवेधुकाः सम्भृत्य, सूयमानस्य गृहे रौद्रं गावेधुकं चरुं निर्वपति । ते वाऽएते द्वे सती रत्नेऽएकं करोति—सम्पदः कामाय । तद्यदेतेन

आश्विनस्य हविषो योग्यदक्षिणां विधत्ते—**तस्य यमाविति** (का. श्रौ. सू. १५।६०) । यमौ सहैवैकस्या-मातुर्गर्भादुत्पन्नौ । यमयोरश्विसाम्यमाह—**तौ हि सयोनी** इति । यमयोरलाभे पक्षान्तरमाह—**यदि यमाविति** । (का. श्रौ. सू. १५।६०) । 'अनूचीनगर्भौ' अनुक्रमेण पौर्वापर्येण जातगर्भौ । तयोरपि समान-योनित्वं दर्शयति—**ता उ हीति** । यौ क्रमेणोत्पन्नौ 'तौ उ अपि हि' 'समानयोनी' मध्ये गर्भान्तरेणा-व्यवहितत्वात् ॥ ८ ॥

नवमदिवसकर्त्तव्यामिष्टिं विधत्ते—**अथ श्वोभूत** इति । **भागदुघस्य गृहानिति**[१] । यो राज्ञः प्राप्यं षष्ठं भागं प्रजाभ्यो गृहीत्वा राज्ञे दोग्धि प्रयच्छति, स भागदुघः । **पूषा वा** इति । 'पूषा' नाम मार्गसंरक्षको देवः, 'देवानां' 'भागदुघः' भागं दोग्धि; स हि यजमानदत्तानि हवींषि मार्गे रक्षोभ्यः संरक्ष्य तान् देवान् गमयतीत्यर्थः ॥

पौष्णचरुयागे श्यामवर्णं गां दक्षिणां विधत्ते—**तस्य श्याम** इति (का. श्रौ. सू. १५।६०) (तै. सं. १।८।९।१०) । श्यामत्वस्तावकमतिदिशति—**तस्यासाविति** । 'बन्धुः' वाक्यशेषः । कः पुनरसाविति तमाह—**योऽसौ त्रिषंयुक्तेष्विति** । त्रिषंयुक्तानि उक्तानि; तत्र द्वितीये, पौष्णचरोर्दक्षिणात्वेन विहितस्य गोः श्याम-त्वस्तावकः "स हि पौष्णो यच्छ्यामो द्वे वै श्यामस्य रूपे" (श. प. ५।२।५।८) इत्यादिः यो वाक्यशेषः सोऽत्रापि समान इत्यर्थः ॥ ९ ॥

यजमानगृहे कर्त्तव्यं दशमं रत्नहविर्विधत्ते—**अथ श्वोभूत** इति[२] (तै. सं. १ । ८ । ९ । २) । अक्षावापो

१—पौष्णो भागदुघस्य । का.श्रौ.सू.१५।५६। २—रौद्रो यजमानस्याक्षावापगोविकर्तगृहेभ्यो गवेधुकानाम् । का० श्रौ०सू०।१५।५७

वाऽएते द्वे सती एते ऽएकं करोति सम्पदः कामाय तद्यदेतेन यजते यां
वाऽइमाᳪँ सभायां घ्नन्ति रुद्रो हैतामभिमन्यतेऽग्निर्वै रुद्रोऽधिदेवनं वा
अग्निस्तस्यैते ऽअङ्गारा यदक्षास्तमेवैतेन प्रीणाति तस्य ह वा ऽएषाऽनुमता
गृहेषु हन्यते यो वा राजसूयेन यजते यो वैतदेवं वेदैतद्वा ऽअस्यैकᳪँ
रत्नं यदक्षावापश्च गोविकर्त्तश्च ताभ्यामेवैतेन सूयते तौ स्वावनपक्रमिणौ
कुरुते तस्य द्विरूपो गौर्दक्षिणा शितिबाहुर्वा शितिबालो वाऽसिर्नखरो
वालदाम्नाऽक्षावपनं प्रबद्धमेतद्ध हि तयोर्भवति ॥ १० ॥

यजते–यां वाऽइमां सभायां घ्नन्ति–रुद्रो हैतामभिमन्यते । अग्निर्वै रुद्रः । अधिदेवनं वाऽअग्निः । तस्यैतेऽअङ्गाराः–यदक्षाः । तमेवैतेन प्रीणाति । तस्य ह वाऽएषाऽनुमता गृहेषु हन्यते–यो वा राजसूयेन यजते, यो वैतदेवं वेद । एतद्वाऽअस्यैकं रत्नं–यदक्षावापश्च, गोविकर्तश्च । ताभ्यामेवैतेन सूयते । तौ स्वावनपक्रमिणौ कुरुते । तस्य द्विरूपो गौर्दक्षिणा । शितिबाहुर्वा, शितिबालो वा । असिर्नखरः, बालदाम्नाऽक्षावपनं प्रबद्धम् । एतद्ध हि तयोर्भवति ॥ १० ॥

नाम अक्षाणां क्षेप्ता, अक्षगोप्ता वा द्यूतकारः; गोविकर्त्तः मृगयासहायभूतो गोहिंसको व्याधः; तयोरुभयोर्गृहेभ्यो 'गवेधुकाः' आरण्यगोधूमान् 'सम्भृत्य' तैः रुद्रदेवत्यं चरुं 'सूयमानस्य' यजमानस्य 'गृहे' निर्वपेत् । उभयोर्गृहेभ्यो गवेधुकानां युगपत् सम्भरणं प्रशंसति–ते वा एते इति । अक्षावाप गोविकर्त्तरूपयोर्द्वयोः सतोरनयोरेकत्र करणं सम्पद्धेतुरित्यर्थः । 'सम्पदः कामाय' समृद्ध्यभिलाषसिद्ध्यर्थमित्यर्थः । अक्षावापगोविकर्त्तसम्भृतैरेवारण्यगोधूमैः रौद्रश्चरुः कर्त्तव्य इत्यत्रोपपत्तिमाह–यां वा इमामिति । 'सभायां' सभास्थले द्यूतस्थाने 'याम् इमाम्' पणत्वेन कृतां गां 'घ्नन्ति' कितवाः । अत एव चतुर्थाध्याये आम्नास्यते–"एतेष्वक्षेष्वाह गां दीव्यध्वमिति"–(श. प. ४ । ४ । २२) इति । तत्र सूत्रम्–"गामस्यानीय घ्नन्ति"–(का. श्रौ. सू. १५ । २०३) इति । तत्र ताम् 'एतां' 'रुद्रः' 'अभिमन्यते' क्रूरकर्मत्वात् । स तस्य रुद्रः परम्परया अधिदेवनात्मक इत्याह–अग्निर्वा इति । अग्निरेव खलु रोदनाद्रुद्रनामा सम्पन्नः । अत एव तैत्तिरीयके अग्निं प्रस्तुत्याम्नातम्–"सोऽरोदीद् यदरोदीत् तद्रुद्रस्य रुद्रत्वम्"–(तै. सं. १ । ५ । १ । १) इति । स च 'अग्निः' 'अधिदेवनं' द्यूताधिकरणं स्थानम्, अधिदेवनात्मकस्याग्नेः अक्षावापाङ्गाराः 'तमेव' अधिदेवनात्मकं रुद्रम् 'एतेन' अक्षावापगृहसम्भृतगवेधुकनिष्पन्नहविषा 'प्रीणाति' तर्पयति । तस्य ह वा इत्यादि । 'यो राजसूयेन यजते' 'यो वा' 'एतत्' एतं राजसूयप्रयोगं 'वेद,' 'तस्य गृहेषु' 'अनुमता' अध्वर्युप्रभृतिभिरनुज्ञाता सती 'गौः हन्यते' गोविकर्त्तेन हिंस्यते, अतो गोविकर्त्तगृहादानीतगवेधुका हननाभिमानिनो रुद्रस्य हविष्ट्वे योग्या इत्यर्थः ॥

तस्य रौद्रहविषो दक्षिणां विधत्ते–तस्य द्विरूप इति (का. श्रौ. सू. १५ । ६०) । 'शितिबाहुः' श्वेतबाहुः 'वा' भवेत्, 'शितिबालः' श्वेतबालो 'वा' बाहौ बाले वा श्वेतत्वम्, सर्वाङ्गे कृष्णवर्ण इति द्विरूपत्वम् । दक्षिणान्तरं विधत्ते–असिरिति । 'नखरो' निःकोषः 'असिः' कृपाणः । 'बालदाम्ना'

(त्यु) अथ श्वोभूते । पालागलस्य गृहान्परेत्य चतुर्गृहीतमाज्यं गृहीत्वाऽध्वनऽआज्यं जुहोति जुषाणोऽध्वाऽऽज्यस्य वेतु स्वाहेति प्रहेयो वै पालागलोऽध्वानं वै प्रहित ऽएति तस्मादध्वन आज्यं जुहोत्येतद्वाऽअस्यैकꣳ रत्नं यत्पालागलस्तस्माऽएवैतेन सूयते तꣳ स्वमनपक्रमिणं कुरुते तस्य दक्षिणाऽप्युक्षणवेष्टितं धनुश्चर्ममया बाणवन्तो लोहित ऽउष्णीष ऽएतदु हि तस्य भवति ॥ ११ ॥

अथ श्वोभूते पालागलस्य गृहान्परेत्य, चतुर्गृहीतमाज्यं गृहीत्वाऽध्वन आज्यं जुहोति-"जुषाणोऽध्वाऽऽज्यस्य वेतु स्वाहा"-इति। प्रहेयो वै पालागलः अध्वानं वै प्रहित एति। तस्मादध्वन आज्यं जुहोति। एतद्वाऽअस्यैकं रत्नं-यत् पालागलः। तस्माऽएवैतेन सूयते । तं

रोमसजा 'प्रबद्धम्' 'अक्षावपनं' पात्रम्; अक्षा उप्यन्ते अस्मिन्निति 'अक्षावपनम्' अक्षस्थानावपनं पात्रम्। एवं गौः, असिः, अक्षावपनमिति त्रीण्यपि रागुचित्त दक्षिणेत्यर्थः। तथैव कात्यायनः-"त्रिदक्षिणो रौद्रः, शितिबाहुशितिवालयोरन्यतरः, असिर्नखरो, वालदामबद्धमक्षावपनम्"-(का. श्रौ. सू. १९। १०-६१) इति। किमर्थं नखरास्यक्षपात्रद्वयं दक्षिणात्वेनोच्यते इति तत्राह-एतदु हीति। 'तयोः' अक्षावापगोविकर्त्तयोः तद्द्वयं स्वं 'भवति' एकैकस्यैकैकमस्ति; अतोऽत्र तदुभयसम्बन्धात्तद्द्वयं दक्षिणात्वेन प्रयुज्यत इत्यर्थः॥ १० ॥

दूतगृहे कर्त्तव्यमाज्यहोमरूपमेकादशं रत्नहविर्विधत्ते-अथेति। पालागलो नाम दूतः। तथैव कात्यायनः पालागलस्थाने दूतशब्दं प्रयुक्तवान्-"चतुर्गृहीतं जुषाणोऽध्वाऽऽज्यस्य वेत्विति दूतस्य"(का. श्रौ. सू. १९। ५८ ।)-इति। आपस्तम्बेन तु दूतविशेषपरत्वेन व्याख्यातः-"अध्वने स्वाहेति पालागलस्य गृहे जुहोत्यनृतं दूतं ब्रुवते" (आ. श्रौ. सू. १८ । १० । २९) इति। 'पालागलम्' अनृतवादिनं दूतमिति ब्रुवते आचार्या इत्यर्थः। अध्वदेवत्यश्चतुर्गृहीताज्यहोम एवैकादशं हविरित्यर्थः।

मन्त्रस्यार्थः-'आज्यं जुषाणः' आज्यभागं सेवमानः 'अध्वा' देवता 'आज्यस्य वेतु' आज्यं पिबतु। 'स्वाहा' सुहुतमस्तु 'इति'। दूतगृहेऽध्वदेवस्य होमस्य उपपत्तिमाह-प्रहेय इति। 'पालागलः' दूतः 'प्रहेयः' राज्ञा प्रेष्यः, प्रस्थापनीयः। प्रेष्यत्वमेवाह-अध्वानमिति। प्रहितः प्रेषितः प्रस्थापितः सन् अध्वानं गच्छति, अतोऽध्वसम्बन्धात् तद्गृहे होमः कार्य इत्यर्थः॥

तस्य होमस्य दक्षिणां विधत्ते-तस्य दक्षिणेति। 'उक्षणवेष्टितम्' उक्षणशब्देन स्नाय्वभिधीयते, उक्षविकारैः स्नायुभिः 'वेष्टितं' स्यूतं 'धनुः' 'चर्ममयाः बाणवन्तः' इषुधयः, 'लोहितः' लोहितवर्णः 'उष्णीषः' शिरोवेष्टनम्, एतत् सर्वं दक्षिणेत्याह-एतद्ध हीति। एतावदेव हि 'तस्य' दूतस्य स्वं भवति॥ ११॥

१-दूतस्याप्युक्षणवेष्टितं धनुः। चर्मतूण्यः सेषुकाः। लोहित उष्णीषः। का. श्रौ. सू. १५। ६३-६५।

तानि वाऽएतानि । (न्ये) एकादश रत्नानि सम्पादयत्येकादशाक्षरा वै त्रिष्टुब्वीर्यं त्रिष्टुब्वीर्यमेवैतद्रत्नान्यभिसम्पादयति तद्यद्रत्निनाᳬ हविर्भिर्यजतऽएतेषां वै राजा भवति तेभ्यऽ एवैतेन सूयते तान्त्स्वाननपक्रमिणः कुरुते ॥ १२ ॥

(तेऽथ) अथ श्वोभूते । परिवृत्त्यै गृहान्परेत्य नैर्ऋतं चरुं निर्वपति या वा अपुत्रा पत्नी सा परिवृत्ती स कृष्णानां व्रीहीणां नखैर्निर्भिद्य तण्डुलान्नैर्ऋतं चरुᳬ श्रपयति स जुहोत्येष ते निर्ऋते भागस्तं जुषस्व स्वाहेति या वा ऽअपुत्रा पत्नी सा निर्ऋतिगृहीता तद्यदेवास्याऽअत्र नैर्ऋतᳬ रूपं तदेवैतच्छमयति तथो हैनᳬ सूयमानं निर्ऋतिर्न गृह्णाति तस्य दक्षिणा कृष्णा गौः परिमूर्णी पर्यारिणी सा ह्यपि निर्ऋतिगृहीता तामाह मा मेऽद्येशायां व्वात्सीदिति तत्पाप्मानमपादत्ते ॥ १३ ॥

इति द्वितीयप्रपाठके पञ्चमं ब्राह्मणम् ॥ ५ । २ । ५ ॥ (३-१) ॥

स्वमनपक्रामिणं कुरुते । तस्य दक्षिणा-अप्युक्ष्णवेष्टितं धनुः, चर्ममया बाणवन्तो, लोहितऽ-उष्णीषः । एतद्ध हि तस्य भवति ॥ ११ ॥

तानि वाऽएतान्येकादश रत्नानि सम्पादयति । एकादशाक्षरा वै त्रिष्टुप्, वीर्यं त्रिष्टुप्, वीर्यमेवैतद्रत्नान्याभिसम्पादयति । तद्यद्रत्निनां हाविर्भिर्यजते । एतेषां वै राजा भवति । तेभ्य एवैतेन सूयते । तान् स्वाननपक्रमिणः कुरुते ॥ १२ ॥

अथ श्वोभूते परिवृत्त्यै गृहान्परेत्य, नैर्ऋतं चरुं निर्वपति । या वाऽअपुत्रा पत्नी-सा परिवृत्ती । स कृष्णानां व्रीहीणां नखैर्निर्भिद्य; तण्डुलान्नैर्ऋतं चरुं श्रपयति । स जुहोति-" **एष ते निर्ऋते भागः, तं जुषस्व स्वाहा** "-(वा० सं० ९ । ३५) इति । या वाऽअपुत्रा पत्नी-सा निर्ऋतिगृहीता । तद् यदेवास्याऽअत्र नैर्ऋतं रूपम्-तदेवैतच्छमयति । तथो हैनं सूयमानं

एतेषां रत्नहविषामेकादशसंख्यां प्रशंसति-**तानि वा एतानीति** । संख्यासाम्यात् त्रिष्टुप्त्वम् । त्रिष्टुभो वीर्यत्वमिन्द्रेण सहोत्पत्तेरित्यवगन्तव्यम् । ' एतत् ' एतेन रत्नहविरनुष्ठानेन यजमाने वीर्यमेव सम्पादितवान् भवति । प्रकारान्तरेण तदेव प्रशंसति-**तद्यदिति** । यथोक्तसेनानीपुरोहितमहिष्यादयो रत्निनः; तदभिमानिदेवतानां प्रियार्थैतानि हवींषि; अतस्तद्गृहेष्वेव कर्त्ता गत्वा निर्वपेत् । एतैः ' रत्निनां ' हविर्भिर्योगेन सेनानीप्रभृतीनां रत्नानां स्वयं ' राजा ' भवेत् । तेभ्यः तत्सङ्ग्रहार्थम् ' एतेन ' रत्नहविरनुष्ठानेन 'सूयते' प्रेर्यते ॥ १२ ॥

परिवृत्तीगृहे कर्त्तव्यं नैर्ऋतहविर्विधत्ते-**अथ श्वोभूत इति** । ' परिवृत्ती ' शब्दस्यार्थमाह-**या वा इति** । ' अपुत्रा ' राजपत्नी केवलं भोगार्था परिवृत्ती । हविषो द्रव्यं विदधच्चोदकप्राप्तमवघातं निषेधति-**स कृष्णा-**

उपुरिष्टाद्रत्नानाᳪं सौमारौद्रेण यजते। स श्वेतायै श्वेतवत्सायै पयसि शृतो भवति तद्यदुपरिष्टाद्रत्नानाᳪं सौमारौद्रेण यजते ॥ १ ॥

निर्ऋतिर्न गृह्णाति। तस्य दक्षिणा-कृष्णा गौः परिमूर्णी पर्यारिणी। सा ह्यपि निर्ऋतिगृहीता। तामाह-"मा मेऽद्येशायां वात्सीत्"-इति। तत् पाप्मानमपादत्ते ॥ १३ ॥

अथोपरियागाः।

उपरिष्टाद्रत्नानां सौमारौद्रेण यजते। स श्वेतायै श्वेतवत्सायै पयसि शृतो भवति। तद् यदुपरिष्टाद्रत्नानां सौमारौद्रेण यजते ॥ १ ॥

नामिति। नखैर्निर्भिन्नानां कृष्णव्रीहीणां तण्डुलैः नैर्ऋतं चरुं 'श्रपयति' निर्वपेत्। हवनं समन्त्रकं विधत्ते-**स जुहोतीति**। जुहोतिचोदितत्वात् स्वाहाकारप्रदानत्वाच्चायं होमो दर्वीहोमः। कात्यायनेन तु पक्षान्तरं **सूत्रितम्**-"दर्वीहोम एष" ते निर्ऋत इति जुहोति वषट्कृते वा"-(का. श्रौ. सू. १५।५९) इति। परिवृत्तीगृहे नैर्ऋतचर्वनुष्ठानस्योपपत्तिमाह-**या वा इति**। अपुत्रा स्त्री 'निर्ऋतिगृहीता' पाप्मना गृहीता भवति। अतः 'अस्या नैर्ऋतं रूपं' 'अत्र' गृहेऽनुष्ठितेन नैर्ऋतचरुहोमेन शमितवान् भवति ॥

तस्य दक्षिणां विधत्ते-**तस्य दक्षिणा कृष्णा गौरिति**। 'परिमूर्णी'। "मूर्च्छा मोहसमुच्छ्राययोः"-(धा. पा. भ्वा. प. २१२) इति अस्मात् क्तिनि "राल्लोपः"-(पा. सू. ६।४।२१) इति च्छस्य लोपे, निष्ठानत्वे च कृते रूपम्। परिमूढा अक्षमा। 'पर्यारिणी' परित आर्त्तिमती व्याधिगृहीता केनचिदङ्गेन अपहता वा 'कृष्णा गौः दक्षिणा'। अत्र **सूत्रम्**-"कृष्णा परिमूर्ण्यपहतोत्तमस्य"-(का. श्रौ. सू. १५।६६) इति ॥

तैत्तिरीयके तु परिवृत्तीगृहकर्त्तव्यनैर्ऋतचरोः कृष्णा भग्नशृङ्गा गौर्दक्षिणात्वेन श्रुता-"नैर्ऋतं चरुं परिवृत्त्यै गृहे कृष्णानां व्रीहीणां नखनिर्भिन्नं कृष्णा कूटा दक्षिणा"-(तै. सं. १।८।९।१) इति। 'कूटा' भग्नशृङ्गा इति हि व्याख्यातम्। दक्षिणाभूताया गोर्नैर्ऋतचरुयोग्यतामाह-**सा ह्यपीति**। जीर्णा निवृत्तप्रसवा गौः निर्ऋतिगृहीता भवति ॥

इष्ट्यन्ते किञ्चित् कर्त्तव्यं विधत्ते-**तामाहेति**। 'तां' परिवृत्तीम् 'आह' वदेत्। वाक्यस्यायमर्थः-**'अद्य'** इदानीम् इतः परं 'मे' **मम** 'ईशायां' स्वाम्ये 'मा वात्सीत्' मद्भोग्या मा भूरित्यर्थः। वचनं स्तौति-**तदिति**। निर्ऋतिगृहीतां परिवृत्ती प्रति एतेन वचनेन 'पाप्मानम् एव' 'अपादत्ते' अपसारितवान् भवतीति ॥ १३ ॥

इति श्रीसायणाचार्यविरचिते माधवीये वेदार्थप्रकाशे माध्यन्दिनशतपथब्राह्मणभाष्ये पञ्चमकाण्डे तृतीयाऽध्याये प्रथमं ब्राह्मणम् ॥ (५-३-१) ॥

अथ सौमारौद्रयागं विधत्ते-**उपरिष्टाद्रत्नानामिति**-(तै. सं. १।८।९।२)। रत्नहविषामुपरि

१-नैर्ऋतः परिवृत्त्यै कृष्णव्रीहीणां नखनिर्भिन्नानाम् इति अस्य सूत्रस्यादिमो भागः। २-परिवृत्तीं चाह मा मेऽद्येशायां वात्सीदीति। का. श्रौ. सू. १५।६७। ३-सौमारौद्रोऽतश्चरुः शुक्लापयसि शुक्लवत्सायाः। का० श्रौ० सू० १५।६८।

स्वर्भानुर्ह वा ऽआसुरः । सूर्यं तमसा विव्याध स तमसा विद्धो न व्यरोचत तस्य सोमारुद्रावेवैतत्तमोऽपाहताᳬ स एषो ऽपहतपाप्मा तपति तथो ऽएवैष ऽ एतत्तमः प्रविशत्येतं वा तमः प्रविशति यदयज्ञियान्यज्ञेन प्रसजत्ययज्ञियान्वाऽएतद्यज्ञेन प्रसजति शूद्रांस्त्वद्यांस्त्वत्तस्य सोमारुद्रावेवैतत्तमोऽपहतः सोऽपहतपाप्मैव दीक्षते तद्यच्छ्वेतायै श्वेतवत्सायै पयसि शृतो भवति कृष्णं वै तमस्तत्तमोऽपहन्ति तस्यैषैव श्वेता श्वेतवत्सा दक्षिणा ॥ २ ॥

स्वर्भानुर्ह वाऽआसुरः सूर्यं तमसा विव्याध । स तमसा विद्धो न व्यरोचत । तस्य सोमारुद्रावेवैतत्तमोऽपाहताम् । स एषोऽपहतपाप्मा तपति । तथोऽएवैष एतत्तमः प्रविशति, एतं वा तमः प्रविशति यदयज्ञियान् यज्ञेन प्रसजति । अयज्ञियान्वाऽएतद्यज्ञेन प्रसजति शूद्रांस्त्वत्, यांस्त्वत् । तस्य सोमारुद्रावेवैतत्तमोऽपहतः । सोऽपहतपाप्मैव दीक्षते । तद् यच्छ्वेतायै श्वेतवत्सायै पयसि शृतो भवति । कृष्णं वै तमः । तत् तमोऽपहन्ति । तस्यैषैव श्वेता श्वेतवत्सा दक्षिणा ॥ २ ॥

स्वगृहे सौमारौद्रयागः कर्त्तव्यः । स च कः ? ' श्वेतवत्सायै श्वेतायै ' । उभयत्र षष्ठ्यर्थे चतुर्थी । (पा. सू. २ । ३ । ६२ । वा.) शुक्लवत्सायाः शुक्लाया गोः ' पयसि ' ' शृतः ' पक्वो ' भवति ' ॥ १ ॥

रत्नहविर्भ्योऽनन्तरं विहितं सौमारौद्रयागमनूद्याख्यायिकया प्रशंसति—**स्वर्भानुर्हेति** । ' आसुरः ' असुरपुत्रः ' स्वर्भानुः ' ' सूर्यम् ' ' तमसा ' ' विव्याध ' आच्छादितवान् । 'सः' सूर्यः तेन ' तमसा ' 'विद्धः' आच्छादितः । ' न व्यरोचत ' नातिप्रकाशवान् जातः । ' तस्य ' ' तत् तमः ' ' सोमारुद्रौ एव ' ' अपाहताम् ' अपहतवन्तौ । तत आरभ्य सूर्यो निवृत्ततमस्कः सन् 'तपति' नभसि दीप्यते । इदानीं तदनुष्ठातुरपि तमसाऽऽच्छादनमाह—**तथो एवैष** इति । 'अयज्ञियान्' अयज्ञार्हान् सेनान्यादीन् 'यज्ञेन' ' प्रसजति ' प्रसक्तान् तत्तद्यागानुष्ठानेन सम्बद्धान् करोतीति ' यत् ' ' एतत् ' एतेन ' एषः ' अनुष्ठाता राजन्यः ' तथा उ ' तथैव सूर्यवद्देव ' तमः प्रविशति ' । तमः वा कर्तृ ' एतं ' सुन्वन्तं 'प्रविशति' । सेनान्यादीनामयज्ञियत्वं प्रसिद्धमित्याह—**अयज्ञियान् वा** इति । तामेव प्रसिद्धिं दर्शयति—**शूद्रानिति** । ' त्वत् '—इति एकपर्यायः । एकदा ' शूद्रान् ' सेनान्यादीन् , ' त्वत् ' एकदा ' यान् ' कांश्चन गोविकर्तादीन् हीनजातीनपि ' यज्ञेन ' ' प्रसजति ' । तेन अयज्ञियसम्बन्धेन तमः प्रविशतीति अतः ' तस्य ' यष्टुः तथाविधं तमः ' सोमारुद्रौ एव ' एतत् एतेन चरुणा प्रीणितौ ' अपहतः ' विनाशयतः । ततः पापलेशासंस्पृष्टः सन् ' दीक्षते ' दीक्षार्हो भवतीत्यर्थः । श्वेतापयसि श्रपणं प्रशंसति—**तद्यदिति** । ' तद् ' ' यत् ' यदि, ' तमो ' नाम ' कृष्णं ' श्वेतवत्सायाः श्वेतायाः शुक्लवर्णे ' पयसि ' श्रपणेन कृष्णरूपं तमः अपसारितवान् भवतीत्यर्थः ॥

यस्याः पयसि चरुः पक्वः तामेव दक्षिणात्वेन विधत्ते—**तस्यैषैवेति**[1] ॥ २ ॥

१–सैव दक्षिणा । का. श्रौ. सू. १५ । ६ । १ ।

स हैतेनापि यजेत । योऽलं यशसे सन्नयशो भवति यो वाऽअनूचानः सोऽलं यशसे सन्नयशो भवति यो न यशो भवति स तमसा वै स तत्प्रावृतो भवति तस्य सोमारुद्रावेवैतत्तमोऽपहतः सोऽपहतपाप्मा ज्योतिरेव श्रिया यशसा भवति ॥ ३ ॥

(त्यु) अथ मैत्राबार्हस्पत्यं चरुं निर्वपति । ह्वलति वा ऽएष यो यज्ञपथादेत्येति वाऽएष यज्ञपथाद्यदयाज्ञियान्यज्ञेन प्रसजत्ययाज्ञियान्वाऽएतद्यज्ञेन प्रसजति शूद्रांस्त्वद्यांस्त्वन्मित्राबृहस्पती वै यज्ञपथो ब्रह्म हि मित्रो ब्रह्म हि यज्ञो ब्रह्म हि बृहस्पतिर्ब्रह्म हि यज्ञस्तत्पुनर्यज्ञपथमपिपद्यते सोऽपि पद्यैव यज्ञपथं दीक्षते तस्मान्मैत्राबार्हस्पत्यं चरुं निर्वपति ॥ ४ ॥

स हैतेन-अपि यजेत-योऽलं यशसे सन्नयशो भवति । यो वाऽअनूचानः सोऽलं यशसे सन्नयशो भवति । यो न यशो भवति-स तमसा वै स तत् प्रावृतो भवति । तस्य सोमारुद्रावेवैतत्तमोऽपहतः । सोऽपहतपाप्मा ज्योतिरेव श्रिया यशसा भवति (१) ॥ ३ ॥

अथ मैत्राबार्हस्पत्यं चरुं निर्वपति । ह्वलति वाऽएषः-यो यज्ञपथादेति । एति वाऽएष यज्ञपथाद् यदयाज्ञियान्यज्ञेन प्रसजति । अयाज्ञियान्वाऽएतद्यज्ञेन प्रसजति-शूद्रांस्त्वद्, यांस्त्वत् । मित्राबृहस्पती वै यज्ञपथः । ब्रह्म हि मित्रो, ब्रह्म हि यज्ञः । ब्रह्म हि बृहस्पतिः, ब्रह्म हि यज्ञः । तत्पुनर्यज्ञपथमपिपद्यते । सोऽपिपद्यैव यज्ञपथं दीक्षते । तस्मान्मैत्राबार्हस्पत्यं चरुं निर्वपति ॥ ४ ॥

प्रसङ्गात्फलान्तरायास्य होमस्य बाह्यप्रयोगं दर्शयति-स हैतेनापीति । 'अपिः' भिन्नक्रमः । 'सोऽपि' 'एतेन' सौमारौद्रेण चरुणा 'यजेत' । स इत्युक्तं क इत्याह-'यः' यज्ञियः पुरुषः 'यशसे' यशसां प्राप्तये 'अलं सन्' समर्थो योग्यो भवन्नपि 'अयशः' कीर्तिरहितः 'भवति' । यच्छब्दार्थं विशिनष्टि-**यो वा अनूचान** इति । साङ्गवेदाध्यायी 'अनूचानः' 'सः' 'यशसे' 'अलं' योग्यो भवन्नपि 'अयशः' यशोरहितो 'भवति' 'यः' तु यशोरहितः, 'सः' 'तमसा' 'प्रावृतः,' 'तस्य' 'एतत्' एतेन हविषा 'सोमारुद्रौ एव' कीर्त्यभावरूपं 'तमः' 'अपहतः' तं कीर्तिमन्तं कुरुतः इत्यर्थः । 'सः' यजमानः अयशोरूपतमसा वियुक्तः सन्, ज्योतिरात्मको भूत्वा 'श्रिया' सम्पदा 'यशसा' चोपलक्षितो भवति ॥ ३ ॥

विधत्ते-**अथ मैत्रे**ति । 'मैत्राबार्हस्पत्यं' मित्राबृहस्पतिदेवत्यं 'चरुं' निर्वपेत् । देवतासम्बन्धं प्रशंसति-**ह्वलति वा** इति । अयज्ञियानां सेनान्यादीनां यज्ञे प्रसञ्जनमेव यज्ञपथादपगमनमित्यर्थः । मित्राबृहस्पत्योर्यज्ञपथात्मकत्वं निर्वक्ति-**ब्रह्म हि मित्र** इति । 'ब्रह्म' वेदः, तदेव हि 'यज्ञः' तत्साध्यत्वाद् । यज्ञ एव पन्थाः यज्ञपथमिति समासं विवक्षित्वा, तयोः परम्परया यज्ञरूपत्वोक्तिः । **तत् पुनर्यज्ञे**ति । 'तत्' तस्माद् यज्ञात्मकमित्राबृहस्पतिदेवत्ययागानुष्ठानात् पुनर्यज्ञपथं प्राप्य 'दीक्षते' दीक्षां कर्तुमर्हतीत्यर्थः ॥ ४ ॥

१-अनूचानोऽप्ययशा यजेत । का. श्रौ. सू. १५ । ८० । २-मित्राबार्हस्पत्यश्चरुः । का. श्रौ. सू. १५ । ७२ ॥

तस्यावृत् । (दा) या स्वयम्प्रशीर्णाऽऽश्वत्थी शाखा प्राची वोदीची वा भवति तस्यै मैत्रं पात्रं करोति वरुण्या वा ऽएषा या परशुवृक्णाऽथैषा मैत्री या स्वयम्प्रशीर्णा तस्मात्स्वयम्प्रशीर्णायै शाखायै मैत्रं पात्रं करोति५॥

(त्य) अथातच्य दधि । विनाट ऽआसिच्य रथं युक्त्वाऽऽबध्य देदीयितवा ऽआह तद्यत्स्वयमुदितं नवनीतं तदाज्यं भवति वरुण्यं वा ऽएतद्यन्मथितमथैतन्मैत्रं यत्स्वयमुदितं तस्मात्स्वयमुदितमाज्यं भवति६॥

तस्यावृत् । या स्वयम्प्रशीर्णाऽऽश्वत्थी शाखा प्राची वोदीची वा भवति । तस्यै मैत्रं पात्रं करोति । वरुण्या वाऽएषा–या परशुवृक्णा । अथैषा मैत्री–या स्वयम्प्रशीर्णा । तस्मात् स्वयम्प्रशीर्णायै शाखायै मैत्रं पात्रं करोति ॥ ५ ॥

अथातच्य दधि, विनाटऽआसिच्य, रथं युक्त्वा, आबध्य, देदीयितवाऽआह । तद् यत् स्वयमुदितं नवनीतम्–तदाज्यं भवति । वरुण्यं वाऽएतद्–यन्मथितम् । अथैतन्मैत्रम्–यत् स्वयमुदितम् । तस्मात् स्वयमुदितमाज्यं भवति ॥ ६ ॥

तस्य चरोरनुष्ठानप्रकारं वक्तुं प्रतिजानीते–तस्यावृदिति । 'तस्य' मैत्राबार्हस्पत्ययागस्य 'आवृत्' क्रिया, अनुष्ठानप्रकारो वक्ष्यत इति शेषः । 'स्वयम्प्रशीर्णा' स्वयमेव भग्ना, 'प्राची' प्रागायता, 'उदीची' उदगायता 'वा' या 'आश्वत्थी' अश्वत्थस्य 'शाखा' 'भवति' तस्याः शाखायाः 'मैत्रं' मित्रसम्बन्धिचरुपाकार्थं 'पात्रं' कुर्यात् । स्वयम्भग्नाया मैत्रत्वं व्यतिरेकपूर्वकमुपपादयति–वरुण्या वा एषेति । 'या' शाखा 'परशुवृक्णा' छिन्ना व्रश्चनेन, सा हिंसितत्वाद् 'वरुण्या' वरुणदेवत्या; स्वयम्भग्नपत्रा तु मित्रार्हा, हिंसाविरहात्; सर्वसुहृत्त्वान्मित्रदेवस्य परशुच्छिन्नशाखानिर्मितं पात्रमयोग्यमित्यर्थः ॥ ५ ॥

मैत्रचर्वर्थमाज्यकरणं विधत्ते–अथातच्येति । पयोविशेषस्तैत्तिरीयके श्रुतः–"श्वेतायै श्वेतवत्सायै दुग्धे स्वयंमूर्ते" (तै. सं. १ । ८ । ९ । २)-इति । तादृशं पयः 'आतच्य' आतञ्चनद्रव्येण 'दधि' कृत्वा 'विनाटे' चर्ममये पात्रे दृतौ 'आसिच्य,' 'रथं' 'युक्त्वा' अश्वैः संयोज्य, आबध्य' दधिपूर्णं विनाटं रथे सम्बध्य, 'देदीयितवै' रथधावनाय 'आह' नियुञ्जीत । दीतेर्वा गतिकर्मणो यङ्लुगन्तात् कृत्यार्थे तवै प्रत्ययः । तत्र रथधावनेन दध्नो यत् स्वयमुदितम् मथनमन्तरेण निष्पन्नं, नवनीतं तदेव स्वयमेव विलीनं सद् आज्यं भवति । आज्यकरणप्रकारस्त्वापस्तम्बेन विशद उक्तः–"श्वेतां श्वेतवत्सामामस्ये दृतौ दुहन्ति, तत् स्वयंमूर्त्तं संयोगेन परिवहन्ति, तत् स्वयं मथितमातपे विषजन्ति, तत् स्वयं विलीनमाज्यं भवति"–(आ. श्रौ. सू. १८ । ११ । ३–६) इति । स्वयमुदिताज्यस्य मित्रयोग्यत्वं व्यतिरेकमुखेन दर्शयति–वरुण्यमिति । यन्मन्थननिष्पन्नमाज्यं तद् 'वरुण्यम्' उपद्रवकारिणो वरुणस्य योग्यम्, न तु सर्वसुहृदो मित्रस्य । यत्तु उदीरितरूपं स्वयमुदितं तन्मन्थनरूपस्य हिंसनस्य विरहान्मैत्रम् ॥ ६ ॥

१–गार्हपत्यमधिश्रित्याश्वत्थी या स्वयं भग्ना प्राच्युदीची वा शाखा तत्पात्रेणापिदधाति । का. श्रौ. सू. १५ । ७३ ।

द्वेधा तण्डुलान्कुर्व्वन्ति । स येऽणीयाꣳसः परिभिन्नास्ते बार्हस्पत्या ऽअथ ये स्थवीयाꣳसोऽपरिभिन्नास्ते मैत्रा न वै मित्रः कंचन हिनस्ति न मित्रं कश्चन हिनस्ति नैनं कुशो न कण्टको विभिनत्ति नास्य व्रण-श्चनास्ति सर्व्वस्य ह्येव मित्रो मित्रम् ॥ ७ ॥

(मु) अथ बार्हस्पत्यं चरुमधिश्रयति । तं मैत्रेण पात्रेणापिदधाति तदाज्यमानयति तत्तण्डुलानावपति स ऽएष ऊष्मणैव श्रप्यते व्वरुण्यो वा ऽएष योऽग्निना शृतोऽथैष मैत्रो य ऊष्मणा शृतस्तस्मादूष्मणा शृतो भवति तयोरुभयोरवद्यन्नाह मित्राबृहस्पतिभ्यामनुब्रूहीत्याश्राव्याह मित्रा-बृहस्पती यजेति व्वषट्कृते जुहोति ॥ ८ ॥

इति द्वितीयप्रपाठके षष्ठं ब्राह्मणम् ॥ ५-२-६ ॥ (३. २.) ॥

द्वेधा तण्डुलान् कुर्वन्ति । स येऽणीयांसः परिभिन्नास्ते बार्हस्पत्याः । अथ ये स्थवीयांसोऽपरि-भिन्नास्ते मैत्राः । न वै मित्रः कश्चन हिनस्ति, न मित्रं कश्चन हिनस्ति । नैनं कुशो न कण्टको विभिनत्ति । नास्य व्रणश्चनास्ति । सर्वस्य ह्येव मित्रो मित्रम् ॥ ७ ॥

अथ बार्हस्पत्यं चरुमधिश्रयति । तं मैत्रेण पात्रेणापिदधाति । तदाज्यमानयति । तत् तण्डुलाना-वपति । स एष ऊष्मणैव श्रप्यते । वरुण्यो वाऽएषः—योऽग्निना शृतः। अथैष मैत्रः। य ऊष्मणा शृतः ।

देवताद्वयस्य पृथक् चरोः श्रपणं विधित्सुः तण्डुलानां द्वेधाकरणं विधत्ते—द्वेधेति । 'ये' 'अणीयांसः' अणुतराः 'परिभिन्नाः' छिन्नाग्रास्तण्डुलाः, 'ते' बृहस्पतिदेवत्याः कर्त्तव्याः 'ये' 'स्थवीयांसः' स्थूलतराः 'अपरिभिन्नाः' अच्छिन्नाग्राः अचूर्णीकृताः, 'ते' मित्रदेवत्याः कर्त्तव्याः । मैत्राणामभिन्नत्वं प्रशंसति—**न वै मित्र** इति । 'मित्रो' देवः 'कश्चन' प्राणिनं 'न हिनस्ति;' 'मित्रम्' अपि 'न कश्चन' कोऽपि 'हिनस्ति' 'एनं' मित्रं 'कुशः' दर्भो वा 'कण्टकः' वा 'न भिनत्ति' न विध्यति; अत एव तस्य 'व्रणः' अपि 'नास्ति'। सर्वस्य मित्रत्वादिति हेतुमाह—**सर्वस्य ह्येवेति** । पुँल्लिङ्गो मित्रशब्दो देवतावाची, नपुंसकलिङ्गस्तु सुहृद्वचनः ॥ ७ ॥

श्रपणप्रकारं विधत्ते- **अथ बार्हस्पत्यमिति** । 'बार्हस्पत्यं चरुम्' अधिश्रित्य, अग्निमध्ये स्थाल्यामाधाश्र-तायां बृहस्पत्यर्थांस्तण्डुलानोप्य, 'तं' चरुम् अश्वत्थशाखानिर्मितेन 'मैत्रेण पात्रेण' अपि-दध्यात् । 'तत्'

१-विनाढाद्रथपर्यूढां नवनीत ऽस्वयं जातमाज्यमासिच्य पात्रे तस्मिन् स्थविष्ठांस्तंडुलान्मित्रायावपति । ऊष्मणा शृतो भवति । अणिष्ठानितरस्मिन् । का. श्रौ. सू. १५ । ७४-७६ । २-बार्हस्पत्यमधिश्रित्याश्वत्थी या स्वयं भग्ना प्राच्युदीची वा शाखा तस्पात्रेणापिदधाति । का. श्रौः सू. ७ । ७३ ।

स वै दीक्षते । स उपवसथेऽग्नीषोमीयं पशुमालभते तस्य वपया प्रचर्याग्नीषोमीयमेकादशकपालं पुरोडाशं निर्वपति तदनु देवस्वाᳪं हवीᳪंषि निरुप्यन्ते ॥ १ ॥

तस्मादूष्मणा श्रृतो भवति । तयोरुभयोरवद्यन्नाह–" मित्राबृहस्पतिभ्यामनुब्रूहि " इति । आश्राव्याह–मित्राबृहस्पती यज इति वषट्कृते जुहोति (२) ॥ ८ ॥

दीक्षणीययागाः ।

स वै दीक्षते । स उपवसथेऽग्नीषोमीयं पशुमालभते । तस्य वपया प्रचर्याग्नीषोमीयमेकादशकपालं पुरोडाशं निर्वपति । तदनु देवस्वां हवींषि निरुप्यन्ते ॥ १ ॥

तस्मिन् पात्रे स्वयमुत्पन्नम् ' आज्यम् ' 'आनयति' आसिञ्चेत् । ' तत् ' तत्र स्थविष्ठान् अपरिभिन्नान् मैत्रान् ' तण्डुलान् ' आवपेत् । ' स एषः ' मैत्रश्चरुः ' ऊष्मणैव ' ' श्रप्यते ' पच्यते ' अग्निना ' ' श्रृतः ' पक्को 'वरुण्यः', दाहप्रयुक्तहिंसासम्बन्धात् ' वरुण्यः ' वरुणार्हो, न मित्रार्हः । ' ऊष्मणा श्रृतः' तु ' मैत्रः ' मित्रदेवत्यो युक्तः, दोषविरहात् ॥

एवं पृथक् श्रपणमभिधाय देवताप्रदाने साहित्यं विधत्ते–तयोरुभयोरिति । 'तयोरुभयोः' चर्वोर्दधिपयसोर्दार्शिकयोरिव एकैकस्माद् द्विर्द्विरवद्यन् जुह्वां सहावदानं कुर्वन् "मित्राबृहस्पतिभ्यामनुब्रूहि"–'इति' एवं संयुज्य अनुवाक्याप्रैषं ब्रूयात्; एवं ' यजेति' याज्याप्रैषेऽपि ' वषट्कृते ' सहैव प्रक्षेपः ॥ ८ ॥

इति श्रीसायणाचार्यविरचिते माधवीये वेदार्थप्रकाशे माध्यन्दिनशतपथब्राह्मणभाष्ये पञ्चमकाण्डे तृतीयाध्याये द्वितीयं ब्राह्मणम् ॥ (५-३-२) ॥

एवं पवित्राख्यात् प्रथमसोमयागादनन्तरभावीनि आनुमतादीनि इष्टिदर्वीहोमात्मकानि संवत्सरपर्यन्तमनुष्ठेयानि कर्माण्यनुक्रान्तानि (श. प. ५ । २ । ३। २) । अथ द्वितीयस्याभिषेचनीयाख्यस्य सोमयागस्य प्रयोगोऽभिधास्यते; तत्राभिषेचनीयस्य चोदकप्राप्तां दीक्षामाह–स वै दीक्षत इति । तत्कालः सूत्रे दर्शितः–" फाल्गुनीपक्षयजनीयेऽभिषेचनीयाय दीक्षते " (का. श्रौ. सू १५ । ८०) इति ॥

देवस्वां हवींषि विधित्सुस्तेषामग्नीषोमीयपशुपुरोडाशानन्तरभावित्वं वक्तुमाह–स उपवसथ इति । ' उपवसथः ' सुत्यादिवसात् पूर्वमहः, अग्नीषोमीयं पशुपुरोडाशं निरुप्य, तदनु देवस्वां हवींषि निर्वपेत् । सुवन्त्यनुजानन्तीति सुवः, देवाश्च ते सुवश्चेति देवसुवः, तेषां 'देवस्वाम्'; "ओः सुपि " (पा. सू. ६ । ४ । ८३) इति यणादेशः । प्रसवितृत्वं चैषामाम्नायते–"देवसुवामेतानि हवींषि भवन्ति, एतावन्तो वै देवानां सवाः, त एवास्मै सवान् प्रयच्छन्ति, त एनं सुवन्ते " (तै. ब्रा १।७।४) इति ॥ १ ॥

१–ऊष्मणा श्रृतो भवति । का. श्रौ. सू. १५ । ७५ । २–अग्नीषोमीयस्य पशुपुरोडाशमनु देवसूहवींषि निर्वपति यजपेषाणि का. श्रौ. सू. १५ । ८४ ।

सवित्रे सत्यप्रसवाय । द्वादशकपालं वाऽष्टाकपालं वा पुरोडाशं निर्व्वपति प्लाशुकानां व्व्रीहीणाᳬं सविता वै देवानां प्रसविता सवितृप्रसूतः सूयाऽइत्युथ यत्प्लाशुकानां व्व्रीहीणां क्षिप्रे मा प्रसुवानिति ॥ २ ॥

(त्यु) अथाग्नये गृहपतये । (येऽष्टा) अष्टाकपालं पुरोडाशं निर्व्वपत्याशूनाᳬं श्रीर्व्वै गार्हपतं यावतो यावतऽईष्टे तदेनमग्निरेव गृहपतिर्गार्हपतमभि परिणयत्यथ यदाशूनां क्षिप्रे मा परिणयानिति ॥ ३ ॥

(त्यु) अथ सोमाय व्वनस्पतये । श्यामाकं चरुं निर्व्वपति तदेनᳬं

सवित्रे सत्यप्रसवाय द्वादशकपालं वाऽष्टाकपालं पुरोडाशं निर्वपति–प्लाशुकानां व्रीहीणाम् । सविता वै देवानां प्रसविता । सवितृप्रसूतः सूयाऽइति । अथ यत् प्लाशुकानां व्रीहीणां–क्षिप्रे मा प्रसुवानिति ॥ २ ॥

अथाग्नये गृहपतयेऽष्टाकपालं पुरोडाशं निर्वपति–आशूनाम् । श्रीर्वै गार्हपतम् । यावतो–यावत ईष्टे–तदेनमग्निरेव गृहपतिर्गार्हपतमभिपरिणयति । अथ यदाशूनां–क्षिप्रे मा परिणयानिति ॥ ३ ॥

अथ सोमाय वनस्पतये श्यामाकं चरुं निर्वपति । तदेनं सोम एव वनस्पतिरोषधिभ्यः

तत्र प्रथमं सावित्रं हविर्विधत्ते–सवित्रे सत्यप्रसवायेति (तै० सं. १ । ८ । १० । १) । 'सत्यप्रसवाय' अमोघाज्ञायानुज्ञाय 'सवित्रे' 'प्लाशुकानाम्' प्रकर्षेण आशु शीघ्रं पच्यमानानां पुनःप्ररूढानां व्रीहीणाम् । रेफस्य छान्दसो लत्वनिर्देशः । सवितृदेवतासम्बन्धं प्रशंसति–सवितेति । 'सूये' सवं करवाणि । प्राशुकव्रीहिसाध्यत्वं प्रशंसति–अथ यदिति । 'क्षिप्रे' क्षिप्रकाले 'मा' मां 'प्रसुवान्' सवितृदेवत्याः प्राशुका व्रीहयः; प्रसुवन्तु प्रेरयन्त्विति प्राशुकत्वम् । प्रसुवानिति, प्रपूर्वात् सुवतेर्लेटयडागमे सेरिकारलोपे कृते रूपम् ॥ २ ॥

द्वितीयं हविर्विधत्ते–अथाग्नय इति । 'गृहपतये' गृहपतित्वगुणकाय 'अग्नये' 'आशूनां' व्रीहीणां 'पुरोडाशं' निर्वपेत् । आशूनामिति । प्लाशुकाः पुनः प्ररूढा व्रीहय इत्युक्तम्, ततोऽप्यधिककाले पक्षत्रये पच्यमानाः षष्टिका व्रीहय आशवः । तेषामाशुत्वं च त्रिचतुरमासनियतपरिपाकव्रीह्यपेक्षम् । गृहपतिपदं प्रशंसति–श्रीर्वा इति । 'श्रीः' खलु 'गार्हपतं' गृहपतित्वमेव; तस्माद् यजमानो 'यावतः' धनस्य 'ईष्टे' ईश्वरो भवति । 'तद्' 'गार्हपतं' गृहपतिसम्बन्धि सर्वं वस्तुजातम् 'अभि' 'एनं' यजमानं गृहपतिगुणकोऽग्निः 'परिणयान्' 'परिणयति' प्रापयति । व्रीहीणामाशुत्वं प्रशंसति–अथ यदिति । 'क्षिप्रे' क्षिप्रं 'मा' मां परिणयेयुः । 'इति' अतो हेतोराशुभिरेव हविः कर्त्तव्यमित्यर्थः ॥ ३ ॥

तृतीयं हविर्विधत्ते–अथ सोमायेति । 'वनस्पतये' वनानामोषधीनां पतिः वनस्पतिः । पारस्करादित्वात्

१–प्लाशुकाना२ सवित्रे सत्यप्रसवाय । का श्रौ. सू. १५ । ८५ । २–'प्लाशुकाः पुनः प्ररूढा व्रीहयः' इति कर्कोक्तिः ।
३–आशूनामग्नये गृहपतये । का. श्रौ. सू. १५ । ८६ । ४–श्यामाकः सोमाय वनस्पतये । का० श्रौ० सू० । १५ । ८८ ॥

सोम ऽएव वनस्पतिरोषधिभ्यः सुवत्यथ यच्छ्यामाको भवत्येते वै सोमस्यौषधीनां प्रत्यक्षतमां यच्छ्यामाकास्तस्माच्छ्यामाको भवति ॥ ४ ॥

(त्यु) अथ बृहस्पतये वाचे । नैवारं चरुं निर्व्वपति तदेनं बृहस्पतिरेव वाचे सुवत्यथ यन्नैवारो भवति ब्रह्म वै बृहस्पतिरेते वै ब्रह्मणा पच्यन्ते यन्नीवारास्तस्मान्नैवारो भवति ॥ ५ ॥

(त्य) अथेन्द्राय ज्येष्ठाय । हायनानां चरुं निर्व्वपति तदेनमिन्द्र ऽएव ज्येष्ठो ज्यैष्ठ्यमभि परिणयत्यथ यद्धायनानां भवत्यतिष्ठा वा ऽएता ओषधयो यद्धायना ऽअतिष्ठो वा ऽइन्द्रस्तस्माद्धायनानां भवति ॥ ६ ॥

सुवति । अथ यच्छ्यामाको भवति । एते वै सोमस्यौषधीनां प्रत्यक्षतमाम्—यच्छ्यामाकाः । तस्माच्छ्यामाको भवति ॥ ४ ॥

अथ बृहस्पतये वाचे नैवारं चरुं निर्वपति । तदेनं बृहस्पतिरेव वाचे सुवति । अथ यन्नैवारो भवति । ब्रह्म वै बृहस्पतिः । एते वै ब्रह्मणा पच्यन्ते—यन्नीवाराः । तस्मान्नैवारो भवति ॥ ५ ॥

अथेन्द्राय ज्येष्ठाय हायनानां चरुं निर्वपति । तदेनमिन्द्र एव ज्येष्ठो ज्यैष्ठ्यमभिपरिणयति । अथ यद्धायनानां भवति । अतिष्ठा वाऽएता ओषधयो—यद्धायनाः । अतिष्ठो वाऽइन्द्रः । तस्माद्धायनानां भवति ॥ ६ ॥

सुद् । तस्मै 'सोमाय' श्यामाकप्रकृतिकं 'चरुं' निर्वपेत् । देवतासम्बन्धं प्रशंसति—तदेनमिति । श्यामाकानां सोमार्हत्वमुपपादयति—अथ यच्छ्यामाका इति । 'श्यामाका इति यत्' 'एते' खलु 'ओषधीनां' मध्ये 'सोमस्य' 'प्रत्यक्षतमाम्' अतिशयेन प्रत्यक्षं रूपमित्यर्थः ॥ ४ ॥

चतुर्थं हविर्विधत्ते—अथ बृहस्पतय इति[1] । 'वाचे' वाग्रूपाय । तत् तेन नैवारचरुणा प्रीतो 'बृहस्पतिरेव' 'एनं' यजमानं 'वाचे' 'सुवति' अनुजानाति । "अथ यन्नैवारो भवति"—इत्यादिकं वाजपेये व्याख्यातम् (श. प. ५ । १ । ४ । १४ ।) ॥ ५ ॥

पञ्चमं हविर्विधत्ते—अथेन्द्रायेति[2] । ज्येष्ठत्वगुणकायेन्द्राय 'हायनानां' संवत्सरपकानां रक्तशालीनां 'चरुं' निर्वपेत् । संवत्सरपकानां ज्येष्ठगुणकेन्द्रयोग्यत्वमुपपादयति—अथ यद्धायनानामिति । 'हायनाः' संवत्सरपका व्रीहय इति (पा. सू. ३ । १ । १४८) ॥ 'यत्' 'एताः' 'अतिष्ठाः' अतीत्य तिष्ठन्त्यः 'ओषधयः' चिरकालेन पाकात् 'इन्द्रः' अपि 'अतिष्ठः' सर्वानतिक्रम्य स्थितः ॥ ६ ॥

१—नैवारो बृहस्पतये वाचे का. श्रौ. सू. १५।८९। २—हायनानामिंद्राय ज्येष्ठाय। का० श्रौ० सू० १५।९०।

(त्यु) अथ रुद्राय पशुपतये । रौद्रं गावेधुकं चरुं निर्व्वपति तदेनᳫँ रुद्र एव पशुपतिः पशुभ्यः सुवत्यथ यद्गावेधुको भवति व्वास्तव्यो वा ऽएष देवो व्वास्तव्या गवेधुकास्तस्माद्गावेधुको भवति ॥ ७ ॥

(त्यु) अथ मित्राय सत्याय । नाम्बानां चरुं निर्व्वपति तदेनं मित्र ऽएव सत्यो ब्रह्मणे सुवत्यथ यन्नाम्बानां भवति व्वरुण्या वा ऽएता ऽ ओषधयो याः कृष्टे जायन्ते ऽथैते मैत्रा यन्नाम्बास्तस्मान्नाम्बानां भवति ॥ ८ ॥

(त्यु) अथ व्वरुणाय धर्मपतये । व्वारुणं यवमयं चरुं निर्व्वपति तदेनं व्वरुण ऽ एव धर्मपतिर्धर्मस्य पतिं करोति परमता वै सा यो धर्मस्य पतिरसद्यो हि परमतां गच्छति तᳫँ हि धर्म ऽ उपयन्ति तस्माद्वरुणाय धर्मपतये ॥ ९ ॥

अथ रुद्राय पशुपतये रौद्रं गावेधुकं चरुं निर्वपति । तदेनं रुद्र एव पशुपतिः पशुभ्यः सुवति । अथ यद्गावेधुको भवति । वास्तव्यो वाऽएष देवः । वास्तव्या गवेधुकाः । तस्माद्‌गावेधुको भवति॥७॥

अथ मित्राय सत्याय नाम्बानां चरुं निर्वपति । तदेनं मित्र एव सत्यो ब्रह्मणे सुवति । अथ यन्नाम्बानां भवति । वरुण्या वाऽएता ओषधयो याः कृष्टे जायन्ते अथैते मैत्राः–यन्नाम्बाः । तस्मान्नाम्बानां भवति ॥ ८ ॥

अथ वरुणाय धर्मपतये वारुणं यवमयं चरुं निर्वपति । तदेनं वरुण एव धर्मपतिर्धर्मस्य पतिं

षष्ठं हविर्विधत्ते–अथ रुद्रा[1]येति । ' पशुपतये ' पशुपतिगुणकाय ' रुद्राय ' । रौद्रमिति तद्धितेन विहित एव रुद्रसम्बन्धः, पुनः ' पशुपतये '–इति विशेषसम्बन्धाय ' रुद्राय '–इति चतुर्थी उक्ता । पशुपतिपदं प्रशंसति–तदेनामिति । 'तत् ' तेन हविषा एनं सुन्वन्तं ' पशुपतिः ' ' रुद्र एव ' 'पशुभ्यः' तदर्थं 'सुवति' ' प्रेरयति, पशुमन्तं करोतीत्यर्थः । ' वास्तव्यः '–इत्यादि पूर्ववद् व्याख्येयम् ॥ ७ ॥

सप्तमं हविर्विधत्ते–अथ मित्रा[2]येति । ' सत्याय ' सत्यगुणकाय ' मित्राय ' 'नाम्बानां' नाम्बा नाम अकृष्टपच्याः स्वयञ्जाता व्रीहयः । नाम्बानां मित्रयोग्यत्वमुपपादयति–अथ यन्नाम्बानामिति । कृष्टक्षेत्रोत्पन्नाः ' ओषधयः ' ' वरुण्याः ' कर्षणादिलक्षणहिंसासम्बन्धाद्‌वरुणार्हाः, अकृष्टपच्यास्तु तद्विरहात् 'मैत्राः' ॥ ८ ॥

अष्टमं हविर्विधत्ते–अथ वरुणा[3]येति । ' धर्मपतये ' धर्मपतिगुणकाय ' वरुणाय ' ' यवमयं ' ' चरुं ' निर्वपेत् । रौद्रमितिवद् वारुणमिति व्याख्येयम् । ' तत् ' तेन ' एनं ' यजमानं तादृशो ' वरुणः ' ' धर्मस्य

१–रुद्राय पशुपतये । प्रागुक्त एव गावेधुकश्चरुरिति सूत्रार्थः का. श्रौ. सू. । १५ । ११ । २-नांबो मित्राय सत्याय । का. श्रौ. सू. १५ । १२ । ३–वरुणाय धर्मपतय इति । का श्रौ. सू. १५ । १३ ।

(युेऽथा) अथाग्नीषोमीयेन पुरोडाशेन प्रचरति । तस्यानिष्टऽएव स्विष्टकृद्भवत्यथैतैर्हविर्भिः प्रचरति यदेतैर्हविर्भिः प्रचरति ॥ १० ॥

(त्यु) अथैनं दक्षिणे बाहावभिपद्य जपति । सविता त्वा सवानाᳫं सुवतामग्निर्गृहपतीनाᳫं सोमो व्वनस्पतीनाम् ॥ बृहस्पतिर्व्वाचऽइन्द्रो ज्यैष्ठ्याय रुद्रः पशुभ्यो मित्रः सत्यो व्वरुणो धर्मपतीनाम् ॥ ११ ॥

(नाम् । इं) इमं देवाः । (ऽ) असपत्नᳫं सुवध्वमितीमं देवा अभ्रातृव्यᳫं सुवध्वमित्येवैतदाह महते क्षत्राय महते ज्यैष्ठ्यायेति नात्र तिरो-

---

करोति । परमता वै सा–यो धर्मस्य पतिरसत् । यो हि परमतां गच्छति–तं हि धर्मऽउपयन्ति । तस्माद्वरुणाय धर्मपतये ॥ ९ ॥

अथाग्नीषोमीयेन पुरोडाशेन प्रचरति । तस्यानिष्ट एव स्विष्टकृद्भवति । अथैतैर्हविर्भिः प्रचरति । यदेतैर्हविर्भिः प्रचरति ॥ १० ॥

अथैनं दक्षिणे बाहावभिपद्य जपति–"सविता त्वा सवानां सुवताम्, अग्निर्गृहपतीनाम्, सोमो वनस्पतीनाम् । बृहस्पतिर्वाचे, इन्द्रो ज्यैष्ठ्याय, रुद्रः पशुभ्यः, मित्रः सत्यो, वरुणो धर्मपतीनाम्"–(वा. सं. ९ । ३९) ॥ ११ ॥

"इमं देवाः असपत्नं सुवध्वम्"–इति । इमं देवा अभ्रातृव्यं सुवध्वमित्येवैतदाह । "महते क्षत्राय, महते ज्यैष्ठ्याय"–इति, नात्र तिरोहितमिवास्ति । "महते जानराज्याय"–इति । महते

पतिं' कुर्यात् । धर्मपतित्वं प्रशंसति–परमतेति । 'यः' पुमान् 'धर्म्मस्य पतिः' 'असद्' भवेत्, 'स वै' 'परमता' परमत्वम् । तदेव विवृणोति–यो हीति । 'तं' परमं 'धर्म्मे उपयन्ति' प्राप्नुवन्ति॥९॥

एतेषां निरुप्तानां हविषां प्रचरणकालं विधत्ते–अथाग्नीषोमीयेणेति । चोदकप्राप्तेन अग्नीषोमीयपशुपुरोडाशेन प्रचर्य तदीयस्विष्टकृतः प्राक् एतैर्हविर्भिर्यजेतेत्यर्थः ॥ १० ॥

विधत्ते–अथैनमिति । 'अथ' देवस्वां हविर्यागानन्तरं स्विष्टकृतः पूर्वम् 'एनं' यजमानं 'दक्षिणे बाहौ' 'अभिपद्य' गृहीत्वा 'जपति,' अध्वर्युरिति शेषः । सूत्रम्–"उत्तमेन चरित्वा सविता त्वेत्याह यजमानबाहुं दक्षिणं गृहीत्वा"–(का. श्रौ. सू. १९ । ९४) इति । मन्त्रस्यार्थः–हे यजमान ! 'त्वा' त्वां 'सविता' 'सवानां' प्रसवानां स्वामित्वेन 'सुवताम्' अनुजानातु । तथा 'अग्निः' अन्येषां 'गृहपतीनाम्' ईश्वरम् अनुजानातु । 'त्वाम्'–इत्यनुषङ्गः । एवमुत्तरत्रापि त्वां सुवतामिति योज्यम् । 'वाचे,' 'ज्यैष्ठ्याय' इत्यादौ तादर्थ्ये चतुर्थी । 'मित्रः सत्यः'–इत्यत्र सत्यशब्दाच्चतुर्थ्यर्थे सुः सत्यायेत्यर्थः । (पा. सू. ७ । १ । ३९) ॥ ११ ॥

परोक्षवदुक्त्वा, अथ प्रत्यक्षवदाह–इमं देवा इति । हे 'देवाः !' सवित्रादयः 'इमं' यजमानम् 'असपत्नं' शत्रुरहितं 'सुवध्वम्' अनुजानीत । तथा 'महते क्षत्त्राय' अतिप्रभूताय क्षत्रियकुलाय, 'महते

हितमिवास्ति महते जानराज्यायेति महते जनानाᳯँ राज्यायेत्येवैतदाहे- न्द्रस्येन्द्रियायेति वीर्यायेत्येवैतदाह यदाहेन्द्रस्येन्द्रियायेतीममुष्य पुत्र- ममुष्यै पुत्रमिति तद्यदेवास्य जन्मऽतत एवैतदाहास्यै विशऽइति यस्यै विशो राजा भवत्येष वोऽमी राजा सोमोऽस्माकं ब्राह्मणानाᳯँ राजेति तदस्माऽइदᳯँ सर्वमाद्यं करोति ब्राह्मणमेवापोद्धरति तस्माद्ब्राह्मणो- ऽनाद्यः सोमराजा हि भवति ॥ १२ ॥

जनानां राज्यायेत्येवैतदाह। "इन्द्रस्येन्द्रियाय"-इति। वीर्यायेत्येवैतदाह-यदाहेन्द्रस्येन्द्रियायेति। "इमममुष्य पुत्रम्, अमुष्यै पुत्रम्"-इति। तद् यदेवास्य जन्म-तत एवैतदाह। "अस्यै विशे"-इति। यस्यै विशो राजा भवति। "एष वोऽमी राजा, सोमोऽस्माकं ब्राह्मणानां राजा"-(वा० सं० ९। ४०) इति। तदस्माऽइदं सर्वमाद्यं करोति। ब्राह्मणमेवापोद्धरति। तस्माद्ब्राह्मणोऽनाद्यः। सोमराजा हि भवति ॥ १२ ॥

'ज्यैष्ठ्याय' ज्येष्ठत्वाय अप्रतिहतनियमसामर्थ्यायेत्यर्थः। 'महते जानराज्याय' जनसम्बन्धि यद्राज्यं तत्र सागरपर्यन्तभूमिविषयत्वात्, महत्सार्वभौमत्वाय। 'इन्द्रस्य' सम्बन्धिने 'इन्द्रियाय' वीर्याय 'इमम्' एतन्नामानं यजमानम्, 'अमुष्य' पितुः 'पुत्रम्,' 'अमुष्यै' अमुष्या मातुः 'पुत्रम्,' सुवध्वमित्यनुषङ्गः। 'अस्यै' अस्याः 'विशः' प्रजायाः 'राजा,' एष यजमान इत्यर्थः। प्रजा अपि सम्बोध्याः-एष इति। 'अमी'-इति सम्बोधनप्रथमाबहुवचनान्तम्। अदःशब्दस्थाने जनपदनाम सम्बोधनप्रथमाबहुवचनान्तं गृह्णीयादित्यर्थः। तत एवामी इत्यस्य स्थाने भरतपदं प्रक्षिप्य पठितं बौधायनेन-"अथैनं रत्निभ्य आवेदयति, एष वो भरता राजा"-इति। आपस्तम्बेन तु राजविशेषेण जनपदनामग्रहणमुक्तम्-"अथैनं रत्निभ्य आवेदयति, एष वो भरता राजेत्येष वः कुरवो राजेति कौरव्यमेष वः पञ्चाला राजेति पाञ्चालमेष वः कुरुपाञ्चाला राजेति वा कुरुपञ्चालमेष वो जनता राजेत्यन्यान् राज्ञः" (आ. श्रौ. सू. १८। १२। ७)-इति। कात्यायनेन त्विदं सर्वं संगृह्योक्तम्-"यस्याश्च जाते राजा भवति देशस्यानवस्थितत्वात्"- (का. श्रौ. सू. १५। ९६। ९७)इति। हे प्रजाः! 'वः' युष्माकम् एष राजा, एनं स्वामिनं यथेरितं सेवध्वमित्यर्थः। 'ब्राह्मणानामस्माकं 'सोमः' एव 'राजा' न तु क्षत्रिय इत्यर्थः ॥

मन्त्रं भागशोऽनूद्य व्याचष्टे-**इमं देवा** इति। भ्रातृव्यः शत्रुः। "व्यन् सपत्ने" (पा. सू ४। १। १४५)-इति। व्यन् प्रत्ययः। शेषं सुगमम्। यजमानस्य तन्मातापित्रोश्च नामग्रहणस्थानं दर्शयति-**इमममुष्येति**। इममित्यस्यानन्तरं यजमानस्य नाम; 'अमुष्य' 'अमुष्याः' इत्येतयोः स्थाने तस्य मातापित्रोर्नामेत्यर्थः। अत एव सूत्रम्-"नामास्य गृह्णाति मन्त्रे यथास्थानं, मातापित्रोश्च" (का. श्रौ. १५। ९४, ९५) इति। मन्त्रभागस्य तात्पर्यमाह-**तदस्मा** इति। 'तत्' तेन, एष वो राजेति स्वामित्वप्रतिपादनेन 'अस्मै' राज्ञे 'इदं' दृश्यमानं 'सर्वं' जगद् ब्राह्मणव्यतिरिक्तम् 'आद्यं' भोग्यं करोति। सोमोऽस्माकमिति मन्त्रभागस्य तात्पर्यमाह-**ब्राह्मणमेवेति**। यतः सोमोऽस्माकं ब्राह्मणानां राजेति ब्राह्मणजातिः सोमस्वामित्वेन पृथक्कृता, तस्माद्ब्राह्मणः क्षत्रियेण नाद्यः। 'हि' यस्माद् 'ब्राह्मणः' 'सोमराजा' सोमो राजा यस्येति बहुव्रीहिः, अत एव "राजाहस्सखिभ्यः"-(पा. सू. ५। ४। ९१) इति टच् समासान्तो न कृतः।

(त्ये) एता ह वै देवताः सवस्येशते । तस्माद्देवस्वो नाम तदेनमेता ऽएव देवताः सुवते ताभिः सूत श्वः सूयते ॥ १३ ॥

ता वै द्विनाम्न्यो भवन्ति । द्वन्द्वं वै वीर्यं वीर्यवत्यः सुवान्ताऽइति तस्माद्द्विनाम्न्यो भवन्ति ॥ १४ ॥

(न्त्यु) अथाहाग्नये स्विष्टकृतेऽनुब्रूहीति । तद्यदन्तरेणाहुती ऽएतत्कर्म क्रियत ऽएष वै प्रजापतिर्य एष यज्ञस्तायते यस्मादिमाः प्रजाः प्रजाता ऽएतम्वेवाप्येतर्ह्यनु प्रजायन्ते तदेनं मध्यत ऽएवैतस्य प्रजापतेर्दधाति मध्यतः सुवति तस्मादन्तरेणाहुती ऽएतत्कर्म क्रियत ऽआश्राव्याहाग्नये स्विष्टकृते प्रेष्येति वषट्कृते जुहोति ॥ १५ ॥

इति द्वितीयप्रपाठके सप्तमं ब्राह्मणम् ॥ ५-२-७ ॥ (३. ३.) ॥

इति द्वितीयप्रपाठकः समाप्तः ॥ ५ । २ ॥

एता ह वै देवाः सवस्येशते । तस्माद्देवस्वो नाम । तदेनमेता एव देवताः सुवते । ताभिः सूतः श्वः सूयते ॥ १३ ॥

ता वै द्विनाम्न्यो भवन्ति । द्वन्द्वं वै वीर्यम् । वीर्यवत्यः सुवान्ताऽइति । तस्माद्द्विनाम्न्यो भवन्ति ॥ १४ ॥

अथाह-अग्नये स्विष्टकृतेऽनुब्रूहि इति । तद् यदन्तरेणाहुतीऽएतत्कर्म क्रियते । एष वै प्रजापतिः-

---

यस्मान्मन्त्रेणाध्वर्युः स्वकीयं राजानं विभज्य निर्दिष्टवान्, तस्माल्लोकेऽपि ब्राह्मणा अग्निष्टोमादियागेषु सोममेव राजशब्दोदितं "सोम राजन्नेवावरोह मा भेः"-इत्यादिभिर्मन्त्रैरुपचरन्ति (तै. सं. १।३।१३।१) ॥ १२ ॥

उक्तहविष्टकस्य देवतानां सम्भूय नाम निर्वक्ति-एता ह वा इति । तदेनमिति । यस्माद् 'एताः' देवताः 'सवस्य' ईशयित्र्यः, 'तत्' तस्मात् 'एताः देवताः' देवसूनामिकं सवितृप्रसूतम्, 'एनं' सुन्वन्तं हविः 'सुवते' अनुजानन्ति; 'ताभिः' देवताभिः 'सूतः' अनुज्ञातः सन् 'श्वः' सुत्यादिवसे 'सूयते' अनुज्ञायते; देवसूहविःप्रचारस्य अग्नीषोमीयदिवसकर्त्तव्यत्वात् 'श्वः' इत्यनेन सुत्यादिनं विवक्ष्यत इत्यभिप्रायः ॥ १३ ॥

उक्तानां देवतानामेकैकस्य 'सवित्रे सत्यप्रसवाय'-इत्यादिविशेषणविशेष्यात्मकं नामद्वयं तद्द्वंद्वात्मना प्रशंसति-ता वै द्विनाम्न्य इति । 'सुवान्ते'-इति पञ्चमलकारान्तं पदम् । "लेटोऽडाटौ"-(पा. सू. ३ । ४ । ९४) इत्याडागमः, "एत ऐ"-इत्यैकारादेशश्च (पा. सू. ३ । ४ । ९३) ॥ १४ ॥

अग्नीषोमीयपशुपुरोडाशप्रधानाहुतेरनन्तरं कर्तव्यं विधाय प्रकृतं स्विष्टकृद्यागमनुवदति-अथाहेति । प्रधान-स्विष्टकृदाहुत्योर्मध्ये देवसूहविःप्रचारेण यज्ञरूपप्रजापतिमध्ये एव यजमानं निहितवान् भवतीत्यर्थः ॥ १५ ॥

इति श्रीसायणाचार्यविरचिते माधवीये वेदार्थप्रकाशे माध्यन्दिनशतपथब्राह्मणभाष्ये पञ्चमकाण्डे तृतीयाध्याये तृतीयं ब्राह्मणम् ॥ ५-३-३ ॥

इति पञ्चमकाण्डे द्वितीयः प्रपाठकः । (५-२)

अथ पञ्चमकाण्डे तृतीयप्रपाठके प्रथमं ब्राह्मणम् ।
तृतीयाध्याये चतुर्थं ब्राह्मणम् ।

स वाऽअपः सम्भरति । तद्यदपः सम्भरति व्वीर्यं वाऽआपो व्वीर्यमेवैतद्रसमपाᳫँ सम्भरति ॥ १ ॥

(त्यौ) औदुम्बरे पात्रे । (त्रेऽन्नं) अन्नं वाऽऊर्गुदुम्बरऽ ऊर्जोऽन्नाद्यस्यावरुद्ध्यै तस्मादौदुम्बरे पात्रे ॥ २ ॥

स सारस्वतीरेव प्रथमा गृह्णाति । (त्य) अपो देवा मधुमतीरगृभ्णन्नित्यपो देवा रसवतीरगृह्णन्नित्येवैतदाहोर्जस्वती राजस्वश्चिताना ऽइति रस-

---

य एष यज्ञस्तायते। यस्मादिमाः प्रजाः प्रजाताः। एतम्वेवाप्येतर्ह्यनुप्रजायन्ते । तद् एनं मध्यत एवैतस्य प्रजापतेर्दधाति। मध्यतः सुवाति। तस्मादन्तरेणाहुतीऽएतत्कर्म क्रियते। आश्राव्याहा-अग्नये स्विष्टकृते प्रेष्येति। वषट्कृते जुहोति ॥ १५ ॥

अभिषेचनीयानामपां सम्भरणम् ।

स वा ऽअपः सम्भरति । तद्यदपः सम्भराति । वीर्यं वाऽआपः। वीर्यमेवैतद्रसमपां सम्भरति॥१॥
औदुम्बरे पात्रे । अन्नं वाऽऊर्गुदुम्बरः । ऊर्जोऽन्नाद्यस्यावरुध्यै । तस्मादौदुम्बरे पात्रे ॥ २॥
स सारस्वतीरेव प्रथमा गृह्णाति। "अपो देवा मधुमतीरगृभ्णन्"—इति । अपो देवा रसवतीरगृह्णन्नित्येवैतदाह। "ऊर्जस्वती राजस्वश्चितानाः" इति। रसवतीरित्येवैतदाह-यदाहोर्जस्वतीरिति।

चतुर्थब्राह्मणे यजमानाभिषेकार्थं सप्तदशसङ्ख्याकानामपां सम्भरणमुच्यते । कात्यायनः अत्र कश्चिद्विशेषं सूत्रयामास—" इडान्तेऽपो गृह्णाति, यूपमुत्तरेण नैमित्तिकीरसम्भवाद् , गत्वेतराः, पृथक् पात्रेष्वौदुम्बरेषु " (का. श्रौ.सू.१५।१०१–१०३) इति आतपवर्ष्याद्यान्युदकानि यूपस्योत्तरप्रदेशे निधाय गृह्णीयात् । इतराः सम्भविनीरपस्तु तत्र तत्र गत्वा गृह्णीयात् । तदिदमप्सम्भरणं विधत्ते—स वा अप इति । उदकसम्भरणं वीर्यात्मना प्रशंसति—तद्यदिति । अपां वीर्यरूपं रसमेव सम्भृतवान् भवतीत्यर्थः ॥ १ ॥

सम्भरणस्य पात्रविशेषं विधत्ते—औदुम्बर इति । 'पात्रे'—इति जात्येकवचनम् । सर्वाणि सप्तदश पात्राणि औदुम्बराणि भवेयुः । तथा च सूत्रमुदाहृतम् । औदुम्बरत्वमन्नावरोधकत्वेन प्रशंसति—अन्नं वा इति ॥ २ ॥

जलसम्भरणे क्रमं विधत्ते—स सारस्वतीरेवेति । सरस्वत्यां नद्यां भवाः अपः प्रथमं गृह्णीयात् ।

१–गत्वेतराः पृथक्पात्रेष्वौदुंबरेषु सारस्वतीः । ३ । अवगाह्यावगाढात्पशोः पुरस्ताद्वा पूर्वापरा ऊर्मीः । ४।स्यंदमानाः ।५। प्रतिलोमा । ६ । अपयती । ७ । नदीपतिः सूद्याः । ८ । कार्ष्ठ वीच्छ्रितोढम् । ९ । निवेष्येन । १० । अंदमानानास्थावराः प्रत्यातापे । ११। अंतरिक्षात्प्रतिगृह्या आतपवर्ष्याः । १२ । सरस्याः कूप्याः प्रष्वा मधुगोबल्वाः पयोघृतम् । १३ । सरस्वतीर्गृह्णात्यपो देवा इति ॥ ११४। का. श्रौ. सू. १५ । १०३–११४ ।

वतीरित्येवैतदाह यदाहोर्जस्वतीरिति राजस्वश्चितानां इति याः प्रज्ञाता राजस्व इत्येवैतदाह याभिर्मित्रावरुणावभ्यषिञ्चन्नित्येताभिर्हि मित्रावरुणावभ्यषिञ्चन्याभिरिन्द्रमनयन्नत्यरातीरित्येताभिर्हीन्द्रं नाष्ट्रा रक्षाᳩसि अत्यनयंस्ताभिरभिषिञ्चति वाग्वै सरस्वती वाचैवैनमेतदभिषिञ्चत्येता वाऽएका ऽआपस्ता ऽएवैतत्सम्भरति ॥ ३ ॥

(त्यु) अथाध्वर्युः । (श्व) चतुर्गृहीतमाज्यं गृहीत्वाऽपोऽभ्यवैति तद्याऽऊर्मी व्युर्दतः पशौ वा पुरुषे वाऽभ्युवेते तौ गृह्णाति ॥ ४ ॥

राजस्वश्चिताना इति । याः प्रज्ञाता राजस्व इत्येवैतदाह । " याभिर्मित्रावरुणावभ्यषिञ्चन्"- इति । एताभिर्हि मित्रावरुणावभ्यषिञ्चन् । " याभिरिन्द्रमनयन्नत्यरातीः "-(वा. सं. १० । १) इति । एताभिर्हीन्द्रं नाष्ट्रा रक्षांस्यत्यनयन् । ताभिरभिषिञ्चति । वाग्वै सरस्वतीवाचैवैनमेतदभिषिञ्चति । एता वाऽएका आपः । ता एवैतत्सम्भरति ॥ ३ ॥

(२) अथाध्वर्युश्चतुर्गृहीतमाज्यं गृहीत्वाऽपोऽभ्यवैति । तद्याऽऊर्मी व्यर्दतः । पशौ वा, पुरुषे वाऽभ्यवेते-तौ गृह्णाति ॥ ४ ॥

एव-शब्दोऽन्ययोगव्यवच्छेदार्थः । तत्र मन्त्रं विधत्ते-अपो देवा इति । ' मधुमतीः '' मधुररसवतीः, ' ऊर्जस्वतीः ' विशिष्टान्नरसवतीः ' राजस्वः ' राजानं सुवते, जनयन्ति, अनुजानन्तीति राजस्वः;ताः ' चितानाः ' देवतात्वेन चेतयमानाः, ' अपः ' उदकानि ' देवाः ' ' अगृभ्णन् ' मकारश्छान्दसः । ता अपो विशिनष्टि-' याभिः ' अद्भिः ' मित्रावरुणौ' अभ्यषिञ्चन् देवाः, 'याभिः' च ' इन्द्रम् ' । ' अरातीः ' अदानशीलाः शत्रुसेनाः ' अत्यनयन् ' अतिक्रम्य नीतवन्त इति ॥

मन्त्रं प्रतिपादमनूद्यव्याचष्टे-अपो देवा इति । चितानाः इत्यस्य व्याख्यानम्-'प्रज्ञाताः'-इति । शेषं निगदसिद्धम् । एतासामभिषेकार्थत्वं प्रशंसति-ताभिरभिषिञ्चतीति । यस्या अपो गृह्यन्ते, तां सरस्वतीं नदीं वागात्मना प्रशंसति-वाग्वै सरस्वतीति । सारस्वतीभिरद्भिरभिषेककरणेन वाचैवाभिषेकं कृतवान् भवतीत्यर्थः । एता वा एका इति । सारस्वत्यः ' आपः ' ' एकाः ' एकमुदकम् । एवं सारस्वतीरपो गृहीत्वा षोडशापो गृह्णीयात् ॥

तत्र विशेषं दर्शयामास कात्यायनः-" सारस्वतीर्गृह्णात्यपो देवा इति, जुहोत्युत्तरासु चतुर्गृहीतानि वृष्ण उर्म्यादिभिः स्वाहाकारान्तैः पूर्वैः पूर्वैः प्रतिमन्त्रमुत्तरैरुत्तरैर्गृह्णाति "-इति (का. श्रौ. सू. १५।१४।१५)। उत्तरासु षोडशासु चतुर्गृहीतेनाज्येन पूर्वं स्वाहान्तैर्मन्त्रैर्हुत्वा हुत्वा उत्तरैरुत्तरैस्तास्ता अपो गृह्णीयादित्यर्थः ॥ ३ ॥

तदिदानीं क्रमेण विधास्यते-तत्र प्रथममूर्मिद्वयग्रहणं विधत्ते-अथाध्वर्युरिति[1] । चतुर्गृहीताज्येन सह ' आपः ' वक्ष्यमाणाः षोडश ' अभि '-लक्ष्य ' अवैति ' गच्छतीति सर्वशेषः । ' तत् ' तत्र नद्यां पशु-

---

१-अवगाह्यावगाह्य पशोः पुरुषाद्वा पूर्वापरा ऊर्मीः । का. श्रौ. सू. १५ । १०४ ।

स यः प्राङ्ङुदर्दति । तं गृह्णाति व्वृष्णऽऊर्म्मिरसि राष्ट्रदा राष्ट्रं मे देहि स्वाहा व्वृष्णऽऊर्म्मिरसि राष्ट्रदा राष्ट्रममुष्मै देहीति ॥ ५ ॥

(त्यु)अथ यः प्रत्यङ्ङुदर्दति। तं गृह्णाति व्वृषसेनोऽसि राष्ट्रदा राष्ट्रं मे देहि स्वाहा व्वृषसेनोऽसि राष्ट्रदा राष्ट्रममुष्मै देहीति ताभिरभिषिञ्चति व्वीर्यं वाऽएतदपामुदर्दति पशौ वा पुरुषे वाऽभ्युवेते व्वीर्य्येणैवैनमेतदभिषिञ्चत्येता वाऽएका ऽआपस्ताऽएवैतत्सम्भरति ॥ ६ ॥

(त्यु) अथ स्यन्दमाना गृह्णाति । अर्थेत स्थ राष्ट्रदा राष्ट्रं मे दत्त स्वाहा-

---

स यः प्राङ्ङुदर्दति–तं गृह्णाति–" वृष्ण ऊर्म्मिरसि राष्ट्रदा राष्ट्रं मे देहि स्वाहा, वृष्ण ऊर्म्मिरसि राष्ट्रदा राष्ट्रममुष्मै देहि"–इति ॥ ५ ॥

अथ यः प्रत्यङ्ङुदर्दति–तं गृह्णाति–" वृषसेनोऽसि राष्ट्रदा राष्ट्रं मे देहि स्वाहा, वृषसेनोऽसि राष्ट्रदा राष्ट्रममुष्मै देहि "–(वा. सं. १०। २) इति । ताभिरभिषिञ्चति । वीर्यं वाऽएतदपामुदर्दति। पशौ वा पुरुषे वाऽभ्यवेते । वीर्य्येणैवैनमेतदभिषिञ्चति । एता वाऽएका आपः । ता एवैतत्सम्भरति ॥ ६ ॥

(३) अथ स्यन्दमाना गृह्णाति–" अर्थेत स्थ राष्ट्रदा राष्ट्रं मे दत्त स्वाहा, अर्थेत स्थ

पुरुषयोरन्यतरस्मिन् ' अभ्यवेते ' अवगाढे सति ' यौ ऊर्मी ' ' व्यर्दतः ' विविधं पूर्वापरीभावेन गच्छतः ' तौ गृह्णीयात् ' ॥ ४ ॥

तत्रोर्मिद्वयस्यानियमेन समस्य वा ग्रहणे प्राप्ते क्रमं विधत्ते–**स यः प्राङिति** । ' यः ' ऊर्मिः ' प्राङ् ' प्राङ्मुखः ' उदर्दति ' उद्गच्छेत्, ' तं ' गृह्णीयात् ॥

तत्र हवनमन्त्रं ग्रहणमन्त्रं च विधत्ते–**वृष्ण ऊर्म्मिरिति** । स्वाहान्तो हवनमन्त्रः, द्वितीयो ग्रहणमन्त्र इति विभागः । अर्थस्तु हे ऊर्मे ' वृष्णः ' वर्षितुः सेक्तुर्वा सम्बन्धी ' ऊर्मिः ' भवसि । ' राष्ट्रदाः ' त्वं तु स्वभावत एव राष्ट्रं जनपदं ददातीति राष्ट्रदाः । अतो ' राष्ट्रं ' ' मे ' मह्यं ' देहि ' । ' स्वाहा '–इति होमार्थः । द्वितीयोऽप्येवं व्याख्येयः । तत्र ' अमुष्मै '–इति विशेषः । एतन्नामकाय यजमानाय मह्यं देहीति तस्यार्थः । एवमुपरितना अपि मन्त्रा व्याख्येयाः ॥ ५ ॥

द्वितीयस्योर्मेर्ग्रहणं विधत्ते–**अथ यः प्रत्यङिति** । **वृषसेन** इति । ' वृषसेनः ' " वृषु सेचने, " (धा. पा. भ्वा. प. २०९) सेनो नाम संहतिः; वर्षणशीलजलसङ्घो भवसि । शिष्टं पूर्ववत् ॥

ऊर्मिद्वयं जलवीर्यात्मना प्रशंसति–**वीर्यं वा**, इति । उभयोरप्यूर्म्योरेकत्वेन परिगणनमाह–**एता वा एका आप** इति ॥ ६ ॥

प्रवहन्तीनामपां ग्रहणं विधत्ते–**अथ स्यन्दमाना** इति[1] । ' स्यन्दमानाः ' प्रवहन्तीरपो गृह्णीयात् ॥

१–स्यंदमानाः । का. श्रौ. सू. १५ । १०५ ।

ऽर्थेत स्थ राष्ट्रदा राष्ट्रममुष्मै दत्तेति ताभिरभिषिञ्चति व्वीर्येण वाऽएताः स्यन्दन्ते तस्मादेनाः स्यन्दमाना न किंचन प्रतिधारयते व्वीर्येणैवैनमेतदभिषिञ्चत्येता वाऽएकाऽ आपस्ताऽएवैतत्सम्भरति ॥ ७ ॥

(त्यु) अथ याः स्यन्दमानानां प्रतीपᳪं स्यन्दन्ते । ता गृह्णात्योजस्वती स्थ राष्ट्रदा राष्ट्रं मे दत्त स्वाहौजस्वती स्थ राष्ट्रदा राष्ट्रममुष्मै दत्तेति ताभिरभिषिञ्चति व्वीर्येण वाऽएताः स्यन्दमानानां प्रतीपᳪं स्यन्दन्ते व्वीर्येणैवैनमेतदभिषिञ्चत्येता वाऽएकाऽ आपस्ताऽ एवैतत्सम्भरति॥८॥

(त्यु) अथापयतीर्गृह्णाति । (त्या) आपः परिवाहिणी स्थ राष्ट्रदा राष्ट्रं मे दत्त स्वाहाऽपः परिवाहिणी स्थ राष्ट्रदा राष्ट्रममुष्मै दत्तेति ताभिरभि-

---

राष्ट्रदा राष्ट्रममुष्मै दत्त-" इति । ताभिरभिषिञ्चति । वीर्येण वाऽएताः स्यन्दन्ते । तस्मादेनाः स्यन्दमाना न किंचन प्रतिधारयते । वीर्येणैवैनमेतदभिषिञ्चति । एता वाऽएका आपः । ता एवैतत्सम्भरति ॥ ७ ॥

(४) अथ याः स्यन्दमानानां प्रतीपं स्यन्दन्ते—ता गृह्णाति—"ओजस्वती स्थ राष्ट्रदा राष्ट्रं मे दत्त स्वाहा, ओजस्वती स्थ राष्ट्रदा राष्ट्रममुष्मै दत्त "—इति । ताभिरभिषिञ्चति । वीर्येण वाऽएताः स्यन्दमानानां प्रतीपं स्यन्दन्ते । वीर्येणैवैनमेतदभिषिञ्चति । एता वाऽएका आपः । ता एवैतत्सम्भरति ॥ ८ ॥

(९) अथापयतीर्गृह्णाति—"आपः परिवाहिणी स्थ राष्ट्रदा राष्ट्रं मे दत्त स्वाहा" आपः परिवाहिणी स्थ राष्ट्रदा राष्ट्रममुष्मै दत्त "--इति । ताभिरभिषिञ्चति । एतस्यै वाऽएषाऽपाच्छिद्य-

---

तन्मन्त्रस्याप्ययमर्थः—हे आपः ! 'अर्थेतः' अर्थः प्रयोजनं गच्छन्तीति तादृश्यः 'स्थ' भवथ । अत्र 'दत्त' इति विशेषः । प्रवहन्तीनामपां वीर्यात्मकत्वमाह—वीर्येणेति । यत आपो वीर्येणैव 'स्यन्दन्ते', 'तस्मात्' 'स्यन्दमानाः' 'एनाः' अपः 'किञ्चन' वस्त्वपि 'प्रति' मुखं 'न धारयते' न धृतम्भवति । यद्वा, प्रवहन्तीरपो न कश्चिदपि धारयितुं शक्नोतीत्यर्थः ॥ ७ ॥

प्रतिलोमं[1] प्रवहन्तीनामपां ग्रहणं विधत्ते—अथ याः स्यन्दमानानामिति ! 'स्यन्दमानानाम्' अपां मध्ये 'प्रतीपं' प्रतिकूलं 'स्यन्दन्ते' 'ताः' गृह्णीयात् । 'ओजस्वतीः' बलवत्यः 'स्थ' । वीर्येणेत्यादि पूर्ववद् व्याख्येयम् ॥ ८ ॥

नद्याः सकाशाद् अपच्छिद्य गच्छन्तीनामपां ग्रहणं विधत्ते—अथापयतीरिति । 'अपयतीः'[2] नदीप्रवाहं परित्यज्य पृथक् प्रवाहरूपेण याः स्यन्दन्ते अपयत्यः, ता गृह्णीयात् । हे 'आपः ।' आप्नुवन्ति सर्वमि-

---

१-प्रतिलोमाः । का० श्रौ० सू० १५ । १०६ । २-अपयतीः । का. श्रौ. सू. १५ । १०७ ।

षिञ्चत्येतुस्यै व्राऽएषाऽपच्छिद्यै॒षैव पुनर्भवत्यपि ह व्राऽअस्यान्यराष्ट्रीयो राष्ट्रे भवत्युप्यन्यराष्ट्रीयमुवहरते तथाऽस्मिन्भूमानं दधाति भूम्नैवैनमेतुद-भिषिञ्चत्येता वाऽएका ऽआपस्ता ऽएवैतत्सुम्भरति ॥ ९ ॥

(त्यु) अथ नदीपतिं गृह्णाति । (त्य) अपां पुतिरसि राष्ट्रदा राष्ट्रं मे देहि स्वाहाऽपां पुतिरसि राष्ट्रदा राष्ट्रमसुष्मै देहीति ताभिरभिषिञ्चत्यपां व्रा ऽएष पुतिर्यन्नदीपतिर्विशामेवैनमेतत्पतिं करोत्येता वा ऽएका ऽआपस्ता ऽएवैतत्सुम्भरति ॥ १० ॥

(त्यु) अथ निवेष्यं गृह्णाति । (त्य) अपां गुर्भोऽसि राष्ट्रदा राष्ट्रं मे देहि स्वाहाऽपां गुर्भोऽसि राष्ट्रदा राष्ट्रमसुष्मै देहीति ताभिरभिषिञ्चति गुर्भं

षैव पुनर्भवति । अपि ह वाऽअस्यान्यराष्ट्रीयो राष्ट्रे भवति । अप्यन्यराष्ट्रीयमवहरते । तथाऽस्मिन्भूमानं दधाति । भूम्नैवैनमेतदभिषिञ्चति । एता वाऽएका अपः । ता एवैतत् सम्भरति ॥ ९ ॥

(६) अथ नदीपतिं गृह्णाति—"अपां पतिरसि राष्ट्रदा राष्ट्रं मे देहि स्वाहा, अपां पतिरसि राष्ट्रदा राष्ट्रममुष्मै देहि"—इति । ताभिरभिषिञ्चति । अपां वाऽएष पतिः—यन्नदीपतिः । विशामेवैनमेतत्पतिं करोति । एता वाऽएका आपः; ता एवैतत्सम्भरति ॥ १० ॥

(७) अथ निवेष्यं गृह्णाति—" अपां गर्भोऽसि राष्ट्रादा राष्ट्रं मे देहि स्वाहा, अपां

त्यापः, 'परिवाहिणीः' परितः सर्वतो वाहो यासां ताः । यद्वा, 'परिवाहिणीः' परित्यज्य पृथग् वहन्त्यः स्थ । तत्र स्वाहान्तो हवनमन्त्रः, उत्तरो ग्रहणमन्त्र इति प्रागुक्तम् । एवमुत्तरत्राप्यवगन्तव्यम् ॥

परिवाहिणीभिरभिषेकं प्रशंसति—**एतस्यै वा** इति । 'एषा' परिवाहिणी नदी, 'एतस्याः' महानद्याः सकाशाद् 'अपच्छिद्य' पृथक्कृत्य परिवहति, ततः 'एषैव पुनर्भवति' संसृष्टा परिणदी पुनरेषैव महानदी भवतीत्यर्थः, यस्मादपच्छिन्ना नदी पुनस्तां महानदीं प्राप्नोति । तस्मादस्यैताभिरद्भिरभिषिक्तस्यान्यराष्ट्रीयः पुरुषः 'राष्ट्रे' स्वराष्ट्रे भवति, अन्यराष्ट्रीयम् 'अवहरते' वशयति । यथा महानदी परिणदीसंसर्गेण भूयसी जाता, 'तथा' तस्मिन् राजनि अन्यराष्ट्रीयसमवधानेन 'भूमानं' भूयस्त्वं 'दधाति' ॥ ९ ॥

अथ समुद्रोदकग्रहणं विधत्ते—**अथ नदीपतिं गृह्णाति**ति । नदीपतिसमुद्रस्थितानामपामविशेषेण ग्रहणे प्राप्ते सूद्यानामुच्छलन्तीनामपां ग्रहणं कर्त्तव्यमिति विशेषः; "नदीपतेः सूद्याः"—इति श्रुत्यन्तरात्[1] । सुष्ठु उद्यन्ति ऊर्ध्वं यान्तीति सूद्याः, ता गृह्णीयादित्यर्थः । 'अपाम्' उदकानां पतिः पालकः ॥ १० ॥

अथावर्त्तोदकग्रहणं विधत्ते—**अथ निवेष्य**[3]**मिति** । निवेष्यते आवर्त्यतेऽस्मिन् तृणादिकमिति 'निवेष्यः'

१–नदीपतिः सूद्याः । १५।१०८ । २–काष्ठं वोच्छ्रितोढम् १५।१०९ । ३–निवेष्येन । का० श्रौ० सू० १५ । ११० ॥

वाऽएतदाप ऽउपनिवेष्टन्ते विशामेवैनमेतद्गर्भं करोत्येता वा ऽएका ऽआपस्ता ऽएवैतत्सम्भरति ॥ ११ ॥

(त्यु) अथ यः स्यन्दमानानाᳫँ स्थावरो ह्रदो भवति । प्रत्यातापे ता गृह्णाति सूर्यत्वचस स्थ राष्ट्रदा राष्ट्रं मे दत्त स्वाहा सूर्यत्वचस स्थ राष्ट्रदा राष्ट्रममुष्मै दत्तेति ताभिरभिषिञ्चति वर्चसैवैनमेतदभिषिञ्चति सूर्यत्वचसमेवैनमेतत्करोति वरुण्या वा ऽएताऽआपो भवन्ति याः स्यन्दमानानां न स्यन्दन्ते वरुणसवो वाऽएष यद्राजसूयं तस्मादेताभिरभिषिञ्चत्येता वा ऽएकाऽआपस्ता ऽएवैतत्सम्भरति ॥ १२ ॥

(त्यु) अथ याऽआतपति वर्षन्ति । ता गृह्णाति सूर्यवर्चस स्थ राष्ट्रदा

गर्भोऽसि राष्ट्रदा राष्ट्रममुष्मै देहि "–(वा० सं० १० । ३) इति । ताभिरभिषिञ्चति । गर्भं वाऽएतदाप उपनिवेष्टन्ते । विशामेवैनमेतद्गर्भं करोति । एता वाऽएका आपः । ता एवैतत्सम्भरति ॥ ११ ॥

(८) अथ यः स्यन्दमानानां स्थावरो ह्रदो भवति प्रत्यातापे–ता गृह्णाति–" सूर्यत्वचस स्थ राष्ट्रदा राष्ट्रं मे दत्त स्वाहा, सूर्यत्वचस स्थ राष्ट्रदा राष्ट्रममुष्मै दत्त "–इति। ताभिरभिषिञ्चति । वर्चसैवैनमेतदभिषिञ्चति । सूर्यत्वचसमेवैनमेतत्करोति। वरुण्या वाऽएता आपो भवन्ति–याः स्यन्दमानानां न स्यन्दन्ते । वरुणसवो वाऽएष–यद्राजसूयम् । तस्मादेताभिरभिषिञ्चति । एता वाऽएका आपः । ता एवैतत्सम्भरति ॥ १२ ॥

(९) अथ या आतपति वर्षन्ति–ता गृह्णाति–" सूर्यवर्चस स्थ राष्ट्रदा राष्ट्रं मे दत्त

आवर्त्तः । तत्रत्यमुदकं गृह्णीयात् । 'अपाम्' उदकानां 'गर्भः' अपत्यं भवति । " गर्भं वा एतद् "–इत्यादिरन्वयमर्थः ॥ ११ ॥

अथ यः स्यन्दमानानामिति । हे 'आपः' ! 'सूर्यत्वचसः' सूर्यस्य त्वक् दीप्तिर्यासां ताः; यद्वा, सूर्यस्य त्वक् शरीरं प्रतिबिम्बरूपेण यासु तिष्ठति ताः; तथाविधाः 'स्थः' । वर्चसैवेति । 'वर्चसा' दीप्त्या अभिषिक्तवान् भवति । 'सूर्यत्वचसं' सूर्यसमानतेजस्कं कृतवान् भवति ॥

वरुण्या इति । स्थावरा आपो वरुणदेवत्या इत्यर्थः । वरुणसव इति । 'राजसूयम्'–इति यत् 'एषः वरुणसवः' वरुणाभिषेकः; वरुणोऽभिषिच्यते यस्मिन्निति सः । अतो वरुणदेवत्याभिः ह्रद्याभिरद्भिरभिषेकः कर्त्तव्यः ॥ १२ ॥

अथातपवर्ष्याग्रहणं विधत्ते–अथ या आतपतीति । सूर्ये आतपति सति या वर्षन्ति, स्यन्दन्ते, ता गृह्णी-

---

१–स्यंदमानानाᳫँ स्थावराः प्रत्यातापे । का० श्रौ० सू० । १५ । १११ । २–अंतरिक्षात्प्रतिगृह्या आतपवर्ष्याः । का० श्रौ० सू० । १५ । ११२ ।

राष्ट्रं मे दत्त स्वाहा सूर्यवर्चस स्थ राष्ट्रदा राष्ट्रममुष्मै दत्तेति ताभिरभिषिञ्चति वर्चसैवैनमेतदभिषिञ्चति सूर्यवर्चसमेवैनमेतत्करोति मेध्या वाऽएताऽआपो भवन्ति याऽआतपति वर्षन्त्यप्राप्ता हीमां भवन्त्यथैना गृह्णाति मेध्यमेवैनमेतत्करोत्येता वाऽएकाऽआपस्ताऽएवैतत्सम्भरति ॥ १३ ॥

(त्यु) अथ वैशन्तीर्गृह्णाति मान्दा स्थ राष्ट्रदा राष्ट्रं मे दत्त स्वाहा मान्दा स्थ राष्ट्रदा राष्ट्रममुष्मै दत्तेति ताभिरभिषिञ्चति विशमेवास्माऽएतत्स्थावरामनपक्रमिणीं करोत्येता वाऽएका आपस्ताऽएवैतत्सम्भरति ॥ १४ ॥

(त्यु) अथ कूप्या गृह्णाति । व्रजक्षित स्थ राष्ट्रदा राष्ट्रं मे दत्त स्वाहा

स्वाहा, सूर्यवर्चस स्थ राष्ट्रदा राष्ट्रममुष्मै दत्त"–इति । ताभिरभिषिञ्चति । वर्चसैवैनमेतदभिषिञ्चति । सूर्यवर्चसमेवैनमेतत्करोति । मेध्या वाऽएता आपो भवन्ति–या आतपति वर्षन्ति । अप्राप्ता हीमां भवन्ति । अथैना गृह्णाति । मेध्यमेवैनमेतत्करोति । एता वाऽएका आपः । ता एवैतत्सम्भरति ॥ १३ ॥

(१०) अथ वैशन्तीर्गृह्णाति–" मान्दा स्थ राष्ट्रदा राष्ट्रं मे दत्त स्वाहा, मान्दा स्थ राष्ट्रदा राष्ट्रममुष्मै दत्त"–इति । ताभिरभिषिञ्चति विशमेवास्माऽएतत् स्थावरामनपक्रमिणीं करोति । एता वाऽएका आपः । ता एवैतत्सम्भरति ॥ १४ ॥

(११) अथ कूप्या गृह्णाति–" व्रजक्षित स्थ राष्ट्रदा राष्ट्रं मे दत्त स्वाहा, व्रजक्षित

यात् । " सूर्यवर्चस इत्यातपति वर्ष्याणाम्"–इति हि आपस्तम्बः (आ. श्रौ. सू. १८ । १३ । १०) । ' सूर्यवर्चसः ' सूर्यदीप्तियुक्ताः । शिष्टं पूर्ववत् । मेध्या वा इति । सूर्यतेजसा युक्तत्वात् आतपवर्ष्याः शुद्धा इत्यर्थः । तासां ग्रहणे कञ्चिद् विशेषं विधत्ते–अप्राप्ता हीति । ' इमां ' भूमिम् ' अप्राप्ताः भवन्ति ', भूमौ न पतिता भवन्ति; ' अथ ' तदानीमेव ' एनाः ' अपः गृह्णीयात् ॥ १३ ॥

अथ सरस्यानामपां ग्रहणं विधत्ते–अथ वैशन्तीरिति । वेशन्तोऽल्पसरः, तत्र भवा अपो गृह्णीयात्[1] । हे आपः ! ' मान्दाः स्थ ' प्रवाहाभावात् मन्दस्वभावाः स्थ । यद्वा, मन्दते रूपम् । भूतानि यत्र मन्दन्त इति मान्दाः । विशमेवेति । मान्दाभिः अद्भिरभिषेकेण ' अस्मै ' ' विशं ' प्रजां ' स्थावरां ' स्थिराम् अनपक्रमिणीं स्वाधीनां कृतवान् भवतीत्यर्थः ॥ १४ ॥

कूप्यानामपां ग्रहणं विधत्ते–अथ कूप्या इति । कूपे भवाः कूप्याः । व्रजक्षितः स्थेति । ' व्रजः '–इति

१–सरस्याः कूप्याः । का० श्रौ० सू० १५ । ११३ ।

व्रजक्षित स्थ राष्ट्रदा राष्ट्रममुष्मै दत्तेति ताभिरभिषिञ्चति तद्या इमां परेणापस्ताऽएवैतत्सम्भरत्यपामु चैव सर्व्वत्वाय तस्मादेताभिरभिषिञ्चत्येता वाऽएकाऽआपस्ताऽएवैतत्सम्भरति ॥ १५ ॥

(१६) अथ प्रुष्वा गृह्णाति । वाशा स्थ राष्ट्रदा राष्ट्रं मे दत्त स्वाहा वाशा स्थ राष्ट्रदा राष्ट्रममुष्मै दत्तेति ताभिरभिषिञ्चत्यन्नाद्येनैवैनमेतदभिषिञ्चत्यन्नाद्यमेवास्मिन्नेतद्दधातीदं वाऽअसावादित्य उद्यन्नेव यथाऽयमग्निर्निर्दहेदेवमोषधीरन्नाद्यं निर्दहति तदेता आपोऽभ्यवयत्यः शमयन्ति न ह वाऽइहान्नाद्यं परिशिष्येत यदेताऽआपो नाभ्यवेयुरन्नाद्येनैवैनमेतदभिषिञ्चत्येता वाऽएका ऽआपस्ताऽएवैतत्सम्भरति ॥ १६ ॥

स्थ राष्ट्रदा राष्ट्रममुष्मै दत्त "–इति । ताभिरभिषिञ्चति । तद् या इमां परेणापस्ताः–एवैतत्सं-भरति । अपामु चैव सर्वत्वाय । तस्मादेताभिरभिषिञ्चति । एता वाऽएका आपः । ता एवैतत्सम्भरति ॥ १५ ॥

(१२) अथ प्रुष्वा गृह्णाति–"वाशा स्थ राष्ट्रदा राष्ट्रं मे दत्त स्वाहा, वाशा स्थ राष्ट्रदा राष्ट्रममुष्मै दत्त"–इति । ताभिरभिषिञ्चति । अन्नाद्येनैवैनमेतदभिषिञ्चति । अन्नाद्यमेवास्मिन्नेतद्दधाति । इदं वाऽअसावादित्य उद्यन्नेव–यथाऽयमग्निर्निर्दहेद् एवमोषधीरन्नाद्यं निर्दहति । तदेता आपोऽभ्यवयत्यः शमयन्ति । न ह वाऽइहान्नाद्यं परिशिष्येत । यदेता आपो नाभ्यवेयुः । अन्नाद्येनैवैनमेतदभिषिञ्चति । एता वा एका आपः ता एवैतत्सम्भरति ॥ १६ ॥

मेघनामसु पठितः, (निघं. १ । १० । ११) इह तूदकधारणसामान्यात् कूपोऽभिधीयते व्रजे कूपे क्षितः निवसन्त्यः । " क्षि निवासगत्योः "-(धा. पा. तु. प. १२६) क्विप् । कूपस्थाः स्थ । तद्या इमामिति । ' इमां ' भूमिं ' परेण ' भूमेरधस्ताद् विप्रकृष्टे देशे कूपे स्थिताः अपः गृह्णीयात् । किमर्थं भूमिस्थितानामपां ग्रहणम् ? तत्राह–अपामु चेति । ' अपां सर्वत्वाय ' सर्वेषामुदकानां समष्ट्या इत्यर्थः ॥ १५ ॥

अथ नीहारोदकानां ग्रहणं विधत्ते–अथ प्रुष्वा इति[1] ' प्रुष्वाः ' नीहाराः हे आपः ' वाशाः स्थ ' । " वश कान्तौ" (धा. पा. अ. प. ७०) सर्वैः काम्यमाना भवथ । यद्वा, वश्याः स्थ नीहारो हि नदीप्रवाहवन्मनुष्यादिगतिं न प्रतिबध्नाति, अतो वश्यत्वम् । प्रुष्वाणामन्नाद्यात्मकत्वमुपपादयति–इदं वा असाविति । ' उद्यन् ' 'असौ' अन्तरिक्षे दृश्यमानः ' आदित्यः' ' इदम् ' ओषधिरूपम् ' अन्नाद्यं ' निर्दहति । अन्नं च तदाद्यमदनीयं चेत्यन्नाद्यम् । तत्र दृष्टान्तः–यथाऽयमग्निर्निर्दहेदेवमित्यादि । 'तत' तदा सस्यानामातपजातम्लानिसमये नीहारगताः ' आपः ' 'अभ्यवयत्यः' । सव्यतिरेकं दर्शयति–न ह वेत्यादिना । तस्मादोषधिवर्द्धनहेतुभूताभिः प्रुष्वाभिरद्भिः अभिषेकेण यजमाने अन्नाद्यमेव निहितवान् भवतीत्यर्थः ॥ १६ ॥

१–प्रुष्वाः । का. श्रौ सू. १५ । ११३ ।

(त्यु) अथ मधु गृह्णाति । शविष्ठा स्थ राष्ट्रदा राष्ट्रं मे दत्त स्वाहा शविष्ठा स्थ राष्ट्रदा राष्ट्रममुष्मै दत्तेति ताभिरभिषिञ्चत्यपां चैवैनमेतदोष-धीनां च रसेनाभिषिञ्चत्येता वाऽएका ऽआपस्ता ऽएवैतत्सुम्भरति ॥१७॥

(त्यु) अथ गोर्विजायमानाया ऽउल्व्या गृह्णाति। शक्वरी स्थ राष्ट्रदा राष्ट्रं मे दत्त स्वाहा शक्वरी स्थ राष्ट्रदा राष्ट्रममुष्मै दत्तेति ताभिरभिषिञ्चति पशुभिरेवैनमेतदभिषिञ्चत्येता वाऽएका ऽआपस्ता ऽएवैतत्सुम्भरति॥१८॥

(त्यु) अथ पयो गृह्णाति । जनभृत स्थ राष्ट्रदा राष्ट्रं मे दत्त स्वाहा जनभृत स्थ राष्ट्रदा राष्ट्रममुष्मै दत्तेति ताभिरभिषिञ्चति पशुभिरेवैनमेत-दभिषिञ्चत्येता वाऽएका ऽआपस्ता ऽएवैतत्सुम्भरति ॥ १९ ॥

---

(१३) अथ मधु गृह्णाति । "शविष्ठा स्थ राष्ट्रदा राष्ट्रं मे दत्त स्वाहा, शविष्ठा स्थ राष्ट्रदा राष्ट्रममुष्मै दत्त"–इति । ताभिरभिषिञ्चति । अपां चैवैनमेतदोषधीनां च रसेना-भिषिञ्चति । एता वाऽएका आपः । ता एवैतत्सम्भरति ॥ १७ ॥

(१४) अथ गोर्विजायमानाया उल्व्या गृह्णाति–"शक्वरी स्थ राष्ट्रदा राष्ट्रं मे दत्त स्वाहा, शक्वरी स्थ राष्ट्रदा राष्ट्रममुष्मै दत्त"–इति । ताभिरभिषिञ्चति । एता वाऽएका आपः । ता एवैतत्सम्भराति ॥ १८ ॥

(१५) अथ पयो गृह्णाति–"जनभृत स्थ राष्ट्रदा राष्ट्रं मे दत्त स्वाहा, जनभृत स्थ राष्ट्रदा राष्ट्रममुष्मै दत्त"–इति । ताभिराभिषिञ्चति । पशुभिरेवैनमेतदभिषिञ्चति । एता वाऽ एका आपः । ता एवैतत्सम्भरति ॥ १९ ॥

अथ मधुनो ग्रहणं विधत्ते–अथ माध्वित[1]ि । हे 'मधु !' द्रवरूपा आपः 'शविष्ठाः' बलवत्तमाः 'स्थ' अपाञ्चैवेति । 'एतत्' एताभिः मधुद्रवरूपाभिरद्भिः अभिषेकेण 'अपां च ओषधीनाञ्च' 'रसेन' अभिषिक्तवान् भवति; मधुनो द्रव्यात्मकत्वादित्यर्थः ॥ १७ ॥

अथ गोरुल्व्यानां ग्रहणं विधत्ते- अथ गोरिति । 'विजायमानायाः' प्रसूयमानायाः 'गोः' "उल्व्याः" उल्वे गर्भवेष्टने भवाः अपः गृह्णीयात् । हे आपः ! 'शक्वरीः' गर्भरक्षणे शक्ताः समर्था भवथ । पशुभिरिति । पशुसम्बन्धिनीभिरेताभिरद्भिः अभिषेकेण 'पशुभिः एवं' 'एनं सुन्वन्तमभिषिक्तवान् भवतीत्यर्थः ॥ १८ ॥

अथ पयसां ग्रहणं विधत्ते–अथ पय[2] इति । हे क्षीरात्मिका आपः ! 'जनभृतः स्थ" जनान् बिभ्रतीति जनभृतः; क्षीरेण हि प्राणिजातं पुष्यते ॥ १९ ॥

१–मधु गोरुल्व्याः । का. श्रौ. सू. १५ । ११३ । २–पयो घृतम् । का. श्रौ. सू. १५ । ११३ ।

(त्यु) अथ घृतं गृह्णाति । व्विश्वभृत स्थ राष्ट्रदा राष्ट्रं मे दत्त स्वाहा व्विश्वभृत स्थ राष्ट्रदा राष्ट्रममुष्मै दत्तेति ताभिरभिषिञ्चति पशूनामेवैन-मेतद्रसेनाभिषिञ्चत्येता वाऽएका ऽआपस्ताऽ एवैतत्सम्भरति ॥ २० ॥

(त्यु) अथ मरीचीः । (र) अञ्जलिना संगृह्यापिसृजत्यापः स्वराज स्थ राष्ट्रदा राष्ट्रममुष्मै दत्तेत्येता वाऽआपः स्वराजो यन्मरीचयस्ता यत्स्यन्दन्तऽइवान्योऽन्यस्याऽ एवैतच्छ्रियाऽ अतिष्ठमानाऽउत्तराधरा ऽइव भवन्त्यो यन्ति स्वाराज्यमेवास्मिन्नेतद्दधात्येता वाऽएका ऽआपस्ता ऽएवैतत्सम्भरति ॥ २१ ॥

---

(१६) अथ घृतं गृह्णाति-" विश्वभृत स्थ राष्ट्रदा राष्ट्रं मे दत्त स्वाहा, विश्वभृत स्थ राष्ट्रदा राष्ट्रममुष्मै दत्त "-इति । ताभिरभिषिञ्चति । पशूनामेवैनमेतद्रसेनाभिषिञ्चति । एता वाऽएका आपः ता एवैतत्सम्भरति ॥ २० ॥

(१७) अथ मरीचीरञ्जलिना सङ्गृह्यापिसृजति-" आपः स्वराज स्थ राष्ट्रदा राष्ट्रम-मुष्मै दत्त "-इति । एता वाऽआपः स्वराजो-यन्मरीचयः । ता यत्स्यन्दन्तऽइवान्योऽन्यस्या एवैतच्छ्रियाऽअतिष्ठमाना उत्तराधरा इव भवन्त्यो यन्ति-स्वाराज्यमेवास्मिन्नेतद्दधाति । एता वा एका आपः । ता एवैतत्सम्भरति ॥ २१ ॥

अथ घृतस्य ग्रहणं विधत्ते-अथ घृतमिति । 'विश्वभृतः स्थ' हे घृतद्रवरूपाः आपः ! विश्वपोषिका भवथ । पशूनामिति । घृतस्य पशुरसत्वं क्षीरादिद्वारा प्रसिद्धम् ॥ २० ॥

एतदेव सारस्वतवर्जं चतुर्गृहीताज्येन पूर्वं हुत्वा-हुत्वा पञ्चदशानामपां ग्रहणं विहितम्, अथान्तिमस्य जलस्य ग्रहणं सविशेषं विधत्ते-अथ मरीचीरिति । ' मरीचीः ' ' अञ्जलिना ' पात्रेण ' सङ्गृह्य ' गृहीत्वा ' अपिसृजति ' । सर्वासु गृहीतासु अप्सु संसृजेदित्यर्थः । अत्र सूत्रम्-" आपः स्वराज इति मरीचीर्गृहीत्वाऽञ्जलिना सर्वासु संसृजति "-(का. श्रौ. सू. १९ । ११६ ।) इति हे मरीचिरूपा आपः ! ' स्वराजः स्थ ' स्वयमेव राजमाना भवथ । अत्र होमाभावात् स्वाहान्तः पूर्वो मन्त्रो न पठितः । कथं मरीचीनामप्त्वेन परिगणनमिति तदुपपादयति-एता वा आप इति । ' मरीचयः ' इति ' यत्, ' ' एताः ' ' स्वराजः ' स्वयमेव दीप्यमानाः ' आपः ' । ता यत् स्यन्दन्त इति । ' यत् ' यस्मात् ' ताः ' मरीचयः ' स्यन्दन्त इव ' प्रवहन्तीव । ' इव '-शब्दः उपमार्थे साक्षात् प्रवहणाभावात् । यथा जलसङ्घा उपर्युपरिभावेन वर्त्तन्ते, तद्वदेता मरीचयः ' अन्योऽन्यस्याः ' मरीचेः ' श्रियै ' शोभायै ' अतिष्ठमानाः ' स्थातुमसहिष्णवः ' उत्तराधरा इव भवन्त्यः ' ' यन्ति ' गच्छन्ति । अतो जलसाम्यादप्त्वेन परिगणनमित्यर्थः । मरीचीनां ग्रहणं स्वाराज्यहेतुत्वेन प्रशंसति-स्वाराज्यमिति । यतो ' मरीचयः ' स्वराज आपः ॥ २१ ॥

ता वाऽएताः। सप्तदशापः सम्भरति सप्तदशो वै प्रजापतिः प्रजापतिर्यज्ञ-स्तस्मात्सप्तदशापः सम्भरति ॥ २२ ॥

षोडश ताऽआपो याऽअभिजुहोति । षोडशाहुतीर्जुहोति ता द्वात्रिᳪँ शद्दयीषु न जुहोति सारस्वतीषु च मरीचिषु च ताश्चतुस्त्रिᳪँशत्त्रयस्त्रिᳪँ शद्वै देवाः प्रजापतिश्चतुस्त्रिᳪँ शस्तदेनं प्रजापतिं करोति ॥ २३ ॥

(त्यु) अथ युद्धुत्वा हुत्वा गृह्णाति । व्वज्रो वा ऽआज्यं व्वज्रेणैवैतदाज्येन स्पृत्वा स्पृत्वा स्वीकृत्य गृह्णाति ॥ २४ ॥

(त्यु) अथ युत्सारस्वतीषु न जुहोति । व्वाग्वै सरस्वती व्वज्रऽआज्यं नेद्वज्रेणाज्येन व्वाचᳪँ हिनसानीति तस्मात्सारस्वतीषु न जुहोति ॥ २५ ॥

ता वाऽएताः सप्तदशापः सम्भरति । सप्तदशो वै प्रजापतिः । प्रजापतिर्यज्ञः । तस्मात्सप्तदशापः सम्भरति ॥ २२ ॥

षोडश ता आपो—या अभिजुहोति । षोडशाहुतीर्जुहोति । ता द्वात्रिंशत् । द्वयीषु न जुहोति—सारस्वतीषु च मरीचिषु च । ताश्चतुस्त्रिंशत् । त्रयस्त्रिंशद्वै देवाः, प्रजापतिश्चतुस्त्रिंशः। तदेनं प्रजापतिं करोति ॥ २३ ॥

अथ यद्धुत्वा-हुत्वा गृह्णाति । वज्रो वाऽआज्यम् । वज्रेणैवैतदाज्येन स्पृत्वा स्पृत्वा स्वीकृत्य गृह्णाति ॥ २४ ॥

अथ यत्—सारस्वतीषु न जुहोति । वाग्वै सरस्वती । वज्र आज्यम् । नेद्वज्रेणाज्येन वाचं हिनसानीति । तस्मात् सारस्वतीषु न जुहोति ॥ २५ ॥

सम्भृतानामपां सप्तदशसङ्ख्यां प्रजापत्यात्मना स्तौति—ता वा एताः सप्तदशेति । प्रजापतेः सप्तदशत्वं प्रागुक्तम् (श. प. ९ । १ । २ । ११ । भाष्ये) ॥ २२ ॥

अथोक्तानां सारस्वतीप्रभृतिमरीच्यन्तानामपामाहुतीनां च सङ्ख्यां समस्य प्रजापत्यात्मना प्रशंसति—षोडश ता आप इति । 'याः' 'आपः' अभिलक्ष्य जुहोति, 'ताः' 'षोडश' उभयद्वयस्य विवेके षोडशसङ्ख्याकाः भवन्ति; आहुतयोऽपि षोडश; आहुतिभिः रहिताः सारस्वत्यो मरीचय इति द्वय्यः; ताः सम्भूय चतुस्त्रिंशत् सम्पद्यते । अत्र चतुस्त्रिंशत्सम्पत्त्या चतुस्त्रिंशद्देवतात्मकं प्रजापतिमेव कृतवान् भवतीति तत्करणं प्रशस्तमित्यर्थः ॥ २३ ॥

होमपूर्वकं ग्रहणं प्रशंसति—अथ यद्धुत्वा हुत्वेति । आज्यस्य वज्रात्मकत्वश्रुतिः प्रागुदाहृता (श. प. १।९।३।४।) वज्ररूपेण 'आज्येन' 'स्पृत्वा-स्पृत्वा' हिंसित्वा हिंसित्वा, ततः 'स्वीकृत्य' स्वाधीनं कृत्वा गृह्णानो भवेत् । यथा लोके राजादिः प्रबलं शत्रुप्रभृतिं जनं प्रथमं बाधित्वा पश्चात् स्वाधीनं करोति, तद्वदित्यर्थः ॥ २४ ॥

सारस्वतीषु मरीचिषु च होमाभावे कारणमाह—अथ यदिति । सरस्वत्या वाक्त्वात् वाचो वज्रेण हिंसा मा भूदिति न होतव्यम् ॥ २५ ॥

(त्यु) अथ यन्मुरीचिषु नु जुहोति । नेदुनद्धेवैतामाहुतिं जुहवानीति तुस्मान्मुरीचिषु नु जुहोति ॥ २६ ॥

तुाः सार्धमौदुम्बरे पात्रे समुवनयति । मधुमतीर्मधुमतीभिः पृच्यन्तामिति रुसवती रुसवतीभिः पृच्यन्तामित्येवैतदाह मुहि क्षत्रं क्षत्रियाय व्वन्वाना इति तुत्परोऽक्षं क्षत्रं युजमानायाशिषमाशास्ते यदाह मुहि क्षत्रं क्षत्रियाय व्वन्वाना इति ॥ २७ ॥

ता ऽअग्रेण मैत्रावरुणस्य धिष्ण्यꣳ सादयति । (त्यु) अनाधृष्टाः सीदत सहौजस ऽइत्युनाधृष्टाः सीदत रक्षोभिरित्येवैतदाह सहौजस इति सुवीर्या ऽइत्येवैतदाह मुहि क्षत्रं क्षत्रियाय दधतीरिति तुत्प्रत्यक्षं क्षत्रं युजमानायाशिषमाशास्ते यदाह मुहि क्षत्रं क्षत्रियाय दधतीरिति ॥ २८ ॥

इति तृतीयप्रपाठके प्रथमं ब्राह्मणम् ॥ ५ । ३ । १ ॥ (३ । ४)

अथ यन्मरीचिषु न जुहोति । नेदनद्धेवैतामाहुतिं जुहवानीति । तस्मान्मरीचिषु न जुहोति ॥ २६ ॥

ताः सार्धमौदुम्बरे पात्रे समवनयति–" मधुमतीर्मधुमतीभिः पृच्यन्ताम् " इति । रसवती रसवतीभिः पृच्यन्तामित्येवैतदाह । " महि क्षत्रं क्षत्रियाय वन्वानाः "–इति । तत् परोऽक्षं क्षत्रं यजमानायाशिषमाशास्ते यदाह–महि क्षत्रं क्षत्रियाय वन्वाना इति ॥ २७ ॥

ता अग्रेण मैत्रावरुणस्य धिष्ण्यं सादयति–" अनाधृष्टाः सीदत सहौजसः "–इति ।

अथ यन्मरीचिष्विति । मरीचिष्वपि 'अनद्धा' अस्थाने तासां होमाधिकरणत्वासम्भवान्न होतव्यमित्यर्थः । 'नेत्' इति निपातः परिभये (निरु. १।३।५) 'जुहवानि' इत्यनेन सम्बध्यते ॥ २६ ॥

विधत्ते–**ताः सार्द्धमिति** । 'ताः' विहिताः, पृथक् पृथक् पात्रे गृहीताः आपः 'सार्द्धं' सम्भूय एकस्मिन् 'पात्रे' 'समवनयति' आसिञ्चेदित्यर्थः । 'मधुमतीः' मधुररसवत्यः आपः 'मधुमतीभिः अद्भिः 'पृच्यन्ताम्' । "पृची सम्पर्के" (धा. पा. रु.आ. ११) सम्पृच्यन्ताम् । ता विशिनष्टि–'महि' महत् 'क्षत्रं' बलं क्षत्रियकुलं वा 'क्षत्रियाय' यजमानाय 'वन्वानाः' दातुं याचमानाः कामयमाना इति । मन्त्रमनूद्य व्याचष्टे–**मधुमतीरि**त्यादि । 'महि क्षत्रं क्षत्रियाय वन्वानाः'-इति यदाह, 'तत्' तेन 'यजमानाय' 'परोक्षं' 'क्षत्रम्' आशासनमाशासितवान् भवतीति योजना । 'क्षत्रियाय' इति तात्स्थ्याभिधानाद् 'वन्वानाः' इति याचनाभिधानाद्वा, आशिषः परोक्षत्वमित्यर्थः ॥ २७ ॥

संसृष्टानामपां मैत्रावरुणधिष्ण्यस्य पुरोदेशे सादनं समन्त्रकं विधत्ते–**ता अग्रेणेति**[2] । हे आपः !

१-औदुम्बरे पात्रे समासिञ्चत्येता मधुमतीरिति । का० श्रौ० सू० १५ । ११७ ।

२-मैत्रावरुणधिष्ण्यस्य पुरस्तान्निदधात्यनाधृष्टाः सीदतेति । का० श्रौ० सू० १५ । ११८ ।

तं वै माध्यन्दिने सवनेऽभिषिञ्चति । (त्ये) एष वै प्रजापतिर्य एष यज्ञस्तायते यस्मादिमाः प्रजाः प्रजाता एतम्वेवाप्येतर्ह्यनु प्रजायन्ते तदेनं मध्यतऽ एवैतस्य प्रजापतेर्दधाति मध्यतः सुवति ॥ १ ॥

(त्यु) अगृहीते माहेन्द्रे । (न्द्र) एष वाऽ इन्द्रस्य निष्केवल्यो ग्रहो यन्माहेन्द्रोऽप्यस्यैतन्निष्केवल्यमेव स्तोत्रं निष्केवल्यꣳ शस्त्रमिन्द्रो वै यजमानस्तदेनꣳ स्वऽएवायतनेऽभिषिञ्चति तस्मादगृहीते माहेन्द्रे ॥ २ ॥

अनाधृष्टाः सीदत रक्षोभिरित्येवैतदाह । सहौजस इति–सवीर्या इत्येवैतदाह । "महि क्षत्रं क्षत्रियाय दधतीः "–(वा. सं. १० । ४) इति । तत् प्रत्यक्षं क्षत्रं यजमानायाशिषमाशास्ते–यदाह–महि क्षत्रं क्षत्रियाय दधतीरिति ॥ २८ ॥

अथ अभिषेकः ।

तं वै माध्यन्दिने सवनेऽभिषिञ्चति । एष वै प्रजापतिः–य एष यज्ञस्तायते । यस्मादिमाः प्रजाः प्रजाताः । एतम्वेवाप्येतर्ह्यनु प्रजायन्ते । तदेनं मध्यत एवैतस्य प्रजापतेर्दधाति, मध्यतः सुवति ॥ १ ॥

अगृहीते माहेन्द्रे । एष वाऽइन्द्रस्य निष्केवल्यो ग्रहः–यन्माहेन्द्रः । अप्यस्यैतन्निष्केवल्यमेव स्तोत्रम्–निष्केवल्यं शस्त्रम् । इन्द्रो वै यजमानः । तदेनं स्वऽएवायतनेऽभिषिञ्चति । तस्मादगृहीते माहेन्द्रे ॥ २ ॥

'अनाधृष्टाः' रक्षोभिरबाधिताः, 'सहौजसः' ओजसा बलेन सहिताः, सवीर्याः 'सीदत' उपविशत । 'महि' महत्, 'क्षत्रं' बलं क्षत्रियत्वं वा, 'क्षत्रियाय' 'दधतीः' दधत्यः, धारयन्त्यः, प्रयच्छन्त्य इति । मन्त्रं व्याचष्टे–अनाधृष्टा इति ।

'दधतीः' इति प्रदानस्य साक्षादुक्तेः प्रत्यक्षत्वमाशिषः, 'सीदत'–इति मध्यमपुरुषप्रयोगाद्वेति वेदितव्यम् ॥ २८ ॥

इति श्रीसायणाचार्यविरचिते माधवीये वेदार्थप्रकाशे माध्यन्दिनीयशतपथब्राह्मणभाष्ये पञ्चमकाण्डे तृतीयाऽध्याये चतुर्थं ब्राह्मणम् ॥ (५–३–४) ॥

पञ्चमे ब्राह्मणे यजमानाभिषेकः, तत्रत्या धर्माश्च विधीयन्ते । तत्र यजमानाभिषेकं सकालं विधत्ते–तं वै माध्यन्दिन इति । माध्यन्दिनसवने क्रियमाणमभिषेकं प्रशंसति–एष वै प्रजापतिरिति । माध्यन्दिनसवने क्रियमाणेनाभिषेकेण 'एनं' यजमानं 'मध्यतः एव' यज्ञरूपप्रजापतिमध्ये एव निहितवान् भवति । 'मध्यतः' मध्ये 'सुवति' प्रेरयति, अध्वर्युरित्यर्थः ॥ १ ॥

कालविशेषं विधत्ते–अगृहीत (का. श्रौ. सू. १५ । १२२) इति । 'माहेन्द्रे' ग्रहे 'अग्रहीते' सोमरसेनापूर्णे, मरुत्वतीयान्ते इत्यर्थः । माहेन्द्रग्रहणात् पूर्वं यजमानाभिषेकं स्वायतननिधानरूपेण प्रशंसति–एष वा इन्द्रस्येति । इदं प्रथमाध्याये व्याख्यातम् (श. प. ५ । १ । ३ । ४ मा.) ॥ २ ॥

(न्द्रेऽग्रे) अग्रेण मैत्रावरुणस्य धिष्ण्यम् । (४ँ) शार्दूलचर्मोपस्तृणाति सोमस्य त्विषिरसीति यत्र वै सोमऽ इन्द्रमत्यपवत स यत्ततः शार्दूलः समभवत्तेन सोमस्य त्विषिस्तस्मादाह सोमस्य त्विषिरसीति तवेव मे त्विषिर्भूयादिति शार्दूलत्विषिमेवास्मिन्नेतद्दधाति तस्मादाह तवेव मे त्विषिर्भूयादिति ॥ ३ ॥

(त्यु) अथ पार्थानि जुहोति । पृथी ह वै वैन्यो मनुष्याणां प्रथमोऽभिषिषिचे सोऽकामयत सर्वमन्नाद्यमवरुन्धीयेति तस्मा ऽएतान्यजुहवुः सऽ इदꣳ सर्वमन्नाद्यमवरुरुधेऽपि ह स्मास्माऽआरण्यान्पशूनभिह्वयन्त्यसावेहि

अग्रेण मैत्रावरुणस्य धिष्ण्यं शार्दूलचर्मोपस्तृणाति-" सोमस्य त्विषिरसि "-इति । यत्र वै सोम इन्द्रमत्यपवत-स यत्ततः शार्दूलः समभवत्-तेन सोमस्य त्विषिः । तस्मादाह-सोमस्य त्विषिरसीति । " तवेव मे त्विषिर्भूयात् "-इति । शार्दूलत्विषिमेवास्मिन्नेतद्दधाति । तस्मादाह--तवेव मे त्विषिर्भूयादिति ॥ ३ ॥

अथ पार्थानि जुहोति । पृथी ह वै वैन्यो मनुष्याणां प्रथमोऽभिषिषिचे । सोऽकामयत--सर्वमन्नाद्य-

---

अत्र यदुक्तं कात्यायनेन-"मैत्रावरुणधिष्ण्यस्य पुरस्तान्निदधाति अनाधृष्टाः सीदतेति, पात्राणि च तूष्णीं पालाशौदुम्बरनैयग्रोधवटाश्वत्थान्यभिषेकाय "-(का. श्रौ. सू. १५।११८) इति । " मरुत्वतीयान्ते पात्राणि पूर्वेण व्याघ्रचर्मास्तृणाति सोमस्य त्विषिरिति, अपरेऽन्ते सीसं निदधाति, पार्थानामग्नये स्वाहेति षड् जुहोति प्रतिमन्त्रम् "-इति च । (का. श्रौ. सू. १५ । १२२-१२४) ॥

तदिदं क्रमेण विविक्षुर्व्याघ्रचर्मास्तरणं समन्त्रकं विधत्ते-अग्रेणेति । मैत्रावरुणधिष्ण्यस्य पूर्वभागे व्याघ्रचर्मास्तृणीयात् । हे चर्मन् ! ' सोमस्य ' ' त्विषिः ' दीप्तिः ' असि ' । ' तवेव ' यथा तव दीप्तिरस्ति, तथा ' मे ' मम ' त्विषिः ' दीप्तिः ' भूयात् ' अस्त्विति ।

शार्दूलस्य सोमत्विषित्वमाख्यायिकामुखेनोपपादयति-यत्र वै सोम इति । पूर्वमिन्द्रेण पीयमानः, सोमः तम् ' अत्यपवत ' शरीरादधो निरगच्छत् । स सोमो यदा अत्यपवत, ततः सोऽतिपवितः सोमः शार्दूलः सम्भूतवान् । ' तस्मात् ' शार्दूलस्य सोमकार्यत्वात्-तदीयत्वचः सोमत्विषित्वम् । " तवेव मे "-इति मन्त्रभागस्य तात्पर्यमाह-तवेव म इति । ' एतत् ' एतेन मन्त्रभागकृतेन ' अस्मिन् ' यजमाने शार्दूलदीप्तिमेव निहितवान् भवति ॥ ३ ॥

अथाभिषेकस्य पुरस्तात् पश्चाच्च क्रियमाणान् पार्थहोमान् विधत्ते-अथ पार्थानीति । ' पार्थानि ' पृथिनाऽनुष्ठितानि । एतेषां पृथिसम्बन्धं दर्शयति-पृथी हेति[1] । ' वैन्यः ' वेनो नाम राजा, तस्य पुत्रः ' पृथी ' नाम,

---

१-अत्र मूले-' पृथी ह वै वैन्यः '-इति पाठमनुलक्ष्य भाष्यकारेण ' पृथी हेति ' इति प्रतीकमुपात्तम् । अयं पुराणप्रसिद्धवैन्यपृथुराजवाचको हि ' पृथिन् ' शब्दः ' पृथि ' शब्दो वा भवितुमर्हति । यतस्तद्वाचकयोः ' पृथिन्,-पृथि ' शब्दयोर्वेदमन्त्रेषु प्रयोगो दृश्यते । तत्र ' इ ' कारान्त ' पृथि ' शब्दस्य-"याभिर्व्यश्वमुत पृथिमावतम्" (ऋ. १।१।१२।१५) इत्यत्र " पृथिमेतत्संज्ञं राजर्षिम् "

राजा त्वा पक्ष्यतऽइति तथेदꣳ सर्वमन्नाद्यमवरुरुधे सर्वꣳ ह वाऽअन्ना-
द्यमवरुन्द्धे यस्यैवं विदुष ऽएतानि हूयन्ते ॥ ४ ॥

तानि वै द्वादश भवन्ति । द्वादश वै मासाः संव्वत्सरस्य तस्माद्द्वा-
दश भवन्ति ॥ ५ ॥

षट्पुरस्तादभिषेकस्य जुहोति षडुपरिष्टात्तदेनं मध्यत एवैतस्य प्रजा-
पतेर्दधाति मध्यतः सुवति ॥ ६ ॥

स यानि पुरस्तादभिषेकस्य जुहोति । बृहस्पतिस्तेषामुत्तमो भवत्यथ

मवरुन्धीयेति तस्माऽएतान्यजुहवुः । स इदं सर्वमन्नाद्यमवरुरुधे । अपि ह स्मास्माऽआरण्यान्पशून-भिह्वयन्ति—असावेहि राजा त्वा पक्ष्यतऽइति । तथेदं सर्वमन्नाद्यमवरुरुधे । सर्वं ह वाऽअन्नाद्यमव-रुन्द्धे—यस्यैवं विदुष एतानि हूयन्ते ॥ ४ ॥

तानि वै द्वादश भवन्ति । द्वादश वै मासाः सम्वत्सरस्य । तस्माद् द्वादश भवन्ति ॥ ५ ॥

षट् पुरस्तादभिषेकस्य जुहोति । षडुपरिष्टात् । तदेनं मध्यत एवैतस्य प्रजापतेर्दधाति, मध्यतः सुवाति ॥ ६ ॥

स यानि पुरस्तादभिषेकस्य जुहोति—बृहस्पतिस्तेषामुत्तमो भवति । अथ यान्युपरिष्टादभिषेकस्य

'मनुष्याणां' मध्ये 'प्रथमः' अभिषिक्तः । 'सर्वम् अन्नाद्यम्' 'अवरुन्धीय' स्वाधीनं कुर्याम् 'इति' कामयमानाय 'तस्मै' पृथये 'एतानि' पार्थानि 'अजुहवुः' अध्वयवः । ततः 'सः' राजा 'इदं सर्वमन्नाद्यम्' 'अवरुरुधे' स्वाधीनं कृतवान् । सर्वान्नावरोधकत्वं दर्शयति—अपि ह स्मेति । 'अपि' खलु 'अस्मै' यजमानाय, तदर्थम्, 'आरण्यान्' अरण्ये भवान् 'पशून्' 'अभिह्वयन्ति' । किम् ? इति । असाविति । तत्तन्मृगनाम्नः सम्बुद्ध्यन्तस्य सामान्यनिर्देशः । हे पशो ! 'एहि' आगच्छ, अयं 'राजा' 'त्वा' त्वां 'पक्ष्यते' भोक्तुं पक्वं करिष्यति 'इति' । सोऽपि पशुः तद्वचः श्रुत्वा तत्समीपं स्वयमेवागच्छति । 'तथा' सति ग्राम्यारण्यभक्षणस्य सर्वस्यावश्यावरोधः । विदुषोऽद्यतनस्यापि अनुष्ठातुस्तत्फलमाह—सर्वं ह वा इति ॥४॥

एतेषां सङ्ख्यां विधत्ते—तानि वै द्वादशेति । उक्तां सङ्ख्यां संवत्सरात्मना प्रशंसति—द्वादशेति ॥ ५ ॥

एतेषां हवनकालं विधत्ते- षडिति । द्वादशानां पदार्थानां मध्ये पूर्वषट्कस्यान्ते "बृहस्पतये स्वाहा"—इति

—इति भाष्यम्, किंच—"पृथी यद्वा वैन्यः सादनेषु" (ऋ. ८।९।१० ।) इत्यत्र "वेनस्य पुत्रः पृथ्येतत्संज्ञो राजर्षिः" इति च भाष्यम् । एवं चैतन्मन्त्रद्वयप्रयोगात्—'पृथिन्,—पृथि' शब्दौ वेदे वैन्यवाचकौ सिद्धौ । तथा च स्वरपाठकाराः—"पृथुरिति प्राप्ते छान्दसो वर्णव्यत्ययः" इति स्पष्टमेव वदन्ति । एवं विमर्शे क्रियमाणेऽत्र भाष्ये—"पृथी हेति" इति, 'पृथी नाम' इति प्रयोगस्तु—इन्नन्त 'पृथिन्' शब्दाभिप्रायेण, अग्रे 'पृथये' इति चतुर्थ्यन्तपदप्रयोग इकारान्त 'पृथि' शब्दाभिप्रायेण स्यादिति सुचिरं विचिन्त्य यथालब्ध एव पाठो भाष्ये संरक्षितोऽस्तीति समवधेयं सुधीभिः । 'पृथुर्ह वै' इति मूलपाठस्तु लेखकप्रमादात् ।

यान्युपरिष्टादभिषेकस्य जुहोतीन्द्रस्तेषां प्रथमो भवति ब्रह्म वै बृहस्पति-रिन्द्रियं व्वीर्यमिन्द्र ऽएताभ्यामेवैनमेतद्वीर्याभ्यामुभयतः परिबृꣳहति ॥ ७ ॥

स जुहोति । यानि पुरस्तादभिषेकस्य जुहोत्यग्नये स्वाहेति तेजो वाऽ-अग्निस्तेजसैवैनमेतदभिषिञ्चति सोमाय स्वाहेति क्षत्रं वै सोमः क्षत्रेणैवेन-मेतदभिषिञ्चति सवित्रे स्वाहेति सविता वै देवानां प्रसविता सवितृप्रसूत ऽएवैनमेतदभिषिञ्चति सरस्वत्यै स्वाहेति व्वाग्वै सरस्वती व्वाचैवैनमेतद-भिषिञ्चति पूष्णे स्वाहेति पशवो वै पूषा पशुभिरेवैनमेतदभिषिञ्चति बृह-स्पतये स्वाहेति ब्रह्म वै बृहस्पतिर्ब्रह्मणैवैनमेतदभिषिञ्चत्येतानि पुरस्ताद-भिषेकस्य जुहोति तान्येतान्यग्निनामानीत्याचक्षते ॥ ८ ॥

(तेऽथ) अथ जुहोति । यान्युपरिष्टादभिषेकस्य जुहोतीन्द्राय स्वाहेति व्वीर्यं वाऽइन्द्रो व्वीर्येणैवैनमेतदभिषिञ्चति घोषाय स्वाहेति व्वीर्यं वै घोषो

जुहोति—इन्द्रस्तेषां प्रथमो भवति । ब्रह्म वै बृहस्पतिः । इन्द्रियं वीर्यम् । इन्द्र एताभ्यामेवैनमेतद्वीर्याभ्यामुभयतः परिबृंहति ॥ ७ ॥

स जुहोति यानि । पुरस्तादभिषेकस्य जुहोति—" अग्नय स्वाहा "—इति । तेजो वाऽअग्निः । तेजसैवैनमेतदभिषिञ्चति । " सोमाय स्वाहा "—इति । क्षत्रं वै सोमः । क्षत्रेणैवैनमेतदभिषिञ्चति । " सवित्रे स्वाहा "—इति । सविता वै देवानां प्रसविता । सवितृप्रसूत एवैनमेतदभिषिञ्चति । " सरस्वत्यै स्वाहा "—इति । वाग्वै सरस्वती । वाचैवैनमेतदभिषिञ्चति । " पूष्णे स्वाहा "—इति । पशवो वै पूषा । पशुभिरेवैनमेतदभिषिञ्चति । " बृहस्पतये स्वाहा "—इति । ब्रह्म वै बृहस्पतिः । ब्रह्मणैवैनमेतदभिषिञ्चति । एतानि पुरस्तादभिषेकस्य जुहोति । तान्येतान्यग्निनामानीत्याचक्षते ॥ ८ ॥

अथ जुहोति—यान्युपरिष्टादभिषेकस्य जुहोति—" इन्द्राय स्वाहा "—इति । वीर्यं वाऽइन्द्रः । वीर्येणैवैनमेतदभिषिञ्चति । " श्लोकाय स्वाहा "—इति । वीर्यं वै श्लोकः । वीर्येणैवैनमेतदभिषिञ्चति ।

पठ्यते, उत्तरषट्कस्यादौ " इन्द्राय स्वाहा "—इति । तयोरुभयोर्मध्ये अभिषेकेण यजमानं ब्रह्मक्षत्रवीर्याभ्याम् उभयतः संवर्द्धितवान् भवतीत्यर्थः ॥ ६ ॥ ७ ॥

अभिषेकस्य पुरस्तात् कर्त्तव्यं होममनूद्य मन्त्रान् विधत्ते—स जुहोतीति । " अग्नये स्वाहा "—इत्यादयो मन्त्राः । तत्रैकैकमनूद्य स्तौति—तेजो वा अग्निरित्यादिना । अर्थवादवाक्येषु स्पष्टोऽर्थः । सोमादिपदानां देवतान्तरवाचकत्वं व्युदस्यति—तान्येतान्यग्निनामानीति । 'तानि' पूर्वाणि पार्थानि 'अग्निनामान्याचक्षते', ब्रह्मवादिन इति शेषः; अग्नेः सर्वदेवतात्मकत्वादिति भावः ॥ ८ ॥

अभिषेकस्योपरिकर्त्तव्यं होममन्त्रमनूद्य मन्त्रान् सार्थवादं विधत्ते—अथ जुहोतीति । " इन्द्राय स्वाहा "

र्व्वीर्य्येणैवैनमेतदभिषिञ्चति श्लोकाय स्वाहेति र्व्वीर्य्यं वै श्लोको र्व्वीर्य्येणैवैनमेतदभिषिञ्चत्यꣳशाय स्वाहेति र्व्वीर्य्यं वाऽअꣳशो र्व्वीर्य्येणैवैनमेतदभिषिञ्चति भगाय स्वाहेति र्व्वीर्य्यं वै भगो र्व्वीर्य्येणैवैनमेतदभिषिञ्चत्यर्य्यम्णे स्वाहेति तदेनमस्य सर्व्वस्यार्य्यमणं करोत्येतान्युपरिष्टादभिषेकस्य जुहोति तान्येतान्यादित्यनामानीत्याचक्षते ॥ ९ ॥

(तेऽग्रे) अग्रेण मैत्रावरुणस्य धिष्ण्यम् । (म) अभिषेचनीयानि पात्राणि भवन्ति यत्रैता ऽआपोऽभिषेचनीया भवन्ति ॥ १० ॥

पालाशं भवति । तेन ब्राह्मणोऽभिषिञ्चति ब्रह्म वै पलाशो ब्रह्मणैवैनमेतदभिषिञ्चति ॥ ११ ॥

"अंशाय स्वाहा"-इति । वीर्यं वाऽअंशः । वीर्येणैवैनमेतदभिषिञ्चति । "भगाय स्वाहा"-इति । वीर्यं वै भगः । वीर्येणैवैनमेतदभिषिञ्चति । " अर्यम्णे स्वाहा"-(वा.सं. १०।५) इति । तदेनमस्य सर्वस्यार्यमणं करोति । एतान्युपरिष्टादभिषेकस्य जुहोति । तान्येतान्यादित्यनामानीत्याचक्षते ॥९॥

अग्रेण मैत्रावरुणस्य धिष्ण्यमभिषेचनीयानि पात्राणि भवन्ति-यत्रैता आपोऽभिषेचनीयानि भवन्ति ॥ १० ॥

पालाशं भवति । तेन ब्राह्मणोऽभिषिञ्चति । ब्रह्म वै पलाशः । ब्रह्मणैवैनमेतदभिषिञ्चति ॥ ११ ॥

इत्यादयो मन्त्राः । अत्रेन्द्रादयः पञ्च देवता अपि वीर्यात्मना स्तुताः । तदेनमस्य सर्वस्येति । अर्यमदेवत्यहोमेन 'एनं' यजमानं 'सर्वस्य' 'अर्यमणं' नियन्तारमधिपतिं कृतवान् भवतीत्यर्थः । इन्द्रादिषड्देवतावाचकानां पदानां देवतानानात्ववाचकत्वं व्युदस्यति-आदित्यनामानीति । इन्द्रादयः शब्दा आदित्यस्यैव मूर्तिभेदेनावस्थितस्य नामानि । पूर्वमग्निवाचकैर्नामभिर्होमेन भूलोके यजमानं निहितवान् भवति, अन्तत आदित्यवाचकैर्नामभिर्होमेन स्वर्गलोकेऽवस्थापितवान् भवतीत्युभयार्थवादवाक्यतात्पर्यार्थः ॥ ९ ॥

अभिषेचनीयानां पात्राणामासादनप्रदेशं विधत्ते-अग्रेणेति । सूत्रन्तु पूर्वमुदाहृतम् । अभिषेचनीयशब्दं निर्वक्ति-यत्रेति । यत् तेषु 'एताः' विहिताः सप्तदश 'आपः' 'अभिषेचनीयाः' अभिषेक्तव्याः आसिच्यमानाः 'भवन्ति' तानि अभिषेचनीयानीति ॥ १० ॥

तानि पात्राणि अभिषेक्तृविशेषसहितानि क्रमेण विधत्ते-पालाशमिति । 'पालाशम्' पलाशशाखानिर्मितमेकं पात्रम् । 'तेन' पात्रेण 'ब्राह्मणः' यजमानमभिषिञ्चेत् । पालाशेनैव ब्राह्मणकर्तृकयजमनाभिषेककरणे कारणमाह-ब्रह्म वा इति । 'पलाशः' 'ब्रह्म वै' वृक्षेषु ब्राह्मणजातिः ॥ ११ ॥

१-पात्राणि च तूष्णीं पालाशौदुंबरनैयग्रोधपादाश्वत्थान्यभिषेकाय । का. श्रौ. सू. १५।११८।

(त्यौ) औदुम्बरं भवति । तेन स्वोऽभिषिञ्चत्यन्नं वाऽऊर्गुदुम्बरऽऊर्ग्वै स्वं यावद्वै पुरुषस्य स्वं भवति नैव तावदशनायति तेनोर्क्स्वं तस्मादौदुम्बरेण स्वोऽभिषिञ्चति ॥ १२ ॥

नैयग्रोधपादं भवति । तेन मित्र्यो राजन्योऽभिषिञ्चति पद्भिर्वै न्यग्रोधः प्रतिष्ठितो मित्रेण वै राजन्यः प्रतिष्ठितस्तस्मान्नैयग्रोधपादेन मित्र्यो राजन्योऽभिषिञ्चति ॥ १३ ॥

(त्या) आश्वत्थं भवति । तेन व्वैश्योऽभिषिञ्चति स यदेवादोऽश्वत्थे तिष्ठत ऽइन्द्रो मरुतऽउपामन्त्रयत तस्मादाश्वत्थेन व्वैश्योऽभिषिञ्चत्येतान्यभिषेचनीयानि पात्राणि भवन्ति ॥ १४ ॥

(न्त्यु) अथ पवित्रे करोति । पवित्रे स्थो व्वैष्णव्याविति सोऽसावेव

औदुम्बरं भवति । तेन स्वोऽभिषिञ्चति । अन्नं वाऽऊर्गुदुम्बरः । ऊर्ग्वै स्वम् । यावद्वै पुरुषस्य स्वं भवति—नैव तावदशनायति । तेनोर्क् स्वम् । तस्मादौदुम्बरेण स्वोऽभिषिञ्चति ॥ १२ ॥

नैयग्रोधपादं भवति । तेन मित्र्यो राजन्योऽभिषिञ्चति । पद्भिर्वै न्यग्रोधः प्रतिष्ठितः । मित्रेण वै राजन्यः प्रतिष्ठितः । तस्मान्नैयग्रोधपादेन मित्र्यो राजन्योऽभिषिञ्चति ॥ १३ ॥

आश्वत्थं भवति । तेन वैश्योऽभिषिञ्चति । स यदेवादोऽश्वत्थे तिष्ठत इन्द्रो मरुत उपामन्त्रयत । तस्मादाश्वत्थेन वैश्योऽऽभिषिञ्चति । एतान्यभिषेचनीयानि पात्राणि भवन्ति ॥ १४ ॥

अथ पवित्रे करोति । "पवित्रे स्थो वैष्णव्यौ"—इति । सोऽसावेव बन्धुः। तयोर्हिरण्यं प्रवयति ।

औदुम्बरमिति । 'औदुम्बरम्' उदुम्बरनिर्मितं पात्रं द्वितीयम् । 'तेन' पात्रेण 'स्वः' ज्ञातिः भ्राता अभिषेकं कुर्यात् । तत्रोपपत्तिं दर्शयति—अन्नं वा इति । उदुम्बरस्यान्नसाधनत्वात् तदुक्तम् । अन्नमेव पुरुषस्य 'स्वं' धनं यतः, अतोऽस्य 'पुरुषस्य यावत् स्वं भवति' 'तावत्' 'न एव अशनायति' क्षुधितो न भवतीत्यर्थः; धनस्य विद्यमानत्वात् । अतोऽन्नस्य स्वत्वादन्नसाधनेनौदुम्बरपात्रेण 'स्वः' ज्ञातिर्भ्राता एवाभिषिञ्चेत् ॥ १२ ॥

नैयग्रोधपादमिति । तृतीयं 'नैयग्रोधपादम्' । न्यग्रोधो नाम वटः, तस्य पादः शाखावरोहः, तेन निर्मितं नैयग्रोधपादम् । 'तेन' 'मित्र्यः' सक्तिकर्मणि साधुः सखा 'राजन्यः' अभिषिञ्चेत् । तत्र हेतुमाह—पद्भिरिति । न्यग्रोधस्य पादैरेव प्रतिष्ठा दृश्यते; राजापि हितोपदेशकैराप्तैः सखिभिः प्रतिष्ठितो भवति, नान्यथा; अतस्तेन पात्रेण 'मित्रकर्तृकमभिषेककरणं युक्तमित्यर्थः ॥ १३ ॥

आश्वत्थमिति । चतुर्थम् 'आश्वत्थम्' अश्वत्थनिर्मितम्, तेन 'वैश्यः' अभिषिञ्चेत् । अश्वत्थस्य वैश्यसम्बन्धं दर्शयति—स यदेवेति । व्याख्यातम् । विड्रूपाणां मरुतामश्वत्थेऽवस्थानाद्वैश्यस्य तत्सम्बन्धः॥ १४

अथ पवित्रकरणं विधत्ते—अथ पवित्रे इति । 'हे पवित्रे !' 'वैष्णव्यौ' विष्णुर्यज्ञः, तत्सम्बन्धिन्यौ

१—पवित्रे कृत्वा । का० श्रौ० सू० ५ । १२५ ।

बन्धुस्तयोर्हिरण्यं प्रवयति ताभ्यामेता ऽअभिषेचनीया ऽअप ऽउत्पुनाति तद्यद्धिरण्यं प्रवयत्यमृतमायुर्हिरण्यं तदास्वमृतमायुर्दधाति तस्माद्धिरण्यं प्रवयति ॥ १९ ॥

स ऽउत्पुनाति । सवितुर्व्वः प्रसव ऽउत्पुनाम्युच्छिद्रेण पवित्रेण सूर्य्यस्य रश्मिभिरिति सोऽसावेव बन्धुरनिभृष्टमसि व्वाचो बन्धुस्तपोजा ऽइत्यनाधृष्टा स्थ रक्षोभिरित्येवैतदाह यदाहानिभृष्टमसीति व्वाचो बन्धुरिति यावद्वै प्राणेष्वापो भवन्ति तावद्वाचा व्वदति तस्मादाह व्वाचो बन्धुरिति ॥ १६ ॥

ताभ्यामेता अभिषेचनीया अप उत्पुनाति । तद्यद्धिरण्यं प्रवयति । अमृतमायुर्हिरण्यम् । तदास्वमृतमायुर्दधाति । तस्माद्धिरण्यं प्रवयति ॥ १९ ॥

स उत्पुनाति—"सवितुर्वः प्रसवऽउत्पुनाम्यच्छिद्रेण पवित्रेण सूर्यस्य रश्मिभिः" इति । सोऽसावेव बन्धुः । "अनिभृष्टमसि वाचो बन्धुस्तपोजाः"—इति । अनाधृष्टा स्थ रक्षोभिरित्येवैतदाह—यदाह अनिभृष्टमसीति । वाचो बन्धुरिति । यावद्वै प्राणेष्वापो भवन्ति—तावद्वाचा वदति । तस्मादाह वाचो बन्धुरिति ॥ १६ ॥

दर्भनाड्यौ 'स्थः' भवथः, इति मन्त्रस्यार्थः । दर्भनाड्योर्विष्णुसम्बन्धप्रतिपादकमर्थवादवाक्यमतिदिशति—सोऽसावेव बन्धुरिति । 'बन्धुः' वाक्यशेषः । 'असौ' विप्रकृष्टः । प्रथमकाण्डे पवित्रकरणसमये समाम्नातः (श. प. १ । १ । ३ । १) । तत्र ह्येवमाम्नातम्—"पवित्रे स्थो वैष्णव्याविति, यज्ञो वै विष्णुर्यज्ञिये स्थ इत्येवैतदाह" इत्यादिना ॥

तयोर्दर्भयोर्हिरण्यप्रथनं विधत्ते—तयोरिति[१] । दर्भयोस्तयोरिति सप्तमी । तत्र 'हिरण्यं' 'प्रवयति' । "वेञ् तन्तुसन्ताने" (धा. पा. भ्वा. प. १०३१) संग्रथ्नीयादित्यर्थः विधत्ते—ताभ्यामिति । तच्छब्देन हिरण्यप्रोते पवित्रे लक्ष्येते, 'ताभ्याम्' 'एताः' उक्ताः 'अपः उत्पुनीयात्' । हिरण्यग्रथनमनूद्य प्रशंसति—तद्यद्धिरण्यमिति । अमृतमिति । 'आसु' अप्स्वित्यर्थः ॥ १९ ॥

उत्पवनमनूद्य मन्त्रं विधत्ते—स उत्पुनातीति । "सवितुर्वः" इति मन्त्रस्य पूर्वभागो व्याख्यातः । हे उदक ! 'अनिभृष्टम्', "भ्रस्ज पाके" (धा. पा. तु. प. ४) यवादिवद् वह्निसंयोगेऽपि न नितरां भृष्टं, न विनश्यतीति यावत्; रक्षोभिर्वा न बाधितं भवतीत्यर्थः । 'वाचो बन्धुः' वाग्व्यवहारस्य कारणम् । 'तपोजाः' "तप सन्तापे" (धा. पा. भ्वा. प. १०१०) तपःशब्देनाग्निरुच्यते, तस्माज्जातः । 'सोमस्य' 'दात्रं' दानसाधनम्भवसि । उदकसम्बन्धादेव सोमरसनिष्पत्तिः; तादृशो रस एव हूयते. अतः सोमस्य दानसाधनभूता भवत । स्वाहाकारेण पूताः स्थ । अत्र स्वाहाशब्दो न होमार्थः; मन्त्रान्ते पाठाभावात् । 'राजस्वः' राजानं सुवते जनयन्तीति राजस्वः राजोत्पादका इत्यर्थः ॥

१–हिरण्यमेनयोः प्रवयति । का० श्रौ० सू० १५।१२५। २–ताभ्यामुत्पुनात्यपः सवितुर्व्व इति । का. श्रौ. सू. १५ । १२५ ।

तपोजा ऽइति । (त्य) अग्नेर्वै धूमो जायते धूमादभ्रमभ्राद्वृष्टिरग्नेर्वा-ऽएता जायन्ते तस्मादाह तपोजा इति ॥ १७ ॥

सोमस्य दात्रमसीति । यदा वाऽएनमेताभिरभिषुण्वन्त्यथाहुतिर्भवति तस्मादाह सोमस्य दात्रमसीति स्वाहा राजस्व ऽइति तदेनाः स्वाहाकारे-णैवोत्पुनाति ॥ १८ ॥

ता ऽएतेषु पात्रेषु व्यानयति । सधमादो द्युम्निनीराप ऽएता ऽइत्यनति-मानिन्य ऽइत्येवैतदाह यदाह सधमाद इति द्युम्निनीराप ऽएताऽइति व्वीर्य-वत्य इत्येवैतदाहानाधृष्टा ऽअपस्यो व्वसाना ऽइत्यनाधृष्टा स्थ रक्षोभि-

---

तपोजा इति । अग्नेर्वै धूमो जायते, धूमादभ्रम्, अभ्राद्वृष्टिः । अग्नेर्वाऽएता जायन्ते । तस्मादाह-तपोजा इति ॥ १७ ॥

"सोमस्य दात्रमसि"-इति । यदा वाऽएनमेताभिरभिषुण्वन्ति-अथाहुतिर्भवति । तस्मादाह-सोमस्य दात्रमसीति । " स्वाहा राजस्वः "-(वा. सं. १०।६) इति । तदेनाः स्वाहाकारेणै-वोत्पुनाति ॥ १८ ॥

ता एतेषु पात्रेषु व्यानयति-"सधमादो द्युम्निनीराप एताः"-इति । अनतिमानिन्य इत्येवै-

---

मन्त्रं भागशोऽनूद्य व्याख्यास्यन् सवितुर्व इति मन्त्रभागस्य प्रथमकाण्डे उत्पवनसमये समाम्नातमर्थवाद-ब्राह्मणमतिदिशति-सोऽसाविति । तत्र ह्येवमाम्नातम्-" सवितुर्वः प्रसव उत्पुनाम्यच्छिद्रेण पवित्रेण सूर्यस्य रश्मिभिरिति, सविता वै देवानां प्रसविता तत्सवितृप्रसूत एवैतदुत्पुनात्यच्छिद्रेण पवित्रेणेति, योवा अयं पवत एषोऽच्छिद्रं पवित्रमेतेनैतदाह सूर्यस्य रश्मिभिरिति, एते वा उत्पवितारो यत्सूर्यस्य रश्मयः, तस्मादाह सूर्यस्य रश्मिभिरिति " (श. प. १ । १।३।६) इति । अनिभृष्टमसीति । सामान्यविवक्षयैकवचनान्तत्वेन प्रयुक्तम् । अपां बहुत्वेन बहुवचनान्ततया व्याचष्टे-अनाधृष्टाः स्थेति । अपां वाग्जनकत्वमुपपादयति-यावद्धै प्राणेष्विति । 'प्राणेषु' मुखनासिकादिषु यावदपां सद्भावः, तावत् पुरुषा वाचं वदति; तद्विरहे शुष्का जिह्वा शब्दानुच्चार-यितुं न शक्नोतीत्यर्थः ॥

तपोजा इति । अपां परम्परया अग्निजनकत्वं दर्शयति-अग्नेर्वा इति ॥

सोमदानसाधनत्वमुदकस्य निरूपयति-यदा वा एनमिति । 'यदा' यस्मिन् काले 'एनं' सोमम 'एताभिः' अद्भिः 'अभिषुण्वन्ति' अभिषवं कुर्वन्ति, अध्वर्यवः । 'अथ' अभिषवानन्तरम् 'आहुति-र्भवति' ॥ १६-१८ ॥

विधत्ते-ता एतेष्विति । 'एतेषु' अभिषेचनीयेषु 'पात्रेषु' 'एताः' उक्ताः 'अपः' 'व्यानयति' आसिञ्चेदित्यर्थः । 'सधमादः' सह मायन्तीति सधमादः, परस्परमनतिमानिन्य इत्यर्थः । "सधमादस्थयो-

---

१-अभिषेचनीयेष्वेना व्यानयति सधमाद इति । का. श्रौ. सू. १५ । १२६ ।

रित्येवैतदाह यदाहानाधृष्टाऽ अपस्यो व्वसानाऽ इति पस्त्यासु चक्रे व्वरुणः सधस्थमिति व्विशो वै पस्त्या व्विक्षु चक्रे व्वरुणः प्रतिष्ठामित्येवैतदाहापाᳬं शिशुर्मातृतमास्वन्तरित्यपां वाऽएष शिशुर्भवति यो राजसूयेन यजते तस्मादाहापाᳬं शिशुर्मातृतमास्वन्तरिति ॥ १९ ॥

(त्यु) अथैनं व्वासाᳬंसि परिधापयति । तत्तार्प्यमिति व्वासो भवति तस्मिन्त्सर्वाणि यज्ञरूपाणि निष्यूतानि भवन्ति तदेनं परिधापयति क्षत्रस्योल्बमसीति तद्यदेव क्षत्रस्योल्बं ततऽ एवैनमेतज्जनयति ॥ २० ॥

तदाह–यदाह–सधमाद इति । द्युम्निनीराप एताः इति । वीर्यवत्य इत्येवैतदाह । "**अनाधृष्टा अपस्यो वसानाः**"–इति । अनाधृष्टा स्थ रक्षोभिरित्येवैतदाह–यदाह अनाधृष्टा अपस्यो वसाना इति । "**पस्त्यासु चक्रे वरुणः सधस्थम्**"–इति । विशो वै पस्त्या । विक्षु चक्रे वरुणः प्रतिष्ठामित्येवैतदाह । "**अपां शिशुर्मातृतमास्वन्तः**"–(वा. सं १०।७) इति । अपां वाऽएष शिशुर्भवति–यो राजसूयेन यजते तस्मादाह–अपां शिशुर्मातृतमास्वन्तरिति ॥ १९ ॥

अथैनं वासांसि परिधापयति । तत् तार्प्यमिति वासो भवति । तस्मिन् सर्वाणि यज्ञरूपाणि निष्यूतानि भवन्ति । तदेनं परिधापयति–"**क्षत्रस्योल्बमसि**"–इति । तद्यदेव क्षत्रस्योल्बम्–तत एवैनमेतज्जनयति ॥ २० ॥

श्छन्दसि" (पा. सू. ६।३।९६) इति सहस्य सधादेशः । 'द्युम्निनीः' वीर्यवत्यः 'एता आपः' । 'रक्षोभिः' 'अनाधृष्टाः' अनभिभूताः, 'अपसः' अप इति कर्म्मनाम (निघं. २।१।१) राजसूयाख्यं कर्म इच्छन्त्यः, 'वसानाः' "वस आच्छादने" (धा पा. अदा. आ. १३) आच्छादयन्त्यो या आपः, सन्तीति शेषः । तासु अतिशयेन मातृभूतासु 'पस्त्यासु' 'पस्त्या' इति गृहनाम(निघं. ३।४।६।) गृहावस्थितास्वप्सु 'अन्तः' मध्ये 'सधस्थं' सहस्थानं 'प्रतिष्ठाम्', 'अपां शिशुः' वरुणः; राजसूयेऽद्भिरभिषिक्तत्वात् तज्जन्यत्वमुच्यते । तथाविधो वरुणः 'चक्रे' कृतवानिति । यद्वा, 'पस्त्यासु' गृहावस्थितासु 'विक्षु' प्रजास्विति व्याख्येयम् । मन्त्रं प्रतिपादमनूद्य तात्पर्यपुरस्सरं व्याचष्टे–**अनतिमानिम्य** इति ॥ १९ ॥

विधत्ते **अथैनं वासांसी**ति । 'एनं' यजमानं 'वासांसि' तार्प्यपाण्डुवाविवासोष्णीषाणि परिधापयेदिति सामान्यविधिः । तत्तात्पर्यार्थकथनपुरस्सरं विधत्ते–**तत्तार्प्यमि**ति । 'तत्' तत्र, तेषु प्रथमं 'तार्प्यमिति' वासः; न त्वन्यत् कम्बलादिकमित्यर्थः । अत एव कात्यायनः–"तार्प्यं परिधापयति, क्षौमं, त्रिपाणं वा, घृतोन्नमेके–(का. श्रौ. सू. १५ । १२७ । १३०)–इति । तृपानामौषधिविशेषः, तत्तन्तुनिर्मितम्, क्षौमं वस्त्रं 'तार्प्यम् त्रिः कृत्वः पायितम् त्रिपाणम्', 'घृतोन्नम्' "उन्दी क्लेदने" (धातु. रु. प. २०) घृतसिक्तमिति 'एके आचार्या वदन्ति'॥ तत्र कश्चिद्विशेषं विधत्ते–**तस्मिन्त्सर्वाणी**ति[1] । 'यज्ञरूपाणि' स्रुक्चमसादीनि 'सर्वाणि' तस्मिन् 'स्यूतानि' भवेयुः । तार्प्यस्य परिधापने मन्त्रं विधत्ते–**क्षत्रस्ये**ति । हे तार्प्य ! 'क्षत्रस्य' राज्ञो

१–याज्ञरूपस्यूतं यज्ञरूपाणी स्रुक्चमसादीनी यज्ञपात्राणीत्यर्थः । का. श्रौ. सू. १५। १३। ।

(त्यु) अथैनं पाण्ड्वं परिधापयति । क्षत्रस्य जराय्वसीति तद्यदेव क्षत्रस्य जरायु ततऽ एवैनमेतज्जनयति ॥ २१ ॥

(त्यु) अथाधीवासं प्रतिमुञ्चति । क्षत्रस्य योनिरसीति तद्यैव क्षत्रस्य योनिस्तस्याऽ एवैनमेतज्जनयति ॥ २२ ॥

(त्यु) अथोष्णीषꣳ सꣳहृत्य । पुरस्तादवगूहति क्षत्रस्य नाभिरसीति तद्यैव क्षत्रस्य नाभिस्तामेवास्मिन्नेतद्दधाति ॥ २३ ॥

अथैनं पाण्ड्वं परिधापयति–" क्षत्रस्य जराय्वसि "–इति । तद्यदेव क्षत्रस्य जरायु–तत एवैनमेतज्जनयति ॥ २१ ॥

अथाधीवासं प्रतिमुञ्चति–" क्षत्रस्य योनिरसि "–इति । तद्यैव क्षत्रस्य योनिः–तस्या एवैनमेतज्जनयति ॥ २२ ॥

अथोष्णीषं संहृत्य पुरस्तादवगूहति–" क्षत्रस्य नाभिरसि "–इति । तद्यैव क्षत्रस्य नाभिः तामेवास्मिन्नेतद्दधाति ॥ २३ ॥

यजमानस्य गर्भत्वेनोपचर्य्यमाणस्य ' उल्बम् ' आवरणम् 'असि' "उल्बावृतो गर्भः" इति छन्दोगा आमनन्ति । उल्बत्वं साधयति–तद्यदेवेति । ' यद् उल्बं ' तस्मादेव ' एनं ' यजमानम् ' एतत् ' एतेन तार्प्यपरिधापनेन उत्पादितवान् भवति ॥ २० ॥

विधत्ते–अथैनमिति । ' पाण्ड्वम् ' पाण्डुरम्, श्वेतं कम्बलं परिधापयेत्, तार्प्यस्योपरि प्रावृणुयादित्यर्थः ' पाण्ड्व '- शब्दार्थ उक्तः । तदिदं पाण्डुरं द्वितीयम्; श्येतं पाण्डुरमित्याचक्षते । हे पाण्डुर-कम्बल ! ' क्षत्रस्य ' पूर्वोक्तविशेषणस्य ' जरायु ' जरायुस्थानीयम ' असि '–इति । ' एतेन ' पाण्डुरपरिधापनेन । ' ततः ' जरायोः ॥ २१ ॥

विधत्ते–अथाधीवासमिति[1] । अधि उपरि वसनीयमाच्छादनीयं वस्त्रम् ' अधीवासम्, ' तत् प्रतिमुञ्चेत् । तार्प्यमुपसंव्याय पाण्डुरमुत्तरीयवदाच्छाद्य, ' अधीवासं ' कञ्चुकादिकम्, उपरि प्रतिमुञ्चेदित्यर्थः । हे वस्त्र ! ' क्षत्रस्य ' 'योनिः' योनिस्थानीयम् ' असि ' इति । गर्भरूपयजमानस्य एतानि त्रीणि वस्त्राणि उल्ब-जरायु-योनिरूपत्वेन प्रशस्तानीति समुदितोऽर्थः ॥ २२ ॥

उष्णीषवेष्टनं विधत्ते–अथोष्णीषमिति[3] । ' उष्णीषं संहृत्य ' निवीतरूपेण कण्ठेऽवराग ' पुरस्तात् ' पूर्वभागे नाभिदेशे ' अवगूहति ' उष्णीषान्तं नीवीस्थाने ग्रथयेदित्यर्थः । तन्मन्त्रस्यायमर्थः–' क्षत्रस्य ' 'नाभिः' नाभिस्थानीयम् ' असि ' इति ॥ २३ ॥

१–पांड्वं च निवस्ते । का० श्रौ० सू० । १५ । १३२ । २–अधीवासं प्रतिमुच्य । का० श्रौ० सू० । १५ । १३३ । ३–उष्णीषꣳ संवेष्ट्य । का० श्रौ० सू० १५ । १३३ ।

तद्धैके । समन्तं परिवेष्टयन्ति नाभिर्व्वा ऽअस्यैषा समन्तं वा ऽइयं नाभिः पर्य्येतीति व्वदन्तस्तदु तथा न कुर्यात्पुरस्तादेवावगूहेत्पुरस्ताद्धीयं नाभिस्तद्यदेनं व्वासाꣳसि परिधापयति जनयत्येवैनमेतज्जातमभिषिञ्चानीति तस्मादेनं व्वासाꣳसि परिधापयति ॥ २४ ॥

तद्धैके । निदधत्येतानि व्वासाꣳस्यथैनं पुनर्दीक्षितवसनं परिधापयन्ति तदु तथा न कुर्यादङ्गानि वा ऽअस्य जनूर्व्वासाꣳस्यङ्गैर्हैनꣳ सजन्वा तन्वा व्यर्धयति व्वरुण्यं दीक्षितवसनꣳ स ऽएतेषामेवैकं वाससां परिदधीत तदेनमङ्गैर्जन्वा तन्वा समर्धयति व्वरुण्यं दीक्षितवसनं तदेनं व्वरुण्याद्दीक्षितवसनात्प्रमुञ्चति ॥ २५ ॥

तद्धैके समन्तं परिवेष्टयन्ति । नाभिर्वाऽअस्यैषा । समन्तं वाऽइयं नाभिः पर्येतीति वदन्तः । तदु तथा न कुर्यात् । पुरस्तादेवावगूहेत् । पुरस्ताद्धीयं नाभिः । तद्यदेनं वासांसि परिधापयति–जनयत्येवैनमेतद्–जातमभिषिञ्चानीति । तस्मादेनं वासांसि परिधापयति ॥ २४ ॥

तद्धैके–निदधत्येतानि वासांसि–अथैनं पुनर्दीक्षितवसनं परिधापयन्ति । तदु तथा न कुर्यात् । अङ्गानि वाऽअस्य जनूर्वासांसि । अङ्गैर्हैनं सजन्वा तन्वा व्यर्धयन्ति । वरुण्यं दीक्षितवसनम् । स

उक्तमुष्णीषाग्रस्य पूर्वदेशेऽवगूहनं द्रढयितुं पूर्वपक्षं सोपपत्तिकमनुवदति–तद्धैके इति । 'एके' शाखान्तरानुसारिणः 'तत्' उष्णीषं 'समन्तं' सर्वतो नाभिदेशे 'परिवेष्टयन्ति' । तदुपपादयति–नाभिर्वा इति । 'अस्य' क्षत्रियस्य 'एषा' उष्णीषरूपा 'नाभिः' अपि 'समन्तं' 'पर्येति' परिवेष्टिता भवति । अतः "क्षत्रस्य नाभिरसि"–इति मन्त्रे उष्णीषस्य नाभित्ववचनात् तत्साम्याय समन्ताद् वेष्टनमुक्तमित्येकेषां मतम् । तद्दूषयति–तदु तथेति । उक्तं स्वमतं निगमयति–पुरस्तादेवेति । तत्र हेतुमाह–पुरस्ताद्धीयमिति । तार्प्यादिवासःपरिधापनं सम्भूय प्रशंसति–तद्यदेनं वासांसीति । 'एतत्' एतेन वासःपरिधापनेन 'एनं' यजमानं 'जनयति' उत्पादितवान् भवति; तेषां वाससामुल्बजरायुयोनिरूपत्वोक्तेः । किमर्थं जननमिति तत्राह–जातमभीति । 'जातं' यजमानम् 'अभिषिञ्चानि' अभिषिक्तं करवाणि 'इति' बुद्ध्या 'वासांसि परिधापयति' परिधापयेदित्यर्थः ॥ २४ ॥

पूर्वं निहितस्य दीक्षितवसनस्य परित्यागं विधित्सुरेकेषां मतमुपन्यस्यति । यद्वा, अयमपरः सम्बन्धः–विहितानां तार्प्यादीनां परिधापनादिकमेव द्रढयितुं पूर्वपक्षयति–तद्धैक इति । 'एके' शाखिनः एकवारं

१–निवीतेऽवगूहते नाभिदेशे परिहरते वा । का. श्रौ. सू. १५ । १३३ । २–तार्प्यप्रभृतीनि क्षत्रस्येति प्रतिमंत्रम् । का० श्रौ० सू० । १५ । १३४ ।

स यत्रावभृथमभ्यवैति । तदेतदप्यभ्यवहरन्ति तत्सलोम क्रियते स ऽएतेषामेवैकं व्वाससां परिधायोदैति तानि व्वशायै वा व्वपायाᳬ हुतायां दद्यादुदवसानीयायां वेष्टौ ॥ २६ ॥

एतेषामेवैकं वाससां परिदधीत । तदेनमङ्गैर्जन्वा तन्वा समर्धयति । वरुण्यं दीक्षितवसनम् । तदेनं वरुण्याद्दीक्षितवसनात्प्रमुञ्चति ॥ २५ ॥

स यत्रावभृथमभ्यवैति । तदेतदप्यभ्यवहरन्ति । तत् सलोम क्रियते । स एतेषामेवैकं वाससां परिधायोदैति । तानि वशायै वा वपायां हुतायां दद्यात्, उदवसानीयायां वेष्टौ ॥ २६ ॥

परिधापितानि ' एतानि वासांसि ' ' निदधति ' विसृज्य निदध्युः । ' अथ ' तदानीमेव तार्प्यादिवसनकाले निहितं ' दीक्षितवसनम् ' ' एतं ' यजमानं ' पुनः परिधापयन्ति ' । पुनःपरिधापनकालस्तु सूत्रकृता दर्शितः— "दीक्षितवसननिवृत्तिर्विरोधात्, माहेन्द्रादौ वा पुनः परिधानं निधायैतानि"—(का. श्रौ. सू. १९।१३९) इति । तद् दूषयति—तदु तथेति । अङ्गानि वा इति । ' वासांसि ' इति यत् तानि ' अस्य ' यजमानस्य ' जनूः अङ्गानि ' सहोत्पन्नानि । तार्प्यादीनां वाससामुल्व-जरायुप्रभृत्यात्मकत्वादङ्गत्वम् । उल्बादीनां तु गर्भावस्थायां सह निवासादङ्गत्वमुपचरितम् ॥

यद्वा, अयमर्थः—' वासांसि जनूरङ्गानि ' सहोत्पन्नानि त्वग्रूपाण्यङ्गानि । ' वै ' शब्दः प्रसिद्धिद्योतकः । तृतीयकाण्डे दीक्षाप्रकरणे " अथ वासः परिधत्ते "—इत्युपक्रम्याम्नातम्—" तस्मिन्नेतां त्वचमदधुः वास एव तस्मान्नान्यः पुरुषाद् वासो बिभर्ति "—(श. प. ३ । १ । २ । १३–१६) इति । अतो वासोभिः परिधापनेन ' जन्वा ' ' तन्वा ' सहोत्पन्नैः शरीररूपैः ' अङ्गैः ' समर्धितवान् भवति । अङ्गसमुदाय एव हि तनूः, शरीरेण तदङ्गैश्च संवर्द्धितवान् भवति । दीक्षितवसनस्य परित्यागं दर्शयितुं तस्य दुष्टत्वमाह—वरुण्यमिति । वरुणगृहीतं दुष्टमित्यर्थः ॥ स एतेषामित्यादिकस्यायमर्थः—उक्तानां वाससामेकेन तार्प्येण प्रथमातिक्रमे कारणाभावात् । यद्वा ' एकम् ' प्रथममित्यर्थः । प्रथमन्तु तार्प्यम्, तेन परिधापनं कर्त्तव्यम् । न तु दीक्षितवसनस्य पुनःपरिधापनमित्यर्थः ॥ २५ ॥

विहितस्य दीक्षितवसनस्य अवभृथे प्रासनं विधत्ते—स यत्रेति । ' अवभृथम् ' ' अभ्यवहरन्ति ' आहरेयुः, अप्सु प्रक्षिपेयुरित्यर्थः । ' तत् ' तथा सति ' सलोम क्रियते ' प्रकृतिगतमनुसृतं भवतीत्यर्थः । प्रकृतौ तु दीक्षितवसनस्य अवभृथे परित्याग उक्तः । स एतेषामित्यादि । माहेन्द्रादौ दीक्षितवसनस्य पुनः परिधानं कृतम्, तदा तार्प्यादीनामेकैकेनैव परिहितेन वाससा अवभृथावतरणमुत्तरणं च कर्त्तव्यमित्यर्थः । ' उदैति ' उत्तरेत् । तेषां वाससां दानकालं विधत्ते- तानि वशाया इति । अनुबन्ध्यावशाया वपायागकाले वाऽध्वर्यवे ' दद्यात् ' । अवसाने कर्त्तव्या उदवसानीयेष्टिः, तस्यां वा दद्यात् । अत एव कात्यायनः—" अवभृथमेकेन तार्प्यादीनि चेदुदैत्येकेन, दीक्षितवसनं च प्रास्यति, अनूबन्ध्यावपाहोमान्ते दद्यादेनानि, उदवसानीयायां वा "—(का. श्रौ. सू. १९ । २०९–२१३) इति ॥ २६ ॥

(ष्टावु) अथ धनुरधितनोति । (ती) इन्द्रस्य व्वार्त्रघ्नमसीति व्वार्त्रघ्नं वै धनुरिन्द्रो वै यजमानो द्वयेन वाऽ एषऽ इन्द्रो भवति यच्च क्षत्रियो यदु च यजमानस्तस्मादाहेन्द्रस्य व्वार्त्रघ्नमसीति ॥ २७ ॥

(त्यु) अथ बाहू व्विमार्ष्टि । मित्रस्यासि व्वरुणस्यासीति बाह्वोर्वै धनुर्बाहुभ्यां वै राजन्यो मैत्रावरुणस्तस्मादाह मित्रस्यासि व्वरुणस्यासीति तदस्मै प्रयच्छति त्वयाऽयं व्वृत्रं व्वधेदिति त्वयाऽयं द्विषन्तं भ्रातृव्यं व्वधेदित्येवैतदाह ॥ २८ ॥

(ह्या) अथास्मै तिस्र इषूः प्रयच्छति । स यया प्रथमया समर्पणेन पराभिनत्ति सैका सेयं पृथिवी सैषा दृबा नामाथ यया व्विद्धः शयित्वा जीवति

अथ धनुरधितनोति--" इन्द्रस्य वार्त्रघ्नमसि "--इति । वार्त्रघ्नं वै धनुः । इन्द्रो वै यजमानः । द्वयेन वाऽएष इन्द्रो भवति--यच्च क्षत्रियो, यदु च यजमानः । तस्मादाह--इन्द्रस्य वार्त्रघ्नमसीति ॥ २७ ॥

अथ बाहू विमार्ष्टि । " मित्रस्यासि वरुणस्यासि "--इति । बाह्वोर्वै धनुः । बाहुभ्यां वै राजन्यो मैत्रावरुणः । तस्मादाह--मित्रस्यासि वरुणस्यासीति । तदस्मै प्रयच्छति--" त्वयाऽयं वृत्रं वधेत् "- इति । त्वयाऽयं द्विषन्तं भ्रातृव्यं वधेदित्येवैतदाह ॥ २८ ॥

अथास्मै तिस्र इषूः प्रयच्छति । स यया प्रथमया समर्पणेन पराभिनत्ति सैका । सेयं पृथिवी सैषा

अथ धनुरधीति[1] । ' अधितनोति ' आतनोतीत्यर्थः । मन्त्रस्यायमर्थः--हे धनुः ! त्वम् ' इन्द्रस्य ' ' वार्त्रघ्नं ' वृत्रहननसाधनमायुधम् ' असि ' भवसि । इन्द्रशब्दार्थमाह--इन्द्रो वा इति । कथं यजमानस्येन्द्रत्वमिति तदुपपादयति--द्वयेनेति । क्षत्रिय इति यत्, यजमान इति च यत्, तेन द्वयेनेत्यर्थः । क्षत्रं नाम बलम्; तत्सम्बन्धात्, यष्टृत्वाच्चेत्यर्थः । इन्द्रस्य यजमानत्वं प्रागुक्तम् ॥ २७ ॥

विधत्ते--अथ बाहू इति[2] । हे बाहो ! ' मित्रस्य ' ' असि ' भवसि । तथाऽपरं बाहुं प्रत्याह--वरुणस्यासीति । बाहुद्वयं विमृज्यात् । कर्कोपाध्यायेन तु बाहुशब्दस्य धनुष्कोटिपरत्वं व्याख्यातम्[3] । तमिमं प्रशंसति--बाह्वोरिति । बाहुभ्यां खलु मित्रवरुणसम्बन्धी राजन्यो भवति; बाहुवीर्यसद्भावो राज्ञो लक्षणमित्यर्थः । धनुःप्रदानं समन्त्रकं विधत्ते--तदस्मा इति[4] । हे धनुः ! ' त्वया ' साधनेन ' अयं ' यजमानो ' वृत्रं ' शत्रुं ' वधेत् ' हिंस्यादिति । मन्त्रं व्याचष्टे--त्वयाऽयं द्विषन्तमिति ॥ २८ ॥

अथेषुत्रयदानं विधत्ते--अथास्मा इति । ' तिस्रः '--इति । लोकत्रयात्मकत्वेन शस्तानामिषूणां लक्षणं

१--इंद्रस्य व्वार्त्रघ्नमिति धनुरातनोति । का. श्रौ. सू. १५ । १२६ । २--मित्रस्य व्वरुणस्येत्यस्य बाहू व्विमार्ष्टि । का० श्रौ० सू० । १५ । १२७ । ३--कर्कभाष्ये--' बाहू धनुःकोट्यावुच्यंते ' इति पाठः । ४--धनुः प्रयच्छति त्वयाऽयमिति । का० श्रौ० सू० । १५ । १२८ ॥

वा म्रियते वा सा द्वितीया तदिदमन्तरिक्षꣳ सैषा रुजा नामाथ ययाऽपैव राध्नोति सा तृतीया साऽसौ द्यौः सैषा क्षुमा नामैता हि वै तिस्रऽइषवस्तस्मादस्मै तिस्रऽइषूः प्रयच्छति ॥ २९ ॥

ताः प्रयच्छति । पातैनं प्राञ्चं पातैनं प्रत्यञ्चं पातैनं तिर्यञ्चं दिग्भ्यः पातेति तदस्मै सर्वा एव दिशोऽशरव्याः करोति तद्यदस्मै धनुः प्रयच्छति वीर्यं वाऽएतद्राजन्यस्य यद्धनुर्वीर्यवन्तमभिषिञ्चानीति तस्माद्वाऽअस्माऽआयुधं प्रयच्छति ॥ ३० ॥

दृबा नाम । अथ यया विद्धः शयित्वा जीवति वा म्रियते वा—सा द्वितीया । तदिदमन्तरिक्षम् । सैषा रुजा नाम । अथ ययाऽपैव राध्नोति—सा तृतीया । साऽसौ द्यौः । सैषा क्षुमा नाम । एता हि वै तिस्र इषवः । तस्मादस्मै तिस्र इषूः प्रयच्छति ॥ २९ ॥

ताः प्रयच्छति—"पातैनं प्राञ्चम्, पातैनं प्रत्यञ्चम्, पातैनं तिर्यञ्चम्, दिग्भ्यः पात"—(वा. सं. १०।८)—इति । तदस्मै सर्वा एव दिशोऽशरव्याः करोति । तद् यदस्मै धनुः प्रयच्छति । वीर्यं वाऽएतद्राजन्यस्य—यद्धनुः । वीर्यवन्तमभिषिञ्चानीति । तस्माद्वाऽअस्मा आयुधं प्रयच्छति ॥ ३० ॥

सञ्ज्ञां च दर्शयति—स ययेति । 'समर्पणेन' परित्यागमात्रेण 'यया' 'परान् भिनत्ति' शत्रून् विदारयति, तस्या एकस्याः 'दृब्रा'—नामधेयायाः पृथिव्यात्मकत्वेन प्राशस्त्यमित्यर्थः । 'यया' विद्धस्य ताडितस्य जीवने सन्देहः, तस्या 'रुजा'—नाम्न्या अन्तरिक्षात्मकत्वम् । यया राजा शत्रुम् 'अपराध्नोति' हिनस्त्येव, तस्याः 'क्षुमा'—नामधेयायाः तृतीयलोकात्मकत्वेन प्राशस्त्यमित्यर्थः । अत्र कञ्चिद् विशेषं कात्यायनः सूत्रयामास—"दृबाऽसीति प्रतिमन्त्रमादाय तिस्र इषूः प्रयच्छति" (का. श्रौ. सू. १५।१।३९)—इति । तेषां मन्त्राणामयमर्थः ।—दृबा, "दॄ विदारणे"—(धा. पा. क्र्या. प. २१) दृणातीति 'दृबा' विदारिका 'असि' इति । दृप्यतेर्वा रूपम् । इति प्रथमेषुग्रहणम् । 'रुजा' "रुजो भङ्गे" (धा. पा. तु. प. १३५) भङ्गहेतुरिषुरसि । अनेन द्वितीयशरग्रहणम् । 'क्षुमा'[1] "क्षुप विधूनने" (सौत्रो धातुः) क्षुपतीति क्षुपा, पकारस्य स्थाने मकारः; शत्रुक्षुपणकारिणी इषुरसि । अनेन तृतीयशरग्रहणम् । एवमादाय दद्यात् ॥ २९ ॥

इषुदानमनूद्य मन्त्रं विधत्ते—ताः प्रयच्छतीति । 'एनं' यजमानं 'प्राञ्चम्' प्रागञ्चनम्, प्राग् गन्तारम्, हे इषवः 'पात' पालयत । 'प्रत्यञ्चम्' प्रत्यग्गन्तारम्, 'तिर्यञ्चम्' तिर्यग्गन्तारम्, किं बहुना 'दिग्भ्यः' सर्वाभ्यः 'पात' इति । तदस्मा इति । 'अशरव्याः' अहिंसकाः; शरव्यं शरलक्ष्यम्, तद्रहिताः 'करोति' । अनेन सर्वास्वपि

---

[1]—"महीधरेण तु 'क्ष्मायी विधूनने' क्ष्मायति शत्रून् कम्पयति इति क्षुमा"—इति व्याख्यातम् ।

(त्यु) अथैनमाविदो वाचयति । (त्या) आविर्मर्याऽ इत्यनिरुक्तं प्रजापतिर्वाऽअनिरुक्तस्तदेनं प्रजापतयऽआवेदयति सोऽस्मै सवमनुमन्यते तेनानुमतः सूयते ॥ ३१ ॥

(तऽआ) आवित्तोऽअग्निर्गृहपतिरिति । ब्रह्म वाऽअग्निस्तदेनं ब्रह्मणऽआवेदयति तदस्मै सवमनुमन्यते तेनानुमतः सूयते ॥ ३२ ॥

अथैनमाविदो वाचयति–" आविर्मर्याः "–इत्यनिरुक्तम् । प्रजापतिर्वाऽअनिरुक्तः । तदेनं प्रजापतय ऽआवेदयति । सोऽस्मै सवमनुमन्यते । तेनानुमतः सूयते ॥ ३१ ॥

" आवित्तोऽअग्निर्गृहपतिः "–इति । ब्रह्म वाऽअग्निः । तदेनं ब्रह्मणऽआवेदयति । तदस्मै सवमनुमन्यते । तेनानुमतः सूयते ॥ ३२ ॥

दिक्षु परकीयशरलक्ष्यत्वं निवर्त्यते । इमं मन्त्रमिष्वभिमर्शनेऽपि कात्यायनो विनियुक्तवान्–"पातैनमित्यभिमृशति" (का. श्रौ. सू. १५ । १३९) इति । आपस्तम्बोऽपि–" पात मा प्रत्यञ्चमिति प्रदीयमानामनुमन्त्रयते " (आ. श्रौ. सू. १८ । १४ । १३) इति । ॥ ३० ॥

विधत्ते–अथैनमाविद इति । आवित्त–पदयुक्ताः सप्त मन्त्राः ' आविदः ' तान् वाचयतीत्यर्थः । आवेदयन्ति ज्ञापयन्ति देवताभ्य एनं यजमानमित्याविदो मन्त्राः ॥ तत्र मन्त्रान् विधत्ते–आविर्मर्या इति । आविर्मर्याः ' ' इत्यनिरुक्तम् ' साक्षाद् देवतावाचकपदरहितं मन्त्रं वाचयेदित्यर्थः । हे ' मर्याः ' ! मरणयोग्या मनुष्याः ! ' आविः ' प्रकाशोऽभूत् । अनेन कस्यै देवतायै यजमानमावेदितवान् भवतीत्याशङ्क्य तां देवतां दर्शयति–प्रजापतिरिति । ' प्रजापतिः ' खलु ' अनिरुक्तः ' ईदृश इति वक्तुमनर्हः; तस्मादनेन यजुषा अनिरुक्तेन अनिरुक्तात्मने ' प्रजापतये ' ' एनं ' यजमानम् आवेदितवान् भवतीत्यर्थः । आवेदनस्य फलमाह–सोऽस्मा इति । ' सः ' आवेदितः ज्ञापितः प्रजापतिः ' अस्मै ' सुन्वते ' सवम् ' अभिषेकम् ' अनुमन्यते ' ' तेन ' प्रजापतिना ' अनुमतः ' अनुज्ञातः ' सूयते ' अभिषिच्यते । एवमुत्तरत्रापि व्याख्येयम् ॥ ३१ ॥

आवित्तोऽअग्निर्गृहपतिरिति । गृहपतिगुणकः ' अग्निः ' ' आवित्तः ' आवेदितः, ज्ञापितः । " वित्तो भोगप्रत्यययोः "–(पा. सू. । ८ । २ । ५८) इति निपातितः । अग्नये यजमानं ज्ञापितवानित्यर्थः ॥ ३२ ॥

१–इमं मंत्रमिष्वभिमर्शनेऽपीत्यादितः प्रदीयमानामनुमंत्रयते इतीत्यंतं भाष्यं चिंत्यम् । तथाहि । शतपथं चानुसृत्य सूत्ररचनाशैलीशीलितया आचार्येण भगवता कात्यायनेन तथैव सूत्रितम् -" दृबासीति प्रतिमंत्रमादाय तिस्र इषूः प्रयच्छति पातैनमिति प्रतिमंत्रम् " इति । पितृभूतिकर्कदेवयाज्ञिकानंतदेवप्रभृतिभाष्यकृद्भाष्याण्यपि सूत्रानुसारीण्येव । पद्धतिकृतां पद्धत्यस्तादृशः । एतादृश्यस्थितावपि स्वस्यापस्तंबीयत्वात् तदभिमानितया कात्यायनस्य कृष्णयजुःशाखानुयायित्वप्रदर्शनाय पूर्ववदक्षरतारतम्यसंव्यवकाशमालोच्य अर्थमपि सूत्रमन्यथाऽचीक्लृपत् । इति । एतदतिसाहसदृढीकरणाय अस्मिन्नेव ब्राह्मणे एकोनत्रिंशत्कण्डिकाव्याख्याने अत्र कंचिद्विशेषं कात्यायनः सूत्रयामास दृबासीति प्रतिमंत्रमादाय तिस्र इषूः प्रयच्छतीति अवतारितम् । स विशेषस्तु इमं मंत्रमिष्वभिमर्शनेऽपीत्यादिना ग्रंथेन त्रिंशत्तमकंडिकायां व्याख्याने उद्घाटितः । स्वयमेव अपीति वदता पातैनमिति मंत्राणामिषुप्रदाने विनियोगमंगीकृत्य इष्वभिमर्शने विकल्पप्रदर्शनं कृतं तादृक्कात्यायनं (एवमन्यथाकृतो) भाष्यकृतां चेतोमयास्पदमिति स्पष्टमेव द्योतयतीति । अतः एकोनत्रिंशत्कंडिकायां अत्र कंचिद्विशेषमिति त्रीणि पदानि विहाय कात्यायनः सूत्रयामास दृबासीति प्रतिमंत्रमादाय तिस्र इषूः प्रयच्छति पातैनमिति प्रतिमंत्रमिति । युक्तमेव । इमं मंत्रमित्यादि अनुमंत्रयते इत्यंतम् ।

२–आविर्मर्या इति वाचयति । का० श्रौ० सू० १५ । १४० ।

(तऽआ) आवित्तऽइन्द्रो वृद्धश्रवाऽ इति । क्षत्रं वाऽइन्द्रस्तदेनं क्षत्रायावेदयति तदस्मै सवमनुमन्यते तेनानुमतः सूयते ॥ ३३ ॥

(तऽ) आवित्तौ मित्रावरुणौ धृतव्रताविति । प्राणोदानौ वै मित्रावरुणौ तदेनं प्राणोदानाभ्यामावेदयाति तावस्मै सवमनुमन्येते ताभ्यामनुमतः सूयते ॥ ३४ ॥

(तऽ) आवित्तः पूषा विश्ववेदा ऽइति । पशवो वै पूषा तदेनं पशुभ्य ऽआवेदयति तेऽस्मै सवमनुमन्यन्ते तैरनुमतः सूयते ॥ ३५ ॥

(तऽ) आवित्ते द्यावापृथिवी विश्वशम्भुवाविति । तदेनमाभ्यां द्यावापृथिवीभ्यामावेदयाति तेऽअस्मै सवमनुमन्येते ताभ्यामनुमतः सूयते॥३६॥

(तऽ) आवित्ताऽदितिरुरुशर्म्मेति । (ती) इयं वै पृथिव्यदितिस्तदेनमस्यै पृथिव्याऽआवेदयति साऽस्मै सवमनुमन्यते तयाऽनुमतः सूयते तद्याभ्य

" आवित्तऽइन्द्रो वृद्धश्रवाः "–इति । क्षत्रं वाऽइन्द्रः । तदेनं क्षत्रायावेदयति । तदस्मै सवमनुमन्यते । तेनानुमतः सूयते ॥ ३३ ॥

" आवित्तौ मित्रावरुणौ धृतव्रतौ "–इति । प्राणोदानौ वै मित्रावरुणौ, तदेनं प्राणोदानाभ्यामावेदयति । तावस्मै सवमनुमन्येते । ताभ्यामनुमतः सूयते ॥ ३४ ॥

" आवित्तः पूषा विश्ववेदाः "–इति । पशवो वै पूषा । तदेनं पशुभ्य आवेदयति । तेऽस्मै सवमनुमन्यन्ते । तैरनुमतः सूयते ॥ ३५ ॥

"आवित्ते द्यावापृथिवी विश्वशम्भुवौ"–इति । तदेनमाभ्यां द्यावापृथिवीभ्यामावेदयति । तेऽअस्मै सवमनुमन्येते । ताभ्यामनुमतः सूयते ॥ ३६ ॥

"अवित्ताऽदितिरुरुशर्मा"–(वा. सं. १० । ९) इति । इयं वै पृथिव्यदितिः । तदेनमस्यै

आवित्तऽइन्द्र इति । 'वृद्धश्रवाः' । " श्रव इत्यन्ननाम, श्रूयते इति श्रवः " इति हि यास्कः (निरु १० । १।३ ।) वृद्धं प्रभूतमन्नं यस्य ॥ ३३ ॥

आवित्तौ मित्रावरुणाविति । 'धृतव्रतौ' व्रतमिति कर्मनाम (निघं. २।१।७) अवधीरितकर्माणौ ॥३४॥

आवित्तः पूषा इति । 'विश्ववेदाः' सर्वधनः ॥ ३५ ॥

आवित्ते द्यावापृथिवी इति । विश्वशम्भुवौ सर्वस्य जगतः सुखस्य भावयित्र्यौ ॥ ३६ ॥

आवित्ताऽदितिरिति । 'उरुशर्म्मा' प्रभूतं सुखं यस्याः, 'अदितिः' अखण्डनीया देवमाता ।

ऽएवैनमेतद्देवताभ्य ऽआवेदयति ता ऽअस्मै सवमनुमन्यन्ते ताभिरनुमतः सूयते ॥ ३७ ॥

इति तृतीयप्रपाठके द्वितीयं ब्राह्मणम् ॥ ५-३-२ ॥ (३. ५.) ॥

इति तृतीयोऽध्यायः ॥ ३ ॥

पृथिव्याऽआवेदयति । साऽस्मै सवमनुमन्यते तयाऽनुमतः सूयते । तद्याभ्य एवैनमेतद्देवताभ्य आवेदयति । ता अस्मै सवमनुमन्यन्ते । ताभिरनुमतः सूयते ॥ ३७ ॥

भूमिरेव काञ्चिन्मूर्त्तिं धृत्वा देवमाताऽदितिरित्युच्यते । एता देवताः सम्भूय प्रशंसति—तद्याभ्य एवैनामिति ॥ ३७ ॥

इति श्रीसायणाचार्यविरचिते माधवीये वेदार्थप्रकाशे माध्यन्दिनशतपथब्राह्मणभाष्ये पञ्चमकाण्डे तृतीयाध्याये पञ्चमं ब्राह्मणम् ॥ (५-३-५) ॥

वेदार्थस्य प्रकाशेन तमो हार्दं निवारयन् । पुमर्थांश्चतुरो देयाद् विद्यातीर्थमहेश्वरः ॥ १ ॥

ब्रह्माण्डं गोसहस्रं कनककहयतुलापूरुषौ स्वर्णगर्भं,
सप्ताब्धीन्पञ्चसीरींस्त्रिदशतरुलताधेनुसौवर्णभूमीः ।
रत्नोस्रां रुक्मवाजिद्विपमहितरथौ सायणिः सिङ्गणार्यो,
व्यश्राणीद्विश्वचक्रं प्रथितविधिमहाभूतयुक्तं घटं च ॥
धान्याद्रिं धन्यजन्मा तिलमचमतुलः स्वर्णजं वर्णमुख्यः,
कार्पासीयं कृपावान्गुडकृतमजडो राजतं राजपूज्यः ।
आज्योत्थं प्राज्यजन्मा लवणजमनृणः शार्करं चार्कतेजा,
रत्नाढ्यो रत्नरूपं गिरिमकृत मुदा पात्रसात्सिङ्गणार्यः ॥

इति श्रीमद्राजाधिराजपरमेश्वरवैदिकमार्गप्रवर्तकश्रीहरिहरमहाराजसाम्राज्यधुरन्धरेण सायणाचार्येण विरचिते माधवीये वेदार्थप्रकाशे माध्यन्दिनशतपथब्राह्मणभाष्ये पञ्चमकाण्डे तृतीयाध्यायः समाप्तः॥५-३॥

अथ पञ्चमकाण्डे चतुर्थाध्याये प्रथमं ब्राह्मणम् ।

केशवुस्य पुरुषस्य । लोहायसमास्यऽआविध्यत्युवेष्टा दन्दशूकाऽ इति सर्वान्वाऽएषु मृत्यूनतिमुच्यते सुर्वान्वधान्यो राजसूयेन यजते तुस्य जुरैव मृत्युर्भवति तद्यो मृत्युर्यो वधस्तुमेवैतदुतिनयुति यद्दन्दशूकान्॥ १

(नु) अथ युत्केशवुस्य पुरुषस्य । न वाऽएष स्त्री न पुमान्युत्केशवः पुरुषो यदह पुमांस्तेन न स्त्री युदु केशवस्तेनो न पुमान्नैतदुयो न हिरण्यं युल्लोहायसं नैते क्रिमयो नाक्रिमयो युद्दन्दशूका ऽअथ युल्लोहायसं भवति लोहिता इव हि दन्दशूकास्तुस्मात्केशवुस्य पुरुषस्य ॥ २ ॥

केशवस्य पुरुषस्य लोहायसमास्यऽआविध्यति–"अवेष्टा दन्दशूकाः"–इति । सर्वान्वाऽएष मृत्यूनतिमुच्यते, सर्वान् वधान् यो राजसूयेन यजते । तस्य जरैव मृत्युर्भवति । तद्यो मृत्युः, यो वधः-तमेवैतदतिनयति यद्दन्दशूकान् ॥ १ ॥

अथ यत्केशवस्य पुरुषस्य । न वाऽएष स्त्री, न पुमान्, यत्केशवः पुरुषः । यदह पुमान्–तेन न स्त्री । यदु केशवः-तेनो न पुमान् । नैतदयो, न हिरण्यम्–यल्लोहायसम् । नैते क्रिमयो नाक्रिमयो–यद्दन्दशूकाः । अथ यल्लोहायसं भवति । लोहिता इव हि दन्दशूकाः । तस्मात्केशवस्य पुरुषस्य ॥ २ ॥

यस्य निश्वसितं वेदा यो वेदेभ्योऽखिलं जगत् । निर्ममे, तमहं वन्दे विद्यातीर्थमहेश्वरम् ॥ १ ॥

कात्यायनः–"अवेष्टा इति लोहायसमाविध्यति केशवास्ये सदोऽन्त उपविष्टाय"–(का. श्रौ. सू. १५ ।] १४१) इति । सदसो मध्ये उपविष्टस्य केशवस्य क्लीबस्य वदने "अवेष्टा" इति मन्त्रेण ताम्रमर्पयेत् । तदिदं विधत्ते–केशवस्येति । 'लोहायसं' ताम्रम् 'आविध्यति' अर्पयेत् । 'दन्दशूकाः दंशनशीलाः, मृत्यव इहाभिप्रेताः । 'अवेष्टाः' अवपूर्वो यजिर्नाशार्थे वर्त्तते, विनाशिता इति ॥

व्याचष्टे–सर्वान् वा इति । 'यो राजसूयेन यजते' स 'सर्वान् मृत्यून्' सर्वान् परकृतान् 'बधान्' अपि 'अतिमुच्यते' अतिक्रामेत् । सुन्वतो 'मृत्युः' नाम 'जरा' देहविदारकत्वात् । तस्माद्दन्दशूक-पदेन मृत्यवो वधाश्च विवक्षिताः, तान् केशववदने ताम्रनिधानेन नाशितवान् भवतीति तात्पर्यार्थः ॥ १ ॥

केशवलोहायसदन्दशूकानामन्तरालवर्त्तित्वं सम्यगुपपादयति–अथ यत्केशवस्येति । एतद्वाक्यं परिस्रुत्क-यणे व्याख्यातम् । दन्दशूकानामप्यन्तरालवर्त्तित्वं दर्शयति–नैते क्रिमय इति । दन्दशूकानामपि लोहितत्वात् लोहितायसेन भाव्यमित्यर्थः ॥ २ ॥

(स्या) अथैनं दिशः समारोहयति । प्राचीमारोह गायत्री त्वाऽवतु रथन्तरᳪं साम त्रिवृत्स्तोमो व्वसन्त ऋतुर्ब्रह्म द्रविणम् ॥ ३ ॥

दक्षिणामारोह । त्रिष्टुप्त्वाऽवतु बृहत्साम पञ्चदश स्तोमो ग्रीष्म ऋतुः क्षत्रं द्रविणम् ॥ ४ ॥

(स्प्र) प्रतीचीमारोह । जगती त्वाऽवतु व्वैरूपᳪं साम सप्तदश स्तोमो व्वर्षा ऋतुर्व्विड् द्रविणम् ॥ ५ ॥

---

(१)–अथैनं दिशः समारोहयति–"प्राचीमारोह गायत्री त्वाऽवतु रथन्तरं साम त्रिवृत्स्तोमो वसन्त ऋतुर्ब्रह्म द्रविणम् ।" ॥ ३ ॥

(२)–" दक्षिणामारोह त्रिष्टुप्त्वाऽवतु बृहत्साम पञ्चदश स्तोमो ग्रीष्म ऋतुः क्षत्रं द्रविणम् " ॥ ४ ॥

(३)–" प्रतीचीमारोह जगती त्वाऽवतु वैरूपं साम सप्तदश स्तोमो वर्षा ऋतुः, विड् द्रविणम् " ॥ ५ ॥

सूत्रम्–"सुन्वन्तमाक्रमयन् दिशः प्राचीमारोहेति वाचयति प्रतिमन्त्रं प्रतिदिशं यथालिङ्गमाक्रम्य"–(का. श्रौ. सू. १९ । १४२ । १४३ ।) इति अध्वर्युः प्राच्यादिकाः पञ्च दिशो यजमानमाक्रमयन् " प्राचीमारोह"–इत्यादिकांस्तत्तद्दिक्प्रतिपादकान् मन्त्रान् वाचयेदित्यर्थः । तत्र दिगाक्रमणं विधत्ते–अथैनं दिश इति । ' समारोहयति ' आक्रमेत् । प्राचीदिगाक्रमणमन्त्रं विधत्ते–प्राचीमारोहेति । हे यजमान ! ' प्राचीम् ' ' आरोह ' तथा स्थितं ' त्वा ' त्वां छन्दसां मध्ये गायत्री ' अवतु ' साम्नां मध्ये ' रथन्तरं ' साम रक्षतु, स्तोमानां मध्ये ' त्रिवृत् ' ऋङ्नवकात्मकः स्तोमः, ऋतूनां मध्ये वसन्ताख्य ऋतुः, ' ब्रह्म ' त्वदीयं ' द्रविणं, धनं रक्षतु; ब्रह्मरूपं धनं वा अवत्विति । एवमुत्तरत्रापि । " अभि त्वा शूर नोनुमः "–इत्यस्याम्–(सा. छ.- आ. ३ । १ । ५१) ऋच्युत्पन्नं साम रथन्तरमित्युच्यते । " उपास्मै गायता नरः "–(सा. गा. आ. २ । १ । २१ । इति सूक्तत्रये आद्याभिस्तिसृभिर्मध्यमाभिरुत्तमाभिश्चोद्गातृगानेन त्रिरावृत्तस्त्रिवृत्स्तोमो भवति । (तां. ब्रा. १ । २ । १–३) ॥ ३ ॥

दक्षिणदिगाक्रमणं विधत्ते–दक्षिणामारोहेति । पूर्ववद् योजनीयम् । " त्वामिद्धि हवामहे "–इत्यस्यामृचि (सा. छ. ३ । १ । ५ । २) उत्पन्नं साम ' बृहत् ' (सा गा. अ. १ । १ । २७) पञ्चदशस्तोमकरणमेवम्–पूर्वोक्तत्रिवृत्स्तोमः खलु सूक्तत्रयनिष्पाद्यः; अन्ये तु स्तोमा एकैकेन त्र्यृचात्मकेन सूक्तेन निष्पाद्यन्ते । तत्र चायं क्रमः–प्रथमं पर्यायं पञ्चभिर्ऋग्भिर्गीयते । तद्यथा–प्रथमामृचं त्रिर्गायेत्, इतरे द्वे सकृत्–सकृत्; तृतीये तु उत्तमां त्रिर्गायेत्, आद्ये द्वे सकृत्–सकृदिति (तां. ब्रा. १ । २ । ४ । ६) ' क्षत्रम् ' क्षत्रियः ॥ ४ ॥

प्रतीच्या मन्त्रं विधत्ते–प्रतीचीमारोहेति । " यद् द्याव इन्द्र ते शतम् "–इत्यस्यामृचि (सा. छ.- आ. ३ । २ । ४ । ६) उत्पन्नं साम ' वैरूपम् ' (सा गा. आ. १ । ३ । ६) सप्तदशस्तोमसम्पादनमेवम्–प्रथमपर्याये प्रथमामृचं त्रिर्गायेत्, द्वितीयपर्याये मध्यमां त्रिः, तृतीयपर्याये मध्यमामुत्तमाञ्च त्रिः, अन्याः सकृत्–सकृदिति (तां. ब्रा. १ । २ । ७–१३) वैश्यो जातिरित्यर्थः ॥ ५ ॥

(मु) उदीचीमारोह । (हा) अनुष्टुप्त्वाऽवतु व्वैराजꣳ सामैकविꣳश स्तोमः शरदृतुः फलं द्रविणम् ॥ ६ ॥

(मू) ऊर्ध्वामारोह । पङ्क्तिस्त्वाऽवतु शाक्वररैवते सामनी त्रिणवत्रयस्त्रिꣳशौ स्तोमौ हेमन्तशिशिरावृतू व्वर्चो द्रविणमिति ॥ ७ ॥

तद्यदेनं दिशः समारोहयति । (त्यृ) ऋतूनामेवैतद्रूपमृतूनेवैनमेतत्संव्वत्सरꣳ समारोहयति स ऽऋतून्त्संव्वत्सरꣳ समारुह्य सर्वमेवेदमुपर्युपरि भवत्यर्व्वागेवास्मादिदꣳ सर्व्वं भवति ॥ ८ ॥

---

(४)-" उदीचीमारोहानुष्टुप्त्वाऽवतु । वैराजं साम, एकविंश स्तोमः, शरदृतुः फलं द्रविणम् " ॥ ६ ॥

(५)-" ऊर्ध्वामारोह पङ्क्तिस्त्वाऽवतु शाक्वररैवते सामनी त्रिणवत्रयस्त्रिंशौ स्तोमौ हेमन्तशिशिरावृतू वर्चो द्रविणम् "-इति ॥ ७ ॥

तद्यदेनं दिशः समारोहयति । ऋतूनामेवैतद्रूपम् । ऋतूनेवैनमेतत्सम्वत्सरं समारोहयति । स ऋतून्त्संवत्सरं समारुह्य सर्वमेवेदमुपर्युपरि भवति । अर्वागेवास्मादिदं सर्वं भवति ॥ ८ ॥

उदीच्या मन्त्रं विधत्ते-उदीचीमारोहेति । " पिबा सोममिन्द्र मन्दतु त्वा "-इत्यस्यामृचि (सा. छ.-आ. ९ । १ । १ । ८) उत्पन्नं साम ' वैराजम् ' (सा. गा. गे २ । २ । ३१) एकविंशतिस्तोमनिष्पत्तिप्रकारस्त्वेवम्--प्रथमे पर्याये उत्तमां सकृद् गायेत्, द्वितीये पर्याये मध्यमां सकृद् गायेत्, तृतीये पर्याये सर्वत्रेतरास्त्रिस्त्रिरित्येवं कृते एकविंशः स्तोमो भवति । (तां. ब्रा. १ । २ । १४--१७) ॥ ६ ॥

ऊर्ध्वाया मन्त्रं विधत्ते-ऊर्ध्वामारोहेति । " प्रोष्वस्मै पुरोरथम् "-इत्यस्यामृचि (सा. उ. आ. ९ । १ । १४ । १) उत्पन्नं साम ' शाकरम् ' (सा. गा. उ. ९ । २ । ६ ।) " रेवतीर्नः सधमादः "-इत्यस्यामृचि (सा. छ. आ. २ । २ । १ । ९ ।) उत्पन्नं साम ' रैवतम् ' (सा. गा. आ. १।६।१७)। त्रिणवस्तोमनिष्पत्तिप्रकारस्त्वेवम्-प्रथमे पर्याये प्रथमां त्रिर्गायेत्, मध्यमां पञ्चकृत्वो गायेत्; उत्तमां सकृत्; द्वितीये पर्याये प्रथमां सकृत्, मध्यमां त्रिः, उत्तमां पञ्चकृत्वः, तृतीये पर्याये प्रथमां पञ्चकृत्वः, मध्यमां सकृत्, उत्तमां त्रिर्गायेदिति । सोऽयं त्रिरावृत्तनवसङ्ख्योपेतत्वात् ' त्रिणव '-नामकः स्तोमो भवति । (तां. ब्रा. १ । ३ । १ । २) । त्रयस्त्रिंशस्तोमनिष्पत्तिप्रकार उच्यते-प्रथमपर्याये प्रथमां त्रिः कृत्वः, मध्यमां सप्तकृत्वः, उत्तमां सकृत्; द्वितीये प्रथमां सकृत्, मध्यमां त्रिः, उत्तमां सप्तकृत्वः; तृतीये पर्याये प्रथमां सप्तकृत्वः, मध्यमां सकृत्, उत्तमां त्रिः । सोऽयं त्रयस्त्रिंशस्तोमो नाम (तां. ब्रा. १।३।२-७) त्रिषु मन्त्रेषु ब्राह्मणक्षत्रियवैश्या धनरक्षकत्वेन धनरूपत्वेन वा कथिताः, चतुर्थे उदुम्बरादिफलस्य तद्रूपत्वम्, पञ्चमे ' वर्चसः ' प्रख्यातशूरताकृतस्य तेजसो रक्षकत्वं तद्रूपत्वं चोक्तम् ॥ ७ ॥

दिशां समारोहणं समस्य संवत्सरारोहात्मना प्रशंसति--तद्यदेनमिति । पञ्चानां दिशां समारोहणम् ऋतुरूपत्वम् । ऋतूनामपि " हेमन्तशिशिरयोः समासेन " (ऐ. ब्रा. १ । १ । १) पञ्चसङ्ख्यात्मकत्वात् संवत्सरा-

शार्दूलचर्म्मणो जघनार्धे। सीसं निहितं भवति तत्पदा प्रत्यस्यति प्रत्यस्तं नमुचेः शिरऽइति नमुचिर्हं वै नामासुरऽ आस तमिन्द्रो निविव्याध तस्य पदा शिरोऽभितष्ठौ स यदभिष्ठितऽउदबाधत सऽ उच्छ्वङ्कस्तस्य पदा शिरः प्रचिच्छेद ततो रक्षः समभवत्तद्ध स्मैनमनुभाषते क्व गमिष्यसि क्व मे मोक्ष्यसऽइति ॥ ९ ॥

तत्सीसेनापजघान। तस्मात्सीसं मृदु सृतजवᳪं हि सर्व्वेण हि व्वीर्येणापजघान तस्माद्धिरण्यरूपᳪं सन्न कियच्चनार्हति सृतजवᳪं हि सर्व्वेण हि व्वीर्येणापजघान तद्वै स तन्नाष्ट्रा रक्षाᳪंस्युपजघान तथोऽएवैषु ऽएतन्नाष्ट्रा रक्षाᳪंस्यतोऽपहन्ति ॥ १० ॥

शार्दूलचर्मणो जघनार्द्धे सीसं निहितं भवति। तत् पदा प्रत्यस्यति–"प्रत्यस्तं नमुचेः शिरः" (वा. सं. १०।१०-१४) इति। नमुचिर्हं वै नामासुर आस। तमिन्द्रो निविव्याध। तस्य पदा शिरोऽभितष्ठौ। स यदभिष्ठित उदबाधत–स उच्छ्वङ्कः। तस्य पदा शिरः प्रचिच्छेद। ततो रक्षः समभवत्। तद्ध स्मैनमनुभाषते क्व गमिष्यसि, क्व मे मोक्ष्यसऽइति ॥ ९ ॥

तत् सीसेनापजघान। तस्मात्सीसं मृदु। सृतजवं हि। सर्वेण हि वीर्येणापजघान। तस्माद्धि-

---

रोहणेन यजमानः 'सर्वमेवेदं' जगत् 'उपर्युपरि भवति' सर्वस्योपरि वर्त्तमानो भवति; कालस्य सर्वेषामुपरि भावात्। 'अस्मात्' सुन्वतः सकाशात् 'इदं सर्वम्' 'अर्वाक्' अर्वाचीनम् अधस्तनं 'भवति' इति ॥८॥

पूर्वं मैत्रावरुणधिष्ण्यस्य पुरस्तादभिहितानामभिषेचनीयपात्राणामग्रे आस्तृतस्य शार्दूलचर्मणोऽपरेऽन्ते निहितस्य सीसस्य प्रासनमिदानीं विधत्ते–**शार्दूले**ति। 'शार्दूलचर्म्मणः' 'जघनार्द्धे' अपरभागे 'सीसं निहितं भवति'। निहितमिति निष्ठाप्रयोगेण पूर्वं चर्म्मास्तरणसमये एव सीसनिधानं सम्पन्नमिति मन्तव्यम्। तथैव कात्यायनः–"मरुत्वतीयान्ते पात्राणि पूर्वेण व्याघ्रचर्म्मास्तृणाति सोमस्य त्विषिरिति, अपरेऽन्ते सीसं निदधाति–(का. श्रौ. सू. १५।१२२।१२३) इति। अत्र तु "आक्रम्य पादेन सीसं निरस्यति प्रत्यस्तं"–इत्येतावदेवासूत्रयत् (का. श्रौ. सू. १५।१०२) 'तत्' सीसं 'पदा' पादेन "प्रत्यस्तम्"–इति मन्त्रेण निरस्येत्। 'नमुचेः' असुरस्य 'शिरः' 'प्रत्यस्तं' निरस्तमिति तस्यार्थः ॥

नमुचिशिरसः सीसेन निरासमाख्यायिकयोपपादयति–**नमुचिर्हं वा** इति। पूर्वमिन्द्रो नमुचिनाम्नोऽसुरस्य 'शिरः' स्वेन पादेन 'अभितष्ठौ' आचक्रमे। 'सः' आक्रान्तः 'उदबाधत'। '**उच्छ्वङ्कः**' उद्गतः श्वङ्कः। श्वङ्को नाम प्राणिविशेषः, श्वङ्कानीतशीर्ष्णीति ह्यन्यत्राम्नातम् 'तस्य' शिरः 'पदा' **स्वीयेन** पादेन 'प्रचिच्छेद' छिन्नवान्, 'ततः' छिन्नशिराः 'रक्षः' 'राक्षसः समभवत्' 'तत्' रक्षः 'एनं' घातकमिन्द्रम् 'अनुभाषते' वदति, हे इन्द्र! 'क्व गमिष्यसि' 'मे' मत्तः सकाशात् 'क्व मोक्ष्यसे' मुक्तो भविष्यसि 'इति' वदति ॥९॥

तत्सीसेनेति। 'तत्' रक्षः, एतद्वदन्तं राक्षसं 'सीसेन अपजघान'। 'तस्मात्' 'सीसं' 'मृदु' जातम्। 'हि' यस्मात् 'सृतजवं गतवेगम्। तत्त्वमुपपादयति–**सर्वेण ही**ति। तस्माद् गतसारमेतत् सीसं 'हिरण्य-

(न्त्यु) अथैनꣳ शार्दूलचर्मारोहयति । सोमस्य त्विषिरसीति यत्र वै सोमऽ इन्द्रमत्युपवत स यत्ततः शार्दूलः समभवत्तेन सोमस्य त्विषिस्तस्मादाह सोमस्य त्विषिरसीति तवेव मे त्विषिर्भूयादिति शार्दूलत्विषिमेवास्मिन्नेतद्दधाति तस्मादाह तवेव मे त्विषिर्भूयादिति ॥ ११ ॥

(त्यु) अथ रुक्ममधस्तादुपास्यति । मृत्योः पाहीत्यमृतमायुर्हिरण्यं तदमृतऽ आयुषि प्रतितिष्ठति ॥ १२ ॥

(त्यु) अथ रुक्मः शतवितृण्णो वा भवति । नववितृण्णो वा स यदि

रण्यरूपं सन्न कियच्चनार्हति । सृतजवं हि । सर्वेण हि वीर्येणापजघान । तद्वै स सन्नाष्ट्रा रक्षांस्यपजघान । तथो एवैष एतन्नाष्ट्रा रक्षांस्यतोऽपहन्ति ॥ १० ॥

अथैनं शार्दूलचर्मारोहयति–"**सोमस्य त्विषिरसि**"–इति । यत्र वै सोम इन्द्रमत्यपवत स यत्ततः शार्दूलः समभवत्–तेन सोमस्य त्विषिः । तस्मादाह–सोमस्य त्विषिरसि इति । "**तवेव मे त्विषिर्भूयात्**"–(वा. सं. १०।१५) इति । शार्दूलत्विषिमेवास्मिन्नेतद्दधाति । तस्मादाह–तवेव मे त्विषिर्भूयादिति ॥ ११ ॥

अथ रुक्ममधस्तादुपास्यति–"**मृत्योः पाहि**"–इति । अमृतमायुर्हिरण्यम् । तदमृतऽआयुषि प्रतितिष्ठति ॥ १२ ॥

अथ रुक्मः शतवितृण्णो वा भवति, नववितृण्णो वा । स यदि शतवितृण्णः, शतायुर्वाऽअयं

रूपं रजतरूपं 'सत्' अपि 'कियच्चन' कियदपि मूल्यं 'नार्हति' न लभते । रजतस्यापि हिरण्यशब्दव्यवहारोऽस्ति; "यदश्रवशीयत तद्रजतं हिरण्यमभवत्" (तै. सं. १ ।५।१।१–२) इति तैत्तिरीयश्रुतेः । अतः पूर्वं रक्षसः सीसेन हतत्वादिदानीमपि सीसप्रासनेन रक्षांसि हतानि भवन्तीत्यर्थः ॥ १० ॥

विधत्ते–**अथैनमिति**[1] । 'आरोहयति' आक्रामयति । **सोमस्य त्विषिरित्यादि** । पूर्वं व्याख्यातम् (श. प. ब्रा. ९।३।९।३) ॥ ११ ॥

विधत्ते–**अथ रुक्ममिति** । 'रुक्मं'[2] हिरण्यम्–'अधस्तात्' अधःप्रदेशे 'उपास्यति' निदध्यात् । अत्र सूत्रम्–" रुक्ममधः पदं कुरुते मृत्योरिति " का. श्रौ. सू. १५ । १४५) हे रुक्म !' मृत्योः' सकाशात् 'पाहि' पालय; एनमित्यर्थसिद्धम् । रुक्मस्य मृत्युपरिहारकत्वमुपपादयति–**अमृतमिति** । हिरण्यममृतमायुः; हिरण्यदानेन अपमृत्योः परिहर्त्तुं शक्यत्वात् आयुर्दत्वम् । तस्मात् असौ यजमानः पादस्याधःप्रदेशे रुक्मनिधानेन आयुषि एव प्रतिष्ठितवान् भवतीत्यर्थः ॥ १२ ॥

शिरसि निधीयमानस्य रुक्मस्य कश्चिद्गुणं विधत्ते–**अथ रुक्ममिति**[3] । 'शतवितृण्णः' शतच्छिद्रः,

---

१–व्याघ्रचर्म्मारोहयति सोमस्य त्विषिरिति । का. श्रौ सु. १५।१४४ । २–'रुक्मम्' आभरणविशेषः ' इति कर्कः ।
३–शिरसि च नवतर्द्मं शततर्द्मं व्वौजोसीति । का० श्रौ० सू० १५ । १४६ ।

शतवितृण्णः शतायुर्व्वाऽअयं पुरुषः शततेजाः शतवीर्यस्तस्माच्छतवितृण्णो यद्वु नववितृण्णो नवेमे पुरुषे प्राणास्तस्मान्नववितृण्णः ॥ १३ ॥

(स्तु) तमुपरिष्टाच्छीर्ष्णो निदधाति । (स्यो) ओजोऽसि सहोऽस्यमृतमसीत्यमृतमायुर्हिरण्यं तदस्मिन्नमृतमायुर्दधाति तद्यद्रुक्माऽउभयतो भवतोऽमृतमायुर्हिरण्यं तदमृतेनैवैनमेतदायुषोभयतः परिबृँहति तस्माद्रुक्माऽउभयतो भवतः ॥ १४ ॥

(तोऽथ) अथ बाहूऽउदगृह्णाति । हिरण्यरूपाऽउषसो व्विरोकऽउभाविन्द्राऽउदिथः सूर्यश्च ॥ आरोहतं व्वरुण मित्र गर्तं ततश्चक्षाथामदितिं दितिं चेति बाहू वै मित्रावरुणौ पुरुषो गर्तस्तस्मादाहारोहतं व्वरुण मित्र गर्तमिति ततश्चक्षाथामदितिं दितिं चेति ततः पश्यतँ स्वं चारणं चेत्येवैतदाह ॥ १५ ॥

पुरुषः—शततेजाः शतवीर्यः । तस्माच्छतवितृण्णः । यद्वु नववितृण्णः—नवेमे पुरुषे प्राणाः—तस्मान्नववितृण्णः ॥ १३ ॥

तमुपरिष्टाच्छीर्ष्णो निदधाति—"ओजोऽसि सहोऽस्यमृतमसि"—(वा० सं० १०।१५)इति । अमृतमायुर्हिरण्यम् । तदस्मिन्नमृतमायुर्दधाति । तद् यद्रुक्माऽउभयतो भवतः—अमृतमायुर्हिरण्यम् । तदमृतेनैवैनमेतदायुषोभयतः परिबृंहति । तस्माद्रुक्माऽउभयतो भवतः ॥ १४ ॥

अथ बाहूऽउद्गृह्णाति—" **हिरण्यरूपाऽउषसो विरोकऽउभाविन्द्राऽउदिथः सूर्यश्च । आरोहतं वरुण ! मित्र ! गर्तम्, ततश्चाक्षथाम्—अदितिम्, दितिं च**" इति । बाहू वै मित्रा-

---

' नववितृण्णः ' नवच्छिद्रः 'वा' भवेत् । तदुभयं क्रमेणायुःप्राणात्मना प्रशंसति—स यदि शतेति । आयुरनुसारेण तेजोवीर्ययोरपि शतसंख्याकत्वं द्रष्टव्यम् ॥ १३ ॥

तस्य शिरसि निधानं विधत्ते—**तमुपरिष्टादि**ति । ' शीर्ष्णः ' इति षष्ठी । ' ओजः ' इति मनोबलम् । ' सहः ' इति बाह्येन्द्रियबलम् । ' अमृतम् ' इति प्राणबलम् ; "प्राणो वा अमृतम्" इति श्रुतेः । हे रुक्म ! तत् त्रितयरूपोऽसीति मन्त्रार्थः । अधस्तादुपरिष्टाच्च रुक्मनिधानमायुःप्रवृद्धिरूपेण प्रशंसति—**तद्यद्रुक्मा उभयत** इति । रुक्मशब्दात् प्रथमाद्विवचनस्यावादेशे कृते " लोपः शाकल्यस्य " (पा. सू. ८।३।१९) इति वकारलोपः । उभयतो रुक्मनिधानेन ' एनं ' यजमानम् अमृतरूपेण ' आयुषा ' ' उभयतः ' ' परिबृंहति ' संवर्द्धितवान् भवति ॥ १४ ॥

विधत्ते—**अथ बाहू** इति । ' उद्गृह्णाति ' यजमानः ऊर्द्ध्वौ प्रसारितौ कुर्यात् । अत्र " मित्रोऽसि वरुणोऽसि "—इत्ययमेव मन्त्रो बाहूद्ग्रहणे विधास्यते, तत्र पूर्वपक्षत्वेन मन्त्रं पठति—**हिरण्यरूपावि**ति । अत एव

नैतेनोद्गृह्णीयात् । (न्मि) मित्रोऽसि व्वरुणोऽसीत्येवोद्गृह्णीयाद्बाहू वै मित्रावरुणौ बाहुभ्यां वै राजन्यो मैत्रावरुणस्तस्मान्मित्रोऽसि व्वरुणोऽसीत्येवोद्गृह्णीयात् ॥ १६ ॥

(त्त) तद्यदेनमूर्ध्वबाहुमभिषिञ्चति । व्वीर्यं वाऽएतद्राजन्यस्य यद्बाहू वीर्यं वाऽएतदपाँ रसः सम्भृतो भवति येनैनमेतदभिषिञ्चति नेन्मऽइदं व्वीर्यं व्वीर्यमपाँ रसः सम्भृतो बाहू व्विनादिति तस्मादेनमूर्ध्वबाहुमभिषिञ्चति ॥ १७ ॥

इति तृतीयप्रपाठके तृतीयं ब्राह्मणम् ॥९।३।३॥ (४।१)॥

वरुणौ, पुरुषो गर्तः । तस्मादाह--आरोहतं वरुण मित्र गर्तमिति । ततश्चक्षाथामदितिं दितिं चेति । ततः पश्यतं स्वं चारणञ्चेत्येवैतदाह ॥ १९ ॥

नैतेनोद्गृह्णीयात् । " मित्रोऽसि वरुणोऽसि "-(वा० सं० १० । १६ ।) इत्येवोद्गृह्णीयात् । बाहू वै मित्रावरुणौ । बाहुभ्यां वै राजन्यो मैत्रावरुणः । तस्मान्मित्रोऽसि वरुणोऽसीत्येवोद्गृह्णीयात् ॥ १६॥

तद् यदेनमूर्ध्वबाहुमभिषिञ्चति । वीर्यं वाऽएतद्राजन्यस्य यद्बाहू । वीर्यं वाऽएतदपां रसः सम्भृतो

कात्यायनो विकल्पेन सूत्रयामास-" बाहू उदुगृह्णाति हिरण्यरूपा इति मित्रोऽसि वरुणोऽसीति वा "-(का. श्रौ. सू. १९।१४७।१४८) इति । हिरण्येति मन्त्रस्य अयमाध्यात्मिकोऽर्थः । हे वरुण ! हे मित्र ! बाहुद्वयस्य पृथक् सम्बुद्धिः । ' हिरण्यरूपौ ' हितरमणीयरूपौ, हिरण्यस्वरूपौ वा सालङ्कारत्वात् । ' इन्द्रौ ' परमैश्वर्यसम्पन्नौ उभौ युवाम् ' उषसः ' ' विरोके ' विरोचने ' उदिथः ' 'सूर्यश्च' उद्गतः । एतेर्लटि मध्यमद्विवचने रूपम् । हे मित्रावरुणौ ! बाहूरूपौ ' गर्तं ' पुरुषम् 'आरोहतम्' पुरुषस्योपरि भवतमित्यर्थः । ' ततः ' अनन्तरम् ' अदितिम् ' अखण्डनीयाम्, पृथिवीरूपां स्वीयां प्रजां ' चक्षाथाम् ' पश्येताम् । ' दितिं ' खण्डनीयाम्, परामेताञ्च । तस्य तद्बाहुद्वयमेव स्वबलं रक्षति, परबलं हन्ति, अत एवमुच्यत इत्यध्यात्मविषयोऽर्थः ॥

आधिदैविके त्वयं विशेषः-' गर्तः ' रथः; हे ' मित्रावरुणौ ! ' हे देवते ! रथम् 'आरोहतम्' । ' ततः ' रथारोहणानन्तरम् ' अदितिम् ' अदीनं समर्थं विहितस्य कर्मणः कर्त्तारं पुरुषं पश्यतम्, 'दितिं' दीनं विवेकरहितमनुष्ठातारं च पश्यतमिति । तमिमं मन्त्रं बाहुद्वयपरत्वेन व्याचष्टे-बाहू वै मित्रेति । अन्तिमपादस्यार्थमाह-ततः पश्यतमिति । ' स्वं ' स्वीयम् ' अरणम् ' अरमणीयम्, परं च पश्यतमिति । ' अदिति ' शब्दस्य स्वोऽर्थः ' दिति ' शब्दस्य परोऽर्थः इति विभागः ॥ १९ ॥

एतेन मन्त्रेणोद्ग्रहणं दूषयति-नैतेनेति । स्वमतमाह-मित्रोऽसीति । एवकारोऽन्यमन्त्रनिवृत्त्यर्थः । मन्त्रस्तु पूर्वं व्याख्यातः । तमिमं मन्त्रं प्रशंसति बाहू वै मित्रेति ॥ १६ ॥

एवमूर्ध्वबाहुत्वेनैव स्थितस्य यजमानस्याभिषेको विधास्यते, तमिमं पुनः प्रशंसति-तद्यदेनमिति । एवकारो

तं वै प्राञ्चं तिष्ठन्तमभिषिञ्चति । पुरस्ताद्ब्राह्मणोऽभिषिञ्चत्यध्वर्युर्वा यो वाऽस्य पुरोहितो भवति पश्चादितरे ॥ १ ॥

सोमस्य त्वा द्युम्नेनाभिषिञ्चामीति । वीर्येणैतदाहाग्नेर्भ्राजसेति वीर्येणैवैतदाह सूर्यस्य वर्चसेति वीर्येणैवैतदाहेन्द्रस्येन्द्रियेणेति वीर्येणैवैतदाह क्षत्राणां क्षत्रपतिरेधीति राज्ञामधिराजऽएधीत्येवैतदाहाति दिद्यून्पाहीतीषवो वै दिद्यव ऽइषुवधमेवैनमेतदतिनयति तस्मादाहाति दिद्यून्पाहीति ॥ २ ॥

भवति-येनैनमेतदभिषिञ्चति । नेन्मऽइदं वीर्यम् । वीर्यमपां रसः सम्भृतो बाहू व्लिनादिति । तस्मादेनमूर्ध्वबाहुमभिषिञ्चति ॥ १७ ॥

तं वै प्राञ्चं तिष्ठन्तमभिषिञ्चति । पुरस्ताद्ब्राह्मणोऽभिषिञ्चति, अध्वर्युर्वा, यो वाऽस्य पुरोहितो भवति । पश्चादितरे ॥ १ ॥

" सोमस्य त्वा द्युम्नेनाभिषिञ्चामि "-इति । वीर्येणैतदाह । " अग्नेर्भ्राजसा "-इति ।

भिन्नक्रमः; ऊर्ध्वबाहुमेवेति योजना । राजन्यस्य बाहू एव वीर्ये । अभिषेचनीयपात्रेषु व्यासिक्तानामपां रसोऽपि वीर्यम्; वीर्योपादकत्वात् । अतः तेन रसेनाभिषेके ऊर्ध्वबाहुत्वमेव युक्तमित्यर्थः । तस्य कारणमाह—नेन्म इति । 'मे' मम 'इदं वीर्यं' वीर्यरूपौ 'बाहू' कर्म, वीर्यरूपः 'अपां रसः' 'नेत् व्लिनात्' न वर्जयेत् 'इति' अतो हेतोः 'ऊर्ध्वबाहुम्' एव अभिषिञ्चेदित्यर्थः ॥ १७ ॥

इति श्रीसायणाचार्यविरचिते माधवीये वेदार्थप्रकाशे माध्यन्दिनशतपथब्राह्मणभाष्ये पञ्चमकाण्डे चतुर्थाऽध्याये प्रथमं ब्राह्मणम् ॥ ५ । ४ । १) ॥

अथ द्वितीयब्राह्मणेऽभिषेक उच्यते । अत्र कात्यायनः—" स्थितं प्राञ्चमभिषिञ्चति पुरोहितोऽध्वर्युर्वा पुरस्तात् पालाशेन प्रथमम्, पश्चादितरे द्वितीयेन, स्वस्तृतीयेन, मित्र्यो राजन्यो वैश्यश्चतुर्थेन, सोमस्य त्वा द्युम्नेनेति प्रतिमन्त्रम्, अभिषिञ्चामीति सर्वत्र साकाङ्क्षत्वात्, क्षत्राणां क्षत्रपतिरेधीति चेमममुष्य "-(का. श्रौ. सू. १५ । १४९-१५२) ऊर्ध्वबाहुत्वेन स्थितं प्राङ्मुखं यजमानं पुरोहिताध्वर्य्वोरन्यतरो ब्राह्मणः सुन्वतः पुरोदेशे स्थित्वा पालाशेन पात्रेणाभिषिञ्चेत् । इतरे स्वादयस्त्रयोऽभिषिच्यमानस्य पश्चाद्भागे स्थित्वा स्वस्वपात्रेणाभिषिञ्चेयुः । तत्र " सोमस्य "-इत्यादयश्चत्वारो मन्त्राश्चतुर्णाम् । तत्राभिषिञ्चामीति प्रथममन्त्रगतस्य पदस्योत्तरेषु त्रिष्वनुषङ्गः; साकाङ्क्षत्वान्मन्त्राणाम् । " क्षत्राणां क्षत्रपतिरेधि "-इति च सर्वत्रानुषज्यते, " इमं देवा असपत्नम् "-इत्येष मन्त्रश्च । तत्र 'इमम्' 'अमुष्य'-इति स्थाने यष्टुस्तत्पितुश्च नाम गृह्णीयादिति सूत्रार्थः ॥

तमिमं क्रमेण विधत्ते—तं वै प्राञ्चमिति । तच्छब्दः प्रकृतवाची, ऊर्ध्वबाहुमित्यर्थः । 'प्राञ्चं' प्राङ्मुखं 'तिष्ठन्तम्' अभिषिञ्चेत्; 'पुरस्ताद्' अभिषिच्यमानस्य पुरोदेशे 'ब्राह्मणः' अभिषिञ्चेत्, 'इतरे' त्रयः 'पश्चात्' सुन्वतः पश्चिमभागे स्थित्वा अभिषिञ्चेयुः ॥ १ ॥

तत्र मन्त्रान् सार्थवादं विधत्ते—सोमस्येति । हे यजमान ! 'त्वा' त्वां 'सोमस्य' 'द्युम्नेन' द्योतन-

(ती) इमं देवाः । (ऽ) असपत्नꣳ सुवध्वमितीमं देवा ऽअभ्रातृव्यꣳ सुवध्वमित्येवैतदाह महते क्षत्राय महते ज्यैष्ठ्यायेति नात्र तिरोहितमिवास्ति महते जानराज्यायेति महते जनानाꣳ राज्यायेत्येवैतदाहेन्द्रस्येन्द्रियायेति वीर्यायेत्येवैतदाह यदाहेन्द्रस्येन्द्रियायेतीममुमुष्य पुत्रममुष्यै पुत्रमिति तद्यदेवास्य जन्म तत ऽएवैतदाहास्यै विश ऽइति यस्यै विशो राजा भवत्येष वोऽमी राजा सोमोऽस्माकं ब्राह्मणानाꣳ राजेति तदस्मा ऽइदꣳ सर्वमाद्यं करोति ब्राह्मणमेवापोद्धरति तस्माद्ब्राह्मणोऽनाद्यः सोमराजा हि भवति ॥ ३ ॥ [शतम् ३२००]

वीर्येणैवैतदाह । " सूर्यस्य वर्चसा "-इति । वीर्येणैवैतदाह । " इन्द्रस्येन्द्रियेण " इति । वीर्येणैवैतदाह । " क्षत्राणां क्षत्रपतिरेधि "-इति । राज्ञामधिराज एधीत्येवैतदाह । " अति दिद्यून्पाहि "-(वा. सं. १० । १७) इति । इषवो वै दिद्यवः । इषुवधमेवैनमेतदतिनयति । तस्मादाह-अति दिद्यून्पाहीति ॥ २ ॥

" इमं देवा असपत्नं सुवध्वम् "-इति । इमं देवा अभ्रातृव्यं सुवध्वमित्येवैतदाह । " महते क्षत्राय, महते ज्यैष्ठ्याय "-इति । नात्र तिरोहितमिवास्ति । " महते जानराज्याय "-इति । महते जनानां राज्यायेत्येवैतदाह । " इन्द्रस्येन्द्रियाय "-इति । वीर्यायेत्येवैतदाह-यदाह इन्द्रस्येन्द्रियायेति । " इमममुष्य पुत्रममुष्यै पुत्रम् "-इति । तद्यदेवास्य जन्म तत एवैतदाह । " अस्यै विशः "-इति । यस्यै विशो राजा भवति । " एष वोऽमी राजा सोमोऽस्माकं ब्राह्मणानां राजा "-(वा० सं० १० । १८) इति । तद् अस्माऽइदं सर्वमाद्यं करोति । ब्राह्मणमेवापोद्धरति । तस्माद्ब्राह्मणोऽनाद्यः । सोमराजा हि भवति ॥ ३ ॥

शीलया दीप्त्या अभिषिञ्चामीत्येको मन्त्रः । " अग्नेर्भ्राजसा "-इत्यपरः । अभिषिञ्चामीत्यनुषज्यते; वाक्यस्य साकाङ्क्षत्वात् । " सूर्यस्य वर्चसा " इति तृतीयः । ' वर्चसा ' रोचिषा । "इन्द्रस्येन्द्रियेण"-इति चतुर्थः । 'इन्द्रियेण' वीर्येण । सर्वशेषं मन्त्रभागद्वयमर्थपुरस्सरमाह-क्षत्राणामिति । ' क्षत्राणां ' बहूनां क्षत्रियाणां राज्ञां वा ' क्षत्रपतिः ' क्षत्रियस्य पतिः ' एधि ' भव । आवृत्तिवृत्तिभ्यां स्वामित्वं बहुत्वं च विवक्ष्यते । ' दिद्यून् ' बाधकानिषून् ' अति '-क्रम्य ' पाहि ' रक्ष, इषुभिर्न वाधो भवेदित्यर्थः ॥ २ ॥

सर्वत्रानुषज्यमानं मन्त्रान्तं सार्थवादं विधत्ते-इमं देवा इति । अयं मन्त्रः पूर्वमेवार्थवादवाक्येन च सह विस्पष्टं व्याख्यातः (श. प. ५।३।३।१२ भा.) ॥ ३ ॥

(त्यु) अथैतमभिषेकम्। (ङ्क्) कृष्णविषाणयाऽनुविमृष्टे व्वीर्यं वाऽएतदपाᳬ रसः सम्भृतो भवति येनैनमेतदभिषिञ्चतीदं मे व्वीर्यᳬ सर्व्वमात्मानमुपस्पृशादिति तस्माद्वा ऽअनुविमृष्टे ॥ ४ ॥

सोऽनुविमृष्टे। प्र पर्वतस्य व्वृषभस्य पृष्ठादिति यथाऽयं पर्वतोऽतिष्ठावा यथऽर्षभः पशूनतिष्ठावैवं वाऽएष इदᳬ सर्वमतितिष्ठत्यर्व्वागेवास्मादिदᳬ सर्व्वं भवति यो राजसूयेन यजते तस्मादाह प्र पर्वतस्य व्वृषभस्य पृष्ठान्नावश्चरन्ति स्वसिचऽ इयानाः। ता आववृत्रन्नधरागुदक्ता अहिं बुध्न्यमनुरीयमाणाऽ इति ॥ ५ ॥

अथैतमभिषेकं कृष्णविषाणयाऽनुविमृष्टे। वीर्यं वाऽएतदपां रसः सम्भृतो भवति—येनैनमेतदभिषिञ्चति। इदं मे वीर्यं सर्वमात्मानमुपस्पृशादिति। तस्माद्वाऽअनुविमृष्टे ॥ ४ ॥

सोऽनु विमृष्टे—"प्र पर्वतस्य वृषभस्य पृष्ठात्"—इति। यथाऽयं पर्वतोऽतिष्ठावा, यथऽर्षभः पशूनतिष्ठावा। एवं वा एष इदं सर्वमतितिष्ठति। अर्वागेवास्मादिदं सर्वं भवति यो राजसूयेन यजते। तस्मादाह—प्र पर्वतस्य वृषभस्य पृष्ठात्। "नावश्चरन्ति स्वासिच इयानाः, ता आववृत्रन्नधरागुदक्ता अहिं बुध्न्यमनुरीयमाणाः"—इति ॥ ५ ॥

विधत्ते—**अथैतमभिषेकमिति**। एवं क्रियमाणम् 'अभिषेकं' स्वदेहपतितमभिषेकजलमित्यर्थः। 'कृष्णविषाणया' कण्डूयन्या 'अनुविमृष्टे' प्रलिम्पति यजमानः। तमिमं वीर्यसम्पादनरूपेण प्रशंसति—**वीर्यं वा इति**। इदमभिषेकजलरूपं 'वीर्यं' 'मे' मम 'सर्वम् आत्मानम्' 'उपस्पृशात्' उपस्पृशतु 'इति' बुद्धया विमार्जनं कुर्यादित्यर्थः ॥ ४ ॥

तत्र मन्त्रं विधत्ते—**सोऽनुविमृष्टे प्र पर्वतस्येति**। या आपो 'वृषभस्य' वर्षणक्षमस्य 'पर्वतस्य'। पर्वत इति मेघनाम (निघं० १।१०।९)। मेघस्य 'पृष्ठात्' 'नावः' नाव्या इत्यर्थः, 'प्रचरन्ति'। कीदृश्यः 'स्वसिचः' स्वमात्मीयं यजमानशरीरं सिञ्चन्तीति स्वसिचः। 'इयानाः' गच्छन्त्यः, बाहुल्येन सर्वत्र प्रवहन्त्यः; 'ताः' आपः 'उदक्ताः' उत्क्षिप्ताः। उत्पूर्वस्याञ्चतेर्निष्ठायां रूपम्। इदानीम् 'अधराग्' अधोभागे 'अहिम्' आरभ्येति; अहिरुत्तमाङ्गम्। 'बुध्न्यम्' बुध्नस्य पादस्याग्रभागो बुध्न्यः, तम्। शिरःप्रभृति पादपर्यन्तम् 'अनु' अनुक्रमेण 'रीयमाणाः' लेपरूपेण स्रवन्त्यः, 'आववृत्रन्' यजमानशरीरं सम्यगावृत्य स्थिताः, तिष्ठन्तीति इत्याध्यात्मिकोऽर्थः। आधिदैविकस्तु 'पर्वतः' आदित्यः, 'वृषभस्य' 'पृष्ठात्' 'इयानाः' निर्गच्छन्त्यः, 'नावः' नाव्या आपः 'चरन्ति'। तथा च श्रुतिः—"नाव्या उ एव यजुष्मत्य इष्टकाः" इत्युपक्रम्य, "षष्टिश्च ह वै त्रीणि च शतान्यादित्यं नाव्या अभिक्षरन्ति"—(श. प. ब्रा. १०।१।४।१४) इति। 'ताः' प्रावृट्काले 'आववृत्रन्' 'आवर्त्तन्ते'; 'अधराग्' आदित्यमण्डलाद् भूमिं प्रति अधोगमन-

---

१—कण्डूयन्याऽभिषेकेण प्रलिंपते प्र पर्वतस्येति। का. श्रौ. सू. १५।१६१।

(त्यु) अुथैनमन्तुरेवु शार्दूलचर्म्मणि । व्विष्णुक्रमान्क्रमयति व्विुष्णो-र्व्विक्रुमणमसि व्विुष्णोर्व्विुक्रान्तमसि व्विुष्णोः क्रान्तुमसीतीमे वु लोका व्विुष्णोर्व्विक्रुमणं व्विुष्णोर्व्विुक्रान्तं व्विुष्णोः क्रान्तं तुदिमानेवु लोकान्त्स-माुरुह्य सुर्व्वमेुवेदमुपर्युपरि भवत्यर्व्वागेस्मादिदꣳ सुर्व्वं भवति ॥ ६ ॥

(त्यु) अुथ ब्राह्मणस्य पुात्रे । सꣳस्रवान्त्समुवनयति तुद्ब्राह्मणꣳ राजा-नमुनु युशः करोति तुस्माद्ब्राह्मणो राजानमुनुयुशः ॥ ७ ॥

अथैनमन्तरेव शार्दूलचर्मणि विष्णुक्रमान् क्रमयति–" विष्णोर्विक्रमणमसि विष्णोर्विक्रान्तमसि विष्णोः क्रान्तमसि "–(वा. सं. १० । १९) इति । इमे वै लोका विष्णोर्विक्रमणम्, विष्णोर्विक्रान्तम्, विष्णोः क्रान्तम् । तदिमानेव लोकान्त्समारुह्य सर्वमेवेदमुपर्युपरि भवति । अर्वागेवास्मादिदं सर्वं भवति ॥ ६ ॥

अथ ब्राह्मणस्य पात्रे संस्रवान्त्समवनयति । तद्ब्राह्मणं राजानमनु यशः करोति । तस्माद्ब्राह्मणो राजानमनु यशः ॥ ७ ॥

शीलाः, ' उदक् ' 'ताः' पूर्वं भूमेः सकाशात् आदित्यमण्डलं प्रति ' उदक् ' ऊर्ध्वगमनशीलाः ' अहिम् ' मेघम् ' बुध्नम्' अन्तरिक्षम्, तत्र भवम् 'बुध्न्यं' मध्यमस्थानम् 'अनुरीयमाणाः' अनुप्रविश्य तस्मान्निर्गच्छन्त्यः, भूमिं प्राप्नुवन्तीति शेषः ॥

मन्त्रस्य प्रथमपादस्य तात्पर्यमाह–**यथाऽयं पर्वत** इति । ' यथा पर्वतः ' ' अतिष्ठावा ' सर्वमतिक्रम्य स्थाता । तिष्ठतेः " आतो मनिन् "–इति (पा. सू. ३ । २ । ७४) इत्यादिना वनिप् । ' यथा ऋषभः ' पशूनतिक्रम्य तिष्ठति, एवमेष राजा तिष्ठति, सर्वस्योपरि भवति । ' अस्माद् ' यजमानात् ' इदं ' सर्वम् ' अर्वाक् ' भवति ' तस्मात् ' प्रपर्वतस्येति पाठः प्रशस्त इत्यर्थः ॥ ५ ॥

विधत्ते–**अथैनमिति**[1] । शार्दूलचर्ममध्ये एव यजमानं त्रीन् विष्णुक्रमान् क्रमयेदध्वर्युः । तत्र मन्त्रत्रयं विधत्ते–**विष्णोरिति** । एकैकस्य क्रमणस्यैकैको मन्त्र इत्यर्थः । ' विष्णोः ' यज्ञस्य यच्च ' विक्रमणं ' यच्च ' विक्रान्तं ' यच्च ' क्रान्तम्, ' तत्सर्वं त्वमसीति योजनीयाः । क्रमणत्रयं लोकत्रयात्मना प्रशंसति–**इमे वै लोका** इति ॥ ६ ॥

अथ स्वमित्रवैश्यपात्रत्रयशेषाणां पालाशपात्रे व्यासेचनं विधत्ते–**अथ ब्राह्मणस्येति**[2] । **तद् ब्राह्मणमिति** । ' तत् ' तेन व्यवनयनेन ' राजानम् ' ' अनु ' पश्चाद् ' ब्राह्मणं ' ' यशः ' यशस्विनं कृतवान् भवति । लोके हि राजा कीर्तिमान्, ब्राह्मणोऽपि तदनन्तरं कीर्त्तिमानित्युच्यते ॥ ७ ॥

१–चर्माणि त्रिर्व्विक्रमयति व्विष्णोरिति प्रतिमंत्रम् । का. श्रौ. सू. १५ । १६२ । २–पालाशे शेषानासिच्य । का० श्रौ० सू० १५ । १६३ ।

(स्तु) तद्यो॑ऽस्य पु॒त्रः प्रि॒यत॑मो भवति । तस्मा॑ऽएतत्पात्रं॒ प्रय॑च्छतीदं॒ मेऽयं॒ वी॒र्यं॑ पु॒त्रोऽनु॒संत॑नवदि॒ति ॥ ८ ॥

(त्यु) अथ॑ प्रति॒परे॑त्य गार्ह॑पत्यमन्वा॒रब्धे॑ जुहोति । प्रजा॑पते न त्वदे॒तान्य॒न्यो विश्वा॑ रू॒पाणि॒ परि॒ ता ब॑भूव ॥ यत्का॑मास्ते जुहु॒मस्तन्नो॑ऽअस्त्व॒यम॒मुष्य॑ पि॒तेति॒ तद्यः पु॒त्रस्तं॑ पि॒तरं॑ करोति॒ यः पि॒ता तं पु॒त्रं तदे॑न॒योर्वी॒र्ये॑ व्य॒तिष॑जत्य॒सावस्य॑ पि॒तेति॒ तद्यः पि॒ता तं पि॒तरं॑ करोति॒ यः पु॒त्रस्तं पु॒त्रं तदे॑न॒योर्वी॒र्ये॑ व्य॒तिषु॑ज्य पु॒नरे॑व यथाय॒थं क॑रोति व॒यꣳ स्या॑म॒ पत॑यो रयी॒णाꣳ स्वाहे॒त्याशी॑रे॒वैषैत॑स्य॒ कर्म॑ण ऽआ॒शिष॑मे॒वैत॒दाशा॑स्ते ॥ ९ ॥

तद्योऽस्य पुत्रः प्रियतमो भवति । तस्माऽएतत्पात्रं प्रयच्छति–"इदं मेऽयं वीर्यं पुत्रोऽनुसंतनवत्"–इति ॥ ८ ॥

अथ प्रतिपरेत्य गार्हपत्यमन्वारब्धे जुहोति–"प्रजापते न त्वदेतान्यन्यो विश्वा रूपाणि परि ता बभूव । यत्कामास्ते जुहुमः; तन्नोऽअस्त्वयममुष्य पिता"–इति । तद् यः पुत्रस्तं पितरं करोति । यः पिता तं पुत्रम् । तदेनयोर्वीर्ये व्यतिषजति । "असावस्य पिता"–इति । तद् यः पिता, तं पितरं करोति । यः पुत्रस्तं पुत्रम् । तदेनयोर्वीर्ये व्यतिषज्य पुनरेव यथायथं करोति । "वयं स्याम पतयो रयीणां स्वाहा"–इति । आशीरेवैषैतस्य कर्मणः । आशिषमेवैतदाशास्ते ॥ ९ ॥

विधत्ते–तद् योऽस्येति[1] । 'एतत्' संस्रवैः प्रासिक्तं ब्राह्मणस्य पालाशपात्रं राज्ञः प्रियतमाय पुत्राय प्रयच्छेत् । प्रदाने ब्राह्मणोक्तं मन्त्रमाह–इदं म इति । अत एव कात्यायनो मन्त्रं पपाठ–" पुत्राय प्रयच्छति प्रियतमायेदं मे कर्मेदं वीर्यं पुत्रोऽनुसन्तनोतु" (का. श्रौ. सू. १५।१६३) 'अयं' मे पुत्रः, 'मे' मम वीर्यरूपं कर्म 'अनुसन्तनोतु' विस्तारयत्विति ॥ ८ ॥

विधत्ते–अथ प्रतीति । 'गार्हपत्यं प्रतिपरेत्य'–प्रत्यङ्मुखो गत्वा 'अन्वारब्धे' प्रकृतत्वात्पुत्र इति गम्यते । अत्र सूत्रम् 'शालाद्वार्ये जुहोति पुत्रोऽन्वारब्धे प्रजापत इति' (का. श्रौ. सू. १५।१६४) इति । मन्त्रस्यार्थः–हे 'प्रजापते !' 'त्वदन्यः' कोऽपि पुरुषः उत्पन्नानि तानि 'एतानि' 'विश्वा' विश्वानि 'न परि बभूव' 'परिभवितुं' व्याप्तुं समर्थोऽभूत् । परिपूर्वो भवतिर्व्याप्त्यर्थे वर्त्तते । अतस्तेन वयं 'यत्कामा जुहुमः', 'तत्' फलमस्माकम् 'अस्तु' । वयं धनानां पतयः स्यामेति । अत्र तृतीयपादान्ते 'अयम् अमुष्य पिता', 'असौ अस्य पिता' 'इति' मन्त्रभाग आम्नातः । 'अयं' पुत्रः अभिमन्युः, 'अमुष्य' अर्जुनस्य 'पिता' 'इति' पूर्वं पितृशब्दं पुत्रे कृत्वा ब्रूयात्, पश्चात् 'असौ पिता' अर्जुनः 'अस्य' पुत्रस्याभिमन्योः 'पिता' इति 'यथायथं' ब्रूयादित्यर्थः । अत एव कात्यायनः–" प्रजापत इति पुत्रयजमानयोर्नाम गृह्णाति पितृशब्दं पुत्रे कृत्वा

1–पुत्राय प्रयच्छति । का. श्रौ. सू. १५ । १६३ ।

(स्तुेऽथ) अथ य॒ऽ एष स॑ꣳस्र॒वोऽतिरिक्तो भवति । तमाग्नीध्रीये जुहोत्य॒तिरिक्तो वा॒ऽएष स॑ꣳस्र॒वो भवत्यतिरिक्तऽ आग्नीध्रीयो गार्हपत्ये ह॒वीꣳषि श्रपयन्त्याहवनी॑ये जुह्वत्यथैषोऽतिरिक्तस्तदतिरिक्तऽएवैतदतिरिक्तं दधात्युत्तरार्धे॑ जुहोत्येषा ह्येतस्य देवस्य दिक्तस्मादुत्तरार्धे॑ जुहोति स जुहोति रुद्र य॒त्ते क्रिवि परं नाम तस्मिन्हुतमस्यमेष्टमसि स्वाहेति ॥ १० ॥

इति तृतीयप्रपाठके चतुर्थं ब्राह्मणम् ॥ ५-३-४ ॥ (४. २.) ॥

अथ य एष संस्रवोऽतिरिक्तो भवति- तमाग्नीध्रीये जुहोति । अतिरिक्तो वाऽएष संस्रवो भवति, अतिरिक्त आग्नीध्रीयः । गार्हपत्ये हवींषि श्रपयन्ति । आहवनीये जुह्वति । अथैषोऽतिरिक्तः । तस्मादतिरिक्तऽएवैतदतिरिक्तं दधाति । उत्तरार्द्धे जुहोति । एषा ह्येतस्य देवस्य दिक् । तस्मादुत्तरार्धे जुहोति । स जुहोति-" **रुद्र यत्ते क्रिवि परं नाम-तस्मिन् हुतमस्यमेष्टमसि स्वाहा** "-(वा० सं० १० । २०) इति ॥ १० ॥

यथायथं पश्चात्"-(का.श्रौ.सू.१५।१६४)इति । तमिमं पादत्रयपुरस्सरं पठति-**प्रजापत इति** । तत्रायममुष्य पितेत्यस्यार्थमाह-**तद्यः पुत्रः** इति । पुत्रं पितरं, पितरं पुत्रं कृत्वा पठेदित्यर्थः । तदेतेन पुत्रस्य पितृकरणेन पितुश्च पुत्रकरणेन एनयोः पितापुत्रयोः वीर्यं ' व्यतिषजति'परस्परं संसृष्टं कृतवान् भवति । असावस्य पितेत्यस्यार्थमाह-**तद्यः पितेति** । अत्र पितुरेव पितृत्वम्, पुत्रस्यैव पुत्रत्वम् । अनेनैतयोर्वीर्यं पूर्वं व्यतिषज्य पश्चाद् यथा पुत्रस्य वीर्यं पुत्र एव, पितुर्वीर्यं पितर्येव कृतवान् भवतीत्यर्थः । अन्तिमपादस्याशीःपरत्वं दर्शयति-**आशीरेवैषेति** ॥ ९ ॥

पालाशपात्रशेषस्य आग्नीध्रीये ऋचा हवनं विधत्ते-**अथ य एष संस्रव** इति । अतिरिक्तस्य शेषस्य आग्नीध्रीये हवनस्योपपत्तिं दर्शयति-**अतिरिक्त** इति । तदेवोपपादयति-**गार्हपत्ये हवीꣳषीति** । गार्हपत्ये सर्वेषां हविषां श्रपणम्, आहवनीये तेषां होमः; अतः श्रपणहवनयोरनुपयुक्तत्वादाग्नीध्रीयोऽतिरिक्त इत्यर्थः । प्रदेशविशेषं विधत्ते-**उत्तरार्द्धे इति** । अस्य रुद्रसम्बन्धं दर्शयति-**एषा हीति** । ' एतस्य देवस्य ' रुद्रस्येत्यर्थः । होममनूद्य मन्त्रं विधत्ते-**स जुहोतीति** । हे ' रुद्र !' रुत् सांसारिकं दुःखं द्रावयतीति, तस्य सम्बुद्धिः । ' ते ' तव ' परम् ' उत्कृष्टं ' यत् नाम ' " नमः शिवाय "-" पशुपतये "-इत्यादि श्रुतिप्रसिद्धम् (वा. सं. १६ । ४० । ४१) (तै. सं. ४ । ५ । ८ । १) ' क्रिवि ' " कृवि हिंसाकरणयोः " (धा. पा. भ्वा. प. ५९८) विरोधिनो हिंसकमसि, ' तस्मिन् ' नाम्नि ' हुतमसि ' अभिषेकशेषभूतमुख्यपात्रस्थजल ! त्वं हुतं भवेति जलं सम्बुध्यार्थ उन्नेयः । **अमेष्टमसीति** । ' अमा '-शब्दोऽत्र गृहवचनः । मदीये गृहे त्वम् इष्टं भव । ' स्वाहा ' सुहुतमस्त्विति (तै. सं. १ । ८ । १४ । १-२) ॥ १० ॥

इति श्रीसायणाचार्यविरचिते माधवीये वेदार्थप्रकाशे माध्यन्दिनीयशतपथब्राह्मणभाष्ये पञ्चमकाण्डे चतुर्थाऽध्याये द्वितीयं ब्राह्मणम् ॥ (५-४-२) ॥

१-आग्नीध्रीये पालाशेन शेषान् जुहोति रुद्र यत्त इत्युत्तरार्द्धे । का. श्रौ. सू. १५ । १६५ ।

तद्योऽस्य स्वो भवति। तस्य शतं वा परःशता वा गाऽ उत्तरेणाहवनी-
यꣳ सꣳस्थापयति तद्यदेवं करोति ॥ १ ॥

व्वरुणाद्ध वाऽअभिषिषिचानात्। (दि) इन्द्रियं व्वीर्यमपचक्राम शश्वद्ध
ऽएषोऽपाꣳ रसः सम्भृतो भवति येनैनमेतदभिषिञ्चति सोऽस्येन्द्रियं
व्वीर्यं निर्जघान तत्पशुष्वन्वविन्दत्तस्मात्पशवो यशो यदेष्वन्वविन्दत्तत्प-
शुष्वनुविद्येन्द्रियं व्वीर्यं पुनरात्मन्नधत्त तथोऽएवैषऽ एतन्नाहैवास्मान्वि-
न्द्रियं व्वीर्यमपक्रामति व्वरुणसवो वाऽएष यद्राजसूयमिति व्वरुणो-
ऽकरोदिति त्वेवैषऽ एतत्करोति ॥ २ ॥

अथ अभिषेकोत्तरकर्माणि।

तद्योऽस्य स्वो भवति—तस्य शतं वा परःशता वा गा उत्तरेणाहवनीयं संस्थापयति। तद् यदेवं करोति ॥ १ ॥

वरुणाद्ध वा अभिषिषिचानादिन्द्रियं वीर्यमपचक्राम। शश्वद्ध एषोऽपां रसः सम्भृतो भवति—येनैनमेतदभिषिञ्चति—सोऽस्येन्द्रियं वीर्यं निर्जघान। तत्पशुष्वन्वविन्दत्। तस्मात्पशवो यशः। यदेष्वन्वविन्दत्। तत् पशुष्वनुविद्येन्द्रियं वीर्यं पुनरात्मन्नधत्त। तथोऽएवैष एतत्। नाहैवास्मान्निन्द्रियं वीर्यमपक्रामति। वरुणसवो वाऽएष यद्राजसूयमिति। वरुणोऽकरोदिति त्वेवैष एतत्करोति ॥ २ ॥

कात्यायनः—"गवाꣳ शतमधिकं वा स्वस्याहवनीयस्योत्तरतः स्थापयति"—(का. श्रौ. सू. १५। १६६) इति। 'स्वस्य' ज्ञातेः भ्रातुः, तदर्थमाहवनीयस्योत्तरप्रदेशे शतसङ्ख्या अधिका वा गाः स्थापयेदिति। तदिदं सार्थवादं विधत्ते—तद्योऽस्य स्वो भवतीति। 'परःशताः' शताधिका इत्यर्थः। 'एवं' पशुसंस्थापनरूपं कर्म 'करोति' इति 'यत्' एतत् 'तत्' 'तथो' तथैव, वरुणेन कृतत्वादित्युत्तरत्र सम्बन्धः ॥ १ ॥

वरुणादिति। पूर्वं राजसूयेऽभिषिच्यमानाद् 'वरुणाद्' 'इन्द्रियं' 'वीर्यम्' 'अपचक्राम' अपसृतम्। वीर्यापसरणे कारणमाह—शश्वद्ध एष इति। 'शश्वत्' निश्चितं 'सम्भृतः' 'अपां रसः' 'येन' सम्भृतेन रसेन इदानीमध्वर्युः 'अभिषिञ्चति' 'सः' रसः 'अस्य' वरुणस्य 'वीर्यं' 'निर्जघान' हतवान्। वरुणः 'पशुषु' 'अन्वविन्दत्' अलभत। 'तस्मात्' पशूनां यशोरूपत्वम्; पशुत एव यशःसम्भवात्। तल्लब्धं वीर्यं वरुणः 'पुनः' आत्मनि स्थापितवान्। 'तथो' तेनैव प्रकारेण 'एषः' यजमानोऽपि 'एतत्' पशुसंस्थापनेन 'इन्द्रियं' 'वीर्यम्' आत्मनि धत्ते। तदेव व्यतिरेकमुखेनाह—नाहैवास्मादिति। 'अह' शब्दः प्रसिद्धिवाची। तस्मादेवं पशुनिधानरूपं कर्म कुर्वतः सुन्वतः सकाशात् 'वीर्यम्' 'न अपक्रामति' नापसरति। राजसूयमिति यत्, तद्वरुणसवः; राजसूये वरुण एवमकरोदिति बुध्या 'एषः' यजमानोऽपि 'एतत्' 'करोति' 'यत्'—इति सङ्ग्रहार्थः ॥ २ ॥

(त्यु) अथ रथमुपावहरति । यद्वै राजन्यात्पराग्भवति रथेन वै तद-नुयुङ्क्ते तस्माद्रथमुपावहरति ॥ ३ ॥

सऽ उपावहरति । (ती) इन्द्रस्य व्वज्रोऽसीति व्वज्रो वै रथ इन्द्रो वै यजमानो द्वयेन वाऽएषऽ इन्द्रो भवति यच्च क्षत्रियो यदु च यजमानस्तस्मा-दाहेन्द्रस्य व्वज्रोऽसीति ॥ ४ ॥

तमन्तर्व्वेद्यभ्यववर्त्य युनक्ति । मित्रावरुणयोस्त्वा प्रशास्त्रोः प्रशिषा युनज्मीति बाहू वै मित्रावरुणौ बाहुभ्यां वै राजन्यो मैत्रावरुणस्तस्मा-दाह मित्रावरुणयोस्त्वा प्रशास्त्रोः प्रशिषा युनज्मीति ॥ ५ ॥

अथ रथमुपावहरति । यद्वै राजन्यात्पराग्भवति रथेन वै तदनुयुङ्क्ते । तस्माद्रथमुपावहरति ॥ ३ ॥

स उपावहरति–" **इन्द्रस्य वज्रोऽसि** "–इति । वज्रो वै रथः । इन्द्रो वै यजमानः । द्वयेन वाऽएष इन्द्रो भवति–यच्च क्षत्रियः, यदु च यजमानः । तस्मादाह–इन्द्रस्य वज्रोऽसीति ॥ ४ ॥

तमन्तर्वेद्यभ्यववर्त्य युनक्ति–" **मित्रावरुणयोस्त्वा प्रशास्त्रोः प्रशिषा युनज्मि** "–इति । बाहू वै मित्रावरुणौ । बाहुभ्यां वै राजन्यो मैत्रावरुणः । तस्मादाह–मित्रावरुणयोस्त्वा प्रशास्त्रोः प्रशिषा युनज्मीति ॥ ५ ॥

अथ रथोपावहरणं विधत्ते–**अथ रथमिति** । रथोपावहरणं प्रशंसति–**यद्वै राजन्यादिति** । 'यद्' वस्तु 'राजन्यात्' 'पराक्' पराचीनमवशम् अस्ति, 'तत्' एतत् अनेन 'रथेन' 'अनुयुङ्क्ते' अनुकूलं स्वाधीनं कुर्यात् । तस्माद् रथ उपावहर्त्तव्य इत्यर्थः ॥ ३ ॥

मन्त्रं विधत्ते–**स उपावहरतीति**[1] । इन्द्रस्येति । (श. प. ५।१।४।३। भा.) वाजपेये व्याख्यातः रथ-यजमानयोर्वज्रेन्द्रात्मकत्वमुपपादयति–**वज्रो वा** इति ॥ ४ ॥

रथस्य वज्रात्मकत्वमुक्तम् (श. प. ५।१।४।३।), तस्य प्रदेशविधानपुरस्सरमश्वयोर्योजनं समन्त्रकं विधत्ते–**तमन्तर्वेदीति**[2] । 'अन्तर्वेदि' वेदिमध्ये 'अभ्यावर्त्य' अभिमुखमानीय दक्षिणस्यां वेदिश्रोणौ युञ्ज्या-दित्यर्थः । हे रथ ! त्वां 'प्रशास्त्रोः' अनुशासकयोः आज्ञापयित्रोः 'मित्रावरुणयोः' 'प्रशिषा' प्रशासनेन यज्ञसम्बन्धनिमित्तं 'युनज्मि' अश्वैः संयोजयामि 'इति' । मित्रावरुणशब्दार्थमाह–**बाहू वा इति** ॥ ५ ॥

१–व्वाजपेयवद्रथमवहृत्य का. श्रौ. सू. १५ । १६८ । मरुत्वतीयांत इंद्रस्य व्वज्र इति रथावहरणम् । का. श्रौ. सू. १४।५।७ ।
२–दक्षिणस्यां व्वेदिश्रोणौ युनक्ति पूर्ववन्मित्रावरुणयोरिति चतुर्भिः । का० श्रौ० सू० । १५ । १६६ ।

तं चतुर्युजं युनक्ति । स जघनेन सदोऽग्रेण शालां येनैव दक्षिणा यन्ति तेन प्रतिपद्यते तं जघनेन चात्वालमग्रेणाग्नीध्रमुद्यच्छति ॥ ६ ॥

तमातिष्ठति । (त्यु) अव्यथायै त्वा स्वधायै त्वेत्युनार्त्यै त्वेत्येवैतदाह यदाहाव्यथायै त्वेति स्वधायै त्वेति रसाय त्वेत्येवैतदाहारिष्टोऽअर्जुन ऽइत्युर्जुनो ह वै नामेन्द्रो यदस्य गुह्यं नाम द्वयेन वाऽएषऽइन्द्रो भवति यच्च क्षत्रियो यदु च यजमानस्तस्मादाहारिष्टोऽअर्जुन इति ॥ ७ ॥

(त्यु) अथ दक्षिणायुग्यमुपार्षति । मरुतां प्रसवेन जयेति विशो वै

तं चतुर्युजं युनक्ति । स जघनेन सदोऽग्रेण शालां येनैव दक्षिणा यन्ति; तेन प्रतिपद्यते । तं जघनेन चात्वालम् अग्रेणाग्नीध्रमुद्यच्छति ॥ ६ ॥

तमातिष्ठति । " अव्यथायै त्वा स्वधायै त्वा " इति । अनार्त्यै त्वेत्येवैतदाह–यदाह–अव्यथायै त्वेति । स्वधायै त्वेति । रसाय त्वेत्येवैतदाह । " अरिष्टोऽअर्जुनः "–इति । अर्जुनो ह वै नामेन्द्रो–यदस्य गुह्यं नाम । द्वयेन वाऽएष इन्द्रो भवति–यच्च क्षत्रियो, यदु च यजमानः । तस्मादाह–अरिष्टो अर्जुन इति ॥ ७ ॥

अथ दक्षिणायुग्यमुपार्षति–" मरुतां प्रसवेन जय "–इति । विशो वै मरुतः । विशा वै तत् क्षत्रियो जयति यज्जिगीषति । तस्मादाह–मरुतां प्रसवेन जयेति ॥ ८ ॥

रथस्याश्वचतुष्टयोपेतत्वं विधत्ते–तं चतुर्युजमिति । दक्षिणापथेन गमनं विधत्ते–स जघनेनेति[१] । 'सः' अध्वर्युः 'सदो जघनेन' सदोमण्डपस्य पश्चिमभागे 'शालामग्रेण' प्राग्वंशस्याग्रभागे 'येनैव' येन मार्गेण 'दक्षिणाः' दक्षिणार्थं दीयमाना गावः 'यन्ति' गच्छन्ति, 'तेन प्रतिपद्यते' रथेन सहितं प्रविशेदित्यर्थः । " दक्षिणेन वेदिं दक्षिणा उपतिष्ठन्ते " इति चतुर्थकाण्डे दक्षिणागमनमुक्तम् (श. प. ४ । ३ । ४ । १४) । रथसंस्थापनस्य प्रदेशविशेषं विधत्ते–तं जघनेनेति । आग्नीध्रचात्वालयोर्मध्यदेशे रथम् 'उद्यच्छति' ऊर्ध्वमुखं स्थापयेत् ॥ ६ ॥

अथ यजमानस्य रथारोहणं समन्त्रकं विधत्ते–तमातिष्ठतीति[२] । 'आतिष्ठति' आरोहेदित्यर्थः । 'अव्यथायै' " व्यथ भयसंचलनयोः " (धा. पा. भ्वा. प. ७६९ ।) अभयाय 'त्वा' त्वाम्, आतिष्ठामीति शेषः । 'स्वधायै' अन्नाय त्वामातिष्ठामि ' इति । 'अर्जुन इति ' इन्द्रस्य प्रियं नाम; इन्द्रात्मकोऽहमातिष्ठामीति सम्बन्धः ॥

मन्त्रं पदशोऽनूद्य व्याचष्टे–अनार्त्यै त्वेति । अर्जुनपदस्येन्द्रवाचकत्वं दर्शयति–अर्जुनो ह वा इति । 'इन्द्रस्य' 'गुह्यं' गूढं नामधेयम्, तस्मात् अर्जुन इन्द्रः ! अस्त्विन्द्रस्यार्जुननामधेयम्, प्रकृते किमायातमित्याशङ्क्य, यष्टुरिन्द्रात्मकत्वमाह–द्वयेन वा इति । क्षत्रसम्बन्धात् यष्टृत्वाच्च सुन्वत इन्द्रत्वम्; तस्मान्मन्त्रे अर्जुनपदेन यजमानाभिधानं युज्यत इत्यर्थः ॥ ७ ॥

अथ दक्षिणभागे युक्तस्याश्वस्य प्राजनं समन्त्रकं विधत्ते–अथ दक्षिणेति[३] । 'उपार्षति' " ऋषी

१–दक्षिणापथेन आग्नीध्रापरेण चात्वाल ऽस्थापयति । का. श्रौ. सू. १५ । १६९ । २–अव्यथायै त्वेति सुन्वन्नारोहति । का. श्रौ. सू. १५ । १७० । ३–मरुतामिति दक्षिणाधुर्यं प्राजति । का० श्रौ० सू० १५ । १७१ ।

मरुतो व्विशा वै तत्क्षत्रियो जयति यञ्जिगीषति तस्मादाह मरुतां प्रस-
वेन जयेति ॥ ८ ॥

(त्यु) अथ मध्ये गवामुद्यच्छति । (त्या) आपाम मनसेति मनसा
वाऽइदᳫँ सर्व्वमाप्तं तन्मनसैवैतत्सर्व्वमाप्नोति तस्मादाहापाम मनसेति ॥ ९ ॥
(त्यु) अथ धनुरार्त्न्या गामुपस्पृशति । समिन्द्रियेणेतीन्द्रियं वै व्वीर्यं
गाव ऽइन्द्रियमेवैतद्वीर्यमात्मन्धत्तेऽथाह जिनामीमाः कुर्व्वऽइमाऽ इति ॥ १० ॥
तद्यत्स्वस्य गोषूद्यच्छति । यद्वै पुरुषात्पराग्भवति यशो वा किंचिद्वा

अथ मध्ये गवामुद्यच्छति–" आपाम मनसा "–इति । मनसा वाऽइदं सर्वमाप्तम् । तन्मनसै-
वैतत्सर्वमाप्नोति । तस्मादाह–आपाम मनसेति ॥ ९ ॥

अथ धनुरार्त्न्या गामुपस्पृशति–" समिन्द्रियेण "–(वा. सं. १० । २१) इति । इन्द्रियं वै
वीर्यम्-गावः । इन्द्रियमेवैतद्वीर्यमात्मन्धत्ते । अथाह–" जीनामीमाः कुर्वऽइमाः "इति ॥ १० ॥

तद् यत्स्वस्य गोषूद्यच्छति, यद्वै पुरुषात्पराग्भवति यशो वा किञ्चिद्वा स्वं हैवास्य तत् । प्रतमा-
मिवाभ्यपक्रामति । तत् स्वादेवैतादिन्द्रियं वीर्यं पुनरात्मन्धत्ते । तस्मात्स्वस्य गोषूद्यच्छति ॥ ११ ॥

गतौ " (धातु. तु. प. ७ ।), प्राजतीत्यर्थः । हे अश्व ! ' मरुतां ' विद्युद्रूपाणां ' प्रसवेन ' प्रेरणया ' जय '
सर्वं स्वाधीनं कुर्विति ॥

मन्त्रं व्याचष्टे–विशो वा इति । यद् राज्ञा जेतव्यमस्ति, तद् ' विशा ' प्रजया ' जयति '; तस्माद् विड्रूप-
मरुत्प्रतिपादनमन्त्रो युक्तः ॥ ८ ॥

विधत्ते–अथ मध्य इति[1] । ' गवां ' पूर्वं स्थापितानां ' मध्ये ' ' उद्यच्छति ' स्थापयति । ' मनसा '
' आपाम ' आप्तवन्तो भवाम । आप्नोतेर्लुङि लृदित्त्वाच्च्लेरङि कृते रूपम् । मन्त्रस्य तात्पर्यमाह–
मनसा वा इति ॥ ९ ॥

अथ धनुष्कोट्या स्वानां स्थापितानां गवां मध्ये एकस्याः स्पर्शनं समन्त्रकं विधत्ते–धनुरिति (का. श्रौ.
सू. १५ । १७३) । इन्द्रियेण बलेन सङ्गता भवामः । इन्द्रियं वा इति । " समिन्द्रियेण " इति मन्त्रेण
गोरुपस्पर्शने इन्द्रियस्यैव वीर्यस्य धारणं कृतं भवतीत्यर्थः । शिष्टानां गवां स्वाधीनकरणार्थं ' जिनामि ' इति
ब्रूयात् । इदं ब्राह्मणोक्तं वाक्यम्, न तु मन्त्रः । तस्यायमर्थः–' ' इमाः ' गाः ' जिनामि ', अपि चेमाः 'कुर्वे'
स्वाधीनाः करवा इति । " ज्या वयोहानौ ", (धा. पा. क्र्या. प. २७) " ग्रहिज्या " इत्यादिना (पा. सू. ६।
१।१६) सम्प्रसारणम् । अत्र सूत्रम्–" धनुरार्त्न्योपस्पृशति गां यजमानः समिन्द्रियेणेति । जिनामीमाः कुर्व
इमा इति चाह " (का. श्रौ. सू. १५।१७३।१७४) इति ॥ १० ॥

स्वानां स्थापितासु गोषु रथस्य स्थापनं प्रशंसति–तद्यदिति । ' यद् ' वस्तु ' पुरुषात् ' ' पराक् ' परा-

---

१–गवाम्मध्ये स्थापयत्यापामेति । का. श्रौ. सू. १५ । १७२ ।

स्वꣳ हैवास्य तत्प्रतमामिवाभ्युपक्रामति तत्स्वादेवैतदिन्द्रियं वीर्यं पुनरात्मन्धत्ते तस्मात्स्वस्य गोषूद्यच्छति ॥ ११ ॥

तस्मै तावन्मात्रीर्वा भूयसीर्वा प्रतिददाति । न वाऽएष क्रूरकर्मणे भवति यद्यजमानः क्रूरमिव वाऽएतत्करोति यदाह जिनामीमाः कुर्वऽइमाऽ इति तथो हास्यैतदक्रूरं कृतं भवति तस्मात्तावन्मात्रीर्वा भूयसीर्वा प्रतिददाति ॥ १२ ॥

(त्यु) अथ दक्षिणानायच्छति । सोऽग्रेण यूपं दक्षिणेन वेदिं येनैव दक्षिणा यन्ति तेन प्रतिपद्यते तं जघनेन सदोऽग्रेण शालामुद्यच्छति ॥ १३ ॥

तस्मै तावन्मात्रीर्वा भूयसीर्वा प्रतिददाति । न वाऽएष क्रूरकर्मणे भवति यद्यजमानः । क्रूरमिव वाऽएतत्करोति यदाह—जिनामीमाः कुर्वऽइमा इति । तथो हास्यैतदक्रूरं कृतं भवति । तस्मात्तावन्मात्रीर्वा भूयसीर्वा प्रतिददाति ॥ १२ ॥

अथ दक्षिणानायच्छति । सोऽग्रेण यूपं दक्षिणेन वेदिम्—येनैव दक्षिणाः यन्ति—तेन प्रतिपद्यते । तं जघनेन सदः, अग्रेण शालामुद्यच्छति ॥ १३ ॥

धीनं बहिर्मुखं नष्टं ' भवति ' । किं तत् ? तदाह—**यशो वा किञ्चिदिति** । तद् यशआदिकं ' किञ्चित् ' अन्यत् ' स्वं ' स्वीयं वस्तु अभिलक्ष्य ' प्रतमां ' प्रकर्षेण गच्छति । ' तद् ' अनेन ' अस्य ' ज्ञातेर्गोषु स्थापनेन पराङ्मुखं वीर्यं ' स्वात् ' ज्ञातेः सकाशात् पुनः स्वाधीनं कृतवान् भवतीत्यर्थः ॥ ११ ॥

अथ स्थापितानां गवां स्वामिने स्वाय, अन्यासां तावतीनां गवां प्रतिदानं दर्शयति—**तस्मै तावन्मात्रीरिति** । यावत्सङ्ख्याकाः पूर्वमाहवनीयस्योत्तरतो गा अवस्थापिताः, 'तावन्मात्रीः' तावत् परिमाणं यासांताः तावन्मात्र्यः । प्रमाणे मात्रच्–प्रत्ययः (पा. सू. ५ । २।३७) "टिड्ढाणञ्" इति सूत्रेण ङीप् (पा. सू. ४।१।१५)। ' भूयसीः ' ततोऽप्यधिकाः । प्रतिदानं प्रशंसति—**न वा एष क्रूरेति** । **यजमान** इति । यत् एष क्रूरकर्मणे न भवति इत्यन्वयः। यजमानेनान्यस्य प्रीतिजनकं कर्म कर्त्तव्यम् । किं तत् क्रूरकर्मेति तद् दर्शयति—**यदाह जिनामीति** । तस्माद्गोस्वामिने स्वाय अन्यास्तावतीः[1]' भूयसीर्वा ' गाश्च दत्त्वा वेदिमध्ये स्थितानां गवां स्वाधीनकरणेन क्रूरं कर्म न कृतं भवतीत्यर्थः ॥ १२ ॥

आहवनीयस्योत्तरतः स्थापितानां गवां मध्ये दक्षिणतोऽश्वानां स्थापनं विधत्ते—**अथ दक्षिणानिति** । यूपस्य पूर्वतो वेदेर्दक्षिणतः ' दक्षिणान् ' दक्षिणदिङ्मुखानश्वान् आयच्छेत् । अथान्तःपात्यदेशे रथस्य स्थापनं विधातुमुदगमनमार्गमाह—**सोऽग्रेणेति** । अनेन मार्गेण रथं प्रदक्षिणमावर्त्य । **येनैव दक्षिणा** इति ।

१–तावद्भूयो वा गोस्वामिने दत्त्वा । का. श्रौ. सू. १५ । १७५ ।

मा तऽइन्द्र ते व्वयं तुराषाट् । (ङ) अयुक्तासो ऽअब्रह्मता व्विदसाम ॥ तिष्ठा रथमधि यं व्वज्रहस्ता रश्मीन्देव यमसे स्वश्वानित्युद्यच्छत्येवैतया-ऽभीशवो वै रश्मयस्तस्मादाहा रश्मीन्देव यमसे स्वश्वानित्यथ रथविमो-चनीयानि जुहोति प्रीतो रथो व्विमुच्याताऽइति तस्माद्रथविमोचनी-यानि जुहोति ॥ १४ ॥

स जुहोति । (त्य) अग्नये गृहपतये स्वाहेति स यदेवाग्नेयꣳ रथस्य तदेवैतेन प्रीणाति व्वहा वाऽआग्नेया रथस्य व्वहानेवैतेन प्रीणाति श्रीर्व्वै गार्हपतं यावतोयावत ऽईष्टे तच्छ्रियमेवास्यैतद्गार्हपतꣳ राज्यमभि-विमुच्यते ॥ १५ ॥

" मा त इन्द्र ते वयं तुराषाट्, अयुक्तासोऽअब्रह्मता विदसाम । तिष्ठा रथमधि यं वज्रहस्ता रश्मीन्देव यमसे स्वश्वान् "–(वा. सं. १० । २२) इति । उद्यच्छत्येवैतया । अभीशवो वै रश्मयः । तस्मादाह–आ रश्मीन्देव यमसे स्वश्वानिति । अथ रथविमोचनीयानि जुहोति । प्रीतो रथो विमुच्याताऽइति । तस्माद्रथविमोचनीयानि जुहोति ॥ १४ ॥

स जुहोति–" **अग्नये गृहपतये स्वाहा** "–(वा. सं. १० । २३) इति । स यदेवाग्नेयं रथस्य तदेवैतेन प्रीणाति । वहा वाऽआग्नेयाः रथस्य । वहानेवैतेन प्रीणाति । श्रीर्वै गार्हपतम् । यावतो-यावत ईष्टे–तच्छ्रियमेवास्यैतद्गार्हपतं राज्यमभिविमुच्यते ॥ १५ ॥

दक्षिणागमनमार्गस्तु पूर्वमेवोक्तः । सदसः पश्चिमे, शालायाः पूर्वदेशे रथम् ' उद्यच्छति ' स्थापयेत् । सूत्रितं हि–" पूर्वेण यूपं परीत्यान्तःपात्यदेशे स्थापयति मा त इति " ॥ १३ ॥

मा त इति–मन्त्रस्यायमर्थः;–हे ' वज्रहस्त ! ' ' यं रथम् ' ' अधितिष्ठ ' अधितिष्ठसि, हे ' देव ! ' यस्मिंश्च त्वमवस्थितः ' स्वश्वान् ' शोभनाश्वान् ' रश्मीन् ' ' आयमसे ' नियच्छसि । हे ' तुराषाट् ! ' तूर्णं सहत इति तुराषाट्, तस्य सम्बुद्धिः, हे ' इन्द्र ! ' ' ते ' तव स्वभूते ' रथे ' ' अयुक्तासः ' संयोगरहिता वयम् ' अब्रह्मता ' अब्रह्मत्वम् ' विदसाम ' । विदेर्लेटि सिचि, " लेटोऽडाटौ " (पा. सू. ३ । ४ । ७ ; २ । १ । ३४ ; ३ । ४ । ९७ । ; ३ । ४ । ९४) इत्यडाटौ " च, विदेम । तव रथे अयुक्ताः वयं ब्रह्मवर्चसम् न लभामहे, किन्तु युक्ताः सन्तो ब्रह्मवर्चसमेव लभेमहीत्यर्थः । रश्मिपदस्यार्थमाह–**अभीशव** इति ॥

रथविमोचनीयहोमं विधत्ते–**अथ रथेति**[1] । रथः होमेन ' प्रीतः ' सन् ' विमुच्याति ' विमुक्तो भवत्विति ॥ १४ ॥

होममनूद्य चतुरो मन्त्रान् सार्थवादं पृथग् विधत्ते–**स जुहोत्यग्नय** इति । चतुर्णां मन्त्राणामयमर्थः– ' गृहपतये अग्नये ' ' स्वाहा ' सुहुतमस्तु । ' वनस्पतये ' वनस्पतिगुणकाय ' सोमाय स्वाहा ' ' मरुतां '

१–अग्नये गृहपतय इति चत्वारि रथविमोचनीयानि जुहोति प्रतिमंत्रम् । का० श्रौ० सू० १५ । १७६ ।

सोमाय व्वनस्पतये स्वाहेति । द्वयानि वै व्वानस्पत्यानि चक्राणि रथ्यानि चानसानि च तेभ्यो न्वेवैतदुभयेभ्योऽरिष्टिं कुरुते सोमो वै व्वनस्पतिः स यदेव व्वानस्पत्यꣳ रथस्य तदेवैतेन प्रीणाति दारूणि वै व्वानस्पत्यानि रथस्य दारूण्येवैतेन प्रीणाति क्षत्रं वै सोमः क्षत्रमेवास्यैतद्राज्यमभिविमुच्यते ॥ १६ ॥

मरुतामोजसे स्वाहेति । स यदेव मारुतꣳ रथस्य तदेवैतेन प्रीणाति चत्वारोऽश्वा रथः पञ्चमो द्वौ सव्यष्टृसारथी ते सप्त सप्त सप्त वै मारुतो गणः सर्व्वमेवैतेन रथं प्रीणाति व्विशो वै मरुतो व्विशमेवास्यैतद्राज्यमभिविमुच्यते ॥ १७ ॥

"**सोमाय वनस्पतये स्वाहा**"–(वा. सं. १० । २३) इति । द्वयानि वै वानस्पत्यानि चक्राणि–रथ्यानि च आनसानि च । तेभ्यो न्वेवैतदुभयेभ्योऽरिष्टिं कुरुते । सोमो वै वनस्पतिः । स यदेव वानस्पत्यं रथस्य–तदेवैतेन प्रीणाति । दारूणि वै वानस्पत्यानि रथस्य । दारूण्येवैतेन प्रीणाति । क्षत्रं वै सोमः । क्षत्रमेवास्यैतद्राज्यमभिविमुच्यते ॥ १६ ॥

"**मरुतामोजसे स्वाहा**"–(वा० सं० १० । ३२) इति । स यदेव मारुतं रथस्य–तदेवैतेन प्रीणाति । चत्वारोऽश्वाः, रथः पञ्चमो, द्वौ सव्यष्टृसारथी–ते सप्त । सप्त सप्त वै मारुतो गणः । सर्वमेवैतेन रथं प्रीणाति । विशो वै मरुतः । विशमेवास्यैतद्राज्यमभिविमुच्यते ॥ १७ ॥

सम्बन्धिने 'ओजसे' बलाय 'स्वाहा'। 'इन्द्रस्य' स्वभूताय 'इन्द्रियाय' वीर्याय 'स्वाहा' इति ॥ तत्र प्रथममन्त्रं प्रशंसति–**यदेवाग्नेयमिति** । मन्त्रैकदेशेनाग्निपदेन रथस्य आग्नेयमङ्गं प्रीणितवान् भवति । रथस्याग्नेरमङ्गं दर्शयति–**वहा वा इति** । अश्वैरुह्यमानस्य युगस्य प्रान्तप्रदेशा वहाः, ते आग्नेयाः; "अग्निदग्धमिवैषां वहं भवति"–(श. प. १ । १ । २ । ९) इति श्रुतेः । अग्निदग्धत्वसाम्यात् रथेऽपि वहा आग्नेयाः । प्रथमहोममन्त्रे 'अग्नये' इत्येकदेशपाठेन रथाङ्गप्रीणनम् । 'गृहपतये' इति भागं प्रशंसति–**श्रीर्वा इति** । 'गार्हपतं' गृहपतित्वं नाम 'श्रीः'; यतः पुरुषो 'यावतः' धनस्य पुरुषस्य वा 'ईष्टे' 'तत्' एतेन गृहपतय इति मन्त्रभागपठनेन यजमानस्य गार्हपतलक्षणं राज्यमभिलक्ष्य रथो विमुक्तो भवतीत्यर्थः । एवमुत्तरेषु मन्त्रेषु एकदेशेन रथाङ्गप्रीणनम्, अपरेण यजमानफलार्थं रथविमोक उच्यत इति ॥ १५ ॥

सोमायेति । **द्वयानीति** । वनस्पतिनिर्मितानि 'चक्राणि' 'द्वयानि' द्विप्रकाराणि 'रथ्यानि' रथसम्बन्धीनि, 'आनसानि' अनस्सम्बन्धीनि 'च' इति । तदेतेन "सोमाय वनस्पतये"–इति मन्त्रपाठेन उभयविधेभ्यो रथ्यानसचक्रेभ्यः, तदर्थम्, 'अरिष्टिम्' अहिंसां कृतवान् भवति । सोमस्य वनस्पतित्वात् ओषधिपोषकत्वात् वनस्पतिपदेन रथस्य दारुविनिर्मितान्यङ्गानि प्रीणयति । सोमस्य क्षत्ररूपत्वम्, राजत्वाद् बलसम्पादकत्वाद्वा । तस्मात्सोमपदेन क्षत्रियसम्बन्धि स्वाराज्यमभिलक्ष्य रथो विमुक्तो भवतीत्यर्थः ॥ १६ ॥

मरुतामिति । तृतीयेऽत्र मन्त्रे मरुतामिति पदेन रथस्यैव प्रीणनम् । रथस्य मारुतत्वं सम्पादयति–**चत्वारो-**

(त१८) इन्द्रस्येन्द्रियाय स्वाहेति। स यदेवैन्द्रꣳ रथस्य तदेवैतेन प्रीणाति सव्यष्ठा वाऽऐन्द्रो रथस्य सव्यष्ठारमेवैतेन प्रीणातीन्द्रियं वै वीर्यमिन्द्र ऽइन्द्रियमेवास्यैतद्वीर्यꣳ राज्यमभिविसृज्यते ॥ १८॥

(तेऽथ) अथ वाराह्याऽउपानहाऽउपमुञ्चते। (तेऽग्नौ) अग्नौ ह वै देवा घृतकुम्भं प्रवेशयां चक्रुस्ततो वराहः सम्बभूव तस्माद्वराहो मेदुरो घृताद्धि सम्भूतस्तस्माद्वराहे गावः संजानते स्वमेवैतद्रसमभिसंजानते तत्पशूनामेवैतद्रसे प्रतितिष्ठति तस्माद्वाराह्याऽउपानहाऽउपमुञ्चते ॥ १९॥

(तेऽथे) अथेमां प्रत्यवेक्षमाणो जपति। पृथिवि मातर्मा मा हिꣳसीर्मो-

---

"इन्द्रस्येन्द्रियाय स्वाहा"–(वा० सं० १०।२३) इति। स यदेवैन्द्रं रथस्य–तदेवैतेन प्रीणाति। सव्यष्ठा वाऽऐन्द्रो रथस्य। सव्यष्ठारमेवैतेन प्रीणाति। इन्द्रियं वै वीर्यम्–इन्द्र इन्द्रियमेवास्यैतद्वीर्यं राज्यमभिविसृज्यते ॥ १८॥

अथ वाराह्याऽउपानहाऽउपमुञ्चते। अग्नौ ह वै देवा घृतकुम्भं प्रवेशयांचक्रुः। ततो वराहः सम्बभूव। तस्माद्वराहो मेदुरः। घृताद्धि सम्भूतः। तस्माद्वराहे गावः सञ्जानते। स्वमेवैतद्रसमभिसंजानते। तत्–पशूनामेवैतद्रसे प्रतितिष्ठति। तस्माद्वाराह्याऽउपानहाऽउपमुञ्चते ॥ १९॥

अथेमां प्रत्यवेक्षमाणो जपति–"पृथिवि मातर्मा मा हिंसीः, मोऽअहं त्वाम्"–(वा०

ऽश्वा इति। रथस्थाश्वचतुष्टयम्, 'रथः' स्वयं पञ्चमः, 'द्वौ सव्यष्टृसारथी' सव्यदक्षिणभागयोरवस्थितौ द्वौ सारथी इति 'सप्त' सङ्ख्या अस्ति; मरुतामपि सप्तगणात्मकत्वात् सप्तसंख्याकत्वम्; अतः सप्तसंख्यासाम्यान्मरुतामिति पदेन रथस्यैव प्रीणनं कृतं भवतीत्यर्थः। मरुत्पदमेव यजमानस्य फलार्थमपि प्रशंसति–विशो वा इति ॥ १७॥

इन्द्रस्येति। अत्र चतुर्थमन्त्रे इन्द्रपदेन रथस्य सारथिप्रीणनम्। सव्यभागे तिष्ठतीति 'सव्यष्ठा'। तिष्ठतेरौणादिक ऋकारप्रत्ययः। किच्च, किच्वादाल्लोपः, "अम्बाम्बगोभूमि" (पा. सू. ८।३।९७) इति सूत्रे 'स्थास्थिन् स्थॄणाम' इति वचनात् षत्वम् ॥ १८॥

विधत्ते–अथ वाराह्या इति। 'वाराह्यौ' वराहचर्मनिर्मिते 'उपानहौ' 'उपमुञ्चते'। कात्यायनेन पशूनां रसोऽसीति मन्त्रेण वाराह्योरुपानहोरुपमोको (ऐ. ब्रा. ६।४।७) विहितः। तत्र मन्त्रे वराहस्य पशुरसत्वमभिधीयते, तदुपपादयति–अग्नौ ह वै देवा इति। पूर्वं देवा घृतकुम्भमग्नौ प्रासुः, तस्माद् वराह उत्पन्नः; अतो घृतोत्पन्नत्वाद् वराहस्य 'मेदुरत्वं' मांसलत्वम्। तस्मिन् 'वराहे' 'गावः' 'सञ्जानते' संवदन्ते; स्वीयरसभूतघृतोत्पन्नत्वात्। तस्माद् वाराह्योरुपानहोरुपमोकेन पशुरस एव स्वयं प्रतिष्ठितो भवतीत्यर्थः ॥ १९॥

अथेमामिति। 'पृथिवि' 'मातः!' सर्वेषां निर्मात्रि, पृथिव्या मातृत्वम् "द्यौः पिता पृथिवी माता" इति

१–पशूनां रसोऽसीति वाराहोपानहा उपमुंचते। का. श्रौ. सू. १५।१७६। २–भूमिमवेक्षते पृथिवि मातारीति। का. श्रौ. सू. १५।१७७।

ऽअहं त्वामिति व्वरुणाद्ध वाऽअभिषिषिचानात्पृथिवी बिभयाञ्चकार महद्वाऽअयमभूद्योऽभ्युषेचि यद्वै माऽयं नावद्दणीयादिति व्वरुणऽउ ह पृथिव्यै बिभयाञ्चकार यद्वै मेयं नावधून्वीतेति तदनयैवैतन्मित्रधेयमकुरुत न हि माता पुत्रᳯं हिनस्ति न पुत्रो मातरम् ॥ २० ॥

व्वरुणसवो वाऽएष यद्राजसूयम् । पृथिव्यु हैतस्माद्बिभेति महद्वाऽअयमभूद्योऽभ्युषेचि यद्वै माऽयं नावद्दणीयादित्येषऽउ हास्यै बिभेति यद्वै मेयं नावधून्वीतेति तदनयैवैतन्मित्रधेयं कुरुते न हि माता पुत्रᳯं हिनस्ति न पुत्रो मातरं तस्मादेवं जपति ॥ २१ ॥

सोऽवतिष्ठति । हᳯंसः शुचिषद्वसुरन्तरिक्षसद्धोता व्वेदिषदतिथिर्दुरोणसत् ॥ नृषद्वरसदृतसद्व्योमसदब्जा गोजाऽऋतजाऽअद्रिजाऽऋतं बृहदित्येतामतिच्छन्दसं जपन्नेषा वै सर्वाणि च्छन्दाᳯंसि यदतिच्छन्दास्तथैनं पाप्मा नान्ववतिष्ठति ॥ २२ ॥

सं० १०।२३) इति । वरुणाद्ध वाऽअभिषिषिचानात्पृथिवी बिभयाञ्चकार–महद्वाऽअयमभूद्, योऽभ्यषेचि । यद्वै माऽयं नावद्दणीयादिति । वरुण उ ह पृथिव्यै बिभयाञ्चकार–यद्वै मेयं नावधून्वीतेति । तदनयैवैतन्मित्रधेयमकुरुत । न हि माता पुत्रं हिनस्ति, न पुत्रो मातरम् ॥ २० ॥

वरुणसवो वाऽएषः–यद्राजसूयम् । पृथिव्यु हैतस्माद्बिभेति–महद्वाऽअयमभूद्–योऽभ्यषेचि, यद्वै माऽयं नावद्दणीयादिति । एष उ हास्यै बिभेति–यद्वै मेयं नावधून्वीतेति । तदनयैवैतन्मित्रधेयं कुरुते । न हि माता पुत्रं हिनस्ति, न पुत्रो मातरम्, तस्मादेवं जपति ॥ २१ ॥

सोऽवतिष्ठति–" हंसः शुचिषद् वसुरन्तरिक्षसद्धोता वेदिषदतिथिर्दुरोणसत् । नृषद्वरसदृतसद्व्योमसदब्जा गोजा ऋतजा अद्रिजा ऋतं बृहत्"–(वा. सं. १०।२४) इति । एतामतिच्छन्दसं जपन् । एषा वै सर्वाणि–छन्दांसि यदातिच्छन्दाः । तथैनं पाप्मा नान्ववतिष्ठति ॥ २२ ॥

(ऋ. सं. १।१६४।३३) श्रुत्यन्तरेषु श्रूयते । 'मा' मां 'मा हिंसीः' मा वधिष्ठाः, 'अहम्' अपि 'त्वां' नैव हिंसिषमिति मन्त्रार्थः । "वरुणाद्ध वा अभिषिषिचानात्" इत्यादिकः, "न हि माता पुत्रं हिनस्ति, न पुत्रो मातरम्"–इत्यन्तो वाक्यसन्दर्भो वाजपेये भूम्यवेक्षणप्रसङ्गे व्याख्यातः (श. प. ५।२।१।१८ भाष्ये)॥२०॥२१॥

रथादवरोहणं विधत्ते सोऽवतिष्ठतीति[1] । अवरुह्य तिष्ठतीति अवशब्दस्य रुहिकर्मणा समन्वये "समवप्रविभ्यः स्थः" इति (पा. सू. १।३।२२) आत्मनेपदं न भवति; तिष्ठतिक्रियायोगाभावेन प्रेत्युपसर्गसंज्ञाय । अभावात्, अन्यथा आत्मनेपदं दुर्निवारं स्यात् । अथवा व्यत्ययेन परस्मैपदम् ॥

१–अवरोहति हंसः शुचिषदिति । का० श्रौ० सू० १५।१७८ ।

तं नु संग्रहीताऽन्वुवतिष्ठेत् । (न्ने) नेत्तुं लोकुमन्ववतिष्ठाद्युᳯँ सुषुवाणो ऽन्ववास्थादिति तᳯँ सुरथमेवु रथवाहन ऽआदधाति तुतोऽवाङ्पप्रवते तुथा तुं लोकुं नान्वुवतिष्ठति युᳯँ सुषुवाणोऽन्ववास्थात् ॥ २३ ॥

तं न सङ्ग्रहीताऽन्ववतिष्ठेत्—नेत् तं लोकमन्ववतिष्ठाद्—यं सुषुवाणोऽन्ववास्थादिति । तं सरथमेव रथवाहनऽआदधाति । ततोऽवाङ्पप्रवते । तथा तं लोकं नान्ववतिष्ठति—यं सुषुवाणोऽन्ववास्थात् ॥ २३ ॥

हंस इति । मन्त्रस्यायमर्थः—हन्ति पृथिवीमिति 'हंसः' रथः, शुचौ देवयजने रथवाहने च सीदतीति 'शुचिषत्', तस्योपरि यजमानं वासयतीति 'वसुः', तरुगुल्माद्यनवरुद्धेऽन्तरिक्षे सीदतीति 'अन्तरिक्षसत्', 'होता' होतृसमानः, तदेव कथमित्युच्यते—वेद्यां सीदतीति 'वेदिषत्', 'अतिथिः' अतिथिसदृशः, तदपि कथमित्युच्यते—दुरोणेषु गृहेषु सीदतीति 'दुरोणसत्' यो यस्तमारोढुं नयति तस्य गृहे सीदति, नृषु मनुष्येषूपकारं कर्तुं सीदतीति 'नृषत्', वरे श्रेष्ठे राजादिगृहे सीदतीति 'वरसत्', ऋते यज्ञे वाजपेयादौ सीदतीति 'ऋतसत्' सूर्यं वोढुं व्योमनि आकाशे सीदतीति 'व्योमसत्'। "अप्सुयोनिर्वा अश्वः" इति श्रुतेः (श. प. १३।२।२।१९) अद्भ्यो जातैरश्वैरुपेतत्वात् 'अब्जाः', गोशब्दवाच्याद् वज्राज्जायत इति 'गोजाः', एतच्च "स्फ्यस्तृतीयᳯँ रथस्तृतीयम्" इत्याम्नातम् (तै. सं ५।२।६।२)। ऋतार्थं यज्ञार्थं जातत्वात् 'ऋतजाः' अद्रिभ्यो दृढकाष्ठेभ्यो जातत्वात् 'अद्रिजाः'। ईदृशो रथो 'बृहत्' प्रौढं राजसूयाख्यम्, 'ऋतं' यज्ञं सम्पादयत्विति रथपक्षेऽर्थः ॥

सूर्यपक्षे त्वयमर्थः—हन्ति गच्छतीति 'हंसः' आदित्यः, शुचौ निर्मले मण्डले सीदतीति 'शुचिषत्', 'वसुः' निवासहेतुः, प्राणात्मकवायुरूपेणान्तरिक्षे सीदतीति 'अन्तरिक्षसत्', अग्निरूपेण वेद्यां सीदतीति 'वेदिषत्', अप्सु सूक्ष्मभूतेषु जायत इति 'अब्जाः', गोषु पृथिवीप्रधानेषु स्थूलभूतेषु जायत इति 'गोजाः' ऋते सत्यभूते मण्डले जायत इति 'ऋतजाः' अद्रौ पाषाणे वा मेघे उदकरूपेण जायत इति अद्रिजाः। 'ऋतम्' "ऋ गतौ" (धा. पा. भ्वा. प. ९६१) सर्वत्र व्याप्तं ज्ञानात्मकम्, 'बृहत्' "बृहि वृद्धौ" (धा. पा. भ्वा. प. ७३५) प्रवृद्धम्, परमानन्दलक्षणमिति ॥

मन्त्रगतं छन्दोविशेषं प्रशंसति—**एतामतिछन्दसामिति** । हंसमन्त्रस्यातिजगतीच्छन्दः, सा च गायत्र्यादीनि च्छन्दांसि अतिक्रम्य वर्त्तत इति तस्या अतिच्छन्दस्त्वम् । सर्वासामेव च्छन्दसां तत्रान्तर्भावात् सर्वच्छन्दोरूपत्वम्, तस्मात् सर्वच्छन्दोऽतिक्रमणात् 'एतां' जपित्वा, अवरोहन्तम् 'एनम्' यजमानम् 'अनु' 'पाप्मा' 'नावतिष्ठति' नावरोहति, पाप्मानमतिक्रामेदित्यर्थः ॥ २२ ॥

सयन्तृकस्य रथस्य रथवाहनेऽनसि स्थापनं विधातुं यन्तुरवस्थानं निषेधति—**तेन्नेति** । सम्यक् प्रग्रहं गृह्णातीति 'सङ्ग्रहीता' सारथिः सः, 'तं' यजमानम् 'अनु' 'नावतिष्ठेत्' नावरोहेत् । तत्र कारणमाह—**नेदिति** । सुन्वन् यं लोकं प्राप्नोति, तं लोकं सारथिरपि न प्राप्नुयादिति । **तं सरथमिति** । 'रथवाहने' रथस्थापन-

१—विमुच्य सयंतृकᳯँ रथवाहने करोत्यनस्तत्कर्म । का. श्रौ. सू. १५ । १७९ ।

(दु) उत्तरेणाहवनीयं पूर्वाग्निरुद्वृत्तो भवति । स रथवाहनस्य दक्षिणमन्वनुष्यन्दꣳ शतमानौ प्रवृत्तावाबध्नाति ॥ २४ ॥

(त्यौ) औदुम्बरीꣳ शाखामुपगूहति । तयोरन्यतरमुपस्पृशतीयदस्यायुरस्यायुर्मयि धेहि युङ्ङसि वर्चोऽसि वर्चो मयि धेहीति तदायुर्वर्चऽआत्मन्धत्ते ॥ २५ ॥

उत्तरेणाहवनीयं पूर्वाग्निरुद्वृत्तो भवति । स रथवाहनस्य दक्षिणमन्वनुष्यन्दं शतमानौ प्रवृत्तावाबध्नाति ॥ २४ ॥

औदुम्बरीं शाखामुपगूहति । तयोरन्यतरमुपस्पृशति—" इयदस्यायुरस्यायुर्मयि धेहि । युङ्ङसि वर्चोऽसि वर्चो मयि धेहि "-इति । तद् आयुर्वर्च आत्मन्धत्ते ॥ २५ ॥

साधने ' अनसि ' ' तम् ' सयन्तृकं ' रथम् ' ' आदधाति ' निदध्यात् । तथा च तैत्तिरीयकम्—" यदुभौ सहावतिष्ठेतां समानं लोकमियातां सह संग्रहीत्रा रथवाहने रथमादधाति सुवर्गादेवैनं लोकादन्तर्दधाति " (तै. ब्रा. १।७।९।६) तत इति । ' इति । ततः ' पश्चाद् यन्ता ' अवाङ् ' अवाङ्मुखः सन् 'अपप्रवते' " प्रुङ् गतौ" (धा. पा. स्वा. प. ९८२) इति । धातुः,अवरोहतीत्यर्थः । तथा च सूत्रितम्—"शालाया दक्षिणतोऽपप्रवते यन्ता "-(का. श्रौ. सू. १५ । १७९) इति ॥ २३ ॥

पूर्वं स्वस्य भ्रातुरर्थाय गोः स्थापनकाले पूर्वाग्निविहनस्याहवनीयस्योत्तरतः स्थापनं सूत्रकृतोक्तम्—" गवां शतमधिकं वा स्वस्याहवनीयस्योत्तरतः स्थापयति, पूर्वाग्निवहञ्च साग्नि " (का. श्रौ. सू. १५।१६६।१६७) इति । तदिदानीं विधत्ते—**उत्तरेणाहवनीयमिति** । **पूर्वाग्निरिति** । शान्तिपौष्टिकार्थीयोऽग्निः ' पूर्वाग्निः, ' ' सः ' अनसा ' उद्धृतः ' ऊद्धृतः वृत्तः स्थापितो ' भवति ' ॥

अथ रथवाहनस्य दक्षिणे अंशे शतमानयोरासञ्जनम्, वर्त्मनि औदुम्बर्याः शाखाया उपगूहनञ्च विधत्ते—**स रथेति** । ' दक्षिणम् ' ' अनुष्यन्दं ' प्रान्तमनु ' प्रवृत्तौ ' वर्त्तुलौ ' शतमानौ ' शतमानपरिमितौ द्वौ रुक्मौ ' आबध्नाति ' आसजेत् [1] ॥ २४ ॥

औदुम्बरीमिति । तयोः शतमानयोरन्यतरस्योपस्पर्शनं समन्त्रक विधत्ते—**तयोरिति** । कात्यायनस्तु मन्त्रद्वयं कृत्वा उभयोरपि स्पर्शने विनियोगमुक्तवान् [2] " उपस्पृशति शतमानावियदसीत्येकं युङ्ङसीत्यपरम् " [3] इति । ' इयदसि ' एतावत्परिमाणोऽसि । अत्र तत्परिमाणं हस्तेनाभिधीयते; स्वल्पपरिमितत्वात् । ' आयुरसि ' आयुः-

---

१–रथवाहनस्य दक्षिणेऽन्ते शतमानावासजति वृत्तौ । का. श्रौ. सु, १५ । १८१ । २–कात्यायनस्तु मंत्रद्वयं कृत्वेत्यादि= युङ्ङसीत्यपरमित्यंतं व्याख्यानं चिंत्यम् । तथया सूत्रं तु=उपस्पृशति शतमानावियदसीत्येतावदेव अत्र । इयदसीत्यनेन मंत्रेणान्यतरं शतमानमुपस्पृशेत् । तयोरन्यतरमुपस्पृशतीति माध्यंदिनानां उभयोरुपस्पर्शनं शाखांतरादिति पितृभूतिः । इयदसीत्येकं युङ्ङसीति चापरमिति कर्काचार्याः । ततो यजमान एव इयदसीति मंत्रेण तौ शतमानाउपस्पृशति आलभते । श्रुतौ तु अन्यतरस्योपस्पर्शनं विहितम् । तयोरन्यतरमुपस्पृशतीयदसीति श्रुतेरिति देवयाज्ञिकः । कर्कपादैः मंत्रद्वयस्य विनियोगव्यवस्थाप्रदर्शनेनान्यतरोपस्पर्शनमुद्बोधितम् । इत्थं मूलावस्थायां सत्यां कर्कविवरणमेव अक्षरतारतम्यसंध्यवकाशमालोच्य कात्यायनः सूत्रयामासेति ध्येयम् । ३–अनुवर्त्ममौदुंबरीꣳ शाखामुपगूहति । उपस्पृशति । शतमानावियदसीति । का० श्रौ० सू० १५ । १८२ ॥

(त्तेऽथौ) अथौदुम्बरीᳪं शाखामुपस्पृशति । (त्यू) ऊर्गस्यूर्जं मयि धेहीति तदूर्जमात्मन्धत्ते तस्यैतस्य कर्मण ऽएतावेव शतमानौ प्रवृत्तौ दक्षिणा तौ ब्रह्मणे ददाति ब्रह्मा हि यज्ञं दक्षिणतोऽभिगोपायति तस्मात्तौ ब्रह्मणे ददाति ॥ २६ ॥

(त्यु) अग्रेण मैत्रावरुणस्य धिष्ण्यम् । मैत्रावरुणी पयस्या निहिता भवति तामस्य बाहूऽअभ्युपावहरतीन्द्रस्य वां वीर्यकृतो बाहूऽअभ्युपावहरामीति पशूनां वाऽएष रसो यत्पयस्या तत्पशूनामेवास्यैतद्रसं बाहूऽअभ्युपावहरति तद्यन्मैत्रावरुणी भवति मित्रावरुणाऽउ हि बाहू तस्मान्मैत्रावरुणी भवति ॥ २७ ॥

इति तृतीयप्रपाठके पञ्चमं ब्राह्मणम् ॥ ५-३-५ ॥ (४. ३.) ॥

तृतीयः प्रपाठकः समाप्तः ॥ ५ । ३ ॥

अथौदुम्बरीं शाखामुपस्पृशति-" ऊर्गस्यूर्जं मयि धेहि "-इति । तद् ऊर्जमात्मन्धत्ते । तस्यैतस्य कर्मण एतावेव शतमानौ प्रवृत्तौ दक्षिणा । तौ ब्रह्मणे ददाति । ब्रह्मा हि यज्ञं दक्षिणतोऽभिगोपायति । तस्मात्तौ ब्रह्मणे ददाति ॥ २६ ॥

अग्रेण मैत्रावरुणस्य धिष्ण्यं मैत्रावरुणी पयस्या निहिता भवति । तामस्य बाहूऽअभ्युपावहरति । " इन्द्रस्य वां वीर्यकृतो बाहूऽअभ्युपावहरामि "-(वा० सं० १० । २५) इति । पशूनां वाऽएष रसो-यत्पयस्या । तत्-पशूनामेवास्यैतत् रसं बाहूऽअभ्युपावहरति । तद्यन्मैत्रावरुणी भवाति । मित्रावरुणाऽउ हि बाहू । तस्मान्मैत्रावरुणी भवति ॥ २७ ॥

स्वरूपोऽसि; " आयुर्हिरण्यम् " (तै. ब्रा. १ । ७ । ६ । ३) इति श्रुतेः । तस्मात् 'आयुर्मयि धेहि' यो हि यदात्मको भवति, स एव तद् दातुमुत्सहते । 'युङ्ङसि' " युजिर् योगे " (धा. पा. रु. उ. ७ ।) यज्ञं युनक्तीति 'युङ्,' तथाविधः 'असि' 'वर्चः' तेजः 'असि' । तस्माद् 'वर्चो मयि धेहि' मन्त्रस्यार्थं सङ्कलय्याह-**तदायुर्वर्च्च** इति ॥ २५ ॥

शाखाया उपस्पर्शनं समन्त्रं विधत्ते-**औदुम्बरीमिति**[१] । 'ऊर्क्' अन्नम् 'असि' । तस्मात् 'मयि' 'ऊर्जम्' अन्नं 'धेहि' इति । एतयोर्दानं विधत्ते-**तस्यैतस्येति** । ब्रह्मगे दानं प्रशंसति-**ब्रह्मा हि यज्ञमिति** ॥ २६ ॥

विधत्ते-**अग्रेण मैत्रेति** । मैत्रावरुणधिष्ण्यस्य पूर्वभागे व्याघ्रचर्मदेशे मित्रावरुणदेवत्या 'पयस्या' आमिक्षा 'निहिता भवति' । तस्यां यजमानबाह्वोरवहरणं विधत्ते-**तामस्य बाहू** इति[२] । 'अस्य' सुन्वतः 'बाहू' 'ताम्' 'अभि' लक्ष्य 'उपावहरति' प्रसारयति । हे 'बाहू !' 'वीर्यकृतः' वीर्यकारिणः 'इन्द्रस्य' यजमानस्य सम्बन्धिनौ 'वां' युवां 'बाहू' 'अभ्युपावहरामि' 'अभि' लक्ष्य स्थापयामि बाहुप्रक्षेपं

१-तौ ब्रह्मणे दत्त्वोर्गसीति । शाखामुपस्पृशति । का. श्रौ. सू. १५ । १८३ ।

२-इन्द्रस्य वामित्यवहरते बाहू पयस्यायां व्याघ्रचर्मदेशे स्थितायाम् । का० श्रौ० सू० । १५ । १८४ ।

अथ चतुर्थप्रपाठके प्रथमं ब्राह्मणम् ।
चतुर्थाध्याये च चतुर्थं ब्राह्मणम् ।

मैत्रावरुण्या पयस्यया प्रचरति । तस्याऽ अनिष्ट ऽएव स्विष्टकृद्भवत्यथास्माऽआसन्दीमाहरन्त्युपरिसद्यं वाऽएष जयति यो जयत्यन्तरिक्षसद्यं तदेनमुपर्य्यासीनमधस्तादिमाः प्रजाऽ उपासते तस्मादस्माऽआसन्दीमाहरन्ति सैषा खादिरी वितृण्णा भवति सेयं वध्र्व्यूता भरतानाम् ॥ १ ॥

तामग्रेण । मैत्रावरुणस्य धिष्ण्यं निदधाति स्योनाऽसि सुषदाऽसीति शिवामेवैतच्छग्मां करोति ॥ २ ॥

मैत्रावरुण्या पयस्यया प्रचरति । तस्या अनिष्ट एव स्विष्टकृद्भवति । अथास्माऽआसन्दीमाहरन्ति । उपरिसद्यं वाऽएष जयति । यो जयत्यन्तरिक्षसद्यम् । तदेनमुपर्यासीनमधस्तादिमाः प्रजा उपासते । तस्मादस्माऽआसन्दीमाहरन्ति । सैषा खादिरी वितृण्णा भवति–येयं वध्र्व्यूता भरतानाम् ॥ १ ॥

तामग्रेण मैत्रावरुणस्य धिष्ण्यं निदधाति । "स्योनाऽसि सुषदाऽसि"–इति । शिवामेवैतच्छग्मां करोति ॥ २ ॥

प्रशंसति–**पशूनां वा इति** । पयस्यायाः पशुरसात्मकत्वात् पशुरसमभिलक्ष्य बाहू स्थापितवान् भवतीति । पयस्याया मैत्रावरुणत्वं प्रशंसति–**तद्यन्मैत्रावरुणीति** ॥ २७ ॥

इति श्रीसायणाचार्यविरचिते माधवीये वेदार्थप्रकाशे माध्यन्दिनीयशतपथब्राह्मणभाष्ये
पञ्चमकाण्डे चतुर्थोऽध्याये तृतीयं ब्राह्मणम् ॥ (५-४-३) ॥

अथ पयस्यायाः प्रचारं विधत्ते–**मैत्रावरुण्येति**[1] । **तस्या अनिष्ट इति** । 'तस्याः' पयस्यायाः स्विष्टकृत् 'अनिष्टः' अहुतो भवति, प्राक् स्विष्टकृत इत्यर्थः । विधत्ते–**अथास्मा आसन्दीमिति** । आसन्दीलक्षणं पूर्वमुक्तम् । आसन्द्याहरणं प्रशंसति–**उपरिसद्यमिति** । एतद्वाक्यं वाजपेये व्याख्यातम् (श. प. ५ । २ । १ । २२ भा.) तस्याः वृक्षविशेषगुणान्तरं वाक्यभेदमङ्गीकृत्य विधत्ते–**सैषा खादिरीति** । 'वितृण्णा' सच्छिद्रा भवेत् । तस्या आसन्द्या रज्जुव्यूतत्वमस्ति, तत्र यजमानविशेषेण रज्जुविशेषं दर्शयति–**येयमिति** । 'वध्र्व्यूता' वध्राश्चर्मरज्जवः, ताभिर्व्यूता सन्नद्धा भवति 'भरतानाम्' अन्येषान्तु रज्जुमात्रम् । कात्यायनो निर्विशेषं सूत्रयामास–"खादिरीमासन्दीं रज्जूताम्" (का. श्रौ. सू. १५ । १८७) इति ॥ १ ॥

तस्या निधानप्रदेशं विधत्ते–**तामग्रेणेति** । मन्त्रं विधत्ते–**स्योनेति**[2] । हे आसन्दि ! 'स्योना' सुखरूपा 'असि', 'सुषदा' सुषदनयोग्या 'असि' । मन्त्रं विवृणोति–**शिवामिति** । 'शग्मां' सुखकरीम् ॥ २ ॥

१–पयस्यया प्रचरति प्राक् स्विष्टकृतः । का. श्रौ. सू. १५।१८६। २–व्याघ्रदेशे निदधाति स्योनाऽसीति । का. श्रौ. सू. १५।१८७।

(त्यु) अथाधीवासमास्तृणाति । क्षत्त्रस्य योनिरसीति तद्यैव क्षत्त्रस्य योनिस्तामेवैतत्करोति ॥ ३ ॥

(त्यु) अथैनमासादयति । स्योनामासीद सुषदामासीदेति शिवाᳬं शग्मामासीदेत्येवैतदाह क्षत्त्रस्य योनिमासीदेति तद्यैव क्षत्त्रस्य योनिस्तस्यामेवैनमेतद्दधाति ॥ ४ ॥

(त्यु) अथान्तराᳬंसेऽभिमृश्य जपति । निषसाद धृतव्रत इति धृतव्रतो वै राजा न वाऽएष सर्व्वस्माऽइव वदनाय न सर्वस्माऽ इव कर्मणे यदेव साधु व्वदेद्यत्साधु कुर्यात्तस्मै वाऽएषु च श्रोत्रियश्चैतौ ह वै द्वौ मनुष्येषु धृतव्रतौ तस्मादाह निषसाद धृतव्रतऽ इति व्वरुणः पस्त्यास्वेति व्विशो वै पस्त्या व्विक्ष्वेत्येवैतदाह साम्राज्याय सुक्रतुरिति राज्यायेत्येवैतदाह यदाह साम्राज्याय सुक्रतुरिति ॥ ५ ॥

अथाधीवासमास्तृणाति—" क्षत्रस्य योनिरसि "—इति । तद्यैव क्षत्रस्य योनिस्तामेवैतत्करोति ॥ ३ ॥

अथैनमासादयति—"स्योनामासीद सुषदामासीद"—इति । शिवां शग्मामासीदेत्येवैतदाह । " क्षत्रस्य योनिमासीद "—(वा. सं. १० । २६) इति । तद्यैव क्षत्रस्य योनिस्तस्यामेवैनमेतद्दधाति ॥ ४ ॥

अथान्तरांसेऽभिमृश्य जपति—" निषसाद धृतव्रतः "—इति । धृतव्रतो वै राजा । न वाऽएष सर्वस्माऽइव वदनाय, न सर्वस्माऽइव कर्मणे । यदेव साधु वदेत्, यत् साधु कुर्यात्—तस्मै वाऽएष

विधत्ते—अथाधीवासमिति[१] । ' अधीवासः ' आस्तरणम्, चित्रकम्बलादिकम् । क्षत्रस्येति । एष मन्त्रो व्याख्यातः (श. प. ९ । ३ । ९ । २२ । भा.) ॥ ३ ॥

अस्यां सुन्वत उपवेशनं समन्त्रकं विधत्ते—अथैनमिति । ' आसादयति ' उपवेशयतीत्यर्थः । हे यजमान ! ' स्योनां ' सुखरूपाम् आसन्दीम् ' आसीद ' आरोह, सुखसावनयोग्यामधितिष्ठेत्यर्थः । " क्षत्रस्य योनिमासीद " इति उपवेशनमन्त्रस्योत्तरभागः । अधीवासस्तरणे ' क्षत्रस्य योनिः ' अधीवासः, तमारोहेत्यर्थः ॥ ४ ॥

हृदयदेशादिस्पर्शनपूर्वकं जपं विधत्ते—अथान्तरांस इति । ' अन्तरांसे ' अंसमध्ये ' अभिमृश्य ' जपेत् ॥ मन्त्रस्यायमर्थः—अयं यष्टा ' धृतव्रतः ' स्वीकृतयज्ञः, नियमितवचनादिव्यापारो ' वरुणः ' अनिष्टनिवारको भूत्वा ' निषसाद ' अस्यामासन्यामुपरिदेशे । ' पस्त्यासु ' बहुषु वैरिगृहेषु, ' विक्षु ' प्रजासु चागत्य साम्राज्यं कर्त्तुं ' सुक्रतुः ' शोभनसङ्कल्पो भवतु ॥

१—अधीवासमस्यामास्तृणाति क्षत्रस्य योनिरिति । का० श्रौ० सू० १५ । १८८ । २—सुन्वंतमस्यामुपवेशयति स्योनामासीदेति । का० श्रौ० सू० १५ । १८९ । ३—निषसादेत्युरोऽस्यालभते । का० श्रौ० सू० । १५ । १९० ।

(त्यु) अुथास्मै पुञ्चाक्षुान्पाणावुावपति । (त्य) अभिभूरस्येतुास्ते पुञ्च दिुशः कल्पन्तामिुत्येष वाऽअुयानभिभूर्यत्कुलिरेषु हि सुर्व्वानुयानभिभुवति तुस्मादाहाभिभूरसीत्येतुास्ते पुञ्च दिुशः कल्पन्तामिुति पुञ्च वै दिुशस्तुदस्मै सुर्व्वा ऽएव दिुशः कल्पयति ॥ ६ ॥

च श्रोत्रियश्च । एतौ ह वै द्वौ—मनुष्येषु धृतव्रतौ । तस्मादाह—निषसाद धृतव्रत इति । "वरुणः पस्त्यास्वा"—इति । विशो वै पस्त्या । विक्ष्वेत्येवैतदाह—"साम्राज्याय सुक्रतुः"—(वा. सं. १० । २७) इति । राज्यायेत्येवैतदाह—यदाह साम्राज्याय सुक्रतुरिति ॥ ५ ॥

अथास्मै पञ्चाक्षान् पाणावावपति—"अभिभूरस्येतास्ते पञ्च दिशः कल्पन्ताम्"—इति । एष वाऽअयानभिभूः—यत्कलिः—एष हि सर्वानयानभिभवाति । तस्मादाह—अभिभूरसीति । एतास्ते पञ्च दिशः कल्पन्तामिति । पञ्च वै दिशः । तदस्मै सर्वा एव दिशः कल्पयति ॥ ६ ॥

मन्त्रं प्रतिपादमनूद्य व्याचष्टे—धृतव्रतो वै राजेति । धृतव्रतत्वं दर्शयति—न वा एष, इति । 'एषः' सुन्वन् 'सर्वस्मै' 'वदनाय' वाक्याय, असम्बद्धप्रलापायेत्यर्थः । तथा अनुपयुक्तकर्मणे वा योग्यो न भवति । कस्मै योग्य इति तदाह—यदेवेति । तस्मै साधुवदनाय साधुकर्मणे च 'एषः' सुन्वन् राजा, 'श्रोत्रियश्च' ब्राह्मणः, उभावर्हौ भवतः । एतयोर्नियतव्रतत्वमाह—एतौ ह वा इति । 'मनुष्येषु' मध्ये 'एतौ' एव 'धृतव्रतौ' श्रोत्रियोऽपि न बहुभाषो नासाधुकर्मकारी । 'पस्त्या'-शब्दार्थमाह—विशो वा इति ॥ ५ ॥

यजमानहस्ते पञ्चाक्षावापं च विधत्ते—अथास्मा इति । अक्षा नाम कपर्दकाः सुवर्णनिर्मिताः, विभीतकफलानि सौवर्णानि वेत्येके ते चाक्षा द्यूतस्थाने निवपनीयाः । तेषां चतुर्णामक्षाणां 'कृत'—सञ्ज्ञा, पञ्चानां 'कलि' सञ्ज्ञा । तथा च शाखान्तरे स्तोमसङ्ख्यायां कृतादिव्यवहारः कृतः—"ये वै चत्वारः स्तोमाः कृतं तत् अथ ये पञ्च कलिः सः"—इति । यदा पञ्चाप्यक्षा उत्ताना भवन्ति, तदा देवितुर्जयो भवति, पञ्चसु त्वेकरूपासु जय एव भविष्यतीत्यन्यत्रोक्तम् । अतः कलेः सर्वाक्षाभिभावुकत्वात्, सुन्वतोऽपि जयापेक्षत्वात्पञ्चाक्षनिवाप इत्यर्थः । तथा च मन्त्रे कलिर्वा तत्सम्बन्धाद् यजमानो वा उच्यते । हे यजमान ! 'अभिभूः' इतरेषामक्षाणामभिभविता भवसि । तदर्थम् 'एताः पञ्च दिशः कल्पन्ताम्' स्वाधीना भवन्त्विति । मन्त्रं व्याचष्टे—एष वा अयानिति । अयशब्दोऽक्षवाची; 'कलिर्हि सर्वान् अयान् अभिभवति;' अधिकसंख्यत्वात् एषोऽपि यजमानस्तत्सम्बन्धादभिभावुको भवतीत्यर्थः ॥

पञ्चदिग्विजयसङ्कल्पसिद्धिमेव दर्शयति—पञ्च वै दिश इति ॥ ६ ॥

१—अभिभूरित्यस्मै पंचाक्षान् पाणावावपाय । का० श्रौ० सू० १५ । १९१ । २—कृतादि वा विदध्याद्राजप्रभृतिभ्यः सजाताय कलिंग्याम् । का० श्रौ० सू० १५ । २०४ । २०५ ।

(त्यु) अथैनं पृष्ठतस्तूष्णीमेव दण्डैर्घ्नन्ति तं दण्डैर्घ्नन्तो दण्डवधमतिनयन्ति तस्माद्राजाऽदण्ड्यो यदेनं दण्डवधमतिनयन्ति ॥ ७ ॥

(न्त्यु) अथ वरं वृणीते । यं ह वै कं च सुषुवाणो वरं वृणीते सोऽस्मै सर्वः समृध्यते तस्माद्वरं वृणीते ॥ ८ ॥

स ब्रह्मन्नित्येव प्रथममामन्त्रयते । ब्रह्म प्रथममभिव्याहराणि ब्रह्मप्रसूतां वाचं वदानीति तस्माद् ब्रह्मन्नित्येव प्रथममामन्त्रयते त्वं ब्रह्मासीतीतरः प्रत्याह सविताऽसि सत्यप्रसव इति वीर्यमेवास्मिन्नेतद्दधाति सवितारमेव सत्यप्रसवं करोति ॥ ९ ॥

अथैनं पृष्ठतस्तूष्णीमेव दण्डैर्घ्नन्ति । तं दण्डैर्घ्नन्तो दण्डवधमतिनयन्ति । तस्माद्राजाऽदण्ड्यो यदेनं दण्डवधमतिनयान्ति ॥ ७ ॥

अथ वरं वृणीते । यं ह वै कं च सुषुवाणो वरं वृणीते सोऽस्मै सर्वः समृध्यते । तस्माद्वरं वृणीते ॥ ८ ॥

स " ब्रह्मन् "–इत्येव प्रथममामन्त्रयते–ब्रह्म प्रथममभिव्याहराणि । ब्रह्मप्रसूतां वाचं वदानीति । तस्माद्ब्रह्मन्नित्येव प्रथममामन्त्रयते । " त्वं ब्रह्मासि "–इतीतरः प्रत्याह । " सविताऽसि सत्यप्रसवः "–इति । वीर्यमेवास्मिन्नेतद्दधाति । सवितारमेव सत्यप्रसवं करोति ॥ ९ ॥

विधत्ते–अथैनमिति । ' दण्डैः ' यज्ञियवृक्षकाष्ठैः ' एनं ' सुन्वन्तं ' पृष्ठतः ' पश्चाद्भागे ' तूष्णीम् ' अमन्त्रकं ' घ्नन्ति ' हन्युः । अत्र सूत्रकृत्समन्त्रकमवहननं शाखान्तरीयमन्त्रश्च विकल्पेन दर्शयामास–" पश्चादेनं यज्ञियवृक्षदण्डैः शनैस्तूष्णीं घ्नन्ति पाप्मानं तेऽपहन्मोऽति त्वा वधं नयामीति वा "–(का. श्रौ सू. १९ । १९१ । १९२) इति । तं दण्डैरिति । सुन्वतो दण्डवधेन अन्यकर्तृकस्य दण्डवधस्य प्रापणमेव कृतवन्तो भवन्ति, तस्माद् राज्ञो दण्डाभावः यथा राजा स्वा अपराद्धाः प्रजा दण्डयति, एवं स्वयं न दण्ड्य इत्यर्थः ॥७॥

विधत्ते–अथ वरमिति । ' वरं ' ' वृणीते ' याचते, यजमानः कर्त्ता । वरवरणं प्रशंसति—यं ह वै कञ्चेति ॥ ८ ॥

कात्यायनः–" वरं वृत्वा ब्रह्मन्नित्यामन्त्रयते पञ्चकृत्वः, प्रत्याह व्यत्यासं सविता वरुण इन्द्रो रुद्र इति, त्वं ब्रह्मासीत्यादिभिः " (का. श्रौ. सू. १९ । १९३ । १९४) इति । अस्यार्थः–यजमानो वरं वृत्वा ब्रह्मन्निति पदं पञ्चकृत्वो वदेत् । तं सुन्वन्तं सवितृवरुणेन्द्ररुद्रवाचकैस्त्वं ब्रह्मासीत्यादिभिश्चतुर्भिर्मन्त्रैरितरः प्रतिवदेत्, पञ्चमामन्त्रणे केवलं त्वं ब्रह्मासीति प्रतिवदेदिति । तदिदं क्रमेण विधत्ते–स ब्रह्मन्निति । ' प्रथमं ' पूर्वम् ' प्रथममिति । स्पष्टोऽर्थः । प्रथमप्रतिवचनमन्त्रस्यायमर्थः–हे यजमान ! ' त्वं ब्रह्मा असि ' ' सत्यप्रसवः ' यथार्थाभ्यनुज्ञः ' सविता असि ' ' इति ' प्रथमामन्त्रयितारं सुन्वन्तं ब्रह्मा प्रतिब्रूयात्, सवित्रादिवाचकैः मन्त्रैः प्रतिवचनेन यजमानं तत्तद्देवतात्मकत्वेन कृतवान् भवतीत्यर्थः ॥ ९ ॥

ब्रह्मन्नित्येव द्वितीयमामन्त्रयते । त्वं ब्रह्मासीतीतरः प्रत्याह वरुणोऽसि सत्यौजा इति वीर्यमेवास्मिन्नेतद्दधाति वरुणमेव सत्यौजसं करोति ॥१०॥

ब्रह्मन्नित्येव तृतीयमामन्त्रयते । त्वं ब्रह्मासीतीतरः प्रत्याहेन्द्रोऽसि विशौजाऽ इति वीर्यमेवास्मिन्नेतद्दधातीन्द्रमेव विशौजसं करोति ॥११॥

ब्रह्मन्नित्येव चतुर्थमामन्त्रयते । त्वं ब्रह्मासीतीतरः प्रत्याह रुद्रोऽसि सुशेव ऽइति तद्वीर्याण्येवास्मिन्नेतत्पूर्वाणि दधात्यथैनमेतच्छमयत्येव तस्मादेष सर्वस्येशानो मृडयति यदेनꣳ शमयति ॥ १२ ॥

ब्रह्मन्नित्येव पञ्चममामन्त्रयते । त्वं ब्रह्मासीतीतरोऽनिरुक्तं प्रत्याह परिमितं वै निरुक्तं तत्परिमितमेवास्मिन्नेतत्पूर्वं वीर्यं दधात्यथात्रानिरुक्तं प्रत्याहापरिमितं वाऽअनिरुक्तं तदपरिमितमेवास्मिन्नेतत्सर्वं वीर्यं दधाति तस्मादत्रानिरुक्तं प्रत्याह ॥ १३ ॥

"ब्रह्मन्"–इत्येव द्वितीयमामन्त्रयते । "त्वं ब्रह्मासि"–इतीतरः प्रत्याह । "वरुणोऽसि सत्यौजाः"–इति । वीर्यमेवास्मिन्नेतद्दधाति । वरुणमेव सत्यौजसं करोति ॥ १० ॥

"ब्रह्मन्" इत्येव तृतीयमामन्त्रयते । "त्वं ब्रह्मासि" इतीतरः प्रत्याह । "इन्द्रोऽसि विशौजाः"–इति । वीर्यमेवास्मिन्नेतद्दधाति । इन्द्रमेव विशौजसं करोति ॥ ११ ॥

"ब्रह्मन्"–इत्येव चतुर्थमामन्त्रयते । "त्वं ब्रह्मासि"–इतीतरः प्रत्याह । "रुद्रोऽसि सुशेवः" इति । तद्–वीर्याण्येवास्मिन्नेतत् पूर्वाणि दधाति । अथैनमेतच्छमयत्येव । तस्मादेष सर्वस्येशानो मृडयति यदेनं शमयति ॥ १२ ॥

"ब्रह्मन्" इत्येव पञ्चममामन्त्रयते–"त्वं ब्रह्मासि"–इतीरोऽनिरुक्तं प्रत्याह । परिमितं वै निरुक्तम् । तत्परिमितमेवास्मिन्नेतत् पूर्वं वीर्यं दधाति । अथात्रानिरुक्तं प्रत्याह । अपरिमितं वाऽअनिरुक्तम् । तद् अपरिमितमेवास्मिन्नेतत् सर्वं वीर्यं दधाति । तस्मादत्रानिरुक्तं प्रत्याह ॥१३॥

द्वितीयादिषु मन्त्रेषु त्वं ब्रह्मासीति पूर्ववत् । 'सत्यौजाः' सत्यवीर्यः 'वरुणः' 'असि' विक्षु प्रजासु 'ओजः' बलं यस्य, यद्वा विश एवौजो यस्येति 'विशौजाः' तादृशः 'इन्द्रः' 'असि' । 'देवतापक्षे मरुतो विशः तदात्मकाः, राजपक्षे प्रजाः । 'सुशेवः' सुमुखः 'रुद्रः' 'असि' रुद्रस्य सुशेवत्वं प्रशंसति–**तद्वीर्याणीति** । ईशानस्य सर्वसुखकरत्वात् पूर्वमन्त्रप्रतिवचनेन यजमाने स्थापितानि वीर्याणि शमयति वीर्यवन्तम् 'एनं' 'रुद्रोऽसि सुशेवः' इति सुखत्वप्रतिपादनात् ॥ १०–१२ ॥

यजमानकर्तृकपञ्चमामन्त्रणस्य प्रतिवचने विशेषं दर्शयति–**ब्रह्मन्नित्येवेति**[1] । **त्वं ब्रह्मासीति** । ब्रह्मन्नि-

---

१–आदिनैवांत्यम् । का. श्रौ. सू. १५ । १९५ ।

(ह्वा) अथ सुमङ्गलनामानᳬं ह्वयति । बहुकार श्रेयस्कर भूयस्करेति य ऽ एवंनामा भवति कल्याणमेवैतन्मानुष्यै व्वाचो व्वदति ॥ १४ ॥

(त्य) अथास्मै ब्राह्मण स्फ्यं प्रयच्छति । (त्य) अध्वर्युर्व्वा यो व्वाऽस्य पुरोहितो भवतीन्द्रस्य व्वज्रोऽसि तेन मे रध्येति व्वज्रो वै स्फ्यः सऽएतेन व्वज्रेण ब्राह्मणो राजानमात्मनोऽबलीयाᳬंसं कुरुते यो वै राजा ब्राह्मणादबलीयानमित्रेभ्यो वै स बलीयान्भवति तदमित्रेभ्यऽएवैनमेतद्बलीयाᳬंसं करोति ॥ १५ ॥

अथ सुमङ्गलनामानं ह्वयति-" बहुकार श्रेयस्कर भूयस्कर " इति । य एवंनामा भवति कल्याणमेवैतन्मानुष्यै वाचो वदति ॥ १४ ॥

अथास्मै ब्राह्मणः स्फ्यं प्रयच्छति, अध्वर्युर्वा, यो वाऽस्य पुरोहितो भवति । " इन्द्रस्य वज्रोऽसि तेन मे रध्य " (वा. सं. १० । २८)-इति । वज्रो वै स्फ्यः । स एतेन वज्रेण ब्राह्मणो राजानमात्मनोऽबलीयांसं कुरुते । यो वै राजा ब्राह्मणादबलीयान्-अमित्रेभ्यो वै स बलीयान्भवति । तद् अमित्रेभ्य एवैनमेतद्बलीयांसं करोति ॥ १५ ॥

त्यामन्त्रणे । ' त्वं ब्रह्मासि ' ' इति ' एतावदेव ' अनिरुक्तम् ' कस्यचिदपि देवताविशेषस्य प्रतिपादकं वाक्यं प्रतिवदेत् । तत् प्रशंसति—अपरिमितमिति । निरुक्तम् ' निःशेषेण वक्तुं योग्यं निरुक्तम् ' परिमितम् ', तत्पूर्वमन्त्रेषु " सविताऽसि " इत्यादिषु कृतम्; अत्रानिरुक्तप्रतिवचनेन यजमाने अपरिमितं वीर्यं निहितवान् भवतीति ॥ १३ ॥

विधत्ते–अथ सुमंगलेति[1] । सुमङ्गलनामानमाहूय बहुकारेति मन्त्रेण यजमानं कीर्तयेत् । पदत्रयं सम्बुध्यन्तम् । बहु करोतीति बहुकारः । " कर्मण्यण् " (पा. सू. ३ । २ । १) श्रेयः करोतीति श्रेयस्करः । " कृञो हेतुताच्छील्यानुलोम्येषु " (पा. सू. ३ । २ । २०) इति टच् भूयो भूयो महत्तरं करोतीति भूयस्करः ! य एवमिति । ' यः ' पुरुषो लोके प्रियंकरनामा ' भवति ', स ' मानुष्यै ' मानुष्याः ' वाचः ' ' कल्याणं ' सर्वेषां प्रियमेव ' वदति ' ॥ १४ ॥

अत्र कात्यायनः उत्तरं तन्त्रं संगृह्य दर्शितवान्–" स्फ्यमस्मै प्रयच्छति पुरोहितोऽध्वर्युर्वा इन्द्रस्य वज्र इति, राजा राजभ्राता सूतस्थपत्योरन्यतरो ग्रामणीः सजातश्चैवं पूर्वः पूर्व उत्तरस्मै " (का.श्रौ. सू. १९ । १९७ । १९८) इति । तद्विद क्रमेण विधत्ते–अथास्मा इत्यादिना । ' अस्मै ' सुन्वते ' स्फ्यं ' ' ब्राह्मणः ' दद्यात् । हे स्फ्य ! ' इन्द्रस्य वज्रोऽसि ' । " एकमतृतीयम्, रथस्तृतीयम् " (तै. सं. ९ । २ । ६ । २) इति श्रुतेः । तेन कारणेन ' मे ' मम " रध्य ' रध्यतिर्वशगमने " (निरु. १० । ४ । ३) मदीयाय यजमानाय सर्वं वशीकुरु । यद्वा, ' रध्य ' द्यूतस्थानपरिलेखनरूपं कार्यं साधयेति ॥

१–बहुकारेति च ह्वयत्येवंनामानम् । का० श्रौ० सू० १५ । १९६ ।

तꣳ राजा राजभ्रात्रे प्रयच्छति । (तं) इन्द्रस्य वज्रोऽसि तेन मे रध्येति तेन राजा राजभ्रातरमात्मनोऽबलीयाꣳसं कुरुते ॥ १६ ॥

तꣳ राजभ्राता सूताय वा स्थपतये वा प्रयच्छति । (तं) इन्द्रस्य वज्रोऽसि तेन मे रध्येति तेन राजभ्राता सूतं वा स्थपतिं वाऽऽत्मनोऽबलीयाꣳसं कुरुते ॥ १७ ॥

तꣳ सूतो वा स्थपतिर्वा ग्रामण्ये प्रयच्छति । (तं इन्द्रस्य वज्रोऽसि तेन मे रध्येति तेन सूतो वा स्थपतिर्वा ग्रामण्यमात्मनोऽबलीयाꣳसं कुरुते ॥ १८ ॥

तं ग्रामणीः सजाताय प्रयच्छति । (तं) इन्द्रस्य वज्रोऽसि तेन मे रध्येति तेन ग्रामणीः सजातमात्मनोऽबलीयाꣳसं कुरुते तद्यदेवꣳ सम्प्रयच्छन्ते नेत्पापवस्यसमसद्यथापूर्वमसदिति तस्मादेवꣳ सम्प्रयच्छन्ते ॥ १९ ॥

तं राजा राजभ्रात्रे प्रयच्छति–" इन्द्रस्य वज्रोऽसि तेन मे रध्य "–(वा. सं. १०।२८) इति । तेन राजा राजभ्रातरमात्मनोऽबलीयांसं कुरुते ॥ १६ ॥

तं राजभ्राता सूताय वा स्थपतये वा प्रयच्छति–" इन्द्रस्य वज्रोऽसि तेन मे रध्य "–इति । तेन राजभ्राता सूतं वा स्थपतिं वाऽऽत्मनोऽबलीयांसं कुरुते ॥ १७ ॥

तं सूतो वा स्थपतिर्वा ग्रामण्ये प्रयच्छति–" इन्द्रस्य वज्रोऽसि तेन मे रध्य "–इति । तेन सूतो वा स्थपतिर्वा ग्रामण्यमात्मनोऽबलीयांसं कुरुते ॥ १८ ॥

तं ग्रामणीः सजाताय प्रयच्छति–"इन्द्रस्य वज्रोऽसि तेन मे रध्य"–इति । तेन ग्रामणीः सजातमात्मनोऽबलीयांसं कुरुते । तद् यदेवं सम्प्रयच्छन्ते–नेत् पापवस्यसमसद्, यथापूर्वमसदिति । तस्मादेवं सम्प्रयच्छन्ते ॥ १९ ॥

मन्त्रस्य तात्पर्यमाह–**वज्रो वा** इति । अयमर्थः–ब्राह्मणो राज्ञे वज्ररूपस्फ्यप्रदानेन स्वस्मादबलीयांसमपि राजानं बलवत्तरं कृतवान् भवति । तदेवाह–**यो वा** इति । 'यः' खलु राजन्यो 'ब्राह्मणात्' हीनबलः, 'सः' 'अमित्रेभ्यः' शत्रुभ्यो बलवत्तरः भवति; तस्मात् ब्राह्मणः स्फ्यप्रदानेन शत्रुभ्योऽधिकबलं कृतवान् भवतीत्यर्थः ॥

एवमुत्तरत्रापि योज्यम् । सूतग्रामणीसजाता व्याख्याताः (श. प. ५।३।१।५।६) राजादिषु सजातान्तेषु स्फ्यप्रदानं सम्भूय प्रशंसति–**तद्यदेवमिति** । 'पापवस्यसं' पापिष्ठं कर्म 'नेदसत्' न भवेत्, किन्तु यथापूर्वं भवेदिति बुद्ध्या प्रदानमित्यर्थः ॥ १६–१९ ॥

(न्तेऽथ) अथ सजातश्च प्रतिप्रस्थाता च । (चै) एतेन स्फ्येन पूर्वाग्नौ शुक्रस्य पुरोरुचाऽधिदेवनं कुरुतोऽत्ता वै शुक्रोऽत्तारमेवैतत्कुरुतः ॥ २० ॥

(तोऽथ) अथ मन्थिनः पुरोरुचा विमितं विमिनुतः । (ऽ) आद्यो वै मन्थी तदत्तारमेवैतत्कृत्वाऽथास्माऽएतदाद्यं जनयतस्तस्मान्मन्थिनः पुरोरुचा विमितं विमिनुतः ॥ २१ ॥

(तोऽथा) अथाध्वर्युः । (श्च) चतुर्गृहीतमाज्यं गृहीत्वाऽधिदेवने हिरण्यं निधाय जुहोत्यग्निः पृथुर्धर्मणस्पतिर्जुषाणो ऽअग्निः पृथुर्धर्मणस्पतिराज्यस्य व्वेतु स्वाहेति ॥ २२ ॥

अथ सजातश्च प्रतिप्रस्थाता चैतेन स्फ्येन पूर्वाग्नौ शुक्रस्य पुरोरुचाऽधिदेवनं कुरुतः। अत्ता वै शुक्रः। अत्तारमेवैतत्कुरुतः ॥ २० ॥

अथ मन्थिनः पुरोरुचा विमितं विमिनुतः। आद्यो वै मन्थी। तदत्तारमेवैतत्कृत्वाऽथास्माऽएतदाद्यं जनयतः। तस्मान्मन्थिनः पुरोरुचा विमितं विमिनुतः ॥ २१ ॥

अथाध्वर्युश्चतुर्गृहीतमाज्यं गृहीत्वाऽधिदेवने हिरण्यं निधाय जुहोति–"अग्निः पृथुर्धर्मणस्पतिर्जुषाणोऽग्निः पृथुर्धर्मणस्पतिराज्यस्य वेतु स्वाहा"–इति ॥ २२ ॥

अथ द्यूतस्थानकरणं च सविशेषं समन्त्रकञ्च विधत्ते–अथ सजातश्चेति। आहवनीयस्योत्तरप्रदेशे स्थापितः स पूर्वाग्निः, तस्मिन् तत्संस्पृष्टम् अधिदीव्यन्त्यत्रेति 'अधिदेवनम्' द्यूतभूमिः, तां शुक्रग्रहस्य पुरोरुचा "तं प्रत्नथा पूर्वथा विश्वथेमथा"–इत्यनया (वा. सं. ७।१२) (ऋ. सं. ५।४४।१) 'कुरुतः'। अत एव सूत्रम्–"प्रत्तेन सजातः प्रतिप्रस्थाता च पूर्वाग्निसहितां शुक्रपुरोरुचा द्यूतभूमिं कुरुतः"–(का. श्रौ. सू. १५।१९९) ॥

चतुर्थकाण्डे द्वितीयेऽध्याये शुक्रामन्थिग्रहयोरत्त्राद्यमात्रेन स्तुतयोः पुरोरुग्द्वयं विहितम्; तदर्थस्तु तत्रैव व्याख्यात इति नेह पुनर्व्याख्यायते (श. प. ४।२।१।३।१०)। शुक्रस्यात्तृत्वात् तन्मन्त्रेण द्यूतभूमिकरणाद् यजमानमत्तारं कृतवन्तौ भवतः ॥ २० ॥

अथ मन्थिन इति[1]। मन्थिग्रहपुरोरुचा "अयं वेनश्चोदयत् पृश्निगर्भा"–(वा. सं. ७।१६) इत्यनया 'विमितं' विमिन्वन्त्यत्रेति विमितं चतुर्द्वारं चतुरस्रं मण्डपं तद् 'विमिनुतः' कुरुतः। आद्यो वा इत्यादेरयमर्थः–मन्थिन आद्यत्वात् तन्मन्त्रेण विमितकरणादत्तृभूताय यजमानाय आद्यं सम्पादितवन्तौ भवत इत्यर्थः ॥ २१ ॥

अथाधिदेवने हिरण्यनिधानपूर्वकं होमं समन्त्रकं विधत्ते–अथाध्वर्युरिति[2]। यज्ञे देवानां प्रथनात् 'पृथुः', ...: 'धर्मणस्पतिः' धर्म्मणः धारणस्य पतिः, अतो देवतोद्देशेन हूयमानं हविः 'जुषाणः' सेवमानः 'अग्निः'। 'पृथुर्द्धर्मणस्पतिः'–इति पुनर्वचनमादरार्थम्, विध्यनुवादाभिप्रायं वा। 'आज्यस्य' घृतस्य। कर्मणि

१–मंथिनो विमितम्। का० श्रौ० सू० १५।२००। २–द्यूतभूमौ हिरण्यं निधायाभिजुहोति चतुर्गृहीतेनाग्निः पृथुरिति। का. श्रौ. सू. १५।२०१।

(त्य) अथाक्षान्निवपति । स्वाहाकृताः सूर्यस्य रश्मिभिर्यतध्वꣳ सजातानां मध्यमेष्ठ्यायेत्येष वाऽअग्निः पृथुर्यदधिदेवनं तस्यैतेऽङ्गारा यदक्षास्तमेवैतेन प्रीणाति तस्य ह वाऽएषाऽनुमता गृहेषु हन्यते यो वा राजसूयेन यजते यो वैतदेवं व्वेदैतेष्वक्षेष्वाह गां दीव्यध्वमिति पूर्वाग्निवाहौ दक्षिणा ॥ २३ ॥

अथाक्षान्निवपति–" स्वाहाकृताः सूर्यस्य रश्मिभिर्यतध्वम् । सजातानां मध्यमेष्ठ्याय "-(वा० सं० १० । २९) इति । एष वाऽअग्निः पृथुः । यदधिदेवनम् । तस्यैतेऽङ्गाराः–यदक्षाः । तमेवैतेन प्रीणाति । तस्य ह वाऽएषाऽनुमता गृहेषु हन्यते–यो वा राजसूयेन यजते, यो वैतदेवं वेद । एतेष्वक्षेष्वाह–गां दीव्यध्वमिति । पूर्वाग्निवाहौ दक्षिणा ॥ २३ ॥

षष्ठी । आज्यं ' वेतु ' पिबतु । " वी गतिव्याप्तिप्रजनकान्त्यसनखादनेषु " (धा. पा. अ. प. ३८ ।) ' स्वाहा '–इति होमार्थः ॥ २२ ॥

तत्र विमिते अक्षनिवापं समन्त्रकं विधत्ते–**अथाक्षानिति** । ' स्वाहाकृताः ' स्वाहाकारपूर्विकया आहुत्या तर्पिताः । हे अक्षाः ! ' सजातानां ' समानजन्मनां भ्रातॄणां ' मध्यमेष्ठ्याय ' मध्यमप्रदेशे यजमानावस्थानाय ' सूर्यस्य रश्मिभिः ' ' यतध्वम् ' सङ्गता भवतेति ॥

मन्त्रवत्कर्मकरणं प्रायेण कस्यैचिद् देवतायै भवति, अतो द्यूतभूमावक्षनिवापस्य देवतासन्तर्पकत्वं दर्शयति–**एष वा अग्निरिति** । ' अधिदेवनं ' द्यूतस्थानम् । तदेवोपपादयति–**तस्यैत** इति । ' तस्य ' अग्नेः 'अङ्गाराः' एव देवनसाधनभूताः ' अक्षाः ' तस्मात् तेनाक्षनिधानेन अग्निमेव प्रीणितवान् भवतीति ॥

अत्र यदुक्तं सूत्रे–" अक्षान् निवपति स्वाहाकृता इति, गां दीव्यध्वमित्याह "–इति " सजाताय कलिंगां " इति च (का. श्रौ. सू. १५ । २०२–२०५) देवनकाले गामेव पणत्वेन कृत्वा, " गां दीव्यध्वम् "–इति द्यूतकरणप्रैषं ब्रूयात् । ततोऽस्य पणत्वेनाङ्गीकृतां गामानीय घ्नन्ति । " हन्तिश्च आहननमात्रार्थो न मारणार्थः " (का. श्रौ. सू. १५ । २०५ भा.) । तदिदं विधत्ते–**तस्य ह वा इति** । यो राजसूयेन यजते, यो वा एतत् कर्म वेत्ति, तस्य गृहेष्वेषा गौः ' अनुमता ' अङ्गीकृता ' हन्यते ' । अत्र गोप्रसक्तिं दर्शयति–**एतेष्वक्षेष्विति** । द्यूतकर्मणो दक्षिणां विधत्ते-**पूर्वाग्नीति** । पूर्वाग्निम् आहवनीयं वहत इति पूर्वाग्निवाहौ तावनड्वाहौ ' दक्षिणा ' । आपस्तम्बोऽप्याह–" पष्ठौहीं विदीव्यन्त ओदनमुद्ब्रुवते, तदेतस्य कर्मणः पूर्वाग्निवाहौ दक्षिणा, तौ ब्रह्मणे देयौ "–(आ. श्रौ. सू. १८।१९।२,३) इति ।

तदिदं देवनं सन्निधिबलादभिषेचनीयाख्यसोमयागमध्यगतमपि महाप्रकरणबलात् इष्टिपशुसोमयागात्मकराजसूयशेष इति गम्यते, प्रकरणेन सन्निधेर्बाध इति हि सिद्धान्तितम् (मी. जै. सू. ३।३।१४) ॥ २३ ॥

१–पूर्वाग्निवाहौ दक्षिणा । का. श्रौ. सू. १५ । २०६ ।

(णाऽथा) अथाहाग्नये स्विष्टकृतेऽनुब्रूहीति । तद्यदन्तरेणाहुतीऽएतत्कर्म क्रियत ऽएष वै प्रजापतिर्य एष यज्ञस्तायते यस्मादिमाः प्रजाः प्रजाता ऽएतम्वेवाप्येतर्ह्यनु प्रजायन्ते तदेनं मध्यत ऽएवैतस्य प्रजापतेर्दधाति मध्यतः सुवति तस्मादन्तरेणाहुतीऽएतत्कर्म क्रियतऽआश्राव्याहाग्निꣳ स्विष्टकृतं यजेति वषट्कृते जुहोति ॥ २४ ॥

(त्य) अथेडामादधाति । (त्य) उपहूतायामिडायामप ऽउपस्पृश्य माहेन्द्रं ग्रहं गृह्णाति माहेन्द्रं ग्रहं गृहीत्वा स्तोत्रमुपाकरोति तꣳ स्तोत्राय प्रमीवति स ऽ उपावरोहति सोऽन्ते स्तोत्रस्य भवत्यन्ते शस्त्रस्य ॥ २५ ॥

इति चतुर्थप्रपाठके प्रथमं ब्राह्मणम् ॥ ५–४–१ ॥ (४. ४.) ॥

वरुणाद्ध वाऽअभिषिषिचानाद्भर्गोऽपचक्राम । वीर्यं वै भर्ग ऽएष विष्णुर्यज्ञः सोऽस्मादपचक्राम शश्वद्य ऽएषोऽपाꣳ रसः सम्भृतो भवति येनैनमेतदभिषिञ्चति सोऽस्य भर्गं निर्जघान ॥ १ ॥

अथाह–' अग्नये स्विष्टकृतेऽनुब्रूहि '–इति । तद् यदन्तरेणाहुतीऽएतत्कर्म क्रियते । एष वै प्रजापतिः–य एष यज्ञस्तायते । यस्मादिमाः प्रजाः प्रजाताः । एतम्वेवाप्येतर्ह्यनु प्रजायन्ते । तदेनं मध्यत एवैतस्य प्रजापतेर्दधाति, मध्यतः सुवति । तस्मादन्तरेणाहुतीऽएतत्कर्म क्रियते । आश्राव्याह । ' अग्निं स्विष्टकृतं यज '–इति । वषट्कृते जुहोति ॥ २४ ॥

अथेडामादधाति । उपहूतायामिडायामप उपस्पृश्य माहेन्द्रं ग्रहं गृह्णाति । माहेन्द्रं ग्रहं गृहीत्वा स्तोत्रमुपाकरोति । तं स्तोत्राय प्रमीवति । स उपावरोहति । सोऽन्ते स्तोत्रस्य भवत्यन्ते शस्त्रस्य ॥ २५ ॥

वरुणाद्ध वाऽअभिषिषिचानाद्भर्गोऽपचक्राम । वीर्यं वै भर्गः । एष विष्णुर्यज्ञः । सोऽस्मादपचक्राम । शश्वद्–य एषोऽपां रसः सम्भृतो भवति–येनैनमेतदभिषिञ्चति । सोऽस्य भर्गं निर्जघान ॥ १ ॥

अथ पयस्यास्विष्टकृदिडादिकं दर्शयति–अथाहाग्नय इति । प्रधानसौविष्टकृतहविषोर्मध्ये यद् देवनादिकं कृतम्, तत् प्रजापतिमध्यनिधानरूपेण प्रशंसति–तद्व यदन्तरेणेति । आश्राव्याहेत्यादि । स्पष्टम् (तै. सं. १।८।११) ॥ २४ ॥

" अथेडामादधातीति" (श. प. १।२।२।१९) कण्डिका वाजपेये व्याख्याता ॥ २५ ॥

इति श्रीसायणाचार्यविरचिते माधवीये वेदार्थप्रकाशे माध्यन्दिनीयशतपथब्राह्मणभाष्ये

पञ्चमकाण्डे चतुर्थाध्याये चतुर्थं ब्राह्मणम् ॥ ५–४–४ ॥

अथ पञ्चमे ब्राह्मणे संसृप्तां हवींषि दशसङ्ख्याकानि दशपेयाख्यस्य सोमयागस्य दीक्षाः, उपसद्यागाः, ऋत्विग्विशेषेण दक्षिणाश्च विधीयन्ते; तत्र हवींषि विधातुं प्रस्तौति–वरुणाद्ध वा इति । पूर्वमभिषिच्यमानाद्

१–पयस्यास्विष्टकृदिडं करोति माहेंद्रादि च । का० श्रौ० सू० १५ । २०७ ।

तमेताभिर्देवताभिरनुसमसर्पत् । (त्स) सवित्रा प्रसवित्रा सरस्वत्या वाचा त्वष्ट्रा रूपैः पूष्णा पशुभिरिन्द्रेणास्मे बृहस्पतिना ब्रह्मणा वरुणेनौजसाऽग्निना तेजसा सोमेन राज्ञा विष्णुनैव दशम्या देवतयाऽन्वविन्दत् २॥

(त्त) तद्यदेनमेताभिर्देवताभिरनुसमसर्पत् । (त्तु) तस्मात्सꣳसृपो नामाथ यद्दशमेऽहन्प्रसुतो भवति तस्माद्दशपेयोऽथो यद्दशदशैकैकं चमसमनुप्रसृप्ता भवन्ति तस्माद्वेव दशपेयः ॥ ३ ॥

तमेताभिर्देवताभिरनुसमसर्पत् । " सवित्रा प्रसवित्रा सरस्वत्या वाचा त्वष्ट्रा रूपैः पूष्णा पशुभिरिन्द्रेणास्मे बृहस्पतिना ब्रह्मणा वरुणेनौजसाऽग्निना तेजसा सोमेन राज्ञा विष्णुनैव दशम्या देवतया "-(वा० सं० १० । ३०) अन्वविन्दत् ॥ २ ॥

तद्द् यदेनमेताभिर्देवताभिरनुसमसर्पत्-तस्मात्संसृपो नाम । अथ यद्दशमेऽहन्प्रसुतो भवति-तस्माद् दशपेयः । अथो यद्दश-दशैकैकं चमसमनुप्रसृप्ता भवन्ति-तस्माद्वेव दशपेयः ॥ ३ ॥

' वरुणात् ' सकाशात् , भर्गः ' यज्ञरूपं वीर्यम् ' अपचक्राम ' अपसृतम् । तदेव प्रतिपादयति-**शश्वद्ध एष इति** ॥ १ ॥

तमेताभिरित्यादि । ' तम् ' अपसृतम् भर्गम् ' एताभिः ' वक्ष्यमाणाभिः सावित्रादिभिः ' अनुसमसर्पत् ' वरुणोऽनुक्रमेण प्राप्तवान् । तादशदेवताः क्रमेण दर्शयति-**सवित्रेति** । ' प्रसवित्रा ' प्रसवकारिणा ' सवित्रा ' देवतया, ' अन्वविन्दत् '-इति सर्वत्रानुषङ्गः । ' वाचा ' वाग्रूपया ' सरस्वत्या ', ' रूपैः ' उपलक्षितेन 'त्वष्ट्रा', ' पशुभिः ' उपलक्षितेन ' पूष्णा ', ' अस्मे ' अस्मै अपसृताय वीर्याय तदधीनकरणार्थम् ' इन्द्रेण '; यद्वा, विभक्तिव्यत्ययः, अनेन वीर्येण वीर्यवता इन्द्रेण, ' ब्रह्मणा ' ब्राह्मणजात्यभिमानिना ' बृहस्पतिना ' ' ओजसा वरुणेन ' स्वीयदेवतारूपेण, अतीतकल्पगतेन वरुणेन वा, ' तेजसा अग्निना ' तेजोरूपेणाग्निना, 'राज्ञा सोमेन' ' दशम्या ' दशसङ्ख्यापूरयित्र्या ' विष्णुना ' ' एव ' ' देवतया ' ' अन्वविन्दत् ' अपक्रान्तं वीर्यमिति ॥ २ ॥

हविषां नाम निर्ब्रूते-**तद्यदेनमेताभिरित्यादिना** । 'तत्' तत्र यस्मात् ' एताभिः ' ' अनुसमसर्पत् ' अन्वविन्दत् सम्यक् सृप्यते प्राप्यते वीर्यमाभिरग्न्यादिभिर्देवताभिरिति ' संसृपः ' देवताः, तासां हवींष्यपि तन्नामानि । अथ दशपेयं विधातुं तच्छब्दं निर्वक्ति-**अथ यद् दशमेऽहन्निति** । पूर्वमुक्तानि दशसंसृपां हवींषि प्रत्येकमेकैकदिने कर्त्तव्यानि । तथाच **सूत्रम्**-" दशोत्तराणि संसृपां हवींषि निर्वपति, देवयजनान्तरमेकैकेनोत्सर्पति, शालायामन्त्यम् "-(का. श्रौ. सू. १५ ।२१९-२२१) इति । तैत्तिरीये तु स्पष्टमुक्तम्-" अग्निना देवेन प्रथमेऽहन्ननुप्रायुङ्क्त, सरस्वत्या वाचा द्वितीये, सवित्रा प्रसवेन तृतीये " इत्यादिना (तै. ब्रा. १।८।१।१) संसृप्शब्दवाच्याभ्यो दशभ्य इष्टिभ्य ऊर्ध्वं दशपेयार्थसोमाभिषवः । तथा च दशमे दिने दशपेयार्थसोमाभिषवप्रवृत्तेर्दशपेयत्वम् ॥ अयमत्र **क्रमः**-दशानां संसृपां हविषां मध्ये सप्त हवींषि प्रतिदिनं क्रमेणैकैकं कृत्वा सप्तमे दिने सप्तम्यामिष्टौ अतीतायाम् अष्टमं हविर्निर्वपेत् । अपराह्णे दशपेयस्य द्वादशपुण्डरीकस्रक्प्रतिमोकलक्षणां, दीक्षां कृत्वा तदानीमेव प्रथमामुपसदं कृत्वा, तदन्ते संसृपामष्टमं हविर्निर्वपेत् । अष्टमे दिने उपसदन्ते संसृपां

(स्तु) तुदाहुः । (ई) दुश पितामहान्त्सोमपान्त्संख्याय प्रसर्पेत्तथो हास्य सोमपीथमश्नुते दशपेयो हीति तद्वै ज्या द्वौ त्रीनित्येवु पितामहान्त्सोमपान्विन्दन्ति तुस्मादेता ऽएवु देवुताः संख्याय प्रसर्पेत् ॥ ४ ॥

(दे) एताभिर्व्वै देवुताभिर्व्वुरुण ऽएतुस्य सोमपीथमाश्नुत । तथोऽएवैष ऽएताभिरेवु देवुताभिरेतुस्य सोमपीथमश्नुते तुस्मादेता ऽएवु देवुताः संख्याय प्रसर्पेदुथ युदैवैषोदवसानीयेष्टिः संतिष्ठत ऽएतुस्याभिषेचनीयस्य ॥ ५ ॥

तदाहुः–दश पितामहान्त्सोमपान्सङ्ख्याय प्रसर्पेत् । तथो हास्य सोमपीथमश्नुते । दशपेयो हीति । तद्वै ज्या द्वौ त्रीनित्येव पितामहान्सोमपान्विन्दति । तस्मादेता एव देवताः सङ्ख्याय प्रसर्पेत् ॥ ४ ॥

एताभिर्वै देवताभिर्वरुण एतस्य सोमपीथमाश्नुत । तथोऽएवैष एताभिरेव देवताभिरेतस्य सोमपीथमश्नुते । तस्मादेता एव देवताः सङ्ख्याय प्रसर्पेत् । अथ यदैवैषोदवसानीयेष्टिः सन्तिष्ठतऽएतस्याभिषेचनीयस्य ॥ ५ ॥

नवमं हविर्निरुप्य, नवमे दिवसे तृतीयोपसदन्ते संसृपां दशमं हविर्निरुप्य, तस्मिन्नेवाहनि अग्नीषोमीयपशुप्रचारं कुर्यात् । ततो दशमेऽहनि सोमोऽभिषूयते, हुतशेषश्च पीयत इति दशपेयत्वमिति ॥ निर्वचनान्तरं दर्शयति–अथ यद् दश–दशेति । एकैकस्मिन् पात्रे दशभिर्ब्राह्मणैः पातव्यः सोमरसो यस्मिन् काले स दशपेयो भक्षणकालः । " दशदशैकैकं चमसमनुभक्षयन्ति "–(का. श्रौ. सू. १५ । २३५) इति हि सूत्रम् ॥ ३ ॥

अत्र यदुक्तं सूत्रकृता दशपेयं प्रस्तुत्य–" पितामहदशगणं सोमपानां सङ्ख्याय सर्पणं सवित्रेति वाऽनुवाकमुक्त्वा "–(का. श्रौ. सू. १५ । २३३ । २३४) इति । अस्यार्थः–भक्षणार्थं सदःप्रसर्पणकाले सोम्यानां शतसङ्ख्याकब्राह्मणानां मध्ये एकैकस्य पात्रस्य भक्षयितारो दश–दश पुरुषाः यजमानस्य दश सोमपान् ' पितामहान् ' यजमानस्य पितामहः, तत्पितामहस्तत्पितामह इत्येवं पितामहदशगणं सङ्ख्याय गणयित्वा प्रसर्पेयुः । यद्वा " सवित्रा प्रसवित्रा सरस्वत्या वाचा "–(वा. सं. १० । ३०) इति संहितोक्तमन्त्रेण प्रसर्पणं कुर्यादिति ॥

अत्र पितामहगणनेन प्रसर्पणं पूर्वपक्षयति–तदाहुरिति । तद् दूषयति–तद्वै ज्येति । ' ज्या ' ज्यानिः, निकृष्ट इत्यर्थः । अत्रोपपत्तिमाह–द्वौ त्रीनिति । यदि पितामहान् जानीयुः, तर्हि ' द्वौ त्रीन् एव ' जानीयुः, न सर्वान्; तस्मात् सवित्रादिदशदेवताः सङ्ख्याय प्रसर्पणं कुर्यादित्यर्थः ॥ ४ ॥

तदिदं वरुणवृत्तान्तेन प्रशंसति–एताभिर्वा इति । संसृप्शब्दवाच्यहविर्निर्वापकालं दर्शयति–अथ यदैवैषेति । ' अभिषेचनीयस्य ' एतदाख्यस्य सोमयागस्य ' उदवसानीयेष्टिः ' ' यदा ' ' सन्तिष्ठते ' समाप्यते ॥ ५ ॥

(स्या) अथैतानि हवीꣳषि निर्व्वपति । सावित्रं द्वादशकपालं व्वाऽष्टाकपालं वा पुरोडाशꣳ सविता वै देवानां प्रसविता सवितृप्रसूत ऽएव तद्वरुणोऽनुसमसर्पत्तथोऽ एवैष एतत्सवितृप्रसूत ऽएवानुसꣳसर्पति तत्रैकं पुण्डरीकं प्रयच्छति ॥ ६ ॥

(त्यु) अथ सारस्वतं चरुं निर्व्वपति । व्वाग्वै सरस्वती व्वाचैव तद्वरुणोऽनुसमसर्पत्तथो ऽएवैष एतद्वाचैवानुसꣳसर्पति तत्रैकं पुण्डरीकं प्रयच्छति ॥ ७ ॥

(त्यु) अथ त्वाष्ट्रं दशकपालं पुरोडाशं निर्व्वपति । त्वष्टा वै रूपाणामीष्टे त्वष्ट्रैव तद्रूपैर्व्वरुणोऽनुसमसर्पत्तथोऽएवैष एतत्त्वष्ट्रैव रूपैरनुसꣳसर्पति तत्रैकं पुण्डरीकं प्रयच्छति ॥ ८ ॥

(त्यु) अथ पौष्णं चरुं निर्व्वपति । पशवो वै पूषा पशुभिरेव तद्वरुणोऽनुसमसर्पत्तथो ऽएवैष ऽएतत्पशुभिरेवानुसꣳसर्पति तत्रैकं पुण्डरीकं प्रयच्छति ॥ ९ ॥

अथैतानि हवींषि निर्वपति। सावित्रं द्वादशकपालं वाऽष्टाकपालं वा पुरोडाशम् ।सविता वै देवानां प्रसविता, सवितृप्रसूत एव तद् वरुणोऽनुसमसर्पत् । तथोऽएवैष एतत्सवितृप्रसूत एवानुसंसर्पति । तत्रैकं पुण्डरीकं प्रयच्छति ॥ ६ ॥

अथ सारस्वतं चरुं निर्वपति । वाग्वै सरस्वती ।वाचैव तद्वरुणोऽनुसमसर्पत् । तथोऽएवैष एतद्वाचैवानुसंसर्पति । तत्रैकं पुण्डरीकं प्रयच्छति ॥ ७ ॥

अथ त्वाष्ट्रं दशकपालं पुरोडाशं निर्वपति । त्वष्टा वै रूपाणामीष्टे । त्वष्ट्रैव तद्रूपैर्वरुणोऽनुसमसर्पत् । तथोऽएवैष एतत्त्वष्ट्रैव रूपैरनुसंसर्पति । तत्रैकं पुण्डरीकं प्रयच्छति ॥ ८ ॥

अथ पौष्णं चरुं निर्वपति । पशवो वै पूषा । पशुभिरेव तद्वरुणोऽनुसमसर्पत् । तथोऽएवैष एतत्पशुभिरेवानुसंसर्पति । तत्रैकं पुण्डरीकं प्रयच्छति ॥ ९ ॥

अथैतानीति । 'अथ' तदनन्तरम् 'एतानि हवींषि' निर्वपेदित्यर्थः । तत्प्रकारः कात्यायनेन स्पष्टीकृतः–" सावित्र-सारस्वत-त्वाष्ट्र-पौष्णैन्द्र-बार्हस्पत्य–वारुणाग्नेय सौम्य-वैष्णवानि यथोक्तं प्रतीष्टिपुण्डरीकाणि प्रयच्छति, हिरण्मयानि वोत्तमासु तिसृषु पञ्च तेषां स्रजं प्रतिमुञ्चते तद्दीक्षो भवति "–(का. श्रौ. सू. १९ ।-२२२–२२७). इति । सप्तम्यां ब्रह्मागारात् सोममाहृत्यासन्द्यभिमर्शनादि करोत्युपसद्देवताहवींषि निर्वपत्युपसद् त इच्छन्निति । उक्तानां दशसङ्ख्याकानां हविषां मध्ये सप्त हवींषि पूर्वमिष्टितन्त्रेण कृत्वा, सप्त हिरण्मयपुण्डरीकाणि दत्वा, उत्तरासु तिसृषु पञ्च दत्वा, द्वादश पुण्डरीकस्रक्प्रतिमोकदक्षिणां दशपेयदीक्षां कृत्वा,

(त्यु) अथैन्द्रमेकादशकपालं पुरोडाशं निर्व्वपति । (ती) इन्द्रियं वै व्वीर्यमिन्द्र ऽइन्द्रियेणैव तद्वीर्येण व्वरुणोऽनुसमसर्पत्तथोऽएवैषऽएतदिन्द्रियेणैव व्वीर्येणानुसꣳसर्पति तत्रैकं पुण्डरीकं प्रयच्छति ॥ १० ॥

(त्यु) अथ बार्हस्पत्यं चरुं निर्व्वपति । ब्रह्म वै बृहस्पतिर्ब्रह्मणैव तद्वरुणोऽनुसमसर्पत्तथोऽएवैष ऽएतद्ब्रह्मणैवानुसꣳसर्पति तत्रैकं पुण्डरीकं प्रयच्छति ॥ ११ ॥

(त्यु) अथ व्वारुणं यवमयं चरुं निर्व्वपति । स येनैवौजसेमाः प्रजा व्वरुणोऽगृह्णात्तेनैव तदोजसा व्वरुणोऽनुसमसर्पत्तेनोऽएवैष तदोजसाऽनुसꣳसर्पति तत्रैकं पुण्डरीकं प्रयच्छति ॥ १२ ॥

(त्यु) उपसदो दशम्यो देवताः । (स्तु) तत्र पञ्च पुण्डरीकाण्युपप्रयच्छति तां द्वादशपुण्डरीकाꣳ स्रजं प्रतिमुञ्चते सा दीक्षा तया दीक्षया दीक्षते ॥ १३ ॥

अथैन्द्रमेकादशकपालं पुरोडाशं निर्वपति । इन्द्रियं वै वीर्यमिन्द्रः । इन्द्रियेणैव तद् वीर्येण वरुणोऽनुसमसर्पत् । तथोऽएवैष एतदिन्द्रियेणैव वीर्येणानुसंसर्पति । तत्रैकं पुण्डरीकं प्रयच्छति ॥ १० ॥

अथ बार्हस्पत्यं चरुं निर्वपति । ब्रह्म वै बृहस्पतिः । ब्रह्मणैवैतद्वरुणोऽनुसमसर्पत् । तथोऽएवैष एतद्ब्रह्मणैवानुसंसर्पति । तत्रैकं पुण्डरीकं प्रयच्छति ॥ ११ ॥

अथ वारुणं यवमयं चरुं निर्वपति । स येनैवौजसेमाः प्रजा वरुणोऽगृह्णात्—तेनैव तदोजसा वरुणोऽनुसमसर्पत् । तेनोऽएवैष तदोजसाऽनुसंसर्पति । तत्रैकं पुण्डरीकं प्रयच्छति ॥ १२ ॥

उपसदो दशम्यो देवताः । तत्र पञ्च पुण्डरीकाण्युपप्रयच्छति । तां द्वादशपुण्डरीकां स्रजं प्रतिमुञ्चते—सा दीक्षा । तया दीक्षया दीक्षते ॥ १३ ॥

सप्तम्यां संसृष्ट्यागसम्बन्धिन्यां सप्तमदिने क्रियमाणायां वारुण्यामिष्टावतीतायां पूर्वमेवाभिषेचनीयदशपेययोरपि द्विधा सोमं क्रीत्वा दशपेयार्थं ब्रह्मागारे स्थापितं सोममाहृत्य, आसन्द्यभिमर्शनाद्यातिथ्यान्तं कृत्वा, संसृपां हविषां मध्ये अन्त्यानि आग्नेय-सौम्य-वैष्णवानि त्रीणि हवींषि उपसत्प्रतिनिधित्वेन कर्त्तव्यानि । उपसदामप्यग्निसोमविष्णु देवता अन्तिमत्वात्, तथाप्यग्नीषोमयोरेकस्याप्यभावे दशसंख्यापूरणाभावात् तयोरपि दशमत्वमुच्यते । ‘ तत्र ’ तिसृषु देवतासु तद्देवत्यहविःषु ‘ पञ्च पुण्डरीकाणि ’ देयानि भवन्तीत्येतत् ॥

अथ द्वादशपेयस्य दीक्षां विधत्ते—**तां द्वादशेति** । दत्तानि सप्त, अन्तिमहविस्त्रये दास्यमानानि पञ्चेति द्वादश पुण्डरीकाणि भवन्ति । प्रकृतौ “ अप्सु स्नात्यपोऽश्नाति ”—इत्यादिना यद्दीक्षामात्रं विहितम्, तदत्रापवदितुं दत्तदास्यमानपुण्डरीकस्रक्प्रतिमोको विहितः । सूत्रन्तु पूर्वमुदाहृतम् । आपस्तम्बेन तु विशेष उक्तः—‘ अपो दीक्षायाः स्थाने द्वादशपुण्डरीकां स्रजं प्रतिमुञ्चते ”—(आ. श्रौ. सू. १९।२० । १४) इति । प्रतिमोचयेदित्यर्थः ॥ ६–१३ ॥

(तेऽथ) अथ यद्द्वादश भवन्ति । द्वादश वै मासाः संव्वत्सरस्य सर्व्वं वै संव्वत्सरः सर्व्वेणैवैनमेतद्दीक्षयति यानि पुण्डरीकाणि तानि दिवो रूपं तानि नक्षत्राणाᳫं रूपं ये व्वधकास्तेऽन्तरिक्षस्य रूपं यानि बिसानि तान्यस्यै तदेनमेषु लोकेष्वधि दीक्षयति ॥ १४ ॥

(त्यु) अथ राजानं क्रीत्वा । द्वेधोपनह्य परिवहन्ति ततोऽर्धमासन्द्यामासाद्य प्रचरत्यथ य ऽएषोऽर्धो ब्रह्मणो गृहे निहितो भवति तमासन्द्यामासाद्यातिथ्येन प्रचरति यदातिथ्येन प्रचरत्यथोपसद्भिः प्रचरति यदोपसद्भिः प्रचरति ॥ १५ ॥

(त्यु) अथैतानि हवीᳫंषि निर्व्वपति । (त्या) आग्नेयमष्टाकपालं पुरोडाशᳫं सौम्यं चरुं व्वैष्णवं त्रिकपालं वा पुरोडाशं चरुं वा तेन यथेष्टचैवं यजते ॥ १६ ॥

अथ यद्द्वादश भवन्ति । द्वादश वै मासाः सम्वत्सरस्य । सर्वं वै सम्वत्सरः । सर्वेणैवैनमेतद्दीक्षयति । यानि पुण्डरीकाणि–तानि दिवो रूपम्, तानि नक्षत्राणां रूपम् । ये वधकास्तेऽन्तरिक्षस्य रूपम् । यानि बिसानि–तान्यस्यै । तदेनमेषु लोकेष्वधि दीक्षयति ॥ १४ ॥

अथ राजानं क्रीत्वा द्वेधोपनह्य परिवहन्ति । ततोऽर्धमासन्द्यामासाद्य प्रचरति । अथ य एषोऽर्धो ब्रह्मणो गृहे निहितो भवति–तमासन्द्यामासाद्य आतिथ्येन प्रचरति ।यदातिथ्येन प्रचरति–अथोपसद्भिः प्रचरति । यदोपसद्भिः प्रचरति ॥ १५ ॥

अथैतानि हवींषि निर्वपति–आग्नेयमष्टाकपालं पुरोडाशम्, सौम्यं चरुम्, वैष्णवं त्रिकपालं वा पुरोडाशं चरुं वा यथेष्ट्या एवं यजते ॥ १६ ॥

पुण्डरीकगतां सङ्ख्यां सम्भूय मासात्मकसम्वत्सरात्मना प्रशंसति–**अथ यद्द्वादशेति** । अतस्तावत्सङ्ख्याविशिष्टपद्मैर्दीक्षाकरणेन सर्वात्मसंवत्सरेण यजमानं दीक्षायुक्तं कृतवान् भवति । प्रकारान्तरेण प्रशंसति–**यानीति** । पद्मगतपत्रनालबिसानां स्वर्गान्तरिक्षभूम्याख्यलोकत्रयात्मकत्वात्तत्प्रतिमोकलक्षणदीक्षाकरणेन 'एनं' यजमानम् 'एषु' त्रिषु 'लोकेषु' दीक्षितवान् भवतीत्यर्थः ॥ १४ ॥

अथ राजानं क्रीत्वेत्यादेरयमर्थः–पूर्वमभिषेचनीयदीक्षान्ते राजानं 'क्रीत्वा' 'द्वेधोपनह्य,' तत्रैकं दशपेयार्थं पर्युह्य ब्रह्मागारे स्थापयित्वा, एकेनाभिषेचनीये प्रचारः कृतः; अथ दशपेये ब्रह्मगृहे स्थापितं तं सोममाहृत्य, 'आसन्द्यामासाद्य,' आतिथ्यया प्रचरेयुः; तदनन्तरमुपसद्यागः । तत्राग्निसोमविष्णुदेवताकोपसत्प्रतिनिधित्वेन संसृब्यागसम्बन्धिनामुत्तमानां त्रयाणामाग्नेयसौम्यवैष्णवानामेव निर्वापं पूर्वपक्षयति—**यदोपसद्भिः प्रचरतीति** ॥ १५ ॥

अथैतानि हवींषि निर्वपत्याग्नेयमिति । तेन यथेष्टचेति । एकैकोपसत्स्थाने 'तेन' एकेन हविषा

तदु तथा न कुर्यात् । (ह्व) ह्वलति वाऽएष यो यज्ञपथादेत्येति वाऽएष यज्ञपथाद्यऽ उपसत्पथादेति तस्मादुपसत्पथादेव नेयात् ॥ १७ ॥

(त्स) स यदग्निं यजति । (त्य) अग्निनैवैतत्तेजसाऽनुसꣳसर्पत्यथ यत्सोमं यजति सोमेनैवैतद्राज्ञाऽनुसꣳसर्पत्यथ यद्विष्णुं यजति यज्ञो वै विष्णुस्तद्यज्ञं प्रत्यक्षमाप्नोति तं प्रत्यक्षमाप्त्वाऽऽत्मन्कुरुते ॥ १८ ॥

स एष सप्तदशोऽग्निष्टोमो भवति । सप्तदशो वै प्रजापतिः प्रजापतिर्यज्ञस्तद्यज्ञं प्रत्यक्षमाप्नोति तं प्रत्यक्षमाप्त्वाऽऽत्मन्कुरुते ॥ १९ ॥

तदु तथा न कुर्यात् । ह्वलति वाऽएषः-यो यज्ञपथादेति । एति वाऽएष यज्ञपथाद्-य उपसत्पथादेति । तस्मादुपसत्पथादेव नेयात् ॥ १७ ॥

स यदग्निं यजति-अग्निनैवैतत्तेजसाऽनुसंसर्पति । अथ यत् सोमं यजति-सोमेनैवैतद्राज्ञाऽनुसंसर्पति-अथ यद्विष्णुं यजति । यज्ञो वै विष्णुः । तद्यज्ञं प्रत्यक्षमाप्नोति । तं प्रत्यक्षमाप्त्वाऽऽत्मन्कुरुते ॥ १८ ॥

स एष सप्तदशोऽग्निष्टोमो भवति । सप्तदशो वै प्रजापतिः । प्रजापतिर्यज्ञः । तद्यज्ञं प्रत्यक्षमाप्नोति । तं प्रत्यक्षमाप्त्वाऽऽत्मन्कुरुते ॥ १९ ॥

' यथेष्टया ' इष्टितन्त्रेण कुर्यात् । उपसत्त्रयार्थमेतद्धविस्त्रयं कर्त्तव्यमिति शाखान्तरीयः पक्षः (आप. श्रौ. सू. १८ । २० । १८) ॥ १६ ॥

तमिमं निराकरोति-तदु तथेति । 'तत्' 'तथा' 'न कुर्यात्' । 'एषः ह्वलति वै ' प्रच्युतो भवेत् । एतच्छब्दार्थमाह- यो यज्ञपथादेतीति । 'एति' अपगच्छति । तदेव पुनर्दर्शयति-एति वा एष इति । तस्मात् ' उपसत्पथात्' उपसन्मार्गात् 'नेयात्' न प्रच्युतो भवेत्, तत उपसदो न पृथक् कुर्यात् । तदन्ते एतानि संसृपामिष्टिमानि हवींषि त्रीणि चेष्टितन्त्रेण पृथक् कुर्यात् । अत एव सूत्रकार उपसद्यागान्ते एतेषां निर्वापं विकल्पेन दर्शयामास-"उपसदन्त इच्छन्" (का. श्रौ. सू. १५ । २३२) इति ॥ १७ ॥

तदुक्तदेवताहविषामाग्नेयसौम्य-वैष्णवानां संसृपां हविषामनिर्वापे तद्धेतुकसर्पणस्यासिद्धिमाशङ्क्य निरस्यति-स यदग्निमिति । उपसद्यागैरेव अग्निसोमविष्णव इष्टाः; तदानीमेव तैः संसर्पणं जातमिति ॥ १८ ॥

दशपेयस्य सोमसंस्थारूपं विधत्ते-स एष सप्तदश इति । ' स एषः ' दशपेयः क्रतुः सप्तदशस्तोमसाध्योऽग्निष्टोमसंस्थो भवतीत्यर्थः । " सप्तदशं स्तोत्रं भवति " (तै. सं. १ । ८ । १८ । १) इति हि तैत्तिरीयकम् ॥ १९ ॥

तस्य द्वादश प्रथमगर्भाः । पष्ठौह्यो दक्षिणा द्वादश वै मासाः संव्वत्स-रस्य संवत्सरः प्रजापतिः प्रजापतिर्यज्ञस्तद्यज्ञं प्रत्यक्षमाप्नोति तं प्रत्यक्ष-माप्त्वाऽऽत्मन्कुरुते ॥ २० ॥

तासां द्वादश गर्भाः । (स्ता) ताश्चतुर्विंꣳशतिश्चतुर्विंꣳशतिर्व्वै संव्वत्सर-स्यार्धमासाः संव्वत्सरः प्रजापतिः प्रजापतिर्यज्ञस्तद्यज्ञं प्रत्यक्षमाप्नोति तं प्रत्यक्षमाप्त्वाऽऽत्मन्कुरुते ॥ २१ ॥

ता ब्रह्मणे ददाति । ब्रह्मा हि यज्ञं दक्षिणतोऽभिगोपायति तस्मात्ता ब्रह्मणे ददाति हिरण्मयीꣳ स्रजमुद्गात्रे रुक्मꣳ होत्रे हिरण्मयौ प्राकाशा-वध्वर्युभ्यामश्वं प्रस्तोत्रे व्वशां मैत्रावरुणायर्षभं ब्राह्मणाच्छꣳसिने व्वाससी नेष्टापोतृभ्यामन्यतरतो युक्तं यवाचितमच्छावाकाय गामग्नीधे॥२२॥

तस्य द्वादश प्रथमगर्भाः पष्ठौह्यो दक्षिणा । द्वादश वै मासाः सम्वत्सरस्य । सम्वत्सरः प्रजापतिः। प्रजापतिर्यज्ञः । तद् यज्ञं प्रत्यक्षमाप्नोति । तं प्रत्यक्षमाप्त्वाऽऽत्मन्कुरुते ॥ २० ॥

तासां द्वादश गर्भाः । ताश्चतुर्विंशतिः । चतुर्विंशतिर्वै सम्वत्सरस्यार्धमासाः । सम्वत्सरः प्रजा-पतिः । प्रजापतिर्यज्ञः । तद् यज्ञं प्रत्यक्षमाप्नोति । तं प्रत्यक्षमाप्त्वाऽऽत्मन्कुरुते ॥ २१ ॥

ता ब्रह्मणे ददाति । ब्रह्मा हि यज्ञं दक्षिणतो गोपायति । तस्मात्ता ब्रह्मणे ददाति । हिरण्मयीं स्रजमुद्गात्रे । रुक्मं होत्रे । हिरण्मयौ प्राकाशावध्वर्युभ्याम् । अश्वं प्रस्तोत्रे । वशां मैत्रावरुणाय ।ऋषभं ब्राह्मणाच्छंसिने । वाससी नेष्टापोतृभ्याम् । अन्यतरतो युक्तं यवाचितमच्छावाकाय । गामग्नीधे॥२२

गर्भिणीनां गवां दानं विधत्ते—**तस्य द्वादशेति**[1]। ता द्वादशसङ्ख्याका गाः ब्रह्मणे दद्यादित्युत्तरेण (२२कं०) सम्बन्धः । सङ्ख्यां सम्भूय संवत्सरात्मना स्तौति—**द्वादश वै मासा** इति ॥ २० ॥

प्रकारान्तरेणापि प्रशंसति—**तासां द्वादश गर्भा** इति । ता गावो द्वादश, तासां गर्भा अपि द्वादश, मिलित्वा चतुर्विंशतिः, संवत्सरस्यापि चतुर्विंशतिरर्द्धमासाः, तस्मात् संवत्सरात्मत्वेन ता बालगर्भा गावः प्रशस्ता इत्यर्थः ॥ २१ ॥

ता ब्रह्मणे ददातीति । हिरण्यस्रजो दानं विधत्ते—**हिरण्मयीमिति**[2] । ददातीत्यनुवर्तते ॥

वर्त्तुलस्य स्वर्णाभरणस्य दानं विधत्ते—**रुक्मं होत्र** इति (का. श्रौ. सू. १५ । २४०) । द्वाभ्यां प्रत्येकं प्राकाशदानं विधत्ते—**हिरण्मयाविति** । प्राकाशौ दीपस्तम्भावित्येके, सुवर्णदर्पणावित्यपरे । अश्वदानं विधत्ते—**अश्वं प्रस्तोत्र** इति । वन्ध्याया गोर्दानं विधत्ते—**वशामिति** (का. श्रौ. सू. १५ । २४०) । रेतस्सेचनसम-

---

१-ब्रह्मणे ददात्यश्वं ध्रुवदक्षिणा । का. श्रौ. सू. १५ । २३९ । २-हिरण्मयीं स्रजमुद्गात्रे रुक्मं होत्रे हिरण्मयौ प्राकाशा-वध्वर्युभ्यामश्वं प्रस्तोत्रे वशां मैत्रावरुणायर्षभं ब्राह्मणाच्छंसिने व्वाससी नेष्टापोतृभ्यामन्यतरतो युक्तं यवाचितमच्छावाकाय गामग्नीधे । का. श्रौ. सू. १५ । २४० ।

ता वाऽएताः । (०) द्वादश वा त्रयोदश वा दक्षिणा भवन्ति द्वादश वा वै त्रयोदश वा संव्वत्सरस्य मासाः संव्वत्सरः प्रजापतिः प्रजापतिर्यज्ञस्तद्यज्ञं प्रत्यक्षमाप्नोति तं प्रत्यक्षमाप्त्वाऽऽत्मन्कुरुते ॥ २३ ॥

इति चतुर्थप्रपाठके द्वितीयं ब्राह्मणम् ॥ ५-४-२ ॥ (४. ५.)

इति चतुर्थोऽध्यायः ॥ ४ ॥

ता वाऽएताः द्वादश वा त्रयोदश वा दक्षिणा भवन्ति । द्वादश वा वै त्रयोदश वा सम्वत्सरस्य मासाः । सम्वत्सरः प्रजापतिः । प्रजापतिर्यज्ञः । तद् यज्ञं प्रत्यक्षमाप्नोति । तम्प्रत्यक्षमाप्त्वाऽऽत्मन् कुरुते ॥२३॥

र्थस्य गोर्दानं विधत्ते—**ऋषभमिति** । द्वाभ्यां प्रत्येकं वस्त्रदानं विधत्ते—**वाससी इति** । एकेनानडुहा युक्तस्य यवपूर्णस्य शकटस्य दानं विधत्ते—**अन्यतरत इति** । अनडुहो दानं विधत्ते—**गामग्नीध इति** । " अनड्वाहमग्नीधे " इति हि सूत्रितम् (का. श्रौ. सू. १९ । २४०) । " अनड्वाहमग्नीधे वह्निर्वा अनड्वान् " इति हि तैत्तिरीयकम् (तै. ब्रा. १।८।२।१) ॥ २२ ॥

ता एता दक्षिणाः सम्भूय संवत्सरात्मना प्रशंसति—**ता वा एता द्वादशेति** । पष्ठौह्यादयोऽनडुदन्ता द्वादश दक्षिणाः; बालगर्भिणीनां गवां दक्षिणात्वाद्बालगर्भिणीनामपि दक्षिणात्वेन परिगणने त्रयोदश भवन्ति; संवत्सरस्यापि द्वादश चैत्रादयः अधिकमासेन सह त्रयोदश मासा भवन्ति । तस्मादेताभिर्दक्षिणाभिर्यज्ञरूपं संवत्सरमेवाप्तवान् भवतीत्यर्थः ॥ २३ ॥

इति श्रीसायणाचार्यविरचिते माधवीये वेदार्थप्रकाशे माध्यन्दिनीयशतपथब्राह्मणभाष्ये पञ्चमकाण्डे चतुर्थाध्याये पञ्चमं ब्राह्मणम् ॥ (५-४ ५) ॥

वेदार्थस्य प्रकाशेन तमो हार्दं निवारयन् । पुमर्थांश्चतुरो देयाद् विद्यातीर्थमहेश्वरः ॥ १ ॥

ब्रह्माण्डं गोसहस्रं कनकहयतुलापूरुषौ स्वर्णगर्भं,
सप्ताब्धीन्पञ्चसीरींस्त्रिदशतरुलताधेनुसौवर्णभूमीः ।
रत्नोस्रां रुक्मवाजिद्विपमहितरथौ सायणिः सिङ्गणार्यो,
व्यश्राणीद्विश्वचक्रं प्रथितविधिमहाभूतयुक्तं घटं च ॥
धान्याद्रिं धन्यजन्मा तिलमचलमतुलः स्वर्णजं वर्णमुख्यः,
कार्पासीयं कृपावान्गुडकृतमजडो राजतं राजपूज्यः ।
आज्योत्थं प्राज्यजन्मा लवणजमनृणः शार्करं चार्कतेजा,
रत्नाढ्यो रत्नरूपं गिरिमकृत मुदा पात्रसात्सिङ्गणार्यः ॥

इति श्रीमद्राजाधिराजपरमेश्वरवैदिकमार्गप्रवर्तकश्रीहरिहरमहाराजसाम्राज्यधुरन्धरेण सायणाचार्येण विरचिते माधवीये वेदार्थप्रकाशे माध्यन्दिनशतपथब्राह्मणभाष्ये पञ्चमकाण्डे चतुर्थाध्यायः समाप्तः॥५-४॥

१-" गौश्चानड्वांश्च भवति " इति काण्वपाठात् । इति कर्कभाष्ये । सूत्रन्तु " गामग्नीधे " इत्येव ।

अथ पञ्चमकाण्डे पञ्चमाध्याये प्रथमं ब्राह्मणम् ।

आग्नेयोऽष्टाकपालः पुरोडाशो भवति । तं पूर्व्वार्धऽआसादयत्यैन्द्र ऽएकादशकपालः पुरोडाशो भवति सौम्यो वा चरुस्तं दक्षिणार्ध ऽआसादयति व्वैश्वदेवश्चरुर्भवति तं पश्चार्धऽआसादयति मैत्रावरुणी पयस्या भवति तामुत्तरार्धऽआसादयति बार्हस्पत्यश्चरुर्भवति तं मध्यऽआसादयत्येषु चरुः पञ्चबिलस्तद्यत्पञ्च हवीᳬंषि भवन्ति तेषां पञ्च बिलानि तस्माच्चरुः पञ्चबिलो नाम ॥ १ ॥

तद्यदेतेन राजसूययाजी यजते । यदेवैनं दिशः समारोहयति यदृतून्यत्स्तोमान्यच्छन्दाᳬंसि तस्मादेवैनमेतेन निष्क्रीणाति स यद्धैतेन राज-

---

अथ पञ्चबिलाख्याश्चरुहोमाः ।

आग्नेयोऽष्टाकपालः पुरोडाशो भवति, तं पूर्वार्धऽआसादयति (१)। ऐन्द्र एकादशकपालः पुरोडाशो भवति। सौम्यो वा चरुः। तं दक्षिणार्धऽआसादयति (२)। वैश्वदेवश्चरुर्भवति। तं पश्चार्द्ध आसादयति (३)। मैत्रावरुणी पयस्या भवति । तामुत्तरार्धऽआसादयति (४)। बार्हस्पत्यश्चरुर्भवति। तं मध्यऽआसादयति (५)। एष चरुः पञ्चबिलः। तद् यत् पञ्च हवींषि भवन्ति । तेषां पञ्च बिलानि। तस्माच्चरुः पञ्चबिलो नाम ॥ १ ॥

तद्यदेतेन राजसूययाजी यजते—यदेवैनं दिशः समारोहयति, यदृतून्, यत्स्तोमान्, यच्छन्दांसि—

यस्य निःश्वसितं वेदा यो वेदेभ्योऽखिलं जगत्। निर्ममे, तमहं वन्दे विद्यातीर्थमहेश्वरम् ॥ १ ॥

अथ पञ्चमाध्याये पञ्चबिलसञ्ज्ञकश्चरुः, द्वादश प्रयुजां हवींषि, पशुद्वयम्, केशवपनीयातिरात्रः, सौत्रामणीप्रयोगः, राजसूयसमाप्त्युदवसानीयेष्टिश्च विधीयते। अत्र कात्यायनः-" उत्तरे शुक्ले पञ्चबिलः, आग्नेय ऐन्द्रः सौम्यो वा वैश्वदेवश्चरुः, पयस्या मैत्रावरुणीऽबार्हस्पत्यश्चरुः, प्रतिदिशमासादनमाग्नेयं पुरस्तात् प्रदक्षिणमितराणि मध्येऽन्त्यम् " (का. श्रौ. सू. १५। २४४–२४६) इति। आग्नेयादीनि पञ्च हवींषि पूर्वादिक्रमेण मध्ये च स्थापयेत् । सोऽयं पञ्चबिलसञ्ज्ञकश्चरुरित्यर्थः ॥ तदिदं विधत्ते—आग्नेयमिति। वेदिमध्ये ' पूर्वार्द्धे ' पूर्वभागे आसादयेत् । एवमुत्तरत्र ' दक्षिणार्द्धे ' इति योज्यम्। ' पयस्या ' आमिक्षा ॥ हविःपञ्चकस्य पञ्चबिलसञ्ज्ञां निर्वक्ति—तद्यदिति। तेषां हविषामासादनार्थानि एकस्यां पात्र्यां प्रागादिक्रमेण यतः पञ्च बिलानि, तस्मादेषा यागपञ्चकस्य पञ्चबिलश्चरुरिति सञ्ज्ञा ॥ १ ॥

एतेषां हविषां करणे प्रयोजनमाह—तद्यदेतेनेति। ' एतेन ' हविः-पञ्चकेन राजसूययाजिना यष्टव्यम्। कुतः ? यतः पूर्वम् ' एनं ' यजमानं प्राचीमारोहेत्यादिभिर्मन्त्रैः प्राच्याद्याः पञ्च दिशः, वसन्ताद्यृतून्, त्रिवृदा-

सूयुयाजी न युजेतुद्वा ह माद्येत्प्र वा पतेत्तुस्माद्वाऽएतेुन राजसूययाजी युजते ॥ २ ॥

स युदाग्नेयेनाष्टाकपालेन पुरोडाशेन प्रचुरति । युदेवैनं प्राचीं दिशꣳ समारोहुयति युदृतूुन्यत्स्तोमान्यच्छुन्दाꣳसि तुस्मादेुवैनमेतेुन निुष्क्रीणाति सꣳस्रवं बार्हस्पत्ये चरावुवनयति ॥ ३ ॥

(त्यु) अुथ युदैन्द्रेणैकादशकपालेन पुरोडाशेन प्रचुरति । सौम्येन वा चरुणा युदेुवैनं दुक्षिणां दिशꣳ समारोहुयति युदृतूुन्यत्स्तोुमान्यच्छुन्दाꣳसि तुस्मादेुवैनमेतेुन निुष्क्रीणाति सꣳस्रवं बार्हस्पत्ये चरावुवनयति ॥ ४ ॥

(त्यु) अुथ युद्वैश्वदेवेन चरुणा प्रचुरति । युदेुवैनं प्रतीचीं दिशꣳ समारोहुयति युदृतूुन्यत्स्तोुमान्यच्छुन्दाꣳसि तुस्मादेुवैनमेतेुन निुष्क्रीणाति सꣳस्रवं बार्हस्पत्ये चरावुवनयति ॥ ५ ॥

तस्मादेवैनमेतेन निष्क्रीणाति । स यद्ध्येतेन राजसूययाजी न यजेत । उद्वा ह माद्येत्, प्र वा पतेत् । तस्माद्वाऽएतेन राजसूययाजी यजते ॥ २ ॥

स यदाग्नेयेनाष्टाकपालेन पुरोडाशेन प्रचरति—यदेवैनं प्राचीं दिशं समारोहयति, यदृतून्, यत्स्तोमान्, यच्छन्दांसि—तस्मादेवैनमेतेन निष्क्रीणाति । संस्रवं बार्हस्पत्ये चरावयनयति ॥ ३ ॥

अथ यदैन्द्रेणैकादशकपालेन पुरोडाशेन प्रचरति, सौम्येन वा चरुणा—यदेवैनं दक्षिणां दिशं समारोहयति, यदृतून्, यत्स्तोमान्, यच्छन्दांसि—तस्मादेवैनमेतेन निष्क्रीणाति । संस्रवं बार्हस्पत्ये चराववनयति ॥ ४ ॥

अथ यद्वैश्वदेवेन चरुणा प्रचरति—यदेवैनं प्रतीचीं दिशं समारोहयति, यदृतून्, यत्स्तोमान्, यच्छन्दांसि—तस्मादेवैनमेतेन निष्क्रीणाति । संस्रवं बार्हस्पत्ये चराववनयति ॥ ५ ॥

दीन्स्तोमान्, गायत्र्यादीनि च्छन्दांसि चाध्वर्युरारोहितवान्; 'तस्माद्' 'एतेन' हविःपञ्चकेन 'एनं' यजमानं दिगादिभ्यः सकाशात् पुनः 'निष्क्रीणाति' स्वाधीनं कृतवान् भवति ॥

अकरणे प्रत्यवायमाह—स यद्धेति । यदि न यजेत तर्हि यजमानः 'उन्माद्येत्' उन्मत्तो भवेत्, 'प्रपतेत्' प्रच्युतो भवेत् । 'वा'—शब्दद्वयमन्योन्यविकल्पार्थम् ॥ २ ॥

हविषां क्रमेण निष्क्रयणसाधनत्वं विवृणोति—स यदाग्नेयेनेत्यादि । प्रत्येकहविःप्रचारादनन्तरं बार्हस्पत्ये चरौ संस्रवावनयनं विधत्ते—संस्रवमिति । सूत्रञ्च भवति—"पूर्वैः-पूर्वैश्चरित्वा चरित्वा मध्यमे संस्रवासेचनम्"—(का॰ श्रौ. सू. १५ । २४७) इति । 'मध्ये' मध्यमप्रदेशे स्थापिते बार्हस्पत्ये चरावित्यर्थः ॥ ३–५ ॥

(त्यु) अ॒थ य॒न्मैत्रावरु॒ण्या पय॒स्यया प्र॒चरति । य॒देवै॒नमु॒दीचीं दि॒शꣳ समारोहयति य॒दृतून्यत्स्तो॒मान्यच्छ॒न्दाꣳसि त॒स्मादे॒वैनमे॒तेन निष्क्री॒णाति स॒ꣳस्र॒वं बार्ह॒स्पत्ये चरावव॒नयति तद्य॒त्सꣳस्र॒वान्बार्हस्पत्ये॒ चराव॒वन॒यति सर्व॒त ऽएवास्मिन्ने॒तद॒न्नाद्यं दधाति त॒स्माद् दि॒शो दि॒श एव रा॒ज्ञेऽन्नाद्यमभि॒ह्रियते ॥ ६ ॥

(तेऽथ) अ॒थ य॒द्बार्हस्पत्ये॒न च॒रुणा प्र॒चरति । य॒देवै॒नमू॒र्ध्वां दि॒शꣳ समारोहयति य॒दृतून्यत्स्तो॒मान्यच्छ॒न्दाꣳसि त॒स्मादे॒वैनमे॒तेन निष्क्री॒णाति ॥ ७ ॥

स य॒ऽ ए॒षऽ आग्नेयोऽष्टाकपालः पुरोडाशो भ॒वति । त॒स्य हि॒रण्यं द॒क्षिणाऽऽग्नेयो वा॒ऽएष य॒ज्ञो भवत्यग्ने रे॒तो हि॒रण्यं त॒स्माद्धि॒रण्यं द॒क्षिणा त॒दग्नीधे ददात्यग्निर्वा॒ऽएष निदा॒नेन य॒दाग्नीद्ध्रस्त॒स्मात्त॒दग्नीधे ददाति ॥ ८ ॥

अथ यन्मैत्रावरुण्या पयस्यया प्रचरति—यदेवैनमुदीचीं दिशं समारोहयति, यदृतून्, यत्स्तोमान्, यच्छन्दांसि—तस्मादेवैनमेतेन निष्क्रीणाति । संस्रवं बार्हस्पत्ये चरावavनयति । तद् यत् संस्रवान्बार्हस्पत्ये चराववनयति—सर्वत एवास्मिन्नेतदन्नाद्यं दधाति । तस्माद् दिशो दिश एव राज्ञेऽन्नाद्यमभिह्रियते ॥ ६ ॥

अथ यद्बार्हस्पत्येन चरुणा प्रचरति—यदेवैनमूर्ध्वां दिशं समारोहयति, यदृतून्, यत्स्तोमान्, यच्छन्दांसि—तस्मादेवैनमेतेन निष्क्रीणाति ॥ ७ ॥

स य एष आग्नेयोऽष्टाकपालः पुरोडाशो भवति—तस्य हिरण्यं दक्षिणा । आग्नेयो वाऽएष यज्ञो भवति । अग्ने रेतो हिरण्यम् । तस्माद्धिरण्यं दक्षिणा । तदग्नीधे ददाति । अग्निर्वाऽएष निदानेन-यदाग्नीध्रः । तस्मात्तदग्नीधे ददाति ॥ ८ ॥

अथ यन्मैत्रावरुण्येति । चतुर्णां हविषां संस्रवस्य बार्हस्पत्ये चरौ अवनयनं सम्भूयान्नाद्यसम्पादनरूपेण प्रशंसति—**तद् यत् संस्रवानिति** । यतो 'बार्हस्पत्ये चरौ' सर्वेषां हविषां हुतशिष्टस्यावनयनम्, 'तस्मात्' 'राज्ञे' 'दिशो दिशः' सर्वस्या अपि दिशः सकाशात् 'अन्नाद्यम्' 'अभिह्रियते' आनीयत इत्यर्थः ॥ ६ ॥

अथ यद् बार्हस्पत्येनेत्यादि । पूर्ववत् । अत्र संस्रवावनयनाभावो विशेषः ॥ ७ ॥

आग्नेयादिहविषामुक्तिविशेषेभ्यो हिरण्यादिदक्षिणादानं विधत्ते-**स य एष** इति । आग्नेयहविषः, तद्दक्षिणात्वेन विहितस्य हिरण्यस्य च अग्निसम्बन्धित्वं समानो धर्म्मः । हिरण्यस्याग्निरेतस्त्वं श्रूयते—"तस्य रेतः परापतत्, तद्धिरण्यम्" (तै. ब्रा. १ । ३ । ८) इति । अग्नेरेवाग्नीद्ध्रत्वं प्रथमकाण्डे स्तम्बयजुर्हरणब्राह्मणे

(त्यु) अथ य ऽएष ऽऐन्द्र ऽएकादशकपालः पुरोडाशो भवति । तस्य-ऽर्षभो दक्षिणा स ह्यैन्द्रो यदृषभो यद्यु सौम्यश्चरुर्भवति तस्य बभ्रुर्गौर्दक्षिणा स हि सौम्यो यद्बभ्रुस्तं ब्रह्मणे ददाति ब्रह्मा हि यज्ञं दक्षिणतोऽभिगोपायति तस्मात्तं ब्रह्मणे ददाति ॥ ९ ॥

(त्यु) अथ य ऽएष वैश्वदेवश्चरुर्भवति । तस्य पृषन्गौर्दक्षिणा भूमा वा ऽएतद्रूपाणां यत्पृषतो गोर्विशो वै विश्वे देवा भूमो वै विट्तस्मात्पृषन्गौर्दक्षिणा तᳬं होत्रे ददाति होता हि भूमा तस्मात्तᳬं होत्रे ददाति ॥ १० ॥

(त्यु) अथ यैषा मैत्रावरुणी पयस्या भवति । तस्यै वशा दक्षिणा सा हि मैत्रावरुणी यद्वशा यदि वशां न विन्देदपि यैव का चाप्रवीता स्यात्सर्वा

अथ य एष ऐन्द्र एकादशकपालः पुरोडाशो भवति—तस्यर्षभो दक्षिणा । स ह्यैन्द्रो—यदृषभः । यद्यु सौम्यश्चरुर्भवति—तस्य बभ्रुर्गौर्दक्षिणा । स हि सौम्यो—यद्बभ्रुः । तं ब्रह्मणे ददाति । ब्रह्मा हि यज्ञं दक्षिणतोऽभिगोपायति । तस्मात्तं ब्रह्मणे ददाति ॥ ९ ॥

अथ य एष वैश्वदेवश्चरुर्भवति—तस्य पृषन्गौर्दक्षिणा । भूमा वाऽएतद्रूपाणां—यत्पृषतो गोः । विशो वै विश्वेदेवाः । भूमो वै विट् । तस्मात्पृषन्गौर्दक्षिणा । तं होत्रे ददाति । होता हि भूमा । तस्मात्तं होत्रे ददाति ॥ १० ॥

अथ यैषा मैत्रावरुणी पयस्या भवति—तस्यै वशा दक्षिणा । सा हि मैत्रावरुणी—यद्वशा । यदि

स्पष्टमाम्नातम (श. प. १ । २ । २ । १३) । 'निदानेन' कारणेन, निरूपणे सतीत्यर्थः । हविष आग्नेयत्वात्, हिरण्यस्याग्निरेतस्त्वात्, अग्नेरेवाग्नीद्ध्रत्वात्, आग्नीद्ध्रसम्प्रदानकत्वं हिरण्यस्य युक्तमित्यर्थः । एवमुत्तरत्रापि यथायोग्यं साम्यं द्रष्टव्यम् ॥ ८ ॥

अथ य एष ऐन्द्र इति[२] । तस्यर्षभ इत्यादि । ऋषभस्यैन्द्रत्वम्, सेक्तृत्वसाम्यात् । बभ्रोः सोमसम्बन्धित्वम्, "सौम्यं बभ्रुमालभेत"—इति श्रुतेरवगतम् (तै. सं. २।१।२) ॥ ९ ॥

अथ य एष वैश्वदेव इति । 'पृषन्' विन्दुयुक्तः चित्रवर्ण इत्यर्थः । तस्य वैश्वदेवत्वमुपपादयति—भूमा वा इति । भूमरूपत्वम्, नानाच्छन्दस्के बहुविधमन्त्रे शंसनादवगम्यते ॥ १० ॥

अथ यैषा मैत्रावरुणीति । 'वशा' वन्ध्या । तदभावे 'अप्रवीता' वेतेः प्रजनार्थान्निष्ठा । 'अप्रजाता' अगृहीतगर्भेत्यर्थः ॥ ११ ॥

१–आग्नेयो हिरण्यदक्षिणोऽग्नीधे ददाति । का० श्रौ० सू० । १५ । २४८ । २–ऐंद्रस्य ऋषभः सौम्यस्य बभ्रुर्ब्रह्मणे । का० श्रौ० सू० । १५ । २४८ । ३–वैश्वदेवस्य पृषन् होत्रे । का. श्रौ. सू. १५ । २४८ । ४–पयस्याया वशाऽभावेऽप्रवीताऽध्वर्युभ्यः । का० श्रौ० सू० १५ । २४८ ।

ह्येव व्वशाऽप्रवीता तामध्वर्युभ्यां ददाति प्राणोदानौ व्वाऽअध्वर्यू प्राणोदानौ मित्रावरुणौ तस्मात्तामध्वर्युभ्यां ददाति ॥ ११ ॥

(त्यु) अथ युऽएषु बार्हस्पत्यश्चरुर्भवति । तस्य शितिपृष्ठो गौर्द्दक्षिणैषा वाऽऊर्ध्वा बृहस्पतेर्द्दिक्तदेषु ऽउपरिष्टादर्य्यम्णः पन्थास्तस्माच्छितिपृष्ठो बार्हस्पत्यस्य दक्षिणा तं ब्रह्मणे ददाति बृहस्पतिर्वै देवानां ब्रह्मैष वाऽएतस्य ब्रह्मा भवति तस्मात्तं ब्रह्मणे ददाति स हैतेनापि विष्ठाव्व्राज्यन्नाद्यकामो यजेत तदस्मिन्त्सर्व्वतोऽन्नाद्यं दधाति स हान्नादुऽएव भवति ॥ १२ ॥

इति चतुर्थप्रपाठके तृतीयं ब्राह्मणम् ॥ ९-४-३ ॥ (५. १.) ॥

वशां न विन्देद् । अपि यैव काचाप्रवीता स्यात् । सर्वा ह्येव वशाऽप्रवीता, तामध्वर्युभ्यां ददाति । प्राणोदानौ वाऽअध्वर्यू । प्राणोदानौ मित्रावरुणौ । तस्मात्तामध्वर्युभ्यां ददाति ॥ ११ ॥

अथ य एष बार्हस्पत्यश्चरुर्भवति–तस्य शितिपृष्ठो गौर्दक्षिणा । एषा वाऽऊर्ध्वा बृहस्पतेर्दिक् । तदेष उपरिष्टादर्यम्णः पन्थाः । तस्माच्छितिपृष्ठो बार्हस्पत्यस्य दक्षिणा । तं ब्रह्मणे ददाति । बृहस्पति र्वैदेवानां ब्रह्मा । एष वा एतस्य ब्रह्मा भवति । तस्मात्तं ब्रह्मणे ददाति । स हैतेनापि विष्ठाव्राजी–अन्नाद्यकामो यजेत । तदस्मिन्त्सर्वतोऽन्नाद्यं दधाति । स हान्नाद एव भवति ॥ १२ ॥

अथ य एष बार्हस्पत्य इति । 'शितिपृष्ठः' श्वेतपृष्ठः । बार्हस्पत्यचरोः श्वेतपृष्ठस्य गोर्दक्षिणात्वमुपपादयति–एषा वा ऊर्ध्वेति । "ऊर्ध्वा दिक् बृहस्पतिर्देवता"–इति श्रुतेः ऊर्ध्वा दिक् बार्हस्पत्या । 'उपरिष्टात्' उपरिभागे 'अर्यम्णः' सूर्यस्य 'पन्थाः' मार्गः; 'तस्मात्' उपरिभागे श्वेतत्वसाम्यात्, तादृशो गौर्दक्षिणात्वेन युज्यत इत्यर्थः ॥

अथैतस्य हविःपञ्चकस्य फलान्तराय राजसूयाद् बहिः प्रयोगं दर्शयति–स हैतेनापीति । "विष्ठाव्राजी" एकत्र सन्निविष्टः इतस्ततः पर्यटनमकुर्वन् अन्नाद्यकामः एकत्र स्थित्वैव सर्वतो मेऽन्नं स्यादिति कामयमान इत्यर्थः । पुरुषोऽपि एतेन हविःपञ्चकेन यजनं कुर्यात् । तत् प्रशंसति–तदस्मिन्निति (तै. सं. १ । ८।१९) (तै. ब्रा. १।८।३) ॥ १२ ॥

इति श्रीसायणाचार्यविरचिते माधवीये वेदार्थप्रकाशे माध्यन्दिनीयशतपथब्राह्मणभाष्ये पञ्चमकाण्डे पञ्चमाध्याये प्रथमं ब्राह्मणम् ॥ (५-५-१) ॥

१-बार्हस्पत्यस्य शितिपृष्ठो ब्रह्मणे । का० श्रौ० सू० १५ । २४८ । २–अन्नाद्यकामस्यान्वेषा । का० श्रौ० सू० १५ । २४९ ।

स वै प्रयुजाᳬं हविर्भिर्यजते । तद्यत्प्रयुजाᳬं हविर्भिर्यजतऽऋतून्वाऽएत-त्सुषुवाणो युङ्क्ते तऽएनमृतवो युक्ता वहन्त्यृतून्वा प्रयुक्ताननुचरति तस्मा-त्प्रयुजाᳬं हविर्भिर्यजते ॥ १ ॥

तानि वै द्वादश भवन्ति । द्वादश वै मासाः संवत्सरस्य तस्माद्द्वादश भवन्ति मासि मासि यजेतेत्याहुः को वेद मनुष्यस्य तस्मान्न मासि मासि यजेत शम्यापराव्याधे शम्यापराव्याधऽएव षड्भिर्यजते प्राङ्यानथ पुनरावृत्तः शम्यापराव्याधे शम्यापराव्याधऽएव षड्भिर्यजते ॥ २ ॥

अथ द्वादश प्रयुजां हवींषि ।

स वै प्रयुजां हविर्भिर्यजते । तद् यत्प्रयुजां हविर्भिर्यजते–ऋतून्वाऽएतत्सुषुवाणो युङ्क्ते—तऽएनमृतवो युक्ता वहन्ति–ऋतून्वा प्रयुक्ताननुचरति—तस्मात्प्रयुजां हविर्भिर्यजते ॥ १ ॥

तानि वै द्वादश भवन्ति । द्वादश वै मासाः सम्वत्सरस्य । तस्माद्द्वादश भवन्ति । मासि मासि यजेतेत्याहुः–को वेद मनुष्यस्य । तस्मान्न मासि मासि यजेत । शम्यापराव्याधे शम्यापराव्याधऽएव षड्भिर्यजते प्राङ् यान् । अथ पुनरावृत्तः शम्यापराव्याधे शम्यापराव्याधऽएव षड्भिर्यजते ॥ २ ॥

द्वितीये ब्राह्मणे प्रयुजां हवींषि विधीयन्ते । कात्यायनः–"द्वादशोत्तराणि प्रयुग्घवींषि, मासान्तराणि, आहवनीयाद्वा पुरस्ताच्छम्याप्रासे शम्याप्रास आग्नेय–सौम्य–सावित्र–बार्हस्पत्य–त्वाष्ट्र–वैश्वानरा यथोक्तम्, एवमावृत्तस्य चरवः सारस्वत–पौष्ण–मैत्र–क्षैत्रपत्य–वारुणादित्याः षट्–षट् वैकतन्त्रे पूर्वाग्निवाहौ द्वौ–द्वौ षण्णां–षण्णां दक्षिणा"–(का. श्रौ. सू. १९ । २९०–२९९) इति । अयमर्थः । द्वादशाग्नेयादीनि प्रयुजां हवींषि आहवनीयात्–पूर्वदेशे एकैकशम्याव्याधप्रदेशे एकैकस्मिन् मासि एकैकं हविरिति क्रमेण षट् यष्टव्यानि; तथा प्रत्यावृत्य तेष्वेव स्थानेषु क्रमेण षट् यष्टव्यानि । यद्वा, षट्कं षट्कमेकीकृत्य एकतन्त्रेण कुर्यात् । तेषां पूर्वाग्निवाहकौ द्वौ–द्वौ अनड्वाहौ दक्षिणेति ॥

तदिदं विधत्ते–**स वै प्रयुजामिति** । विविधं प्रशंसति–**ऋतून् वा इति** । एष 'सुषुवाणः' यष्टा 'ऋतून्' मासानेव प्र–'युङ्क्ते' कर्मणे योजयति । 'ऋतवः' अपि 'एनं' 'युक्ताः' सन्तो 'वहन्ति' प्रापयन्तीष्टं फलम् । इदानीमनुष्ठाताऽपि प्रयुक्तान् 'ऋतून्' 'अनु'–लक्ष्य 'चरति' अनुसरति, तत्तदनुसरण–जनितफलं प्राप्तुकामः, तस्मात् प्रयुजां हविर्यागः कर्त्तव्यः । तथा च तैत्तिरीयके–"मासि मासि एतानि हवींषि निरूप्याणीत्याहुः, तेनैवर्तून् प्रयुङ्क्ते"–(तै. ब्रा. १ । ८ । ४ । ३ ।) इति ॥ १ ॥

तेषां सङ्ख्यां विधत्ते–**तानि वै द्वादशेति** । तेषां प्रतिमासं यजनं पूर्वपक्षत्वेनोपन्यस्यति–**मासि मासीति** । तं पक्षं निराकरोति–**को वेदेति** । मनुष्यस्यायुःपरिमाणस्यावगन्तुमशक्यत्वान्मासि–मासि यजनं न कर्त्तव्यमित्यर्थः ।

हविःषट्कस्यैकीकृत्य यागकरणेऽपि कश्चिद् विशेषं पूर्वपक्षत्वेनोपन्यस्यति–**शम्यापराव्याध इति** । शम्या-

तदु तथा न कुर्यात् । (ष) षडेवैतानि पूर्वाणि हवीᳬं षि निर्वपति समानबर्हीᳬं षि तासां देवतानाᳬं रूपं यथा शिशिरे युक्त्वा प्राञ्चऽआप्रावृषं यायुस्तत्षडृतून्युङ्क्ते तऽएनᳬं षडृतवो युक्ताः प्राञ्च ऽआप्रावृषं व्वहन्ति षड्वऽर्तून्प्रयुक्तानाप्रावृषमनुचरति पूर्वाग्निवाहौ द्वौ दक्षिणा ॥ ३ ॥

षडेवोत्तराणि हवीᳬं षि निर्वपति । समानबर्हीᳬं षि तासां देवतानाᳬं रूपं यथा पुनरावर्तेरन्वार्षिकमभि तत्षडृतून्युङ्क्ते तऽएनᳬं षडृतवो युक्ता

तदु तथा न कुर्यात् । षडेवैतानि पूर्वाणि हवींषि निर्वपति–समानबर्हींषि । तासां देवतानां रूपम् । यथा शिशिरे युक्त्वा प्राञ्च आप्रावृषं यायुः । तत् षडृतून्युङ्क्ते तऽएनं षडृतवो युक्ताः प्राञ्च आप्रावृषं वहन्ति । षड्वऽर्तून्प्रयुक्तानाप्रावृषमनुचरति । पूर्वाग्निवाहौ द्वौ दक्षिणा ॥ ३ ॥

षडेवोत्तराणि हवींषि निर्वपति–समानबर्हींषि । तासां देवतानां रूपम्–यथा पुनरावर्तेरन्वार्षिकमभि । तत् षडृतून्युङ्क्ते । तऽएनं षडृतवो युक्ता वार्षिकमभिवहन्ति । षड्वऽर्तून्प्रयुक्तान्वार्षिकमनुचरति ।

परास्ता विध्यति निपतति यत्रेति स शम्यापराव्याधो देशः । तत्र देशे पूर्वैः 'षड्भिः' 'प्राङ्' प्राङ्मुखो 'यान्' गच्छन् यजेत । आहवनीयात् पूर्वदेशे एकैकशम्याप्रासे षट् कर्त्तव्यानीत्यर्थः । अथ पुनरिति । पुनरावृत्तेन एकैकशम्याप्रासप्रदेशे अपराणि षट् कर्त्तव्यानीति ॥ २ ॥

तं पक्षं निराकृत्य पक्षान्तरं विधत्ते–तदु तथेति । 'पूर्वाणि' 'षट् हवींषि' 'समानबर्हींषि'; बर्हिः-शब्दस्तन्त्रोपलक्षकः, एकतन्त्राणि कर्त्तव्यानीत्यर्थः । पूर्वहविःषट्कदेवताः प्रशंसति–तासां देवतानामिति । 'तासां' पूर्वहविःषट्कस्य देवतानाम् अग्नीषोमादीनां षण्णां रूपमेतत् । 'यथा' 'शिशिरे' ऋतौ 'युक्त्वा' युक्ताश्वाः राजानः 'प्राञ्चः' सन्तः 'आप्रावृषं' प्रावृट्कालपर्यन्तं 'यायुः' गच्छेयुः । तदिदं प्राङ्मुखं यानं पूर्वपूर्वशम्याप्रासेषु यष्टव्यानामग्न्यादिदेवतानां सम्बन्धि रूपमित्यर्थः । प्रयुजां पूर्वाणि षड्हवींषि प्रस्तुत्य तैत्तिरीयके शिशिरादिषु षट्सु मासेषु राजभेदेन प्राङ्मुखा यात्रा प्रतिमासं व्यापारभेदश्च स्पष्टमाम्नातः– "आग्नेयमष्टाकपालं निर्वपति, तस्माच्छिशिरे कुरुपञ्चालाः प्राञ्चो यान्ति । सौम्यं चरुं, तस्माद् वसन्तं व्यवसायादयन्ति । सावित्रं द्वादशकपालं, तस्मात् पुरस्ताद्यवानां सवित्रा विरुन्धते । बार्हस्पत्यं चरुं, सवित्रैव विरुध्य ब्राह्मणा यवानादधते । त्वाष्ट्रमष्टाकपालं रूपाण्येव तेन कुर्वते । वैश्वानरं द्वादशकपालं, तस्माज्जघन्ये नैदाघे प्रत्यञ्चः कुरुपञ्चाला यान्ति"–(तै. ब्रा. १ । ८ । ४ । १, २ ।) इति । तदनेन पूर्वहविःषट्केन षड्ऋतुमासानेव युङ्क्ते । 'ऋतु'–शब्दो मासपरः; "वासन्तिकावृतू"–इति व्यवहारात् (वा. सं. १३।२५।) यद्वा, "पक्षा वै मासाः" इति पक्षाणां मासत्वव्यवहारात् पक्षद्वयात्मक ऋतुरित्यर्थः ॥ पूर्वषट्कस्य दक्षिणां विधत्ते–पूर्वाग्नीति । पूर्वाग्निमाहवनीयं वहन्तीति पूर्वाग्निवाहोऽनड्वाहः । तेषां मध्ये द्वौ दक्षिणात्वेन देयावित्यर्थः ॥ ३ ॥

उत्तरहविःषट्कस्यापि समानतन्त्रत्वं दर्शयति–षडेवोत्तराणीति । तानि प्रशंसति–तासां देवतानामिति । 'वार्षिकमभि' वर्षर्तुसम्बन्धिनं प्रथमं मासमभिलक्ष्य पुनरावर्त्तेरन् । शिशिरे दिग्विजयाय प्राञ्चः प्रयाताः

व्वार्षिकमभि वहन्ति षुड्वऽऋतूंन्प्रयुक्तान्वार्षिकमनुचरति पूर्व्वाग्निवाहौ द्वौ दक्षिणा तद्यत्पूर्वाग्निवाहो दक्षिणऽऋतून्वाऽएतत्सुषुवाणो युङ्क्ते व्वहन्ति वाऽअनड्वाहस्तस्मात्पूर्वाग्निवाहो दक्षिणा ॥ ४ ॥

तद्ध स्मैतत्पुरा कुरुपञ्चाला आहुः । (ऋ) ऋतवो वाऽअस्मान्युक्ता व्वहन्त्यृतून्वा प्रयुक्ताननुचरामऽइति यदेषाᳬं राजानो राजसूययाजिन ऽआसुस्तद्ध स्म तदभ्याहुः ॥ ५ ॥

(श) आग्नेयोऽष्टाकपालः पुरोडाशो भवति । सौम्यश्चरुः सावित्रो द्वादशकपालो वाऽष्टाकपालो वा पुरोडाशो बार्हस्पत्यश्चरुस्त्वाष्ट्रो दश-कपालः पुरोडाशो व्वैश्वानरो द्वादशकपालऽएतानि षट्पूर्वाणि हवीᳬंषि भवन्ति ॥ ६ ॥ (शतम् ३३००)

षडेवोत्तरे चरवः । सारस्वतश्चरुः पौष्णश्चरुर्मैत्रश्चरुः क्षैत्रपत्यश्चरुर्व्वा-रुणश्चरुरादित्यश्चरुरेतऽउ षडुत्तरे चरवः ॥ ७ ॥

पूर्वाग्निवाहौ द्वौ दक्षिणा । तद्यत्पूर्वाग्निवाहो दक्षिणा । ऋतून्वाऽएतत्सुषुवाणो युङ्क्ते—वहन्ति वा ऽअनड्वाहः—तस्मात्पूर्वाग्निवाहो दक्षिणा ॥ ४ ॥

तद्ध स्मैतत्पुरा कुरुपञ्चाला आहुः । ऋतवो वाऽअस्मान्युक्ता वहन्ति—ऋतून्वा प्रयुक्ताननुचराम इति । यदेषां राजानो राजसूययाजिन आसुः—तद्ध स्म तदभ्याहुः ॥ ५ ॥

आग्नेयोऽष्टाकपालः (१) पुरोडाशो भवति, सौम्यश्चरुः (२), सावित्रो द्वादशकपालो वाऽष्टाकपालो वा पुरोडाशः (३), बार्हस्पत्यश्चरुः (४), त्वाष्ट्रो दशकपालः पुरोडाशः (५), वैश्वानरो द्वादशकपालः (६)—एतानि षट् पूर्वाणि हवींषि भवन्ति ॥ ६ ॥

षडेवोत्तरे चरवः । सारस्वतश्चरुः (१), पौष्णश्चरुः (२), मैत्रश्चरुः (३), क्षैत्रपत्य-श्चरुः (४), वारुणश्चरुः (५), आदित्यश्चरुः (६)—एतऽउ षडुत्तरे चरवः ॥ ७ ॥

कुरुपञ्चालादयो निदाघर्तुद्वितीयमासे परकीयं राष्ट्रं सर्वात्मना विनाश्य स्वदेशं प्रति प्रत्यङ्मुखा निवर्त्तन्ते । तत् ' एतत् ' सरस्वत्यादिदेवतानां प्रतिनिवृत्त्या यष्टव्यानां रूपमित्यर्थः । तत् षड्ऋतूनिति । ' तत् ' तेन उत्तरहविःषट्कयागेन प्रावृडादीन् षण्मासान् योजितवान् भवति । तेषामनडुद्द्वयं दक्षिणां विधत्ते—पूर्वाग्नीति । पूर्वाग्निवाहां दक्षिणात्वं सम्भूय प्रशंसति—तद्यत्पूर्वाग्नीति ॥ ४ ॥

उक्तं द्वादशप्रयुग्घविःकरणेन ऋतुप्रयोगं कुरुपञ्चालवृत्तान्तमुखेन द्रढयति—तद्ध स्मैतदिति । पूर्वं ' कुरु-पञ्चालाः ' 'आहुः' वदन्ति, विचारयन्ति,—' अस्मान् ऋतवो युक्ताः ' सन्तो 'वहन्ति' 'प्रयुक्तान् ऋतून्' 'अनु-लक्ष्य ' चरामः ' अनुसराम इति । आशंसमानानाम् ' एषां ' राज्ञां मध्ये ये 'राजानः राजसूययाजिनः आसुः', ते प्रयुग्घविःकरणऋतुप्रयोगरूपमिति प्रत्यूचुरिति तस्यार्थः ॥ ५ ॥

तानि द्वादश हवींषि उद्दिशति—आग्नेयोऽष्टाकपाल इति । तत्र पूर्वाणि षड्हवींषि च पुरोडाशात्मकानि, उत्तराणि तु चर्वात्मकान्येवेत्यर्थः (तै सं. १ । ८ । ४ । २०) ॥ ६ ॥ ७ ॥

(वोऽथ) अथ श्येनीं व्विचित्रगर्भामुदित्याऽआलभते । तस्या ऽएषैवा-वृद्याऽष्टापद्यै व्वशायाऽइयं वाऽअदितिरस्याऽएवैनमेतद्गर्भं करोति तस्या ऽएतादृश्येव श्येनी व्विचित्रगर्भा दक्षिणा ॥ ८ ॥

(णाऽथ) अथ पृषतीं व्विचित्रगर्भां मरुद्भ्य ऽआलभते । तस्या एषैवा-वृद्विशो वै मरुतो व्विशामेवैनमेतद्गर्भं करोति तस्या ऽएतादृश्येव पृषती व्विचित्रगर्भा दक्षिणा ॥ ९ ॥

(णै) एतौ पशुबन्धौ । तदेतावेव सन्तावन्यथेवालभन्ते यामदित्याऽआ-

---

अथ पशुद्वयम् ।

(१) अथ श्येनीं विचित्रगर्भामदित्याऽआलभते । तस्या एषैवावृद्; याऽष्टापद्यै वशायै । इयं वाऽअदितिः । अस्या एवैनमेतद्गर्भं करोति । तस्या एतादृश्येव श्येनी विचित्रगर्भा दक्षिणा ॥ ८ ॥

(२) अथ पृषतीं विचित्रगर्भां मरुद्भ्य आलभते । तस्या एषैवावृत् । विशो वै मरुतः । विशामेवैनमेतद्गर्भं करोति । तस्या एतादृश्येव पृषती विचित्रगर्भा दक्षिणा ॥ ९ ॥

एतौ पशुबन्धौ । तदेतावेव सन्तावन्यथेवालभन्ते । यामदित्या आलभन्ते—आदित्येभ्यस्तामाल-

---

अथ पशुद्वयं विधीयते । तत्र कात्यायनः—" अष्टापदीवत्पशुबन्धौ गर्भिणीभ्यां स्वगुणदक्षिणौ, श्येन्यादित्येभ्योऽदित्यै वा, वैश्वदेवी पृषती मारुती वा "—(का. श्रौ. सू. १९ । २९६–२९८) इति । श्वेतां गर्भिणीमादित्येभ्योऽदित्यै वा आलभेत, पृषतीं गर्भिणीं विश्वेभ्यो देवेभ्यो मरुद्भ्यो वेति तदर्थः ।

तत्र स्वमतानुसारेणादितिदेवत्यं पशुबन्धं विधत्ते—अथ श्येनीमिति । ' श्येनीं ' श्वेतवर्णां ' विचित्रगर्भां ' प्रज्ञातगर्भाम् ' अदित्यै ' आलभेत । प्रयोगमतिदिशति—तस्या एषेति । ' आवृत् ' क्रिया ' या ' ' अष्टापद्यै ' 'वशायै' गर्भिण्या वशाया अनुबन्ध्यायाः प्रयोगक्रमः, स एवास्या इत्यर्थः । तत्प्रयोगस्तु चतुर्थकाण्डे पञ्चमेऽध्याये द्वितीये ब्राह्मणे—" उत्खिद्य वपामनुमर्शं गर्भमेष्टवै ब्रूयात् "—इत्यादिना स्पष्टमीरितः (श. प. ४ । ५ । २ । १ ।) । एतद्देवतां प्रशंसति—इयं वा इति । ' अदितिः ' नाम ' इयं ' पृथिवी; तस्माददितिदेवत्यगर्भिणीयागेन ' एनं ' यजमानं भूमेरेव गर्भत्वेन कृतवान् भवति ॥ एतस्य कर्मणो दक्षिणां विधत्ते—तस्या एतादृश्येवेति । ' एतादृशी ' एतद्वर्णा प्रज्ञातगर्भा ' दक्षिणा ' ॥ ८ ॥

पशुबन्धान्तरं विधत्ते—अथ पृषतीमिति । ' पृषतीं ' बिन्दुयुक्तां, ' विचित्रगर्भां ' विचित्रवर्णां गर्भिणीम् ' मरुद्भ्यः ' देवेभ्यः आलभेत । तस्यापि प्रयोगप्रकारं पूर्ववदतिदिशति—तस्या एषेति । मरुतां विट्त्वान्मरुद्देवत्यपशुयागेन ' एनं ' सुन्वन्तं ' विशां ' प्रजानां ' गर्भम्, ' तदुपजीव्यं कृतवान् भवति । तस्यापि दक्षिणां विधत्ते—तस्या एतादृशीति । एवकारेणान्यवर्णदक्षिणानिवृत्तिः । दक्षिणाभेदेनानयोः कर्मभेदः ॥ ९ ॥

एतौ पशुबन्धाविति । उक्तस्य पशुबन्धद्वयस्य शाखाभेदेन देवतान्तरसम्बन्धं दर्शयति—तदेतावेवेति ।

१–' अष्टापदी अनुबन्ध्यानाम ' एतच्च कर्कभाष्ये ।

लुभन्तऽआदित्येभ्यस्तामालभन्ते सर्व्वं वाऽआदित्याः सर्व्वस्यैवैनमेतद्गर्भं करोति यां मरुद्भ्य आलभन्ते विश्वेभ्यस्तां देवेभ्यऽआलभन्ते सर्व्वं वै विश्वेदेवाः सर्व्वस्यैवैनमेतद्गर्भं करोति ॥ १० ॥

इति चतुर्थप्रपाठके चतुर्थं ब्राह्मणम् । (५-४-४) (५.२.)

अभिषेचनीयेनेष्ट्वा । केशान्न वपते तद्यत्केशान्न वपते व्वीर्यं वाऽएतदपाᳬ रसः सम्भृतो भवति येनैनमेतदभिषिञ्चति तस्याभिषिक्तस्य केशान्प्रथमान्प्राप्नोति स यत्केशान्वपेतैताᳬ श्रियं जिह्मां विनाशयेद्व्युदुह्याचस्मात्केशान्न वपते ॥ १ ॥

भन्ते । सर्वं वाऽआदित्याः । सर्वस्यैवैनमेतद्गर्भं करोति । यां मरुद्भ्य आलभन्ते–विश्वेभ्यस्तां देवेभ्य आलभन्ते । सर्वं वै विश्वेदेवाः, सर्वस्यैवैनमेतद्गर्भं करोति ॥ १० ॥

अथ केशवपनीयोऽतिरात्रः ।

अभिषेचनीयेनेष्ट्वा केशान्न वपते । तद् यत्केशान्न वपते । वीर्यं वाऽएतदपां रसः सम्भृतो भवति । येनैनमेतदभिषिञ्चति । तस्याभिषिक्तस्य केशान्प्रथमान् प्राप्नोति । स यत्केशान्वपेत । एतां श्रियं जिह्मां विनाशयेद् व्युदुह्यात् तस्मात्केशान्न वपते ॥ १ ॥

एवकारेणादितिमरुत्सम्बन्धो विवक्षितः । 'अन्यथैव' इति यदुक्तम्, तदेव स्पष्टयति–यामदित्या इत्यादिना । (तै. सं. १ । ८ । १९ ।) ॥ १० ॥

इति श्रीसायणाचार्यविरचिते माधवीये वेदार्थप्रकाशे माध्यन्दिनीयशतपथब्राह्मण-भाष्ये पञ्चमकाण्डे पञ्चमेऽध्याये द्वितीयं ब्राह्मणम् ॥ (५-५-२) ॥

तृतीये केशवपनीयातिरात्रस्य वैशेषिका धर्मा उच्यन्ते । सूत्रम्–"अभिषेचनीयाद्वा संवत्सरात् केशवपनीयोऽतिरात्रः सोमापवर्गः" (का. श्रौ. सू. १५।२६५।) इति । पशुबन्धद्वयानन्तरं केशवपनीयातिरात्रयागः कर्त्तव्यः । अभिषेचनीयसोमयागं कृत्वा संवत्सरपर्यन्तं केशवपनाकरणलक्षणं व्रतमाचर्यम्, ततस्तद्व्रतविसर्जनार्थमेकः सोमयागः पौर्णमासीसुत्यः कार्यः, स एव केशवपनीयातिरात्र उच्यते । रात्रिमतीत्य वर्त्तत इत्यतिरात्रः अतिरात्रसंस्थया कार्य इत्यर्थः ॥

तमिमं विधत्ते–अभिषेचनीयेनेष्ट्वेति । अभिषेचनीययागादनन्तरं केशवपनीयकरणे कारणमाह–वीर्यं वा एतदपामिति । पूर्वमभिषेककाले वीर्यरूपोऽपां रसः प्रथमं केशानेव प्राप्तवान्, तेषां केशानां वपने अभिषेकेणागच्छन्तीं 'श्रियम्' एव 'जिह्मां' कुटिलां विनाशितवान् भवति । किञ्च 'व्युदुह्यात्' गतसारोऽपि भवेत् । तस्मात् केशवापो न कर्त्तव्य इत्यर्थः ॥ १ ॥

संवत्सरं नु वपते । संव्वत्सरसंमिता वै व्रतचर्या तस्मात्संव्वत्सरं नु वपते सुऽ एषु व्रतविसर्जनीयोपयोगो नाम स्तोमो भवति केशवपनीयः ॥ २ ॥

तुस्यैकविꣳशं प्रातःसवनꣳ सप्तदशं माध्यन्दिनꣳ सवनं पञ्चदशं तृतीयसवनꣳ सुहोक्थैः सह षोडशिना सह रात्र्या ॥ ३ ॥

त्रिवृद्राथन्तरः संधिर्भवति । (त्ये) एषुऽएवैकविꣳशो युऽएष तुपति सुऽएतस्मादेकविꣳशादपयुङ्क्ते स सप्तदशमभिप्रत्यवैति सप्तदशात्पञ्चदशं पञ्चदशादस्यामेव त्रिवृति प्रतिष्ठायां प्रतितिष्ठति ॥ ४ ॥

संवत्सरं न वपते । सम्वत्सरसंमिता वै व्रतचर्या । तस्मात्सम्वत्सरं न वपते । स एष व्रतविसर्जनीयोपयोगो नाम स्तोमो भवति केशवपनीयः ॥ २ ॥

तस्यैकविंशं प्रातःसवनम्, सप्तदशं माध्यन्दिनं सवनम् पञ्चदशं तृतीयसवनम् । सहोक्थैः, सह षोडशिना, सह रात्र्या ॥ ३ ॥

त्रिवृद्राथन्तरः सन्धिर्भवति । एष एवैकविंशो य एष तपति । स एतस्मादेकविंशादपयुंक्ते । स सप्तदशमभि प्रत्यवैति, सप्तदशात्पञ्चदशम्, पञ्चदशादस्यामेव त्रिवृति प्रतिष्ठायां प्रतितिष्ठति ॥४॥

तस्यावधिकालं दर्शयति—**संवत्सरं न वपत** इति । केशवपनीयशब्दं निर्वक्ति—**स एष व्रते**ति । संवत्सरसम्मितव्रतविसर्जनद्वारा केशवपनार्थम् उपयुज्यमानः क्रियमाणः ' स्तोमः ' एकविंशादिस्तोमवान् यागः केशवपनीय इत्यर्थः ॥ २ ॥

तत्र सामगैर्गीयमानेषु स्तोत्रेषु चोदकेन प्रातस्सवनादिषु त्रिवृदादिस्तोमप्राप्तौ तानपवदितुं विशेषं दर्शयति—**तस्यैकविंशमि**ति । प्रातस्सवनमेकविंशस्तोमयुक्तं कर्त्तव्यम्, माध्यन्दिनं सप्तदशस्तोमकम् ; अस्य सोमयागस्य अतिरात्रसंस्थात्वात् । तृतीयसवने अग्निष्टोमवद् द्वादशस्तोत्राणि, तत उत्तरं त्रीण्युक्थस्तोत्राणि, एकं षोडशिस्तोत्रम्, रात्रिपर्यायस्तोत्राणि द्वादश; तानि सर्वाण्यपि पञ्चदशस्तोमकानि कर्त्तव्यानीत्यर्थः । स्तोमक्लृप्तिप्रकारस्तु "प्राचीमारोह " इत्यत्र दिक्समारोहणमन्त्रव्याख्यावसरे दर्शितः (श. प. ९ । ४ । १ । ४) ॥ ३ ॥

किंच—**त्रिवृद्राथन्तर** इति । पूर्वदिवसरात्रिशेषे उत्तरदिवसस्योषःकाले यज्ञसंस्थापकमेकं चरमं स्तोत्रं तृतीयस्तोत्रं तृतीयपर्यायस्यान्ते रथन्तरसाम्ना गातव्यम्, तत् सन्धिस्तोत्रमित्युच्यते । तत् स्तोत्रं त्रिवृत्स्तोमयुक्तं कार्यम् । एकविंशादवरोहणक्रमेण त्रिवृत्पर्यन्तं यत् स्तोमकरणमुक्तम्, तत् सूर्यलोकादिक्रमाद् भूम्यवस्थानात्मना प्रशंसति—**एष एवैकविंश** इति । ' य एष तपति ', ' सः ' ' एकविंशः ' सूर्य इत्यर्थः ; तस्मात् ' अपयुंक्ते ' अवरोहतीत्यर्थः । सोऽवरुह्यावरुह्य त्रिवृद्रूपायामस्यां भूमिलक्षणायां ' प्रतिष्ठायां प्रतिष्ठितवान् भवति ॥ ४ ॥

तस्य रथन्तरं पृष्ठं भवति । (ती) इयं वै रथन्तरमस्यामेवैतत्प्रतिष्ठायां प्रतितिष्ठत्यतिरात्रो भवति प्रतिष्ठा वाऽअतिरात्रस्तस्मादतिरात्रो भवति ॥ ५ ॥

स वै न्येव वर्तयते । केशान्न वपते वीर्यं वाऽएतदपाᳫं रसः सम्भृतो भवति येनैनमेतदभिषिञ्चति तस्याभिषिक्तस्य केशान्प्रथमान्प्राप्नोति स यत्केशान्वपेतैताᳫं श्रियं जिह्मां विनाशयेद्व्युदुह्यादथ यन्निवर्तयते तदात्मन्येवैताᳫं श्रियं नियुनक्ति तस्मान्न्येव वर्तयते केशान्न वपते तस्यैषैव व्रतचर्या भवति यावज्जीवं नास्यां प्रतितिष्ठति ॥ ६ ॥

(त्या) आसन्द्याऽ उपानहाऽउपमुञ्चते । (तऽ) उपानद्भ्यामधि यदस्य यानं भवति रथो वा किंचिद्वा सर्वं वाऽएषऽ इदमुपर्युपरि भवत्यर्वागेवा-

---

तस्य रथन्तरं पृष्ठं भवति । इयं वै रथन्तरम् । अस्यामेवैतत्प्रतिष्ठायां प्रतितिष्ठति । अतिरात्रो भवति । प्रतिष्ठा वाऽअतिरात्रः । तस्मादतिरात्रो भवति ॥ ५ ॥

स वै न्येव वर्तयते, केशान्न वपते । वीर्यं वाऽएतदपां रसः सम्भृतो भवति—येनैनमेतदभिषिञ्चति । तस्याभिषिक्तस्य केशान्प्रथमान्प्राप्नोति । स यत् केशान्वपेत-एतां श्रियं जिह्मां विनाशयेद् व्युदुह्यात् । अथ यन्निवर्तयति । तदात्मन्येवैतां श्रियं नियुनक्ति । तस्मान्न्येव वर्तयते । केशान्न वपते । तस्यैषैव व्रतचर्या भवति यावज्जीवं नास्यां प्रतितिष्ठति ॥ ६ ॥

आसन्द्या उपानहाऽउपमुञ्चते । उपानद्भ्यामधि यदस्य यानं भवति, रथो वा किञ्चिद्वा—सर्वं

माध्यन्दिने सवने रथन्तरं बृहत्साम वा पृष्ठस्तोत्रं प्रकृतौ विकल्पितम्, अत्र त्वेकं नियमयति—**तस्य रथन्तरमिति** । अस्य सोमयागस्यातिरात्रसंस्थात्वं प्रतिष्ठात्मना प्रशंसति—**अतिरात्र** इति । अतिरात्रसंस्थात्मना कृत एष क्रतुः प्रतिष्ठारूपः ॥ ५ ॥

अस्य क्रतोः केशवापव्रतविसर्जनार्थं क्रियमाणत्वात् तदन्ते केशवापः कार्यः; तत्र कञ्चिद् विशेषं विधत्ते—**स वै न्येव वर्तयत** इति । 'सः' यजमानो निवर्त्तयते केशान् निकृन्तेदेव, न वपेत; वपनं नाम मुण्डनं तन्न कुर्यात्, निवर्त्तनं कर्त्तनम्, तत् कुर्यादित्यर्थः । वीर्यं वा इत्यादेरर्थः पूर्वं व्याख्यातः । निवर्त्तनपक्षे केशांकुराणां विद्यमानत्वात् 'आत्मन्येव' 'एतां श्रियं' नियोजितवान् भवतीत्यर्थः ॥

सुन्वतः कांश्चिन्नियमान् दर्शयति—**तस्यैषैवेति** । 'एषा' केशकर्त्तनलक्षणा 'व्रतचर्या' यावज्जीवं कर्त्तव्या न केशमुण्डनं कार्यम् । कदाचिदपि 'अस्यां' भूमौ 'न प्रतितिष्ठति' अवस्थानं न कुर्य्यात् ॥ ६ ॥

कुत्रावतिष्ठेतेति तद्दर्शयति—**आसन्द्या** इति । 'आसन्द्याः' अवरोहणसमयेऽपि 'उपानहौ' पादुके उप-

स्मादिदꣳ सर्व्वं भवति यो राजसूयेन यजते तस्मादस्यैषैव व्रतचर्या भवति यावज्जीवं नास्यां प्रतितिष्ठति ॥ ७ ॥

इति चतुर्थप्रपाठके पञ्चमं ब्राह्मणम् ॥ ५-४-५ ॥ (५. ३.) ॥

श्येत ऽआश्विनो भवति । श्येताविव ह्यश्विनावविर्मल्हा सारस्वती भवत्यृषभमिन्द्राय सुत्राम्ण ऽआलभते दुर्व्वेदा ऽएवꣳ समृद्धाः पशवो यद्येवꣳ समृद्धान्न विन्देदप्यजानेवालभेरंस्ते हि सुश्रपतरा भवन्ति स यद्यजानालभेरंल्लोहित ऽआश्विनो भवति तद्यदेतया यजते ॥ १ ॥

वाऽएष इदमुपर्युपरि भवति । अर्वागेवास्मादिदं सर्वं भवति—यो राजसूयेन यजते । तस्मादस्यैषैव व्रतचर्या भवति—यावज्जीवं नास्यां प्रतितिष्ठति ॥ ७ ॥

अथ चरकसौत्रामणिः ।

श्येत आश्विनो भवति । श्येताविव ह्यश्विनौ । अविर्मल्हा सारस्वती भवति । ऋषभमिन्द्राय सुत्राम्णऽआलभते । दुर्वेदा एवं समृद्धाः पशवः । यद्येवं समृद्धान्न विन्देद्—अप्यजानेवालभेरन् । ते हि सुश्रपतरा भवन्ति । स यद्यजानालभेरन्—लोहित आश्विनो भवति । तद् यदेतया यजते ॥ १ ॥

मुञ्चेत । इतस्ततः सञ्चरणसमये रथं वा यानं वाऽऽरोहेत् । एतादृशं व्रतं राजसूययाजिनो 'यावज्जीवं' कर्त्तव्यमित्यर्थः ॥ ७ ॥

इति श्रीसायणाचार्यविरचिते माधवीये वेदार्थप्रकाशे माध्यन्दिनशतपथब्राह्मणभाष्ये
पञ्चमकाण्डे पञ्चमेऽध्याये तृतीयं ब्राह्मणम् ॥ (५-५-३) ॥

सोमप्रधाने राजसूये सप्त सोमयागाः । तत्र, पवित्राख्यसोमयागे विशेषाभावात् स नोक्तः; अभिषेचनीय-दशपेय-केशवपनीयातिरात्रेषु केचिद् वैशेषिका धर्म्मा उक्ताः; व्युष्टिद्विरात्रोऽग्निष्टोमातिरात्रः क्षत्रधृतिरिति सोमयागत्रयं केशवपनीयादनन्तरं कर्त्तव्यम् । तेषां सोमयागविकृतित्वादग्निष्टोमवत् सर्वमङ्गजातं कर्त्तव्यम्, तत्र विशेषाभावादत्र नोक्ताः; तदनन्तरकर्त्तव्या सौत्रामण्यभिधीयते (आ. श्रौ. सू. १८ । २२ । २० । २१) इति । तत्र पशुत्रयं[1] देवतासम्बन्धविशिष्टं विधत्ते-श्येत आश्विन इति । अश्विदेवत्यः 'श्येतः' पशुरालभ्यः । 'मल्हा' गलस्तनयुतेत्यर्थः । ताम् 'अविम्' मेषीं सरस्वत्यै आलभेत । 'सुत्राम्णे' सुष्ठुत्रात्रे, एतद्-गुणकाय 'इन्द्राय' 'ऋषभं' सेचनसमर्थमालभेत । उक्तपशुषु श्येतगलस्तनयुक्तत्वरूपं गुणमसम्भाविनं मत्वा श्रुतिः स्वयमेव पक्षान्तरमाह-दुर्वेदा इति । 'एवम्' उक्तरीत्या 'समृद्धाः' गुणवत्त्वेन सम्पूर्णाः पशवो 'दुर्वेदाः' दुर्लभाः, तेषामलाभे तत्तद्देवत्यान् 'त्रीन् अजान् एव' आलभेत । 'सुश्रपतराः' सुखेन श्रपयितु-मर्हाः । अजत्रयपक्षे आश्विनपशोः कञ्चिद्गुणं विधत्ते—लोहित आश्विन इति । अत एव कात्यायनः—

१—त्रिपशुः पशुबंधश्चतुर्थ्याम् । का० श्रौ० सू. १५ । २७३ ।

त्वष्टुर्हं वै पुत्रः । (त्रि) त्रिशीर्षा षडक्षऽआस तस्य त्रीण्येव मुखान्यासुस्तद्यदेवꣳरूपऽआस तस्माद्विश्वरूपो नाम ॥ २ ॥

तस्य सोमपानमेवैकं मुखमास । सुरापाणमेकमन्यस्माऽअशनायैकं तमिन्द्रो दिद्वेष तस्य तानि शीर्षाणि प्रचिच्छेद ॥ ३ ॥

स यत्सोमपानमास । ततः कपिञ्जलः समभवत्तस्मात्स बभ्रुकऽइव बभ्रुरिव हि सोमो राजा ॥ ४ ॥

(जा॒ऽथ) अथ यत्सुरापाणमास । ततः कलविङ्कः समभवत्तस्मात्सोऽभिमाद्यत्कऽइव वदत्यभिमाद्यन्निव हि सुरां पीत्वा वदति ॥ ५ ॥

(त्यु) अथ यदन्यस्माऽअशनायास । ततस्तित्तिरिः समभवत्तस्मात्स विश्वरूपतमऽइव सन्त्येव घृतस्तोकाऽइव त्वन्मधुस्तोकाऽइव त्वत्पर्णेष्वाश्चुतिताऽएवꣳरूपमिव हि स तेनाशनमावयत् ॥ ६ ॥

त्वष्टुर्हं वै पुत्रस्त्रिशीर्षा षडक्ष आस । तस्य त्रीण्येव मुखान्यासुः । तद् यदेवंरूप आस—तस्माद्विश्वरूपो नाम ॥ २ ॥

तस्य सोमपानमेवैकं मुखमास, सुरापाणमेकम्, अन्यस्माऽअशनायैकम् । तमिन्द्रो दिद्वेष । तस्य तानि शीर्षाणि प्रचिच्छेद ॥ ३ ॥

स यत्सोमपानमास—ततः कपिञ्जलः समभवत् । तस्मात्स बभ्रुक इव । बभ्रुरिव हि सोमो राजा ४॥

अथ यत्सुरापाणमास—ततः कलविङ्कः समभवत् । तस्मात्सोऽभिमाद्यत्क—इव वदति—अभिमाद्यन्निव हि सुरां पीत्वा वदति ॥ ५ ॥

अथ यदन्यस्माऽअशनायास—ततस्तित्तिरिः समभवत् । तस्मात्स विश्वरूपतम इव । सन्त्येव

" आश्विनोऽजः श्येतः, मल्हाऽविः सारस्वती, ऋषभमिन्द्राय सुत्राम्णे, तद्गुणाभावेऽजाः, प्रथमो लोहितः "—(का. श्रौ. सू. १९ । २७९ २७८) इति । एतेषां पशूनां सौत्रामणीसम्बन्धं दर्शयति—**तद्यदेतयेति** । पशुत्रयवत्या 'एतया' सौत्रामण्या यष्टव्यमित्यर्थः ॥ १ ॥

अथ सौत्रामण्या सुत्रामेन्द्रसम्बन्धमश्विसरस्वतीसम्बन्धम्, तत्रोपयुक्तद्रव्यादिकञ्चाख्यायिकामुखेन दर्शयति—**त्वष्टुर्हं वै पुत्र इति** । पूर्वं त्वष्टुः पुत्रस्य विश्वरूपस्य त्रिशीर्ष्णः त्रीणि मुखान्यासुः । तत्र 'एकं' मुखं 'सोमपानम्', द्वितीयं 'सुरापाणम्' तृतीयम् 'अन्यस्मै अशनाय' बभूव । एवम्भूतस्य विश्वरूपस्य त्रीणि शिरांसि 'इन्द्रः' 'दिद्वेष' चिच्छेद । ततश्छिन्नेभ्यो मुखेभ्यः कपिञ्जलकलविङ्कतित्तिरयस्त्रयः पक्षिणः समभवन् । कपिञ्जलस्य सोमपानमुखजातत्वात् तत्समानो बभ्रुवर्णो जातः, कलविङ्कस्य सुरापाणमुखजातत्वात् सुरापायिवदभिमादवचनम्, तित्तिरस्याशनभोजकमुखजत्वान्नानारूपत्वम् । अशने हि घृतमधुबिन्दुसद्भावादस्मिन्नपि पक्षिणि तदाकारपक्षसद्भावः । 'अवयत्'—इति वेतेः खादनार्थाच्छान्दसः शप् ॥ २–६ ॥

(त्स) स त्वष्टा चुक्रोध । कुविन्मे पुत्रमवधीदिति सोऽपेन्द्रमेव सोममाजह्रे स यथाऽयꣳ सोमः प्रसुतऽ एवमपेन्द्रऽ एवास ॥ ७ ॥

(से) इन्द्रो ह वाऽईक्षांचक्रे । (क्र ऽ) इदं वै मा सोमादन्तर्यन्तीति स यथा बलीयानबलीयसऽ एवमनुपहूतऽएव यो द्रोणकलशे शुक्रऽआस तं भक्षयांचकार स हैनं जिहिꣳस सोऽस्य विष्वङ्ङेव प्राणेभ्यो दुद्राव मुखाद्धैवास्य न दुद्राव तस्मात्प्रायश्चित्तिरास स यद्धापि मुखादद्रोष्यन्न हैव प्रायश्चित्तिरभविष्यत् ॥ ८ ॥

(च्च) चत्वारो वै वर्णाः । (०) ब्राह्मणो राजन्यो वैश्यः शूद्रो न हैतेषामेकश्चन भवति यः सोमं वमति स यद्धैतेषामेकश्चित्स्यात्स्याद्धैव प्रायश्चित्तिः ॥ ९ ॥

घृतस्तोका इव त्वत्–मधुस्तोका इव त्वत्–पर्णेष्वाश्चुतिताः । एवंरूपमिव हि सः । तेनाशनमावयत् ॥ ६ ॥

स त्वष्टा चुक्रोध–कुविन्मे पुत्रमवधीदिति । सोऽपेन्द्रमेव सोममाजह्रे । स यथाऽयं सोमः प्रसुतः एवमपेन्द्र एवास ॥ ७ ॥

इन्द्रो ह वाऽईक्षाञ्चक्रे । इदं वै मा सोमादन्तर्यन्तीति । स यथा बलीयानबलीयसः–एवमनुपहूत एव–यो द्रोणकलशे शुक्र आस–तं भक्षयाञ्चकार । स हैनं जिहिंस । सोऽस्य विष्वङ्ङेव प्राणेभ्यो दुद्राव । मुखाद्धैवास्य न दुद्राव । तस्मात्प्रायश्चित्तिरास । स यद्धापि मुखादद्रोष्यत्–न हैव प्रायश्चित्तिरभविष्यत् ॥ ८ ॥

चत्वारो वै वर्णाः–ब्राह्मणो, राजन्यो, वैश्यः, शूद्रः । न हैतेषामेकश्चन भवति–यः सोमं वमति । स यद्धैतेषामेकश्चित् स्यात्–स्याद्धैव प्रायश्चित्तिः ॥ ९ ॥

स त्वष्टेति । ततस्तस्य च्छिन्नशीर्ष्णो विश्वरूपस्य पिता 'त्वष्टा' 'कुवित्' व्यर्थम् 'मे' मम 'पुत्रम्' 'अवधीत्' 'इति' क्रुद्धः सन् 'अपेन्द्रम्' इन्द्रवर्जितम् 'एव' 'सोमं' सोमयागम् 'आजह्रे' अनुष्ठितवान्;–यथा सोमः इन्द्रवर्जितः 'प्रसुतः' अभिषुतः स्यात् तथेत्यर्थः ॥ ७ ॥

अथ 'इन्द्रः' त्वष्ट्रादयः मां सोमव्यवहितं कुर्वन्तीति निश्चित्य 'अनुपहूतः' सन् द्रोणकलशस्थितं सोममपहृत्य 'भक्षयाञ्चकार' । यथा बलवान् पुरुषो बलरहितस्य अन्नादिकमपहरति, तद्वत् । स पीतः सोमः 'एनं' 'जिहिंस' बाधितवान् । अस्य 'प्राणेभ्यः' नासिकादिस्थानेभ्यः 'एव' 'विष्वङ्' सर्वतः 'दुद्राव' स्रुतः; 'न मुखाद् दुद्राव' । 'तस्मात्' 'सः' इन्द्रः 'प्रायश्चित्तिः' प्रायश्चित्तयोग्यः 'आस' । प्रायो विनाशः, तस्य चित्तिः सन्धानं यस्येति तथाविधो बभूव । यदि मुखात्स्रुतः स्यात्, तर्हि प्रायश्चित्तियोग्य एव न स्यात्; उत्तरत्र सोमरसव्यृद्धस्येन्द्रस्याश्विभ्यां समर्द्धनं वक्ष्यते ॥ ८ ॥

मुखवमनपक्षे प्रायश्चित्तिर्नास्तीति दर्शयति–चत्वारो वा इति । लोके हि वर्णचतुष्टयस्यैव प्रायश्चित्त-

स यन्नस्तोऽद्रवत् । (त्तु) ततः सिᳪंहः समभवदथ यत्कर्णाभ्यामद्रवत्ततो वृकः समभवदथ यदवाचः प्राणादद्रवत्ततः शार्दूलज्येष्ठाः श्वापदाः समभवन्नथ यदुत्तरात्प्राणादद्रवत्सा परिस्रुदथ त्रिर्निरष्ठीवत्ततः कुवलं कर्कन्धु बदरमिति समभवत्स सर्वेणैव व्यार्ध्यत सर्वᳪं हि सोमः ॥ १० ॥

स सोमातिपूतो मड्कुरिव चचार । तमेतयाऽश्विनावभिषज्यतां तᳪं सर्वेणैव समार्धयताᳪं सर्वᳪं हि सोमः स वसीयानेवेष्ट्वाऽभवत् ॥ ११ ॥

स यन्नस्तोऽद्रवत्—ततः सिंहः समभवत् । अथ यत्कर्णाभ्यामद्रवत्—ततो वृकः समभवत् । अथ यदवाचः प्राणादद्रवत्—ततः शार्दूलज्येष्ठाः श्वापदाः समभवन् । अथ यदुत्तरात्प्राणादद्रवत्—सा परिस्रुत् । अथ त्रिर्निरष्ठीवत्ततः कुवलं कर्कन्धु बदरमिति समभवत् । स सर्वेणैव व्यार्ध्यत । सर्वं हि सोमः ॥ १० ॥

स सोमातिपूतो मड्कुरिव चचार । तमेतयाऽश्विनावभिषज्यताम् । तं सर्वेणैव समार्धयताम् । सर्वं हि सोमः । स वसीयानेवेष्ट्वाऽभवत् ॥ ११ ॥

विधानम्, नान्यस्य; अतः सोमवामी एषां चतुर्णां मध्ये एकोऽपि न भवति । यथा पुल्कसादेः केवलपापशरीराणि स्युः, प्रायश्चित्तिविधिर्नास्ति, एवं सोमवामिनोऽपीति । यद्यपि तस्य " यः सोमवामी स्यात् तस्मा एतं सोमेन्द्रं श्यामाकं चरुं निर्वपेत् "—इत्यादिना तैत्तिरीये (तै. सं. २ । ३ । २ । ७) प्रायश्चित्तिरुक्ता, तथापि अत्यन्तसन्निकर्षं वक्तुं वर्णचतुष्टयानर्थक्यमुक्तम्; तस्मादिन्द्रस्य मुखवमनाभावात् प्रायश्चित्तियोग्यत्वं जातमित्यर्थः ॥ ९ ॥

इन्द्रियेभ्यः सोमद्रवणकाले नासिकादिस्रुतस्य सिंहाद्यात्मनोत्पत्तिं दर्शयति—स यन्नस्त इति । ' नस्तः ' नासिकायाः स्रुतः सोमः ' सिंहः ' अभवत् । ' अवाचः ' अधोमुखादपानद्वारात् निर्गतः सोमः शार्दूलमुख्याः ' श्वापदाः ' क्रूरकर्माणः, पशवः ' समभवन् ' । उत्तरात् प्राणात् गुह्यच्छिद्रात् स्रुतः ' परिस्रुत् ' सुरा अभूत् । " याऽवाची सा सुरा "—इति हि तैत्तिरीयकम् (तै. ब्रा. १ । ८ । ५ । २ ।) । स चेन्द्रो वक्त्रेण त्रिवारं निष्ठीवनं कृतवान् । तेन द्रव्यत्रयमभूत्,—कुवलकर्कन्धुबदराणि[1] सूक्ष्मतरस्थूलमध्यपरिमाणानि बैदरजातिफलानि एवं सर्वेन्द्रियेभ्यः सोमस्रवणात् इन्द्रो ' व्यार्ध्यत ' ऋद्धिविहीनो बभूव ॥ १० ॥

स सोमातिपूत इति । ' सोमातिपूतः ' अपानद्वारादिभ्यः स्रुतसोमः ' सः ' इन्द्रः ' मङ्कुः ' " मकि प्रतिबन्धे " (धा. पा. भ्वा. आ. ८९) विकलगतिः पङ्गुः ' इव ' ' चचार ' । तं तथाविधमिन्द्रम्

१–कुवलकर्कन्धुबदराणां मध्यबदरादीनि लक्षणानि हरिस्वामिनोक्तानि ॥ याज्ञिकास्तु कुवलान्यामलकतुल्यानि । कर्कन्धूनि आरण्यकबदराणि । बदराणि चणकबदराणि । तैत्तिरीयब्राह्मणे १ । ८ । ५ । सायणभाष्ये कुवलं बालखर्जूरफलम् । बदरं क्रमुकपरिमितम् । कर्कन्धूः हरीतकीपरिमितं स्थूलम् । इति ।

(त्ते) ते देवा ऽअब्रुवन् । (न्सु) सुत्रातं बतैनमत्रासातामिति तस्मा-त्सौत्रामणी नाम ॥ १२ ॥

स हैतयाऽपि सोमातिपूतं भिषज्येत् । (त्स) सर्व्वेण वाऽएष व्यृध्यते यꣳ सोमोऽतिपवते सर्व्वꣳ हि सोमस्तꣳ सर्व्वेणैव समर्धयति सर्व्वꣳ हि सोमः स व्वसीयानेवेष्ट्वा भवति तस्मादु हैतयापि सोमातिपूतं भिषज्येत् १३

(त्त) तद्यदेतया राजसूययाजी यजते । सर्व्वान्वाऽएष यज्ञक्रतूनवरुन्द्धे सर्व्वाऽ इष्टीरपि दर्विहोमान्यो राजसूयेन यजते देवसृष्टो वाऽएषेष्टिर्यत्सौत्रा-मण्यनया मेऽपीष्टमसदनयाऽपि सूयाऽइति तस्माद्वा एतया राजसूय-याजी यजते ॥ १४ ॥

(तऽथ) अथ यदाश्विनो भवति । (त्य) अश्विनौ वाऽएनमभिषज्यतां तथोऽएवैनमेष ऽएतदश्विभ्यामेव भिषज्यति तस्मादाश्विनो भवति ॥ १५ ॥

ते देवा अब्रुवन्—सुत्रातं बतैनमत्रासातामिति । तस्मात् सौत्रामणी नाम ॥ १२ ॥

स हैतयापि सोमातिपूतं भिषज्येत् । सर्वेण वाऽएष व्यृध्यते यं सोमोऽतिपवते । सर्वं हि सोमः । तं सर्वेणैव समर्धयति । सर्वं हि सोमः । स वसीयानेवेष्ट्वा भवति । तस्मादु हैतयापि सोमातिपूतं भिषज्येत् ॥ १३ ॥

तद् यदेतया राजसूययाजी यजते । सर्वान् वाऽएष यज्ञक्रतूनवरुन्धे, सर्वा इष्टीः, अपि दर्विहोमान् यो राजसूयेन यजते । देवसृष्टो वाऽएषेष्टिः—यत् सौत्रामणी । अनया मेऽपीष्टमसद्, अनयाऽपि सूया-ऽइति । तस्माद्वाऽएतया राजसूययाजी यजते ॥ १४ ॥

अथ यदाश्विनो भवति । आश्विनौ वाऽएनमभिषज्यताम् । तथोऽएवैनमेष एतदश्विभ्यामेव भिषज्यति । तस्मादाश्विनो भवति ॥ १५ ॥

'एतया' सौत्रामण्या 'अश्विनौ' 'अभिषज्यताम्' समाहितमकुरुताम् । "भिषक् चिकित्सायाम्"—(धा. पा. कं. २३) इति धातुः । तदेवाह—सर्वेणेति । सर्वेण सोमेन एनं समृद्धं कृतवन्तौ । तत इन्द्रः एतया 'इष्ट्वा' 'वसीयान्' वसुमत्तरः 'अभवत्' ॥ ११ ॥

सौत्रामणीशब्दं निर्वक्ति—ते देवा इति । एवमश्विभ्यां सोमरसेन समर्द्धितमिन्द्रं प्रति 'देवा अब्रुवन्'—'एनम्' सोमातिपूतं 'सुत्रातम्' सुष्ठु रक्षितवन्तौ अश्विनाविति । 'बत'—इति हर्षे; अतः सुत्राणसम्बन्धात् 'सौत्रामणी—नाम' इष्टिः ॥ १२ ॥

प्रसङ्गादन्यस्य सोमातिपूतस्यापीमामेवेष्टिं दर्शयति—स हैतयापीति । इयं राजसूयाद् बहिरपि प्रयोक्त-व्येत्यर्थः ॥ १३ ॥

तद्यदेतया राजसूयेत्यादेरयमर्थः—राजसूययाजिना सर्वेऽपि इष्टिपशु—सोम—दर्विहोमा इष्टाः, अत एषाऽपि इष्टित्वात् तेन कार्येति पूर्वमुक्तम् ॥ १४ ॥

आश्विनसारस्वतैन्द्रपशुविधिं पृथक्-पृथगनूद्य प्रशंसति—अथ यदाश्विनो भवतीति ॥ १५ ॥

(त्यु) अुथ युत्सारस्वतो भुवति । व्वाग्वै सुरस्वती व्वाचा वाऽएनम-श्विनावभिषज्यतां तुथोऽएुवैनमेषुऽएतुद्वाचैवु भिषज्यति तुस्मात्सार-स्वतो भवति ॥ १६ ॥

(त्यु) अुथ युदैन्द्रो भुवति । (त्री) इुन्द्रो वै युज्ञुस्य देवुता सुा सैवु युज्ञुस्य देवुता तुयैवैनमेतुद्भिषज्यति तुस्मादैन्द्रो भवति ॥ १७ ॥

(त्ये) एुतेषु पशुषु । सिᳫँहलोमुानि वृकलोमुानि शार्दूललोमानी-त्यावपत्येतुद्वै ततः सुमभवद्युदेनᳫँ सोमोऽत्यपवत तेनुैवैनमेतत्सुमर्धयति कृुत्स्नं करोति तुस्मादेतान्यावपति ॥ १८ ॥

तुदु तुथा नु कुर्यात् । (दु) उल्कुया ह सु नखिन्या पशूननुषुवति यु ऽएुतानि पशुष्वावुपाति तुस्मादु परिस्रुत्येवावपेत्तुथा होल्कुया नखिन्या पशून्नानुषुवाति तुथोऽएुवैनᳫँ सुमर्धयति कृुत्स्नं करोति तुस्मादु परि-स्रुत्येवावपेत् ॥ १९ ॥

अथ यत्सारस्वतो भवति । वाग्वै सरस्वती । वाचा वाऽएनमश्विनावभिषज्यताम् । तथोऽएवैन-मेष एतद्वाचैव भिषज्यति । तस्मात्सारस्वतो भवति ॥ १६ ॥

अथ यदैन्द्रो भवति । इन्द्रो वै यज्ञस्य देवता । सा यैव यज्ञस्य देवता । तयैवैनमेतद्भिषज्यति । तस्मादैन्द्रो भवति ॥ १७ ॥

एतेषु पशुषु सिंहलोमानि, वृकलोमानि, शार्दूललोमानीत्यावपति । एतद्वै ततः समभवद्–यदेनं सोमोऽत्यपवत । तेनैवैनमेतत्समर्धयति, कृत्स्नं करोति । तस्मादेतान्यावपति ॥ १८ ॥

तदु तथा न कुर्यात् । उल्कया ह स नखिन्या पशूननुषुवति–य एतानि पशुष्वावपाति । तस्मादु परिस्रुत्येवावपेत् । तथा होल्कया नखिन्या पशून्नानुषुवाति । तथोऽएवैनं समर्धयति, कृत्स्नं करोति । तस्मादु परिस्रुत्येवावपेत् ॥ १९ ॥

वाचेति । 'वाचा' वाग्रूपया याज्यापुरोनुवाक्यया, जुहावमन्त्रवत्या सरस्वत्येत्यर्थः ॥ १६ ॥

इन्द्रो वा इति । 'यज्ञस्य' सर्वस्य 'देवता' ॥ १७ ॥

अथ परिस्रुत्सन्धानं वक्ष्यते, तत्र सिंहवृकव्याघ्रलोमसंसर्जनं सिद्धान्तयितुं विधित्सुः शाखान्तरीयं पक्षं सोपपत्तिकमनुवदति–**एतेषु पशुष्विति** । अत एव सूत्रकारो द्वेधा सूत्रयामास परिस्रुतं प्रस्तुत्य–" संसृजति, सिंहव्याघ्रलोमानि चावपति, पशुषु वा "– (का. श्रौ. सू. १९।२१८–२७०) इति । 'एतेषु' उक्तेषु त्रिषु 'पशुषु' सिंहादीनां त्रीणि लोमानि 'इत्यावपति' । 'इति'–शब्द एतच्छब्दार्थः; 'इति' एतानि संसृजेत् । तस्मात् इन्द्रस्येन्द्रियद्वारेभ्योऽपसृतात् सोमादेते त्रयः सिंहाद्या उत्पन्नाः । तस्मात् तल्लोमावापेन इन्द्रमेव कृत्स्नं समृद्धं कृतवान् भवतीति ॥ १८ ॥

तं पक्षं निराकृत्य स्वमतं विधत्ते–**तदु तथेति** । यदि पशुषु लोमावापं कुर्यात् तर्हि 'नखिन्या' कण्टक-

(ट) अथ पूर्व्वेद्युः । परिस्रुतꣳ संदधात्यश्विभ्यां पच्यस्व सरस्वत्यै पच्यस्वेन्द्राय सुत्राम्णे पच्यस्वेति सा यदा परिस्रुद्भवत्यथैनया प्रचरति २०॥

द्वावग्नीऽउद्धरन्ति । (न्यु) उत्तरवेदावेवोत्तरमुद्धते दक्षिणं नेत्सोमाहुतीश्च सुराहुतीश्च सह जुहवामेति तस्माद्द्वावग्नीऽउद्धरन्त्युत्तरवेदावेवोत्तरमुद्धते दक्षिणमथ यदा वपाभिः प्रचरन्त्यथैतया परिस्रुता प्रचरति ॥२१॥

तां दर्भैः पावयति । पूताऽसदिति वायुः पूतः पवित्रेण प्रत्यङ्सोमोऽअतिस्रुतः । इन्द्रस्य युज्यः सखेति तत्कुवलसक्तून्कर्कन्धुसक्तून्बदरसक्तूनित्यावपत्येतद्वै ततः समभवद्यत्त्रिर्निरष्ठीवत्तेनैवैनमेतत्समर्धयति कृत्स्नं करोति तस्मादेतानावपति ॥ २२ ॥

अथ पूर्वेद्युः परिस्रुतं सन्दधाति–"आश्विभ्यां पच्यस्व, सरस्वत्यै पच्यस्व, इन्द्राय सुत्राम्णे पच्यस्व"–(वा० सं० १० । ३१) इति । सा यदा परिस्रुद्भवति–अथैनया प्रचरति ॥ २० ॥

द्वावग्नीऽउद्धरन्ति । उत्तरवेदांवेवोत्तरम्, उद्धते दक्षिणम् । नेत् सोमाहुतीश्च सुराहुतीश्च सह जुहवामेति । तस्माद्द्वावग्नीऽउद्धरन्ति–उत्तरवेदावेवोत्तरम्, उद्धते दक्षिणम् । अथ यदा वपाभिः प्रचरन्ति । अथैतया परिस्रुता प्रचरति ॥ २१ ॥

तां दर्भैः पावयति–पूताऽसदिति । "वायुः पूतः पवित्रेण प्रत्यङ्सोमोऽअतिस्रुतः। इन्द्रस्य युज्यः सखा"–(वा.सं.१०।३१) इति । तत् कुवलसक्तून्, कर्कन्धुसक्तून्, बदरसक्तून् इत्यावपति। एतद्वै ततः समभवद् । यत्त्रिर्निरष्ठीवत् । तेनैवैनमेतत्समर्धयति । कृत्स्नं करोति । तस्मादेतानावपति ॥२२

वत्या 'उल्कया' एव पशून् प्रेरितवान् भवति । तस्मात् 'तथा न कुर्यात्; किन्तु 'परिस्रुत्येव' संसृजेत् । तत्रावापेन पशूनामुल्कया प्रेरणं कृतं न भवति । इन्द्रस्य तु कृत्स्नकरणमत्रापि कृतं भवेत् ॥ १९ ॥

अथ परिस्रुत्सन्धानं समन्त्रकं विधत्ते–अथ पूर्वेद्युरिति । 'सन्दधाति' सम्पादयेदित्यर्थः । तत्प्रकारः कात्यायनेन स्पष्टमीरितः–"व्रीहीन् विरूढाविरूढान् क्षौमे उपनह्य क्रीणाति क्लीबात् सीसेन, पक्वौदनं विरूढांश्चूर्णीकृत्याश्विभ्यां पच्यस्वेति संसृजति"–(का. श्रौ. सू. १५।२।१७।१९।१८) इति । हे परिस्रुत्! 'अश्विभ्यां' 'पच्यस्व' पक्वा भव । एवमुत्तरत्रापि ॥ २० ॥

परिस्रुत्प्रचरणे कश्चिद् विशेषमाह–द्वावग्नी इति । उत्तरवेद्यामेकमग्निम्, तद्दक्षिणभागे 'उद्धते' प्रदेशे एकमग्निमुद्धरेत् । अग्निद्वयोद्धारे कारणमाह–नेदिति । एकस्मिन्नेवाग्नौ सोमसुराहुतयः सह होतुमयोग्याः, अतस्तत्संसर्गहोमनिवृत्त्यर्थमग्निद्वयं कार्यमित्यर्थः । तस्याः प्रचरणकालमाह–यदा वपाभिरिति । पशुवपाभिर्यदा प्रचरेयुः, तदैतयेत्यर्थः ॥ २१ ॥

विधत्ते–तां दर्भैरिति । सा परिस्रुत् 'पूता' 'असत्' भवेत् ' इति ' 'तां दर्भैः' पावयेत् । मन्त्रस्यायमर्थः-

(त्यु) अथ ग्रहान्गृह्णाति । (त्ये) एकं वा त्रीन्वैकस्त्वेव ग्रहीतव्य ऽएका हि पुरोरुग्भवत्येकाऽनुवाक्यैका याज्या तस्मादेक ऽएव ग्रहीतव्यः ॥ २३ ॥

स गृह्णाति । कुविदङ्ग यवमन्तो यवं चिद्यथा दान्त्यनुपूर्व्वं वियूय ॥ इहेहैषां कृणुहि भोजनानि ये बर्हिषो नमउक्तिं यजन्ति ॥ उपयामगृहीतोऽस्यश्विभ्यां त्वा सरस्वत्यै त्वेन्द्राय त्वा सुत्राम्ण ऽइति यद्यु त्रीन्गृह्णीयादेतयैव गृह्णीयादुपयामैस्तु तर्हि नाना गृह्णीयादथाहाश्विभ्याᳬं सरस्वत्याऽइन्द्राय सुत्राम्णेऽनुब्रूहीति ॥ २४ ॥

अथ ग्रहान्गृह्णाति एकं वा, त्रीन्वा । एकस्त्वेव ग्रहीतव्यः । एका हि पुरोरुग् भवति, एकाऽनुवाक्या, एका याज्या । तस्मादेक एव ग्रहीतव्यः ॥ २३ ॥

स गृह्णाति—" कुविदङ्ग यवमन्तो यवं चिद् यथा दान्त्यनुपूर्वं वियूय । इहेहैषां कृणुहि भोजनानि ये बर्हिषो नमउक्तिं यजन्ति । उपयामगृहीतोऽस्यश्विभ्यां त्वा, सरस्वत्यै त्वा, इन्द्राय त्वा सुत्राम्णे "—(वा. सं. १० । ३२ ।) इति । यद्यु त्रीन् गृह्णीयाद् एतयैव गृह्णीयात् । उपयामैस्तु तर्हि नाना गृह्णीयाद् । अथाह—अश्विभ्यां सरस्वत्याऽइन्द्राय सुत्राम्णेऽनुब्रूहीति ॥ २४ ॥

' पवित्रेण ' पूतः ' सोमः ' सोमात्मना निष्पादितः (का. श्रौ. सू. १९ । २८२) तथा च । तैत्तिरीयकम्—" स्वाद्वीं त्वा स्वादुनेत्याह सोममेवैनां करोति " (तै. ब्रा. १।८।५।४) इति । वायुः पात्राणि गच्छन्, वायुवच्छीघ्रगामी वा भूत्वा 'प्रत्यङ्' अधोवर्तिपात्राभिमुखः सन् ' अतिस्रुतः ' अतिक्रम्योद्गतः ' इन्द्रस्य ' युज्यः योग्यः ' सखा ' समानख्यानः ' इति ' ॥

विधत्ते—तत्कुवलेति । तस्यां परिस्रुति कुवलकर्कन्धुबदरसक्तुत्रयं निवपेदित्यर्थः । अत्र सूत्रम्—" वपामार्जनान्ते कुशैः परिस्रुतं पुनाति वायुः पूत इति, कुवलकर्कन्धुबदरचूर्णानि चावपति " (का. श्रौ. सू. १९ । २८२ । २८३) इति ॥ २२ ॥

ग्रहग्रहणं विधत्ते—अथ ग्रहानिति । एको वा ग्रहः त्रयो वा ग्रहीतव्याः । तत्रैकं सिद्धान्तयति—एकस्त्वेवेति । एकस्यैव ग्रहणमुपपादयति—एका हीति । पुरोरुक्-पुरोनुवाक्या-याज्यानामेकत्वादेक एव ग्रहीतव्यः ॥ २३ ॥

ग्रहणमनूद्य मन्त्रं विधत्ते—स गृह्णाति कुविदङ्गेति । ' अङ्ग ' शब्दः सम्बोधनवाची । हे सोम ! कुविच्छब्दो बह्वर्थवाची । चिच्छब्दः समुच्चये । यथा लोके ' यवमन्तः ' यवादिधान्योपेताः कृषिकाः ' कुविद् ' यवबहुलं, यवमन्यानि च गोधूमप्रियङ्ग्वादिधान्यानि ' अनुपूर्वं ' तत्परिपाकानुक्रमेण इदं पक्वमिदमपक्वमिति ' वियूय ' विशेषेण पृथक् कृत्य ' दान्ति ' " दाप् लवने " (धा. पा. अ. प. ४९) लुनन्ति तथा

---

१ ग्रहं गृह्णाति कुविदंगेति त्रीन् वा प्रतिदेवतमेतयैव । का. श्रौ. सू. १५ । २८४ ।

सोऽन्वाह । युवᳪ सुराममश्विना नमुचावासुरे सचा । विपिपाना शुभस्पतीऽइन्द्रं कर्मस्वावतमित्याश्राव्याहाश्विनौ सरस्वतीमिन्द्रᳪ सुत्रामाणं यजेति ॥ २५ ॥

स यजति । पुत्रमिव पितरावश्विनोभेन्द्रावथुः काव्यैर्दᳪसनाभिः । यत्सुरामं व्यपिबः शचीभिः सरस्वती त्वा मघवन्नभिष्णगिति द्विर्होता वषट्करोति द्विरध्वर्युर्जुहोत्याहरति भक्षं यद्यु त्रीन्गृह्णीयादेतस्यैवानुहोममितरौ हूयेते ॥ २६ ॥

सोऽन्वाह–" युवं सुराममश्विना नमुचावासुरे सचा । विपिपाना शुभस्पती इन्द्रं कर्मस्वावतम् "–(वा. सं. १० । ३३) इति। आश्राव्याह—अश्विनौ, सरस्वतीम्, इन्द्रं सुत्रामाणं यजेति ॥ २५ ॥

स यजति–"पुत्रमिव पितरावश्विनोभेन्द्रावथुः, काव्यैर्दंसनाभिः। यत् सुरामं व्यपिबः शचीभिः सरस्वती त्वा मघवन् अभिष्णक्"–(वा. सं. १० । ३४) इति। द्विर्होता वषट्करोति, द्विरध्वर्युर्जुहोति। आहरति भक्षम् । यद्यु त्रीन्गृह्णीयात् । एतस्यैवानुहोममितरौ हूयेते २६॥

'एषां' यज्वनां 'भोजनानि' अन्नानि 'इह' च 'कृणुहि' कुरुत 'ये' यजमानाः 'बर्हिषः' यागस्य 'नमउक्ति नम इत्यन्ननाम (निघ. २ । ७ अ.) नमस्कारो वा, तस्योक्तिं 'यजन्ति' कुर्वन्तीत्यर्थः । "उपयामगृहीतः" इत्यादिर्मन्त्रशेषः स्पष्टः ॥

ग्रहत्रयग्रहणपक्षेऽपीममेव मन्त्रमुपयामेत्यत्र विशेषश्च दर्शयति–यद्यु त्रीनिति । "नाना" पृथक् पृथक् उपयामेन तिसृभ्यो देवताभ्यो गृह्णीयात् ॥

अनुवचनप्रैषे विशेषं दर्शयति–अथाहेति ॥ २४ ॥

होतारमनूच्याश्विसरस्वतीन्द्रप्रतिपादकं मन्त्रमाह—सोऽन्वाह युवमिति । हे अश्विनौ ! 'युवं' युवां 'सुरामम्' सुरमणीयम् 'आसुरे नमुचौ' स्थितं सोमं 'सचा' सहभूतौ एकीभूय 'विपिपाना' विविधं पिबन्तौ हे 'शुभस्पती' शुभस्य पालकौ स्वामिनौ ! 'कर्मसु' निमित्तभूतेषु कर्मकरणार्थम् 'इन्द्रम्' 'आवतं' रक्षतम् 'इति' ॥

'यज' इति प्रैषे देवताशंसनं विधत्ते–आश्राव्याहेति । देवतात्रयप्रतिपादिकां वा याज्यां पठतीति॥२५॥

स यजति पुत्रमिवेति । 'पितरौ पुत्रमिव' यथा पालयतः, तथा उभौ अश्विनौ हे इन्द्र ! 'त्वा' त्वाम् 'आवथुः' "अव रक्षणे" (धा. पा. भ्वा. प. ६०१) । पुरुषव्यत्ययः, रक्षितवन्तौ । 'काव्यैः' कविकर्मभिः स्तोत्रैः, 'दंसनाभिः', 'दंस' इति कर्मनाम (निघ. २।१ । २) कर्मभिश्च इन्द्रं पालितवन्तौ कथमवगम्यते ? 'यद्' यस्मात् 'सुरामं' सुरमणीयं सोमं 'व्यपिबः' विशेषेण पीतवानसि । 'शचीभिः'

१–समस्यानुवाचनं यजेति न । का० श्रौ० सू० । १५ । २८५ ।

(ते॒ऽअ॒) अ॒थ कु॒म्भः॑ । श॒तवि॑तृण्णो॒ वा भ॑वति॒ न॒ववि॑तृण्णो॒ वा स य॒दि श॒तवि॑तृण्णः श॒तायु॒र्व्वाऽअ॒यं पु॒रु॑षः श॒तते॑जाः श॒तवी॑र्य॒स्त॒स्माच्छ॒तु॒वि॑तृण्णो॒ य॒द्यु न॒ववि॑तृण्णो न॒वेमे पु॒रु॑षे प्रा॒णास्त॒स्मान्न॒वाव॑तृण्णः ॥ २७॥

(स्त॒ऽ᳖) त॒ऽ᳖ शि॒क्योदु॑तम् । (मु) उ॒परु॒पर्य्या॑हवनी॒यं धा॑रयन्ति सा या प॒रिशि॑ष्टा॒ परि॑स्रु॒द्भ॑वति ता॒मासि॑ञ्चति॒ तां व्वि॒क्षर॑न्ती॒मु॒प॑तिष्ठते पि॒तॄणा॒ऽ᳖ सो॒मव॑तां ति॒सृभि॑र्ऋ॒ग्भिः पि॒तॄणां ब॒र्हि॑षदां ति॒सृभि॑र्ऋ॒ग्भिः पि॒तॄणा॑मग्नि॒ष्वात्ता॒नां ति॒सृभि॑र्ऋ॒ग्भिस्त॒द्य॒दे॒व॒मु॑प॒तिष्ठ॑ते य॒त्र वै सो॒म ऽइन्द्र॑मत्य॒पव॑त स य॒त्पि॒तॄन॒गच्छ॒त्त्र॑या वै पि॒तर॒स्तै॒नै॒वै॑नमे॒तत्स॒मर्ध॑यति॒ कृ॒त्स्नं क॑रोति॒ त॒स्मा॒दे॒व॒मु॑प॒तिष्ठ॑ते ॥ २८ ॥

अथ कुम्भः शतवितृण्णो वा भवति, नववितृण्णो वा । स यदि शतवितृण्णः—शतायुर्वाऽअयं पुरुषः शततेजाः शतवीर्यः । तस्माच्छतवितृण्णः । यद्यु नववितृण्णो—नवेमे पुरुषे प्राणाः—तस्मान्नववितृण्णः ॥ २७ ॥

तं शिक्योदुतमुपर्युपर्याहवनीयं धारयन्ति । सा या परिशिष्टा परिस्रुद्भवति—तामासिञ्चति । तां विक्षरन्तीमुपतिष्ठते—पितॄणां सोमवतां तिसृभिर्ऋग्भिः, पितॄणां बर्हिषदां तिसृभिर्ऋग्भिः, पितॄणामग्निष्वात्तानां तिसृभिर्ऋग्भिः। तद् यदेवमुपतिष्ठते। यत्र वै सोम इन्द्रमत्यपवत। स यत् पितॄनगच्छत्—त्रया वै पितरस्तेनैवैनमेतत्समर्धयति, कृत्स्नं करोति । तस्मादेवमुपतिष्ठते ॥ २८ ॥

कर्मभिः हे 'मघवन्' इन्द्र ! त्वां सोमातिपूतं 'सरस्वती' 'अभिष्णक्' भेषजसन्धानं कृतवती । 'भिषक्' इति कण्ड्वादिषु पठ्यते (धा. पा. कं. २३) ॥

विधेयं विधत्ते—द्विर्होतेति । होत्रा द्विवारं वषट्कारः कर्त्तव्यः । 'द्विरध्वर्युः' अध्वर्युणाऽपि द्विवारं हवनं कार्यम्[1] । 'आहरति भक्षम्' हवनानन्तरं भक्षार्थमाहरेयुः[2] । ग्रहत्रयपक्षे हवने कश्चिद् विशेषमाह—यद्यु त्रीनिति । एतस्य होममनु इतरौ द्वौ परिस्रुद्धोमौ होतव्यौ । एष परिस्रुद्धोमो दक्षिणेऽग्नाविति प्रागुक्तः[3] ॥ २६ ॥

कात्यायनः—" परिस्रुच्छेषमासिच्य रुक्मवच्छिद्रं कुम्भं शिक्ये कृत्वोपरि दक्षिणस्य धारयन् स्रवन्तमुपतिष्ठते तृचैः सोमवतां बर्हिषदामग्निष्वात्तानाम् "—(का. श्रौ. सू. १९ । २८८) इति । हुतायाः सुरायाः शेषं रुक्मवति शतच्छिद्रे नवच्छिद्रे वा कुम्भे आसिच्य, तं कुम्भं दक्षिणस्याहवनीयस्योपरि शिक्ये कृत्वा स्रवन्तं सोमवदादिपितॄणां त्रिभिस्तृचैरुपतिष्ठेतेति तदर्थः । तदिदं विवक्ते—अथ कुम्भ इति । रुक्मब्राह्मणे व्याख्यातम् (श. प. ब्रा. ९ । ४ । १ । १३) ॥ २७ ॥

तं शिक्योदुतमिति । आहवनीयस्योपरि उद्धते प्रदेशे परिस्रुत्प्रचारार्थं दक्षिणतः स्थापितस्याग्नेरुपरीत्यर्थः । तथा सूत्रमुदाहृतम् (का. श्रौ. सू. । १९।२८८) । 'विक्षरन्तीं' कुम्भात् स्रवन्तीम् परिस्रुतम् 'उपतिष्ठते' ।

१–प्रथमस्यानुहोममितरौ का. श्रौ. सू. १५ । २८६ । २–भक्षमाहृत्य । का० श्रौ० सू० १५ । २८८ । ३–परिस्रुद्धोमो दक्षिणेऽग्नौ । का० श्रौ० सू० १५ । २८७ ।

(तेऽथै) अथैतानि हवीᳬँषि निर्वपति । सावित्रं द्वादशकपालं वाऽष्टाकपालं वा पुरोडाशं व्वारुणं यवमयं चरुमैन्द्रमेकादशकपालं पुरोडाशम् ॥ २९ ॥

(ᳬँ) स यत्सावित्रो भवति । सविता वै देवानां प्रसविता सवितृप्रसूत ऽएवैतद्भिषज्यति तस्मात्सावित्रो भवति ॥ ३० ॥

(त्यु) अथ यद्वारुणो भवति । व्वरुणो वाऽआर्पयिता तद्य ऽएवार्पयिता तेनैवैतद्भिषज्यति तस्माद्वारुणो भवति ॥ ३१ ॥

(त्यु) अथ यदैन्द्रो भवति । (ती) इन्द्रो वै यज्ञस्य देवता सा यैव यज्ञस्य देवता तयैवैतद्भिषज्यति तस्मादैन्द्रो भवति ॥ ३२ ॥

अथैतानि हवींषि निर्वपति । सावित्रं द्वादशकपालं वाऽष्टाकपालं वा पुरोडाशम्, वारुणं यवमयं चरुम्, ऐन्द्रमेकादशकपालं पुरोडाशम् ॥ २९ ॥

स यत्सावित्रो भवति । सविता वै देवानां प्रसविता । सवितृप्रसूत एवैतद्भिषज्यति । तस्मात्सावित्रो भवति ॥ ३० ॥

अथ यद्वारुणो भवति । वरुणो वाऽआर्पयिता । तद् य एवार्पयिता—तेनैवैतद्भिषज्यति । तस्माद्वारुणो भवति ॥ ३१ ॥

अथ यदैन्द्रो भवति । इन्द्रो वै यज्ञस्य देवता । सा यैव यज्ञस्य देवता तयैवैतद्भिषज्यति तस्मादैन्द्रो भवति ॥ ३२ ॥

उपस्थाने मन्त्रान् दर्शयति—पितॄणामिति । 'सोमवतां' सोमदेवतायुतानां ' पितॄणां ' याज्यापुरोनुवाक्यारूपाः " उदीरतामवर उत्परासः "—इत्याद्यास्तिस्र ऋचः (वा. सं. १९ । ४९–५१) ' बर्हिषदां ' बर्हिषि सीदताम् एतद्गुणकानां ' पितॄणां ' " बर्हिषदः पितर ऊत्यर्वाग् "—इत्याद्यास्तिस्र ऋचः (वा. सं. १९।५५–५७) ' अग्निष्वात्तानां ' पितॄणाम् " आयन्तु नः पितरः सोम्यासः "—इत्याद्यास्तिस्र ऋचः (वा. सं. १९ । ५८–६०) इति नवर्चः संहितायां क्रमेणाम्नाताः । ताभिरुपस्थानं कर्त्तव्यमित्यर्थः । पित्र्यमन्त्रैरुपस्थानं प्रशंसति—यत्र•वै सोम इति । पूर्वमिन्द्रेण पीतः सोमः, अतिपूतः सन् पितॄनेव प्राप्नोत्, अतस्तन्मन्त्रोपस्थानेनेन्द्रमेव सम्पूर्णं कृतवान् भवतीति ॥ २८ ॥

अथ पशुपुरोडाशार्थं सावित्रवारुणैन्द्राख्यं हविस्त्रयं विधत्ते—अथैतानि हवींषीति ॥ २९ ॥

पुरोडाशदेवताः प्रशंसति—अथ यत् सावित्र इति । कात्यायनः—" सोमातिपूतस्याप्येषा, अनुयाजान्ते पशुपुरोडाशार्थैश्चरत्याश्विनेन प्रा गवदानेभ्यः, हविर्भिर्वाऽऽश्विनाभावस्तु "—(का.श्रौ.सू. १९।२९१–२९४) इति । अयमर्थः—एषा सौत्रामणी सोमातिपूतस्यापि भैषज्यार्थं कर्त्तव्येति । राजसूयाद्बहिः प्रयोगः । तत्र पशुपुरोडाशार्थं विहितान्येवैतानि सावित्रादिहवींषि अनुयाजान्ते यष्टव्यानि, तदा छिद्रापिधानार्थं पशुवपाप्रचरणानन्तरमवदानात्

स युदि हैतयापि सोमातिपूतं भिषज्येत् । (दि) इष्टा ऽअनुयाजा भवन्त्युव्यूढे स्रुचावुथैतैर्हुविर्भिः प्रचरति पश्चार्द्धे सोमोऽतिपवते पश्चादे वैनमेतेन मेधेनापि दधात्याश्विनमु तुर्हि द्विकपालं पुरोडाशं निर्व्व- पेदुथ यदा व्वपाभिः प्रचरत्युथैतेनाश्विनेन द्विकपालेन पुरोडाशेन प्रचरति ॥ ३३ ॥

तदु तथा न कुर्यात् । (द्ध्वु) ह्वलति वाऽएष यो यज्ञपथादेत्येति वाऽएष यज्ञपथाद्यऽएवं करोति तुस्माद्यत्रैवैतेषां पशूनां व्वपाभिः प्रचरन्ति तुदेवै- तैर्हुविर्भिः प्रचरेयुर्नो तर्ह्याश्विनं द्विकपालं पुरोडाशं निर्व्वपेत् ॥ ३४ ॥

तुस्य नपुꣳसको गौर्दक्षिणा । न वाऽएष स्त्री न पुमान्यन्नपुꣳसको गौर्यदह पुमांस्तेन न स्त्री यदु स्त्री तेनो न पुमांस्तुस्मान्नपुꣳसको

स यदि हैतयापि सोमातिपूतं भिषज्येत्—इष्टा अनुयाजा भवन्ति । अव्यूढे स्रुचौ । अथैतैर्हविर्भिः प्रचरति । पश्चार्द्धे सोमोऽतिपवते । पश्चादेवैनमेतेन मेधेनापि दधाति । आश्विनमु तर्हि द्विकपालं पुरोडाशं निर्वपेत् । अथ यदा वपाभिः प्रचरति । अथैतेनाश्विनेन द्विकपालेन पुरोडाशेन प्रचरति ॥ ३३ ॥

तदु तथा न कुर्यात् । ह्वलति वाऽएषः—यो यज्ञपथादेति । एति वाऽएष यज्ञपथाद्—य एवं करोति । तस्माद्यत्रैवैतेषां पशूनां वपाभिः प्रचरन्ति—तदेवैतैर्हविर्भिः प्रचरेयुः । नो तर्ह्याश्विनं द्विकपालं पुरोडाशं निर्वपेत् ॥ ३४ ॥

तस्य नपुंसको गौर्दक्षिणा । न वाऽएष स्त्री, न पुमान् । यन्नपुंसको गौः । यदह पुमान्—तेन न

पुरा आश्विनेन पुरोडाशेन यागः कर्त्तव्य इत्येकः शाखान्तरीयः पक्षः । पशुवपाप्रचरणानन्तरमेवैतैः सावित्रादिभिर्हविर्भिर्यागः करणीयः, तदा यज्ञपतिच्छिद्रपिधानार्थमेतेषामिष्टत्वादाश्विनहविर्निर्वापो न कर्त्तव्य इत्यपरः पक्षः ॥ ३० ॥ ३१ ॥ ३२ ॥

तत्र पूर्वपक्षमाह—स यदि हैतयापि सोमातिपूतमिति । 'यदि' 'एतया' सौत्रामण्या 'सोमातिपूतं' 'भिषज्येत्' समादध्यात्, तर्हि अनुयाजयागान्ते स्रुग्व्यूहनात् पुरस्तात् 'एतैः' सावित्रादिभिः 'हविर्भिः' प्रचरणं कर्त्तव्यम् । पश्चार्द्धा इति । सोमः पश्चाद्भागे अतिपूतः, अत एतस्मिन् काले यज्ञस्य पश्चाद्भागे एतद्धविःप्रचरणेन तं सोमातिपूतं पुरुषमपिहितवान् भवतीति । तत्पक्षे हविरन्तरं विधत्ते—आश्विनमु तर्हीति । तस्य प्रचारकालमाह—अथ यदेति ॥ ३३ ॥

तं पक्षं निराकृत्य स्वमतं दर्शयति—तदु तथेति । स्पष्टोऽर्थः ॥ ३४ ॥

तस्य दक्षिणां विधत्ते—तस्य नपुंसक इति । नपुंसकस्य स्त्रीपुंसेतरत्वप्रतिपादकं वाक्यं स्यात् । विकल्पेन

१—नपुंसकी दक्षिणा रथवाही वा वडवा । का. श्रौ. सू. १५ । २९० ।

गौर्दक्षिणाऽश्वा वा रथवाही सा हि न स्त्री न पुमान्यदश्वा रथवाही यदुह रथं व्वहति तेन न स्त्री यदु स्त्री तेनो न पुमांस्तस्मादश्वा रथवाही दक्षिणा ॥ ३५ ॥

इति चतुर्थप्रपाठके षष्ठं ब्राह्मणम् ॥ ५-४-६ ॥ (५.४.) ॥

ऐन्द्रावैष्णवं द्वादशकपालं पुरोडाशं निर्वपति। तद्यदेतया यजते व्वृत्रे ह वा ऽइदमग्रे सर्व्वमास यदृचो यद्यजूꣳषि यत्सामानि तस्माऽइन्द्रो व्वज्रं प्राजिहीर्षत् ॥ १ ॥

(तसु) स ह व्विष्णुमुवाच। व्वृत्राय वै व्वज्रं प्रहरिष्याम्यनु मा तिष्ठ-स्वेति तथेति ह व्विष्णुरुवाचानु त्वा स्थास्ये प्रहरेति तस्माऽइन्द्रो व्वज्र-मुद्ययाम सऽ उद्यताद्वज्राद्वृत्रो बिभयांचकार ॥ २ ॥

स्त्री। यदु स्त्री—तेनो न पुमान्। तस्मान्नपुंसको गौर्दक्षिणा। अश्वा वा रथवाही। सा हि न स्त्री न पुमान्—यदश्वा रथवाही। यदह रथं वहति—तेन न स्त्री। यदु स्त्री—तेनो न पुमान्। तस्मादश्वा रथवाही दक्षिणा ॥ ३५ ॥

अथ त्रैधातवीसंज्ञिका उदवसानीयेष्टिः।

ऐन्द्रावैष्णवं द्वादशकपालं पुरोडाशं निर्वपति। तद् यदेतया यजते। वृत्रे ह वाऽइदमग्रे सर्व-मास—यदृचो, यद्यजूंषि, यत्—सामानि। तस्माऽइन्द्रो वज्रं प्राजिहीर्षत् ॥ १ ॥

स ह विष्णुमुवाच—वृत्राय वै वज्रं प्रहरिष्यामि—अनु मा तिष्ठस्वेति। तथेति ह विष्णुरुवाच—अनु त्वा स्थास्ये, प्रहरेति। तस्माऽइन्द्रो वज्रमुद्ययाम। स उद्यताद्वज्राद्वृत्रो बिभयाञ्चकार ॥२॥

दक्षिणान्तरं विधत्ते—अश्वा वेति (का. श्रौ. सू. १५।२९०)। रथं वहतीति 'रथवाही'। "कर्मण्यण्" (पा. सू. ३।२।१) 'सा' वडवा वा दक्षिणेत्यर्थः। तस्या अपि नपुंसकत्वमुपपादयति—यदह रथं वहतीति। रथवहनात् स्त्रीत्वाभावः, स्त्रीव्यञ्जनसद्भावात् पुंस्त्वाभावः; सौत्रामण्यपि न इष्टिः (तै. सं. १।८।२१) न पशुबन्ध इत्यभिप्रायः। तस्मात् अश्वा रथवाही दक्षिणेति निगमनवाक्यम् ॥ ३५ ॥

इति श्रीसायणाचार्यविरचिते माधवीये वेदार्थप्रकाशे माध्यन्दिनीयशतपथब्राह्मणभाष्ये पञ्चमकाण्डे पञ्चमाऽध्याये चतुर्थं ब्राह्मणम् ॥ ५।५।४ ॥

राजसूयान्ते कर्त्तव्यायास्त्रैधातव्युदवसानीयायाः देवतासम्बद्धं हविर्विधत्ते—ऐन्द्रावैष्णवमिति। द्वादशसु कपालेषु संस्कृतमिन्द्राविष्णुदेवताकं पुरोडाशं निर्वपेत् (तै. सं. २।४।११।५)। एतदिष्टिविधायक-कारणानुवादपूर्वकं देवतासम्बन्धस्तावकमितिहासमवतारयति—तद्यदेतयेत्यादिना (तै. सं. २।४।१२)।

१—त्रैधातव्युदवसानीय ऐन्द्रावैष्णवो द्वादशकपालो व्रीहियवानाम्। का. श्रौ. सू. १५।२१४।

स॒ हो॑वाच । (च्या) अ॒स्ति वा॒ऽइ॒दं वी॒र्यं॑ तन्नु॒ ते प्र॑यच्छानि॒ मा नु॑ मे
प्र॒हार्षी॒रिति॒ त॑स्मै॒ यजू॑ꣳषि॒ प्राय॑च्छ॒त्तस्मै॑ द्वि॒तीय॑मु॒द्यया॑म ॥ ३ ॥

स॒ हो॑वाच । (च्या) अ॒स्ति वा॒ऽइ॒दं वी॒र्यं॑ तन्नु॒ ते प्र॑यच्छानि॒ मा नु॑ मे
प्र॒हार्षी॒रिति॒ त॑स्मा॒ऽऋचः॒ प्राय॑च्छ॒त्तस्मै॑ तृ॒तीय॑मु॒द्यया॑म ॥ ४ ॥

स होवाच—अस्ति वाऽइदं वीर्यम्—तन्नु ते प्रयच्छानि—मा नु मे प्रहार्षीरिति। तस्मै यजूंषि प्राय-च्छत्। तस्मै द्वितीयमुद्ययाम ॥ ३ ॥

स होवाच—अस्ति वाऽइदं वीर्यम्—तन्नु प्रयच्छानि—मा नु मे प्रहार्षीरिति । तस्माऽऋचः प्राय-च्छत्। तस्मै तृतीयमुद्ययाम ॥ ४ ॥

यत्कारणादेतयेष्ट्या यजते, तत्कारणमुच्यत इति वाक्यशेषः। वृत्रे ह वा इति । पुरा किल वृत्रासुरे इदं सर्वमभूत् । तदेव विशदयति—यदृच इति । ऋग्यजुस्सामवेदाधिष्ठात्र्यो देवताः वृत्रे विग्रहवत्य एव बभूवुरित्यर्थः। 'तस्मै' वृत्राय 'इन्द्रः' वज्रं प्रहर्तुमैच्छत्। प्रजिहीर्षुः 'सः' इन्द्रः 'विष्णुं' प्रत्यवोचत् । किमुवाचेत्याह—वृत्राय वा इति। 'वृत्राय' वृत्रहननार्थमित्यर्थः। वज्रप्रहारं करिष्याम्यहम्, तत्र 'मा' मां त्वम् 'अनुतिष्ठस्व' मत्समीपे आत्मानं प्रदर्शयेत्यर्थः। "अनुर्लक्षणे" कर्मप्रवचनीयः (पा. सू. १।४।८४) तद्युक्ते द्वितीया (पा. सू. २ । ३ । ८) तिष्ठतेः "प्रकाशनस्थेयाख्ययोश्च"—(पा. सू. १ । ३ । २३) इत्यात्मनेपदम् 'तथा इति', अङ्गीकृत्याब्रवीद् 'विष्णुः' । किमित्यत आह—अनु त्वेति। 'त्वा' त्वाम् अहम् 'अनुस्थास्ये' त्वत्समीपे आत्मानं प्रदर्शयिष्यामीत्यर्थः। त्वं 'प्रहर' निर्भयः प्रहारं कुर्वित्यभि-प्रायः। तथा सति इन्द्रस्य वीर्यं वर्द्धते, वृत्रस्यापचीयते 'इति'। 'तस्मै' वृत्राय 'वज्रम्' 'उदयाम' उत्क्षिप्तवान् 'इन्द्रः'। तस्माद् 'उद्यताद् वज्राद्' 'वृत्रः' असुरः 'बिभयाञ्चकार' । "भीत्रार्थानां भयहेतुः"—(पा. सू. १ । ४ । २५) इत्यपादाने पञ्चमी। बिभयाञ्चकारेति "भीह्री" (पा. सू. ३ । १ । ३९ ।) इत्यादिना आम् ॥ १ ॥ २ ॥

स होवाचेति। 'सः' उद्यतवज्राद् भीतो वृत्रोऽवोचत्। किमित्यत आह—अस्ति वा इति । 'इदं वीर्यम्' ऋगादिलक्षणम् 'अस्ति' खलु। वीरयति नानाप्रकारकार्यारम्भाय ईरयति तद् वीर्यम्; विक्रियते-ऽनेनेति वा वीर्यम्। 'तत् नु' तदेव वीर्यम् 'ते' इन्द्राय 'प्रयच्छानि' अहं वृत्रो ददानीत्यर्थः। तेन च 'मे' वृत्राय त्वं 'मा प्रहार्षीः' प्रहारं मा कार्षीः 'इति' संवदन् वृत्रः 'तस्मै' इन्द्राय 'यजूंषि' यजुर्वेदं प्रादात्।

इत्थमेकेन वज्रोद्यमनेन यजुर्विद्यामादाय, ऋक्सामविद्ये अपि आदित्सोरिन्द्रस्यापरं द्विर्वज्रोद्यमनमाह—तस्मै द्वितीयमिति। तमेव वज्रं पुनरप्युद्यतवानित्यर्थः ॥ ३ ॥

स होवाचेत्यादि, व्याख्यातचरम्। 'ऋचः' ऋग्वेदमित्यर्थः। तस्मै तृतीयमित्यादि, स्पष्टम् ॥ ४ ॥

सहोवाच । (चा) अस्ति वाऽ इदं वीर्यं तन्नु ते प्रयच्छानि मा नु मे प्रहार्षीरिति तस्मै सामानि प्रायच्छत्तस्मादप्येतर्ह्येवमेवैतैर्वेदैर्यज्ञं तन्वते यजुर्भिरेवाग्रेऽथर्ग्भिरथ सामभिरेवꣳ ह्यस्माऽएतत्प्रायच्छत् ॥ ५ ॥

(चु) तस्य यो योनिराशयऽ आस। तमनुपरामृश्य संलुप्याच्छिनत्सैषेष्टिरभवत्तद्यदेतस्मिन्नाशये त्रिधातुरिवैषा विद्याऽऽशेत तस्मात्त्रैधातवी नाम६

(मा) अथ यदैन्द्रावैष्णवꣳ हविर्भवति । (ती) इन्द्रो हि वज्रमुदयच्छद्विष्णुरन्वतिष्ठत ॥ ७ ॥

(ता) अथ यद्द्वादशकपालो भवति । द्वादश वै मासाः संवत्सरस्य संवत्सरसंमितैषेष्टिस्तस्माद्द्वादशकपालो भवति ॥ ८ ॥

सहोवाच। अस्ति वाऽइदं वीर्यं–तन्नु ते प्रयच्छानि–मा नु मे प्रहार्षीरिति । तस्मै सामानि प्रायच्छत्। तस्मादप्येतर्हि–एवमेवैतैर्वेदैर्यज्ञं तन्वते । यजुर्भिरेवाग्रे, अथऽर्ग्भिः, अथ सामभिः। एवं ह्यस्माऽएतत्प्रायच्छत् ॥ ५ ॥

तस्य यो योनिराशय आस–तमनुपरामृश्य संलुप्याच्छिनत्। सैषेष्टिरभवत् । तद् यदेतस्मिन्नाशये त्रिधातुरिवैषा विद्याऽऽशेत–तस्मात्त्रैधातवी नाम ॥ ६ ॥

अथ यदैन्द्रावैष्णवं हविर्भवति। इन्द्रो हि वज्रमुदयच्छत्, विष्णुरन्वतिष्ठत ॥ ७ ॥

अथ यद्द्वादशकपालो भवति । द्वादश वै मासाः सम्वत्सरस्य । सम्वत्सरसम्मितैषेष्टिः । तस्माद्द्वादशकपालो भवति ॥ ८ ॥

स होवाचेति । एवं वेदप्रदानानुकरणेन यागविधानं सिद्धमिति दर्शयति–तस्मादिति । एवं कथमित्यत आह–यजुर्भिरेवाग्र इति ॥ ५ ॥

इष्टेर्नामनिर्वचनं प्रतिपादयति–तस्य य इति । तस्य यजुर्वेदादेर्वीर्यस्य 'यः' 'योनिः' स्थानम्, 'आशयः' हृदयप्रदेशरूपं बभूव । आशेतेऽस्मिन्नित्याशयः । 'तं' योनिमाशयम् 'अनुपरामृश्य' हृदयप्रदेशे किं धारकमङ्गमिति विचार्य, 'संलुप्य' हस्तेनावेष्ट्य 'अच्छिनत्' छिन्नवान्; इन्द्र इति शेषः। 'सा एषा इष्टिः' त्रैधातवी जाता तस्याधिदैविकस्य मानस्य इदमाधियज्ञिकं रूपं प्रवृत्तमित्यर्थः । तद्यदेतस्मिन्निति । यस्मात् 'एतस्मिन्नाशये' हृदयप्रदेशे 'त्रिधातुः' त्र्यवयवः 'इव' 'एषा' त्रयी विद्या 'आशेत' अवस्थिता, 'तस्मात्' स आशयस्त्रिधातुः; त्रिधातोरियमिति विद्यात्रयात्मिका इष्टिः 'त्रैधातवी नाम' (तै. ब्रा. २।४।१२।) ॥ ६ ॥

अथ यदिति । उभयोरिन्द्राविष्ण्वोर्व्यापृतत्वात् उभयदेवत्या सा भवेदित्यभिप्रायः ॥ ७ ॥

अथ यद् द्वादशकपाल इति । एषा त्रैधातवीष्टिः संवत्सरव्यापिनी ॥ ८ ॥

तमुभयेषां व्रीहियवाणां गृह्णाति । व्रीहिमयमेवाग्रे पिण्डमधिश्रयति तद्यजुषाᳫं रूपमथ यवमयं तदृचाᳫं रूपमथ व्रीहिमयं तत्साम्नाᳫं रूपं तदेतत्त्रय्यै विद्यायै रूपं क्रियते सैषा राजसूययाजिन ऽउदवसानीयेष्टिर्भवति ॥ ९ ॥

सर्वान्वा ऽएष यज्ञक्रतूनवरुन्द्धे । सर्वा ऽइष्टीरपि दर्विहोमान्यो राजसूयेन यजते तस्य यातयामेव यज्ञो भवति सोऽस्मात्पराङिव भवत्येतावान्वै सर्वो यज्ञो यावानेष त्रयो वेदस्तस्यैतद्रूपं क्रियतऽएष योनिराशयस्तदेतेन त्रयेण वेदेन पुनर्यज्ञमारभते तथाऽस्यायातयामा यज्ञो भवति तथोऽअस्मान्न पराङ् भवति ॥ १० ॥

तमुभयेषां व्रीहियवाणां गृह्णाति । व्रीहिमयमेवाग्रे पिण्डमधिश्रयति–तद् यजुषां रूपम् । अथ यवमयं–तदृचां रूपम् । अथ व्रीहिमयं–तत् साम्नां रूपम् । तदेतत्त्रय्यै विद्यायै रूपं क्रियते । सैषा राजसूययाजिन उदवसानीयेष्टिर्भवति ॥ ९ ॥

सर्वान्वाऽएष यज्ञक्रतूनवरुन्द्धे, सर्वा इष्टीः, अपि, दर्विहोमान्–यो राजसूयेन यजते । तस्य यातयामेव यज्ञो भवति । सोऽस्मात्पराङिव भवति । एतावान्वै सर्वो यज्ञो यावानेष त्रयो वेदः । तस्यैतद्रूपं क्रियते । एष योनिराशयः । तद् एतेन त्रयेण वेदेन पुनर्यज्ञमारभते । तथाऽस्यायातयामा यज्ञो भवति । तथोऽअस्मान्न पराङ् भवति ॥ १० ॥

त्रयीविद्यारूपतां सम्पादयितुं हविषो व्रीहियवमयत्वं विधत्ते–**तमुभयेषामिति** । ‘ तं ’ व्रीह्यादिपिण्डम् ‘ उभयेषाम् ’ इति ब्रुवन् अन्यत्र विकल्पं दर्शयति–अत एव कात्यायनः–“ व्रीहीन् यवान् वा हविषि ” (का. श्रौ. सू. १९ । २२३) इति । व्रीहिमयमेवाग्रे इति व्यवस्थावचनाद् ग्रहणवदेवासङ्कीर्णानामवहननं पेषणञ्चेति द्रष्टव्यम् । अत एव सूत्रम्–“ तृतीयं यवानां मध्ये ” (का. श्रौ. सू. १९ । २१९) इति । मध्ये तृतीयं भागं यवानां गृह्णीयात्, भागद्वयं तु व्रीहीणामेव । न केवलं यवानां तृतीयभागस्य मध्ये ग्रहणं किन्तु अधिश्रयणमपि तथैवेत्याह–**व्रीहिमयमेवाग्र** इति[1] ।

इत्थं त्रैधातव्यास्त्रयीरूपत्वं प्रतिपाद्य राजसूययज्वनो विधेयतामाह–**सैषा राजसूययाजिन** इति । उत्तरेषु विनियोगेषु राजसूयेनोदवसानीयाया अग्रहणमाशङ्क्य राजसूयान्तर्भावमापादयति आग्रयणादिवत् । ततश्च सैषा राजसूययाजिन उदवसानीयेष्टिर्भवतीत्येतावदेवात्र विधीयते । **उदवसानीयेति**[2] । एतत्तु, क्रमादेव प्राप्तमनूद्यते । उत्तमं कर्मावस्यति विमुञ्चत्यनयेति ‘ उदवसानीया ’ यौगिकोऽयं शब्दः ॥ ९ ॥

यज्ञस्यायातयामत्वसम्पादनाय त्रैधातवीष्टिः कर्त्तव्येत्याह–**सर्वान् वा** इत्यादिना । इष्टिपशुसोमदर्विहोमात्मकत्वाद् राजसूयस्य तदनुष्ठानेन यज्ञक्रत्वित्यादयः सर्वेऽनुष्ठिता भवन्तीति । ‘ तस्य ’ यजमानस्य अपेक्षितकर्मणः कृतत्वादवशिष्टः ‘ यज्ञो ’ यातयामा ’ गतसारः ‘ इव ’ ‘ भवति ’ । ‘ सः ’ ‘ यज्ञः ’ ‘ अस्माद् ’ यज-

---

१ अधिश्रयणं च । का. श्रौ. सू. १५ । २१६ । २–त्रैधातव्युदवसानीया । का. श्रौ. सू. १५ । २१४ ।

सुर्व्वान्वाऽएषु यज्ञक्रतूनुवरुन्द्धे । सुर्व्वाऽ इष्टीरुपि दर्विहोमान्यो राजसूयेन युजते देवुसृष्टो वाऽएषेष्टिर्यत्त्रैधातव्यनया मेऽपीष्टमसदनयापि सूयाऽइति तुस्माद्वा ऽएषा राजसूययाजिनऽउदवसानीयेष्टिर्भवति ॥ ११ ॥

(त्यु) अथो युः सहस्रं वा भूयो वा दद्यात् । (त्तु) तस्य ह्याप्युदवसानीया स्याद्रिरिचानऽ इव वाऽएषु भवति युः सहस्रं वा भूयो वा ददात्येतद्वै सहस्रं व्वाचः प्रजातं यदेषु त्रयो व्वेदस्तत्सहस्रेण रिरिचानं पुनराप्याययति तुस्मादु ह तस्याप्युदवसानीया स्यात् ॥ १२ ॥

सर्वान्वाऽएष यज्ञक्रतूनवरुन्धे, सर्वा इष्टीः, अपि दर्विहोमान्—यो राजसूयेन यजते । देवसृष्टो वा एषेष्टिः यत्त्रैधातवी । अनया मेऽपीष्टमसद्, अनयापि सूयाऽइति । तस्माद्वाऽएषा राजसूययाजिन उदवसानीयेष्टिर्भवति ॥ ११ ॥

अथो यः सहस्रं वाऽ भूयो वा दद्यात्—तस्य ह्याप्युदवसानीया स्यात् । रिरिचान इव वाऽएष भवति—यः सहस्रं वा भूयो वा ददाति । एतद्वै सहस्रं वाचः प्रजातम्—यदेष त्रयो वेदः । तत् सहस्रेण रिरिचानं पुनराप्याययति । तस्मादु ह तस्याप्युदवसानीया स्यात् ॥ १२ ॥

मानात् कृतावशिष्टत्वेन 'पराङ्' पराचीन 'इव' 'भवति' । यातयामत्वपरिहारमुपपादयति—एतावानिति । 'एष त्रयः' ऋग्यजुस्सामात्मक—त्र्यवयवो 'वेदः' यत्परिमाणः सर्वो यज्ञः एतत्परिमाणः खलु । 'तस्य' त्र्यवयवस्य वेदस्य 'एतत्' स्वरूपं 'क्रियते,' 'य एष आशयो योनिः;' 'तत्' तेन 'एतेन' त्र्यवयवेन 'वेदेन' 'पुनः' 'यज्ञम्' आरब्धवान् भवति, तथा सति 'अस्य' 'यज्ञः' अगतसारः स्यात्, यजमानाच्च न पराचीनः स्यात् ॥ १० ॥

सर्वान् वा इत्यादि । व्याख्यातचरम् । त्रैधातवी 'इष्टिरपि' देवसृष्टत्वेन प्रशस्तत्वादत्रावरोद्धव्या, अतः 'अनया' त्रैधातव्याऽपि मम 'इष्टमसत्' यागः कृतो भवतु । 'अनयापि' इष्ट्या 'सूयै' अभिषिक्तो भूयासम् 'इति' अभिप्रायेण त्रैधातवी कार्येत्यर्थः । **तस्माद्वा एषेति**, निगमनम् ॥ ११ ॥

एतस्या विनियोगान्तरमप्याह—**अथो य** इति । 'सहस्रं' बहुतरं 'वा' दक्षिणां 'दद्यात्' तस्यापि तस्मिन्नपि कर्मणि एषाऽङ्गभूता भवेत् । सा च भवन्ती आगन्तुकत्वादन्ते एव भवतीत्युदवसानीयेति व्यपदिश्यते । 'रिरिचानः' अतिरिक्तः । 'एतत्' खलु 'सहस्रं' बहु 'वाचः' वागायतनान्मुखादुत्पन्नं, योऽयं त्र्यवयवो वेदः 'तत्' तेन व्रीह्यादिपिण्डात्मकेनाभियाज्ञिकेन त्रयेण वेदेन 'पुनराप्याययति' आपूरयति । **तस्मादिति**, निगमनम् ॥ १२ ॥

(३) अथो ये दीर्घसत्रमासीरन् । (न्त्सं) संव्वत्सरं वा भूयो वा तेषाᳪ
हाप्युदवसानीया स्यात्सर्व्वं वै तेषामाप्तं भवति सर्व्वं जितं ये दीर्घसत्र-
मासते संव्वत्सरं वा भूयो वा सर्व्वमेषा तस्मादु ह तेषामप्युदवसा-
नीया स्यात् ॥ १३ ॥

(३) अथो हैनयाऽप्यभिचरेत् । (दे) एतया वै भद्रसेनमाजातशत्रव-
मारुणिरभिचचार क्षिप्रं किलास्तृणुतेति ह स्माह याज्ञवल्क्योऽपि ह वाऽ-
एनयेन्द्रो व्वृत्रस्यास्थानमच्छिनदपि ह वाऽएनयाऽऽस्थानं छिनत्ति यऽ
एनयाऽभिचरति तस्मादु हैनयाऽप्यभिचरेत् ॥ १४ ॥

(३) अथो हैनयापि भिषज्येत् । (द्युं) यं न्वेवैकयऽर्चा भिषज्येदेकेन
यजुषैकेन साम्ना तं न्वेवागदं कुर्यात्किमु यं त्रयेण व्वेदेन तस्मादु हैन-
यापि भिषज्येत् ॥ १५ ॥

अथो ये दीर्घसत्रमासीरन्—संवत्सरं वा भूयो वा—तेषां हाप्युदवसानीया स्यात् । सर्वं वै तेषामाप्तं भवति, सर्वं जितं—ये दीर्घसत्रमासते । संवत्सरं वा भूयो वा सर्वमेषा । तस्मादु ह तेषामप्युदवसानीया स्यात् ॥ १३ ॥

अथो हैनयाऽप्यभिचरेत् । एतया वै भद्रसेनमाजातशत्रवमारुणिरभिचचार । क्षिप्रं किलास्तृणुतेति ह स्माह याज्ञवल्क्यः । अपि ह वाऽएनयेन्द्रो वृत्रस्यास्थानमच्छिनत् । अपि ह वाऽएनयाऽऽस्थानं छिनत्ति; य एनयाऽभिचरति । तस्मादु हैनयाऽप्यभिचरेत् ॥ १४ ॥

अथो हैनयापि भिषज्येत् । यं न्वेवैकयऽर्चा भिषज्येद्, एकेन यजुषा, एकेन साम्ना—तं न्वेवागदं कुर्यात्—किमु यं त्रयेण वेदेन । तस्मादु हैनयापि भिषज्येत् ॥ १५ ॥

अथो ये दीर्घसत्रमित्यादि । प्रसन्नम् । संवत्सरं वा भूयो वेति, दीर्घसत्रेण सम्बध्यते । सर्वमेषेति । वेदत्रयस्य पौरोडाशिकधातुत्रयीत्वेनेह कल्पनादित्यभिप्रायः ॥ १३ ॥

अथो हैनयेति । अजातशत्रोरपत्यम् 'आजातशत्रवः' तम्, भद्रसेननामानं राजन्यम्, अरुणस्यापत्यम् 'आरुणिः' ऋषिरुद्दालकः 'अभिचचार' अभिचरितवान् । क्षिप्रं किलेति । 'क्षिप्रं किल' शीघ्रमेव 'अस्तृणुत' अभिचारेण तं हिंसितवानेवेत्यर्थः । एतस्मिन्नर्थे श्रुतिर्याज्ञवल्क्यं प्रमाणयति—इति ह स्माहेति । 'इन्द्रः' 'अपि' 'एनया' इष्ट्या 'वृत्रस्यास्थानं' त्रयीविद्याशयम् 'अच्छिनत्' । 'तस्मात्' परस्य स्थाननाशार्थम् 'एनया' अभिचारः कर्त्तव्य इत्यर्थः ॥ १४ ॥

अथो हैनयापि भिषज्येदिति[1] । अनया इष्ट्या कथं परकृताभिचारपरिहार इत्याशङ्क्य तं कैमुतिकन्यायेन समर्थयते—यं न्वेवैकयर्चेति । एकैकेन यजुरादिमन्त्रेण नाम यदि भैषज्यं क्रियते, तेन परकृतबाधा परिह्रियते, 'किमु' किमुत वेदत्रयरूपयाऽनया त्रैधातव्या अभिचारपरिहारः । (तै. सं. २ । ४ । ११ । ७) इति ॥ १५ ॥

१—भैषज्यापचारयोरप्येषा । का० श्रौ० सू० । १५ । २१८ ।

(ग्र) तस्यै त्रीणि शतमानानि हिरण्यानि दक्षिणा । तानि ब्रह्मणे ददाति न वै ब्रह्मा प्रचरति न स्तुते न शᳫँसत्यथ स यशो न वै हिरण्येन किं चन कुर्वन्त्यथ तद्यशस्तस्मात्त्रीणि शतमानानि ब्रह्मणे ददाति ॥ १६ ॥

तिस्रो धेनूर्होत्रे । भूमा वै तिस्रो धेनवो भूमा होता तस्मात्तिस्रो धेनूर्होत्रे ॥ १७ ॥

त्रीणि वासाᳫँस्यध्वर्यवे । तनुते वाऽअध्वर्युर्यज्ञं तन्वते वासाᳫँसि तस्मात्त्रीणि वासाᳫँस्यध्वर्यवे गामग्नीधे ॥ १८ ॥

तस्यै त्रीणि शतमानानि हिरण्यानि दक्षिणा । तानि ब्रह्मणे ददाति । न वै ब्रह्मा प्रचरति, न स्तुते । न शंसति । अथ स यशः । न वै हिरण्येन किंचन कुर्वन्ति । अथ तद् यशः । तस्मात्त्रीणि शतमानानि ब्रह्मणे ददाति ॥ १६ ॥

तिस्रो धेनूर्होत्रे । भूमा वै तिस्रो धेनवः । भूमा होता तस्मात्तिस्रो धेनूर्होत्रे ॥ १७ ॥

त्रीणि वासांस्यध्वर्यवे । तनुते वाऽअध्वर्युर्यज्ञम् । तन्वते वासांसि । तस्मात्त्रीणि वासांस्यध्वर्यवे । गामग्नीधे ॥ १८ ॥

कात्यायनेन राजसूयान्तःपातिनीमिष्टिं प्रस्तुत्य यद्दक्षिणादानमुक्तम्—" तिस्रस्तिस्रो दक्षिणा ददाति शतमानानि ब्रह्मणे धेनूर्होत्रे वासांस्यध्वर्यवे गामग्नीधे " (का.श्रौ.सू. १५।२।१७) इति । तदिदमिदानीं विधत्ते—तस्यै त्रीणीति । शतमानलक्षणमुक्तं पुरस्तात् (श. प. ब्रा. ५।४।३।२४) । न वै ब्रह्मेति । अस्यायमर्थः—'ब्रह्मा हि न प्रचरति' हवनादिकमध्वर्युवर्गवन्न करोति, 'न स्तुते' उद्गाता इव न स्तोत्रं प्रयुङ्क्ते, 'न शंसति' होतृवच्छस्त्रं न पठति । तस्मात् 'सः' ब्रह्मा यशोरूपः । 'हिरण्येन' अपि 'किञ्चन' 'न कुर्वन्ति'; हिरण्यं साधनं कृत्वा यदन्नादिकमुपभुञ्जते, न तु हिरण्यमेव भुञ्जन्ति । अतो व्यवहारादिषु सुवर्णे दत्तेऽपि तस्य स्वरूपहानिर्नास्ति, अतस्तदपि यशोरूपम् । तस्मात् हिरण्यस्य तत्सम्प्रदानकत्वं युक्तमित्यर्थः ॥ १६ ॥

तिस्रो धेनूरिति । पयस्विनीः सवत्सा गाः होत्रे दद्यात् । उभयोः परस्परं योग्यतामाह—भूमा वै तिस्र इति । तिसृणां सवत्सानां भूयस्त्वम्, होतुरपि नानामन्त्रपठनात्; अतस्तासां होतृसम्प्रदानकत्वं युक्तम्॥१७॥

त्रीणि वासांस्यध्वर्यव इति । दद्यादिति शेषः । वस्त्राणां सर्वशरीराच्छादकत्वात् तानत्वम्; अध्वर्योरपि यज्ञशरीरस्य विस्तारकत्वमस्ति; " यज्ञस्य मात्रां विमिमीत उ त्वः "—इति मन्त्रवर्णात् (ऋ. सं. १० । ७१।११) तत्र "त्व एकोऽध्वर्युः" इति यास्कवचनम् (पा. निरु. १।३।२) यज्ञस्य मात्रां शरीरमित्यर्थः । गोर्दानं विधत्ते—गामग्नीध इति ॥ १८ ॥

ता वाऽएताः ।(०) द्वादश वा त्रयोदश वा दक्षिणा भवन्ति द्वादश वा वै त्रयोदश वा संवत्सरस्य मासाः संवत्सरसंमितैषेष्टिस्तस्माद्द्वादश वा त्रयोदश वा दक्षिणा भवन्ति ॥ १९ ॥

इति पञ्चमकाण्डे चतुर्थप्रपाठके सप्तमं ब्राह्मणम् ॥ ५-४-७॥ (५.५.) ॥

चतुर्थः प्रपाठकः पञ्चमोऽध्यायश्च समाप्तः ।

अस्मिन्काण्डे कण्डिकासंख्या ॥ ४७१ ॥

इति माध्यान्दिनीये शतपथब्राह्मणे सवनाम पञ्चमं काण्डं समाप्तम् ॥ ५ ॥

ता वाऽएता द्वादश वा त्रयोदश वा दक्षिणा भवन्ति । द्वादश वा वै त्रयोदश वा संवत्सरस्य मासाः । संवत्सरसंमितैषेष्टिः । तस्माद्द्वादश वा त्रयोदश वा दक्षिणा भवन्ति ॥ १९ ॥

इति राजसूययज्ञाधिकारः ।

एता दक्षिणाः सम्भूय संवत्सरात्मना प्रशंसति—ता वा एता द्वादशेति । त्रीणि शतमानानि, तिस्रो धेनवः, त्रीणि वासांसि, इति नव श्रुत्युक्तानि; वत्ससहितानां पयस्विनीनां दानस्य सिद्धत्वात् तासां वत्सा अपि त्रय इति द्वादश । आग्नीध्रस्य ब्रह्मणा सह परिगणनाभावात् तद्दक्षिणां विहाय द्वादश दक्षिणा इत्युक्तम् । "गामग्नीधे" इति पृथक् दक्षिणाविधानात् तेन सह परिगणनपक्षे त्रयोदश भवन्ति; । संवत्सरस्यापि यथोक्ताः चैत्रादिमासाः द्वादश यदा मलिम्लुचो भवति तदा त्रयोदश । अतोऽस्या इष्टेर्द्वादशकपालसंस्कृतहविर्युक्तत्वात् संवत्सरसम्मितत्वम्, अतः संवत्सररूपाया इष्टेः द्वादश त्रयोदश वा दक्षिणा युक्ता इत्यर्थः ॥ १९ ॥

इति श्रीसायणाचार्यविरचिते माधवीये वेदार्थप्रकाशे माध्यन्दिनीयशतपथब्राह्मणभाष्ये पञ्चमकाण्डे पञ्चमेऽध्याये पञ्चमं ब्राह्मणम् ॥ (५-५-५) ॥

वेदार्थस्य प्रकाशेन तमो हार्दं निवारयन् । पुमर्थांश्चतुरो देयाद् विद्यातीर्थमहेश्वरः ॥ १ ॥

ब्रह्माण्डं गोसहस्रं कनकहयतुलापूरुषौ स्वर्णगर्भं,
सप्ताब्धीन्पञ्च सीरींस्त्रिदशतरुलताधेनुसौवर्णभूमीः ।
रत्नोस्रां रुक्मवाजिद्विपमहितरथौ सायणिः सिङ्गणार्यो,
व्यश्राणीद्विश्वचक्रं प्रथितविधिमहाभूतयुक्तं घटं च ॥
धान्याद्रिं धन्यजन्मा तिलभवमतुलः स्वर्णजं वर्णमुल्यः,
कार्पासीयं कृपावान्गुडकृतमजडो राजतं राजपूज्यः ।
आज्योत्थं प्राज्यजन्मा लवणजमनृणः शार्करं चार्कतेजा,
रत्नाढ्यो रत्नरूपं गिरिमकृत मुदा पात्रसात्सिङ्गणार्यः ॥

इति श्रीमद्राजाधिराजपरमेश्वरवैदिकमार्गप्रवर्तकश्रीहरिहरमहाराजसाम्राज्यधुरन्धरेण सायणाचार्येण विरचिते माधवीये वेदार्थप्रकाशे माध्यन्दिनशतपथब्राह्मणभाष्ये पञ्चमकाण्डे चतुर्थोध्यायः समाप्तः ॥५-४॥

इति श्रीसायणभाष्यसमेतं सवनामकं पञ्चमं काण्डं समाप्तम् ।

ॐ

SHRIMAD-VAJSANEYI-MADHYANDIN-

SHATPATH - BRÂHMANAM

WITH VEDARTHAPRAKASH COMMENTARY

By

SHRIMAT-TRAYIBHASHYAKAR SAYANACHARYA,

and

SARVAVIDYANIDHANA KAVINDRACHARYA SARASWATI

SHRI HARI SWAMI

Edited by several learned persons

Part III

Chapters 6, 7, 8 and 9, Dealing Selection of Yagya-requisits.

NAG PUBLISHERS

11A/U. A. JAWAHAR NAGAR,

DELHI-110007 (INDIA)

(i) 11A /U.A. (Post Office Building), Jawahar Nagar, Delhi 110007.

(ii) Jalalpur Mafi, Chunar, Dist. Mirzapur, U.P.

Phone:- 3967975, 3957440, 3915883.

ISBN 978-81-212-0091-2 (Set)
ISBN 978-81-212-0216-9 (Vol. III)

First Edition : 1990
Second Edition 2002

NAG PRAKASHAN

Price : **Rs.** 5000.00 (For five Vol. Set)

PRINTED IN INDIA

Published by Shri Surendra Pratap for Nag Publisers, 11A/U.A., Jawahar Nagar, Delhi - 110007 and printed at G. Print Process, 308/2, Shahzada Bagh, Dayabasti, Delhi- 110035.

श्रीशः शरणम् ।

माध्यन्दिनशतपथब्राह्मणगतविषयानुक्रमणिका ।

षष्ठे उखासम्भरणकाण्डे-

ब्रा०	विषयाः	पृष्ठाङ्काः

अथ प्रथमोऽध्यायः ।

ब्रा०	विषयाः	पृष्ठाङ्काः

इति चतुर्थोऽध्यायः।

अथ पञ्चमोऽध्यायः।

इति सप्तमोऽध्यायः ।

अथाष्टमोऽध्यायः ।

इत्यष्टमोऽध्यायः ।

इति उखासम्भरणनामके षष्ठे काण्डे विषयानुक्रमणिका समाप्ता ॥

हस्तिघटनामके सप्तमे काण्डे–

ब्रा०	विषयाः	पृष्ठाङ्काः
	सार्थवादं पुरीषाहरणस्थानविधानम्, इत्थं पुरीषान्तां गार्हपत्यचितिमुक्त्वाऽथ तस्याः प्रान्तेषु साम्यस्य स्तावकार्थवादातिदेशसहितमभिधानं गार्हपत्यचितेः सार्थवादं परिमाणं विधाय परितो मण्डलाकारत्वविधानम्, गार्हपत्यचितिरूपस्याग्नेरुख्याग्नेश्च चतुर्भिर्मन्त्रैः संसर्जनविधानम्, तन्मन्त्राणां तात्पर्याभिधानञ्च, चतुर्मन्त्रकरणकमुख्याग्नेर्गार्हपत्यचितिमध्ये सकारणं निवपनविधानम्, रिक्ताया उखाया अध्वर्युकर्तृकस्य यजमानकर्तृकस्य वाऽवेक्षणस्य निषेधं प्रतिपाद्य तस्याः सिकताभिः समगर्तत्वकरणविधानम्, उखायाः शिक्याद्विमोचनस्य सप्रयोजनं सोपपत्तिकं सदृष्टान्तं मन्त्रतदर्थविवरणोपेतं विधानम्, स्तावकार्थवादातिदेशयुतं तस्या उखाया ज्वलनरूपस्याग्नेरुत्तरपार्श्वेऽरत्निमात्रे चितावेव स्थापनं कर्तव्यमित्यभिधानम्, सिकतापूर्णाया उखाया मध्ये तूष्णीं पयस आसेचनस्य सकारणं सदृष्टान्तं विधानम्, सिकतापयसोरधरोत्तरभावमनूद्य तत्प्रशंसनं, उखायां पयस आनयनस्थानस्य विधानञ्चेत्यादि.	१–२४
२	उरव्यपेण संस्कृतस्य गार्हपत्याग्नेर्विराड्रूपप्रजापत्यात्मत्वं वक्तुं प्रजापतेः संस्कृतिं विवक्षया च तच्छरीरविश्लेषणस्य प्रतिपादनं, अनन्तरमस्य देवैः कृतसंस्कारत्वस्योपवर्णनम्, इत्थं सम्प्रधारितमर्थं कर्तुं देवा अग्निं प्रार्थितवन्तः– सोऽपि तत्प्रार्थनमङ्गीकृतवानित्यभिधानम्, इदानीन्तनप्रसिद्धया देवानामग्निमुखत्वस्य दृढीकरणम् उत्क्रान्तानां प्राणादीनां परिणामविशेषस्याभिधानं, प्रकृतमनुसृत्य तस्य कीदृक्किमङ्गमित्यादि सोपपत्तिकमभिधानं, प्रतिष्ठारूपस्य प्रजापतेः संस्कारमभिधाय चित्याग्नेरपि तादृक्संस्कारं वक्तुं तयोस्तादात्म्यमुपवर्ण्य सोपपत्तिकं संस्कारसामत्वस्योपवर्णनं, समिधामहरहरभ्याधानमनूद्य तत्र कारणं प्रतिपाद्य रुक्मप्रतिमोचनोख्यभरणादीनां संवत्सरकालव्याप्तेरभिधानं, अत्रोक्तेऽर्थे वामकक्षायणर्षेः साभिप्रायं मतनिरूपणं, प्रकृतस्य चयनात्मकस्य प्रजापतेर्लोकत्रयात्मत्वं तदधिष्ठात्रग्निवाय्वादित्यात्मत्वं च प्रतिपाद्य पुनस्तस्याधियाज्ञिकाध्यात्मिकरूपद्वयस्य प्रतिपादनं, चित्यात्मकस्याहवनीयस्य तत्र निधीयमानस्याग्नेश्च क्रमेण शीर्षत्वं शीर्षण्यप्राणत्वं च प्रतिपाद्य तयोरेव पक्षपुच्छवत्त्वस्य सोपपत्तिकं प्रतिपादनं, प्रकारान्तरेणापि तस्याधियाज्ञिकाध्यात्मिकरूपत्वस्य प्रतिपादनं, त्रिचितिको गार्हपत्यश्चेतव्य इत्येकीयं मतं सोपपत्तिकमुपन्यस्य वक्ष्यमाणसम्पत्त्यतिरेकरूपदोषाभिधानेन तं पक्षं निराकृत्य तथाऽवाङ्प्राणानामुक्तं त्रित्वमङ्गीकृत्य तदपि निराकृत्यैकत्वस्य सोपपत्तिकं निगमनं, पूर्वमुपक्षिप्ताया अनुष्टुब्बृहत्योः सम्पत्तेरभिधानं, तत्र तिस्रोऽनुष्टुभः सम्पाद्य, तासां प्रयोजनपुरःसरमुपयोगकथनं, प्रतिपादितार्थज्ञस्य फलाभिधानं, प्रागुपन्यस्ताया बृहतीसम्पत्तेरुपपादनं, गार्हपत्याग्नीध्रीयाहवनीयानां क्रमेण पृथिव्यन्तरिक्षद्युलोकात्म-	

ब्रा०	विषयाः	पृष्ठाङ्काः

क्रा० विषयाः पृष्ठाङ्काः

क्रा० विषयाः	पृष्ठाङ्काः

इति हस्तिघटा (घटा) ख्यं सप्तमं काण्डम् ।

चितिनामकेऽष्टमे काण्डे--

ब्रा० विषयाः	पृष्ठाङ्काः

इति द्वितीयोऽध्यायः।

अथ तृतीयोऽध्यायः।

क्रा०	विषयाः	पृष्ठाङ्काः

इति पञ्चमोऽध्यायः ।

अथ षष्ठोऽध्यायः ।

इति षष्ठोऽध्यायः।

अथ सप्तमोऽध्यायः।

इति चितिनामके अष्टमं काण्डं समाप्तम्॥

सञ्चितिनामके नवमे काण्डे—

इति प्रथमोऽध्यायः

अ०	विषयाः	पृष्ठाङ्काः

अथ द्वितीयोऽध्यायः ।

ब्रा० विषयाः	पृष्ठाङ्काः	ब्रा० विषयाः	पृष्ठाङ्काः

इति तृतीयोऽध्यायः ।

अथ चतुर्थोऽध्यायः ।

ब्रा० विषयाः	पृष्ठाङ्काः	ब्रा० विषयाः	पृष्ठाङ्काः

नस्य मीमांसाकरणं, तत्र ब्राह्मणोक्तानामाहुतीनां होमं पूर्वपक्षीकृत्य पुनर्होमस्यैव सिद्धान्ततया प्रतिपादनं चेत्यादि. १२१-१२९

इत्याहवनीयाग्निचयनोत्तरकर्माणि।

२ **अष्टानां धिष्ण्याग्नीनां चयनम्**—

तत्र च प्रत्येत्य धिष्ण्यानां काले धिष्ण्यान्निवपेदिति विधानं, धिष्ण्यानां निवपनेनाग्नीनेव चिनोतीत्यभिधानं, सञ्चितस्याग्नेः क्षत्रत्वादेतेषां धिष्ण्यानां विट्त्वात्क्षत्रं च विशं च चितवान्भवतीति निरूपणं, सञ्चितस्याग्नेरेकत्वात्क्षत्रजातिस्थं प्राधान्यं श्रियं चैत्युभे एकस्थे करोति–धिष्ण्यानां बहुत्वाद्विश्येव बहुत्वं करोतीत्यभिधानम्, एषोऽग्निः पञ्चचितिको भवतीतरे धिष्ण्यास्तु एकचितिका भवेयुरिति सकारणं प्रतिपादनं, क्रमेण पञ्चानां चितीनामुपर्युपरि चयनमितरेषां धिष्ण्यानां तु तिर्यक् चयनमिति सकारणं निरूपणं, यजुष्मत्या लोकम्पृणया चेत्युभाभ्यामिष्टकाभ्यामेनमग्निं चिनोतीति सहेतुकं प्रतिपादनम्, एषां धिष्ण्यानां चयनेन क्षत्रमेव भोग्यरूपायां विशि भोक्तारं निदधातीति स्तावकार्थवादातिदेशसहितं निरूपणं, सर्वानपि न्युप्य पश्चाच्चिनुयादिति चेन्नेत्यभिधानं, पूर्वमाग्नीध्रीयस्याध्वरधिष्ण्यस्य निवपनात्तथैव तं पूर्वमेव चिनुयादित्यभिधानं, तस्य चयनं दक्षिणभागे उदङ्मुख आसीनः सन्कुर्यादिति स्तावकार्थवादातिदेशसहितमभिधानं, धिष्ण्येऽष्टानामिष्टकानामुपधानं विधाय तद्गतसंख्यायाः प्रशंसनं, पृश्नावश्मनो निधानेन नवत्वसंख्यां सम्पाद्याग्नौ निहितमग्निं दशमं कृत्वा पुनस्तथैव प्रशंसनम्, आग्नीध्रस्य मध्यप्रदेशत्वान्मध्यत एव दश प्राणान्निदधातीत्यभिधानं, होत्रीये धिष्ण्ये एकविंशतिमिष्टका एकविंशतिपरिश्रितश्चोपदध्यादिति स्तावकार्थवादातिदेशसहितमभिधानं, ब्राह्मणाच्छंसिनो धिष्ण्ये एकादशेष्टका उपदध्यादिति सोपपत्तिकं प्रतिपादनं, इतरेषु धिष्ण्येष्वष्टावष्टाविष्टका उपदध्यादिति स्तावकार्थवादातिदेशसहितमभिधानं, मार्जालीये धिष्ण्ये षण्णामिष्टकानामुपधानस्य सार्थवादं विधानं, धिष्ण्यानां चित्याग्नेश्च संस्थानस्य प्रशंसनम् आग्नीध्रदेशे धिष्ण्योपधानप्रकारस्य निरूपणम्, इष्टकाभिश्चितानां धिष्ण्यानां परिश्रिद्भिः परिश्रयणस्य सविशेषं विधानम्, एतेषां धिष्ण्यानां परिश्रितां परिमाणस्य विधानं, स्तावकार्थवादातिदेशसहितमेतेषु धिष्ण्येषु पुरीषनिवापस्य तूष्णीं धर्मविशिष्टं विधानम्।

दिशामवेष्टयः--तत्रादौ अग्नीषोमीयपशुपुरोडाशात्प्राग्भावि कर्म कृत्वाऽग्नीषोमीयस्य पशुपुरोडाशमनु दिशामवेष्टीर्निर्वपेदिति विधानं, तत्र सोपपत्तिकं हविष्पञ्चकस्य विधानं, विहितामिष्टिं पूर्वपक्षीकृत्य दशहविष्कस्येष्ट्यन्तरस्य सकारणं विधानं, एतदिष्टिगतहविःसंख्यायाः प्रशंसनं, पूर्वबद्देवतामयीमिष्टिं पूर्वपक्षीकृत्य देवस्वामेवैतानि हवींषि निर्वपेदितीष्ट्यन्तरविधानं, देवसूःशब्दप्रवृत्तिनिमित्तं द्वेधा इति प्रदर्शनं, एतासामग्न्यादिदेवतानां नामद्वयसम्बन्धमुपपाद्य सामान्येन विहितानामेषां देवस्वां हविषां संख्याविशेषं विधाय तत्प्रशंसनं, नैतानि

ब्रा० विषयाः	पृष्ठाङ्काः	ब्रा० विषयाः	पृष्ठाङ्काः

दुग्धपयोव्रता अभवन्नुपवसथीये चतुर्थदिने भूयस्तपस्तप्त्वाऽपि सर्वथा सन्निहिततरस्यापि दुग्धामृतस्याप्राप्त्या ते ऽनाशकात्मकं व्रतमकुर्वन्—पञ्चमदिने सुत्याहे तु तदमृतं सोमरूपं प्राप्य कण्डनं कृत्वा तदग्नावजुहवुरित्याद्यभिधानम्, इत्थं देवानां कथामवतार्य तथैवेदानीन्तनो यजमानस्तत्सर्वं करोतीति सप्रपञ्चं प्रतिपादनम् ।

समिष्टयजुर्मीमांसा—तत्रां चादौ प्रतिज्ञापूर्वकं समिष्टयजुर्मीमांसार्थमाख्यायिकाकथनम्, आख्यायिकायामपि देवासुराः सत्यानृतवदनलक्षणं पितुर्दायं समनुप्राप्य तस्य यथोचितं विभज्य ग्रहणं चक्रुरित्यभिधानं तत्र देवा यत्सत्यमगृह्णंस्तत्त्रयीलक्षणमिति प्रतिपाद्य तदुदितं यज्ञं कृत्वा त्रयीलक्षणमिदं सत्यं विस्तारयामेत्याशयेन दीक्षणीया समिष्टयजुषः पूर्वभाविकर्मान्ता-प्रायणीया शंय्वन्ता—सोमं क्रीत्वाऽनसा पर्युह्य तस्मै आतिथ्येडान्ता तिस्र उपसदः प्रयाजानुयाजवर्जिता सामिधेनीत्रिकमनूच्य प्रधानदेवता यजनमात्राः उपवसथेऽग्नीषोमीयः पशुः समिष्टयजुर्वर्जितः—प्रातःसवनं माध्यन्दिनसवनं च स्वस्वावधिकं तृतीयसवनं च सकलं—इत्येतान्यागाक्रमेण तदा तदा समनुष्ठितवन्तो यदा यदा च तद्विस्तार्यमाणं सत्यमपहर्तुकामा असुराः समागताः । किञ्च तेषामागमनसमये प्रक्रान्तं यज्ञं यावदनुष्ठितं समाप्य यागान्तरप्रारम्भं चक्रुस्तेन स स याग उपरिष्टादुक्तसंस्थः सम्पन्नः । इतोऽसुरा अप्यन्ततस्तत्सत्यमपहर्तुं न शेकुः प्रत्युत पराभूताः देवाश्च सत्यसमृद्धा अभवन्नित्यादिनिरूपणम्, उक्तार्थं वेदितुरपि स्वस्य सत्यसमृद्धिः शत्रोः पराभूतिरित्येतत्फलं भवतीति प्रतिपादनं, ते देवाः पश्चान्नो इमे यज्ञाः सामिसंस्थिताः यानिमान्यज्ञान्परित्यजन्तो गता वयं तदुपजानीत यथेमान्यज्ञान्संस्थापयामेत्यादिविचार्यैतानि समिष्टयजूंषि समपश्यंस्तैरेतान्यज्ञान्समस्थापयन्नित्यादिनिरूपणं, समिष्टयजुर्नाम्नो द्वेधा निर्वचनम्, एतेषामेव समिष्टयजुषां नवत्वविशिष्टसंख्याप्रदर्शनेन प्रशंसनं, सौमिकान्याग्निकानि पौर्वापर्यक्रमेणोभयान्यपि समिष्टयजूंषि जुहुयादित्यभिधानम्, आग्निके द्वे जुहुयादित्यभिधाय तयोर्द्वित्वस्य प्रशंसनं, तयोरेवाग्निकयोः समिष्टयजुषोर्मन्त्रद्वयस्य विनियोजनं, सौमिकानामाग्निकानां च मिलितायाः संख्यायाः प्रशंसनं, पुनरस्या एव मिलितायाः संख्यायाः प्रकारान्तरेण प्रशंसनम् ।

देविकाहवींषि—तत्र च समिष्टयजुर्होमानन्तरमनुष्ठेयप्रयोगस्य कथनं, तत्र क्रमेण समिष्टयजूंषि हुत्वाऽवभृथं यन्ति अवभृथादागत्योदयनीयेन चरित्वा अनूबन्ध्यस्य पशुपुरोडाशेन चरित्वा च देविकानां हवींषि निर्वपेदिति प्रति-

ब्रा० विषयाः	पृष्ठाङ्काः

पादनं, अत्र देविकानां हविःषु धात्रो द्वादशकपालो निरुप्यते तत्र धात्रशब्दस्य प्रवृत्तिनिमित्तं प्रदर्श्य तद्वाराऽस्य प्रयोजननिरूपणं, तथैतेषां सर्वेषामपि हविषां सम्भूयोपयोगस्य कथनं, तस्यैव दिङ्निरोधार्थं परिगतस्य धातुर्दिशामुत्क्रान्तरूपस्य च प्रदर्शनं, धातुरादित्यात्मकत्वाद्द्वादशसंख्यासम्बन्धात्तद्देवत्यस्य पुरोडाशस्य द्वादशकपालत्वमुपपाद्य तत्पूर्वोक्तं यद्दिशां परममुत्क्रांतरूपं तान्येतानि पूर्वाणि हवींषीति प्रदर्शनं, तस्य धात्रपुरोडाशस्य होमावसरे पुरोडाशान्तरवदवदानप्रसक्तौ सर्वहोमत्वमभिधाय तदुपयोगस्याभिधानं, देविकाशब्दस्य सोपपत्तिकं निर्वचनं, एतेषां पञ्चत्वसंख्यावत्त्वस्योपपादनं, नैतानि हवींषि निर्वपेदित्याशङ्क्य कामानामतिरेकाभावान्निर्वपेदेवेति तत्समाधानकथनं, पशुपुरोडाशमनु एतद्धविर्निर्वापस्य सकारणमभिधानं, सौमिकानामाग्निकानां चोभयेषामपि पौर्वापर्यक्रमेणानुष्ठेयत्वकथनं, पशुपुरोडाशस्योच्चैस्त्वं हविषामुपांशुत्वं तत्प्रैषानां प्रकारविशिष्टत्वं स्विष्टकृदिडयोः समानत्वं चेत्यादि प्राग्वन्निरूपणं, दीक्षणीयादीनां समिष्टयजुर्होमात्पूर्वभावित्वेन समिष्टयजुर्होमः सिध्यति—अग्नीषोमीयपशोः पुनर्नं सिध्यति नासौ पशुस्तत्पूर्वभाव्यतोऽस्य पृथगेव समिष्टयजूंषि जुहुयादित्यभिधानं, तस्य पशोः समाप्तिरूपत्वात् हृदयशूलेनावभृथमभ्यवेयुरिति प्रतिपादनं, हृदयशूलमुद्वास्य प्रत्येत्य वैश्वकर्मणानि जुहुयादित्यभिधानम्।

वैश्वकर्मणहोमः—तत्र च तेषां वैश्वकर्मणानांहोमस्योपयोगकथनं, वैश्वकर्मणानीति शब्दस्य पक्षद्वयेन व्युत्पत्तिकथनं, तेषां वैश्वकर्मणानां प्रशंसनं, सावित्रवैश्वकर्मणानां प्रायेणोदयनात्मकत्वेनैव तेषामुभयेषामपि होमस्यावश्यकर्तव्यत्वनिरूपणं, वैश्वकर्मणानां सावित्रवदेव संख्यासम्बन्धात्प्रायणवदेवोदयनमपि सम्पाद्यत इत्यभिधानं, तत्र सावित्रेषु सन्तताहुतिं जुहुयादिति विधानं, वैश्वकर्मणेषु पुनः स्रुवेण स्वाहाकृत्यार्धर्चप्रत्याहुति विच्छिद्य जुहुयादिति प्रतिपादनं, तत्र वैश्वकर्मणानां होमेऽष्टौ मन्त्रान्विनियुज्य क्रमेण तेषां व्याख्यानं, एतेषां वैश्वकर्मणानां संख्यायाः प्रशंसनम्।

चित्याग्नेर्नामकरणम्—तत्र च वैश्वकर्मणहोमानन्तरमस्याग्नेर्नामकरणं विदध्यादिति साभिप्रायं कथनम्।

चित्याग्नेरुपस्थानम्—तत्र नामकरणानन्तरमस्याग्नेरुपस्थानस्य सप्रयोजनं विधानं, विहिते उपस्थाने मन्त्रं विधाय तस्य व्याख्यानं एतन्मन्त्रगतछन्दसः प्रशंसनं, उपस्थानानन्तरं कर्तव्यस्य प्रयोगस्याभिधानम्।

मैत्रावरुणीपयस्या—तत्र उदवसानीयानन्तरं मैत्रावरुण्या पयस्यया सप्रयो-

इति पञ्चमोऽध्यायः ।

इति संचितिसंज्ञके नवमे काण्डे विषयानुक्रमणिका समाप्ता ॥

श्रीशः शरणम् ।

षष्ठादिनवमान्तेषु काण्डेषु

अकाराद्यनुक्रमेण विशिष्टनाम्नां सूची ।

तत्र षष्ठकाण्डे–

नामानि	अ. प्रा. क.
अक्ताक्ष्यः	२ । १ । २४
अग्नाविष्णू.	६ । १ । २
अग्निचित्या.	६ । १ । १
अथर्वा.	४ । २ । १,२
अशनिः	१ । ३ । १४
आङ्गिरसः	१ । २ । २८
आग्नीध्रीयः	६ । ४ । १५
आग्नेयी दिक्	७ । ३ । ९
ईशानः	२ । ९ । १७
उग्रः	१ । ३ । १३
उषः	१ । ३ । ७,८
कः	२ । २ । ५,१२
	४ । ३ । ४
कुमारः (अग्निः)	१ । ३ । ८,१८
ग्रहपतिः	१ । ३ । ७
चरकाः	२ । २ । १,१०
ताण्ड्यः	१ । २ । २५
द्यौः	७ । २ । २
पर्जन्यः	२ । १ । १५
	७ । ३ । १,२
परमेष्ठी	२ । ३ । ५,१०
पुरीष्यः	३ । १ । ३८
	२ । २ । ३,४
	४ । १ । १,२
पुरुः (असुरः)	८ । १ । १४
पुरोहितः	६ । २ । १३,१४
भरतः	८ । २ । १४
मखः	५ । २ । १,२
मनुः	६ । १ । १९
महान्देवः	१ । ३ । १६
माध्याः	४ । २ । ४
सर्वः	१ । ३ । ११
सिनीवाली.	५ । १ । ९
हिरण्यगर्भः	२ । २ । ५

इति षष्ठं काण्डम् ।

अथ सप्तमे काण्डे–

नामानि	अ. प्रा. क.
अग्निचयनम्	३ । १ । ४
आङ्गिरसः	१ । १ । ३०
आग्नीध्रीयः	१ । २ । १४
	१ । २ । २१
आयुः	२ । १ । १५
कश्यपः	५ । १ । ५,२३
द्वियजुः	४ । २ । १६
	५ । १ । ३५
पर्जन्यः	५ । २ । २७
पुरीष्यः	१ । १ । ४३,३८
भूतिः	२ । २ । ७
मधुः	४ । २ । २९
माधवः	४ । २ । २९
वामकक्षायणः	१ । २ । ११
शाण्डिल्यः	५ । २ । ४३
सरस्वान्	५ । १ । ३१

नामानि	अ. ब्रा. क.
सारस्वत	९ । १ । ३१
सूर्याचन्द्रमसौ.	१ । २ । ७
सोमयागः	२ । १० । ९ ।
इति सतमं काण्डम् ।	
अथाष्टमे काण्डे--	
अनुम्लोचन्ती (अप्सराः)	६ । १ । १८
अरिष्टनेमिः	६ । १ । १९
असमर्थः	६ । १ । १८
अवस्.	४ । २ । ११ ४ । ३ । १८
आग्नेयी दिक्	४ । ४ । १० ७ । २ । ४
आर्यः	२ । ९ । ८ ४ । २ । १२
इन्द्राग्नी	३ । १ । ३
ईशः	३ । २ । ६
ऊर्जः	३ । २ । ६
ऋभुः	४ । २ । १२
ककुप्	२ । ४ । ७ ९ । २ । ७
ऋतुस्थला: (अप्सराः)	६ । ३ । ११
गांधारः (नग्नजित्)	१ । ४ । १०
चरकाध्वर्यवः	१ । ३ । ७ ७ । १ । १४
जमदग्निः (ऋषिः)	१ । २ । ३
तपः	७ । १ । ९
तपस्यः	७ । १ । ९
तार्क्ष्यः	६ । १ । १९
नग्नजित (स्वर्जित्) (नाग्नजित्)	१ । ४ । १०
धाता.	४ । २ । ९ ४ । ३ । ६

नामानि	अ. ब्रा. क.
पर्जन्यः	६ । १ । २०
परमेष्ठी.	७ । ३ । १४ ७ । ३ । १९,११
पूर्वचित्तिः (अप्सराः)	६ । २ । २०
प्रम्लोचन्ती. (अप्सराः)	६ । १ । १८
ब्रह्मणस्पतिः	४ । ३ । ४
माहित्थिः	६ । १ । १६
मेनका (अप्सराः)	६ । १ । १७
यजमानः	४ । ३ । १८
यवः–अयवः	४ । २ । ११
रथगृत्सः	६ । १ । १६
रथप्रोतः	६ । १ । १८
रथस्वन्.	६ । १ । १७
रथेचित्रः	६ । १ । १७
रथौजाः	६ । १ । १६
वसिष्ठः (ऋषिः)	१ । १ । ६
विश्वाची (अप्सरा)	६ । १ । १९
विश्वामित्रः (ऋषिः)	१ । २ । ६
शाटथायनिः (ऋषिः)	१ । ४ । ९
शुचिः	२ । १ । १६
शुक्रः	२ । १ । १६
शुक्रग्रहः	४ । ४ । २
शूद्रः	४ । २ । १२
सहजन्या (अप्सराः)	६ । १ । १७
सुषेणः (गन्धर्वः)	६ । १ । २०
सेनजित्	६ । १ । २०

नामानि	अ. ब्रा. क.
स्वर्जित्	
(नाग्नजित्	
नग्नजित्	
गन्धर्वः)	१ । ४ । १०

इत्यष्टमं काण्डम्।

अथ नवमे काण्डे–

नामानि	अ. ब्रा. क.
अग्निचयनम्.	९ । १ । ४२
	९ । २ । १३, । १४
अग्नीषोमीयः	४ । ३ । १०
	९ । १ । २३
अनुमतिः	९ । १ । ३८
अप्सराः	४ । १ । २
आग्नीध्रः	१ । २ । ४
	२ । ३ । १
आग्नीध्रीयः	४ । ३ । ९, । ६
इन्द्राग्नी.	९ । २ । १०
कण्वः	२ । ३ । १८
काप्यः (आहुतिः)	३ । ३ । १२
कारोतिः	९ । २ । १९
कुहूः	९ । १ । १८
कङ्कतीयः	४ । ४ । १७
जातवेदाः	९ । १ । १८
तुरः कावषेयः	९ । १ । १९
दैवाप्यातिः	९ । १ । ६४
धाता	९ । १ । ३९
भृगवः	२ । ३ । २८
	९ । १ । ३१
मन्युः	१ । १ । ६
मार्जालीयः	४ । ३ । ८
राका.	९ । १ । ३८
वसोर्धारा.	९ । ३ । २
(आहुतिः)	३ । ३ । १९
वात्स्यः	
(ऋषिः)	९ । १ । ६२
शांडिल्यः	१ । १ । ४३
	३ । ३ । १८
	९ । १ । ६१
(ऋषिः)	४ । ४ । १७
	९ । २ । १९
शाण्डिल्यायणः	
(ऋषिः)	९ । १ । ६४
श्यापर्णः (ऋषिः)	
(सायकायनिः)	९ । २ । १
सिनीवाली.	९ । १ । ३८
होत्रीयधिष्ण्यः	४ । ३ । ७

इति विशिष्टनाम्नां सूची ॥

इति

शतपथब्राह्मणस्य विशिष्टनाम्नाम्

अकाराद्यनुक्रमेण षष्ठादिनवमकाण्डान्ता

सूची

समाप्ता ॥

ॐ

श्रीमद्वाजसनेयिमाध्यन्दिन–

शतपथब्राह्मणम् ।

सायणभाष्यसमेतम् ।

तत्र

षष्ठं काण्डम् ६ ।

अथ उपासम्भरणनामक षष्ठकाण्डे प्रथमः प्रपाठकः ।

प्रथमोऽध्यायः प्रारभ्यते ।

तत्र प्रथमं ब्राह्मणम् ।

अुसद्वाऽइदमग्रऽआसीत् । (त्तु) तुदाहुः किं तदुसदासीदित्यृषयो वाव तेऽग्रेऽसदासीत्तुदाहुः के तऽ ऋषयऽ इति प्राणा वाऽऋषयस्ते युत्पुराऽस्मात्सुर्व्वस्मादिदुमिच्छुन्तः श्रमेण तुपसाऽऽरिषंस्तुस्मादृषयः ॥ १ ॥

अथाग्निचित्याब्राह्मणम् ।

असद्वाऽइदमग्रऽआसीत् । तदाहुः-किं तदसदासीदिति । ऋषयो वाव तेऽग्रेऽसदासीत् । तदाहुः-के ते ऽऋषय इति । प्राणा वाऽऋषयः । ते यत्पुराऽऽस्मात्सर्वस्मादिदमिच्छन्तः श्रमेण तपसारिषन्-तस्मादृषयः ॥ १ ॥

---

* वागीशाद्याः सुमनसः सर्वार्थानामुपक्रमे । यं नत्वा कृतकृत्याः स्युस्तं नमामि गजाननम् ॥ १ ॥

यस्य निःश्वसितं वेदा यो वेदेभ्योऽखिलं जगत् । निर्ममे तमहं वन्दे विद्यातीर्थमहेश्वरम् ॥ २ ॥

हिरण्यगर्भकर्तृकैव सृष्टिराम्नाता—**असद्वा इदमग्र आसीदिति** ' अग्रे ' प्रपञ्चसृष्टेः पुरा ' इदं ' जगत् ' असत् ' अव्यक्तनामरूपम् ' आसीत् ' । श्रुतिः स्वयमेव ब्रह्मवादिविचारमुखेन असदर्थं निरूपयति-**तदाहुः किं तदसदासीदिति** । ' तत् ' तदानीं ' किम् असद् आसीत् इति ' इदानीन्तनानां ब्रह्मवादिनां विचारः । ' अग्रे ' सृष्टेः पुरा ' असत् ' 'ते' प्रसिद्धाः ' ऋषयो वाव ' ऋषय एव ' आसीत् ' । ऋषिशब्दार्थं प्रश्नोत्तराभ्यामाह—**तदाहुः के त ऋषय इतीति** । ' ऋषयः प्राणा वै ' अतः सृष्टेरग्रे एव ' असत् ' आसन् । केवललिङ्गशरीरमेवासीदित्यर्थः । प्राणानामृषिशब्दवाच्यत्वे प्रवृत्तिनिमित्तं दर्शयति-**ते यत्पुरेति** । ' यत् ' यस्मात् कारणात् ' अस्मात् ' जगतः ' पुरा ' ' इदं ' स्वसेव्यं जगत् ' इच्छन्तः ' ' श्रमेण ' ' तपसा ' तपोरूपेण क्लेशेन पर्यालोचनेन ' आरिषन् ' आर्षन् । " ऋषी गतौ " (धा. पा. तु. प. ७) । सर्वे गत्यर्था ज्ञानार्थाः, ज्ञातवन्तः । ' तस्मात् ' ऋषयः इत्युच्यन्ते । " ऋषिदर्शनात् स्तोमान् ददर्शेत्यौपमन्यवः " इति हि यास्कः (निरु. २ । ३ । ३) ॥ १ ॥

---

* अस्य षष्ठकाण्डस्य श्रीहरिस्वामिनो भाष्यं बिकानेरदरबारलाइब्रेरीतः सम्प्राप्तम् । परन्तु तदतीवाशुद्धमिति कृत्वा नात्र मुद्राप्यते । यदि केषाञ्चिन्महाभागानां सविधे शुद्धं भाष्यमास्ते तैः कृपया दीयते च तदाऽन्ते परिशिष्टरूपेण मुद्रापयित्वा संयोजयामोऽथवाऽवसरान्तरे स्वतन्त्रतया मुद्रापयाम इति सादरं निवेदयामः ॥ **कल्याणस्थलक्ष्मीवेंकटेशप्रेसाध्यक्षाः ।**

१-इहैवोपरिष्टात् पुनरिदमाम्नास्यते-" नैवेह किञ्चनाग्र आसीत्, मृत्युनैवेदमावृतमासीद् " (श. ब्रा. १० । ६ । ५) । आत्मैवेदमग्रऽआसीत् " (बृ. उ. १४ । ११ । २ । १) इत्यादि । छान्दोग्यब्राह्मणे त्वेवं श्रुतम्-" सदेव सोम्येदमग्र आसीत्, एकमेवाद्वितीयम् । तद्धैक आहुः । असदेवेदमग्र आसीदेकमेवाद्वितीयम् । तस्मादसतः सज्जायते ॥ १ ॥ कुतस्तु खलु सोम्यैवं स्यादिति होवाच, कथमसतः सज्जायेतेति । सत्येव सोम्येदमग्र आसीदेकमेवाद्वितीयम् ॥ २ ॥ तदैक्षत बहु स्यां प्रजायेयेति, तत्तेजोऽसृजत "-इत्यादि ८ प्र० २ ख० १-४ । एवमाम्नाभ्याम्नाये चैवमाथर्वणैः पर्यालोच्याः-"नासदासीन्नो सदासीत् तदानीं नासीद्रजो नो व्योमा परो यत् । किमावरीवः कुहकस्य शर्मन्नम्भः किमासीद् गहनं गभीरम् ॥ न मृत्युरासीदमृतं न तर्हि न रात्र्या अह्न आसीत् प्रकेतः । आनीद वातं स्वधया तदेकं तस्माद्धान्यन्न परः किञ्चनास ॥ इत्यादयः ऋ० सं० १०.१२९.१-७ ॥

१४०९

स योऽयं मध्ये प्राणः । (ऽ) एष ऽएवेन्द्रस्तानेष प्राणान्मध्यत ऽइन्द्रियेणैन्द्ध यदैन्द्ध तस्मादिन्धऽ इन्धो ह वै तमिन्द्रऽ इत्याचक्षते परोऽक्षं परोऽक्षकामा हि देवास्त ऽइद्धाः सप्त नाना पुरुषानसृजन्त ॥ २ ॥

तेऽब्रुवन् । (न्न) न वा ऽइत्थꣳ सन्तः शक्ष्यामः प्रजनयितुमिमान्त्सप्त पुरुषानेकं पुरुषं करवामेति तऽ एतान्त्सप्त पुरुषानेकं पुरुषमकुर्वन्यदूर्ध्वं नाभेस्तौ द्वौ समौब्जन्यदवाङ्नाभेस्तौ द्वौ पक्षः पुरुषः पक्षः पुरुषः प्रतिष्ठैकऽ आसीत् ॥ ३ ॥

स योऽयं मध्ये प्राणः–एष एवेन्द्रः। तानेष प्राणान्मध्यत इन्द्रियेणैन्द्ध । यदैन्द्ध–तस्मादिन्धः । इन्धो ह वै तमिन्द्र इत्याचक्षते परोऽक्षम् । परोऽक्षकामा हि देवाः । तऽइद्धाः सप्त नाना पुरुषानसृजन्त ॥ २ ॥

तेऽब्रुवन्–न वाऽइत्थं सन्तः शक्ष्यामः प्रजनयितुम्, इमान्त्सप्त पुरुषान् । एकं पुरुषं करवामेति । त एतान्त्सप्त पुरुषानेकं पुरुषमकुर्वन् । यदूर्ध्वं नाभेः तौ द्वौ समौब्जन् । यदवाङ् नाभेः तौ द्वौ । पक्षः पुरुषः, पक्षः पुरुषः, प्रतिष्ठैक आसीत् ॥ ३ ॥

मध्यमप्राणस्य सर्वेन्द्रियपोषणद्वारा इन्द्रशब्दवाच्यत्वमाह–**स योऽयमि**ति । एतेषां प्राणानां ‘ मध्ये ’ ‘ यः ’ प्राणः, एष एव ‘ इन्द्रः ’ इत्युच्यते । तत्र प्रवृत्तिनिमित्तप्रदर्शनम्–**तानेष प्राणान्मध्यत** इति । मध्यप्रदेशे स्थितः प्राणः ‘ इन्द्रियेण ’ इन्द्रशब्दवाच्येन स्वबलेन ‘ ऐन्ध ’ । “ ञिइन्धी दीप्तौ ” (धा. पा रु. प. ११) । लङि रूपम् । स्वबलप्रकाशेन स्वस्वव्यापारसमर्थानकरोदित्यर्थः । ‘ तस्मात् ’ इन्धनसम्बन्धात् ‘ इन्द्र इति ’ उच्यते, देवानां परोक्षनामप्रियत्वात् । प्राणस्य हि वागादीन्द्रियेषु स्वांशसद्भावः । एतस्यैव पोषकत्वं चान्यत्राम्नातम् “ या ते तनूर्वाचि प्रतिष्ठिता, या श्रोत्रे या च चक्षुषि । या च मनसि सन्तता, शिवां तां कुरु मोत्क्रमीः ” (अथ० प्र० उप० २।१२।) इति । ‘ त इद्धाः प्राणाः सप्त ” ‘ नाना ’ नानाविधान् पुरुषान् शरीराणि स्वाश्रयत्वेन ‘ असृजन्त ’ ॥ २ ॥

तेऽब्रुवन्निति । ‘ ते ’ ऋषयः एकैकस्वस्वाश्रयप्रधानानि सप्तशरीराणि सृष्ट्वा परस्परम् अब्रुवन् । ‘ इत्थं ’ एकैकप्रधानशरीराः ‘ सन्तः ’ अचाक्षुषमिमं स्थूलं जगदुत्पादयितुं ‘ न शक्ष्यामः ’ न समर्था भवामः; अचक्षुषो वचनव्यापाराभावात्, अवचनस्य च दर्शनाभावान् एवमिन्द्रियाणां प्रतिनियतव्यापारत्वादभिन्नशरीरत्वे कर्मकर्तृत्वं नोपपद्यत इति । अतः ‘ एकं पुरुषं ’ सर्वेन्द्रियाश्रयं ‘ करवामेति ’ समालोच्य ‘ एतान् सप्त पुरुषान् ’ ‘ एकम् ’ एव ‘ पुरुषम् ’ ‘ अकुर्वन् ’ अकार्षुः । एकस्मिन् पुरुषे सप्तपुरुषसन्निवेशं दर्शयति–**यदूर्ध्वमि**ति । नाभेरूर्ध्वम् ‘ यत् ’ अस्ति, तत्र ‘ द्वौ ’ पुरुषौ समौब्जन् “उब्ज आर्जवे ” (धा. पा. तु. प. २३) “अर्जने” इति केचित् ॥ आर्जितवन्तः, स्थापितवन्तः ‘ नाभेः ’ ‘ अवाङ् ’ अधस्तनम् , तत्र ‘ द्वौ ’ पुरुषौ समौब्जन् इति मध्ये देहे चत्वारः पुरुषाः सम्पन्नाः । द्वौ पुरुषौ दक्षिणोत्तरपक्षौ सम्पन्नौ । ‘ एकः पुरुषः ’ ‘ प्रतिष्ठा ’ पुच्छमासीत् । एवं सप्तभिः पुरुषैः शिरोवर्जितस्य एकपुरुषस्य निष्पादनम् ॥ ३ ॥

(इ) अथ यैतेषाᳪं सप्तानां पुरुषाणां श्रीः ।(यौ) यो रसऽआसीत्तमू-
र्ध्वᳪं समुदौहंस्तदस्य शिरोऽभवद्यच्छ्रियᳪं समुदौहंस्तस्माच्छिरस्त-
स्मिन्नेतस्मिन्प्राणा ऽअश्रयन्त तस्माद्वेवैतच्छिरोऽथ यत्प्राणा ऽअश्रयन्त
तस्मादु प्राणाः श्रियोऽथ यत्सर्वस्मिन्नश्रयन्त तस्मादु शरीरम् ॥ ४ ॥
(यᳪं) स ऽएव पुरुषः प्रजापतिरभवत् । (रस) स यः स पुरुषः प्रजापति-
रभवदयमेव स योऽयमग्निश्चीयते ॥ ५ ॥

स वै सप्तपुरुषो भवति । सप्तपुरुषो ह्ययं पुरुषो यच्चत्वार आत्मा त्रयः
पक्षपुच्छानि चत्वारो हि तस्य पुरुषस्यात्मा त्रयः पक्षपुच्छान्यथ यदेकेन
पुरुषेणात्मानं व्वर्धयति तेन व्वीर्येणायमात्मा पक्षपुच्छान्युद्यच्छति ॥ ६ ॥

अथ यैतेषां सप्तानां पुरुषाणां श्रीः, यो रस आसीत् तमूर्ध्वं समुदौहन्—तदस्य शिरोऽभवत् । यच्छ्रियं समुदौहन् तस्माच्छिरः । तस्मिन्नेतस्मिन्प्राणा अश्रयन्त । तस्माद्वेवैतच्छिरः । अथ यत्प्राणा अश्रयन्त तस्माद्‌ प्राणाः श्रियः । अथ यत्सर्वस्मिन्नश्रयन्त तस्माद्‌ शरीरम् ॥ ४ ॥

स एव पुरुषः प्रजापतिरभवत् । स यः स पुरुषः प्रजापतिरभवत्—अयमेव सः—योऽयमग्निश्चीयते ॥ ५ ॥

स वै सप्तपुरुषो भवति । सप्तपुरुषो ह्ययं पुरुषः—यच्चत्वार आत्मा, त्रयः पक्षपुच्छानि । चत्वारो हि तस्य पुरुषस्यात्मा, त्रयः पक्षपुच्छानि । अथ यदेकेन पुरुषेणात्मानं वर्धयति—तेन वीर्येणायमात्मा पक्षपुच्छान्युद्यच्छति ॥ ६ ॥

शिरसो जननं दर्शयति—**अथ यैतेषामिति** । 'एतेषां ' पुरुषाणां श्रीः ' श्रीभूतः 'यः' 'रसः' सारः आसीत् ' तम् ' ' ऊर्ध्वम ' उपरिभागे ' समुदौहन् ' समुदितमकार्षुः, स एकीभूतः सारः ' अस्य ' पुरुषस्य ' शिरः अभवत् ' ' तस्मात्; ' श्रीसमुदूहनात् ' शिरः '—इति शब्दनिष्पत्तिः । प्रकारान्तरेण शिरःशब्द-निर्वचनमाह—**तस्मिन्निति** । ' तस्मिन् ' श्रीसमुदूहनेन निष्पादिते शिरसि ' प्राणाः ' चक्षुरादीन्द्रियाणि 'अश्रयन्त ', श्रितानि, ' तस्मात् ' प्राणसंश्रयणात् ' शिरः ' इत्युच्यते; यस्माच्छिरसि ' प्राणा अश्रयन्त ', ' तस्मात् ' प्राणानामपि श्रीत्वम् " श्रिञ् सेवायाम् " (धा. पा. भ्वा. उ. ९२२) इत्यस्मात् व्युत्पत्तेः । ' यत् ' यस्माच्च ' एतस्मिन् ' सर्वस्मिन् देहे ते सर्वेऽपि ' अश्रयन्त', ' तस्मात् ' देहोऽपि ' शरीरम् ' उच्यते अत्र पूर्वोक्ताद्धेतोः शरीरशब्दव्युत्पत्तिः कार्या ॥ ४ ॥

स एव पुरुष इति । ' सः ' एषः सप्तभिः पुरुषैर्निष्पन्न एकः पुरुषः ' प्रजापतिः ' विराट् अभूत् । एवं लिङ्गशरीराभिमानिहिरण्यगर्भकर्तृका विराडुत्पत्तिरुक्ता, तस्य विराजोऽग्निरूपतामाह—**स यः पुरुष** इति ।' स प्रजापतिः ' एव ' अयं ' चीयमानः ' अग्निः ' इत्यर्थः ॥ ५ ॥

तदेव साम्यमाविष्करोति—**स वै सप्तेति** । ' सः ' चीयमानः अग्निः सप्तपुरुषसम्मितो भवति, ' हि '

(त्यु) अथ यश्चितेऽग्निर्निधीयते । यैवैतेषाᳪँ सप्तानां पुरुषाणाᳪँ श्रीर्यो रसस्तमेतदूर्ध्वᳪँ समुदूहन्ति तदस्यैतच्छिरस्तस्मिन्नेतस्मिन्त्सर्वे देवाः श्रिता ऽअत्र हि सर्वेभ्यो देवेभ्यो जुह्वति तस्माद्वेवैतच्छिरः ॥ ७ ॥

सोऽयं पुरुषः प्रजापतिरकामयत । भूयान्त्स्यां प्रजायेयेति सोऽश्राम्यत्स तपोऽतप्यत स श्रान्तस्तेपानो ब्रह्मैव प्रथममसृजत त्रयीमेव विद्याᳪँ सैवास्मै प्रतिष्ठाऽभवत्तस्मादाहुर्ब्रह्मास्य सर्वस्य प्रतिष्ठेति तस्मादनूच्य प्रतितिष्ठति प्रतिष्ठा ह्येषा यद्ब्रह्म तस्यां प्रतिष्ठायां प्रतिष्ठितोऽतप्यत ॥८॥

अथ यश्चितेऽग्निर्निधीयते–यैवैतेषां सप्तानां पुरुषाणां श्रीः, यो रसः–तमेतदूर्ध्वं समुदूहन्ति–तदस्यैतच्छिरः–तस्मिन्नेतस्मिन्त्सर्वे देवाः श्रिताः । अत्र हि सर्वेभ्यो देवेभ्यो जुह्वति । तस्माद्वेवैतच्छिरः ॥ ७ ॥

सोऽयं पुरुषः प्रजापतिरकामयत–भूयान्त्स्याम्, प्रजायेयेति । सोऽश्राम्यत् । स तपोऽतप्यत । स श्रान्तस्तेपानो ब्रह्मैव प्रथममसृजत–त्रयीमेव विद्याम् । सैवास्मै प्रतिष्ठाऽभवत् । तस्मादाहुः–

यस्मात् ' अयं पुरुषः ' प्रजापतिः सप्तपुरुषात्मकः । तस्य सप्तपुरुषात्मकत्वमिदानीमुक्तम्, तच्चीयमानाग्नावपि स्फोरयति[1]–यच्चत्वार इत्यादिना । "हिरण्मयः शकुनिः ब्रह्मनाम इति पक्षित्वेन निरूपणात् पुच्छशब्दव्यवहारः।" चित्याग्नेः सप्तपुरुषीयपुच्छत्वं दशमे वक्ष्यते (श. प. १० । २ । २ । ९)। आपस्तम्बेनाप्युक्तम्–" चतुर आत्मनि पुरुषान्मिमीते पुरुषं दक्षिणे पक्षे पुरुषं पुच्छे पुरुषमुत्तर इति । तद्वु ह वै सप्तविधमेव चिन्वीत सप्तविधो वाव प्राकृतोऽग्निः " (आ. श्रौ. सू. १६ । १७) इति । अथ यदेकेनेत्यादेरयमर्थः–' यत् 'यस्मात् 'आत्मानं' मध्यदिशं पक्षपुच्छेभ्यः पुरुषत्रयसम्मितेभ्योऽपि ' एकेन पुरुषेण वर्द्धयति ' तस्मात् ' अयमात्मा ' चतुःपुरुषसम्मितत्वात् स्वेन ' वीर्येण '' पक्षपुच्छान् ' प्रयच्छति खलु ॥ ६ ॥

एवं विराडात्मकस्य सप्तपुरुषसम्मितस्य चित्याग्नेः शिरो दर्शयितुमाह–अथ यश्चितेऽग्निर्निधीयत इत्यादि । ' चिते ' ऐष्टके, चितेऽग्नौ । ' अग्निः ' आहवनीयो निधीयते । ' या वा एतेषां सप्तानां पुरुषाणां श्रीः ' ' यः ' च ' रसः ' स एवायमग्निरित्यध्याहारः । ' एतद् ' अस्मिंश्चित्याग्नौ ' तम् ' आहवनीयम् ' ऊर्द्ध्वं समुदूहन्ति ' चित्याग्नेरण्डात्मकत्वात् तत्र निधीयमानस्याग्नेर्हिरण्यगर्भात्मत्वमित्यर्थः । एतच्चैतरेयिणः समामनन्ति–" एवं ह्येव बह्वृचा महदुक्थे मीमांसन्ते, एतमग्नावध्वर्यवः, एतं महाव्रते छन्दोगाः "–इति । आहवनीयस्य शिरोरूपत्वमिदानीमाह–तदस्यैतच्छिर इति । ' अस्य ' चित्याग्नेः एष आहवनीयः ' शिरः ' इत्यर्थः । अत्र शिरःशब्दस्य प्रवृत्तिमाह–तस्मिन्नेतस्मिन् सर्वे देवाः श्रिता इति । ' तस्मिन् ' शिरोरूपे आहवनीये सर्वे देवाः श्रिताः । अत्र कथं देवानां श्रयणं तदाह–अत्र हीति ।' अत्र ' अग्नौ ' सर्वेभ्यो देवेभ्यः '' जुह्वति ' ' तस्मात् ' अग्नेः श्रपणाश्रयत्वात् अस्य ' शिरः ' इत्यर्थः ॥ ७ ॥

एवं विराडुत्पत्तिम्, तस्यैव चित्याग्निरूपत्वं चोक्त्वा तत्कर्तृकां चयनोपयुक्तां सृष्टिमाह–सोऽयमिति । ' सः

१–' स्फुर, स्फुरणे ' तु. प. १०९ ण्यन्तोर्णिचि रूपम् ।

सोऽपोऽसृजत । वाच एव लोकाद्वागेवास्य साऽसृज्यत सेदꣳ सर्वमाप्नोद्यदिदं किं च यदाप्नोत्तस्मादापो यदवृणोत्तस्माद्वाः ॥ ९ ॥

सोऽकामयत । (ता) आभ्योऽद्भ्योऽधि प्रजायेयेति सोऽनया त्रय्या विद्यया सहापः प्राविशत्तत आण्डꣳ समवर्तत तदभ्यमृशदस्त्वित्यस्तु भूयोऽस्त्वित्येव तदब्रवीत्ततो ब्रह्मैव प्रथममसृज्यत त्रय्येव विद्या तस्मादाहुर्ब्रह्मास्य सर्वस्य प्रथमजमित्यपि हि तस्मात्पुरुषाद्ब्रह्मैव पूर्वमसृज्यत तदस्य तन्मुखमेवासृज्यत तस्मादनूचानमाहुरग्निकल्प इति मुखꣳ ह्येतदग्नेर्यद्ब्रह्म ॥ १० ॥

'ब्रह्मास्य सर्वस्य प्रतिष्ठा' इति । तस्मादनूच्य प्रतितिष्ठति । प्रतिष्ठा ह्येषा—यद्ब्रह्म । तस्यां प्रतिष्ठायां प्रतिष्ठितोऽतप्यत ॥ ८ ॥

सोऽपोऽसृजत—वाच एव लोकात् । वागेवास्य साऽसृज्यत । सेदं सर्वमाप्नोत्—यदिदं किञ्च । यदाप्नोत्—तस्मादापः । यदवृणोत्—तस्माद्वाः ॥ ९ ॥

सोऽकामयत—'आभ्योऽद्भ्योऽधि प्रजायेय' इति । सोऽनया त्रय्या विद्यया सहापः प्राविशत् । तत आण्डं समवर्तत । तदभ्यमृशत्—'अस्तु' इति । अस्तु—भूयोऽस्त्वित्येव तदब्रवीत् । ततो ब्रह्मैव प्रथममसृज्यत—त्रय्येव विद्या । तस्मादाहुः—'ब्रह्मास्य सर्वस्य प्रथमजम्' इति । अपि हि तस्मात्पुरुषाद्ब्रह्मैव पूर्वमसृज्यत—तदस्य तन्मुखमेवासृज्यत । तस्मादनूचानमाहुः—'अग्निकल्पः' इति । मुखं ह्येतदग्नेः—यद्ब्रह्म ॥ १० ॥

पुरुषः प्रजापतिः ' एक एव सन् एवम् 'अकामयत' 'अहमेव' 'भूयान्' 'स्याम्' भवेयमिति । भवनम् उत्पत्तिः अग्निना न घटत इति तदाह—'प्रजायेय' स्वयमेवोत्पद्यमानो भवेयम् ' इति ' कामयित्वा 'सः' 'अश्राम्यत' । "श्रमु तपसि खेदे च" (धा. पा. दि. प. ९८) । 'स तपोऽतप्यत' कथमुत्पद्येयेति विचारितवानित्यर्थः । तपःपर्यालोचनेन 'सः' 'ब्रह्मैव' 'प्रथमं' सृष्टवान् । 'तेपानः' इति तपेर्लिटः कानचि रूपम् । ब्रह्मशब्दार्थमाह—त्रयीमिति । 'सैव' त्रयी विद्या 'अस्मै' प्रजापतेः 'प्रतिष्ठा' जाता, उत्तरसृष्टेरालम्बनं जातमित्यर्थः । प्रतिष्ठारूपत्वमेव विशदयति तस्मादाहुरिति । यतः 'सर्वस्य' त्रयी विद्या 'प्रतिष्ठा' 'तस्मात्' त्रयीम् 'अनूच्य' अधीत्य अनुष्ठाय च 'प्रतितिष्ठति' तस्यां प्रतिष्ठायामित्यादि स्पष्टम् ॥ ८ ॥

सोऽप इति । अथ 'सः' प्रजापतिः स्वयमेवोत्पद्य पुनः पर्यालोच्य 'वाचो लोकात्' उच्चारकात् मुखात् 'अपः' अप्उपलक्षितानि पञ्च स्थूलभूतानि सृष्टवान् । विद्याध्ययनस्थानादुद्भूतत्वाद् वागेव सृष्टेत्यर्थः । अनेनापां वाक्छब्दव्यवहार्यत्वमुक्तमिति मन्तव्यम् । अप्शब्दनिर्वचनमाह—सेदमिति । 'सा' वाक् सर्वव्यापकत्वात् 'आपः' उच्यन्ते, जगदावरणाच्चासां वाः-शब्दवाच्यत्वम् । वृणोतेरुत्पन्नो वाःशब्दः ॥ ९ ॥

सोऽकामयतेति । 'आभ्योऽद्भ्योऽधि प्रजायेयेति' विचार्य 'त्रय्या विद्यया सह' सृष्टाः 'अपः' प्रविष्टवान् ।

(ह्मा) अथ यो गर्भोऽन्तरासीत् । (त्सो) सोऽग्निरसृज्यत स यदस्य सर्वस्याग्रमसृज्यत तस्मादग्निरग्निर्ह वै तमग्निरित्याचक्षते परोऽक्षं परोऽक्षकामा हि देवाऽ अथ यदश्रु संक्षरितमासीत्सोऽश्रुरभवदश्रुर्ह वै तमश्वऽ इत्याचक्षते परोऽक्षं परोऽक्षकामा हि देवाऽ अथ यदरसदिव स रासभोऽभवदथ यः कपाले रसो लिप्तऽ आसीत्सोऽजोऽभवदथ यत्कपालमासीत्सा पृथिव्यभवत् ॥ ११ ॥

(त्सो) सोऽकामयत । (ता) आभ्योऽद्भ्योऽधीमां प्रजनयेयमिति ताᳮं संक्लिश्याप्सु प्राविध्यत्तस्यै यः पराङ्रसोऽत्यक्षरत्स कूर्मोऽभवदथ यदूर्ध्वमुदौक्ष्यतेदं तद्यदिदमूर्ध्वमद्भ्योऽधि जायते सेयᳮं सर्वाप्ऽ एवानुव्यैत्तदिदमेकमेव रूपᳮं समदृश्यतापऽ एव ॥ १२ ॥

अथ यो गर्भोऽन्तरासीत्–सोऽग्निरसृज्यत । स यदस्य सर्वस्याग्रमसृज्यत–तस्मादग्निः । अग्निर्ह वै तमग्निरित्याचक्षते परोऽक्षम् । परोऽक्षकामा हि देवाः । अथ यदश्रु संक्षरितमासीत्–सोऽश्रुरभवत् । अश्रुर्ह वै तमश्व इत्याचक्षते परोऽक्षम् । परोऽक्षकामा हि देवाः । अथ यदरसदिव–स रासभोऽभवत् । अथ यः कपाले रसो लिप्त आसीत्–सोऽजोऽभवत् । अथ यत्कपालमासीत्–सा पृथिव्यभवत् ॥ ११ ॥

सोऽकामयत–' आभ्योऽद्भ्योऽधीमां प्रजनयेयम् ' इति । तां संक्लिश्याप्सु प्राविध्यत् । तस्यै यः पराङ् रसोऽत्यक्षरत्–स कूर्मोऽभवत् । अथ यदूर्ध्वमुदौक्ष्यत–इदं तद्–यदिदमूर्ध्वमद्भ्योऽधि जायते । सेयं सर्वाप एवानुव्यैत् । तदिदमेकमेव रूपं समदृश्यत आप एव ॥ १२ ॥

' ततः आण्डं समवर्तत ' । ' तत् अस्तु इति अभ्यमृशत् ' । अस्त्विति शब्दो वक्ष्यमाणसृष्टिनिर्देशार्थः । ' अस्तु इति ' वक्ष्यमाणप्रकारेण भवतु, ' भूयः ' बहुलञ्च ' अस्त्विति ' त्रिवारं प्रजापतिरेतदण्डमभिलक्ष्याब्रवीत् । यस्मात् प्रथमं मुखाद् वागुच्चारिता, तस्माद् ' ब्रह्म ' वेदः प्रथममुत्पन्नः । अतः प्रथमोत्पन्नं वेदं योऽधीते तदर्थमनुतिष्ठति च, तम् ' अनूचानमग्निकल्प इति आहुः ' । ' हि ' यस्मात् ' अग्नेः ' चित्याग्निरूपस्य प्रजापतेः ' ब्रह्म ' वेदो ' मुखं ' भवति ॥ १० ॥

अथ यो गर्भ इति । ततः ' यः ' जातगर्भः, ' सः ' ' अग्निः असृज्यत ' तस्मात् ' सर्वस्य ' स्थूलप्रपञ्चस्य ' अग्रम् ' आदौ सृष्टत्वात् अग्निरित्युच्यते । ' तम् ' अग्निम् इदानीन्तना अग्निनाम्ना व्यवहारं कुर्वन्ति । तत्र गर्भे ' यत् ' यदा ' अश्रु संक्षरितं ' गर्भनिर्गमनकाले हि जलं स्रवति, ' सः अश्रुः ' ' तम् अश्वः इति आचक्षते ' यदा गर्भः ' अरसत् ' ध्वनिमकरोत्, तदा ' रासभोऽभवत् ' । रसतेर्ध्वन्यर्थादुत्पन्नो रासभशब्दः । ' कपाले ' अण्डकपाले ' विलिप्तः ' संसृष्टो ' रसः ', ' सः ' ' अजो ' नाम पशुः ' अभवत् ' भिन्नकपालमेव ' पृथिवी ' आसीत् । एवमण्डादुत्पन्नानामेषाऽम्न्यश्वरासभाजानां पशूनां सृष्टिरुक्ता ॥ ११ ॥

अथ कपालं पृथिव्यभवदिति यदुक्तम्, तस्माद् बहुधोत्पत्तिं वक्तुमाह–**सोऽकामयतेति** । पुनः प्रजापतिः '**अद्भ्यः**

सोऽकामयत । भूयऽएव स्यात्प्रजायेतेति सोऽश्राम्यत्स तपोऽतप्यत स श्रान्तस्तेपानः फेनमसृजत सोऽवेदन्यद्वाऽएतद्रूपं भूयो वै भवति श्राम्याण्येवेति स श्रान्तस्तेपानो मृदꣳ शुष्कापमूषसिकतꣳ शर्करामश्मानमयो हिरण्यमोषधिवनस्पत्यसृजत तेनेमां पृथिवीं प्राच्छादयत् ॥ १३ ॥

(त्ता) ता वाऽएता नव सृष्टयः । (ऽ) इयमसृज्यत तस्मादाहुस्त्रिवृदग्निरितीयꣳ ह्यग्निरस्यै हि सर्वोऽग्निश्चीयते ॥ १४ ॥

सोऽकामयत–भूय एव स्यात्, प्रजायेतेति । सोऽश्राम्यत् । स तपोऽतप्यत । स श्रान्तस्तेपानः फेनमसृजत । सोऽवेद्–अन्यद्वाऽएतद्रूपम् । भूयो वै भवति । श्राम्याण्येवेति । स श्रान्तस्तेपानो मृदम्, शुष्कापमूषसिकतम्, शर्कराम्, अश्मानम्, अयः, हिरण्यम्, ओषधिवनस्पति असृजत । तेनेमां पृथिवीं प्राच्छादयत् ॥ १३ ॥

ता वाऽएता नव सृष्टयः । इयमसृज्यत । तस्मादाहुः–त्रिवृदग्निरिति । इयं ह्यग्निः । अस्यै हि सर्वोऽग्निश्चीयते ॥ १४ ॥

अधि ' अप्सु उदकेषु ' इमां ' भूमिं ' प्रजनयेयम् ' विशेषेणोत्पादयेयम ' इति ' विचार्य ' तां ' पृथिवीं ' सङ्क्लिश्य ' चूर्णीकृत्य ' अप्सु ' ' प्राविध्यत् ' आलोडयामास ' तस्यै ' पृथिव्याः ' यः ' ' रसः ' ' पराङ् अत्यक्षरत्, ' ' स कूर्मोऽभवत् ' यत् ऊर्द्ध्वं समूहितो रसः ' तत् ' ' इदम् ' अप्रूपम् अभवत् । यस्माद् भूमिरुदकेषु प्रविद्धा, तस्मात् ' एकं रूपमेव ' भेदो न दृश्यते, आप एव केवलं दृश्यन्ते ॥ १२ ॥

सोऽकामयत भूय इति । ततः प्रजापतिरियं पृथिवी 'भूयः स्यात्' बहुधोत्पद्येतेति विचार्य ताभ्योऽद्भ्यः ' फेनं ' सृष्टवान् । पुनरपि विदित्वा शुष्कार्द्रभावेन द्विविधां मृत्तिकां, ' सिकतं ' वालुकाः, ' शर्कराः ' अल्पपाषाणान्, अश्मानं स्थूलपाषाणम्, ' अयः ' ' हिरण्यं ' सुवर्णम्, ओषधयश्च वनस्पतयश्च एकवद्भावान्नपुंसकम्–ओषधिवनस्पतीति । एतैः शुष्कार्द्रमृदादिभिर्नवभिः ' इमां ' भूमिमाच्छादितवान् ॥ १३ ॥

ता वा एता इति । ' एता एव ' शुष्कमृदादिभिर्नव सृष्टय एव ' इयम् ' भूमिः । तस्मात् एतां ' त्रिवृदग्निः '–' इति ' ' आहुः ' । स्तोत्रियात्मकस्य स्तोत्रस्य त्रिवृदिति सञ्ज्ञा । अत्र तु संख्यामात्रवाचि । अस्यां भूमौ अग्नेर्वासात् आधाराधेययोरभेदोपचारेण ' अस्यै ' अस्याः ' अग्निः ' इयं ' नवसृष्ट्यात्मिका प्रतिष्ठा भूमिरित्युच्यते ॥ १४ ॥

१–" तिसृभ्यो हिं करोति स प्रथमया तिसृभ्यो हिं करोति स मध्यमया तिसृभ्यो हिं करोति स उत्तमयोद्यतो त्रिवृतो निष्टुतिः " (तांड्य ब्रा. २ । १) अस्यायमर्थः–उपास्मै गायतेत्यादीमानि तृचात्मकानि त्रीणि सूक्तानि सन्ति तेषु तिसृभिर्ऋग्भिर्गायेत् । काभिस्तिसृभिः ? प्रथमया त्रिष्वपि सूक्तेषु या प्रथमा तया स उद्गाता गायेत् । तथा सति तिसृभिर्गीतं भवति । सोऽयं प्रथमपर्यायः । द्वितीये पर्याये सूक्तत्रयगता योत्तमा तया गायेत् । अनेन प्रकारेण त्रिवृत्स्तोमसम्बन्धिनी विशिष्टा स्तुतिः संपद्यते । सेयं स्तुतिः त्रिवृत्स्तोमस्य स्वरूपम् । इति वा. सं. १० । ११ इत्यत्र महीधरः ।

(तेऽभू) अभूद्वाऽइयं प्रतिष्ठेति । तद्भूमिरभवत्तामप्रथयत्सा पृथिव्यभवत्सेयꣳ सर्व्वा कृत्स्ना मन्यमानाऽगायद्यदगायत्तस्मादियं गायत्र्यथोऽआहुरग्निरेवास्यै पृष्ठे सर्व्वः कृत्स्नो मन्यमानोऽगायद्यदगायत्तस्मादग्निर्गायत्रऽइति तस्मादु हैतद्यः सर्व्वः कृत्स्नो मन्यते गायति वैव गीते वा रमते॥१९॥

इति प्रथमप्रपाठके प्रथमं ब्राह्मणम् ॥ ६–१–१ ॥ (१. १.) ॥

सोऽकामयत प्रजापतिः । (भूू) भूयऽ एव स्यात्प्रजायेयेति सोऽग्निना पृथिवीं मिथुनꣳ समभवत्ततऽ आण्डꣳ समवर्त्तत तदभ्यमृशत्पुष्यत्विति पुष्यतु भूयोऽस्त्वित्येव तदब्रवीत् ॥ १ ॥

अभूद्वाऽइयं प्रतिष्ठेति–तद्भूमिरभवत् । तामप्रथयत्–सा पृथिव्यभवत् । सेयं सर्वा कृत्स्ना मन्यमानाऽगायत् । यदगायत्–तस्मादियं गायत्री । अथोऽआहुः–अग्निरेवास्यै पृष्ठे सर्वः कृत्स्नो मन्यमानोऽगायत् । यदगायत्–तस्मादग्निर्गायत्र इति । तस्मादु हैतद्यः सर्वः कृत्स्नो मन्यते–गायति वैव, गीते वा रमते ॥ १९ ॥

सोऽकामयत प्रजापतिः–भूय एव स्यात्, प्रजायेयेति । सोऽग्निना पृथिवीं मिथुनं समभवत् । तत आण्डं समवर्तत । तदभ्यमृशत्–पुष्यत्विति । पुष्यतु–भूयोऽस्तु इत्येव तदब्रवीत् ॥ १ ॥

अभूद्वा इति । भवतेर्हि भूमिशब्दनिष्पत्तिः । तस्याः प्रथमाद् बहुधा विस्तरणात् पृथिवीत्वम्[1] । "प्रथेः षिवन्सम्प्रसारणं च" । (उ. पा. १ । ४८ । सू.) इति । प्रथेः षिवनि सम्प्रसारणे च पृथिवीशब्दनिष्पत्तिः । 'सेयम्' भूमिः 'कृत्स्ना' स्वयं सम्पूर्णाऽजनिषीति मन्यमाना 'अगायत्' गानमकरोत्, अतो गानादेव भूमेर्गायत्रीत्वम् । तत्र अस्यां भूमौ अग्निरपि स्वयं सम्पूर्णः स्थित इति मन्यमानोऽगायत् अतस्तस्याप्यग्नेः गायत्र इति नाम सम्पन्नम् । "कै गै शब्दे" (धा. पा. भ्वा. प. ९४१,९४२) । अस्माद् गायत्रशब्दनिष्पत्तिः । अतः 'एतद्' इदानीं लोके 'यः' कश्चन पुरुषो धनपश्वादिभिः 'कृत्स्नः' अहमिति 'मन्यते' सः परकृते 'गीते' 'रमते वा' 'गायति वा' स्वयं गायति चेत्यर्थः । तस्मात् सम्पूर्णत्वेनाभिमन्यमानाया भूमेरग्नेश्च गायत्रत्वं सम्पन्नमिति तात्पर्यम् ॥ १९ ॥

इति श्रीसायणाचार्यविरचिते माधवीये वेदार्थप्रकाशे माध्यन्दिनीयशतपथब्राह्मणभाष्ये
षष्ठकाण्डे प्रथमेऽध्याये प्रथमं ब्राह्मणम् ॥ (६–१–१) ॥

द्वितीये ब्राह्मणे वाय्वन्तरिक्षादिसृष्टिः प्रजापतेश्चित्याग्निरूपता चोच्यते- **सोऽकामयतेति** । भूमिसृष्टेरनन्तरं प्रजापतिरिदं जगदधिकं भवेदिति कामयित्वा 'अग्निना पृथिवीं' मिथुनत्वेन समयोजयत् । तयोः संयोगेन 'अण्डं' जातम् । 'तद् अभ्यमृशत्' नानात्वेन पुष्टम्भवत्विति त्रिवारमण्डमभिलक्ष्य प्रजापतिः अब्रवीत् ॥ १ ॥

१–"प्रथनात्पृथिवीत्याहुः" इति निरु. १ । ४ । २ ।

(त्स) स यो गर्भोऽन्तरासीत् (त्स) स वायुरसृज्यताथ यदश्रु संक्ष-
रितमासीत्तानि वयाꣳस्यभवन्नथ यः कपाले रसो लिप्त ऽआसीत्ता मरी-
चयोऽभवन्नथ यत्कपालमासीत्तदन्तरिक्षमभवत् ॥ २ ॥

(त्सो) सोऽकामयत । भूय ऽएव स्यात्प्रजायेतेति स वायुनाऽन्तरिक्षं
मिथुनꣳ समभवत्तत आण्डꣳ समवर्तत तदभ्यमृशद्यशो बिभृहीति ततो-
ऽसावादित्योऽसृज्यतैष वै यशोऽथ यदश्रु संक्षरितमासीत्सोऽश्मा पृश्नि-
रभवदश्रुर्ह वै तमश्मेत्याचक्षते परोऽक्षं परोऽक्षकामा हि देवाऽअथ यः
कपाले रसो लिप्त आसीत्ते रश्मयोऽभवन्नथ यत्कपालमासीत्सा
द्यौरभवत् ॥ ३ ॥

(त्सो) सोकामयत । भूयऽ एव स्यात्प्रजायेतेति स ऽआदित्येन दिवं
मिथुनꣳ समभवत्ततऽ आण्डꣳ समवर्त्तत तदभ्यमृशद्रेतो बिभृहीति तत-
श्चन्द्रमाऽ असृज्यतैष वै रेतोऽथ यदश्रु संक्षरितमासीत्तानि नक्षत्राण्यभव-

---

स यो गर्भोऽन्तरासीत्—स वायुरसृज्यत । अथ यदश्रु संक्षरितमासीत्—तानि वयांस्यभवन् । अथ यः कपाले रसो लिप्त आसीत्; ता मरीचयोऽभवन् । अथ यत्कपालमासीत्—तदन्तरिक्षमभवत् ॥ २ ॥

सोऽकामयत—भूय एव स्यात्प्रजायेतेति । स वायुनाऽन्तरिक्षं मिथुनं समभवत् । तत आण्डं समवर्तत । तदभ्यमृशद्—यशो बिभृहीति । ततोऽसावादित्योऽसृज्यत । एष वै यशः । अथ यदश्रु संक्षरितमासीत्—सोऽश्मा पृश्निरभवत् । अश्रुर्ह वै तमश्मेत्याचक्षते परोऽक्षम्—परोऽक्षकामा हि देवाः । अथ यः कपाले रसो लिप्त असीत्—ते रश्मयोऽभवन् । अथ यत्कपालमासीत्—सा द्यौरभवत् ॥ ३ ॥

सोऽकामयत । भूय एव स्यात्—प्रजायेतेति । स आदित्येन दिवं मिथुनं समभवत् । तत आण्डं समवर्तत । तदभ्यमृशद्—रेतो बिभृहीति । ततश्चन्द्रमा असृज्यत एष वै रेतः । अथ यदश्रु संक्षरित-

---

तत्राहुः—स यो गर्भोऽन्तरासीदिति । यो गर्भान्तरजातः स वायुत्वेन सृष्टः । अथ गर्भोदक-कपाल लिप्तरस तत्कपालानि त्रीणि च पक्षिमरीच्यन्तरिक्षलोकात्मकानि अभूवन् ॥ २ ॥

सोऽकामयतेत्यादेरयमर्थः- वाय्वन्तरिक्षयोर्मिथुनत्वेन सङ्गात् एकम 'अण्डम्' उत्पन्नम् । तस्मात् आदित्य उत्पन्नः; स 'एषः' आदित्यो 'यशः' "यशो बिभ्रिहि"—'इति' यशोरूपत्वेन धारणार्थं प्रजापतिना अण्डस्यावमृष्टत्वात्तत उत्पन्न आदित्यो यश इत्युच्यते । पूर्ववद् गर्भोदकादीनि त्रीणि मेघरश्मिद्युलोकात्मकानि जातानि । तदा 'पृश्निः' नानावर्णः, 'अश्मा' आकाशाच्छादको मेघः । "अश्नोतेरश्मा" इति नैरुक्ताः (निघं. १ । १० । ५ । ८) ॥ ३ ॥

अथ तृतीयपर्याये आदित्यद्युलोकयोर्मिथुनत्वेन गर्भः समजनि तं प्रजापतिः 'रेतो बिभृहि'—'इति'

अथ यः कपाले रसो लिप्त ऽआसीत्ता ऽअवान्तरदिशोऽभवन्नथ यत्कपाल-
मासीत्ता दिशोऽभवन् ॥ ४ ॥

(न्त्स) स ऽ इमाँल्लोकान्त्सृष्ट्वाऽकामयत । ताः प्रजाः सृजेय या मऽएषु
लोकेषु स्युरिति ॥ ५ ॥

स मनसा व्वाचं मिथुनꣳ समभवत् । (त्सो) सोऽष्टौ द्रप्सान्गर्भ्यभव-
त्तेऽष्टौ व्वसवोऽसृज्यन्त तानस्यामुपादधात् ॥ ६ ॥

(त्स) स मनसैव । व्वाचं मिथुनꣳ समभवत्सऽ एकादश द्रप्सान्गर्भ्य-
भवत्तऽएकादश रुद्राऽअसृज्यन्त तानन्तरिक्षऽउपादधात् ॥ ७ ॥

(त्स) स मनसैव । व्वाचं मिथुनꣳ समभवत्स द्वादश द्रप्सान्गर्भ्यभवत्ते
द्वादशादित्याऽअसृज्यन्त तान्दिव्युपादधात् ॥ ८ ॥

(त्स) स मनसैव । व्वाचं मिथुनꣳ समभवत्स गर्भ्यभवत्स व्विश्वा-
न्देवानसृजत तान्दिक्षूपादधात् ॥ ९ ॥

मासीत्–तानि नक्षत्राण्यभवन् । अथ यः कपाले रसो लिप्त आसीत् । ता अवान्तरदिशोऽभवन् । अथ यत्कपालमासीत्–ता दिशोऽभवन् ॥ ४ ॥

स इमाँल्लोकान्त्सृष्ट्वाऽकामयत–ताः प्रजाः सृजेय या मऽएषु लोकेषु स्युरिति ॥ ५ ॥

स मनसा वाचं मिथुनं समभवत् । सोऽष्टौ द्रप्सान्गर्भ्यभवत् । तेऽष्टौ वसवोऽसृज्यन्त । तानस्यामुपादधात् ॥ ६ ॥

स मनसैव वाचं मिथुनं समभवत् । स एकादश द्रप्सान्गर्भ्यभवत् । तऽएकादश रुद्रा असृज्यन्त । तानन्तरिक्षऽउपादधात् ॥ ७ ॥

स मनसैव वाचं मिथुनं समभवत् । स द्वादश द्रप्सान्गर्भ्यभवत् । ते द्वादशादित्या असृज्यन्त । तान्दिव्युपादधात् ॥ ८ ॥

स मनसैव वाचं मिथुनं समभवत् । स गर्भ्यभवत् । स विश्वान्देवानसृजत । तान्दिक्षूपादधात् ॥ ९ ॥

रेतोरूपत्वेन धारयेति गर्भमवमृष्टवान् । ततोऽण्डात् यत् इमाः सृष्टाः, अत एव तस्य रेतस्त्वम्, सुधास्रवणात् । अत्रापि पूर्ववद् गर्भोदककपाललिप्तरसतत्कपालानि नक्षत्रावान्तरदिङ्महादिगात्मकानि सम्पन्नानि ॥ ४ ॥

स इमाँल्लोकान्त्सृष्ट्वेत्यादि । पुनश्च प्रजापतिः एषु लोकेषु प्रजाः सृजेयमिति विचार्य स्वकीयवाङ्मनसयोर्मिथुनीभवनेन स्वयमष्टद्रप्सरूपगर्भवानभवत्, ततोऽष्टभ्यो द्रप्सेभ्यः अष्टौ वसवः सञ्जाताः । 'तान्' वसून् 'अस्यां' भूमौ 'उपादधात्' निहितवान् । पुनश्च वाङ्मनसयोः युग्मेन एकादश रुद्रान् सृष्ट्वा, तान् अन्तरिक्षे स्थापितवान् । द्वादशादित्यांश्च सृष्ट्वा तान् द्युलोके उपदधातिस्म, विश्वान् देवान् दिक्षु निहितवान् ॥५–९॥

(द) अथोऽआहुः । (र) अग्निमेव सृष्टं व्वसवोऽन्वसृज्यन्त तानस्यामुपादधाद्वायुꣳ रुद्रास्तानन्तरिक्षऽआदित्यमादित्यास्तान्दिवि व्विश्वे देवाश्चन्द्रमसं तान्दिक्षूपादधादिति ॥ १० ॥

(त्य) अथोऽआहुः । प्रजापतिरेवेमाँल्लोकान्त्सृष्ट्वा पृथिव्यां प्रत्यतिष्ठत्तस्माऽइमाऽ ओषधयोऽन्नमपच्यन्त तदाश्नात्स गर्भ्यभवत्स ऊर्ध्वेभ्यऽएव प्राणेभ्यो देवानसृजत येऽवाञ्चः प्राणास्तेभ्यो मर्त्याः प्रजाऽ इत्यतो यतमथाऽसृजत तथाऽसृजत प्रजापतिस्त्वेवेदꣳ सर्व्वमसृजत यदिदं किंच ॥

स प्रजाः सृष्ट्वा । सर्व्वमाजिमित्वा व्यस्रꣳसत तस्मादु हैतद्यः सर्व्वमाजिमेति व्येव स्रꣳसते तस्माद्विस्रस्तात्प्राणो मध्यतऽ उदक्रामत्तस्मिन्नेनमुत्क्रान्ते देवा ऽअजहुः ॥ १२ ॥

अथोऽआहुः-अग्निमेव सृष्टं वसवोऽन्वसृज्यन्त । तानस्यामुपादधात् (१) । वायुं रुद्राः । तानन्तरिक्षे (२) । आदित्यमादित्याः । तान्दिवि (३) । विश्वेदेवाश्चन्द्रमसम् । तान्दिक्षूपादधात् इति ॥ १० ॥

अथोऽआहुः-प्रजापतिरेवेमाँल्लोकान्त्सृष्ट्वा पृथिव्यां प्रत्यतिष्ठत् । तस्माऽइमा ओषधयोऽन्नमपच्यन्त । तदाश्नात् । स गर्भ्यभवत् । स ऊर्ध्वेभ्य एव प्राणेभ्यो देवानसृजत । येऽवाञ्चः प्राणाः-तेभ्यो मर्त्याः प्रजा इति । अतो यतमथाऽसृजत-तथाऽसृजत । प्रजापतिस्त्वेवेदं सर्वमसृजत-यदिदं किंच ॥ ११ ॥

स प्रजाः सृष्ट्वा सर्वमाजिमित्वा व्यस्रंसत । तस्मादु हैतद्-यः सर्वमाजिमेति-व्येव स्रंसते । तस्माद्विस्रस्तात्प्राणो मध्यत उदक्रामत् । तस्मिन्नेनमुत्क्रान्ते देवा अजहुः ॥ १२ ॥

अत्र केचिद् वसुरुद्रादित्यविश्वेदेवानामुत्पत्तिमग्निपूर्वां दर्शयन्ति-अथो आहुरग्निमेव सृष्टं वसवोऽन्वसृज्यन्तेति । 'इति'-शब्द एकीयपक्षसमाप्त्यर्थः ॥ १० ॥

अथो आहुः प्रजापतिरेवेत्यादेरयमर्थः । 'अथो' अपरे ब्रह्मवादिनः एवम् 'आहुः ।' 'प्रजापतिरेव' लोकत्रयं 'सृष्ट्वा,' 'पृथिव्यां' प्रतिष्ठितः सन् पक्वाः अन्नरूपा ओषधीः प्राश्य 'गर्भी' भूत्वा 'सः' ऊर्ध्वेभ्यः 'प्राणेभ्यः' 'देवान्' सृष्टवान् । अवाचीनेभ्यः प्राणेभ्यः 'मर्त्याः प्रजा इति' । सृष्टौ यद्यपि प्रकारविशेषोऽस्ति, तथापि स्थावरजङ्गमात्मकस्य जगतः प्रजापतिसृष्टत्वं निश्चितमिति श्रुतिः स्वमतं निरूपयति-अतो यतमथेति । 'यतमथा' येन प्रकारेण सृष्टवान्, तेनैव प्रकारेण सृष्टिरस्तु, सर्वात्मना प्रजापतिरेवेदं सर्वमसृजदिति सत्यमित्यर्थः ॥ ११ ॥

अथैवं सर्वोत्पादकस्य प्रजापतेश्चित्याग्निरूपैतामाख्यायिकामुखेन दर्शयति-स प्रजाः सृष्ट्वा सर्वमाजिमि-

---

१-सप्तमाष्टमकाण्डयोः प्रतिपादितोऽग्निचयनविस्तार इह समालोचनीयः ।

सोऽग्निमब्रवीत् । (त्वं) त्वं मा संधेहीति किं मे ततो भविष्यतीति त्वया माऽऽचक्षान्तै यो वै पुत्राणाᳫँ राध्यते तेन पितरं पितामहं पुत्रं पौत्रमाचक्षते त्वया माऽऽचक्षान्ताऽअथ मा संधेहीति तथेति तमग्निः समदधात्तस्मादेतं प्रजापतिᳫं सन्तमग्निरित्याचक्षतऽआ ह वाऽएनेन पितरं पितामहं पुत्रं पौत्रं चक्षते यऽएवं वेद ॥ १३ ॥

तमब्रवीत् । (क्व) कस्मिंस्त्वोपधास्यामीति हितऽएवेत्यब्रवीत्प्राणो वै हितं प्राणो हि सर्वेभ्यो भूतेभ्यो हितस्तद्यदेनᳫं हितऽउपादधात्तस्माद्दाहोपधास्याम्युपदधाम्युपाधामिति ॥ १४ ॥

सोऽग्निमब्रवीत्–त्वं मा सन्धेहीति । किं मे ततो भविष्यतीति । त्वया माऽऽचक्षान्तै । यो वै पुत्राणां राध्यते–तेन पितरं पितामहं पुत्रं पौत्रमाचक्षते । त्वया माऽऽचक्षान्तै । अथ मा सन्धेहीति । तथेति । तमग्निः समदधात् । तस्मादेतं प्रजापतिं सन्तमग्निरित्याचक्षते । आ ह वाऽएतेन पितरं पितामहं पुत्रं पौत्रं चक्षते–य एवं वेद ॥ १३ ॥

तमब्रवीत्–कस्मिंस्त्वोपधास्यामीति । हितऽएवेत्यब्रवीत् । प्राणो वै हितम् । प्राणो हि सर्वेभ्यो भूतेभ्यो हितः । तद्यदेनं हितऽउपादधात्–तस्मादाह–उपधास्यामि, उपदधामि, उपाधामिति ॥ १४ ॥

त्वेति । ' स प्रजाः सृष्ट्वा, ' ' सर्वम् ' ' आजिम् ' लक्ष्यम् प्रति एत्य, ' व्यस्रंसत ' विस्रस्तः । सृष्टिकरणमेवात्र लक्ष्योऽवधिः, तत्र च विस्रस्त इत्यर्थः । तस्माल्लोकेऽपि आजिधावनेन श्राम्यति जनः । तस्मात् श्रान्तात् पुरुषान्मध्यप्रदेशात् प्राणा उत्क्रान्ताः, ' तस्मिन् ' अपगते ' देवाः ' इन्द्रियाणि ' अजहुः ' त्यक्तवन्तः । " ओ हाक् त्यागे " (धा. पा. जु. प. ८) ॥ १२ ॥

सोऽग्निमब्रवीदिति । ' सः ' प्रजापतिः ' अग्निम् ' अवोचत् । हे अग्ने ! ' त्वं ' ' मा ' मां ' सन्धेहि ' उत्क्रान्तेन प्राणेन पुनः संहितं कुरु ' इति ' । एवं प्रजापतिना उक्ते सति, अग्निः अब्रवीत्,–' ततः ' त्वत्प्राणसन्धानाद्धेतोः ' मे ' मम किं भविष्यति ? ' इति ' । हे अग्ने ! ' त्वया ' त्वन्नाम्ना ' मा ' माम् ' आचक्षान्तै ' आचक्षीरन् । चष्टेः पञ्चमलकारे रूपम् । यथा लोके ' पुत्राणां ' मध्ये ' यो ' ' राध्यते ' विद्यया बलेन वा प्रसिद्धो भवति, ' तेन ' एव पुत्रेण पितृपितामहा व्यवहरन्ति, तस्यायं पिता पितामह इति, तस्यायं पुत्रः पौत्र इति । तस्मात् पुत्रस्य तव नाम्ना ममापि व्यपदेशो भवतु । अतः सन्धेहीत्युक्तम् । ' अग्निः ' ' तथा इति ' अङ्गीकृत्य तं ' समदधात् ' । अतोऽग्निना संहितत्वात् ' एतं ' सर्वोत्पादकं ' प्रजापतिम् ' एव सन्तमित्य ' अग्निरित्याचक्षते ' वेदवादिनः । वेदितुः फलमाह–आ ह वा एतेनेति । ' आङ् '–इत्युपसर्गः ' चक्षते '–इत्यनेन सम्बध्यते । ' ह वा '–इति निपातद्वयमेकार्थवाचि ॥ १३ ॥

सन्धानप्रकारं प्रश्नोत्तरेणाह–तमब्रवीत् कस्मिंस्त्वोपधास्यामीतीति । हे प्रजापते ! ' कस्मिन् ' स्थाने ' त्वा ' त्वाम् ' उपधास्यामि ' ' इति ' अग्नेः प्रश्नः । ' हित एव ' मा सन्धेहि । ' इति ' उत्तरम् । हितशब्दार्थमाह–प्राणो वै हितमिति । प्राणस्य सर्वेभ्य इन्द्रियेभ्योऽतिशयितत्वात् हितत्वम् । तस्मिन् हितरूपे

तुदाहुः । किᳬ हितं किमुपहितमिति प्राणऽएव हितं व्वागुपहितं प्राणे हीयं व्वागुपेव हिता प्राणस्त्वेव हितमङ्गान्युपहितं प्राणे हीमान्यङ्गान्युपेव हितानि ॥ १५ ॥

सोऽस्यैष चित्यऽआसीत् । (च्चे) चेतव्यो ह्यस्यासीत्तस्माच्चित्यश्चित्यऽउऽ एवायं यजमानस्य भवति चेतव्यो ह्यस्य भवति तस्मादेव चित्यः ॥ १६ ॥

(स्तु) तदेता वाऽअस्य ताः । पञ्च तन्वो व्यस्रᳬसन्त लोम त्वङ्मᳬसमस्थि मज्जा ताऽ एवैताः पञ्च चितयस्तद्यत्पञ्च चितीश्चिनोत्येताभिरेवैनं तत्तनूभिश्चिनोति यच्चिनोति तस्माच्चितयः ॥ १७ ॥

तदाहुः-किं हितम्, किमुपहितमिति । प्राण एव हितम्, वागुपहितम् । प्राणे हीयं वागुपेव हिता । प्राणस्त्वेव हितम्, अङ्गान्युपहितम् । प्राणे हीमान्यङ्गान्युपेव हितानि ॥ १५ ॥

सोऽस्यैष चित्य आसीत् । चेतव्यो ह्यस्यासीत्-तस्माच्चित्यः । चित्य उ एवायं यजमानस्य भवति । चेतव्यो ह्यस्य भवति । तस्मादेव चित्यः ॥ १६ ॥

तदेता वाऽअस्य ताः पञ्च तन्वो व्यस्रंसन्त-लोम, त्वक्, मांसम् अस्थि, मज्जा । ता एवैताः पञ्च चितयः । तद्यत्पञ्च चितीश्चिनोति-एताभिरेवैनं तत्तनूभिश्चिनोति । यच्चिनोति-तस्माच्चितयः ॥ १७ ॥

प्राणे 'अग्निः' प्रजापतिं समाहितवान् । पूर्वं मध्यतः प्राण उदक्राम, तमेव सन्धेहीति प्रजापतिनैवोक्तत्वात् । 'तस्मात्' इदानींतना अनुष्ठातारोऽपि चित्युपधानसमये उपदधति भूतभविष्यद्वर्तमानप्रयोगं कुर्वन्तीत्यर्थः । 'उपधास्यामि'-इति भविष्यतः प्रयोगः, 'उपदधामि'-इति वर्त्तमानस्य, 'उपाधाम्'-इति भूतस्य ॥ १४ ॥

प्रसङ्गात् उपहितशब्दार्थं वक्तुं हितोपहितयोः स्वरूपं पृच्छति-तदाहुः किं हितमिति । उपादधादिति उपधानस्थानमुपधेयं चोक्तम्, तत्र प्राणस्य हितत्वं दर्शितम्, 'उपहितमिति' वाच उच्यते, प्राणे वाचमुपहितवानित्यर्थः । उपहितपदस्यार्थान्तरमाह-अङ्गानीति । प्राणवति पुरुषे 'अङ्गानि' 'उपहितानि' सन्निहितानि भवन्ति । एवं प्रजापतेरग्निनामव्यपदेश्यत्वमुक्तम् ॥ १५ ॥

चित्यत्वमपि दर्शयति-सोऽस्यैष इति । 'सः' प्रजापतिः 'अस्य' अग्नेः 'चित्यः' 'चेतव्यः' सञ्चेयः, 'तस्मात्' स 'चित्यः' इत्यर्थः । इष्टकाचितिसम्बन्धादपि प्रजापतेश्चित्यत्वमाह-चित्य उ एवायमिति । 'यजमानस्य' अपि 'अयम्' एव 'चेतव्यः' इष्टकाभिरुपधेयः । 'अस्य' यजमानस्य । "कृत्यानां कर्त्तरि वा"-(पा. सू. २ । ३ । ७१) इति षष्ठी ॥ १६ ॥

प्रजापतिर्व्यस्रंसतेति यदुक्तम्, तदिदानीं चितिसङ्ख्याप्रदर्शनेन विशदयति-तदेता वा अस्येति । व्यस्रंसन्त-

स यः स प्रजापतिर्व्यस्रꣳसत । संवत्सरः सोऽथ या अस्यैताः पञ्च तन्वो व्यस्रꣳसन्तर्त्तवस्ते पञ्च वाऽऋतवः पञ्चैताश्चितयस्त-द्यत्पञ्च चितीश्चिनोत्यृतुभिरेवैनं तच्चिनोति यच्चिनोति तस्माच्चितयः ॥ १८ ॥

स यः स संवत्सरः प्रजापतिर्व्यस्रꣳसत । (ता) अयमेव स वायु-र्योऽयं पवतेऽथ याऽ अस्य ताऽ ऋतवः पञ्च तन्वो व्यस्रꣳसन्त दिशस्ताः पञ्च वै दिशः पञ्चैताश्चितयस्तद्यत्पञ्च चितीश्चिनोति दिग्भिरेवैनं तच्चिनोति यच्चिनोति तस्माच्चितयः ॥ १९ ॥

(योऽथ) अथ यश्चितेऽग्निर्निधीयते । (तेऽसौ) असौ स ऽआदित्यः स ऽएष ऽएवैषोऽग्निश्चित ऽएतावन्नु तद्यदेनमाग्निः समदधात् ॥ २० ॥ [शतम् ३४००]

स यः स प्रजापतिर्व्यस्रंसत–सम्वत्सरः सः । अथ या अस्यैताः पञ्च तन्वो व्यस्रंसन्त–ऋतवस्ते । पञ्च वाऽऋतवः । पञ्चैताश्चितयः । तद्यत्पञ्च चितीश्चिनोति–ऋतुभिरेवैनं तच्चिनोति । यच्चिनोति-तस्माच्चितयः ॥ १८ ॥

स यः स सम्वत्सरः प्रजापतिर्व्यस्रंसत–अयमेव स वायुः । योऽयं पवते । अथ या अस्य ता ऋतवः पञ्च तन्वो व्यस्रंसन्त–दिशस्ताः । पञ्च वै दिशः । पञ्चैताश्चितयः । तद्यत्पञ्च चितीश्चिनोति–दिग्भिरेवैनं तच्चिनोति । यच्चिनोति–तस्माच्चितयः ॥ १९ ॥

अथ यश्चितेऽग्निर्निधीयते–असौ स आदित्यः । स एष एवैषोऽग्निश्चितः । एतावन्नु तद्-यदेनमाग्निः समदधात् ॥ २० ॥

समये 'अस्य' तस्य लोमत्वङ्मांसास्थिमज्जाख्याः 'पञ्च' चितयः उत्तरोत्तरक्रमेण पञ्चकक्ष्यात्मना चेतव्याः । यस्मादग्नौ पञ्च चितीः 'चिनोति,' 'तस्मात्' पञ्चभिर्लोमादिभिरेव प्रजापतिं संहितवान् भवति । "चिञ् चयने"–(धा. पा. स्वा. उ. ५) इत्यस्माच्चितिशब्दनिष्पत्तिः ॥ १७ ॥

स यः प्रजापतिरित्यादेरयमर्थः–प्रजापतेः संवत्सरात्मनो विस्रंसनसमये पञ्चर्तव एव विस्रस्ताः । "हेमन्त-शिशिरयोः समासेन"–(ऐ. ब्रा. १ । १ । १ ।) इति पञ्चसङ्ख्या । तथा सति पञ्चचितिचयनेन 'एनं' संवत्सर-रूपं प्रजापतिं पञ्चभिर्ऋतुभिः संयोजितवान् भवति ॥ १८ ॥

प्रकारान्तरेण प्रशंसति–**स यः स संवत्सरः प्रजापतिरि**ति । 'यः' संवत्सररूपः 'प्रजापतिः' विस्रस्तः 'सः' 'अयमेव' पवमानो 'वायुः' तस्य 'दिशः' एव 'पञ्च' तन्वः । ऊर्ध्वदिक्सहिताः पञ्च महा-दिशः । ता एव विस्रस्ताः पञ्चचितिचयनेन 'एनं' वायुरूपं प्रजापतिं पञ्चभिर्दिग्भिरेव चितवान् ॥ १९ ॥

एवं प्रजापतेश्चित्याग्निरूपतामभिधाय तस्योपरि निधीयमानस्याहवनीयस्याग्नेरादित्यरूपतामाह–**अथ यश्चित** इति । 'चिते' अग्नौ 'यः अग्निः' आहवनीयः 'निधीयते' 'सः' असौ आदित्यः । **स एष एवे**ति, पुनः

(३) अथो॑ऽ आहुः । प्र॒जाप॑तिरे॒व वि॑स्र॒स्तो दे॒वान॑ब्रवी॒त्सं मा॑ धत्ते॒ति ते॒ दे॒वाऽ अ॒ग्निम॑ब्रुवं॒स्त्वयी॒मं पि॒तरं॑ प्र॒जाप॑तिं भिषज्या॒मे॒ति स वा॑ऽअ॒हमे॒त॒स्मिन्त्स॒र्व॑स्मिन्ने॒व वि॑शानी॒ति तथे॒ति त॒स्मादे॒तं प्र॒जाप॑तिꣳ स॒न्तम॒ग्निरि॒त्याच॑क्षते ॥ २१ ॥

तं दे॒वाऽअ॒ग्नावा॒हु॒तिभि॑रभिषज्यन् । (ज्यंस्ते) ते यां या॑माहु॒तिम॑जुहवुः सा सै॒नं प॒क्वे॑ष्टका भू॒त्वाऽप्य॑पद्यत तद्यदि॒ष्टात्स॑मभवं॒स्तस्मा॑दि॒ष्टका॒स्तस्मा॑द॒ग्निने॒ष्टकाः पच॒न्त्याहु॒तीरे॒वैना॒स्तत्कु॒र्व॒न्ति ॥ २२ ॥

सो॑ऽब्रवीत् । (या) याव॑द्याव॒द्वै जु॒हु॒थ ताव॑त्ताव॒न्मे कं भ॑वती॒ति तद्य॒दस्माऽइ॒ष्टे क॑मभव॒त्तस्मा॑द्वे॒वेष्ट॑काः ॥ २३ ॥

अथो आहुः–प्रजापतिरेव विस्रस्तो देवानब्रवीत्–सं मा धत्तेति । ते देवा अग्निमब्रुवन्–त्वयीमं पितरं प्रजापतिं भिषज्यामेति । स वाऽअहमेतस्मिन्त्सर्वस्मिन्नेव विशानीति । तथेति । तस्मादेतं प्रजापतिं सन्तमग्निरित्याचक्षते ॥ २१ ॥

तं देवा अग्नावाहुतिभिरभिषज्यन् । ते यां–यामाहुतिमजुहवुः–सा–सैनं पक्वेष्टका भूत्वाऽप्यपद्यत । तद्यदिष्टात्समभवन् । तस्मादिष्टकाः । तस्मादग्निनेष्टकाः पचन्ति । आहुतीरेवैनास्तत्कुर्वन्ति ॥ २२ ॥

सोऽब्रवीत्–यावद् यावद्वै जुहुथ–तावत्तावन्मे कं भवतीति । तद् यदस्माऽइष्टे कमभवत्–तस्माद्वेवेष्टकाः ॥ २३ ॥

प्रदर्शनवचनम् । अत्र ' चिते ' इति सप्तम्यन्तं पदम् । प्रजापतेरग्निना सन्धानप्रकारं निगमयति–एतावन्नु तादिति । ' यत् ' उक्तप्रकारेण ' अग्निः ' ' एनं ' प्रजापतिं ' समदधात् ' इति ॥ २० ॥

प्रजापतेर्देवैः संधानप्रकारमाह–अथो आहुः प्रजापतिरेवेति । पूर्वं प्रजायमानः प्रजाः सृष्ट्वा सर्वाजिचात्र-मेन ' विस्रस्तः ' सन् ' देवान् अब्रवीत् ' । हे देवाः ! ' मा सन्धत्त ' ' इति ' । ' ते ' एव ' देवाः ' अग्निम् अब्रुवन् ' । हे अग्ने ! ' त्वयि ' सर्वेषां ' पितरं प्रजापतिं ' ' भिषज्याम ' सन्धानं करवाम ' इति ' । अथ ' सः ' अग्निरपि देवान् अब्रवीत् । हे देवाः ! ' सः ' ' अहम् ' ' एतस्मिन् सर्वस्मिन् ' जगति ' एव ' अन्तर्-' विशानि ' सर्वस्यान्तः प्रविष्टो भवानीत्युक्तम् । ' तथा इति ' देवा अङ्गीचक्रुः । यतो देवा अग्नौ प्रजापतिमभिषज्यन्त । ' तस्मात् ' एतस्य प्रजापतेरग्निनाम्ना व्यपदेशः ॥ २१ ॥

भैषज्यकरणप्रकारं दर्शयति–तं देवा अग्नावाहुतिभिरिति । ' तं ' प्रजापतिम् आहुतिकरणेन समाहित-वन्तः । अत्र या आहुतय इष्टाः तास्ताश्चित्याग्निरूपप्रजापतिकेष्टका भूत्वा प्रतिपद्य प्रीयमाणाः स्युरित्यर्थः । इष्टकाशब्दस्य निर्वचनं दर्शयति–तद्यदिष्टादिति । इष्टात् होमात् जाता इतीष्टकाः, ' तस्मात् ' इदानी-न्तना अपि अनुष्ठातारः ' अग्निना इष्टकाः पचन्ति ' तथा सति ' एनाः ' इष्टकाः ' आहुतीरेव ' कृतवन्तो भवन्तीत्यर्थः ॥ २२ ॥

इष्टकापदे ' इष्ट '–इति ' क '–इति च शब्दद्वयस्वरूपं दृश्यते, तत्र इष्ट–शब्दस्वरूपस्य निर्वाहं प्रदर्श्य ' क '–शब्दस्वरूपस्य प्रवृत्तिनिमित्तं दर्शयति–सोऽब्रवीदिति । ' सः ' प्रजापतिः देवान् ' अब्रवीत् ' हे देवाः ।

(स्तु) तद्ध स्माहात्ताक्ष्यः । (क्ष्यो) य एव यजुष्मतीर्भूयसीरिष्टका विद्यात्सोऽग्निं चिनुयाद्भूय ऽएव तत्पितरं प्रजापतिं भिषज्यतीति ॥ २४ ॥

(त्यु) अथ ह स्माह ताण्ड्यः । क्षत्रं वै यजुष्मत्य ऽइष्टका विशो लोकम्पृणा ऽअत्ता वै क्षत्रियोऽन्नं विड्यत्र वाऽअत्तुरन्नं भूयो भवति तद्राष्ट्रँ समृद्धं भवति तदेधते तस्माल्लोकम्पृणा ऽएव भूयसीरुपदध्यादित्येतदु ह तयोर्व्वचोऽन्या त्वेवात स्थितिः ॥ २५ ॥

तद्ध स्माहात्ताक्ष्यः–य एव यजुष्मतीर्भूयसीरिष्टका विद्यात्–सोऽग्निं चिनुयात् । भूय एव तत्–पितरं प्रजापतिं भिषज्यतीति ॥ २४ ॥

अथ ह स्माह ताण्ड्यः–क्षत्रं वै यजुष्मत्य इष्टकाः, विशो लोकम्पृणाः । अत्ता वै क्षत्रियः, अन्नं विट् । यत्र वाऽअत्तुरन्नं भूयो भवति–तद्राष्ट्रं समृद्धं भवति, तदेधते । तस्माल्लोकम्पृणा एव भूयसीरुपदध्यादिति । एतदु ह तयोर्वचः–अन्या त्वेवातः स्थितिः ॥ २५ ॥

युष्माभिरग्नौ 'यावद्यावद्' हुतम्, 'तावत्तावत्' 'मे' मम 'कं' सुखं 'भवति' 'इति' । तस्मात् 'इष्टे' होमे 'कं' सुखम् अभूत् ब्रह्मणः इति इष्टकानामनिरुक्तिः ॥ २३ ॥

अथेष्टकाचयनयज्ञमन्त्रैरुपधेया इष्टका यजुष्मत्यः, ताश्चेतव्याः; अवशिष्टेऽवकाशे लोकम्पृणेष्टकाः । "लोकम्पृण च्छिद्रं पृण"–(वा. सं. १९ । ५९) इत्यादिना मन्त्रेण उपधेया इष्टकाः लोकम्पृणाः । तत्र यजुष्मतीनां भूयस्त्वम्, लोकम्पृणानामल्पत्वम् 'अत्ताक्ष्यः' आचार्यो मन्यते, लोकम्पृणानां भूयस्त्वम् 'तांड्यः' मन्यते । तत्र चोभयत्र द्वावप्युपपत्ती वर्णयित्वा तयोर्व्यपदेशेन तन्मतं प्रदर्शयन्ती श्रुतिः पक्षान्तरं दर्शयति–तद्ध स्माहात्ताक्ष्य इति । 'यः' पुरुषो 'यजुष्मतीः इष्टकाः भूयसीः' जानीयात्, 'सः' एव 'अग्निं चिनुयात्' 'तत्' तथा सति 'पितरं प्रजापतिं' 'भूयः' अधिकं संहितवान् भवति, इत्यत्ताक्ष्यमतम् ॥

अथ हेति । क्षत्रं वै यजुष्मत्य इत्यादि । यजुष्मतीनां क्षत्रत्वम्, क्षत्रियस्य यजुर्वेदोत्पन्नत्वात्; लोकम्पृणानान्तु विट्त्वम् कामपूरकत्वात् । यथा लोके 'अत्तुः' क्षत्रियस्य अन्नरूपविशो बाहुल्ये राष्ट्रसमृद्धिर्भवति, तथा लोकम्पृणानां बाहुल्ये यजमानस्यानुष्ठानमेव समृद्धं भवतीति ताण्ड्यमतम् ॥

तदेतद् दूषयति–एतदु हेति । 'एतत्' उक्तं तयोः 'वचः' वचनमात्रम्, "अन्या त्वेव अतः स्थितिः"–इति श्रुतेः स्वमतप्रदर्शनम् । अनुष्ठानप्रकारार्थोऽत्र 'तु' शब्दः, 'एव शब्दः' वैलक्षण्यार्थः । अनुष्ठानप्रकारस्तु उपरत्र वक्ष्यते ॥ २४ ॥ २५ ॥

स ऽएष पिता पुत्रः। (त्रो) यदेषोऽग्निमसृजत तेनैषोऽग्नेः पिता यदेतमग्निः समदधात्तेनैतस्याग्निः पिता यदेष देवानसृजत तेनैष देवानां पिता यदेतं देवाः समदधुस्तेनैतस्य देवाः पितरः ॥ २६ ॥

(०) उभयꣳ हैतद्भवति। पिता च पुत्रश्च प्रजापतिश्चाग्निश्चाग्निश्च प्रजापतिश्च प्रजापतिश्च देवाश्च देवाश्च प्रजापतिश्च य ऽएवं वेद ॥ २७ ॥

स ऽउपदधाति। तया देवतयेति वाग्वै सा देवताऽङ्गिरस्वदिति प्राणो वाऽअङ्गिरा ध्रुवा सीदेति स्थिरा सीदेत्येतदथो प्रतिष्ठिता सीदेति वाचा चैवैनमेतत्प्राणेन च चिनोति वाग्वाऽअग्निः प्राणऽइन्द्रऽऐन्द्राग्नोऽग्निर्यावानग्निर्यावत्यस्य मात्रा तावतैवैनमेतच्चिनोतीन्द्राग्नी वै सर्वे देवाः सर्वदेवत्योऽग्निर्यावानग्निर्यावत्यस्य मात्रा तावतैवैनमेतच्चिनोति ॥ २८ ॥

स एष पिता पुत्रः यदेषोऽग्निमसृजत–तेनैषोऽग्नेः पिता। यदेतमग्निः समदधात्–तेनैतस्याग्निः पिता। यदेष देवानसृजत–तेनैष देवानां पिता। यदेतं देवाः समदधुः–तेनैतस्य देवाः पितरः ॥२६॥

उभयं हैतद्भवति–पिता च पुत्रश्च। प्रजापतिश्चाग्निश्च, अग्निश्च प्रजापतिश्च। प्रजापतिश्च देवाश्च। देवाश्च प्रजापतिश्च–य एवं वेद ॥ २७ ॥

स उपदधाति–"तया देवतया"–इति। वाग्वै सा देवता। "अङ्गिरस्वद्"–इति। प्राणो वाऽअङ्गिराः। "ध्रुवा सीद"–इति। स्थिरा सीदेत्येतद्, अथो प्रतिष्ठिता सीदेति। वाचा चैवैनमेतत् प्राणेन च चिनोति। वाग्वाऽअग्निः, प्राण इन्द्रः। ऐन्द्राग्नोऽग्निः। यावानग्निः। यावत्यस्य मात्रा–तावतैवैनमेतच्चिनोति। इन्द्राग्नी वै सर्वे देवाः। सर्वदेवत्योऽग्निः। यावानग्निः, यावत्यस्य मात्रा–तावतैवैनमेतच्चिनोति ॥ २८ ॥

प्रजापतेरग्निना देवैश्च सन्धाने कृते योऽर्थः सम्पद्यते तं दर्शयति–**स एष पितेति**। अग्नेः पितृत्वं पुत्रत्वं च भवति, देवानामपि तथैवोभयम्। प्रजापतिसृष्टत्वात् अग्नेर्देवानाञ्च पुत्रत्वम्; तैर्भैषज्यकरणात् तेषां प्रजापतिपितृत्वम् ॥ २६ ॥

वेदितुः फलमाह–**उभयं हैतद् भवतीति**। 'यः' 'एवम्' अर्थं 'वेद,' सः 'एतत्' 'उभयं भवति,' पितापुत्रात्मको भवतीत्यर्थः। पितृत्वं पुत्रत्वं च उभयत्र अग्निदेवपक्षे समानम्। तत्राग्निपक्षेऽयं विशेषः,–पिता प्रजापतिर्भवति, पुत्रोऽग्निर्भवति, अग्निः पिता भवति, सम्पादकत्वात्, प्रजापतिः पुत्रो भवति संहितत्वात्। देवपक्षेऽप्येवं विशेषं दर्शयितुं "प्रजापतिश्च देवाश्च" इत्युपन्यासः। **य एवं वेदेति**। पितृरूपप्रजापतित्वम् पुत्ररूपाग्नित्वम्; पुत्रभूतप्रजापतित्वम् पितृभूताग्नित्वं चेत्यादिक्रमेण सम्पद्यत इत्यर्थः ॥ २७ ॥

पूर्वं प्रजापतेरग्निना सन्धानसमये वाचं प्राणे निहितत्वानित्युक्तम् "प्राण एव हितं वागुपहितम्"–(अस्मिन्नेव ब्राह्मणे पञ्चदश्यां कण्डिकायाम्) इत्यादिना, तमिममर्थमिष्टकोपधानमन्त्रेऽपि दर्शयति–**स उपदधाति तया**

तदाहुः । कस्मादस्याऽअग्निश्चीयतऽइति यत्र वै सा देवता व्यस्रꣳसत तदिमामेव रसेनानु व्यक्षरत्तं यत्र देवाः समस्कुर्वंस्तदेनमस्याऽएवाधि समभरन्त्सैषैकैवेष्टकेयमेवेयꣳ ह्यग्निरस्यै हि सर्वोऽग्निश्चीयते सेयं चतुःस्रक्तिर्दिशो ह्यस्यै स्रक्तयस्तस्माच्चतुःस्रक्तयऽइष्टका भवन्तीमाꣳ ह्यनु सर्वाऽइष्टकाः ॥ २९ ॥

तदाहुः—कस्मादस्याऽअग्निश्चीयतऽइति । यत्र वै सा देवता व्यस्रंसत—तामिमामेव रसेनानु व्यक्षरत् । तं यत्र देवाः समस्कुर्वन्—तदेनमस्याऽएवाधि समभरन् । सैषैकैवेष्टका—इयमेव । इयं ह्यग्निः । अस्यै हि सर्वोऽग्निश्चीयते । सेयं चतुःस्रक्तिः । दिशो ह्यस्यै स्रक्तयः । तस्माच्चतुःस्रक्तय इष्टका भवन्ति । इमां ह्यनु सर्वा इष्टकाः ॥ २९ ॥

देवतयेति । "तया देवतयाऽङ्गिरस्वद् ध्रुवा सीद"—(वा. सं. १४ । १४) इत्ययं मन्त्र इष्टकोपधाने समाम्नायते तत्र तच्छब्देन सर्वत्र प्रसिद्धा ऋगादिभिरुद्यमाना वाक् उच्यते, अङ्गिरःपदेन संज्ञानप्राणः । (श. प. १४ ; ४ । १ । २१) हे इष्टके 'तया' वाचा 'देवतया' 'अङ्गिरस्वत्' इति क्रियाविशेषणम् । प्राणयुक्तं यथा भवति तथा । "तसौ मत्वर्थे"—(पा. सू. १ । ४ । १९) इति भसंज्ञायां पदसंज्ञानिबन्धनरुत्वाभावः । ध्रुवा सीदेति । 'ध्रुवा' 'स्थिरा' सती 'सीद' । अतो यदनेनोपदध्यात् तद् यजमानं वाक्प्राणाभ्यां चितवान् भवतीत्यर्थः (श. प. ८ । ३ । २ । ३) । प्रकारान्तरेण वाक्प्राणौ प्रशंसति—वाग्वा अग्निरिति । "अग्निर्वाग् भूत्वा मुखं प्राविशद्" (ऐ. आ. २ । ४ । २–४) इति श्रुतेः । अत्र वाचोऽग्नित्वम् प्राणस्येन्द्रत्वं प्रागुक्तम् । इन्द्राग्निदेवत्योऽग्निश्चित्यनामक इत्यर्थः । 'यावान्' यत्परिमाणः 'अग्निः' 'यावती' यत्परिमाणा 'अस्य' अग्नेः 'मात्रा' शरीरम्, 'तावता' शरीरेण 'एनं' चित्याग्निं 'चिनोति' चितवान् भवति । "तया देवतया"—इति मन्त्रेणोपधानेन वाक्प्राणाभ्याम् अग्नीन्द्ररूपाभ्याम् इन्द्राग्निदेवत्यमग्निं चितवानित्यर्थः । कथं नानादेवत्यस्याग्नेरैन्द्राग्नत्वमित्याशङ्क्य इन्द्राग्नी सर्वदेवतात्मना प्रशंसति—इन्द्राग्नी वै सर्वे देवा इति । अग्निर्वै देवानामवम इन्द्रः परमस्तावन्तरेण अन्या देवताः, ता इन्द्राग्निभ्यां गृह्यन्ते—इति तयोः सर्वात्मकत्वात् तद्देवत्योऽग्निश्चित्यनामापि सर्वदेवत्यः । अतः अग्निः 'यावान्' 'अस्य' अग्नेः 'यावती मात्रा,' तस्य तावन्तं सर्वदेवत्यमग्निं "तया देवतया"—इति मन्त्रेण उपधानेन कृतवान् भवतीति ॥ २८ ॥

अथ भूमावेवेष्टकाचयनं कर्त्तव्यमित्यत्र कश्चित् प्रश्नमुपपादयति—तदाहुः—कस्मादिति । 'कस्मात्' हेतोः 'अस्यै' अस्याः भूमेरुपरि 'अग्निः चीयते' 'इति' प्रश्नः । उत्तरम्;—'यत्र' यदा 'सा देवता' प्रजापतिः विश्वं 'व्यस्रंसत' विस्रस्तवान्, 'तत्' तत्र 'इमाम्' भूमिम् 'एव' 'रसेन' 'अनुव्यक्षरत्' सिक्तवान् । 'तम्' प्रजापतिं विस्रस्तं 'यत्र' 'देवाः' 'समस्कुर्वन्' 'तत्' तत्र अस्यामेव 'एनम्' अग्निं सम्भृतवन्तः । तस्माद् भूमावेव चयनं कर्त्तव्यमित्यर्थः । तस्या इष्टकाया गुणं दर्शयति—सैषैकैवेष्टकेति । भूमेर्दिग्रूपचतुःस्रक्तियुक्तत्वादिदानीन्तनैरनुष्ठातृभिरपि इष्टकाः चतुःस्रक्तयः कार्या इत्यर्थः ॥ २९ ॥

(स्तु) तदाहुः । (यु) यदेवमेकेष्टकोऽथ कथं पञ्चेष्टक इतीयं न्वेव प्रथमा मृन्मयीष्टका तद्यत्किं चात्र मृन्मयमुपदधात्येकैव सेष्टकाऽथ यत्पशुशीर्षाण्युपदधाति सा पश्विष्टकाऽथ यद्रुक्मपुरुषाऽउपदधाति यद्धिरण्यशकलैः प्रोक्षति सा हिरण्येष्टकाऽथ यत्स्रुचाऽउपदधाति यदुलूखलमुसले याः समिधऽआदधाति सा वानस्पत्येष्टकाऽथ यत्पुष्करपर्णमुपदधाति यत्कूर्मं यद्दधि मधु घृतं यत्किंचात्रान्नमुपदधाति सैवान्नं पञ्चमीष्टकैवमु पञ्चेष्टकः ॥ ३० ॥

(स्तु) तदाहुः । कतरतऽ इष्टकायाः शिरऽ इति यतऽ उपस्पृश्य यजुर्वदेतीत्यु हैकऽआहुः स स्वयमातृण्णाया ऽएवार्धादुपस्पृश्य यजुर्वदेत्तथो हास्यैताः सर्वाः स्वयमातृण्णामभ्यावृत्ता भवन्तीति न तथा कुर्यादङ्गानि

तदाहुः—यदेवमेकेष्टकः—अथ कथं पञ्चेष्टक इति । इयं न्वेव प्रथमा मृन्मयीष्टका । तद् यत्किंचात्र मृन्मयमुपदधाति—एकैव सेष्टका । अथ यत् पशुशीर्षाण्युपदधाति—सा पश्विष्टका । अथ यद्रुक्म-पुरुषाऽउपदधाति, यद्धिरण्यशकलैः प्रोक्षति—सा हिरण्येष्टका । अथ यत्—स्रुचाऽउपदधाति, यदु-लूखलमुसले । याः समिध आदधाति—सा वानस्पत्येष्टका । अथ यत् पुष्करपर्णमुपदधाति, यत्कूर्मम्, यद्दधि, मधु घृतम् । यत्किंचात्रान्नमुपदधाति—सैवान्नं पञ्चमीष्टका । एवमु पञ्चेष्टकः ॥ ३० ॥

तदाहुः—कतरत इष्टकायाः शिर इति । यत उपस्पृश्य यजुर्वदतीत्यु हैकऽआहुः । स स्वय-मातृण्णाया एवार्धादुपस्पृश्य—यजुर्वदेत् । तथो हास्यैताः सर्वाः स्वयमातृण्णामभ्यावृत्ता भवन्तीति ।

पञ्चचितिकोऽग्निरिति चयने पञ्चेष्टकाश्चेतव्या इति प्रसिद्धिरस्ति, अत्र भूमिरूपैकैवेष्टकाऽभिहिता, कथ पञ्चेष्टका भवन्तीति, तमिमं प्रश्नोत्तराभ्यां दर्शयति—तदाहुर्यदेवमिति । पञ्चेष्टका अपि सम्पादयति—इयं न्वेव प्रथमेति । तत्र यत् किञ्चिन्मृन्मयपात्रादिकमुपदध्यात् सा मृन्मयीष्टका, पुरुषाश्वादिपञ्चपशुशीर्षोपधानेन पश्विष्टका । रुक्मं हिरण्यम्, तत्र पुरुषं स्वर्णनिर्मितं चोपदधाति; उपहिता इष्टका 'हिरण्यशकलैः प्रोक्षति;' अतोऽत्र हिरण्यसंस्पर्शादेषा हिरण्येष्टकेत्युच्यते । स्रुगाद्युपधानेन वानस्पत्येष्टका; वनस्पतिविकारत्वात् स्रुगादीनाम् । पुष्करपर्णाद्युपधानमन्नेष्टका; तत्र दधिघृतादीनामन्नत्वात् । इति 'पञ्चेष्टकाः' चेतव्याः । तत्र मार्त्तिक्य इष्टका एका एव पश्वादिसम्बन्धात्पञ्च भवन्तीति तात्पर्यम् ॥ ३० ॥

चितानामिष्टकानामाहवनीयाग्निरेव शिर इति सिद्धान्तयितुं पूर्वपक्षं सोपपत्तिकमाह—तदाहुः कतरत इति । 'इष्टकायाः' 'कतरतः' कस्मिन् प्रदेशे 'शिरः' तिष्ठतीति प्रश्नः । उत्तरम्;—'यतः' यस्मिन् प्रदेशे

१—अष्टमकाण्डे पञ्चमेऽध्याये इति बोध्यम् ।

वाऽअस्यैतानि परूᳬंषि यदिष्टका यथा वा ऽअङ्गेऽङ्गे पर्वन्पर्वञ्छिरः कुर्यात्तादृक्तद्यो वाव चितेऽग्निर्निधीयते तदेवैतासाᳬं सर्वासाᳬं शिरः ३१

(स्त) तदाहुः । कति पशवोऽग्नाऽउपधीयन्तऽइति पञ्चेति न्वेव ब्रूयात्पञ्च ह्येतान्पशूनुपदधाति ॥ ३२ ॥

(त्य) अथोऽएकऽ इति ब्रूयात् । (द) अविरितीयं वाऽअविरियᳬं हीमाः सर्वाः प्रजाऽअवतीयमु वाऽअग्निरस्यै हि सर्वोऽग्निश्चीयते तस्मादेकऽइति ब्रूयात् ॥ ३३ ॥

न तथा कुर्यात् । अङ्गानि वाऽअस्यैतानि परूंषि—यदिष्टकाः । यथा वाऽअङ्गेऽङ्गे पर्वन्पर्वञ्छिरः कुर्यात्—तादृक्तत् । यो वाव चितेऽग्निर्निधीयते—तदेवैतासां सर्वासां शिरः ॥ ३१ ॥

तदाहुः—कति पशवोऽग्नाऽउपधीयन्तऽ इति । पञ्चेति न्वेव ब्रूयात् । पञ्च ह्येतान्पशूनुपदधाति ३२

अथोऽएक इति ब्रूयात्—अविरिति । इयं वाऽअविः । इयं हीमाः सर्वाः प्रजा अवति । इयमु वाऽअग्निः । अस्यै हि सर्वोऽग्निश्चीयते । तस्मादेक इति ब्रूयात् ॥ ३३ ॥

इष्टकाः 'उपस्पृश्य' 'यजुः' वदेत्, तदेव शिरः इति केषाञ्चिन्मतम् । उपस्पर्शनप्रदेशं च स स्वयमेवाह—स स्वयमिति । 'स्वयमातृण्णायाः' अक्षिमच्छिद्रयुक्तायाः शिलायाः 'अर्द्वात्' समीपात् प्रदेशे 'उपस्पृश्य' 'यजुः' मन्त्रं 'वदेत्' । तथो हास्येति । तथा सति शिर इष्टकाः 'स्वयमातृण्णाम्' 'अभि'—लक्ष्य 'आवृत्ता भवन्ति' 'इति' । तद्दूषयति—न तथा कुर्यादिति । इष्टका इति यत् एतानि 'अस्य' अग्नेः 'अङ्गानि' 'परूंषि' पर्वाणि; तथा सति प्रतीष्टकं यजुरुपस्पर्शनेन शिरःकरणे प्रतिपर्व शिरः कृतवान् भवति, तच्चानिष्टम् अतः स्वाभिमतं शिरो दर्शयति—यो वावेति । बिलप्रदेशे 'अग्निः' आहवनीयो निहितो भवति, 'तदेव' 'एतासाम्' इष्टकानां 'शिरः' इति उच्यते ॥ ३१ ॥

चयने पशुशीर्षोपधानात् पञ्चेष्टकेत्युक्तम्, तत्र पशूनां सङ्ख्याप्रतिवचनव्याजेन इष्टकानां लोकद्वयात्मकताम्, अग्नेः सर्वलोकात्मकतां चाह—तदाहुः कति पशवोऽग्ना उपधीयन्त इतीति । कति पशवोऽग्नावुपधेयाः ? इति पृष्टे 'पञ्च' 'इति' प्रतिवदेत् । पुरुषोऽश्वो गौरविरज इति पञ्च पशवः । मृदादिभिश्चित्यन्ते तासामुपधीयमानोऽग्निः सर्वलोकात्मकः प्रजापतिरिति ॥ ३२ ॥

प्रागुत्पवनात्पूर्वं पञ्चेष्टकापात्रं पशुमिति मत्वा पञ्चेति प्रतिवचनं दत्तम्, इदानीन्तु मृत्तिकोदकसम्पादनीयानामिष्टकानां पशुरूपत्वं प्रश्नोत्तराभ्यां दर्शयति—अथो एक इति । पूर्वं पञ्च पशव इत्युक्तम्, इदानीमविनामक एको वा पशुर्भवतीति प्रतिब्रूयात् । अविशब्दार्थमाह—इयमिति । भूमिरेव सर्वप्रजापोषकत्वादविरित्युच्यते । अवतेरविशब्दनिष्पत्तिः । भूमिरेवेष्टकारूपा अग्निश्चित्यनामा; 'हि' यतः 'अस्यै' अस्यां भूमौ 'सर्वोऽग्निश्चीयते,' 'तस्माद्' भूमेरेकत्वाद् 'एकः' अविनामा पशुरेवेत्यर्थः ॥ ३३ ॥

(दु) अथो द्वाविति ब्रूयात् । (दु) अवीऽइतीयं चासौ चेमे हीमाः सर्वाः प्रजाऽ अवतो यन्मृदियं तद्यदापोऽसौ तन्मृच्चापश्चेष्टका भवन्ति तस्माद् द्वाविति ब्रूयात् ॥ ३४ ॥

(दु) अथो गौरिति ब्रूयात् । (दि) इमे वै लोका गौर्यद्धि किं च गच्छतीमांस्तल्लोकान्गच्छतीमऽ उ लोकाऽ एषोऽग्निश्चितस्तस्माद्गौरिति ब्रूयात् ॥ ३५ ॥

(चु) तदाहुः । कस्मै कामायाग्निश्चीयतऽइति सुपर्णो मा भूत्वा दिवं वहादित्यु हैकऽआहुर्न तथा विद्यादेतद्वै रूपं कृत्वा प्राणाः प्रजापतिरभवन्नेतद्रूपं कृत्वा प्रजापतिर्देवानसृजतैतद्रूपं कृत्वा देवाऽ अमृताऽ अभवंस्तद्यदेवैतेन प्राणाऽ अभवन्यत्प्रजापतिर्यद्देवास्तदेवैतेन भवति ॥ ३६ ॥

इति प्रथमप्रपाठके द्वितीयं ब्राह्मणम् ॥ ६-१-२ ॥ (१. २.) ॥

अथो द्वाविति ब्रूयात्–अवीऽइति–इयं चासौ च । इमे हीमाः सर्वाः प्रजा अवतः । यन्मृद्–इयं तत् । यदापः–असौ तत् । मृच्चापश्चेष्टका भवन्ति । तस्माद्द्वाविति ब्रूयात् ॥ ३४ ॥

अथो गौरिति ब्रूयात् । इमे वै लोका गौः । यद्धि किंच गच्छति–इमांस्तल्लोकान्गच्छति । इमऽउ लोकाः–एषोऽग्निः । तस्माद्गौरिति ब्रूयात् ॥ ३५ ॥

तदाहुः-कस्मै कामायाग्निश्चीयतऽइति । सुपर्णो मा भूत्वा दिवं वहादित्यु हैकऽआहुः । न तथा विद्यात् । एतद्वै रूपं कृत्वा प्राणाः प्रजापतिरभवन् । एतद्रूपं कृत्वा प्रजापतिर्देवानसृजत, एतद्रूपं कृत्वा देवा अमृता अभवन् । तद्यदेवैतेन प्राणा अभवन्, यत् प्रजापतिः, यद्देवाः–तदेवैतेन भवति॥ ३६॥

यथा मृत्तिका इष्टकासाधनम्, एवमापोऽपि; तासां पशुत्वमाह–**अथो द्वाविति ब्रूयादिति** । अथवा 'द्वौ' अविनाभावौ पशू 'इति' 'ब्रूयात्' । अविशब्दार्थं निरूपयति–**इयञ्चासौ चेति** । 'इयं' भूमिरेकोऽविः 'असौ' द्युलोकोऽपरोऽविः; सस्यवृष्टिभ्यां भूमिद्युलोकयोः सर्वपोषकत्वात् अवित्वम् । मृत्तिका इव भूमिः, आपोऽसौ द्युलोकः; ततो भवनात् मृज्जलसम्भाव्या इष्टकाः अतो द्वाववी इति प्रतिवदेत् । अत्र मृज्जलयोरविशब्दवाच्यत्वात् तयोर्लोकद्वयात्मकत्वं सिद्धमित्यर्थः ॥ ३४ ॥

पशुद्वित्वप्रतिवचनेन लोकद्वयात्मकेष्टकचितस्याग्नेः सर्वलोकात्मकत्वमाह–**अथो गौरिति प्रतिब्रूयादिति** । **इमे वै लोका गौरिति** । 'यद्धि किञ्च'–इत्यादिना गोत्वोपपादनम् । सर्वैर्गम्यमानत्वेन इमे लोका गौः । कर्मार्थे गमेर्डोः प्रत्ययः (पा. ३. सू. २२९) । यतः चीयमानोऽग्निः सर्वलोकात्मकः, स चैकः तस्माद् गौरेकः पशुरिति प्रतिवदेत् ॥ ३५ ॥

अग्निचयनस्य प्रजापतिभवनमेव न प्रयोजनमिति विवक्षुः पूर्वं प्रयोजनं पृच्छति–**तदाहुरिति** । 'कस्मै' 'कामाय' प्रयोजनाय 'अग्निः' 'चीयते' इति फलप्रश्नः । तत्र फलान्तरं पूर्वपक्षयति–**सुपर्ण इति** ।

प्रजापतिर्वाऽइदमग्रऽआसीत् । (ढे) एक एव सोऽकामयत स्यां प्रजायेयेति सोऽश्राम्यत्स तपोऽतप्यत तस्माच्छ्रान्तात्तेपानादापोऽसृज्यन्त तस्मात्पुरुषात्तप्तादापो जायन्ते ॥ १ ॥

(न्तऽ) आपोऽब्रुवन् । (न्क) क वयं भवामेति तप्यध्वमित्यब्रवीत्ता ऽअतप्यन्त ताः फेनमसृजन्त तस्मादपां तप्तानां फेनो जायते ॥ २ ॥

फेनोऽब्रवीत् । (त्का) काहं भवानीति तप्यस्वेत्यब्रवीत्सोऽतप्यत स मृदमसृजतैतद्वै फेनस्तप्यते यदप्स्वावेष्टमानः प्लवते स यदोपहन्यते मृदेव भवति ॥ ३ ॥

प्रजापतिर्वाऽइदमग्रऽआसीत्–एक एव सोऽकामयत–स्यां प्रजायेयेति । सोऽश्राम्यत् । स तपोऽतप्यत । तस्माच्छ्रान्तात्तेपानादापोऽसृज्यन्त । तस्मात्पुरुषात्तप्तादापो जायन्ते ॥ १ ॥

आपोऽब्रुवन्–क वयं भवामेति । तप्यध्वमित्यब्रवीत् । ता अतप्यन्त । ताः फेनमसृजन्त । तस्मादपां तप्तानां फेनो जायते ॥ २ ॥

फेनोऽब्रवीत्–काहं भवानीति । तप्यस्वेत्यब्रवीत् । सोऽतप्यत । स मृदमसृजत । एतद्वै फेनस्तप्यते–यदप्स्वावेष्टमानः प्लवते । स यदोपहन्यते–मृदेव भवति ॥ ३ ॥

चीयमानोऽग्निः ' सुपर्णः ' पक्षी भूत्वा । अग्नेः पक्षिरूपत्वं द्वितीयब्राह्मणे समाम्नातम् (श. प. ।६।१।२।१) । ' मा ' मां चितवन्तं यजमानं ' दिवं ' स्वर्गं ' वहात् ' प्रापयेत् ' इति ' केषाञ्चिन्मतं तन्निराकरोति–न तथेति । 'एतद्रूपं' पक्षिरूपं ' कृत्वा ' सप्त ' प्राणाः ' प्रजापत्यात्मना सम्पन्नाः । ' प्रजापतिः ' अपि तद्रूपधारी ' देवान् ' सृष्टवान् । तेऽपि तदात्मना अमृतत्वं प्राप्नुवन् तस्मात् प्राणसम्पादितप्रजापतिभवनमेव चयनस्य फलमित्यर्थः ॥ ३९ ॥

इति श्रीसायणाचार्यविरचिते माधवीये वेदार्थप्रकाशे माध्यन्दिनीयशतपथब्राह्मणभाष्ये

षष्ठकाण्डे प्रथमेऽध्याये द्वितीयं ब्राह्मणम् ॥ (६–१–२) ॥

तृतीयब्राह्मणे अंबादीन्यष्टौ रूपाणि चयनोपयुक्तानि उच्यन्ते । ततः कुमारोत्पत्तिः । तस्याष्टौ नामानि, अष्टौ रूपाणि च " प्रजापतिरग्निरूपाण्यभ्यध्यायत् "–इति अग्रिमब्राह्मणे प्रथमकण्डिकायां वक्ष्यमाणपशुविधानोपयोगीनीति मन्तव्यम् । अथवा पुरुषाद्विमवसूनुपाकाश सांवत्सरपर्यन्तगुरुणापि भारगिना चयनाय दीक्षत इति वक्ष्यते । तदर्थमितिहासाख्यानमिति । प्रजापतिर्वा इदमिति । पुरुषात् उदकसृष्टिं लोकप्रसिद्ध्याऽऽह–' तस्मात् पुरुषात् तप्तादापो जायन्ते ' इति ॥ १ ॥

आपोऽब्रुवन्निति । प्रजापतिना सृष्टाः ' आपः ' ' क ' प्रदेशे ' वयं ' ' भवामः ' तिष्ठाम ' इति ' प्रजापतिम् ' अब्रुवन् ' । ततस्तेन तपनं कुरुतेत्युक्ताः ' अतप्यन्त ' । ततः ताः ' फेनं ' सृष्टवत्यः ॥ २ ॥

फेनोऽब्रवीदिति । तस्मात् फेनात् मृदुत्पत्तिं समुपपादयति–**एतद्वै फेन** इति । उदकमध्ये वायुवशेन परिभ्रमणं प्लवनमेव फेनस्य तपःकरणम् । ' स यदा उपहन्यते ' फेनः संहतो भवति, तदा मृत्तिकैव भवति ॥ ३ ॥

१–परस्मिन्ब्राह्मणे इति बोध्यम् ।

मृदब्रवीत् । (त्का) काहं भवानीति तप्यस्वेत्यब्रवीत्साऽतप्यत सा सिकता ऽअसृजतैतद्वै मृत्तप्यते यदेनां विकृषन्ति तस्माद्यद्यपि सुमार्त्स्नं विकृषन्ति सैकतमिवैव भवत्येतावन्नु तद्यत्काहं भवानि काहं भवानीति ॥४

सिकताभ्यः शर्कराऽमसृजत । तस्मात्सिकताः शर्करैवान्ततो भवति शर्कराया ऽअश्मानं तस्माच्छर्कराऽश्मैवान्ततो भवत्यश्मनोऽयस्तस्मादश्मनोऽयो धमन्त्ययसो हिरण्यं तस्मादयो बहुध्मातꣳ हिरण्यसंकाशमिवैव भवति ॥ ५ ॥

तद्यदसृज्यताक्षरत् । (त्त) तद्यदक्षरत्तस्मादक्षरं यदष्टौ कृत्वोऽक्षरत्सैवाष्टाक्षरा गायत्र्यभवत् ॥ ६ ॥

मृदब्रवीत्–काहं भवानीति । तप्यस्वेत्यब्रवीत् । साऽतप्यत । सा सिकता असृजत । एतद्वै मृत्तप्यते–यदेनां विकृषन्ति । तस्माद्यद्यपि सुमार्त्स्नं विकृषन्ति–सैकतमिवैव भवति । एतावन्नु तद्–यत् काहं भवानि, काहं भवानीति ॥ ४ ॥

सिकताभ्यः शर्करामसृजत । तस्मात् सिकताः शर्करैवान्ततो भवति । शर्कराया अश्मानम् । तस्माच्छर्कराऽश्मैवान्ततो भवति । अश्मनोऽयः । तस्मादश्मनोऽयो धमन्ति । अयसो हिरण्यम् । तस्मादयो बहुध्मातं हिरण्यसङ्काशमिवैव भवति ॥ ५ ॥

तद् यदसृज्यत–अक्षरत् तत् । यदक्षरत्–तस्मादक्षरम् । यदष्टौ कृत्वोऽक्षरत्–सैवाष्टाक्षरा गायत्र्यभवत् ॥ ६ ॥

मृदब्रवीदिति । मृत्तिकायाः सिकताः ' विकृषन्ति ' भूमिकर्षणमेव मृदस्तप इत्यर्थः । ' यद्यपि सुमार्त्स्नं विकृषन्ति ' यथा मृत्तिका चूर्णीकृता भवति, तथा विकर्षणेन सा मृत् सिकता भवति ॥ ४ ॥

एतावत्पर्यन्तं " काहं भवानि "–इति प्रजापतिं प्रति उदकफेनमृद्भिर्वचनम्, इत उत्तरं नास्ति; अत एव पूर्वत्र त्रये " ताः फेनमसृजन्त "–" स मृदमसृजत "–"सा सिकता असृजत"- इति अबादीनां स्रष्टृत्वमुक्तम् इत उत्तरं तदभावात् " सिकताभ्यः शर्करामसृजत ' इत्यादौ प्रजापतेः स्रष्टृत्वमुच्यते ॥

तस्मात् सिकता इति । ' अन्ततः ' गमने ' सिकताः शर्करा भवन्ति ' । ' अश्मा ' पाषाणोऽपि अन्ततः शर्करा भवति । ' तस्मात् ' अश्मनः पाषाणात् ' अयः ' उत्पादितवान् । अश्मनः पाषाणात् ' अयः ' उत्पादितवान् । अश्मनोऽयःकारणत्वमुपपादयति–**अश्मनोऽयो धमन्ती**ति । अयसो हिरण्यत्वं प्रतिपादयति -**बहुध्मातं हिरण्यसङ्काशमि**ति ॥ ५ ॥

भूमेर्गायत्रीत्वमुपपादयितुमाह–**तद्यदसृज्यताक्षर**दिति । एवमबादिकमुत्तरोत्तरक्रमेण सृष्ट्वा ' अक्षरत् ' । तस्मात् क्षरणात् ' अक्षरम् ' । ' अक्षरत् '–इति लङ्यडागमे रूपम् । अत्राडागमसाहित्येन अक्षरं सम्पन्नम् । यस्मात् प्रजापतिः ' अष्टौ कृत्वोऽक्षरत् ', सैव सङ्ख्यासाम्यादष्टाक्षरा गायत्री सम्पन्ना ॥ ६ ॥

(दु) अभूद्वाऽइयं प्रतिष्ठेति । तद्भूमिरभवत्तामप्रथयत्सा पृथिव्यभवत्तस्यामस्यां प्रतिष्ठायां भूतानि च भूतानां च पतिः संव्वत्सरायादीक्षन्त भूतानां पतिर्गृहपतिरासीदुषाः पत्नी ॥ ७ ॥

तद्यानि तानि भूतानि । (न्यृ) ऋतवस्तेऽथ यः स भूतानां पतिः संव्वत्सरः सोऽथ या सोषाः पत्न्यौषसी सा तानीमानि भूतानि च भूतानां च पतिः संव्वत्सरऽउषसि रेतोऽसिञ्चन्त्स संव्वत्सरे कुमारोऽजायत सोऽरोदीत् ॥ ८ ॥

(त्तं) तं प्रजापतिरब्रवीत् । (त्कु) कुमार किꣳ रोदिषि यच्छ्रमात्तपसोऽधि जातोऽसीति सोऽब्रवीदनपहतपाप्मा वाऽअस्म्यहितनामा नाम मे धेहीति तस्मात्पुत्रस्य जातस्य नाम कुर्यात्पाप्मानमेवास्य तदपहन्त्यपि द्वितीयमपि तृतीयमभिपूर्व्वमेवास्य तत्पाप्मानमपहन्ति ॥ ९ ॥

अभूद्वाऽइयं प्रतिष्ठेति–तद्भूमिरभवत्–तामप्रथयत्–सा पृथिव्यभवत् । तस्यामस्यां–प्रतिष्ठायां–भूतानि च, भूतानां च पतिः–सम्वत्सरायादीक्षन्त । भूतानां पतिर्गृहपतिरासीत्, उषाः पत्नी॥७॥

तद् यानि तानि भूतानि–ऋतवस्ते । अथ यः स भूतानां पतिः–सम्वत्सरः सः । अथ या सोषाः पत्नी–औषसी सा । तानीमानि भूतानि च, भूतानां च पतिः सम्वत्सरऽउषसि रेतोऽसिञ्चन् । स संवत्सरे कुमारोऽजायत । सोऽरोदीत् ॥ ८ ॥

तं प्रजापतिरब्रवीत्–कुमार ! किं रोदिषि । यच्छ्रमात्तपसोऽधिजातोऽसीति । सोऽब्रवीत्–अनपहतपाप्मा वाऽअस्मि–अहितनामा । नाम मे धेहीति । तस्मात्पुत्रस्य जातस्य नाम कुर्यात् । पाप्मानमेवास्य तदपहन्ति । अपि द्वितीयम्, अपि तृतीयम् । अभिपूर्वमेवास्य तत् पाप्मानमपहन्ति ॥ ९ ॥

अभूद्वा इयं प्रतिष्ठेतीति । 'इयम्' एव आद्यसृष्टिः सर्वेषां 'प्रतिष्ठा' 'अभूत्' 'इति' भूम्यात्मना सम्पन्ना, तस्या बहुधा प्रथनात् पृथिवीत्वम् । अथ कुमारोत्पत्तिं दर्शयितुमाह–तस्यामस्यां प्रतिष्ठायामिति । 'तस्यां' पृथिव्यां 'भूतानि भूतानां पतिः च' 'संवत्सराय' संवत्सरसाध्याय कर्मणे 'अदीक्षन्त' दीक्षां कृतवन्तः । दीक्षाकरणं यजमानपत्न्योः विहितमिति तौ दर्शयति–भूतानाम्पतिर्गृहपतिरिति । तत्र भूतपतिः 'गृहपतिः' यजमानः 'आसीत्' । 'उषाः' उषोदेवता 'पत्नी' ॥ ७ ॥

भूतादि शब्दानामर्थमाह तद् यानि तानि भूतान्यृतव इति । यानि भूतानि स्तूयन्ते, तानि ऋतुवीर्याणि, ऋतुपतिः संवत्सरः । "सोषाः पत्नी"–इत्युक्तम् । 'सा' संवत्सरस्य यजमानरूपत्वात् 'औषसी' उषसो भर्त्ता देव एव खलु भूयोऽवयवैः सहितः उषोनामपत्नीयुक्तः संवत्सरो यजमानः स्वपत्न्यामुषसि रेतः सिक्तवान्,

तमब्रवीद्रुद्रोऽसीति तद्यदस्य तन्नामाकरोदग्निस्तद्रूपमभवदग्निर्वै रुद्रो यदरोदीत्तस्माद्रुद्रः सोऽब्रवीज्ज्यायान्वाऽअतोऽस्मि धेह्येव मे नामेति॥१०॥

तमब्रवीच्छर्वोऽसीति । तद्यदस्य तन्नामाकरोदापस्तद्रूपमभवन्नापो वै सर्वोऽद्भ्यो हीदꣳ सर्वं जायते सोऽब्रवीज्ज्यायान्वाऽअतोऽस्मि धेह्येव मे नामेति ॥ ११ ॥

तमब्रवीत्–रुद्रोऽसीति । तद् यदस्य तन्नामाकरोत्–अग्निस्तद्रूपमभवत् । अग्निर्वै रुद्रः । यदरोदीत्–तस्माद्रुद्रः । सोऽब्रवीत्–ज्यायान्वाऽअतोऽस्मि, धेह्येव मे नामेति ॥ १० ॥

तमब्रवीत्- शर्वोऽसीति । तद् यदस्य तन्नामाकरोत्–आपस्तद्रूपमभवन् । आपो वै सर्वः । अद्भ्यो हीदं सर्वं जायते । सोऽब्रवीत्–ज्यायान्वाऽअतोऽस्मि, धेह्येव मे नामेति ॥ ११ ॥

तत् सिक्तं रेतः संवत्सरान्ते कुमारात्मना जातम् । 'सद्' संवत्सर इति सप्तम्यन्तं पदम् । संवत्सरपर्यन्तं रेतः सिक्तवान्, रेतस्सेकः सोऽसौ वत्सरः, कुमारोत्पत्तिरेकः, इति वर्षद्वयं जातम् । एतदेवाभिप्रेत्य " द्वयोरित्यु हैक आहुः । संवत्सरे वैतद् रेतोऽसिञ्चन्त्स संवत्सरे कुमारोऽजायत "–(२०कं.) इति वक्ष्यते । उत्पन्नस्य कुमारस्य अष्टौ रूपाणि दर्शयितुमाह–**सोऽरोदीत्, तं प्रजापतिरब्रवीदित्यादिना** । हे कुमार ! 'श्रमात् जातः' त्वं किमर्थं रोदिषि ?–' इति ' प्रजापतिनोक्ते, स आह–' अहितनामा ' अकृतनामधेयः अत एव ' अनपहतपाप्मा ' ' अस्मि ', अतः पापविमोक्षाय ' मे ' मम नामधेयं कुरु इति । प्रसङ्गात् किञ्चिद् धर्मं दर्शयति–**तस्मात् पुत्रस्येति** । ' जातस्य पुत्रस्य ' नक्षत्रनाम आश्वयुजः स्वातिः हस्तः इत्यादि ' नाम ' नामकरणं ' कुर्यात् ' तेन तस्य ' पाप्मानमेव ' ' अपहन्ति ' अपहतवान् भवति । पुनः ' द्वितीयं ' व्यावहारिकं माता पुत्रादिनाम करोति । ' तृतीयम् ' आहिताग्निरिति । एवं नामकरणेन ' अस्य ' पुत्रस्य ' पाप्मानम् ' अपहतं कृतवान् भवति ॥ ८ ॥ ९ ॥

एव नामधेयाय प्रार्थितवतः कुमारस्य रुद्र-शर्वादीन्यष्टौ नामानि प्रदर्शयिष्यन्ते । अग्नेः रुद्रात्मकत्वात् तदुचिता अष्टौ मूर्तयो वक्तव्याः । रुद्रस्य हि पृथिव्यप्तेजोवाय्वाकाशसूर्यचन्द्रयजमानाख्या अष्टौ मूर्तयः सन्ति, भवादिनामानि च ता एव अग्नेः एष्वपि निरूपयिष्यन्ते ॥

तत्र प्रथमं नाम निर्दिशति–**तमब्रवीद्रुद्रोऽसि**–(अथ. सं. १९ । ५।१०।११ तै. ब्रा. २।१ । २ । १) इति । अग्निरेव रुद्रनामभागभवदित्यर्थः । यद्वा ' अग्निस्तद्रूपमभवत् ' रुद्रस्वरूपोऽभवत्–रुद्रनामव्यपदेश्योऽग्निरित्यर्थः । अग्ने रुद्रत्वमुपपादयति–**यदरोदीदिति** । अनेन तेजोमूर्तिरुक्तेति मन्तव्यम् । ' रुद्रः ' रुद्रनामा ' सः ' कुमारः प्रजापतिम् ' अब्रवीत् '–' अतः ' रुद्रनाम्नः ज्यायान् प्रवृद्धोऽस्मि, तन्ममैतन्नाम नालमित्यर्थः; अतो ' मे नाम ' अन्यद् ' धेहि ' कुर्वेवेति ॥ १० ॥

तमब्रवीत् शर्वोऽसि (अथ. सं. १९ । ५ । ९ । ४) इति । तस्य शर्व इति द्वितीयं नाम, तस्य असो

१–" अग्निꣳ हृदयाग्रेणाशनिꣳ हृदयाग्रेण पशुपतिं कृत्स्नहृदयेण भवं यक्ना ॥ शर्वं मतस्नाभ्यामीशानं मन्युना महादेवमन्तःपर्शव्येनोग्रं देवं वनिष्ठुना " वा सं. ३९ । ८ इत्यत्रेति बोध्यम् ।

तमब्रवीत्पशुपतिरसीति । तद्यदस्य तन्नामाकरोदोषधयस्तद्रूपमभवन्नो षधयो वै पशुपतिस्तस्माद्यदा पशव ऽ ओषधीर्लभन्तेऽथ पतीयन्ति सो ऽब्रवीज्ज्यायान्वाऽअतोऽस्मि धेह्येव मे नामेति ॥ १२ ॥

तमब्रवीदुग्रोऽसीति । तद्यदस्य तन्नामाकरोद्वायुस्तद्रूपमभवद्वायुर्वा ऽउग्रस्तस्माद्यदा बलवद्वात्युग्रो वातीत्याहुः सोऽब्रवीज्ज्यायान्वाऽअतो ऽस्मि धेह्येव मे नामेति ॥ १३ ॥

तमब्रवीदशनिरसीति । तद्यदस्य तन्नामाकरोद्विद्युत्तद्रूपमभवद्विद्युद्वाऽ अशनिस्तस्माद्यं विद्युद्धन्त्यशनिरवधीदित्याहुः सोऽब्रवीज्ज्यायान्वा ऽअतोऽस्मि धेह्येव मे नामेति ॥ १४ ॥

तमब्रवीत्–पशुपतिरसीति । तद्‍यदस्य तन्नामाकरोत्–ओषधयस्तद्रूपमभवन् । ओषधयो वै पशुपतिः । तस्माद्यदा पशव ओषधीर्लभन्ते–अथ पतीयन्ति । सोऽब्रवीत्–ज्यायान्वाऽअतोऽस्मि धेह्येव मे नामेति ॥ १२ ॥

तमब्रवीत्–उग्रोऽसि । तद्‍यदस्य तन्नामाकरोद् । वायुस्तद्रूपमभवद् । वायुर्वाऽउग्रः । तस्माद्यदा बलवद्वाति–उग्रो वातीत्याहुः । सोऽब्रवीत्–ज्यायान्वाऽअतोऽस्मि, धेह्येव मे नामेति ॥ १३ ॥

तमब्रवीत्–अशनिरसीति । तद्‍यदस्य तन्नामाकरोद्–विद्युत्तद्रूपमभवत् । विद्युद्वाऽअशनिः । तस्माद्यं विद्युद्धन्ति–अशनिरवधीदित्याहुः। सोऽब्रवीत्–ज्यायान्वाऽअतोऽस्मि, धेह्येव मे नामेति॥ १४॥

रूपम् । अपां सर्वत्वमुपपादयति–आपो वै सर्व इति । 'वै'–शब्दद्योतितां युक्तिमाह–अद्भ्यो हीदमिति । अद्भ्यः सर्वं जगदुत्पद्यते । "आपो वा इदं सर्वं विश्वा भूतानि"–"आपो वा इदमग्रे सलिलमासीत्"–(तै. सं. ५ । ६ । ४) इति । अतो जलात्मत्वं च "सलिलं सर्वमा इदम्"–(ऋ. सं. १० । १२९ । ३)–इत्यत्र श्रुतम् । **ज्यायान् वा अतोऽस्मि धेह्येव मे नामेती**ति । तस्य प्रतिनामकरणमाम्नातम् एकस्य पुरुषस्य एकपदमनेकनामायुक्तमिति । पूर्वंपूर्वं नाम परिज्ञाय ततोऽप्यधिकं स्वसमवेतं गुणविशेषमाविष्कर्तुमन्यन्नामधेयं कर्त्तव्यमित्येव दर्शयितुमिति मन्तव्यम् ॥ ११ ॥

तमब्रवीत् पशुपतिरसीतीति (अ. सं. १५ । ५ । ७ । ६) । **तद्यदस्ये**त्यादि । पशुपतिनामवाच्याः 'ओषधयः' 'अभवन्' ओषधीनां पशुपोषकत्वात् पशुपतित्वं युक्तम् । प्रकारान्तरेण पशुपतित्वमोषधीनां दर्शयति–**तस्माद् यदा पशव** इति । यदा 'पशवः' 'ओषधीः' 'लभन्ते' अदन्ति, अथ जग्धतृणा पुष्टाः सन्तः पतीयन्ति' कामुकाः पत्नीनात्मनः कामयन्ते । 'तस्मात्' पशूनां पतीच्छासाधनत्वात् ओषधीनां पशुपतित्वमित्यर्थः । अनेनाग्नेर्भूरूपत्वमुक्तमित्यनुसन्धेयम् ॥ १२ ॥

तमब्रवीदुग्रोऽसीतीति (अथ० सं. १५ । ५ । ९ । ८) उग्रशब्दवाच्यो वायुरित्यर्थः । वायोरुग्रत्वं लोकप्रसिद्ध्योपपादयति–**यदा बलवद्वाती**ति । "वा गतिगन्धनयोः" (धा० पा० अ. प. ४०) ॥ १३ ॥

तमब्रवीदशनिरसीतीति । विद्युदशन्योः पर्यायत्वमाह–**तस्माद्यं विद्यु**दिति । आकाशे विद्युत्पतनाद् विद्युच्छब्देनाकाशरूपमिति मन्तव्यम् ॥ १४ ॥

तमब्रवीद्भवोऽसीति। तद्यदस्य तन्नामाकरोत्पर्जन्यस्तद्रूपमभवत्पर्जन्यो वै भवः पर्जन्याद्धीदꣳ सर्व्वं भवति सोऽब्रवीज्ज्यायान्वाऽअतोऽस्मि धेह्येव मे नामेति ॥ १५ ॥

तमब्रवीन्महान्देवोऽसीति । तद्यदस्य तन्नामाकरोच्चन्द्रमास्तद्रूपमभवत्प्रजापतिर्व्वै चन्द्रमाः प्रजापतिर्व्वै महान्देवः सोऽब्रवीज्ज्यायान्वाऽअतोऽस्मि धेह्येव मे नामेति ॥ १६ ॥

तमब्रवीदीशानोऽसीति । तद्यदस्य तन्नामाकरोदादित्यस्तद्रूपमभवदादित्यो वाऽईशानऽआदित्यो ह्यस्य सर्व्वस्येष्टे सोऽब्रवीदेतावान्वाऽअस्मि मामेतः परो नाम धा इति ॥ १७ ॥

तमब्रवीद्-भवोऽसीति । तद्यदस्य तन्नामाकरोत्-पर्जन्यस्तद्रूपमभवत् । पर्जन्यो वै भवः । पर्जन्याद्धीदं सर्वं भवति । सोऽब्रवीत्-ज्यायान्वाऽअतोऽस्मि; धेह्येव मे नामेति ॥ १५ ॥

तमब्रवीत्-महान्देवोऽसीति । तद् यदस्य तन्नामाकरोत्-चन्द्रमास्तद्रूपमभवत् । प्रजापतिर्वै चन्द्रमाः । प्रजापतिर्वै महान्देवः । सोऽब्रवीत्-ज्यायान्वा अतोऽस्मि, धेह्येव मे नामेति ॥ १६ ॥

तमब्रवीद्-ईशानोऽसीति । तद् यदस्य तन्नामाकरोद्-आदित्यस्तद्रूपमभवत् । आदित्यो वा ऽईशानः । आदित्यो ह्यस्य सर्वस्येष्टे । सोऽब्रवीत्-एतावान्वाऽअस्मि, मामेतः परो नाम धा इति ॥ १७ ॥

तमब्रवीद् भवोऽसीतीति (अथ सं. १९ । ९ । २ । १) । पर्जन्यस्तद्रूपमिति । भवशब्दवाच्यः पर्जन्यः । तस्य भवत्वमाह—पर्जन्याद्धीदमिति । अनेन यजमानरूपत्वमुक्तम् । तस्य हि सर्वकामभावकत्वाद् भवत्वम् ॥ १५ ॥

तमब्रवीत् महान् देवोऽसीतीति (अथ. सं. १९ । ९ । १३ । १२)। प्रजापतिर्वै चन्द्रमा इति । चन्द्रमा मनसो जातः, मनसः प्रजापतिदेवत्वम्, ततः कार्यकारणयोरभेदोपचारादेवमुक्तम् । प्रजापतेर्महादेववाच्यत्वं सर्वलोकस्रष्टृत्वात् ॥ १६ ॥

तमब्रवीदीशानोऽसीतीति (अथ. सं. १९ । ९ । १९ । १४) । आदित्यस्य ईशानशब्दवाच्यत्वमाह—आदित्यो ह्यस्य सर्वस्येति । ईष्ट इतीशानः । "पूर्वमग्निना धेह्येव मे नाम"—इति प्रार्थित एव प्रजापतिरस्याष्टौ नामानि व्यदधात्, अतः परमग्निः स्वयमेव एतैर्नामभिः स्वकीयगुणस्य कार्त्स्न्येन प्रतिपादितत्वाभिप्रायेण नामान्तरकरणं निषेधति—सोऽब्रवीदेतावान्वा अस्मीति । मा मेतः परो नाम धा इति । 'इतः' एभ्योऽष्टभ्यो नामभ्यः 'परः' परस्तात् 'नाम' 'मा मा धाः' मा कुरु 'इति' ॥ १७ ॥

तान्येतान्यष्टावग्निरूपाणि । कुमारो नवमः सैवाग्नेस्त्रिवृत्ता ॥ १८ ॥

यद्वेवाष्टावग्निरूपाणि । (ण्य) अष्टाक्षरा गायत्री तस्मादाहुर्गायत्रोऽग्निरिति सोऽयं कुमारो रूपाण्यनुप्राविशन्न वाऽअग्निं कुमारमिव पश्यन्त्येतान्येवास्य रूपाणि पश्यन्त्येतानि हि रूपाण्यनुप्राविशत ॥ १९ ॥

(त्त) तमेतꣳ संव्वत्सरऽएव चिनुयात् । (त्सं) संवत्सरेऽनुब्रूयाद्द्वयोरित्यु हैकऽआहुः संव्वत्सरं वै तद्रेतोऽसिञ्चन्त्स संव्वत्सरे कुमारोऽजायत तस्माद्द्वयोरेव चिनुयाद्द्वयोरनुब्रूयादिति संव्वत्सरे त्वेव चिनुयात्संव्वत्सरेऽनुब्रूयाद्यद्वाव रेतः सिक्तं तदेव जायते तत्ततो व्विक्रियमाणमेव व्वर्धमानꣳ शेते तस्मात्संव्वत्सरऽएव चिनुयात्संव्वत्सरेऽनुब्रूयात्तस्य चितस्य नाम

तान्येतान्यष्टावग्निरूपाणि, कुमारो नवमः—सैवाग्नेस्त्रिवृत्ता ॥ १८ ॥

यद्वेवाष्टावग्निरूपाणि—अष्टाक्षरा गायत्री—तस्मादाहुः—गायत्रोऽग्निरिति । सोऽयं कुमारो रूपाण्यनुप्राविशत् । न वा अग्निं कुमारमिव पश्यन्ति—एतान्येवास्य रूपाणि पश्यन्ति । एतानि हि रूपाण्यनु प्राविशत् ॥ १९ ॥

तमेतं सम्वत्सरऽएव चिनुयात्, सम्वत्सरेऽनुब्रूयात् । द्वयोरित्यु हैकऽआहुः । सम्वत्सरे वै तद्रेतोऽसिञ्चन्, स सम्वत्सरे कुमारोऽजायत । तस्माद्द्वयोरेव चिनुयात्, द्वयोरनुब्रूयादिति । सम्वत्सरे त्वेव चिनुयात्, सम्वत्सरेऽनुब्रूयाद् । यद्वाव रेतः सिक्तम्—तदेव जायते । तत् ततो विक्रियमाणमेव वर्धमानं शेते । तस्मात्सम्वत्सरऽएव चिनुयात्, सम्वत्सरेऽनुब्रूयात् । तस्य चितस्य नाम

तान्येतान्यष्टावग्निरूपाणीति । कुमारो नवम इति । रुद्रादीन्यष्टौ नामानि, रेतोनामवाच्यः 'कुमारो नवमः' नवसङ्ख्यापूरक इत्यर्थः । उक्तां नवसङ्ख्यां त्रिवृदात्मना प्रशंसति—सैवाग्नेस्त्रिवृत्तेति । 'सा' पूर्वमुक्ता नवमसङ्ख्यैव 'अग्नेः' 'त्रिवृत्ता' त्रिवृत्त्वं नाम । उक्तरीत्या अग्नेर्नवधा विभेदः । उत्तरत्र "त्रिवृदग्निः"—इति व्यवहारिष्यते, तत्र सर्वत्र उक्तनवसङ्ख्यावत्त्वेन त्रिवृत्त्वं सम्पन्नमिति मन्तव्यम् ॥ १८ ॥

नामगतामष्टसङ्ख्यां गायत्र्यात्मना प्रशंसति—यद्वेवाष्टावग्निरूपाणीति । अतोऽष्टनामवाच्यरूपाष्टकोपेतत्वादग्नेरपि गायत्रत्वं सम्पन्नमित्यर्थः । सोऽयं कुमारो रूपाणीति । 'कुमारः' अग्निः स्वनामभिः रुद्रशर्वादिभिरष्टभिः प्रतिपाद्यानि, अग्न्युदकौषध्यादीनि अष्टौ रूपाणि अनुप्रविष्टवान् । स कुमारोऽग्निः तत्तद्रूपेभ्यः पृथग्भूतो न दृश्यत इति तात्पर्यम् ॥ १९ ॥

अथ संवत्सरपर्यन्तमुखाग्निधारणं कर्त्तव्यमिति दर्शयितुमाह—तमेतꣳ संवत्सर एव चिनुयादित्यादि । 'संवत्सर एव' संवत्सरपर्यन्तं स्थित्वेत्यर्थः । प्रसङ्गात् कश्चिद्धर्मं दर्शयति—संवत्सरेऽनुब्रूयादिति । वर्षपर्यन्तं गुरुसन्निधौ स्थित्वा अधीयत इति । "संवत्सरवासिने प्रब्रूयात्"—(ऐ. ब्रा. ५ । ३ । ३ । ब्रा. ४) इत्यैतरेयकम् । तत्र पक्षान्तरं दर्शयति—द्वयोरित्यु हैक आहुरिति । केचित् संवत्सरपर्यन्तमुख्यमग्निं धारयित्वा, ततः संवत्सरे चयनं कर्त्तव्यमित्याहुः । अनुवचनञ्च तथा करणीयमिति वदन्ति । तत्रोपपत्तिं दर्शयति—संवत्सरे

करोति पाप्मानुमेवास्य तदुपहन्ति चित्रनामानं करोति चित्रोऽसीति सर्व्वाणि हि चित्राण्यग्निः ॥ २० ॥

इति प्रथमप्रपाठके तृतीयं ब्राह्मणम् ॥ ६–१–३ ॥ (१.३.)

इति प्रथमोऽध्यायः समाप्तः ॥ ६–१ ॥

करोति–पाप्मानमेवास्य तदपहन्ति । चित्रनामानं करोति–चित्रोऽसि–इति । सर्वाणि हि चित्राण्यग्निः ॥ २० ॥

वै तद्वेत इति । पूर्वं–' संवत्सरे ' उषसि । रेतो सिञ्चन् ' स संवत्सरे कुमारोऽजायत ' इति रेतस्सेकस्यैको वत्सरः, कुमारोत्पत्तावेक इति वर्षद्वयस्य समाम्नातत्वादिति । प्रथमं पक्षं सहेतुकं सिद्धान्तयति–**संवत्सरे त्वेव चिनुयादिति** । ' तु '–शब्दो वर्षद्वयपक्षनिवृत्त्यर्थः । रेतस्सेकानन्तरमेव कललबुद्बुदपिण्डादिक्रमेण वर्षात् प्रागेव कुमारोत्पत्तेरित्यर्थः[1] ॥

तस्य चितस्य नामेति । चयनसम्बन्धाच्चित्रनाम सम्पन्नमिति तात्पर्यम् । चित्रत्वमग्नेरुपपादयति–**सर्वाणि हि चित्राण्यग्निरिति** । अग्न्युदकौषध्यादीनां रूपाणामग्न्यात्मकत्वात् तस्य चित्रत्वमिति । किञ्च यद्यत् चित्रवर्णं तत्तत् सर्वमग्निरेव; शुक्लभास्वररूपत्वात् तस्येति ॥ २० ॥

इति श्रीसायणाचार्यविरचिते माधवीये वेदार्थप्रकाशे माध्यन्दिनीयशतपथब्राह्मणभाष्ये षष्ठकाण्डे प्रथमेऽध्याये तृतीयं ब्राह्मणम् ॥ (६-१-३) ॥

वेदार्थस्य प्रकाशेन तमो हार्दं निवारयन् । पुमर्थांश्चतुरो देयाद् विद्यातीर्थमहेश्वरः ॥ १ ॥

ब्रह्माण्डं गोसहस्रं कनकहयतुलापूरुषौ स्वर्णगर्भं,
सप्ताब्धीन्पञ्च सीरींस्त्रिदशतरुलताधेनुसौवर्णभूमीः ।
रत्नोस्रां रुक्मवाजिद्विपमहितरथौ सायणिः सिङ्गणार्यो,
व्यश्राणीद्विश्वचक्रं प्रथितविधिमहाभूतयुक्तं घटं च ॥
धान्याद्रिं धन्यजन्मा तिलमचमतुलः स्वर्णजं वर्णमुख्यः,
कार्पासीयं कृपावान्गुडकृतमजडो राजतं राजपूज्यः ।
आज्योत्थं प्राज्यजन्मा लवणजमनृणः शार्करं चार्कतेजा,
रत्नाढ्यो रत्नरूपं गिरिमकृत मुदा पात्रसात्सिङ्गणार्यः ॥

इति श्रीमद्राजाधिराजपरमेश्वरवैदिकमार्गप्रवर्तकश्रीहरिहरमहाराजसाम्राज्यधुरन्धरेण सायणाचार्येण विरचिते माधवीये वेदार्थप्रकाशे माध्यन्दिनशतपथब्राह्मणभाष्ये षष्ठे काण्डे प्रथमोऽध्यायः समाप्तः ॥ ६–१ ॥

१–" शुक्लशोणितसंयोगान्मातृपितृसंयोगाच्च तत् कथमिदं शरीरं परं संयम्यते ? सौम्यो भवति, एकरात्रोषितं कललं भवति, पञ्चरात्राद् बुद्बुदाः, सप्तरात्रात् पेशी, द्विसप्तरात्रादर्बुदः, पञ्चविंशतिरात्रः स्वस्थितो घनो भवति, मासमात्रात् कठिनो भवति, द्विमासाभ्यन्तरे शिरः सम्पद्यते मासत्रयेण ग्रीवाव्यादेशो, मासचतुष्केण त्वग्व्यादेशः, पञ्चमे मासे नखरोमव्यादेशः, षष्ठे मुखनासिकाक्षिश्रोत्रं च सम्भवति, सप्तमे चलनसमर्थो भवति, अष्टमे बुद्ध्याऽध्यवस्यति, नवमे सर्वाङ्गसम्पूर्णो भवति, दशमे मासे प्रजायते"–इत्यादि । निरु० १४–६ ।

अथ द्वितीयेऽध्याये प्रथमं ब्राह्मणम् ।
प्रथम प्रपाठके च चतुर्थं ब्राह्मणम् ।

प्रजापतिरग्निरूपाण्युभ्यध्यायत् । (त्सु) स योऽयं कुमारो रूपाण्यनुप्रविष्ट आसीत्तमन्वैच्छुत्सोऽग्निरवेदनु वै मा पिता प्रजापतिरिच्छति हुन्त तुद्रूपमुसानि युन्मऽएष न व्वेदेति ॥ १ ॥

स एतान्पञ्च पशूनपश्यत् । (त्सु) पुरुषमश्वं गामविमजं यदपश्यत्तस्मादेते पशवः ॥ २ ॥

प्रजापतिरग्निरूपाण्यभ्यध्यायत् । स योऽयं कुमारो रूपाण्यनुप्रविष्ट आसीत्–तमन्वैच्छत् । सोऽग्निरवेद्–अनु वै मा पिता प्रजापतिरिच्छति, हन्त तद्रूपमसानि–यन्मऽएष न वेदेति ॥ १ ॥

स एतान्पञ्च पशूनपश्यत्–पुरुषम्, अश्वम्, गाम्, अविम्, अजम् । यदपश्यत्–तस्मादेते पशवः ॥ २ ॥

यस्य निःश्वसितं वेदा यो वेदेभ्योऽखिलं जगत् ॥ निर्ममे तमहं वन्दे विद्यातीर्थमहेश्वरम् ॥ १ ॥

अथ द्वितीयाध्याये प्रथममग्निभ्यः कामाय पुरुषाश्वगोऽव्यजात्मकपञ्चपश्वालम्भपक्षः । तत्र चतुर्विंशतिः सामिधेन्यः, वैश्वानरः पशुपुरोडाशः, कामपदयुक्ता याज्यानुवाक्याः प्रदर्श्यन्ते । अथ वायव्यैकपश्वालम्भपक्षः । तत्र सप्तदशसामिधेन्यः, अत्रापि प्राजापत्यः पशुपुरोडाशः, शुक्रपदयुक्ता याज्यानुवाक्याश्च विधास्यन्ते । पक्षद्वयसाधारणमन्यदाप्रीप्रभृतिकं वक्ष्यते । एतत् सर्वं कात्यायनेन सूत्रितम्;–"चिकीर्षमाणः उत्तरस्यां फाल्गुन्यां पौर्णमासेनेष्ट्वा पञ्च पशूनालभतेऽदक्षिणान्"–(का. श्रौ. सू. १६ । ५) इत्युपक्रम्य । "अग्निभ्यः कामाय पुरुषाश्वगोऽव्यजान्"–(का. श्रौ. सू. १६ । ८) इति । "समिध्यमानसमिद्धवत्यन्तरे समास्त्वाग्न इति (वा. सं. २७ । १) नव दधाति, आप्रियो द्वादशोर्द्ध्वा अस्येति"–(का. श्रौ. सू. १६।११।१२) इति । "एकादशान्ते शासप्रैषादि करोति, परिवृते पुरुषसञ्ज्ञपनम"–(का. श्रौ. सू. १६ । १३, १४) इति, "वैश्वानरः पशुपुरोडाश उपांशु पशुदेवता च, आग्नेय्यो याज्यानुवाक्याः कामवत्यः"–(का. श्रौ. सू. १६ । २५–२७) इति । "अनालभ्यैतान, श्यामतूपरो वा प्राजापत्यः, षड् दध्यात्, (का. श्रौ.-सू. १६ । ३२–३४) वायवे वा नियुत्वते श्वेतकल्माषी द्वे दध्यात्, प्राजापत्यः पशुपुरोडाशो द्वादशकपाल उभयोः, कद्वत्योः, याज्यानुवाक्याः प्राजापत्यस्य, शुक्रवत्यो वायव्यस्य, वपाया वा, तुल्यमन्यत् सर्वेषु"–(का. श्रौ. सू. १६ । ३८--४३) इति । तत्र प्रथमं पञ्चपश्वालम्भपक्षं विधातुं प्रजापतिवृत्तान्तं प्रस्तौति–प्रजापतिरग्निरूपाण्यभ्यध्यायदित्यादिना । पूर्वं प्रजापतिरग्नेरुक्तान्यष्टौ रूपाण्यभिध्यातवान्, कुमाररूपात्मना परिणतम् अन्वियेष । स कुमारोऽग्निः मां पिता प्रजापतिरन्विच्छतीति ज्ञातवान् । 'हन्त' इति प्रश्ने । 'मे' मम 'यद्' रूपम् 'एष प्रजापति.' 'न वेद' न जानीयात्, 'तद् रूपम्' 'असानि' भवानीति ॥ १ ॥

एवं ज्ञात्वा,–स एतान् पञ्च पशूनपश्यदिति । तदात्मना परिणमितुमितिशेषः । पश्यतियोगात् 'पशु'–

स एतान्पञ्च पशून्प्राविशत् । (तसु) स एते पञ्च पशवोऽभवन्तमु वै प्रजापतिरन्वैच्छत् ॥ ३ ॥

(तसु) स एतान्पञ्च पशूनपश्यत् । (ध) यदपश्यत्तस्मादेते पशवस्तेष्वेतमपश्यत्तस्माद्वेवैते पशवः ॥ ४ ॥

स ऐक्षत । (ते) इमे वाऽअग्निरिमानेवात्मानमभिसंस्करवै यथा वाऽअग्निः समिद्धो दीप्यतऽएवमेषां चक्षुर्दीप्यते यथाऽग्नेर्धूम उदयत ऽएवमेषामूष्मोदयते यथाग्निरभ्याहितं दहत्येवं बप्सति यथाग्नेर्भस्म सीदत्येवमेषां पुरीषँ सीदतीमे वाऽअग्निरिमानेवात्मानमभिसंस्करवाऽइति तान्नाना देवताभ्य आलिप्सत वैश्वकर्मणं पुरुषं वारुणमश्वमैन्द्रमृषभं त्वाष्ट्रमविमाग्नेयमजम् ॥ ५ ॥

स एतान्पञ्च पशून् प्राविशत् । स एते पञ्च पशवोऽभवन् । तमु वै प्रजापतिरन्वैच्छत् ॥ ३ ॥

स एतान्पञ्च पशूनपश्यत् । यदपश्यत्–तस्मादेते पशवः । तेष्वेतमपश्यत्–तस्माद्वेवैते पशवः ॥ ४ ॥

स ऐक्षत–इमे वाऽअग्निः, इमानेवात्मानमभिसंस्करवै । यथा वाऽअग्निः समिद्धो दीप्यते–एवमेषां चक्षुर्दीप्यते । यथाग्नेर्धूम उदयते–एवमेषामूष्मोदयते । यथाग्निरभ्याहितं दहतिऽएवं बप्सति । यथाऽग्नेर्भस्म सीदति–एवमेषां पुरीषं सीदति । इमे वाऽअग्निः । इमानेवात्मानमभिसंस्करवाऽइति । तान्नाना देवताभ्य आलिप्सत–वैश्वकर्मणं पुरुषम्, वारुणमश्वम्, ऐन्द्रमृषभम्–त्वाष्ट्रमविम्, आग्नेयमजम् ॥ ५ ॥

शब्दः सम्पन्न इति दर्शयति–**यदपश्यत् तस्मादेते पशव** इति । पश्यतिः प्रकृत्यन्तरमस्तीति कृत्वा पशुशब्दो निरुक्तः ॥ २ ॥ ३ ॥

स एतानिति । 'तेषु' पशुषु तादात्म्येन प्रविष्टम् 'एतम्' अग्निं प्रजापतिरप्यद्राक्षीत् । पश्यन्त्येष्वग्निमित्येतस्य देवनिमित्तादधिकरणसाधनः पशुशब्द इत्याह–**तस्माद्वेवैते पशव** इति ॥ ४ ॥

स ऐक्षतेति । 'सः' प्रजापतिः 'ऐक्षत' स्वमतं विचारितवान् । तदेव दर्शयति–**इमे वा अग्निरिति** । 'अग्निः' 'इमे वै' पुरुषादिपञ्चपशव एव, ततः पृथक् दृश्यन्त इत्यर्थः । 'इमानेव' अग्न्यात्मकानेतान् पशूनेव आत्मानमभिलक्ष्य 'संस्करवै' पशुभिः स्वरूपैः स्वमात्मानं संस्करिष्य इति पर्यालोचितवान् । पशूनामग्न्यात्मकत्वं विशदयति–**यथा वा अग्निरिति** । अग्नेर्यथा दीपनधूमाभ्याहितदाहनभस्मसञ्छादनादयो धर्माः, ते पशुष्वपि दृश्यन्ते इत्यतस्तेषां तदात्मकत्वम् । 'चक्षुर्दीप्यते' प्रकाशयुक्तं रोचते, 'ऊष्मः' श्वासो धूमः, 'अभ्याहितं' पुरः स्थितं वस्तु 'दहति, 'एवं' 'बप्सति' भक्षयन्ति पशवः । "भस् 'भर्त्सनदीप्त्योः" (धा. पा. जु. प. १८) लटि प्रथमपुरुषबहुवचने झौ द्विर्वचने कृते "घसिभसोर्हलि च–(पा. सू. ६ । ४ । १००) इति । उपधालोपे रूपमिदम् । 'सीदति' अवसन्नं भवति । अग्निभ्यः कामाय पशवः इति ।

(६) स ऐक्षत । नाना वाऽइदं देवताभ्य आलिप्सेऽग्नेर्वहं ᳪ रूपाणि कामये हन्तैनानग्निभ्यः कामायालभाऽइति तानग्निभ्यः कामायालभत तद्यदग्निभ्य इति बहूनि ह्यग्निरूपाण्यभ्यध्यायदथ यत्कामायेति कामेन ह्यालभत तानाप्रीतान्पर्यग्निकृतानुदीचो नीत्वा समज्ञपयत् ॥ ६ ॥

(७) स ऐक्षत । या वै श्रीरभ्यध्यासिषमिमास्ताः शीर्षसु हन्त शीर्षाण्येवोपदधा इति स शीर्षाण्येवोत्कृत्योपाधत्ताथेतराणि कुसिन्धान्यप्सु प्राप्लावयदजेन यज्ञᳪ समस्थापयन्नेन्मे यज्ञो विकृष्टोऽसदित्यात्मा वै यज्ञो नेन्मेऽयमात्मा विकृष्टोऽसदित्येतेन पशुनेष्ट्वा तत्प्रजापतिरपश्यद्यथैतस्याग्नेरन्तं न पर्यैत् ॥ ७ ॥

स ऐक्षत—नाना वाऽइदं देवताभ्य आलिप्से। अग्नेर्वहं रूपाणि कामये—हन्तैनानग्निभ्यः कामायालभाऽइति। तानग्निभ्यः कामायालभत। तद् यदग्निभ्य इति—बहूनि ह्यग्निरूपाण्यभ्यध्यायत्। अथ यत्कामायेति—कामेन ह्यालभत, तानाप्रीतान् पर्यग्निकृतानुदीचो नीत्वा समज्ञपयत् ॥ ६ ॥

स ऐक्षत या वै श्रीरभ्यध्यासिषम्—इमास्ताः शीर्षसु हन्त शीर्षाण्येवोपदधा इति। स शीर्षाण्येवोत्कृत्योपाधत्त। अथेतराणि कुसिन्धान्यप्सु प्राप्लावयत्। अजेन यज्ञं समस्थापयत्। नेन्मे यज्ञो विकृष्टोऽसदिति। आत्मा वै यज्ञः। नेन्मेऽयमात्मा विकृष्टोऽसदिति। एतेन पशुनेष्ट्वा तत् प्रजापतिरपश्यत्—यथैतस्याग्नेरन्तं न पर्यैत् ॥ ७ ॥

सिद्धान्तयितुं बहुदेवतार्थमालम्भनं पूर्वपक्षयति—तान् नानादेवताभ्य इति। अनूक्तान् पुरुषादीन् पञ्च पशून् 'नानादेवताभ्यः' बहुदेवताभ्य 'आलिप्सत' आलब्धुमैच्छन्। "वैश्वकर्मणं पुरुषम्"—(का. श्रौ.—सू. ११। ८। कर्क भाष्ये) इत्यादिना पञ्चानां पशूनां पृथक्—पृथग्देवतासम्बन्ध उक्तः ॥ ५ ॥

स ऐक्षत नानेति। 'सः' प्रजापतिः एवं विचारितवान्,-किमर्थं ? 'नाना' बह्वीभ्यः 'देवताभ्यः' पञ्चभ्यः आलब्धुमिच्छामि ? ('अग्नेः उ अहम्' इति पदच्छेदः) अहमु अग्नेरेव 'रूपाणि' कामये 'हन्त' इति साध्यसाधनयोर्वैयधिकरण्यजनिते आश्चर्ये। 'एनान्' पशून् 'कामाय' कामगुणयुक्ताय 'अग्निभ्यः' अग्नये 'आलभे'—'इति' ऐक्षतेत्यन्वयः। कामायाग्निभ्य इति सामानाधिकरण्ये कथमग्निभ्य इति बहुवचनम् ! तत्राह—तद् यदग्निभ्य इति। अग्निरूपापेक्षायां बहुवचनम्। 'तान्' अष्टाविति प्रागुक्तम्। आप्रीतानिति। प्रयाजयाज्यादिभिराप्रीभिः पर्यग्निकरणेन च संस्कृतान्, तदनन्तरमेव 'उदीचो नीत्वा' शामित्रप्रदेशं प्रापय्येत्यर्थः। 'संज्ञपनं' नाम मारणम्। मारणार्थं नयेदित्यर्थः ॥ ६ ॥

पशुशीर्षोपधानं विधास्यते, तदर्थं प्रजापतिकर्तृकं तदुपधानं दर्शयति—स ऐक्षत या वै श्रीरिति। द्वितीया

१—परिवृते पुरुषसंज्ञपनं। अजस्य श्रुतिः प्रचरणयोगात्। सर्वेषां वाऽविशेषात्। वैश्यः पुरुषो राजन्यो वा। का. श्रौ. सू. १६। १४–१७।

(त्सु) सु ऐक्षत । युमिमुमात्मानमप्सु प्राुपिप्लवं तमुन्विच्छानुीति तमुन्वैच्छत्तद्युदेषामप्सु प्रुविद्धानां प्रत्युतिष्ठत्ता अपः सुमभरदुथ युदस्यां तां मृुदं तुदुभयꣳ सम्भृुत्य मृुदं चापश्चेुष्टकामकरोत्तुस्मादेतुदुभयामुिष्टका भवति मृच्चुापश्च ॥ ८॥

सु ऐक्षत । युदि वुाऽइदुमित्थुमेव सुदात्मुानमभिसंस्कारिष्ये मुर्त्यः कुण-

---

स ऐक्षत–यमिममात्मानमप्सु प्रापिप्लवम्–तमन्विच्छानीति । तमन्वैच्छत् । तद् यदेषामप्सु प्रविद्धानां प्रत्यतिष्ठत्–ता अपः समभरत् । अथ यदस्यां–तां मृदम् तदुभयं सम्भृत्य मृदं चापश्च–इष्टकामकरोत् । तस्मादेतदुभयमिष्टका भवति–मृच्चापश्च ॥ ८ ॥

स ऐक्षत–यदि वा–इदमित्थमेव सदात्मानमभि संस्करिष्ये–मर्त्यः कुणपोऽनपहतपाप्मा भवि-

---

बहुवचनान्तम् । अत्र श्रीशब्देन अग्निरूपाणि विवक्षितानि । तानि ' अभ्यध्यासिषम् ' आततानास्मि । ' ताः ' इमाः श्रियः ' शीर्षसु ' चक्षुराद्याश्रयेषु वर्त्तन्ते । ' हन्त '–इति । हर्षे । अतः शीर्षाण्येवेत्यादि निगदसिद्धम् ।

पशुशरीराणामिष्टकोपकारित्वं वक्ष्यन्नाह–इतराणीति । अजशरीरस्य यज्ञे उपकरिष्यमाणत्वात् ' इतराणि ' पुरुषादीनां चतुर्णां पशूनां ' कुसिन्धानि ' मूर्द्धरहितानि शरीराणि[३] । ' अप्सु ' ' प्राप्लावयत् ' प्रक्षिप्तवान् । ''चतुर्णामप्सु कायप्रासनम्''–इति कात्यायनेन च सूत्रितम । (का. श्रौ. सू. १६।१९) 'अजेन' अजशरीरेण यज्ञं समापितवन्तः । एतेन यज्ञसमाप्तौ कारणमाह–नेन्मे यज्ञ इति । ' मे ' मम ' यज्ञः ' मध्ये 'विकृष्टः' विच्छिन्नः ' नेत् ' नैव ' असत् ' माभूत् ' इति ' । यज्ञविच्छेदे प्रजापतेः किमायातमिति तत्राह–आत्मा वै यज्ञ इति । एतेन पशुना यज्ञसमापने उपपत्तिं दर्शयति–एतेन पशुनेष्ट्वा तत् प्रजापतिरिति । ' यथा ' येन प्रकारेण ' अग्नेः । ' अन्तं न पर्यैत् ' कात्स्न्येन न परिगतो भवेत्, ' तत् ' कर्म ' प्रजापतिः ' 'अपश्यत्' दृष्टवानित्यर्थः । यदि सर्वैः पशुभिर्यजेत, तदानीमेव यज्ञसमाप्ते, सिद्धत्वात् अग्नेरेवान्तं परिप्राप्तवान्, अग्निरूपाणि कात्स्न्येन प्राप्तवान् भवति, तदयुक्तम्; उत्तरत्र कर्त्तव्यस्य सद्भावादिति तात्पर्यम् । उत्तरत्र सर्वैः पशुभिर्यागः पूर्वपक्षयिष्यते–" तद्धैकआहुरत्रैवैतैः सर्वैः पशुभिर्यजेत " इत्यादिना । (अस्मिन्नेव ब्राह्मणे त्रयोदशाश्यां कण्डिकायाम् ।) यज्ञसमाप्त्यनन्तरं । शिष्टस्य अजपशुशरीरस्य च जले प्रासनं सूत्रितम्–" अजेन चरति, संस्थिते तस्य शेषप्रासनम् का. श्रौ. सू. १६।२१।२२) इति ॥ ७ ॥

यदर्थमप्सु पशुचतुष्टयकायप्रासनम्, तदिदानीमाह–स ऐक्षत यमिममात्मानमप्सु प्रापिप्लवमिति । ' आत्मानम ' पशुदेहानित्यर्थः । ' प्रविद्धानां ' प्रक्षिप्तानाम् ' एषां ' पशूनां ' यत् शरीरगतं रसादिकम् ' अप्सु ' प्रत्यतिष्ठत् ' प्रतिष्ठितम्, ' ता ' ' अपः ' ' समभरत् ' सम्भृतवान्; ' यत् ' च अस्थिमांसादिकम्, ' अस्यां ' पृथिव्यां प्रतिष्ठितम्, ' तां ' ' मृदं ' मृत्तिकां सम्भृतवान्; ' तदुभयम् ' ' अपो मृदश्च ' 'सम्भृत्य संगृह्य ' इष्टकामकरोत्[३] ॥ ८ ॥

पक्वा इष्टकाश्चेतव्या इति वक्तुमाह–स ऐक्षत यदि वा इदमित्थमेव सदात्मानमभिसंस्करिष्य इति ।

१–कंठेषु तृणमंतर्धाय शिराऽस्यादत्ते । का० श्रौ० सू० । १६ । १८ । २–" श्रोणी यदूरू क व तज्जजान ताभ्यां कुसिन्धं मुदह बभूव " इति । अथ० सं० १०-२-३ । ३–ततो मृदिष्टकार्थाऽऽपश्च । का. श्रौ. सू. १६ । २० ।

प्रोऽनपहतपाप्मा भविष्यामि हन्तैतदग्निना पचानीति तदग्निनाऽपचत्तदे-
नदमृतमकरोदेतद्वै हविरमृतं भवति यदग्निना पचन्ति तस्मादग्निनेष्टकाः
पचन्त्यमृता एवैनास्तत्कुर्वन्ति ॥ ९ ॥

तद्यदिष्ट्वा पशुनाऽपश्यत् । (त्त) तस्मादिष्टकास्तस्मादिष्ट्वैव पशुनेष्टकाः
कुर्यादनिष्टका ह ता भवन्ति याः पुरा पशोः कुर्व्वन्त्यथो ह तदन्यदेव ॥ १० ॥

तद्यास्ताः श्रियः । (ऽ) एतानि तानि पशुशीर्षाण्यथ यानि तानि
कुसिन्धान्येतास्ताः पञ्च चितयस्तद्यत्पशुशीर्षाण्युपधाय चितीश्चिनोत्येतै-
रेव तच्छीर्षभिरेतानि कुसिन्धानि संदधाति ॥ ११ ॥

तऽएते सर्व्वे पशवो यदग्निः । (स्त) तस्मादग्नौ पशवो रमन्ते पशु-

---

ष्यामि–हन्तैतदग्निना पचानीति । तदग्निनाऽपचत् । तदेनदमृतमकरोत् । एतद्वै हविरमृतं भवति–यदग्निना पचन्ति । तस्मादग्निनेष्टकाः पचन्ति अमृता एवैनास्तत्कुर्वन्ति ॥ ९ ॥

तद्यदिष्ट्वा पशुनाऽपश्यत्–तस्मादिष्टकाः । तस्मादिष्ट्वैव पशुनेष्टकाः कुर्यात् । अनिष्टका ह ता भवन्ति–याः पुरा पशोः कुर्वन्ति । अथो ह तदन्यदेव ॥ १० ॥

तद्यास्ताः श्रियः–एतानि तानि पशुशीर्षाणि । अथ यानि तानि कुसिन्धानि–एतास्ताः पञ्च चितयः । तद्यत्पशुशीर्षाण्युपधाय चितीश्चिनोति–एतैरेव तच्छीर्षभिरेतानि कुसिन्धानि सन्दधाति ॥ ११ ॥

तऽएते सर्वे पशवो–यदग्निः । तस्मादग्नौ पशवो रमन्ते । पशुभिरेव तत्पशवो रमन्ते । तस्माद्यस्य पशवो भवन्ति–तस्मिन्नाग्निराधीयते । अग्निर्ह्येष–यत्पशवः । ततो वै प्रजापतिरग्निरभवत् ॥ १२ ॥

'यदिदं' जलमृदात्मकमिष्टकारूपम् 'इत्थम्' अपाकेन 'एव' 'आत्मानम्' 'अभि' लक्ष्य 'संस्करिष्ये', तर्हि 'मर्त्यः' मरणधर्मा 'कुणपः' जीवसहितो देहः कुणप इत्युच्यते । अत एव 'अनपहतपाप्मा भविष्यामि' इति विचार्य, ता, इष्टका अग्निना पक्का अकरोत्; अग्निना पक्वमेव 'हविः' 'अमृतम्' अमरणधर्मकम् 'भवति' इति । अग्निनेष्टकापाकः कर्त्तव्य इति दर्शयति–**तस्मादग्निनेष्टका** इति॥९॥

इष्टकाकरणकालं दर्शयति–**तद्यादिष्ट्वा पशुनाऽपश्यादिति** । 'पशुना' अजेन 'इष्ट्वा' इष्टवान् 'इष्टकाः' अतः इष्टादनन्तरं कृत्वा इतीष्टकाशब्दो निरुक्तः । पशुयागात् पूर्वमिष्टकाकरणं निन्दति–**अनिष्टका ह ता भवन्तीति** । 'अथो' 'पशोः' पशुयागात् 'पुरा' इष्टकाकरणम् 'अन्यदेव' अशास्त्रीयमित्यर्थः ॥ १० ॥

पशुशीर्षोपधानानन्तरमिष्टकोपधानं पशुशिरःकबन्धसन्धानरूपेण प्रशंसति–**तद्यास्ताः श्रिय एतानि तानि पशुशीर्षाणीति** ॥ ११ ॥

यदुक्तं पशूनामग्न्यात्मकत्वम्, तत्प्रशंसति–**त एते सर्वे पशवो यदग्निरिति** । यतः पशूनामग्नेश्चेत्थं

भिरेव तत्पशवो रमन्ते तस्माद्यस्य पशवो भवन्ति तस्मिन्नग्निराधीयते-ऽग्निर्ह्येष यत्पशवस्ततो वै प्रजापतिरग्निरभवत् ॥ १२ ॥

(त्त) तद्धैकऽआहुः । (र) अत्रैवैतैः सर्व्वैः पशुभिर्यजेत यद्वाऽएतै-रत्र सर्व्वैः प्रजापतिरयक्ष्यत तदेवाग्नेरन्तं पर्य्यैष्यत्तद्यदेतैरत्र सर्व्वैर्यजेत तदेवाग्निरन्तं परीयादिति न तथा कुर्याद्देवानां तदितादियादथो पथस्त-दियादथो किं ततः सम्भरेदेतानि वाऽएतत्कुसिन्धान्येताश्चितीः सम्भ-रति तस्मात्तथा न कुर्यात् ॥ १३ ॥

तद्धैकऽआहुः—अत्रैवैतैः सर्वैं पशुभिर्यजेत । यद्वाऽएतैरत्र सर्वैः प्रजापतिरयक्ष्यत । तदेवाग्नेरन्तं पर्यैष्यत् । तद्—यदेतैरत्र सर्वैर्यजेत—तदेवाग्निरन्तं परीयादिति । न तथा कुर्यात्—देवानां तदितादियात् । अथो पथस्तदियात् । अथो किं ततः सम्भरेत्—एतानि वाऽएतत्कुसिन्धानि, एताश्चितीः सम्भरति । तस्मात् तथा न कुर्यात् ॥ १३ ॥

तादात्म्यम्, अतः परस्परमभिसम्बन्धो दृश्यत इत्याह—तस्मादग्नाविति । अग्निरूपाणि कामयमानस्य प्रजापतेः पशुयागेन तच्छरीरात्मकेष्टकोपधानेन किमायातमिति, तद् दर्शयति—ततो वै प्रजापतिरग्निरभवदिति । ततः पशुयागेन तदात्मकोऽग्निरेव सम्पन्न इत्यर्थः । चयनस्य अग्निरूपत्वावाप्तिः फलमिति तात्पर्यम् ॥ १२ ॥

पूर्वं पञ्चपश्वालम्भः, तत्रैकेन पशुना याग उक्तः, इदानीं तमेव पक्षं द्रढयितुं सर्वपशुयागं पूर्वपक्षयति—तद्धैक आहुरिति । 'अत्र' अग्नौ 'सर्वैः' पञ्चभिः पशुभिः 'यजेत' । 'यत्' यदि 'प्रजापतिः' 'सर्वैः' पशुभिः 'अयक्ष्यत' यागमकरिष्यत्, 'तत् एव अग्नेः अन्तं' 'पर्यैष्यत्' अगमिष्यत्, न तथा कृतवान् । क्रियातिपत्तौ यजतेरेतेश्च लृङ्प्रयोगः । (पा. सू. ३ । ३ । १३९.) तस्मात् सर्वैर्यागकरणमेवाग्न्यन्तगमनमित्यर्थः । तद्दूषयति—न तथा कुर्यादिति । 'तत्' तर्हि 'देवानाम्' 'इतात्' गमनात् 'इयात्' अपगतो भवतीत्यर्थः । तदेव विवृणोति—'अथो पथः तदियात्' प्रजापतिकृताद् यज्ञमार्गात् प्रच्यवेतेत्यर्थः ॥ सर्वयागपक्षे बाधां दर्शयति—अथो किं ततः सम्भरेदिति । एवं सति सम्भरणार्थता विरुध्यते । 'सम्भरणार्थं हि कुसिन्धानाम् अप्सु प्रासनम्' (का. श्रौ. सू. १६ । २३ क. भा.) तत इष्टका मृद्भिरद्भिश्च कार्याः । अतः सर्वप्रचारे सम्भरणानुपपत्तिरित्यर्थः । कात्यायनस्तच्छाखान्तरवाक्यानुसारेणैकस्मिन्नपि सम्भरणानुपपत्तेः सर्वप्रचारमेकप्रचारं समविकल्पं कृतवान् । तथाहि—"चतुर्णामप्सु कायप्रासनम्, ततो मृदिष्टकार्थापश्च, अजेन प्रचरति, संस्थिते तस्य शेषप्रासनम्, सर्वैरेके[1], एकस्यापि[2] किं ततः सम्भरेदिति श्रुतेः"—इति । (का. श्रौ. सू. १६ । १९–२४) । एकस्यापि पशोरालम्भे किं ततः सम्भरेत् ? तत् तुल्यमेव । तस्माद् विकल्पः सर्वैर्वाऽजेन वेति ॥ १३ ॥

१-सर्व्वैरेके । का. श्रौ. सू. । १६ । २३ । २-एकस्यापि किं ततः संभरेदिति श्रुतेः । का० श्रौ० सू० १६ । २४ ।

(द्य) यद्वेवैतान्पशूनालभते । (त) आयतनमेवैतदग्नये करोति न ह्यनायतने कश्चन रमतेऽन्नं वाऽआयतनं तदेतत्पुरस्तान्निदधाति तदेनं पश्यन्नग्निरुपावर्तते ॥ १४ ॥

पुरुषोऽश्वो गौरविरजो भवन्ति । एतावन्तो वै सर्वे पशवोऽन्नं पशवस्त-द्यावदन्नं तदेतत्पुरस्तान्निदधाति तदेनं पश्यन्नग्निरुपावर्तते ॥ १५ ॥

पञ्च भवन्ति । पञ्च ह्येतेऽग्नयो यदेताश्चितयस्तेभ्यऽ एतत्पञ्चायतनानि निदधाति तदेनं पश्यन्नग्निरुपावर्तते ॥ १६ ॥

तद्यदग्निभ्यऽ इति । बहवो ह्येतेऽग्नयो यदेताश्चितयोऽथ यत्कामायेति यथा तं काममाप्नुयाद्यजमानो यत्कामऽएतत्कर्म कुरुते ॥ १७ ॥

यद्वेवैतान्पशूनालभते—आयतनमेवैतदग्नये करोति । न ह्यनायतने कश्चन रमते । अन्नं वाऽआयतनम् । तदेतत्—पुरस्तान्निदधाति । तदेनं पश्यन्नग्निरुपावर्तते ॥ १४ ॥

पुरुषः अश्वः गौः अविः अजो भवन्ति । एतावन्तो वै सर्वे पशवः । अन्नं पशवः । तद् यावदन्नं—तदेतत्पुरस्तान्निदधाति । तदेनं पश्यन्नग्निरुपावर्तते ॥ १५ ॥

पञ्च भवन्ति पञ्च ह्येतेऽग्नयो—यदेताश्चितयः । तेभ्य एतत्पञ्चायतनानि निदधाति । तदेनं पश्यन्नग्निरुपावर्तते ॥ १६ ॥

तद् यदग्निभ्य इति—बहवो ह्येतेऽग्नयो—यदेताश्चितयः । अथ यत्कामायेति—यथा तं काममाप्नुयात्—यजमानो यत्काम एतत्कर्म कुरुते ॥ १७ ॥

पश्वालम्भनमायतनकरणात्मना प्रशंसति—**यद्वेवैतान् पशूनालभत** इति । आयतनशब्दार्थमाह—**अन्नं वा** इति । कार्यकारणयोरभेदात् । 'तदेतत्' पशुरूपमन्नं 'पुरस्तात्' 'निदधाति', 'तत्' 'एनम्' 'पश्यन्' 'अग्निः' 'उपावर्त्तते' समीपे गतो भवति । यथा लोकेऽन्नार्थी पश्यन्नेवान्नं तत्समीपं गच्छति, तद्वदित्यर्थः ॥ १४ ॥

पशूननुक्रामति—**पुरुषोऽश्व इति** । **एतावन्त** इति । यतः 'सर्वे पशवः' एतेषु पुरुषगवाश्वादिपशुषु अन्तर्भूताः अत उपजीव्यानां सर्वेषामन्नरूपाणां पशूनामवरोध इति नानाजातिनिबन्धना स्तुतिः ॥ १५ ॥

पशुगतपञ्चसङ्ख्यां प्रशंसति—**पञ्च भवन्ति । पञ्च ह्येतेऽग्नय** इति । चितिसङ्ख्याऽपेक्षया अग्नीनां पञ्चसङ्ख्यावत्त्वम् । **पञ्चायतनानीति** । पशुरूपाणि पञ्च स्थानानि कल्पयतीत्यर्थः ॥ १६ ॥

तद्यदग्निभ्य इतीति । एतद्वाक्यं पूर्ववद् व्याख्येयम् । अग्निभ्यः कामायेति यद्यग्निबहुत्वं तद्रूपापेक्षयेति ॥ १७ ॥

पुरुषं प्रथममालभते । पुरुषो हि प्रथमः पशूनामथाश्वं पुरुषꣳ ह्यन्वश्वोऽथ गामश्वꣳ ह्यनु गौरथाविं गाꣳ ह्यन्वविरथाजमविꣳ ह्यन्वजस्तदेनान्यथापूर्व्वं यथाश्रेष्ठमालभते ॥ १८ ॥

तेषां विषमा रशनाः स्युः । पुरुषस्य वर्षिष्ठाऽथ ह्रसीयस्यथ ह्रसीयसी तद्यथारूपं पशूनाꣳ रशनाः करोत्यपापवस्यसाय सर्व्वास्त्वेव समाः स्युः सर्व्वाः सदृश्यः सर्व्वे ह्येते समाः सर्व्वे सदृशाऽअग्नयो ह्युच्यन्तेऽन्नꣳ ह्युच्यन्ते तेन समास्तेन सदृशाः ॥ १९ ॥

पुरुषं प्रथममालभते । पुरुषो हि प्रथमः पशूनाम् । अथाश्वम् । पुरुषं ह्यन्वश्वः । अथ गाम् । अश्वं ह्यनु गौः । अथाविम् । गां ह्यन्वविः । अथाजम् । अविं ह्यन्वजः । तदेनान् यथापूर्वं यथाश्रेष्ठमालभते ॥ १८ ॥

तेषां विषमा रशनाः स्युः–पुरुषस्य वर्षिष्ठा–अथ ह्रसीयसी अथ ह्रसीयसी । तद् यथारूपं पशूनां रशनाः करोति–अपापवस्यसाय । सर्वास्त्वेव समाः स्युः, सर्वाः सदृश्यः । सर्वे ह्येते समाः, सर्वे सदृशाः । अग्नयो ह्युच्यन्ते, अन्नं ह्युच्यन्ते तेन समाः, तेन सदृशाः ॥ १९ ॥

पशूनामालम्भनक्रमं विधत्ते–पुरुषं प्रथममालभत इति । **पुरुषम् ह्यन्वश्व** इति । 'पुरुषम्' 'अनु'–लक्ष्य; पुरुषानुगामी यतोऽश्व इत्यर्थः । एवमुत्तरत्र । **यथापूर्वमिति** । पूर्वानालभ्याननतिक्रम्य, यथाक्रममित्यर्थः । 'यथाश्रेष्ठम्' तत्र ये ये श्रेष्ठाः, तानप्यनतिक्रम्येत्यर्थः ॥ १८ ॥

तेषां बन्धनार्थं रशनां विधत्ते–**तेषां विषमा रशनाः स्युरिति** । 'विषमाः' स्थौल्यह्रासवत्त्वेन अग्नयो भवन्ति । वैषम्यं च दर्शयति–**पुरुषस्य वर्षिष्ठाऽथ ह्रसीयसीत्यादि** । पुरुषपशोः रशना 'वर्षिष्ठा' अतिशयेन वृद्धा भवेत् । अत्र वर्षिष्ठेति स्थौल्यायामापेक्षया । "प्रियस्थिर"–(पा. सू. ६ । ४ । १५७) इत्यादिना वृद्धशब्दस्य वर्षादेशः । 'अथ' अश्वपशोः 'ह्रसीयसी' आयामस्थौल्याभ्यां ह्रस्वा । तदपेक्षया गोपशोः ह्रस्वा । ततो द्वयोः । 'अथ ह्रसीयसी'–इति वीप्सया पूर्वपूर्वरशनापेक्षयोत्तरोत्तरह्रासो विवक्षितः । **यथारूपमिति** । पुरुषादिपशूनामाकृतिबलादिकमनतिक्रम्येत्यर्थः । **सर्वास्त्वेवेति** । 'तु'-शब्दः पक्षान्तरद्योतनार्थः । सर्वा अपि रशनाः 'समाः' सदृशायामस्थौल्या इत्यर्थः । "सर्वास्त्वेव समाः"–इति वाक्यस्य विवरणम्–**सर्वाः सदृश्य** इति । यद्वा, आयामस्थौल्यादिना साम्यं वक्तुं पृथगुपन्यासः । रशनासाम्य इत्युच्यते । अन्नमिति चोच्यन्ते । पशूनां परस्परसाम्यादित्याह–**सर्वे ह्येते समा** इति । साम्यमेव दर्शयति । अग्नयो ह्युच्यन्त इति । यस्मात् एते पशवोऽग्नयः इत्युच्यन्ते । तदन्नमिति चोच्यन्ते । पशूनामग्नित्वमन्नात्मकत्वं च पूर्वमेव दर्शितम्–"स पैक्षतेमे वा अग्निः"–इति । "यद्वैतान् पशूनालभत, आयतनमेवैतदग्नये करोति, न ह्यनायतने कश्चन रमते, अन्नं वा आयतनम्"–इति च । 'तेन' अग्नित्वेन सर्वे पशवः 'समाः सदृशाः' इति रशना अपि समाः कार्या इत्यर्थः ॥ १९ ॥

१–व्वर्षिष्ठरशनः पुरुषोऽनुपूर्व्या इतरे । का. श्रौ. सू. १६ । ९ । २–सर्व्वेषां वा तुल्याः । का. श्रौ. सू. १६ । १० ।

(स्तु) तुदाहुः । कथमस्यैषोऽग्निः पुञ्चेष्टकः सुर्व्वः पशुष्वारब्धो भवतीति पुरोडाशकपालेषु न्वेवाऽऽप्यतऽ इयं प्रथमा मृन्मयीष्टकाऽथ युत्पशुमालभते तेन पश्विष्टकाऽऽप्यतेऽथ युद्वपामभितो हिरण्यशकलौ भवतस्तेन हिरण्येष्टकाऽऽप्यतेऽथ युदिध्मो यूपः परिधयस्तेन व्वानस्पत्येष्टकाऽऽप्यतेऽथ यदाज्यं प्रोक्षण्यः पुरोडाशस्तेनान्नं पञ्चमीष्टकाऽऽप्यतऽएवमु हास्यैषोऽग्निः पुञ्चेष्टकः सुर्व्वः पशुष्वारब्धो भवति ॥ २० ॥

तदाहुः–कथमस्यैषोऽग्निः पञ्चेष्टकः सर्वः पशुष्वारब्धो भवतीति । पुरोडाशकपालेषु न्वेवाऽऽप्यते । इयं प्रथमा मृन्मयीष्टका (१) । अथ यत्पशुमालभते–तेन पश्विष्टकाऽऽप्यते (२) । अथ यद्वपामभितो हिरण्यशकलौ भवतः–तेन हिरण्येष्टकाऽऽप्यते (३) । अथ यदिध्मो यूपः परिधयः–तेन वानस्पत्येष्टकाऽऽप्यते (४) । अथ यदाज्यम् , प्रोक्षण्यः पुरोडाशः–तेनान्नं पञ्चमीष्टकाऽऽप्यते (५) । एवमु हास्यैषोऽग्निः पञ्चेष्टकः सर्वः पशुष्वारब्धो भवति ॥ २० ॥

तदाहुरिति । अग्निचयने पञ्चसङ्ख्याका इष्टका उपधेया इति वक्ष्यते । तत्र पशुपरिग्रहेणैव पञ्चेष्टका अपि परिगृहीता इति वक्तुं तत् कथं पश्वालम्भमात्रेण तादृशस्याग्नेः स्वीकारः कृत इति पृच्छति–तदाहुः कथमस्यैषोऽग्निरिति । ‘ अस्य ’ चिकीर्षमाणस्य यजमानस्य ‘ पञ्चेष्टकः ’ ‘ एषः ’ प्रक्रम्यमाणः ‘ अग्निः ’ ‘ कथं ’ ‘ पशुषु ’ परिग्रहे ‘ आरब्धः ’ प्रक्रान्तो भवतीति । उत्तरत्र करिष्यमाणस्याग्नेः प्रथमं स्वीकारः कर्त्तव्य इत्यभिप्रायः ।

पशुष्वेव पञ्चेष्टकाः सम्पादयति–पुरोडाशकपालेषु न्वेवाऽऽप्यत इत्यादिना । चयने वैश्वानरादीनां पशुपुरोडाशादीनां सम्भरणात् तत्कपालेषु मृन्मयीष्टका आप्यते, कपालानां मृन्मयत्वात् तादृशेष्टकाप्रारम्भः, पश्वालम्भेन पश्विष्टकाप्रारम्भः । वपावदानसमये हिरण्यशकलद्वयं निधातव्यम् । तदाहापस्तम्बः–“ जुह्वामुपस्तीर्य हिरण्यशकलमवधाय कृत्स्नां वपामवदाय हिरण्यशकलमुपरिष्टात् कृत्वाऽभिघारयति ”–(आ. श्रौ. सू. १६ । १७ ।) इति । तथा चैतरेयकम्–‘ यद्यपि चतुरवत्ती यजमानः स्यादथ पञ्चावत्तैव वपाऽऽज्यस्योपस्तृणाति हिरण्यशल्को वपा हिरण्यशल्क आज्यस्योपरिष्टादभिघारयति ”–(ऐ. ब्रा. २ । २ । ४) इति । ‘ अथ ’ ‘ यत् ’ तस्माद् ‘ वपामभितः ’ पूर्वमुपरिष्टाच्च हिरण्यशकलौ भवतः ‘ तेन हिरण्येष्टका ’ आप्ता भवति । इध्मयूपपरिधिस्वीकाराद् वानस्पत्येष्टकाधानेन उलूखलमुसलस्रुगाद्युपधानमुपलक्षितम् । आज्यप्रोक्षणीपुरोडाशकरणेनान्नरूपेष्टका भवति । ‘ अतः ’ सर्वासामिष्टकानां पशुबन्धात् सङ्ग्रहेण ता अपि प्रारब्धा भवन्तीत्यर्थः ॥ यद्यपि मार्त्तिकी एका एव, अथापि मृन्मयकपालपश्वादिसम्बन्धात् पञ्चेष्टकासम्पादनं प्रागुक्तम्–“ तदाहुः कथमस्यैषोऽग्निः पञ्चेष्टकः ? ”–इत्यादिना ॥ २० ॥

१४४६

तेषां चतुर्विꣳशतिः सामिधेन्यः । (श्रु) चतुर्विꣳशत्यर्धमासो वै संव्वत्सरः संवत्सरोऽग्निर्यावानग्निर्यावत्यस्य मात्रा तावतैवैनमेतत्समिन्द्धे २१

यद्वेव चतुर्विꣳशतिः । (श्रु) चतुर्विꣳशत्यक्षरा वै गायत्री गायत्रोऽग्निर्यावानग्निर्यावत्यस्य मात्रा तावतैवैनमेतत्समिन्द्धे ॥ २२ ॥

तेषां चतुर्विंशतिः सामिधेन्यः । चतुर्विंशत्यर्धमासो वै सम्वत्सरः । सम्वत्सरोऽग्निः । यावानग्निर्यावत्यस्य मात्रा–तावतैवैनमेतत्समिन्द्धे ॥ २१ ॥

यद्वेव चतुर्विंशतिः । चतुर्विंशत्यक्षरा वै गायत्री गायत्रोऽग्निः । यावानग्निर्यावत्यस्य मात्रा तावतैवैनमेतत्समिन्द्धे ॥ २२ ॥

अत्र कात्यायनः "समिध्यमानसमिद्धवत्यन्तरे समास्त्वाऽग्न इति नव दधाति"–(का. श्रौ. सू. १६।११) इति । पूर्वं दर्शपूर्णमासयोः पञ्चदश सामिधेन्यः; अत्र "समिध्यमानो अध्वरे"–(तै. ब्रा. ३।५।२।९) इत्यृक्, "समिद्धो अग्न आहुतः"–(तै. ब्रा. ३ । ५ । ३ । १० ।) इत्यृक्; अनयोः प्रकृतिगतयोः सामिधेनीमध्यपठितयोर्ऋचोर्मध्ये "समास्त्वाऽग्न ऋतवो वर्द्धयन्तु"–(वा. सं. २७ । १–९) इत्याद्या नव । ऋचो दध्यात् । पूर्वं "प्र वो वाजा अभिद्यवः"–(तै. ब्रा. ३ । ५ । २ । १–११) इत्याद्याः पञ्चदश, इदानीं मध्ये निहिता नव, उभयस्य चतुर्विंशतिर्भवतीति तदेतद् दर्शयति–**तेषां चतुर्विंशतिः सामिधेन्य** इति । अग्निसमिन्धनसाधनभूता ऋचः सामिधेन्य इत्युच्यन्ते । "समिधामाधाने षेण्यण्"–(पा. सू. ४ । ३ । १२० वा ३) इति षेण्यण् प्रत्ययः । सामिधेनीगतां चतुर्विंशतिसङ्ख्यां प्रशंसति–**चतुर्विंशत्यर्द्धमासो वै संवत्सर** इति । संवत्सरस्य द्वादश मासाः, मासस्य द्वावर्द्धमासौ, इति संवत्सरस्य चतुर्विंशतिरर्द्धमासाः तादृशः संवत्सर एवाग्निः; "संवत्सरे कुमारोऽजायत"–(श. प. ६ । १ । ३ । ८) इति प्रागाम्नानात् । अग्नेः संवत्सरात्मकत्वेन प्रकृते किमायातमिति, तत्राह–**यावानग्निरि**ति । 'अग्निः' 'यावान्' यत्परिमाणः, 'अस्य' अग्नेः 'यावती' यत्परिमाणा 'मात्रा' अवयवा यावन्तः, 'तावता' तत्परिमाणैः तैरंशैरेव 'एनम्' अग्निं 'समिन्धे' सन्दीपितवान् भवति । अयमर्थः–अग्नेः संवत्सरात्मकत्वे संवत्सरस्य यावन्तो यावन्तोऽवयवा मासार्द्धमासाद्यात्मानः; तावद्भिरवयवैः 'एनं' चित्याग्निं 'समिन्धे' । अथवा "यावानग्निरिति," अवयव्यग्निपरिमाणवचनम्; "यावत्यस्य मात्रेति" अवयवपरिमाणवचनम्; 'तावता' तत्परिमाणेनाग्निसंवत्सरात्मना 'एनम्' अग्निम् आहवनीयं 'समिन्धे' इति । अनेनाग्निः स्वयमग्निना समिद्धो भवतीत्युक्तं भवति । तथा च श्रूयते–"अग्निनाऽग्निः समिध्यते कविर्गृहपतिर्युवा"–(ऋ. सं. १ । १२ । ६ ।) इति ॥ २१ ॥

प्रकारान्तरेण चतुर्विंशतिसङ्ख्यां प्रशंसति–**यद्वेव चतुर्विंशतिरि**ति । गायत्र्यात्मकत्वमग्नेः प्रागुक्तम्–"यद्वेवाष्टावग्निरूपाणि अष्टाक्षरा गायत्री, तस्मादाहुः गायत्रोऽग्निरिति"–(श. प. ६ । १ । ३ ।) इति । **तावतैवे**ति । गायत्र्यक्षरसङ्ख्याकैरवयवैः 'एनम्' अग्निम् समिद्धवान् भवतीति ॥ २२ ॥

यद्वेव चतुर्विꣳशतिः । (श्व) चतुर्विꣳशो वै पुरुषो दश हस्त्याऽअङ्गुलयो दश पाद्याश्चत्वार्यङ्गानि पुरुषः प्रजापतिः प्रजापतिरग्निर्यावानग्निर्यावत्यस्य मात्रा तावतैवैनमेतत्समिन्द्धे ॥ २३ ॥

(न्द्धऽ) उभयीर्गायत्रीश्च त्रिष्टुभश्चान्वाह । प्राणो गायत्र्यात्मा त्रिष्टुप्प्राणमेवास्य गायत्रीभिः समिन्द्धऽआत्मानं त्रिष्टुब्भिर्मध्ये त्रिष्टुभो भवन्त्यभितो गायत्र्यो मध्ये ह्ययमात्माऽभितः प्राणा भूयसीः पुरस्ताद्गायत्रीरन्वाह कनीयसीरुपरिष्टाद्भूयाꣳसो हीमे पुरस्तात्प्राणाः कनीयाꣳसऽउपरिष्टात् ॥ २४ ॥

यद्वेव चतुर्विंशतिः । चतुर्विंशो वै पुरुषो—दश हस्त्या अङ्गुलयो, दश पाद्याः, चत्वार्यङ्गानि । पुरुषः प्रजापतिः । प्रजापतिरग्निः । यावानग्निर्यावत्यस्य मात्रा—तावतैवैनमेतत्समिन्द्धे ॥ २३ ॥

उभयीर्गायत्रीश्च त्रिष्टुभश्चान्वाह—प्राणो गायत्री, आत्मा त्रिष्टुप् । प्राणमेवास्य गायत्रीभिः समिन्द्धे, आत्मानं त्रिष्टुब्भिः । मध्ये त्रिष्टुभो भवन्ति, अभितो गायत्र्यः । मध्ये ह्ययमात्मा—अभितः प्राणाः । भूयसीः पुरस्ताद्गायत्रीरन्वाह, कनीयसीरुपरिष्टात् । भूयांसो हीमे पुरस्तात्प्राणाः, कनीयांस उपरिष्टात् ॥ २४ ॥

यद्वेवेति । चतुर्विंशो वै पुरुष इति । चतुर्विंशतिसङ्ख्याकावयवयुक्तः ' चतुर्विंशः ' । तानेवावयवान् दर्शयति—**दश हस्त्या** इति । हस्तयोर्भवा अङ्गुलयो दश, पादयोर्भवा दश ' चत्वार्यङ्गानि ' पादद्वन्द्वमुखमस्तकाख्यानि । एवं चतुर्विंशतिरङ्गानि; ' पुरुषः ' उक्तावयवयुक्तः ' प्रजापतिः ' प्रजापतिरूपः " स एव पुरुषः प्रजापतिरभवत् "—(श. प. ६ । १ । १ । ५) इत्यादिना पुरुषस्य प्रजापतित्वमुक्तम् । प्रजापतेरग्नित्वञ्च " स पुरुषः प्रजापतिरभवदयमेव स योऽयमग्निश्चीयते " (श. प. ६ । १ । १ । ५)—इति; तथाऽत्रैवाध्याये ' प्रजापतिरग्निरूपाण्यभ्यध्यायत् "—इत्युपक्रम्य, " ततो वै प्रजापतिरग्निरभवत् " (श. प. ६ । २ । १ । १–१२)—इत्यन्तेन । **तावतैवैनमिति** । तावत्परिमाणेन चतुर्विंशत्यङ्गात्मनाऽग्निना ' एनम् ' अग्निं दीपितवान् भवतीति ॥ २३ ॥

उभयीर्गायत्रीश्च त्रिष्टुभश्चान्वाहेति । सामिधेनीषु "प्र वो वाजाः" (तै. ब्रा. ३ । ५ । २ । १–११) इत्याद्या गायत्र्यः, " समास्त्वाऽग्न ऋतवो वर्द्धयन्तु "—(वा. सं. २७ । १–९) (तै. सं. ४ । १ । ७) इत्याद्याः त्रिष्टुप्छन्दस्काः, ता ' उभयीः ' अनुब्रूयात्, होतेति शेषः । सामिधेनीगतगायत्रीत्रिष्टुप्छन्दांसि प्राणात्मसमिन्धनरूपेण प्रशंसति—**प्राणो गायत्रीति** । गायत्र्यास्त्रिपात्त्वम्, प्राणस्य च प्राणापानव्यानात्मना त्रित्वसङ्ख्यावत्त्वम् । त्रिष्टुभो वीर्यरूपत्वात् उरसः सकाशादुत्पत्तेः आत्मरूपता । **मध्ये त्रिष्टुभो भवन्तीति** । प्रथमं " प्र वो वाजाः "—इत्याद्याः " आनो अध्वरे " इत्यन्ता गायत्र्यः, अन्ते च " समिद्धो अग्निराहुतः " इत्याद्या गायत्र्यः, समिध्यमानसमिद्धवत्योर्निधीयमानाः " समास्त्वाऽग्न ऋतवः "—इत्याद्यास्त्रिष्टुभ इत्यर्थः ।

(त्सो) सोऽन्वाह । सुमास्त्वा ग्रऽऋतुवो व्वर्द्धयंत्त्विति प्रजापतिं व्विस्रस्तं युत्राग्निः समुदधात्तमब्रवीद्या मुत्सम्मिताः सामिधेन्यस्ताभिर्मा सुमिन्त्स्वेति ॥ २५ ॥

सुऽएताऽअपश्यत् । (त्सु) सुमास्त्वाऽग्रऽऋतुवो व्वर्द्धयंत्त्विति सुमाश्च त्वाऽग्रऽऋतुवश्च व्वर्द्धयंत्त्वित्येतुत्संवत्सरा ऽऋषयो युानि सत्येति संवत्सराश्च त्वुऽर्षयश्च सत्युानि च व्वर्द्धयन्त्वित्येतत्सुं दिव्येन दीदिहि रोचनेनेत्यसौ वुाऽआदित्यो दिव्युᳪं रोचनं तेन सुंदीदिहीत्येतद्विश्वा ऽआभाहि प्रदिशश्चुतस्र ऽइति सुर्व्वा ऽआभाहि प्रदिशश्चुतस्रऽ इत्येतत् ॥ २६ ॥

सोऽन्वाह–" समास्त्वाऽग्रऽऋतवो वर्द्धयंतु "–इति । प्रजापतिं विस्रस्तं यत्राग्निः समदधात् तमब्रवीत्–या मत्सम्मिताः सामिधेन्यः ताभिर्मा समिन्त्स्वेति ॥ २५ ॥

स एता अपश्यत्–"समास्त्वाऽग्र ऋतवो वर्द्धयंत्विति"–समाश्च त्वाऽग्र ऋतवश्च वर्द्धयंतु–इत्येतत् । " संवत्सरा ऋषयो यानि सत्या "–इति । संवत्सराश्च त्वर्षयश्च सत्यानि च वर्द्धयंतु–इत्येतत् । " सं दिव्येन दीदिहि रोचनेन "–इति । असौ वा आदित्यो दिव्यं रोचनं, तेन संदीदिहीत्येतत् । " विश्वाआभाहि प्रदिशश्चतस्रः "–(वा० सं० २७ । १) इति । सर्वा आभाहि प्रदिशश्चतस्र–इत्येतत् ॥ २६ ॥

मध्ये ह्ययमात्मेति । गायत्रीत्रिष्टुभोः प्राणापानरूपत्वोक्तेः प्राणापानयोरात्मपूर्वपरभागवर्तित्वं प्रसिद्धम्, मध्ये त्रिष्टुभां निधानस्योक्तत्वात् ॥

प्राप्तं गायत्रीसमविभागं वारयन्नाह–भूयसीः पुरस्ताद् गायत्रीरन्वाहेति । " प्र वो वाजा अभिद्यवः "–इत्याद्या एकादश गायत्र्यः प्रथममनुवक्तव्याः, अन्ते च " समिद्धो अग्निराहुतः "–इत्याद्याश्चतस्र इत्यर्थः । प्राणा अपि पुरस्तात् नासापुटयोरधिकं निस्सरन्ति, ब्रह्मरन्ध्रात्स्वल्पमित्यभिप्रायः ॥ २४ ॥

इदानीं मध्ये निधीयमाना ऋचस्तदनुवाचनं विधत्ते सोऽन्वाह–समास्त्वाऽग्र ऋतवो वर्द्धयंत्विति । मंत्राणामर्थं विवक्षुस्तेषां प्रजापतिसमिंधनार्थतां दर्शयति–प्रजापतिं विस्रस्तामिति । यदा विस्रस्तं विश्लिष्टांगं प्रजापतिं अग्निः समदधात् संयोजितवान् तमब्रवीत् प्रजापतिरिति शेषः । मत्संमिताः मम पर्याप्ताः याः सामिधेन्यः ताभिः 'मा' मां प्रजापतिं समिन्त्स्व संदीपयेति । इंधेर्लोटि मध्यमे रूपम् ॥ २५ ॥

एवमुक्तोऽग्निः प्रजापतिसमिंधनार्थं सामिधेनीमंत्रान् दृष्टवानित्याह–स एता अपश्यत्–समास्त्वाऽग्र ऋतवो वर्द्धयंत्वितीति । इतिशब्दः प्रकारे । एवंप्रकारा नव ऋचोऽपश्यदित्यर्थः । मंत्रं प्रतिपादमनूद्य व्याचष्टे–समाश्च त्वाऽग्र ऋतवश्च वर्द्धयंत्वित्येतदिति ॥ २६ ॥

१–' समिध्यमानसमिद्धवत्यन्तरे समास्त्वाऽग्न इति नाव दधाति ' का. श्रौ. सू. १६ । ११ ।

(त्त्रा) ता ऽएता ऽएकव्याख्यानाः । (ऽ) एतमेवाभि यथैतमेव संस्कुर्यादेतꣳ संदध्यादेतं जनयेत्ता ऽआग्नेय्यः प्राजापत्या यदग्निरपश्यत्तेनाग्नेय्यो यत्प्रजापतिꣳ समैन्द्ध तेन प्राजापत्याः ॥ २७ ॥

(०) द्वादशाप्रियः । (यो) द्वादश मासाः संवत्सरः संवत्सरोऽग्निर्यावानग्निर्यावत्यस्य मात्रा तावतैवैनमेतदाप्रीणाति ॥ २८ ॥

ता एता एकव्याख्यानाः । एतमेवाभि यथैतमेव संस्कुर्यात् । एतं संदध्यात् । एतं जनयेत् । ता आग्नेय्यः प्राजापत्याः । यदग्निरपश्यत् । तेनाग्नेय्यः। यत्प्रजापतिं समैन्द्ध । तेन प्राजापत्याः॥२७॥

द्वादशाप्रियः । द्वादश मासाः संवत्सरः । संवत्सरोऽग्निः । यावानग्निः । यावत्यस्य मात्रा । तावतैवैनमेतदाप्रीणाति ॥ २८ ॥

मंत्रस्यायमर्थः । अत्राग्निपदेन प्रजापतिरुच्यते–"ततो वै प्रजापतिरग्निरभवत्" इति प्रागाम्नानात् । उत्तरत्र तासां नवानामग्निरेव द्रष्टा प्रजापतिर्देवतेति वक्ष्यति । अतोऽपि अग्निपदेन प्रजापतिरेव संबोध्यः । हे अग्ने संवत्सरात्मक प्रजापते ! त्वा त्वां विस्रस्तम् ऋतवः वसंताद्याः प्रजापतेः संवत्सरात्मकत्वात् तदवयवा ऋतवः समाः संवत्सराः च वर्द्धयंतु । ऋषयः ऋषिपदेन प्राणा उच्यंते–"के त ऋषयः प्राणा वा ऋषयः" (श.प.६।१।१।१) इति श्रुतेः । यानि सत्या सत्कर्माणि । तानि च त्वा वर्द्धयंतु । अतः अवयवसमृद्धेः दिव्येन द्युलोकभवेन आदित्येन संदीदिहि संदीप्तो भव । दीदीयतिर्दीप्तिकर्मा इति यास्कः । (निघं. १ । १६ । ९ । निरु. १० १ । ६) दीव्यतेर्वा यङ्लुकि लोटि सेर्हौ "लोपो व्योर्वलि" (पा. सू. ६ । १।६) इति लोपे अभ्यासदीर्घे कृते रूपम् । विश्वाः सर्वाश्चतस्रः प्रदिशश्च अभिलक्ष्य आभाहि । "भा दीप्तौ" (धा. पा. अ.प. ४१) । भाहि अत्रांतर्णीतण्यर्थे । दीपयेति ॥

नवामामपि ऋचामेकाभिधेयतां दर्शयति–**ता एता एकव्याख्याना** इति । ताः सामिधेनीमध्ये निधीयमानत्वेनोक्ता 'एताः' इदानीं प्रदर्शिता ऋचः 'एकव्याख्यानाः' एकार्था इत्यर्थः । तमेवार्थं दर्शयति–**एतमेवाभीति** । 'यथा' येन प्रकारेण अग्निः 'एतमेव' प्रजापतिं 'संस्कुर्यात्,' 'एतं' विस्रस्तं 'सन्दध्यात्' संयोजयेत्, तथा 'एतं' 'जनयेत्' उत्पादयेत् । एवमर्थवत्वेन व्याख्यासाम्यमिति तात्पर्यम् । तासामग्न्यार्षेयत्वं प्रजापतिदेवत्यत्वं च दर्शयति–**यदग्निरपश्यदिति** । 'समैन्द्ध'–इति लङि "आडजादीनाम्."–(पा. सू. ६ । ४ । ७२) इत्याडागमः ॥ २७ ॥

कात्यायनः–"आप्रियो द्वादशोद्ध्वा अस्येति"–(का. श्रौ. सू. १६ । १२ ।) तद् दादशसङ्ख्याः प्रयाजयाज्या विधत्ते–**द्वादशाप्रिय** इति । तनूनपान्नराशंसयोरुभयोः साहित्ये द्वादशत्वम् । आप्रीगतां सङ्ख्यां संवत्सरात्मना प्रशंसति–**द्वादश मासाः संवत्सर** इति । संवत्सरे जातत्वादग्नेस्तदात्मकत्वम् । **यावानग्निरिति** । अवयविपरिमाणवचनम् । **यावत्यस्य मात्रेति** । अवयवपरिमाणवचनम् । 'तावता' तत्परिमाणैरवयवैर्मासात्मभिः 'एनम्' अग्निम् आप्रीतवान् भवति । संवत्सरस्य मासा अवयवाः; तदात्मकस्याग्नेरपि प्रयाजयाज्या अवयवाः; अनेन स्वैरेवावयवैरग्निराप्रीतवान् भवतीत्यर्थः ॥ २८ ॥

यद्वेव द्वादश । द्वादशाक्षरा वै जगतीयं वै जगत्यस्याᳫँ हीदᳬँ सर्वं जगदियमु वाऽअग्निरस्यै हि सर्वोऽग्निश्चीयते यावानग्निर्यावत्यस्य मात्रा तावतैवैनमेतदाप्रीणाति ॥ २९ ॥

यद्वेव द्वादश । द्वादशाक्षरा वै जगती जगती सर्वाणि च्छन्दाᳬँसि सर्वाणि च्छन्दाᳬँसि प्रजापतिः प्रजापतिरग्निर्यावानग्निर्यावत्यस्य मात्रा तावतैवैनमेतदाप्रीणाति ॥ ३० ॥

ता ऽएताऽ ऊर्ध्वा ऽअस्य समिधो भवन्तीति प्रजापतिं विस्रस्तं यत्राग्निः समदधात्तमब्रवीद्या मत्संमिताऽआप्रियस्ताभिर्माऽऽ प्रीणीहीति ॥ ३१ ॥

स ऽएता ऽअपश्यत् । (दू) ऊर्ध्वा ऽअस्य समिधो भवन्तीत्यूर्ध्वा ह्येतस्य समिद्धस्य समिधो भवन्त्यूर्ध्वा शुक्रा शोचीᳫँष्यग्नेरित्यूर्ध्वानि

यद्वेव द्वादश । द्वादशाक्षरा वै जगती । इयं वै जगती । अस्यां हीदं सर्वं जगत् । इयमु वा अग्निः । अस्यै हि सर्वोऽग्निश्चीयते । यावानग्निर्यावत्यस्य मात्रा—तावतैवैनमेतदाप्रीणाति ॥ २९ ॥

यद्वेव द्वादश । द्वादशाक्षरा वै जगती । जगती सर्वाणि छन्दांसि । सर्वाणि छन्दांसि प्रजापतिः । प्रजापतिरग्निः । यावानग्निर्यावत्यस्य मात्रा—तावतैवैनमेतदाप्रीणाति ॥ ३० ॥

ता एता ऊर्ध्वा अस्य समिधो भवन्तीति । प्रजापतिं विस्रस्तं यत्राग्निः समदधात्—तमब्रवीत्—या मत्सम्मिता आप्रियः ताभिर्माऽऽप्रीणीहीति ॥ ३१ ॥

स एता अपश्यत्—"ऊर्ध्वा अस्य समिधो भवन्ति"—इति । ऊर्ध्वा ह्येतस्य समिद्धस्य समिधो भवन्ति । "ऊर्ध्वा शुक्रा शोचींष्यग्नेः"—इति । ऊर्ध्वानि ह्येतस्य शुक्राणि शोचीं-

---

द्वादशसङ्ख्यामेव द्वादशाक्षरजगत्यात्मना स्तौति—**यद्वेव द्वादशेति** । 'इयं वै जगती' पार्थिवान्पूरितप्रजापतिमध्यशरीरादुत्पत्तेर्जगत्या भूमिरूपत्वम् । 'अस्यां' भूमौ 'सर्वं' जगत् स्थावरजङ्गमात्मकं तिष्ठति । **इयमु वा अग्निरिति** । भूमावधिकरणे सर्वेषामग्नीनां चयनादाधाराधेययोरभेदेन अग्नेर्भूमिरूपत्वम् । **तावतैवेति** । तावत्सङ्ख्याकैर्जगत्यक्षरात्मकैरवयवैराप्रीतवान् भवतीति ॥ २९ ॥

यद्वेव द्वादशेति । तामेव सङ्ख्यां सर्वच्छन्दोरूपजगत्यात्मना प्रशंसति—**जगती सर्वाणि छन्दांसीति** । जगत्यां सर्वेषां गायत्र्यादीनां छन्दसामन्तर्भावात् अधिकाक्षरत्वात् । **तावतैवेति** । तावत्संख्याकैश्छन्दोरूपैर्जगत्यक्षरैरेव अग्निं प्रीणितवानिति ॥ ३० ॥

तानाप्रीमन्त्रान् दर्शयति—**ता एता ऊर्ध्वा अस्य समिधो भवन्तीति** । एतासामृचामर्थं विवक्षुः प्रजापत्याप्रीणनार्थतां दर्शयति—**प्रजापतिं विस्रस्तमिति** ॥ ३१ ॥

प्रजापतिना स्वप्रीणनार्थमभ्यर्थितोऽग्निराप्रीमन्त्रान् दृष्टवानित्याह—**स एता अपश्यदूर्ध्वा अस्य समिधो**

ह्येतस्य शुक्राणि शोचीᳪंष्यर्चीᳪंषि भवन्ति द्युमत्तमेति वीर्यवत्तमेत्येतत्सुप्रतीकस्येति सर्वतो वाऽअग्निः सुप्रतीकः सूनोरिति यदेनं जनयति तेनास्यैष सूनुः ॥ ३२ ॥

(स्ता) ता ऽएता ऽएकव्याख्यानाः । (ऽ) एतमेवाभि यथैतमेव संस्कुर्यादेतᳪं संदध्यादेतं जनयेत्ता ऽआग्नेय्यः प्राजापत्या यदग्निरपश्यत्तेनाग्नेय्यो यत्प्रजापतिमाप्रीणात्तेन प्राजापत्याः ॥ ३३ ॥

(स्ता) ता विषमा विषमपदाः । (०) विषमाक्षरा विषमाणि हि च्छन्दाᳪंस्यथो यान्यस्याध्यात्ममङ्गानि विषमाणि तान्यस्यैताभिराप्रीणाति ॥ ३४ ॥

व्यर्चींषि भवन्ति । " द्युमत्तमा "–इति । वीर्यवत्तमेत्येतत् " सुप्रतीकस्य "–इति । सर्वतो वाऽअग्निः सुप्रतीकः । " सूनोः "–(वा० सं २७ । ११)–इति । यदेनं जनयति–तेनास्यैष सूनुः ॥ ३२ ॥

ता एता एकव्याख्यानाः एतमेवाभि । यथैतमेव संस्कुर्यात्, एतं सन्दध्यात्, एतं जनयेत् । ता आग्नेय्यः, प्राजापत्याः । यद् अग्निरपश्यत् । तेनाग्नेय्यः । यत्प्रजापतिमाप्रीणात्—तेन प्राजापत्याः ॥ ३३ ॥

ता वि[illegible] विषमपदा विषमाक्षराः । विषमाणि हि छन्दांसि । अथो यान्यस्याध्यात्ममङ्गानि–विषमाणि तान्यस्यैताभिराप्रीणाति ॥ ३४ ॥

भवन्तीतीति । 'इति'–शब्दः प्रभृतौ; एतदाद्या द्वादश ऋचो दृष्टवान् । प्रथममन्त्रस्यायमर्थः,–अत्रापि अग्निरूपः प्रजापतिरेव सम्बोध्यः; पूर्वं " ताभिर्माऽऽप्रीणीहि "–इति प्रजापतिप्रार्थनस्योक्तत्वात् । 'अस्य' समिद्धस्य अग्नेः 'शुक्रा' शोचमानानि 'शोचींषि' तेजांसि, 'ऊर्द्ध्वा' ऊर्द्ध्वानि भवन्ति, 'द्युमत्तमा' नेर्लोपः, वीर्यवत्तमानि । अग्निं विशिनष्टि–'सुप्रतीकस्य' शोभनावयवस्य प्रजापतेः 'सूनोः' अग्निपुत्रस्य । अग्निना प्रजापतेर्विस्रस्तसन्धानोक्तेस्तत्पुत्रत्वम् । प्रतिपादमनूद्य व्याचष्टे–ऊर्द्ध्वा ह्येतस्य समिद्धस्येति ॥ ३२ ॥

एतेषामाप्रीमन्त्राणामेकाभिधेयतां दर्शयति–ता एता एकव्याख्याना एतमेवाभीति । " समास्त्वाऽग्न ऋतवः " इत्यत्रोक्तब्राह्मणवाक्यवद् व्याख्येयम् । एतेषामपि पूर्ववदेवाग्निप्रजापतिसम्बन्धं दर्शयति–ता आग्नेय्य इति ॥ ३३ ॥

ता विषमा विषमपदा इति । 'ताः' प्रयाजयाज्याः 'विषमाः' । वैषम्यमेव दर्शयति–'विषमपदाः' पादैर्विषमाः, काश्चन त्रिपदाः काश्चन चतुष्पदाः, अत एव 'विषमाक्षराः' अक्षरैरपि विषमाः, न्यूनाधिकाक्षरै-

---

१–अस्मिन्नेव ब्राह्मणे षड्विंशतितमकण्डिकायाम् ।

वैश्वानरः पशुपुरोडाशः । (शो) वैश्वानरो वै सर्व्वेऽग्नयः सर्व्वेषा-
मग्नीनामुपाप्त्यै ॥ ३५ ॥

यद्वेव वैश्वानरः । (ऽ) ऋतवो हैते यदेताश्चितयोऽग्नयो वाऽऋतव
ऽऋतवः संव्वत्सरः संव्वत्सरो वैश्वानरो यदग्नय ऽइति स्यादति तद्रेचयेद्
द्वादशकपालो द्वादश मासाः संव्वत्सरः संव्वत्सरो वैश्वानर ऽआग्नेय्यो
याज्याऽनुवाक्या ऽअग्निरूपाणामुपाप्त्यै कामवत्यः कामानामुपाप्त्यै ॥ ३६ ॥

तद्धैके । (कऽ) इत्युवैतानि पशुशीर्षाणि विस्त्वोपदधत्युभयेनैते पशव
ऽइति ते ह ते मर्त्याः कुणपाः सम्भवन्त्यनाप्रीतानि हि तानि तद्ध तथाऽऽ-
षाढेः सौश्रोमतेयस्योपदधुः स ह क्षिप्रऽएव ततो ममार ॥ ३७ ॥

वैश्वानरः पशुपुरोडाशः । वैश्वानरो वै सर्वेऽग्नयः । सर्वेषामग्नीनामुपाप्त्यै ॥ ३५ ॥

यद्वेव वैश्वानरः ऋतवो हैते— यदेताश्चितयः । अग्नयो वाऽऋतवः । ऋतवः सम्वत्सरः । सम्व-त्सरो वैश्वानरः । यदग्नय इति स्यात्—अति तद्रेचयेत् । द्वादशकपालः । द्वादश मासाः सम्वत्सरः । सम्वत्सरो वैश्वानरः । आग्नेय्यो याज्यानुवाक्याः । अग्निरूपाणामुपाप्त्यै । कामवत्यः । कामानामुपाप्त्यै ॥ ३६ ॥

तद्धैके—इत्येवैतानि पशुशीर्षाणि निस्त्वोपदधति । उभयेनैते पशव इति । ते ह ते मर्त्याः कुणपाः

युक्ताः; अत एव ' छन्दांसि विषमाणि ' काश्चन त्रिष्टुभः, काश्चन गायत्र्यः, काश्चन उष्णिहः । **अथो यान्य-स्याध्यात्ममिति** । ' अस्य ' अग्नेः ' अङ्गानि ' अपि ' विषमाणि ' न्यूनाधिकपरिमाणानि अत एव विषमा-भिराप्रीभिः प्रजापतेर्विषमाणि अङ्गानि प्रीणितवान् भवतीत्यर्थः ॥ ३४ ॥

अथ प्रागुक्तान् पुरुषादीन् पञ्च पशूननुलक्ष्य निर्वापणीयं पशुपुरोडाशं सदेवताकं विधत्ते **वैश्वानरः पशुपुरो-डाश इति** । विश्वानरहितत्वात् सर्वाग्निरूपता तस्य ॥ ३५ ॥

यद्वेव वैश्वानर इति । सर्वचितीनाममृतात्मकत्वोक्तेरग्नीनामृतुत्वमुक्तमित्याह—**अग्नयो वा ऋतव इति** । वैश्वानरः पशुपुरोडाश इत्यत्र साक्षादग्निसम्बन्धो न प्रतीयत इति मत्वा केचित् अग्नये वैश्वानराय पशुपुरोडाश इत्यग्निसम्बन्धद्योतनार्थमिदं प्रक्षिपन्ति तदतिरेकेण दूषयति—**यदग्नय इति स्यादति तद्रेचयेदिति** । तस्य पुरोडाशस्य द्वादशकपालसंस्कृतत्वं विधत्ते—**द्वादशकपाल इति** । अथात्र वपापुरोडाशहविषामग्निदेवत्याः काम-पदयुक्ता याज्यानुवाक्या विधत्ते—**आग्नेय्यो याज्यानुवाक्या इति** ॥ ३६ ॥

अत्र कात्यायनः—" त्वङ्मस्तिष्कौ मृतानि घृताक्तानि शिरांसि निदधाति, सकलानि वा, अन्यानि वा हिर-ण्मयानि वा मृन्मयानि वाऽनालभ्यैतान् "—(का. श्रौ. सू. १६।३०–३२) इति । त्वगेव त्वक्, मस्तिष्क-

---

१–प्राजापत्यः पशुपुरोडाशो द्वादशकपाल उभयोः । का० श्रौ० सू० १६ । ३१ ॥

१४५१

हिरण्मुयान्यु हैके कुर्व्वन्ति । (न्त्य) अमृतेष्टकाऽ इति व्वुदन्तस्ता ह ता ऽअमृतेष्टका न हि तानि पशुशीर्षाणि ॥ ३८ ॥

मृन्मुयान्यु हैके कुर्व्वन्ति । (न्त्यु) उुत्सन्ना वुाऽएते पशवो यद्वै किंचो- त्सन्नमियं तुस्य सुर्व्वस्य प्रतिष्ठा तद्युत्रैते पशुवो गतास्तुतऽ एनानुधि सुम्भरामऽ इति न तुथा कुर्याद्यो वुाऽएतेषामावृतं च ब्राह्मणं च नु व्विद्या- त्तुस्यैतऽउुत्सन्नाः स्युः सुऽ एतानेव पुञ्च पशूनुालभेत यावदस्य व्वुशः

सम्भवन्ति । अनाप्रीतानि हि तानि । तद्ध तथाऽऽषाढेः सौश्रोमतेयस्योपदधुः । स ह क्षिप्रऽएव ततो ममार ॥ ३७ ॥

हिरण्मयान्यु हैके कुर्वन्ति—अमृतेष्टका इति वदन्तः । ता ह ता अमृतेष्टकाः । न हि तानि पशुशीर्षाणि ॥ ३८ ॥

मृन्मयान्यु हैके कुर्वन्ति । उत्सन्ना वाऽएते पशवः । यद्वै किंचोत्सन्नम्—इयं तस्य सर्वस्य प्रतिष्ठा । तद् यत्रैते पशवो गताः—तत एनानधि सम्भराम इति । न तथा कुर्यात् । यो वाऽएतेषा-

---

शब्देन शिरःकपालगता मज्जाऽभिधीयते, ते उद्धृत्य घृतसिक्तानि उक्तपुरुषादिपञ्चपशुशिरांसि; निदधाति 'सकलानि' त्वङ्मस्तिष्कसहितानि 'वा' दध्यात्; अथवा उक्तानुक्तान् पुरुषादिपशूननालभ्य सञ्ज्ञपनमकृत्वेत्यर्थः; 'अन्यानि' सञ्ज्ञपनहतानि पञ्च पशुशीर्षाणि दध्यात्; अथ वा तत्प्रतिनिधित्वेन 'हिरण्मयानि' सुवर्णनिर्मितानि, 'मृन्मयानि' वा गृह्णीयात् इति विकल्पत्रयमिति सूत्रार्थः ।

तत्र आलम्भपक्ष एव मुख्य इति सिद्धान्तयितुं तान् पक्षान् सदोषान् कृत्वोपन्यस्यति—तद्धैक इत्यैवैतानि पशुशीर्षाणि चित्वोपदधतीत्यादिना । 'इत्येव' वक्ष्यमाणप्रकारेण 'वित्त्वा' विदेर्लाभार्थस्य क्त्वाप्रत्यये रूपम, लब्ध्वा, सम्पाद्येत्यर्थः । 'उभयेन' लाभालम्भाभ्याम् 'एते' 'पशवो' भवन्ति 'इति' वदन्तः 'एके' इति समन्वयः । प्रयाजैरसंस्कृतत्वात् 'तानि' शिरांशि 'अनाप्रीतानि' जातानीत्यर्थः ॥

एतैरेवोपधाने इष्टानिष्टे दर्शयति—तद्ध तथाऽऽषाढेरिति । 'सौश्रोमतेयस्य' सुश्रोमती नाम काचन मुनिपत्नी, तस्या अपत्यमाषाढिर्नाम ऋषिः, तस्य । तथा सञ्ज्ञपनहतानि शिरांसि 'उपदधुः,' 'ततः' तदनन्तरं 'सः' आषाढिः 'क्षिप्र एव' काले मृतवान् ॥ ३७ ॥

कुणपमर्त्यत्वदोषपरिहारार्थं हिरण्मयशीर्षोपधानं केचिद्वदन्तीत्याह—हिरण्मयान्यु हैके कुर्वन्तीति । यद्यपि 'अमृतेष्टकाः,' तथापि 'न पशुशीर्षाणि' इति न तैरुपधानं युक्तमित्यर्थः ॥ ३८ ॥

मृन्मयान्यु हैक इति । 'एते' पुरुषादयः 'पशवः' 'उत्सन्नाः' आलब्धव्यत्वात्, अतः किं मृन्मय करणमिति; तत्राह—यद्वै किञ्चेति । 'यत् किञ्च उत्सन्नं' वस्तु भवति, 'तस्य सर्वस्य' 'इयं' पृथिवी- 'प्रतिष्ठा'; नष्टं पृथिवीमन्वेतीति तस्याः प्रतिष्ठात्वम् । 'तत्' तस्मात् 'यत्र' यस्मिन् प्रदेशे नष्टाः 'पशवः' 'गताः', 'ततः' तस्मात् प्रदेशात् 'एनान्' पशून् 'सम्भरामः' आनेष्यामः 'इति' मृन्मय- करणे युक्तिः । न तथा कुर्यादिति, तन्निषेधः ॥

स्यात्तान्हैतान्प्रजापतिः प्रथम ऽआलेभे श्यापर्णः सायकायनोऽन्तमोऽथ ह स्मैतानेवान्तरेणालभन्तेऽथैतर्हीमौ द्वावेवालभ्येते प्राजापत्यश्च वायुव्यश्च तयोरतो ब्राह्मणमुद्यते ॥ ३९ ॥

इति प्रथमप्रपाठके चतुर्थं ब्राह्मणम् ॥ ६-१-४॥ (२.१.) ॥

इति प्रथमप्रपाठकः समाप्तः ॥ कण्डिकासंख्या ११० ॥

मावृतं च ब्राह्मणं च न विद्यात्-तस्यैतऽउत्सन्नाः स्युः । स एतानेव पञ्च पशूनालभेत-यावदस्य वशः स्यात् । तान्हैतान्प्रजापतिः प्रथम आलेभे । श्यापर्णः सायकायनोऽन्तमः । अथ ह स्मैतानेवान्तरेणालभन्ते । अथैतर्हीमौ द्वावेवालभ्येते-प्राजापत्यश्च, वायव्यश्च । तयोरतो ब्राह्मणमुद्यते॥ ३९॥

इदानीं पञ्चपश्वालम्भपक्षं सिद्धान्तयति-**यो वा एतेषामिति** । 'आवृतं' प्रयाणक्रमम्, तद्विपायकं 'ब्राह्मणम्' 'च' अविदुष एव 'एते' पशवः 'उत्सन्नाः' । **स एतानिति** । 'सः' विद्वान् । **यावदस्य वशः स्यादिति** । 'अस्य' चिन्वतः पुरुषस्य 'यावत्' कर्मप्रयोगः 'वशः' 'स्यात्' स्वाधीनो भवेत्, 'स पशूनालभेत' इत्यन्वयः ॥

अस्मिन्नर्थे अनुष्ठातृसम्प्रदायं प्रमाणयति-**तान् हैतान् प्रजापतिः प्रथम** इति । सायकस्यापत्यं 'सायकायनः' 'श्यापर्णः' नाम 'अन्तमः' चरमः 'आलेभे' । 'अन्तरेण' प्रजापतिश्यापर्णयोरन्तरालकाले ये अनुष्ठातारः, ते 'एतानेव' पञ्च पशून् 'आलभन्ते' आलेभिरे ॥

एतावत्पर्यन्तं पञ्चपश्वालम्भपक्ष उक्तः, इतः परं प्राजापत्यवायव्यपक्षौ वर्ण्येते । त्रयः पक्षा अपि समविकल्पाः । तत्रेदानीमपि अनुष्ठातृभिः पञ्चपश्वालम्भः कार्य इति मन्यते, तान् प्रत्याह-**अथैतर्हीमौ द्वावेवालभ्येते** इति । 'अथ' इति पक्षान्तरप्रारम्भे । 'एतर्हि' अधुना । एतच्छब्दात् कालार्थे र्हिल् प्रत्ययः । (पा. सू. ५ । ३ । १६) 'प्राजापत्यः वायव्यश्च' इति द्वौ पशू 'आलभ्येते' । तावपि समविकल्पाविति प्रागुक्तम् । 'अतः' 'तयोः' एतयोः पश्वोः विधायकं 'ब्राह्मणम्' 'उद्यते' भण्यते । "वद व्यक्तायां वाचि" (धा. पा. भ्वा. प. १०३४) लिटि "वचिस्वपियजादीनां किति"-(पा. सू. ६ । १ । १५) इति सम्प्रसारणम् ॥ ३९ ॥

इति श्रीसायणाचार्यविरचिते माधवीये वेदार्थप्रकाशे माध्यन्दिनीयशतपथब्राह्मणभाष्ये षष्ठकाण्डे द्वितीयेऽध्याये प्रथमं ब्राह्मणम् ॥ (६-२-१) ॥

१-पूर्वौ वा देवतासामान्यात् । उत्तरे तु सामान्योपदेशाभ्याम् । वायवे वा नियुत्वते श्वेतलप्सुदी द्वे दद्यात् । प्राजापत्यः पशुपुरोडाशो द्वादशकपाल उभयोः । का० श्रौ० सू० १६ । ३६-३९ ।

अथ द्वितीयप्रपाठके प्रथमं ब्राह्मणम् ।

द्वितीयाध्याये च द्वितीयं ब्राह्मणम् ।

प्राजापत्यं चरकाऽ आलभन्ते । प्रजापतिरग्निं चित्वाऽग्निरभवत्तद्यदेतमालभते तदेवाग्नेरन्तं पर्येतीति ॥ १ ॥

श्यामो भवति । द्वयानि वै श्यामस्य लोमानि शुक्लानि च कृष्णानि च द्वन्द्वं मिथुनं प्रजननं तदस्य प्राजापत्यꣳ रूपं तूपरो भवति तूपरो हि प्रजापतिः ॥ २ ॥

तस्यैकविꣳशतिः सामिधेन्यः । (न्यो) द्वादश मासाः पञ्चऽर्तवस्त्रय ऽइमे लोका ऽअसावादित्य ऽएकविꣳशऽ एष प्रजापतिः प्रजापतिरग्नि-र्यावानग्निर्यावत्यस्य मात्रा तावतैवैनमेतत्समिन्द्धे ॥ ३ ॥

यद्द्वेवैकविꣳशतिः । (रे) एकविꣳशो वै पुरुषो दश हस्त्या ऽअङ्गु-

---

प्राजापत्यं चरका आलभन्ते । प्रजापतिरग्निं चित्वाऽग्निरभवत् । तद्यदेतमालभते–तदेवाग्नेरन्तं पर्येति ॥ १ ॥

श्यामो भवति । द्वयानि वै श्यामस्य लोमानि–शुक्लानि च कृष्णानि च। द्वन्द्वं मिथुनं प्रजननम् । तदस्य प्राजापत्यं रूपम् । तूपरो भवति । तूपरो हि प्रजापतिः ॥ २ ॥

तस्यैकविंशतिः सामिधेन्यः । द्वादश मासाः, पञ्चऽर्तवः, त्रय इमे लोकाः, असावादित्य एकविंशः । एष प्रजापतिः–प्रजापतिराग्निः । यावानाग्निः । यावत्यस्य मात्रा–तावतैवैनमेतत्सामिन्धे ॥३॥

यद्द्वेवैकविंशतिः । एकविंशो वै पुरुषो दश हस्त्या अङ्गुलयः, दश पाद्याः, आत्मैकविंशः । पुरुषः प्रजापतिः । प्रजापतिरग्निः । यावानग्निर्यावत्यस्य मात्रा–तावतैवैनमेतत्समिन्धे ॥ ४ ॥

प्रजापतिदेवत्यपश्वनुष्ठाने सम्प्रदायं दर्शयति–**प्राजापत्यं चरका आलभन्त** इति । चरका नाम चरकप्रोक्तशाखाध्यायिनो महर्षयः । तत्र फलमाह–**प्रजापतिरग्निं चित्वे**ति ॥ १ ॥

तस्य पशोर्वर्णं विधत्ते–**श्यामो भवती**ति । 'श्यामः' शुक्लकृष्णवर्णद्वययुक्तः पशुः कार्य इत्यर्थः । तद्वर्णद्वयं प्रजापतिः स इत्युपपादयति–**द्वयानि वै श्यामस्य लोमानी**ति । प्रजापतेर्लोकप्रजननसद्भावात् उक्तविधरूपद्वयसमुदायस्य प्राजापत्यत्वम् । गुणान्तरं विधत्ते–**तूपरो भवती**ति । विषाणरहितस्य प्रजापतेरपि शृङ्गरूपस्योत्तमवस्तुनो राहित्यादिति तत्साम्यम् । अत्र कात्यायनः–"श्यामतूपरो वा प्राजापत्य उपदध्यात्"–(का. श्रौ. सू. १६ । ३३ ।) इति ॥ २ ॥

प्रजापतिदेवत्यपशुपक्षे सामिधेनीषु समिध्यमानसमिद्धवत्योर्ऋचोर्मध्ये "समास्त्वाऽग्न ऋतवः"–(वा. सं. २७ । १ ।) इत्याद्याः षट्सङ्ख्या ऋचो निदध्यादिति । तदिदं विधत्ते–**तस्यैकविंशतिः सामिधेन्य** इति ।

ळ्यो दश प्राद्याऽ आत्मैकविंᳫँशः पुरुषः प्रजापतिः प्रजापतिरग्निर्यावान-ग्निर्यावत्यस्य मात्रा तावतैवैनमेतत्समिन्द्धे ॥ ४ ॥

(न्द्धऽ) उभयीर्गायत्रीश्च त्रिष्टुभश्चान्वाह। तासामुक्तो बन्धु रुक्तम्वेवान्वृचᳫँ हिरण्यगर्भवत्याऽऽघारमाघारयति प्रजापतिर्वै हिरण्यगर्भः प्रजापतिरग्निर्द्वादशाग्नियस्तासामुक्तो बन्धुरुक्तम्वेवान्वृचं प्राजापत्यः पशुपुरोडाशो यऽ एव पशोर्बन्धुः स पुरोडाशस्य द्वादशकपालो द्वादश मासाः संव्वत्सरः संवत्सरः प्रजापतिः कद्वत्यो याज्यानुवाक्याः को हि प्रजापतिः ॥ ५ ॥

उभयीर्गायत्रीश्च त्रिष्टुभश्चान्वाह। तासामुक्तो बन्धुः। उक्तम्वेवान्वृचम्। हिरण्यगर्भवत्याऽऽघारमाघारयति। प्रजापतिर्वै हिरण्यगर्भः। प्रजापतिरग्निः। द्वादशाग्नियः, तासामुक्तो बन्धुः। उक्तम्वेवान्वृचम्। प्राजापत्यः पशुपुरोडाशः। य एव पशोर्बन्धुः—स पुरोडाशस्य। द्वादशकपालः। द्वादश मासाः सम्वत्सरः, सम्वत्सरः प्रजापतिः। कद्वत्यो याज्यानुवाक्याः। को हि प्रजापतिः ॥ ५ ॥

प्रकृतिगताः पञ्चदश, इदानीं धाय्याः षट्[१], उभय्य एकविंशतिरित्यर्थः। सामिधेनीगतामेकविंशतिसङ्ख्यां प्रकारद्वयेन प्रशंसति—द्वादश मासा इति। कण्डिकाद्वयं पूर्ववद् व्याख्येयम् ॥ ३ ॥ ४ ॥

उभयीर्गायत्रीश्च त्रिष्टुभश्चान्वाहेति। सामिधेनीषु पूर्वं गायत्रीच्छन्दस्का भूयस्यः, मध्ये त्रिष्टुभः, अन्ते च गायत्र्यः, ताश्च प्रजापतिसन्धानार्थाः ॥

एतस्य सर्वस्य विधायकं ब्राह्मणमतिदिशति—तासामुक्तो बन्धुरुक्तम्वेवान्वृचामिति। 'बन्धुः' स्तावकं ब्राह्मणम् 'उक्तम्', पञ्चपशुविधिप्रकरणे; सामिधेनीषु आसाम् 'अन्वृचं' प्रत्यृचम् उक्तमेव, व्याख्यातं वेत्यर्थः, "प्राणो गायत्र्यात्मा त्रिष्टुप्" (श. प. २। १। २) इत्यादिना, "ता एता एकव्याख्यानाः एतमेवाभि यथैतमेव संस्कुर्यादेतं जनयेत्"—(श. प. ६। २। १। २७) इति च। अस्मिन् प्राजापत्य-पक्षे उत्तराघारे मन्त्रविशेषं—हिरण्यगर्भवत्याऽऽघारमाघारयतीति वचनात्[२] हिरण्यगर्भपदवत्या ऋचा आघारः स्रुचि, उत्तरस्यामिति सामर्थ्याल्लभ्यते। "हिरण्यगर्भः समवर्त्तताग्रे"—(वा. सं. १३। ४) इति मन्त्रेणे-त्यर्थः। अत्र किमयमविशेषेणोक्तो मन्त्रः पूर्वस्मिन् स्रुवाघारे? इति। किं तावत् प्राप्तम्? पूर्वाघारो हिरण्य-गर्भवत्या कर्त्तव्यः, कुतः? देवतासामान्यात्। पूर्वाघारः तूष्णीं हूयमानत्वात् प्रजापतिदेवत्यः; हिरण्यगर्भमन्त्रस्यापि प्रजापतिर्देवता; "कस्मै देवाय हविषा विधेम"—(वा. सं. १३। ४) इति मन्त्रलिङ्गात्। 'क'-शब्देन प्रजापतिरभिधीयते; "को हि प्रजापतिः"—(श. ब्रा. ४। ५। ६।४ ॥ ६। २। २। ५। १२)। (तै. सं. १। ७। ६। ६) इति श्रुतेः। अतो मन्त्रो देवताभिधानसमर्थः पूर्वस्मिन् स्रुवाघारे एव विनियुज्यते इति प्राप्ते, ब्रूमः—पूर्वाघारे नायं मन्त्रः; किन्तर्हि? उत्तराघारे, मन्त्रवत्त्वसामान्यात्। यस्याघारस्य प्रकृतौ मन्त्रो

१-षड्दध्यात्। धाय्या इति यावत्। २-इदं तु कर्कभाष्यस्थं वचनम्। एतद्भाष्यमूलभूतं सूत्रं तु 'हिरण्यगर्भ' इत्यूत्त स्रुवाघारः। का. श्रौ. सू. १६। ३५।

(३) अथैतं व्वायवे नियुत्वते । शुक्लं तूपरमालभते प्रजापतिः प्रजाः सृष्ट्वाऽनुव्यैक्षत तस्यात्यानन्देन रेतः परापतत्सोऽजः शुक्लस्तूपरो लप्सुद्य भवद्रसो वै रेतो यावानु वै रसस्तावानात्मा तद्यदेतमालभते तदेवाग्नेरन्तं पर्येति शुक्लो भवति शुक्लꣳ हि रेतस्तूपरो भवति तूपरꣳ हि रेतो व्वायवे भवति प्राणो वै व्वायुर्नियुत्वते भवत्युदानो वै नियुतः प्राणोदानावेवास्मिन्नेतद्दधाति ॥ ६ ॥

यद्वेवैतं व्वायवे नियुत्वते । शुक्लं तूपरमालभते प्रजापतिं व्विस्रस्तं यत्र देवाः समस्कुर्वँस्त्स योऽस्मात्प्राणो मध्यत ऽउदक्रामत्तमस्मिन्नेतेन पशुना-

---

अथैतं वायवे नियुत्वते शुक्लं तूपरमालभते । प्रजापतिः प्रजाः सृष्ट्वाऽनुव्यैक्षत । तस्यात्यानन्देन रेतः । परापतत् सोऽजः शुक्लस्तूपरो लप्सुद्यभवत् । रसो वै रेतः । यावानु वै रसस्तावानात्मा । तद्यदेतमालभते—तदेवाग्नेरन्तं पर्येति । शुक्लो भवति । शुक्लं हि रेतः । तूपरो भवति । तूपरं हि रेतः । वायवे भवति । प्राणो वै वायुः । नियुत्वते भवति । उदानो वै नियुतः । प्राणोदानावेवास्मिन्नेतद्दधाति ॥ ६ ॥

यद्वेवैतं वायवे नियुत्वते शुक्लं तूपरमालभते । प्रजापतिं विस्रस्तं यत्र देवाः समस्कुर्वन् । स योऽस्मात्प्राणो मध्यत उदक्रामत्—तस्मिन्नेतेन पशुनाऽदधुः । तथैवास्मिन्नयमेतद्दधाति । वायवे भवति ।

दृष्टः, तत्रैव मन्त्रान्तरविधानं युक्ततरम्; इतरत्र पूर्वाघारे तु पूर्वं प्रकृतौ मन्त्राराहित्यादमन्त्रवत्ता विधेया, तद्विशेषे च गौरवं स्यात् । तर्हि उत्तराघारे ऐन्द्रमन्त्रस्य विनियुक्तत्वात् कथमत्र तद्विशेषविधिरिति चेत् ?, सत्यम् । 'इन्द्र'—पदस्य प्रजापतिपरतया व्याख्यातुं योग्यत्वात्, मन्त्रवत्त्वसामान्याच्च मन्त्रान्तरस्य निवर्त्तको भवति । तस्मात् उत्तराघारे एवायं मन्त्र इति सिद्धान्तः ॥

कात्यायनेनापि पूर्वोत्तरपक्षौ दर्शितौ—"हिरण्यगर्भ इत्यृचा स्रुवाघारः, पूर्वो देवतासामान्यात्, उत्तरे तु सामान्योपदेशाभ्याम्"—(का. श्रौ. सू. १६ । ३६–३७) इति । पूर्व एव नापूर्वाघारः; प्रकृतिलिङ्गसामान्यात् । न तु पूर्वः प्रथम आघारः; उत्तरत्र वर्ण्यमानपूर्वोत्तरपक्षविरोधात् । तौ चाधिकरणे पूर्वोत्तरपक्षवद् योज्यौ "तुल्यमन्यत् सर्वेषु"—(का. श्रौ. सू. १६ । ४३) इति यत् कात्यायनेन दर्शितम्, तदिदमाह—द्वादशाप्रिय इति । एतासामाप्रीणामपि संख्यास्तावकं ब्राह्मणं प्रजापतिसंस्कारसन्धानजननलक्षणैकार्थव्याख्यानं चातिदिशति—तासामुक्तो बन्धुरिति । 'बन्धुः' ब्राह्मणम् । प्राजापत्यपशुपुरोडाशस्य तत्पशुब्राह्मणमतिदिशति—य एव पशोर्बन्धुः स पुरोडाशस्येति । एवं ह्येतत्—"प्राजापत्यं चरका आलभन्ते प्रजापतिरग्निं चित्वाऽग्निरभवत् तद्यदेतमालभते तदेवाग्नेरन्तं पर्येति"—इति । 'क' पदयुक्तानां प्रजापतिदेवत्यत्वं दर्शयति—को हि प्रजापतिरिति ॥ ५ ॥

वायव्यपशुपक्षं विधत्ते—अथैतं वायव इति । 'नियुत्वते' नियुत्वद्गुणकाय वायवे 'शुक्लः' वर्णतः,

---

१–अस्मिन्नेव ब्राह्मणे प्रथमकण्डिकायाम् ।

ऽदधुस्तथैवास्मिन्नयमेतद्दधाति वायवे भवति प्राणो वै वायुर्नियुत्वते भवत्युदानो वै नियुतः प्राणोदानावेवास्मिन्नेतद्दधाति शुक्लो भवति शुक्लो हि वायुस्तूपरो भवति तूपरो हि वायुः ॥ ७ ॥

(स्तु) तस्य सप्तदश सामिधेन्यः । सप्तदशो वै संव्वत्सरो द्वादश मासाः पञ्चऽर्त्तवः संव्वत्सरः प्रजापतिरग्निर्यावानग्निर्यावत्यस्य मात्रा तावतैवैनमेतत्समिन्द्धे ॥ ८ ॥

यद्वेव सप्तदश । सप्तदशो वै पुरुषो दश प्राणाश्चत्वार्य्यङ्गान्यात्मा पञ्चदशो ग्रीवाः षोडश्यः शिरः सप्तदशं पुरुषः प्रजापतिः प्रजापतिरग्निर्यावानग्निर्यावत्यस्य मात्रा तावतैवैनमेतत्समिन्द्धे ॥ ९ ॥

प्राणो वै वायुः । नियुत्वते भवति । उदानो वै नियुतः । प्राणोदानावेवास्मिन्नेतद्दधाति । शुक्लो भवति । शुक्लो हि वायुः । तूपरो भवति । तूपरो हि वायुः ॥ ७ ॥

तस्य सप्तदश सामिधेन्यः । सप्तदशो वै संवत्सरः । द्वादश मासाः, पञ्चऽर्तवः । सम्वत्सरः प्रजापतिः । प्रजापतिरग्निः । यावानग्निर्यावत्यस्य मात्रा—तावतैवैनमेतत्समिन्द्धे ॥ ८ ॥

यद्वेव सप्तदश । सप्तदशो वै पुरुषो—दश प्राणाः, चत्वार्यङ्गानि, आत्मा पञ्चदशः, ग्रीवाः षोडश्यः, शिरः सप्तदशम् । पुरुषः प्रजापतिः । प्रजापतिरग्निर्यावानग्निर्यावत्यस्य मात्रा—तावतैवैनमेतत् समिन्द्धे ॥ ९ ॥

'तूपरः' विषाणरहितः, आलब्धव्यः । "प्रजापतिः प्रजाः सृष्ट्वाऽनुव्यैक्षत" इत्यादिकं "तूपरो हि वायुः" इत्यन्तं ब्राह्मणं पशोः शुक्लत्वतूपरत्वयोर्नित्यत्वाद् वायुदेवत्यस्यैव स्तावकम् । तूपरो लप्सुदीति । 'लप्सुदी' ललाटे शुक्लवर्ण इत्यर्थः ॥ ६ ॥ ७ ॥

अस्य पशोः सप्तदशसामिधेनीराह—तस्य सप्तदशेति । कात्यायनोऽपि—"वायवे वा नियुत्वते श्वेतलप्सुदी द्वे दध्यात्" (का. श्रौ. सू. १६।३८) इति । सप्तदशसङ्ख्यां मासर्तुरूपसंवत्सरात्मना स्तौति—सप्तदशो वै संवत्सर इति ॥ ८ ॥

प्रकारान्तरेण तामेव संख्यां प्रशंसति—यद्वेव सप्तदश सप्तदशो वै पुरुष इति । सप्तदशत्वमेव विभज्य दर्शयति—प्राणा इति । चत्वार्यङ्गानीति । बाहुद्वयं पादद्वयमित्यर्थः । आत्मा मध्यदेहः । 'ग्रीवाः' इति बहुवचनं कण्ठगतधमनिबहुत्वापेक्षम् ॥ ९ ॥

१–वायवे वा नियुत्वते श्वेतलप्सुदी । का० श्रौ० सू० १६ । ३८ । 'लप्सुदी कूर्चलः' इति कर्कः ।

(न्द्रऽ) उभयीर्गायत्रीश्च त्रिष्टुभश्चान्वाह । तासामुक्तो बन्धुरुक्तम्वे-वान्वृचं द्वादशाप्रियस्तासामुक्तो बन्धुरुक्तम्वेवान्वृचं प्राजापत्यः पशु-पुरोडाशोऽत्रो स कामऽउपात्तऽइति ह स्माह माहित्थिर्यं चरकाः प्राजा-पत्ये पशावाहुरिति ॥ १० ॥

यद्देव वायव्यः पशुर्भवति । प्राजापत्यः पशुपुरोडाशोऽर्धꣳ ह प्रजा-पतेर्वायुरर्धं प्रजापतिस्तद्यदुभौ वायव्यौ स्यातामुभौ वा प्राजापत्यावर्धꣳ हैवास्य कृतꣳ स्यान्नार्धमथ यद्वायव्यः पशुर्भवति प्राजापत्यः पशुपुरो-डाशस्तेन हैवैतꣳ सर्वं कृत्स्नं प्रजापतिꣳ संस्करोति ॥ ११ ॥

यद्देव वायव्यः पशुर्भवति । प्राजापत्यः पशुपुरोडाशः प्रजापतिं विस्रस्तं यत्र देवाः समस्कुर्वन्त्स योऽस्मात्प्राणो मध्यत ऽउदक्रामत्तम-

---

उभयीर्गायत्रीश्च त्रिष्टुभश्चान्वाह । तासामुक्तो बन्धुः । उक्तम्वेवान्वृचम् । द्वादशाप्रियः । तासामुक्तो बन्धुः । उक्तम्वेवान्वृचम् । प्राजापत्यः पशुपुरोडाशः । अत्रो स काम उपात्त इति ह स्माह माहित्थिः—यं चरकाः प्राजापत्ये पशावाहुरिति ॥ १० ॥

यद्देव वायव्यः पशुर्भवति । प्राजापत्यः पशुपुरोडाशः । अर्धं ह प्रजापतेर्वायुः । अर्धं प्रजापतिः । तद्यदुभौ वायव्यौ स्याताम्, उभौ वा प्राजापत्यौ—अर्धं हैवास्य कृतं स्यात्, नार्धम् । अथ यद्वायव्यः पशुर्भवति, प्राजापत्यः पशुपुरोडाशः—तेन हैवैतं सर्वं कृत्स्नं प्रजापतिं संस्करोति ॥ ११ ॥

यद्देव वायव्यः पशुर्भवति, प्राजापत्यः पशुपुरोडाशः । प्रजापतिं विस्रस्तं यत्र देवाः समस्कुर्वन् ।

उभयीर्गायत्रीरिति । सामिधेन्याः प्रास्ताविकं ब्राह्मणं पूर्ववत् । अत्र वायव्यपशौ प्राजापत्यपशुकरणं प्रशंसति—**अत्रो स काम उपात्त इति ह स्माहे**ति । यं कामं प्राजापत्ये पशौ आहुर्वेदवादिनः, ' सः ' तादृशः ' कामः ' ' अत्रो ' अत्रैव प्राजापत्ये पुरोडाशे ' उपात्तः ' ' इति ' ' माहित्थिः ' नाम ऋषिः उवाच ॥ १० ॥

यद्देव वायव्यः पशुर्भवतीति । ' वायुः ' हि ' प्रजापतेः ' ' अर्द्धम् ' अर्द्धभागः; सूत्रात्मरूपत्वात् । ' प्रजापतिः ' स्वयमेव ' अर्द्धम् ' अर्द्धभागः; तत्र यदि पशुपुरोडाशौ ' उभौ ' अपि ' वायव्यौ ' वायुदेवत्यौ स्याताम्, ' उभौ वा प्राजापत्यौ ' तर्हि ' अस्य ' प्रजापतेः ' अर्द्धम् ' एव तत् ' कृतम् ' संस्कृतं ' स्यात् ' न तु कृत्स्नः प्रजापतिः; उभयात्मकत्वात् तस्येति एकदेवत्यपशुपुरोडाशकरणे अर्द्धं तत् कृतं भवेदिति भावः, उभयोर्भिन्नभिन्नदेवत्ययोः करणे सर्वं प्रजापतिं संस्कृतवान् भवेति । निगदसिद्धमन्यत् ॥ ११ ॥

एतस्य प्राजापत्यपुरोडाशस्य कत्पदयुक्ते याज्यानुवाक्ये विधत्ते—**कद्वत्यौ**[2]**वि**ति । ' क ' शब्दस्य प्रजापति-वाचकत्वमाह—**को ही**ति ॥ १२ ॥

१–" प्राजापत्यः पशुपुरोडाशो द्वादशकपाल उभयोः "–का० श्रौ० सू० ५६ । ३९ । २–" प्राजापत्यस्य कद्वत्यो याज्या-नुवाक्याः " का० श्रौ० सू० १६ । ४० ।

स्मिन्नेतेन पशुनाऽदधुरथास्यैतेन पुरोडाशेनात्मानᳬ समस्कुर्वन्त्स यत्प्राजापत्यो भवति प्रजापतिर्ह्यात्मा द्वादशकपालो द्वादश मासाः संव्वत्सरः संव्वत्सरः प्रजापतिः कद्वत्यौ याज्यानुवाक्ये को हि प्रजापतिः ॥ १२ ॥

(स्त) तद्यद्वपां पुरस्ताज्जुहोति। य ऽएवायं पुरस्तात्प्राणस्तमस्मिन्नेतद्दधात्यथ यदेतेन मध्यतश्चरन्ति मध्यतो ह्ययमात्माऽथ यद्धविषोपरिष्टाच्चरन्ति यऽ एवायमुपरिष्टात्प्राणस्तमस्मिन्नेतद्दधाति शुक्लवत्यो याज्यानुवाक्याः स्युः शुक्ररूपाणामुपाप्त्यै नियुत्वत्यो यदेव नियुत्वद्रूपं तस्योपाप्त्यै ॥ १३ ॥

तदु वाऽआहुः। (र्व्वं) व्वपायाऽ एव शुक्लवत्यौ स्यातामेतावद्वै पशौ शुक्रं यद्वपा शुक्रवत्यौ नियुत्वत्यौ हविषो यदेव नियुत्वद्रूपं तस्योपाप्त्याऽइति ॥ १४ ॥

स योऽस्मात्प्राणो मध्यत उदक्रामत्—तमस्मिन्नेतेन पशुनाऽदधुः। अथास्यैतेन पुरोडाशेनात्मानं समस्कुर्वन्। स यत्प्राजापत्यो भवति—प्रजापतिर्ह्यात्मा। द्वादशकपालः। द्वादश मासाः सम्वत्सरः। संवत्सरः प्रजापतिः। कद्वत्यौ याज्यानुवाक्ये। को हि प्रजापतिः ॥ १२ ॥

तद् यद्वपां पुरस्ताज्जुहोति। य एवायं पुरस्तात्प्राणः—तमस्मिन्नेतद्दधाति। अथ यदेतेन मध्यतश्चरन्ति—मध्यतो ह्ययमात्मा। अथ यद्धविषोपरिष्टाच्चरन्ति—य एवायमुपरिष्टात्प्राणः—तमस्मिन्नेतद्दधाति। शुक्रवत्यो याज्यानुवाक्याः स्युः—शुक्ररूपाणामुपाप्त्यै। नियुत्वत्यो—यदेव नियुत्वद्रूपं तस्योपाप्त्यै ॥ १३ ॥

तदु वाऽआहुः—वपाया एव शुक्रवत्यौ स्याताम्। एतावद्वै पशौ शुक्रं—यद्वपा। शुक्रवत्यौ नियुत्वत्यौ हविषः। यदेव नियुत्वद्रूपम्—तस्योपाप्त्याऽइति ॥ १४ ॥

तद्यद्वपां पुरस्ताज्जुहोति—इत्यादेरयमर्थः,—पूर्वं वायव्यपशोर्वपायागेन, मध्यतः प्राजापत्यपुरोडाशाचरणेन अन्त्ये पश्वङ्गयागेन, उभयतः प्राणान्, मध्ये आत्मानं च निहितवान् भवतीति ॥

वपाहविषोर्नियुत्वत्पदयुक्तां याज्यानुवाक्यां विधत्ते—शुक्रवत्य इति ॥ १३ ॥

अथ शाखान्तरानुसारेण वपाया एव 'शुक्र'—पदयुक्ते याज्यानुवाक्ये, पशुहविषस्तु 'शुक्रवत्' 'नियुत्वत्' पदयुक्ते याज्यानुवाक्ये इति दर्शयति—तदु वा आहुरिति। पूर्वं प्राजापत्यपुरोडाशस्य कत्पदयुक्ते याज्यानुवाक्ये उक्ते इति त्रयाणां वपापुरोडाशहविषां भिन्ना याज्यानुवाक्या इत्यर्थः। तदुक्तं कात्यायनेन—"प्राजापत्यः पशुपुरोडाशो द्वादशकपाल उभयोः, कद्वत्यो याज्यानुवाक्याः प्राजापत्यस्य शुक्रवत्यो वायव्यस्य, वपाया वा"—(का. श्रौ. सू. ११। ३९-४१) इति ॥ १४ ॥

१४११

यद्वेवैतं पशुमालभते । (तऽ) एतस्मिन्ह पशौ सर्वेषां पशूनाꣳ रूपं यत्तूपरो लप्सुदी तत्पुरुषस्य रूपं तूपरो हि लप्सुदी पुरुषो यत्तूपरः केसरवांस्तदश्वस्य रूपं तूपरो हि केसरवानश्वो यदष्टाशफस्तद्गो रूप-मष्टाशफो हि गौरथ यदस्यावेरिव शफास्तदवे रूपं यदजस्तदजस्य तद्य-देतमालभते तेन हैवास्यैते सर्वे पशवऽ आलब्धा भवन्त्यतो यतमदस्य कर्मोपकल्पेतैते वा पञ्च पशव ऽएष वा प्राजापत्य ऽएष वा नियुत्वतीयः १५

(स्तं) तं पौर्णमास्यामालभेत । (ता) अमावास्यायामालभेतेत्यु हैकऽआहुरसौ वै चन्द्रः प्रजापतिः स एताꣳ रात्रिमिह वसति तद्यथो-पतिष्ठन्तमालभेतैवं तदिति ॥ १६ ॥

यद्वेवैतं पशुमालभते । एतस्मिन् ह पशौ सर्वेषां पशूनां रूपम् । यत्तूपरो लप्सुदी–तत् पुरुषस्य रूपम् । तूपरो हि लप्सुदी पुरुषः । यत्तूपरः केसरवान्–तदश्वस्य रूपम् । तूपरो हि केसरवानश्वः । यदष्टाशफः–तद्गो रूपम् । अष्टाशफो हि गौः । अथ यदस्यावेरिव शफाः–तदवे रूपम् । यदजः–तदजस्य । तद्यदेतमालभते–तेन हैवास्यैते सर्वे पशव आलब्धा भवन्ति । अतो यतमदस्य कर्मोप-कल्पेत–एते वा पञ्च पशवः, एष वा प्राजापत्यः, एष वा नियुत्वतीयः ॥ १५ ॥

तं पौर्णमास्यामालभेत । अमावास्यायामालभेत इत्युहैकऽआहुः । असौ वै चन्द्रः प्रजापतिः । स एतां रात्रिमिह वसति । तद्यथोपतिष्ठन्तमालभेत एवं तदिति ॥ १६ ॥

पूर्वं पुरुषादयः पञ्च पशव उक्ताः, अत्र त्वेक एव वायव्यः, तत् कथमेकेन पशुना सर्वयागसाध्यं फलं लभेत ? अतः पञ्चपशुपक्षस्वीकार एव युक्त इति शङ्कां व्युदस्यन् एकस्यापि वायव्यस्य पञ्चपशुरूपतां दर्शयति-**यद्वेवैतं पशुमालभते एतस्मिन् ह पशौ सर्वेषां पशूनां रूपमिति** । प्रागुक्तः पञ्चपश्वादिपक्षाणामन्यतमः पक्ष इच्छया कर्त्तव्य इत्याह–**अतो यतमदस्य कर्मोपकल्पेतेति** ।

तान्येव रूपाणि योजयति–**यत्तूपरो लप्सुदीति** । 'केसराः' स्कन्धरोमाणि ॥ १५ ॥

पश्चालम्भकालं विधत्ते–**तं पौर्णमास्यामालभेतेति** । तच्छब्दः पूर्वपरामर्शार्थः । वायव्यं पौर्णमास्यामालभेत । एतदुपलक्षणम्, सर्वानपि पञ्च पशून् प्राजापत्यं वायव्यं वा पौर्णमास्यामालभेतेत्यर्थः । अत एव कात्यायनेन सर्वशेषतया पञ्चपशुपक्षादौ सूत्रितम्–" उत्तरस्यां फाल्गुन्यां पौर्णमासेनेष्ट्वा पञ्च पशूनालभते "–इति ॥

अत्र केषाञ्चित् पक्षं सोपपत्तिकमनुवदति–**अमावास्यायामालभेतेत्यु हैक आहुरिति** । चन्द्रस्य प्रजापति-ताद्रूप्यं प्रागुक्तम्; चन्द्रमा मनसो जातः, मनश्च प्रजापतिदेवत्यम् । तदेतयोः कार्यकारणयोरभेदोपचारेणेति । सः 'चन्द्रः' 'एतां रात्रिम्' अमावास्यारात्रौ 'इह' च लोके ओषध्यात्मना 'वसति', तस्मात् 'यथा'

१–'दक्षिणान्' इति सूत्रशेषः । २–" अमावास्यायामेके " का० श्रौ० सू० १६। ७। 'सा च माघामावास्या सन्निधानाद्-गृह्यते'–इति तत्र कर्कः ।

तद्वै पौर्णमास्यामेव । (वा) असौ वै चन्द्रः पशुस्तं देवाः पौर्णमास्यामालभन्ते यत्रैनं देवाऽआलभन्ते तदेनमालभाऽइति तस्मात्पौर्णमास्यां यद्वेव पौर्णमास्यां पौर्णमासी ह वाव प्रथमा व्युवास तस्माद्वेव पौर्णमास्याम् ॥ १७ ॥

तद्वै फाल्गुन्यामेव । (वै) एषा ह संव्वत्सरस्य प्रथमा रात्रिर्यत्फाल्गुनी पौर्णमासी योत्तरैषोत्तमा या पूर्व्वा मुखत ऽएव तत्संव्वत्सरमालभते ॥ १८ ॥

स वाऽइष्ट्वैव पौर्णमासेन । (ना) अथ पशुमालभेत पौर्णमासेन वाऽइन्द्रो व्वृत्रं पाप्मानꣳ हत्वाऽपहतपाप्मैतत्कर्मारभत तथैवैतद्यजमानः पौर्णमासेनैव वृत्रं पाप्मानꣳ हत्वाऽपहतपाप्मैतत्कर्मारभते ॥ १९ ॥

तद्वै पौर्णमास्यामेव । असौ वै चन्द्रः पशुः । तं देवाः पौर्णमास्यामालभन्ते । यत्रैनं देवा आलभन्ते—तदेनमालभाऽइति । तस्मात् पौर्णमास्याम् । यद्वेव पौर्णमास्यात् पौर्णमासी ह वाव मथमा व्युवास । तस्माद्वेव पौर्णमास्याम् ॥ १७ ॥

तद्वै फाल्गुन्यामेव । एषा ह सम्वत्सरस्य प्रथमा रात्रिः—यत्फाल्गुनी पौर्णमासी—योत्तरा । एषोत्तमा—या पूर्वा । मुखत एव तत् संवत्सरमालभते ॥ १८ ॥

स वाऽइष्ट्वैव पौर्णमासेन—अथ पशुमालभते । पौर्णमासेन वाऽइन्द्रो वृत्रं पाप्मानं हत्वाऽपहतपाप्मैतत्कर्मारभत । तथैवैतद्यजमानः पौर्णमासेनैव वृत्रं पाप्मानं हत्वाऽपहतपाप्मैतत्कर्मारभते ॥ १९ ॥

येन प्रकारेण 'उपतिष्ठन्तं' चन्द्रम् 'आलभेत', 'एवं' 'तत्' पश्वालम्भनम् । अमावास्यायां पश्वालम्भश्चन्द्रालंभसमान इति प्रशस्त इत्यर्थः ॥ १६ ॥

पौर्णमास्यामेवालभेतेति सिद्धान्तयितुं पुनरनुवदति—तद्वै पौर्णमास्यामेवेति । असौ वै चन्द्रः पशुरित्यादेरयमर्थः—वस्वादयो 'देवाः' पशुरूपं चन्द्रं पौर्णमास्यामालभ्य, प्रतिपदादितिथिषु एकैकां कलां प्राश्नन्तीति प्रसिद्धम्; अत एवामावास्यायामेककलावशेषत्वात् पुनरलं तद्ध्नन्ति । अत्र तैत्तिरीयकम्—"घ्नन्ति वा एतं पूर्णमास आऽमावास्यायां प्याययन्ति"—(तै. सं २ । ५ । २ । ४, ५) इति । 'तस्मात्' मयाऽपीदानीमनुष्ठात्रा 'यत्र' यस्मिन् काले 'देवाः' पशुमालब्धवन्तः, तस्मिन्नेव काले पशुरालब्धव्य इति । (प्रथमा व्युवासेति) ॥ १७ ॥

तद्वै फाल्गुन्यामेवेति । 'एषा' 'संवत्सरस्य' सर्वासां रात्रीणां 'प्रथमा' आदिभूता 'रात्रिः' या उत्तरफल्गुनीनक्षत्रयुक्ता 'पौर्णमासी' 'या पूर्वा'[1] 'एषा' संवत्सरस्य 'उत्तमा' अन्त्या रात्रिः । तैत्तिरीया आमनन्ति—"एषा वै जघन्या रात्रिः संवत्सरस्य, यत् पूर्वे फाल्गुनी ०—० एषा वै प्रथमा रात्रिः संवत्सरस्य, यदुत्तरे फाल्गुनी"—(तै. ब्रा. १ । १ । ३ । ८) इति । अतोऽस्यामुत्तरस्यां फाल्गुन्यां पौर्णमास्यां पश्वालम्भेन संवत्सरादौ उपक्रान्तवान् भवतीत्यर्थः ॥ १८ ॥

पश्वालम्भः पूर्णमासे कर्त्तव्य इत्युक्तम्, तत्र नित्यपौर्णमासेष्टिकरणानन्तरं कर्त्तव्य इत्याह—स वा इष्ट्वैव पौर्णमासेनाथ पशुमालभेतेति ॥

१—इतः परं—'पूर्वा'—उत्तरफल्गुनीनक्षत्रयुक्ता, 'एषा' 'संवत्सरस्य' 'उत्तमा' इति अयोध्यापुस्तके पाठभेद उपलभ्यते।

तद्वाऽउपा॑ᳫ॑शु भवति । (त्ये) एतद्वै॒तैः प्र॒जाप॑तिः पशु॒भिः क॒र्मैयेष तद्वात्रानद्धेवैवास॒ानिरु॑क्तमिव त॒स्मादुपा॑ᳫ॑शु ॥ २० ॥

य॒द्वेवोपा॑ᳫ॑शु । प्राजाप॒त्यं वाऽए॒तत्क॒र्म प्र॒जाप॑तिᳫ॑ ह्ये॒तेन कर्म॑णाऽऽरभ॒तेऽनिरु॑क्तो वै॒ प्र॒जाप॑तिः ॥ २१ ॥

(यं) य॒द्वेवोपा॑ᳫ॑शु । रे॒तो वाऽअ॒त्र य॒ज्ञऽ उपा॑ᳫ॑शु वै रे॒तः सिच्यते व॒पा पशुपुरोडाशो ह॒विरे॒तावा॒न्हि पशुः ॥ २२ ॥

(रु) अ॒ष्टकाया॑मुखाᳫ॑ सम्भ॑रति । प्राजाप॒त्यमे॒तदह॒र्यद॒ष्टका प्राजा॒पत्यमे॒तत्क॒र्म य॒दुखा प्राजाप॒त्यऽए॒व तदह॒न्प्राजाप॒त्यं क॒र्म करोति ॥ २३ ॥

तद्वाऽउपांशु भवति । एतद्वैतैः प्रजापतिः पशुभिः कर्मैयेष । तद्वात्रानद्धेवैवास–अनिरुक्तमिव । तस्मादुपांशु ॥ २० ॥

यद्वेवोपांशु । प्राजापत्यं वाऽएतत्कर्म । प्रजापतिं ह्येतेन कर्मणाऽऽरभते । अनिरुक्तो वै प्रजापतिः ॥ २१ ॥

यद्वेवोपांशु । रेतो वाऽअत्र यज्ञः । उपांशु वै रेतः सिच्यते । वपा, पशुपुरोडाशो, हविः–एतावान् हि पशुः ॥ २२ ॥

अष्टकायामुखां सम्भरति । प्रजापत्यमेतदहः–यदष्टका । प्राजापत्यमेतत्कर्म–यदुखा । प्राजापत्यऽएव तदहन् प्राजापत्यं कर्म करोति ॥ २३ ॥

पौर्णमासयागानन्तर्यं पशुयागस्य सदृष्टान्तं प्रतिपादयति–**पौर्णमासेन वा इन्द्रो वृत्रं पाप्मानमिति** । अत्र कात्यायनः–" वैश्वानरः पशुपुरोडाश उपांशु, पशुदेवता च "–(का. श्रौ. सू. १६ । २१ । २६) इति । ' उपांशु '–करणवदशब्दं मनःप्रयोगमित्युक्तलक्षणम् ॥ १९ ॥

तदिदं विधत्ते–**तद्वा उपांशु भवतीति**। तच्छब्देन पश्वनुष्ठानं परामृश्यते। उपांशुत्वं प्रतिपादयति–**एतद्वैतैः प्रजापतिः पशुभिरिति** । पूर्वं ' प्रजापतिः ' चयनाख्यं ' कर्म ' ' पशुभिः ' ' इयेष ' इच्छति स्म । करिष्यमाणं कर्म ' अत्र ' अस्मिन् पश्वनुष्ठानकाले ' अनद्धा ' अप्रत्यक्षम् ' इव ' ' आस ' । साकल्येनानुष्ठितत्वाद् बीजरूपत्वाच्चाप्रत्यक्षत्वम् । तदेवाह–**अनिरुक्तमिति** । इदं कर्म इयदितिकर्त्तव्यतायुक्तमिति निर्वक्तुमयोग्यम् ॥ २० ॥

उपांशुत्वं प्रशंसितुमनुवदति–**यद्वेवोपांशु प्राजापत्यं वा एतदिति** । ' एतत् ' पशुकर्म ' प्राजापत्यं ' प्रजापतिसम्बन्धि । एतावताप्यस्य कर्मणोऽनिरुक्तत्वं कथमित्याह–**अनिरुक्तो वा इति** । प्रजापतेरपि सर्ववस्तुरूपत्वात् अयमेतावानिति कर्मणस्तादृप्यम् ॥ २१ ॥

प्रकारान्तरेणोपांशुत्वं प्रशंसति–**यद्वेवोपांशु रेतो वेति** । ' अत्र ' पशौ यज्ञे ' रेतो ' भूतः बीजरूपत्वात् । यज्ञे पशुव्यतिरिक्तान्यन्यान्यङ्गानि सन्ति, तत् कथं पशौ यज्ञो बीजभूतस्तिष्ठतीति तत् समर्थयते–**वपा पश्विति** । ' वपा, ' पशुपुरोडाशहवीरूपः ' पशुः, ' ' एतावान् ' एव यज्ञ इति ' पशुः ' यज्ञबीजात्मना तिष्ठतीत्यर्थः ॥ २२ ॥

अग्निधारणार्थमुखासम्भरणं विधत्ते–**अष्टकायामुखां सम्भरतीति** । अष्टका नामाष्टमी, तस्यामुखां विदध्यात् ।

यु॒द्वेवा॒ष्टका॑याम् । (म्पु) पु॒र्व्वैत॒त्सं॑व्वत्स॒रस्य॒ यदु॒ष्टका॒ पु॒र्व्वैत॒दग्ने॒र्यदु॒खा पु॒र्व्वण्ये॒व तत्पु॒र्व्वं क॑रोति ॥ २४ ॥

यु॒द्वेवा॒ष्टका॑याम् । (मु) अ॒ष्टका॒ वा॒ऽउ॒खा निधि॒र्द्वा॒ऽउद्धी॒ ति॒र॒श्ची रा॒स्ना तु॒च्चतु॒श्चत॒स्र॒ऽऊ॒र्ध्वास्त॒दष्टा॒वु॒ष्टका॑यामे॒व तदु॒ष्टकां॑ करोति ॥ २५ ॥
[शतम् ३६००]

यद्वेवाष्टकायाम् । पर्वैतत्सम्वत्सरस्य–यदष्टका । पर्वैतदग्नेः–यदुखा । पर्वण्येव तत् पर्व करोति ॥ २४ ॥

यद्वेवाष्टकायाम् । अष्टका वाऽउखा । निधिः, द्वाऽउद्धी, तिरश्ची रास्ना, तच्चतुः चतस्र ऊर्ध्वाः । तदष्टौ । अष्टकायामेव तदष्टकां करोति ॥ २५ ॥

पूर्वं फाल्गुनपौर्णमास्यां पश्वालम्भ उक्तः, तस्यां बहुलाष्टम्यामुखार्थं मृत्तिकाद्धवल्मीकवपादिद्रव्यसम्भरणमित्यर्थः । कात्यायनोऽपि–" उखासम्भरणमष्टम्याम् "–(का. श्रौ. सू. १६ । ४४) इति । उखा चोपलक्षणम्, अषाढाद्यपि अनया क्रियया संश्रियत एव । अष्टम्यामुखासम्भरणं प्रशंसति–प्राजापत्यमेतदिति । अष्टमीदिवसस्य अधिदेवता प्रजापतिरिति तदाह–प्राजापत्यमिति । ' उखा ' इति ' यत् ' अस्ति, ' तत् ' ' प्राजापत्यं कर्म; ' प्रजापत्यात्मकोऽग्निः, तद्धारणार्थकत्वात् । प्राजापत्योऽग्निः, तत्सम्बन्धिनि ' अहन् ' अन्हीत्यर्थः । " सुपां सुलुक् "–(पा. सू. ७ । १ । ३९) इति सप्तम्या लुक् ॥ २३ ॥

पुनः प्रशंसितुमनुवदति–यद्वेवाष्टकायामिति । ' एतत् ' अहः अष्टम्याख्यम्, ' संवत्सरस्य ' ' पर्व ' सन्धिस्थानीयम्; यथाऽङ्गुलेः पर्व सन्धिस्थानीयमेवम् । तत् पक्षस्य अन्तात् अष्टमी मध्येति पर्वरूपा भवति, तद्द्वारा संवत्सरस्यापीति; ' अग्नेः ' अप्येषा ' उखा ' 'पर्व;' सन्धिस्थानत्वात्, अत्र ह्यग्निः सन्धीयते ॥ २४ ॥

अथाष्टम्यामुखासम्पादनमष्टकानामसाम्याद्युक्तमिति तत् पुनः प्रशंसति–यद्वेवाष्टकायामष्टका वा उखेति । अष्टकानामाष्टसङ्ख्या भवतीति तदष्टसङ्ख्यावत्त्वमुखायां दर्शयति–निधिर्द्वा उद्धी इति । 'निधिः' नाम उखायाः प्रथमं मृत्पिण्डस्य प्रथनेन अग्निधारणार्थोऽधस्तात्प्रदेशः । 'द्वा उद्धी' उद्धिः नाम प्रथितमृत्पिण्डस्योपरिप्रक्षिप्तः अन्यो मृत्पिण्डः, तौ द्वौ 'रास्ना' नाम उखाकण्ठलग्ना 'तिरश्ची' तिरःस्थाना वृत्ताकारा एवं निध्यादिचतुष्टयम् 'ऊर्ध्वाः' प्रतिदिशमेकैकं कण्ठवार्त्तिपर्यन्ताः 'चतस्रः' आश्रयभूताः, ताश्चतस्रः । एवम् 'अष्टौ' उखायां सम्पन्नाः । अतोऽष्टम्यामष्टकाकरणं युक्तमित्यर्थः । उत्तरत्र पञ्चमाध्याये " मृत्पिण्डमुपादत्ते " (श. प. ६।५।२।१) इति प्रक्रम्य, " तं प्रथयति वसवस्त्वेति " (श. प. ६ । ५ । २ । ३ ।) " अयं हैष लोके निधिः "–(श. प. ६ । ५ । ३) इति प्रथमस्य पृथिवीरूपतोक्ता । " अथ पूर्वमुद्धिमादधाति ०—० अथोत्तरमुद्धिमादधाति " (श. प. ६ । ५ । २ । ४, ५) इति । " अथ तिरश्चीं[१] रास्नां पर्यस्यति । " (श. प. ६ । ५ । २ । ११) ०—० "अथ चतस्र उद्धीः करोति " (श. प. ६ । ५ । २ । १४) इति । अत्र कात्यायनः–" ऊर्ध्वास्तूष्णीं प्रतिदिशं चतस्रोऽपरा वर्तिं प्रास्ताः " (का. श्रौ. सू १६ । १००) इति ॥ २५ ॥

१–वितृतीय स्तरे वर्तिं सर्व्वतः करोत्यदित्यै रास्नेति । का. श्रौ. सू. १६ । ९९ ।

(त्य) अमावास्यायां दीक्षते । (तेऽमा) अमावास्यायै वाऽअधि यज्ञ-
स्तायते यतो यज्ञस्तायते ततो यज्ञं जनयानीति ॥ २६ ॥

यद्वेवामावास्यायाᳫं रेतो वा ऽएतद्भूतमात्मानᳫं सिञ्चत्युखायां
योनौ यद्दीक्षते तस्माऽएतं पुरस्ताल्लोकं करोति यद्दीक्षितो भवति तं कृतं
लोकमभि जायते तस्मादाहुः कृतं लोकं पुरुषोऽभि जायतऽइति ॥ २७ ॥

स यत्कनीयः संव्वत्सराद्दीक्षितः स्यात्।(द)अलोकाऽ इष्टकाऽ उपदध्यादि-
ष्टका लोकानतिरिच्येरन्नथ यद्भूयसो लोकान्कृत्वेष्टका नानूपदध्याल्लोका

अमावास्यायां दीक्षते । अमावास्यायै वाऽ अधि यज्ञस्तायते । यतो यज्ञस्तायते–ततो यज्ञं जनयानीति ॥ २६ ॥

यद्वेवामावास्यायाम् । रेतो वाऽएतद्भूतमात्मानं सिञ्चति उखायां योनौ यद्दीक्षते । तस्माऽएतं पुरस्ताल्लोकं करोति–यद्दीक्षितो भवति । तं कृतं लोकमभिजायते । तस्मादाहुः कृतं लोकं पुरुषोऽभि जायतऽइति ॥ २७ ॥

स यत्कनीयः संवत्सराद्दीक्षितः स्यात्–अलोका इष्टका उपदध्यात् । इष्टका लोकानतिरिच्येरन् । अथ यद्भूयसो लोकान्कृत्वेष्टका नानूपदध्यात्–लोका इष्टका अतिरिच्येरन् । अथ यदमावास्यायां

चयनसहितस्य सोमयागस्य दीक्षाकालं विधत्ते–अमावास्यायां दीक्षत इति । फाल्गुनामावास्यायां दीक्षां कुर्यात् । सूत्रितञ्च–"दीक्षाऽमावास्यायामामावास्येनेष्ट्वा" (का. श्रौ. सू. १६।१२७) इति। अमावास्यासम्बन्धीष्टिकरणादनन्तरमेव दीक्षा कर्तव्या; पौर्णमास्योपक्रमाद् दर्शयागेन तत्परिसमाप्तेरवकाशत्वादित्यभिप्रायः । अमावास्यायै वा अधीति । अधिः पञ्चम्यर्थानुवादी । 'यज्ञः' चन्द्रमाः, 'तायते' विस्तार्यते; पौर्णमास्यां देवैरालब्धस्य चन्द्रस्य अमावास्यायामाप्यायनस्योक्तेः । 'यतः' यस्मात्; दिनाद् यज्ञो विस्तारितः, तस्मात् अहमपि 'यज्ञम्' उत्पादयेयमिति । यद्वा, यज्ञपदेन दर्शेष्टिः; दर्शपूर्णमासौ हि सर्वस्या इष्टेः प्रकृतिभूताविति । तस्मादस्या उपरि 'यज्ञस्तायते' । "तनोतेर्यकि"–(पा. सू. ६ । ४ । ४४) इति नलोपे "अकृत्सार्वधातुकयोः" (पा. सू. ७।४।२५) इति दीर्घे कृते 'तायते'–इति रूपम् ॥ २६ ॥

प्रकारान्तरेण दीक्षाकरणं प्रशंसति–यद्वेवामावास्यायां रेतो वा एतदिति । 'दीक्षते' यजमान इति 'यत्', 'एतत्' उखारूपायां 'योनौ रेतोभूतमात्मानं' सिक्तवान् । दीक्षाकरणमग्न्युत्पादनात् प्रागवस्थेति रेतस्सेकात्मकत्वमित्यर्थः । 'यत्' यदा 'दीक्षितः' प्राप्तदीक्षो 'भवति' तदा तस्मै रेतोरूपत्वेनोत्पत्स्यमानायाग्नये 'पुरस्तात्' पूर्वं 'लोकं' स्थानं करोति, स्थाने निष्पन्ने पश्चात् अग्निर्जायते । अयमर्थः, दीक्षाप्रारम्भोऽग्नेरुत्पत्तिप्रागवस्था, तत्समाप्तिरेव जनिष्यमाणस्याग्नेः स्थानकरणमिति स्थानसम्पादनानन्तरमुत्पत्तिं लोकप्रसिद्ध्या द्रढयति–तस्मादाहुः कृतं लोकमिति ॥ २७ ॥

साग्निके क्रतौ "संवत्सरभृतमेव चिन्वीत" (श. प. १० । २ । ६ । ९) इत्याम्नानात् न्यूनातिरेकाभावेन संवत्सरपर्यन्तं दीक्षा कर्तव्येति सिद्धान्तयितुं न्यूनातिरेकपक्षयोर्दोषमुपन्यस्यति–स यत्

ऽइष्टका ऽअतिरिच्येरन्नथ यदमावास्यायां दीक्षित्वाऽमावास्यायां क्रीणाति तद्यावन्तमेव लोकं करोति तावतीरिष्टका ऽउपदधात्यथास्यापूर्यमाणपक्षे सर्वोऽग्निश्चीयते ॥ २८ ॥

तदाहुः । (सं) यद्यावत्य ऽएतस्याग्नेरिष्टकास्तावन्ति क्रयेऽहोरात्राणि सम्पद्यन्तेऽथ यान्यूदर्ध्वानि क्रयादहानि कथमस्य ते लोकाऽअनूपहिता भवन्तीति यद्वाऽअमावास्यायां दीक्षित्वाऽमावास्यायां क्रीणाति तद्यावन्तमेव लोकं करोति तावतीरिष्टका ऽउपदधात्यथ यान्यूर्ध्वानि क्रयादहानि तस्मिन्नवकाशेऽध्वर्युरग्निं चिनोति को हि चिनुयान्न च सोऽवकाशः स्याद्यावन्ति वै संवत्सरस्याहोरात्राणि तावत्य ऽएतस्याग्नेरिष्टका ऽउप च

दीक्षित्वाऽमावास्यायां क्रीणाति—तद्यावन्तमेव लोकं करोति—तावतीरिष्टका उपदधाति । अथास्यापूर्यमाणपक्षे सर्वोऽग्निश्चीयते ॥ २८ ॥

तदाहुः—यद्यावत्य एतस्याग्नेरिष्टकाः—तावन्ति क्रयेऽहोरात्राणि सम्पद्यन्ते । अथ यान्यूदर्ध्वानि क्रयादहानि—कथमस्य ते लोका अनूपहिता भवन्तीति । यद्वाऽअमावास्यायां दीक्षित्वाऽमावास्यायां क्रीणाति, तद् यावन्तमेव लोकं करोति—तावतीरिष्टका उपदधाति । अथ यान्यूर्ध्वानि क्रयादहानि—तस्मिन्नवकाशेऽध्वर्युरग्निं चिनोति । को हि चिनुयात्—न च सोऽवकाशः स्यात् । यावन्ति वै

कनीयः संवत्सरादिति । अग्निस्तावत् संवत्सरात्मकः, तादृशस्याग्नेरवयवा यजुष्मत्य इष्टकाः षष्ट्युत्तरत्रिशतसंख्याका इति दशमे काण्डे वक्ष्यते (श. प. १० । ५ । ४ । ५) । तत्र दीक्षाणां संवत्सरादर्वाक्त्वे कतिपयानामिष्टकानामाधारभूतकालराहित्यादधिका भवन्तीति प्रदेशरहिता इष्टका एवोपहितवान् भवतीति । एवं तर्हि एतद्दोषपरिहाराय दीक्षाणां वर्षाधिक्ये इष्टका न्यूना इति लोका अतिरिक्ता भवन्तीति सोऽपि नेष्टव्यः । इष्टकाकालमनुवदति—अथ यदमावास्यायां दीक्षित्वाऽमावास्यायां क्रीणातीति । प्रथमायां फाल्गुनामावास्यायां 'दीक्षित्वा', ततः कतिदिवसं दीक्षितधर्मानाचरन् पुनः फाल्गुनामावास्यायां राजानं सोमं 'क्रीणाति' अतो न्यूनाधिकभावौ न स्तः । तद्यावन्तमिति । इष्टकातिरेको लोकातिरेको वा नास्तीत्यस्मिन् पक्षे गुणान्तरं दर्शयति—अथास्यापूर्यमाणपक्ष इति । दीक्षानन्तरं राजक्रये उपसद्यागः, तत्र हि अनूपसदमग्निं चिनोतीति उपसत्स्वग्निचयनं स्यात्, तच्चयनं शुक्लपक्षे सम्पद्यत इति गुणः ॥ २८ ॥

एवं दीक्षाणां संवत्सरकालीनत्वेनेष्टः कालसाम्ये सिद्धान्तितेऽपि वेदवादिना कालविषयामधिकामाशङ्कां दर्शयति—तदाहुर्यद्यावत्य एतस्येति । यद्यपि प्रथमफाल्गुनामावास्यायां दीक्षित्वा, आगामिफाल्गुनामावास्यायां सोमक्रयावधिरूपवत्सरस्वीकारे अग्न्यवयवभूतेष्टकानां कालरूपाधारराहित्यमाधिक्यं वा नास्ति, तथापि क्रयादनन्तराण्यहानि उपसदर्थानि विद्यन्ते; तत्र कथमिष्टकाभिर्यजमानस्य लोका उपहिता भवन्तीति प्रश्नः ॥

त्र॒योद॒शो मा॒सस्त्र॒योद॒शो वा॒ऽएष मा॒सो या॒न्यूर्ध्वा॒नि क्र॒याद॒हानि तद्या॒ऽअमूस्त्र॒योद॒श॒स्य मास ऽइष्ट॒कास्ता॒भिरस्य ते॒ लो॒का ऽअनू॒पहिता भवन्ति त॒त्सम॒ा लो॒काश्चेष्ट॒काश्च भवन्ति ॥ २९ ॥

(न्त्ये) एतद्वै॒ यैव॒ प्र॒थम॒ा पौर्णमासी । त॒स्यां पशु॒मालभते॒ या॒ प्रथमा॒ऽष्टका त॒स्यामुखाᳬ सम्भरति॒ या॒ प्रथमाऽमावा॒स्या त॒स्यां दीक्षत॒ऽएतद्वै॒ या॒न्येव॒ संव्वत्सर॒स्य प्रथमान्यहानि ता॒न्यस्य त॒दारभते ता॒नि च त॒दाप्नोत्यथा॒तः सम्प॒देव ॥ ३० ॥

त॒दाहुः । कथमस्यैतत्कर्म॒ संव्वत्सर॒मग्निमाप्नोति कथᳬ संव्वत्सरेणाऽग्निना स॒म्पद्यत॒ऽइत्येते॒षां वै॒ पश्चाना॒ं पशूनां चतु॒र्विᳬशतिः सामिधेन्यो द्वादशा॒प्रियस्त॒त्षट्त्रिᳬश॒देकादशा॒नुयाजा॒ऽ एकादशोपयुजस्त॒दष्टा॒पञ्चाशत् ॥ २१ ॥

सम्वत्सरस्याहोरात्राणि—तावत्य एतस्याग्नेरिष्टकाः । उप च त्रयोदशो मासः । त्रयोदशो वाऽएष मासो—यान्यूर्ध्वानि क्रयादहानि । तद् या अमूस्त्रयोदशस्य मास इष्टकाः—ताभिरस्य ते लोका अनूपहिता भवन्ति । तत्समा लोकाश्च, इष्टकाश्च भवन्ति ॥ २९ ॥

एतद्वै यैव प्रथमा पौर्णमासी—तस्यां पशुमालभते । या प्रथमाऽष्टका—तस्यामुखां सम्भरति । या प्रथमाऽमावास्या—तस्यां दीक्षते । एतद्वै यान्येव सम्वत्सरस्य प्रथमान्यहानि—तान्यस्य तदारभते । तानि च तदाप्नोति । अथातः सम्पदेव ॥ ३० ॥

तदाहुः—कथमस्यैतत्कर्म सम्वत्सरमाग्निमाप्नोति, कथं सम्वत्सरेणाग्निना सम्पद्यत इति ? । (१)

यद्वा अमावास्यायां दीक्षित्वेत्यादिपरिहारवाक्यस्यायमर्थः—दीक्षादिक्रयकालपर्यन्तो यावान् कालरूपो लोकः, तावत्य इष्टका अभूवन्निति तावदविवादम् । यदि तस्मादूर्ध्वानि यान्यहानि सोऽवकाशोऽध्वर्योरग्निचयनस्य । यदि तान्यहानि चयनकालो न भवेत्, तर्हि 'को हि' कुत्रावकाशे 'चिनुयात्'? अवकाशस्याभावात् । अन्येष्वहःसु इष्टकोपधानं नास्तीति न मन्तव्यमिति, "यावन्ति वै संवत्सरस्याहोरात्राणि"—इत्यादिना क्रयोत्तरकालेऽपीष्टकोपधानमस्तीत्याह । संवत्सरसाधारणात् तद्रूपोऽग्निरित्युक्तम्, तत्र इष्टका अग्न्यवयवा इति च, अतः संवत्सरस्य यावन्ति दिनानि, तावत्य इष्टका उपहिता इत्युक्ते संवत्सरे त्रयोदशमासस्यापि सम्भवात् तत्संख्यया इष्टकोपधानम् । अतस्त्रयोदशमासरूपाणि क्रियोत्तराण्यहानि तत्संख्याकाभिरिष्टकाभिर्यजमानलोका उपहिता भवन्तीत्यनेन यावन्तो लोकास्तावत्य इष्टका उपहिता इत्यर्थः ॥ २९ ॥

पश्वालम्भोखासम्भरणदीक्षाकाला ये उक्तास्तेषां प्राथम्यमुपजीव्य प्रशंसति—**एतद्वै यैव प्रथमा पौर्णमासीति** । अथ पशुकर्मणः संवत्सररूपाग्नेश्च संख्यासम्पत्तिं दर्शयितुं प्रतिजानीते—**अथातः सम्पदेवेति** । 'सम्पत्' सम्पत्तिः, संख्यासाम्यम्, तत् पशुकर्माग्न्योर्दर्शयिष्यत इत्यर्थः ॥ ३० ॥

तदाहुः कथमस्यैतत्कर्मेति । अग्निः संवत्सरात्मकः, तम् 'कथमेतत् कर्माप्नोति' अत्रानुपपत्तिं स्वयमेव

(त्त) त॒तो या॑ऽष्टाच॒त्वारि॑ꣳशत् । (त्सा) साऽष्टाच॒त्वारि॑ꣳशदक्षरा॒ जग॑तीयं वै जग॑त्यस्या॒ꣳ हीदꣳ सर्वं॒ जग॑दियमु॒ वाऽअ॒ग्निर॒स्यै हि सर्वो॑ऽग्निश्ची॒यते॒ याव॑ान॒ग्निर्याव॑त्यस्य॒ मात्रा॒ ताव॑त्तद्भवति ॥ ३२ ॥

य॒द्वेवाष्टाच॒त्वारि॑ꣳशत् । (द) अष्टाच॒त्वारि॑ꣳशदक्षरा॒ वै जग॑ती जग॑ती सर्वा॑णि॒ च्छन्दा॑ꣳसि॒ सर्वा॑णि॒ च्छन्दा॑ꣳसि प्र॒जाप॑तिः प्र॒जाप॑तिर॒ग्नि-र्याव॑ान॒ग्निर्याव॑त्यस्य॒ मात्रा॒ ताव॑त्तद्भवति ॥ ३३ ॥

तेषां वै पञ्चानां पशूनां चतुर्विंशतिः सामिधेन्यो, द्वादशाप्रियः–तत्षट्त्रिंशत् । एकादशानुयाजाः, एकादशोपयजः–तदष्टापञ्चाशत् ॥ ३१ ॥

ततो याऽष्टाचत्वारिंशत्–साऽष्टाचत्वारिंशदक्षरा जगती । इयं वै जगती । अस्यां हीदं सर्वं जगत् । इयमु वाऽअग्निः । अस्यै हि सर्वोऽग्निश्चीयते । यावानग्निर्यावत्यस्य मात्रा· तावत्तद्भवति ॥ ३२ ॥

यद्वेवाष्टाचत्वारिंशत् । अष्टाचत्वारिंशदक्षरा वै जगती । जगती सर्वाणि च्छन्दांसि । सर्वाणि च्छन्दांसि प्रजापतिः । प्रजापतिरग्निः । यावानग्निर्यावत्यस्य मात्रा–तावत्तद्भवति ॥ ३३ ॥

दर्शयति–**कथं संवत्सरेणेति** । संवत्सररूपेण ' अग्निना ' सह ' कथं सम्पद्यते ' संख्यातः कथं सम्पन्नं भवेदिति प्रश्नार्थः ॥

पञ्चपशुप्राजापत्यवायव्यरूपपक्षत्रयेऽपि सम्पत्तिं दिदर्शयिषुः पञ्चपशुपक्षे प्रथमं दर्शयति–**एतेषां वै पञ्चानां पशूनामिति** । तस्मिन् यज्ञे 'सामिधेन्यः चतुर्विंशतिः' । उक्ताः प्रकृतिगताः पञ्चदश, " समास्त्वाऽग्न ऋतवः "–(श. प. ६ । २ । १ । २९) इत्याद्या मध्ये विहिता नवेति चतुर्विंशतिः । ' द्वादश आप्रियः ' " ऊर्द्ध्वा अस्य समिधो भवन्ति "-(श. प. ६ । २ । १ । ३१) इत्याद्याः आप्रीसञ्ज्ञकाः प्रयाजयाज्या द्वादशोक्ताः । एकादश अनुयाजाः, एकादश उपयजः, उपयजो नाम पशुगुदहोमाः । तदाहापस्तम्बः– " एकादशधा तिर्यक् छित्त्वा सगिन्दनपर्यन्तर्गतननूयाजानां वषट्कृते वषट्कृत एकैकं गुदकाण्डं प्रतिप्रस्थाता हस्तेन जुहोति "-(आ. श्रौ. सू. ७ । २७ । ११) इति । एताः सर्वा मिलित्वा ' अष्टापञ्चाशत् ' संख्या सम्पन्ना ॥ ३१ ॥

अस्तु, प्रस्तुते किमायातमित्याह–**ततो याऽष्टाचत्वारिंशदिति** । उक्तायामष्टापञ्चाशत्सङ्ख्यायां मध्ये दशसङ्ख्यां हित्वा अवशिष्टा अष्टाचत्वारिंशत्सङ्ख्या; तावत्संख्याक्षरजगतीच्छन्दोरूपा, जगत्यपि हि द्वादशाक्षरपादेति पादचतुष्टये उक्तसंख्या भवति । अस्यां भूमौ सर्वं जगत् प्रतिष्ठितमिति भूमिरपि जगतीशब्दवाच्या, सैव हि सर्वाग्निचयनाधिकरणमिति आधाराधेययोरभेदोपचारेण भूमिरेव अग्निशब्दवाच्या । अग्निर्यावत्परिमाणवचनः ' अस्य ' अग्नेः ' मात्रा ' अवयवो ' यावती ' यत्परिमाणः, तत्कर्मसंख्यानं तावदग्नितदवयवसंख्याकं भवति ॥ ३२ ॥

प्रोक्ताया एव संख्यायाः प्राजापत्यात्मना सम्पत्तिं प्रशंसति–**यद्वेवाष्टाचत्वारिंशदिति** । पूर्ववद् व्याख्येयम् ॥ ३३ ॥

१–" समुद्रं गच्छ स्वाहेत्येतैर्मन्त्रैः " इत्यापस्तम्बसूत्रपाठः ॥

(त्यु) अथ यानि दश । सा दशाक्षरा विराड्विराडग्निर्दश दिशो दिशोऽग्निर्दश प्राणाः प्राणाऽ अग्निर्यावानग्निर्यावत्यस्य मात्रा तावत्तद्भवति ॥ ३४ ॥

वपा पशुपुरोडाशः । (स्तु) तत्षष्टिः षष्टिर्मासस्याहोरात्राणि तन्मासमाप्नोति मासऽआप्त ऽऋतुमाप्नोत्यृतुः संवत्सरं तत्संवत्सरमग्निमाप्नोति ये च संवत्सरे कामा ऽअथ यदतोऽन्यद्यदेव संवत्सरेऽन्नं तत्तत् ॥ ३५ ॥

(दु) अथैतस्य प्रजापत्यस्य । (स्यै) एकविंशतिः सामिधेन्यो द्वादशाप्रियस्तत्त्रयस्त्रिंशदेकादशानुयाजा ऽएकादशोपयजस्तत्पञ्च-

---

अथ यानि दश—सा दशाक्षरा विराट् । विराडग्निः । दश दिशः । दिशोऽग्निः । दश प्राणाः । प्राणा अग्निः । यावानग्निर्यावत्यस्य मात्रा—तावत्तद्भवति ॥ ३४ ॥

वपा, पशुपुरोडाशः—तत् षष्टिः । षष्टिर्मासस्याहोरात्राणि । तन्मासमाप्नोति । मास आप्त ऋतुमाप्नोति । ऋतुः सम्वत्सरम् । तत्सम्वत्सरमग्निमाप्नोति । ये च सम्वत्सरे कामाः । अथ यदतोऽन्यद्—यदेव सम्वत्सरेऽन्नं—तत्तत् ॥ ३५ ॥

(२) अथैतस्य प्राजापत्यस्य एकविंशतिः सामिधेन्यो, द्वादशाप्रियः—तत्त्रयस्त्रिंशत् । एकादशा-

---

अवशिष्टां दशसङ्ख्यां प्रशंसति—अथ यानि दश सा दशाक्षरेति । ' विराट् अग्निः ' अन्नात्मकत्वात् । " अग्निर्विराट् अन्नम् " (तै. ब्रा. १ । ६।३–३–१–८–२–२ ।) इति श्रुतेः विराजोऽन्नत्वम् । अग्नेर्दिगात्मकत्वं प्रागादिदिक्षु विभज्योपधीयमानत्वात् । प्राणापानादयः पञ्च, नागकूर्मकृकलदेवदत्तधनञ्जयाख्याः पञ्चेति ' दश प्राणाः ' । यद्वा, प्राणा दश इन्द्रियाणि । अग्नेः प्राणात्मकत्वम्, हिरण्यगर्भात्मकत्वात् । यावानग्निरित्यादि । पूर्ववत् ॥ ३४ ॥

एवं पञ्चपशुपक्षेऽष्टापञ्चाशतं सङ्ख्यामन्यात्मना स्तुत्वा संवत्सराग्निना सम्पत्तिं वक्तुं सङ्ख्यान्तरं दर्शयति—वपा पशुपुरोडाश इति । ' वपा ' वैश्वानरः, ' पशुपुरोडाशः ' इति द्वौ । एताभ्यां सह षष्टिसङ्ख्या जाता । ' मासस्य ' संवत्सरावयवभूतस्य षष्टिसङ्ख्यानि अहोरात्राणि विद्यन्ते, तत् षष्टिसङ्ख्याकं मासं तावत्सङ्ख्याकमहोरात्रमाप्नोति । 'आप्तः' सम्पन्नः ' मासः ' स्वावयविनम् ' ऋतुम ' ' आप्नोति '; ऋतुर्हि मासद्वयात्मकः । ' ऋतुः ' अपि ' संवत्सरम् ' आप्नोति; ऋतुषट्कात्मको हि संवत्सरः । संवत्सररूपोऽग्निरिति प्रागुक्तम् । अतः सामिधेन्यादि-वपापशुपुरोडाशान्तगता षष्टिसङ्ख्या संवत्सररूपात्मना सम्पन्नेति सर्वान् संवत्सरमध्यवर्तिनः कामानाप्नोति । नन्वस्मिन् कर्मणि अन्यानि बहूनि सङ्ख्येयानि विद्यन्ते, तत् कथं षष्टिसङ्ख्येयुक्तमत आह—अथेत्यादि । अथेति प्रश्ने । ' अतः ' उक्तसङ्ख्यातः ' अन्यत् ' ' यत् ' अस्ति, ' तत् ' ' संवत्सरे ' विद्यमानम् ' अन्नम् ' एव ' तत् ' ॥ ३५ ॥

एवं पञ्चपशुपक्षे सम्पत्तिं दर्शयित्वा प्राजापत्यपशुपक्षे दर्शयति—अथैतस्य प्राजापत्यस्येति । अग्नेः 'एक-

पञ्चाशद्वपा पशुपुरोडाशो हविस्तदष्टापञ्चाशत्स योऽष्टापञ्चाशति कामो-ऽत्रैव तमाप्नोति द्वावाघारौ तत्षष्टिः स यः षष्ट्यां कामोऽत्रैव तमाप्नोत्यथ यदतोऽन्यद्यदेव संव्वत्सरेऽन्नं तत्तत् ॥ ३६ ॥

(३) अथैतस्य नियुत्वतीयस्य । सप्तदश सामिधेन्यो द्वादशाप्रियस्तदेका-न्न त्रिंशदेकादशानुयाजा ऽएकादशोपयजस्तदेकपञ्चाशद्वपा पशु-पुरोडाशो हविस्तच्चतुष्पञ्चाशद्द्वावाघारौ द्वौ स्विष्टकृतौ तदष्टापञ्चाशत्स योऽष्टापञ्चाशति कामोऽत्रैव तमाप्नोति व्वनस्पतिश्च व्वसाहोमश्च तत्षष्टिः स यः षष्ट्यां कामोऽत्रैव तमाप्नोत्यथ यदतोऽन्यद्यदेव संव्वत्सरेऽन्नं तत्तदेवमु हास्यैतत्कर्म संव्वत्सरमग्निमाप्नोत्येवᳫँ संव्वत्सरेणाग्निना सम्पद्यते ॥ ३७ ॥

नुयाजाः, एकादशोपयजः—तत् पञ्चपञ्चाशत् । वपा, पशुपुरोडाशः, हविः—तदष्टापञ्चाशत् । स योऽष्टापञ्चाशति कामः—अत्रैव तमाप्नोति । द्वावाघारौ—तत् षष्टिः । स यः षष्ट्यां कामः—अत्रैव तमाप्नोति । अथ यदतोऽन्यद्—यदेव सम्वत्सरेऽन्नम्—तत्तत् ॥ ३६ ॥

(३) अथैतस्य नियुत्वतीयस्य सप्तदश सामिधेन्यः । द्वादशाप्रियः—तद् एकान्न त्रिंशत् । एकादशा-नुयाजाः, एकादशोपयजः, तदेकपञ्चाशत् । वपा, पशुपुरोडाशो, हविः—तत् चतुष्पञ्चाशत् । द्वावा-घारौ, द्वौ स्विष्टकृतौ । तदष्टापञ्चाशत् । स योऽष्टापञ्चाशति कामः—अत्रैव तमाप्नोति । वनस्पतिश्च, वसाहोमश्च—तत् षष्टिः । स यः षष्ट्यां कामः—अत्रैव तमाप्नोति । अथ यदतोऽन्यद्—यदेव संवत्सरे-ऽन्नम्—तत्तत् । एवमु हास्यैतत्कर्म संवत्सरमग्निमाप्नोति, एवं संवत्सरेणाग्निना सम्पद्यते ॥ ३७ ॥

विंशतिः सामिधेन्यः ' ' हविः ' पशुहृदयादिरूपमित्यर्थः । एवमष्टापञ्चाशत् सम्पन्ना । तत्र पूर्वोक्तं फलमति-दिशति—**स योऽष्टापञ्चाशति काम** इति । अत्रापि संवत्सराग्निना सम्पत्तिं वक्तुं सङ्ख्येयान्तरं समुच्चिनोति—**द्वावाघाराविति** । स्रुवाघारः स्रुच्याघारश्चेत्यर्थः । एवं षष्टिसङ्ख्यायां सम्पन्नायां पूर्वोक्तषष्टिफलमतिदिशति—**स यः षष्ट्यां कामोऽत्रैव तमिति** ॥ ३६ ॥

वायव्यपशुपक्षे सम्पन्ने सम्पत्तिं दर्शयति—**अथैतस्य नियुत्वतीयस्येति** । **द्वौ स्विष्टकृताविति** । पशुपुरोडाशः स्विष्टकृत्, पश्वङ्गस्विष्टकृच्चेति द्वयमित्यर्थः । **वनस्पतिश्च वसाहोमश्चेति** । पृषदाज्यद्रव्यको वनस्पतियागः स्विष्टकृतः प्रागनुष्ठेयः, हविषो याज्याया अर्द्धर्चे प्रतिप्रस्थात्रा कर्त्तव्यो वसाहोमः । अत्रापि फलद्वयवाक्यं पूर्ववद् योज्यम् ॥ ३७ ॥

तुदाहुः । (नैं) नैतुस्य पशोः समिष्टयजूꣳषि जुहुयान्न हृदयशूलेनावभृथमभ्युवेयादारम्भो वाऽएषोऽग्नेः पशुर्व्यवसर्गो देवतानाꣳ समिष्टयजूꣳषि सꣳस्थाऽवभृथो नेदारम्भे देवता व्यवसृजानि नेद्यज्ञꣳ सꣳस्थापयानीति स वै समेव स्थापयेदेतेन पशुनेष्ट्वा तत्प्रजापतिरपश्यद्यथैतस्याग्नेरन्तं न पर्यैत्तस्मात्सꣳस्थापयेद्यद्देव सꣳस्थापयति प्राण ऽएष पशुस्तस्य यदन्तरियात्प्राणस्य तदन्तरियाद्यदु वै प्राणस्यान्तरियात्तत ऽएवं म्रियेत तस्मात्समेव स्थापयेदथातो व्रतानामेव ॥ ३८ ॥

तदाहुः—नैतस्य पशोः समिष्टयजूंषि जुहुयात् । न हृदयशूलेनावभृथमभ्यवेयाद् । आरम्भो वाऽएषोऽग्नेः पशुः। व्यवसर्गो देवतानां समिष्टयजूंषि । संस्थाऽवभृथः। नेदारम्भे देवता व्यवसृजानि, नेद्यज्ञं संस्थापयानीति । स वै समेव स्थापयेत् । एतेन पशुनेष्ट्वा तत्प्रजापतिरपश्यत्—यथैतस्याग्नेरन्तं न पर्यैत् । तस्मात्संस्थापयेत् । यद्देव संस्थापयति । प्राण एष पशुः । तस्य यदन्तरियात्—प्राणस्य तदन्तरियात् । यदु वै प्राणस्यान्तरियात्—तत एवं म्रियेत । तस्मात्समेव स्थापयेत् । अथातो व्रतानामेव ॥ ३८ ॥

पश्वनुष्ठानस्य चयनकर्मादित्वात् तदवसानः कर्त्तव्यः; देवताविसर्गरूपसमिष्टयजुर्होमः समाप्तिरूपावभृथश्च न कर्त्तव्याविति केषाञ्चित्पक्षं सोपपत्तिकमुपन्यस्यति—**तदाहुर्नैतस्य पशो**रिति । पश्वपशुपक्षेऽपि " अजेन चरति "–(का. श्रौ. सू. १६ । २१) इत्युक्तेः अजस्य वा प्राजापत्यस्य वा वायव्यस्य वा पशोरित्यर्थः । ' अग्नेः ' अग्निचयनकर्मणः ' एषः ' उक्तः ' पशुः ' पशुयागः ' आरम्भः ' कर्मोपक्रमः; आदावनुष्ठीयमानत्वात् । ' समिष्टयजूंषि ' इति यत् , तत् ' देवतानां ' पशुदेवतानां ' व्यवसर्गः ' विसर्जनम् । ' अवभृथः ' इति यत् , तत् ' संस्था ' कर्मसमाप्तिः । अतः कर्मोपक्रमे एव देवताविसर्जनं कर्मसमापनं च कर्तुं न युक्तमित्यर्थः ।

तन्मतं निरस्यति—**स वै समेव स्थापयेदि**ति । पूर्वं ' प्रजापतिरेतेन पशुना इष्ट्वा ' अपश्यद् विचारितवान्,–' यथा ' येन प्रकारेण ' एतस्य ' ' अग्नेः ' ' अन्तं ' ' न पर्यैत् ' पर्यगच्छत्, चिकीर्षमाणः स स्वयमेव तदपश्यत् इत्यन्वयः । यद्येकेनैव पशुनेष्ट्वाऽग्नेरन्तं परिगच्छेत्, तर्हि समिष्टयजुरादिकं न कर्तव्यं स्यात्; न तथा; एकेन पशुना यागेऽपि इतरेषां पशुशरीराणामप्सु प्रासनात् तत्परिमाणमृन्मयीष्टकोपधानादिकं विना अग्न्यन्तगमनाभावसिद्धेः पशुकर्म संस्थापयितव्यमित्यभिप्रायः । संस्थापनाकरणे अनिष्टं दर्शयितुमनुवदति—**यद्देव संस्थापयति प्राण एव पशु**रिति । पशोः प्राणत्वं पुरस्तादुक्तम् । ' तस्य ' पशोः सम्बन्धि ' यत् ' कर्म ' अन्तरियात् ' व्यवहितं कुर्यात्, ' प्राणस्य ' सम्बन्धिनमेकदेशमेव व्यवहितं कृतवान् भवति । ' ततः ' च सदा प्राणादन्तरितः सः अनन्तरमेव ' म्रियेत ' मृतो भवति; ' तस्मात् ' पशुकर्म ' संस्थापयेदेव ' इत्यर्थः ॥ अथ पशुयागानन्तरं चयनकर्मणि यजमानकर्त्तव्यानां नियमानां मीमांसा वक्ष्यत इति प्रतिजानीते—**अथातो व्रतानामेवे**ति ॥ ३८ ॥

तदाहुः । (नैँ) नैतेन पशुनेष्ट्वोपरि शयीत न माꣳसमश्नीयान्न मिथुनमुपेयात्पूर्व्वदीक्षा वाऽएष पशुरनवक्लृप्तं वै तद्यद्दीक्षितुऽउपरि शयीत यन्माꣳसमश्नीयाद्यन्मिथुनमुपेयादिति नेत्त्वेवैषा दीक्षा नेव हि मेखलाऽस्ति न कृष्णाजिनमिष्टकां वाऽएतां कुरुते तस्मादु काममेवोपरि शयीतैतदु सर्व्वमन्नं यदेते पशवस्तदस्यात्राप्तमारब्धं भवति तद्यानि कानि चाऽऽमधुनोऽशनानि तेषामस्य सर्व्वेषां कामाशनं यदि लभेत मिथुनं तु नोपेयात्पुरा मैत्रावरुण्यै पयस्यायै तस्योपरि बन्धुः ॥ ३९ ॥

तदाहुः–नैतेन पशुनेष्ट्वोपरि शयीत, न मांसमश्नीयात्, न मिथुनमुपेयात् । पूर्वदीक्षा वाऽएष पशुः । अनवक्लृप्तं वै तद्–यद्दीक्षित उपरि शयीत, यन्मांसमश्नीयात्, यन्मिथुनमुपेयादिति । नेत्त्वेवैषा दीक्षा । नेव हि मेखलाऽस्ति, न कृष्णाजिनम् । इष्टकां वाऽएतां कुरुते । तस्मादु काममेवोपरि शयीत । एतदु सर्वमन्नम्–यदेते पशवः । तदस्यात्राप्तमारब्धं भवति । तद्यानि कानि चाऽऽमधुनोऽशनानि–तेषामस्य सर्वेषां कामाशनं–यदि लभेत । मिथुनं तु नोपेयात्–पुरा मैत्रावरुण्यै पयस्यायै तस्योपरि बन्धुः ॥ ३९ ॥

कर्त्तव्याकर्त्तव्यविचारं पूर्वोत्तरपक्षाभ्यां निरूपयति–**तदाहुर्नैतेनेति** । 'पशुः' नाम 'पूर्वा' प्रथमभाविनी 'दीक्षा', दीक्षाकर्मोपक्रमार्थमिति मत्वा पूर्वपक्षोद्भवा । 'अतः' पशुकर्मणो दीक्षात्वाद् यजमानस्योपरि शयनादिकम् 'अनवक्लृप्तम्' अयुक्तमित्यर्थः । दूषयति–**नेत्त्वेवैषा दीक्षेति** । अत्र दीक्षाशब्दस्य मुख्यार्थस्वीकारः । मुख्यदीक्षायां "मेखलया दीक्षयति"–"कृष्णाजिनेन दीक्षयति"–(तै. सं. ६ । १ । ३ । ४) इति, मेखलाजिनयोरत्राभावात् इयं दीक्षा न भवतीत्यर्थः । किं तत् पश्वनुष्ठानमिति, तत्राह–**इष्टकां वा एतां कुरुत** इति । पशुयागो नामेष्टकाकरणमेव । 'तस्मात्' मांसोपर्यासने 'कामं' कुर्यात् । **एतदु सर्वमन्नमिति** । पुरुषादिपशूनां सर्वान्नत्वात् 'तद्' 'यदा' 'आप्तम्' 'आरब्धं' प्रक्रान्तं भवति, तस्मात् 'आ मधुनः' मर्यादायामाङ्, मधुपर्यन्तम् 'यानि' 'अशनानि' अन्नानि, 'तेषां' मध्ये 'अस्य' यष्टुः 'कामाशनम्' इच्छया भोजनम् । किं सर्वदा ? नेत्याह–**यदि न लभेतेति** । 'यदि' विहितम् अन्नं 'न' 'लभेत' लब्धं भवेत्, तर्हीत्यर्थः । एकं नियममाह–**मिथुनं तु नोपेयादिति** । मिथुनवर्जनं सर्वथा कार्यमित्येतत् प्राप्तम्, तस्यावधिं दर्शयति–**पुरा मैत्रावरुण्यै पयस्याया** इति । पञ्चम्यर्थे चतुर्थी । आमिक्षायागपर्यन्तम् । अत्र कात्यायनः–"मैथुनं वर्जयेदा पयस्यायाः । मांसोपर्यासने चेच्छन्"–(का. श्रौ. सू. १६।२८–२९) इति ॥

तस्य नियमस्य विधायकं ब्राह्मणमतिदिशति–**तस्योपरि बन्धुरिति** । 'उपरि' उत्तरत्र नवमकाण्डे "अथ मैत्रावरुण्या पयस्यया यजते"–(श. प. ९ । ५ । १ । ५४) इति मैत्रावरुणीं पयस्यां विधाय आम्नातम्–"स यदेतयाऽनिष्ट्वा मानुष्यां चरेत् प्रत्यवरोहः स यथा देवः सन् मानुषः स्यात् तादृक् तत्"–(श. प. ९ । ५ । १ । ५४) इति ॥ ३९ ॥

१–अहनि मांसमैथुने वर्जयेत् । का. श्रौ. सू. २ । ८ । २–अग्नये व्रतपतये व्रत्येऽहनि मैथुनमांसभोजनं चेत् । का. श्रौ. सू. २५ । ८३ ॥

१४७३

१०९

(स्तु) तुदाहुः । (ई) दद्यादेतुस्मिन्यज्ञे दुक्षिणां नेन्मेऽयं युज्ञोऽदक्षिणोऽसद्ब्रह्मुणऽआदिष्टदक्षिणां द्द्याद्ब्रह्मा वै सुर्व्वो यज्ञस्तुदस्य सुर्व्वो यज्ञो भिषज्यितो भवतीति न तुथा कुर्य्यादिष्टकां वाऽएतां कुरुते तद्यथेष्टकायामिष्टकायां दद्यात्तादृक्तुदमूर्ह्येवैव दद्याद्युदस्योपकुल्पेत ॥ ४० ॥

इति द्वितीय प्रपाठके प्रथमं ब्राह्मणम् ॥ ६–२–१ ॥ (२. २.) ॥

एतद्धै देवाऽ अब्रुवन् । (वंश्वे) चेतुयध्वमिति चितिमिच्छतेति वाव तुदब्रुवंस्तेषां चेतुयमानानां प्रजापतिरिमां प्रथमाᳫँ स्वयमातृण्णां चितिमपश्यत्तस्मात्तां प्रजापतिनोपदधाति ॥ १ ॥

तदाहुः–दद्यादेतस्मिन्यज्ञे दक्षिणाम् । नेन्मेऽयं यज्ञोऽदक्षिणोऽसत् । ब्रह्मणऽआदिष्टदक्षिणां दद्यात् । ब्रह्मा वै सर्वो यज्ञः । तदस्य सर्वो यज्ञो भिषज्यितो भवतीति । न तथा कुर्यात् । इष्टकां वाऽएतां कुरुते । तद् यथेष्टकायामिष्टकायां दद्यात्–तादृक् तत् । अमूर्ह्येव दद्याद्–यदस्योपकल्पेत ॥ ४० ॥

चित्यार्षेय ब्राह्मणम् ।

एतद्धै देवा अब्रुवन्–चेतयध्वमिति । चितिमिच्छतेति वाव तदब्रुवन् । तेषां चेतयमानानां प्रजापतिरिमां प्रथमां स्वयमातृण्णां चितिमपश्यत् । तस्मात्तां प्रजापतिनोपदधाति ॥ १ ॥

अस्मिन् यज्ञे ब्रह्मसम्प्रदानकं दक्षिणादानं पूर्वोत्तरपक्षाभ्यां निषेधति–तदाहुर्दद्यादेतस्मिन् यज्ञे दक्षिणामिति । 'ब्रह्मणे' 'आदिष्टदक्षिणाम्' प्रतिनियतदक्षिणाम् । 'भिषज्यितः' चिकित्सितः । भिषज्–शब्दात् "कण्ड्वादिभ्यो यक्"–(पा. सू. ३ । १ । २७) तदन्तात् कर्मणि क्तः इडागमश्च । इष्टकां वा एतामिति । पशुयागो नामेष्टकाकरणम्, तस्मात् प्रतीष्टकं दक्षिणादानसमानम्, पशुयागे दक्षिणादानमित्यर्थः । पशौ देयाया दक्षिणायाः कालं दर्शयति–अमूर्ह्येव दद्यादिति । 'अमूर्हि' अदःशब्दो विप्रकृष्टवचनः । चयनकर्मणो दक्षिणादानकाले 'अस्य' ब्रह्मणो 'यद्' देयम् 'उपकल्पेत' अवक्लृप्तं स्यात्, तदा तद् देयमित्यर्थः ॥ ४० ॥

इति श्रीसायणाचार्यविरचिते माधवीये वेदार्थप्रकाशे माध्यन्दिनीयशतपथब्राह्मणभाष्ये षष्ठकाण्डे द्वितीयेऽध्याये द्वितीयं ब्राह्मणम् ॥ (६–२–२) ॥

उत्तरत्रोपधास्यमानानां चितीनामृषिदेवतासम्बन्धेनोत्पत्तिप्रकारः, तत्सङ्ख्याविशेषः, स्वयमातृण्णेष्टकानां स्थानविशेषप्रदर्शनञ्च तृतीये ब्राह्मणे प्रतिपाद्यते । स्वयमातृण्णेष्टकास्तिस्रो भूम्यन्तरिक्षद्युलोकात्मिकाः । अत एव प्रथममध्यमोत्तमासु चितिषूपधेयाः । तत्र प्रथमायाश्चितेरुत्पत्तिं दर्शयति–एतद्धै देवा अब्रुवन्निति । 'एतद्' वक्ष्यमाणमर्थजातम् अवोचन् । तदाह–चेतयध्वमितीति । स्वयमेवैतस्य पदस्यार्थमाह–चितिमिच्छतेतीति । 'चेतयध्वमिति' एतेन 'चितिमिच्छतेति वाव तदब्रुवन्' इति । तेषां 'चेतयमानानां' चितिमिच्छतां देवानां मध्ये प्रजापतिः 'इमां' भूमिरूपां प्रथमां 'स्वयमातृण्णां' स्वयमेव मध्ये छिद्रां शिलारूपामिष्टकां

तमग्निरब्रवीत् (दु) डुपाहमायानीति केनेति पशुभिरिति तथेति पश्वि-
ष्टकया ह तदुवाचैषा वाव पश्विष्टका यद्दूर्वेष्टका तस्मात्प्रथमायै स्वयमा-
तृण्णायाऽअनन्तर्हिता दूर्वेष्टकोपधीयते तस्मादस्याऽअनन्तर्हिताऽ ओष-
धयोऽनन्तर्हिताः पशवोऽनन्तर्हितोऽग्निरनन्तर्हितो ह्येषऽ एतयोपेत ॥ २ ॥
(त्ते) तेऽब्रुवन् । (वंश्चे) चेतयध्वमेवेति चितिमिच्छतेति वाव तदब्रु-
वन्नित ऽऊर्ध्वमिच्छतेति तेषां चेतयमानानामिन्द्राग्नी च विश्वकर्मा चा-

---

तमग्निरब्रवीत्–उपाहमायानीति । केनेति पशुभिरिति । तथेति । पश्विष्टकया ह तदुवाच । एषा वाव पश्विष्टका यद्दूर्वेष्टका । तस्मात्प्रथमायै स्वयमातृण्णायाऽअनन्तर्हिता दूर्वेष्टकोपधीयते । तस्मादस्याऽअनन्तर्हिता ओषधयः; अनन्तर्हिताः पशवः, अनन्तर्हितोऽग्निः । अनन्तर्हितो–ह्येष एतयोपेत ॥ २ ॥

तेऽब्रुवन्–चेतयध्वमेवेति चितिमिच्छतेति वाव तदब्रुवन् । इत ऊर्ध्वमिच्छतेति । तेषां चेतयमानानामिन्द्राग्नी च विश्वकर्मा चान्तरिक्षं द्वितीयां स्वयमातृण्णां चितिमपश्यन् । तस्मात्तामिन्द्राग्निभ्यां च विश्वकर्मणा चोपदधाति ॥ ३ ॥

'चितिम्' 'अपश्यत्' । यस्मात् प्रजापतिरपश्यत्, 'तस्मात्' इष्टकां 'प्रजापतिना' "प्रजापतिष्ट्वा सादयतु"–(वा. सं. १३ । १७) इत्यादिना प्राजापत्यमन्त्रेण 'उपदधाति' ॥ १ ॥

तस्मिन् मन्त्रे "अग्निष्टाभिपातु"–इत्यग्निसम्बन्धः श्रूयते, तमपि दर्शयति–तमग्निरब्रवीदिति । 'तम्' इष्टकाकारं प्रजापतिम् । 'अग्निः' 'अहं' स्वयम् 'उपायानि' आगच्छानि 'इति' 'अब्रवीत्' । 'केन'–इत्यादिनी प्रश्नोत्तरे प्रजापत्यग्न्योः; 'तथा'–इति प्रजापतेरङ्गीकारोक्तिः । 'पशुभिः'–इति यदग्निनोक्तम्, तद् विवृणोति–पश्विष्टकया ह तदुवाचेति । पश्विष्टकास्वरूपमाह–यद् दूर्वेष्टकेति । दूर्वेष्टकया सहाग्निरहमायानीत्यर्थः सिद्धो भवति । यस्मादेतया अग्निरनन्तर्हित उपागच्छत्, 'तस्मात्' प्रथमं स्वयमातृण्णेष्टकोपधानानन्तरमेव 'दूर्वेष्टकोपधीयते' । तदिदं प्रशंसति–तस्मादस्या अनन्तर्हिता ओषधय इति । 'अस्याः' भूमेः 'ओषधयः' अनन्तरमेवोत्पन्नाः, दूर्वाणामोषधित्वात् । पशूनां दूर्वात्वात् दूर्वेष्टकया 'पशवः' अपि 'अनन्तर्हिताः' उपहिता भवन्तीति । अत एव स्वयमातृण्णोपधानानन्तरं दूर्वेष्टकोपधानम् ॥

तदुपधानमन्त्रद्वयं च सप्तमे काण्डे समाम्नास्यते–"स्वयमातृण्णामुपदधाति"–(श. प. ७।४।२।१) इत्युपक्रम्य, "तां वै प्रजापतिनोपदधाति"–(श प. ७।४।२।५।) "अथ दूर्वेष्टकामुपदधाति" (श. प. ७ । ४ । २ । १०) "काण्डात्काण्डात् प्ररोहन्ती"–(श. प. ७ । ४ । २ । १४) इति । प्रथमं स्वयमातृण्णोपधानमन्त्रे प्रजापत्यग्निसम्बन्धः, तस्या भूमिरूपत्वं चोक्तम्–"प्रजापतिस्त्वा सादयत्वपाम्पृष्ठे"–(श.प.७।४।२।६) इत्युपक्रम्य "भूरसि भूमिरस्यदितिरसि"–(वा. सं. १३ । १८) इति । मध्ये, "अग्निष्ट्वाऽभिपातु मह्या स्वस्त्या"–(वा. सं. १३ । १९) इति चान्त इति ॥ २ ॥

अथ द्वितीयस्वयमातृण्णेष्टकाप्रधानायाः तृतीयचितेरुत्पत्तिं दर्शयति–तेऽब्रुवन्निति । पूर्ववद् व्याख्येयम् ।

१–मूलाग्रवर्ती दूर्वां तस्यां पुरस्तात् भूमिप्राप्तां कांडात्कांडादिति । का. श्रौ. सू. १७ । ९० ।

न्तरिक्षं द्वितीयाᳬ स्वयमातृण्णां चितिमपश्यंस्तस्मात्तामिन्द्राग्निभ्यां च विश्वकर्मणा चोपदधाति ॥ ३ ॥

तान्वायुरब्रवीत् । (१) उपाहमायानीति केनेति दिग्भिरिति तथेति दिश्याभिर्ह तदुवाच तस्मादद्वितीयायै स्वयमातृण्णाया ऽअनन्तर्हिता दिश्या ऽउपधीयन्ते तस्मादन्तरिक्षादनन्तर्हिता दिशोऽनन्तर्हितो वायुरनन्तर्हितो ह्येषु ऽएताभिरुपैत् ॥ ४ ॥

(२) तेऽब्रुवन् । (वंश्रे) चेतयध्वमेवेति चितिमिच्छतेति वाव तदब्रुवन्नितु ऊर्द्ध्वमिच्छतेति तेषां चेतयमानानां परमेष्ठी दिवं तृतीयाᳬ स्वयमातृण्णां चितिमपश्यत्तस्मात्तां परमेष्ठिनोपदधाति ॥ ५ ॥

तान्वायुरब्रवीत्–उपाहमायानीति । केनेति । दिग्भिरिति । तथेति । दिश्याभिर्ह तदुवाच । तस्माद्द्वितीयायै स्वयमातृण्णायाऽअनन्तर्हिता दिश्या उपधीयन्ते । तस्मादन्तरिक्षादनन्तर्हिता दिशः । अनन्तर्हितो वायुः । अनन्तर्हितो ह्येष एताभिरुपैत् ॥ ४ ॥

तेऽब्रुवन्–चेतयध्वमेवेति । चितिमिच्छतेति वाव तदब्रुवन् । इत ऊर्ध्वमिच्छतेति । तेषां

चितिमिच्छतेति यदुक्तम्, तत्तात्पर्यं दर्शयति–इत ऊद्र्ध्वमिच्छतेति । 'इतः' पश्वनुष्ठानाद् 'ऊर्द्ध्वं' 'चितिम् इच्छत' इत्यर्थः । 'इन्द्राग्नी च विश्वकर्मा च' अन्तरिक्षरूपां 'द्वितीयां' स्वयमातृण्णेष्टकाम् 'अपश्यन्' । 'तस्मात्' 'ताम' इष्टकाम् इन्द्राग्निदेवत्यमन्त्रेण (वा. सं. १४ । ११), विश्वकर्मदेवत्यमन्त्रेण (वा. सं. १४ । १२ ।) चोपदध्यात् ॥ ३ ॥

तन्मन्त्रे च "वायुष्ट्वाऽभिपातु"–(वा. सं. १४ । १२) इति वायुसम्बन्धः श्रूयते, तमाह–तान् वायुरब्रवीदुपाहमिति । 'तान्' इन्द्राग्नी विश्वकर्माणश्च । 'केन'–इत्यादिनी प्रश्नोत्तरे पूर्ववत् । दिग्भिरिति । यदिन्द्राग्निभ्यां विश्वकर्मणा चोक्तम्, तद् विवृणोति–दिश्याभिर्ह तदुवाचेति । दिशि भवा दिश्याः इष्टकाः, ताभिः आगच्छानीत्युक्तवान् । "दिगादिभ्यो यत्" (पा. सू. ४ । ३ । ५४) इति–दिक्शब्दात् यत् प्रत्ययः । 'तस्मात्' द्वितीयस्वयमातृण्णोपधानानन्तरम्, दिश्येष्टकोपधानम् । तदुपधानमन्त्रद्वयञ्चाष्टमे काण्डे प्रदर्शयिष्यते (श. प. ८ । ३ । १ । १२ । १३ । १४ ।) तन्मन्त्रे प्रथममिन्द्राग्निविश्वकर्मसम्बन्धः, मध्ये अस्या अन्तरिक्षरूपत्वम्, अन्ते वायुसम्बन्धः, (वा. सं १४।१३,१४) इति॥४॥

अथ तृतीयस्वयमातृण्णाप्रधानायाः पञ्चमचितेरुत्पत्तिं दर्शयति–तेऽब्रुवन्नित्यादि पूर्ववत् । 'परमेष्ठी' 'दिवं' द्युलोकात्मिकां 'तृतीयां' 'स्वयमातृण्णाम्' इष्टकाम् 'अपश्यत्' । 'तस्मात्' 'ताम्' इष्टकाम् 'परमेष्ठिना' "परमेष्ठी त्वा सादयतु" (वा. सं १५ । ६४) इति मन्त्रेण उपदध्यात् ॥ ५ ॥

१–अनूकेषु पञ्च दिश्या व्वैश्वदेवीवत् राज्ञ्यसीति प्रतिमन्त्रम् । व्विश्वकर्म्मेति व्विश्वज्योतिषमुपरि पूर्व्वस्याः । का० श्रौ० सू० १७ । १९२-१९३ । २–प्रच्छाद्य पुरीषेण व्विकर्णीय स्वयमातृण्णे शर्करे सᳬस्पृष्टे छिद्रे प्रोथदश्व इत्युत्तरां विकर्णीमायोष्ट्वेति स्वयमातृण्णाम् । का० श्रौ० सू० १७ । २६१ ।

तुमसावादित्योऽब्रवीत् । (दु) उपाहमायानीति केनेति लोकम्पृणयेति तथेत्येष वावु लोकम्पृणाऽऽत्मना हैव तुदुवाच तुस्मात्तृतीया स्वयमातृण्णाऽनन्तर्हिता लोकम्पृणायाऽउपधीयते तुस्मादसावादित्योऽनन्तर्हितो दिवोऽनन्तर्हितो ह्येषुऽएतुयोपैत् ॥ ६ ॥

(त्तु) तुदेता वाव षुड् देवताः । (ऽ) इदꣳ सर्वमभवन्युदिदं किं च ते देवाश्चऽर्षयश्चाब्रुवन्निमा वाव षुड् देवता ऽइदꣳ सर्व्वमभूवन्नुप तुज्जानीत युथा वयुमिहाप्युसामेति तेऽब्रुवंश्चेतुयध्वमिति चितिमिच्छतेति वाव तुदब्रुवंस्तदिच्छत युथा व्वयुमिहाप्युसामेति तेषां चेतुयमानानां देवा द्वितीयां चितिमपश्यन्नृषयश्चतुर्थीम् ॥ ७ ॥

वेतयमानानां परमेष्ठी दिवं तृतीयां स्वयमातृण्णां चितिमपश्यत् । तस्मात्तां परमेष्ठिनोपदधाति ॥ ५ ॥

तमसावादित्योऽब्रवीत्—उपाह मायानीति । केनेति । लोकम्पृणयेति । तथेति । एष वाव लोकम्पृणा । आत्मना हैव तदुवाच । तस्मात्तृतीया स्वयमातृण्णाऽनन्तर्हिता लोकम्पृणायाऽउपधीयते । तस्मादसावादित्योऽनन्तर्हितो, दिवः । अनन्तर्हितो ह्येष एतयोपैत् ॥ ६ ॥

तदेता वाव षड् देवता इदं सर्वमभूवन्—यदिदं किंच । ते देवाश्चर्षयश्चाब्रुवन्—इमा वाव षड्देवता इदं सर्वमभूवन् । उप तज्जानीत—यथा वयमिहाप्यसामेति । तेऽब्रुवन् । चेतयध्वमिति । चितिमिच्छतेति वाव तदब्रुवन् । तदिच्छत—यथा वयमिहाप्यसामेति । तेषां चेतयमानानां देवा द्वितीयां चितिमपश्यन्, ऋषयश्चतुर्थीम् ॥ ७ ॥

तस्मिन् मन्त्रे "सूर्यस्त्वाऽभिपातु" इति सूर्यसम्बन्धः श्रूयते । तं दर्शयति—तमसावादित्योऽब्रवीदिति । लोकम्पृणयेतीति । एतन्नामधेयेष्टकया । लोकम्पृणयेति यदादित्येनोक्तम्, तद् विवृणोति—आत्मना हैव तदुवाचेति । तस्याः तृतीयायाः स्वयमातृण्णेष्टकाया लोकम्पृणायाश्च पौर्वापर्येण उपधानमुत्तरत्र वक्ष्यते । तन्मन्त्रे (वा. सं. १२।५४—५६—वा. सं. १५।५९-६१) पूर्ववदादिमध्यान्तेषु परमेष्ठिसम्बन्धः, द्युलोकरूपत्वम्, सूर्यसम्बन्धश्च[२] विद्यते ॥ ६ ॥

इत्थं प्रथममध्यमोत्तमास्तिस्रश्चितय ऋषिदेवतासम्बन्धित्वेन दर्शिताः, इतः परं द्वितीयचतुर्थ्योश्चित्योरुत्पत्तिप्रकारं वक्तुमुक्तचितित्रये ऋषिदेवताः परिगणयति—तदेता वाव षड् देवता इति । प्रजापतीन्द्राग्निविश्वकर्मपरमेष्ठिनस्त्रय ऋषयः, अग्निवायुसूर्यास्तिस्रो देवताः, इति षड् देवताः, इत्युक्तम् । इन्द्राग्न्योर्विश्वकर्मणश्च सहैव चितिद्रष्टृत्वेनैका देवतेति परिगणनया षड् देवता भवन्तीत्यर्थः । लोकानां भूम्यादीनां त्रित्वात्, तदभि-

---

१—विश्वज्योतिषं परमेष्ठी त्वेति । का० श्रौ० सू० १७ । २५९ । २—तिसृषु लोकंपृणासु मंत्रो दशसु च द्वयोर्वा दशस्वेकस्यां वा । चात्वालदेशात्पुरीषं निवपतीन्द्रं विश्वा इति । का. श्रौ. सू. १७ । १७ । १८ ।

तेऽब्रुवन् । (ब्रु) उप व्वयमायामेति केनेति यदेषु लोकेषूपेति तथेति तद्यदूर्ध्वं पृथिव्या ऽअर्वाचीनमन्तरिक्षात्तेन देवा ऽउपायंस्तदेषा द्वितीया चितिरथ यदूर्ध्वमन्तरिक्षादर्वाचीनं दिवस्तेनऽर्षयऽउपायंस्तदेषा चतुर्थी चितिः ॥ ८ ॥

(स्ते) ते यदब्रुवन् । (वंश्चे) चेतयध्वमिति चितिमिच्छतेति वाव तद-ब्रुवन्यच्चेतयमाना ऽअपश्यंस्तस्माच्चितयः ॥ ९ ॥

प्रजापतिः प्रथमां चितिमपश्यत् । (त्र) प्रजापतिरेव तस्या आर्षेयं देवा द्वितीयां चितिमपश्यन्देवा ऽएव तस्याऽ आर्षेयमिन्द्राग्नी च विश्व-

---

तेऽब्रुवन्–उप वयमायामेति । केनेति । यदेषु लोकेषूपेति । तथेति । तद्यदूर्ध्वं पृथिव्याः, अर्वाचीनमन्तरिक्षात्–तेन देवा उपायन् । तदेषा द्वितीया चितिः । अथ यदूर्ध्वमन्तरिक्षात्, अर्वाचीनं दिवः–तेनऽर्षय उपायन् । तदेषा चतुर्थी चितिः ॥ ८ ॥

ते यदब्रुवन्–चेतयध्वमिति । चितिमिच्छतेति वाव तदब्रुवन् । यच्चेतयमाना अपश्यन्–तस्माच्चितयः ॥ ९ ॥

प्रजापतिः प्रथमां चितिमपश्यत् । प्रजापतिरेव तस्या आर्षेयम् । देवा द्वितीयां चितिमपश्यन् ।

मानिनामग्न्यादीनां च त्रित्वात्, एतेषु सर्वसंग्रहाभिप्रायेण " इदं सर्वमभवन् यदिदं किञ्च "–इत्युक्तम् । ते देवा ऋषय इति । उक्तव्यतिरिक्ताः ' ऋषयो देवाश्च ' परस्परम् ' अब्रुवन् ' उक्तिप्रकारं दर्शयति–इमा वाव षड् देवता इति । प्रजापत्यादय एव षड् देवताः ' सर्वम् ' ' अभूवन् ' ' वयम् अपि ' देवा ऋषयश्च ' इह ' अस्मिन् चयनकर्मणि ' यथा ' येन प्रकारेण ' असाम ' भवेम । अस्तेर्लोटि रूपम् । ' तत् ' चयनमध्ये भवनम् ' उपजानीत ' अन्योन्यं विचारयतेति अन्ये देवर्षयोऽवोचन् ॥

तेऽब्रुवन्नित्यादिना द्वितीयचतुर्थ्योश्चित्योरुत्पत्तिरुक्ता । प्रथमस्वयमातृण्णाचितेरनन्तरं देवदृष्टाद्वितीया चितिः, द्वितीयस्वयमातृण्णानन्तरमृषिदृष्टा चतुर्थी चितिः, एवं पञ्च चितयः सम्पन्ना इत्यर्थः ॥ ७ ॥

तेऽब्रुवन्नुपेति । तद्यदूर्ध्वं पृथिव्या इति । ' पृथिव्याः ' भूलोकाद् ' ऊर्ध्वम् ' ' अन्तरिक्षादर्वाचीनं ' ' यत् ' पदार्थजातमस्ति, ' तेन ' सह ' देवाः ' द्वितीयां चितिम् उपागच्छन् । ' अन्तरिक्षात् ' ' ऊर्ध्वम् ' ' दिवः ' द्युलोकात् ' अर्वाचीनम् ' ' यद् ' वस्तुजातमस्ति, ' तेन ' सह ' ऋषयः ' चतुर्थी चितिमपश्यन्नित्यर्थः ॥ ८ ॥

चितिशब्दं निर्वक्ति–ते यदब्रुवन्निति । यस्मात् तेषु चोक्ताः प्रजापत्यादयः सर्वेऽपि ' चेतयध्वमिति ' उक्त्वा चितिं दृष्टवन्तः, ' तस्मात् ' चितिसंसर्गात् चितिशब्दो निरुक्तः । " चिती सञ्ज्ञाने " (धा. पा. भ्वा. प. ३९) क्तिनि धातुतकारलोपे कृते रूपमिति मन्तव्यम् । यद्वा " चिञ् चयने "–(धा. पा. स्वा. उ. ५) इत्यस्य क्तिनि रूपम् ॥ ९ ॥

उक्तानां स्वयमातृण्णादीनां पञ्चानां चितीनां (तै. सं. ५ । ६ । १०) प्रजापत्यादयोऽग्न्यादयश्च ऋषयो देवाश्चोक्ताः, तत्र ऋषीनेव सुखप्रतिपत्तये दर्शयति–प्रजापतिः प्रथमां चितिमपश्यदिति । प्रजापतिरेव

कर्मा च तृतीयां चितिमपश्यँस्तऽएव तस्याऽ आर्षेयमृषयश्चतुर्थीं चितिमपश्यन्नृषयऽ एव तस्या ऽआर्षेयं परमेष्ठी पञ्चमीं चितिमपश्यत्परमेष्ठ्यैव तस्या ऽआर्षेयथ्ँ स यो हैतदेवं चितीनामार्षेयं व्वेदार्षेयवत्यो हास्ये बन्धुमत्यश्चितयो भवन्ति ॥ १० ॥

इति द्वितीयप्रपाठके द्वितीयं ब्राह्मणम् ॥ ६-२-२ ॥ (२. ३.) ॥
इति द्वितीयोऽध्यायः समाप्तः ॥ ६-२ ॥

देवा एव तस्या आर्षेयम् । इन्द्राग्नी च विश्वकर्मा च तृतीयां चितिमपश्यन् । तऽएव तस्या आर्षेयम् । ऋषयश्चतुर्थीं चितिमपश्यन् । ऋषयः एव तस्या आर्षेयम् । परमेष्ठी पञ्चमीं चितिमपश्यत् । परमेष्ठ्येव तस्या आर्षेयम् । स यो हैतदेवं चितीनामार्षेयं वेद—आर्षेयवत्यो हास्य बन्धुमत्यश्चितयो भवन्ति ॥ १० ॥

तस्या आर्षेयमिति । एवकारोऽन्यनिवृत्त्यर्थः । ' तस्याः ' प्रथमायाश्चितेः ' आर्षेयम् ' । ऋषिरेवार्षेयम् स्वार्थिको ढक्–प्रत्ययः । चितीनामृषीन् विदुषः फलमाह **स यो हैतदेवमिति** । ' अस्य ' वेदितुः ' चितयः ' ' आर्षेयवत्यः ' ऋषिसम्बद्धाः, ' बन्धुमत्यः ' विधायकब्राह्मणानूदिताः । वेदनमात्रेण ऋषिदृष्टा ब्राह्मणविहिताश्चितयोऽनुष्ठिता ' भवन्ति ' इत्यर्थः ॥ १० ॥

इति श्रीसायणाचार्यविरचिते माधवीये वेदार्थप्रकाशे माध्यन्दिनीयशतपथब्राह्मणभाष्ये
षष्ठकाण्डे द्वितीयेऽध्याये तृतीयं ब्राह्मणम् ॥ (६-२-३) ॥

वेदार्थस्य प्रकाशेन तमो हार्दं निवारयन् । पुमर्थांश्चतुरो देयाद् विद्यातीर्थमहेश्वरः ॥ १ ॥

ब्रह्माण्डं गोसहस्रं कनकहयतुलापूरुषौ स्वर्णगर्भं,
सप्ताब्धीन्पञ्च सीरींस्त्रिदशतरुलताधेनुसौवर्णभूमीः ।
रत्नोस्रां रुक्मवाजिद्विपमहितरथौ सायणिः सिङ्गणार्यो,
व्यश्राणीद्विश्वचक्रं प्रथितविधिमहाभूतयुक्तं घटं च ॥
धान्याद्रिं धन्यजन्मा तिलभवमतुलः स्वर्णजं वर्णमुख्यः,
कार्पासीयं कृपावान्गुडकृतमजडो राजतं राजपूज्यः ।
आज्योत्थं प्राज्यजन्मा लवणजमनृणः शार्करं चार्कतेजा,
रत्नाढ्यो रत्नरूपं गिरिमकृत मुदा पात्रसात्सिङ्गणार्यः ॥

इति श्रीमद्राजाधिराजपरमेश्वरवैदिकमार्गप्रवर्तकश्रीहरिहरमहाराजसाम्राज्यधुरन्धरेण सायणाचार्येण विरचिते माधवीये वेदार्थप्रकाशे माध्यन्दिनशतपथब्राह्मणभाष्ये षष्ठे काण्डे द्वितीयोऽध्यायः समाप्तः ॥ ६-२ ॥

अथ तृतीयेऽध्याये प्रथमं ब्राह्मणम् । द्वितीयप्रपाठके च तृतीयं ब्राह्मणम् ।

एतद्वै देवाऽ अब्रुवन् । (वंश्वे) चेतयध्वमिति चितिमिच्छतेति वाव तदब्रुवंस्तेषां चेतयमानानाᳬं सवितैतानि सावित्राण्यपश्यद्यत्सविताऽपश्यत्तस्मात्सावित्राणि सऽ एतामष्टागृहीतामाहुतिमजुहोत्ताᳬं हुत्वेमामष्टधा विहितामषाढामपश्यत्पुरैव सृष्टाᳬं सतीम् ॥ १ ॥

एतद्वै देवा अब्रुवन्—चेतयध्वमिति। चितिमिच्छतेति वाव तदब्रुवन् । तेषां चेतयमानानां सवितैतानि सावित्राण्यपश्यत् । यत् सविताऽपश्यत्—तस्मात्सावित्राणि । स एतामष्टागृहीतामाहुतिमजुहोत् । तां हुत्वेमामष्टधा विहितामषाढामपश्यत्—पुरैव सृष्टां सतीम् ॥ १ ॥

यस्य निःश्वसितं वेदा यो वेदेभ्योऽखिलं जगत् ॥ निर्ममे तमहं वन्दे विद्यातीर्थमहेश्वरम् ॥ १ ॥

एवमध्यायद्वयेन चीयमानाग्नेरुत्पत्तिप्रकारः, चयनोपयुक्तपशूदककर्म, मृत्तिकासिकताद्युत्पत्तिः पुरुषादिपञ्चपशुप्राजापत्यवायव्येष्वन्यतमेन प्रकारेणानुष्ठानप्रकारः, पञ्चचित्युत्पत्तिश्च दर्शिताः; इतस्तृतीयादिभिरध्यायैः "युञ्जानः प्रथमं मनः"(वा.सं.११।१) इत्यादीनां चयनमन्त्राणां विनियोगोऽभिधास्यते । तत्र प्रथमं "युञ्जानः प्रथमम्" इत्यादिभिरष्टभिः सावित्रहोमः कार्यः । तदाह कात्यायनः—"अष्टगृहीतं जुहोति सन्ततमुद्गृह्णन् युञ्जान इति"—(का. श्रौ.सू. १६।९०) इति । अष्टवारं स्रुवेण स्रुचि गृहीतमाज्यद्रव्यं 'सन्ततम्' अविच्छेदेन 'उद्गृह्णन्' ऊर्ध्वं गृह्णन् "युञ्जानः प्रथमं मनः"—(वा. सं. ११ । १—८) इत्यादिभिरष्टभिः सवितृदेवत्यैर्मन्त्रैर्जुहुयात् । "अष्टागृहीतामष्टाभिर्यजुर्भिर्जुहोति"—इति (अग्रे तृतीयकण्डिकायाम्) वक्ष्यति । एतेषां यजुष्ट्वं यजुर्वेदे पाठात्; अन्यथा पादबद्धानां यजुष्ट्वानुपपत्तेः । अथवा यजुस्संहितापठिता मन्त्राः छत्रिन्यायेन यजुःशब्देनोक्ताः; अत्राष्टमो मन्त्रो यजुः । तथा चापस्तम्बः-"यजुरष्टमाभिर्ऋग्भिरेकामाहुतिं जुहोति"—(आप. श्रौ. सू. १६ । १ । ४) इति ॥ तमिमं सावित्रहोमं विधास्यन् सवितृसम्बन्धमादौ दर्शयति—**एतद्वै देवा अब्रुवन्निति** । 'चेतयमानानां' चितिमिच्छतां देवानां मध्ये 'सविता' देवः 'एतानि' वक्ष्यमाणानि सावित्राणि कर्माणि 'अपश्यत्' । यस्मात् सविता एतानि दृष्टवान् अतः सावित्राणीत्युच्यन्ते । सवितुरिमानीत्यर्थे "तस्येदम्"—(पा. सू. ४ । ३ । १२०) इति अण्—प्रत्ययः । सम्बन्धसामान्ये प्रत्ययविधानात् आत्मनोऽभ्यन्तरेऽपि देव इति कृत्वा द्रष्टृदृश्यसम्बन्धे कर्मणामपि सवितृदेवत्वेन "साऽस्य देवता"—(पा. सू. ४।२।२४) इत्यर्थविशेषे च विशेषप्रत्ययो भवतीत्यर्थः । आज्यस्याष्टग्रहणं विधातुमाह—**स एतामष्टागृहीतामिति । तां हुत्वेमामिति** । यतः 'अष्टागृहीतामाहुतिं सविता अजुहोत्', अतः 'अष्टधा विहिताम्' अष्टप्रकारेण विहिताम् 'अषाढां' नामेष्टकाम् 'अपश्यत्' ॥ १ ॥

ते यदब्रुवन् । (वंश्चे) चेतयध्वमिति चितिमिच्छतेति वाव तदब्रुवन्यु-
च्चेतयमाना ऽअपश्यंस्तस्माच्चितिराहुतिर्वै यज्ञो यदिष्ट्वाऽपश्यत्तस्मा-
दिष्टका ॥ २ ॥

तां वाऽएताम् । (मे) एकाᳬसतीमष्टागृहीतामष्टाभिर्यजुर्भिर्जुहोति
तस्मादियमेका सत्यष्टधा विहिता ॥ ३ ॥

तामूर्ध्वामुद्गृह्णञ्जुहोति । (ती) इमां तदूर्ध्वाᳬरूपैरुद्गृह्णाति तस्मा-
दियमूर्ध्वा रूपैः ॥ ४ ॥

(स्ताᳬ) ताᳬसंततां जुहोति । (त्ये) एतद्वै देवा ऽअबिभयुर्यद्वै न
ऽइह रक्षाᳬसि नाष्ट्रा नान्ववेयुरिति तऽएतᳬसंततहोममपश्यन्रक्षसां
नाष्ट्राणामनन्ववायनाय तस्मात्संततां जुहोति ॥ ५ ॥

ते यदब्रुवन्—चेतयध्वमिति । चितिमिच्छतेति वाव तदब्रुवन् । यच्चेतयमाना अपश्यन्—तस्मा-
च्चितिः । आहुतिर्वै यज्ञः, यदिष्ट्वाऽपश्यत्—तस्मादिष्टका ॥ २ ॥

तां वाऽएतामेकां सतीमष्टागृहीतामष्टाभिर्यजुर्भिर्जुहोति । तस्मादियमेका सत्यष्टधा विहिता ॥ ३ ॥

तामूर्ध्वामुद्गृह्णञ्जुहोति । इमां तदूर्ध्वां रूपैरुद्गृह्णाति । तस्मादियमूर्ध्वा रूपैः ॥ ४ ॥

तां सन्ततां जुहोति । एतद्वै देवा अबिभयुः । यद्वै न इह रक्षांसि नाष्ट्रा नान्ववेयुरिति । तऽएतं
सन्ततहोममपश्यन्—रक्षसां नाष्ट्राणामनन्ववायनाय । तस्मात्सन्ततां जुहोति ॥ ५ ॥

ते यदब्रुवन्निति । अषाढाया इष्टकात्वमुपपादयति—आहुतिर्वै यज्ञो यदिष्ट्वाऽपश्यदिति । 'यत्' यस्मात्
एतां साविनाहुतिम् ' इष्ट्वा ' ' अपश्यत् ', ' तस्मादिष्टका ' अषाढेति, आहुतिसदृशीष्टकेति ॥ २ ॥

तत् प्रशंसति—तां वा एतामेकां सतीमष्टागृहीतामिति । यस्मादेकाहुतिमष्टाभिर्मन्त्रैरष्टगृहीतेनाज्यद्रव्येण
हुतवान्, तस्मात् अषाढा वस्तुत एकाऽपि अष्टधा विधीयत इति तत्समानत्वं तस्योपचरितमित्याशयः ॥ ३ ॥

तस्या आहुतेरूर्ध्वं ग्रहणं विधत्ते—तामूर्ध्वामिति । ' उद्गृह्णन् ' उदुपसर्गस्यार्थः ऊर्ध्वामित्यनेनोक्तः ।
इमां तदूर्ध्वामिति । ' इमां ' भूमिम् ॥ ४ ॥

तस्याः सान्तत्येन हवनं विधत्ते—तां सन्ततां जुहोतीति । ' सन्तताम् ' अविच्छिन्नधारामित्यर्थः ।
सन्ततत्वं सोपपत्तिकं प्रशंसति—एतद्वै देवा अबिभयुरिति । " ञिभी भये " (धा. पा. जु. प. २)
लङि " सिजभ्यस्तविदिभ्यश्च "—(पा. सू. ३ । ४ । १०९) इति झेर्जुस् । राक्षरोभ्यः सकाशाद् देवा
भीतवन्तः । ' यत् ' यथा ' इह ' यज्ञे 'नाष्ट्रा' नाशकानि ' रक्षांसि ' कर्तृपदम्, ' नः ' अस्मान् देवान्
' नान्ववेयुः ' न सङ्गता भवेयुः । " इण् गतौ " (धा. पा. अ. प. ३९) लिङि रूपम्, ' इति ' हेतौ,
अस्मात् कारणात् ' एतं ' सावित्रं ' होमं ' ' सन्ततम् ' अनवच्छिन्नम् ' अपश्यन् ' अवकाशान्वेषिणां राक्ष-
सानामसङ्गमनाय; अवकाशे हि यज्ञविघातकाः प्रविशन्ति ॥ ५ ॥

यु॒द्वेवै॒तामा॑हु॒तिं जु॒हो॒ति । स॒वि॒तै॒षो॒ऽग्निस्तमे॒तया॒ऽऽहु॒त्या पु॒रस्ता॑त्प्रीणा॒ति त॒मिष्ट्वा प्रीत्वा॒ऽथैन॒ꣳ सम्भ॑रति त॒द्यदे॒तया॑ सवि॒तारं॑ प्री॒णाति॑ त॒स्मात्सा॑-वि॒त्राणि॑ त॒स्माद्वा॒ऽएता॒मा॑हु॒तिं जु॒होति ॥ ६ ॥

यु॒द्वेवै॒तामा॑हु॒तिं जु॒हो॒ति । स॒वि॒तै॒षो॒ऽग्निस्तमे॒तया॒ऽऽहु॒त्या पु॒रस्ता॑द्रेतो॑-भू॒तꣳसिञ्चति या॒दृग्वै यो॒नौ रे॒तः सि॒च्यते॑ ता॒दृग्जा॑यते त॒द्यदे॒तया॑ सवि॒तार॒ꣳ रेतो॑भू॒तꣳ सि॒ञ्चति त॒स्मात्सा॑वि॒त्राणि त॒स्माद्वा॒ऽएता॒मा॑हु॒तिं जु॒होति ॥ ७ ॥

स्रु॒वश्चा॒त्र स्रु॒क् च॒ प्र॒यु॒ज्येते । व्वा॒ग्वै स्रु॒क्प्रा॒णः स्रु॒वो व्वा॒चा च॒ वै प्रा॒णेन॑ चै॒तद॒ग्रे दे॒वाः कर्मा॒न्वैच्छꣳस्त॒स्मात्स्रु॒वश्च॒ स्रु॒क्च ॥ ८ ॥

यु॒द्वेव स्रु॒वश्च॒ स्रु॒क्च । यो॒ वै स॒ प्र॒जा॒पति॒रा॒सी॒दे॒ष स स्रु॒वः प्रा॒णो वै स्रु॒वः प्रा॒णः प्र॒जा॒पति॒रथ॒ या सा व्वा॒गा॒सी॒दे॒षा सा स्रु॒ग्योषा॑ वै व्वा॒ग्योषा॑ स्रु॒गथ॒ यास्ता॒ऽआ॒प॒ऽआय॒न्वाचो॑ लो॒का॒दे॒तास्ता॒ या॒मे॒ता॒मा॑हु॒तिं जु॒होति ॥ ९ ॥

यद्वेवैतामाहुतिं जुहोति । सवितैषोऽग्निः—तमेतयाऽऽहुत्या पुरस्तात्प्रीणाति । तमिष्ट्वा प्रीत्वाऽथैनं सम्भरति । तद्यदेतया सवितारं प्रीणाति—तस्मात्सावित्राणि । तस्माद्वाऽएतामाहुतिं जुहोति ॥ ६ ॥

यद्वेवैतामाहुतिं जुहोति । सवितैषोऽग्निः । तमेतयाऽऽहुत्या पुरस्ताद्रेतोभूतं सिञ्चति । यादृग्वै योनौ रेतः सिच्यते । तादृग्जायते । तद्यदेतया सवितारं रेतोभूतं सिञ्चति । तस्मात्सावित्राणि । तस्माद्वाऽएतामाहुतिं जुहोति ॥ ७ ॥

स्रुवश्चात्र स्रुक् च प्रयुज्येते । वाग् वै स्रुक्, प्राणः स्रुवः । वाचा च वै प्राणेन चैतदग्रे देवाः कर्मान्वैच्छन् । तस्मात्—स्रुवश्च स्रुक् च ॥ ८ ॥

यद्वेव स्रुवश्च स्रुक् च । यो वै स प्रजापतिरासीत्—एष स स्रुवः । प्राणो वै स्रुवः । प्राणः

अस्या आहुतेः सवितृदेवत्यत्वमिदानीमाह—यद्वेवैतामाहुतिमिति । आग्नेये कर्मणि कुतः सवितुः प्रसङ्ग इत्यत आह—सवितैषोऽग्निरिति । " षू प्रेरणे "—(धा. पा. तु. प. १२७) इति अस्मात् तृचि पदं सवितेति । तदर्थस्तु 'एषः' 'अग्निः' इति । सवितारं प्रीणाति, तस्मात् सावित्राणीति—अनेनाहुतेः सवितृप्रीणनसाधनत्वात् तद्देवत्यत्वमिति, प्रत्ययस्तु पूर्वमेवोक्तः ॥ ६ ॥

प्रकारान्तरेणाहुतिकरणं प्रशंसति—यद्वेवैतामाहुतिमिति । रेतोभूतं सिञ्चतीति । चयनकर्मणः प्रारम्भादित्यर्थः ॥ ७ ॥

आज्यहोमत्वादत्र केवलस्रुवेण होमकरणं व्युदसितुमाह—स्रुवश्चात्र स्रुक् च प्रयुज्येते इति । स्त्रीलिङ्गत्वात् स्रुचो वाक्त्वम्, पुंलिङ्गत्वात् स्रुवस्य प्राणत्वम् । ताभ्यां वाक्प्राणाभ्याम् 'अग्रे' पूर्वं 'देवाः' इदं 'कर्म' अनुष्ठितवन्तः । अतोऽस्मिन् स्रुक्स्रुवौ प्रयुज्येते ॥ ८ ॥

प्रकारान्तरेणैतयोः प्रयोगं प्रशंसितुमनुवदति—यद्वेव स्रुवश्च स्रुक्चेति । स्रुक्स्रुवयोर्वाक्प्रजापतिरूपत्वं

ताᳬं संततां जुहोति । संतता हि ता ऽआप ऽआयन्नथ यः स प्रजापति-
स्त्रय्या विद्यया सहापः प्राविशदेष स यैरेतद्यजुर्भिर्जुहोति ॥ १० ॥

तद्यानि त्रीणि प्रथमानि । (नी) इमे ते लोका ऽअथ यच्चतुर्थं यजुस्त्रयी सा
विद्या जगती सा भवति जगती सर्वाणि च्छन्दाᳬंसि सर्वाणि च्छन्दा-
ᳬंसि त्रयी विद्याऽथ यानि चत्वार्युत्तमानि दिशस्तानीमे च वै लोका
दिशश्च प्रजापतिरथैषा त्रयी विद्या ॥ ११ ॥

प्रजापतिः । अथ या सा वागासीत्—एषा सा स्रुक् । योषा वै वाक् । योषास्रुक् । अथ यास्ता आप आयन् वाचो लोकाद्—एतास्ताः—यामेतामाहुतिं जुहोति ॥ ९ ॥

तां सन्ततां जुहोति । सन्तता हि ता आप आयन् । अथ यः स प्रजापतिस्त्रय्या विद्यया सहापः प्राविशत्—एष सः—यैरेतद्यजुर्भिर्जुहोति ॥ १० ॥

तद्यानि त्रीणि प्रथमानि—इमे ते लोकाः । अथ यच्चतुर्थं यजुः—त्रयी सा विद्या । जगती सा भवति । जगती सर्वाणि च्छन्दांसि । सर्वाणि च्छन्दांसि त्रयी विद्या । अथ यानि चत्वार्युत्तमानि—दिशस्तानि । इमे च वै लोकाः, दिशश्च प्रजापतिः । अथैषा त्रयी विद्या ॥ ११ ॥

यदर्थमुक्तम्, तद् दर्शयति—अथ यास्ता आप इति । 'याः आपः' यानि उदकानि प्रजापतिसृष्टानि 'वाचो लोकात्' वाग्रूपाल्लोकात् सकाशात् 'आयन्' आगतानि, 'ताः' आप एवेदानीं हूयमानाऽऽहुति-रित्यर्थः । पूर्वं प्रजापतिर्वाचः सकाशात् अपः सृष्टवान् इत्याम्नातम्, तथा प्रथमाध्याये—"सोऽपोऽसृजत वाच एव लोकात्"—(श. प. ६ । १ । १ । ९) इति ॥ ९ ॥

तां सन्ततामिति । आहुतिसाधनान् मन्त्रान् प्रशंसति—अथ यः स प्रजापतिस्त्रय्या विद्ययेति । पूर्वं प्रजापतिरपः सृष्ट्वा पुनरपि बहुलामुत्पत्तिं सृष्ट्वा त्रयीमय्या विद्यया सह ता अपः प्रविष्टवान्, अत इदानीमपि आहुतिरूपतोक्तेर्मन्त्राणां च त्रयीरूपत्वात् तैर्होमकरणं प्रजापतेर्बहुधोत्पत्तये विद्यया सहोदकप्रवेशसमान-मित्यर्थः । एतदपि पूर्वमाम्नातम्—"सोऽकामयताभ्योऽद्भ्योऽधि प्रजायेयेति, सोऽनया त्रय्या विद्यया सहापः प्राविशत्" (श. प. ६ । १ । १ । १०) इति ॥ १० ॥

मन्त्रानष्टौ पविभज्य स्तौति—तद् यानि त्रीणि प्रथमानीति । 'तत्' तत्र तेषु मन्त्रेषु 'यानि प्रथमानि त्रीणि' यजूंषि । यजुर्वेदपठितत्वात् यजूंषीत्युच्यन्ते; अन्यथा पादबद्धानां यजुष्ट्वानुपपत्तेः, यजुरन्तिमा वा मन्त्राः छत्रिन्यायेन यजुःशब्देनोक्ताः। तन्मन्त्रत्रयं पृथिव्यन्तरिक्षद्युलोकात्मकम्, चतुर्थो मन्त्रस्त्रयीविद्यात्मकः त्रयीत्वं छन्दोद्वारा प्रतिपादयति—जगती सा भवतीति । "युञ्जते मन उत युञ्जते धियः"—(वा.सं. ११।४) इति चतुर्थो मन्त्रो जगतीच्छन्दस्कः; जगत्याः सर्वच्छन्दोमयत्वात् त्रय्याश्च तत्सम्भवात्, चतुर्थस्यास्य त्रयी-रूपत्वम् । इमानि चत्वारि यजूंषि प्रागादिमहादिशः; संख्यासाम्यात् । "इमे वै लोकाः"—इत्यादिना सतानां मन्त्राणां प्रजापतिरूपत्वम्, एकस्यास्त्रयीविद्यारूपत्वञ्च प्रदर्शितमिति मन्तव्यम् ॥ ११ ॥

स जुहोति। युञ्जानः प्रथमं मनऽ इति प्रजापतिर्वै युञ्जानः स मन ऽएतस्मै कर्मणेऽयुङ्क्त तद्यन्मन ऽएतस्मै कर्मणेऽयुङ्क्त तस्मात्प्रजापतिर्युञ्जानः॥ १२॥

(स्त) तत्त्वाय सविता धियऽ इति। मनो वै सविता प्राणा धियोऽग्नेर्ज्योतिर्निचाय्येत्यग्नेर्ज्योतिर्दृष्ट्वेत्येतत्पृथिव्याऽअध्याभरदिति पृथिव्यै ह्येनदध्याभरति॥ १३॥

युक्तेन मनसा व्वयमिति। मनऽ एवैतदेतस्मै कर्मणे युङ्क्ते न ह्ययुक्तेन मनसा किं चन सम्प्रति शक्नोति कर्तुं देवस्य सवितुः सवऽइति देवेन सवित्रा

स जुहोति–" युञ्जानः प्रथमं मनः "–इति। प्रजापतिर्वै युञ्जानः, स मन एतस्मै कर्मणेऽयुङ्क्त। तद्यन्मन एतस्मै कर्मणेऽयुङ्क्त–तस्मात्प्रजापतिर्युञ्जानः॥ १२॥

" तत्त्वाय सविता धियः "–इति। मनो वै सविता, प्राणा धियः। " अग्नेर्ज्योतिर्निचाय्य "–इति। दृष्ट्वेत्येतत्। " पृथिव्याऽअध्याभरत् "–(वा. सं. ११। १) इति। पृथिव्यै ह्येनदध्याभरति॥ १३॥

" युक्तेन मनसा वयम् "–इति। मन एवैतदेतस्मै कर्मणे युङ्क्ते। न ह्ययुक्तेन मनसा किं चन सम्प्रति शक्नोति कर्तुम्। " देवस्य सवितुः सवे "–इति। देवेन सवित्रा प्रसूता इत्येतत्।

अथ होममनूद्य प्रथमामृचं विधत्ते–स जुहोति युञ्जान इति। प्रथमा ऋक्, अनुष्टुप्। अयमर्थः–'सविता' सर्वस्य स्वस्वकार्ये प्रेरकः सूर्यः 'प्रथमम्' आदौ अग्निचयनविषये 'मनः' ज्ञानसाधनभूतं चित्तं 'युञ्जानः' कर्मविषयं ज्ञानमुत्पादयितुमात्मना संयुक्तं कुर्वन् अनन्तरं 'धियः' बुद्धीः प्राणान् वा 'तत्त्वाय' " तनु विस्तारे " (धा. पा. त. उ. १) क्त्वाप्रत्यये " उदितो वा "–(पा. सू. ७। २। ५६) इति इडभावपक्षे " अनिदिताम्० "–(पा. सू. ६। ४। २४) इति न–लोपे, " क्त्वो यक् "–(पा. सू. ७। १। ४७) इति यक्प्रत्यये च कृते रूपम्। तनित्वा विस्तार्य, मनसा बुद्धिं प्राणं वा पर्यालोच्य च यत्र मनस्तत्र प्राणः इति हि व्याप्तिः। यद्वा, एकं वाक्यम्; प्रथमं मनो ज्ञानसाधनं धियं तत्कार्यं ज्ञानञ्च 'तत्त्वाय' तत्त्व–शब्दाच्चतुर्थी, तत्त्वं नामाग्नित्वम्। तच्छब्देन प्रकृतत्वादग्निः परामृश्यते, तस्य भावस्तत्त्वम्, अग्निरूपावाप्तये। मनो ज्ञानञ्च नियुञ्जानः अग्नेः सम्बन्धि ज्योतिः पञ्चसु पशुषु प्रविष्टं तेजः 'निचाय्य' दृष्ट्वा " चायृ पूजानिशामनयोः "–(धा. पा. भ्वा. प. ९०५)। निशामनं दर्शनम्। 'पृथिव्याः' चितायाः 'अधि' उपरि विशिष्टप्रदेशं प्रति 'आभरत्'। ततः पशुभ्यः सकाशात् अग्नितेज आहृतवान्। " हृग्रहोर्भश्छन्दसि " (पा. सू. ८। २। ३२ वा. १) इति हकारस्य भकारः। मन्त्रं प्रतिपादमनूद्य व्याचष्टे–प्रजापतिर्वै युञ्जान इति। अत्र सवितृपदेन धात्वर्थमात्रमाश्रित्य प्रजापतिरुच्यत इति विशेषः। अत्र " तत्त्वाय अग्निरूपप्राप्तये अग्नेः ज्योतिः पशुषु दृष्ट्वा "–इत्यादिकं सर्वं युज्यते॥ १२॥ १३॥

द्वितीयं मन्त्रं विधत्ते–युक्तेन मनसा वयमितीति (का. श्रौ. सू. १६। ५०)। इयं गायत्री।

प्रसूता ऽइत्येतुत्स्वुर्ग्याय शक्त्येति सुथैतेन कुर्मणा स्वर्गं लोकमियादेवमे-
तुदाह शक्त्येति शुक्त्या हि स्वर्गं लोकमेति ॥ १४ ॥

युक्त्वाय सविता देवानिति । मनो वै सविता प्राणा देवाः स्वर्यतो धिया
दिवमिति स्वर्गंᳯं हैनां लोकं यतो धियैतुस्मै कुर्मणे युयुजे बृहज्ज्योतिः
करिष्यतऽ इत्यसौ वाऽआदित्यो बृहज्ज्योतिरेष उऽएषोऽग्निरेतुम्वेते संस्क-
रिष्यन्तो भवन्ति सविता प्रसुवाति तानिति सवितृप्रसूता ऽएतत्कुर्म कर-
वन्नित्येतुत् ॥ १५ ॥

" स्वर्ग्याय शक्त्या "-(वा. सं. ११ । २) इति । यथैतेन कर्मणा स्वर्गं लोकमियाद्–एवमेत-
दाह । शक्त्येति । शक्त्या हि स्वर्गं लोकमेति ॥ १४ ॥

" **युक्त्वाय सविता देवान्** "–इति । मनो वै सविता, प्राणा देवाः । " **स्वर्यतो धिया
दिवम्** "–इति । स्वर्गं हैनां लोकं यतो धियैतस्मै कर्मणे युयुजे । " **बृहज्ज्योतिः करि-
ष्यतः**"–इति । असौ वाऽआदित्यो बृहज्ज्योतिः। एष उ एषोऽग्निः। एतम्वेते संस्करिष्यन्तो भवन्ति ।
" **सविता प्रसुवाति तान्** "-(वा. सं ११ । ३) इति । सवितृप्रसूता एतत्कर्म करव-
न्नित्येतत् ॥ १५ ॥

अयमर्थः–' युक्तेन ' कर्मविषये एकाग्रेण मनसा । अन्यत्र व्यापके मनसि कर्म कर्तुं न शक्यते, अतः कर्मणि युक्तेनेत्युक्तम् । तादृशेन ' मनसा ' सहिताः ' सवितुः देवस्य ' ' सवे ' अभ्यनुज्ञाने वर्तमानाः ' वयम् ' अनुष्ठातारः ' स्वर्ग्याय ' हितार्थे यत्-प्रत्ययः (पा. सू. ५ । १ । ५) । स्वर्गहिताय स्वर्गसाधनाय कर्मणे, तदर्थम्, " क्रियार्थोपपदस्य० "–(पा. सू. २ । ३ । १४) इति चतुर्थी । ' शक्त्या ' कर्मकरणसामर्थ्येन, तदर्थद्रव्यसामर्थ्येन च प्रयत्नः कार्यः इति वाक्यशेषः । नित्ये तावत्, यथा शक्नुयात् तथा कुर्यादिति प्रकारवाचिना यथाशब्देन शक्तेर्यथासम्भवतोक्तिः; काम्ये यदा शक्नुयात् तदा कुर्यादिति पूर्वोक्तेः सम्पूर्णता चोक्ता ॥

मन्त्रं प्रतिपादमनूद्य व्याचष्टे–मन एवैतदिति । मनसो युक्तत्वं व्यतिरेकमुखेन प्रतिपादयति–न ह्ययुक्तेनेति ॥ १४ ॥

तृतीयं मन्त्रं विधत्ते–**युक्त्वाय सविता देवानिति** (का. श्रौ. सू. १६ । १०)। तादृशान् ' युक्त्वाय ' पूर्ववत् क्त्वो यक् । मनसा युक्त्वा स्थित इति विशेषः । यद्वा, ' देवान् ' प्राणान् ' युक्त्वाय ' इत्यन्तमेकं वाक्यमिति प्रदर्शितम् । ' युयुजे ' इति लिट् प्रयुक्तः । ' बृहत् ' महत् ' ज्योतिः ' अग्न्यात्मकं सूर्यात्मकञ्च ' करिष्यत. ' संस्करिष्यतः आत्मत्वेन भावयतः ' तान् ' देवान् ' सविता ' ' प्रसुवाति ' अभ्यनुजानातु । सुवतेः पञ्चमे लकारे " लेटोऽडाटौ "–(पा. सू. ३ । ४ । ९४) इत्याडागमः । अतः एव ' करवन् '–इति पञ्चमो ल उदाहृतः ॥ १५ ॥

(यु) युञ्जते मन ऽउत युञ्जते धिय ऽ इति । मनश्चैवैतत्प्राणांश्चैतस्मै कर्मणे युङ्क्ते विप्रा विप्रस्येति प्रजापतिर्वै विप्रो देवा विप्रा बृहतो विपश्चित इति प्रजापतिर्वै बृहन्विपश्चिद्वि होत्रा दध ऽइति यद्वा ऽएष चीयते तदेष होत्रा विधत्ते चिते ह्येतस्मिन्होत्रा ऽअधि विधीयन्ते वयुनाविदित्येष हीदं वयुनमविन्ददेक ऽइदित्येको ह्येष ऽ इदꣳ सर्वं वयुनमविन्दन्मही देवस्य सवितुः परिष्टुतिरिति महती देवस्य सवितुः परिष्टुतिरित्येतत् १६॥

(यु) युजे वां ब्रह्म पूर्व्यं नमोभिरिति । प्राणो वै ब्रह्म पूर्व्यमन्नं नमस्तत्तदेषैवाहुतिरन्नमेतयैव तदाहुत्यैतेनान्नेन प्राणानेतस्मै कर्मणे युङ्क्ते वि श्लोक ऽएतु पथ्येव सूरेरिति यथोभयेषु देवमनुष्येषु कीर्तिं श्लोको यज-

---

"युञ्जते मन उत युञ्जते धियः"–इति । मनश्चैवैतत्–प्राणांश्चैतस्मै कर्मणे युङ्क्ते । "विप्रा विप्रस्य"–इति । प्रजापतिर्वै विप्रो देवा विप्राः । "बृहतो विपश्चितः"–इति । प्रजापतिर्वै बृहन्विपश्चित् । "विहोत्रा दधे"–इति । यद्वाऽएष चीयते–तदेष होत्रा विधत्ते । चिते ह्येतस्मिन् होत्रा अधि विधीयन्ते । "वयुनाविद्"–इति । एष हीदं वयुनमविन्दत् । "एक इत्"–इति । एको ह्येष इदं सर्वं वयुनमविन्दत् । "मही देवस्य सवितुः परिष्टुतिः"–(वा॰ सं, ११ । ४) इति महती देवस्य सवितुः परिष्टुतिरित्येतत् ॥ १६ ॥

"युजे वां ब्रह्म पूर्व्यं नमोभिः"–इति । प्राणो वै ब्रह्म पूर्व्यम्, अन्नं नमः । तत् तदेषैवाहुतिरन्नम् । एतयैव तदाहुत्यैतेनान्नेन प्राणानेतस्मै कर्मणे युंक्ते । "वि श्लोक एतु पथ्येव

चतुर्थीं विधत्ते–युञ्जते मन इति (का. श्रौ. सू. १६ । ९०) । इयं जगती । 'विप्राः' मेधाविनो देवाः । 'बृहतो विपश्चितः' । "विप्"–(निरु. १ । ११ । ४१) इति वाङ्नाम । सकलशाखागतामन्त्रानेकत्र कर्मणि सञ्चिन्वन्तीति विपश्चितः । 'विप्रस्य' मेधाविनः प्रजापतेः अग्न्यात्मकस्य विस्रस्तं पुनः सन्धानार्थं 'मनो युञ्जते' कर्मार्थमेकाग्रं कुर्वन्ति । 'उत' अपि च 'धियः' बुद्धीः प्राणान् वा 'युञ्जते' । 'वयुनाविद्' "वयुना"–(निघं. ३ । ११ । १०) इति प्रज्ञानाम, इह ज्ञातव्ये वर्त्तते । ज्ञानवान् जानन् 'एकः' 'इत्' एव चीयमानः अग्निः, 'होत्राः' सप्तहोत्रकाणां प्रस्थितयाज्याः 'विदधे' चकार । तदिदं 'सवितुः देवस्य' 'मही' महती 'परिष्टुतिः' । स यत् प्रजापतिः समिधाना य देवान् कर्मणे मनः प्राणांश्च युङ्क्ते, अतोऽग्निहोत्र विदधे इति ॥

मन्त्रं व्याचष्टे–युञ्जते मन इत्यादि । स्पष्टोऽर्थः । यद्वा एष चीयत इति । यश्चीयते स एष होतृकर्माणि करोतीत्यर्थं दृढयितुमाह–चिते ह्येतस्मिन्निति । 'चिते' अग्नौ होतृमैत्रावरुणादिक्रियाणां विधानात् तस्यैव कर्तृत्वमित्युपचरितम् ॥ १६ ॥

पञ्चमीमृचं विधत्ते–युजे वां ब्रह्म पूर्व्यम् (का. श्रौ. सू. १६ । ९०) इति । त्रिष्टुप् । 'वाम्'–इति

मानस्य स्यादेवमेतदाह शृण्वन्तु विश्वेऽअमृतस्य पुत्रा ऽइति प्रजापति
र्वाऽअमृतस्तस्य विश्वे देवाः पुत्राऽ आ ये धामानि दिव्यानि तस्थुरितीमे
वै लोका दिव्यानि धामानि तद्यऽएषु लोकेषु देवास्तानेतदाह ॥ १७ ॥

यस्य प्रयाणमन्वन्यऽइद्ययुरिति । प्रजापतिर्वाऽएतदग्रे कर्माकरोत्तत्ततो देवाऽअकुर्वन्देवा देवस्य महिमानमोजसेति यज्ञो वै महिमा देवा देवस्य यज्ञं वीर्यमोजसेत्येतद्यः पार्थिवानि विममे सऽ एतशऽ इति यद्वै किं चास्यां तत्पार्थिवं तदेष सर्वं विमिमीते रश्मिभिर्ह्येनदभ्यवतनोति रजाᳬसि देवः सविता महित्वनेतीमे वै लोका रजाᳬस्यसावादित्यो देवः सविता तानेष महिम्ना विमिमीते ॥ १८ ॥

सूरेः "–इति । यथोभयेषु देवमनुष्येषु कीर्तिं श्लोको यजमानस्य स्याद्–एवमेतदाह । " शृण्वन्तु विश्वेऽअमृतस्य पुत्राः "–इति । प्रजापतिर्वा अमृतः । तस्य विश्वे देवाः पुत्राः । " आ ये धामानि दिव्यानि तस्थुः"–(वा. सं. ११ । ५) इति । इमे वै लोकाः दिव्यानि । धामानि । तद्यऽएषु लोकेषु देवाः तानेतदाह ॥ १७ ॥

" यस्य प्रयाणमन्वन्यऽइद्ययुः "–इति । प्रजापतिर्वाऽएतदग्रे कर्माकरोत्–तत् ततो देवा अकुर्वन् । " देवा देवस्य महिमानमोजसा "–इति । यज्ञो वै महिमा, देवा देवस्य यज्ञं वीर्यमोजसेत्येतद् । " यः पार्थिवानि विममे स एतशः "–इति । यद्वै किं चास्यां–तत्

पत्नीयजमानावुच्येते ' युवाभ्यामर्थाय, ' नमोभिः ' अन्नैः सहितं, ' पूर्व्यं ' पुरातनं संहितं ' ब्रह्म ' ब्रह्मणि ' युजे ' युक्तवान् सवितेति । अत्रान्नवाचिना ' नमः ' पदेनाहुतिरभिधीयते, तयाऽऽहुत्या पत्नीयजमानयोः बुद्धीः प्राणान् एकस्मै कर्मणे युंक्ते इत्यर्थः । यद्वा, ' युजे ' इति लडुत्तमैकवचने रूपम्, अध्वर्युरहमिति । किमर्थम् ? तदाह–' सूरेः ' कर्मविदुषो यजमानस्य ' श्लोकः ' कीर्तिः ' व्येतु ' विविधं गच्छतु, उभयत्र देवमनुष्येषु प्रसृता भवत्विति । ' पथ्येव ' पथिशब्दात् ' धर्मपथ्यर्थन्यायात् " (पा. सू. ४ । ४ । ९२) इति यत् । पथो यज्ञमार्गात् अनपेता आहुतिः यथा उभयत्र प्रसारिणी भवति, एवं श्लोक इत्यर्थः । 'अमृतस्य' मरणधर्मरहितस्य प्रजापतेः ' पुत्राः ' ' विश्वे ' देवाः ' शृण्वन्तु ', यजमानश्लोकमित्यनुषङ्गः । ' ये ' देवाः दिव्यानि धामानि सर्वलोकस्थानानि ' तस्थुः ' अधिष्ठितवन्तः ते शृण्वन्त्विति ॥

मन्त्रं प्रतिपादमनूद्य व्याचष्टे–**युजे वां ब्रह्म पूर्व्यं नमोभिरित्यादि** । निगदसिद्धमेतत् ॥ १७ ॥

षष्ठीमृचमाह–**यस्य प्रयाणमिति** (का. श्रौ. सू. १६ । ५०) । इयं जगती । अयमर्थः । अन्ये देवाः ' यस्य देवस्य ' द्योतनशीलस्य प्रजापतेः ' प्रयाणं ' प्रथमगमनं कर्मानुष्ठानमनुलक्ष्य ' ओजसा ' वीर्येण ' महिमानं ' चयनात्मकं यज्ञं ' ययुः ' अन्वगच्छन् । प्रजापत्यनुष्ठानानन्तरं सर्वे देवा अनुष्ठितवन्तः ' यः ' ' सविता ' ' पार्थिवानि ' पृथिव्यामवस्थितं वस्तुजातं ' विममे ' " माङ् माने " (धा. पा. जु. आ. ६)

देव सवितः प्रसुव यज्ञं प्रसुव यज्ञपतिं भगायेति । (त्य) असौ वा ऽआदित्यो देवः सविता यज्ञो भगस्तमेतदाह प्रसुव यज्ञं प्रसुव यज्ञपतिं भगायेति दिव्यो गन्धर्वः केतपूः केतं नः पुनात्वित्यसौ वाऽआदित्यो दिव्यो गन्धर्वोऽन्नं केतोऽन्नपूरन्नं नः पुनात्वित्येतद्वाचस्पतिर्वाचं नः स्वदत्विति वाग्वाऽइदं कर्म प्राणो वाचस्पतिः प्राणो न ऽइदं कर्म स्वदत्वित्येतत् ॥ १९ ॥

(दि) इमं नो देव सवितर्यज्ञं प्रणयेति । (त्य) असौ वाऽआदित्यो देवः सविता यदु वाऽएष यज्ञियं कर्म प्रणयति तदनार्तꣳ स्वस्त्युदृचमश्नुते देवाव्यमिति यो देवानवदित्येतत्सखिविदꣳ सत्राजितं धनजितꣳ स्वर्जितमिति यऽएतत्सर्वं विन्दादित्येतदृचेत्यृचा स्तोमꣳ समर्धय गायत्रेण रथन्तरं बृह-

---

पार्थिवम् । तदेष सर्वं विमिमीते । रश्मिभिर्ह्येनदभ्यवतनोति । " रजांसि देवः सविता महित्वना "—(वा. सं. ११।६) इति । इमे वै लोका रजांसि । असावादित्यो देवः सविता । तानेष महिम्ना विमिमीते ॥ १८ ॥

" देव सवितः प्रसुव यज्ञं प्रसुव यज्ञपतिं भगाय "–इति । असौ वाऽआदित्यो देवः सविता । यज्ञो भगः । तमेतदाह–प्रसुव यज्ञं प्रसुव यज्ञपतिं भगायेति । " दिव्यो गन्धर्वः केतपूः केतं नः पुनातु "–इति । असौ वाऽआदित्यो दिव्यो गन्धर्वः । अन्नं केतः । अन्नपूरन्नं नः पुनात्वित्येतत् । " वाचस्पतिर्वाचं नः स्वदतु "–(वा. सं. ११ । ७)–इति । वाग्वा इदं कर्म, प्राणो वाचस्पतिः । प्राणो न इदं कर्म स्वदत्वित्येतत् ॥ १९ ॥

"इमं नो देव सवितर्यज्ञं प्रणय"–इति । असौ वाऽआदित्यो देवः सविता । यदु वाऽएष यज्ञियं कर्म प्रणयति । तदनार्तं स्वस्त्युदृचमश्नुते । "देवाव्यम्"–इति । यो देवानवदित्येतत् ।

स्वीयैस्तेजोभिः सर्वं वस्तु व्यनक्ति । 'एतशः' सर्वत्र चरणशीलः । यद्वा, 'एतशः' (निघं. १। १४ । १०) इत्यश्वनाम । मत्वर्थीयलोपः । अश्ववान् । 'सविता' आदित्यो 'देवः' 'रजांसि' पृथिव्यन्तरिक्षद्युलोकान् 'महित्वना' स्वमहिम्ना 'विममे' विमिमीते ॥

प्रजापतिर्वा एतदग्रे कर्मेत्यादि, मन्त्रव्याख्यानम् ॥ १८ ॥

सप्तमं मन्त्रं विधत्ते–देव सवितः प्रसुव यज्ञमिति (का. श्रौ सू. १६।९०) । वाजपेये व्याख्यातोऽयं मन्त्रः (श. प. ५ । १।१।१४।९। भा.) ॥ १९ ॥

अष्टमं यजुर्विधत्ते–इमं नो देव सवितर्यज्ञमिति (का. श्रौ. सू. १६ । ९०) । प्रणयेति पदस्यार्थमाह–'यज्ञियं कर्म' 'प्रणयति' प्रकर्षेण नयति । तदेवाह–'तत्' सवित्रा प्रणीतं कर्म 'अनार्तम्' अनुपहतम्,

द्गायत्रवर्त्तनीति सामानि स्वाहेति यजूꣳषि सैषा त्रयी विद्या प्रथमं जायते यथैवादोऽमुत्राजायतैवमथ यः सोऽग्निरसृज्यतैष स योऽत ऊर्ध्वमग्निश्चीयते ॥ २० ॥

तान्येतान्यष्टौ सावित्राणि । (ण्य) अष्टाक्षरा गायत्री गायत्रोऽग्निर्यावानग्निर्यावत्यस्य मात्रा तावतैवैनमेतद्रेतोभूतꣳ सिञ्चति तानि नव भवन्ति स्वाहाकारो नवमो नव दिशो दिशोऽग्निर्नव प्राणाः प्राणाऽ अग्निर्यावानग्निर्यावत्यस्य मात्रा तावतैवैनमेतद्रेतोभूतꣳ सिञ्चति तानि दश भवन्त्याहुतिर्दशमी दशाक्षरा विराड् विराडग्निर्दश दिशो दिशोऽग्निर्दश प्राणाः प्राणाऽ अग्निर्यावानग्निर्यावत्यस्य मात्रा तावत्तद्भवति ॥ २१ ॥

"सत्रिविदं सत्राजितं धनजितं स्वर्जितम्"–इति । य एतत्सर्वं विन्दादित्येतत् । "ऋचा स्तोमं समर्धय गायत्रेण रथन्तरं बृहद्गायत्रवर्तनि"–इति । सामानि । "स्वाहा"–(वा. सं. ११ । ८) इति । यजूंषि । सैषा त्रयी विद्या प्रथमं जायते । यथैवादोऽमुत्राजायत–एवम् । अथ यः सोऽग्निरसृज्यत–एष स–योऽत ऊर्ध्वमग्निश्चीयते ॥ २० ॥

तान्येतान्यष्टौ सावित्राणि । अष्टाक्षरा गायत्री । गायत्रोऽग्निः । यावानग्निर्यावत्यस्य मात्रा–तावतैवैनमेतद्रेतो भूतं सिञ्चति । तानि नव भवन्ति । स्वाहाकारो नवमः । नवदिशः । दिशोऽग्निः । नव प्राणाः । प्राणा अग्निः । यावानग्निर्यावत्यस्य मात्रा–तावतैवैनमेतद्रेतोभूतं सिञ्चति । तानि दश भवन्ति । आहुतिर्दशमी । दशाक्षरा विराट् । विराडग्निः । दश दिशः । दिशोऽग्निः । दश प्राणाः । प्राणा अग्निः । यावानग्निर्यावत्यस्य मात्रा–तावत्तद्भवति ॥ २१ ॥

'स्वस्ति' क्षेमेण 'उदृचं' समाप्तिम् 'अश्नुते' । देवाव्यमिति पदं व्याचष्टे–यो देवानवादिति । देवानवति तर्पयतीति देवावीः । "अवितृस्तृतन्त्रिभ्य ईः"–(पा. सू. उ. १९८) इति । ई–प्रत्ययः । अस्य यजुषः त्रयीविद्यात्वमुपपादयितुमाह–ऋचेति । अस्मिन् यजुषि तावत् 'ऋचा स्तोमं समर्द्धय' । "गायत्रेण रथन्तरं बृहद् गायत्रवर्त्तनि स्वाहा"–इति पठ्यते । तत्र ऋचेतिपदेन ऋग्वेदोऽभिधीयते, स्तोमगायत्ररथन्तरबृहदादिभिः सामान्युच्यन्ते, स्वाहेतिपदेन यजुर्वेदः । अत एवैष मन्त्रो वेदत्रयात्मकत्वात् 'त्रयी विद्या' । अत्र त्र्याः कः प्रसङ्ग–इत्यत आह–यथैवादोऽमुत्रेति । 'अदः' स्थितिक्रियाविशेषणम्, 'अमुत्र'–इति विप्रकृष्टवचनः । यथा प्रागध्यायादौ सर्वसृष्टेः पुरा त्रयी विद्या उत्पन्ना, एवमेतद्यजुरपि–"स श्रान्तस्तेपानो ब्रह्मैव प्रथममसृजत त्रयीमेव विद्याम्"–(श. प. ६ । १ । १ । ८) इति । पूर्वं योऽग्निः सृष्टः, अथ यो गर्भेऽन्तरासीत्, 'सोऽग्निरसृजत' इति । 'सः' सृष्टोऽग्निरेव, इदानीं चीयमानोऽग्निरित्यर्थः ॥ २० ॥

उक्तानष्टौ मन्त्रान् सम्भूय प्रशंसितुमनुवदति–तान्येतान्यष्टौ सावित्राणीति । गायत्र्या अष्टौ अक्षराणि, अग्नेरपि अष्टनामत्वात् अग्नेर्गायत्रत्वं प्रागुक्तम् । (श. प. ६ । १ । ३ । १९) अतोऽग्नेर्यावन्तोऽवयवाः, तैः तावन्तमेवाग्निम् एतया आहुत्या सिक्तवान् भवतीत्यर्थः ॥

(त्ये) एतस्यामाहुत्याᳪं हुतायाम् । (म) अग्निर्देवेभ्य ऽउदक्रामत्ते देवाऽ अब्रुवन्पशुर्वाऽअग्निः पशुभिरिममन्विच्छाम स स्वाय रूपायाविर्भविष्यतीति तं पशुभिरन्वैच्छन्त्स स्वाय रूपायाविरभवत्तस्मादु हैतत्पशुः स्वाय रूपायाविर्भवति गौर्वा गवेऽश्वो वाऽश्वाय पुरुषो वा पुरुषाय ॥२२॥

तेऽब्रुवन् । (न्य) यद्यह सर्वैरन्वेषिष्यामो यातयामा ऽअनुपजीवनीया भविष्यन्ति यद्युऽअसर्वैरसर्वमनुवेत्स्यामऽ इति तऽएतमेकं पशुं द्वाभ्यां पशुभ्यां प्रत्यपश्यन्रासभं गोश्चावेश्च तद्यदेतमेकं पशुं द्वाभ्यां पशुभ्यां प्रत्युपश्यंस्तस्मादेष ऽएकः सन्द्विरेताः ॥ २३ ॥

एतस्यामाहुत्यां हुतायामग्निर्देवेभ्य उदक्रामत् । ते देवा अब्रुवन्—पशुर्वाऽअग्निः, पशुभिरिममन्विच्छाम, स स्वाय रूपायाविर्भविष्यतीति । तं पशुभिरन्वैच्छन् स स्वाय रूपायाविरभवत् । तस्मादु हैतत्पशुः स्वाय रूपायाविर्भवति । गौर्वा गवेऽश्वो वाऽश्वाय । पुरुषो वा पुरुषाय ॥ २२ ॥

तेऽब्रुवन्—यद्यह सर्वैरन्वेषिष्यामो—यातयामा अनुपजीवनीया भविष्यन्ति । यद्युअसर्वैरसर्वमनुवेत्स्याम इति । तऽएतमेकं पशुं द्वाभ्यां पशुभ्यां प्रत्यपश्यन्—रासभं—गोश्चावेश्च । तद्यदेतमेकं पशुं द्वाभ्यां पशुभ्यां प्रत्यपश्यन्—तस्मादेष एकः सन्द्विरेताः ॥ २३ ॥

अष्टममन्त्रान्ते यः स्वाहा—शब्दः पठितः, तेन नवमेन सह सङ्ख्यां दिक्प्राणात्मना प्रशंसति—तानि नव भवन्ति, स्वाहाकारो नवम इति ॥

स्वाहा-शब्दप्रयोगानन्तरमग्नावाज्याहुतिर्हूयते, तया सह पूर्वसङ्ख्यां विराट्प्राणात्मकान्यात्मना स्तौति-तानि दश भवन्ति आहुतिर्दशमीति । अष्टौ मन्त्राः, स्वाहाकारो नवमः, स्वाहाकारान्ते हूयमाना 'आहुतिः' 'दशमी' दशसंख्यापूरणीति ॥ २१ ॥

अत्र पूर्वं यत्र पुरुषादीनां " चतुर्णां पशूनां कायप्रासनम्, तस्मात् प्रदेशात् उखाषाढेष्टकाकरणार्थं मृत् आनेतव्या; " चतुर्णामप्सु कायप्रासनम्, ततो मृदिष्टकार्थापश्च "—(का. श्रौ. सू. १६ । १९–२०) इति ह्याम्नातम् । तत्र नेतव्यान् पशून् विधातुमाख्यायिकामाह—एतस्यामाहुत्यां हुतायामिति । पूर्वमग्निर्देवसकाशादुत्क्रान्तः, 'ते देवाः' परस्परम् 'अब्रुवन्,' 'पशुः अग्निः' अतः 'पशुभिः' 'इमं' पशुरूपमग्निम् 'अन्विच्छाम' अन्विष्यामः । 'सः' अग्निः पशुः 'स्वाय' स्वजातीयपशुरूपाय, तं दृष्ट्वा 'आविः' प्रत्यक्षो भविष्यतीति विचार्य, पशुभिरन्विष्टवन्तः । सोऽप्यग्निः प्रत्यक्षोऽभवत् । तस्माल्लोके पशुः सजातीयरूपं दृष्ट्वा प्रत्यक्षो भवतीत्यर्थं लोकप्रसिद्धयोपपादयति—गौर्वा गवे, अश्वो वाऽश्वाय, पुरुषो वा पुरुषायेति ॥ २२

तेऽब्रुवन् यद्यह सर्वैरन्वेषिष्याम इति । 'यदि' 'सर्वैः' पुरुषादिपञ्चपशुभिः पशुरूपमग्निमन्वेष्टुमिच्छामः, तर्हि ते पशवः 'यातयामाः' गतसाराः, अतः 'अनुपजीवनीयाः' च भवन्ति; 'यदि' 'असर्वैः' पशुभिः,

(ऽ) अनद्धापुरुषं पुरुषात् । (दे) एषु ह वाऽअनद्धापुरुषो यो न देवा-नुवति न पितॄन्न मनुष्याँस्तत्सर्वैरह पशुभिरन्वैच्छन्नो यातयामाऽ अनु-पजीवनीया ऽअभवन् ॥ २४ ॥

(वंस्त्रि) त्रिभिरन्विच्छति । त्रिवृदग्निर्यावानग्निर्यावत्यस्य मात्रा तावतैवैन-मेतदन्विच्छति ते पञ्च सम्पदा भवन्ति पञ्चचितिकोऽग्निः पञ्चऽर्तवः संव-त्सरः संवत्सरोऽग्निर्यावानग्निर्यावत्यस्य मात्रा तावत्तद्भवति ॥ २५ ॥

अनद्धापुरुषं पुरुषात् । एष ह वाऽअनद्धा पुरुषो—यो न देवानवति, न पितॄन्, न मनुष्यान् । तत् सर्वैरह पशुभिरन्वैच्छन् । नो यातयामा अनुपजीवनीया अभवन् ॥ २४ ॥

त्रिभिरन्विच्छति । त्रिवृदग्निः । यावानग्निर्यावत्यस्य मात्रा—तावतैवैनमेतदन्विच्छति । ते पञ्च स-म्पदा भवन्ति । पञ्चचितिकोऽग्निः । पञ्चऽर्तवः सम्वत्सरः । सम्वत्सरोऽग्निः । यावानग्निर्यावत्यस्य मात्रा तावत्तद्भवति ॥ २५ ॥

तर्हि 'असर्वम्' असम्पूर्णमग्निमेव 'अनुवेत्स्यामः' लाभार्थस्य विदे रूपम् (धा. पा. तु. उ. १६१)। 'इति' देवाः विचार्य 'द्वाभ्यां' प्रतिनिध्यर्थे कर्मप्रवचनीयः, "प्रतिः प्रतिनिधिप्रतिदानयोः" (पा. सू. १।४।९२)। 'तस्मात्' इति, 'पशुभ्याम्'—इति न पञ्चमी । गवाविपशुद्वयप्रतिनिधित्वेन एकं रासभं' प्रत्यपश्यन्, अतः 'एषः' द्वयोः प्रतिनिधिः, 'तस्मात् रासभः स्वरूपेण 'एकः' अपि 'द्विरेताः' विलक्षणपशुद्वयजनकः । रासभादश्वतरस्य गर्दभस्य चोत्पत्तिर्दृश्यते । अतः अश्वाजौ, गवाविप्रति-निधित्वेन रासभ इति त्रयः पशव इत्युक्तं भवति ॥ २३ ॥

उत्तरत्र अनद्धापुरुषमीक्षतेऽग्निम्पुरीष्यमिति वक्ष्यति; (श. प. ६।३।३।४) अत्रानद्धापुरुषस्य कः प्रसङ्ग इति, त दर्शयति—अनद्धापुरुषं पुरुषादिति । पुरुषपशोः प्रतिनिधिमनद्धापुरुषमपश्यत् । अनद्धा-पुरुषस्य लक्षणमाह—एष ह वा अनद्धापुरुषो यो न देवानवति न पितॄन् न मनुष्यानिति'। अवति' प्रीणयति, देवपितृमनुष्याणामनर्थक इत्यर्थः । अतः पुरुषपशोः प्रतिनिधिरनद्धापुरुषः, गवाविप्रति-निधित्वेन रासभः, पूर्वोक्तावेवाश्वाजौ । एवं 'सर्वैः पशुभिः' पशुरूपमग्निमन्विष्टवन्त इति । सर्वैरन्वेषणे असर्वा-ग्निलाभदोषो नास्तीत्याह—नो यातयामा इति । अपूर्वैरेव सर्वैरन्वेषणे यातयामत्वादिदोषो नास्तीत्यर्थः ॥२४॥

उत्तरत्रानद्धापुरुषस्य तत्कर्मकेक्षणे विनियोगस्य वक्ष्यमाणत्वात् तदितरैरश्वगर्दभाजैस्त्रिभिरग्नेरन्वेषणं दर्शयति—त्रिभिरन्विच्छतीति । पशुगतत्रित्वसङ्ख्यां प्रशंसति—त्रिवृदग्निरिति । अग्नेस्त्रिवृत्त्वं प्रागुक्तम्— "अष्टौ (रुद्रादीनि) अग्निरूपाणि, कुमारो नवम इति; सैवाग्नेस्त्रिवृत्ता" (श. प. ६ । १ । ३ । १८) इति । अत्र पशुत्रित्वसङ्ख्याया विद्यमानत्वात् तावन्तं तावत्परिमाणमग्निम्, तावत्सङ्ख्याकैरश्वावयवैरेवान्विष्टवान् भवतीत्युक्तं अत्रानद्धापुरुषाश्वरासभाजा एव चत्वारः पशवः कथं तैरन्वेषणे सर्वैरन्वेषणं कृतमित्याशङ्क्य, तेषां

१—अनद्धापुरुषमीक्षते देवपितृमनुष्यानर्थकमग्निं पुरीष्यमिति । का० श्रौ० सू० १६ । ५६ ।

ते मौञ्जीभिरभिधानीभिरभिहिता भवन्ति । (न्त्य) अग्निर्देवेभ्य ऽउदक्रामत्स मुञ्जं प्राविशत्तस्मात्स सुषिरस्तस्माद्धेवान्तरतो धूमरक्तऽ इव सैषा योनिरग्नेर्यन्मुञ्जोऽग्निरिमे पशवो न वै योनिर्गर्भꣳहिनस्त्यहिꣳसायै योनेर्वै जायमानो जायते योनेर्जायमानो जायाताऽइति ॥ २६ ॥

त्रिवृतो भवन्ति । त्रिवृद्धयग्निरश्वाभिधानीकृता भवन्ति सर्व्वतो वाऽअश्वाभिधानी मुखं परिशेते सर्व्वतो योनिर्गर्भं परिशेते योनिरूपमेतत्क्रियते ॥ २७ ॥

ते मौञ्जीभिरभिधानीभिरभिहिता भवन्ति । अग्निर्देवेभ्य उदक्रामत् । स मुञ्जं प्राविशत् । तस्मात्स सुषिरः । तस्माद्धेवान्तरतो धूमरक्त इव । सैषा योनिरग्नेः—यन्मुञ्जः । अग्निरिमे पशवः । न वै योनिर्गर्भं हिनस्ति—अहिंसायै । योनेर्वै जायमानो जायते । योनेर्जायमानो जायाताऽइति॥२६॥

त्रिवृतो भवन्ति । त्रिवृद्धयग्निः । अश्वाभिधानीकृता भवन्ति । सर्वतो वाऽअश्वाभिधानी मुखं परिशेते । सर्वतो योनिर्गर्भं परिशेते । योनिरूपमेतत्—क्रियते ॥ २७ ॥

चतुर्णामेव पञ्चसम्पत्तिमाह—ते पञ्चसम्पदा भवन्तीति रासभः खलु गवाविप्रतिनिधिरिति । तौ गवावी द्वौ, पुरुषादयस्त्रय इति पञ्चसम्पत्त्या पञ्च भवन्तीत्यर्थः । तामेव पञ्चसंख्यामग्न्यात्मना स्तौति—पञ्चचितिकोऽग्निरिति ॥ २५ ॥

तेषां त्रयाणां पशूनां मौञ्जीबन्धनं विधत्ते—ते मौञ्जीभिरभिधानीभिरिति । मुञ्जो नाम ससुषिरस्तृणविशेषः, तेन निर्मिताभिरभिधानीभी रशनाभिरभिहिता बद्धा भवन्ति । अभिपूर्वो दधातिर्बन्धने वर्त्तते । अभिधीयन्ते बध्यन्ते आभिरिति अभिधान्यो रशनाः । करणे ल्युट् प्रत्ययः । (पा. सू. ३ । ३ । ११७) मुञ्जेनैव रशनाकरणमाख्यायिकामुखेनाह—अग्निर्देवेभ्य इति । 'तस्मात्' अन्तरग्निप्रवेशात् 'सः' मुञ्जः 'सुषिरः' अन्तच्छिद्रवान् । लक्षणान्तरमाह—तस्माद्धेवेति । 'उ,' 'एव' इति पदद्वयम् । 'तस्मात्' अग्निप्रवेशादेव कारणात् स मुञ्जः 'अन्तरतः' मध्ये 'धूमरक्तः' धूमेन युक्तो रक्तवर्ण इव दृश्यते । अत एव 'मुञ्जः अग्नेः योनिः,' 'अग्निरिमे पशवः' पशवश्चाग्निरिति प्रागुक्तम् । तस्मात् पशुरूपस्य गर्भभूतस्याग्नेरहिंसायै अन्तरग्निरूपमुञ्जवेष्टनं युक्तम् । यथा लोके 'योनिर्गर्भं न हिनस्ति,' 'योनेः' खलु सर्वः 'जायमानः' जनः 'जायते', एवमग्निश्च 'योनेः' 'जायातै इति' पशूनां मुञ्जरशनाभिधानम् । 'जायातै'—इति, "जनी प्रादुर्भावे" (धा. पा. दि. आ. ४३) । पञ्चमे लकारे, "लेटोऽडाटौ"—(पा. सू. ३।४।९४) इति । तिप् प्रत्ययस्याडागमः, "वैतोऽन्यत्र"—(पा. सू. ३ । ४ । ९६) इति प्रत्ययस्थेकारस्य ऐकारादेशश्च ॥ २६ ॥

रशनात्रिवृत्त्वं विधत्ते—त्रिवृतो भवन्तीति । त्रिगुणिता इत्यर्थः । अश्वाभिधानीकृता इति । अश्वाभिधानीवत् कृताः यथाऽश्वाभिधानी कच्छिकामुखं सर्वतो वेष्टयति, एवमेतास्तिस्रः कार्या इत्यर्थः । अत्र कात्या-

ते प्राञ्चस्तिष्ठन्ति । (न्त्यु) अश्वः प्रथमोऽथ रासभोऽथाजऽ एवꣳ ह्येतेऽनुपूर्वं यद्वै तदश्रु संक्षरितमासीदेष सोऽश्वोऽथ यत्तदरसदिवैष रासभोऽथ यः स कपाले रसो लिप्तऽ आसीदेष सोऽजोऽथ यत्तत्कपालमासीदेषा सा मृद्यामेतदाहरिष्यन्तो भवन्त्येतेभ्यो वाऽएष रूपेभ्योऽग्रेऽसृज्यत तेभ्यऽ एवैनमेतज्जनयति ॥ २८ ॥

ते दक्षिणतस्तिष्ठन्ति । (न्त्ये) एतद्वै देवा ऽअबिभयुर्यद्वै नो यज्ञं दक्षिणतो रक्षाꣳसि नाष्ट्रा न हन्युरिति तऽएतं वज्रमपश्यन्नसुमेवादित्यमसौ वाऽआदित्यऽ एषोऽश्वस्तऽएतेन वज्रेण दक्षिणतो रक्षाꣳसि

ते प्राञ्चस्तिष्ठन्ति । अश्वः प्रथमः । अथ रासभः । अज एवं ह्येतेऽनुपूर्वम् । यद्वै तदश्रु संक्षरितमासीद्-एष सोऽश्वः । अथ यत्तदरसदिव-एष रासभः । अथ यः स कपाले रसो लिप्त आसीद्-एष सोऽजः । अथ यत् तत्कपालमासीद्-एषा सा मृत्-यामेतदाहरिष्यन्तो भवन्ति । एतेभ्यो वाऽएष रूपेभ्योऽग्रेऽसृज्यत । तेभ्य एवैनमेतज्जनयति ॥ २८ ॥

ते दक्षिणतस्तिष्ठन्ति । एतद्वै देवा अबिभयुः-यद्वै नो यज्ञं दक्षिणतो रक्षांसि नाष्ट्रा न हन्यु-

---

यनः-"आहवनीयं दक्षिणेन त्रिवृन्मुञ्जपश्चाङ्गीबद्धास्तिष्ठन्ति प्राञ्चोऽश्वगर्दभाजाः पूर्वापरा रासभो मध्येऽश्वपूर्वाः"-(का. श्रौ. सू. १६ । ४७) इति । अस्यार्थः-दक्षिणाशब्दाद् "एनबन्यतरस्यामदूरेऽपञ्चम्याः"-(पा. सू. ५ । ३ । ३५) इति एनप्-प्रत्ययः । "एनपा द्वितीया"-(पा. सू. २ । ३ । ३१) इति 'दक्षिणेन' शब्दप्रयोगे आहवनीयस्य द्वितीया विभक्तिः । आहवनीयस्य दक्षिणप्रदेशे त्रिवृन्मुञ्जरशनाबद्धाः अश्वगर्दभाजाः पशवः अश्वपूर्वाः पद्भ्यां पूर्वापराः सन्तः प्राञ्चः प्राङ्मुखाः तिष्ठन्तीति ॥ २७ ॥

तदिदं विधत्ते-ते प्राञ्चस्तिष्ठन्तीत्यादिना । अश्वादीनां यदानुपूर्व्यम्, 'अश्वः प्रथमः' मध्ये 'रासभः,' अन्ते 'अजः' इति । पूर्वोक्तं सृष्टिक्रमं प्रमाणयति-यद्वै तदश्रु संक्षरितमासीदित्यादिना । एवं हि तत्र प्रथमाध्याये समाम्नातम्-"अथ यदश्रु संक्षरितमासीत्, सोऽश्रुरभवत्; अश्रुर्ह वै तमश्व इत्याचक्षते परोऽक्षम्, परोऽक्षकामा हि देवाः । अथ यदरसदिव, स रासभोऽभवत् । अथ यः कपाले रसो लिप्त आसीत्, सोऽजोऽभवत् । अथ यत् कपालमासीत्, सा पृथिव्यभवत्-(श.प. ६ । १ । १ । ११) इति । तत्र यत् कपालमासीत्, सा पृथिवी मृच्छब्देनोक्ता 'एतत्' इदानीम् 'यां' मृत्तिकाम् 'आहरिष्यन्तो भवन्ति' इति । अध्वर्यवो मृत्तिकाहरणेन किं करिष्यन्तीति, तत्राह-एतेभ्यो वा एष रूपेभ्य इति । 'रूपेभ्यः' अश्वगर्दभाजेभ्यः 'अग्रे' पुरा 'एषः' अग्निः 'असृज्यत,' 'एतत्' इदानीमपि 'तेभ्यः' पुरा 'एनम्' अग्निं 'जनयति' मृत्तिकाहरणेन तमग्रे सृष्टमेवाग्निं जनितवन्तो भवन्तीत्यृत्विज इत्यर्थः । अश्वादिभ्यः पूर्वमग्निसृष्टिरेवमाम्नायते-"अथ यो गर्भोऽन्तरासीत्, सोऽग्निरसृज्यत । स यदस्य सर्वस्याग्रमसृज्यत, तस्मादग्रिर्ह वै तमग्निरित्याचक्षते परोऽक्षम"-(श. प. ६ । १ । १ । ११) इति ॥ २८ ॥

तेषां पशूनामाहवनीयस्य दक्षिणतोऽवस्थानं विधत्ते-ते दक्षिणतस्तिष्ठन्तीति । दक्षिणदेशेऽवस्थानं प्रशं-

नाष्ट्राऽअपहत्याभयेऽनाष्ट्रऽएतं यज्ञमातन्वत तथैवैतद्यजमानऽएतेनऽ वज्रेण दक्षिणतो रक्षाꣳसि नाष्ट्रा ऽअपहत्याभयेऽनाष्ट्रऽएतं यज्ञं तनुते ॥ २९ ॥

दक्षिणत ऽआहवनीयो भवति । (त्यु) उत्तरत ऽएषाऽभ्रिरुपशेते वृषा वाऽआहवनीयो योषाऽभ्रिर्दक्षिणतो वै वृषा योषामुपशेतेऽरत्निमात्रेऽरत्निमात्राद्धि वृषा योषामुपशेते ॥ ३० ॥

रिति । तऽएतं वज्रमपश्यन्–अमुमेवादित्यम् । असौ वाऽआदित्य एषोऽश्वः । तऽएतेन वज्रेण दक्षिणतो रक्षांसि नाष्ट्रा अपहत्याभयेऽनाष्ट्रऽएतं यज्ञमतन्वत । तथैवैतद्यजमान एतेन वज्रेण दक्षिणतो रक्षांसि नाष्ट्रा अपहत्याभयेऽनाष्ट्रऽएतं यज्ञं तनुते ॥ २९ ॥

दक्षिणत आहवनीयो भवति । उत्तरत एषाऽभ्रिरुपशेते । वृषा वाऽआहवनीयो योषाऽभ्रिः। दक्षिणतो वै वृषा योषामुपशेतेऽरत्निमात्रे । अरत्निमात्राद्धि वृषा योषामुपशेते ॥ ३० ॥

सितुमाह–**एतद्दै देवा अबिभयुरिति** । 'एतद्' सप्तम्या लुक् (पा. सू. ७ । १ । ३९ ।) एतस्मिन्नवकाशे 'देवाः' भीतवन्तः । 'यत्' यस्मात् 'नः' अस्मदीये 'दक्षिणतः' प्रदेशे 'नाष्ट्रा' नाशकानि 'रक्षांसि' न–हन्युः 'न बाधेरन् 'इति' । अथवा 'यत्' यथा 'न हन्युरिति' हननाभावोपायं देवाः चिन्तितवन्त इत्यर्थः । 'ते एते' देवाः 'यज्ञं' वज्ररूपम् 'अमुमादित्यम् अपश्यन् । अत्रादित्यस्य कः प्रसङ्ग इत्यत आह–**असौ वा आदित्य एषोऽश्व** इति । योऽयमश्वोऽत्र त्रिवृन्मुञ्जरशनाबद्धः, स हि आदित्यः । तथा च तैत्तिरीयकम्–"अमुमादित्यमश्वं श्वेतं भूतं दक्षिणामनयन्" इति । ततस्तेन वज्ररूपादित्यात्मना अश्वेन सर्वाणि यज्ञविघातीनि रक्षांसि अपहत्य भयरहिते नाशकरहिते स्थाने 'एतम्' अग्न्याख्यं यज्ञं कृतवन्तः पूर्वं देवाः । तथैव 'एतत्' इदानीं यजमानः 'दक्षिणतः' स्थितेन अश्वेन 'यज्ञं' निर्बाधमनुतिष्ठतीति । अत्र कात्यायनः–"उत्तरतः आहवनीयस्यारत्निमात्र उभयतस्तीक्ष्णा वैणवी सुषिराऽभ्रिः कल्माष्यभावेऽकल्माषी प्रादेशमात्र्यरत्निमात्री वा"–(का. श्रौ. सू. १६ । ४८) इति पूर्वोक्ताहवनीयस्य अरत्निमात्रे उत्तरतः प्रादेशमात्री अरत्निमात्री वा उभयतः पार्श्वयोस्तीक्ष्णाग्रा कल्माषलक्षणवेणुनिर्मिता अन्तःसुषिरा अभ्रिः खननसाधनस्थानीयकल्माषलक्षितत्वासम्भवे 'अकल्माषी' कल्माषलक्षणरहिता सुषिरा कार्येति तस्यार्थः ॥ २९ ॥

तदिदं सार्थवादं विधत्ते–**दक्षिणत आहवनीयो भवतीत्यादिना** "तामादत्ते–" इत्यतः प्राक्तनेन वाक्यसन्दर्भेण–'एषा' वक्ष्यमाणाऽभ्रिः (अस्मिन्नेव ब्राह्मणेऽग्रे ३८ कण्डिकायाम्) 'अभ्रिः' 'उपशेते' तिष्ठते । आहवनीयाभ्र्योः पुंस्त्रीलिङ्गसाम्यात् स्त्रीपुंसात्मना प्रशंसति–**वृषा वा आहवनीय** इति । 'वृषा' पुरुषः, 'योषां' स्त्रियम्, 'दक्षिणतः' स्त्रियाः दक्षिणप्रदेशे 'उपशेते' आहवनीयाभ्र्योर्मध्यप्रदेशस्य व्यवधानस्वरूपतामाह–**अरत्निमात्र** इति । एतदपि स्त्रीपुंसयोर्योजयति–**अरत्निमात्रादिति** । स्त्रीपुंसयोर्मध्ये श्वासादिसञ्चाराय, सम्बाधपरिहाराय च अरत्निमात्रोऽवकाशो युक्त इत्यर्थः ॥ ३० ॥

सा व्वैणवी स्यात् । (द) अग्निर्देवेभ्यऽ उदक्रामत्स व्वेणुं प्राविशत्त- स्मात्स सुषिरः स ऽएतानि व्वर्माण्यभितोऽकुरुत पर्व्वाण्यननुप्रज्ञानाय यत्र यत्र निर्ददाह तानि कल्माषाण्यभवन् ॥ ३१ ॥

(न्त्सा) सा कल्माषी स्यात् । (त्सा) सा ह्याग्नेयी यदि कल्माषीं न व्विन्देदप्यकल्माषी स्यात्सुषिरा तु स्यात्सैवाग्नेयी सैषा योनिरग्नेर्यद्वेणुरग्नि- रियं मृत्र वै योनिर्गर्भꣳ हिनस्त्यहिꣳसायै योनेर्वै जायमानो जायते योनेर्जायमानो जायाताऽइति ॥ ३२ ॥

प्रादेशमात्री स्यात् । (त्प्रा) प्रादेशमात्रꣳ हीदमभि व्वाग्वदत्यरत्नि- मात्री त्वेव भवति बाहुर्व्वाऽअरत्निर्बाहुनो वै व्वीर्यं क्रियते व्वीर्य- संमितैव तद्भवति ॥ ३३ ॥

सा वैणवी स्यात् । अग्निर्देवेभ्य उदक्रामत् । स वेणुं प्राविशत् । तस्मात्स सुषिरः । स एतानि वर्माण्यभितोऽकुरुत-पर्वाणि-अननुप्रज्ञानाय । यत्र-यत्र निर्ददाह-तानि कल्माषाण्यभवन् ॥३१॥

सा कल्माषी स्यात् । सा ह्याग्नेयी । यदि कल्माषीं न विन्देद्-अप्यकल्माषी स्यात् । सुषिरा तु स्यात् । सैवाग्नेयी । सैषा योनिरग्नेः-यद्वेणुः । अग्निरियं मृत् । न वै योनिर्गर्भं हिनस्ति-अहिंसायै । योनेर्वै जायमानो जायते । योनेर्जायमानो जायाताऽइति ॥ ३२ ॥

प्रादेशमात्री स्यात् । प्रादेशमात्रं हीदमभि वाग्वदति । अरत्निमात्री त्वेव भवति । बाहुर्वाऽअ- रत्निः । बाहुनो वै वीर्यं क्रियते वीर्यसम्मितैव तद्भवति ॥ ३३ ॥

सा वैणवीति । वेणुनैव कार्येति । अत्रेतिहासमाह—**अग्निर्देवेभ्य इति** । यतो वेणुं प्रविष्टवान्, अतः ' सुषिरः ' अन्तःसुषिरः प्रविष्टः ' सः ' अग्निः ' अननुप्रज्ञानाय ' यथाऽन्ये मां न जानीयुः, तथा स्वाच्छाद- नाय यानि ' वर्माणि ' पार्श्वयोरकरोत्, तानि ' पर्वाणि ' सन्धयः वेणोः प्रवेशकाले ' यत्र-यत्र ' प्रदेशे अग्निः ' ददाह ' ' तानि ' कल्माषाणि ' कृष्णबिन्दुचिह्नानि ' अभवन् ' ॥ ३१ ॥

सा कल्माषीत्यादि । अतः ' सा ' अभ्रिः कल्माषी ' कल्माषकलितवेणुमयी कर्त्तव्या । अतः कल्माषो वेणुराग्नेयः । **यदि कल्माषीति** । कल्माषासम्भवे अन्यरूपो वेणुः कार्य इत्यर्थत उक्तः । तत्र कल्माषाकल्मा- षयोः सुषिरत्वं तु सर्वथा सम्पाद्यमित्याह—**सुषिरा तु स्यादिति** । यस्मात् सुषिरो वेणुरग्नेर्योनिः " सैषा योनिरग्नेर्यद्वेणुः "—इति वेणोरग्निरूपत्वं प्रागुक्तम्, अतोऽग्निरूपमृत्तिकाखनने अग्नियोनिरूपाभ्रिकरणम् स्याद् ' योनेः ' सकाशादेव अग्निः ' जायाते इति ' एवमर्थमित्यर्थः ॥ ३२ ॥

अभ्रेः प्रादेशप्रमाणत्वमरत्निप्रमाणत्वं च कल्पितम्, तत्रारत्निमात्रत्वमभिमतमिति दर्शयितुं प्रादेशमात्रपक्ष- मनुवदति--**प्रादेशमात्रीति** । ' हि ' यस्मात् इदानीं वागिन्द्रियं प्रादेशप्रमाणमभिलक्ष्यते; प्रथमं ताल्वोष्ठपुट-

(त्य) अन्यतः क्ष्णुत्स्यात्। (द) अन्यतरतो हीदं वाचः क्ष्णुतमुभयतः क्ष्णुत्त्वेव भवत्युभयतो हीदं वाचः क्ष्णुतं यदेनया दैवं च वदति मानुषं चाथो यत्सत्यं चानृतं च तस्मादुभयतः क्ष्णुत् ॥ ३४ ॥

(धु) यद्वेवोभयतः क्ष्णुत्। (द) अतो वाऽअग्नेर्वीर्यं यतोऽस्यै क्ष्णुतमुभयत ऽएवास्यामेतद्वीर्यं दधाति ॥ ३५ ॥

यद्वेवोभयतः क्ष्णुत्। (दे) एतद्वाऽएनं देवा ऽअनुविद्येभ्यो लोकेभ्योऽखनंस्तथैवैनमयमेतदनुविद्येभ्यो लोकेभ्यः खनति ॥ ३६ ॥

अन्यतः क्ष्णुत्त्वेव भवति। अन्यतरतो हीदं वाचः क्ष्णुतम्—उभयतः क्ष्णुत्त्वेव भवति। उभयतो हीदं वाचः क्ष्णुतम्—यदेनया दैवं च वदति, मानुषं च। अथो यत् सत्यश्चानृतं च—तस्मादुभयतः क्ष्णुत् ॥ ३४ ॥

यद्वेवोभयतः क्ष्णुत्। अतो वाऽअग्नेर्वीर्यम्। यतोऽस्यै क्ष्णुतम्—उभयत एवास्यामेतद्वीर्यं दधाति ॥ ३५ ॥

यद्वेवोभयतः क्ष्णुत्। एतद्वाऽएनं देवा अनुविद्येभ्यो लोकेभ्योऽखनन्। तथैवैनमयमेतदनुविद्येभ्यो लोकेभ्यः खनति ॥ ३६ ॥

व्यापारेण प्रादेशपर्यन्तं वाचमुच्चार्य ततो देशसंयोगविभागाभ्यां परश्रोत्रं गृह्णाति। अथवा, वाक्पदेन जिह्वोच्यते; सा हि प्रादेशमात्री सती वाग् वदति। यद्वा, वाक्पदेन प्राणवायुर्लक्ष्यते; स हि नासापुटान्निस्सरन् प्रादेशपर्यन्तं गच्छतीत्यागमसिद्धम्। स्वाभिमतं पक्षमाह—**अरत्निमात्री त्वेवेति**। 'तु'—शब्दः पूर्वपक्षव्यावृत्त्यर्थः। बाह्वेकदेशत्वादरत्नेः समुदायभूतो बाहुरेकदेशेनापि व्यवह्रियते, तत्प्रमाणकरणे अभ्रिरपि बाहुकृतवीर्यसम्मितैव भवति। अन्यत्र अभ्रेरेकतस्तीक्ष्णत्वमुभयतस्तीक्ष्णत्वञ्चोक्तम्। यदाहापस्तम्बः—"उभयतः क्ष्णूमन्यतरतः क्ष्णूं वा"—(आ. श्रौ. सू. १६। १। ७) इति॥ ३३ ॥

तत्र अग्रमूलयोरुभयत्र तीक्ष्णत्वं सिद्धान्तयितुं पूर्वपक्षमनुवदति—**अन्यतः क्ष्णुत् स्यादिति**। "क्ष्णु, तेजने" (धा.पा.अ.प.२७)। तेजनं नाम निशितत्वम्। **अन्यतरतो हीदं वाच इति**। वाचो निशितत्वमन्यतरतो वचनापेक्षया। वाक्पदेन जिह्वोच्यते, तस्यास्तु एकत एव तैक्ष्ण्यम्; अग्राद्धि वचनव्यापार इति। **उभयतः क्ष्णुत्त्वेवेति**। 'तु' शब्दः पूर्वपक्षनिवृत्त्यर्थः। निशितपार्श्वद्वया कार्येत्यर्थः। 'यद्' यस्मात् 'एनया' वाचा जिह्वया 'दैवं' देवसम्बन्धि वाक्यं संस्कृतम् 'मानुषं च' मनुष्यसम्बन्धिभाषामयञ्च वाक्यं 'वदति', अथवा एकयैव वाचा 'सत्यम्' 'अनृतं' मिथ्या च वदति, अत उभयतः क्ष्णुत्त्वम् ॥ ३४ ॥

उभयतः क्ष्णुत्त्वं प्रकारान्तरेण स्तोतुमनुवदति—**यद्वेवोभयतः क्ष्णुदिति**। 'अस्यै' षष्ठ्यर्थे चतुर्थी। (पा. सू. २। ३। ६२ वा.) 'यतः' यस्मिन् प्रदेशे 'क्ष्णुत्त्वं' निशितत्वम्, तस्मादेव प्रदेशात् 'अग्नेः वीर्यम्', 'अतः' उभयतस्तैक्ष्ण्यकरणेन वीर्यमेव निहितवान् भवति ॥ ३५ ॥

यद्वेवोभयत इति। 'एतत्' एतया अभ्र्या निशिताग्रया 'एनम्' मृद्रूपमग्निम् 'अनुविद्य' ज्ञात्वा

स यदिति खनति । तदेनमस्माल्लोकात्खनत्यथ यदूर्ध्वोंचरति तदमुष्माल्लोकादथ यदन्तरेण संचरति तदन्तरिक्षलोकात्सर्वेभ्य ऽएवैनमेतदेभ्यो लोकेभ्यः खनति ॥ ३७ ॥

तामादत्ते । देवस्य त्वा सवितुः प्रसवेऽश्विनोर्बाहुभ्यां पूष्णो हस्ताभ्यामाददे गायत्रेण च्छन्दसाऽङ्गिरस्वदिति सवितृप्रसूत ऽएवैनामेतद्देवताभिर्देवताभिरादत्ते गायत्रेण च्छन्दसाऽथोऽअस्यां गायत्रं छन्दो दधाति पृथिव्याः सधस्थादग्निं पुरीष्यमङ्गिरस्वदाभरेति पशवो वै पुरीषं पृथिव्या ऽउपस्थादग्निं पशव्यमग्निवदाभरेत्येतत्त्रैष्टुभेन च्छन्दसाऽङ्गिरस्वदिति तदेनां त्रैष्टुभेन च्छन्दसाऽऽदत्तेऽथोऽअस्यां त्रैष्टुभं छन्दो दधाति ॥ ३८ ॥

स यदिति खनति–तदेनमस्माल्लोकात्खनति । अथ यदूर्ध्वोंचरति । तदमुष्माल्लोकात् । अथ यदन्तरेण सञ्चरति । तदन्तरिक्षलोकात् । सर्वेभ्य एवैनमेतदेभ्यो लोकेभ्यः खनति ॥ ३७ ॥

तामादत्ते–" देवस्य त्वा सवितुः प्रसवेऽश्विनोर्बाहुभ्यां पूष्णो हस्ताभ्यामाददे । गायत्रेण च्छन्दसाऽङ्गिरस्वत् "–इति । सवितृप्रसूत एवैनामेतद्देवताभिर्देवताभिरादत्ते । गायत्रेण च्छन्दसा । अथोऽअस्यां गायत्रं छन्दो दधाति । " पृथिव्याः सधस्थादग्निं पुरीष्यमङ्गिरस्वदाभर " इति । पशवो वै पुरीषम् । पृथिव्या उपस्थादग्निं पशव्यमग्निवदाभरेत्येतत् । " त्रैष्टुभेन च्छन्दसाऽङ्गिरस्वत् "–(वा. सं. ११ । ९) इति । तदेनां त्रैष्टुभेन छन्दसाऽऽदत्ते । अथोऽअस्यां त्रैष्टुभं छन्दो दधाति ॥ ३८ ॥

' एभ्यो लोकेभ्यः ' सकाशात् ' अखनन् ' अवदारितवन्तः । ' तथैव ' 'अयं' यष्टा ' एतया ' अभ्र्या लोकत्रयसकाशात् ' खनति ' मृदात्मकमग्निमित्यर्थः ॥ ३६ ॥

कथं यजमानेनैकया अभ्र्या लोकत्रयादग्नेः खननमित्याशङ्क्य तदुपपादयति–**स यदिति खनतीति** । 'इति' शब्दोऽभिनेयप्रदर्शने, मृदः खननव्यापारमभिनयेन दर्शयतीत्यर्थः । अभ्रेः खननव्यापारे तावत् प्रथममवक्षेपणमुत्क्षेपणम् मध्ये संचारक्रिया चेति व्यापारत्रयमस्ति, तस्मादभ्रेर्व्यापारत्रयेण पृथिव्यादिलोकत्रयादग्नेः खननमिति तात्पर्यार्थः ॥ ३७ ॥

अभ्रेरादानं विधत्ते–**तामादत्त** इति । उत्तरत्र " त्रिभिरादत्ते "–इति आदाने त्रित्वसङ्ख्याविशिष्टानां मन्त्राणां विधानम्, अभ्रिं त्रिभिर्मन्त्रैराददीतेत्यर्थः । तत्र प्रथममन्त्रं विधत्ते–**देवस्य त्वा सवितुरिति**[1] । मन्त्रस्यायमर्थः–देवेन सवित्रा अनुज्ञात एवाहमध्वर्युः ' अश्विनोः बाहुभ्यां ', ' पूष्णो हस्ताभ्याम् ', ' अङ्गिरस्वत् ' अङ्गिराः अग्निः स इव; अङ्गिरःपदात् उत्तरस्य वतुपः भसञ्ज्ञाविधानात् पदसञ्ज्ञानिबन्धनं रुत्वं न भवति, अग्नि-

---

१–देवस्य त्वेत्यभ्रिमादाय । का० श्रौ० सू० १६ । ५१ ।

(त्यु) अग्निरसीति । (त्यु) अग्निर्ह्येषा तुदेनथ्ँ सत्येनादत्ते नार्यसीति व्वज्रो वाऽअग्निर्योषा नारी न वै योषा कंचन हिनस्ति शमयत्येवैनामेतदहिथ्ँसायै त्वया व्वयमग्निथ्ँ शकेम खनितुथ्ँ सधस्थऽएतीदं वै सधस्थं त्वया व्वयमग्निथ्ँ शकेम खनितुमस्मिन्त्सधस्थऽइत्येतज्जागतेन च्छन्दसाऽङ्गिरस्वदिति तदेनां जागतेन च्छन्दसाऽऽदत्तेऽथोऽअस्यां जागतं च्छन्दो दधाति ॥ ३९ ॥

त्रिभिरादत्ते । त्रिवृदग्निर्यावानग्निर्यावत्यस्य मात्रा तावतैवैनामेतदादत्ते त्रिभिरादायाथैनां चतुर्थेनाभिमन्त्रयतऽएतद्वाऽएनां देवास्त्रिभिरादाया-

---

" अग्निरसि "–इति । अग्निर्ह्येषा । तदेनं सत्येनादत्ते । " नार्यसि "–इति । वज्रो वा-अग्निः । योषा नारी, न वै योषा कंचन हिनस्ति । शमयत्येवैनामेतदहिंसायै । " त्वया वय-मग्निं शकेम खनितुं सधस्थऽआ "–इति । इदं वै सधस्थम् । त्वया वयमग्निं शकेम खनितु-मस्मिन्सधस्थऽइत्येतत् । "जागतेन च्छन्दसाऽङ्गिरस्वत्"–(वा. सं. ११।१०) इति । तदेनां जागतेन च्छन्दसाऽऽदत्ते । अथोऽअस्यां जागतं छन्दो दधाति ॥ ३९ ॥

त्रिभिरादत्ते । त्रिवृदग्निः । यावानग्निर्यावत्यस्य मात्रा–तावतैवैनामेतदादत्ते । त्रिभिरादायाथैनां

यति । ' गायत्रेण छन्दसा ' अग्निं 'त्वाम् आददे' । मन्त्रस्य तात्पर्यार्थमाह–सवितृप्रसूत एवैनामित्यादि । द्वितीयं विधत्ते–पृथिव्या इति । अग्निः त्वम् ' पृथिव्याः ' ' सधस्थात् ' उपस्थात् सहस्थानात् । पुरीष्य-मिति, पुरीषपदेन पशवोऽभिधीयन्ते; पशुहितम् । " तस्मै हितम् " (पा. सू. ५ । १ । ५) इति यत् प्रत्ययः । अग्निम् ' अङ्गिरस्वत् आभर ' । " हृग्रहोर्भः " (पा. सू. ८ । २ । ३२ । वा.) इति हका-रस्य ' भकारः ' । किञ्च, ' त्रैष्टुभेन चच्छन्दसा ' अग्निवदाभरेति ॥

मन्त्रं व्याचष्टे–पशवो वै पुरीषमिति ॥ ३८ ॥

तृतीयं विधत्ते–अग्निरसीति । ' अग्निः ' वज्रः ' असि ' हननसाधनत्वादुभयोः, अग्निनामाऽसि । 'नारी' स्त्री च ' असि ' ; स्त्रीत्वारोपस्तस्यात्तत्कर्तृकहिंसोपशमनार्थः । किञ्च, 'त्वया' अभ्र्या ' वयम् ' ' सधस्थे ' पृथिव्याम्, अस्मिन् सहस्थाने ' अग्निम् ' मृद्रूपं ' खनितुं ' ' शकेम ' शक्ता भूयास्म ' जागतेन चच्छन्दसा अङ्गिरस्वत् ' अग्निवत् शक्ता भूयास्मेति " शक्लृ शक्तौ " (धा. पा. स्वा. प. १५) आशीर्लिङि रूपम् ॥

मन्त्रं व्याचष्टे–अग्निर्ह्येषेति । अग्निरसीत्यनेन 'सत्येन' सह खनकः ' एनां ' गृहीतवान् भवति । नार्य-सीति । अस्य तात्पर्यमाह–वज्रो वा अग्निरिति । यथा योषा स्त्री न कञ्चन पुरुषं हिनस्ति, एवमभ्रेः स्त्रीत्वेन सा न कस्यापि हन्त्रीत्यर्थः सिद्धो भवति । सधस्थपदस्य विवरणम्–इदं वै सधस्थमिति ॥ ३९ ॥

अभ्र्यादाने विनियुक्तानां मन्त्राणां त्रित्वसङ्ख्यां प्रशंसितुमनुवदति–त्रिभिरादत्ते त्रिवृदग्निरिति । त्रिभिरा-

थास्यां चतुर्थेन व्वीर्यमदधुस्तथैवैनामयमेतत्रिभिरादायाथास्यां चतुर्थेन व्वीर्यं दधाति ॥ ४० ॥

हस्तऽआधाय सवितेति । हस्ते ह्यस्याहिता भवति बिभ्रदभ्रिमिति बिभर्ति ह्येनाᳬं हिरण्ययीमिति हिरण्ययी ह्येषा या च्छन्दोमय्यग्ने-र्ज्योतिर्निचाय्येत्यग्नेर्ज्योतिर्दृष्ट्वेत्येतत्पृथिव्याऽअध्याभरदिति पृथिव्यै ह्येनदध्याभरत्यानुष्टुभेन च्छन्दसाऽङ्गिरस्वदिति तदेनामानुष्टुभेन च्छन्दसाऽऽदत्तेऽथोऽअस्यामानुष्टुभं च्छन्दो दधाति तान्येतान्येव च्छन्दाᳬंस्ये-षाऽभ्रिरारम्भायैवेयं व्वैणवी क्रियते ॥ ४१ ॥

चतुर्थेनाभिमन्त्रयते । एतद्वाऽएनां देवास्त्रिभिरादायाथास्यां चतुर्थेन वीर्यमदधुः । तथैवैनामयमेत-त्रिभिरादायाथास्यां चतुर्थेन वीर्यं दधाति ॥ ४० ॥

" **हस्तऽआधाय सविता** "–इति । हस्ते ह्यस्याहिता भवति । " **बिभ्रदभ्रिम्** "–इति । बिभर्ति ह्येनाम् । " **हिरण्ययीम्** "–इति । हिरण्ययी ह्येषा या च्छन्दोमयी । " **अग्नेर्ज्योति-र्निचाय्य** "–इति । अग्नेर्ज्योतिर्दृष्ट्वेत्येतत् । " **पृथिव्याऽअध्याभरद्** "–इति । पृथिव्यै ह्येनदध्याभरति । " **आनुष्टुभेन च्छन्दसाऽङ्गिरस्वत्** "–(वा॰ सं. ११ । ११) इति । तदे-नामानुष्टुभेन च्छन्दसाऽऽदत्ते । अथोऽअस्यामानुष्टुभं छन्दो दधाति । तान्येतान्येव च्छन्दांसि–एषा-ऽभ्रिः । आरम्भायैवेयं वैणवी क्रियते ॥ ४१ ॥

दत्ताया अभ्रेश्चतुर्थेन मन्त्रेणाभिमन्त्रणं विधत्ते–**त्रिभिरादायाथैनां चतुर्थेनाभिमन्त्रयत** इति[1] । ' अथ '–शब्दो व्यवधानाभावं सूचयति । इदमेवोत्तरत्र तावत् " चतुर्भिरादत्ते "–इत्यस्य वाक्यस्य बीजम् । आदान-समये एवाभिमन्त्रणाच्चत्वारोऽप्यादाने विनियुक्ता इति पक्षस्य बीजमस्ति; खननादिवत् स्पष्टव्यापाराभावात्, अश्वाद्यभिमन्त्रणवत् पृथगवस्थिताया अभ्रेरभिमन्त्रणत्वाच्च । अत एव त्रिभिरादाय चतुर्थेनेतत्पूर्वमन्त्रसङ्ख्यानुवाद-पुरस्सरं चतुर्थत्वोक्तिरभिमन्त्रणमन्त्रस्येति तात्पर्यम् । अभिमन्त्रणं नाम वीर्याधानमिति प्रशंसति–**अथास्यां चतुर्थेन वीर्यमदधुरिति** ॥ ४० ॥

मन्त्रं विधत्ते–**हस्त आधाय सवितेति** । ' सविता ' देवः ' हस्ते ' ' आधाय ' अवस्थाप्य ' हिरण्ययीं ' हितरमणीयाम्; अथवा हिरण्यपदेन अमृतं छन्दश्चोच्यते, अमृतमयीम्; प्रागुक्तगायत्रत्रैष्टुभजागतानुष्टुभच्छन्दो-रूपां वा ' एनाम् ' अभ्रिं ' बिभ्रत् ' सर्वदा धारयन्, ' अग्नेर्ज्योतिः ' ' निचाय्य ' दृष्ट्वा ' पृथिव्या अधि ' ततः सकाशात् ' आभरत् ' आहृतवान् । ' आनुष्टुभेन च्छन्दसा ' अङ्गिरवदाहृतवानिति । मन्त्रं व्याचष्टे–**हस्ते ह्यस्याहितेति** । ' हिरण्ययी '–पदव्याख्याने हिरण्ययी ह्येषा या छन्दोमयीत्युक्तम् । तदुपपादयति–**तान्येतान्येवेति** । ' आरम्भाय ' आलम्बनाय ॥ ४१ ॥

1–हस्त आधायेत्येनामभिमंत्रयते । का. श्रौ. सू. १६ । ५१ ।

ताᳫँ हैके हिरण्ययीं कुर्वन्ति । हिरण्ययीति वाऽअभ्युक्तेति न तथा कुर्याद्यद्वाऽएषा च्छन्दाᳫँसि तेनैषा हिरण्यममृतᳫँ हिरण्यममृतानि च्छन्दाᳫँसि ॥ ४२ ॥

तां चतुर्भिरादत्ते । चतुरक्षरा वै सर्वा वाग्वागित्येकमक्षरमक्षरमिति त्र्यक्षरं तद्यत्तद्वागित्येकमक्षरं यैवैषाऽनुष्टुबुत्तमा सा साऽथ यदक्षरमिति त्र्यक्षरमेतानि तानि पूर्वाणि यजूᳫँषि सर्वयैवैतद्वाचाऽग्निं खनति सर्वया वाचा सम्भरति तस्माच्चतुर्भिः ॥ ४३ ॥

(सं) यद्वेव चतुर्भिः । (श्रु) चतस्रो वै दिशश्चतसृषु तद्दिक्षु वाचं

तां हैके हिरण्ययीं कुर्वन्ति । हिरण्ययीति वाऽअभ्युक्तेति । न तथा कुर्यात् । यद्वाऽएषा छन्दांसि–तेनैषा हिरण्यम् । अमृतं हिरण्यम् । अमृतानि च्छन्दांसि ॥ ४२ ॥

तां चतुर्भिरादत्ते । चतुरक्षरा वै सर्वा वाक् । वागित्येकमक्षरम् । त्र्यक्षरमिति अक्षरम् । तद्यत्तद्वागित्येकमक्षरम्–यैवैषाऽनुष्टबुत्तमा–सा सा अथ यदक्षरमिति त्र्यक्षरम्–एतानि तानि पूर्वाणि यजूंषि । सर्वयैवैतद्वाचाऽग्निं खनति । सर्वया वाचा सम्भरति । तस्माच्चतुर्भिः ॥ ४३ ॥

यद्वेव चतुर्भिः चतस्रो वै दिशः । चतसृषु तद्दिक्षु वाचं दधाति । तस्माच्चतसृषु दिक्षु वाग्वदति ।

अत्र केचिन्मन्त्रगतहिरण्ययीपदबलेन अभ्रिमपि हिरण्यनिर्मितामिच्छन्तीति तत्पक्षमनुवदति–तां हैके हिरण्ययीं कुर्वन्तीति । अत एव कात्यायनः–"हिरण्ययीमेके"–(का. श्रौ. सू. १६ । ४९) इति पक्षान्तरं सूत्रितवान् । अभ्युक्तेति । "हस्त आधाय सविता बिभ्रदभ्रिं हिरण्ययीम्"–इति मन्त्रे समाख्ये इत्यर्थः ॥ तद् दूषयति–न तथा कुर्यादिति । अत्र पूर्वोक्तमेव च्छन्दोमयत्वमिहोपदिशति–यद्वा एषा छन्दांसीति॥ ४२॥

आदानाभिमन्त्रणविनियुक्तानां मन्त्राणां सङ्ख्यां प्रशंसितुमाह–तां चतुर्भिरादत्त इति । 'चतुर्भिः' अभिमन्त्रणमन्त्रसहितैः पूर्वैस्त्रिभिर्मन्त्रैः 'ताम्' अभ्रिम् 'आदत्ते' । आदाने मन्त्रचतुष्कप्रकार उपपादितः । अत एव मीमांसायां द्वादशाहयागे इदमेव विषयवाक्यमुदाहृतम् । तदर्थः स गृहीतस्तत्त्वविद्भिराचार्यैः–"चतुर्भिरभ्रिमित्यत्र विकल्पो वा समुच्चयः । विकल्पः पूर्ववन्मैवं समूहे करणत्वतः ॥–(मी. जै. न्या. १२ । ३ । सू. ३० । १४ अ.) इति ॥

यतश्चतुर्भिरादत्ते, 'सर्वा वाक्' 'चतुरक्षरा' अक्षरचतुष्टयवती । कथं वाचश्चतुरक्षरत्वम्? तदाह–वागित्येकमिति । अत्र एकाक्षरवाग्रूपत्वेन त्र्यक्षरात्मकेन च स्तूयमानान् मन्त्रान् विभज्य दर्शयति–यैवैषाऽनुष्टुबुत्तमेति । प्रथमेन 'सा' इति पदेन वागुच्यते; द्वितीयेन अभिमन्त्रणे विनियुक्ता चतुर्थी ऋक् । अनुष्टुप् 'त्र्यक्षरं' पदम् 'अक्षरमिति' यदुक्तम्, तानि' आदाने विनियुक्तानि "देवस्य त्वा"–इत्यादीनि 'यजूंषि' । 'तस्मात्' चतुर्भिः अभ्र्यादानं नाम, 'सर्वया वाचा' खननमेवेत्यर्थः ॥ ४३ ॥

मन्त्रगतचतुष्ट्वसंख्यां चतुर्दिगात्मना च स्तौति–यद्वेव चतुर्भिश्चतस्रो वै दिश इति । अत्र मन्त्रगत–

दधाति तस्मात्सर्वासु दिक्षु वाग्वदति च्छन्दोभिश्च यजुर्भिश्चादत्ते तदष्टौ चतस्रो दिशश्चतस्रोऽवान्तरदिशः सर्वासु तद्दिक्षु वाचं दधाति तस्मात्सर्वासु दिक्षु वाग्वदति ॥ ४४ ॥

इति द्वितीयप्रपाठके तृतीयं ब्राह्मणम् ॥ ६–२–३ ॥ (३. १.)

हस्त ऽएषाऽग्निर्भवत्यथ पशूनभिमन्त्रयते । (त८) एतद्वाऽएषु देवा ऽअन्वेषिष्यन्तः पुरस्ताद्वीर्यमदधुस्तथैवैष्वयमेतदन्वेषिष्यन्पुरस्ताद्वीर्यं दधाति ॥ १ ॥

सोऽश्वमभिमन्त्रयते । प्रतूर्तं वाजिन्नाद्रवेति यद्वै क्षिप्रं तत्तूर्तमथ यत्क्षिप्रात्क्षेपीयस्तत्प्रतूर्तं वरिष्ठामनु संवतमितीयं वै वरिष्ठा संवदिमामनु संवतमित्येतद्दिवि ते जन्म परममन्तरिक्षे तव नाभिः पृथिव्यामधि योनिरिदिति तदेनमेता देवताः करोत्यग्निं वायुमादित्यं तदश्वे वीर्यं दधाति ॥ २ ॥

छन्दोभिश्च यजुर्भिश्चादत्ते । तदष्टौ । चतस्रो दिशः, चतस्रोऽवान्तरदिशः । सर्वासु तद्दिक्षु वाचं दधाति । तस्मात्सर्वासु दिक्षु वाग्वदति ॥ ४४ ॥

हस्तऽएषाऽग्निर्भवति–अथ पशूनभिमन्त्रयते । एतद्वाऽएषु देवा अन्वेषिष्यन्तः पुरस्ताद्वीर्यमदधुः । तथैवैष्वयमेतदन्वेषिष्यन्पुरस्ताद्वीर्यं दधाति ॥ १ ॥

सोऽश्वमभिमन्त्रयते–" प्रतूर्तं वाजिन्ना द्रव "–इति । यद्वै क्षिप्रं तत्तूर्तम् । अथ यत् क्षिप्रात्

गायत्र–त्रैष्टुभ–जागतानुष्टुभैश्छन्दोभिः सह पूर्वां चतुःसंख्यां महादिगवान्तरदिगात्मना स्तौति–छन्दोभिश्च यजुर्भिश्चादत्ते तदष्टाविति ॥ ४४ ॥

इति श्रीसायणाचार्यविरचिते माधवीये वेदार्थप्रकाशे माध्यन्दिनीयशतपथब्राह्मणभाष्ये षष्ठकाण्डे तृतीयेऽध्याये प्रथमं ब्राह्मणम् ॥ (६–३–१) ॥

पूर्वमाहवनीयस्य दक्षिणाप्रदेशे त्रिवृन्मुञ्जरशनाबद्धाः प्राङ्मुखा येऽश्वगर्दभाजास्तिष्ठन्ति, तेषामिदानीं यथा-क्रममभिमन्त्रणं समन्त्रकं विधित्सुरादावभिमन्त्रणं वीर्यात्मना प्रशंसति–हस्त एषाऽग्निर्भवतीति । अनेन अग्निं हस्ते गृहीत्वैव पशूनभिमन्त्रयते ॥ १ ॥

प्रथममश्वाभिमन्त्रणं समन्त्रं विधत्ते–सोऽश्वमिति । मन्त्रस्यायमर्थः–हे 'वाजिन्' अश्व ! 'वरिष्ठाम्' अतिशये-

---

१–हस्त आधायेत्येनानभिमंत्रयते । का० श्रौ० सू० १६ । ५३ । २–अश्वप्रभृतींश्च प्रतूर्तं युंजाथां योगेयोग इति । का० श्रौ०सू० १६ । ५२ ।

(त्यु) अथ रासभम् । युञ्जाथाᳬरासभं युवमित्यध्वर्युं चैतद्यज-मानं चाहास्मिन्यामे व्वृषण्वसूऽइत्यस्मिन्कर्मणि व्वृषण्वसूऽइत्येतदग्निं भरन्तमस्मयुमित्यग्निं भरन्तमस्मत्प्रेषितमित्येतत्तद्रासभे व्वीर्यं दधाति॥३॥

(त्यु) अथाजम् । योगे योगे तवस्तरं व्वाजे वाजे हवामहऽइत्यन्नं वै

क्षेपीयः–तत्प्रतूर्तम् । "वरिष्ठामनु सम्वतम्"–इति । इयं वै वरिष्ठा सम्वत् । इमामनु सम्वतमित्येतत् । "दिवि ते जन्म परममन्तरिक्षे तव नाभिः पृथिव्यामधि योनिरित्"– (वा० सं० ११ । १२) इति । तदेनमेता देवताः करोति–अग्निम्, वायुम्, आदित्यम् । तदश्वे वीर्यं दधाति ॥ २ ॥

अथ रासभम्–" युञ्जाथां रासभं युवम् "–इति । अध्वर्युं चैतद्यजमानं चाह । " अस्मिन्यामे वृषण्वसू "–इति। अस्मिन्कर्मणि वृषण्वसू इत्येतत् । " अग्निंऽभरन्तमस्म-युम् "–इति । अग्निं भरन्तमस्मत्प्रेषितमित्येतत् । तद्रासभे वीर्यं दधाति ॥ ३ ॥

अथाजम्–" योगे–योगे तवस्तरं वाजे–वाजे हवामहे "–इति। अन्नं वै वाजः । कर्मणि

नोर्वीम्, अनुसंवतं' सम्पूर्वात् वनतेः क्विपि "अनुदात्तोपदेशवनति" (पा. सू. ६ । ४ । ३७)–इति । न-लोपे, "ह्रस्वस्य पिति"–(पा. सू. ६ । १ । ७१) इति तुक् । अस्माभिः क्रियमाणं सम्भजनम् 'अनु' लक्ष्य भूमिं, 'प्रतूर्तं' त्वरतेः "ज्वरत्वर"–(पा. सू. ६ । ४ । २०) इत्यूठि कृते "नसत्त-निषत्तानुत्त–प्रतूर्त–सूर्त–गूर्त्तानि च्छन्दसि"–(पा. सू. ८ । २ । ६१) इति निष्ठा-तस्य नत्वाभावेन निपातनम् । अतिक्षिप्रम् 'आद्रव' आगच्छ । हे अश्व ! 'ते' तव 'परमं जन्म' 'दिवि' आदित्यरूपेण, 'अन्तरिक्षं' तव 'नाभिः' वायुरूपेण, 'पृथिव्यां' तव 'योनिः' उत्पत्तिस्थानम् अग्न्यात्मकत्वेनेति, अश्वस्य लोकत्रयाभिमानिदेवतात्वेन स्तुतिः कृतेति तात्पर्यम् ॥

अत्र प्रतूर्तपदं व्याचष्टे–यद्वै क्षिप्रं तत् तूर्तमिति । 'क्षिप्रं–तूर्तम्' 'अथ' 'यत् क्षिप्रात्' अपि 'क्षेपीयः' क्षिप्रतरम्, 'तत् प्रतूर्तम्' इत्युच्यते । क्षिप्रशब्दादीयसुनि "स्थूलदूरयुवह्रस्वक्षिप्र"–(पा. सू. ६ । ४ । १५६) इति यणादिपरस्य लोपः । पूर्वस्येकारस्य गुणः । उत्तरार्द्धस्य तात्पर्यमाह–तदेनमेता देवता इति । अभिमन्त्रणेनाश्वस्य किमायातम् ? तदाह–तदश्वे वीर्यं दधातीति ॥ २ ॥

रासभाभिमन्त्रणं समन्त्रं विधत्ते–अथ रासभं युञ्जाथामिति । अभिमन्त्रयत इत्यनुषङ्गः । 'युवम्' इति द्विवचनेन अध्वर्युयजमानावुच्येते । 'वृषण्वसू' वृषा सेक्ता गर्दभः, स ययोर्वसु धनम्, तौ । 'युवं' युवाम् । 'अस्मिन्' 'यामे' यायते गम्यते प्राप्यते देवैरिति, यान्ति सङ्गच्छन्ते यत्र परस्परं देवा इति वा, यामं कर्म, तस्मिन् रासभं 'युञ्जाथाम्' । तं विशिनष्टि- अग्निं भरन्तमिति । "हृग्रहोर्भः" (पा. सू. ८ । २ । ३२ । वा.) । 'अस्मयुम्' अस्मभ्यं फलं कामयमानम्; यद्वा, यातेः रूपम्, अस्मत्प्रेषितमिति । मन्त्रं व्याचष्टे–अध्वर्युं चैतदिति ॥ ३ ॥

अजाभिमन्त्रणं विधत्ते–अथाजं योगे योग इति । अभिमन्त्रयत इति शेषः । अस्यार्थः–हे 'सखायः'

ऽवाजः कर्मणि कर्मणि तवस्तरमन्नेऽन्ने हवामहऽइत्येतत्सखाय ऽइन्द्रमूतयऽइतीन्द्रियवन्तमूतयऽइत्येतत्तदजे ऽवीर्यं दधाति ॥ ४ ॥

त्रिभिरभिमन्त्रयते । त्रिवृदग्निर्यावानग्निर्यावत्यस्य मात्रा तावतैवैष्वेतद्वीर्यं दधाति ॥ ५ ॥

(त्यु) अथैनान्प्राच ऽउत्क्रमयति । तदेनमेतैः पशुभिरन्विच्छति नोपस्पृशत्यग्निरेष यत्पशवो नेन्माऽयमग्निर्हिनसदिति ॥ ६ ॥

सोऽश्वमुत्क्रमयति । प्रतूर्वन्नेह्यवक्रामन्नशस्तीरिति पाप्मा वाऽअशस्तिस्त्वरमाण ऽएह्यवक्रामन्पाप्मानमित्येतद्रुद्रस्य गाणपत्यं मयोभूरेहीति रौद्रा वै पशवो या ते देवता तस्यै गाणपत्यं मयोभूरेहीत्येतत्तदेनमश्वेनान्विच्छति ॥ ७ ॥

कर्मणि तवस्तरमन्नेऽन्ने हवामहऽइत्येतत् । " सखाय इन्द्रमूतये "-(वा० सं० ११ । १४) इति । इन्द्रियवन्तमूतयऽइत्येतत् । तदजे वीर्यं दधाति ॥ ४ ॥

त्रिभिरभिमन्त्रयते । त्रिवृदग्निः । यावानग्निर्यावत्यस्य मात्रा—तावतैवैष्वेतद्वीर्यं दधाति ॥ ५ ॥

अथैनान् प्राच उत्क्रमयति । तदेनमेतैः पशुभिरन्विच्छति । नोपस्पृशति । अग्निरेष यत्पशवः । नेन्माऽयमग्निर्हिनसादिति ॥ ६ ॥

सोऽश्वमुत्क्रमयति—"प्रतूर्वन्नेह्यवक्रामन्नशस्तीः"—इति । पाप्मा वाऽअशस्तिः । त्वरमाण

समानख्याना ऋत्विजः ! 'तवस्तरं' "तवः" इति बलनाम (निघं. २ । ९ । ९), बलिनम् 'इन्द्रम्' इरां भूमिं दृणन्तम् । " इन्द्र इन्दं दृणातीति वेरां ददातीति वेरां दधातीति वेरां दारयत् इति वा "—इति । यास्काचार्यः (निरु १० । १ । ८) । इन्द्रियवन्तं बलवन्तं वा तम्, अजम् । 'योगे' युञ्जन्ति देवा अत्रेति योगः कर्म, वीप्सायां, कर्मणि कर्त्तव्ये । 'वाजे वाजे' मनुष्याणाम् अन्ने-अन्ने दातव्ये स्थिते सति 'ऊतये' तर्पणाय 'हवामहे' वयमध्वर्यव इति ॥ मन्त्रगतयोगवाजेन्द्रपदानि व्याचष्टे—**अन्नं वै वाजः कर्मणि-कर्मणी**ति ॥ ४ ॥

अभिमन्त्रणमन्त्रत्रित्वसंख्यां त्रिवृदग्न्यात्मना स्तौति—**त्रिभिरि**ति । अत्र सूत्रम्—" अनुपस्पृशन्नुत्क्रमयत्येनान् प्राचः प्रतिमन्त्रं प्रतूर्वन्नुर्वन्तरिक्षं पृथिव्याः सधस्थादिति " (का. श्रौ. सू. १६ । ९३) इति ॥५॥

तदिदं विधत्ते—**अथैनान् प्राच** इति । 'एनान्' पशून् प्राङ्मुखानुद्गमयेत् । उद्गमितैः पशुभिः 'एनम्' मृद्रूपमग्निम् अन्विष्टवान् भवति । **नोपस्पृशती**ति । 'यत्' यतः 'पशवोऽग्निः' यतोऽग्निस्पर्शनेन हिंसा स्यात्, सा मा भूदिति । 'हिनसत्'—इति हिंसेः पञ्चमलकारे रूपम् ॥ ६ ॥

उत्क्रमणमनूद्य मन्त्रं विधत्ते—**सोऽश्वमुत्क्रमयती**ति । **प्रतूर्वन्नेही**ति । अस्यायमर्थः,—'अशस्तीः' पाप्मनः 'अवक्रामन्' अभिगमयन् 'प्रतूर्वन्' प्रकर्षेण त्वरमाणः 'एहि' आगच्छ । 'मयोभूः' सुखस्य भाव-

(त्यु) अथ रासभम् । (मु) उुर्व्वन्तरिक्षं व्वीहि स्वस्ति गव्यूतिरभयानि कृण्वन्निति यथैव युजुस्तुथा बुन्धुः पूष्णा सयुजा सहेतीयं वै पूषाऽनुया सयुजा सहेत्येतत्तुदेनꣳ रासभेनान्विच्छति ॥ ८ ॥

(त्यु) अथाजम् । (म्पृ) पृथिव्याः सधस्थादग्निं पुरीष्यमङ्गिरस्वदाभरेति पृथिव्या ऽउपस्थादग्निं पशव्यमभिवदाभरेत्येतत्तुदेनमजेनान्विच्छति ॥ ९ ॥

त्रिभिरुन्विच्छति । त्रिवृदग्निर्यावानग्निर्यावत्यस्य मात्रा तावतैवैनमेतदुन्विच्छति त्रिभिः पुरस्तादभिमन्त्रयते तत्षड्भृतवः संव्वत्सरः संव्वत्सरोऽग्निर्यावानग्निर्यावत्यस्य मात्रा तावत्तुद्भवति ॥ १० ॥

इति द्वितीयप्रपाठके चतुर्थं ब्राह्मणम् ॥ ६-२-४ ॥ (३-२)

द्वितीयः प्रपाठकः समाप्तः ॥ कण्डिकासंख्या ॥ १०४ ॥

एहि, अवक्रामन् पाप्मानमित्येतत् । " रुद्रस्य गाणपत्यं मयोभूरेहि "-इति । रौद्रा वै पशवः । या ते देवता तस्यै गाणपत्यं मयोभूरेहीत्येतत् । तदेनमश्वेनान्विच्छति ॥ ७ ॥

अथ रासभम्-" उर्वन्तरिक्षं वीहि स्वस्ति गव्यूतिरभयानि कृण्वन् "-इति । यथैव यजुस्तथा बन्धुः । " पूष्णा सयुजा सह "-(वा. सं. ११ । १५) इति । इयं वै पूषा । अनया सयुजा सहेत्येतत् । तदेनं रासभेनान्विच्छति ॥ ८ ॥

अथाजम्-" पृथिव्याः सधस्थादग्निं पुरीष्यमङ्गिरस्वदाभर "-इति । पृथिव्या उपस्थादग्निं पशव्यमभिवदाभरेत्येतत् । तदेनमजेनान्विच्छति ॥ ९ ॥

त्रिभिरन्विच्छति । त्रिवृदग्निः । यावानग्निर्यावत्यस्य मात्रा तावतैवैनमेतदन्विच्छति । त्रिभिः

यिता ' रुद्रस्य ' पशुपतेः ' गाणपत्यं ' गणपतित्वम् । ' एहि ' गच्छ अशस्तिपदं व्याचष्टे-पाप्मा वा अशस्तिरिति । अश्वस्य रुद्रगणपतित्वं प्रतिपादयति-रौद्रा वै पशव इति । पशुरूपस्याश्वस्य देवता रुद्रः, तस्य गणपतित्वमेहीत्यर्थः । अश्वोत्क्रमणेन नः किं जातमिति, तद् दर्शयति-तदेनमश्वेनान्विच्छतीति ॥ ७ ॥

रासभोत्क्रमणं विधत्ते-अथ रासभमुर्वन्तरिक्षमिति । ' उरु ' विस्तीर्णम् अन्तरिक्षं ' वीहि ' प्राप्नुहि किं कुर्वन् ? ' गव्यूतिः ' गोसञ्चारभूमिं ' स्वस्ति ' क्षेमेण कुर्वन्, ' अभयानि ' अध्वनः । कृण्वन् ' पूष्णा ' पृथिव्या यागभूम्या ' सयुजा ' सहायेन सह वीहीति । मन्त्रस्य पूर्वार्द्धं निगदव्याख्यातमित्याह-यथैव यजुस्तथा बन्धुरिति । न व्याख्यातुमर्हतीत्यर्थः । उत्तरार्द्धगतपूषपदं विवृणोति-इयं वै पूषेति ॥ ८ ॥

अजोत्क्रमणं विधत्ते-अथाजं पृथिव्या इति । व्याख्यातोऽयं मन्त्रः (पूर्वस्मिन्ब्राह्मणे ३८ कण्डिकायाम्) ॥ ९ ॥

उत्क्रमणमन्त्रगतत्रित्वसङ्ख्यामन्यारभमाणा स्तौति-त्रिभिरन्विच्छति त्रिवृदग्निरिति । पूर्वमेतेषामश्वरासभाजाना-

अथ तृतीयप्रपाठके प्रथमं ब्राह्मणम् ।

तृतीयाध्याये च तृतीयं ब्राह्मणम् ।

प्रदीप्ताऽ एतेऽग्नयो भवन्ति । (न्त्यु) अथ मृदमुच्छयन्तीमे वै लोका ऽएतेऽग्नयस्ते यदा प्रदीप्ताऽ अथैतुऽइमे लोकाः पुरो वाऽएतदेभ्यो लोकेभ्योऽग्रे देवाः कर्मान्विच्छंस्तद्यदेतानग्नीनतीत्य मृदमाहरति तदेनं पुरेभ्यो लोकेभ्योऽन्विच्छति ॥ १ ॥

प्राञ्चो यन्ति । प्राची हि दिगग्नेः स्वायामेवैनमेतद्दिश्यन्विच्छति स्वायां दिशि विन्दति ॥ २ ॥

पुरस्तादभिमन्त्रयते । तत् षट् । षड्तवः सम्वत्सरः । सम्वत्सरोऽग्निः । यावानग्निर्यावत्यस्य मात्रा–तावत्तद्भवति ॥ १० ॥

प्रदीप्ता एतेऽग्नयो भवन्ति–अथ मृदमच्छयन्ति । इमे वै लोका एतेऽग्नयः । ते यदा प्रदीप्ताः–अथैतऽइमे लोकाः । पुरो वाऽएतदेभ्यो लोकेभ्योऽग्रे देवाः कर्मान्विच्छन् । तद्यदेतानग्नीनतीत्य मृद-माहरति–तदेनं पुरेभ्यो लोकेभ्योऽन्विच्छति ॥ १ ॥

प्राञ्चो यन्ति । प्राची हि दिगग्नेः । स्वायामेवैनमेतद्दिश्यन्विच्छति । स्वायां दिशि विन्दति ॥ २ ॥

मभिमन्त्रणे त्रयो मन्त्रा विनियुक्ताः, इदानीमुत्क्रमणे त्रय इति तां सङ्ख्यां सम्भूय ऋतुसंवत्सराग्निरूपत्वेन प्रशंसितुमुक्तमनुस्मारयति–त्रिभिः पुरस्तादभिमन्त्रयते तत् षडिति । स्पष्टोऽर्थः ॥ १० ॥

इति श्रीसायणाचार्यविरचिते माधवीये वेदार्थप्रकाशे माध्यन्दिनीयशतपथब्राह्मणभाष्ये षष्ठकाण्डे तृतीयेऽध्याये द्वितीयं ब्राह्मणम् ॥ (६–३–२) ॥

कात्यायनः–" अग्निषु ज्वलत्सु पिण्डं गच्छन्त्यग्निम्पुरीष्यमिति "–(का. श्रौ. सू. १६ । ५४) इति । गार्हपत्यादिषु त्रिष्वग्निषु दीप्यमानेषु " अग्निम्पुरीष्यमिति " । मन्त्रेण मृत्पिण्डमभिलक्ष्य गच्छेयुरित्यर्थः । तद्विधत्ते–प्रदीप्ता एतेऽग्नय इति । अच्छयन्तीति । अभिगच्छन्तीत्यर्थः । ब्रह्माध्वर्युयजमानाः । ' अच्छ '–शब्दस्य " अच्छ गत्यर्थवदेषु "–(पा. सू. १ । ४ । ६९) इति गतिसञ्ज्ञा । अग्निसान्निध्यं प्रशंसति–इमे वै लोका इति । ' अग्रे ' पूर्वं ' देवाः ' ' एभ्यो लोकेभ्यः ' ' पुरः ' पूर्वस्मिन् प्रदेशे, लोकानां पुरः-प्रदेशे कर्मचयनमन्विष्टवन्तः । ' तत् ' तस्मात् ' एतान् ' लोकत्रयात्मकान् ' अग्नीन् ' ' अतीत्य ' आदीप्य प्रज्वाल्य ' मृदम् ' आहरेयुः अग्निषु ज्वलत्सु मृदानयनलोकानां पुरोदेशे मृद्रूपमग्निं कृतवन्तो भवन्ति ॥ १ ॥

तत्र गच्छतामध्वर्युप्रभृतीनां प्राङ्मुखत्वं विधत्ते–प्राञ्चो यन्तीति ॥ २ ॥

ते प्रयन्ति । (न्त्य) अग्निं पुरीष्यमङ्गिरस्वदच्छेमऽ इत्यग्निं पशव्यमग्निवदच्छेमऽ इत्येतत् ॥ ३ ॥

(दु)अथानड्वापुरुषमीक्षते । (तेऽग्निं) अग्निं पुरीष्यमङ्गिरस्वद्भरिष्यामऽइत्यग्निं पशव्यमग्निवद्भरिष्यामऽइत्येतत्तदेनमनड्वापुरुषेणान्विच्छति ॥४॥

(त्यु) अथ वल्मीकवपा सुषिरा व्यध्वे निहिता भवति । तामन्वीक्षतऽइयं वै वल्मीकवपेयमु वाऽइमे लोकाऽ एतद्वाऽएनं देवाऽ एषु लोकेषु विग्राहमैच्छंस्तथैवैनमयमेतदेषु लोकेषु विग्राहमिच्छति ॥ ५ ॥

ते प्रयन्ति–"अग्निं पुरीष्यमङ्गिरस्वदच्छेमः"–(वा. सं. ११ । १६) इति । अग्निं पशव्यमग्निवदच्छेम–इत्येतत् ॥ ३ ॥

अथानड्वापुरुषमीक्षते–"अग्निं पुरीष्यमङ्गिरस्वद्भरिष्यामः"–(वा.सं.११।१६) इत्येतत् । तदेनमनड्वा पुरुषेणान्विच्छति ॥ ४ ॥

अथ वल्मीकवपा सुषिरा व्यध्वे निहिता भवति । तामन्वीक्षते । इयं वै वल्मीकवपा । इयमु वाऽइमे लोकाः । एतद्वाऽएनं देवा एषु लोकेषु विग्राहमैच्छन् । तथैवैनमयमेतदेषु लोकेषु विग्राहमिच्छति ॥ ५ ॥

अभिगमनमनूद्य मन्त्रं विधत्ते–ते प्रयन्त्यग्निम्पुरीष्यमङ्गिरस्वदच्छेम इतीति । 'पुरीष्यं' पशुहितं मृद्रूपम् 'अङ्गिरस्वत्' अग्निवत् 'अच्छेम' अभिगच्छामः ॥ ३ ॥

पूर्वं पुरुषपशोः प्रतिनिधित्वेन अनड्वापुरुष उक्तः (श. प. १ । ३ । १ । २४) । तस्येदानीं । विनियोगमाह–अथानड्वापुरुषमीक्षत इति । (का. श्रौ. सू. १६ । ५१) । "देवपितृमनुष्यानर्थकः स इति" (श. प. १ । ३ । १ । २४ । भाष्ये.) प्रागुक्तः । 'भरिष्यामः' आहरिष्याम इत्यर्थः । अनड्वापुरुषनिरीक्षणं तेनाग्नेरन्वेषणमित्येतत् ॥ ४ ॥

अत्र सूत्रम्–"पिण्डमपरेण व्यध्वे वल्मीकवपां छिद्रां निदधाति"–(का. श्रौ. सू. १६ । ४६) इति । अश्वादिपशूनां त्रिवृन्मुञ्जाभिधानीबन्धनात् पूर्वं मृत्पिण्डस्य पश्चिमदेशे 'व्यध्वे' पिण्डाहवनीययोरर्द्धपथे सच्छिद्रा वल्मीकवपा निधेयेत्युक्तम्; इदानीं "वल्मीकवपामादाय च्छिद्रेण पिण्डमीक्षतेऽन्वग्निरिति"–(का. श्रौ. सू. १६।५७) इति; तदिदं विधिद्वयं दर्शयति–अथ वल्मीकेति । पूर्वमेव व्यध्वे सुषिराया वल्मीकवपायाः स्थापनं सूचयितुं 'निहिता'–इति भूतकालवाचि क्तान्तं पदम्, 'तामनु' निहितां वपामनुलक्ष्य 'ईक्षते,' मृदं वपाच्छिद्रेण पिण्डं पश्येदित्यर्थः । "इयं वै वल्मीकवपा" इत्यादेरयमर्थः,–वल्मीकवपा नाम 'इयं' भूमिः; तत्कार्यत्वात् । भूमिर्हि सर्वे लोकाः तत्प्रमुखत्वात् इतरेषां कर्मभूमित्वेन विशिष्टत्वाच्च । पूर्वं 'देवाः' 'एनम्' अग्निम् 'एषु' सर्वलोकेषु 'विग्राहम्' 'ऐच्छन्,' विगृह्यात्रास्तीति सर्वत्रान्विष्टवन्तः, इदानीं तच्छिद्रेण पिण्डनिरीक्षणं सर्वलोकेषु मृद्रूपस्याग्नेर्विगृह्यान्वेषणमिति ॥ ५ ॥

(त्य) अन्वग्निरुषसामग्रमख्यदिति । तदेनमुषःस्वैच्छन्नन्वहानि प्रथमो जातवेदाऽइति तदेनमहःस्वैच्छन्ननु सूर्यस्य पुरुत्रा च रश्मीनिति तदेनᳫं सूर्यस्य रश्मिष्वैच्छन्ननु द्यावापृथिवीऽआततन्थेति तदेनं द्यावापृथिव्योरैच्छंस्तमविन्दंस्तथैवैनमयमेतद्विन्दति तं यदा परापश्यत्यथ तामवास्यत्यागच्छन्ति मृदम् ॥ ६ ॥

(म) अथाश्वमभिमन्त्रयते । (तऽ) एतद्वै देवा ऽअब्रुवन्पाप्मानमस्यापहनामेति श्रमो वै पाप्मा श्रममस्य पाप्मानमुपहनामेति तस्य श्रमं पाप्मानमुपाघ्नंस्तथैवास्यायमेतच्छ्रमं पाप्मानमुपहन्ति ॥ ७ ॥

(न्त्या) आगत्य वाज्यध्वानमिति । (त्या) आगतो ह्यस्याध्वा भवति सर्वा मृधो विधूनुतऽइति पाप्मा वै मृधः सर्वान्पाप्मनो विधूनुतऽइत्ये-

---

" अन्वग्निरुषसामग्रमख्यत् "–इति । तदेनमुषःस्वैच्छन् । "अन्वहानि प्रथमो जातवेदाः "–इति । तदेनमहःस्वैच्छन् । "अनुसूर्यस्य पुरुत्रा च रश्मीन्"–इति । तदेनं सूर्यस्य रश्मिष्वैच्छन् " अनु द्यावापृथिवीऽआततन्थ "–(वा. सं. ११।१७) इति । तदेनं द्यावापृथिव्योरैच्छन्, तमविन्दन् । तथैवैनमयमेतद्विन्दति । तं यदा परापश्यति–अथ तामवास्यति, आगच्छन्ति मृदम् ॥ ६ ॥

अथाश्वमभिमन्त्रयते । एतद्वै देवा अब्रुवन्–पाप्मानमस्यापहनामेति । श्रमो वै पाप्मा । श्रममस्य पाप्मानमपहनामेति । तस्य श्रमं पाप्मानमपाघ्नन् । तथैवास्यायमेतच्छ्रमं पाप्मानमपहन्ति ॥ ७ ॥

" आगत्य वाज्यध्वानम् "–इति । आगतो ह्यस्याध्वा भवति । "सर्वा मृधो विधूनुते"–

निरीक्षणे मन्त्रं विधत्ते–अन्वग्निरिति । प्रजापतिरूपेणाग्निः स्तूयते–अन्वग्निरिति । ' उषसाम् अग्रम् ' आदित्यम् ' अनु '–लक्ष्य अग्निः ' अन्वख्यत् ' अनुदीप्यते । ' प्रथमः ' आद्यः ' जातवेदाः ' जातप्रज्ञः । जातानि भूतानि वेत्तीति वा, जाते जाते विद्यते जायत इति वा जातवेदाः (निरु. ७ । ५ । १) । अहानि ' अनु '–लक्ष्य दीप्यते । ' पुरुत्रा ' बहुषु देशेषु ' सूर्यस्य रश्मीन् ' ' अनु '–लक्ष्य दीप्यते । एवं पारोक्ष्येणोक्त्वा चतुर्थपादेनाग्निं सम्बोध्याह–स त्वमग्ने ! ' द्यावापृथिवी ' ' अनु '–लक्ष्य ' आततन्थ ' स्वतेज आतेनिथ । " बभूथाततन्थजगृम्भववर्थ "–(पा. सू. ७ । २ । ६४) इति निगम इडभावेन निपातितः । मन्त्रस्य तात्पर्यमाह–तदेनमुषःस्वैच्छन्नित्यादिना । यदा परापश्यतीति । यदा पिण्डं छिद्रेण पश्येत्, तदा ' मृदम् ' ' अवस्यति ' चिनोति, जानाति ' अथ ' ' ताम् ' मृदमभिलक्ष्य गच्छेदिति ॥ ६ ॥

तत्राश्वाभिमन्त्रणं विधत्ते–अथाश्वमिति । एतद्वै देवा इति । पूर्वं ' देवाः ' पथि श्रान्तस्य अश्वस्य श्रमलक्षणं पाप्मानमपहतवन्तः, एवमभिमन्त्रणेन पथि श्रान्तस्य श्रमापनयनं भवति ॥ ७ ॥

मन्त्रं विधत्ते–आगत्य वाजीति । ' वाजी ' वेजनवान् बलवान् अश्वः ' अध्वानं ' मार्गम् ' आगत्य '

---

१ आगत्येत्यभिमंत्रयतेऽश्वम् । का० श्रौ० सू० १६ । ५९ ।

तत्तस्मादु हैतदश्वः स्यत्त्वा विधूनुतेऽग्निᳪं सधस्थे महति चक्षुषा निचि-
कीषतऽइतीदं वै महत्सधस्थमाग्निमस्मिन्महति सधस्थे चक्षुषा दिदृ-
क्षतऽइत्येतत् ॥ ८ ॥

(दु) अथैनमाक्रमयति । (त्ये) एतद्वाऽएषऽ एतं देवेभ्योऽनुविद्य प्राब्रवी-
द्यथाऽयमिहेवेत्येवम् ॥ ९ ॥

यद्वेवाक्रमयति । (त्ये) एतद्वै देवा ऽअबिभयुर्यद्वै न ऽइममिह रक्षाᳪंसि
नाष्ट्रा न हन्युरिति तस्माऽएतं वज्रमुपरिष्टादभिगोप्तारमकुर्वन्नमुमे-
वादित्यमसौ वाऽआदित्यऽएषोऽश्वस्तथैवास्माऽअयमेतं वज्रमुपरिष्टाद-
भिगोप्तारं करोति ॥ १० ॥

इति । पाप्मा वै मृधः । सर्वान्पाप्मनो विधूनुतऽइत्येतत् । तस्मादु हैतदश्वः स्यत्त्वा विधूनुते । "अग्निं सधस्थे महति चक्षुषा निचिकीषते"–(वा. सं. ११ । १८) इति । इदं वै महत् सधस्थम् । अग्निमस्मिन्महति सधस्थे चक्षुषा दिदृक्षतऽइत्येतत् ॥ ८ ॥

अथैनमाक्रमयति । एतद्वाऽएष एतं देवेभ्योऽनुविद्य प्राब्रवीत्–यथाऽयमिहेवेत्येवम् ॥ ९ ॥

यद्वेवाक्रमयति । एतद्वै देवा अबिभयुः । यद्वै न इममिह रक्षांसि नाष्ट्रा न हन्युरिति । तस्माऽएतं वज्रमुपरिष्टादभिगोप्तारमकुर्वन् । अमुमेवादित्यम् । असौ वाऽआदित्य एषोऽश्वः । तथैवास्माऽअयमेतं वज्रमुपरिष्टादभिगोप्तारं करोति ॥ १० ॥

'सर्वाः' 'मृधः' सङ्ग्रामान् 'विधूनुते' कम्पयति । 'महति सधस्थे' पृथिव्यां वर्त्तमानम् 'अग्निम्' 'चक्षुषा' 'निचिकीषते' द्रष्टुमिच्छति ॥

द्वितीयं पादं व्याचष्टे–पाप्मा वै मृधः इति । कथमश्वविधूननमिति, तदुपपादयति–तस्मादु हैतदिति । 'अश्वः' 'स्यत्त्वा' स्यन्दतेः क्त्वा–प्रत्यये इडभावे नलोपे च कृते रूपम् । अध्वानं गत्वा स्वशरीरं 'विधूनुते' कम्पयति ॥ ८ ॥

तत्र सूत्रम्–"आक्रम्येत्येनेन पिण्डमधिष्ठापयति"–(का. श्रौ सू. १६ । ३०) इति । एनेनेत्यश्वोऽभिधीयते । "आक्रम्य वाजिन्"–इति मन्त्रेण पिण्डमेनेनाश्वेनाधिष्ठापयति आक्रमयतीत्यर्थः । तद् विधत्ते–अथैनमाक्रमयतीति । 'एनं' मृत्पिण्डमश्वेनाक्रमयेदित्यर्थः । एतद्वा इति । पूर्वं 'यथा' 'एतम्' अश्वम् अग्निस्थानम् 'अनुविद्य' लब्ध्वा 'देवेभ्यः' 'अयम्' अग्निः 'इह' देशे तिष्ठतीति पादाक्रमेण 'प्राब्रवीत्' 'एवम्' अश्वेन पिण्डाधिष्ठापनं नाम, तस्मादग्नेर्वेदनमित्यर्थः ॥ ९ ॥

आक्रमणं प्रकारान्तरेण स्तोतुमनुवदति–यद्वेवेति । 'देवाः' रक्षोभ्यो भीतवन्तः 'एतं' 'वज्रम्' वज्ररूपमश्वम् आदित्यम् 'उपरिष्टात्' उपरिभागे 'अभिगोप्तारं' रक्षकम् 'अकुर्वन्' । आदित्यस्याश्व-

(त्या) आक्रम्य वाजिन् । (न्पृ) पृथिवीमग्निमिच्छ रुचा त्वमिति चक्षुर्वै रुगाक्रम्य त्वं वाजिन्पृथिवीमग्निमिच्छ चक्षुषेत्येतद्भूम्या वृत्वाय नो ब्रूहि यतः खनेम तं वयमिति भूमेस्तत्स्पाशयित्वाय नो ब्रूहि यतऽएनं खनेमेत्येतत् ॥ ११ ॥

(द) अथैनमुन्मृशति । (त्ये) एतद्वाऽएनं देवाः प्रोचिवाꣳसं वीर्येण समार्धयंस्तथैवैनमयमेतत्प्रोचिवाꣳसं वीर्येण समर्धयति द्यौस्ते पृष्ठं पृथिवी सधस्थमात्माऽन्तरिक्षꣳ समुद्रो योनिरितीत्थमसीत्थमसीत्येवैतदाह विख्याय चक्षुषा त्वमभितिष्ठ पृतन्यतऽइति विख्याय चक्षुषा त्वमभितिष्ठ सर्वान्पाप्मनऽ इत्येतन्नोपस्पृशति वज्रो वाऽअश्वो नेन्माऽयं वज्रो हिनसदिति ॥ १२ ॥

" आक्रम्य वाजिन् पृथिवीमग्निमिच्छ रुचा त्वम् "–इति । चक्षुर्वै रुक् । आक्रम्य त्वं वाजिन् ! पृथिवीमग्निमिच्छ चक्षुषेत्येतत् । " भूम्या वृत्वाय नो ब्रूहि यतः खनेम तं वयम् "–(वा. सं. ११।२०) इति । भूमेस्तत् स्पाशयित्वाय नो ब्रूहि–यत एनं खनेमेत्येतत् ॥ ११॥

अथैनमुन्मृशति । एतद्वाऽएनं देवाः प्रोचिवांसं वीर्येण समार्धयन् । तथैवैनमयमेतत्प्रोचिवांसं वीर्येण समर्धयति । " द्यौस्ते पृष्ठं पृथिवी सधस्थमात्माऽन्तरिक्षं समुद्रो योनिः "–इति । इत्थमसि , इत्थमसि, इत्येवैतदाह । " विख्याय चक्षुषा त्वमभितिष्ठ पृतन्यतः "–

रूपता प्रागुक्ता (श. प. २ । ६ । ३ । ९ । श. प. ३ । ५ । १ । १९ । २०) ' तथैव ' तेन प्रकारेण ' अस्मै ' पिण्डपायाग्नये ' अयम् ' अनुष्ठाता अश्वाक्रमणेन ' एतं ' वज्ररूपमश्वम् आदित्यम ' उपरिष्टात् ' उपरिभागे ' अभिगोप्तारं ' रक्षकं ' करोति ' कृतवान् भवतीति ॥ १० ॥

मन्त्रं विधत्ते–आक्रम्य वाजिन्निति । हे ' वाजिन् ' अश्व ! ' त्वं ' 'पृथिवीम्' ' आक्रम्य, ' ' रुचा ' " रुच दीप्तौ " (धा. पा. भ्वा. प. ७४६) क्विबन्तात् तृतीयैकवचनम्, अनेन ' चक्षुषा ' ' अग्निम् ' ' इच्छ, ' कुत्र तिष्ठतीत्यन्वेषणं कुरु । ' वृत्वाय ' वृणोतेर्वर्त्तमाने क्त्वा, वृत्वायेति क्त्वो यक् । अत्र वृ-धातुः स्पर्शनार्थे; धातूनामनेकार्थत्वात् । ' भूम्याः ' इति कर्मणि षष्ठी । भूमिम्, ' वृत्वाय ' स्पृष्ट्वा, भूप्रदेशं स्पर्शयित्वा ' नः ब्रूहि ' ' यतः ' यस्मात् प्रदेशात् ' तम् ' मृद्रूपमग्निं ' खनेम् ' इति ॥ अत्र मन्त्रे ' रुचा '–इति, ' वृत्वाय '–इति पदं व्याचष्टे–चक्षुर्वै रुगिति, भूमेस्तत् स्पाशयित्वायेति । " स्पश बाधनस्पर्शनयोः "(धा. पा. भ्वा. प. ९९२) इत्यस्य रूपम्, स्पाशयित्वायेति पूर्ववत् क्त्वो यक् ॥ ११ ॥

अश्वाभिमन्त्रणं विधत्ते–अथैनमुन्मृशतीति । ' प्रोचिवांसम् ' अत्राग्निस्तिष्ठतीति चोक्तवन्तम् ।

१–द्यौस्त इति पृष्ठस्योपरि पाणिं धारयन् । का. श्रौ. सू. १६ । ६१ ।

(त्यु) अथैनमुत्क्रमयति।(त्ये) एतद्वै देवाऽअब्रुवन्किमिममभ्युत्क्रमिष्याम्ऽइति महत्सौभममिति तं महत्सौभगमभ्युदक्रमयंस्तथैवैनमयमेतन्महत्सौभगमभ्युत्क्रमयत्युत्क्राम महते सौभगायेत्युत्क्राम महते सौभगमित्येतत्तस्मादु हैतदश्वः पशूनां भगितमोऽस्मादास्थानादिति यत्रैतत्तिष्ठसीत्येतद्द्रविणोदाऽइति द्रविणँ ह्येभ्यो ददाति वाजिन्निति वाजी ह्येषु वयँ स्याम सुमतौ पृथिव्या ऽअग्निं खनन्त ऽउपस्थे ऽअस्याऽइति वयमस्यै पृथिव्यै सुमतौ स्यामाग्निमस्याऽ उपस्थे खनन्त ऽइत्येतत्॥१३॥

(शा. सं. ११।२०) विख्याय चक्षुषा त्वमभितिष्ठ सर्वान्पाप्मन इत्येतत् । नोपस्पृशति । वज्रो वाऽअश्वः । नेन्माऽयं वज्रो हिनसदिति ॥ १२ ॥

अथैनमुत्क्रमयति । एतद्वै देवा अब्रुवन्–किमिममभ्युत्क्रमिष्याम इति । महत्सौभगमिति । तं महत्सौभगमभ्युदक्रमयन् । तथैवैनमयमेतन्महत्सौभगमभ्युत्क्रमयति । " उत्क्राम महते सौभगाय "–इति । उत्क्राम महते सौभगमित्येतत् । तस्मादु हैतदश्वः पशूनां भगि-

---

उन्मर्शनं नाम अश्वपृष्ठस्योपरि पाणिधारणम् । मन्त्रं विधत्ते–द्यौस्त इति । हे अश्व । 'ते' तव 'द्यौः' द्युलोकः 'पृष्ठम्' उपरिभागः, 'पृथिवी' 'सधस्थम्' सहस्थानम्, पादावित्यर्थः; 'आत्मा' शरीरम् 'अन्तरिक्षम्,' 'समुद्रः' उदकं 'योनिः' उत्पत्तिस्थानम् । तादृशः 'त्वम्' 'चक्षुषा' 'विख्याय' निरीक्ष्य, 'पृतन्यतः' सङ्ग्रामेच्छून् पुरुषान् 'पाप्मनः इति' 'एतत्' 'अभितिष्ठ' सहस्व । 'पृतना'–शब्दात् क्यचि "कव्यध्वरपृतनस्यर्चि लोपः"–(पा. सू. ७ । ४ । ३९) इति अवर्णस्य लोपः । पूर्वार्द्धस्य तात्पर्यमाह-इत्थमसीत्थमसीति । 'द्युलोकात्माऽसि,' 'पृथिव्यात्माऽसि'–इत्याद्यर्थो वीप्साकृतः । उत्तरार्द्धगतं पृतन्यत्पदं व्याचष्टे–सर्वान् पाप्मन इत्येददिति । अत्र सूत्रम्–"अनुपस्पृशन्नुत्क्रामेत्युत्क्रमयति"–(का. श्रौ. सू. १६ । ११) इति । अश्वमस्पृशन्नेवोत्क्रामेति मन्त्रेणाश्वस्योत्क्रामणं कारयेदित्यर्थः । तद् विधत्ते–नोपस्पृशतीत्यादि ॥ १२ ॥

अथैनमुत्क्रमयतीति । अत्रोत्क्रमणस्य प्रयोजनं वक्तुं देवानां प्रश्नमाह–किमिममभ्युत्क्रमिष्याम इतीति । किम्प्रयोजनमुद्दिश्येति तस्यार्थः । प्रयोजनमाह–महत्सौभगमितीति । मन्त्रं विधत्ते–उत्क्रामेति । हे 'वाजिन्!' हे 'द्रविणोदाः!' धनस्य दातः! त्वम् 'अस्मात्' स्थानात् पूर्वमवस्थिताद् देशात् 'उत्क्राम' उद्गच्छ 'महते' 'सौभगाय' ऐश्वर्यायेति तदर्थः । 'अस्याः' पृथिव्याः 'उपस्थे' उपस्थाने 'अग्निम्' उद्दिश्य मृत्पिण्डं 'खनन्तः' 'वयम्' 'अस्याः' पृथिव्याः 'सुमतौ' शोभनदानादियुक्तमतौ 'स्याम' भवेमेति ॥

अश्वस्य सौभाग्यमाह–तस्मादु हैतदश्वः पशूनामिति । ये पशवः व्यापनशीलाः शीघ्रगामिनः तेषां मध्ये असावश्वो 'भगितमः' अतिशयेन भाग्यवान्, राजवाहनत्वात् । 'अस्मादास्थानात्' इति पदं व्याचष्टे–यत्रैतत् तिष्ठसीतीति ॥ १३ ॥

(इ) अथैनमुत्क्रान्तमभिमन्त्रयते। (त॑ऽ) एतद्वाऽएनं देवाः प्रोचिवाᳫँसं यथा ददिवाᳫँसं व्वन्देतैवमुपास्तुवन्नुपामहयंस्तथैवैनमयमेतदुपस्तौत्युपमहयत्युदक्रमीदित्युद्ध्यक्रमीद्द्रविणोदाऽ इति द्रविणᳫँ ह्येभ्यो ददाति व्वाज्यर्व्वेति व्वाजी च ह्येषोऽर्व्वा चाकः सुलोकᳫँ सुकृतं पृथिव्यामित्यकरः सुलोकᳫँ सुकृतं पृथिव्यामित्येतत्ततः खनेम सुप्रतीकमग्निमिति तत ऽएनं खनेमेत्येतत्सुप्रतीकमिति सर्व्वतो वाऽअग्निः सुप्रतीकः स्वो रुहाणाऽ अधि नाकमुत्तममिति स्वर्गो वै लोको नाकः स्वर्गं लोकᳫँ रोहन्तोऽधि नाकमुत्तममित्येतत्तं दक्षिणोपसंक्रमयति यत्रेतरौ पशू भवतस्ते दक्षिणतः प्राञ्चस्तिष्ठन्ति स य ऽएवामुत्र दक्षिणत स्थानस्य बन्धुः सोऽत्र ॥ १४ ॥

तमः। "अस्मादास्थानाद्"–इति। यत्रैतत्तिष्ठसीत्येतत्। "द्रविणोदाः"–इति। द्रविणं ह्येभ्यो ददाति। "वाजिन्"–इति। वाजी ह्येषः। "वयं स्याम सुमतौ पृथिव्या अग्निं खनन्त उपस्थेऽअस्याः"–(वा. सं. ११। २१) इति। वयमस्यै पृथिव्यै सुमतौ स्याम, अग्निमस्या उपस्थे खनन्त इत्येतत् ॥ १३ ॥

अथैनमुत्क्रान्तमभिमन्त्रयते। एतद्वाऽएनं देवाः प्रोचिवांसं यथा ददिवांसं वन्देत–एवमुपास्तुवन्। उपामहयन्। तथैवैनमयमेतदुपस्तौति, उपमहयति। "उदक्रमीद्"-इति। उद्ध्यक्रमीद्। "द्रविणोदाः"–इति। द्रविणं ह्येभ्यो ददाति। "वाज्यर्वा"–इति। वाजी च ह्येषोऽर्वा च। "अकः सुलोकं सुकृतं पृथिव्याम्"–इति। अकरः सुलोकं सुकृतं पृथिव्यामित्येतत्। "ततः खनेम सुप्रतीकमग्निम्"–इति। तत एनं खनेमेत्येतत्। सुप्रतीकमिति। सर्वतो वा अग्निः सुप्रतीकः। "स्वो रुहाणा अधि नाकमुत्तमम्"–(वा० सं० ११।२२) इति। स्वर्गो वै लोको नाकः। स्वर्गं लोकं रोहन्तोऽधि नाकमुत्तममित्येतत्। तं दक्षिणोपसङ्क्रमयति–यत्रेतरौ पशू भवतः। ते दक्षिणतः प्राञ्चस्तिष्ठन्ति। स य एवामुत्र दक्षिणतः स्थानस्य बन्धुः सोऽत्र ॥ १४ ॥

पुनरप्यश्वस्याभिमन्त्रणं विधत्ते–अथैनमुत्क्रान्तमभिमन्त्रयते इति। पूर्वं 'देवाः' यथा 'एनम्' अग्निम् 'प्रोचिवांसम्' उक्तवन्तं 'ददिवांसं' धनं दत्तवन्तं लोके 'वन्देत' स्तुवीत, 'एवं' वयमप्यापि अश्वम् 'अस्तुवन्, 'अमहयन्' अपूजयंश्च, 'तथा' अनुष्ठाताऽपि अभिमन्त्रणेन स्तुतवान् पूजितवान् भवति ॥

मन्त्रं[1] विधत्ते–उदक्रमीदितीति। 'द्रविणोदाः' धनस्य दाता, 'अर्वा' अरणशीलो 'वाजी' वेजनवान् अश्वः 'उदक्रमीत्' ऊर्ध्वं पादविक्षेपम्, पृथिव्यां 'सुकृतं' सुष्ठु निष्पादितम् 'सुलोकं' शोभनं लोकम् 'अकः' कृतवान्। स्वकार्यकारणयोरपि साधुत्वं द्योतयितुमुभयत्र सुशब्दप्रयोगः। 'अकरिति'

१–उदक्रमीदित्यभिमंत्रयते। अश्वमेव। का. श्रौ. सू. १६। ६२।

(त्र्याऽ) अथोपविश्य मृदमभिजुहोति । (त्ये) एतद्वै देवाऽअब्रुवंश्चेतय-ध्वमिति चितिमिच्छतेति व्वाव तदब्रुवंस्ते चेतयमानाऽएतामाहुतिमपश्यं-स्तामजुहवुस्ताᳫं हुत्वेमाँल्लोकानुखामपश्यन् ॥ १९ ॥

(इयुंस्ते) तेऽब्रुवन् । (वंश्चे) चेतयध्वमेवेति चितिमिच्छतेति वाव तद-ब्रुवंस्ते चेतयमानाऽ एतां द्वितीयामाहुतिमपश्यंस्तामजुहवुस्ताᳫं हुत्वा विश्वज्योतिषोऽपश्यन्नेता देवताऽ अग्निं व्वायुमादित्यमेता ह्येव देवता

अथोपविश्य मृदमभिजुहोति । एतद्वै देवा अब्रुवन्–चेतयध्वमिति । चितिमिच्छतेति वाव तद-ब्रुवन् । ते चेतयमाना एतामाहुतिमपश्यन् । तामजुहवुः । तां हुत्वेमाँल्लोकानुखामपश्यन् ॥ १९ ॥

तेऽब्रुवन्–चेतयध्वमेवेति । चितिमिच्छतेति वाव तदब्रुवन् । ते चेतयमाना एतां द्वितीयामाहुति-मपश्यन् । तामजुहवुः । तां हुत्वा विश्वज्योतिषोऽपश्यन्–एता देवताः–अग्निं वायुमादित्यम् ।

करोतेर्लुङि " मन्त्रे घसह्वरणश "–(पा. सू. २ । ४ । ८०) इतिच्लेर्लुकि, गुणे, सिलोपे रूपम् । यद्यपि प्रथमपुरुषैकवचने तिलोपे च रूपं समानम्, तथापि 'अकरः सुलोकम्–इति ब्राह्मणव्याख्यानानुसारेण मध्यमः, तद् व्याख्यातमकरिति । तद्धि करोतेर्लुङि च्लेः " कृमृदृरुहिभ्यश्छन्दसि "–(पा. सू. ३ । १ । ५९) इत्यङादेशे, गुणे, मध्यमसकारस्य रुत्वविसर्गयोः कृतयोः रूपम् । 'ततः तस्मात् प्रदेशात् 'सुप्रतीकं' शोभनावयवम् 'अग्निम्' मृद्रूपम् । 'खनेम' किं कुर्वन्तः ? 'नाकं' कमिति सुखनाम, न कम् अकम् असुखम् दुःखम्, तद् यत्र गतानां नास्ति, सर्वदा सुखमयम्, अत एव 'उत्तमम्' उत्कृष्टं 'स्वः' स्वर्गं लोकम् 'अधिरुहाणाः' आरोहन्तः; स्वर्गारोहणाय अग्निं खनेमेति । 'अकः सुलोकम्'–इत्येतद् व्याचष्टे–अकरः सुलोकमिति । व्युत्पत्तिर्दर्शिता । अन्तिमपादं व्याचष्टे–स्वर्गो वै लोको नाक इति । अभिमन्त्रितस्याश्वस्य रासभाभ्यां सहावस्थापनं विधत्ते–तं दक्षिणोपसङ्क्रमयतीति । दक्षिणशब्दादाचि प्रत्यये कृते रूपं दक्षि-णेति । स य एवामुत्र दक्षिणत इति । पूर्वमश्वरासभाजपशुविधानं प्रस्तुत्य त्रिवृन्मुञ्जेन बद्धाः " ते प्राञ्च-स्तिष्ठन्ति "–इत्युपक्रम्य, " ते दक्षिणतास्तेतष्ठन्त्येतद्वै देवा अबिभयुः " (श.प. ६ । ३ । १ । २८ । २९) इति यद् ब्राह्मणमुक्तम्–'सोऽत्र' 'बन्धुः' ब्राह्मणमिति ब्राह्मणातिदेशः ॥ १४ ॥

अत्र कात्यायनः–" उपविश्य मृदमभिजुहोत्या त्वा जिघर्मीति व्यतिषक्ताभ्यामृग्भ्यामाहुती स्रुवेणाश्वपदे "–(का. श्रौ. सू. १६ । ६४) इति । 'व्यतिषक्ताभ्याम्' व्यतिषङ्गश्च एकस्याः पूर्वार्द्धः इतरस्या उत्तरार्द्ध इत्येका ऋक्; एवमितरावप्यर्द्धर्चौ संयोजनीयौ । तथा ऋक् द्वितीया । एवं व्यतिषक्ताभ्याम् " आ त्वा जिघर्मि "–इति द्वाभ्यामृग्भ्यामश्वस्य पदे द्वे आहुती जुहुयात् । तदिदं सार्थवादं विधत्ते–अथोपविश्य मृदमभिजुहोतीत्यादि, अश्वस्य पदे जुहोतीत्यन्तेन । 'उपविश्य'–इति मृत्संस्कारत्वादुपवेशः । तां हुत्वेति । प्रथमाहुतिं हुत्वा लोकत्रयात्मिकाम् 'उखाम्' 'अपश्यन्' ॥ १९ ॥

तेऽब्रुवन्निति । द्वितीयाहुतिं हुत्वा विश्वज्योतिर्नामेष्टकां दृष्टवन्तः । विश्वज्योतिस्सञ्ज्ञकानां तिसृणामिष्टकानां

१–आहवनीय वत्स्थापयति पिंडस्य । का. श्रौ. सू. १६ । ६३ ।

व्विश्वं ज्योतिस्तुथैवैतद्यजमानऽएतेऽआहुती हुत्वेमांश्च लोकानुखां पश्य-
त्येताश्च देवता व्विश्वज्ज्योतिषो व्यतिषक्ताभ्यां जुहोतीमांश्च तल्लोकानेताश्च
देवता व्यतिषजति ॥ १६ ॥

यद्द्वेवैतेऽआहुती जुहोति। मृदं च तदपश्च प्रीणाति तेऽइष्ट्वा प्रीत्वाऽथैने
सम्भरति व्यतिषक्ताभ्यां जुहोति मृदं च तदपश्च व्यतिषजति ॥ १७ ॥

आज्येन जुहोति । व्वज्रो वाऽआज्यं व्वज्रमेवास्माऽएतदभिगोप्तारं करो-
त्यथो रेतो वाऽआज्यᳪ रेतऽएवैतत्सिञ्चति स्रुवेण व्वृषा वै स्रुवो व्वृषा
वै रेतः सिञ्चति स्वाहाकारेण व्वृषा वै स्वाहाकारो व्वृषा वै रेतः
सिञ्चति ॥ १८ ॥

(त्या) आ त्वा जिघर्म्मि मनसा घृतेनेति । (त्या) आ त्वा जुहोमि
मनसा च घृतेन चेत्येतत्प्रतिक्षियन्तं भुवनानि व्विश्वेति प्रत्यङ् ह्येषु

एता ह्येव देवता विश्वं ज्योतिः । तथैवैतद्यजमानऽएते आहुती हुत्वेमांश्च लोकानुखां पश्यति—
एताश्च देवता विश्वज्योतिषः । व्यतिषक्ताभ्यां जुहोति । इमांश्च तल्लोकानेताश्च देवता
व्यतिषजति ॥ १६ ॥

यद्द्वेवैतेऽआहुती जुहोति । मृदश्च तदपश्च प्रीणाति । ते इष्ट्वा प्रीत्वा, अथैने सम्भरति । व्यतिष-
क्ताभ्यां जुहोति । मृदं च तदपश्च व्यतिषजति ॥ १७ ॥

आज्येन जुहोति । वज्रो वाऽआज्यम् । वज्रमेवास्माऽएतदभिगोप्तारं करोति । अथो रेतो वा-
ऽआज्यम् । रेत एवैतत् सिञ्चति । स्रुवेण । वृषा वै स्रुवः । वृषा वै रेतः सिञ्चति । स्वाहाकारेण ।
वृषा वै स्वाहाकारः । वृषा वै रेतः सिञ्चति ॥ १८ ॥

"आ त्वा जिघर्म्मि मनसा घृतेन"—इति । आ त्वा जुहोमि मनसा च घृतेन चेत्येतत् ।

देवतासम्बन्धमाह—अग्निं वायुमादित्यमिति । व्यतिषक्ताभ्यां जुहोतीति । व्यतिषङ्गप्रकारः पूर्वमुक्तः,
तादृग्भ्यामृग्भ्यां हवनेन त्रीनिमाँल्लोकान् 'एताः' अग्निवाय्वादित्यस्वरूपा देवताश्च व्यतिषक्तवान् भवति;
पृथिवीलोकस्याग्निम्, अन्तरिक्षलोकस्य वायुम्, द्युलोकस्यादित्यमिति ॥ १६ ॥

प्रकारान्तरेणाहुतिद्वयं स्तोतुमनुवदति—यद्द्वेवैते आहुती इति । आहुतिद्वयेन मृदमपश्च प्रीणितवान् भवति।
यतो व्यतिषक्ताभ्यामृग्भ्यां होमः, अतो मृदमपश्चोखार्थं संयोजयति ॥ १७ ॥

होम्यं द्रव्यं विधत्ते—आज्येन जुहोतीति । आज्यस्य वज्रत्वं प्रागुक्तम् (श. ५. १ । ९ । ४ । ४) ।
होमकरणं विधत्ते—स्रुवेणेति । मन्त्रान्ते 'स्वाहा' शब्दः प्रयोक्तव्य इत्याह—स्वाहाकारेणेति । जुहोती-
त्यनुषङ्गः ॥ १८ ॥

मन्त्रं विधत्ते—आ त्वा जिघर्मीति । मन्त्रस्यायमर्थः, 'मनसा' 'घृतेन' आज्येन च त्वाम् 'आजि-

सर्व्वाणि भुवनानि क्षियति पृथुं तिरश्चा व्वयसा बृहन्तमिति पृथुर्व्वाऽएषु तिर्यङ्व्वयसो बृहन्धूमेन व्यचिष्ठमन्नै रभसं दृशानमित्यवकाशवन्तमन्नैरन्नादं दीप्यमानमित्येतत् ॥ १९ ॥

(द्वा) आ विश्वतः प्रत्युञ्चं जिघर्म्मीति । (त्वा) आ सर्व्वतः प्रत्युञ्चं जुहोमीत्येतदरक्षुसा मनसा तज्जुषेतेत्यहीडमानेन मनसा तज्जोषयेतेत्येतन्मुर्य्यश्रीः स्पृहयद्वर्णोऽअग्निरिति मुर्य्यश्रीर्ह्येषु स्पृहयद्वर्णोऽग्निर्नाभिमृशे तन्वा जर्भुराणऽ इति न ह्येषोऽभिमृशे तन्वा दीप्यमानो भवति ॥ २० ॥

" प्रति क्षियन्तं भुवनानि विश्वा "-इति । प्रत्यङ् ह्येष सर्वाणि भुवनानि क्षियति । " पृथुं तिरश्चा वयसा बृहन्तम् "-इति । पृथुर्वाऽएष तिर्यङ् वयसो बृहन्धूमेन । " व्यचिष्ठमन्नै-रभसं दृशानम् "-(वा० सं० ११ । २३) इति । अवकाशवन्तमन्नैरन्नादं दीप्यमान-मित्येतत् ॥ १९ ॥

" आ विश्वतः प्रत्यञ्चं जिघर्म्मि "-इति । आ सर्वतः प्रत्यञ्चं जुहोमीत्येतत् । " अरक्षसा मनसा तज्जुषेत "-इति । अहीडमानेन मनसा तज्जोषयेतेत्येतत् । " मर्यश्रीः स्पृहयद्वर्णोऽअग्निः "-इति । मर्यश्रीर्ह्येष स्पृहयद्वर्णोऽग्निः । "नाभिमृशे तन्वा जर्भुराणः"-इति । न ह्येषोऽभिमृशे तन्वा दीप्यमानो भवति ॥ २० ॥

घर्मि ' । " घृ क्षरणदीप्त्योः " (धा. पा. जु. प. १४) । आजुहोमि, आसिञ्चामि, आज्यं सिञ्चामीत्यर्थः । अग्निं विशिनष्टि पादत्रयेण-' विश्वा ' ' सर्वाणि भुवनानि प्रतिक्षियन्तम् ' सर्वत्र भूतजातेषु निवसन्तमित्यर्थः । ' तिरश्चा ' इति भावपरो निर्देशः, ' पृथुं ' विस्तृतम् । यद्वा, ' तिरश्चा ' इति धूमविशेषणम् ; ' वयसा ' धूमेन ' बृहन्तम् ' । अत एव ' व्यचिष्ठं ' व्यापनवत्तम्, अवकाशवन्तम् । ' अन्नैः ' स्वस्मिन् हुतैर्घृतादिभिः, ' रभसम् ' उत्साहवन्तम् । अत एव ' दृशानं ' दर्शनीयं, दीप्यमानम् । अग्निं त्वामाजिघर्मीति सम्बन्धः ॥

मन्त्रं प्रतिपादमनूद्य व्याचष्टे-आ त्वा जुहोमीति । व्यचिष्ठ-रभस-पदयोर्व्याख्यानम्-अवकाशवन्तमन्नादमिति ॥ १९ ॥

द्वितीयं मन्त्रं विवृत्ते-आ विश्वत इति । अयमर्थः-' विश्वतः ' सर्वतः ' प्रत्यञ्चं ' प्रत्यङ्मुखतया प्रतीयमानमग्निम्, ' अरक्षसा ' रक्षोदोषरहितेन ' मनसा ' युक्तः अहम् ' आजिघर्मि ' आसिञ्चामि । ' तत् ' घृतं ' जुषेत ' सेवेत इति परोऽक्षनिर्देशः, युष्मच्छब्दसमानार्थो भवच्छब्दाध्याहारो वा । ' मर्यश्रीः ' श्रयतेः कर्मणि क्विप्, मर्यैर्मनुष्यैराश्रयणीयः । ' स्पृहयद्वर्णः ' स्पृहयन् परेषां रुचिमुत्पादयन् वर्णो यस्य, शुक्लभास्वररूपत्वात् । ' तन्वा ' शरीरेण ' जर्भुराणः ' दीप्यमानः ' अग्निः ' ' नाभिमृशे ' तुमर्थे केन् प्रत्ययः (पा. सू. ३ । ४ । ९) । अभिमर्शनीयो न भवति ॥

मन्त्रं व्याचष्टे-आ सर्वत इति । ' अरक्षसा '-इति पदं व्याख्यातम्-अहीडमानेनेति ॥ २० ॥

द्वाभ्यामभिजुहोति । द्विपाद्युजमानो युजमानोऽग्निर्य्यावानग्निर्य्यावत्यस्य मात्रा तावतैवैनमेतद्द्रेतोभूतꣳ सिञ्चत्याग्नेयीभ्यामग्निमेवैतद्द्रेतोभूतꣳ सिञ्चति ते युदाग्नेय्यौ तेनाग्निरथ युत्त्रिष्टुभौ तेनेन्द्रं ऽऐन्द्राग्नोऽग्निर्य्यावानग्निर्य्यावत्यस्य मात्रा तावतैवैनमेतद्द्रेतोभूतꣳ सिञ्चतीन्द्राग्नी वै सर्व्वे देवाः सर्व्वदेवत्योऽग्निर्य्यावानग्निर्य्यावत्यस्य मात्रा तावतैवैनमेतद्द्रेतोभूतꣳ सिञ्चति ॥ २१ ॥ (शतम् ३६००)

(त्यु) अश्वस्य पदे जुहोति । (त्य) अग्निरेष यदश्वस्तथो हास्यैतेऽअग्निमत्येवाहुती हुते भवतः ॥ २२ ॥

द्वाभ्यामभिजुहोति । द्विपाद् यजमानः । यजमानोऽग्निः । यावानग्निर्यावत्यस्य मात्रा—तावतैवैनमेतद्रेतोभूतं सिञ्चति । आग्नेयीभ्याम् । अग्निमेवैतद्रेतोभूतं सिञ्चति । ते यदाग्नेय्यौ । तेनाग्निः । अथ यत् त्रिष्टुभौ—तेनेन्द्रः । ऐन्द्राग्नोऽग्निः । यावानग्निर्यावत्यस्य मात्रा—तावतैवैनमेतद्रेतोभूतं सिञ्चति । इन्द्राग्नी वै सर्वे देवाः । सर्वदेवत्योऽग्निः । यावानग्निर्यावत्यस्य मात्रा—तावतैवैनमेतद्रेतोभूतं सिञ्चति ॥ २१ ॥

अश्वस्य पदे जुहोति । अग्निरेष—यदश्वः । तथो हास्यैतेऽअग्निमत्येवाहुती हुते भवतः ॥ २२ ॥

मन्त्रगतसंख्यां प्रशंसति—द्वाभ्यामभिजुहोति द्विपादिति । 'यजमानोऽग्निः'—इति विराड्रूपस्याग्नेर्यजमानभाविशरीरात्मकतया च तद्रूपत्वम् । मन्त्रदेवतां प्रशंसति—आग्नेयीभ्यामिति । "अग्नेर्ढक्" (पा. सू. ४ । २ । ३३) । अनयोर्मन्त्रयोरग्निसम्बन्धं त्रिष्टुप्छन्दश्च मिलित्वा प्रशंसति—यदाग्नेय्याविति । अग्निदेवत्येनाग्निरुच्यते; मन्त्रगतत्रिष्टुप्छन्दसा इन्द्रः त्रिष्टुबिन्द्रयोः सहोत्पत्तेः; "तमिन्द्रो देवताऽन्वसृज्यत त्रिष्टुप् छन्दः"—(तै. सं. ७ । १ । १ । ४ ।)—इति । अग्निरस्यैन्द्राग्नत्वस्तदुपपादयति—इन्द्राग्नी इति । "इन्द्रः सर्वेषां देवानां परमः, अग्निर्देवानामवमः, उभयोर्मध्यवर्तिन्यः सर्वा देवताः" (ऐ. ब्रा. १ । १ । १) । इति इन्द्राग्नी सर्वदेवतात्मकौ अग्निरपि सर्वदेवत्यः; तस्मिन्नेवाग्नौ सर्वदेवतोद्देशेन हविःप्रक्षेपात्, "अग्निर्वै सर्वा देवताः"—(श. प. १ । ६ । २ । ८) इति श्रुतेश्च । अतः 'अग्निः' यत्परिमाणः, 'तावता' तत्परिमाणेन इन्द्राग्निरूपेण प्रकारान्तरेण 'एनम्' तत्संख्याकाभ्यामिन्द्राग्निरूपाभ्यां प्रीणितवान् भवति ॥ २१ ॥

आहुतिद्वयस्याधिकरणं विधत्ते—अश्वस्य पदे जुहोतीति । यद्यश्वपदे हवनम्, तर्हि कथमग्निदेवत्यमन्त्रप्रयोगः ? तत्राह—अग्निरेष यदश्व इति । अश्वस्याग्निरूपत्वं प्रागुक्तम्—"स एतान् पञ्च पशून् प्राविशत्, स एते"—(श. प. ६।२।१।२) इत्यादिना ॥ २२ ॥

१—आहुती स्रुवेणाश्वपदे । का. श्रौ. सू. १६ । ६४ ॥

(तोऽथै) अथैनं परिलिखति । मात्रामेवास्माऽएतत्करोति यथैतावान-
सीत्येवम् ॥ २३ ॥

यद्वेवैनं परिलिखति । (त्ये) एतद्वै देवा ऽअबिभयुर्यद्वै न ऽइममिह
रक्षाᳬंसि नाष्ट्रा न हन्युरिति तस्मा ऽएतां पुरं पर्यश्रयंस्तथैवास्माऽअयु-
मेतां पुरं परिश्रयत्यभ्र्या व्वज्रो वा ऽअभ्रिर्व्वज्रमेवास्माऽएतदभिगोप्तारं
करोति सर्व्वतः परिलिखति सर्व्वत ऽएवास्माऽएतं व्वज्रमभिगोप्तारं करोति
त्रिष्कृत्वः परिलिखति त्रिवृतमेवास्माऽएतं व्वज्रमभिगोप्तारं करोति ॥ २४ ॥

परिव्वाजपतिः कविः परि त्वाऽग्ने पुरं व्वयं त्वमग्ने द्युभिरित्यग्निमेवा-
स्माऽएतदुपस्तुत्य व्वर्म करोति परिवर्ताभिः पुरीव हि पुरऽ आग्नेयीभिरग्नि-
पुरामेवास्माऽएतत्करोति सा हैषाऽग्निपुरा दीप्यमाना तिष्ठति तिसृभि-

---

अथैनं परिलिखति । मात्रामेवास्माऽएतत् करोति–यथैतावानसीत्येवम् ॥ २३ ॥

यद्वेवैनं परिलिखति । एतद्वै देवा अबिभयुः–यद्वै न इममिह रक्षांसि नाष्ट्रा न हन्युरिति । तस्माऽएतां पुरं पर्यश्रयन् । तथैवास्माऽअयमेतां पुरं परिश्रयति–अभ्र्या । वज्रो वाऽअभ्रिः । वज्रमेवास्माऽएतदभिगोप्तारं करोति । सर्वतः परिलिखति । सर्वत एवास्माऽएतं वज्रमभिगोप्तारं करोति । त्रिष्कृत्वः परिलिखति । त्रिवृतमेवास्माऽएतं वज्रमभिगोप्तारं करोति ॥ २४ ॥

" परि वाजपतिः कविः "–(वा० सं० ११।२५) " परि त्वाऽग्ने पुरं वयम् "–(वा० सं० ११।२६) " त्वमग्ने द्युभिः "–(वा० सं० ११।२७) इति । अग्निमेवास्माऽएत-

---

अत्र सूत्रम्–" अभ्र्या पिण्डं त्रिः परिलिखति परि वाजपतिरिति, बहिर्बहिरुत्तरयोत्तरयेति "–(का. श्रौ. सू. १६।६९) । एतं मृत्पिण्डं " परि वाजपतिः "–इत्यादिभिस्त्रिभिः उत्तरोत्तराधिकच्छन्दस्काभिः त्रिवारं परिलिखेदिति । तदिदं विधत्ते–अथैनं परिलिखतीत्यादि । परिलेखनेन 'अस्मै' मृद्रूपायाग्नये 'मात्रां' परिच्छेदम्, इयत्ताम् 'करोति' कृतवान् भवति । तदेव विवृणोति–यथैतावानिति ॥ २३ ॥

यद्वेवैनं परिलिखतीति । परिलेखनं प्रशंसितुं देववृत्तान्तमाह–एतद्वै देवा इति । 'एतां पुरं' रेखारूपां पुरं परिश्रितवन्तः । परिलेखने साधनं विधत्ते–अभ्र्येति । सर्वतः परिलिखतीति । चतुर्दिशं वृत्तमित्यर्थः । परिलेखनस्य त्रित्वं विधत्ते–त्रिष्कृत्व इति । त्रिवारपरिलेखनेन 'त्रिवृतं' 'वज्रम्' 'अस्मै' मृत्पिण्डा. 'अभिगोप्तारं' रक्षकं कृतवान् भवति ॥ २४ ॥

मन्त्रं विधत्ते–परिवाजपतिरिति । आद्या गायत्री, " परि त्वाऽग्ने पुरं वयम् "–इति द्वितीया अनुष्टुप् ।

१-अभ्र्या पिंडं त्रिः परिलिखति परि वाजपतिरिति बहिर्बहिरुत्तरयोत्तरया । का० श्रौ० सू० १६।६५॥

१५१६

त्रिपुरमेवास्मा ऽएतत्करोति तस्माद्धैतत्पुरां परमꣳ रूपं यत्त्रिपुरꣳ स वै वर्षीयसा वर्षीयसा च्छन्दसा पुरां परां लेखां वरीयसीं करोति तस्मात्पुरां पुरा परा वरीयसी लेखा भवन्ति लेखा हि पुरः ॥ २५ ॥

(ग्रो३थै) अथैनमस्यां खनति । (त्ये) एतद्वै देवा ऽअबिभयुर्यद्वै न ऽइममिह रक्षाꣳसि नाष्ट्रा न हन्युरिति तस्मा ऽइमामेवात्मानमकुर्वन्गुप्त्या ऽआत्मा ऽऽत्मानं गोप्स्यतीति सा समम्बिला स्यात्तदस्येयमात्मा भवति यद्वेव समम्बिला योनिर्वा ऽइयꣳ रेत ऽइदं यद्वै रेतसो योनिमतिरिच्यते ऽमुया तद्भवत्यथ यन्न्यूनं व्यृद्धं तदेतद्वै रेतसः समृद्धं यत्समम्बिलं चतुःस्रक्तिरेष कूपो भवति चतस्रो वै दिशः सर्वाभ्य ऽएवैनमेतद्दिग्भ्यः खनति ॥ २६ ॥

इति तृतीयप्रपाठके प्रथमं ब्राह्मणम् ॥ ६-३-१ ॥ (३. ३.) ॥
इति तृतीयोऽध्यायः ॥ ६-३ ॥

दुपस्तुत्य वर्म करोति । परिवतीभिः । परीव हि पुरः। आग्नेयीभिः ! अग्निपुरामेवास्माऽएतत्करोति । सा हैषाऽग्निपुरा दीप्यमाना तिष्ठति । तिसृभिः । त्रिपुरमेवास्माऽएतत्करोति । तस्माद् हैतत् पुरां परमं रूपं यत्त्रिपुरम् । स वै वर्षीयसा-वर्षीयसा छन्दसा परां परां लेखां वरीयसीं करोति । तस्मात् पुरां परा-परा वरीयसी । लेखा भवन्ति । लेखा हि पुरः ॥ २५ ॥

अथैनमस्यां खनति । एतद्वै देवा अबिभयुः-यद्वै न इममिह रक्षांसि नाष्ट्रा न हन्युरिति। तस्माऽइमामेवात्मानमकुर्वन्-गुप्त्यै। आत्मानं गोप्स्यतीति । सा समम्बिला स्यात् । तदस्येयमात्मा

"त्वमग्ने द्युभिः"-इति तृतीया त्रिष्टुप्; तिस्रोऽप्याग्नेय्यः । यतोऽग्निदेवत्याः, अत एताभिः परिलेखनेन अग्निमेव 'वर्म' कवचं पिण्डाय कृतवान् भवति ॥

मन्त्रत्रयगतं परिशब्दं स्तौति-परिवतीभिरिति । यतो रेखाः पुरात्मिकाः, अतस्तासां परिशब्दयुक्ताभिः ऋग्भिः करणेन प्राकारपरिवृतपुरात्मकत्वमुक्तम् । मंत्रगतं त्रित्वं प्रशंसति-तिसृभिस्त्रिपुरमेवेति । प्राकारत्रयपरिवृतत्वं पुरामुत्कृष्टतमत्वम् । स वै वर्षीयसेत्यादि । अस्यायमर्थः,-' सः ' अध्वर्युः ' वर्षीयसा ' वृद्धेन ततोऽपि ' वर्षीयसा ' वृद्धतरेण ' छन्दसा ', उत्तरोत्तराधिकच्छन्दस्काभिः ऋग्भिरित्यर्थः । छन्दांसि इदानीं प्रदर्शितानि, ताभिर्ऋग्भिः रेखामपि उत्तरोत्तरवरीयसीं महत्तरां करोति । तस्मादुत्तरोत्तराधिकरेखात्रयकरणेन तादृग्भूतप्रकारेण पुरेण मृत्पिण्डं रक्षितवान् भवतीति ॥ २५ ॥

अथ पिण्डखननं विधत्ते-अथैनमस्यां खनेतीति । ' अस्यां ' भूमौ ' एनम् ' पिण्डं खनेदिति आधेयाधि-

---

१-अभ्र्या पिंडं खनति देवस्य त्वेति । का० श्रौ० सू० १६ । ६५ ।

भवति । यद्वेव समम्बिला । योनिर्वाऽइयम् । रेत इदम् । यद्वै रेतसो योनिमतिरिच्यते–अमुया तद्भवति । अथ यन्न्यूनं–व्यृद्धं तद् । एतद्वै रेतसः समृद्धम्–यत् समम्बिलम् । चतुःस्रक्तिरेष कूपो भवति । चतस्रो वै दिशः । सर्वाभ्य एवैनमेतद्दिग्भ्यः खनति ॥ २६ ॥

करणभावेन भूमिमृत्पिण्डयोः प्रतीयमानं पार्थक्यमपाकरोति–एतद्वै देवा इति । पूर्वं देवा रक्षोभीत्या 'तस्मै' पिण्डाय 'इमां' भूमिमेव 'आत्मानं' स्वरूपम् 'अकुर्वन्' स्वरूपं स्वरूपरक्षकं भविष्यतीत्यतो हेतोः रक्षणाय 'सा' खन्यमाना भूमिः 'समम्बिला' चतुर्दिशं समानविवरा कर्त्तव्या । अयमर्थः,–यावत्य उखाषाढादय इष्टकाः कर्त्तव्याः तावत्परिमाणमेवेदं खनेत् । समम्बिलत्वं स्तौति–यद्वेव समम्बिलेति । 'इयं' भूमिः 'योनिः' अन्युत्पत्तिस्थानम् । इदं रेतः उखाषाढाद्यर्थं खन्यमानं मृत्स्वरूपं रेतः; अतः 'रेतसः' सम्बन्धी बिन्दुः, यावत् 'योनिम् अतिरिच्यते' तावत् उखादिपर्याप्ता मृत् खनितुं युक्तेत्यर्थः । चतुःस्रक्तिरेष कूप इति । मृदर्थं खन्यमानः कूपः चतुरस्रः कर्त्तव्यः । स्रक्तीश्चतुर्दिगात्मना स्तौति–चतस्रो वै दिश इति ॥ २६ ॥

इति श्रीसायणाचार्यविरचिते माधवीये वेदार्थप्रकाशे माध्यन्दिनीयशतपथब्राह्मणभाष्ये
षष्ठकाण्डे तृतीयेऽध्याये तृतीयं ब्राह्मणम् ॥ (६-३-३) ॥

वेदार्थस्य प्रकाशेन तमो हार्दं निवारयन् । पुमर्थांश्चतुरो देयाद् विद्यातीर्थमहेश्वरः ॥ १ ॥

ब्रह्माण्डं गोसहस्रं कनकहयतुलापूरुषौ स्वर्णगर्भं,
सप्ताब्धीन्पञ्च सीरीस्त्रिदशतरुलताधेनुसौवर्णभूमीः ।
रत्नोस्रां रुक्मवाजिद्विपमहितरथौ सायणिः सिङ्गणार्यो,
व्यश्राणीद्विश्वचक्रं प्रथितविधिमहाभूतयुक्तं घटं च ॥
धान्याद्रिं धन्यजन्मा तिलमचलमतुलः स्वर्णजं वर्णमुख्यः,
कार्पासीयं कृपावान्गुडकृतमजडो राजतं राजपूज्यः ।
आज्योत्थं प्राज्यजन्मा लवणजमनृणः शार्करं चार्कतेजा,
रत्नाढ्यो रत्नरूपं गिरिमकृत मुदा पात्रसात्सिङ्गणार्यः ॥

इति श्रीमद्राजाधिराजपरमेश्वरवैदिकमार्गप्रवर्तकश्रीहरिहरमहाराजसाम्राज्यधुरन्धरेण सायणाचार्येण विरचिते माधवीये वेदार्थप्रकाशे माध्यन्दिनशतपथब्राह्मणभाष्ये षष्ठे काण्डे तृतीयोऽध्यायः समाप्तः ॥ ६–३ ॥

अथ चतुर्थेऽध्याये प्रथमं ब्राह्मणम् । तृतीयप्रपाठके च द्वितीयं ब्राह्मणम् ।

अथैनमतः खनत्येव । (वै) एतद्वाऽएनं देवा ऽअनुविद्याखनंस्तथैवैनमयमेतदनुविद्य खनति देवस्य त्वा सवितुः प्रसवेऽश्विनोर्बाहुभ्यां पूष्णो हस्ताभ्यां पृथिव्याः सधस्थादग्निं पुरीष्यमङ्गिरस्वत्खनामीति सवितृप्रसूतऽएवैनमेतदेताभिर्देवताभिः पृथिव्या ऽउपस्थादग्निं पशव्यमग्निवत्खनति॥१॥

ज्योतिष्मन्तं त्वाऽग्ने सुप्रतीकमिति । ज्योतिष्मान्वाऽअयमग्निः सुप्रतीकोऽजस्रेण भानुना दीद्यतमित्यजस्रेणार्चिषा दीप्यमानमित्येतच्छिवं प्रजाभ्योऽहिꣳसन्तं पृथिव्याः सधस्थादग्निं पुरीष्यमङ्गिरस्वत्खनामऽ इति शिवं प्रजाभ्योऽहिꣳसन्तं पृथिव्याऽ उपस्थादग्निं पशव्यमग्निवत्खनामऽ इत्येतत्॥

अथैनमतः खनत्येव। एतद्वाऽएनं देवा अनुविद्याखनन्। तथैवैनमयमेतदनुविद्य खनति। " देवस्य त्वा सवितुः प्रसवेऽश्विनोर्बाहुभ्यां पूष्णो हस्ताभ्याम् । पृथिव्याः सधस्थादग्निं पुरीष्यमङ्गिरस्वत्खनामि "–(वा. सं. ११।२८) इति । सवितृप्रसूत एवैनमेतदेताभिर्देवताभिः पृथिव्या उपस्थादग्निं पशव्यमग्निवत् खनति ॥ १ ॥

"ज्योतिष्मन्तं त्वाऽग्ने सुप्रतीकम्"–इति । ज्योतिष्मान्वाऽअयमग्निः सुप्रतीकः । "अजस्रेण भानुना दीद्यतम्"–इति । अजस्रेणार्चिषा दीप्यमानमित्येतत् । " शिवं प्रजाभ्योऽहिंसन्तं पृथिव्याः सदस्थादग्निं पुरीष्यमङ्गिरस्वत्खनामः"–(वा. सं. ११।२८) इति । शिवं प्रजाभ्योऽहिंसन्तं पृथिव्या उपस्थादग्निं पशव्यमग्निवत् खनाम इत्येतत् ॥ २ ॥

यस्य निश्वसितं वेदा यो वेदेभ्योऽखिलं जगत् । निर्ममे तमहं वन्दे विद्यातीर्थमहेश्वरम् ॥ १ ॥

अथ खननविधिं स्तुवन् मन्त्रं विधत्ते–**अथैनमतः खनति** (का. श्रौ. सू. १६।१६) इति । 'अतः' चतुःसक्तेः कूपात् 'अनुविद्य' लब्ध्वा । देवस्य त्वेति मन्त्रस्य तात्पर्यमाह–**सवितृप्रसूत** इति ॥ १ ॥

खनने द्वितीयं मन्त्रं विधत्ते–**ज्योतिष्मन्तं त्वाऽग्न** इति । अयमर्थः–हे 'अग्ने' 'ज्योतिष्मन्तं' ज्योतिर्युक्तं सुप्रतीकं सुमुखावयवम्, अजस्रेण अनवच्छिन्नेन भानुना तेजसा 'दीद्यतं' व्यत्ययेन शतृप्रत्ययः, दीप्यमानम् ; 'शिवं' शान्तम्, 'प्रजाभ्यः' प्रजार्थं शिवमिति सम्बन्धः; 'अहिंसन्तं' प्राणिनां हिंसामकुर्वाणम्, पृथिव्यादि व्याख्यातम् । तादृशमग्निं भूप्रदेशादग्निवत् खनामः अध्वर्यव इति ॥ २ ॥

(द्द्वा) द्वाभ्यां खनति । द्विपाद्यजमानो यजमानोऽग्निर्यावानग्निर्या-
वत्यस्य मात्रा तावतैवैनमेतत्खनत्यथो द्वयꣳ ह्येवैतद्रूपं मृच्चापश्च ॥ ३ ॥

स वै खनामि खनामऽ इति खनति । खनामीति वाऽएतं प्रजापतिरख-
नत्खनामऽ इति देवास्तस्मात्खनामि खनामऽ इति ॥ ४ ॥

स वाऽअभ्र्या खनन् । (न्वा) व्वाचा खनामि खनामऽइत्याह व्वाग्वाऽ
अभ्रिरारम्भायैवेयं व्वैणवी क्रियते व्वाचा वा ऽएतमभ्र्या देवाऽ अखनं-
स्तथैवैनमयमेतद्वाचैवाभ्र्या खनति ॥ ५ ॥

(स्यु) अथैनं कृष्णाजिने सम्भरति । यज्ञो वै कृष्णाजिनं यज्ञऽएवैनमे-
तत्सम्भरति लोमतश्छन्दाꣳसि वै लोमानि च्छन्दःस्वेवैनमेतत्सम्भरति
तत्तूष्णीमुपस्तृणाति यज्ञो वै कृष्णाजिनं प्रजापतिर्व्वै यज्ञोऽनिरुक्तो वै
प्रजापतिरुत्तरतस्तस्योपरि बन्धुः प्राचीनग्रीवे तद्धि देवत्रा ॥ ६ ॥

द्वाभ्यां खनति । द्विपाद्यजमानः । यजमानोऽग्निः । यावानग्निर्यावत्यस्य मात्रा–तावतैवैनमेतत्ख-
नति । अथो द्वयं ह्येवैतद्रूपम्–मृच्चापश्च ॥ ३ ॥

स वै खनामि खनाम–इति खनति । खनाम इति वाऽएतं प्रजापतिरखनत्, खनाम इति देवाः ।
तस्मात् खनामि खनाम इति ॥ ४ ॥

स वाऽअभ्र्या खनन्वाचा–' खनामि खनाम ' इत्याह । वाग्वाऽअभ्रिः । आरम्भायैवेयं वैणवी
क्रियते । वाचा वाऽएतमभ्र्या देवा अखनन् । तथैवैनमयमेतद्वाचैवाभ्र्या खनति ॥ ५ ॥

अथैनं कृष्णाजिने सम्भरति । यज्ञो वै कृष्णाजिनम् । यज्ञऽएवैनमेतत् सम्भरति । लोमतः ।

खननमन्त्रगतां द्वित्वसङ्ख्यां यजमानरूपाग्न्यात्मना प्रशंसति–द्वाभ्यां खनति द्विपादिति । प्रकारान्तरेण
स्तौति–अथो द्वयमिति । मृत्तिका, उदकानि चेति द्वयमित्यर्थः ॥ ३ ॥

यत् " देवस्य त्वा "–इति पूर्वमन्त्रः, तत्र खनामीत्येकवचनम्, ज्योतिष्मन्तमिति द्वितीयमन्त्रे खनाम इति
बहुवचनम् । तस्योभयस्य निर्वाहमाह–स वै खनामीति । प्रजापतिविवक्षया एकवचनम्, देवविवक्षया बहुवच-
नम् । ते च अग्निकर्मान्वतिष्ठन् ॥ ४ ॥

प्रागुक्तं खननसाधनं विदधत् तस्य वाग्रूपतामाह–स वा अभ्र्या खनन्निति । यदि वागिभस्तर्हि वाचैव
खननं युक्तम्, किमभ्रिकरणेनेति, तत्राह–आरम्भायेति । ' आरम्भाय ' आलम्भनायैव इयं वेणुमयी अभ्रिः ।
क्रियते (श. प. १ । ३ । १ । ३२ । मा.) ॥ ५ ॥

अत्र कात्यायनः–" कृष्णाजिनमास्तीर्योत्तरतस्तस्मिन् पुष्करपर्णमपाम्पृष्ठमिति, विमार्ष्टयेनद् दिव इति,
आलभत उभे शर्मे च स्थ इति "–(का. श्रौ. सू. १६ । १६–१८) अयमर्थः । उत्तरतो देशे कृष्णाजिनं

(ब्रा॒ऽथै) अथैनं पुष्करपर्णे सम्भरति । योनिर्वै पुष्करपर्णं योनौ तद्रेतः सिञ्चति यद्वै योनौ रेतः सिच्यते तत्प्रजनिष्णु भवति तन्मन्त्रेणोपस्तृणाति वाग्वै मन्त्रो वाक्पुष्करपर्णम् ॥ ७ ॥

(म) अपां पृष्ठमसि योनिरग्नेरिति । (त्य) अपाꣳ ह्येतत्पृष्ठं योनिर्ह्येतदग्नेः समुद्रमभितः पिन्वमानमिति समुद्रो ह्येतदभितः पिन्वते वर्द्धमानो महाꣳ॥आ च पुष्करऽइति वर्द्धमानो महीयस्व पुष्करऽइत्ये-

---

छन्दांसि वै लोमानि । छन्दःस्वेवैनमेतत् सम्भरति । तत् तूष्णीमुपस्तृणाति । यज्ञो वै कृष्णाजिनम् । प्रजापतिर्वै यज्ञः । अनिरुक्तो वै प्रजापतिः । उत्तरतः । तस्योपरि बन्धुः । प्राचीनग्रीवे । तद्धि देवत्रा ६॥

अथैनं पुष्करपर्णे सम्भरति । योनिर्वै पुष्करपर्णम् । योनौ तद्रेतः सिञ्चति । यद्वै योनौ रेतः सिच्यते-तत् प्रजनिष्णु भवति । तन्मन्त्रेणोपस्तृणाति । वाग्वै मन्त्रः, वाक् पुष्करपर्णम् ॥ ७ ॥

" **अपां पृष्ठमसि योनिरग्नेः** "-इति । अपां ह्येतत् पृष्ठम् । योनिर्ह्येतदग्नेः । " **समुद्रमभितः पिन्वमानम्** "-इति । समुद्रो ह्येतदभितः पिन्वते । " **वर्द्धमानो महान्-आ च पुष्करे** "-इति । वर्द्धमानो महीयस्व पुष्कर इत्येतत् । " **दिवो मात्रया वरिम्णा प्रथस्व** "-

---

प्राग्ग्रीवमुत्तरलोम तूष्णीमास्तीर्य, तस्मिन् कृष्णाजिने अपाम्पृष्ठमिति मन्त्रेण । पुष्करपर्णमास्तृणाति । एनत् पुष्करपर्णं दिवो मात्रयेति चतुर्थपादेन विमार्ष्टि । ततः कृष्णाजिनपुष्करपर्णे-" शर्म च स्थो वर्म च स्थः "-इति मन्त्राभ्यामालभेतेति । तदिदं ब्राह्मणशेषेण विधीयते-**अथैनं कृष्णाजिन** इति । ' एनम् ' मृत्पिण्डम् । यद्यपि कृष्णाजिनस्योपरि पुष्करपर्णे मृत्पिण्डसम्भरणम्, तथापि कृष्णाजिनसम्बन्धोऽप्यस्तीति मत्वा तस्मिन् सम्भरणोक्तिः । **लोमत** इति । लोमवत्प्रदेशे । कृष्णाजिनास्तरणममन्त्रकमित्याह-**तत् तूष्णीमि**ति । तूष्णीमुपस्तरणमुपपादयति-**यज्ञ** इति । यज्ञस्य कृष्णाजिनत्वम्; " कृष्णो रूपं कृत्वोदक्रामत् "-(श. प. १ । १ । ४ । १ । भा.) इत्याम्नानात् । यज्ञस्य प्रजापतित्वम्, प्रजापतिदेवत्यत्वात् । प्रजापतिर्हि सकलस्थूलसूक्ष्मप्रपञ्चात्मत्वेनायमीदृगिति निर्वक्तुमनर्हत्वात् अनिरुक्तः । तस्मात् तद्रूपस्य कृष्णाजिनस्यापि आस्तरणम् ' अनिरुक्तम्, ' अमन्त्रकमित्यर्थः । तदास्तरणस्य प्रदेशं विधत्ते-**उत्तरत** इति । आस्तरणस्तावकं ब्राह्मणमुत्तरत्र वक्ष्यत इत्याह-**तस्योपरि बन्धुरि**ति । **प्राचीनग्रीवे**ति । ग्रीवाप्रदेशः प्राचीनो यथा भवति तथा आस्तरणीयम् । ' देवत्रा ' देवेषु भवति । "देवमनुष्यपुरुषपुरुमर्त्येभ्यो द्वितीयासप्तम्योर्बहुलम्"-(पा. सू. ५ । ४ । ५६) इति देवशब्दात् ' त्रा '-प्रत्ययः ॥ ६ ॥

कृष्णाजिनस्योपरि विभातव्ये पुष्करपर्णे मृत्पिण्डसम्भरणं दर्शयति-**अथैनमि**ति । **योनिरि**ति । यतोऽग्निः पुष्करपर्णाज्जातः; तस्मात् तद्योनिरूपम्, अग्निश्च रेतोरूपः; इदानीमुत्पद्यमानत्वात् ' प्रजनिष्णु ' प्रजननशीलम् । **वाक् पुष्करपर्णमि**ति । अग्निवाचोरन्यत्र तादात्म्यश्रवणात्-" अग्निर्वाग्भूत्वा मुखं प्राविशत् "-(तै. आ. २ । ४ । २) इति । पुष्करपर्णादग्नेर्जननात् कार्यकारणयोरभेदोपचारेण वागेव पुष्करपर्णमित्युक्तम् ॥ ७ ॥

तदास्तरणे मन्त्रं विधत्ते-**अपाम्पृष्ठमि**ति । हे पुष्करपर्ण ! ' अपाम्पृष्ठम् ' उपरिस्थानम् ' असि, ' ' अग्नेः

तुद्दिवो मुात्रया व्वरिम्णा प्रथस्वेत्यनुविमाष्टर्यसौ वु ऽआदित्य ऽएषो-
ऽग्निर्नो हैतुमन्यो दिवो व्वरिमा युन्तुमर्हति द्यौर्भूत्वेनं यच्छेत्युवैतुदाह ॥८॥

तदुत्तरं कृष्णाजिनादुपस्तृणाति । यज्ञो वै कृष्णाजिनुमियं वै कृष्णा-
जिनुमियमु वै युज्ञोऽस्याᳬ हि यज्ञस्तायुते द्यौः पुष्करपर्णमापो वै द्यौराप:
पुष्करपर्णमुत्तरो वुाऽअसावस्यै ॥ ९ ॥

(स्याऽअ) अुथैनेऽअभिमृशति । सञ्ज्ञामेवाभ्यामेतुत्करोति शुर्म च
स्थो व्वुर्म च स्थऽइति शुर्म चु ह्यस्यैते व्वुर्म चाच्छिद्रे बहुलेऽउभेऽइत्यु-
च्छिद्रे ह्येते बहुलेऽउभे व्युचस्वती सुंव्वसाथामित्यवकाशुवती सुंव्वसाथा-
मित्येतुद्भृतमग्निं पुरीष्यमिति बिभृतमग्निं पशुव्यमित्येतत् ॥ १० ॥

(वा. सं. ११।२९) इति । अनुविमार्ष्टि । असौ वा आदित्य एषोऽग्निः। नो हैतमन्यो दिवो वरिमा यन्तुमर्हति । द्यौर्भूत्वेनं यच्छ इत्येवैतदाह ॥ ८ ॥

तदुत्तरं कृष्णाजिनादुपस्तृणाति । यज्ञो वै कृष्णाजिनम् । इयं वै कृष्णाजिनम् । इयमु वै यज्ञः । अस्यां हि यज्ञस्तायते । द्यौः पुष्करपर्णम्, आपो वै द्यौः। आपः पुष्करपर्णम् । उत्तरो वा असावस्यै९

अथैनेऽअभिमृशति । सञ्ज्ञामेवाभ्यामेतत्करोति । " शर्म च स्थो वर्म च स्थः "-इति । शर्म च ह्यस्यैते वर्म च । "अच्छिद्रे बहुलेऽउभे"-इति । अच्छिद्रे ह्येते बहुलेऽउभे । " व्यचस्वती सम्वसाथाम् "-इति । अवकाशवती सम्वसाथामित्येतत् । " भृतमग्निं पुरीष्यम् "-(वा. सं. ११ । ३०) इति । बिभृतमग्निं पशव्यमित्येतत् ॥ १० ॥

योनिः ' च ' असि, ' ' समुद्रम् ' समुन्दनशीलमुदकम् अभितः 'पिन्वमानं' वर्द्धमानं भवसि, किञ्च ' पुष्करे ' ' वर्द्धमानः ' जात एव ' आ ' सर्वतः ' महान् ' आस्तरणात् महत्त्वम्, अत एव ' आ महान् '-इति पदद्वयस्य ' महीयस्व '-इति व्याख्यानम ॥

अन्तिमपादेन विसर्जनं विधत्ते-दिव इति । ' दिवः ' द्युलोकस्य ' मात्रया ' परिमाणेन ' वरिम्णा ' अतिशयेनोरुणा त्वं ' प्रथस्व ' विस्तीर्णो भव । पादं व्याचष्टे-असौ वा आदित्य इति । यतः ' एषः अग्निः ' ' आदित्यः ' अतो लोकत्रयमस्य ' वरिमा ' उरुत्वम् ' एतम् ' आदित्यात्मकं ' यन्तुं ' परिच्छेत्तुं नार्हतीति । अतो ' द्यौः ' द्युलोकात्मकं भूत्वा ' एनं ' मृत्पिण्डं यच्छ परिच्छिन्नं कुर्विति पुष्करपर्णप्रार्थना ॥ ८ ॥

तदास्तरणस्य प्रदेशमाह-तदुत्तरं कृष्णाजिनादिति । ' तत् ' पुष्करपर्णं ' कृष्णाजिनात् ' ' उत्तरं ' तस्योपरि ' आस्तृणाति ' । एकस्योपरि अन्यस्यास्तरणं भूलोकद्युलोकात्मना प्रशंसति-यज्ञो वा इति । कृष्णाजिनपुष्करपर्णयोः भूलोकद्युलोकात्मत्वेन तयोर्यथा उत्तराधरभावः, एवं लोकयोरुत्तराधरभावो दृश्यत इत्याह-उत्तरो वा असावस्या इति । ' असौ ' द्यौः । ' अस्यै ' भूम्याः ॥ ९ ॥

अथ तयोः कृष्णाजिनपुष्करपर्णयोः युगपदभिमर्शनं विधत्ते-अथैने अभिमृशतीति । शक्यत्वादुभयोर्युगपदा-

(त्सं) सुंव्वसाथाॅ स्वर्व्विदा समीची ऽउरसाऽऽत्मनेति सुंव्वसाथामेनॅ स्वर्व्विदा समीचीऽउरसा चात्मना चेत्येतदग्निमन्तर्भरिष्यन्ती ज्योतिष्मन्तमजस्रमिदित्यसौ वाऽआदित्य एषोऽग्निः सऽएष ज्योतिष्मानजस्रस्तमेतेऽअन्तरा बिभृतस्तस्मादाह ज्योतिष्मन्तमजस्रमिदिति ॥ ११ ॥

द्वाभ्यामभिमृशति । द्विपाद्यजमानो यजमानोऽग्निर्यावानग्निर्यावत्यस्य मात्रा तावतैवाभ्यामेतत्सञ्ज्ञां करोत्यथो द्वयॅ ह्येवैतद्रूपं कृष्णाजिनं च पुष्करपर्णं च ॥ १२ ॥

इति तृतीयप्रपाठके द्वितीयं ब्राह्मणम् ॥ ६-३-२ ॥ (४. १.) ॥

" सम्वसाथां स्वर्विदा समीचीऽउरसाऽऽत्मना "-इति। सम्वसाथामेनं स्वर्विदा समीचीऽउरसा चात्मना चेत्येतत् । " अग्निमन्तर्भरिष्यन्ती ज्योतिष्मन्तमजस्रमित् "-(वा. सं. ११।३१) इति। असौ वाऽआदित्य एषोऽग्निः । स एष ज्योतिष्मानजस्रः। तमेतेऽअन्तरा बिभृतः। तस्मादाह-ज्योतिष्मन्तमजस्रमिदिति ॥ ११ ॥

द्वाभ्यामभिमृशति। द्विपाद्यजमानः। यजमानोऽग्निः। यावानग्निर्यावत्यस्य मात्रा-तावतैवाभ्यामेतत् सञ्ज्ञां करोति। अथो द्वयं ह्येवैतद्रूपम्। कृष्णाजिनं च पुष्करपर्णं च॥ १२ ॥

लम्भनम्। सञ्ज्ञामिति। समानसञ्ज्ञम् 'एतत्' एतेन अभिमर्शनेन 'करोति' कृतवान् भवति। तत्र मन्त्रद्वयं विधत्ते-**शर्म च स्थ** इति। कृष्णाजिनपुष्करपर्णे सम्बोध्ये 'शर्म' शरणं 'च' 'स्थः' युवयोरुपरि निधीयमानस्य मृत्पिण्डस्य 'शरणं' भवथः 'वर्म' कवचं 'च' अस्य 'स्थः' भवथः। 'अच्छिद्रे' छिद्ररहिते 'बहुले' महाप्राणे 'उभे' युवां 'व्यचस्वती' अवकाशवत्यौ भूत्वा 'संवसाथाम्' आच्छादयतं मृदम्। वसेराच्छादनार्थस्य रूपम् (धा. पा. अ. आ. १३)। 'पुरीष्यं' पशव्यम् अग्निम् 'भृतम्'। भृञो लोटि बहुलवचनाद् द्विर्वचनाभावः। एतयोः शरणत्वं कवचत्वं मृत्पिण्डमुद्दिश्य व्याचष्टे-**शर्म च ह्यस्यैते वर्म चेति** ॥ १० ॥

संवसाथामिति। 'समीची' समञ्चने, युवां कृष्णाजिनपुष्करपर्णे 'उरसा' हृदयेन विज्ञानेन, 'आत्मना' अवयवसंस्थानेन च 'संवसाथाम्' सञ्छादयतम् 'एनं' मृद्रूपमग्निम्। किमर्थम्? 'स्वर्विदा' स्वर्गलाभाद्धेतोः; 'अजस्रम्' अनुपक्षीणम् 'इत्' एव 'ज्योतिष्मन्तम्' तेजस्विनम् 'अग्निम्', 'अन्तरा' युवयोर्मध्यप्रदेशे 'भरिष्यन्ती' धारयमाणे भवेतमिति शेषः। द्वितीयमन्त्रस्योत्तरार्द्धं व्याचष्टे-**असौ वा आदित्य इति** ॥ ११ ॥

अभिमर्शनमन्त्रगतां द्वित्वसङ्ख्यां यजमानाग्निरूपेण प्रशंसति-**द्वाभ्यामिति**, व्याख्यातम् (श. प. ६। ३।३।२१४) ॥ १२ ॥

इति श्रीसायणाचार्यविरचिते माधवीये वेदार्थप्रकाशे माध्यन्दिनीयशतपथब्राह्मणभाष्ये षष्ठकाण्डे चतुर्थेऽध्याये प्रथमं ब्राह्मणम् ॥ (६-४-१) ॥

अथ मृत्पिण्डमभिमृशति । पुरीष्योऽसीति पशव्योऽसीत्येतद्विश्वम्भरा ऽइत्येष हीदꣳ सर्व्वं बिभर्त्यथर्व्वा त्वा प्रथमो निरमन्थदग्नऽइति प्राणो वाऽअथर्व्वा प्राणो वाऽएतमग्रे निरमन्थत्तद्योऽसावग्रेऽग्निरसृज्यत सोऽसीति तदाह तमेवैनमेतत्करोति ॥ १ ॥

(त्यु) अथैनं परिगृह्णाति । (त्यु) अभ्र्या च दक्षिणतो हस्तेन च हस्तेनैवोत्तरतस्त्वामग्ने पुष्करादध्यथर्व्वा निरमन्थतेत्यापो वै पुष्करं प्राणोऽथर्व्वा प्राणो वाऽएतमग्रेऽद्भ्यो निरमन्थन्मूर्ध्नो विश्वस्य वाघतऽ इत्यस्य सर्व्वस्य मूर्धऽ इत्येतत् ॥ २ ॥

अथ मृत्पिण्डमभिमृशति । " पुरीष्योऽसि "–इति । पशव्योऽसीत्येतत् । " विश्वंभराः "–इति । एष हीदं सर्वं बिभर्त्ति । " अथर्वा त्वा प्रथमो निरमन्थदग्ने "–(वा० सं० ११। ३२) इति । प्राणो वाऽअथर्वा, प्राणो वाऽएतमग्रे निरमन्थत् । तद् योऽसावग्रेऽग्निरसृज्यत–सोऽसीति । तदाह । तमेवैनमेतत्करोति ॥ १ ॥

अथैनं परिगृह्णाति–अभ्र्या च, दक्षिणतो हस्तेन च । हस्तेनैवोत्तरतः । " त्वामग्ने पुष्करादध्यथर्वा निरमन्थत "–इति । आपो वै पुष्करम्, प्राणोऽथर्वा । प्राणो वाऽएतमग्रेऽद्भ्यो निरमन्थत् । " मूर्ध्नो विश्वस्य वाघतः "–(वा. सं ११ । ३२) इति । अस्य सर्वस्य मूर्ध्न इत्येतत् ॥ २ ॥

कात्यायनः–" पिण्डं पुरीष्योऽसीति, पाणिभ्यां परिगृह्णात्येनं दक्षिणोत्तराभ्यां, दक्षिणः साभ्रिस्त्वामग्न इति षड्भिः सर्वं सकृद् धृत्वा, पुष्करपर्णे निदधाति "–(का. श्रौ. सू. १६ । ६९ । ७०) " त्वामग्ने "–इत्यादिभिः षड्भिः ऋग्भिः यावदपेक्षितां मृदं ' सर्वं ' ' सकृत् ' एकवारमेव गृहीत्वा ' पुष्करपर्णे ' निदध्यादिति । तदिदं द्वितीयम् । प्रथमतो ' मृत्पिण्डं ' " पुरीष्योऽसि " इति मन्त्रेण आलभते । अथ दक्षिणोत्तराभ्यां ' पाणिभ्याम् ' ' एनं ' ' परिगृह्णाति ' । तत्र ' दक्षिणः ' हस्तः ' साभ्रिः ' अभ्रिसहितः, वामस्तु केवलः । अथ तद् ब्राह्मणेन विधीयते–अथ मृत्पिण्डमिति ॥

मृत्पिण्डाभिमर्शनयजुषोऽयमर्थः–हे ' अग्ने ! ' त्वम् ' पुरीष्यः ' पशुहितः ' असि, ' ' विश्वम्भराः ' भूलोकस्य सर्वस्य धारकश्च; चीयमानाग्नेर्विराड्रूपत्वात् । 'अथर्वा' अरणवान्, प्राणः 'प्रथमः' पूर्वः 'त्वा' त्वां 'निरमन्थत्' निर्मथितवान् । पुरीष्योऽसीति सिद्धवत्कथनेन यदुक्तम्, तदुपपादयति–पशव्योऽसीति । " प्राणो वा अथर्वा "–इत्यर्थवादादस्य सिद्धवदर्थकथनम्–तद् योऽसावग्रेऽग्निरसृज्यत सोऽसीतीति । पूर्वं योऽग्निः सृष्टः, तमेतं पुरीष्योऽसीत्यनेनोक्तवान् भवतीत्यर्थः ॥ १ ॥

अथैनामिति । ' परिगृह्णाति ' मृत्पिण्डं धारयन् प्राङ्मुखस्याध्वर्योः ' दक्षिणतः ' प्रदेशे वर्तमानः, दक्षिणो हस्तः साभ्रिः, उत्तरतः केवलः, ताभ्यां पाणिभ्यां धारयेत । ग्रहणमन्त्रान् विधत्ते–त्वामग्ने पुष्करादधि–इत्यारभ्य, ताः षट् सम्पद्यन्ते–इत्यतः प्राक्तनेन । तत्राद्यास्तिस्रो गायत्र्यः, त्रिष्टुभौ द्वे, षष्ठी बृहती । "त्वामग्ने"

१५३४

(यु) तमु त्वा दध्यङ्ङृषिः । पुत्र ईधेऽअथर्वणऽइति व्वाग्वै दध्यङ्ङाथर्वणः सऽ एनं ततऽ ऐन्द्ध व्वृत्रहणं पुरन्दरमिति पाप्मा वै व्वृत्रः पाप्महनं पुरन्दरमित्येतत् ॥ ३ ॥

(यु)तमु त्वा पाथ्यो व्वृषा । समीधे दस्युहन्तममिति मनो वै पाथ्यो व्वृषा सऽ एनं ततऽ ऐन्द्ध धनञ्जयँ रणेरणऽइति यथैव यजुस्तथा बन्धुः ॥ ४ ॥

(गां) गायत्रीभिः । प्राणो गायत्री प्राणमेवास्मिन्नेतद्दधाति तिसृभिस्त्रयो वै प्राणाः प्राणऽउदानो व्यानस्तानेवास्मिन्नेतद्दधाति तासां नव पदानि नव वै प्राणाः सप्त शीर्षन्नवाञ्चौ द्वौ तानेवास्मिन्नेतद्दधाति ॥ ५ ॥

"तमु त्वा दध्यङ्ङृषिः पुत्र ईधेऽअथर्वणः"—इति । वाग्वै दध्यङ्ङाथर्वणः । स एनं तत ऐन्द्ध । "वृत्रहणं पुरन्दरम्"—(वा. सं. ११ । ३३) इति । पाप्मा वै वृत्रः । पाप्महनं पुरन्दरमित्येतत् ॥ ३ ॥

"तमु त्वा पाथ्यो वृषा समीधे दस्युहन्तमम्"—इति । मनो वै पाथ्यो वृषा, स एनं तत ऐन्द्ध । "धनञ्जयं रणे रणे"—(वा. सं. ११।३४) इति । यथैव यजुस्तथा बन्धुः ॥ ४ ॥

गायत्रीभिः । प्राणो गायत्री । प्राणमेवास्मिन्नेतद्दधाति । तिसृभिः । त्रयो वै प्राणाः—प्राण उदानो व्यानः । तानेवास्मिन्नेतद्दधाति । तासां नव पदानि । नव वै प्राणाः—सप्त शीर्षन्, अवाञ्चौ द्वौ । तानेवास्मिन्नेतद्दधाति ॥ ५ ॥

इत्यस्यायमर्थः—हे 'अग्ने' 'त्वाम्' 'अथर्वा' अरणशीलः प्राणः, 'पुष्करात्' उदकात्, 'अधि'—शब्दः पञ्चम्यर्थानुवादी, 'निरमन्थत' । अग्निं विशिनष्टि—विश्वस्य वाघत इति । 'मूर्ध्नः' मूर्द्धानम् । कर्मणि षष्ठी । पुष्कराथर्वपदयोरर्थमाह—आपो वै पुष्करं प्राणोऽथर्वेति ॥ २ ॥

द्वितीयामृचं विधत्ते—तमु त्वा दध्यङ्ङिति । 'अथर्वणः पुत्रः' 'दध्यङ्' नाम ऋषिः 'वृत्रहणं' वृत्रस्य पाप्मनः हन्तारम्, 'पुरन्दरं' असुरपुराणां दारयितारं 'त्वाम्' एव 'ईधे' दीपयति । "ञिइन्धी दीप्तौ" (धा. पा. रु. आ. ११) । लिटि "इन्धिभवतिभ्याञ्च"—(पा. सू. १।२।६) इति कित्त्वान्नलोपः । दध्यङ्ङाथर्वण इति मधुप्रवचनात् वाक्त्वेन श्रुतिः ॥ ३ ॥

तृतीयामृचं विधत्ते—तमु त्वा पाथ्य इति । पाथोऽन्नम्, तत्कार्यत्वात् तत्र भवः 'पाथ्यः' । "पाथोनदीभ्यां ड्यण्" (पा. सू. ४ । ४ । १११) बलम् । सर्वेन्द्रियानुग्राहकः । 'पाथ्यो वृषा'—इति मन उच्यते; "मनो वै पाथ्यो वृषा"—इति श्रुतौ व्याख्यानात् । 'दस्युहन्तमम्' शत्रूणामतिशयेन हन्तारम्, 'रणे' संग्रामे 'धनञ्जयं' धनस्य जेतारं 'त्वा' त्वां 'समीधे' । तृतीयपादो विस्पष्टार्थत्वाद् व्याख्यातुं नार्हतीत्याह—यथैव यजुः, तथा बन्धुरिति ॥ ४ ॥

उक्तानां तिसृणामृचां गायत्रीच्छन्दस्त्वमनूद्य प्रशंसति—गायत्रीभिः प्राण इति । गायत्र्याः प्राणरूपत्व-

(त्यु) अथैते त्रिष्टुभाऽउत्तरे भवतः । (८) आत्मा वै त्रिष्टुबात्मान-मेवास्यैताभ्याᳬं संस्करोति सीद होतः स्वुऽउ लोके चिकित्वानित्यग्निर्वै होता तस्यैष स्वो लोको यत्कृष्णाजिनं चिकित्वानिति विद्वानित्येतत्-त्सादया यज्ञᳬं सुकृतस्य योनाविति कृष्णाजिनं वै सुकृतस्य योनिर्देवा-वीर्देवान्हविषा यजास्तीति देवः सन्देवानवन्हविषा यजासीत्येतदग्ने बृह-द्यजमाने व्वयो धाऽ इति यजमानायाशिषमाशास्ते ॥ ६ ॥

नि होता होतृषदने व्विदानऽ इति । (त्य) अग्निर्वै होता कृष्णा-जिनᳬं होतृषदनं व्विदानऽइति व्विद्वानित्येतत्त्वेषो दीदिवाँ॥ऽअसद-त्सुदक्षऽ इति त्वेषो दीप्यमानोऽसदत्सुदक्षऽ इत्येतददब्धव्रतप्रमति-

---

अथैते त्रिष्टुभाऽउत्तरे भवतः । आत्मा वै त्रिष्टुप् । आत्मानमेवास्यैताभ्यां संस्करोति । "सीद होतः स्वऽउ लोके चिकित्वान्"–इति । अग्निर्वै होता । तस्यैष स्वो लोको–यत् कृष्णा-जिनम् चिकित्वान्–इति । विद्वानित्येतत् । "सादया यज्ञं सुकृतस्य योनौ"–इति । कृष्णाजिनं वै सुकृतस्य योनिः । "देवावीर्देवान् हविषा यजासि"–इति । देवः सन् देवा-नवन् हविषा यजासीत्येतत् । "अग्ने बृहद् यजमाने वयो धाः"–(वा० सं० ११ । ३५) इति । यजमानायाशिषमाशास्ते ॥ ६ ॥

"नि होता होतृषदने विदानः"–इति । अग्निर्वै होता । कृष्णाजिनं होतृषदनम् । विदान इति–विद्वानित्येतत् । "त्वेषो दीदिवान् असदत् सुदक्षः"– इति । त्वेषो दीप्यमानोऽसदत्सु-

---

मुक्तम् । मन्त्रगतत्रित्वसंख्यां प्राणोदानव्यानात्मना प्रशंसति–तिसृभिस्त्रयो वै प्राणा इति । एकैकस्या गायत्र्या ऋचः त्रयस्त्रयः पादाः । तासां नव पादान् सम्भूय नवप्राणात्मना प्रशंसति–तासां नव पदानि, नव वै प्राणा इति । एतेन मन्त्रत्रयेण मृत्पिण्डस्य परिग्रहे तस्यां मृदि प्राणानेव संहितवान् भवतीत्यर्थः ॥ ५॥

धारणमन्त्रेषु त्रिष्टुभावित्युक्तम्, तौ विधातुं तद्गतं छन्दः प्रशंसति–अथैतत्रिष्टुभा ऽउत्तरे भवत इति । त्रिष्टुभ आत्मरूपत्वं प्रागुक्तम्, ताभ्यां मन्त्राभ्यां धारणेन मृत्पिण्डस्यात्मानं स्वरूपमेव संस्कृतवान् भवति ॥

त्रिष्टुभौ विधत्ते–सीद होतरिति । हे 'होतः ! ' देवानामाह्वातः । मृद्रूपाग्ने ! 'स्वे' स्वकीये कृष्णाजिने 'सीद' निषीद । 'चिकित्वान्' विद्वान्, अस्मदीयं कर्म जानन्, तथा 'सुकृतस्य' सुष्ठु क्रियमाणस्य कर्मणो 'योनौ' स्थाने 'यज्ञं' 'सादय'। कृष्णाजिने विस्तीर्यमाणे व्रीह्यवघातः पेषणं सोमनिधानादिकं च भवतीति 'देवावीः' । "अवितृस्तृतन्त्रिभ्य ईः" (उ. ३ पा. १९८ सू.) । देवान् त्वं सपर्यन् 'हविषा' 'अवन्' 'यजासि' यजतेः पञ्चमे लकारे रूपम् । हे 'अग्ने' ! 'यजमाने' 'बृहत्' प्रभूतं 'वयः' धनं 'धाः' धेहि ॥ ६ ॥

नि होतेति । मन्त्रं प्रतिपाद्यमनूद्य व्याचष्टे–अग्निर्वै होतेति । 'नि'–इत्युपसर्गः 'असदद्'–इति

र्व्वसिष्ठऽइत्युदब्धव्रतप्रमतिर्ह्येष र्व्वसिष्ठः सहस्रम्भरः शुचिजिह्वोऽअग्निरिति सुर्व्वं वै सहस्रᳪ सर्व्वम्भरः शुचिजिह्वोऽग्निरित्येतद्द्वाभ्यामाग्नेयीभ्यां त्रिष्टुब्भ्यां तस्योक्तो बन्धुः ॥ ७ ॥

(३) अथैषा बृहत्युत्तमा भवति । बृहतीं वाऽएष सञ्चितोऽभिसम्पद्यते याद्दग्वै योनौ रेतः सिच्यते तादृग्जायते तद्यदेतामत्र बृहतीं करोति तस्मादेष सञ्चितो बृहतीमभिसम्पद्यते ॥ ८ ॥

दक्षः–इत्येतत् । " अदब्धव्रतप्रमतिर्वसिष्ठः"–इति । अदब्धव्रतप्रमतिर्ह्येष वसिष्ठः । " सहस्रम्भरः शुचिजिह्वोऽअग्निः"–(वा. सं. ११ । ३६) इति । सर्वं वै सहस्रम् । सर्वम्भरः शुचिजिह्वोऽग्निरित्येतत् । द्वाभ्यामाग्नेयीभ्यां त्रिष्टुब्भ्याम् । तस्योक्तो बन्धुः ॥ ७ ॥

अथैषा बृहत्युत्तमा भवति । बृहतीं वाऽएष सञ्चितोऽभिसम्पद्यते । यादृग्वै योनौ रेतः सिच्यते–तादृग् जायते । तद्यदेतामत्र बृहतीं करोति–तस्मादेष सञ्चितो बृहतीमभिसम्पद्यते ॥ ८ ॥

क्रियया सम्बध्यते, निषीदति । ' होता ' आह्वाता योऽग्निः, ' होतृषदने ' अग्नेः सदने कृष्णाजिने ' विदानः ' कर्म जानन् , ' त्वेषः ' " त्विष दीप्तौ "–(धा. पा. भ्वा. उ. १००१) दीप्यमानः, ' दीदिवान् , ' ' सुदक्षः ' सुबलः, साधु क्षिप्रकारी वा ' अदब्धव्रतप्रमतिः ' अनुपहतकर्मविषयप्रकृष्टमतिः ' वसिष्ठः ' वसुमत्तरः, ' सहस्रम्भरः ' सर्वस्य भर्त्ता, यद्वा " हृग्रहोर्भः "–(पा. सू. ८ । २ । ३२ वा.) सहस्रधा विह्रियमाणः । तथा चैतरेयकब्राह्मणम्–" एष ह वा अस्य सहस्रंभरता यदेनमेकं सन्तं बहुधा विहरन्ति " इति । अनयोर्ऋचोर्द्वित्वसङ्ख्याऽऽग्नेयत्रिष्टुप्स्तावकं ब्राह्मणमतिदिशति–**तस्योक्तो बन्धुरिति** । " आ त्वा जिघर्मि " इत्येताभ्यां व्यतिषक्ताभ्यामाहुतिद्वयं कार्यमित्यत्र प्रकरणे " द्वाभ्यामभिजुहोति–द्विपाद् यजमानः " (श. प. ६ । ३ । १ । २१) इत्यादिना ॥ ७ ॥

षष्ठीमृचं विधातुं तद्गतं बृहतीच्छन्दः प्रशंसति–**अथैषा बृहतीति** । एषा वक्ष्यमाणा । **बृहतीं वा एष इति** । 'सञ्चितः' अग्निः 'बृहतीम्' ' अभिसम्पद्यते ' सम्पत्त्यक्षरसङ्ख्याको भवति; अथाप्युत्तरत्र बृहतीसम्पत्तिराम्नास्यते । सामान्येनायं सम्पत्तिप्रकारः,–संवत्सररूपोऽग्निरिति प्रागुक्तम् । तत्र संवत्सरे द्वादश पौर्णमास्यः, द्वादश कृष्णाष्टम्यः, द्वादशामावास्याः, ताः षट्त्रिंशत् संवत्सरे धार्यमाणेऽग्नौ सम्पद्यन्ते, बृहत्यपि षट्त्रिंशदक्षरेति तत्साम्यम् ।

एवं तर्हि अग्निचयनकर्मान्ते सम्पत्तिर्वक्तव्येति चेत्, तत्राह–**यादृग्वै योनाविति** । ' योनौ यादृग् रेतः सिच्यते, ' ' तादृग् ' एवोत्तरं ' जायते ' । अत इदानीं बीजभूतमृद्रूपाग्नेः बृहत्या धारणे बृहत्यात्मकत्वमेव तस्य सम्पादितवान् भवति ॥ ८ ॥

सुᳲँ सीदस्व मह्वा२॥ऽअसीति । (ती) इदुमेवैतद्रेतः सिक्तᳲँ सᳲँसादयति तुस्माद्योनौ रेतः सिक्तᳲँ सᳲँसीदति शोचस्व देववीतम ऽइति दीप्यस्व देववीतमऽइत्येतद्वि धूममग्नेऽअरुषं मियेध्य सृज प्रशस्त दर्शतमिति यदा वाऽएष समिध्यतेऽथैष धूममरुषं विसृजते दर्शतमिति ददृशऽइव ह्येषः ॥ ९ ॥

(षु ताः) ताः षट् सुम्पद्यन्ते । षुड्तवः संव्वत्सरः संव्वत्सरोऽग्निर्यावानग्निर्यावत्यस्य मात्रा तावत्तद्भवति यद्वेव संव्वत्सरमभिसम्पद्यते तद्बृहतीमभिसम्पद्यते बृहती हि संव्वत्सरो द्वादश पौर्णमास्यो द्वादशाष्टका द्वादशामावास्यास्तत्षट्त्रिᳲँशत्षट्त्रिᳲँशदक्षरा बृहती तं दक्षिणत ऽउदञ्चमाहरति दक्षिणतो वा ऽउदग्योनौ रेतः सिच्यतऽएषो ऽअस्यैतर्हि योनिरविच्छेदमाहरति रेतसोऽविच्छेदाय ॥ १० ॥

इति तृतीयप्रपाठके तृतीयं ब्राह्मणम् ॥ ६।३।३ ॥ (४–२)

" संसीदस्व महान् असि "–इति । इदमेवैतद् रेतः सिक्तं संसादयति । तस्माद्योनौ रेतः सिक्तं संसीदति । " शोचस्व देववीतमः "–इति । दीप्यस्व देववीतमः–इत्येतत् । " वि धूममग्नेऽअरुषम्मियेध्य सृज प्रशस्त दर्शतम् "–(वा. सं. ११ । ३७) इति । यदा वाऽएष समिध्यते–अथैष धूममरुषं विसृजते । दर्शतमिति । ददृश ऽइव ह्येषः ॥ ९ ॥

ताः षट् सम्पद्यन्ते । षड्तवः संवत्सरः । संवत्सरोऽग्निः । यावानग्निर्यावत्यस्य मात्रा–तावत्तद् भवति । यद्वेव संवत्सरमभिसम्पद्यते–तद्बृहतीमभिसम्पद्यते । बृहती हि संवत्सरः । द्वादश पौर्णमास्यो, द्वादशाष्टकाः, द्वादशामावास्याः । तत् षट्त्रिंशत् । षट्त्रिंशदक्षरा बृहती । तं दक्षिणत उदञ्चमाहरति । दक्षिणतो वा उदग्योनौ रेतः सिच्यते । एषोऽस्यैतर्हि योनिरविच्छेदमाहरति–रेतसोऽविच्छेदाय ॥ १० ॥

तामृचं विधत्ते–संसीदस्व महानिति । हे 'अग्ने' ! मृद्रूप ! 'संसीदस्व' सम्यग् बीजात्मनाऽवतिष्ठस्व, यतो 'महान्' त्वम् 'असि' 'देववीतमः' अतिशयेन हविषा देवानां तर्पयितृतमः, त्वं 'शोचस्व' दीप्यस्व । हे 'मियेध्य' मेधो यज्ञस्तदर्हतीति हे 'प्रशस्त' प्रकर्षेण स्तुत । अग्ने ! दर्शतम्' दर्शनीयम्, 'अरुषम्' अरोचमानं धूमं 'विसृज' ॥

मन्त्रं व्याचष्टे–इदमेवैतादिति । उत्पत्स्यमानाग्ने रेतोरूपत्वात् मृत्पिण्डस्य बाहुभ्यां धारणं नाम योनौ सिक्तस्य रेतसः संसादनमित्यर्थः । 'धूमं विसृज'–इति यदुक्तम्, तदुपपादयति–यदा वा एष समिध्यत इति ॥ ९ ॥

परिग्रहणे विनियुक्तानां मन्त्राणां संख्यां सम्भूय संवत्सरात्म्यात्मना प्रशंसति–ताः षट् सम्पद्यन्त इति ।

अथ तत्राप उपनिनयति । यद्वाऽअस्यै क्षतं यद्विलिष्टमद्भिर्वै तत्सन्धीयतेऽद्भिरेवास्याऽएतत्क्षतं विलिष्टꣳ सन्तनोति सन्दधाति ॥ १ ॥

(त्य) अपो देवीरुपसृज । मधुमतीरयक्ष्माय प्रजाभ्यऽ इति रसो वै मधु रसवतीरयक्ष्मत्वाय प्रजाभ्यऽ इत्येतत्तासामास्थानादुज्जिहतामोषधयः सुपिप्पलाऽइत्यपां वाऽआस्थानादुज्जिहतऽओषधयः सुपिप्पलाः ॥ २ ॥

अथ तत्राप उपनिनयति । यद्वाऽअस्यै क्षतम्, यद्विलिष्टम्–अद्भिर्वै तत् सन्धीयते । अद्भिरेवास्याऽएतत् क्षतं विलिष्टं सन्तनोति, सन्दधाति ॥ १ ॥

" अपो देवीरुपसृज मधुमतीरयक्ष्माय प्रजाभ्यः "–इति । रसो वै मधु । रसवतीरयक्ष्मत्वाय प्रजाभ्य इत्येतत् । " तासामास्थानादुज्जिहतामोषधयः सुपिप्पलाः "–(वा. सं. ११ । ३८) इति । अपां वाऽआस्थानादुज्जिहतऽओषधयः सुपिप्पलाः ॥ २ ॥

प्रकारान्तरेण स्तोतुमनुवदति–यद्वेव संवत्सरमिति । संवत्सरे तावद्द्वादश पौर्णमास्यः, द्वादशाष्टकाः, द्वादशामावास्याः; एवं षट्त्रिंशत्संख्या सम्पद्यते, बृहत्या अपि षट्त्रिंशदक्षरत्वात् संवत्सरसञ्चितोऽग्निः बृहत्यात्मना सम्पद्यत इत्यर्थः ॥

विधत्ते–तं दक्षिणत उदञ्चमिति । 'तं' मृत्पिण्डं 'दक्षिणतः' प्रदेशात् 'उदञ्चम्' उदङ्मुखम् आहरेत् । तत् प्रशंसति–दक्षिणतो वा इति । यतो लोके दक्षिणतः स्थितेन पुरुषेण, वामभागे स्थितायाः स्त्रियाः 'योनौ रेतः सिच्यते' 'एतर्हि' इदानीं मध्ये धार्यमाणस्याग्नेः एषः मृत्पिण्डो 'योनिः' 'अविच्छेदं' विच्छेदराहित्येन मृत्पिण्डाहरणं कर्त्तव्यम्; 'रेतसः' रेतोभूतस्याग्नेः 'अविच्छेदाय' इति ॥ १० ॥

इति श्रीसायणाचार्यविरचिते माधवीये वेदार्थप्रकाशे माध्यन्दिनशतपथब्राह्मणभाष्ये
षष्ठकाण्डे चतुर्थेऽध्याये द्वितीयं ब्राह्मणम् ॥ (६–४–२) ॥

कात्यायनः–"अपः श्वभ्रेऽवनयत्यपो देवीरिति" (का. श्रौ. सू. १६ । ७१) इति । उदकं निनयेत् । तद्विधत्ते–अथ तत्राप उपनिनयतीति । अनन्तरं 'तत्र' 'अपः' 'निनयेत्' आसिञ्चेत् । तत् प्रशंसति–यद्वा अस्यै क्षतमिति । 'अस्यै' षष्ठ्यर्थः । पृथिव्याः यत् 'क्षतं' खण्डितम, 'यत्' च 'विलिष्टम,' " लिश अल्पीभावे "–(धा. पा. दि. आ. ७३) अल्पं स्थलम्, 'तत्' सर्वं स्थलम् 'अद्भिः' 'सन्धीयते' जलसन्धाने हि विषमं स्थलं समं भवति । तस्मादापः कुण्डे निषेयाः ॥ १ ॥

मन्त्रं विधत्ते–अपो देवीरिति । अत्राग्निः सम्बोध्यते । 'प्रजाभ्यः' प्रजानाम् 'अयक्ष्माय' यक्ष्मा व्याधिः तदभावाय, 'मधुमतीः' रसवतीः 'देवीः' द्योतमानाः 'अपः' 'उपसृज' आसिञ्च । आसां भूमिगतानामपाम् 'आस्थानात्' उदकसंसृष्टभूदेशात् 'सुपिप्पलाः' पिप्पलं पक्वं फलम्, सुफलाः, 'ओषधयः' फलपाकान्ताः शाल्यादयः 'उज्जिहताम्' उद्गच्छन्तु, रोहन्तु । " ओहाङ् गतौ " (धा. पा. जु. आ. ७) । 'अयक्ष्माय' इति पदं भावत्वेन व्याचष्टे–अयक्ष्मत्वायेति ॥ २ ॥

१५२१

११६

(ऽ) अ॒थैनां᳕ व्वा॒युना॒ स॒न्दधाति । यद्वाऽअ॑स्यै क्ष॒तं यद्वि॑लि॒ष्टं व्वा॒युना॒ वै तत्सन्धीयते व्वा॒युनै॒वास्याऽ एतत्क्ष॒तं व्वि॑लि॒ष्टꣳ स॒न्तनोति स॒न्दधाति ॥३॥

स॒न्ते व्वा॒युर्मा॒तरि॒श्वा द॒धात्वि॒ति । (त्य) अ॒यं वै व्वा॒युर्मा॒तरि॒श्वा योऽयं प॒वतऽउत्तानाया हृदयं यद्विकस्तमित्युत्तानाया ह्यस्याऽ एतद्धृदयं व्वि॒कस्तं यो दे॒वानां᳕ च॒रसि प्राण॒थेनेत्येष हि स॒र्व्वेषां दे॒वानां᳕ च॒रति प्राण॒थेन क॒स्मै दे॒व व्वषडस्तु तु॒भ्यमि॒ति प्र॒जाप॒तिर्व्वै क॒स्तस्माऽएवै-त॒दिमां᳕ व्वषट्करोति नो है॒तावत्यन्याऽऽहुतिरस्ति य॒थैषा ॥ ४ ॥

अथैनां वायुना सन्दधाति । यद्वाऽअस्यै क्षतम्, यद्विलिष्टम्—वायुना वै तत् सन्धीयते । वायुनै-वास्या एतत् क्षतं विलिष्टं सन्तनोति सन्दधाति ॥ ३ ॥

“ सन्ते वायुर्मातरिश्वा दधातु ”—इति । अयं वै वायुर्मातरिश्वा—योऽयं पवते । “ उत्ता-नाया हृदयं यद्विकस्तम् ”—इति । उत्तानाया ह्यस्या एतद्धृदयं विकस्तम् । “ यो देवानां चरसि प्राणथेन ”—इति । एष हि सर्वेषां देवानां चरति प्राणथेन । “ कस्मै देव वषडस्तु तुभ्यम् ”—(वा० सं० ११ । ३९) इति । प्रजापतिर्वै कः । तस्मा एवैतदिमां वषद् करोति । नो हैतावत्यन्याऽऽहुतिरस्ति—यथैषा ॥ ४ ॥

अत्र सूत्रम्—“सन्त इति वातमपक्षिपति”—(का.श्रौ.सू. १६।७२) इति । “सन्ते वायुर्मातरिश्वा”—इति मन्त्रेण वायुमवक्षिपेत्, मन्त्रपाठेनावटे वायुं पूरयेत् । तदिदं विधत्ते—अथैनां वायुना सन्दधातीति । ‘ एनां ’ खननभूमिम् । सन्धानवाक्यस्यार्थ इदानीमुक्तः । वायुना संधानं प्रशंसति—यद्वा अस्यै क्षतमिति । यथा लोके क्षतं श्वभ्रं निम्नस्थलं वायुना सन्धीयते । वायुसञ्चालितैः पर्णकण्टकादिकैः पूर्यते, एवमत्रापीति मन्तव्यम् ॥ ३ ॥

मन्त्रं विधत्ते—सन्ते वायुरिति । पूर्वोऽर्द्धर्चः, पृथिवीदेवत्यः, उत्तरो वायव्यः । ‘ उत्तानायाः ’ उन्मुखतया विस्तृतायाः ‘ ते ’ तव पृथिव्याः ‘ यत् ’ ‘ हृदयं ’ ‘ विकस्तम् ’ अवटकरणेन खातम् तत् ‘मातरिश्वा’ मातरि अन्तरिक्षे श्वसिति पवते इति ‘ मातरिश्वा ’ वायुः, ‘ सन्दधातु ’ सम्पूरयतु । उत्तरार्द्धे वायुं सम्बोध्योच्यते । ‘ यः ’ च त्वं ‘ देवानाम् ’ अग्न्यादीनां वागादिदेवानां वा ‘ प्राणथेन ’ प्राणत्वेन ‘ चरसि ’ । वायौ सति वागादीन्द्रियाणि चेष्टन्ते । हे ‘ देव ’ द्योतमान वायो ! ‘ कस्मै ’ कः प्रजापतिः तद्रूपाय ‘ तुभ्यं ’ ‘ वषद् अस्तु ’ । इयं पृथिवी वषड्भूता भवतु । ‘ क ’—पदस्यार्थमाह—प्रजापतिर्वै कः—इति । वषट्करणे-नाहुतिः कार्येति कृत्वा प्रशंसति—नो हैतावत्यन्याऽऽहुतिरिति । ‘ यथा ’ ‘ एषा ’ आहुतिः सन्धानकरी, एव-मन्या नास्तीत्यर्थः ॥ ४ ॥

(षाऽथै) अ॒थै॑नां दि॒ग्भिः सन्द॑धाति । य॒द्वाऽअ॒स्यै क्ष॒तं य॒द्विलि॑ष्टं दि॒ग्भिर्वै तत्सन्धी॑यते दि॒ग्भिरे॒वास्या॒ऽएत॒त्क्ष॒तं विलि॑ष्ट॒ꣳ सन्तनोति सन्द॑धाति स॒ऽइ॒मां चे॒मां च॑ दि॒शौ सन्द॑धाति त॒स्मादे॒ते दि॒शौ स॒ꣳहि॑तेऽ-अ॒थे॒मां चे॒मां च॑ त॒स्माद्धे॒वैते स॒ꣳहि॑ते॒ऽइत्य॒ग्रेऽथे॒ति ॥ अथे॒त्यथे॒ति त॒द्द-क्षिणा॒वृत्त॒द्धि दे॒व॒त्राऽन॒याऽन॒या वै भे॒षजं॑ क्रियते॒ऽन॒यैवैना॒मेत॒द्भिष॑ज्यति॥५॥

(त्यु) अ॒थ कृ॒ष्णाजि॑नं च॒ पुष्क॑रप॒र्णं च॑ समु॒द्गृह्णा॑ति । यो॒निर्वै पुष्क॑रप॒र्णं यो॒न्या तद्रे॑तः सि॒क्त॒ꣳ समु॒द्गृह्णा॑ति त॒स्माद्यो॒न्या रेतः॑ सि॒क्त॒ꣳ समु॒द्-गृह्यते सु॒जा॒तो ज्योति॑षा स॒ह शर्म॒ वरू॑थ॒मास॑द॒त्स्व॒रि॒ति सु॒जा॒तो ह्येष ज्योति॑षा स॒ह शर्म॑ चैत॒द्वरू॑थं च॒ स्वश्चा॒सी॒दा॒ति॑ ॥ ६ ॥

अथैनां दिग्भिः सन्दधाति । यद्वाऽअस्यै क्षतम्, यद्विलिष्टम्–दिग्भिर्वै तत् सन्धीयते । दिग्भिरे-वास्या एतत् क्षतं विलिष्टं सन्तनोति सन्दधाति । स इमां चेमां च दिशौ सन्दधाति । तस्मादेते दिशौ संहिते । अथेमां चेमां च । तस्माद्धेवैते संहिते इत्यग्रे, अथेति, अथेति, अथेति–तद्दक्षिणाऽऽवृत् । तद्धि देवत्रा । अनया । अनया वै भेषजं क्रियते । अनयैवैनामेतद् भिषज्यति ॥ ५ ॥

अथ कृष्णाजिनं च पुष्करपर्णं च समुद्गृह्णाति । योनिर्वै पुष्करपर्णम् । योन्या तद् रेतः सिक्तं समुद्गृह्णाति । तस्माद्योन्या रेतः सिक्तं समुद्गृह्यते । "सुजातो ज्योतिषा सह शर्म वरूथ-मासदत् स्वः"–इति । सुजातो ह्येष ज्योतिषा सह शर्म चैतद्वरूथं च स्वश्चासीदाति ॥ ६ ॥

कात्यायनः–"अनामिकया संवपति पुरस्तात् पश्चाद् दक्षिणत उत्तरतश्च"–(का. श्रौ. सू. १६ । ७३) अनामिकाङ्गुल्या अवटस्य पुरस्तात् प्राच्या दिशः सकाशात् 'पांसुम्' अवटे संवपेत् । एवं प्रत्यगादिदिग्भ्यः सका-शात् । तत् विधत्ते–अथैनां दिग्भिः सन्दधातीति । तत्र क्रमं विधत्ते–स इमां चेमां च दिशौ सन्दधातीति । 'इमामिमाम्' इत्यभिनयेन प्राक्प्रतीच्यौ दिशौ विवक्ष्येते । एतयोर्विवक्षायां कारणमाह–'एते दिशौ' 'संहिते' । इमामिति लोकप्रसिद्धे प्राक्प्रतीच्याविति युज्यते, पुनः 'इमाञ्च'–इत्यनेन दक्षिणोदीच्यौ दिशौ विवक्ष्येते । अत्रापि संहितत्वमेव कारणम् । अथ चतुर्दिशं सन्धानप्रकारमभिनयेन दर्शयति–इत्यग्रेऽथेति । 'इति' एवम् 'अग्रे' प्रथमं प्राचीं दिशमित्यर्थः । इतरदिक्क्रियापेक्षया 'अथेति'–पदत्रयम् । उत्तरतः समापनं प्रशंसति–तद् दक्षिणाऽऽवृदिति । 'तत्' कर्म दक्षिणमावृदावर्त्तनं समापनं यस्य तद् भवति । 'तद्' दक्षिणावर्त्तनं कर्म 'देवत्रा' देवेषु तदर्हं भवतीत्यर्थः । तां चात्र करणभूतामङ्गुलिमभिनयेन दर्शयति–अनयेति । 'अनया' अनामिकाङ्गुल्या; भैषज्यक्रियासाधनत्वमस्या अङ्गुलेः प्रसिद्धमिति शब्दार्थः ॥ ५ ॥

अथास्तीर्णयोः कृष्णाजिनपुष्करपर्णयोः अन्तोद्ग्रहणं विधत्ते–अथ कृष्णाजिनं चेति । 'उद्ग्रहणम्' ऊर्ध्वकरणम् । पुष्करपर्णस्य योनित्वं प्रागुक्तम् । तद् विधत्ते–सुजात इति । 'ज्योतिषा' 'सह' संयुक्तः

१–आस्तीर्णयोरंतानुद्गृह्णाति सुजात इति । का. श्रौ. सू. १६ । ७४ ।

(त्यु) अथैनमुपनह्यति । योनौ तद्रेतो युनक्ति तस्माद्योनौ रेतो युक्तं न निष्पद्यते योक्त्रेण योक्त्रेण हि योग्यं युञ्जन्ति मौञ्जेन त्रिवृता तस्योक्तो बन्धुः ॥ ७ ॥

(स्त) तत्पर्यस्यति । वासो ऽअग्ने विश्वरूपꣳ संव्ययस्व विभावस-विति वरुण्या वै यज्ञे रज्जुरवरुण्यमेवैनदेतत्कृत्वा यथा वासः परिधा-पयेदेवं परिधापयति ॥ ८ ॥

अथैनमुपनह्यति । योनौ तद्रेतो युनक्ति । तस्माद्योनौ रेतो युक्तं न निष्पद्यते । योक्त्रेण । योक्त्रेण हि योग्यं युञ्जन्ति । मौञ्जेन त्रिवृता । तस्योक्तो बन्धुः ॥ ७ ॥

तत्पर्यस्यति । "वासोऽअग्ने विश्वरूपं संव्ययस्व विभावसो"–(वा० सं० ११ । ४०) इति । वरुण्या वै यज्ञे रज्जुः । अवरुण्यमेवैनदेतत् कृत्वा यथा वासः परिधापयेद्–एवं परिधापयति ॥ ८ ॥

सुजातोऽयमग्निः 'वरूथं' वरणीयं, 'स्वः' स्वर्गाख्यं, 'शर्म' शरणं गृहम् 'आसदत्' आसीददिति । सदेर्लुङि च्लेरङि रूपम् ॥ ६ ॥

अथ कृष्णाजिनपुष्करपर्णयोरुद्गृहीतत्वात् त्रिवृता मुञ्जयोक्त्रेण बध्नीयादिति विधत्ते–अथैनमुपनह्यतीति । "णह बन्धने"–(धा. पा. दि. प. ६०) । न निष्पद्यत इति । निष्पततीत्यर्थः । 'योक्त्रेण' दाम्ना 'योग्यं' योजनीयम्, अश्वाननादिबन्धनं च मौञ्जेन करणीयम् । तत्र "त्रिवृत्"–इत्यत्र पूर्वमुक्तं (श. प. ६।३।१।२७) ब्राह्मणमतिदिशति–तस्योक्तो बन्धुरिति ॥ ७ ॥

पूर्वमश्वरासभाजान् पशून् प्रस्तुत्य, ते मौञ्जीभिरभिधानीभिरभिहिता भवन्तीत्यादिना त्रिवृतो भवन्तीत्यनेन च रशनाविधानमुक्तम् (श. प. ६ । ३ । १ । २६ । २७) अथ योक्त्रस्य समन्त्रं वेष्टनं विधत्ते–तत् पर्यस्यति वास इति (का. श्रौ. सू. १६ । ७९) । 'तत्' योक्त्रं 'पर्यस्यति' परिवेष्टयति । हे 'विभावसो' दीप्तिभिर्वासयितः, दीप्तिधन ! वा हे 'अग्ने' 'विश्वरूपं' विचित्ररूपं 'वासः' 'संव्ययस्व' । "व्येञ् संवरणे" (धा. पा. भ्वा. उ. १०३२) । परिधत्स्व । योक्त्रबन्धने वासः संव्ययस्वेति वस्त्रपरिधापनोक्तेस्तात्पर्यमाह–वरुण्या वै यज्ञ इति । 'यज्ञे' हि 'रज्जुः' 'वरुण्या' वरुणदेवत्या भवति (श. प. १ । ३ । १ । १२ । १३ भाष्ये) । यथा–योक्त्रपरित्यागे-"प्र त्वा मुञ्चामि वरुणस्य पाशात्"–इति मन्त्रः, नैवम्; इह तु एतद् योक्त्रम् 'अवरुण्यं कृत्वा' 'यथा वासः परिधापयेत्' 'एवं तत्' इत्यभिप्रायेण "वासः०-०संव्ययस्व" इत्युक्तम् । पाशस्यैव हि वरुणो देवता, न वाससः इत्यर्थः ॥ ८ ॥

१–त्रिवृता मुञ्जयोक्त्रेणोपनह्यति वासोऽग्न इति । का. श्रौ. सू० १६ । ७५ ॥

(त्यु) अथैनमादायोत्तिष्ठति । (त्य) असौ वाऽआदित्य एषोऽग्निरमुं तदादित्यमुत्थापयत्युदु तिष्ठ स्वध्वरेत्यध्वरो वै यज्ञऽउदु तिष्ठ सुयज्ञियेत्येतदवा नो देव्या धियेति या ते दैवी धीस्तया नोऽवेत्येतद्दृशे च भासा बृहता सुशुक्वनिरिति दर्शनाय च भासा बृहता सुशुक्वनिरित्येतदाऽग्ने याहि सुशस्तिभिरिति ये वोढारस्ते सुशस्तयऽआऽग्ने याहि वोढृभिरित्येतत् ॥ ९ ॥

(द्) अथैनमित ऽऊर्ध्वं प्राञ्चं प्रगृह्णाति । (त्य) असौ वाऽआदित्य एषोऽग्निरमुं तदादित्यमित ऽऊर्ध्वं प्राञ्चं दधाति तस्मादसावादित्यऽइत ऽऊर्ध्वः प्राङ् धीयतऽऊर्ध्वऽऊ षु णऽऊतये तिष्ठा देवो न सवितेति यथैव यजुस्तथा बन्धुरूर्ध्वो वाजस्य सनितेत्यूर्ध्वो वा ऽएष तिष्ठन्वाजमन्नꣳ

अथैनमादायोत्तिष्ठति । असौ वाऽआदित्यः । एषोऽग्निः । अमुं तदादित्यमुत्थापयति । " उदु तिष्ठ स्वध्वर "–इति । अध्वरो वै यज्ञः । उदु तिष्ठ सुयज्ञियेत्येतत् । "अवा नो देव्या धिया "–इति । या ते दैवी धीः–तया नोऽवेत्येतत् । " दृशे च भासा बृहता सुशुक्वनिः "–इति । दर्शनाय च भासा बृहता सुशुक्वनिरित्येतत् । " आऽग्ने याहि सुशस्तिभिः "–(वा. सं. ११ । ४१) इति । ये वोढारस्ते सुशस्तयः । आऽग्ने याहि वोढृभिरित्येतत् ॥ ९ ॥

अथैनमित ऊर्ध्वं प्राञ्चं प्रगृह्णाति । असौ वाऽआदित्यः । एषोऽग्निः । अमुं तदादित्यमित ऊद्र्ध्वं प्राञ्चं दधाति । तस्मादसावादित्य इत ऊद्र्ध्वः प्राङ् धीयते । " ऊद्र्ध्व ऊ षु ण ऊतये तिष्ठा देवो न सविता "–इति । यथैव यजुस्तथा बन्धुः । " ऊद्र्ध्वो वाजस्य सनिता "–इति ।

विधत्ते–अथैनमादायोत्तिष्ठतीति[1] । ' एनं ' मृत्पिण्डमादाय ऊद्र्ध्वस्तिष्ठेत् । तत् प्रशंसति–असौ वा आदित्य इति । "त्रेधाऽऽत्मानं विकरोति,–अग्निं तृतीयं, वायुं तृतीयम् , आदित्यं तृतीयम्"–(तै. ब्रा. १ । ७।१।२) इति श्रुतेः । मृत्पिण्डोऽग्निरिति चोक्तम् । मृदमादायोत्थानेन अमुमादित्यमेवोत्थापितवान् भवतीति ॥

मन्त्रं विधत्ते–उदु तिष्ठ स्वध्वरेतीति । हे ' स्वध्वर ' सुयज्ञ ! ' उत्तिष्ठ ' ' उ '–शब्दोऽप्यर्थः । अपि च ' देव्या ' देवसम्बन्धिन्या ' धिया ' बुद्ध्या ' नः ' अस्मान् ' अव ' पालय । ' दृशे ' दर्शनाय ' बृहता भासा ' प्रौढेन तेजसा ' सुशुक्वनिः ' अत्यन्तं दीप्यमानः ' सुशस्तिभिः ' शोभनशिक्षितैः ' वोढृभिः ' अश्वैः ' आयाहि ' आगच्छ ' अग्ने ! ' मृद्रूप इति । सुशस्तिभिरितिपदस्यार्थमाह–ये वोढारस्ते सुशस्तय इति ॥ ९ ॥

अत्र सूत्रम्,–" ऊद्र्ध्वबाहुः प्राञ्चं प्रगृह्णात्यूद्र्ध्व ऊ षु ण इति । अवहृत्योपरिनाभि धारयन् " (का. श्रौ. सू. १६ । ७७ । ७८) इति । तदूद्र्ध्वधारणं विधत्ते–अथैनमित ऊद्र्ध्वमिति । ' इतः ' भूमेः

१–उत्तिष्ठति पिण्डमादायोदु तिष्ठेति । का. श्रौ. सू. १६ । ७६ ।

सनोति यदञ्जिभिर्व्वाघद्भिर्व्विह्वयामहऽइति रश्मयो वाऽएतस्याञ्जयो व्वाघतस्तानेतदाह परोबाहु प्रगृह्णाति परोबाहु ह्येष ऽइतोऽथैनमुपावहरति तमुपावहृत्योपरि नाभि धारयति तस्योपरि बन्धुः ॥ १० ॥

इति तृतीयप्रपाठके चतुर्थं ब्राह्मणम् ॥ ६-३-४ ॥ (४. ३.) ॥

हस्तऽएष भवत्यथ पशूनभिमन्त्रयते । (तऽ) एतद्वाऽएषु देवाः सम्भरिष्यन्तः पुरस्ताद्वीर्यमदधुस्तथैवैष्वयमेतत्सम्भरिष्यन्पुरस्ताद्वीर्यं दधाति १

ऊर्ध्वो वाऽएष तिष्ठन् वाजमन्नं सनोति । "यदञ्जिभिर्वाघद्भिर्विह्वयामहे"-(वा०सं० ११।४२) इति । रश्मयो वाऽएतस्याञ्जयो वाघतः । तानेतदाह । परोबाहु प्रगृह्णाति । परोबाहु ह्येष इतः । अथैनमुपावहरति । तमुपावहृत्योपरि नाभि धारयति । तस्योपरि बन्धुः ॥ १० ॥

हस्तऽएष भवति-अथ पशूनभिमन्त्रयते । एतद्वा ऽएषु देवाः सम्भरिष्यन्तः पुरस्ताद्वीर्यमदधुः । तथैवैष्वयमेतत्सम्भरिष्यन् पुरस्ताद्वीर्यं दधाति ॥ १ ॥

सकाशात् ' ऊर्ध्वम् ' प्राङ्मुखं प्रगृह्णीयात् । असौ वा आदित्य इत्यादि पूर्ववद् व्याख्येयम् । मन्त्रं विधत्ते-इत ऊर्ध्वः प्राङ् धीयत ऊर्ध्व इति । 'नः' अस्माकम् 'ऊतये' तर्पणाय सुष्ठु ' ऊर्ध्वः ' 'तिष्ठ' । तत्रोपमामाह-देव इति । ' न ' शब्द उपमार्थः । यथा सविता देवः ' वाजस्य ' अन्नस्य ' सनिता ' सम्भक्ता ' ऊर्ध्वः ' तिष्ठति ' यद् ' यस्मात् ' अञ्जिभिः ' अभिव्यञ्जकैः ' वाघद्भिः ' रश्मिभिः उपलक्षितं त्वां ' विह्वयामहे ' बहुविधमाह्वयामः । अत्र मन्त्रे पूर्वार्द्धं निगदव्याख्यातमिति दर्शयति-यथैव यजुः, तथा बन्धुरिति । उत्तरार्द्धे ' वाजस्य '-इत्यादेरर्थमाह-ऊर्ध्वो वा एष तिष्ठन्नित्यादिना । पूर्वमित ऊर्ध्वमिति सामान्येनोक्तम्, तद् विशिनष्टि-परोबाहु प्रगृह्णातीति । बाह्वोः परस्तात् अनूर्ध्वो बाह्वः, प्राञ्चमित्युद्गृह्णीते । मृत्पिण्डस्याधोनयनं विधत्ते-अथैनमुपावहरतीति । उपावहरणस्य अवधिं दर्शयति-तमुपावहृत्येति । उपरिनाभिधारणस्य स्तावकं ब्राह्मणमित्यतिदिशति-तस्योपरि बन्धुरिति । रुक्मधारणप्रस्तावे "यद्वेवोपरिनाभि अवाग् वै नाभे रेतः प्रजातिरिति ०—० एतद्वै पशोर्मेध्यतरं यदुपरिनाभि" (श. प. ६ । ७ । १ । ९ । १० कं.) इति च ॥ १० ॥

इति श्रीसायणाचार्यविरचिते माधवीये वेदार्थप्रकाशे माध्यन्दिनीयशतपथब्राह्मणभाष्ये षष्ठकाण्डे चतुर्थेऽध्याये तृतीयं ब्राह्मणम् ॥ (६-४-३) ॥

अथ मृत्पिण्डसाहित्येन पश्वभिमन्त्रणं विधत्ते-हस्त एष भवतीति । ' एषः ' मृत्पिण्डः । एतद्वा इत्यादेरयमर्थः-' एतद् ' इदानीं पिण्डसम्भरणकाले पश्वभिमन्त्रणेन एषु ' वीर्यं ' ' देवाः ' इव ' अयं ' यजमानोऽपि ' दधाति ' निहितवान् भवतीति ॥ १ ॥

सोऽश्वमभिमन्त्रयते । स जातो गर्भोऽअसि रोदस्योरितीमे वै द्यावापृथिवी रोदसी तयोरेष जातो गर्भोऽग्ने चारुर्विभृतऽओषधीष्विति सर्वासु ह्येष चारुर्विभृतऽओषधिषु चित्रः शिशुः परि तमाᳬंस्यक्तूनिति चित्रो वाऽएष शिशुः परेण तमाᳬंस्यक्तूनति रोचते प्र मातृभ्योऽअधि कनिक्रदद्गाऽ इत्योषधयो वाऽ एतस्य मातरस्ताभ्यऽ एष कनिक्रदत्प्रैति तदश्वे वीर्यं दधाति ॥ २ ॥

(त्यु) अथ रासभम् । (१) स्थिरो भव वीड्वङ्गऽ आशुर्भव वाज्यर्वन्निति स्थिरश्च भव वीड्वङ्गश्चाशुश्च भव वाजी चार्वन्नित्येतत्पृथुर्भव सुषदस्त्वमग्नेः पुरीषवाहणऽ इति पृथुर्भव सुशीमस्त्वमग्नेः पशव्यवाहन इत्येतत्तद्रासभे वीर्यं दधाति ॥ ३ ॥

सोऽश्वमभिमन्त्रयते–"स जातो गर्भोऽअसि रोदस्योः"–इति । इमे वै द्यावापृथिवी रोदसी । तयोरेष जातो गर्भः । "अग्ने चारुर्विभृत ओषधीषु"–इति । सर्वासु ह्येष चारुर्विभृत ओषधिषु । "चित्रः शिशुः परि तमाँस्यक्तून्"–इति । चित्रो वा ऽएष शिशुः परेण तमांस्यक्तूनतिरोचते । "प्र मातृभ्यो अधि कनिक्रदद्गाः"–(वा. सं. ११ । ४३) इति । ओषधयो वाऽएतस्य मातरः । ताभ्य एष कनिक्रदत्प्रैति । तदश्वे वीर्यं दधाति ॥ २ ॥

अथ रासभम्–" स्थिरो भव वीड्वङ्गः । आशुर्भव । वाज्यर्वन् "–इति । स्थिरश्च भव, वीड्वङ्गश्च, आशुश्च भव, वाजी च, अर्वन् ! इत्येतत् । "पृथुर्भव सुषदस्त्वमग्नेः पुरीषवाहणः"–(वा.सं. ११।४४) इति । पृथुर्भव सुशीमः, त्वमग्नेः पशव्यवाहन इत्येतत् । तद्रासभे वीर्यं दधाति॥३॥

पूर्वमश्वाभिमन्त्रणं विधत्ते–सोऽश्वमिति । अश्वोऽग्न्यात्मना स्तूयते–'स' त्वं 'रोदस्योः' द्यावापृथिव्योः 'गर्भः' इति 'जातः असि,' तथा 'ओषधीषु' ओषधिवनस्पत्यादिषु विषयेषु 'चारुः' 'विभृतः' विशेषेण सम्भृतोऽसि, 'चित्रः' चित्रवर्णः, 'शिशुः,' 'अक्तून्' अक्तुशब्दो रात्रिवचनः, तत्रत्यानि 'तमांसि' 'परि' योग्यक्रियाध्याहारः, परीत्य, अतिरोचत इति । 'मातृभ्यः'–इति चतुर्थी । शरीरस्योत्पादकत्वात् ओषधयोऽत्र मातृशब्दवाच्याः तदर्थम्, तद्भक्षणार्थं 'कनिक्रदत्' अत्यर्थं हेषितशब्दं कुर्वन् 'प्रगाः' प्रगच्छसि "इणो गा लुङि"–(पा. सू. २ । ४ । ४९) इति गादेशः । मन्त्रं प्रतिपादमनूद्य व्याचष्टे–इमे वै द्यावापृथिवी रोदसी इति ॥ २ ॥

रासभाभिमन्त्रणे मन्त्रं विधत्ते–अथ रासभं स्थिरो भवेति । हे 'अर्वन्' अरणवन् ! रासभ ! 'स्थिरः' निश्चलः 'भव' । 'वीड्वङ्गः' दृढाङ्गः, 'आशुः' शीघ्रगतिः, 'वाजी' वेगवाँश्च 'भव' इति । 'पृथुः' स्थूलः भव । 'सुषदः' शोभनसदनवान् भव । 'अग्नेः पुरीषवाहणः' गोमयस्य सैकतस्य वा वाहकत्वात् रासभस्य पुरीषवोढृत्वं प्रसिद्धम् ॥ ३ ॥

१–अश्वप्रभृतीनभिमंत्रयते स जात स्थिरो भव शिवो भवेति । का. श्रौ. सू. १६ । ७८

(त्यु) अथाजम् । (ॐ) शिवो भव प्रजाभ्यो मानुषीभ्यस्त्वमङ्गिरऽइत्यु-
ङ्गिरा वाऽअग्निराग्नेयोऽजः शमयत्येवैनमेतदहिंसायै मा द्यावापृथिवीऽ-
अभिशोचीर्माऽन्तरिक्षं मा व्वनस्पतीनित्येतत्सर्व्वं मा हिंसीरित्येतत्तदजे
व्वीर्यं दधाति ॥ ४ ॥

त्रिभिरभिमन्त्रयते । त्रिव्वृदग्निर्यावानग्निर्यावत्यस्य मात्रा तावतैवैष्वेत-
द्वीर्यं दधाति ॥ ५ ॥

(त्यु) अथैनमेतेषां पशूनामुपरिष्टात्प्रगृह्णाति । तदेनमेतैः पशुभिः सम्भ-
रति नोपस्पृशति व्वज्रो वै पशवो रेतऽइदं नेदिदं रेतो व्वज्रेण हिन-
सानीत्यथो ऽअग्निरयं पशवऽइमे नेदयमग्निरिमान्पशून्हिनसदिति ॥ ६ ॥

अथाजम्-" शिवो भव प्रजाभ्यो मानुषीभ्यस्त्वमङ्गिरः "-(वा. सं. ११ । ४५) इति । आङ्गिरा वाऽअग्निः । आग्नेयोऽजः । शमयत्येवैनमेतदहिंसायै । " मा द्यावापृथिवीऽअभिशोचीः, माऽन्तरिक्षम्, मा वनस्पतीन् "-(वा. सं. ११ । ४५) इति । एतत् सर्वं मा हिंसीरित्येतत् । तदजे वीर्यं दधाति ॥ ४ ॥

त्रिभिरभिमन्त्रयते । त्रिवृदग्निः । यावानग्निर्यावत्यस्य मात्रा तावतैवैष्वेतद्वीर्यं दधाति ॥ ५ ॥

अथैनमेतेषां पशूनामुपरिष्टात्प्रगृह्णाति । तदेनमेतैः पशुभिः सम्भरति । नोपस्पृशति । वज्रो वै पशवः । रेत इदम् । नेदिदं रेतो वज्रेण हिनसानीति । अथोऽअग्निरयम्, पशव इमे । नेदयमग्निरिमान् पशून् हिनसदिति ॥ ६ ॥

अजाभिमन्त्रणं विधत्ते-अथाजं शिवो भवेति । अङ्गिरःपदेन अग्निरुच्यते; तद्देवत्यत्वात् । हे 'अङ्गिरः' अग्निरूप ! अज ! त्वं 'मानुषीभ्यः प्रजाभ्यः' 'शिवो भव'। 'द्यावापृथिवी' 'मा अभिशोचीः' मा हिंसीः । तथा 'अन्तरिक्षं,' 'वनस्पतीन्' । सर्वत्र 'मा अभिशोचीः'-इति क्रियापदं सम्बद्धुम् मेति पदं प्रयुक्तम् । मन्त्रस्यार्द्धयोस्तात्पर्यमाह-आङ्गिरा वा अग्निरित्यादिना ॥ ४ ॥

अश्वादिपशुत्रयाभिमन्त्रणगतसङ्ख्यां प्रशंसति-त्रिभिरभिमन्त्रयत इति । अग्नेस्त्रिवृत्त्वं पुरस्तादुक्तम् ॥ ५ ॥

अत्र सूत्रम्-" धारयत्येषामुपरि पिण्डमनुपस्पृशन् "-(का. श्रौ. सू. १६ । ७९) इति । एषां त्रयाणां पशूनामुपरितनान् पशून् अनुपस्पृशन् पिण्डं धारयेदित्यर्थः । तदिदं विधत्ते-अथैनमेतेषां पशूनामिति । उपस्पर्शनाभावं प्रशंसति-वज्रो वै पशव इति । यतो वज्ररूपाः पशवः, मृत्पिण्डश्च रेतोरूपः, अतो वज्रेण रेतः विच्छिन्नं न करोमीति बुद्ध्या न स्पृशेत् पशून् । अथवा 'अयं' मृत्पिण्डो हि 'अग्निः,' अग्निः पशून् मा हिंसीदिति बुद्ध्या न स्पृशेत् । 'हिनसानि'-इति लोटि रूपम्, 'हिनसत्'-इति पञ्चमलकारे रूपम् ॥ ६ ॥

१५२६

तमुश्वस्योपरिष्टात्प्रगृह्णाति । प्रैतु व्वाजी कनिक्रददिति प्रैतु व्वाजी कनिक्रद्यमानऽ इत्येतन्नानदद्रासभः पत्वेति तदश्वस्य यजुषि रासभं निराह तद्रासभे शुचं दधाति भरन्नग्निं पुरीष्यं मा पाद्यायुषः पुरेति भरन्नग्निं पशव्यं मो ऽअस्मात्कर्मणः पुरा पादीत्येतत्तदेनमश्वेन सम्भरति ॥ ७ ॥

(त्यु) अथ रासभस्य । व्वृषाऽग्निं वृषणं भरन्निति व्वृषा वाऽअग्निर्व्वृषा रासभः स व्वृषा व्वृषाणं भरत्यपां गर्भᳬं समुद्रियमित्यपाᳬं ह्येष गर्भः समुद्रियस्तदेनᳬं रासभेन सम्भरति ॥ ८ ॥

तमश्वस्योपरिष्टात्प्रगृह्णाति । " प्रैतु वाजी कनिक्रदत् "–इति । प्रैतु वाजी कनिक्रधमान इत्येतत् । " नानदद्रासभः पत्वा "–इति । तदश्वस्य यजुषि रासभं निराह । तद्रासभे शुचं दधाति । " भरन्नग्निं पुरीष्यं मा पाद्यायुषः पुरा "–इति । भरन्नग्निं पशव्यं मोऽअस्मात्कर्मणः पुरा पादीत्येतत् । तदेनमश्वेन सम्भरति ॥ ७ ॥

अथ रासभस्य–" वृषाऽग्निं वृषणं भरन् "–इति । वृषा वाऽअग्निः । वृषा रासभः । स वृषा वृषाणं भरति । " अपाङ्गर्भं समुद्रियम् "–इति । अपां ह्येष गर्भः समुद्रियः । तदेनं रासभेन सम्भरति ॥ ८ ॥

अथाश्वस्योपरि धारणं समन्त्रं विधत्ते–तमश्वस्योपरिष्टादिति[1] । 'वाजी' अन्नवान् अश्वः 'प्रैतु' आगच्छतु । तं विशिनष्टि–'कनिक्रदत्' अत्यर्थशब्दं कुर्वन्, 'नानदत्' सर्वा दिशो नादयन् 'रासभः' उपमाशब्दलोपः, गर्दभः इव 'पत्वा' पतनशीलः । पतेः कनिपि रूपम् । 'पुरीष्यं' पशुहितम् 'अग्निम्' 'भरन्' धारयन्, 'आयुषः' कर्मणोऽस्मात् 'पुरा' 'मा पादि' मा विनश्यतु । पदेश्चिणि रूपम् ॥

अश्वस्योपरि धारणमन्त्रे रासभः पत्वेति गर्दभवचनस्य प्रयोजनमाह–तदश्वस्य यजुषि रासभं निराहेति । अश्वमन्त्रे रासभवचने तस्माद्रासभादश्वस्यातिशयितत्वोक्तेः तस्मिन् गर्दभे शोकबलराहित्यमेव निहितं भवतीति । 'आयुषः'–इतिपदस्यार्थमाह–कर्मणः इति ॥ ७ ॥

अथोत्तरा ऋक्, संहितायामेवमाम्नायते–" वृषाऽग्निं वृषणं भरन्नपाङ्गर्भं समुद्रियम्–अग्न आयाहि वीतये । ऋतं सत्यमृतं सत्यमग्निंपुरीष्यमङ्गिरस्वद् भरामः "–इति । महाबृहतीयम्; " चत्वारोऽष्टकाः पादा जागतश्च महाबृहती "–इति । तस्य विभज्य विनियोगो विधीयते । तत्र तस्याः पूर्वार्द्धे तु रासभस्योपरि धारणम्, तृतीयपादेनाजस्योपरि धारणाय रासभ–मृत्पिण्डहरणम्, चतुर्थेनाजस्योपरि धारणम्, पञ्चमेनानड्वापुरुषेक्षणम् । तदाह सूत्रकृत् " प्रैतु वाजी वृषाऽग्निमित्यश्वखरयोः, अग्न आयाहीत्याहृत्य खराच्छागस्यर्तं सत्यमित्यानिधानात्, आयन्त्यावर्त्य पशूनजः पुरस्ताद्रासभो मध्ये " स्वस्थानस्थितानामेवावृत्तिः " अनड्वापुरुषमीक्षते पूर्ववदग्नि

१–[illegible] का० श्रौ० सू० १६ । ७९ ।

२–[illegible] । किन्तु का० श्रौ० सू० १६ । ८१ [illegible] ।

(त्यु) अ॒थापा॑दत्ते । (त्तेऽग्न) अग्न॒ऽआया॑हि वी॒तय॒ ऽइत्यवि॑तव॒ ऽइत्ये॒-तत्तदे॑नं ब्र॒ह्मणा॑ य॒जुषै॒तस्मा॑च्छौ॒द्राद्व॒र्णाद॑पादत्ते ॥ ९ ॥

(त्तेऽथा) अ॒थाज॑स्य । (ऽ) ऋ॒तᳪ᳭ स॒त्यमृ॒तᳪ᳭ स॒त्यमि॒त्ययं॒ वा ऽअ॒ग्निर्ऋ॒तम॒सावा॑दि॒त्यः स॒त्यं य॒दि वा॑ऽसावृ॒तम॒यᳪ᳭ स॒त्यमु॒भय॑म्वे॒तद॒य-मा॒ग्निस्त॒स्मादा॒हऽर्तᳪ᳭ स॒त्यमृ॒तᳪ᳭ स॒त्यमि॒ति त॒देन॒मजे॑न स॒म्भरति ॥ १० ॥

अथापादत्ते–" अग्नऽआयाहि वीतये "–(वा. सं. ११ । ४६) इति । अवितवऽइत्येतत् । तदेनं ब्रह्मणा यजुषैतस्माच्छौद्राद्वर्णादपादत्ते ॥ ९ ॥

अथाजस्य । "ऋतं सत्यमृतं सत्यम्"–इति । अयं वाऽअग्निर्ऋतम्, असावादित्यः सत्यम् । यदि वाऽसावृतमयं सत्यम् । उभयम्वेतदयमग्निः । तस्मादाह–ऋतं सत्यमृतं सत्यमिति । तदेनमजेन सम्भरति ॥ १० ॥

पुरीष्यमिति "–(का. श्रौ. सू. १६ । ८२ ।) इति । तदिदं सर्वं विधत्ते–अथ रासभस्य वृषाऽग्निं वृषणमित्यादिना ॥

मन्त्रस्यायमर्थः–' वृषणं ' वर्षकं मृद्रूपम् ' अग्निं ' भरन् ' ' अपाङ्गर्भं ' गर्भभूतं, समुद्रे अन्तरिक्षे भवं ' समुद्रियं ' ' भरन् ' ' अग्निं ' मृद्रूपं ' वृष ' सिञ्च । वृषतेर्लोटि रूपम् । अत्रार्द्धे रासभः सम्बोध्यः ॥

ब्राह्मणे, वृषेति कन्प्रत्ययान्तं पदमिति व्याख्यातं–वृषा वा अग्निरिति । तत्रायमर्थः–' वृषा ' रेतसः सेक्ता ' रासभः ' ' वृषणम् ' अग्निं ' भरन्, ' तिष्ठतीति क्रियाध्याहारः । तृतीयपादे अग्निः सम्बोध्यः । हे ' अग्ने ' मृद्रूप ! ' वीतये ' तर्पणाय ' आयाहि ' रासभादागच्छ । ' ऋतम् ' अग्निः, ' सत्यम् ' आदित्यः; यद्वा, ' ऋतम् ' आदित्यः, ' सत्यम् ' अग्निः, उभयरूपमग्निम्, आहरिष्यामीति शेषः । ' पुरीष्यं ' पशुहित-मग्निम्, ' अङ्गिरस्वद् ' अग्निवत् ' भरामः ' सम्भराम इति ॥

मन्त्रगतानि पदानि व्याचष्टे–वृषा वा अग्निरिति । तदेनं रासभेनेति । मन्त्रस्य पूर्वार्द्धेन रासभस्योपरि मृत्पिण्डधारणेन तस्मिन् मृदं सम्भृतवान् भवति ॥ ८ ॥

खरात् सकाशात् मृदाहरणं समन्त्रं विधत्ते–अथापादत्त इति । " अग्न आयाहीति " तृतीयः पादः । ' वीतये '–इत्यस्यार्थमाह–अवितव इतीति । तर्पणार्थाद् वेतेः (धा. पा. अ.प. ३७६) "मन्त्रे वृषेष"–(पा. सू. ३ । ३ । ९६) इति क्तिन्, चोदात्तः । अपादानं प्रशंसति–तदेनं ब्रह्मणेति । ' एनं ' मृत्पिण्डं ' ब्रह्मणा ' ब्रह्मरूपेण ' यजुषा ' " अग्न आयाहि "–इति पादेन ' एतस्मात् ' ' शौद्रात् ' वर्णात् अपादत्त-वान् भवति । रासभस्य वैश्यशूद्रजातिसम्बन्धो वक्ष्यते–" वैश्यं च शूद्रं चानु रासभः "(१२कं) इति ॥९॥

अजस्योपरि धारणमन्त्रं विधत्ते–अथाजस्यर्त्तमिति । ऋतं सत्यमिति द्विवारं पठ्यते, तत्र प्रथमर्त्तसत्यपद-योरर्थमाह–अयं वा अग्निर्ऋतमिति । यदि वेति द्वितीयर्त्तसत्यपदयोरर्थवचनम् । ' असौ ' विप्रकृष्टः ' आदित्यः ' ' ऋतम्, ' ' अयमग्निः सत्यम्; ' उभयरूपोऽयमग्निर्मृद्रूपः ॥ १० ॥

त्रिभिः सुम्भरति । त्रिवृदग्निर्यावानग्निर्यावत्यस्य मात्रा तावतैवैनमेत-
त्सुम्भरति त्रिभिः पुरुस्तादभिमन्त्रयते तत्षट् तुस्योक्तो बुन्धुः ॥ ११ ॥
(र) अुथैतान्पशूनावर्तयन्ति । तेषामजः प्रथमुऽएत्युथ रासभोऽथाश्वो-
ऽथेतो यतामुश्वः प्रथमुऽएत्युथ रासभोऽथाजः क्षत्रं वा ऽअन्वुश्वो वैश्यं
च शूद्रं चानु रासभो ब्राह्मणमजः ॥ १२ ॥

(स्त) तद्युदितो यताम् । (म) अुश्वः प्रथम ऽएति तुस्मात्क्षत्रियं प्रथमं
युन्तमितरे त्रयो वुर्णाः पश्चादुनुयन्त्युथ युदमुतऽआयतामजः प्रथम
ऽएति तुस्माद्ब्राह्मणं प्रथमं युन्तमितरे त्रयो वुर्णाः पश्चादुनुयन्त्युथ युन्नै-
वेतो यतां नामुतो रासभः प्रथमऽएति तुस्मान्न कदाचन ब्राह्मणश्च क्षत्रि-
यश्च वैश्यं च शूद्रं च पश्चादन्वितस्तुस्मादेवं यन्त्युपापवस्यसायाथो
ब्रह्मणा चैवैतत्क्षत्रेण चैतौ वुर्णावभितः परिगृहीतौऽनपक्रमिणौ कुरुते ॥ १३ ॥

त्रिभिः सम्भरति । त्रिवृदग्निः । यावानग्निर्यावत्यस्य मात्रा–तावतैवैनमेतत्सम्भरति । त्रिभिः पुर-स्तादभिमन्त्रयते । तत्–षट् । तस्योक्तो बन्धुः ॥ ११ ॥

अथैतान् पशूनावर्तयन्ति । तेषामजः प्रथम एति, अथ रासभः,अथाश्वः। अथेतो यतामश्वः प्रथम एति, अथ रासभः, अथाजः । क्षत्रं वा अन्वश्वो, वैश्यं च शूद्रश्चानु रासभो, ब्राह्मणमजः ॥ १२ ॥

तद्यदितो यतामश्वः प्रथम एति । तस्मात् क्षत्रियं प्रथमं यन्तमितरे त्रयो वर्णाः पश्चादनुयन्ति । अथ यदमुत आयतामजः प्रथम एति–तस्माद् ब्राह्मणं प्रथमं यन्तमितरे त्रयो वर्णाः पश्चादनुयन्ति ।

अग्निम्पुरीष्यमिति मन्त्रशेषस्य विनियोग उत्तरत्र वक्ष्यते । इदानीमश्वादीनामुपरिधारणे विनियुक्तमन्त्रगत-सङ्ख्यां त्रिवृदग्न्यात्मना स्तौति–त्रिभिरिति । " प्रैतु वाजी "–इति एको मन्त्रः, "वृषाऽग्निम् "–इति महा-बृहत्यानपरः; रासभाजयोरुपरि धारणे विनियुक्तौ द्वौ मन्त्रौ । मन्त्रस्य लक्षणं याज्ञिकसमाख्यानमिति प्रागुक्तम् । अत एकस्यामप्यृचि विभज्य विनियोगान्मन्त्रा बहवः सम्पद्यन्त इत्यविरोधः ॥

पूर्वमश्वाद्यभिमन्त्रणे विनियुक्तमन्त्रसंख्यां मिलित्वा प्रशंसति–त्रिभिः पुरस्तादिति । अभिमन्त्रणमन्त्रास्त्रयः, धारणमन्त्रास्त्रयः; ते षट् सम्पद्यन्ते; तस्य स्तावकं ब्राह्मणमतिदिशति–तस्योक्तो बन्धुरिति । पिण्ड-परिग्रहमन्त्रसंख्याप्रस्तावे–" ताः षट् सम्पद्यन्ते, षड्वा ऋतवः "–(श. प. ६ । ४ । २ । १०) इत्यादिना ॥ ११ ॥

अथैतेषां पशूनामावर्त्तनं विधत्ते–अथैतान् पशूनिति । स्वस्थानावस्थितानामेवावर्त्तनम् । तत्रागन्तॄणां पशूनां क्रमं विधत्ते–तेषामजः प्रथम इति । पूर्वम् ' इतः ' मुदाहरणार्थं ' यतां ' गन्तॄणां ' पशूनां ' मध्ये

१–आयन्त्यावर्त्य पशूनजः पुरस्ताद्रासभो मध्ये । का. श्रौ. सू. १६ । ८१ ।

(तेऽथ) अथानड्वापुरुषमीक्षते। (तेऽग्निं) अग्निं पुरीष्यमङ्गिरस्वद्भराम ऽइत्यग्निं पशव्यमग्निवद्भरामऽ इत्येतत्तदेनमनड्वापुरुषेण सम्भरति १४

तमजस्योपरिष्टात्प्रगृह्णन्नेति। (त्या) आग्नेयो वा ऽअजः स्वेनैवैनमेतदात्मना स्वया देवतया सम्भरत्यथो ब्रह्म वाऽअजो ब्रह्मणैवैनमेतत्सम्भरति ॥ १५ ॥

अथ यन्नेवेतो यतां नामुतो–रासभः प्रथम एति–तस्मान्न कदाचन ब्राह्मणश्च क्षत्रियश्च वैश्यं च शूद्रं च पश्चादन्वितः। तस्मादेवं यन्ति–अपापवस्यसाय। अथो ब्रह्मणा चैवैतत् क्षत्रेण चैतौ वर्णावभितः परिगृह्णीते, अनपक्रामिणौ कुरुते ॥ १३ ॥

अथानड्वापुरुषमीक्षते। "अग्निं पुरीष्यमङ्गिरस्वद्भरामः"–इति। अग्निं पशव्यमग्निवद्भराम इत्येतत्। तदेनमनड्वापुरुषेण सम्भरति ॥ १४ ॥

तमजस्योपरिष्टात्प्रगृह्णन्नेति। आग्नेयो वाऽअजः। स्वेनैवैनमेतदात्मना स्वया देवतया सम्भरति। अथो ब्रह्म वाऽअजः। ब्रह्मणैवैनमेतत्सम्भरति ॥ १५ ॥

'अश्वः' प्रथमो गतः, 'रासभः' मध्ये, पश्चात् 'अजः' अधुना 'अजः' प्रथमः, 'रासभः' मध्ये, पश्चात् 'अश्वः'। गमनागमनयोरुभयोरपि रासभस्य मध्येऽवस्थानम्, अश्वाजयोरेव पौर्वापर्यम्। क्षत्रं वा अन्वश्वः–इत्यादेरयमर्थः–अश्वादिपशुत्रयस्य क्षत्रियजातिसम्बन्धः, क्षत्रियस्य राज्ञ इतरेभ्यस्त्रिभ्यो वैश्यशूद्रब्राह्मणेभ्यः पुरस्ताद् गमनं लोके दृष्टमिति। तत्र यथा पूर्वं गमनसमये अश्वस्य प्राथम्यम्, तथा ब्राह्मणस्यानूचानस्य स्वव्यतिरिक्तवर्णत्रयात् प्रथमगमनं च दृश्यत इति अधुना अजस्य प्राथम्यम्, वैश्यशूद्रयोः क्षत्रियाद् ब्राह्मणाद्वा पुरस्ताद्गमनं नास्तीति मृदाहरणसमये पुनरागमनसमये च रासभस्य न प्राथम्यम्। तस्मात् कारणादेवम्–यान्ति अश्वपूर्वाः प्रथमे अधुनाऽजपूर्वा आगच्छन्ति 'अपापवस्यसाय' पापपरिहाराय। ब्राह्मणेन क्षत्रियेण च 'एतौ' वैश्यशूद्रौ 'अभितः' मध्ये 'परिगृह्णीते, 'अनपक्रमिणौ' अनपक्रान्तौ कुरुते ॥ १२ ॥ १३ ॥

विमृचे–अथानड्वापुरुषमिति। तत्र पुरुषमिति गमनम्। अग्निं पुरीष्यमिति। तदीक्षणेन तेनापि 'अनड्वापुरुषेण' पुरुषपशुप्रतिनिधिना मृदं सम्भृतवान् भवति ॥ १४ ॥

विमृते–तमजस्योपरिष्टादिति। अजस्योपरि मृत्पिण्डं धारयन्नेव 'ऐति' आगच्छेदध्वर्युः। तथाविधं गमनमुभयथा प्रशंसति–आग्नेयो वा अज इति। 'अजः' अग्निदेवत्यः, मृदप्यग्निः; अतोऽजस्योपरि धारणात् स्वेन रूपेण स्वदेवत्यं च सम्भृतवान् भवति। अपि अजो ब्राह्मणजातीयः; ततो ब्राह्मणेनाप्येनं मृत्पिण्डं सम्भृतवान् भवति ॥ १५ ॥

१–अथानड्वापुरुषमीक्षते पूर्ववदग्निं पुरीष्यमिति। का. श्रौ. सू. १६। ८२।

(त्यु) अथैनमुपावहरति। (त्यो) ओषधयः प्रतिमोदध्वमग्निमेतᳪं शिवमायन्तमभ्युत्र युष्मा ऽइत्येतद्वैतस्मादायत ऽओषधयो बिभ्यति यद्वै नोऽयं न हिᳪं स्यादिति ताभ्य ऽएवैनमेतच्छमयति प्रत्येनं मोदध्वᳪं शिवो वोऽभ्यैति न वो हिᳪंसिष्यतीति व्यस्यन्विश्वाऽअनिरा ऽअमीवा निषीदन्नो ऽअप दुर्म्मतिं जहीति व्यस्यन्विश्वा अनिराश्चामीवाश्च निषीदन्नोऽप सर्व्वं पाप्मानं जहीत्येतत् ॥ १६ ॥

(डो) ओषधयः प्रतिगृभ्णीत। पुष्पवतीः सुपिप्पला ऽइत्येतद्वैतासाᳪं समृद्धᳪं रूपं यत्पुष्पवत्यः सुपिप्पलाः समृद्धा ऽएनं प्रतिगृभ्णीतेत्येतदयं वो गर्भ ऽऋत्वियः प्रत्नᳪं सधस्थमासददित्ययं वो गर्भ ऽऋतव्यः सनातनᳪं सधस्थमासददित्येतत् ॥ १७ ॥

अथैनमुपावहरति। "ओषधयः प्रतिमोदध्वमग्निमेतं शिवमायन्तमभ्यत्र युष्माः"–इति। एतद्वैतस्मादायत ओषधयो बिभ्यति। यद्वै नोऽयं न हिंस्यादिति। ताभ्य एवैनमेतच्छमयति। प्रत्येनं मोदध्वम्, शिवो वोऽभ्यैति, न वो हिंसिष्यतीति। "व्यस्यन्विश्वा अनिरा अमीवा निषीदन्, नो अप दुर्मतिं जहि"–(वा० सं० ११। ४७) इति। व्यस्यान्विश्वा अनिराश्चामीवाश्च निषीदन्; नोऽप सर्वं पाप्मानं जहीत्येतत् ॥ १६ ॥

"ओषधयः प्रतिगृभ्णीत पुष्पवतीः सुपिप्पलाः"–इति। एतद्वैतासां समृद्धं रूपम्–

अथाजसकाशान्मृत्पिण्डस्यावरोहणं समन्त्रं विधत्ते–अथैनमुपावहरतीति। हे 'ओषधयः' 'युष्माः' अत्र शसः सकारस्य "तस्माच्छसो नः"–(पा. सू. ६। १। १०३) इति नत्वं रुत्वं विसर्जनीयः, युष्मानभिलक्ष्य 'आयन्तम्' आगच्छन्तं 'शिवम्' 'एतं' पुरोवर्तिनम् 'अग्निं' 'प्रतिमोदध्वम्' प्रतिमोदस्य भयराहित्यमर्थ। उत्तरार्द्धे मृद्रूपोऽग्निः सम्बोध्यः। 'विश्वाः' 'अनिराः' 'इरा' इत्यन्ननाम (निघ. २। ७। १३।) अन्नप्रतिबन्धहेतून्-अनावृष्ट्यादीन्, 'अमीवाः' रोगांश्च 'व्यस्यन्' विक्षिपन्, हेतौ शतृप्रत्ययः। रोगादिविक्षेपाद्धेतोः 'निषीदन्' उपविशन्, 'नः' अस्माकं 'दुर्मतिं' दुष्टुतिमयीं मतिम् 'अपजहि' अपनयेति ॥

प्रतिमोदध्वमिति यदोषधीः प्रत्युक्तम्, तस्याभिप्रायमाह–एतद्वैतस्मादायत ओषधय इति। 'आयतः' अग्नेः सकाशात् 'ओषधयो बिभ्यति' स्वस्यात्मानं भक्षयिष्यति किलेति। तत्परिहाराय प्रतिमोदध्वमिति। यतोऽग्निः शान्तः, ओषधयो यूयमेनं प्रतिमोदध्वम्, 'शिवः' सुखकर एव सन् 'वः' युष्मान् 'अभ्यैति' अभिगच्छति; न वो हिंसिष्यतीति तात्पर्यार्थः। उत्तरार्द्धगतं दुर्मतिपदं व्याचष्टे–सर्वं पाप्मानं जहीति ॥ १६ ॥

द्वितीयं मन्त्रं विधत्ते–ओषधयः प्रतिगृभ्णीतेति। हे 'ओषधयः'! 'एनम्' अग्निम् 'प्रतिगृभ्णीत'।

(द्वा) द्वाभ्यामुपावहरति । द्विपाद्यजमानो यजमानोऽग्निर्यावानग्निर्या-
वत्यस्य मात्रा तावतैवैनमेतदुपावहरति तं दक्षिणत ऽउदञ्चमुपावहराति
तस्योक्तो बन्धुरुद्धतमवोक्षितं भवति यत्रैनमुपावहरत्युद्धते वाऽअवोक्षि-
तेऽग्निमादधति सिकताऽउपकीर्णा भवन्ति तासामुपरि बन्धुः ॥ १८ ॥

परिश्रितं भवति । (त्थे) एतद्वै देवा ऽअबिभयुर्यद्वै न ऽइममिह रक्षा-
ᳪसि नाष्ट्रा न हन्युरिति तस्माऽएतां पुरं पर्यश्रयंस्तथैवास्मा ऽअयमेतां

यत् पुष्पवत्यः सुपिप्पलाः । समृद्धा एनं प्रतिगृभ्णीतेत्येतत् । " अयं वो गर्भ ऋत्वियः प्रत्नं सधस्थमासदत् "–(वा. सं. ११ । ४८) इति । अयं वो गर्भ ऋतव्यः सनातनं सधस्थमासददित्येतत् ॥ १७ ॥

द्वाभ्यामुपावहरति । द्विपाद्यजमानः । यजमानोऽग्निः । यावानग्निर्यावत्यस्य मात्रा–तावतैवैनमेतदुपावहरति । तं दक्षिणत उदञ्चमुपावहरति । तस्योक्तो बन्धुः । उद्धतमवोक्षितं भवति । यत्रैनमुपावहरति । उद्धते वाऽअवोक्षितेऽग्निमादधति । सिकता उपकीर्णा भवन्ति । तासामुपरि बन्धुः ॥१८॥

परिश्रितं भवति । एतद्वै देवा अबिभयुः–यद्वै न इममिह रक्षांसि नाष्ट्रा न हन्युरिति । तस्माऽ-

---

ता विशिनष्टि–' पुष्पवती: ' पुष्पवत्यः, पुष्पसम्पन्नाः, ' सुपिप्पलाः ' शोभनफलवत्यः ' अयम् ' अग्निर्वै युष्माकमोषधीनां ' गर्भः ' ' ऋत्वियः ' ऋतुषु भवः प्राप्तकालः ' प्रत्नं ' पुरातनम्, ' सधस्थं ' सहस्थानम् ' आसदत् ' आगमत् । सदेर्लुङि च्लेरङि रूपम् ॥

मन्त्रं व्याचष्टे–एतद्धैतासां समृद्धमिति । पुष्पफलवत्त्वमेव समृद्धं रूपमित्यर्थः ॥ १७ ॥

उपावहरणमन्त्रगतसंख्यां प्रशंसति–द्वाभ्यामुपावहरति द्विपाद् यजमान इति । उक्तोऽर्थः (श. प. ६ । ३ । ३ । ३१ भा.) । पिण्डनिधानप्रदेशं कात्यायनः सूत्रयामास–" उत्तरत आहवनीयस्योद्धतावोक्षिते सिकतोपकीर्णे परिवृते प्राग्द्वारे पिण्डं निदधात्योषधय इति " (का. श्रौ. सू. १६ । ८३) इति । तदिदं विधत्ते–तं दक्षिणत उदञ्चमित्यादिना, तिर इवैव चिचरिषति इत्यन्तेन । तं पिण्डं 'दक्षिणतः' प्रदेशात् ' उदञ्चम् ' उदङ्मुखम् ' उपावहरेत् ' निदध्यात् । दक्षिणत उदगागमनस्य स्तावकं ब्राह्मणमतिदिशति–तस्योक्तो बन्धुरिति । पिण्डहरणसमये " तं दक्षिणत उदञ्चमाहरति दक्षिणतो वा उदग् योनौ रेतः सिच्यते" (श. प. ६ । ४ । २ । १०) इति ॥

' यत्र ' स्थाने ' एनं ' पिण्डं निदध्यात्, तत् स्थानम् ' उद्धतम् ' उद्धननसंस्कृतम्, ' अवोक्षितम् ' उदकसिक्तं भवेत् । पिण्डस्याग्नित्वात् तत्समानप्रदेशकरणं युक्तमित्याह–उद्धते वा अवोक्षितेऽग्निमिति । गार्हपत्यादिधिष्ण्यम् इत्यर्थः । तस्मिन् प्रदेशे सिकताश्च विकीर्णा भवन्ति । तत्स्तावकं ब्राह्मणमुत्तरत्र सप्तमकाण्डादौ गार्हपत्यचयनप्रस्तावे वक्ष्यते (श. प. ७।१।१।९।१०) इत्याह–तासामुपरि बन्धुरिति ॥ १८ ॥

परिश्रितं भवतीति । तासां विकीर्णानां परिश्रितमिव परिवृतं भवेत् । परिश्रितकरणं नाम रक्षोभीत्या

पुरं परिश्रयत्यथो योनिर्व्वाऽ इयꣳ रेत इदं तिर इव वै योनौ रेतः सिच्यते योनिरूपमेतत्क्रियते तस्मादपि स्वया जायया तिर इवैव चिचरिषति॥१९॥

(त्यु) अथैनं व्विष्यति । तद्यदेवास्यात्रोपनद्धस्य सꣳशुच्यति तामेवास्मादेतच्छुचं बहिर्धा दधात्यथोऽएतस्याऽएवैनमेतद्योनेः प्रजनयति॥२०॥
व्वि पाजसा पृथुना शोशुचानऽ इति । व्वि पाजसा पृथुना दीप्यमान ऽइत्येतद्बाधस्व द्विषो रक्षसोऽअमीवाऽइति बाधस्व सर्व्वान्पाप्मन ऽइत्येतत्सुशर्म्मणो बृहतः शर्मणि स्यामग्नेरहꣳ सुहवस्य प्रणीताविंत्याशिषमाशास्ते ॥ २१ ॥

एतां पुरं पर्यश्रयन् । तथैवास्माऽअयमेतां पुरं परिश्रयति । अथो योनिर्वाऽइयम्, रेत इदम्, तिर इव वै योनौ रेतः सिच्यते । योनिरूपमेतत्क्रियते । तस्मादपि स्वया जायया तिर इवैव चिचरिषति ॥ १९ ॥

अथैनं विष्यति । तद्यदेवास्यात्रोपनद्धस्य संशुच्यति—तामेवास्मादेतच्छुचं बहिर्धा दधाति । अथोऽएतस्या एवैनमेतद्योनेः प्रजनयति ॥ २० ॥

"वि पाजसा पृथुना शोशुचानः"—इति । वि पाजसा पृथुना दीप्यमान इत्येतत् । "बाधस्व द्विषो रक्षसोऽअमीवाः"—इति । बाधस्व सर्वान्न पाप्मन इत्येतत् । "सुशर्मणो बृहतः शर्मणि स्यामग्नेरहं सुहवस्य प्रणीतौ"—(वा. सं. ११।४९) इत्याशिषमाशास्ते ॥ २१ ॥

पुरस्य करणमित्यर्थः । प्रकारान्तरेण स्तौति—अथो योनिर्वा इयमिति । इदं परिश्रितं स्थानं योनिरूपम्, 'इदं' पिण्डरूपं 'रेतः' यतश्च योनौ 'तिरः' तिरोहितम् अप्रकाशं 'सिच्यते' । उक्तमर्थं लोकप्रसिद्ध्या द्रढयति—तस्मादिति । 'तस्मात्' खलु लोके सर्वो जनः 'स्वया जायया अपि' परिवृतस्थाने 'तिर इवैव' 'चिचरिषति' चरितुमिच्छति ॥ १९ ॥

अथैनं विष्यतीति[1] । 'विष्यति' प्रमुञ्चेत् । पूर्वं कृष्णाजिनपुष्करपर्णयोर्मध्ये पिण्डं निधाय, अन्तान् उद्गृह्य, योक्त्रेण बन्धनं कृतम्; तद्योक्त्रमन्तोद्ग्रहणञ्च मुञ्चेदित्यर्थः । विमोकं स्तौति—तद्यदेवास्येति । पूर्वमन्तोपनद्धस्य बद्धस्य पिण्डस्य शोको जातः, 'तां' बन्धनजातां 'शुचं' तद्विमोकेन 'बहिर्द्धा' निहितवान् भवति । किञ्च पुष्करपर्णं च योनिरूपमित्युक्तम् (श. प. ६ । ४ । १ । ७) अतो बन्धनरूपयोक्त्रविमोकात् 'योनेरेव' पिण्डं मुखाद्यात्मना जायतामित्यभिप्रायेण तद्विमोक इत्यर्थः ॥ २० ॥

मन्त्रं विधत्ते—वि पाजसा पृथुनेति । "पाज इति बलनाम" (निघ. २ । ९ । १) 'पृथुना' बलेन 'शोशुचानः' दीप्यमानोऽग्निस्त्वं 'द्विषः' द्वेष्यान् 'रक्षसः' राक्षसांश्च 'अमीवाः' रोगांश्च 'विबाधस्व' ।

१-व्विपाजसेति प्रमुच्यैनम् का. श्रौ. सू. १६ । ८४ ।

१५४१

(स्तुऽथा) अथाजलोमान्याच्छिद्य । (द्यो) उदीचः प्राचः पशून्प्रसृजत्येषा ह्योभयेषां देवमनुष्याणां दिग्यदुदीची प्राच्येतस्यां तद्दिशि पशून्दधाति तस्मादुभये देवमनुष्याः पशूनुपजीवन्ति ॥ २२ ॥

इति तृतीयप्रपाठके पञ्चमं ब्राह्मणम् ॥ ६-३-५ ॥ (४. ४.)

इति चतुर्थोऽध्यायः ॥ ६-४ ॥

अथाजलोमान्याच्छिद्य, उदीचः प्राचः पशून् प्रसृजति । एषा ह्योभयेषां देवमनुष्याणां दिक्-यदुदीची प्राची । एतस्यां तद्दिशि पशून्दधाति । तस्मादुभये देवमनुष्याः पशूनुपजीवन्ति ॥ २२ ॥

एवं प्रत्यक्षतो याचित्वा, इदानीमग्निं परोक्षीकृत्य स्वयमाशिष्यमाणः ते ' सुशर्मणः ' साधुशरणस्य, ' बृहतः, ' ' सुहवस्य ' शोभनाह्वानस्य ' अग्नेः ' ' प्रणीतौ ' प्रकृष्टनीतौ ' शर्मणि ' शरणे अहं ' स्याम् ' भवेयमित्यर्थः । मन्त्रस्यार्द्धयोस्तात्पर्यमाह—बाधस्व सर्वान् पाप्मन इति । आशिषमाशास्ते इति च ॥ २१ ॥

अत्र सूत्रम्—" अजलोमान्यादाय प्रागुदीचः पशूनुत्सृजति "—(का. श्रौ. सू. १६ । ८४ ।) इति । तद् विधत्ते—अथाजलोमानीति । ' उदीचः प्राचः ' ईशानदिगभिमुखान् ' प्रसृजति ' विसृजेत् । तां दिशं प्रशंसति—एषा ह्योभयेषामिति । गतमन्यत् ॥ २२ ॥

इति श्रीसायणाचार्यविरचिते माधवीये वेदार्थप्रकाशे माध्यन्दिनीयशतपथब्राह्मणभाष्ये षष्ठकाण्डे चतुर्थेऽध्याये चतुर्थं ब्राह्मणम् ॥ (६-४-४) ॥

वेदार्थस्य प्रकाशेन तमो हार्दं निवारयन् । पुमर्थांश्चतुरो देयाद् विद्यातीर्थमहेश्वरः ॥ १ ॥

ब्रह्माण्डं गोसहस्रं कनकहयतुलापूरुषौ स्वर्णगर्भं,
सप्ताब्धीन्पञ्च सीरींस्त्रिदशतरुलताधेनुसौवर्णभूमीः ।
रत्नोस्रां रुक्मवाजिद्विपसहितरथौ सायणिः सिङ्गणार्यो,
व्यश्राणीद्विश्वचक्रं प्रथितविधिमहाभूतयुक्तं घटं च ॥
धान्याद्रिं धन्यजन्मा तिलभवमतुलः स्वर्णजं वर्णमुख्यः,
कार्पासीयं कृपावान्गुडकृतमजडो राजतं राजपूज्यः ।
आज्योत्थं प्राज्यजन्मा लवणजमनृणः शार्करं चाक्तेजा,
रत्नाढ्यो रत्नरूपं गिरिमकृत मुदा पात्रसात्सिङ्गणार्यः ॥

इति श्रीमद्राजाधिराजपरमेश्वरवैदिकमार्गप्रवर्तकश्रीहरिहरमहाराजसाम्राज्यधुरन्धरेण सायणाचार्येण विरचिते माधवीये वेदार्थप्रकाशे माध्यन्दिनशतपथब्राह्मणभाष्ये षष्ठे काण्डे चतुर्थोऽध्यायः समाप्तः ॥ ६-४ ॥

अथ पञ्चमेऽध्याये प्रथमं ब्राह्मणम् ।
तृतीयप्रपाठके च षष्ठं ब्राह्मणम् ।

पर्णकषायनिष्पक्का ऽएता ऽआपो भवन्ति । स्थेम्ने न्वेव यद्धेव पर्णकषायेण सोमो वै पर्णश्चन्द्रमा ऽउ वै सोम ऽएतदु वाऽएकमग्निरूपमेतस्यैवाग्निरूपस्योपाप्त्यै ॥ १ ॥

ता ऽउपसृजति । (त्या) आपो हि ष्ठा मयोभुवऽ इति यां वै देवतामृगभ्युनूक्ता यां यजुः सैव देवता सऽर्क्सो देवता तद्यजुस्ता हैताऽ आप ऽएवैष त्रिचस्तद्याऽ अमूरापऽएकꣳ रूपꣳ समदृश्यन्त ताऽ एतास्तदेवैतद्रूपं करोति ॥ २ ॥

पर्णकषायनिष्पक्का एता आपो भवन्ति । स्थेम्ने न्वेव। यद्धेव पर्णकषायेण । सोमो वै पर्णः । चन्द्रमा उ वै सोमः । एतद्‌ वाऽएकमग्निरूपम् । एतस्यैवाग्निरूपस्योपात्यै ॥ १ ॥

ता उपसृजति । "आपो हि ष्ठा मयोभुवः"–(वा०सं०११।५०–५२) इति। यां वै देवता ऋगभ्यनूक्ता, यां यजुः, सैव देवता सऽर्क् सो देवता तद्यजुः, ता हैता आप एवैष त्रिचः । तद् या अमूराप एकं रूपं समदृश्यन्त–ता एताः । तदेवैतद्रूपं करोति ॥ २ ॥

यस्य निःश्वसितं वेदा यो वेदेभ्योऽखिलं जगत् । निर्ममे तमहं वन्दे विद्यातीर्थमहेश्वरम् ॥ १ ॥

अत्र कात्यायनः–" आपो हि ष्ठेति पर्णकषायपक्कमुदकमासिञ्चति पिण्डे "–(का. श्रौ. सू. १६ । ८५) इति । पलाशपर्णक्कथितमुदकं मृत्पिण्डे सिञ्चेत् । तत्र जलानां पर्णक्कथितत्वं विधत्ते–**पर्णकषायनिष्पक्का एता** इति । 'एताः' मृत्पिण्डे सिच्यमाना आपः 'पर्णकषायनिष्पक्काः' पलाशपर्णक्कथिता भवेयुः । 'स्थेम्ने' स्थिरत्वायैव; केवलमृदोखादिकरणे विशरणं स्यात् । पर्णकषायेण पाकं प्रशंसति–**यद्धेव पर्णेति** । सोमस्य पर्णत्वम्, सर्वौषध्यनुप्रवेशात् । सोमो नाम चन्द्रमाः । स हि 'एकम् अग्निरूपम्' । पूर्वं कुमारस्याग्नेरष्टौ रुद्रादिनामान्युक्तानि (श. प. ६ । १ । ३ । ११ । १२) तेषाञ्चाग्न्युदकौषध्यादीनि रूपाण्यप्युक्तानि । तत्र महादेवेति सप्तमनाम्नः चन्द्रमा रूपम्; "चन्द्रमास्तद्रूपमभवत्" (श. प. ६।१।३।१६ क.) इत्युक्तम् । तादृशस्याग्निरूपस्योपाप्त्यै पर्णकषायपक्काः कुर्यादित्यर्थः ॥ १ ॥

उदकसेचनं समन्त्रं विधत्ते–**ता उपसृजत्यापो हि ष्ठेति** । अब्देवत्यं तृचं गायत्रम् । तृचस्याद्यमर्थः–हे 'आपः !' आप्यते सर्वं कार्यं प्राणिनां याभिरित्यापः । आप्नोतेः करणे कर्त्तरि वा क्विप्, तत्सम्बोधनम् । 'मयोभुवः' "मय इति सुखनाम," सुखस्य भावयित्र्यः 'स्थ' । 'हि' यस्मात् ता एवम्भूता यूयं 'नः'

(त्यु) अथ फेनं जनयित्वाऽन्वुवदधाति युदेव तत्फेनो द्वितीयᳪं रूपमुसृज्यत तुदेवैतुद्रूपं करोत्युथ युामेव तुत्र मृदᳪं संयौति सैव मृद्यत्तत्तृतीयᳪं रूपमुसृज्यतैतेभ्यो वाऽएषु रूपेभ्योऽग्रेऽसृज्यत तेभ्य ऽएवैनमेतुज्जनयति ॥ २ ॥

अथ फेनं जनयित्वाऽन्ववदधाति । यदेव तत् फेनो द्वितीयं रूपमसृज्यत–तदेवैतद्रूपं करोति । अथ यामेव तत्र मृदं संयौति–सैव मृत् । यत्तत् तृतीयं रूपमसृज्यत–एतेभ्यो वाऽएष रूपेभ्योऽग्रेऽसृज्यत । तेभ्य एवैनमेतज्जनयति ॥ २ ॥

अस्मान् ' ऊर्जे ' अन्नाधाय ' दधातन ' स्थापयत । " तप्तनप्तनथनाश्च "–(पा. सू. ७ । १ । ४५) इति तस्य तनबादेशः । ' महे ' महते ' रणाय ' रमणीयाय ' चक्षसे ' दर्शनाय, ज्ञानाय चेति ॥

यो व इति । ' वः ' युष्माकं ' यः ' ' शिवतमः ' अतिशयेन सुखकरः ' रसः ', ' तस्य ' रसस्य ' नः ' अस्मान् ' इह ' लोके ' भाजयत ' भागिनः कुरुत । ' उशतीः ' कामयमानाः ' मातरः इव ' यथा मातरः पुत्रस्य हितं कामयन्ते, एवं यूयमिति ॥

तस्मा अरमिति । ' वः ' युष्मत्सम्बन्धिने ' तस्मै ' रसाय ' अरं ' शीघ्रम्, ' अलं ' पर्याप्तं वा 'गमाम' गच्छेम । " क्रियार्थोपपदस्य "–(पा. सू. २ । ३ । १४) इति चतुर्थी । ' यस्य ' रसस्य ' क्षयाय ' अस्मासु निवासार्थं हि स्वयं 'जिन्वथ' प्रीणयथ । "जिविः प्रीणनकर्मा" (धा. पा. भ्वा. प. ५९४) । येन रसेन अस्मान् तर्पयथ, तं गच्छेम । हे ' आपः ! ' ' नः ' अस्मान् ' जनयथ ' युष्मदीयभोक्तृत्वेनोत्पादयतेति तृचस्य सङ्गृहीतोऽर्थः ॥

तिस्र ऋचः, तत्प्रतिपाद्यां देवतां च प्रशंसति–यां वै देवतामिति । आपो हि ष्ठेत्यादिका ' ऋक् ' ' यां देवताम् ' ' अभ्यनूक्ता ' अनुवदति, कर्त्तरि क्तप्रत्ययः । ' यां ' देवतां ' यजुः ' मन्त्रोऽपि । यया ऋचा, येन यजुषा च, या देवता अन्यगुणाभिधानपुरस्सरं प्रतिपाद्यते, सैव प्रतिपाद्या देवता, सा च प्रतिपादिका ऋक्; यजुर्मन्त्रपदैरप्रतीयमाना देवता नोत्तमेत्यर्थः । अतः प्रतिपाद्यप्रतिपादकयोरभेदोपचारेण ' एताः ' आपः ' एव ' देवताः, ' एषः ' "आपो हि ष्ठा"–इति 'त्रिचः' 'तत्' तस्माद् ' गा ' ' अगृ. ' अदःशब्दो विप्रकृष्टप्रदेशवचनः । पूर्वं काण्डादौ अग्निसृष्टेरनन्तरम् अब्धादि पृथिव्यन्तं सृष्टिमुक्त्वा (श. प. ६ । १ । १ । ११), " सोऽकामयताभ्योऽद्भ्योऽधीमां प्रजनयेयम् " इत्युपक्रम्य (श. प. ६ । १ । १ । १२ क.) " तदिदमेकमेव रूपं " (श. प. ६ । १ । १ । १२) कृतवान् भवति । एवमनुसन्धानार्थमुदकफेनमृत्तिकताशर्कराश्मादिसृष्टिरुक्तेति चयनादौ प्रतिपादितम ॥ २ ॥

पिण्डे फेनासेचनं विधत्ते–अथ फेनं जनयित्वेति । कषायोदकेषु हस्तचालनेन फेनमुत्पाद्य पिण्डे तूष्णीमासिञ्चेत् । यदेव तत्फेन इत्यादेरयमर्थः । पूर्वं " सोऽकामयताभ्योऽद्भ्योऽधीमां प्रजनयेयम् "–इत्युपक्रम्य,

---

१–फेनं च तूष्णीं ततः कृत्वा । का० श्रौ० सू० १६ । ८६ ॥

(त्यु) अथाजलोमैः सꣳसृजति । स्थेम्ने न्वेव यद्देवाजलोमैरेतद्वा-ऽएनं देवाः पशुभ्योऽधि समभरंस्तथैवैनमयमेतत्पशुभ्योऽधि सम्भरति तद्यदजलोमैरेवाजे हि सर्व्वेषां पशूनाꣳ रूपमथ यल्लोम लोम हि रूपम् ॥४॥

(म्मि) मित्रः सꣳसृज्य । पृथिवीं भूमिञ्च ज्योतिषा सहेति प्राणो वै मित्रः प्राणो वाऽएतदग्रे कर्माकरोत्सुजातं जातवेदसमयक्ष्माय त्वा सꣳसृजामि प्रजाभ्यऽ इति यथैव यजुस्तथा बन्धुः ॥ ५ ॥

अथाजलोमैः संसृजति । स्थेम्ने न्वेव । यद्देवाजलोमैः । एतद्वाऽएनं देवाः पशुभ्योऽधि समभरन् । तथैवैनमयमेतत्पशुभ्योऽधि सम्भरति । तद्यदजलोमैरेव । अजे हि सर्वेषां पशूनां रूपम् । अथ यल्लोम । लोम हि रूपम् ॥ ४ ॥

"**मित्रः संसृज्य पृथिवीं भूमिञ्च ज्योतिषा सह**"–इति । प्राणो वै मित्रः । प्राणो वाऽएतदग्रे कर्माकरोत् । "**सुजातं जातवेदसमयक्ष्माय त्वा संसृजामि प्रजाभ्यः**"–(वा० सं० ११ । ५३) इति । यथैव यजुस्तथा बन्धुः ॥ ५ ॥

"तदिदमेकमेव रूपं समदृश्यताप एव"–(श. प. ६ । १ । १ । १२ क.) इति उदकलक्षणं रूपमुक्त्वा "सोऽकामयत भूय एव स्यादिति ०–० तेपानः फेनमसृजत"–(श. प. ६।१।२।१३ क.) इति द्वितीयं फेनात्मकं रूपं सृष्टवानकम् । अत्र फेनस्य पिण्डे आसेचनेन पूर्वसृष्टफेनात्मकं द्वितीयं रूपमेव मृद्रूपेऽग्नौ निहितवान् भवति ॥

अथ सिक्तेऽग्नौ उदकेन मृदः सम्मिश्रणं विधत्ते–**अथ यामेव तत्र मृदमिति** । तत्र 'यां मृदं' 'संयौति' जलेन सम्मिश्रयति 'सा मृत्' । एतदनन्तरं सृष्टं मृदात्मकं तृतीयं रूपम् । तत्र ह्येवमाम्नातम्–"अथ यो गर्भोऽन्तरासीत् सोऽग्निरसृज्यतेति" (श. प. ६ । १ । ११) । "स श्रान्तस्तेपानो मृदं शुष्कापमिति" (श. प. ६ । १ । १ । १३) । **तेभ्यो वा एष** इति । 'एषः' अग्निः 'तेभ्यः' उदकफेनमृदादिभ्यः पूर्वं सृष्टः । अतो जलफेनमृदां सम्मिश्रणेन अबादिरूपेभ्यः पूर्वं सृष्टाग्निमेव उत्पादितवान् भवति ॥ ३ ॥

अथ तत्राजलोममिश्रणं विधत्ते–**अथाजलोमैः संसृजतीति**[1] । 'स्थेम्ने' स्थिरत्वाय । अजलोमं प्रशंसति–**यद्देवाजलोमैरिति** । यथा पूर्वं 'देवाः' 'एनम्' अष्टरूपात्मना गूढमग्निं पुरुषादिपञ्चपशुभ्यः सकाशात् सम्भृतवन्तः, तथा 'अयं' यष्टा पिण्डेऽजलोमसंसर्गेण पशुभ्य एव सम्भृतवान् भवति । यद्येवं तर्हि केवलाजलोमसंसर्गेण सर्वेभ्यः पुरुषादिभ्यः अग्नेः सम्पादनमित्याशङ्क्य अजपशौ सर्वं पशुरूपमुपपादयति–**अजे हि सर्वेषामिति** । तथा पुरस्तात् वायव्यैकपशुप्रस्तावे समाम्नातम्–"यद्वैतं पशुमालभत एतस्मिन् ह पशौ सर्वेषां पशूनां रूपम्, यत् तूपरो लप्सुदी तत् पुरुषस्य रूपम्"–(श. प. ६ । २ । २ । १५ कं.) इत्यादिना । प्रकारान्तरेण अजे सर्वपशुरूपमाह–**अथ यल्लोमेति** । लोमानि सर्वेषु पशुषु सन्ति; लोमलक्षणं रूपं सर्वसाधारणमित्यर्थः ॥ ४ ॥

लोमसम्मिश्रणं विधत्ते–**मित्रः संसृज्येति**[1] । 'मित्रः' प्राणः आदित्यो वा 'पृथिवीं भूमिं च' लोकत्रय-

---

१–अजलोमभिः सꣳसृजाति मित्रः सꣳसृज्येति का. श्रौ. सू. १६ । ८७ ।

(२) अथैतत्त्रयं पिष्टं भवति । शर्कराऽश्माऽयोरसस्तेन सꣳसृजति स्थेम्ने
न्वेव यद्देव तेनैतावती वा ऽइयमग्रेऽसृज्यत तद्यावतीयमग्रेऽसृज्यत ताव-
तीमेवैनामेतत्करोति ॥ ६ ॥

रुद्राः सꣳसृज्य । पृथिवीं बृहज्ज्योतिः समीधिरऽइत्यसौ वा ऽआदित्य
ऽएषोऽग्निरेतद्वै तद्रुद्राः सꣳसृज्य पृथिवीं बृहज्ज्योतिः समीधिरे तेषां भानु-
रजस्रऽइच्छुक्रो देवेषु रोचतऽइत्येष वाऽएषां भानुरजस्रः शुक्रो देवेषु रोचते ७

द्वाभ्याꣳ सꣳसृजति । द्विपाद्यजमानो यजमानोऽग्निर्यावानग्निर्यावत्यस्य
मात्रा तावतैवैनमेतत्सꣳसृजति ॥ ८॥

अथैतत्त्रयं पिष्टं भवति–शर्कराऽश्माऽयोरसः । तेन संसृजति । स्थेम्ने न्वेव । यद्देव तेन । एतावती वाऽइयमग्रेऽसृज्यत । तद्यावतीयमग्रेऽसृज्यत–तावतीमेवैनामेतत् करोति ॥ ६ ॥

"रुद्राः संसृज्य पृथिवीं बृहज्ज्योतिः समीधिरे"–इति । असौ वाऽआदित्यः, एषोऽग्निः । एतद्वै तद्रुद्राः संसृज्य पृथिवीं बृहज्ज्योतिः समीधिरे । **" तेषां भानुरजस्र इच्छुक्रो देवेषु रोचते "**–(वा. सं. ११ । ५४) इति । एष वाऽएषां भानुरजस्रः शुक्रो देवेषु रोचते ॥ ७ ॥

द्वाभ्यां संसृजति । द्विपाद्यजमानः । यजमानोऽग्निः । यावानग्निर्यावत्यस्य मात्रा–तावतैवैन-मेतत्संसृजति ॥ ८ ॥

स्यापि पृथिवीशब्दवाच्यत्वम् भूमिशब्दवाच्यत्वं च दृश्यते–"तिस्रो भूमीर्धारयन् त्रीरुत द्यून्"–(ऋ. सं. २ । २७ । ८) इति । ' तिस्रः भूमीः ' तिस्रः पृथिवीः अत्रैतयोरुभयोर्दर्शनात् चकारशब्देनापि त्रीन् लोका-नित्यर्थः सिद्धः । ' ज्योतिषा ' तेजसा । अत्र ज्योतिःशब्दोऽजलोमवचनः । अजस्याग्नेयत्वादजलोमभिः ' सह ' ' सुजातं जातवेदसम् ' सद्रूपमग्निं ' त्वा ' त्वाम् ' प्रजाभ्यः ' ' अयक्ष्माय ' रोगरूपपापापनुत्तये ' संसृजामि ' सम्मिश्रं करोमि, अहमध्वर्युरिति ॥ ५ ॥

अथ शर्कराश्मायोरसचूर्णैः संसर्गं विधत्ते–**अथैतत् त्रयं पिष्टमिति** । ' एतद् ' वक्ष्यमाणं शर्करादित्रयं चूर्णितं भवेत् । " पिष्लृ सञ्चूर्णने "–(धा. पा. रु. प. १९) इत्यस्य निष्ठा । पूर्वं शर्करादीनि त्रीणि रूपाणि सृष्टानि "शर्करामश्मानमयो हिरण्यमोषधिवनस्पत्यसृजत"–इति हि प्रागाम्नातम् (श. प. ६।१।१।१३) । अधुना तेन त्रयेण संसर्गो तैरेव त्रिभी रूपैर्मृदं रूपवतीं कृतवान् भवति ॥ ६ ॥

मन्त्रं विधत्ते–**रुद्राः संसृज्येति** । ' रुद्राः ' ' पृथिवीं ' पार्थिवं ' बृहज्ज्योतिः ' अग्निलक्षणं पार्थिवं पिण्डं शर्कराश्मायोरसैः ' संसृज्य ' ' समीधिरे ' उखायां दीपितवन्तः । रुद्राः उखायामग्निं संवत्सरं धारित-वन्तः । तेषां फलमाह–**तेषामिति** । ' तेषां ' रुद्राणाम् ' भानुः ' दीप्तिः ' अजस्र इत् ' अनुपक्षीणैव ' देवेषु ' मध्ये ' शुक्रः ' शुक्लवर्णो ' रोचते ' दीप्यते ॥ ७ ॥

द्वाभ्यां सꣳसृजतीति । पूर्वमजलोमैः संसर्गे एको मन्त्रः, शर्करादिसंसर्गे द्वितीयः, तावुभौ मिलित्वा प्रशंसति–**द्विपाद्यजमान इति** ॥ ८ ॥

१–शर्करायोरसाश्मचूर्णैश्च रुद्राः सꣳसृज्येति । का. श्रौ. सू. १६ । ८८ ।

(त्यु) अथ प्रयौति । सꣳसृष्टां वसुभी रुद्रैरिति सꣳसृष्टा ह्येषा वसुभिश्च रुद्रैश्च भवति यन्मित्रेण तद्वसुभिर्यद्रुद्रैस्तत्तद्रुद्रैर्धीरैः कर्मण्यां मृदमिति धीरा हि ते कर्मण्योऽइयं मृद्धस्ताभ्यां मृद्वीं कृत्वा सिनीवाली कृणोतु तामिति वाग्वै सिनीवाली सैनाꣳ हस्ताभ्यां मृद्वीं कृत्वा करोत्वित्येतत् ॥ ९ ॥

(त्सि) सिनीवाली सुकपर्दा सुकुरीरा स्वौपशेति । योषा वै सिनीवाल्येतदु वै योषायै समृद्धꣳ रूपं यत्सुकपर्दा सुकुरीरा स्वौपशा समर्द्धयत्येवैनामेतत्सा तुभ्यमदिते मह्योखां दधातु हस्तयोरितीयं वाऽअदितिर्महस्यै तदाह ॥ १० ॥

अथ प्रयौति—"संसृष्टां वसुभी रुद्रैः"—इति । संसृष्टा ह्येषा वसुभिश्च रुद्रैश्च भवति । यन्मित्रेण—तद्वसुभिः । यद्रुद्रैः—तत्तद्रुद्रैः । "धीरैः कर्मण्यां मृदम्"—इति । धीरा हि ते । कर्मण्या—उ इयं मृत् । "हस्ताभ्यां मृद्वीं कृत्वा सिनीवाली कृणोतु ताम्"—(वा. सं. ११ । ५५) इति । वाग्वै सिनीवाली । सैनां हस्ताभ्यां मृद्वीं कृत्वा करोत्वित्येतत् ॥ ९ ॥

"सिनीवाली सुकपर्दा सुकुरीरा स्वौपशा"—इति । योषा वै सिनीवाली । एतदु वै योषायै समृद्धं रूपम्—यत्सुकपर्दा सुकुरीरा स्वौपशा । समर्द्धयत्येवैनामेतत् । "सा तुभ्यमदिते मह्योखां दधातु हस्तयोः"—(वा.सं. ११।५६) इति । इयं वाऽअदितिर्मही । अस्यै तदाह ॥ १० ॥

अथ मृदः सम्मिश्रणं समन्त्रं विधत्ते—अथ प्रयौतीति[१] । तिसृभिर्ऋग्भिः । मृदं प्रकर्षेण 'यौति' पिण्डे सम्मिश्रयेत् । 'धीरैः' धारयद्भिः, 'वसुभिः' देवैः 'रुद्रैः' च 'संसृष्टाम्' । वसुपदेनात्राजलोमसंसर्गमन्त्रो "मित्रः संसृज्य"—इति विवक्षितः । रुद्रपदेन शर्करादिसंसर्गमन्त्रो "रुद्राः संसृज्य"—इति विवक्षितः । तन्मन्त्रद्वयप्रतिपाद्यैः वसुभिः रुद्रैश्च संयोजितां कर्मण्यां कर्मणे सम्पादितां 'मृदं' मृत्तिकां 'सिनीवाली' दृष्टेन्दुः, तदभिमानिदेवता 'हस्ताभ्यां' 'मृद्वीं' मृदुरूपां 'कृत्वा,' 'तां' कर्मार्हां 'कृणोतु' करोतु ॥ वसुरुद्रपदाभ्यां "मित्रः संसृज्य," "रुद्राः संसृज्य"—इति मन्त्रौ विवक्षितावित्याह—यन्मित्रेण तद्वसुभिर्यद्रुद्रैरिति ॥ ९ ॥

सिनीवालीति । एष द्वितीयो मन्त्रः । तस्यायमर्थः—सिनीवाल्या योषात्वात् तदुचिता धर्मा उच्यन्ते—सुकपर्देत्यादि । 'सुकपर्दा' कपर्दः केशसंयमनवेणिः; साधुवेणियुक्ता । 'सुकुरीरा' कुरीरो मुकुटः, तद्वती । "स्वौपशा" औपशो नाम जघनभागः, सुजघना । यद्वा, उपशेते शयनं करोति यैरवयवविशेषैः ते सर्वेऽप्युपशाः, तेषां समूहः औपशः, शोभनः शयनविदग्धो विलासचतुरः औपशोऽवयवसमूहः यस्याः सा स्वौपशा । या एवंविधा सिनीवाली सा । हे 'अदिते !' हे 'महि !' महीरूपे ! 'तुभ्यं' 'हस्तयोः' 'उखां' 'दधातु' स्थापयतु । "योषा वै सिनीवाली"—इत्यादिना योषात्वसमर्थनम् ॥ १० ॥

१—त्र्यृचाभ्यामिति संयौति । का० श्रौ० सू० १६ । ८९ ।

(हो) उखां कृणोतु । शक्त्या बाहुभ्यामदितिर्धियेति शक्त्या च हि करोति बाहुभ्यां च धिया च माता पुत्रं यथोपस्थे साऽग्निं बिभर्तु गर्भ ऽआ इति यथा माता पुत्रमुपस्थे बिभृयादेवमग्निं गर्भे बिभर्त्वित्येतत् ॥ ११ ॥

(त्रि) त्रिभिः प्रयौति । त्रिवृदग्निर्यावानग्निर्यावत्यस्य मात्रा तावतैवैनमेतत्प्रयौति द्वाभ्याᳪ᳭ संसृजति तत्पञ्च पञ्चचितिकोऽग्निः पञ्चऽर्तवः संवत्सरः संवत्सरोऽग्निर्यावानग्निर्यावत्यस्य मात्रा तावत्तद्भवति त्रिभिरपऽउपसृजति तदष्टावष्टाक्षरा गायत्री गायत्रोऽग्निर्यावानग्निर्यावत्यस्य मात्रा तावत्तद्भवत्यथोऽअष्टाक्षरा वाऽइयमग्रेऽसृज्यत तद्यावतीयमग्रेऽसृज्यत तावतीमेवैनामेतत्करोति ॥ १२ ॥

इति तृतीयप्रपाठके षष्ठं ब्राह्मणम् ॥ ६-३-६ ॥ (५. १.) ॥

" उखां कृणोतु शक्त्या बाहुभ्यामदितिर्धिया "–इति । शक्त्या च हि करोति बाहुभ्यां च धिया च । "माता पुत्रं यथोपस्थे साऽग्निं बिभर्तु गर्भ आ"–(वा. सं. ११।५७) इति । यथा माता पुत्रमुपस्थे बिभृयाद्–एवमग्निं गर्भे बिभर्त्वित्येतत् ॥ ११ ॥

त्रिभिः प्रयौति । त्रिवृदग्निः । यावानग्निर्यावत्यस्य मात्रा–तावतैवैनमेतत्प्रयौति । द्वाभ्यां संसृजति । तत् पञ्च । पञ्चचितिकोऽग्निः । पञ्चऽर्तवः संवत्सरः । संवत्सरोऽग्निः । यावानग्निर्यावत्यस्य मात्रा–तावत्तद्भवति । त्रिभिरप उपसृजति । तदष्टौ । अष्टाक्षरा गायत्री । गायत्रोऽग्निः । यावानग्निर्यावत्यस्य मात्रा–तावत्तद्भवति । अथोऽअष्टाक्षरा वाऽइयमग्रेऽसृज्यत । तद्यावतीयमग्रेऽसृज्यत । तावतीमेवैनामेतत्करोति ॥ १२ ॥

उखां कृणोत्विति । अयं तृतीयो मन्त्रः । तस्यायमर्थः,–' अदितिः ' अखण्डनीया, एतन्नामधेयदेवता ' बाहुभ्यां ' ' शक्त्या ' सामर्थ्येन ' धिया ' बुद्धया च ' उखां ' ' कृणोतु ' करोतु । ' यथा माता पुत्रम् ' ' उपस्थे ' स्वोत्सङ्गे ' बिभर्त्ति, ' एवं सा अदितिः ' गर्भे ' उखाभ्यन्तरे ' अग्निम् ' ' आबिभर्त्तु ' सर्वतो धारयतु ' इति ' ॥ ११ ॥

सम्मिश्रणमन्त्रगतत्रित्वसङ्ख्यां त्रिवृदग्न्यात्मना स्तौति–त्रिभिः प्रयौति त्रिवृदिति । पूर्वमजलोमशर्करादिसंसर्गे मन्त्रौ द्वौ, ताभ्यां सहोक्तसङ्ख्यां प्रशंसति–द्वाभ्यां संसृजति, तत् पञ्च पञ्चचितिकोऽग्निरिति । पञ्चर्तव इति । " हेमन्तशिशिरयोः समासेन "–(ऐ. ब्रा. १ । १ । १) इत्युक्तम् । अग्नेः संवत्सरात्मकत्वात्, अग्नेश्च पञ्चसङ्ख्यया तद्रूपां मृदं सम्पादितवान् भवति, अथोदकसेचने " आपो हि ष्ठा " इत्याद्यास्तिस्रः, ताभिः सहितां पञ्चसङ्ख्यां प्रशंसति–त्रिभिरप उपसृजति तदष्टाविति । अग्नेर्गायत्रत्वं सङ्ख्यासामान्यात् । तथा चान्यत्राम्नातम्–" यद्वेवाष्टावग्निरूपाणि, अष्टाक्षरा गायत्री, तस्मादाहुर्गायत्रोऽग्निरिति " (श. प. ६ ।

अथ मृत्पिण्डमपादत्ते। यावन्तं निधयेऽलं मन्यते मखस्य शिरोऽसीति यज्ञो वै मखस्तस्यैतच्छिरऽ आहवनीयो वै यज्ञस्य शिर ऽआहवनीयमु वा ऽएतं चेष्यन्भवति तस्मादाह मखस्य शिरोऽसीति ॥ १ ॥

यद्वेवाह मखस्य शिरोऽसीति। जायतऽएष ऽएतद्यच्चीयते शीर्षतो वै मुखतो जायमानो जायते शीर्षतो मुखतो जायमानो जायाताऽइति ॥ २ ॥

अथ मृत्पिण्डमपादत्ते। यावन्तं निधयेऽलं मन्यते-" मखस्य शिरोऽसि "-(वा. सं. ११। ५७) इति। यज्ञो वै मखः। तस्यैतच्छिरः। आहवनीयो वै यज्ञस्य शिरः। आहवनीयमु वाऽएतं चेष्यन् भवति। तस्मादाह-मखस्य शिरोऽसीति ॥ १ ॥

यद्वेवाह-मखस्य शिरोऽसीति। जायतऽएष एतद्-यच्चीयते। शीर्षतो वै मुखतो जायमानो जायते। शीर्षतो मुखतो जायमानो जायाताऽ इति ॥ २ ॥

१।३।१९) इति। प्रकारान्तरेणाष्टसङ्ख्यां प्रशंसति-अथो अष्टाक्षरेति। पूर्वं प्रथमाध्याये तृतीयब्राह्मणे प्रजापतिरेक एव सन् अस्यां पृथिव्यां बहुधा प्रजायेयेति विचार्य उदकफेनमृत्सिकताशर्कराश्मायोहिरण्यान्यष्टौ सृष्ट्वाऽक्षरत्-" तद् यदसृज्यताक्षरत् तद्यदक्षरत् तस्मादक्षरम्, अष्टौ कृत्वोऽक्षरत् सैवाष्टाक्षरा गायत्र्यभवत् "-(श. प. ६। १। ३। ६।) इति। यथा 'यावती' अष्टाक्षरा 'अग्रे' पूर्वम् 'असृज्यत,' तथा अग्निः " आपो हि ष्ठा "-इत्यादिभिर्मन्त्रैर्मृत्पिण्डे उदकसेचनाजलोमशर्करादित्रयसंसर्गमिश्रणैः 'तावतीम्' तावत्सङ्ख्याम् 'एनां' मृदं कृतवान् भवतीति ॥ १२ ॥

इति श्रीसायणाचार्यविरचिते माधवीये वेदार्थप्रकाशे माध्यन्दिनीयशतपथब्राह्मणभाष्ये षष्ठकाण्डे पञ्चमेऽध्याये प्रथमं ब्राह्मणम् ॥ ६। ५। १ ॥

अथोखाया अधस्तलपर्याप्तमृत्पिण्डादानं विधत्ते-अथ मृत्पिण्डमिति। 'निधिः' नाम उखाया अधस्तलम्, तस्मै; 'यावन्तं' पर्याप्तं 'मन्यते' यजमानः, तावन्तम् आददीत। उखाकरणे यजमानः कर्ता। तथा च कात्यायनः-" यजमान उखां करोति मृदमादाय मखस्य शिर इति "-(का. श्रौ. सू. १६। ९२) इति। आदाने मन्त्रं विधत्ते-मखस्य शिरोऽसीतीति। हे मृत्पिण्ड! त्वं 'मखस्य शिरोऽसि'। एतद् यजुर्व्याचष्टे-यज्ञो वै मख इति। यथा आहवनीयो यज्ञस्य शिरः, अग्न्याधारत्वात्; एवं मृत्पिण्डोऽपि वह्न्याधारत्वादाहवनीयस्य चीयमानत्वाच्च लक्षणया यज्ञशिर इत्युच्यते ॥ १ ॥

प्रकारान्तरेण स्तोतुमनुवदति-यद्वेवाह मखस्येति। इष्टकाभिश्चीयते इति यत्, तत् एषोऽग्निर्जायते। चयनं नाम जन्मेत्यर्थः। लोके ह्युत्पद्यमानः पुरुषः प्रथमं 'शीर्षतः' शिरःप्रभृतिक एव 'चीयते' जायते। एवमग्निः शीर्षतो जायतामित्यभिप्रायेण " यज्ञस्य शिरोऽसि "-इत्युक्तम्। 'जायाते'-इति जनेः पञ्चमलकारे रूपम् ॥ २ ॥

तुं प्रथयति । व्वुसवस्त्वा कृण्वन्तु गायत्रेण च्छुन्दसाऽङ्गिरस्वदित्ययुॅ्ँ
हैषु लोको निधिस्तुमेतद्वुसवो गायत्रेण च्छुन्दसाऽकुर्व्वंस्तुथैवैनमयुमेतद्गा
यत्रेण च्छुन्दसा करोत्यङ्गिरस्वदिति प्राणो वाऽअुङ्गिरा ध्रुवाऽसीति स्थिरा-
ऽसीत्येतदुथो प्रतिष्ठिताऽसीति पृथिव्यसीति पृथिवी ह्येषु निधिर्धारया
मुयि प्रजाॅ्ँ रायस्पोषं गौपत्युॅ्ँ सुवीर्य्युॅ्ँ सजातान्युजमानायेत्येतद्वै व्वुसव
ऽइमं लोकं कृत्वा तुस्मिन्नेतामाशिषमुाशासत तुथैवैतद्युजमान ऽइमं लोकं
कृत्वा तुस्मिन्नेतामाशिषमुाशास्ते तां प्रादेशमात्रीं कृत्वाऽथास्यै सर्व्वु-
तस्तीरमुन्नयति ॥ ३ ॥

तं प्रथयति । "वसवस्त्वा कृण्वन्तु गायत्रेण च्छन्दसाऽङ्गिरस्वद्"–इति । अयं हैष लोको निधिः । तमेतद्वसवो गायत्रेण च्छन्दसाऽकुर्वन् । तथैवैनमयमेतद् गायत्रेण च्छन्दसा करोति। आङ्गिरस्वदिति । प्राणो वाऽअङ्गिराः । "ध्रुवाऽसि"–इति स्थिराऽसीत्येतत् । अथो प्रतिष्ठिता-ऽसीति । "पृथिव्यसि"–इति । पृथिवी ह्येष निधिः । "धारया मयि प्रजां रायस्पोषं गौपत्यं सुवीर्यं सजातान्यजमानाय"–इति । एतद्वै वसव इमं लोकं कृत्वा तस्मिन्नेतामाशिष-माशासत । तथैवैतद्यजमान इमं लोकं कृत्वा तस्मिन्नेतामाशिषमाशास्ते । तां प्रादेशमात्रीं कृत्वा । अथास्यै सर्वतस्तीरमुन्नयति ॥ ३ ॥

तत्र प्रथनं समन्त्रं विधत्ते–तं प्रथयतीति[१] । 'प्रथयति' विस्तारयति । उखा नाम लोकत्रयात्मिकेति स्तुता, तत्र "निधिः' भूलोकः; उत्तरत्र "द्यौर्ह्येष उद्धिर्धारय" इति श्रवणात् 'उत्तरोत्तरमृत्पिण्डप्रक्षेपौ अन्त-रिक्षद्युलोकात्मकौ; अतो मन्त्रत्रयेऽपि लोकत्रयवाचकानि पदानि विद्यन्ते । यथा, निधिप्रथनमन्त्र एवमाम्नायते– "वसवस्त्वा कृण्वन्तु गायत्रेण च्छन्दसाऽङ्गिरस्वद् ध्रुवाऽसि पृथिव्यसि धारया मयि प्रजाॅ्ँ रायस्पोषं गौपत्यॅ्ँ सुवीर्यॅ्ँ सजातान् यजमानाय"–(वा.सं. ११।५८) इति। अयमर्थः,–'वसवः' नाम भूलोकरक्षका देवाः 'त्वा' त्वाम् उखां भूलोकात्मिकां 'कृण्वन्तु' कुर्वन्तु 'गायत्रेण च्छन्दसा' सह 'अङ्गिरस्वत्' प्राणवत्, हे उखे ! 'ध्रुवा असि' स्थिरा असि, 'पृथिवी' च 'असि' भूलोकात्मिका च भवसि । "धारया मयि"–इति यजुःशेषेण यज-माने आशिषमाशास्ते; यजमानाय मयीति सप्तमीनिर्देशात् 'यजमानाय'–इति सप्तम्यर्थे चतुर्थी । 'प्रजां' 'धारय' स्थापय । 'रायस्पोषं' धनपुष्टिम्, 'गौपत्यं' गवां पतित्वम् 'सुवीर्यं' सुवीराणां कर्म, अथ 'सजातान्' समानोदरे जातान् भ्रातॄनपि धारयेति सर्वत्र सम्बन्धः । मन्त्रं व्याचष्टे–अयं हैष लोको निधिरिति । 'एषः' भूलोकः 'निधिः' उखाया अधस्तलम् । तदेतद् यथा 'वसवोऽकुर्वन्,' एवं यष्टापि वसव इति पाठेन भूलोकमेव कृतवान् भवति । ध्रुवाऽसीत्यस्य व्याख्यानं स्थिराऽसीति, तस्य व्याख्यानं–प्रतिष्ठि-ताऽसीति । पृथिव्यसीत्यस्य व्याख्यानं–पृथिवी ह्येष निधिरिति । निधिर्नामोखाया अधस्तलमिति प्रागुक्तम्। धारया मयीत्यादिना यजमानस्य स्वाशीराशासनम् ॥

---

१. वसवस्त्वेति प्रथयति । का. श्रौ. सू. १६ । ३५ ।

(त्यु) अथ पूर्वमुद्धिमादधाति । रुद्रास्त्वा कृण्वन्तु त्रैष्टुभेन च्छन्दसाऽङ्गिरस्वदित्यन्तरिक्षᳫं हैषऽ उद्धिस्तमेतद्रुद्रास्त्रैष्टुभेन च्छन्दसाऽकुर्वᳫंस्तथैवैनमयमेतत्त्रैष्टुभेन च्छन्दसा करोत्यङ्गिरस्वदिति प्राणो वाऽअङ्गिरा ध्रुवाऽसीति स्थिराऽसीत्येतदथो प्रतिष्ठिताऽसीत्यन्तरिक्षमसीत्यन्तरिक्षᳫं ह्येष ऽउद्धिर्धारया मयि प्रजाᳫं रायस्पोषं गौपत्यᳫं सुवीर्यᳫं सजातान्यजमानायेत्येतद्वै रुद्राऽ अन्तरिक्षं कृत्वा तस्मिन्नेतामाशिषमाशासत तथैवैतद्यजमानोऽन्तरिक्षं कृत्वा तस्मिन्नेतामाशिषमाशास्ते ताᳫं संलिप्य सᳫंश्लक्ष्णय ॥ ४ ॥

अथ पूर्वमुद्धिमादधाति । "रुद्रास्त्वा कृण्वन्तु त्रैष्टुभेन च्छन्दसाऽङ्गिरस्वद्"–इति । अन्तरिक्षं हैष उद्धिः। तमेतद् रुद्रास्त्रैष्टुभेन च्छन्दसाऽकुर्वन् । तथैवैनमयमेतत् त्रैष्टुभेन च्छन्दसा करोति । आङ्गिरस्वादिति । प्राणो वाऽअङ्गिराः । " ध्रुवाऽसि "–इति । स्थिराऽसीत्येतद् । अथो प्रतिष्ठिता-सीति । " अन्तरिक्षमसि "–इति । अन्तरिक्षं ह्येष उद्धिः । " धारया मयि प्रजां रायस्पोषं गौपत्यं सुवीर्यं सजातान्यजमानाय "–इति । एतद्वै रुद्रा अन्तरिक्षं कृत्वा तस्मिन्नेतामाशिषमाशासत । तथैवैतद्यजमानोऽन्तरिक्षं कृत्वा तस्मिन्नेतामाशिषमाशास्ते । तां संलिप्य संश्लक्ष्णय ॥ ४ ॥

उत्तरत्रोखाया ऊद्र्ध्वपरिमाणं वक्ष्यते। अत्र निधेस्तिर्यग्विस्तारस्य परिमाणं विधत्ते–तां प्रादेशमात्रीमिति । 'तां' निधिपर्याप्तां मृदं तिर्यक् 'प्रादेशमात्रीं कृत्वा' 'अथ' अनन्तरम् 'अस्यै' अस्याः विस्तारिताया निधेर्मृदः 'सर्वतः' 'तीरम्' अन्तम् 'उन्नयति' ऊर्द्ध्वं कुर्यात् । तथा च सूत्रम्–" वसवस्त्वेति प्रथयत्यन्तानुन्नीय सर्वतः "–(का. श्रौ. सू. १६ । ९५) इति ॥ ३ ॥

अथ तिर्यक् प्रादेशमात्रं विस्तारिताया निधिमृदः उपरि मृत्पिण्डप्रक्षेपं समन्त्रं विधत्ते–अथ पूर्वमुद्धिमादधातीति । 'पूर्वं' प्रथमम् । 'उद्धि'–शब्दो मृत्पिण्डप्रदेशवाची । अत एव कात्यायनः–"प्रथमं धातुमादधाति"- (का. श्रौ. सू. १६ । ९६) इत्युक्तवान् । धातुशब्द उत्तरोत्तरक्रमेणावस्थानमाह; " त्रिधात्वलाबुपात्रम "–इत्यादिप्रयोगदर्शनात् । अथ द्वितीयमन्त्र एवमाम्नायते–" रुद्रास्त्वा कृण्वन्तु त्रैष्टुभेन च्छन्दसाऽङ्गिरस्वद् ध्रुवाऽस्यन्तरिक्षमसि धारया मयि प्रजाᳫं रायस्पोषं गौपत्यᳫं सुवीर्यᳫं सजातान् यजमानाय "–इति । मन्त्रस्यायमर्थः–हे उखे ! त्वां 'रुद्राः' अन्तरिक्षाभिमानिनः 'कृण्वन्तु' । अत्र मन्त्रे 'त्रैष्टुभेन छन्दसा'–इति, 'अन्तरिक्षमसि'–इति च विशेषः । शेषं पूर्ववत् । निधेर्भूलोकात्मकत्वादुपरिनिहितमृत्पिण्डस्यान्तरिक्षलोकात्मकत्वम् । मन्त्रव्याख्यापकं ब्राह्मणमपि पूर्ववत् । तां संलिप्येति । तां निधेरुपरि निहितां मृदं 'संलिप्य' सम्मार्ज्य 'संश्लक्ष्णय' श्लक्ष्णां स्निग्धां कुर्यादित्यर्थः ॥ ४ ॥

१–संलिप्य श्लक्ष्णीं कृत्वोत्तरमादित्यास्त्वेति । का० श्रौ० सू० १६ । ९७ ॥

१५५३

(क्ष्ण्या) अथोत्तरमुद्धिमादधाति । (त्या) आदित्यास्त्वा कृण्वन्तु जागतेन च्छन्दसाऽङ्गिरस्वदिति द्यौर्हैषुऽ उद्धिस्तमेतदादित्या जागतेन च्छन्दसाऽकुर्वंस्तथैवैनमयमेतज्जागतेन च्छन्दसा करोत्यङ्गिरस्वदिति प्राणो वाऽअङ्गिरा ध्रुवाऽसीति स्थिराऽसीत्येतदथो प्रतिष्ठिताऽसीति द्यौरसीति द्यौर्ह्येषुऽउद्धिर्धारया मयि प्रजाᳪं रायस्पोषं गौपत्यᳪं सुवीर्यᳪं सजातान्यजमानायेत्येतद्वा ऽआदित्या दिवं कृत्वा तस्यामेतामाशिषमाशासत तथैवैतद्यजमानो दिवं कृत्वा तस्यामेतामाशिषमाशास्ते ॥ ५ ॥

(स्तेऽथै) अथैतेन चतुर्थेन यजुषा करोति । विश्वे त्वा देवा वैश्वानराः कृण्वन्त्वानुष्टुभेन च्छन्दसाऽङ्गिरस्वदिति दिशो हैतद्यजुरेतद्वै विश्वे देवा वैश्वानराऽएषु लोकेषूखायामेतेन चतुर्थेन यजुषा दिशोऽदधुस्तथैवैतद्यजमानऽएषु लोकेषूखायामेतेन चतुर्थेन यजुषा दिशो दधात्यङ्गि-

---

अथोत्तरमुद्धिमादधाति । "आदित्यास्त्वा कृण्वन्तु जागतेन च्छन्दसाऽङ्गिरस्वद्"–इति । द्यौर्हैष उद्धिः । तमेतदादित्या जागतेन च्छन्दसाऽकुर्वन् । तथैवैनमयमेतज्जागतेन च्छन्दसा करोति । अङ्गिरस्वदिति । प्राणो वा अङ्गिराः । "ध्रुवाऽसि"–इति । स्थिराऽसीत्येतत्, अथो प्रतिष्ठिताऽसीति । "द्यौरसि"–इति । द्यौर्ह्येष उद्धिः । "धारया मयि प्रजां रायस्पोषं गौपत्यं सुवीर्यं सजातान्यजमानाय"–इति । एतद्वाऽआदित्या दिवं कृत्वा तस्यामेतामाशिषमाशासत । तथैवैतद्यजमानो दिवं कृत्वा तस्यामेतामाशिषमाशास्ते ॥ ५ ॥

अथैतेन चतुर्थेन यजुषा करोति –" विश्वे त्वा देवा वैश्वानराः कृण्वन्त्वानुष्टुभेन च्छन्दसाऽङ्गिरस्वद्"–इति । दिशो हैतद्यजुः । एतद्वै विश्वे देवाः । वैश्वानरा एषु लोकेषूखायामेतेन

अथ प्रथमोद्धेरुपरि अन्यमृत्पिण्डप्रक्षेपं समन्त्रं विधत्ते–अथोत्तरमुद्धिमादधातीति । अथ तृतीयमन्त्र एवमाम्नायते–" आदित्यास्त्वा कृण्वन्तु जागतेन च्छन्दसाऽङ्गिरस्वद् ध्रुवाऽसि द्यौरसि धारया मयि प्रजाᳪ रायस्पोषं गौपत्यᳪ सुवीर्यᳪ सजातान् यजमानाय "–इति ॥

अत्र आदित्या द्युलोकाभिमानिन्यो देवताः त्वामुखां कुर्वन्तु । अत्र मन्त्रे 'जागतेन छन्दसा'–इति, 'द्यौरसि'–इति च विशेषः । शेषं पूर्ववत् । प्रथमोद्धेरन्तरिक्षात्मकत्वात् तस्योपरि निहितमृत्पिण्डस्य द्युलोकात्मकत्वम् ॥ ५ ॥

अथ निधेरुद्धिद्वयस्य च समीकरणं समन्त्रं विधत्ते–अथैतेन चतुर्थेनेति । उक्तमन्त्रत्रयापेक्षया एतस्य यजुषश्चतुर्थत्वम् । वैश्वानराः विश्वनरसम्बन्धिनो 'विश्वे देवाः त्वाम् आनुष्टुभेन च्छन्दसा' कुर्वन्त्विति । दिशो

१–विश्वे त्वेति समीकरोति । का. श्रौ. सू. । १६ । १८ ।

रस्वदिति प्राणो वाऽअङ्गिरा ध्रुवाऽसीति स्थिराऽसीत्येतदथो प्रतिष्ठिता-ऽसीति दिशोऽसीति दिशो ह्येतद्यजुर्धारया मयि प्रजाᳬं रायस्पोषं गौपत्यᳬं सुवीर्यᳬं सजातान्यजमानायेत्येतद्वै विश्वे देवा वैश्वानरा दिशः कृत्वा तास्वेतामाशिषमाशासत तथैवैतद्यजमानो दिशः कृत्वा तास्वेतामाशिषमाशास्ते ॥ ६ ॥

तेनैतेनान्तरतश्च बाह्यतश्च करोति । तस्मादेषां लोकानामन्तरतश्च बाह्यतश्च दिशोऽपरिमितमेतेन करोत्यपरिमिता हि दिशः ॥ ७ ॥

(स्तां) तां प्रादेशमात्रीमेवोर्ध्वां करोति । प्रादेशमात्रीं तिरश्चीं प्रादेश-मात्रो वै गर्भो विष्णुर्योनिरेषा गर्भसम्मितां तद्योनिं करोति ॥ ८ ॥

चतुर्थेन यजुषा दिशोऽदधुः । तथैवैतद्यजमान एषु लोकेषूखायामेतेन चतुर्थेन यजुषा दिशो दधाति । अङ्गिरस्वदिति । प्राणो वाऽअङ्गिराः । "ध्रुवाऽसि"–इति । स्थिराऽसीत्येतद् । अथो प्रतिष्ठिता-ऽसीति । "दिशोऽसि"–इति । दिशो ह्येतद्यजुः । "धारया मयि प्रजां रायस्पोषं गौपत्यं सुवीर्यं सजातान्यजमानाय"–(वा०सं० ११।५८) इति । एतद्वै विश्वे देवाः । वैश्वानरा दिशः कृत्वा तास्वेतामाशिषमाशासत । तथैवैतद्यजमानो दिशः कृत्वा तास्वेतामाशिषमाशास्ते ॥ ६ ॥

तेनैतेनान्तरतश्च बाह्यतश्च करोति । तस्मादेषां लोकानामन्तरतश्च बाह्यतश्च दिशोऽपरिमितमेतेन करोति । अपरिमिता हि दिशः ॥ ७ ॥

तां प्रादेशमात्रीमेवोर्ध्वां करोति । प्रादेशमात्रीं तिरश्चीम् । प्रादेशमात्रो वै गर्भो विष्णुः । योनि-रेषा । गर्भसम्मितां तद्योनिं करोति ॥ ८ ॥

ह्येतद्यजुरित्यादेरयमर्थः,–उखाया लोकत्रयात्मकत्वात् 'एतेन' 'यजुषा' समीकरणेन तस्यां दिश एव निहि-तवन्तो भवन्ति ॥

सोऽयं चतुर्थो मन्त्रः–"विश्वे त्वा देवा वैश्वानराः कृण्वन्त्वानुष्टुभेन च्छन्दसाऽङ्गिरस्वद् ध्रुवाऽसि दिशोऽसि धारया मयि प्रजाᳬं रायस्पोषं गौपत्यᳬं सुवीर्यᳬं सजातान् यजमानाय"–इति । अत्र मन्त्रे 'आनुष्टुभेन च्छन्दसा'–इति, 'दिशोऽसि'–इति च विशेषः ॥ ६ ॥

पूर्वम् "अथैतेन चतुर्थेन यजुषा करोति" इति क्रियासामान्यमुक्तम्, तद् विशिनष्टि–**तेनैतेनान्तर-तश्च बाह्यतश्चेति** । 'अन्तरतः' उद्धिद्वयस्य मध्यप्रदेशे अपरिमितं छिद्रं कुर्यात्, 'बाह्यतः' अपि निम्नो-न्नतत्वपरिहारेण सर्वतः समं कुर्यात् । एतस्य यजुषो दिगात्मकत्वात्, उखायाश्च लोकत्रयात्मकत्वात् 'एतेन' अनेन अन्तरतो बाह्यतश्च समीकरणेन लोकत्रयस्य मध्ये बहिश्च 'अपरिमिता दिशः' निहितवान् भवति ॥ ७ ॥

उखाया ऊर्ध्वपरिमाणं विधत्ते–**तां प्रादेशमात्रीमिति** । एवकारेण परिमाणान्तरनिवृत्तिः । ऊर्ध्वा यथा

सा यदि वर्षीयसी प्रादेशात्स्यात् । (दे) एतेन यजुषा ह्रसीयसीं कुर्याद्यदि ह्रसीयस्येतेन वर्षीयसीम् ॥ ९ ॥

(५ँ) स यद्येकः पशुः स्यात् । (दे) एकप्रादेशां कुर्यादथ यदि पञ्च पशवः स्युः पञ्चप्रादेशां कुर्यादिषुमात्रीं वा वीर्यं वाऽइषुर्वीर्यसम्मितैव तद्भवति पञ्चप्रादेशा ह स्म त्वेव पुरेषुर्भवति ॥ १० ॥

(त्यु) अथ तिरश्चीᳬ रास्नां पर्यस्यति । दिशो हैव सैतद्वै देवाऽइमाँल्लोकानुखां कृत्वा दिग्भिरुदᳬहन्दिग्भिः पर्यतन्वंस्तथैवैतद्यजमानऽ इमाँल्लोकानुखां कृत्वा दिग्भिर्दृᳬहति दिग्भिः परितनोति ॥ ११ ॥

सा यदि वर्षीयसी प्रादेशात् स्यात्–एतेन यजुषा ह्रसीयसीं कुर्यात् । यदि ह्रसीयसी–एतेन वर्षीयसीम् ॥ ९ ॥

स यद्येकः पशुः स्यात्–एकप्रादेशां कुर्यात् । अथ यदि पञ्च पशवः स्युः । पञ्चप्रादेशां कुर्यात् । इषुमात्रीं वा । वीर्यं वाऽइषुः । वीर्यसम्मितैव तद्भवति । पञ्चप्रादेशा ह स्म त्वेव पुरेषुर्भवति ॥ १० ॥

'अथ तिरश्चीं रास्नां पर्यस्यति । दिशो हैव सा । एतद्वै देवा इमाँल्लोकानुखां कृत्वा दिग्भि-

प्रादेशमात्री, तिरश्चीनाऽपि प्रादेशमात्री । तिर्यक्प्रादेशमात्रीति निधिप्रथनसमये प्रागुक्तम् । ऊर्ध्वा तिर्यक् च समा कार्येत्यर्थः ॥

तत्परिमाणं प्रशंसति–प्रादेशेति । 'योनिं' गर्भसदृशीं कृतवान् भवति । उखाया योनित्वम् अग्न्याधारत्वात्, अग्नेश्च गर्भत्वम् तन्मध्ये संवत्सरमवस्थानात् ॥ ८ ॥

सर्वथोखा प्रादेशमात्री कर्त्तव्येत्याह–सा यदीति । 'यदि' 'सा' उखा 'प्रादेशाद्' 'वर्षीयसी' अधिकपरिमाणा 'स्यात्,' तर्हि 'एतेन' "विश्वे त्वा देवाः"–इति 'यजुषा' 'ह्रसीयसीम्' अधिकांशं परिहृत्य प्रादेशमात्रीमेव कुर्यात् । 'यदि' उखा 'ह्रसीयसी' स्यात्, 'एतेन' यजुषा तिर्यक् प्रादेशसम्मितामेव कुर्यात् ॥ ९ ॥

उखायाः परिमाणं पश्वनुष्ठानापेक्षया विकल्पितमिति दर्शयति–स यद्येकः पशुः स्यादिति । एकपशुपक्षे एव प्रादेशमात्री उखा कर्त्तव्या; पञ्चपशुपक्षे पञ्चप्रादेशपरिमाणा, इषुमात्री वा कर्त्तव्या । एतत् परिमाणद्वयं तिर्यगपेक्षया; ऊर्ध्वपरिमाणं त्वत्रापि एकप्रादेशमात्रीति । तथा च कात्यायनेन सूत्रितम्–"प्रादेशमात्रीं तिर्यगूर्ध्वां च, पञ्चप्रादेशामिषुमात्रीं वा तिर्यक् पञ्चपशौ"–(का. श्रौ. सू. १६ । ९३ । ९४) इति । तिर्यगेव पञ्चपशुपक्षे परिमाणद्वयम्, ऊर्ध्वन्तु एकप्रादेशीवेत्यर्थः ॥ १० ॥

अथोखाया उत्तरभागे वर्तिकरणं विधत्ते–अथ तिरश्चीमिति (का. श्रौ. सू. १६।८९) । 'पर्यस्यति'

१–प्रादेशमात्रीं तिर्यगूर्ध्वां च । का. श्रौ. सू. १६ । ९३ । चशब्दादूर्ध्वामपि प्रादेशमात्रीमेव ।

तामुत्तरे व्वितृतीये पुर्य्यस्यति । (त्यु) अुत्र हैषां लोकानामुन्ताः समुायन्ति तुदेवैनांस्तुद्दृ थ्ँ॒हति ॥ १२ ॥

(त्यु) अुदित्यै राुस्नाऽसुीति । व्वरुुण्या वै यज्ञे रुज्जुरवरुुण्यामुेवैनामेतद्रास्नां कृत्वा पुर्य्यस्यति ॥ १३ ॥

(त्यु) अुथ चुतस्रऽ ऊद्ध्र्वाः करोति । तूष्णीमेव दि॒शो हैव तुाऽ एतद्वै देवुाऽइमाँल्लोकानुखां कृत्वा दिग्भिः सर्व्वतोऽदृ थ्ँ॒हंस्तुथैवैतद्युजमानऽ इमाँल्लोकानुखां कृत्वा दिग्भिः सर्व्वतो दृ थ्ँ॒हति ॥ १४ ॥

रदंहन्, दिग्भिः पर्यतन्वन् । तथैवैतद्यजमान इमाँल्लोकानुखां कृत्वा दिग्भिर्दृंहति, दिग्भिः परितनोति ॥ ११ ॥

तामुत्तरे वितृतीये पर्यस्यति । अत्र हैषां लोकानामन्ताः समायन्ति—तदेवैनांस्तद्दृंहति ॥ १२ ॥

"अदित्यै रास्नाऽसि"—इति । वरुण्या वै यज्ञे रज्जुः । अवरुण्यामेवैनामेतद्रास्नां कृत्वा पर्यस्यति ॥ १३ ॥

अथ चतस्र ऊर्ध्वाः करोति—तूष्णीमेव । दिशो हैव ताः । एतद्वै देवा इमाँल्लोकानुखां कृत्वा दिग्भिः सर्वतोऽदंहन् । तथैवैतद्यजमान इमाँल्लोकानुखां कृत्वा दिग्भिः सर्वतो दंहति ॥ १४ ॥

परितः सर्वतः कुर्यात् । तां रास्नां दिगात्मना स्तौति—एतद्वै देवा इत्यादिना । पूर्वं 'देवाः' यथा 'उखां कृत्वा' 'दिग्भिः' दृढामकुर्वन्, एवं यष्टा वर्त्तिकरणेन दिग्भिरेव विततां दृढाञ्च कृतवान् भवति ॥ ११ ॥

रास्नाकरणस्य स्थानं विधत्ते—तामुत्तरे वितृतीय इति । उखां त्रिधा विभज्य 'उत्तर' अर्द्धे 'वितृतीये' तृतीयभागादप्यदूरे प्रदेशे उखाकण्ठप्रदेशे वर्ति सर्वतः तिरश्चीनां कुर्यादित्यर्थः ॥ १२ ॥

मन्त्रं विधत्ते—अदित्यै रास्नाऽसीति । हे वर्ते ! 'अदित्यै' अदीनाया देवमातुः 'रास्ना' रसना 'असि' 'इति' । रास्नापदस्याभिप्रायमाह—वरुण्या वै यज्ञ इति । पाशस्य वरुणो देवतेति प्रागुक्तम्, रास्ना 'अवरुण्या' अपाशत्वात् ॥ १३ ॥

अन्याश्चतस्रो वर्त्तीर्विधत्ते—अथ चतस्र ऊर्द्ध्वा इति । 'तूष्णीम्' इति मन्त्रप्रतिषेधः । एताः वर्त्तयः उखायाश्चतुर्दिशं कार्याः । तथा च सूत्रम्—"ऊर्द्ध्वास्तूष्णीं प्रतिदिशं चतस्रोऽपरा वर्त्तीः प्रास्ताः"—(का. श्रौ. सू. १६ । १००) इति । कण्ठगतवर्त्तिपर्यन्तं प्रतिदिशं चतस्रः तूष्णीं कार्या इत्यर्थः । रास्नाचतुष्टयं दिगात्मना स्तूयते-दिशो हैव ता इत्यादिना । 'सर्वतः' ऊर्द्ध्वानां चतसृणां तृतीयोत्तरकृतरास्नापर्यन्तम् ॥ १४ ॥

१–व्वितृतीय उत्तरं व्वर्तिं सर्वतः करोत्यदित्यै रास्नेति । का. श्रौ. सू. १६ । ९९ ॥

ताऽएताऽएतस्यै भवन्ति । (न्त्ये) एतद्वाऽएता ऽएतामस्तभ्नुवंस्तथै-
वैनामेतत्स्तभ्नुवन्ति तद्यदुतऽ ऊर्ध्वं तदेतया तिरश्च्या दृढमथ यदतोऽर्वा-
क्तदेताभिः ॥ १५ ॥

(स्ता) तासामग्रेषु स्तनानुन्नयन्ति । (न्त्ये) एतद्वै देवाऽइमाँल्लोकानुखां
कृत्वैतै स्तनैः सर्व्वान्कामानदुहत तथैवैतद्यजमानऽइमाँल्लोकानुखां कृत्वैतै
स्तनैः सर्व्वान् कामान् दुहे ॥ १६ ॥

सैषा गौरेव । (वे) इमे वै लोकाऽ उखेमे लोका गौस्तस्याऽएतदूधो यैषा
तिरश्ची रास्ना सा वितृतीये भवति वितृतीये हि गोरूधः ॥ १७ ॥

(स्त) तस्यै स्तनानुन्नयति । (न्थू) ऊधसस्तत्स्तनानुन्नयति सा चतु-
स्तना भवति चतुस्तना हि गौः ॥ १८ ॥

ता एता ऐतस्यै भवन्ति । एतद्वाऽएता एतामस्तभ्नुवन् । तथैवैनामेतत् स्तभ्नुवन्ति । तद्यदत ऊर्ध्वम्—तदेतया तिरश्च्या दृढम् । अथ यदतोऽर्वाक्—तदेताभिः ॥ १५ ॥

तासामग्रेषु स्तनानुन्नयन्ति । एतद्वै देवा इमाँल्लोकानुखां कृत्वैतै स्तनैः सर्वान् कामानदुहत । तथैवैतद्यजमान इमाँल्लोकानुखां कृत्वैतै स्तनैः सर्वान् कामान् दुहे ॥ १६ ॥

सैषा गौरेव । इमे वै लोका उखा । इमे लोका गौः । तस्याऽएतदूधो—यैषा तिरश्ची रास्ना । सा वितृतीये भवति । वितृतीये हि गोरूधः ॥ १७ ॥

तस्यै स्तनानुन्नयति । ऊधसस्तत् स्तनानुन्नयति । चतुःस्तना भवति । चतुःस्तना हि गौः ॥ १८ ॥

ता विधत्ते—ता एता ऐतस्यै भवन्तीति । तद्यदत ऊर्ध्वमिति । उत्तरवार्तिकरणेन अतो लोकात् ऊर्ध्वस्थितं सर्वं दृढं भवति । उखाया लोकत्रयात्मकत्वाद् दाढर्यार्थं वर्त्तयः कर्त्तव्या इति तात्पर्यम् ॥ १५ ॥

अथोर्ध्ववर्त्तीनामन्ते स्तनोन्नयनं विधत्ते—तासामग्रेषु स्तनानिति । स्तना इव 'स्तनाः', तदाकाराः कुर्यादित्यर्थः । एतद्वै देवा इत्यादेः कण्डिकात्रयस्यायमर्थः—पूर्वं देवा लोकत्रयात्मिकां गोरूपामुखां कृत्वा तस्याः ऊधःस्थानीयायाः वितृतीयभागे कृतायास्तिरश्चीनाया रास्नायाः समीपे वर्त्तिरास्नाग्रेषु चतुरः स्तनान् कृत्वा, तेभ्यः सर्वान् कामान् दुग्धवन्तः, तथाऽयं यष्टाऽपि स्वाभिलषितान् कामान् दोग्धुं चतुरः स्तनान् कुर्यादिति । गोरूधोऽपि वितृतीये भागे भवति, साऽपि गौश्चतुस्तनीति तत्साम्यम् ॥ १६–१८ ॥

१–स्तनानिवाग्रेषून्नयति । का. श्रौ. सू. १६ । १०१ ।

(स्ता) ता᳟ँ᳟ हैके द्विस्तनां कुर्वन्ति । (न्त्यु) अथो ऽअष्टस्तनां न तथा कुर्याद्ये वै गोः कनीयस्तनाः पशवो ये भूयस्तना ऽअनुपजीवनीयतरा वाऽअस्यैतेऽनुपजीवनीयतरा᳟ँ᳟ हैनां ते कुर्वतेऽथो ह ते न गां कुर्वते शुनीं वाऽविं वा वडवां वा तस्मात्तथा न कुर्यात् ॥ १९ ॥

(तु) अथास्यै बिलमभिपद्यते । (तेऽदि) अदितिष्टे बिलं गृभ्णात्विति वाग्वा ऽअदितिरेतद्वाऽएनां देवाः कृत्वा वाचाऽदित्या निरष्ठापयंस्तथैवैनामयमेतत्कृत्वा वाचाऽदित्या निष्ठापयति ॥ २० ॥

तां परिगृह्य निदधाति । कृत्वाय सा महीमुखामिति कृत्वाय सा महतीमुखामित्येतन्मृन्मयीं योनिमग्नयऽइति मृन्मयी ह्येषा योनिरग्नेः पुत्रेभ्यः

तां हैके द्विस्तनां कुर्वन्ति, अथोऽअष्टस्तनाम् । न तथा कुर्यात् । ये वै गोः कनीयस्तनाः पशवः, ये भूयस्तनाः—अनुपजीवनीयतरा वाऽअस्यैते । अनुपजीवनीयतरां हैनां ते कुर्वते । अथो ह ते न गां कुर्वते—शुनीं वा, अविं वा, वडवां वा । तस्मात्तथा न कुर्यात् ॥ १९ ॥

अथास्यै बिलमभिपद्यते । "अदितिष्टे बिलं गृभ्णातु"—इति । वाग्वाऽअदितिः । एतद्वाऽएनां देवाः कृत्वा वाचाऽदित्या निरष्ठापयन् । तथैवैनामयमेतत्कृत्वा वाचाऽदित्या निष्ठापयति ॥२०॥

तां परिगृह्य निदधाति—" कृत्वाय सा महीमुखाम् "—इति । कृत्वाय सा महतीमुखामित्ये·

चतुस्तनपक्षं सिद्धान्तयितुं शाखान्तरानुसारेण पक्षान्तरमनुवदति—तां हैके इति[1] । तथा च तैत्तिरीयाः—" द्विस्तनां करोति द्यावापृथिव्योर्दोहाय, चतुःस्तनां करोति पशूनां दोहाय, अष्टास्तनां करोति च्छन्दसां दोहाय "—(तै. सं. ५ । १ । ६ । ४) इति । द्विस्तनपक्षे एकस्मिन्नेव वर्त्यग्रे क्रियते स्तनद्वयम्, अष्टस्तनपक्षे एकैकस्मिन् वर्त्यग्रे द्वौ द्वाविति । तत्पक्षद्वयं दूषयति—न तथा कुर्यादिति । 'ये' पशवो 'गोः' पशोरपेक्षया 'कनीयस्तनाः' अल्पस्तनाः, 'ये' च 'भूयस्तनाः;' अल्पभूयस्त्वे गवापेक्षयेति वक्तुं गोरित्युक्तम् । सा हि चतुस्तना । स्तनचतुष्टयादर्वाक्स्तना भूयस्तना वा ये पशवः, ते 'अनुपजीवनीयाः' अभोग्या भवन्ति । यदि 'एनाम्' उखां द्विस्तनामष्टस्तनां वा कुर्यात्, तर्हि अनुपजीवनीयां भोगानर्हामेव कुर्युः न तु गां भोग्याम् । अभोग्यामेव दर्शयति—शुनीमिति । अष्टस्तनकरणे 'शुनीं' शुनः स्त्रियम्, द्विस्तनकरणे 'अविं वडवां वा' कृतवन्तो भवन्ति । ता यथा भोग्या न भवन्ति, एवं द्विस्तना अष्टस्तना वा उखा न भोगार्हेति तथाकरणमयुक्तमित्यर्थः ॥ १९ ॥

विधत्ते—अथास्यै बिलमिति[2] । 'बिलं' कण्ठविवरम्, 'अभिपद्यते' गृह्णाति । मन्त्रं विधत्ते—अदितिष्ट इति । हे उखे ! 'ते' 'बिलम्' अदितिः गृभ्णातु । " हृग्रहोर्भः " (पा. सू. ८ । २ । ३२ वा.) । अदितिर्वाग्रूपत्वेन स्तूयते—वाग्वा अदितिरिति । निष्ठापयतीति । निष्ठितां परिसमाप्तां करोति ॥ २० ॥

उखानिधानं समन्त्रं विधत्ते—तां परिगृह्येति[3] । 'परिगृह्य' दृढां गृहीत्वा निदध्यात् 'ताम्' उखाम् ॥

१—द्विस्तनामष्टस्तनामेके । का. श्रौ. सू. १६ । १०२ । २—बिलं गृह्णात्यदितिष्ट इति । का० श्रौ० सू० १६ । १०३ ।
३—कृत्वायेति निदधाति । का. श्रौ. सू. १६ । १०४ ।

प्रायच्छदुदितिः श्रपुयानित्येतद्वाऽएनामुदितिः कृत्वा देवेभ्यः पुत्रेभ्यः श्रपणाय प्रायच्छत्तथैवैनामयुमेतत्कृत्वा देवेभ्यः श्रपणाय प्रयच्छति ॥२१॥

ता हैके तिस्रुः कुर्व्वन्ति । त्रयो वाऽइमे लोकाऽइमे लोकाऽ उखाऽइति व्वदन्तोऽथोऽअन्योऽन्युस्यै प्रायश्चित्त्यै यदीतरा भेत्स्यतेऽथेतरस्यां भरिष्यामो यदीतराऽथेतरस्यामिति न तथा कुर्याद्यो वाऽएष निधिः प्रथमोऽयᳪ स लोको यः पूर्व्वऽ उद्धिरन्तरिक्षं तद्यऽ उत्तरो द्यौः साऽथ यदेतच्चतुर्थं यजुर्दिशो हैव तदेतावद्वाऽइदᳪ सर्व्वं यावदिमे च लोका दिशश्च स यदत्रोपाहरेदति तद्रेचयेद्यदु वै यज्ञेऽतिरिक्तं क्रियते यजमानस्य तद्द्विषन्तं भ्रातृव्यमभ्यतिरिच्यते यदु भिन्नायै प्रायश्चित्तिरुत्तरस्मिंस्तदन्वाख्याने ॥ २२ ॥

इति तृतीयप्रपाठके सप्तमं ब्राह्मणम् ॥ ६ । ३ । ७ ॥ (५-२)

इति तृतीयः प्रपाठकः समाप्तः ॥ ६-३ ॥

तत् । " मृन्मयीं योनिमग्नये "-इति । मृन्मयी ह्येषा योनिरग्नेः । " पुत्रेभ्यः प्रायच्छददितिः श्रपयानिति "-(वा. सं. ११ । ५९) । एतद्वाऽएनामदितिः कृत्वा देवेभ्यः पुत्रेभ्यः श्रपणाय प्रायच्छत् । तथैवैनामयमेतत्कृत्वा देवेभ्यः श्रपणाय प्रयच्छति ॥ २१ ॥

ता हैके तिस्रः कुर्वन्ति । त्रयो वाऽइमे लोकाः, इमे लोका उखा-इति वदन्तः । अथो अन्योऽन्यस्यै प्रायश्चित्त्यै । यदीतरा भेत्स्यते-अथेतरस्यां भरिष्यामो-यदीतरा-अथेतरस्यामिति । न तथा कुर्यात् । यो वाऽएष निधिः प्रथमः-अयं स लोकः । यः पूर्व उद्धिः-अन्तरिक्षं तद् । य उत्तरो-द्यौः सा । अथ यदेतच्चतुर्थं यजुः-दिशो हैव तत् । एतावद्वाऽइदं सर्वं-यावदिमे च लोकाः, दिशश्च । स यदत्रोपाहरेद्-अति तद्रेचयेत् । यदु वै यज्ञेऽतिरिक्तं क्रियते-यजमानस्य तद् द्विषन्तं भ्रातृव्यमभ्यतिरिच्यते । यदु भिन्नायै प्रायश्चित्तिः-उत्तरस्मिंस्तदन्वाख्याने ॥ २२ ॥

मन्त्रस्यायमर्थः,-' सा ' अदितिः ' महीं ' भूरूपां महतीं वा ' मृन्मयीं ' मृद्विकारभूताम् ' अग्नये ' अग्न्यर्थं ' योनिं ' स्थानम् उखां ' कृत्वाय ' " क्त्वो यक् "-(पा. सू. ७ । १ । ४७ ।) कृत्वा ' पुत्रेभ्यः ' 'श्रपयान्' श्रपयन्तु, पक्वां कुर्वन्तु इति । अतो हेतोः ' अदितिः ' स्वपुत्रेभ्यो देवेभ्यः प्रायच्छदिति सम्बन्धः । श्रपयतेः पञ्चमलकारे रूपम् । मन्त्रं प्रतिपादमनूद्य व्याचष्टे-कृत्वाय सा महीमुखामिति ॥ २१ ॥

उखा एकैव करणीयेति सिद्धान्तयितुं केषाञ्चित् पक्षं सोपपत्तिकमनुवदति-ता हैके तिस्रः कुर्वन्तीति । ' ताः ' उखाः, ' एके ' आचार्याः ' तिस्रः [1] कुर्वन्ति । तत्र युक्तिः-त्रयो वा इमे लोका इति । उखाः

१-तिस्र एके । का० श्रौ० सू० १६ । १०५ ।

अथ चतुर्थप्रपाठके प्रथमं ब्राह्मणम् ।

पञ्चमेऽध्याये च तृतीयं ब्राह्मणम् ।

तस्याऽ एतस्या ऽअषाढां पूर्वां करोति । (ती) इयं वाऽअषाढेयमु वा ऽएषां लोकानां प्रथमाऽसृज्यत तामेतस्याऽ एव मृदः करोत्येषाᳪ᳭ ह्येव लोकानामियं महिषी करोति महिषी हीयं तद्यैव प्रथमा वित्ता सा महिषी ॥ १ ॥

तस्या एतस्या अषाढां पूर्वां करोति । इयं वाऽअषाढा । इयमु वाऽएषां लोकानां प्रथमाऽसृज्यत । तामेतस्या एव मृदः करोति । एषां ह्येव लोकानामियम् । महिषी करोति । महिषी हीयम् । तद्यैव प्रथमा वित्ता—सा महिषी ॥ १ ॥

खलु लोकात्मिकाः, 'लोकाः' च 'त्रयः;' अतो लोकसङ्ख्यया उखाः कर्त्तव्याः 'इति' 'वदन्तः' एके तिस्रः कुर्वन्तीति सम्बन्धः । युक्त्यन्तरमाह—**अथो अन्योऽन्यस्या** इति । यदि एका भिद्येत, तर्हि अन्यस्यामग्निं भरिष्यामः । यदीतराऽथेतरस्यामिति । अतोऽन्योऽन्यस्यै प्रायश्चित्त्यर्थं तिस्र उखाः कर्त्तव्या इत्यर्थः ॥

तं पक्षं दूषयति—**यो वा एष निधिरि**त्यादिना । निधिरेकः, उद्धिद्वयञ्च, भूलोकादित्रयम्; यदेतत्समीकरणार्थं पशुः तद्दिगात्मकम्; एतावदेव लोकत्रयम् । दिशश्च सर्वं जगत्; न ततोऽतिरिक्तमस्ति । अतो लोकत्रयात्मिकायामेकस्यामुखायां कृतायाम, (श. प. १ । ७ । १ । ११) 'यद्' यदि अन्यदुखाद्वयम् 'उपाहरेत्' सम्पादयेत्, तर्हि 'तत्' लोकादिकम् अति–'रेचयेत्'; 'यद् यज्ञेऽतिरक्तं क्रियते,' 'तत्' अतिरिक्तं कर्म 'यजमानस्य' द्विषन्तम् एवातिरेचितवत् भवति । यतो न्यूनमतिरिक्तंच कर्म दोषावहमेव; अतो न्यूनाधिकदोषौ परिहार्यौ । तस्माल्लोकत्रयाद् दिग्भिश्चातिरिक्तस्य वस्तुनः करणं न युक्तमिति तात्पर्यम् ॥

यद्युखैका स्यात्, सा यदि भिद्येत, तर्हि किमन्यकरणं तूष्णीं वाऽवस्थानम्, अकरणे च कथमुख्याग्निधारणम्, असत्यग्निधारणे कथं चयनाख्यं कर्म सेत्स्यतीत्याशङ्क्य, तस्य सर्वस्योत्तरं ब्राह्मणे वक्ष्यत इत्याह—**यदु भिन्नायां प्रायश्चित्तिः, उत्तरस्मिन् तदन्वाख्यान** इति । 'अन्वाख्याने' ब्राह्मणे तत्र, वक्ष्यत इति । तत्र ह्येवम्—"यद्येषोखा भिद्येत, याऽभिन्ना नवा स्थाल्युरुबिली स्यात्, तस्यामेनं पर्यावपेत्"–(श. प. ६ । ६ । ४ । ८) इत्यादि ॥ २२ ॥

इति श्रीसायणाचार्यविरचिते माधवीये वेदार्थप्रकाशे माध्यन्दिनीयशतपथब्राह्मणभाष्ये षष्ठकाण्डे पञ्चमाऽध्याये द्वितीयं ब्राह्मणम् ॥ (६–५–२) ॥

अथ संस्कृताया मृदः सकाशादुखानिर्माणात् पूर्वमषाढाख्येष्टकाया निर्माणमाह—**तस्या एतस्या अषाढां पूर्वां करोती**ति । 'अषाढाम्' अषाढलिङ्गकमन्त्रोपधेयामिष्टकाम् । "तद्वानासामुपधानो मंत्र इतीष्टकासु

१–अषाढां करोति महिषी प्रथमवित्ता तदाख्या । का० श्रौ० सू० १६ । ९० ।

पादमात्री भवति । प्रतिष्ठा वै पाद ऽइयमु वै प्रतिष्ठा त्र्यालिखिता भवति त्रिवृद्धीयम् ॥ २ ॥

(मु) अथोखां करोति । (ती) इमांस्तल्लोकान्करोत्यथ विश्वज्योतिषः करोत्येता देवताऽअग्निं वायुमादित्यमेता ह्येव देवता विश्वं ज्योतिस्ता ऽएतस्याऽएव मृदः करोत्येभ्यस्तल्लोकेभ्यऽएतान्देवान्त्रिर्मिमीते यजमानः करोति त्र्यालिखिता भवन्ति त्रिवृतो ह्येते देवाऽइत्यधिदैवतम् ॥ ३ ॥

पादमात्री भवति । प्रतिष्ठा वै पादः । इयमु वै प्रतिष्ठा । त्र्यालिखिता भवति । त्रिवृद्धीयम् ॥२॥

अथोखां करोति । इमाँस्तल्लोकान् करोति । अथ विश्वज्योतिषः करोति—एता देवताः—अग्निम्, वायुम्, आदित्यम् । एता ह्येव देवता विश्वं ज्योतिः । ता एतस्या एव मृदः करोति । एभ्यस्तल्लोकेभ्य

लुक् च मतोः "—(पा. सू. ४ । ४ । १२५) इति मतोर्लुक् । 'पूर्वाम्' उखातः पूर्वभाविनीं कुर्यात् । पूर्वभावित्वमर्थवादमुखेन दर्शयति—इयं वा अषाढेति । 'अषाढा'—इति या अस्ति, सा 'इयम् वै' पृथिवी खलु तद्विकारत्वात् । अस्त्वेवम्, प्राथम्ये किमायातमित्यत आह—इयमु वा एषां लोकानां प्रथमाऽसृज्यतेति । पृथिव्या इतरलोकापेक्षया प्राथम्यं प्रसिद्धम् । अस्या मृदन्तरप्रकृतित्वप्रसक्तिं वारयति—तामेतस्या एवेति । 'एतस्याः' उक्तसंस्कारोपेताया मृदः सकाशादित्यर्थः । तत्रोपपत्तिमाह—एषां ह्येव लोकानामियमिति । यतः 'इयम्' 'एषां' प्रसिद्धानां लोकानां सम्बन्धिनी, अत इत्यर्थः । अयमभिप्रायः—उखाया लोकत्रयात्मकत्वेन प्रतिपादनात् तस्या या प्रकृतिभूता मृत्, तदीयाया एवाषाढाया अपि निर्माणे सत्येव तदीयत्वं भवतीति । अस्या उखावद् यजमानकर्तृत्वं प्राप्तमित्याह—महिषी करोतीति । प्रथमोढा स्त्री महिषी, 'इयम्' इष्टकाऽपि 'हि' यस्मात् 'महिषी;' प्रथमतो निर्माणात्, अतोऽस्यां महिषीकर्त्तव्यता युक्ता । भवत्वेवं यद्येषा महिषी स्यात्, सैव कुत इत्यत आह—तद्वैयैव प्रथमा वित्ता, सा महिषीति । 'वित्ता' लब्धा ॥ १ ॥

तस्या इयत्तामाह—पादमात्री भवतीति । अत्र महिषीशब्दस्य कर्तृत्वेन सम्बन्धात् तत्पादमात्रीति न मन्तव्यम्; सूत्रकारेण यजमानपादमात्रीति विशेषितत्वात् (का. श्रौ. सू. १६।९१) । उक्तं प्रमाणं प्रशंसति—प्रतिष्ठा वै पाद इयमु वै प्रतिष्ठेति । पादाभावे पतनदर्शनात् पादस्य प्रतिष्ठात्वम् । इयं पृथिवी सर्वाधारत्वात् प्रतिष्ठा, अतस्तद्विकारभूताया अपीष्टकायाः प्रतिष्ठात्मकपादप्रमाणत्वं युक्तमित्यर्थः । अस्याश्चिह्नत्वेन लेखात्रयं कर्त्तव्यमिति विधत्ते—त्र्यालिखिता भवति त्रिवृद्धीयमिति । अर्द्धचन्द्राकाराभिः तिसृभिः रेखाभिर्युक्ता भवेत् । 'हि' शब्देन—" त्रयो वा इमे त्रिवृतो लोकाः " (ऐ. ब्रा. ४ । २ । ३) इत्यादिश्रुत्यन्तरप्रसिद्धिर्द्योतिता । अस्यास्त्रिवृत्त्वं पृथिव्यप्तेजोभिस्त्रिवृत्करणाद्वा, सिकतामृत्तिकापाषाणैस्त्रिभिः संहतरूपत्वाद्वा द्रष्टव्यम् । अत्र सूत्रम्—" अषाढां करोति महिषी प्रथमवित्ता तद्वाद्या, यजमानपादमात्रीं त्र्यालिखिताम् " (का. श्रौ. सू. १६।९०।९१) इति ॥ २ ॥

उखाया अषाढानन्तरकर्त्तव्यतामाह—अथोखामिति । 'अथ' अषाढानन्तरम् 'उखां' प्रागुक्तलक्षणां

(मु) अथाध्यात्मम् । (मा) आत्मैवोखा व्वागषाढा तां पूर्व्वां करोति पुरस्ताद्धीयमात्मनो व्वाक्तामेतस्या ऽएव मृदः करोत्यात्मनो ह्येवेयं व्वाङ्महिषी करोति महिषी हि व्वाक्त्र्यालिखिता भवति त्रेधाविहिता हि वागृचो यजूꣳषि सामान्यथो यदिदं त्रयं व्वाचो रूपमुपाꣳशु व्यन्तरामुच्चैः ॥ ४ ॥

एतान् देवान्निर्मिमीते । यजमानः करोति । त्र्यालिखिता भवन्ति । त्रिवृतो ह्येते देवाः । इत्यधिदेवतम् ॥ ३ ॥

अथाध्यात्मम् । आत्मैवोखा । वागषाढा । तां पूर्वां करोति । पुरस्ताद्धीयमात्मनो वाक् । तामेतस्या एव मृदः करोति । आत्मनो ह्येवेयं वाक् । महिषी करोति । महिषी हि वाक् । त्र्यालिखिता भवति । त्रेधाविहिता हि वाक्—ऋचो, यजूंषि, सामानि । अथो यदिदं त्रयं वाचो रूपम् उपांशु व्यन्तरामुच्चैः ॥ ४ ॥

स्थालीं पश्चात् कुर्यात् । तत्रोखाकरणेनेमांस्त्रींल्लोकान् कृतवान् भवति " अथ यजमान उखां करोति मृदमादाय " इत्यादि (का. श्रौ. सू. १६।९२) सूत्रम् ॥

अथ विश्वज्योतिर्नामधेयानां तिसृणामिष्टकानामुखानन्तरकर्त्तव्यतां विधत्ते—**अथ विश्वज्योतिषः करोतीति** । पूर्ववदेतल्लिङ्गकैर्मन्त्रैरुपधेयत्वात् विश्वज्योतिर्नाम आसां द्रष्टव्यम् । एतासां निर्माणमेवाग्निवाय्वादित्यानां निर्माणमित्याह—**एता देवता अग्निं वायुमादित्यमेता ह्येव देवता विश्वं ज्योतिरिति** । एता देवताः इत्यस्य व्याख्यानम्—' अग्निम् ', ' वायुम् ', ' आदित्यम् '—इति । विश्वद्योतकत्वमग्न्यादीनां प्रसिद्धमिति ' हि ' शब्दो द्योतयति । पूर्ववदासामप्युखार्थं संस्कृतमृत्तिकैव करणमित्याह—**ता एतस्या एव मृदः करोतीति** । एतत् प्रशंसति—**एभ्यस्तल्लोकेभ्य एतान् देवान् निर्मिमीत इति** । उखाया लोकत्रयात्मकत्वस्योक्तत्वात् तदनन्तरं तदीयमृदा आसां निर्माणमेव तदधिष्ठातृदेवतानिर्मितिरित्यर्थः । **यजमानः करोतीति त्र्यालिखिता भवन्तीति** वाक्यद्वयं स्पष्टम् ॥

देवानां त्रिवृत्त्वं द्युभूम्यन्तरिक्षस्थानभेदेन, " इष्टकास्तु तिस्रो विश्वज्योतिषः पृथग्लक्षणास्त्र्यालिखिताः " (का. श्रौ. सू. १६।१०६) इति सूत्रम् । पृथग्लक्षणाभिधानम् द्वितीयतृतीयानां क्रमपरिज्ञानार्थम्; तेन क्रमेणोपधानं यथा स्यादिति । **इत्यधिदेवतमिति** । ' इति ' शब्दः प्रतिपादितप्रकारवचनः । ' अधिदेवतम् ' देवता अधिकृत्य प्रवृत्तम्, उक्तमित्यर्थः ॥ ३ ॥

' अथ ' वक्ष्यमाणम् ' अध्यात्मम् ' आत्मानमधिकृत्य प्रवर्त्यमानम् । ' वक्ष्यते ' इति शेषः । प्रतिज्ञातमर्थं दर्शयति—**आत्मैवोखा वागषाढेति** । उखायाः प्राधान्यादात्मत्वम् आह्वानादिषु आत्मनोऽपि पूर्वं वाचः स्वरूपमस्ति; ' पुरस्तात् ' प्रवृत्तेः प्रसिद्धिमाह ' हि ' शब्दः । न केवलं वैदिक्या एव वाचस्त्रैविध्यम्, अपि च ' यदिदं ' सर्वैरुच्चार्यमाणं ' वाचः ' ' रूपं ' स्वरूपमस्ति, तत् ' त्रयं ' त्रिविधम् । **उपांशु व्यन्तरामुच्चैरिति** । व्यन्तरामिति, उपांशूच्चैःस्वरमध्यवर्तिनीं वाचं वदन्ति प्राणिनः, तदेकं रूपमित्यर्थः । सुगममन्यत् ॥ ४ ॥

(र) अथोखां करोति। (त्या) आत्मानं तत्करोत्यथ विश्वज्योतिषः करोति प्रजा वै विश्वज्योतिः प्रजा ह्येव विश्वं ज्योतिः प्रजननमेवैतत्करोति ता ऽएतस्या ऽएव मृदः करोत्यात्मनस्तत्प्रजां निर्मिमीते यजमानः करोति यजमानस्तदात्मनः प्रजां करोत्यनन्तर्हिताः करोत्यनन्तर्हितां तदात्मनः प्रजां करोत्युत्तराः करोत्युत्तरां तदात्मनः प्रजां करोति त्र्यालिखिता भवन्ति त्रिवृद्धि प्रजातिः पिता माता पुत्रोऽथो गर्भऽउल्बं जरायु ॥ ५ ॥

ता ऽएता यजुष्कृतायै करोति । (त्य) अयजुष्कृतायाऽइतरा निरुक्ता ऽएता भवन्त्यनिरुक्ता ऽइतराः परिमिताऽएता भवन्त्यपरिमिताऽइतराः॥६॥

प्रजापतिरेषोऽग्निः । (रु) उभयम्वेतत्प्रजापतिर्निरुक्तश्चानिरुक्तश्च परिमितश्चापरिमितश्च तद्या यजुष्कृतायै करोति यदेवास्य निरुक्तं परि-

---

अथोखां करोति । आत्मानं तत् करोति । अथ विश्वज्योतिषः करोति । प्रजा वै विश्वज्योतिः । प्रजा ह्येव विश्वं ज्योतिः । प्रजननमेवैतत्करोति । ता एतस्या एव मृदः करोति । आत्मनस्तत्प्रजां निर्मिमीते । यजमानः करोति । यजमानस्तदात्मनः प्रजां करोति । उत्तराः करोति । उत्तरां तदात्मनः प्रजां करोति । त्र्यालिखिता भवन्ति । त्रिवृद्धि प्रजातिः—पिता, माता, पुत्रः । अथो गर्भः, उल्बम्, जरायु ॥ ५ ॥

ता एता यजुष्कृतायै करोति, अयजुष्कृतायाऽइतराः । निरुक्ता एता भवन्ति, अनिरुक्ता इतराः । परिमिता एता भवन्ति, अपरिमिता इतराः ॥ ६ ॥

प्रजापतिरेषोऽग्निः । उभयम्वेतत् प्रजापतिः-निरुक्तश्चानिरुक्तश्च, परिमितश्चापरिमितश्च ।

अथोखां करोतीत्यादिकम्, अधिदैवतवद् व्याख्येयम् । उखाया आत्मरूपत्वात् तदनन्तरं तस्या एव मृदो विश्वज्योतिषामुत्पादने प्रजोत्पादनमित्यर्थः । 'प्रजननं' प्रकृष्टं जननं जन्म यस्मात् प्रजननम्, प्रजामित्यर्थः । 'अनन्तर्हिताः' व्यापारान्तरेणाव्यवहिताः कुर्यात् । उखाया विश्वज्योतिषाञ्च मध्ये व्यवधानं न कुर्यादिति भाव. । तथानन्तर्हितत्वमुखातः प्राङ् निष्पादनेऽपि सम्भवतीत्यत आह-उत्तराः करोतीति । 'उत्तराः' उखाया उत्तरभाविनीः कुर्यात् । 'अथो गर्भ उल्बं' गर्भस्यान्तरवेष्टनम्, 'जरायु' बहिर्वेष्टनम् ॥ ५ ॥

यदेतासां मन्त्राहृतमृदोत्पन्नत्वम्, यच्चाषाढादिनामवत्त्वम्, यदपि पादमात्रादिपरिमाणवत्त्वम्, तदेतत् सर्वमितरेष्टकानां वैलक्षण्येनानूद्य स्तौति—ता एता यजुष्कृतायै करोतीत्यादिना । 'यजुः' मन्त्रः तेन कृता निष्पादिता 'यजुष्कृता' षष्ठ्यर्थे चतुर्थी, तस्या इत्यर्थः । 'अयजुष्कृतायै' अतथाभूताया मृदः 'इतराः' अषाढादिव्यतिरिक्ताः, कुर्यात्, 'एताः अनिरुक्ताः' अषाढाः विश्वज्योतिषो निर्वचनम प्राप्ताः (तै. सं. ४ । ४ । ६ सा. भा.) ॥ ६ ॥

प्रजापतिरेषोऽग्निरिति । 'एषः' चयनलक्षणः 'अग्निः' 'प्रजापतिः' सर्वभूतात्मको विराट् । 'निरुक्तं'

मितꣳ रूपं तदस्य तेन संस्करोत्यथ या अयजुष्कृतायै यदेवास्यानि-
रुक्तमपरिमितꣳ रूपं तदस्य तेन संस्करोति स ह वाऽएतꣳ सर्वं कृत्स्नं
प्रजापतिꣳ संस्करोति य एवं विद्वानेतदेवं करोत्यथोपशयायै पिण्डं
परिशिनष्टि प्रायश्चित्तिभ्यः ॥ ७ ॥ (शतम् ३७००) ॥

(भ्योऽथै) अथैनां धूपयति । स्थेम्ने न्वेवाथो कर्मणः प्रकृततायै यद्धेव
धूपयति शिर ऽएतद्यज्ञस्य यदुखा प्राणो धूमः शीर्षंस्तत्प्राणं दधाति ॥८॥

(त्य) अश्वशकैर्धूपयति । प्राजापत्यो वाऽअश्वः प्रजापतिरग्निर्नो वा
ऽआत्माऽऽत्मानꣳ हिनस्त्यहिꣳसायै तद्वै शक्नेव तद्धि जग्धं यातयाम
तथो ह नैवाश्वꣳ हिनस्ति नेतरान्पशून् ॥ ९ ॥

तद् या यजुष्कृतायै करोति—यदेवास्य निरुक्तं परिमितं रूपम्, तदस्य तेन संस्करोति। अथ या अयजुष्कृतायै—यदेवास्यानिरुक्तम् अपरिमितं रूपम्—तदस्य तेन संस्करोति। स ह वाऽएतं सर्वं कृत्स्नं प्रजापतिं संस्करोति—य एवं विद्वानेतदेवं करोति। अथोपशयायै पिण्डं परिशिनष्टि—प्रायश्चित्तिभ्यः ॥ ७ ॥

अथैनां धूपयति—स्थेम्ने न्वेव। अथो कर्मणः प्रकृततायै । यद्धेव धूपयति। शिर एतद्यज्ञस्य—यदुखा। प्राणो धूमः। शीर्षंस्तत् प्राणं दधाति ॥ ८ ॥

अश्वशकैर्धूपयति। प्राजापत्यो वाऽअश्वः। प्रजापतिरग्निः । नो वाऽआत्माऽऽत्मानं हिनस्ति—अहिंसायै। तद्वै शक्नैव। तद्धि जग्धं यातयाम। तथो ह नैवाश्वं हिनस्ति, नेतरान्पशून् ॥ ९ ॥

कार्यात्मना स्थितम्, 'अनिरुक्तं' कारणात्मना वर्तमानमिति विवेकः। यन्निरुक्तानिरुक्ताद्यात्मकत्वम् 'उभयम्' अस्ति, तद् द्वयं प्रजापतिरेव। 'तत्' तथा सति यजुष्कृतोत्पन्नानि प्रजापतेः 'यत्' निरुक्तं रूपम्, 'तत्' कार्यात्मकं 'परिमितम्,' तत् संस्कृतवान् भवति। अतथाभूताभिरिष्टकाभिरतथाभूतं प्रजापतेः रूपं संस्करोति। 'एवं विद्वान्' निरुक्तानिरुक्तमुभयं जानन् संस्कर्ता भवति । अवशिष्टाया मृदो विनियोगमाह—अथोपशयायै पिण्डं परिशिनष्टि प्रायश्चित्तिभ्य इति। उखां कृत्वा यजमान इति शेषः। उपशेते इति 'उपशया' मृदुच्यते। तस्याः प्रयोजनमुच्यते—'प्रायश्चित्तिभ्यः' प्रायश्चित्तयः उखाभेदपरिहारोपायाः, तदर्थमित्यर्थः ॥ ७ ॥

यदुक्तं सूत्रकृता—"सप्तभिरश्वशकृद्भिरुखां धूपयति दक्षिणाग्न्यादीप्तैरेकैकेन वसवस्त्वेति प्रतिमन्त्रम्" (का. श्रौ. सू. १६।१०८) इति, तदिदं विधाय प्रशंसति—अथैनां धूपयति स्थेम्ने न्वेवेत्यादिना। 'स्थेम्ने न्वेव' स्थिरत्वायैव, न केवलं दृष्टार्थम्। 'अथो' अपि च 'कर्मणः' उख्यधारणलक्षणस्य चयनस्य वा 'प्रकृततायै' संस्कृतत्वसिद्धये । यद्धेवेत्यादिः धूपनार्थवादः, उखायाः प्राधान्यात् शिरस्त्वाभिधानम् । नासारन्ध्रेण प्राणस्य सञ्चारावसरे धूमस्य तत्सञ्चारदर्शनात् प्राणत्वोपचारः ॥ ८ ॥

अश्वशकैर्धूपयतीति। धूपनकर्म चाश्वशकृद्भिरेव भवितव्यमिति नियमे कारणमाह—प्राजापत्यो वा अश्व

१—सदमुपशयां निदधाति। का. श्रौ. सू. । १६ । १०७ ।

(न्वु) व्वसवस्त्वा धूपयन्तु । गायत्रेण च्छन्दसाऽङ्गिरस्वद्रुद्रास्त्वा धूपयन्तु त्रैष्टुभेन च्छन्दसाऽङ्गिरस्वदादित्यास्त्वा धूपयन्तु जागतेन च्छन्दसाऽङ्गिरस्वद्विश्वे त्वा देवा व्वैश्वानरा धूपयन्त्वानुष्टुभेन च्छन्दसाऽङ्गिरस्वदिन्द्रस्त्वा धूपयतु व्वरुणस्त्वा धूपयतु व्विष्णुस्त्वा धूपयत्वित्येताभिरेवैनामेतद्देवताभिर्धूपयति ॥ १० ॥

" वसवस्त्वा धूपयन्तु गायत्रेण च्छन्दसाऽङ्गिरस्वत् (१) रुद्रास्त्वा धूपयन्तु त्रैष्टुभेन च्छन्दसाऽङ्गिरस्वत् (२) आदित्यास्त्वा धूपयन्तु जागतेन च्छन्दसाऽङ्गिरस्वत् (३) विश्वे त्वा देवा वैश्वानरा धूपयन्त्वानुष्टुभेन च्छन्दसाऽङ्गिरस्वत (४) इन्द्रस्त्वा धूपयतु (५) वरुणस्त्वा धूपयतु (६) विष्णुस्त्वा धूपयतु (७) "–(वा. सं. ११ । ६०) इति । एताभिरेवैनामेतद्देवताभिर्धूपयति ॥ १० ॥

इत्यादिना । " प्रजापतेरक्ष्यश्वयत्तत् परापतत् तदश्वोऽभवत्, यदश्वयत् तदश्वस्याश्वत्वम् "–(तै. सं. ५ । ३ । १२ । १)-इति श्रुतेः प्रजापतेरवयवत्वेन सम्बन्धादश्वस्य प्राजापत्यत्वम् । चीयमानस्याग्नेः विराडात्मकत्वं प्राक् प्रतिपादनात्,–" संवत्सरः प्रजापतिरिति " इति श्रुतेः संवत्सरमुख्याग्नेर्धार्यमाणत्वाद्वा अग्निः प्रजापतिः । अश्वशकृद्द्वारा धूपनं प्रशंसति–तद्वै शक्नैवेत्यादिना । 'शक्ना' इति पदे " पद्दन: "–(पा. सू. ६ । १ । ६३) इत्यादिना शकन्नादेशः । ' जग्धम् ' भक्षितम् अदेर्जग्ध्यादेशः (पा. सू. २ । ६ । ३६ वा.) । 'यातयाम' कालान्तरगमनम्, गतसारमित्यर्थः । यत एवम्भूतम् अतः स्वसम्बन्धिनम् 'अश्वम्' अपि न 'हिनस्ति' अश्वसम्बन्धित्वेन एतेषां पशूनां सम्बन्धाभावादेव हिंसाप्रसङ्गः । अतोऽश्वशकृधूपनं प्रशस्तम् ॥ ९ ॥

अथ प्रथमशक्ना धूपने मन्त्रमाह–वसवस्त्वा धूपयन्तु गायत्रेण च्छन्दसाऽङ्गिरस्वदिति । हे उखे ! त्वां 'वसवः' अष्टसङ्ख्याकाः 'धूपयन्तु' अश्वशकधूपनेन संस्कुर्वन्तु । कीदृशा वसवः गायत्र्याख्येन छन्दसा सहिताः 'अङ्गिरस्वत्' अङ्गिरसो यथा स्वकीये चयने 'अधूपयन्' एवमित्यर्थः । वसूनां गायत्रच्छन्दसश्च सम्बन्धे अष्टसङ्ख्यासादृश्यं निमित्तम्; अष्टौ हि वसवः, अष्टाक्षरा च गायत्री ॥

एवं " रुद्रास्त्वा धूपयन्तु त्रैष्टुभेन "– (वा. सं. ११ । ६०) इत्यादयोऽप्यक्षरसंख्याद्वारेण व्याख्येयाः । " विश्वे त्वा देवा वैश्वानरा " इति चतुर्थमन्त्रे विश्वेषां देवानां सर्वदेवात्मकत्वादनुष्टुभश्च सर्वच्छन्दोरूपत्वात् परस्परसम्बन्धः । विश्वे च ते नराश्च 'विश्वेनराः', तेषां हितकारित्वेन सम्बन्धिनो 'वैश्वानराः' इन्द्रवरुणविष्णूनां प्रतिनियतच्छन्दस्सम्बन्धाभावात् केवला एवाम्नाताः । एताभिरेवैनामेतद्देवताभिर्धूपयतीति । 'एतत्' एतेन, वस्वादिमन्त्रधूपनेन 'एताभिः' सप्तदेवताभिः एव धूपनं कारितवान् भवति ॥ १० ॥

सुप्ताश्वशकानि भवन्ति । सप्त यजूꣳषि सप्ततय्य्ऽ एता देवताः सप्त शीर्षन्प्राणा यदु वाऽअपि बहुकृत्वः सप्तसप्त सप्तैव तच्छीर्षण्येव तत्सप्त प्राणान्दधाति ॥ ११ ॥

इति चतुर्थप्रपाठके प्रथमं ब्राह्मणम् ॥ ६-४-१ ॥ (५. ३.)

अथैनमस्यां खनति । (त्ये) एतद्वै देवा ऽअबिभयुर्यद्वै नऽ इममिह रक्षाꣳसि नाष्ट्रा न हन्युरिति तस्माऽइमामेवात्मानमकुर्व्वन्गुप्त्याऽआत्माऽऽत्मानं गोप्स्यतीति ॥ १ ॥

तां वाऽअदित्या खनति । (ती) इयं वाऽअदितिर्नो वाऽआत्माऽऽत्मानꣳ हिनस्त्यहिꣳसायै यदन्यया देवतया खनेद्धिꣳस्याद्धैनम् ॥२॥

सप्ताश्वशकानि भवन्ति, सप्त यजूंषि, सप्ततय्य एता देवताः । सप्त शीर्षन् प्राणाः । यद्दु वाऽअपि बहुकृत्वः सप्तसप्त सप्तैव तत् । शीर्षण्येव तत् सप्त प्राणान् दधाति ॥ ११ ॥

अथैनमस्यां खनति । एतद्वै देवा अबिभयुः-यद्वै न इममिह रक्षांसि नाष्ट्रा न हन्युरिति । तस्माऽइमामेवात्मानमकुर्वन्-गुप्त्यै । आत्माऽऽत्मानं गोप्स्यतीति ॥ १ ॥

तां वाऽअदित्या खनति । इयं वाऽअदितिः । नो वाऽआत्माऽऽत्मानं हिनस्त्यहिंसायै । यदन्यया देवतया खनेद्-हिंस्याद्धैनम् ॥ २ ॥

शकृन्मन्त्रदेवतानां यत् सप्तसङ्ख्यासाम्यम्, तत् प्रशंसति-सप्ताश्वशकानि भवन्तीत्यादिना । सङ्ख्यागतसप्तत्वस्य त्रित्वं प्रशंसति-यदु वा अपि बहुकृत्वः सप्त-सप्तेति । 'उ' अपि च, यदपि तत्र शकृद्गतमेकं सप्तकम्, मन्त्रगतञ्चापरम्, देवतागतं चान्यत् । एवं 'बहुकृत्वः' सप्तसंख्यायामावृत्तायामपि सप्तसंख्यानतिरेकात् त्रिभिः सप्तभिः 'शीर्षण्येव' उखाख्ये यज्ञशिरस्येव 'सप्त प्राणान्' 'दधाति' स्थापयति ॥ ११ ॥

इति श्रीसायणाचार्यविरचिते माधवीये वेदार्थप्रकाशे माध्यन्दिनीयशतपथब्राह्मणभाष्ये षष्ठकाण्डे पञ्चमेऽध्याये तृतीयं ब्राह्मणम् ॥ (६-५-३) ॥

अथावटखननं विधत्ते-अथैनमस्यां खनतीति । 'एनम्' अवटम् 'अस्यां' पृथिव्याम् उखास्थापनार्थं खनेत् । अवटखननं पुरावृत्तान्ताभिधानमुखेन प्रशंसति-एतद्वै देवा अबिभयुरिति । 'एतत्' एतेन वक्ष्यमाणेन खलु 'देवाः' भीताः आसन्, 'नः' अस्माकं सम्बन्धिनम् 'इमम्' उखेष्टकाख्यं पदार्थं 'नाष्ट्रा' नाशकारीणि रक्षांसि 'न हन्युः' हननं न कुर्युरिति । यदेतदस्ति, 'एतत्' एतेनेति पूर्वत्रान्वयः । 'तस्मै' अवयवभूताय उखादिपदार्थाय 'इमां' पृथिवीम् 'एव' 'आत्मानम्' अवयविनम् 'अकुर्वन्' । एवं कुर्वतामभिप्रायमाह-आत्मानं गोप्स्यतीति । यथात्मभूतमङ्गं स्वयं रक्षति, तथा रक्षिष्यतीति तेषामाशयः ॥ १ ॥

खननमनूद्य मन्त्रं विधत्ते-तां वा अदित्या खनतीति । 'अदित्या' अदितिदेवतात्मकेन मन्त्रेणेत्यर्थः ।

(मु) अदितिष्ट्वा देवी विश्वदेव्यावती । पृथिव्याः सधस्थेऽअङ्गिर-स्वत्खनत्ववटेत्यवटो हैष देवत्राऽत्र सा वैणव्यभ्रिरुत्सीदति चतुःस्रक्ति-रेष कूपो भवति चतस्रो वै दिशः सर्वाभ्यऽ एवैनमेतद्दिग्भ्यः खनत्यथ पचनमवधायाषाढामवदधाति तूष्णीमेव ताᳬं हि पूर्वां करोति ॥ ३ ॥

(त्यु) अथोखामवदधाति । देवानां त्वा पत्नीर्देवीर्विश्वदेव्यावतीः पृथिव्याः सधस्थे ऽअङ्गिरस्वद्दधतूख ऽइति देवानाᳬं हैतामग्रे पत्नीर्देवी-

---

" अदितिष्ट्वा देवी विश्वदेव्यावती पृथिव्याः सधस्थेऽअङ्गिरस्वत् खनत्ववट "— इति । अवटो हैष देवत्रा । अत्र सा वैणव्यभ्रिरुत्सीदति । चतुःस्रक्तिरेष कूपो भवति । चतस्रो वै दिशः । सर्वाभ्य एवैनमेतद्दिग्भ्यः खनति । अथ पचनमवधायाषाढामवदधाति—तूष्णीमेव । तां हि पूर्वां करोति ॥ ३ ॥

अथोखामवदधाति । " देवानां त्वा पत्नीर्देवीर्विश्वदेव्यावतीः पृथिव्याः सधस्थेऽ-

---

अन्वयव्यतिरेकाभ्यामदितिः खनने प्रशस्तेति दर्शयति । इयं वा अदितिरित्यादिना । येयम् ' अदितिः ' देवता, सा ' इयं वै ' पृथिवी खलु । आदत्ते सर्वमित्यदितिरिति व्युत्पत्तेः । स्पष्टमन्यत् । यथा पादतललग्न-कण्टकाद्युद्धरणादिषु स्वयं चेन्न हिनस्ति, अन्यश्चेत् हिंस्यात्; एवमिति भावः ॥ २ ॥

मन्त्रं दर्शयति—अदितिष्ट्वा देवीति । अयमर्थः—हे अवट ! ' त्वा ' ' अदितिः ' अदीना देवमाता । ' देवी ' खनतु । कीदृशी ? ' विश्वदेव्यावती ' विश्वेषां देवानां हितं कर्म विश्वदेव्यम्, तदस्या अस्तीति—(पा. सू. ६।४।१३१) विश्वदेव्यावती । " मन्त्रे सोमाश्वेन्द्रियविश्वदेव्यस्य मतौ "—(पा. सू. ६ । ३ । १३४) इति दीर्घः । किंवत् ? ' अङ्गिरस्वत् ' अङ्गिरसो यथा तथा । कुत्र ? ' पृथिव्याः ' ' सधस्थे ' सह-स्थाने उपरीत्यर्थः । ' इति '—शब्दो मन्त्रसमाप्त्यर्थ इति ॥

अवटो हैष देवत्रेति । 'एषः अवटः' 'देवत्रा' देवम् अग्निं प्रति साधुः, इष्टकोखारक्षकत्वात् । अवटखनन-साधनम्, उखार्थमृत्खननार्थं प्रागाहृता वैणव्यभ्रिरेवेत्याह—अथ सा वैणव्यभ्रिरुत्सीदतीति । ' अत्र ' अवट-खनने सा यैव पूर्वमुपयुक्ता ' वैणवी ' वेणुविकारभूता ' अभ्रिः ' ' सा ' ' उत्सीदति ' विनश्यति, कृतप्रयो-जना भवतीत्यर्थः । अत्र खननार्थमाहृतायाः प्रतिपत्तिर्भवतीत्यर्थः । अवटस्य प्रकारविशेषमाह—चतुःस्रक्ति-रेष कूपो भवतीति । स्रक्तयोऽश्रयः प्रक्षेप्तव्यबहुत्वादवटबहुत्वप्रसक्तावुच्यते—एष कूप इति । ' चतस्रो वै दिशः ' इत्यर्थवादः स्पष्टः " अग्न्या श्वभ्रं चतुरश्रं खनत्यदितिष्ट्वेति "—(का. श्रौ. सू. १६ । १०८) इति कात्यायनः ॥

अथ यदुक्तं सूत्रकृता—" श्रपणमास्तीर्य यथाकृतमवदधाति, देवानां त्वेत्युखां न्युब्जाम् "—(का. श्रौ. सू. १६ । ११० । १११) इति, तदिदं विधत्ते—अथ पचनमिति । पच्यतेऽनेनेति पचनं तृणादिकम्, तत् ' अवधाय ' अवटे आस्तीर्य, तूष्णीमेवादौ निष्पादितत्वात् प्रथमम् ' अषाढाम् एव ' तूष्णीं स्थापयेत् ॥ ३ ॥

अथोखामवदधातीति । पश्चादुखां " देवानां त्वा पत्नीः "—इति मन्त्रेण अवाङ्मुखामवदध्यात् ।

व्विश्वदेव्व्यावतीः पृथिव्व्याः सधस्त्थेऽङ्गिरस्वद्दधुस्त्ताभिरेवैनामेतद्दधाति त्ता ह ताऽ ओषधयऽ एवौषधयो वै देवानां पत्न्यऽ ओषधिभिर्हीदᳪ सर्व्वᳪ हितमोषधिभिरेवैनामेतद्दधात्यथ व्विश्वज्ज्योतिषोऽवदधाति तूष्णी-मेवाथ पचनमवधायाभीन्द्धे ॥ ४ ॥

धिषणास्त्वा देवीः । (व्विं) व्विश्वदेव्व्यावतीः पृथिव्व्याः सधस्त्थेऽअङ्गि-रस्वदभीन्धतामुखऽइति धिषणा हैतामग्रे देवीर्व्विश्वदेव्व्यावतीः पृथिव्व्याः सधस्त्थेऽङ्गिरस्वदभीधिरे त्ताभिरेवैनामेतदभीन्द्धे सा ह सा व्वागेव व्वाग्वै धिषणा व्वाचा हीदᳪ सर्व्वमिद्धं व्वाचैवैनामेतदभीन्द्धेऽथैतानि त्रीणि यजूᳪषीक्षमाणऽ एव जपति ॥ ५ ॥

अङ्गिरस्वद्दधतूखे "–इति । देवानां हैतामग्रे पत्नीर्देवीर्विश्वदेव्यावतीः पृथिव्याः सधस्थेऽङ्गिर-स्वद्दधुः–ताभिरेवैनामेतद्दधाति । ता ह ता ओषधय एव । ओषधयो वै देवानां पत्न्यः । ओषधिभिर्हीदं सर्वं हितम् । ओषधिभिरेवैनामेतद्दधाति । अथ विश्वज्योतिषोऽवदधाति–तूष्णीमेव । अथ पचनमव-धायाभीन्द्धे ॥ ४ ॥

" धिषणास्त्वा देवीर्विश्वदेव्यावतीः पृथिव्याः सधस्थेऽअङ्गिरस्वदभीन्धतामुखे "–इति । धिषणा हैतामग्रे देवीर्विश्वदेव्यावतीः पृथिव्याः सधस्थेऽङ्गिरस्वदभीधिरे–ताभिरेवैनामेतद-भीन्द्धे । सा ह सा वागेव । वाग्वै धिषणा । वाचा हीदं सर्वमिद्धम् । वाचैवैनामेतदभीन्द्धे । अथै-तानि त्रीणि यजूंषीक्षमाण एव जपति ॥ ५ ॥

' देवीः '–' विश्वदेव्यावतीः '–इत्युभयत्र " सुपां सुलुक् "–(पा. सू. ७ । १ । ३९) इति पूर्णसवर्ण-दीर्घः ॥ मन्त्रं व्याचष्टे–देवानां हैतामग्र इति । या देवपत्न्यः–इन्द्राणी, अग्नायी, आश्विनी, राट् इत्याद्या (निरु. १२ । ४ । १२) पुरा उखामवटे स्थापितवत्यः । अतः अनेन मन्त्रेण ताभिरवस्थापितवान् भवतीत्यर्थः । ' देवपत्नी '–शब्दस्य ओषधयोऽर्थ इति सोपपत्तिकं वदन् तेन मन्त्रेणोपधानं प्रशंसति–ता ह ता ओषधय एवेति । ' ता ह ' ताः खलु देवपत्न्यः, ' ताः ' ' ओषधय एव; ' न त्वन्या इति मन्तव्य-मित्योषध्यात्मना देवपत्नीस्तुतिः । तह्योंषधीनां निधानशक्तिः कुत इत्यत आह–ओषधीभिर्हीदं सर्वं हितमिति । व्रीहियवादिरूपाणामोषधीनाम् अस्य कृत्स्नस्य जगतो धारकत्वं प्रसिद्धम् । निर्माणक्रमप्राप्तानां विश्वज्योतिषा-मवधानं विधत्ते–अथ पचनमित्यादिना । दीपनं दक्षिणाग्निनैव । " दक्षिणाग्न्यग्निना दीपयति धिषणा-स्त्वेति "–(का. श्रौ. सू. १६ । ११२) इति सूत्रम् ॥ ४ ॥

धिषणास्त्वेति । मन्त्रस्तु पूर्ववद्व्याख्येयः । धिषणा हैतामित्यादि–ब्राह्मणमपि पूर्ववत् । ' अभीधिरे ' अभितोऽदीपयन् । धिषणाशब्दस्य विवक्षितमर्थं ब्रुवन् तस्याः प्रकृतकर्मयोग्यतासमर्थनाय सामन्धनप्रसिद्धि-माह–सा ह सा वागेवेति । या सा खलु धिषणा, ' सा ' प्रसिद्धा ' वागेव ' नान्या; वाचा व्यवहाराभावे

व्वुरूत्रीष्ट्वा देवीः । (र्व्वि) व्विश्वुदेव्यावतीः पृथिव्युाः सधुस्थेऽअ-ङ्गिरस्वुच्छ्रपयन्तूखऽइति व्वुरूत्रीर्हैतामुग्रे देवीर्व्विश्वुदेव्यावतीः पृथिव्युाः सधुस्थेऽङ्गिरस्वुच्छ्रपयाञ्चक्रुस्ताभिरेुवैनामेतुच्छ्रपयति तुानि ह तुान्य-होरात्राण्येुवाहोरात्राणि वै व्वुरूत्रयोऽहोरात्रैर्हीदध्ँ सुर्व्वं वृतुमहोरात्रैरेुवैना-मेतुच्छ्रपयति ॥ ६ ॥

ग्नास्त्वा देवीः । (र्व्वि) व्विश्वुदेव्यावतीः पृथिव्युाः सधुस्थेऽअङ्गिरस्वु-त्पचन्तूखऽइति ग्ना हैतामुग्रे देवीर्व्विश्वुदेव्यावतीः पृथिव्युाः सधुस्थेऽङ्गि-रस्वुत्पेचुस्ताभिरेुवैनामेतुत्पचति तुानि ह तुानि च्छुन्दाध्ँस्येव च्छुन्दाध्ँसि वै ग्नाऽइछुन्दोभिर्हि स्वर्गुं लोकं गुच्छन्ति च्छुन्दोभिरेुवैनामेतुत्पचति ॥ ७ ॥

" वरूत्रीष्ट्वा देवीर्विश्वदेव्यावतीः पृथिव्याः सधस्थेऽअङ्गिरस्वच्छ्रपयन्तूखे "—इति । वरूत्रीर्हैतामग्रे देवीर्विश्वदेव्यावतीः पृथिव्याः सधस्थेऽङ्गिरस्वच्छ्रपयाञ्चक्रुः—ताभिरेवैनामेतच्छ्रपयति । तानि ह तान्यहोरात्राण्येव । अहोरात्राणि वै वरूत्रयः । अहोरात्रैर्हीदं सर्वं वृतम् । अहोरात्रैरेवै-नामेतच्छ्रपयति ॥ ६ ॥

"ग्नास्त्वा देवीर्विश्वदेव्यावतीः पृथिव्याः सधस्थेऽअङ्गिरस्वत्पचन्तूखे "—इति । ग्ना हैतामग्रे देवीर्विश्वदेव्यावतीः पृथिव्याः सधस्थेऽङ्गिरस्वत् पेचुः—ताभिरेवैनामेतत् पचति । तानि ह तानि च्छन्दांस्येव । छन्दांसि वै ग्नाः । छन्दोभिर्हि स्वर्गं लोकं गच्छन्ति । छन्दोभिरेवैनामेतत् पचति ॥ ७ ॥

कस्यापि वस्तुनोऽभिव्यक्तेरभावात् वाचा हीदं सर्वमिद्धमित्युक्तम् । 'इद्धम्' दीपितं प्रकाशितमित्यर्थः ॥ यदुक्तं सूत्रकृता—" वरूत्रीष्ट्वेतीक्षमाणो जपति "—(का. श्रौ. सू. १६ । ११४) इति, तदिदं विधत्ते— अथैतानि त्रीणि यजूंषीक्षमाण एव जपतीति । " वरूत्रीष्ट्वा, " " ग्नास्त्वा, " " जनयस्त्वा "—इति त्रीणि । 'वरूत्रीः' वरूत्रयः (पा. सू. ७ । २ । ३४) । अर्थवादे बहुवचनान्तत्वेन निर्देशात् एकेन श्रपणं द्वाभ्यां पचनं यद्यपि वर्ण्यते, तथापि पाकश्रपणयोरग्निकर्त्तव्यत्वेन स्वस्यानुकूलप्रयत्नमन्तरेण स्वकर्त्तव्याभावात् ईक्षणपूर्वको जप एव कर्त्तव्य इत्येवकारस्याभिप्रायः ॥ ५ ॥

प्रथमं यजुरभिधाय व्याचष्टे—वरूत्रीष्ट्वा देवीरिति । वरूत्रिशब्दस्याभिप्रेतमर्थमाह—तानि हेति । 'तानि' एतानि 'अहोरात्राणि' । प्रतिनिर्दिश्यमानाहोरात्रापेक्षया तानीति । वरूत्रीणामहोरात्रनिर्देशात् नपुंसकता, अथवा सामान्यविवक्षया नपुंसकत्वं द्रष्टव्यम्; तानि वरूत्र्याख्यानि कृत्स्नं जगत् श्रपयन्त्विति । वरूत्रय इति योऽयं वरूत्रिशब्दस्यावयवार्थः, तस्येतरस्याहोरात्रेषु सद्भावं दर्शयत्युक्तार्थसमर्थनाय—अहोरात्रैर्हीदं सर्वं वृत-मिति । 'अहोरात्रैरेव' 'एनाम्' उखां श्रपयति, यः 'एतत्' एतेन अहोरात्रवाचकवरूत्रिशब्दयुक्तेन यजुषा श्रपयति ॥ ६ ॥

अथ द्वितीयं यजुरनूद्य व्याचष्टे—ग्नास्त्वा देवीरित्यादिना । यदुक्तं " छन्दांसि वै ग्नाः " इति, तदुपपा-

जुनयस्त्वाऽच्छिन्नपत्रा देवीः । (र्वि) श्विश्वदेव्यावतीः पृथिव्याः सधु-स्थेऽअङ्गिरस्वुत्पचन्तूखऽइति जुनयो हैतामग्नेऽच्छिन्नपत्रा देवीर्विश्वु-देव्यावतीः पृथिव्याः सधुस्थेऽङ्गिरस्वुत्पेचुस्ताभिरेवैनामेतुत्पचति तानि ह तानि नुक्षत्राण्येव नुक्षत्राणि वै जुनयो ये हि जुनाः पुण्यकृतः स्वर्गु लोकं युन्ति तेषामेतानि ज्योतीᳫंषि नुक्षत्रैरेवैनामेतुत्पचति ॥ ८ ॥

स वै खुनत्येकेन । (ना) अवदधात्येकेनाभीन्द्धऽ एकेन श्रपयत्ये-केन द्वाभ्यां पचति तुस्माद्द्विः संव्वत्सरस्यान्नं पच्यते तानि षट् सम्पद्यन्ते षडृतवः संव्वत्सरः संव्वत्सरोऽग्निर्यावानग्निर्यावत्यस्य मात्रा तावत्त-द्भवति ॥ ९ ॥

" जनयस्त्वाऽच्छिन्नपत्रा देवीर्विश्वदेव्यावतीः पृथिव्याः सधस्थेऽआङ्गिरस्वत् पच-न्तूखे "-(वा. सं. ११ । ६१) इति । जनयो हैतामग्नेऽच्छिन्नपत्रा देवीर्विश्वदेव्यावतीः पृथिव्याः सधस्थेऽङ्गिरस्वत् पेचुः-ताभिरेवैनामेतत् पचति । तानि ह तानि नक्षत्राण्येव । नक्षत्राणि वै जनयः । ये हि जनाः पुण्यकृतः स्वर्गं लोकं यन्ति-तेषामेतानि ज्योतींषि । नक्षत्रैरेवै-नामेतत् पचाति ॥ ८ ॥

स वै खनत्येकेन, अवदधात्येकेन, अभीन्द्ध एकेन, श्रपयत्येकेन, द्वाभ्यां पचाति । तस्माद् द्विः सम्वत्सरस्यान्नं पच्यते । तानि षट् सम्पद्यन्ते । षडृतवः सम्वत्सरः । संवत्सरोऽग्निः । यावानग्नि-र्यावत्यस्य मात्रा-तावत्तद्भवति ॥ ९ ॥

दयति-छन्दोभिर्हि स्वर्गं लोकं गच्छन्तीति । गच्छन्त्याभिर्यजमानाः स्वर्गमिति व्युत्पत्तेः छन्दःस्वपि सम्भवादित्यर्थः । " भाः गच्छन्त्येनाः " इति निरुक्तम् (निरु. २ । ४ । ४) ॥ ७ ॥

तृतीयं यजुरनूद्य व्याचष्टे-जनयस्त्वाऽच्छिन्नपत्रा इति । जायन्ते जनाः पुण्यकृतो नक्षत्ररूपेणेति 'जनयः' नक्षत्राणि, तानि च 'अच्छिन्नपत्राः' अच्छिन्नपतनसाधनपक्षयुक्तानीत्यर्थः; न हि तानि सुकृतक्षयादर्वाक् पतन्ति । जनिशब्दार्थमाह-तानि ह तानि नक्षत्राण्येवेति । नक्ष्यन्ते प्राप्यन्ते सुकृतिभिरिति नक्षत्राणि । उक्तं निर्देशिनां नपुंसकत्वम् । " नक्षत्राणि नक्षतेर्गतिकर्मणः "- (निरु. ३।४।२) इति नैरुक्तम् । नक्षत्राणां जनित्वप्रसिद्धिं दर्शयति-ये हि जनाः पुण्यकृत इति । 'तेषां' स्वर्गं यतां यानि 'एतानि ज्योतींषि', तानि नक्षत्राणि । 'श्रपयन्तूखे', 'पचन्तूखे', इत्यनयोः श्रपणं पाकक्रियासामान्यम्, पचनं पाकनिर्वृत्तिरिति विवेकः ॥ ८ ॥

खननादिमन्त्रगतां सङ्ख्यामनूद्य प्रशंसति-स वै खनत्येकेनेत्यादिना । खननादिक्रिया त्वेकैकेनैव मन्त्रेण, पाकस्य तु मन्त्रद्वयसाध्यत्वं विहितम्, तस्यार्थवादः-तस्माद् द्विः संवत्सरस्यान्नमिति । शाल्यादिपरि-

---

१-भभ्रा यत्रं चतुरस्रं खनत्यदितिष्ट्वेति । का. श्रौ. सू. १६ । १०९ ।

(त्यु) अथ मित्रस्य चर्षणीधृतऽइति । मैत्रेण यजुषोपन्याचरति याव-त्कियच्चोपन्याचरति न वै मित्रं कश्चन हिनस्ति न मित्रं कश्चन हिनस्ति तथो हैषऽएतां न हिनस्ति नोऽएतमेषा तां दिवैवोपवपेद्दिवोद्वपे-दहर्ह्याग्नेयम् ॥ १० ॥

ताᳬं सावित्रेण यजुषोद्वपति । सविता वै प्रसविता सवितृप्रसूतऽएवैना-मेतदुद्वपति देवस्त्वा सवितोद्वपतु सुपाणिः स्वङ्गुरिः सुबाहुरुत शक्त्येति सर्वमु ह्येतत्सविता ॥ ११ ॥

अथ " मित्रस्य चर्षणीधृतः "–(वा. सं. ११।६२) इति मैत्रेण यजुषोपन्याचरति । यावत् कियच्चोपन्याचरति । न वै मित्रं कश्चन हिनस्ति, न मित्रं कश्चन हिनस्ति । तथो हैष एतां न हिनस्ति । नोऽएतमेषा । तां दिवैवोपवपेत्, दिवोद्वपेद् । अहर्ह्याग्नेयम् ॥ १० ॥

तां सावित्रेण यजुषोद्वपति । सविता वै प्रसविता । सवितृप्रसूत एवैनामेतदुद्वपति । " देवस्त्वा सवितोद्वपतु, सुपाणिः स्वङ्गुरिः सुबाहुरुत शक्त्या "–इति । सर्वमु ह्येतत् सविता ॥ ११ ॥

पाकः संवत्सरस्य द्विर्भवतीति प्रसिद्धम् । षड्ऋतवो मिलित्वा संवत्सरो भवति, स संवत्सरोऽग्निः । प्रजापतिना संवत्सरो ध्रियमाणो भवति । अस्तु संवत्सरोऽग्निः प्रजापतिना धृतः, तथा च किमायातमित्यत आह–यावा-नाग्निर्यावत्यस्य मात्रेति । यावानिति स्वरूपस्येयत्ता, यावतीत्यवयवस्य । तावत्तद् भवतीति । नैमित्तिक-चित्या सह चितीनामप्यवयवानां षट्त्वात् सा मन्त्रगता सङ्ख्या ऋतुसङ्ख्याद्वारेणाग्नेर्मात्रया समा भवति । चित्यात्मकस्याग्नेः स्वरूपस्यैकत्वात् ऋतुषट्सङ्ख्यावतोऽवयविनः संवत्सरस्याप्येकत्वाच्च सा मन्त्रगता सङ्ख्या संवत्सरद्वारेण अग्निर्यावान् तावती भवतीत्यर्थः ॥ ९ ॥

उखायाः समन्त्रकमुपावहरणं विधाय प्रशंसति–अथ मित्रस्य चर्षणीधृत इति मैत्रेण यजुषोपन्याचरतीति । लोके ' मित्रं ' मित्रभूतः पुमान् ' न ' ' कश्चन ' ' हिनस्ति ' मित्रत्वादेव; ' मित्रम् ' अपि ' न ' ' कश्चन ' मित्रत्वादेव । ' तथो ' तथा च सति मैत्रेण मन्त्रेण नितरामुपचरणीयस्य पुनस्तृणप्रक्षेपाद्युपचारे सति ' एषः ' यजमानः ' एताम् ' उखां मित्रत्वादेव ' न हिनस्ति ' । ' नो ' नैव ' एतम् ' उपचरन्तं यजमानम् ' एषा ' उखा, मामयं दहतीति क्रुद्धा सती न हिनस्ति । तस्याः प्रक्षेपोत्क्षेपणयोः कालनियममाह–तां दिवैवोपवपेद्, दिवोद्वपेदिति । उपवापोऽवटे प्रक्षेपः, उद्वापस्ततः ऊर्ध्वं नयनम् । अहर्ह्याग्नेयमिति अग्नेः सूर्यस्य तेजस एकत्वाभिभावकत्वाभिप्रायेण ॥ १० ॥

उद्वापे मन्त्रं विधास्यन् सावित्रमाह–तां सावित्रेण यजुषोद्वपतीति । यजुषोऽयमर्थः–हे उखे ! 'त्वा' त्वां ' सविता ' सर्वस्य प्रेरको देवः उद्वपतु । कीदृशः ? ' सुपाणिः ' ' पाणिः ' पानादिसाधनप्रदेशः,

---

१–आचरति मित्रस्येति का. श्रौ. सू. १६। ११५। २–उद्वपति श्रपणम् । देवस्त्वेत्युखाम् । का. श्रौ. सू. १६।११८।११९ ।

(ताऽथै) अथैनां पर्य्यावर्त्तयति । (त्यु) अव्यथमाना पृथिव्यामाशा दिशऽ आपृणेत्यव्यथमाना त्वं पृथिव्यामाशा दिशो रसेनापूरयेत्येतत् ॥ १२

(दु) अथैनामुद्यच्छति । (त्यु) उत्थाय बृहती भवेत्युत्थाय हीमे लोका बृहन्तऽ उदु तिष्ठ ध्रुवा त्वमित्युदु तिष्ठ स्थिरा त्वं प्रतिष्ठितेत्येतत् १३

(त्तां) तां परिगृह्य निदधाति । मित्रैतां तऽउखां परिददाम्यभित्त्याऽएषा मा भेदीत्ययं वै व्वायुर्मित्रो योऽयं पवते तस्माऽएवैनामेतत्परिददाति गुप्त्यै ते हेमे लोका मित्रगुप्तास्तस्मादेषां लोकानां न किञ्चन मीयते ॥ १४ ॥

अथैनां पर्यावर्तयति । "अव्यथमाना पृथिव्यामाशा दिश आपृण"–(वा० सं० ११ । ६३) इति । अव्यथमाना त्वं पृथिव्यामाशा दिशो रसेनापूरयेतत् ॥ १२ ॥

अथैनामुद्यच्छति–"उत्थाय बृहती भव"–इति । उत्थाय हीमे लोका बृहन्तः । "उदु तिष्ठ ध्रुवा त्वम्"–इति । उदु तिष्ठ स्थिरा त्वं प्रतिष्ठितेत्येतत् ॥ १३ ॥

तां परिगृह्य निदधाति–"मित्रैतां तऽउखां परिददाम्यभित्त्याऽएषा मा भेदि"–(वा० सं० ११ । ६४) इति । अयं वै वायुर्मित्रो–योऽयं पवते । तस्माऽएवैनामेतत् परिददाति–गुप्त्यै । ते हेमे लोका मित्रगुप्ताः । तस्मादेषां लोकानां न किञ्चन मीयते ॥ १४ ॥

शोभनेन तेन युक्तः । 'स्वङ्गुरिः' शोभनाङ्गुलिकः । "बालमूललघ्वलमङ्गुलीनां वा लो रत्वमापद्यत इति वक्तव्यम्"–(पा. सू. ८ । २ । १८ वा. २) इति विकल्पेन रत्वम् । बाहुर्भुजदण्डः । 'उत' अपि च शक्त्या महत्या युक्त इति शेषः । **सर्वमु ह्येतत् सवितेति** । एतत् 'सर्वं' सुपाण्यादिकं 'सविता' एव, न देवतान्तरमित्यर्थः । उक्त उद्वपनार्थः ॥ ११ ॥

यदुक्तं सूत्रकृता–"उखामुत्तानां करोति अव्यथमानेति"–(का. श्रौ. सू. १६ । ११९ । १२०) इति, तदिदं समन्त्रकं पर्यावर्त्तनं विधत्ते–**अथैनां पर्यावर्त्तयत्यव्यथमानेति** । पर्यावर्त्तनमूर्द्ध्वाभिमुखीकरणम् । हे उखे ! 'अव्यथमाना' व्यथामप्राप्नुवन्ती, 'पृथिव्याम्' अवस्थिता त्वम्, इमाः परिव्याप्ताः 'आशाः' प्राच्यादयः, 'दिशः' आग्नेय्यादिविदिशश्च 'आ' सर्वतः 'पृण' पूरय । आपृणेत्यस्याप्यर्थमाह–**आपूरयेति** । 'एतत्' एव आपृण, इत्यस्य यद् वाच्यमस्ति, तदेतदेव, न त्वितोऽधिकमित्यर्थः ॥ १२ ॥

तस्या गर्त्तादुद्धरणं समन्त्रकं विधत्ते–**अथैनामुद्यच्छत्युत्थाय बृहती भवेतीति**[1] । उद्यमनमूर्द्ध्वधारणम् । हे उखे ! उद्धृत्य प्रथिता उत्थिता भव; न ह्यनुत्थितायाः प्रथनमुपपद्यते । एतन्मन्त्रभागं व्याचष्टे–**उत्थाय हीमे लोका बृहन्त इति** । उखाया लोकत्रयात्मकत्वेन प्रागुक्तत्वात् 'उत्थाय' ऊर्द्ध्वमवस्थिताय, बहिरिमे त्रयो लोका 'बृहन्तः' अधिकपरिमाणा दृश्यन्त इत्यभिप्रायः । उदु तिष्ठेति द्वितीयभागे ध्रुवशब्दस्य स्थैर्यं प्रतिष्ठितत्वम् अर्थ इति व्याचष्टे–**उदु तिष्ठ स्थिरा त्वं प्रतिष्ठितेतीति** । 'एतत्' उपरि स्थापितायाः ॥ १३ ॥

क्षीरासेचनार्थं पात्रे स्थापनं विधत्ते–**तां परिगृह्येति** । 'निदधाति' स्थापयेत्, 'पात्रे'–इति शेषः ।

१–उद्यच्छत्युत्थायेति । का० श्रौ० सू० १६ । १२१ ॥

(तेऽथै) अथैनामाच्छृणत्ति । स्थेम्ने न्वेवाथो कर्म्मणः प्रकृततायै यद्वे-
वाच्छृणत्ति शिरऽएतद्यज्ञस्य यदुखा प्राणः पयः शीर्षंस्तत्प्राणं दधात्यथो
योषा वाऽउखा योषायां तत्पयो दधाति तस्माद्योषायां पयः ॥ १५ ॥
(योऽजा) अजायै पयसाऽऽच्छृणत्ति । प्रजापतेर्वै शोकादजाः समभव-
न्प्रजापतिरग्निर्नो वाऽआत्माऽऽत्मानꣳ हिनस्त्यहिꣳसायै यद्वेवाजायाऽअ-
जा ह सर्व्वाऽओषधीरत्ति सर्व्वासामेवैनामेतदोषधीनाꣳ रसेनाच्छृणत्ति १६॥
वसवस्त्वाऽऽच्छृन्दन्तु गायत्रेण च्छन्दसाऽङ्गिरस्वद्रुद्रास्त्वाऽऽच्छृन्दन्तु
त्रैष्टुभेन च्छन्दसाऽङ्गिरस्वदादित्यास्त्वाऽऽच्छृन्दन्तु जागतेन च्छन्दसा-

---

अथैनामाच्छृणत्ति–स्थेम्ने न्वेव । अथो कर्मणः प्रकृततायै । यद्वेवाच्छृणत्ति–शिर एतद्यज्ञस्य–यदुखा, प्राणः पयः । शीर्षंस्तत् प्राणं दधाति । अथो योषा वाऽउखा । योषायां तत् पयो दधाति । तस्माद्योषायां पयः ॥ १५ ॥

अजायै पयसाऽऽच्छृणत्ति । प्रजापतेर्वै शोकादजाः समभवन् । प्रजापतिरग्निः । नो वाऽआत्माऽऽत्मानं हिनस्ति–अहिंसायै । यद्वेवाजायाः । अजा ह सर्वा ओषधीरत्ति । सर्वासामेवैनामेतदोषधीनां रसेनाऽऽच्छृणत्ति ॥ १६ ॥

" वसवस्त्वाऽऽच्छृन्दन्तु गायत्रेण च्छन्दसाऽङ्गिरस्वत्(१) रुद्रास्त्वाऽऽच्छृन्दन्तु त्रैष्टु-

---

तथा च कात्यायनः–" परिगृह्य पात्रे करोति मित्रैतां त इति "-(का. श्रौ. सू. १६ । १२२) इति ॥ हे ' मित्र ! ' देव ! वायो ! ' एताम् ' उखां ' ते ' तुभ्यम् ' परिददामि ' । परिदानं रक्षणार्थं दानम् । ' अभित्त्यै ' अभेदनाय ' एषा ' उखा 'मा भेदि' भिन्ना मा भूत् इति । मित्रशब्दस्यात्र समीहितमर्थमाह–अयं वै वायुर्मित्र इति । ' योऽयं पवते ' सततं वाति । " पवतिर्गतिकर्मा "–(निघ. २ । १४ । ९) । ते हेमे लोका मित्रगुप्ता इति । लोकत्रयात्मकोखापरिदानेनेदानीमपि त्रयो लोका वायुना गुप्ता धृता अविचलिता वर्त्तन्ते । ' तस्मात् ' ' एषां लोकानां ' मध्ये ' न किञ्चन ' ' मीयते ' हिंस्यते ॥ १४ ॥

अथ तस्यामुखायां पयआसेचनं विधाय स्तौति–अथैनामाच्छृणत्ति स्थेम्ने त्वा इत्यादिना । एनाम् उखाम् ' आच्छृणत्ति ' आसिञ्चति । गतमन्यत् । प्रकारान्तरेण प्रशंसति–यद्वेवाच्छृणत्ति, शिर एतद् यज्ञस्य यदुखेति । प्राधान्याद् उखायाः शिरस्त्वव्यवहारः । पयसो बलकरत्वात् प्राणत्वव्यपदेशः । पयोयोग्यत्वमिदानीन्तनप्रसिद्ध्या समर्थयते–अथो योषा वा उखेति । स्त्रीलिङ्गत्वादुखाया योषात्वम् । पयसः रेतोवर्द्धकत्वाद्रेतस्त्वं प्रसिद्धम् ॥ १५ ॥

पयस आजत्वं विधाय स्तौति–अजायै पयसाऽऽच्छृणत्तीति । प्रजापतेः शोकादजासम्भूतिराख्यानान्तराच्च द्रष्टव्या; चीयमानस्याग्नेः प्रजापत्यात्मकत्वं प्रागुक्तम् । प्रजापतिरग्निः । प्रकारान्तरेण स्तौति–यद्वेवाजाया इति । ' यत् ' ' उ ' अपि च ' अजायाः ', पयो भवतीति शेषः । स्पष्टमन्यत् ॥ १६ ॥

तत्र मन्त्रानाह–वसवस्त्वाऽऽच्छृन्दन्तु गायत्रेण च्छन्दसाऽङ्गिरस्वदित्यादिना । हे उखे ! त्वां 'वसवः'

ऽङ्गिरस्वद्विश्वे त्वा देवा वैश्वानराऽ आच्छृन्दन्त्वानुष्टुभेन च्छन्दसाऽङ्गिरस्वदित्येताभिरेवैनामेतद्देवताभिराच्छृणत्ति स वै याभिरेव देवताभिः करोति ताभिर्धूपयति ताभिराच्छृणत्ति यो वाव कर्म करोति सऽ एव तस्योपचारं वेद तस्माद्याभिरेव देवताभिः करोति ताभिर्धूपयति ताभिराच्छृणत्ति ॥१७

इति चतुर्थप्रपाठके द्वितीयं ब्राह्मणम् ॥ ६–४–२ ॥ (५. ४.) ॥

इति पञ्चमोऽध्यायः समाप्तः ॥ ६–५ ॥

भेन च्छन्दसाऽङ्गिरस्वत् (२) आदित्यास्त्वाऽऽच्छृन्दन्तु जागतेन च्छन्दसाऽङ्गिरस्वत् (३) । विश्वे त्वा देवा वैश्वानरा आच्छृन्दन्त्वानुष्टुभेन च्छन्दसाऽङ्गिरस्वत्"–(वा. सं.– ११ । ६५) इति । एताभिरेवैनामेतद्देवताभिराच्छृणत्ति । स वै याभिरेव देवताभिः करोति–ताभिर्धूपयति–ताभिराच्छृणत्ति । यो वाव कर्म करोति–स एव तस्योपचारं वेद । तस्माद्याभिरेव देवताभिः करोति–ताभिर्धूपयति । ताभिराच्छृणत्ति ॥ १७ ॥

देवा अष्टसङ्ख्याकाः, 'अङ्गिरस्वद्' अङ्गिरस इव 'आच्छृन्दन्तु' आसिञ्चन्तु । कीदृशाः ? 'गायत्रेण च्छन्दसा' सहिताः; अष्टसङ्ख्या वसूनां गायत्रच्छन्दस्सम्बन्धे द्वारः । एवमुत्तरत्र मन्त्रा अपि व्याख्येयाः । विश्वेषां नराणां हिता 'वैश्वानराः' ते सर्वे देवाः । "अजापयसाऽवसिञ्चति वसवस्त्वेति प्रतिमन्त्रम्"–(का. श्रौ. सू.– १६ । १२३) इति हि सूत्रम् । अशासेचनमन्त्रेषु वस्वादयः प्रतिपाद्याः, निर्माणमन्त्रेषु, धूपनमन्त्रेषु च । अतो यद् देवतैक्यं तत् प्रशंसति–स वै याभिरेव देवताभिः करोति, ताभिर्धूपयति, ताभिराच्छृणत्तीति । यो वाव कर्म करोति, स एव तस्योपचारं वेदेति । यथा लोके तक्षादिः प्रासादनिर्माणादि 'कर्म करोति,' 'स एव' तद्दाढर्यार्थम् 'उपचारं' शङ्कुं प्रति दार्वादिस्थापनलक्षणमुपचारजातं जानाति; अतो युक्तम्, यैरेव कृतम्, तैरेव धूपनासेचनोपचरणमित्यर्थः ॥ १७ ॥

इति श्रीसायणाचार्यविरचिते माधवीये वेदार्थप्रकाशे माध्यन्दिनीयशतपथब्राह्मणभाष्ये षष्ठकाण्डे पञ्चमेऽध्याये चतुर्थं ब्राह्मणम् ॥ (६–५–४)

वेदार्थस्य प्रकाशेन तमो हार्दं निवारयन् । पुमर्थांश्चतुरो देयाद् विद्यातीर्थमहेश्वरः ॥ १ ॥
ब्रह्माण्डं गोसहस्रं कनकहयतुलापूरुषौ स्वर्णगर्भं, सप्ताब्धीन्पञ्च सीरींस्त्रिदशतरुलताधेनुसौवर्णभूमीः ।
रत्नोस्रां रुक्मवाजिद्विपसहितरथौ सायणिः सिङ्गणार्यो, व्यश्राणीद्विश्वचक्रं प्रथितविधिमहाभूतयुक्तं घटं च ॥
धान्याद्रिं धन्यजन्मा तिलभवमतुलः स्वर्णजं वर्णमुख्यः, कार्पासीयं कृपावान्गुडकृतमजडो राजतं राजपूज्यः ।
आज्योत्थं प्राज्यजन्मा लवणजमनृणः शार्करं चार्कतेजा, रत्नाढ्यो रत्नरूपं गिरिमकृत मुदा पात्रसात्सिङ्गणार्यः ॥

इति श्रीमद्राजाधिराजपरमेश्वरवैदिकमार्गप्रवर्तकश्रीहरिहरमहाराजसाम्राज्यधुरन्धरेण सायणाचार्येण विरचिते माधवीये वेदार्थप्रकाशे माध्यन्दिनशतपथब्राह्मणभाष्ये षष्ठे काण्डे पञ्चमोऽध्यायः समाप्तः ॥ ६–५ ॥

१–यावद्बाचरेत् । का० श्रौ० सू० १६ । ११६ ।

अथ षष्ठकाण्डे षष्ठाऽध्याये प्रथमं ब्राह्मणम् ।
चतुर्थप्रपाठके च तृतीयं ब्राह्मणम् ।

भूयाᳪँसि हवीᳪँषि भवन्ति । (न्त्य) अग्निचित्यायां यद्दु चानग्निचित्यायामतीनि ह कर्माणि सन्ति यान्यन्यत्कर्मांति तान्यतीनि तेषामग्निचित्या राजसूयो व्वाजपेयोऽश्वमेधस्तद्यत्तान्यन्यानि कर्माण्यति तस्मात्तान्यतीनि ॥ १ ॥

(न्या) आग्नावैष्णव ऽएकादशकपालः । (स्तु) तदध्वरस्य दीक्षणीयं व्वैश्वानरो द्वादशकपालऽ आदित्यश्च चरुस्तेऽग्नेः ॥ २ ॥

भूयांसि हवींषि भवन्त्यग्निचित्यायाम्—यद्दु चानग्निचित्यायाम् । अतीनि ह कर्माणि सन्ति । यान्यन्यत् कर्म—अति—तान्यतीनि । तेषामग्निचित्या राजसूयो वाजपेयोऽश्वमेधः । तद्यत्तान्यन्यानि कर्माण्यति—तस्मात्तान्यतीनि ॥ १ ॥

आग्नावैष्णव एकादशकपालः । तदध्वरस्य दीक्षणीयम् । वैश्वानरो द्वादशकपालः । आदित्यश्च चरुः । तेऽग्नेः ॥ २ ॥

यस्य निःश्वसितं वेदा यो वेदेभ्योऽखिलं जगत् । निर्ममे तमहं वन्दे विद्यातीर्थमहेश्वरम् ॥ १ ॥

पूर्वस्मिन्नध्याये उखासम्भरणमषाढाविश्वज्योतिषां चेष्टकानां तिर्यक्क्रमानमुक्तम्, अथ षष्ठे दीक्षणीयाद्युखाभेदनप्रायश्चित्तान्तः प्रयोग उच्यते । तत्र प्राकृतीमाग्नावैष्णवीमिष्टिं, वैकृतीं वैश्वानरद्वादशकपालेष्टिमादितो विधातुमुपोद्घातयति—भूयांसि हवींषि भवन्त्यग्निचित्यायामित्यादिना । भूयसां हविषां सद्भावयोग्यत्वाभिधानाय अस्यातिकर्मत्वं प्रवक्तुं प्रतिजानीते—अतीनि ह कर्माणि सन्तीति । तेषां स्वरूपदर्शनविलम्बमसहमानोऽतिकर्मशब्दं तावन्निर्वक्ति—यान्यन्यत् कर्मांति तान्यतीनीति । 'यानि' 'अन्यत् कर्म' ज्योतिष्टोमादिकं कर्मातिक्रमविशेषेण हविष्मन्ति सन्ति 'तान्यतीनि' तेषु मध्येऽग्निचित्याप्येकमिति प्रदर्शयितुं कानिचित्परिगणयति—तेषामग्निचित्या राजसूयो वाजपेयोऽश्वमेध इति । तेषामतिकर्मणां मध्ये एषूक्तलक्षणसद्भावमाह—तद्यत्तान्यन्यानि कर्माण्यति तस्मात्तान्यतीनीति ॥ १ ॥

इदानीमाग्नावैष्णवादिहवींषि विधत्ते—अथाग्नावैष्णव एकादशकपाल इत्यादिना । 'तत्' 'अध्वरस्य' सोमयागस्य 'दीक्षणीयं' दीक्षासंस्कारकं हविः । 'वैश्वानरो द्वादशकपालः,' 'आदित्यश्चरुः' च 'ते' एते हविषी 'अग्नेः' एव प्रातिस्विके ॥ २ ॥

स युदाग्नावैष्णवुमेवु निर्व्वपेत् । (ग्ने) नेतरे हविषीऽअध्वरुस्यैवु दीक्षणीयं कृतꣳ स्यान्नाग्नेरथ यदितरेऽएवु हविषी निर्व्वपेन्नाग्नावैष्णवुमग्नेरेवु दीक्षणीयं कृतꣳ स्यान्नाध्वरुस्य ॥ ३ ॥

(स्यो) उभुयानि निर्व्वपति । (त्य) अध्वरुस्य चाग्नेश्चोभयुꣳ ह्येतत्कुर्माध्वरकर्मु चाग्निकर्मु साध्वरुस्य पूर्व्वमुथाग्नेरुपायि ह्येतत्कुर्म युदग्निकर्म ॥ ४ ॥

स युऽ एषु ऽआग्नावैष्णवः । (स्तु) तुस्य तुदेव ब्राह्मणं युत्पुरश्चुरणे व्वैश्वानरो द्वादशकपालो व्वैश्वानरो वै सुर्व्वेऽग्नुयः सुर्व्वेषामग्नीनामुपाप्त्यै द्वादशकपालो द्वादश मुासाः संव्वत्सरुः संव्वत्सरो व्वैश्वानरः ॥ ५ ॥

स यदाग्नावैष्णवमेव निर्वपेत्, नेतरे हविषी—अध्वरस्यैव दीक्षणीयं कृतं स्यात्—नाग्नेः । अथ यदितरेऽएव हविषी निर्वपेत्—नाग्नावैष्णवम्—अग्नेरेव दीक्षणीयं कृतं स्यात्—नाध्वरस्य ॥ ३ ॥

उभयानि निर्वपति—अध्वरस्य च । अग्नेश्च । उभयं ह्येतत्कर्म—अध्वरकर्म चाग्निकर्म च । अध्वरस्य पूर्वम्—अथाग्नेः । उपायि ह्येतत्कर्म—यदग्निकर्म ॥ ४ ॥

स य एष आग्नावैष्णवः—तस्य तदेव ब्राह्मणम्—यत् पुरश्चरणे । वैश्वानरो द्वादशकपालः । वैश्वानरो वै सर्वेऽग्नयः । सर्वेषामग्नीनामुपाप्त्यै । द्वादशकपालः । द्वादश मासाः संवत्सरः । संवत्सरो वैश्वानरः ॥ ५ ॥

इत्यमध्वरचित्याग्न्योर्हविर्व्यवस्थामुक्त्वा उभयविधान्यपि हवींषि कर्त्तव्यानीत्याह—**स यदाग्नावैष्णवमेव निर्वपेदित्यादिना** । अध्वरस्य चितेश्चेत्युभयोर्दीक्षणीयत्वसिद्धये उभयानि हवींषि अनुष्ठेयानि, अन्यतरहविषोऽकरणे तन्न स्यादित्यर्थः ॥ ३ ॥

उभयानि निर्वपतीति । उभयं ह्येतत् कर्मेति । 'एतत्' साग्निचयनसौमिकं 'कर्म,' 'उभयम्' उभयात्मकं खलु । किं तदुभयमिति, तत्राह—**अध्वरकर्म चाग्निकर्म चेति** । तत्र पौर्वापर्यस्यानियमप्राप्तौ आह—**अध्वरस्य पूर्वमथाग्नेरिति** । अग्नेः कर्मणः प्राथम्यं किं न स्यात् इत्यत आह—**उपायि ह्येतत् कर्म, यदग्निकर्मेति** । 'उप' प्रकृतकर्मणः समीपे, तदुपजीव्य 'एति' आयातीति 'उपायि' ॥ ४ ॥

प्राकृतस्याग्नावैष्णवस्य प्रयोगः किं न स्यादित्यपत इत्याशङ्क्य आग्निष्टोमिकं ब्राह्मणमतिदिशति—**स य एष आग्नावैष्णवस्तस्येति । यत् पुरश्चरण इति** । 'पुरः' पूर्वं 'चरणम्' अनुष्ठानं यस्मिन्, तत् 'पुरश्चरणम्,' प्राकृतमग्निष्टोमकर्मेत्यर्थः । तस्मिन् यद् 'ब्राह्मणम्' उक्तम्, 'तदेव' 'तस्य' अग्निचयनस्य; यद्वा 'तस्य' तत्क्रतोराग्नावैष्णवस्य (श. प. ३ । १ । ३ । १) ॥ अथाग्नेर्दीक्षणीयं हविरनूद्य प्रशंसति—**वैश्वानरो द्वादशकपालो वैश्वानरो वै सर्वेऽग्नय इति** । यो 'वैश्वानरः' चित्यां स्थाप्यमानः, सः 'सर्वे-

(रो) युद्द्वैवैतं व्वैश्वानरं निर्व्वपति । व्वैश्वानरं वाऽएतमग्निं जनयिष्यन्भवति तमेतत्पुरस्ताद्दीक्षणीयायाꣳ रेतोभूतꣳ सिञ्चति याद्दग्वै योनौ रेतः सिच्यते तादृग्जायते तद्यदेतमत्र व्वैश्वानरꣳ रेतोभूतꣳ सिञ्चति तस्मादेषोऽमुत्र व्वैश्वानरो जायते ॥ ६ ॥

युद्द्वैवैते हविषी निर्व्वपति । क्षत्रं वै व्वैश्वानरो व्विडेषऽआदित्यश्चरुः क्षत्रं च तद्विशं च करोति व्वैश्वानरं पूर्व्वं निर्व्वपति क्षत्रं तत्कृत्वा व्विशं करोति ॥ ७ ॥

यद्द्वेवैतं वैश्वानरं निर्वपति । वैश्वानरं वाऽएतमग्निं जनयिष्यन्भवति । तमेतत् पुरस्ताद्दीक्षणीयायां रेतोभूतं सिञ्चति । यादृग्वै योनौ रेतः सिच्यते–तादृग् जायते । तद्यदेतमत्र वैश्वानरं रेतोभूतं सिञ्चति–तस्मादेषोऽमुत्र वैश्वानरो जायते ॥ ६ ॥

यद्द्वेवैते हविषी निर्वपति । क्षत्रं वै वैश्वानरः, विडेष आदित्यश्चरुः । क्षत्रं च तद् विशं च करोति । वैश्वानरं पूर्वं निर्वपति । क्षत्रं तत्कृत्वा विशं करोति ॥ ७ ॥

ऽग्नयः ' चितिरूपाः षडग्नयः अधिष्ठानारोप्ययोरभेदात् । अथवा विश्वेषां नराणां हितत्वेन सम्बन्धी 'वैश्वानरः' श्रुतिलोकसाधारणोऽग्निः स एव ' सर्वेऽग्नयः ' और्वजाठरवैद्युताहवनीयाद्यग्नयः; तेषां सर्वेषामिह प्राप्तौ वैश्वानराग्निदेवत्यः । कपालगतसङ्ख्यां प्रशंसति–द्वादशकपालो द्वादश मासाः संवत्सर इति ॥ ५ ॥

प्रकारान्तरेण पुरोडाशदेवतां प्रशंसति–यद्द्वेवैतं वैश्वानरमिति । ' एतं ' ' वैश्वानरं ' सप्तचित्यात्मकं ' जनयिष्यन् ' इष्टकाभिरुत्पादयिष्यन् भवति, अतः ' तम् ' ' एतत् ' इदानीं ' पुरस्तात् ' उत्पादनात् प्रागेव, ' दीक्षणीयायाम् ' एव वैश्वानरहविःकरणेन ' रेतोभूतं ' बीजरूपापन्नं ' सिञ्चति ' । अत उभयोर्निषेक्तव्यजनयितव्ययोर्विलक्षणत्वपरिहाराय आदावपि पुरोडाशो वैश्वानर एव कर्त्तव्यः । उक्तोऽर्थो लोकसिद्ध इति दर्शयति–यादृग्वै योनौ रेत इति । प्रतिपादितं सादृश्यं प्रकृते दर्शयन् पुनर्निगमयति–तद्यदेतमत्र वैश्वानरमिति । ' तद्यत् '–इत्यत्र तच्छब्दोऽनुवादी यच्छब्देन प्रयुज्यते, ' अत्र ' दीक्षाकाले, ' अमुत्र ' चयननिष्पत्तिकाले । अथवा, ' अत्र ' प्राचीनवंशे रेतोभूतं सिञ्चति वैश्वानरम्; ' अमुत्र ' सौमिके चितिप्रदेशे जनयति ॥ ६ ॥

अथ वैकृते उभे हविषी समुच्चित्य प्रशंसति–यद्द्वेवैते हविषी इति । ' एते हविषी ' वैश्वानरद्वादशकपालादित्यचर्वाख्ये । क्षत्रं वै वैश्वानर इति । ' वैश्वानरः ' अग्निः, 'क्षत्रं' क्षत्रियजातिः । तथा च बृहदारण्यकम्– " यान्येतानि देवत्रा क्षत्राणीन्द्रो वरुणः सोमो रुद्रः पर्जन्यो यमो मृत्युरीशान इति "–(बृह. उ. १ । ४ । ब्रा. ११ कं.) इति । आदित्यानां तु " अग्निर्वसुभिः, सोमो रुद्रैः, वरुण आदित्यैः "–इत्यादिश्रुतिषु (बृ. उ. १ । ४ । १२) तृतीयान्तानामुपसर्जनप्रतीतेस्तेषां प्रजारूपत्वम् । यद्यपि " विडेष आदित्यश्चरुः "–इति चरोः प्राधान्यं प्रतिभाति, तथापि चरोः वैश्यजातित्वयोगात् तद्धितान्तादयवभूता देवतैवात्र विवक्ष्यते । एवं वैश्वानरवाक्येऽपि । यद्वा, देवताद्वारा द्रव्ययोरप्युक्तजातित्वम्; ' एते हविषी ' भवत इति हविषः

(त्ये) एक ऽएष भवति । (त्ये) एकदेवत्यऽ एकस्थं तत्क्षत्रमेक-
स्थाᳪ᳭ श्रियं करोति चरुरितरो बहुदेवत्यो भूमा वाऽएष तण्डुलानां
यच्चरुर्भूमो ऽएष देवानां यदादित्या विशि तद्भूमानं दधातीत्यधि-
देवतम् ॥ ८ ॥

(ब्र) अथाध्यात्मम् । (ᳪ᳭) शिरऽ एव वैश्वानरऽआत्मैष ऽआदित्यश्चरुः
शिरश्च तदात्मानं च करोति वैश्वानरं पूर्व्वं निर्व्वपति शिरस्तत्कृत्वा-
ऽऽत्मानं करोति ॥ ९ ॥

(त्ये) एकऽ एष भवति । (त्ये) एकमिव हि शिरश्चरुरितरो बहु-
देवत्यो भूमा वाऽएष तण्डुलानां यच्चरुर्भूमोऽएषोऽङ्गानां यदात्माऽऽत्मं-
स्तदङ्गानां भूमानं दधाति ॥ १० ॥

एक एष भवत्येकदेवत्यः । एकस्थं तत् क्षत्रमेकस्थां श्रियं करोति । चरुरितरो बहुदेवत्यः । भूमा वाऽएष तण्डुलानां–यच्चरुः । भूमोऽएष देवानाम्–यदादित्याः । विशि तद् भूमानं दधाति । इत्यधिदेवतम् ॥ ८ ॥

अथाध्यात्मम् । शिर एव वैश्वानरः । आत्मैष आदित्यश्चरुः । शिरश्च तदात्मानं च करोति । वैश्वानरं पूर्वं निर्वपति । शिरस्तत्कृत्वाऽऽत्मानं करोति ॥ ९ ॥

एक एष भवति । एकमेव हि शिरः । चरुरितरो बहुदेवत्यः । भूमा वा एष तंडुलानां यच्चरुः । भूमो एषोऽङ्गानां यदात्मा । आत्मंस्तदंगानां भूमानं दधाति ॥ १० ॥

प्राधान्यात् पुरोडाशस्यैकपिण्डत्वेन प्राधान्याच्चर्ववयवानां तण्डुलानां बहुत्वाद्वा पुरोडाशचर्वोः क्षत्रविड्जातित्वं द्रष्टव्यम् । उभयोरप्यवश्यमनुष्ठेयत्वादनियमप्रसक्तावाह–वैश्वानरं पूर्वमिति ॥ ७ ॥

पूर्वस्मिन् हविषि द्रव्यस्य देवतायाश्चैकत्वम्, उत्तरस्मिन् तद्बहुत्वं च प्रशंसति–एक एष भवतीत्यादिना । ' एषः ' पुरोडाशः ' एको भवति, ' स च ' एकदेवत्यः ' एका एव देवता यस्य स तथोक्तः । ' तत् ' तेन, तथात्वसम्पादनेन ' एकस्थं ' ' क्षत्रं क्षत्रियम्, एकमेव सर्वस्यापि महामण्डलस्य कृतवान् भवति । बहुराजस्य दुष्टत्वात् । फलितमर्थमाह–एकस्थां श्रियं करोतीति । श्रियो राजाश्रयत्वनियमात् राज्ञ एकत्वसम्पादनादेव तस्य श्रियमप्येकस्थां करोति । इत्थं वैश्वानरस्य पुरोडाशस्य च परस्परयोग्यतामभिधाय आदित्यानां चरोश्च सङ्गतत्वमाह–चरुरितरो बहुदेवत्य इति । यतः ' एषः ' ' तण्डुलानां ' ' भूमा वै ' बहुत्वं खलु । भूमेति पुंलिङ्ग–प्रतिनिर्देशमपेक्ष्य एष इति पुंलिङ्गता । " भूमो एष देवानाम् "–इत्यत्र ' भूमा उ ' इति निपातानिपातसमुदायः । शिष्टं स्पष्टम् । प्रकारान्तरेण पुनः स्तोमुमुक्तमर्थं व्यवस्थापयति–इत्यधिदेवतमिति । " यद्वैते हविषी "–इत्युपक्रम्य, " विशि तद् भूमानं दधाति "–इत्यन्तेन ग्रन्थसन्दर्भेण प्रतिपादितम् ' अधिदेवतम् ' देवतामधिकृत्य प्रवृत्तमुक्तम् ॥ ८ ॥

अथाध्यात्मं वक्ष्यते–शिर एष वैश्वानरः, आत्मैष आदित्यश्चरुरित्यादिना । प्रथममनुष्ठेयत्वेन

घृतऽएष भवति । घृतभाजना ह्यादित्याः स्वेनैवैनानेतद्भागेन स्वेन रसेन प्रीणात्युपाᳬश्वेतानि हवीᳬषि भवन्ति रेतो वा ऽअत्र यज्ञऽउपाᳬशु वै रेतः सिच्यते ॥ ११ ॥

(तेऽथौ) अथौदग्रभणानि जुहोति । (त्यौ) औदग्रभणैर्वै देवाऽआत्मानमस्माल्लोकात्स्वर्गं लोकमभ्युदगृह्णत यदुदगृह्णत तस्मादौदग्रभणानि तथैवैतद्यजमानऽ औदग्रभणैरेवात्मानमस्माल्लोकात्स्वर्गं लोकमभ्युदगृह्णीते ॥ १२ ॥

घृत एष भवति । घृतभाजना ह्यादित्याः । स्वेनैवैनानेतद् भागेन स्वेन रसेन प्रीणाति । उपांश्वेतानि हवींषि भवंति । रेतो वा अत्र यज्ञः । उपांशु वै रेतः सिच्यते ॥ ११ ॥

अथौदग्रभणानि जुहोति । औदग्रभणैर्वै देवा आत्मानमस्माल्लोकात्स्वर्गं लोकमभ्युदगृह्णत । यदुदगृह्णत–तस्मादौदग्रभणानि । तथैवैतद्यजमान औदग्रभणैरेवात्मानमस्माल्लोकात्स्वर्गं लोकमभ्युदगृह्णीते ॥ १२ ॥

प्राधान्यात् एकत्वाच्च साम्यात् ‘ आदित्यश्चरुः ’ ‘ आत्मा ’ अङ्गप्रत्यङ्गसहितं कृत्स्नं शरीरम् । शिष्टम् अधिदेवतवाक्यवद् व्याख्येयम् ॥ ९ ॥ १० ॥

चरोराश्रयं द्रव्यमाह–घृत एष भवतीति । ‘ घृतभाजना ह्यादित्याः ’–इति । घृतभागा इत्यर्थः । “ तेजो वै घृतम् ” (ऐ. ब्रा. ८ । ४ । ६) (तै. सं. २–५ । २ । ७) इति श्रुतेः घृतस्य तेजोद्रव्यत्वादादित्यानामपि तथात्वात् “ आदित्यं घृतेन चरुम् ”–(श. प. ३ । २ । ३ । १) इत्यादौ घृतसम्बन्धाद्वा तेषां तद्भागभाक्त्वम् । ‘ स्वेनैव भागेन ’, ‘ स्वेन रसेन ’ इति व्याख्यानव्याख्येयभावः । अत्र कात्यायनः उखानिष्पादनानन्तरप्रयोगमुक्त्वाऽऽह–“ दीक्षाऽमावास्यायामामावास्येनेष्ट्वा, आग्नावैष्णववैश्वानरौ, घृते चरुरादित्येभ्यः ”–(का. श्रौ. सू. १६ । १२७–१२९) इति । एषां त्रयाणां हविषामुपांशुधर्मकत्वं विधत्ते–उपांश्वेतानि हवींषि भवन्तीति । “ करणवदशब्दमुपांशु ”–इति तल्लक्षणम् । रेतो वा अत्र यज्ञ इति । ‘ अत्र ’ अस्मिन् दीक्षासमये क्रियमाणो ‘ यज्ञः ’ ‘ रेतो वै ’ रेतोरूपः खलु । अस्य रेतस्त्वमुक्तं प्राक्॥ ११॥

अथौद्ग्रभणानि हवींषि विधाय तन्निर्वचनद्वारेण प्रशंसति–अथौद्ग्रभणानि जुहोतीति[1]। औद्ग्रभणैर्वै देवा आत्मानमिति । ‘ आत्मानं ’ लिङ्गशरीरोपाधिकं जीवात्मानं ‘ देवाः ’ ‘ अस्माद् ’ भूलोकात् ‘ स्वर्गं ’ ‘ लोकम् ’ ‘ अभि ’–लक्ष्य ‘ उदगृह्णत ’ ऊर्ध्वमुखमाकर्षणं कृतवन्तः । उद्ग्रहणसाधनत्वात् ‘ औद्ग्रभणानि ’ इति नाम सम्पन्नम् । “ हृग्रहोर्भः ’–(पा. सू. ८ । २ । ३२ वा०) । तथैवैतदिति । दृष्टान्तवद् व्याख्येयम् ॥ १२ ॥

१–प्राकृतान्यौद्ग्रभणानि हुत्वा साप्तामिकानि । का. श्रौ. सू. १६ । १३० ।

तानि वै भूयाᳬं᳭सि भवन्ति । (न्त्य) अग्निचित्यायां यदु चानग्निचित्यायां तस्योक्तो बन्धुरुभयानि भवन्ति तस्योक्तोऽध्वरस्य पूर्वाण्यथाग्नेस्तस्योऽएवोक्तः ॥ १३ ॥

पश्चाध्वरस्य जुहोति । पाङ्क्तो यज्ञो यावान्यज्ञो यावत्यस्य मात्रा तावतैवैनमेतद्रेतोभूतᳬं᳭ सिञ्चति सप्ताग्नेः सप्तचितिकोऽग्निः सप्तऽर्तवः संवत्सरः संवत्सरोऽग्निर्यावानग्निर्यावत्यस्य मात्रा तावतैवैनमेतद्रेतोभूतᳬं᳭ सिञ्चति तान्युभयानि द्वादश सम्पद्यन्ते द्वादश मासाः संवत्सरः संवत्सरोऽग्निर्यावानग्निर्यावत्यस्य मात्रा तावत्तद्भवति ॥ १४ ॥

तानि वै भूयांसि भवन्त्यग्निचित्यायाम्, यदु चानग्निचित्यायाम् । तस्योक्तो बन्धुः । उभयानि भवन्ति । तस्योक्तः । अध्वरस्य पूर्वाणि—अथाग्नेः । तस्योऽएवोक्तः ॥ १३ ॥

पश्चाध्वरस्य जुहोति । पाङ्क्तो यज्ञः । यावान्यज्ञो, यावत्यस्य मात्रा—तावतैवैनमेतद्रेतोभूतं सिञ्चति । सप्ताग्नेः । सप्तचितिकोऽग्निः । सप्तऽर्तवः संवत्सरः । संवत्सरोऽग्निः । यावानग्निः—यावत्यस्य मात्रा—तावतैवैनमेतद्रेतोभूतं सिञ्चति । तान्युभयानि द्वादश सम्पद्यन्ते । द्वादश मासाः संवत्सरः । सम्वत्सरोऽग्निर्यावानग्निर्यावत्यस्य मात्रा तावत्तद्भवति ॥ १४ ॥

तेषां भूयस्त्वमाह—तानि वै भूयांसीति । 'अनग्निचित्यायाम्' अग्निचयनव्यतिरिक्तायां केवलज्योतिष्टोमादिक्रियायां 'यदु' यान्येव हवींषि, ततोऽपि 'भूयांसि' 'अग्निचित्यायां' क्रियायां 'भवन्ति' । चयनस्य हविर्भूयस्त्वं स्वयमेव वक्ष्यति । हविर्भूयस्त्वार्थवादब्राह्मणं किमिति नोक्तमित्याशङ्कायामाह—तस्योक्तो बन्धुरिति । 'तस्य' हविर्भूयस्त्वस्य 'बन्धुः' अर्थनिबन्धकोऽर्थवादः 'उक्तः' अध्यायादौ "भूयांसि हवींषि भवन्त्यग्निचित्यायाम्"—(श. प. ६ । ६ । १ । १) इत्यादिना । आग्निकैः सौमिकबाधप्रसक्तत्वमाह—उभयानि भवन्ति तस्योक्त इति । आग्निकानि सौमिकानि च 'उभयानि' भवेयुः, तस्योभयत्वस्य अर्थवाद उक्तो दीक्षणीयहविःप्रस्तावे—"उभयानि निर्वपति अध्वरस्य चाग्नेश्च"—इत्यदिना (अस्मिन्नेव ब्राह्मणे चतुर्थकण्डिकायाम्)। आध्वरिकाणां पूर्वभावित्वम्, आग्निकानां पश्चाद्भावित्वं च विधाय तदर्थवादं चातिदिशति—अध्वरस्य पूर्वाणि, अथाग्नेः, तस्यो एवोक्त इति । "उपायि ह्येतत् कर्म, यदग्निकर्म"—इत्येवमुक्त इत्यर्थः ॥ १३ ॥

आध्वरिकाणां पञ्चसङ्ख्यामनूद्य प्रशंसति—पश्चाध्वरस्य जुहोति पाङ्क्तो यज्ञ इति । प्रातरादिसवनानि त्रीणि, प्रायणीयोदयनीयौ द्वौ, इति पञ्चसङ्ख्यायोगाद् 'यज्ञः' 'पाङ्क्तः' । यद्वा, "धानाः करम्भः परिवापः पुरोडाशः पयस्या" इत्येवं तैत्तिरीयोक्तहविःपञ्चकसंख्यायोगात् (तै. सं. ६ । ५ । ११) (ऐ. ब्रा. २ । ३ । ६) (श. प. ३ । २ । १२ सा. भा.) पाङ्क्तत्वम् । हविष्पञ्चकत्वनिष्पादने सति 'यज्ञः' सोमयागः 'यावान्' यत्परिमाणः, 'अस्य' 'मात्रा' अवयवा 'यावती' यत्परिमाणा, 'तावता' तेन कृत्स्नेनापि 'एनम्' उत्पाद्यमानं चयनलक्षणमग्निं 'रेतोभूतं' बीजरूपेणावस्थितम्, 'एतत्'—इति क्रियाविशेषणम्, क्रियमाणप्रकारेण 'सिञ्चति' निषेकं कृतवान् भवति ॥

स जुहोति । (त्वा) आकूतिमग्निं प्रयुजꣳ स्वाहेत्याकूताद्वाऽएतदग्रे कर्म समभवत्तदेवैतदेतस्मै कर्मणे प्रयुङ्क्ते ॥ १५ ॥

मनो मेधामग्निं प्रयुजꣳ स्वाहेति । मनसो वाऽएतदग्रे कर्म समभवत्तदेवैतदेतस्मै कर्मणे प्रयुङ्क्ते ॥ १६ ॥

चित्तं विज्ञातमग्निं प्रयुजꣳ स्वाहेति । चित्ताद्वाऽएतदग्रे कर्म समभवत्तदेवैतदेतस्मै कर्मणे प्रयुङ्क्ते ॥ १७ ॥

स जुहोति–" आकूतिमग्निं प्रयुजं स्वाहा "–इति । आकूताद्वाऽएतदग्रे कर्म समभवत् । तदेवैतदेतस्मै कर्मणे प्रयुङ्क्ते ॥ १५ ॥

" मनो मेधामग्निं प्रयुजं स्वाहा "–इति । मनसो वाऽएतदग्रे कर्म समभवत् । तदेवैतदेतस्मै कर्मणे प्रयुङ्क्ते ॥ १६ ॥

" चित्तं विज्ञातमग्निं प्रयुजं स्वाहा "–इति । चित्ताद्वाऽएतदग्रे कर्म समभवत् । तदेवैतदेतस्मै कर्मणे प्रयुङ्क्ते ॥ १७ ॥

अग्निचयनीयानामौद्ग्रभणानां सप्तसंख्यारूपं यद्धविर्भूयस्त्वं तद् विधाय प्रशंसति–सप्ताग्नेः सप्तचितिकोऽग्निरित्यादिना । अग्नेः सप्त चितय इत्थं द्रष्टव्याः । षड् चितय इष्टकामय्यः, सप्तमी श्रूयते–"विकर्णी च स्वयमातृण्णाञ्चोपदधाति ०–० सा सप्तमी चितिः" (श. ५. ८ । १ । ४ । ९) इति । शिष्टं पूर्ववत् । मिलितानां संख्यामनूद्य प्रशंसति–तान्युभयानीति । द्वादशमासलक्षण एक इति, व्यावृत्तधर्मकाः षड् ; अनुगतकाललक्षण एक इति वा सप्तर्तुत्वम् ॥ १४ ॥

सप्तौद्ग्रभणहविषां मन्त्राननूद्य व्याचष्टे–स जुहोति आकूतिमग्निं प्रयुजं स्वाहेत्यादि । 'आकूतिः' आत्मधर्मो मनसः प्रेरणहेतुः । यद्वा, 'आकूतिः' सङ्कल्पः, तदवस्थापन्नम् 'प्रयुजं' प्रकर्षेण युनक्ति तादृशीं वृत्तिमिति प्रयुक्, तादृशम् 'अग्निं' चयनात्मकविराड्रूपम् । 'स्वाहा' तमभिलक्ष्य सुहुतमस्तु । आकूताद्वा एतदग्रे कर्म समभवत् तदेवैतदेतस्मै कर्मणे प्रयुङ्क्ते–इति । एतत्पूर्वं सम्भूतप्रकारेण 'कर्म' चयनाख्यम् 'अग्रे' पुरा 'आकूतात्' प्रकारात् 'समभवत्' सम्पन्नमासीत्, 'तदेव' 'एतत्' इदानीं क्रियमाणप्रकारविशेषम् 'एतस्मै' चयनाख्याय 'कर्मणे' 'प्रयुङ्क्ते' प्रयुक्तवान् भवति । एवमुत्तरवाक्यान्यपि व्याख्येयानि ॥ १५ ॥

मनो मेधामिति । उपर्युपरि व्यापारशीला मनसो वृत्तिर्मेधा, तद्रूपं यत् 'मनः' अस्ति । विमर्शलक्षणं तदात्मकतामापन्नं अग्निम् । गतमन्यत् । " मनसो वा एतदग्रे "–इत्यर्थवादोऽपि व्याख्यातप्रायः ॥ १६ ॥

चित्तं विज्ञातमग्निमिति । अनुसन्धानरूपं 'चित्तम्', "अनुसन्धानतश्चित्तं विमर्शान्मन उच्यते"–इति स्मरणात् । गतमन्यत् ॥ १७ ॥

१–आकूतिमिति प्रतिमंत्रम् । का० श्रौ० सू० १६ । १३० ॥

व्वाचो व्विधृतिमग्निं प्रयुजꣳ स्वाहेति । व्वाचो वाऽएतदग्रे कर्म सम-
भवत्तामेवैतदेतस्मै कर्मणे प्रयुङ्क्ते ॥ १८ ॥

प्रजापतये मनवे स्वाहेति । प्रजापतिर्व्वै मनुः स हीदꣳ सर्व्वममनुत
प्रजापतिर्व्वाऽएतदग्रे कर्माकरोत्तमेवैतदेतस्मै कर्मणे प्रयुङ्क्ते ॥ १९ ॥

(क्लेऽग्नु) अग्नये व्वैश्वानराय स्वाहेति । संव्वत्सरो वा ऽअग्निर्व्वैश्वानरः
संव्वत्सरो वाऽएतदग्रे कर्माकरोत्तमेवैतदेतस्मै कर्मणे प्रयुङ्क्ते ॥ २० ॥

(क्लेथ) अथ सावित्रीं जुहोति । सविता वाऽएतदग्रे कर्माकरोत्तमेवै-
तदेतस्मै कर्मणे प्रयुङ्क्ते व्विश्वो देवस्य नेतुर्मर्तो व्वुरीत सख्यम् । व्विश्वो
राय इषुध्यति द्युम्नं व्वृणीत पुष्यसे स्वाहेति यो देवस्य सवितुः सख्यं
व्वृणीते स द्युम्नं च पुष्टिं च व्वृणीतऽएष वाऽअस्य सख्यं व्वृणीते स
ऽएतत्कर्म करोति ॥ २१ ॥

"वाचो विधृतिमग्निं प्रयुजं स्वाहा"–इति । वाचो वाऽएतदग्रे कर्म समभवत् । तामेवैतदे-
तस्मै कर्मणे प्रयुङ्क्ते ॥ १८ ॥

"प्रजापतये मनवे स्वाहा"–इति । प्रजापतिर्वै मनुः । स हीदं सर्वममनुत । प्रजापतिर्वा-
ऽएतदग्रे कर्माकरोत् । तमेवैतदेतस्मै कर्मणे प्रयुङ्क्ते ॥ १९ ॥

"अग्नये वैश्वानराय स्वाहा"–(वा. सं. ११ । ६६) इति । संवत्सरो वाऽअग्निर्वैश्वानरः ।
संवत्सरो वाऽएतदग्रे कर्माकरोत् । तमेवैतदेतस्मै कर्मणे प्रयुङ्क्ते ॥ २० ॥

अथ सावित्रीं जुहोति । सविता वाऽएतदग्रे कर्माकरोत् । तमेवैतदेतस्मै कर्मणे प्रयुङ्क्ते । "विश्वो
देवस्य नेतुर्मर्तो वुरीत सख्यम् । विश्वो राय इषुध्यति द्युम्नं वृणीत पुष्यसे स्वाहा"–

इत्थं मानसव्यापाररूपमापन्नस्य अग्नेः प्रतिपादकं होमसाधनं मन्त्रमभिधायाथ वागात्मतामापन्नस्य अग्ने-
र्वाचकं होमसाधनं मन्त्रत्रयमनूद्य व्याचष्टे–वाचो विधृतिमग्निमिति । 'वाचो विधृतिः' वचसो विधर्त्ता
वाचा नियम्यम्, वाग्रूपमापन्नमित्यर्थः । वाचो वा इत्यादि, गतम् ॥ १८ ॥

प्रजापतये मनवे स्वाहेति–पञ्चमो मन्त्रः । तत्र प्रजापतेर्मनोश्च वैयधिकरण्यशङ्कां व्युदस्यति–प्रजापतिर्वै
मनुरिति । कथं तस्य मनुत्वमिति तत्राह–स हीदं सर्वममनुतेति । 'इदं' 'सर्व' जगत् 'अमनुत'
अहमित्यवागच्छत्; तस्य विराड्रूपत्वात् । "प्रजापतिर्वा एतदग्रे कर्माकरोत्, तमेवैतत"–इत्यादि स्पष्टम् ।
'कर्म' चयनाख्यम् ॥ १९ ॥

अग्नये वैश्वानराय स्वाहेति–अस्मिन् षष्ठमन्त्रे वैश्वानरशब्दं संवत्सरपरतया व्याचष्टे–संवत्सरो वा अग्नि-
र्वैश्वानर इति । सवितृप्रदेशे स्थाप्यमानोऽग्निः वैश्वानरः, स च संवत्सरं कृत्वा संवत्सरः । गतमन्यत् (श. प.
१ । ९ । १ । १६) ॥ २० ॥

अथ सप्तमं मन्त्रमनूद्य व्याचष्टे–अथ सावित्रीं जुहोति, सविता वा एतदित्यादिना । सविता देवता यस्या

तान्यु हैके । (क८) उखायामेवैतान्यौद्ग्रभणानि जुह्वति कामेभ्यो वा ऽएतानि हूयन्तऽआत्मोऽएष यजमानस्य यदुखाऽऽत्मन्यजमानस्य सर्वान्कामान्प्रतिष्ठापयाम इति न तथा कुर्यादेतस्य वै यज्ञस्य सᳬंस्थितस्यैतासामाहुतीनां यो रसस्तदेतदर्चिर्यद्दीप्यते तद्यत्सᳬंस्थिते यज्ञे हुतेष्वौद्ग्रभणेषूखां प्रवृणक्ति तदेनामेष यज्ञऽआरोहति तं यज्ञं बिभर्त्ति तस्मात्सᳬंस्थितऽएव यज्ञे हुतेष्वौद्ग्रभणेषूखां प्रवृञ्ज्यात् ॥ २२ ॥
[अर्धप्रपाठकः ॥]

(वा. सं. ११ । ६७) इति । यो देवस्य सवितुः सख्यं वृणीते, स द्युम्नं च पुष्टिं च वृणीते । एष वाऽअस्य सख्यं वृणीते–य एतत् कर्म करोति ॥ २१ ॥

तान्यु हैके उखायामेवैतान्यौद्ग्रभणानि जुह्वति । कामेभ्यो वाऽएतानि हूयन्ते । आत्मोऽएष यजमानस्य–यदुखा । आत्मन्यजमानस्य सर्वान् कामान् प्रतिष्ठापयाम इति । न तथा कुर्यात् । एतस्य वै यज्ञस्य संस्थितस्य, एतासामाहुतीनां यो रसः–तदेतदर्चिर्यद्दीप्यते । तद्यत् संस्थिते यज्ञे हुतेष्वौद्ग्रभणेषूखां प्रवृणक्ति । तदेनामेष यज्ञ आरोहति । तं यज्ञं बिभर्त्ति । तस्मात्संस्थितऽएव यज्ञे हुतेष्वौद्ग्रभणेषूखां प्रवृञ्ज्यात् ॥ २२ ॥

ऋचः सा ' साविन्नी; ' " देवस्य नेतुः "–इति लिङ्गात् । तन्मन्त्रसाध्या आहुतिरपि सावित्री । सविता वा एतदित्यादि–व्याख्यातम् ॥

साकल्येन मन्त्रं पठति–विश्वो देवस्य नेतुरिति । व्याख्यातोऽयं तृतीयकाण्डे (श. प. ३।१।४।१८) । सवितुः सख्यं लब्धवतो हिरण्यादिबहुधनं शरीरपुष्टिश्च सुलभेत्ययमर्थः उत्तरार्द्धस्य तात्पर्यमित्याह–यो देवस्य सवितुः सख्यं वृणीते, स द्युम्नं च पुष्टिं च वृणीते इति । यद्यपि तत्र द्युम्नवत् पुष्टिशब्दो द्वितीयान्ततया न निर्दिष्टः, तथापि ' पुष्यसे '–इत्यत्र पोषलक्षणं प्रकृत्यर्थं विवक्षित्वा एवं व्याख्यातमिति मन्तव्यम् । अस्तु सख्यं कृतवत एतत्फलद्वयं तुच्छस्यामर्त्तस्य भगवता सवित्रा सह सख्यं कथमुपपद्यत इत्यत आह–एष वा अस्य सख्यं वृणीते, य एतत् कर्म करोतीति । ' यः ' पुरुषः ' एतत् ' सवितृदेवताकं ' कर्म ' ' करोति, ' ' एष ' खलु ' सख्यं वृणीते ' तदीयकर्मसम्पादनमेतत्सख्यलाभहेतुरित्यर्थः । अत्र कात्यायनः– " प्राकृतान्यौद्ग्रभणानि हुत्वा सताग्निकान्याकूतिमिति प्रतिमन्त्रम् "–(का. श्रौ. सू. १६।१३०) इति ॥ २१ ॥

अथैतेषामौद्ग्रभणानां होमविषये केषाञ्चित्पक्षमनूद्य, तेषामुपपादनं निराचष्टे–तान्यु हैके उखायामेवेत्यादिना । ' तानि ' एतानि औद्ग्रभणानीति सम्बन्धः । ' एके ' महर्षयः ' उखायां ' तप्तायां ' जुह्वति, ' तेषामभिप्रायमाह–कामेभ्यो वा एतानीति । काम्यन्त इति कामाः स्वर्गादयः । स्वर्गं प्रत्युद्ग्रहणसाधनत्वात् स्वर्गाख्यः कामस्तावदुक्त एव, एवमन्येऽपि ततोऽर्वाचीनाः कामा एतेषां सिद्धाः । ' उखा '–इति ' यत् '

१–दर्भोपच्छ्रयणान्तं कृत्वाऽध्वर्युयजमानयोरन्यतरउखामाहवनीयेऽभिश्रयति । मुञ्जकुलायामास्तीर्णामेतरेशणां मा सु भित्था इति शिक्यमुदङ्मुखः ॥ का० श्रौ०सू० १६ । १२३ ।

(न्मु) मुञ्जकुलायेनुावस्तीर्णा भवति। (त्या) आदीप्याद्दिति न्वेव युद्धेवु मुञ्जकुलायेन योनिरेषाऽग्नेर्यन्मुञ्जो न वै योनिर्गर्भꣳ हिनस्त्युहिꣳसायै योनेर्वै जायमानो जायते योनेर्जायमानो जायाताऽइति ॥ २३ ॥

शणकुलायमुन्तरं भवति। (त्या) आदीप्याद्दिति न्वेव युद्धेवु शणकुलायं प्रजापतिर्युस्यै योनेरसृज्यत तुस्याऽउुमाऽ उुल्बमासञ्छणा जरायु तस्मात्ते पूतयो जरायु हि तेन वै जरायु गर्भꣳ हिनस्त्युहिꣳसायै जरायुणो वै जायमानो जायते जरायुणो जायमानो जायाताऽइति॥ २४॥

इति चतुर्थप्रपाठके तृतीयं ब्राह्मणम् ॥ ६-४-३ ॥ (६. १.) ॥

मुञ्जकुलायेनावस्तीर्णा भवति–आदीप्यादिति न्वेव । यद्वेव मुञ्जकुलायेन । योनिरेषाऽग्नेः–यन्मुञ्जः । न वै योनिर्गर्भं हिनस्ति–अहिंसायै । योनेर्वै जायमानो जायते । योनेर्जायमानो जायाताऽइति ॥ २३ ॥

शणकुलायमन्तरं भवति–आदीप्यादिति न्वेव। यद्वेव शणकुलायम् । प्रजापतिर्यस्यै योने-

---

अस्ति, 'एषः' 'यजमानस्य' 'आत्मा उ' शरीरमेव; शरीरस्योखात्वेन तज्जन्यस्याग्नेर्यजमानभोक्त्रात्मत्वेन च संस्कारात् । यद्वा, यजमानशरीरं यथा यज्ञनिर्वर्त्तनसाधनम्, एवमुखाऽपीति, तद्धि न्यायेन यजमानशरीरत्व-मुखायाः । 'आत्मन्' आत्मनि 'यजमानस्य सर्वान् कामान् प्रतिष्ठापयामः'–इति स्पष्टम् ॥

अथ तं पक्षं निषिध्य स्वं पक्षं सोपपत्तिकमाह–न तथा कुर्यादेतस्य वै यज्ञस्येत्यादिना ।'एतस्य वै यज्ञस्य' प्रकृतस्य दीक्षणीयाख्यस्य 'संस्थितस्य' सम्पूर्णस्य 'एतासां दीक्षाहुतीनां यो रसः,' 'तदेतत्' 'अर्चिः' ज्वाला-रूपः आहवनीयात्मना 'दीप्यते' । तस्यायामुखायाम् औद्ग्रभणहोमपक्षं निराकृत्य हुतेष्वौद्ग्रभणेषु तेषां यो रसोऽस्ति, तेन प्रज्वलिताग्नौ उखाप्रवृञ्जनं कर्त्तव्यमिति सिद्धान्तयतोऽयमभिप्रायः।सर्वकामावाप्तिस्तु दीक्षणी-याख्ये यज्ञे सम्पूर्णे, हुतेषु औद्ग्रभणेषु तेषां यो रसः स्थितः, तेन प्रज्वलिताग्नौ उखासन्तपनेनापि सम्भवि-ष्यति। तस्माद्दीक्षणीयाख्ये संस्थिते यज्ञे औद्ग्रभणेषु दीक्षासम्बन्धिषु हुतेष्वेव उखाप्रवृञ्जनं कर्त्तव्य-मिति॥ २२ ॥

उखायामस्यां मुञ्जतृणावस्तरणं विधाय प्रशंसति–मुञ्जकुलायेनावस्तीर्णा भवतीति । अनेन मुञ्जकुला-यावस्तरणस्य दृष्टार्थत्वमेव,न त्वशब्दार्थत्वमित्युक्तं भवति। आदीप्तिस्तु तृणान्तरेणापि भवति, किं मुञ्जनियमेनेति तत्राह–यद्वेव मुञ्जकुलायेन योनिरेषाऽग्नेर्यन्मुञ्ज इत्यादिना । एवकारो भिन्नक्रमः; मुञ्जकुलायेनेति यदस्ति, अत्रोपपत्तिरभिधीयत इति शेषः । मुञ्जस्य क्षुद्रतृणत्वेन शीघ्रमग्निजननसाधनत्वादग्नियोनित्वम् । योनेर्गर्भ-हिंसकत्वाभावप्रसिद्धिर्वैशब्देनोच्यते । जायमानोऽग्निः स्वयोनेरेव सकाशाज्जायत इत्यभिप्रायेण मुञ्जकुलायेनैव भवितव्यमित्यर्थः ॥ २३ ॥

अथ मुञ्जकुलायादभ्यन्तरं शणकुलायावस्तरणं कर्त्तव्यमित्याह–शणकुलायमन्तरं भवतीति। आदी-

तां तिष्ठन्प्रवृणक्ति । (क्ती) इमे वै लोका ऽउखा तिष्ठन्तीव वाऽइमे लोकाऽअथो तिष्ठन्वै व्वीर्यवत्तरः ॥ १ ॥

(ऽ) उदङ्प्राङ्तिष्ठन् । (ष्ठ) उदङ्वै प्राङ्तिष्ठन्प्रजापतिः प्रजाऽ-असृजत ॥ २ ॥

यद्वेवोदङ्प्राङ्तिष्ठन् । (न्ने) एषा होभयेषां देवमनुष्याणां दिग्य-दुदीची प्राची ॥ ३ ॥

रसृज्यत—तस्याऽउमा उल्बमासन् । शणा जरायु । तस्मात्ते पूतयः । जरायु हि । तेन वै जरायु गर्भं हिनस्ति—अहिंसायै । जरायुणो वै जायमानो जायते । जरायुणो जायमानो जायाता इति ॥ २४ ॥

तां तिष्ठन् प्रवृणक्ति । इमे वै लोका उखा । तिष्ठन्तीव वाऽइमे लोकाः । अथो तिष्ठन्वै वीर्यवत्तरः ॥ १ ॥

उदङ् प्राङ् तिष्ठन् । उदङ् वै प्राङ्तिष्ठन्—प्रजापतिः प्रजा असृजत ॥ २ ॥

यद्वेवोदङ् प्राङ् तिष्ठन् । एषा होभयेषां देवमनुष्याणां दिग्, यदुदीची, प्राची ॥ ३ ॥

प्यादिति न्वेवेत्यर्थवादः, पूर्ववत् । यद्वेव शणकुलायमित्यादि । अन्तः अवस्तीर्यमाणं वस्तु शणकुलायमेव भवेदिति यदस्ति तत्र कारणमभिधीयत इति शेषः । पूर्वं 'प्रजापतिः' चित्याग्निरूपः 'यस्यै योनेः' यस्याः योनेः सकाशात् उत्पन्नस्तस्या योनेः ' उमाः ' (अ. का. २ । ९ । २० पा. सू. ६।२।४) क्षौमवस्त्रोपादानभूता-स्तृणविशेषा उमाः । ताः उल्बस्थानीया अभवन्, शणाख्यतृणविशेषा जरायुस्थानीयाः । शिष्टं सुगमम् । ' पूतयः ' दुर्गन्धाः ॥ २४ ॥

इति श्रीसायणाचार्यविरचिते माधवीये वेदार्थप्रकाशे माध्यन्दिनशतपथब्राह्मणभाष्ये षष्ठकाण्डे षष्ठेऽध्याये प्रथमं ब्राह्मणम् ॥ (६—६—१) ॥

यदुक्तं सूत्रकृता—" दण्डोच्छ्रयणान्तं कृत्वाऽध्वर्युयजमानयोरन्यतर उखामाहवनीयेऽधिश्रयति मुञ्ज-कुलायावस्तीर्णामन्तरेशणां मा सु भित्था इति तिष्ठन्नुदङ्प्राङ् " (का. श्रौ. सू. १६ । १३१) इति । तद्विधत्ते—तां तिष्ठन् प्रवृणक्तीमे वै लोका उखेति । अध्वर्युर्यजमानो वा ' तिष्ठन् ' ' प्रवृणक्ति ' आह-वनीये प्रतितपेत् । इमे वै लोका उखेति । उखाया लोकत्रयात्मकत्वमुक्तं प्राक् तृतीयप्रपाठकान्ते (श. प. ६ । ३ । ७ । १७) । लोकस्थानां प्राणिनामूर्ध्वमवस्थानादुत्तरभावाद्वा—तिष्ठन्तीव वा इत्युक्तम् । शयानात् आसीनाच्च तिष्ठत्सु पुरुषेषु युद्धादिव्यापारे वीर्यदर्शनात्—तिष्ठन् वै वीर्यवत्तर इत्युक्तम् ॥ १ ॥

उदङ्प्राङ् तिष्ठन्निति । ईशानाभिमुखस्तिष्ठन्नित्यर्थः । पूर्वं प्रजापतिना प्रजासृष्टिकाले प्रागुदङ्मुखेन सृष्टत्वादिदानीमपि तन्मुखेनैव कर्त्तव्यमिति । प्रकारान्तरेण तन्मुखत्वं प्रशंसति—यद्वेवोदङ्ङिति । उत्तरस्यां दिशि प्रायेण मनुष्याणां प्राचुर्यात् सा मनुष्यसम्बन्धिनी, दैविकानां कर्मणां प्राङ्मुखानुष्ठानात्, देवान् प्रति नियतभागत्वाच्च प्राची दिग्देवानामिति व्यवस्था । अत उभयसम्बन्धात् ' प्रागुदीची ' ईशानाशा ॥ २ ॥

प्रकारान्तरेण तां दिशं प्रशंसति—यद्वेवोदङ्प्राङ्तिष्ठन्निति । यस्मात् स्वर्गद्वारम्, तस्मात् ' उदङ्प्राङ्

यद्वेवोदङ्प्राङ्तिष्ठन् । (न्ने) एतस्याᳪं᳭ ह दिशि स्वर्गस्य लोकस्य द्वारं तस्मादुदङ्प्राङ्तिष्ठन्नाहुतीर्जुहोत्युदङ्प्राङ्तिष्ठन्दक्षिणा नयति द्वारैव तत्स्वर्गस्य लोकस्य वित्तं प्रपादयाति ॥ ४ ॥

मा सु भित्था मा सु रिष ऽइति । यथैव यजुस्तथा बन्धुरम्ब धृष्णु व्वीरयस्व स्वितु ति योषा वाऽउखाऽम्बेति वै योषायाऽआमन्त्रणᳪं᳭ स्विव व्वीरयस्वाग्निश्चेदं करिष्यथऽ इत्याग्निश्च ह्येतत्करिष्यन्तौ भवतः ॥ ५ ॥

(तो) दृᳪं᳭हस्व देवि पृथिवि स्वस्तयऽइति । यथैव यजुस्तथा बन्धुरासुरी माया स्वधया कृताऽसीति प्राणो वाऽअसुस्तस्यैषा माया स्वधया कृता जुष्टं देवेभ्य ऽइदमस्तु हव्यमिति याऽ एवैतस्मिन्नमावाहुतीर्होष्यन्भवति ता

यद्वेवोदङ्प्राङ्तिष्ठन् । एतस्यां ह दिशि स्वर्गस्य लोकस्य द्वारम् । तस्मादुदङ्प्राङ्तिष्ठन्नाहुतीर्जुहोति । उदङ्-प्राङ्-तिष्ठन् दक्षिणा नयति । द्वारैव तत् स्वर्गस्य लोकस्य वित्तं प्रपादयाति ॥ ४ ॥

"मा सु भित्था मा सु रिषः"–इति । यथैव यजुस्तथा बन्धुः । **"अम्ब धृष्णु वीरयस्व सु"**–इति । योषा वाऽउखा । अम्बेति वै योषायाऽआमन्त्रणम् । स्विव वीरयस्व । **"अग्निश्चेदं करिष्यथः"**–(वा० सं० ११।६८) इति । अग्निश्च ह्येतत् करिष्यन्तौ भवतः ॥ ५ ॥

" दृंहस्व देवि पृथिवि स्वस्तये "–इति । यथैव यजुस्तथा बन्धुः । **" आसुरी माया स्वधया कृताऽसि "**–इति । प्राणो वाऽअसुः । तस्यैषा माया स्वधया कृता । **" जुष्टं देवेभ्य**

तिष्ठन् ' सर्वाः ' आहुतीर्जुहोति ', तस्मादेव कारणात् तादङ्मुख एव सन् ' दक्षिणाः ' ' नयति ' प्रयच्छति । ' तत् ' तेन तादङ्मुखः सन् आहुतिप्रदानेन दक्षिणानयनेन च स्वर्गद्वारेणैव ' वित्तम् ' आहुतिरूपम्, दक्षिणारूपं धनञ्च ' प्रपादयति ' दत्तवान् भवति । अनेनेशानाभिमुखमाहुतयो होतव्याः, दक्षिणा च दातव्येति विधिरुन्नीयते, अपूर्वार्थत्वात् ॥ ३ ॥ ४ ॥

उखाप्रवृञ्जनस्य द्वौ मन्त्रौ, तत्र प्रथमं मन्त्रं विभज्य व्याचष्टे–**मा सु भित्था मा सु रिष इतीति । यथैव यजुस्तथा बन्धुरिति** । ' यजुः यथा ' ' बन्धुः ' अर्थवादोऽपि ' तथा '; पाठ एव व्याख्यानमित्यर्थः । अर्थस्तु–हे उखे ! त्वम् ' मा सु भित्थाः ' सुष्ठु भिन्ना मा भूः दृढा भवेत्यर्थः । तथा सुष्ठु ' मा रिषः ' हिंसिता मा भूः । द्वितीयभागं व्याचष्टे–**अम्ब धृष्णु वीरयस्व स्वितीति** । हे ' अम्ब ' मातः उखे ! त्वं ' धृष्णु ' प्रगल्भं यथा भवति तथा सुष्ठु एव 'वीरयस्व' अग्निधारणलक्षणाम्बाकर्म कुरुष्व । **योषा वा** इत्यादि स्पष्टम् । तृतीयभागं व्याचष्टे–**अग्निश्चेदं करिष्यथ इतीति । अग्निश्च ह्येतत् करिष्यन्तौ भवत** इति । अग्निश्चेति चशब्दाद् हे उखे ! त्वञ्च इदं कर्म करिष्यथः समाप्तिं प्रापयिष्यन्तौ भवथः ॥ ५ ॥

द्वितीयमन्त्रस्य प्रथमभागं निगदव्याख्यातमिति व्याचष्टे–**दृंहस्व देवि पृथिवि स्वस्तय इतीति । यथैव**

ऽएतदाहाथोऽएषैव हव्यमरिष्टा त्वमुदिहि यज्ञेऽअस्मिन्निति यथैवारिष्टाऽनार्तैतस्मिन्यज्ञऽउदियादेवमेतदाह ॥ ६ ॥

द्वाभ्यां प्रवृणक्ति । द्विपाद्यजमानो यजमानोऽग्निर्यावानग्निर्यावत्यस्य मात्रा तावतैवैनामेतत्प्रवृणक्ति गायत्र्या च त्रिष्टुभा च प्राणो गायत्र्यात्मा त्रिष्टुबेतावान्वै पशुर्यावान्प्राणश्चात्मा च तद्यावान्पशुस्तावतैवैनामेतत्प्रवृणक्त्यथोऽअग्निर्वै गायत्रीन्द्रस्त्रिष्टुबैन्द्राग्नोऽग्निर्यावानग्निर्यावत्यस्य मात्रा तावतैवैनामेतत्प्रवृणक्तीन्द्राग्नी वै सर्व्वे देवाः सर्व्वदेवत्योऽग्निर्यावानग्निर्यावत्यस्य मात्रा तावतैवैनामेतत्प्रवृणक्ति तयोः सप्त पदानि सप्तचितिकोऽग्निः सप्तऽर्त्तवः संव्वत्सरः संव्वत्सरोऽग्निर्यावानग्निर्यावत्यस्य मात्रा तावतद्भवति ॥ ७ ॥

इदमस्तु हव्यम् "–इति । या एवैतस्मिन्नग्नावाहुतीर्होष्यन् भवति । ता एतदाह । अथोऽएषैव हव्यम् । " अरिष्टा त्वमुदिहि यज्ञेऽअस्मिन् "–(वा. सं. ११।६९) इति । यथैवारिष्टाऽनार्तैतस्मिन्यज्ञऽउदियादेवमेतदाह ॥ ६ ॥

द्वाभ्यां प्रवृणक्ति । द्विपाद्यजमानः । यजमानोऽग्निः, यावानग्निर्यावत्यस्य मात्रा–तावतैवैनामेतत् प्रवृणक्ति । गायत्र्या च, त्रिष्टुभा च । प्राणो गायत्री, आत्मा त्रिष्टुप् । एतावान्वै पशुः–यावान्प्राणश्चात्मा च । तद् यावान्पशुः–तावतैवैनामेतत् प्रवृणक्ति । अथोऽअग्निर्वै गायत्री, इन्द्रस्त्रि-

---

यजुस्तथैव बन्धुरिति । अक्षरार्थस्त्वयम्–हे ' पृथिवि देवि ! ' विकारे प्रकृतिशब्दः, हे–उखे ! इत्यर्थः । सा त्वं ' स्वस्तये ' अविनाशनामैतत्, क्षेमाय ' दृंहस्व ' दृढा भव । द्वितीयभागं व्याचष्टे–आसुरी माया स्वधया कृताऽसीतीति । प्राणो वा असुस्तस्यैषा माया स्वधया कृतेति । असोः प्राणस्य सम्बन्धिनी माया प्रज्ञा, तया निर्मितत्वात् उखाऽपि मायेत्युच्यते; सा च स्वधया कृता । " स्वधा "–(निघं.२।७।१७) इत्यन्ननाम, तद्धेतुत्वात् पृथिव्यपि स्वधा । " ता अग्निमसृजन्त "–इत्यत्र यथाऽग्निशब्देन पृथिवी विवक्षिता, तद्वत्; तादृशी–'असि ' भवसि । तृतीयभागे ' हव्य '–शब्देन किमभिप्रेतमिति तद् दर्शयति–जुष्टं देवेभ्य इदमस्तु हव्यमितीति । या एवैतस्मिन् अग्नौ आहुतीः होष्यन् भवति, ता एतदाहेति । ' एतस्मिन् ' उखया निष्पाद्ये ' अग्नौ ' अन्नाहुतीः सोमपश्वाज्यादिरूपाः, ' एतत् ' एतेन हव्यशब्देन ' आह ' ' इति ' । नन्विदं व्यवहितं कथमिदमस्तु हव्यमितीदन्तया व्यपदिश्यत इत्यत्र ब्रूमः–प्रकृतत्वेन बुद्धौ सन्निधानादुपपद्यत इति । चतुर्थभाग आशासनरूप इति व्याचष्टे–अरिष्टा त्वमुदिहि यज्ञेऽअस्मिन्निति । यथैवारिष्टाऽनार्तैतस्मिन् यज्ञ उदियादेवमेतदाहेति । उखे ! त्वम् 'अरिष्टा' अहिंसिता सती, 'अस्मिन् यज्ञे' 'उदिहि' उद्गता भव । अरिष्टेत्यस्य व्याख्यानमनार्तेति ॥ ६ ॥

मन्त्रगतं द्वित्वं प्रशंसति–द्वाभ्यां प्रवृणक्ति, द्विपाद्यजमानो यजमानोऽग्निरित्यादिना । यजमानस्य चीयमानवैश्वानरात्मना संस्काराद् 'यजमानोऽग्निः' । अथवा " यजमानः प्रस्तरः "–(तै. सं. १ । ७।४।४)

तां युदाऽग्निः सन्तुपति । (त्यु) अथैनामर्चिरारोहति योषा वाऽउखा वृषाऽग्निस्तस्माद्यदा वृषा योषाᳬ सन्तुपत्यथास्याᳬ रेतो दधाति ॥८॥

ष्टुप् । ऐन्द्राग्नोऽग्निः । यावानग्निर्यावत्यस्य मात्रा तावतैवैनामेतत् प्रवृणक्ति । इन्द्राग्नी वै सर्वे देवाः । सर्वदेवत्योऽग्निः । यावानग्निर्यावत्यस्य मात्रा—तावतैवैनामेतत् प्रवृणक्ति । तयोः सप्त पदानि । सप्तचितिकोऽग्निः । सप्तर्त्तवः संवत्सरः । सम्वत्सरोऽग्निः । यावानग्निर्यावत्यस्य मात्रा—तावत् तद्भवति ॥ ७ ॥

तां यदाऽग्निः सन्तपति—अथैनामर्चिरारोहति । योषा वाऽउखा, वृषाऽग्निः । तस्माद्यदा वृषा योषां सन्तपति—अथास्यां रेतो दधाति ॥ ८ ॥

इतिवत् अग्नेरपि यागनिर्वर्त्तकत्वात् यजमानत्वम्; अतो यजमाननिष्ठपादद्वित्वसङ्ख्या तदुल्याग्नौ युक्ता । यावानग्निरिति । यावत्यस्याग्नेर्मात्रा यजमानद्वारकद्वित्वसङ्ख्यारूपा, तावता सर्वेणापि 'एनाम्' उखाम् । 'एतत्' एतेन प्रकारेण 'प्रवृणक्ति' ॥

मन्त्रगतं छन्दोविशेषं प्रशंसति—गायत्र्या च त्रिष्टुभा च प्राणो गायत्र्यात्मा त्रिष्टुबित्यादिना । "प्राण उदानो व्यानः" इति प्राणस्य वृत्तिभेदेन त्रित्वात्, गायत्र्याश्च पादत्रयात्मकत्वात् प्राण एव गायत्री; आत्मा तु शरीरम्, प्राणस्य आयतनं हि शरीरम्; अतः पादत्रयात्मिकाया गायत्र्याः पादचतुष्टयात्मिकायां त्रिष्टुभि अन्तर्भावेन त्रिष्टुभः प्राणरूपगायत्रीशरीरत्वात् आत्मा त्रिष्टुबित्युक्तम् । लोके द्विपाद्रूपश्चतुष्पाद्रूपश्च यः 'पशुः' अस्ति, 'सः' 'एतावान् वै,' 'यावान्' 'प्राणः' प्राणशरीरसङ्घातात्मकः खलु; तयोरेव प्रत्यक्षतः प्रतीतेः । स्पष्टमन्यत् ॥

इत्थं मन्त्रगतं छन्दः प्राणात्मरूपत्वेन प्रशस्य तदभिमानिदेवताद्वारेणापि प्रशंसति—अथो अग्निर्वै गायत्रीन्द्रस्त्रिष्टुबिति । "तमग्निर्देवताऽन्वसृज्यत गायत्री छन्दः ०—० तमिन्द्रो देवताऽन्वसृज्यत त्रिष्टुप् छन्दः"—(तै. सं. ७।१।१।४) इति श्रुतत्वात् प्रजापतिसहोत्पन्नत्वेनाग्नेर्गायत्रीत्वम्, इन्द्रस्य च त्रिष्टुप्त्वम् । अत एव अग्निनेन्द्रेण च सम्बद्धेन मन्त्रेणोखाप्रवृञ्जनात् 'ऐन्द्राग्नोऽग्निः' । यावानग्निरित्यादि पूर्ववत् ॥

तद्गतसर्वदेवतात्मकत्वद्वारेणाभ्यां प्रवृञ्जनं प्रशंसति—इन्द्राग्नी वै सर्वे देवाः सर्वदेवत्योऽग्निरित्यादिना । "ते देवा बिभ्यतोऽग्निं प्राविशन्"—(तै. सं १ । २ । २ । १) इति श्रुतेः अग्नेः सर्वदेवत्यत्वम्, इन्द्रस्य च सर्वदेवाधिपतित्वम्; अतस्तद्द्वारा अग्निरुख्योऽपि सर्वदेवतात्मकः । गतमन्यत् ॥

मन्त्रद्वयगतपादसङ्ख्याद्वारेणापि मन्त्रद्वयेन प्रवृञ्जनं प्रशंसति—सप्त पदानि, सप्तचितिकोऽग्निरित्यादिना । अग्नेः सप्त चितयः; षट् चितय इष्टकामय्यः, अथ सप्तमी तु "विकर्णीञ्च स्वयमातृण्णाञ्चोपदधाति, हिरण्यशकलैः प्रोक्षति, अग्निमभ्यादधाति, सा सप्तमी चितिः"—इति सप्त चितयः । गतमन्यत् । तावत्तद्भवतीति । तदुखाप्रवृञ्जनरूपं कर्म 'तावत्' अग्निमात्रया समं 'भवति' ॥ ७ ॥

सन्तपने सति उखाया या दीप्तिः, तां रेतआत्मना, सन्तापकमग्निं पुरुषात्मना, उखां च योषिदात्मना, सन्तापञ्च सम्भोगात्मना प्रशंसति—तां यदाऽग्निः सन्तपत्यथैनामिति ॥ ८ ॥

तद्धैके । युदि । चिरमर्चिराुरोहत्यङ्गारानेवावपन्त्युभयेनैषोऽग्निरिति न तथा कुर्यादस्थन्वान्वाव पशुर्जायतेऽथ तं नाग्र ऽएवास्थन्वन्तमिव न्यूंषन्ति रेतऽइवैवु दधति रेत उऽएतुदनुस्थिकं यदर्चिस्तस्मादेनामर्चिरेवारोहेत ॥ ९ ॥

(त्तां) तां यदाऽर्चिरारोहति । (त्यु) अथास्मिन्त्समिधमादधाति रेतो वाऽएनामेतदापद्यतऽएषोऽग्निस्तस्मिन्नेताᳪं रेतसि सम्भूतिं दधाति ॥ १० ॥

सा कार्मुकी स्यात् । (दे) देवाश्चासुराश्चोभये प्राजापत्या ऽअस्पर्द्धन्त

तद्धैके—यदि चिरमर्चिरारोहति—अङ्गारानेवावपन्ति । उभयेनैषोऽग्निरिति । न तथा कुर्यात् । अस्थन्वान्वाव पशुर्जायते । अथ तं नाग्रऽएवास्थन्वन्तमिव न्यूषन्ति । रेत इवैव दधति । रेत उऽएतदनस्थिकम्—यदर्चिः । तस्मादेनामर्चिरेवारोहेत् ॥ ९ ॥

तां यदाऽर्चिरारोहति—अथास्मिन्त्समिधमादधाति । रेतो वाऽएनामेतदापद्यते, एषोऽग्निः । तस्मिन्नेतां रेतसि सम्भूतिं दधाति ॥ १० ॥

सा कार्मुकी स्यात् । देवाश्चासुराश्चोभये प्राजापत्या अस्पर्द्धन्त । ते देवा अग्निमनीकं कृत्वा-

---

उखायां चिरारोहणविषये केषाञ्चित् पक्षमुपन्यस्य निराचष्टे—तद्धैके यदि चिरमर्चिरारोहतीत्यादिना । 'अर्चिः' सामग्रीप्रौज्ज्वल्याभावेन 'चिरं' कालविलम्बेनारोहेत्, ततः प्रागेव 'अङ्गारानावपन्ति' उखायां प्रक्षिपेयुः । तेषामाशयः,—'उभयेन' अङ्गारेण अर्चिषा च 'एषः अग्निः' जायत इति । तत्पक्षं निराकरोति—न तथा कुर्यादिति । तत्पक्षानाश्रयणे कारणमाह—अस्थन्वान्वाव पशुर्जायत इति । 'पशुः' जननकाले 'अस्थन्वान् वाव' अस्थन्वानेव सास्थिक एव 'जायते,' 'अथ' तस्मात् कारणात् 'अग्रे एव' जननात् प्राक्काल एव 'अस्थन्वन्तम् इव' 'न न्यूषन्ति' न स्थापयन्ति लोके । तर्हि किं कुर्वन्तीत्यत आह—रेत इवैव दधतीति । रेत एव दधति गर्भे । इत्थं लोकवृत्तान्तं प्रदर्श्य प्रकृते योजयति—रेत उ एतदिति । 'अर्चिः' इति यत् अस्ति, तत् 'एतत्' 'रेतः' 'उ' खलु । अतो गर्भाधानकाले एव रेतसा सहास्थ्नोऽयोगात् 'एनं' केवलम् 'अर्चिरेवारोहेत्' । अत्र सूत्रम्—" अनारोहत्यङ्गारानोप्यैके "—(का. श्रौ. सू. १६ । १३४) इति ॥ ९ ॥

यदुक्तं सूत्रकृता—" अग्नावारूढे त्रयोदशास्यां प्रादेशमात्रीः समिध आदधाति, अनारोहत्यङ्गारानोप्यैके, घृतोन्नां कार्मुकीं द्रवन्न इति, वैकङ्कतीं परस्या इति, औदुम्बरीं परमस्या इति, अपरशुवृक्णां यदग्न इति, अधःशयां यदत्तीति, पालाशीः प्रत्यृचमहरहरिति "—(का. श्रौ. सू. १६ । १३३–१४०) इति । तदिदं क्रमेण विवक्षुः आदौ कार्मुक्याः समिध आधानं विधाय प्रशंसति—तां यदाऽर्चिरित्यादिना । अर्चीरूपस्य केवलरेतस आधाने सति अग्नेः सम्भूत्या आकारविशेषरूपाया अभावात् तथाभावाय समिदाधानं कर्त्तव्यमित्यर्थः ॥ १० ॥

आधातव्यायाः समिधो वृक्षविशेषसम्बन्धमाह—सा कार्मुकी स्यादिति । धनुरुपादानभूतो वृक्षविशेषः क्रमुकः ।

ते देवाऽअग्निमनीकं कृत्वाऽसुरानभ्यायंस्तस्यार्चिषः प्रगृहीतस्यासुराऽअग्रं प्रावृश्चंस्तदस्यां प्रत्यतिष्ठत्स क्रमुकोऽभवत्तस्मात्स स्वादू रसो हि तस्मादु लोहितोऽर्चिर्हि स एषोऽग्निरेव यत्क्रमुकोऽग्निमेवास्मिन्नेतत्सम्भूतिं दधाति ॥ ११ ॥

प्रादेशमात्री भवति । प्रादेशमात्रो वै गर्भो विष्णुरात्मसम्मितामेवास्मिन्नेतत्सम्भूतिं दधाति ॥ १२ ॥

घृते न्युत्ता भवति । (त्य) अग्निर्यस्यै योनेरसृज्यत तस्यै घृतमुल्बमासीत्तस्मात्तत्प्रत्युद्दीप्यत ऽआत्मा ह्यस्यैष तस्मात्तस्य न भस्म भवत्यात्मैव तदात्मानमप्येति न वाऽउल्बं गर्भꣳ हिनस्त्यहिꣳसायाऽउल्बाद्वै जायमानो जायतऽउल्बाज्जायमानो जायाताऽइति ॥ १३ ॥

ऽसुरानभ्यायन् । तस्यार्चिषः प्रगृहीतस्यासुरा अग्रं प्रावृश्चन् । तदस्यां प्रत्यतिष्ठत् । स क्रमुकोऽभवत् । तस्मात्स स्वादुः । रसो हि । तस्मादु लोहितः । अर्चिर्हि । स एषोऽग्निरेव–यत् क्रमुकः । अग्निमेवास्मिन्नेतत् संभूतिं दधाति ॥ ११ ॥

प्रादेशमात्री भवति । प्रादेशमात्रो वै गर्भो विष्णुः । आत्मसम्मितामेवास्मिन्नेतत् सम्भूतिं दधाति ॥ १२ ॥

घृते न्युत्ता भवति । अग्निर्यस्यै योनेरसृज्यत–तस्यै घृतमुल्बमासीत् । तस्मात्तत् प्रत्युद्दीप्यते । आत्मा ह्यस्यैषः । तस्मात्तस्य न भस्म भवति । आत्मैव तदात्मानमप्येति । न वाऽउल्बं गर्भं हिनस्ति–अहिंसायै । उल्बाद्वै जायमानो जायते । उल्बाज्जायमानो जायाताऽइति ॥ १३ ॥

तद्विकारत्वं समर्थयितुमाख्यायिकामाह–**देवाश्चासुराश्चे**त्यादिना । स्पर्द्धमानानां मध्ये ते देवाः ' अग्निम् ' ' अनीकं ' मुखं कृत्वा असुरानभिगताः, तस्मिन् समये असुराः प्रत्यावृत्य अग्नेरर्चिः प्रगृह्य, यावन्मात्रं गृहीतमासीत्, तावन्मात्रमर्चिषोऽग्रं ' प्रावृश्चन् ' छिन्नवन्तः । छिन्नं तदग्रम् अस्यां पृथिव्यां प्रतिष्ठितमभूत् । स च तत्र क्रमुकाख्यो वृक्षः सम्पन्नः । ' क्रमुकः ' नाम धनुष उपादानभूतः सारवान् वृक्षविशेषः । उक्तमर्थं प्रत्यक्षबलेन द्रढयति–**तस्मात् स स्वादुरिति** । तस्मादित्युक्तम् कस्मादित्याह–**रसो हीति** । यस्मादग्नेः सारांशः, तस्मादित्यर्थः । तस्मिन्नेवार्थे प्रत्यक्षान्तरं दर्शयति–**तस्मादु लोहितोऽर्चिर्हीति** । आर्चिषो लोहितवर्णत्वात् तदात्मको वृक्षोऽपि लोहितः । यत एवं ' क्रमुकः ' यः अस्ति, ' स एषः अग्निरेव ' वृक्षरूपेण परिणामात् । ' एतत् ' एतेन क्रमुकसमिदाधानेन ' अग्निमेव ' ' सम्भूतिं दधाति ' स्थापितवान् भवति ॥ ११ ॥

समिध इयत्तां विधाय प्रशंसति–**प्रादेशमात्री भवतीति । प्रादेशमात्रो वै गर्भ** इति । ' गर्भः विष्णुः, ' यज्ञरूपः प्रादेशमात्रः । गर्भस्य प्रादेशपरिमाणत्वं लोकसिद्धम् । विष्णुरेव वामनावतारः गर्भरूपः प्रादेशमात्रः १२

आधेयायाः समिधः प्रघृञ्जनं विधाय प्रशंसति–**घृते न्युत्ता भवत्यग्निर्यस्यै योनेरसृज्यतेति** । ' अग्निः '

तामादधाति । द्रवन्नः सर्पिरासुतिरिति दार्वन्नः सर्पिरशनऽ इत्येतत्प्रत्नो होता वरेण्यऽइति सनातनो होता वरेण्यऽइत्येतत्सहसस्पुत्रोऽअद्भुतऽइति बलं वै सहो बलस्य पुत्रोऽद्भुतऽइत्येतत्तिष्ठन्नादधाति स्वाहाकारेण तस्योपरि बन्धुः ॥ १४ ॥

(स्त) तद्वाऽआत्मैवोखा । योनिर्मुञ्जाः शणा जरायूल्बं घृतं गर्भः समित् ॥ १५ ॥

(द्वा) बाह्योखा भवति । (त्य) अन्तरे मुञ्जा बाह्यो ह्यात्माऽन्तरा योनिर्बाह्ये मुञ्जा भवन्त्यन्तरे शणा बाह्या हि योनिरन्तरं जरायु बाह्ये शणा

तामादधाति । " द्रवन्नः सर्पिरासुतिः "–इति । दार्वन्नः सर्पिरशन इत्येतत् । " प्रत्नो होता वरेण्यः "–इति । सनातनो होता वरेण्य इत्येतत् । "सहसस्पुत्रोऽअद्भुतः"–(वा.सं. ११।७०) इति । बलं वै सहः । बलस्य पुत्रोऽद्भुत इत्येतत् । तिष्ठन्नादधाति स्वाहाकारेण । तस्योपरि बन्धुः ॥ १४ ॥

तद्वाऽआत्मैवोखा, योनिर्मुञ्जाः, शणा जरायु, उल्बं घृतम्, गर्भः समित् ॥ १५ ॥

बाह्योखा भवति–अन्तरे मुञ्जाः । बाह्यो ह्यात्मा । अन्तरा योनिः । बाह्ये मुञ्जा भवन्ति–अन्तरे

उल्यलक्षणः पूर्वं 'यस्यै' यस्याः 'योनेः' 'असृज्यत,' 'तस्यै' तस्याः 'घृतम्' एव 'उल्बमासीत्,' 'तस्मात्' 'तत्प्रति' घृतं प्रति 'उदीप्यते' । 'तस्मात्' अन्यवयवत्वादेव 'तस्य' घृतस्य हुतस्य 'न भस्म भवति' इतरकाष्ठादिवत् । भस्माभावे कारणमाह–आत्मैव तदात्मानमप्येतीति । गतमन्यत् ॥ १३ ॥

समिदाधाने मन्त्रं विधाय विभज्य व्याचष्टे–तामादधाति द्रवन्नः सर्पिरासुतिरित्यादिना । द्रवणात् ऊर्ध्वगमनात् 'द्रुः' वनस्पतिः, स एव अन्नं यस्य सः, सरणात् 'सर्पिः' घृतम्, तदेव 'आसुतिः' आसवस्थानीयं यस्य स तथोक्तः ॥

प्रथमपादं व्याचष्टे–दार्वन्नः सर्पिरशन इत्येतादिति । द्रवन्न इति पादेन यदुक्तम् 'तदेतत्' एतदेव 'दार्वन्नः' इत्याद्युक्तमेवेत्यर्थः । अशनशब्देनान्नसामान्यवाचिना पानलक्षणान्नविशेष उपलक्ष्यते । द्वितीयपादे प्रत्नशब्दं व्याचष्टे–प्रत्नो होता वरेण्य इति । सनातनो होता वरेण्य इत्येतदिति । स्पष्टम् । तृतीयं पादं व्याचष्टे–सहसस्पुत्रो अद्भुत इतीति । बलं वै सह इति । सहते अभिभवति शत्रुमिति सहो बलम्, मथनकाले बलेनोत्पाद्यमानत्वाद् 'बलस्य पुत्रः' इत्युक्तम् । 'अद्भुतः' पूर्वमभूत इव, सर्वदा नूतन इत्यर्थः । मन्त्रान्ते स्वाहाकारेण समिदाधानं कर्त्तव्यम्, तच्च तिष्ठतैवेति विधत्ते–तिष्ठन्नादधाति स्वाहाकारेणेति । तस्योपरि बन्धुरिति । 'तस्य' स्वाहाकारेणाधानस्य 'बन्धुः' अर्थवादरूपो वाक्यशेषः 'उपरि' "स्वाहाकारेण रेतो वा इदं सिक्तमयमग्निः"–(श. प. ६।६।२।१७ कं.) इत्यादिना प्रदर्श्यत इत्यर्थः ॥ १४ ॥

गर्भरूपायाः समिधः सर्वान्तरत्वं प्रशंसति–तद्वा आत्मैवोखेत्यादिना । 'उखा' 'आत्मैव' स्त्रीशरीरमेव; इतरस्यामवस्तीर्णानि मुञ्जतृणान्येव योनिः, ततोऽप्यन्तरत्वात् । एवं शणादयोऽप्युन्नेयाः ॥ १५ ॥

उखादीनामात्मत्वादिकल्पनायामुपपत्तिं स्वयमेव दर्शयति–बाह्योखा भवत्यन्तरे मुञ्जा इत्यादिना ।

भुवन्त्युन्तरं घृतं ब्राह्यथ्ँ हि जराय्वुन्तरमुल्वं ब्राह्यं घृतं भुवत्युन्तरा समिड्ब्राह्यथ्ँ ह्युल्बमुन्तरो गर्भऽ एतेभ्यो वै जायमानो जायते तेभ्य ऽएुवैनमेतज्जनयति ॥ १६ ॥

इति चतुर्थप्रपाठके चतुर्थं ब्राह्मणम् ॥ ६-४-४ ॥ (६. २.)

अथ व्वैकङ्कतीमादधाति । प्रजापतिर्यां प्रथमामाहुतिमजुहोत्स हुत्वा यत्र न्यमृष्ट ततो व्विकङ्कतः समभवत्सैषा प्रथमाऽऽहुतिर्यद्विकङ्कतस्ताम-स्मिन्नेतज्जुहोति तयैनमेतत्प्रीणाति पुरस्याऽ अधि संव्वतोऽवराँ२॥ऽअभ्या-तर ॥ यत्राहमस्मि ताँ २॥ऽअवेति यथैव यजुस्तथा बन्धुः ॥ १ ॥

शणाः । बाह्या हि योनिः । अन्तरं जरायु । बाह्ये शणा भवन्ति-अन्तरं घृतम् । बाह्यं हि जरायु । अन्तरमुल्वम् । बाह्यं घृतं भवति-अन्तरा समित् । बाह्यं ह्युल्बम्-अन्तरो गर्भः । एतेभ्यो वै जायमानो जायते । तेभ्य एवैनमेतज्जनयति ॥ १६ ॥

अथ वैकङ्कतीमादधाति । प्रजापतिर्यां प्रथमामाहुतिमजुहोत्-स हुत्वा यत्र न्यमृष्ट । ततो विकङ्कतः समभवत् । सैषा प्रथमाऽऽहुतिः-यद्विकङ्कतः । तामस्मिन्नेतज्जुहोति । तयैनमेतत् प्रीणाति । " परस्या अधि सम्वतोऽवराँ२॥ अभ्यातर । यत्राहमस्मि ताँ२॥ अव"-(वा.सं. ११। ७१) इति । यथैव यजुस्तथा बन्धुः ॥ १ ॥

आत्मत्वादिकल्पनायाः प्रयोजनमाह-एतेभ्यो वै जायमानो जायत इति । 'जायमानो' गर्भः 'एतेभ्यः' शरीरादिभ्यः सकाशात् 'जायते' खलु । जातस्य उत्पद्यमानस्य अग्नेरपि एतेषामपेक्षणात् 'एतत्' एतेन उखामुञ्जादीनामुक्तक्रमेण सम्पादनेन 'तेभ्य एव' आत्मादिभ्य एव 'एनम्' अग्निं गर्भरूपं 'जनयति'। अतः उक्तक्रमेणैवैतेषामनुष्ठानं प्रशस्तमिति विधेयस्तुतिः ॥ १६ ॥

इति श्रीसायणाचार्यविरचिते माधवीये वेदार्थप्रकाशे माध्यन्दिनीयशतपथब्राह्मणभाष्ये षष्ठकाण्डे षष्ठेऽध्याये द्वितीयं ब्राह्मणम् ॥ (६-६-२) ॥

अथ द्वितीयायाः समिधो वैकङ्कतत्वं विधाय प्रशंसति-अथ वैकङ्कतीमादधाति प्रजापतिर्यां प्रथमामाहुतिमजुहोदिति । पुरा 'प्रजापतिः' प्रजाः सृष्ट्वा, 'यां प्रथमामाहुतिमजुहोत्,' 'तां' प्रथमभूतां 'हुत्वा' 'यत्र' देशे 'न्यमृष्ट' हुतशेषनिमार्जनं कृतवान्, 'ततः' तस्मात् देशात् 'विकङ्कतः' 'समभवत्' यत एवम्, अतो विकङ्कतसाध्या आहुतिः प्रथमाऽऽहुतिः । प्रथमाहुतेरंशत्वात् अस्या अपि प्रथमाहुतित्वं युक्तम्, अतः 'तां' प्रथमाहुतिमेव 'अस्मिन्' उखाग्नौ हुतवान् भवति । 'तया' चाहुत्या 'एनम्' अग्निं 'प्रीणाति' ॥

१-वैकङ्कतीम्परस्या इति । का० श्रौ० सू० १६ । १२६ ।

(२) अथौदुम्बरीमादधाति । देवाश्चासुराश्चोभये प्राजापत्या ऽअस्पर्द्धन्त ते ह सर्व्वऽएव व्वनस्पतयोऽसुरानभ्युपेयुरुदुम्बरो हैव देवान्न जहौ ते देवाऽअसुराञ्जित्वा तेषां व्वनस्पतीनवृञ्जत ॥ २ ॥

ते होचुः । (हुं) हन्त यैषु व्वनस्पतिषूर्ग्यो रस ऽउदुम्बरे तं दधाम ते यद्यपक्रामेयुर्यातयामा ऽअपक्रामेयुर्यथा धेनुर्दुग्धा यथाऽनड्वानूहिवानिति तद्यैषु व्वनस्पतिषूर्ग्यो रसऽआसीदुदुम्बरे तमदधुस्तयैतदूर्जा सर्व्वान्वनस्पतीन्प्रति पच्यते तस्मात्स सर्व्वदाऽऽर्द्रः सर्व्वदा क्षीरी तदेतत्सर्व्वमन्नं यदुदुम्बरः सर्व्वे व्वनस्पतयः सर्व्वैरेवैनमेतदन्नेन प्रीणाति सर्व्वैर्व्वनस्पतिभिः समिन्द्धे ॥ ३ ॥

अथौदुम्बरीमादधाति । देवाश्चासुराश्चोभये प्राजापत्या अस्पर्द्धन्त । ते ह सर्वऽएव वनस्पतयोऽसुरानभ्युपेयुः । उदुम्बरो हैव देवान्न जहौ । ते देवा असुरान् जित्वा तेषां वनस्पतीनवृञ्जत ॥२॥

ते होचुः—हन्त यैषु वनस्पतिषूर्क्, यो रसः, उदुम्बरे तं दधाम । ते यद्यपक्रामेयुः—यातयामा अपक्रामेयुः—यथा धेनुर्दुग्धा, यथाऽनड्वानूहिवानिति । तद्यैषु वनस्पतिषूर्ग्यो रस आसीद्—उदुम्बरे तमदधुः । तयैतदूर्जा सर्वान् वनस्पतीन्प्रति पच्यते । तस्मात्स सर्वदाऽऽर्द्रः, सर्वदा क्षीरी । तदेतत् सर्वमन्नं यदुदुम्बरः । सर्वे वनस्पतयः । सर्वैरेवैनमेतदन्नेन प्रीणाति । सर्वैर्वनस्पतिभिः समिन्द्धे ॥ ३ ॥

तत्र मन्त्रं साकल्येन पठित्वा तस्य निगदव्याख्यानतामाह—परस्या अधीत्यादिना । मन्त्रस्यायमर्थः,—अग्ने । ' परस्याः ' " संवतः " (निघं. २ । १७ । ४६) सङ्ग्रामनामैतत् । सङ्ग्रामस्य ' अधि ' उपरि ' अवरान् ' अस्मदीयान् ' अभ्यातर ' अभ्यागमय । समनन्तरं ' यत्र ' सङ्ग्रामे जनपदे वा ' अहम् अस्मि, ' ' तान् अव ' तान् सङ्ग्रामान् जनपदान् वा रक्ष ॥ १ ॥

तृतीयसमिधो वृक्षविशेषं विधाय प्रशंसति—अथौदुम्बरीमादधाति देवाश्चासुराश्चेत्यादिना । देवासुरेषु परस्परं स्पर्धमानेषु सर्वेऽपि 'वनस्पतयः' 'असुरान्' एव ' अभ्युपेयुः ' अभ्यगमन्, ' उदुम्बरः ' एकः' एव ' ' देवान् न जहौ ' । पश्चात् ' देवाः असुरान् जित्वा, ' ' तेषां ' तेभ्यः सकाशात् ' वनस्पतीन् ' ' अवृञ्जत ' वर्जितानकुर्वन् ॥ २ ॥

ते होचुरिति । पश्चात् ' ते ' देवाः तेषु वनस्पतिषु विश्वासमकृत्वा ' वनस्पतिषु ' ' यः ऊर्ग् रसः ' सारोंऽशः, ' तम् ' ' उदुम्बरे स्थापयाम ' इति परस्परमुक्त्वा उदुम्बरे एव स्थापितवन्तः । एवं कुर्वतामभिप्रायमाह—' ते यद्यपक्रामेयुः ' तदा दुग्धधेनुवत् ऊढबलीवर्दवच्च गतसारा एवापक्रामेयुः ' इति ' । ' तया ' स्थापितयोर्जा ' सर्वान् ' ' वनस्पतीन् ' ' प्रति ' सर्वेषां प्रतिनिधित्वेन ' पच्यते ' परिपक्वबहुफलो भवती-

---

१–औदुंबरीं परमस्या इति । का० श्रौ० सू० १६ । १३७ ।

परमुस्याः परावुतऽ इति । या परमा परावदित्येतद्रोहिदश्वऽ इहागहीति रोहितो हाग्नेरुश्वः पुरीष्यः पुरुप्रिय ऽइति पशुव्यो बहुप्रिय ऽइत्येतदग्ने त्वं तरा मृध ऽइत्युग्ने त्वं तर सुर्वान्पाप्मनऽ इत्येतत् ॥ ४ ॥

(द) अथापरशुवृक्णमादधाति । जायतऽएषु ऽएतद्यच्चीयुते सुऽ एष सुर्वस्माऽअन्नाय जायत ऽएतद्धैकमुन्नं यदपरशुवृक्णं तेनैनमेतत्प्रीणाति यदग्ने कानिकानि चिदा ते दारूणि दध्मसि ॥ सुर्वं तुदस्तु ते घृतं तुज्जुषस्व यविष्ठ्येति युथैव युजुस्तुथा बुन्धुस्तद्यत्किञ्चापरशुवृक्णं तुदस्मा ऽएतत्स्वदयति तुदस्माऽअन्नं कृत्वाऽपिदधाति ॥ ५ ॥

" परमस्याः परावतः "–इति । या परमा परावदित्येतत् । " रोहिदश्व इहागहि "–इति । रोहितो ह्यग्नेरश्वः । " पुरीष्यः पुरुप्रियः "–इति । पशव्यो बहुप्रिय इत्येतत् । " अग्ने त्वं तरा मृधः "–(वा. सं. ११ । ७२) इति । अग्ने त्वं तर सर्वान् पाप्मन इत्येतत् ॥ ४ ॥

अथापरशुवृक्णमादधाति । जायतऽएष एतद्–यच्चीयते । स एष सर्वस्माऽअन्नाय जायते । एतद्धैकमन्नं यदपरशुवृक्णम् । तेनैनमेतत्प्रीणाति । " यदग्ने कानि कानि चिदा ते दारूणि दध्मसि । सर्वं तदस्तु ते घृतम्, तज्जुषस्व यविष्ठ्य "–(वा. सं. ११ । ७३) इति । यथैव यजुस्तथा बन्धुः । तद् यत् किञ्चापरशुवृक्णम् । तदस्माऽएतत्स्वदयति । तदस्माऽअन्नं कृत्वाऽपिदधाति ॥ ५ ॥

त्यर्थः । प्रतेः कर्मप्रवचनीयत्वात् तद्योगात् ' वनस्पतीन् ' इति द्वितीया । उक्तमर्थं प्रत्यक्षेण दृढीकरोति– तस्मात्स सर्वदाऽऽर्द्रः सर्वदा क्षीरीति । स्पष्टम् । सर्ववनस्पतिप्रतिनिधित्वात् सर्वान्नाद्यात्मकः ॥ ३ ॥

तस्याः समिध आधाने मन्त्रं विधाय व्याचष्टे–परमस्याः परावत इति । या परमा परावदित्येतदिति । हे अग्ने ! ' या ' ' परमा ' उत्कृष्टा, " परावत् " (निघं. ३ । २६ । ५) दूरनामैतत् । अत्यंतं दूरमस्ति; तादृशात् देशात् आगच्छ ' इति, ' ' एतत् ' एतेन मन्त्रभागेनोक्तमित्यर्थः । द्वितीयभागे ' रोहिदश्व '–शब्दाभिधेयत्वमग्नेः कुत इति, तद् दर्शयति–रोहितो ह्यग्नेरश्व इति । " रोहितोऽग्नेः "–(निरु. १।१५।२) इति निरुक्तम् । तृतीयभागं व्याचष्टे–पुरीष्यः पुरुप्रिय इतीति । पशव्यो बहुप्रिय इत्येतदिति । पुरीषशब्देन बहुपुरीषाः पशव उच्यन्ते । बहुभ्यः पशुभ्य आहितः पुरीष्यः । " पुरुभूरि "–इति बहुनामसु पाठात् (निघं. ३ । १ । ३) । बहुभ्यो यजमानेभ्यो देवताभ्योऽपि प्रियः । गतमन्यत् । चतुर्थभागे " मृधः "–इत्येतस्य (निघं. २ । १७ । २०) सङ्ग्रामनामकस्यात्र पापमर्थ इति व्याचष्टे–अग्ने त्वं तरा मृध इतीति । अग्ने त्वं तर सर्वान् पाप्मन इत्येतदिति । तरतिरत्र निरासार्थः ॥ ४ ॥

अथ चतुर्थसमिदाधानं विधाय प्रशंसति–अथापरशुवृक्णमादधाति जायत एष एतदित्यादिना । 'अथ'

१–अपरशुवृक्णं यदग्न इति । का. श्रौ. सू. १६ । १३८ ।

(त्यु) अथाधःशयमादधाति । जायत ऽएष ऽएतद्यच्चीयते स ऽएष सर्व्वस्मा ऽअन्नाय जायतऽएतद्धैकमन्नं यदधःशयं तेनैनमेतत्प्रीणाति यदत्त्युपजिह्विका यद्वम्रोऽअतिसर्पतीत्युपजिह्विका वा हि तदत्ति व्वम्रो व्वाऽतिसर्पति सर्व्वं तदस्तु ते घृतं तज्जुषस्व यविष्ठ्येति यथैव यजुस्तथा बन्धुस्तद्यत्किञ्चाधःशयं तदस्माऽएतत्स्वदयति तदस्माऽअन्नं कृत्वाऽपिदधाति ॥ ६ ॥

अथाधःशयमादधाति । जायतऽएष एतद्–यच्चीयते । सर्वस्माऽअन्नाय जायते । एतद्धैकमन्नम्–यदधःशयम् । तेनैनमेतत्प्रीणाति । " यदत्त्युपजिह्विका यद्वम्रोऽअतिसर्पति "–इति । उपजिह्विका वा हि तदत्ति, वम्रो वाऽतिसर्पति । " सर्वं तदस्तु ते घृतम्, तज्जुषस्व यविष्ठ्य "–(वा० सं० ११ । ७४) इति । यथैव यजुस्तथा बन्धुः । तद्य यत् किञ्चाधःशयम्–तदस्माऽएतद् स्वदयति । तदस्माऽअन्नं कृत्वाऽपिदधाति ॥ ६ ॥

' अपरशुवृक्णस्य ' परशुना अच्छिन्नस्य वाय्वादिना भग्नस्य तस्याधाने प्रयोजनमाह–स एष सर्वस्मा इति । कथमस्यान्नत्वमित्यत आह–एतद्धैकमन्नमिति । अपरशुवृक्णमपि अन्नेषु मध्ये ' एकमन्नम् ' । तत्र मन्त्रं विधाय तस्य व्याख्यानानपेक्षत्वमाह–यदग्ने कानि कानि चिदित्यादिना ॥

मन्त्रस्यायमर्थः,–हे ' अग्ने ! ' यत् ' ' कानि कानिचिद् ' रूपाणि ' दारूणि ' ' ते ' त्वयि ' आदध्मसि ' आदध्मः, ' तत् सर्वं ' ' घृतमस्तु ' घृतवत् प्रियमस्तु । ' तद् ' घृतत्वेन कल्पितं यत् किञ्चित् काष्ठं 'जुषस्व' सेवस्व । हे 'यविष्ठ्य !' युवतम अग्ने ! ॥ मन्त्रस्यावयवार्थस्पष्टत्वम् "यथैव यजुस्तथा बन्धुः"–इत्यनेनोक्तम्, इदानीं तात्पर्यार्थमाह–तद् यत् किञ्च अपरशुवृक्णम्, तदस्मा एतत् स्वदयति, तदस्मा अन्नं कृत्वाऽपिदधातीति । ' अस्मै ' शिशुरूपाय अग्नये यथा लौकिकशिशोर्नवनीतादिकमन्नं कृत्वा आस्येऽपिदधाति, तथा कृतवान् भवतीति ॥ ५ ॥

अथ षष्ठ्याः समिध आधानं विधाय प्रशंसति–अथाधःशयमादधाति जायत एष इत्यादिना । पूर्ववद् व्याख्येयम् । ' अधः ' भूमेरुपरि स्वयमेव पतितः सन् यः शेते, सः ' अधःशयः ' । पूर्ववत् । तत्र मन्त्रं विधाय, पूर्वार्द्धं व्याख्याय, उत्तरार्द्धस्य स्पष्टार्थतामाह–यदत्त्युपजिह्विकेत्यादिना । हे ' अग्ने ! ' ' यत् ' काष्ठम् ' उपजिह्विका ' उपदीका ' अत्ति ' भक्षयति, ' वम्रः ' वल्मीको ' वा ' ' यत् ' काष्ठम् ' अतिसर्पति ' आरोहति, ' सर्वम् ' इत्यादि पूर्ववत् । मन्त्रस्य तात्पर्यमाह–तद्यत् किञ्चाधःशयमित्यादिना । अपरशुवृक्णाधःशययोर्वृक्षविशेषाविधानात् प्रकृतमुदुम्बरत्वमेव तयोरित्यवगन्तव्यम् ॥ ६ ॥

१–अधःशयं यदत्तीति । का. श्रौ. सू० १६ । १३९ ।

१५१६

(त्यु) अथैता॒ऽ उत्त॑राः पाला॒श्यो भ॑वन्ति । ब्रह्म॒ वै प॑लाशो॒ ब्रह्म॑णै॒वैन॑मे॒तत्स॒मि॑न्द्धे य॒द्वेव॑ पाला॒श्यः सोमो॒ वै प॑लाश॒ऽ ए॒षो ह॒ पर॒मा॒ऽऽहुति॒र्यत्सोमा॑हुति॒स्ताम॒स्मिन्ने॒तज्जु॑होति त॒यैन॑मे॒तत्प्री॑णाति ॥ ७ ॥

(त्यु) अह॑रहर॒प्रया॑वं॒ भर॑न्त॒ऽ इति॑ । (त्यु) अह॑रहर॒प्रम॑त्ता॒ऽआह॑रन्त॒ इत्ये॒तद॒श्वा॑ये॒व तिष्ठ॑ते घा॒सम॑स्मा॒ऽइति॒ यथा॒ऽश्वा॑य॒ तिष्ठ॑ते घा॒सामि॒त्ये॒तद्रा॒यस्पोषे॑ण स॒मि॑षा॒ मद॑न्त॒ऽ इति॑ रय्या च॒ पोषे॑ण च स॒मि॑षा॒ मद॑न्त॒ऽ इत्ये॒तद॑ग्ने॒ मा ते॒ प्रति॑वेशा॒ रि॑षा॒मेति॒ यथै॒वास्य॒ प्रति॑वेशो॒ न रि॒ष्येदे॒वमे॒तदा॑ह ॥ ८ ॥

अथैता उत्तराः पालाश्यो भवन्ति । ब्रह्म वै पलाशः । ब्रह्मणैवैनमेतत् समिन्द्धे । यद्वेव पालाश्यः । सोमो वै पलाशः । एषो ह परमाऽऽहुतिः—यत् सोमाहुतिः । तामस्मिन्नेतज्जुहोति, तयैनमेतत्प्रीणाति ॥ ७ ॥

" **अहरहरप्रयावं भरन्तः** "–इति । अहरहरप्रमत्ता आहरन्त इत्येतत् । " **अश्वायेव तिष्ठते घासमस्मै** "–इति । यथाऽश्वाय तिष्ठते घासमित्येतत् । " **रायस्पोषेण समिषा मदन्तः** "–इति । रय्या च पोषेण च समिषा मदन्त इत्येतत् । " **अग्ने मा ते प्रतिवेशा रिषाम** "–(वा० सं० ११ । ७५) इति । यथैवास्य प्रतिवेशो न रिष्येत् । एवमेतदाह ॥ ८ ॥

इत्थं पञ्चसमिधां विलक्षणतां विधाय उत्तरासामष्टानां समिधां पलाशैकद्रव्यत्वमाह–**अथैता उत्तराः पालाश्यो भवन्तीति** । पलाशत्वं ब्रह्मत्वेन सोमत्वेन च प्रशंसति–**ब्रह्म वै पलाश इति** । " यद्वेव पालाश्यः, सोमो वै पलाशः "–इति च वाक्यद्वयेन " देवा वै ब्रह्मन्नवदन्त तत् पर्ण उपाशृणोत् "–(तै. सं. ३ । ५ । ७ । २) इति श्रुतेर्ब्रह्मत्वे पलाशस्य (श. प. १ । २ । १ । १९) । " तृतीयस्यामितो दिवि सोम आसीत्, तं गायत्र्याऽऽहरत् तस्य पर्णमच्छिद्यत तत्पर्णोऽभवत् "–(तै. ब्रा. १ । १ । ३ । १०) इति श्रुतेः पलाशस्य सोमावयवत्वात् " सोमो वै पलाशः "–इत्युक्तम् ॥ ७ ॥

अथ समिदाधानस्य षष्ठमन्त्रं चतुर्धा विभज्य व्याचष्टे–**अहरहरप्रयावं भरन्त इत्यहरहरप्रमत्ता आहरन्त** इत्यादिना । मन्त्रस्य तु ब्राह्मणेनैव विस्पष्टं व्याख्यानान्न पृथगुक्त्यपेक्षाऽस्ति । मिश्रणनिषेधवाचिना 'अप्रयाव'–शब्देन तद्विनाभूतोऽप्रमादलक्षणोऽर्थो विवक्षित इति ब्राह्मणेन व्याख्यातम् । 'भरन्तः'–इति शब्दस्य च समिदाहरणमर्थ इत्युक्तम् ॥

द्वितीयभागेनोक्ताग्न्यर्थाहरणस्य दृष्टान्तोऽभिधीयत इति व्याचष्टे–**यथाऽश्वाय तिष्ठते घासमित्येतदिति** । 'एतत्' एतेन मन्त्रभागेनोक्तमित्यर्थः । 'यथाऽश्वाय तिष्ठते' गृह एव निवसते जात्यश्वाय 'घासं' बालतृणादिकं हरन्ति, तथा 'अस्मै' अग्नये इत्यर्थः ॥

१–पालाशीः प्रत्यृचमहरहरिति । का० श्रौ० सू० १६ । १४० ॥

१५५७

नाभा पृथिव्याः समिधानेऽअग्नाविति । (त्ये) एषा ह नाभिः पृथिव्यै यत्रैषऽएतत्समिध्यते रायस्पोषाय बृहते हवामहऽइति रय्यै च पोषाय च बृहते हवामहऽइत्येतदिरम्मदमितीरया ह्येष मत्तो बृहदुक्थमिति बृहदुक्थो ह्येष यजत्रमिति यज्ञियमित्येतज्जेतारमग्निं पृतनासु सासहिमिति जेता ह्यग्निः पृतनाऽउ सासहिः ॥ ९ ॥

"**नाभा पृथिव्याः समिधानेऽअग्नौ**"-इति । एषा ह नाभिः पृथिव्यै यत्रैष एतत् समिध्यते । "**रायस्पोषाय बृहते हवामहे**"-इति । रय्यै च पोषाय च बृहते हवामह इत्येतत् । "**इरम्मदम्**"-इति । इरया ह्येष मत्तः । "**बृहदुक्थम्**"-इति । बृहदुक्थो ह्येषः । "**यजत्रम्**"-इति । यज्ञियमित्येतत् । "**जेतारमग्निं पृतनासु सासहिम्**"-(वा० सं० ११ । ७६) इति । जेता ह्यग्निः पृतना उ सासहिः ॥ ९ ॥

तृतीयभागे 'रायस्पोषेण'-इत्यत्र 'धनस्य पुष्ट्या' इत्येवंरूपोऽर्थः प्रतिभाति, तथापि राय इति निर्देशबलादेव अपुष्टस्य धनसिद्धेः शरीरादिपोषरूपोऽर्थः पृथगेव विवक्षित इत्यभिप्रेत्य 'रय्या च पोषेण च' इति पृथक्तया ब्राह्मणे व्याख्यातम् । न केवलं रय्या पोषेण च, किन्तु इष्टान्नेन च । "सम्मदन्तो वयं मा रिषाम" इत्युत्तरत्र सम्बन्धः ॥

चतुर्थभागस्य तात्पर्यमाह-**अग्ने मा ते प्रतिवेशा रिषामेति । यथैवास्य प्रतिवेशो न रिष्येत, एवमेतदाहेति** । प्रतिवेशो नाम स्वगृहे अलभ्यमानस्य पदार्थस्यानयनायोचितं स्वगृहनिकटवर्ति मित्रादिगृहम् । अत्र तद्वान् विवक्षितः । अथास्याग्नेरभिमतहविःप्रदाता प्रतिवेशो यजमानः, उक्तलक्षणं तद्गृहं वा 'न रिष्येत्' न हिंस्यात्, एवमनुगृहाणेत्येवंरूपमर्थमयं मन्त्रभाग आहेत्यर्थः ॥ ८ ॥

अथ तेषु सप्तमसमिदाधानमन्त्रं विभज्य व्याचष्टे-**नाभा पृथिव्याः समिधाने अग्नाविरयेषा ह नाभिः पृथिव्यै**-इति । मन्त्रस्यायमर्थः-'पृथिव्याः' 'नाभौ आहवनीयाख्ये 'समिदाधाने' अग्नौ समिध्यमाने सति 'रायः' धनस्य 'बृहते' महते 'पोषाय' 'हवामहे' आह्वयामः । 'इरम्मदम्' इरया मादयितव्यम्, 'बृहदुक्थं' महच्छस्त्रम्, 'यजत्रम्' यष्टव्यम्, 'जेतारं' जयशीलम्, 'पृतनासु' संग्रामेषु 'सासहिम्' सोढारम् 'अग्निं' 'हवामहे' आह्वयामः ॥

प्रथमभागं व्याचष्टे-**एषा ह नाभिः पृथिव्यै, यत्रैष एतत् समिध्यत इति** । 'यत्र' यस्मिन् देशे 'एषः' अग्निः 'एतत्' एतेन प्रकारेण 'समिध्यते', 'एषः' प्रदेशः 'पृथिव्यै' पृथिव्याः 'नाभिः' उच्यते । द्वितीयभागे रायस्पोषब्राह्मणं प्रागते मन्त्रे व्याख्यातम् । तृतीयभागं व्याचष्टे-**इरम्मदमितीरया ह्येष मत्त** इत्यादिना । 'इरया' घृतादिनाऽन्नेन 'मत्तः' तर्पितः । 'हि'-शब्देन प्रसिद्धिर्द्योत्यते । अग्नेर्बृहदुक्थत्वं प्रसिद्धमिति दर्शयति-**बृहदुक्थो ह्येष इति** । यजत्रशब्दं व्याचष्टे-**यजत्रमिति यज्ञियमित्येतदिति** । चतुर्थभागस्यार्थः प्रसिद्ध इत्याह-**जेता ह्यग्निः पृतना उ सासहिरिति** ॥ ९ ॥

योः सेनाऽअभीत्वरीः । (ई) दंष्ट्राभ्यां मलिम्लून्ये जनेषु मलिम्लवो योऽअस्मभ्यमरातीयाद्यश्च नो द्वेषते जनः ॥ निन्दाद्योऽअस्मान्धिप्साच्च सर्व्वं तं मस्मसा कुर्विति ॥ १० ॥

" **याः सेना अभीत्वरीः** "–(वा. सं. ११।७७) " **दंष्ट्राभ्यां मलिम्लून्** "–(वा. सं. ११ । ७८)–" **ये जनेषु मलिम्लवः** "–(वा. सं. ११।७९) " **यो अस्मभ्यमरातीयाद् यश्च नो द्वेषते जनः । निन्दाद्योऽअस्मान् धिप्साच्च सर्वं तं मस्मसा कुरु** "–(वा. सं.– ११ । ८०) इति ॥ १० ॥

अथाष्टमसमिदाधानमन्त्रस्य प्रतीकमुपादत्ते–**याः सेना अभीत्वरीरिति** । तस्यायमर्थः,–' याः सेनाः ' अभीत्वरीः ' अभीत्वर्यः, अभियायिन्यः । क्करप्–प्रत्ययान्तस्य " इण् गतौ "–(धा. पा. अ. प. ३९) इत्यस्य रूपम् । याः च ' आव्याधिनीः ' आविध्यन्तीत्याव्याधिन्यः, आविध्यन्त्यः । ' उत ' शब्दोऽप्यर्थे । ' उगणाः ' उद्गूर्णो गणो यासां ताः तथोक्ताः । पृषोदरादित्वात् (पा. सू. ६ । ३ । १०९) अभिमत- रूपस्वरसिद्धिः । ये च ' स्तेनाः ' ये च चौराः, ये च ' तस्कराः ' पापकारिणः । " तस्करः, तत् करोति यत् पापकमिति नैरुक्ताः । "–(निरु ३ । ३ । २) इति । तान् सर्वान् हे अग्ने ! ते 'आस्ये' भक्षणाय ' अपिदधामि ' प्रक्षिपामि ॥

अथ नवम्याः समिध आधानमन्त्रप्रतीकमुपादत्ते–**दंष्ट्राभ्यां मलिम्लूनिति** । तस्यायमर्थः–' दंष्ट्राभ्यां ' ' मलिम्लून् ' मलिम्लुचः ' उत ' अपि च ' तस्करान् ' परद्रव्यापहरणलक्षणपापकारिणः ' जम्भ्यैः ' जम्भनार्हैः उपर्यधोवर्तिभिः पुरोदन्तैरित्यर्थः । तैः 'खाद' । 'भगवः' हे भगवन् ! षड्गुणैश्वर्ययुक्त ! अग्ने ! हनुभ्यां स्तेनान् खादितानेनान् यथा ईषदपि न परिशिष्यते, तथा सुष्ठु खादितान् कृत्वा खादेति ॥

अथ दशम्याः समिध आधानमन्त्रप्रतीकमुपादत्ते–**ये जनेषु मलिम्लव इति** । अस्यायमर्थः,–' ये ' ' जनेषु ' ' मलिम्लवः ' मलिम्लुचः, ' स्तेनासः ' स्तेनाः, ये च ' वने ' वनाश्रिताः ' तस्कराः ' तथा 'कक्षेषु नदीपर्वतकुहरेषु ' अघायवः ' पापं परस्मै इच्छन्तः, तान् तव जम्भयोः ' दधामि ' स्थापयामि ॥

अथैकादश्याः समिधो मन्त्रं पठति–**यो अस्मभ्यमिति** । ' यः ' जनः ' अस्मभ्यम् ' ' अरातीयात् ' अरातिवदाचरेत्, ' यः ' च जनोऽरातिः ' नः ' अस्मान् ' द्वेषते ' द्वेष्टि, ' यः ' च जनः अस्मान् ' निन्दात् ' निन्देत्, निन्दति, तथा 'धिप्सात्' दम्नातेः सन्, अभ्यासलोपः, दम्भितुं हिंसितुमिच्छेत्, 'तं सर्वम्' ' मस्मसा ' ' कुरु ' । अनुकरणशब्दोऽयम्; यथा भक्षणसमये ' मस्मसा '–शब्दं कुर्वन्ति, तथा कुर्वित्यर्थः ॥ १० ॥

१–" आव्याधिनीरुगणा उत । ये स्तेना ये च तस्करास्ताँस्ते अग्नेऽपिदधाम्यास्ये " । २ " जम्भ्यैस्तस्कराँ॥ उत । हनुभ्या स्तेनान् भगवस्ताँस्त्वं खाद सुखादितान् " । ३–" स्तेनासस्तस्करा वने । ये कक्षेष्वघायवस्तांस्ते दधामि जम्भयोः " इत्येवं त्रिषु मन्त्रेषु अवशिष्टभागाः ।

(त्ये) एतद्ध देवाः । (०) यश्चैनानुद्वेद्य यश्चाद्विषुस्तमस्मा ऽअन्नं कृत्वाऽप्यदधुस्तेनैनमप्रीणन्नन्नमु हैतस्याभवद्दहदु देवानां पाप्मानं तथैवैतद्यजमानो यश्चैनं द्वेष्टि यं च द्वेष्टि तमस्माऽअन्नं कृत्वाऽपिदधाति तेनैनं प्रीणात्यन्नमु हैतस्य भवति दहत्यु यजमानस्य पाप्मानम् ॥ ११ ॥

(न्ता) ता ऽएता ऽएकादशादधाति । (त्यु) अक्षत्रियस्य वाऽपुरोहितस्य वाऽसर्व्वं वै तद्यदेकादशासर्व्वं तद्यदक्षत्रियो वाऽपुरोहितो वा ॥१२॥

द्वादश क्षत्रियस्य वा पुरोहितस्य वा । सर्व्वं वै तद्यद्द्वादश सर्व्वं तद्यत्क्षत्रियो वा पुरोहितो वा ॥ १३ ॥

एतद्ध देवाः—यश्चैनानद्वेद्, यश्चाद्विषुः—तमस्माऽअन्नं कृत्वा—अप्यदधुः। तेनैनमप्रीणन् । अन्नमहैतस्याभवत् । अदहद्धु देवानां पाप्मानम् । तथैवैतद्यजमानो—यश्चैनं द्वेष्टि, यं च द्वेष्टि—तमस्माऽअन्नं कृत्वा—अपिदधाति । तेनैनं प्रीणाति । अन्नमहैतस्य भवति । दहत्यु यजमानस्य पाप्मानम् ॥११॥

ता एता एकादशादधाति । अक्षत्रियस्य वाऽपुरोहितस्य वा । असर्वं वै तद् यदेकादश । असर्वं तद् यदक्षत्रियो वाऽपुरोहिता वा ॥ १२ ॥

द्वादश क्षत्रियस्य वा पुरोहितस्य वा । सर्वं वै तद्—यद्द्वादश । सर्वं तद्—यत् क्षत्रियो वा पुरोहितो वा ॥ १३ ॥

एतन्मन्त्रं प्रशंसितुं पुरावृत्तमाह—एतद्ध देवा यश्चैनानित्यादिना । 'एतत्' अनेन प्रकारेण पुरा खलु देवाः 'अप्यदधुः'—इत्याख्यातेन सम्बन्धः । 'एतान्' यजमानान् 'यश्च जनः' 'अद्वेट्' द्वेषमकार्षीत् 'यश्च' जनं यजमानाः 'अद्विषुः' द्वेषमकुर्वन् । 'तम्' उभयविधं जनम् 'अस्मै' उत्पन्नाय शिशुरूपाय अग्नये 'अन्नं कृत्वा' 'अप्यदधुः' मुखे स्थापितवन्तः । 'तेन' अन्नेन 'एनम्' अग्निम् 'अप्रीणन्' । कथं तदन्नं भवतीत्यत आह—अन्नमहैतस्याभवदिति । "अह इति विनिग्रहार्थीयः" (या. निरु. १० । २ । ४) । अन्नमेतस्याग्नयेऽभवदेव । 'उ' अपि च पश्चात् सोऽग्निः 'देवानां' 'पाप्मानं' द्वेष्यम् 'अदहत्' भस्माकरोत् । तथैवैतद् यजमान इत्याद्यौपोद्घातिकं वाक्यमुपोद्घातवद् व्याख्येयम् ॥११॥

या एता एकादश समिध उक्ताः, तासां क्षत्रियपुरोहितव्यतिरिक्तविषयतामाह—ता एता एकादशादधात्यक्षत्रियस्य वाऽपुरोहितस्य वेति[1] । क्षत्रियादन्यस्त्रैवर्णिकः अक्षत्रियः, तत्रापि 'अपुरोहितस्य' पुरोहितव्यतिरिक्तस्य, पुरोहितक्षत्रियव्यतिरिक्तो यो यागाधिकारी, तस्य 'एकादश आदध्यात्' । अन्यैकादशसंख्यायोग्यतामुपपादयति—असर्वं वै तद्यदेकादशासर्वं तद्यदक्षत्रियो वाऽपुरोहितो वेति । क्षत्रियपुरोहितयोः सर्वरक्षाक्षमवीर्यातिशयदर्शनेन सर्वत्वं प्रसिद्धम् । अत एव तदितरस्य चासर्वत्वम्, एकादशसङ्ख्यायाश्च विषमसंख्यारूपत्वादसर्वत्वम्, अतस्तस्य तदुचितम् ॥ १२ ॥

तर्हि क्षत्रियपुरोहितयोः कियत्य इत्यत आह—द्वादश क्षत्रियस्य वा पुरोहितस्य वा सर्वं वै तद् यद् द्वादश—इत्येतत् । पूर्वेणैव व्याख्यातप्रायम् ॥ १३ ॥

१–उपेत्तमां क्षत्रियस्येच्छन् । उत्तमां पुरोहितस्य । का० श्रौ० सू० १६ । १४१ । १४२ ।

१६००

स पुरोहितस्यादधाति । सꣳशितम्मे ब्रह्म सꣳशितं वीर्यं बलम् ॥ सꣳशितं क्षत्रं जिष्णु यस्याहमस्मि पुरोहितऽ इति तदस्य ब्रह्म च क्षत्रं च सꣳश्यति ॥ १४ ॥

(त्य) अथ क्षत्रियस्य । (स्यो) उदेषां बाहूऽअतिरमुद्वर्चोऽअथो बलम् ॥ क्षिणोमि ब्रह्मणाऽमित्रानुन्नयामि स्वाꣳ॥ऽअहमिति यथैव क्षिणुयादमित्रानुन्नयेत्स्वानेवमेतदाहोभे त्वेवैतेऽआदध्यादयं वाऽअग्निर्ब्रह्म च क्षत्रं चेममेवैतदग्निमेताभ्यामुभाभ्याꣳ समिन्द्धे ब्रह्मणा क्षत्रेण च ॥ १५ ॥

स पुरोहितस्यादधाति । " संशितं मे ब्रह्म, संशितं वीर्यं बलम् । संशितं क्षत्रं जिष्णु यस्याहमस्मि पुरोहितः "–(वा. सं. ११ । ८१) इति। तदस्य ब्रह्म च क्षत्रं च संश्यति १४॥

अथ क्षत्रियस्य–" उदेषां बाहूऽअतिरमुद्वर्चोऽअथो बलम् । क्षिणोमि ब्रह्मणाऽमित्रानुन्नयामि स्वा ꣳ॥ अहम् "–(वा. सं. ११ । ८२) इति । यथैव क्षिणुयादमित्रान्, उन्नयेत् स्वान् । एवमेतदाह। उभे त्वेवैतेऽआदध्यात्। अयं वाऽअग्निः–ब्रह्म च क्षत्रं च । इममेवैतदग्निमेताभ्यामुभाभ्यां समिन्द्धे–ब्रह्मणा क्षत्रेण च ॥ १५ ॥

तर्हि पुरोहितस्य द्वादशः । को मन्त्रः क्षत्रियस्य वा क इत्यपेक्षायां तावत्पुरोहितस्याह–स पुरोहितस्यादधाति संशितं मे ब्रह्मेति । मन्त्रस्य स्पष्टार्थत्वेन विभज्य व्याख्यानानपेक्षणात् साकल्येन पठित्वा तात्पर्यं दर्शयति–तदस्य ब्रह्म च क्षत्रं च संश्यतीति । मन्त्रे ब्रह्मक्षत्रयोः संशितत्वप्रदर्शनात् 'अस्य' पुरोहितयजमानस्य 'ब्रह्म च क्षत्रं च' उभे जाती 'संश्यति' सम्यक् तीक्ष्णीकरोति' ॥

मन्त्रस्य त्वक्षरार्थोऽयम्–' मे ' मम स्वभूतं ' ब्रह्म ' ब्राह्मणजातिः ' संशितं ' भवतु । एतदेव विवृणोति–' मे ' ब्रह्मणः ' वीर्यं ' श्रुताध्ययनादिजनितम्, ' बलं ' शारीरम्; तदुभयं संशितं भवतु । तथा ' जिष्णु ' जयशीलं ' क्षत्रं ' क्षत्रियजातिः; ' संशितं ' 'यस्य' क्षत्रस्याहं पुरोहितोऽस्मि, तत् संशितं भवत्विति ॥ १४ ॥

क्षत्रियपक्षे द्वादश्याः समिधो मन्त्रमाह–अथ क्षत्रियस्योदेषामिति । अयमर्थः–' एषां ' विरोधिनां 'बाहू' भुजौ ' उदतिरम् ' उद्धृतवानस्मि । तथा तेषां ' वर्चः ' तेजः, ' अथो ' ' बलं ' शारीरम्, तत् सर्वम् उदतिरम् । किञ्च ' ब्रह्मणा ' नियमाधीतेन मन्त्रेण ' अमित्रान् ' विरोधिनः ' क्षिणोमि ' हिंसितान् करोमि । ' स्वान् ' अस्मदीयानि मित्राणि ' अहम् ' 'उन्नयामि' । उत्तरार्द्धस्य तात्पर्यमाह–यथैव क्षिणुयादमित्रानुन्नयेत् स्वानेवमेतदाहेति । स्पष्टम् ॥

पुरोहितक्षत्रियव्यतिरिक्तस्य एकादश, तयोस्तु द्वादशैव । तत्रापि उपोत्तमा पुरोहितस्य, उत्तमा क्षत्रियस्येति व्यवस्थापितम् (का. श्रौ. सू. १६ । १४१ । १४२) । इदानीमुपोत्तमोत्तमे उभे अपि सर्वेषामाधातव्ये इति सार्थवादमाह–उभे त्वेवैते इति । तु-शब्दः पूर्वोक्तव्यवस्थापक्षं वारयति, एवशब्दो भिन्नक्रमः । ये ' उभे '

१–अभ्यस्योभे । का० श्रौ० सू० १६ । १४३ ।

तास्त्रयोदश सुम्पद्यन्ते । त्रुयोदश मुासाः संव्वत्सरुः संव्वत्सुरोऽग्निर्य्यावानग्निर्य्यावत्यस्य मुात्रा तुावतैुवैनमेतदुन्नेन प्रीणाति ॥ १६ ॥

प्रादेश्मुात्र्यो भवन्ति । प्रादेशमात्रो वै गुर्भो व्विष्णुरुन्नमेतुदात्मुसम्मितेनैुवैनमेतदुन्नेन प्रीणाति युदु वाऽआत्मुसम्मितमुन्नं तुदवति तन्न हिनस्ति यद्भूयो हिनुस्ति तद्यत्कुनीयो न तुदवति तिष्ठन्नादधाति तुस्योपरि बुन्धुः स्वाहाकारे॒ण रेतो वुाऽइदुᳫँ सिक्तुमयुमग्निस्तुस्मिन्युत्काष्ठान्युस्वाहाकृतान्यभ्यादध्याद्धिᳫँस्याद्धैनं ता युत्समिुधस्तेन नाहुतयो युदु स्वाहाकारेण तेनान्नमुन्नᳫँ हि स्वाहाकारस्तुथो हैनं नु हिनास्ति ॥ १७ ॥

इति चतुर्थप्रपाठके पञ्चमं ब्राह्मणम् ॥ ६-४-५ ॥ (६. ३.)

तास्त्रयोदश सम्पद्यन्ते । त्रयोदश मासाः संवत्सरः । संवत्सरोऽग्निः । यावानग्निर्यावत्यस्य मात्रा तावतैवैनमेतदन्नेन प्रीणाति ॥ १६ ॥

प्रादेशमात्र्यो भवन्ति । प्रादेशमात्रो वै गर्भो विष्णुः । अन्नमेतत् । आत्मसम्मितेनैवैनमेतदन्नेन प्रीणाति । यद्रु वाऽआत्मसम्मितमन्नम्-तदवति । तन्न हिनस्ति । यद्भूयो-हिनस्ति तत् । यत्कनीयो-न तदवति । तिष्ठन्नादधाति । तस्योपरि बन्धुः । स्वाहाकारेण । रेतो वाऽइदं सिक्तम्-अयमग्निः । तस्मिन्यत् काष्ठान्यस्वाहाकृतान्यभ्यादध्याद्-हिंस्याद्धैनम् । ता यत् समिधः-तेन नाहुतयः । यद्रु स्वाहाकारेण-तेनान्नम् । अन्नं हि स्वाहाकारः । तथो हैनं न हिनास्ति ॥ १७ ॥

पुरोहितक्षत्रियविषयत्वेनोक्ते, ते उभे सर्वत्रादध्यादेव, न परित्यजेत् । तत्रोपपत्तिमाह-अयं वा अग्निर्ब्रह्म च क्षत्रं चेति । 'अयम् अग्निः' एव ब्रह्मक्षत्रे; यद् ब्राह्म क्षात्रं च तेजः, तस्याग्नेयत्वादित्यभिप्रायः । अतः 'एतत्' एतेन ब्रह्मक्षत्रमन्त्राभ्याम् अग्नौ समिदाधानेन 'इममेव' उख्यमग्निम् 'उभाभ्यां' 'समिन्धे' सम्यग् दीपितवान् भवति । तस्मादुभे अप्यवश्यं सर्वविषयतयाऽनुष्ठेये इत्यर्थः ॥

एतदुक्तं भवति । पुरोहितक्षत्रियव्यतिरिक्तानामेकादश वा त्रयोदश वा, तयोस्तु द्वादश वा त्रयोदश वेति । अत्र सूत्रम्-" उपोत्तमां क्षत्रियस्येच्छन्नुत्तमां पुरोहितस्यान्यस्योभे "-(का. श्रौ. सू. १६ । १४१-१४३) इति । 'अन्यस्य' पुरोहितक्षत्रियाभ्यामन्यस्य, तत्रापि पुरोहितव्यतिरिक्तस्य क्षत्रियस्य अन्यस्य, क्षत्रियव्यतिरिक्तस्य पुरोहितस्यान्यस्येत्यर्थः । एवं कर्कोपाध्यायैरपि व्याख्यातम् ॥ १५ ॥

अर्थसिद्धां त्रयोदशसङ्ख्यामनूद्य प्रशंसति-तास्त्रयोदश सम्पद्यन्ते त्रयोदश मासाः संवत्सर इत्यादिना । 'ताः' समिधः । गतमन्यत् ॥ १६ ॥

समिधां प्रादेशमात्रत्वं विधाय प्रशंसति-प्रादेशमात्र्यो भवन्ति प्रादेशमात्रो वै गर्भो विष्णुरित्यादिना । गर्भभूतस्य यज्ञात्मकस्य विष्णोः प्रादेशमात्रत्वं गर्भाधारस्योदरस्य प्रादेशमात्रत्वमपेक्ष्येत्येतद्बोद्धव्यम् । समिदाख्यं वस्तु 'अन्नम्'; अतः 'एनं' गर्भम् 'आत्मसम्मितेन' आत्मसमप्रमाणेनैवान्नेन प्रीणाति । आत्मसम्मितत्वं

अथ विष्णुक्रमान्क्रान्त्वा । वात्सप्रेणोपस्थायास्तमितऽआदित्ये भस्मैव प्रथममुद्वपत्येतद्वाऽएनमेतेनान्नेन प्रीणात्येताभिः समिद्भिस्तस्यान्नस्य जग्धस्यैष पाप्मा सीदति भस्म तेनैनमेतद्व्यावर्त्तयति तस्मिन्नपहतपाप्मन्वाचं विसृजते वाचं विसृज्य समिधमादधाति रात्र्याऽएवैनमेतदन्नेन प्रीणाति रात्रीᳪं रात्रीमप्रयावं भरन्तऽइति तस्योक्तो बन्धू रात्र्याऽएवैतामरिष्टिᳪं स्वस्तिमाशास्ते तद्यत्किञ्चातो रात्र्योपसमादधात्याहुतिकृतᳪं हैवास्मै तदुपसमादधाति ॥ १ ॥

अथ विष्णुक्रमान्क्रान्त्वा, वात्सप्रेणोपस्थाय, अस्तमितऽआदित्ये भस्मैव प्रथममुद्वपति । एतद्वाएनमेतेनान्नेन प्रीणाति—एताभिः समिद्भिः । तस्यान्नस्य जग्धस्यैष पाप्मा सीदति—भस्म । तेनैनमेतद् व्यावर्त्तयति । तस्मिन्नपहतपाप्मन् वाचं विसृजते । वाचं विसृज्य, समिधमादधाति । रात्र्याऽएवैनमेतदन्नेन प्रीणाति । रात्रीं रात्रीमप्रयावं भरन्त इति । तस्योक्तो बन्धुः । रात्र्याऽएवैतामरिष्टिं स्वस्तिमाशास्ते । तद्यत् किञ्चातो रात्र्योपसमादधाति; आहुतिकृतं हैवास्मै तदुपसमादधाति॥ १॥

न्यूनाधिकभावे बाधदर्शनेन स्तौति—यद्वु वा आत्मसम्मितमन्नम्, तदवतीति । 'अवति' तर्पयति । 'कनीयः' चेत् 'न अवति' न तर्पयति, 'भूयः' चेत् अन्तरोष्मायुत्पादनेन 'हिनस्ति', अत आत्मसम्मितं प्रशस्तम् । तिष्ठतैवोक्तसमिधामाधानं कर्त्तव्यमिति विधाय, तदर्थवादं वक्ष्यमाणमतिदिशति—तिष्ठन्नादधाति तस्योपरि बन्धुरिति । 'उपरि' नवमे काण्डे (श. प. ९ । २ । ३ । ४१) "तिष्ठन् समिध आदधाति, अस्थीनि वै समिधः"—इत्यत्र रुक्मधारणप्रस्तावे "तिष्ठन् वै वीर्यवत्तरः"—इति बन्धुरुक्त इत्यर्थः ॥

यत् समिधामाधानमुक्तम्, तस्य स्वाहाकारान्ततां विधाय प्रशंसति—स्वाहाकारेण, रेतो वा इत्यादिना । उख्याग्नेरुत्तरत्रोत्पद्यमानवैश्वानरार्थसिक्तरेतोरूपत्वात् तत्र प्रक्षेप्तव्यानि 'काष्ठानि' 'अस्वाहाकृतानि' चेत् 'अभ्यादध्यात्' 'एनं' रेतोरूपमग्निं हन्युः; सस्वाहाकाराणि चेत् हननं न कुर्युः । ननु केवलकाष्ठानां हिंसकत्वं प्रयुक्तम्, तच्च काष्ठानामाहुतित्वेन प्रक्षेपादाहुतेश्चान्नत्वात् कथं हिंसकत्वमिति तत्राह—ता यत् समिधस्तेन नाहुतय इति । समिधां केवलमग्निसमिन्धनसाधनत्वेनानाहुतिरूपत्वात् नाहुतित्वं नान्नत्वञ्च अतो हिंसकाः स्युरित्यर्थः । तर्हि स्वाहाकारसहितास्ता इति चेत् कथमन्नभावेनाहिंसकत्वमिति, तत्राह—यदु स्वाहाकारेण तेनान्नमन्नं हि स्वाहाकारस्तथो हैनं न हिनस्तीति । "स्वाहाकारेण वषट्कारेण वा देवेभ्योऽन्नं प्रदीयते" इति श्रुतेरन्नप्रदानहेतुत्वादन्नत्वम् । स्पष्टमन्यत् । "स्वाहाकारः सर्वासूखायाम्"—(का. श्रौ. सू. १६।१४४) इति सूत्रम् ॥ १७ ॥

इति श्रीसायणाचार्यविरचिते माधवीये वेदार्थप्रकाशे माध्यन्दिनीयशतपथब्राह्मणभाष्ये षष्ठकाण्डे षष्ठेऽध्याये तृतीयं ब्राह्मणम् ॥ (६ । ६ । ३) ॥

अथ समिदाधानानन्तरं भस्मोद्वपनस्य कालमाह—अथ विष्णुक्रमान् क्रान्त्वा वात्सप्रेणोपस्थायास्त-

(त्यु) अथ प्रातरुदितऽआदित्ये । भस्मैव प्रथममुद्वपत्येतद्वाऽएनमे-
तेनान्नेन प्रीणात्येतया समिधा यच्च रात्र्योपसमादधाति तस्यान्नस्य जग्ध-
स्यैष पाप्मा सीदति भस्म तेनैनमेतद्व्यावर्त्तयति तस्मिन्नपहतपाप्मन्वाचं
विसृजते वाचं विसृज्य समिधमादधात्यह्नऽएवैनमेतदन्नेन प्रीणात्यहरह-
रप्रयावं भरन्तऽ इति तस्योक्तो बन्धुरह्नऽएवैतामरिष्टिꣳ स्वस्तिमा-
शास्ते तद्यत्किञ्चातोऽह्नोपसमादधात्याहुतिकृतꣳ हैवास्मै तदुप-
समादधाति ॥ २ ॥

अथ प्रातरुदितऽआदित्ये भस्मैव प्रथममुद्वपति । एतद्वाऽएनमेतेनान्नेन प्रीणाति—एतया समिधा, यच्च रात्र्योपसमादधाति । तस्यान्नस्य जग्धस्यैष पाप्मा सीदति—भस्म । तेनैनमेतद्व्यावर्त्तयति । तस्मिन्नपहतपाप्मन्वाचं विसृजति । वाचं विसृज्य समिधमादधाति । अह्न एवैनमेतदन्नेन प्रीणाति—अहरहरप्रयावं भरन्त इति । तस्योक्तो बन्धुः । अह्नऽएवैतामरिष्टिं स्वस्तिमाशास्ते । तद्यत्किञ्चातोऽह्नोपसमादधाति—आहुतिकृतं हैवास्मै तदुपसमादधाति ॥ २ ॥

मित आदित्ये भस्मैव प्रथममुद्वपतीति[1] । विष्णुक्रमवात्सप्रयोः स्वरूपमुपरिष्टाद् वक्ष्यते । ' प्रथमं ' रात्रौ कर्त्तव्याया एकस्याः समिधः आधानात् पूर्वं 'भस्म' 'उद्वपति' अपगमयति । उद्वपनं प्रशंसति—एतद्वा एनमिति । समिदाधानमेव अग्नेः अन्नेन प्रीणनम्, अतो 'जग्धस्य' भक्षितस्य 'अन्नस्य' पापरूपं 'भस्म' 'सीदति' अवशिष्यते । ' एतत् ' एतेन पापशमनेनैव ' एनम् 'अग्निम् 'तेन' भस्मना 'व्यावर्त्तयति' यद्वा, ' एतत् ' एतेन पापशमन-प्रकारेण ' एनं ' ' व्यावर्त्तयति ' पश्चात् 'तस्मिन्' अग्नौ ' अपहतपाप्मन् ' भस्माख्यपापरहिते सति पश्चात् अस्तमयात् प्राक् गृहीतां ' वाचम् ', तदा ' विसृज्य ' ' समिधम् ' आदध्यात् । तत्समिदाधानम् अग्नेः रात्रिभोजनान्नस्थानीयम् ॥ तत्र मन्त्रं विधाय, तद्व्याख्यानं प्रागुक्तमित्यतिदिशति—रात्रीᳪ रात्रीमप्रयावं भरन्त इतीति[3] । तस्योक्तो बन्धुरिति । समिदाधानप्रस्तावे “ अहरहरप्रयावं भरन्तः ' (श. प. १ । १ । ३ । ८) इत्यत्र । तात्पर्यं दर्शयति—रात्र्या एवैतामरिष्टिं स्वस्तिमाशास्ते इति । रात्रीमिति मन्त्रपाठेन कृत्स्नायाः रात्र्याः सम्बन्धिनीमरिष्टिं सारहितां स्वस्तिम् अस्तिरभिपूजितः स च सुष्ठु अस्तीति स्वस्तिः तामग्नेराशास्ते । आशासनस्यापि प्रयोजनमाह—तद्यत्किञ्चेति । अतः कारणात् तत्राग्नौ यत् किञ्चित् काष्ठादिकमादधाति, ' तत् ' सर्वम् ' अस्मै ' अग्नये ' आहुतिकृतमेव ' ' उपसमादधाति ' ॥ १ ॥

रात्रौ यत् कर्त्तव्यं भस्मोद्वपनादि उक्तम्, तत् सर्वं प्रातरपि विधत्ते—अथ प्रातरुदित आदित्य इत्यादिना आहुतिकृतं हैवास्मै तदुपसमादधातीत्यन्तेन । एतत् पूर्ववद् व्याख्येयम् । “ अहरहरप्रयावम् ”—इति मन्त्रपाठे विशेषः ॥ २ ॥

१–व्विष्णुक्रमान् क्रमते व्विष्णोरिति प्रतिमंत्रमग्न्युद्ग्रभणं च तस्मिन् । वात्सप्रेण दिवस्परीत्येकादशभिः । उखाया भस्मोद्वपनमस्तामिते पात्रे का० श्रौ० सू० १६ । १६६–१७० ॥ २–इहैव सप्तमाध्याये चतुर्थब्राह्मणे द्रष्टव्यम् श. प. ६ । ७ । ४ । ३–व्वाचं व्विसृज्य समिदाधानᳪरात्रीᳪरात्रीमप्रयावमिति का. श्रौ. सू. १६ । १७१ ।

(त्य) अहोरात्रे वा ऽअभिवर्तमाने संवत्सरमाप्नुतः संवत्सरऽ इदꣳ सर्वमाह्यायैवैतामरिष्टिꣳ स्वस्तिमाशास्ते ॥ ३ ॥

(स्तेऽथ) अथ यदाऽस्मै व्रतं प्रयच्छन्ति। (न्त्यु) अथ व्रते न्युज्य समिधमादधाति न व्रते न्यञ्ज्यादित्यु हैकऽआहुराहुतिं तज्जुहुयादनवक्लृप्तं वै तद्यद्दीक्षितऽआहुतिं जुहुयादिति ॥ ४ ॥

स वै न्यञ्ज्यादेव। दैवो वा ऽअस्यैषऽ आत्मा मानुषोऽयꣳ स यन्न न्यञ्ज्यान्न हैतं दैवमात्मानं प्रीणीयादथ यन्न्यनक्ति तथो हैतं दैवमात्मानं प्रीणाति सा यत्समित्तेन नाहुतिर्यदु व्रते न्यक्ता तेनान्नमन्नꣳ हि व्रतम् ॥ ५ ॥

अहोरात्रे वाऽअभिवर्तमाने संवत्सरमाप्नुतः। संवत्सर इदं सर्वम्। आह्यायैवैतामरिष्टिं स्वस्तिमाशास्ते ॥ ३ ॥

अथ यदाऽस्मै व्रतं प्रयच्छन्ति–अथ व्रते न्युज्य समिधमादधाति। न व्रते न्यञ्ज्यादित्यु हैकऽ आहुः। आहुतिं तज्जुहुयात्। अनवक्लृप्तं वै तद्–यद्दीक्षित आहुतिं जुहुयादिति ॥ ४ ॥

स वै न्यञ्ज्यादेव। दैवो वाऽअस्यैष आत्मा, मानुषोऽयम्। स यन्न न्यञ्ज्यात्–न हैतं दैवमात्मानं प्रीणीयात्। अथ यन्न्यनक्ति–तथो हैतं दैवमात्मानं प्रीणाति। सा यत् समित्–तेन नाहुतिः। यदु व्रते न्यक्ता–तेनान्नम्। अन्नं हि व्रतम् ॥ ५ ॥

रात्रावहनि च क्रियमाणे समिदाधानभस्मोद्वपने समुच्चित्य प्रशंसति–**अहोरात्रे वा अभिवर्त्तमाने संवत्सरमाप्नुत** इति। एतस्य सर्वस्य जगतः संवत्सरोपलक्षितकालाधारत्वात् अहोरात्रस्य सर्वजगदात्मकत्वम्। 'आह्याय' संवत्सराय। अत्र कात्यायनः–"उखाया भस्मोद्वपनमस्तमिते पात्रे, वाचं विसृज्य समिदाधानं रात्रीꣳ रात्रीमप्रयावमिति, एवमुदिते भस्मोद्वपनादि, अहरहरित्याधानम्"–(का. श्रौ. सू. १६।१७०-१७२) इति ॥ ३ ॥

व्रतप्रदानकाले व्रतपयसि समिधं न्यज्याधातव्यमिति विधत्ते–**अथ यदाऽस्मै व्रतमिति**। 'व्रतं' तत्साधनं पयः। अत्र केषाञ्चित् पक्षमुदाहृत्य तं निराकृत्य स्वपक्षमुपसंहरति–**न व्रते न्यञ्ज्यादित्यु हैक आहुरिति**। न्यञ्जनपक्षे दोषमाह–**आहुतिं तज्जुहुयादिति**। अस्त्वाहुतिः तत् को बाध इत्यत आह–**अनवक्लृप्तं वै तदिति**। 'अनवक्लृप्तम्' असमर्थम्, अनधिकृतमित्यर्थः; "दीक्षितो न जुहोति न ददाति न पचति" इति निषेधात् ॥ ४ ॥

स्वपक्षे युक्तिमाह–**स वै न्यञ्ज्यादेव दैवो वा** इत्यादिना। 'अस्य' यजमानस्य 'दैवः' देवसम्बन्धी 'आत्मा' शरीरम्। क इत्याकाङ्क्षायामाह–**एष इति**। 'एषः' अग्निरित्यर्थः। उत्तरत्र वैश्वानररूपेण यज-

---

१–न्यज्य समिधं व्रते प्रत्ते प्रत्तेऽव्रपत इत्याधानम्। का० श्रौ० सू० १६। १७७ ॥

(६) स वै समिधमाधायाथ व्रतयति । दैवो वाऽअस्यैषऽ आत्मा मानुषोऽयं देवाऽ उ वाऽअग्रेऽथ मनुष्यास्तस्मात्समिधमाधायाथ व्रतयति ६

(त्यु)अन्नपतेऽन्नस्य नो देहीति । (त्यु)अशनपतेऽशनस्य नो देहीत्येतदनमीवस्य शुष्मिणऽ इत्यनशनायस्य शुष्मिणऽ इत्येतत्प्रप्र दातारं तारिषऽ इति यजमानो वै दाता प्र यजमानं तारिषऽ इत्येतदूर्जं नो धेहि द्विपदे चतुष्पदऽइत्याशिषमाशास्ते यदु भिन्नायै प्रायश्चित्तिमाहोत्तरस्मिंस्तदन्वाख्यान ऽइति ॥ ७ ॥

स वै समिधमाधायाथ व्रतयति । दैवो वाऽअस्यैष आत्मा, मानुषोऽयम् । देवा उ वाऽअग्रे, अथ मनुष्याः । तस्मात् समिधमाधायाथ व्रतयति ॥ ६ ॥

" अन्नपतेऽन्नस्य नो देहि "–इति । अशनपतेऽशनस्य नो देहीत्येतत् । " अनमीवस्य शुष्मिणः "–इति । अनशनायस्य शुष्मिण इत्येतत् । " प्रप्र दातारं तारिषः "–इति । यजमानो वै दाता । प्र यजमानं तारिष इत्येतत् । " ऊर्जं नो धेहि द्विपदे चतुष्पदे "–(वा. सं. ११ । ८३) इति । आशिषमाशास्ते । यद्धु भिन्नायै प्रायश्चित्तिमाह–उत्तरस्मिंस्तदन्वाख्यान इति ॥ ७ ॥

मानस्योत्पत्तेः ' अयं ' पाञ्चभौतिकः आत्मा ' मानुषः, ' अतो न्यञ्जने अकृते सति देवतासम्बन्धिनं स्वात्मानं न प्रीणीयात्; न्यञ्जने तु प्रीणात्येव । ननु अनवक्लृप्तिदोष उक्तः, तस्य कः परिहार इति, तत्राह–सा यत् समित् तेन नाहुतिरिति । दैवस्यात्मनः कथं व्रताख्यान्नलाभ इति तत्राह–यदु व्रते न्यक्ता, तेनान्नमिति । ननु पय एव कथमन्नमित्यत आह–अन्नं हि व्रतमिति ॥ ५ ॥

व्रतपरिग्रहस्य समिदाधानानन्तर्यं प्रशंसति–स वै समिधमाधायाथ व्रतयति दैवो वा इति ॥ ६ ॥

तत्र मन्त्रं विधाय विभज्य तात्पर्यमाह–अन्नपतेऽन्नस्य नो देहीत्यशनपतेऽशनस्य नो देहीत्यादिना । ' अमीव '–शब्दो व्याधिवचनः, अत्र बुभुक्षाख्यव्याधिपर इति व्याचष्टे–अनशनायस्य शुष्मिण इत्येतदिति । चरमपाद आशीःपर इत्याह–आशिषमाशास्त इति । हे ' अन्नपते ! ' अग्ने ! ' अन्नस्य ' अन्नं ' देहि ' प्रयच्छ ' नः ' अस्मभ्यं देहीत्यर्थः । अन्नं विशिनष्टि–अनमीवस्य शुष्मिण इति । पुनरशनेच्छारूपो रोगो यस्य नास्ति, तादृशस्य ' शुष्मिणः ' बलवतः । उक्तलक्षणमन्नम्, तस्य ' दातारम् ' प्रयच्छन्तं 'प्रतारिषः' प्रवर्द्धय । 'नः' अस्माकं 'द्विपदे चतुष्पदे' उभयविधाय प्राणिने 'ऊर्जम्' अन्नं बलं वा ' धेहि ' ॥

भिन्नाया उखायाः प्रायश्चित्तं कर्त्तव्यम्, " तदुत्तरस्मिन् अन्वाख्याने "–आख्यानमनु आख्यायत इति ' अन्वाख्यानम् ' ब्राह्मणम्, तदेतत् तत्र प्रदर्श्यत इति यत् प्रतिज्ञातम्, (श. प. ६ । १ । २ । २३) तदिदानीं प्रदर्श्यत इत्यर्थः ॥ ७ ॥

यद्येषोखा भिद्येत। याऽभिन्ना नवा स्थाल्युरुबिली स्यात्तस्यामेनं पर्य्या-वपेदार्च्छति वाऽएषोखा या भिद्यतेऽनार्तो वाऽइयं देवताऽनार्त्तायामिमम-नार्तं ब्बिभराणीति तत्रोखायै कपालं पुरस्तात्प्रास्यति तथो हैषऽ एतस्यै स्वायै योनेर्न्न च्यवते ॥ ८ ॥

(तेऽथ) अथ मृदमाहृत्य । (त्यो) उखां चोपशयां च पिष्ट्वा सᳬं-सृज्योखां करोत्येतयैवावृताऽनुपहरन्यजुस्तूष्णीमेव पक्त्वा पर्य्यावपति कर्मणिरेव तत्र प्रायश्चित्तिः पुनस्तत्कपालमुखायामुपसमस्योखां चोप-शयां च पिष्ट्वा सᳬंसृज्य निदधाति प्रायश्चित्तिभ्यः ॥ ९ ॥

यद्येषोखा भिद्येत–याऽभिन्ना नवा स्थाल्युरुबिली स्यात् । तस्यामेनं पर्यावपेत् । आर्च्छति वा-ऽएषोखा या भिद्यते । अनार्तोऽइयं देवता । अनार्तायामिममनार्तं बिभराणीति । तत्रोखायै कपालं पुरस्तात् प्रास्यति । तथो हैष एतस्यै स्वायै योनेर्न च्यवते ॥ ८ ॥

अथ मृदमाहृत्य, उखां चोपशयां च पिष्ट्वा, संसृज्योखां करोति–एतयैवावृता–अनुपहरन् यजुः–तूष्णीमेव पक्त्वा पर्यावपति । कर्मणिरेव तत्र प्रायश्चित्तिः । पुनस्तत्कपालमुखायामुपसमस्य उखां चोपशयां च पिष्ट्वा संसृज्य निदधाति, प्रायश्चित्तिभ्यः ॥ ९ ॥

प्रतिज्ञातमर्थं दर्शयति–यद्येषोखा भिद्येतेत्यादिना । 'यदि' प्रमादात् 'एषा उखा' 'भिद्येत' भिन्ना भवेत्, तर्हि अभिन्नायां प्रभूतबिलायां नवस्थाल्याम् 'एनम्' अग्निम् उखागतं 'पर्यावपेत्,' 'एषा' भिन्ना 'उखा' 'आर्च्छति वै' आर्तिम् नाशलक्षणां प्राप्नोति खलु । किं तत इत्यत आह–अनार्त्तो वेति । 'इयम्' अग्न्याख्या देवता 'अनार्ता' आर्त्तिरहितैव खलु । आर्त्तो-खाया अनर्हत्वात् अनार्त्तायां स्थाल्याम् 'अनार्त्तम्' अग्निं 'बिभराणि' इत्यभिप्रायेण प्रभूत-बिल–नव–स्थाल्यां पर्यावपनं प्रशस्तम् । अग्नेरनार्तत्वमवान्तरदीक्षाप्रस्तावे प्रागुक्तम् (श. प. ३ । ४ । ३।३। क.) । तत्रोखाया इति । भिन्नोखायाः 'कपाल' 'पुरस्तात्' स्थाल्याः पुरोदेशे 'प्रास्यति' प्रक्षिपेत् । 'तथा' सति अयमग्निः स्वस्य या 'योनिः' उत्पत्तिस्थानम्, ततो 'न च्यवते' प्रच्युतो न स्यात् ॥ ८ ॥

किमेतावता प्रायश्चित्तिः स्यात् नेत्याह–अथ मृदमित्यादिना । 'उखां' भिन्नाम्, 'उपशयाम्' उखानि-र्माणकाले प्रायश्चित्तार्थमुखासमीपे स्थापितां 'च' 'मृदं' पुनः 'पिष्ट्वा' । 'आवृत्' प्रकारः, एतेन पूर्वोक्तेनैव प्रकारेण । मन्त्रस्यापि प्रसक्तावाह–अनुपहरन् यजुरिति । यजुर्मन्त्रमनुपहरन् पाकोऽपि 'तूष्णीमेव' कर्त्तव्यः । 'पर्यावपति' स्थालीमेतामग्नौ प्रक्षिपेत् । 'कर्मणिरेव' पुनः करणरूपं कर्मैव 'तत्र' उखाभेदे प्रायश्चित्तिः । 'पुनः' 'तत्' उखाकपालं स्थाल्यां स्थापितम् 'उखायामुपसमस्य' तामुखाञ्चोपशयाञ्च शिष्टां 'पिष्ट्वा संसृज्य निदधाति' पुनः प्रायश्चित्तार्थम् ॥ ९ ॥

१–उखाभेदने नवस्थाल्यां महामुख्यामुखाकपालं व्यवधायावपति । का० श्रौ० सू० १६ । २०७ । २–उखोपशये पिष्ट्वा मृदा सहोखां करोत्यावृता । का. श्रौ. सू. १६ । २०८ । ३–पक्वायामावपति कपालं च । का. श्रौ. सू. १६ । २०९ ॥ ४–उखोपशये पिष्ट्वा संसृज्य निदधाति । का० श्रौ० सू० । १६ । २१० ।

(भ्युोऽथ) अ॒थ य॒द्येष॑ऽउ॒ख्योऽग्नि॒रनु॒ग॒च्छेत् । (द्गा) गा॒र्हप॑त्यं वाव स॒ गच्छ॑ति गा॒र्हप॑त्याद्धि स आ॒हृतो भ॒वति गा॒र्हप॑त्यादे॒वैनं प्रा॒ञ्चमु॒द्धृत्योप॑स॒माधा॒योखां प्र॒वृ॒ञ्ज्यादे॑त॒यै॒वा॒वृता॒ऽनु॒प॒ह॒र॒न्य॒जु॒स्तू॒ष्णीमे॑व ता॒ं य॒दाऽग्नि॒रा॒रोह॑ति ॥ १० ॥

(त्यु) अ॒थ प्रा॒यश्चि॑त्ती क॒रोति । स॒र्वे॑भ्यो वा॒ऽए॒ष॒ऽए॒तं का॒मेभ्य॑ऽआ॒धत्ते त॒द्य॒दे॒वा॒स्या॒त्र का॒मा॒नां व्य॒वच्छि॒द्य॒ते॒ऽग्ना॒व॒नु॒ग॒ते त॒दे॒वै॒त॒त्स॒न्त॒नोति स॒न्द॒धात्यु॒भे प्रा॒यश्चि॑त्ती क॒रोत्य॒ध्व॒रप्रा॒यश्चि॑त्तिं चा॒ग्निप्रा॒यश्चि॑त्तिं चा॒ध्व॒र॒स्य पू॒र्वाम॒था॒ग्नेस्त॒स्योक्तो ब॒न्धुः ॥ ११ ॥

अथ यद्येष उख्योऽग्निरनुगच्छेत्–गार्हपत्यं वाव स गच्छति । गार्हपत्याद्धि स आहृतो भवति । गार्हपत्यादेवैनं प्राञ्चमुद्धृत्योपसमाधायोखां प्रवृञ्ज्यात्–एतयैवावृता–अनुपहरन् यजुः–तूष्णीमेव । तां यदाऽग्निरारोहति ॥ १० ॥

अथ प्रायश्चित्ती करोति । सर्वेभ्यो वाऽएष एतं कामेभ्य आधत्ते । तद्यदेवास्यात्र कामानां व्यवच्छिद्यते–अग्नावनुगते तदेवैतत् सन्तनोति, सन्दधाति । उभे प्रायश्चित्ती करोति–अध्वरप्रायश्चित्तिं च, अग्निप्रायश्चित्तिं च । अध्वरस्य पूर्वाम्–अथाऽग्नेः । तस्योक्तो बन्धुः ॥ ११ ॥

उख्याग्न्यनुगमने प्रायश्चित्तमाह–**अथ यद्येष उख्योऽग्निरिति** । गार्हपत्यमेव सोऽनुगत उख्योऽग्निः गच्छति; गार्हपत्यादाहृतस्य आहवनीयस्य ज्वालारूपेणोख्याग्नित्वेनोत्पन्नत्वात् । एतदेवाह–**गार्हपत्याद्धीति** । यत एवम्, अतो ' गार्हपत्यादेव ' ' एनम् ' अग्निम् ' प्राञ्चम् ' ' उद्धृत्य, ' ' उपसमाधाय ' पुनः ' उखां ' ' प्रवृञ्ज्यात् ' । ' एतया एव आवृता ' पूर्वोक्तोखाप्रवृञ्जनप्रकारेण अत्रापि ' अनुपहरन् यजुः ' । तर्हि कथम् ? ' तूष्णीमेव ' ' ताम् ' उखाम् प्रवृञ्ज्यादिति शेषः । प्रायश्चित्ताहुतेः उखाप्रवृञ्जनानन्तरत्वमाह–**यदाऽग्निरारोहतीति** ॥ १० ॥

अथ प्रायश्चित्ती करोतीति । " उभे प्रायश्चित्ती करोति " इति वक्ष्यमाणेन प्रायश्चित्तेन प्रायश्चित्तद्वयं कुर्यादित्यर्थः । उख्याग्नेः सौमिकाग्निकोभयसाधारणत्वाद् विहितं प्रायश्चित्तं सर्वकामसन्तानरूपत्वेन स्तौति–**सर्वेभ्यो वा एष एतमिति** । सर्वकामाभिवृद्ध्यर्थमग्नेराहितत्वात् तदनुगमे सति यदेवाङ्ग कामानां सम्बन्धि व्यवच्छिद्यते, ' तत् ' एतेन प्रकारेण सन्ततं व्यवच्छिन्नं करोति । कोऽर्थः ? ' सन्दधाति ' इत्यर्थः ॥ उभयविधं प्रायश्चित्तं कर्त्तव्यमित्याह–**उभे प्रायश्चित्ती करोतीति** । प्रकारविशेषञ्च दर्शयति–**अध्वरस्य पूर्वामथाग्नेरिति** । ' तस्य ' अर्थवादात्मको ' बन्धुरुक्तः '–" उपायि ह्येतत् कर्म, यदग्निकर्म " इत्यनेनोक्त इत्यर्थः । (श. प. ६ । ६ । १ । ४) ॥ ११ ॥

१–प्रवृंज्यादाप्लुतोह्ये । का. श्रौ. सू. १६ । २०५ । २–अध्वरप्रायश्चित्तिं च सर्व्वेषु यथाकालं पूर्वां पूर्वाम् । का. श्रौ. सू. १६ । २०६ ।

स समिधाऽऽज्यस्योपहत्य । (त्या)आसीनऽ आहुतिं जुहोति विश्वकर्मणे स्वाहेत्यथोपोत्थाय समिधमादधाति पुनस्त्वाऽऽदित्या रुद्रा वसवः समिन्धतां पुनर्ब्रह्माणो वसुनीथ यज्ञैरित्येतास्त्वा देवताः पुनः समिन्धतामित्येतद्घृतेन त्वं तन्वं वर्द्धयस्व सत्याः सन्तु यजमानस्य कामाऽ इति घृतेनाह त्वं तन्वं वर्द्धयस्व येभ्यऽ उ त्वां कामेभ्यो यजमानऽ आधत्त तेऽस्य सर्व्वे सत्याः सन्त्वित्येतत् ॥ १२ ॥

(द) अथ यदि गार्हपत्योऽनुगच्छेत् । (द) अरणी वाव स गच्छत्यरणिभ्याᳪं हि सऽ आहृतो भवत्यरणिभ्यामेवैनं मथित्वोपसमाधाय प्रायश्चित्ती करोति ॥ १३ ॥

स समिधाऽऽज्यस्योपहत्य, आसीन आहुतिं जुहोति–"विश्वकर्मणे स्वाहा"–इति । अथोपोत्थाय समिधमादधाति–" पुनस्त्वाऽऽदित्या रुद्रा वसवः समिन्धताम् । पुनर्ब्रह्माणो वसुनीथ यज्ञैः "–इति । एतास्त्वा देवताः पुनः समिन्धतामित्येतत् । " घृतेन त्वं तन्वं वर्द्धयस्व सत्याः सन्तु यजमानस्य कामाः "–(वा०सं० १२।४४) इति । घृतेनाह त्वं तन्वं वर्द्धयस्व–येभ्य उ त्वां कामेभ्यो यजमान आधत्त–तेऽस्य सर्वे सत्याः सन्त्वित्येतत् ॥ १२ ॥

अथ यदि गार्हपत्योऽनुगच्छेत् । अरणी वाव स गच्छति । अरणिभ्यां हि स आहृतो भवति । अरणिभ्यामेवैनं मथित्वोपसमाधाय प्रायश्चित्ती करोति ॥ १३ ॥

तत्र ह्याग्निकप्रायश्चित्तस्य प्रकारविशेषं मन्त्रविशेषं च दर्शयति–**स समिधाऽऽज्यस्योपहत्येत्यादिना** । पूर्वत्र समिदाधाने तिष्ठन्नित्युक्तत्वात् (श. प. ६।६।३।१७ क.) अत्रापि तथात्वप्रसक्तावाह–**आसीन इति** । आज्यं समिधा आदाय जुहुयादित्यर्थः । तत्र मन्त्रं दर्शयति–**विश्वकर्मणे स्वाहेतीति** । आज्याहुत्यनन्तरं तत् समिदाधानं समन्त्रकमाह–**अथोपोत्थाय समिधमिति** । आज्यहोमस्यासीनत्वाभिधानादुपोत्थायेत्युक्तम् ॥

मन्त्रस्यायमर्थः,–हे अग्ने ! ' त्वा ' त्वाम् आदित्यादयः 'पुनः' ' समिन्धताम् ' दीपयन्तु तथा ' ब्रह्माणः ' ब्राह्मणाः ऋत्विगादयः 'समिन्धताम्' । हे ' वसुनीथ ' नीथेति वाङ्नाम वस्वर्थस्तुत ! यद्वा वस्वर्थं गमयन् । ' यज्ञैः ' निमित्तभूतैः ' समिन्धताम् '। ' त्वं ' च 'घृतेन' ' तन्वं ' तनुं ' वर्द्धयस्व ' ।' यजमानस्य कामाः ' ' सत्याः ' अवितथाः ' सन्तु ' । **एतास्त्वा देवता इति** । पूर्वार्द्धतात्पर्यप्रदर्शनब्राह्मणं स्पष्टम् । उत्तरार्द्धमनूद्य व्याचष्टे–**येभ्य उ त्वामिति** । ' येभ्यः ' ' कामेभ्यः ' निमित्तभूतेभ्यः ' यजमान आधत्त', ' ते सर्वे ' अपि कामाः, 'सत्याः सन्तु ' इति । आधानस्य सर्वकामनिमित्तत्वात् तस्य कृतत्वात् कामैरपि सत्यैर्भवितव्यमित्येतत् उत्तरार्द्धेनोक्तमित्यर्थः ॥ १२ ॥

उख्यस्यानुगमप्रसङ्गात् तदाश्रयभूतगार्हपत्यस्याप्यनुगमे प्रायश्चित्तमाह **अथ यदि गार्हपत्य इति** । अरणीभ्यामग्निमुत्पाद्य गार्हपत्ये उपसमाधाय आध्वरिकाग्निकोभयप्रायश्चित्ते कुर्यात् ॥ १३ ॥

१–प्रायश्चित्ति९समिधोपहत्याज्यं विश्वकर्मण इति जुहोति । का० श्रौ० सू० १६ । २०० । २–उत्थायादधाति समिधं पुनस्त्वेति । का. श्रौ. सू. १६ । २०१ । ३–गार्हपत्ये गते निर्मथ्य । का. श्रौ. सू. १६ । २०२ ।

(त्यु) अथ यदि प्रसुतऽआहवनीयोऽनुगच्छेत् । (द्गा) गार्हपत्यं वाव स गच्छति गार्हपत्याद्धि सऽआहृतो भवति गार्हपत्यादेवैनं प्राञ्चᳫं साङ्काशिनेन हृत्वोपसमाधाय प्रायश्चित्ती करोति यस्तस्मिन्कालेऽध्वरः स्यात्तामध्वरप्रायश्चित्तिं कुर्यात्समान्यग्निप्रायश्चित्तिः ॥ १४ ॥

(रु) अथ यद्याग्नीध्रीयोऽनुगच्छेत् । (द्गा) गार्हपत्यं वाव स गच्छति गार्हपत्याद्धि सऽआहृतो भवति गार्हपत्यादेवैनं प्राञ्चमुत्तरेण सदो हृत्वोपसमाधाय प्रायश्चित्ती करोत्यथ यदि गार्हपत्योऽनुगच्छेत्तस्योक्तो बन्धुः ॥ १५ ॥

इति चतुर्थप्रपाठके षष्ठं ब्राह्मणम् ॥ ६–४–६ ॥ (६. ४.) ॥

इति चतुर्थः प्रपाठकः समाप्तः ॥ (कण्डिकासङ्ख्या १००)

इति षष्ठोऽध्यायश्च समाप्तः ॥ ६–६ ॥

अथ यदि प्रसुत आहवनीयोऽनुगच्छेत्–गार्हपत्यं वाव स गच्छति । गार्हपत्याद्धि स आहृतो भवति । गार्हपत्यादेवैनं प्राञ्चं साङ्काशिनेन हृत्वोपसमाधाय प्रायश्चित्ती करोति–यस्तस्मिन्कालेऽध्वरः स्यात्–तामध्वरप्रायश्चित्तिं कुर्यात्, समान्यग्निप्रायश्चित्तिः ॥ १४ ॥

अथ यद्याग्नीध्रीयोऽनुगच्छेत्–गार्हपत्यं वाव स गच्छति । गार्हपत्याद्धि स आहृतो भवति । गार्हपत्यादेवैनं प्राञ्चमुत्तरेण सदो हृत्वोपसमाधाय प्रायश्चित्ती करोति । अथ यदि गार्हपत्योऽनुगच्छेत्–तस्योक्तो बन्धुः ॥ १५ ॥

सुत्यादिने आहवनीयानुगतौ प्रायश्चित्तमाह–अथ यदि प्रसुत आहवनीय इति । साङ्काशिनेन हृत्वेति। साङ्काशिनं नाम शालामुखीयमारभ्य सदोहविर्द्धानमध्यगतपूर्व्यरज्जुमवलम्ब्योत्तरदिक्पर्यन्तः प्रागायतरज्जुमार्गः । स्पष्टमन्यत् ॥

प्रायश्चित्ती करोतीति । सर्वत्र प्रायश्चित्तद्वयमभिहितम्, तयोर्व्यवस्थामाह–यस्तस्मिन् कालेऽध्वरः स्यादिति । तत्कालानुरूपां प्रायश्चित्तिमध्वरप्रायश्चित्तिम्, सौमिकीमित्यर्थः ।

समान्यग्निप्रायश्चित्तिरिति । 'समानी' एकरूपैव आग्निकी प्रायश्चित्तिः। स समिधाऽऽज्यस्योपहत्येत्याद्युक्ता च । अयमर्थः,–सर्वत्रानुगमे अध्वरप्रयोगवेलायां तत्तत्कालचोदितां प्रायश्चित्तिं कुर्यात्, अग्निप्रयोगवेलायामुक्तामेकरूपामेव आग्निकीं कुर्यादिति ॥ १४ ॥

अथ यद्याग्नीध्रीय इत्यादि । अग्नीध्रमण्डपे भवः ' आग्नीध्रीयः ' । तस्यापि गार्हपत्यादेव प्रततत्वात् अनुगतोऽग्निः तत्रैव प्रविष्टो भवति, अतः ' गार्हपत्यात् एव ' ' एनम् ' अग्निम् ' प्राञ्चम् ' ' उत्तरेण ' सदः सदस

१–सुत्याहवनीये सांकाशिनेन हृत्वा । का. श्रौ. सू. १६ । २०३ ।

उत्तरदेशतो 'हुत्वा' आग्नीध्रे 'उपसमाधाय' तत्कर्मोचितां प्रायश्चित्तिं कुर्यात् । सुत्यादिने गार्हपत्यानुगमप्रायश्चित्तमाह-अथ यदि गार्हपत्योऽनुगच्छेत् तस्योक्तो बन्धुरिति । "अरणी वाव स गच्छति" (श. प. ६ । ६ । ४ । १३) इत्यादिनोक्त इत्यर्थः ॥ १९ ॥

इति श्रीसायणाचार्यविरचिते माधवीये वेदार्थप्रकाशे माध्यन्दिनीयशतपथब्राह्मणभाष्ये षष्ठकाण्डे षष्ठेऽध्याये चतुर्थं ब्राह्मणम् ॥ (६-६-४)

वेदार्थस्य प्रकाशेन तमो हार्दं निवारयन् । पुमर्थांश्चतुरो देयाद् विद्यातीर्थमहेश्वरः ॥ १ ॥

ब्रह्माण्डं गोसहस्रं कनकहयतुलापूरुषौ स्वर्णगर्भं,
सप्ताब्धीन्पञ्चसीरींस्त्रिदशतरुलताधेनुसौवर्णभूमीः ।
रत्नोस्त्रां रुक्मवाजिद्विपमहितरथौ सायणिः सिङ्गणार्यो,
व्यश्राणीद्विश्वचक्रं प्रथितविधिमहाभूतयुक्तं घटं च ॥
धान्याद्रिं धन्यजन्मा तिलमवमतुलः स्वर्णजं वर्णमुख्यः,
कार्पासीयं कृपावान्गुडकृतमजडो राजतं राजपूज्यः ।
आज्योत्थं प्राज्यजन्मा लवणजमनृणः शार्करं चार्कतेजा,
रत्नाढ्यो रत्नरूपं गिरिमकृत मुदा पात्रसात्सिङ्गणार्यः ॥

इति श्रीमद्राजाधिराजपरमेश्वरवैदिकमार्गप्रवर्तकश्रीहरिहरमहाराजसाम्राज्यधुरन्धरेण सायणाचार्येण विरचिते माधवीये वेदार्थप्रकाशे माध्यन्दिनशतपथब्राह्मणभाष्ये षष्ठकाण्डे षष्ठाध्यायः समाप्तः ॥ ६-६ ॥

१-आग्नीध्रीयमुत्तरेण सदः । का. श्रौ सू. १६ । २०४ । २-अध्वरप्रायश्चित्तिं च सर्व्वेषु यथाकालं पूर्व्वां पूर्व्वाम् । का. श्रौ. सू. १६ । २०६ ।

अथ सप्तमाऽध्याये प्रथमं ब्राह्मणम् ।

पञ्चमप्रपाठके च प्रथमं ब्राह्मणम् ।

रुक्मं प्रतिमुच्य बिभर्त्ति । सत्यꣳ हैतद्यद्रुक्मः सत्यं वा ऽएतं यन्तु-मर्हति सत्येनैतं देवाऽ अबिभरुः सत्येनैवैनमेतद्विभर्त्ति ॥ १ ॥

तद्यत्तत्सत्यम् । (म) असौ सऽ आदित्यः स हिरण्मयो भवति ज्योतिर्वै हिरण्यं ज्योतिरेषोऽमृतꣳ हिरण्यममृतमेषु परिमण्डलो भवति परिमण्डलो ह्येषऽ एकविꣳशतिनिर्बाध एकविꣳशो ह्येषु बहिष्टान्निर्बाधं बिभर्त्ति रश्मयो वाऽएतस्य निर्बाधा बाह्यतऽ उ वाऽएतस्य रश्मयः ॥ २ ॥

रुक्मं प्रतिमुच्य बिभर्त्ति । सत्यं हैतद्-यद्रुक्मः । सत्यं वाऽएतं यन्तुमर्हति । सत्येनैतं देवा अबिभरुः । सत्येनैवैनमेतद्विभर्त्ति ॥ १ ॥

तद्यत्तत्सत्यम्—असौ स आदित्यः । स हिरण्मयो भवति । ज्योतिर्वै हिरण्यम्—ज्योतिरेषः । अमृतं हिरण्यम्—अमृतमेषः । परिमण्डलो भवति—परिमण्डलो ह्येषः । एकविंशतिनिर्बाधः—एक-विंशो ह्येषः । बहिष्टान्निर्बाधं बिभर्त्ति-रश्मयो वाऽएतस्य निर्बाधाः । बाह्यत उ वाऽएतस्य रश्मयः ॥ २ ॥

यस्य निःश्वसितं वेदा यो वेदेभ्योऽखिलं जगत् । निर्म्ममे, तमहं वन्दे विद्यातीर्थमहेश्वरम् ॥ १ ॥

यदुक्तं कात्यायनेन—" यजमानः कण्ठे रुक्मं प्रतिमुञ्चते परिमण्डलमेकविंशतिपिण्डं कृष्णाजिननिष्यूतं लोमसु शुक्लकृष्णेषु शणसूत्रे त्रिवृत्योतमुपरि नाभि बहिष्पिण्डं दशानो रुक्म इति "—(का. श्रौ सू. १६।१४६) इति । तदिदं वक्तुमादौ रुक्मप्रतिमोकं विधत्ते—**रुक्मं प्रतिमुच्य बिभर्तीति** । यजमानो रुक्मं सुवर्णमयमाभ-रणं कण्ठे बध्वा उखां धारयेत् । विहितं रुक्मप्रतिमोचनपूर्वकं धारणं प्रशंसति—**सत्यं हैतद् यद् रुक्म इति** । अत्यन्ताग्निसंयोगेऽपि नाशादर्शनात् रुक्मस्य सत्यत्वम् । ' एतम ' अग्निं ' यन्तुं ' नियन्तुं ' सत्यम् ' एव ' अर्हति ' । 'देवाः' ' सत्येन ' सत्यमाश्रयं कृत्वा ' अबिभरुः ' भरणमकुर्वन् ॥ १ ॥

एतत् रुक्माख्यं सत्यम् आदित्यात्मना प्रशंसति—**तद्यत्तत्सत्यमसौ स आदित्य इति** । रुक्मस्य सुवर्ण-मयतां विधाय प्रशंसति—**स हिरण्मयो भवतीति** । हिरण्यस्य भास्वररूपत्वात् ज्योतीरूपत्वम्, तदेव ' अमृतम् ' अविनाशि, ' एषः ' रुक्मः परिमण्डलः ' वर्तुलः भवति । तत्रोपपत्तिः—**परिमण्डलो ह्येष इति** । 'एषः' आदित्यः । **एकविंशतिनिर्बाधः** इति । 'बाधाः' बिलसहिताः पुलकाः । धारणसमये निर्बाधाः यथा बाह्या भवन्ति, तथा धारयेत् । निर्बाधस्य बहिर्भावं प्रशंसति—**रश्मयो वा एतस्य निर्बाधा इति** । ' एतस्य ' आदित्यात्मकस्य रुक्मस्य ॥ २ ॥

यद्वेव रुक्मं प्रतिमुच्य बिभर्त्ति । (त्र्यं) असौ वाऽआदित्य ऽएष रुक्मो नो हैतमग्निं मनुष्यो मनुष्यरूपेण यन्तुमर्हत्येतेनैव रूपेणैतद्रूपं बिभर्त्ति ॥ ३ ॥

यद्वेव रुक्मं प्रतिमुच्य बिभर्त्ति । रेतो वाऽइदꣳ सिक्तमयमग्निस्तेजो व्वीर्यꣳ रुक्मोऽस्मिंस्तद्रेतसि तेजो व्वीर्यं दधाति ॥ ४ ॥

यद्वेव रुक्मं प्रतिमुच्य बिभर्त्ति । (त्र्यं) एतद्वै देवा ऽअबिभयुर्यद्वै न ऽइममिह रक्षाꣳसि नाष्ट्रा न हन्युरिति तस्माऽएतमन्तिकाद्गोप्तारमकुर्वन्नमुमेवादित्यमसौ वाऽआदित्यऽएष रुक्मस्तथैवास्मा ऽअयमेतमन्तिकाद्गोप्तारं करोति ॥ ५ ॥

कृष्णाजिने निष्यूतो भवति । यज्ञो वै कृष्णाजिनं यज्ञो वाऽएतं यन्तुमर्हति यज्ञेनैतं देवाऽअबिभरुर्यज्ञेनैवैतमेतद्बिभर्ति लोमतश्छन्दाꣳसि वै

यद्वेव रुक्मं प्रतिमुच्य बिभर्त्ति । असौ वा ऽआदित्य एष रुक्मः । नो हैतमग्निं मनुष्यो मनुष्यरूपेण यन्तुमर्हति । एतेनैव रूपेणैतद्रूपं बिभर्त्ति ॥ ३ ॥

यद्वेव रुक्मं प्रतिमुच्य बिभर्त्ति । रेतो वाऽइदं सिक्तम् । अयमग्निः । तेजो वीर्यं रुक्मः । अस्मिंस्तद्रेतसि तेजो वीर्यं दधाति ॥ ४ ॥

यद्वेव रुक्मं प्रतिमुच्य बिभर्त्ति । एतद्वै देवा अबिभयुः—यद्वै न इममिह रक्षांसि नाष्ट्रा न हन्युरिति । तस्मा एतमन्तिकाद्गोप्तारमकुर्वन्—अमुमेवादित्यम् । असौ वाऽआदित्य एष रुक्मः । तथैवास्मा अयमेतमन्तिकाद्गोप्तारं करोति ॥ ५ ॥

कृष्णाजिने निष्यूतो भवति । यज्ञो वै कृष्णाजिनम् । यज्ञो वाऽएतं यन्तुमर्हति । यज्ञेनैतं देवा

रुक्मधारणं प्रशंसति—यद्वेव रुक्मं प्रतिमुच्येति । मानुषेण रूपेण अग्नेर्धारणस्यानुचितत्वात् 'एतेन' रुक्माख्येन आदित्येन 'रूपेण' 'एतत्' अग्न्यात्मकं 'रूपं' 'बिभर्त्ति' ॥ ३ ॥

पुनः प्रकारान्तरेण प्रशंसति—यद्वेव रुक्मं प्रतिमुच्येति । अस्याग्नेः रेतःसेकस्थानीयत्वमुक्तं प्राक्, रुक्मश्च तेजोरूपं वीर्यम् । तथा सति अग्नेः रुक्मसंयोजनेन रेतस्यग्न्याख्ये 'तेजः' वीर्यमेव स्थापितवान् भवति ॥ ४ ॥

पुनरप्यग्ने रुक्मसंयोगमग्नेर्गोप्तृत्वरूपेण प्रशंसति—यद्वेव रुक्मं प्रतिमुच्य बिभर्तीति । पुरा 'देवाः' 'इमम्' अग्निम् 'नाष्ट्रा' नाशकानि 'रक्षांसि' 'यद्वै' येनैव प्रकारेण 'न हन्युः' 'एतत्' एतेन विषयभूतेन 'अबिभयुः' । भीतिपरिहारोपायं दर्शयति—तस्मा एतमन्तिकादिति । 'तस्मै' अग्नये 'एतम्' आदित्यम् । एतच्छब्दार्थमाह—अमुमेवादित्यमिति । तर्हि मानुषैः कथं गोप्तारं कर्तुं शक्यत इति, तत्राह—असौ वा आदित्य एष रुक्म इति ॥ ५ ॥

कृष्णाजिने निष्यूतो भवतीति । नितरां स्यूतः सम्बद्धः भवति । यथा कृष्णाजिनस्योपरि वर्तेत, तथा

लोमानि च्छन्दा॑ꣳसि वा॒ऽए॒तं य॒न्तुम॑र्हन्ति च्छन्दो॑भिरे॒तं दे॒वा॒ऽ अबिभरु॒श्छन्दो॑भिरे॒वैन॑मे॒तद्बि॑भर्त्ति ॥ ६ ॥

(त्य) अ॒भि शु॒क्ला॒नि च कृ॒ष्णा॒नि च लो॒मा॑नि नि॒ष्यू॒तो भवति । (स्यू) ऋ॒क्सा॒म॒योर्हैते रू॒पे ऽऋ॒क्सा॒मे वा॒ऽए॒तं य॒न्तुम॑र्हत ऽऋ॒क्सा॒मा॒भ्या॒मे॒तं देवा॒ऽअबिभरु॒र्ऋ॒क्सा॒मा॒भ्या॒मे॒वैन॑मे॒तद्बि॑भर्त्ति शा॒णो रु॒क्मपा॒शस्त्रि॒वृत्त॒स्यो॒क्तो ब॒न्धुः ॥ ७ ॥ (शतम् ३८०० ॥)

(स्तु) त॒मु॒प॒रि॒ना॒भि बिभर्त्ति । (त्यं) अ॒सौ वा॒ऽआ॒दि॒त्य ऽए॒ष रु॒क्म ऽउ॒प॒रि॒ना॒भ्यु वा॒ऽए॒षः ॥ ८ ॥

अबिभरुः । यज्ञेनैवैतमेतद्बिभर्ति । लोमतः । छन्दांसि वै लोमानि । छन्दांसि वाऽएतं यन्तुमर्हन्ति । छन्दोभिरेतं देवा अबिभरुः । छन्दोभिरेवैनमेतद्बिभर्ति ॥ ६ ॥

अभि शुक्लानि च कृष्णानि च लोमानि निष्यूतो भवति । ऋक्सामयोर्हैते रूपे । ऋक्सामे वाऽएतं यन्तुमर्हतः । ऋक्सामाभ्यामेतं देवा अबिभरुः । ऋक्सामाभ्यामेवैनमेतद्बिभर्ति । शाणो रुक्मपाशस्त्रिवृत् । तस्योक्तो बन्धुः ॥ ७ ॥

तमुपरिनाभि बिभर्ति । असौ वाऽआदित्य एष रुक्मः । उपरिनाभ्यु वा ऽएषः ॥ ८ ॥

कुर्यादित्यर्थः । यज्ञो वै कृष्णाजिनमिति । यज्ञसाधनहविराधारत्वाद् यज्ञ इत्युच्यते । शिष्टं गतप्रायम् । निषीवनमपि 'लोमतः' लोमप्रदेशे कर्त्तव्यम् । कृष्णाजिनस्य यज्ञत्वविधानात् तल्लोम्नां यज्ञावयवच्छन्दोरूपत्वं युक्तम् । गतमन्यत् ॥ ६ ॥

तत्रापि शुक्लकृष्णलोमरेखयोरुपरि निष्यूतेन भवितव्यमिति दर्शयति—अभि शुक्लानि च कृष्णानि च लोमानि निष्यूतो भवतीति । उभयविधानां लोम्नाम् 'अभि' उपरि । ऋक्सामयोर्हैते रूपे इति । 'ह'—शब्दः "ऋक्सामयोः शिल्पे"—इत्यादि (वा. सं. ४ । ९) मन्त्रप्रसिद्धिद्योतनार्थः । गतमन्यत् । शाणो रुक्मपाशस्त्रिवृदिति । रुक्मसम्बन्धनरज्जुः 'शाणः' शणतृणनिर्मितः, 'त्रिवृत्' त्रिगुणितः । तस्योक्तो बन्धुरिति । शणार्थवादः—"शणकुलायमन्तरं भवति" (श. प. ६।६।१।२४) इत्यत्रोक्तः । त्रिवृदर्थवादस्तु "त्रिवृदग्निः" इत्यादिनोक्तः (श. प. ६ । १ । १ । १४ ।) ॥ ७ ॥

रुक्मधारणप्रदेशं विधाय प्रशंसति—तमुपरिनाभि बिभर्त्यसौ वा आदित्य इति । उपरिनाभ्यु वा एष इति । 'एष' आदित्यः 'उपरिनाभि' नाभेरुपरि प्रदेशे; तत्र मध्ये ध्येयत्वात्, रक्तवर्णनाभेरुपरि वर्त्तमानत्वाद् वा, जाठरवह्न्यात्मकस्य तस्य नाभेरुपरि वर्त्तमानत्वाद् वा ॥ ८ ॥

१ । १ । ४

(ष यु) युद्वेवोपरिनाभि । (भ्यु) अवाग्वै नाभे रेतःप्रजातिस्तेजो व्वीर्यᳪ रुक्मो नेन्मे रेतःप्रजातिं तेजो व्वीर्यᳪ रुक्मः प्रदहादिति ॥ ९ ॥
युद्वेवोपरिनाभि । (भ्ये) एतद्वै पशोर्मध्यतरं युदुपरिनाभि पुरीषसᳪ हिततरं यदुवाङ्नाभेस्तद्युदेव पशोर्मध्यतरं तेनैनमेतद्बिभर्त्ति ॥ १० ॥
युद्वेवोपरिनाभि । यद्वै प्राणस्यामृतमूर्ध्वं तन्नाभेरूर्ध्वैः प्राणैरुच्चरत्यथ यन्मर्त्यं पराक्तन्नाभिमत्येति तद्युदेव प्राणस्यामृतं तुदेनमेतदभि सम्पादयति तेनैनमेतद्बिभर्त्ति ॥ ११ ॥
(त्र्यु) अथैनमासन्द्या बिभर्त्ति । (र्त्ती) इयं वा ऽआसन्द्यस्याᳪ हीदᳪ

यद्वेवोपरिनाभि । अवाग्वै नाभेः रेतःप्रजातिः तेजो वीर्यं रुक्मः । नेन्मे रेतःप्रजातिं तेजो वीर्यं रुक्मः प्रदहादिति ॥ ९ ॥
यद्वेवोपरिनाभि । एतद्वै पशोर्मध्यतरम्—यदुपरिनाभि । पुरीषसंहिततरम्—यदवाङ्नाभेः । तद् यदेव पशोर्मध्यतरं तेनैनमेतद्बिभर्ति ॥ १० ॥
यद्वेवोपरिनाभि । यद्वै प्राणस्यामृतम् । ऊर्ध्वं तत् नाभेरूर्ध्वैः प्राणैरुच्चरति । अथ यन्मर्त्यम् । पराक्तन्नाभिमत्येति । तद् यदेव प्राणस्यामृतम्—तदेनमेतदभि सम्पादयति । तेनैनमेतद्बिभर्त्ति ॥ ११ ॥
अथैनमासन्द्या बिभर्ति । इयं वाऽआसन्दी । अस्यां हीदं सर्वमासन्नम् । इयं वाऽएतं यन्तुमर्हति । अनयैतं देवा अबिभरुः । अनयैवैनमेतद्बिभर्ति ॥ १२ ॥

उक्तमुपरिनाभित्वं बहुधा प्रशंसति—यद्वेवोपरिनाभ्यवाग् वै नाभेरित्यादिना । रेतसः ' प्रजातिः ' उत्पत्तिः नाभेरवाक् प्रदेशे खलु, अतः ' तेजोवीर्यरूपः रुक्मः ' तां ' प्रजातिं ' प्रदहेत्, ततः ' नेत् ' नैवेष्टम् । " नेत्येष इदित्यनेन सम्प्रयुज्यते परिभये " इति (या. नि. १।३।९) निरुक्तम् ॥ ९ ॥
प्रकारान्तरेण प्रशंसति—यद्वेवोपरिनाभीति । ' एतद्वै पशोर्मध्यतर ' यन्नाभेरुपरिष्टाद् वर्त्तमानं हृदयादिकम् ' नाभेः ' ' अवाग् ' अर्वाग्देशे ' यत् ' ' अङ्गम्, ' तत् ' ' पुरीषसंहिततरम् ' अत्यन्तं पुरीषेण सहितम् । तद्यदेवेत्यादि, स्पष्टम् ॥ १० ॥
उपरिधारणममृतस्योपरिधारणतया प्रशंसन् गतिभेदेन मृतामृतविभागमाह—यद्वेवोपरिनाभि यद्वै प्राणस्येति । प्राणस्य द्वावंशौ, अमृतांशो मृतांशश्च, तत्रामृताख्यो योंऽशोऽस्ति नाभेरूर्ध्वप्रदेशे, सः ' ऊर्ध्वैः प्राणैः ' 'उच्चरति' उद्गच्छति; यः मर्त्योंऽशः स नाभेः 'पराक्' अर्वाङ्मुखः सन् 'नाभिम्' ' अत्येति ' अतिगच्छति । विभागप्रदर्शनप्रयोजनमाह—तद् यदेवेति । ' तत् ' ' प्राणस्य ' ' अमृतम् ' अंशम् ' एनम् अभि ' आयुष्याग्नेरुपरि ' सम्पादयति ' । ' एतत् ' एतेन, नाभेरुपरि सम्पादनेन ' एनम् ' अग्निम् ' तेन ' अमृतेन ' बिभर्ति ' ॥ ११ ॥
उखाग्ने रुक्मस्योपरि धारणं विधाय तत्राप्यासन्द्यां धारणं कर्त्तव्यमित्याह—अथैनमासन्द्यामिति[1] । आसन्दी-

1—इन्दूवीशक्यासंदीषु मुंजरज्जवन्निम्नुतो मृदिग्धाः । का. श्रौ. सू १६ । १४७ ।

सर्वमासन्नमियं वाऽएतं यन्तुमर्हत्यनयैतं देवा ऽअबिभरुरनयैवैनमेतद्बि-
भर्त्ति ॥ १२ ॥

(त्यौ) औदुम्बरी भवति। (त्यू) ऊर्ग्वै रसऽ उदुम्बर ऽऊर्जैवैनमेतद्रसेन बिभर्त्त्यथो सर्व्वऽएते व्वनस्पतयो यदुदुम्बरः सर्व्वे वाऽएतं व्वनस्पतयो यन्तुमर्हन्ति सर्व्वैरेतं व्वनस्पतिभिर्द्देवाऽ अबिभरुः सर्वैरेवैनमेतद्वनस्पतिभिर्बिभर्त्ति ॥ १३ ॥

प्रादेशमात्र्यूर्ध्वा भवति । प्रादेशमात्रो वै गर्भो व्विष्णुर्योनिरेषा गर्भसम्मितां तद्योनिं करोत्यरत्निमात्री तिरश्ची बाहुर्वाऽअरत्निर्बाहुना वै व्वीर्यं क्रियते व्वीर्यसम्मितैव तद्भवति व्वीर्यं वा ऽएतं यन्तुमर्हति व्वीर्येणैतं देवाऽअबिभरुर्व्वीर्येणैवैनमेतद्बिभर्त्ति ॥ १४ ॥

चतुःस्रक्तयः पादा भवन्ति। चतुःस्रक्तीन्यनूच्यानि चतस्रो वै दिशो

औदुम्बरी भवति। ऊर्ग्वै रस उदुम्बरः। ऊर्जैवैनमेतद्रसेन बिभर्ति । अथो सर्वऽएते वनस्पतयः-यदुदुम्बरः। सर्वे वाऽएतं वनस्पतयो यन्तुमर्हन्ति । सर्वैरेतं वनस्पतिभिर्देवा अबिभरुः। सर्वैरेवैनमेतद्वनस्पतिभिर्बिभर्ति ॥ १३ ॥

प्रादेशमात्र्यूर्ध्वा भवति। प्रादेशमात्रो वै गर्भो विष्णुः। योनिरेषा। गर्भसम्मितां तद् योनिं करोति। अरत्निमात्री तिरश्ची। बाहुर्वाऽअरत्निः। बाहुना वै वीर्यं क्रियते । वीर्यसम्मितैव तद्भवति । वीर्यं वाऽएतं यन्तुमर्हति। वीर्येणैतं देवा अबिभरुः। वीर्येणैवैनमेतद् बिभर्त्ति ॥ १४ ॥

चतुःस्रक्तयः पादा भवन्ति । चतुःस्रक्तीन्यनूच्यानि । चतस्रो वै दिशः। दिशो वाऽएतं यन्तु

प्रवृत्तिनिमित्तं पृथिव्यां सम्पादयन् तदात्मकत्वसम्पादनद्वारेण प्रशंसति–इयं वा आसन्दीति । आसीदत्यत्राग्निरित्यासन्दी, इयं पृथिव्यपि सर्वस्यापि पदार्थस्यासदन्योग्यत्वात् आसन्दी; तथा च सति अस्यामेव भृतवान् भवतीत्यर्थः। इयं वा एतं यन्तुमित्यादि पूर्ववत् ॥ १२ ॥

आसन्द्या औदुम्बरत्वं विधाय प्रशंसति–औदुम्बरी भवति, ऊर्ग्वै रस इति । ऊर्ग्रूपत्वं सर्ववनस्पत्यात्मकत्वं च उख्यसमिदाधानप्रस्तावे प्रागुक्तम् (श. प. ६।६।३।२) । सर्वे वा इत्यादि, पूर्ववत् ॥ १३ ॥

ऊर्ध्वप्रमाणं विधाय स्तौति–प्रादेशमात्रीति । गर्भरूपिणो यज्ञस्य विष्णोरेषा आसन्दी अपि तदाधारभूता, अतः प्रादेशप्रमाणां ' योनिं ' ' गर्भसंम्मितां ' गर्भसमपरिमाणां ' करोति ' । तिर्यक् प्रमाणमाह–अरत्निमात्रीति । तिरश्चीति । द्विप्रादेशोऽरत्निः, द्वयोररत्न्योर्बाहुः । किं ततः इत्याह–बाहुना वै वीर्यं क्रियत इति। ' बाहुना उ ' बाहुनैव। ' तत् ' तस्मात् ' वीर्यसम्मिता ' ' भवति ' प्रहारसमये तथा दर्शनात् ॥ १४ ॥

चतुःस्रक्तय इति। ' पादाः ' चत्वारोऽपि ' चतुःस्रक्तयः ' स्रक्तिचतुष्टयोपेताः स्युः, ' अनूच्यानि '

दिशो वाऽएतं यन्तुमर्हन्ति दिग्भिरेतं देवा ऽअबिभरुर्दिग्भिरेवैनमेतद्बिभर्त्ति मौञ्जीभी रज्जुभिर्व्युता भवति त्रिवृद्भिस्तस्योक्तो बन्धुर्मृदा दिग्धा तस्यो ऽएवोक्तोऽथोऽअनतिदाहाय ॥ १५ ॥

(या) अथैनꣳ शिक्येन बिभर्त्ति । (त्री) इमे वै लोकाऽ एषोऽग्निर्दिशः शिक्यं दिग्भिर्हीमे लोकाः शक्नुवन्ति स्थातुं यच्छक्नुवन्ति तस्माच्छिक्यं दिग्भिरेवैनमेतद्बिभर्त्ति षडुद्यामं भवति षड्ढि दिशो मौञ्जं त्रिवृत्तस्योक्तो बन्धुर्मृदा दिग्धं तस्योऽएवोक्तोऽथो ऽअनतिदाहाय ॥ १६ ॥

मर्हन्ति । दिग्भिरेतं देवा अबिभरुः । दिग्भिरेवैनमेतद्बिभर्ति । मौञ्जीभी रज्जुभिर्व्युता भवति त्रिवृद्भिः । तस्योक्तो बन्धुः । मृदा दिग्धा । तस्योऽएवोक्तः । अथोऽअनतिदाहाय ॥ १५ ॥

अथैनं शिक्येन बिभर्ति । इमे वै लोका एषोऽग्निः, दिशः शिक्यम् । दिग्भिर्हीमे लोकाः शक्नुवन्ति स्थातुम् । यच्छक्नुवन्ति—तस्माच्छिक्यम् । दिग्भिरेवैनमेतद्बिभर्ति । षडुद्यामं भवति । षड्ढि दिशः । मौञ्जं त्रिवृत् । तस्योक्तो बन्धुः । मृदा दिग्धम् । तस्योऽएवोक्तः । अथोऽअनतिदाहाय १६

अपि चतुर्द्वाराणि स्युः । पादाङ्गेषु आयततिर्यक्काष्ठानि अनूच्यानीत्युच्यन्ते । स्पष्टमन्यत् । 'त्रिवृद्भिः' त्रिगुणाभिः मुञ्जतृणनिष्पादिताभिः 'रज्जुभिः' 'व्युता' विविधं सन्तता । "व्येञ् तन्तुसन्ताने" (धा. पा. भ्वा. उ. १३३१) । तस्योक्तो बन्धुरिति । मौञ्ज्यर्थवादः मृदाहरणस्यादौ तदाहरणार्थं पशुत्रयबन्धनरज्जुप्रस्तावे "ते मौञ्जीभिरभिधानीभिरभिहिता भवन्ति, अग्निर्देवेभ्य उदक्रामत् स मुञ्जं प्राविशत्" (श. प. ६।३।१।२६) इत्यादिनोक्तः; त्रिवृत्त्वं तु "त्रिवृदग्निः" इत्यत्र—"सैवाग्नेस्त्रिवृत्ता" (श. प. ६।१।३।१८) इत्युक्तम् । आसन्दी 'मृदा दिग्धा' आलिप्ता स्यात्, 'तस्यो' तस्या अपि 'बन्धुः' मृत्स्तावकोऽर्थवाद उक्तः । (श. प. ६।२।३।१) । इष्टप्रयोजनं च दर्शयति—अथो अनतिदाहायेति ॥ १५ ॥

अथैनमिति । 'एनम्' उख्याग्निम् । 'शिक्येन बिभर्ति' शिक्यवत्यामासन्द्याम् उखां बिभर्त्तीत्यर्थः । उक्तमर्थमधिदेवताध्यात्मभेदेन प्रशंसति-इमे वै लोका एषोऽग्निरित्यादिना । उख्याग्नेर्लोकत्रयात्मकत्वमुखाद्वारा (श. प. ६ कां ५ अ. २ ब्रा. २२ कं०) उखायाश्च लोकत्रयात्मकता "यो वा एष निधिः प्रथमोऽयं स लोकः"-(श.प. ६ कां. ५ अ. २ ब्रा. २२ कं.) इत्यादिना प्रागुक्तः । तस्या दिशः शिक्यम् । किं तत इत्यत आह—दिग्भिर्हीमे लोकाः शक्नुवन्ति स्थातुमिति । तस्माच्छिक्येन भरणं युक्तम् । प्रसङ्गाच्छिक्यशब्दनिर्वचनं दर्शयति—यच्छक्नुवन्ति तस्माच्छिक्यमिति । स्वाधिष्ठितवस्तुधारणसमर्थत्वात् । शिक्यरूपकल्पनायाः प्रयोजनं दर्शयति—दिग्भिरेवैनमिति । षडुद्यामं भवतीति । ऊर्ध्वाधोविवक्षया दिशां षट्त्वम् । उद्गतानि यामानि उद्यामानि, तेषां षट्त्वेनोपेतं कर्त्तव्यम्; सूत्रे षडुद्याममिति पठितत्वात् । यद्वा, उद्यमनसाधनत्वात् उद्यामशब्देन शिक्यदामान्युच्यन्ते (श. प. ६ । ३ । १ । १८ कं.) ॥

१–इण्डूवशिक्यासंदंशु मुञ्जरज्जवबिल्बतो मृद्दिग्धाः का० श्रौ० सू० १६ । १४७ ।

२–शिक्यपाशं प्रतिमुञ्चते षडुद्यामं त्रिवृत्ता रूपाणीति का० श्रौ० सू० १६ । १५१ ।

तस्यापऽएव प्रतिष्ठा। (ष्ठाऽप्सु) अप्सु हीमे लोकाः प्रतिष्ठिताऽआदित्य ऽआसञ्जनमादित्ये हीमे लोका दिग्भिरासक्ताः स यो हैतदेवं व्वेदैतेनैव रूपेणैतद्रूपं बिभर्त्ति ॥ १७ ॥

यद्वेवैनꣳ शिक्येन बिभर्त्ति। संवत्सरऽएषोऽग्निर्ऋतवः शिक्यमृतुभिर्हि संव्वत्सरः शक्नोति स्थातुं यच्छक्नोति तस्माच्छिक्यमृतुभिरेवैनमेतद्बिभर्त्ति षडुद्यामं भवति षड्ढ्यृतवः ॥ १८ ॥

(स्तु) तस्याहोरात्रेऽएव प्रतिष्ठा। (ष्ठाऽहो) अहोरात्रयोर्ह्ययꣳ संव्वत्सरः प्रतिष्ठितश्चन्द्रमाऽआसञ्जनं चन्द्रमसि ह्ययꣳ संव्वत्सरऽऋतुभिरासक्तः स यो हैतदेवं व्वेदैतेनैव रूपेणैतद्रूपं बिभर्त्ति तस्य ह वाऽएष संव्वत्सरभृतो भवति यऽएवं व्वेद संव्वत्सरोपासितो हैव तस्य भवति य ऽएवं न व्वेदेत्यधिदेवतम् ॥१९॥ (शतपथस्यार्धम् ॥ कण्डिकाः३८१२)

तस्याप एव प्रतिष्ठा। अप्सु हीमे लोकाः प्रतिष्ठिताः। आदित्य आसञ्जनम्। आदित्ये हीमे लोका दिग्भिरासक्ताः। स यो हैतदेवं वेद—एतेनैव रूपेणैतद्रूपं बिभर्ति ॥ १७ ॥

यद्वेवैनं शिक्येन बिभर्ति। संवत्सर एषोऽग्निः। ऋतवः शिक्यम्। ऋतुभिर्हि संवत्सरः शक्नोति स्थातुम्। यच्छक्नोति—तस्माच्छिक्यम्। ऋतुभिरेवैनमेतद्बिभर्त्ति। षडुद्यामं भवति। षड्ढ्यृतवः ॥ १८ ॥

तस्याहोरात्रेऽएव प्रतिष्ठा। अहोरात्रयोर्ह्ययं संवत्सरः प्रतिष्ठितः। चन्द्रमा आसञ्जनम्। चन्द्रमसि ह्ययं सम्वत्सर ऋतुभिरासक्तः। स यो हैतदेवं वेद। एतेनैव रूपेणैतद्रूपं बिभर्ति। तस्य ह वाऽएष संवत्सरभृतो भवति—य एवं वेद। संवत्सरोपासितो हैव तस्य भवति—य एवं न वेद। इत्यधिदेवतम् ॥ १९ ॥

पाशानां मौञ्जत्रिवृत्तार्थवादः प्रागुक्तः (श. प. ६।१। ३। २६ कं०) उद्यमनानां मृद्दिग्धत्वार्थवादोऽपि प्रागुक्तः (श. प. ६।७।१।१५कं०) इत्यतिदिशति—तस्यो एवेति। 'तस्य' मृदालेपनस्यापीति ॥ १६ ॥

तस्याप एव प्रतिष्ठेति। 'तस्य' शिक्यस्य'आपः' उदकान्येव'प्रतिष्ठा' आस्पदम्; लोकसृष्टेः प्राक् उदकस्य सृष्टत्वात्। शिक्यस्याधस्ताद्वर्ती उद्यामाधारः पाशरचितोऽवयवविशेषः, स एवात्र 'प्रतिष्ठा'शब्देनोक्तः। आदित्य आसञ्जनमिति। आसज्यते बध्यते शिक्यमत्रेति 'आसञ्जनम्' शिक्याधारः काष्ठविशेषः। यद्वा, आसज्यत इत्यासञ्जनम्, शिक्यस्योर्ध्वावयवः आदित्योऽत्र तत्स्थानीयः। उक्तार्थज्ञं प्रशंसति—स यो हैतदेवं वेदेति ॥ १७ ॥

प्रकारान्तरेण प्रशंसति—यद्वेवैनं शिक्येन बिभर्त्तीति। एतत् पूर्वकण्डिकावद् व्याख्येयम्। अग्नेः संवत्सररूपत्वं संवत्सरभरणात्, शिक्यस्य स्वाश्रिताधारकत्वनियमात् संवत्सरस्याग्निरूपत्वेन ऋतूनां संवत्सराधारत्वात् तेषां शिक्यत्वं युक्तम् ॥ १८ ॥

तस्याहोरात्रे एव प्रतिष्ठेति। चन्द्रमा आसञ्जनमिति। चन्द्रह्रासवृद्ध्युपध्यायतत्वात् संवत्सरस्य चन्द्रासञ्जनरूपत्वम्। संवत्सरात्मकत्वप्रयुक्तमर्थवादमाह—तस्य ह वा एष संवत्सरभृत इति। 'यः' 'एवम्' अग्नेः

(म) अथाध्यात्मम् । (मा) आत्मैवाग्निः प्राणाः शिक्यं प्राणैर्ह्ययमात्मा शक्नोति स्थातुं यच्छक्नोति तस्माच्छिक्यं प्राणैरेवैनमेतद्बिभर्त्ति षडुद्यामं भवति षड्ढि प्राणाः ॥ २० ॥

(स्तु) तस्य मन एव प्रतिष्ठा । मनसि ह्ययमात्मा प्रतिष्ठितोऽन्नमासञ्जनमन्ने ह्ययमात्मा प्राणैरासक्तः स यो हैतदेवं वेदैतेनैव रूपेणैतद्रूपं बिभर्त्ति ॥ २१ ॥

(र्यु) अथैनमुखया बिभर्त्ति । (र्त्ती) इमे वै लोका उखेमे वा एतं लोका यन्तुमर्हन्त्येभिरेतं लोकैर्देवा अबिभरुरेभिरेवैनमेतल्लोकैर्बिभर्त्ति ॥ २२ ॥

अथाध्यात्मम् । आत्मैवाग्निः, प्राणाः शिक्यम् । प्राणैर्ह्ययमात्मा शक्नोति स्थातुम् । यच्छक्नोति, तस्माच्छिक्यम् । प्राणैरेवैनमेतद्बिभर्ति । षडुद्यामं भवति । षड्ढि प्राणाः ॥ २० ॥

तस्य मन एव प्रतिष्ठा । मनसि ह्ययमात्मा प्रतिष्ठितः । अन्नमासञ्जनम् । अन्ने ह्ययमात्मा प्राणैरासक्तः । स यो हैतदेवं वेद एतेनैव-रूपेणैतद्रूपं बिभर्ति ॥ २१ ॥

अथैनमुखया बिभर्ति । इमे वै लोका उखा । इमे वा एतं लोका यन्तुमर्हन्ति । एभिरेतं लोकैर्देवा अबिभरुः । एभिरेवैनमेतल्लोकैर्बिभर्ति ॥ २२ ॥

संवत्सरात्मकत्वम्, शिक्यस्य ऋत्वात्मकतां च 'वेद' जानीयात्, 'तस्य' 'एषः' उख्योऽग्निः 'संवत्सरभृतः' संवत्सरादर्वाचीनकाले धारणेऽपि कृत्स्नं संवत्सरं भृतवान् भवति । उक्तविज्ञानप्रशंसार्थमविज्ञातुरुक्तफलाभावं दर्शयति—संवत्सरोपासितो हैवेति । संवत्सरमुपासित एव भवति, परं न तूक्तरूपेण भृतः । उक्तवक्ष्यमाणयोः साङ्कर्यपरिहाराय उक्तस्याधिदेवतपरतां व्यवस्थापयति—इत्यधिदेवतमिति ॥ १९ ॥

अथाध्यात्ममिति । प्रदर्श्यत इति शेषः । आत्मैवाग्निरिति । आत्माऽत्र देहव्यतिरिक्तो मनउपाधिकः । 'प्राणाः' शीर्षण्याः 'शिक्यम्' । ननु निरवयवमात्मानं प्रति धारकत्वेन कथं प्राणानां शिक्यत्वयोग्यतेति ? तत्राह—प्राणैर्ह्ययमात्मा शक्नोति स्थातुमिति । "प्राणाधिपः सञ्चरति स्वकर्मभिः"—(श्वेत. उप. ५।७।) इत्यादिश्रुतेः प्राणोपाधिकत्वेन देहाख्यगृहेऽवस्थानसम्भवात् । अतः शक्नोत्यनेन अवस्थातुमिति वर्णव्यापत्त्या शिक्यशब्दो निष्पन्नः । 'प्राणानां' चक्षुःश्रोत्रनासारन्ध्रवर्त्तिनां षट्सङ्ख्यायोगात् "षड्ढि प्राणाः"—इत्युक्तम् ॥ २० ॥

शिक्यस्याधस्ताद्वर्तिनमवयवं दर्शयति—तस्य मन एव प्रतिष्ठेति । एतत् समर्थयते—मनसि ह्ययमात्मा प्रतिष्ठित इति । मनसा परिच्छेद्यत्वात् मनसि प्रतिष्ठितत्वम् । शिक्यस्योपर्यवयवं दर्शयति—अन्नमासञ्जनमन्ने ह्ययमात्मा प्राणैरासक्त इति । अन्नाभावे सोपाधिकस्यात्मनो भोगाभावात् प्राणद्वारेणान्नासक्तो भवति । आत्मरूपोऽग्निर्मनस्सम्बद्धैः प्राणाख्यैरिन्द्रियैरन्नं भुञ्जानो वर्त्तत इत्यभिप्रायः । स यो हैतदिति । 'एतत्' अग्निशिक्यात्मकं वस्तु 'एवम्' उक्तप्रकारेण अग्नेरात्मत्वम् प्राणानां शिक्यत्वाद्यात्मकतां च 'वेद' सः, एतेनेत्यादि, व्याख्यातम् ॥ २१ ॥

उखयैव धारणं प्रशंसति—अथैनमुखयेति । 'एनम्' अग्निम् 'इमे लोकाः' 'यन्तुं' धारयितुम् 'अर्हन्ति ॥ २२ ॥

सा युदुखा नाम । (मै) एतद्वै देवा ऽएतेन कर्म्मणैतयाऽऽवृतेमाँल्लोका-
नुदखनन्युदुदखनंस्तस्मादुत्खोत्खा ह वै तामुखेत्याचक्षते परोऽक्षं परो-
ऽक्षकामा हि देवाः ॥ २३ ॥

(स्त) तद्वाऽउखेति द्वे ऽअक्षरे । द्विपाद्यजमानो यजमानोऽग्निर्यावानग्नि-
र्यावत्यस्य मात्रा तावतैवैनमेतद्बिभर्त्ति सो ऽएव कुम्भी सा स्थाली तत्षट्
षड्ऋतवः संवत्सरः संव्वत्सरोऽग्निर्यावानग्निर्यावत्यस्य मात्रा तावत्तद्भवति २४

(त्यु) अथैनमिण्ड्वाभ्यां परिगृह्णाति । (त्य) असौ वाऽआदित्यऽ एषो-
ऽग्निरहोरात्रेऽइण्ड्वेऽअमुं तदादित्यमहोरात्राभ्यां परिगृह्णाति तस्मादेषो-
ऽहोरात्राभ्यां परिगृहीतः ॥ २५ ॥

सा यदुखा नाम । एतद्वै देवा एतेन कर्मणैतयाऽऽवृतेमांल्लोकानुदखनन् । यदुदखनन्—तस्मा-दुत्खा । उत्खा ह वै तामुखेत्याचक्षते परोऽक्षम् । परोऽक्षकामा हि देवाः ॥ २३ ॥

तद्वाऽउखेति द्वेऽअक्षरे । द्विपाद्यजमानः । यजमानोऽग्निः । यावानग्निर्यावत्यस्य मात्रा—तावतैवै-नमेतद् बिभर्ति । सोऽएव कुम्भी, सा स्थाली । तत् षट् । षड्ऋतवः संवत्सरः । सम्वत्सरोऽग्निः । यावानग्निर्यावत्यस्य मात्रा—तावत्तद् भवति ॥ २४ ॥

अथैनमिण्ड्वाभ्यां परिगृह्णाति । असौ वाऽआदित्य एषोऽग्निः । अहोरात्रेऽइण्ड्वे । अमुं तदा-दित्यमहोरात्राभ्यां परिगृह्णाति । तस्मादेषोऽहोरात्राभ्यां परिगृहीतः ॥ २५ ॥

उखां स्वशब्दप्रवृत्तिनिमित्तप्रदर्शनद्वारा प्रशंसति—सा यदुखा नामेत्यादिना । 'सा' स्थाली 'यद्' यस्मात् उखानाम धृतवती, तदभिधीयत इति शेषः । एतद्वै देवाः उदखनन्—इति सम्बन्धः । तत्प्रकारमभि-नीय दर्शयति—एतेन कर्मणेति । 'एतेन' परिदृश्यमानप्रकारेण । तद् विशिनष्टि—एतयैवावृतेति । 'आवृत्' प्रकारविशेषः । उद्धिमत्या उखाया लोकत्रयात्मकत्वस्योक्तत्वात् (श. प. ६ का. ५ अ. २ ब्रा. ४ क.) उखोत्खननमेव लोकत्रयोत्खननमित्यर्थः । खननमत्र निर्माणमभिप्रेतम् । उत्खन्यमानत्वात् 'उखा' । स्पष्टमन्यत् ॥ २३ ॥

भरणीयामुखां तद्गताक्षरसंख्यया प्रशंसति—तद्वा उखेति द्वे अक्षरे इत्यादिना । यजमानस्य चीयमानाग्न्या-त्मना संस्कर्त्तव्यत्वात् 'यजमानोऽग्निः' इत्युच्यते । यावानग्निरिति । द्वित्वपरिमाणवान् । 'अस्य' यज-मानाभिन्नस्याग्नेः 'यावती मात्रा' अवयवः पादगतसंख्यया, 'तावता' कृत्स्नेनापि 'एनम्' 'एतेन' प्रकारेण 'बिभर्त्ति' धृतवान् भवति यजमानः । एवमन्यत्रापि यावानग्निरित्येतद् व्याख्येयम् ॥

पर्यायान्तरं समुच्चित्य तद्गतसंख्याद्वारेणोखाभरणं स्तौति—सो एव कुम्भी सा स्थाली तत् षडित्या-दिना । 'सो एवं' उखा, सैव, 'उ' शब्दोऽनर्थकः । 'कुम्भी' कुम्भीत्यपि व्यवह्रियते, 'सा' एव 'स्थाली' अत्र 'तत्' सर्वाणि मिलित्वा 'षट्' गतमन्यत् ॥ २४ ॥

उख्याग्नेरिण्ड्वाभ्यां परिग्रहं प्रशंसति—अथैनमिण्ड्वाभ्यामिति (का. श्रौ. सू. १६।१४८), 'इण्ड्वे'

(तो) युद्वेवैनमिण्ड्वाभ्यां परिगृह्णाति । (त्य) असौ वा ऽआदित्युऽ एषो-ऽग्निरिमा ऽउ लोकाविण्ड्वे ऽअमुं तुदादित्युमाभ्यां लोकाभ्यां परिगृह्णाति तस्मादेषुऽ आभ्यां लोकाभ्यां परिगृहीतः परिमण्डले भवतः परिमण्डलौ हीमौ लोकौ मौञ्जे त्रिवृती तस्योक्तो बन्धुर्मृदा दिग्धे तस्योऽएवोक्तोऽथो-ऽअनतिदाहाय ॥ २६ ॥

(या) अथातः सम्पदेव । (वा) आसन्दी चोखा च शिक्यञ्च रुक्मपा-शश्चाग्निश्च रुक्मश्च तत्षट् षड्ऋतवः संवत्सरः संवत्सरोऽग्निर्यावानग्निर्या-वत्यस्य मात्रा तावत्तद्भवतीण्ड्वे तदष्टावष्टाक्षरा गायत्री गायत्रोऽग्निर्यावान-ग्निर्यावत्यस्य मात्रा तावत्तद्भवति ॥ २७ ॥

यद्वेवैनमिण्ड्वाभ्यां परिगृह्णाति । असौ वाऽआदित्य एषोऽग्निः । इमाऽउ लोकाविण्ड्वे । अमुं तदादित्यमाभ्यां लोकाभ्यां परिगृह्णाति । तस्मादेष आभ्यां लोकाभ्यां परिगृहीतः । परिमण्डले भवतः । परिमण्डलौ हीमौ लोकौ । मौञ्जे त्रिवृती । तस्योक्तो बन्धुः । मृदा दिग्धे । तस्यो-ऽएवोक्तः । अथोऽअनतिदाहाय ॥ २६ ॥

अथातः सम्पदेव । आसन्दी च, उखा च, शिक्यञ्च, रुक्मपाशश्च, अग्निश्च, रुक्मश्च—तत् षट् । षड्ऋतवः संवत्सरः । संवत्सरोऽग्निः । यावानग्निर्यावत्यस्य मात्रा—तावत्तद्भवति । इण्ड्वे, तदष्टौ । अष्टाक्षरा गायत्री । गायत्रोऽग्निः । यावानग्निर्यावत्यस्य मात्रा—तावत्तद्भवति ॥ २७ ॥

इति तत्तोखाधारणसाधनभूतौ परिमण्डलौ पदार्थविशेषौ; ताभ्याम् ‘एनम्’ उखाग्निं परिगृह्णाति । एकस्यैव तेजसः क्षित्यादिष्वग्न्याद्यात्मनाऽवस्थानात् “त्रेधाऽऽत्मानं व्यकुरुत”—इत्यादिश्रुतेः (श. प. १०।६।५।३) । एषोऽग्निरेव असौ आदित्यः । परिभ्रमतः आदित्यस्य पुरस्तात् पश्चाच्चावस्थिते ‘अहोरात्रे’ एव इण्ड्वस्थानीये, अत इण्ड्वाभ्यामग्निपरिग्रहेणैव अहोरात्राभ्याम् अमुम् आदित्यं परिगृहीतवान् भवति । उक्तमर्थं लोकप्रसिद्ध्या द्रढयति—**तस्मादेष** इति ॥ २९ ॥

इत्थमिण्ड्वे अहोरात्रात्मना प्रशस्य द्युपृथिव्याख्यलोकद्वयात्मनाऽपि प्रशंसति—**यद्वेवैनमिति** । तयोर्वर्तुलत्वं प्रशंसति—**परिमण्डले भवतः परिमण्डलौ हीमौ लोकाविति** । इण्ड्वयोर्मुञ्जविधृतित्वं त्रिवृत्त्वं च विधाय तदर्थवादमुक्तमतिदिशति—**मौञ्जे त्रिवृती तस्योक्तो बन्धुरिति** । “त्रिवृदग्निः” इत्यादिनेत्यर्थः (श. प. ६।३।१।२७ कं.) । तयोर्बहिर्दाहपरिहाराय मृद्दिग्धत्वं विधाय तद्वाक्यशेषमप्यतिदिशति—**मृदा दिग्धे तस्यो एवोक्त** इति (श. प. ६ । ७ । १ । १९) । अत्र सूत्रम्—“इण्ड्वशिक्यासन्दीषु मुञ्जरज्जवस्त्रिवृतो मृद्दिग्धाः, परिमण्डलाभ्यामिण्ड्वाभ्यामुखां परिगृह्णाति” (का. श्रौ. सू. १६।१४७।१४८) इति ॥ २६ ॥

धर्त्तव्यस्याग्नेर्यावन्तः साधनपदार्थाः प्रागुक्ताः, तेषां या सङ्ख्याऽस्ति, तां सङ्ख्यां प्रशंसति—**अथातः सम्पदेवासन्दी चोखा चेत्यादिना** । इतः ‘परं सम्पत्’ सम्पत्तिरेवोच्यते, न तु नूतनः कश्चित् पदार्थोऽभिधीयत

(त्यु) अुथ सर्व्वसम्पुत् । (च्चं) चत्वारः पुादाश्चत्वार्य्यनूच्यानि शिक्यं च रुक्मपाशश्च युदु किञ्च रज्जव्युँ शिक्युं तदनूखाऽग्नी रुक्मस्त- त्त्रयोदश त्त्रयोदश मुासाः संवत्सुरः संवत्सुरोऽग्निर्य्युावानग्निर्य्युावत्यस्य मुात्रा तुावत्तुद्भवति ॥ २८ ॥

इति पञ्चमप्रपाठके प्रथमं ब्राह्मणम् ॥ ६।५।१ ॥ (७–१)

तं तिष्ठन्प्रतिमुञ्चते । (तेऽसौ) असौ वुा आदित्य ऽएषु रुक्मस्तिु- ष्ठतीव वुा ऽअसावादित्योऽथो तिष्ठन्वै व्वीर्य्यवत्तरऽउुदङ्प्राङ्तिष्ठंस्तु- स्योक्तो बुन्धुः ॥ १ ॥

अथ सर्वसम्पत् । चत्वारः पादाः, चत्वार्यनूच्यानि, शिक्यं च, रुक्मपाशश्च, यदु किञ्च- रज्जव्यं–शिक्यम् । तदनूखाऽग्नी रुक्मः । तत् त्रयोदश । त्रयोदश मासाः संवत्सरः । सम्वत्सरो- ऽग्निः, यावानग्निर्यावत्यस्य मात्रा; तावत्तद् भवति ॥ २८ ॥

तं तिष्ठन् प्रतिमुञ्चते । असौ वाऽआदित्य एष रुक्मः । तिष्ठतीव वाऽअसावादित्यः । अथो तिष्ठन्वै वीर्यवत्तरः । उदङ् प्राङ् तिष्ठन् । तस्योक्तो बन्धुः ॥ १ ॥

इत्यर्थः । शिक्यादयः षट्, ऋतवोऽपि षट्, तदात्मकः संवत्सरोऽग्निः, ' अतः ' उक्तार्थसम्पादनेनैक एवाग्निः संवत्सरसम्मितो भवतीति 'सम्पत्' । उक्तपदार्थसङ्ख्यया इण्ड्वसङ्ख्यामपि समुच्चित्य सम्पत्त्यन्तरं दर्शयति–इण्ड्वे मदष्टाविति । अग्नेर्गायत्र्याश्च प्रजापतिमुखात् सहोत्पन्नत्वो गाधिनैकत्वम् (तै. सं. ७।१।१।४) ॥ २७ ॥

इत्थं प्रधानपदार्थगतसंख्यासम्पत्तिमुक्त्वाऽथ सर्वविषयां सम्पदं दर्शयति–अथ सर्वसम्पदिति । उच्यत इति शेषः । ' चत्वारः पादाः ' आसन्द्यां सन्ति, तस्याश्चतुर्दिक्ष्ववस्थितानि ' चत्वारि अनूच्यानि ', तन्मि- लित्वाऽष्टौ । शिक्यं रुक्मपाशो द्वौ । ननु शिक्यावयवा बहवः सन्ति, कथं न गण्यन्त इत्यत आह–यदु किञ्च रज्जव्यं शिक्यमिति । ' तदनु ' शिक्यमनु ' उखा ' भवति, सैका अग्निरुक्माभ्यां सह ' त्रयोदश ' । त्रयोदश मासाः संवत्सर इत्यादि, स्पष्टम् ॥ २८ ॥

इति श्रीसायणाचार्यविरचिते माधवीये वेदार्थप्रकाशे माध्यन्दिनीयशतपथब्राह्मणभाष्ये षष्ठकाण्डे सप्तमेऽध्याये प्रथमं ब्राह्मणम् ॥ (६–७–१) ॥

अथ यदुक्तं सूत्रकृता–" तिष्ठन्नुदङ्प्राङ्रुक्मप्रतिमोचनविष्णुक्रमवात्सप्रेषु च "–(का. श्रौ. सू. १६ । १३१।१३२) इति । तदिदं विधाय प्रशंसति–तं तिष्ठन् प्रतिमुञ्चतेऽसौ वा आदित्य एष रुक्म इति । रुक्मस्यादित्यत्वं रुक्मस्य सत्यत्वमभिधाय " तद् यत् तत् सत्यमसौ स आदित्यः " (श. प. ६।७।१।१) इत्यादिनोक्तम् । उपर्युपर्यारोहणात् आदित्यः तिष्ठतीव वर्त्तते । उदङ् प्राङ् तिष्ठन् तस्योक्तो बन्धुरिति । " एषा ह्येभयेषां देवमनुष्याणां दिक् "–इत्यादिनेत्यर्थः (श. प. ब्रा. ६ । ४ । २ । ३) ॥ १ ॥

(ई) दृशानो रुक्मऽउर्व्या व्यद्यौदिति। दृश्यमानो ह्येष रुक्मऽउर्व्या विद्योतते दुर्मर्षमायुः श्रिये रुचानऽइति दुर्मरं वाऽएतस्यायुः श्रियो ऽएष रोचतेऽग्निरमृतोऽअभवद्वयोभिरिति सर्वैर्वाऽएष वयोभिरमृतोऽभवद्यदेनं द्यौरजनयदिति द्यौर्वाऽएतमजनयत्सुरेताऽइति सुरेता ह्येषा यस्याऽएष रेतः ॥ २ ॥

(तोऽथै) अथैनमिण्ड्वाभ्यां परिगृह्णाति। नक्तोषासा समनसा विरूपेऽइत्यहोरात्रे वै नक्तोषासा समनसा विरूपे धापयेते शिशुमेकꣳ समीचीऽइति यद्वै किञ्चाहोरात्रयोस्तेनैतमेव समीची धापयेते द्यावाक्षामा रुक्मोऽअन्तर्विभातीति हरन्नेतद्यजुर्जपतीमे वै द्यावापृथिवी द्यावाक्षामा

"दृशानो रुक्म उर्व्या व्यद्यौद्"–इति। दृश्यमानो ह्येष रुक्म उर्व्या विद्योतते। "दुर्मर्षमायुः श्रिये रुचानः"–इति। दुर्मरं वाऽएतस्यायुः। श्रियोऽएष रोचते। "अग्निरमृतोऽअभवद्वयोभिः"–इति। सर्वैर्वाऽएष वयोभिरमृतोऽभवद्। "यदेनं द्यौरजनयद्"–इति। द्यौर्वाऽएतमजनयत्। "सुरेताः"–(वा.सं. १२।१) इति। सुरेता ह्येषा–यस्या एष रेतः ॥ २ ॥

अथैनमिण्ड्वाभ्यां परिगृह्णाति। "नक्तोषासा समनसा विरूपे"–इति। अहोरात्रे वै नक्तोषासा समनसा विरूपे। "धापयेते शिशुमेकं समीची"–इति। यद्वै किञ्चाहोरात्रयोः–

तत्र मन्त्रं विधाय व्याचष्टे–दृशानो रुक्म उर्व्या व्यद्यौदिति दृश्यमानो ह्येष रुक्म इत्यादिना। आदित्यात्मकः 'एष रुक्मो' 'दृशानः' दृश्यमानः 'उर्व्या' महद्दीप्त्या 'व्यद्यौत्' विद्योतते। यस्य रुक्मस्य 'आयुः' जीवनोपलक्षितः कालः 'दुर्मर्षम्' दुर्मरम्, अविनाश्यमित्यर्थः। यः 'श्रिये' जगतः श्रीनिमित्तं 'रुचानः' रोचमानः भवति। आदित्ये रोचमाने सति जगत् शोभते इति प्रसिद्धम्। किञ्च 'अग्निः' 'वयोभिः' अन्नैः सर्वैः अपि 'अमृतः' अमरणधर्मा 'अभवत्'। 'यद्' यस्माद् 'द्यौः' 'एनम्' अग्निम् 'अजनयत्' उदपादयत्। कीदृशी द्यौः? 'सुरेताः' शोभनाग्न्याख्यरेतोयुक्ता। प्रथमपादब्राह्मणं स्पष्टम्। दुर्मर्षमित्येतद् व्याचष्टे–दुर्मरमिति। वयोभिरिति बहुवचनं सार्थकमित्याह–सर्वैर्वा एष वयोभिरमृतोऽभवदिति। अग्नेः सर्वभक्षत्वात् सर्वमप्यस्यान्नम्। अस्य दिवः सकाशात् उत्पत्तिः प्रसिद्धेति दर्शयति–द्यौर्वा एतमजनयदिति। 'सुरेताः'–इति द्युविशेषणम्। कथं तस्य तथात्वमिति, तत्राह–सुरेता ह्येषा यस्या एष रेत इति ॥ २ ॥

अस्याग्नेरिण्ड्वाभ्यां परिग्रहणं विधत्ते–अथैनमिण्ड्वाभ्यां परिगृह्णाति नक्तोषासा समनसा विरूपे इति। अहोरात्रे वै नक्तोषासेति। कृत्स्नाया ऋचोऽयमर्थः–'नक्तोषासा' उषःशब्देन कृत्स्नमहर्विवक्ष्यते, रात्र्यहनी। 'समनसा' समानमनसौ, 'विरूपे' विविधरूपे, शुक्लकृष्णभेदेन वैविध्यम्, 'समीची' सम्य-

१–परिमंडलाभ्यामिण्ड्वाभ्यामुखां परिगृह्णाति नक्तोषासेति। का. श्रौ. सू.। १६।१४८।

तेऽएष युन्नन्तरा विुभाति तुस्मादेतद्धरन्युजुर्ज्जपति देुवाऽअग्निं धारयन्द्र-विणोदाऽइति परिगृह्य निुदधाति प्राणा वै देुवा द्रविणोदास्तुऽएतमुग्र-ऽएवुमधारयंस्तैरेवैनमेतुद्धारयति ॥ ३ ॥

(त्यु) अुथ शिक्यपाशं प्रुतिमुञ्चते । विुश्वा रूपाणि प्रतिमुञ्चते कवि-रित्यसौ वुाऽआदित्युः कविर्विुश्वा रूपा शिक्यं प्रासावीद्भद्रं द्विपदे चुतु-ष्पद ऽइत्युद्यन्वुाऽएषु द्विपदे च चुतुष्पदे च भद्रं प्रसौति वि नाकमख्य-

---

तेनैतमेव समीची धापयेते । " द्यावाक्षामा रुक्मोऽअन्तर्विभाति "–इति हरन्नेतद्यजु-र्जपति । इमे वै द्यावापृथिवी द्यावाक्षामा । तेऽएष यन्नन्तरा विभाति । तस्मादेतद्धरन् यजुर्जपति । " देवा अग्निं धारयन् द्रविणोदाः "–(वा. सं. १२ । २) इति परिगृह्य निदधाति । प्राणा वै देवा द्रविणोदाः । तऽएतमग्रऽएवमधारयन् । तैरेवैनमेतद्धारयति ॥ ३ ॥

अथ शिक्यपाशं प्रतिमुञ्चते । " विश्वा रूपाणि प्रतिमुञ्चते कविः "–इति । असौ वा-ऽआदित्यः कविः । विश्वा रूपा शिक्यम् । "प्रासावीद्भद्रं द्विपदे चतुष्पदे"–इति । उद्यन्वाऽएष

गच्छने, यथा लोके ' एकं शिशुं धापयेते ' हिताचरणेनानुगच्छतः, एवमेकमग्न्याख्यं शिशुं धापयेते, स्वाव-स्थितैः प्राणिभिः अग्निहोत्रादिकर्मद्वारेणानुगतं शिशुमग्निं परिगृह्णामीति शेषः । किञ्च यौ ' द्यावाक्षामा ' द्यावापृथिव्यौ ' अन्तः ' तयोर्मध्ये ' रुक्मः ' रोचमानः अग्निः ' विभाति ' दीप्यते, तमाहरामीति शेषः । यम् ' अग्निं ' ' द्रविणोदाः ' धनस्य दातारो देवाः ' धारयन् ' अधारयन् । तं धारयामीति शेषः ॥ अत्र प्रथम-भागेनाहोरात्रौ विवक्षिताविति दर्शयति–अहोरात्रे वै नक्तोषासेति । द्वितीयभागेनाहोरात्रकर्तृकं धापनं स्वनिष्ठकृत्स्नप्राणिद्वारेति दर्शयति–यद्वै किञ्चाहोरात्रयोस्तेनैतमेव समीची धापयेते इति । स्पष्टमेतत् । तृतीयभागस्य विनियोगमाह–द्यावाक्षामा रुक्मो अन्तर्विभातीति । एनं मन्त्रं व्याचष्टे–इमे वै द्यावा-पृथिवी इति । " क्षामा–इति पृथिवीनाम " । ' अन्तरा '–शब्दप्रयोगात् ' ते '–इति द्वितीया (पा. सू. २ । ३ । ४) । ' तस्मात् ' उक्तविनियोगानुकूलार्थत्वात् तद्यजुर्हरणकाले जपेत् । ऋचश्चतुर्थांशस्य विनियोगं दर्शयति–देवा अग्निं धारयन् द्रविणोदा इति परिगृह्य दधातीति । आहवनीयस्य पुरस्तात् शिक्यवत्यामासन्द्यां स्थापयेत् । ' द्रविणोदाः ' द्रविणोदगुणविशेषिता देवा अत्र ' प्राणाः ' विवक्षिताः । ' ते ' ' एतम् ' अग्निम् ' अग्रे ' ' एवम् ' ' अधारयन् ' । एतन्मन्त्रेण धृते सति ' तैरेव ' ' एनम् ' अग्निम् ' धारयति ' यजमानः ॥ ३ ॥

यदुक्तं सूत्रे " शिक्यपाशं प्रतिमुञ्चते षड्दामं विश्वा रूपाणीति " (का. श्रौ. सू. १३।१५१) तदेतद् दर्शयति–अथ शिक्यपाशमिति । तत्र विश्वा रूपाणीति मन्त्रः । तस्यायमर्थः–' कविः ' क्रान्तप्रज्ञः,

---

१–हरति द्यावाक्षामेति । का० श्रौ० सू० १६ । १४९ । २–आहवनीयस्य पुरस्तादुद्गात्राऽऽसंदीवदासंद्यां चतुरस्राग्र्याः शिक्यवत्यां निदधाति देवा अग्निमिति । का० श्रौ० सू० १६ । १५० ।

त्सविता व्वुरेण्यऽ इति स्वर्गो वै लोको नाकस्तमेषऽ उद्यन्नेवानुविपश्यत्यनु प्रयाणमुषसो व्विराजतीत्युषा वाऽअग्ग्रे व्युच्छति तस्याऽएषु व्युष्टिं व्विराजन्ननूदेति ॥ ४ ॥

(त्यु) अथैनमतो व्विकृत्या व्विकरोति ! (ती) इदमेवैतद्रेतः सिक्तं व्विकरोति तस्माद्योनौ रेतः सिक्तं व्विक्रियते ॥ ५ ॥

सुपर्णोऽसि गरुत्मानिति । व्वीर्यं वै सुपर्णो गरुत्मान्वीर्यमेवैनमेतदभिसंस्करोति त्रिव्वृत्ते शिरऽइति त्रिव्वृतमस्य स्तोमꣳ शिरः करोति गायत्रं

द्विपदे चतुष्पदे च भद्रं प्रसौति । " वि नाकमख्यत् सविता वरेण्यः "–इति । स्वर्गो वै लोको नाकः । तमेष उद्यन्नेवानुविपश्यति । "अनु प्रयाणमुषसो विराजति"–(वा. सं. १२ । ३) इति । उषा वा अग्रे व्युच्छति । तस्या एष व्युष्टिं विराजन्ननूदेति ॥ ४ ॥

अथैनमतो विकृत्या विकरोति । इदमेवैतद्रेतः सिक्तं विकरोति । तस्माद्योनौ रेतः सिक्तं विक्रियते ॥ ५ ॥

" सुपर्णोऽसि गरुत्मान् "–इति । वीर्यं वै सुपर्णो गरुत्मान् वीर्यमेवैनमेतदभिसंस्करोति । " त्रिवृत्ते शिरः "–इति । त्रिवृतमस्य स्तोमं शिरः करोति । " गायत्रं चक्षुः "–

उख्याग्निः ' विश्वा ' विश्वानि रूपाणि प्रतिमुञ्चते । शिक्याख्यस्य रूपस्य बहुदामोपेतत्वाद् बहुवचनम् । स च ' द्विपदे ' मनुष्यादिकाय, ' चतुष्पदे ' गवादिकाय च ' भद्रं ' कल्याणं ' प्रासावीत् ' प्रायच्छत्, 'सविता' सर्वस्य प्रेरयिता 'वरेण्यः' सर्वैर्वरणीयः, सः ' नाकं ' नास्मिन् अकं दुःखमस्तीति नाकं स्वर्गम् ' व्यख्यत् ' प्रकाशयति, अन्तरिक्षे धृतत्वात् । तादृशोऽग्निः 'उषसः' 'प्रयाणम्' 'अनु विराजति' प्रत्यहं दीप्यत इत्यर्थः ॥

अयमर्थो ब्राह्मणेन अग्नेः सवितुश्च अभेदं विवक्षित्वा स्पष्टं व्याख्यातः–असौ वा आदित्यः कविर्विश्वा रूपेति । ऊर्ध्वाधोदिग्भिरुपेताश्चतस्रो दिशः ' शिक्यम् ' इत्यभिप्रायः । कृत्स्नस्य प्राणिनो भद्रप्रसवः उषोदयेन भवतीति प्रसिद्धमिति दर्शयति–उषा वा अग्रे व्युच्छति, तस्या एष व्युष्टिं विराजन्ननूदेतीति । ' विराजन्नेष व्युष्टिमनूदेति ' इति सम्बन्धः ॥ ४ ॥

अथैनमतो विकृत्या विकरोतीति । " सुपर्णोऽसीत्ययं " मन्त्रो विकृतिरुच्यते, अग्नेः पक्षपुच्छादिमत्सुपर्णरूपेण तत्र विकारप्रतिपादनात् । ' एनम् ' अग्निम् ' अतः ' अस्मात् पूर्वावस्थितात् सन्निवेशात् । विकारप्रतिपादकमन्त्रेणाभिमन्त्रणमेवात्र विकरणम् । तेनेदमेवोखायां सिक्तमग्न्याख्यं रेतो विकारयुक्तं कृतवान् भवति । उक्तमर्थमिदानीन्तनरेतोविकारप्रसिद्ध्या द्रढयति–तस्माद् योनाविति ॥ ५ ॥

विकारमन्त्रमुक्त्वा विभज्य व्याचष्टे–सुपर्णोऽसि गरुत्मानिति वीर्यं वै सुपर्णो गरुत्मानित्यादिना । मन्त्रस्यायमर्थः–हे अग्ने ! त्वं गरुत्मान् प्रबलपक्षोपेतः सुपर्णाख्यः पक्षी असि । यज्ञ एव पक्ष्यात्मनोच्यते ।

१–सशिक्यं प्रांच प्रगृह्णाति सुपर्णोऽसीति पिण्डवत् । का. श्रौ. सू. । १६ । १५२ ।

चक्षुरिति गायत्रं चक्षुः करोति बृहद्रथन्तरे पक्षाविति बृहद्रथन्तरे पक्षौ करोति स्तोम ऽआत्मेति स्तोममात्मानं करोति पञ्चविᳪंशं छन्दाᳪंस्यङ्गानीति च्छन्दाᳪंसि वाऽएतस्याङ्गानि यजूᳪंषि नामेति यदेनमग्निरित्याचक्षते तदस्य यजूᳪंषि नाम साम ते तनूर्वामदेव्यमित्यात्मा वै तनूरात्मा ते तनूर्वामदेव्यमित्येतद्यज्ञायज्ञियं पुच्छमिति यज्ञायज्ञियं पुच्छं करोति धिष्ण्याः शफा ऽइति धिष्ण्यैर्वाऽएषोऽस्मिँल्लोके प्रतिष्ठितः सुपर्णोऽसि गरुत्मान्दिवं गच्छ स्वः पतेति तदेनᳪं सुपर्णं गरुत्मन्तं कृत्वाऽऽह देवान्गच्छ स्वर्गं लोकं पतेति ॥ ६ ॥

इति । गायत्रं चक्षुः करोति । " बृहद्रथन्तरे पक्षौ "–इति । बृहद्रथन्तरे पक्षौ करोति । ' स्तोम आत्मा "–इति । स्तोममात्मानं करोति पञ्चविंशम् । " छन्दांस्यङ्गानि "–इति । छन्दांसि वाऽएतस्याङ्गानि । " यजूंषि नाम "–इति । यदेनमग्निरित्याचक्षते तदस्य यजूंषि नाम । " साम ते तनूर्वामदेव्यम् "–इति । आत्मा वै तनूः । आत्मा ते तनूर्वामदेव्यमित्येतत् । " यज्ञायज्ञियं पुच्छम् "–इति । यज्ञायज्ञियं पुच्छं करोति । " धिष्ण्याः शफाः "–इति । धिष्ण्यैर्वाऽएषोऽस्मिंल्लोके प्रतिष्ठितः । " सुपर्णोऽसि गरुत्मान् दिवं गच्छ स्वः पत "–(वा. सं. १२ । ४) इति । तदेनं सुपर्णं गरुत्मन्तं कृत्वाऽऽह–देवान् गच्छ, स्वर्गं लोकं पतेति ॥ ६ ॥

तथाभूतस्य ' ते ' ' त्रिवृत् ' स्तोमः ' शिरः ' मस्तकम्; आदौ स्तूयमानत्वेन मुख्यत्वात् । गायत्र्या शंसितं ' ते ' ' चक्षुः ' । ' बृहद्रथन्तरे ' बृहद्रथन्तराख्ये (सा. छ. ३ । १ । ९ । १ ऋ. आ. २ १ । २१ सा. र.) सामनी ' ते ' ' पक्षौ ' सकलयागनिर्वाहकत्वात् तयोः । महाव्रतस्तोत्रवदस्यापि पञ्चविंशः ' स्तोमः ' (तै. ब्रा. १ । ३ । ६ सा. भा.) ' आत्मा ' । ' छन्दांसि ' गायत्र्यादीनि ' ते ' ' अङ्गानि ' । ' यजूंषि ' शुक्लकृष्णाख्यानि, प्रश्लिष्टवाक्यानि, तत्रत्यः अग्निशब्दः ' ते ' ' नाम ' आख्या । ' वामदेव्यम् ' " कया नश्चित्र आ भुवत् " इत्यस्यामुत्पन्नं ' साम ' (सा. छ. २ । २ । ३ । ९ ऋ. सं. ९ । १ । २९ । साम. वा. सं. २७ । ३९–४१) ' तनूः ' शरीरम् । ' यज्ञायज्ञियम् ' " यज्ञायज्ञा वो अग्नये "–इत्यस्यामुत्पन्नं ' साम ' (सा. छ. १ । १ । ४ । १ । ऋ. गे. १ । २ । २९ साम. वा. सं. २७ । ४२–४४) ' ते ' ' पुच्छम् ' अन्त्यत्वसाम्यात् । ' धिष्ण्याः ' तत्तदायतनस्था अग्नयः ' शफाः ' प्रतिष्ठासाधनावयवाः । एवंविधः सुपर्णः सुपतनः गरुत्मान् असि । अतस्त्वं ' दिवं गच्छ ' द्युलोकं गच्छ । तदेव विशिनष्टि–' स्वः पत ' इति ॥

सुपर्णोऽसीति मन्त्रभागपाठस्य प्रयोजनमाह–वीर्यमेवैनमिति । सुपर्णात्मना भावनया तस्य वीर्यमेवाभिसंस्कृतवान् भवति । त्रिवृदादयः शब्दा मन्त्रव्याख्यानावसरे एव व्याख्याताः । सुगममन्यत् ॥

यजुषां कथमग्नेर्नामधेयत्वमित्याशङ्क्य तद् व्याचष्टे–यजूंषि नामेति । यदेनमग्निरित्याचक्षत इति । यः सर्वैरुच्यमानोऽग्निरिति शब्दोऽस्ति, तस्यापि यजुरन्तःपातित्वाद् यजुष्ट्वम् । ' तत् ' तत एव ।

तं वा ऽएतम् । (मु) अुत्र पक्षपुच्छुवन्तं व्विकुरोति याहग्वै य्योनौ रेतो व्विक्रियुते ताहुग्जायते तद्युदेतमुत्र पक्षपुच्छुवन्तं व्विकरोति तुस्मा-देषोऽमुत्र पक्षपुच्छुवाञ्जायते ॥ ७ ॥

तर्ठ० हैके । (क८) एतुया व्विकृत्याऽभिमुन्त्र्यान्यां चितिं चिन्वन्ति द्रोणचितं वा रथचक्रचितं वा कङ्कचितं वा प्रउगचितं वोभयुतःप्रुउगं वा समुह्यपुरीषं वा न तुथा कुर्याद्युथा पक्षपुच्छुवन्तं गुर्भं परिवृश्चेत्ताहक्त-त्तुस्मादेनर्ठ० सुपर्णचितमेवु चिनुयात् ॥ ८ ॥

तं वाऽएतमत्र पक्षपुच्छवन्तं विकरोति । याहग् वै योनौ रेतो विक्रियते–ताहग् जायते । तद् यदेतमत्र पक्षपुच्छवन्तं विकरोति–तस्मादेषोऽमुत्र पक्षपुच्छवान् जायते ॥ ७ ॥

तं हैके एतया विकृत्याऽभिमन्त्र्यान्यां चितिं चिन्वन्ति–द्रोणचितं वा, रथचक्रचितं वा, कङ्कचितं वा, प्रउगचितं वा, उभयतःप्रउगं वा, समुह्यपुरीषं वा । न तथा कुर्यात् । यथा पक्षपुच्छवन्तं गर्भं परिवृश्चेत्–ताहक्तत् । तस्मादेनं सुपर्णचितमेव चिनुयात् ॥ ८ ॥

नाम्न एकस्यापि बहुषु प्रदेशेषु आम्नानाद् यजूंषीति बहुवचनम् । दिवमित्यनेन तत्रस्था देवा विवक्षिता इति व्याचष्टे–देवान् गच्छेति । यद् एनं सुपर्णं गरुत्मन्तं कृत्वा आहेति मन्त्रशेषः । किमाह ? देवान् गच्छेत्या-द्यर्थमाहेति । अथवा मन्त्रोच्चारयिता सुपर्णोऽसीत्यादिना 'एनम्' अग्निं 'सुपर्णं गरुत्मन्तं कृत्वा' 'आह' ब्रूते । किमिति ? 'देवान् गच्छ' इति ॥ ६ ॥

उक्तं विकारं पक्षपुच्छाद्यात्मकं भाविनोऽग्निजननस्य उपयोगितया प्रशंसितुमनुवदति–तं वा एतमिति । वक्ष्यमाणोपयोगिनं लोकन्यायं दर्शयति–याहग् वै योनाविति । याहग्विधं सिच्यते, ताहग् जायते इति लोक-मर्यादा । 'यद्' यस्मात् 'पक्षपुच्छवन्तं' विकरोति 'अत्र' उत्तापारणरागये । 'तस्मात्' 'एषः' अग्निः 'अमुत्र' आहवनीयदेशे चयनानन्तरं ताहगेव 'जायते' चयनेन सुपर्णाकार एव जायत इत्यर्थः । अनेनाभि-मन्त्रणचयनयोर्वैसादृश्याभाव उक्तः ॥ ७ ॥

प्रसङ्गात् केषाञ्चित् पक्षमुदाहृत्य निराचष्टे–तं हैक एतया विकृत्याऽभिमन्त्र्यान्यां चितिमित्यादिना । 'एतया' सुपर्णोऽसीत्याद्युक्तरूपया । 'अन्याम्' इत्यस्य विवरणम्–"द्रोणचितम्" इत्यादिकम् । द्रोणादयो-ऽग्नेरेवाकाराः । समुह्यपुरीषं वेति । प्रतिदिशं पुरीषमाहृत्याहृत्य, तेनैव चयनं 'समुह्यपुरीषाख्या' चितिः । इतराः स्पष्टाः । निषेधोपयोगसिद्धये निषेध्यस्य प्रतिकूलतामाह–यथा पक्षपुच्छवन्तं गर्भं परिवृश्चेत्, ताहक् तदिति । स्वपक्षमुपसंहरति–तस्मादेनं सुपर्णचितमेवेति ॥ ८ ॥

१–एतया व्विकृत्याऽभिमन्त्र्यैकेऽन्यचितिं चिन्वंति द्रोणचिद्रथचक्रचित्कंकचित्प्रउगचिदुभयतःप्रउगः समुह्यपुरीष्य इति । का. श्रौ. सू. । १६ । १५४ ।

(ज्र) तुमेतुया व्विकृत्या । (त्ये) इत ऽऊर्ध्वं प्राञ्चं प्रगृह्णात्यसौ वाऽआदित्युऽ एषोऽग्निरमुं तुदादित्युमित ऽऊर्ध्वं प्राञ्चं दधाति तुस्मादसावादित्युऽ इतुऽ ऊर्ध्वः प्राङ् धीयते परोबाहु प्रगृह्णाति परोबाहु ह्येषुऽ इतोऽथैनमुपावहरति तुमुपावहृत्योपरिनाभि धारयति तुस्योक्तो बुन्धुः ॥ ९ ॥

(रु) अथ व्विष्णुक्रमान्क्रमते । (तऽ) एतद्वै देवा व्विष्णुर्भूत्वेमाँल्लोकानक्रमन्त यद्विष्णुर्भूत्वाऽक्रमन्त तुस्माद्विष्णुक्रमास्तुथैवैतद्युजमानो व्विष्णुर्भूत्वेमाँल्लोकान्क्रमते ॥ १० ॥

तमेतया विकृत्या, इत ऊर्ध्वं प्राञ्चं प्रगृह्णाति । असौ वाऽआदित्य एषोऽग्निः । अमुं तदादित्यमित ऊर्ध्वं प्राञ्चं दधाति । तस्मादसावादित्य इत ऊर्ध्वः प्राङ् धीयते । परोबाहु प्रगृह्णाति । परोबाहु ह्येष इतः । अथैनमुपावहरति । तमुपावहृत्योपरिनाभि धारयति । तस्योक्तो बन्धुः ॥ ९ ॥

अथ विष्णुक्रमान् क्रमते । एतद्वै देवा विष्णुर्भूत्वेमाँल्लोकानक्रमन्त । यद्विष्णुर्भूत्वाऽक्रमन्त–तस्माद् विष्णुक्रमाः । तथैवैतद्यजमानो विष्णुर्भूत्वेमांल्लोकान् क्रमते ॥ १० ॥

यदुक्तं सूत्रकृता–"सशिक्यं प्राञ्चं प्रगृह्णाति सुपर्णोऽसीति पिण्डवद् धारणं चेति "–(का. श्रौ. सू. १६ । १९२ । १९३) इति । च-शब्दोऽववारणमिति पिण्डवदेव; उखार्थं मृत्पिण्डधारणं यद्वत्, तद्वदित्यर्थः । तदिदं विधत्ते–तमेतया विकृत्येत ऊर्ध्वं प्राञ्चं प्रगृह्णातीति । 'इतः' अस्मात् धृतप्रदेशात् 'प्राञ्चं' प्राङ्मुखं सूर्यस्याग्नेश्च यथा मध्ये व्यवधानं न भवति, तथेत्यर्थः । एतत् प्रशंसति–असौ वा आदित्य एषोऽग्निरिति । अग्नेरादित्यात्मकत्वं प्रागुक्तम् । आदित्यस्य प्रागूर्ध्वगतिप्रसिद्ध्या उक्तार्थमुपोद्बलयति–तस्मादसावादित्य इति । प्रग्रहणे प्रकारविशेषमाह–परोबाहु प्रगृह्णातीति । बाह्वोः 'परः' ऊर्ध्ववर्त्ती यथा भवति तथेत्यर्थः । 'एषः' आदित्यः 'इतः' अस्मात् भूस्थानात् 'परोबाहु'; सर्वेषां बाह्वोरूर्ध्वप्रदेशवर्त्तित्वात् तदभिन्नस्याप्यस्य तथा ग्रहणं युक्तमित्यर्थः । बाह्वोरुपरिधृतस्याग्नेः प्रत्यवरोहणम्, तदनन्तरम् नाभेरुपरि प्रदेशे धारणं च विधत्ते–अथैनमुपावहरतीति । तस्योक्तो बन्धुरिति । उपरिनाभिधारणार्थवाद उक्तो रुक्मधारणप्रस्तावे (श. प. ६।७।१ कं. ११) इत्यर्थः ॥ ९ ॥

अथ विष्णुक्रमक्रमणं विधाय, तन्निर्वचनद्वारेण प्रशंसति–अथ विष्णुक्रमा[1]निति । विष्णुभूतैर्देवैः क्रान्तत्वाद् विष्णुक्रम इति नाम सम्पन्नम् । यथा देवैस्तथैव 'एतत्' एतेन समन्त्रकपादाक्रमणेन 'इमान् लोकान्' विष्णुर्भूत्वा क्रान्तवान् भवति यजमानः ॥ १० ॥

१–विष्णुक्रमान् क्रमते विष्णोरिति प्रतिमंत्रमभ्युद्भ्रमणं च तस्मिन् । का. श्रौ. सू. १६ । १५६ ।

स यः स व्विष्णुर्य्यज्ञः सः । स यः स यज्ञोऽयमेव स योऽयमग्निरुखायामेतमेव तद्देवाऽआत्मानं कृत्वेमाँल्लोकानक्रमन्त तथैवैतद्यजमान ऽएतमेवात्मानं कृत्वेमाँल्लोकान्क्रमते ॥ ११ ॥

(तऽ) उदङ् प्राङ् तिष्ठन् । (न्ने) एतद्वै तत्प्रजापतिर्व्विष्णुक्रमैरुदङ् प्राङ् तिष्ठन्प्रजाऽ असृजत तथैवैतद्यजमानो व्विष्णुक्रमैरुदङ्प्राङ्तिष्ठन् प्रजाः सृजते ॥ १२ ॥

व्विष्णोः क्रमोऽसीति । व्विष्णुर्हि भूत्वा क्रमते सपत्नहेति सपत्नान्ह्यत्र हन्ति गायत्रं छन्दऽआरोहेति गायत्रं छन्द ऽआरोहति पृथिवीमनु व्विक्रमस्वेति पृथिवीमनु व्विक्रमते प्रहरति पादं क्रमतऽऊर्ध्वमग्निमुद्गृह्णात्यूर्ध्वो हि रोहति ॥ १३ ॥

स यः स विष्णुः यज्ञः सः । स यः स यज्ञः—अयमेव सः—योऽयमग्निरुखायाम् । एतमेव तद्देवा आत्मानं कृत्वेमांल्लोकानक्रमन्त । तथैवैतद्यजमान एतमेवात्मानं कृत्वेमांल्लोकान्क्रमते ॥ ११ ॥

उदङ् प्राङ् तिष्ठन् । एतद्वै तत् प्रजापतिर्विष्णुक्रमैरुदङ् प्राङ्तिष्ठन् प्रजा असृजत । तथैवैतद्यजमानो विष्णुक्रमैरुदङ्प्राङ् तिष्ठन् प्रजाः सृजते ॥ १२ ॥

"**विष्णोः क्रमोऽसि**"—इति । विष्णुर्हि भूत्वा क्रमते । "**सपत्नहा**"—इति । सपत्नान् ह्यत्र हन्ति । "**गायत्रं छन्द आरोह**"—इति । गायत्रं छन्द आरोहति । "**पृथिवीमनु विक्रमस्व**"—इति । पृथिवीमनु विक्रमते । प्रहरति पादं क्रमते, ऊर्ध्वम् अग्निमुद्गृह्णाति । ऊर्ध्वो हि रोहति ॥ १३ ॥

ननु मनुष्यस्य यजमानस्य कथं विष्णुभावेन आक्रमणं सङ्गच्छत इत्याशङ्क्याह—**स य इति** । 'सः' 'यः' प्रसिद्धः 'विष्णुः' अस्ति, सः यज्ञः । पुनश्च 'सः' 'यः' प्रसिद्धो 'यज्ञः' अस्ति, 'अयम् अग्निरेव' । अयमिति कः ? यः 'उखायां' वर्त्तते, सोऽग्निरेव विष्णुरित्यर्थः । प्रतिपादितस्य विष्णोः स्वरूपप्राप्तिं देवानां दर्शयति—**एतमेव तद्देवा** इति । **तथैवैतद्यजमान** इत्यादिकं स्पष्टम् । उखाग्निं धृत्वा क्रमणमेव विष्णुक्रमणमित्युक्तं भवति ॥ ११ ॥

क्रमणप्रकारं विधाय प्रशंसति—**उदङ्प्राङित्यादिना** । अत्र लोकत्रयप्रतिनिधित्वेन त्रिवाराक्रमणम्, तस्य त्रयो मन्त्राः, दिशो विक्रमो[२] पादाक्रमणाभावेऽपि एको मन्त्रः[३] ॥ १२ ॥

तदेवं मन्त्रचतुष्टयं क्रमेण विधाय व्याचष्टे—**विष्णोः क्रमोऽसीति विष्णुर्हि भूत्वा क्रमत** इत्यादिना । प्रथममन्त्रस्यायमर्थः—हे आक्रम्यमाण ! पादनिधानस्थान ! त्वं 'विष्णोः क्रमोऽसि' मनुष्यस्य मम कीदृशस्त्वं 'सपत्नहा'

१–पिडवत्प्राग्वदंवं प्रगृह्णात्यकंददमिरिति । का. श्रौ. सू. १६।१५९ । २–दिशो व्यीक्षते दिशोऽनु विक्रमस्वेति । का० श्रौ० सू० १६ । १५८ । ३–अक्रमचतुर्थे । का० श्रौ० सू. १६ । १५७ ।

विष्णोः क्रमोऽसीति । विष्णुर्हि भूत्वा क्रमतेऽभिमातिहेत्यभिमातीर्ह्यत्र हन्ति त्रैष्टुभं छन्दऽआरोहेति त्रैष्टुभं छन्दऽआरोहत्यन्तरिक्षमनु विक्रमस्वेत्यन्तरिक्षमनु विक्रमते प्रहरति पादं क्रमत ऽऊर्ध्वमग्निमुद्गृह्णात्यूर्ध्वो हि रोहति ॥ १४ ॥

विष्णोः क्रमोऽसीति । विष्णुर्हि भूत्वा क्रमतेऽरातीयतो हन्तेत्यरातीयतो ह्यत्र हन्ति जागतं छन्दऽआरोहेति जागतं छन्दऽ आरोहति दिवमनु विक्रमस्वेति दिवमनु विक्रमते प्रहरति पादं क्रमत ऽऊर्ध्वमग्निमुद्गृह्णात्यूर्ध्वो हि रोहति ॥ १५ ॥

" विष्णोः क्रमोऽसि "–इति । विष्णुर्हि भूत्वा क्रमते । " अभिमातिहा "–इति । अभिमातीर्ह्यत्र हन्ति । " त्रैष्टुभं छन्द आरोह "–इति । त्रैष्टुभं छन्द आरोहति । " अन्तरिक्षमनु विक्रमस्व "–इति । अन्तरिक्षमनु विक्रमते । प्रहरति पादं क्रमते, ऊद्र्ध्वम् अग्निमुद्गृह्णाति । ऊद्र्ध्वो हि रोहति ॥ १४ ॥

" विष्णोः क्रमोऽसि "–इति । विष्णुर्हि भूत्वा क्रमते । " अरातीयतो हन्ता "–इति । अरातीयतो ह्यत्र हन्ति । " जागतं छन्द आरोह "–इति । जागतं छन्द आरोहति । " दिवमनु विक्रमस्व "–इति । दिवमनु विक्रमते । प्रहरति पादं क्रमते, ऊद्र्ध्वम् अग्निमुद्गृह्णाति । ऊद्र्ध्वो हि रोहति ॥ १५ ॥

सपत्नानां हन्ता तथाविधस्त्वं गायत्रं छन्द आरोह आरूढः सन् 'पृथिवीं' भूलोकं सकलं 'विक्रमस्व' आक्रमणं कुरु । "विष्णोः क्रमोऽसि" 'इति' एतत् प्रसिद्धमेवेति तद् दर्शयति–विष्णुर्हि भूत्वेति । 'अत्र' आक्रमणकाले 'सपत्नान्' शत्रून् 'हन्ति' हिनस्ति खलु; अतः 'सपत्नहा' इति विशेषणं युक्तम् । 'गायत्रं छन्दः'–'पृथिवीमनु'–इत्येतयोर्ब्राह्मणं स्पष्टम् । क्रमणप्रकारमाह–प्रहरति पादमिति । पादं पुरोदेशं प्रति नयेत्, नीत्वा च 'क्रमते' पादं प्रक्षिपेत् । तदनन्तरम् 'अग्निम्' 'ऊद्र्ध्वं' नाभेरुपरिदेशं प्रति उद्गृह्णीयात्, ऊर्ध्वमुखं गृह्णीयात् । 'हि' यस्मात् 'ऊद्र्ध्वः' भूलोकादुपरि देशं प्रति 'रोहति' विष्णुक्रमणेन, अतोऽग्नेरप्यूद्र्ध्वदेशप्रापणं युक्तमित्यर्थः ॥ १३ ॥

एवमुपरितनं मन्त्रब्राह्मणमपि व्याख्येयम् । 'सपत्नहा'– इत्यस्य स्थाने क्रमेण 'अभिमातिहा'–'अरातीयतो हन्ता'–'शत्रूयतो हन्ता' इति विशेषः । तथा गायत्रमित्यस्य स्थाने क्रमेण 'त्रैष्टुभम्,' 'जागतम्,' 'आनुष्टुभम्' इति विशेषः । एवम् 'अन्तरिक्षं,' 'दिवं' 'दिशः'–इति च । इतरत् समानम् ॥ १४ ॥ १५ ॥

विष्णोः क्रमोऽसीति। विष्णुर्हि भूत्वा क्रमते शत्रूयतो हन्तेति शत्रूयतो ह्यत्र हन्त्यानुष्टुभं छन्द ऽआरोहेत्यानुष्टुभं छन्द ऽआरोहति दिशोऽनु विक्रमस्वेति सर्वा दिशोऽनु वीक्षते न प्रहरति पादं नेदिमाँल्लोकानतिप्रणश्यानीत्यूर्ध्वमेवाग्निमुद्गृह्णाति सᳬं ह्यारोहति ॥ १६ ॥

इति पञ्चमप्रपाठके द्वितीयं ब्राह्मणम् ॥ ६-५-२ ॥ (७. २.)

अथैनमिति प्रगृह्णाति। (त्ये) एतद्वै देवा ऽअकामयन्त पर्जन्यो रूपᳬं स्यामेति त ऽएतेनात्मना पर्जन्यो रूपमभवंस्तथैवैतद्यजमान ऽएतेनात्मना पर्जन्यो रूपं भवति ॥ १ ॥

" विष्णोः क्रमोऽसि "-इति। विष्णुर्हि भूत्वा क्रमते। " शत्रूयतो हन्ता "-इति। शत्रूयतो ह्यत्र हन्ति। " आनुष्टुभं छन्द आरोह "-इति। आनुष्टुभं छन्द आरोहति। " दिशोऽनु विक्रमस्व "-(वा. सं. १२। ५) इति। सर्वा दिशोऽनुवीक्षते। न प्रहरति पादम्। नेदिमांल्लोकानतिप्रणश्यानीति। ऊर्ध्वमेवाग्निमुद्गृह्णाति। सं ह्यारोहति ॥ १६ ॥

अथैनमिति प्रगृह्णाति। एतद्वै देवा अकामयन्त-पर्जन्यो रूपं स्यामेति। तऽएतेनाऽऽत्मना पर्जन्यो रूपमभवन्। तथैवैतद्यजमान एतेनात्मना पर्जन्यो रूपं भवति ॥ १ ॥

दिग्विक्रमणे विशेषमाह-दिशोऽनु विक्रमस्वेति। सर्वा दिशोऽनुवीक्ष्य पादं न प्रहरेत्। पादप्रक्षेपाकरणस्य प्रयोजनमाह-नेदिमानिति। ' नेत् '-इति परिभये; एतेषां त्रयाणां लोकानामतिक्रमः परिभयम्; अतस्तत्कर्त्तव्यमिति तस्याभिप्रायः। पादप्रहारवत् अग्नेरुद्ग्रहणस्यापि निवृत्तिप्रसक्तावाह-ऊर्ध्वमेवाग्निमिति। ' एव ' शब्दो भिन्नक्रमः; उद्गृह्णात्येव। तत्र प्रयोजनं दर्शयति-सं ह्यारोहतीति। समारोहणसम्भवात् तत्प्रयोज्यमप्युद्ग्रहणं कर्त्तव्यमेवेत्यर्थः ॥ १६ ॥

इति श्रीसायणाचार्यविरचिते माधवीये वेदार्थप्रकाशे माध्यन्दिनीयशतपथब्राह्मणभाष्ये षष्ठकाण्डे सप्तमेऽध्याये द्वितीयं ब्राह्मणम् ॥ (६-७-२) ॥

अथ यदुक्तं विष्णुक्रमेणाग्नेरूर्ध्वोद्ग्रमणं तस्य तथैवोर्ध्वबाहुना धारणप्रकारं हस्तेनाभिनीय विधत्ते-अथैनमिति प्रगृह्णातीति। ' इति '-शब्दविवक्षितोऽर्थः सूत्रे व्याख्याय दर्शितः-" धारणञ्च पिण्डवत् "-(का. श्रौ. सू. १६। १९२। १९३) इति। उखाया उपादानभूतस्य मृत्पिण्डस्य धारणं यथा प्रागुक्तम् (श. प. ६। ४। ४। ६) ऊर्ध्वबाहुत्वविशिष्टम्, एतादृगत्रापीत्यर्थः। एतत् प्रशंसति-एतद्वै देवा इति। एतदिति कामनाविषयस्य सङ्ग्रहेण प्रदर्शनम्। एतच्छब्दार्थमाह-पर्जन्यो रूपं स्यामेतीति। यः ' पर्जन्यः ' मेघोऽस्ति, तद्रूपं ' स्याम इति, ' मेघरूपा भवेमेत्यर्थः ॥ १ ॥

(त्यु) अक्रन्ददग्निः स्तनयन्निव द्यौरिति । क्रन्दतीव हि पर्जन्य स्तनयन्क्षामा रेरिहद्वीरुधः समञ्जन्निति क्षामा वै पर्जन्यो रेरिह्यमाणो व्वीरुधः समनक्ति सद्यो जज्ञानो व्वि हीमिद्धो ऽअख्यदिति सद्यो वाऽएष जज्ञान ऽइदᳪं सर्व्वं विख्यापयत्या रोदसी भानुना भात्यन्तरितीमे वै द्यावापृथिवी रोदसी तेऽएष भानुनाऽऽभाति परोबाहु प्रगृह्णाति परोबाहु हि पर्जन्यः ॥ २ ॥

(न्योऽथै) अथैनमुपावहरति । (त्ये) एतद्वै योऽस्मिँल्लोके रसो यदुपजीवनं तेनैतत्सहोर्ध्वऽ इमाँल्लोकान्रोहत्यग्निर्वाऽअस्मिँल्लोके रसोऽग्निरुपजीवनं तद्यत्तावदेव स्यान्न हास्मिँल्लोके रसो नोपजीवनᳪं स्यादथ यत्प्रत्यवरोहत्यस्मिन्नेवैतल्लोके रसमुपजीवनं दधाति ॥ ३ ॥

"अक्रन्ददग्नि स्तनयन्निव द्यौः"–इति । क्रन्दतीव हि पर्जन्यः स्तनयन् । " क्षामा रेरिहद्वीरुधः समञ्जन् "–इति । क्षामा वै पर्जन्यः, रेरिह्यमाणो वीरुधः समनक्ति । "सद्यो जज्ञानो वि हीमिद्धोऽअख्यत् "–इति । सद्यो वाऽएष जज्ञान इदं सर्वं विख्यापयति । " आ रोदसी भानुना भात्यन्तः "–(वा० सं० १२ । ६) इति । इमे वै द्यावापृथिवी रोदसी । तेऽएष भानुनाऽऽभाति । परोबाहु प्रगृह्णाति । परोबाहु हि पर्जन्यः ॥ २ ॥

अथैनमुपावहरति । एतद्वै योऽस्मिंल्लोके रसो,यदुपजीवनम्–तेनैतत् सहोर्ध्व इमांल्लोकान् रोहति । अग्निर्वाऽअस्मिंल्लोके रसः, अग्निरुपजीवनम् । तद्यत् तावदेव स्यात्–न हास्मिंल्लोके रसो, नोपजीवनं स्यात् । अथ यत् प्रत्यवरोहति–अस्मिन्नेवैतल्लोके रसमुपजीवनं दधाति ॥ ३ ॥

अक्रन्ददग्निः स्तनयन्निवेति । उपमानोपमेयभाव औपचारिकः । ' क्षामा ' अवर्षणेन सर्वक्षयकारी पर्जन्यात्मा अग्निः ' रेरिहत् ' भृशं लेहन् ' वीरुधः ' लतागुल्मादीन् ' समञ्जन् ' सम्यगार्द्रीकुर्वन् ' अक्रन्दद् ' इति पूर्वत्रान्वयः । अथवा ब्राह्मणानुसारेण ' वीरुधः समनक्ति ' इति व्याख्येयम् । पर्जन्यात्मा अग्निः ' सद्यः ' तदानीमेव ' जज्ञानः ' जायमानः ' इद्धः ' समिद्धः सन् ' इदं सर्वं ' ' विख्यापयति ' ' रोदसी ' द्यावापृथिव्यौ ' अन्तः ' तयोर्मध्ये ' भानुना ' प्रकाशेन ' आभाति ' सर्वतः प्रकाशते ॥

प्रथमपादं व्याचष्टे–' पर्जन्यः ' अग्न्याख्यः स्तनयन्, वृष्टिलिङ्गशब्दं कुर्वन् ' क्रन्दतीव ' आक्रोशतीव वर्त्तते । क्षामशब्देनात्र पर्जन्यो विवक्षित इति व्याचष्टे–जज्ञान इद५ सर्वं विख्यापयतीति । " इमे वै द्यावापृथिवी " इत्यादि चतुर्थपादब्राह्मणं स्पष्टम् । परोबाहु प्रगृह्णातीति । एष सार्थवादः उख्याग्निधारणप्रस्तावे (श्र. प. ६ । ७ । २ । ९ इत्यत्र) व्याख्यातः ॥ २ ॥

ऊर्ध्वं धृतस्याग्नेरवरोहणं सार्थवादं दर्शयति–अथैनमुपावहरत्येतद्वा इति[1] ।–' यः अस्मिन् लोके '

१–अवहरत्यमेऽभ्यावर्तिन्निति । का. श्रौ. सू. १६ । १६० ।

य॒द्वेव प्र॒त्यव॒रो॒हति । (त्ये) ए॒तद्वा॒ऽए॒तदि॒माँ॒ल्लो॒कानि॒तऽ ऊ॒र्ध्वो॒ रोहति स स परा॒ङिव रोह॒ऽ इ॒यमु वै प्रतिष्ठा त॒द्यत्ता॒वदे॒व स्या॒त्प्र हा॒स्मा॒ल्लो॒काद्यज॑मानश्च्य॒वे॒ता॒थ यत्प्रत्य॒व॒रो॒ह॒ती॒मामे॒वै॒तत्प्रति॒ष्ठाम॒भिप्र॒त्यै॒त्यस्या॒मे॒वै॒तत्प्रति॒ष्ठायां प्रतितिष्ठति ॥ ४ ॥

य॒द्वेव प्र॒त्यव॒रो॒हति । (त्ये) ए॒तद्वा॒ऽए॒तदि॒माँ॒ल्लो॒कानि॒तऽ ऊ॒र्द्ध्वो जयति स स परा॒ङिव ज॒यो यो वै परा॒ङेव ज॒यत्य॒न्ये वै त॒स्य जि॒तम॒न्व॒व॒स्य॒न्त्यथ य॒ऽ उ॒भय॒था ज॒यति त॒स्य त॒त्र का॒मचरणं भवति त॒द्यत्प्रत्य॒व॒रो॒ह॒ती॒मा॒ने॒वै॒तल्लो॒कानि॒तश्चो॒द्ध्वा॒नमु॒तश्चा॒र्वाचो जयति ॥ ५ ॥

यद्वेव प्रत्यवरोहति । एतद्वाऽएतदिमांल्लोकानित ऊद्र्ध्वो रोहति । स स पराङिव रोहः । इयमु वै प्रतिष्ठा । तद्यत्तावदेव स्यात्-प्र हास्माल्लोकाद्यजमानश्च्यवेत । अथ यत् प्रत्यवरोहति-इमामेवैतत् प्रतिष्ठामभिप्रत्यैति । अस्यामेवैतत् प्रतिष्ठायां प्रतितिष्ठति ॥ ४ ॥

यद्वेव प्रत्यवरोहति । एतद्वाऽएतदिमांल्लोकानित ऊद्र्ध्वो जयति । स स पराङिव जयः । यो वै पराङेव जयति-अन्ये वै तस्य जितमन्ववस्यन्ति । अथ य उभयथा जयति-तस्य तत्र कामचरणं भवति । तद्यत् प्रत्यवरोहति-इमानेवैतल्लोकानितश्चोद्र्ध्वान्, अमुतश्चार्वाचो जयति ॥ ५ ॥

'रसः' सारभूतोंऽशः, 'यत्' यच्च सर्वप्राणिनामुपजीवनम्, 'तत्' सर्वम् 'एतद् वै' अग्निः खलु । यद्वा, 'एतत्' इति वक्ष्यमाणार्थस्य सामान्यतः सङ्गृह्याभिधानम् । 'तेन' स्वभूतेनोपजीवनेन च 'सह' यजमानः 'एतत्' एतेन अग्नेरूद्र्ध्वप्रापणप्रकारेण 'ऊद्र्ध्वम्' 'इमाँल्लोकान्' 'आरोहति'। यो रसो यदुपजीवनं चोक्तम्, तद् विशिनष्टि-अग्निर्वा इति । अग्नेः रसत्वमुपजीवनत्वञ्च दाहपाकाद्युपकारितया सर्वप्रसिद्धम् । 'तत्' पूर्वोक्तं 'यद्' यदि 'तावदेव' ऊद्र्ध्वं धृतमेव 'स्यात्,' तर्हि 'अस्मिन् लोके' रसोपजीवने न स्तः । 'अथ' आरोहणानन्तरं 'यद्' यदि 'प्रत्यवरोहति' अग्निं पृथिव्याम्, तदुभयं भूलोके पुनः स्थापयति ॥ ३ ॥

प्रकारान्तरेण प्रत्यवरोहणं प्रशंसति-यद्वेव प्रत्यवरोहत्येतद्वा इति । पूर्ववत् । इमाँल्लोकानिति । 'ऊद्र्ध्वो रोहति' विष्णुक्रमव्याजेन । 'सः' 'पराङ्' प्रतिनिवृत्तः 'रोहः' आरोहणम् । एवं लोकानां बहुत्वमपेक्ष्य 'सः सः' इति वीप्सा प्रतिरूपे । भूलोकं प्रति प्रत्यारोहणाभावेन प्रच्युतिः स्यात् । 'ह' प्रसिद्धौ । अथ यत् प्रत्यवरोहतीत्यादि गतम् ॥ ४ ॥

पुनस्तदेव प्रकारान्तरेण प्रशंसति-यद्वेव प्रत्यवरोहतीत्यादिना । 'रोहति' इत्यस्य स्थाने 'जयति' इत्येतद् विशेषः । शिष्टं पूर्ववत् । अस्तु पराजयः तस्य को बाध इत्यत आह-अन्ये वै तस्य जितमन्ववस्यन्तीति । 'अन्ये' शत्रवः 'तस्य' 'जितं' स्थानम् 'अन्ववस्यन्ति' अनुक्रमेण क्रमन्ते । अथोक्तवैपरीत्येन यदि 'उभयथा जयति,' पराजितं पुनः प्रत्यङ् गमयतीत्यर्थः, 'तस्य' उभयथा जयवतः 'तत्र' जितप्रदेशे 'कामचरणं भवति;' अन्यैरप्रतिबद्धत्वात् । उभयथा जयप्रकारमाह-तद्यत्प्रत्यवरोहतीति ।

(त्यु) अुग्नेऽभ्यावर्त्तिन् । (न्न) अभि मा निवर्तस्वाग्नेऽअङ्गिरः पुन-
रूर्जा सह रय्येत्येतेन मा सर्व्वेणाभिनिवर्त्तस्वेत्येतच्चतुष्कृत्वः प्रत्यवरोहति
चतुर्हि कृत्वऽऊर्द्ध्वो रोहति तद्यावत्कृत्वऽऊर्ध्वो रोहति तावत्कृत्वः प्रत्यु-
वरोहति तमुपावहृत्योपरिनाभि धारयति तस्योक्तो बन्धुः ॥ ६ ॥

(र) अथैनमभिमन्त्रयते । (तऽ) आयुर्व्वाऽअग्निरायुरेवैतदात्मन्धत्तऽआ
त्वाऽहार्षमित्या ह्येनꣳ हरन्त्यन्तरभूरित्यायुरेवैतदन्तरात्मन्धत्ते ध्रुवस्ति-
ष्ठाविचाचलिरित्यायुरेवैतद्ध्रुवमन्तरात्मन्धत्ते विशस्त्वा सर्व्वा वाञ्छ-
न्त्वित्यन्नं वै विशोऽन्नं त्वा सर्व्वं वाञ्छत्वित्येतन्मा त्वद्राष्ट्रमधिभ्रशदिति
श्रीर्व्वै राष्ट्रं मा त्वच्छ्रीरधिभ्रशदित्येतत् ॥ ७ ॥

" अग्नेऽभ्यावर्तिन्नभि मा निवर्तस्व "–(वा. सं. १२।७) " अग्नेऽअङ्गिरः "–(वा. सं. १२ । ८) " पुनरूर्जा "–(वा. सं. १२ । ९) " सह रय्या "–(वा. सं. १२ । १०) इति । एतेन मा सर्वेणाभिनिवर्त्तस्वेत्येतत् । चतुष्कृत्वः प्रत्यवरोहति । चतुर्हि कृत्व ऊर्ध्वो रोहति । तद्यावत्कृत्व ऊर्ध्वो रोहति–तावत्कृत्वः प्रत्यवरोहति । तमुपावहृत्योपरिनाभि धारयति । तस्योक्तो बन्धुः ॥ ६ ॥

अथैनमभिमन्त्रयते–आयुर्वाऽअग्निः, आयुरेवैतदात्मन्धत्ते । " आ त्वाऽहार्षम् "–(वा. सं. १२।११) इति । आ ह्येनं हरन्ति । "अन्तरभूः"–इति । आयुरेवैतदन्तरात्मन्धत्ते । "ध्रुवस्ति

' इतश्च ऊर्द्ध्वान् ' अस्माद् भूलोकादुपर्युपर्यवस्थितान् पराङ् प्रापणेन जयति, ' अमुतश्च अर्वाचः ' अमुष्माद् द्युलोकात् अधोवर्त्तिनो लोकान् प्रत्यक्चरणेन ' जयति ' ॥ ५ ॥

आरोहणस्य यथा आरोहस्थानभेदेन मन्त्रचतुष्टयं " विष्णोः क्रमोऽसि "–इत्यादिकमुक्तम्, एवमवरोहणीयानामपि दिक्सहितानां लोकानां चतुष्ट्वादेवावरोहणस्यापि मन्त्रचतुष्टयस्य प्रतीकमुपादाय सङ्गृह्य तात्पर्यमाह–अग्नेऽभ्यावर्त्तिन्नित्यादिना । " अग्ने अङ्गिरः शतं ते सन्त्वावृतः "–इति द्वितीयः । " पुनरूर्जा निवर्त्तस्व "–इति तृतीयः । " सह रय्या निवर्त्तस्व "–इति चतुर्थः । ' एतेन ' सर्वेण मन्त्रेण यावन्तः आयुर्वर्चःप्रभृतय उक्ताः, तेन ' सर्वेण ' अपि सहितो ' निवर्त्तस्व ' ' इति ' ' एतत् ' सर्वमन्त्रेषु प्रतिपादितम्; न ततोऽधिकमित्यर्थः ॥

स्थानभेदेनैव यत् सिद्धं चतुष्कृत्वः प्रत्यवरोहणम्, तदनूद्य प्रशंसति–चतुष्कृत्वः प्रत्यवरोहतीति । तत्रोपपत्तिमाह–चतुर्हि कृत्व इति । फलितमर्थं दर्शयति–तद् यावत्कृत्व ऊर्द्ध्व इति । ' तमुपावहृत्य ' पूर्वं यस्मिन् नाभिप्रदेशे भृतम्, तत्रैव धारयेत् । उक्तमुपरिनाभिधारणार्थवादमतिदिशति–तस्योक्तो बन्धुरिति । रुक्मधारणप्रस्तावे (श. प. ६ । ७ । १ । ६–११) उक्त इत्यर्थः ॥ ६ ॥

यदुक्तं सूत्रकृता–" उपरिनाभि धारयन्ना त्वाऽहार्षमित्यभिमन्त्रयते "–(का . श्रौ . सू . १६। १६१) इति । तदेतद् विधत्ते–अथैनमभिमन्त्रयत इति । ' अथ ' नाभ्युपरिधारणानन्तरम् । आयुर्वा अग्नि-

(द) अथ शिक्यपाशं च रुक्मपाशं चोन्मुञ्चते । वारुणो वै पाशो वरुणपाशादेव तत्प्रमुच्यते वारुण्यऽर्चा स्वेनैव तदात्मना स्वया देवतया वरुणपाशात्प्रमुच्यतऽउदुत्तमं वरुण पाशमस्मदवाधमं वि मध्यमꣳ श्रथायेति यथैव यजुस्तथा बन्धुरथा वयमादित्य व्रते तवानागसोऽअदितये स्यामेतीयं वाऽअदितिरनागसस्तुभ्यं चास्यै च स्यामेत्येतत् ॥८॥

ध्रुवाविचाचलिः "–इति । आयुरेवैतद्ध्रुवमन्तरात्मन् धत्ते । "विशस्त्वा सर्वा वाञ्छन्तु "–इति । अन्नं वै विशः । अन्नं त्वा सर्वं वाञ्छत्वित्येतत् । "मा त्वद्राष्ट्रमधिभ्रशत् "–(वा० सं० १२ । ११) इति । श्रीर्वै राष्ट्रम् । मा त्वच्छ्रीरधिभ्रशदित्येतत् ॥ ७ ॥

अथ शिक्यपाशं च रुक्मपाशं चोन्मुञ्चते । वारुणो वै पाशः, वरुणपाशादेव तत् प्रमुच्यते । वारुण्यर्चा । स्वेनैव तदात्मना स्वया देवतया वरुणपाशात्प्रमुच्यते । "उदुत्तमं वरुण पाशमस्मदवाधमं वि मध्यमं श्रथाय "–इति । यथैव यजुस्तथा बन्धुः । "अथा वयमादित्य व्रते तवानागसो ऽअदितये स्याम "–(वा०सं०१२।१२) इति । इयं वा ऽअदितिः । अनागसस्तुभ्यं चास्यै च स्यामेत्येतत् ॥ ८ ॥

रिति । यावन्तं कालं जठराग्निर्जठरेऽस्ति, तावत्पर्यन्तमायुषोऽवस्थानात् आयुषोऽग्निनिमित्तत्वात् "आयुर्वा अग्निः "–इत्युच्यते ॥

तत्र मन्त्रं विधाय व्याचष्टे–आ त्वाऽहार्षमिति । अयमर्थः,–हे अग्ने ! 'त्वा' त्वाम् 'आहार्षम्' आहृतवानस्मि मध्यदेशं प्रति, त्वं च देहस्य 'अन्तः' मध्ये नाभिदेशे 'अभूः' अस्थाः । तदनन्तरम् अन्यैरचालितः 'अविचाचलिः' 'ध्रुवः तिष्ठ' त्वां 'सर्वा विशः' प्रजाः 'वाञ्छन्तु' इच्छन्तु, अन्नकारणत्वात्; अन्नं सर्वदा अस्मासु तिष्ठतु इति हि वाञ्छन्ति । 'त्वत्' त्वत्तः सकाशात् 'राष्ट्रं' राज्यम् 'मा अधिभ्रशत्' अधिकं भ्रंशं मा प्राप्नुयात् । आ ह्येनं हरन्तीति आ त्वाऽहार्षमित्यस्य मन्त्रभागस्याभिप्रायः । "अन्तरभूः"–इत्येतस्य तात्पर्यकथनम्–आयुरेवैतदन्तरात्मन् धत्त इति । द्वितीयपादेन तस्यायुषो ध्रुवत्वप्रार्थनम् । अन्नदातृत्वात् अन्नोपजीवित्वाद्वा विशः अन्नमिति "अन्नं वै विशः "–इत्युक्तम् । अतो विशामन्नरूपत्वात् 'सर्वा विशः' इत्यस्य 'अन्नं सर्वं वाञ्छतु '–इत्येतदेव व्याख्यानम् । राष्ट्रवृद्धिभावाभावस्य श्रियोऽन्वयव्यतिरेकायत्तत्वात् 'श्रीर्वै राष्ट्रम् '–इत्युपचारेणाह ॥ ७ ॥

अथ शिक्यपाशमित्यादि[1] । 'अथ' उपस्थानानन्तरम्, शिक्यरुक्मयोः कण्ठसम्बद्धं पाशम् 'उन्मुञ्चते' ऊर्ध्वं विस्रंसयेत् । कृत्स्नस्यापि बन्धनसाधनस्य पाशस्य वरुणदेवताकत्वप्रसिद्धिः "वारुणो वै पाशः"–इत्यत्र 'वै'–शब्देन द्योत्यते । पाशोन्मोके वरुणदेवताकामृचं विधाय प्रशंसति–वारुण्यर्चेति । 'तत्' तेन वारुण्यर्चा पाशविमोकेन 'स्वेनैव आत्मना' पाशस्य वास्तवेन रूपेण 'स्वया' स्वकीयया पाशाभिमानिन्या 'देवतया' 'वरुणपाशात् प्रमुच्यते' यजमानः ॥

---

1 -पाशा उन्मुच्योदुत्तममिति । का. श्रौ. सू. १६ । १६२ ।

(दु) अथैनमिति प्रगृह्णाति । (त्ये) एतद्वाऽएनमदो विकृत्येतऽऊर्ध्वं प्राञ्चं प्रगृह्णाति तं ततऽइति प्रगृह्णाति तद्यत्तावदेवाभविष्यदत्र हैवैष व्यरꣳस्यताथ यदेनमिति प्रगृह्णाति तस्मादेषऽइतीत्वाऽथेति पुनरैति ॥ ९ ॥

(त्यु) अग्रे बृहन्नुषसामूर्ध्वोऽअस्थादिति । (त्यु) अग्रे ह्येष बृहन्नुषसामूर्ध्वस्तिष्ठति निर्जगन्वान्तमसो ज्योतिषाऽऽगादिति निर्जगन्वान्वाऽएष रात्र्यै तमसोऽह्ना ज्योतिषैत्यग्निर्भानुना रुशता स्वङ्गऽइत्यग्निर्वाऽएष भानुना रुशता स्वङ्गऽआ जातो विश्वा सद्मान्यप्रा ऽइतीमे वै लोका

अथैनमिति प्रगृह्णाति । एतद्वाऽएनमदो विकृत्येत ऊर्ध्वं प्राञ्चं प्रगृह्णाति । तं तत इति प्रगृह्णाति । तत् यत्तावदेवाभविष्यद्–अत्र हैवैष व्यरंस्यत । अथ यदेनमिति प्रगृह्णाति–तस्मादेष इतीत्वा, अथेति पुनरैति ॥ ९ ॥

" अग्ने बृहन्नुषसामूर्ध्वोऽअस्थात् "–इति । अग्रे ह्येष बृहन् उषसामूर्ध्वस्तिष्ठति । "निर्जगन्वान्तमसो ज्योतिषाऽऽगात् "–इति । निर्जगन्वान् वाऽएष रात्र्यै तमसोऽह्ना ज्योतिषैति ।

तामृचं दर्शयति–उदुत्तममिति । पूर्वार्द्धस्य स्पष्टार्थतामाह–यथैव यजुस्तथा बन्धुरिति । यजुःशब्देन मन्त्रो विवक्षितः । मन्त्रो यादृशमर्थं प्रकाशयति, ' बन्धुः ' तद्ब्राह्मणमपि तादृगर्थप्रकाशकमेव; नात्र व्याख्या-तव्यो गूढोऽर्थोऽस्तीत्यर्थः । मन्त्रभागे उत्तमादिभेदभिन्नस्य त्रिविधस्य पाशविश्रथनस्य स्पष्टं प्रतिपादनादि-त्यभिप्रायः ॥

उत्तरार्द्धस्य तात्पर्यमाह–अथा वयमादित्य व्रत इत्यादिना । खातायाः पृथिव्याः अचिरादेव पूर्त्तिदर्शनात् अखण्डनरूपस्य स्वार्थस्य पृथिव्यां विद्यमानत्वात् " इयं वा अदितिः "–इत्याह । अनागसः तुभ्यञ्च अस्यै च स्यामेत्येतदिति । ' तुभ्यम् ' आदित्याय, ' अस्यै च ' अदितये ' अनागसः ' अपापाः ' स्याम ' ' इत्येतत्, ' मन्त्रेणोक्तमिति शेषः । मन्त्रार्थः स्पष्ट एव ॥ ८ ॥

यदुक्तं सूत्रकृता–" पिण्डवत् प्राग्दक्षिणा प्रगृह्णात्यग्ने बृहन्निति "–(का. श्रौ. सू. १६ । १६२) इति, तदेतद् विधाय प्रशंसति–अथैनमिति प्रगृह्णात्येतद्वा एनमित्यादिना । इतीति अग्नेरवरूढस्य ग्रहणप्रकारं हस्तेनाभिनीय दर्शयति; स च प्रकारः सूत्रे दर्शितः–पिण्डवत् प्रागित्यादिना । ' इतः ' अस्मात् स्थानात् ' अदः ' पक्षिरूपेण ' विकृत्या ' पूर्वम् ' ऊर्ध्वम् ' प्रगृहीतवान् । अतः कारणात् ' तं ' तथागृहीतम् अग्निम् ' ततः ' देशात् अवरुह्य ' इति ' उक्तप्रकारेण प्रगृह्णीयात् । कोऽयं नियम इत्यत्राह–तद् यत् तावदेवाभविष्यदिति । ' तावदेव ' ऊर्ध्वप्रग्रहणमेव स्यात्, ' अत्र ह एव ' ऊर्ध्वलोके एव ' एषः ' ' व्यरंस्यत ' विरमेत् । ' अथ ' उक्तवैलक्षण्येन ' यत् ' यस्मात् ' एनम् इति ' प्रगृह्णीयात्, 'तस्मात्' ' एषः ' अग्निः ' इति ' ' इत्वा ' ऊर्ध्वं गत्वा, ' अथ इति ' एवम् अवरोहणेन ' पुनः ' ' ऐति ' स्वस्थानम् ॥ ९ ॥

तत्र मन्त्रं विधाय व्याचष्टे–अग्रे बृहन्नित्यादिना । अयम् अग्निः ' उषसाम् ' ' अग्रे ' ' बृहन् ' भूत्वा

विश्वा सद्मानि तानेषु जातऽ आपूरयति परोबाहु प्रगृह्णाति परोबाहु
ह्येषुऽ इतोऽथैनमुपावहरतीमामेवैतत्प्रतिष्ठामभिप्रत्यैत्यस्यामेवैतत्प्रति-
ष्ठायां प्रतितिष्ठति जगत्या जगती हेमाँल्लोकानमुतोऽर्वाञ्चो व्यश्नुते ॥ १० ॥

हꣳसः शुचिषदिति । (त्य) असौ वाऽआदित्यो हꣳसः शुचिषद्वसुर-
न्तरिक्षसदिति वायुर्वै वसुरन्तरिक्षसद्धोता वेदिषदित्यग्निर्वै होता वेदि-
षदतिथिरिति सर्वेषां वाऽएष भूतानामतिथिर्दुरोणसदिति विषमसदित्ये-
तन्नृषदिति प्राणो वै नृषन्मनुष्या नरस्तद्योऽयं मनुष्येषु प्राणोऽग्निस्तमे-
तदाह वरसदिति सर्वेषु ह्येष वरेषु सन्नऽ ऋतसदिति सत्यसदित्येत-
द्व्योमसदिति सर्वेषु ह्येषु व्योमसु सन्नोऽब्जा गोजाऽ इत्यब्जाश्च ह्येषु
गोजाश्चर्त्तजाऽ इति सत्यजा ऽइत्येतदद्रिजा ऽइत्यद्रिजा ह्येषुऽ ऋतमिति
सत्यमित्येतद्बृहदिति निदधाति बृहद्ध्येष तद्यदेष तदेनमेतत्कृत्वा निद-
धाति ॥ ११ ॥

"अग्निर्भानुना रुशता स्वङ्गः"—इति । अग्निर्वाऽएष भानुना रुशता स्वङ्गः । "आ जातो विश्वा सद्मान्यप्राः"—(वा. सं १२।१३) इति । इमे वै लोका विश्वा सद्मानि । तानेष जात आपूरयति । परोबाहु प्रगृह्णाति । परोबाहु ह्येष इतः । अथैनमुपावहरति । इमामेवैतत्प्रतिष्ठामभिप्रत्यैति । अस्यामेवैतत् प्रतिष्ठायां प्रतितिष्ठति । जगत्या । जगती हेमांल्लोकानमुतोऽर्वाचो व्यश्नुते ॥ १० ॥

"हंसः शुचिषत्"—इति । असौ वाऽआदित्यो हंसः शुचिषत् । "वसुरन्तरिक्षसद्"—इति । वायुर्वै वसुरन्तरिक्षसत् । "होता वेदिषद्"—इति । अग्निर्वै होता वेदिषत् । "अतिथिः"—इति । सर्वेषां वाऽएष भूतानामतिथिः । "दुरोणसद्"—इति । विषमसद्—इत्येतत् । "नृषद्"—इति । प्राणो वै नृषत् । मनुष्या नरः । तद्योऽयं मनुष्येषु प्राणोऽग्निः—तमेतदाह । "वरसद्"—इति । सर्वेषु ह्येष वरेषु सन्नः । "ऋतसद्"—इति । सत्यसदित्येतत् । "व्योमसद्"—इति । सर्वेषु ह्येष व्योमसु सन्नः । "अब्जा गोजाः"—इति । अब्जाश्च ह्येष गोजाश्च । "ऋतजाः"—इति । सत्यजा इत्येतत् । "अद्रिजाः"—इति । अद्रिजा ह्येषः । "ऋतम्"—इति । सत्यमित्येतत् । "बृहत्" (वा. सं. १२।१४) इति निदधाति । बृहद्ध्येषः । तद्यदेषः—तदेनमेतत् कृत्वा निदधाति ॥ ११ ॥

'ऊर्ध्वः' सन् निर्गतः सन् 'अस्थात्' तिष्ठति । 'तमसः' नैशात् सकाशात् 'निर्जगन्वान्' निर्गतः सन् 'ज्योतिषा' सह 'आगात्' आगच्छति । अग्न्यादित्ययोरूर्ध्वगमनप्रत्यागमनसाम्यात् आदित्यरूपत्वाय इदमभिधानम् । किञ्च 'अग्निः' 'रुशता' प्रकाशमानेन 'भानुना' दीप्तिविशेषेण 'स्वङ्गः' शोभनाङ्गो भवति । हे अग्ने ! 'जातः' जातमात्रः सन् 'विश्वा सद्मानि' सर्वान् लोकान् आहवनीयादिस्थानानि वा 'आप्राः' सर्वतः पूरितवानसि ॥

द्वाभ्यामक्षराभ्याम् । द्विपाद्यजमानो यजमानोऽग्निर्यावानग्निर्यावत्यस्य मात्रा तावतैवैनमेतन्निदधाति ॥ १२ ॥

(त्यु) अथैनमुपतिष्ठते । (तऽ) एतद्वाऽएनमेतल्लघूयतीव यदेनेन सहेति चेति चेमाँल्लोकान्क्रमते तस्माऽएवैतन्निह्नुतेऽहिᳬंसायै ॥ १३ ॥

यद्वेवोपतिष्ठते । (तऽ) एतद्वै देवाऽअबिभयुर्यद्वै नोऽयमिमाँल्लोकानन्तिकान्न हिᳬंस्यादिति तदेभ्यऽएवैनमेतल्लोकेभ्योऽशमयंस्तथैवैनमयमेतदेभ्यो लोकेभ्यः शमयति ॥ १४ ॥

सीद त्वं मातुः । (र) अस्याऽउपस्थेऽन्तरग्ने रुचा त्वᳬं शिवो भूत्वा मह्यमग्नेऽअथो सीद शिवस्त्वमिति शिवः-शिवऽ इति शमयत्येवैनमेतदहिᳬंसायै तथो हैषऽइमाँल्लोकाञ्छान्तो न हिनस्ति ॥ १५ ॥

त्रिभिरुपतिष्ठते। त्रयऽइमे लोकाऽअथो त्रिवृदग्निर्यावानग्निर्यावत्यस्य मात्रा तावतैवास्माऽएतन्निह्नुतेऽथो तावतैवैनमेतदेभ्यो लोकेभ्यः शमयति॥१६॥

इति पञ्चमप्रपाठके तृतीयं ब्राह्मणम् ॥ ६-५-३ ॥ (७. ३.) ॥

द्वाभ्यामक्षराभ्याम् । द्विपाद्यजमानः । यजमानोऽग्निः । यावानग्निर्यावत्यस्य मात्रा—तावतैवैनमेतन्निदधाति ॥ १२ ॥

अथैनमुपतिष्ठते । एतद्वाऽएनमेतलघूयतीव—यदेनेन सह—इति चेति चेमांल्लोकान्क्रमते । तस्माऽएवैतन्निह्नुतेऽहिंसायै ॥ १३ ॥

यद्वेवोपतिष्ठते । एतद्वै देवा अबिभयुः—यद्वै नोऽयमिमांल्लोकानन्तिकान्न हिंस्यादिति । तदेभ्य एवैनमेतल्लोकेभ्योऽशमयन् । तथैवैनमयमेतदेभ्यो लोकेभ्यः शमयति ॥ १४ ॥

"सीद त्वं मातुरस्या उपस्थे"—(वा. सं. १२।१५) "अन्तरग्ने रुचा त्वम्"—(वा. सं. १२।१६) "शिवो भूत्वा मह्यमग्ने अथो सीद शिवस्त्वम्"—(वा. सं. १२।१७) इति । शिवः शिव इति । शमयत्येवैनमेतद्—अहिंसायै । तथो हैष इमांल्लोकाञ्छान्तो न हिनस्ति ॥ १५ ॥

त्रिभिरुपतिष्ठते त्रय इमे लोकाः । अथो त्रिवृदग्निः । यावानग्निर्यावत्यस्य मात्रा—तावतैवास्माऽएतन्निह्नुते । अथो तावतैवैनमेतदेभ्यो लोकेभ्यः शमयति ॥ १६ ॥

पूर्वार्द्धस्य ब्राह्मणं मन्त्रव्याख्यानेनैव व्याख्यातम् । क्षित्यादिषु स्थानेष्वप्यग्नेरवस्थितिसम्भवात् त्रयो लोका अग्नेः स्थानानीत्यभिप्रेत्योक्तम्—इमे वै लोका विश्वा सद्मानीति । अवतीर्णस्य प्रग्रहणमुक्तम् । तस्य प्रकारमाह—परोबाहु प्रगृह्णातीति । बाह्वोः परस्तादुपरीत्यर्थः । व्याख्यातमिदं प्रत्यवरोहार्थवादे । जगत्येति । उपावहरतीति शेषः । सत्स्वपीतरेषु जगत्येति कोऽयं नियम इत्यत आह—जगती हेति । " इमान् लोकान्

अथ व्वात्सप्रेणोपतिष्ठते । (त८) एतद्वै प्रजापतिर्व्विष्णुक्रमैः प्रजाः सृष्ट्वा ताभ्यो व्वात्सप्रेणायुष्यमकरोत्तथैवैतद्यजमानो व्विष्णुक्रमैः प्रजाः सृष्ट्वा ताभ्यो व्वात्सप्रेणायुष्यं करोति ॥ १ ॥

स हैष दाक्षायणहस्तः । (स्तो) यद्वात्सप्रं तस्माद्यं जातं कामयेत सर्व्वमायुरियादिति व्वात्सप्रेणैनमभिमृशेत्तदस्मै जातायायुष्यं करोति तथो ह स सर्व्वमायुरेत्यथ यं कामयेत व्वीर्यवान्त्स्यादिति व्विकृत्यैनं पुरस्तादभिमन्त्रयेत तथो ह स व्वीर्य्यवान्भवति ॥ २ ॥

अथ वात्सप्रेणोपतिष्ठते । एतद्वै प्रजापतिर्विष्णुक्रमैः प्रजाः सृष्ट्वा ताभ्यो वात्सप्रेणायुष्यमकरोत् । तथैवैतद्यजमानो विष्णुक्रमैः प्रजाः सृष्ट्वा ताभ्यो वात्सप्रेणायुष्यं करोति ॥ १ ॥

स हैष दाक्षायणहस्तः । यद्वात्सप्रम् । तस्माद् यं जातं कामयेत सर्वमायुरियादिति—वात्सप्रेणैनमभिमृशेत् । तदस्मै जातायायुष्यं करोति । तथो ह स सर्वमायुरेति । अथ यं कामयेत—वीर्यवान्त्स्यात् इति । विकृत्यैनं पुरस्तादभिमन्त्रयेत । तथो ह स वीर्यवान् भवति ॥ २ ॥

अमुतः अर्वाचः व्यश्नुते"—इति । गायत्रीत्रिष्टुब्जगतीनां क्षित्यादिलोकत्रयाक्रमणस्य विष्णुक्रममन्त्रेषु उक्तत्वात् जगती द्युलोकव्यापिनी, अधिकाक्षरायां तस्यां न्यूनाक्षरयोश्छन्दसोरप्यन्तर्भावात् ॥ १०—१६ ॥

इति श्रीसायणाचार्यविरचिते माधवीये वेदार्थप्रकाशे माध्यन्दिनीयशतपथब्राह्मणभाष्ये षष्ठकाण्डे सप्तमाऽध्याये तृतीयं ब्राह्मणम् ॥ (६—७—३) ॥

अथ वात्सप्रेणोपतिष्ठते इत्यादि । 'ताभ्यः' पृथिव्यन्तरिक्षलोकत्रयव्यापिनीभ्यः सृष्टाभ्यः प्रजाभ्यः 'वात्सप्रेण आयुष्यम्' अकरोत्; तस्मिन् सूक्तेऽग्नेर्लोकत्रयव्याप्तिलक्षणविभूत्याविष्करणस्य विद्यमानत्वात् । आयुषोऽग्न्यायत्तत्वात् तन्मन्त्रपाठेन तत्रत्यानां प्रजानामायुःस्थापनमित्यभिप्रायः ॥ १ ॥

प्रसङ्गात् कञ्चिदयज्ञसंयुक्तं प्रयोगं दर्शयति—**स हैष दाक्षायणहस्त** इति । 'दक्षः' प्राणः, तत्सम्बन्धि आयुष्यं 'दाक्षम्', तस्य 'अयनम्' प्रापकम्, तादृग्हस्तस्वरूपमिदं 'वात्सप्रम्' । तस्मात् उत्पन्नं शिशुम् आयुर्वृद्ध्यर्थं 'वात्सप्रेण अभिमृशेत्' ॥

वात्सप्रप्रसङ्गात् प्रागभिहितायाः "सुपर्णोऽसि" इत्येतस्या विकृत्या यज्ञाद् बहिः प्रयोगं दर्शयति—**अथ यं कामयेत वीर्यवान्त्स्यादिति विकृत्यैनं पुरस्तादभिमन्त्रयेतेति** । 'पुरस्तात्' वात्सप्रेण अभिमर्शनात् पूर्वम् ॥ २ ॥

१—व्वात्सप्रेण च दिवस्परीत्येकादशभिः । का. श्रौ. सू. १६ । १६६ ।

दिवस्पुरि प्रथमुं जज्ञेऽअग्निरि॒ति । प्राणो वै दिवः प्राणाद्ु वाऽएष प्रथम॒मजायतास्म॒द्द्वितीयं पुरि जातवेदाऽ इति यदेनमदो द्वितीयं पुरुषविधोऽजनयत्तृतीयमप्स्वि॒ति यदेनमदस्तृतीयमद्भ्योऽजनयन्नृमणाऽ अजस्रमिति प्रजापतिर्वै नृमणाऽ अग्निरजस्रऽ इन्धान ऽएनं जरते स्वाधीरि॒ति यो वाऽएनमिन्द्धे सुऽ एनं जनयते स्वाधीः ॥ ३ ॥

" दिवस्परि प्रथमं जज्ञे ऽअग्निः "–इति । प्राणो वै दिवः । प्राणाद्ु वाऽएष प्रथममजायत । " अस्माद्द्वितीयं परि जातवेदाः "–इति । यदेनमदो द्वितीयं पुरुषविधोऽजनयत् । " तृतीयमप्सु "–इति । यदेनमदस्तृतीयमद्भ्योऽजनयत् । " नृमणा अजस्रम् "–इति । प्रजापतिर्वै नृमणाः, अग्निरजस्रः । " इन्धान एनं जरते स्वाधीः "–(वा० सं० १२।१८) इति । यो वाऽएनमिन्द्धे–स एनं जनयते स्वाधीः ॥ ३ ॥

उपस्थाने मन्त्रं विधाय व्याचष्टे–दिवस्परीत्यादिना । दिव्शब्दस्य विवक्षितमर्थमाह–प्राणो वै दिव इति । ' दिवः ' दिव्प्रतिपाद्य इत्यर्थः । अथवा दिव इति पञ्चम्यन्तपदेन प्रातिपदिकमात्रं विवक्षित्वोक्तम्; दिव्प्रातिपदिकात् प्राणो विवक्षित इति । तत् कथमिति तत् समर्थयते–प्राणाद्ु वा एष प्रथममजायतेति । प्राणात् उत्पत्तिः प्राक् काण्डादौ–" प्राणा वा ऋषयः "–इत्युपक्रम्य, " सप्त पुरुषानेकं पुरुषं करवामेति त एतान् सप्त पुरुषानेकं पुरुषमकुर्वन् "–(श. प. ६।१।१।३) इति प्रतिपादिता। सा चात्र ' वै '–शब्देन प्रसिद्धीक्रियते ॥

" अस्मद् द्वितीयमिति "–अमुं द्वितीयं पादं व्याचष्टे–यदेनमदो द्वितीयं पुरुषविधोऽजनयदिति । ' यद् ' यस्मात् ' एनम् ' अग्निम् ' अदः ' विप्रकृष्टे काले ' पुरुषविधः ' यथा पुरुषः तदवयवी सम्पद्यते, तथा इष्टकाभिरजनयदित्यर्थः । अयमर्थोऽपि तत्रैव प्राक् प्रतिपादितः–" स एव पुरुषः प्रजापतिरभवत् । स यः स पुरुषः प्रजापतिरभवत्, अयमेव स योऽयमग्निश्चीयते "–(श. प. ६।१।१।५) इति । तथाविधचयनसाध्याकारोत्पादनस्य अध्वर्युकर्तृकत्वात् ऋषिराह–अस्मद् द्वितीयमिति ॥

" तृतीयमप्सु "–इत्येतद् व्याचष्टे–यदेनमदस्तृतीयमद्भ्योऽजनयदिति । ' एनम् ' आहुत्याधाररूपमित्यर्थः । अयमर्थोऽपि तत्रैवोक्तः–" सोऽपोऽसृजत "–इत्युक्त्वा, " सोऽकामयताभ्योऽद्भ्योऽधि प्रजायेयेति, सोऽनया त्रय्या विद्यया सहापः प्राविशत तत आण्डं समवर्त्तत "–इति, " अथ यो गर्भोऽन्तरासीत् सोऽग्निरसृज्यतेति च "–(श. प. ६।१।१।९–११ कं०) ॥

क उत्पादितवानिति, तदाह–नृमणा इति । नृमणः-शब्दस्य विवक्षितमर्थं दर्शयति–प्रजापतिर्वै नृमणा इति । नृविषयमनोयुक्तः इति तस्यार्थः । अजस्रशब्दं व्याचष्टे–अग्निरजस्र इति । 'अजस्रम्' अहिंसितम् अग्निमित्यर्थः । चतुर्थपादस्य तात्पर्यमाह–यो वा एनमिन्धे स एनं जनयत इति । पुनः पुनः समिन्धनमेवाग्नेरुत्पादनम् । अतो यः ' स्वाधीः ' स्वाधानः इन्धे ' सः ' ' जनयते ' जनयति । अर्थात् स्तुत्यर्थं जरत इत्यस्य जनयत इत्यर्थ इति व्याख्यातं भवति । मन्त्रार्थस्तु व्याख्यातप्रायः ॥ ३ ॥

१६४०

(र्व्वि) व्विद्मा तेऽअग्ने त्रेधा त्रयाणीति ।(त्य) अग्निर्व्वायुरादित्य ऽएतानि हास्य तानि त्रेधा त्रयाणि व्विद्मा ते धाम व्विभृता पुरुत्रेति यदिदं बहुधा व्विह्रियते व्विद्मा ते नाम परमं गुहा यदिति यविष्ठऽइति वाऽअस्य तन्नाम परमं गुहा व्विद्मा तमुत्सं यतऽ आजगन्थेत्यापो वाऽउत्सोऽद्भ्यो वाऽएष प्रथममाजगाम ॥ ४ ॥

समुद्रे त्वा नृमणाऽअप्स्वन्तरिति । प्रजापतिर्वै नृमणाऽअप्सु त्वा प्रजापतिरित्येतन्नृचक्षाऽईधे दिवोऽअग्नऽऊधन्निति प्रजापतिर्व्वै नृचक्षाऽआपो दिवऽऊधस्तृतीये त्वा रजसि तस्थिवाᳬंसमिति द्यौर्व्वै तृतीयᳬं रजोऽपामुपस्थे महिषाऽअवर्द्धन्निति प्राणा वै महिषा दिवि त्वा प्राणा ऽअवर्द्धन्नित्येतत् ॥ ५ ॥

" विद्मा तेऽअग्ने त्रेधा त्रयाणि "–इति । अग्निर्वायुरादित्यः–एतानि हास्य तानि त्रेधा त्रयाणि । " विद्मा ते धाम विभृता पुरुत्रा "–इति । यदिदं बहुधा विह्रियते । " विद्मा ते नाम परमं गुहा यद् "–इति । यविष्ठ इति वाऽअस्य तन्नाम परमं गुहा । "विद्मा तमुत्सं यत आजगन्थ "–(वा. सं. १२ । १९) इति । आपो वाऽउत्सः । अद्भ्यो वाऽएष प्रथममाजगाम ॥ ४ ॥

" समुद्रे त्वा नृमणा अप्स्वन्तः "–इति । प्रजापतिर्वै नृमणाः । अप्सु त्वा प्रजापतिरित्ये-

---

अथ द्वितीयमन्त्रः । विद्मा ते अग्न इति । (का. श्रौ. सू. १६ । १६६) अत्र " त्रेधा त्रयाणि "–इत्येतद् व्याचष्टे–अग्निर्वायुरादित्य एतानि हास्य तानि त्रेधा त्रयाणीति । एकस्यैव त्रेधाभावेन सिद्धानि त्रयाणि रूपाणि ' विद्म ' जानीमः । द्वितीयपादं व्याचष्टे–विद्मा ते धाम विभृता पुरुत्रेति, यदिदं बहुधा विह्रियत इति । ' बहुधा ' बहुप्रकारमाहवनीयायतनेषु विह्रियत इति यदिदमस्ति एतदेतेन प्रतिपाद्यत इत्यर्थः । ' पुरुत्रा ' पुरुषु बहुषु प्रदेशेषु ' विभृता ' विभृतानि ' धाम ' धामानि अमुमर्थं ' विद्म ' जानीमः । तृतीयं पादं व्याचष्टे–विद्मा ते नाम परमं गुहा यदितीति । किं तत् गुह्यं नामेति तद् दर्शयति–यविष्ठ इति वा अस्य तन्नाम परमं गुहेति । चतुर्थपादं व्याचष्टे–विद्मा तमुत्सं यत आजगन्थेतीति । हे अग्ने ! त्वं ' यतः ' ' आजगन्थ ' आगतोऽसि, ' तम् ' ' उत्सम् ' उत्स्यन्दतेऽस्मादित्युत्सः तम्, ' विद्म ' । कोऽसौ उत्सशब्देन विवक्षित इति तं दर्शयति–आपो वा उत्सोऽद्भ्यो वा एष प्रथममाजगामेति । अद्भ्य उत्पत्तिः पूर्वमन्त्रे " तृतीयमद्भ्योऽजनयत् " इत्यत्रोक्ता । ननु तत्राद्भ्यो जन्म तृतीयमित्युक्तम्, कथमत्र " प्रथममाजगाम "–इति ? उच्यते–नैष दोषः; तत्राग्नेः प्रजापत्यात्मकं चित्यात्मकं च रूपमपेक्ष्य तृतीयत्वमुक्तम्, इह तु मथनाद्यपेक्षया प्राथम्यस्य विवक्षितत्वात् ॥ ४ ॥

समुद्रे त्वेति । (का. श्रौ. सू. १६।१६६) तृतीयो मन्त्रः । हे ' अग्ने ! ' 'त्वा' त्वां ' समुद्रे ' तत्रापि

(ता) ता ऽएता ऽएकव्याख्यानाः । (ऽ) एतमेवाभि ता ऽआग्नेय्य-स्त्रिष्टुभस्ता यदाग्नेय्यस्तेनाग्निरथ यत्त्रिष्टुभो यदेकादश तेनेन्द्र ऽऐन्द्राग्नोऽग्निर्यावानग्निर्यावत्यस्य मात्रा तावतैवैनमेतदुपतिष्ठत ऽइन्द्राग्नी वै सर्व्वे देवाः सर्व्वदेवत्योऽग्निर्यावानग्निर्यावत्यस्य मात्रा तावतैवैनमेतदुपातिष्ठते॥६॥

तत् । " नृचक्षा ईधे दिवोऽअग्रऽऊधन् "–इति । प्रजापतिर्वै नृचक्षाः, आपो दिव ऊधः । " तृतीये त्वा रजसि तस्थिवांसम् "–इति । द्यौर्वै तृतीयं रजः । " अपामुपस्थे महिषा अवर्द्धन् "–(वा. सं. १२। २०) इति । प्राणा वै महिषाः । दिवि त्वा प्राणा अवर्द्धन्नित्येतत् ॥५॥

ता एता एकव्याख्याना एतमेवाभि । ता आग्नेय्यः त्रिष्टुभः । ता यदाग्नेय्यः–तेनाग्निः । अथ यत्त्रिष्टुभः । यदेकादश–तेनेन्द्रः । ऐन्द्राग्नोऽग्निः । यावानग्निर्यावत्यस्य मात्रा–तावतैवैनमेतदुपतिष्ठते । इन्द्राग्नी वै सर्वे देवाः । सर्वदेवत्योऽग्निः । यावानग्निर्यावत्यस्य मात्रा तावतैवैनमेतदुपतिष्ठते ॥ ६ ॥

' अप्स्वन्तः ' ' नृमणाः ' मनुष्येषु अनुग्रहयुक्तमनाः ' प्रजापतिः ' ' ईधे ' अदीपयत् । तथा ' नृचक्षाः ' सर्वसाक्षित्वेन मनुष्याणां द्रष्टा प्रजापतिः ' दिवः ' ' ऊधन् ' ऊधसीत्यर्थः । " लोका रजांस्युच्यन्ते "–(निरु. ४ । ३ । ३) इति निरुक्तम् । ' तृतीयं रजः ' द्युलोकः, तत्र ' तस्थिवांसं ' स्थितवन्तं त्वाम् ' अपाम् ' ' उपस्थे ' उत्सङ्गे, दिवि ' महिषाः ' महान्तः प्राणाः, वायुप्राणयोरभेदाद् वायवः ' अवर्द्धन् ' यद्वा, अप्शब्देन तज्जं पुष्करपर्णमुच्यते, तदेव द्योतमानत्वात् पृथिव्यसंस्पर्शाद् दिवीति व्याख्यातं ब्राह्मणे । तत्र ' महिषाः ' प्राणाः ऋत्विक्सम्बन्धिनः ' अवर्द्धन् ' । उक्तो नृमणशब्दार्थः, द्वितीयपादस्थेन ' नृचक्षः '–शब्देन प्रजापतिर्विवक्षितः, ' दिव ऊधन् '–इत्यनेन आपो विवक्षिता इति व्याचष्टे–**प्रजापतिर्वै नृचक्षा आपो दिव ऊध इति** । " तृतीयं रज " इति द्यौर्विवक्षिता, " अपामुपस्थे " इत्यनेन च द्यौर्विवक्षिता । " महिषाः " इति च प्राणा विवक्षिता इति दर्शयति–**द्यौर्वै तृतीयं रजः, प्राणा वै महिषाः, दिवि त्वा प्राणा अवर्द्धन्नित्येतदिति** ॥ ५ ॥

एवं प्रदर्शनार्थं सूक्तस्यादिमं तृचं व्याख्याय, तद्व्याख्यानमुत्तरास्वृक्षु समानमित्यतिदिशति–**ता एता एकव्याख्याना इत्यादिना** । एकमेवाग्निं व्याचक्षत इति ' एकव्याख्यानाः ' । ' एतम् एव ' ' अभि ' प्रवृत्ता इति शेषः । ' ताः ' सर्वाः ' आग्नेय्यः ' अग्निदेवत्याः, तथा ताः ' त्रिष्टुभः ' । त्रिष्टुभ इति यत् ' तत् ' एव कथमित्यत आह–**यदेकादशेति** । तत्पादे अक्षरगतैकादशसङ्ख्याऽस्ति, तस्मात् त्रिष्टुभ इत्यर्थः । किं तत इत्याह–**तेनेन्द्र इति** । त्रिष्टुभो हि इन्द्रदेवताकत्वम् । प्रतिपादितप्रकारेण ' अग्निः ऐन्द्राग्नः ' ॥

यावानग्निर्यावत्यस्य मात्रेति । ऐन्द्राग्नात्मनोऽस्याग्नेर्यावती देवताद्वयस्वरूपा मात्राऽस्ति । **इन्द्राग्नी वै सर्वे देवा इति** । इन्द्रस्य सर्वदेवताधिपतित्वात्, अग्नेश्च सर्वदेवताऽनुप्रवेशाच्च सर्वदेवतारूपत्वम् । **सर्वदेवत्योऽग्निरिति** । स्वात्मना इन्द्रात्मना चेत्यर्थः । अत्रापि यावत्यस्य मात्रेति सर्वदेवतारूपा मात्रेत्यर्थः ॥ ६ ॥

यद्देव विष्णुक्रमवात्सप्रे भवतः । (तो) विष्णुक्रमैर्व्वै प्रजापतिरिमं लोकमसृजत वात्सप्रेणाग्निं विष्णुक्रमैर्व्वै प्रजापतिरन्तरिक्षमसृजत वात्सप्रेण वायुं विष्णुक्रमैर्व्वै प्रजापतिर्द्दिवमसृजत वात्सप्रेणादित्यं विष्णुक्रमैर्व्वै प्रजापतिर्द्दिशोऽसृजत वात्सप्रेण चन्द्रमसं विष्णुक्रमैर्व्वै प्रजापतिर्भूतमसृजत वात्सप्रेण भविष्यद्विष्णुक्रमैर्व्वै प्रजापतिर्व्वित्तमसृजत वात्सप्रेणाशां विष्णुक्रमैर्व्वै प्रजापतिरहरसृजत वात्सप्रेण रात्रिं विष्णुक्रमैर्व्वै प्रजापतिः पूर्व्वपक्षानसृजत वात्सप्रेणापरपक्षान्विष्णुक्रमैर्व्वै प्रजापतिरर्द्धमासानसृजत वात्सप्रेण मासान्विष्णुक्रमैर्व्वै प्रजापतिर्ऋतूनसृजत वात्सप्रेण संव्वत्सरं तद्यद्विष्णुक्रमवात्सप्रे भवतऽएतदेव तेन सर्वँ सृजते ॥ ७ ॥

यद्देव विष्णुक्रमवात्सप्रे भवतः । (तो) विष्णुक्रमैर्व्वै प्रजापतिः स्वर्गं लोकमभिप्रायात्सऽएतदवसानमपश्यद्वात्सप्रं तेनावास्यदप्रदाहाय यद्धि

यद्देव विष्णुक्रमवात्सप्रे भवतः । विष्णुक्रमैर्वै प्रजापतिरिमं लोकमसृजत । वात्सप्रेणाग्निम् (१) । विष्णुक्रमैर्वै प्रजापतिरन्तरिक्षमसृजत । वात्सप्रेण वायुम् (२) । विष्णुक्रमैर्वै प्रजापतिर्दिवमसृजत । वात्सप्रेणादित्यम् (३) । विष्णुक्रमैर्वै प्रजापतिर्दिशोऽसृजत । वात्सप्रेण चन्द्रमसम् (४) । विष्णुक्रमैर्वै प्रजापतिर्भूतमसृजत । वात्सप्रेण भविष्यत् (५) । विष्णुक्रमैर्वै प्रजापतिर्वित्तमसृजत । वात्सप्रेणाशाम् (६) । विष्णुक्रमैर्वै प्रजापतिरहरसृजत । वात्सप्रेण रात्रिम् (७) । विष्णुक्रमैर्वै प्रजापतिः पूर्वपक्षानसृजत । वात्सप्रेणापरपक्षान् (८) । विष्णुक्रमैर्वै प्रजापतिरर्द्धमासानसृजत । वात्सप्रेण मासान् (९) । विष्णुक्रमैर्वै प्रजापतिर्ऋतूनसृजत । वात्सप्रेण संवत्सरम् (१०) । तद् यद् विष्णुक्रमवात्सप्रे भवतः—एतदेव तेन सर्वं सृजते ॥ ७ ॥

यद्देव विष्णुक्रमवात्सप्रे भवतः । विष्णुक्रमैर्वै प्रजापतिः स्वर्गं लोकमभिप्रायात् । स एतदव-

---

अथ पुनर्विष्णुक्रमवात्सप्रे समुच्चित्य (श. प. ६।७।१।१॥६।७।३।१६ कं.) लोकतदधिष्ठातृदेवतादिसकलजगदुत्पादकतया स्तौति—विष्णुक्रमवात्सप्रे भवतो विष्णुक्रमैर्वै प्रजापतिरिमं लोकमसृजत वात्सप्रेणाग्निमित्यादिना । 'वित्तं' धनम् । 'आशां' दिशम् । सर्वं निगदसिद्धम् । उक्तमर्थमुपसंहरति—तद्यद् विष्णुक्रमवात्सप्रे भवत इति । उक्तार्थानुसन्धानेनोभयमवश्यमनुतिष्ठन् यजमानः सर्वं जगत् सृष्टवान् भवति ॥ ७ ॥

अथ पुनर्विष्णुक्रमं स्वर्गप्राप्तिसाधनात्मना वात्सप्रं तदवसानात्मना च प्रशसति—यद्देव विष्णुक्रमवात्सप्रे इति । 'विष्णुक्रमै' साधनैः स्वर्गं लोकमभिलक्ष्य प्राप्तवान् प्रजापतिः, तस्य गमनस्य अवसानस्थानीयं वात्सप्रमपश्यत् ।

१—स्वमप्रतिमोचनादि प्राग्वात्सप्राद्विष्णुक्रमाः । का० श्रौ० सू० १६ । १७५ ।

युक्तं नु विमुच्यते प्र तद्दह्यते तथैवैतद्यजमानो विष्णुक्रमैरेव स्वर्गं लोकमभिप्रयाति वात्सप्रेणावस्यति ॥ ८ ॥

स वै विष्णुक्रमान्क्रान्त्वा । (न्त्वाऽथ) अथ तदानीमेव वात्सप्रेणोपतिष्ठते यथा प्रयायाथ तदानीमेव विमुञ्चेत्ताहक्तद्देवानां वै विधामनु मनुष्यास्तस्मादु हेदमुत मानुषो ग्रामः प्रयायाथ तदानीमेवावस्यति ॥ ९ ॥

तद्वा ऽअहोरात्रेऽएव विष्णुक्रमा भवन्ति । (न्त्य) अहोरात्रे वात्सप्रमहोरात्रेऽएव तद्यात्यहोरात्रे क्षेम्यो भवति तस्मादु हेदमुत मानुषो ग्रामोऽहोरात्रे यात्वाऽहोरात्रे क्षेम्यो भवति ॥ १० ॥

सानमपश्यद्-वात्सप्रम् । तेनावास्यद्-अप्रदाहाय । यद्धि युक्तं न विमुच्यते-प्र तद्दह्यते । तथैवैतद्यजमानो विष्णुक्रमैरेव स्वर्गं लोकमभिप्रयाति । वात्सप्रेणावस्यति ॥ ८ ॥

स वै विष्णुक्रमान् क्रान्त्वा-अथ तदानीमेव वात्सप्रेणोपतिष्ठते । यथा प्रयाय-अथ तदानीमेव विमुञ्चेत् । ताहक् तद् । देवानां वै विधामनु मनुष्याः । तस्मादु हेदमुत मानुषो ग्रामः प्रयाय-अथ तदानीमेवावस्यति ॥ ९ ॥

तद्वाऽअहोरात्रेऽएव विष्णुक्रमा भवन्ति । अहोरात्रे वात्सप्रम् । अहोरात्रेऽएव तद्याति । अहोरात्रे क्षेम्यो भवति । तस्मादु हेदमुत मानुषो ग्रामोऽहोरात्रे यात्वा, अहोरात्रे क्षेम्यो भवति ॥ १० ॥

अत्रावसानं विमोचनम् । "स्यतिरुपसृष्टो विमोचने"-(निरु. १।६।१) इति हि यास्कः । यजमानस्य तु अग्निना सह तन्मन्त्रेण आक्रमणमेव स्वर्गप्राप्तिः । वात्सप्रमन्त्रेणोपस्थानस्यानन्तरभावित्वात् तेनोपस्थानमेव स्वर्गगत्यवसानम् । यदि केवलं विष्णुक्रमानेव कृत्वा वात्सप्रं न कुर्यात् तदाऽग्नेः उपरि त्यागात् प्रदहेत् । यद्धि युक्तमिति । लोकमर्यादाप्रदर्शनम् । यथा रथे युक्तमश्वादिकं कदाचिदपि विमोकाभावे रथभारश्रमेण दह्यते, तथैवैतदित्यादि पूर्ववत् ॥ ८ ॥

दीक्षाप्रथमदिवसे विष्णुक्रमवात्सप्रयोः समसनं विधत्ते-**स वै विष्णुक्रमानिति** । प्रजापतिना यथा कृतम्, तथैव यजमानेनापि कर्त्तव्यमिति को नियम इति, तत्राह-**देवानां वै विधामनु मनुष्या** इति । 'तस्मादु ह' तस्मादेव खलु कारणात् 'इदं' वक्ष्यमाणं 'मानुषो ग्रामः' मनुष्यसमूहोऽपि 'प्रयाय' गन्तव्यम् प्राप्य, तदानीमेव 'अवस्यति' अश्वादि गमनसाधनं विमुञ्चति । अनेन तस्य भूतार्थवादता समर्थिता भवति ॥ ९ ॥

विहिते विष्णुक्रमवात्सप्रे, एकस्मिन् दिने विष्णुक्रमाः, अपरस्मिंस्तु वात्सप्रमित्येव क्रमेण कर्त्तव्यमिति सार्थवादं दर्शयति-**तद्वा अहोरात्रे एव विष्णुक्रमा भवन्ति, अहोरात्रे वात्सप्रमिति** । 'अहोरात्रे' एकस्मिन् दिवसे इत्यर्थः । तथा च कात्यायनः-"विष्णुक्रमवात्सप्रे चाहर्व्यत्यासम्"-(का. श्रौ. सू. १६ । १७४) इति । 'तत्' तेन गमनरूपं विष्णुक्रमम् एकस्मिन् दिवसे करोति, अपरस्मिंश्च तदवसानरूपं वात्सप्रं कृतवान् भवति । 'तस्मात्' 'मानुषो ग्रामः' अपि इदानीमपि एकस्मिन् दिवसे अध्वानं गत्वा, अन्यस्मिन् दिवसे 'क्षेम्यः' क्षेमार्हो भवति, सुखमास्त इत्यर्थः ॥ १० ॥

स वा ऽअर्द्धमेव संवत्सरस्य विष्णुक्रमान्क्रमते । (तेऽर्द्धं) अर्द्धं वात्सप्रेणोपतिष्ठते मध्ये ह संवत्सरस्य स्वर्गो लोकः स यत्कनीयोऽर्द्धात्क्रमेत न हैतᳪं स्वर्गं लोकमभिप्राप्नुयादथ यद्भूयोऽर्द्धात्पराङ् हैतᳪं स्वर्गं लोकमतिप्रणश्येदथ यदर्द्धं क्रमतेऽर्द्धमुपतिष्ठते तत्सम्प्रति स्वर्गं लोकमाप्त्वा विमुञ्चते ॥ ११ ॥

ताभ्यां वै विपर्यासमेति । यथा महान्तमध्वानं विमोकᳪं समश्नुवीत ताहक्तस्य वै पुरस्ताच्चोपरिष्टाच्चोभे विष्णुक्रमवात्सप्रे समस्यत्यहर्वै विष्णुक्रमा रात्रिर्वात्सप्रमेतद्वा ऽइदᳪं सर्वं प्रजापतिः प्रजनयिष्युंश्च प्रजनयित्वा चाहोरात्राभ्यामुभयतः पर्यगृह्णात्तथैवैतद्यजमान ऽइदᳪं सर्वं प्रजनयिष्युंश्च प्रजनयित्वा चाहोरात्राभ्यामुभयतः परिगृह्णाति ॥ १२ ॥

स वाऽअर्द्धमेव संवत्सरस्य विष्णुक्रमान् क्रमते–अर्द्धं वात्सप्रेणोपतिष्ठते । मध्ये ह संवत्सरस्य स्वर्गो लोकः । स यत् कनीयोऽर्द्धात् क्रमेत–न हैतं स्वर्गं लोकमभिप्राप्नुयात् । अथ यद्भूयो-ऽर्द्धात्–पराङ् हैतं स्वर्गं लोकमतिप्रणश्येत् । अथ यदर्द्धं क्रमते–अर्द्धमुपतिष्ठते–तत् सम्प्रति स्वर्गं लोकमाप्त्वा विमुञ्चते ॥ ११ ॥

ताभ्यां वै विपर्यासमेति । यथा महान्तमध्वानं विमोकं समश्नुवीत–तादृक् । तस्य वै पुरस्ताच्चो-परिष्टाच्चोभे विष्णुक्रमवात्सप्रे समस्यति । अहर्वै विष्णुक्रमाः, रात्रिर्वात्सप्रम् । एतद्वाऽइदं सर्वं प्रजा-पतिः प्रजनयिष्यंश्च प्रजनयित्वा च, अहोरात्राभ्यामुभयतः पर्यगृह्णात् । तथैवैतद्यजमान इदं सर्वं प्रजनयिष्यंश्च प्रजनयित्वा चाहोरात्राभ्यामुभयतः परिगृह्णाति ॥ १२ ॥

उक्तप्रकारेण संवत्सरपर्यन्तमनुष्ठितवतः फलितं दर्शयति–**स वा अर्द्धमेव संवत्सरस्येति** । एवं सति संवत्सरार्द्धं विष्णुक्रमाः कृता भवन्ति, अतश्च संवत्सरमध्यदिवसात्मकः स्वर्गलोकः प्राप्तो भवति । उक्तवैपरीत्ये अर्द्धसंवत्सरादर्वागेकस्मिन्नप्यहनि अहर्व्यत्यासनियमभङ्गेन विष्णुक्रममकृत्वा वात्सप्रं कुर्यात्, तदानीं संवत्सर-मध्यात्मकं स्वर्गं न प्राप्नुयात् । अथार्द्धसंवत्सरादुपर्यपि अहर्व्यत्यासभङ्गेन यदि विष्णुक्रममेव कुर्यात्, तदानीं संवत्सरमध्यलक्षणं स्वर्गमतिक्रामेत्; अतो न्यूनाधिकमकृत्वोपक्रमेणाहर्व्यत्यासेनार्द्धसंवत्सरं विष्णुक्रमं कृत्वा अर्द्धसंवत्सरं वात्सप्रोपस्थाने सति अप्राप्त्यतिक्रमणलक्षणदोषद्वयाभावेनैव 'स्वर्गं लोकम् आप्त्वा विमुञ्चते' प्राप्तिसाधनमग्निम् ॥ ११ ॥

ताभ्यां वै विपर्यासमेतीति । संवत्सरमनुष्ठेयत्वात् महाध्वगमनस्थानीयं चयनकर्म, तत्राहर्विपर्यासमनुष्ठान-श्रमपरिहाराय एकैकस्मिन् दिने यात्राविच्छेदं महाध्वगमनप्राप्तिस्थानीयं कृतवान् भवति । आद्यन्तयोरह्नोरुभयो-

---

१–संवत्सर१ सोष्यतः । संवत्सराहिताग्नेः । जातस्य च । षण्मास्यमंत्यम् । का. श्रौ. सू. १६ । १७९–१८२ ।

तदाहुः। (र्ख) यदहर्व्विष्णुक्रमा रात्रिर्व्वात्सप्रमथोभेऽएवाहन्भवतो न रात्र्यां कथमस्यापि रात्र्यां कृते भवत ऽइत्येतद्वाऽएनेऽअदो दीक्षमाणः पुरस्तादपराह्णऽउभे समस्यति रात्रिर्हैतद्यदपराह्णोऽथैनेऽएतत्सन्निवप्स्यन्नुपरिष्टात्पूर्वाह्णऽउभे समस्यत्यहर्हैतद्यत्पूर्वाह्ण ऽएवमु हास्योभेऽएवाहन् कृते भवतऽ उभे रात्र्याम् ॥ १२ ॥

(११)स यदहः सन्निवप्स्यन्त्स्यात्।(त्त)तदहः प्रातरुदितऽआदित्ये भस्मैव प्रथममुद्वपति भस्मोदुप्य व्वाचं व्विसृजते व्वाचं व्विसृज्य समिधमा-

---

तदाहुः—यदहर्विष्णुक्रमाः, रात्रिर्वात्सप्रम्—अथोभे ऽएवाहन्भवतो, न रात्र्याम्। कथमस्यापि रात्र्यां कृते भवत इति। एतद्वाऽएनेऽअदो दीक्षमाणः पुरस्तादपराह्ण ऽउभे समस्यति। रात्रिर्हैतद्—यदपराह्णः। अथैनेऽएतत् सन्निवप्स्यन्नुपरिष्टात् पूर्वाह्णऽउभे समस्यति। अहर्हैतद्—यत् पूर्वाह्णः। एवमु हास्योभेऽएवाहन् कृते भवतः—उभे रात्र्याम् ॥ १२ ॥

स यदहः सन्निवप्स्यन्त्स्यात्—तदहः प्रातरुदित ऽआदित्ये भस्मैव प्रथममुद्वपति। भस्मोदुप्य वाचं

र्विष्णुक्रमवात्सप्रस्थानीयत्वम्, तयोः समुच्चित्यानुष्ठानं विधाय स्तौति—तस्य वै पुरस्ताच्चोपरिष्टाच्चेत्यादिना। अहश्च रात्रिश्च क्रमेण विष्णुक्रमवात्सप्रस्थानीयम्। तथा सति 'एतद्वै'। किमेतदिति स्पष्टयति—इदं सर्वं प्रजापतिः प्रजनयिष्यंश्चेति। एतस्य सर्वस्य सृष्ट्यादौ तदन्ते वा अहोरात्राभ्यां सृष्टं सर्वं पर्यगृह्णात्, स्वाधीनं कृतवान्। तथैवैतदिति। पूर्ववत्। यजमानस्य सर्वजगत्सृष्टिर्नाम संवत्सरपर्यन्तमहर्व्यत्यासानुष्ठानम्, सृष्टस्याहोरात्राभ्यामुभयतः परिग्रह उभयत्रोभयोः समुच्चित्यानुष्ठानम् ॥ १२ ॥

"अहर्वै विष्णुक्रमो रात्रिर्वात्सप्रम्" इत्यत्र काचिच्छङ्का समुन्मिषति, तामनूद्य समाधत्ते—तदाहुर्यदहरिति। 'उभे एव' 'अहन्' अहनि निर्वर्त्ये 'भवतः,' 'न रात्र्याम्;' 'कथम्' 'अस्य' यजमानस्य 'रात्र्याम्' अपि 'कृते भवतः'। अस्योत्तरम्—एतद्वा इति। 'एने' उभे विष्णुक्रमवात्सप्रे 'अदः' विप्रकृष्टे दीक्षावसरे 'दीक्षमाणः' 'पुरस्तात्' संवत्सरस्य 'अपराह्णे' 'समस्यति' अव्यवधानेनानुतिष्ठति। अस्तु, रात्रेः कथं प्राप्तिरिति, तत्राह—रात्रिर्हैतद् यदपराह्ण इति। इत्थमादौ समासकारणमुक्त्वा अन्तेऽपि दर्शयति—अथैने एतत् सन्निवप्स्यन्निति। 'उपरिष्टात्' संवत्सरावसाने। शिष्टं पूर्ववत्। 'एवम्' आद्यन्तयोः समस्यानुष्ठानेन 'उभे' अपि सर्वस्मिन्नहनि समस्य कृते भवतः। तथा सर्वस्यामपि 'रात्र्याम्' 'उभे' अपि समस्य 'कृते भवतः' ॥ १२ ॥

चरमदिवसकर्त्तव्यमाह—स यदहरिति। 'यदहः' यस्मिन्नहनि। सन्निवापो नाम चितेऽग्नौ उख्याग्नेर्निर्वापः,

दधाति समिधमाधाय भस्मापोऽभ्यवहरति यथैव तस्याभ्यवहरणं तथाऽपादाय भस्मनः प्रत्येत्योखायामोप्योपतिष्ठतेऽथ प्रायश्चित्ती करोति॥ १४॥

स यदि विष्णुक्रमीयमहः स्यात् । (द्वि) विष्णुक्रमान्क्रान्त्वा वात्सप्रेणोपतिष्ठेताथ यदि वात्सप्रीयं वात्सप्रेणोपस्थाय विष्णुक्रमान्क्रान्त्वा वात्सप्रमन्ततः कुर्यान्न विष्णुक्रमानन्ततः कुर्याद्यथा प्रयाय न विमुञ्चेत्तादृक्तदथ यद्वात्सप्रमन्ततः करोति प्रतिष्ठा वै वात्सप्रं यथा प्रतिष्ठापयेदवसाययेत्तादृक्तत्तस्मादु वात्सप्रमेवान्ततः कुर्यात् ॥ १५ ॥

इति पञ्चमप्रपाठके चतुर्थं ब्राह्मणम् ॥ ६-५-४ ॥ (७.४.) ॥
इति सप्तमोऽध्यायः समाप्तः ॥ ६-७ ॥

विसृजते । वाचं विसृज्य समिधमादधाति । समिधमाधाय भस्मापोऽभ्यवहरति । यथैव तस्याभ्यवहरणं—तथाऽपादाय भस्मनः प्रत्येत्योखायामोप्योपतिष्ठते । अथ प्रायश्चित्ती करोति ॥ १४ ॥

स यदि विष्णुक्रमीयमहः स्याद्—विष्णुक्रमान्क्रान्त्वा वात्सप्रेणोपतिष्ठेत । अथ यदि वात्सप्रीयम्—वात्सप्रेणोपस्थाय विष्णुक्रमान्क्रान्त्वा वात्सप्रमन्ततः कुर्यात् । न विष्णुक्रमानन्ततः कुर्यात् । यथा प्रयाय न विमुञ्चेत्—तादृक्तत् । अथ यद्वात्सप्रमन्ततः करोति—प्रतिष्ठा वै वात्सप्रम्—यथा प्रतिष्ठापयेत्; अवसाययेत्—तादृक् तत् । तस्मादु वात्सप्रमेवान्ततः कुर्यात् ॥ १५ ॥

तं करिष्यन् ' स्यात्, ' ' तदहः प्रातः उदिते आदित्ये '—इत्यादिना प्रयोगः प्रदर्श्यते । **भस्मैव प्रथममिति**[1] । नेतरत् कर्म प्रथमं कुर्यात् । **यथैव तस्याभ्यवहरणमिति** । ' तस्य ' भस्मनः उदके प्रक्षेपो ' यथा, ' तथा ' एव ' । क्षिप्तस्य ' भस्मनः ' सकाशात् अपादाय पुनस्तद्देशात् ' प्रति ' निवृत्तः सन् ' उखायाम् ओप्य उपतिष्ठते ' । भस्माभ्यवहरणादेरनुष्ठानप्रकारः समन्त्रक उपरिष्टात् " अथातो भस्मन एव " इत्यादिना (श. प. ६ । ८ । २ । १) प्रतिपादयिष्यते, अत्र तु अनुष्ठेयपदार्थोद्देशमात्रमेव । **अथ प्रायश्चित्ती करोतीति** । एतदुखाप्रकरणे व्याख्यातम् (श. प. ६ । ६ । ४ । ११–१९) ॥ १४ ॥

दीक्षान्त्यदिवसस्य पक्षे विष्णुक्रमीयत्वम्, पक्षे वात्सप्रीयत्वं च भवति, तदा कथमनुष्ठानप्रकार इति, तद् विभज्य दर्शयति—**स यदि विष्णुक्रमीयमहः स्यादिति** । विष्णुक्रमानन्तरं वात्सप्रोपस्थानमिति यथाक्रममेव । यदि वात्सप्रसम्बन्धि स्यात् चरममहः, तदा वात्सप्रोपस्थानानन्तरं ' विष्णुक्रमान् क्रान्त्वा ' पुनर्वात्सप्रोपस्थानं कर्त्तव्यम् । पुनर्वात्सप्रोपस्थानमकृत्वा, केवलेन विष्णुक्रमेणैव यदि समाप्येत, तदा गमनसाधनाश्वादिस्थानीयस्याग्नेर्न विमोक्षः स्यात् । इत्थं विष्णुक्रमेणैवानुष्ठानावसाने दोषमुक्त्वा, पुनः वात्सप्रेणाहस्समाप्तौ गुणं दर्श-

---

१–उखाया भस्मोद्वपनमस्तमिते पात्रे । का. श्रौ. सू. १६ । १७० ।

यति–अथ यद् वात्सप्रमन्ततः करोति, प्रतिष्ठा वै वात्सप्रमिति । वात्सप्रस्य स्वर्गगमनावसानरूपत्वमुक्तं प्राक्; (अस्मिन्नेव ब्राह्मणे ११ कण्डिकायाम्) तस्मात् प्रतिष्ठात्मकत्वम् । स्पष्टमन्यत् (का. श्रौ. सू. १६ । १७९) ॥ १९ ॥

इति श्रीसायणाचार्यविरचिते माधवीये वेदार्थप्रकाशे माध्यन्दिनीयशतपथब्राह्मणभाष्ये
षष्ठे काण्डे सप्तमेऽध्याये चतुर्थं ब्राह्मणम् ॥ (६–७–४) ॥

वेदार्थस्य प्रकाशेन तमो हार्दं निवारयन् । पुमर्थांश्चतुरो देयाद् विद्यातीर्थमहेश्वरः ॥ १ ॥

ब्रह्माण्डं गोसहस्रं कनकहयतुलापूरुषौ स्वर्णगर्भं,
सप्ताब्धीन्पञ्चसीरीस्त्रिदशतरुलताधेनुसौवर्णभूमीः ।
रत्नोस्रां रुक्मवाजिद्विपमहितरथौ सायणिः सिङ्गणार्यो,
व्यश्राणीद्विश्वचक्रं प्रथितविधिमहाभूतयुक्तं घटं च ॥
धान्याद्रिं धन्यजन्मा तिलभवमतुलः स्वर्णजं वर्णमुख्यः,
कार्पासीयं कृपावान्गुडकृतमजडो राजतं राजपूज्यः ।
आज्योत्थं प्राज्यजन्मा लवणजमनृणः शार्करं चार्कतेजा,
रत्नाढ्यो रत्नरूपं गिरिमकृत मुदा पात्रसात्सिङ्गणार्यः ॥

इति श्रीमद्राजाधिराजपरमेश्वरवैदिकमार्गप्रवर्तकश्रीहरिहरमहाराजसाम्राज्यधुरन्धरेण सायणाचार्येण विरचिते माधवीये वेदार्थप्रकाशे माध्यन्दिनशतपथब्राह्मणभाष्ये षष्ठकाण्डे सप्तमोऽध्यायः समाप्तः ॥ ६–७ ॥

अथ अष्टमाऽध्याये प्रथमं ब्राह्मणम् ।
पञ्चमप्रपाठके च पञ्चमं ब्राह्मणम् ।

व्वनीवाह्येताग्निं बिभ्रदित्याहुः । (दें) देवाश्चासुराश्चोभये प्राजापत्या ऽअस्पर्द्धन्त ते देवाश्चक्रमचरञ्छालमसुराऽ आसंस्ते देवाश्चक्रेण चरन्तऽ एतत्कर्मापश्यंश्चक्रेण हि वै देवाश्चरन्तऽ एतत्कर्मापश्यंस्तस्मादनसऽ एव पौरोडाशेषु यजूᳬंष्यनसोऽग्नौ ॥ १ ॥

स यो व्वनीवाह्यते । देवान्कर्मणैति दैवᳬं हास्य कर्म कृतं भवत्यथ यो न व्वनीवाह्यतेऽसुरान् कर्मणैत्यसुर्यᳬं हास्य कर्म कृतं भवति ॥ २ ॥

वनीवाह्येताग्निं बिभ्रदित्याहुः । देवाश्चासुराश्चोभये प्राजापत्या अस्पर्द्धन्त । ते देवाश्चक्रमचरन्–शालमसुरा आसन् । ते देवाश्चक्रेण चरन्त एतत् कर्मापश्यन् । चक्रेण हि वै देवाश्चरन्त एतत् कर्मापश्यन् । तस्माद्–अनस एव पौरोडाशेषु यजूंषि, अनसोऽग्नौ ॥ १ ॥

स यो वनीवाह्यते–देवान् कर्मणैति, दैवं हास्य कर्म कृतं भवति । अथ यो न वनीवाह्यते–असुरान् कर्मणैति । असुर्यं हास्य कर्म कृतं भवति ॥ २ ॥

यस्य निःश्वसितं वेदा यो वेदेभ्योऽखिलं जगत् । निर्ममे तमहं वन्दे विद्यातीर्थमहेश्वरम् ॥ १ ॥
रुक्मशिक्यपाशासन्दीप्तशिक्योखाग्निधारणम् । विष्णुक्रमश्च वात्सप्रोपस्थानं सप्तमे गतम् ॥ २ ॥
अथाष्टमेऽत्र ह्युख्याग्नेर्गार्हपत्यचयार्थकम् । देवयजनदेशस्य प्रापणादिकमुच्यते ॥ ३ ॥

तत्रोख्याग्नेर्गार्हपत्यं प्रति अनसा प्रापणं विधास्यंस्तदुपोद्घातमाह–वनीवाह्येताग्निं बिभ्रदित्यादिना । अग्निचयनप्रदेशप्रापणीयाग्निं 'बिभ्रद्' यजमानो 'वनीवाह्येत' अनसा तमुख्याग्निं भृशं वाहयेत् 'इत्याहुः' पूर्वमहर्षयः । वहतेर्यङन्तस्याभ्यासस्य नीगागमश्छान्दसः ॥

केनाभिप्रायेणेति, तमभिप्रायं पूर्ववृत्तान्तमुखेन दर्शयति–देवाश्चेति । 'ते देवाः' 'चक्रम् अचरन्' चक्रेणाचरन्नित्यर्थः । 'असुराः' तु 'शालम्' चक्रव्यतिरिक्तं साधनम् शालम्, तत् 'आसन्' तत्साधना अभवन्नित्यर्थः । ते देवाश्चक्रेण चरन्त एतत् कर्मापश्यन्निति । 'एतत्' उख्याग्निप्रणयनलक्षणमित्यर्थः । यस्माद् 'अपश्यन्' 'तस्मात्' 'पौरोडाशेषु' पुरोडाशसम्बन्धिषु कर्मसु 'अनसः एव' शकटस्यैव 'यजूंषि' मन्त्राः सन्ति, तथा 'अग्नौ' अग्निचयनेऽपि 'अनसः' एव 'यजूंषि' ॥ १ ॥

इत्थमुपोद्घातमुक्त्वा औपोद्घातिकं दर्शयति–स यो वनीवाह्यत इति । भृशमनसा वाहयेत् तद् वनीवाहनलक्षणेन 'कर्मणा' 'देवान् एति' देवानामाचरणमनुकरोतीत्यर्थः । तदेव व्याचष्टे–दैवं हास्येति । व्यतिरेकं

१–वनीवाहनमेतदीयाद् यरीच्छेत् । का० श्रौ० सू० १६ । १९१ ॥

तद्धैक ऽआहुः । स्वयं वाऽएष व्वनीवाहितो व्विष्णुक्रमैर्व्वाऽएष प्रयाति व्वात्सप्रेणावस्यतीति न तथा व्विद्याद्दैवं वाऽअस्य तत्प्रयाणं यद्वि-ष्णुक्रमा दैवमवसानं यद्वात्सप्रमथास्येदं मानुषं प्रयाणं यदिदं प्रयाति मानुषमवसानं यदवस्यति ॥ ३ ॥

प्रजापतिरेषोऽग्निः । (रु) उभयम्वेतत्प्रजापतिर्यच्च देवा यच्च मनुष्या-स्तद्यद्विष्णुक्रमवात्सप्रे भवतो यद्देवास्य दैवꣳ रूपं तदस्य तेन संस्क-रोत्यथ यद्वनीवाह्यते यदेवास्य मानुषꣳ रूपं तदस्य तेन संस्करोति स ह वाऽएतꣳ सर्व्वं कृत्स्नं प्रजापतिꣳ संस्करोति यऽएवं विद्वान्वनीवा-ह्यते तस्मादु व्वनीवाह्येतैव ॥ ४ ॥

तद्धैक ऽआहुः—स्वयं वाऽएष वनीवाहितः । विष्णुक्रमैर्वाऽएष प्रयाति, वात्सप्रेणावस्यतीति । न तथा विद्यात् । दैवं वा ऽअस्य तत् प्रयाणं—यद् विष्णुक्रमाः । दैवमवसानम्—यद् वात्सप्रम् । अथास्येदं मानुषं प्रयाणं—यदिदं प्रयाति । मानुषमवसानं—यदवस्यति ॥ ३ ॥

प्रजापतिरेषोऽग्निः । उभयम्वेतत् प्रजापतिः—यच्च देवाः, यच्च मनुष्याः । तद् यद् विष्णुक्रम-वात्सप्रे भवतः—यद्देवास्य दैवं रूपम्—तदस्य तेन संस्करोति । अथ यद्वनीवाह्यते—यदेवास्य मानुषं रूपम् । तदस्य तेन संस्करोति । स ह वाऽएतं सर्वं कृत्स्नं प्रजापतिं संस्करोति—य एवं विद्वान् वनी-वाह्यते । तस्मादु वनीवाह्येतैव ॥ ४ ॥

दर्शयति—अथ यो न वनीवाह्यत इति । वनीवाहनमकृत्वा शालायामेवाग्निं निष्पादयेत्, तदा 'असुर्यम्' तत् कर्म असुरेभ्यो हितं भवतीत्यर्थः ॥ २ ॥

इत्थं वनीवाहनं कर्त्तव्यमिति विधाय, तस्य प्रकारान्तरेण प्राप्तिमाशङ्कते—तद्धैक आहुः स्वयं वा एष इति । अग्नेर्भृशं वहनमेवापेक्षितम् । तत् विष्णुक्रमणेनैव सवात्सप्रेण कृतमित्यभिप्रायः । दैवं वा अस्य तत् प्रयाणमिति । विष्णुक्रमरूपं प्रयाणं देवविष्णुभावेनाक्रान्तत्वात्, अवसानस्य तादृक्त्वमपि तस्माद्देव; वनीवाहनरूपं तु मानुषमेव ॥ ३ ॥

अस्त्वेवं विषयभेदेन प्रयाणभेदः, तथापि द्विविधमपि कर्त्तव्यमित्यत्र किङ्कारणमिति तद् दर्शयति—प्रजापति-रेषोऽग्निरुभयम्वेतदित्यादिना । स्रष्टृसष्टव्ययोरभेदोपचारेण 'एतत् उभयम्' अपि 'प्रजापतिः' एव । तथा सत्युभयेन सवात्सप्रेण विष्णुक्रमेण वनीवाहनेन चेत्युभयेन दैवमानुषभेदेनोभयविधमपि 'रूपं संस्करोति'। अत उभयमप्यवश्यमनुष्ठेयमित्यर्थः । उक्तार्थज्ञानपूर्वकमनुतिष्ठतः फलमाह—स ह वा एतमिति । तस्मादिति । निगमनम् ॥ ४ ॥

स यदहः प्रयास्यन्त्स्यात् । (त्त) तदहरुत्तरतोऽग्नेः प्रागन ऽउपस्थाप्या-थास्मिन्त्समिधमादधात्येतद्वाऽएनं देवाऽ एष्यन्तं पुरस्तादन्नेनाप्रीण-न्नेतया समिधा तथैवैनमयमेतदेष्यन्तं पुरस्तादन्नेन प्रीणात्येतया समिधा ॥ ५ ॥

समिधाऽग्निं दुवस्यतेति । समिधाऽग्निं नमस्यतेत्येतद्घृतैर्बोधयतातिथिमा-ऽस्मिन्हव्या जुहोतनेति घृतैरह बोधयतातिथिमो ऽअस्मिन्हव्यानि जुहुते-त्येतद्बुद्धवत्येत्यायै ह्येनमेतद्बोधयति ॥ ६ ॥

(त्यु) अथैनमुद्यच्छति । (त्यु) उदु त्वा विश्वे देवाऽ अग्ने भरन्तु चित्तिभिरिति विश्वे वाऽएतमग्ने देवाश्चित्तिभिरुदभरन्नेतद्धयेषां तदा चित्तमासीत्तथैवैनमयमेतच्चित्तिभिरुद्धरत्येतद्धयस्य तदा चित्तं भवति

स यदहः प्रयास्यन्त्स्यात्—तदहरुत्तरतोऽग्नेः प्रागन उपस्थाप्य—अथास्मिन् समिधमादधाति । एतद्वाऽएनं देवा एष्यन्तं पुरस्तादन्नेनाप्रीणन्—एतया समिधा । तथैवैनमयमेतदेष्यन्त पुरस्तादन्नेन प्रीणाति—एतया समिधा ॥ ५ ॥

"**समिधाऽग्निं दुवस्यत**"—इति । समिधाऽग्निं नमस्यतेत्येतद् । "**घृतैर्बोधयतातिथिम् । आऽस्मिन् हव्या जुहोतन**"—(वा. सं. १२ । ३०) इति । घृतैरह बोधयतातिथिम् । ओऽअस्मिन् हव्यानि जुहुतेत्येतद् । बुद्धवत्या । इत्यायै ह्येनमेतद् बोधयति ॥ ६ ॥

अथैनमुद्यच्छति । "**उदु त्वा विश्वे देवा अग्ने भरन्तु चित्तिभिः**"—इति । विश्वे वाऽएतमग्ने देवाश्चित्तिभिरुदभरन् । एतद्धयस्य तदा चित्तमासीत् । तथैवैनमयमेतच्चित्तिभिरुद्धरति । एत-

---

अग्नेर्गार्हपत्यचयनदेशं प्रति प्रणयनप्रयोगमाह—**स यदहरिति** । यस्मिन्नहनि दीक्षां समाप्य, चितिप्रदेशं प्रति 'प्रयास्यन् स्यात्,' तदोख्याग्नेः 'उत्तरतः' प्राक् अनः उपस्थाप्य, 'अस्मिन्' उख्याग्नौ 'समिधम्' आदध्यात् । तथा च कात्यायनः—"प्रागनः कृत्वोख्यस्योत्तरतः समिदाधानं समिधाऽग्निमिति"—(का. श्रौ. सू. १६ । १८४) इति । एतत् प्रशंसति—**एतद्वा एनमिति** । यथा लोके प्रयास्यन्तं भोजयित्वा प्रस्थापयति, तत्स्थानीयमिदं समिदाधानमिति स्तुतिः ॥ ५ ॥

तत्र **समिधाऽग्निमिति** मन्त्रः । हे ऋत्विग्यजमानाः ! 'समिधा अग्निं' 'दुवस्यत' प्रचरत, 'घृतैः' अतिथिभूतमग्निं 'बोधयत' प्रबुद्धं कुरुत । अथ चितिप्रदेशे गार्हपत्यभूते 'अस्मिन्' 'हव्या' हवींषि 'आजुहोतन' सर्वतो जुहुत । तत्र दुवस्यतेत्येतद् व्याचष्टे—**समिधाऽग्निं नमस्यतेत्येतादिति** । स्पष्टमन्यत् । बोधयतेति यद् बोधलिङ्गमस्ति, तस्य तात्पर्यमाह—**इत्यायै ह्येनमेतद् बोधयतीति** । 'इत्यायै' गमनाय ॥ ६ ॥

अथैनमुद्यच्छत्युदु त्वेति । अनस उपरि उख्याग्निं स्थापयितुमूर्ध्वं धारयेत् । तच्च धारणमासन्दी-

स नो भव शिवस्त्वꣳ सुप्रतीको विभावसुरिति यथैव यजुस्तथा बन्धुस्तं दक्षिणतऽउदञ्चमादधाति तस्योक्तो बन्धुः स्थाल्यां गार्हपत्यꣳ समुप्यापरमादधाति स यदि कामयेतोपाधिरोहेत्पार्श्वतो वा व्रजेत् ॥ ७ ॥

(द) अथानड्वाहौ युनक्ति। दक्षिणमग्रेऽथ सव्यमेवं देवत्रेतरथा मानुषे स यां काञ्च दिशं यास्यन्त्स्यात्प्राङेवाग्रे प्रयायात्प्राची हि दिगग्नेः स्वामेव तद्दिशमनु प्रयाति ॥ ८ ॥

ह्यस्य तदा चित्तं भवति। "स नो भव शिवस्त्वं सुप्रतीको विभावसुः"–(वा. सं. १२।३१) इति। यथैव यजुस्तथा बन्धुः। तं दक्षिणत उदञ्चमादधाति। तस्योक्तो बन्धुः। स्थाल्यां गार्हपत्यं समुप्य, अपरमादधाति। स यदि कामयेत–उपाधिरोहेत्, पार्श्वतो वा व्रजेत् ॥ ७ ॥

अथानड्वाहौ युनक्ति–दक्षिणमग्रे, अथ सव्यम्। एवं देवत्रा। इतरथा मानुषे। स यां काञ्च दिशं यास्यन्त्स्यात्–प्राङेवाग्रे प्रयायात्। प्राची हि दिगग्नेः। स्वामेव तद्दिशमनु प्रयाति ॥ ८ ॥

सहितम् "सासन्दीकमुद्यम्य"–(का. श्रौ. सू. १६। १८९) इति सूत्रात्। पूर्वार्द्धे चित्तिभिरित्येतद् व्याचष्टे–एतद्ध्येषामिति। 'एषां' देवानां 'चित्तिभिः' ज्ञानैरुद्धरणं कुर्वताम् 'तदा' उद्धरणकाले 'एतत्' उद्धरणमेव 'चित्तं' चेत्तव्यम् 'आसीत्'। 'तथैव' देववदेव यजमानोऽपि 'चित्तिभिः' उद्भृतवान् भवति। अस्यापि यजमानस्य 'एतदेव' उद्धरणमेव चित्तं भवति। उत्तरार्द्धस्य स्पष्टार्थतामाह–यथैव यजुस्तथा बन्धुरिति। मन्त्रस्यायमर्थः–हे 'अग्ने!' 'त्वा' त्वाम् 'विश्वे देवाः' 'चित्तिभिः' ज्ञानैः 'उद्धरन्तु'। 'सः' तथाविधस्त्वं 'नः' अस्माकं 'शिवो भव' तथा 'सुप्रतीकः' शोभनाङ्गः 'विभावसुः' प्रभैकधनश्चभव ॥

उद्भृतस्याग्नेरनसि स्थापने विशेषमाह–तं दक्षिणत उदञ्चमादधातीति। 'दक्षिणतः' सकाशात् 'उदञ्चम्' उदङ्मुखम्। "उदु त्वेति दक्षिणतोऽनसि करोति"–(का. श्रौ. सू. १६। १८९) इति सूत्रम्। पूर्वोक्तमर्थवादमुक्तेऽर्थेऽतिदिशति–तस्योक्तो बन्धुरिति। "दक्षिणतो वा उदग् योनौ रेतः सिच्यते"–(श. प. ६। ४। २। १० कं.) इत्येवमुक्त इत्यर्थः। अन्यस्यां 'स्थाल्याम्' 'अपरं' 'गार्हपत्यम्' अग्निं स्थापयित्वा 'आदधाति' अग्नेः पश्चाद्देशे स्थापयेत्। "स्थाल्यां गार्हपत्यं पश्चात्"–(का. श्रौ. सू. १६। १८६) इति हि सूत्रम्। यजमानस्याप्यारोहणं पाक्षिकमिति दर्शयति–स यदि कामयेतेति ॥ ७ ॥

अनस्यनडुहोर्योजनं तत्क्रमं चाह–अथानड्वाहाविति। 'एवम्' उक्तक्रमेण चेत् 'देवत्रा' देवेषूचितं भवति। 'इतरथा' सव्यं प्रथमं युनक्ति चेत् 'मानुषे' मनुष्ये, तद्योग्यमित्यर्थः। यजनदेशस्य यत्र कुत्र-

---

१–अनड्वाहौ युक्त्वा प्रेदग्ने इति प्राङ् यात्वा यथार्थम्। का० श्रौ० सू० १६। १८७ ॥

प्रेदग्ने ज्योतिष्मान्याहि। शिवेभिरर्चिभिष्ट्वमिति प्रेदग्ने त्वं ज्योतिष्मान्याहि शिवेभिरर्चिभिर्दीप्यमानैरित्येतद्बृहद्भिर्भानुभिर्भासन्मा हिꣳसीस्तन्वा प्रजाऽइति बृहद्भिरर्चिभिर्दीप्यमानैर्मा हिꣳसीरात्मना प्रजाऽइत्येतत् ॥ ९ ॥

(त्स) स यदाऽक्षऽउत्सर्जेत्। (द) अथैतद्यजुर्जपेदसुर्या वाऽएषा वाग्याऽक्षस्य तामेतच्छमयति तामेतद्देवत्रा करोति ॥ १० ॥

यद्वेवैतद्यजुर्जपति। यस्मिन्वै कस्मिंश्चाहितेऽक्षऽ उत्सर्जति तस्यैव सा वाग्भवति तद्यदग्नावाहितेऽक्षऽउत्सर्जत्यग्नेरेव सा वाग्भवत्यग्निमेव तद्देवा

"प्रेदग्ने ज्योतिष्मान्याहि शिवेभिरर्चिभिष्ट्वम्"—इति। प्रेदग्ने त्वं ज्योतिष्मान्याहि शिवेभिरर्चिभिर्दीप्यमानैरित्येतत्। "बृहद्भिर्भानुभिर्भासन् मा हिंसीस्तन्वा प्रजाः"—(वा. सं १२। ३२) इति। बृहद्भिरर्चिभिर्दीप्यमानैर्मा हिंसीरात्मना प्रजा इत्येतत् ॥ ९ ॥

स यदाऽक्ष उत्सर्जेत्—अथैतद्यजुर्जपेत्। असुर्या वाऽएषा वाक्—याऽक्षस्य। तामेतच्छमयति। तामेतद्देवत्रा करोति ॥ १० ॥

यद्वेवैतद्यजुर्जपति। यस्मिन्वै कस्मिंश्चाहितेऽक्ष उत्सर्जति—तस्यैव सा वाग् भवति। तद् यदग्नावाहितेऽक्ष उत्सर्जति—अग्नेरेव सा वाग् भवति। अग्निमेव तद्देवा उपास्तुवन्। उपामहयन्। तथै-

---

चित् अवस्थितत्वेऽपि आदौ प्राङ्मुखो यायादिति नियमं सार्थवादं विधत्ते—स यां काञ्चेति। देवानां दिग्व्यवस्थाकाले अग्निना प्रागूदिक्परिग्रहात्—प्राची हि दिगग्नेरित्युक्तम् (श. प. ६। ३।३।२)। "प्राची दिगग्निर्देवता"—(तै. सं. ४। ३। ३) इति तैत्तिरीयकप्रसिद्धिः "प्राची हि"—इति हिशब्देन द्योत्यते। तदनसः प्राक् प्रवर्त्तनम् ॥ ८ ॥

मन्त्रे पूर्वार्द्धस्य तात्पर्यं दर्शयन् अर्चिभिरित्येतस्यावयवार्थमाह—प्रेदग्न इत्यादिना। शिवेभिरग्निभिर्दीप्यमानैरिति। "ऋच दीप्तौ"—इत्यस्मात् अर्चिशब्द इति प्रतिपादितं भवति। तथैवोत्तरार्द्धस्य तात्पर्यं दर्शयन् भानु-शब्दस्यार्चिरर्थ इति व्याचष्टे—बृहद्भिर्भानुभिरिति। 'तन्वा'—इत्यस्य व्याख्यानमात्मनेति, शरीरेणेत्यर्थः। अयमर्थः—हे 'अग्ने!' त्वं 'ज्योतिष्मान्' प्रभूतज्योतिष्कः, त्वं 'शिवेभिः' मङ्गलैः 'अर्चिभिः' उपलक्षितः सन् 'प्रयाहि' प्रगच्छ, तथा 'बृहद्भिः भानुभिः' प्रकाशैः 'भासन्' भासमानः, 'तन्वा' स्वकीयेन शरीरेण 'प्रजाः' अस्मदीयाः 'मा हिंसीः' हिंसां मा कुरु ॥ ९ ॥

अक्षध्वनौ प्रायश्चित्तमाह—स यदेति। 'उत्सर्जेत्' ध्वनिं कुर्यात्, तदा 'एतद्' वक्ष्यमाणम् "अक्रन्दत्"—इति 'यजुः' 'जपेत्'। अक्षसम्बन्धिन्या वाचः असुर्यत्वं कर्णकठिनत्वाद् द्रष्टव्यम्। 'तां' वाचम् 'एतत्' एतेन अक्रन्ददग्निरिति पाठेन असुर्यत्वमपहाय 'देवत्रा' देवेषु करोति ॥ १० ॥

पुनः प्रशंसति—यद्वेवैतद्यजुरिति। 'यस्मिन् कस्मिंश्चित्' शकटस्योपरि 'आहिते' 'अक्षः' उत्स-

---

१—'ऋच स्तुतौ' धा. तु. प. २२ इति। धातूनामनेकार्थत्वात्। २—अक्षे खर्जत्यक्रंददग्निरिति जपति। का. श्रौ. सू. १६।१८९७

ऽउपास्तुवन्नुपामहयंस्तथैवैनमयमेतदुपस्तौत्युपमहयत्यक्रन्ददग्नि स्तनयन्निव द्यौरिति तस्योक्तो बन्धुः ॥ ११ ॥

स यदि पुरा वसत्यै विमुञ्चेत । (ता) अनस्येवाग्निः स्यादथ यदा वसत्यै विमुञ्चेत प्रागनऽ उपस्थाप्योत्तरतऽ उद्धत्यावोक्षति यत्रैनमुपावहरति तं दक्षिणतऽ उदञ्चमुपावहरति तस्योक्तो बन्धुः ॥ १२ ॥

(र) अथास्मिन्त्समिधमादधाति । (त्ये) एतद्वाऽएनं देवा ऽईयिवाꣳसमुपरिष्टादन्नेनाप्रीणन्नेतया समिधा तथैवैनमयमेतदीयिवाꣳसमुपरिष्टादन्नेन प्रीणात्येतया समिधा ॥ १३ ॥

वैनमयमेतदुपस्तौति, उपमहयति । "अक्रन्ददग्नि स्तनयन्निव द्यौः"–(वा. सं. १२ । ३३) इति । तस्योक्तो बन्धुः ॥ ११ ॥

स यदि पुरा वसत्यै विमुञ्चेत–अनस्येवाग्निः स्यात् । अथ यदा वसत्यै विमुञ्चेत–प्रागन उपस्थाप्योत्तरत उद्धत्यावोक्षति–यत्रैनमुपावहरति । तं दक्षिणत उदञ्चमुपावहरति । तस्योक्तो बन्धुः ॥ १२ ॥

अथास्मिन्त्समिधमादधाति । एतद्वाऽएनं देवा ईयिवांसमुपरिष्टादन्नेनाप्रीणन्–एतया समिधा । तथैवैनमयमेतदीयिवांसमुपरिष्टादन्नेन प्रीणाति–एतया समिधा ॥ १३ ॥

ञेत् 'तस्यैव' आहितस्यैव सम्बन्धिनी भवति 'सा' वाक् । अथ 'अग्नौ' आहिते सति 'अग्नेरेव' 'सा' स्यात् । यस्मादेव तस्मात् 'तत्' तेन मन्त्रपाठेन अन्यदीयत्वपरिहाराय 'अग्निमेव' 'देवाः' 'उपास्तुवन्,' 'उपामहयन्' पूजितमकुर्वन्; तथैव 'एनम्' अग्निम् 'एतत्' एतेन 'उपस्तौति,' 'उपमहयति' च । अत्र मन्त्रं विधाय तदपेक्षितं ब्राह्मणं पूर्वोक्तमेवेत्यतिदिशति–अक्रन्ददग्निरिति । तस्योक्तो बन्धुरिति । उखाप्रग्रहणप्रस्तावे (श. प. ६ । ७ । ३ । २) " क्रन्दतीव हि पर्जन्यः "–इत्यादिनोक्त इत्यर्थः ॥ ११ ॥

स यदि पुरा वसत्यै विमुञ्चेतेति । 'वसत्यै' वसत्याः, अग्निचयनस्थानात् 'पुरा' अर्वाङ् मध्येमार्गं 'विमुञ्चेत' शकटम्, तदा सोऽग्निः 'अनस्येव' अवस्थितः 'स्यात्' 'अथ' उक्तवैलक्षण्येन वसतिं प्राप्य 'विमुञ्चेत,' तदा 'प्रागनः' अनसः प्राग्देशे 'उपस्थाप्य,' 'उत्तरतः' तदुत्तरतः भूमिम् 'उद्धत्यावोक्षति' । 'यत्र' 'एनम्' अग्निम् 'उपावहरति' अधः स्थापयति, 'तं' दक्षिणतः 'उदञ्चम्' 'उपावहरति' । **तस्योक्तो बन्धुरिति** । दक्षिणत उदगर्थवाद उखार्थे मृत्पिण्डपरिग्रहप्रकरणे " दक्षिणतो वा उदग् योनौ रेतः सिच्यते " (श. प. ६ । ४ । २ । १०) इत्युक्त इत्यर्थः ॥ १२ ॥

यथा अग्निप्रणयनकाले तस्यान्नत्वेन समिदाधानमुक्तम् (अस्मिन्नेव ब्राह्मणे ४ कण्डिकायाम्) एवमेव आसन्नस्याप्यन्नत्वेन समिदाधानं कर्त्तव्यमित्याह–**अथास्मिन् समिधमादधातीति** । एतत् प्रशंसति–एतद्वा एनं

प्रप्रायमग्निर्भरतस्य शृण्व ऽइति । प्रजापतिर्वै भरतः स हीदꣳ सर्वं बिभर्ति वि यत्सूर्यो न रोचते बृहद्भाऽ इति वि यत्सूर्यऽ इव रोचते बृहद्भा ऽइत्येतदभि यः पूरुं पृतनासु तस्थाविति पूरुर्ह नामासुररक्षसमास तमग्निः पृतनास्वभितष्ठौ दीदाय दैव्यो ऽअतिथिः शिवो न ऽइति दीप्यमानो दैवो ऽतिथिः शिवो नऽ इत्येतत्स्थितवत्या वसत्यै ह्येनं तत्स्थापयति ॥१४॥

(त्य) अथातः सम्पदेव । समिधं प्रथमेनादधात्युद्यच्छत्येकेन प्रयात्येकेनाक्षमेकेनानुमन्त्रयते समिधमेव पञ्चमेनादधाति तत्पञ्च पञ्चचितिको-

---

" प्रप्रायमग्निर्भरतस्य शृण्वे "–इति । प्रजापतिर्वै भरतः । स हीदं सर्वं बिभर्ति । " वि यत् सूर्यो न रोचते बृहद्भाः"–इति । वि यत् सूर्य इव रोचते बृहद्भा इत्येतत् । " अभि यः पूरुं पृतनासु तस्थौ "–इति । पूरुर्ह नामासुररक्षसमास । तमग्निः पृतनास्वभितष्ठौ । " दीदाय दैव्योऽअतिथिः शिवो नः "–(वा. सं. १२ । ३४) इति । दीप्यमानो दैवोऽतिथिः शिवो न इत्येतत् । स्थितवत्या । वसत्यै ह्येनं तत् स्थापयति ॥ १४ ॥

अथातः सम्पदेव । समिधं प्रथमेनादधाति, उद्यच्छत्येकेन, प्रयात्येकेन, अक्षमेकेनानुमन्त्रयते,

---

देवा ईयिवांसमिति । ' ईयिवांसं ' चयनप्रदेशं गतवन्तम्, गमनप्राक्कालमपेक्ष्य ' उपरिष्टात् ' इत्युक्तम् । ' अन्नेन '–इत्यस्य व्याख्यानम् ' एतया समिधा ' इति । तथैवैनमित्यादिकमुक्तप्रायम् । अस्य सर्वस्यापि सूत्रं चात्रोदाहरति–" वासेऽवहरति–उद्धतावोक्षित उत्तरतः समिदाधानं प्रप्रेति "–(का. श्रौ. सू. १६ । १८०) इति ॥ १३ ॥

समिदाधानमन्त्रं विदधत् विभज्य व्याचष्टे–प्रप्रायमित्यादिना । अयमर्थः–' अयम् ' ' अग्निः ' ' भरतस्य ' प्रजापतेः वचनं ' प्रशृण्वे ' प्रकर्षेण शृणोति, ' सूर्यो न ' सूर्य इव, ' बृहत् ' महद् ' भाः ' भासमानः ' विरोचते ' दीप्यते च । यद्वा, ' भाः ' भासा ' बृहत् ' महान् ' यः ' अग्निः ' पूरुं ' ' पृतनासु ' सङ्ग्रामेषु ' अभितष्ठौ ' ' पराबभूव, ' स ' दैव्यः ' देवसम्बन्धी, ' अतिथिः ' अतिथिरूपः 'नः' 'शिवः' सन् ' दीदाय ' दीप्यते । भरतशब्दं व्याचष्टे–प्रजापतिर्वै भरत इति । तदुपपादयति–स हीदमिति । ' सूर्यो न ' इत्यत्र ' न '–शब्द उपमार्थ इति व्याचष्टे–वि यत् सूर्य इव रोचते बृहद्भा इत्येतादिति । तृतीयपादं व्याचष्टे–पूरुर्ह नामासुररक्षसमासेति । सुरविरोधि रक्षोऽभूत् । " अनसन्तान्नपुंसकाच्छन्दसि "–(पा. सू. ५ । ४ । १०३) इति समासान्तः । स्पष्टमन्यत् । अस्मिन् मन्त्रे ' पृतनासु तस्थौ '–इत्यत्र स्थितिः श्रूयते, तन्मुखेन मन्त्रं प्रशंसति–स्थितवत्येति ॥ १४ ॥

अथातः सम्पदेवेति । ' अथ ' ' अतः ' उपरिष्टात् ' सम्पदेव ' उक्तानां मन्त्राणां सम्पत्तिरेव, न त्वनुष्ठेयं किञ्चिदुच्यत इत्यर्थः । तां सम्पत्तिं दर्शयति–प्रथमेनादधातीत्यादिना । प्रथमेन " समिधाऽग्निं दुव-

ऽग्निः पुञ्चऽर्त्तवः संव्वत्सरः संव्वत्सरोऽग्निर्यावानग्निर्यावत्यस्य मात्रा तावत्तद्भवति ॥ १५ ॥

इति पञ्चमप्रपाठके पञ्चमं ब्राह्मणम् ॥ ६–५–५ ॥ (८. १.)

अथातो भस्मनऽ एवाभ्यवहरणस्य । देवा वाऽएतदग्रे भस्मोदवपंस्ते-ऽब्रुवन्यदि वाऽइदमित्थमेव सदात्मानमभिसंस्करिष्यामहे मर्त्याः कुणपाऽअनपहतपाप्मानो भविष्यामो यद्यु परावप्स्यामो यदत्राग्नेयं बहिर्द्धा तदग्नेः करिष्यामऽउप तज्जानीत यथेदं करवामेति तेऽब्रुवंश्चेतयध्वमिति चितिमिच्छतेति वाव तदब्रुवंस्तदिच्छत यथेदं करवामेति ॥ १ ॥

समिधमेव पञ्चमेनादधाति । तत् पञ्च । पञ्चचितिकोऽग्निः । पञ्चऽर्तवः संवत्सरः । संवत्सरोऽग्निः । यावानग्निर्यावत्यस्य मात्रा—तावत्तद्भवति ॥ १५ ॥

अथातो भस्मन एवाभ्यवहरणस्य । देवा वाऽएतदग्रे भस्मोदवपन् । तेऽब्रुवन्—यदि वाऽइदमित्थमेव सदात्मानमभिसंस्करिष्यामहे—मर्त्याः कुणपा अनपहतपाप्मानो भविष्यामः । यद्यु परावप्स्यामः—यदत्राग्नेयं बहिर्द्धा, तद् अग्नेः करिष्यामः । उप तज्जानीत—यथेदं करवामेति । तेऽब्रुवन्-चेतयध्वमिति । चितिमिच्छतेति वाव तदब्रुवन् । तदिच्छत यथेदं करवामेति ॥ १ ॥

स्यत "—(वा. सं. १२ । ३०) इत्येतेन । उद्यच्छत्येकेनेति । " उदु त्वा विश्वे देवाः "—(वा. सं. १२ । ३१) इत्येतेन । प्रयात्येकेनेति । " प्रेदग्ने ज्योतिष्मान् "—(वा. सं. १२ । ३२) इत्येतेन । अक्षमेकेनेति । " अक्रन्ददग्निः " (वा. सं. १२ । ३३) इत्येतेन । समिधमेव पञ्चमेनेति । " प्र प्रायमग्निः "—(वा. सं. १२ । ३४) इत्येतेन । " पञ्चचितिकोऽग्निः "—इत्यादि, गतम् ॥ १५ ॥

इति श्रीसायणाचार्यविरचिते माधवीये वेदार्थप्रकाशे माध्यन्दिनीयशतपथब्राह्मणभाष्ये षष्ठकाण्डे अष्टमेऽध्याये प्रथमं ब्राह्मणम् ॥ (६–८–१) ॥

यदुक्तं प्राक् " स यदहः सन्निवप्स्यन् स्यात्, तदहः प्रातरुदित आदित्ये भस्मैव प्रथममुद्वपतीति " (श. प. ६ । ७ । ४ । १४) तद्विधातुमाख्यायिकां वदन् प्रतिजानीते—अथातो भस्मन एवाभ्यवहरणस्येति । मीमांसा क्रियत इति शेषः । ' देवाः ' खलु ' अग्रे ' पूर्वम् ' भस्म ' अग्नेः सकाशात् ' उदवपन् ' ऊर्द्ध्वमपागमयन्, अनन्तरं ते परस्परमब्रुवन्—' यदि वा ' ' इदम् ' उद्धृतं भस्म ' इत्थमेव ' अन्यत्र प्रक्षेपमकृत्वा अनुद्धृतप्रकारेणैव स्थितम् ' आत्मानम् ' अग्नेः शरीरभूतं सन्तं, शरीरं कृत्वेत्यर्थः, ' अभिसंस्करिष्यामहे, ' तदा ' मर्त्याः ' मरणधर्माणः, ' कुणपाः ' भस्मनो निर्जीवत्वात् वयमपि ' कुणपाः ' शवसदृशाः, ' अनपहतपाप्मानः ' भस्मनः पापरूपत्वात् तत्संस्कारेणापि अनपहतपाप्मानः ' भविष्यामः '। ' यद्यु ' यद्यपि ' परावप्स्यामः ' दूरे प्रक्षिपामः, तदा ' अत्र ' भस्मनि ' यत् आग्नेयम्, ' ' तत् ' ' अग्नेः '

ते चेतयमानाः । (ऽ) एतदपश्यन्नप एवैनदभ्यवहरामापो वाऽअस्य सर्वस्य प्रतिष्ठा तद्यत्रास्य सर्वस्य प्रतिष्ठा तदेनत्प्रतिष्ठाप्य यदत्राग्नेयं तदद्भ्योऽधिजनयिष्यामऽइति तदपोऽभ्यवाहरंस्तथैवैनदयमेतदपोऽभ्यवहरति ॥ २ ॥

(त्या) आपो देवीः । प्रतिगृभ्णीत भस्मैतत्स्योने कृणुध्वꣳ सुरभाऽउ लोकऽइति जग्धं वाऽएतद्यातयाम भवति तदेतदाह स्वभिष्ठऽएनल्लोके कुरुध्वमिति तस्मै नमन्तां जनयऽ इत्यापो वै जनयोऽद्भ्यो हीदꣳ सर्वं जायते सुपत्नीरित्यग्निनाऽवा आपः सुपत्न्यो मातेव पुत्रं बिभृताप्स्वेनदिति यथा माता पुत्रमुपस्थे बिभृयादेवमेनद्बिभृतेत्येतत् ॥ ३ ॥

ते चेतयमाना एतदपश्यन्–अप एवैनदभ्यवहराम । आपो वाऽअस्य सर्वस्य प्रतिष्ठा । तद्यत्रास्य सर्वस्य प्रतिष्ठा–तदेनत् प्रतिष्ठाप्य–यदत्राग्नेयम्; तदद्भ्योऽधिजनयिष्याम इति । तदपोऽभ्यवाहरन् । तथैवैनदयमेतदपोऽभ्यवहरति ॥ २ ॥

" आपो देवीः प्रतिगृभ्णीत भस्मैतत् स्योने कृणुध्वं सुरभाऽउ लोके"–इति । जग्धं वाऽएतद् यातयाम भवति । तदेतदाह । स्वभिष्ठऽएनल्लोके कुरुध्वमिति । "तस्मै नमन्तां जनयः"–इति । आपो वै जनयः । अद्भ्यो हीदं सर्वं जायते । "सुपत्नीः"–इति । अग्निना वाऽआपः सुपत्न्यः । " मातेव पुत्रं बिभृताप्स्वेनत् "–(वा.सं. १२।३५) इति । यथा माता पुत्रमुपस्थे बिभृयाद्–एवमेनद्बिभृतेत्येतत् ॥ ३ ॥

सकाशाद् ' बहिर्द्धा ' ' करिष्यामः ' । एवं पक्षद्वयेऽपि दोषसम्भवात् अन्यतरपक्षमनाश्रयमाणाः ' यथेदं करवाम ' ' तत् ' प्रकारम् ' उपजानीत ' ' इति ते अब्रुवन् ' इति सम्बन्धः । एवमुक्त्वा ते पुनरेवमब्रुवन्, किमिति–चेतयध्वमितीति । तैः केनाभिप्रायेण चेतयध्वमित्युक्तमित्याकाङ्क्षायां श्रुतिः तटस्था सती ब्रूते–चितिमिच्छतेति वाव तदब्रुवन्निति । ' चितिः ' ज्ञानम, तत् ' इच्छत ' ' इति ' एवम् ' अब्रुवन् ' देवाः । पूर्वोदितम् "उप तज्जानीत" इत्येतदुत्तरेण वाक्येनाभिगृणाति–तदिच्छत यथेदं करवामेतीति ॥ १ ॥

ते चेतयमाना इति । कर्त्तव्यविषये बुद्धिं प्रक्षिपन्तः ' एतत् ' ' अपश्यन् ' । एतच्छब्दार्थमाह–अप एवैनदिति । अप्सु प्रक्षेपमेवापश्यन्नित्यर्थः; ' अस्य सर्वस्य ' जगतः अद्भ्य उत्पन्नत्वात्, तदुपजीवनीयत्वाच्च आपः ' प्रतिष्ठा ' । ' तत् ' तस्मात् 'यत्र' अप्सु 'अस्य सर्वस्य' 'प्रतिष्ठा,' तत्र 'एनत्' भस्म 'प्रतिष्ठाप्य,' 'यत्' 'अत्र' जलस्थे भस्मनि ' आग्नेयम् ' अस्ति, पुनः 'तत्' ' अद्भ्यः ' सकाशात् उत्पादयिष्यामः ' इति ' एवम् अपश्यन् । स्पष्टमन्यत् ॥ २ ॥

इदानीमप्सु भस्मप्रक्षेपमन्त्रं विधाय व्याचष्टे–आपो देवीः प्रतिगृभ्णीतेत्यादिना । हे ' आपः ! ' 'देवीः'

१–पलाशपुटेनापो देवीरित्येकया । का. श्रौ. सू. १६ । १९५ ॥

(द) अप्स्वग्ने सधिष्टवेति । (त्य) अप्स्वग्ने योनिष्टवेत्येतत्सौषधीरनुरुध्यस ऽइत्योषधीर्ह्येषोऽनुरुध्यते गर्भे सञ्जायसे पुनरिति गर्भो ह्येष सञ्जायते पुनर्गर्भोऽअस्योषधीनां गर्भो वनस्पतीनाम् । गर्भो विश्वस्य भूतस्याग्ने गर्भो ऽअपामसीति तदेनमस्य सर्व्वस्य गर्भं करोति ॥ ४ ॥

त्रिभिरभ्युवहरति । त्रिवृदग्निर्यावानग्निर्यावत्यस्य मात्रा तावतैवैनदेतदभ्युवहरत्येकेनाग्रेऽथ द्वाभ्यां द्वाभ्यां वाऽग्रेऽथैकेन द्विस्तु कृत्वोऽभ्युवहरति तद्वै द्विपादाः पशवस्तैरेवैनदेतदभ्युवहरति ॥ ५ ॥

"अप्स्वग्ने सधिष्टव"–इति । अप्स्वग्ने योनिष्टवेत्येतत् । "सौषधीरनुरुध्यसे"–इति । ओषधीर्ह्येषोऽनुरुध्यते । "गर्भे सञ्जायसे पुनः"–(वा. सं. १२ । ३६) इति । गर्भे ह्येष सञ्जायते पुनः । "गर्भोऽअस्योषधीनां गर्भो वनस्पतीनाम् । गर्भो विश्वस्य भूतस्याग्ने गर्भोऽअपामसि"–(वा. सं. १२ । ३७) इति । तदेनमस्य सर्वस्य गर्भं करोति ॥४॥

त्रिभिरभ्यवहरति । त्रिवृदग्निः । यावानग्निर्यावत्यस्य मात्रा–तावतैवैनदेतदभ्यवहरति । एकेनाग्रे–

द्योतमानाः यूयम् 'एतत्' क्षिप्तं 'भस्म' 'प्रतिगृभ्णीत' स्वीकुरुत । स्वीकृत्य च 'स्योने' सुखकरे, 'सुरभौ' शोभनपरिमलयुक्ते 'लोके' स्थाने 'कृणुध्वं' कुरुत । 'तस्मै' भस्मरूपायाग्नये 'सुपत्नीः' शोभनपतिकाः 'जनयः' सर्वस्योत्पादयित्र्यः आपः 'नमन्ताम्' प्रह्वीभवन्तु । हे अब्देवताः ! 'माता पुत्रमिव' 'अप्सु' युष्मासु 'बिभृत' धारयत । उत्तरार्द्धे "सुरभौ कृणुध्वम्"–इत्यभिधानस्य तात्पर्यमाह–जग्धं वा एतादिति । उदके निमग्नम् 'एतत्' भस्म जग्धं भवति, 'एतद्' 'यातयाम' गतरसं 'भवति' । तस्मात् एतन्मन्त्रवाक्यमाह–'सुभिष्ठे' अतिशयेन सुरभौ 'लोके' 'कृणुध्वम्' । तथा सति अयातयाम भवति । 'जनयः'–इति व्याचष्टे–आपो वै जनय इति । तदेव समर्थयते–अद्भ्यो हीदमिति । सुपत्नीरित्येतद् व्याचष्टे–अग्निना वा आपः सुपत्न्य इति । मातेवेति । अस्य ब्राह्मणं स्पष्टम् ॥ ३ ॥

भस्माभ्यवहरणे द्वितीयं मन्त्रं विधाय प्रशंसति–अप्स्वग्न इत्यादिना । हे 'अग्ने !' 'तव' 'अप्सु' 'सधिः' सह धीयते अस्मिन्निति 'सधिः' सहस्थानम्, तव योनिरित्यर्थः, इदानीं भवति; पश्चात्तु 'ओषधीः' त्वया परिपच्यमानाः 'अनु' त्वमपि ताभिः 'रुध्यसे' प्रतिबध्यसे, तत्र निरुद्धो भवसीत्यर्थः । पुनश्च अरण्योः 'गर्भे' वर्त्तमानः 'सन्' पुनः 'जायसे' । एवं सर्वत्र व्याप्त इति स्तुतिः । पूर्वपादे 'सधिः' शब्देन योनिर्विवक्षित इति व्याचष्टे–अप्स्वग्ने योनिष्टवेत्येतदिति । उपरितनपादद्वयस्य ब्राह्मणं स्पष्टम् । तृतीयमन्त्रं विधाय स्पष्टार्थत्वात् संगृह्य तात्पर्यं दर्शयति–गर्भो असीत्यादिना तदेनमस्य सर्वस्य गर्भं करोतीत्यन्तेन । मन्त्रार्थस्तु स्पष्टः ॥ ४ ॥

भस्माभ्यवहरणमन्त्राणां यत् त्रित्वं तत् प्रशंसति–त्रिभिरभ्यवहरति त्रिवृदग्निरित्यादिना । अग्नेस्त्रिवृत्त्वं

१–नतो द्वाभ्याम् । का०श्रौ० सू० १६ । १६६ ।

(त्यु) अथापादत्ते । तद्यदत्राग्नेयं तदेतदद्भ्योऽधि जनयत्यनयाऽनया वै भेषजं क्रियतेऽनयैवैनमेतत्सम्भरति प्रसद्य भस्मना योनिमपश्च पृथिवीमग्नऽइति प्रसन्नो ह्येष भस्मना योनिमपश्च पृथिवीं च भवति सꣳसृज्य मातृभिष्ट्वं ज्योतिष्मान्पुनरासदऽइति संगत्य मातृभिष्ट्वं ज्योतिष्मान्पुनरासदऽइत्येतत्पुनरासद्य सदनं पुनरूर्जा सह रय्येत्येतेन मा सर्वेणाभिनिवर्तस्वेत्येतत् ॥ ६ ॥

अथ द्वाभ्याम् । द्वाभ्यां वाऽग्रे–अथैकेन । द्विस्तु कृत्वोऽभ्यवहरति । तद्ये द्विपादाः पशवः । तैरेवैनदेतदभ्यवहरति ॥ ५ ॥

अथापादत्ते । तद्यदत्राग्नेयं–तदेतदद्भ्योऽधि जनयति–अनया । अनया वै भेषजं क्रियते, अनयैवैनमेतत् सम्भरति । " प्रसद्य भस्मना योनिमपश्च पृथिवीमग्ने "–इति । प्रसन्नो ह्येष भस्मना योनिम् अपश्च, पृथिवीं च भवति । " संसृज्य मातृभिष्ट्वं ज्योतिष्मान् पुनरासदः"–(वा. सं. १२ । ३८) इति । सङ्गत्य मातृभिष्ट्वं ज्योतिष्मान्पुनरासद इत्येतत् । " पुनरासद्य सदनम् "–(वा. सं. १२।३९) " पुनरूर्जा "–(वा. सं १२ । ४०) " सह रय्या "–(वा. सं. १२ । ४१) इति । एतेन मा सर्वेणाभिनिवर्तस्वेत्येतत् ॥ ६ ॥

रुद्रशर्वपशुपत्याद्यष्टमूर्तीरनुक्रम्य श्रूयते–" तान्येतान्यष्टावग्निरूपाणि कुमारो नवमः सैवाग्नेस्त्रिवृत्ता "–(श. प. ६ । १ । ३ । १८) इति । तथा " मृदं शुष्कापमूषसिकतम् " इत्यादिना नव द्रव्याण्युपक्रम्य, " ता वा एता नव सृष्टयः इयमसृज्यत तस्मादाहुस्त्रिवृदग्निरिति "–(श. प. ६।१।१।१४ कं.) इति च प्राग्दर्शितम् ॥ मन्त्रत्रयेणापि सकृद् भस्मप्रक्षेपप्रसक्तावाह–एकेनाग्रेऽथ द्वाभ्यां, द्वाभ्यां वाऽग्रेऽथैकेनेति[1] । उक्तप्रकारान्तरशङ्कां निराचष्टे–द्विस्तु कृत्वोऽभ्यवहरतीति । 'तु'–शब्दः पक्षं व्यावर्त्तयति । सर्वथा द्विःकृत्वोऽप्स्वभ्यवहरेत्, न त्वेकैकेन मन्त्रेण त्रिःकृत्वः । तद् ये द्विपादा इत्याद्यर्थवादः स्पष्टः ॥ ५ ॥

अद्भ्यः पुनरीषद्भस्मादातव्यमिति विधाय प्रशंसति–अथापादत्ते तद्यदत्रेति[2] । 'अथ' प्रक्षेपानन्तरम् 'अत्र' प्राक्षिप्ते भस्मनि । 'अद्भ्योऽधि'–इति, अय पञ्चम्यर्थानुवादी । 'आग्नेयम्' अंशम् 'अद्भ्यः' उत्पादितवान् भवति । 'अनया' इति अपादानसाधना अनामिका निर्दिश्यते । अनयैवेति कोऽयं नियम इत्यत्राह–अनया वै भेषजं क्रियत इति । मन्त्रमाह–प्रसद्येति । हे भस्मरूप अग्ने ! त्वं 'भस्मना' भस्मरूपेण आत्मना 'योनिम्' तव योनिस्थानीयाः 'अपः पृथिवीञ्च' 'प्रसद्य' प्रसन्नो भूत्वा, तथा 'मातृभिः' अद्भिः 'संसृज्य' 'ज्योतिष्मान्' प्रकृष्टज्योतिः सन् 'पुनरासदः' पुनरागच्छ । पूर्वार्द्धे 'प्रसद्य'–पदस्य प्रसन्नतार्थतया योनिमप इति सामानाधिकरण्यं विवक्षितमिति व्याचष्टे–प्रसन्नो ह्येष भस्मनेत्यादिना । 'संसृज्य'–इत्यस्य सङ्गतिरर्थ इति व्याचष्टे–सङ्गत्य मातृभिरिति । उत्तरमन्त्रत्रयस्य व्याख्येयार्थत्वाभावात् प्रतीकमुपादाय सङ्गृह्य तात्पर्यमाह–पुनरासद्येति प्रथमः, पुनरूर्जेति द्वितीयः, सह रय्येति तृतीयः (वा. सं. १२ । ३९–४१) ॥ ६ ॥

१–आद्याभ्यां वा पूर्वम् । का. श्रौ. सू. १६ । १९७ । २–अनामिकया प्रास्तादादत्ते प्रसद्येति का. श्रौ. सू. १६ । १९८ ।

(च) चतुर्भिरपादत्ते । तद्ये चतुष्पादाः पशवस्तैरेवैनमेतत्सम्भरत्यथो ऽअन्नं वै पशवोऽन्नेनैवैनमेतत्सम्भरति त्रिभिरभ्यवहरति तत्सप्त सप्तचितिकोऽग्निः सप्तऽर्तवः संवत्सरः संवत्सरोऽग्निर्यावानग्निर्यावत्यस्य मात्रा तावत्तद्भवति ॥ ७ ॥

(त्य) अपादाय भस्मनः प्रत्येत्य । (त्यो) उखायामोप्योपतिष्ठतऽएतद्वाऽएतदयथायथं करोति यदग्निमपोऽभ्यवहरति तस्माऽएवैतन्निह्नुतेऽहिंसायाऽआग्नेयीभ्यामग्नयऽएवैतन्निह्नुते बुद्धवतीभ्यां यथैवास्यैतदग्निर्वचो निबोधेत् ॥ ८ ॥

चतुर्भिरपादत्ते । तद् ये चतुष्पादाः पशवः । तैरेवैनमेतत्सम्भरति । अथोऽअन्नं वै पशवः । अन्नेनैवैनमेतत् सम्भरति । त्रिभिरभ्यवहरति । तत् सप्त । सप्तचितिकोऽग्निः । सप्तऽर्तवः सम्वत्सरः । सम्वत्सरोऽग्निः । यावानग्निर्यावत्यस्य मात्रा तावत्तद्भवति ॥ ७ ॥

अपादाय भस्मनः प्रत्येत्य—उखायामोप्योपतिष्ठते । एतद्वाऽएतदयथायथं करोति—यदग्निमपोऽभ्यवहरति । तस्माऽएवैतन्निह्नुते—अहिंसायै । आग्नेयीभ्याम् । अग्नयऽएवैतन्निह्नुते । बुद्धवतीभ्याम् । यथैवास्यैतदग्निर्वचो निबोधेत् ॥ ८ ॥

उत्तरमन्त्रद्वयस्य पृथग्विनियोगशङ्कापनोदनायाह—चतुर्भिरपादत्त इति । " तद् ये चतुष्पादाः "—इत्यादि स्पष्टम् । भस्मापादानमन्त्रगतां सङ्ख्याम् अभ्यवहरणमन्त्रगतया सङ्ख्यया समुच्चित्य प्रशंसति—त्रिभिरभ्यवहरति, तत्सप्त, सप्तचितिकोऽग्निरित्यादिना । षट् चितय इष्टकामय्यः प्रसिद्धाः, सप्तमी तु " विकर्णीञ्च स्वयमातृण्णाञ्चोपदधाति, हिरण्यशकलैः प्रोक्षति, अग्निमभ्यादधाति, सा सप्तमी चितिः" (श. प. ८।१।४।९) इति श्रुतत्वात् सप्त चितयः 'सप्तचितिकोऽग्निः' । यावत्यस्य मात्रेति । चितिगतसप्तसङ्ख्यारूपा मात्रेत्यर्थः । अप्सु प्रासनं पुनस्तत एवादानञ्च सूत्रकारः स्पष्टमाह—"पलाशपुटेनापो देवीरित्येकया, ततो द्वाभ्याम्, आद्याभ्यां वा पूर्वम्, अनामिकया प्रास्तादादत्ते प्रसद्येति"—(का. श्रौ. सू. १६।१९५–१९८) इति ॥ ७ ॥

अपादायेति । भस्मनः सकाशात् ' अपादाय ' पुनः ' उखायाम् ओप्य ' उपतिष्ठते[1] उपस्थानमग्नेः कोपशान्तये, तस्य कः प्रसङ्ग इति तं दर्शयति—एतद्वा एतदयथायथं करोतीति । तदेव स्पष्टयति—यदग्निमपोऽभ्यवहरतीति । निह्नवः कृतस्यापराधस्याच्छादनम् । तच्च उपस्थानकर्मणि सङ्गतमिति स्तौति—बुद्धवतीभ्यां यथैवास्यैतदग्निर्वचो निबोधेदिति । 'अस्य' उपस्थानकर्तुः ' वचः ' 'यथा अग्निः निबोधेत्' इत्येवमर्थं ' बुद्धवतीभ्याम्' उपस्थानं युक्तम् ॥ ८ ॥

१–प्रास्योखायामुपतिष्ठते बोधा म इति । का० श्रौ० सू० १६ । १९९ ।

(द्वो)बोधा मे ऽअस्य व्वचसो यविष्ठेति। बोध मेऽस्य व्वचसो यविष्ठेत्येत-न्मᳪ᳭हिष्ठस्य प्रभृतस्य स्वधावऽ इति भूयिष्ठस्य प्रभृतस्य स्वधावऽ इत्येत-त्पीयति त्वोऽअनु त्वो गृणातीति पीयत्येकोऽन्वेको गृणाति व्वन्दारुष्टे तन्वं व्वन्देऽअग्न ऽइति व्वन्दिता तेऽहं तन्वं व्वन्देऽग्नऽइत्येतत्स बोधि सूरिर्म-घवा व्वसुपते व्वसुदावन् ॥ युयोध्यस्मद्द्वेषाᳪ᳭सीति यथैवास्माद्द्वेषाᳪ᳭सि युयादेवमेतदाह द्वाभ्यामुपतिष्ठते गायत्र्या च त्रिष्टुभा च तस्योक्तो बन्धुः९॥

(स्ता) तानि नव भवन्ति। नव दिशो दिशोऽग्निर्नव प्राणाः प्राणा ऽअग्निर्यावानग्निर्यावत्यस्य मात्रा तावत्तद्भवति ॥ १० ॥

"बोधा मेऽअस्य वचसो यविष्ठ"–इति। बोध मेऽस्य वचसो यविष्ठेत्येतत्। "मंहिष्ठस्य प्रभृतस्य स्वधावः"–इति। भूयिष्ठस्य प्रभृतस्य स्वधाव इत्येतत्। "पीयति त्वोऽअनु त्वो गृणाति"–इति। पीयत्येकः, अन्वेको गृणाति। "वन्दारुष्टे तन्वं वन्दे अग्ने"–(वा. सं. १२।४२) इति। वन्दिता तेऽहं तन्वं वन्देऽग्नऽइत्येतत्। "स बोधि सूरिर्म्मघवा वसुपते वसुदावन्। युयोध्यस्मद्द्वेषांसि"–(वा. सं. १२।४३) इति यथैवास्माद्द्वेषांसि युयाद्। एवमेतदाह। द्वाभ्यामुपतिष्ठते; गायत्र्या च त्रिष्टुभा च। तस्योक्तो बन्धुः ॥ ९ ॥

तानि नव भवन्ति। नव दिशः। दिशोऽग्निः। नव प्राणाः। प्राणा अग्निः। यावानग्निर्यावत्यस्य मात्रा–तावत्तद्भवति ॥ १० ॥

तत्राद्यं मन्त्रं विधाय व्याचष्टे–बोधा मे अस्येत्यादिना। हे 'यविष्ठ' युवतम! हे 'स्वधावः' "स्वधे-त्यन्ननाम" (निघं. २।७।१७)। बह्वन्न! 'अग्ने'! अस्य वचसः एतदुपस्थानसाधनमन्त्ररूपं वचः 'बोध' बुध्यस्व। वचो विशिष्यते–'मंहिष्ठस्य' अत्यन्तमहनीयस्य, 'प्रभृतस्य' प्रकर्षेण सम्भृतस्य। कर्मणि षष्ठी। लोके 'त्वः' एकः 'पीयति' वधकर्मैतत् (निरु.४।४।४), हिनस्ति। तथा 'त्वः' एकः 'अनु-गृणाति' स्तौति। तत्राहं 'वन्दारुः' वन्दकः, अतो हे अग्ने! 'ते तन्वम्' अहं 'वन्दे' स्तौमि। 'बोधा' '–इति छान्दसो दीर्घः (पा. सू. ६।३।१३५) इति व्याचष्टे–बोध मेऽस्येति। 'मंहिष्ठस्य' इत्यस्य व्याख्यानम्–भूयिष्ठस्येति। 'त्व' शब्द एकशब्दपर्याय इति व्याचष्टे–पीयत्येकोऽन्वेको गृणातीति। अनुगृणातीति सम्बन्धः। 'वन्दारु'–शब्दः ताच्छीलिक आरुप्रत्यये भवतीत्यभिप्रेत्य व्याचष्टे–वन्दितेति ॥

स बोधीति द्वितीयो मन्त्रः। तस्यार्थः–हे 'वसुपते' प्रभूतधनस्वामिन्! न केवलं स्वामित्वमेव, किन्तु 'वसुदावन्' हे वसुनो धनस्य दातः! 'सूरिः' विद्वान्, 'मघवा' अन्नवान् 'सः' 'बोधि' बुध्यस्व अस्मद्वचनम्। ततः 'अस्मत्' अस्मत्तः 'द्वेषांसि' द्वेष्यान् पाप्मनः 'युयोधि' पृथक् कुरु। संग्रहेण तात्पर्यमाह–यथैवास्माद् द्वेषांसि युयाद्, एवमेतदाहेति। स्पष्टोऽर्थः। मन्त्रयोर्यद्गायत्रत्वं त्रिष्टुप्त्वं च, तदुभयार्थवादं पूर्वोक्तमतिदिशति–तस्योक्तो बन्धुरिति। उखासन्तपनप्रस्तावे "प्राणो गायत्र्यात्मा त्रिष्टुप्" इत्युपक्रम्य, "अथो अग्निर्वै गायत्रीन्द्रस्त्रिष्टुबैन्द्राग्नोऽग्निर्यावानग्निः"–इत्यादिनोक्त इत्यर्थः (श. प. ६।६।२।७) ॥ ९ ॥

एतां द्वित्वसङ्ख्यां पूर्वत्रोक्तभस्माभ्यवहरणतदपादानमन्त्रसङ्ख्यया समुच्चित्य प्रशंसति–तानि नव भवन्ति.

(त्यु) अथ प्रायश्चित्ती करोति । सर्व्वेभ्यो वाऽएषऽएतं कामेभ्यऽआधत्ते तद्यद्देवास्यात्र कामानां व्यवच्छिद्यतेऽग्नावपोऽभ्यवह्रियमाणे तद्देवैतत्सन्तनोति सन्दधात्युभे प्रायश्चित्ती करोति येऽएवाग्नावनुगते तस्योक्तो बन्धुः ११

(स्त्रा) तानि दश भवन्ति । दशाक्षरा विराड्विराडग्निर्दश दिशो दिशोऽग्निर्दश प्राणाः प्राणाऽअग्निर्यावानग्निर्यावत्यस्य मात्रा तावत्तद्भवति १२

इति षष्ठकाण्डे पञ्चमप्रपाठके षष्ठं ब्राह्मणम् ॥६–५–६॥ (८. २.)॥

पञ्चमप्रपाठकः अष्टमोऽध्यायश्च समाप्तः ॥

अस्मिन् काण्डे कण्डिकासंख्या ॥ ५३० ॥

इति माध्यन्दिनीये शतपथब्राह्मणे उखासम्भरणं नाम षष्ठं काण्डं समाप्तम् ॥ ६ ॥

अथ प्रायश्चित्ती करोति । सर्वेभ्यो वाऽएष एतं कामेभ्य आधत्ते । तद् यदेवास्यात्र कामानां व्यवच्छिद्यते–अग्नावपोऽभ्यवह्रियमाणे–तदेवैतत्सन्तनोति, सन्दधाति । उभे प्रायश्चित्ती करोति–येऽएवाग्नावनुगते । तस्योक्तो बन्धुः ॥ ११ ॥

तानि दश भवन्ति । दशाक्षरा विराट् । विराडग्निः । दश दिशः । दिशोऽग्निः । दश प्राणाः । प्राणा अग्निः । यावानग्निर्यावत्यस्य मात्रा–तावत्तद्भवति ॥ १२ ॥

नव दिशो, दिशोऽग्निर्नव प्राणाः–इत्यादिना । ऊर्ध्वाधोभावेनावस्थिता साधारणी दिक् एकेति दिशां नवत्वम्; द्वाववाञ्चौ प्राणौ सप्त शीर्षण्या इति नवत्वं प्राणानाम्; चित्यवस्थापन्नस्याग्नेः प्राणात्मकहिरण्यगर्भरूपत्वात् प्राणोऽग्निः ॥ १० ॥

उपस्थानानन्तरं द्विविधं प्रायश्चित्तं तन्निमित्तं च दर्शयति–अथ प्रायश्चित्ती करोतीत्यादिना । एतदुखासन्तपनानन्तरोक्तेन "अथ प्रायश्चित्ती करोति सर्वेभ्यो वा एषः" इत्यादिना व्याख्यातप्रायम् (श. प. ६।६।४।११) "अग्नावनुगते"–इति तत्र, अत्र तु "अग्नावपोऽभ्यवह्रियमाणे"–इति विशेषः । प्रायश्चित्तमन्त्रः तत्प्रकारश्च "स समिधाऽऽज्यस्योपहत्यासीन आहुतिं जुहोति विश्वकर्मणे स्वाहा" (वा. सं. १२।४३) इत्यादिना तत्रोक्तत्वात् (श. प. ६ । ६ । ४ । १२) नात्राभिधानमिति द्रष्टव्यम् । ये एवाग्नावनुगते तस्योक्तो बन्धुरिति । "अथ यदि गार्हपत्योऽनुगच्छेत् अरणी वाव स गच्छति" इत्यादिनोक्त इत्यर्थः (श.प. ६।६।४।१३) ॥ ११ ॥

पूर्वोक्तमन्त्रगतनवसङ्ख्यया सह प्रायश्चित्तमन्त्रसंख्यां समुच्चित्य प्रशंसति–तानि दश भवन्ति दशाक्षरा

१-प्रायश्चित्तिः समिधोपहत्याज्यं विश्वकर्मण इति । का० श्रौ० सू० १६ । १४० ॥

विराडित्यादिना । मन्त्रगतदशसंख्याद्वारेणाग्निरपि विराट् चीयमानस्याग्नेर्विराजात्मकत्वाद्वा । ऊर्द्ध्वाधोदिगपेक्षया दिशो दशनाममिर्देशेति श्रुतेः तदपेक्षया 'प्राणाः' अपि 'दश'। गतमन्यत् ॥ १२ ॥

इति श्रीसायणाचार्यविरचिते माधवीये वेदार्थप्रकाशे माध्यन्दिनीयशतपथब्राह्मणभाष्ये षष्ठकाण्डेऽष्टमेऽध्याये द्वितीयं ब्राह्मणम् ॥ (६–८–२) ॥

वेदार्थस्य प्रकाशेन तमो हार्दं निवारयन् । पुमर्थांश्चतुरो देयाद्विद्यातीर्थमहेश्वरः ॥ १ ॥

ब्रह्माण्डं गोसहस्रं कनकहयतुलापूरुषौ स्वर्णगर्भं,
सप्ताब्धीन्पञ्च सीरींस्त्रिदशतरुलताधेनुसौवर्णभूमीः ।
रत्नोस्रां रुक्मवाजिद्विपमहितरथौ सायणिः सिङ्गणार्यो,
व्यश्राणीद्विश्वचक्रं प्रथितविधिमहाभूतयुक्तं घटं च ॥
धान्याद्रिं धन्यजन्मा तिलभवमतुलः स्वर्णजं वर्णमुख्यः,
कार्पासीयं कृपावान्गुडकृतमजडो राजतं राजपूज्यः ।
आज्योत्थं प्राज्यजन्मा लवणजमनृगः शार्करं पार्कतेजा,
रत्नाढ्यो रत्नरूपं गिरिमकृत मुदा पात्रसात्सिङ्गणार्यः ॥

इति श्रीमद्राजाधिराजपरमेश्वरवैदिकमार्गप्रवर्तकश्रीहरिहरमहाराजसाम्राज्यधुरन्धरेण सायणाचार्येण विरचिते माधवीये वेदार्थप्रकाशे माध्यन्दिनशतपथब्राह्मणभाष्ये षष्ठकाण्डे अष्टमोऽध्यायः समाप्तः ॥६–८॥

इति श्रीसायणभाष्यसमेतम् उखासम्भरणनामकं षष्ठं काण्डं समाप्तम् ।

इति श्रीशतपथब्राह्मणे सायणभाष्यसमेतम्
उखासम्भरणं नाम षष्ठं काण्डं
समाप्तम् ।

श्रीः

ॐ

श्रीमद्वाजसनेयिमाध्यन्दिन-

शतपथब्राह्मणम् ।

सायणभाष्यसमेतम् ।

तत्र

सप्तमं काण्डम् ७ ।

अथ हस्तिषट्नामकसप्तमकाण्डे प्रथमः प्रपाठकः ।

प्रथमोऽध्यायः प्रारभ्यते ।

तत्र प्रथमं ब्राह्मणम् ।

गार्हपत्यं चेष्यन्पलाशशाखया व्युदूहति । (१) अवस्यति हैतद्यद्गार्हपत्यं चिनोति य उ वै के चाग्निचितोऽस्यामेव तेऽवसितास्तद्यद्व्युदूहत्यवसितानेव तद् व्युदूहति नेदवसितानध्यवस्यानीति ॥ १ ॥

गार्हपत्याग्निचयनम् ।

गार्हपत्यं चेष्यन्पलाशशाखया व्युदूहति । अवस्यति हैतद्—यद्गार्हपत्यं चिनोति । य उ वै के चाग्निचितः—अस्यामेव तेऽवसिताः । तद् यद्व्युदूहति । अवसितानेव तद्व्युदूहति—नेदवसितानध्यवस्यानीति ॥ १ ॥

यस्य निःश्वसितं वेदा यो वेदेभ्योऽखिलं जगत् । निर्ममे तमहं वन्दे विद्यातीर्थमहेश्वरम् ॥ १ ॥
उखासम्भरणाद्यं तु भस्मावहरणान्तकम् । चित्यस्याग्नेर्ब्राह्मणं प्रोक्तं षष्ठेऽथ सप्तमे ॥ २ ॥
इष्टकाचयनात्पूर्वमग्निस्थानस्य संस्क्रिया । कर्तव्या या समासेन सेह विस्पष्टमीर्यते ॥ ३ ॥

अग्निं चिनुते—इत्यनारभ्य विहितस्य अग्निचयनस्य (तै. सं. ५ । ५ । २ । ३ अनुवाकौ) "अथातोऽग्निमग्निष्टोमेनानुयजति"—इत्यादिवाक्येन (मी. न्या २ । ३ । १०) सोमयागशेषत्वावगतेः साग्निकस्य सम्बन्धिनां गार्हपत्यादिधिष्ण्यानां सर्वेषामेव चयनम्; संस्कार्यत्वात् । तत्र धिष्ण्येषु गार्हपत्याख्यस्य धिष्ण्यस्य प्राथम्यात् तत्र प्रथमं चयनं विधित्सुस्ततः प्राच्यान् भूसंस्कारान् विधास्यन् तत्स्थानस्य समन्त्रकं व्युदूहनं विधत्ते—गार्हपत्यं चेष्यन्निति । गृहपतिना संयुक्तोऽग्निर्गार्हपत्यः; "गृहपतिना संयुक्ते ञ्यः"—(पा. सू. ४।४।९०) इति पाणिनिस्मृतेः । इह तु तस्याग्नेः आधारभूतो भूप्रदेशः आधाराधेययोरभेदोपचारेण आधेयवाचिना शब्देनोच्यते संस्कर्तव्यत्वप्रतिपत्तये । अयमर्थः । यस्मादेतत् स्थानं गार्हपत्यस्याग्नेः अधिकरणम्, अतश्च चयनेन संस्कर्तव्यमित्यर्थः । संस्कारश्चात्र प्राधान्यद्योतिन्या द्वितीयया "व्रीहीन् प्रोक्षति"—इत्यादाविव प्रतिपाद्यते । चेष्यन्निति हेतौ शतृप्रत्ययः । "लक्षणहेत्वोः क्रियायाः" (पा. सू. ३ । २ । १२६) इति । यतोऽस्मिन् स्थाने चयनं कर्तव्यम्, अतो हेतोरेतत् स्थानं पलाशवृक्षस्य शाखया "अपेत"—इति वक्ष्यमाणेन मन्त्रेण 'व्युदूहति' लोष्टतृणादिकसम्मार्जनेनापसारयतीत्यर्थः ॥

व्युदूहनस्य प्रयोजनमाह—अवस्यति हैतदिति । गार्हपत्यस्याग्नेर्यत् स्थानं चयने संस्करोति मयाऽत्र स्थेयं वस्तव्यमिति, 'एतत्' एतेन व्युदूहनेन 'अवस्यति ह' निश्चिनोत्येव । यद्वा, गार्हपत्यस्य चयनं सदेव

१-पलाशशाखया गार्हपत्यं व्युदूहत्यपेत वीतेति पश्चः प्रतिदिशं पुरस्तात्प्रथमम् । का० श्रौ० सू० १७ । १ ।

(स्य) अपेत वीत वि च सर्पतातऽइति । (स्य) अप चैवेत वि चेत व्यु च सर्पतातऽइत्येतद्यऽउदरसर्पिणस्तानेतदाह येऽत्र स्थ पुराणा ये च नूतनाऽइति येऽत्र स्थ सनातना ये चाधुनातनाऽइत्येतत् ॥ २ ॥

(द) अदाद्यमोऽवसानं पृथिव्याऽइति यमो ह वा ऽअस्या ऽअवसानस्येष्टे स ऽएवास्माऽअस्यामवसानं ददाति ॥ ३ ॥

"अपेत वीत वि च सर्पतात:"–इति । अप चैवेत, वि चेत, व्यु च सर्पतात इत्येतत् । य उदरसर्पिणस्तानेतदाह । "येऽत्र स्थ पुराणाः, ये च नूतनाः"–इति । येऽत्र स्थ सनातनाः । ये चाधुनातना इत्येतत् ॥ २ ॥

"अदाद्यमोऽवसानं पृथिव्याः"–इति । यमो ह वा अस्या अवसानस्येष्टे । स एवास्मा अस्यामवसानं ददाति ॥ ३ ॥

देवयजनाध्यवसानम् । तथा च 'ये केचित्' 'अग्निचित:' अग्निं चितवन्तो यजमाना: 'ते' 'अस्यामेव' पृथिव्यामेव 'अवसिता:' अवसानं प्राप्तास्तत्रैव प्रवर्त्तन्ते, 'तत्' तथा सति पलाशशाखया चयनस्थानं 'व्युदूहति'–इति यत् 'तत्' तेन 'अवसितानेव' तत्र स्थितान् प्राक्तनान् यजमानान् 'व्युदूहति' विविधं निरस्यति ॥ व्युदूहनं कुर्वतो यजमानस्याभिप्रायमाह–नेदिति । अग्निचयनमनुष्ठाय तत्रैव 'अवसितान्' यजमानान् अत्रैव 'नेत् अध्यवस्यानि' तेषामुपरि अध्यवसानमवस्थानं नैव करवाणि 'इति' अनेनाभिप्रायेणेत्यर्थ: ॥ १ ॥

तस्मिन् व्युदूहने प्रतीकग्रहणेन मन्त्रं विवक्ते–अपेतेति । अत्र चापेत वीतेति वाक्यद्वयस्यार्थमाह–अप चैवेत वि चेतेति । हे यज्ञविरोधिनो जना: ! अस्मात् स्थानात् 'अपेत' अपगच्छत, अपगमनसमयेऽपि 'वीत' विविधं गच्छत । अनयोरपगमनविगमनयो: समुच्चयो विवक्षित इत्यमुमर्थं द्योतयितुं चकारस्यो: प्रयोग: । 'वि च सर्पतात:'–इत्येतदनूद्य व्याचष्टे–व्यु चेति । 'ये तु' प्राणिन: उदरेणैव सर्पन्ति गच्छन्ति, तान् सर्पसरीसृपादीन् प्राणिन: प्रति अस्मात् स्थानात् अपगमनमनेन प्रार्थ्यते इत्यर्थ: । तथा च मन्त्रभागस्यायमर्थ:–हे उदरेणैव सर्पणशीला: पन्नगादय: ! 'अत:' अस्मादग्निचयनस्थानाद् 'विसर्पत' विविधं गच्छतेति ।

द्वितीयपादमनूद्य व्याचष्टे–येऽत्र स्थेति । पुरा अतीतकाले भवा: 'पुराणा:' । "सायंचिरंप्राह्णेप्रगेऽव्ययेभ्य:"–(पा. सू. ४।३।२३) इति पुराशब्दादव्ययात् ट्युप्रत्यय: । "पुराणप्रोक्तेषु"–(पा. सू. ४।३।१०५) इति निपातनात् तुडभाव:, तथा च सनातना इत्यर्थो भवति । नूतना इत्यस्यार्थमाह–अधुनातना इति । 'अधुना' अस्मिन् वर्तमानकाले भवा: । तदयं मन्त्रभागस्यार्थ:–अत्र स्थाने ये पुराणा: सन्त: स्थ, ये च नूतना अधुनातना: स्थ, ते सर्वे यूयमपेतेति ॥ २ ॥

तृतीयपादमनूद्य व्याचष्टे–अदाद्यम इति । अवस्यति अस्मिन्निति 'अवसानं' स्थानम्, 'पृथिव्या:' सम्बन्धि यत्, तत् 'यम:' अस्मभ्यम् दत्तवान् । यमो ह वा इत्यादि । 'अस्या:' पृथिव्या: सम्बन्धिन: 'अवसानस्य' स्थानस्य 'यम:' खलु 'ईष्टे' अत: 'स एव' 'अस्मै' यजमानाय 'अस्या:' पृथिव्या: 'अवसानं' स्थानं 'ददाति' ॥ ३ ॥

(त्यु) अक्रन्निमं पितरो लोकमस्माऽइति । क्षत्रं वै यमो विड्ः पितरो यस्माऽउ वै क्षत्रियो विशा संविदानोऽस्यामवसानं ददाति तत्सुदत्तं तथो हास्मै क्षत्रं यमो विशा पितृभिः संविदानोऽस्यामवसानं ददाति ॥ ४ ॥

पलाशशाखया व्युदूहति । ब्रह्म वै पलाशो ब्रह्मणैव तदुवसितान्व्युदूहति मन्त्रेण ब्रह्म वे मन्त्रो ब्रह्मणैव तदुवसितान्व्युदूहति तामुदीचीमुदस्यति ॥५॥

(शतम् ३९०० ॥)

" अक्रन्निमं पितरो लोकमस्मै "–(वा. सं. १२ । ४५) इति । क्षत्रं वै यमो, विशः पितरः । यस्मा उ वै क्षत्रियो विशा संविदानोऽस्यामवसानं ददाति । तत्सुदत्तम् । तथो हास्मै क्षत्रं यमो विशा पितृभिः संविदानोऽस्यामवसानं ददाति ॥ ४ ॥

पलाशशाखया व्युदूहति । ब्रह्म वै पलाशः, ब्रह्मणैव तदवसितान् व्युदूहति–मन्त्रेण । ब्रह्म वै मन्त्रः । ब्रह्मणैव तदवसितान् व्युदूहति । तामुदीचीमुदस्यति ॥ ५ ॥

चतुर्थपादमनूद्य व्याचष्टे–अक्रन्निति । ' पितरः ' पितृदेवताः ' अस्मै ' यजमानाय अग्निचयनार्थम् ' इमं लोकं ' स्थानम् ' अक्रन् ' अकृषत । क्षत्रं वा इत्यादि । क्षत्रियजातिर्हि यमः, पितरस्तु तस्य ' विशः ' प्रजाः । " यमः पितॄणाꣳ राजा " इति हि श्रुतिः (तै. सं. ४ । १ । ८ । ४; ऐ० ब्रा० ८ । २ ।३।१)। यस्मा उ वा इति । लोके हि ' क्षत्रियः ' राजा ' विशा ' स्वकीयया प्रजया ' संविदानः ' सञ्जानानः, ऐकमत्यं प्राप्तः सन् ' अस्यां ' पृथिव्यां ' यस्मै ' पुरुषाय ' अवसानं ' स्थानं ' ददाति, ' तस्य ' तत् ' ' सुदत्तं ' शोभनं दत्तं भवति । यथाऽयं दृष्टान्तः, तथैव खलु ' अस्मै ' यजमानाय ' क्षत्रं ' क्षत्रियः यमोऽपि पितृरूपया स्वकीयया ' विशा ' सञ्जाननः सन् ' अस्यां ' पृथिव्याम् ' अवसानं ' स्थानं ' ददाति ' ॥४॥

तस्मिन् व्युदूहने पलाशशाखायाः करणत्वं यद् विहितम् तदनूद्य स्तौति–पलाशशाखयेति । वृक्षेषु मध्ये पलाशवृक्षो ' ब्रह्म ' ब्राह्मणजातिः । यद्वा सोमाहरणसमये भूमौ पतितस्य पर्णस्य पलाशवृक्षरूपेणोत्पत्तेः (श. प. १।७।१।१) गायत्रीसम्बन्धात् पलाशवृक्षो गायत्रीमन्त्रात्मकः । तथाच तेनैव ' ब्रह्मणा ' ' तत् ' तत्र ' अवसितान् ' अवसाय स्थितान् जनान् अस्मात् स्थानात् 'व्युदूहति' उच्चाटयति । मन्त्रकरणत्वमनूद्य स्तौति–मन्त्रेणेति । ब्रह्म वा इति । यद् ब्रह्म विवक्ति हि मन्त्रः, तथा च मन्त्रेण क्रियमाणं व्युदूहनं ब्रह्मणैव कृतं भवतीत्यर्थः ।

तस्याः पलाशशाखाया निरसनं विधत्ते–तामुदीचीमिति[१] । ' उदीचीम् ' उदगग्राम्, उदीचीं दिशं वा प्रति ' ताम् ' पलाशशाखाम् ' उदस्यति ' उत्क्षिपति, परित्यजतीत्यर्थः ॥ ५ ॥

१–उदीचीं शाखामुदस्य । का. श्रौ. सू. १७ । ४ ।

(त्यु) अथोषान्निवपति । (त्य) अयं वै लोको गार्हपत्यः पशवऽ ऊषा ऽअस्मिंस्तल्लोके पशून्दधाति तस्मादिमेऽस्मिंल्लोके पशवः ॥ ६ ॥

(वो) यद्वेवोषान्निवपति । प्रजापतिः प्रजा ऽअसृजत ता नानोल्बा ऽअसृजत ता न समजानत सोऽकामयत संजानीरन्निति ताः समानोल्बा ऽअकरोत्तासामूषानुल्बमकरोत्ताः समजानत तस्मादप्येतर्हि समानोल्बाः समेव जानते देवैः समानोल्बोऽसानीत्यु वै यजते यो यजते तद्यदूषान्निवपति देवैरेव तत्समानोल्बो भवति ॥ ७ ॥

अथोषान्निवपति । अयं वै लोको गार्हपत्यः, पशव ऊषाः । अस्मिंस्तल्लोके पशून्दधाति । तस्मादिमेऽस्मिंल्लोके पशवः ॥ ६ ॥

यद्वेवोषान्निवपति । प्रजापतिः प्रजा असृजत । ता नानोल्बा असृजत । ता न समजानत । सोऽकामयत–संजानीरन्निति । ताः समानोल्बा अकरोत् । तासामूषानुल्बमकरोत् । ताः समजानत । तस्मादप्येतर्हि समानोल्बाः समेव जानते । देवैः समानोल्बोऽसानीत्यु वै यजते यो यजते । तद् यदूषान्निवपति–देवैरेव तत्समानोल्बो भवति ॥ ७ ॥

सम्मार्जनानन्तरमूषाणां निवपनं विधत्ते–अथोषानिति (का. श्रौ. सू. १७ । ४) । क्षारमृत्तिका ऊषाः । पृथिव्याः पशुसमृद्धिहेतुत्वेनैतत् प्रशंसति–अयं वै लोक इति । ऊषरदेशस्य पशुभिरुपजीव्यत्वादूषाणां पशुत्वव्यपदेश इति । तस्मादिम इति । यस्मादूषाणां निवपनेन पशवोऽस्मिन् लोके स्थापिताः, तस्मादेव कारणात् इदानीमपि ' इमे ' ' पशवः ' गवाद्याः ' अस्मिन् लोके ' समृद्धा उपलभ्यन्ते ॥ ६ ॥

ऊषनिवपनं प्रकारान्तरेण स्तोतुमनुवदति–यद्वेवेति । ऊषाणामुल्बरूपत्वमाख्यायिकया प्रतिपादयन् संज्ञानहेतुतामाह–प्रजापतिः प्रजा इति । ता नानोल्बा इति । नानाविधं परस्परं विभिन्नमुल्बं गर्भवेष्टनं यासां तास्तथोक्ताः, ततो भिन्नजातीयत्वात् ' ताः ' प्रजाः परस्परं ' न समजानत ' समानज्ञाना नाभवन् । ' स ' च प्रजापतिः ' अकामयत ' इमाः प्रजाः परस्परं ' सञ्जानीरन्निति ' एवं कामयित्वा भिन्नोल्बजनितत्वं दोषमालोच्य ' ताः ' प्रजाः ' समानोल्बाः ' समानमेकमेवोल्बं यासां तथाविधाः ' अकरोत् ' । किं तत् समानमुल्बमिति, तदाह–तासामूषानिति । उत्पद्यमानानां प्रजानामुल्बत्वेनोषान् कृतवानित्यर्थः । तथा चैकोल्बजनितत्वेन समानजातीयाः ' ताः ' सर्वाः प्रजाः ' समजानत ' ऐकमत्यं प्राप्ता आसन् । यस्मादेवं पुरावृत्तम्, ' तस्माद् ' इदानीमपि समानोल्बानामेकमातृकाणां प्रजानां सम्मतिर्दृश्यत इत्यर्थः । देवैरित्यादि । देवैः सह समानजन्मा भवानीत्यनेनाभिप्रायेण हि ' यः ' यजमानो ' यजते ' ' तत् ' तथा सति उल्बसंस्तुतानामूषाणां निवपनेन ' देवैः ' ' समानोल्बः ' समानजन्मा ' भवति ' इत्यर्थः ॥ ७ ॥

संज्ञानमसीति । समुजानतु ह्येतेन कामधुरणमिति पशुवो वाऽऊषाः पशुवः कामधुरणं मुयि ते कामधुरणं भूयादिति मुयि ते पशुवो भूयासुरि-त्येतत्तैः सुर्व्वं गार्हपत्यं प्रुच्छादयति योनिर्वै गार्हपत्या चितिरुल्वमूषाः सुर्व्वां तद्योनिमुल्बेन प्रुच्छादयति ॥ ८ ॥

(त्यु) अथ सिकता निवपति । (त्य) अग्नेरेतद्वैश्वानरस्य भस्म यत्सि-कता ऽअग्निमु वाऽएतं वैश्वानरं चेष्युन्भवति न वाऽअग्निः स्वं भस्मा-तिदहत्युनतिदाहाय ॥ ९ ॥

" संज्ञानमसि "–इति । समजानत ह्येतेन । " कामधरणम् "–इति । पशवो वा ऊषाः, पशवः कामधरणम् । " मयि ते कामधरणं भूयात् "–इति । मयि ते पशवो भूयासुरित्येतत् । तैः सर्वं गार्हपत्यं प्रच्छादयति । योनिर्वै गार्हपत्या चितिः, उल्वमूषाः । सर्वां तद् योनिमुल्बेन प्रच्छादयति ॥ ८ ॥

अथ सिकता निवपति । अग्नेरेतद्वैश्वानरस्य भस्म–यत् सिकताः । अग्निमु वा एतं वैश्वानरं चेष्यन् भवति । न वा अग्निः स्वं भस्मातिदहति । अनतिदाहाय ॥ ९ ॥

तस्मिन् निवपने मन्त्रं विधाय तदीयपदानि व्याचष्टे–संज्ञानमिति[1] । करणे ल्युडित्याह (पा. सू. ३ । ३ । ११७) समजानतेति । ' हि ' यस्माद् विप्रतिपन्नाः प्रजाः ' एतेन ' ऊषरूपेणोल्बेन ' समजानत ' समानज्ञाना अभवन्, तस्मात् हे ऊष! त्वम् "संज्ञानमसि" इति मन्त्रेण प्रतिपाद्य इत्यर्थः । पशवः काम-धरणमिति । कामाः ध्रियन्ते धीयन्ते अनेन गोरूपत्वेन स्तुतेनोषेणेति व्युत्पत्त्या मन्त्रगतकामधरणशब्देन पशु-विषयस्य कामस्य धरणं प्रतिपाद्यत इत्यर्थः । मयि त इत्यादि । हे ऊष ! यतः त्वं कामधरणमसि, अतः ' ते ' तव सम्बन्धि पशुरूपं ' कामधरणं ' कामप्रापणम् ' मयि भूयात् ' इति । मन्त्रवाक्यार्थस्य पर्यवसानमाह–मयि ते पशव इति । 'ते' तव सम्बन्धिनः पशवः 'मयि भूयासुः' इत्येतत् अत्र प्रतिपाद्यमित्यर्थः । न्युतैरूषैः प्रच्छा-दनं विधत्ते–तैरिति[2] । गार्हपत्याग्निस्थानम् । तत्प्रच्छादनं प्रशंसति–योनिर्वा इति । गार्हपत्याग्निसम्बन्धिनी या ' चितिः ', सा 'योनिर्वै' सर्वोत्पत्तिकारणम् । गार्हपत्याग्नेराहवनीयाग्न्युत्पत्तिहेतुत्वात् तदीयचयनस्याप्युत्पत्ति-हेतुत्वाद् योनित्वेन स्तुतिः । उल्बमूषा इति । "तासामूषानुल्बमकरोत्"–इत्याम्नातम् (७।१।१।१७ कं)। 'तत्' तेन ऊषैः प्रच्छादनेन 'सर्वां' कृत्स्नामेव 'योनिम्' आहवनीयाद्युत्पत्तये 'उल्बेन' प्रच्छादितवान् भवतीत्यर्थः॥८॥

सिकतानां निवपनं विधत्ते–अथेति[3] । ऊषवत् ' सिकताः' वालुकाः निक्षिपति । पृथिव्याः दाहराहित्यहेतु-त्वेनैतत् स्तौति–अग्नेरेतदिति । ' वैश्वानरस्य ' विश्वनरहितस्य ' अग्नेः ' ' एतद् ' भस्म ' यत् सिकताः । ' ' वैश्वानरं ' विश्वेषु नरेषु अवस्थितं हिरण्यगर्भात्मकम् ' अग्निं ' खल्वसौ यजमानः ' चेष्यन् भवति ' । यथा च चीयमानो वैश्वानरोऽग्निः पृथिवीं न दहेत्, तथा च सिकतानां निवपनं पृथिव्याः ' अनतिदाहाय ' अतिक्रम्य

१–ऊषान् निवपति संज्ञानमिति । का० श्रौ० सू. १७।४। २–मंडलं छादयाति । का० श्रौ० सू० १७।५। ३–सिकतास्वग्नेर्भस्मे-त्यूषवत् । का. श्रौ, सू. १७।६ ।

यद्वेव सिकता निवपति । (त्य) अग्नेरेतद्वैश्वानरस्य रेतो यत्सिकता ऽअग्निमु वाऽएतं वैश्वानरं चेष्यन्भवति न वाऽअरेतस्कात्किंचन विक्रियतेऽस्माद्रेतसोऽधि विक्रियाताऽइति ॥ १० ॥

(त्य) अग्नेर्भस्मास्यग्नेः पुरीषमसीति । यातयाम वाऽअग्नेर्भस्मायातयाम्न्यः सिकताऽअयातयाममेवैनदेतत्करोति ताभिः सर्वं गार्हपत्यं प्रच्छादयति योनिर्वै गार्हपत्या चिती रेतः सिकताः सर्वस्यां तद्योनौ रेतो दधाति ॥ ११ ॥

(त्य) अथैनं परिश्रिद्भिः परिश्रयति । योनिर्वै परिश्रितऽइदमेवैतद्रेतः सिक्तं योन्या परिगृह्णाति तस्माद्योन्या रेतः सिक्तं परिगृह्यते ॥ १२ ॥

यद्वेव सिकता निवपति । अग्नेरेतद्वैश्वानरस्य रेतो—यत्सिकताः । अग्निमु वा एतं वैश्वानरं चेष्यन् भवति । न वा अरेतस्कात्किञ्चन विक्रियते । अस्माद्रेतसोऽधि विक्रियाता इति ॥ १० ॥

"अग्नेर्भस्मास्यग्नेः पुरीषमसि"—इति । यातयाम वा अग्नेर्भस्म । अयातयाम्न्यः सिकताः । अयातयाममेवैनदेतत्करोति । ताभिः सर्वं गार्हपत्यं प्रच्छादयति । योनिर्वै गार्हपत्या चितिः, रेतः सिकताः । सर्वस्यां तद्योनौ रेतो दधाति ॥ ११ ॥

अथैनं परिश्रिद्भिः परिश्रयति । योनिर्वै परिश्रितः । इदमेवैतद्रेतः सिक्तं योन्या परिगृह्णाति । तस्माद्योन्या रेतः सिक्तं परिगृह्यते ॥ १२ ॥

अतिशयितो वा दाहोऽतिदाहः—तद्दाहित्याय भवति । न खल्वग्निः स्वकीयं भस्मातीत्य दहति, किन्तु तेनैव च्छन्नः सन् दाहसमर्थो भवतीत्यर्थः ॥ ९ ॥

एतदेवानूद्य प्रकारान्तरेण स्तौति—यद्वेवेति । सिकता इति यत् एतद् 'अग्नेः' वैश्वानरस्य 'रेतः' वर्णसादृश्यात् । न वा अरेतस्कादिति । 'न' खलु 'अरेतस्कात्' निर्वीर्यात् पुरुषात् किमपीषदपि 'विक्रियते' उत्पद्यते, अतश्चेष्यमाणोऽग्निः 'रेतसः' 'अधि' उपरि चितः सन् 'विक्रियातै' नानाविधफलसाधनयागहेतुत्वेन विकृतो भवेत् 'इति' अनेनाभिप्रायेण सिकतानिवपनं कर्तव्यमित्यर्थः ॥ १० ॥

तत्र मन्त्रं विदधाति—अग्नेर्भस्मेति । यातयाम वा इति । 'अग्नेर्भस्म' 'यातयाम' गतसारम्, रेतोरूपास्तु 'सिकताः' 'अयातयाम्न्यः' अगतसाराः; तथा चैतेन सिकतानिवपनेन, 'अयातयाम' अगतरसम्, सारवदेव 'एतत्' चयनं 'करोति' इत्यर्थः ॥

सिकताभिः प्रच्छादनं विधत्ते—ताभिरिति । यतो रेतःसंस्तुताः सिकताः, तस्मात् तासां गार्हपत्यायतने सर्वत्र प्रक्षेपेण सर्वस्यामेव योनौ प्रजोत्पत्तिहेतुभूतं 'रेत एव दधाति' सिक्तवान् भवति ॥ ११ ॥

शर्कराभिः परिश्रयणं विधत्ते—अथैनमिति । 'एनं' गार्हपत्यप्रदेशं परिश्रयन्त्येभिरिति 'परिश्रितः'

१—परिश्रिद्भिः परिश्रयति पूर्ववदेकविंशत्या चित स्येति । का० श्रौ० सू० १७ । ७ ।

यद्वेवैनं परिश्रिद्भिः परिश्रयति । (त्य) अयं वै लोको गार्हपत्य ऽआपः परिश्रित ऽइमं तं लोकमद्भिः परितनोति समुद्रेण हैनं तत्परितनोति सर्व्वतस्तस्मादिमं लोकꣳ सर्व्वतः समुद्रः पर्य्येति दक्षिणावृत्तस्मादिमं लोकं दक्षिणावृत्समुद्रः पर्य्येति खातेन तस्मादिमं लोकं खातेन समुद्रः पर्य्येति॥ १३॥

चित स्थेति । चिनोति ह्येनाः परिचित स्थेति परि ह्येनाश्चिनोत्यूर्ध्वचितः श्रयध्वमित्यूर्ध्वा ऽउपदधदाह तस्मादूर्ध्व ऽएव समुद्रो विजतेऽथ यत्तिरश्ची-

---

यद्वेवैनं परिश्रिद्भिः परिश्रयति । अयं वै लोको गार्हपत्यः । आपः परिश्रितः । इमं तं लोकमद्भिः परितनोति । समुद्रेण हैनं तत् परितनोति । सर्वतः । तस्मादिमं लोकं सर्वतः समुद्रः पर्येति । दक्षिणावृत् । तस्मादिमं लोकं दक्षिणावृत् समुद्रः पर्येति । खातेन । तस्मादिमं लोकं खातेन समुद्रः पर्येति ॥ १३ ॥

" **चितः स्थ** "–इति । चिनोति ह्येनाः । " **परिचितः स्थ** "–इति । परि ह्येनाश्चिनोति । "**ऊर्ध्वचितः श्रयध्वम्**"–(वा० सं० १३।४६) इत्यूर्ध्वा उपदधदाह । तस्मादूर्ध्व एव

शर्करापरपर्यायाः सूक्ष्मपाषाणाः, तैः ' परिश्रयति ' परितो वेष्टयति । तत् परिश्रयणं प्रशंसति–**योनिर्वा इति** । योनिस्थानीयाः । ' इदमेव ' सिकतारूपं ' सिक्तं रेतः ' ' एतत् ' एतया परिश्रिद्रूपया ' योन्या ' ' परिगृह्णाति ' परितो धारयति, यथा न विपद्यते । यस्मादेवं वैदिके कर्मणि, ' तस्मात् ' एव कारणात् लोके योषित्सु गर्भाशये ' सिक्तं रेतः ' ' योन्या परिगृह्यते ' परितो धार्यते ॥

एतदुक्तं भवति,–गार्हपत्यचितिसकाशादेतदुत्पाद्यते आहवनीयचितिः; तदुत्पत्तावत्र न्युप्ता ऊषा उल्बं, सिकता रेतः, परिश्रितो योनिः; अतः परिश्रयणान्तैः संस्कारैराहवनीयचितिः गर्भावस्थां प्रतिपद्यत इति ॥ १२ ॥

एतदेव परिश्रयणमनूद्य प्रकारान्तरेण स्तौति–**यद्वेवैनमिति** । **अयं वै लोक इति** । ' अयं ' भूलोकात्मकः खलु ' गार्हपत्यः ' अग्निः; तद्वाचिन्या भूरिति व्याहृत्या आहितत्वात् । **आपः परिश्रित इति** । परिश्रयणार्थाः शर्कराः ' आपः ' उदकात्मिकाः; शर्करायुक्ते हि भूप्रदेशे खननादाप उपलभ्यन्ते । तथा च गार्हपत्यस्य परिश्रिद्भिः परिश्रयणे सति ' इमम् ' एव भूलोकम् 'अद्भिः' ' परितनोति ' परितो वेष्टयति । केनोपायेनाद्भिः परिवेष्टनमिति तदाह–**समुद्रेणेति** । **तस्मादिममिति** । यस्मात् परिश्रिद्भिः गार्हपत्यस्य परिश्रयणं भूलोकस्य समुद्रेणावरणकारणम्, 'तस्मात्' ' इमं लोकं ' 'सर्वतः' सर्वासु दिक्षु ' समुद्रः ' 'पर्येति' परितो व्याप्नोति । परिश्रयणस्य प्रादक्षिण्यं विधाय स्तौति–**दक्षिणावृदिति** । ' दक्षिणा ' प्रदक्षिणम् ' आवृत् ' आवर्तनं यथा भवति तथा परिश्रयेदित्यर्थः । ' तस्मात् ' करणभूते परिश्रयणे दक्षिणावृन्निदर्शनात् समुद्रोऽपि ' इमं लोकं ' ' दक्षिणावृत् ' प्रदक्षिणावर्त्तनेन ' पर्येति ' परितो गच्छति । खाते देशे परिश्रयणं विधाय स्तौति–**खातेनेति** । गार्हपत्यायतनस्य परितः खातेन प्रदेशेन परिश्रिद्भिः परिश्रयेत् ॥ १३ ॥

तस्मिन् परिश्रयणे मन्त्रं विधाय व्याचष्टे–**चितः स्थेति** । ' हि ' यस्मात् ' एनाः ' शर्कराः ' चिनोति '

रुपदध्यात्सकृद्धैवेदꣳ सुर्वꣳ समुद्रो निर्मृज्यान्न सादयत्यसन्ना ह्यापो न सूददोहसाऽधिवदति ॥ १४ ॥

(त्यु) अस्थीनि वै परिश्रितः प्राणः सूददोहा न वाऽअस्थिषु प्राणोऽस्त्येकेन यजुषा बह्वीरिष्टकाऽ उपदधात्येकꣳ ह्येतद्रूपं यदापोऽथ यद्बह्वयः परिश्रितो भवन्ति बह्वयो ह्यापः ॥ १५ ॥

समुद्रो विजते । अथ यत्–तिरश्चीरुपदध्यात्–सकृद्धैवेदं सर्वं समुद्रो निर्मृज्यात् । न सादयति । असन्ना ह्यापः । न सूददोहसाऽधिवदति ॥ १४ ॥

अस्थीनि वै परिश्रितः, प्राणः सूददोहाः । न वा अस्थिषु प्राणोऽस्ति । एकेन यजुषा बह्वीरिष्टका उपदधाति । एकं ह्येतद्रूपम्–यदापः । अथ यद् बह्वयः परिश्रितो भवन्ति–बह्वयो ह्यापः ॥१५॥

स्थापयति, तस्मात् हे शर्कराः ! यूयं ' चितः स्थ ' चीयमाना भवथेति समवेतार्थो मन्त्रभागः । परि ह्येना इति । यस्मादेनाः परिश्रितश्चिनोति, तस्मात् ' परिचितः स्थ ' परितश्चीयमाना भवथेति ॥

ऊर्ध्वा उपदधदिति । परितः ऊर्ध्वमुखा अवस्थापयन् " ऊर्ध्वचितः श्रयध्वम् " इति मन्त्रभाग श्रयादित्यर्थः । तदेतत् सूत्रितं कात्यायनेन–" परिश्रिद्भिः परिश्रयति पूर्ववदेकविंशत्या चितः स्थेति " (का. श्रौ. सू. १७ । ७ ।) इति ॥

समुद्रो विजत इति । अब्रूपाणां परिश्रितामूर्ध्वमुखत्वात् तत्समुदायरूपः समुद्रोऽपि ऊर्ध्व एव विजते । " ओविजी भयचलनयोः " (धा. पा. तु. आ. ९) । कल्लोलैरूर्ध्वं चलति समुद्र इत्यर्थः, न तु तिर्यक् कृत्स्नां भूमिमावृणोति । विजतिर्व्याप्तिकर्मा । तिर्यगुपधाने दोषमाह–अथ यत् तिरश्चीरिति । ' तिरश्चीः ' तिर्यगञ्चनाः । सकृद्धैवेदमिति । युगपदेव ' इदं सर्वं ' जगत् ' समुद्रो निर्मृज्यात् ' निःशेषेण प्रक्षालयेत्, सर्वं समुद्रे प्रविलीयेतेत्यर्थः । सादनं सूददोहसाऽधिवदनञ्च इष्टकाधर्मतया प्रसक्तम्, अत्र निषेधति–न सादयतीति । उपधानकाले मन्त्रेणोपधाय ततस्तया देवतयेत्युपहितस्य सादनम्; "ता अस्य सूददोहसः" इति मन्त्रः सूददोहाः, तेनाधिवदनमुपरिष्टाद् वदनम्, सर्वेष्टकासाधारणो धर्मः; तदुभयं परिश्रिदुपधाने न कर्तव्यम् । तत्र हेतुः–असन्ना ह्यापः इति । क्वचित् क्वचित् सीदन्ति; प्रवहणशीलत्वादित्यर्थः ॥ १४ ॥

सूददोहसो निषेधमुपपादयति–अस्थीनि वा इति । अस्थ्यात्मिका हि ' परिश्रितः ' शर्कराः; तत्साद्दश्यात् । " ता अस्य सूददोहसः "–इति सूददोहः–शब्दयुक्तो मन्त्रः ' सूददोहाः; ' स च प्राणात्मकः खलु । सूदं शोभनमुदकम् दोग्धि, येन सिक्तं सत् रसं न शुष्यति; यस्मिन्नङ्गे प्राणः सञ्जातो नास्ति, तत् काष्ठवत् शुष्कमेव भवति; अतः प्राण एव सूददोहाः । तथा चास्थिसंस्तुतासु परिश्रित्सु नासौ कर्तव्यः; न खल्वस्थिषु प्राणोऽस्ति, नाडीष्वेव हि तस्य सञ्चार इत्यर्थः । चितः स्थेत्येकेनैव यजुषा बहूनां परिश्रितां स्थापनमुपपादयति–एकेनेति । ' उपदधाति '–चोदितत्वात् परिश्रितामिष्टकात्वम् । अत एवाहापस्तम्बः–" स्रुचौ सप्त स्वयमातृण्णाः शर्करा हिरण्येष्टकाः पञ्च घृतेष्टका दूर्वास्तम्बः कूर्म उलूखलं मुसलं शूर्पमश्मानः पशुशिराꣳसि सर्पशिरश्चामृन्मयीरिष्टकाः"–इति (आप. श्रौ. सू. १६।१३।१०) । एकꣳ ह्येतदिति । आप इति यत्, तदेकमेव हि रूपम्, एकरूपा एव हि लक्ष्यन्ते, अतः ' एकेन यजुषा ' परिश्रिद्रूपाणामपामुपधानं युक्तमिति ॥

(स्त) तद्वै योनिः परिश्रितः । (ऽ) उल्बमूषा रेतः सिकता बाह्याः परिश्रितो भवन्त्यन्तरऽऊषा बाह्या हि योनिरन्तरमुल्बं बाह्यऽऊषा भवन्त्यन्तराः सिकता बाह्यᳬं ह्युल्बमन्तरᳬं रेत ऽएतेभ्यो वै जायमानो जायते तेभ्यऽएवैनमेतज्जनयति ॥ १६ ॥

(त्यु) अथैनमतश्चिनोति । (ती) इदमेवैतद्रेतः सिक्तं विकरोति तस्माद्योनौ रेतः सिक्तं विक्रियते ॥ १७ ॥

स चतस्रः प्राचीरुपदधाति । द्वे पश्चात्तिरश्च्यौ द्वे पुरस्तात्तद्याश्चतस्रः प्राचीरुपदधाति सऽआत्मा तद्यत्ताश्चतस्रो भवन्ति चतुर्विधो ह्ययमात्माऽथ ये पश्चात्ते सक्थ्यौ ये पुरस्तात्तौ बाहू यत्र वाऽआत्मा तदेव शिरः १८

तद्वै योनिः परिश्रितः, उल्बमूषाः, रेतः सिकताः । बाह्याः परिश्रितो भवन्ति, अन्तर ऊषाः । बाह्या हि योनिः, अन्तरमुल्बम् । बाह्य ऊषा भवन्ति, अन्तराः सिकताः । बाह्यं ह्युल्बम्, अन्तरं रेतः । एतेभ्यो वै जायमानो जायते । तेभ्य एवैनमेतज्जनयति ॥ १६ ॥

अथैनमतश्चिनोति । इदमेवैतद्रेतः सिक्तं विकरोति । तस्माद्योनौ रेतः सिक्तं विक्रियते ॥ १७ ॥

स चतस्रः प्राचीरुपदधाति, द्वे पश्चात्तिरश्च्यौ, द्वे पुरस्तात् । तद्याश्चतस्रः प्राचीरुपदधाति—स आत्मा । तद्यत्ताश्चतस्रो भवन्ति । चतुर्विधो ह्ययमात्मा । अथ ये पश्चात्—ते सक्थ्यौ । ये पुरस्तात्—तौ बाहू । यत्र वा आत्मा तदेव शिरः ॥ १८ ॥

बह्वयो हीति । ' हि ' यस्मात् ' आपः ' ' बह्वयः ' बहुविधाः, तस्मात् तदात्मिकाः ' परिश्रितः ' अपि ' बह्वयो भवन्ति ' बहुशब्दाद् " वोतो गुणवचनात् "–" बह्वादिभ्यश्च "–(पा. सू. ४ । १ । ४४। ४९) इति ङीप् ॥ १९ ॥

परिश्रिदूषसिकतानां बाह्याभ्यन्तरभावं विधाय स्तौति—तद्वै योनिरित्यादिना । ' तद्वै ' तत्र ऊषसिकता-परिश्रित्सु मध्ये ' परिश्रितः ' शर्कराः ' योनिः ' गर्भनिर्गमनमार्गः । उल्ब—संस्तुता ऊषाः रेतः—संस्तुताः सिकताः, अतो योनि—संस्तुतानां परिश्रितामुल्बात्मकेभ्यो बाह्यत्वम्, ऊषाणाञ्च तत आन्तरत्वमुपपन्नमित्यर्थः । बाह्य ऊषा भवन्तीत्यादि । उल्बसंस्तुतत्वादूषाणां बाह्यदेशवर्तित्वम्, रेतःसंस्तुतत्वात् सिकतानामाभ्यन्तरत्वं युक्तमित्यर्थः । बाह्यं हीति । लोकप्रसिद्धयोपपादनम् । एतेभ्यो वा इति । योन्युल्बरेतोभ्यः खलु जायमानो जन्तुर्जायते लोके । तथा च ' एनम् ' अग्निं ' तेभ्य एव ' योन्यादिभ्यः इदानीं ' जनयति '॥ १६॥

इत्थं संस्कृतस्य गार्हपत्यायतनस्येष्टकाभिश्चयनं विधत्ते—अथैनमिति । ' अथ ' अनन्तरम्, सिकतात्मना सिक्तस्य रेतसः यस्मात् कार्यरूपेण परिणामोऽपेक्षितः, ' अतः ' कारणात् ' एनं ' व्युदूहनादिभिः संस्कृतं गार्हपत्यदेशमिष्टकाभिः ' चिनोति ' । ' इदमेव ' सिकतारूपेण ' सिक्तं रेतः ' ' एतत् ' एतेन चयनेन ' विकरोति ' विकृतमवयवयुक्तं करोति । तस्मादिति लौकिकोदाहरणम् ॥ १७ ॥

विहितस्य चयनस्य निष्पत्तये इष्टकानामुपधानप्रकारं विधत्ते—स चतस्र इति । गार्हपत्यायतनस्य मध्ये-

(स्तं) तं वा ऽएतम् । (मु) अत्र पक्षपुच्छवन्तं विकरोति यादृग्वै योनौ रेतो विक्रियते तादृग्जायते तद्यदेतमत्र पक्षपुच्छवन्तं विकरोति तस्मादेषोऽमुत्र पक्षपुच्छवाञ्जायते ॥ १९ ॥

तं वै पक्षपुच्छवन्तमेव सन्तम् । (न्तं) न पक्षपुच्छवन्तमिव पश्यन्ति तस्माद्योनौ गर्भं न यथारूपं पश्यन्त्यथैनममुत्र पक्षपुच्छवन्तं पश्यन्ति तस्माज्जातं गर्भं यथारूपं पश्यन्ति ॥ २० ॥

तं वा एतमत्र पक्षपुच्छवन्तं विकरोति । यादृग्वै योनौ रेतो विक्रियते–तादृग् जायते । तद्यदेतमत्र पक्षपुच्छवन्तं विकरोति–तस्मादेषोऽमुत्र पक्षपुच्छवाञ्जायते ॥ १९ ॥

तं वै पक्षपुच्छवन्तमेव सन्तं–न पक्षपुच्छवन्तमिव पश्यन्ति । तस्माद्योनौ गर्भं न यथारूपं पश्यन्ति । अथैनममुत्र पक्षपुच्छवन्तं पश्यन्ति । तस्माज्जातं गर्भं यथारूपं पश्यन्ति ॥ २० ॥

प्रथमं 'चतस्रः' 'प्राचीः' प्रागायताः इष्टकाः उपदध्यात् । ततः 'पश्चात्' पश्चाद्भागे 'तिरश्च्यौ' तिर्यगायते 'द्वे' इष्टके उपदध्यात् । तथा चतसृणां 'पुरस्तात्' अपि द्वे तिरश्च्यौ उपदध्यात् । एतासु त्रिविधास्विष्टकासु अवयवक्लृप्तिं करोति–**तद्याश्चतस्र** इत्यादिना । **स आत्मेति** । मध्यदेह इत्यर्थः । **चतुर्विधो ह्ययमिति** । त्वगसृङ्मांसास्थिभेदेन, मनोबुद्ध्यहङ्कारचित्तैर्वा, जाग्रदाद्यवस्थाचतुष्टयेन वा, आत्मनश्चातुर्विध्यम् । **सक्थ्याविति** । सक्थिः श्रोणिः, तेन च पादो लक्ष्यते; पश्चादुपहिते इष्टके पादावित्यर्थः । पादपाणियुक्तस्यास्य शरीरस्य किं तर्हि शिर इत्यत आह–**यत्र वा** इति । 'यत्र' खलु 'आत्मा' मध्यदेहो वर्तते, तत्रैव 'शिरः' अपि आत्मन्येवान्तर्भूतमिति अतो न पृथक् वक्तव्यमित्यर्थः ॥ १८ ॥

तं वा इत्यादि । 'अत्र' अस्मिन् गार्हपत्यस्थाने 'तम्' एव 'एतम्' अग्निं पक्षाभ्यां पुच्छेन च युक्तमेव 'विकरोति', मध्ये च चतस्रः, उभयपार्श्वयोः द्वे द्वे, इत्येवमुपधीयमानत्वात् । **यादृग्वा** इति । 'योनौ' गर्भाशये अवस्थितं 'रेतः' गर्भः, यादृगाकारं 'विक्रियते' विशिष्टावयवं क्रियते, जननसमयेऽपि तादृगाकारविशिष्टमेवापत्यं 'जायते' ॥

इत्थं लौकिकीं स्थितिमुक्त्वा प्रकृते योजयति–**तद्यदिति** । 'तत्' तत्र 'एतम्' अग्निम् 'अत्र' गार्हपत्यायतनयोनौ 'यद्' यस्मात् 'पक्षपुच्छवन्तं विकरोति' **सूक्ष्मरूपेण** निर्मिमीते, 'तस्मात्' 'एषः' अग्निः 'अमुत्र' आहवनीयस्थाने 'पक्षपुच्छवान्' 'जायते' जायमान उपलभ्यत इत्यर्थः ॥ १९ ॥

तं वा इति । **न पक्षपुच्छवन्तमिव पश्यन्तीति** । सतामपि पक्षपुच्छानामदर्शनं योन्यामनभिव्यक्तेर्वा भवति । एतल्लौकिकोदाहरणेनोपपादयति–**तस्मादिति** । **यथारूपमिति** । विद्यमानं शिरःपादादिकं कृत्स्नं रूपमित्यर्थः । **अथैनममुत्रेति** । 'एनम्' अनभिव्यक्तरूपमग्निम् 'अमुत्र' आहवनीयस्थाने अभिव्यक्तं 'पक्षपुच्छवन्तं' यस्मात् 'पश्यन्ति' 'तस्मात्' एव कारणात् जननात् प्रागनभिव्यक्तावयवं 'गर्भं' 'जातं' जननात् ऊर्ध्वं 'यथारूपम्' यथावस्थितरूपम् अभिव्यक्तावयवं 'पश्यन्ति' इत्यर्थः ॥ २० ॥

स चुतस्रः पूर्व्वाऽ उपदधाति । (त्या) आत्मा ह्येवाग्रे सम्भवतः सम्भवति दक्षिणतऽ उदङ्ङासीनऽ उत्तरार्ध्यां प्रथमामुपदधाति तथो हास्यैषोऽभ्यात्ममेवाग्निश्चितो भवति ॥ २१ ॥

(त्य) अयᳪ सोऽअग्निः । (यं) यस्मिन्त्सोममिन्द्रः सुतं दधऽइत्ययं वै लोको गार्हपत्यऽआपः सोमः सुतोऽस्मिंस्तल्लोकेऽपऽइन्द्रोऽधत्त जठरे व्वावशानऽइति मध्यं वै जठरᳪ सहस्रियं व्वाजमत्यं न सप्तिमित्यापो वै सहस्रियो व्वाजः ससवान्त्सन्त्स्तूयसे जातवेदऽइति चितः संश्रीयसे जातवेदऽइत्येतत् ॥ २२ ॥

स चतस्रः पूर्वा उपदधाति । आत्मा ह्येवाग्रे सम्भवतः सम्भवति । दक्षिणत उदङ्ङासीन उत्तरार्ध्यां प्रथमामुपदधाति । तथो हास्यैषोऽभ्यात्ममेवाग्निश्चितो भवति ॥ २१ ॥

"अयं सोऽअग्निर्यस्मिन्त्सोममिन्द्रः सुतं दधे"–इति । अयं वै लोको गार्हपत्यः । आपः सोमः सुतः । अस्मिंस्तल्लोकेऽप इन्द्रोऽधत्त । " जठरे वावशानः "–इति । मध्यं वै जठरम् । " सहस्रियं वाजमत्यं न सप्तिम् "–इति । आपो वै सहस्रियो वाजः । " ससवान्त्सन्त्स्तूयसे जातवेदः"–(वा. सं. १२ । ४७) इति । चितः संश्रीयसे जातवेद इत्येतत् ॥ २२ ॥

स चतस्र इति । आत्मा ह्येवाग्र इति । यस्मात् शिरसा युक्तो मध्यदेहः ' एव ' ' सम्भवतः ' उत्पद्यमानस्य प्राणिनः ' अग्रे ' प्रथमतः ' सम्भवति ' अभिव्यक्तो भवति, तस्मादात्मसंस्तुता इष्टकाः पूर्वमुपदध्यादिति युक्तम् । तस्मिन्नुपधाने धर्मविशेषमाह–दक्षिणत इति । गार्हपत्यायतनस्य दक्षिणदेशे उदङ्मुख आसीनः चतसृणां मध्ये ' प्रथमाम् ' इष्टकाम् ' उत्तरार्द्ध्याम् ' उत्तरार्द्धे भवाम्, उत्तरभागेऽवस्थितामुपदध्यात् । "दिक्पूर्वपदाट्ठञ् च " (पा. सू. ४।३।६) इत्यत्र चकारात् उत्तरार्द्धात् यत्–प्रत्ययः । उत्तरार्द्ध्यायाः प्रथममुपधाने प्रयोजनमाह–तथो हेति । तथैव खलु ' अस्य ' दक्षिणतोऽवस्थितस्य अध्वर्योः ' एषः ' अग्निः ' अभ्यात्मम् ' आत्माभिमुखमेव ' चितो भवति ' ॥ २१ ॥

चतसृणामुपधाने " अयᳪ सोऽअग्निः " इत्याद्याश्चत्वारो मन्त्राः, इत्यभिप्रेत्य प्रतीकमुपादत्ते–अयᳪ स इति । तथा च कात्यायनः–" मध्येऽर्द्धबृहतीश्चतस्रो दक्षिणोत्तराः प्राचीरुपदधाति दक्षिणत उदङ्ङयᳪ सोऽअग्निरिति प्रत्यृचम् "–(का. श्रौ. सू. १७ । ८) इति । तत्र प्रथमाया ऋचोऽयमर्थः, ' सः ' चीयमानो गार्हपत्यः 'अग्निः' 'अयं' भूलोक एव । 'यस्मिन्' शरीरभूतेऽस्मिन् भूलोके 'जठरे' मध्ये 'वावशानः' काममानः ' इन्द्रः ' ' सुतम् ' अभिषुतं ' सोमम् ' तत्कारणभूता वृष्टिलक्षणा अपः ' दधे ' अधत्त । ' सहस्रियं ' सहस्रोपकारजनकं ' वाजम् ' अन्नलक्षणमन्नम्, ' सप्तिं ' सरणशीलम्, ' अत्यं ' सततगामिनम्, ' अत्यं न ' अश्वमिव । " नेत्युपमार्थे "–(निरु. १ । २ । १) ' ससवान् ' सम्भक्तवान् । " वन षण सम्भक्तौ "–(धा.पा.भ्वा. प. ४६४) इत्यस्मात् क्वसौ रूपम् । गार्हपत्यरूपेण प्रथमं चितः ' सन् ' हे ' जातवेदः ! ' जातानां वेदितः अग्ने ! ' स्तूयसे ' आहवनीयात्मना चीयमानः तद्धारणमन्त्रैः प्रतिपाद्यसे इत्यर्थः ॥

(दु) अग्ने यत्ते दिवि व्वर्चऽ इति । (त्या) आदित्यो वाऽअस्य दिवि व्वर्चः पृथिव्यामित्ययमग्निः पृथिव्यां यदोषधीष्वप्स्वा यजत्रेति य एवौषधिषु चाप्सु चाग्निस्तमेतदाह येनान्तरिक्षमुर्वाततन्थेति व्वायुः स त्वेषः स भानुरर्णवो नृचक्षाऽ इति महान्त्स भानुरर्णवो नृचक्षाऽ इत्येतत् ॥२३॥

(दु) अग्ने दिवोऽअर्णमच्छा जिगासीति । (त्या) आपो वाऽअस्य दिवोऽर्णस्ताऽ एष धूमेनाच्छैत्यच्छा देवाँ२॥ऽऊचिषे धिष्ण्या यऽइति प्राणा वै देवा धिष्ण्यास्ते हि सर्वा धियऽ इष्णन्ति या रोचने परस्तात्सूर्यस्य याश्चावस्तादुपतिष्ठन्तऽआपऽ इति रोचनो ह नामैष लोको यत्रैषऽ एतत्तपति तद्याश्चैतं परेणापो याश्चावरेण ताऽ एतदाह ॥ २४ ॥

" अग्ने यत्ते दिवि वर्चः "–इति । आदित्यो वाऽअस्य दिवि वर्चः । "पृथिव्याम्"–इति । अयमग्निः पृथिव्याम् । " यदोषधीष्वप्स्वा यजत्र "–इति । य एवौषधिषु चाप्सु चाग्निस्तमेतदाह । " येनान्तरिक्षमुर्वाततन्थ "–इति । वायुः सः । " त्वेषः स भानुरर्णवो नृचक्षाः "–(वा. सं. १२।४८) इति । महान्स भानुरर्णवो नृचक्षा इत्येतत् ॥ २३ ॥

" अग्ने दिवोऽअर्णमच्छा जिगासि "–इति । आपो वाऽअस्य दिवोऽर्णः । ता एष धूमेनाच्छैति । " अच्छा देवाँ २॥ ऊचिषे धिष्ण्या ये "–इति । प्राणा वै देवा धिष्ण्याः । ते हि सर्वा धिय इष्णन्ति । " या रोचने परस्तात्सूर्यस्य याश्चावस्तादुपतिष्ठन्तऽआपः "–

एतदर्थपरतां मन्त्रस्य प्रतिपादयति–अयं वै लोक इत्यादिना । मध्यं वै जठरमिति । देहमध्यवाचिना जठरशब्देन भूलोकस्य मध्यमत्र लक्ष्यते । आपो वै सहस्रिय इति । उपकाराणां सहस्रेण सम्मितः 'सहस्रियः' " सहस्रेण सम्मितौ घः " (पा. सू. ४ । ४ । १३९) । तथाविधो वाजोऽन्नमन्नलक्षणं विवक्षितम् ॥ २२ ॥

द्वितीयं मन्त्रं भागशोऽनूद्य व्याचष्टे–अग्ने यत्त इति । अस्य मन्त्रस्यायमर्थः–हे 'अग्ने !' 'यत्' 'ते' त्वदीयं 'वर्चः' आदित्यात्मकं ज्योतिः 'दिवि' वर्त्तते, तथा 'पृथिव्यां' भूलोके 'यद्' 'वर्चः' दाहपाकप्रकाशनसमर्थमन्यात्मकं ज्योतिरस्ति, 'ओषधीषु' तरुगुल्मादासु, 'अप्सु' आकारः समुच्चये, उदकेषु जाठरबाडवरूपेण, हे 'यजत्र' यजनीयाग्ने ! त्वदीयं यत् तेजोऽस्ति, 'येन' वाय्वात्मना तदीयेन रूपेण 'उरु' विस्तीर्णम् 'अन्तरिक्षम्' 'आततन्थ' आतनोषि, हे अग्ने ! 'त्वेषः' दीप्यमानो महानित्यर्थः । 'सः' अग्निः वाय्वादिरूपेण लोकत्रयं व्याप्य अवस्थितः, तदीयो 'भानुः' प्रकाशः 'अर्णवः' समुद्रोपमः सन्, 'नृचक्षाः' सर्वेषां नृणां द्रष्टा, प्रकाशको भवति ॥

अयमेवार्थः श्रुत्या प्रतिपाद्यते–आदित्यो वा अस्य दिवि वर्च इत्यादिना ॥ २३ ॥

तृतीयं मन्त्रं व्याचष्टे–अग्ने दिव इत्यादि । हे 'अग्ने !' अस्य 'दिवः' अन्तरिक्षस्य सम्बन्धि 'अर्णं' मेतत्स्थमुदकम् 'अच्छ' अभिलक्ष्य, धूमेन 'जिगासि' व्याप्नोषि । तथा अध्यात्मं 'ये' प्राणरूपाः

पुरीष्यासोऽअग्नयऽ इति । पशव्यासोऽग्नयऽ इत्येतत्प्रावणेभिः सजोषस
ऽइति प्रायणरूपं प्रायणꣳ ह्येतदग्नेर्यद्गार्हपत्यो जुषन्तां यज्ञमद्रुहोऽन-
मीवाऽ इषो महीरिति जुषन्तां यज्ञमद्रुहोऽनशनायाऽ इषो महीरित्येतत् २५

(वा. सं. १२ । ४९) इति। रोचनो ह नामैष लोकः-यत्रैष एतत्तपति । तद्याश्चैतं परेणापः, याश्चावरेण, ता एतदाह ॥ २४ ॥

" पुरीष्यासोऽअग्नयः "-इति । पशव्यासोऽग्नय इत्येतत् । " प्रावणेभिः सजोषसः "-इति। प्रायणरूपम् । प्रायणं ह्येतदग्नेः-यद्गार्हपत्यः । " जुषन्तां यज्ञमद्रुहोऽनमीवाऽइषो महीः "-(वा. सं.१२।५०) इति । जुषन्तां यज्ञमद्रुहोऽनशनाया इषो महीरित्येतत् ॥ २५ ॥

' धिष्ण्याः ' धियः इष्णन्ति व्याप्नुवन्तो वर्त्तन्ते, तान् 'देवान्' त्वं जाठराग्निरूपेण ' ऊचिषे ' समवैषि । "उच समवाये" (धा. पा. दि. प.११७) इति धातुः। तथा 'याः' ' आपः' ' रोचने ' रोचमाने सूर्यलोके वर्तमानस्य ' सूर्यस्य' ' परस्ताद् ' उपरिभागे वर्त्तन्ते, 'याश्च ' ' अवस्तात् 'अधोभागे 'उपतिष्ठन्ते' वर्तन्ते, आसामाश्रयित्वं प्राप्नोषीति शेषः ॥

उक्तार्थपरतां मन्त्रस्य दर्शयति-आपो वा अस्य दिवोऽर्ण इति । एष धूमेनेति । भूम्यां पार्थिवरूपेणावस्थितः ' एषः ' अग्निरित्यर्थः । प्राणा वै देवा इति । दीव्यन्ति विषयप्रकाशान् जनयन्तीति ' देवाः ' ' प्राणाः ' इन्द्रियाणि । ते हि सर्वा इति । ' हि ' यस्मात् ' ते ' प्राणाः ' सर्वाः धियः ' शब्दादिविषयाणि सर्वाणि ज्ञानानि ' इष्णन्ति ' आभीक्ष्ण्येन व्याप्नुवन्ति । " इष आभीक्ष्ण्ये "-(धा. पा. क्र्या. प. ५२) इति क्रैयादिको धातुः । तस्मादेते धिष्ण्यशब्देन मन्त्रे विवक्षिताः । याश्चैतं परेणेति । एतस्मात् सूर्यादद्दूरेण परभागे इत्यर्थः । " एनबन्यतरस्याम् "-(पा. सू. ५ । ३ । ३५) इत्येनप् । " एनपा द्वितीया " -(पा. सू. २ । ३ । ३) इति द्वितीया ॥ २४ ॥

पुरीष्यासो अग्नय इति । चतुर्थो मन्त्रः । अस्यायमर्थः,-पूरयति पयःप्रभृतिभिर्लोकमिति ' पुरीषं ' पशवः; तेभ्यो हिताः ' पुरीष्याः ' " आज्जसेरसुक् " (पा. सू. ७ । १ । ५०) । तथाविधाः ' अग्नयः ' ' प्रावणेभिः ' प्रवणसम्बन्धिभिः सम्भजनयुक्तैस्तैर्देवैः ' सजोषसः ' समानप्रीतयः सन्तः अस्मदीयं ' यज्ञं ' ' जुषन्ताम् ' सेवन्ताम् । तदनन्तरम् ' अद्रुहः ' द्रोहरहिताः, ' अनमीवाः ' अमीवा अशनाया, तद्रहिताः । ' महीः ' महतीः ' इषः ' अन्नानि, अस्मभ्यं प्रयच्छन्त्विति शेषः ॥

उक्तार्थपरतां मन्त्रस्य व्याचष्टे-पशव्यासोऽग्नय इत्येतदित्यादिना । प्रायणरूपमिति । ' प्रावणेभिः '-इति मन्त्र-गतः प्र-शब्दः ' प्रायणरूपम् ' प्रायणस्य प्रगमनस्य प्रारम्भस्य रूपम् । गार्हपत्यचितिश्च ' अग्नेः ' अग्निचयनस्य 'प्रायणम' प्रारम्भः; अतः प्रशब्दोपेतो मन्त्रोऽत्र योग्य इत्यर्थः । अनमीवा इत्यस्यार्थमाह-अनशनाया इति । अशनेच्छा अशनाया क्षुत्पीडा, न विद्यते सा यासां ताः ' अनशनायाः' । " अशनायोदन्यधनायाः "-(पा. सू. ७ । ४ । ३४) इति बुभुक्षायां क्यचीत्वाभावो निपात्यते ॥ २५ ॥

१६७७

(न्ना) नानुोपदधाति । यु नाना कामाऽआत्मंस्तांस्तद्दधाति सकृत्सादय-त्येकं तुदात्मानं करोति सूददोहसाऽधिवदति प्राणो वै सूददोहाः प्राणेनैवै-नमेतत्संतनोति संदधाति ॥ २६ ॥

(त्यु) अथ जघनेन परीत्य । (त्यों) उत्तरतो दक्षिणाऽऽसीनोऽपरयोर्द-क्षिणामग्रऽउपदधातीडामग्ने पुरुदꣳसꣳ सनिं गोरिति पशवो वाऽइडा पशूनामेवास्माऽएतामाशिषमाशास्ते शश्वत्तमꣳ हवमानाय साधेति यज-मानो वै हवमानः स्यान्नः सूनुस्तनयो विजावेति प्रजा वै सूनुरग्ने सा ते सुमतिर्भूत्वस्मेऽइत्याशिषमाशास्ते ॥ २७ ॥

नानोपदधाति । ये नाना कामा आत्मन्–तांस्तद्दधाति । सकृत्सादयति । एकं तदात्मानं करोति । सूददोहसाऽधिवदति । प्राणो वै सूददोहाः । प्राणेनैवैनमेतत्सन्तनोति, सन्दधाति ॥ २६ ॥

अथ जघनेन परीत्य, उत्तरतो दक्षिणाऽऽसीनोऽपरयोर्दक्षिणामग्र उपदधाति । "इडामग्ने पुरुदंसं सनिं गोः"–इति । पशवो वाऽइडा । पशूनामेवास्माऽएतामाशिषमाशास्ते । "शश्वत्तमं हवमानाय साध"–इति । यजमानो वै हवमानः । "स्यान्नः सूनुस्तनयो विजावा"–इति । प्रजा वै सूनुः । "अग्ने सा ते सुमतिर्भूत्वस्मे"–(वा. सं. १२ । ५१) इति । आशिषमाशास्ते ॥ २७ ॥

एतासामिष्टकानां क्रमेण कृतमुपधानमनूद्य स्तौति–नानोपदधातीति । 'नाना' पृथगेकैकेष्टकामुपदध्यात् । तेन 'ये' 'आत्मन्' आत्मनि स्थिताः नानाविधाः 'कामाः,' 'तान्' सर्वान् असङ्कीर्णं पृथगेव 'दधाति' स्थापयति । सादनसूददोहसोः सकृत्त्वं विधाय स्तौति–सकृत्सादयतीत्यादिना । तया देवतयेति यत् सादनम्, तत् एतासामिष्टकानां सम्भूय सकृदेव कर्तव्यम् । 'तत्' तेन सकृत्त्वेन 'आत्मानम्' 'एकम्' एकाकारं संहतं 'करोति' । पृथक् सादनेन आत्मा विश्लिष्टः स्यात्, तथा "ता अस्य सूददोहसः" इति मन्त्रेण यदधिवदनम्, तदपि सादनस्य सकृत्त्वात् सकृदेव कर्तव्यमित्यर्थः । अत एव सर्वेष्टकोपधान-साधारणधर्मत्वेन सादनसूददोहसौ कात्यायनेनोक्तौ–"नित्ये सादनसूददोहसाऽउपधानादुत्तरे तया देवतया ता अस्यत्य विशेषोपदेशात्"–(का. श्रौ. सू. १६ । २१३ । २१४) इति । प्राणेनैवैनमिति । 'एनम्' आत्मानम् 'एतत्' एतेनाधिवदनेन 'सन्तनोति' संयोजयति । तस्यैव विवरणम्–सन्दधातीति ॥ २६ ॥

पश्चिमार्ध्ययोरिष्टकयोरुपधानप्रकारमाह–अथ जघनेनेति । मध्येष्टकोपधानानन्तर्यमथ-शब्दार्थः । 'जघनेन परीत्य' गार्हपत्यस्थानस्य पश्चात् परिक्रम्य, 'उत्तरतः' उत्तरस्यां दिशि दक्षिणामुखः 'आसीनः' सन् [२] 'अपरयोः' पाश्चात्ययोरिष्टकयोः 'दक्षिणां' दक्षिणभागस्थामिष्टकाम् 'अग्रे' प्रथमम् 'उपदधाति' "इडामग्ने"–इति मन्त्रेण ॥

---

१ सकृदित्ये । का. श्रौ. सू. १७ । ९ । २–अपरेण परिक्रम्य परिक्रम्य चयनमिडामग्न इति पश्चिमे प्रतिमंत्रमुत्तरतः । का. श्रौ. सू. १७ । ११ ।

(स्तेऽस्थो) अथोत्तराम् । (म) अयं ते योनिर्ऋत्वियो यतो जातोऽअरोचथाऽ इत्ययं ते योनिर्ऋतव्यः सनातनो यतो जातोऽदीप्यथाऽ इत्येतत्तं जानन्नग्नऽआरोहाथा नो वर्धया रयिमिति यथैव यजुस्तथा बन्धुः॥२८॥

अथोत्तराम् । " अयं ते योनिर्ऋत्वियो यतो जातोऽअरोचथाः "–इति । अयं ते योनिर्ऋतव्यः सनातनो–यतो जातोऽदीप्यथा इत्येतत् । " तं जानन्नग्नऽआरोहाथा नो वर्धया रयिम् "–(वा. सं. १२ । ५२) इति । यथैव यजुस्तथा बन्धुः ॥ २८ ॥

तस्यायमर्थः–' हे अग्ने ! ' ' हवमानाय ' हवनं कुर्वते यजमानाय ' इडां ' पशुम् । जातावेकवचनम् । (पा. सू. १ । २ । ५८) गवाश्वादिपशून् ' साध ' साधय । पशुरेव विशेष्यते–पुरुदंसमिति । ' दंसस् ' इति कर्मनाम, (निघं. २ । १ । ३) बहुकर्महेतुभूतम्, अन्त्यलोपश्छान्दसः । ' शश्वत्तमं ' शाश्वतिकतमञ्च पुत्रपौत्रादिरूपेणाविच्छेदेन सर्वदा वर्त्तमानम् । ' गोस्सनिं ' गवादिपशूनां दातारम् । अस्मै यजमानाय साधय सम्पादय । अपि च ' नः ' अस्माकं ' तनयः ' पुत्रः, ' सूनुः ' तत्पुत्रश्च, ' विजावा ' विविधानां जनयिता स्यात्, उत्पद्यतामित्यर्थः । जनेर्विपूर्वात्–" अन्येभ्योऽपि दृश्यन्ते "–(पा. सू. ३ । २ । ७५) इति वनिप्, विड्वनोरनुनासिकस्यात् "–(पा. सू. ६ । ४ । ४१) इत्यात्वम् । किं बहुना हे ' अग्ने ! ' ' ते ' त्वदीया सा ' सुमतिः ' सर्वश्रेयोनिदानभूता कल्याणी बुद्धिः ' अस्मे ' अस्मासु ' भूतु ' भवत्वित्यर्थः ॥

एतदर्थपरत्वेन मन्त्रं व्याचष्टे–पशवो वा इडेति । इडा खलु मनोर्दुहिता । तेनाप्सु हुतैर्घृतदधिमस्त्वामिक्षारूपैर्द्रव्यैरुत्पन्ना । एतच्च " तत्रापि पाकयज्ञेनेजे स घृतम् "–(श. प. १ । ८ । १ । ७) इत्यादिना प्रथमकाण्डे प्रतिपादितम् । तथा च पशुप्रभवद्रव्येभ्य उत्पन्नत्वादिडायास्तद्वाचिनेडाशब्देन कारणभूताः पशव एवोच्यन्ते । पुरुदंसादिविशेषणेषु लिङ्गव्यत्ययश्छान्दसः । पशूनामेवेति कर्मणि षष्ठी; पशुविषयाम् ' आशिषं ' प्रार्थनाम् ' अस्मै ' यजमानाय अध्वर्युः ' आशास्ते ' । यजमानो वै हवमान इति । देवानाह्वयति तेभ्यो जुहोतीति वा, हवमानशब्दो यजमानवाचीत्यर्थः । प्रजा वै सूनुरिति । तनय–शब्देन पुत्रस्य प्रतिपादितत्वात् तत्पुत्रादिरूपाः प्रजाः सूनु–शब्देन प्रतिपाद्यन्त इत्यर्थः ॥ २७ ॥

अथ पाश्चात्ययोरुत्तरस्या इष्टकाया उपधानं विधत्ते–अथोत्तरामिति । उपदधातीति शेषः । मन्त्रस्यायमर्थः,- हे ' अग्ने ! ' ' ऋत्वियः ' ऋतौ भवः सनातनः अयं भूप्रदेशस्तव ' योनिः ' उत्पत्तिकारणम् , ' यतः ' यस्माद्योनेः ' जातः ' सन् ' अरोचथाः, ' अदीप्यथाः, ' तं ' योनिभूतम् देशं ' जानन् ' ' आरोह ' प्राप्नुहि । अथ अनन्तरम् ' नः ' अस्माकं ' रयिं ' धनं ' वर्धय ' ॥

मन्त्रस्यैतमर्थं प्रतिपादयति-अयं त इत्यादिना (का. श्रौ. सू. १७ । ११) । " ऋत्वियः " इति मन्त्रपदस्यार्थमाह–ऋतव्य इति । ऋतौ भव इति विगृह्य " छन्दसि घस् "–(पा, सू. ५ । १ । १०६) इति घस्–प्रत्यये ऋत्विय इति रूपम्, तथा च ऋतव्य इति तस्यार्थो भवति । ' सनातनः '–इति ऋतव्यपदव्याख्यानम् ; ऋत्वात्मकस्य कालस्य सर्वदा विद्यमानत्वात् तत्र भवः अग्निः ' सनातनः ' नित्य इत्यर्थः । तथा च ' जातः '–इति प्रादुर्भावमात्रं विवक्षितम्, नोत्पत्तिः । अदीप्यथा इत्येतदिति । " रुच दीप्तावभिप्रीतौ

सुक्थ्यावस्यैते । ते नानोपदधाति नाना सादयति नाना सूददोहसाऽधिवदति नाना हीमे सुक्थ्यौ द्वे भवतो द्वे हीमे सुक्थ्यौ पश्चादुपदधाति पश्चाद्धीमे सुक्थ्यावग्राभ्याᳬं सᳬंस्पृष्टे भवतऽएवᳬं हीमे सुक्थ्यावग्राभ्याᳬं सᳬंस्पृष्टे ॥ २९ ॥

(ष्टेऽअ) अथ तेनैव पुनः परीत्य । दक्षिणतऽउदङ्ङासीनः पूर्वयोरुत्तरामग्रऽउपदधाति चिदसि तया देवतयाऽङ्गिरस्वद्ध्रुवा सीदेत्यथ दक्षिणां परिचिदसि तया देवतयाऽङ्गिरस्वद्ध्रुवा सीदेति ॥ ३० ॥

सक्थ्यावस्यैते । ते नानोपदधाति । नाना सादयति । नाना सूददोहसाऽधिवदति । नाना हीमे सक्थ्यौ । द्वे भवतो-द्वे हीमे सक्थ्यौ । पश्चादुपदधाति । पश्चाद्धीमे सक्थ्यौ । अग्राभ्यां संस्पृष्टे भवतः । एवं हीमे सक्थ्यावग्राभ्यां संस्पृष्टे ॥ २९ ॥

अथ तेनैव पुनः परीत्य-दक्षिणत उदङ्ङासीनः पूर्वयोरुत्तरामग्रऽउपदधाति । "चिदसि तया देवतयाऽङ्गिरस्वद् ध्रुवा सीद"-इति । अथ दक्षिणां-"परिचिदसि तया देवतयाऽङ्गिरस्वद् ध्रुवा सीद"—(वा. सं. १२ । ५३) इति ॥ ३० ॥

च "-(धा. पा. भ्वा. आ. १४६) इति रुचिधातोरनेकार्थत्वादत्र दीप्त्यर्थो विवक्षित इति भावः । यथैव यजुरिति । यजुर्मन्त्रो यथैव प्रतिपादयति, तथैव तस्य 'बन्धुः' बन्धनीयं व्याख्यानम्, स्पष्टार्थतया न पृथग्व्याख्यायत इत्यर्थः ॥ २८ ॥

एतयोः पाश्चात्त्ययोः इष्टकयोरुपधानसादनादीनां पृथक् कर्तव्यतामाह-सक्थ्यावित्यादिना । 'अस्य' अग्नेः 'सक्थ्यौ' श्रोण्यौ 'एते' इष्टके; अतः 'ते' 'नाना' पृथगुपदध्यात् । सादनसूददोहसाऽधिवदने अपि पृथक् कर्त्तव्ये । तत्र कारणमाह-नाना हीमे इति । 'इमे' मनुष्यसम्बन्धिन्यौ सक्थ्यौ 'हि' यस्मात् 'नाना' पृथगसंश्लिष्टे भवतः, तस्मात् तत्संस्तुतयोः इष्टकयोरप्यसंश्लेषो युक्त इत्यर्थः । द्वित्वमनूद्य स्तौति-द्वे भवत इति ॥

पश्चाद्भागोपधानमनूद्य स्तौति-पश्चादिति । पश्चाद्धीमे इति । 'हि' 'यस्मात्' 'इमे' दृश्यमाने पुरुषसम्बन्धिन्यौ सक्थ्यौ 'पश्चाद्'-भागे शरीरस्यापरभागे भवतः, तस्मादनयोः पश्चादुपधानं युक्तम् । अग्रप्रदेशेन तयोः परस्परसंसर्गं विधत्ते-अग्राभ्यामिति । आत्मसमीपे अग्रदेशः, तत्रैते 'संस्पृष्टे' भवत इत्यर्थः । एवं हीमे इति । लौकिकं निदर्शनम् ॥ २९ ॥

पूर्वार्द्धयोरुपधानप्रकारमाह-अथ तेनैवेति[1] । येन मार्गेण पाश्चात्त्ययोरुपधाने परिक्रमण कृतम्, तेनैव पुनः 'दक्षिणतः' 'परीत्य' परिक्रम्य, तत्रोदङ्मुखः 'आसीनः' 'पूर्वयोः' इष्टकयोः मध्ये 'अग्रे' प्रथमम 'उत्तरामुपदधाति' । चिदसीति-तस्य मन्त्रः । अनन्तरम्, 'दक्षिणाम्' उपदधाति परिचिदसीति ॥

तन्मन्त्रयोरयमर्थः-भोगांश्चिनोति सम्पादयतीति चित् । हे इष्टके । त्वं 'चित्' चेतयमाना वागसि

१-चिदसीति पूर्व्वे दक्षिणतः प्रतिमन्त्रम् । का. श्रौ. सू. १७ । १२ ।

बाहूऽअस्यैते । ते नानोपदधाति नाना सादयति नाना सूददोहसाऽधिवदति नाना हीमौ बाहू द्वे भवतो द्वौ हीमौ बाहू पूर्वार्धऽउपदधाति पुरस्ताद्धीमौ बाहूऽअग्राभ्याᳬं सᳬंस्पृष्टे भवतऽ एवᳬं हीमौ बाहूऽअग्राभ्याᳬं सᳬंस्पृष्टौ स वाऽइतीमाऽउपदधातीतीमेऽइतीमे तद्दक्षिणावृत्तद्धि देवत्रा ॥ ३१ ॥

(ब्राऽष्टा) अष्टाविष्टका ऽउपदधाति । (त्य) अष्टाक्षरा गायत्री गायत्रोऽग्निर्यावानग्निर्यावत्यस्य मात्रा तावन्तमेवैनमेतच्चिनोति पञ्चकृत्वः सादयति पञ्चचितिकोऽग्निः पञ्चऽर्तवः संवत्सरः संवत्सरोऽग्निर्यावानग्निर्यावत्यस्य मात्रा तावन्तमेवैनमेतच्चिनोत्यष्टाविष्टकाः पञ्चकृत्वः सादयति तत्त्रयोदश त्रयोदश मासाः संवत्सरस्त्रयोदशाग्नेश्चितिपुरीषाणि यावानग्निर्यावत्यस्य मात्रा तावत्तद्भवति ॥ ३२ ॥

बाहूऽअस्यैते । ते नानोपदधाति । नाना सादयति । नाना सूददोहसाऽधिवदति । नाना हीमौ बाहू । द्वे भवतः । द्वौ हीमौ बाहू । पूर्वार्द्धऽउपदधाति । पुरस्ताद्धीमौ बाहू । अग्राभ्यां संस्पृष्टे भवतः । एवं हीमौ बाहूऽअग्राभ्यां संस्पृष्टौ । स वाऽइतीमाऽउपदधाति, इतीमे, इतीमे । तद्दक्षिणावृत् । तद्धि देवत्रा ॥ ३१ ॥

अष्टाविष्टका उपदधाति । अष्टाक्षरा गायत्री । गायत्रोऽग्निः । यावानग्निर्यावत्यस्य मात्रा—तावन्तमेवैनमेतच्चिनोति । पञ्चकृत्वः सादयति । पञ्चचितिकोऽग्निः । पञ्चर्तवः संवत्सरः । सम्वत्स-

---

भोगांश्चिन्वानाऽसि । या देवता त्वामभिमन्यते 'तया' वाग्रूपया ' देवतया ' ' अङ्गिरस्वत् ' अङ्गिराः प्राणाः । " प्राणो हि वा अङ्गानां रसः "—इति तन्नामव्युत्पत्तेः (श. प. ६ । १ । २ । २८) । सोऽस्यास्तीत्यङ्गिरस्वत् । क्रियाविशेषणमेतत् । " तसौ मत्वर्थे "—(पा. सू. १ । ४ । १९) इति भत्वादुत्वाभावः । तेन युक्तं यथा भवति तथा वाग्देवतया युक्ता असीत्यर्थः । ' ध्रुवा ' स्थिरा सती ' सीद ' निषण्णा भव ॥

परिचिदसीति द्वितीयो मन्त्रः । परितो भोगांश्चिन्वाना सम्पादयमाना परिचीयमाना वागसीत्यर्थः ॥३०॥

'सक्थ्यावस्यैते'—इतिवद् "बाहू अस्यैते"—इति व्याख्येयम् । एतासामिष्टकानामुपधानस्य प्रादक्षिण्यमुपनयेन दर्शयन्स्तौति—स वा इतीमा इति । ' इमाः ' मध्ये उपधीयमानाश्चतस्र इष्टकाः आत्मन उत्तरार्द्धमारभ्य दक्षिणा उपदधाति । ' इमे ' पाश्चात्ये इष्टके ' इति ' प्रथमं दक्षिणार्द्ध्यांम्, पश्चादुत्तरार्द्ध्यामित्यनेन क्रमेणोपदधाति । तथा ' इमे ' पौरस्त्ये इष्टके प्रथममुत्तरार्द्ध्याम्, पश्चाद्दक्षिणार्द्ध्यामित्यनेन क्रमेणोपदधाति । ' तत् ' तथा सति ' दक्षिणावृत् ' प्रादक्षिण्येन वर्तनं भवति । ' तत् ' खलु, ' देवत्रा ' देवेषु योग्यमित्यर्थः ॥३१॥

अथोपहितानामिष्टकानां सम्भूय सङ्ख्यां प्रशंसति—अष्टाविष्टका इति । गायत्रोऽग्निरिति । अष्टाक्षर-

---

१—निस्ये प्रतीच्यं तिरश्चीषु । का. श्रौ. सू. १७।१३।

(त्यु) अथ लोकम्पृणामुपदधाति । तस्याऽउपरि बन्धुस्तिस्रः पूर्वास्त्रिवृदग्निर्यावानग्निर्यावत्यस्य मात्रा तावन्तमेवैनमेतच्चिनोति दशोत्तरास्तासामुपरि बन्धुर्द्वे वाऽग्रेऽथ दशाथैकामेवꣳ हि चितिं चिन्वन्ति तास्त्रयोदश सम्पद्यन्ते तस्योक्तो बन्धुः ॥ ३३ ॥

रोऽग्निः । यावानग्निर्यावत्यस्य मात्रा–तावन्तमेवैनमेतच्चिनोति । अष्टाविष्टकाः; पञ्चकृत्वः सादयति । तत् त्रयोदश । त्रयोदश मासाः संवत्सरः । त्रयोदशाग्नेश्चितिपुरीषाणि । यावानग्निर्यावत्यस्य मात्रा–तावत्तद्भवति ॥ ३२ ॥

अथ लोकंपृणामुपदधाति । तस्या उपरि बन्धुः । तिस्रः पूर्वाः । त्रिवृदग्निः । यावानग्निर्यावत्यस्य मात्रा–तावन्तमेवैनमेतच्चिनोति । दशोत्तराः । तासामुपरि बन्धुः । द्वे वाऽग्रे, अथ दश, अथैकाम् । एवं हि चितिं चिन्वन्ति । तास्त्रयोदश सम्पद्यन्ते । तस्योक्तो बन्धुः ॥ ३३ ॥

पादेन गायत्रीच्छन्दसा सह प्रजापतिमुखादुत्पन्नत्वादग्नेर्गायत्रत्वम् (तै. सं. ७ । १ । १ । ४) । सादनसंख्यामनूद्य स्तौति–पञ्चकृत्व इति । मध्ये उपधेयस्य इष्टकाचतुष्टयस्य एकं सादनम्, अन्यासां चत्वारीति तानि पञ्च भवन्ति । पञ्चचितिकोऽग्निरिति । पञ्च चितयः प्रस्ताराः यस्मिन् स तथोक्तः । पञ्चर्तव इति । हेमन्तशिशिरयोः समासाऽभिप्रायेण (ऐ. ब्रा. १ । १ । १) । संवत्सरोऽग्निरिति । संवत्सरः प्रजापतिर्विराट्, तदात्मकश्चीयमानोऽग्निः प्रागुक्त इत्यर्थः । संख्याद्वयं सम्भूय प्रशंसति–अष्टाविष्टका इति । त्रयोदश मासा इति । संसर्पांहस्पतिसञ्ज्ञकोऽधिमासस्त्रयोदशः; " अस्ति त्रयोदशो मासः "–इति श्रुतेः (श. प. ४ । ३ । १ । १) । त्रयोदशाग्नेरिति । चित्यस्याग्नेश्चितिपुरीषाणि त्रयोदश भवन्ति । आदितश्चतस्रश्चितयः पुरीषनिवपनान्ताः, स्तोमभागान्ता पञ्चमी चितिः । तदनन्तरभाव्येकं पुरीषम्, नाकसत्प्रभृतिपुरीषनिवपनान्ता षष्ठी चितिरिति द्वे, ततो विकर्णीस्वयमातृण्णयोरुपधानम्, हिरण्यशकलैः प्रोक्षणमग्न्याधानञ्चेति सप्तमी चितिः, सा त्रयोदशी, इत्यादिर्विभाग ऊह्यः । अत इष्टकाचितयः सप्त, पुरीषनिवपनानि षडिति मिलित्वा त्रयोदश । तथा चाष्टमकाण्डे समाम्नास्यते–" अथ यदत ऊर्ध्वमा पुरीषादा षष्ठीः " (श. प. ८ । ६ । ४ । ८) इत्यादिना ॥ ३२ ॥

लोकम्पृणाख्याया इष्टकाया उपधानं विधत्ते–अथेति । एवमष्टाविष्टका उपधाय, अनन्तरमवशिष्टे गार्हपत्यचितिस्थाने लोकम्पृणाख्यामिष्टकामुपदधाति; लोकं शिष्टं स्थानं पृण पूरयेति तन्मन्त्रे (वा. सं. १२।५४) प्रतिपादनात् । तस्या उपरि बन्धुरिति । 'तस्याः' लोकम्पृणायाः 'उपरि' उपरिष्टात्, अष्टमकाण्डावसाने " असौ वा आदित्यो लोकम्पृणा "–इत्यादिः स्तावको वाक्यशेषः (श. प. ८ । ७ । २ । १) आम्नास्यत इत्यर्थः ॥

सकृदुच्चारितेन लोकम्पृणेति मन्त्रेण तिसृणां युगपदुपधानं विधत्ते–तिस्रः पूर्वा इति । तत् प्रशंसति–त्रिवृदग्निरिति । " स श्रान्तस्तेपानो मृदꣳ शुष्कापम् " इत्यादिना अग्नेस्त्रिवृत्त्वं प्रतिपादितम् (श. प. ६ । १ । १ । १३) । अतोऽग्नेस्त्रिवृत्त्वसंख्यायोगात् तिसृणामुपधानं युक्तमित्यर्थः ॥

(स्ता) ताऽउभय्यऽएकविꣳशतिः सम्पद्यन्ते । द्वादश मासाः पञ्चऽर्तु-वस्त्रयऽइमे लोकाऽ असावादित्यऽ एकविꣳशोऽमुं तदादित्यमस्मिन्नग्नौ प्रतिष्ठापयति ॥ ३४ ॥

(त्ये) एकविꣳशतिर्वेव परिश्रितः । (तो) द्वादश मासाः पञ्चऽर्तवस्त्रय ऽइमे लोकाऽअयमग्निरमुतोऽध्येकविꣳश ऽइमं तदग्निममुष्मिन्नादित्ये प्रति-ष्ठापयति तद्यदेताऽएवमुपदधात्येतावेवैतदन्योऽन्यस्मिन्प्रतिष्ठापयति तावेतावन्योऽन्यस्मिन्प्रतिष्ठितौ तौ वाऽएतावत्र द्वावेकविꣳशौ सम्पा-दयत्यत्र ह्येवेमौ तदोभौ भवतऽआहवनीयश्च गार्हपत्यश्च ॥ ३५ ॥

ता उभय्य एकविंशतिः सम्पद्यन्ते—द्वादश मासाः, पञ्चर्तवः, त्रय इमे लोकाः, असावादित्य एकविंशः । अमुं तदादित्यमस्मिन्नग्नौ प्रतिष्ठापयति ॥ ३४ ॥

एकविंशतिर्वेव परिश्रितः—द्वादश मासाः, पञ्चर्तवः, त्रय इमे लोकाः, अयमग्निरमुतोऽध्येकविंशः । इमं तदग्निममुष्मिन्नादित्ये प्रतिष्ठापयति । तद् यदेता एवमुपदधाति—एतावेवैतदन्योऽन्यस्मिन्प्रतिष्ठा·

अथ तेनैव सकृदुच्चरितेनैव मन्त्रेण दशानामिष्टकानामुपधानं विधत्ते—दशोत्तरा इति । उपदधातीति शेषः 'उत्तराः' उपरिभाविनीरित्यर्थः । तासामुपरीति । 'तासां' दशानामिष्टकानाम्, यादृशी संख्या, तत्स्ता-वकोऽर्थवादो भविष्यतीत्यर्थः ॥

पूर्वं त्रयोदशलोकम्पृणानां द्वेधा विभागेनोपधानमभिधाय, त्रेधा विभागपक्षमप्याह—द्वे वाऽग्र इति । एतच्च पक्षद्वयं सूत्रकृताऽपि दर्शितम्—" तिसृषु लोकम्पृणासु मन्त्रो दशसु च द्वयोर्वा दशस्वेकस्यात्र " (का. श्रौ. सू. १७ । १७) इति । द्वितीयं पक्षं लौकिकेन निदर्शनेनोपपादयति-एवं हीति । यत्र हि काष्ठादिभिश्चिति-र्निर्मीयते, तत्र एवमेव हि 'चितिं चिन्वन्ति' । मूलाग्रभागयोर्द्वे काष्ठे प्रथमं तिर्यक् स्थापयन्ति, पश्चात्तयोरुपर्युपरि अन्यानि सर्वाणि प्रागग्राण्यवशिष्टानि स्थापयन्ति । उपरिष्टाच्चलनाभावायैकं पुनः स्थापयन्ति । तस्मात् तदनुसारेणायं पक्ष उक्त इत्यर्थः । तासां लोकम्पृणानां संख्यां सम्भूयानूद्य प्रागुक्तो वाक्यशेष इति दर्शयति—तास्त्रयोदशेति । " त्रयोदश मासाः संवत्सरः "—इत्यादिरुक्तो वाक्यशेषोऽत्रापि योजनीय इत्यर्थः ॥ ३३ ॥

पूर्वाभिरिष्टकाभिः सहैतासां संख्यां सम्भूय प्रशंसति—ता उभय्य इति । 'उभय्यः' उभयविधाः, " अयꣳ सोऽअग्निः "—इत्यादिभिर्मन्त्रैः प्रागुपहिता अष्टौ, लोकम्पृणास्त्रयोदशेति मिश्रिता एकविꣳशतिर्भवन्ति । " एकविꣳश इति, " एकविंशतिसंख्यापूरकः । " तस्य पूरणे डट् "—(पा. सू. ५ । २ । ४८) " ति विं-शतेर्डिति "—(पा. सू. ६ । ४ । १४२) इति 'ति'-शब्दलोपः । 'तत्' तेनैकविंशतिसंख्यासम्पा-दनेन 'अमुं' द्युलोकस्थमेव 'आदित्यम्' 'अस्मिन्' चिते 'अग्नौ' प्रतिष्ठापयति । एकविंशतिसंख्यायोगाच्ची-यमानोऽग्निस्तदात्मको भवतीत्यर्थः ॥ ३४ ॥

परिश्रितां संख्यामनूद्य स्तौति—एकविंशतिरिति । 'उ'-'एव'—इत्यनयोर्यणादेशे सति 'वेव'—इति भवति । तत्र 'उ'—शब्दोऽप्यर्थे । 'परिश्रितः' गार्हपत्यचितेः परितः चिताः शर्करा अप्येकविंशति-

(श्रा) अथ पुरीषं निवपति । तस्योपरि बन्धुस्तच्चात्वालवेलाया ऽआहरत्यग्निरेष यच्चात्वालस्तथो हास्यैतदाग्नेयमेव भवति सा समम्बिला स्यात्तस्योक्तो बन्धुः ॥ ३६ ॥

पयति । तावेतावन्योऽन्यस्मिन् प्रतिष्ठितौ । तौ वाऽएतावत्र द्वावेकविंशौ सम्पादयति । अत्र ह्येवेमौ तदोभौ भवतः—आहवनीयश्च गार्हपत्यश्च ॥ ३५ ॥

अथ पुरीषं निवपति । तस्योपरि बन्धुः । तच्चात्वालवेलाया आहरति । अग्निरेषः—यच्चात्वालः । तथो हास्यैतदाग्नेयमेव भवति । सा समम्बिला स्यात् । तस्योक्तो बन्धुः ॥ ३६ ॥

संख्याका एव भवन्ति; तत्रापि मासादिलोकान्ता विंशतिः पूर्ववत् । 'अयम्' एव चीयमानः 'अग्निः' 'अमुतः' अमुत्र परिश्रिति 'एकविंशः' एकविंशतिसंख्यापूरकः । 'अधिः' सप्तम्यर्थानुवादी । 'तत्' तथा सति 'इमम्' एकविंशम् 'अग्निम्' अमुष्मिन् ' एकविंशे ' आदित्ये ' 'प्रतिष्ठापयति' ॥

एतदेव विवृणोति—तद्यदिति । 'तत्' तत्र 'यत्' यस्मात् 'एताः' परिश्रितः इष्टकाश्च 'एवं' प्रत्येकमेकविंशतिसंख्याकाः 'उपदधाति' 'एतत्' एतेन कारणेन 'एतावेव' अग्न्यादित्यौ 'अन्योऽन्यस्मिन्' 'प्रतिष्ठापयति'। अत एवेदानीं 'तौ' 'एतौ' 'अन्योऽन्यस्मिन् प्रतिष्ठितौ' दृश्येते । आदित्यो रात्रावग्निं प्रविश्य प्रतितिष्ठति, अग्निश्चोद्यन्तमादित्यं प्रविश्य प्रतिष्ठितो भवति । एतच्चाग्निहोत्रब्राह्मणे प्रतिपादितम् (श. प. २ । ३।१।२) । तयोरुभयोरप्यत्र सन्निधानमाह—तौ वा इति । परिश्रिदिष्टकासंख्यया द्वयोरेकविंशयोरत्र सम्पादनात् 'इमौ' अग्न्यादित्यौ 'उभौ' अपि 'अत्र' चित्याग्नौ सन्निहितौ 'भवतः' तत्राहवनीयचितिरूपेणादित्यो वर्तते, गार्हपत्यचितिरूपेणाग्निरिति तयोर्विभाग इत्यर्थः ॥ ३५ ॥

पुरीषनिवपनं विधत्ते—अथ पुरीषमिति[1] । इष्टकासन्धिषु छिद्रपूरणार्थाः पांसवः पुरीषम् । तस्मात् तासामुपरि प्रक्षिपतीत्यर्थः । तस्योपरि बन्धुरिति । 'तस्य' पुरीषनिवपनस्य प्रयोजनप्रतिपादको वाक्यशेषः "इन्द्रं विश्वा अवीवृधन्" इति तन्मंत्रविधिश्च उपरिष्टादष्टमकाण्डावसाने (श. प. ८ । ७ । ३ । ७) आम्नास्यत इत्यर्थः ॥

पुरीषाहरणस्थानं विधत्ते—तच्चात्वालेति । उत्तरवेद्यर्थानां पांसूनां निर्हरणस्थानं 'चात्वालः' उत्तरवेद्यंसदेशः, तस्य या वेला समीपम्, ततः पुरीषमाहरेदित्यर्थः । तत् प्रशंसति—अग्निरेष इति । आहवनीयाग्न्याधारोत्तरवेदिहेतुत्वाच्चात्वालस्याग्न्यात्मकता । तथो हेति । तथैव खलु सति 'अस्य' चित्याग्नेः 'एतत्' पुरीषमपि 'आग्नेयम्' अग्निसम्बद्धम् 'एव भवति' ॥

इत्थं पुरीषान्ता गार्हपत्यचितिरुक्ता, अथ तस्याः प्रान्तेषु साम्यमाह—सा समम्बिला स्यादिति । 'सा' गार्हपत्यचितिः 'समम्बिला' भवेत् । 'समं' समानं बाह्याभ्यन्तरभावेन न्यूनाधिकाकाररहितं 'बिलं' परितः प्रान्तदेशो यस्याः सा तथोक्ता । तस्योक्त इति । 'तस्य' बिलसाम्यस्य उखानिर्माणप्रस्तावे स्तावको वाक्यशेष आम्नात इत्यर्थः (श. प. ६।५।२।२०) ॥ ३६ ॥

१–चात्वालदेशात्पुरीषं निवपतीदं विश्वा इति । का. श्रौ. सू. १७ । १८ ।

(व्यां) व्याममात्री भवति। व्याममात्रो वै पुरुषः पुरुषः प्रजापतिः प्रजापतिरग्निरात्मसम्मितां तद्योनिं करोति परिमण्डला भवति परिमण्डला हि योनिरथोऽअयं वै लोको गार्हपत्यः परिमण्डलऽ उ वाऽअयं लोकः ॥३७॥

(कोऽथै) अथैनौ संनिवपति। संज्ञामेवाभ्यामेतत्करोति समितꣳ संकल्पेथाꣳ सं वां मनाꣳसीति संव्रताऽअग्ने त्वं पुरीष्यो भवतं नः सुमनसाविति शमयत्येवैनावेतदहिꣳसायै यथा नान्योऽन्यꣳ हिꣳस्याताम् ॥३८॥

व्याममात्री भवति। व्याममात्रो वै पुरुषः। पुरुषः प्रजापतिः। प्रजापतिरग्निः। आत्मसंमितां तद्योनिं करोति। परिमण्डला भवति। परिमण्डला हि योनिः। अथोऽअयं वै लोको गार्हपत्यः। परिमण्डल उ वाऽअयं लोकः॥ ३७॥

अथैनौ सन्निवपति। संज्ञामेवाभ्यामेतत्करोति। "समितं सङ्कल्पेथाम्। सं वां मनांसि सम्व्रता। अग्ने त्वं पुरीष्यः। भवतं नः समनसौ"-(वा. सं. १२। ५७-६०) इति। शमयत्येवैनावेतदहिंसायै-यथा नान्योऽन्यं हिंस्याताम्॥ ३८॥

गार्हपत्यचितेः परिमाणं विधत्ते-व्याममात्रीति। चतुररत्निर्व्यामः, स परिमाणमस्याः सा। "प्रमाणे द्वयसच्" -(पा. सू. ५। २। ३७।) इति मात्रच्-प्रत्ययः। तत् प्रशंसति-व्याममात्रो वा इति। तिर्यक् प्रसारितौ बाहू यावत्परिमाणौ भवतः, तस्य परिमाणविशेषस्य व्यायम्यतेऽस्मिन् बाहुद्वयमिति व्युत्पत्त्या व्यायाम इति संज्ञा; स एवात्र वर्णलोपेन व्याम इत्युच्यते। 'पुरुषो व्याममात्रः' चतुररत्निपरिमित इत्येतत् प्रसिद्धम्। विराडात्मकः 'प्रजापतिः' च तादृक्पुरुषात्मकः। "त एतान्सप्त पुरुषानेकं पुरुषमकुर्वन्"-(श. प. ६। १। १। १) इति श्रुत्या प्रतिपादितत्वात्, तादृशो विराडात्मकः प्रजापतिरेवायं चीयमान 'अग्निः' उभयोरपि संक्रियमाणरूपत्वसाम्यात्। आत्मसम्मितामिति। वेक्ष्यमाणस्याग्नेरुक्तरीत्या पुरुषत्वात् आत्मना स्वेनाग्निरूपपुरुषेण 'सम्मितां' समानपरिमाणाम् 'तत्' तेन व्याममात्रकरणेन गार्हपत्यचितिरूपां 'योनिं' कृतवान् भवतीत्यर्थः। परितो मण्डलाकारां विधत्ते-परिमण्डलेति। पारिमाण्डल्यं द्वेधोपपादयति-परिमण्डला हीति॥ ३७॥

गार्हपत्यचितिरूपस्याग्नेरुख्याग्नेश्च चतुर्भिर्मन्त्रैः संसर्जनं विधत्ते-अथैनाविति। 'अथ' गार्हपत्यचयनानन्तरम्, 'एनौ' चित्योख्यरूपावग्नी 'सन्निवपति' सङ्गमयति, इष्टकाभिः चिते गार्हपत्यधिष्ण्ये उख्यमग्निं स्थापयतीत्यर्थः। सन्निवपतीनि संशब्दसूचितमर्थमाह-संज्ञामेवेति। 'आभ्याम्' अग्निभ्याम्, कर्तरि तृतीया। 'सञ्ज्ञाम्' अग्निद्वयकर्तृकं संज्ञानम्, परस्परैकमत्यम्, एतेन संनिवपनेन करोतीत्यर्थः। तत्र करणभूतानां चतुर्णां मन्त्राणां प्रतीकग्रहणं करोति-तत्र, "समितमिति"-प्रथमस्य प्रतीकम्, "सं वामिति" द्वितीयस्य, "अग्ने त्वं पुरीष्यः" इति तृतीयस्य, "भवतं नः" इति चतुर्थस्य॥

ते च मन्त्राः (वा. सं, १२। ५७-६०) संहिताभाष्ये एव व्याख्याता इति प्रतीकमत्र व्याख्यायते।

(अ) चतुर्भिः संनिवपति । तद्ये चतुष्पादाः पशवस्तैरेवाभ्यामेतत्संज्ञां करोत्यथोऽअन्नं वै पशवोऽन्नेनैवाभ्यामेतत्संज्ञां करोति ॥ ३९ ॥

तां न रिक्तामवेक्षेत । नेद्रिक्तामवेक्षाऽइति यद्रिक्तामवेक्षेत प्रसेत हैनम् ४०

(मु) अथास्याᳪ सिकताऽआवपति । (त्य) अग्नेरेतद्वैश्वानरस्य रेतो यत्सिकताऽ अग्निमेवास्यामेतद्वैश्वानरᳪ रेतोभूतᳪ सिञ्चति सा समम्बिला स्यात्तस्योक्तो बन्धुः ॥ ४१ ॥

चतुर्भिः सन्निवपति । तद्ये चतुष्पादाः पशवः—तैरेवाभ्यामेतत्संज्ञां करोति । अथोऽअन्नं वै पशवः । अन्नेनैवाभ्यामेतत्संज्ञां करोति ॥ ३९ ॥

तां न रिक्तामवेक्षेत । नेद्रिक्तामवेक्षाऽइति । यद्रिक्तामवेक्षेत—प्रसेत हैनम् ॥ ४० ॥

अथास्यां सिकता आवपति । अग्नेरेतद्वैश्वानरस्य रेतो—यत्सिकताः । अग्निमेवास्यामेतद्वैश्वानरं रेतोभूतं सिञ्चति । सा समम्बिला स्यात् । तस्योक्तो बन्धुः ॥ ४१ ॥

चित्योख्यरूपावग्नी ! 'समितं' सङ्गतौ भवतम् । 'सङ्कल्पेथां' समानकल्पनौ समानसामर्थ्यौ एककार्यकरौ भवतम् (१) । हे 'अग्नी' ! 'वां' युवयोः 'मनांसि' 'समकरम्' समानविषयाणि कुर्वे । तथा 'व्रता' "शेश्छन्दसि बहुलम्"—(पा. सू. ६ । १ । ७०) इति शेर्लोपः, 'व्रतानि' युवयोः कर्माणि समानानि (२) । हे चीयमानाग्ने ! 'त्वं पुरीष्यः' पशव्यो भवसि (३) । हे अग्नी ! 'नः' अस्माकं युवां 'समनसौ' समानमनस्कौ 'भवतम्' (४) । इति चतुर्णां प्रतीकानामर्थः ॥

मन्त्राणां तात्पर्यमाह—शमयत्येवैनाविति । परस्परं विद्विषाणौ 'एनौ' अग्नी 'एतेन' मन्त्रकरणकेन निवपनेन 'शमयत्येव' शान्तावेव करोति । तच्च शमनम् 'अहिंसायै' हिंसापरिहाराय; 'यथा' तावग्नी 'अन्योऽन्यं' परस्परं 'न हिंस्यातां' हिंसां न कुर्यातामिति ॥ ३८ ॥

चतुर्मन्त्रकरणकम् उख्याग्नेर्गार्हपत्यचितिमध्ये निवपनं विधत्ते—चतुर्भिरिति[1] । 'सन्निवपति' नीचैःस्थापयति । तद्य इति । 'तत्' तेन चतुर्मन्त्रकरणकेन सन्निवपनेन 'ये' 'चतुष्पादाः पशवः' गवाश्वादयः, 'तैरेव' उपायनभूतैः 'आभ्याम्' उख्यचित्यात्मकाभ्यामग्निभ्यां 'सञ्ज्ञां' परस्परैकमत्यं 'करोति' । कारणान्तरमप्याह—अथो इति । 'अन्नं' खलु 'पशवः,' सम्भोजनीयत्वात्; 'अन्नेन' पशुरूपेण ॥ ३९ ॥

रिक्ताया उखाया अध्वर्युकर्तृकं यजमानकर्तृकं वा अवेक्षणं निषेधति—तां न रिक्तामिति[2] । "नेदिति परिभये"—(या. निरु. १।३।४) 'रिक्ताम्' उखां 'नेदवेक्षेत' पश्यतु नैव । विपक्षे बाधमाह—यद्रिक्तामिति । 'एनम्' अवेक्षितारं 'प्रसेत ह' भक्षयेदेव ॥ ४० ॥

तर्हि किं कुर्यादित्यपेक्षायां रिक्ताया उखायाः सिकताभिः समगर्त्तत्वकरणं विधत्ते—अथास्यामिति[3] । 'अस्यां' रिक्तायामुखायां सिकता आवपति, यावद्बिलं पूरयति । वैश्वानरस्याग्नेः 'एतद्रेतः' 'यत्' याः

१–समंबिलां कृत्वोख्यं निवपति समितमिति । का० श्रौ० सू० १७।१९। २–रिक्तां नावेक्षेतोखाम् । का० श्रौ० सू० १७।२०। ३–सिकताभिः समंबिलां कृत्वा मातेव पुत्रमिति । का० श्रौ० सू० १७ । २१ ।

(३) अथैनां विमुञ्चति । (त्थ) अप्रदाहाय यद्धि युक्तं न विमुच्यते प्र तद्दह्यतऽएतद्वाऽएतद्युक्ता रेतोऽभार्षीदेतमग्निं तमत्राजीजनदथापरं धत्ते योषा वाऽउखा तस्माद्यदा योषा पूर्वꣳ रेतः प्रजनयत्यथापरं धत्ते ॥४२॥

मातेव पुत्रं पृथिवी पुरीष्यमिति । मातेव पुत्रं पृथिवी पशव्यमित्येतदग्निꣳ स्वे योनावभारुखेत्यग्निꣳ स्वे योनावभार्षीदुखेत्येतत्तां विश्वैर्देवैर्ऋतुभिः संविदानः प्रजापतिर्विश्वकर्मा विमुञ्चत्विर्त्यृतवो वै विश्वे देवास्तदेनां विश्वैर्देवैर्ऋतुभिः संविदानः प्रजापतिर्विश्वकर्मा विमुञ्चति तामुत्तरतोऽग्नेर्निदधात्यरत्निमात्रे तस्योक्तो बन्धुः ॥ ४३ ॥

अथैनां विमुञ्चति—अप्रदाहाय । यद्धि युक्तं न विमुच्यते—प्र तद्दह्यते । एतद्वाऽएतद्युक्ता रेतोऽभार्षीत्—एतमग्निं, तमत्राजीजनत् । अथापरं धत्ते । योषा वाऽउखा । तस्माद्यदा योषा पूर्वं रेतः प्रजनयति—अथापरं धत्ते ॥ ४२ ॥

"मातेव पुत्रं पृथिवी पुरीष्यम्"—इति । मातेव पुत्रं पृथिवी पशव्यमित्येतत् । " अग्निं स्वे योनावभारुखा "—इति । अग्निं स्वे योनावभार्षीदुखेत्येतत् । " तां विश्वैर्देवैर्ऋतुभिः संवि-

---

' सिकताः ' शौक्ल्यसाम्यात् । ' एतत् ' एतेन सिकतानिवपनेन ' अस्याम् ' उखायां ' रेतोभूतं ' ' वैश्वानरम् ' अग्निं ' सिञ्चति ' स्थापयति । ' सा ' उखा ' समंबिला ' भवेत्; समं निम्नोन्नतत्वरहितम् बिलं मुखं यस्याः सा, तथा समबिलेति प्राप्ते पूर्वपदस्य मुगागमश्छान्दसः । समम्बिलत्वस्तावकोऽर्थवादः प्रागुक्त इत्याह—तस्येति । स च " योनिर्वा इयꣳ रेत इदम् " इत्यादिना षष्ठकाण्डे प्रतिपादितः (श. प. ६। ४ । ४ । १९) ॥ ४१ ॥

उखायाः शिक्याद्विमोचनं विधत्ते—अथैनामिति । ' एनां ' सिकतायुक्तामुखां शिक्याद् ' विमुञ्चति ' पृथक् करोति । विमोकप्रयोजनमाह—अप्रदाहायेति । तत्रोपपत्तिमाह—यद्धीति । ' युक्तम् ' अश्वादि यद्वाहनम् ' न विमुच्यते ' ' तत् प्रदह्यते ' खलु । उक्तमर्थं प्रकृते योजयति—एतद्वा इति । 'एतद्वै' एषा खलूखा 'युक्ता ' सती 'एतम्' ' अग्निम् ' उख्यम् ' एतद्रेतः ' रेतोऽवस्थापन्नम् ' अभार्षीत् ' धृतवती । ततः कृतकार्यत्वाद्विमोकोपपत्तिः । धृतस्याग्नेः प्रजननमाह—तमत्रेति । ' अत्र ' अवसरे ' तम् ' उख्याग्निम् ' अजीजनत् ' प्रासोष्ट; उखेति शेषः । प्रजननानन्तरं रेतोधारणद्वारोखायाः स्त्रीसाधर्म्यं प्रतिपादयति—अथापरमिति । ' अपरं ' सिकतात्मकं रेतः ' धत्ते ' धारयति । योषा वा उखेति । सिकतावापोपपत्तिः । तस्मादिति । लौकिकदृष्टान्तप्रदर्शनम् ॥ ४२ ॥

विहिते उखाविमोके मन्त्रमनूद्य व्याचष्टे—मातेव पुत्रमिति[२] । पुरीष्यपदस्य पशव्यत्वं वाच्योऽर्थः । 'अभाः' इति भृञः प्रथमपुरुषैकवचने व्यत्ययेन लुङि रूपमित्याह—अभार्षीदिति । " अभारुखा "—इत्युखाशब्दसामानाधिकरण्यात् ॥

१—शिक्याद्विमुच्य । का० श्रौ० सू० १७ । २१ । २—अग्निवन्निधाय । का. श्रौ. सू. १७ । २१ ।

(३) अथास्यां पयऽआनयति । (तये) एतद्वाऽएतद्रेतो धत्तेऽथ पयो धत्ते योषा वाऽउखा तस्माद्यदा योषा रेतो धत्तेऽथ पयो धत्तेऽधराः सिकता भवन्त्युत्तरं पयोऽधरꣳ हि रेतऽउत्तरं पयस्तन्मध्यऽआनयति यथा तत्प्रति पुरुषशीर्षमुपदध्यात् ॥ ४४ ॥

इति प्रथमप्रपाठके प्रथमं ब्राह्मणम् ॥ १–१ ॥

दानः प्रजापतिर्विश्वकर्मा विमुञ्चतु "–(वा. सं. १२।६१) इति । ऋतवो वै विश्वे देवाः । तदेनां विश्वैर्देवैर्ऋतुभिः संविदानः प्रजापतिर्विश्वकर्मा विमुञ्चति । तामुत्तरतोऽग्नेर्निदधाति; अरत्निमात्रे । तस्योक्तो बन्धुः ॥ ४३ ॥

अथास्यां पय आनयति । एतद्वाऽएतद्रेतो धत्ते, अथ पयो धत्ते । योषा वाऽउखा । तस्माद् यदा योषा रेतो धत्ते, अथ पयो धत्ते । अधराः सिकता भवन्ति–उत्तरं पयः । अधरं हि रेतः–उत्तरं पयः । तन्मध्यऽआनयति–यथा तत्प्रति पुरुषशीर्षमुपदध्यात् ॥ ४४ ॥

मन्त्रस्यायमर्थः,–येयम् 'उखा' 'माता पुत्रमिव' 'पृथिवी' भूमिरूपा; मृन्मयीत्वात् । 'पुरीष्यम्' पशव्यम्, पशुभ्यो हितमिति यावत् । तादृशम् 'अग्नि' 'स्वे योनौ' स्वकीये गर्भस्थाने 'अभाः' अभार्षीत्, धारितवती । 'विश्वकर्मा' सर्वस्य कर्ता प्रजापतिः 'ऋतुभिः' यज्ञं प्रति गच्छद्भिः, विश्वैः सर्वैः देवैः 'संविदानः' अहो महत् कर्म कृतमित्येवं संवादं कुर्वन्, इदानीं कृतकृत्यां सतीं 'ताम्' उखां 'विमुञ्चतु' शिक्याद्विमुञ्चति, पृथक् कुरुत इत्यर्थः ॥

तस्या उखायाः ज्वलनरूपस्याग्नेरुत्तरपार्श्वे अरत्निमात्रे चितावेव निधानं कर्तव्यमित्याह–तामुत्तरत इति[१] । अरत्निमात्रप्रदेशे स्थापनस्य स्तावको वाक्यशेषः प्रागुक्त इत्याह–तस्योक्त इति । "अरत्निमात्राद्धि वृषा योषामुपशेते"–इति हि षष्ठकाण्डे प्रतिपादितम् (श. प. ६।३।१।३०) ॥ ४३ ॥

सिकतापूर्णाया उखाया मध्ये तूष्णीं पयस आसेचनं विधत्ते–अथास्यामिति[२] । 'अस्याम्' उखायां 'पयः' दुग्धम् 'आनयति' आसिञ्चति । पयआसेके कारणमुपपादयति–एतद्वा इति । 'एतत्' खलु कारणम्–'एतत्' सिकतालक्षणं 'रेतः' उखां 'धत्ते' धारयति । 'अथ' तदनन्तरमिदमानीतं पयो धत्ते । उक्तार्थसाधकं लौकिकदृष्टान्तं प्रतिपादयति–योषा वा इति । सिकतापयसोरधरोत्तरभावमनूद्य स्तौति–अधराः सिकता इति । अधरं हि रेत इति । गर्भाशये अधोभागे स्थितं पुरुषस्य रेतः, स्त्रीवीर्यं शोणितरूपम् 'पयः' 'उत्तरम्' उपर्यवस्थितं सत् तत् पुंवीर्यं वेष्टयति । अत एव षाट्कौशिकस्य शरीरस्य त्वङ्मांसासृगाख्या बाह्यास्त्रयो धातवो मातृतो भवन्तीति स्मर्यते । तस्मात् सिकतापयसोर्बाह्याभ्यन्तरभावो गर्भोत्पत्तये सम्पद्यत इत्यर्थः । आनयनस्थानं विधत्ते–तन्मध्य इति । 'तत्' पयः, उखायाः 'मध्ये' 'आनयति' आसिञ्चति, 'यथा तत्' पयः प्रत्युपधानसमये 'पुरुषशीर्षमुपदध्यात्' तथेत्यर्थः । अत एवोपधानसमये पुरुष-

---

१–उत्तरत आहवनीयस्यारत्निमात्रे । का. श्रौ. सू. १७ । ४८ । २–आसिंचति पयो मध्ये तूष्णीम् । का. श्रौ. सू. १७।२१।

प्रजापतिः प्रजा ऽअसृजत । स प्रजाः सृष्ट्वा सर्वमाजिमित्वा व्यस्रꣳसत तस्माद्विस्रस्तात्प्राणो मध्यत ऽउदक्रामदथास्माद्वीर्यमुदक्रामत्तस्मिन्नुत्क्रान्तेऽपद्यत तस्मात्पन्नादन्नमस्रवद्यच्चक्षुरध्यशेत तस्मादस्यान्नमस्रवन्नो हेह तर्हि काचन प्रतिष्ठाऽऽस ॥ १ ॥

ते देवा ऽअब्रुवन् । (न्न) न वाऽइतोऽन्या प्रतिष्ठाऽस्तीममेव पितरं प्रजापतिꣳ संस्करवाम सैव नः प्रतिष्ठा भविष्यतीति ॥ २ ॥

प्रजापतिः प्रजा असृजत । स प्रजाः सृष्ट्वा सर्वमाजिमित्वा व्यस्रंसत । तस्माद्विस्रस्तात्प्राणो मध्यत उदक्रामत् । अथास्माद्वीर्यमुदक्रामत् । तस्मिन्नुत्क्रान्तेऽपद्यत । तस्मात्पन्नादन्नमस्रवत् । यच्चक्षुरध्यशेत–तस्मादस्यान्नमस्रवत् । नो हेह तर्हि काचन प्रतिष्ठाऽऽस ॥ १ ॥

ते देवा अब्रुवन्–न वाऽइतोऽन्या प्रतिष्ठाऽस्ति, इममेव पितरं प्रजापतिं संस्करवाम, सैव नः प्रतिष्ठा भविष्यतीति ॥ २ ॥

शिरस उखायामुपधानं सूत्रितम्–" उखायां प्रत्यञ्चि, सहस्रदा इति पुरुषशिर उद्गृह्य मध्ये "– (का. श्री. सू. १७ । ११२. ११३) इति ॥ ४४ ॥

इति श्रीसायणाचार्यविरचिते माधवीये वेदार्थप्रकाशे माध्यन्दिनीयशतपथब्राह्मणभाष्ये सप्तमकाण्डे प्रथमेऽध्याये प्रथमं ब्राह्मणम् ॥ (७–१–१) ॥

उख्यरूपेण संस्कृतस्य गार्हपत्याग्नेर्विराड्रूपप्रजापत्यात्मकतां वक्ष्यन्नस्य प्रजापतेः संस्कृतिं वक्तुकामस्तच्छरीरविश्लेषं प्रतिपादयति–प्रजापतिः प्रजा असृजतेत्यादिना । प्रजाः सृष्ट्वेति । देवमनुष्यादिरूपा बह्वीः ' प्रजाः सृष्ट्वा ' ' सर्वम् ' ' आजिम् ' गन्तव्यं स्थानम् ' इत्वा ' व्याप्य, श्रान्तः सन् ' व्यस्रंसत ' विस्रस्तावयवोऽभवत् । ' तस्माद्विस्रस्तात् ' प्रजापतिशरीरात् 'मध्यतः' 'प्राणः' प्राणापानादिपञ्चवृत्त्यात्मकः ' उदक्रामत् ' उत्क्रान्तोऽभवत् । ' अथ ' अनन्तरमेव तस्य प्रजापतेः ' वीर्यं ' शुक्रम् ' उदक्रामत् ' । ' तस्मिन् ' निर्गते सति स भूमौ ' अपद्यत ' पतितोऽभवत् । ' तस्मात् ' ' पन्नात् ' पतितात् प्रजापतिशरीरात् अन्तरवस्थितम् ' अन्नम् ' ' अस्रवत् ' स्रुतमभवत् । ' यत् ' ' चक्षुः ' ' अध्यशेत ' । " अधिशीङ्स्थासां कर्म "– (पा. सू. १ । ४ । ४६) इत्यधिकरणस्य कर्मसञ्ज्ञा । ' चक्षुरधि ' चक्षुषो मध्ये चक्षुषो ज्योतिरवस्थितमभवदित्यर्थः । ' तस्मात् ' ज्योतिषः ' अस्य ' प्रजापतेः ' अन्नं ' स्रुतमभवत् । ' तर्हि ' तथा सति नैव खलु काचित् ' प्रतिष्ठा ' ' आस ' । तस्य प्रजापतेः शरीरस्य विस्रस्तत्वात् किंचिदपि प्रतिष्ठास्पदं न बभूवेत्यर्थः ॥ १ ॥

अनन्तरं देवैः कृतमस्य संस्कारं वक्तुमाह–ते देवा इति । ' इतः ' अस्मात् प्रजापतेः ' अन्या ' नैव ' प्रतिष्ठा अस्ति ' आश्रयो विद्यते । ' इममेव ' अस्मदीयं ' पितरं प्रजापतिं ' ' संस्करवाम ', यथा यथापूर्वमवतिष्ठेत, ' सः ' च संस्कृतो ' नः ' अस्माकं पुनः ' प्रतिष्ठा ' आश्रयो ' भविष्यतीति ' ॥ २ ॥

तेऽग्निमब्रुवन् । (न्न) न वाऽइतोऽन्या प्रतिष्ठाऽस्ति त्वयीमं पितरं प्रजापतिँ संस्करवाम सैव नः प्रतिष्ठा भविष्यतीति किं मे ततो भविष्यतीति ॥ ३ ॥

तेऽब्रुवन् । (स्रु) अन्नं वाऽअयं प्रजापतिस्त्वन्मुखाऽएतदन्नमदाम त्वन्मुखानां नऽएषोऽन्नमसदिति तथेति तस्माद्देवाऽअग्निमुखाऽअन्नमदन्ति यस्यै हि कस्यै च देवतायै जुह्वत्यग्नावेव जुह्वत्यग्निमुखा हि तद्देवाऽअन्नमकुर्वत ॥ ४ ॥

स योऽस्मात्प्राणो मध्यतऽउदक्रामत् । (द) अयमेव स वायुर्योऽयं पवतेऽथ यदस्माद्वीर्यमुदक्रामदसौ सऽआदित्योऽथ यदस्मादन्नमस्रवद्यदेव संवत्सरेऽन्नं तत्तत् ॥ ५ ॥

तेऽग्निमब्रुवन्—न वाऽइतोऽन्या प्रतिष्ठाऽस्ति । त्वयीमं पितरं प्रजापतिं संस्करवाम । सैव नः प्रतिष्ठा भविष्यतीति । किं मे ततो भविष्यतीति ॥ ३ ॥

तेऽब्रुवन्—अन्नं वाऽअयं प्रजापतिः । त्वन्मुखा एतदन्नमदाम । त्वन्मुखानां न एषोऽन्नमसदिति । तथेति । तस्माद्देवा अग्निमुखा अन्नमदन्ति । यस्यै हि कस्यै च देवतायै जुह्वति—अग्नावेव जुह्वति । अग्निमुखा हि तद् देवा अन्नमकुर्वत ॥ ४ ॥

स योऽस्मात्प्राणो मध्यत उदक्रामत्—अयमेव स वायुः—योऽयं पवते । अथ यदस्माद्वीर्यमुदक्रामत् । असौ स आदित्यः । अथ यदस्मादन्नमस्रवद्—यदेव संवत्सरेऽन्नम्—तत्तत् ॥ ५ ॥

इत्थं सम्प्रधारितमर्थमग्निं कर्तुं प्रार्थितवन्त इत्याह—तेऽग्निमिति । 'ते' देवाः 'अग्निमब्रुवन्' 'न' खलु 'इतः' अस्मात् प्रजापतेः 'अन्या' अस्माकम् 'प्रतिष्ठा अस्ति,' 'इमं पितरं' त्वयि 'संस्करवाम' स च संस्कृतः पुनरुत्थितः सन् अस्माकं 'प्रतिष्ठा भविष्यतीति' । सोऽग्निरेतद्वाक्यं श्रुत्वा प्रत्यवोचत्,—'ततः' तस्मात् संस्कारात् 'मे' मम किं प्रयोजनं 'भविष्यतीति' ॥ ३ ॥

तस्योत्तरं दर्शयति—तेऽब्रुवन्निति । अन्नरूपो हि 'अयं प्रजापतिः' । तस्य च त्वयि संस्कारे सति वयं सर्वे 'त्वन्मुखाः' त्वत्प्रमुखाः 'एतदन्नम्' 'अदाम' भुञ्जीमहि । 'त्वन्मुखानाम्' एवास्माकम् 'एषः' संस्कृतः प्रजापतिः 'अन्नं' भवत्विति । 'तथेति' सोऽग्निरङ्गीकृतवान् ॥

इदानीन्तनप्रसिद्ध्या देवानामग्निमुखत्वं द्रढयति—यस्या इति । इन्द्रादीनां मध्ये 'यस्यै कस्यै' चिद् 'देवतायै' यत् किञ्चिद्धविः प्रयच्छन्ति, तत् सर्वम् 'अग्नावेव जुह्वति' । तत्र कारणमाह—अग्निमुखा हीति । 'हि' यस्मात् ते 'देवाः' 'तत्' तदानीं प्रजापतिरूपम् 'अन्नम्' अग्निमुखा एव 'अकुर्वत' तस्मादग्नौ हूयमानं हविर्लक्षणमन्नं सर्वे देवा अश्नन्तीत्यर्थः ॥ ४ ॥

उत्क्रान्तानां प्राणादीनां परिणामविशेषमाह—स योऽस्मादिति । प्रजापतिशरीरादुत्क्रान्तः प्राणवायुरेव

(त्तुं) तं देवा ऽअग्नौ प्रावृञ्जन् । (ञ्जंस्त) तद्य ऽएनं प्रवृक्तमग्निरारोहत्स ऽएवास्मात्स प्राणो मध्यतऽ उदक्रामत्सऽ एवैनꣳ स ऽआपद्यत तमस्मिन्नदधुरथ यदस्माद्वीर्यमुदक्रामत्तदस्मिन्नदधुरथ यदस्मादन्नमस्रवत्तदस्मिन्नदधुस्तꣳ सर्वं कृत्स्नꣳ संस्कृत्योर्ध्वमुदश्रयंस्तद्यं तमुदश्रयन्निमे स लोकाः ॥ ६ ॥

(स्तु) तस्यायमेव लोकः प्रतिष्ठा । (ष्ठाऽथ) अथ योऽस्मिँल्लोकेऽग्निः सोऽस्यावाङ् प्राणोऽथास्यान्तरिक्षमात्माऽथ योऽन्तरिक्षे वायुर्यऽएवायमात्मन्प्राणः सोऽस्य स द्यौरेवास्य शिरः सूर्याचन्द्रमसौ चक्षुषी यच्चक्षुरध्यशेत स चन्द्रमास्तस्मात्स मीलिततरोऽन्नꣳ हि तस्मादस्रवत् ॥ ७ ॥

तं देवा अग्नौ प्रावृञ्जन् । तद् य एनं प्रवृक्तमग्निरारोहद्—य एवास्मात्स प्राणो मध्यत उदक्रामत्—स एवैनं स आपद्यत । तमस्मिन्नदधुः । अथ यदस्माद्वीर्यमुदक्रामत्—तदस्मिन्नदधुः । अथ यदस्मादन्नमस्रवत्—तदस्मिन्नदधुः । तं सर्वं कृत्स्नं संस्कृत्योर्ध्वमुदश्रयन् । तद् यं तमुदश्रयन्—इमे स लोकाः६

तस्यायमेव लोकः प्रतिष्ठा । अथ योऽस्मिंल्लोकेऽग्निः—सोऽस्यावाङ्प्राणः । अथास्यान्तरिक्षमात्मा । अथ योऽन्तरिक्षे वायुः—य एवायमात्मन् प्राणः, सोऽस्य सः । द्यौरेवास्य शिरः । सूर्याचन्द्रमसौ चक्षुषी । यच्चक्षुरध्यशेत । स चन्द्रमाः । तस्मात्स मीलिततरः । अन्नं हि तस्मादस्रवत्॥७॥

भूतात्मकबाह्यवायुरूपेणोत्पन्नः । यदुत्क्रान्तं वीर्यं तदेवासौ द्युलोकस्थ आदित्योऽभवत् । यदेव संवत्सरेऽन्नमिति । 'यत्' खलु संवत्सरस्य मध्ये व्रीहियवादिरूपम 'अन्नं' पच्यते, 'तत् तत्' तदात्मना प्रजापतेर्विस्रस्तमन्नं परिणतमभवदित्यर्थः ॥ ५ ॥

प्रकृतमनुसरति—तं देवा इति । 'तं' प्रजापतिदेहं 'देवाः' 'अग्नौ' 'प्रावृञ्जन्' प्रतपनेन समस्कुर्वन् । 'तत्' तत्र प्रवृञ्जने सति 'एनं' प्रवृक्तं प्रजापतिं 'यः' 'अग्निः' 'आरोहत्' सङ्क्रामति स्म, तदात्मना प्राङ् निष्क्रान्तः 'प्राणः' 'एव' 'एनं' प्रजापतिं पुनः 'आपद्यत' प्राप्नोत् । तया च 'तं' प्राणं वीर्यादिकम् 'अस्मिन्' प्रजापतौ प्रवृञ्जनेन स्थापितवन्त इत्यर्थः । तं सर्वमित्यादि । इत्थं प्रवृञ्जनेन 'तं' प्रजापतिं 'सर्वं' निरवशेषं कृत्स्नं पूर्णावयवं 'संस्कृत्य' पुनः 'ऊर्ध्वमुदश्रयन्' गमनागमनव्यवहारसमर्थमूर्ध्वाकारमुच्छ्रितमकुर्वन् । 'तत्' तत्र च 'यम्' प्रजापतिम् 'उदश्रयन्' देवाः, 'सः' एव 'इमे' त्रयो 'लोकाः' लोकत्रयात्मकोऽभवदित्यर्थः ॥ ६ ॥

तस्य कीदृक् किमङ्गमिति ? तदाह—तस्यायमेवेत्यादिना । 'अयं' भूलोकः 'एव' 'तस्य' विराडात्मकस्य प्रजापतेः 'प्रतिष्ठा' । प्रतितिष्ठत्यस्यामिति प्रतिष्ठाशब्देन पादावुच्येते । पार्थिवोऽग्निस्तस्य

१–अत्र हि "तकारो ले लम्" इत्यस्मादग्रिमेण "नश्चानुनासिकम्" इत्यनेन प्रातिशाख्यसूत्रेण नकारस्यानुनासिको लकारः एवं सर्वत्र बोध्यम् ।

(त्त) तदेषा वै सा प्रतिष्ठा । यां तद्देवाः समस्कुर्वन्त्सैवेयमद्यापि प्रतिष्ठा सोऽएवाप्यतोऽधि भविता ॥ ८ ॥

स यः स प्रजापतिर्व्यस्रँसत । (ता) अयमेव स योऽयमग्निश्चीयते तद्यदेषोखा रिक्ता शेते पुरा प्रवर्जनाद्यथैव तत्प्रजापतिरुत्क्रान्ते प्राणऽउत्क्रान्ते वीर्ये स्रुतेऽन्ने रिक्तोऽशयदेतदस्य तद्रूपम् ॥ ९ ॥

तामग्नौ प्रवृणक्ति । यथैवैनमदो देवाः प्रावृञ्जंस्तद्यऽएनां प्रवृक्तामग्निरारोहति य ऽएवास्मात्स प्राणो मध्यत ऽउदक्रामत्सऽ एवैनँ सऽ आप-

---

तदेषा वै सा प्रतिष्ठा—यां तद्देवाः समस्कुर्वन् । सैवेयमद्यापि प्रतिष्ठा । सोऽएवाप्यतोऽधि भविता ॥ ८ ॥

स यः स प्रजापतिर्व्यस्रंसत—अयमेव सः—योऽयमग्निश्चीयते । तद्यदेषोखा रिक्ता शेते—पुरा प्रवर्जनाद्—यथैव तत् प्रजापतिरुत्क्रान्ते प्राणे, उत्क्रान्ते वीर्ये, स्रुतेऽन्ने रिक्तोऽशयत् । एतदस्य तद्रूपम् ॥ ९ ॥

तामग्नौ प्रवृणक्ति—यथैवैनमदो देवाः प्रावृञ्जन्—तद्य एनां प्रवृक्तामग्निरारोहति—य एवास्मात्स

अवाचीनः प्राणः, येन मूत्रपुरीषादिकमुत्सृज्यते । ' अन्तरिक्षं ' द्युलोकोऽस्य प्रजापतेः ' आत्मा ' मध्यदेहः । तत्र सञ्चरन् ' वायुः ' ' आत्मन् ' आत्मनि मध्यदेहेऽवस्थितः प्राणः । **सोऽस्य स इति** । स वायुरेवास्य प्राण इत्यर्थः । **द्यौरेवास्येति** । द्युलोकोऽस्य प्रजापतेर्मूर्द्धा । तत्रत्यौ ' सूर्याचन्द्रमसौ चक्षुषी' तयोर्मध्ये ' यच्चक्षुरध्यशेत ' यस्मिन् चक्षुषि ज्योतिश्चक्षुरवस्थितमभवत्, तच्चक्षुः 'चन्द्रमाः' । तदुपपादयति—**तस्मादिति** । ' हि ' यस्मात्, ' तस्मात् ' चक्षुषः अन्नमस्रवत्, तस्मात् कारणात् तच्चक्षूरूपः ' चन्द्रमाः ' ' मीलिततरः ' अतिशयेन मीलितः; सूर्यादल्पप्रकाशो दृश्यत इत्यर्थः ॥ ७ ॥

तदेषा वा इत्यादि । ' तत् ' तथा सति देवादीनां प्रजानाम् ' एषा ' प्रजापत्यात्मिका ' सा प्रतिष्ठा ' अभवदिति शेषः । ' तत् ' तदानीं ' यां ' ' समस्कुर्वन् ' उदीरितरीत्या संस्कृतवन्तः । न केवलमतीतकाल एव प्रजापतेः प्रतिष्ठारूपता, वर्त्तमानभविष्यत्कालयोरपीत्याह—**सैवेयमिति** । ' अद्य ' इदानीं वर्त्तमानकालेऽपीत्यर्थः । **अतोऽधि भवितेति** । ' अतः ' अस्माद्वर्त्तमानादूर्ध्वकालेऽपि सैव प्रतिष्ठा 'भविता' "अनद्यतने लुट्" (पा. सू. ३।३।१५) इति भविष्यत्यनद्यतने लुट् ॥ ८ ॥

प्रतिष्ठारूपस्य प्रजापतेः संस्कारमभिधाय चित्याग्नेरपि तादृक्संस्कारं वक्तुं तयोस्तादात्म्यमाह—**स य इति** । ' सः ' इत्येकस्तच्छब्दः प्रसिद्धौ, अपरः प्रकृतपरामर्शकः । **योऽयमग्निरिति** । गार्हपत्यचितिरूपो योऽग्निरित्यर्थः । तयोस्तादात्म्योपपत्तये प्रजापतेरवस्थाविशेषमत्रापि दर्शयति—**तद्यदेषेति** । ' तत् ' तत्र आहवनीये ' प्रवर्जनात् ' पूर्वं ' रिक्ता उखा शेते ' इति ' यत् ' अस्य उत्क्रान्तप्राणादिकस्य प्रजापतेरेतद्रूपमित्यर्थः ॥९॥

संस्कारसाम्यमाह—**तामग्नाविति** । ' ताम् ' उखाम् ' अग्नौ ' आहवनीये ' प्रवृणक्ति ' प्रतपति । **यथै**-

द्यते तमस्मिन्दधात्यथ यद्रुक्मं प्रतिमुच्य बिभर्ति यदेवास्माद्वीर्यमु-
दक्रामत्तदस्मिन्दधात्यथ याः समिधऽ आदधाति यदेवास्मादन्नमस्रवत्त-
दस्मिन्दधाति ॥ १० ॥

ता वै सायंप्रातरादधाति । (त्यु) अह्नश्च हि तद्रात्रेश्चान्नमस्रवत्तान्येतानि
सर्वस्मिन्नेव संवत्सरे स्युः संवत्सरो हि स प्रजापतिर्यस्मात्तान्युदक्रामंस्त-
दस्मिन्नेतत्सर्वस्मिन्नेव सर्वं दधाति यस्मिन्हास्यैतद्दतौ न कुर्यान्न हास्य
तस्मिन्नेतद्दध्यान्नासंवत्सरभृतस्येक्षकेण चन भवितव्यमिति ह स्माह वाम-
कक्षायणो नेदिमं पितरं प्रजापतिं विच्छिद्यमानं पश्यानीति तꣳ संवत्सरे
सर्वं कृत्स्नꣳ संस्कृत्योर्ध्वमुच्छ्रयति यथैवैनमदो देवाऽउदश्रयन् ॥ ११ ॥

प्राणो मध्यत उदक्रामत्—स एवैनं स आपद्यते । तमस्मिन्दधाति । अथ यद्रुक्मं प्रतिमुच्य बिभर्ति—यदेवास्माद्वीर्यमुदक्रामत्—तदस्मिन्दधाति । अथ याः समिध आदधाति । यदेवास्मादन्नमस्रवत्—तदस्मिन्दधाति ॥ १० ॥

ता वै सायंप्रातरादधाति । अह्नश्च हि तद् रात्रेश्चान्नमस्रवत् । तान्येतानि सर्वस्मिन्नेव संवत्सरे स्युः । संवत्सरो हि स प्रजापतिः । यस्मात्तान्युदक्रामन् । तदस्मिन्नेतत्सर्वस्मिन्नेव सर्वं दधाति । यस्मिन्हास्यैतद्दतौ न कुर्यात्—न हास्य तस्मिन्नेतद्दध्यात् । नासंवत्सरभृतस्येक्षकेण चन भवितव्यमिति ह स्माह वामकक्षायणः । नेदिमं पितरं प्रजापतिं विच्छिद्यमानं पश्यानीति । तं संवत्सरे सर्वं कृत्स्नं संस्कृत्योर्ध्वमुच्छ्रयति । यथैवैनमदो देवा उदश्रयन् ॥ ११ ॥

वैनमिति । प्रजापतिसाम्यवर्णनम् । 'एनं' प्रजापतिम् 'अदः' अमुष्मिन् सृष्टिकाल इत्यर्थः । तद्य एनामिति । 'एनाम्' उखां 'प्रवृक्तां' प्रतप्ताम् 'अग्निः' 'आरोहति' आक्रमते, अन्तर्जायत इति 'यः,' अनेन पुरा प्रजापतिशरीरादुत्क्रान्तः 'सः' प्राणः एव 'सः' अग्निर्भूत्वा 'एनम्' उखात्मकं प्रजापतिम् 'आपद्यते' आगच्छति । तं प्राणम् 'अस्मिन्' 'दधाति' स्थापयति । अथ यद्रुक्ममित्यादि । यजमानः सौवर्णं 'रुक्मं' 'प्रतिमुच्य' कण्ठे सूत्रेण बद्ध्वा, तस्योपरि तमुद्धरं बिभर्तीति 'यत्,' तेन प्रागुत्क्रान्तवीर्यमेवास्मिन् पुनः स्थापयतीत्यर्थः । अथ याः समिध इति । उखायामग्न्यारोहणानन्तरं तस्मिन् 'याः समिध आदधाति,' ताभिस्तत्प्रागस्मात् स्रुतमप्यन्नं पुनरस्मिन् स्थापयति । यदाह कात्यायनः—"अग्नावारूढे त्रयोदशास्यां प्रादेशमात्रीः समिध आदधाति"—(का. श्रौ. सू. १६ । १३३) इति ॥ १० ॥

तासामहरहरभ्याधानमनूद्य तत्र कारणमाह—ता वा इति । 'तत्,' तदानीम् 'अह्नो रात्रेश्च' सकाशात् प्रजापतिशरीरात् 'अन्नमस्रवत्', अतस्तस्य पुनरवाप्तये समिधामाधानम् एतस्मिन् 'संवत्सरे' प्रत्यहं कालत्रयेऽपि कर्त्तव्यमित्यर्थः । अत एवोक्तं सूत्रकृता "पालाशीः प्रत्यृचमहरहरिति"—(का. श्रौ. सू. १६।१४०) इति । रुक्मप्रतिमोचनोख्यभरणादीनां संवत्सरकालव्याप्तिमाह—तान्येतानीति । 'तानि' रुक्मप्रतिमोचनो-

(यंस्तु) तस्य गार्हपत्य ऽएवायं लोकः । (कोऽथ) अथ यो गार्हपत्येऽग्निर्य ऽएवायमस्मिँल्लोकेऽग्निः सोऽस्य सोऽथ यदन्तराऽऽहवनीयं च गार्हपत्यं च तदन्तरिक्षमथ य ऽआग्नीध्रीयेऽग्निर्य ऽएवायमन्तरिक्षे वायुः सोऽस्य स ऽआहवनीयऽएव द्यौरथ यऽआहवनीयेऽग्निस्तौ सूर्याचन्द्रमसौ सोऽस्यैष ऽआत्मैव ॥ १२ ॥

तस्य गार्हपत्य एवायं लोकः । अथ यो गार्हपत्येऽग्निः, य एवायमस्मिंल्लोकेऽग्निः-सोऽस्य सः । अथ यदन्तराऽऽहवनीयं च गार्हपत्यं च-तदन्तरिक्षम् । अथ य आग्नीध्रीयेऽग्निः-य एवायमन्तरिक्षे वायुः-सोऽस्य सः । आहवनीय एव द्यौः । अथ य आहवनीयेऽग्निः-तौ सूर्याचन्द्रमसौ-सोऽस्यैष आत्मैव ॥ १२ ॥

ख्यभरणसमिदाधानविष्णुक्रमगादीनि पूर्वोक्तान्येतानि (श. प. ६।७।१।४।९ का. श्रौ. सू. १६।१४६) प्राणवीर्यान्नरूपेणानुक्रान्तानीत्यर्थः । ' सर्वस्मिन् ' कृत्स्ने ' एव ' ' संवत्सरे ' भवेयुरिति विधिवाक्यमेतत् । तेषां संवत्सरकर्तव्यत्व उपपत्तिमाह-संवत्सरो हीति । यस्मात् प्रजापतेस्तानि प्राणवीर्यान्नानि उत्क्रान्तानि, स हि संवत्सरकालात्मकः खलु ' एतत् ' एतेन रुक्मप्रतिमोचनादीनां संवत्सरमनुष्ठानेन ' अस्मिन् ' प्रकृते सर्वात्मके प्रजापतौ सर्वं निरवशेषं विश्वं ' दधाति ' स्थापयति । व्यतिरेके बाधमाह-यस्मिन् हेति । ' अस्य ' संवत्सरात्मकस्य प्रजापतेः ' यस्मिन् ' ऋतौ वसन्तादिके कालावयवे ' एतत् ' पूर्वोक्तं ' न ' स्थापयेत् । इत्थं प्रतिपादितं संवत्सरावयवे सर्वानाधानलक्षणं दोषं[1] स्पष्टयितुं संवत्सरमभृतस्याग्नेः द्रष्टृत्वमपि निषेधयति-नासंवत्सरभृतस्येति । न संवत्सरपर्यन्तं भृतः उखायां धृतः, सोऽयम् ' असंवत्सरभृतः ' तस्य ' ईक्षकेण चन ' द्रष्टापि ' न ' भाव्यम्, किमुतर्त्विजा । ' इति ' एवं ' वामकक्षायणः ' वामकक्षो नाम ऋषिः तस्य युवाऽपत्यं वामकक्षायणः ' आह ' उक्तवान् । ' चन '-शब्दोऽप्यर्थे । एवं ब्रुवतो वामकक्षायणस्याभिप्रायमाह-नेदिममिति । " नेदिति परिभये "-(निरु. १।३।९) ' पितरं ' पालकं ' इमम् ' अग्नियज्ञात्मकं ' प्रजापतिं ' ' विच्छिद्यमानं ' विशेषेण भिद्यमानं ' नेत्पश्यानि ' नैव ईक्षे ' इति '। ' इति '-शब्दस्तदभिप्रायपरिसमाप्तिद्योतकः । उक्तमर्थं निगमयति-तं संवत्सर इति । 'संवत्सरे' अतीते ' तं ' प्रजापतिं ' सर्वं ' निरवशेषं ' कृत्स्नं ' संपूर्णावयवं ' संस्कृत्य ' ' ऊर्ध्वमुच्छ्रयति ' गमनागमनव्यवहारसमर्थमूर्ध्वाकारमुच्छ्रितं करोति । यथैव येनैव प्रकारेण ' अदः ' पूर्वं ' देवाः ' ' एनं ' प्रजापतिम् ' उदश्रयन् ' उच्छ्रितं कृतवन्तः, तथेत्यर्थः ॥ ११ ॥

प्रकृतस्य चयनात्मकस्य प्रजापतेर्लोकत्रयात्मकतां तदधिष्ठात्रग्निवाय्वादित्यात्मकतां च प्रतिपादयति-तस्य गार्हपत्य इत्यादिना । " स यः स प्रजापतिर्व्यस्रंसत अयमेव स योऽयमग्निश्चीयते "-(९ कं) इत्युक्तम्, 'तस्य'त्यग्न्यात्मनः प्रजापतेः ' गार्हपत्य एव ' चितिरूपस्थलविशेष एव ' अयं लोकः ' पृथिवी । ' अथ यो गार्हपत्ये ' अधिकरणे उख्यः ' अग्निः ' स्थापितः, यश्चायमस्मिन् लोके पृथिव्यामधिष्ठातृत्वेन स्थितोऽग्निः, स उख्योऽग्निः पृथिवीस्थानोऽग्निरपि अस्य प्रजापतेः सम्बन्धी; स जाठरोऽग्निर्बोद्धव्य इति शेषः । ' अथ ' ' आह-

---

1-"संवत्सरव्याप्त्यभावे दोषमाह" इति क. पा. ।

तस्य शिरऽएवाहवनीयः । (योऽथ) अथ यऽआहवनीयेऽग्निर्यऽएवायꣳ शीर्षन्प्राणः सोऽस्य स तद्यत्स पक्षपुच्छवान्भवति पक्षपुच्छवान्ह्ययꣳ शीर्षन्प्राणश्चक्षुः शिरो दक्षिणꣳ श्रोत्रं दक्षिणः पक्ष ऽउत्तरꣳ श्रोत्रमुत्तरः पक्षः प्राणो मध्यमात्मा वाक्पुच्छं प्रतिष्ठा तद्यत्प्राणा वाचाऽन्नं जग्ध्वा प्रतितिष्ठन्ति तस्मात्प्राणानां वाक्पुच्छं प्रतिष्ठा ॥ १३ ॥

तस्य शिर एवाहवनीयः । अथ य आहवनीयेऽग्निः—य एवायं शीर्षन्प्राणः—सोऽस्य सः । तद्यत्स पक्षपुच्छवान्भवति—पक्षपुच्छवान्ह्ययं शीर्षन्प्राणः । चक्षुः शिरः । दक्षिणं श्रोत्रं दक्षिणः पक्षः, उत्तरं श्रोत्रमुत्तरः पक्षः । प्राणो मध्यमात्मा । वाक्पुच्छं प्रतिष्ठा । तद् यत् प्राणा वाचाऽन्नं जग्ध्वा प्रतितिष्ठन्ति—तस्मात्प्राणानां वाक् पुच्छं प्रतिष्ठा ॥ १३ ॥

वनीयं गार्हपत्यं च ' ' अन्तरा ' मध्ये, चित्योरन्तराल इति यावत्, यत् स्थलं ' तदन्तरिक्षं ' मध्यलोक इत्यर्थः । ' अथ ' च ' यः ' अयम् ' आग्नीध्रीये ' धिष्ण्ये ' अग्निः ' स्थापितः, य एव चायमन्तरिक्षे अधिष्ठातृत्वेन स्थितो वायुः, स आग्नीध्रीयस्थोऽन्तरिक्षस्थो वायुश्चेत्युभयविधोऽप्यस्य प्रजापतेः ' सः ' पञ्चवृत्त्यात्मकः प्राण इत्यर्थः । ' आहवनीयः ' चित्यात्मकः ' एव द्यौः ' द्युलोकः । ' अथ ' ' आहवनीये ' अधिकरणे ' यः अग्निः ' अतिप्रणीतः स्थापितः, ' तौ सूर्याचन्द्रमसौ ' द्युलोकेऽधिष्ठातृत्वेन स्थितौ । ' स एषः ' आहवनीयादिः चन्द्रान्तः ' अस्य ' ' आत्मैव ' मध्यदेह एवेत्यर्थः ॥ १२ ॥

तस्य प्रजापतेराधियाज्ञिकमाध्यात्मिकं च रूपं प्रतिपिपादयिषुराह—**तस्य शिर** इति । ' तस्य ' प्रजापतेः ' आहवनीयः ' चित्यात्मकः ' शिरः ' मूर्द्धा । ' अथ ' ' यः ' तत्र निधीयमानः ' अग्निः , ' ' योऽयम् , ' शीर्षन् ' शीर्ष्णि ' प्राणः ' नासिकासञ्चारी, स उभयविधोऽपि ' अस्य ' प्रजापतेः ' स एव ' शीर्षण्यः प्राण एवेत्यर्थः ॥

चित्यात्मकस्याहवनीयस्य, तत्र निधीयमानस्याग्नेश्च क्रमेण शीर्षत्वं, शीर्षण्यप्राणत्वञ्च प्रतिपाद्य, तयोरेव पक्षपुच्छवत्त्वं प्रतिपादयति—**तद्यत्स** इति । ' तत् ' तत्र ' यत् ' यस्मात् ' सः ' चित्यात्मक आहवनीयः ' पक्षपुच्छवान् ' पक्षाभ्यां पुच्छेन च युक्तोऽस्ति, ' अयं ' ' शीर्षन् ' शीर्ष्णि वर्तमानः ' प्राणः ' नासिक्य इति यावत् । सोऽपि ' पक्षपुच्छवान् हि ' पक्षपुच्छैरन्वितः खलु । पक्षपुच्छवत्त्वमेवोपपादयति—**चक्षुः शिर** इत्यादिना । ' चक्षुः ' सव्यदक्षिणात्मकं चक्षुरिन्द्रियम् नासिक्यप्राणस्य 'शिरः' मूर्द्धभूतम्; तदुपरि वर्त्तमानत्वात् । दक्षिणकर्णो दक्षिणपक्षस्थानीयः; तस्य दक्षिणपार्श्ववर्त्तित्वात् । उत्तरकर्णश्चोत्तरपक्षस्थानीयः; उत्तरपार्श्ववर्त्तित्वादेव । 'प्राणः' स एव नासिक्यः ' मध्यम् ' अन्तर्वर्त्ति ' आत्मा ' शरीरम् । वागायतनत्वाद् वाङ् मुखम्, तदायतनं रसनमपि वाक्, तत् पुच्छम् पश्चाद्भावित्वात् । सैव ' प्रतिष्ठा ' आस्पदम् । प्रतिष्ठात्वमेवोपपादयति—**तद्यदिति** । ' यत् ' यस्मात् ' प्राणाः ' नासिक्यादयो ' वाचा ' मुखेन ' अन्नम् ' ' जग्ध्वा ' भक्षयित्वा शरीरे ' प्रतितिष्ठन्ति ' नोत्क्रामन्ति , ' तस्मात् ' हेतोः ' प्राणानां ' ' वाक् पुच्छं ' प्रतिष्ठेत्युपपन्नम् ॥ १३ ॥

(ब्राऽथ) अथ यदन्तराऽऽहवनीयं च गार्हपत्यं च । स ऽआत्माऽथ य ऽआग्नीध्रीयेऽग्निर्य ऽएवायमन्तरात्मन्प्राणः सोऽस्य स प्रतिष्ठैवास्य गार्हपत्योऽथ यो गार्हपत्येऽग्निः सोऽस्यावाङ् प्राणः ॥ १४ ॥

(स्त) तꣳ हैके त्रिचितं चिन्वन्ति । त्रयो वाऽइमेऽवाञ्चः प्राणा ऽइति न तथा कुर्यादिति ते रेचयन्त्येकविꣳशसम्पदमथोऽ अनुष्टुप्संपदमथो बृहतीसम्पदं ये तथा कुर्वन्त्येकꣳ ह्येवैतद्रूपं योनिरेव प्रजातिरेव यदेतेऽवाञ्चः प्राणा यद्धि मूत्रं करोति यत्पुरीषं प्रैव तज्जायते ॥ १५ ॥

अथ यदन्तराऽऽहवनीयं च गार्हपत्यं च—स आत्मा । अथ य आग्नीध्रीयेऽग्निः—य एवायमन्तरात्मन् प्राणः—सोऽस्य सः । प्रतिष्ठैवास्य गार्हपत्यः । अथ यो गार्हपत्येऽग्निः—सोऽस्यावाङ् प्राणः ॥ १४ ॥

तं हैके त्रिचितं चिन्वन्ति । त्रयो वाऽइमेऽवाञ्चः प्राणा इति । न तथा कुर्यात् । अति ते रेचयन्ति—एकविंशसम्पदम्, अथोऽअनुष्टुप्सम्पदम्, अथो बृहतीसम्पदम्—ये तथा कुर्वन्ति । एकं ह्येवैतद्रूपम्-योनिरेव, प्रजातिरेव । यदेतेऽवाञ्चः प्राणाः—यद्धि मूत्रं करोति, यत्पुरीषम्—प्रैव तज्जायते ॥ १५ ॥

प्रकारान्तरेणापि तस्याधियाज्ञिकाध्यात्मिकरूपतामेव प्रतिपादयति—अथ यदन्तरेति । आहवनीयगार्हपत्ययोः अन्तरालदेश इति 'यत्', 'स आत्मा' शरीरम् । 'आग्नीध्रीये' तदादौ धिष्ण्ये 'योऽग्निः' निहितः । प्रदर्शनार्थमाग्नीध्रीयग्रहणम्; उत्तरत्र "अन्तरिक्षं धिष्ण्याः" (श. प. ७ । १ । २ । २३)—इति बहुवचनोपदेशात् । योऽयम् अन्तरात्मनि 'प्राणः' पञ्चवृत्त्यात्मकः, 'सः' सर्वधिष्ण्यस्थ एव 'अस्य' पञ्चवृत्तिकः प्राण इत्यर्थः । गार्हपत्योऽस्य 'प्रतिष्ठा' पादौ । यश्च तत्रत्यः 'अग्निः' 'सोऽस्य' अवाचीनः 'प्राणः', पश्चाद्वर्तित्वात् ॥ १४ ॥

त्रिचितिको गार्हपत्यश्चेतव्य इत्येकीयमतमुपन्यस्यति—तꣳ हैक इति । 'एके' शाखिनः तं प्रकृतं गार्हपत्यं 'त्रिचितम्,' उपर्युपरि चितित्रयात्मकं 'चिन्वन्ति' । तिसृभिश्चितिभिश्चितस्त्रिचितस्तं तथाविधम् । एवं चिन्वतामभिप्रायमाह—त्रयो वा इम इति । प्रजननमूत्रपुरीषसर्गवृत्तिभेदेन त्रित्वम्, ततश्च तिसृभिश्चितिभिस्त्रीण्येव प्राणायतनानि कल्पितानि भविष्यन्तीत्याशयः । वक्ष्यमाणसम्पत्तित्रयातिरेकात्मकदोषाधानेन तमेतं पक्षं निराचष्टे—न तथेति । ये शाखिनः तथा त्रिचितचयनं कुर्वन्ति, 'ते' 'एकविंशसम्पदं' "ता उभय्य एकविंशतिः सम्पद्यन्ते"—(श. प. ६ । १ । १ । ३४) इत्यादिनोक्ताम् एकविंशतेरिष्टकानां सम्पदम् 'अतिरेचयन्ति' अतिरिक्तां कुर्वन्ति । त्रिचितिके हि बहुतरा इष्टकाः स्युः; तथा, आनुष्टुभेषु "अथातः सम्पदेवैकविंशतिरिष्टकाः"—(१६ कं०) इत्यादिना वक्ष्यमाणायास्त्रिविधाया अपि सम्पदम्, तथा "सैषा बृहत्येव"—(२२ कं०) इत्यादिना वक्ष्यमाणाया बृहत्याः सम्पदमपि अतिरेचयन्तीत्यनुषङ्गः ॥

(तेऽथा)अथातः सम्पदेव । (वे) एकविꣳशतिरिष्टका नव यजूꣳषि तत्त्रिꣳशत्सादनं च सूददोहाश्च तद्द्वात्रिꣳशद्द्वात्रिꣳशदक्षराऽनुष्टुप्सैषाऽनुष्टुप् ॥ १६ ॥

(वे) एकविꣳशतिर्वेव परिश्रितः । (तो) यजुर्द्वाविꣳशं व्युदूहनस्य यजुरूषाश्च यजुश्च सिकताश्च यजुश्च पुरीषं च यजुश्च चतुर्भिः संनिवपति विमुञ्चति पञ्चमेन ततस्त्रिभिरियं द्वात्रिꣳशदक्षराऽनुष्टुप्सैषाऽनुष्टुप् ॥ १७ ॥

अथातः सम्पदेव । एकविंशतिरिष्टकाः, नव यजूंषि—तत् त्रिंशत् । सादनं च, सूददोहाश्च—तद् द्वात्रिंशद् । द्वात्रिंशदक्षराऽनुष्टुप् । सैषाऽनुष्टुप् ॥ १६ ॥

एकविंशतिर्वेव परिश्रितः । यजुर्द्वाविंशम् । व्युदूहनस्य यजुः । ऊषाश्च, यजुश्च । सिकताश्च, यजुश्च । पुरीषं च, यजुश्च,—चतुर्भिः संनिवपति, विमुञ्चति पञ्चमेन । ततस्त्रिभिरियं द्वात्रिंशदक्षरा-ऽनुष्टुप् । सैषाऽनुष्टुप् ॥ १७ ॥

" त्रयो वा इमेऽवाञ्चः प्राणाः "—इति यदुक्तम्, तदप्यङ्गीकृत्य निराकरोति—एकं ह्येवेत्यादिना । एतस्य प्राणस्य रूपम् ' एतद्रूपम् ' ' एकम् ' एव खलु, ' यदेतेऽवाञ्चः प्राणाः ' प्रजननमूत्रपुरीषसर्गवृत्तिभेदेन त्रयोऽपि । किं पुनस्तदित्याह—योनिरेवेति । ' योनिः ' स्थानं कारणम् । मूत्रपुरीषरेतसामेकमेवैतद्रूपं कारणमनादृत्यापि कर्मविवक्षया आह—प्रजातिरेवेति । मूत्रपुरीषसर्गात्मना प्रजातेरेकत्वमित्यर्थः । तदेवोपपादयति—यद्धीति । ' यन्मूत्रं करोति; ' यत् ' च ' पुरीषं ' करोति; ' तत् जायत एव ' इति प्रजातिरूपेण त्रयाणामप्येकत्वं सिद्धमेवेत्यर्थः ॥ १५ ॥

पूर्वमुपक्षिप्तामनुष्टुब्बृहत्योः सम्पदमाह—अथातः सम्पदेवेत्यादिना । ' वक्ष्यते '—इति शेषः । " अयꣳ सो अग्निः "—इत्यादिभिर्मन्त्रैरुपहिता अष्टौ यजुष्मत्यः, लोकम्पृणास्त्रयोदशेति ' एकविंशतिरिष्टकाः ' । नव यजूꣳषीति । अष्टानामर्द्धबृहतीप्रभृतीनां यजुष्मतीनामष्टौ " अयं सोऽअग्निः " इत्यादीनि (वा० सं० १२ । ४७–५२), लोकम्पृणानामेकं "लोकं पृण" इति (वा० सं० १२ । ५४), एवं नव । ' तत् ' तत्र ' त्रिंशत् ' संख्या संपद्यते । ' सादनञ्च ' यजुः " तया देवतया " इति (वा० सं० १२ । ५३), सूददोहाश्च " ता अस्य " इति (वा० सं० १२ । ५५) । ' तत् ' तेन ' द्वात्रिंशत् , ' ' अनुष्टुप् द्वात्रिंशदक्षरा ' ' सैषा ' प्रसिद्धा ' अनुष्टुप् ' गार्हपत्यचितौ सम्पन्ना द्रष्टव्या ॥ १६ ॥

एवमेकामनुष्टुभं सम्पाद्य अपरे द्वे अनुष्टुभावेव सम्पादयितुमाह—एकविंशतिर्वेवेति । ' उ,—एव '—इति पदच्छेदः । ' परिश्रितः ' एकविंशतिसङ्ख्या एव । यदुक्तं सूत्रकृता—" परिश्रिद्भिः परिश्रयति पूर्ववदेकविंशत्या चित: स्थेति "—(का. श्रौ. सू. १७ । ७) इति । यजुर्द्वाविंशमिति । परिश्रितामेवोपधाने विहितम् "चितःस्थ" इति ' व्युदूहनस्य यजुः ' । "अपेत वीत" इति (वा. सं. १२ । ४५) त्रयोविंशम् । 'ऊषाः ' तन्निवापे विहितं यजुः "संज्ञानम्" इति (वा. सं. १२ । ४६) च द्वे चतुर्विंशपञ्चविंशे । ' सिकताश्च ' तन्निवापयजुः " अग्नेर्भस्म " इति (वा. सं. १२ । ४६) च द्वे षड्विंशसप्तविंशे । ' पुरीषञ्च ' तन्निवापयजुश्च

(बु) अथैते द्वे यजुषी । सोऽअनुष्टुबेव व्वाग्वाऽअनुष्टुप्तद्यदिदं द्वयं व्वाचो रूपं दैवं च मानुषं चोचैश्च शनैश्च तदेते द्वे ॥ १८ ॥

ता वाऽएतास्तिस्रोऽनुष्टुभः । (श्रि) चितऽ एष गार्हपत्यस्तद्यदेताऽअत्र तिस्रोऽनुष्टुभः सम्पादयन्त्यत्र ह्येवेमे तदा सर्वे लोका भवन्ति ततोऽन्यतरां द्वात्रिँशदक्षरामनुष्टुभमाहवनीयँ हरन्ति सऽ आहवनीयः सा द्यौस्तच्छिरोऽथेहान्यतरा परिशिष्यते स गार्हपत्यः सा प्रतिष्ठा स ऽउऽअयं लोकः ॥ १९ ॥

अथैते द्वे यजुषी–सोऽअनुष्टुबेव । वाग्वाऽअनुष्टुप् । तद्यदिदं द्वयं वाचो रूपम्–दैवं च, मानुषं च, उच्चैश्च शनैश्च–तदेते द्वे ॥ १८ ॥

ता वाऽएतास्तिस्रोऽनुष्टुभः । चित एष गार्हपत्यः । तद्यदेता अत्र तिस्रोऽनुष्टुभः सम्पादयन्ति–अत्र ह्येवेमे तदा सर्वे लोका भवन्ति । ततोऽन्यतरां द्वात्रिंशदक्षरामनुष्टुभमाहवनीयं हरन्ति । स आहवनीयः । सा द्यौः । तच्छिरः । अथेहान्यतरा परिशिष्यते–स गार्हपत्यः । सा प्रतिष्ठा । स उऽअयं लोकः ॥ १९ ॥

"इन्द्रं विश्वाः"–(वा. सं. १२।५६) इति द्वे अष्टाविंशैकोनत्रिंशे । 'चतुर्भिः' यजुर्भिः "समितम्" इत्यादिभिः (वा. सं. १२ । ५७–६०) उख्यमग्निं 'सन्निवपति', तत्सन्निवापस्त्रिंशः । विमुञ्चति पञ्चमेनेति । "मातेव पुत्रम्"–इति (वा. सं. १२।६१) यजुषा विहितः शिक्यादुखाविमोक एकत्रिंशः । अग्निसन्निवापोखाविमोकयोरुपयुक्तसङ्ख्यान्तःपातात् तत्सम्बद्धानि पञ्च यजूंष्यवशिष्टानीत्यभिप्रेत्य तेषां पञ्चानामुपयोगमाह–ततस्त्रिभिरिति । 'ततः' तेभ्यः पञ्चभ्यो यजुर्भ्यः 'त्रिभिः' यजुर्भिः एकदेशभूतैरेका द्वात्रिंशत्तमी सङ्ख्या । एवं 'इयम्' इदानीं प्रतिपादिता 'द्वात्रिंशदक्षराऽनुष्टुप्,' संपद्यत इति शेषः । 'सैषा' प्रसिद्धा द्वितीया 'अनुष्टुप्' ॥ १७ ॥

अथ वाग्रूपां तृतीयामनुष्टुभमाह–अथैते द्वे इति । पञ्चसु मध्यमानुष्टुभि त्रीण्युपयुक्तानि, 'अथैते' ये अन्तिमे 'द्वे' 'यजुषी' अवशिष्येते, 'सा' 'तु' पुनर्यजुर्द्वयात्मिका 'अनुष्टुबेव' । ननु यजुर्द्वयात्मिकाया अस्याः कथमनुष्टुप्त्वमित्यत आह–वाग्वा इति । 'वाक्' खलु 'अनुष्टुप्'; "वागनुष्टुप्" इत्यग्निरहस्ये श्रुतत्वात् (श. प. १० । १ । ३ । १०) । यजुर्द्वयात्मिकानुष्टुबैकात्म्यप्रतिपादनाय वाचो द्विरूपतामाह–तद्यदिदं द्वयमिति । द्वयमेव द्वयात्मकमित्यर्थः । तदेव द्वेधा विवृणोति–दैवं चेत्यादिना । 'दैवं' देवसम्बन्धि वाक्यम् संस्कृतम् । 'मानुषं' मनुष्यसम्बन्धि वाक्यञ्च;–'उच्चैः' तारस्वरं वाक्यम्, 'शनैः' मन्द्रस्वरं चेति । 'तदेते द्वे' इत्युपक्षिप्तनिगमनम् । एवं तृतीयाऽनुष्टुप् सम्पन्ना ॥ १८ ॥

प्रतिपादितानां तिसृणामनुष्टुभामुपयोगं विधत्ते–ता वा एता इति । 'एषः' 'चितः' चित्या सम्पादितः 'गार्हपत्यः,' 'ताः' प्रसिद्धाः 'एतास्तिस्रोऽनुष्टुभः' खलु, सम्पादितानुष्टुप्त्रयात्मक इत्यर्थः ।

(कोऽथ) अथ येऽएते द्वे यजुषी । एतत्तद्यदन्तराऽऽहवनीयं च गार्हपत्यं च तदन्तरिक्षᳬ सऽआत्मा तद्यत्ते द्वे भवतस्तस्मादेतत्तनीयो यदन्तराऽऽहवनीयं च गार्हपत्यं च तस्मादेषां लोकानामन्तरिक्षलोकस्तनिष्ठः ॥२०॥

सैषा त्रेधा विहिता वागनुष्टुप् । (म्रा) तामेषोऽग्निः प्राणो भूत्वाऽनुसंचरति यऽआहवनीयेऽग्निः स प्राणः सोऽसावादित्योऽथ यऽआग्नीध्रीयेऽग्निः स व्यानः स उऽअयं वायुर्योऽयं पवतेऽथ यो गार्हपत्येऽग्निः स ऽउदानः

अथ येऽएते द्वे यजुषी—एतत्तत् । यदन्तराऽऽहवनीयं च गार्हपत्यं च । तदन्तरिक्षम् । स आत्मा । तद्यत्ते द्वे भवतः—तस्मादेतत्तनीयो—यदन्तराऽऽहवनीयं च गार्हपत्यं च । तस्मादेषां लोकानामन्तरिक्षलोकस्तनिष्ठः ॥ २० ॥

सैषा त्रेधा विहिता वागनुष्टुप् । तामेषोऽग्निः प्राणो भूत्वाऽनुसञ्चरति । य आहवनीयेऽग्निः—स प्राणः, सोऽसावादित्यः । अथ य आग्नीध्रीयेऽग्निः—स व्यानः; स उऽअयं वायुः—योऽयं पवते । अथ

अनुष्टुप्त्रयसम्पादनस्य गार्हपत्यचितौ लोकत्रयसम्पादनहेतुतामाह—तद्यदेता इति । 'अत्र' गार्हपत्यचितौ 'यत्' 'एतास्तिस्रः अनुष्टुभः' 'सम्पादयन्ति,' वेदवादिन इति शेषः । 'तदा' आहवनीयचयनात् प्रागेवात्रैव गार्हपत्ये 'इमे सर्वे लोकाः' त्रयोऽपि 'भवन्ति' । कारणे कार्यस्यान्तर्गतत्वादुत्तरेऽप्युभयोऽपि गार्हपत्ये एवान्तर्गताः, पृथिवीलोके चेतरौ लोकावन्तर्गतौ । "सोऽग्निना पृथिवीं मिथुनᳬ समभवत् तत आण्डᳬ समवर्त्तत"—इति तत एवोत्पत्तिश्रुतेः (श. प. ६ । १ । २ । १) । तासामेव अनुष्टुभामुपयोगान्तरमपि विधत्ते—ततोऽन्यतरामिति । तयोर्द्वात्रिंशदक्षरयोः अनुष्टुभोर्मध्ये 'अन्यतराम्' एकाम् 'द्वात्रिंशदक्षरामनुष्टुभं' बुद्ध्या विविच्य आहवनीयस्थानं 'हरन्ति' अनुसन्धाय हरेयुरित्यर्थः । 'सा' चाहृता अनुष्टुप् आहवनीयचितिः, सैव द्युलोकः, तदेव चित्याग्निरूपस्य प्रजापतेः 'शिरः' भवति । 'इह' अस्मिन् गार्हपत्यस्थाने 'अन्यतरा' एका द्वात्रिंशदक्षरा अनुष्टुप् 'परिशिष्यते,' 'सः' एव 'गार्हपत्यः' अग्निरिति चित्याग्निरूपस्य प्रजापतेः 'सा' एव 'प्रतिष्ठा' पादौ । 'सः' एव 'अयं लोकः' भूलोकोऽपीत्यर्थः ॥ १९ ॥

द्विसंख्यायोगाद् गौणी या तृतीया अनुष्टुप्, तस्या अन्तरिक्षादिरूपतामाह—अथ ये एते इति । आहवनीयगार्हपत्यचित्योर्मध्ये यदस्ति स्थानमाग्नीध्रीयाख्यम्, एतदेव सा यजुर्द्वयात्मिका अनुष्टुप्, 'तदेवान्तरिक्षम्' तृतीयानुष्टुबात्मकोऽयमन्तरिक्षलोक इत्यर्थः । सैव आनुष्टुभस्य चित्याग्निरूपस्य प्रजापतेः 'आत्मा' मध्यदेहः । द्वात्रिंशदक्षराभ्यां पूर्वाभ्यामनुष्टुब्भ्यां द्विसंख्यायोगिन्यास्तृतीयस्या अनुष्टुभोऽल्पीयस्त्वात् तदात्मकतयोक्तानामल्पपरिमाणत्वमाह—तद्यत् ते द्वे भवत इत्यादिना । यस्मात् तृतीया अनुष्टुप् द्विसंख्यायोगिनी, तस्मात् तदात्मकं गार्हपत्याहवनीययोरन्तरालं 'तनीयः' तनुतरम्, अल्पपरिमाणमेव भवति । 'तस्मात्' एव कारणात् 'एषां लोकानाम्' मध्ये 'अन्तरिक्षलोकः' 'तनिष्ठः' सूक्ष्मतमो भवति ॥ २० ॥

सैषा त्रेधा विहितेत्यादि । त्रिप्रकारेण विहिता 'सैषा अनुष्टुप्' 'वाक्' एव । 'ताम्' 'एषः' उख्यः 'अग्निः' 'प्राणो भूत्वा अनुसञ्चरति' आहवनीयगार्हपत्याग्नीध्रीयाख्येषु स्थानेषु क्रमेण व्याप्नोति । तत्तत्स्थान-

स उऽअयं योऽयमस्मिँल्लोकेऽग्निरेवंविद्ध वाव सर्वां वाचꣳ सर्वं प्राणꣳ सर्वमात्मानꣳ संस्कुरुते ॥ २१ ॥

सैषा बृहत्येव । ये वै द्वे द्वात्रिꣳशतौ द्वात्रिꣳशदेव तदथैते द्वे यजुषी तच्चतुस्त्रिꣳशदग्निरेव पञ्चत्रिꣳशो नाक्षराच्छन्दो व्येत्येकस्मान्न द्वाभ्याꣳ स उ द्व्यक्षरस्तत्षट्त्रिꣳशत्षट्त्रिꣳशदक्षरा बृहती बृहतीं वाऽएष संचितोऽभिसम्पद्यते यादृग्वै योनौ रेतः सिच्यते तादृग्जायते तद्यदेतामत्र बृहतीं करोति तस्मादेष संचितो बृहतीमभिसम्पद्यते ॥ २२ ॥

यो गार्हपत्येऽग्निः—स उदानः । स उऽअयं—योऽयमस्मिँल्लोकेऽग्निः । एवंविद्ध वाव सर्वां वाचं, सर्वं प्राणं, सर्वमात्मानं संस्कुरुते ॥ २१ ॥

सैषा बृहत्येव । ये वै द्वे द्वात्रिंशतौ—द्वात्रिंशदेव तत् । अथैते द्वे यजुषी—तच्चतुस्त्रिंशत् । अग्निरेव पञ्चत्रिंशः । नाक्षराच्छन्दो व्येति—एकस्मात्, न द्वाभ्याम् । स उ द्व्यक्षरः । तत् षट्त्रिंशत् । षट्त्रिंशदक्षरा बृहती । बृहतीं वाऽएष संचितोऽभिसम्पद्यते । यादृग्वै योनौ रेतः सिच्यते—तादृग्जायते । तद्यदेतामत्र बृहतीं करोति—तस्मादेष सञ्चितो बृहतीमभिसम्पद्यते ॥ २२ ॥

गतेऽग्नौ प्राणोदानव्यानवृत्त्यात्मना सूर्यादिभेदेन तस्य व्याप्तिमाचष्टे—य आहवनीयेऽग्निरिति । 'आहवनीये' आहवनीयस्थाने निहितो 'यः अग्निः,' 'सः' 'प्राणः' प्राणात्मकः, 'सोऽसावादित्यः' आदित्यात्मकश्च । 'आग्नीध्रीये' निहितस्तु व्यानात्मकः, वाय्वात्मकश्च । 'गार्हपत्ये' निहितस्तु उदानात्मकः, पार्थिवाग्निरूपश्च । आहवनीयादीनां द्युलोकादिरूपत्वस्य प्रतिपादितत्वात् ऊर्ध्वमध्याधोदेशसम्बन्धेन प्राणादीनां तत्तदन्यात्मकता अवगन्तव्या ॥

प्रतिपादितमर्थं विदुषः फलमाह—एवंविदिति । अग्न्याद्यधिष्ठितलोकत्रयाणां प्रजापत्यात्मकत्वम्, गार्हपत्यचितौ सम्पादितास्वनुष्टुप्सु उदीरितरीत्या जानन् कृत्स्नां 'वाचम्' कृत्स्नं 'प्राणम्' एतैरेव सर्वैः सम्पूर्णम् 'आत्मानम्' अग्निशरीरम् 'संस्कुरुते' उत्पादयति ॥ २१ ॥

"अथो बृहतीसम्पदम्" इति (श. प. ७।१।२।१९) प्राक् सूचितां सम्पत्तिमाह-सैषेति । 'सैषा' गार्हपत्यचितिः 'बृहत्येव,' सम्पद्यत इति शेषः । तामेव सम्पत्तिं दर्शयति—ये वा इति । 'ये' खलु पूर्वमुक्ते द्वात्रिंशदक्षरे अनुष्टुभौ, तदुभयं मिलित्वा द्वात्रिंशदेवात्र सम्पद्यते । अवशिष्टे 'द्वे यजुषी,' 'अग्निरेव' 'पञ्चत्रिंशः' पञ्चत्रिंशत्सङ्ख्यापूरकः ॥

ननु "षट्त्रिंशदक्षरा बृहती" इति श्रुतेः इतः परमप्येकेन भवितव्यमित्यत आह—नाक्षरादिति । न चैकस्मादक्षरादविद्यमानात् 'छन्दः' 'व्येति' विगच्छति, अन्यथा भवति । 'न' च 'द्वाभ्याम्' अक्षराभ्याम् । एकेन द्वाभ्यां वा न्यूनं छन्दो न वैकल्यं प्राप्नोतीत्यर्थः । तथा चैषा पञ्चत्रिंशत्सङ्ख्याऽपि बृहत्येवेति तत्सम्पत्तिरविरुद्धा । सङ्ख्यापूर्त्तिमपि दर्शयति—स उ द्व्यक्षर इति । यः पञ्चत्रिंशोऽग्निः स खल्वक्षरद्वयवाच्यः । ततस्ताभ्यामग्निरित्यक्षराभ्यां सह षट्त्रिंशत् सङ्ख्या सम्पद्यते; तथा च षट्त्रिंशदक्षरा बृहती सम्पन्ना । अपि च 'एषः' आहवनीयस्थाने 'सञ्चितः' अग्निरपि 'बृहतीमभिसम्पद्यते' । तत्र गार्हपत्यचितेर्बृहती-

तदाहुः । (यं) यदयं लोको गार्हपत्योऽन्तरिक्षं धिष्ण्या द्यौराहवनीयो- ऽन्तरिक्षलोक ऽउ ऽअस्माल्लोकादनन्तर्हितोऽथ कस्माद्गार्हपत्यं चित्वा- ऽऽहवनीयं चिनोत्यथ धिष्ण्यानिति सह हैवेमावग्रे लोकावासतुस्तयोर्वियतोर्योऽन्तरेणाकाशऽआसीत्तदन्तरिक्षमभवदीक्षꣳ हैतन्नाम ततः पुराऽन्तरा वाऽइदमीक्षमभूदिति तस्मादन्तरिक्षं तद्यद्गार्हपत्यं चित्वाऽऽहवनीयं चिनो- त्येतौ ह्यग्रे लोकावसृज्येतामथ प्रत्येत्य धिष्ण्यान्निवपति कर्मण ऽएवा- नन्तरायायाथोऽअन्तयोर्वाव संस्क्रियमाणयोर्मध्यꣳ संस्क्रियते ॥ २३ ॥

इति प्रथमप्रपाठके द्वितीयं ब्राह्मणम् ॥ ७।१।२ ॥

इति प्रथमोऽध्यायः समाप्तः ॥ ७-१ ॥

तदाहुः—यदयं लोको गार्हपत्यः, अन्तरिक्षं धिष्ण्याः, द्यौराहवनीयः । अन्तरिक्षलोक उ अस्मा- ल्लोकादनन्तर्हितः । अथ कस्माद्गार्हपत्यं चित्वाऽऽहवनीयं चिनोति, अथ धिष्ण्यानिति । सह हैवेमा- वग्रे लोकावासतुः । तयोर्वियतोर्योऽन्तरेणाकाश आसीत्—तदन्तरिक्षमभवत् । ईक्षं हैतन्नाम ततः पुरा । अन्तरा वाऽइदमीक्षमभूदिति—तस्मादन्तरिक्षम् । तद्—यद्गार्हपत्यं चित्वाऽऽहवनीयं चिनोति । एतौ ह्यग्रे लोकावसृज्येताम् । अथ प्रत्येत्य धिष्ण्यान्निवपति—कर्मण एवानन्तरायाय । अथोऽअन्तयोर्वाव संस्क्रियमाणयोर्मध्यं संस्क्रियते ॥ २३ ॥

सम्पत्तिरेव कारणमित्याह—यादृग्वा इति । 'योनौ' गर्भाशये यादृगाकारविशिष्टं 'रेतः' 'सिच्यते' तादृग्रूप एवोत्पत्तिसमये 'जायते' यथैव लोके, 'तत्' तथैवात्रापि योनिरूपायां गार्हपत्यचितौ 'यद्' यस्मात् 'एतां बृहतीं करोति;' 'तस्मात्' इत उत्पद्यमानः 'एषः सञ्चितः' अयमाहवनीयोऽग्निरपि 'बृहतीमभि- सम्पद्यते'। तां सम्पत्तिं यजुष्मतीनां षष्ट्युत्तरत्रिशतसंख्यया दश बृहत्यः सम्पद्यन्त इति दशमकाण्डे दर्श- यिष्यामः ॥ २२ ॥

गार्हपत्याग्नीध्रीयाहवनीयानां क्रमेण पृथिव्यन्तरिक्षद्युलोकात्मकत्वात् क्रमेणैव तेषां संस्कारो युक्त इत्या- शंक्य व्युत्क्रमानुष्ठानमुपपादयति—तदाहुरित्यादिना । अन्तरिक्षं धिष्ण्या इति । गार्हपत्याहवनीययोरन्तराल- वर्तिन आग्नीध्रीयादयो धिष्ण्याः, ते अन्तरिक्षलोकात्मका इत्यर्थः । तत्र गार्हपत्यचयनानन्तर्यम् आहवनीय- चितेराक्षिपति—अन्तरिक्षलोक इति । 'अस्माद् लोकात्' भूलोकात् । 'अन्तरिक्षलोकः' 'अनन्तर्हितः' प्रत्यासन्नः । तथा च गार्हपत्यचयनानन्तरं धिष्ण्यनिवपनमकृत्वा 'अथ' कस्मात्, हेतोराहवनीयचयनमेव क्रियते । 'अथ' अनन्तरमेव 'धिष्ण्यान्' चिनोतीत्यनुषज्यते । इत्थमनुष्ठाने कारणं वक्तुमाह—सह हैवे- माविति । 'अग्रे' पुरा इमौ भूस्वर्गाख्यौ 'लोकौ' 'सहासतुः'। 'तयोः' 'वियतोः' विविधं गच्छतोः वियुज्यमानयोः 'यः' मध्ये 'आकाशः' अवकाशः 'आसीत्' 'तदन्तरिक्षमभवत्' । 'ततः पुरा' द्यावापृथिव्योर्विगमनात् पूर्वम् 'ईक्षम्' इति आकाशस्य 'नाम' द्यावापृथिव्योर्विश्लेषे सति 'अन्तरा' तयोर्मध्ये खलु 'इदमीक्षमभूत्' 'इति' हेतौ; यस्मादेवं तस्मादिदमाकाशमन्तरिक्षनामकं संपन्नमित्यर्थः ॥

तद्व यद्गार्हपत्यमित्यादि । एवमन्तरिक्षनिष्पत्तेर्लोकद्वयानन्तरभावित्वाद् गार्हपत्यचयनानन्तरमन्तरिक्षसंस्तुतान् धिष्ण्यानतिक्रम्य 'आहवनीयं' 'चिनोति' चयनेन संस्करोति । 'यत्' यस्मात् तौ भूस्वर्लोकौ 'अग्रे' खलु सह 'असृज्येतां' सृष्टावभवताम्, 'अथ' आहवनीयचयनानन्तरं 'प्रत्येत्य' प्रतिनिवृत्य सदसि 'धिष्ण्यान्' 'निवपति' निर्मिमीते । अत्र प्रयोजनमाह—**कर्मण एवेति ।** तत्र धिष्ण्यानां निवपनं कर्मणः क्रियाकलापस्य 'अनन्तराय' अविच्छेदायैव भवति । न त्वनेन किञ्चित् संस्कर्त्तव्यमस्तीत्याह—**अथो इति ।** अपि च उभयोः 'अन्तयोः' आहवनीयगार्हपत्ययोश्चयनेन 'संक्रियमाणयोः' 'मध्यम्' अपि स्थलं 'संक्रियते' तेनैव संस्कारेण संस्कृतमेव भवति; तस्माद् गार्हपत्यचयनानन्तरमाहवनीयस्यैव चयनम्, पश्चाद्धिष्ण्यानां निवपनमिति क्रमः सिद्ध इति भावः ॥ २२ ॥

इति श्रीसायणाचार्यविरचिते माधवीये वेदार्थप्रकाशे माध्यन्दिनीयशतपथब्राह्मणभाष्ये
सप्तमकाण्डे प्रथमेऽध्याये द्वितीयं ब्राह्मणम् ॥ (७–१–२) ॥

वेदार्थस्य प्रकाशेन तमो हार्दं निवारयन् । पुमर्थांश्चतुरो देयाद् विद्यातीर्थमहेश्वरः ॥ १ ॥

ब्रह्माण्डं गोसहस्रं कनकहयतुलापूरुषौ स्वर्णगर्भं,
सप्ताब्धीन्पञ्चसीरींस्त्रिदशतरुलताधेनुसौवर्णभूमीः ।
रत्नोस्रां रुक्मवाजिद्विपमहितरथौ सायणिः सिङ्गणार्यो,
व्यश्राणीद्विश्वचक्रं प्रथितविधिमहाभूतयुक्तं घटं च ॥
धान्याद्रिं धन्यजन्मा तिलभवमतुलः स्वर्णजं वर्णमुख्यः,
कार्पासीयं कृपावान्गुडकृतमजडो राजतं राजपूज्यः ।
आज्योत्थं प्राज्यजन्मा लवणजमनृणः शार्करं चार्कतेजा,
रत्नाढ्यो रत्नरूपं गिरिमकृत मुदा पात्रसात्सिङ्गणार्यः ॥

इति श्रीमद्राजाधिराजपरमेश्वरवैदिकमार्गप्रवर्तकश्रीहरिहरमहाराजसाम्राज्यधुरन्धरेण सायणाचार्येण विरचिते माधवीये वेदार्थप्रकाशे माध्यन्दिनशतपथब्राह्मणभाष्ये सप्तमकाण्डे प्रथमोऽध्यायः समाप्तः ॥ ७–१ ॥

अथ द्वितीयेऽध्याये प्रथमं ब्राह्मणम् ।
प्रथमप्रपाठके च तृतीयं ब्राह्मणम् ।

अथातो नैर्ऋतीर्हरन्ति । (न्त्ये) एतद्वै देवा गार्हपत्यं चित्वा समारोहन्नयं वै लोको गार्हपत्य ऽइममेव तल्लोकꣳ संस्कृत्य समारोहंस्ते तम ऽएवानातिदृश्यमपश्यन् ॥ १ ॥

(इयुंस्ते) तेऽब्रुवन् । (ब्रु) उप तज्जानीत यथेदं तमः पाप्मानमपहनामहाऽइति तेऽब्रुवंश्चेतयध्वमिति चितिमिच्छतेति वाव तदब्रुवंस्तदिच्छत यथेदं तमः पाप्मानमपहनामहाऽइति ॥ २ ॥

अथ नैर्ऋतीष्टकाचयनम् ।

अथातो नैर्ऋतीर्हरन्ति । एतद्वै देवा गार्हपत्यं चित्वा समारोहन् । अयं वै लोको गार्हपत्यः । इममेव तल्लोकं संस्कृत्य समारोहन् । ते तम एवानतिदृश्यमपश्यन् ॥ १ ॥

तेऽब्रुवन्—उप तज्जानीत—यथेदं तमः पाप्मानमपहनामहाऽइति । तेऽब्रुवन्—चेतयध्वमिति । चितिमिच्छतेति वाव तदब्रुवन् । तदिच्छत—यथेदं तमः पाप्मानमपहनामहाऽइति ॥ २ ॥

यस्य निःश्वसितं वेदा यो वेदेभ्योऽखिलं जगत् । निर्ममे तमहं वन्दे विद्यातीर्थमहेश्वरम् ॥ १ ॥

अथाख्यायिकया प्रयोजनप्रतिपादनपुरस्सरं नैर्ऋतीनामिष्टकानामुपधानं विधित्सुस्तासां हरणं तावदेण प्रतिजानीते—**अथात** इति । 'अथ,' गार्हपत्यचयनानन्तरम् 'अतः' अस्मात् स्थानात् निर्ऋतिदेवताकाः इष्टकाः 'हरन्ति,' नैर्ऋत्यां दिशि निरस्येयुरित्यर्थः । तासामुपधानस्य प्रयोजनमाख्यायिकयाऽऽचष्टे—**एतद्वा** इति । 'एतद्' एतस्मिन् खलु गार्हपत्यचयनानन्तरकाले 'देवाः' 'समारोहन्' सम्प्राप्नुवन् । एतदेव विवृणोति—**अयं वा** इति । **ते तम एवे**ति । चयनेन संस्कृतं भूलोकमारूढाः 'ते' 'अनतिदृश्यम्' दृश्यमतिक्रम्य द्रष्टुमशक्यं सर्ववस्त्वाच्छादकं पापरूपम् 'तम एव' सर्वत्र अपश्यन्नित्यर्थः ॥ १ ॥

तेऽब्रुवन्निति । **उप तज्जानीते**ति । उपेत्य 'तत्' तमोऽपहन्तुमुपायं विचारयतेत्यर्थः । **तमः पाप्मानमि**ति । तमोरूपं पाप्मानम् । चेतयध्वमितीच्छार्थे णिजिति व्याचष्टे—(पा. सू. ३ । १ । ८) **चितिमिच्छतेती**ति । 'चितिं' पापहननसाधनमिष्टकानां चयनमिच्छतेत्यर्थः । **तदिच्छतेति** । हे देवाः ! 'तत्' चयनम् 'इच्छत,' 'यथा' येन चयनेन 'इदं' तमोरूपं पापं नाशयेमेत्यर्थः ॥ २ ॥

ते चेतयमानाः । (ऽ) एता ऽइष्टका ऽअपश्यन्नैर्ऋतीस्ता ऽउपादधत ताभिस्तत्तमः पाप्मानमपाघ्नत पाप्मा वै निर्ऋतिस्तद्यदेताभिः पाप्मानं निर्ऋतिमपाघ्नत तस्मादेता नैर्ऋत्यः ॥ ३ ॥

(स्त) तद्वाऽएतत्क्रियते । यद्देवा ऽअकुर्वन्निदं नु तत्तमः स पाप्मा देवैरेवापहतो यत्त्वेतत्करोति यद्देवा ऽअकुर्वंस्तत्करवाणीत्यथो य ऽएव पाप्मा या निर्ऋतिस्तमेताभिरपहते तद्यदेताभिः पाप्मानं निर्ऋतिमपहते तस्मादेता नैर्ऋत्यः ॥ ४ ॥

(त्यो) यद्वेवैता नैर्ऋतीर्हरन्ति । प्रजापतिं विस्रस्तं यत्र देवाः समस्कुर्वंस्तमुखायां योनौ रेतोभूतमसिञ्चन्योनिर्वाऽउखा तस्माऽएताᳪं संवत्सरे प्रतिष्ठाᳪं समस्कुर्वन्निममेव लोकमयं वै लोको गार्हपत्यस्तस्मिन्नेनं प्राजनयंस्तस्य यः पाप्मा यः श्लेष्मा यदुल्बं यज्जरायु तदस्यैताभिरपाघ्नंस्तद्यदस्यैताभिः पाप्मानं निर्ऋतिमपाघ्नंस्तस्मादेता नैर्ऋत्यः ॥ ५ ॥

ते चेतयमानाः एता इष्टका अपश्यन्–नैर्ऋतीः । ता उपादधत, ताभिस्तत्तमः पाप्मानमपाघ्नत । पाप्मा वै निर्ऋतिः । तद्यदेताभिः पाप्मानं निर्ऋतिमपाघ्नत–तस्मादेता नैर्ऋत्यः ॥ ३ ॥

तद्वाऽएतत्क्रियते–यद्देवा अकुर्वन् । इदं नु तत्तमः, स पाप्मा देवैरेवापहतः । यत्त्वेतत्करोति–यद्देवा अकुर्वन्–तत्करवाणीति । अथो य एव पाप्मा, या निर्ऋतिः–तमेताभिरपहते । तद्यदेताभिः पाप्मानं निर्ऋतिमपहते । तस्मादेता नैर्ऋत्यः ॥ ४ ॥

यद्वेवैता नैर्ऋतीर्हरन्ति–प्रजापतिं विस्रस्तं यत्र देवाः समस्कुर्वन्–तमुखायां योनौ रेतोभूतमसिञ्चन् । योनिर्वाऽउखा । तस्माऽएतां संवत्सरे प्रतिष्ठां समस्कुर्वन्–इममेव लोकम् । अयं वै

ते चेतयमाना इति । चितिमिच्छन्त इत्यर्थः । पाप्मा वै निर्ऋतिरिति । दक्षिणापरदिगधिदेवता सा 'पाप्मा वै' पापरूपैव । एतत्तादात्म्यमुपजीव्य पापापहतिहेतुभूतानामिष्टकानां 'नैर्ऋत्यः'–इति नाम निर्वृत्तम् । तद्यदेताभिरिति । 'अपाघ्नत' अनाशयन् ॥ ३ ॥

इत्थमाख्यायिकया नैर्ऋतीनामुपधानस्य पापरूपतमोनिवृत्त्यर्थतां प्रतिपाद्य, इदानीन्तनानुष्ठानस्यापि तदर्थतामाह–तद्वा एतत् क्रियत इति । 'तत्' खलु 'एतत्' इदानीं यजमानेन 'क्रियते,' 'यद्देवाः' पुरा 'अकुर्वन्' । यथा 'देवैः' 'अपहतः' नाशितः तमोरूपः 'स पाप्मा,' इदानीमप्यनुष्ठानेन निवर्तते । यत्त्वेतदिति । 'यत्' खलु 'एतद्' यजमानः अनुतिष्ठति, देवैर्यत् कृतम्, 'तत्' अहमपि 'करवाणि,' 'इति' अनेनाभिप्रायेण तदनुष्ठीयत इत्यर्थः । न केवलमनुकरणमात्रं तथाविधफलसाधनमपीत्याह–अथो इति । उक्तमर्थमनूद्य नैर्ऋतीनामिष्टकानां तमोपहन्तृत्वद्वारा नाम निर्ब्रूते–तद्यदेताभिरिति ॥ ४ ॥

प्रयोजनान्तरं वक्तुं नैर्ऋतीनां हरणमनुवदति–यद्वेवैता इति । 'यत् उ एव' यस्मादेव प्रयोजनान्तरात्

(स्तु) तथैवैतद्यजमानः। (ऽ) आत्मानमुखायां योनौ रेतोभूतꣳ सिञ्चति योनिर्वाऽउखा तस्माऽएताꣳ संवत्सरे प्रतिष्ठाꣳ संस्करोतीममेव लोकमयं वै लोको गार्हपत्यस्तस्मिन्नेनं प्रजनयति तस्य यः पाप्मा यः श्लेष्मा यदुल्बं यज्जरायु तदस्यैताभिरपहन्ति तद्यदस्यैताभिः पाप्मानं निर्ऋतिमपहन्ति तस्मादेता नैर्ऋत्यः ॥ ६ ॥

पादमात्र्यो भवन्ति। (न्त्य) अधस्पदमेव तत्पाप्मानं निर्ऋतिं कुरुतेऽलक्षणा भवन्ति यद्वै नास्ति तदलक्षणमसन्तमेव तत्पाप्मानं निर्ऋतिं

लोको गार्हपत्यः। तस्मिन्नेनं प्राजनयन्। तस्य यः पाप्मा, यः श्लेष्मा, यदुल्बम्, यज्जरायु—तदस्यैताभिरपाघ्नन्। तद्यदस्यैताभिः पाप्मानं निर्ऋतिमपाघ्नन्—तस्मादेता नैर्ऋत्यः ॥ ५ ॥

तथैवैतद्यजमान आत्मानमुखायां योनौ रेतोभूतं सिञ्चति। योनिर्वाऽउखा। तस्माऽएतां संवत्सरे प्रतिष्ठां संस्करोति—इममेव लोकम्। अयं वै लोको गार्हपत्यः। तस्मिन्नेनं प्रजनयति। तस्य यः पाप्मा, यः श्लेष्मा, यदुल्बम्, यज्जरायु—तदस्यैताभिरपहन्ति। तद्यदस्यैताभिः पाप्मानं निर्ऋतिमपहन्ति—तस्मादेता नैर्ऋत्यः ॥ ६ ॥

पादमात्र्यो भवन्ति। अधस्पदमेव तत्पाप्मानं निर्ऋतिं कुरुते। अलक्षणा भवन्ति। यद्वै नास्ति—

'एता नैर्ऋतीः' इष्टकाः 'हरन्ति,' तदुच्यत इति शेषः। आख्यायिकया तम् प्रतिपादयति—प्रजापतिं विस्रस्तमिति। यदा खलु 'देवाः' 'विस्रस्तं' विश्लिष्टावयवं 'प्रजापतिम्' 'समस्कुर्वन्' पुनरजयन्, तदा 'तम्' प्रजापतिम्, उखालक्षणायां 'योनौ' उख्याग्निरूपेण 'रेतोभूतम्' 'असिञ्चन्'। योनिर्वा उखेति। उख्याग्नेस्तत उत्पत्तेः। तस्मा एतामिति। 'तस्मै' प्रजापतये 'संवत्सरे' उख्याग्निधारणेन नीते सति 'एतां प्रतिष्ठां' प्रतितिष्ठत्यनेनेति पादद्वयं प्रतिष्ठा; भूलोकात्मकं पादद्वयमजनयन्नित्यर्थः। ननु संवत्सरे अतिक्रान्ते गार्हपत्य एव चीयते, न भूलोकस्योत्पत्तिरित्याशङ्क्य तयोस्तादात्म्यमाह—अयं वै लोक इति। तस्मिन्नेनमिति। 'तस्मिन्' भूलोकात्मके गार्हपत्ये 'एनं' प्रतिष्ठारूपं प्रजापत्यवयवं 'प्राजनयन्' उदपादयन्। 'तस्य' प्रजायमानस्य 'यः पाप्मा' शरीरे लिप्तः, 'यः श्लेष्मा,' 'यत्' च 'उल्बं' गर्भवेष्टनम्, 'यत्' च जराय्वाख्यं गर्भस्य बाह्यवेष्टनम्, 'तत्' सर्वं पापरूपम् 'अस्य' प्रजापतेः 'एताभिः' इष्टकाभिः 'अपाघ्नन्' अपहतवन्तः। अत्रापि पूर्ववन्नामनिर्वचनं करोति—तद्यदस्येति ॥ ५ ॥

इतिहाससिद्धमर्थं दृष्टान्तीकृत्य दार्ष्टान्तिके योजयति—तथैवैतादिति। यथा प्रजापतिमुदीरितरीत्या देवाः समस्कुर्वन्, तथैवेदानीं यजमानोऽपि प्रजापतिरूपमात्मानम् उखायामित्यादि पूर्ववद्योज्यम् ॥ ६ ॥

इत्थं पापरूपस्य तमसः, गर्भसम्बन्धिश्लेष्मोल्वादिरूपस्य च पाप्मनो निर्हरणहेतुत्वेन नैर्ऋतीरिष्टकाः प्रशस्य तासां लक्षणमाह—पादमात्र्य इति। विंशत्यधिकशतांगुलिपरिमितः पुरुषः; तस्य दशमोंऽशः पादः, स प्रमाण

कुरुते तुषपक्वा भवन्ति नैर्ऋता वै तुषा नैर्ऋतैरेव तन्नैर्ऋतं कुर्म करोति कृष्णा भवन्ति कृष्णॅं हि तत्तम ऽआसीदुथो कृष्णा वै निर्ऋतिः ॥ ७ ॥

(स्ता) ताभिरेतां दिशं यन्ति । (न्त्ये) एषा वै नैर्ऋती दिङ्क् नैर्ऋत्यामेव तद्दिशि निर्ऋतिं दधाति स यत्र स्वकृतं वेरिणॅं श्वभ्रप्रदरो वा स्यात्तदेना ऽउपदध्याद्यत्र वाऽअस्याऽअवदीर्यते यत्र वाऽस्याऽओषधयो न जायन्ते निर्ऋतिर्हास्यै तद्गृह्णाति नैर्ऋतऽएव तद्भूमेर्निर्ऋतिं दधाति ताः पराचीर्लोकभाजः कृत्वोपदधाति ॥ ८ ॥

तदलक्षणम् । असन्तमेव तत् पाप्मानं निर्ऋतिं कुरुते । तुषपक्वा भवन्ति । नैर्ऋता वै तुषाः । नैर्ऋतैरेव तन्नैर्ऋतं कर्म करोति । कृष्णा भवन्ति । कृष्णं हि तत्तम आसीत् । अथो कृष्णा वै निर्ऋतिः ॥७॥

ताभिरेतां दिशं यन्ति । एषा वै नैर्ऋती दिक् । नैर्ऋत्यामेव तद्दिशि निर्ऋतिं दधाति । स यत्र स्वकृतं वेरिणम्, श्वभ्रप्रदरो वा स्यात्–तदेना उपदध्यात् । यत्र वाऽअस्याऽअवदीर्यते, यत्र वाऽस्याऽओषधयो न जायन्ते–निर्ऋतिर्हास्यै तद् गृह्णाति । नैर्ऋतऽएव तद्भूमेर्निर्ऋतिं दधाति । ताः पराचीर्लोकभाजः कृत्वोपदधाति ॥ ८ ॥

यासां ताः 'पादमात्र्यः' तदुक्तं कात्यायनेन–"पञ्चारत्निर्दशवितस्तिर्विंशतिशतांगुलः पुरुषः, द्वादशाङ्गुलं पदम्" (का.शु.सू ८२) इति[1] । तत् परिमाणं प्रशंसति–अधस्पदमेवेति । 'एतत्' एतेन नैर्ऋतीनां पादमात्रपरिमाणकरणेन 'अधस्पदं' पादस्याधस्तादेव निर्ऋतिरूपम् 'पाप्मानं' कृतवान् भवतीत्यर्थः । एतेन पादमात्र्य इत्यत्र पादशब्दोऽङ्घ्रिपर्यायः, न तु चतुर्थांशवाचक इति व्याख्यातं भवति । धर्मविशेषं विधत्ते–अलक्षणा भवन्तीति । त्र्यालिखितादिकं लक्षणम्, तद्रहिता भवेयुरित्यर्थः । एतदुपपादयति–यद्वै नास्तीति । 'यत्' खल्वभावप्रतियोगि, 'तत्' निःस्वरूपत्वात् 'अलक्षणं' व्यावर्त्तकचिह्नरहितम्, अतोऽत्रालक्षणकरणेन 'निर्ऋतिं' पाप्मानम् 'असन्तम्' अभावप्रतियोगिनमेव करोति । ननु पाके सतीष्टकान्तरलक्षणवत्त्वमासामवर्जनीयमित्याशङ्क्य, तासां पाकप्रकारमाह–तुषपक्वा भवन्तीति । तुषैः पक्वाः 'तुषपक्वाः' । पचेः कर्मणि क्तः, "पचो वः"–(पा. सू. ८।२।१२) इति निष्ठातकारस्य वत्वम् । तत् प्रशंसति–नैर्ऋता वा इति । दर्शपूर्णमासप्रकरणे "अथ तुषान् प्रहन्त्यपहतꣳ रक्ष इति"–(श. प.१।१।४।२१)इति रक्षःसम्बन्धस्य समाम्नातत्वात् तुषाणां नैर्ऋतत्वम् । तासां कार्ष्ण्यं विधत्ते–कृष्णा भवन्तीति । ताः तिस्र इष्टकाः कृष्णवर्णाः । तत्र कारणमाह–कृष्णं हीति । अपहन्तव्यस्य तमसः कृष्णवर्णत्वात् तदभिमानिन्या निर्ऋतिदेवतायाश्च तादृग्वर्णत्वादित्यर्थः ॥ ७ ॥

तासामुपधानार्थं दिग्विशेषमभिनयेन दर्शयति–ताभिरेतामिति । 'एतां' दक्षिणापरां दिशं 'ताभिः' इष्टकाभिः सह 'यन्ति' गच्छेयुः । 'एषा' खलु 'नैर्ऋती' निर्ऋतिदेवताधिष्ठिता 'दिक्' । तथा सति

१–नैर्ऋतीः कृष्णास्तुषपक्वास्तिस्रोऽलक्षणाः पादमात्रीर्हविष्यासमद्दोमवद्देशे दक्षिणोत्तराः कृत्वा दक्षिणामुखोऽनुपस्पृशन् । का. श्रौ. सू. १७। २२

(त्यु) असुन्वन्तमुयजमानमिच्छेति । यो वै नु सुनोति न युजते तं निर्ऋतिर्ऋच्छति स्तेनुस्येत्यामुन्विहि तुस्करस्येति स्तेनुस्य चेत्यामन्विहि तुस्करस्य चेत्येतदुथो युथा स्तेनस्तुस्करः प्रलायमेत्येवं प्रलायमिहीत्य-न्युमस्मदिच्छ सा तऽइत्येत्युनित्थंविद्वाᳬंसमिच्छेत्येतन्नमो देवि निर्ऋते तुभ्यमस्त्वित्ति नमस्कारेणैवैनामुपहते ॥ ९ ॥

" असुन्वन्तमयजमानमिच्छ "–इति । यो वै न सुनोति, न यजते–तं निर्ऋतिर्ऋच्छति । "स्तेनस्येत्यामन्विहि तस्करस्य"–इति । स्तेनस्य चेत्यामन्विहि तस्करस्य चेत्येतत् । अथो यथा स्तेनस्तस्करः प्रलायमेति–एवं प्रलायामिहीति । "अन्यमस्मदिच्छ सा तऽइत्या"–इति । अनित्थंविद्वांसमिच्छेत्येतत् । " नमो देवि निर्ऋते तुभ्यमस्तु "–(वा० सं० १२ । ६२) इति । नमस्कारेणैवैनामपहते ॥ ९ ॥

स्वकीयदिश्येवैतां ' निर्ऋतिं ' ' दधाति ' स्थापयति । तत्रापि देशविशेषमाह–स यत्रेति । ' सः ' गन्तुः नैर्ऋत्यां दिशि ' यत्र ' यस्मिन् स्थाने ' स्वकृतं ' स्वयमेव सञ्जातम् ' इरिणं ' निस्तृणं, ऊषरस्थानं वा भवति, ' श्वभ्रप्रदरो वा ' श्वभ्राकारेण प्रदीर्णः प्रदेशो भवेत्, ' तत् ' तस्मिन् स्थाने ' एनाः ' नैर्ऋतीः ' उपदध्यात् ' । तादृक्स्थानस्य निर्ऋतिदेवताधिष्ठितत्वमाह–यत्र वा इति । ' यत्र ' खलु 'अस्याः' पृथिव्याः सम्बन्धिनि स्थाने आत्मा ' अवदीर्यते ' भिद्यते, ' यत्र वा ' ऊषरस्थाने ' ओषधयो न जायन्ते ' ' तदेतत् ' स्थानद्वयं निर्ऋतिगृहीतम्; तथा च निर्ऋतिसम्बद्धे स्थाने एव नैर्ऋतीनामुपधानेन निर्ऋतिं स्थापितवान् भवति । धर्मविशेषं विधत्ते–ताः पराचीरिति । पराञ्चनाः स्वस्थानभिमुखा यथा भवन्ति तथा ' लोकभाजः ' स्थान-भाजः ' कृत्वा ' ' ताः ' इष्टका उपदध्यात् । एतच्च पराक्त्वमग्रे प्रतिपादयिष्यते ॥ ८ ॥

तत्र तिसृणामिष्टकानां त्रयो मन्त्राः, तान् क्रमेण प्रदर्शयन् व्याचष्टे–असुन्वन्तमयजमानमित्यादिना । यो वै न सुनोतीति । ' यः ' पुरुषः सोमाभिषवं न करोति, यश्च दर्शपूर्णमासादिभिर्हविर्यज्ञैः ' न यजते ' ' तं ' ' निर्ऋतिः ' पापदेवता ' ऋच्छति ' प्राप्नोति । तस्मान्निर्ऋतिं सम्बोध्य " असुन्वन्तमयजमानमिच्छ "–इति मन्त्रपाठो युक्त इत्यर्थः ॥

स्तेनस्य चेत्यामिति । प्रच्छन्नचोरः स्तेनः, प्रत्यक्षं परेषां धनमपहरति यः स तस्करः; अनयोः परस्पर-विलक्षणत्वात् अविद्यमानमपि ' च '–शब्दमध्याहृत्य योजयति । 'स्तेनस्य तस्करस्य च' या ' इत्या ' गतिः, " सञ्ज्ञायां समजनिषद " इत्यादिना (पा. सू. ३ । ३ । ९९) "इण् गतौ"–(धा. पा. अ. प. ३९) इत्यस्माद् भावे क्यप् । तां गतिं हे निर्ऋते । त्वम् ' अन्विहि ' अनुगच्छ । एतदेव विवृणोति–अथो इति । अपि च यथा स्तेनः तस्करश्च ' प्रलायं ' प्रलीयप्रलीय अदृश्यो भूत्वा ' एति ' गच्छति । ' प्रलायम् ' इति णमुलन्तः (पा. सू. ३ । ४ । २२) । 'एवं' निर्ऋते । त्वमपि 'प्रलानम्' अदर्शनम् 'इहि' गच्छेति मन्त्र-भागस्याभिप्रायः । अनित्थंविद्वांसमिति । ' इत्थम् ' अनेन प्रकारेणोक्तमर्थं यो न वेत्ति सोऽनित्थंविद्वान्

१–असुन्वंतमिति प्रत्यृचं पराची । का. श्रौ. सू. १७ । २४ ।

नमः सु ते निर्ऋते तिग्मतेज ऽइति । तिग्मतेजा वै निर्ऋतिस्तस्या ऽएतन्नमस्करोत्ययस्मयं विचृता बन्धमेतमित्ययस्मयेन ह वै तं बन्धेन निर्ऋतिर्बध्नाति यं बध्नाति यमेन त्वं यम्या संविदानेत्यग्निर्वै यम ऽइयं यम्याभ्याᳪँ हीदᳪँ सर्वं यतमाभ्यां त्वᳪँ संविदानेत्येतदुत्तमे नाके ऽअधिरोहयैनमिति स्वर्गो वै लोको नाकः स्वर्गे लोके यजमानमधिरोहयेत्येतत् ॥ १० ॥

(ख) यस्यास्ते घोर ऽआसञ्जुहोमीति । घोरा वै निर्ऋतिस्तस्या ऽएतदासञ्जुहोति यत्तद्देवत्यं कर्म करोत्येषां बन्धानामवसर्जनायेति

" नमः सु ते निर्ऋते तिग्मतेजः "–इति । तिग्मतेजा वै निर्ऋतिः, तस्याऽएतन्नमस्करोति । " अयस्मयं विचृता बन्धमेतम् "–इति । अयस्मयेन ह वै तं बन्धेन निर्ऋतिर्बध्नाति–यं बध्नाति । " यमेन त्वं यम्या संविदाना "–इति । अग्निर्वै यमः, इयं यमी । आभ्यां हीदं सर्वं यतम् । आभ्यां त्वं संविदानेत्येतत् । " उत्तमे नाकेऽअधिरोहयैनम् "–(वा. सं. १२ । ६३) इति । स्वर्गो वै लोको नाकः । स्वर्गे लोके यजमानमधिरोहयेत्येतत् ॥ १० ॥

"यस्यास्ते घोरऽआसन् जुहोमि"–इति । घोरा वै निर्ऋतिः । तस्या एतदासन् जुहोति–यत्तद्देवत्यं कर्म करोति । " एषां बन्धानामवसर्जनाय "–इति । यैर्बन्धैर्बद्धो भवति । " यां

अत्रान्यशब्देन विवक्षित इत्यर्थः । हे निर्ऋते ! अस्मत्तः अन्यं त्वत्स्वरूपानभिज्ञम् ' इच्छ ' । 'सा' तादृशी अविद्वद्विषयैव खलु ' ते ' तव ' इत्या ' गतिरिति मन्त्रभागस्यार्थः । नमस्कारेणैवेति । " नमो देवि निर्ऋते "–इत्यन्तिमपादे नमस्कारप्रतिपादनात् तेनैव नमस्कारेण ' एनां ' निर्ऋतिम् ' अपहते ' अपबाधते अपसारयतीत्यर्थः ॥ ९ ॥

नमः सु ते इति । द्वितीयो मन्त्रः । तत्र तिग्मतेज इति विशेषणस्य प्रसिद्धिमाह–तिग्मतेजा वा इति । तिग्मं तीक्ष्णं तेजो यस्याः सा तिग्मतेजाः, हे तिग्मतेजो निर्ऋते ! 'ते' तुभ्यं नमोऽस्त्विति तस्यार्थः । द्वितीयपादमनूद्य व्याचष्टे–अयस्मयमिति । अयसा लोहेन निर्मितो बन्धोऽयस्मयः । विकारार्थे मयट् (पा. सू. ४ । ३ । १४३) तादृशेन खलु बन्धेन ' निर्ऋतिस्तं बध्नाति ' ' यं ' बन्धनीयं मन्यते । हे निर्ऋते ! 'अयस्मयमेतं बन्धं विचृत ' विमुञ्चेति प्रार्थना युक्ता । यम-यमीशब्दयोर्विवक्षितमर्थमाह–अग्निर्वै यम इति । अन्तःप्रविष्टः सन् कृत्स्नजगन्नियमनाद् ' अग्निर्यमः; ' तदधिष्ठितत्वात् ' इयं ' पृथिव्येव ' यमी; ' इयमपि हि आश्रितं सर्वं जगन्नियच्छति । तथा ' आभ्यां ' यमेनाग्निना, यम्या पृथिव्या च संविदाना सञ्जानाना ' त्वम् ' इति तृतीयभागस्यार्थः । चतुर्थं पादमनूद्य व्याचष्टे–उत्तमे नाक इति । कं सुखम्, न कम् अकं दुःखम्, तदस्मिन् नास्तीति ' नाकः ' स्वर्गाख्यो लोकः । उक्तं हि–" यन्न दुःखेन सम्भिन्नं न च ग्रस्तमनन्तरम् । अभिलाषोपनीतं च तत्सुखं स्वःपदास्पदम् ॥ "–इति । सिद्धमन्यत् ॥ १० ॥

यस्यास्त इति । तृतीयो मन्त्रः । तत्र प्रथमपादस्य तात्पर्यमाह–घोरा वा इति । ' निर्ऋतिः ' पापदेवतात्वात् पापस्य च दुःखहेतुत्वात् ' घोरा ' तीव्रा दुःसहा । तथा च ' तद्देवत्यमेतत् कर्म करोति ' इति यत्,

यैर्बन्धैर्बद्धो भवति यां त्वा जनो भूमिरिति प्रमन्दतऽइतीयं वै भूमिरस्यां वै स भवति यो भवति निर्ऋतिं त्वाऽहं परिवेद विश्वत ऽइति निर्ऋतिरिति त्वाऽहं परिवेद सर्वतऽ इत्येतदियं वै निर्ऋतिरियं वै तं निरर्पयति यो निर्ऋच्छति तद्यथा वै ब्रूयादसावामुष्यायणोऽसि वेद त्वा मा मा हिंसी-रित्येवमेतदाह नतराᳬं हि विदित ऽआमन्त्रितो हिनस्ति ॥ ११ ॥

त्वा जनो भूमिरिति प्रमन्दते"–इति। इयं वै भूमिः। अस्यां वै स भवति–यो भवति। "निर्ऋतिं त्वाऽहं परिवेद विश्वतः "–(वा. सं. १२।६४)–इति । निर्ऋतिरिति त्वाऽहं परिवेद सर्वत इत्येतद्। इयं वै निर्ऋतिः। इयं वै तं निरर्पयति–यो निर्ऋच्छति। तद् यथा वै ब्रूयाद्–असावामुष्यायणोऽसि, वेद त्वा, मा मा हिंसीः–इति–एवमेतदाह । नतरां हि विदित आमन्त्रितो हिनस्ति ॥ ११ ॥

'एतत्' एतेन 'तस्याः' निर्ऋतेः 'आसन्' आस्ये 'जुहोति' प्रक्षिपति । एवञ्च प्रथमपादस्यायमर्थः–हे घोरे निर्ऋते! यस्याः तव आस्ये जुहोमि, तां त्वामित्युपरि सम्बन्धः ॥

द्वितीयपादमनूद्य एषामिति इदंशब्दनिर्देश्यमाह–यैर्बन्धैरिति । शिक्यपाशरुक्मसूत्रादिभिर्यैः 'बन्धैः' दुःखहेतुभिः 'बद्धो भवति' यजमानः, 'एषां बन्धानां' निर्ऋतिबन्धहेतुभूतानां पापानाम् 'अवसर्जनाय' विश्लेषणाय जुहोमीति सम्बन्धः ॥

तृतीयपादमनूद्य, तत्र भूमिरिति विशेषणस्य तात्पर्यमाह–यां त्वेति । हे निर्ऋते ! 'जनः' लोकः 'यां त्वा' 'भूमिः' भवनहेतुः समृद्धिहेतुर्वा 'इति' प्रमन्दते स्तौतीति तस्य पादस्यार्थः। इयं वा इत्यादि । 'इयं' खलु पृथिवी निर्ऋतिरूपा 'भूः' भवनहेतुः । कुत एतदित्याह–अस्यां वा इति। 'यो भवति' उत्पद्यते, समृध्यते वा, 'सः' 'अस्यां' पृथिव्यामाधारभूतायां खलु 'भवति' । तस्माद् भवनाधिकरणत्वात् भूमिरिति नाम्ना त्वं स्तूयस इत्यर्थः ॥

जनवादमुपन्यस्य, स्वस्य विशेषज्ञतां चतुर्थपादेनाह–निर्ऋतिं त्वेति। अत्र विश्वशब्दः सर्वशब्दपर्याय एव, न तु जगद्वाचीत्यभिप्रेत्य व्याचष्टे–निर्ऋतिरितीति। अयमर्थः–तृतीयपादे भूमिशब्दादुत्तरत्वेन पठितः 'इति'–शब्दोऽत्रानुषज्यते। 'अहं' पुनः त्वा 'त्वां' 'निर्ऋतिः' सर्वतो निरर्पणहेतुः आर्तिकारणम् (अम. को. १।९।२), 'इति' 'परिवेद' परितो जानामि । एवं निर्ऋतिं त्वेति द्वितीयान्तं निर्ऋतिपदमिति-शब्दानुषञ्जनेन व्याख्यायैतदुपपादयति–इयं वा इति। यो निःशेषेण 'ऋच्छति' आर्तिं प्राप्नोति, 'तं' पुरुषम् 'इयम्' एव देवता 'निरर्पयति' निर्ऋतं प्रयुङ्क्ते । निरुपपदात् ऋच्छतेः प्रयोजकव्यापारे णिचि (पा. सू. ३।१।२६) "अर्तिह्री "–(पा. सू. ७।३।३६) इत्यादिना पुक्। अतो निरर्पणादियमेव पृथिवी निर्ऋतिरित्युच्यते। अतो भवत्याः स्वरूपं सम्यगहं जानामीत्यर्थः ॥

एतज्ज्ञानस्य सदृष्टान्तं प्रयोजनमाह–तद्यथेति। 'तत्' तत्र अरण्यादौ चोरादिष्वागतेषु, असौ त्वमेतन्नामाऽसि, अमुष्य यज्ञदत्तस्य पुत्रोऽसि, अतस्त्वामहं जानामि, 'मा' मां 'मा हिंसीः' मा वधिष्ठाः 'इति' आगतं प्रति यथोच्यते, एवमेव खल्वेतत् "निर्ऋतिं त्वाऽहम्" इत्यादिना निर्ऋतेः स्वरूपप्रतिपादनम्। नामग्रहणस्य फल-

नोपस्पृशति । पाप्मा वै निर्ऋतिर्नेत्पाप्मना सᳫँस्पृशाऽइति न सादयति प्रतिष्ठा वै सादनं नेत्पाप्मानं प्रतिष्ठापयानीति न सूददोहसाऽधिवदति प्राणो वै सूददोहा नेत्पाप्मानं प्राणेन संतनवानि संदधानीति ॥ १२ ॥

ता हैके परस्तादर्वाचीरुपदधति । पाप्मा वै निर्ऋतिर्नेत्पाप्मानं निर्ऋतिमन्ववायामेति न तथा कुर्यात्पराचीरेवोपदध्यात्पराञ्चमेव तत्पाप्मानं निर्ऋतिमुपहते ॥ १३ ॥

तिस्र ऽइष्टका ऽउपदधाति । त्रिवृदग्निर्यावानग्निर्यावत्यस्य मात्रा तावतैव तत्पाप्मानं निर्ऋतिमुपहते ॥ १४ ॥

नोपस्पृशति । पाप्मा वै निर्ऋतिः । नेत् पाप्मना संस्पृशाऽइति । न सादयति । प्रतिष्ठा वै सादनम् । नेत्पाप्मानं प्रतिष्ठापयानीति । न सूददोहसाऽधिवदति । प्राणो वै सूददोहाः । नेत्पाप्मानं प्राणेन सन्तनवानि, सन्दधानीति ॥ १२ ॥

ता हैके परस्तादर्वाचीरुपदधाति । पाप्मा वै निर्ऋतिः । नेत्पाप्मानं निर्ऋतिमन्ववायामेति । न तथा कुर्यात् । पराचीरेवोपदध्यात् । पराञ्चमेव तत् पाप्मानं निर्ऋतिमपहते ॥ १३ ॥

तिस्र इष्टका उपदधाति । त्रिवृदग्निः । यावानग्निर्यावत्यस्य मात्रा-तावतैव तत्पाप्मानं निर्ऋतिमपहते ॥ १४ ॥

माह—नतरामिति । 'विदितः' ज्ञातो नामगोत्रादिना, 'आमन्त्रितः' आहूतः, चोरादिः आत्मीयत्वेनाह्वातारं पुरुषं 'नतराम्' अतिशयेन नैव 'हिनस्ति' बाधते; एवमेव निर्ऋतिनामग्रहणादेनं यजमानं निर्ऋतिर्न बाधत इत्यर्थः ॥ ११ ॥

उपस्पर्शनसादनसूददोहसामिष्टकान्तरवदासु प्रसक्तानां निषेधं करोति—नोपस्पृशतीत्यादिना । उपहिताया इष्टकायाः प्रथममुपस्पर्शनं कर्त्तव्यम्, पश्चात् "तया देवतया" (वा. सं. १२।५३) इति सादनम्, ततः "ता अस्य" इति मन्त्रेण सूददोहसाऽधिवदनम् (वा. सं. १२ । ५५) तदेतत् त्रितयमत्र न कर्त्तव्यम् । पापसंसर्गो मा भूदित्यभिप्रायः । सन्तनवानीत्यस्य विवरणं 'सन्दधानि' इति । अन्यत्स्पष्टं सिद्धम् ॥ १२ ॥

तासामुपधाने प्रकारद्वयमाह—ता हैके इत्यादिना । एके शाखिनः 'ताः' नैर्ऋतीरिष्टकाः 'परस्ताद्' विप्रकृष्टदेशादारभ्य 'अर्वाचीः' आत्माभिमुखमुत्तरोत्तरमात्माभिमुखीः 'उपदधति' । तेषामभिप्रायमाह—पाप्मा वा इति । समीपदेशादारभ्योत्तरोत्तरं विप्रकर्षेणोपधाने हि पूर्वोपहितामिष्टकामतिक्रम्य गमनात् पापसंसर्गः स्यात्, तादृशीं 'निर्ऋतिम्' 'नेत् अन्ववायाम' नैव प्राप्नवाम 'इति' अनेनाभिप्रायेणेत्यर्थः ॥

द्वितीयं पक्षं विधातुमेतन्निषेधति—न तथेति । तं पक्षमाह—पराचीरेवेति (का. श्रौ. सू. १७ । २४) । ताः 'पराचीः' उत्तरोत्तरं विप्रकृष्टाः एवोपदध्यात् । तथा च निर्ऋतिरूपं 'पाप्मानं' 'पराञ्चम्' आत्मानभिमुखं विप्रकृष्टम् 'एव' प्रेरयित्वा 'अपहते' हिनस्ति ॥ १३ ॥

तासां नैर्ऋतीनां सङ्ख्यामनूद्य स्तौति—तिस्र इति (का. श्रौ. सू. १७ । २३) । त्रिवृदग्निरिति । असकृदुक्तार्थम् ॥ १४ ॥

१—अभ्यात्ममेके—नियमाभावः । का० श्रौ० सू० १७ । २५–२६ ॥

(तुऽथा) अथासन्दीᳪं शिक्यम् । (५ँ) रुक्मपाशमिण्ड्वे तत्पराद्धें न्यस्यति नैर्ऋतो वै पाशो निर्ऋतिपाशादेव तत्प्रमुच्यते यं ते देवी निर्ऋतिराबबन्ध पाशं ग्रीवास्वविचृत्यमित्यनेवंविदुषा ह्यविचृत्यस्तं ते विष्याम्यायुषो न मध्यादित्यग्निर्वाऽआयुस्तस्यैतन्मध्यं यच्चितो गार्हपत्यो भवत्यचित ऽआहवनीयस्तस्माद्यदि युवाऽग्निं चिनुते यदि स्थविर ऽआयुषो न मध्यादित्येवाहाथैतं पितुमद्धि प्रसूत ऽइत्यन्नं वै पितुरथैतदन्नमद्धि प्रमुक्तऽ इत्येतत्त्रिष्टुब्भिर्वज्रो वै त्रिष्टुब्वज्रेणैव तत्पाप्मानं निर्ऋतिमपहते ॥ १९ ॥

अथासन्दीम्, शिक्यम्, रुक्मपाशम्, इण्ड्वे–तत्पराधें न्यस्यति । नैर्ऋतो वै पाशः । निर्ऋतिपाशादेव तत् प्रमुच्यते । " यं ते देवी निर्ऋतिराबबन्ध पाशं ग्रीवास्वविचृत्यम् "-इति । अनेवंविदुषा ह्यविचृत्यः । " तं ते विष्याम्यायुषो न मध्यात् "–इति । अग्निर्वाऽआयुः । तस्यैतन्मध्यं–यच्चितो गार्हपत्यो भवति–अचित आहवनीयः । तस्माद् यदि युवाऽग्निं चिनुते, यदि स्थविरः–आयुषो न मध्यादित्येवाह । "अथैतं पितुमद्धि प्रसूतः "–इति । अन्नं वै पितुः; अथैतदन्नमद्धि प्रमुक्त इत्येतत् । त्रिष्टुब्भिः । वज्रो वै त्रिष्टुप् । वज्रेणैव तत् पाप्मानं निर्ऋतिमपहते ॥ १९ ॥

आसन्द्यादीनां तत्र प्रासनं विधत्ते–अथेति । ' अथ ' समिदाधानानन्तरम्, या उख्याग्निधारणार्था ' आसन्दी, ' यच्च मरणसमये उख्यधारणार्थं ' शिक्यम्, ' यश्च सौवर्णस्य रुक्मस्य प्रतिमोचनार्थं ' पाशः ' सूत्रम्, ये च ' इण्ड्वे ' अग्निसहिताया उखाया उभयतो धारणाय तृणमयौ पिण्डौ । ' तत् ' सर्वं नैर्ऋतीनां ' परार्द्धे ' पश्चाद्भागे ' न्यस्यति ' क्षिपेत् । " यन्ते देवी " इति तस्य मन्त्रः । तथा च कात्यायनः– 'नैर्ऋतीः कृष्णास्तुषपक्वास्तिस्रोऽलक्षणाः पादमात्रीर्हविष्यासन्नहोमवद्देशे दक्षिणोत्तराः कृत्वा दक्षिणामुखोऽनुपरपृशन्नं सुन्वन्तमिति प्रत्यृचं पराचीरम्यात्ममेके, नित्याभावः, शिक्यरुक्मपाशेण्ड्वासन्दीः परेणास्यति यन्त इति "–(का. श्रौ. सू. (१७ । २३–२७) इति । आसन्द्यादीनामुख्याग्निना ततत्वात् प्रासनीयत्वं स्पष्टमित्यभिप्रेत्य रुक्मपाशस्य प्रासनीयत्वमुपपादयति–नैर्ऋतो वा इति । निगदसिद्धोऽर्थः ॥

मन्त्रस्य पूर्वार्द्धे ' अविचृत्यम् ' इति पदस्याभिप्रायमाह–अनेवंविदुषा हेति । उक्तार्थज्ञानरहितः ' अनेवं विद्वान् ' ; तेन ' अविचृत्यः ' । "चृती हिंसाग्रन्थनयोः" (धा. पा. तु. प. ४४ ।) चर्त्तितुं विश्लेषयितुं शक्यो न । अयमर्थः–हे यजमान ! ' ते ' तव ' ग्रीवासु ' ' अविचृत्यं ' विमोक्तुमशक्यं 'यं' ' पाशं ' ' निर्ऋतिः ' देवता ' आबबन्ध ' आबद्धवती ' तं ते विष्यामि ' इत्युत्तरत्र सम्बन्धः । तत्रत्यस्यायुःशब्दस्य विवक्षितमर्थमाह–अग्निर्वा आयुरिति । आयुषो दातृत्वादग्निरेवात्रायुःशब्देनोच्यते । तस्यैतन्मध्यमित्यादि । ' तस्य ' चीयमानस्यायुःशब्दाभिधेयस्याग्नेः ' एतत् ' ' मध्यं ' मध्यशरीरं ' यद् ' गार्हपत्यचयनादूर्ध्वमाहवनीयचय-

तिस्रऽइष्टका भवन्ति । (न्त्या) आसन्दी शिक्यꣳ रुक्मपाशऽइण्ड्वे तदष्टावष्टाक्षरा गायत्री गायत्रोऽग्निर्यावानग्निर्यावत्यस्य मात्रा तावतैव तत्पाप्मानं निर्ऋतिमपहते ॥ १६ ॥

(तेऽथा) अथान्तरेणोदचमसं निनयति । वज्रो वाऽआपो वज्रेणैव तत्पाप्मानं निर्ऋतिमन्तर्धत्ते नमो भूत्यै येदं चकारेत्युपोत्तिष्ठन्ति भूत्यै वाऽएतदग्रे देवाः कर्माकुर्वत तस्याऽएतन्नमोऽकुर्वन्भूत्याऽउऽएवायमेतत्कर्म कुरुते तस्याऽएतन्नमस्करोत्यप्रतीक्षमायन्त्यप्रतीक्षमेव तत्पाप्मानं निर्ऋतिं जहति ॥ १७ ॥

तिस्र इष्टका भवन्ति । आसन्दी, शिक्यम्, रुक्मपाशः, इण्ड्वे—तदष्टौ । अष्टाक्षरा गायत्री । गायत्रोऽग्निः । यावानग्निर्यावत्यस्य मात्रा—तावतैव तत् पाप्मानं निर्ऋतिमपहते ॥ १६ ॥

अथान्तरेणोदचमसं निनयति । वज्रो वाऽआपः । वज्रेणैव तत् पाप्मानं निर्ऋतिमन्तर्धत्ते । "नमो भूत्यै येदं चकार"—(वा. सं. १२ । ६५) इत्युपोत्तिष्ठन्ति । भूत्यै वाऽएतदग्रे देवाः कर्माकुर्वत । तस्याऽएतन्नमोऽकुर्वन् । भूत्याऽउ एवायमेतत्कर्म कुरुते । तस्याऽएतन्नमस्करोति । अप्रतीक्षमायन्ति । अप्रतीक्षमेव तत् पाप्मानं निर्ऋतिं जहति ॥ १७ ॥

नात् प्राचीनं कर्म; तदत्र मन्त्रगतेन मध्यशब्देनोच्यत इत्यर्थः । फलितमाह—तस्मादिति । 'तस्मात्' आयुः-शब्दस्य चीयमानाग्निपरत्वात् यूनः स्थविरस्य च यजमानस्य प्रयोगे "आयुषो मध्यात्"—इति मन्त्रभागस्य पाठो न विरुध्यते; यदि ह्यायुःशब्देन यजमानस्य जीवनकालो विवक्षितः स्यात्, तदा यूनः प्रयोगे आयुष आदेरिति विपरिणमयितव्यम; स्थविरस्य प्रयोगे तु आयुषोऽन्तादिति । 'मध्यादित्येवाह' इत्येवकारेणेदम्विध-परिणामो व्यावर्त्यते । तथा च तृतीयपादस्यायमर्थः—हे यजमान ! 'ते' तव ग्रीवास्वाबद्धं तं शिक्यपाशं रुक्मपाशं च 'विष्यामि' । "स्यतिरुपसृष्टो विमोचने"—(नि० १ । ६ । १ ।) इति यास्कः । तथा च विमुञ्चामीत्यर्थः । 'आयुषः' चीयमानस्याग्नेः मध्यात् गार्हपत्यचयनादूर्ध्वभाविनः कर्मकलापात् न विमुञ्चामीति । चतुर्थपादमनूद्य व्याचष्टे—अथैतमिति । पितुशब्दोऽन्नवाची । 'अथ' पाशविमोचनानन्तरम्, 'एतं पितुम्' अग्निचयनफलभूतमन्नं 'प्रसूतः' निर्ऋतिदेवतयाऽनुज्ञातः सन् हे यजमान ! त्वम् 'अद्धि' अशाने-त्यर्थः । प्रमुक्त इत्येतादिति । 'प्रसूत' इति मन्त्रपदेन प्रमोचनं विवक्षितमिति भावः ॥

मन्त्रगतं छन्दः प्रशंसति—त्रिष्टुब्भिरिति । वज्रो वै त्रिष्टुबिति । त्रिष्टुभ इन्द्रेण सहोत्पन्नत्वाद् (तै. सं. ७ । १ । १ । ४) वज्रस्य च तदायुधत्वात् त्रिष्टुभस्तत्तादात्म्यम् ॥ १५ ॥

इष्टकादीन् सम्भूय, अनूद्य, संख्याद्वारेण प्रशंसति—तिस्र इति ॥ १६ ॥

उदकस्य निनयनं विधत्ते—अथान्तरेणेति । 'अथ' आसन्द्यादीनां प्रासनानन्तरम्, 'अन्तरेण' स्वात्मन इष्टकानाञ्च मध्ये उदकपूर्णं चमसं 'निनयति' निषिञ्चति (का. श्रौ. सू. १७ । २८) । तदेतत् प्रशंसति—

प्रत्येत्याग्निमुपतिष्ठते । (त८) एतद्वाऽएतदयथायथं करोति यदग्नौ सामिचितऽएतां दिशमेति तस्माऽएवैतन्निह्नुतेऽहिंसायै ॥ १८ ॥

यद्वेवोपतिष्ठते । (तेऽयं) अयं वै लोको गार्हपत्यः प्रतिष्ठा वै गार्हपत्यऽइयमु वै प्रतिष्ठाऽथैतदुपथमिवैति यदेतां दिशमेति तद्यदुपतिष्ठतऽइमामेवैतत्प्रतिष्ठामभिप्रत्यैत्यस्यामेवैतत्प्रतिष्ठायां प्रतितिष्ठति ॥ १९ ॥

प्रत्येत्याग्निमुपतिष्ठते । एतद्वाऽएतदयथायथं करोति—यदग्नौ सामिचितऽएतां दिशमेति । तस्माऽएवैतन्निह्नुते—अहिंसायै ॥ १८ ॥

यद्वेवोपतिष्ठते । अयं वै लोको गार्हपत्यः । प्रतिष्ठा वै गार्हपत्यः । इयमु वै प्रतिष्ठा । अथैतदपथमिवैति । यदेतां दिशमेति । तद्यदुपतिष्ठते—इमामेवैतत्प्रतिष्ठामभिप्रत्यैति । अस्यामेवैतत्प्रतिष्ठायां प्रतितिष्ठति ॥ १९ ॥

वज्रो वा इति । नैर्ऋत्यो हि ता इष्टकाः, तासामात्मनश्च मध्ये वज्रसंस्तुतानामपां निनयनेन पापरूपां 'निर्ऋतिम्' 'अन्तर्द्धत्ते' व्यवदधाति, तत्संसर्गपरिहारायेत्यर्थः ॥

निषेचनानन्तरमुपोत्थानं समन्त्रकं विधत्ते—नमो भूत्या इति । 'या' भूतिलक्षणा देवता 'इदं' नैर्ऋतेष्टकोपधानरूपं कर्म 'चकार' कृतवती । तस्यै 'भूत्यै' श्रियै नमोऽस्त्विति मन्त्रार्थः । तत्रोदकनिनयनपूर्वकमुपोत्थानं कात्यायनः सूत्रितवान्—"उदपात्रं निषिच्यान्तरात्मेष्टकमुत्तिष्ठन्ति नमो भूत्या इति"—(का. श्रौ. सू. १७ । २८) इति ॥

पुरावृत्तन्यायेन भूत्यर्थतां कर्मणः प्रदर्शयन् तन्नमस्कारपरतां मन्त्रस्य व्याचष्टे—भूत्यै वा इति । 'भूत्यै' भवनाय ऐश्वर्याय खलु 'एतत् कर्म' 'देवाः' 'अग्रे' प्राक् 'अकुर्वत' कृतवन्तः । 'तस्यै' एव भूत्यै 'एतन्नमः' 'अकुर्वन्,' तद्वदेव 'अयं' यजमानोऽपि भूत्यर्थमेव 'एतत्' कर्म कुरुते, 'तस्यै एतन्नमस्करोति' इति ॥

उपोत्थानानन्तरं शालां प्रत्यागमनं धर्मविशिष्टं विधाय स्तौति—अप्रतीक्षमायन्तीति । प्रतिनिवृत्य नैर्ऋतस्थानस्येक्षणमकृत्वा 'आयन्ति' शालामागच्छन्ति, 'तत्' तेनाप्रतीक्षणेन निर्ऋतिरूपं 'पाप्मानम्' 'अप्रतीक्षमेव' प्रतीक्षणमकृत्वैव 'जहति' त्यजन्ति । "ओहाक् त्यागे"—इति (धा. पा. जु. प. ८)॥ १७॥

गार्हपत्योपस्थानं विधत्ते—प्रत्येत्येति । 'प्रत्येत्य' नैर्ऋतस्थानात् प्रतिनिवृत्य, गार्हपत्यम् 'अग्निमुपतिष्ठते' । तदुक्तं सूत्रकृता—"अनपेक्षमेत्य शालाद्वार्योपस्थानं निवेशन इति"—(का. श्रौ. सू. १७ । २९) इति । उपस्थानस्य प्रयोजनमाह—एतद्वा इति । 'एतत् वा' एतस्मिन् समये खलु 'एतदयथायथम्' अयथास्वमन्याय्यं करोति । किं पुनरेतदिति, तदाह—यदग्नाविति । 'अग्नौ' गार्हपत्यचितिरूपे शालाद्वार्ये, 'सामिचिते' अर्द्धचिते 'एतां दिशं' नैर्ऋतीम् 'एति' गच्छति । 'अहिंसायै' हिंसापरिहाराय 'तस्मै' गार्हपत्यचितिरूपायाग्नये 'एतत्' निह्नुते एव अयथायथकरणजनितमपराधं शमयत्येव ॥ १८ ॥

प्रकारान्तरेणाप्युपस्थानस्य कर्त्तव्यतामाह—यद्वेवेति । अयं वा इति । 'गार्हपत्यः' पृथिवीलोकात्मकः

निवेशनः संगमनो व्वसूनामिति । निवेशनो ह्ययं लोकः संगमनो व्वसूनां व्विश्वा रूपाऽभिचष्टे शचीभिरिति सर्वाणि रूपाण्यभिचष्टे शचीभिरित्येतद्देवऽइव सविता सत्यधर्मेन्द्रो न तस्थौ समरे पथीनामिति यथैव यजुस्तथा बन्धुः ॥ २० ॥

इति प्रथमप्रपाठके तृतीयं ब्राह्मणम् ॥ ७।१।३ ॥ (२–१) ॥

अथ प्रायणीयं निर्वपति । तस्य हविष्कृता व्वाचं व्विसृजते व्वाचं व्विसृज्य स्तम्बयजुर्हरति स्तम्बयजुर्हृत्वा पूर्वेण परिग्रहेण परिगृह्य लिखित्वाऽऽह हर त्रिरिति हरति त्रिराग्नीध्रः ॥ १ ॥

" निवेशनः सङ्गमनो वसूनाम् "–इति । निवेशनो ह्ययं लोकः सङ्गमनो वसूनाम् । " विश्वा रूपाऽभिचष्टे शचीभिः "–इति । सर्वाणि रूपाण्यभिचष्टे शचीभिरित्येतद् । " देव इव सविता सत्यधर्मेन्द्रो न तस्थौ समरे पथीनाम् "–(वा. सं. १२ ।६६) इति । यथैव यजुस्तथा बन्धुः ॥ २० ॥

अथ प्रायणीयं निर्वपति । तस्य हविष्कृता वाचं विसृजते । वाचं विसृज्य स्तम्बयजुर्हरति । स्तम्बयजुर्हृत्वा पूर्वेण परिग्रहेण परिगृह्य लिखित्वाऽऽह–'हर त्रिः' इति । हरति त्रिराग्नीध्रः ॥ १ ॥

खलु प्रतिष्ठात्मकश्च सः । 'इयम् उ वै' पृथिव्यपि खलु 'प्रतिष्ठा' आस्पदम् । 'अथैतत्' इदानीम् 'अपथमिवैति' अमार्गेणैव प्रतिपद्यते, 'यदेतां' नैर्ऋतीं 'दिशम्' 'एति' गच्छति । उपस्थानस्य प्रतिष्ठितिहेतुतां प्रतिपादयति–तद्यदिति । 'एतत्' एतेनोपस्थानेन 'इमां' प्रतिष्ठारूपां पृथिवीमेव 'अभिप्रत्यैति' साम्मुख्येन प्रतिपन्नो भवति 'प्रतिष्ठायाम्' अस्यां 'प्रतितिष्ठति' च चिरं स्थितिं लभत इत्यर्थः ॥ १९ ॥

विहिते शालाद्वार्योपस्थाने मन्त्रमनूद्य व्याचष्टे–निवेशन इति । निविशन्ते वसूनि अस्मिन्निति 'निवेशनः' । सङ्गच्छन्ते धनान्यस्मिन्निति 'सङ्गमनः' । आधाराधेययोरभेदोपचारेणाग्नेः पृथिवीलोकत्वमित्यभिप्रेत्याह–निवेशनो ह्ययं लोक इति । विश्वशब्दस्य सर्वशब्दाभिधायकत्वं व्याचष्टे–सर्वाणीति । उत्तरार्द्धं तु निगदव्याख्यातमित्याह–यथैव यजुरिति ॥

मन्त्रार्थस्तु–योऽयमग्निः 'वसूनां' धनानां 'निवेशनः' एकाश्रयः 'सङ्गमनः' सङ्गत्याधारश्च, 'विश्वा रूपा' सर्वाणि रूपाणि आहवनीयदक्षिणाग्न्यतिप्रणीताग्नीद्ध्रधिष्ण्यप्रभृतीनि 'शचीभिः' कर्मभिः 'अभिचष्टे' अभिपश्यति । कथं पश्यतीत्यपेक्षायामाह–' सत्यधर्मा' अवितथधर्मकारी 'सविता' 'देव इव' स यथा सर्वमभिपश्यति, तथेत्यर्थः । यः 'इन्द्रो न' इन्द्र इव 'पथीनां समरे' परिपन्थिभिः सह सङ्ग्रामे 'तस्थौ' स्थितवान् । नकारोऽत्रोपमार्थीयः; " उपमार्थीय उपरिष्टादुपचारस्तस्य येनोपमिमीते" (नि. १।२।१) इति हि यास्कः ॥ २० ॥

इति श्रीसायणाचार्यविरचिते माधवीये वेदार्थप्रकाशे माध्यन्दिनीयशतपथब्राह्मणभाष्ये सप्तमकाण्डे द्वितीयेऽध्याये प्रथमं ब्राह्मणम् ॥ (७–२–१) ॥

अथ शालाद्वार्योपस्थानमभिधाय प्रायणीयेष्टिं विधत्ते–अथ प्रायणीयमिति । शालाद्वार्योपस्थानानन्तर्यम्

प्रत्येत्य प्रायणीयेन प्रचरति । प्रायणीयेन प्रचर्य सीरं युनक्त्येतद्वाऽएनं देवाः संस्करिष्यन्तः पुरस्तादन्नेन समार्धयंस्तथैवैनमयमेतत्संस्करिष्यन्पुरस्तादन्नेन समर्धयति सीरं भवति सेरꣳ हैतद्यत्सीरमिरामेवास्मिन्नेतद्दधाति ॥ २ ॥

प्रत्येत्य प्रायणीयेन प्रचरति । प्रायणीयेन प्रचर्य सीरं युनक्ति । एतद्वाऽएनं देवाः संस्करिष्यन्तः पुरस्तादन्नेन समार्धयन् । तथैवैनमयमेतत्संस्करिष्यन् पुरस्तादन्नेन समर्धयति । सीरं भवति । सेरं हैतद्-यत् सीरम् । इरामेवास्मिन्नेतद्दधाति ॥ २ ॥

'अथ' शब्दार्थः । 'प्रायणीयम्' प्राकृतं ज्योतिष्टोमिकम् अदित्यै चरुं 'निर्वपति' (का. श्रौ. सू. ७।१४०) । (ऐ. ब्रा. १ प. २ अ. १ ख.) (आ. श्रौ. सू. ४।२।१८;३।१) । अग्रे सीरयोजनं विधातुं प्रायणीयेष्टेः कांश्चित् पदार्थाननुवदति–तस्य हविष्कृतेत्यादिना । 'तस्य' प्रायणीयस्य 'हविष्कृता' हविष्कृच्छब्देन सह हविष्कृदाह्वानकाले वाग्विसर्गं कुर्यात् । हविरावापानन्तरं वा हविष्कृदाह्वानकाले वाग्विसर्गो विकल्पितः, तत्र नियमार्थोऽयमनुवादः । 'स्तम्बयजुः'–इति पुरीषहरणकर्मणो नामधेयम् । यद्वा, स्तम्बस्य यजुषा "पृथिवि देवयजनि" इत्यादिना पुरीषं लक्ष्यते, तत् पुरीषं 'हरति' तदनु 'पूर्वेण परिग्रहेण' वेदिं 'परिगृह्य' ततो लिखित्वा स्फ्येन प्राचीस्तिस्रो लेखाः कृत्वा आग्नीध्रं प्रत्यध्वर्युः 'आह' ब्रूते । किमित्यपेक्षायामाह–हर त्रिरिति । हे आग्नीध्र ! त्वं कृता लेखाः त्रिवारं 'हर' इति प्रैषार्थः । प्रेषितेनाग्नीध्रेण कर्तव्यमाह–हरति त्रिरिति॥१॥

विहितस्य प्रायणीयहविषः प्रचारं विधत्ते–प्रत्येत्येति[1] । 'प्रत्येत्य' महावेदेः प्रत्यागत्य 'प्रायणीयेन' हविषा प्रचरेत् । प्रत्येत्येति वचनादेव पूर्वमुक्तं स्तम्बयजुर्हरणादिकं महावेद्यामेव कर्त्तव्यम्, न तु प्रायणीयवेद्यामिति प्रतीयते । प्रायणीयान्ते शंय्वन्ते प्राक्सोमनिवपनात् सीरयोजनं विधत्ते–प्रायणीयेन प्रचर्य सीरं युनक्तीति[2] । 'प्रायणीयेन' प्रायणीयशेषेण प्रचारं कृत्वा, 'सीरं' हलं 'युनक्ति' युञ्ज्यात् । विहिते सीरयोजने प्रजापतेः सीरलक्षणेनान्नेन समर्द्धनद्वारा देवकर्तृकं संस्कारं प्रतिपादयति–एतद्वा एनमिति । 'एतत्' एतर्हि एतस्मिन्नवसरे खलु 'एनं' पितरं प्रजापतिं विस्रस्तावयवं चयनेन संस्करिष्यन्तो 'देवाः' 'पुरस्तात्' ततः प्रागेव सीरलक्षणेनान्नेन समृद्धमकुर्वन् । एवमेव 'अयं' यजमानोऽपि 'एनं' प्रजापतिं चित्याग्निरूपेण 'संस्करिष्यन्' ततः प्रागेव सीरलक्षणेनान्नेन 'समर्द्धयति' । नामनिर्वचनेन तस्यान्नरूपतामाविष्करोति–सीरं भवतीत्यादिना । इरया अन्नेन सह वर्त्तत इति सेरम्, एतदेव पारोक्ष्येण सीरमित्युच्यते । अतः कर्षणसाधनत्वेन सीरस्य विधानात् 'इराम्' अन्नम् एव 'अस्मिन्' संस्क्रियमाणे चित्याग्निरूपे प्रजापतौ 'एतत्' एतर्हि 'दधाति' स्थापयति ॥ २ ॥

१–प्रायणीयहविष्कृदंते महावेदेः स्फ्याद्या सम्मर्शनात् करोति । का. श्रौ. सू. १७ । ३० । २–प्रायणीयांते सीरं युनक्ति । का. श्रौ. सू. १७ । ३१ ।

(त्यौ) औदुम्बरं भवति । (त्यू) ऊर्ग्वै रस ऽउदुम्बर ऽऊर्जैवैनमेतद्रसेन सुमर्धयति मौञ्जं परिसीर्यं त्रिवृत्तस्योक्तो बन्धुः ॥ ३ ॥

सोऽग्नेर्दक्षिणाᳫँ श्रोणिम् । (अ) जघनेन तिष्ठन्नुत्तरस्याᳫँसस्य पुरस्ताद्युज्यमानमभिमन्त्रयते सीरा युञ्जन्ति कवयो युगा वितन्वते पृथगिति ये विद्वाᳫँसस्ते कवयस्ते सीरं च युञ्जन्ति युगानि च वितन्वते पृथग्धीरा देवेषु सुम्नयेति यज्ञो वै सुम्नं धीरा देवेषु यज्ञं तन्वाना ऽइत्येतत् ॥ ४ ॥

औदुम्बरं भवति । ऊर्ग्वै रस उदुम्बरः । ऊर्जैवैनमेतद्रसेन समर्धयति । मौञ्जं परिसीर्यम्-त्रिवृत् । तस्योक्तो बन्धुः ॥ ३ ॥

सोऽग्नेर्दक्षिणां श्रोणिं जघनेन तिष्ठन्नुत्तरस्यांसस्य पुरस्ताद्युज्यमानमभिमन्त्रयते-" सीरा युञ्जन्ति कवयो युगा वितन्वते पृथक् "-इति । ये विद्वांसस्ते कवयः । ते सीरं च युञ्जन्ति,

---

सीरोपादानभूतं वृक्षविशेषं विधाय स्तौति-**औदुम्बरं भवतीति** । उदुम्बरस्य विकारः औदुम्बरः । **ऊर्ग्वै रस उदुम्बर इति** । ' ऊर्क् ' बलकरमन्नम्, तदात्मको रस एव उदुम्बरवृक्षात्मना परिणतः । अत एव श्रूयते-" देवा वा ऊर्जं व्यभजन्त तत उदुम्बर उदतिष्ठत् " (श० प० ३ । २ । १ । ३३) इति । **ऊर्जैवैनमित्यादि** । ऊर्ग्रूपेण रसेनेत्यर्थः । सीरयोजनार्थानां रज्जूनां प्रकृतिद्रव्यं विधत्ते-**मौञ्जमिति** । ' परिसीर्यं ' परितः सीरस्य योजनायोपयुज्यमानं दाम ' मौञ्जम् ' मुञ्जतृणैर्निर्मितं ' त्रिवृत् ' त्रिगुणञ्च कर्त्तव्यम् । **तस्योक्तो बन्धुरिति** । ' तस्य ' मौञ्जत्वस्य त्रिवृत्त्वस्य च स्तावकं " सैषा योनिरग्नेर्यन्मुञ्जः "-इत्यादिकम् (श. प. ब्रा. ६ । ३ । १ । २६) "त्रिवृदग्निर्यावानग्निः"-(श. प. ब्रा. ६ । ३ । १ । २६) इत्यादि च वाक्यं प्रागाम्नातम्, अत्रानुसन्धेयमित्यर्थः ॥ ३ ॥

युज्यमानस्य सीरस्य स्थानविशेषविशिष्टमभिमन्त्रणं विधत्ते-**सोऽग्नेरिति** । चेष्यमाणस्याग्नेर्यावान् भूभागः शौल्बेन मानेन चतुरस्रीकृतः, तस्य ' दक्षिणां श्रोणिं जघनेन ' दक्षिणापरेण तस्य पश्चात् ' तिष्ठन् ' ' उत्तरांसस्य ' अग्निक्षेत्रसम्बन्धिनः उत्तरपूर्वकोणस्य 'पुरस्तात्' ' युज्यमानं ' सीरं युगबलीवर्दादिभिः सह रज्ज्वा बध्यमानं "सीरा युञ्जन्ति"-इति मन्त्रद्वयेन 'अभिमन्त्रयते' । अभिमन्त्रणं नाम मन्त्रेण स्मर्यमाणस्यार्थस्येक्षणपूर्वकमनुसन्धानम् । उक्तं हि-" मन्त्रमुच्चारयन्नेव मन्त्रार्थत्वेन संस्मरेत् । सेक्षणं तन्मना भूत्वा स्यादेतदनुमन्त्रणम् ।

१-औदुम्बरम् । का० श्रौ० सू० १७ । ३१। २-मौञ्जं त्रिवृद्रज्जव्यम् । का० श्रौ० सू० १७ । ३२ ।

३-पूर्व्वेणोत्तराऽसं दक्षिणामग्निश्रोणिमपरेण तिष्ठन् युज्यमानमभिमंत्रयते सीरा युंजंतीति । का. श्रौ. सू. १७ । ३४ ।

४-नेदमनुमंत्रणम् । किंतु अभिमंत्रणम् । अभीत्याभिमुख्य इति यास्कः । आभिमुख्येन मंत्रणं-उपांशुस्वरादपि गुप्तपरिभाषणम् । अभिमंत्रणम् । मत्रि गुप्तपरिभाषणे धातुः । इति देवोव इति पान्यामोप्याभिमंत्रयते इति सूत्रे स्वकृतदर्शपौर्णमासपद्धतिटीकायां वैद्यनाथमिश्राः । अनुमंत्रणलक्षणं तु निगमे कात्यायनः । अंगुल्यग्रेणानुमंत्रणमिति । ततश्च वाजसनेयिनां अनुमंत्रणं अभिमंत्रणं च पृथक्पृथग् लक्षणम् इति कृत्वा सायणाचार्योक्तमस्मदनुपयुक्तमेवेति बोध्यम् ।

(ह्यु) युनक्त सीरा व्वि युगा तनुध्वमिति । युञ्जन्ति हि सीरं व्वि युगानि तन्वन्ति कृते योनौ व्वपतेह बीजमिति बीजाय वाऽएषा योनिष्क्रियते यत्सीता यथा ह वाऽअयोनौ रेतः सिञ्चेदेवं तद्यदकृष्टे व्वपति गिरा च श्रुष्टिः सभराऽअसन्नऽइति व्वाग्वै गीरन्नꣳ श्रुष्टिर्नेदीयऽइत्सृण्यः पक्वमेयादिति यदा वाऽअन्नं पच्यतेऽथ तत्सृण्योपचरन्ति द्वाभ्यां युनक्ति गायत्र्या च त्रिष्टुभा च तस्योक्तो बन्धुः ॥ ५ ॥

युगानि च वितन्वते पृथग् । " धीरा देवेषु सुम्नया "–(वा० सं० १२ । ६७)–इति । यज्ञो वै सुम्नम् । धीरा देवेषु यज्ञं तन्वाना इत्येतत् ॥ ४ ॥

" युनक्त सीरा वि युगा तनुध्वम् "–इति । युञ्जन्ति हि सीरं, वि युगानि तन्वन्ति । " कृते योनौ वपतेह बीजम् "–इति । बीजाय वाऽएषा योनिष्क्रियते–यत् सीता । यथा ह

एतदेवाभिमन्त्रणलक्षणञ्चेक्षणावधि " इति । अत्र च सीरयोजनस्य तदभिमन्त्रणस्य च भिन्नदेशकर्मकर्त्तव्यतया यौगपद्याय कर्तृभेदोऽवसीयते । तत्राभिमन्त्रणस्य संस्कार्यतया प्रधानत्वात् सीरयोजनमध्वर्युः कुर्यात्, तत्संस्कारात्मकमभिमन्त्रणं तु द्वितीयः प्रतिप्रस्थाता कुर्यात् । उक्तं हि सूत्रभाष्यकृता कर्कोपाध्यायेन–"प्रतिप्रस्थाताऽभिमन्त्रयते–सीरा युञ्जन्तीत्यनेन मन्त्रेण, योजने तु प्रधानत्वादध्वर्युः" (का. श्रौ. सू. १७।३४। क. भा.) इति ॥

तत्र " सीरा युञ्जन्ति " इति गायत्री प्रथमो मन्त्रः, तस्याः पूर्वार्द्धमनूद्य व्याचष्टे–सीरा युञ्जन्तीति । ये विद्वाꣳसस्ते कवय इति । मन्त्रगतेन ' कवि'–शब्देन सीरयोजनप्रकारं सम्यग्जानानास्तदभिज्ञा विवक्षिता इत्यर्थः । सीरञ्चेति । "सुपां सुलुक्"–(पा. सू. ७।१।३९) इत्यनेन मन्त्रे सीरशब्दात् परस्य अमः आकारः । युगानि चेति । "शेश्छन्दसि बहुलम्"–(पा. सू. ६।१।७०) इति युगशब्दात् परस्य शेर्मन्त्रे लोप इत्यर्थः । उत्तरार्द्धमनूद्य व्याचष्टे–धीरा देवेष्विति । सुम्नशब्दात् परस्य द्वितीयैकवचनस्य या आदेशः (पा. सू. ७।१।३९) । सुखहेतुत्वात् यज्ञः खलु सुम्नशब्दाभिधेयः । वितन्वत इति प्रकृतस्य कर्मणोऽनुषङ्गमाह–तन्वाना इत्येतदिति ॥

तदयं मन्त्रार्थः–' कवयः ' तदभिज्ञाः ' सीरं ' च ' युञ्जन्ति ' कर्मणो योग्यं बध्नन्ति षड्द्वादशादिसंख्यानामनडुहां योजनाय ' पृथक् ' भेदेन ' युगानि च ' ' वितन्वते' विस्तारयन्ति । किं कुर्वन्तः ? ' देवेषु ' ' सुम्नम् ' अग्निचयनलक्षणं यज्ञं ' तन्वानाः ' विस्तारयन्त इति । अत एव ' धीराः ' तदुपायभूतया धिया युक्ताः ' इति ' ॥ ४ ॥

युनक्तेति त्रिष्टुप् । तद्द्वितीयोऽभिमन्त्रणमन्त्रः । पुरा परोक्षवदुक्तोऽत एवास्य पादेन प्रत्यक्षवदुच्यते । हे यजमानपुरुषाः ! ' सीरा ' पूर्ववदाकारः (पा. सू. ७।१।३९ ।) सीरं ' युनक्त ' बध्नीत । युजेः (धा. पा. रु. उ. ७) लोटि मध्यमपुरुषे बहुवचनस्य "तप्तनप्तनथनाश्च"–(पा. सू. ७।१ । ४५) इति तबादेशः ।

स दक्षिणमेवाग्रे युनक्ति । (त्तयु) अथ सव्यमेवं देवत्रेतरथा मानुषे षड्गवं भवति द्वादशगवं वा चतुर्विꣳशतिगवं वा संवत्सरमेवाभिसम्पदम् ॥ ६ ॥

वाऽअयोनौ रेतः सिञ्चेद्-एवं तद्-यदकृष्टे वपति । "गिरा च श्रुष्टिः सभरा असन्नः"-इति । वाग्वै गीः, अन्नं श्रुष्टिः । "नेदीय इत्सृण्यः पक्वमेयात्"-(वा. सं. १२।६८) इति । यदा वाऽअन्नं पच्यते-अथ तत् सृण्योपचरन्ति । द्वाभ्यां युनक्ति-गायत्र्या च त्रिष्टुभा च । तस्योक्तो बन्धुः ॥ ५ ॥

स दक्षिणमेवाग्रे युनक्ति । अथ सव्यम् । एवं देवत्रा । इतरथा मानुषे । षड्गवं भवति, द्वादशगवं वा, चतुर्विंशतिगवं वा-संवत्सरमेवाभिसम्पदम् ॥ ६ ॥

अत एव श्नमोऽल्लोपाभावः । 'युगा' पूर्ववच्छेर्लोपः (पा. सू. ७।१।३९) युगानि च 'वितनुध्वं' विस्तारयतेति । प्रत्यक्षवदुक्तार्थं श्रुतिः स्वयं परोक्षवद् व्याचष्टे-युञ्जन्ति हीति । 'सीरं युञ्जन्ति' 'युगानि' च 'वितन्वन्ति,' कवय इति शेषः ॥

द्वितीयपादमनूद्य व्याचष्टे-बीजाय वा इति । बीजवपनाय सीतारूपा योनिर्विधीयते । विपक्षे दोषमुद्भावयति-यथा ह वा इति । 'अकृष्टे' अलिखिते 'यत्' यदि 'वपति,' तर्हि 'अयोनौ' गर्भाशयादन्यत्र यथा रेतःसेकस्तथा व्यर्थं भवेदित्यर्थः ॥

तृतीयपादमनूद्य तत्रत्ययोर्गीःश्रुष्टिशब्दयोः क्रमेण वागन्नार्थतामाह-वाग्वै गीरन्नं श्रुष्टिरिति । चतुर्थपादमनूद्य तत्तात्पर्यमाह-यदा वा इति । 'यदा' खलु समये 'अन्नं' व्रीहियवादि स्वयं पक्वं भवति । 'अथ' तदानीं 'सृण्या' दात्रेण 'उपचरन्ति' लुनन्तीत्यर्थः ॥

मन्त्रार्थस्तु,-हे यजमानपुरुषाः 'सीरा' सीरं हलं 'युनक्त' योजयत, 'युगा,' युगानि 'वितनुध्वं' विशेषेण योक्त्रप्रभृतिभिर्विस्तारयत । 'इह' क्षेत्रे 'योनौ' स्थाने 'कृते' संस्कृते सति 'बीजं' व्रीह्यादि 'वपत' निक्षिपतेत्यर्थः । केन साधनेनेत्यपेक्षायामाह-गिरा चेति । 'गिरा' वाचा "या ओषधीः"[1] इत्यादिवक्ष्यमाणमन्त्ररूपया च-शब्दाच्चमसेनापि, वपतेति सम्बन्धः । 'श्रुष्टिः' व्रीह्यादिकान्नजातिः, 'सभराः' फलकृतेन भरसा भरणेन सह वर्तत इति सभराः, अमितफलेति यावत् । तादृशी 'नः' अस्माकं यथा 'असत्' भवेत् । 'इत्' शब्दोऽनर्थकः (निरु. १ । ३ । ४ ।) 'सृण्यः' अङ्कुशाकारस्य लवनसाधनस्य दात्रस्य 'नेदीयः' अन्तिकतमं 'पक्वं' व्रीह्याद्यन्नं यथा 'आ-इयात्' आगच्छेत्, तथा वपतेति सम्बन्धः । "सृणिरङ्कुशो भवति, सरणात्"-(निरु. ९ । ४ । ९ ।) इति हि यास्कः ॥

तत्र युज्यमानाभिमन्त्रणं द्वाभ्यां गायत्रीत्रिष्टुब्भ्यां कुर्यादित्याह-द्वाभ्यामिति । तस्य द्विसंख्यायोगस्यार्थवादो "द्वाभ्यां प्रवृणक्ति द्विपाद्यजमानः"-(श. प. ६ । ६ । २ । ७) इत्यादिना षष्ठकाण्डे प्रागाम्नात इत्याह-तस्योक्त इति ॥ ५ ॥

विहिते सीरयोजने दक्षिणसव्ययोर्धुर्ययोः पौर्वापर्यं विधत्ते-स दक्षिणमेवाग्र इति । 'सः' अध्वर्युः

१-याऽओषधीरिति त्रिचेनैवपत्युदपात्रवत् । का. श्रौ. सू. १७ । ५२ ।

(मु) अथैनं विकृषति । (त्यु) अन्नं वै कृषिरेतद्वाऽअस्मिन्देवाः संस्करिष्यन्तः पुरस्तादन्नमदधुस्तथैवास्मिन्नयमेतत्संस्करिष्यन्पुरस्तादन्नं दधाति ॥ ७ ॥

स वाऽआत्मानमेव विकृषति । न पक्षपुच्छान्यात्मंस्तदन्नं दधाति यदु वाऽआत्मन्नन्नं धीयते तदात्मानमवति तत्पक्षपुच्छान्यथ यत्पक्षपुच्छेषु नैव तदात्मानमवति न पक्षपुच्छानि ॥ ८ ॥

अथैनं विकृषति—अन्नं वै कृषिः। एतद्वाऽअस्मिन्देवाः संस्करिष्यन्तः पुरस्तादन्नमदधुः । तथैवास्मिन्नयमेतत् संस्करिष्यन्पुरस्तादन्नं दधाति ॥ ७ ॥

स वाऽआत्मानमेव विकृषति—न पक्षपुच्छानि । आत्मंस्तदन्नं दधाति । यदु वाऽआत्मन्नन्नं धीयते—तदात्मानमवति, तत्पक्षपुच्छानि । अथ यत्पक्षपुच्छेषु—नैव तदात्मानमवति, न पक्षपुच्छानि ॥ ८ ॥

दक्षिणमेव ' धुर्यं प्रथमं युञ्ज्यात्, तदनु ' सव्यं ' वामं धुर्यमित्यर्थः। ' एवम् ' उक्तकरणम् ' देवत्रा ' देवेषु कृतं स्यात्; मनुष्यव्यवहारे तु ' इतरथा ' सव्यः पूर्वो, दक्षिणः पश्चादिति भेदः ॥

सीरयोजने अनडुहां वैकल्पिकं सङ्ख्यात्रितयं विधत्ते—षड्गवमित्यादिना । षड्गावः समाहृताः षड्गवम् । " तद्धितार्थोत्तरपदसमाहारे च "–(पा. सू. २ । १ । ५१ ।) इति समाहारे तत्पुरुषैकदेशो द्विगुः । ततो " गोरतद्धितलुकि "–(पा. सू. ५ । ४ । ९२) इति टच् समासान्तः । तथा ' द्वादशगवम्, ' ' चतुर्विंशतिगवं ' चेति पक्षौ । तत्रापि पक्षद्वये तथैव समासः, समासान्तश्च । " षट् द्वादश चतुर्विंशतिं वा युनक्ति पूर्वेणोत्तरांसम् "–(का. श्रौ. सू. १७ । ३३ । ३४) इति हि सूत्रम् । सङ्ख्यात्रितयेऽप्युपपत्तिमाह—संवत्सरमेवेति । सम्पद्यत इति सम्पत् । षड्ऋतु—द्वादशमास—चतुर्विंशत्यर्द्धमाससम्पत्त्यात्मको यस्तं तादृशं संवत्सरमभिलक्ष्य त्रयोऽप्येते पक्षा उपपन्ना इत्यर्थः ॥ ६ ॥

अथ चित्याग्निक्षेत्रमध्ये विकर्षणं विधत्ते—अथैनमिति । ' एनम् ' आत्मानम् । तदेव कर्षणमन्नात्मना स्तौति—अन्नं वा इति । ' अन्नं ' खलु ' कृषिः '; तद्धेतुत्वात् । कृष्टे एव हि सम्यगन्नं पच्यते । कर्षणमेव तद्देवकर्तृकान्नाधानतया स्तौति—एतद्वा इति । ' पुरस्तात् ' चयनात् प्रागेव ' देवाः ' संस्कारं करिष्यन्तः ' अस्मिन् ' आत्मनि ' एतत् ' एतेन कर्षणेन 'अन्नम्' एव स्थापितवन्तः, तथैवायं यजमानोऽपि इति ॥७॥

अथ पक्षपुच्छानि विहायात्मन्येव कर्षणं विधत्ते—स वा आत्मानमिति[1]। आत्मंस्तदिति । ' तत् ' तेन विकर्षणेन ' आत्मन् ' आत्मनि ' अन्नम् ' एव स्थापितवान् भवति । अथात्मन्यन्नाधानं स्तौति—यदु वा इति । ' आत्मन् ' आत्मनि यदेव ' अन्नम् ' ' धीयते ' स्थाप्यते, ' तत् ' एवान्नं पक्षपुच्छसहितम् ' आत्मानं ' रक्षति । पक्षपुच्छेष्वन्नाधानं त्वकिञ्चित्करमित्याह—अथ यदित्यादिना ॥ ८ ॥

१–आत्मनि कृषत्यनुपरिश्रिच्छ्रुम २ सुफाला इति प्रत्यृचम् । का. श्रौ. सू. १७ । ३५ ।

स दक्षिणार्धेनाग्नेः । (२) अन्तरेण परिश्रितः प्राचीं प्रथमाꣳ सीतां कृषति शुनꣳ सुफाला विकृषन्तु भूमिꣳ शुनं कीनाशा ऽअभियन्तु वाहैरिति शुनꣳ शुनमिति यद्वै समृद्धं तच्छुनꣳ समर्धयत्येवैनामेतत्॥९॥

(३) अथ जघनार्धेनोदीचीम् । (४घृ) घृतेन सीता मधुना समज्यतामिति यथैव यजुस्तथा बन्धुर्विश्वैर्देवैरनुमता मरुद्भिरिति विश्वे च

स दक्षिणार्द्धेनाग्नेरन्तरेण परिश्रितः प्राचीं प्रथमां सीतां कृषति । " शुनं सुफाला विकृषन्तु भूमिं शुनं कीनाशा अभियन्तु वाहैः "–(वा० सं० १२ । ६९) इति । शुनं शुनमिति । यद्वै समृद्धम्–तच्छुनम् । समर्धयत्येवैनामेतत् ॥ ९ ॥

अथ जघनार्धेनोदीचीम् । " घृतेन सीता मधुना समज्यताम् "–इति । यथैव यजुस्तथा बन्धुः । " विश्वैर्देवैरनुमता मरुद्भिः "–इति । विश्वे च वै देवा मरुतश्च वर्षस्येशते । " ऊर्जस्वती पयसा पिन्वमना "–इति । रसो वै पयः । ऊर्जस्वती रसेनान्नेन पिन्वमाना–इत्येतत् ।

अथ परिश्रितां समीपे आत्मनो दक्षिणभागेऽन्तरतः प्रागायतां सीतां विधत्ते–स दक्षिणार्द्धेनेति । ' परिश्रितोऽन्तरेण ' तत्संलग्नमेव चित्याग्नेः आत्मनो ' दक्षिणार्द्धेन ' दक्षिणपार्श्वे प्रागपवर्गां ' प्रथमां ' ' सीतां ' लाङ्गलपद्धतिं कृषेत् । " अन्तराऽन्तरेणयुक्ते "–इति (पा. सू. २ । ३ । ४ ।) परिश्रिच्छब्दे द्वितीया । तत्र पूर्वार्द्धोपादानेन मन्त्रं विधाय तत्रत्यशुनशब्दस्य समृद्धार्थवाचकतया प्रथमसीतायाः समर्द्धनमाह–शुनं सुफाला इत्यादिना ॥

मन्त्रस्यायमर्थः–"शुनम् इति सुखनाम" (निघं. ३ ।६। १) तच्च क्रियाविशेषणम् । ' सु ' शोभनाः ' फालाः ' लाङ्गलाग्रस्थिताः कुशीभेदाः ' शुनं ' सुखम् यथा स्यात् तथा ' भूमिं ' ' विकृषन्तु ' विलिखन्तु, ' फाला '–इति " ञिफला विशरणे "–(धा. पा. भ्वा. प. ५१७) इति । फालयन्ति भूमिं विदारयन्ति ते फालाः । ' कीनाशाः ' कर्षकाः । ' वाहैः ' अनडुद्भिः सहिताः ' शुनं ' सुखम् ' अभियन्तु ' अभिगच्छन्तु । " कीनाशस्तु कदर्ये स्याद्राक्षसे कर्षुके यमे "–इत्यनेकार्थतिलकः । ' शुनासीरा ' द्विवचनस्य " सुपां सुलुक् "– (पा. सू. ७।१ । ३९) इति डादेशः । वाय्वादित्यावित्यर्थः । तौ ' हविषा ' उदकेन ' तोशमाना ' भूमिं निघ्नन्तौ । " तोशतिर्वधकर्मा "–(निघं. २ । १९ । २९) ' अस्मे ' अस्मभ्यम् ' ओषधीः ' व्रीह्यादिकान्यन्नानि ' सुपिप्पलाः ' शोभनफलोपेताः 'कर्त्तन' कुरुतम् । " शुनो वायुः, शुएत्यन्तरिक्षे; सीर आदित्यः, सरणात् "–(निरु. ८ । ४ । ६) इति हि यास्कः । ' हविः '–शब्दः उदकनामसु " कम्, अन्नं, हविः "–(निघ. १ । १२ । ६५) इति पठितः । ' कर्त्तन ' इति,–" तप्तनप्तनथनाश्च "–(पा. सू. ७ । १ । ४५) इति तनप् । द्वित्वे बहुवचनं छान्दसम् ॥ ९ ॥

ततो दक्षिणश्रोणेरारभ्योदगपवर्गां पश्चिमपार्श्वे द्वितीयां सीतां विधत्ते–अथ जघनार्द्धेनेति । तत्र मन्त्रं विधत्ते–घृतेनेति । तत्र तु प्रथमपादो निगदव्याख्यात इत्याह–यथैव यजुरिति । द्वितीयपादेऽनुमतेति

१–दक्षिणतः प्राचीम् । का० श्रौ० सू० १७ । ३६ । २–प्रदक्षिणमितराः । का. श्रौ. सू. १७ । ३७ ।

वै देवा मरुतश्च वर्षस्येशतऽऊर्जस्वती पयसा पिन्वमानेति रसो वै पय ऽऊर्जस्वती रसेनान्नेन पिन्वमानेत्येतदस्मान्त्सीते पयसाऽभ्याववृत्स्वे-त्यस्मान्त्सीते रसेनाभ्याववृत्स्वेत्येतत् ॥ १० ॥

(ग) अथोत्तरार्धेन प्राचीम् । (चीं॑र्णा॑) लाङ्गलं पवीरवदिति लाङ्गलᳫँ रयिमदित्येतत्सुशेवᳫँ सोमपित्सर्वित्यन्नं वै सोमस्तदुद्वपति गामविं प्रफर्व्यं च पीवरीं प्रस्थावद्रथवाहणमित्येतद्धि सर्वᳫँ सीतोद्वपति ॥ ११ ॥

" अस्मान्त्सीते पयसाऽभ्याववृत्स्व "–(वा० सं० १२ । ७०) इति । अस्मान्त्सीते रसेना-भ्याववृत्स्वेत्येतत् ॥ १० ॥

अथोत्तरार्धेन प्राचीम् । " लाङ्गलं पवीरवत् "–इति । लाङ्गलं रयिमदित्येतत् । " सुशेवं सोमपित्सरु "–इति । अन्नं वै सोमः । " तदुद्वपति गामविं प्रफर्व्यं च पीवरीम् । प्रस्थावद्रथवाहणम् "–(वा. सं. १२ । ७१) इति । एतद्धि सर्वं सीतोद्वपति ॥ ११ ॥

शब्दस्य विश्वदेवानां मरुतां च वृष्टेरीशितृत्वं प्रयोजकमिति व्याचष्टे–विश्वे च वै देवा इति । ' वर्षस्य ' वृष्टेः ' ईशते ' प्रयोजका भवन्ति । " अधीगर्थ "–(पा. सू. २ । ३ । ५२ ।) इति कर्मणि षष्ठी । तृतीयपादे पयःशब्दस्य रसोऽर्थः इति व्याचष्टे–रसो वै पय इति । तत्रैव ' पिन्वमाना '–इति पदमध्याहृत्यान्नपदे-नान्वेतीति व्याचष्टे–अन्नेन पिन्वमानेत्येतादिति । चतुर्थेऽपि पयःशब्दो रसवचन एव ॥

मन्त्रस्यायमर्थः–'सीता' पश्चिमत उदीची क्रियमाणा लाङ्गलपद्धतिः ' मधुना घृतेन ' मधुरेणोदकेन ' सम-ज्यतां ' संसिच्यताम् । " घृतमित्युदकनाम, जिघर्तेः सिञ्चतिकर्मणः "–(निरु. ७ । ७ । १) इति हि यास्कः । ' विश्वैर्देवैः ' वृष्टेरीशानैः ' मरुद्भिश्च ' गणदेवैः ' अनुमता ' अभ्यनुज्ञाता, तथा ' पयसा ' रसेन ' ऊर्जस्वती ' बलकररसोपेता, तथा ' पिन्वमाना ' रोचनं कुर्वती, अन्नेनेति शेषः । तथा श्रुतिरेव व्याचष्टे–अन्नेन पिन्वमानेत्येतदिति । एवं स्तुते हे ' सीते ! ' त्वम् ' अस्मान् ' 'अभ्याववृत्स्व' अतिशयेनाभिमुख-मावृत्ता भवेत्यर्थः ॥ १० ॥

अथोत्तरपार्श्वे प्रागपवर्गां तृतीयां सीतां विधत्ते–अथोत्तरार्द्धेनेति[1] । " प्रकृत्या साधुः "–इतिवत्–" तृतीया सप्तम्यर्थे "–(पा. सू. २ । ३ । १८ स. वा.) । तत्र मन्त्रं विधत्ते–लाङ्गलमिति । तत्र प्रथमपादे भूमेः खननेन श्रीरूपान्ननिष्पादनद्वारा फालस्य साधनत्वात् लक्षणया पवीरवद्रयिमदिति व्याचष्टे–लाङ्गलं रयिमदिति । द्वितीये पादे 'सोमपित्सरु'–इति पदैकदेशभूतस्य सोमशब्दस्यान्नमर्थ इत्याह–अन्नं वै सोम इति । उत्तरार्द्धपरिष्ठितस्य पदार्थजातस्य संतेर्वोद्गमयित्रीत्याह–एतद्धि सर्वं सीतोद्वपतीति । ' उद्वपति ' उद्गमयतीत्यर्थः ॥

१–तूष्णीं तिस्रस्तिस्रः प्रदक्षिणम् । का. श्रौ. सू. १७ । २८ ।

१५२१

(त्यु) अथ पूर्वार्धेन दक्षिणाम् । कामं कामदुघे धुक्ष्व मित्राय वरुणाय च ॥ इन्द्रायाश्विभ्यां पूष्णे प्रजाभ्यऽओषधीभ्यऽइति सर्वदेवत्या वै कृषिरेताभ्यो देवताभ्यः सर्वान्कामान्धुक्ष्वेत्येतदित्यग्रे कृषत्यथेति । अथेत्यथेति तद्दक्षिणावृत्तद्धि देवत्रा ॥ १२ ॥

अथ पूर्वार्धेन दक्षिणाम् । " कामं कामदुघे धुक्ष्व मित्राय वरुणाय च । इन्द्रायाश्विभ्यां पूष्णे प्रजाभ्य ओषधीभ्यः "-(वा. सं. १२ । ७२) इति । सर्वदेवत्या वै कृषिः । एताभ्यो देवताभ्यः सर्वान्कामान्धुक्ष्वेत्येतत् । इत्यग्रे कृषति, अथेति, अथेति, अथेति-तद्दक्षिणावृत् । तद्धि देवत्रा ॥ १२ ॥

मन्त्रार्थस्तु-' लाङ्गलं ' हलं ' पवीरवत् ' पविः धारा, सा अस्यास्तीति पवीरं फालः । रो मत्वर्थे, दैर्घ्यं तु च्छान्दसम् ;-तत् पवीरमस्य लाङ्गलस्यास्तीति पवीरवत्, फालसंयुक्तमित्यर्थः । ' शेवमिति '-सुखनाम (निघं. ३ । ६ । १७) । सुष्ठु शोभनं शेवयति सुखयति तत् 'सुशेवम्' । सोमं पिबतीति ' सोमपाः ' यजमानः, तस्मिन् ' सोमपि ' यजमाने ' त्सरति ' पापादिकं नाशयतीति ' सोमपित्सरु ' । यद्वा, सोममन्नं पाति रक्षति स सोमपाः, तस्मिन् वर्त्तमानम् अशनायादुःखं त्सरति नाशयति इति तथा; श्रुतेरभिमतमेतद् व्याख्यानम् । सोमपीत्यत्र सप्तम्याः अलुक् छान्दसः (पा. सू. ६। ३ । ९) । यदित्थम्भूतं लाङ्गलम्, ' तत् ' कर्तृ गवादिरथवाहनान्तम् ' उद्वपति ' उद्गमयति । 'गां' गोजातिम् । 'अविं' मेषजातिम् । ' प्रफर्व्यं ' प्रथमयुवतिं तरुणीमित्यर्थः । फर्वतिर्गतिकर्मा । प्रकर्षेण फर्व्या गम्या, ताम्; छान्दसो ह्रस्वः । कीदृशीं ताम् ? 'पीवरीम्' उन्नतस्तनकपोलाम्, 'प्रस्था' प्रस्थानम् तद्वत् उत्कृष्टजवोपेतम्, ' रथवाहणम् ' अश्वं रथं वहतीति यानम् ॥ ११ ॥

अथ पूर्वपार्श्वे दक्षिणापवर्गां चतुर्थीं सीतां विधत्ते-अथ पूर्वार्द्धेनेति[1] । तत्र मन्त्रः-" कामं कामदुघे " इति-(वा. सं. १२ । ७२) । मन्त्रस्यायमर्थः-हे ' कामदुघे ' कामानां प्रपूरणे ! हे सीते ! ' मित्राय वरुणाय च, ' तथा ' इन्द्राय ', ' अश्विभ्यां ' युग्मदेवाभ्यां ' पूष्णे प्रजाभ्य ओषधीभ्यः ' च ' कामं ' काम्यमानं फलं ' धुक्ष्व ' प्रपूरय । ' इति '-शब्दो मन्त्रसमाप्तिद्योतकः । कृषेः सर्वदेवतासम्बन्धद्वारा मन्त्रोक्तदेवताभ्यः कामप्रपूरणमाशास्यमिति मन्त्रतात्पर्यमाह-सर्वदेवत्या वै कृषिरिति । इत्थं दक्षिणादिचतसृषु दिक्षु प्रादक्षिण्येन कृतं कर्षणमभिनयेन निर्दिश्य स्तौति-इत्यग्रे इति । ' अग्रे ' प्रथमम्, ' इति ' अनेन प्रकारेण " स दक्षिणार्द्धेन " इत्युक्तलक्षणेन दक्षिणतः प्राचीं सीतां कृषति । ' अथ ' अनन्तरम्, 'इति' अनेन प्रकारेण " अथ जघनार्द्धेन "-इत्युक्तलक्षणेन पश्चिमतः उदीचीं कृषति । 'अथ' अनन्तरम्, 'इति' अनेन प्रकारेण " अथोत्तरार्द्धेन "-इत्युक्तलक्षणेन उत्तरतः प्राचीं कृषति । ' अथ ' अनन्तरम्, ' इति ' अनेन प्रकारेण "अथ पूर्वार्द्धेन "-इत्युक्तलक्षेन पूर्वस्यां दिश्युदग्दक्षिणायतां सीतां कृषति । 'तत्' एवं सति 'दक्षिणावृत् ' प्रादक्षिण्येनावृत्तिर्भवति । ' तत् ' खलु ' देवत्रा ' देवसम्बन्धिनि कर्मणि योग्यम् । तदुक्तमापस्तम्बेन-" यज्ञोपवीती प्रदक्षिणं दैवानि कर्माणि करोति "-इति (आपस्त. श्रौ. सू. २४ । २ । १९) ॥१२॥

१-तिर्यगनूके । का. श्रौ. सू. १७ । २९ ।

चुतस्रः सीता युजुषा कृषति । तद्युच्चुतसृषु दिक्ष्वुन्नं तुदस्मिन्नेतुद्दधाति तद्वै युजुषाऽद्धा वै तद्युद्युजुरद्धो तद्युदिमा दिशः ॥ १३ ॥

(शोऽथा) अुथात्मानं व्विकृषति । तद्युदेव संवत्सरेऽन्नं तुदस्मिन्नेतु- द्दधाति तूष्णीमुनिरुक्तं वै तद्युत्तूष्णीᳪं सुर्वं वाऽअुनिरुक्तᳪं सुर्वेणैवास्मिन्ने- तदुन्नं दधातीत्युग्रे कृषत्यथेति । अथेत्यथेति तुद्दक्षिणाव्वृत्तद्धि देवत्रा ॥ १४ ॥

चतस्रः सीता यजुषा कृषति । तद् यच्चतसृषु दिक्ष्वन्नम्—तदस्मिन्नेतद्दधाति । तद्वै यजुषा । अद्धा वै तद्—यद्यजुः । अद्धो तद्—यदिमा दिशः ॥ १३ ॥

अथात्मानं विकृषति । तद्यदेव संवत्सरेऽन्नम्—तदस्मिन्नेतद्दधाति । तूष्णीम् । अनिरुक्तं वै तद्—यत्तूष्णीम् । सर्वं वाऽअनिरुक्तम् । सर्वेणैवास्मिन्नेतदन्नं दधाति । इत्यग्रे कृषति, अथेति, अथेति, अथेति—तद्दक्षिणावृत् । तद्धि देवत्रा ॥ १४ ॥

उक्तं कर्षणं समन्त्रकमनूद्य स्तौति—चतस्र इति । "स दक्षिणार्द्धेन" इत्यादिना चतसृषु दिक्षु क्रमेण प्रोक्ताः चतस्रः सीताः " शुनं सुफाला विकृषन्तु भूमिम्" इत्यादिना—' यजुषा ' यजुर्वेदपठितमन्त्रेणेत्यर्थः । चतसृषु दिक्ष्वित्यादि । प्रागादिषु दिक्षु ' यत् ' प्रसिद्धं कृष्टपच्यं व्रीहियवादिकम् ' अन्नम् ' अस्ति, ' तत् ' ' अस्मिन् ' अग्नौ यजमाने वा ' एतत् ' एतेन कर्षणेन ' दधाति ' स्थापयति ॥

यजुर्मन्त्रेण कर्षणं प्रकारान्तरेण स्तौति तद्वा इति । ' तत् ' खलु कर्षणं ' यजुषा ' क्रियते, यजुरिति यदस्ति, ' तत् अद्धा वै' अनुष्ठेयार्थप्रकाशकत्वात् प्रत्यक्षतो विस्पष्टम्, ' इमाः ' प्रागाद्याः ' दिशः ' च प्रत्यक्षत्वाद् विस्पष्टतराः; अतो यजुषो दिशाञ्चाद्धात्वसाम्याद् दिक्षु यजुषा कर्षणं युक्ततरमिति भावः ॥ १३ ॥

अमन्त्रकं द्वादशसङ्ख्याकानां सीतानां कर्षणं विधाय स्तौति—अथात्मानमित्यादिना । यदेव संवत्सर इति । सीतानां संवत्सरसम्बन्धिनां मासानां च द्वादशसङ्ख्यासाम्यात् कृत्स्ने संवत्सरे यदेव व्रीहियवादिकमन्नं पच्यते, ' तत् ' सर्वम् ' अस्मिन् ' अग्नौ ' एतत् ' एतेन द्वादशसीताकर्षणेन ' दधाति ' स्थापयतीत्यर्थः ॥

अमन्त्रकत्वमनूद्य स्तौति—तूष्णीमिति । ' तूष्णीम् ' अमन्त्रं कृषेत् । ' तूष्णीम् ' इति यदस्ति, तत् ' अनिरुक्तं वै ' मन्त्रवाक्येन कस्यचिदर्थस्य निष्कृष्यानभिधानात् । अत एव तदनिरुक्तं सर्वात्मकम्, अतः ' सर्वेणैव ' साधनेन ' अस्मिन् ' अग्नौ ' अन्नं ' स्थापितं भवतीत्यर्थः ॥

पूर्ववदत्राप्यभिनयेन कर्षणप्रकारं निर्दिश्य स्तौति—इत्यग्र इति । ' इति ' अनेन प्रकारेण ' अग्रे ' प्रथममात्मनो दक्षिणार्द्धमारभ्य उत्तरार्द्धपर्यन्तं ' कृषति ' कर्षणं कुर्यात् । ' अथ ' अनन्तरम्, ' इति ' अनेन प्रकारेण दक्षिणां श्रोणिमारभ्य उत्तरांसपर्यन्तमक्ष्णया विकृषेत् । ' अथ ' अनन्तरम्, ' इति ' अनेन प्रकारेण पश्चाद्भागमारभ्य पूर्वार्द्धपर्यन्तं विकृषेत् । एतदनन्तरम्, ' इति ' अनेन प्रकारेणोत्तरां श्रोणिमारभ्य दक्षिणांसपर्यन्तं विकृषेत्, इममेवार्थमभिप्रेत्य सूत्रितम्—" तूष्णीं तिस्रस्तिस्रः प्रदक्षिणं, तिर्यगनूके, अक्ष्णया श्रोण्यंसयोरनूके श्रोण्यंसयोः "—(का. श्रौ. सू. १७ । ३८—४०) इति । ' तत् ' तथा उक्तप्रकारेण कर्षणे सति प्रदक्षिणावर्त्तनं सिध्यति । तत्र 'देवत्रा' देवेषु योग्यम् । " देवमनुष्य "—(पा. सू. ५।४।५६ ।) इत्यादिना सप्तम्यर्थे त्रा—प्रत्ययः ॥ १४ ॥

तिस्रुस्तिस्रः सीताः कृषति । त्रिवृदग्निर्य्यावानग्निर्य्यावत्यस्य मात्रा तावतैवास्मिन्नेतदन्नं दधाति ॥ १५ ॥

द्वादश सीतास्तूष्णीं कृषति । द्वादश मासाः संवत्सरः संवत्सरोऽग्निर्य्यावानग्निर्य्यावत्यस्य मात्रा तावतैवास्मिन्नेतदन्नं दधाति ॥ १६ ॥

ताऽउभय्यः षोडश सम्पद्यन्ते । षोडशकलः प्रजापतिः प्रजापतिरग्निरात्मसंमितमेवास्मिन्नेतदन्नं दधाति यदु वाऽआत्मसंमितमन्नं तदवति तन्न हिनस्ति यद्भूयो हिनस्ति तद्यत्कनीयो न तदवति ॥ १७ ॥

तिस्रस्तिस्रः सीताः कृषति । त्रिवृदग्निः । यावानग्निर्यावत्यस्य मात्रा—तावतैवास्मिन्नेतदन्नं दधाति ॥ १५ ॥

द्वादश सीतास्तूष्णीं कृषति । द्वादश मासाः संवत्सरः । संवत्सरोऽग्निः । यावानग्निर्यावत्यस्य मात्रा—तावतैवास्मिन्नेतदन्नं दधाति ॥ १६ ॥

ता उभय्यः षोडश सम्पद्यन्ते । षोडशकलः प्रजापतिः । प्रजापतिरग्निः । आत्मसंमितमेवास्मिन्नेतदन्नं दधाति । यदु वाऽआत्मसंमितमन्नं—तदवति, तन्न हिनस्ति । यद्भूयो—हिनस्ति तत् । यत्कनीयः—न तदवति ॥ १७ ॥

विहितानाममन्त्रकाणां चतसृणां सीतानां प्रत्येकं त्रित्वं विधाय स्तौति—**तिस्रस्तिस्र** इति । त्रिवृदग्निरित्यादि । स्तोत्रियानवकात्मको हि त्रिवृत्स्तोमः (सा. वे. तां. ब्रा. ३ । ९ । २ । ३) अग्नेरपि रुद्रादिनामाष्टकाभिधेयैरष्टाभिरग्निरूपैः स्वात्मना च नवसङ्ख्योपेतत्वात् त्रिवृत्त्वम् । तथा हि—"तमब्रवीद्रुद्रोऽसि" इत्यारभ्य "तान्येतान्यष्टावग्निरूपाणि कुमारो नवमः, सैवाग्नेस्त्रिवृत्ता" इति षष्ठे समाम्नातम् (श. प. ६।१।३।१०।) । एष च यावान् यत्परिमाणविशिष्टोऽग्निः, 'अस्य' अग्नेः 'यावती' यत्परिमाणविशिष्टा 'मात्रा' अवयवः, 'तावता' तादृक्परिमाणविशिष्टेन कृत्स्नेन चाग्निरूपेण 'अस्मिन्' चीयमानेऽग्नौ यजमाने वा 'एतत्' एतेन त्रिसङ्ख्यायुक्तेन कर्षणेन 'अन्नं' धारयति । एवं सर्वत्र त्रिवृदग्निरिति वाक्यशेषो व्याख्येयः ॥ १५ ॥ १६ ॥

अमन्त्रकसीतासङ्ख्यां सम्भूय प्रशंसति—**ता उभय्य** इति । 'उभय्यः' उभयविधाः, समन्त्रकामन्त्रकभेदेन द्विविधाः सम्भूय षोडशसङ्ख्याका भवन्ति । 'षोडशकलः' षोडशावयवसमुदायो हि स्थूलशरीराभिमानी विराडात्मकः प्रजापतिरभिधीयते । तथा हि;—तस्य ज्ञानेन्द्रियाणि पञ्च, तथा कर्मेन्द्रियाणि, मन एकम्, पञ्चभिर्भूतैर्वा प्राणैर्वा सह षोडश कलाः । गतमन्यत् । **आत्मसम्मितमि**ति । आत्मना शरीरेण समानम् मितम्, न तु न्यूनमधिकं वेत्यर्थः । आत्मसम्मितान्नस्य तृप्तिहेतुतामाह—**यदु वा** इति । 'यत्' खलु 'आत्मसम्मितमन्नम्' 'तद्' भोक्तॄन् 'अवति' रक्षति । अत एतदन्नं सात्म्यं सत् 'न हिनस्ति' न बाधते । अधिकन्यूनयोरुक्तवैपरीत्यं क्रमेणाह—**यद्भूय** इति । 'भूयः' बहुलतरमात्मनोऽधिकम्, 'कनीयः' अल्पतरमात्मनोऽपर्याप्तमित्यर्थः ॥ १७ ॥

यद्वेवैनं विकृषति । (त्ये) एतद्वाऽअस्मिन्देवाः संस्करिष्यन्तः पुरस्तात्प्राणानदधुस्तथैवास्मिन्नयमेतत्संस्करिष्यन्पुरस्तात्प्राणान्दधाति लेखा भवन्ति लेखासु हीमे प्राणाः ॥ १८ ॥ (शतम् ४०००)

(श्रु) चतस्रः सीता यजुषा कृषति । तद्यऽइमे शीर्षंश्चत्वारो निरुक्ताः प्राणास्तानस्मिन्नेतद्दधाति तद्वै यजुषाऽद्धा वै तद्यद्यजुरद्धो तद्यदिमे शीर्षन्प्राणाः ॥ १९ ॥

(०) यद्वेवात्मानं विकृषति । यऽएवेमेऽन्तरात्मन्प्राणास्तानस्मिन्नेतद्दधाति तूष्णीं को हि तद्वेद यावन्त ऽइमेऽन्तरात्मन्प्राणाः ॥ २० ॥

यद्वेवैनं विकृषति । एतद्वाऽअस्मिन्देवाः संस्करिष्यन्तः पुरस्तात् प्राणानदधुः । तथैवास्मिन्नयमेतत्संस्करिष्यन् पुरस्तात्प्राणान्दधाति । लेखा भवन्ति । लेखासु हीमे प्राणाः ॥ १८ ॥

चतस्रः सीता यजुषा कृषति । तद्य इमे शीर्षंश्चत्वारो निरुक्ताः प्राणाः । तानस्मिन्नेतद्दधाति । तद्वै यजुषा । अद्धा वै तद्यद्यजुः । अद्धो तद्—यदिमे शीर्षन्प्राणाः ॥ १९ ॥

यद्वेवात्मानं विकृषति । यऽएवेमेऽन्तरात्मन्प्राणाः—तानस्मिन्नेतद्दधाति । तूष्णीम् । को हि तद् वेद—यावन्त इमे प्राणाः ॥ २० ॥

विकर्षणं प्रकारान्तरेण स्तोतुमनुवदति—यद्वेवैनमिति । पुरा खलु पितरं प्रजापतिं 'संस्करिष्यन्तो देवाः' 'पुरस्तात्' चयनलक्षणात् संस्कारात् पूर्वम् 'अस्मिन्' प्रजापतौ 'प्राणान्' 'एतत्' एतेन विकर्षणेन 'अदधुः' अधारयन् । 'तथैव' 'अयं' यजमानोऽपि 'संस्करिष्यन्' 'अस्मिन्' चेष्यमाणेऽग्निलक्षणे प्रजापतौ पूर्वं 'प्राणान्' स्थापयति । कथमेतदित्यत आह—लेखा भवन्तीति । 'हि' यस्माल्लोके चक्षुरादिगोलकात्मिकासु 'लेखासु' रेखासु 'इमे' 'प्राणाः' चक्षुरादीन्द्रियाणि वर्त्तन्ते; अतस्तेषामत्र स्थाप्यमानानां सञ्चरणार्थं कर्षणेन रेखाकरणं युक्तमिति भावः ॥ १८ ॥

समन्त्रकं कर्षणमनूद्य सङ्ख्याद्वारा स्तौति—चतस्र इति । 'शीर्षन्' शीर्ष्णि शिरसि 'ये इमे चत्वारो निरुक्ताः' चक्षुः, श्रोत्रं, नासिका, मुखमिति निःशेषेणोक्ताः प्रकाशमानाः 'प्राणाः', 'तान्' 'अस्मिन्' अग्नौ एतेन सयजुष्केण सीताचतुष्टयेन स्थापितवान् भवति । एतदेव विवृणोति—तद्वै यजुषेति । अद्धेत्यादि । प्रागुक्तार्थम् ॥ १९ ॥

अमन्त्रकं कर्षणमनूद्य स्तौति—यद्वेवात्मानमिति । 'अन्तरात्मन्' आत्मनि देहे अन्तर्मध्ये 'य एवेमे' 'प्राणाः' प्राणवृत्तयः प्राणापानादिलक्षणाः, मनोबुद्ध्यादिरूपा अन्तःकरणवृत्तयश्च, 'तान्' 'अस्मिन्' अग्नौ 'एतत्' एतेनामन्त्रककर्षणेन 'दधाति' स्थापयति । एतदेव विवृणोति—तूष्णीमिति । 'यावन्तः' यत्परिमाणविशिष्टाः 'इमे' अन्तरात्मन्यवस्थिताः 'प्राणाः' इति, 'को' नाम 'तद्वेद' ? तेषाम् आनन्त्यात्; किन्तु न कश्चिदपि वेत्तुं शक्नोति । तस्मादनिरुक्तानां तेषां सङ्ग्रहणाय तूष्णीमात्मनो द्वादशसीताकर्षणं युक्तमित्यर्थः ॥ २० ॥

(ऽ) अथैनान्विमुञ्चति । (त्वा) आप्त्वा तं कामं यस्मै कामायैना- न्युङ्क्ते विमुच्यध्वमघ्न्याऽइत्यघ्न्या ह्येते देवत्रा देवयानाऽइति दैवꣳ ह्येभिः कर्म करोत्यगन्म तमसस्पारमस्येत्यशनाया वै तमोऽगन्मास्याऽअश- नायायै पारमित्येतज्ज्योतिरापामेति ज्योतिर्ह्याप्नोति यो देवान्यो यज्ञ- मथैनानुदीचः प्राचः प्रसृजति तस्योक्तो बन्धुस्तानध्वर्यवे ददाति स हि तैः करोति तांस्तु दक्षिणानां कालेऽनुदिशेत् ॥ २१ ॥

इति प्रथमप्रपाठके चतुर्थं ब्राह्मणम् ॥ ७ । १ । ४ ॥ (२-२)

इति प्रथमप्रपाठकः समाप्तः ॥ ७-१ ॥

अथैनान्विमुञ्चति । "आप्त्वा तं कामम्, यस्मै कामायैनान्युङ्क्ते विमुच्यध्वमघ्न्याः"-इति । अघ्न्या ह्येते । "देवत्रा देवयानाः"-इति । दैवं ह्येभिः कर्म करोति । "अगन्म तमसस्पारमस्य"- इति । अशनाया वै तमः । अगन्मास्याऽअशनायायै पारमित्येतत् । "ज्योतिरापाम "-इति । ज्योतिर्ह्याप्नोति । यो देवान्, यो यज्ञम् । अथैनानुदीचः प्राचः प्रसृजति । तस्योक्तो बन्धुः । तान- ध्वर्यवे ददाति । स हि तैः करोति । तांस्तु दक्षिणानां कालेऽनुदिशेत् ॥ २१ ॥

कर्षणानन्तरमनडुहां विमोचनं विधत्ते-अथैनानिति[1] । अघ्न्या इत्यादि । 'यस्मै' खलु प्रयोजनाय 'एनान्' पूर्वं युक्तवान्, 'तं' कामं कर्षणलक्षणं प्रयोजनम् 'आप्त्वा' लब्ध्वा तेषां विमोचनं युक्तमिति शेषः ॥

विमोचने मन्त्रं विधाय व्याचष्टे-विमुच्यध्वमिति । "अघ्न्या"-इति गोनाम (निघ. । २ । ११ । १) । एते खल्वनड्वाहो 'देवत्रा' देवेषु 'अघ्न्याः' अहन्तव्याः, देवसम्बन्धिनो गाव इत्यर्थः । दैवꣳ ह्येभिरिति । 'एभिः' अनडुद्भिः 'दैवं' देवसम्बन्धि कर्षणलक्षणं 'कर्म करोति' । तस्माद्देवान् याति प्राप्नोत्येभिरिति व्युत्पत्त्या 'देवयानाः'-इत्यनडुद्विशेषणं युक्तमिति भावः ॥

द्वितीयं पादमनूद्य तत्रस्थतमःशब्दस्य विवक्षितमर्थमाह-अगन्मेति । अशनस्येच्छा 'अशनाया' क्षुत्पीडा । स्पष्टमन्यत् । ज्योतिर्हीत्यादि । यो हि हविःप्रदातृत्वेन यज्ञं, तत्रत्यान् देवांश्च प्राप्नोति, एष हि 'ज्योतिः' ज्योतिर्मयं स्वर्गादिभोगयोग्यं शरीरम् 'आप्नोति,' अत एव तैत्तिरीयके समाम्नायते-" सुकृतां वा एतानि ज्योतींषि यन्नक्षत्राणि "- (तै. सं. ५ । ४ । १ । ३) इति । अतोऽत्र मन्त्रे "ज्योतिरापाम "-इति ज्योतिराप्तिप्रतिपादनं युक्ततरमित्यर्थः ॥

उत्तरपूर्वस्यां दिशि तेषामनडुहां प्रस्थापनं विधत्ते-अथैनानुदीच इति (का. श्रौ. सू. १७ । ४५) । 'अथ' विमोचनानन्तरमेव अनडुहः 'उदीचः' उदङ्मुखान् 'प्राचः' प्राङ्मुखांश्च कृत्वा 'प्रसृजति' प्रस्थापयति । प्रागुदक्त्वस्य स्तावकं प्रागाम्नातं वाक्यशेषमतिदिशति-तस्योक्त इति । "एषा होभयेषां देवमनु- ष्याणां दिग्यदुदीची-प्राची " (श. प. ६ । ४ । २ । ३) इत्यादि ॥

तेषां दक्षिणाकाले दानं विधत्ते-तानध्वर्यव इति । अत एव सूत्रितम्-" दक्षिणाकालेऽध्वर्यवे ददाति "-

---

[1]-अनडुहो विमुच्यध्वमिति । का. श्रौ. सू. १७ । ४४ ।

अथ द्वितीयप्रपाठके प्रथमं ब्राह्मणम् ।
द्वितीयेऽध्याये च तृतीयं ब्राह्मणम् ।

अथ दर्भस्तम्बमुपदधाति । (त्ये) एतद्वै देवा ऽओषधीरुपादधत तथै॑वैतद्यजमान ऽओषधीरुपधत्ते ॥ १ ॥

यद्वेव दर्भस्तम्बमुपदधाति । जायतऽएष ऽएतद्यच्चीयते सऽएष सर्व्वस्माऽअन्नाय जायतऽउभयम्वेतदन्नं यद्दर्भा ऽआपश्च ह्येता ऽओषधयश्च या वै वृत्राद्बीभत्समाना ऽआपो धन्व दृभन्त्यऽउदायंस्ते दर्भा ऽअभवन्यद्दृभन्त्यऽउदायंस्तस्माद्दर्भास्ता हैताः शुद्धा मेध्याऽआपोऽवृत्राभिप्रक्षरिता यद्दर्भा यदु दर्भास्तेनौषधय ऽउभयेनैवैनमेतदन्नेन प्रीणाति ॥ २ ॥

अथ दर्भस्तम्बोपधानम् ।

अथ दर्भस्तम्बमुपदधाति । एतद्वै देवा ओषधीरुपादधत । तथैवैतद्यजमान ओषधीरुपधत्ते ॥१॥ यद्वेव दर्भस्तम्बमुपदधाति । जायतऽएष एतद्-यच्चीयते । स एष सर्वस्माऽअन्नाय जायते । उभयम्वेतदन्नम् । यद्दर्भाः-आपश्च ह्येता ओषधयश्च । या वै वृत्राद्बीभत्समाना आपो धन्व दृभन्त्य

(का. श्रौ. सू. १७ । ४९) इति । अन्यानृत्विजो विहायाध्वर्योरेव सम्प्रदानत्वे कारणमाह-स हीति । 'हि' यस्मात् 'सः' अध्वर्युः 'तैः' अनडुद्भिः कर्षणं 'करोति' तस्मादध्वर्यवे दानं युक्तमिति भावः । तस्मिन् दाने कालविशेषं विधत्ते-तांस्त्विति । ऋत्विक्परिक्रयहेतवो दातव्या गावो दक्षिणाः, तासां यः कालो माध्यन्दिन-सवनात्मकः, तस्मिन्, 'तान्' अनडुहः 'अनुदिशेत्' दद्यादिति यावत् ॥ २१ ॥

इति श्रीसायणाचार्यविरचिते माधवीये वेदार्थप्रकाशे माध्यन्दिनीयशतपथब्राह्मणभाष्ये सप्तमकाण्डे द्वितीयेऽध्याये द्वितीयं ब्राह्मणम् ॥ (७-२-२) ॥

इति सप्तमे काण्डे प्रथमः प्रपाठकः ॥ (७-१) ॥

अथ कुशास्तम्बोपधानं विधत्ते-**अथ दर्भस्तम्बमिति**[3] । एकमूलोऽनेकशाखः स्तम्ब इत्युच्यते, दर्भाणां स्तम्बो दर्भस्तम्बः । तम् आत्ममध्ये तूष्णीम् 'उपदधाति' स्थापयेदित्यर्थः । तदुपधानं देवकर्तृकौषध्युपधानद्वारा स्तौति-**एतद्वा** इति । 'उपादधत' उपहितवन्तः । **तथैवैता**दिति । प्रकृते योजनम् ॥ १ ॥

तदेव प्रकारान्तरेणापि स्तौति-**यद्वेवेति** । य 'एषः' आहवनीयोऽग्निः 'चीयते' चयनेन सम्पाद्यते, 'एषः' 'जायते' उत्पद्यत एव । 'स एषः' जायमानोऽग्निः 'सर्वस्मै' कृत्स्नाय 'अन्नाय' तदुपभोक्तुं

१-पशुवदुत्सृज्य । इत्यादिभागोऽस्य सूत्रस्य । २-दीर्घप्रयुक्तेषु वा पुरुषाः कर्षन्ति । का. श्रौ. सू. १७ । ४३ ।

३-कुशस्तंबमुपदधाति मध्ये तूष्णीम् । का. श्रौ. सू. १७ । ४६ । अयमपकेष्टकास्वप्यन्तर्भूतो नेति बोध्यम् ।

सीतासमरे । व्वाग्वै सीतासमरः प्राणा वै सीतास्त्तासामयुᳯँ समयो व्वाचि वै प्राणेभ्योऽन्नं धीयते मध्यतो मध्यतऽएवास्मिन्न्नेतदुन्नं दधाति तूष्णीमुनिरुक्तं वै तद्युत्तूष्णीᳯँ सुर्व्वं वाऽअनिरुक्तᳯँ सुर्व्वेणैवास्मिन्नेतदुन्नं दधाति ॥ ३ ॥

उदायन्–ते दर्भा अभवन् । यद्दृभन्त्य उदायन्–तस्माद्दर्भाः । ता ह्येताः शुद्धा मेध्या आपोऽवृत्राभिप्रक्षरिताः–यद्दर्भाः । यदु दर्भाः–तेनौषधयः । उभयेनैवैनमेतदन्नेन प्रीणाति ॥ २ ॥

सीतासमरे । वाग्वै सीतासमरः । प्राणा वै सीताः । तासामयं समयः । वाचि वै प्राणेभ्योऽन्नं धीयते । मध्यतः । मध्यत एवास्मिन्नेतदन्नं दधाति । तूष्णीम् । अनिरुक्तं वै तद्–यत्तूष्णीम् । सर्वं वाऽअनिरुक्तम् । सर्वेणैवास्मिन्नेतदन्नं दधाति ॥ ३ ॥

जायते । दर्भाणां नामनिर्वचनद्वारा उभयविधात्वमाह–**उभयम्वेतादिति** । उभयं किमित्यत आह–**यद्दर्भा इति** । उभयविधत्वमेव विवृणोति–**या वै वृत्रादिति** । " वृत्रो ह वा इदं सर्वं वृत्वा शिश्ये "–इत्युपक्रम्य, " तस्मादु हैका आपो बीभत्साञ्चक्रिरे "–इत्यादिना प्रथमकाण्डे अपां दर्भभावप्रत्ययादिति (श. प. १ । १ । ३ । ४ । ९) । 'याः' 'आपः' वृत्रासुराद् ' बीभत्समानाः ' जुगुप्समानाः जुगुप्साश्रयत्वाद्विकुर्वाणा इत्यर्थः । ' धन्व ' अन्तरिक्षं ' दृमन्त्यः ' गुम्फनं कुर्वन्त्यः ' उदायन् ' उद्गतवत्यः । " धन्वान्तरिक्षम्, धन्वन्त्यस्मादापः "–(निरु. ९ । १ । ९) इति हि यास्कः । ' दृमन्त्य ' इति तौदादिकात् " दृभी गुम्फने "–(धा. पा. तु. प. ४२ ।) इति धातोः शतरि " ऋन्नेभ्यो ङीप् "–(पा. सू. ४।१।५।) इति ङीप् । 'ते दर्भा अभवन्' आप एव दर्भत्वं प्राप्ता इत्यर्थः । ' ते ' इति पुँल्लिङ्गं दर्भापेक्षम् । दर्भनाम निर्वक्ति–**यद्दृभन्त्य** इति । ' यत् ' यस्मात् 'दृमन्त्यो' गुम्फनं कुर्वन्त्य आप उद्गतवत्यः, 'तस्माद्'दर्भणादापो ' दर्भाः ' दर्भशब्दवाच्या इत्यर्थः । दर्भभूतास्ता अपः प्रशंसति–**ता हैता** इति । ये दर्भाः ' ताः ' एताः आपः ' शुद्धाः ' शुद्धिसाधनभूताः, तथा 'मेध्याः' मेधार्हाः । तदेव विस्पष्टयति–**आपोऽवृत्राभिप्रक्षरिता** इति । ' न वृत्रात् अभिप्रक्षरिताः ' अभिप्रस्रुताः ' उ ' पुनः 'यत्' यस्मात् 'दर्भाः,' 'तेन' कारणेन ' ओषधयः ' दर्भाणामोषधित्वमन्यत्राप्याम्नायते–"ओषधयो बर्हिः" इति । उभयविधत्वमुपयोगप्रतिपादनेनोपसंहरति–**उभयेनैवैनमिति** । ' एनं ' चित्याग्निम् ' एतत् ' एतेनोभयविधेन ' अन्नेन ' 'प्रीणाति' ॥ २ ॥

तदुपधानं क्षेत्रे विधाय स्तौति–**सीतासमर** इति । कृष्टाः सीताः समृच्छन्ते सङ्गच्छन्ते यत्रासौ ' सीतासमरः ' क्षेत्रमध्यप्रदेशः, तत्रोपदध्यादिति शेषः । आधियज्ञिकस्य सीतासमरस्याध्यात्मं मुखरूपतामाह–**वाग्वा** इति । वागायतनत्वाद् ' वाक् ' मुखम् खलु ' सीतासमरः ' । कथमित्यपेक्षायां तदुपपादयति–**प्राणा वा** इति । ' प्राणाः ' खलु ' सीताः ' नाड्यः तत्सञ्चारितत्वात् । तासां नाडीरूपाणां सीतानाम् 'अयं' मुखलक्षणः ' समयः ' सङ्गमः, सम्यगयन्ते सङ्गच्छन्ते यत्र सोऽयं समयः; मुखे हि सर्वाः प्राणा नाड्यः सङ्गच्छन्ते । ततः किमित्याकाङ्क्षायामाह–**वाचि वा** इति । ' वाचि वै ' मुखे एव ' प्राणेभ्यः ' अर्थे ' अन्नं ' ' धीयते ' स्थाप्यते; मुखेनैव हि जग्धेऽन्ने प्राणानामाप्यायनस्य सद्भावात् । सीतासमरेऽपि मध्यदेशे उपदध्या-

---

१–धातुपठे "दृभी ग्रन्थे"–इत्यस्ति ग्रन्थनमेव गुम्फनमतः सम्यक् । इति बोध्यम् ॥

(त्यु) अथैनमभिजुहोति । जायतऽएषु ऽएतद्यच्चीयते स ऽएष सर्व्वस्माऽअन्नाय जायते सर्व्वस्योऽअस्यैष रसो यदाज्यमपां च ह्येष ऽओषधीनां च रसोऽस्यैवैनमेतत्सर्व्वस्य रसेन प्रीणाति यावानु वै रसस्तावानात्माऽनेनैवैनमेतत्सर्व्वेण प्रीणाति पञ्चगृहीतेन पञ्चचितिकोऽग्निः पञ्चर्तवः संवत्सरः संवत्सरोऽग्निर्यावानग्निर्यावत्यस्य मात्रा तावतैवैनमेतदन्नेन प्रीणाति ॥ ४ ॥

यद्वेवैनमभिजुहोति । (त्ये) एतद्वै यत्रैतं प्राणा ऽऋषयोऽग्रेऽग्निꣳ समस्कुर्वंस्तदस्मिन्नेतं पुरस्ताद्भागमकुर्वत तस्मात्पुरस्ताद्भागास्तद्यदभिजुहोति यऽएवास्मिंस्ते प्राणा ऽऋषयः पुरस्ताद्भागमकुर्वत तानेवैतत्प्रीणात्याज्येन पञ्चगृहीतेन तस्योक्तो बन्धुः ॥ ५ ॥

अथैनमभिजुहोति । जायतऽएष एतद्- यच्चीयते । स एष सर्वस्माऽअन्नाय जायते । सर्वस्योऽस्यैष रसो यदाज्यम् । अपां च ह्येष ओषधीनां च रसः । अस्यैवैनमेतत्सर्वस्य रसेन प्रीणाति । यावानु वै रसस्तावानात्मा । अनेनैवैनमेतत्सर्वेण प्रीणाति । पञ्चगृहीतेन । पञ्चचितिकोऽग्निः । पञ्चऽर्तवः संवत्सरः । संवत्सरोऽग्निः । यावानग्निर्यावत्यस्य मात्रा तावतैवैनमेतदन्नेन प्रीणाति ॥ ४ ॥

यद्वेवैनमभिजुहोति । एतद्वै यत्रैतं प्राणा ऋषयोऽग्रेऽग्निं समस्कुर्वन्-तदस्मिन्नेतं पुरस्ताद्भाग-

---

दित्याह—मध्यत इति । सप्तम्यर्थे तसिलयम् । 'अस्मिन्' चित्याग्नौ मध्ये 'एव' 'एतत्' एतेन अन्नं स्थापितवान् भवति । उपधाने मन्त्राभावं विधत्ते—तूष्णीमिति । तदेवोपपादयति—अनिरुक्तं वा इति । स्पष्टोऽर्थः ॥ ३ ॥

अभिहोमं विधत्ते—अथैनमभीति । 'एनं' दर्भस्तम्बम् । जायत एष इत्यादि—पूर्ववद् व्याख्येयम् । अभिहोमे आज्यं द्रव्यं विधातुं स्तौति—सर्वस्योऽअस्यैष इति । 'यत्' 'आज्यं' सर्पिः 'एषः' 'अस्य' 'सर्वस्य' विश्वस्य 'रसः' । रसत्वमेवोपपादयति—अपां च हीति । अपामोषधीनां च गोभिः पानाद् भक्षणाच्च ह्याज्यमुत्पद्यते । रसत्वोपपादनस्य प्रयोजनमाह—अस्यैवैनमिति । 'एनं' चित्याग्निं 'प्रीणाति' तर्पयति । सर्वरसत्वकथने कारणमाह—यावानु वा इति । 'रसः' 'यावान्' यत्परिमाणविशिष्टः, 'आत्मा' देहोऽपि 'तावान्' तत्परिमाणविशिष्ट एव; देहस्य रसोपजीवनत्वात् । अनेनेति । 'सर्वेण' रसेनेत्यर्थः । आज्यस्य पञ्चगृहीतत्वं विधत्ते—पञ्चगृहीतेनेति । पञ्चगृहीतत्वं स्तौति—पञ्चचितिकोऽग्निरित्यादिना । 'पञ्चर्तवः' पञ्चत्वात्मकः 'संवत्सरः'; "हेमन्तशिशिरयोः समासेन" (ऐ. ब्रा. १ । १ । १) । संवत्सरोऽग्निरित्यादि । गतार्थम् (श. प. ७ । २ । २ । १९) ॥ ४ ॥

प्रकारान्तरेणाभिहोमं स्तौति—यद्वेवैनमिति । 'एतद्वै' कारणं खलु 'यत्र' यदा 'प्राणाः' एव 'ऋषयः' 'अग्रे' प्रपञ्चसृष्टेः पुरा 'एतम्' 'अग्निं' चित्याख्यं संस्कृतवन्तः, 'तत्' तदा 'अस्मिन्' अग्नौ 'एतम्'

(र्धु) युद्धेवैनमभिजुहोति । (त्ये) एतद्वै युान्येतुस्मिन्नग्नौ रूपाण्युपधास्यन्भुवति युान्त्स्तोमान्युानि पृष्ठानि युानि च्छुन्दाᳬसि तुेभ्यऽ एतं पुरुस्ताद्भागुं करोति तुान्युेवैतुत्प्रीणात्युाज्येन पञ्चगृहीतुेन तुस्योक्तो बुन्धुः ६

(र्धु) युद्धेवैनमभिजुहोति । (त्ये) एतद्धै देवुाऽ अबिभयुर्दीर्घं वुाऽइदं कुर्म यद्वै नऽ इमुमिह रुक्षाᳬसि नाष्ट्रा नु हन्युारिति तुऽएतुामेतुस्य कुर्मणः पुरुस्तात्सᳬस्थुामपश्यंस्तमुत्रैव सुर्वᳬ समुस्थापयन्नुत्राचिन्वंस्तुथुैवैनमयुमेतदुत्रैव सुर्वᳬ सᳬस्थापुयत्युत्र चिनोति ॥ ७ ॥

मकुर्वत । तस्मात्पुरस्ताद्भागाः । तद्व्यदभिजुहोति—यऽएवास्मिंस्ते प्राणा ऋषयः पुरस्ताद्भागमकुर्वत—तानेवैतत्प्रीणाति । आज्येन पञ्चगृहीतेन । तस्योक्तो बन्धुः ॥ ५ ॥

यद्वेवैनमभिजुहोति । एतद्वै यान्येतस्मिन्नग्नौ रूपाण्युपधास्यन्भवति, यान्त्स्तोमान्, यानि पृष्ठानि, यानि च्छन्दांसि—तेभ्य एतं पुरस्ताद्भागं करोति । तान्येवैतत्प्रीणाति । आज्येन पञ्चगृहीतेन । तस्योक्तो बन्धुः ॥ ६ ॥

यद्वेवैनमभिजुहोति । एतद्वै देवा अबिभयुः—दीर्घं वाऽइदं कर्म, यद्वै न इममिह रक्षांसि नाष्ट्रा न हन्युरिति । तऽएतामेतस्य कर्मणः पुरस्तात्संस्थामपश्यन् । तमत्रैव सर्वं समस्थापयन् । अत्राचिन्वन् । तथैवैनमयमेतदत्रैव सर्वं संस्थापयति, अत्र चिनोति ॥ ७ ॥

अभिहोमलक्षणं ' पुरस्ताद्भागम् ' चयनात् प्रागेव भजनीयमंशम् ' अकुर्वत ' सम्पादितवन्तः, ' तस्मात् ' ते ऋषयः ' पुरस्ताद्भागाः ' पुरस्तादादौ भागो भजनीयोंऽशो येषां ते पुरस्ताद्भागाः, प्रथमपूज्या इत्यर्थः । तद्यदिति । ' तत् ' तत्र यत्कारणात् ' अभिजुहोति, ' इदानीन्तनो यजमान इति शेषः । ' ये ' पुरस्ताद्भागकर्तारः प्राणरूपा 'ऋषयः,' ' तानेव ' ' एतत् ' एतेनाभिहोमेन तर्पयतीति तत्कारणमित्यर्थः । आज्येनेत्यादि । व्याख्यातम् ॥ ५ ॥

प्रकारान्तरेण तमेवाभिहोमं स्तौति—यद्वेवेति । ' एतस्मिन् अग्नौ ' चित्यात्मके ' यानि रूपाणि ' गार्हपत्यचितिधिष्ण्यलक्षणानि, तथा ' यान् स्तोमान् ' स्तोत्रियासमूहान् त्रिवृत्पञ्चदशादीन्, ' यानि पृष्ठानि ' बृहद्रथन्तरादीनि, ' यानि च च्छन्दांसि ' गायत्र्यादीनि, ' उपधास्यन् ' एतेषामुपधानं करिष्यन् ' भवति ', ' तेभ्यः ' रूपादिभ्यः ' एतम् ' अभिहोमलक्षणम् ' पुरस्ताद्भागं ' सम्पादयति । ' तान्येव ' रूपादीनि ' एतत् ' एतेन तर्पयति । आज्येनेत्यादि पूर्ववत् ॥ ६ ॥

प्रकारान्तरेणाप्यभिहोममेव स्तौति—यद्वेवेति । ' एतत् ' एतेन हेतुना ' देवाः ' ' अबिभयुः ' भीतवन्तः । भयस्वरूपमेव विशदयति—दीर्घं वा इत्यादिना । ' इदं ' चयनलक्षणं ' कर्म, ' ' दीर्घं ' विस्तृतं खलु । अस्तु पुनर्द्राघीयः, तावता को भयहेतुरित्यत आह—यद्वै न इति । ' नः ' अस्माकम् ' इह ' दीर्घे कर्मणि ' इमम् '

सजूरब्द ऽइति चितिः । (उ) अयवोभिरिति पुरीषꣳ सजूरुषा ऽइति चितिररुणीभिरिति पुरीषꣳ सजोषसावश्विनेति चितिर्दꣳसोभिरिति पुरीषꣳ सजूः सूर ऽइति चितिरेतशेनेति पुरीषꣳ सजूर्वैश्वानर ऽइति चितिरिडयेति पुरीषं घृतेनेति चितिः स्वेति पुरीषꣳ हेति चितिः ॥ ८ ॥

(ऊ) त्रयोदशैता व्याहृतयो भवन्ति । त्रयोदश मासाः संवत्सरस्त्रयो-दशाग्नेश्चितिपुरीषाणि यावानग्निर्यावत्यस्य मात्रा तावन्तमेवैनमेतच्चिनो-

---

“ **सजूरब्दः** ”–इति चितिः (१) । “ **अयवोभिः** ”–इति पुरीषम् (२) । “ **सजू-रुषाः** ”–इति चितिः (३) । “ **अरुणीभिः** ”–इति पुरीषम् (४) । “ **सजोषसाव-श्विना** ”–इति चितिः (५) । “ **दंसोभिः** ”–इति पुरीषम् (६) । “ **सजूः सूरः** ”–इति चितिः (७) । “ **एतशेन** ”–इति पुरीषम् (८) । “ **सजूर्वैश्वानरः** ”–इति चितिः (९) । “ **इडया** ”–इति पुरीषम् (१०) । “ **घृतेन** ”–इति चितिः (११) । “ **स्वा** ”–इति पुरीषम् (१२) । “ **हा** ”–(वा. सं. १२ । ७४) इति चितिः (१३) ॥ ८ ॥

त्रयोदशैता व्याहृतयो भवन्ति । त्रयोदश मासाः संवत्सरः । त्रयोदशाग्नेश्चितिपुरीषाणि । यावानग्निर्यावत्यस्य मात्रा–तावन्तमेवैनमेतच्चिनोति । आज्येन जुहोति । अग्निरेषः–यदाज्यम् ।

अग्निं ‘ नाष्ट्रा रक्षांसि ’ ‘ न हन्युः ’ हिंस्युरिति । अयं सम्भावने लिङ् (पा. सू. ३ । ३ । १६१) । ‘ इति ’–शब्दो देवाभिप्रायसमाप्तौ । भीतिनिवृत्तिप्रकारं दृष्टवन्त इत्याह–**त एतामिति** । ‘ ते ’ देवाः ‘ एतस्य ’ दीर्घस्य चयनाख्यकर्मणः ‘ पुरस्तात् ’ चयनात् प्रागेव ‘ एताम् ’ अग्निहोमलक्षणाम् ‘ संस्थां ’ समाप्तिम् ‘ अपश्यन् ’ ददृशुः । दृष्ट्वा चानुष्ठितवन्त इत्याह–**तमत्रैवेति** । ‘ अत्रैव ’ चयनात् प्रागवसरे एव ‘ तं ’ चित्यात्मकमग्निं सर्वं निरवशेषं ‘ समस्थापयन् ’ समापितवन्तः, ‘ अत्र ’ आदावित्यर्थः । ‘ अचिन्वन् ’ चितवन्त इति भाविनि भूतवदुपचारः । उक्तमर्थं प्रकृते योजयति–**तथैवैनमिति** ॥ ७ ॥

अग्निहोमे मन्त्रं विधाय व्याहृतिरूपेण त्रयोदशधा विभज्य चितिपुरीषात्मना स्तौति–**सजूरब्द इति चितिरित्यादिना** । मन्त्रार्थस्तु,–‘ अब्दः ’ संवत्सरः ‘ अयवोभिः ’ मासैरर्द्धमासैश्च ‘ सजूः ’ समानजोषणः । यवा अयवाश्चार्द्धमासा मासाश्चोच्यन्ते; अर्द्धमासा एव वा, “ पूर्वपक्षा वै यवा अपरपक्षा अयवाः ”–इति श्रुतेः (श. प. ८ । ४ । २ । ११) । ‘ उषाः ’ रात्रेरपरः कालः । ‘ अरुणीभिः ’ अरुणवर्णाभिर्गोभिः ‘ सजूः ’ समानजोषणः । “ अरुण्यो गाव उषसम् ”–इति निघण्टुः (१ । १५ । खं. ७) । ‘ अश्विना ’ नासत्यौ देवौ ‘ दंसोभिः ’ कर्मभिः सजोषसौ समानजोषणौ । ‘ सूरः ’ सूर्यः ‘ एतशेन ’ हरितवर्णेनाश्वेन ‘ सजूः ’ ‘ वैश्वानरः ’ विश्वनरनेता अग्निः ‘ इडया ’ अन्नाद्या ‘ घृतेन ’ आज्येन हविषा च ‘ सजूः ’ ‘ स्वाहा ’ इद-माज्यं सुहुतमस्तु ॥ ८ ॥

त्रयोदशधा विभक्ता मन्त्रावयवा व्याहृतिरूपाः स्युरित्याह–**त्रयोदशैता इति** । व्याह्रियन्त एभिः ‘ व्याहृ-

---

१–“ व्याह्रियन्ते प्रतिपाद्यन्ते एभिश्चितिपुरीषाणीति व्याहृतयो मन्त्रभागाः ”–इति क. पा. ।

त्याज्येन जुहोत्यग्निरेष यदाज्यमग्निमेवैतच्चिनोति पञ्चगृहीतेन पञ्चचितिकोऽग्निः पञ्चर्त्तवः संवत्सरः संवत्सरोऽग्निर्यावानग्निर्यावत्यस्य मात्रा तावन्तमेवैनमेतच्चिनोत्यूर्ध्वामुद्गृह्णञ्जुहोत्यूर्ध्वं तदग्निं चितिभिश्चिनोति ॥ ९ ॥

इति द्वितीयप्रपाठके प्रथमं ब्राह्मणम् ॥ ७।२।१ ॥ (२-३)

अथोदचमसान्निनयति । (त्ये) एतद्वै देवाऽ अब्रुवंश्चेतयध्वमिति चितिमिच्छतेति वाव तदब्रुवंस्ते चेतयमाना वृष्टिमेव चितिमपश्यंस्तामस्मिन्नदधुस्तथैवास्मिन्नयमेतद्दधाति ॥ १ ॥

अग्निमेवैतच्चिनोति । पञ्चगृहीतेन । पञ्चचितिकोऽग्निः । पञ्चर्त्तवः संवत्सरः । संवत्सरोऽग्निः । यावानग्निः, यावत्यस्य मात्रा—तावन्तमेवैनमेतच्चिनोति । ऊर्ध्वामुद्गृह्णञ्जुहोति । ऊर्ध्वं तदग्निं चितिभिश्चिनोति ॥ ९ ॥

अपां निनयनं सर्वौषधवपनं च ।

अथोदचमसान्निनयति । एतद्वै देवा अब्रुवन्—चेतयध्वमिति । चितिमिच्छतेति वाव तदब्रुवन् । ते चेतयमाना वृष्टिमेव चितिमपश्यन् । तामस्मिन्नदधुः । तथैवास्मिन्नयमेतद्दधाति ॥ १ ॥

तयः' । 'एताः' इति स्त्रीलिङ्गत्वं व्याहृतिशब्दापेक्षम् । व्याहृतिगतां त्रयोदशसङ्ख्यां प्रशंसति—त्रयोदश मासा इति । संसर्पोंऽहस्पतिसञ्ज्ञकोऽधिमासस्त्रयोदशः । "अस्ति त्रयोदशो मासः"—(श. प. ४ । ३ । १ । ९) इति श्रुतेः । त्रयोदशाग्नेरिति । चित्यस्याग्नेश्चितयः पुरीषाणि च मिलित्वा त्रयोदश सम्पद्यन्ते । तथाहि—आदितश्चतस्रश्चितयः पुरीषनिवपनान्ताः ८, स्तोमभागान्ता पञ्चमी चितिः ९, तदनन्तरभावि पुरीषमेकम् १०, नाकसत्प्रभृतिपुरीषनिवपनान्ता षष्ठी चितिरिति द्वे १२, ततो विकर्णीस्वयमातृण्णयोरुपधानं हिरण्यशकलैः प्रोक्षणमग्न्यभ्याधानं चेति सप्तमी चितिः । सा १३ त्रयोदशीत्यादिर्विभाग ऊह्यः (श. प. ८ । ५ । ४ ब्रा.) । यावानग्निरित्यादि असकृद् गतम् ॥

आज्यस्य होमसाधनत्वमनूद्य प्रशंसति—आज्येनेत्यादिना । आज्यस्याग्नित्वम् 'तेजो वै घृतम्"—(ऐ. ब्रा. ८ । ४ । ६ तै. सं. २ । ९ । २ । ७) इति श्रुतेः । पञ्चगृहीतेनेत्यादि । व्याख्यातचरम् । तत्राभिहोमे स्रुच उद्गृहीतत्वं विधाय प्रशंसति—ऊर्ध्वामिति । 'उद्गृह्णन्' स्रुचमूर्ध्वां कुर्वन् जुहोतीत्यर्थः । 'तत्' तेन स्रुच ऊर्ध्वकरणेन 'अग्निं' प्रकृतं 'चितिभिः' ऊर्ध्वं चितवान् भवति । "पञ्चगृहीतेनोद्गृह्णन्नभिजुहोति सजूरब्द इति"—(का. श्रौ. सू. १७ । ४७ ।) इति सूत्रम् ॥ ९ ॥

इति श्रीसायणाचार्यविरचिते माधवीये वेदार्थप्रकाशे माध्यन्दिनीयशतपथब्राह्मणभाष्ये सप्तमकाण्डे द्वितीयेऽध्याये तृतीयं ब्राह्मणम् ॥ (७ । २ । ३) ॥

अथ कृष्टे क्षेत्रे कर्षणक्रमेणोदचमसकरणकमपान्निनयनं विधत्ते—अथोदचमसान्निनयतीति । उदकपूर्णा-

(त्यु) उदचमसा भवन्ति । (न्त्या) आपो वै व्वृष्टिर्व्वृष्टिमेवास्मिन्नेतद्दधात्यौदुम्बरेण चमसेन तस्योक्तो बन्धुश्चतुःस्रक्तिना चतस्रो वै दिशः सर्व्वाभ्य ऽएवास्मिन्नेतद्दिग्भ्यो व्वृष्टिं दधाति ॥ २ ॥

त्रींस्त्रीनुदचमसान्निनयति । त्रिंवृदग्निर्य्यावानग्निर्य्यावत्यस्य मात्रा तावतैवास्मिन्नेतद्व्वृष्टिं दधाति ॥ ३ ॥

द्वादशोदचमसान्कृष्टे निनयति । द्वादश मासाः संवत्सरः संवत्सरोऽग्निर्य्यावानग्निर्य्यावत्यस्य मात्रा तावतैवास्मिन्नेतद्व्वृष्टिं दधाति ॥ ४ ॥

उदचमसा भवन्ति । आपो वै वृष्टिः । वृष्टिमेवास्मिन्नेतद्दधाति । औदुम्बरेण चमसेन । तस्योक्तो बन्धुः । चतुःस्रक्तिना । चतस्रो वै दिशः । सर्वाभ्य एवास्मिन्नेतद्दिग्भ्यो वृष्टिं दधाति ॥ २ ॥

त्रींस्त्रीनुदचमसान्निनयति । त्रिवृदग्निः । यावानग्निर्यावत्यस्य मात्रा—तावतैवास्मिन्नेतद्वृष्टिं दधाति ॥ ३ ॥

द्वादशोदचमसान्कृष्टे निनयति । द्वादश मासाः संवत्सरः । संवत्सरोऽग्निः । यावानग्निर्यावत्यस्य मात्रा—तावतैवास्मिन्नेतद्वृष्टिं दधाति ॥ ४ ॥

श्चमसा उदचमसास्तानासिञ्चेदित्यर्थः । एतद्वै देवा इत्यादि—असकृद् गतम् (श. प. ७ । २ । ३ । १) वृष्टिमेवेति । वर्षणरूपां चितिमित्यर्थः ॥ १ ॥

उदकनिनयने चमसकरणतां विधाय वृष्ट्यात्मना स्तौति—उदचमसा भवन्तीति । 'वृष्टिरापः' खलु अपां वृष्टिजन्यत्वात् । चमसस्य उदुम्बरविकारत्वं विधत्ते—औदुम्बरेणेति । तस्योक्त इति । उदुम्बरविकारत्वस्यार्थवादः "तदेतत् सर्वमन्नं यदुदुम्बरः, सर्वे वनस्पतयः" इत्यादिना षष्ठकाण्डे प्रपञ्चित इत्यर्थः (श. प. ६ । १ । ३ । ३) । चमसस्य चतुष्कोणत्वं विधाय प्रशंसति—चतुःस्रक्तिनेति । सर्वाभ्य इति । चतसृभ्योऽपि दिग्भ्य इत्यर्थः ॥ २ ॥

चतसृषु चतसृषु सीतासु त्रयाणां त्रयाणामुदचमसानां निनयनं विधाय प्रशंसति—त्रींस्त्रीनिति । "नित्यवीप्सयोः"—(पा. सू. ८ । १ । ४) इति द्विर्वचनम् । त्रिवृदग्निः—इत्यादि—असकृदुक्तार्थम् (श. प. । ७ । २ । २ । १९) ॥ ३ ॥

कृष्टप्रदेशे द्वादशभिरुदचमसैर्निनयनं विधाय स्तौति—द्वादशोदचमसानिति । "द्वादश मासाः"—इत्यादेः स्पष्टोऽर्थः ॥ ४ ॥

१—चतसृषु चतसृषु त्रींस्त्रीनुदचमसान्निनयति यथाकृष्टमौदुंबरेण चतुःस्रक्तिना । का० श्रौ० सू० १७ । ४९ ।

स वै कृष्टे निनयति । तस्मात्कृष्टाय वर्षति स यत्कृष्टऽएव निनयेन्नाकृष्टे कृष्टायैव वर्षेन्नाकृष्टायाथ यदकृष्टऽएव निनयेन्न कृष्टेऽकृष्टायैव वर्षेन्न कृष्टाय कृष्टे चाकृष्टे च निनयति तस्मात्कृष्टाय चाकृष्टाय च वर्षति ॥ ५ ॥

त्रीन्कृष्टे चाकृष्टे च निनयति । त्रिवृदग्निर्यावानग्निर्यावत्यस्य मात्रा तावतैवास्मिन्नेतद्वृष्टिं दधाति ॥ ६ ॥

यद्वेवोदचमसान्निनयति । (त्ये) एतद्वाऽअस्मिन्देवाः संस्करिष्यन्तः पुरस्तादपोऽदधुस्तथैवास्मिन्नयमेतत्संस्करिष्यन्पुरस्तादपो दधाति ॥ ७ ॥

त्रींस्त्रीनुदचमसान्निनयति । त्रिवृदग्निर्यावानग्निर्यावत्यस्य मात्रा तावतैवास्मिन्नेतदपो दधाति ॥ ८ ॥

स वै कृष्टे निनयति । तस्मात्कृष्टाय वर्षति । स यत् कृष्टऽएव निनयेत्—नाकृष्टे, कृष्टायैव वर्षेत्—नाकृष्टाय । अथ यदकृष्टऽएव निनयेत्—न कृष्टे, अकृष्टायैव वर्षेत्—न कृष्टाय । कृष्टे चाकृष्टे च निनयति—तस्मात् कृष्टाय चाकृष्टाय च वर्षति ॥ ५ ॥

त्रीन्कृष्टे चाकृष्टे च निनयति । त्रिवृदग्निः । यावानग्निर्यावत्यस्य मात्रा—तावतैवास्मिन्नेतद्वृष्टिं दधाति ॥ ६ ॥

यद्वेवोदचमसान्निनयति । एतद्वाऽअस्मिन्देवाः संस्करिष्यन्तः पुरस्तादपोऽदधुः । तथैवास्मिन्नयमेतत्संस्करिष्यन्पुरस्तादपो दधाति ॥ ७ ॥

त्रींस्त्रीनुदचमसान्निनयति । त्रिवृदग्निः । यावानग्निः, यावत्यस्य मात्रा—तावतैवास्मिन्नेतदपो दधाति ॥ ८ ॥

तस्योदकनिनयनस्य कृष्टक्षेत्राधिकरणत्वमनूद्य स्तौति—स वै कृष्टे इति । यस्मात् कृष्टप्रदेशे उदकनिनयनं क्रियते, तस्मादेव कारणाल्लोके ' कृष्टाय ' कर्षणसंस्कारसंस्कृताय भूमिभागायार्थे ' वर्षति ' वृष्टिर्भवति । स यत् कृष्ट एवेत्यादिना कृष्टाकृष्टस्थले उदकनिनयनायैकैकत्र निनयननिन्दा प्रतिपाद्यते; अर्थस्तु निगदसिद्धः ॥ ५ ॥

कृष्टाकृष्टात्मके यदुदकनिनयनं विहितम्, तत्करणचमसानामपि त्रिसङ्ख्यामुपजीव्य स्तौति—त्रीन् कृष्टे चेति । त्रिवृदग्निरित्यादि—असकृद् गतम् ॥ ६ ॥

उक्तेऽर्थे पुरावृत्तमवतारयति—यद्वेवेत्यादिना । ' पुरस्तात् ' चयनात् प्रागेव ' अपः ' उदकानि स्थापितवन्तः । शिष्टं स्पष्टम् ॥ ७ ॥

त्रींस्त्रीनित्यादि पूर्ववद् व्याख्येयम् ॥ ८ ॥

१–त्रीन् कृष्टाकृष्टयोः । का. श्रौ. सू. १७.।.४९.।

द्वादशोदचमसान्कृष्टे निनयति । द्वादश मासाः संवत्सरः संवत्सरोऽग्नि-र्यावानग्निर्यावत्यस्य मात्रा तावतैवास्मिन्नेतदपो दधाति ॥ ९ ॥

स वै कृष्टे निनयति । प्राणेषु तदपो दधाति स यत्कृष्टऽएव निनयेन्ना-कृष्टे प्राणेष्वेवापः स्युर्नेतरस्मिन्नात्मन्नथ यदकृष्टऽएव निनयेन्न कृष्टऽआ-त्मन्नेवापः स्युर्न प्राणेषु कृष्टे चाकृष्टे च निनयति तस्मादिमाऽ उभयत्रापः प्राणेषु चात्मंश्च ॥ १० ॥

त्रीन्कृष्टे चाकृष्टे च निनयति । त्रिवृदग्निर्यावानग्निर्यावत्यस्य मात्रा ताव-तैवास्मिन्नेतदपो दधाति ॥ ११ ॥

पञ्चदशोदचमसान्निनयति । पञ्चदशो वै वज्रऽएतेनैवास्यैतत्पञ्चदशेन वज्रेण सर्वं पाप्मानमपहन्ति ॥ १२ ॥

द्वादशोदचमसान्कृष्टे निनयति । द्वादश मासाः संवत्सरः । संवत्सरोऽग्निः । यावानग्निर्यावत्यस्य मात्रा तावतैवास्मिन्नेतदपो दधाति ॥ ९ ॥

स वै कृष्टे निनयति । प्राणेषु तदपो दधाति । स यत् कृष्टऽएव निनयेत्—नाकृष्टे, प्राणेष्वेवापः स्युः—नेतरस्मिन्नात्मन् । अथ यदकृष्टऽएव निनयेत्—न कृष्टे, आत्मन्नेवापः स्युः—न प्राणेषु । कृष्टे चाकृष्टे च निनयति । तस्मादिमा उभयत्रापः प्राणेषु चात्मंश्च ॥ १० ॥

त्रीन्कृष्टे चाकृष्टे च निनयति । त्रिवृदग्निः । यावानग्निर्यावत्यस्य मात्रा—तावतैवास्मिन्नेतदपो दधाति ॥ ११ ॥

पञ्चदशोदचमसान्निनयति । पञ्चदशो वै वज्रः । एतेनैवास्यैतत्पञ्चदशेन वज्रेण सर्वं पाप्मानमपहन्ति ॥ १२ ॥

द्वादशोदचमसानित्यादि च ॥ ९ ॥

कृष्टप्रदेशे उदकनिनयनस्य प्राणाधिकरणनिनयनरूपतामाह—**स वै कृष्ट** इति । कृष्टाकृष्टयोरुभयत्रोदकनिनयने प्राणशब्दाभिधेयेषु चक्षुरादिषु तदाश्रयभूते 'आत्मनि' शरीरे चापां निनयनं कृतं भवतीत्ययं **सयत् कृष्ट** एवेत्यादेस्तात्पर्यार्थः ॥ १० ॥

कृष्टाकृष्टयोरुदकनिनयनचमसगतं त्रित्वमनूद्य तस्याप्यपां निधानहेतुतामाह—**त्रीन् कृष्टे** चेति । अर्थस्तु पूर्ववत् ॥ ११ ॥

पृथग्विहितामुदचमससंख्यां सम्भूय प्रशंसति—**पञ्चदशोदचमसा**निति । **पञ्चदशो वै वज्र** इति । पञ्चदशस्तोमस्येन्द्रस्य च सह प्रजापतिबाहुसकाशादुत्पत्तेरिन्द्रसम्बन्धी वज्रोऽपि पञ्चदशस्तोमात्मकः (तै. सं. ७ । १ । १ । ४ ।) । तादृशेनैतेन 'वज्रेण' अस्य यजमानस्य 'सर्वम्' अपि 'पाप्मानम्' अपहतवान् भवति ॥ १२ ॥

१-कृष्टमात्रे वा । का. श्रौ. सू. । १७ । ५० ।

(न्त्यु) अथ सर्व्वौषधं व्वपति । (त्ये) एतद्वै देवा ऽअब्रुवंश्चेतयध्वमिति चितिमिच्छतेति वाव तदब्रुवंस्ते चेतयमाना ऽअन्नमेव चितिमपश्यंस्तामस्मिन्नदधुस्तथैवास्मिन्नयमेतद्दधाति ॥ १३ ॥

सर्व्वौषधं भवति । सर्व्वमेतदन्नं यत्सर्व्वौषधꣳ सर्व्वमेवास्मिन्नेतदन्नं दधाति तेषामेकमन्नमुद्धरेत्तस्य नाश्नीयाद्यावज्जीवमौदुम्बरेण चमसेन तस्योक्तो बन्धुश्चतुःस्रक्तिना चतस्रो वै दिशः सर्व्वाभ्य ऽएवास्मिन्नेतद्दिग्भ्योऽन्नं दधात्यनुष्टुब्भिर्व्वपति व्वाग्वाऽअनुष्टुब्वाचो वाऽअन्नमद्यते ॥१४॥

अथ सर्वौषधं वपति—एतद्वै देवा अब्रुवन्—चेतयध्वमिति । चितिमिच्छतेति वाव तदब्रुवन् । ते चेतयमाना अन्नमेव चितिमपश्यन् । तामस्मिन्नदधुः । तथैवास्मिन्नयमेतद्दधाति ॥ १३ ॥

सर्वौषधं भवति । सर्वमेतदन्नम्—यत्सर्वौषधम् । सर्वमेवास्मिन्नेतदन्नं दधाति । तेषामेकमन्नमुद्धरेत्—तस्य नाश्नीयाद्—यावज्जीवम् । औदुम्बरेण चमसेन । तस्योक्तो बन्धुः । चतुःस्रक्तिना । चतस्रो वै दिशः । सर्वाभ्य एवास्मिन्नेतद्दिग्भ्योऽन्नं दधाति । अनुष्टुब्भिर्वपति । वाग्वाऽअनुष्टुप् । वाचो वाऽअन्नमद्यते ॥ १४ ॥

अथ प्रकृत औदुम्बरचमसे सर्वधान्यावापं विधत्ते—अथ सर्वौषधं वपतीति । 'अन्नमेव' धान्यरूपामेव 'चितिम्' इत्यर्थः । गतमन्यत् ॥ १३ ॥

सर्वत्वमनूद्य स्तौति—सर्वौषधं भवतीति । ओषधीनां समूहः औषधम् । "तस्य समूहः"—(पा.सू.४।२।३७) इत्यण् । ओषधयश्चात्र ग्राम्यारण्यादिबीजात्मिका द्रष्टव्याः (तै.सं.१।४।१।१) । यत् सर्वौषधम्, एतत् सर्वं निरवशेषमन्नम् । सर्वमेवेति । 'एतत्' एतेन सर्वौषधवापेन 'अस्मिन्' अग्नौ सर्वमेवान्नं निहितवान् भवति । तत्रोक्तानां प्रकृतानामन्नानां मध्ये एकस्य ओषधिरूपस्य बीजस्य वर्जनं विधत्ते—तेषामेकमिति । 'तेषाम्' ओषधिविकाराणामन्नानां मध्ये 'एकमन्नमुद्धरेत्' पृथक् कुर्यात्, न आवपेदित्यर्थः । तत्र च धर्मविशेषं विधत्ते—तस्य नाश्नीयादिति । 'तस्य' उद्धृतस्यान्नस्य 'यावज्जीवं नाश्नीयात्' अत एवोक्तं कात्यायनेन—"तस्मिन् सर्वौषधमात्रपत्येकवर्जमभोजनं तस्योच्छ्वासात्"—(का.श्रौ.सू. १७।९१) इति ॥

उदकनिनयन इव बीजावपनेऽपि चतुरस्रमौदुम्बरं चमसं करणत्वेन विधत्ते—औदुम्बरेण चमसेनेति । व्याख्यातं प्राक् चैतत् (श.प. ७।२।२।१९) । सर्वाभ्य एवास्मिन्नित्यादि । 'सर्वाभ्यः' प्राच्यादिभ्यश्चतसृभ्यो दिग्भ्यः सकाशात् 'एतेन' चतुःस्रक्तिचमसकरणकेन बीजावापेन 'अस्मिन्' अग्नौ 'अन्नं' 'दधाति' स्थापयति । बीजावपनं मन्त्राणां छन्दोद्वारेण प्रशंसति—अनुष्टुब्भिरिति । "या ओषधीः" इत्याद्याः अनुष्टुप्छन्दस्कास्ताभिर्वपेदित्यर्थः । वाग्वा अनुष्टुब्—इत्यादि । सा तु "चतुरुत्तराणि छन्दांस्यसृजत"—इति श्रुतेः सर्वच्छन्दोरूपत्वादनुष्टुभो वाक्त्वम् (श.प. ३।१।४।२१) । अन्नमपि वाचैवाद्यमानमित्यन्नात्मकस्यौषधिवापस्य वाक्संस्तुताऽनुष्टुप्करणकत्वं युक्तमिति भावः ॥ १४ ॥

तिसृभिस्तिसृभिर्ऋग्भिर्व्वपति। त्रिव्वृदग्निर्य्यावानग्निर्य्यावत्यस्य मात्रा तावतैवास्मिन्नेतदन्नं दधाति ॥ १५ ॥

द्वादशभिर्ऋग्भिः कृष्टे व्वपति। द्वादश मासाः संव्वत्सरः संव्वत्सरोऽग्निर्य्यावानग्निर्य्यावत्यस्य मात्रा तावतैवास्मिन्नेतदन्नं दधाति ॥ १६ ॥

स वै कृष्टे व्वपति। तस्मात्कृष्टेऽन्नं पच्यते स यत्कृष्टऽएव व्वपेन्नाकृष्टे कृष्टऽएवान्नं पच्येत नाकृष्टेऽथ यदकृष्टऽएव व्वपेन्न कृष्टेऽकृष्टऽएवान्नं पच्येत न कृष्टे कृष्टे चाकृष्टे च व्वपति तस्मात्कृष्टे चाकृष्टे चान्नं पच्यते॥ १७॥

तिसृभिः कृष्टे चाकृष्टे च व्वपति। त्रिव्वृदग्निर्य्यावानग्निर्य्यावत्यस्य मात्रा तावतैवास्मिन्नेतदन्नं दधाति ॥ १८ ॥

तिसृभिस्तिसृभिर्ऋग्भिर्वपति। त्रिवृदग्निः। यावानग्निर्यावत्यस्य मात्रा–तावतैवास्मिन्नेतदन्नं दधाति ॥ १५ ॥

द्वादशभिर्ऋग्भिः कृष्टे वपति। द्वादश मासाः संवत्सरः। सम्वत्सरोऽग्निः। यावानग्निर्यावत्यस्य मात्रा–तावतैवास्मिन्नेतदन्नं दधाति ॥ १६ ॥

स वै कृष्टे वपति। तस्मात्कृष्टेऽन्नं पच्यते। स यत्कृष्टऽएव वपेत्–नाकृष्टे, कृष्टऽएवान्नं पच्येत–नाकृष्टे। अथ यदकृष्टऽएव वपेत्–न कृष्टे, अकृष्टऽएवान्नं पच्येत–न कृष्टे। कृष्टे चाकृष्टे च वपति–तस्मात्कृष्टे चाकृष्टे चान्नं पच्यते ॥ १७ ॥

तिसृभिः कृष्टे चाकृष्टे च वपति। त्रिवृदग्निः। यावानग्निर्यावत्यस्य मात्रा–तावतैवास्मिन्नेतदन्नं दधाति ॥ १८ ॥

पञ्चतृचात्मको ह्यनुवाकस्तत्र सर्वत्र क्रमेण तृचैरेवौषधिवापः कर्त्तव्य इति विधाय त्रित्वसंख्यां प्रशंसति–तिसृभिस्तिसृभिरिति[2]। "नित्यवीप्सयोः"–(पा. सू. ८। १। ४) इति द्विर्वचनम्। त्रिवृदग्निरित्यादि। व्याख्यातम् ॥ १५ ॥

कृष्टप्रदेशे द्वादशभिर्ऋग्भिर्वपनं विधाय स्तौति–द्वादशभिरिति। चतसृषु सीतास्वेकैकस्यां तिसृभिर्वपने सति द्वादशर्चः सम्पद्यन्ते, सैव द्वादशसंख्याऽत्रानूद्य स्तूयते। निगदसिद्धमन्यत् ॥ १६ ॥

तस्य बीजावापस्य कृष्टक्षेत्राधिकरणत्वमनूद्य स्तौति–स वै कृष्ट इति। यस्मात् कृष्टप्रदेशे बीजावापः क्रियते, तस्मादेव कारणात् लोके 'कृष्टे' कर्षणसंस्कारसंस्कृते भूमिभागे व्रीहियवादिलक्षणम् 'अन्नं पच्यते' फलमिति। स यत् कृष्ट एवेत्यादिना—कृष्टाकृष्टक्षेत्रे वपनायैकैकत्र बीजावापनिन्दा प्रतिपाद्यते। निगदसिद्धोऽर्थः ॥ १७ ॥

कृष्टाकृष्टात्मके यद्बीजावपनं विहितम्, तत् करणमन्त्राणामपि त्रिसङ्ख्यामुपजीव्य स्तौति–तिसृभिः कृष्टे चाकृष्टे चेति ॥ १८ ॥

१–अनारभ्याधीता द्वादश वर्जयित्वेयं गणना। २–या ओषधीरिति तृचैर्वपत्युदपात्रवत्। का. श्रौ. सू. १७। ५२।

यद्देवु सर्व्वौषधं व्वपति । (त्ये) एतद्वाऽएनं देवाः संस्करिष्यन्तः पुरस्तात्सर्व्वेण भेषजेनाभिषज्यंस्तुथैवैनमयमेतत्संस्करिष्यन्पुरस्तात्सर्व्वेण भेषजेन भिषज्यति ॥ १९ ॥

सर्व्वौषधं भवति । सर्व्वमेतद्भेषजं यत्सर्व्वौषधꣳ सर्व्वेणैवैनमेतद्भेषजेन भिषज्यति ॥ २० ॥

तिसृभिस्तिसृभिर्ऋग्भिर्व्वपति । त्रिवृदग्निर्यावानग्निर्यावत्यस्य मात्रा तावतैवैनमेतद्भिषज्यति ॥ २१ ॥

द्वादशभिर्ऋग्भिः कृष्टे व्वपति । द्वादश मासाः संव्वत्सरः संव्वत्सरोऽग्निर्यावानग्निर्यावत्यस्य मात्रा तावतैवैनमेतद्भिषज्यति ॥ २२ ॥

स वै कृष्टे व्वपति । प्राणांस्तद्भिषज्यति स यत्कृष्टऽएव व्वपेन्नाकृष्टे प्राणानेव भिषज्येन्नेतरमात्मानमथ यदकृष्टऽएव व्वपेन्न कृष्टऽआत्मान-

---

यद्देव सर्वौषधं वपति । एतद्वाऽएनं देवाः संस्करिष्यन्तः पुरस्तात्सर्वेण भेषजेनाभिषज्यन् । तथैवैनमयमेतत्संस्करिष्यन्पुरस्तात्सर्वेण भेषजेन भिषज्यति ॥ १९ ॥

सर्वौषधं भवति । सर्वमेतद्भेषजम्—यत्सर्वौषधम् । सर्वेणैवैनमेतद्भेषजेन भिषज्यति ॥ २० ॥

तिसृभिस्तिसृभिर्ऋग्भिर्वपति । त्रिवृदग्निः । यावानग्निर्यावत्यस्य मात्रा तावतैवैनमेतद्भिषज्यति ॥ २१ ॥

द्वादशभिर्ऋग्भिः कृष्टे वपति । द्वादश मासाः संवत्सरः । संवत्सरोऽग्निः । यावानग्निर्यावत्यस्य मात्रा—तावतैवैनमेतद्भिषज्यति ॥ २२ ॥

स वै कृष्टे वपति । प्राणांस्तद्भिषज्यति । स यत् कृष्टऽएव वपेत्—नाकृष्टे, प्राणानेव भिषज्येत्—

एवमन्नचितिरूपेण बीजावापं संस्तुत्य भेषजरूपेणापि स्तौति—यद्देवेत्यादिना । पुरावृत्तकथनम् । सर्वा ह्योषधयो यावदन्नमूलफलकन्दादिरूपेण भेषजानि भवन्ति तथा सति सर्वौषधिसम्बन्धिबीजावपनेन सर्वेणैव भेषजेन 'देवाः' 'एनम्' अग्निम् 'अभिषज्यन्' अचिकित्सन् । "भिषज् चिकित्सायाम्"—इति (पा. सू. ३।१।२७) (कं.गं.२३) धातुः । तद्वदयं यजमानोऽपि 'एतत्' एतर्हि 'एनम्' अग्निं 'संस्करिष्यन्,' ततः प्रागेव सर्वौषधिबीजावापेन सर्वेणैव भेषजेन 'भिषज्यति' चिकित्सति । यथा करिष्यमाणश्चयनसंस्कारो वितथो न भवेत्, तथैनं भिषज्येदित्यर्थः ॥ १९ ॥

सर्वत्वमनूद्य स्तौति—सर्वौषधं भवतीति । पूर्ववद् व्याख्येयम् ॥ २० ॥

तृचकरणकं बीजावपनमनूद्यैतदपि भेषजहेतुत्वेन स्तौति—तिसृभिस्तिसृभिर्ऋग्भिरिति ॥ २१ ॥

चतसृषु सीतासु करणमन्त्राणां द्वादशसङ्ख्यामनूद्य भेषजहेतुत्वेन स्तौति—द्वादशभिर्ऋग्भिरिति ॥ २२ ॥

कृष्टप्रदेशे वपनस्य प्राणभैषज्यरूपतामाह—स वै कृष्ट इत्यादिना । अकृष्टप्रदेशस्य शरीरस्य च साम्यं

मेव भिषज्येन्न प्राणान्कृष्टे चाकृष्टे च व्वपति प्राणांश्च तदात्मानं च भिषज्यति ॥ २३ ॥

तिसृभिः कृष्टे चाकृष्टे च व्वपति । त्रि॰वृदग्निर्यावानग्निर्यावत्यस्य मात्रा तावतैवैनमेतद्भिषज्यति ॥ २४ ॥

पञ्चदशोदचमसान्निनयति । पञ्चदशभिर्ऋग्भिर्व्वपति तत्त्रिᳪंशत्त्रिᳪंशदक्षरा व्विराड्विराडु कृत्स्नमन्नᳪं सर्व्वमेवास्मिन्नेतत्कृत्स्नमन्नं दधाति ॥ २५ ॥

या ऽओषधीः पूर्व्वा जाताः । (०) देवेभ्यस्त्रियुगं पुरेत्यृतवो वै देवास्तेभ्य ऽएतास्त्रिः पुरा जायन्ते व्वसन्ता प्रावृषि शरदि मनै नु बभ्रूणामह-

---

नेतरमात्मानम् । अथ यदकृष्टऽएव वपेत्—न कृष्टे, आत्मानमेव भिषज्येत्—न प्राणान् । कृष्टे चाकृष्टे च वपति—प्राणांश्च तदात्मानं च भिषज्यति ॥ २३ ॥

तिसृभिः कृष्टे चाकृष्टे च वपति । त्रिवृदग्निः । यावानग्निर्यावत्यस्य मात्रा—तावतैवैनमेतद् भिषज्यति ॥ २४ ॥

पञ्चदशोदचमसान्निनयति, पञ्चदशभिर्ऋग्भिर्वपति—तत्त्रिंशत् । त्रिंशदक्षरा विराट् । विराडु कृत्स्नमन्नम् । सर्वमेवास्मिन्नेतत् कृत्स्नमन्नं दधाति ॥ २५ ॥

" या ओषधीः पूर्वा जाता देवेभ्यस्त्रियुगं पुरा "—इति । ऋतवो वै देवाः । तेभ्य एतास्त्रिः पुरा जायन्ते—वसन्ता[1] प्रावृषि शरदि । " मनै नु बभ्रूणामहम् "—इति । सोमो वै

गर्तराहित्यम् । कृष्टाकृष्टयोरुभयत्र बीजावापेन प्राणशब्दाभिधेयांश्चक्षुरादीन्, तदाश्रयभूतम् ' आत्मानं ' शरीरं च एतेन भिषज्येदित्यर्थः ॥ २३ ॥

कृष्टाकृष्टबीजावपने च मन्त्रगतं त्रित्वमनूद्य, तस्यापि भेषजहेतुतामाह—तिसृभिः कृष्टे चाकृष्टे चेति ॥२४॥

उदचमससङ्ख्यां बीजावापमन्त्रसङ्ख्यां चानूद्य सम्भूय प्रशंसति—पञ्चदशोदचमसानिति । त्रिᳪंशदक्षरा विराडिति । द्वाभ्यामक्षराभ्यामनुष्टुभो न्यूनत्वात् त्रिंशदक्षरा ऋक् विराट्छन्दस्का भवति । " ऊनाधिकेनैकेन निचृद्भुरिजौ, द्वाभ्यां विराट्स्वराजौ "—(पिङ्गलसू. ४ खण्डे, ऋ. प्रा. ४ पटले, का. स. ५।१) इति हि तल्लक्षणम् । सा च ' विराट् ' ' कृत्स्नमन्नम् '; भूरूपा हि तादृशी विराट् । अत एव श्रूयते—" इयं वै विराड् " (श. प. १ । ९ । २ । २० ।) इति । सा च स्वेप्सितव्रीहियवादिसर्वधान्योत्पत्तिहेतुत्वात् सर्वान्नरूपा । तथा च विराट्संम्पत्त्या ' अस्मिन् ' आग्निक्षेत्रे ' सर्वमेवान्नम् एतत् ' ' कृत्स्नम् ' निरवशेषं ' दधाति ' स्थापयति ॥ २५ ॥

अथ बीजावापमन्त्रपदानामनुवादपूर्वकमभिप्रायं व्याचष्टे—या ओषधीरित्यादिना । " देवेभ्यस्त्रियुगं पुरा "

१—वसन्ता इति सप्तम्यन्तम् । " सुपां सुलुक् "—इति सप्तम्या डादेशे रूपम् । वसन्ते इत्यर्थः ।

मिति सोमो वै बभ्रुः सौम्या ऽओषधय ऽऔषधः पुरुषः शतं धामानीति यदिदꣳ शतायुः शतार्घः शतवीर्य्यऽएतानि हास्य तानि शतं धामानि सप्त चेति यऽएवेमे सप्त शीर्षन्प्राणास्तानेतदाह ॥ २६ ॥

शतं वोऽअम्ब धामानि । सहस्रमुत वो रुहऽइति यदिदꣳ शतधा च सहस्रधा च विरूढाऽअधा शतक्रत्वो यूयमिमं मेऽअगदं कृतेति यमिमं भिषज्यामीत्येतत् ॥ २७ ॥

बभ्रुः, सौम्या ओषधयः, औषधः पुरुषः । " शतं धामानि "–इति । यदिदं शतायुः, शतार्घः, शतवीर्यः–एतानि हास्य तानि शतं धामानि । "सप्त च"–(वा. सं. १२।७५) इति । यऽएवेमे सप्त शीर्षन् प्राणाः–तानेतदाह ॥ २६ ॥

" शतं वोऽअम्ब धामानि, सहस्रमुत वो रुहः "–इति । यदिदं शतधा च सहस्रधा च विरूढाः । " अधा शतक्रत्वो यूयमिमं मेऽअगदं कृत "–इति । यमिमं भिषज्यामीत्येतत् ॥ २७ ॥

इत्यस्य मन्त्रभागस्याभिप्रायमाह–ऋतवो वै देवा इति । ' याः ' ' ओषधीः ' ओषधयः सृष्ट्यादावुत्पन्नास्ताः ' देवेभ्यः ' ऋतुभ्यो वसन्तादिभ्यः ' पुरा ' पूर्वम् वसन्तप्रावृट्शरदामादिषु संवत्सरमध्ये ' त्रियुगं ' त्रिकालं जायन्त इत्यर्थः ॥

उत्तरार्द्धमनूद्य व्याचष्टे–मनै नु बभ्रूणामिति । अमृतरूपेण सर्वेषां भरणात् ' बभ्रुः ' सोमः, ओषधयोऽपि सोमदेवताकत्वात् अत्र बभ्रुशब्दाभिधेयाः, तादृगोषधिपरिणामविशेष एव ' पुरुषः ' मनुष्यशरीरमिति तत्तादात्म्यम् । अयमर्थः,–' बभ्रूणां ' सौम्यानाम् ओषधीनां सम्बन्धीनि वक्ष्यमाणानि, ' अहं ' ' नु ' अद्य ' मनै ' मन्ये जानामि । कानि पुनस्तानि मन्तव्यानीत्याशङ्क्य चतुर्थपादं व्याचष्टे–शतं धामानीति । ओषधिपरिणामस्य पुरुषस्य शरीरस्य यदिदं शतसंवत्सरं जीवनम्, एवं शतसङ्ख्याका अर्घाः पूजाप्रयोजनानि, यानि च तन्निष्पादकानि शतसङ्ख्याकानि वीर्याणि सामर्थ्यानि, ' एतानि ' खल्वस्य ओषधिविकारस्य शरीरस्य ' तानि ' मन्त्रोक्तानि शतसङ्ख्याकानि ' धामानि ' । धामशब्दस्य त्रयोऽर्थाः यास्केनोक्ताः–" धामानि त्रयाणि भवन्ति,–स्थानानि, नामानि, जन्मानीति " (निरु. ९ । ३ । ७ ।) इति । सप्त चेति । ' य एवेमे ' ' सप्त ' सप्तसङ्ख्याकाः ' शीर्षन् ' शीर्ष्णि सम्बद्धाश्चक्षुःश्रोत्रादिरूपाः ' प्राणाः ' सप्त चेत्येतत् तानेव ' प्राणान् ' प्रतिपादयतीत्यर्थः । उदीरितलक्षणानि शतसङ्ख्याकानि धामानि, सप्त शीर्षण्यान् प्राणांश्च ओषधीनां सम्बन्धित्वेन जानामीत्यन्वयः ॥ २६ ॥

द्वितीयस्या ऋचः पूर्वार्द्धमनूद्य व्याचष्टे–शतं वो अम्बेति । ' इदम् ' इदानीं ' शतधा ' शतप्रकारेण ' सहस्रधा ' सहस्रप्रकारेण च ' विरूढाः ' ' उत्पन्नाः ' ओषधयो दृश्यन्त इति ' यत् ' ' एतत् ' एतेनार्द्धर्चेन प्रतिपाद्यत इत्यर्थः । ' अम्ब ' हे मातः ओषधयः ! 'वः' युष्माकं ' धामानि ' स्थानानि ' शतं ' शतसंख्या-

(त्रा) ता ऽएता ऽएकव्याख्यानाः । (ऽ) एतमेवाभि यथैतमेव भिषज्ज्येदेतं पारयेत्ता ऽअनुष्टुभो भवन्ति वाग्वा ऽअनुष्टुब्वाग्घ सर्वं भेषजᳪ सर्वेणैवैनमेतद्भेषजेन भिषज्यति ॥ २८ ॥

(त्य) अथातो निरुक्तानिरुक्तानामेव । यजुषा द्वावनड्वाहौ युनक्ति तूष्णीमितरान्यजुषा चतस्रः सीताः कृषति तूष्णीमितरास्तूष्णीं दर्भस्तम्बमुपदधाति यजुषाऽभिजुहोति तूष्णीमुदचमसान्निनयति यजुषा वपति ॥ २९ ॥

ता एता एकव्याख्यानाः—एतमेवाभि । यथैतमेव भिषज्येद्—एतं पारयेत् । ता अनुष्टुभो भवन्ति । वाग्वाऽअनुष्टुप् । वाग्घ सर्वं भेषजम् । सर्वेणैवैनमेतद्भेषजेन भिषज्यति ॥ २८ ॥

अथातो निरुक्तानिरुक्तानामेव । यजुषा द्वावनड्वाहौ युनक्ति,—तूष्णीमितरान् । यजुषा चतस्रः सीताः कृषति, तूष्णीमितराः । तूष्णीं दर्भस्तम्बमुपदधाति, यजुषाऽभिजुहोति । तूष्णीमुदचमसान्निनयति, यजुषा वपति ॥ २९ ॥

कानि । 'उत' शब्दोऽप्यर्थे । तथा 'वः' युष्माकं 'रुहः' प्ररोहाः अङ्कुरा अपि 'सहस्रं' सहस्रसङ्ख्याका इति ॥

द्वितीयार्द्धमनूद्य तात्पर्यमाह—अधा शतक्रत्व इति । 'अध' शब्दो हेतौ । हे 'शतक्रत्वः' शतकर्माणः ओषधयः ! 'यूयं' मदीयम् 'इमम्' पुरुषम् 'अगदं' व्याधिरहितं 'कृत' कुरुत । 'यम् इमम्' आतुरमिदानीम् अहं 'भिषज्यामि;' तमेव कुरुतेत्येतदस्य वाक्यस्य तात्पर्यमित्यर्थः । "भिषज् चिकित्सायाम्"—(पा सू. ३ । १ । २७ । धा. पा. कं. २३ ।) इति धातुः कण्ड्वादिः ॥ २७ ॥

एवमृग्द्वयं व्याख्याय उत्तरासामप्येवमेव व्याख्यानमित्यतिदिशति—ता एता एकव्याख्याना इति । 'ता एताः' बीजावपनार्था ऋचः 'एकव्याख्यानाः' समानव्याख्यानाः, अतो न पृथक्तया व्याख्यायन्त इत्यर्थः ॥

अतिदिष्टं व्याख्यानं योजयति—एतमेवाभीति । "इमं मे अगदं कृत" इति योऽयं पुरुषोऽनुक्रान्तः, एतमेवाभिलक्ष्य उत्तरा ऋचोऽप्याम्नाताः, तासाञ्चायं तात्पर्यगम्योऽर्थः—'यथा' येन प्रकारेण 'एतमेव' पुरुषं चिकित्सको 'भिषज्येत्' भेषजैर्युक्तं कुर्यात्, तेन च भैषज्येन 'एतं' व्याधिग्रस्तं 'पारयेत्' पारमारोग्यं प्रापयेत्, हे ओषधयः ! तथा कुरुतेति शेषः ॥

तासां छन्दोद्वारेण भेषजहेतुतामाह—ता अनुष्टुभो भवन्तीति । वाग्घ सर्वं भेषजमिति । 'वाक्' खलु 'सर्वं भेषजम्' तद्धेतुत्वात् । एवं सति 'एनं' पुरुषविधं चेष्यमाणमग्निम् 'एतत्' एतेनानुष्टुप्छन्दसः प्रयोगेण 'सर्वेणैव भेषजेन' 'भिषज्यति' भेषजं कृतवान् भवतीत्यर्थः ॥ २८ ॥

अथ विहितानामनड्वोजनादीनामोषधिवापान्तानां कर्मणां समन्त्रकामन्त्रकत्वं सम्भूय स्तौति—अथातो निरुक्तानिरुक्तानामेव—इति । 'अथ' अनन्तरं यतः समन्त्रकामन्त्रकभेदेन द्विविधानि विहितानि

प्रजापतिरेषोऽग्निः । (रु) उभयम्वेतत्प्रजापतिर्निरुक्तश्चानिरुक्तश्च परिमितश्चापरिमितश्च तद्यद्यजुषा करोति यदेवास्यानिरुक्तं परिमितꣳ रूपं तदस्य तेन संस्करोत्यथ यत्तूष्णीं यदेवास्यानिरुक्तमपरिमितꣳ रूपं तदस्य तेन संस्करोति स ह वाऽएतꣳ सर्वं कृत्स्नं प्रजापतिꣳ संस्करोति यऽएवं विद्वानेतदेवं करोति बाह्यानि रूपाणि निरुक्तानि भवन्त्यन्तराण्यनिरुक्तानि पशुरेष यदग्निस्तस्मात्पशोर्बाह्यानि रूपाणि निरुक्तानि भवन्त्यन्तराण्यनिरुक्तानि ॥ ३० ॥

इति द्वितीयप्रपाठके द्वितीयं ब्राह्मणम् ॥ ७-२-२ ॥ (२।४)

इति द्वितीयोऽध्यायः समाप्तः ॥ ७-२ ॥

प्रजापतिरेषोऽग्निः । उभयम्वेतत्प्रजापतिः-निरुक्तश्चानिरुक्तश्च, परिमितश्चापरिमितश्च । तद् यद्यजुषा करोति-यदेवास्य निरुक्तं परिमितं रूपम्-तदस्य तेन संस्करोति । अथ यत्तूष्णीं-यदेवास्यानिरुक्तमपरिमितं रूपं-तदस्य तेन संस्करोति । स ह वाऽएतं सर्वं कृत्स्नं प्रजापतिं संस्करोति-य एवं विद्वानेतदेवं करोति । बाह्यानि रूपाणि निरुक्तानि भवन्ति, अन्तराण्यनिरुक्तानि । पशुरेषः-यदग्निः । तस्मात्पशोर्बाह्यानि रूपाणि निरुक्तानि भवन्ति, अन्तराण्यनिरुक्तानि ॥ ३० ॥

कर्माणि, अतः कारणात् तेषां 'निरुक्तानिरुक्तानां' समन्त्रकामन्त्रकाणां विहितानामेव कर्मणां स्तुतिः क्रियत इति शेषः । निरुक्तानिरुक्तानि कर्माणि क्रमेणानुक्रामति-'यजुषा' मन्त्रेण "सीरा युञ्जन्ति"-(वा. सं. १२।६७, ६८) इत्यादिकेन 'द्वौ धुर्यावनड्वाहौ युनक्ति,' 'इतरान्' अनडुहोऽग्रे बध्यमानान् 'तूष्णीं' युनक्ति । तथा 'चतस्रः सीताः' 'यजुषा' मन्त्रेण 'कृषति,' 'इतराः' द्वादश सीताः 'तूष्णीं' कृषति । 'तूष्णीं दर्भस्तम्बम्' इत्याद्येवं व्याख्येयम् ॥ २९ ॥

एवं निरुक्तानिरुक्तभेदेन विहितानि कर्माण्यनूद्य चित्याग्निरूपस्य प्रजापतेरपि निरुक्तानिरुक्तात्मना परिमितापरिमितात्मना च द्वैरूप्यमाह-प्रजापतिरेषोऽग्निरिति । योऽयमग्निः 'एषः' एव 'प्रजापतिः' । यदेतन्निरुक्तानिरुक्तात्मकमुभयविधं जगत्, असावेव स प्रजापतिः । अतो निरुक्तानिरुक्तजगत्तादात्म्यात् प्रजापतिरपि 'निरुक्तश्च' ईदृगाकार इति निःशेषेणोक्तश्च, 'अनिरुक्तः' तद्विपरीतः 'च' अत एव 'परिमितः' परिच्छिन्नश्च, 'अपरिमितश्च' अपरिच्छिन्नश्च भवति ॥

इत्थं प्रजापतिरूपस्यापि निरुक्तानिरुक्तभेदेन द्वैविध्यमुक्त्वा, समन्त्रकेण निरुक्तेनानडुद्योजनादिकर्मणा निरुक्तभागस्य, इतरेणेतरभागस्य च संस्कारं विभज्य योजयति-तद्यद्यजुषा करोतीत्यादिना । विद्वदनुष्ठानं प्रशंसति-स ह वा इति । 'कृत्स्नं' सर्वावयवसहितम्, 'सर्वं' निरवशेषम्; अतो न पौनरुक्त्यम् । बाह्याभ्यन्तरभावेन निरुक्तानिरुक्तत्वधर्मयोगात् चित्याग्नेः पशुरूपतामापाद्य स्तौति-बाह्यानि रूपाणीति । यान्येतानि

निरुक्तानि कर्माण्यनुक्रान्तानि, तान्यग्नेः 'बाह्यानि रूपाणि'। अनिरुक्तानि 'अन्तराणि' अभ्यन्तरवर्त्तीनि भवन्ति। ईदृशो यदयमग्निः, 'एषः' 'पशुः' एव, 'तस्मात्' एव कारणात् लोके 'पशोः' 'बाह्यानि' बहिरवस्थितानि 'रूपाणि' रोमादीनि 'निरुक्तानि,' 'अन्तराणि' असृगादीनि 'अनिरुक्तानि' च दृश्यन्ते॥ ३०॥

इति श्रीसायणाचार्यविरचिते माधवीये वेदार्थप्रकाशे माध्यन्दिनीयशतपथब्राह्मणभाष्ये सप्तमकाण्डे द्वितीयेऽध्याये चतुर्थं ब्राह्मणम्॥ (७–२–४)॥

वेदार्थस्य प्रकाशेन तमो हार्दं निवारयन्। पुमर्थांश्चतुरो देयाद् विद्यातीर्थमहेश्वरः॥ १॥

ब्रह्माण्डं गोसहस्रं कनकहयतुलापूरुषौ स्वर्णगर्भं,
सप्ताम्भोधीन्पञ्चसीरीस्त्रिदशतरुलताधेनुसौवर्णभूमीः।
रत्नोस्रां रुक्मवाजिद्विपमहितरथौ सायणिः सिङ्गणार्यो,
व्यश्राणीद्विश्वचक्रं प्रथितविधिमहाभूतयुक्तं घटं च॥
धान्याद्रिं धन्यजन्मा तिलभवमतुलः स्वर्णजं वर्णमुख्यः,
कार्पासीयं कृपावान्गुडकृतमजडो राजतं राजपूज्यः।
आज्योत्थं प्राज्यजन्मा लवणजमनृणः शार्करं चार्कतेजा,
रत्नाढ्यो रत्नरूपं गिरिमकृत मुदा पात्रसात्सिङ्गणार्यः॥

इति श्रीमद्राजाधिराजपरमेश्वरवैदिकमार्गप्रवर्तकश्रीहरिहरमहाराजसाम्राज्यधुरन्धरेण सायणाचार्येण विरचिते माधवीये वेदार्थप्रकाशे माध्यन्दिनशतपथब्राह्मणभाष्ये सप्तमकाण्डे द्वितीयोऽध्यायः समाप्तः॥ ७–२॥

अथ तृतीयाऽध्याये प्रथमं ब्राह्मणम् ।

द्वितीयप्रपाठके च तृतीयं ब्राह्मणम् ।

चितो गार्हपत्यो भवति । (त्यु) अचित ऽआहवनीयोऽथ राजानं क्रीणात्ययं वै लोको गार्हपत्यो द्यौराहवनीयोऽथ योऽयं वायुः पवतऽएष सोमऽएतं तदिमौ लोकावन्तरेण दधाति तस्मादेष ऽइमौ लोकावन्तरेण पवते ॥ १ ॥

यद्वेव चिते गार्हपत्ये । (त्येऽचि) अचितऽआहवनीयेऽथ राजानं क्रीणात्यात्मा वाऽअग्निः प्राणः सोम ऽआत्मंस्तत्प्राणं मध्यतो दधाति तस्मादयमात्मन्प्राणो मध्यतः ॥ २ ॥

सोमक्रयणम् ।

चितो गार्हपत्यो भवति–अचित आहवनीयः–अथ राजानं क्रीणाति । अयं वै लोको गार्हपत्यो–द्यौराहवनीयः । अथ योऽयं वायुः पवते–एष सोमः । एतं तदिमौ लोकावन्तरेण दधाति । तस्मादेष इमौ लोकावन्तरेण पवते ॥ १ ॥

यद्वेव चिते गार्हपत्ये–अचितऽआहवनीये–अथ राजानं क्रीणाति । आत्मा वाऽअग्निः, प्राणः सोमः । आत्मंस्तत्प्राणं मध्यतो दधाति । तस्मादयमात्मन्प्राणो मध्यतः ॥ २ ॥

यस्य निःश्वसितं वेदा यो वेदेभ्योऽखिलं जगत् । निर्ममे तमहं वन्दे विद्यातीर्थमहेश्वरम् ॥ १ ॥

अथ साग्निचित्ये क्रतौ सोमक्रयणस्य कालं विधाय स्तौति–**चितो गार्हपत्य** इति । गार्हपत्याहवनीयचयनयोर्मध्यकाले चोदकप्राप्तः सोमक्रयः कर्त्तव्य इत्यर्थः । सोमस्य गार्हपत्याहवनीययोर्मध्येऽवस्थानं लोकत्रयरूपेणोपपादयति–**अयं वै लोक** इति । भूलोकस्वर्लोकात्मकौ गार्हपत्याहवनीयौ । 'योऽयं वायुः पवते,' 'एषः' एव क्रीयमाणः–'सोमः'; तत्क्रयस्य गार्हपत्यचयनादूर्ध्वमाहवनीयचयनात् पूर्वमेतस्मिन् समयेऽनुष्ठानात् 'एतं' सोमात्मकं वायुम् 'इमौ लोकावन्तरेण' अनयोर्लोकयोर्मध्ये 'दधाति' स्थापयति । 'अन्तरान्तरेण युक्ते" (पा. सू. २ । ३ । ४ ।) इति द्वितीया । यस्मादेव वायुसंस्तुतः सोमो मध्ये क्रीयते, तस्मादेव दृश्यमानो 'वायुः' 'इमौ लोकौ' भूलोकस्वर्लोकौ 'अन्तरेण' 'पवते' परिवर्त्तते ॥ १ ॥

इत्थं सोमक्रयस्य मध्येऽनुष्ठानमधिलोकं स्तुत्वा अध्यात्ममपि स्तौति–**यद्वेवेति** । **आत्मा वा अग्निरिति** । गार्हपत्याहवनीयचित्यात्मकः 'अग्निः' 'आत्मा' विस्रस्तावयवस्य प्रजापतेः शरीरम् । तन्मध्यवर्ती प्राणवायुः 'सोमः'; अतस्तस्य गार्हपत्याहवनीयचयनयोर्मध्ये क्रीयमाणत्वात् 'आत्मन्' आत्मनि शरीरे 'प्राणमेव मध्यतो दधाति' धारयति । 'तस्मात्' एव कारणात् पञ्चवृत्त्यात्मकः 'अयं प्राणः' सर्वप्राणिनाम् 'आत्मन्' आत्मनि शरीरे 'मध्यतः' दृश्यते ॥ २ ॥

(तो) यद्धेव चिते गार्हपत्ये । (त्येऽचि) अचित ऽआहवनीयेऽथ राजानं क्रीणात्यात्मा वाऽअग्नी रसः सोमऽआत्मानं तद्रसेनानुषजति तस्मादयमान्तमेवात्मा रसेनानुषक्तः ॥ ३ ॥

(क्री) राजानं क्रीत्वा पर्युह्य । (ह्या) अथास्माऽआतिथ्यꣳ हविर्निर्वपति तस्य हविष्कृता वाचं विसृजतेऽथ वाऽएतद्व्यतिषजत्यध्वरकर्म चाग्निकर्म च कर्मणः समानतायै समानमिदं कर्मासदिति ॥ ४ ॥

यद्धेव चिते गार्हपत्ये–अचितऽआहवनीये–अथ राजानं क्रीणाति । आत्मा वाऽअग्निः, रसः सोमः । आत्मानं तद्रसेनानुषजति । तस्मादयमान्तमेवात्मा रसेनानुषक्तः ॥ ३ ॥

सोमातिथ्यम् ।

राजानं क्रीत्वा पर्युह्य–अथास्माऽआतिथ्यं हविर्निर्वपति । तस्य हविष्कृता वाचं विसृजते ॥–

सौमिकाग्निकव्यतिषजनम् ।

अथ वाऽएतद्व्यतिषजति–अध्वरकर्म च, अग्निकर्म च–कर्मणः समानतायै । समानमिदं कर्मासदिति ॥ ४ ॥

राजक्रयस्य मध्येऽनुष्ठानमनूद्य कृत्स्नशरीरे रसानुषङ्गहेतुत्वेनापि स्तौति–यद्धेवेति । रसः सोम इति । अभिषवादिसंस्कारसंस्कृतो हि सोमः सुत्यादिवसे रसात्मको भवति; शरीरसंस्तुतयोर्गार्हपत्याहवनीयचयनयोर्मध्ये रसात्मकस्य तस्याऽनुप्रवेशात् 'आत्मानम्' शरीरम् आप्यायनहेतुना 'रसेनानुषजति' अनुषक्तमनुस्यूतं करोति । 'तस्माद्' एव कारणाद् 'अयमात्मा' देहः 'आन्तम्' शिरःप्रभृति पादपर्यन्तं 'रसेन' 'अनुषक्तः' व्याप्तो दृश्यते ॥ ३ ॥

आतिथ्यहविष्कृदन्ते आहवनीयचितिसंस्कारं विधित्सुः, ततः प्राक्तनं चोदकप्राप्तं प्रयोगजातमनुक्रामति–राजानं क्रीत्वेति । क्रयानन्तरम्, क्रीतस्य तस्य परिवहणं कृत्वाऽपि अनन्तरम्, 'अस्मै' सोमाय 'आतिथ्यम्' पूजार्हं 'हविः' प्रकृतिवत् 'निर्वपति'; 'तस्य' कर्मणः सम्बन्धिना 'हविष्कृता' "हविष्कृदेहि ३"–(वा. सं. १ । १५) इति मन्त्रेण प्राङ्नियमितां 'वाचम्' 'विसृजते' (श. प. १ । १ । ४ । ११) । अस्मिन् समये आहवनीयचितिसंस्कारं विधित्सुस्तदुपोद्घातत्वेन सौमिकाग्निकयोः कर्मणोः परस्परं व्यतिषङ्गं विधत्ते–अथ वा इति । 'अथ' खलु 'एतद्' एवं कुर्वन्नध्वर्युः 'व्यतिषजति' व्यतिषक्तं परस्परं संसृष्टं करोति । "षञ्ज सङ्गे"–(धा. पा. भ्वा. प. १–१२) इत्यस्माल्लटि "दंशसञ्जस्वञ्जां शपि"–(पा. सू. ६ । ४ । २५ ।) इत्यनुनासिकलोपः । किं तदिति तदाह–अध्वरेति । व्यतिषङ्गस्य प्रयोजनमाह–कर्मण इति । सौमिकाग्निकभेदेन द्विविधस्य कर्मणः 'समानतायै' एकीभवनार्थम् । ननु व्यतिषङ्गमात्रात् कथमनयोरैक्यसिद्धिः, तत्राह–समानमिदमिति । 'इदम्' अनुष्ठीयमानं सौमिकमाग्निकं च 'कर्म' 'समानम्' एकम् 'असद्' भवेत् 'इति' अनेनाभिप्रायेण तदुभयं व्यतिषजति; न खलु व्यतिषङ्गमन्तरेणानयोरैक्यसिद्धिरिति भावः ॥ ४ ॥

यु॒द्धे॒व॒ व्य॑तिषुजति । (त्या) आ॒त्मा वा॒ऽअ॒ग्निः प्रा॒णो॑ऽध्वर॒ऽआ॒त्मंस्त॒त्प्रा॒-
णं॑ मध्य॒तो॑ दधाति त॒स्माद॒यमा॒त्मन्प्रा॒णो॑ मध्यतः ॥ ५ ॥

(तो) यु॒द्धे॒व॒ व्यतिषुजति । (त्या) आ॒त्मा वा॒ऽअ॒ग्नी र॒सो॑ऽध्वर॒
ऽआ॒त्मा॒नं त॒द्र॒सेनानुषजाति त॒स्माद॒यमान्त॒मेवाऽऽत्मा र॒सेना॒नुषक्तो॑ऽथा-
हवनी॒यस्या॒र्धमै॒ति ॥ ६ ॥

त॒द्धै॒के । (क॒ऽ) उभय॒त्रै॒व॒ पलाशशा॒खया व्यु॒दूह॒न्त्यु॒भय॒त्र वै॒ चिनो॒-
ती॒ति न त॒था कु॒र्यादव॒स्यति वाव गा॒र्हपत्ये॒नोर्ध्व॒ऽ एवाहवनी॒येन रोहति
त॒स्मा॒त्त॒था न॒ कु॒र्यात् ॥ ७ ॥

यद्धेव व्यतिषजति । आत्मा वाऽअग्निः, प्राणोऽध्वरः । आत्मंस्तत् प्राणं मध्यतो दधाति । तस्मादयमात्मन्प्राणो मध्यतः ॥ ५ ॥

यद्धेव व्यतिषजति । आत्मा वाऽअग्निः, रसोऽध्वरः । आत्मानं तद्रसेनानुषजति । तस्मादयमान्तमेवात्मा रसेनानुषक्तः । अथाहवनीयस्यार्धमैति ॥ ६ ॥

तद्धैके—उभयत्रैव पलाशशाखया व्युदूहन्ति । उभयत्र वै चिनोतीति । न तथा कुर्यात् । अवस्यति वाव गार्हपत्येन, ऊर्ध्वं एवाहवनीयेन रोहति । तस्मात्तथा न कुर्यात् ॥ ७ ॥

एतद्व्यतिषजनमनूद्य स्तौति—यद्धेवेति । प्राणोऽध्वर इति । 'अध्वरः' सोमयागः प्राणस्थानीयः, 'आत्मन्' आत्मनि 'मध्यतः' मध्ये 'तत्' 'प्राणम्' स्थापयति । 'तस्मादयं प्राणः' शरीरमध्ये, वर्तत इति शेषः । तथा—रसोऽध्वर इति । 'अध्वरः' सोमयागो रसस्थानीयः, सर्वप्रकृतित्वात् । गतमन्यत् । वाग्विसर्जनानन्तरमाहवनीयसमीपदेशगमनं विधत्ते—अथाहवनीयस्यार्द्धमैतीति । अर्द्धशब्दो देशवाची । 'आहवनीयस्य' अग्नेः यत् स्थानं कर्षणादिसंस्कारसंस्कृतम्, हविष्कृदाह्वानानन्तरम्, तत् स्थानमागच्छेदित्यर्थः ॥ ५ ॥ ६ ॥

गार्हपत्यस्थानवदाहवनीयस्थानस्यापि पलाशशाखया व्युदूहनमेकीयमतेनोपन्यस्य दूषयति—तद्धैक इति । 'तत्' तत्र 'उभयत्रैव' गार्हपत्ये आहवनीये च 'एके' शाखिनः 'पलाशशाखया' व्युदूहनं मार्जनं कुर्वन्ति । 'उभयत्र' खलु 'चिनोति' 'इति' तत्र हेतुः । व्युदूहनस्य चयनार्थत्वादाहवनीयचितावपि तत् कर्तव्यमित्यर्थः ॥

तदेतन्निराकरोति—न तथेति । प्रतिज्ञातमर्थमुपपादयति—अवस्यति वावेति । गार्हपत्यचयनेन हि यं प्रदेशमध्यवस्यति । अध्यवसानसमये भूशोधनार्थं व्युदूहनमपेक्षितम्, अथ पुनरारोहणसमये आहवनीयचयनेनाप्यूर्ध्वः सन्नारोहति, 'तस्मात्' तत् 'न' कर्त्तव्यमित्यर्थः ॥ ७ ॥

(ड) अथ गार्हपत्यऽएवोषान्निवपति। नाहवनीयेऽयं वै लोको गार्हपत्यः पशवऽ ऊषा ऽअस्मिंस्तल्लोके पशून्दधाति तस्मादिमेऽस्मिँल्लोके पशवः ॥ ८ ॥

(वोऽथा) अथाहवनीयऽएव पुष्करपर्णमुपदधाति। न गार्हपत्यऽआपो वै पुष्करपर्णं द्यौराहवनीयो दिवि तदपो दधात्युभयत्र सिकता निवपति रेतो वै सिकताऽ उभयत्र वै विक्रियतेऽस्माद्रेतसोऽधि विक्रियाताऽइति ॥ ९ ॥

ता नानामन्त्राभ्यां निवपति। मनुष्यलोको वै गार्हपत्यो देवलोक ऽआहवनीयो नानो वाऽएतद्यद्दैवं च मानुषं च द्राघीयसा मन्त्रेणाऽऽहवनीये

अथ गार्हपत्यऽएवोषान्निवपति, नाहवनीये। अयं वै लोको गार्हपत्यः, पशव ऊषाः। अस्मिंस्तल्लोके पशून्दधाति। तस्मादिमेऽस्मिंल्लोके पशवः॥ ८ ॥

अथाहवनीय एव पुष्करपर्णमुपदधाति, न गार्हपत्ये। आपो वै पुष्करपर्णम्, द्यौराहवनीयः। दिवि तदपो दधाति। उभयत्र सिकता निवपति। रेतो वै सिकताः। उभयत्र वै विक्रियते। अस्माद्रेतसोऽधि विक्रियाताऽइति ॥ ९ ॥

ता नानामन्त्राभ्यां निवपति। मनुष्यलोको वै गार्हपत्यो, देवलोक आहवनीयः। नानो वा-

---

गार्हपत्यचितिवत् प्रसक्तमूषाणां निवपनमपि तत्रैव कर्त्तव्यमिति निगमयति-**अथ गार्हपत्य एवेति**। एवकारव्यवच्छेद्यमाह-**नाहवनीय इति**। अत्र हेतुमाह-**अयं वै लोक इति**। भूरिति व्याहृत्या आहितत्वाद् गार्हपत्यो भूलोकात्मकः; "भूर्भुव इत्येतावतैव गार्हपत्यमादधाति" इति हि ब्राह्मणम् (श. प. २।१।४।१४) ऊषरप्रदेशस्य पशुभिर्लिह्यमानत्वादूषाणां पश्वात्मकत्वम् ॥ ८ ॥

अथाहवनीये प्रतिनियतं विधास्यमानं पुष्करपर्णोपधानमनूद्य प्रतिनियतफलप्रतिपादनेन स्तौति-**अथाहवनीय एवेति**। अवधारणफलमाह-**न गार्हपत्य इति**। अत्र हेतुमाह-**आपो वा इति**। पुष्करपर्णस्याप्सु जननात्तदबात्मकमित्यर्थः। **द्यौराहवनीय इति**। सुवरिति-व्याहृत्याहितत्वाद् आहवनीयो द्युलोकात्मकः। 'तत्' तत्र पुष्करपर्णोपधानेन द्युलोके 'अपः' उदकानि वृष्ट्युपादानत्वेन स्थापयतीत्यर्थः॥

गार्हपत्यवदाहवनीयेऽपि सिकतानिवपनं कर्त्तव्यमिति विधत्ते-**उभयत्रेति**। तदेतदुपपादयति-**रेतो वा इति**। सितगात्रत्वादिरूपसाम्यात् सिकतानां रेतस्त्वम्; 'उभयत्र' गार्हपत्यस्थान आहवनीयस्थाने च चितिरूपेण चित्योऽग्निः; 'विक्रियते' विशिष्टरूपवान् क्रियते। विक्रियमाणश्चासौ 'अस्मात्' सिकतालक्षणाद् 'रेतसः' 'अधि' उपरि 'विक्रियातै' विक्रियेत, विकृतिं भजेत 'इति' अनेनाभिप्रायेण उभयत्र सिकतानां निवपनम् ॥ ९ ॥

उभयत्र मन्त्रभेदं विधाय स्तौति-**ता नानामन्त्राभ्यामिति**। 'ताः' सिकताः भिन्नमन्त्राभ्यामित्यर्थः।

निवपति ह्रसीयसा गार्हपत्ये द्राघीयो हि देवायुषꣳ ह्रसीयो मनुष्यायुषꣳ स पूर्वाः परिश्रिद्भ्यो गार्हपत्ये सिकता निवपति रेतो वै सिकताऽअस्माद्रेतसोऽधीमा विक्रियान्ताऽ इति ॥ १० ॥

तदाहुः । (यं) यद्योनिः परिश्रितो रेतः सिकताऽअथ पूर्वाः परिश्रिद्भ्यो गार्हपत्ये सिकता निवपति कथमस्यैतद्रेतोऽपरासिक्तं परिगृहीतं भवतीत्युल्वं वाऽऊषास्तद्यदूषान्पूर्वान्निवपत्येतेनो हास्यैतदुल्बेन रेतो-

---

ऽएतद्-यद्दैवं च मानुषं च । द्राघीयसा मन्त्रेणाहवनीये निवपति, ह्रसीयसा गार्हपत्ये । द्राघीयो हि देवायुषम्, ह्रसीयो मनुष्यायुषम् । स पूर्वाः परिश्रिद्भ्यो गार्हपत्ये सिकता निवपति । रेतो वै सिकताः । अस्माद्रेतसोऽधीमा विक्रियान्ताऽइति ॥ १० ॥

तदाहुः-यद्योनिः परिश्रितः, रेतः सिकताः । अथ पूर्वाः परिश्रिद्भ्यो गार्हपत्ये सिकता निवपति । कथमस्यैतद्रेतोऽपरासिक्तं परिगृहीतं भवतीति । उल्वं वाऽऊषाः । तद्यद्यदूषान्पूर्वान्निवपति-

---

"अग्नेर्भस्मासि" इति मन्त्रेण (वा. सं. १२ । ४६) गार्हपत्ये सिकतानिवपनं विहितम्[1] (श. प. ७ । १ । १ । ११), "अग्ने तव श्रवो वयः" (श. प. ७ । ३ । १ । २९) इत्याहवनीये सिकतानिवपनस्य मन्त्रो विधास्यते । एवं नानामन्त्रत्वमनूद्य स्तूयते-गार्हपत्याहवनीययोर्भूलोकस्वर्लोकात्मकत्वं क्रमेण प्रतिपादितम् । नानो वा एतदिति । 'दैवम्' देवसम्बन्धि, 'मानुषम्' मनुष्यसम्बन्धि च यदेतत् स्थानद्वयम्, तदेतन्नानैव खलु विभिन्नमेव । मन्त्रं दैर्घ्यह्रस्वत्वाभ्यां स्तौति-द्राघीयसेति । "अग्ने तव श्रवः" इति मन्त्रः (वा. सं १२ । १०६) "अग्नेर्भस्मासि" इति मन्त्रापेक्षया 'द्राघीयान्' अतिशयेन दीर्घः; दीर्घशब्दादीयसुनि "प्रियस्थिर" (पा.सू.६-४-१५७) इत्यादिना दीर्घशब्दस्य द्राघादेशः । तेन 'मन्त्रेण' आहवनीये सिकता निवपति । 'ह्रसीयसा' ह्रस्वतरेण "अग्नेर्भस्मासि" इति मन्त्रेण । मन्त्रगतं द्राघीयस्त्वं ह्रसीयस्त्वं च प्रतिपादयति-द्राघीयो हीति । दीर्घतमं हि 'देवायुषम्' देवानामायुर्जीवितम्, 'ह्रसीयः' ह्रस्वतमं स्वल्पम् हि 'मनुष्यायुषम्' मनुष्यजीवितम्, अतो देवलोकमनुष्यलोकसंस्तुतयोराहवनीयगार्हपत्ययोस्तादृङ्मंत्रसम्बन्धो युक्त इत्यर्थः"

गार्हपत्यचयने सिकतानिवपनस्य परिश्रितां पूर्वभावित्वमनूद्य स्तौति-स पूर्वा इति । तथा निवपने कारण माह-रेतो वै सिकता इति । 'अस्मात्' सिकतारूपात् 'रेतसः' 'अधि' उपरि 'इमाः' परिश्रितो 'विक्रियान्ते' विशिष्टरूपाः कृता भवेयुः । अन्यथा हि निरुपादानत्वात् परिश्रितां विक्रिया न स्यादिति भावः ॥ १० ॥

सिकतानिवपनस्य परिश्रितां पूर्वत्वे दोषं दर्शयति-तदाहुरिति । 'तत्' तत्र विषये 'आहुः' चोदयन्ति ब्रह्मवादिनः-योनौ हि रेतः सिच्यते, परिश्रितश्च योनिसंस्तुताः; तथा सति 'अस्य' अग्नेः 'एतत्' सिकतारूपं

१-सिकताश्चाग्नेर्भस्मेत्यूषवत् । का० श्रौ० सू० १७ । ६ ॥

ऽपरासिक्तं पुरिगृहीतं भवत्यथाहवनीये परिश्रितोऽभिमन्त्रयते तस्योक्तो बन्धुरुथ सिकता निवपति रेतो वै सिकताऽएतयोऽअस्यैतद्योन्या रेतोऽपरासिक्तं पुरिगृहीतं भवति ॥ ११ ॥

(त्यु) अथाहवनीयऽएवाप्यानवतीभ्यामभिमृशति । न गार्हपत्येऽयं वै लोको गार्हपत्यः स्वर्गो लोकऽ आहवनीयोऽद्धो वाऽअयमस्मिँल्लोके जातो यजमानः स्वर्गऽ एव लोके प्रजिजनयिषितव्यस्तद्यदाहवनीयऽएवाप्यानवतीभ्यामभिमृशति न गार्हपत्ये स्वर्गऽएवैनं तल्लोके प्रजनयति १२

एतेनो हास्यैतदुल्बेन रेतोऽपरासिक्तं परिगृहीतं भवति । अथाहवनीये परिश्रितोऽभिमन्त्रयते । तस्योक्तो बन्धुः । अथ सिकता निवपति । रेतो वै सिकताः । एतयोऽअस्यैतद्योन्या रेतोऽपरासिक्तं परिगृहीतं भवति ॥ ११ ॥

अथाहवनीयऽएवाप्यानवतीभ्यामभिमृशति, न गार्हपत्ये । अयं वै लोको गार्हपत्यः, स्वर्गो लोक आहवनीयः । अद्धो वाऽअयमस्मिँल्लोके जातो यजमानः, स्वर्गऽएव लोके प्रजिजनयिषितव्यः । तद्यदाहवनीयऽएवाप्यानवतीभ्यामभिमृशति, न गार्हपत्ये—स्वर्गऽएवैनं तल्लोके प्रजनयति ॥ १२ ॥

'रेतः' 'अपरासिक्तम्' आधारादन्यत्र सिक्तम्; परिश्रिद्भ्‌यो योन्यभावात्—कथं परिगृहीतं परिवेष्टितं भवतीत्यस्य चोद्यस्य परिहारमाह—उल्बं वा ऊषा इति । गर्भस्यान्तर्वेष्टनमुल्बम्, तत्संस्तुता ऊषाः; तेषां पूर्वनिवपनात् तदनन्तरं न्युप्तं सिकतारूपं 'रेतः' तेनोल्बेन 'अपरासिक्तम्' गर्भाशयादन्यत्र सिक्तम् 'परिगृहीतम्, परिवेष्टितं च 'भवति' ॥

आहवनीयचितौ तु सिकतानिवपनात्पूर्वं परिश्रिद्भिः परिश्रयणमभिप्रेत्य तदभिमन्त्रणं विधत्ते—अथाहवनीय इति । गार्हपत्यचयनादाहवनीयचितेर्वैलक्षण्यद्योतकः 'अथ' शब्दः । आहवनीयचितौ सिकतानिवपनात् पूर्वं परिश्रित्संज्ञकान् शर्करापरपर्यायान् क्षुद्रपाषाणानभिमन्त्रयते—"चितः स्थेति" मन्त्रेण, सूत्रितं हि—"आहवनीयपरिश्रितोऽभिमन्त्रयते चितः स्थेति"—(का. श्रौ. १७ । ९२) इति । परिश्रिद्विशेषमर्थवादवाक्यं प्रागाम्नातम्—"योनिर्वै परिश्रितः" इत्यादिकमतिदिशति—तस्योक्त इति । 'तस्य' परिश्रयणस्य विधिशेष उक्तः ॥

सिकतानिवपनं विधाय स्तौति—अथ सिकता निवपतीति । 'अथ' परिश्रयणानन्तरम् । रेतो वा इत्याद्युक्तार्थम् ॥ ११ ॥

न्युप्तानां सिकतानां समन्त्रकमभिमर्शनं विधत्ते—अथाहवनीय इति[1] । आहवनीयस्थाने न्युप्तानामेव सिकतानाम् 'आप्यायनवतीभ्याम्' आप्यायतिधातुनिष्पन्नशब्दयुक्ताभ्याम्, "आप्यायस्व, सन्ते"—(वा. सं.

१—आप्यायस्वेति सिकतालंभनमृग्भ्याम् । का० श्रौ० सू० १७ । ६० ।

(त्यु) अथ लोगेष्टका ऽउपदधाति । इमे वै लोका ऽएषोऽग्निर्दिशो लोगेष्टका ऽ एषु तल्लोकेषु दिशो दधाति तस्मादिमा ऽ एषु लोकेषु दिशः॥१३॥

(शो) बाह्येनाग्निमाहरति । (त्या) आप्ता वाऽअस्य ता दिशो या ऽएषु लोकेष्वथ या ऽइमाँल्लोकान्परेण दिशस्ता ऽ अस्मिन्नेतद्दधाति ॥१४॥

(अर्धप्रपाठकः ॥)

बहिर्वेदेरियं व्वै व्वेदिः । (रा) आप्ता वाऽअस्य ता दिशो या ऽ अस्यामथ या ऽइमां परेण दिशस्ता ऽ अस्मिन्नेतद्दधाति ॥ १५ ॥

अथ लोगेष्टकोपधानम् ।

अथ लोगेष्टका उपदधाति । इमे वै लोका एषोऽग्निः । दिशो लोगेष्टकाः । एषु तल्लोकेषु दिशो दधाति । तस्मादिमा एषु लोकेषु दिशः ॥ १३ ॥

बाह्येनाग्निमाहरति । आप्ता वाऽअस्य ता दिशो—या एषु लोकेषु । अथ या इमांल्लोकान् परेण दिशः—ता अस्मिन्नेतद्दधाति ॥ १४ ॥

बहिर्वेदेः । इयं वै वेदिः । आप्ता वाऽअस्य ता दिशो—या अस्याम् । अथ या इमां परेण दिशः—ता अस्मिन्नेतद्दधाति ॥ १५ ॥

---

१२ । ११२–११३) इत्येताभ्यामृग्भ्यामभिमर्शनं कर्त्तव्यमित्यर्थः । अवधारणफलमाह—न गार्हपत्य इति । एतदेवोपपादयति—अयं वा इत्यादिना । 'अस्मिँल्लोके जातः' 'अयम्' 'यजमानः'—इत्ययमर्थः । 'अद्धा' प्रत्यक्षसिद्धः, न यत्नसम्पाद्यः 'स्वर्गे लोके एव' हि 'प्रजिजनयिषितव्यः' प्रजनयितुं प्रकर्षेणोत्पादयितुमिष्टः, अतः स्वर्गलोकसंस्तुते 'गार्हपत्ये' तत्र स्वभावत एव जातत्वादिति भावः ॥ १२ ॥

अथ लोगेष्टकानामुपधानं विधत्ते—अथेति[1] । तदेतत् प्रशंसति—इमे वै लोका इति । 'इमे' खलु ये पृथिव्यादयस्त्रयो 'लोकाः' । 'एषः' एव खलु 'अग्निः' । लोकसंस्तुताभिः स्वयमातृण्णाभिर्युक्तत्वाल्लोकत एव सिद्धाः लोष्टरूपा इष्टकाः लोकेष्टकाः, परोक्षं 'लोगेष्टका' इत्युच्यन्ते । तथाविधत्वं च तैत्तिरीये आम्नायते—"दिग्भ्यो लोष्टान् समस्यति, दिशामेव वीर्यमवरुध्य"—(तै. सं. ५ । २ । ५ । ६) इति लोकसम्बन्धिन्यः प्राच्यादिदिशः ता लोकेष्टकाः । अतस्तदुपधानेन 'एषु' एव लोकेषु ता एव 'दिशः' स्थापयति । 'तस्मात्' एव कारणात् 'इमाः' प्राच्यादि–'दिशः' 'एषु लोकेषु' दृश्यन्ते ॥ १३ ॥

वेदेर्बाह्यदेशेनेष्टकानामाहरणं विधाय स्तौति—बाह्येनाग्निमिति । 'अग्नि' 'बाह्येन' अग्निक्षेत्राद्बाह्यदेशेनैता इष्टकाः 'आहरति' । आप्ता वा इत्यादि । 'अस्य' अग्नेः यजमानस्य वा 'ता दिशः' 'आप्ताः' प्राप्ताः । 'याः' इमाः 'एषु' लोकेषु दृश्यन्ते । 'अथ' 'याः' 'दिशः' 'इमान् लोकान्' 'परेण' एभ्यो लोकेभ्यो बहिर्वर्त्तन्ते, 'अस्मिन्' अग्नौ 'एतत्' एतेन बाह्यदेशादाहरणेन 'दधाति' धारयति ॥ १४ ॥

आहरणस्याग्निक्षेत्रापेक्षया बहिर्देशसम्बन्धः, वेद्यपेक्षयाऽपि तथात्वं विधत्ते—बहिर्वेदेरिति । अग्नेर्लोक-

---

१–लोगेष्टकाः स्फ्येनाहृत्य बहिर्वेदेरनूकान्तेषूपदधाति तिष्ठन् मा मा हिंसीदिति प्रत्यृचं प्रतिदिशं पुरस्तात्प्रथमम् । का. श्रौ. सू. । १७ । ५५ ।

य॒द्वेव॒ लो॒गेष्ट॒का॒ऽउप॒दधा॒ति । प्र॒जाप॑ते॒र्विस्र॒स्तस्य॒ स॒र्वा॒ दिशो॒ रसो॒ऽनु॒ व्य॑क्षर॒त्तं य॒त्र दे॒वाः स॒मस्कु॑र्वँ॒स्तद॒स्मिन्ने॒ता॒भि॒र्लो॒गे॒ष्ट॒का॒भि॒स्तꣳ र॒सम॑दधु॒स्त॒थै॒वा॒स्मिन्न॒य॒मे॒त॒द्दधा॒ति ॥ १६ ॥

बा॒ह्ये॒ना॒ग्नि॒मा॒ह॒र॒ति । (त्या) आ॒प्तो वा॒ऽअ॒स्य॒ स र॒सो य॒ऽए॒षु॒ लो॒के॒ष्व॒थ य॒ऽइ॒माँ॒ल्लो॒का॒न् प॒रा॒ङ्र॒सो॒ऽत्य॒क्षर॒त्त॒म॒स्मि॒न्ने॒त॒द्द॒धा॒ति ॥ १७ ॥

ब॒हि॒र्वे॒दे॒रि॒यं वै वे॒दिः । (श) आ॒प्तो वा॒ऽअ॒स्य॒ स र॒सो यो॒ऽस्या॒मथ॒ य॒ऽइ॒मां प॒रा॒ङ्र॒सो॒ऽत्य॒क्षर॒त्त॒म॒स्मि॒न्ने॒त॒द्द॒धा॒ति ॥ १८ ॥

यद्वेव लोगेष्टका उपदधाति । प्रजापतेर्विस्रस्तस्य सर्वा दिशो रसोऽनु व्यक्षरत् । तं यत्र देवाः समस्कुर्वन्–तदस्मिन्नेताभिर्लोगेष्टकाभिस्तं रसमदधुः । तथैवास्मिन्नयमेतद्दधाति ॥ १६ ॥

बाह्येनाग्निमाहरति । आप्तो वाऽअस्य स रसः–य एषु लोकेषु । अथ य इमांल्लोकान्पराङ्रसोऽत्यक्षरत्–तमस्मिन्नेतद्दधाति ॥ १७ ॥

बहिर्वेदेः । इयं वै वेदिः । आप्तो वाऽअस्य स रसः–योऽस्याम् । अथ य इमां पराङ्रसोऽत्यक्षरत्–तमस्मिन्नेतद्दधाति ॥ १८ ॥

त्रयात्मकत्वात्ततो बहिराहरणम् लोकत्रयाद् बहिरवस्थितानां दिशामाप्तिहेतुरित्युक्तम्; इदानीं तु वेदेर्भूमिरूपत्वादस्या बहिरवस्थिताः यावत्यो दिशः, तासां प्राप्त्यर्थं वेदिबाह्यदेशादाहरणमित्यभिप्रेतोऽर्थः । **अथ या इमां परेणेति** । 'अस्याः' पृथिव्याः 'परेण' परस्ताद्, बहिरित्यर्थः । "एनबन्यतरस्याम्"–इति (५ । ३ । ३५) परशब्दादेनप्, "एनपा द्वितीया"–(पा. सू. २ । ३ । ३१) ॥ १५ ॥

विहितं लोकेष्टकोपधानमनूद्य प्रकारान्तरेण स्तौति–**यद्वेवेति** । 'विस्रस्तस्य' विस्रस्तावयवस्येत्यर्थः । 'सर्वाः' प्राच्यादि–'दिशः' अनुलक्ष्य तदीयो 'रसः' 'व्यक्षरत्' विविधमस्रवत् 'यत्र' यस्मिन् देशे 'तम्' तथाविधं प्रजापतिं 'देवाः' 'समस्कुर्वन्' चित्याग्निरूपेण संस्कृतवन्तः । "अडभ्यासव्यवायेऽपि"–(पा. सू. ६ । १ । १४० वा. १) इति कात् पूर्वः सुट् । तत्र 'अस्मिन्' अग्न्यात्मके प्रजापतौ 'एताभिर्लोगेष्टकाभिः तं रसम्' 'अदधुः' स्थापितवन्तः एवमेव 'अस्मिन्' अग्नौ 'अयम्' यजमानोऽपि 'एतद्' रसं 'दधाति' धारयति, लोकेष्टकोपधानेनेत्यर्थः ॥ १६ ॥

आहरणस्याग्निबाह्यत्वमनूद्य स्तौति–**बाह्येनेति** । पूर्ववदेनप् (पा. सू. ५ । ३ । ३५) अत एव 'अग्निम्' इति द्वितीया (२ । ३ । ३१) । अग्नेर्बाह्यदेशेनेत्यर्थः । **आप्तो वा अस्येत्यादि** । "आप्ता वा अस्य ता दिशः" इत्यादिवद् व्याख्येयः । **इमांल्लोकान्पराङ्रस इति** । 'इमान्' पृथिव्यादिलोकान् विहाय परागतो रसं इत्यर्थः ॥ १७ ॥

बहिर्वेदेरित्येतदपि अनूद्य पृथिवीसकाशाद् बहिर्भूतरसस्थापनहेतुत्वेन स्तौति–**बहिर्वेदेरिति** ।

स्फ्येनाहरति । वज्रो वै स्फ्यो वीर्यं वै वज्रो वित्तिरियं वीर्येण वै वित्तिं विन्दते ॥ १९ ॥

स पुरस्तादाहरति । मा मा हिꣳसीज्जनिता यः पृथिव्या ऽइति प्रजापतिर्वै पृथिव्यै जनिता मा मा हिꣳसीत्प्रजापतिरित्येतद्यो वा दिवꣳ सत्यधर्मा व्यानडिति यो वा दिवꣳ सत्यधर्माऽसृजतेत्येतद्यश्चापश्चन्द्राः प्रथमो जजानेति मनुष्या वाऽआपश्चन्द्रा यो मनुष्यान्प्रथमोऽसृजतेत्येतत्कस्मै देवाय हविषा विधेमेति प्रजापतिर्वै कस्तस्मै हविषा विधेमेत्येतत्तामाहृत्यान्तरेण परिश्रितऽआत्मन्नुपदधाति स यः प्राच्यां दिशि रसोऽत्यक्षरत्तमस्मिन्नेतद्दधात्यथो प्राचीमेवास्मिन्नेतद्दिशं दधाति ॥ २० ॥

स्फ्येनाहरति । वज्रो वै स्फ्यः । वीर्यं वै वज्रः । वित्तिरियम् । वीर्येण वै वित्तिं विन्दते ॥ १९ ॥

स पुरस्तादाहरति । " मा मा हिंसीज्जनिता यः पृथिव्याः "–इति । प्रजापतिर्वै पृथिव्यै जनिता । मा मा हिंसीत्प्रजापतिरित्येतत् । " यो वा दिवं सत्यधर्मा व्यानट् "–इति । यो वा दिवं सत्यधर्माऽसृजतेत्येतत् । " यश्चापश्चन्द्राः प्रथमो जजान "–इति । मनुष्या वाऽआपश्चन्द्राः । यो मनुष्यान्प्रथमोऽसृजतेत्येतत् । " कस्मै देवाय हविषा विधेम "–(वा. सं. १२ । १०२) इति । प्रजापतिर्वै कः । तस्मै हविषा विधेमेत्येतत् । तामाहृत्य, अन्तरेण परिश्रित आत्मन्नुपदधाति । स यः प्राच्यां दिशि रसोऽत्यक्षरत्–तमस्मिन्नेतद्दधाति । अथो प्राचीमेवास्मिन्नेतद्दिशं दधाति ॥ २० ॥

आहरतीति शेषः । एतदपि पूर्ववद् व्याख्यातप्रायम् । इमां पराङिति । इमामतिक्रम्य परागतो रस इत्यर्थः ॥ १८ ॥

इत्थं लोकेष्टकानामाहरणे अग्नेर्वेदेश्च बाह्यो देशो विहितः, अथ तत्र साधनं विधाय स्तौति–**स्फ्येनेति । वज्रो वै स्फ्य इति** । त्रेधा भग्नस्य वज्रस्यांशत्वात् स्फ्यस्य वज्रात्मकता । तथा हि तैत्तिरीयकम्–" इन्द्रो वृत्राय वज्रं प्राहरत्, स त्रेधा व्यभवत्, स्फ्यस्तृतीयं रथस्तृतीयं यूपस्तृतीयम् " (तै. सं ५ । २ । ६ । १–२) * इति । वृत्रासुरवधहेतुत्वात् स वज्रो वीर्यात्मकः । ' इयम् ' वेदिलक्षणा भूमिः ' वित्तिः ' लब्धव्या धनरूपा, तथा च स्फ्येनाहरन् वज्ररूपेण ' वीर्येण ' एव ' वित्तिम् ' लब्धव्यां भूमिं ' विन्दते ' लभते ॥ १९ ॥

अथ पूर्वस्मादिग्भागादाहरणं समन्त्रकं विधत्ते–**स पुरस्तादाहरतीति** । ' पुरस्तात् ' पूर्वस्याः दिशः सकाशाल्लोकेष्टकां स्फ्येन 'आहरति' पञ्चम्यर्थे अस्तातिः (पा. सू. ५ । ३ । २७) । **मा मा हिंसीदिति** ।

---

*–इन्द्रो ह यत्र वृत्राय वज्रं प्रजहार स प्रहृतश्चतुर्धाऽभवत्तस्य स्फ्यस्तृतीयं वा यावद्वा यूपस्तृतीयं वा यावद्वा रथस्तृतीयं वा यावद्वाऽथ यत्र प्राहरत्तच्छकलोऽशीर्यत स पतित्वा शरोऽभवत्तस्माच्छरो नाम यदशीर्यतैवमु स चतुर्धा वज्रोऽभवत् (श. ५. १ । ३ । ४ । ११) इति ।

(त्यु) अथ दक्षिणतः । (तोऽभ्या) अभ्यावर्त्तस्व पृथिवि यज्ञेन पयसा सहेति यथैव यजुस्तथा बन्धुर्व्वपान्तेऽअग्निरिषितो ऽअरोहदिति यद्वै किं चास्याᳫँ साऽस्यै व्वपा तामग्निरिषितऽ उपादीप्तो रोहति तामाहृत्यान्तरेण पक्षसंधिमात्मन्नुपदधाति स यो दक्षिणायां दिशि रसोऽत्यक्षरत्तमस्मिन्नेतद्दधात्यथो दक्षिणामेवास्मिन्नेतद्दिशं दधाति ॥ २१ ॥

अथ दक्षिणतः–"अभ्यावर्त्तस्व पृथिवि यज्ञेन पयसा सह"–इति । यथैव यजुस्तथा बन्धुः । "वपान्तेऽअग्निरिषितोऽअरोहत्"–(वा. सं. १२।१०३) इति । यद्वै किं चास्याम्–साऽस्यै वपा । तामग्निरिषित उपादीप्तो रोहति । तामाहृत्यान्तरेण पक्षसन्धिमात्मन्नुपदधाति ।

तन्मन्त्रः । 'यः' 'पृथिव्याः' 'जनिता' जनयिता सः 'मा' मां 'मा हिंसीत्' मा वधिष्ट । य इति सर्वनाम्ना कृत्स्नजगत्कारणत्वेन प्रसिद्धः प्रजापतिरेव प्रतिपाद्यत इत्याह–प्रजापतिर्वा इति । 'पृथिव्यै' इति षष्ठ्यर्थे चतुर्थी (पा. सू. २ । ३ । ६२ । सू. वा. १) । 'जनिता' जनयिता "जनिता मन्त्रे" इति (पा. सू. ६ । ४ । ५३) निपातनाण्णिलोपः । उक्तमर्थं योजयति–मा मा हिंसीत् प्रजापतिरित्येतदिति ॥

द्वितीयपादमनूद्य तत्र व्यानडिति क्रियापदस्यार्थमाह–यो वा दिवमिति । 'सत्यधर्मा' सत्योऽवितथो धर्मः धारणशक्तिर्यस्य तादृशो 'यः' 'दिवं' 'व्यानट्' व्याप्नोत् । व्यापनमत्र सर्जनमेवेत्याह–असृजतेत्येतदिति । मनुष्या वा इत्यादि । 'चन्द्राः' आह्लादिकाः । 'आपः' रेतोरूपाः । अनेन च कारणवाचिशब्देन कार्यभूता मनुष्या एवोच्यन्त इत्यर्थः । अत एव छान्दोग्ये समाम्नातम्–"पञ्चम्यामाहुतावापः पुरुषवचसो भवन्ति"–(छां. उ. ५।९।१) इति । पर्यवसितमर्थमाह–मनुष्यान् प्रथम इति । सर्वप्राणिभ्यः पूर्वमुत्पन्नत्वात् प्रजापतिरेव प्रथमः । अत एवाम्नातम्–"हिरण्यगर्भः समवर्त्तताग्रे"–(वा.सं. १३।४) इति ॥

चतुर्थपादमनूद्य तत्र 'किं'–शब्दस्यार्थमाह–प्रजापतिर्वै क इति । निरुक्तानिरुक्तरूपत्वेनानिर्द्धारितस्वरूपत्वात् किंशब्दः प्रजापतेर्वाचक इत्यर्थः । एवंभूतो यः 'तस्मै देवाय' "क्रियाग्रहणमपि कर्त्तव्यम्" इति (पा. सू. १ । ४ । ३२ । सू. वा. १) कर्मणः सम्प्रदानत्वाच्चतुर्थी । तं देवं 'हविषा' 'विधेम' परिचरेमेति, विदधातिः परिचरणार्थः ॥

एवमाहृताया इष्टकायाः स्थानविशेषे उपधानं विधत्ते–तामाहृत्येति । परिश्रित्सञ्ज्ञानामुपहितानां शर्कराणामभ्यन्तरदेशे आत्मनि तामुपदध्यात् स्थापयेत् । तस्य प्रयोजनमाह–स य इति । 'स यः' प्रसिद्धो यो 'रसः' विस्रस्तात् प्रजापतिशरीरात् 'प्राच्याम्' 'दिशि' 'अत्यक्षरत्' अतिक्रम्य स्रुतोऽभवत् । एतेनोपधानेन, 'तम्' एव रसम् 'अस्मिन्' प्रजापतिरूपेऽग्नौ पुनः स्थापयति । 'अथो' अपि च 'प्राचीं' दिक्सम्बन्धात्तामेव दिशम् 'अस्मिन्' स्थापितवान् भवति ॥ २० ॥

दक्षिणस्या दिश आहरणं समन्त्रकं विधत्ते–अथ दक्षिणत इति । पञ्चम्यर्थे तसिल् (पा. सू. ५ । ३ । ७) आहरतीति शेषः । अथवा पूर्वदिग्भागाद्यदाहरणम्, तदनन्तरं दक्षिणस्या दिशः सकाशाल्लोकेष्टकामाह-

(त्यु) अथ पश्चात् । (इ) अग्ने यत्ते शुक्रं यच्चन्द्रं यत्पूतं यच्च यज्ञियम्-मितीयं वाऽअग्निरस्यै तदाह तद्देवेभ्यो भरामसीति तदस्मै दैवाय कर्मणे हरामऽइत्येतत्तामाहृत्यान्तरेण पुच्छसन्धिमात्मन्नुपदधाति स यः प्रतीच्यां दिशि रसोऽत्यक्षरत्तमस्मिन्नेतद्दधात्यथो प्रतीचीमेवास्मिन्नेतद्दिशं दधाति स न सम्प्रति पश्चादाहरेन्नेद्यज्ञपथाद्रसमाहराणीतीतऽइवाहरति ॥ २२ ॥

स यो दक्षिणायां दिशि रसोऽत्यक्षरत्-तमस्मिन्नेतद्दधाति । अथो दक्षिणामेवास्मिन्नेतद्-दिशं दधाति ॥ २१ ॥

अथ पश्चात्-" अग्ने यत्ते शुक्रं यच्चन्द्रं यत्पूतं यच्च यज्ञियम् "-इति । इयं वाऽअग्निः । अस्यै तदाह । " तद्देवेभ्यो भरामसि "-(वा० सं० १२ । १०४) इति । तदस्मै दैवाय कर्मणे हराम इत्येतत् । तामाहृत्यान्तरेण पुच्छसन्धिमात्मन्नुपदधाति । स यः प्रतीच्यां दिशि रसोऽत्यक्षरत्-तमस्मिन्नेतद्दधाति । अथो प्रतीचीमेवास्मिन्नेतद्दिशं दधाति । स न सम्प्रति पश्चादाहरेत् । नेद्यज्ञपथाद्रसमाहराणीति । इत इवाहरति ॥ २२ ॥

रतीत्यर्थः । " अभ्यावर्त्तस्व " इति तन्मन्त्रः । पूर्वार्द्धस्य निगदव्याख्यातत्वमाह-यथैव यजुस्तथा बन्धुरिति । यजुर्वाक्यं यथैव श्रूयते तादृगेव तद्व्याख्यापकं ब्राह्मणवाक्यम्; अतः स्पष्टार्थत्वान्न पृथग्व्याख्यायत इत्यर्थः ॥

उत्तरार्द्धमनूद्य तत्र वपाशब्दस्यार्थमाह-यद्वै किञ्चेति । 'अस्यां' पृथिव्यां यदेव किंचिद् वस्तु तरुगुल्मादिकं दृश्यते, सैव ' अस्यै ' ' वपा ' विधेया । सेति नपुंसकलिङ्गार्थो निर्देशः । षष्ठ्यर्थे चतुर्थी (पा. सू. २ । ३ । ६२ सू. वा. १) । अयमर्थः-हे पृथिवि ! ' यज्ञेन ' यागसाधनेन ' पयसा ' पयोलक्षणेन ' रसेन ' सह अस्मदभिमुखमावर्त्तस्व । ' इषितः ' प्रेरितो दीप्तोऽयमग्निस्त्वदीयं तरुगुल्मादिरूपम् 'आरोहति' अधितिष्ठति । आहृतायास्तस्याः स्थानविशेषे उपधानं विधत्ते-तामाहृत्येति । ' ताम् ' लोकेष्टकां दक्षिणदिग्भागाद्बहिर्वेदेः ' आहृत्य ' ' पक्षसन्धिमन्तरेण ' दक्षिणपक्षस्य आत्मभागस्य च यः सन्धिप्रदेशः, तस्याभ्यन्तरे आत्मभागे स्थापयेदित्यर्थः । अनेनापि पूर्ववद्रसस्थापनं दिक्स्थापनञ्चात्र कृतं भवतीत्याह-स यो दक्षिणायामिति ॥ २१ ॥

प्रतीच्यां दिशि समन्त्रकं लोकेष्टकाया आहरणं विधत्ते-अथ पश्चादिति । ' अथ ' अनन्तरं प्रतीच्या दिशः सकाशात् स्फ्येन लोकेष्टकामाहरतीति शेषः । तत्र मन्त्रः-" अग्ने यत्ते " इति । अत्राग्निशब्देन तदधिष्ठिता भूमिरेव अभेदोपचारेणोच्यत इत्याह-इयं वा अग्निरिति । 'अस्यै' पृथिव्यै । तादर्थ्ये चतुर्थी । पूर्वार्द्धवचनं प्रार्थनं पृथिव्यर्थमित्यर्थः । तृतीयपादमनूद्य देवशब्दस्य विवक्षितमर्थमाह-तदस्मै दैवायेति । एतदग्निचयनाख्यं कर्मैवात्र देवशब्दस्यार्थः । चितिरूपावयवभेदापेक्षया बहुवचनमित्यभिप्रायः ॥

अर्थस्तु-हे पृथिवि ! त्वदीयं यत् ' शुक्रं ' रसवदन्नम्, यच्च ' चन्द्रम् ' आह्लादकरं, तथा ' पूतं ' शुद्धं, ' यज्ञियं ' यज्ञार्हं च यदस्ति, ' तत् ' ' अस्मै ' अग्न्याख्याय ' दैवाय कर्मणे ' आहराम इति । ' ताम् '

(त्यु) अुथोत्तरतः । (तऽड्ड) इुषमूर्जमहुमितऽ आुदमितीषमूर्जमहुमितऽ आुददऽड्डत्येतुद्दतुस्य योनिमिति सत्यं वाुऽऋतुꣳ सत्युस्य योनिमित्येतुन्महिषुस्य धाुरामित्युग्निर्वै महिषः सु हीदं जातो महान्त्सुर्वमैष्णाद्वा मा गोषु विशत्वा तनूष्वित्यात्मा वै तनूरा मा गोषु चात्मनि च विशत्वित्येतज्जहामि सेदिमुनिरामुमीवामिति सिकताः प्रध्वꣳसयति तुद्यैव सेदिर्याऽनिरा याऽमीवा तामेतुस्यां दिशि दधाति तुस्मादेतुस्यां दिशि प्रजाऽ अशनायुकास्तामाहृत्यान्तरेण पक्षसन्धिमात्मन्नुप दधाति स य ऽउुदीच्यां दिशि रुसोऽत्युक्षरत्तमस्मिन्नेतुद्दधात्युथो ऽउुदीचीमेवास्मिन्नेतद्दिशं दधाति ॥ २३ ॥

अथोत्तरतः–" इषमूर्जमहमित आदम् "–इति । इषमूर्जमहमित आददऽइत्येतत् । " ऋतस्य योनिम् "–इति । सत्यं वाऽऋतम् । सत्यस्य योनिमित्येतत् । " महिषस्य धाराम् "–इति । अग्निर्वै महिषः । स हीदं जातो महान् सर्वमैष्णात् । " आ मा गोषु विशत्वा तनूषु "–इति । आत्मा वै तनूः । आ मा गोषु च, आत्मनि च विशत्वित्येतत् । " जहामि

लोकेष्टकाम् ' आहृत्य ' इत्यादि पूर्ववत् । पुच्छसन्धिमिति । पक्ष्याकारस्य चित्याग्नेः पुच्छस्यात्मभागस्य च यः सन्धिः, ' तम् ' ' अन्तरेण ' तस्य मध्ये ' आत्मन् ' आत्मनि अन्यद् गतार्थम् ॥

साक्षात् पश्चादाहरणं निषेधति–स न सम्प्रतीति । ' सः ' अध्वर्युः ' सम्प्रति ' मुख्या या पतीची दिक्, तत्सकाशात् ' नाहरेत् ' । निषेद्धुरभिप्रायमाह–नेद्यज्ञपथादिति । यज्ञस्य पन्थाः ' यज्ञपथः, ' अग्नेः पाश्चात्त्यो देशो हविर्द्धानादिः; ततः सकाशान्नैव ' रसमाहराणि ' इति । यदि खलु तादग्विधात् साक्षात् पश्चाद्भागादाहरेत्, तर्हि प्रजापतिसम्बन्धिनो विस्रस्तरसस्याहृतत्वात् तत्र करिष्यमाणो यज्ञो नीरसः स्यादित्यभिप्रायः । कथं तर्हि तत्राहरणमित्यत आह–इत इवेति । ' इतः ' प्रतीच्या दिश ' इव ' न तु साक्षात् प्रतीच्या दिशः, उत्तरापरस्या दिश आहरेदित्यर्थः । तदुक्तं कात्यायनेन–" उत्तरापरस्याः पश्चात् " इति (का. श्रौ. सू. १७ । ९६) ॥ २२ ॥

उत्तरस्या दिश आहरणं विधत्ते–अथोत्तरत इति । आहरतीति शेषः । " इषमूर्जम् " इत्याहरणमन्त्रः । ' आदम् '–इति क्रियापदस्यार्थमाह–आदद इत्येतदिति । मनसा यथार्थं सङ्कल्पनम् ' ऋतम्, ' यथार्थभाषणम् ' सत्यम् ' अत्र तु " ऋतस्य योनिम् "–इति मन्त्रभागे तादृशो भेदो न विवक्षित इत्यभिप्रेत्याह–सत्यं वा ऋतमिति । महिषस्य धारामिति । महिषशब्दस्यार्थमाह–अग्निर्वै महिष इति । कथमस्य महिषशब्दाभिधेयतेत्याशङ्क्य तन्निर्ब्रूते–स हीदं जात इति । ' सः ' खल्वग्निः ' इदम् ' इदानीम ' जातः ' जातमात्र एव ' महान् ' अतिरिक्तो भूत्वा ' सर्वं ' जगद् ' ऐष्णात् ' व्याप्नोत् । अतो महत्त्वादेषितृत्वाच्च महिषशब्दाभिधेयः संपन्न इत्यर्थः । "ऐष्णात्"–इति " इष आभीक्ष्ण्ये "–इत्यस्माल्लङ् (धा. पा. क्र्या. प. ५३) ।

ताऽएता दिशः । (स्ताः) ताः सर्वत ऽउपदधाति सर्वतस्तद्दिशो दधाति तस्मात्सर्वतो दिशः सर्वतः समीचीः सर्वतस्तत्समीचीर्दिशो दधाति तस्मात्सर्वतः समीच्यो दिशस्ता नानोपदधाति नाना सादयति नाना सूददोहसाऽधिवदति नाना हि दिशस्तिष्ठन्नुपदधाति तिष्ठन्तीव हि दिशोऽथो तिष्ठन्वै वीर्यवत्तरः ॥ २४ ॥

सेदिमनिराममीवाम् "–(वा० सं० १२ । १०५) इति सिकताः प्रध्वंसयति । तद्यैव सेदिः, याऽनिरा, याऽमीवा–तामेतस्यां दिशि दधाति । तस्मादेतस्यां दिशि प्रजा अशनायुकाः । तामाहृत्याऽन्तरेण पक्षसन्धिमात्मन्नुपदधाति । स य उदीच्यां दिशि रसोऽत्यक्षरत्–तमस्मिन्नेतद्दधाति । अथोऽउदीचीमेवास्मिन्नेतद्दिशं दधाति ॥ २३ ॥

ता एता दिशः । ताः सर्वत उपदधाति । सर्वतस्तद्दिशो दधाति । तस्मात् सर्वतो दिशः । सर्वतः समीचीः । सर्वतस्तत् समीचीर्दिशो दधाति । तस्मात् सर्वतः समीच्यो दिशः । ता नानोपदधाति, नाना सादयति, नाना सूददोहसाऽधिवदति । नाना हि दिशः । तिष्ठन्नुपदधाति । तिष्ठन्तीव हि दिशः । अथो तिष्ठन्वै वीर्यवत्तरः ॥ २४ ॥

तृतीयं पादमनूद्य तत्र तनूशब्दस्यार्थमभिधाय योजयति–आ मेति । तनूष्विति बहुवचनम्, तेन बह्ववयवोपेत आत्मा देह उच्यते । गतमन्यत् ॥

मन्त्रार्थस्तु–' इषम् ' इष्यमाणमन्नम् ' ' ऊर्जम् ' बलकरं रसम् । 'इतः' अस्या उदीच्या दिशः सकाशादहम् ' आददे ' । किंविशिष्टम् ? ' ऋतस्य ' सत्यस्य यथार्थफलस्य यज्ञस्य ' योनिम् ' कारणम्, ' महिषस्य ' महतोऽग्नेः ' धाराम् ' धाराप्रवाहभूताम् तद्बलसाधिताम् । ईदृशी च सा, मामुद्दिश्य मदीयासु ' गोषु ' ' तनूषु ' शरीरेषु ' आविशतु '–इति चतुर्थेन पादेन सम्बन्धः ॥

तस्यां दिशि सिकतानां प्रध्वंसनं विधत्ते–जहामीति । अत एवोक्तं कात्यायनेन–" उत्तरस्याः सिकताः प्रमार्ष्टि जहामि सेदिमिति " (का. श्रौ. सू. १७ । ९७) इति । मन्त्रस्यार्थमाह–तद्यैवेति । ' तत् ' तत्र ' यैव ' खलु ' सेदिः ' अवसादापरपर्याया हानिः, या च ' अनिरा ' इरा अन्नम् (निघं. २ । ७ । १३) तदभावरूपा पीडा, या च ' अमीवा ' रोगात्मिका । ' ताम् ' ' एतस्याम् ' उत्तरस्याम् ' दिशि ' एतन्मन्त्रकरणकेन सिकताप्रध्वंसनेन स्थापयति । इरादीनां तत आहृतत्वादिति भावः । एतच्च तत्कार्यदर्शनादवगम्यत इत्याह–तस्मादिति । यस्माद् अवसादादीनि स्थापितानि, तस्मादेतस्यामुत्तरस्यां दिशि सर्वाः ' प्रजाः ' ' अशनायुकाः ' अशनाया अशनेच्छा क्षुधा, तया पीडिता दृश्यन्त इत्यर्थः । तामाहृत्येत्यादि–पूर्ववत् ॥ २३ ॥

अथैताः सम्भूय प्रशंसति–ता एता दिश इति । ' ताः ' प्राच्यादिदिक्षु क्रमेणोपहिताः ' एताः ' इष्टका ' दिशः ' दिगात्मिकाः, ' ताः ' सर्वाभ्यो दिग्भ्यः आहृत्य ' उपदधाति ' । तेन चोपधानेन ' सर्वतः ' एव ' दिशः ' ' दधाति ' स्थापयति । तस्मादेव कारणादिदानीं सर्वतो दिशो दृश्यन्ते ॥

(स्ता) ताऽएता यजुष्मत्यऽइष्टकाः । (स्ता) ताऽआत्मन्नेवोपदधाति न पक्षपुच्छेष्वात्मन्ह्येव यजुष्मत्यऽइष्टकाऽउपधीयन्ते न पक्षपुच्छेषु ॥२५॥

तदाहुः । कथमस्यैताः पक्वाः शृताऽउपहिता भवन्तीति रसो वाऽएताः स्वयꣳ शृतऽउ वै रसोऽथो यद्वै किं चैतमग्निं वैश्वानरमुपनिगच्छति तत ऽएव तत्पक्वꣳ शृतमुपहितं भवति ॥ २६ ॥

ता एता यजुष्मत्य इष्टकाः । ता आत्मन्नेवोपदधाति, न पक्षपुच्छेषु । आत्मन्ह्येव यजुष्मत्य इष्टका उपधीयन्ते, न पक्षपुच्छेषु ॥ २५ ॥

तदाहुः—कथमस्यैताः पक्वाः शृता उपहिता भवन्तीति । रसो वाऽएताः । स्वयं शृत उ वै रसः । अथो यद्वै किञ्चैतमग्निं वैश्वानरमुपनिगच्छति—तत एव तत् पक्वम्, शृतम्, उपहितं भवति ॥२६॥

धर्मविशेषं विधाय स्तौति—सर्वतः समीची इति । सर्वासु दिक्षु 'समीचीः' सङ्गतदिगाभिमुख्यं गता उपदधाति, न तु तिर्यक्त्वेनेत्यर्थः । 'तत्' तेन 'सर्वतः' दिश एव 'समीचीः' अनूर्ध्वानाग्राः स्थापयति । 'तस्माद्' इति फलनिर्देशः । उपधानादीनां पृथगनुष्ठानं विधत्ते—ता नानोपदधातीति । प्रतीष्टकं समन्त्रकं स्थापनं पृथगेव कर्त्तव्यम्, "तया देवतया" इति सादनमपि पृथक् "ता अस्येति" सूददोहसा मन्त्रेणाधिवदनमपि पृथक् । तत्र कारणमाह—नाना हीति । 'हि' यस्मात् 'दिशः' परस्परं विभिन्नाः, अतो दिक्संस्तुतानामप्यासां पृथगुपधानादिकं युक्तमित्यर्थः । तस्मिन्नुपधाने स्थितिगुणं विधत्ते—तिष्ठन्निति । 'तिष्ठन्' न तु आसीन इत्यर्थः । तिष्ठन्तीव हि दिश इति । प्राच्याद्या 'दिशः' अपि 'हि' 'तिष्ठन्तीव' ऊर्ध्वाकारतया दृश्यमानाः स्थितियुक्ता इव लक्ष्यन्त इत्यर्थः । 'अथो' अपि च आसीनात् पुरुषात् 'तिष्ठन्' खलु 'वीर्यवत्तरः' अधिकवीर्यवान् । इतोऽपि तिष्ठता उपधेया इत्यर्थः ॥२४॥

अथासां समन्त्रकत्वमनूद्य अग्निक्षेत्रस्यात्मभाग एवोपधानं प्रतिपादयति—ता एता इति । यजुष्मत्य इति । करणभूतैर्यजुर्मन्त्रैर्युक्ता इत्यर्थः । 'ताः' 'आत्मन्' आत्मनि आत्मभागे एव 'उपदधाति' । अवधारणफलमाह—न पक्षेति । तत्र कारणमाह—आत्मन् ह्येवेति । आत्मभागे एव हि यजुर्मन्त्रोपधेया वक्ष्यमाणा इष्टका उपधीयन्ते; अत एवासामुपधानमपि समन्त्रकमित्यात्मन्येवेति नियमद्वयमुपपन्नमित्यर्थः ॥ २५ ॥

अथेतरेष्टकावदासां श्रपणाभावादशृतत्वमाशङ्क्य निरस्यति—तदाहुरिति । 'अस्य' अग्नेः 'एताः' लोकेष्टकाः 'कथं' केन प्रकारेण 'पक्वाः शृताः' पाचनसंस्कारसंस्कृताः सुश्रृताः सत्य उपहिताः 'भवन्ति' इति ब्रह्मवादिनां प्रश्नः । 'रसो वा एताः'—इति अस्योत्तरम् । विस्रस्तस्य प्रजापतिशरीरस्य रसरूपाः खल्वेता इष्टकाः 'स्वयं शृताः' खलु, अग्न्यादिपाकानपेक्षः खलु रसः । परिहारान्तरमाह—अथो इति । 'अथो' शब्दः पक्षान्तरद्योतने । एष एव हि चित्योऽग्निः जीव्यो भूत्वा विश्वनरसम्बन्धी वर्त्तते 'यत्' किञ्चिदप्यामद्रव्यम् 'एतमग्निं वैश्वानरम्' प्राप्नोति, 'तत एव' तस्मादेव संसर्गात् 'तत्' सर्वम् 'पक्वं शृतम्' पाकेन संस्कृतं सुश्रृतं सत् 'तत्' तत्र 'उपहितम्' 'भवति' इत्यर्थः ॥ २६ ॥

१७५७

(त्यु) अथोत्तरवेदिं निवपति। (ती) इयं वै वेदिर्द्यौरुत्तरवेदिर्दिशो लोगेष्टकास्तद्यदन्तरेण वेदिं चोत्तरवेदिं च लोगेष्टका उपदधातीमौ तल्लोकावन्तरेण दिशो दधाति तस्मादिमौ लोकावन्तरेण दिशस्तां युगमात्रीं वा सर्वतः करोति चत्वारिंशत्पदां वा यतरथा कामयेताथ सिकता निवपति तस्योक्तो बन्धुः ॥ २७ ॥

अथोत्तरवेदिं निवपति। इयं वै वेदिः। द्यौरुत्तरवेदिः। दिशो लोगेष्टकाः। तद् यदन्तरेण वेदिं चोत्तरवेदिं च लोगेष्टका उपदधाति–इमौ तल्लोकावन्तरेण दिशो दधाति। तस्मादिमौ लोकावन्तरेण

चोदकप्राप्तमुत्तरवेदिनिवपनमस्मिन् काले कर्त्तव्यमिति विधत्ते–अथेति। लोकेष्टकोपधानानन्तर्यम् 'अथ' शब्दार्थः। एतदुपपादयति–इयं वा इत्यादिना। 'इयम्' भूमिरेव महावेदिः 'उत्तरवेदिः' द्युलोकात्मिका, लोकेष्टकात्मिका 'दिशः'। एवं च वेद्युत्तरवेद्योर्मध्ये लोकेष्टकोपधानं द्यावापृथिव्योर्मध्ये दिशां स्थापनाय भवति। 'तस्मात्' कारणादिदानीमनयोर्लोकयोर्मध्ये दिशो लक्ष्यन्त इत्यर्थः। उत्तरवेदेः परिमाणं विधत्ते–तां युगमात्रीमिति। षडशीत्यंगुलपरिमितं युगम्; उक्तं ह्यापस्तम्बेन–"अष्टाशीतिशतमीषा तिर्यगक्षश्चतुःशतम् षडशीतिर्युगं चास्य" इति। 'सर्वतः' सर्वासु दिक्षु तावन्मात्रामुत्तरवेदिं कुर्यादित्येकं परिमाणम्, 'चत्वारिंशत्पदां वेति' परिमाणान्तरम्। चत्वारिंशत्पदानि प्रमाणमस्याः सा तथोक्ता। अनयोः प्रमाणयोर्मध्ये 'यथा' येन प्रकारेण 'कामयेत' तथा कुर्यादित्यर्थः॥

सिकतानिवपनं विधत्ते–अथेति। उत्तरवेदिनिवपनानन्तर्यम् 'अथ' शब्दार्थः। तस्योक्त इति। 'तस्य' सिकतानिवपनस्य स्तावको वाक्यशेषः "अग्नेरेतद् वैश्वानरस्य भस्म यत् सिकताः" इत्यादिः प्रागाम्नात इत्यर्थः (श. प. ७।१।१।९)॥ २७॥

१–उत्तरवेदिं निवपति चत्वारिंशत्पदां युगमात्रीं वा सर्व्वतः कुशस्तंबे। का. श्रौ. सू. १७। ५८। २–शुल्बपरिशिष्टे कात्यायनः–ईषामानम् १ अक्षमानं २ युगमानं ३ चेति त्रीणि मानान्याह। पूर्वसूत्रादंगुलैरित्यनुवृत्तौ अष्टाशीतिशतमीषा १ चतुःशतमक्षः २ षडशीतिर्युगमिति ३। प्रकृते ईषामानमक्षमानं चानुपयुक्तमेव। अत्रोपयुक्तं तु युगमानं षडशीत्यंगुलानि ८६। दशांगुलोनाश्चत्वारो हस्ताः ३। १४। तथाच सर्वतः सर्वासु दिक्षु युगमात्रीं वेदिं कुर्यादित्येकं परिमाणम् १। अथ द्वितीयं मानं २ चत्वारिंशत्पदामिति। तदपि शुल्बे चोक्तं कात्यायनेन, "द्विपदा तिर्यङ्मानी, षट्पदा पार्श्वमानी, तस्याक्ष्णयारज्जुस्त्रिकरणी" इति। अक्ष्णयारज्जुर्नाम कर्णसूत्रम्। इयं कर्णरज्जुश्चत्वारिंशत्पदकरणी। चत्वारिंशत्पदक्षेत्रफलस्य चतुरस्रस्य संपादिका भवति। तृतीयांशसहिता षट्पदपरिमिता भवतीत्यर्थः ६। ४। एतया रज्ज्वोपरिमितं सयवचतुरस्रं क्षेत्रं चत्वारिंशत्पदफलकं भवतीति यावत्। विंशतिहस्तं समचतुरस्रमित्यर्थः। एवंविधा चत्वारिंशत्पदा इति द्वितीयं मानम् २। न तु, चत्वारिंशत्पदानि प्रमाणमस्याः सा तथोक्तेति साधारणं मानम्। अंगुलमानं पदमानं च चयनोक्तमेव। "यजमानेनोर्ध्वबाहुना प्रपदोच्छ्रितेन समस्थितेन वा" १६।७।३२ "पंचारत्निः पुरुषो दशपदो द्वादशांगुलं पदं" १६।८।१६। उभयसूत्रार्थस्तु पुरुषस्य ऊर्ध्वबाहोः प्रपदोच्छ्रितस्य समाविभक्तस्य वा यः पंचमो भागः सोऽरत्निः। तस्य दशमो भागः पदं, पदस्य द्वादशो भागोऽङ्गुलम् इति। शुल्बेऽपि "पंचारत्निर्दशवितस्तिविंशतिशतांगुलः पुरुष इत्येतस्मात् द्वादशांगुलं पदमिति चेति। पंचारत्नयो यस्य, दश वितस्तयो यस्य, विंशत्युत्तरशतमंगुलानि यस्य, स पुरुषः। अरत्निमानं, वितस्तिमानं, अंगुलमानं च एतस्मात् पुरुषात् ग्राह्यम्। द्वादशांगुलं पदमित्यपि च एतस्मादेव इति शुल्बार्थः। शुल्बं तु अरत्न्यादिमानांगीकारविधानार्थम्। ३–अग्ने तवेति सिकता न्युप्य छादयत्यात्मानम्। का. श्रौ. सू. १७। ५९।

(स्ता) ताऽउत्तरवेदौ निवपति । योनिर्व्वाऽ उत्तरवेदिर्य्योनौ तद्रेतः सिञ्चति यद्वै योनौ रेतः सिच्यते तत्प्रजनिष्णु भवति ताभिः सर्व्वमात्मानं प्रच्छादयति सर्व्वस्मिंस्तदात्मन्रेतो दधाति तस्मात्सर्व्वस्मादेवात्मनो रेतः सम्भवति ॥ २८ ॥

(त्यु) अग्ने तव श्रवो व्वयऽ इति । धूमो वाऽ अस्य श्रवो व्वयः स ह्येनममुष्मिँल्लोके श्रावयति महि भ्राजन्तेऽ अर्च्चयो व्विभावसवित्ति महतो भ्राजन्तेऽर्च्चयः प्रभूवसवित्येतद्बृहद्भानो शवसा व्वाजमुक्थ्यमिति बलं वै शवो बृहद्भानो बलेनान्नमुक्थ्यमित्येतद्दधासि दाशुषे कवऽइति यजमानो वै दाश्वान्दधासि यजमानाय कवऽइत्येतत् ॥ २९ ॥

दिशः । तां युगमात्रीं वा सर्वतः करोति, चत्वारिंशत्पदां वा—यतरथा कामयेत । अथ सिकता निवपति । तस्योक्तो बन्धुः ॥ २७ ॥

ता उत्तरवेदौ निवपति । योनिर्वाऽउत्तरवेदिः । योनौ तद् रेतः सिञ्चति । यद्वै योनौ रेतः सिच्यते—तत्प्रजनिष्णु भवति । ताभिः सर्वमात्मानं प्रच्छादयति । सर्वस्मिंस्तदात्मन् रेतो दधाति । तस्मात्सर्वस्मादेवात्मनो रेतः सम्भवति ॥ २८ ॥

"अग्ने तव श्रवो वयः"—इति । धूमो वाऽअस्य श्रवो वयः । स ह्येनममुष्मिँल्लोके श्रावयति । "महि भ्राजन्ते अर्चयो विभावसो"—इति । महतो भ्राजन्तेऽर्चयः प्रभूवसवित्येतत् । "बृहद्भानो शवसा वाजमुक्थ्यम्"—इति । बलं वै शवः । बृहद्भानो बलेनान्नमुक्थ्यमित्येतत् ।

तस्य निवपनस्य स्थानविशेषं विधाय स्तौति—ता उत्तरवेद्यानिति । अग्निवपनक्षेत्रे युगमात्रीत्यादिलक्षणा योत्तरवेदिर्नियुक्ता, तस्यां सिकताः निवपति । योनिर्वा उत्तरवेदिरिति । निखिलयागोत्पत्तिकारणाहवनीयस्थानत्वात् 'उत्तरवेदिः' अपि 'योनिः' । अत एवाग्निप्रणयनीयास्वाम्नायते—(ऐ. ब्रा. १ । ५ । २) "ऊर्गावन्तं प्रथमः सीद योनिम्" इति (ऋक् सं० ६ । १५ । १६) । 'तत्' तेन उत्तरवेदौ सिकतानां निवपनेन 'योनौ' एव 'रेतः' सिक्तं भवतीत्यर्थः । 'यत्' खलु, 'योनौ' गर्भाशये 'रेतः' 'सिच्यते' 'तत्' 'प्रजनिष्णु' प्रजननशीलम्, उत्पत्तिमद् 'भवति' ॥

अस्यात्मभागस्य ताभिः प्रच्छादनं विधत्ते—ताभिः सर्वमिति । 'तत्' तेन प्रच्छादनेन 'सर्वस्मिन्नेव' आत्मनि 'रेतः' 'दधाति' स्थापयति । 'तस्मात्' एव कारणात् 'सर्वस्मादत्र' हस्तपादादिरार्वाबगतसहितात् 'आत्मनः' देहात् 'रेतः' 'सम्भवति' उत्पद्यते । अत एव—मन्त्रवर्णः—"अङ्गादङ्गात् सम्भवसि हृदयादधिजायसे"—इति (सा. वे. मं. ब्रा. १ प्र. ५ ख. १६ म.) ॥ २८ ॥

अस्मिन्निवपने "अग्ने तव"—इति षड्च सूक्तं (वा. सं. १२ । १०६–१११) करणत्वेन विधत्ते—अग्ने तव श्रवो वय इतीति । तत्र 'श्रवः' इति पदस्याभिप्रेतमर्थमाह—धूमो वा अस्येति ।

पावकुवर्चाः शुक्रुवर्चाऽइति। पावकुवर्चा ह्येषु शुक्रुवर्चाऽअनूनवर्चाऽउ-दियर्षि भानुनेत्युनूनवर्चाऽउद्दीप्यसे भानुनेत्येतत्पुत्रो मातुरा विचुरन्नुपाव-सीति पुत्रो ह्येषु मातुरा विचुरन्नुपावति पृणक्षि रोदसीऽउभेऽइतीमे वै द्यावापृथिवी रोदसी तेऽएषुऽउभे पृणक्ति धूमेनामूं वृष्ट्येमाम् ॥ ३० ॥

" दधासि दाशुषे कवे "-(वा. सं. १२। १०६) इति। यजमानो वै दाश्वान्। दधासि यजमानाय कवऽइत्येतत् ॥ २९ ॥

" पावकवर्चाः शुक्रवर्चाः "-इति। पावकवर्चा ह्येष शुक्रवर्चाः। " अनूनवर्चा उदि-यर्षि भानुना "-इति। अनूनवर्चा उद्दीप्यसे भानुनेत्येतत्। " पुत्रो मातरा विचरन्नुपा-वसि "-इति। पुत्रो ह्येष मातरा विचरन्नुपावति। " पृणक्षि रोदसीऽउभे "-(वा. सं. १२। १०७) इति। इमे वै द्यावापृथिवी रोदसी। तेऽएष उभे पृणक्ति-धूमेनामूम्, वृष्ट्येमाम् ॥ ३० ॥

' अस्य ' अग्नेः ' श्रवः ' श्रवणहेतुः ' वयः ' स्वरूपम् ' धूमो वै ' धूमः खलु। एतदुपपादयति-स ह्येनमिति। ' एनम् ' अग्निम् ' अमुष्मिन् ' स्वर्गे 'लोके' ' सः ' खलु धूमः ' श्रावयति ' प्रख्यापयति; आकाशे धूमं दृष्ट्वा यागार्थमग्नय आहिता इति द्युलोकवर्तिनो देवा बुध्यन्त इत्यर्थः। अतोऽन्तर्भावितण्यर्थात् शृणोतेः श्रावयत्यनेनेति करणे "ऋदोरप्" (पा. सू. ३-३-५७) इत्यनेनाप्प्रत्यये श्रव इति रूपं भवति ॥

द्वितीयं पादमनूद्य तत्रत्यं पदद्वयं व्याचष्टे-**महि भ्राजन्त** इति। महत्प्रातिपदिकस्य अच्छन्दलोपे सति महीति सप्तम्यन्तं पदम्। अत्र " सुपां सुलुक् "-(पा. सू. ७। १। ३९) इति व्यत्ययेन षष्ठ्यर्थो वर्त्तत इति व्याचष्टे-**महतो भ्राजन्त** इति। ' विभा ' शब्दस्य तेजोवाचकत्वं प्रसिद्धम्, अत्र तु भूयस्त्वमेव तेन शब्देन विवक्षितमित्याह-**प्रभूवसवित्येतादिति** ॥

तृतीयपादमनूद्य शवसेत्यस्य बलमर्थः (निघं० २। ९ ३) ' वाज ' शब्दस्य चान्नमर्थः (निघं० २। ७। २) इत्याह-**बलं वै शव** इत्यादिना ॥

चतुर्थपादमनूद्य दाशुष इति पदस्यार्थमाह-**यजमानो वै दाश्वानिति**। " दाशृ दाने "-(धा. पा. भ्वा. उ. ९०७) इत्यस्मात् क्वसौ " दाश्वान् साह्वान् "-(पा. सू. ६। १। १२) इति निपातनाद् दत्तवानित्यर्थो भवति, स चात्र प्रकरणाद् यजमान एवेत्यभिप्रायः ॥

ऋगर्थस्तु-हे ' अग्ने '! ' तव ' सम्बन्धी ' श्रवः ' धूमः आहुतिपरिणामरूपत्वाद् ' वयः ' देवानामन्नम् (निघं० २। ७। ७)। हे ' विभावसो ' प्रभूतधनाग्ने! ' महि ' महतस्तव ' अर्चयः ' अर्चींषि 'भ्राजन्ते' दीप्यन्ते। किंच हे ' बृहद्भानो ' महादीप्ते! हे ' कवे ' क्रान्तदर्शिन्! ' शवसा ' बलेन सहितम् ' उक्थ्यम् ' उक्थार्हं प्रशस्यं ' वाजम् ' अन्नम् ' दाशुषे ' दत्तवते यजमानाय ' दधासि ' प्रयच्छसीति ॥ २९ ॥

द्वितीयामृचमप्येवमेव पादशो व्याचष्टे-**पावकवर्चा** इति। ' एषः ' अग्निः ' पावकवर्चाः ' शोधकदीप्तिः, 'शुक्रवर्चाः' शुक्लवर्णतेजस्क इत्येतदुभयं प्रसिद्धम्; अतो न पृथग् व्याख्येयमिति 'हि'-शब्दार्थः। 'उदियर्षि'

(मू) ऊर्जोनपाज्जातवेदः सुशस्तिभिरिति । (त्यू) ऊर्जोनपाज्जातवेदः सुष्टुतिभिरित्येतन्मन्दस्व धीतिभिर्हित ऽइति दीप्यस्व धीतिभिर्हित ऽइत्येतत्त्वेऽइषः संदधुर्भूरिवर्पसऽ इति त्वेऽइषः संदधुर्बहुवर्पस ऽइत्येतच्चित्रोतयो वामजाता ऽइति यथैव यजुस्तथा बन्धुः ॥ ३१ ॥

" **ऊर्जोनपाज्जातवेदः सुशस्तिभिः** "–इति । ऊर्जोनपाज्जातवेदः सुष्टुतिभिरित्येतत् । " **मन्दस्व धीतिभिर्हितः** "–इति । दीप्यस्व धीतिभिर्हित इत्येतत् । "**त्वेऽइषः सन्दधुर्भूरिवर्पसः** "–इति । त्वेऽइषः सन्दधुर्बहुवर्पस इत्येतत् । " **चित्रोतयो वामजाताः** "–(वा० सं० १२ । १०८) इति । यथैव यजुस्तथा बन्धुः ॥ ३१ ॥

इत्यस्यार्थमाह–**उद्दीप्यस** इति । अग्नेरुद्गमनं नामोर्ध्वज्वलनम्, अत उद्दीप्यस इत्यस्मिन्नर्थे पर्यवस्यतीत्यभिप्रायः । तृतीयपादार्थोऽपि प्रसिद्ध इति ' हि '–शब्देनैव व्याचष्टे–**पुत्रो ह्येष** इति । चतुर्थपादमनूद्य व्याचष्टे–**इमे वा** इति । 'इमे' खलु ' द्यावापृथिव्यौ ' 'रोदसी'–शब्देन वाच्ये । ' एषः ' अग्निः 'ते' 'उभे' ' पृणक्ति ' संयुक्ते करोति ।। केन किमिति तदाह–**धूमेने**ति । द्यावापृथिव्योर्मध्ये वर्तमानोऽयमग्निः धूमेन उद्गच्छता ' अमूम् ' दिवं पृणक्ति; आहुतिद्वारा जनितया ' वृष्टया ' च ' इमाम् ' पृथिवीं संयोजयति ॥

मन्त्रार्थस्तु–' पावकवर्चाः ' शोधकदीप्तिः, ' शुक्रवर्चाः ' निर्मलदीप्तिः, ' अनूनवर्चाः ' न्यूनतारहिततेजस्कश्च सन्, हे अग्ने ! त्वम् ' भानुना ' तेजसा ' उदियर्षि ' उद्गच्छसि, उद्दीप्यसे, द्यावापृथिव्योर्मध्ये जातत्वात् तयोः ' पुत्रः ' भूत्वा ' मातरा ' सकलभूतानां निर्मात्र्यौ द्यावापृथिव्यौ ' विचरन् उपावसि ' समीपगतो रक्षसि । यथा लौकिकः पुत्रो मातृसमीपे सञ्चरन् तां रक्षति, तद्वत् । रक्षणप्रकारोऽभिधीयते–' उभे ' 'रोदसी' द्यावापृथिव्यौ क्रमाद् धूमेन वृष्टया च ' पृणक्षि ' संयोजयसि । " पृची सम्पर्के "–(धा. पा. रु. प. २९) इति धातुः ॥ ३० ॥

तृतीयामृचं व्याचष्टे–**ऊर्ज्जोनपा**दित्यादिना । सुशस्तिभिरिति पदं व्याचष्टे–**सुष्टुतिभि**रिति । द्वितीयतृतीययोः पादयोः ' मन्दस्व ' ' भूरि ' शब्दावनुवादेन व्याख्यातौ । चतुर्थपादस्तु निगदसिद्ध इत्याह–**यथैव यजु**रिति ॥

ऋगर्थस्तु–हे ' जातवेदः ' जातानां वेदितः ! हे ' ऊर्ज्जोनपात् ' बलकरस्य अन्नरसस्य न पातयितः ! पौत्र ! वा, ' सुशस्तिभिः ' ' सुष्टुतिभिः ' अस्मत्प्रयुक्ताभिः हृष्टो भूत्वा ' हितः ' निहितस्त्वम् ' धीतिभिः ' कर्मभिः, प्रभाभिर्वा ' मन्दस्व ' दीप्यस्व । ' त्वे ' त्वयि खलु ' इषः ' इष्यमाणान्यन्नानि ' सन्दधुः ' संहितानि बभूवुः । इषो विशेष्यन्ते–**भूरिवर्पस** इति । " वर्पः "–इति रूपनाम (निघं. ३ । ७ । ३ ।) ' भूरिवर्पसः ' बहुरूपाः, ' चित्रोतयः ' विचित्ररक्षणोपेताः, ' वामजाताः ' प्रशस्तजननोपेताः ॥ ३१ ॥

(रि) इरज्युन्नग्ने प्रथयस्व जन्तुभिरिति । मनुष्या वै जन्तवो दीप्यमानोऽग्ने प्रथस्व मनुष्यैरित्येतदस्मे रायोऽअमर्त्येत्यस्मे रयिं दधदमर्त्येत्येतत्स दर्शतस्य व्वपुषो व्विराजसीति दर्शतस्य ह्येष व्वपुषो व्विराजति पृणक्षि सानसिं क्रतुमिति पृणक्षि सनातनं क्रतुमित्येतत् ॥ ३२ ॥

(दि) इष्कर्तारमध्वरस्य प्रचेतसमिति । (त्य) अध्वरो वै यज्ञः प्रकल्पयितारं यज्ञस्य प्रचेतसमित्येतत्क्षयन्तᳬ राधसो महऽ इति क्षयन्तᳬ राधसि महतीत्येतद्रातिं व्वामस्य सुभगां महीमिषमिति रातिं व्वामस्य सुभगां महतीमिषमित्येतद्दधासि सानसिᳬ रयिमिति दधासि सनातनᳬ रयिमित्येतत् ॥ ३३ ॥

" इरज्यन्नग्ने प्रथयस्व जन्तुभिः "–इति । मनुष्या वै जन्तवः । दीप्यमानोऽग्ने प्रथस्व मनुष्यैरित्येतत् । " अस्मे रायोऽअमर्त्य "–इति । अस्मे रयिं दधदमर्त्येत्येतत् । " स दर्शतस्य वपुषो विराजसि "–इति । दर्शतस्य ह्येष वपुषो विराजति । " पृणक्षि सानसिं क्रतुम् "–(वा. सं. १२ । १०९) इति । पृणक्षि सनातनं क्रतुमित्येतत् ॥ ३२ ॥

" इष्कर्तारमध्वरस्य प्रचेतसम् "–इति । अध्वरो वै यज्ञः । प्रकल्पयितारं यज्ञस्य प्रचेतसमित्येतत् । " क्षयन्तं राधसो महः "–इति । क्षयन्तं राधसि महतीत्येतत् । " रातिं

चतुर्थीमृचमनूद्य व्याचष्टे–इरज्यन्नग्न इति । मनुष्या वै जन्तव इति । जायन्ते पुरुषार्थोपयोगित्वेनोत्पद्यन्त इति जन्तवोऽत्र मनुष्याः; न तु क्रिमिकीटादय इत्यर्थः । " इरज्यतिः "–(धा. पा. कंड्वा० ९) कण्ड्वादिर्दीप्तिकर्मेत्यभिप्रेत्याह–दीप्यमान इति । द्वितीयपादे ' रायः ' शब्दस्यार्थमाह–रयिं दधदिति । तृतीयपादार्थः प्रसिद्ध इति ' हि '–शब्देन व्याचष्टे–दर्शतस्य ह्येष इति । चतुर्थपादे ' सानसि '–शब्दः सनातनपर्याय इति च (उणा. ४ पा. सू. १०७) व्याचष्टे–सनातनं क्रतुमित्येतदिति ॥

ऋगार्थस्तु–हे ' अग्ने '! ' जन्तुभिः ' प्रशस्तजननैर्मनुष्यैर्ऋत्विग्भिः ' इरज्यन् ' दीप्यमानः सन् ' प्रथयस्व ' स्वार्थिको णिच् प्रथस्व, विस्तीर्णो भव । हे ' अमर्त्य ' मरणरहिताग्ने ! त्वत्प्रसादाद् ' अस्मे ' अस्माकम् ' रायः ' धनानि सन्तु । ब्राह्मणे तु " अस्मे रयिं दधत् "–इत्यर्थतो व्याख्यानम् । तथाविधः ' सः ' त्वम् ' दर्शतस्य ' दर्शनीयस्य ' वपुषः ' ज्वालारूपस्य शरीरस्य शोभातिशयेन ' विराजसि ' विशेषेण दीप्यसे, तथा ' सानसिम् ' सनातनं नित्यफलविषयम् ' क्रतुम् ' यजमानसङ्कल्पम् ' पृणक्षि ' फलेन संयोजयसीति ॥ ३२ ॥

पञ्चमीमृचं व्याचष्टे–इष्कर्त्तारमिति । उपसर्गस्यादिलोपश्छान्दसः । निष्कर्तारम् । तथैव तैत्तिरीयैराम्नायते–(तै. सं. ४ । २ । ७ । ३) । ' अध्वरस्य ' यज्ञस्य निःशेषेण कर्त्ता निष्कर्ता । तथाच यज्ञस्य प्रकल्पयितेत्यर्थः सिद्ध्यतीत्याह–अध्वरो वा इति । द्वितीयपादे राधसो मह इति षष्ठ्यन्तयोः सप्तम्यर्थतामाह–

(६) ऋतावानमिति । सत्यावानमित्येतन्महिषमित्यग्निर्वै महिषो विश्वदर्शतमिति विश्वदर्शतो ह्येषोऽग्निꣳ सुम्नाय दधिरे पुरो जना इति यज्ञो वै सुम्नं यज्ञाय वा एतं पुरो दधते श्रुत्कर्णꣳ सप्रथस्तमं त्वा गिरा दैव्यं मानुषा युगेत्याशृण्वन्तꣳ सप्रथस्तमं त्वा गिरा देवं मनुष्या हवामह इत्येतत् ॥ ३४ ॥

वामस्य सुभगां महीमिषम् "–इति । रातिं वामस्य सुभगां महतीमिषमित्यतत् । " दधासि सानसिं रयिम् "–(वा. सं. १२ । ११०) इति । दधासि सनातनं रयिमित्येतत् ॥ ३३ ॥

" ऋतावानम् "–इति । सत्यावानमित्येतत् । " महिषम् "–इति । अग्निर्वै महिषः । " विश्वदर्शतम् "–इति । विश्वदर्शतो ह्येषः । "अग्निं सुम्नाय दधिरे पुरो जनाः"–इति । यज्ञो वै सुम्नम् । यज्ञाय वाऽएतं पुरो दधते । " श्रुत्कर्णं सप्रथस्तमं त्वा गिरा दैव्यं मानुषा युगा "–(वा. सं. १२ । १११) इति । आशृण्वन्तं सप्रथस्तमं त्वा गिरा देवं मनुष्या हवामह इत्येतत् ॥ ३४ ॥

राधसि महतीति : तृतीयपादे ' मही '–इति शब्दस्य ' महती -शब्दपर्यायतामाह–महतीमिषमित्येतदिति ॥

अयमर्थः–' इष्कर्त्तारम ' यज्ञस्य निःशेषेण कर्त्तारम्, अत एव प्रकृष्टज्ञानवन्तम् । ' राधः '–इति (निघं. २ । १० । २० ।) धननाम । महति प्रभूते ' राधसि ' धने विषये ' क्षयन्तम् ' " क्षयतिरैश्वर्यकर्मा "–(निघं. २ । २१ । ३ ।) ईश्वरत्वेन सन्तम्, ममेति शेषः । स त्वं ' वामस्य ' वननीयस्य धनस्य ' रातिम् ' दानम ' सुभगाम् ' शोभनाम् ' महीम् ' महतीम् ' इषम् ' इष्यमाणमन्नं च ' सानसिम् ' सनातनं चिरन्तनं गवाश्वादिपशुरूपं ' रयिम् ' च यजमानाय ' दधासि ' धारयसीति ॥ ३३ ॥

षष्ठीमृचमनूद्य पादशो व्याचष्टे–ऋतावानमिति । यद्यपि ऋतसत्ययोर्मानसवाचिकयथार्थसङ्कल्पनतद्भाषणरूपत्वाद् भेदोऽस्ति, तथाप्यत्र तादृशो भेदो न विवक्षित इत्याह–सत्यावानमित्येतदिति । अग्निर्वै महिष इति । " स हीदं जातो महान्त्सर्वमैष्णादिति " (श. प. ७ । ३ । १ । २२) तन्नामनिर्वचनस्य प्रागाम्नातत्वादिति भावः । सर्वैर्दर्शनीयत्वमस्य प्रसिद्धमतो न पृथग्व्याख्यातव्यमित्यभिप्रेत्याह–विश्वदर्शतो ह्येष इति । यज्ञो वै सुम्नमिति । यद्यपि सुखवाची ' सुम्न '–शब्दः (निघं. ३ । ६ । १६) तथाप्यत्र प्रकरणात्तत्साधनो यज्ञ एव तस्यार्थः । उत्तरार्द्धमनूद्य श्रुत्कर्णपदं व्याचष्टे–आशृण्वन्तमिति । श्रवणशीलकर्णोपेतम्, आ समन्तात् शृण्वन्तमिति यावत् । ' गिरा '–इति विशिष्टसाधनश्रवणाद् योग्यक्रियाध्याहारेण वाक्यं पूरयति–मनुष्या हवामह इत्येतदिति ॥

ऋगर्थस्तु–सत्यवन्तं, महान्तं, सर्वेषां दर्शनीयम्, एवम्भूतमग्निम्, ऋत्विग्यजमानलक्षणाः ' जनाः ' ' सुम्नाय ' सुखसाधनाय यज्ञाय ' पुरो दधिरे ' पुरस्कुर्वन्ति, वयमपि ' श्रुत्कर्णम् ' अभिमतफलप्रार्थनं सम्यक् शृण्वन्तम्, ' सप्रथस्तमम ' अतिशयितकीर्तिमन्तम्, ' दैव्यम् ' स्वार्थिकस्तद्धितः, देवम् ' त्वा '

(त्सु) सऽएषोऽग्निरेव वैश्वानरः। (ऽ) एतत्षड्ऋचमारम्भायैवेमाः सिकता न्युप्यन्तेऽग्निमेवास्मिन्नेतद्वैश्वानरथ्ँ रेतोभूतथ्ँ सिञ्चति षड्ऋचेन षडृतवः संवत्सरः संवत्सरो वैश्वानरः ॥ ३५ ॥

(स्तु) तदाहुः । (र्यं) यद्रेतः सिकताऽउच्यन्ते किमासाथ्ँ रेतोरूपमिति शुक्लाऽइति ब्रूयाच्छुक्लथ्ँ हि रेतोऽथो पृश्नयऽइति पृश्नीव हि रेतः ॥३६॥

(स्तु) तदाहुः । (र्यं) यदार्द्रथ्ँ रेतः शुष्काः सिकता निवपति कथमस्यैताऽआर्द्रा रेतोरूपं भवन्तीति रसो वै छन्दाथ्ँस्यार्द्रऽउ वै रसस्तद्यदेनाश्छन्दोभिर्निवपत्येवमु हास्यैताऽआर्द्रा रेतोरूपं भवन्ति ॥ ३७ ॥

स एषोऽग्निरेव वैश्वानरः । एतत्षड्ऋचम् । आरम्भायैवेमाः सिकता न्युप्यन्ते । अग्निमेवास्मिन्नेतद्वैश्वानरं रेतोभूतं सिञ्चति । षड्ऋचेन । षडृतवः संवत्सरः । संवत्सरो वैश्वानरः ॥ ३५ ॥

तदाहुः—यद्रेतः सिकता उच्यन्ते—किमासां रेतोरूपमिति । शुक्ला इति ब्रूयात् । शुक्लं हि रेतः । अथो पृश्नय इति । पृश्नीव हि रेतः ॥ ३६ ॥

तदाहुः—यदार्द्रं रेतः, शुष्काः सिकता निवपति—कथमस्यैता आर्द्रा रेतोरूपं भवन्तीति । रसो वै छन्दांसि । आर्द्र उ वै रसः । तद्यदेनाश्छन्दोभिर्निवपति—एवमु हास्यैता आर्द्रा रेतोरूपं भवन्ति ॥ ३७ ॥

त्वाम् 'गिरा' स्तुतिरूपया वाचा 'हवामहे' आह्वयामः । कर्त्तारो विशेष्यन्ते—**मानुषेति** । मानुषाणि मनोः सम्बन्धीनि 'युगा' युगानि, युगलानि भूत्वा, जायापत्यात्मना युगलभूता मनुष्या इत्यभिप्रायः ॥३४॥

इत्थं सिकतानिवपने करणभूतं षड्ऋचं व्याख्याय तस्य वैश्वानराग्न्यात्मकतां प्रतिपादयन् स्तौति—**स एष इति** । यत् 'एतत् षड्ऋचम्' सूक्तम्, 'एषः' साक्षाद् 'वैश्वानरोऽग्निरेव', तथाविधस्याग्नेः 'आरम्भाय' उत्पादनाय 'एव' हि 'इमाः सिकता न्युप्यन्ते'; तस्माद्वैश्वानरात्मकेन सूक्तेन तन्निवपनाद् 'वैश्वानरम्' तमग्निम् 'रेतोभूतम्' रेतोरूपेणावस्थितम्, 'अस्मिन्' चेष्यमाणे अग्नौ 'सिञ्चति' प्रक्षिपति । षड्ऋचकरणकत्वमनूद्य तत्सङ्ख्याद्वारेण स्तौति—**षड्ऋचेनेति** । न्युप्यन्त इति शेषः । **संवत्सरो वैश्वानर इति** । संवत्सरधारणेन जायमानत्वात् वैश्वानराग्नेः संवत्सरात्मकता ॥ ३५ ॥

सिकतानां रेतस्त्वे तत्साम्यमवश्यं वर्णनीयमिति प्रश्नपूर्वकमाह—**तदाहुरिति** । यदीमाः सिकता रेतःसंस्तुताः, तर्ह्यवश्यं तत्साधर्म्यं वक्तव्यम्,—'किम्' तद् 'आसाम्' सिकतानां सम्बन्धि 'रेतोरूपम्' रेतःसम्बन्धी धर्मविशेष इति प्रश्नार्थः । **शुक्ला** इत्याद्युत्तरम् । शौक्ल्यमासां रेतसश्च, तादात्म्यहेतुः साधारणो धर्मः, अयमेकस्तादात्म्यहेतुः । 'अथो' अपि च 'पृश्नयः' सूक्ष्मपरिमाणबिन्दुरूपा हि सिकताः, 'रेतः' अपि 'हि' 'पृश्नीव' सिकतोपमैः सूक्ष्मपरिमाणबिन्दुभिर्युक्तमिव भवति; अयमपरस्तादात्म्यहेतुरित्यर्थः ॥ ३६ ॥

नन्वार्द्रं रेतः, शुष्काः सिकताः, कथमासामार्द्रत्वलक्षणं रेतोरूपं स्यादिति प्रश्नपूर्वकं प्रतिपादयति—**तदाहुरिति** । **कथमस्यैता** इति । 'अस्य' वैश्वानरस्याग्नेः 'एताः' सिकताः 'कथमार्द्राः' सत्यो 'रेतोरूपं'

तदाहुः । कथमस्यैताऽ अहोरात्राभ्यामुपहिता भवन्तीति द्वे वाऽअहोरात्रे शुक्लं च कृष्णं च द्वे सिकते शुक्ला च कृष्णा चैवमु हास्यैताऽअहोरात्राभ्यामुपहिता भवन्ति ॥ ३८ ॥

तदाहुः।कथमस्यैताऽ अहोरात्रैः सम्पन्नाऽअन्यूनाऽअनतिरिक्ताऽउपहिता भवन्तीत्यनन्तानि वाऽअहोरात्राण्यनन्ताः सिकताऽएवमु हास्यैताऽअहोरात्रैः सम्पन्नाऽअन्यूनाऽअनतिरिक्ताऽउपहिता भवन्त्यथ कस्मात्समुद्रियं छन्दऽइत्यनन्तो वै समुद्रोऽनन्ताः सिकतास्तस्मात्समुद्रियं छन्दः ॥ ३९ ॥

तदाहुः—कथमस्यैता अहोरात्राभ्यामुपहिता भवन्तीति । द्वे वाऽअहोरात्रे—शुक्लं च कृष्णं च । द्वे सिकते—शुक्ला च कृष्णा च । एवमु हास्यैता अहोरात्राभ्यामुपहिता भवन्ति ॥ ३८ ॥

तदाहुः—कथमस्यैता अहोरात्रैः सम्पन्ना अन्यूना अनतिरिक्ता उपहिता भवन्तीति । अनन्तानि वाऽअहोरात्राणि, अनन्ताः सिकताः । एवमु हास्यैता अहोरात्रैः सम्पन्ना अन्यूना अनतिरिक्ता उपहिता भवन्ति । अथ कस्मात्समुद्रियं छन्द इति । अनन्तो वै समुद्रः, अनन्ताः सिकताः—तस्मात् समुद्रियं छन्दः ॥ ३९ ॥

रेतसः सम्बन्धि आर्द्रत्वलक्षणं स्वरूपं 'भवन्तीति' प्रश्नः । रसो वा इत्याद्युत्तरम् । गायत्र्यादीनि हि 'छन्दांसि' 'रसः' सारवत्त्वात् । रसस्य चार्द्रत्वमन्यत्र प्रसिद्धमित्याह—आर्द्र उ वा इति । ततः किमित्याह—तद्यदेना इति । अस्मिन् षड्टचे गायत्र्यादीनां सप्तानां छन्दसामन्तर्भावोऽग्रे प्रतिपादयिष्यते; 'तत्' तथा सति 'यत्' यस्माद् 'एनाः' सिकताः शब्दरसात्मकैः 'छन्दोभिर्निवपति' ततः 'एवमु' अनेन प्रकारेण खलु 'अस्य' सम्बन्धिन्यः सिकताः 'आर्द्राः' सत्यो रेतःस्वरूपं प्रतिपद्यन्त इत्यर्थः ॥ ३७ ॥

अथ सिकतानां शुक्लकृष्णरूपद्वयं स्तोतुं पृच्छति—तदाहुरिति । ननु नित्योऽग्निः संवत्सरात्मकः, संवत्सरश्चाहोरात्रात्मकः, तत्समुदायरूपत्वात्; अतः सिकतोपधानमप्यहोरात्राभ्यां करणभूताभ्यां निष्पादनीयम्, तत् कथमुपपद्यत इति ब्रह्मवादिनां प्रश्नः । द्वे वा इति—परिहारः । 'द्वे' एव हि 'अहोरात्रे' पर्यावर्त्तमाने तत्र 'शुक्लम्' अहः 'कृष्णम्' रात्रिः, सिकता अपि शुक्लकृष्णभेदेन द्विविधाः । अतस्तद्वर्णयोगादेतासामुपधानम् 'अहोरात्राभ्याम्' एव कृतं भवतीत्यर्थः । इत्थं वर्णतोऽहोरात्रसाम्यमुक्तम् ॥ ३८ ॥

अथ सङ्ख्यासम्पत्तिरपि कथमित्याशङ्कापूर्वकं प्रतिपादयति—तदाहुरिति । संवत्सरसम्बन्धिभिः 'अहोरात्रैः' समानसङ्ख्याकाः न्यूनाधिकसङ्ख्यारहिताः कथम् 'उपहिताः' 'भवन्तीति' प्रश्नः । अनन्तानि वा इत्युत्तरम् । संवत्सराणामानन्त्यात्तदवयवा अहोरात्रा अप्यनन्ताः । यद्यपि "रात्राह्नाहाः पुंसि"—(पा. सू. २ । ४ । २९) इति पुंलिङ्गेन भवितव्यम्, तथापि "हेमन्तशिशिरावहोरात्रे च च्छन्दसि"—(पा. सू. २ । ४ । २८) इति निपातनाल्लिङ्गाद्बहुवचनान्तस्याऽपि नपुंसकलिङ्गता । 'एवमु हास्य' इत्यादि स्पष्टम् ।

अथैतदुपधानकरणस्य षड्टचस्य यच्छन्दस्तस्य 'समुद्रियम्' इति नाम कस्मान्निमित्तादिति पृच्छति—

(स्तु) तुदाहुः । कथमस्यैताः पृथङ्ङ्नाना युजुर्भिरुपहिता भवन्तीति मनो वै युजुस्त्तदिदं मनो युजुः सुर्व्वाः सिकता ऽअनु विभवत्येवमु हास्यैताः पृथङ्ङ्नाना युजुर्भिरुपहिता भवन्ति ॥ ४० ॥

तुदाहुः । कथमस्यैताः सुर्व्वैश्छन्दोभिरुपहिता भवन्तीति युदेवैना ऽएतेन षड्डृचेन निवुपति यावन्ति हि सप्तानां छन्दसामक्षुराणि तावन्त्येतुस्य षड्डृचुस्याक्षुराण्येवमु हास्यैताः सुर्व्वैश्छन्दोभिरुपहिता भवन्ति ॥ ४१ ॥

तदाहुः–कथमस्यैताः पृथङ् नाना यजुर्भिरुपहिता भवन्तीति । मनो वै यजुः । तदिदं मनो यजुः सर्वाः सिकता अनु विभवति । एवमु हास्यैताः पृथङ् नाना यजुर्भिरुपहिता भवन्ति ॥ ४० ॥

तदाहुः–कथमस्यैताः सर्वैश्छन्दोभिरुपहिता भवन्तीति । यदेवैना एतेन षड्डृचेन निवपति । यावन्ति हि सप्तानां छन्दसामक्षराणि तावन्त्येतस्य षड्डृचस्याक्षराणि । एवमु हास्यैताः सर्वैश्छन्दोभिरुपहिता भवन्ति ॥ ४१ ॥

अथ कस्मादिति । तन्निमित्तमाह–अनन्तो वा इति । ' अनन्तः ' अन्तरहितः समाप्तिरहितः खल्वयं ' समुद्रः ' जलनिधिः ' सिकताः ' च ' अनन्ताः ' परिगणनानर्हत्वात् । अतस्तासामुपधानमन्त्रसम्बन्धिनश्छन्दसोऽप्यन्तराहित्यात् समुद्रसाम्यात् समुद्रे भवं ' समुद्रियम् ' इति व्युत्पत्त्या तन्नामधेयतेत्यर्थः ॥ ३९ ॥

नन्वनन्तानां सिकतानामुपधानं पृथक्पृथक् कथं समन्त्रकं स्यादिति पृच्छति–तदाहुरिति । मनो वा इत्याद्युत्तरम् । ' मनः ' एव हि सर्वासां सिकतानां साधारणम् ' यजुः, ' तदुच्चारणहेतुत्वात् । मनसो यजुष्ट्वं ' तदिदं मनो '–रूपं ' यजुः ' ' सर्वाः ' सिकताः ' ' अनु '–लक्ष्य ' विभवति ' प्रत्येकं व्याप्तुं शक्नोति, अनेनैव हि प्रकारेण । अतश्चित्यस्याग्नेः ' एताः ' सर्वाः सिकताः ' पृथङ् नाना यजुर्भिः ' विभिन्नैर्यजुर्मन्त्रैः ' उपहिता भवन्ति ' ॥ ४० ॥

अथैतस्मिन् षड्डृचे सप्तानां छन्दसामन्तर्भावप्रदर्शनाय स्तौति–तदाहुरित्यादिना । ' एताः सिकताः ' सर्वैः ' गायत्र्यादिभिः सप्तभिः ' छन्दोभिः ' ' कथमुपहिताः ' ' भवन्ति ' ? " अग्ने तव श्रवः " इत्यादीनां षण्णामृचां प्रतिनियतैकच्छन्दोरूपत्वात् , इत्यभिप्रायेण प्रश्नः । यदेवैना इत्युत्तरम् । ' यत् ' यत एव कारणात् ' एनाः ' ' एतेन ' ' षड्डृचेन ' सूक्तेन ' निवपति ' तेन ' एताः ' ' सर्वैश्छन्दोभिरुपहिता भवन्ति ' । कथमिति चेदुच्यते–गायत्र्यादीनां जगत्यन्तानां ' सप्तानाम् छन्दसाम ' ' यावन्ति ' ' अक्षराणि ' मिलित्वा सम्पद्यन्ते तावन्त्येतस्य ' षड्डृचस्याक्षराणि ' भवन्ति । तथा हि–गायत्री चतुर्विंशत्यक्षरा, उष्णिगष्टाविंशत्यक्षरा, अनुष्टुभो द्वात्रिंशदक्षराणि, बृहत्याः षट्त्रिंशदक्षराणि, पंक्तेश्चत्वारिंशत्, चतुश्चत्वारिंशत्त्रिष्टुभः, अष्टाचत्वारिंशज्जगत्याः, तानि च सम्भूय द्विपञ्चाशदधिकशतद्वयसंख्याकानि भवन्ति । अस्मिन् षड्डृचे प्रथमा चत्वारिंशदक्षरा, द्वितीया एकचत्वारिंशदक्षरा, तृतीया चतुर्थी च चत्वारिंशदक्षरा, पञ्चमीषष्ठयोः द्विचत्वारिंशदक्षराणि, एवं पञ्चचत्वारिंशदधिकशतद्वयसङ्ख्याकानि भवन्ति । अन्यानि सप्ताक्षराणि क्षैप्रसंयोगविभागेन द्रष्टव्यानि । एवं सप्तच्छन्दांस्यक्षरसङ्ख्याद्वारेणास्मिन् षड्डृचेऽन्तर्भवन्ति । एवमु हास्यैता इति प्रतिपादितार्थनिगमनम् ॥ ४१ ॥

यद्वेव सिकता निवपति । प्रजापतिरेषोऽग्निः सर्व्वमु ब्रह्म प्रजापतिस्तु-द्धैतद्ब्रह्मणऽउत्सन्नं यत्सिकताऽअथ यदनुत्सन्नमिदं तद्योऽयमग्निश्ची-यते तद्यत्सिकता निवपति यदेव तद्ब्रह्मणऽउत्सन्नं तदस्मिन्नेतत्प्रतिद-धाति ताऽअसङ्ख्याताऽअपरिमिता निवपति को हि तद्वेद यावत्तद्ब्रह्मण ऽउत्सन्नꣳ स ह वाऽएतꣳ सर्व्वं कृत्स्नं प्रजापतिꣳ संस्करोति यऽएवं विद्वान्त्सिकता निवपति ॥ ४२ ॥

तदाहुः । कैतासामसंख्यातानाꣳ संख्येति द्वेऽइति ब्रूयाद्द्वे हि सिकते शुक्ला च कृष्णा चाथो सप्तविꣳशतिशतानीति ब्रूयादेतावन्ति हि संव्वत्स-रस्याहोरात्राण्यथो द्वे द्वापञ्चाशे शतेऽइत्येतावन्ति ह्येतस्य षड्चस्या-क्षराण्यथो पञ्चविꣳशतिरिति पञ्चविꣳशꣳ हि रेतः ॥ ४३ ॥

यद्वेव सिकता निवपति । प्रजापतिरेषोऽग्निः । सर्वमु ब्रह्म प्रजापतिः । तद्धैतद्ब्रह्मण उत्सन्नं यत्सिकताः, अथ यदनुत्सन्नम्-इदं तद्-योऽयमग्निश्चीयते । तद् यत्सिकता निवपति । यदेव तद्ब्रह्मण उत्सन्नं तदस्मिन्नेतत्प्रतिदधाति । ता असंख्याता अपरिमिता निवपति । को हि तद्वेद-यावत्तद्ब्रह्मण उत्सन्नम् । स ह वाऽएतं सर्वं कृत्स्नं प्रजापतिं संस्करोति-य एवं विद्वान्त्सिकता निवपति ॥ ४२ ॥

तदाहुः-कैतासामसङ्ख्यातानां सङ्ख्येति । द्वेऽइति ब्रूयात् । द्वे हि सिकते-शुक्ला च कृष्णा च । अथो सप्तविंशतिशतानीति ब्रूयात् । एतावन्ति हि संवत्सरस्याहोरात्राणि । अथो द्वे द्वापञ्चाशे शतेऽइति । एतावन्ति ह्येतस्य षड्चस्याक्षराणि । अथो पञ्चविंशतिरिति । पञ्चविंशं हि रेतः ॥४३॥

उत्सन्नयज्ञभागस्य पुनराहरणार्थत्वेन सिकतानिवपनं स्तौति-यद्वेवेति । 'एषः' चित्योऽग्निर्विराडात्मकः 'प्रजापतिः' 'सर्वम्' निरवशेषमेव कृत्स्नम् 'ब्रह्म' मन्त्रजातं स 'प्रजापतिः' 'तत्' तथा सति तस्य 'ब्रह्मणः' यदेतद् 'उत्सन्नम्' विशीर्णं स्वरूपम् 'तत्' सिकतात्मना परिणतम् । 'अथ' तु 'यदनुत्स-न्नम्' अविनष्टं ब्रह्मणो रूपं, चीयमानाग्निरूपं 'तत्' 'अतः' अनेन सिकतानिवपनेन 'ब्रह्मणः' 'उत्सन्न-मेव' रूपं पुनरस्मिन् प्रजापत्यात्मकेऽग्नौ सन्दधातीति । तासामपरिमितत्वमनूद्य स्तौति-ता असंख्याता इति । 'तद्' 'ब्रह्मण उत्सन्नम्' रूपं यत्परिमाणविशिष्टमिति 'तत्' 'को' नाम जानीयात् । अतस्तासा-मपरिमितत्वमपरिमितस्योत्सन्नरूपस्य प्राप्तौ सम्पद्यत इत्यर्थः ॥

विद्वदनुष्ठानं प्रशंसति-स ह वा इति । 'सर्वम्' निरवशेषम् 'कृत्स्नम्' सर्वावयवसहितम् । स्पष्टमन्यत् ॥ ४२ ॥

अपरिमितानामप्येतासां सङ्ख्याविशेषप्रदर्शनेन स्तुतिश्चिकीर्षिता तदर्थं पृच्छति-तदाहुरिति । 'असं-ख्यातानाम्' अपरिमितानाम् 'आसाम्' सम्बन्धिनी 'सङ्ख्या' कीदृशीति प्रश्नः । चतुर्धा सङ्ख्यासद्भावं

(स्ता) ता ऽएता युजुष्मत्य ऽइष्टकाः । (स्ता) ता ऽआत्मुन्नेवोपदधाति नु पक्षपुच्छेष्वात्मुन्ह्येव युजुष्मत्य ऽइष्टका ऽउपधीयन्ते नु पक्षपुच्छेषु नु सादयति नेद्रेतः प्रुजातिꣳ स्थापयानीति ॥ ४४ ॥

(त्यु) अथैना ऽआप्यानवतीभ्यामभिमृशति । (ती) इदुमेवैतद्रेतः सिक्तमाप्याययति तुस्माद्योनौ रेतः सिक्तमाप्यायते सौमीभ्यां प्राणो वै सोमः प्राणं तद्रेतसि दधाति तुस्माद्रेतः सिक्तं प्राणमभिसम्भवति पूयेद्ध यद्दते प्राणात्सम्भवेदेषो हैवात्र सूददोहाः प्राणो वै सोमः प्राणः सूददोहाः ॥ ४५ ॥

ता एता यजुष्मत्य इष्टकाः । ता आत्मन्नेवोपदधाति—न पक्षपुच्छेषु । आत्मन् ह्येव यजुष्मत्य इष्टका उपधीयन्ते—न पक्षपुच्छेषु । न सादयति । नेद्रेतः प्रजातिं स्थापयानीति ॥ ४४ ॥

अथैना आप्यानवतीभ्याममिमृशति । इदमेवैतद्रेतः सिक्तमाप्याययति । तस्माद्योनौ रेतः सिक्तमाप्यायते । सौमीभ्याम् । प्राणो वै सोमः । प्राणं तद्रेतसि दधाति । तस्माद्रेतः सिक्तं प्राणमभिसम्भवति । पूयेद्ध—यद्दते प्राणात् सम्भवेत् । एषो हैवात्र सूददोहाः । प्राणो वै सोमः । प्राणः सूददोहाः ॥ ४५ ॥

प्रशंसति—द्वे इत्यादिना । शुक्लकृष्णात्मना द्वैराश्यादपरिमितानां सिकतानां द्वित्वम् । सप्तविꣳशतिशतानीति । सिकतानामहोरात्ररूपता प्रागुक्ता (श. प. ७ । ३ । १ । ३८) । संवत्सरसम्बन्धिनामह्नां रात्रीणां च परिगणने सति विंशत्यधिकानि सप्त शतानि भवन्ति । अतस्तदात्मिकानां सिकतानामपि सैव सङ्ख्या भवतीत्यर्थः । द्वे द्वापञ्चाशे शते इति । द्विपञ्चाशदधिकद्विशतसङ्ख्यया सङ्ख्येयाः सिकता इति 'ब्रूयात्' । तदुपधानमन्त्रस्य 'षड्ऋचस्य' तावत्सङ्ख्याकाक्षरोपेतत्वात्तेषामक्षराणां सिकतानां च तादात्म्यमित्यर्थः । अथो पञ्चविंशतिरिति । पञ्चविंशतिसङ्ख्यया सङ्ख्येयाः सिकताः । कुत इत्यत आह—पञ्चविंशो हीति । शरीरं हि प्रकृतिमहदादिचतुर्विंशतितत्त्वात्मकम्, तत उत्पन्नम् 'रेतः' पञ्चविंशतिसङ्ख्यापूरकम्, रेतःसंस्तुताश्च सिकताः । अतः पञ्चविंशतिसङ्ख्याकत्वं तासां प्रतिपत्तव्यमित्यर्थः ॥ ४३ ॥

लोकेष्टकावत् सिकतानामप्यात्मभाग एवोपधानं विधत्ते—ता एता इति । इदमपि लोगेष्टकाप्रकरणस्थवाक्यवद् व्याख्येयम् । सिकतानामपीष्टकात्वादितरेष्टकास्विव प्रसक्तं सादनं निषेधति—न सादयतीति । "तया देवतया"—इति मन्त्रेण स्थापनं सादनम्, तन्न कर्त्तव्यम् । निषेधकारणमाह—नेद्रेत इति । प्रजोत्पत्तिकारणं 'रेतः' शुक्रं नैव कचिदेव 'स्थापयानि' इत्यनेनाभिप्रायेण; सादने हि तत् कचिदेव प्रतिष्ठितं स्यान्न तु चलितं सद् गर्भाशये प्रविशेदिति भावः ॥ ४४ ॥

अथ समन्त्रकमेतासामभिमर्शनं विधत्ते—अथैना इति । 'आप्यानवतीभ्याम्' आप्यायनक्रियाप्रतिपादकः शब्दः आप्यानम्, उपचारात्, तद्वतीभ्याम् "आप्यायस्व, सन्ते" (वा. सं. १२ । ११२।११३)

१–आप्यायस्वेति सिकतालंभनमृग्भ्याम् । का. श्रौ. सू. १७ । ६० ।

(०) आप्यायस्व समेतु ते । विश्वतः सोम वृष्ण्यमिति रेतो वै वृष्ण्यमाप्यायस्व समेतु ते सर्वतः सोम रेत ऽइत्येतद्भवा वाजस्य संगथ ऽइत्यन्नं वै वाजो भवान्नस्य सङ्गथऽइत्येतत्सं ते पयाᳬसि समु यन्तु वाजाऽइति रसो वै पयोऽन्नं वाजाः सं ते रसाः समु यन्त्वन्नानीत्येतत्सं वृष्ण्यान्यभिमातिषाह ऽइति सᳬ रेताᳬसि पाप्मसहऽइत्येतदाप्यायमानोऽअमृताय सोमेति प्रजात्यां तदमृतं दधाति तस्मात्प्रजातिरमृता दिवि श्रवाᳬस्युत्तमानि धिष्वेति चन्द्रमा वाऽअस्य दिवि श्रव ऽउत्तमᳬ

" आप्यायस्व समेतु ते विश्वतः सोम वृष्ण्यम् "–इति । रेतो वै वृष्ण्यम् । आप्यायस्व समेतु ते सर्वतः सोम रेत इत्येतत् । "भवा वाजस्य सङ्गथे"–(वा० सं० १२ । ११२) इति । अन्नं वै वाजः । भवान्नस्य संगथ इत्येतत् । " सं ते पयांसि समु यन्तु वाजाः "–इति । रसो वै पयः, अन्नं वाजाः । सं ते रसाः समु यन्त्वन्नानीत्येतत् । " सं वृष्ण्यान्यभिमातिषाहः "–इति । सं रेतांसि पाप्मसह इत्येतत् । " आप्यायमानोऽअमृताय सोम "–(वा० सं० १२ । ११३) इति । प्रजात्यां तद् अमृतं दधाति । तस्मात्प्रजातिरमृता । " दिवि श्रवांस्यु-

---

इत्येताभ्याम् । इदमेवैतदिति । 'इदमेवैतत्' सिक्तात्मकं रूपं 'सिक्तम्' 'रेतः' आप्यायति-धातुयुक्तमन्त्रकरणकाभिमर्शनेन 'आप्याययति' प्रवर्द्धयति । यत एवैवं यज्ञे 'तस्माद्' एव स्त्रीणां योनौ पुरुषैः 'सिक्तम्' 'रेतः' 'आप्यायते' शरीराकारेण परिणतं सद्वर्धते । मन्त्रसम्बन्धिदेवताद्वारेण प्रशंसति–सौमीभ्यामिति । सोमोऽनयोर्देवता "साऽस्य देवता"–(पा. सू. ४ । २ । २४) इत्यर्थे–" सोमाट्ट्यण्"–(पा. सू. ४ । २ । ३० ।) " टिड्ढाणञ्द्वय "–(पा. सू. ४ । १ । १९) इति ङीप् । ऋग्भ्यामभिमृशतीति शेषः । प्राणो वै सोम इति । प्राणस्य तावदुदकमयत्वं प्रसिद्धम् । " आपोमयः प्राणः "–इति श्रुतेः । तथा च सोमोऽपि अमृतमयरसात्मकतया प्राणोपादानत्वात् प्राण एव, 'तत्' तेन सौमीभ्यामभिमर्शनेन सिकतात्मके सिक्ते रेतसि सोमात्मकं प्राणमेव स्थापयति । तस्मादित्यादिना लोकस्थितिनिरूपणम् । यस्माद्वैदिके कर्मणि रेतसि प्राणः स्थापितः । तस्मादेव कारणात्–प्राणमभिलक्ष्य प्राणसहितमेव गर्भाशये 'सिक्तम्' 'रेतः' 'अभिसम्भवति' शरीराकारेण परिणमते । यत् तु 'प्राणादृते' रेतः सिच्यते तत् 'पूयेद्' एव न शरीराकारेण सम्पद्यत इत्यर्थः । एवमेवैतरेयकैश्चाम्नातम्–" न ह वा ऋते प्राणाद्रेतः सिच्यते, यद्वा ऋते प्राणाद्रेतः सिच्येत पूयेन्न सम्भवेत् " (ऐतरेय ब्रा.) इति । अस्याभिमर्शनस्य सूददोहसाऽधिवदनकार्यकरत्वात्तदात्मकतामाह–एषो हैवात्रेति । यत् सौमीभ्यामभिमर्शनं एषैवात्र सिकतोपधाने सूददोहाः । " ता अस्य सूददोहसः " इति मन्त्रकरणकमधिवदनम् । कथमन्यस्यान्यात्मतेत्यत आह–प्राणो वा इति । अभिमर्शनमन्त्रप्रतिपाद्यस्य सोमस्य सूददोहसश्च प्राणात्मकत्वसाम्यादित्यर्थः ॥ ४९ ॥

तत्र प्रथमामृचमनूद्याप्रसिद्धार्थं पदं व्याचष्टे–आप्यायस्वेति । रेतो वै वृष्ण्यमिति । वृषा सेचनसमर्थो युवा, तत्र भवं वृष्ण्यमिति व्युत्पत्तेर्वृष्ण्यशब्देन रेतः प्रतिपाद्यत इत्यर्थः । पदार्थमुक्त्वा वाक्यार्थं योजयति–सर्वतः सोम रेत इत्येतदिति । अन्नं वै वाज इति । वाजशब्दस्य " वज व्रज गतौ "–(धा. पा. भ्वा. २५३) इत्यस्माद् व्युत्पन्नस्य गत्यर्थत्वादत्र च तत्प्रतिपादकत्वायोगाद् रूढ्या वाजशब्देनान्नमुच्यत इत्यर्थः ।

स ह्येनममुष्मिँल्लोके श्रावयति द्वाभ्यामाप्याययति गायत्र्या च त्रिष्टुभा च तस्योक्तो बन्धुः ॥ ४६ ॥

(२) अथातः सम्पदेव । चतस्रो लोगेष्टका ऽउपदधाति षड्चेन निवपति द्वाभ्यामाप्याययति तद्द्वादश द्वादश मासाः संवत्सरः संवत्सरोऽग्निर्या-वानग्निर्यावत्यस्य मात्रा तावत्तद्भवति ॥ ४७ ॥

इति द्वितीयप्रपाठके तृतीयं ब्राह्मणम् ॥ ७-२-३ ॥ (३।१)

त्तमानि धिष्व "-इति । चन्द्रमा वाऽअस्य दिवि श्रव उत्तमम् । स ह्येनममुष्मिल्लोके श्रावयति । द्वाभ्यामाप्याययति-गायत्र्या च त्रिष्टुभा च । तस्योक्तो बन्धुः ॥ ४६ ॥

अथातः सम्पदेव । चतस्रो लोगेष्टका उपदधाति । षड्चेन निवपति । द्वाभ्यामाप्याययति तद्द्वादश, द्वादश मासाः संवत्सरः । संवत्सरोऽग्निः । यावानग्निर्यावत्यस्य मात्रा तावत्त-द्भवति ॥ ४७ ॥

अत एव वाजशब्दोऽन्ननामसु पठ्यते । " अन्धः वाजः पयः " इति (निघं. २ । ७ ।) । हे सोम ! त्वम् ' आप्यायस्व ' वर्द्धस्व, अस्मान् वर्द्धय वा, त्वदीयं वृष्णः सम्बन्धि ' रेतः ' इमम् अग्निम् ' विश्वतः ' सर्वतः ' समेतु ' प्राप्नोतु । अन्नस्य सङ्गमनाय त्वमस्माकं भवेति मन्त्रार्थः ॥

द्वितीयामाप्यानवतीमनूद्याप्रसिद्धार्थानि पदानि व्याचष्टे-सं ते पयांसीति । अत्र ' पयः ' शब्दो रस-परः, ' वाज ' शब्दोऽन्नपरः । तथा चायमर्थ इत्याह-सं ते रसा इति । द्वितीयार्द्धे ' अभिमाति '-शब्देन पाप्मोच्यत इत्याह-पाप्मसह इत्येतदिति । तृतीयपादे अमृतशब्दस्याभिप्रायमाह-प्रजात्यामिति । पुत्र-पौत्रादिरूपेण यैव प्रजाति-लक्षणा प्रजोत्पत्तिरूपा क्रिया अमृता । आप्यायमान इति । अनेन मन्त्रभागेन तस्याम् ' प्रजात्याम् ' अमृतत्वं स्थापयति । यस्मादेवम् ' तस्मात् ' ' प्रजातिः ' प्रजोत्पत्तिः ' अमृता ' मरणरहिता अविच्छिन्ना सार्वकालिकी वर्तेत इत्यर्थः ॥

चतुर्थपादे श्रवःशब्दस्यार्थमाह-चन्द्रमा वाऽअस्य दिवि श्रव इति । ' अस्य ' अधियज्ञं लतारूपेण वर्त्तमानस्य सोमस्य ' दिवि ' द्युलोके ' उत्तमम् ' उत्कृष्टम् ' श्रवः ' नाम चन्द्रमा एवोच्यते । कथमस्य श्रवः-शब्दाभिधेयतेति तत् प्रतिपादयति-स ह्येनमिति । ' अमुष्मिन् ' स्वर्गे ' लोके ' ' सः ' खलु चन्द्रमाः ' एनम् ' सोमम् । अमृतात्मना पीयमानः सन् ' श्रावयति ' प्रख्यापयति; अतः श्रावयितृत्वात् श्रवःशब्देन स उच्यत इत्यर्थः । मन्त्रगतं द्वित्वं छन्दोविशेषं चानूद्य तस्य स्तावको वाक्यशेषः प्रागाम्नात इत्याह-द्वाभ्यामिति । द्विपाद्यजमान इत्यादिर्द्वित्वसंख्यास्तुतिः ॥ ४६ ॥

लोकेष्टकादिसङ्ख्यां सम्भूय स्तौति-अथातः सम्पदेवेति । स्पष्टोऽर्थः । यावानग्निरित्यादि । प्रागु-क्तार्थम् ॥ ४७ ॥

इति श्रीसायणाचार्यविरचिते माधवीये वेदार्थप्रकाशे माध्यन्दिनीयशतपथब्राह्मणभाष्ये सप्तमकाण्डे तृतीयेऽध्याये प्रथमं ब्राह्मणम् ॥ (७-३-१) ॥

आप्यानवतीभ्यामभिमृश्य । प्रत्येत्यातिथ्येन प्रचरत्यातिथ्येन प्रचर्य्य प्रवर्ग्योपसद्भ्यां प्रचरति प्रवर्ग्योपसद्भ्यां प्रचर्य्याथैतां चर्मणि चितिᳪ समवशमयन्ति तद्यच्चर्मणि चर्म वै रूपᳪ रूपाणामुपाप्त्यै लोमतो लोम वै रूपᳪ रूपाणामुपाप्त्यै रोहिते रोहिते ह सर्व्वाणि रूपाणि सर्व्वेषाᳪ रूपाणामुपाप्त्याऽआनडुहेऽग्निरेष यदनड्वानग्निरूपाणामुपाप्त्यै प्राचीनग्रीवे तद्धि देवत्रा ॥ १ ॥

आप्यानवतीभ्यामभिमृश्य, प्रत्येत्य, आतिथ्येन प्रचरति । आतिथ्येन प्रचर्य, प्रवर्ग्योपसद्भ्यां प्रचरति । प्रवर्ग्योपसद्भ्यां प्रचर्य, अथैतां चर्मणि चितिं समवशमयन्ति । तद्यच्चर्मणि । चर्म वै रूपम् । रूपाणामुपाप्त्यै । लोमतः । लोम वै रूपम् । रूपाणामुपाप्त्यै । रोहिते । रोहिते ह सर्वाणि रूपाणि । सर्वेषां रूपाणामुपाप्त्यै । आनडुहे । अग्निरेषः—यदनड्वान् । अग्निरूपाणामुपाप्त्यै । प्राचीनग्रीवे । तद्धि देवत्रा ॥ १ ॥

एवमाहवनीयदेशस्य संस्कारसमनन्तरं कर्त्तव्यं प्राकृतं प्रयोगजातमनुक्रामन् प्रागुक्तयोः आग्निकसौमिकयोः कर्मणोर्व्यतिषङ्गं दर्शयति—**आप्यानवतीभ्याम**ित्यादिना । 'प्रत्येत्य' उत्तरवेदिदेशात् प्राग्वंशं प्रत्यागत्येत्यर्थः । अन्यन्निगदव्याख्यातम् । प्रथमप्रवर्ग्योपसदन्तं कर्त्तव्यमिति समुदायार्थः । अनन्तरमाग्निकस्य कर्मणः प्रवेशं दर्शयति—**अथैताम**िति । 'अथ'—शब्दः प्रथमोपसदानन्तर्ये । 'आनडुहे' लोहिते 'चर्मणि' 'एताम्' प्रथम—'चितिम्' प्रमथचित्यर्थमिष्टकासमूहम् 'समवशमयन्ति' सम्यग्घृतावोक्षणेन तप्तानामिष्टकानां शमनं कुर्युरित्यर्थः । तस्य शमनस्य चर्माधिकरणतां स्तौति—**तद्यच्चर्म्मणि चर्म वै रूपम**िति । चर्मसम्बन्धिनां लोम्नां नानावर्णोपेतत्वादसृगादीनामान्तरधातूनां त्वचाऽऽच्छादने सति रूपकरणत्वेन चर्मणो रूपात्मकता । अतश्च तस्मिन्निष्टकानिधानं सर्वेषाम् 'रूपाणाम्' प्राप्त्यै सम्पद्यत इत्यर्थः । तच्च लोमप्रदेशे कर्त्तव्यमिति विधाय स्तौति—**लोमत** इति । लौहित्यगुणं चर्मणो विधाय स्तौति—**रोहित** इति । एतत् सर्वं कात्यायनेनापि सूत्रितम्—"आतिथ्यशेषाद्योपसदः कृत्वा रोहिते चर्मण्यानडुहेऽन्तःपात्यस्य पुरस्तादिष्टकाः करोति प्रथमचितेः"—(का. श्रौ. सू. १७।६१) इति । लोहितवर्णेषु लोमसु सूक्ष्ममध्याग्रभेदेन शुक्लादीनि 'सर्वाणि' 'रूपाणि' दृश्यन्त इत्यर्थः । चर्मणोऽनडुद्विकारतां विधाय स्तौति-**आनडुह** इति । अनो वहतीत्यनड्वान्, तथाविधस्य बलीवर्दस्याग्निरूपत्वं प्रागाम्नातम् । "अग्निदग्धमिवैषां वहं भवति" (श.प.१।१।२।९) इति । **अग्निरूपाणा**मिति । चित्यस्याग्नेः सम्बन्धीनि यानि रूपाणि, तेषां मध्ये 'अनड्वान्' अप्येकं रूपम्, अतस्तत्सम्बन्धिनश्चर्मण आस्तरणेन तेषाम् 'अग्निरूपाणाम्' उक्तवक्ष्यमाणानां कार्त्स्न्येन प्राप्त्यर्थः सम्पद्यत इत्यर्थः । स्तरणे प्रकारविशेषं विधत्ते—**प्राचीनग्रीव** इति । प्राचीना प्रागायता ग्रीवा यस्य तत्तथोक्तम् । एतच्च विधेयविशेषणम् । चर्मणः प्राचीनग्रीवत्ता यथा भवति तथा स्तृणीयादित्यर्थः । **तद्धि देवत्रे**ति । 'तद्धि' प्राग्दिक्सम्बन्धित्वं 'देवत्रा' देवेषु योग्यम्, तस्या दिशो देवैरात्मीयभागत्वेन स्वीकृतत्वात् । अत एव हि तैत्तिरीयके श्रूयते—"देवमनुष्या दिशो व्यभजन्त प्राचीं देवाः" (तै. सं. ६।१।१।१) इति । 'देवत्रा'—इति—"देवमनुष्यपुरुष"—इत्यादिना (पा. सू. ५ । ४ । ५६) सप्तम्यर्थे 'त्रा'—प्रत्ययः ॥ १ ॥

तदुग्रेण गार्हपत्यम् । (म) अन्तर्व्वेद्युत्तरलोम प्राचीनग्रीवमुपस्तृणाति तुदेतां चितिᳯं समवशमयन्त्यथ प्रोक्षति तद्यत्प्रोक्षति शुद्धमेवैतन्मेध्यं करोत्याज्येन तद्धि शुद्धं मेध्यमुथोऽअनभ्यारोहाय न हि किंचनान्युद्ध-विराज्येन प्रोक्षन्ति तूष्णीमनिरुक्तं वै तद्यत्तूष्णीᳯं सर्व्वं वाऽअनिरुक्तᳯं सर्व्वेणैवैतुच्छुद्धं मेध्यं करोत्यथोऽअनभ्यारोहाय न हि किं चुनान्युद्ध-विस्तूष्णीं प्रोक्षन्ति ॥ २ ॥

यद्वेव प्रोक्षति । हविर्व्वाऽएतत्तदेतदभिघारयति यद्वै हविरभ्यक्तं यद-भिघारितं तज्जुष्टं तन्मेध्यमाज्येनाज्येन हि हविरभिघारयन्ति तूष्णीं

तदग्रेण गार्हपत्यमन्तर्वेद्युत्तरलोम प्राचीनग्रीवमुपस्तृणाति । तदेतां चितिं समवशमयन्ति । अथ प्रोक्षति । तद्यत्प्रोक्षति–शुद्धमेवैतन्मेध्यं करोति । आज्येन । तद्धि शुद्धं मेध्यम् । अथोऽअनभ्या-रोहाय । न हि किञ्चनान्यद्धविराज्येन प्रोक्षन्ति । तूष्णीम् । अनिरुक्तं वै तद्–यत्तूष्णीम् । सर्वं वाऽअनिरुक्तम् । सर्वेणैवैतच्छुद्धं मेध्यं करोति । अथोऽअनभ्यारोहाय । न हि किञ्चनान्यद्धविस्तूष्णीं प्रोक्षन्ति ॥ २ ॥

यद्वेव प्रोक्षति । हविर्वाऽएतत् । तदेतदभिघारयति । यद्वै हविरभ्यक्तं, यदभिघारितं–तज्जुष्टं,

---

उदीरितलक्षणस्य चर्मणो देशविशेषे स्तरणं विधत्ते–तदग्रेणेति । ' गार्हपत्यम् ' ' अग्रेण ' गार्हपत्य-चितेरदूरेण पूर्वभागे महावेदिमध्ये ' तत् ' चर्म उदीरितविशेषणविशिष्टम् ' उपस्तृणाति ' । ' तत् ' तत्र ' एताम् ' प्रथमचितिं प्रथमचितेः पर्याप्तमिष्टकासंवं ' समवशमयन्ति ' संशान्तौष्ण्यं कुर्युः । आज्येन प्रोक्षणं विधत्ते–अथेति[1] । औष्ण्यसंशमनानन्तरं ताम् ' चितिम् ' आज्येन ' प्रोक्षति ' प्रकर्षेण सिञ्चति । तदेतदनूद्य स्तौति–तद्यदिति । तस्मिन् प्रोक्षणे द्रव्यं विधत्ते–आज्येनेति । प्रोक्षतीत्यनु-षङ्गः । तद्धि शुद्धमिति । ' तत् ' खल्वाज्यम् ' शुद्धम् ' " तेजो वै घृतम् "–इत्यादिश्रुत्या तस्य तेजो-रूपत्वप्रतिपादनात्, पुरोडाशादिहविःशुद्धिहेतुत्वाच्च । अत एव ' मेध्यम् ' मेधार्हम् । ' अथो ' अपि च ' अनभ्यारोहाय ' अभ्यारोहणमतिक्रमणम् ' आज्येन ' प्रोक्षणमनतिक्रमणाय श्रेष्ठयाय सम्पद्यते, एतदेव दर्श-यति–न हीति । इष्टकाभ्योऽन्यच्चरुपुरोडादिकं किमपि हविर्न ह्याज्यकरणकेन प्रोक्षणेन संस्क्रियते, उदकेनैव हि तस्य प्रोक्षणम् । अब्विलक्षणेन तेजोरूपेणाज्येनेष्टकानां प्रोक्षणं चितेः पादसंस्पर्शविरहरूपानभ्यारोहणाय भवतीत्यर्थः । प्रोक्षणस्यामन्त्रकत्वं विधाय स्तौति–तूष्णीमिति । अनिरुक्तं वा–इत्यादि गतम् । न हि अन्यत्र तूष्णीं प्रोक्षणमस्ति, अतस्तद्वैलक्षण्येनेष्टकाप्रोक्षणस्य सर्वात्मकानिरुक्तत्वसम्पादनं तस्य चित्याग्रेरनति-क्रमणीयत्वाय कल्पत इत्यर्थः ॥ २ ॥

अथैतत् प्रोक्षणमनूद्य हविष्ट्वसम्पादनद्वारा स्तौति–यद्वेवेति । हविर्वा इत्यादि । ' यत् ' तदिष्टकारूपम्

१–आज्ये न्यज्य कुशाग्राणि तूष्णीं प्रोक्षति । का. श्रौ. सू. १७ । ६४ ।

तूष्णीᳪं हि हविरभिघारयन्ति दर्भैस्ते हि शुद्धा मेध्याऽअग्रैरग्रᳪं हि देवानाम् ॥ ३ ॥

तदाहुः । (१) यत्प्रथमामेव चितिं प्रोक्षति कथमस्यैष सर्वोऽग्निः प्रोक्षितो भवति कथं चर्मणि प्रणीतः कथमश्वप्रणीतऽइति यदेवात्र सर्वासां चितीनामिष्टकाः प्रोक्षत्येवमु हास्यैष सर्वोऽग्निः प्रोक्षितो भवत्येवं चर्मणि प्रणीतऽएवमश्वप्रणीतऽउद्यच्छन्त्येतां चितिम् ॥ ४ ॥

तन्मेध्यम् । आज्येन । आज्येन हि हविरभिघारयन्ति । तूष्णीम् । तूष्णीं हि हविरभिघारयन्ति । दर्भैः । ते हि शुद्धा मेध्याः । अग्रैः । अग्रं हि देवानाम् ॥ ३ ॥

तदाहुः—यत्-प्रथमामेव चितिं प्रोक्षति । कथमस्यैष सर्वोऽग्निः प्रोक्षितो भवति, कथं चर्मणि

'हविः' खलु हविरिव देवानां तृप्तिकरम्; अतः 'तदेतत्' इष्टकारूपं हविराज्यप्रोक्षणेन 'अभिघारयति' अभितो घृतधारया सिञ्चति । तस्य प्रयोजनमाह—यद्वा इति । 'यत्' खलु पुरोडाशादिकम् 'हविः' अभितः सर्वतः आज्येन अक्तं सिक्तं 'यत्' च 'अभिघारितम्' उपरि घृतधारया संस्कृतम् 'तज्जुष्टम्' देवैः सेवितुं योग्यम्, अत एव 'तन्मेध्यम्' यज्ञार्हम् । आज्यकरणकत्वमनूद्य स्तौति—आज्येनेति । हविषां हि पाकसमये सुश्रृतत्वे सति 'आज्येन' खल्वभिघारण क्रियते । अतोऽत्रापि 'आज्येन' प्रोक्षणं युक्तमिति । अमन्त्रकृत्यता-मनूद्य स्तौति—तूष्णीमिति । आज्यप्रोक्षणे करणविशेषं विधाय स्तौति—दर्भैरिति । 'दर्भैः' करणभूतै-राज्याभ्यक्तैस्तत्प्रोक्षणं कर्त्तव्यमित्यर्थः । ते हि शुद्धा इति । "अत इमे दर्भास्ता हैता अनापूयिता आपः"—इति (श. प. १ । १ । ३ । ५) श्रुतेः तेषां शुद्धत्वम् । तत्राप्यग्रभागैः कर्त्तव्यमिति विधा-गोपपादयति—अग्रैरिति । अग्रं हीति । दर्भेषु ह्यग्रभागो देवानां सम्बन्धी, अत एवान्यत्राम्नातम्—"यत्प-रुषि दिनं तद्देवानाम्, यदन्तरा तन्मनुष्याणाम्, यत् समूलं तत् पितॄणाम्" इति ॥ ३ ॥

प्रथमचितिप्रोक्षणसमये द्वितीयतृतीयादिचित्यर्थानामिष्टकानां प्रोक्षणं विधित्सुर्ब्रह्मवादिनां प्रश्नमवतारयति—तदाहुरिति । 'प्रथमामेव' इत्येवकारेण प्रोक्षणस्यान्ययोगव्यावृत्तिः सूच्यते । एवं प्रथमचितेरेव प्रोक्षणात् सप्तचित्यात्मक 'एषोऽग्निः' 'अस्य' यजमानस्य 'कथम्' 'प्रोक्षितो' 'भवति ?' न ह्येकदेशप्रोक्षणे कृत्स्नोऽग्निः प्रोक्षणसंस्कारसंस्कृतो भवतीत्यर्थः । तथा प्रागुक्ताऽनडुच्चर्मणि द्वितीयादिचितीनां प्रणयनं 'कथम्' ? अश्वसहितं प्रणयनं च 'कथम् ?' सिद्ध्यतीति त्रयः प्रश्नाः । अस्योत्तरमाह—यदेवात्रेति । 'अत्र' अस्मिन् समये 'सर्वासां चितीनाम्' सम्बन्धिनीः 'इष्टकाः' आज्येन दर्भाग्रैः 'प्रोक्षति' 'इति' 'यद्' अस्ति, 'एवमु' अनेन प्रकारेणैव खलु 'अस्य' यजमानस्य 'एषः' 'सर्वः' सप्तचितिकः 'अग्निः प्रोक्षितो भवति' । एवमेव चर्माधिकरणप्रणयनमश्वसहितं प्रणयनं चास्मादेव प्रोक्षणात् सिध्यतीत्यर्थः । अथ चर्मण्य-वस्थितानां प्रथमचित्यर्थानामिष्टकानामुद्यमनं विधत्ते—उद्यच्छन्तीति । चर्मणः सकाशादिष्टका उद्गृह्णन्ति यजमानपरिचारकाः ॥ ४ ॥

१-इतरासां च । स्वयमातृण्णामत्या च । का. श्रौ. सू. १७ । ६२-६३ ।

(मु) अथाहाग्निभ्यः प्रह्रियमाणेभ्योऽनुब्रूहीति । (स्थे) एतद्वै देवानुपप्रैष्यतऽएतं यज्ञं तꣳस्यमानान्रक्षाꣳसि नाष्ट्रा अजिघाꣳसन्न यक्ष्यध्वे न यज्ञं तꣳस्यध्वऽइति तेभ्यऽएतानग्नीनेता ऽइष्टका वज्रान्क्षुरपवीन्कृत्वा प्राहरंस्तैरेनानस्तृण्वत तान्त्स्तृत्वाऽभयेऽनाष्ट्रऽएतं यज्ञमतन्वत ॥ ९ ॥ (काण्डस्यार्धम्) ॥

तद्वाऽएतत्क्रियते । यद्देवाऽ अकुर्वन्निदं नु तानि रक्षाꣳसि देवैरेवापहतानि यत्त्वेतत्करोति यद्देवा ऽअकुर्वंस्तत्करवाणीत्यथो यदेव रक्षो यः

प्रणीतः, कथमश्वप्रणीत इति । यदेवात्र सर्वासां चितीनामिष्टकाः प्रोक्षति—एवमु हास्यैष सर्वोऽग्निः प्रोक्षितो भवति । एवं चर्मणि प्रणीतः । एवमश्वप्रणीतः । उद्यच्छन्त्येतां चितिम् ॥ ४ ॥

अथाह—अग्निभ्यः प्रह्रियमाणेभ्योऽनुब्रूहीति । एतद्वै देवानुपप्रैष्यत एतं यज्ञं तंस्यमानान्रक्षांसि नाष्ट्रा अजिघांसन्—न यक्ष्यध्वे, न यज्ञं तंस्यध्वऽइति । तेभ्य एतानग्नीनेता इष्टका वज्रान् क्षुरपवीन् कृत्वा प्राहरन् । तैरेनानस्तृण्वत । तान्त्स्तृत्वाऽभयेऽनाष्ट्रऽएतं यज्ञमतन्वत ॥ ९ ॥

तद्वाऽएतत्क्रियते—यद्देवा अकुर्वन् । इदं नु तानि रक्षांसि देवैरेवापहतानि । यस्त्वेतत्करोति—

अथाहवनीयदेशं प्रति नयनं विधित्सुस्तदर्थं होतारमुद्दिश्याध्वर्योः सम्प्रैषवचनं विधत्ते—अथाहेति । 'अग्निभ्यः प्रह्रियमाणेभ्योऽनुब्रूहीति' सम्प्रैषमध्वर्युर्ब्रूयात् । बहुवचनान्तेनाग्निशब्देनाग्न्यवयवाश्चितयो विवक्षिताः। आहवनीयदेशं प्रति प्राचीनं ह्रियमाणेभ्य इष्टकारूपेभ्योऽग्न्यवयवेभ्यः हे होतरनुब्रूहि इति संप्रैषार्थः । तच्चानुवचनं होतुराश्वलायनेन दर्शितम् " प्रेषितः पुरीष्यासं चितयेऽन्वाह " इति प्रक्रम्य " पुरीष्यासो अग्नय इति त्रिरुपांशु सप्रणवाम् " इति । एतच्चाग्रे एकीयमतत्वेनोपन्यस्य पक्षान्तरमप्याम्नास्यते—" आग्नेयीरन्वाह " (श. प. ७ । ३ । २ । ९) इति । संप्रैषानन्तरं प्रथमचित्यर्थानामिष्टकानां पूर्वस्यां दिशि हरणं विधित्सुस्तदाख्यायिकया स्तौति—एतद्वै देवानिति । ' एतत् ' एतस्मिन् समये ' रक्षांसि ' रक्षोरूपाः ' नाष्ट्रा ' नाशकारिण्यः प्रजाः ' देवान् ' 'अजिघांसन्' हन्तुमैच्छन् । कथम्भूतान् ' प्रैष्यतः ' प्राचीनमाहवनीयं देशं गन्तुमुद्युक्तान् , ' एतम् ' अग्निचयनात्मकम् ' यज्ञम् ' ' तंस्यमानान् ' विस्तारयिष्यमाणान् । जिघांसूनामभिप्रायमाह—न यक्ष्यध्व इति । हे देवाः ! यूयम् ' न ' ' यक्ष्यध्वे ' यागं न करिष्यथ, तथा ' यज्ञम् ' ' न ' ' तंस्यध्वे ' न विस्तारयिष्यथ ' इति ' अनेनाभिप्रायेण । एवं दुष्टाभिप्रायेभ्यो रक्षोभ्यः ' एतान् ' चितिरूपान् ' अग्नीन् ' ' एताः ' तदवयवभूता ' इष्टकाः ' द्वितीयाबहुवचनमेतत् । ' क्षुरपवीन् ' क्षुरवत्तीक्ष्णधारोपेतान् ' वज्रान् कृत्वा ' ' प्राहरन् ' पूर्वादिदिगवस्थितानि तानि रक्षांसि लक्षीकृत्य प्रहृतवन्तः । ' तैः ' इष्टकारूपैर्वज्रैः ' एनान् ' असुरान् ' अस्तृण्वत ' अहिंसन् ' तान्त्स्तृत्वा ' हिंसित्वा ' अभये ' भयरहिते ' अनाष्ट्रे ' नाशकरहिते ' एतं यज्ञम् ' विस्तारितवन्तः ॥ ९ ॥

एवमाख्यायिकया इष्टकाहरणस्य रक्षोनिरसने हेतुतामुक्त्वा प्रकृते योजयति—तद्वा एतदिति । ' तत् '

१-अग्निभ्यः प्रह्रियमाणेभ्योऽनुवाचयति । का. श्रौ. सू. १७ । ६५ ।

पाप्मा तेभ्य॑ऽ एतान॒ग्नीने॒ता ऽइ॒ष्टका॒ व्वज्रा॒न्क्षु॒रप॒वीन्कृ॒त्वा प्र॒हर॑ति॒ तैरे॑ना॒न्त्स्तृ॑णुते॒ ता॒न्त्स्तृ॒त्वाऽभ॑येऽनाष्ट्रेऽए॒तं य॒ज्ञं त॑नुते ॥ ६ ॥

तद्य॒दग्नि॒भ्य॑ऽ इ॒ति । ब॒ह॒वो॒ ह्ये॒तेऽग्न॒यो य॒दे॒ता॒श्चि॒त॒यो॒ऽथ य॒त्प्र॒ह्रि॒य॒मा॒णे॒भ्य॑ऽ इ॒ति प्र॒ हि ह॒रति ॥ ७ ॥

तद्धै॒के॒ऽन्वा॒हुः । पु॒री॒ष्या॒सो॒ऽअ॒ग्न॒यः प्रा॒व॒णे॒भिः स॒जो॒ष॒स॒ऽ इ॒ति प्रा॒यण॒रू॒पं न त॒था कु॒र्या॒दा॒ग्ने॒यी॒रे॒व गा॒य॒त्रीः का॒म॒व॒ती॒र॒नु॒ब्रू॒या॒दा ते॒ व्वत्सो॒ म॒नो॒ य॒म॒त्तु॒भ्यं॒ ता॒ऽ अ॒ङ्गि॒र॒स्त॒मा॒ग्निः प्रि॒ये॒षु॒ धा॒म॒स्वि॒ति ॥ ८ ॥

यद्देवा अकुर्वन्—तत्करवाणीति । अथो यदेव रक्षः, यः पाप्मा—तेभ्य एतानग्नीनेता इष्टका वज्रान् क्षुरपवीन्कृत्वा प्रहरति । तैरेनान्स्तृणुते । तान्स्तृत्वाऽभयेऽनाष्ट्रेऽएतं यज्ञं तनुते ॥ ६ ॥

तद् यदग्निभ्य इति । बहवो ह्येतेऽग्नयो यदेताश्चितयः । अथ यत्प्रह्रियमाणेभ्य इति । प्र हि हरति ॥ ७ ॥

तद्धैकेऽन्वाहुः—"पुरीष्यासोऽअग्नयः प्रावणेभिः सजोषसः"—इति प्रायणरूपम् । न तथा कुर्यात् । आग्नेयीरेव गायत्रीः कामवतीरनुब्रूयात् । "आ ते वत्सो मनो यमत; तुभ्यं ता अङ्गिरस्तम; अग्निः प्रियेषु धामसु"—(वा० सं० १२ । ११५–११७) इति ॥ ८ ॥

खलु 'एतत्' देवैः कृतमिष्टकानां प्रहरणमत्र 'क्रियते' यजमानैरनुष्ठीयते । किं पुनस्तदेतदित्याह—यद्देवा इति । देवैरेव रक्षसां निरस्तत्वादिदानींतनयजमानकर्तृकमिष्टकानां प्रहरणं केवलं तदनुकरणार्थमित्याह—इदं न्वित्यादिना । 'इदं नु' इदानीं खलु यज्ञविरोधीनि 'तानि' 'रक्षांसि' 'देवैरेवापहतानि' बाधितानि, अतो 'यद्देवाः' पूर्वम् 'अकुर्वन्' 'तद्' इदानीमहमपि 'करवाणीति' तदनुकरणमेवेदानीन्तनेष्टकाप्रहरणस्य प्रयोजनमित्यर्थः । निरस्तसजातीनां रक्षसां पाप्मनां च विद्यमानत्वात् तन्निरसनहेतुत्वमपि सम्भवतीति पक्षान्तरमाह—अथो यदेवेति । पक्षान्तरद्योतकोऽथशब्दः । 'यदेव रक्षो, यः पाप्मा' इति च जातावेकवचनम्; बहुत्वस्य श्रुतत्वात् । तेभ्य एतानित्यादि पूर्ववद्योज्यम् । अस्माच्चार्थवादादिष्टकाः पुरस्ताद्धरेदिति विधिरुन्नेतव्यः ॥ ६ ॥

संप्रैषं व्याचष्टे—तद्यदग्निभ्य इति । नन्वेक एव चित्योऽग्निः, कथमस्य बहुत्वमित्याशङ्क्याह—बहवो हीति । सप्तचित्यभिप्रायेण बहुवचनम् । तासामग्न्येकदेशत्वादग्निशब्दाभिधेयता । 'अथ' 'प्रह्रियमाणेभ्य इति' पदमनूद्य निर्वक्ति—प्र हीति । 'हि' यस्मात् अध्वर्युरिमा इष्टकाः 'प्रहरति' पुरस्तादाहवनीयदेशं प्रापयति । अतः प्राचीनं ह्रियन्त इति प्रह्रियमाणास्तेऽग्नय उच्यन्त इत्यर्थः ॥ ७ ॥

तत्र होत्राऽनुवक्तव्यामृचमेकीयमतेनोपन्यस्य व्याचष्टे—तद्धैक इति । 'तत्' तत्र खलु 'एके' केचन ऋक्छाखाध्यायिनः "पुरीष्यासोऽअग्नयः" (ऋ. सं. अष्ट. ३ व. २२ अ. १) इत्येतामृचम् अन्वाहुः ।

(त्या) आग्नेयीरन्वाह । (हा) अग्निरूपाणामुपाप्त्यै कामवतीः कामानामुपाप्त्यै गायत्रीर्गायत्रोऽग्निर्यावानग्निर्यावत्यस्य मात्रा तावतैवैनमेतद्रेतोभूतꣳ सिञ्चति तिस्रस्त्रिवृदग्निर्यावानग्निर्यावत्यस्य मात्रा तावतैवैनमेतद्रेतोभूतꣳ सिञ्चति ताः सप्त सम्पद्यन्ते सह त्रिरनूक्ताभ्याꣳ सप्तचितिकोऽग्निः सप्तऽर्त्तवः संवत्सरः संवत्सरोऽग्निर्यावानग्निर्यावत्यस्य मात्रा तावत्तद्भवत्युपाꣳश्वन्वाह रेतो वाऽअत्र यज्ञऽउपाꣳशु वै रेतः सिच्यते पश्चादनुब्रुवन्नन्वेति च्छन्दोभिरेवैतद्यज्ञं पश्चादभिरक्षन्नेति ॥ ९ ॥

आग्नेयीरन्वाह—अग्निरूपाणामुपाप्त्यै । कामवतीः—कामानामुपाप्त्यै । गायत्रीः । गायत्रोऽग्निः । यावानग्निर्यावत्यस्य मात्रा—तावतैवैनमेतद्रेतोभूतं सिञ्चति । तिस्रः । त्रिवृदग्निः । यावानग्निर्यावत्यस्य मात्रा—तावतैवैनमेतद्रेतोभूतं सिञ्चति । ताः सप्त सम्पद्यन्ते । सह त्रिरनूक्ताभ्याम् । सप्तचितिकोऽग्निः । सप्तऽर्तवः संवत्सरः । संवत्सरोऽग्निः । यावानग्निर्यावत्यस्य मात्रा—तावत्तद्भवति । उपांश्वन्वाह । रेतो वाऽअत्र यज्ञः । उपांशु वै रेतः सिच्यते । पश्चादनुब्रुवन्नन्वेति । छन्दोभिरेवैतद्यज्ञं पश्चादभिरक्षन्नेति ॥ ९ ॥

तत्र पुरीषशब्दस्य पशुपर्यायत्वात् ' पुरीष्यास ' इत्यस्य पशव्यास इति व्याख्यानम् । पशुभ्यो हिता इत्यर्थः । प्रावणेभिरिति पदस्यार्थमाह—प्रायणरूपमिति । प्रायणस्य प्रगमनकर्मप्रवृत्तेः प्रावणेभिरिति प्रशब्दोपेतं पदं सूचकं रूपमित्यर्थः । एतदेकीयमतं प्रतिषिध्य स्वमतमाह—न तथा कुर्यादिति । ' आग्नेयीः ' अग्निदेवताकाः, ' कामवतीः ' कामशब्दोपेताः ' गायत्रीः ' गायत्रीछन्दस्का एव ऋचः ' ब्रूयात् ', काः पुनस्ता इति ता आह—आ ते वत्स इत्यादिना ॥ ८ ॥

आग्नेयीत्यादिधर्मानवयुत्यानूद्य स्तौति—आग्नेयीरन्वाहेति । देवतारूपेणाग्निना तत्सम्बन्धिनां सर्वेषाम् ' रूपाणाम् ' उपाप्तिर्भवतीत्यर्थः । तथा तासामृचां कामशब्दोपेतत्वात् सर्वकामोपाप्तिरपि भवति । रेतोभूतं सिञ्चतीति । अस्यामवस्थायाम् ' रेतः '—संस्तुतानां सिकतानां निवपनाद्रेतोरूपापन्नः खल्वयं चित्योऽग्निस्तादृशं ' सिञ्चति ' अङ्गप्रत्यङ्गयुक्तं संस्करोतीत्यर्थः । ऋचां त्रित्वमनूद्य स्तौति—तिस्र इति । निगदसिद्धमेतत् । ताः सप्तेत्यादि । ' ताः ' तिस्र ऋचः ' सप्त '—संख्याकाः ' सम्पद्यन्ते ' । सम्पत्तिप्रकारमाह—सहेति । ' त्रिः ' त्रिवारम् ' अनूक्ताभ्याम् ' आद्योत्तमाभ्यां सह सप्तसङ्ख्यया सम्पद्यत इत्यर्थः । सप्तर्त्तवः संवत्सर इति । वसन्ताद्याः षट् संसर्पोंहस्पतिलक्षणः सप्तम ऋतुः । अनुवचने उपांशुस्वरं विधाय स्तौति—उपांश्वन्वाहेति । यथा पार्श्वस्था जना न शृण्वन्ति तथा—ऽनुब्रूयादित्यर्थः । 'अत्र' अस्मिन् समये रेतोरूपः खलु ' यज्ञः ' ' रेतः '—सेचनस्योपांशुत्वं परैरज्ञायमानतया कर्त्तव्यत्वं लोके प्रसिद्धम्, तस्मादनुवचनमुपांशु कर्त्तव्यमित्यर्थः । अनुवचनसमये होतुरनुगमनं विधत्ते—अनुब्रुवन्नन्वेतीति । अनुवचनं कुर्वन् होता स्वयमपीष्टकाः ' अन्वेति ' अनुगच्छति । सर्वेषु छन्दःसु गायत्र्या अन्तर्भावात्तदन्तर्भूतैः ' छन्दोभिरेवैतद् ' एतेनानुगमनेन ' यज्ञम् ' पृष्ठतः ' अभिरक्षन् ' अभितः सर्वतो रक्षःप्रभृतिभ्यो गोपायन् ' एति ' ॥ ९ ॥

(त्य) अथाश्वꣳ शुक्लं पुरस्तान्नयन्ति । (न्त्ये) एतद्वै देवाऽ अबिभयु-र्यद्वै नऽ इह रक्षाꣳसि नाष्ट्रा नु हन्युरिति तऽएतं व्वज्रमपश्यन्नमुमेवादि-त्यमसौ वाऽआदित्य ऽएषोऽश्वस्तऽएतेन व्वज्रेण पुरस्ताद्रक्षाꣳसि नाष्ट्राऽअपहत्याभयेऽनाष्ट्रे स्वस्ति समाश्नुवत तथैवैतद्यजमानऽ एतेन व्वज्रेण पुरस्ताद्रक्षाꣳसि नाष्ट्राऽ अपहत्याभयेऽनाष्ट्रे स्वस्ति समश्नुतऽआगच्छ-न्त्यग्निं दक्षिणतः पुच्छस्य चितिमुपनिदधत्युत्तरतोऽश्वमाक्रमयन्ति ॥१०॥

तमुत्तरार्धेनाग्नेः । (र) अन्तरेण परिश्रितः प्राञ्चं नयन्ति तत्प्राच्यै दिशः पाप्मानमुपहन्ति तं दक्षिणा तद्दक्षिणायै दिशः पाप्मानमुपहन्ति तं प्रत्यञ्चं तत्प्रतीच्यै दिशः पाप्मानमुपहन्ति तमुदञ्चं तदुदीच्यै दिशः पाप्मानमुपहन्ति सर्वाभ्य ऽएवैतद्दिग्भ्यो रक्षाꣳसि नाष्ट्राऽ अपहत्याथैन-मुदञ्चं प्राञ्चं प्रसृजति तस्योक्तो बन्धुः ॥ ११ ॥ (शतम् ४१०० ॥

अथाश्वं शुक्लं पुरस्तान्नयन्ति । एतद्वै देवा अबिभयुः—यद्वै न इह रक्षांसि नाष्ट्रा न हन्युरिति । तऽएतं वज्रमपश्यन्—अमुमेवादित्यम् । असौ वाऽआदित्य एषोऽश्वः । तऽएतेन वज्रेण पुरस्ताद्र-क्षांसि नाष्ट्रा अपहत्याभयेऽनाष्ट्रे स्वस्ति समाश्नुवत । तथैवैतद्यजमान एतेन वज्रेण पुरस्ताद्रक्षांसि नाष्ट्रा अपहत्याभयेऽनाष्ट्रे स्वस्ति समश्नुते । आगच्छन्त्यग्निम् । दक्षिणतः पुच्छस्य चितिमुपनिद-धति । उत्तरतोऽश्वमाक्रमयन्ति ॥ १० ॥

तमुत्तरार्धेनाग्नेः—अन्तरेण परिश्रितः प्राञ्चं नयन्ति । तत्—प्राच्यै दिशः पाप्मानमपहन्ति । तं दक्षिणा । तद्दक्षिणायै दिशः पाप्मानमपहन्ति । तं प्रत्यञ्चम् । तत् प्रतीच्यै दिशः पाप्मानमप-हन्ति । तमुदञ्चम् । तदुदीच्यै दिशः पाप्मानमपहन्ति । सर्वाभ्य एवैतद्दिग्भ्यो रक्षांसि नाष्ट्रा अप-हत्य—अथैनमुदञ्चं प्राञ्चं प्रसृजति । तस्योक्तो बन्धुः ॥ ११ ॥

इष्टकाहरणसमये श्वेतस्याश्वस्य पुरतो नयनं विधत्ते—अथाश्वमिति[1] । अश्वस्यादित्यरूपवज्रात्मकत्वं कथयँ-स्तस्य पुरस्तान्नयनं यज्ञविघातकरक्षोनिबर्हणहेतुत्वेन स्तौति—एतद्वा इत्यादिना । यद्वै न इति । 'नः' अस्मा-नित्यर्थः । असौ वा आदित्य एषोऽश्व इति । विराड्रूपस्य प्रजापतेश्चन्द्रसूर्यौ हि चक्षुषी, अश्वश्च तदीयाच्च-क्षुष उत्पन्नः । तथा च श्रूयते—"प्रजापतेरक्ष्यश्वयत्तत्परापतत्ततोऽश्वः समभवत्"—(श.प.१३।३।१।१) इति । अत एव तैत्तिरीयेऽपि श्रूयते—"अमुमादित्यमश्वं श्वेतं भूतं दक्षिणामनयन्"—इति (तै.ब्रा.१।१।८) । स्वस्ति समाश्नुवतेति । 'स्वस्ति' अविनाशरूपं क्षेमं सम्यगाप्नुवन्नित्यर्थः । अन्यद् व्याख्यातप्रायम् । अग्निक्षेत्र-समीपगमनं विधत्ते—आगच्छन्त्यग्निमिति[2] । अश्वप्रमुखास्ते ऋत्विग्यजमाना इष्टकाभिः सहाग्निसमीपमागच्छेयुः,

---

१—श्वेतेऽश्वे पुरस्तात्तिष्ठति । का. श्रौ. सू. १७ । ६४ । २—त्रिरुक्तायामश्वपूर्व्वा चितिं हृत्वा पुच्छाद्दक्षिणां निदधाति । का. श्रौ. सू. १७ । ६६ !

(स्तुं) तुं प्रत्युञ्चं युन्तम् । (मे) एतां चितिमुवघ्रापयत्यसौ वाऽआदित्यु ऽएषुोऽश्वऽइमा ऽउ सुर्व्वाः प्रजा या ऽइमा ऽइष्टकास्त्तद्युदवघ्रापुयत्यसावेव तुदादित्यु ऽइमुाः प्रजुा ऽअभिजिघ्रति तुस्मादु हैतत्सुर्व्वोऽस्मीति मन्यते प्रजुापतेर्व्वीर्य्येण तद्युत्प्रत्युञ्चं युन्तमवघ्रापुयति प्रत्युङ्ह्येवैष युन्निमाः सुर्व्वाः प्रजुा ऽअभिजिघ्रति ॥ १२ ॥

तं प्रत्यञ्चं यन्तमेतां चितिमवघ्रापयति । असौ वाऽआदित्य एषोऽश्वः । इमा उ सर्वाः प्रजाः—या इमा इष्टकाः । तद्यदवघ्रापयति—असावेव तदादित्य इमाः प्रजा अभिजिघ्रति । तस्मादु हैतत्सर्वोऽस्मीति मन्यते—प्रजापतेर्वीर्येण । तद्यत्प्रत्यञ्चं यन्तमवघ्रापयति—प्रत्यङ् ह्येवैष यन्निमाः सर्वाः प्रजा अभिजिघ्रति ॥ १२ ॥

आगत्य चाग्नि—'पुच्छस्य' दक्षिणभागे चर्मणा हृताम् 'चितिम्' 'उपनिदधति' चित्यर्थमानीता इष्टकाः स्थापयन्तीत्यर्थः । तस्याग्निपुच्छस्योत्तरभागेन तम् ' अश्वम् ' ' आक्रमयन्ति ' आक्रमयेयुः । आक्रमणानन्तरं पुनस्तमश्वमग्नेरुत्तरार्धेन अग्निक्षेत्रस्य उत्तरभागे परिश्रिदाख्याः शर्कराः अन्तरेण परिश्रितामग्नेश्च मध्यप्रदेशे ' प्राञ्चम् ' प्राङ्मुखम् ' नयन्ति ' ' तत् ' तेन ' प्राच्यै ' " षष्ठ्यर्थे चतुर्थी "—(पा. सू. २ । ३ । ६२ । वा. १) प्राचीदिक्सम्बन्धिनं ' पाप्मानम् ' आदित्यात्मकाश्वलक्षणेन वज्रेण ' अपहन्ति ' हिनस्ति । पुनः ' तम् ' अश्वं पूर्वस्यां दिशि, अग्नेः परिश्रितां च मध्ये ' दक्षिणा ' दक्षिणतो निहितमुखमित्यर्थः । " दक्षिणादाच् "—(पा. सू. ५ । ३ । ३६ ।) गतमन्यत् । " तं प्रत्यञ्चम् " इत्यादावेवं योज्यम् । एवं चतसृषु दिक्ष्वाक्रमणेन ' सर्वाभ्य एव ' दिग्भ्यो ' रक्षांसि ' विनाश्यानन्तरम् ' एनम् ' अश्वम् 'उदञ्चं' 'प्राञ्चं' प्रागुदङ्मुखमित्यर्थः । ' प्रसृजति ' विमुञ्चति । ' तस्य ' प्रागुदक्त्वस्य स्तावको वाक्यशेषः प्रागाम्नात इत्यतिदिशति—तस्योक्त इति । एवं हि प्रागाम्नातम्—" एषा ह्योभयेषां देवमनुष्याणां दिग्यदुदीची प्राची "—इत्यादि (श. प. ब्रा. ६ । ४ । ४ । २२) ॥ १० ॥ ११ ॥

तस्याश्वस्य प्रत्यङ्मुखनयनसमये चितेरवघ्रापणं विधत्ते—तं प्रत्यञ्चमिति । पुच्छस्य दक्षिणतो निहिताम् ' एताम् ' ' चितिम् ' ' प्रत्यञ्चम् ' प्रत्यङ्मुखम् ' यन्तम् ' गच्छन्तमश्वम् ' अवघ्रापयति ' यथा सोऽश्वश्चितिम् अभिजिघ्रति तथा तं प्रेरयेदित्यर्थः । " घ्रा गन्धोपादाने "—(धा. पा. भ्वा. प. ९५१) इत्यस्माण्णिचि " अर्तिह्री " (पा. सू. ७ । ३ । ३६) इत्यादिना पुक् ॥

तदेतदिष्टकानामादित्येऽवघ्रापणं प्रजासु प्राणप्रतिष्ठापनहेतुत्वेन स्तौति—असौ वा आदित्य इत्यादिना । अश्वस्यादित्यात्मकत्वमुक्तम् (श. प. ७ । ३ । २ । १०) । ' इमाः ' परिदृश्यमाना देवतिर्यङ्मनुष्यादिरूपाः ' सर्वाः ' ' प्रजाः ' ईदृक्प्रजारूपा ' इष्टकाः ' बहुत्वसाम्यात् । असावेवेत्यादि । ' तत् ' तेनाश्वकर्तृकेष्टकावघ्राणेन ' असौ ' द्युलोकस्थः ' आदित्यः ' एव ' इमाः ' प्रजाः ' प्राणात्मकैः स्वरश्मिभिः ' अभिजिघ्रति ' अवघ्राणं करोति, ' तस्माद् ' एव कारणाद् ' एतद् ' इदानीम् ' सर्वः ' जनः अस्मिल्लुब्धा-

---

१—प्रत्यंचमागतं चितिमवघ्राप्य । का. श्रौ. सू. १७ । ७० ।

यद्वेवावघ्रापयति । (त्य) असौ वाऽआदित्यऽ एषोऽश्वऽ इमऽउ लोकाऽएताः स्वयमातृण्णास्तद्यदवघ्रापयत्यसावेव तदादित्यऽ इमाँल्लोकान्त्सूत्रे समावयते तद्यत्तत्सूत्रमुपरि तस्य बन्धुः ॥ १३ ॥

(ख) यद्वेवावघ्रापयति । (त्य) अग्निर्देवेभ्यऽउदक्रामत्सोऽपः प्राविशत्ते देवाः प्रजापतिमब्रुवंस्त्वमिममन्विच्छ स तुभ्यꣳ स्वाय पित्रऽआविर्भविष्यतीति तमश्वः शुक्लो भूत्वाऽन्वैच्छत्तमद्भ्यऽ उपोदासृप्तं पुष्करपर्णे विवेद तमभ्यवेक्षांचक्रे स हैनमुदुवोष तस्मादश्वः शुक्ऌऽउदुष्टमुखऽइवाथो ह दुरक्षो भावुकस्तमु वाऽक्रत्त्वेव हिꣳसित्वेव मेने तꣳ होवाच वरं ते ददामीति ॥ १४ ॥

यद्वेवावघ्रापयति । असौ वा आदित्य एषोऽश्वः। इम उ लोका एताः स्वयमातृण्णाः । तद्यदवघ्रापयति–असावेव तदादित्य इमांल्लोकान्त्सूत्रे समावयते । तद्यत्तत्सूत्रम्–उपरि तस्य बन्धुः ॥१३॥

यद्वेवावघ्रापयति । अग्निर्देवेभ्य उदक्रामत् । सोऽपः प्राविशत् । ते देवाः प्रजापतिमब्रुवन्–त्वमिममन्विच्छ, स तुभ्यं स्वाय पित्रऽआविर्भविष्यतीति । तमश्वः शुक्लो भूत्वाऽन्वैच्छत् । तमद्भ्य उपोदासृप्तं पुष्करपर्णे विवेद । तमभ्यवेक्षाञ्चक्रे–स हैनमुदुवोष । तस्मादश्वः शुक्ल उद्दुष्टमुख इव । अथो ह दुरक्षो भावुकः । तमु वाऽक्रत्त्वेव हिंसित्वेव मेने । तमु होवाच–वरं ते ददामीति ॥ १४ ॥

तमको भवामि ' इति मन्यते ' स्वात्मसत्तामवगच्छति । केन रूपेण ? ' प्रजापतेः विराडात्मनः ' वीर्येण ' । प्रत्यङ् ह्येवैष इति । ' प्रत्यङ् ' मुखः ' एवैषः ' सूर्यो–' यन् ' गच्छन् ' इमाः सर्वाः प्रजाः ' स्वरश्मिभिः ' अभिजिघ्रति ' । ' हि ' यस्मादेवं प्रत्यङ्मुखेन गच्छताऽश्वेन चितेरवघ्रापणं युक्तमित्यर्थः ॥ १२ ॥

अथैतदवघ्रापणं लोकत्रयसमावपने हेतुत्वेन स्तौति–यद्वेवेत्यादिना । याः ' एताः ' उपधास्यमानास्तिस्रः स्वयमातृण्णाख्याः शर्कराः क्षुद्रपाषाणाः पृथिव्यादिलोकत्रयात्मिकास्ताः ' तत् ' तथा सति अश्वेन ' अवघ्रापयति ' इति यदस्ति ' तत् ' तेन ' असौ ' ' आदित्यः ' एव ' इमान् ' पृथिव्यादि–' लोकान् ' स्वरश्म्यात्मके ' सूत्रे ' मणिवत् ' समावयते ' सम्यक्प्रोतान् करोति । " वेञ् तन्तुसन्ताने "–(धा. पा. भ्वा. उ. १०३१) इति धातुः । यदेतत् सूत्रं तस्य प्रतिपादको वाक्यशेष उपरिष्टादाम्नास्यत इत्यर्थः ॥ १३ ॥

अथैतदेवाश्वकर्तृकमवघ्राणमनूद्याश्वलक्षणेनैव प्रजापतिना रूपेण निलीयमानस्याग्नेश्चेतव्यस्य लाभो नान्येनेत्याख्यायिकया स्तौति–यद्वेवेत्यादिना । स्वाय पित्र इति । जात्याख्यायां वर्त्तमानत्वादस्य स्वशब्दस्य सर्वनामसञ्ज्ञा पर्युदस्ता, " स्वमज्ञातिधनाख्यायाम् "–इति (पा. सू. १ । १ । ३५) । अतः सर्वनामकार्यं न क्रियते । तमश्वः शुक्ल इत्यादि । इत्थं देवैरभ्यर्थितः प्रजापतिः शुक्लवर्णः ' अश्वो भूत्वा ' स्वपुत्रमप्सु निलीनं ' तम् ' अग्निम् ' अन्वैच्छत् ' अन्विष्टवान् । अन्विष्टम् ' तम् ' अग्निम् ' अद्भ्यः ' सकाशात्

स होवाच । यस्त्वाऽनेन रूपेणान्विच्छाद्विन्दादेव त्वा स ऽइति स यो हैनमेतेन रूपेणान्विच्छति विन्दति हैनं वित्त्वा हैवैनं चिनुते ॥ १५ ॥

स शुक्लः स्यात् । (त) तद्ध्येतस्य रूपं य ऽएष तपति यदि शुक्लं न विन्देदप्यशुक्लः स्यादश्वस्त्वेव स्याद्यद्यश्वं न विन्देदप्यनड्वानेव स्यादाग्नेयो वाऽअनड्वानग्निरु सर्वेषां पाप्मनामपहन्ता ॥ १६ ॥

स होवाच—यस्त्वाऽनेन रूपेणान्विच्छाद्–विन्दादेव त्वा स इति । स यो हैनमेतेन रूपेणान्विच्छति–विन्दति हैनम् । वित्त्वा हैवैनं चिनुते ॥ १५ ॥

स शुक्लः स्यात् । तद्ध्येतस्य रूपम्–य एष तपति । यदि शुक्लं न विन्देद्–अप्यशुक्लः स्यात् । अश्वस्त्वेव स्यात् । यद्यश्वं न विन्देद्–अप्यनड्वानेव स्यात् । आग्नेयो वाऽअनड्वान् । अग्निरु सर्वेषां पाप्मनामपहन्ता ॥ १६ ॥

'उपोदासृप्तम्' उपनिष्क्रान्तं पद्मिनीपत्रे स्थितम् 'विवेद' लेभे, 'तम्' अभिगम्य 'अवेक्षाञ्चक्रे' ईक्षितवान्, स खल्वग्निः 'एनम्' अश्वरूपिणं प्रजापतिम् 'उदुवोष' ददाह । "उष दाहे"–(धा. पा. भ्वा. प. ६९७) इत्यस्माल्लिट् ; एवं यस्मादुदुवोष 'तस्मात्' कारणाच्छुक्लवर्णः 'अश्वः' 'उदुष्टमुखः' 'इव' उत्क्षिप्तमुख इव लोके दृश्यते । 'अथो' खलु तस्मादेवाग्निदाहात् सोऽश्वो 'दुरक्षो भावुकः' दुष्टे अक्षिणी यस्यासौ दुरक्षः, "बहुव्रीहौ सक्थ्यक्ष्णोः" (पा. सू. ५ । ४ । ११३ ।) इत्यस्मात् षच् समासान्तः । दुष्टाक्षिभ्यां युक्तो भवितुं शीलवान् भवतीत्यर्थः । 'तम्' अश्वरूपिणमेव प्रजापतिम् 'ऋत्वेव' अर्त्तिं गमयित्वेव 'हिंसित्वेव' हिंसनं कृत्वेव, 'इव'–शब्दो वाक्यालङ्कारे । आर्तिहिंसयोरपारमार्थ्यद्योतको वा । न ह्यश्वसम्बन्धिहिंसादिना परमार्थतः प्रजापतेर्हिंसा भवतीत्यभिप्रायः । एवमश्वं दाहेन हिंसित्वा पश्चान्मदीयः प्रजापतिरेवायमश्वरूपेण स्थित इति 'मेने' ज्ञातवान् । अथ च भीतः सन् 'तम्' अश्वरूपिणं प्रजापतिम् 'उवाच' हे प्रजापते ! तुभ्यं 'वरम्' अभिलषितमर्थम् 'ददामि' प्रयच्छामि 'इति' ॥ १४ ॥

'सः' खलु 'उवाच' प्रजापतिः, 'अनेन' अश्वेन मदीयरूपेण 'यो'–यजमानस्त्वाम् 'अन्विच्छात्' अन्विच्छेत् । लेट् आडागमः । स यजमानस्त्वाम् 'विन्दादेव' लभेतैव । एतं वरमहं वृणे इत्यर्थः । स यो हैनमित्यादिना आख्यायिकासिद्धस्यार्थस्य प्रकृते योजनम् । 'एनम्' अग्निम् 'एतेन' अश्वरूपेण 'वित्त्वा' लब्ध्वेत्यर्थः । स्पष्टमन्यत् ॥ १५ ॥

तस्याश्वस्य वर्णनियमं विधाय स्तौति–स शुक्लः स्यादिति । 'तत्' खलु शौक्ल्यम् 'एतस्य' सूर्यस्य 'रूपम्' 'य एषः' परिदृश्यमानः सन्नन्तरिक्षे रश्मिभिः 'तपति;' अतस्तत्सारूप्याय शुक्लवर्ण एवाश्वो नेतव्य इत्यर्थः । तदसम्भवे वर्णान्तरविशिष्टोऽपि स्यादित्याह–यदि शुक्लमिति । शुक्लाभावे लोहितश्यामादिवर्णविशिष्टो भवेत्, स च तादृशः । 'अश्वस्त्वेव' कर्त्तव्यः । अश्वासम्भवे पक्षान्तरमप्याह–यद्यश्वमिति[1] ।

१–श्वेताभावेऽश्वेतेऽश्वाभावेऽनडुहि । का. श्रौ. सू. १७ । ६४ ।

(न्ताऽथ्था) अथातोऽधिरोहणस्यैव । तॅं हैके पुरस्तात्प्रत्यञ्चमधिरोहन्ति पश्चाद्वा प्राञ्चं न तथा कुर्यात्पशुरेष यदग्निर्यो वै पशुं पुरस्तात्प्रत्यञ्चमधिरोहति विषाणाभ्यां तॅं हन्त्यथ यः पश्चात्प्राञ्चं पद्भ्यां तमात्मनैवैनमारोहेद्यं वाऽआत्मना पशुमारोहन्ति स पारयति स न हिनस्त्युत्तरतो यॅं हि कं च पशुमारोहन्त्युत्तरत ऽएवैनमारोहन्त्यारुह्याग्निमौत्तरवेदिकं कर्म कृत्वाऽऽत्मन्नग्निं गृह्णीतऽआत्मन्नग्निं गृहीत्वा सत्यॅं साम गायति पुष्करपर्णमुपदधाति तस्यातः ॥ १७ ॥

अथातोऽधिरोहणस्यैव । तं हैके पुरस्तात्प्रत्यञ्चमधिरोहन्ति । पश्चाद्वा प्राञ्चम् । न तथा कुर्यात् । पशुरेषः-यदग्निः । यो वै पशुं पुरस्तात्प्रत्यञ्चमधिरोहति-विषाणाभ्यां तं हन्ति । अथ यः पश्चात्प्राञ्चं-पद्भ्यां तम् । आत्मनैवैनमारोहेत् । यं वाऽआत्मना पशुमारोहन्ति-स पारयति । स न हिनस्ति । उत्तरतः । यं हि कं च पशुमारोहन्ति-उत्तरत एवैनमारोहन्ति । आरुह्याग्निमौत्तरवेदिकं कर्म कृत्वा, आत्मन्नग्निं गृह्णीते । आत्मन्नग्निं गृहीत्वा सत्यं साम गायति । पुष्करपर्णमुपदधाति । तस्यातः ॥ १७ ॥

नन्वनडुहः सूर्यात्मकवज्ररूपत्वाभावात् पापहननरूपाश्वकार्यकरत्वं कथं स्यादित्याशङ्क्याह-आग्नेयो वा इति । अग्निसमीपे निर्वापार्थं स्थितस्यानसो वहनाद् 'अनड्वान्' अग्निदेवताकः । 'अग्निः' अपि 'सर्वेषां पाप्मनाम्' रक्षसां च 'अपहन्ता' बाधकः; अतस्तथाविधाग्निदेवताकत्वादनड्वानप्यश्ववत् रक्षांसि पाप्मनश्च विनाशयितुं शक्नोतीत्यर्थः ॥ १६ ॥

अग्निक्षेत्रस्याधिरोहणे प्रकारविशेषं विधित्सुः प्रस्तौति-**अथात** इति । यतोऽध्वर्युणा आहुतिप्रदानसमयेऽग्निक्षेत्रस्याधिरोहणमपेक्षितम्, अतः कारणाद् 'अथ' अनन्तरम् 'अधिरोहणस्यैव' अधिरुपर्यर्थः । अग्निक्षेत्रस्योपरि पादनिधानलक्षणं क्रमणमधिरोहणं तस्यैव विचारः क्रियत इति शेषः । तत्रैकीयं मतमुपन्यस्यति-तं हैक इति । **पुरस्तात्प्रत्यञ्चमिति** । पूर्वभागे 'प्रति'-मुखमञ्चन्तम्, आत्माभिमुख्येन स्थितमग्निं मुखप्रदेशे 'अधिरोहन्ति' इत्येकः पक्षः । 'पश्चाद्वा' इति पक्षान्तरम् । पश्चाद्भागे पुच्छभागे 'प्राञ्चम्' प्रकर्षेणाञ्चन्तमनभिमुखमग्निमारोहन्तीत्यर्थः । 'न तथा' 'कुर्यात्' इत्येतस्य पक्षद्वयस्य निषेधः । पक्षद्वयेऽपि दोषमाह-**पशुरेष** इति । 'अग्निः' इति 'यद्' अस्ति स पशुरूपः, 'यः' खलु 'पशुं पुरस्तात्' पूर्वभागे 'प्रति'-मुखम् 'अञ्चन्तम्' अभिरोहति, तं पशुः 'विषाणाभ्याम्' शृङ्गाभ्याम् 'हन्ति' । 'अथ' एतद्दोषपरिहाराय 'यः' पश्चाद्भागे 'प्राञ्चम्' प्रकर्षेणाञ्चन्तम् 'अधिरोहति' 'तम्' अनभिमुखं सन्तं पशुमारोहन्तं पुरुषं स पशुः 'पद्भ्याम्' पाश्चात्यपादाभ्यामाहन्ति । यद्येवं पूर्वपश्चिमभागयोरुभयत्राप्यारोहणे दोषः, कथं तर्हि तदारोहणं कर्त्तव्यमिति तत्राह-**आत्मनैवेति** । शिरःप्रदेशं पादप्रदेशं च विहाय 'आत्मना' आत्मभागेन मध्य-

---

१-तीर्थेनाश्वमारोहयत्युत्तरपक्षमपरेण । पुरस्तात्पश्चाद्वैके । अनुयजुःकष्टं पारिणयत्युत्तरतः प्रथमम् । का. श्रौ. सू. १७।६७-६९ ।

(तोऽथै) अथैतꣳ साये भूतेऽश्वं परिणयन्ति । (न्त्ये) एतद्वै देवाऽ अबिभयुर्यद्वै नऽ इममिह रक्षाꣳसि नाष्ट्रा नु हन्युरिति तस्माऽएतं व्वज्रमभिगोप्तारमकुर्वन्नमुमेवादित्यमसौ वाऽआदित्यऽएषोऽश्वस्तथैवास्माऽअयमेतं व्वज्रमभिगोप्तारं करोति ॥ १८ ॥

अथैतं साये भूतेऽश्वं परिणयन्ति । एतद्वै देवा अबिभयुः। यद्वै न इममिह रक्षांसि नाष्ट्रा न हन्युरिति । तस्माऽएतं वज्रमभिगोप्तारमकुर्वन्—अमुमेवादित्यम् । असौ वाऽआदित्य एषोऽश्वः । तथैवास्माऽअयमेतं वज्रमभिगोप्तारं करोति ॥ १८ ॥

प्रदेशेनैव ‘ एनम् ’ अध्वर्युः ‘ आरोहेत् ’ लौकिकस्यापि पशोर्मध्यदेहेनैवारोहणं यतो दृश्यत इत्याह—यं वा इति । ‘ यम् ’ खलु ‘ पशुम् ’ अश्वादिकम् ‘ आत्मना ’ शिरःपुच्छदेशौ विहाय मध्यदेशेन ‘ आरोहन्ति, ’ ‘ सः ’ पशुस्तान् ‘ पारयति ’ पारं गन्तव्यावधि प्रापयति; ‘ न ’ च ‘ हिनस्ति ’ आरूढं पुरुषं न व्यथयति । एवमग्नेरप्यधिरोहणमात्ममभागे कर्त्तव्यमिति विहितम्; तत्राप्युत्तरतः कर्त्तव्यमिति विधत्ते—उत्तरत इति । पुच्छस्योत्तरभागे उत्तरपक्षस्य च सन्धौ तदधिरोहणं कर्त्तव्यम् । लोकप्रसिद्धिरप्येवमेवेत्याह—यं हि कञ्चेति । ‘यम्’ ‘ कम् ’ अपि अश्वादिलक्षणम् ‘ पशुमारोहन्ति ’ लौकिकाः ‘ उत्तरतः ’ वामभागतः ‘ एवैनमारोहन्ति ’ । आरोहणानन्तरं प्राकृतवैकृतपदार्थानामनुष्ठाने क्रमविशेषमनुक्रामति—आरुह्याग्निमिति । आरोहणानन्तरम् ‘ औत्तरवेदिकम् ’ उत्तरवेदिसंस्काररूपं यत् कर्मजातमस्ति, तत् ‘ कृत्वा ’ इत्यर्थः । तच्च कात्यायनेन विशदमुक्तम्—“ पशुवत्, उत्तरवेदिप्रोक्षणाद्यासम्भारनिवपनात्कृत्वा ”—(का.श्रौ. सू. १७ । ७० । ७१) इति । तदनन्तरम् ‘ आत्मन् ’ अध्वर्युः स्वात्मनि स्वकीयमग्निं ‘ गृह्णीते ’ यथा बहिश्चित्याग्निप्रदेशे न निष्क्रामति, तथा “ मयि गृह्णामि ” इति—(वा. सं. १३ । १) मन्त्रजपेन स्वात्मनि धारयेदित्यर्थः । तदुक्तं कात्यायनेन—“ उत्तरवेदिमपरेण तिष्ठन् यजमानो मयि गृह्णामीति जपति ”—(का. श्रौ. सू. १७ । ७१) । अग्निग्रहणानन्तरं यत् ‘ सत्यं साम ’ इति प्रसिद्धं सामवेदे, तद्यजमानो गायेत्[१] । पुष्करपर्णस्योपधानं विधत्ते—पुष्करपर्णमुपदधातीति[२] । तस्यात इति । ‘ तस्य ’ पुष्करपर्णोपधानस्य ‘ अतः ’ अस्माद् ब्राह्मणादुत्तरस्मिन् ब्राह्मणे (श. प. ७ । ४ । १ । ७)—“ योनिर्वै पुष्करपर्णम् ”—इत्यादिना वाक्यशेषेण स्तुतिः करिष्यत इत्यर्थः ॥ १७ ॥

सायंकाले कर्त्तव्यं विधत्ते—अथैतमिति । ‘ अथ ’ पुष्करपर्णोपधानानन्तरम् ‘ एतम् ’ ‘ अश्वम् ’ ‘ साये भूते ’ अह्नोऽवसाने जाते सति ‘ परिणयन्ति ’ अग्निक्षेत्रं परित आवर्त्तयन्ति, “ षोऽन्तकर्मणि ”—(धा. पा. दि. प. ४१ ।) इत्यस्मात् (पा. सू. ३ । १ । १४१) णप्रत्ययतः सायशब्दः । अथैतदश्वस्य परितो नयनं यज्ञविघातकरक्षोनिमित्ताद्भयोद्रक्षणहेतुत्वेन स्तौति—एतद्वै देवा इति । एते वज्रमिति । अश्वात्मकं वज्रमित्यर्थः । ‘अभिगोप्तारम्’ अभितः सर्वासु दिक्षु रक्षितारम् । अमुमेवादित्यमिति । अमुष्मि-

---

१—सत्यसाम गायति । का० श्रौ० सू० १७ । ७२ । २—पुष्करपर्णमुपदधाति स्तंबे पूर्ववत् । का. श्रौ. सू. १७ । ७३ ।

तं वाऽउुपास्तमयमादित्युस्य पुरिणयाति। (त्ये) एष वुाऽअस्य प्रत्युक्षं दिुवा गोप्ता भवति रात्रिसाचयान्यु वै रुक्षाᳯसि रात्र्या ऽएुवास्माऽएतं व्वुज्रमभिगोप्तारं करोति सर्व्वतः पुरिणयति सर्व्वुत ऽएुवास्माऽएतं व्वुज्रमभिगोप्तारं करोति त्रिष्कृत्वः पुरिणयाति त्रिव्वृतमुेवास्माऽएतं व्वुज्रमभिगोप्तारं करोत्युथैनमुुदञ्चं प्राञ्चं प्रसृजति तुस्योक्तो बुन्धुरुथ स पुनर्विपुल्ययते तुस्योपुरि बुन्धुः ॥ १९ ॥

इति द्वितीयप्रपाठके चतुर्थं ब्राह्मणम् ॥ ७ । २ । ४॥ (३–२)

इति द्वितीयः प्रपाठकः समाप्तः ॥ ७–२ ॥

इति तृतीयोऽध्यायश्च समाप्तः ॥ ७–३ ॥

तं वा उपास्तमयमादित्यस्य परिणयति। एष वा अस्य प्रत्यक्षं दिवा गोप्ता भवति। रात्रिसाचयान्यु वै रक्षांसि। रात्र्या एवास्माऽएतं वज्रमभिगोप्तारं करोति। सर्वतः परिणयति। सर्वत एवास्माऽएतं वज्रमभिगोप्तारं करोति। त्रिष्कृत्वः परिणयाति। त्रिवृतमेवास्माऽएतं वज्रमभिगोप्तारं करोति। अथैनमुदञ्चं प्राञ्चं प्रसृजति, तस्योक्तो बन्धुः। अथ स पुनर्विपल्ययते–तस्योपरि बन्धुः१९॥

नाकाशे दृश्यमानम् ‘ आदित्यम् ’ आदित्यात्मकमश्वम्। अश्वस्य आदित्यात्मकता प्रागुक्ता (श. प. ७। ३। २। १०)। इदानीमप्याह–‘ असौ वा आदित्यः ’ इति। तथैवास्मा इति। यथा सूर्यो राक्षसाद्यज्ञस्याभिगोप्ता तेनैव प्रकारेणायमध्वर्युः ‘ अस्मै ’ चेष्यमाणायाग्नये ‘ एतम् ’ अश्वात्मकम् ‘ वज्रम् ’ सिद्धमन्यत् ॥ १८ ॥

सायङ्कालेऽप्यस्तमयात्प्रागेवाश्वपरिणयनस्य कर्त्तव्यतामाह–तं वा इति। ‘ आदित्यस्यास्तमयमुप ’ अस्तमयस्य समीपे आदित्ये विद्यमाने सत्येवेति यावत्। एष वा अस्येत्यादि। ‘ एषः ’ खलु आदित्यः ‘ अस्य ’ चीयमानस्याग्नेः ‘ दिवा ’ अह्नि ‘ प्रत्यक्षम् ’ ‘ गोप्ता भवति ’। रात्रिं सचन्ते समवयन्तीति ‘ रात्रिसाचयानि ’ रात्रौ सञ्चरणशीलानि खलु ‘ रक्षांसि ’ तादृश्याः ‘ रात्र्याः ’ ‘ एव ’ सकाशाद् ‘ अस्मै ’ चित्याग्नये ‘ एतम् ’ अश्वात्मकं ‘ वज्रम् ’ परोरजआदित्यात्मकम् अभितो रक्षितारं ‘ करोति ’। परिणयतीति परिशब्देन सूचितमर्थं स्तोतुमाविष्करोति–सर्वत इति। ‘ सर्वतः ’ सर्वासु दिक्षु। परिणयनक्रियायास्त्रिरावृत्तिं विधाय स्तौति–त्रिष्कृत्व इति। त्रिवृतमेवास्मा इति। ‘ त्रिवृतम् ’ त्रिगुणितम्। अथैनमुदञ्चमित्यादि। ‘ अथ ’ त्रिष्कृत्वः–परिणयमानन्तरम् ‘ एनम् ’ अश्वं ‘ प्राञ्चं ’ ‘ उदञ्चम् ’ विसृजेत्। तस्य च स्तावको वाक्यशेषः प्राक् समाम्नात इत्यर्थः। तस्याश्वस्य पुनः प्रयोगं विधत्ते–अथ स पुनरिति। ‘ सः ’ अश्वः ‘ पुनः ’

'विपल्ययते' विपरिवर्त्तते, उपचारकाले कर्मणोऽङ्गभावं प्रतिपद्यत इत्यर्थः । "अय गतौ"–(धा. पा. भ्वा. आ. ४७६) इत्यस्माल्लिट् । "उपसर्गस्यायतौ"–इति (पा. सू. ८ । २ । १९) लत्वम् । तस्याश्वपर्यावर्त्तनस्योपरिष्टात् प्रयोजनमभिधास्यत इत्यर्थः ॥ १९ ॥

इति श्रीसायणाचार्यविरचिते माधवीये वेदार्थप्रकाशे माध्यन्दिनीयशतपथब्राह्मणभाष्ये सप्तमकाण्डे तृतीयाऽध्याये द्वितीयं ब्राह्मणम् ॥ (७–३–२) ॥

वेदार्थस्य प्रकाशेन तमो हार्दं निवारयन् । पुमर्थांश्चतुरो देयाद् विद्यातीर्थमहेश्वरः ॥ १ ॥

ब्रह्माण्डं गोसहस्रं कनकहयतुलापूरुषौ स्वर्णगर्भं,
सप्ताब्धीन्पञ्चसीरीस्त्रिदशतरुलताधेनुसौवर्णभूमीः ।
रत्नोस्रां रुक्मवाजिद्विपमहितरथौ सायणिः सिङ्गणार्यो,
व्यश्राणीद्विश्वचक्रं प्रथितविधिमहाभूतयुक्तं घटं च ॥
धान्याद्रिं धन्यजन्मा तिलमवमतुलः स्वर्णजं वर्णमुख्यः,
कार्पासीयं कृपावान्गुडकृतमजडो राजतं राजपूज्यः ।
आज्योत्थं प्राज्यजन्मा लवणजमनृणः शार्करं चार्कतेजा,
रत्नाढ्यो रत्नरूपं गिरिमकृत मुदा पात्रसात्सिङ्गणार्यः ॥

इति श्रीमद्राजाधिराजपरमेश्वरवैदिकमार्गप्रवर्त्तकश्रीहरिहरमहाराजसाम्राज्यधुरन्धरेण सायणाचार्येण विरचिते माधवीये वेदार्थप्रकाशे माध्यन्दिनशतपथब्राह्मणभाष्ये सप्तमकाण्डे तृतीयोऽध्यायः समाप्तः ॥ ७–३ ॥

अथ चतुर्थेऽध्याये प्रथमं ब्राह्मणम् ।
तृतीयप्रपाठके च प्रथमं ब्राह्मणम् ।

आत्मन्नग्निं गृह्णीते चेष्यन् । (ब्रा) आत्मनो वाऽएतमधि जनयति यादृशाद्वै जायते तादृङ्ङेव भवति स यदात्मन्नगृहीत्वाऽग्निं चिनुयान्मनुष्यादेव मनुष्यं जनयेन्मर्त्यान्मर्त्यमनपहतपाप्मनोऽनपहतपाप्मानमथ यदात्मन्नग्निं गृहीत्वा चिनोति तदग्नेरेवाध्यग्निं जनयत्यमृतादमृतमपहतपाप्मनोऽपहतपाप्मानम् ॥ १ ॥

आत्मन्नग्निं गृह्णीते चेष्यन् । आत्मनो वाऽएतमधि जनयति । यादृशाद्वै जायते—तादृङ्ङेव भवति । स यदात्मन्नगृहीत्वाऽग्निं चिनुयाद्—मनुष्यादेव मनुष्यं जनयेत्, मर्त्यान्मर्त्यम्, अनपहतपाप्मनोऽनपहतपाप्मानम् । अथ यदात्मन्नग्निं गृहीत्वा चिनोति—तदग्नेरेवाध्यग्निं जनयति, अमृतादमृतम्, अपहतपाप्मनोऽपहतपाप्मानम् ॥ १ ॥

यस्य निःश्वसितं वेदा यो वेदेभ्योऽखिलं जगत् । निर्ममे तमहं वन्दे विद्यातीर्थमहेश्वरम् ॥ १ ॥

अग्निग्रहणसत्यसामगानपुष्करपर्णोपधानानि पूर्वस्मिन् ब्राह्मणे संग्रहेण विहितानि, इदानीं तानि क्रमेण प्रपञ्चयति—आत्मन्नग्निं गृह्णीते चेष्यन्नित्यादिना । 'चेष्यन्' चयनं करिष्यन्नध्वर्युः 'आत्मन्' आत्मनि 'अग्निम्' 'गृह्णीते' मन्त्रेण धारयेत् । आत्मनो वा इत्यादि । अध्वर्युः 'आत्मनोऽधि' अधिः पञ्चम्यर्थानुवादी "अधिपरी अनर्थकौ"—इति (पा. सू. १ । ४ । ९३) पाणिनिस्मरणात् । आत्मनः सकाशात् खल्वध्वर्युः 'एतम्' चित्याग्निम् 'जनयति' तथा सति लोकस्थितिरीदृशी 'यादृशाद्' यादृक्स्वरूपात् खलु मनुष्यादिशरीराद् गर्भो 'जायते' स 'तादृङ्' तत्सदृश एव निष्पद्यते । सति ह्यग्निग्रहणेऽध्वर्युरग्न्यात्मको भवति । तादृशादध्वर्योर्जायमानचित्याग्निरपि साक्षादग्निरूपो भवति । तस्मादात्मन्यग्निग्रहणं कर्तव्यमित्यर्थः । अगृहीत्वा चयने दोषमुपन्यस्यति—स यदात्मन्निति । 'सः' अध्वर्युः 'यद्' यद्यात्मन्यग्निग्रहणमकृत्वा 'अग्निं चिनुयात्' तदा देवरूपाऽनापन्नान्मनुष्यशरीरमात्रान्मनुष्यात्मकमेव जनयेत्, कारणानुरूपत्वात् कार्यस्येति भावः । कारणं हि शरीरं मनुष्यजातीयम्; अत एव 'मर्त्यम्' मरणशीलम्, अनपहतपाप्मकम्, मरणादिहेतुभूतपापसहितम्, तथाविधाज्जायमानोऽग्निरपि तादृग्रूपो भवतीति तात्पर्यार्थः । सति त्वग्निग्रहणेऽभिहितदोषवैपरीत्यमाह—अथ यदिति । तदग्नेरेवेत्यादि । अग्निरूपात्मनः सकाशाज्जनयन्नग्निमेव 'जनयति' अमृतरूपस्याग्नेर्धारणादध्वर्युरप्यमृतात्मकः । शिष्टं स्पष्टम् ॥ १ ॥

(१ँ) स गृह्णाति । मयि गृह्णाम्यग्रेऽअग्निमिति तदात्मन्नेवाग्रेऽग्निं गृहीते रायस्पोषाय सुप्रजास्त्वाय सुवीर्यायेति तदु सर्वाऽआशिषऽआत्मन्गृह्णीते मामु देवताः सचन्तामिति तदु सर्वान्देवानात्मन्गृह्णीते तद्यत्किं चात्मनोऽधिजनयिष्यन्भवति तत्सर्वमात्मन्गृह्णीते स वै तिष्ठन्नात्मन्नग्निं गृहीत्वाऽनूपविश्य चिनोति पशुरेष यदग्निस्तस्मात्पशुस्तिष्ठन्गर्भं धित्वाऽनूपविश्य विजायते ॥ २ ॥

(तेऽथ) अथ सत्यथँ साम गायति । (त्ये) एतद्वै देवाऽअब्रुवन्त्सत्यमस्य मुखं करवाम ते सत्यं भविष्यामः सत्यं नोऽनुवर्त्स्यति सत्यो नः स कामो भविष्यति यत्कामाऽएतत्करिष्यामहऽइति ॥ ३ ॥

स गृह्णाति–" मयि गृह्णाम्यग्रेऽअग्निम् "–इति । तदात्मन्नेवाग्रेऽग्निं गृह्णीते । " रायस्पोषाय सुप्रजास्त्वाय सुवीर्याय "–इति । तदु सर्वा आशिष आत्मन् गृह्णीते । " मामु देवताः सचन्ताम् "–(वा. सं १३ । १) इति । तदु सर्वान्देवानात्मन् गृह्णीते । तद्यत्किं चात्मनोऽधिजनिष्यन्भवति–तत्सर्वमात्मन् गृह्णीते । स वै तिष्ठन्नात्मन्नग्निं गृहीत्वाऽनूपविश्य चिनोति । पशुरेष यदग्निः । तस्मात्पशुस्तिष्ठन् गर्भं धित्वाऽनूपविश्य विजायते ॥ २ ॥

अथ सत्यं साम गायति । एतद्वै देवा अब्रुवन्–सत्यमस्य मुखं करवाम, ते सत्यं भविष्यामः, सत्यं नोऽनुवर्त्स्यति, सत्यो नः स कामो भविष्यति–यत्कामा एतत्करिष्यामहऽइति ॥ ३ ॥

इत्थमग्निग्रहणस्यावश्यकर्त्तव्यतामुपपाद्य समन्त्रकं तद्विधत्ते–स गृह्णातीति । " मयि गृह्णामि " इति ग्रहणमन्त्रः । तत्र ' मयि ' इत्यस्मच्छब्दश्रवणादात्मन्यग्नेर्ग्रहणं निगदसिद्धमित्याह–तदात्मन्नेवेति । ' अग्रे ' चयनात्प्राक्काले । द्वितीयभागमनूद्य तस्य तात्पर्यमाह–रायस्पोषायेति । ' रायस्पोषो ' धनसमृद्धिः, ' सुप्रजास्त्वम् ' शोभनपुत्रपौत्रादियुक्तत्वम्, शोभनवीर्ययोगः ' सुवीर्यम् ' । ' तत् ' तेन मन्त्रभागेनोक्तलक्षणाः ' सर्वाः आशिषः ' फलानि आत्मनि स्वीकरोति ॥

तृतीयभागमनूद्य व्याचष्टे–मामु देवता इति । यक्ष्यमाणदेवताः ' माम् ' एव ' सचन्ताम् ' मदाययज्ञं सेवन्ताम् ' इति ' एतेन मन्त्रभागेन देवतानामप्यात्मनि ग्रहणं कृतं भवति । तद्यत् किंचेत्यादि । ' तत् ' प्रागुक्तं ' यत् ' किमपि मन्त्रप्रतिपाद्यमग्निरायस्पोषादिकम् ' आत्मना ' जनयितव्यमस्ति ' तत् सर्वम् ' अनेन मन्त्रेण आत्मनि गृहीतमेव भवतीति । अग्निग्रहणं च तिष्ठता कर्तव्यमिति स्थितिलक्षणं गुणं विधत्ते–स वै तिष्ठन्निति । चयनसमये तूपवेशनं तस्य विधत्ते–अनूपविश्य चिनोतीति । यत्र यत्रेष्टकामुपदधाति तं देशं गत्वा तत्समीपे उपविश्य चिनुयादित्यर्थः । एतदुभयं स्तौति–पशुरेष इति । ' पशु-'रूपो हि ' एषः ' ' अग्निः ', ' तस्माद् ' एव हि कारणाद्गवादिलक्षणः ' पशुस्तिष्ठन् ' एव ' गर्भं ' धत्ते 'अनूपविश्य विजायते' प्रसूते । अतोऽग्निग्रहणं गर्भधारणभूतत्वात्तिष्ठतैव कार्यम्, चयनं तु प्रसवरूपत्वादुपविष्टेनेति तात्पर्यम् ॥ २ ॥

अथ प्राग्विहितं सत्यसाम्नो गानमनूद्य स्तौति–अथ सत्यमिति । 'एतद्वै' एतस्मिन्नन्तरे खलु 'देवाः' 'अब्रुवन्'

तऽएतत्सत्यꣳ साम पुरस्तादगायन् । (यँस्तु) तदस्य सत्यं मुख-मकुर्वँस्ते सत्यमभवन्त्सत्यमेनानुन्ववर्त्तत सत्य ऽएषां स कामोऽभवद्य-त्कामा ऽएतदकुर्वत ॥ ४ ॥

तथैवैतद्यजमानः । (नो) यत्सत्यꣳ साम पुरस्ताद्गायति तदस्य सत्यं मुखं करोति स सत्यं भवति सत्यमेनमनुवर्त्तते सत्योऽस्य स कामो भवति यत्काम ऽएतत्कुरुते ॥ ५ ॥

तद्यत्तत्सत्यम् । (मा) आपऽ एव तद्‌वापो हि वै सत्यं तस्माद्येनापो यन्ति तत्सत्यस्य रूपमित्याहुरप ऽएव तदस्य सर्व्वस्याग्रमकुर्वँस्तस्माद्य-दैवापो सन्त्यथेदꣳ सर्व्वं जायते यदिदं किं च ॥ ६ ॥

तऽएतत्सत्यं साम पुरस्तादगायन् । तदस्य सत्यं मुखमकुर्वन्, ते सत्यमभवन्, सत्यमेनान-न्ववर्तत, सत्य एषां स कामोऽभवत्–यत्कामा एतदकुर्वत ॥ ४ ॥

तथैवैतद्यजमानो यत् सत्यं साम पुरस्ताद्गायति–तदस्य सत्यं मुखं करोति, स सत्यं भवति, सत्य-मेनमनुवर्तते, सत्योऽस्य स कामो भवति–यत्काम एतत्कुरुते ॥ ५ ॥

तद् यत्तत्सत्यम्–आप एव तत् । आपो हि वै सत्यम् । तस्माद्येनापो यन्ति–तत्सत्यस्य रूप-मित्याहुः । अप एव तदस्य सर्वस्याग्रमकुर्वन् । तस्माद्यदैवापो यन्ति–अथेदं सर्वं जायते–यदिदं किं च ॥ ६ ॥

अस्याग्नेः 'सत्यम्' सत्यफलसाधनं 'साम' 'मुखं करवाम' तथाकरणाच्च वयं 'सत्यं भविष्यामः' सत्यभूताः सर्वदा बाधरहिताः स्याम; 'नः' अस्मान् 'सत्यम्' सत्याभिमानिदेवता 'अनुवर्त्स्यति' अनु-वर्त्तनं करिष्यति । तथा च 'नः' अस्माकं 'सः' तादृशः कामः' यज्ञफलरूपः 'सत्यः' यथार्थो 'भवि-ष्यति' । यत् फलं कामयमानाः 'एतद्' अग्निचयनात्मकं कर्म 'करिष्यामहे,' 'इति'–शब्दो देवाना कामपरिसमाप्तौ । एवं विचार्य ते देवाः 'एतत्सत्यं साम पुरस्तादगायन्' 'तत्' तेन सत्यसाम्नो गानेन 'अस्य' अग्नेः 'मुखं सत्यमकुर्वन्' ततः 'ते' देवाः 'सत्यमभवन्' सत्यत्वं प्राप्ता इत्यर्थः । व्याख्यात-प्रायमन्यत् ॥ ३ ॥ ४ ॥

इत्थं परकृतिमुपन्यस्य प्रकृते योजयति–तथैवेति । यथा देवाः 'तथैव' 'एतद्' एतर्हि 'यजमानः' 'सत्यं साम' 'पुरस्तात्' पूर्वस्यां दिशि 'गायति' इति 'यद्' अस्ति 'तत्' तेन 'अस्य' चित्याग्नेः 'मुखम्' 'सत्यम्' सर्वदा विद्यमानं 'करोति' 'सः' यजमानः स्वयमपि तथा करणात् सत्यात्मको 'भवति' गतमन्यत् ॥ ५ ॥

सत्यपदस्याभिप्रेतमर्थमाविष्कुर्वन् प्रशंसति–तद्यदिति । 'तत्' तत्र 'तद्' उक्तविधम् 'यत्' 'सत्यम्' 'आप एव' 'तत्,' अप्स्वमेव सत्यपदेनोक्तमित्यर्थः । अपां सत्यरूपतामुपपादयति–आपो

(च्चु) अ॒थ पु॒ष्कर॒प॒र्णमु॒प॒द॒धा॒ति । यो॒नि॒र्वै पु॒ष्क॒र॒प॒र्णं यो॒नि॒मे॒वै॒त॒दु॒प॒द॒धा॒ति ॥ ७ ॥

य॒द्धे॒व पु॒ष्क॒र॒प॒र्ण॒मु॒प॒द॒धा॒ति । (त्या) आ॒पो॒ वै पु॒ष्क॒रं ता॒सा॒मि॒यं प॒र्णं य॒था ह वा॒ऽइ॒दं पु॒ष्क॒र॒प॒र्ण॒म॒प्स्व॒ध्या॒हि॒त॒मे॒व॒मि॒य॒म॒प्स्व॒ध्या॒हि॒ता से॒यं यो॒नि॒र॒ग्ने॒रि॒यꣳ ह्य॒ग्नि॒र॒स्यै हि स॒र्वो॒ऽग्नि॒श्ची॒य॒त॒ऽइ॒मा॒मे॒वै॒त॒दु॒प॒द॒धा॒ति ता॒म॒न॒न्त॒र्हि॒ताꣳ स॒त्या॒दु॒प॒द॒धा॒तीमां त॒त्स॒त्ये प्र॒ति॒ष्ठा॒प॒य॒ति त॒स्मा॒दि॒यꣳ स॒त्ये प्र॒ति॒ष्ठि॒ता त॒स्मा॒द्धि॒य॒मे॒व स॒त्य॒मि॒यꣳ ह्ये॒वै॒षां लो॒का॒ना॒म॒द्धा॒त॒मा॒म् ॥ ८ ॥

अथ पुष्करपर्णेष्टकोपधानम् ।

अथ पुष्करपर्णमुपदधाति । योनिर्वै पुष्करपर्णम्—योनिमेवैतदुपदधाति ॥ ७ ॥

यद्धेव पुष्करपर्णमुपदधाति । आपो वै पुष्करम् । तासामियं पर्णम् । यथा ह वाऽइदं पुष्करपर्णमप्स्वध्याहितम्–एवमियमप्स्वध्याहिता । सेयं योनिरग्नेः । इयं ह्यग्निः । अस्यै हि सर्वोऽग्निश्चीयते । इमामेवैतदुपदधाति । तामनन्तर्हितां सत्यादुपदधाति । इमां तत्सत्ये प्रतिष्ठापयाति । तस्मादियं सत्ये प्रतिष्ठिता । तस्माद्धियमेव सत्यम् । इयं ह्येवैषां लोकानामद्धातमाम् ॥ ८ ॥

हीति । ‘ हि ’ यस्माद् ‘ आपः ’ सत्यात्मिकाः ‘ तस्माद् ’ ‘ येन ’ भूप्रदेशेन ताः ‘ आपः ’ ‘ यन्ति ’ ‘ गच्छन्ति ’ ‘ तत् ’ स्थानं सत्यस्य उदकात्मकस्य ब्रह्मणो ‘ रूपमित्याहुः ’ कथयन्ति ब्रह्मवादिनः । अपां प्रथमसर्गश्च स्मर्यते–“ अप एव ससर्जादौ तासु वीर्यमवाकिरत् ”–इति (मनुः) । अप एव तदस्येत्यादि । अपां सत्यरूपत्वात्तेन सत्यसाम्नोऽप्रतो गानेन ‘अस्य’ ‘ सर्वस्य ’ जगतः ‘ अप एवाग्रम ’ मुखम् ‘ अकुर्वन् ’ देवा इत्यर्थः । अपागप्रकरणस्य फलमाह–तस्मादिति । ‘ तस्माद् ’ उक्तहेतोः ‘ यदैव ’ खलु ‘ आपः ’ वृष्ट्युत्पन्नाः ‘ यन्ति ’ प्रवहन्ति । ‘ अथ ’ अनन्तरमेव ‘ इदम् ’ दृश्यमानमोषधिवनस्पत्यादिरूपम् ‘ सर्वम् ’ जगदुत्पद्यते । सर्वशब्दस्य संकुचद्वृत्तितां निराचष्टे–यदिदमिति ॥ ६ ॥

पुष्करपर्णोपधानं विधाय स्तौति–अथ पुष्करपर्णमिति । ‘ अथ ’–शब्दः सामगानानन्तर्यार्थः । “ तमद्भ्य उपोदासृप्तं पुष्करपर्णे विवेद ”–(श. प. ७ । ३ । २ । १४) इति अग्न्युपलम्भाधिकरणत्वस्य श्रुतत्वात् पुष्करपर्णस्य योनित्वम् ॥ ७ ॥

प्रकारान्तरेण पुष्करपर्णस्याग्नियोनित्वमनुवादपूर्वकं प्रतिपादयति–यद्धेवेति । आपो वै पुष्करमित्यादि । “पुष्करं सर्वतोमुखम्”–(अ.को. १।१०।४) इत्यादिनिघण्टुप्रसिद्धिद्योतको ‘वै’–शब्दः । ‘ तासाम् ’ अपां प्रथमसृष्टानाम् ‘इयम्’ पृथिवी ‘ पर्णम् ’ पर्णस्थानीया । एतदेव विशदयति-यथा ह वा इति । ‘ इदं पुष्करपर्णम् ’ पद्मपत्रं यथा खलु ‘ अप्स्वध्याहितम् ’ उपर्याश्रितं सद् दृश्यते ‘ एवमियम् ’ पृथिवी ‘ अप्सु ’ उदकेषु ‘अध्याहिता’ उपर्याश्रिता वर्तते । अत एवोपरिष्टात् “तदपाꣳ शर आसीत्तत्समहन्यत सा पृथिव्यभवद्”–(श. प. १०।१।६।२) इत्याम्नास्यते; अतः पुष्करपर्णसाम्यात्पृथिव्याः पुष्करपर्णत्वम् । सेयं योनिरित्यादि । यदिदं पृथिव्यात्मकं पुष्करपर्णं ‘सेयम्’ ‘अग्नेः’ ‘योनिः’ उत्पत्तिकारणम्, अत एव ‘ हि ’ ‘ इयम् ’ पृथिवी

(म) अपां पृष्ठमसि योनिरग्नेरिति । (त्य) अपाᳪं ह्ययं पृष्ठं योनिर्ह्ययु-मग्नेः समुद्रमभितः पिन्वमानमिति समुद्रो ह्रीमामभितः पिन्वते व्वर्ध-मानो महाँ२॥ऽआ च पुष्करऽइति व्वर्धमानो महीयस्व पुष्करऽइत्येतु-द्दिवो मात्रया व्वरिम्णा प्रथस्वेत्यनुविमार्ष्ट्यसौ वाऽआदित्युऽएषोऽग्निर्नो हैतमन्यो दिवो व्वरिमा यन्तुमर्हति द्यौर्भूत्वैनं यच्छेत्युवैतदाह स्वराजो-पदधाति स्वाराज्यᳪं ह्यपाᳪं सादयित्वा सूददोहसाऽधिवदति तस्योक्तो बन्धुः ॥ ९ ॥

" अपां पृष्ठमसि योनिरग्नेः "–इति । अपां हीयं पृष्ठम् । योनिर्हीयमग्नेः । " समुद्रम-भितः पिन्वमानम् "–इति । समुद्रो हीमामभितः पिन्वते । "वर्द्धमानो महाँ२॥आ च पुष्करे"–इति । वर्धमानो महीयस्व पुष्करऽइत्येतत् । "दिवो मात्रया वरिम्णा प्रथस्व"– वा. सं. १३। २) इत्यनुविमार्ष्टि । असौ वाऽआदित्य एषोऽग्निः । नो हैतमन्यो दिवो वरिमा यन्तुमर्हति । द्यौर्भूत्वैनं यच्छेत्येवैतदाह । स्वराजोपदधाति । स्वाराज्यं ह्यपाम् । सादयित्वा सूददोहसाऽधिवदति । तस्योक्तो बन्धुः ॥ ९ ॥

कार्यकारणयोरभेदाच्चित्याग्निरूपेण वर्त्तते । एतत्तादात्म्यमुपपादयति–अस्यै हि सर्वोऽग्निश्चीयत इति । " षष्ठ्यर्थे चतुर्थी "–(पा. सू. २ । ३ । ६२ । वा. १ ।) अस्याः पृथिव्याः सम्बन्धिनीभिर्मृन्मयीभि-रिष्टकाभिः कृत्स्नः ' अग्निश्चीयते ' अतः पृथिव्या अग्नेश्च तादात्म्यमुक्तमित्यर्थः । उदीरितरीत्या यतः पुष्कर-पर्णं पृथिवी, अतस्तदुपधानेन ' इमामेव ' पृथिवीमुपहितवान् भवतीत्यर्थः । अथैतस्योपधानस्य सत्यसामा-नन्तर्यमनूद्य स्तौति–वामनन्तर्हितामिति । ' सत्यात् ' सत्यसामगानाद् ' अनन्तर्हिताम् ' अव्यवहितां ' ताम् ' पुष्करपर्णेष्टकामुपदध्यात् । ' तत् ' तेनानन्तर्हितत्वेन ' इमाम् ' पृथिवीं ' सत्ये ' ' प्रतिष्ठापयति ' ' तस्माद् ' एव खलु ' इयम् ' पृथिवी ' सत्ये ' ' ब्रह्मण्यप्स्वोपाधिके ' प्रतिष्ठिता ' दृश्यते । तस्माद्धि-यमिति । " उशब्दोऽवधारणे "–इति । यस्मात् सत्ये प्रतिष्ठिता ' तस्मादेव ' कारणादधिकरणाधिकर्तव्ययो-रभेदोपचारेण ' इयमेव ' पृथिवी ' सत्यम् ' । सत्यरूपतामुपपादयति–इयं हीति । ' एषाम् ' पृथिव्य-न्तरिक्षद्युलोकानां मध्येऽपि ' इयमेव ' खलु पृथिवी ' अद्धातमाम् ' प्रत्यक्षतमाम्, अपारोक्ष्येणावभासमाना दृश्यते, तस्मादस्याः सत्यरूपत्वं बोद्धव्यम् । " किमेत्तिङव्ययघादाम्वद्रव्यप्रकर्षे "–(पा. सू. ५ । ४ । ११) इति आमुप्रत्ययः ॥ ८ ॥

अथ तस्मिन्पुष्करपर्णोपधाने मन्त्रं विधाय पदशो व्याचष्टे–अपां पृष्ठमसीति । अपां हीयमिति । ' इयम् ' पृथिव्यप्सुपर्यवस्थानाद् ' अपाम् ' पृष्ठवत् ' पृष्ठम्, ' अतो हे पुष्करपर्ण ! त्वम् ' ' अपाम् ' उदकानां ' पृष्ठमसि ' पृष्ठभागो भवसि । योनिर्ह्रीयमिति । चित्यस्य ' अग्नेः ' ' योनिः ' पृथिवी, इष्टकोपादानत्वात् । हे पुष्करपर्ण ! त्वमग्नेस्तादृशी योनिरसीति प्रथमपादार्थः । समुद्रो हीमामिति । ' इमाम् ' पृथिवीम् 'अभितः' सर्वतः पृथिव्याः सर्वासु दिक्षु ' समुद्रः ' ' पिन्वते ' सिञ्चति, " पिवि सेचने "–(धा. पा. भ्वा. प.५९०) इति धातुः । महच्छन्दस्य व्याख्यानम्–महीयस्वेति । " महीङ् वृद्धौ "–(धा. पा. कं. आ. २९) इति

१–सिद्धान्तकौमुद्यां तु " महीङ् पूजायाम् " इति दृश्यते ।

(उ) अथ रुक्ममुपदधाति । (त्य) असौ वाऽआदित्यऽएष रुक्मऽएष हीमाः सर्व्वाः प्रजाऽअतिरोचते रोचो ह वै तꣳ रुक्मऽइत्याचक्षते परोक्षं परोक्षकामा हि देवाऽअमुमेवैतदादित्यमुपदधाति स हिरण्मयो भवति परिमण्डलऽएकविꣳशतिनिर्बाधस्तस्योक्तो बन्धुरधस्तान्निर्बाधमुपदधाति रश्मयो वाऽएतस्य निर्बाधा अवस्ताद्ध वाऽएतस्य रश्मयः॥१०

अथ रुक्मेष्टकोपधानम् ।

अथ रुक्ममुपदधाति । असौ वाऽआदित्य एष रुक्मः । एष हीमाः सर्वाः प्रजा अतिरोचते । रोचो ह वै तं रुक्म इत्याचक्षते परोक्षम् । परोक्षकामा हि देवाः । अमुमेवैतदादित्यमुपदधाति । स हिरण्मयो भवति परिमण्डल एकविंशतिनिर्बाधः । तस्योक्तो बन्धुः । अधस्तान्निर्बाधमुपदधाति । रश्मयो वाऽएतस्य निर्बाधाः । अवस्ताद्ध वाऽएतस्य रश्मयः ॥ १० ॥

धातुः कण्ड्वादिः । अनुविमार्ष्टीति । चतुर्थपादावसाने पुष्करपर्णमुपदधानस्तस्यानुलोम्येन विमार्जनं कुर्यात् । असौ वा आदित्य इत्यादि । चतुर्थपादव्याख्यानम् । नो हैतमन्य इति । द्युलोकव्यतिरिक्तः ' अन्यो ' ' वरिमा, ' भाववाचिना तद्वाँल्लक्ष्यते । उत्तरः पदार्थः । एतमग्निम् ' नो ' खलु ' यन्तुमर्हति ' तथा च ' दिवो मात्रया वरिम्णा ' इति इत्थंभावे तृतीयेति व्याख्यातं भवति; अतोऽयमर्थः सम्पद्यत इत्याह—द्यौर्भूत्वेति । हे पुष्करपर्ण ! त्वं द्युलोको भूत्वा एतमग्निं ' यच्छ ' यमयेति तात्पर्यार्थः । छन्दोद्वारेणैतत् प्रशंसति—स्वराजोपदधातीति । उत्तरार्द्धर्चे वैराजपादाभ्यां द्वेऽअक्षरे अधिके तदाधिक्यं स्वराडाख्यच्छन्दसो लक्षणम् " द्वाभ्यां विराट्स्वराजौ " इति स्मरणात् । स्वायत्तं राजते ईष्टे इति स्वराड्, स्वतन्त्रेश्वरस्तस्य कर्म ' स्वाराज्यम् ' ' अपाम् ' ' हि ' सम्बन्धि यत् स्वाराज्यं तदेव पुष्करपर्णम् । अतस्तस्य स्वराजोपधानं युक्तमिति भावः । सादयित्वा—इत्यादिकं प्रागुक्तार्थम् ॥ ९ ॥

आकाशात्मना स्तुतस्य पुष्करपर्णस्य मध्ये सूर्यमण्डलात्मना ध्यातव्यस्य रुक्मस्योपधानं विधत्ते—अथ रुक्ममिति । ' अथ '—शब्दः पुष्करपर्णोपधानानन्तर्यार्थः । रुक्मस्यादित्यात्मकत्वमुपपादयति—एष हीमा इति । ' एषः ' एव परिदृश्यमानो हि ' असौ वा आदित्यः ' ' इमाः ' ' सर्वाः ' ' प्रजाः ' ' अतिरोचते, ' अतो रोचत इति व्युत्पत्त्या रुच्धातोः पचाद्यचि ' रोच ' इति तस्य नामधेयं सम्पद्यते, तदेव पारोक्ष्येण ' रुक्म ' इति ब्रुवते परोक्षप्रियत्वाद्देवानामित्यर्थः । रुक्मस्य प्रकृतिद्रव्यमाकृतिविशेषं च दर्शयति—स हिरणमय इति । ' सः ' रुक्मः सुवर्णमयः कार्यः । दाण्डिनायनादिसूत्रे (पा. सू. ६ । ४ । १७४) निपातनान्मयटि, हिरण्यशब्दस्यान्त्ययकारलोपः । ' परिमण्डलः ' वर्त्तुलाकृतिः, ' एकविंशतिनिर्बाधः ' एकविंशतिसङ्ख्याकैः पुलकैर्युक्तः कार्यः । तस्योक्त इति । ' तस्य ' एकविंशतिनिर्बाधयोगस्य एकविंशो ह्येष बहिष्टान्निर्बाधं बिभर्ति (श. प. ६ । ७ । १ । २) इत्यादिना स्तुतिः प्रागाम्नातेत्यर्थः । उपधानसमये निर्बाधानामधोभागेऽवस्थानं यथा भवति तथा कर्त्तव्यमिति विधत्ते—अधस्तान्निर्बाधमिति । तस्य कारणमाह—रश्मयो वा एतस्येति । सूर्यमण्डलस्याधस्ताद्भागे हि ' रश्मयो ' निःसरन्ति; अतो रश्म्यात्मकानां निर्बाधानामधस्ताद्भागे करणं युक्तमिति भावः ॥ १० ॥

(स्तुं) तं पुष्करपर्णऽउपदधाति । योनिर्वै पुष्करपर्णं योनावेवैनमेतत्प्रतिष्ठापयति ॥ ११ ॥

यद्वेव पुष्करपर्णऽउपदधाति । प्रतिष्ठा वै पुष्करपर्णमियं वै पुष्करपर्णमियमु वै प्रतिष्ठा यो वाऽअस्यामप्रतिष्ठितोऽपि दूरे सन्नप्रतिष्ठितऽ एव स रश्मिभिर्वाऽएषोऽस्यां प्रतिष्ठितोऽस्यामेवैनमेतत्प्रतिष्ठायां प्रतिष्ठापयति १२

यद्वेव पुष्करपर्णऽउपदधाति । (ती) इन्द्रो वृत्रꣳ हत्वा नास्तृषीति मन्यमानोऽपः प्राविशत्ताऽ अब्रवीद्बिभेमि वै पुरं मे कुरुतेति स योऽपाꣳ रस ऽआसीत्तमूर्ध्वꣳ समुदौहंस्तामस्मै पुरमकुर्वंस्तद्यदस्मै पुरमकुर्वंस्तस्मात्पूष्करं पूष्करꣳ ह वै तत्पुष्करमित्याचक्षते परोक्षं परोऽक्षकामा हि देवास्तद्यत्पुष्करपर्णऽउपदधाति यमेवास्मै तमापो रसꣳ समुदौहन्यामस्मै पुरमकुर्वंस्तस्मिन्नेवैनमेतत्प्रतिष्ठापयति ॥ १३ ॥

तं पुष्करपर्णऽउपदधाति । योनिर्वै पुष्करपर्णम् । योनावेवैनमेतत्प्रतिष्ठापयति ॥ ११ ॥

यद्वेव पुष्करपर्णऽउपदधाति । प्रतिष्ठा वै पुष्करपर्णम् । इयं वै पुष्करपर्णम् । इयमु वै प्रतिष्ठा । यो वाऽअस्यामप्रतिष्ठितोऽपि दूरे सन्–अप्रतिष्ठित एव सः । रश्मिभिर्वाऽएषोऽस्यां प्रतिष्ठितः । अस्यामेवैनमेतत्प्रतिष्ठायां प्रतिष्ठापयति ॥ १२ ॥

यद्वेव पुष्करपर्णऽउपदधाति । इन्द्रो वृत्रं हत्वा नास्तृषीति मन्यमानोऽपः प्राविशत् । ता अब्रवीत्–बिभेमि वै । पुरं मे कुरुतेति । स योऽपां रस आसीत्–तमूर्ध्वं समुदौहन् । तामस्मै पुरमकुर्वन् । तद्यदस्मै पुरमकुर्वन्–तस्मात्पूष्करम् । पूष्करं ह वै तत् पुष्करमित्याचक्षते परोक्षम् । परोक्ष-

---

तस्य पुष्करपर्णमध्ये उपधानं विधत्ते–**तं पुष्करपर्ण** इति । पुष्करपर्णस्य योनिरूपत्वं प्रागुक्तम् ॥ ११ ॥

प्रकारान्तरेण पुष्करपर्णे रुक्मोपधानं स्तौति–**यद्वेवेति** । ' प्रतिष्ठा ' आस्पदम्, तद्रूपतां पुष्करपर्णस्योपपादयति–**इयं वै पुष्करपर्णमिति** । **यो वा अस्यामित्यादि** । ' यः ' खलु ' अस्याम् ' पृथिव्याम् ' अप्रतिष्ठितः ' प्रतिष्ठितो न भवति, स दूरदेशे ' सन् ' वर्तमानोऽपि ' अप्रतिष्ठितः ' प्रतिष्ठारहितो निरालम्बन एव भवति । यद्येवमाकाशे वर्तमानस्य सूर्यस्य पृथिव्यामनवस्थानादेतेन पुष्करपर्ण उपधानेन ' एनम् ' रुक्मरूपमादित्यम् ' अस्याम् ' पृथिवीरूपायामेव ' प्रतिष्ठायाम् ' ' प्रतिष्ठापयति ' ॥ १२ ॥

एतदेव रुक्मोपधानस्य पुष्करपर्णाधिकरणत्वमाख्यायिकया पुष्करनामनिर्वचनेन प्रतिष्ठारूपतां ब्रुवन्स्तौति–**यद्वेव पुष्करपर्ण** इत्यादिना । ' नास्तृषि ' न खल्वहमद्यापि वृत्रमहिंसिषमिति विपर्यस्तमतिः सन्नित्यर्थः । सः ' इन्द्रः ' अनन्तरम् ' अपः प्राविशत्, ' 'ता अब्रवीत्' च, अहं वृत्राद् 'बिभेमि' बिभ्यतो मम ' पुरम् ' भयरहितमावासस्थानं हे आपः ! यूयं 'कुरुत' आपश्चैतद् वचः श्रुत्वा ' यः ' स्वकीयः ' रसः ' प्रातिस्विकः

ब्रह्म जज्ञानं प्रथमं पुरस्ताादिति । (त्य) असौ वाऽआदित्यो ब्रह्मा-ऽहरहः पुरस्ताज्जायते वि सीमतः सुरुचो वेनऽआवरिति मध्यं वै सीमेमे लोकाः सुरुचोऽसावादित्यो वेनो यद्धै प्रजिजानिषमाणोऽवेनत्तस्माद्वेनस्ता-नेष सीमतो मध्यतो विवृण्वन्नुदेति स बुध्न्याऽउपमाऽअस्य विष्ठाऽइति दिशो वाऽअस्य बुध्न्याऽउपमा विष्ठास्ता ह्येषऽउपवितिष्ठते सतश्च योनिमसतश्च विवरितीमे वै लोकाः सतश्च योनिरसतश्च यच्च ह्यस्ति यच्च न तदेभ्यऽएव लोकेभ्यो जायते त्रिष्टुभोपदधाति त्रैष्टुभो ह्येष साद-यित्वा सूददोहसाऽधिवदति तस्योक्तो बन्धुः ॥ १४ ॥

कामा हि देवाः । तद्यत्पुष्करपर्णं उपदधाति–यमेवास्मै तमापो रसं समुदौहन् । यामस्मै पुरमकुर्वन्–तस्मिन्नेवैनमेतत्प्रतिष्ठापयति ॥ १३ ॥

" ब्रह्म जज्ञानं प्रथमं पुरस्ताद् "–इति । असौ वाऽआदित्यो–ब्रह्माहरहः पुरस्ताज्जायते । "वि सीमतः सुरुचो वेन आवः"–इति । मध्यं वै सीमा । इमे लोकाः सुरुचः । असावादित्यो वेनः । यद्धै प्रजिजनिषमाणोऽवेनत्–तस्माद्वेनः । तानेष सीमतो मध्यतो विवृण्वन्नुदेति । " स बुध्न्या उपमा अस्य विष्ठाः"–इति । दिशो वाऽअस्य बुध्न्या उपमा विष्ठाः । ता ह्येष उपवितिष्ठते । " सतश्च योनिमसतश्च विवः "–(वा० सं० १३ । ३) इति । इमे वै लोकाः सतश्च योनिरसतश्च–यच्च ह्यस्ति, यच्च न । तदेभ्य एव लोकेभ्यो जायते । त्रिष्टुभोपदधाति । त्रैष्टुभो ह्येषः । सादयित्वा सूददोहसाऽधिवदति । तस्योक्तो बन्धुः ॥ १४ ॥

' आसीत्, ' ' तमूर्द्ध्वं समुदौहन् ' समुदक्षिपन् । तमेव रसं पुष्करपर्णात्मना परिणतं निवासस्थानम् ' अकुर्वन् ' यस्मादेवं पूरक्रियत तस्मात् तस्य पुष्करमिति नाम संपन्नम् । पूः क्रियतेऽनेनेति व्युत्पत्तेः ' पूष्करम् ' इति प्रयोक्तव्ये ' पुष्करम् ' इति प्रयोगस्तु पारोक्ष्यकरणायेति संग्रहेणार्थः । एवं पुष्करनामनिर्वचनं कृत्वा प्रकृते योजयति–**तद्यत्पुष्करपर्णं** इति । ' अस्मै ' इन्द्राय ' यमेव तम् ' ' रसम् ' ' आपः ' पुरा ' समुदौहन् ' समुत्क्षिप्तवत्यः, तदनन्तरमस्मा एवेन्द्राय 'यां' ' पुरम् ' पुष्करपर्णात्मिकाम् ' अकुर्वन् ' ' तस्मिन्नेव ' उभयरूपे स्वाश्रये रुक्मरूपेणावस्थितमिन्द्रशब्दाभिधेयम् ' एनम् ' सूर्यम् ' एतद् ' एतेन ' प्रतिष्ठापयति ' इत्यर्थः ॥ १३ ॥

तस्मिन् रुक्मोपधाने मन्त्रं दर्शयति–**ब्रह्म जज्ञानमिति**[1] । ननु षड्भावविकाररहितमौपनिषदं ' ब्रह्म ' तत् कथं तस्य जनिक्रियायोगो मन्त्रपदेन प्रतिपाद्यत इत्याशङ्क्य व्याचष्टे–**असौ वा आदित्य** इति । अत्र प्रादुर्भाव एव जनेरर्थो न तूत्पत्तिः । अयमर्थः–तदुक्तविधं ब्रह्म सगुणं सद् ' असौ ' द्युलोकस्य 'आदित्यो'–भूत्वा प्रत्यहं ' पुरस्तात् ' पूर्वस्यां दिशि ' जायते ' उदेति । ' जज्ञानम् ' इति जनेर्लिटः कानजादेशे (पा. सू. ३ । २ । १०६ ।) रूपम् ॥

१–तस्मिन्रुक्ममधः पिण्डं ब्रह्म जज्ञानमिति । का० श्रौ० सू० । १७ । ७४ ।

(उ) अथ पुरुषमुपदधाति । स प्रजापतिः सोऽग्निः स यजमानः स हिरण्मयो भवति ज्योतिर्वै हिरण्यं ज्योतिरग्निरमृतꣳ हिरण्यममृतमग्निः पुरुषो भवति पुरुषो हि प्रजापतिः ॥ १५ ॥

अथ पुरुषेष्टकोपधानम् ।

अथ पुरुषमुपदधाति । स प्रजापतिः, सोऽग्निः, स यजमानः । स हिरण्मयो भवति । ज्योतिर्वै हिरण्यम्, ज्योतिरग्निः । अमृतं हिरण्यम्, अमृतमग्निः । पुरुषो भवति । पुरुषो हि प्रजापतिः ॥ १५ ॥

द्वितीयपादे क्रमेण पदार्थानाह—**मध्ये वा** इति । 'सीमतः' इति पदे यत् सीमेति प्रातिपदिकं तन्मध्यमाचष्टे । सुष्ठु रोचन्ते सवितृप्रकाशेन दीप्यन्त इति 'सुरुचः' पृथिव्यादिलोकाः । "असावादित्यो वेनः"—इति यद् वेनोऽसावुच्यते, तन्नामनिर्वचनं करोति—**यद्वा** इति । यस्मात् कारणात्—'प्रजिजनिषमाणः' प्रजनितुं प्रादुर्भवितुमुदेतुमिच्छन् 'अवेनत्' कान्तियुक्तोऽभवत् तस्मात् वेनति दीप्यत इति 'वेनः' इति सूर्यस्य नाम सम्पन्नम् । अत एव यास्कोऽप्याह स्म—"वेनो वेनतेः कान्तिकर्मणः"—इति (निरु. १०।४।१) । इत्थं पदार्थानुक्त्वा वाक्यार्थमाह—**तानेष** इति । 'तान्' सुरुक्छब्दाभिधेयान् पृथिव्यादिलोकान् 'एषः' सूर्यः 'सीमतो' 'मध्यतो' 'व्यावः' व्यावृणोत् उदयेन प्रकाशितवान् । वृणोतेर्लुङि, "मन्त्रे घस"—(पा. सू. २।४।८०) इत्यादिना च्लेर्लुक् । "छन्दस्यपि दृश्यते"—(पा. सू. ६।४।७३) इत्याडागमः । एतस्य पदस्योक्तार्थपरतां व्याचष्टे—**विवृण्वन्नुदेतीति** ॥

तृतीयपादमनूद्य व्याचष्टे—**स बुध्न्या** इति । बुध्नो मूलं तत्र भवाः 'बुध्न्याः' पादाः ते च 'अस्य' सूर्यस्य दिगात्मका रश्मिप्रसरणहेतुत्वात् । 'ताः' बुध्न्यशब्दाभिधेया दिशः । उप समीपे स्वगतिभेदेन निर्मिमीत इति 'उपमाः' सूर्यः तथा ताः 'दिशो' ऽनुलक्ष्य 'वितिष्ठते' विविधं पूर्वपश्चिमादिदिग्भेदहेतुत्वेनावतिष्ठत इति 'विष्ठाः' । तिष्ठतेर्माङ्क्ष्य "आतो मनिन्"—(पा. सू. ३।२।७४) इति विच्, एवम्भूतः सूर्यः 'सतः' लोकत्रयात्मकस्य भावरूपस्य 'असतः' अभावात्मकस्य च 'योनिम्' उत्पत्तिस्थानं 'विवः' विवृणोति । सदसच्छब्दयोर्भावाभावपरतां व्याचष्टे—**यच्च ह्यस्ति यच्च नेति** । छन्दोद्वारेण प्रशंसति—**त्रिष्टुभेति** । **त्रैष्टुभो ह्येष** इति । "गायत्री वै पृथिवी त्रैष्टुभमन्तरिक्षम्"—(तै. सं. ६।२।१) इत्यादिश्रुतेः । द्वितीयस्थानत्वाच्चान्तरिक्षस्य त्रिष्टुप्सम्बन्धः, तत्र संचरत्त्रिष्टुप्छन्दस इन्द्रेण सहोत्पत्तेश्च इन्द्रात्मक एष सूर्योऽपि त्रैष्टुभः । **सादयित्वे**त्यादि—व्याख्यातम् ॥ १४ ॥

रुक्ममध्ये हिरण्मयपुरुषस्योपधानं विधत्ते—**अथ पुरुषमिति** । **स प्रजापतिरित्यादि** । 'सः' उपधेयः पुरुषः 'प्रजापतिः' स्थूलप्रपञ्चाभिमानी विराडात्मकः, 'सः' एव 'अग्निः' सूक्ष्मप्रपञ्चाभिमानी हिरण्यगर्भात्मकः, यजमानस्य तद्रूपप्राप्तेर्यजमानात्मकोऽपि 'सः' इत्यर्थः । तस्य हिरण्यविकृतित्वं विधाय स्तौति—**स हिरण्मय** इति । **ज्योतिर्वा** इति । भास्वररूपोपेतत्वाज्ज्योतिरात्मकं हिरण्यम् । तथाऽत्यन्ताग्निसंयोगेऽपि समुच्छित्तिविरहाद् 'अमृतम्' अमरणस्वभावं 'हिरण्यम्' । चीयमानः 'अग्निः' अपि एतदुभयात्मक इति हिरण्मयत्वं युक्तमित्यर्थः । पुरुषरूपतामनूद्य प्रतिपादयति—**पुरुषो भवतीति** । 'हि' यस्माच्चित्याग्निरूपेण संस्कर्तव्यः 'प्रजापतिः' पुरुषविधस्तत्प्रतिरूपत्वाद्धिरण्मयस्योपधेयस्य पुरुषाकृतिर्युक्तेत्यर्थः ॥ १५ ॥

१७९.३

१४९

(१६) यद्देव पुरुषमुपदधाति । प्रजापतेर्व्विस्रस्ताद्रम्या तनूर्मध्यत ऽउदक्रामत्तस्यामेनमुत्क्रान्तायां देवा ऽ अजहुस्तं यत्र देवाः समस्कुर्वंस्तदस्मिन्नेताᳬं रम्यां तनूं मध्यतोऽदधुस्तस्यामस्य देवा ऽअरमन्त तद्यदस्यैतस्याᳬं रम्यायां तन्वां देवा ऽअरमन्त तस्माद्धिरम्यᳬं हिरम्यᳬं ह वै तद्धिरण्यमित्याचक्षते परोऽक्षं परोऽक्षकामा हि देवास्तथैवास्मिन्नयमेताᳬं रम्यां तनूं मध्यतो दधाति तस्यामस्य देवा रमन्ते प्राणो वाऽअस्य सा रम्या तनूः प्राणमेवास्मिन्नेतं मध्यतो दधाति ॥ १६ ॥

यद्देव पुरुषमुपदधाति । प्रजापतेर्विस्रस्ताद्रम्या तनूर्मध्यत उदक्रामत् । तस्यामेनमुत्क्रान्तायां देवा अजहुः । तं यत्र देवाः समस्कुर्वन्—तदस्मिन्नेतां रम्यां तनूं मध्यतोऽदधुः । तस्यामस्य देवा अरमन्त । तद्यदस्यैतस्यां रम्यायां तन्वां देवा अरमन्त—तस्माद्धिरम्यम् । हिरम्यं ह वै तद्धिरण्यमित्याचक्षते परोऽक्षम् । परोऽक्षकामा हि देवाः । तथैवास्मिन्नयमेतां रम्यां तनूं मध्यतो दधाति । तस्यामस्य देवा रमन्ते । प्राणो वाऽअस्य सा रम्या तनूः । प्राणमेवास्मिन्नेतं मध्यतो दधाति॥ १६॥

एतदेव पुरुषोपधानमनूद्य मनःप्राणाद्यात्मकसूक्ष्मशरीरस्थापनरूपेण स्तौति—यद्देवेति । प्रजापतेर्विस्रस्तादित्यादि । 'प्रजापतिः' हि पुरा विस्रस्तशरीरोऽभूत् । तथाविधात्तस्माद्रमणीया ज्ञानक्रियाशक्तिरूपा सूक्ष्मा 'तनूः' 'मध्यतः' शरीरमध्याद् 'उदक्रामत्' ऊर्ध्वं निरगमत् । 'तस्याम्' ऊर्ध्वं निष्क्रान्तायां सत्याम् 'एनम्' प्रजापतिं चक्षुराद्यभिमानि—'देवाः' आदित्यादयः 'अजहुः' अत्यजन् । "ओहाक् त्यागे"—(धा. पा. जु. प. ८) इति धातुः । 'तं' तथाविधं प्रजापतिं 'देवाः' तत्पुत्राः 'यत्र' यस्मिन् प्रदेशे 'समस्कुर्वन्' चित्याग्निरूपेण संस्कृतवन्तः । "अडभ्यासव्यवायेऽपि"—(पा. सू. ६ । १ । १४० । वा. १) इति कात् पूर्वः सुट् । 'तत्' तत्र 'अस्मिन्' प्रजापतौ 'एताम्' निष्क्रान्तां 'रम्याम्' 'तनूम्' 'मध्यतोऽदधुः' स्थापयाञ्चक्रुः । 'अस्य' प्रजापतेः 'तस्याम्' तन्वाम् पुरा निष्क्रान्ता इन्द्रियदेवताः 'अरमन्त' पुनः प्रविश्यातिष्ठन्नित्यर्थः । उक्तार्थोपजीवनेन हिरण्यनामनिर्वचनं करोति—तद्यदस्येति । 'एतस्यां' हितायां स्थापितायां ज्ञानक्रियाशक्त्युपेतत्वेन रमणीयायांतन्वां यस्माद् 'देवा अरमन्त; तस्मात्' हितेऽस्मिन् रमत इति व्युत्पत्त्या 'हिरम्यम्' इति नाम सम्पन्नम्, तदेव पारोक्ष्येण हिरण्यमित्युच्यते, पृषोदरादित्वाद्रूपसिद्धिः (पा. सू. ६ । ३ । १०९) इति । अत एव "हिरण्यं कस्मात्"—इति प्रक्रम्योक्तं यास्केन "हितरमणं भवति इति वा" (निरु. २ । २ । २) इति । एवं पुराकल्पमभिधाय प्रकृते योजयति—तथैवास्मिन्नित्यादिना । 'अयम' यजमानः । शिष्टं स्पष्टम् । का पुनरसौ रम्या तनूरिति तामाह—प्राणो वा अस्येति । प्राणापानादिपञ्चवृत्त्यात्मकः क्रियाशक्त्यात्मकः 'प्राणः' 'अस्य' प्रजापतेरेव 'रम्या तनूः' अतस्तत्स्थापनमेव कृतं भवतीत्यर्थः ॥ १६ ॥

तुꣳ रुक्मऽउपदधाति । (त्य) असौ वाऽआदित्युऽएष रुक्मोऽथ यु ऽएषुएतुस्मिन्मण्डले पुरुषः सुऽएष तुमेवैतदुपदधाति ॥ १७ ॥

(त्यु) उत्तानमुपदधाति । (त्ये) एतद्वै देवुाऽअब्रुवन्युदि वुाऽइमावर्वा- ञ्चाऽउपधास्यामः सुर्व्वमेवेदं प्रधक्ष्यतो युद्यु पुराञ्चौ पुराञ्चावेवु तप्स्य- तो युद्यु सम्युञ्चावन्तुरेवैतावेतज्ज्योतिर्भविष्यत्युथोऽअन्योऽन्युꣳ हिꣳ- सिष्यतऽइति तेऽर्वाञ्चमन्युमुपादधुः पुराञ्चमन्युꣳ सुऽएषु रश्मिभिरर्वाङ् तपति रुक्मुः प्राणैरेषुऽऊर्ध्वः पुरुषः प्राञ्चमुपदधाति प्राङ्ह्युषो- ऽग्निश्चीयुते ॥ १८ ॥

तं रुक्मऽउपदधाति । असौ वाऽआदित्य एष रुक्मः । अथ य एष एतस्मिन्मण्डले पुरुषः—स एषः । तमेवैतदुपदधाति ॥ १७ ॥

उत्तानमुपदधाति । एतद्वै देवा अब्रुवन्—यदि वाऽइमाववोञ्चाऽउपधास्यामः—सर्वमेवेदं प्रधक्ष्यतः । यद्यु पराञ्चौ । पराञ्चावेव तप्स्यतः । यद्यु सम्यञ्चौ । अन्तरेवैतावेतज्ज्योतिर्भविष्यति । अथो- ऽअन्योऽन्यं हिंसिष्यत इति । तेऽर्वाञ्चमन्यमुपादधुः, पराञ्चमन्यम् । स एष रश्मिभिरर्वाङ् तपति रुक्मः । प्राणैरेष ऊर्ध्वः पुरुषः । प्राञ्चमुपदधाति । प्राङ् ह्येषोऽग्निश्चीयते ॥ १८ ॥

तस्य पुरुषोपधानस्याधारविशेषं विधाय स्तौति—तं रुक्म इति । यो 'रुक्मः' पुष्करपर्णे उपहितस्तस्य मध्ये 'तम्' हिरण्मयं पुरुषमुपदध्यात् । आदित्यमण्डलात्मको ह्येष 'रुक्मः' आदित्यमण्डलमध्ये यो हिरण्मयः पुरुष आस्ते । अत एव श्रूयते—"एषोऽन्तरादित्ये हिरण्मयः पुरुषः"—इति । "हिरण्यश्मश्रुर्हिरण्य- केश आप्रणखात्सर्व एव सुवर्णः"—इति च । स एवैष उपधीयमानो हिरण्मयः पुरुषो रुक्मरूपे आदित्य- मण्डले तमेव पुरुषमुपहितवान् भवतीत्यर्थः ॥ १७ ॥

तत्रोपधाने पुरुषस्योपरिमुखत्वं विधत्ते—उत्तानमुपदधातीति । एतदेवोपरिष्टान्मुखत्वमाख्यायिकया प्रति- पादयति—एतद्वै देवा इत्यादिना । 'यदि' खलु 'इमौ' रुक्मपुरुषौ 'अर्वाञ्चौ' अधोमुखौ 'उपधास्यामः' उभयोस्तेजसोः संसृष्टत्वेन प्रबलतरौ अधोमुखं 'सर्वमेवेदम्' जगत् 'प्रधक्ष्यतः' प्रदग्धं करिष्यतः । एत- द्दोषपरिहारार्थं 'यदि' खलु 'एतौ' 'पराञ्चौ' पराङ्मुखौ, ऊर्ध्वमुखौ उपधास्यामस्तथा सति 'पराञ्चावेव' पराङ्मुखावेव सन्तौ 'तप्स्यतः' सूर्यमण्डलाद् ये उपरितना लोकास्तत्रैव सूर्यप्रकाशः स्यान्न त्वधस्तनेषु लोकेष्वित्यर्थः । प्रधक्ष्यत इति प्रपूर्वाद्दहतेर्लृटस्तसादेशः, 'तप्स्यतः' इति "तप सन्तापे"—(धा. पा. भ्वा, प. १०१०) इत्यस्मात् । 'यदि' तर्हि 'सम्यञ्चौ' परस्पराभिमुखौ तौ रुक्मपुरुषावुपदध्यामस्तदा 'एतावन्त- रैव' एतयोर्मध्ये एव तदीयं 'ज्योतिर्भविष्यति' तथा च व्यवधानादुपरितनानधस्तनांश्च लोकान्न प्रकाशये- ताम् । 'अथो' अपि च 'अन्योन्यं हिंसिष्यतः' रुक्मस्य ज्योतिषा पुरुषज्योतिः प्रतिहन्येत, तेन च रुक्मज्योतिरिति परस्परहिंसेत्यर्थः । कथं तर्हि तावुपधेयाविति तत्राह—तेऽर्वाञ्चमिति । 'ते' देवाः 'अन्यम्'

हिरण्यगर्भः समवर्त्तताग्रऽइति । हिरण्यगर्भो ह्येष समवर्त्तताग्रे भूतस्य जातः पतिरेकऽ आसीदित्येष ह्यस्य सर्वस्य भूतस्य जातः पतिरेक ऽआसीत्स दाधार पृथिवीं द्यामुतेमामित्येष वै दिवं च पृथिवीं च दाधार कस्मै देवाय हविषा विधेमेति प्रजापतिर्वै कस्तस्मै हविषा विधेमेत्येतत् ॥१९॥

(द्र) द्रप्सश्चस्कन्द पृथिवीमनु द्यामिति।(त्य) असौ वाऽआदित्यो द्रप्सः स दिवं च पृथिवीं च स्कन्दतीत्यमूमितीमामिमं च योनिमनु यश्च पूर्व

" हिरण्यगर्भः समवर्त्तताग्रे "–इति । हिरण्यगर्भो ह्येष समवर्त्तताग्रे । " भूतस्य जातः पतिरेक आसीत् "–इति । एष ह्यस्य सर्वस्य भूतस्य जातः पतिरेक आसीत् । " स दाधार पृथिवीं द्यामुतेमाम् "–इति । एष वै दिवं च पृथिवीं च दाधार । " कस्मै देवाय हविषा विधेम "–(वा. सं. १३ । ४) इति । प्रजापतिर्वै कः । तस्मै हविषा विधेमेत्येतत् ॥ १९ ॥

" द्रप्सश्चस्कन्द पृथिवीमनु द्याम् "–इति । असौ वाऽआदित्यो द्रप्सः । स दिवं च

एकं सूर्यमण्डलात्मकं रुक्मम् ' अर्वाञ्चम् ' अधस्तान्निर्बाधम् ' उपादधुः ' ' अन्यं ' पुरुषं ' पराञ्चं ' पराङ्मुखमुत्तानमुपादधुरित्यनुषङ्गः । यस्मादेवं तस्मादेष मण्डलात्मकः सूर्यो ' रश्मिभिः ' किरणैः ' अर्वाङ् ' अधोमुखः ' तपति ' । स एव रुक्मात्मकः एषः प्राणात्मको मण्डलान्तरवर्त्ती ' पुरुषः ' प्राणिनां ' प्राणैः ' सह ' ऊर्द्ध्वः ' वर्त्तते । अत एवान्यत्राम्नातम्–" योऽसौ तपन्नुदेति स सर्वेषां भूतानां प्राणानादायोदेति "–(तै. आ. १ । १४ । १) इति । तस्य प्राङ्मुखत्वं विधाय स्तौति–**प्राञ्चमिति** । ' तम् ' उत्तानं पुरुषं ' प्राञ्चम् ' प्राङ्मुखमुपदध्यात् । ' हि ' यस्मादेव प्राङ्मुखः प्राक्छिरस्कः ' चीयते ' तस्माद्धिरण्मयपुरुषस्यापि तथात्वं युक्तम् । पुष्करपर्णोपधानं प्रस्तुत्य एतत् सर्वं कात्यायनोऽप्यसूत्रयत्–" तस्मिन्रुक्ममधःपिण्डं ब्रह्मजज्ञानमिति, उत्तानं प्राञ्चं हिरण्यपुरुषं तस्मिन् हिरण्यगर्भ इति "–(का. श्रौ. सू. १७ । ७४ । ७५) हिरण्यगर्भो द्रप्सश्चस्कन्देति द्वाभ्यां हिरण्मयपुरुषमुपदध्यादिति सूत्रार्थः ॥ १८ ॥

प्रथमां पादशोऽनूद्य व्याचष्टे–**हिरण्यगर्भ** इत्यादिना । **हिरण्यगर्भो ह्येष** इति ' एषः ' हिरण्यपुरुषः सूर्यमण्डलान्तर्वर्ती हिरण्यगर्भः, अपञ्चीकृतभूततत्कार्याभिमानी परमेश्वरो हि हिरण्यगर्भः, स च हिरण्मयाण्डमध्ये गर्भवदवस्थानात् ' हिरण्यगर्भः ' इत्युच्यते । अयम् ' अग्रे ' सृष्ट्यादौ हिरण्यगर्भाख्यः प्रजापतिः प्रथमं ' समवर्त्तत ' प्रथमशरीरी जात इत्यर्थः । अत एवान्यत्र श्रूयते–" स वै शरीरी प्रथमः स वै पुरुष उच्यते "–इति । **एष ह्यस्येत्यादि** । ' एषः ' खलु हिरण्यगर्भः ' अस्य ' ' सर्वस्य ' भूतभौतिकात्मकस्य कृत्स्नस्य जगतः जातावस्थ एव सन् ' एकः ' असाधारणः ' पतिः ' नियन्ता ' आसीत् ' । **एष वै दिवं चेत्यादि** । ' एषः ' खल्वादित्यात्मको हिरण्यगर्भो ' दिवम् ' द्युलोकं ' पृथिवीम् ' भूमिं च प्रकाशनवर्षणादिव्यापारेण ' दाधार ' धृतवान् । **कस्मै देवायेति** । किंशब्दादिह निरुक्तानिरुक्तकृत्स्नजगदात्मकत्वादीदृग्रूप इति निर्वक्तुमशक्यः प्रजापतिरेवोच्यत इत्याह–**प्रजापतिर्वै क** इति ॥ १९ ॥

द्वितीयामृचमनूद्य व्याचष्टे–**द्रप्सश्चस्कन्देति** । **असौ वा आदित्य** इत्यादि । द्रवानुदबिन्दून् किरणैः

ऽइतीमं च लोकममुं चेत्येतदथो यच्चेदमेतर्हि चीयते यच्चादः पूर्वमचीयतेति समानं योनिमनु संचरन्तमिति समानᳪं ह्येषऽएतं योनिमनु संचरति द्रप्सं जुहोम्यनु सप्त होत्राऽइत्यसौ वाऽआदित्यो द्रप्सो दिशः सप्त होत्रा अमुं तदादित्यं दिक्षु प्रतिष्ठापयति ॥ २० ॥

द्वाभ्यामुपदधाति । द्विपाद्यजमानो यजमानोऽग्निर्यावानग्निर्यावत्यस्य मात्रा तावतैवैनमेतदुपदधाति त्रिष्टुब्भ्यां त्रैष्टुभो ह्येष सादयित्वा सूददोहसाऽधिवदति तस्योक्तो बन्धुः ॥ २१ ॥

पृथिवीं च स्कन्दति । इत्यमूम्, इतीमाम् । " इमं च योनिमनु यश्च पूर्वः "-इति । इमं च लोकममुं चेत्येतत् । यच्चेदमेतर्हि चीयते, यच्चादः पूर्वमचीयतेति । " समानं योनिमनु सञ्चरन्तम् "-इति । समानं ह्येष एतं योनिमनु संचरति । " द्रप्सं जुहोम्यनु सप्त होत्राः "-(वा. सं. १३ । ५) इति । असौ वाऽआदित्यो द्रप्सः, दिशः सप्त होत्राः । अमुं तदादित्यं दिक्षु प्रतिष्ठापयति ॥ २० ॥

द्वाभ्यामुपदधाति । द्विपाद्यजमानः । यजमानोऽग्निः । यावानग्निर्यावत्यस्य मात्रा-तावतैवैनमेतदुपदधाति । त्रिष्टुब्भ्याम् । त्रैष्टुभो ह्येषः । सादयित्वा सूददोहसाऽधिवदाति । तस्योक्तो बन्धुः ॥२१॥

प्साति भक्षयतीति ' द्रप्सः, ' ' असौ ' ' आदित्यः ' । ' सः ' ' दिवं च ' ' पृथिवीञ्च ' ' स्कन्दति ' गच्छति शोषयति वा । " स्कन्दिर् गतिशोषणयोः "-(धा. पा. भ्वा. प. १००९) इति धातुः । स्कन्दनप्रकारविशेषमभिनयेन दर्शयति-**इत्यमूमितीमामिति** । ' इति ' अनेनोर्ध्वगमनप्रकारेण ' अमूम् ' दिवं व्याप्नोति । 'इति' अनेन प्रकारेणाधोमुखैः किरणैः प्रकाशनेन 'इमां' पृथिवीं व्याप्नोतीत्यर्थः ।

द्वितीयपादमनूद्य व्याचष्टे-**इमञ्च योनिमिति** । ' इमं ' च आहवनीयाख्यं ' योनिं ' ' यश्च पूर्वः ' चितो गार्हपत्याख्यः । तदुभयं द्यावापृथिव्यात्मकमसावादित्यो व्याप्नोतीत्येतदर्थपरतां व्याचष्टे-**इमं च लोकमिति** । लोकद्वयरूपतामुक्त्वा चितिद्वयरूपतामाह-**अथो** इति । अपि च ' एतर्हि ' एतस्मिन् समये ' यद् ' ' इदम् ' ' चीयते ' आहवनीयाख्यं स्थानम्, ' यच्चादः ' विप्रकृष्टं गार्हपत्याख्यं स्थानं ' पूर्वमचीयत ' एतदुभयं हिरण्मयपुरुषरूपः सूर्यो व्याप्नोतीत्यर्थः ॥

तृतीयपादमनूद्य व्याचष्टे-**समानं योनिमिति** । **समानं ह्येष** इति । ' एषः ' सूर्यः ' समानम् ' एकविधम् ' एतम् ' ' योनिम् ' स्थानम्, ' अनु '-लक्ष्य ' सञ्चरति ', प्राच्यां दिशि उद्यन्नेकेनैव मार्गेण प्रतिदिवसं सञ्चरतीत्यर्थः ॥

चतुर्थपादमनूद्य व्याचष्टे-**द्रप्सं जुहोमीति** । तं सञ्चरन्तं ' द्रप्सम् ' प्राच्यां दिश्युद्यन्तं तद्व्यतिरिक्तासु सप्तसु दिक्षु ' जुहोमि ' प्रतिष्ठापयामि । लक्षणे अनोः कर्मप्रवचनीयत्वम् (पा. सू. १ । ४ । ९०) । " कर्मप्रवचनीययुक्ते द्वितीया "-(पा. सू. २ । ३ । ८) इति होत्राशब्दाद् द्वितीया ॥ २० ॥

मन्त्रद्वित्वमनूद्य स्तौति-**द्वाभ्यामिति** । व्याख्यातचरमेतत् । मन्त्रगतच्छन्दोद्वारेण स्तौति-**त्रिष्टुब्भ्यामिति** । आदित्यस्य त्रैष्टुभत्वं प्राक्प्रतिपादितम् । सादयित्वेत्यादिक प्रागुक्तार्थम् ॥ २१ ॥

(रु) अथ साम गायति । (त्ये) एतद्वै देवाऽएतं पुरुषमुपधाय तमेतादृशमेवापश्यन्यथैतच्छुष्कं फलकम् ॥ २२ ॥

(न्ते) तेऽब्रुवन् । (त्रु) उप तज्जानीत यथाऽस्मिन्पुरुषे व्वीर्य्यं दधामेति तेऽब्रुवंश्चेतयध्वमिति चितिमिच्छतेति वाव तदब्रुवंस्तदिच्छत यथाऽस्मिन्पुरुषे व्वीर्य्यं दधामेति ॥ २३ ॥

ते चेतयमानाः । (ऽ) एतत्सामापश्यंस्तदगायंस्तदस्मिन्वीर्य्यमदधुस्तथैवास्मिन्नयमेतद्दधाति पुरुषे गायति पुरुषे तद्वीर्य्यं दधाति चित्रे गायति सर्व्वाणि हि चित्राण्यग्निस्तमुपधाय न पुरस्तात्परीयान्नेन्माऽयमग्निर्हिनसदिति ॥ २४ ॥

चित्रसामगानम् ।

अथ साम गायति । एतद्वै देवाऽएतं पुरुषमुपधाय तमेतादृशमेवापश्यन्–यथैतच्छुष्कं फलकम् २२

तेऽब्रुवन्–उप तज्जानीत–यथाऽस्मिन्पुरुषे वीर्यं दधामेति । तेऽब्रुवन्–चेतयध्वमिति–चितिमिच्छतेति वाव तदब्रुवन् । तदिच्छत–यथाऽस्मिन्पुरुषे वीर्यं दधामेति ॥ २३ ॥

ते चेतयमाना एतत्सामापश्यन् । तदगायन् । तदस्मिन्वीर्यमदधुः । तथैवास्मिन्नयमेतद्दधाति । पुरुषे गायति । पुरुषे तद्वीर्यं दधाति । चित्रे गायति । सर्वाणि हि चित्राण्यग्निः । तमुपधाय न पुरस्तात्परीयात्–नेन्माऽयमग्निर्हिनसदिति ॥ २४ ॥

पुरुषोपधानाङ्गत्वेन सामगानं विधत्ते–**अथ साम गायतीति** । 'अथ'–शब्दो हिरण्मयपुरुषोपधानानन्तर्ये । तस्य सामगायनस्य पुरुषगतवीर्याधानहेतुत्वमाख्यायिकया प्रतिपादयति–**एतद्वा** इत्यादिना । एतस्मिन् खलु समये 'देवाः' 'पुरुषं' हिरण्मयम् 'उपधाय' 'तम्' पुरुषम् 'एतादृशमेव' एवंरूपमेव 'अपश्यन्' । कीदृशमिति तदाह–**यथैतदिति** । 'यथा' खलु 'एतत्' 'शुष्कम्' नीरसं 'फलकम्' काष्ठमयम्, तद्वन्निर्वीर्यमेवापश्यन्नित्यर्थः ॥ २२ ॥

ततः 'ते' देवाः अन्योऽन्यम् 'अब्रुवन्' 'यथाऽस्मिन् पुरुषे' 'वीर्यम्' प्राणादिलक्षणं 'दधाम' स्थापयाम, तत्प्रकारं हे देवाः ! यूयम् 'उपजानीत' । एवमालोच्य 'ते' देवाः पुनः 'अब्रुवन्' उपज्ञाहेतुत्वेन 'चेतयध्वमिति' । एतद्वाक्यं श्रुतिः स्वयं व्याचष्टे–**चितिमिच्छतेति** । चितिरत्र ज्ञानविशेषः । किमर्थं चेतयध्वमिति प्रार्थ्यत इत्याशङ्क्य तस्य प्रयोजनमुक्तम्–**तदिच्छतेति** । 'यथा' खलु 'अस्मिन्' शुष्कफलकवन्नीरसे 'पुरुषे' 'वीर्यम्' स्थापयाम तमुपायमिच्छतेत्यर्थः ॥ २३ ॥

एवं परस्परमालोच्य 'चेतयमानाः' मीमांसमानाः 'ते' देवाः वीर्याधानार्थम 'एतत् सामापश्यन्' । दृष्ट्वा च 'तत्' साम 'अगायन्' तेन च 'अस्मिन्' हिरण्मयपुरुषे वीर्यम् 'अस्थापयन्' । इत्थं साम-

(त्यु) अथ सर्पनामैरुपतिष्ठते । (त) इमे वै लोकाः सर्पास्ते हानेन सर्वेण सर्पन्ति यदिदं किं च सर्वेषामु हैष देवानामात्मा यदग्निस्ते देवाऽ एतमात्मानमुपधायाबिभयुर्यद्वै नऽ इमे लोकाऽ अनेनात्मना न सर्पेयुरिति ॥ २५ ॥

तऽएतानि सर्पनामान्यपश्यन् । (इयँस्ते) तैरुपातिष्ठन्त तैरस्मा-ऽइमाँल्लोकानस्थापयंस्तैरनमयन्यदनमयंस्तस्मात्सर्पनामानि तथैवैतद्यजमानो यत्सर्पनामैरुपतिष्ठतऽइमानेवास्माऽएतल्लोकान्त्स्थापयतीमाँल्लोकान्नमयति तथो हास्यैतऽएतेनात्मना न सर्पन्ति ॥ २६ ॥

अथ सर्पनामैरुपतिष्ठते । इमे वै लोकाः सर्पाः । ते हानेन सर्वेण सर्पन्ति–यदिदं किं च । सर्वेषामु हैष देवानामात्मा–यदग्निः । ते देवा एतमात्मानमुपधाय–अबिभयुः–यद्वै न इमे लोका अनेनात्मना न सर्पेयुरिति ॥ २५ ॥

तऽएतानि सर्पनामान्यपश्यन् । तैरुपातिष्ठन्त । तैरस्माऽइमाँल्लोकानस्थापयन् । तैरनमयन् । यदनमयन् तस्मात्सर्पनामानि । तथैवैतद्यजमानो यत्सर्पनामैरुपतिष्ठते–इमानेवास्माऽएतल्लोकान्त्स्थापयति । इमाँल्लोकान्नमयति । तथो हास्यैतऽएतेनात्मना न सर्पन्ति ॥ २६ ॥

गायनस्य वीर्याधानहेतुतामाख्यायिकया प्रतिपाद्य तद्दृष्टान्तेनेदानीमपि पुरुषसामगायनस्य तद्धेतुतामाह–**तथैवास्मिन्निति** । यथा देवाः ' तथैव अयम् ' यजमानः, सिद्धमन्यत् । **पुरुषे गायतीति** । ' पुरुषे ' अन्वारब्धे सति ' तत् ' साम गातव्यं ' तत् ' तथा सति तस्मिन् हिरण्मयपुरुषे सामलक्षणं ' वीर्यम् ' स्थापितवान् भवति । **चित्रे गायतीति** । चित्रलिङ्गके मन्त्रे " चित्रं देवानाम् "–इत्यादिके । तदुक्तं कर्कभाष्ये–" पुरुषे चित्रे साम गायति "–इति कात्यायनेन पुरुष इति सप्तमीनिर्देशादालब्धे ' पुरुषे ' ' चित्रे ' चित्रलिङ्गके मन्त्रे साम ' गायति ' (का. श्रौ. सू. १७ । ७६) इति । **सर्वाणि हीत्यादि** । लोके यावन्ति हि ' चित्राणि ' विचित्ररूपाणि सन्ति तत्सर्वसमुदायरूपश्चित्यः ' अग्निः ' अतश्चित्रे गानं युक्तमिति । **तमुपधायेत्यादि** । ' तम् ' हिरण्मयपुरुषम् ' उपधाय ' ' न पुरस्तात् परीयात् ' पूर्वस्यां दिशि नातिक्रामेत् । परिगमने हि अयमग्निः ' मा हिनसत् ' मा हिंस्याद् नैव बाधेत । हिनस्तेर्लेटि अडागमः (पा. सू. ३ । ४ । ९४) इति ॥ २४ ॥

अथ यजमानकर्तृकं पुरुषस्योपस्थानं विधत्ते–**अथ सर्पनामैरिति** । " नमोऽस्तु सर्पेभ्यः "–इत्याद्याः सर्पनामाख्या मन्त्राः । सूत्रितं हि–" उपतिष्ठते यजमानो नमोऽस्त्विति "–(का. श्रौ. सू. १७ । ७८) इति । अथैतत् सर्पनामभिरुपस्थानं लोकत्रयस्थापनहेतुत्वेनाख्यायिकया प्रतिपादयति–**इमे वै लोका इत्यादिना** । ' यदिदम् ' लोकत्रयवर्त्ति किमपि प्राणिजातमस्ति, ' अनेन ' ' सर्वेण ' सह पृथिव्यादयः ' ते ' ' लोकाः ' ' सर्पन्ति ' तस्मात् सर्पणनिमित्तात् सर्पशब्दाभिधेया लोका इत्यर्थः । तथा चित्याग्निरिति यदस्ति एष एव खलु

१–पूर्वेणापरीयात: । का० श्रौ० सू० १७ । ७७ ।

युद्धेवु सर्पनामैरुपतिष्ठते । (त) ऽइमे वै लोकाः सर्पा यद्धि किं च सुर्पत्त्येष्वेव तुल्लोकेषु सर्पति तद्युत्सर्पनामैरुपतिष्ठते यैवैषु लोकेषु नाष्ट्रा युो व्व्यध्वरो या शिमिदा तुदेवैतत्सुर्व्वँ शमयति ॥ २७ ॥

नुमोऽस्तु सुर्पेभ्यः । (भ्यो) ये के च पृथिवीमनु । येऽअन्तुरिक्षे ये दिवि तेभ्यः सुर्पेभ्यो नुमऽ इति युऽएवैषु त्रिषु लोकेषु सुर्पास्तेभ्यऽ एत-न्नमस्करोति ॥ २८ ॥

यद्वेव सर्पनामैरुपतिष्ठते । इमे वै लोकाः सर्पाः । यद्धि किञ्च सर्पति—एष्वेव तल्लोकेषु सर्पति । तद् यत्सर्पनामैरुपतिष्ठते—यैवैषु लोकेषु नाष्ट्रा, यो व्यध्वरो, या शिमिदा—तदेवैतत्सर्वं शमयति ॥ २७ ॥

"नमोऽस्तु सर्पेभ्यो, ये के च पृथिवीमनु, येऽअन्तरिक्षे, ये दिवि, तेभ्यः सर्पेभ्यो नमः"—(वा. सं. १३ । ६) इति । यऽएवैषु त्रिषु लोकेषु सर्पाः—तेभ्य एतन्नमस्करोति ॥ २८ ॥

'सर्वेषां' 'देवानामात्मा,' अतस्ते देवाः 'एतमात्मानम्' हिरण्मयपुरुषम् 'उपधायाबिभयुः' भयं प्राप्ताः । यद्वै न इत्यादिना भयस्वरूपप्रतिपादनम् । यदि खलु 'नः' अस्माकम् 'अनेनात्मना' सह 'इमे' लोकाः 'न सर्पेयुः'—तर्ह्यस्मदीयस्यात्मनो लोकसम्बन्धविरहादाश्रयो न स्यादित्येवं भीताः 'ते' देवाः 'एतानि' "नमोऽस्तु" इत्यादीनि 'सर्पनामानि' 'अपश्यन्' । दृष्ट्वा च 'तैः' उपस्थानं कृतवन्तः । तेन चोपस्थानेन 'अस्मै' हिरण्मयपुरुषरूपायाग्नये 'इमान्' पृथिव्यादि—'लोकान्' 'अस्थापयन्' । 'तैः' लोकैः 'अनमयन्' वशीकृतवन्तः । 'यदनमयन्' इति सर्पनामाख्यानिर्वचनम्, सर्पाणां नमनहेतुत्वाच्च 'सर्पनामानि' इत्यर्थः । तथैवैतदित्यादिनाऽऽख्यायिकया सिद्धार्थस्य दार्ष्टान्तिके योजनम्, तच्च व्याख्यातप्रायम् । तथो हास्मेति । सर्पनामभिरुपस्थाने सति 'अस्य' यजमानस्य 'एते' लोकाः 'एतेन' चित्याग्निरूपेण आत्मना 'न सर्पन्ति' किन्त्ववतिष्ठन्त इत्यर्थः ॥ २५ ॥ २६ ॥

सर्पनामभिरुपस्थानमनूद्य प्रकारान्तरेण स्तौति—यद्वेवेति । यदिदं 'किञ्च' स्थावरजङ्गमात्मकं प्राणिजातमस्ति, तत् सर्वम् 'एष्वेव' लोकेषु 'सर्पति' चलति अतः सर्पणाधिकरणत्वात् सर्पाः 'लोकाः' 'तत्' तथा सति सर्पनामाख्यैर्मन्त्रैः 'उपतिष्ठते' इति यदस्ति 'तत्' तेन 'एष्वेव' लोकेषु वर्तमानं नाष्ट्रादिकं 'शमयति' । 'नाष्ट्रा' नाशकारिणी आसुरी प्रजा 'व्यध्वरः' व्यधनशीलो दन्दशूकादिः । 'शिमिदा' विषहेतुर्लूतावृश्चिकादिः ॥ २७ ॥

तत्र प्रथमं सर्पनाममन्त्रमनूद्य तात्पर्यं व्याचष्टे—नमोऽस्त्वित्यादिना । य एवैष्विति । 'ये' 'एवैषु' 'त्रिषु' 'लोकेषु' 'ये' सर्पणशीलाः दन्दशूकाद्याः प्राणिनः 'तेभ्य एतन्नमस्करोति' इति मन्त्रस्य तात्पर्यार्थः । 'पृथिवीमनु' इति लक्षणे अनोः कर्मप्रवचनीयत्वम् । (पा. सू. १ । ४ । ८४) (पा. सू. २ । ३ । ८) । मन्त्रार्थो निगदसिद्धः ॥ २८ ॥

याऽइषवो यातुधानानामिति । यातुधानप्रेषिता हैके दशन्ति ये वा व्वनस्पतीँ१॥ रनु ॥ ये वाऽवटेषु शेरते तेभ्यः सर्पेभ्यो नमऽइति ये चैव व्वनस्पतिषु सर्पा ये चावटेषु शेरते तेभ्यऽएतन्नमस्करोति ॥ २९ ॥

ये वाऽमी रोचने दिवः । (वो) ये वा सूर्यस्य रश्मिषु ॥ येषामप्सु सुद-स्कृतं तेभ्यः सर्पेभ्यो नमऽइति यत्र यत्रैते तदेवैभ्यऽएतन्नमस्करोति नमो नमऽ इति यज्ञो वै नमो यज्ञेनैवैनानेतन्नमस्कारेण नमस्यति तस्मादु ह नायज्ञियं ब्रूयान्नमस्तऽइति यथा हैनं ब्रूयाद्यज्ञस्तऽइति तादृक् तत् ॥ ३० ॥

" या इषवो यातुधानानाम् "–इति । यातुधानप्रेषिता हैके दशन्ति । " ये वा वन-स्पतीँ१॥ रनु ॥ ये वाऽवटेषु शेरते तेभ्यः सर्पेभ्यो नमः "–(वा. सं. १३।७) इति । ये चैव वनस्पतिषु सर्पाः, ये चाऽवटेषु शेरते, तेभ्य एतन्नमस्करोति ॥ २९ ॥

" ये वाऽमी रोचने दिवो ये वा सूर्यस्य रश्मिषु ॥ येषामप्सु सदस्कृतं तेभ्यः सर्पेभ्यो नमः "–(वा. सं. १३ । ८) इति । यत्र यत्रैते–तदेवैभ्य एतन्नमस्करोति । नमो नम इति । यज्ञो वै नमः । यज्ञेनैवैनानेतन्नमस्कारेण नमस्यति । तस्मादु ह नायज्ञियं ब्रूयात्–'नमस्ते'– इति । यथा हैनं ब्रूयाद् यज्ञस्त इति । तादृक् तत् ॥ ३० ॥

द्वितीयं मन्त्रमनूद्य व्याचष्टे–या इषव इति । यातुधानप्रेषिता इति । ' यातुधानैः ' राक्षसैः ' प्रेषिताः ' प्रेरिताः खलु ' एके ' सर्पाः ' दशन्ति ' खादन्ति । " दंश दशने "–(धा. पा. भ्वा. प. १०१४) " दंशसञ्जस्वञ्जां शपि "–(पा. सू. ६ । ४ । २५) इति नलोपः । अतस्ते ' यातुधानानाम् ' ' इषवो ' बाणाः, ईदृग्विधाश्च ये ' सर्पाः ' ' ये वा वनस्पतीँरनु ' ' अनु '–लक्ष्य वनस्पतिषु वर्त्तन्ते, ' अवटेषु ' बिलेषु ' शेरते, ' ' ये ' सर्पाः ' तेभ्यः सर्पेभ्यो नमः ' ' इति ' अनेन मन्त्रेण नमस्कारः क्रियत इत्यर्थः ॥ २९ ॥

तृतीयं सर्पनाममन्त्रमनूद्य मन्त्रत्रयतात्पर्यं व्याचष्टे–ये वाऽमी इति । सर्वत्र ' वा '–शब्दश्चार्थे । ' दिवो ' द्युलोकस्य सम्बन्धिनि ' रोचने ' रोचमाने स्थाने ' ये ' च ' अमी ' सर्पाः ' सूर्यस्य रश्मिषु ' च ये वर्त्तन्ते, ' येषां ' सर्पाणाम् ' अप्सु ' उदकमध्ये ' सदः ' सदनं स्थानं ' कृतम् ' अस्ति, ' तेभ्यः सर्पेभ्यो नम इति । यत्र यत्रेत्यादि । मन्त्रत्रयतात्पर्यकथनम् । ' यत्र यत्र ' देशे ' एते ' सर्पाः वर्त्तन्ते, ' तत् ' तत्र ' एव ' ' एभ्यः ' सर्वेभ्यो नमो नम इति त्रिष्वपि मन्त्रेषु पठितानां नमःशब्दानां सङ्ग्रहार्था पुनरुक्तिः । ' नमो नम इति ' पुनः पुनर्नमःशब्दप्रयोगेण एतान्नमस्करोति । नमस्कारं स्तौति–यज्ञो वै नम इति । देवतोद्देशेन द्रव्यत्यागो ' यज्ञः ' स यथा देवानां प्रीतिकरस्तद्वन्नमस्कारोऽपीति तस्य यज्ञात्मकता । तथा च यज्ञात्मकेनैव नमस्कारेण ' एनान् ' सर्पान् ' नमस्यति ' पूजयति । नमसः पूजायामर्थे "नमो वरिव०"–(पा सू. ३।१ । १९) इति क्यच् । प्रासङ्गिकं किञ्चिदाह–तस्मादिति । यस्मादेवं नमस्कारप्रतिपादको नमःशब्दोऽपि यज्ञा-त्मकः प्रयुज्यते, ' तस्माद् ' एव कारणाद् ' अयज्ञिम् ' यज्ञानर्हं, हे देवदत्त ! नमस्तुभ्यमित्येवं ' न ब्रूयात् ' ।

(त्रि) त्रिभिरुपतिष्ठते । त्रय ऽइमे लोका ऽअथो त्रिवृदग्निर्यावानग्निर्यावत्यस्य मात्रा तावतैवास्माऽएतदिमाँल्लोकान्त्स्थापयत्यथो तावतैवैतदिदꣳ सर्वꣳ शमयति तिष्ठन्नुपतिष्ठते तिष्ठन्तीव वाऽइमे लोका ऽअथो तिष्ठन्वै वीर्यवत्तरः ॥ ३१ ॥

(रोऽथै) अथैनमुपविश्याभिजुहोति । (त्या) आज्येन पञ्चगृहीतेन तस्योक्तो बन्धुः सर्वतः परिसर्पꣳ सर्वाभ्य ऽएवैनमेतद्दिग्भ्योऽन्नेन प्रीणाति ॥ ३२ ॥

त्रिभिरुपतिष्ठते । त्रयऽइमे लोकाः । अथो त्रिवृदग्निः । यावानग्निर्यावत्यस्य मात्रा—तावतैवास्माऽएतदिमांल्लोकान्त्स्थापयति । अथो तावतैवैतदिदं सर्वं शमयति । तिष्ठन्नुपतिष्ठते । तिष्ठन्तीव वाऽइमे लोकाः । अथो तिष्ठन् वै वीर्यवत्तरः ॥ ३१ ॥

अथैनमुपविश्याभिजुहोति । आज्येन पञ्चगृहीतेन । तस्योक्तो बन्धुः । सर्वतः परिसर्पम् । सर्वाभ्य एवैनमेतद्दिग्भ्योऽन्नेन प्रीणाति ॥ ३२ ॥

कथं तर्हि ब्रूयात् ? 'भो देवदत्त ! नमस्ते' इत्येव ब्रूयात् । तस्य वचनस्य यज्ञियत्वमाविष्करोति—**यथा हैनमिति** । 'यथा' खलु 'एनम्' अतिथिं 'ब्रूयात्' 'यज्ञस्ते' कल्पित इति 'तादृक्' तत्सदृशमेव 'तत्' नमस्त इति वचनम् ॥ ३० ॥

मन्त्रस्य त्रिसंख्यामुपजीव्य स्तौति—**त्रिभिरुपतिष्ठत** इति । 'त्रय इमे लोकाः' पृथिव्यादयः, अतस्तत्संख्यया मन्त्रत्रित्वमित्यर्थः । **अथो त्रिवृदग्निरित्यादिना** मन्त्रत्रित्वस्य प्रयोजनान्तरप्रतिपादनम् । त्रिवृदग्निरित्यादिकं प्राग्व्याख्यातम् । **तावतैवास्मा** इति । 'अस्मै' हिरण्मयपुरुषाय 'तावता' तस्याग्नेः परिमाणेनैव 'इमान्' लोकान् 'एतद्' एतेनोपस्थानेन 'स्थापयति' 'अथो' अपि च 'तावता' तत्परिमाणेन 'एव' 'इदं सर्वम्' जगत्तेनोपस्थानेन 'शमयति' । तच्चोपस्थानं तिष्ठता कर्त्तव्यमिति स्थितिगुणं विधाय स्तौति—**तिष्ठन्नुपतिष्ठत** इति । ऊर्द्ध्वाकारेणावस्थानात् 'तिष्ठन्तीव' खलु 'इमे लोकाः' । 'अथो' अपि च उपविष्टात्पुरुषात् 'तिष्ठन्' खलु पुरुषो 'वीर्यवत्तरः' अतिशयितवीर्यवान्, तस्मादुपस्थानस्य तिष्ठत्कर्तृकता युक्तेत्यर्थः ॥ ३१ ॥

अभिहोमं विधत्ते—**अथैनमिति** । उपस्थानानन्तर्यम् 'अथ'—शब्दार्थः । 'एनम्' हिरण्मयपुरुषम 'अभिजुहोति' अभितः सर्वासु दिक्षु उपरिहोमेन संस्कुर्यात् । तत्र द्रव्यं विधत्ते—**आज्येनेति** । आहुतिपञ्चकार्थं पञ्चगृहीतमाज्यं स्रुचि गृहीत्वा तेनाभिजुहुयादित्यर्थः । **तस्योक्त** इति । तस्य पञ्चसङ्ख्यायुक्तत्वस्य स्तावको वाक्यशेषः प्रागाम्नातः (श. सू. ७।२।३।९) इत्यर्थः । **सर्वतः परिसर्पमिति** । 'सर्वतः' सर्वासु दिक्षु 'परिसर्पम्' तां तां दिशं परिक्रम्य "आभीक्ष्ण्ये णमुल् च"—(पा. सू. ३ । ४ । २२) इति णमुल् । परिसर्पणस्य प्रयोजनमाह—**सर्वाभ्य** इति । 'सर्वाभ्यो' दिग्भ्यः सकाशाद् 'एनम्' पुरुषम् । गतमन्यत् ॥ ३२ ॥

१–उपविश्य पंचगृहीतं जुहोति पुरुषे कृणुष्व पाज इति प्रत्यृचं प्रतिदिशं परिसर्पम् । का. श्रौ. सू. १७ । ७९ ।

यद्वेवैनमभिजुहोति । (त्ये) एतद्वै देवाऽएतमात्मानमुपधायाबिभयुर्यद्वै नऽ इममिह रक्षाᳪसि नाष्ट्रा न हन्युरिति तऽएतान्राक्षोघ्नान्प्रतिसरानपश्यन् कृणुष्व पाजः प्रसितिं न पृथ्वीमिति राक्षोघ्ना वै प्रतिसरास्तऽएतैः प्रतिसरैः सर्वाभ्यो दिग्भ्यो रक्षाᳪसि नाष्ट्राऽअपहत्याभयेऽनाष्ट्रऽएतमात्मानᳪ समस्कुर्वत तथैवैतद्यजमानऽएतैः प्रतिसरैः सर्वाभ्यो दिग्भ्यो रक्षाᳪसि नाष्ट्राऽअपहत्याभयेऽनाष्ट्रऽएतमात्मानᳪ संस्कुरुते ॥ ३३ ॥

(तऽ) आज्येन जुहोति । वज्रो वाऽआज्यं वज्रेणैवैतद्रक्षाᳪसि नाष्ट्राऽअपहन्ति पञ्चगृहीतेन पञ्चचितिकोऽग्निः पञ्चऽर्तव संवत्सरः संवत्सरोऽग्निर्यावानग्निर्यावत्यस्य मात्रा तावतैवैतद्रक्षाᳪसि नाष्ट्राऽअपहन्त्याग्नेयीभिरग्निर्वै ज्योती रक्षोहाऽग्निनैवैतद्रक्षाᳪसि नाष्ट्राऽअपहन्ति त्रिष्टुब्भिर्वज्रो वै त्रिष्टुब्वज्रेणैवैतद्रक्षाᳪसि नाष्ट्राऽअपहन्ति सर्वतः परिसर्पᳪ सर्वाभ्यऽएवैतद्दिग्भ्यो रक्षाᳪसि नाष्ट्राऽअपहन्ति ॥ ३४ ॥

यद्वेवैनमभिजुहोति । एतद्वै देवा एतमात्मानमुपधायाबिभयुः—यद्वै न इममिह रक्षांसि नाष्ट्रा न हन्युरिति । तऽएतान् राक्षोघ्नान्प्रतिसरानपश्यन् । " कृणुष्व पाजः प्रसितिं न पृथ्वीम् "—(वा० सं० १३ । ९–१३) इति । राक्षोघ्ना वै प्रतिसराः । तऽएतैः प्रतिसरैः सर्वाभ्यो दिग्भ्यो रक्षांसि नाष्ट्रा अपहत्याभयेऽनाष्ट्रऽएतमात्मानं समस्कुर्वत । तथैवैतद्यजमान एतैः प्रतिसरैः सर्वाभ्यो दिग्भ्यो रक्षांसि नाष्ट्रा अपहत्याभयेऽनाष्ट्रऽएतमात्मानं संस्कुरुते ॥ ३३ ॥

आज्येन जुहोति । वज्रो वाऽआज्यम् । वज्रेणैवैतद्रक्षांसि नाष्ट्रा अपहन्ति । पञ्चगृहीतेन । पञ्चचितिकोऽग्निः । पञ्चऽर्तवः संवत्सरः । संवत्सरोऽग्निः । यावानग्निर्यावत्यस्य मात्रा—तावतैवैत

मन्त्राविष्यर्थमनुवदति—यद्वेवैनमिति । " कृणुष्व पाजः "—इत्याद्यान् राक्षोघ्नान्पञ्च मन्त्रान् विधातुमाख्या-यिकामाह—एतद्वै देवा इति । यद्वै न इममिति । ' नः ' अस्माकम् ' इमम् ' आत्मानम् ' इह ' अस्मिन्न-वसरे ' नाष्ट्रा ' ' रक्षांसि ' ' यत् ' येनोपायेन ' न हन्युः ' स उपायः क इति विचारितवन्त इत्यर्थः । राक्षोघ्नान् प्रतिसरानित्यादि । राक्षसान्प्रति अस्त्ररूपेण सरन्ति गच्छन्तीति ' प्रतिसराः ' ' कृणुष्व पाजः ' इत्याद्या मन्त्राः । अत एव ते रक्षोहननसम्बन्धाद् ' राक्षोघ्नाः ' । प्रसिद्धौ ' वै '—शब्दः, सा च " अस्तासि विध्य रक्षसस्तपिष्ठैः "—इत्यादिमन्त्रवर्णादवसेया । तथैवैतादित्यादिना उक्तार्थदृष्टान्तमुखेनाभिहोम-मन्त्रविधिः ॥ ३३ ॥

मन्त्रद्वारा रक्षोहननहेतुतां प्रतिपाद्य द्रव्यमुखेनापि तत् प्रतिपादयति—वज्रो वा इति । " घृतं खलु वै देवा वज्रं कृत्वा सोममघ्नन् "—(तै, सं, ६ । २ । २) इति तैत्तिरीयके प्रसिद्धं घृतस्य वज्ररूपत्वमत्र ' वै '—शब्दो

पश्चादुग्नेः प्राङ्गासीनः । (नोऽथो) अथोत्तरतो दक्षिणाऽथ पुरस्तात्प्रत्यङ्ङथ जघुनेन परीत्य दक्षिणत ऽउदङ्ङासीनस्तुद्दक्षिणावृत्तद्धि देवत्राऽथानुपरीत्य पश्चात्प्राङ्गासीनस्तुथो हास्यैतत्प्रागेव कुर्म कृतं भवति ॥३५॥

(त्यु)अथ स्रुचाऽउपदधाति । बाहू वै स्रुचौ बाहूऽएवास्मिन्नेतत्प्रतिदधाति

द्रक्षांसि नाष्ट्रा अपहन्ति । आग्नेयीभिः । अग्निर्वै ज्योती रक्षोहा । अग्निनैवैतद्रक्षांसि नाष्ट्रा अपहन्ति । त्रिष्टुब्भिः । वज्रो वै त्रिष्टुप् वज्रेणैवैतद्रक्षांसि नाष्ट्रा अपहन्ति । सर्वतः परिसर्पम्-सर्वाभ्य एवैतद्दिग्भ्यो रक्षांसि नाष्ट्रा अपहन्ति ॥ ३४ ॥

पश्चादग्नेः प्राङासीनः । अथोत्तरतो दक्षिणा । अथ पुरस्तात्प्रत्यङ् । अथ जघनेन परीत्य दक्षिणत उदङ्ङासीनः । तद्दक्षिणावृत् । तद्धि देवत्रा । अथानुपरीत्य पश्चात् प्राङासीनः । तथो हास्यैतत्प्रागेव कर्म कृतं भवति ॥ ३५ ॥

अथ स्रुगिष्टकाद्वयोपधानम् ।

अथ स्रुचा उपदधाति । बाहू वै स्रुचौ । बाहूऽएवास्मिन्नेतत्प्रतिदधाति । ते यत्स्रुचौ भवतः-

---

द्योतयति । यद्वा आज्यस्याग्निज्वालाहेतुत्वाद्वज्रत्वम् । पञ्चर्त्तवः संवत्सर इति । हेमन्तशिशिरयोः समासाभिप्रायेण । तावतैवैतद्रक्षांसीति । यत्परिमाणविशिष्टश्चित्योऽग्निस्तावत्परिमाणेन 'एतद्' एतेन कर्मणा 'नाष्ट्रा' 'रक्षांसि' नाशयति । मन्त्रदेवताद्वारेण प्रशंसति-आग्नेयीभिरिति । अग्निर्देवता यासां ता आग्नेय्यः, "अग्नेर्ढक्"-(पा. सू. ४ । २ । ३३) "टिड्ढाणञ्" (पा. सू. ४ । १ । १५) इति ङीप् । छन्दोद्वारेण स्तौति-त्रिष्टुब्भिरिति । वज्रो वै त्रिष्टुबिति । इन्द्रेण सहोत्पन्नत्वाद्वीर्योपेतात्प्रजापत्यवयवादुत्पत्तेश्च त्रिष्टुभो वज्रत्वम् । परिसर्पणप्रकारं विधित्सुर्विहितं परिसर्पणमनूद्य स्तौति-सर्वतः परिसर्पमिति । उक्तार्थमेतत् ॥ ३४ ॥

पश्चादग्नेः इत्यादिना परिसर्पणप्रकारो निरूप्यते । 'अग्ने' प्रथमं 'पश्चात्' प्रतीच्यां दिशि प्राङ्मुख उपविष्टः सन् प्रथमेन मन्त्रेण पुरुषमभिजुहोति । 'अथ' उत्तरभागे 'दक्षिणा'-मुख उपविष्टः सन् द्वितीयेन मन्त्रेणाभिजुहोति । 'अथ पुरस्तात्' प्राच्यां दिशि 'प्रत्यङ्'मुख उपविष्टस्तृतीयेन मन्त्रेण । 'अथ' यथेतं प्रतिनिवृत्य 'जघनेन' 'परीत्य' पुरुषस्य पश्चाद्भागेन परिक्रम्य 'दक्षिणतः' दक्षिणस्यां दिशि 'उदङ्' मुख उपविष्टश्चतुर्थेन मन्त्रेणाभिजुहोति[1] । तद्दक्षिणावृदिति । एवं क्रियमाणे सति होमस्य प्रादक्षिण्येन वृत्तिरुपपन्ना भवति । 'तत्' खलु प्रादक्षिण्यं 'देवत्रा' देवसम्बन्धिनि कर्मणि योग्यम् । 'अथ' अनन्तरम् 'अनुपरीत्य' दक्षिणदिक्सकाशात् प्रतीचीं दिशं गत्वा तत्र 'प्राङासीनः' पञ्चमेन मन्त्रेणाभिजुहुयात्[2] । तथैव सति हि 'अस्य' यजमानस्य 'एतद्' अभिहोमाख्यं कर्म 'प्राक्' अपवर्गे 'कृतम्' 'भवति' इत्यर्थः ॥ ३५ ॥

स्रुचोरुपधानं विधत्ते- अथ स्रुचाविति[3] । तत् प्रशंसति-बाहू वा इति । "जुहूर्दक्षिणो हस्त उपभृत्

१-प्रत्येत्य दक्षिणतः । का० श्रौ० सू० १७ । ८० । २-पश्चात्प्रथमांत्ये । का० श्रौ० सू० १७ । ८१ । ३-तत्र स्रुगुपधानं प्राच्योः । का० श्रौ० ।१७।८२ ॥

ते यत्स्रुचौ भवतः स्रुचौ हि बाहूऽइदमेव कपुच्छलमयं दण्डो द्वे भवतो द्वौ हीमौ बाहू पार्श्वतऽउपदधाति पार्श्वतो हीमौ बाहू ॥ ३६ ॥

कार्ष्मर्यमयीं दक्षिणतऽउपदधाति । (त्ये) एतद्वै देवाऽअबिभयुर्यद्वै नो यज्ञं दक्षिणतो रक्षाᳬसि नाष्ट्रा न हन्युरिति तऽएतᳬ रक्षोहणं वनस्पतिमपश्यन्कार्ष्मर्यं तऽएतेन वनस्पतिना दक्षिणतो रक्षाᳬसि नाष्ट्राऽअपहत्याभयेऽनाष्ट्रऽएतं यज्ञमतन्वत तथैवैतद्यजमान एतेन वनस्पतिना दक्षिणतो रक्षाᳬसि नाष्ट्राऽअपहत्याभयेऽनाष्ट्रऽएतं यज्ञं तनुतऽआज्येन पूर्णा भवति वज्रो वाऽआज्यं वज्रेणैवैतद्दक्षिणतो रक्षाᳬसि नाष्ट्राऽअपहन्ति ॥ ३७ ॥

स्रुची हि बाहू–इदमेव कपुच्छलम्, अयं दण्डः । द्वे भवतः । द्वौ हीमौ बाहू । पार्श्वत उपदधाति । पार्श्वतो हीमौ बाहू ॥ ३६ ॥

कार्ष्मर्यमयीं दक्षिणत उपदधाति । एतद्वै देवा अबिभयुः–यद्वै नो यज्ञं दक्षिणतो रक्षांसि नाष्ट्रा न हन्युरिति । तऽएतं रक्षोहणं वनस्पतिमपश्यन्–कार्ष्मर्यम् । तऽएतेन वनस्पतिना दक्षिणतो रक्षांसि नाष्ट्रा अपहत्याभयेऽनाष्ट्रऽएतं यज्ञमतन्वत । तथैवैतद्यजमान एतेन वनस्पतिना दक्षिणतो रक्षांसि नाष्ट्रा अपहत्याभयेऽनाष्ट्रऽएतं यज्ञं तनुते । आज्येन पूर्णा भवति । वज्रो वाऽआज्यम् । वज्रेणैवैतद्दक्षिणतो रक्षांसि नाष्ट्रा अपहन्ति ॥ ३७ ॥

सव्यः "–इत्यादिश्रुत्यन्तरप्रसिद्धेः स्रुचोर्बाहुरूपता । तथा सति 'एतत्' एतेन स्रुगुपधानेन 'अस्मिन्' हिरण्मयपुरुषे 'बाहू' एव 'प्रतिदधाति' सन्दधाति । स्रुचोर्बाहुरूपताप्रसिद्धिमभिनयेन दर्शयति–इदमेवेति । 'इदमेव' हस्ताग्रं प्रसृतिरूपेण दृश्यमानं 'कपुच्छलं' स्रुगग्रस्थानीयम् । 'अयम्' एव बाहुदण्डः स्रुग् 'दण्डः' अतः स्रुग्रूपताऽनयोः प्रत्यक्षसिद्धेत्यर्थः । द्वित्वमनूद्य स्तौति–द्वे भवत इति । दक्षिणोत्तरपार्श्वयोस्तदुपधानं विधत्ते–पार्श्वत इति । तत्र हेतुमाह–पार्श्वतो हीति ॥ ३६ ॥

तत्र च दक्षिणपार्श्वे उपधेयायाः स्रुचो वृक्षविशेषं विधत्ते–**कार्ष्मर्यमयीमिति**[१] । कार्ष्मर्यवृक्षेण निर्मिता स्रुक् 'कार्ष्मर्यमयी' । स्रुचस्तत्प्रकृतितामाख्यायिकया प्रतिपादयति–**एतद्वा** इत्यादिना । **वनस्पतिमपश्यन्निति** । कार्ष्मर्याख्यं 'वनस्पतिम्[२]' इति सम्बन्धः । सिद्धमन्यत् । स्रुच आज्येन पूरणं विधाय स्तौति–**आज्येन पूर्णा भवतीति** ॥ ३७ ॥

१–कार्ष्मर्यमयीं दक्षिणतः पाणिमात्रपुष्करां बाहुमात्रीं प्रादमात्रीं वा सामर्थ्यात् घृतपूर्णामभेष्ट्रोति । का. श्रौ. सू. १७ । ८४ ।
२–काश्मर्यः, काश्मरी, श्रीपर्णी, गम्भारिः इति समानार्थाः । 'कुम्भेर' 'खम्भारी' इति प्रसिद्धो वृक्षविशेषः ।

(न्त्य) अथौदुम्बरीमुत्तरतऽउपदधाति । (त्यू) ऊर्ग्वै रसऽउदुम्बरऽऊर्ज-
मेवास्मिन्नेतद्रसं दधाति दध्ना पूर्णा भवति रसो वै दधि रसमेवास्मिन्ने-
तद्दधाति ॥ ३८ ॥

यद्वेव स्रुचाऽउपदधाति । प्रजापतेर्व्विस्रस्तस्याग्निस्तेज ऽआदाय दक्षिणा-
ऽकर्षत्सोऽत्रोदरमद्यत्कृष्ट्वोदरमत्तस्मात्कार्ष्मर्य्योऽथास्येन्द्रऽओजऽआदायो-
दङ्ङुदक्रामत्सऽउदुम्बरोऽभवत् ॥ ३९ ॥

(त्ता) तावब्रवीत् । (द्रु) उप मेतं प्रति मऽएतद्धत्तं येन मे युवमुदक्रमि-
ष्टमिति ताभ्यां वै नौ सर्व्वमन्नं प्रयच्छेति तौ वै मा बाहू भूत्वा प्रपद्येथा-
मिति तथेति ताभ्यां वै सर्व्वमन्नं प्रायच्छत्तावेनं बाहू भूत्वा प्रापद्येतां
तस्माद्बाहुभ्यामेवान्नं क्रियते बाहुभ्यामद्यते बाहुभ्याᳬं हि स सर्व्वमन्नं
प्रायच्छत् ॥ ४० ॥

अथौदुम्बरीमुत्तरत उपदधाति । ऊर्ग्वै रस उदुम्बरः । ऊर्जमेवास्मिन्नेतद्रसं दधाति । दध्ना पूर्णा भवति । रसो वै दधि । रसमेवास्मिन्नेतद्दधाति ॥ ३८ ॥

यद्वेव स्रुचाऽउपदधाति । प्रजापतेर्विस्रस्तस्याग्निस्तेज आदाय दक्षिणाऽकर्षत् । सोऽत्रोदरमत् । यत्कृष्ट्वोदरमत्–तस्मात्कार्ष्मर्यः। अथास्येन्द्र ओज आदायोदङ्ङुदक्रामत् । स उदुम्बरोऽभवत् ॥ ३९ ॥

तावब्रवीत्–'उप मेतं, प्रति मऽएतद्धत्तम् , येन मे युवमुदक्रमिष्टम्' इति । 'ताभ्यां वै नौ सर्वमन्नं प्रयच्छ' इति । 'तौ वै मा बाहू भूत्वा प्रपद्येथाम्' इति । तथेति । ताभ्यां वै सर्वमन्नं प्रायच्छत् ।

उत्तरपार्श्वे उदुम्बरवृक्षकृतायाः स्रुच उपधानं विधत्ते–अथौदुम्बरीमुत्तरत इति । ऊर्ग्वा इत्यादि । प्रागुक्तार्थम् । उपधानसमये दध्ना तस्याः पूरणं विधाय स्तौति–दध्ना पूर्णा भवतीति । रसो वै दधीति । पयस ओषधिसाररसात्मकत्वाद्दध्नोऽपि रसात्मकत्वम् ॥ ३८ ॥

स्रुचोरुपधानमनूद्य तयोर्बाहुरूपतां वक्तुं तावत्तदुपादानयोर्वृक्षयोरुत्पत्तिमाह–यद्वेवेत्यादिना । विश्लिष्टावयवस्य 'प्रजापतेः तेज आदाय' गृहीत्वा 'अग्निः' दक्षिणतः 'अकर्षत्' अनैषीत् 'सः' अग्निः 'अत्र' अस्मिन् कार्ष्मर्यवृक्षे 'उदरमत्' उत्कृष्टमरमत सुखमवात्सीदित्यर्थः । 'यत्कृष्ट्वा' इत्यादिना कार्ष्मर्यनामनिरुक्तिः । कृषेर्धातोः रमेश्च कार्ष्मर्यशब्दनिष्पत्तिर्वर्णविकारेण द्रष्टव्या । 'अथ' अग्निगमनानन्तरम् 'अस्य' विस्रस्तावयवस्य प्रजापतेः सम्बन्धि 'ओजः' आन्तरं वीर्यम् 'इन्द्रः' 'आदाय' स्वीकृत्य 'उदङ्' उत्तरामुखः सन्नुत्तरभागे 'उदक्रामत्' उत्क्रम्य स 'उदुम्बरो' वृक्षो जातः ॥ ३९ ॥

ततः तौ अग्नीन्द्रौ प्रजापतिः 'अब्रवीत्' 'मा उपेतम्' मामुपगच्छतम । 'एतत्' मदीयमङ्गं 'प्रति-

---

१–एवमौदुंबरीमुत्तरतो दधिपूर्णामिंद्रस्य त्वेति । का० श्रौ० सू० १७ । ८७ ।

(त्सु) सु कार्ष्मर्य्यमुयीं दक्षिणतऽउुपदधाति । (त्य) अग्नेष्ट्वा तेजसा सादयामीति युदेवास्य तुदग्निस्तेजऽ आदाय दक्षिणाऽकर्षत्तुदस्मिन्नेतत्प्रतिदधात्यग्निर्मूर्धा दिवः कुकुदित्येष ऽउ सोऽग्निर्गायत्र्या गायत्रोऽग्निर्यावानग्निर्यावत्यस्य मात्रा तावतैवैनामेतदुपदधाति घृतेन पूर्णा भवत्याग्नेयं वै घृतꣳ स्वेनैवैनमेतद्भागेन स्वेन रसेन प्रीणाति ॥ ४१ ॥

तावेनं बाहू भूत्वा प्रापद्येताम् । तस्माद्बाहुभ्यामेवान्नं क्रियते, बाहुभ्यामद्यते । बाहुभ्यां हि स सर्वमन्नं प्रायच्छत् ॥ ४० ॥

स कार्ष्मर्यमयीं दक्षिणत उपदधाति–" अग्नेष्ट्वा तेजसा सादयामि "–(वा. सं. १३ । १३) इति । यदेवास्य तदग्निस्तेज आदाय दक्षिणाऽकर्षत्–तदस्मिन्नेतत्प्रतिदधाति । " अग्निर्मूर्धा दिवः ककुत् "–(वा. सं. १३। १४) इति । एष उ सोऽग्निः । गायत्र्या । गायत्रोऽग्निः । यावानग्निर्यावत्यस्य मात्रा तावतैवैनामेतदुपदधाति । घृतेन पूर्णा भवति । आग्नेयं वै घृतम् । स्वेनैवैनमेतद्भागेन स्वेन रसेन प्रीणाति ॥ ४१ ॥

धत्तम्' पुनः सन्धानेन सँस्कुरुतम् । ' येन ' कारणेन ' मे ' मदीयशरीरात् ' युवमुदक्रमिष्टम् ' । ' इति ' शब्दः प्रजापतिवाक्यपरिसमाप्तौ । ' ताभ्याम् ' इत्यादि तयोरग्नीन्द्रयोर्वाक्यम् । " युष्मदस्मदोः षष्ठीचतुर्थीद्वितीयास्थयोः "–(पा. सू. ८ । १ । २० ।) इति चतुर्थ्यन्तस्यात्र नौभावः । हे प्रजापते !' ताभ्याम् ' खलु ' नौ ' आवाभ्यां ' सर्वमन्नम् ' ' प्रयच्छ ' तर्ह्यावां त्वामुपगच्छावेति । पुनः प्रजापतिरब्रवीत् । हे अग्नीन्द्रौ ! ' तौ 'युवां ' बाहू भूत्वा' ' मा ' माम् ' प्रपद्येथाम् ' प्रविशताम् ' इति ' । ' तौ ' अपि ' तथा ' अस्त्वित्यब्रूताम् । एवं तौ वशीकृत्य प्रतिज्ञातप्रकारेण ' सर्वमन्नम् ' ' ताभ्याम् ' प्रजापतिः ' प्रायच्छत् ' । 'तौ' अग्नीन्द्रौ ' बाहू ' हस्तौ ' भूत्वा ' ' एनम् ' प्रजापतिं ' प्रापद्येताम् ' प्राप्तवन्तौ । ' हि ' यस्मात् प्रजापतिरुक्तक्रमेण ' सर्वमन्नम् ' 'प्रायच्छत्' 'तस्माद्' एव कारणादन्ननिष्पादनमन्नादनं च बाहुकरणकं लोके दृश्यत इत्यर्थः ॥ ४० ॥

इत्थं कार्ष्मर्योदुम्बरयोरुत्पत्तिमग्नेरिन्द्रस्य च बाहुरूपतां च प्रतिपाद्य तदुपजीवनेनाग्नेयमन्त्रेण कार्ष्मर्यमय्या उपधानं विधत्ते–**स कार्ष्मर्यमयीमिति** ' यत्तेजः ' ' आदाय ' अग्निः ' निरगात् तेनाग्नेः सम्बन्धिना प्रजापतिशरीरतेजसा त्वां सादयामीति मन्त्रार्थः । **तदस्मिन्नेतदिति** । ' तत् ' तेन मन्त्रेण ' एतत् ' तेजः ' अस्मिन् ' चित्याग्निरूपे प्रजापतौ ' प्रतिदधाति ' संदधाति अथ तस्मिन्नेव कार्ष्मर्यमय्युपधाने मन्त्रान्तरमपि दर्शयति–**अग्निर्मूर्द्धेति** । **एष उ सोऽग्निरिति** । ' सः ' प्रतिपाद्योऽग्निः ' एषः ' चित्योऽग्निरेवेत्यर्थः । अस्य मन्त्रस्य च्छन्दोऽनूद्य स्तौति–**गायत्र्येति** । उपदध्यादिति शेषः । **गायत्रोऽग्निरित्यादि** गतम् । घृतेन पूरणमनूद्य स्तौति–**घृतेन पूर्णेति** । घृतस्याग्नेयत्वं प्रागुक्तम् ॥ ४१ ॥

(त्य) अथौदुम्बरीमुत्तरतऽउपदधाति । (ती) इन्द्रस्य त्वौजसा सादयामीति यदेवास्य तदिन्द्र ऽओज ऽआदायोदङ्ङुदक्रामत्तदस्मिन्नेतत्प्रतिदधाति भुवो यज्ञस्य रजसश्च नेतेत्येषु ऽउ स ऽइन्द्रः सा यदाग्नेय्यग्निकर्म ह्यथ यत्त्रिष्टप्त्रैष्टुभो हीन्द्र ऽऐन्द्राग्नोऽग्निर्यावानग्निर्यावत्यस्य मात्रा तावतैवैनामेतदुपदधातीन्द्राग्नी वै सर्व्वे देवाः सर्व्वदेवत्योऽग्निर्यावानग्निर्यावत्यस्य मात्रा तावतैवैनामेतदुपदधाति दध्ना पूर्णा भवत्यैन्द्रं वै दधि स्वेनैवैनमेतद्भागेन स्वेन रसेन प्रीणाति ॥ ४२ ॥

अथौदुम्बरीमुत्तरत उपदधाति । " इन्द्रस्य त्वौजसा सादयामि "–(वा. सं. १३ । १४) इति । यदेवास्य तदिन्द्र ओज आदायोदङ्ङुदक्रामत्–तदस्मिन्नेतत्प्रतिदधाति । " भुवो यज्ञस्य रजसश्च नेता "–(वा. सं. १३ । १९) इति । एष उ स इन्द्रः । सा यदाग्नेयी–अग्निकर्म हि । अथ यत्त्रिष्टुप्–त्रैष्टुभो हीन्द्रः । ऐन्द्राग्नोऽग्निः । यावानग्निर्यावत्यस्य मात्रा–तावतैवैनामेतदुपदधाति । इन्द्राग्नी वै सर्वे देवाः । सर्वदेवत्योऽग्निः । यावानग्निर्यावत्यस्य मात्रा–तावतैवैनामेतदुपदधाति । दध्ना पूर्णा भवति । ऐन्द्रं वै दधि । स्वेनैवैनमेतद्भागेन स्वेन रसेन प्रीणाति ॥ ४२ ॥

एवं दक्षिणभागे कार्ष्मर्यमय्युपधानमुक्त्वा तथैवोत्तरभागे औदुम्बर्युपधानमिन्द्रदेवत्येन यजुषा कर्त्तव्यमित्याह–अथौदुम्बरीम् इति । निगदसिद्धोऽर्थः । ' अस्मिन् ' औदुम्बर्युपधाने मन्त्रान्तरं विधत्ते–भुवो यज्ञस्येति । एष उ स इन्द्र इति । ' एषः ' खलु चित्योऽग्निः ' सः ' प्रसिद्धो मन्त्रप्रतिपाद्य ' इन्द्रः ' । सा यदित्यादि । ' सा ' " भुवो यज्ञस्येति " ऋक्, यस्माद् ' आग्नेयी ' अग्निदेवताका तस्माद् ' इदम् ' अग्निकर्म सम्पन्नम् । कथं तर्हि तस्या ऐन्द्रे औदुम्बरीस्रुगुपधाने विनियोग इत्यत्राह–अथ यत्त्रिष्टुबिति । यस्मात् सा ऋक् त्रिष्टुप्छन्दस्का तस्मादैन्द्रे कर्मणि विनियोक्तुमर्हति; यस्मादिन्द्रस्त्रिष्टुप्छन्दसा सहोत्पन्नः । अभिधावृत्त्या छन्दोद्वारेण च मन्त्रस्योपाधिसिद्धमिन्द्राग्निदेवताकत्वं प्रशंसति–ऐन्द्राग्नोऽग्निरिति । एतदेव विवृणोति–इन्द्राग्नी वै सर्वे देवा इति । इन्द्रस्याधिपतित्वात्सर्वदेवतात्मत्वम् । अग्नेरपि सर्वान् देवान् प्रति हविषो वहनात्सर्वदेवात्मकता । यद्वा इन्द्रस्य प्राथम्यादग्नेश्चरमभावित्वात्तदन्तरवर्त्तिनः ' सर्वे देवाः ' इतीन्द्राग्न्योः सर्वदेवतात्मकत्वम् " अग्निर्वै देवानामवमो विष्णुः परमस्तदन्तरेण सर्वा अन्या देवताः " इत्यनेन समानन्यायत्वात् । चित्याग्निश्च ' सर्वदेवत्यः ' सर्वदेवताप्रीतिकरः । यावानग्निरित्यादि । गतम् । दध्ना पूरणमनूद्य स्तौति–दध्ना पूर्णेति । ऐन्द्रं वा इत्यादि । 'ऐन्द्रम्' इन्द्रदेवत्यं खलु 'दधि,' दर्शयागे इन्द्रं प्रति दध्नो हविष्ट्वेन दीयमानत्वात् । अत एव दर्शयागविधौ श्रूयते–" ऐन्द्रं दध्यमावास्यायाम् "–(तै. स. २।५।२) इति । स्वेन रसेनेति । इन्द्रस्य हि स्वकीयो रसः सान्नाय्यम् । वृत्रवधानन्तरमिन्द्रशरीरान्निर्गतस्य पृथिव्यामोषधिवीरुदात्मना परिणतस्य पशुभिर्भक्षणेनात्मन्याहृतस्येन्द्रसम्बन्धिनो वीर्यस्यैव पयोरूपेण परिणामात्तद्विकृतिभूतं दध्यपि परंपरया इन्द्रस्य स्वकीयो रसः । एतदेव श्रुत्यन्तरे–" इन्द्रस्य वृत्रं जघ्नुष इन्द्रियं वीर्यम् "–(तै. सं. २ । ५ । ३) इत्यादिना प्रपञ्चितम् । ' प्रीणाति ' तर्पयति । " प्रीञ् तर्पणे "–(धा. पा. क्र्या. उ. २) इति धातुः ॥ ४२ ॥

तावस्यैताविन्द्राग्नीऽएव बाहू । तावेनं तेजसा च वीर्येण च सह प्रप- द्येते स सम्प्रत्युरः पुरुषमाकाश्य यत्राभ्याप्नोति तदालिख्यैनेऽउपदधा- त्येष हैतयोर्लोकः ॥ ४३ ॥ (अर्धप्रपाठकः) ॥

(स्ते) ते हैके तिरश्च्याऽउपदधति । तिर्यञ्चौ वाऽइमौ बाहूऽइति न तथा कुर्यात्प्राच्यावेवोपदध्यात्प्राङ्ह्येषोऽग्निश्चीयतेऽथोऽएवं वै बाहू वीर्य- वत्तरौ ते नानोपदधाति नाना सादयति नाना सूददोहसाऽधिवदति नाना हीमौ बाहू ॥ ४४ ॥

तदाहुः । (नै) नैतस्य पुरुषस्य बाहू कुर्यादेतौ वाऽअस्य बाहू येऽएते स्रुचौ नेदतिरेचयानीति स वै कुर्यादेवैतौ वाऽअस्य बाहू अन्वेते स्रुचा-

---

तावस्यैताविन्द्राग्नीऽएव बाहू । तावेनं तेजसा च वीर्येण च सह प्रपद्येते । स सम्प्रत्युरः पुरुष- माकाश्य यत्राभ्याप्नोति तदालिख्यैनेऽउपदधाति । एष हैतयोर्लोकः ॥ ४३ ॥

ते हैके तिरश्च्याऽउपदधति । तिर्यञ्चौ वाऽइमौ बाहू इति । न तथा कुर्यात् । प्राच्यावेवोपदध्यात् । प्राङ् ह्येषोऽग्निश्चीयते । अथोऽएवं वै बाहू वीर्यवत्तरौ । ते नानोपदधाति । नाना सादयति । नाना सूददोहसाऽधिवदति । नाना हीमौ बाहू ॥ ४४ ॥

तदाहुः—नैतस्य पुरुषस्य बाहू कुर्यात् । एतौ वाऽअस्य बाहू—येऽएते स्रुचौ—नेदतिरेचयानीति ।

तावस्यैतावित्यादि । ' तौ ' तथाविधौ ' एतौ ' ' इन्द्राग्नी ' 'एव' 'अस्य' प्रजापतेः ' बाहू ' अभूताम् । भूत्वा च ' तौ ' ' तेजसा ' अग्निसम्बन्धिना प्रकाशेनेन्द्रसम्बन्धिना ' वीर्येण ' च ' सह प्रपद्येते ' प्राप्नुतः । स्रुचोरुपधाने च स्थानविशेषमाह—स सम्प्रतीति । ' सः ' अध्वर्युरुपहितस्य हिरण्मयपुरुषस्य ' उरः ' ' सम्प्रति ' उरःप्रदेशेन समानं स्रुचावुपदध्यात् । तत्कथमिति चेदुच्यते—तं ' पुरुषमाकाश्य ' अभिज्ञाय ' यत्र ' यस्मिन्स्थाने उपहितं स्रुग्द्वयं तदुरः—प्रदेशम् ' अभ्याप्नोति ' ' तत् ' तत्र ' आलिख्य ' चिह्नं कृत्वा ' एने ' स्रुचावुपदध्यात् । ' एषः ' यदुरोदेशः खलु ' एतयोः ' बाहुसंस्तुतयोः ' लोकः ' स्थानमित्यर्थः ॥ ४३ ॥

तयोस्तिर्यगग्रतयोपधानं पूर्वपक्षयति—ते हैक इति । " तिरश्च्यावेके " (का. श्रौ. सू. १७ । ८१) । ' तिरश्च्यौ ' तिर्यगग्रे । तिर्यञ्चौ वा इति । तत्रोपपत्तिकथनम् । तदेतत्प्रतिषिध्य प्रागग्रत्वं सिद्धान्तयति—न तथा कुर्यादित्यादिना । तत्रोपपत्तिं कथयति—प्राङ् ह्येष इति । प्राक्छिरस्कः खलु ' एषोऽग्निश्चीयते ' तदवयवयोर्बाहुसंस्तुतयोः स्रुचोरपि प्रागग्रतैव युक्तेति भावः । ' अथो ' अपि च ' एवम् ' प्रागग्रौ प्रसारितावेव खलु ' बाहू ' ' वीर्यवत्तरौ ' अतिशयेन वीर्यवन्तौ । स्थापनसादनाधिवदनानां पृथक्त्वं विधाय स्तौति—ते नानोपदधातीति । स्पष्टोऽर्थः ॥ ४४ ॥

उपहितस्य हिरण्मयपुरुषस्य स्रुग्व्यतिरिक्तबाहुकरणं पूर्वपक्षयति—तदाहुर्नैतस्येति । ' एतस्य ' उपहितस्य

वथोऽएतौ पक्षावथो यान्येतस्मिन्नग्नौ रूपाण्युपधास्यन् भवति यान्त्स्तोमान्यानि पृष्ठानि यानि च्छन्दाᳬस्येतयोरेव सा संस्कृतिरेतयोर्व्वृद्धिस्तस्मादु कुर्य्यादेवैतस्य पुरुषस्य बाहू ॥ ४९ ॥

इति तृतीयप्रपाठके प्रथमं ब्राह्मणम् ॥ ७-३-१ ॥ (४. १.)

स्वयमातृण्णामुपदधाति । (ती) इयं वै स्वयमातृण्णेमामेवैतदुपदधाति तामनन्तर्हितां पुरुषादुपदधात्यन्नं वै स्वयमातृण्णेयं वै स्वयमातृण्णेयमु वाऽअन्नमस्याᳬ हि सर्व्वमन्नं पच्यतेऽनन्तर्हितमेवास्मादेतदन्नं दधात्युत्तरामुत्तरमेवास्मादेतदन्नं दधाति ॥ १ ॥

स वै कुर्यादेव । एतौ वाऽअस्य बाहू-अन्वेते स्रुचौ । अथोऽएतौ पक्षौ । अथो यान्येतस्मिन्नग्नौ रूपाण्युपधास्यन्भवति, यान् स्तोमान्, यानि पृष्ठानि, यानि च्छन्दांसि-एतयोरेव सा संस्कृतिः, एतयोर्वृद्धिः । तस्मादु कुर्यादेव-एतस्य पुरुषस्य बाहू ॥ ४९ ॥

अथ स्वयमातृण्णेष्टकोपधानम् ।

स्वयमातृण्णामुपदधाति । इयं वै स्वयमातृण्णा । इमामेवैतदुपदधाति । तामनन्तर्हितां पुरुषादुपदधाति । अन्नं वै स्वयमातृण्णा । इयं वै स्वयमातृण्णा । इयमु वाऽअन्नम् । अस्यां हि सर्वमन्नं पच्यते । अनन्तर्हितमेवास्मादेतदन्नं दधाति । उत्तराम् । उत्तरमेवास्मादेतदन्नं दधाति ॥ १ ॥

हिरण्मयपुरुषस्य । एतौ वा अस्येति । 'ये एते स्रुचौ' उपहिते, ते च खलु 'अस्य बाहू' स्रुग्व्यतिरिक्तबाह्वोरपि करणेऽधिकाङ्क्षा स्यात् । 'नेदतिरेचयानि' नैवातिरिक्तं करवाणीति पूर्वपक्षिणोऽभिप्रायः । 'स वै कुर्यादेव' इत्यादिः सिद्धान्तः । 'सः' खल्वध्वर्युः स्रुग्व्यतिरिक्तावपि पुरुषस्य बाहू 'कुर्यादेव' । तत्र हेतुमाह-एतौ वा अस्येति । 'अस्य' पुरुषस्य सम्बन्धिनौ 'बाहू' अनुलक्ष्य 'एते स्रुचौ' उपधातव्ये । अतो न तत्प्रतिनिधिरिति तयोरनिवृत्तिः । बाह्वोः सद्भावं प्रकारान्तरेणोपपादयति-अथो एताविति । 'अथो' अपि च 'एतौ' बाहू 'पक्षौ' पक्षात्मनश्चित्याग्नेः पक्षस्थानीयौ । संस्कारस्य संस्कार्यमन्तरेणानुपपत्तेः संस्कार्यौ बाहू अवश्यं कर्त्तव्यावित्याह-अथो यान्येतस्मिन्नित्यादिना । 'रूपाणि' अग्निरूपाणि पशुशीर्षादीनि । स्तोमास्त्रिवृत्पञ्चदशादयः । बृहद्रथन्तरादीनि 'पृष्ठानि' । छन्दांसि गायत्र्यादीनि । एते च स्तोमादयः स्वस्वलिङ्गैर्मन्त्रैरिष्टकारूपेणोपधेयाः । यान्येतानि पशुशीर्षादीनि तानि सर्वाण्यध्वर्युः 'उपधास्यन् भवति' 'एतयोरेव' पक्षसंस्तुतयोर्बाह्वोः 'सा संस्कृतिः' गुणोत्कर्षहेतुः संस्कारः 'एतयोर्वृद्धिः' अभिवृद्धिहेतुः । तस्मादित्यादि स्पष्टम् ॥ ४९ ॥

इति श्रीसायणाचार्यविरचिते माधवीये वेदार्थप्रकाशे माध्यन्दिनीयशतपथब्राह्मणभाष्ये सप्तमकाण्डे चतुर्थेऽध्याये प्रथमं ब्राह्मणम् ॥ (७ । ४ । १) ॥

गते ब्राह्मणे रुक्माद्युपधानं विहितम्, अथास्मिन् ब्राह्मणे स्वयमातृण्णादूर्वेष्टकाद्युपधानं विधास्यते । कात्यायनः-" स्वयमातृण्णां पुरुषे शर्करां छिद्राम् "-(का. श्रौ. सू. १७ । ८७) इति । पुरुषप्रयत्नमन्तरेण

यद्वेव स्वयमातृण्णामुपदधाति । प्राणो वै स्वयमातृण्णा प्राणो ह्येवैतत्स्वयमात्मन ऽआतृन्ते प्राणमेवैतदुपदधाति तामनन्तर्हितां पुरुषादुपदधाति प्राणो वै स्वयमातृण्णेयं वै स्वयमातृण्णेयमु वै प्राणो यद्धि किं च प्राणीयं तत्सर्वं बिभर्त्त्यनन्तर्हितमेवास्मादेतत्प्राणं दधात्युत्तरामुत्तरमेवास्मादेतत्प्राणं दधाति ॥ २ ॥

यद्वेव स्वयमातृण्णामुपदधाति । प्राणो वै स्वयमातृण्णा । प्राणो ह्येवैतत्स्वयमात्मन आतृन्ते । प्राणमेवैतदुपदधाति । तामनन्तर्हितां पुरुषादुपदधाति । प्राणो वै स्वयमातृण्णा । इयं वै स्वयमातृण्णा । इयमु वै प्राणः । यद्धि किं च प्राणीयं—तत्सर्वं बिभर्ति । अनन्तर्हितमेवास्मादेतत् प्राणं दधाति । उत्तराम् । उत्तरमेवास्मादेतत्प्राणं दधाति ॥ २ ॥

या स्वत एव च्छिद्रयुक्ता शर्करा क्षुद्रपाषाणविशेषः सा स्वयमातृण्णा, तां हिरण्मयपुरुषे उपदध्यात् । तदेतद्विधत्ते—स्वयमातृण्णामुपदधातीति । स्वयमातृण्णाख्यामिष्टकामुपदध्यादिति विधिरुन्नेयः, यथा "औदुम्बरो यूपो भवति" इति । तत्र हि भवतीत्यस्य वर्त्तमानापदेशत्वात्प्रत्यक्षविधित्वासम्भवेऽपि "ऊर्वा उदुम्बरः" इत्याद्यर्थवादकृतस्तुत्या विधिरुन्नीयत इति निर्णीतम् । ननु "ऊर्वा उदुम्बरः"—इत्यादेर्यूपोदुम्बरस्य फलाभिधायकत्वात्कथमर्थवादत्वमिति चेन्न—अविहितस्य फलाभिधानायोगाद्विहितस्येति वक्तव्यम् । विधिश्च तस्यार्थवादत्वमन्तरेण न सम्भवतीति । अतोऽत्रापि 'इयं वा' इत्याद्यर्थवादस्य वर्त्तमानापदेशत्वादुन्नेतव्यो विधिः । एवमन्यत्रापि वर्त्तमानापदेशेषु विधिष्वयमेव न्यायो द्रष्टव्यः । तस्याः स्वयमातृण्णायाः पृथिवीविकारत्वात्तदुपधानेन पृथिव्युपधानमेव सम्पादितं भवतीत्याह-इयं वा इति । यदुक्तं सूत्रे पुरुष इति तद्विधत्ते—तामनन्तर्हितामिति । 'ताम्' इष्टकां 'पुरुषादनन्तर्हिताम्' अव्यवहितां तत्सम्बद्धामुपदध्यादित्यर्थः । पुरुषसम्बद्धत्वेनोपधानं प्रशंसति—अन्नं वा इति । पृथिव्यां व्रीह्यादीनां सर्वेषामन्नानां पच्यमानत्वादन्नरूपा पृथिवी, 'स्वयमातृण्णा' च पृथिवीत्युक्तम् । अतश्च पुरुषसम्बद्धेनोपधानेन तस्मिन् 'अन्नम्' एव निहितवान् भवति । अनन्तर्हितामित्युक्तत्वात् क्वचित् तत्पार्श्वे संश्लेषेणाप्यव्यवधानमुपपद्यत इत्यत आह—उत्तरामिति । 'उत्तराम्' पुरुषस्योपर्यवस्थितां, विधेयविशेषणमेतत्; अत एव सूत्रे 'पुरुषे' इति सप्तम्योपधानाधिकरणत्वमुक्तम् । उत्तरमेवास्मादिति । 'अस्मात्' पुरुषाद् 'उत्तरम्' उपर्यवस्थितम् अन्नं करोति । पुरुषस्य मुखे दधातीति भावः ॥ १ ॥

विहितां स्वयमातृण्णामनूद्य प्राणात्मना स्तौति—यद्वेवेति । 'स्वयमातृण्णामुपदधाति' इति 'यद्' अस्ति तत्कारणमुच्यत इत्यर्थः । 'प्राणो ह्येवैतत् स्वयमात्मन आतृन्ते' इति स्वयमातृण्णायाः प्राणत्वोपपादनम् । 'प्राणो'—नाम शरीरान्तर्वर्तमानो वायुः, स 'हि' 'आत्मनः' अर्थे 'स्वयमातृन्ते' आतर्दनं कुरुते, शरीरान्तर्गतनाडीष्ववकाशं कृत्वा प्रवर्त्तते । अथ वा 'आत्मनः' शरीरस्यान्तः 'आतृन्ते' इति योजना । 'आतृन्ते' इति "उतृदिर् हिंसानादरयोः" (धा. पा. रु. उ. ९) इत्यस्माद्रौधादिकाल्लटि रूपम् । अतः स्वयमातर्दनसामान्यात्स्वयमातृण्णायाः प्राणात्मत्वमित्यर्थः । विहितमव्यवधानमनुवदन् न केवलं स्वयमातर्दनसामान्यादेव प्राणत्वम्, अपि तु पूर्वोक्तपृथिवीत्वप्रणाल्याऽपि प्राणत्वमस्या विद्यत इति दर्शयति—तामनन्त-

यद्वेव स्वयमातृण्णामुपदधाति प्रजापतिं विस्रस्तं देवताऽ आदाय व्युदक्रामंस्तासु व्युत्क्रामन्तीषु प्रतिष्ठामभिपद्योपाविशत् ॥ ३ ॥

(त्स) स यः स प्रजापतिर्व्यस्रꣳसत । (ताय) अयमेव स योऽयमग्निश्चीयतेऽथ या सा प्रतिष्ठैषा सा प्रथमा स्वयमातृण्णा तद्यदेतामत्रोपदधाति यदेवास्यैषाऽऽत्मनस्तदस्मिन्नेतत्प्रतिदधाति तस्मादेतामत्रोपदधाति ॥४॥

तां वै प्रजापतिनोपदधाति । प्रजापतिर्ह्येवैतत्स्वयमात्मनः प्रत्यधत्त ध्रुवाऽसीति स्थिराऽसीत्येतदथो प्रतिष्ठिताऽसीति धरुणेति प्रतिष्ठा वै धरुण-

---

यद्वेव स्वयमातृण्णामुपदधाति । प्रजापतिं विस्रस्तं देवता आदाय व्युदक्रामन् । तासु व्युत्क्रामन्तीषु प्रतिष्ठामभिपद्योपाविशत् ॥ ३ ॥

स यः स प्रजापतिर्व्यस्रंसत—अयमेव सः—योऽयमग्निश्चीयते । अथ या सा प्रतिष्ठा—एषा सा प्रथमा स्वयमातृण्णा । तद्यदेतामत्रोपदधाति—यदेवास्यैषाऽऽत्मनः—तदस्मिन्नेतत्प्रतिदधाति । तस्मादेतामत्रोपदधाति ॥ ४ ॥

तां वै प्रजापतिनोपदधाति । प्रजापतिर्ह्येवैतत्स्वयमात्मनः प्रत्यधत्त । "ध्रुवाऽसि"—इति । स्थिराऽसीत्येतत् । अथो प्रतिष्ठिताऽसि—इति । "धरुणा"—इति । प्रतिष्ठा वै धरुणम् । "आस्तृता

हितामित्यादिना । यत् किञ्चिन्मनुष्यपशुपक्षिसरीसृपादिकं प्राणिजातमस्ति, 'तत्—सर्वम्' पृथिवी 'बिभर्त्ति' खलु, अनेन पृथिव्याः प्राणात्मकत्वमुपपादितम् । स्पष्टमन्यत् ॥ २ ॥

अथ पुनरपि तामेवेष्टकां विस्रस्तावयवस्य प्रजापतेः प्रतिष्ठारूपेण प्रशंसति—यद्वेवेति । पूर्वं प्रजापतिः प्रजाः सृष्ट्वा विस्रस्ताङ्गोऽभूत्, तादृशं तं 'प्रजापतिम्' अवयवशः 'आदाय' देवाः 'व्युदक्रामन्' । ततस्तेषु व्युत्क्रामत्सु स प्रजापतिः प्रतिष्ठारूपमङ्गं स्वयम् 'अभिपद्य' गृहीत्वा 'उपाविशत्,' तदेतत् प्राक् प्रपञ्चेनोक्तम्—"प्रजापतिः प्रजा असृजत स प्रजाः सृष्ट्वा सर्वमाजिमित्वा व्यस्रꣳसत तस्माद्विस्रस्तात् प्राणो मध्यत उदक्रामत्"—(श. प. ६।१।२।१२) इत्यादिना । प्रजापतेः प्रजासर्जनेन विश्लथावयवत्वं तैत्तिरीयकेऽप्याम्नातम्—"प्रजापतिः प्रजाः सृष्ट्वा व्यस्रंसत"—इति ॥ ३ ॥

स य इति । 'सः' प्रजानां स्रष्टा 'यः' 'प्रजापतिः' विस्रस्तोऽभूत्, सः 'अयमेव' 'यः' एष इष्टकासङ्घातरूपः 'अग्निश्चीयते' । 'अथ या' च 'सा' प्रजापतिना प्राप्ता 'प्रतिष्ठा,' सा 'एषा' इदानीमुपधीयमाना 'प्रथमा स्वयमातृण्णा' । प्रथममध्यमोत्तमासु तिसृष्वपि चितिषु तिस्रः स्वयमातृण्णा उपधीयन्ते, अतोऽत्र प्रथमेति विशेषणम् । तद्यदिति । यतः 'एताम्' इष्टकाम् 'अत्र' पुरुषे 'उपदधाति' 'तत्' तेनास्य पुरुषरूपस्य प्रजापतेः 'आत्मनः' स्वस्य 'यद्' एतत् प्रतिष्ठालक्षणमङ्गम् । एषेति लिङ्गव्यत्ययः (पा. सू. ३ । १ । ८९) । 'तदस्मिन्' प्रजापतावेव 'एतत्' एतेन निहितवान् भवति । 'तस्माद्' अस्मिन्पुरुषे उपदध्यात् ॥ ४ ॥

विहिते उपधाने मन्त्रं विधत्ते—तां वै प्रजापतिनोपदधातीत्यादिना । अत्र "ध्रुवाऽसि धरुणाऽऽस्तृता,"

मास्तृता विश्वकर्मणेति प्रजापतिर्वै विश्वकर्मा तेनास्तृताऽसीत्येतन्मा त्वा समुद्र ऽउद्वधीन्मा सुपर्ण ऽइति रुक्मो वै समुद्रः पुरुषः सुपर्णस्तौ त्वा मोद्वधिष्टामित्येतदव्यथमाना पृथिवीं दृꣳहेति यथैव यजुस्तथा बन्धुः ॥५॥

प्रजापतिष्ट्वा सादयत्विति । प्रजापतिर्ह्येतां प्रथमां चितिमपश्यदपां पृष्ठे समुद्रस्येमन्नित्यपाꣳ हीयं पृष्ठꣳ समुद्रस्य हीयमेमा व्यचस्वतीं प्रथस्वतीमिति व्यचस्वती च हीयं प्रथस्वती च प्रथस्व पृथिव्यसीति प्रथस्व पृथिवी चासीत्येतत् ॥ ६ ॥

विश्वकर्मणा "–इति । प्रजापतिर्वै विश्वकर्मा । तेनास्तृताऽसीत्येतत् । " मा त्वा समुद्र उद्वधीन्मा सुपर्णः "–इति । रुक्मो वै समुद्रः पुरुषः सुपर्णः । तौ त्वा मोद्वधिष्टामित्येतत् । " अव्यथमाना पृथिवीं दृंह "–(वा. सं. १३ । १६) इति । यथैव यजुस्तथा बन्धुः ॥ ५ ॥

" प्रजापतिष्ट्वा सादयतु "–इति । प्रजापतिर्ह्येतां प्रथमां चितिमपश्यत् । " अपां पृष्ठे समुद्रस्येमन् "–इति । अपां हीयं पृष्ठम् । समुद्रस्य हीयमेमा । " व्यचस्वतीं प्रथस्वतीम् "–इति । व्यचस्वती च हीयं प्रथस्वती च । "प्रथस्व पृथिव्यसि"–(वा. सं. १३ । १७) इति । प्रथस्व पृथिवी चासीत्येतत् ॥ ६ ॥

" प्रजापतिष्ट्वा सादयतु " " भूरसि भूमिरसि " इति तिसृभिर्ऋग्भिः " विश्वस्मै प्राणाय " इति यजुषा च एषा स्वयमातृण्णेष्टकोपधीयते; अतः प्रजापतिशब्देन तद्विशिष्टं मन्त्रं लक्षयित्वा तेन लक्षितलक्षणया ते सर्वे मन्त्रा लक्ष्यन्ते । ' प्रजापतिर्ह्येतत्स्वयमात्मनः प्रत्यधत्त ' इत्यनेन लक्षितलक्षणाविवक्षाकारणमुच्यते । यतः ' प्रजापतिः ' ' स्वयमात्मनः ' ' एतत् ' प्रतिष्ठालक्षणमङ्गम् ' प्रत्यधत्त ', अतस्तत्प्रतिष्ठात्मकस्वयमातृण्णोपधानमन्त्रेऽपि तत्सम्बन्धप्रतीतिर्यथा स्यादिति प्रजापतिनोपदध्यादित्युक्तम् । प्रथमामृचं व्याचष्टे–ध्रुवाऽसीति । ' स्थिराऽसीत्येतद् ' इति ' ध्रुवाऽसि ' इत्यस्य व्याख्यानम् । ' अथो प्रतिष्ठाऽसीति ' एतदपि ' ध्रुवाऽसि ' इत्यस्यैव विवरणम् । धरुणीति प्रतीकमादाय व्याचष्टे–प्रतिष्ठा वै धरुणमिति । सर्वस्याधारभूतेत्यर्थः । आस्तृता विश्वकर्मणेत्यस्य व्याख्यानम्–प्रजापतिर्वै विश्वकर्मेति । विश्वस्य कृत्स्नप्रपञ्चस्य कर्म सृष्टिलक्षणमस्यास्तीति विश्वकर्मशब्देन ' प्रजापतिः ' अभिधीयते; ' तेन ' ' आस्तृता ' आच्छादितोपहिता ' इति ' एतदुक्तं भवति । रुक्मो वै समुद्रः पुरुषः सुपर्ण इति । अत्र पुष्करपर्णे रुक्मं निधाय तत्र च हिरण्मयपुरुषमवस्थाप्य तस्योपरि स्वयमातृण्णोपधानं कर्त्तव्यम् । अतश्च ' मा त्वा समुद्र उद्वधीन्मा सुपर्णः ' ' इति ' अनेन–आधारभूतौ रुक्मपुरुषौ तव हिंसां मा कार्ष्टाम्, किन्त्वानुकूल्येनाङ्गीकुरुतामित्येतदुच्यते । यथैव यजुस्तथा बन्धुः इत्यनेन यथा मन्त्रस्तथैव व्याख्यानम् । ' अव्यथमाना पृथिवीं दृꣳह ' ' इति ' एष मन्त्रभागः स्पष्टार्थ इत्युच्यते ॥ ५ ॥

अथ द्वितीयामृचं व्याचष्टे–प्रजापतिष्ट्वेति । यतः ' प्रजापतिः ' एताम् ' ' प्रथमाम् ' ' चितिम् ' अपश्यत् ' अतः ' प्रजापतिष्ट्वा सादयत्विति ' मन्त्र आह । अपामाच्छादकत्वादियं पृथिवी ' अपां पृष्ठे ' तथा

(छू) भूरसीति । भूर्हीयं भूमिरसीति भूमिर्हीयमदितिरसीतीयं वाऽअदितिरियꣳ हीदꣳ सर्वं ददते विश्वधायाऽइत्यस्याꣳ हीदꣳ सर्वꣳ हितं विश्वस्य भुवनस्य धर्त्रीति सर्वस्य भुवनस्य धर्त्रीत्येतत्पृथिवीं यच्छ पृथिवीं दृꣳह पृथिवीं मा हिꣳसीरित्यात्मानं यच्छात्मानं दृꣳहात्मानं मा हिꣳसीरित्येतत् ॥ ७ ॥

(छि) विश्वस्मै प्राणायापानाय । व्यानायोदानायेति प्राणो वै स्वयमातृण्णा सर्वस्माऽउ वाऽएतस्मै प्राणः प्रतिष्ठायै चरित्रायेतीमे वै लोकाः

" भूरसि "–इति । भूर्हीयम् । " भूमिरसि "–इति । भूमिर्हीयम् । " अदितिरसि "–इति । इयं वाऽअदितिः । इयं हीदं सर्वं ददते । "विश्वधायाः"–इति । अस्यां हीदं सर्वं हितम् । " विश्वस्य भुवनस्य धर्त्री "–इति । सर्वस्य भुवनस्य धर्त्रीत्येतत् । " पृथिवीं यच्छ पृथिवीं दृंह पृथिवीं मा हिंसीः "–(वा. सं. १३ । १८) इति । आत्मानं यच्छ, आत्मानं दृंह, आत्मानं मा हिंसीरित्येतत् ॥ ७ ॥

" विश्वस्मै प्राणायापानाय व्यानायोदानाय "-इति । प्राणो वै स्वयमातृण्णा सर्वस्मा-

---

' समुद्रस्य ' अपि ' एमन् ' एमा " इण् गतौ "–(धा. पा. अ. प. ३९) इत्यस्मात् " अन्येभ्योऽपि दृश्यन्ते "–(पा. सू. ३ । २ । ७५) इति मनिन्प्रत्ययः । ' समुद्रस्य ' इति कृद्योगे कर्मणि षष्ठी (पा. सू. २।३।६५) । ' समुद्रस्य एमा ' समुद्रं प्राप्तेत्यर्थः । परितः समुद्रेण वलयितत्वात् । ' एमन् ' इति सप्तम्येकवचनस्य " सुपां सुलुक् "–(पा. सू. ७ । १ । ३९) इत्यादिना लुकि सति रूपम् । ' इयम् ' पृथिवी ' व्यचस्वती ' व्यञ्जनवती, अभिव्यक्तियुक्ता, ' प्रथस्वती ' विस्तारयुक्ता चेत्येतत् प्रत्यक्षसिद्धम् । स्वयमातृण्णा च पृथिव्यात्मिका, अतश्च ' व्यचस्वतीम् ' ' प्रथस्वतीम् ' इति मन्त्र आह । प्रथस्व पृथिवी चासीत्येतदिति । यतस्त्वं ' पृथिव्यसि ' अतः ' प्रथस्व ' इत्येतदुक्तं भवतीत्यर्थः । पृथिवीशब्दस्य प्रथनप्रवृत्तिनिमित्तकत्वं तैत्तिरीयके श्रूयते–' तत्पुष्करपर्णेऽप्रथयत् यदप्रथयत्तत्पृथिव्यै पृथिवित्वम् "–(तै. सं.) ॥ ६ ॥

अथ तृतीयामृचं व्याचष्टे–भूरसीति । भूमिरसीति भूमिर्हीयमिति । ' इयम् ' पृथिवी, यतः सर्वेषां सुखानि भावयतीति ' भूः, ' अस्याः सकाशादिदं सर्वमविज्ञातमभूदिति भूमिश्च; अत एव श्रुतिः–" अभूद्वा इयमिति तद्भूम्यै भूमित्वम् " –इति । तस्माद्भूरसि भूमिरसीत्यभिधत्ते । ' इयं हीदं सर्वं ददते ' इत्यनेनादितित्वोपपादनम्–' इयम् ' पृथिवी ' इदम् ' ' सर्वम् ' भोग्यवस्तुजातं ' ददते ' तस्माददितिः । " दद दाने "–(धा. पा. भ्वा. आ. १७) इत्यस्माददितिशब्दो निष्पन्नो द्रष्टव्यः । विश्वं सर्वमस्यां निहितमिति ' विश्वधायाः ' । सर्वस्य भुवनस्येति । भुवनशब्देनात्र भुवनवर्त्तिपदार्थजातं लक्ष्यते, ततश्च सर्वस्य भुवनवर्त्तिपदार्थजातस्य धारयित्रीत्येतदुक्तं भवति, पृथिवीरूपत्वादात्मनः 'पृथिवीं यच्छ' इत्यादिनाऽऽत्मन एव नियमनादिकं क्रियतामित्युच्यत इत्याह–आत्मानं यच्छेत्यादिना ॥ ७ ॥

अथ यजुर्मन्त्रं व्याचष्टे–विश्वस्मै प्राणायेति । एक एव प्राणवायुर्वृत्तिभेदात्प्राणापानव्यानोदानसमानशब्दै-

स्वयमातृण्णाऽइमुऽउ लोकाः प्रतिष्ठा चरित्रमग्निष्ट्वाऽभिपात्वित्यग्निष्ट्वाऽभिगोपायात्वित्येतन्मह्या स्वस्त्येति महत्या स्वस्त्येत्येतच्छर्दिषा शंतमेनेति यच्छर्दिः शंतमं तेनेत्येतत्सादयित्वा सूददोहसाऽधिवदति तस्योक्तो बन्धुरथ साम गायति तस्योपरि बन्धुः ॥ ८ ॥

ऽउ वाऽएतस्मै प्राणः । "प्रतिष्ठायै चरित्राय"–इति । इमे वै लोकाः स्वयमातृण्णाः । इमऽउ लोकाः प्रतिष्ठा चरित्रम् । "अग्निष्ट्वाऽभिपातु"–इति । अग्निष्ट्वाऽभिगोपायत्वित्येतत् । "मह्या स्वस्त्या"–इति । महत्या स्वस्त्येत्येतत् । "छर्दिषा शंतमेन"–(वा. सं. १३ । १९) इति । यच्छर्दिः शंतमं–तेनेत्येतत् । सादयित्वा सूददोहसाऽधिवदति । तस्योक्तो बन्धुः । अथ साम गायति । तस्योपरि बन्धुः ॥ ८ ॥

रभिधीयते । "प्राणो ह्येवैतत् स्वयमात्मन आतृन्ते"–इति स्वयमातृण्णायाः प्राणत्वमुक्तम् (श. प. ७ । ४ । २।२) । 'सर्वस्मा उ वा एतस्मा' इति षष्ठयर्थे चतुर्थी (पा. सू. २ । ३ । ६२, वा. १) सर्वस्य खल्वेतस्य प्राणिसंघस्य प्राण एवाशास्यो भवति, अतः सर्वस्यापि प्राणादिस्थैर्यार्थं तवोपधानमिति यावत् । इमे वै लोका इति । तिस्रः 'स्वयमातृण्णाः' पृथिव्यन्तरिक्षद्युलोकात्मिकाः 'इमे' खलु 'लोकाः' 'प्रतिष्ठा' सर्वप्राणिनामाधारः, 'चरित्रम' इति प्रत्येकविवक्षयैकवचनम्, नियतलिङ्गत्वान्नपुंसकलिङ्गम् । ततश्च प्रथमायाः स्वयमातृण्णायाः पृथिव्यात्मकत्वात्–सर्वेषामाधारभूताय संसारसाधनभूताय चास्मै लोकाय तवोपधानम् । गोपायत्वित्येतदिति । पृथिव्यभिमानिदेवतात्वादग्निस्त्वां गोपायत्वित्येतदुक्तम् । यच्छर्दिः शन्तमं तेनेत्येतदिति । 'शन्तमम्' अतिशयेन सुखकरं 'यच्छर्दिः' तेजोऽस्ति 'तेन' इति । मन्त्रार्थस्तु–हे स्वयमातृण्णे ! स्थिराऽसि, सर्वेषां प्रतिष्ठाऽसि, प्रजापतिनोपहिताऽसि, तादृशीं त्वां रुक्मो 'मोद्बधीत्' । तथा हिरण्मयपुरुषश्च त्वां मोद्बधीत् । तथा सती 'अव्यथमाना' त्वं 'पृथिवीम्' दृढीकुरु । किञ्च 'प्रजापतिः' अपामाच्छादके समुद्रं प्राप्तवति भूप्रदेशे 'व्यचस्वतीम्' विस्तारवतीं त्वां सादयतु यतस्त्वं 'पृथिव्यसि,' अतः 'प्रथस्व' विस्तारवती भव । किञ्च त्वं सर्वेषां सुखानां भावयिष्यसि, सर्वेषां चोत्पत्तिस्थानमसि, सर्वस्यापि भोग्यवस्तुनो दात्र्यसि, कृत्स्नस्यापि भुवनवर्तिपदार्थजातस्य धारयित्र्यसि । तादृशी त्वं पृथिवीरूपमात्मानं नियच्छ दृढीकुरु । मा च हिंसीः । प्रयोजनान्तरेण त्वां नोपदधे, किन्तु सर्वस्यापि प्राणिनः स्थैर्यार्थं त्वामुपदधामि । त्वाञ्चाग्निः 'मह्या' 'महत्या,' टिलोपश्छान्दसः । 'स्वस्त्या' अविनाशेन सुखातिशयसम्पादकेन तेजसा च 'गोपायतु' 'तया देवतया' 'अङ्गिरस्वत्' अङ्गिरसा तुल्या 'ध्रुवा' स्थिरा 'सीद' उपविशेति कृत्स्नमन्त्रार्थः । अथ "तया देवतया" इत्यनेन मन्त्रेण सादयित्वा । "ता अस्य" इत्यनेनाधिवदेदित्याह–सादयित्वेति । अत्र सूत्रम्–"निस्थे सादनसूददोहसा उपधानादुत्तरे तया देवतया ता अस्येति"–(का. श्रौ. सू. १७ । २१३) इति । सादनाधिवदनमन्त्रयोर्व्याख्यानं प्रागुक्तमित्याह–तस्योक्तो बन्धुरिति । तत्रास्मिन्काण्डे "प्राणो वै सूददोहाः"–(श. प. ७।१।१।२६) इत्यादिनाऽधिवदनमन्त्रो व्याख्यातः । षष्ठकाण्डे "स उपदधाति तया देवतयेति वाग्वै सा देवता" इत्यादिना व्याख्यातः सादनमन्त्रः ॥ ८ ॥

१–महीधरस्तु–'शन्तमेन' अत्यन्तसुखकारिणा 'छर्दिषा' गृहेणेति व्याचख्यौ । तच्च निघण्टौ (३ । ४ । १८) द्रष्टव्यम्

१८१५

(स्तु) तुदाहुः । कथमेष पुरुषः स्वयमातृण्णयाऽनभिनिहितो भवतीत्युन्नं वै स्वयमातृण्णा प्राणः स्वयमातृण्णाऽनभिनिहितो वै पुरुषोऽन्नेन च प्राणेन च ॥ ९ ॥

(चा) अथ दूर्व्वेष्टकामुपदधाति । पशवो वै दूर्व्वेष्टका पशूनेवैतदुपदधाति तद्यैरदोऽग्निरनन्तर्हितैः पशुभिरुपैत्तऽएते तानेवैतदुपदधाति तामनन्तर्हिताᳬं स्वयमातृण्णाया ऽउपदधातीयं वै स्वयमातृण्णाऽनन्तर्हितांस्तदस्यै पशून्दधात्युत्तरामुत्तरांस्तदस्यै पशून्दधाति ॥ १० ॥

तदाहुः–कथमेष पुरुषः स्वयमातृण्णयाऽनभिनिहितो भवतीति । अन्नं वै स्वयमातृण्णा, प्राणः स्वयमातृण्णा । अनभिनिहितो वै पुरुषः–अन्नेन च प्राणेन च ॥ ९ ॥

अथ दूर्वेष्टकोपधानम् ।

अथ दूर्वेष्टकामुपदधाति । पशवो वै दूर्वेष्टका । पशूनेवैतदुपदधाति । तद्यैरदोऽग्निरनन्तर्हितैः पशुभिरुपैत्–तऽएते । तानेवैतदुपदधाति । तामनन्तर्हितां स्वयमातृण्णाया उपदधाति । इयं वै स्वयमातृण्णा । अनन्तर्हितांस्तदस्यै पशून्दधाति । उत्तराम् । उत्तरांस्तदस्यै पशून्दधाति ॥ १० ॥

अथ स्वयमातृण्णायां सामगानं विधाय तत्प्रयोजनकथनलक्षणं व्याख्यानमुपरिष्टाद्वक्ष्यत इति दर्शयति–अथेत्यादिना । अस्यां प्रथमायां स्वयमातृण्णायां 'भूः' इति व्याहृत्या साम गायेत्, अत एव सूत्रम्–"भूरित्येतस्याᳬ साम गायति "–(का. श्रौ. सू. १७ । ८८) इति । तद्व्याख्यानं तु " अथ स्वयमातृण्णासु सामानि गायति "–इत्यादिनोत्तरत्राष्टमकाण्डावसाने प्रपञ्च्यते (श. प. ८।७।४।१)। लोके हि पुरुषस्योपरि पाषाणे निहितेऽस्य महानुपरोधो जायते, अतोऽत्र स्वयमातृण्णायाः पाषाणात्मकत्वात्तदुपधानेन पुरुषः कथमनभिनिहितो भवतीति प्रश्नपूर्वकं स्वयमातृण्णाया अन्नप्राणात्मकत्वात्तयोश्चोपरोधहेतुताभावात् प्रत्युतानुकूलत्वात् तत्सन्निधानेऽपि पुरुषो नाभिनिहित एव भवति इत्याह–तदाहुरित्यादिना ॥ ९ ॥

स्वयमातृण्णेष्टकोपधानानन्तरं दूर्वेष्टकोपधानं विधत्ते–अथेति । ' इष्टका ' शब्दो मृन्मयेष्टकासु मुख्यः, दूर्वायां तूपधानसामान्याद्गौणः । पशुपुष्टिसाधनत्वेन दूर्वाणामपि पशुत्वात्तदुपधानेन पशूनामेवोपधानं कृतं भवतीत्याह-पशवो वा इति । यदुक्तम्–' पशूनेवैतदुपदधाति ' इति तत् किं साधारणपशुविषयं ? नेत्याह–तद्यैरद इति । ' अदः ' पुरस्तात् ' अग्निः ' ' अनन्तर्हितैः ' अव्यवहितैः, स्वस्य तेष्वनुप्रवेशादनन्तर्हितत्वम्, तादृशैर्यैः पञ्चभिः ' पशुभिः ' अन्यत्रोपजगाम, ते पशवः ' एते ' दूर्वेष्टकात्मका इत्यर्थः । अग्निः पशून् प्रविश्यान्यत्र जगामेत्येतत् " स एतान् पञ्च पशून् प्राविशद् " इत्यादिना (श.प.६।२।१।४) षष्ठकाण्डे प्रपञ्चेनोक्तम् । ' उपदधाति ' इति सामान्येन विधानात्स्थानविशेषं विधाय प्रशंसति–तामनन्तर्हितामित्यादिना । " तामनन्तर्हितां पुरुषादुपदधाति "–(श. प. ७ । ४ । २ । १) इति स्वयमातृण्णेष्टकास्थानविधिव्याख्यानेनैव कृतव्याख्यानमेतत् ॥ १० ॥

यद्वेव दूर्वेष्टकामुपदधाति । प्रजापतेर्विस्रस्तस्य यानि लोमान्यशीयन्त ता इमा ओषधयोऽभवन्नथास्मात्प्राणो मध्यत उदक्रामत्तस्मिन्नुत्क्रान्तेऽपद्यत ॥ ११ ॥

सोऽब्रवीत् । (द) अयं वाव माऽधूर्वीदिति यदब्रवीदधूर्वीन्मेति तस्माद्धूर्वा धूर्वा ह वै तां दूर्वेत्याचक्षते परोऽक्षं परोऽक्षकामा हि देवास्तदेतत्क्षत्रं प्राणो ह्येष रसो लोमान्यन्या ओषधय एतामुपदधत्सर्वा ओषधीरुपदधाति ॥ १२ ॥

तं यत्र देवाः समस्कुर्वन् । (र्वंस्तु) तदस्मिन्नेतं प्राणꣳ रसं मध्यतोऽदधुस्तथैवास्मिन्नयमेतद्दधाति तामनन्तर्हिताꣳ स्वयमातृण्णाया उपदधातीयं वै स्वयमातृण्णाऽनन्तर्हितास्तदस्या ओषधीर्दधात्युत्तरामुत्तरा-

---

यद्वेव दूर्वेष्टकामुपदधाति । प्रजापतेर्विस्रस्तस्य यानि लोमान्यशीयन्त—ता इमा ओषधयोऽभवन् । अथास्मात्प्राणो मध्यत उदक्रामत् । तस्मिन्नुत्क्रान्तेऽपद्यत ॥ ११ ॥

सोऽब्रवीत्—अयं वाव माऽधूर्वीदिति । यदब्रवीदधूर्वीन्मेति—तस्माद्धूर्वा । धूर्वा ह वै तां दूर्वेत्याचक्षते परोऽक्षम् । परोऽक्षकामा हि देवाः । तदेतत्क्षत्रम् । प्राणो ह्येष रसः—लोमान्यन्या ओषधयः । एतामुपदधत्सर्वा ओषधीरुपदधाति ॥ १२ ॥

तं यत्र देवाः समस्कुर्वन्—तदस्मिन्नेतं प्राणं रसं मध्यतोऽदधुः। तथैवास्मिन्नयमेतद्दधाति । तामनन्तर्हितां स्वयमातृण्णाया उपदधाति । इयं वै स्वयमातृण्णा । अनन्तर्हितास्तदस्याऽओषधीर्दधाति ।

विहितमुपधानमनूद्यौषधीनां दूर्वायाश्चोत्पत्तिप्रदर्शनपूर्वकं तदुपधानेनैव क्षत्रमन्याः सर्वौषधीः प्राणं रसं चोपहितवान् भवतीति स्तौति—**यद्वेवेत्या**दिना । **अशीयन्तेति** । अपतन्नित्यर्थः ॥ ११ ॥

सोऽब्रवीदिति । ' अयम् ' एव प्राणो माम् ' अधूर्वीद् ' अहिंसीदिति प्रजापतिः ' अब्रवीत् ' यदब्रवीन्मामधूर्वीदिति ' तस्माद् ' एष प्राणो नाम्ना ' धूर्वा ' अभूत् । ननु धूर्वा न दूर्वा भवितुमर्हति तत्कथं दूर्वेत्युच्यत इत्यत आह—**धूर्वा ह वै तामि**ति । ' धूर्वा ' शब्दः पचाद्यजन्तः, लोकेऽपि यत्किञ्चिन्नामधेयविशिष्टं पुरुषं गौरवार्थं भ्राता पितेत्येवं परोक्षेण व्यपदिशन्ति तद्वद्देवा अपीत्यर्थः । **तदेता**दिति । यतः ' एषः ' दूर्वाप्राणात्मको ' रसः ' । प्राणस्य रसात्मकत्वं श्रूयते—" प्राणो हि वाऽअङ्गानाꣳ रसः " (श. प. १४।१।१।२१)—इति । ' एषः ' इति पुँल्लिङ्गत्वं प्राणरसापेक्षम् ; अतः ' तदेतद् ' दूर्वा ' क्षत्त्रम् ' प्रधानम्, ' क्षत्त्र '—शब्देनात्र प्राधान्यं लक्ष्यते । ' तदेतत् ' इत्यपि नपुंसकलिङ्गं क्षत्रशब्दापेक्षम् । तथा सति लोम्न प्राणानुविधायित्वात्प्राणरसात्मिकामेतां दूर्वेष्टकामुपदधत् लोमात्मिकाः ' सर्वाः ' अपि ओषधीरुपदधाति ॥ १२ ॥

किञ्च—' यत्र ' यदा ' देवाः ' ' तम् ' प्रजापतिं चयनसंस्कारेण संस्कृतवन्तः, तदा ' अस्मिन् ' प्रजापतौ ' मध्यतो ' मध्ये सप्तम्यर्थे तसिः ' प्राणं रसम् ' ' अदधुः ' स्थापितवन्तः । ' तथैव ' ' अयम् ' अध्वर्युः

स्तदस्याऽओषधीर्दधाति सा स्यात्समूला साग्रा कृत्स्नतायै यथा स्वयमातृण्णायामुपहिता भूमिं प्राप्नुयादेवमुपदध्यादस्याᳬं ह्येवैता जायन्तऽइमामनुप्ररोहन्ति ॥ १३ ॥

काण्डात्काण्डात्प्ररोहन्ती । परुषः परुषस्परीति काण्डात्काण्डाद्ध्येषा पर्व्वणः पर्व्वणः प्ररोहत्येवा नो दूर्व्वे प्रतनु सहस्रेण शतेन चेति यथैव यजुस्तथा बन्धुः ॥ १४ ॥

(ख्यू) या शतेन प्रतनोषि । सहस्रेण विरोहसीति शतेन ह्येषा प्रतनोति सहस्रेण विरोहति तस्यास्ते देवीष्टके विधेम हविषा वयमिति यथैव

उत्तराम् । उत्तरास्तदस्याऽओषधीर्दधाति । सा स्यात्समूला साग्रा । कृत्स्नतायै । यथा स्वयमातृण्णायामुपहिता भूमिं प्राप्नुयात्;–एवमुपदध्यात् । अस्यां ह्येवैता जायन्ते, इमामनुप्ररोहन्ति ॥ १३ ॥

" **काण्डात्काण्डात्प्ररोहन्ती परुषः परुषस्परि** "–इति । काण्डात्काण्डाद्ध्येषा पर्वणः पर्वणः प्ररोहति । " **एवा नो दूर्वे प्रतनु सहस्रेण शतेन च** "–(वा. सं. १३ । २०) इति । यथैव यजुस्तथा बन्धुः ॥ १४ ॥

" **या शतेन प्रतनोषि, सहस्रेण विरोहसि** "–इति । शतेन ह्येषा प्रतनोति, सहस्रेण विरोहति । " **तस्यास्ते देवीष्टके विधेम हविषा वयम्** "–(वा. सं. १३ । २१) इति ।

' एतद् ' एतेन दूर्वेष्टकोपधानेन प्राणं रसं निहितवान् भवतीत्यर्थः । " तामनन्तर्हिताम् " इत्यादिकस्यार्थस्तु व्यक्त एव । उपधातव्यायाः दूर्वेष्टकाया लक्षणमाह–सा स्यादिति । ' कृत्स्नतायै ' संपूर्णत्वाय अच्छिन्नमूलाग्रं हि संपूर्णमन्यूनं भवति, अतो मूलाग्रवती कार्या । उपधाने विशेषमाह–यथेति । अत्र कात्यायनः–" मूलाग्रवती दूर्वा तस्यां पुरस्तादभिप्राप्ताम् "-(का. श्रौ. सू. १७ । ९०) इति । दूर्वेष्टकायाः पुरस्ताद् भूमिसंस्पर्शेनोपधान इमां दूर्वामनुलक्ष्यैता ओषधयो भूमौ प्ररोहेयुरित्याह–अस्याᳬं ह्येवैता इति ॥ १३ ॥

" काण्डात् " इति " या शतेन "–इति च द्वाभ्यामपीयमिष्टकोपधीयते; तत्र प्रथममन्त्रे पूर्वार्धस्यार्थः प्रत्यक्षसिद्ध इति दर्शयति–**काण्डात्काण्डा**दिति । द्वितीयार्द्धं तु निगदव्याख्यातमित्याह–**एवा नो दूर्वे** इत्यादिना । काण्डशब्दः स्तम्बवाची, परुःशब्दः पर्ववचनः । यावन्तः ' काण्डाः ' स्तम्बा विद्यन्ते तत्रैकैकस्मात् स्तम्बात् प्रकर्षेणोत्पद्यमाना एकस्मिन्नपि स्तम्बे यावन्ति ' परूंषि ' पर्वाणि विद्यन्ते तेष्वेकैकस्मात् ' पर्वणः ' परितः प्रकर्षेणोत्पद्यमाना । अथवा काण्डशब्देन पर्वणोर्मध्यवर्ती दण्ड उच्यते । ' काण्डात् काण्डात् ' सर्वस्मात् काण्डादित्यर्थः । ' परुषः परुषः ' सर्वस्मात्पर्वणः । हे 'दूर्वे !' येषु काण्डेषु यानि सर्वाणि पर्वाणि विद्यन्ते तेभ्यः सर्वेभ्योऽपि परितः ' प्ररोहन्ती ' भवसीत्यर्थः । ' एवा ' एवं यथा त्वं भवसि एवं ' नः ' अस्मान् ' शतेन ' ' सहस्रेण ' च शतसहस्रसङ्ख्याकैः पुत्रादिभिः ' प्रतनु ' विस्तारयेति प्रथमस्यार्थः ॥ १४ ॥

प्रथममन्त्रवद् द्वितीयमन्त्रेऽपि पूर्वार्धस्यार्थः प्रत्यक्षसिद्धः; उत्तरार्धं तु निगदव्याख्यातमिति व्याचष्टे–**या**

यजुस्तथा बन्धुर्द्वाभ्यामुपदधाति तस्योक्तो बन्धुः सादयित्वा सूददोहसाऽधिवदति तस्योक्तो बन्धुः ॥ १५ ॥

(इ) अथ द्वियजुषमुपदधाति । (ती) इन्द्राग्नीऽअकामयेताᳬं स्वर्गं लोकमियावेति तावेतामिष्टकामपश्यतां द्वियजुषमिमामेव तामुपादधातां तामुपधायास्यै प्रतिष्ठायै स्वर्गं लोकमैतां तथैवैतद्यजमानो यद्द्वियजुषमुपदधाति येन रूपेण यत्कर्म कृत्वेन्द्राग्नी स्वर्गं लोकमैतां तेन रूपेण तत्कर्म कृत्वा स्वर्गं लोकमयानीति सा यद्द्वियजुर्नाम द्वे ह्येतां देवतेऽअपश्यतां यद्वेव द्वियजुषमुपदधाति यजमानो वै द्वियजुः ॥ १६ ॥

यथैव यजुस्तथा बन्धुः । द्वाभ्यामुपदधाति तस्योक्तो बन्धुः । सादयित्वा सूददोहसाऽधिवदति । तस्योक्तो बन्धुः ॥ १५ ॥

अथ द्वियजुरिष्टकोपधानम् ।

अथ द्वियजुषमुपदधाति । इन्द्राग्नीऽअकामयेताम्—स्वर्गं लोकमियावेति । तावेतामिष्टकामपश्यतां—द्वियजुषम् । इमामेव तामुपादधाताम् । तामुपधायास्यै प्रतिष्ठायै स्वर्गं लोकमैताम् । तथैवैतद्यजमानो यद्द्वियजुषमुपदधाति—येन रूपेण; यत्कर्म कृत्वा, इन्द्राग्नी स्वर्गं लोकमैतां, तेन रूपेण तत्कर्म कृत्वा स्वर्गं लोकमयानीति । सा यद्द्वियजुर्नाम—द्वे ह्येतां देवतेऽअपश्यताम् । यद्वेव द्वियजुषमुपदधाति—यजमानो वै द्वियजुः ॥ १६ ॥

शतेनेत्यादिना । हे दूर्वे ! 'या' त्वं काण्डानां 'शतेन' आत्मानं विस्तारयसि, अङ्कुराणां 'सहस्रेण' विविधं प्रादुर्भवसि । हे देवि ! द्योतमाने 'इष्टके' 'तस्यास्ते' 'वयम्' 'हविषा विधेम' परिचरेमेति द्वितीयस्यार्थः ॥

उपधानमन्त्रगतामर्थसिद्धां द्वित्वसङ्ख्यामनुवदति—द्वाभ्यामुपदधातीति । द्वित्वसङ्ख्याप्रशंसालक्षणं व्याख्यानं "द्वाभ्यामभिजुहोति द्विपाद्यजमानो यजमानोऽग्निः" इत्यादिना—(श. प. ६।४।१।१२) प्रागुक्तमित्याह—तस्योक्तो बन्धुरिति । 'सादयित्वा' इत्यादिकं तु व्याख्यातम् ॥ १५ ॥

कात्यायनः—"यास्त इति द्वियजुषम्"—(का. श्रौ. सू. १७ । ९२) इति । "यास्ते अग्ने सूर्ये रुचः," "या वो देवाः" इति द्वाभ्यां द्वियजुर्नामेष्टकामुपदध्यादिति सूत्रार्थः, तदेतद्विधत्ते—अथेति । विहितामिष्टकां यजमानस्य स्वर्गप्राप्तिसाधनत्वेन प्रशंसति—इन्द्राग्नी इत्यादिना । स्पष्टमेतत् । इमामेवेति । 'ताम्' आत्मना दृष्टाम् 'इमाम्' अस्माभिरधिष्ठीयमानामिष्टकाम् 'एव' 'उपादधाताम्' 'ताम्' 'उपधाय' 'अस्यै प्रतिष्ठायै' "षष्ठ्यर्थे चतुर्थी"—(पा. सू. २ । ३ । ६२ । वा. १) इति । अस्याः प्रतिष्ठायाः सकाशात् सोपानवदिमामारुह्य 'स्वर्गं लोकम्' प्राप्नुतामित्यर्थः । तथैवैतदिति । 'यजमानो द्वियजुषमुपदधाति' इति 'यत्' 'एतत्तथैव' इन्द्राग्निदेवतावदेव । तदेव दर्शयति—येनेति । 'येन' प्रकारेण 'यत् कर्म' 'कृत्वा' 'इन्द्राग्नी स्वर्गं लोकं' प्राप्नुताम् । 'तेन' एव प्रकारेण 'तत्कर्म कृत्वा' अहमपि 'स्वर्गं'

(स्तु) तुदाहुः । (ठ्यु) युदसावेव युजमानो योऽसौ हिरण्मुयः पुरुषो-ऽथ कतमुदस्येदुᳪं रूपमिति दैवो वाऽअस्य स ऽआत्मा मानुषोऽयं तद्यत्स हिरण्मुयो भवत्यमृतं वाऽअस्य तुद्रूपं देवरूपममृतᳪं हिरण्यमुथ युदियं मृदः कृता भवति मानुषᳪं ह्यस्येदुᳪं रूपम् ॥ १७ ॥

(ᳪ) स युदमूमेवोपदध्यात् । (न्ने) नेमामपाशिᳪंष्यात्क्षिप्रे हास्मा-

---

तदाहुः–यदसावेव यजमानो–योऽसौ हिरण्मयः पुरुषः–अथ कतमदस्येदं रूपमिति । दैवो वाऽअस्य स आत्मा, मानुषोऽयम् । तद्यत्स हिरण्मयो भवति–अमृतं वाऽअस्य तद्रूपं देवरूपम्, अमृतं हिरण्यम् । अथ यदियं मृदः कृता भवति,–मानुषं ह्यस्येदं रूपम् ॥ १७ ॥

स यदमूमेवोपदध्यात्–नेमामपशिंष्यात् । क्षिप्रे हास्माल्लोकाद्यजमानः प्रेयात् । अथ यदिमामपशिनष्टि–यदेवास्येदं मानुषं रूपम्–तदस्यैतदपशिनष्टि । तथो हानेनात्मना सर्वमायुरेति ॥ १८ ॥

'लोकम्' प्राप्नवानीति 'यजमानो द्वियजुषमुपदधाति' तस्मादेषा स्वर्गप्राप्तिसाधनमिति भावः । प्रकृताया इष्टकायाः द्वियजुरिति नामधेयप्राप्तिं दर्शयति–सा यदिति । यतः 'एताम्' 'द्वे' 'देवते' इन्द्राग्नी 'अपश्यताम्' तस्माद् 'द्वियजुर्नाम' इयमिष्टकेत्यर्थः । ननु देवताद्वयदर्शनात्कथं द्वियजुरिति नाम स्यादिति चेदुच्यते–यतो द्वे देवते एतामपश्यताम्, अत एव द्वाभ्यां यजुर्भ्यामुपधीयते, तथा सति यजुर्द्वयेनोपधानस्यापि देवताद्वयदर्शनोपाधिकत्वाद् द्वियजुरिति नामधेयस्यापि देवताद्वयदर्शनमेव निमित्तमित्यभिप्रायः । ननु "यास्ते अग्ने"–"या वो देवाः"–इत्यनयोर्मन्त्रयोर्ऋग्व्यवस्थया पठितत्वात् कथं यजुःशब्देन तदभिधानमिति । एवं तर्ह्यत्र यजुःशब्देन मन्त्रमात्रं लक्ष्यते । ऋक्सामयजुषां लक्षणं जैमिनिना दर्शितम् । "तेषामृक् यत्रार्थवशेन पादव्यवस्था, गीतिषु सामाख्या, शेषे यजुःशब्दः"–(जै. सू. २।१।१।३५-३७) इति । एतदेवान्यत्र सङ्गृहीतमभियुक्तैः–"नर्क्सामयजुषां लक्ष्म साङ्कर्यादिति शङ्किते । पादश्च गीतिः प्रश्लिष्टपाठ इत्यस्त्वसङ्करः" इति । अथ वा मन्त्रे एव यजुःशब्दव्यवहारो दृश्यते । यथा–"तस्यास्ते देवीष्टके विधेम हविषा वयम्"–इति–"यथैव यजुस्तथा बन्धुः" इत्येवमादौ । अथ तामेवेष्टकां यजमानात्मना प्रशंसति–यद्वेवेति । द्वियजुषो यजमानात्मकत्वात्तदुपधानेन यजमानमेवास्मिल्लोकेऽर्पितवान् भवतीत्यर्थः ॥ १६ ॥

द्वियजुषो यजमानत्वोक्त्या लब्धोदयां याज्ञिकानां जिज्ञासामवतारयति–तदाहुरित्यादिना । अथ कतमदिति । 'अथ' 'अस्य' यजमानस्य 'इदं' द्वियजुर्नाम एतत् 'कतमत्' 'रूपं' स्वरूपमिति । रूपत्वापेक्षया नपुंसकत्वम् । उक्तस्योत्तरमाह–दैवो वा इति । 'सः' हिरण्मयः 'पुरुषः' 'अस्य' यजमानस्य देवत्वप्रयुक्तः 'आत्मा' शरीरम् । यद्द्वियजुरिष्टका सः मनुष्यत्वप्रयुक्त आत्मेत्यर्थः । हिरण्मयत्वात् पुरुषस्य देवशरीरत्वम्, मृन्मयत्वाद् द्वियजुषो मानुषशरीरात्मत्वम्, (तत्) प्रतिपादयति–तद्यदित्यादिना । देवरूपमिति । यतः 'देवरूपम्' अतोऽस्य यजमानस्य 'तद्रूपम्' 'अमृतं' खलु । विलायनेऽप्यविनश्वरत्वाद्धिरण्यस्यामृतत्वम । मानुषᳪं हीति । इदं द्वियजुर्लक्षणं स्वरूपं यतो 'मानुषम्,' अतः 'इयं मृदः कृता भवति' पार्थिवी भवति । मानुषाणां पार्थिवत्वादित्यर्थः ॥ १७ ॥

द्वियजुष उपधानस्यान्वयव्यतिरेकयोर्गुणदोषप्रदर्शनेनावश्यकत्वमाह–स यदित्यादिना । 'अमूम्' हिरण्मय-

ल्लोकाद्यजमानः प्रेयादथ यदिमामपशिनष्टि यदेवास्येदं मानुषꣳ रूपं तदस्यैतदपशिनष्टि तथो हानेनात्मना सर्व्वमायुरेति ॥ १८ ॥

स यन्नानूपदध्यात्। (न्न) न हैतं दैवमात्मानमनुप्रजानीयादथ यदनूपदधाति तथो हैतं दैवमात्मानमनुप्रजानाति तामनन्तर्हितां दूर्व्वेष्टकाया ऽउपदधाति पशवो वै दूर्व्वेष्टका यजमानं तत्पशुषु प्रतिष्ठापयति॥१९

तदाहुः। कथमस्यैतावात्मानौ प्राणेन संततावव्यवच्छिन्नौ भवत ऽइति प्राणो वै स्वयमातृण्णा प्राणो दूर्व्वेष्टका यजमानो द्वियजुः स यदनन्तर्हिताꣳ स्वयमातृण्णायै दूर्व्वेष्टकामुपदधाति प्राणेनैव तत्प्राणꣳ संतनोति संदधात्यथ यदनन्तर्हितां दूर्व्वेष्टकायै द्वियजुषमुपदधाति प्राणो वै दूर्व्वेष्टका यजमानो द्वियजुरेवमु हास्यैतावात्मानौ प्राणेन संततावव्यवच्छिन्नौ भवतः ॥ २० ॥

स यन्नानूपदध्यात्—न हैतं दैवमात्मानमनुप्रजानीयात् । अथ यदनूपदधाति—तथो हैतं दैवमात्मानमनुप्रजानाति । तामनन्तर्हितां दूर्वेष्टकाया उपदधाति । पशवो वै दूर्वेष्टका । यजमानं तत्पशुषु प्रतिष्ठापयति ॥ १९ ॥

तदाहुः—कथमस्यैतावात्मानौ प्राणेन सन्ततावव्यवच्छिन्नौ भवत इति । प्राणो वै स्वयमातृण्णा । प्राणो दूर्वेष्टका । यजमानो द्वियजुः । स यदनन्तर्हितां स्वयमातृण्णायै दूर्वेष्टकामुपदधाति—प्राणेनैव तत्प्राणं सन्तनोति; सन्दधाति । अथ यदनन्तर्हितां दूर्वेष्टकायै द्वियजुषमुपदधाति—प्राणो वै दूर्वेष्टका, यजमानो द्वियजुः—एवमु हास्यैतावात्मानौ प्राणेन सन्ततावव्यवच्छिन्नौ भवतः ॥ २० ॥

पुरुषलक्षणामिष्टकाम् 'एव' 'उपदध्यात्'। नेमामिति। 'इमाम्' द्वियजुर्लक्षणामपि तदानीमेव चेदुपदध्यात् 'नापशिष्यात्' नावशेषयेत्, तर्हि मानुषशरीररूपद्वियजुरिष्टकाया अपरिशेषणात् क्षिप्रकाल एव 'अस्माल्लोकाद्यजमानः प्रेयात्,' एतस्यास्तदानीमनुपधानेनावशेषणे तु 'अनेन' द्वियजुर्लक्षणेन मानुषशरीरेणास्मिंल्लोके यजमानः कृत्स्नम् 'आयुरेति' इत्यर्थः ॥ १८ ॥

अथास्या इष्टकायाः हिरण्मयपुरुषसमीपे सर्वथाऽनुपधाने दोषप्रदर्शनपूर्वकं तत्रोपधाने गुणं दर्शयति—स यदित्यादिना। समीपेऽनुपधाने सति असम्बन्धाद्यजमानः स्वकीयं देवरूपमनुक्रमेण 'न' 'प्रजानीयात्'। उपधाने तु प्रजानीयात्। अथ तामेवेष्टकां दूर्वेष्टकासंस्पर्शेनोपदध्यादित्याह—तामनन्तर्हितामिति ॥ १९ ॥

यजमानस्य हिरण्मयपुरुषो दैवं शरीरं द्वियजुस्तु मानुषमित्युक्तम्; तयोर्मध्ये स्वयमातृण्णादूर्वेष्टकयोरुपधानेन व्यवधानाच्छरीरद्वयस्यापि प्राणेन कथमव्यवच्छेद इति याज्ञिकानां प्रश्नमवतारयति—तदाहुरिति। 'सन्ततौ' इत्यस्यैव विवरणम् 'अव्यवच्छिन्नौ' इति। उक्तस्योत्तरं दर्शयति—प्राणो वा इत्यादिना। "प्राणो वै स्वयमातृण्णा प्राणो ह्येवैतत्स्वयमात्मन आतृन्ते"—इति स्वयमातृण्णायाः प्राणत्वमुक्तम् (श. प. ७।४।२।२) "अथास्मात् प्राणो मध्यत उदक्रामत"—इत्यादिना प्राणरस एव दूर्वाऽभूदित्यप्युक्तम् (श. प. ७।४।२।११) 'सन्तनोति' इत्येतदेव विवृणोति—सन्दधातीति। स्पष्टमन्यत् ॥ २० ॥

(तो) यास्तेऽअग्ने सूर्य्ये रुचः । (चो) या वो देवाः सूर्य्ये रुचऽ इति रुचꣳ रुचमित्यमृतत्वं वै रुगमृतत्वमेवास्मिन्नेतद्दधाति द्वाभ्यामुपदधाति तस्योक्तो बन्धुरथो द्वयꣳ ह्येवैतद्रूपं मृच्चापश्च सादयित्वा सूददोहसाऽधिवदति तस्योक्तो बन्धुः ॥ २१ ॥

(३) अथ रेतःसिचाऽउपदधाति । (ती) इमौ वै लोकौ रेतःसिचा-

" यास्तेऽअग्ने सूर्ये रुचः "–" या वो देवाः सूर्ये रुचः "–(वा० सं० १३ । २२, २३) इति । रुचं रुचमिति–अमृतत्वं वै रुक् । अमृतत्वमेवास्मिन्नेतद्दधाति । द्वाभ्यामुपदधाति । तस्योक्तो बन्धुः । अथो द्वयं ह्येवैतद्रूपम्–मृच्चापश्च । सादयित्वा सूददोहसाऽधिवदति । तस्योक्तो बन्धुः ॥ २१ ॥

अथ रेतःसिगिष्टकाद्वयोपधानम् ।

अथ रेतःसिचाऽउपदधाति । इमौ वै लोकौ रेतःसिचौ । इमौ ह्येव लोकौ रेतः सिञ्चतः–इतो

द्वियजुष उपधाने मन्त्रौ विधत्ते–यास्ते अग्ने इति । " यास्ते अग्ने सूर्ये रुचो " " या वो देवाः सूर्ये रुचः "–इत्येताभ्यां मन्त्राभ्यां द्वियजुषमुपदध्यादित्यर्थः । मन्त्रयोः पुनः पुना रुक्पदप्रयोगस्याभिप्रायमाह–रुचं रुचमिति । 'अस्मिन्' इति । यजमाने इत्यर्थः । मन्त्रयोस्त्वयमर्थः–हे अग्ने ! ' ते ' तव ' सूर्ये ' सूर्यमण्डले या ' रुचो ' दीप्तयो ' रश्मिभिः ' रश्मिरूपेण ' दिवमातन्वन्ति ' सर्वतो व्याप्नुवन्ति । रात्रौ या अग्नेर्दीप्तयस्ता एव सूर्योदयकाले सूर्यरश्मयो भवन्ति । एतच्च तैत्तिरीयकेऽग्निहोत्रब्राह्मणे समाम्नातम्–" उद्यन्तं वावादित्यमग्निरनुसमारोहति "–(तै. ब्रा. २।२।१०) इति । ' ताभिः सर्वाभिः ' दीप्तिभिः ' नः ' अस्मत्सम्बन्धिने ' जनाय ' यजमानलक्षणाय ' रुचे ' ' कृधि ' प्रकाशं कुरु, ' रुचे ' (पा. सू. ३ । १ । ८५) इति विभक्तिव्यत्ययः, रुचमित्यर्थः । नस्कृधीति " कः करत्करति " (पा. सू. ८ । ३ । ५०) इत्यादिना विसर्जनीयस्य सकारः । हे देवाः ! ' वः ' युष्माकं सम्बन्धिन्यः सूर्यमण्डले वर्त्तमानाः ' या रुचः ' दीप्तयः सन्ति, ' ताभिः सर्वाभिः ' दीप्तिभिः हे–' इन्द्राग्नी ' हे–' बृहस्पते ' ! त्रयोऽपि यूयं ' नः ' अस्मत्सम्बन्धिने यजमानाय ' रुचं धत्त ' प्रकाशं सम्पादयत । ननु चायं मन्त्रोऽध्वर्युणा पठ्यते । ततश्च रुचं नो धत्तेति लिङ्गेन मन्त्रमुच्चारयितुरध्वर्योरेव तत्फलं युज्यते; अतो ' न ' इति पदं किमित्युपचरितमिति चेन्न–यजेतेत्यात्मनेपदश्रुत्या साङ्गप्रधानफलस्य यजमानगामित्वं प्रतीयते । न च परिक्रीतस्याध्वर्योर्दक्षिणातिरिक्तफलसम्बन्धो न्याय्यः । तस्माच्छ्रुतिन्यायाभ्यां विरुद्धं तल्लिङ्गं यजमानपरत्वेनोपचरणीयम्, तस्माद्यजमानेन पाठ्येषु " आयुर्दा अग्नेऽस्यायुर्मे देहि " इत्यादिषु क्रियमाणानुवादिषु प्रत्यगाशीर्मन्त्रेषु श्रुतं फलं यथा याजमानमेव । तथैवाध्वर्युणा पाठ्येषु करणमन्त्रेषु श्रुतमपि फलं याजमानमेव । द्वाभ्यामित्यादिकं पूर्वं व्याख्यातम् । प्रकारान्तरेणापि द्वित्वं प्रशंसति–अथो द्वयमिति । द्विविधं रूपमस्तीति तदुपधानमन्त्रयोरपि द्वित्वमुपपद्यत इत्यर्थः । व्याख्यातमुत्तरं वाक्यम् ॥ २१ ॥

अथ रेतःसिङ्नामधेययोरिष्टकयोरुपधानं विधत्ते–अथ रेतःसिचा इति । " लोपः शाकल्यस्य " (पा.

१–विराड्स्वराडिति रेतःसिचौ प्रतिमंत्रम् । का. श्रौ. सू. १७ । ९४ ।

विमौ ह्येवु लोकौ रेतः सिञ्चत ऽइतो वाऽअयमूर्ध्वँ रेतः सिञ्चति धूमँ साऽमुत्र वृष्टिर्भवति तामसावमुतो वृष्टिं तदिमा ऽअन्तरेण प्रजाः प्रजायन्ते तस्मादिमौ लोकौ रेतःसिचौ ॥ २२ ॥

विराड्ज्योतिरधारयदिति । (त्य) अयं वै लोको विराट् स ऽइमुमग्निं ज्योतिर्धारयति स्वराड्ज्योतिरधारयदित्यसौ वै लोकः स्वराट् सोऽमुमादित्यं ज्योतिर्धारयति विराड्वुहेमौ लोकौ स्वराट् च नानोपदधाति नाना हीमौ लोकौ सकृत्सादयति समानं तत्करोति तस्मादु हानयोर्लोकयोरन्ताः समायन्ति ॥ २३ ॥

वाऽअयमूर्ध्वं रेतः सिञ्चति धूमम्, साऽमुत्र वृष्टिर्भवति। तामसावमुतो वृष्टिम् । तदिमा अन्तरेण प्रजाः प्रजायन्ते–तस्मादिमौ लोकौ रेतःसिचौ ॥ २२ ॥

" **विराड्ज्योतिरधारयत्** "–इति । अयं वै लोको विराट् । स इममग्निं ज्योतिर्धारयति । " **स्वराड्ज्योतिरधारयत्** "–इति । असौ वै लोकः स्वराट् । सोऽमुमादित्यं ज्योतिर्धारयति । विराड्वहेमौ लोकौ, स्वराट् च । नानोपदधाति । नाना हीमौ लोकौ । सकृत्सादयति । समानं तत्करोति । तस्मादु हानयोर्लोकयोरन्ताः समायन्ति ॥ २३ ॥

सू. ८ । ३ । १९ ।) इति वकारलोपः । विहिते इष्टके पृथिवीद्युलोकात्मना प्रशंसति–**इमौ वै लोकावित्यादिना** । तत्रानयोर्लोकयोः रेतःसिक्त्वप्रतिपिपादयिषयोक्तम्–**इमौ वै लोकाविति** । तद्रेतःसेचनमनयोः प्रत्यक्षसिद्धमित्याह–**इमौ ह्येवेति** । **इतो वा अयमित्यादिना** तदेव प्रत्यक्षत्वं दर्शयति–' अयम् ' लोकः ' इतः ' अस्मात् प्रदेशाद् धूमलक्षणं ' रेत. ' ' सिञ्चति ' ' सा ' धूमः ' अमुत्र ' द्युलोके ' वृष्टिर्भवति ' सेति स्त्रीलिङ्गं वृष्ट्यपेक्षम, धूमस्य मेघकारणत्वात्, तद्द्वारा वृष्टिकारणत्वाद्धूमो वृष्टिरिति कारणे कार्यत्वोपचारः । ' तां ' ' वृष्टिम् ' ' असौ ' द्युलोकोऽमुष्मात् प्रदेशात् सिञ्चति तस्मादनयोर्लोकयोर्मध्ये वृष्टिपरिणतान्नद्वारा प्रजाः प्रजायन्ते । श्रूयते हि–" अन्नाद्धि प्रजाः प्रजायन्ते "–(तै. उ. २ वल्ली) इति । अन्यत्राप्युक्तम्–" वृष्टेरन्नं ततः प्रजाः "–(मनु. ३।७६) इति । ' तस्मादिमौ ' लोकौ ' रेतःसिचौ ' रेतःसिचोरनयोर्लोकयो रूपेणानुसन्धानादिष्टके अपि रेतःसिचावित्युच्येते ॥ २२ ॥

तत्र प्रथमाया उपधाने मन्त्रं विधाय व्याचष्टे–**विराड्ज्योतिरिति** । ' अयम् ' ' लोकः ' पृथिवी, ' विराट् '–शब्देनाभिधीयते । ' स ' च ' इमम् ' अस्मदादीनां प्रत्यक्षमग्निरूपं ' ज्योतिर्धारयति, ' प्रथमा रेतःसिग्भूलोकाभिषेकत्युक्तम् । तस्मात् प्रथमरेतःसिगात्मको विराट्शब्दाभिधेयो भूलोकोऽग्निरूपं ' ज्योतिर्धारयति ' । **स्वराड्ज्योतिरिति** । द्वितीयोपधानमन्त्रः, सोऽप्येवमेव व्याख्येयः । ' अनयोर्लोकयोः ' विराट्स्वराट्शब्दाभिधेयत्वमेवोपपादयति–**विराड्वहेमाविति** । विविधं राजत इति ' विराट् ' । स्वयमेव राजत इति ' स्वराट् ' । तयोः पृथक्पृथङ्मन्त्रेणोपधानमाह–**नानोपदधातीति** । यतः ' इमौ ' ' लोकौ ' ' नाना '

यद्वेव रेतःसिचाऽउपदधाति । (त्या) आण्डौ वै रेतःसिचौ यस्य ह्याण्डौ भवतः सऽ एव रेतः सिञ्चति विराड्ज्योतिरधारयत्स्वराड् ज्योतिरधारयदिति विराड्वहेमावाण्डौ स्वराट् च तावेतज्ज्योतिर्धारयतो रेतऽ एव प्रजातिमेव नानोपदधाति नाना हीमावाण्डौ सकृत्सादयति समानं तत्करोति तस्मात्समानसम्बन्धनौ तेऽअनन्तर्हिते द्वियजुषऽउपदधाति यजमानो वै द्वियजुरनन्तर्हितौ तद्यजमानादाण्डौ दधाति ॥ २४ ॥

(त्यु) अथ विश्वज्योतिषमुपदधाति । (त्य) अग्निर्वै प्रथमा विश्वज्योतिरग्निर्ह्येवास्मिँल्लोके विश्वं ज्योतिरग्निमेवैतदुपदधाति तामनन्त-

---

यद्वेव रेतःसिचाऽउपदधाति । आण्डौ वै रेतःसिचौ । यस्य ह्याण्डौ भवतः-स एव रेतः सिञ्चति । "**विराड्ज्योतिरधारयत्स्वराड्ज्योतिरधारयत्**"-इति । विराड्वहेमावाण्डौ स्वराट् च । तावेतज्ज्योतिर्धारयतो रेत एव, प्रजातिमेव । नानोपदधाति । नाना हीमावाण्डौ । सकृत्सादयति । समानं तत् करोति । तस्मात्समानसम्बन्धनौ । तेऽअनन्तर्हिते द्वियजुष उपदधाति । यजमानो वै द्वियजुः । अनन्तर्हितौ तद्यजमानादाण्डौ दधाति ॥ २४ ॥

अथ विश्वज्योतिरिष्टकोपधानम् ।

अथ विश्वज्योतिषमुपदधाति । अग्निर्वै प्रथमा विश्वज्योतिः । अग्निर्ह्येवास्मिंल्लोके विश्वं ज्योतिः ।

पृथग्भूतौ, तस्मात्तदात्मिकयोरिष्टकयोरुपधानं पृथक्पृथङ्मन्त्रेण कर्त्तव्यमित्यर्थः । उपधानमन्त्रवत्सादनमन्त्रस्यापि पार्थक्येन प्राप्तावाह-सकृदिति । "तया देवतयाऽङ्गिरस्वद्ध्रुवा सीद"-इत्ययं सादनमन्त्रस्तमेकवारमुच्चार्य सादयेत् । न तु प्रतीष्टकमित्यर्थः । तेन तदुपधानं 'समानम्' 'करोति' 'तस्माद्' 'अनयोर्लोकयोरन्ताः' प्रान्ताः 'समायन्ति' परस्परं संबद्धा भवन्ति । अन्तरिक्षभागा हि पृथिवीभागैः सम्बध्यन्त इत्येतत् प्रत्यक्षसिद्धमेव ॥ २३ ॥

अथ तदेवेष्टकाद्वयमाण्डात्मना स्तौति-यद्वेवेति । अण्डशब्दात् स्वार्थिकोऽण्-प्रत्ययः । 'आण्डौ' इति पुरुषसम्बन्धिनी बीजे उच्येते । 'यस्य ह्याण्डौ भवतः' इत्यादिना आण्डयो रेतःसिक्त्वं प्रतिपादितम् । विराड्वहेमाविति । आण्डयोः प्रजोत्पादनसामर्थ्याद्विराट्त्वं च प्रत्यक्षमित्यर्थः । 'प्रजाति'-शब्देन प्रजोत्पादनमभिधीयते, रेतसः प्रजातेश्च प्रजा लक्ष्यन्त इति तत्प्रकाशकत्वाज्ज्योतिष्ट्वमित्यवगन्तव्यम् । **समानसम्बन्धनाविति** । एकरूपसम्बन्धनावित्यर्थः । प्रकृतयोरिष्टकयोः स्थानविशेषमाह-**तेऽअनन्तर्हिते** इति । द्वियजुषो समीपेऽव्यवधानेनोपधानं किमर्थमित्यत आह-**यजमानो वा** इति ॥ २४ ॥

रेतःसिचोरुपधानानन्तरं विश्वज्योतिराख्याया इष्टकाया उपधानं विधाय तामग्न्यात्मना स्तौति-**अथेति** । स्वयमातृण्णा इव विश्वज्योतिषोऽपि तिस्रो विद्यन्ते, अतोऽत्र 'प्रथमा' इति विशेषणम् । 'अस्मिँल्लोके'

१-एकचोदनात्सेकदेशात्तु तंत्रेण । का० श्रौ० सू० । १६ । २१६ ।

हिंताᳪं रेतःसिग्भ्यामुपदधातीमौ वै लोकौ रेतःसिचावनन्तर्हितं तदाभ्यां लोकाभ्यामग्निं दधात्यन्तरेवोपदधात्यन्तरेव हीमौ लोकावग्निः ॥ २५ ॥

(१) यद्वेव विश्वज्योतिषमुपदधाति । प्रजा वै विश्वज्योतिः प्रजा ह्येव विश्वं ज्योतिः प्रजननमेवैतदुपदधाति तामनन्तर्हिताᳪं रेतःसिग्भ्यामुपदधात्याण्डौ वै रेतःसिचावनन्तर्हितां तदाण्डाभ्यां प्रजातिं दधात्यन्तरेवोपदधात्यन्तरेव ह्याण्डौ प्रजाः प्रजायन्ते ॥ २६ ॥

प्रजापतिष्ट्वा सादयत्विति । प्रजापतिर्ह्येतां प्रथमां चितिमपश्यत्पृष्ठे पृथिव्या ज्योतिष्मतीमिति पृष्ठे ह्ययं पृथिव्यै ज्योतिष्मानग्निः ॥ २७ ॥

अग्निमेवैतदुपदधाति । तामनन्तर्हितां रेतःसिग्भ्यामुपदधाति । इमौ वै लोकौ रेतःसिचौ । अनन्तर्हितं तदाभ्यां लोकाभ्यामग्निं दधाति । अन्तरेवोपदधाति । अन्तरेव हीमौ लोकावग्निः ॥ २५ ॥

यद्वेव विश्वज्योतिषमुपदधाति । प्रजा वै विश्वज्योतिः । प्रजा ह्येव विश्वं ज्योतिः । प्रजननमेवैतदुपदधाति । तामनन्तर्हितां रेतःसिग्भ्यामुपदधाति । आण्डौ वै रेतःसिचौ । अनन्तर्हितां तदाण्डाभ्यां प्रजातिं दधाति । अन्तरेवोपदधाति । अन्तरेव ह्याण्डौ प्रजाः प्रजायन्ते ॥ २६ ॥

"प्रजापतिष्ट्वा सादयतु"–इति । प्रजापतिर्ह्येतां प्रथमां चितिमपश्यत् । **" पृष्ठे पृथिव्या ज्योतिष्मतीम् "**–इति । पृष्ठे ह्ययं पृथिव्यै ज्योतिष्मानग्निः ॥ २७ ॥

भुवि यत्किञ्चन ' ज्योतिः ' अस्ति, तत् सर्वमग्निमयम् ' एव ' इति । ' अग्निर्विश्वज्योतिः '–इति तदात्मकत्वेनानुसन्धानादिष्टकाऽपि विश्वज्योतिः, अतस्तदुपधानेऽग्निमेवोपहितवान् भवतीति । विधत्ते–तामनन्तर्हितामिति । ' ताम् ' विश्वज्योतिषं ' रेतःसिग्भ्याम् ' ' अनन्तर्हिताम् ', अव्यवहितां तत्संस्पर्शेनोपदध्यात् । तथा सति रेतःसिचोः पृथिवीद्युलोकात्मकत्वात् ताभ्यामव्यवहितमेव ' अग्निं दधाति ' । क्वचित्पार्श्वेऽपि तत्संस्पर्शेनोपधानेऽप्यव्यवधानमुपपद्यत इत्यत आह–अन्तरेवेति । अन्तरेव हीति । ' अन्तरा ' ' इव ' इति पदविभागः । ' इव '–शब्द एवकारार्थः । " अन्तरान्तरेणयुक्ते "–(पा. सू. २ । ३ । ४ ।) इत्यनेन ' इमौ ' इति द्वितीया । अनयोर्लोकयोर्मध्ये पृथिव्या उपरि अन्तरिक्षे खल्वग्निः प्रकाशते तस्मान्मध्यत उपधानम् ॥ २५ ॥

अथैतामिष्टकां प्रजात्मनाऽपि प्रशंसति–यद्वेवेति । ' प्रजा ' हि ' विश्वज्योतिः ' यतः प्रजा ज्ञानशक्त्या सर्वान् पदार्थान् प्रकाशयति तस्मात् ' प्रजा विश्वं ज्योतिः ' इत्येतदपरोक्षम् । अतः प्रजा विश्वज्योतिः । तथा सति ' एतद् ' इष्टकोपधानेन 'प्रजननम्' प्रजोत्पादनम् ' एव ' उपहितवान् भवति । प्रजायाः प्रजोत्पादनस्य च कार्यकारणभावादभेदविवक्षयैवमुक्तम् । रेतःसिचोराण्डत्वाद्विश्वज्योतिषश्च प्रजात्वात्ताभ्यामव्यवहितत्वेन मध्यत उपधाने प्रजोत्पादनमेवाण्डयोर्निहितं भवतीति दर्शयति–तामनन्तर्हितामिति । अन्तरेव ह्याण्डाविति । आण्डयोर्मध्यत एव रेतोनिर्गमनद्वारत्वात्तत एव ' प्रजाः ' ' प्रजायन्ते ' ॥ २६ ॥

अथ तस्मिन्नुपधाने मन्त्रं विदधानो व्याचष्टे–प्रजापतिष्ट्वेत्यादिना । यतः ' प्रजापतिः ' ' एताम् '

१–प्रजापतिरिति विश्वज्योतिषम् । का. श्रौ. सू. १७ । ५५ ।

(विं) विश्वस्मै प्राणायापानाय । व्यानायेति प्राणो वै विश्वज्योतिः सर्वस्मा॒ऽउ वाऽएतस्मै प्राणो विश्वं ज्योतिर्यच्छेति सर्वं ज्योतिर्यच्छेत्ये· तदग्निष्टेऽधिपतिरित्यग्निमेवास्याऽअधिपतिं करोति सादयित्वा सूददोहसा· ऽधिवदति तस्योक्तो बन्धुः ॥ २८ ॥

(रु) अथऽर्तव्येऽउपदधाति । (त्सू) ऋतवऽएते यदृतव्येऽऋतूनेवैतदुपद धाति मधुश्च माधवश्च वासन्तिकावृतूऽइति नामनीऽएनयोरेते नामभ्या· मेवैनेऽएतदुपदधाति द्वेऽइष्टके भवतो द्वौ हि मासावृतुः सकृत्सादयत्येकं तदृतुं करोति ॥ २९ ॥

" विश्वस्मै प्राणायापानाय व्यानाय "–इति । प्राणो वै विश्वज्योतिः । सर्वस्माऽउ वाऽएतस्मै प्राणः । " विश्वं ज्योतिर्यच्छ "–इति । सर्वं ज्योतिर्यच्छेत्येतत् । " अग्निष्टे-ऽधिपतिः "–(वा. सं. १३ । २४) इति । अग्निमेवास्या अधिपतिं करोति । सादयित्वा सूददोहसाऽधिवदति । तस्योक्तो बन्धुः ॥ २८ ॥

अथ ऋतव्येष्टकाद्वयोपधानम् ।

अथर्तव्येऽउपदधाति । ऋतव एते यदृतव्ये । ऋतूनेवैतदुपदधाति । " मधुश्च माधवश्च

' प्रथमाम् चितिमपश्यत्, ' अतः ' प्रथमाम् ' विश्वज्योतिषं ' प्रजापतिष्ट्वा सादयत्विति ' मन्त्रेणोप-दध्यादित्यर्थः । पृष्ठे ह्ययमिति । पृथिव्यै इति । षष्ठ्यर्थे चतुर्थी–(पा. सू. २ । ३ । ६२ । वा. १ ।) । यतश्च ' पृथिव्याः ' ' पृष्ठे ' उपरि ' अग्निर्ज्योतिष्मान् ' " विश्वज्योतिश्चाग्निः "–इत्युक्तम् " अग्निर्वै प्रथमा विश्वज्योतिः "–इति । अतः ' पृष्ठे पृथिव्या ज्योतिष्मतीम् ' इति मन्त्रवचनम् ॥ २७ ॥

प्राणो वा इति । विद्यमान एव प्राणे सर्वेषामिन्द्रियाणां स्वस्वविषयप्रकाशकत्वात् प्राणस्य विश्वज्योतिष्ट्वम् । सर्वस्मा उ वा एतस्मै इति । सर्वस्य खल्वेतस्य लोकस्य । पूर्ववच्चतुर्थी (पा. सू. २।३।६२।वा.१।) । 'प्राणः' आशास्यो भवतीति शेषः । अपानो व्यानश्चेति प्राण एव वृत्तिभेदभिन्नः । प्राणस्य विश्वज्योतिष्ट्वात् ' विश्वस्मै ' सर्वस्य लोकस्य प्राणादिस्थैर्यार्थं तवोपधानमिति मन्त्रभाग आह । ' सर्वं ज्योतिः ' इति विश्वशब्दार्थविवरणम् । ' अग्निष्टेऽधिपतिः ' ' इति ' एतन्मन्त्रभागकथनेन ' अग्निमेव ' ' अस्याः ' विश्वज्योतिषः ' अधिपतिं करोति ' । हे विश्वज्योतिः ! ' पृथिव्याः पृष्ठे ' उपरि ' ज्योतिष्मतीम् ' ज्योतिषां युक्तां त्वां ' प्रजापतिः सादयतु ' स्थापयतु । किमर्थमिति तत्राह–विश्वस्मा इति । 'विश्वस्य' सर्वलोकस्य ' प्राणायापानाय व्यानाय ' प्राणादि-व्यापारार्थम् । किञ्च ' विश्वम् ' समस्तं ' ज्योतिः ' तेजो ' यच्छ ' नियच्छ अस्मदायत्तं कुरु, ' ते ' तव ' अग्निः ' ' अधिपतिः, ' अतः सः त्वां परेभ्यो ' गोपायतु ' इति कृत्स्नमन्त्रस्यार्थः ॥ २८ ॥

अथ ऋतव्याख्ययोरिष्टकयोरुपधानं विधत्ते–अथेति[1] । ऋतव्ये इति । " वाय्वृतुपित्रुषसो यत् "–

१–ऋतव्ये मधुश्च माधवश्चेति । का. श्रौ. सू. १७ । ९६ ।

तद्यदेतेऽअत्रोपदधाति । संव्वत्सरऽएषोऽग्निरिमऽउ लोकाः संव्वत्सरस्तस्यायमेव लोकः प्रथमा चितिरयमस्य लोको व्वसन्तऽ ऋतुस्तद्यदेतेऽअत्रोपदधाति यदेवास्यैतेऽआत्मनस्तदस्मिन्नेतत्प्रतिदधाति तस्मादेतेऽअत्रोपदधाति ॥ ३० ॥

वासन्तिकावृतू "-(वा० सं० १३ । २५) इति। नामनीऽएनयोरेते । नामभ्यामेवैनेऽएतदुपदधाति । द्वेऽइष्टके भवतः । द्वौ हि मासावृतुः । सकृत्सादयति । एकं तदृतुं करोति ॥ २९ ॥

तद्यदेतेऽअत्रोपदधाति । संवत्सर एषोऽग्निः । इम उ लोकाः संवत्सरः । तस्यायमेव लोकः प्रथमा चितिः । अयमस्य लोको वसन्त ऋतुः । तद्यदेतेऽअत्रोपदधाति—यदेवास्यैतेऽआत्मनः—तदस्मिन्नेतत्प्रतिदधाति । तस्मादेतेऽअत्रोपदधाति ॥ ३० ॥

(पा. सू. ४ । २ । ३१ ।) इति देवतार्थे यत्प्रत्ययः, " यचि भम् "-(पा. सू. १ । ४ । १८) इति भसंज्ञायाम् " ओर्गुणः "-(पा. सू. ६ । ४ । १४६ ।) इति गुणः, " वान्तो यि प्रत्यये "-(पा. सू. ६ । १ । ७९ ।) इति अवादेशः । ऋतुदेवत्येष्टकोपधानेन ऋतूनामेवोपधानं भवतीत्याह—**ऋतव एत** इति । ऋतव्ययोरुपधाने मन्त्रं विधाय व्याचष्टे—**मधुश्चे**ति । मधुमाधवशब्दाभ्यां चैत्रवैशाखावुच्येते । ' वासन्तिकौ ' इति " वसन्ताच्च "-(पा. सू. ४ । ३ । २० ।) इति ठक्प्रत्ययः । ऋतुशब्दो मासद्वये मुख्यः, अत्र तदवयवभूते मासे उपचाराद्वर्त्तते । मधुश्च माधवश्चेत्येतौ वसन्तसम्बन्धिनौ ' ऋतू ' मासौ, अतश्च तद्देवत्यत्वेन तदात्मिके वामुपदधामीत्यर्थः । नामनी इत्यादिना मधुमाधवशब्दोपयोगं दर्शयति । ननु स्वयमातृण्णादिवदेकैकस्या इष्टकाया उपधानं विहाय किमिति द्वयोरुपधानमिति ? तत्राह—**द्वे इष्टके** इति । इष्टकयोर्द्वित्वेऽपि सकृत्सादनेनैकमेवर्तुं सम्पादयतीत्याह—**सकृदि**ति ॥ २९ ॥

प्रथमायां चितौ तदुपधानस्य कारणमाह—**तद्यदि**त्यादिना । ' एते ' ऋतव्ये 'अत्र' प्रथमायां चितौ ' उपदधाति ' इति यत्, तत्र कारणमुच्यते—' एषः ' चीयमानः ' अग्निः ' 'संवत्सरः' संवत्सरात्मकः, अग्नेः संवत्सरात्मकत्वं संवत्सरमुखायां सम्भृत्योत्पादनीयत्वात् । चीयमानस्याग्नेः प्रजापतिरूपत्वं प्रागुक्तम् । "स यः स प्रजापतिर्व्यस्रꣳसतायमेव स योऽयमग्निश्चीयते "—इति (श. प. ७।१।२।९) स च प्रजापतिः सर्वलोककारणत्वेन तदात्मकः । **संवत्सर एषोऽग्नि**रिति । तस्य संवत्सरात्मकत्वोक्तेश्च ' संवत्सर इमे लोकाः ' खलु । **तस्ये**ति । 'तस्य' संवत्सराग्निसर्वलोकात्मकस्य प्रजापतेरयमेव लोकः, पृथिवी प्रथमा चितिः । वसन्तर्तुश्च प्राथम्यसादृश्यादस्य संवत्सरात्मकस्य प्रजापतेरवयवभूतोऽयं लोकः, अतश्चात्र प्रथमायां चितौ एते ऋतव्ये च वसन्तर्तुदेवत्यत्वेन तदात्मिके ' उपदधातीति ' यत्, तेन ' यदेवास्य ' प्रजापतेः ' आत्मनः ' स्वस्यैतदिष्टकाद्वयलक्षणं यदङ्गमस्ति ' तदस्मिन् ' अवयवे प्रथमचितिलक्षणे ' एतद् ' एतेन पुनः ' प्रतिदधाति ' ' तस्मादेते ' प्रथमायां चितावुपदध्यात् ॥ ३० ॥

यद्वेवैतेऽअत्रोपदधाति । प्रजापतिरेषोऽग्निः संवत्सरऽउ प्रजापतिस्तस्य प्रतिष्ठैव प्रथमा चितिः प्रतिष्ठोऽअस्य वसन्तऽ ऋतुस्तद्यदेतेऽअत्रोपदधाति यदेवास्यैतेऽआत्मनस्तदस्मिन्नेतत्प्रतिदधाति तस्मादेतेऽअत्रोपदधाति तेऽअनन्तर्हिते विश्वज्योतिषऽ उपदधाति प्रजा वै विश्वज्योतिरनन्तर्हितास्तत्प्रजाऽ ऋतुभ्यो दधाति तस्मात्प्रजाऽ ऋतूनेवानुप्रजायन्तऽऋतुभिर्ह्येव गर्भं सन्तꣳ सम्पश्यन्त्यृतुभिर्जातम् ॥ ३१ ॥

(म) अथाषाढामुपदधाति । (ती) इयं वाऽअषाढेमामेवैतदुपदधाति तां पूर्वार्धऽउपदधाति प्रथमा हीयमसृज्यत ॥ ३२ ॥

यद्वेवैतेऽअत्रोपदधाति । प्रजापतिरेषोऽग्निः । संवत्सर उ प्रजापतिः । तस्य प्रतिष्ठैव प्रथमा चितिः । प्रतिष्ठोऽअस्य वसन्त ऋतुः । तद्यदेतेऽअत्रोपदधाति। यदेवास्यैतेऽआत्मनः—तदस्मिन्नेतत्प्रतिदधाति । तस्मादेतेऽअत्रोपदधाति । तेऽअनन्तर्हिते विश्वज्योतिष उपदधाति । प्रजा वै विश्वज्योतिः । अनन्तर्हितास्तत्प्रजा ऋतुभ्यो दधाति । तस्मात्प्रजा ऋतूनेवानुप्रजायन्ते । ऋतुभिर्ह्येव गर्भं सन्तं पश्यन्ति—ऋतुभिर्जातम् ॥ ३१ ॥

अथ अषाढेष्टकोपधानम् ।

अथाषाढामुपदधाति । इयं वाऽअषाढा । इमामेवैतदुपदधाति । तां पूर्वार्द्ध उपदधाति । प्रथमा हीयमसृज्यत ॥ ३२ ॥

अथ पुनस्ते एव ऋतव्ये प्रजापतेः प्रतिष्ठात्मना स्तौति—यद्वेवैते इति । प्रतिष्ठोऽअस्य वसन्त ऋतुरिति । 'प्रतिष्ठा उ' इति पदविभागः; "आद्गुणः"–(पा. सू. ६।१।८७)। उकारस्य "निपात एकाजनाङ्" (पा. सू. १।१।१४) इति प्रगृह्यसंज्ञायाम्–"प्लुतप्रगृह्या अचि नित्यम्"–(पा. सू. ६।१।१२५ ।) इति प्रकृतिभावात् प्रतिष्ठो अस्य इत्यत्र "एङः पदान्तादति"–(पा. सू. ६।१।१०९) इति पूर्वरूपत्वं न भवति । वसन्तर्तोः संवत्सरप्रथमावयवत्वात् प्रतिष्ठात्वम् । यत्रावयवे प्रतितिष्ठति सा प्रतिष्ठा, यथा पुरुषः पादयोः प्रतितिष्ठति तद्वत् संवत्सरोऽपि वसन्तर्तौ प्रतितिष्ठति । प्रथमायाश्चितेरुत्तरचितिलक्षणान् प्रजापतेरवयवान् प्रत्याधारत्वात्प्रतिष्ठात्वम् । अतश्च प्रथमायां चितौ प्रकृतयोरिष्टकयोरुपधाने प्रजापतेः स्वस्य वसन्तर्तुदेवत्यत्वेन तदात्मकैतदिष्टकाद्वयलक्षणं यत्प्रतिष्ठारूपमङ्गमस्ति तदस्मिन्नेतेन प्रतिनिहितवान् भवतीत्यर्थः ॥

अथानयोरिष्टकयोरुपधानस्य स्थानविशेषं विधाय प्रशंसति—ते अनन्तर्हिते इति । अनन्तर्हितास्तदिति । 'तत्' तेन 'प्रजाः' 'ऋतुभ्यः' 'अनन्तर्हिताः' अव्यवहिताः 'दधाति' ऋतुषु प्रतिष्ठापयतीत्यर्थः । तदेव दर्शयति—तस्मादिति । यत एवम् 'तस्मात्प्रजाः' 'ऋतूनेव' अभिलक्ष्य 'प्रजायन्ते' 'गर्भे' अपि विद्यमानं जन्तुम् 'ऋतुभिर्ह्येव सम्पश्यन्ति' ऋतूनां कालात्मकत्वात् कालस्य च सदातनत्वेन सर्वोत्पत्तिसन्निमित्तत्वादजातावस्था जायमानावस्था जातावस्था च तत्रैव सम्पद्यत इति भावः ॥ ३१ ॥

विधत्ते—अथेति । 'अथ' ऋतव्येष्टकोपधानानन्तरम् अषाढाऽभिधामिष्टकामुपदध्यात् । अषाढायाः

सा यदुषाढा नाम । देवाश्चासुराश्चोभये प्राजापत्याऽअस्पर्धन्त ते देवा ऽएतामिष्टकामपश्यन्नषाढामिमामेव तामुपादधत तामुपधायासुरान्त्सपत्नान्भ्रातृव्यानस्मात्सर्वस्मादसहन्त यदसहन्त तस्मादषाढा तथैवैतद्यजमानऽएतामुपधाय द्विषन्तं भ्रातृव्यमस्मात्सर्वस्मात्सहते ॥ ३३ ॥

यद्वेवाषाढामुपदधाति । वाग्वाऽअषाढा वाचैव तद्देवाऽअसुरान्त्सपत्नान्भ्रातृव्यानस्मात्सर्वस्मादसहन्त तथैवैतद्यजमानो वाचैव द्विषन्तं भ्रातृव्यमस्मात्सर्वस्मात्सहते वाचमेव तद्देवा ऽउपादधत तथैवैतद्यजमानो वाचमेवोपधत्ते ॥ ३४ ॥

सा यदषाढा नाम । देवाश्चासुराश्चोभये प्राजापत्या अस्पर्धन्त । ते देवा एतामिष्टकामपश्यन् अषाढाम् । इमामेव तामुपादधत । तामुपधायासुरान्त्सपत्नान्भ्रातृव्यानस्मात्सर्वस्मादसहन्त । यदसहन्त–तस्मादषाढा । तथैवैतद्यजमान एतामुपधाय द्विषन्तं भ्रातृव्यमस्मात्सर्वस्मात्सहते ॥३३॥

यद्वेवाषाढामुपदधाति । वाग्वाऽअषाढा । वाचैव तद्देवा असुरान्त्सपत्नान्भ्रातृव्यानस्मात्सर्व-

---

मृन्मयेष्टकात्वात्तदुपधाने पृथिव्युपधानमेव सम्पादितं भवतीत्याह–**इयं वा** इति । तस्या अषाढाया उपधानं चयनस्थलस्य पूर्वभागे कर्तव्यमित्याह–**तां पूर्वार्द्धे** इति । ननु किमर्थमस्याः पूर्वार्द्धे उपधानमिति तत्राह–**प्रथमेति** । ‘ इयम् ’ अषाढा उखायाः ‘ प्रथमा ’ पूर्वा ‘ असृज्यत ’ खलु ॥ ३२ ॥

प्रकृताया इष्टकाया अषाढेति नामधेयप्राप्तिप्रदर्शनपूर्वकमुपधानोपयोगं दर्शयति–**सा यदषाढा नामे**त्यादिना । पुरा खलु ‘ देवाश्चासुराश्च ’ ‘ प्राजापत्याः ’ प्रजापतेपत्यभूताः, पत्युत्तरपदत्वाद् “ दित्यदित्यादित्यपत्युत्तरपदाण्ण्यः” (पा. सू. ४।१।८५) इत्यनेनाऽपत्यार्थे ण्यप्रत्ययः । ‘ते’ एते ‘ उभये ’ अपि स्पर्द्धामकुर्वन्, ततः ‘ ते देवाः ’ केनोपायेनासुराञ्जयेमेति विचार्य ‘ एताम् ’ अषाढाभिधाम् ‘ इष्टकाम् ’ तदुपायत्वेन ‘ अपश्यन् ’ । दृष्ट्वा च ‘ तामिमाम् ’ इष्टकामुपहितवन्तः । ततः ‘ तामुपधायासुरान् ’ ‘ सपत्नान् ’ वैरिणः ‘ भ्रातृव्यान् ’ इति सपत्नशब्दार्थविवरणम् । भ्रातृशब्दात् “ व्यन् सपत्ने ”–(पा.सू.४।१।१४५) इति सपत्नार्थे व्यनो विधानात् । तानसुरान् ‘ अस्मात् ’ ‘ सर्वस्मात् ’ स्थानाद् ‘ असहन्त ’ निराकुर्वन् यथैतेषु लोकेष्ववस्थानं न लभन्ते तथा पर्यबीभवन्नित्यर्थः । यत एतयाऽसुरान् ‘ असहन्त ’ तस्माद् ‘अषाढा’ इति नामधेयम् । अत्रासुराणां सहनकथनेन स्वेषामसहनमर्थतः प्राप्तमतश्चैतस्या इष्टकायाः स्वेषामसहनं प्रत्यपि कारणत्वादसहनसाधनत्वेनाषाढेत्युच्यते । “ साढ्यै साढा साढेति निगमे ’–(पा. सू. ६।३।११३) इति ‘ साढा ’ शब्दो निपातितः । ततो नञ्समासः (पा. सू. २।१।८५)। व्यत्ययेन मूर्द्धन्यादेशः । **तथैवैतदि**ति । यथैव देवा अषाढामुपधाय असुरान्निराकुर्वन् । ‘ तथैव ’ यजमानः ‘ एतामुपधाय ’ ‘द्विषन्तम्’ द्वेषं कुर्वन्तं ‘ भ्रातृव्यमस्मात्सर्वस्मात् ’ प्रदेशान्निराकुरुते ॥ ३३ ॥

अथ तामेवेष्टकां वागात्मनाऽपि प्रशंसति–**यद्वेवेति** । **वाचैव तद्देवा** इत्यादिना वाग्रूपत्वमषाढायाः प्रतिपाद्यते ।

सेयं वामभृत् । (त्रा) प्राणा वै वामं यद्धि किं च प्राणीयं तत्सर्वं बिभर्त्ति तेनेयं वामभृद्वाग्घ त्वेव वामभृत्प्राणा वै वामं वाचि वै प्राणेभ्योऽन्नं धीयते तस्माद्वाग्वामभृत् ॥ ३५ ॥

(त्तु) तऽएते सर्वे प्राणा यदषाढा । तां पूर्वार्धऽउपदधाति पुरस्तात्तत्प्राणान्दधाति तस्मादिमे पुरस्तात्प्राणास्तान्नान्यया यजुष्मत्येष्टकया पुरस्तात्प्रत्युपदध्यादेतस्यां चितौ नेत्प्राणानपिदधानीति ॥ ३६ ॥

स्मादसहन्त । तथैवैतद्यजमानो वाचैव द्विषन्तं भ्रातृव्यमस्मात्सर्वस्मात्सहते । वाचमेव तद्देवा उपादधत । तथैवैतद्यजमानो वाचमेवोपधत्ते ॥ ३४ ॥

सेयं वामभृत् । प्राणा वै वामम् । यद्धि किं च प्राणि । इयं तत्सर्वं बिभर्ति । तेनेयं वामभृत् । वाग्घ त्वेव वामभृत् । प्राणा वै वामम् । वाचि वै प्राणेभ्योऽन्नं धीयते । तस्माद्वाग्वामभृत् ॥ ३५ ॥

तऽएते सर्वे प्राणाः—यदषाढा । तां पूर्वार्धऽउपदधाति । पुरस्तात्तत्प्राणान्दधाति । तस्मादिमे पुरस्तात्प्राणाः । तान्नान्यया यजुष्मत्येष्टकया पुरस्तात्प्रत्युपदध्यात्—एतस्यां चितौ—नेत्प्राणानपिदधानीति ॥ ३६ ॥

यतो ' देवाः ' निर्भर्त्सनादिविशिष्टया ' वाचैव ' ' असुरान् ' ' असहन्त ' तस्मान्निराकरणसाधनत्वसाधर्म्याद् ' अषाढा ' वाक् खल्वित्यर्थः । तथैवेति । यतो देवाः वाचाऽसुरानसहन्त, ततो देववदेव ' यजमानः ' अपि ' वाचैव ' ' द्विषन्तम् ' ' भ्रातृव्यमस्मात्सर्वस्मात् सहते ' । यतोऽषाढा उक्तन्यायेन वागात्मिका, अत एतेनाषाढोपधानेन ' वाचमेव ' ' उपादधत ' ' देवाः ' तथैव यजमानो वाचमेवोपधत्ते ॥ ३४ ॥

यदुक्तमियं वा अषाढेत्यषाढायाः पृथिव्यात्मकत्वं तदुपजीव्यास्या अषाढाया इष्टकायाः वामभृत्संज्ञाप्राप्तिं दर्शयति—सेयमिति । वामं वननीयं वस्तु । 'प्राणाः' सर्वैराशास्यमानत्वात् वामं वस्तु । यत्किञ्चित् ' प्राणि ' प्राणवदर्थजातमस्ति, तत्सर्वम् ' इयम् ' पृथिवी ' बिभर्ति ' खलु । अतश्च वामशब्देन प्राणानामभिधानात् प्राणानां तद्वत्तां चाभेदविवक्षया ' इयम् ' पृथिवी ' वामभृत् ' संज्ञेति तदात्मिकाप्यषाढा वामभृत्संज्ञेत्यर्थः । " वाग्वा अषाढा "—इति यदुक्तं वागात्मत्वं तदप्युपजीव्यैतत्संज्ञालाभमाह—वाग्घ त्वेवेति । ' वाचि वै ' इत्यत्र वाक्—शब्देन वागिन्द्रियस्थानं मुखं लक्ष्यते, प्राणानुविधायित्वात् । प्राणशब्देन च श्रोत्रादीनीन्द्रियाणि, ' प्राणेभ्यो 'ऽर्थे ' वाचि ' मुखे ' अन्नं ' ' धीयते ' निधीयते ' तस्माद्वाग्वामभृद् ' इति तदात्मिकाऽषाढाऽपि " वामभृत् " इत्यभिधीयते ॥ ३५ ॥

सेयमित्यादिनोक्तप्रकारेण निष्पन्नमर्थमाह—त एत इति । " सेयम् " इत्यादिना तु अषाढाया आधिभौतिकप्राणात्मकत्वमुक्तम्, " वाग्घ त्वेव " इत्यादिना—तु आध्यात्मिकप्राणात्मकत्वम्, ततश्च ' अषाढा ' इति ' यद् ' एषा ' ते सर्वे प्राणाः ' आध्यात्मिकत्वाधिभौतिकत्वादिभेदेनोभयविधा अपि प्राणा इत्यर्थः । ' त एते ' इति, प्राणा इत्येतदपेक्षया लिङ्गवचने । उक्तमषाढाया उभयविधप्राणात्मकत्वमुपजीव्य तस्याः पूर्वभागे उपधानमुपपादयति—तां पूर्वार्धे इति । तस्मादिति । ' पुरस्तात् ' पूर्वभागे मुख इत्यर्थः । ' इमे ' इत्यभि-

यद्दपस्याः पञ्च पुरस्तादुपदधाति । (त्यु) अन्नं वाऽआपोऽनपिहिता वाऽअन्नेन प्राणास्तामनन्तर्हितामृतव्याभ्यामुपदधात्यृतुषु तद्वाचं प्रतिष्ठापयति सेयं व्वागृतुषु प्रतिष्ठिता व्वदति ॥ ३७ ॥

तदाहुः । (र्यु) यत्प्रजा व्विश्वज्योतिर्व्वागषाढाऽथ कस्मादन्तरेणऽर्तव्येऽउपदधातीति संव्वत्सरो वाऽऋतव्ये संव्वत्सरेण तत्प्रजाभ्यो व्वाचमन्तर्दधाति तस्मात्संव्वत्सरवेलायां प्रजा व्वाचं प्रवदन्ति ॥ ३८ ॥

यद्दपस्याः पञ्च पुरस्तादुपदधाति । अन्नं वाऽआपः । अनपिहिता वाऽअन्नेन प्राणाः । तामनन्तर्हितामृतव्याभ्यामुपदधाति । ऋतुषु तद्वाचं प्रतिष्ठापयति । सेयं वागृतुषु प्रतिष्ठिता वदति ॥ ३७ ॥

तदाहुः—यत्प्रजा विश्वज्योतिः, वागषाढा, अथ कस्मादन्तरेणऽर्तव्येऽउपदधातीति । संवत्सरो वाऽऋतव्ये । संवत्सरेण तत्प्रजाभ्यो वाचमन्तर्दधाति । तस्मात्संवत्सरवेलायां प्रजा वाचं प्रवदन्ति ॥ ३८

नयेन निर्देशः, 'तस्मात्' पूर्वार्द्धे उपधानान्मुखे 'इमे प्राणाः' अवतिष्ठन्त इति शेषः । अषाढायाः पूर्वभागे मन्त्रवत्या इष्टकाया उपधानं निवारयति—तान्नान्ययेति । 'पुरस्तात्' आषाढां प्रति 'अन्यया' 'यजुष्मत्या' मन्त्रवत्या 'इष्टकया' उपधानं न सम्पादयेत् । एतस्यां चिताविति तत्र हेतुरुच्यते । 'नेत्' इति निपातः परिमये वर्तते (या. नि. १ । ३ । ५) । अषाढायाः प्राणात्मकत्वात् एतस्यां प्रथमायां चितौ तस्याः पुरस्तान्मन्त्रवदिष्टकोपधाने तद्व्यवधानात् प्राणानेवापिहितवान् भवतीति परिमयेन नोपदध्यादित्यर्थः ॥ ३१ ॥

ननु यदि समन्त्रकाणामिष्टकानामुपधाने प्राणापिधानम्, तर्हि अपस्यानां मन्त्रविशिष्टानामिष्टकानामुपधानेन तत्कस्मान्न भवतीत्यत आह—यद्दपस्या इति । अपस्यानामन्नात्मकत्वं तद्विधायकब्राह्मणेऽभिधास्यते । (श. प. ७।५।२।१७) आपश्चान्नात्मिकास्तत्कारणत्वात् । अन्नेन तु प्राणानामपिधानं न सम्भवति, अन्नोपजीवित्वात् प्राणानाम् । अतश्चान्नात्मकत्वादपस्यानां समन्त्रकाणामप्युपधानं न विरुध्यत इति भावः । अथ तस्या ऋतव्ययोः समीपे उपधानं विधाय स्तौति—तामनन्तर्हितामिति । सेयं वागृतुषु प्रतिष्ठिता वदतीति । 'ऋतुषु' अवस्थितेषु प्राणिषु 'प्रतिष्ठिता वदति' इत्यर्थः ॥ ३७ ॥

"प्रजा वै विश्वज्योतिः" इति विश्वज्योतिषः प्रजात्वमुक्तम्, "वाग्वा अषाढा"—इति आषाढाया वाक्त्वं प्रतिपादितम्; ततश्च विश्वज्योतिषः समीपेऽषाढाया उपधाने सति प्रजासु वागुपहिता भवति । तदकृत्वा तयोर्मध्ये किमर्थमृतव्ययोरुपधानं कृतमित्याशङ्क्य तत्कारणमाह—तदाहुरिति । संवत्सरो वा ऋतव्ये इति । "ऋतव एते यदृतव्ये"—(श. प. ७ । ४ । २ । २९) इति ऋतव्ययोर्ऋत्वात्मकत्वात्सम्भूय सर्वेषामृतूनां संवत्सरात्मकत्वाद् 'ऋतव्ये संवत्सरः' ततश्चर्तव्ययोरन्तरोपधाने 'संवत्सरेण' 'प्रजाभ्यो' 'वाचं' व्यवहितां करोति, 'तस्माद्' इदानीमुत्पत्तेरुपरि 'संवत्सरवेलायां' संवत्सरे गते सति पश्चाद् 'प्रजाः' 'वाचम्' 'प्रवदन्ति' ॥ ३८ ॥

१८३१

(न्त्यु) अषाढाऽसि सहमानेति । (त्यु) असहन्त ह्येतया देवाऽअसुरान्त्सहस्वारातीः सहस्व पृतनायतऽइति यथैव यजुस्तथा बन्धुः सहस्रवीर्याऽसि सा मा जिन्वेति सर्व्वं वै सहस्रᳪँ सर्व्ववीर्याऽसि सा मा जिन्वेत्येतत्सादयित्वा सूददोहसाऽधिवदति तस्योक्तो बन्धुः ॥ ३९ ॥

(स्तु) तदाहुः । कस्मादभिस्वयमातृण्णमन्याऽइष्टका ऽउपधीयन्ते प्राच्यऽएताऽइति द्वौ वै योनीऽइति ब्रूयाद्देवयोनिरन्यो मनुष्ययोनिरन्यः प्राचीनप्रजनना वै देवाः प्रतीचीनप्रजनना मनुष्यास्तद्यदेताः प्राचीरुपदधाति देवयोनेरेवैतद्यजमानं प्रजनयति ॥ ४० ॥

इति तृतीयप्रपाठके द्वितीयं ब्राह्मणम् ॥ ७-३-२ ॥ (४.२)

इति तृतीयप्रपाठकः समाप्तः ॥ ७ । ३ ॥

चतुर्थोऽध्यायश्च समाप्तः ॥ ७ । ४ ॥

" अषाढाऽसि सहमाना "-इति । असहन्त ह्येतया देवा असुरान् । " सहस्वारातीः सहस्व पृतनायतः "-इति । यथैव यजुस्तथा बन्धुः । " सहस्रवीर्योऽसि सा मा जिन्व"-(वा. सं. १३।२६) इति । सर्वं वै सहस्रम् । सर्ववीर्याऽसि । सा मा जिन्वेत्येतत् । सादयित्वा सूददोहसाऽधिवदति । तस्योक्तो बन्धुः ॥ ३९ ॥

तदाहुः- कस्मादभिस्वयमातृण्णमन्या इष्टका उपधीयन्ते-प्राच्य एता इति । द्वौ वै योनीऽइति ब्रूयात्-देवयोनिरन्यः, मनुष्ययोनिरन्यः । प्राचीनप्रजनना वै देवाः, प्रतीचीनप्रजनना मनुष्याः । तद्यदेताः प्राचीरुपदधाति-देवयोनेरेवैतद्यजमानं प्रजनयति ॥ ४० ॥

प्रकृताया इष्टकाया उपधाने मन्त्रं विदधानो व्याचष्टे-अषाढाऽसीत्यादिना[1] । यतो ' देवाः ' ' एतया ' इष्टकया ' असुरान् ' ' असहन्त ' निराकुर्वन् । अतः सहनसाधनत्वादषाढाऽसीति मन्त्र आह । ' सहस्रवीर्याऽसि '-इत्यत्र सहस्रशब्देनापरिमितसङ्ख्या विवक्षितेति दर्शयति-सर्वं वै सहस्रमिति । हे इष्टके ! त्वम् ' सहमाना ' असुराणां निराकर्त्री, अतो नाम्ना अषाढाऽसि, तस्माद् ' अरातीः ' अदानशीलान् शत्रून् ' सहस्व ' परिभावय । किं च ये पूर्वं विरोधिनो न भवन्ति इतः परं पृतनां संग्राममिच्छन्ति ते पृतनायन्तः पृतनाशब्दस्याकारलोपाभावश्छान्दसः । तानपि परिभावय । किं च त्वं ' सहस्रवीर्याऽसि ' अपरिमितसङ्ख्याकवीर्यविशिष्टाऽसि । अनेन विशेषणेन शत्रुनिराकरणसामर्थ्यमुपपादितम् । सा त्वं ' मा ' मां ' जिन्व ' प्रीणीहीति मन्त्रार्थः ॥ ३९ ॥

अथ दूर्वेष्टकादीनां स्वयमातृण्णायाः प्राग्भाग उपधाने कारणमाह-तदाहुरिति । 'अभिस्वयमातृण्णम्' स्वयमातृण्णाम् अभिलक्ष्य स्वयमातृण्णाया उपरिभाग इत्यर्थः । "लक्षणेनाभिप्रती आभिमुख्ये"-(पा. सू. २।१।१४)

1-अषाढाऽसीत्यषाढाम् । का. श्रौ. सू. १७ । ९७ ।

इत्यव्ययीभावसमासः । अन्या इष्टकाः उपरि वक्ष्यमाणाः उपधीयन्ते, 'एताः' दूर्वेष्टकादयस्तु तस्याः प्राच्य उपधीयन्त इति यदस्ति तत्रोत्तरमाह–द्वौ वै योनी इति । 'देवयोनिरन्यो' 'मनुष्ययोनिरन्यः' इति यदुक्तमन्यत्वं तदाह–प्राचीनेति । प्राचीने पूर्वभागे प्रजननमुत्पत्तिस्तत्कारणं वा येषां ते, तथोक्ताः । 'मनुष्याः तु 'प्रतीचीनप्रजननाः,' ततश्च 'एताः' इष्टकाः स्वयमातृण्णायाः 'प्राचीः' प्रागपवर्गाः 'उपदधाति' इति यत् तेन 'देवयोनेरेव' एनं 'यजमानम्' उत्पादयति । दूर्वेष्टकादीनामुत्तरोत्तरपूर्वभावेनोपधानं कात्यायनेनोक्तम्–"पूर्वां पूर्वामुत्तराः"–(का. श्रौ. सू. १७।९१) इति ॥ ४० ॥

इति श्रीसायणाचार्यविरचिते माधवीये वेदार्थप्रकाशे माध्यन्दिनीयशतपथब्राह्मणभाष्ये सप्तमकाण्डे चतुर्थेऽध्याये द्वितीयं ब्राह्मणम् ॥ (७–४–२) ॥

वेदार्थस्य प्रकाशेन तमो हार्दं निवारयन् । पुमर्थांश्चतुरो देयाद् विद्यातीर्थमहेश्वरः ॥ १ ॥

ब्रह्माण्डं गोसहस्रं कनकहयतुलापूरुषौ स्वर्णगर्भं,
सप्ताब्धीन्पञ्चसीरींस्त्रिदशतरुलताधेनुसौवर्णभूमीः ।
रत्नोस्रां रुक्मवाजिद्विपमहितरथौ सायणिः सिङ्गणार्यो,
व्यश्राणीद्विश्वचक्रं प्रथितविधिमहाभूतयुक्तं घटं च ॥
धान्याद्रिं धन्यजन्मा तिलमवमतुलः स्वर्णजं वर्णमुख्यः,
कार्पासीयं कृपावान्गुडकृतमजडो राजतं राजपूज्यः ।
आज्योत्थं प्राज्यजन्मा लवणजमनृणः शार्करं चार्कतेजा,
रत्नाढ्यो रत्नरूपं गिरिमकृत मुदा पात्रसात्सिङ्गणार्यः ॥

इति श्रीमद्राजाधिराजपरमेश्वरवैदिकमार्गप्रवर्तकश्रीहरिहरभूपालसाम्राज्यधुरन्धरेण सायणाचार्येण विरचिते माधवीये वेदार्थप्रकाशे माध्यन्दिनशतपथब्राह्मणभाष्ये सप्तमकाण्डे चतुर्थोऽध्यायः समाप्तः ॥ ७–४ ॥

अथ पञ्चमेऽध्याये प्रथमं ब्राह्मणम् ।

चतुर्थप्रपाठके च प्रथमं ब्राह्मणम् ।

कूर्म्मसुपदधाति । रसो वै कूर्म्मो रसमेवैतदुपदधाति यो वै सऽएषां लोकानामप्सु प्रविद्धानां पराङ्रसोऽत्यक्षरत्सऽएष कूर्म्मस्तमेवैतदुपदधाति यावानु वै रसस्तावानात्मा सऽएषऽइमऽएव लोकाः ॥ १ ॥

(स्तु) तस्य यदधरं कपालम् । (म) अयᳪं स लोकस्तत्प्रतिष्ठित-मिव भवति प्रतिष्ठितऽइव ह्ययं लोकोऽथ यदुत्तरᳪं सा द्यौस्तद्व्यव-गृहीतान्तमिव भवति व्यवगृहीतान्तेव हि द्यौरथ यदन्तरा तदन्तरिक्षᳪं सऽएषऽइमऽएव लोकाऽइमानेवैतल्लोकानुपदधाति ॥ २ ॥

अथ कूर्मेष्टकोपधानम् ।

कूर्ममुपदधाति । रसो वै कूर्मः । रसमेवैतदुपदधाति । यो वै स एषां लोकानामप्सु प्रविद्धानां पराङ्रसोऽत्यक्षरत्-स एष कूर्मः । तमेवैतदुपदधाति । यावानु वै रसः-तावानात्मा । स एष इम एव लोकाः ॥ १ ॥

तस्य यदधरं कपालम् । अयं स लोकः । तत्प्रतिष्ठितमिव भवति । प्रतिष्ठित इव ह्ययं लोकः । अथ यदुत्तरम्-सा द्यौः । तद्व्यवगृहीतान्तमिव भवति। व्यवगृहीतान्तेव हि द्यौः । अथ यदन्तरा-तदन्तरिक्षम् । स एष इमऽएव लोकाः । इमानेवैतल्लोकानुपदधाति ॥ २ ॥

यस्य निश्वसितं वेदा यो वेदेभ्योऽखिलं जगत् । निर्ममे तमहं वन्दे विद्यातीर्थमहेश्वरम् ॥ १ ॥

पूर्वस्मिन् ब्राह्मणे स्वयमातृण्णादीनामुपधानमभिहितम्, अथास्मिन् ब्राह्मणे कूर्मादीनामुपधानमभिधास्यते; तत्रादौ तावत्कूर्मोपधानं विधाय तं रसात्मना स्तौति-**कूर्ममुपदधातीति**। उक्तमेव कूर्मस्य रसत्वं प्रतिपादयति-**यो वै स इति**। 'एषाम्' पृथिव्यादीनां 'लोकानाम' 'अप्सु' 'प्रविद्धानाम्' मग्नानां 'सः' प्रसिद्धो 'यो' 'रसः' 'पराङ्' अनावृत्तः 'अत्यक्षरत्' अस्रवत् । 'सः' रसः 'एषः' इदानीमस्माभि-रुच्यमानः 'कूर्मः' अतः 'तमेव' रसम् एतेन कूर्मोपधानेनोपहितवान् भवति । लोकरसत्वप्रणाल्या कूर्मस्य लोकात्मकत्वमेवाह-**यावानु वा इति**।'रसो' 'यावान्' यत्परिमाणः, 'आत्मा' देहोऽपि 'तावान्' तत्परि-माणः, रस एव देहस्यान्तर्भावात् । यथा विलीने लोहपिण्डे तत्स्वरूपं तद्रसे सूक्ष्माकारेणावतिष्ठते तद्वल्लोक-रसात्मके कूर्मे 'लोका' अपि सूक्ष्मरूपेणावतिष्ठन्त इति । 'स एषः' कूर्म एव सर्वलोकात्मक इत्यर्थः ॥१॥

यदुक्तं कूर्मस्य पृथिव्यादिलोकत्रयात्मकत्वं तदेव तच्छरीरे विविच्य दर्शयति-**तस्येति** । 'तस्य' कूर्मस्य 'यद्' अधस्तनं 'कपालम्' कठिनत्वक् 'सः' 'अयम्' 'लोकः' पृथिवी । अधरकपालपृथिव्योः

तमुभ्यनक्ति । दध्ना मधुना घृतेन दधि हैवास्य लोकस्य रूपं घृतमन्तरिक्षस्य मध्वमुष्य स्वेनैवैनमेतद्रूपेण समर्धयत्यथो दधि हैवास्य लोकस्य रसो घृतमन्तरिक्षस्य मध्वमुष्य स्वेनैवैनमेतद्रसेन समर्धयति ॥ ३ ॥

मधु व्वाताऽ ऋतायतऽइति । यां वै देवतामृगभ्यनूक्ता या यजुः सैव देवता सऽर्क्सो देवता तद्यजुस्तद्धैतन्मध्वेवैष त्रिचो रसो वै मधु रसमेवास्मिन्नेतद्दधाति गायत्रीभिस्तिसृभिस्तस्योक्तो बन्धुः ॥ ४ ॥

तमभ्यनक्ति–दध्ना मधुना घृतेन । दधि हैवास्य लोकस्य रूपम्, घृतमन्तरिक्षस्य, मध्वमुष्य । स्वेनैवैनमेतद्रूपेण समर्धयति । अथो दधि हैवास्य लोकस्य रसः, घृतमन्तरिक्षस्य, मध्वमुष्य । स्वेनैवैनमेतद्रसेन समर्धयति ॥ ३ ॥

" मधु वाता ऋतायते "–(वा. सं. १३।२७–२९) इति । यां वै देवतामृगभ्यनूक्ता, या यजुः–सैव देवता सऽर्क्, सो देवता तद्यजुः । तद्धैतन्मध्वेवैष त्रिचः । रसो वै मधु । रसमेवास्मिन्नेतद्दधाति । गायत्रीभिस्तिसृभिः । तस्योक्तो बन्धुः ॥ ४ ॥

कस्यचित्साधर्म्यस्य प्रदर्शनात्तदात्मकत्वमुपपादयति–तत्प्रतिष्ठितमिवेति । ' प्रतिष्ठितम् ' अधः सर्वत्र पृष्ठतलम् । अधरकपालपृथिव्योस्तथाविधत्वात्तस्य पृथिव्यात्मकत्वम् । अथेति । ' अथ ' ' यदुत्तरं ' कपालं तद् ' द्यौः ' द्युलोकः । पूर्ववत्तदेवोपपादयति–तद्व्यवगृहीतान्तमिति । विविधम् ' अवगृहीतः ' अवनतः प्रान्तो यस्य तत्तथोक्तम् । कूर्मस्योपरिकपालं सर्वतो मण्डलाकारेणावनतप्रान्तम् ' इव ' ' भवति ', ' द्यौः ' अपि तथाविधा; अतस्तस्य तदात्मकत्वम् । अथ यदधरोत्तरयोर्द्वयोः कपालयोः ' अन्तरा ' मध्यमस्ति ' तदन्तरिक्षम् ' अतः ' सः ' ' एषः ' कूर्मः ' इमे ' पृथिव्यादयः ' एव लोकाः ' तस्मादेतेनोपधानेन ' इमानेव लोकानुपदधाति ' ॥ २ ॥

विहितस्य कूर्मस्य दधिमधुघृतैरभ्यञ्जनं विधत्ते–तमभ्यनक्तीति । दधिमधुघृतानां पृथिव्यादिलोकरूपत्वात्तैरभ्यञ्जनैः कूर्मं स्वकीयेनैव रूपेण समृद्धं करोतीत्याह–दधि हैवेति । तत्र घनीभावसाधर्म्याद्दध्नः पृथिवीलोकरूपत्वम् । घृतस्य दध्न उपरिभावित्वात् पृथिव्युपरितनान्तरिक्षलोकरूपत्वम् । मधुनस्तु वृक्षाचलशिखरादिषूपरिभागेष्ववस्थितत्वाद् द्युलोकात्मकत्वम् । अथवा मधुनो मधुररसत्वेन सोमात्मकत्वात्सोमस्य च द्युलोकेऽवस्थानान्मधु द्युलोकरूपम् । प्रकारान्तरेणापि दध्यादिभिरभ्यञ्जनं प्रशंसति–अथो इति ॥ ३ ॥

अभ्यञ्जने मन्त्रं विधत्ते–मधु वाता ऋतायत इति । विहितमभ्यञ्जनमन्त्रं रसात्मना प्रशंसति–यां वै देवतामिति । ' याम् ' ' देवताम् ' ' अभि '–लक्ष्य या ' ऋग् ' ' अनूक्ता ' उच्चारिता यद्देवताप्रतिपादकत्वेनोच्यते सा ऋक् तत्प्रतिपादकत्वात् ' सैव ' प्रतिपाद्या ' देवता ', तथा ' यजुः ' अपि । एवं च सति अत्र तद्देवतास्वरूपमेतन्मधु, " मधु वाता ऋतायते "–इत्यनया ऋचा प्रतिपाद्यत्वात् । ततश्च ' एष तृचः ' प्रति-

---

१–कूर्मं दधिमधुघृतैरनक्ति मधु व्वाता इति । का. श्रौ. सू. १७।९९।

स यत्कूर्म्मो नाम । (मै) एतद्वै रूपं कृत्वा प्रजापतिः प्रजा ऽअसृजत यदसृजताकरोत्तद्यदकरोत्तस्मात्कूर्म्मः कश्यपो वै कूर्मस्तस्मादाहुः सर्व्वाः प्रजाः काश्यप्य ऽइति ॥ ५ ॥

स यत् कूर्मो नाम । एतद्वै रूपं कृत्वा प्रजापतिः प्रजा असृजत । यदसृजत–अकरोत् तत् । यदकरोत्–तस्मात्कूर्मः । कश्यपो वै कूर्मः । तस्मादाहुः–सर्वाः प्रजाः काश्यप्य इति ॥ ५ ॥

पाधत्वेन देवताभूतमध्वात्मकः । तिस्र ऋचो यस्मिन् समुदाये स तृचः । " ऋचि त्रेरुत्तरपदादिलोपश्च च्छन्दसि "–(पा. सू. ६ । १ । ३४ । वा. १) इति त्रिशब्दस्य संप्रसारणमृवर्णस्य च लोपः । " ऋक्पूरब्धूःपथामानक्षे "–(पा. सू. ५ । ४ । ७४ ।) इति समासान्तः । मधु च ' रसः ' रसस्वरूपम्, अतश्चैतेन तृचेनोपधाने सति रसात्मकेऽस्मिन् कूर्मे ' रसमेव ' निहितवान् भवति । अभ्यञ्जनमन्त्राणां छन्दःसङ्ख्ये विधत्ते–गायत्रीभिस्तिसृभिरिति । तद्व्याख्यानं प्रागुक्तमित्याह–तस्योक्तो बन्धुरिति । तत्र " गायत्रीभिः प्राणो गायत्री प्राणमेवास्मिन्नेतद्दधाति, तिसृभिस्त्रयो वै प्राणाः प्राण उदानो व्यानस्तानेवास्मिन्नेतद्दधाति "–(श. प. ६।४।२।५) इति षष्ठकाण्डेऽभिहितम् । मन्त्राणामयमर्थः–' ऋतायते ' ऋतं यज्ञमात्मन इच्छतीति ऋतायन् यजमानः (पा. सू. ३।१।८५) व्यत्ययेनाकारः । तस्मै, 'वाताः' वायवो 'मधु' मधुररसं 'क्षरन्ति' स्रावयन्ति । ' सिन्धवः ' समुद्राश्च नद्यश्च ' मधु क्षरन्ति ' । ' ओषधीः ' ओषधयोऽपि " वा छन्दसि "–(पा. सू. ६ । ४ । ८८) इति पूर्वसवर्णदीर्घः । 'नः' अस्मत्सम्बन्धियजमानार्थं ' माध्वीः ' मधुररसोपेताः सन्तु । " ऋत्व्यवास्त्व्य " इत्यादिना (पा. सू. ६।४।१७५) माध्वीशब्दो निपातितः । किञ्च ' नक्तम् ' रात्रिरपि मधुररसोपेता भवतु । अपि च ' उषसः ' मधुररसोपेता भवन्तु । तथा यत् ' पार्थिवं रजः ' तत्सर्वं ' मधुमद् ' अस्तु । ' नः ' अस्माकं यजमानस्य ' पिता ' पितृस्थानीया ' द्यौः ' ' मध्वस्तु ' मधुररसोपेता भवतु । ' वनस्पतिः ' अश्वत्थादिर्यज्ञसाधनभूतो ' नः ' अस्मद्यजमानार्थं ' मधुमानस्तु ' । ' सूर्योऽपि ' ' मधुमान् ' सन्तापराहित्यलक्षणमाधुर्यरसोपेतोऽस्तु । तथा ' गावो ' ' नः ' अस्मद्यजमानार्थं ' माध्वीः ' मधुरक्षीरोपेता ' भवन्तु ' ॥ ४ ॥

अथ कूर्म इति नाम्नः प्रवृत्तिनिमित्तं दर्शयति–स यत्कूर्म इति । ' एतत् ' कूर्मसम्बन्धि ' रूपम् ' आत्मनः ' कृत्वा ' प्रजापतिः ' ' प्रजा असृजत ' । ' असृजत ' इत्यस्य व्याख्यानम–यदसृजताकरोदिति । ' असृजत ' इति ' यत् ' तत् ' अकरोत् ' इत्यर्थः । ' तत् ' तेन कूर्मरूपेण ' अकरोद् ' इति यत् तस्मादकरोदिति ' कूर्मः ' इति कूर्मशब्दो नामधेयमित्यर्थः । करोतेरौणादिके (पा. सू. उ. १ । १५०) मक्प्रत्यये " बहुलं छन्दसि "–(पा. सू. ७ । १ । १०३) इत्युत्वे कृते " हलि च "–(पा. सू. ८ । २ । ७७) इति दीर्घे च कृते कूर्म इति रूपं भवति । ' कश्यपो वा ' इत्यादिकस्यायमर्थः । कूर्मशब्दस्य करणप्रवृत्तिनिमित्तकत्वात् कश्यपस्य प्रजापतित्वेन प्रजाकारकत्वात्कश्यपः कूर्मः खलु । अत एव ' सर्वाः प्रजाः ' 'काश्यप्यः' इत्याहुर्जनाः । अतश्च कूर्मस्य कश्यपात्मकत्वात्तदुपधानं प्रशस्तमिति भावः ॥५॥

स यः स कूर्म्मोऽसौ सऽआदित्यः । (त्योऽमु) अमुमेवैतदादित्यमुपदधाति तं पुरस्तात्प्रत्यञ्चमुपदधात्यमुं तदादित्यं पुरस्तात्प्रत्यञ्चं दधाति तस्मादसावादित्यः पुरस्तात्प्रत्यङ्धीयते दक्षिणतोऽषाढायै वृषा वै कूर्म्मो योषाऽषाढा दक्षिणतो वै वृषा योषामुपशेतेऽरत्निमात्रेऽरत्निमात्राद्धि वृषा योषामुपशेते सैषा सर्व्वासामिष्टकानां महिषी यदषाढैतस्यै दक्षिणतः सन्त्सर्व्वासामिष्टकानां दक्षिणतो भवति ॥ ६ ॥

यद्वेव कूर्म्ममुपदधाति । प्राणो वै कूर्म्मः प्राणो हीमाः सर्व्वाः प्रजाः करोति प्राणमेवैतदुपदधाति तं पुरस्तात्प्रत्यञ्चमुपदधाति पुरस्ताद्धि प्रत्यञ्चं

स यः स कूर्मः–असौ स आदित्यः । अमुमेवैतदादित्यमुपदधाति । तं पुरस्तात्प्रत्यञ्चमुपदधाति । अमुं तदादित्यं पुरस्तात्प्रत्यञ्चं दधाति । तस्मादसावादित्यः पुरस्तात्प्रत्यङ्धीयते । दक्षिणतोऽषाढायै । वृषा वै कूर्मः, योषाऽषाढा । दक्षिणतो वै वृषा योषामुपशेते । अरत्निमात्रे । अरत्निमात्राद्धि वृषा योषामुपशेते । सैषा सर्वासामिष्टकानां महिषी–यदषाढा । एतस्यै दक्षिणतः सन्त्सर्वासामिष्टकानां दाक्षिणतो भवति ॥ ६ ॥

यद्वेव कूर्ममुपदधाति । प्राणो वै कूर्मः । प्राणो हीमाः सर्वाः प्रजाः करोति । प्राणमेवैतदुपदधाति।

अथ तमेव कूर्ममादित्यात्मनाऽपि स्तौति–स य इति । 'सः' प्रकृतो 'यः' 'कूर्मः' अस्ति, 'असौ' विप्रकृष्टः 'आदित्यः' आदित्यात्मकत्वं मण्डलाकारसाम्यात्, यथाऽऽदित्यो यूप इति । एतस्योपधाने आदित्यस्यैवोपधानं कृतं भवति । उक्तमादित्यात्मकत्वमुपजीव्य तस्य चयनप्रदेश एव पूर्वभागे प्रत्यङ्मुखत्वेनोपधानमाह–तं पुरस्तादिति । ननु कूर्मस्यादित्यात्मकत्वेन पुरस्तात्प्रत्यगुपधानेनादित्यस्य पुरस्तात्प्रत्यङ्निधानमित्यन्योन्याश्रयतादोष इति चेत् । नैष दोषः । कारकज्ञापकयोर्हेतुहेतुमद्भाववैपरीत्यं भूषणमेव न तु दूषणम् । यथाऽग्निर्धूमस्य कारको हेतुः, धूमश्चाग्नेर्ज्ञापक इति । तथाऽत्रापि कूर्मस्य पुरस्तात्प्रत्यगुपधानमादित्यस्य पुरस्तात्प्रत्यङ्निधाने कारकम् । आदित्यस्य पुरस्तात्प्रत्यगवस्थानं कूर्मस्यैवंविधोपधाने ज्ञापकम् । पुरस्तात् प्रत्यगुपधानमषाढायाः पुरस्तादुत्तरतो वापि स्यादित्यत आह–दक्षिणत इति । 'अषाढायै' इति (पा. सू. २ । ३ । १२, वा. १) षष्ठ्यर्थे चतुर्थी ।

उक्तेऽर्थे उपपत्तिमाह–वृषा वा इति । 'वृष' शब्देन सेचनसमर्थत्वात् पुमानुच्यते । अषाढाशब्दस्य स्त्रीलिङ्गत्वाद् 'अषाढा योषा' खलु । "उत्तरतो हि स्त्री पुमांसमुपशेते"–इति श्रुतेः । पुमान् दक्षिणभागे 'योषामुपशेते' उपशयनेनेप्सिततमत्वाद् 'योषाम्' (पा. सू. २ । ३ । २) इति द्वितीया । अतश्चास्य कूर्मस्याषाढायाः दक्षिणभागे उपधानमुपपन्नमित्यर्थः । दक्षिणभागे विप्रकृष्टेऽप्युपधानं स्यादित्यत आह–अरत्निमात्रे इति । उखाया अपि पुरस्तादषाढायाः शिष्टत्वेन सर्वेष्टकानामपि प्रशस्तत्वाद्दक्षिणभागे उपधानेन सर्वेष्टकानामपि दक्षिणभागे उपशयनं सिद्धं भवतीति दर्शयति–सैषेति ॥ ६ ॥

अथ तमेव कूर्मं प्राणात्मनाऽपि स्तौति–यद्वेवेति । प्राणो हीमा इति । 'प्राणः' खलु 'इमाः' 'सर्वाः

१–अरत्निमात्रेऽषाढां दक्षिणेनावकासूपरिष्टाच्च पुरुषमभिमुखम् । का. श्रौ सू. १७ । १०० ।

प्राणं दधाति तुस्मात्पुरस्तात्प्रत्यङ् प्राणो धीयते पुरुषमभ्यावृत्तं युज-
माने तृत्प्राणं दधाति दक्षिणतोऽषाढायै प्राणो वै कूर्म्मो व्वागुषाढा प्राणो
वै व्वाचो व्वृषा प्राणो मिथुनम् ॥ ७ ॥ (शतम् ४२००)

(म) अपां गुम्भन्त्सीदेति । (त्ये) एतुद्धापां गुम्भिष्ठं युत्रैषऽ एतत्तुपति
मा त्वा सूर्य्योऽभितात्प्सीन्माऽग्निर्व्वैश्वानर ऽइति मैव त्वा सूर्य्यो हिॐसी-
न्मोऽअग्निर्व्वैश्वानरऽइत्येतदुच्छिन्नपत्राः प्रजा ऽअनुवीक्षस्वेतीमा वै सुर्व्वाः
प्रजा युाऽ इमा ऽइष्टकास्ताऽअरिष्टाऽअनार्त्ताऽअनुवीक्षस्वेत्येतदनु त्वा
दिव्या व्वृष्टिः सचतामिति युथैवैनं दिव्या व्वृष्टिरनुसचेतैवमेतदाह ॥ ८ ॥

तं पुरस्तात्प्रत्यञ्चमुपदधाति । पुरस्तात्तत्प्रत्यञ्चं प्राणं दधाति । तस्मात्पुरस्तात्प्रत्यङ्प्राणो धीयते । पुरुषमभ्यावृत्तम् । यजमाने तत्प्राणं दधाति । दक्षिणतोऽषाढायै । प्राणो वै कूर्मः,वागषाढा । प्राणो वै वाचो वृषा । प्राणो मिथुनम् ॥ ७ ॥

"अपां गम्भन्त्सीद"–इति । एतद्धापां गम्भिष्ठम्–यत्रैष एतत्तपति । "मा त्वा सूर्योऽभिताप्सीन्माऽग्निर्वैश्वानरः"–इति । मैव त्वा सूर्यो हिंसीद्, मोऽअग्निर्वैश्वानर इत्येतत् । " अच्छिन्नपत्राः प्रजा अनुवीक्षस्व"–इति । इमा वै सर्वाः प्रजाः–या इमा इष्टकाः । ता अरिष्टा अनार्त्ता अनुवीक्षस्वेत्येतत् । " अनु त्वा दिव्या वृष्टिः सचताम् "–(वा. सं. १३ । ३०) इति । यथैवैनं दिव्या वृष्टिरनुसचेत–एवमेतदाह ॥ ८ ॥

प्रजाः करोति ' प्राणिभिरेव प्रजानामुत्पादनात्, अतश्च कर्त्तव्यत्वसामान्यात् ' प्राणः ' ' कूर्मः ' इति तदुपधाने प्राणस्यैवोपधानं भवति । तं पुरस्तादित्यादिनोक्तं प्राणात्मकत्वमुपजीव्य पुरस्तात्प्रत्यङ्मुखत्वेनोपधानमुपपाद्यते–तस्मादिति । यत एवं ' तस्मात् ' कारणात् ' पुरस्तात् '–मुखः प्राणवायुः ' प्रत्यङ् '–मुखत्वेन ' धीयते ' ध्रियते । कूर्मस्य प्राणात्मकत्वाद्धिरण्मयपुरुषाभिमुख्येन तस्योपधाने पुरुषस्य यजमानरूपत्वाद्यजमाने प्राणनिधानं भवतीत्याह–पुरुषमभ्यावृत्तमिति । कूर्मस्य प्राणत्वादषाढाया वाक्त्वम्, तस्य दक्षिणत उपधानं युज्यत इति दर्शयति–दक्षिणत इति । स्त्रीत्वसामान्यादषाढायाः वागात्मकत्वम् । ' प्राणः ' ' वाचो ' ' वृषा ' पतिः खलु, प्राणोपजीवनेन वाचः प्रवृत्तेः । अतः ' प्राणो ' वागित्युभयमपि ' मिथुनम् ' । एवं च वागात्मिकाया अषाढाया दक्षिणभागे प्राणात्मकस्य कूर्मस्योपधानमुपपन्नमित्यर्थः ॥ ७ ॥

अथ तदुपधाने मन्त्रं विदधानो व्याचष्टे–अपाङ्गम्भन्नित्यादिना । यत्रेति । ' यत्र ' स्थाने ' एषः ' सूर्यः ' एतत् ' तपनं करोति । ' एतत् ' खलु 'अपाम्' ' गम्भिष्ठम् ' गम्भीरतमं ह्रद इत्यर्थः । सूर्यस्य वृष्टिहेतुत्वात्तस्यावस्थानप्रदेशस्य ह्रदत्वमुच्यते । ततश्च कूर्मस्य अपामन्तरेवावस्थानाद् ' अपाम् ' ' गम्मन् ' सूर्यावस्थानसमीपदेशलक्षणेऽपां ह्रदे ' सीद ' उपविशेति मन्त्र आह । ' गम्भन् ' इति गम्भीरशब्दस्य छान्दसो गम्भन्ना-

(हु।) अथैनमेजयति । त्रीन्त्समुद्रान्त्समसृपत्स्वर्गानितीमे वै त्रयः समुद्राः स्वर्गा लोकास्तानेष कूर्म्मो भूत्वाऽनुसꣳससर्पापां पतिर्वृषभ ऽइष्टकाना-मित्यपाꣳ ह्येष पतिर्वृषभ ऽइष्टकानां पुरीषं वसानः सुकृतस्य लोक-ऽइति पशवो वै पुरीषं पशून्वसानः सुकृतस्य लोक ऽइत्येतत्तत्र गच्छ यत्र पूर्वे परेता ऽइति तत्र गच्छ यत्रैतेन पूर्वे कर्मणेयुरित्येतत् ॥ ९ ॥

अथैनमेजयति । "त्रीन्त्समुद्रान्त्समसृपत् स्वर्गान्"–इति । इमे वै त्रयः समुद्राः स्वगा लोकाः । तानेष कूर्मो भूत्वाऽनुसंससर्प । " अपां पतिर्वृषभ इष्टकानाम् "–इति । अपां ह्येष पतिर्वृषभ इष्टकानाम् । " पुरीषं वसानः सुकृतस्य लोके "–इति । पशवो वै पुरीषम् । पशून् वसानः सुकृतस्य लोक इत्येतत् । " तत्र गच्छ यत्र पूर्वे परेताः"–(वा. सं. १३।३१) इति । तत्र गच्छ यत्रैतेन पूर्वे कर्मणेयुरित्येतत् ॥ ९ ॥

देशः । तत उत्तरस्याः सप्तम्याः " सुपां सुलुक् "–(पा. सू. ७ । १ । ३९) इत्यादिना लुकि रूपम् । गम्भिष्ठमिति गम्भन्शब्दादतिशायने (पा. सू. ५ । ३ । ५५) इष्ठनि कृते " टेः "–(पा. सू. ६ । ४ । १४३) इति टिलोपे कृते रूपम् । "मा त्वा सूर्योऽभिताप्सीन्माऽग्निर्वैश्वानरः" इत्यत्राभिताप्सीदित्येतत्पदार्थ-माह–मैव त्वेति । अच्छिन्नपत्रा इति । 'पत्र' शब्देनात्रावयवो लक्ष्यते, तेनात्र अच्छिन्नावयवा इत्यर्थः । 'या इमाः' उपहिताः 'इष्टकास्ताः इमा एव सर्वाः प्रजाः' खलु, इष्टकानां प्राजापत्यात्मकत्वेन प्रजापतेश्च सर्वप्रजाकारणत्वेन तदात्मकत्वादित्यर्थः । 'रिष्ट '–शब्देनानिष्टं व्याधिप्रभृतिकमुच्यते । तद्रहिता 'अरिष्टाः' तस्यैव विवरणम्–अनार्त्ता इति । तथा सति अच्छिन्नपत्राः प्रजा अनुवीक्षस्व इत्यनेन एतदु-पहितेष्टकारूपाः प्रजाः यथा 'अरिष्टा अनार्त्ताः' भवन्ति तथा ताः 'अनुवीक्षस्व' अनुपालयेत्येतदुक्तं भवतीत्यर्थः ॥

यथैवैनमिति । 'एनम्' कूर्मम् 'अनु'– लक्ष्य 'यथैव' 'दिव्या वृष्टिः' सम्बध्नीयात्, 'एवम्' अनेनाभिप्रायेण 'एतद्' " अनु त्वा " इत्यादिकम् 'आह' ॥ ८ ॥

" अपां गम्भन् " " त्रीन् समुद्रान् " " मही द्यौः " इति त्रिभिर्मन्त्रैरयं कूर्म उपधीयते, तत्र मध्यमेन तं चालयन्नुपदध्यात् । अत एव कात्यायनः–"अपां गम्भन्निति तिसृभिः, घट्टयति मध्यमया"–(का. श्रौ. सू. । १७।१००।१०१) इति । तदेतद्दर्शयन् व्याचष्टे–अथैति ।'एजयति' कम्पयति, "एजृ कम्पने"–(धा.पा.भ्वा. आ. २३४।) इति धातुः । इमे इति । ये 'इमे' 'त्रयः समुद्राः' समुद्रवन्ति समुद्गच्छन्ति इति 'समुद्रा लोकाः' 'स्वर्गाः' सुखहेतुभूताः 'तानेषः' प्रजापतिः 'कूर्मो भूत्वा' 'अनुसंससर्प' प्रजापतेर्लोकत्रयात्मक-त्वात्, " स एष इम एव लोकाः"–इत्यादिना कूर्मस्य लोकत्रयात्मकत्वाभिधानात्प्रजापतिः कूर्मरूपेण लोकान् 'अनुसंसर्प' इत्ययमत्राभिसन्धिः । अपां पतित्वं कूर्मस्य तत्रैव सर्वदाऽवस्थानात् । वृषभशब्देन श्रैष्ठ्यं लक्ष्यते, तच्च लोकत्रयात्मकत्वादिना द्रष्टव्यम् । अथवा इष्टकात्मनां स्त्रीणां वृषभः पुमान् । पुरीषशब्देन 'पशवो' ऽभिधी-यन्ते, तान् 'वसानः' आच्छादयन् यजमानस्य सम्पादयन्नित्यर्थः । अथवा इष्टकारूपान् 'पशून्' आच्छा-

(न्म) मही द्यौः पृथिवी च नऽइति । महती द्यौः पृथिवी च नऽइत्येतदिमं यज्ञं मिमिक्षतामितीमं यज्ञमवतामित्येतत्पिपृतां नो भरीमभिरिति बिभृतां नो भरीमभिरित्येतद्द्यावापृथिव्ययोत्तमयोपदधाति द्यावापृथिव्यो हि कूर्म्मः ॥ १० ॥

(त्रि) त्रिभिरुपदधाति । त्रयऽइमे लोकाऽअथो त्रिवृदग्निर्यावानग्निर्यावत्यस्य मात्रा तावतैवैनमेतदुपदधाति त्रिभिरभ्यनक्ति तत्षट् तस्योक्तो

" मही द्यौः पृथिवी च नः "-इति । महती द्यौः पृथिवी च न इत्येतत् । " इमं यज्ञं मिमिक्षताम् "-इति । इमं यज्ञमवतामित्येतत् । " पिपृतां नो भरीमभिः "-(वा. सं. १३ । ३२) इति । बिभृतां नो भरीमभिरित्येतत् । द्यावापृथिव्ययोत्तमयोपदधाति । द्यावापृथिव्यो हि कूर्मः ॥ १० ॥

त्रिभिरुपदधाति । त्रय इमे लोकाः । अथो त्रिवृदग्निः । यावानग्निर्यावत्यस्य मात्रा-तावतैवैनमेतदुपदधाति । त्रिभिरभ्यनक्ति । तत् षट् । तस्योक्तो बन्धुः । अवका अधस्ताद्भवन्ति । अवका

दयन्निति । पूर्वमुपहिताः कूर्मा एतेनोपधानलक्षणेन कर्मणा ' यत्र ' ' परेताः ' मृत्वा प्राप्नुवन् ' तत्र गच्छ ' इत्येतदुक्तं भवति ॥ ९ ॥

मही द्यौरित्यत्र महीपदस्य विवक्षितमर्थमाह—महतीति । द्वितीयपादे ' मिमिक्षताम् ' इत्यस्यावनमर्थ इति दर्शयति—इमं यज्ञमवतामित्येतदिति । अनेकार्थत्वाद्धातूनां मिमिक्षतिरत्रावने वर्त्तते ॥

तृतीयपादे पिपृतामित्यस्यार्थमाह—बिभृतामिति । मन्त्रार्थस्तु हे कूर्म ! ' त्वम् ' ' अपां ' गम्भीरतरे देशे उपविश, तत्र सीदन्तं त्वां सूर्यो माऽभितपतु । वैश्वानरः सर्वेषामुदरस्थः सर्वात्मा च सर्वज्ञोऽग्निरपि माऽभितपतु । तथाविधस्त्वमनवखण्डितावयवा इष्टकारूपाः प्रजा अनुवीक्षस्व । त्वां दिव्या वृष्टिश्चानुसम्बध्नीतामिति प्रथमस्यार्थः ॥

हे कूर्म ! त्वं त्रीन् सुखहेतुभूतान् लोकान् ' समसृपत् ' संसृतोऽसि । व्यत्ययेन तिबादेशः, लृदित्त्वाच्च्लेरङादेशः (पा. सू. ३ । १ । ५५) । स त्वम् ' अपां पतिः ' ' इष्टकानां ' च ' वृषभः, ' अतस्त्वामर्वामि ' पुरीषम् ' इष्टकारूपान्पशून् ' वसानः ' आच्छादयन् ' सुकृतस्य ' सुष्ठु सम्पादितस्याग्नेः ' लोके ' स्थाने स्थित्वा 'तत्र गच्छ' 'एतेन' कर्मणा ' पूर्वे ' कूर्माः ' यत्र परेताः ' मृत्वा प्राप्नुवन्निति द्वितीयस्यार्थः ॥

" मही द्यौः " इति मन्त्रस्तु प्रागेव व्याख्यातः । अन्तिममन्त्रस्य द्यावापृथिव्यत्वं प्रशंसति—द्यावापृथिव्ययेति । " तस्य यदधरं कपालमयं स लोकः "-(श. प. ७ । ५ । १ । २) इत्यादिना कूर्मस्याधस्तनोपरितनयोः कपालयोर्द्यावापृथिवीरूपत्वस्योक्तत्वात् ' कूर्मो द्यावापृथिव्यः ' । अतस्तदुपधाने उत्तमाया ऋचो द्यावापृथिव्यत्वं प्रशस्तमिति यावत् । ' द्यावापृथिव्य ' शब्दस्तु " द्यावापृथिवीशुनासीर "-(पा. सू. ४ । २ । ३२) इत्यादिसूत्रेण देवतार्थे यत्प्रत्ययान्तः ॥ १० ॥

उपधानमन्त्राणां त्रित्वसङ्ख्यामनूद्य प्रशंसति—त्रिभिरिति । ' इमे ' पृथिव्यादयो ' लोकास्त्रयः ' कूर्मश्च

बन्धुरवका ऽअधस्ताद्भवन्त्यवकाऽउपरिष्टादापो वाऽअवकाऽ अपामेवै-नमेतन्मध्यतो दधाति सादयित्वा सूददोहसाऽधिवदति तस्योक्तो बन्धुः॥ ११॥

(२) अथोलूखलमुसलेऽउपदधाति । विष्णुरकामयतान्नादः स्यामिति स ऽएतेऽइष्टकेऽअपश्यदुलूखलमुसले तेऽउपाधत्त तेऽउपधायान्नादोऽभवत्तथै-वैतद्यजमानो यदुलूखलमुसलेऽउपदधाति येन रूपेण यत्कर्म कृत्वा विष्णु-रन्नादोऽभवत्तेन रूपेण तत्कर्म कृत्वाऽन्नादोऽसानीति तदेतत्सर्वमन्नं यदु-लूखलमुसलेऽउलूखलमुसलाभ्याᳪं ह्येवान्नं क्रियतऽउलूखलमुसला-भ्यामद्यते ॥ १२ ॥

उपरिष्टात् । आपो वाऽअवकाः । अपामेवैनमेतन्मध्यतो दधाति । सादयित्वा सूददोहसाऽधिवदति । तस्योक्तो बन्धुः ॥ ११ ॥

अथोलूखलमुसलेष्टकोपधानम् ।

अथोलूखलमुसलेऽउपदधाति । विष्णुरकामयत—अन्नादः स्यामिति । स एतेऽइष्टकेऽअपश्यत्—उलूखलमुसले । तेऽउपाधत्त । तेऽउपधायान्नादोऽभवत् । तथैवैतद्यजमानो यदुलूखलमुसलेऽउपदधाति, येन रूपेण यत्कर्म कृत्वा विष्णुरन्नादोऽभवत्—तेन रूपेण तत्कर्म कृत्वाऽन्नादोऽसानीति । तदेतत्सर्वमन्नम्—यदुलूखलमुसले । उलूखलमुसलाभ्यां ह्येवान्नं क्रियते । उलूखलमुसलाभ्यामद्यते ॥ १२ ॥

लोकत्रयात्मकः; ततश्च तदुपधानं त्रिभिर्मन्त्रैः सम्पाद्यते । अपि च अग्निस्त्रिवृत्स्तोमात्मकः, अग्नेस्त्रिवृत्त्वमेकस्मादेव सहोत्पत्तेः । तथा च श्रूयते—" स मुखतस्त्रिवृतं निरमिमीत तमग्निर्देवताऽन्वसृज्यत "—(तै. सं. ७ । १ । १) इति । आहवनीयादिभेदेन वाऽग्नेस्त्रिवृत्त्वम् । अथवा षष्ठकाण्डे रुद्रादिनवनामधेयाभिधेयत्वादग्नेस्त्रिवृत्त्वमुक्तम् (श.प. ६।३।१०।१८) । तथा सति अत्रोपधानमन्त्राणां त्रित्वाद् 'अग्निर्यावान्' यत्परिमाणविशिष्टः । अस्य च 'मात्रा' अवयवः 'यावती' यत्परिमाणविशिष्टा 'तावता' तत्परिमाणविशिष्टेन रूपेण 'एतद्' उपधानं सम्पादितं भवति । अभ्यञ्जनमन्त्राणामुपधानमन्त्राणां च सङ्ख्यां सम्भूय प्रशंसति—**त्रिभिरभ्यनक्तीति** । 'तत्' तथा सति 'षद्'—सङ्ख्या सम्पद्यते । तत्सङ्ख्यासम्पादनस्य तु प्रशंसारूपं व्याख्यानं "षड् वा ऋतवः" इत्यादिना प्रागुक्तमित्यर्थः । कूर्मस्याधस्तादुपरिष्टाच्चावकाः स्थापयेदित्याह—**अवका** इति । 'अवका' शैवलम् । अवकास्थापनं किमर्थमित्यत आह—**आपो वा** इति । 'अवकाः' अप्सु जायन्त इति कार्यकारणभेदाविवक्षया आपोऽप्यवकाः, अतश्चैतेनावकास्थापनेन 'अपामेव' 'मध्यतः' 'एनम्' कूर्मं निहितवान्भवति । 'सादयित्वा' इत्यादिकं तु प्रागेव व्याख्यातम् ॥ ११ ॥

कूर्मोपधानानन्तरमुलूखलमुसलयोरुपधानं विधत्ते—**अथेति** । विहितमुलूखलमुसलयोरुपधानमन्नादत्वसाधन-तया प्रशंसति—**विष्णुरित्यादिना** । 'येन रूपेण' प्रकारेण 'यत् कर्म कृत्वा' 'विष्णुः' 'अन्नादोऽभवत्,' तेन प्रकारेण 'तत् कर्म कृत्वाऽहमप्यन्नादोऽसानि' इत्यभिप्रायेण यजमानः 'उलूखलमुसले उपदधाति' यतः, अतो

ते रेतःसिचोर्वेलयोपदधाति । पृष्टयो वै रेतःसिचौ मध्यमु पृष्टयो मध्यतऽ एवास्मिन्नेतदन्नं दधात्युत्तरेऽउत्तरमेवास्मादेतदन्नं दधात्यरत्निमात्रेऽरत्निमात्राद्ध्यन्नमद्यते ॥ १३ ॥

प्रादेशमात्रे भवतः । प्रादेशमात्रो वै गर्भो विष्णुरन्नमेतदात्मसंमितमेवास्मिन्नेतदन्नं दधाति यदु वाऽआत्मसंमितमन्नं तदवति तन्न हिनस्ति यद्भूयो हिनस्ति तद्यत्कनीयो न तदवति ॥ १४ ॥

ते रेतःसिचोर्वेलयोपदधाति । पृष्टयो वै रेतःसिचौ । मध्यमु पृष्टयः । मध्यत एवास्मिन्नेतदन्नं दधाति । उत्तरे । उत्तरमेवास्मादेतदन्नं दधाति । अरत्निमात्रे । अरत्निमात्राद्ध्यन्नमद्यते ॥ १३ ॥

प्रादेशमात्रे भवतः । प्रादेशमात्रो वै गर्भो विष्णुः । अन्नमेतद् । आत्मसंमितमेवास्मिन्नेतदन्नं दधाति । यदु वाऽआत्मसंमितमन्नं—तदवति, तन्न हिनस्ति । यद्भूयो—हिनस्ति तद् । यत्कनीयो—न तदवति ॥ १४ ॥

यथैव विष्णुरभूत्, 'तथैव' 'एतद्' एतेन 'यजमानः' अप्यन्नादो भवतीत्यर्थः । अन्नादनसाधनता कथमनयोरिति तदुपपादयति—तदेतदिति । यत उलूखलमुसलाभ्यामन्नं क्रियते, ताभ्यां व्रीह्यादीनां वितुषीकरणाद् वितुषीकृतानामेवान्नत्वाद् 'अन्नम्' अपि 'उलूखलमुसलाभ्यां क्रियते,' अतश्च 'उलूखलमुसले' इति यत्, एतत्कृत्स्नम् 'अन्नम्' तथा सति अन्नादनसाधनताऽनयोरुपपद्यत इति भावः ॥ १२ ॥

अनयोः स्थानविशेषं विधाय स्तौति—ते इति । रेतःसिचौ इष्टकाविशेषौ (७ । ४ । २ । २२) प्राग्विहितौ, तयोः 'वेलया' प्रान्तेन सप्तम्यर्थे तृतीया । अत एव कात्यायनः—"रेतःसिग्वेलायामरत्निमात्रश्रुतेः"—(का. श्रौ सू. १७ । ९३ ।) इति । तत्रैते उपदध्यात्, यतो 'रेतःसिचौ' 'पृष्टयः' पृष्टिशब्देन कटिपार्श्वस्थावस्थिविशेषावुच्येते । अवयवापेक्षया बहुत्वम् । रेतःसेचनसाधनत्वसामान्याद्रेतःसिचोः पृष्टिरूपता । शरीरमध्येऽवस्थानात् 'पृष्टयो मध्यं' हि, अतश्च तत्प्रान्तेऽनयोरुपधानान्मध्यभाग एव 'अस्मिन्' प्रजापतौ चीयमानाग्निरूपे 'एतदन्नम्' निहितवान् भवति । दिगन्तरेऽपि रेतःसिचोरुपधानं सम्भवेदित्यत आह—उत्तर इति । स्वयमातृण्णाया उत्तरप्रदेशेऽपि प्रमाणविशेषमाह—**अरत्निमात्र** इति । लोके हि अरत्निमात्रप्रदेशादन्नमादायाभ्यवह्रियते । अतश्चान्नरूपयोरनयोरुपधानं तावति प्रदेशे कर्तव्यम् । "उलूखलमुसले स्वयमातृण्णामुत्तरेणारत्निमात्रे"—(का. श्रौ. सू. १७ । १०२) इति हि सूत्रम् ॥ १३ ॥

प्रकृते उलूखलमुसले प्रादेशमात्रे कर्त्तव्ये इत्याह—**प्रादेशमात्रे भवत** इति (का. श्रौ. सू. १७।१०२)। परिमाणविशेषोपादाने कारणमाह—**प्रादेशमात्रो वा** इति । 'विष्णुः' यज्ञश्चीयमानाग्निरूपः, तदानीमनिष्पन्नत्वेन गर्भः खलु, अतो यज्ञः 'प्रादेशमात्रः' लोके गर्भाणां तावत्प्रमाणत्वात् । उलूखलमुसलं चान्नम्, "तदेतत् सर्वमन्नम"—इत्युक्तत्वात् । ततश्च 'अस्मिन्' 'गर्भ'—रूपे विष्णौ एतेनात्मसदृशप्रमाणमेव 'अन्नम्' 'दधाति' । अन्नस्यात्मानुरूपप्रमाणपरिग्रहे को लाभस्तदतिक्रमे वा को दोष इत्यत आह—**यदु वा** इत्यादि । 'आत्मसम्मितमन्नम्' आत्मानं रक्षति न तु हन्ति । 'यत्' तु ततोऽधिकं न्यूनं वा 'तत्' तथा न

(त्यौ) औदुम्बरे भवतः । (ऽ) ऊर्ग्वै रस ऽउदुम्बर ऽऊर्जमेवास्मिन्नेतद्रसं दधात्यथो सर्व्वऽएते व्वनस्पतयो यदुदुम्बरऽएतेऽउपदधत्सर्वान्व्वनस्पतीनुपदधाति रेतःसिचोर्व्वेलयेमे वै रेतःसिचावनुयोस्तद्वनस्पतीन्दधाति तस्मादनुयोर्व्वनस्पतयश्चतुःस्रक्ति भवति चतस्रो वै दिशः सर्व्वासु तद्दिक्षु व्वनस्पतीन्दधाति तस्मात्सर्व्वासु दिक्षु व्वनस्पतयो मध्ये संगृहीतं भवत्युलूखलरूपतायै ॥ १९ ॥

यद्वेवोलूखलमुसलेऽउपदधाति । प्रजापतेर्व्विस्रस्तात्प्राणो मध्यत-

---

औदुम्बरे भवतः। ऊर्ग्वै रस उदुम्बरः । ऊर्जमेवास्मिन्नेतद्रसं दधाति । अथो सर्वऽएते वनस्पतयो—यदुदुम्बरः । एतेऽउपदधत्सर्वान्वनस्पतीनुपदधाति । रेतःसिचोर्वेलया। इमे वै रेतःसिचौ। अनयोस्तद्वनस्पतीन्दधाति। तस्मादनयोर्वनस्पतयः । चतुःस्रक्ति भवति । चतस्रो वै दिशः । सर्वासु तद्दिक्षु वनस्पतीन्दधाति । तस्मात्सर्वासु दिक्षु वनस्पतयः। मध्ये सङ्गृहीतं भवति—उलूखलरूपतायै ॥ १९ ॥

यद्वेवोलूखलमुसलेऽउपदधाति । प्रजापतेर्विस्रस्तात्प्राणो मध्यत उदचिक्रमिषत् । तमन्नेनागृह्णात् । तस्मात्प्राणोऽन्नेन गृहीतः। यो ह्येवान्नमत्ति—स प्राणिति ॥ १६ ॥

करोति। अल्पस्य बलाङ्गपोषानाधायकत्वादधिकस्य च दुर्ज्जरत्वेन पीडाकरत्वादित्यर्थः । 'हिनस्ति' इति "हिसि हिंसायाम्"—(धा. पा. रु. प. १९) इत्यस्य रौधादिकस्य तिपि (पा. सू. ३ । ४ । ७८) श्नमि (पा. सू. ३ । १ । ७८) "श्नान्नलोपः"—(पा. सू. ६ । ४ । २३) इति नकारलोपे रूपम् । अल्पशब्दात् (पा. सू. ५ । ३ । ५७) ईयसुनि "युवाल्पयोः" (पा. सू. ५ । ३ । ६४) इत्यादिना कन्नादेशे 'कनीयः' इति भवति ॥ १४ ॥

अनयोर्वृक्षविशेषं विधाय स्तौति—**औदुम्बरे भवत इति**। 'औदुम्बरे' उदुम्बरविकारौ ततो निष्पन्ने 'भवतः' बिल्वादित्वाद्विकारे (पा. सू. ४ । ३ । १३६) इति अण्—प्रत्ययः । 'उदुम्बरः' 'ऊर्क्' बलकरो 'रसः' खलु । उदुम्बरस्य ऊर्ग्रूपत्वं तैत्तिरीयके श्रूयते—"देवा वा ऊर्ज्जं व्यभजन्त तत उदुम्बर उदतिष्ठत्"—(तै. सं. १।२।५) इति। तथा चैतेन 'अस्मिन्' प्रजापतौ 'ऊर्जमेव' 'रसम्' निदधाति । सर्ववनस्पतीनामुपधानसिद्ध्यर्थमुदुम्बरस्य सर्ववनस्पतिरूपतामाह—**अथो सर्व एत इति**। 'एते' उलूखलमुसले 'उपदधत्' उपदधानः 'सर्वान् वनस्पतीन्' उपहितवान् भवति । रेतःसिग्वेलायामुपधानेन द्यावापृथिव्योर्वनस्पत्युपधानं प्रतिपादयति—**रेतःसिचोर्वेलयेति** । 'इमे' द्यावापृथिव्यौ खलु, 'रेतःसिचौ' इष्टके 'तत्' तेन 'अनयोः' द्यावापृथिव्योः 'वनस्पतीन्' उपहितवान् भवति । 'तस्माद्' हेतोर्द्यावापृथिव्योः 'वनस्पतयः' सन्तीति शेषः । उलूखलस्य चतुष्कोणत्वाभिधानेन सर्वदिक्षु वनस्पत्युपधानमाह—**चतुःस्रक्तीति**। चतस्रः स्रक्तयः कोणा यस्य तदिदं 'चतुःस्रक्ति' तथा 'मध्ये सङ्गृहीतम्' मध्यप्रदेशे सङ्कुचितम् । किमर्थम्—'उलूखलरूपतायै' एवंरूपं हि लोके प्रसिद्धमुलूखलम्, एतस्मादेव च वाक्यशेषादुलूखलमेव चतुःस्रक्ति मध्यसङ्गृहीतं च भवति न मुसलम् । तथा च वक्ष्यते "तद्वृत्तमिव भवति" (श.प. ७।५।१।३८) इति ॥ १९ ॥

अथ विश्लिष्टावयवस्य प्रजापतेः प्राणमन्नमूर्जमस्मिन्नग्नौ प्रतिनिधातुमितिहासमाह—**यद्वेवेति** । 'मध्यतो'

ऽउदचिक्रमिषत्तमन्नेनागृह्णात्तस्मात्प्राणोऽन्नेन गृहीतो यो ह्येवान्नमत्ति स प्राणिति ॥ १६ ॥

प्राणे गृहीतेऽस्मादन्नमुदचिक्रमिषत्तत्प्राणेनागृह्णात्तस्मात्प्राणेनान्नं गृहीतं यो ह्येव प्राणिति सोऽन्नमत्ति ॥ १७ ॥

(त्ये) एतयोरुभयोर्गृहीतयोः । (र) अस्मादूर्गुदचिक्रमिषत्तामेताभ्यामुभाभ्यामगृह्णात्तस्मादेताभ्यामुभाभ्यामूर्ग्गृहीता यो ह्येवान्नमत्ति स प्राणिति तमूर्जयति ॥ १८ ॥

(त्यू) ऊर्जि गृहीतायाम् । (म) अस्मादेतेऽउभेऽउदचिक्रमिषतां तेऽऊर्जाऽगृह्णात्तस्मादेतेऽउभे ऊर्जा गृहीते यꣳ ह्येवोर्जयति स प्राणिति सोऽन्नमत्ति ॥ १९ ॥

प्राणे गृहीतेऽस्मादन्नमुदचिक्रमिषत्–तत्प्राणेनागृह्णात् । तस्मात्प्राणेनान्नं गृहीतम् । यो ह्येव प्राणिति–सोऽन्नमत्ति ॥ १७ ॥

एतयोरुभयोर्गृहीतयोः–अस्मादूर्गुदचिक्रमिषत् । तामेताभ्यामुभाभ्यामगृह्णात् । तस्मादेताभ्यामुभाभ्यामूर्ग्गृहीता । यो ह्येवान्नमत्ति–स प्राणिति–तमूर्जयति ॥ १८ ॥

ऊर्जि गृहीतायामस्मादेतेऽउभेऽउदचिक्रमिषताम् । तेऽऊर्जाऽगृह्णात् । तस्मादेतेऽउभे ऊर्जा गृहीते । यं ह्येवोर्जयति–स प्राणिति–सोऽन्नमत्ति ॥ १९ ॥

मध्यप्रदेशात् ' प्राणः ' अशेषवृत्तिर्वायुः ' उदचिक्रमिषत् ' उत्क्रमितुमैच्छत् । ' तम् ' प्राणमुत्क्रमितुमिच्छन्तम् ' अन्नेन ' अदनीयेन ' अगृह्णात् ' गृहीतवान् , प्रजापतिरिति शेषः । ' तस्मात् ' कारणात् ' प्राणः ' ' अन्नेन गृहीतः ' । उक्तमेवार्थं प्रसिद्ध्या द्रढयति–यो ह्येवेति । ' यो ' ' हि ' अत्ता ' अन्नम् ' अदनीयम् ' अत्ति' भक्षयति, ' सः ' ' प्राणिति ' चेष्टते ॥ १६ ॥

सिद्धे प्राणग्रहणेऽन्नस्योत्क्रमणेच्छामाह–प्राणे गृहीत इति । ' अस्मात् ' प्रजापतेः ' अन्नम् ' कर्त्तृ उत्क्रमितुमैच्छत्, ' तद् ' अन्नम् ' प्राणेन ' साधनेन ' अगृह्णात् ' प्रजापतिः । तस्मादित्यादि–पूर्ववद् व्याख्येयम् ॥ १७ ॥

एतयोरुभयोः प्राणान्नयोर्वशीकृतयोः ' ऊर्क् ' बलम् ' उदचिक्रमिषत् ' " ऊर्ज बलप्राणनयोः "–(धा. पा. चु. उ. १६ ।) इति धातुः । ऊर्जयति बलयतीति 'ऊर्क्' बलम् । यद्वा बलहेतुरन्नरसोऽपि ऊर्गित्यभिधीयते (निघं. २ । ७ । १६) ' ताम् ' ऊर्जम् ' एताभ्याम् ' ' उभाभ्याम् ' ' प्राणान्नाभ्याम् ' 'अगृह्णात्' प्रजापतिः । तस्मादन्नप्राणाभ्यां सा ' ऊर्क् ' ' गृहीता ' वशीकृता । ' यो ह्येव ' इत्यादि पूर्ववद् व्याख्येयम् । तमूर्जयतीति । ' तम् ' अत्तारं पुरुषम् ' ऊर्जयति ' बलयति भुक्तमन्नं कर्तृ इति शेषः । ऊर्ग्ग्रहणानन्तरमुत्क्रिमिषन्तावन्नप्राणौ ' ऊर्जाऽगृह्णात् ' । यꣳ हीति । ऊर्ग् बलं ' यमेवोर्जयति ' बलयति ' स ' चेष्टते, ' सोऽन्नमत्ति ' च ॥ १८ ॥ १९ ॥

तान्येतान्युन्योऽन्येन गृहीतानि। तान्युन्योऽन्येन गृहीत्वाऽऽत्मन्प्रापाद-यत तुदेतदुन्नं प्रपुद्यमानॅं सुर्व्वे देवाऽ अनुप्रापद्यन्तान्नजीवनॅं हीदॅं सुर्व्वम् ॥ २० ॥

तुदेष श्लोकोऽभ्युक्तः। (स्त) तद्धै सु प्राणोऽभवदिति तद्धि सु प्राणो-ऽभवन्महान्भूत्वा प्रजापतिरिति महान् हि स तदुभवद्यदेनमेते देवाः प्राप-द्यन्त भुजो भुजिष्या व्वित्त्वेति प्राणा वै भुजोऽन्नं भुजिष्याऽएतत्सुर्व्वं व्वित्त्वेत्येतद्युत्प्राणान्प्राणयत्पुरीत्यात्मा वै पूर्यद्धै प्राणान्प्राणयत्तुस्मा-त्प्राणा देवाऽअुथ युत्प्रजापतिः प्राणयत्तुस्मादु प्रजापतिः प्राणो यो वै सु प्राणु ऽएषा सा गायत्र्युथ यत्तदुन्नमेष स व्विष्णुर्देवताऽथ या सोर्गेष सु ऽउदुम्बरः ॥ २१ ॥

तान्येतान्यन्योऽन्येन गृहीतानि। तान्यन्योऽन्येन गृहीत्वाऽऽत्मन्प्रापादयत। तदेतदन्नं प्रपद्यमानं सर्वे देवा अनुप्रापद्यन्त। अन्नजीवनं हीदं सर्वम् ॥ २० ॥

तदेष श्लोकोऽभ्युक्तः। "तद्धै स प्राणोऽभवत्"–इति। तद्धि स प्राणोऽभवत्। "महान्भूत्वा प्रजापतिः"–इति। महान् हि स तदभवत्। यदेनमेते देवाः प्रापद्यन्त। "भुजो भुजिष्या वित्त्वा"–इति। प्राणा वै भुजः, अन्नं भुजिष्या। एतत्सर्वं विन्त्वेत्येतत्। "यत्प्राणान्प्राणयत् पुरि"–इति। आत्मा वै पूः। यद्धै प्राणान्प्राणयत्–तस्मात्प्राणा देवाः। अथ यत् प्रजापतिः प्राणयत्–तस्मादु प्रजापतिः प्राणः। यो वै स प्राणः–एषा सा गायत्री। अथ यत् तदन्नम्–एष स विष्णुर्देवता। अथ या सोर्क्। एष स उदुम्बरः ॥ २१ ॥

यतस्तावत् 'तानि' सर्वाणि 'अन्योन्येन' 'गृहीतानि' ततः 'तान्' 'अन्योन्येन गृहीत्वा' प्रजा-पतिरात्मनि 'प्रापादयत' प्रापयत्। आत्मन्निति "सुपां सुलुक्"–(पा. सू. ७।१।३९।) इत्यादिना सप्तम्या लुक्। यदिदं 'सर्वम्' इन्द्रियजातम् 'अन्नजीवनम्' अन्नमेव जीवनं यस्य तदन्नजीवनम्, तदभावे सर्वेषां स्वस्वव्यापारासमर्थत्वात्। अतोऽस्मिन् प्रजापतौ 'प्रपद्यमानम' 'अन्नम्' 'सर्वे देवाः' इन्द्रियाणि प्रपन्नान्यभूवन् ॥ २० ॥

उक्तेऽर्थे कश्चिन्मन्त्रं संवादयति–तदेष इति। 'तत्' तत्रार्थे 'एषः' वक्ष्यमाणः 'श्लोकः' मन्त्रः 'अभ्युक्तः' मन्त्रः–"तद्धै स प्राणोऽभवन्महान्भूत्वा प्रजापतिः। भुजो भुजिष्या वित्त्वा यत्प्राणान् प्राणयत्पुरि"–इति। तमेतं मन्त्रं पादशो विभज्य व्याचष्टे–तद्धा इति। 'तद्धि' तदा अन्नलाभाय स वै खलु 'प्राणोऽभवत्'। प्राणशब्देनेन्द्रियाण्युच्यन्ते। ततश्च सेन्द्रियोऽभूदित्यर्थः। महान्भूत्वेति। यदा 'एनम्' प्रजापतिम् 'एते देवाः' इन्द्रियाणि 'प्रापद्यन्त' तदा 'सः' महानभूत् खलु। भुजो भुजिष्या वित्त्वेति। भोगसाधनत्वेन भुजः प्राणा उच्यन्ते, 'भुजिष्या' शब्देन भोग्यत्वाद् 'अन्नम्'। तद् एतत् सर्वं वित्त्वा लब्ध्वेत्येतदुक्तं भवति।

सोऽब्रवीत् । (द) अयं वाव मा सर्व्वस्मात्पाप्मनऽउदभार्षीदिति यदब्रवीदुदभार्षीन्मेति तस्मादुदुम्भरऽउदुम्भरो ह वै तमुदुम्बरऽइत्याचक्षते परोक्षं परोक्षकामा हि देवाऽउरु मेऽकरदिति तस्मादुरूकरमुरूकरꣳ ह वै तदुलूखलमित्याचक्षते परोक्षं परोक्षकामा हि देवाः सैषा सर्व्वेषां प्राणानां योनिर्यदुलूखलꣳ शिरो वै प्राणानां योनिः ॥ २२ ॥

सोऽब्रवीत् । अयं वाव मा सर्वस्मात्पाप्मन उदभार्षीदिति । यदब्रवीदुदभार्षीन्मेति—तस्मादुदुम्भरः । उदुम्भरो ह वै तमुदुम्बर इत्याचक्षते—परोऽक्षम् । परोक्षकामा हि देवाः । उरु मेऽकरदिति—तस्मादुरूकरम् । उरूकरं ह वै तदुलूखलमित्याचक्षते । परोऽक्षम्—परोक्षकामा हि देवाः । सैषा सर्वेषां प्राणानां योनिः—यदुलूखलम् । शिरो वै प्राणानां योनिः ॥ २२ ॥

यत्प्राणानिति । 'पुरि' आत्मनि शरीरे 'प्राणान्' 'प्राणयत्' स्वस्वव्यापारसमर्थानकरोत् । यत एवं 'प्राणयत्' 'तस्माद्' 'देवाः' इन्द्रियाणि प्राण्यन्त इति व्युत्पत्त्या 'प्राणाः' अभूवन् । 'अथ प्रजापतिः' तान् 'प्राणयद्' इति 'यत्,' 'तस्मात्प्रजापतिः अपि प्राणः अभूत् । अत्र प्राणनप्रयोजकत्वात् प्रजापतेः प्राणत्वमुक्तम् । एतावता तदेतदन्नं प्रपद्यमानं सर्वे देवा अनुप्रापद्यन्त, अन्नजीवनं हीदं सर्वमित्ययमर्थः संवादप्रदर्शनेनोपपादितो भवति । "प्रजापतेर्विस्रस्ताद्"—इत्याद्युपक्रमेण प्रकृते किमायातमित्यत आह—यो वा इत्यादि । 'सः' पूर्वोक्तः प्रजापतिसम्बन्धी 'यः प्राणः' अस्ति 'सैषा गायत्री' "विष्णोः कर्माणि" इत्यत्र यद्गायत्र्यात्मकं छन्दः 'सः प्राणः' इत्यर्थः । प्रकृतोपधानमन्त्रसन्निहितत्वादेषेति परामृश्यते । सैवेति लिङ्गं विधेयापेक्षम् । उत्तरत्राप्येवं द्रष्टव्यम् । प्राणो वृत्तिभेदेन त्रेधा भिद्यते गायत्र्यपि पादभेदेन । अतः सादृश्यात् 'प्राणो गायत्री' इत्युक्तम् । अथ यत्प्रजापतिसम्बन्धि 'अन्नम्' अस्ति 'स एष विष्णुर्देवता' विष्णुरिति यज्ञोऽभिधीयते । भोगसाधनत्वसामान्यादन्नस्य विष्णुरूपत्वम् । 'अथ या सा ऊर्क्' 'स एष उदुम्बरः' उदुम्बरस्य वलकररसत्वादूर्गात्मकत्वम् ॥ २१ ॥

उदुम्बरोलूखलशब्दौ निर्वक्ति—सोऽब्रवीदिति । 'सर्वस्मात्पाप्मनः' कृच्छ्रान्माम् 'अयम्' हि 'उदभार्षीद्' उद्धृतवान् 'इति' 'सः' प्रजापतिः 'अब्रवीत्' । कृच्छ्रादुद्धरणं चास्यान्नप्राणयोरवरोधकत्वात् । अतश्चोदभार्षीन्मामिति 'यदब्रवीत्' 'तस्माद्' ऊर्क् 'उदुम्भरोऽभूत्' । अत एवमुक्तत्वादयम् 'उदुम्भरः' तमेव देवाः 'उदुम्बरः' इति 'परोक्षम् आचक्षते' । पारोक्ष्येणाभिधानं गौरवाय कल्प्यत इति देवानां परोक्षकामत्वम् । तथा मे 'उरु' अधिकम् 'अकरद्' 'अकार्षीदिति यदब्रवीत् 'तस्मादुरूकरम्' देवा 'उलूखलम्' इति परोक्षमाचक्षते । उदुम्बरस्योर्गात्मकत्वादुलूखलस्य चौदुम्बरत्वादुरुकरणं पाप्मन उदभार्षीद् इत्युक्तं च सम्पद्यते । उदुम्बरोलूखलशब्दौ पृषोदरादित्वाद् भरतेः करोतेश्च व्युत्पादनीयौ । अकरदिति "कृमृदृरुहिभ्यश्छन्दसि" (पा. सू. ३ । १ । ५९) इति च्लेरङादेशः । "ऋदृशोऽङि गुणः"—(पा. सू. ७ । ४ । १६) प्रकृतमुलूखलं शिरोरूपेण प्रशंसति—सैषेत्यादिना । 'शिरः' 'सर्वेषाम् प्राणानाम्' इन्द्रियाणां 'योनिः' खलु । मुखस्यापि शिरःप्रदेशत्वात् तत्रैव सर्वेन्द्रियाणामुत्पत्तिः । तथा सति 'उलूखलम्' इति 'यत्' सैषाऽपि सर्वेषाम् 'प्राणानां' 'योनिः' भवति ॥ २२ ॥

(स्तु) तत्प्रादेशमात्रं भवति । प्रादेशमात्रमिव हि शिरश्चतुःस्रक्ति भवति चतुःस्रक्तीव हि शिरो मध्ये संगृहीतं भवति मध्ये संगृहीतमिव हि शिरः ॥ २३ ॥

(स्तं) तं यत्र देवाः समस्कुर्वन् । (व्वंस्त) तदस्मिन्नेतत्सर्व्वं मध्यतोऽदधुः प्राणमन्नमूर्जं तथैवास्मिन्नयमेतद्दधाति रेतःसिचोर्व्वेलया पृष्ट्यो वै रेतःसिचौ मध्यमु पृष्ट्यो मध्यत एवास्मिन्नेतत्सर्व्वं दधाति ॥ २४ ॥

व्विष्णोः कर्माणि पश्यतेति । व्वीर्यं वै कर्म व्विष्णोर्व्वीर्याणि पश्यतेत्येतद्यतो व्रतानि पस्पशऽइत्यन्नं वै व्रतं यतोऽन्नꣳ स्पाशयांचक्रऽइत्येतदिन्द्रस्य युज्यः सखेतीन्द्रस्य ह्येष युज्यः सखा द्विदेवत्यथोपदधाति द्वे ह्युलूखलमुसले सकृत्सादयति समानं तत्करोति समानꣳ ह्येतदन्नमेव सादयित्वा सूददोहसाऽधिवदति तस्योक्तो बन्धुः ॥ २५ ॥

तत् प्रादेशमात्रं भवति । प्रादेशमात्रमिव हिं शिरः । चतुःस्रक्ति भवति । चतुःस्रक्तीव हि शिरः मध्ये सङ्गृहीतं भवति । मध्ये सङ्गृहीतमिव हि शिरः ॥ २३ ॥

तं यत्र देवाः समस्कुर्वन्–तदस्मिन्नेतत्सर्वं मध्यतोऽदधुः–प्राणमन्नमूर्जम् । तथैवास्मिन्नयमेतद्दधाति । रेतःसिचोर्वेलया । पृष्ट्यो वै रेतःसिचौ, मध्यमु पृष्ट्यः । मध्यत एवास्मिन्नेतत्सर्वं दधाति ॥ २४ ॥

"विष्णोः कर्माणि पश्यत"–इति । वीर्यं वै कर्म, विष्णोर्वीर्याणि पश्यतेत्येतत् । "यतो व्रतानि पस्पशे"–इति । अन्नं वै व्रतम् । यतोऽन्नं स्पाशयांचक्रऽइत्येतत् । "इन्द्रस्य युज्यः सखा"–(वा. सं. १३ । ३३)–इति । इन्द्रस्य ह्येष युज्यः सखा । द्विदेवत्ययोपदधाति । द्वे ह्युलूखलमुसले । सकृत्सादयति । समानं तत्करोति । समानं ह्येतत् अन्नमेव । सादयित्वा सूददोहसाऽधिवदति । तस्योक्तो बन्धुः ॥ २५ ॥

उलूखलस्य शिरःसाधर्म्यसम्पादनादेतदुपपद्यत इत्येतत्प्रदर्श्यते–तदिति । 'तद्' उलूखलम् 'प्रादेशमात्रम्' 'चतुःस्रक्ति' 'मध्ये' च संगृहीतं 'भवति' । 'शिरोऽपि तथैवेति सर्वप्राणियोनित्वमुलूखलस्योपपद्यत इत्यर्थः ॥ २३ ॥

उपसंहरति–तं यत्र देवा इति । 'यत्र' यदा 'देवाः' 'तम्' प्रजापतिं संस्कृतवन्तः । 'तद्' एतस्मिन् 'प्राणमन्नमूर्जम्' इति 'एतत् सर्वम्' मध्यप्रदेशे निहितवन्तः । तस्मात् 'तथैव' 'अयं' यजमानोऽपि अनेनोपधानेनैतत् सर्वं सम्पादयति । 'रेतःसिचोः' पृष्टिरूपेण मध्यत्वात् तत्समीपदेश उपधाने देवा यथा 'मध्यतोऽदधुः' तथैवास्मिन् 'मध्यत एव' 'सर्वम्' निदधाति ॥ २४ ॥

विहिते उलूखलमुसलयोरुपधाने मन्त्रं विदधानो व्याचष्टे–विष्णोः कर्माणि इति । 'कर्म'–

(र) अथोखामुपदधाति । योनिर्वाऽउखा योनिमेवैतदुपदधाति तामुलूखलऽउपदधात्यन्तरिक्षं वाऽउलूखलं यद्वै किं चास्याऽ ऊर्ध्वमन्तरिक्षमेव तन्मध्यं वाऽअन्तरिक्षं मध्यतस्तद्योनिं दधाति तस्मात्सर्व्वेषां भूतानां मध्यतो योनिरपि वनस्पतीनाम् ॥ २६ ॥

यद्वेवोखामुपदधाति । यो वै स प्रजापतिर्व्यस्रꣳसतैषा सोखेमे वै

अथ उखेष्टकोपधानम् ।

अथोखामुपदधाति । योनिर्वाऽउखा । योनिमेवैतदुपदधाति । तामुलूखलऽउपदधाति । अन्तरिक्षं वाऽउलूखलम् । यद्वै किञ्चास्या ऊर्ध्वम्—अन्तरिक्षमेव तत् । मध्यं वाऽअन्तरिक्षम् । मध्यतस्तद्योनिं दधाति । तस्मात्सर्वेषां भूतानां मध्यतो योनिः—अपि वनस्पतीनाम् ॥ २६ ॥

यद्वेवोखामुपदधाति । यो वै स प्रजापतिर्व्यस्रंसत—एषा सोखा । इमे वै लोका उखा । इमे

शब्देन वीर्यं विवक्ष्यते, अतश्च हे जनाः ! 'विष्णोः' यज्ञस्य 'वीर्याणि' 'पश्यतेत्येतद्' उक्तं भवति । यत इति । 'यतो' वीर्यतः व्रतशब्देनान्नमुच्यते, अन्नानि 'पस्पशे' 'स्पाशयाञ्चक्रे' स्पर्शयमानश्च स्वजनैर्लम्भयामासेत्यर्थः । "स्पश बाधनस्पर्शनयोः"—(धा. पा. भ्वा. प. ९१२) इति धातुः । इन्द्रस्येति । 'एषः' यज्ञः 'इन्द्रस्य' 'युज्यो' योग्यः 'सखा' हि, तस्य तृप्तिहेतुत्वात् । अतः 'इन्द्रस्य युज्यः सखा' इत्युक्तमित्यर्थः । उलूखलमुसलयोर्द्वित्वात्तदुपधानमन्त्रस्य द्विदेवत्यत्वमुपपन्नमिति दर्शयति—द्विदेवत्ययेति । उलूखलमुसलयोः सादनं पृथगेव कर्त्तव्यमित्यत आह—सकृदिति । यत् एतदुलूखलं मुसलं चान्नरूपेण समानमेव, अतः सादनमपि सकृदेव कर्त्तव्यमिति । अनेनैव लिङ्गेनोपधानमन्त्रस्यावृत्तिर्ज्ञाप्यते । यदि युगपदुपधानं स्यात्, सकृत्सादनं नोच्येतेति । उत्तरवाक्यं व्याख्यातम् ।

अत्र कात्यायनः—" उलूखलमुसले स्वयमातृण्णामुत्तरेणारत्निमात्र औदुम्बरे प्रादेशमात्र चतुरस्रमुलूखलं मध्यसङ्गृहीतमूर्ध्वं वृत्तं मुसलं दक्षिणमुलूखलाद्विष्णोः कर्माणीति "—(का. श्रौ. सू. १७ । १०२) इति ॥ २५ ॥

उलूखलमुसलोपधानानन्तरमुखाया उपधानं विधत्ते—अथेति—(का. श्रौ. सू. १७ । १०३) । इष्टकाचितिषु निधास्यमानस्याग्नेरुखायां कृत्वोत्पादनादुखायाः योनित्वेन तदुपधाने योनेरेवोपधानं भवतीत्याह—योनिर्वा इति । विहितमुपधानमुलूखले कर्तव्यमित्याह—तामिति । तत्रोपधानं प्रशंसति—अन्तरिक्षं वा इति । 'यत् किम्' अपि वस्त्वस्याः पृथिव्याः 'ऊर्ध्वम्' उपर्यवस्थितम् तत्सर्वं 'अन्तरिक्षम्' 'एव' । अन्तरिक्षं च द्यावापृथिव्योरन्तरालेऽवस्थानात् 'मध्यम्' हि, ततश्चोलूखलस्यापि पृथिव्या उपर्यवस्थानेन मध्यभूतान्तरिक्षात्मकत्वात्तत्रोपधाने मध्यभागे एव योनेरुपधानं भवति । मध्यत इति । " सार्वविभक्तिकस्तसिः "—इति सप्तम्यर्थे तसिः । दृष्टानुसारेणोक्तमर्थं प्रमाणयति—तस्मादिति । 'वनस्पतीनामपि' बीजानां मध्यभागं भित्त्वोत्पन्नत्वात् 'मध्यतो योनिः' इत्यर्थः ॥ २६ ॥

अथोखायाः प्राजापत्यात्मकत्वेनोलूखल उपधानं प्रशंसति—यद्वेवोखामिति । 'सः' इति प्रजासर्जनेना-

लोका ऽउखेमे लोकाः प्रजापतिस्तामुलूखलऽउपदधाति तदेनमेतस्मिन्त्सर्व्वस्मिन्प्रतिष्ठापयति प्राणेऽन्नऽऊर्ज्यथोऽएतस्मादेवैनमेतत्सर्व्वस्मादनन्तर्हितं दधाति ॥ २७ ॥

(त्यु) अथोपशयां पिष्ट्वा। लोकभाजमुखां कृत्वा पुरस्तादुखाया ऽउपनिवपत्येष हैतस्यै लोकस्तथो हास्यैषाऽनन्तरिता भवति ॥ २८ ॥

तदाहुः। कथमस्यैषा पक्का शृतोपहिता भवतीति यदेव यजुष्कृता तेनाथो यद्वै किं चैतमग्निं व्वैश्वानरमुपनिगच्छति तत ऽएव तत्पक्वꣳ शृतमुपहितं भवति ॥ २९ ॥

लोकाः प्रजापतिः। तामुलूखलऽउपदधाति। तदेनमेतस्मिन्त्सर्वस्मिन्प्रतिष्ठापयति—प्राणेऽन्नऽऊर्जि। अथोऽएतस्मादेवैनमेतत्सर्वस्मादनन्तर्हितं दधाति ॥ २७ ॥

अथोपशयां पिष्ट्वा लोकभाजमुखां कृत्वा पुरस्तादुखाया उपनिवपति। एष हैतस्यै लोकः। तथो हास्यैषाऽनन्तरिता भवति ॥ २८ ॥

तदाहुः—कथमस्यैषा पक्का शृतोपहिता भवतीति। यदेव यजुष्कृता, तेन। अथो यद्वै किं चैतमग्निं वैश्वानरमुपनिगच्छति—तत एव तत्—पक्वं शृतमुपहितं भवति ॥ २९ ॥

वयवविश्लेषदशापन्नः परामृश्यते। 'सः' यः 'प्रजापतिर्व्यस्रसत' विस्रस्तावयवोऽभूत्, 'सा उखा'। सेति स्त्रीलिङ्गमुखापेक्षया। अत एव प्रजापतेरेतल्लोकत्रयात्मकत्वादुखाऽपि 'इमे' पृथिव्यादयो 'लोकाः'। तथा सति प्रजापत्यात्मिकाया उखाया उलूखल उपधानेन विस्रस्ताङ्गं प्रजापतिम् 'एतस्मिन्' 'सर्वस्मिन्' 'प्रतिष्ठापयति'। तदेव प्रदर्श्यते—प्राणेऽन्न ऊर्जीति। उलूखलस्यौदुम्बरत्वेन तस्य चान्नरसात्मकत्वादन्नरसेन च प्राणानां धारणात् प्राणात्मकत्वमनुसन्धेयम्। प्राणान्नोर्जां परस्परं ग्रहणमुक्तम्। न केवलं प्रतिष्ठापनमात्रम्। अपि तदुपधानेन तत्राव्यवधानमेव कुर्यादित्याह—अथो इति ॥ २७ ॥

उपशया नामोखाभेदे सति तत्प्रतिसंधानार्थं प्रागवशेषिता मन्त्रसंस्कृता मृत्, तां चूर्णीकृत्योखायाः पुरोभागे निदध्यादित्याह—अथेति। 'उखां' 'लोकभाजं' स्थानभाजमुलूखलभाजिनीं 'कृत्वा' इत्यर्थः। उखाभेदप्रतिसन्धानार्थत्वादुपशयायास्तत्पुरोभागेऽवकाशः। अतस्तत्रोपनिवापेन स्वावकाशस्याव्यवहिता भवतीत्याह—एष हैतस्या इति ॥ २८ ॥

इष्टकोपधानप्रदेशे पक्वानामेवोपधानादुपशयायाश्चापक्वत्वात् कथमत्रोपधानं युज्यत इति याज्ञिकानां जिज्ञासामवतारयति—तदाहुरिति। अस्येति। उपधानप्रदेशावकाशस्येत्यर्थः। शृतेति पाकविशेषाभिधानात् 'पक्वा' 'शृता' इति न पुनरुक्तिः। अथवा पाकेन शृता सतीत्यर्थः। एतस्योत्तरं द्वेधा दर्शयति—यदेवेत्यादिना। एषोपशया नाम 'यजुष्कृता' इति 'यत्,' 'तेन' असौ पक्वा शृता च भवति। मन्त्रेणाहृतैव मृदुपशया क्रियते, अतश्चास्या मन्त्रेण निष्पादनादेव पाकसम्पत्तिरित्यर्थः। किञ्च 'यत्' किञ्चिदपि वस्तु

ध्रुवाऽसि धरुणेति । तस्योक्तो बन्धुरितो जज्ञे प्रथममेभ्यो योनिभ्योऽअधि जातवेदाऽइत्येतेभ्यो हि योनिभ्यः प्रथमं जातवेदाऽअजायत स गायत्र्या त्रिष्टुभाऽनुष्टुभा च देवेभ्यो हव्यं वहतु प्रजानन्नित्येतैर्वाऽएष छन्दोभिर्देवेभ्यो हव्यं वहति प्रजानन् ॥ ३० ॥

(त्रि) इषे राये रमस्व । सहसे द्युम्नऽ ऊर्जेऽ अपत्यायेत्येतस्मै सर्व्वस्मै रमस्वेत्येतत्सम्राडसि स्वराडसीति सम्राट् च ह्येष स्वराट् च सारस्वतौ त्वोत्सौ प्रावतामिति मनो वै सरस्वान्वाक्सरस्वत्येतौ सारस्वताऽ उत्सौ तौ त्वा प्रावतामित्येतद्द्वाभ्यामुपदधाति तस्योक्तो बन्धुरथो द्वयꣳ ह्येवैतद्रूपं मृच्चापश्च सादयित्वा सूददोहसाऽधिवदति तस्योक्तो बन्धुः ॥ ३१ ॥

"ध्रुवाऽसि धरुणा"–इति । तस्योक्तो बन्धुः । "इतो जज्ञे प्रथममेभ्यो योनिभ्योऽअधि जातवेदाः"–इति । एतेभ्यो हि योनिभ्यः प्रथमं जातवेदा अजायत । "स गायत्र्या त्रिष्टुभाऽनुष्टुभा च देवेभ्यो हव्यं वहतु प्रजानन्"–(वा० सं० १३।३४) इति । एतैर्वाऽएष छन्दोभिर्देवेभ्यो हव्यं वहति प्रजानन् ॥ ३० ॥

"इषे राये रमस्व सहसे द्युम्नऽऊर्जेऽअपत्याय"–इति । एतस्मै सर्वस्मै रमस्वेत्येतत् । "सम्राडसि स्वराडसि"–इति । सम्राट् च ह्येष स्वराट् च । "सारस्वतौ त्वोत्सौ प्रावताम्"–(वा० सं० १३।३५) इति । मनो वै सरस्वान् । वाक्सरस्वती । एतौ सारस्वताऽउत्सौ । तौ त्वा प्रावतामित्येतत् । द्वाभ्यामुपदधाति । तस्योक्तो बन्धुः । अथो द्वयं ह्येवैतद्रूपम्–मृच्चापश्च । सादयित्वा सूददोहसाऽधिवदति । तस्योक्तो बन्धुः ॥ ३१ ॥

'एतं' 'वैश्वानरमग्निम्' इष्टकोपधानस्थलात्मकं प्राप्नोति, 'तत्' सर्वं 'ततः' 'एव' तत्प्राप्तेरेव 'पक्वं' 'श्रृतं' सदेव 'उपहितं भवति' ॥ २९ ॥

उखोपधाने "ध्रुवाऽसि" इति "इषे राये" इति च द्वौ मन्त्रौ विदधानो व्याचष्टे–ध्रुवाऽसीत्यादिना । 'ध्रुवाऽसि धरुणा' इत्यस्य व्याख्यानं "ध्रुवाऽसीति स्थिराऽसि"–(श. प. ७ । ४।२।९) इत्यादिना प्रागुक्तम् । एतेभ्य इति । प्रथमतो यदुखाया जनयित्वा पश्चाद् 'एतेभ्यो' 'योनिभ्यो' लोकेभ्यो 'जातवेदा अजायत', अतश्चामुमर्थम् 'इतः' इत्यादिमन्त्रभागो ब्रूत इत्यर्थः । 'एतैः' गायत्र्यादिभिः 'छन्दोभिः' सह 'एषः' अग्निः स्वाधिकारं 'प्रजानन्' 'हव्यम्' 'वहति' खलु । छन्दसां हविर्वहनं तैत्तिरीयके श्रूयते–"छन्दांसि देवेभ्योऽपाक्रामन्न वोऽभागानि हव्यं वक्ष्याम इति"–इति (तै. सं ५ । १ । १) ॥३०॥

"इषे राये" इत्यादिना 'इद्प्रभृतिभ्यः सर्वेभ्यो' रमस्व' इत्येतदुक्तं भवतीति व्याचष्टे–एतस्मा इति । यत इयमुखा सम्यग्राजते स्वयमेव राजते च, अतः 'सम्राडसि' 'स्वराडसि' इति मन्त्रभागो ब्रूते इति व्याचष्टे–सम्राट्

(३) अथैनामभिजुहोति । (त्ये) एतद्वाऽ अस्यामेतत्पूर्वᳬ रेतः सिक्तं भवति सिकतास्तदेतदभिकरोति तस्माद्योनौ रेतः सिक्तमभिक्रियतऽआज्येन जुहोति स्रुवेण स्वाहाकारेण द्वाभ्यामाग्नेयीभ्यां गायत्रीभ्यां तस्योक्तो बन्धुः ॥ ३२ ॥

उखोपरि होमः ।

अथैनामभिजुहोति । एतद्वाऽअस्यामेतत्पूर्वं रेतः सिक्तं भवति-सिकताः । तदेतदभिकरोति । तस्माद्योनौ रेतः सिक्तमभिक्रियते । आज्येन जुहोति स्रुवेण स्वाहाकारेण द्वाभ्यामाग्नेयीभ्यां गायत्रीभ्याम् । तस्योक्तो बन्धुः ॥ ३२ ॥

च हीति । सारस्वताविति । 'सरस्वान् मनः' उच्यते, 'सरस्वती' च 'वाक्'। 'एतौ सारस्वतौ' इति । स्वार्थिकोऽण् प्रत्ययः । 'उत्सौ' वारिप्रवाहौ वाङ्मनसात्मकौ । मनसस्तावत् सर्वशास्त्रार्थपरिज्ञानरसाधारत्वाद् वाचश्च तत्प्रतिपादनरसाधारत्वादुत्सत्वमनयोः । 'तौ' 'त्वा' 'प्रावताम्' पालयतामभिज्ञानवदनव्यापाराभ्यामित्यर्थः । हे उखे ! त्वं 'ध्रुवाऽसि' स्थिराऽसि 'धरुणा' धारिणी चासि । 'जातवेदाः' 'इतः' त्वत्तः सकाशात् 'प्रथमम्' 'अधिजज्ञे' पश्चाद् 'एभ्यो' लोकेभ्योऽधिजातः 'सः' तथाविधो 'जातवेदाः' गायत्र्यादिभिश्छन्दोभिः सह स्वाधिकारं 'प्रजानन्' 'देवेभ्यो' 'हव्यं' हविः 'वहतु' धारयतु । किंच त्वम् 'इषे' अन्नाय 'राये' धनाय 'सहसे' बलाय 'द्युम्ने' द्युम्नं यशः तस्मै 'ऊर्जे' पयोदध्याद्युपसेचनाय 'अपत्याय' पुत्रार्थं च 'रमस्व' तत्सर्वं सम्पादयितुमभिरतिं कुरु । त्वं सम्यग्भ्राजमानाऽसि । स्वेनैव राजमानाऽसि । त्वां च वाङ्मनसरूपौ 'उत्सौ' प्रकर्षेण पालयतामिति मन्त्रद्वयस्यार्थः । अत्र कात्यायनः-"उलूखल उखां कृत्वोपशयां पिष्ट्वा न्युप्य पुरस्ताद् ध्रुवाऽसीत्युखाम्"-(का. श्रौ. सू. १७ । १०३) । अत्र "अथोपशयां पिष्ट्वा" इत्यादिश्रुतिक्रमेणानुष्ठानमुपशयोपनिवापोत्तरकालं च मन्त्रवचनम् । उपधानमन्त्रयोर्द्वित्वसंख्याया व्याख्यानं प्रागुक्तमित्याह-**द्वाभ्यामिति** । अद्भिरेव सिक्तया मृदा कृतत्वादुखायां मृच्चापश्चेति द्विविधं रूपमस्ति, अतश्च तदुपधानमन्त्रयोर्द्वित्वमुपपद्यत इत्याह-**अथो इति** । उत्तरवाक्यं तु व्याख्यातम् ॥ ३१ ॥

उपधानानन्तरमुखाया उपरि होमं विधत्ते-**अथेति** । अभिहोमस्योपयोगमाह-**एतद्वा इति** । भिन्नं वाक्यमेतत् । एतत् खलु समभूत् । तदेवाह-**अस्यामेतत्पूर्वं रेतः सिक्तं भवति सिकता इति** । 'पूर्वम्' 'अस्याम्' उखायाम् 'एतद्रेतः सिक्तं भवति' 'सिकतास्तदेतद्' इति निर्दिष्टप्रदर्शनम् । अग्न्युद्वापसमनन्तरमेव ह्युखायाः सिकताभिः पूरितत्वात् । तद् रेतः एतेनाभिहोमेन 'अभिकरोति' अभिवर्द्धयति । यत एवम्, '**तस्माद्**' इदानीं 'योनौ' 'सिक्तं रेतः' 'अभिक्रियते' अवयविरूपेण क्रियत इत्यर्थः । विहितोऽभिहोमः 'आज्येन' 'स्रुवेण' 'स्वाहाकारेण' 'द्वाभ्याम्' 'आग्नेयीभ्याम्' 'गायत्रीभ्याम्' कर्त्तव्य इत्याह-**आज्येनेत्यादिना** । आज्यस्रुवाद्यर्थवादस्तु प्रागुक्तः (श. प. ६।३।३।१८-२१) इत्याह-**तस्योक्तो बन्धुरिति** ॥३२॥

१-अग्ने युक्ष्वा हीति प्रत्यृचᳬ स्रुवाहुती जुहोति । का. श्रौ. सू. १७ । १०४ ।

(र) अग्ने युक्ष्वा हि ये तव । युक्ष्वा हि देवहूतमानिति युक्तवतीभ्यामिदमेवैतद्योनौ रेतो युनक्ति तस्माद्योनौ रेतो युक्तं न निष्पद्यते ॥ ३३ ॥

स यदि संव्वत्सरभृतः स्यात् । (ड) अथाभिजुहुयात्सर्व्वं वै तद्यत्संव्वत्सरभृतः सर्व्वं तद्यदभिजुहोत्यथ यद्यसंव्वत्सरभृतः स्यादुपैव तिष्ठेतासर्व्वं वै तद्यदसंव्वत्सरभृतोऽसर्व्वं तद्यदुपतिष्ठतेऽभि त्वेव जुहुयात् ॥ ३४ ॥

"अग्ने युक्ष्वा हि ये तव, युक्ष्वा हि देवहूतमान्"–(वा. सं. १३।३६–३७) इति युक्तवतीभ्याम् । इदमेवैतद्योनौ रेतो युनक्ति । तस्माद्योनौ रेतो युक्तं न निष्पद्यते ॥ ३३ ॥

स यदि संवत्सरभृतः स्यात्–अथाभिजुहुयात् । सर्वं वै तद्–यत्संवत्सरभृतः । सर्वं तद्–यदभिजुहोति । अथ यद्यसंवत्सरभृतः स्याद्–उपैव तिष्ठेत । असर्वं वै तद्–यदसंवत्सरभृतः । असर्वं तद्–यदुपतिष्ठते । अभि त्वेव जुहुयात् ॥ ३४ ॥

द्वाभ्यामित्यादिना उक्ते ऋचौ प्रदर्शयन् तयोर्युजिधातुसम्बन्धं प्रशंसति–अग्ने युक्ष्वा हीति । 'युक्तवतीभ्याम् ' युजिधातुमतीभ्यामित्यर्थः । 'एतद् ' एतेनोपधानमन्त्रयोर्युजिधातुसम्बन्धेन ' योनौ ' सिक्तं ' रेतो ' 'युनक्ति' नियच्छति, ' तस्माद् 'इदानीं' योनौ सिक्तं रेतः ' अपत्योत्पादनार्हं ' युक्तं ' सत् ' न निष्पद्यते' न निष्पतति, तत्रैवावतिष्ठत इत्यर्थः । मन्त्रयोरर्थस्तु–हे अग्ने देव ! देवनादिगुणविशिष्ट! 'तव ये अश्वासः' अश्वाः 'साधवः' जातिगुणसमन्विताः सन्ति । ' अश्वासः ' इति 'आज्जसेरसुक्" (पा. सू. ७।१।५०) । तान् 'युक्ष्वा हि ' युङ्क्ष्व " बहुलं छन्दसि "(पा सू. २।४।७६) इति विकरणस्य लुक् । " द्व्यचोऽतस्तिङः " (पा. सू. ६।३।१३५) इति दीर्घः । एवं च सति ते अश्वाः ' मन्यवे ' यज्ञार्थम् ' अरम् ' अलं त्वां 'वहन्ति' वक्ष्यन्ति वर्तमानसामीप्ये भविष्यदर्थे लट् (पा. सू. ३।३।१३१) हे अग्ने ! देवहूतमान् देवानाह्वयन्तीति देवह्वः, क्विबन्तस्य संप्रसारणे कृते रूपम् । अतिशयेन देवह्वो देवहूतमास्तान् अश्वान् ' नियुक्ष्व ' क इव ' रथीरिव ' रथिक इव, इकारो मत्वर्थीयः । हि यस्माद् एवम्, अतः ' सदः ' सदसि, विभक्तिव्यत्ययः (पा. सू. ३।१।८५) इति । ' पूर्व्यः ' अग्र्यः ' होता ' सन्निषीदेति शेषः ॥ ३३ ॥

उखायामग्नेः संवत्सरभरणमसंवत्सरभरणं वेति पक्षद्वयमस्ति तत्र प्रथमेऽभिहोम इत्याह–स यदीति । ' सः ' अग्निः ' यदि ' उखायां ' संवत्सरभृतः स्यात् ' ' अथ ' एतस्याम् ' अभिजुहुयात् ' संवत्सरस्य सर्वावच्छेदकत्वात् 'संवत्सरभृतः' अपि सर्वात्मकः । अभिहोमश्च सर्वस्तेन कृत्स्नतायाः सम्पादनात् । अतः संवत्सरभरणपक्षेऽभिहोमो युज्यत इति । असंवत्सरभरणपक्षे किं कर्त्तव्यमिति, तत्राह–स यदीति । असंवत्सरभृतस्य पूर्वोक्तविपर्ययेणासर्वात्मकत्वादुपस्थानस्य चाहोमात्मकत्वेनानुकल्पत्वमित्यसर्वात्मकत्वात्तस्मिन् पक्षे तदेतदेव युक्तमित्याह–असर्वं वा इति । अस्मिन् पक्षेऽभिहोमं विकल्पेनाह–अभि त्वेव जुहुयादिति । ' एव ' कारोऽत्र विकल्पद्योतकः । " उपस्थानं वाऽसंवत्सरभृतिनः "–इति हि कात्यायनसूत्रम् (का. श्रौ,

(त्प) पशुरेष यदग्निः । सोऽत्रैव सर्व्वः कृत्स्नः संस्कृतस्तस्यावाङ् प्राणः स्वयमातृण्णा श्रोणी द्वियजुः पृष्ट्यो रेतःसिचौ कीकसा विश्वज्योतिः ककुदमृतव्ये ग्रीवा ऽअषाढा शिरः कूर्मो ये कूर्मे प्राणा ये शीर्षन्प्राणास्ते ते ३५

तं वाऽएतम् । (मि) इत ऽऊर्ध्वं प्राञ्चं चिनोत्यसौ वाऽआदित्य ऽएषोऽग्निरमुं तदादित्यमित ऽऊर्ध्वं प्राञ्चं दधाति तस्मादसावादित्य ऽइत ऽऊर्ध्वः प्राङ्धीयते ॥ ३६ ॥

पशुरेष यदग्निः । सोऽत्रैव सर्वः कृत्स्नः संस्कृतः । तस्यावाङ् प्राणः स्वयमातृण्णा । श्रोणी द्वियजुः । पृष्ट्यो रेतःसिचौ । कीकसा विश्वज्योतिः । ककुदमृतव्ये । ग्रीवा अषाढा । शिरः कूर्मः । ये कूर्मे प्राणाः—ये शीर्षन्प्राणास्ते ते ॥ ३५ ॥

तं वाऽएतमित ऊर्ध्वं प्राञ्चं चिनोति । असौ वाऽआदित्य एषोऽग्निः । अमुं तदादित्यमित ऊर्ध्वं प्राञ्चं दधाति । तस्मादसावादित्य इत ऊर्ध्वः प्राङ् धीयते ॥ ३६ ॥

सू. १७ । १०९) संवत्सरभृतिनो होमो न तूपस्थानम् । इतरस्य तु विकल्पः, उपस्थानं होमो वेति सिद्धोऽर्थः ॥ ३४ ॥

अथ चित्याग्नेः स्वयमातृण्णादिषु त्रयोदशस्विष्टकासु कृत्स्नपश्वाकारत्वं सम्पादयितुम् “ एतान् पञ्च पशून् प्राविशत्, स एते पञ्च पशवोऽभवत् ”–(श. प. । ६ । २ । १ । ३) इत्युक्तमग्नेः पश्वात्मकत्वम् । स पश्वाकारोऽग्निरत्रैवोखान्ते स्वयमातृण्णादाविष्टकाकलापे सर्वः कृत्स्नः संस्कृतः कथमित्यपेक्षायां तमिष्टकाकलापमङ्गत्वेन सम्पादयति—तस्यावाङ्प्राण इत्यादिना । ‘ स्वयमातृण्णा ’ इष्टका ‘ तस्य ’ पश्वाकारस्याग्नेः ‘ अवाङ्प्राणः ’ अपानाख्यः, पश्चाद्भागस्थितिसामान्यात् । ‘ द्वियजुः ’ इष्टका ‘श्रोणी’ कटी, तदानन्तर्यात् । ‘ रेतःसिचौ ’ इष्टके पृष्ट्यः महान्ति पार्श्वास्थीनि । ‘ विश्वज्योतिः ’ इष्टका ‘ कीकसाः ’ ह्रस्वपार्श्वास्थीनि । ‘ ऋतव्ये ’ ‘ ककुदम् ’ गलप्रदेशातः पश्चात्पृष्ठदेशेऽवस्थित उन्नतावयवः । ‘ अषाढा ’ ‘ ग्रीवाः ’ कन्धराः । ‘ कूर्मः ’ ‘ शिरः ’ । ‘ कूर्मे ये 'प्राणास्ते, ‘ शीर्षन् ’ शीर्ष्णि ‘ ये ’ 'प्राणास्ते' चक्षुरादय इत्यर्थः ॥३५॥

एवमग्नेः कृत्स्नरूपत्वं प्रतिपाद्यादित्यरूपत्वमूर्ध्वचयनेन प्रतिपादयति—तं वा एतमिति । ‘ तम् ’ ‘ एतम् ’ चित्यमग्निम् ‘ इतः ’ अवाचः प्राणादारभ्य आशिरस ‘ ऊर्ध्वम् ’ प्रागपवर्गं ‘ चिनोति ’ । किमतः इत्येकेनांशेनादित्यतामाह—असौ वा आदित्य एषोऽग्निरिति । अमुं तदिति । ‘ इतो ’—लोकाद् भूराख्याद् ‘ अमुम् ’ ‘ आदित्यम् ’ ‘ ऊर्ध्वम् ’ ‘ प्राञ्चम् ’ प्रागग्रं ‘ दधाति ’ स्थापयति । ‘ तस्माद् ’ एव यज्ञानुकरणात् ‘ असावादित्यः ’ ‘ इतः ’ पृथिवीलोकाद् ‘ ऊर्ध्वः ’ ‘ प्राङ् धीयते ’ धार्यते लोकैरिति शेषः ॥ ३६ ॥

(तेऽथै) अथैनं प्रसलव्यावर्तयति । (त्य) अमुं तदादित्यं प्रसलव्या-वर्त्तयति तस्मादसावादित्यऽइमांल्लोकान्प्रसलव्यनुपर्यैति ॥ ३७ ॥

(त्यु) उदरमुखा । योनिरुलूखलमुत्तरोखा भवत्यधरमुलूखलमुत्तरᳬं ह्युदरमधरा योनिः शिश्नं मुसलं तद्वृत्तमिव भवति वृत्तमिव हि शिश्नं तद्दक्षिणतऽउपदधाति दक्षिणतो वै वृषा योषामुपशेते यदु पशोः संस्कृतस्यान्नं तद्दूर्वेष्टका तस्य वाऽएतस्योत्तरोऽर्धऽउदाहिततरो भवति पशुरेष यदग्निस्तस्मात्पशोः सुहितस्योत्तरः कुक्षिरुन्नततरो भवति ॥ ३८ ॥

इति चतुर्थप्रपाठके प्रथमं ब्राह्मणम् ॥ ७-४-१ ॥ (९. १) ॥

अथैनं प्रसलव्यावर्तयति । अमुं तदादित्यं प्रसलव्यावर्तयति । तस्मादसावादित्य इमांल्लोकान्प्रसलव्यनुपर्यैति ॥ ३७ ॥

उदरमुखा । योनिरुलूखलम् । उत्तरोखा भवति—अधरमुलूखलम् । उत्तरं ह्युदरम्—अधरा योनिः। शिश्नं मुसलम् । तद्वृत्तमिव भवति; वृत्तमिव हि शिश्नम् । तद् दाक्षिणत उपदधाति । दाक्षिणतो वै वृषा योषामुपशेते । यद्दु पशोः संस्कृतस्यान्नम्—तद्दूर्वेष्टका । तस्य वाऽएतस्योत्तरोऽर्ध उदाहिततरो भवति । पशुरेषः—यदग्निः । तस्मात्पशोः सुहितस्योत्तरः कुक्षिरुन्नततरो भवति ॥ ३८ ॥

अथ प्रदक्षिणावर्त्तनं विधत्ते—अथैनमिति । 'अथ' अनन्तरम् 'एनम्' आदित्यभूतं स्वयमातृण्णाया-त्मकमग्निं 'प्रसलवि' प्रदक्षिणम् 'आवर्त्तयति' आवर्त्तते । अषाढां पूर्वार्द्धे उपधाय तस्या दक्षिणतः कूर्म-मुपदधाति, ततः स्वयमातृण्णाया उत्तरत उलूखलमुसले, तत्रैवोखामुपदधातीत्येवमावर्त्तयति । 'तत्' तेन प्रदक्षिणावर्तनेन 'अमुमादित्यम्' प्रदक्षिणमावर्त्तयति, 'तस्माद्' यज्ञानुकरणाद् 'असावादित्य इमान् लोकान्' तथैव संचरति ॥ ३७ ॥

प्रकारान्तरेण उलूखलमुसलयोरौत्तराधर्यं प्रशंसति—उदरमुखेति । उखायाः सकाशादग्नेरुत्पत्तेः 'उखा' 'उदरम्' 'उलूखलं' तु हविर्निष्पादनाद् 'योनिः' । तथा च लोके उदरयोन्योरौत्तराधर्यादनयोरपि तदात्मकयोरौत्तराधर्यमुपपन्नमित्यर्थः । मुसलस्योलूखलदक्षिणभाग उपधानं सोपपत्तिकमाह—शिश्नमिति । शिश्नस्य वृत्ताकारतया तदाकारत्वेन 'मुसलम्' अपि 'शिश्नम्' । तथाविधं 'तद्' उलूखलस्य दक्षिणभाग उपदध्यात् । लोके दक्षिणभागे 'वृषा' वर्षणसमर्थः पुरुषो 'योषामुपशेते' । अतश्चास्यापि वर्षणसमर्थत्वेन वृषत्वादुलूखलस्य योनित्वेन स्त्रीत्वाद्दक्षिणभागेऽस्योपधानमुपपन्नम् । उक्तमेवाग्नेः पशुरूपत्वं प्रकारान्तरेण द्रढ-यति—यदु पशोरिति । 'अग्निः' इति यदेष पशुः खलु, तथैव प्रागुक्तत्वात् । अतश्च 'पशोः' अग्नि-रूपस्य 'संस्कृतस्य' पश्ववयवसम्पादनाय निष्पादितस्य 'यद्' 'अन्नम्' 'तद्दूर्वेष्टका' । तस्मात् 'तस्य' दूर्वेष्टकारूपेणान्नेन 'सुहितस्य' 'एतस्य' अग्निरूपस्य 'पशोः' उत्तरभागः 'उदाहिततरः' उन्नततरो

पशुशीर्षाण्युपदधाति । पशवो वै पशुशीर्षाणि पशूनेवैतदुपदधाति तान्युखायामुपदधातीमे वै लोकाऽ उखा पशवः पशुशीर्षाण्येषु तल्लोकेषु पशून्दधाति तस्मादिमऽएषु लोकेषु पशवः ॥ १ ॥

(वो) यद्वेवोखायाम् । योनिर्व्वाऽ उखा पशवः पशुशीर्षाणि योनौ तत्पशून्प्रतिष्ठापयति तस्मादद्यमानाः पच्यमानाः पशवो न क्षीयन्ते योनौ ह्येनान्प्रतिष्ठापयति ॥ २ ॥

अथ पञ्चपशुशीर्षेष्टकोपधानम् ।

पशुशीर्षाण्युपदधाति । पशवो वै पशुशीर्षाणि । पशूनेवैतदुपदधाति । तान्युखायामुपदधाति । इमे वै लोका उखा । पशवः पशुशीर्षाणि । एषु तल्लोकेषु पशून्दधाति । तस्मादिमऽएषु लोकेषु पशवः ॥ १ ॥

यद्वेवोखायाम् । योनिर्वाऽउखा, पशवः पशुशीर्षाणि । योनौ तत् पशून्प्रतिष्ठापयति । तस्मादद्यमानाः पच्यमानाः पशवो न क्षीयन्ते । योनौ ह्येनान्प्रतिष्ठापयति ॥ २ ॥

' भवति ' । उत्तरभाग एवोलूखलमुसलाद्युपधानात् । उक्तमर्थं प्रमाणयति—तस्मादिति । यतोऽग्निरूपस्य ' पशोः ' दूर्वेष्टकान्नत्वेन सुहिततरस्योत्तरभाग उन्नततरोऽभूत्, ' तस्माद् ' इदानीमपि लोके तृणाभ्यवहारेण तृप्तस्य ' पशोरुत्तरः कुक्षिरुन्नततरो भवति ' ॥ ३८ ॥

इति श्रीसायणाचार्यविरचिते माधवीये वेदार्थप्रकाशे माध्यन्दिनीयशतपथब्राह्मणभाष्ये
सप्तमकाण्डे पञ्चमेऽध्याये प्रथमं ब्राह्मणम् ॥ (७–५–१) ॥

अथ पशुशीर्षाणामुपधानं विधाय प्रशंसति—पशुशीर्षाणीति । पशुशीर्षाणां पश्ववयवत्वेन पशुत्वम् । अतश्च तदुपधाने पशूनामेवोपधानं भवतीत्यर्थः । तेषामुपधानस्य स्थानविशेषं विधत्ते—तानीति । " यो वै स प्रजापतिर्व्यस्रंसतैषा सोखेमे वै लोका उखेमे लोकाः प्रजापतिः "(श. प. ७।५।१।२७) इत्युखाया लोकत्रयरूपत्वस्योक्तत्वात् तस्यामुपधाने लोकेषु ' पशून् ' निहितवान् भवति तस्मादिमे ' पशवः ' एतेषु ' लोकेषु ' प्रत्यवतिष्ठन्ते ॥ १ ॥

प्रकारान्तरेणाप्युखायामुपधानं प्रशंसति—यद्वेवोखायामिति । उखायाः सकाशादग्न्युत्पत्तेः ' योनिः ' ' उखा ' अतस्तत्रोपधाने योनावेव ' पशून् ' निदधाति । ' तस्मादद्यमानाः ' उपभुज्यमानाः ' पच्यमानाः ' जीर्यमाणा अपि ' पशवो न क्षीयन्ते ' । उपभोगाद्वयःपरिपाकाच्च विनाशे सत्यपि योनौ प्रतिष्ठितत्वान्नोच्छिद्यन्ते, किन्तु पुनरुत्पद्यन्त इत्यर्थः । ' पच्यमानाः–(पा. सू. ३ । १ । ६७) इति कर्मकर्त्तरि यक्–प्रत्ययः ॥ २ ॥

युद्देव पशुशीर्षाण्युपदुधाति । या वै ताः श्रियऽएतानि तानि पशुशीर्षाण्युथ युानि तानि कुसिन्धान्येतास्ताः पञ्च चितयस्तद्यास्ताः पञ्च चितयऽइमे ते लोकास्तद्ये तुऽइमे लोकाऽएषा सोखा तद्युदुखायां पशुशीर्षाण्युपदुधात्येतैरेव तुच्छीर्षुभिरेतानि कुसिन्धानि सुंदधाति ॥ ३ ॥

तान्पुरस्तात्प्रतीचऽ उुपदधाति । (त्ये) एतद्वै युत्रैतान्प्रजापतिः पशून्नालिप्सत तुऽआलिप्स्युमानाऽउुदचिक्रमिषंस्तान्प्राणेषु सुमगृह्णात्तान्प्राणेषु संगृह्य पुरस्तात्प्रतीचऽआत्मुन्नधत्त ॥ ४ ॥

तद्वाऽएतत्क्रियते । युद्देवाऽअुकुर्वन्निदं न्वस्मात्ते पशवो नोच्चिक्रमिषन्ति युत्त्वेतत्करोति युद्देवाऽअुकुर्वंस्तुत्करवाणीत्युथो प्राणेष्वेवैनानेतत्संगृह्य पुरस्तात्प्रतीचऽआत्मुन्धत्ते ॥ ५ ॥

यद्वेव पशुशीर्षाण्युपदधाति । या वै ताः श्रियः—एतानि तानि पशुशीर्षाणि । अथ यानि तानि कुसिन्धानि—एतास्ताः पञ्च चितयः। तद्यास्ताः पञ्च चितयः—इमे ते लोकाः। तद्ये त इमे लोकाः—एषा सोखा । तद्यदुखायां पशुशीर्षाण्युपदधाति—एतैरेव तच्छीर्षभिरेतानि कुसिन्धानि सन्दधाति ॥ ३ ॥

तान्पुरस्तात्प्रतीच उपदधाति। एतद्वै यत्रैतान्प्रजापतिः पशूनालिप्सत, तऽआलिप्स्यमाना उदचिक्रमिषन्। तान्प्राणेषु समगृह्णात्। तान्प्राणेषु सङ्गृह्य पुरस्तात्प्रतीच आत्मन्नधत्त ॥ ४ ॥

तद्वाऽएतत्क्रियते—यद्देवा अकुर्वन्। इदं न्वस्मात्ते पशवो नोच्चिक्रमिषन्ति। यत्त्वेतत्करोति—यद्देवा अकुर्वन्—तत्करवाणीति। अथो प्राणेष्वेवैनानेतत्सङ्गृह्य पुरस्तात्प्रतीच आत्मन्धत्ते ॥ ५ ॥

अथ तानि पशुशीर्षाणि श्रीरूपत्वेन प्रशंसति—यद्वेवेति। 'याः' खलु प्रागुक्ताः 'श्रियः,' 'ताः' एव 'एतानि' 'पशुशीर्षाणि'। अतः एतेषामुपधाने श्रियामेवोपधानं भवति । उखायाः परम्परया कबन्धात्मकत्वम्। तत्रोपधाने कबन्धशिरसां सन्धानं भवतीति दर्शयति—अथ यानीति। 'तानि' इति अम्भःसम्भरणावसरपरामर्शः। 'यानि तानि' 'कुसिन्धानि' कबन्धानि 'तानि' 'एताः' अत्र सम्पाद्यमानाः 'पञ्चचितयः' चित्यात्मकत्वं तु कबन्धानां पञ्चत्वसङ्ख्यासामान्यात् अतस्तथाविधाः 'पञ्च' याः 'चितयः,' 'ताः' 'इमे' पृथिव्यादयः 'लोकाः' चितीनां प्रजापत्यवयवात्मकत्वाल्लोकानामपि तथाभावादिति । तथा च 'ये' एते 'इमे' 'लोकाः,' ते 'एषा' 'उखा;' तस्या लोकत्रयात्मकत्वस्य प्रागुक्तत्वात् । अतश्च उखायां पशुशीर्षाणामुपधाने तैः कबन्धानि संयोजयति । शीर्षभिरिति "शीर्षंश्छन्दसि"—(पा. सू. ६ । १ । ६० ।) इति शीर्षन्नादेशः ॥ ३ ॥

उखायामुपधानं पुरस्तादारभ्य प्रत्यगपवर्गं कर्त्तव्यमित्याह—तानिति। पशुशीर्षाणामपि पशुत्वात् 'तान्' इति पुँल्लिङ्गवचनम्। विहितप्रकारे उपधाने कारणं वक्तुं प्रतिजानीते—एतद्वा इति। तत्रैतत्कारणं खल्वित्यर्थः।

यद्वेव पशुशीर्षाण्युपदधाति । प्रजापतिर्व्वाऽइदमग्रऽआसीदेक ऽएव सोऽकामयतान्नꣳ सृजेय प्रजायेयेति स प्राणेभ्य ऽएवाधि पशून्निरमिमीत मनसः पुरुषं चक्षुषोऽश्वं प्राणाद्गाꣳ श्रोत्रादविं व्वाचोऽजं तद्यदेनान्प्राणेभ्योऽधि निरमिमीत तस्मादाहुः प्राणाः पशव ऽइति मनो वै प्राणानां प्रथमं तद्यन्मनसः पुरुषं निरमिमीत तस्मादाहुः पुरुषः प्रथमः पशूनां व्वीर्यवत्तम ऽइति मनो वै सर्व्वे प्राणा मनसि हि सर्व्वे प्राणाः प्रतिष्ठितास्तद्यन्मनसः पुरुषं निरमिमीत तस्मादाहुः पुरुषः सर्व्वे पशव ऽइति पुरुषस्य ह्येवैते सर्व्वे भवन्ति ॥ ६ ॥

यद्वेव पशुशीर्षाण्युपदधाति । प्रजापतिर्वाऽइदमग्रऽआसीदेक एव । सोऽकामयत–अन्नं सृजेय, प्रजायेयेति । स प्राणेभ्य एवाधि पशून्निरमिमीत, मनसः पुरुषम्, चक्षुषोऽश्वम्, प्राणाद्गाम्, श्रोत्राद्विम्, वाचोऽजम् । तद्यदेनान्प्राणेभ्योऽधि निरमिमीत–तस्मादाहुः–प्राणाः पशव इति । मनो वै प्राणानां प्रथमम् । तद्यन्मनसः पुरुषं निरमितीत–तस्मादाहुः–पुरुषः प्रथमः पशूनां वीर्यवत्तम इति । मनो वै सर्वे प्राणाः । मनसि हि सर्वे प्राणाः प्रतिष्ठिताः । तद्यन्मनसः पुरुषं निरमिमीत–तस्मादाहुः–पुरुषः सर्वे पशव इति । पुरुषस्य ह्येवैते सर्वे भवन्ति ॥ ६ ॥

तदेव दर्शयति–यत्रैतानिति । 'यत्र' यस्मिन् प्रस्तावे 'प्रजापतिः' 'एतान्' 'पशून्' आलब्धुमैच्छत् । तत् 'आलिप्स्यमानाः' ते पशवः 'उदचिक्रमिषन्' उत्क्रमितुमैच्छन् 'तान्' 'प्राणेषु' शीर्षगतेषु[1] । सर्वप्राणाधारत्वाच्छिरसां प्राणत्वम् । प्राणा इतीन्द्रियाण्युच्यन्ते । तान् प्राणेषु 'सङ्गृह्य' 'पुरस्तात्' पूर्वस्माद् देशात् 'प्रतीचः' प्रत्यङ्मुखानाकृष्य आत्मनि अधत्त, स्वाधीनीकृतवान् । पलायनेच्छूनां पशूनां शिरांसि गृहीत्वा स्वाभिमुखमाकृष्य वशीकृतवानित्यर्थः । तथा सति 'देवाः यदकुर्वन्,' तदेतरस्मिन्नपि काले क्रियते खलु । अतश्च यजमानो 'देवा यदकुर्वंस्तत्करवाणि' इत्यभिप्रायेणैतदुक्तप्रकारमुपधानं करोतीति यत्, 'इदं नु' अस्माद् एव निमित्तात् 'ते पशवः' अस्माद्यजमानात् 'नोच्चिक्रमिषन्ति' न केवलं तेषामुत्क्रमणेच्छाभावः, अपि तु 'एतान्' पशून् 'प्राणेषु' संगृह्य 'पुरस्तात्प्रतीचः' आकृष्य स्वस्मिन्निहितवान् भवति ॥ ४–५ ॥

उखायां पशुशीर्षाणामुपधाने प्रजापत्युदरेऽन्नं दधातीति दर्शयितुमाख्यायिकामवतारयति–यद्वेवेति । 'पशुशीर्षाण्युपदधाति' इति यत्, तत्कारणमुच्यत इत्यर्थः । सृष्टेः पूर्वं 'प्रजापतिः' 'एकः' 'एवासीत्' खलु, 'सः' प्रजापतिः 'अन्नम्' 'सृजेय,' प्रजारूपेण 'प्रजायेयेति' 'अकामयत' । प्रजायेयेति अन्नसृष्ट्युपायप्रदर्शनम् । स एवं जातेच्छः प्रजापतिः 'प्राणेभ्य एव' 'पशून्निरमिमीत' । तदेव विवृणोति–**मनसः पुरुषमिति** । 'प्राणात्' इति प्राणसञ्चारस्थानत्वाद् घ्राणेन्द्रियमुच्यते । यतः 'एतान्' पशून् 'प्राणेभ्यो' निर्मितवान्, 'तस्मात्' लोके 'प्राणाः पशव' इति 'आहुः' जनाः । किञ्च सर्वेषामिन्द्रियाणां 'मनः' खलु

१–"समगृह्णात्" इति क्रिया मूलतो योज्या ।

तदेतदन्नꣳ सृष्ट्वा । पुरस्तात्प्रत्यगात्मन्नधत्त तस्माद्यः कश्चान्नꣳ सृजते पुरस्तादेवैनत्प्रत्यगात्मन्धत्ते तद्वाऽउखायामुदरं वाऽउखोदरे तदन्नं दधाति ॥ ७ ॥

(त्यु) अथैषु हिरण्यशकलान्प्रत्यस्यति । प्राणा वै हिरण्यमथ वाऽएतेभ्यः पशुभ्यः संज्ञप्यमानेभ्यऽएव प्राणाऽउत्क्रामन्ति तद्यद्धिरण्यशकलान्प्रत्यस्यति प्राणानेवैष्वेतद्दधाति ॥ ८ ॥

सप्त प्रत्यस्यति । सप्त वै शीर्षन्प्राणास्तानस्मिन्नेतद्दधात्यथ यदि पञ्च

तदेतदन्नं सृष्ट्वा पुरस्तात्प्रत्यगात्मन्नधत्त । तस्माद्यः कश्चान्नं सृजते-पुरस्तादेवैनत्प्रत्यगात्मन्धत्ते । तद्वाऽउखायाम् । उदरं वाऽउखा । उदरे तदन्नं दधाति ॥ ७ ॥

अथैषु हिरण्यशकलान्प्रत्यस्यति । प्राणो वै हिरण्यम् । अथ वाऽएतेभ्यः पशुभ्यः संज्ञप्यमानेभ्य एव प्राणा उत्क्रामन्ति । तद्यद्धिरण्यशकलान्प्रत्यस्यति-प्राणानेवैष्वेतद्दधाति ॥ ८ ॥

सप्त प्रत्यस्यति । सप्त वै शीर्षन्प्राणाः । तानस्मिन्नेतद्दधाति । अथ यदि पञ्च पशवः स्युः-

---

'प्रथमं' श्रेष्ठम्, तदुपधानादेव सर्वेषां स्वस्वव्यापारक्षमत्वात् । अतश्च 'मनसः' पुरुषस्य निर्माणाल्लोके 'पुरुषः' 'पशूनां' मध्ये श्रेष्ठः 'वीर्यवत्तम इति' आहुः । अपि च 'मनसि' एव 'सर्वे प्राणाः प्रतिष्ठिताः' इति तदेव खलु सर्वे प्राणाः, अतश्च सर्वप्राणात्मकत्वात् 'मनसः पुरुषं निरमिमीत' इति यत् तस्मादाहुः 'पुरुषः सर्वे पशवः' इति । यतः 'पुरुषस्य ह्येवैते सर्वे पशवो भवन्ति,' सर्वपशुसम्पादनक्षमत्वात्पुरुषस्य । अतः 'पुरुषः सर्वे पशवः' इति 'आहुः' । सर्वेन्द्रियप्रतिष्ठारूपान्मनसः सकाशात्पुरुषस्य निर्माणेन तस्य पशुसम्पादनक्षमत्वात् पुरुषः सर्वे पशव इत्याहुरित्यर्थः ॥ ६ ॥

'तदेतत्' पुरुषादिपशुलक्षणम् 'अन्नं' 'सृष्ट्वा' स प्रजापतिः 'पुरस्तात्' प्रतीचीनम् 'आत्मनि' 'अधत्त' 'तस्मात्' लोकेऽपि कश्चनापि 'अन्नम्' सम्पादयति, एतत्सम्पादनं 'पुरस्तादेव' प्रतीचीनमात्मनि धारयति । मुखप्रदेशादेवान्नस्य प्रतीचीनमभ्यवहारात् । अतश्च तत्पुरस्तात् प्रतीचीनं तेषां पशुशीर्षाणामुपधानम् 'उखायाम्' क्रियत इति यत्, तेन प्रजापतेरुदररूपायामुखायां पुरस्तात् प्रतीचीनम् 'अन्नं' निहितवान् भवति ॥ ७ ॥

अथ तेषु पशुशीर्षेषु सुवर्णशकलानां प्रक्षेपं विधाय प्रशंसति-**अथैष्विति** । प्राणसाधनत्वाद्धिरण्यस्य प्राणात्मकत्वम् । **अथ वेति** । 'अथ' खलु 'संज्ञप्यमानेभ्यः' एभ्यः 'प्राणा उत्क्रामन्ति' एव । अतश्च 'हिरण्यशकलान् प्रत्यस्यति' इति यत्, एतेन 'प्राणानेव' 'एतेषु' पशुषु निदधाति ॥ ८ ॥

सुवर्णशकलानां संख्याविशेषं विधत्ते-सप्त **प्रत्यस्यतीति** । शिरसि वागेका, नेत्रे द्वे, श्रोत्रे द्वे, नासाविवरे च

१-प्रतिशिरः सप्त सप्त हिरण्यशकलान्मुखे करोति । का० श्रौ० सू० १७ । १०६ ।

पशुवः स्युः पुञ्चैव कृत्वः सप्त सप्त प्रत्यस्येत्पुञ्च वाऽएतान्पशूनुपदधाति सप्त सप्त वाऽएकैकस्मिन्पशौ प्राणास्तदेषु सर्व्वेषु प्राणान्दधाति ॥ ९ ॥

तद्धैकेऽपि । यद्येकः पशुर्भवति पुञ्चैव कृत्वः सप्त सप्त प्रत्यस्यन्ति पुञ्च वाऽएतान्पशूनुपदधाति सप्त सप्त वाऽएकैकस्मिन्पशौ प्राणास्तदेषु सर्व्वेषु प्राणान्दध्मऽइति न तथा कुर्यादेतस्मिन्वै पशौ सर्व्वेषां पशूनाॅं रूपं तद्यदेतस्मिन्प्रत्यस्यति तदेवैषु सर्व्वेषु प्राणान्दधाति ॥ १० ॥

मुखे प्रथमं प्रत्यस्यति । सम्यक्स्रवन्ति सरितो न धेनाऽइत्यन्नं वै धेनास्तदिदॅं सम्यङ्मुखमभिसॅंस्रवन्त्यन्तर्हृदा मनसा पूयमानाऽइत्यन्तर्वै

पञ्चैव कृत्वः—सप्त सप्त प्रत्यस्येत् । पञ्च वाऽएतान्पशूनुपदधाति । सप्त सप्त वाऽएकैकस्मिन्पशौ प्राणाः । तदेषु सर्वेषु प्राणान्दधाति ॥ ९ ॥

तद्धैके—अपि यद्येकः पशुर्भवति—पञ्चैव कृत्वः सप्त सप्त प्रत्यस्यन्ति । पञ्च वाऽएतान्पशूनुपदधाति । सप्त सप्त वाऽएकैकस्मिन्पशौ प्राणाः । तदेषु सर्वेषु प्राणान्दध्म इति । न तथा कुर्यात् । एतस्मिन्वै पशौ सर्वेषां पशूनां रूपम् । तद्यदेतस्मिन्प्रत्यस्यति—तदेवैषु सर्वेषु प्राणान्दधाति ॥ १० ॥

मुखे प्रथमं प्रत्यस्यति । "**सम्यक्स्रवन्ति सरितो न धेनाः**"—इति । अन्नं वै धेनाः । तदिदं सम्यङ्मुखमभिसंस्रवन्ति । "**अन्तर्हृदा मनसा पूयमानाः**"—इति । अन्तर्वै हृदयेन

द्वे इति सप्त प्राणाः । तथा सप्त हिरण्यशकलनिधानेन सप्तप्राणवान् भवतीत्याह—**सप्त वा इति** । पञ्चपशुपक्षः, एकपशुपक्ष इति पक्षद्वयमस्ति, तत्र पञ्चपशुपक्षे पञ्चकृत्वः सप्त सप्त हिरण्यशकलान् प्रतिशीर्षं प्रत्यस्यति ॥९॥

तद्धैक इति । यदि 'एकः' अपि 'पशुर्भवति' तदापि 'पञ्चकृत्वः' एव 'सप्त-सप्त' सुवर्णशकलान् प्रत्यस्येदिति 'एके' शाखिन आहुः । तथा वदतां च तेषामयमाशयः—पञ्चानामपि पशूनां स्थाने एकस्योपधानादसावध्वर्युः 'पञ्च' खलु 'एतान्' 'पशूनुपदधाति' । तथा च 'एकैकस्मिन्पशौ' 'सप्तसप्त' 'प्राणाः' विद्यन्ते, तस्मात्तावतां हिरण्यशकलानां प्रत्यसनेनैतेषु 'सर्वेषु' अपि 'प्राणान् दधाति' इति ।

तं पक्षं दूषयति—**न तथा कुर्यादिति** । कथं तर्हि सर्वेषां पशूनां प्राणसंघटनेति तत्राह—**एतस्मिन्वा इति** । 'एतस्मिन्' उपधीयमाने 'पशौ' एकस्मिन्नेव 'सर्वेषां पशूनां रूपम्' अस्ति; तेषां सर्वेषामपि कार्ये एतस्यैव सामर्थ्यावधारणात् । तस्मादेतस्मिन्सप्तसङ्ख्याविशिष्टहिरण्यशकलप्रत्यसनेन सर्वेष्वपि पशुषु प्राणप्रतिसन्धानं संपादितवान् भवति ॥ १० ॥

तत्र प्रथमं मुखे शकलस्य प्रत्यसनं विधत्ते—**मुखे प्रथममिति** । तत्र मन्त्रं दर्शयन् व्याचष्टे—**सम्यक्स्रवन्तीति** । 'धेनाः' इति अन्नम् उच्यते । 'तदिदम्' अन्नमभिलक्ष्य 'सम्यक् स्रवन्ति' । कथमिव 'सरितः' इव । इत्ययमर्थो मन्त्रभागेन प्रतिपाद्यत इत्यर्थः ॥

हृदयेन मनसा सताऽन्नं पूतं य ऽऋजुस्तस्य घृतस्य धारा ऽअभिचाकशीमीति या ऽएवैतस्मिन्नग्नावाहुतीर्होष्यन्भवति ता ऽएतदाह हिरण्ययो वेतसो मध्येऽअग्नेरिति य ऽएवैष हिरण्मयः पुरुषस्तमेतदाह ॥ ११ ॥

(हर्चे) ऋचे त्वेतीह । प्राणो वाऽऋक्प्राणेन ह्यर्चति रुचे त्वेतीह प्राणो वै रुक्प्राणेन हि रोचतेऽथो प्राणाय हीदꣳ सर्वꣳ रोचते भासे त्वेतीह ज्योतिषे त्वेतीह भास्वती हीमे ज्योतिष्मती चक्षुषीऽअभूदिदं विश्वस्य भुवनस्य वाजिनमग्नेर्वैश्वानरस्य चेतीहाग्निर्ज्योतिषा ज्योतिष्मान् रुक्मो वर्चसा वर्चस्वानितीह विश्वावतीभ्यां विश्वꣳ हि श्रोत्रम् ॥ १२ ॥

मनसा सताऽन्नं पूतं—य ऋजुस्तस्य । " घृतस्य धारा अभिचाकशीमि "—इति । या एवैतस्मिन्नग्नावाहुतीर्होष्यन्भवति—ता एतदाह । " हिरण्ययो वेतसो मध्येऽग्नेः "—(वा. सं. १३ । ३८) इति । य एवैष हिरण्मयः पुरुषः । तमेतदाह ॥ ११ ॥

" ऋचे त्वा "—इतीह । प्राणो वाऽऋक् । प्राणेन ह्यर्चति । " रुचे त्वा "—इतीह । प्राणो वै रुक् । प्राणेन हि रोचते । अथो प्राणाय हीदं सर्वं रोचते । " भासे त्वा "—इतीह । " ज्योतिषे त्वा "—इतीह । भास्वती हीमे ज्योतिष्मती चक्षुषी । " अभूदिदं विश्वस्य भुवनस्य वाजिनमग्नेर्वैश्वानरस्य च"—(वा. सं. १३।३९) इतीह । "अग्निर्ज्योतिषा ज्योतिष्मान् रुक्मो वर्चसा वर्चस्वान् "—इतीह विश्वावतीभ्याम् । विश्वं हि श्रोत्रम् ॥ १२ ॥

द्वितीयं पादं व्याचष्टे—अन्तर्हृदेति । ' यः ' ' ऋजुः ' अकुटिलाङ्गः तस्य ' अन्तः ' शरीरमध्ये ' हृदा ' हृदयदेशेन ' मनसा ' च ' सता ' विद्यमानेन 'अन्नं पूतम्' भवति । सारासारभेदेन विवेचितं भवति । हृदयदेशस्य त्वन्नावतरणप्रदेशत्वाच्छोधकत्वम् । य ऋजुरकुटिलः शोभनकर्मा यजमानः तस्य मनसेति ॥

तृतीयं पादं व्याचष्टे—घृतस्य धारा इति । अनेन होष्यमाणाहुत्यभिधानमभिप्रेतमित्याह—या एवैतस्मिन् इति ॥

चतुर्थपादेऽग्निमध्यावस्थितहिरण्मयपुरुषाभिधानं क्रियत इति व्याचष्टे—हिरण्यय इति । तदयं मन्त्रस्यार्थः—अकुटिलावयवस्य ' अन्तः ' मध्ये शरीरे ' हृदयेन ' विद्यमानेन ' मनसा ' च शोध्यमानेन अन्नानि ' इदं मुखमभि—' लक्ष्य स्रवन्ति । यथा नद्यः समुद्रं तद्वत् । तथाविधेऽस्मिन् मुखे शकलं निदधामि । निहितं शकलं चेदम् 'अग्नेः' ' मध्ये ' यो ' हिरण्ययो वेतसः ' पुरुषः तं प्रति संस्रवन्तीः घृतस्य धाराः ' अभिचाकशीमि ' अभिपश्यति 'चाकशीमीति' पुरुषव्यत्ययः । यङ्लुगन्तस्य रूपम् । हिरण्ययशब्दः "ऋत्व्यवास्त्व्य"—इत्यादिना (पा सू. ६ । ४ । १७५) निपातितः ॥ ११ ॥

अथ दक्षिणनासाविवरे समन्त्रकं शकलनिधानं विधत्ते—ऋचे त्वेतीति[२] । ' इह ' इति दक्षिणनासाविवरस्याभिनयेन निर्देशः । व्याचष्टे—प्राणो वा इति । यतः 'प्राणो वा ' ' अर्चति ' प्राप्नोति । प्राणवतैव

१—उत्तरान् द्वौ द्वौ । का० श्रौ० सू० १७ । १०७ । मंत्रौ प्रतीयादिति सूत्रशेषः ।

२—नासिकयोर्ऋचे त्वेति । का० श्रौ० सू० १७ । १०८ ।

(मु) अथ पुरुषशीर्षमुद्गृह्णाति। महयत्येवैनदेतत्सहस्रदाऽअसि सहस्राय त्वेति सर्वं वै सहस्रꣳ सर्वस्य दाताऽसि सर्वस्मै त्वेत्येतत् ॥१३॥

अथ पुरुषशीर्षमुद्गृह्णाति। महयत्येवैनदेतत्। "सहस्रदा असि सहस्राय त्वा"—(वा. सं. १३। ४०) इति। सर्वं वै सहस्रम्। सर्वस्य दाताऽसि। सर्वस्मै त्वेत्येतत् ॥ १३ ॥

सर्वस्य प्राप्तेः। अनेकार्थत्वाद्धातूनामर्चतिरत्र प्राप्त्यर्थः। अतश्च 'ऋक्' इति 'प्राणः'। तथा सति 'ऋचे' प्राणाय सञ्चरमाणाय प्रत्यस्यामीति मन्त्रार्थः। सव्यनासाविवरमप्यभिनयेन निर्दिश्य समन्त्रकं शकलनिधानं विधत्ते—रुचे त्वेतीति। 'इह' इति सव्यनासाविवरस्याभिनयेन निर्देशः। 'प्राणो वै' 'रुक्' दीप्यमानः 'प्राणेन' हि शरीरादिकं दीप्यते, प्राणार्थमेव 'सर्वमिदम्' जगत् प्रियं भवति। दक्षिणनेत्रमभिनयेन निर्दिश्य समन्त्रकं शकलनिधानं विधत्ते—भासे त्वेतीति[1]। 'इह' दक्षिणनेत्रे। 'ज्योतिषे त्वेतीह' सव्ये नेत्रे प्रत्यस्यति। यत 'इमे' 'चक्षुषी' 'भास्वती' अर्थप्रकाशनलक्षणतेजोविशिष्टे 'ज्योतिष्मती' स्वयं च ज्योतिर्विशिष्टे, अतस्तत्र शकलप्रत्यसनमन्त्रयोः 'भासे' 'ज्योतिषे' इति प्रयुक्तम्। श्रोत्रयोः समन्त्रकं शकलप्रत्यसनं विधत्ते—अभूदिति[2]। 'इदम्' दक्षिणश्रोत्रम् 'विश्वस्य भुवनस्य' समस्तस्य लोकस्य 'वाजिनम्'—शब्दोपलब्धिसाधनम् 'अभूत्'। न केवलमस्यैवाभूत्, अपि तु 'वैश्वानरस्य' सर्वजनानां जनकत्वेन सम्बन्धिनः "तस्येदम्" (पा. सू. ४। ३। १२०) इत्यण् प्रत्ययः। "नरे संज्ञायाम्"—(पा. सू. ६। ३। १२९) इति पूर्वपदस्य दीर्घः। तस्य 'अग्नेः' प्रजापतेः अपि शब्दोपलब्धि-साधनमभूत्। तादृशे तत्र त्वां प्रत्यस्यामीत्यर्थः। अग्निर्ज्योतिषेति। 'ज्योतिषा' 'ज्योतिष्मान्' प्रशस्त-ज्योतिष्मान् प्रशस्तज्योतिर्विशिष्टोऽग्निरिव। 'वर्चसा वर्चस्वान्' प्रशस्तवर्चोविशिष्टोऽग्निरिव। इवशब्दो-ऽध्याहार्यः। इदं यद्दक्षिणेतरं श्रोत्रं प्रकाशते तथाविधे तत्र त्वां प्रक्षिपामीत्यर्थः ॥

मन्त्रे विश्वपदप्रयोगस्याभिप्रायमाह—विश्वावतीभ्यामिति। यद्यप्यत्रैकस्यामेव विश्वपदप्रयोगस्तथापि प्राण-भृन्न्यायेन लिङ्गसमवायादुभयोरपि 'विश्वावती' इत्यभिधानमुपपद्यते। यतः 'श्रोत्रं विश्वम्' विश्वव्यापकाका-शात्मकत्वात्। अतस्तत्र शकलप्रत्यसनमन्त्रे विश्वपदप्रयोगः ॥ १२ ॥

पशुशीर्षाणामुपधानम्, तस्य स्थानविशेषम्, उपधाने प्रकारभेदम्, तदुत्पत्त्यादिकं च प्रदर्श्य; अनन्तर-मुपधानार्थं पुरुषशिरस उद्ग्रहणं विधत्ते—अथेति[3]। उद्ग्रहणस्योपयोगमाह—महयत्येवैनदेतदिति। एतेनोद्ग्रह-णेन 'एतत्' पुरुषशिरः 'महयति' पूजयति सत्कृतवान्भवति। अत एव यजमानदेवत्यत्वाज्जुहूरुद्यम्यते। भ्रातृव्यदेवत्यत्वादुपभृन्नियम्यते ॥

विहिते उद्ग्रहणे मन्त्रं विधाय व्याचष्टे—सहस्रदा इति। सर्वं वा इति। यतः 'सहस्रं सर्वम्' तस्मिन्नेव शतादीनामन्तर्भावात्। अतः 'सर्वस्य दाताऽसि'। तस्मात् 'सर्वस्मै' त्वामुद्गृह्णामीति 'एतद्' उक्तं भवतीत्यर्थः। 'सहस्रदा' इति विच्प्रत्ययान्तं पदम्। 'सर्वस्य दाताऽसि' इति पुरुषविवक्षया पुँल्लिङ्गत्वम् ॥१३॥

१—अक्ष्णोर्भासे त्वेति। का. श्रौ. सू. १७। १०९। २—श्रोत्रयोरभूदिदमिति। का. श्रौ. सू. १७। ११०।
३—सहस्रदा इति पुरुषशिर उद्गृह्य मध्ये। का० श्रौ० सू० १७। ११३।

(ङ) अथैनानुपदधाति । पुरुषं प्रथमं पुरुषं तद्वीर्येणात्यादधाति मध्ये पुरुषमभित इतरान्पशून्पुरुषं तत्पशूनां मध्यतोऽत्तारं दधाति तस्मात्पुरुष एव पशूनां मध्यतोऽत्ता ॥ १४ ॥

(त्वाऽश्वं) अश्वं चाविं चोत्तरतः । (ऽ) एतस्यां तद्दिश्येतौ पशू दधाति तस्मादेतस्यां दिश्येतौ पशू भूयिष्ठौ ॥ १५ ॥

गां चाजं च दक्षिणतः । (ऽ) एतस्यां तद्दिश्येतौ पशू दधाति तस्मादेतस्यां दिश्येतौ पशू भूयिष्ठौ ॥ १६ ॥

पयसि पुरुषमुपदधाति । पशवो वै पयो यजमानं तत्पशुषु प्रतिष्ठापयत्यादित्यं गर्भं पयसा समङ्ग्धीत्यादित्यो वाऽएष गर्भो यत्पुरुषस्तं पयसा समङ्ग्धीत्येतत्सहस्रस्य प्रतिमां विश्वरूपमिति पुरुषो वै सहस्रस्य प्रतिमा पुरुषस्य ह्येव सहस्रं भवति परिवृङ्ग्धि हरसा माऽभिमꣳस्था

अथैनानुपदधाति । पुरुषं प्रथमम् । पुरुषं तद्वीर्येणात्यादधाति । मध्ये पुरुषम्, अभित इतरान् पशून् । पुरुषं तत् पशूनां मध्यतोऽत्तारं दधाति । तस्मात्पुरुष एव पशूनां मध्यतोऽत्ता ॥ १४ ॥
अश्वं चाविं चोत्तरतः । एतस्यां तद् दिश्येतौ पशू दधाति । तस्मादेतस्यां दिश्येतौ पशू भूयिष्ठौ १५
गां चाजं च दक्षिणतः । एतस्यां तद् दिश्येतौ पशू दधाति । तस्मादेतस्यां दिश्येतौ पशू भूयिष्ठौ ॥ १६ ॥
पयसि पुरुषमुपदधाति । पशवो वै पयः । यजमानं तत्पशुषु प्रतिष्ठापयति । "आदित्यं गर्भं पयसा समङ्ग्धि"—इति । आदित्यो वाऽएष गर्भो यत्पुरुषः । तं पयसा समङ्ग्धीत्येतत् । "सहस्रस्य प्रतिमां विश्वरूपम्"—इति । पुरुषो वै सहस्रस्य प्रतिमा । पुरुषस्य ह्येव सहस्रं भवति ।

अथैतेषां पशूनामुपधानमनूद्य तत्र पुरुषस्य प्राथम्यं विधत्ते—अथेति । उपधाने पुरुषस्य प्राथम्याद्वीर्येण पुरुषमतिशयितं करोतीत्याह—पुरुषं तदिति । उखायामुपधानस्य विहितत्वात्तस्यां मध्ये पुरुषोपधानम्, तत्पार्श्वयोरितरपशूनामुपधानं कुर्यादित्यर्थः । मध्ये पुरुषमिति विहितस्य सन्निवेशस्य प्रयोजनमाह—पुरुषं तदिति । 'तत्' तेन सन्निवेशेनोपधाने 'पशूनां' मध्ये 'पुरुषम् अत्तारम्' भोक्तारं करोति भोक्तुः पार्श्वे भोग्यस्यावस्थानात् । 'तस्मात्' सम्प्रत्यपि पशूनां मध्ये पुरुष एव भोक्ता भवति, सामान्येन 'अभित इतरान्पशून्' इति विधानात् ॥ १४ ॥

कस्य कुत्र पार्श्वे उपधानमिति विशेषजिज्ञासायामाह—अश्वं चाविं चेति । गां चाजं चेति ॥१५॥१६॥
"मध्ये पुरुषम्"—इति पुरुषोपधानस्य मध्यस्थानं विहितम् । तत्रैव विशेषं विधत्ते—पयसीति । उखामध्ये पयःपूरिते 'पुरुषम्' उपदध्यात् । एवं च सति यजमानस्य पुरुषत्वात्, पयसः पशुकार्यत्वेन पशुत्वात्, तत्र यजमानं प्रतिष्ठापयति । विहिते उपधाने मन्त्रं विदधानः पादशो विभज्य व्याचष्टे—

ऽइति पर्य्येनं वृङ्ग्ध्यर्च्चिषा मैनᳬं हिᳬंसीरित्येतच्छतायुषं कृणुहि चीयमान ऽइति पुरुषं तत्पशूनाᳬं शतायुं करोति तस्मात्पुरुषऽएव पशूनाᳬं शतायुः ॥ १७ ॥

(३) अथोत्तरतोऽश्वम्। (म्वा) व्वातस्य जूतिमिति व्वातस्य वाऽ-एष जूतिर्यदश्वो व्वरुणस्य नाभिमिति व्वारुणो ह्यश्वोऽश्वं जज्ञानᳬं सरिरस्य मध्यऽइत्यापो वै सरिरमप्सुजाऽउ वाऽअश्वः शिशुं नदीनाᳬं हरिमद्रिबुध्नमिति गिरिर्वाऽअद्रिर्गिरिबुध्नाऽउ वाऽआपोऽग्ने मा हिᳬंसीः परमे व्योमन्नितीमे वै लोकाः परमं व्योमैषु लोकेष्वेनं मा हिᳬंसीरित्येतत्॥१८॥

"परिवृङ्ग्धि हरसा माऽभिमंस्थाः"-इति। पर्येनं वृङ्ग्धि अर्चिषा मैनं हिंसीरित्येतत्। "शतायुषं कृणुहि चीयमानः"-(वा सं १३।४१) इति। पुरुषं तत् पशूनां शतायुं करोति। तस्मात्पुरुष एव पशूनां शतायुः ॥ १७ ॥

अथोत्तरतोऽश्वम्-" वातस्य जूतिम् "-इति। वातस्य वाऽएष जूतिर्यदश्वः। " वरुणस्य नाभिम् "-इति। वारुणो ह्यश्वः। " अश्वं जज्ञानं सरिरस्य मध्ये "-इति। आपो वै सरिरम्। अप्सुजा उ वाऽअश्वः। " शिशुं नदीनां हरिमद्रिबुध्नम् "-इति। गिरिर्वाऽअद्रिः। गिरिबुध्ना उ वाऽआपः। " अग्ने मा हिंसीः परमे व्योमन् "-(वा. सं. १३। ४२) इति। इमे वै लोकाः परमं व्योम। एषु लोकेष्वेनं मा हिंसीरित्येतत् ॥ १८ ॥

आदित्यं गर्भमिति[1]। 'पुरुषः' इति 'यद्' 'एष आदित्यो गर्भः' खलु। अदितेः सकाशाद्विवस्वदाख्य आदित्योऽजायत। तथा च श्रूयते-" ततो विवस्वानादित्योऽजायत " (तै. सं. ६।५।६) इति। विवस्वत्सम्बन्धिनश्च सर्वे पुरुषा इति पुरुषस्याप्यादित्यगर्भत्वम्। तथा सति पुरुषमेव 'पयसा समङ्ग्धीत्येतत्' उक्तं भवति। द्वितीयपादेऽपि 'सहस्रस्य प्रतिमाम्' इत्यनेन पुरुष एव विवक्षित इति दर्शयति-सहस्रस्येति। यतः 'पुरुषस्यैव पशूनां सहस्रं भवति' अतोयं सहस्रस्य सदृशः। अत एव तैत्तिरीयके श्रूयते "सहस्रं वै प्रति पुरुषः पशूनां यच्छति" इति। तृतीयपादे 'हरः' शब्देनार्चिरुच्यते। 'माऽभिमंस्थाः' अनेनाहिंसनमिति दर्शयति-परिवृङ्ग्धीति। चतुर्थपादे 'शतायुषं कृणुहि' इति एतदुच्चारणेन पुरुषस्य शतायुष्ट्वं सम्पादयतीत्याह-शतायुषामिति। हे अग्ने! 'चीयमानः' त्वं पूर्वोक्तप्रकारेणादित्यगर्भरूपं 'सहस्रस्य' सदृशम्। अत एव 'विश्वरूपं' पुरुषं 'पयसा' आर्द्रीकुरु। किञ्च 'एनम्' परितो वर्जय आर्चिषा मा हिंसीः 'शतायुषं' च 'कृणुहि' इति मन्त्रार्थः ॥ १७ ॥

उत्तरतोऽश्वस्योपधानमनूद्य तत्र मन्त्रं विदधानो व्याचष्टे-अथेति[2]। 'अश्वः' इति यद् 'एषः' 'वातस्य' 'जूतिः' खलु। 'जूति-शब्देन' वेग उच्यते। तद्रूपत्वाद्। 'अश्वो' ऽपि तच्छब्देन वायुवेग इत्यर्थः।

१-आदित्यं गर्भमिति प्रतिमंत्र मंत्रक्रमेण। का. श्रौ. सू. १७। ११६।

२-अश्वाभ्योत्तरतः पूर्व्वापरे। का. श्रौ. सू. १७। ११४।

(ह) अथ दक्षिणतो गाम् । (म) अजस्रमिन्दुमरुषमिति सोमो वा ऽइन्दुः स हैष सोमोऽजस्रो यद्गौर्भुरण्युमिति भर्तारमित्येतदग्निमीडे पूर्व्वचित्तिं नमोभिरित्याग्नेयो वै गौः पूर्व्वचित्तिमिति प्राञ्चꣳ ह्यग्निमुद्धरन्ति प्राञ्चमुपचरन्ति स पर्वभिर्ऋतुशः कल्पमान ऽइति यद्वाऽएष चीयते तदेष पर्वभिर्ऋतुशः कल्पते गां मा हिꣳसीरदितिं विराजमिति विराड्वै गौरन्नं वै विराडन्नमु गौः ॥ १९ ॥

अथ दक्षिणतो गाम् । " अजस्रमिन्दुमरुषम् "–इति । सोमो वाऽइन्दुः । स हैष सोमोऽजस्रः । यद्गौः । "भुरण्युम्"–इति । भर्त्तारमित्येतत् । " अग्निमीडे पूर्वचित्तिं नमोभिः"–इति । आग्नेयो वै गौः । पूर्वचित्तिमिति प्राञ्चं ह्यग्निमुद्धरान्ति, प्राञ्चमुपचरन्ति । " स पर्वभिर्ऋतुशः कल्पमानः "–इति । यद्वाऽएष चीयते–तदेष पर्वभिर्ऋतुशः कल्पते । " गां मा हिंसीरदितिं विराजम् "–(वा. सं. १३ । ४३) इति । विराड् वै गौः । अन्नं वै विराट् । अन्नमु गौः ॥ १९ ॥

अपामधिपतेः ' वरुणस्य ' सम्बन्धित्वाद् ' अश्वो ' वरुण–' नाभिः ' । अत एव श्रूयते–" प्रजापतिर्वरुणायाश्वमनयत् "–(तै. सं. २ । ३ । १२) इति । ' सरिरम् ' इति ' आप ' उच्यन्ते । अश्वश्च ' अप्सुजाः ' खलु, समुद्रमध्ये वडवारूपेणोत्पन्नत्वात् । अत एव " अप्सुयोनिर्वा अश्वः "–इत्यन्यत्र (तै. सं. ५ । ३ । १२) (श. प. १३ । २ । ७ । १०) श्रुतम् । अद्रिबुध्नमिति । ' अद्रिः ' इति गिरिरुच्यते । ' आपो ' गिरिमूलाः खलु, तत्रोत्पद्यमानत्वात् । तथाऽत्र तथा–विधजलसमुद्भूतत्वादश्वोऽपि गिरिबुध्न इत्यर्थः । " इमे वै लोकाः परमं व्योम "–इत्यनेन मन्त्रगतं ' व्योम ' पदमितरलोकयोरप्युपलक्षणमिति तद्दर्शितम । हे ' अग्ने ! वायुवेगविशिष्टम्, वरुणस्य नाभिस्थानीयम्, सरिरस्य मध्ये उत्पन्नम्, अत एव ' नदीनां शिशुम्, ' अद्रिबुध्नम् ' गिरिमूलोत्पत्तिस्थानम्, ' हरिम् ' आरोढुर्हर्तारमश्वं ' परमे व्योमन् ' उत्कृष्टेषु पृथिव्यादिषु ' लोकेषु ' ' मा हिंसीः ' इति मन्त्रार्थः ॥ १८ ॥

दक्षिणदेशे गोरुपधानमनूद्य स्तुतिवन्मन्त्रं विधत्ते–अथेति । इन्दुमिति । सोमो वा इन्दुरिति । यतः ' सः ' ' एषः ' ' अजस्रः ' ' सोमो ' हि, सर्वदा पयोलक्षणस्यामृतस्य स्यन्दनात् । इन्दोस्तु कदाचिदुपक्षयो विद्यत इति तदभिप्रायेण ' अजस्रम् ' इत्युक्तम् । भुरण्युमिति । दोहनादिभिर्भर्तारमित्येतदुक्तं भवति, गोजातीयस्य घृतत्वात् । अथ वा ' गौः ' पुङ्गवः ' अजस्रः ' ' सोमः ' सर्वदाह्लादकत्वात् । कृषिसाधनत्वेन भर्तृत्वाद् ' भुरण्युम् ' इति । अग्निमीड इति । यतो ' गौः ' ' आग्नेयः ' अतोऽसावग्निः । यतः ' अग्निम् ' ' प्राञ्चम् ' ' उद्धरन्ति ' ' प्राञ्चमेव ' होमादिना ' उपचरन्ति ' । अतोऽग्निः पूर्वचित्तिः, पूर्वस्मिन्प्रदेशे चित्तिरनुष्ठेयस्य प्रतीतिर्यस्य स तथोक्तः । यद्वा इति । 'एषः' अग्निः ' चीयते ' इति यत्, तेन ' एषः ' 'पर्वभिः' इष्टकाचितिलक्षणैः ' ऋतुशः ' तेन तेन ऋतुना ' कल्पते ' । चितिलक्षणानां पर्वणामृतुरूपत्वादित्यर्थः । विराड् वा इति । अन्नसाधनत्वाद्विराजोऽन्नत्वम्, गोरपि तथैवान्नत्वमिति ' विराड् ' इति गौरेवेत्यर्थः । सर्वदा-

---

१–गोऽजयोश्च दक्षिणतः । का० श्रौ० सू० १७ । १३५ ।

(उ) अथोत्तरतोऽविम् । (म्) वरूत्रीं त्वष्टुर्वरुणस्य नाभिमिति वारुणी च हि त्वाष्ट्री चाविरविं जज्ञानाꣳ रजसः परस्मादिति श्रोत्रं वै परꣳ रजो दिशो वै श्रोत्रं दिशः परꣳ रजो महीꣳ साहस्रीमसुरस्य मायामिति महतीꣳ साहस्रीमसुरस्य मायामित्येतदग्ने मा हिꣳसीः परमे व्योमन्निनितीमे वै लोकाः परमं व्योमैषु लोकेष्वेनं मा हिꣳसीरित्येतत् ॥ २० ॥

(ऊ) अथ दक्षिणतोऽजम् । योऽअग्निरग्नेरध्यजायतेत्यग्निर्वाऽएषो-

अथोत्तरतोऽविम् । "वरूत्रीं त्वष्टुर्वरुणस्य नाभिम्"–इति । वारुणी च हि त्वाष्ट्री चाविः । "अविं जज्ञानां रजसः परस्माद्"–इति । श्रोत्रं वै परं रजः । दिशो वै श्रोत्रम् । दिशः परं रजः । "महीं साहस्रीमसुरस्य मायाम्"–इति । महतीं साहस्रीमसुरस्य मायामित्येतत् । "अग्ने मा हिंसीः परमे व्योमन्"–(वा. सं. १३ । ४४) इति । इमे वै लोकाः परमं व्योम । एषु लोकेष्वेनं मा हिंसीरित्येतत् ॥ २० ॥

अथ दक्षिणतोऽजम् । "यो अग्निरग्नेरध्यजायत"–इति । अग्निर्वाऽएषोऽग्नेरध्यजायत ।

ऽऽह्लादकत्वेन 'अजस्रम्' 'इन्दुम्' 'अरुषम्' आरोचमानम्, कृष्यादिसाधनत्वेन 'भर्तारम्,' 'पूर्वचित्तिम्' पूर्वत्रानुष्ठेयप्रतीतिविशिष्टम् 'अग्निम्' तदीयत्वेन तदात्मकम्, 'गाम्' अत्रोपधानाय 'नमोभिः' नमस्कारैर्युक्तोऽहम् 'ईडे' । हे अग्ने ! 'पर्वभिः' चितिलक्षणैः 'ऋतुशः' 'कल्पमानः' तथाविधस्त्वम् 'अदितिम्' अखण्डनीयं 'विराजम्' अन्नसाधनं 'गाम्' 'मा हिंसीः' इत्यर्थः ॥ १९ ॥

अथोत्तरप्रदेशे अवेरुपधानमनूद्य मन्त्रं विधत्ते–अथेति । वारुणी च हीति । यतो 'वरुणस्य' अनिष्टनिवारकस्याग्नेर्नाभिस्थानीया, रूपाणां निर्माता यस्त्वष्टा तस्यानुग्रहणीयरूपयुक्ता, अतोऽविस्त्वष्टुर्वरूत्री, वरुणस्य नाभिश्च । श्रोत्रं वा इति । 'श्रोत्रम्' खलु 'परम्' 'रजः' उत्कृष्टो लोकः । तदेवोपपादयति–दिशो वा इति । 'श्रोत्रं' च 'दिशः' खलु, तस्य तत्कार्यत्वात् । 'दिशः परं रजः' दिग्भ्यश्चावय उत्पद्यन्ते दिशां सर्वोत्पत्तिमन्निमित्तकारणत्वात् । 'महीं साहस्रीम्' इत्यत्र महीपदस्य महतीत्यर्थ इति दर्शितम्–महतीमिति । मन्त्रार्थस्तु–हे अग्ने ! 'त्वष्टुः' वरणीयरूपयुक्ताम्, 'वरुणस्य' नाभिस्थानीयाम्, 'परस्माद्रजसो' दिग्भ्यो जाताम्, 'महतीम्' सहस्रमूल्यार्हाम्, 'असुरस्य' 'मायाम्' स्वर्भानोरसुरस्य सम्बन्धित्वेन निर्मिताम्, अत एव तैत्तिरीयके–"सुवर्भानुरासुरः सूर्यं तमसाऽविध्यत्तस्मै देवाः प्रायश्चित्तिमैच्छन्तस्य यत्प्रथमं तमोऽपाघ्नन् सा कृष्णाऽविरभवत्" (तै. सं. २ । १ । २) इति श्रूयते । तादृशीं 'अविम्' पृथिव्यादिषु 'एषु' 'लोकेषु' 'मा हिंसीः' ॥ २० ॥

अथ दक्षिणदेशेऽजस्योपधानमनूद्य मन्त्रं विदधानो व्याचष्टे–अथेति । अग्निर्वा इति । 'एषोऽग्निः' अजः

ऽग्नेरध्यजायत शोकात्पृथिव्याऽउत वा दिवस्परीति यद्वै प्रजापतेः शोकादजायत तद्दिवश्च पृथिव्यै च शोकादजायत येन प्रजा विश्वकर्मा जजानेति वाग्वाऽअजो वाचो वै प्रजा विश्वकर्मा जजान तमग्ने हेडः परि ते वृणक्त्विति यथैव यजुस्तथा बन्धुः ॥ २१ ॥

(स्तु) तऽएते पशवः । (स्ता) तान्नानोपदधाति नाना सादयति नाना सूददोहसाऽधिवदति नाना ह्येते पशवः ॥ २२ ॥

(वोऽथ) अथ पुरुषशीर्षमभिजुहोति । (त्या) आहुतिर्वै यज्ञः पुरुषं तत्पशूनां यज्ञियं करोति तस्मात्पुरुषऽएव पशूनां यजते ॥ २३ ॥

" शोकात्पृथव्या उत वा दिवस्परि "–इति । यद्वै प्रजापतेः शोकादजायत–तद्दिवश्च पृथिव्यै च शोकादजायत । " येन प्रजा विश्वकर्मा जजान "–इति । वाग्वाऽअजः । वाचो वै प्रजा विश्वकर्मा जजान । " तमग्ने हेडः परि ते वृणक्तु "–(वा. सं. १३ । ४५) इति । यथैव यजुस्तथा बन्धुः ॥ २१ ॥

तऽएते पशवः । तान्नानोपदधाति । नाना सादयति । नाना सूददोहसाऽधिवदति । नाना ह्येते पशवः ॥ २२ ॥

पशूपरि होमः ।

अथ पु[illegible]शीर्षमभिजुहोति । आहुतिर्वै यज्ञः । पुरुषं तत् पशूनां यज्ञियं करोति । तस्मात्पुरुष एव पशूनां यजते ॥ २३ ॥

' अग्नेः ' प्रजापतेः ' अध्यजायत ' अग्नेः सकाशादुत्पन्नत्वादजस्याग्नित्वम् । अग्नेः सकाशादुत्पत्तिरेव प्रदर्श्यते–शोकादिति । यद्वै ' प्रजापतेः ' ' शोकादजायत, ' ' तद्दिवः पृथिव्याश्च शोकादजायत ' । प्रजापतेस्तदात्मकत्वादग्निरिति प्रजापतिरेवोच्यते । ' येन ' अजेनेत्यर्थः । ' विश्वकर्मा ' प्रजापतिर्वाचः सकाशात् ' प्रजाः ' ' जजान ' । जनिरन्तर्भावितण्यर्थः, उत्पादितवान् । अजश्च वागात्मकः, ततश्च 'येन' 'विश्वकर्मा' ' प्रजाः ' ' जजान ' । यथैव यजुस्तथा बन्धुरिति । मन्त्रो ' यथैव ' तथैव व्याख्याने स्पष्टार्थ इत्यर्थः । हे अग्ने ! उपधीयमानो ' यः ' अग्न्यात्मकोऽजः ' अग्नेः ' प्रजापतेः ' अध्यजायत, ' तत्कथम्–यतः ' पृथिव्याः शोकात् ' अपि च ' दिवः शोकाद् ' ' अध्यजायत ' किञ्च ' येन प्रजाः ' ' विश्वकर्मा जजान ' उत्पादयामास, ' तम् ' अजम् ' ते ' ' हेडः ' कोपः (निघं. २ । १३ । १) ' परिवृणक्तु ' अपवर्जयतु ॥ २१ ॥

प्रकृतानां पशूनां नानात्वात् पृथगेवोपधानसादनानि कर्त्तव्यानीत्याह–त एते पशव इति ॥ २२ ॥

उपधानानन्तरं पुरुषशिरसि होमं विधत्ते–अथेति । अभिहोमस्योपयोगमाह–आहुतिरिति । यदेषा खलु ' आहुतिः ' तदात्मको ' यज्ञः ' स्यात् । तथा सत्यभिहोमेन ' पशूनां ' मध्ये ' पुरुषम् ' ' यज्ञियम् ' यज्ञार्हं ' करोति ', ' तस्मात् ' ' पुरुष एव पशूनां ' मध्ये ' यजते ' ॥ २३ ॥

यद्वेवैनदभिजुहोति । शीर्षँस्तद्वीर्यं दधात्याज्येन जुहोति व्वज्रो वाऽआज्यं व्वीर्यं वै व्वज्रो व्वीर्यमेवास्मिन्नेतद्दधाति स्रुवेण व्वृषा वै स्रुवो व्वीर्यं वै व्वृषा व्वीर्यमेवास्मिन्नेतद्दधाति स्वाहाकारेण व्वृषा वै स्वाहाकारो व्वीर्यं वै व्वृषा व्वीर्यमेवास्मिन्नेतद्दधाति त्रिष्टुभा व्वज्रो वै त्रिष्टुब्व्वीर्यं वै व्वज्रो व्वीर्यं त्रिष्टुब्व्वीर्येणैवास्मिन्नेतद्वीर्यं दधाति ॥ २४ ॥

स वाऽअर्धर्चमनुद्रुत्य स्वाहाकरोति । (त्यु) अस्थि वाऽऋगिदं तच्छीर्षकपालं व्विहाप्य यदिदमन्तरतः शीर्ष्णो व्वीर्यं तदस्मिन्दधाति ॥ २५ ॥

यद्वेवैनदभिजुहोति—शीर्षँस्तद्वीर्यं दधाति । आज्येन जुहोति । वज्रो वाऽआज्यम् । वीर्यं वै वज्रः । वीर्यमेवास्मिन्नेतद्दधाति । स्रुवेण । वृषा वै स्रुवः । वीर्यं वै वृषा । वीर्यमेवास्मिन्नेतद्दधाति । स्वाहाकारेण । वृषा वै स्वाहाकारः । वीर्यं वै वृषा । वीर्यमेवास्मिन्नेतद्दधाति । त्रिष्टुभा । वज्रो वै त्रिष्टुप् । वीर्यं वै वज्रः । वीर्यं त्रिष्टुप् । वीर्येणैवास्मिन्नेतद्वीर्यं दधाति ॥ २४ ॥

स वाऽअर्धर्चमनुद्रुत्य स्वाहाकरोति । अस्थि वाऽऋक् । इदं तच्छीर्षकपालं विहाप्य यदिदमन्तरतः शीर्ष्णो वीर्यम्—तदस्मिन्दधाति ॥ २५ ॥

न केवलमभिहोमस्य यज्ञियत्वमेव प्रयोजनमपि तु तस्य वीर्यत्वमपीत्याह—यद्वेवेति । एतत्पुरुषशीर्षम् 'अभि'—लक्ष्य ' जुहोति ' इति ' यत्, ' तेन ' शीर्षन् ' शीर्ष्णि ' वीर्यं दधाति ' । " शीर्षँश्छन्दसि "—(पा. सू. ६ । १ । ६०) इति शिरःशब्दस्य शीर्षन्नादेशः । तत उत्तरस्याः सप्तम्याः " सुपां सुलुक् "—(पा. सू. ७ । १ । ३९) इत्यादिना लुक् । एतदेव वीर्यनिधानमभिहोमसाधनभूताज्यस्रुवादीनां मध्ये प्रत्येकसाध्यतया दर्शयति—आज्येनेत्यादिना । आज्यस्य वज्रत्वं तैत्तिरीयके श्रुतम्—" घृतं खलु वै देवा वज्रं कृत्वा सोममघ्नन् "—(तै. सं. ६ । २ । २) इति । वज्रस्य प्रहरणरूपत्वाद्वीर्यत्वम् । वृषा वै स्रुव इति । ' वृषा ' पुरुषः, स्रुवस्य पुँल्लिङ्गत्वाद्वृषत्वम् । वृष्णश्च वीर्यत्वाद्वीर्याधानहेतुत्वमिति । स्वाहाकारस्याप्येवमेव वीर्यत्वम् । वज्रो वै त्रिष्टुबिति । त्रिष्टुभो रजोहननसाधनत्वसादृश्याद्वज्रता । तथा च वज्रस्य वीर्यरूपत्वात्त्रिष्टुभोऽपि वीर्यतया त्रिष्टुबात्मकेन ' वीर्येणैव ' हेतुना ' अस्मिन् ' पुरुषशिरसि ' वीर्यं दधाति ' ॥ २४ ॥

" चित्रं देवानामुदगाद् "—इत्यस्याभिहोममन्त्रस्य पूर्वेणार्द्धेनैकाहुतिः क्रियते । अपरेण चान्या । अत एव कात्यायनः—" चित्रं देवानामित्यर्धर्चशः स्रुवाहुतिः "—(का. श्रौ. सू. १७ । १ । १७) इति । तत्र पूर्वार्द्धर्चसाध्यामाहुतिं दर्शयति—स वा अर्द्धर्चमिति । ' सः ' खलु अध्वर्युः ' अर्द्धर्चमनुद्रुत्य ' स्वाहाकारेणैकामाहुतिं सम्पादयेदित्यर्थः । ननु किमर्थमर्द्धर्चे स्वाहाकरणमित्यत आह अस्थि वा ऋगिति । ऋचोऽस्थ्यात्मकत्वं पादबन्धेन दार्ढ्ययोगात् । ऋचो दार्ढ्यं तैत्तिरीयके—" यदृचा तद् दृढम् "—इति (तै. सं. ६।५।१०) । तथा च सति ऋचो विभागेन 'तद्' 'इदं' पुरुषसम्बन्धि 'शीर्षकपालं' 'विहाप्य' विभिद्य, "ओहाक् त्यागे "—(धा. पा. जु. प. ८) ण्यन्तस्य ल्यपि रूपम् । ' शीर्ष्णः ' शिरसोऽन्तरे ' यदिदम् ' अत्र विद्यमानं ' वीर्यम्, ' तदस्मिन् ' निदधाति । आज्यस्वाहाकारयोर्वीर्यात्मकत्वादित्यर्थः ॥ २५ ॥

(त्यु) अथोत्तरमर्धर्चमनुद्रुत्य स्वाहाकरोति । (ती) इदं तुच्छीर्षकपालꣳ संधाय यदिदमुपरिष्टाच्छीर्ष्णो व्वीर्यं तदस्मिन्दधाति ॥ २६ ॥

चित्रं देवानामुदगादनीकमिति । (त्य) असौ वाऽआदित्यऽएष पुरुषस्तदेतच्चित्रं देवानामुदेत्यनीकं चक्षुर्मित्रस्य व्वरुणस्याग्नेरित्युभयेषाꣳ हैतद्देवमनुष्याणां चक्षुराऽप्रा द्यावापृथिवीऽअन्तरिक्षमित्युद्यन्वाऽएष इमाँल्लोकानापूरयति सूर्यऽआत्मा जगतस्तस्थुषश्चेत्येष ह्यस्य सर्वस्यात्मा यच्च जगद्यच्च तिष्ठति ॥ २७ ॥

अथोत्तरमर्धर्चमनुद्रुत्य स्वाहाकरोति । इदं तच्छीर्षकपालं सन्धाय यदिदमुपरिष्टाच्छीर्ष्णो वीर्यं तदस्मिन्दधाति ॥ २६ ॥

"चित्रं देवानामुदगादनीकम्"–इति । असौ वा आदित्य एष पुरुषः । तदेतच्चित्रं देवानामुदेत्यनीकम् । **"चक्षुर्मित्रस्य वरुणस्याग्नेः"**–इति । उभयेषां हैतद्देवमनुष्याणां चक्षुः । **"आऽप्रा द्यावापृथिवीऽअन्तरिक्षम्"**–इति । उद्यन्वाऽएष इमांल्लोकानापूरयति । **" सूर्य आत्मा जगतस्तस्थुषश्च "**–(वा. सं. १३ । ४६) इति । एष ह्यस्य सर्वस्यात्मा । यच्च जगद्, यच्च तिष्ठति ॥ २७ ॥

अथोत्तरार्द्धर्चसाध्यामाहुतिं दर्शयंस्तत्राप्युपयोगमाह–**अथेति** । **इदं तदिति** । पूर्वमन्तरे वीर्यनिधानार्थं कपालभेदनात्पुनस्तत्कपालं ' सन्धाय ' शिरसि उपरितनं ' वीर्यम् ' अत्र निहितवान् भवति ॥ २६ ॥

' स वा अर्द्धर्चमनुद्रुत्य ' इत्यादिना सूचितं मन्त्रं दर्शयन् व्याचष्टे–**चित्रं देवानामिति** । ' एषः ' उपधीयमानः ' पुरुषः ' ' असौ ' परिदृश्यमानः ' आदित्यः ' खलु, आदित्यस्य सर्वात्मकत्वात् । आदित्यमण्डलं च ' देवानाम् ' रश्मीनां ' चित्रम् ' ' अनीकम् ' समुदायः । तथा सति अस्य पुरुषस्योपधानेन ' तदेतच्चित्रं देवानामनीकमुदेति ' अत उच्यते–" चित्रं देवानामुदगादनीकम् "–इति मन्त्रेणेत्यर्थः । " चक्षुर्मित्रस्य वरुणस्याग्नेः " 'इति' एवं मित्रादिदेवताग्रहणमन्येषामप्युपलक्षणम् । उभयान्प्रत्यस्य प्रकाशकत्वसाधारण्यादिति दर्शितम्–**उभयेषामिति** । **उद्यन्वा इति** । उदयमानः सन् ' एषः ' आदित्यः ' इमान् ' पृथिव्यादीन् ' लोकानापूरयति ' प्राणैः समर्थयति चेष्टयतीत्यर्थः । एतच्च तैत्तिरीयके श्रूयते–" असौ य आपूर्यति, स सर्वेषां भूतानां प्राणैरापूर्यति "–(तै. आ. १।१४) इति । अत उक्तम्–**आऽप्रा इति** । " प्रा पूरणे "–(धा. पा. अ. प. ५१) लङि रूपम् । ' सूर्य आत्मा जगतस्तस्थुषश्च '–इत्यनेन स्थावरजङ्गमात्मकस्य सर्वस्य जगतोऽयं ' सूर्यः ' चेष्टकत्वेनान्तर आत्मेति विवक्षितमित्याह–**एष हीति** । ' जगत् ' गच्छत् जङ्गमात्मकं जगत्, ' तिष्ठत् ' स्थावरात्मकम् । " अन्येभ्योऽपि दृश्यते "–(पा. सू. ३ । २ । १७८) इत्यत्र " द्युति–गमि–जुहोतीनां द्वे च "–(सू. वा. २ ।) इति क्विपि द्विर्वचने " गमः क्वौ " (पा. सू. ६ । १ । ७१) इति मलोपे " ह्रस्वस्य पिति " (पा. सू. ६ । ४ । ४०) इति तुकि च जगदिति भवति ॥ २७ ॥

(त्यु) अथोत्सर्गैरुपतिष्ठते । (त५) एतद्वै यत्रैतान्प्रजापतिः पशूनालिप्सत तऽआलिप्स्यमानाऽ अशोचंस्तेषामेतैरुत्सर्गैः शुचं पाप्मानमपाहंस्तथो-वैषामयमेतदेतैरुत्सर्गैः शुचं पाप्मानमपहन्ति ॥ २८ ॥

तद्धैके । यंयमेव पशुमुपदधति तस्यतस्य शुचमुत्सृजन्ति नेच्छुचं पाप्मानमभ्युपदधामहाऽइति ते ह ते शुचं पाप्मानमभ्युपदधति याᳬं हि पूर्वस्य शुचमुत्सृजन्ति तामुत्तरेण सहोपदधति ॥ २९ ॥

विपरिक्राममु हैकऽउपतिष्ठन्ते । (न्त५) ऊर्ध्वाᳬं शुचमुत्सृजाम ऽइति ते ह ते शुचं पाप्मानमनूद्यन्त्यूर्ध्वो ह्येतेन कर्मणैत्यूर्ध्वामु शुचमुत्सृजन्ति ॥ ३० ॥

अथोत्सर्गैरुपतिष्ठते । एतद्वै यत्रैतान्प्रजापतिः पशूनालिप्सत । तऽआलिप्स्यमाना अशोचन् । तेषामेतैरुत्सर्गैः शुचं पाप्मानमपाहन् । तथैवैषामयमेतदेतैरुत्सर्गैः शुचं पाप्मानमपहन्ति ॥ २८ ॥

तद्धैके—यं यमेव पशुमुपदधाति तस्य तस्य शुचमुत्सृजन्ति । नेच्छुचं पाप्मानमभ्युपदधामहाऽइति । ते ह ते शुचं पाप्मानमभ्युपदधति । यां हि पूर्वस्य शुचमुत्सृजन्ति तामुत्तरेण सहोपदधाति ॥ २९ ॥

विपरिक्राममु हैकऽउपतिष्ठन्ते । ऊर्ध्वां शुचमुत्सृजाम इति । ते ह ते शुचं पाप्मानमनूद्यान्ति । ऊर्ध्वो ह्येतेन कर्मणैति । ऊर्ध्वामु शुचमुत्सृजन्ति ॥ ३० ॥

अग्निहोमानन्तरमुपहितानां पुरुषशिरःप्रभृतीनां पशुशिरसामुत्सर्गनामकैर्मन्त्रैरुपस्थानं विधत्ते—अथेति । विहितमन्त्रसाध्यस्योपस्थानस्य प्रयोजनाभिधानं प्रतिजानीते—एतद्वा इति । 'एतत्' खलु प्रयोजनमित्यर्थः । तदेव दर्शयति—यत्रैतानिति । 'यत्र' यस्मिन् प्रस्तावे 'प्रजापतिः' 'एतान्' पुरुषमुख्यान् 'पशून्' आलब्धुमैच्छत् तदा 'आलिप्स्यमानास्ते' 'अशोचन्' आलम्भस्य शोकहेतुत्वात् । ततः 'तेषाम्' शोकरूपं पापम् 'एतैः' वक्ष्यमाणैरुत्सर्गमन्त्रैरपहतवान् । तथैवायमपि यजमान एतेनोपस्थानेन 'एषाम्' शोकरूपं पापम् 'अपहन्ति'। "मयुं पशुं मेधमग्ने जुषस्व" इत्यादिना आरण्यपशूत्सर्गप्रतिपादनेन तेषामुत्सर्गत्वं शोकोत्सर्गहेतुत्वाद्वा ॥ २८ ॥

अत्र पशूनामपि शीर्षाणामुपधानानन्तरमुत्सर्गमन्त्रैरुपस्थानमिति स्वकीयमतम्, तथैवोक्तत्वात् । अपरे पुनरत्रानुष्ठानक्रमे किञ्चिद्वैषम्यमाचक्षते, तन्मतं दूषयितुमनुवदति—तद्धैके इति । तथा कुर्वतां च तेषामाशयमाह—नेदिति । पूर्वमुपहितस्य पशोः शोकमुत्सारितमभिलक्ष्यैवोत्तरपशोरुपधानं स्यात् । अतस्तन्मा भूदिति तथा कुर्वन्तीत्यर्थः । तन्मतं दूषयति—ते हेति । तथाविधाभिप्रायवन्तः 'ते' खलु याज्ञिकाः शोकरूपं पापम् 'अभि' लक्ष्यैव 'उपदधति' । यतः पूर्वस्य पशोः 'यां' 'शुचम्' 'उत्सृजन्ति' 'ताम्' एव 'उत्तरेण' 'सहोपदधति' । निवृत्तसजातीयानुवृत्तिभावादित्यर्थः ॥ २९ ॥

अथैतेषामेवोपस्थाने केषाञ्चिच्छाखिनां प्रकारविशेषं दूषयितुमनुवदति—विपरिक्राममिति[2] । पशूनां 'शुचमूर्ध्वाम्' 'उत्सृजामः' इति केचिद्विपरिक्रम्य विपरिक्रम्योपतिष्ठन्ते । उत्क्रमणपूर्वकत्वाद्विपरिक्रमणस्येति तथो-

---

१—अपधायापिधाय वा तस्य तस्य यथालिंगम् । का. श्रौ. सू. १७ । १२० । २—उत्सां परिक्राममेके । का. श्रौ. सू. १७।११९।

बाह्येनैवाग्निमुत्सृजेत् । (दि) इमे वै लोका ऽएषोऽग्निरेभ्यस्तल्लोकेभ्यो बहिर्धा शुचं दधाति बहिर्वेदीयं वै वेदिरस्यै तद्बहिर्धा शुचं दधात्युदङ् तिष्ठन्नेतस्याँ ह दिश्येते पशवस्तद्यत्रैते पशवस्तदेवैष्वेतच्छुचं दधाति ॥ ३१ ॥

पुरुषस्य प्रथममुत्सृजति । तँ हि प्रथममुपदधातीमं मा हिँसीर्द्विपादं पशुमिति द्विपाद्वा ऽएष पशुर्यत्पुरुषस्तं मा हिँसीरित्येतत्सहस्राक्षो मेधाय चीयमान ऽइति हिरण्यशकलैर्वा ऽएष सहस्राक्षो मेधायेत्यन्नायेतन्मयुं

बाह्येनैवाग्निमुत्सृजेत् । इमे वै लोकाः । एषोऽग्निः । एभ्यस्तल्लोकेभ्यो बहिर्धा शुचं दधाति । बहिर्वेदि । इयं वै वेदिः । अस्यै तद्बहिर्धा शुचं दधाति । उदङ्तिष्ठन् । एतस्यां ह दिश्येते पशवः । तद्यत्रैते पशवः । तदेवैष्वेतच्छुचं दधाति ॥ ३१ ॥

पुरुषस्य प्रथममुत्सृजति । तं हि प्रथममुपदधाति । "इमं मा हिंसीर्द्विपादं पशुम्"–इति । द्विपाद्वाऽएष पशुर्यत्पुरुषः । तं मा हिंसीरित्येतत् । "सहस्राक्षो मेधाय चीयमानः"–इति । हिरण्यशकलैर्वाऽएष सहस्राक्षः । "मेधाय" इति अन्नायेत्येतत् । "मयुं पशुं मेधमग्ने जुषस्व"–

परस्थाने शोक ऊर्ध्व एवोत्सृष्टो भवतीति तेनोपतिष्ठन्त इति भावः । तदपि दूषयति–ते ह ते इति । तथाविधाभिप्रायवन्तः ते शोकरूपं पापम् 'अनूद्यन्ति' विपरिक्रमणार्थमुद्गमने कृते शोकं प्रत्यनुगतवन्तो भवन्ति । अतो न तथा कुर्यात् । कथं तर्हि शोक ऊर्ध्वमुत्सृष्टो भवतीति तत्राह–ऊर्ध्वो हीति । 'एतेन' उपधानलक्षणेन कर्मणा 'ऊर्ध्वः' अध्वर्युः 'एति' उत्तरोत्तरमेतेषां शिरसामुपधानात् । अतस्तेनैव 'ऊर्ध्वाम्' 'उत्सृजन्ति' । व्यत्ययेन बहुवचनम् (पा. सू. ३।१।८५) प्रयोगबहुत्वापेक्षं वा ॥ ३० ॥

अग्नेर्बहिर्देशे शोकमुत्सृजेदित्याह–बाह्येनेति । अग्नेर्बाह्यदेशेनोपलक्षिते शुचमुत्सृजेदित्यर्थः । 'अग्निम्' इति षष्ठ्यर्थे द्वितीयाव्यत्ययो द्रष्टव्यः (पा. सू. ३।१।८५) 'इमे वै लोकाः' इत्यस्यायमर्थः । अग्नेः प्रजापत्यात्मकत्वेन तत्पृथिव्यादिलोकात्मनोक्तत्वात्तस्य बहिर्देशे शोकोत्सर्जनेन 'लोकेभ्यः' एव शोको 'बहिर्द्धा' भवतीति । 'बाह्येनैवाग्निम्' इत्यनेनाग्निप्रदेशव्यतिरिक्तदेशे विधानाद्वेदिमध्येऽपि स्यादित्यत आह–बहिर्वेदीति । वेद्या बहिः "अपपरिबहिरञ्चवः पञ्चम्या"–(पा. सू. २ । १ । १२ ।) इत्यव्ययीभावसमासः । बहिर्वेदि शोकोत्सर्गो वेद्याः कृत्स्नपृथिव्यात्मकत्वात्, तस्या बहिरेव शोक उत्सृष्टो भवतीति दर्शितम्–'इयं वै' इत्यादिना । उत्तरस्यां दिशि वक्ष्यमाणा मयुप्रभृतयः 'पशवः' अवतिष्ठन्त इति तत्र शोकनिधानाय उदङ्मुखस्तिष्ठन् उत्सृजेदित्याह–उदङ् तिष्ठन्निति ॥ ३१ ॥

उत्सर्गमन्त्रैरुपस्थानं तत्र स्वाभिमतप्रकारं देशविशेषमध्वर्योरवस्थानविशेषं च प्रदर्श्योपधानक्रमेणैव पुरुषस्य शोकं पूर्वमुत्सृजेदित्याह–पुरुषस्येति । तत्र मन्त्रविशेषं प्रदर्शयन् पादशो विभज्य व्याचष्टे–इमं मा हिंसीरिति । द्विपाद् इति–"सङ्ख्यासुपूर्वस्य"–(पा. सू. ५ । ४ । १४०) इति पादशब्दान्त्यस्य लोपः । हिरण्य-

---

१–बहिर्वेद्युदङ् तिष्ठन्नुपतिष्ठते उत्सर्गैरिमम्मा हिंसीरिति प्रतिमंत्रम् । का. श्रौ. सू, १७ । ११८ ।

पशुं मेधमग्ने जुषस्वेति किम्पुरुषो वै मयुः किम्पुरुषमग्ने जुषस्वेत्येतत्तेन चिन्वानुस्तुन्वो निषीदेत्यात्मा वै तनूस्तेन चिन्वानुऽआत्मानꣳ सुंस्कुरुष्वेत्येतन्मयुं ते शुगृच्छतु यं द्विष्मस्तं ते शुगृच्छत्विति तन्मयौ च शुचं दधाति यं च द्वेष्टि तस्मिंश्च ॥ ३२ ॥

(श्वा) अथाश्वस्य । (स्ये) इमं मा हिꣳसीरेकशफं पशुमित्येकशफो वाऽएष पशुर्यदश्वस्तं मा हिꣳसीरित्येतत्कनिक्रदं वाजिनं वाजिनेष्विति कनिक्रदो वाऽएष वाज्यु वाजिनेषु गौरमारण्यमनु ते दिशामीति तदस्मै गौरमारण्यमनुदिशति तेन चिन्वानुस्तुन्वो निषीदेति तेन चिन्वानु आत्मानꣳ संस्कुरुष्वेत्येतद्गौरं ते शुगृच्छतु यं द्विष्मस्तं ते शुगृच्छत्विति तद्गौरे च शुचं दधाति यं च द्वेष्टि तस्मिंश्च ॥ ३३ ॥

इति । किम्पुरुषो वै मयुः । किम्पुरुषमग्ने जुषस्वेत्येतत् । "तेन चिन्वानस्तन्वो निषीद"–इति । आत्मा वै तनूः । तेन चिन्वान आत्मानं संस्कुरुष्वेत्येतत् । " मयुं ते शुगृच्छतु यं द्विष्मस्तं ते शुगृच्छतु "– (वा. सं. १३।४७) इति । तन्मयौ च शुचं दधाति, यं च द्वेष्टि तस्मिंश्च॥३२॥

अथाश्वस्य । " इमं मा हिंसीरेकशफं पशुम् "–इति । एकशफो वाऽएष पशुः–यदश्वः । तं मा हिंसीरित्येतत् । " कनिक्रदं वाजिनं वाजिनेषु "–इति । कनिक्रदो वाऽएष वाज्यु वाजिनेषु । " गौरमारण्यमनु ते दिशामि "–इति । तदस्मै गौरमारण्यमनुदिशति । " तेन चिन्वानस्तन्वो निषीद "–इति । तेन चिन्वान आत्मानं संस्कुरुष्वेत्येतत् । " गौरन्ते शुगृच्छतु, यं द्विष्मस्तं ते शुगृच्छतु " (वा. सं. १३ । ४८) इति । तद् गौरे च शुचं दधाति, यं च द्वेष्टि तस्मिंश्च ॥ ३३ ॥

शकलैर्वा एष सहस्राक्ष इति । ' सहस्र ' शब्दो बहुत्वस्य लक्षणार्थः । हिरण्यशकलानामत्र सहस्रसङ्ख्यानामभावात् । अथवोत्तरत्र सहस्रसङ्ख्याकैर्हिरण्यशकलैः प्रोक्ष्यमाणत्वात्तदभिप्रायेण सहस्रसङ्ख्याहिरण्यशकलानां प्रकाशकत्वेनाक्षितोपचारः । आत्मा वै तनूरिति । तेनाधिष्ठितत्वादित्यर्थः । स्पष्टमन्यत् । मन्त्रस्यायमर्थः । हे अग्ने ! ' हिरण्यशकलैः ' ' सहस्राक्षो ' ' मेधाय ' ' चीयमानः ' त्वं 'पशूनां' मध्ये ' द्विपादम् ' ' इमम् ' पुरुषं ' मा हिंसीः ' यदि तव भक्ष्यापेक्षाऽस्ति, तर्हि आरण्यं किम्पुरुषम् उत्सृजामि, तेन किम्पुरुषेण आत्मानं पोषयन् संस्कुरुष्व, ते सम्बन्धिनी शुङ् मयुं प्राप्नोतु ॥ ३२ ॥

अथाश्वस्य शोकोत्सर्गमन्त्रं प्रदर्शयन् पूर्ववद् व्याचष्टे–अथेति । कनिक्रदो वा एष इति । 'एषः' अश्वः 'कनिक्रदः' अत्यर्थं क्रन्दिता, ' वाजिनेषु ' वेगवत्सु ' वाजी ' अत्यर्थं वेगयुक्तः । ' गौरम् ' सिंहम् । स्पष्टार्थमन्यत् ॥ ३३ ॥

१–महीधरस्तु ' गौरं ' गौरवर्णं मृगमिति व्याचख्यौ ।

(श्रा) अथ गोः । (रि) इमꣳ साहस्रꣳ शतधारमुत्समिति साहस्रो वाऽएष शतधारऽउत्सो यद्गौर्व्यच्यमानꣳ सरिरस्य मध्यऽइतीमे वै लोकाः सरिरमुपजीव्यमानमेषु लोकेष्वित्येतद्घृतं दुहानामदितिं जनायेति घृतं वाऽएषाऽदितिर्जनाय दुहेऽग्ने मा हिꣳसीः परमे व्योमन्नितीमे वै लोकाः परमं व्योमैषु लोकेष्वेनं मा हिꣳसीरित्येतद्गवयमारण्यमनु ते दिशामीति तदस्मै गवयमारण्यमनुदिशति तेन चिन्वानस्तन्वो निषीदेति तेन चिन्वानऽआत्मानꣳ संस्कुरुष्वेत्येतद्गवयं ते शुगृच्छतु यं द्विष्मस्तं ते शुगृच्छत्विति तद्गवये च शुचं दधाति यं च द्वेष्टि तस्मिंश्च ॥ ३४ ॥

(श्रा) अथावेः । (रि) इममूर्णायुमित्यूर्णावलमित्येतद्वरुणस्य नाभिमिति वारुणो ह्यविस्त्वचं पशूनां द्विपदां चतुष्पदामित्युभयेषाꣳ ह्येष पशूनां त्वग्द्विपदां च चतुष्पदां च त्वष्टुः प्रजानां प्रथमं जनित्रमित्येतद्ध

अथ गोः । "इमं साहस्रं शतधारमुत्सम्"–इति । साहस्रो वाऽएष शतधार उत्सो–यद्गौः । "व्यच्यमानं सरिरस्य मध्ये"–इति । इमे वै लोकाः सरिरम् । उपजीव्यमानमेषु लोकेष्वित्येतत् । "घृतं दुहानामदितिं जनाय"–इति । घृतं वाऽएषाऽदितिर्जनाय दुहे । "अग्ने मा हिंसीः परमे व्योमन्"–इति । इमे वै लोकाः परमं व्योम । एषु लोकेष्वेनं मा हिंसीरित्येतत् । "गवयमारण्यमनु ते दिशामि"–इति । तदस्मै गवयमारण्यमनुदिशति । "तेन चिन्वानस्तन्वो निषीद"–इति । तेन चिन्वान आत्मानं संस्कुरुष्वेत्येतत् । "गवयं ते शुगृच्छतु, यं द्विष्मस्तं ते शुगृच्छतु"–(वा. सं. १३।४९) इति । तद् गवये च शुचं दधाति । यं च द्वेष्टि तस्मिंश्च ॥३४॥

अथावेः । "इममूर्णायुम्"–इति । ऊर्णावलमित्येतत् । "वरुणस्य नाभिम्"–इति । वारुणो ह्यविः । "त्वचं पशूनां द्विपदां चतुष्पदाम्"–इति । उभयेषां ह्येष पशूनां त्वग्–

अथ गोः शोकोत्सर्गमन्त्रं प्रदर्शयन् व्याचष्टे–अथ गोरिति । साहस्रो वा इति । 'गौः' इति 'यत्', 'एषः' 'साहस्रः' सहस्राक्षः, सजातीयधेनुद्वारा शतसङ्ख्याकक्षीरधारासम्पन्नः, अत एव 'उत्सः' कूपः (निघं. ३।२३ । १०) । तस्यानेकजलधारावाहित्वादस्य चानेकक्षीरधारावाहित्वादुत्सत्वोपचारः । घृतं वा एषेति । 'अदितिः' अखण्डनीया अदीना वा 'एषा' गौः 'जनाय' 'घृतम्' 'दुहे', क्षीरादिद्वारा तस्य सम्पादनात् । अत्रापि सजातीयधेनुद्वारा घृतदोहनम्, तदपेक्षं वाऽत्र स्त्रीलिङ्गम् । 'दुहे' इति–"लोपस्त आत्मनेपदेषु"–(पा. सू. ७।१।४१) इति तकारलोपः । स्पष्टमन्यत् ॥ ३४ ॥

अथावेः शोकोत्सर्गमन्त्रं प्रदर्शयन् व्याचष्टे–उभयेषां ह्येष इति । 'एषः' अविरूपः पशुः 'उभयेषाम्' 'पशूनाम्' 'द्विपदाम्' मनुष्याणां 'चतुष्पदाम्' अश्वादीनां च 'त्वग्'–रूपं भवति । स्वकीयत्वचा तेषा-

त्वष्टा प्रथमᳫँ रूपं विचकाराग्ने मा हिᳫँसीः परमे व्योमन्नितीमे वै लोकाः परमं व्योमैषु लोकेष्वेनं मा हिᳫँसीरित्येतदुष्ट्रमारण्यमनु ते दिशामीति तदस्मा ऽउष्ट्रमारण्यमनुदिशति तेन चिन्वानस्तन्वो निषीदेति तेन चिन्वान ऽआत्मानᳫँ संस्कुरुष्वेत्येतदुष्ट्रं ते शुगृच्छतु यं द्विष्मस्तं ते शुगृच्छत्विति तदुष्ट्रे च शुचं दधाति यं च द्वेष्टि तस्मिंश्च ॥ ३९ ॥

(श्रा) अथाजस्य । (स्या) अजो ह्यग्नेरजनिष्ट शोकादिति यद्वै प्रजापतेः शोकादजायत तदग्नेः शोकादजायत सो ऽअपश्यज्जनितारमग्र ऽइति प्रजापतिर्वै जनिता सोऽपश्यत्प्रजापतिमग्र ऽइत्येतत्तेन देवा देवतामग्रमायन्निति वाग्वा ऽअजो वाचो वै देवा देवतामग्र ऽआयंस्तेन रोहमायन्नुप मेध्यास ऽइति स्वर्गो वै लोको रोहस्तेन स्वर्गं लोकमायन्नुप मेध्यास ऽइत्य-

---

द्विपदां च चतुष्पदां च । " त्वष्टुः प्रजानां प्रथमं जनित्रम् "–इति । एतद्ध त्वष्टा प्रथमं रूपं विचकार । " अग्ने मा हिंसीः परमे व्योमन् "–इति । इमे वै लोकाः परमं व्योम । एषु लोकेष्वेनं मा हिंसीरित्येतत् । " उष्ट्रमारण्यमनु ते दिशामि "–इति । तदस्मा ऽउष्ट्रमारण्यमनुदिशति । " तेन चिन्वानस्तन्वो निषीद "–इति । तेन चिन्वान आत्मानं संस्कुरुष्वेत्येतत् । " उष्ट्रं ते शुगृच्छतु यं द्विष्मस्तं ते शुगृच्छतु "–(वा० सं० १३ । ५०) इति । तद् उष्ट्रे च शुचं दधाति । यं च द्वेष्टि तस्मिंश्च ॥ ३९ ॥

अथाजस्य । " अजो ह्यग्नेरजनिष्ट शोकात् "–इति । यद्वै प्रजापतेः शोकादजायत–तदग्नेः शोकादजायत । " सोऽअपश्यज्जनितारमग्रे "–इति । प्रजापतिर्वै जनिता । सोऽपश्यत्प्रजापतिमग्रऽइत्येतत् । " तेन देवा देवतामग्रमायन् "–इति । वाग्वाऽअजः । वाचो वै देवा देवतामग्र आयन् । " तेन रोहमायन्नुप मेध्यासः "–इति । स्वर्गो वै लोको रोहः, तेन स्वर्गं लोकमायन् उप मेध्यास इत्येतत् । "शरभमारण्यमनु ते दिशामि"–इति । तदस्मै शरभमारण्य-

---

माच्छादनात् । मनुष्यास्तावच्छीतनिवारणायाविजेन कम्बलेन शरीरमाच्छादयन्ति । चतुष्पादोऽश्वा बलीवर्दाश्च स्वभारवहने मार्दवाय पृष्ठे कम्बलेनाच्छादिता भवन्ति । एतद्धेति । 'त्वष्टा' प्रजानां निर्माता देवः । प्रजानां मध्ये ' एतद् '–' रूपम् ' अविरूपं पशुं ' प्रथमम् ' ' विचकार ' उत्पादितवान् । अत उक्तं ' त्वष्टुः '–इति । विशदार्थमन्यत् ॥ ३९ ॥

अथाजस्य मन्त्रं दर्शयन्व्याचष्टे–अथेति । यद्वा इति । ' प्रजापतेः ' ' शोकादजायत ' इति यत्, तेन ' अग्नेः ' एव ' शोकादजायत ' तस्य तदात्मकत्वात् । अत एव प्रागुक्तम्–" अग्निर्वा एषोऽग्नेरध्यजायत "–(श. प. ७ । ५ । २ । २१) इति । प्रजापतिर्वा इति । सर्वोत्पादकत्वात् 'प्रजापतिर्जनिता' खलु ' सः ' जातोऽजः प्राक् ' प्रजापतिम् ' ' अपश्यत् ' । अत उक्तम्–' सोऽअपश्यद् ' इति । " प्रकृत्याऽन्तःपादमव्यपरे "–(पा. सू. ६ । १ । ८३ ।) इति प्रकृतिभावात्–" एङः पदान्तादति "–(पा. सू. ६ ।

तच्छरभमारण्यमनु ते दिशामीति तदस्मै शरभमारण्यमनुदिशति तेन चिन्वानस्तन्वो निषीदेति तेन चिन्वानऽआत्मानॐ संस्कुरुष्वेत्येतच्छरभं ते शुगृच्छतु यं द्विष्मस्तं ते शुगृच्छत्विति तच्छरभे च शुचं दधाति यं च द्वेष्टि तस्मिंश्च ॥ ३६ ॥

तदाहुः । (यां) यां वै तत्प्रजापतिरेतेषां पशूनाॐ शुचं पाप्मानमपाहंस्तऽएते पञ्च पशवोऽभवंस्तऽएतऽउत्क्रान्तमेधाऽअमेध्याऽअयज्ञिया-स्तेषां ब्राह्मणो नाश्नीयात्तानेतस्यां दिशि दधाति तस्मादेतस्यां दिशि पर्ज्जन्यो न वर्षुको यत्रैते भवन्ति ॥ ३७ ॥

मनुदिशति । " तेन चिन्वानस्तन्वो निषीद "–इति । तेन चिन्वान आत्मानं संस्कुरुष्वे-त्येतत् । " शरभं ते शुगृच्छतु यं द्विष्मस्तं ते शुगृच्छतु "–(वा० सं० १३ । ५१) इति । तच्छरभे च शुचं दधाति, यं च द्वेष्टि–तस्मिंश्च ॥ ३६ ॥

तदाहुः–यां वै तत्प्रजापतिरेतेषां पशूनां शुचं पाप्मानमपाहन्–तऽएते पञ्च पशवोऽभवन् । तऽएत-ऽउत्क्रान्तमेधाः, अमेध्याः, अयज्ञियाः । तेषां ब्राह्मणो नाश्नीयात् । तानेतस्यां दिशि दधाति । तस्मा-देतस्यां दिशि पर्जन्यो न वर्षुको यत्रैते भवन्ति ॥ ३७ ॥

---

१ । १०९) इति पूर्वरूपत्वं न भवति । तेन देवा इति । अजस्य वागात्मकत्वं तज्जन्यत्वात् । तत्पुनः प्रागु-क्तम्–" वाचोऽजम् "–(श.प.७।५।२।६) इति । ' देवाः ' खलु ' अग्रे ' वाचमिमामाश्रित्य देवत्वमाप्नुवन् । 'वाचः' इति "ल्यब्लोपे पञ्चमी" (पा. सू. १ । ४ । ३१ । वा. १) । स्तोत्रशस्त्रादिरूपया वाचा यज्ञ-निष्पत्तेर्यज्ञस्य च देवत्वप्राप्तिहेतुत्वाद्वाचमाश्रित्य देवत्वं प्राप्नुवन्नित्यर्थः । उप मेध्यास इति । मेधार्हाः यज्ञार्हा इत्यर्थः । " आज्जसेरसुक् "–(पा. सू. ७ । १ । ५०) इत्यसुगागमः । ' शरभो ' नाम सिंहघातकः कश्चिन्मृगविशेषः । स्पष्टमन्यत् ॥ ३६ ॥

अथानुदेश्यानां मयुप्रभृतीनां पशूनां शोकादेवोत्पत्तिं ब्राह्मणस्य तदभक्ष्यतां च दर्शयन् दिग्विशेषे तेषां नेधानमाह–तदाहुरिति । ' तत् ' तदा पश्वालम्भानन्तरं ' प्रजापतिरेतेषाम् ' पुरुषादीनां ' पशूनाम् ' ' यां ' शुचम् ' पशुपापरूपामपहतवान् । सैव ' एते ' मयुप्रभृतयः ' पञ्च पशवोऽभवन् ' इति । ' तत् ' तत्र पशुविषये वेदविद आहुः । अतः ' ते ' पशवः ' उत्क्रान्तमेधाः ' तस्यैवार्थप्रदर्शनम्–' अमेध्या ' इति । एतस्यैव विवरणम्–' अयज्ञियाः ' इत्यपि । अतश्च ' तेषाम ' मध्ये कमपि पशुं ' ब्राह्मणो नाश्नीयात् ' तथाविधाननाद्यान्पशून् ' एतस्याम् ' ' दिशि, ' ' एतस्याम् ' इत्यभिनयेनोत्तरदिशो निर्देशः, तत्र 'निदधाति'। ' तस्मादेतस्याम् ' उत्तरस्यां दिशि ' पर्जन्यो ' न वर्षति ' यत्रैते ' पशवोऽवतिष्ठन्त इति कृत्वेत्यर्थः । उत्तरस्यां दिशि कश्चिन्मरुभूमौ पर्जन्यो न वर्षतीति प्रकृता मृगा अपि तत्रैव प्रचुरा इति सिद्धम् ॥ ३७ ॥

प्रत्येत्याग्निमुपतिष्ठते । (त८) एतद्वाऽएतदयथायथं करोति यदग्नौ सामिचिते बहिर्व्वेद्येति तस्माऽएवैतन्निह्नुतेऽहिꣳसायाऽआग्नेय्याऽग्नय-ऽएवैतन्निह्नुते गायत्र्या गायत्रोऽग्निर्यावानग्निर्यावत्यस्य मात्रा तावतै-वास्माऽएतन्निह्नुतेऽनिरुक्तया सर्व्वं वा ऽअनिरुक्तꣳ सर्व्वेणैवास्माऽएतन्नि-ह्नुते यविष्ठवत्यैतद्वास्य प्रियं धाम यद्यविष्ठ ऽइति यद्वै जात ऽइदꣳ सर्व्वमयुवत तस्माद्यविष्ठः ॥ ३८ ॥

(स्त्वं) त्वं यविष्ठ दाशुष ऽइति । यजमानो वै दाश्वान्नॄः पाहीति मनुष्या

प्रत्येत्याग्निमुपतिष्ठते । एतद्वाऽएतदयथायथं करोति–यदग्नौ सामिचिते बहिर्वेद्येति । तस्मा-ऽएवैतन्निह्नुतेऽहिंसायै । आग्नेय्या । अग्नयऽएवैतन्निह्नुते । गायत्र्या । गायत्रोऽग्निः । यावानग्नि-र्यावत्यस्य मात्रा–तावतैवास्माऽएतन्निह्नुते । अनिरुक्तया । सर्वं वाऽअनिरुक्तम् । सर्वेणैवास्मा ऽएतन्निह्नुते । यविष्ठवत्या । एतद्वास्य प्रियं धाम–यद्यविष्ठ इति । यद्वै जात इदं सर्वमयुवत । तस्मा-द्यविष्ठः ॥ ३८ ॥

" त्वं यविष्ठ दाशुषः "-इति । यजमानो वै दाश्वान् । " नॄंः पाहि "-इति । मनुष्या

उपस्थानानन्तरं पुनरग्निसमीपमागत्योपतिष्ठत इत्याह–प्रत्येत्येति । तत्र कारणं प्रतिजानीते–एतद्वा इति । तदेवाह–एतदिति । ' अग्नौ ' ' सामिचिते ' अर्द्धचिते ' बहिर्वेद्येति ' इति यत्, एतेन तत्कर्म ' अयथा-यथम् ' यथास्वं यथायथम्, यथाक्रमं न भवतीत्यर्थः । तथा कृतवान्भवति । अत उपस्थानेनाहिंसार्थं ' तस्मै ' अग्नये ' एतत् ' निह्नवनं करोति, निह्नवनमपनयः । बहिर्वेदिगमननिबन्धनमपराधं परिमार्ष्टीत्यर्थः । उपस्थान-मन्त्र आग्नेयो गायत्रोऽनिरुक्तो यविष्ठशब्दयुक्तश्च भवेदित्याह–आग्नेय्येत्यादिना । अग्नेर्गायत्रत्वं षष्ठकाण्डे (श.प.६।१।१।१५) प्रदर्शितम् । अनिरुक्तयेति । अविस्पष्टदेवतया, यत्र देवताविशेषवाचकं पदं नास्ति तद् ' अनिरुक्तम् ' । यविष्ठशब्दस्तु गुणवचनो न पुनरिन्द्रादिशब्दवत् कस्यचिद्देवताविशेषस्य वाचकः । अनिरुक्त-त्वादेवास्याग्नेयत्वम् । अनिरुक्तो मन्त्र आग्नेयः प्राजापत्यो वा भवतीत्यनिरुक्तस्य सर्वत्वं साधारण्यात्, तत्पुनर्दे-वताविशेषाप्रतिपादकत्वात् । एतद्धेति । ' अस्य ' अग्नेः ' यविष्ठ ' इति ' यत् ' ' एतत् ' पदं ' प्रियं धाम ' नामधेयम् । अथाग्नौ यविष्ठपदप्रवृत्तिनिमित्तं दर्शयति–यद्वा इति । यतोऽयमग्निर्विराड्रूपत्वाद् ' इदं सर्वम् ' कृत्स्नमपि जगद् ' अयुवत ' मिश्रितवान् व्याप्तवानित्यर्थः । ' तस्माद् ' असावग्निः ' यविष्ठः ' । ' अयुवत ' इति " यु मिश्रणामिश्रणयोः "-(धा. पा. अ. प. २३) इत्येतस्य लङि, व्यत्ययेन (पा. सू. ३ । १ । ८५ ।) शब्विकरणे रूपम् । ' यविष्ठ ' इति " यु मिश्रणे "-(धा. पा. अ. प. २३) तस्य पचाद्यचि (पा. सू. ३ । १ । १३४ ।) यवशब्दात् (पा. सू. ५ । ३ । ५५) इष्ठन्प्रत्यये रूपम् । इष्ठन्प्रत्ययस्य तद्धितत्वात्तद्धितानां च प्रातिपदिकादित्यधिकारात्प्रातिपदिकात्स्वाद्युत्पत्तेः । इदं सर्वमयुवत तस्माद्यविष्ठ इत्यर्थ-प्रदर्शनमात्रे तात्पर्यं, युधातोरिष्ठनि यविष्ठशब्द इति प्रतिपाद्यते ॥ ३८ ॥

मन्त्रं व्याचष्टे–त्वं यविष्ठेति । हविरादेर्दातृत्वाद् ' यजमानो ' ' दाश्वान् ' " दाश्टृ दाने "-

१-एत्य च त्वं यविष्ठेति चित्योपस्थानम् । का. श्रौ. सू. । १७ । १२३ ।

वै नुरः शृणुधी गिरऽइति शृणु नऽ इमाᳫं स्तुतिमित्येतद्रक्षा तोकमुत त्मनेति प्रजा वै तोकᳫं रक्ष प्रजां चात्मानं चेत्येतत् ॥ ३९ ॥

(द्वा) आरुह्याग्निं जघनेन स्वयमातृण्णां परीत्यापस्याऽउपदधाति । (त्या) आपऽएता यदपस्याऽअथ वाऽएतेभ्यः पशुभ्यऽआपऽउत्क्रान्ता भवन्ति तद्यदपस्याऽउपदधात्येष्वेवैतत्पशुष्वपो दधात्यनन्तर्हिताः पशुभ्यऽउपदधात्यनन्तर्हितास्तत्पशुभ्योऽपो दधाति पञ्चपञ्चोपदधाति पञ्च ह्येते पशवः सर्वतऽउपदधाति सर्वतऽ एवैष्वेतदपो दधाति ॥ ४० ॥

वै नरः । "शृणुधी गिरः"-इति । शृणु न इमां स्तुतिमित्येतत् । "रक्षा तोकमुत त्मना"-(वा. सं. १३ । ५२) इति । प्रजा वै तोकम् । रक्ष प्रजां चात्मानं चेत्येतत् ॥ ३९ ॥

अथ पञ्चदशापस्येष्टकोपधानम्

पञ्चच्छन्दस्येष्टकोपधानञ्च ।

आरुह्याग्निं जघनेन स्वयमातृण्णां परीत्यापस्या उपदधाति । आप एताः-यदपस्याः । अथ वाऽएतेभ्यः पशुभ्य आप उत्क्रान्ता भवन्ति । तद् यदपस्या उपदधाति-एष्वेवैतत्पशुष्वपो दधाति । अनन्तर्हिताः पशुभ्य उपदधाति । अनन्तर्हितास्तत्पशुभ्योऽपो दधाति । पञ्च पञ्चोपदधाति । पञ्च ह्येते पशवः । सर्वत उपदधाति । सर्वत एवैष्वेतदपो दधाति ॥ ४० ॥

(धा. पा. भ्वा. उ. ९०८) इत्यस्मात् " दाश्वान्साह्वान् " इत्यादिना (पा. सू. ३ । २ । १०९) 'दाश्वान्'-शब्दो निपातितः । नॄः पाहीति । " नॄन्पे "-(पा. सू. ८ । ३ । १०) इति नकारस्य रुः । " अत्रानुनासिकः पूर्वस्य तु वा "-(पा. सू. ८ । ३ । २ ।) इत्यनुनासिकादेशः । शृणुधीति । " श्रु-शृ-णु-पॄ-कृ-वृभ्यश्छन्दसि "-(पा. सू. ६ । ४ । १०२ ।) इति हेर्धिरादेशः । रक्षा तोकामिति । 'रक्षा' इति " द्व्यचोऽतस्तिङः "-(पा. सू. ६ । ३ । १३५) इति दीर्घः । त्मनेति । "मन्त्रेष्वाङ्यादेरात्मनः" (पा. सू. ६ । ४ । १४१) इति आदिलोपः । हे यविष्ठ ! अग्ने त्वं 'दाशुषो' यजमानस्य, 'नॄन्' मनुष्यान्पाहि । 'नः' अस्माकम् 'गिरः' स्तुतिरूपा वाचः 'शृणु' । न केवलं यजमानसम्बन्धिमनुष्यपालनं त्वया कार्यम् । अपि तु आत्मना सहितं 'तोकम्' प्रजां सन्ततिम् (निघं. २ । २ । २) 'रक्ष' इति मन्त्रार्थः ॥ ३९ ॥

उपस्थानानन्तरमग्निं पश्चाद्भागेनारुह्य स्वयमातृण्णां प्रदक्षिणीकृत्य गत्वा अपस्याख्या इष्टका उपदध्यादित्याह-**आरुह्याग्निमिति**[1] । अपस्योपधाने प्रयोजनं दर्शयितुं तावदेतासामबात्मकत्वमाह-**आप एता** इति । तत्प्रयोजनमाह-**अथ वा** इति । 'अथ' खलु आलम्भसमये 'एतेभ्यः' पुरुषादिभ्यः 'पशुभ्य आप उत्क्रान्ता भवन्ति' । अतश्चापस्यानामुपधाने तासामबात्मकत्वादेतेषु 'पशुष्वेवापः' निहितवान्भवति । तासां पशुशिरःस्वव्यवधानेनोपधानमाह-**अनन्तर्हिता** इति । एकैकस्मिन्प्रदेशे पञ्च पञ्चोपदध्यादित्याह-**पञ्च-पञ्चेति** । पञ्च पञ्च स[illegible]सु दिक्षूपधेया इत्याह-**सर्वत** इति ॥ ४० ॥

१-अपरेण स्वयमातृण्णामेत्यापस्याः पंच पंचानूकांतेष्वपां त्वेमन्निति प्रतिमंत्रम् । का. श्रौ. सू. १७ । १२४ ।

तद्याः पञ्चदश पूर्वाः। (स्तु) ता ऽअपस्या व्वज्रो वाऽआपो व्वज्रः पञ्चदशस्तस्माद्येनापो यन्त्यपैव तत्र पाप्मानं घ्नन्ति व्वज्रो हैव तस्यार्धस्य पाप्मानमपहन्ति तस्माद्वर्षत्यप्रावृतो व्व्रजेदयं मे व्वज्रः पाप्मानमपहनदिति ॥ ४१ ॥

(त्यु) अथ याः पञ्चोत्तराः। (स्तु) ताश्छन्दस्याः पशवो वै छन्दाᳬंस्यन्नं पशवोऽन्नमु पशोर्माᳬंसमथ वाऽएतेभ्यः पशुभ्यो माᳬंसान्युत्क्रान्तानि भवन्ति तद्यच्छन्दस्या ऽउपदधात्येष्वेवैतत्पशुषु माᳬंसानि दधात्यनन्तर्हिताः पशुभ्य ऽउपदधात्यनन्तर्हितानि तत्पशुभ्यो माᳬंसानि दधात्यन्तरा ऽअपस्या भवन्ति बाह्याश्छन्दस्या ऽअन्तरा ह्यापो बाह्यानि माᳬंसानि ॥ ४२ ॥

तद्याः पञ्चदश पूर्वाः। ता अपस्याः। वज्रो वाऽआपः। वज्रः पञ्चदशः। तस्माद्येनापो यन्ति–अपैव तत्र पाप्मानं घ्नन्ति। वज्रो हैव तस्यार्धस्य पाप्मानमपहन्ति। तस्माद्वर्षत्यप्रावृतो व्रजेत्। अयं मे वज्रः पाप्मानमपहनदिति ॥ ४१ ॥

अथ याः पञ्चोत्तराः–ताश्छन्दस्याः। पशवो वै छन्दांसि। अन्नं पशवः। अन्नमु पशोर्मांसम्। अथ वाऽएतेभ्यः पशुभ्यो मांसान्युत्क्रान्तानि भवन्ति। तद्यच्छन्दस्या उपदधाति–एष्वेवैतत्पशुषु मांसानि दधाति। अनन्तर्हिताः पशुभ्य उपदधाति। अनन्तर्हितानि तत्पशुभ्यो मांसानि दधाति। अन्तरा अपस्या भवन्ति, बाह्याश्छन्दस्याः। अन्तरा ह्यापो, बाह्यानि मांसानि ॥ ४२ ॥

प्रतिदिशं पञ्चानामुपधाने विंशतिः सम्पद्यन्ते। तत्र याः पञ्चदश पूर्वा इष्टकास्ता अपस्याख्या भवन्तीत्याह–तद्या इति। पञ्चदशसङ्ख्यानामेवापस्यात्वमुपपादयति–वज्रो वा इत्यादिना। अपां वज्रत्वं नैशित्यात्पर्यन्तसेत्रनात्। तदेव श्रूयते–"तस्मादिन्द्रोऽबिभेत्स प्रजापतिमुपाधावच्छत्रुर्मेऽजनीति तस्मै वज्रं सिक्त्वा प्रायच्छदेतेन जहीति" (तै. सं. २।५।२) इति। पञ्चदशस्य वज्रात्मकत्वं वीर्यवत्त्वात्। तत्पुनः प्रजापतेर्वीर्यवत्प्रदेशादुत्पत्तेः। अत एव श्रूयते–"उरसो बाहुभ्यां पञ्चदशं निरमिमीत" इत्यारभ्य "तस्मात्ते वीर्यावन्तो वीर्याद्ध्यसृज्यन्त" (तै. सं. ७।१।१) इति। यत एवम्, 'तस्माद्येन' मार्गेण 'आपो यन्ति' 'तत्र पाप्मानमपघ्नन्त्येव' अपां वज्रत्वात्। 'वज्र एव' खलु 'तस्य' भागस्य 'पाप्मानमपहन्ति'। 'तस्मात्' पापहननादेव 'वर्षति' पर्जन्ये 'अयं वज्रः' 'मे पाप्मानम्' अपहन्त्विति 'अप्रावृत' एव 'व्रजेत्'॥४१॥

अपस्याभ्यः पञ्चदशभ्य उत्तराः पञ्चेष्टका विद्यन्ते ताश्छन्दस्या इत्याह–अथेति। छन्दस्यानामुपधानेन पशुत्क्रान्तमांसप्रतिविधानं भवतीत्याह–पशवो वा इत्यादिना। पशूनां छन्दस्त्वं यज्ञसाधनत्वात्, अथ वा जगत्यानीतत्वात्, एतत्तैत्तिरीयके श्रूयते–"जगत्युदपतच्चतुर्दशाक्षरा सती साऽप्राप्य न्यवर्तत तस्यै द्वे अक्षरे अमीयेतां सा पशुभिश्च दीक्षया चागच्छत्"–(तै. सं ६।१।६) इति। 'अन्नमु पशोर्मांसम्' इत्यनेन 'अन्नं पशवः' इत्येतदुपपादितम्। एवञ्च सति छन्दस्यानां पश्वात्मकत्वेन मांसरूपत्वात्, आलम्भावसरे

१-श.प. १।१।१।१७।

तदाहुः । (यं) यदिमाऽआपऽएतानि माꣳसान्यथ क्व त्वक्क्व लोमे- त्यन्नं वाव पशोस्त्वगन्नं लोम तद्यच्छन्दस्याऽउपदधाति सैव पशोस्त्वक्त- ल्लोमाथो यान्यमून्युखायामजलोमानि तानि लोमानि बाह्योखा भवत्यन्त- राणि पशुशीर्षाणि बाह्यानि हि लोमान्यन्तरऽआत्मा यदीतरेण यदीतरेणेति ह स्माह शाण्डिल्यः सर्वानेव वयं कृत्स्नान्पशून्त्संस्कुर्मऽइति ॥ ४३ ॥

यद्वेवापस्याऽ उपदधाति । प्रजापतेर्विस्रस्तादापऽ आयंस्तास्वितास्व- विशद्यदविशत्तस्माद्विꣳशतिस्ताऽअस्याङ्गुलिभ्योऽध्यस्रवन्नन्तो वाऽ- अङ्गुलयोऽन्ततऽएवास्मात्ताऽआपऽआयन् ॥ ४४ ॥

तदाहुः-यदिमा आपः, एतानि मांसानि-अथ क्व त्वक्, क्व लोमेति । अन्नं वाव पशोस्त्वक्, अन्नं लोम । तद्यच्छन्दस्या उपदधाति । सैव पशोस्त्वक् । तल्लोम । अथो यान्यमून्युखायामजलोमानि । तानि लोमानि । बाह्योखा भवति, अन्तराणि पशुशीर्षाणि । बाह्यानि हि लोमानि, अन्तर आत्मा । यदीतरेण यदीतरणेति ह स्माह शाण्डिल्यः । सर्वानेव वयं कृत्स्नान्पशून्त्संस्कुर्म इति ॥ ४३ ॥

यद्वेवापस्या उपदधाति-प्रजापतेर्विस्रस्तादाप आयन् । तास्वितास्वविशत् । यदविशत्-तस्माद्विंशतिः । ता अस्याङ्गुलिभ्योऽध्यस्रवन् । अन्तो वाऽअङ्गुलयः । अन्तत एवास्मात्ता आप आयन् ॥ ४४ ॥

उत्क्रान्तानि मांसानि पुनरेतेषु प्रतिनिहितवान्भवति । तासामप्यपस्यावदव्यवधानेनोपधानमाह-अनन्तर्हिता- नीति । अपामुदरमध्यवर्तित्वेनान्तरत्वान्मांसानां ततो बाह्यत्वम् । तथैवापस्या अन्तराः, छन्दस्या बाह्या भवेयुरित्याह-अन्तरा अपस्या इति । उक्तप्रकारेण पशुष्वापो मांसानि च सम्पादितानि नैतावता तेषां कार्त्स्न्यं सम्पद्यते, किं पुनस्ततोऽपि बाह्ययोस्त्वग्लोम्नोरपि कारणत्वेनान्नत्वात्, छन्दस्यानां चान्नात्मकत्वस्योक्तत्वात्तदुप- धानेनैव तयोरप्युपधानं सम्पादितमिति तत्रोत्तरं दर्शितम्-अन्नं वाव पशोरिति ॥

प्रकारान्तरेण पशूनां लोमसम्पत्तिमाह-अथो इति । कृष्णाजिनलोमानुबद्धया मृदोखाया निर्माणात्, उखायां यानि चाजलोमानि सन्ति तान्येव पशूनां लोमानि भवन्ति । लोमाधारत्वेनोखाया अभिधाना- दुखा लोमानीत्यभिप्रेत्य 'बाह्योखा भवति' इत्यादिनोक्तस्यैवार्थस्योपपादनम् । त्वग्लोमसम्पादने उक्तं पक्ष- द्वयमप्यभिमतमित्याह-यदीति । 'यदीतरेण' अन्येन प्रकारेण तत्सम्पादनं भवति, तर्हि तथैवास्तु, अथवा 'इतरेण प्रकारान्तरेण यदि भवति, तर्हि तथैवास्त्वित्यन्योन्यापेक्षया उभयोरपीतरत्वम् । अपस्याद्युपधनेनान्नादि- सम्पादनं केन विवक्षितमिति तत्राह-इति ह स्माह शाण्डिल्य इति । तेनापि केनाभिप्रायेणैवमुक्तमित्यत आह-सर्वानेवेति । 'सर्वानेव पशून्' 'कृत्स्नान्' कार्त्स्न्येन 'संस्कुर्मः' सर्वावयवसम्पादनेन समृद्धान् कुर्म इत्यभिप्रायेण तथोक्तमित्यर्थः ॥ ४२ ॥ ४३ ॥

प्रकारान्तरेणाप्यपस्यानामुपधानं प्रशंसति-यद्वेवेति । विस्रस्तावयवात् 'प्रजापतेः' 'आप आयन्' निर्गताः । ततः 'तासु' निर्गतासु 'अविशत्' उपविष्टवान् अपां निर्गमने दौर्बल्याद्गन्तुमक्षमस्तत्रैवोपविष्टवा-

(न्त्स) स यः स प्रजापतिर्व्यस्त्रꣳसत । (ताय) अयमेव स योऽयमग्निश्चीयतेऽथ या ऽअस्मात्ता ऽआप ऽआयन्नेतास्ता ऽअपस्यास्तद्यदेता ऽउपदधाति या ऽएवास्मात्ता ऽआप ऽआयंस्ता ऽअस्मिन्नेतत्प्रतिदधाति तस्मादेता ऽअत्रोपदधाति ॥ ४५ ॥

(त्य) अपां त्वेमन्त्सादयामीति । व्वायुर्वाऽअपामेम यदा ह्येवैषऽइतश्चेतश्च व्वात्यथापो यन्ति व्वायौ ताꣳ सादयति ॥ ४६ ॥

(त्य) अपां त्वोद्मन्त्सादयामीति । (त्यो) ओषधयो वाऽअपामोद्म यत्र ह्याप ऽउन्दन्त्यस्तिष्ठन्ति तदोषधयो जायन्तऽओषधिषु ताꣳ सादयति ॥ ४७ ॥

स यः स प्रजापतिर्व्यस्रंसत–अयमेव सः–योऽयमग्निश्चीयते । अथ या अस्मात्ता आप आयन्–एतास्ता अपस्याः । तद्यदेता उपदधाति–या एवास्मात्ता आप आयन्–ता अस्मिन्नेतत्प्रतिदधाति । तस्मादेता अत्रोपदधाति ॥ ४५ ॥

" अपां त्वेमन्त्सादयामि "–इति (१) । वायुर्वाऽअपामेम । यदा ह्येवैष इतश्चेतश्च वाति–अथापो यन्ति । वायौ तां सादयति ॥ ४६ ॥

" अपां त्वोद्मन्त्सादयामि "–इति (२) । ओषधयो वाऽअपामोद्म । यत्र ह्याप उन्दन्त्य-स्तिष्ठन्ति–तदोषधयो जायन्ते । ओषधिषु तां सादयति ॥ ४७ ॥

नित्यर्थः । ततश्च वेशनसाधनत्वादपस्या ' विंशतिः ' सम्पन्नाः । यद्यपि " तद्याः पञ्चदश पूर्वास्ता अपस्याः " इत्युक्तम् (श. प. ७।९।२।४१) । तथापि च्छन्दस्यासाहित्येनात्र विंशतिरित्युक्तम् । सर्वासां वा अपस्या-शब्देनाभिधानं भूमलिङ्गात् सृष्टीरुपदधातीतिवत् । अथवा " तद्या अस्यैतेभ्यश्छन्दोभ्य आप आयन् "–इति (श. प. ७।९।२।६१) वक्ष्यमाणत्वात्सर्वा अपस्या भवन्तीति । आपो निर्गमनाधारे ' अस्याङ्गुलिभ्योऽध्य-स्रवन्' । निर्गच्छन्तीनामपाम् ' अस्य ' प्रजापतेः ' अन्ततो ' निर्गमनादङ्गुलीनां चान्तत्वादिति ॥ ४४ ॥

एवमपि ' सः ' 'यः' 'प्रजापतिर्व्यस्रंसत ' 'सोऽयमेव' 'यः' इदानीम् ' अग्निश्चीयते ' ' अथ ' प्रजापतेः सकाशाद् ' या आपः ' निर्गताः ' ता अपस्याः ' ततश्चैतासामत्रोपधाने ततो निर्गता अप एव ' प्रतिदधाति ' ॥ ४९ ॥

अथ क्रमेण तासामुपधाने मन्त्रान्प्रदर्शयन् व्याचष्टे–**अपां त्वेमन्नित्यादिना** (का. श्रौ. सू. १७ । १२४) । ' यदा हि ' ' एषः ' ' वायुः ' ' इतश्चेतश्च वाति ' । तदा ' आपो यन्ति ' चलन्ति । अतश्च वायुरनेन यन्त्याप इति व्युत्पत्त्या ' एम ' । " इण् गतौ " (धा. पा. अदा. प. ३९) इत्यस्माद् " अन्येभ्योऽपि दृश्यन्ते " (पा. सू. ३ । २ । १७९) इति मनिन्प्रत्ययः । स च व्यत्ययेन–(पा. सू. ३ । १ । ८९) करणे द्रष्टव्यः । " एमन्नादिषु च्छन्दसि पररूपं वक्तव्यम् " (पा. सू. ६ । १ । ७० । वा. १) इति पररूपत्वम् । **यत्र हीति** । ' आपो यत्र ' प्रदेशे ' उन्दन्त्यस्तिष्ठन्ति ' तत्र ' ओषधयः '

(त्य) अपां त्वा भस्मन्त्सादयामीति। (त्य) अभ्रं वाऽअपां भस्माभ्रे ताᳬं सादयति ॥ ४८ ॥

(त्य) अपां त्वा ज्योतिषि सादयामीति। विद्युद्वाऽअपां ज्योतिर्विद्युति ताᳬं सादयति ॥ ४९ ॥

(त्य) अपां त्वाऽयने सादयामीति। (ती) इयं वाऽ अपामयनमस्याᳬं ह्यापो यन्त्यस्यां ताᳬं सादयति तद्या ऽअस्यैतेभ्यो रूपेभ्यऽ आपऽआयंस्ता ऽअस्मिन्नेतत्प्रतिदधात्यथोऽएतान्येवास्मिन्नेतद्रूपाणि दधाति ५०

(त्य) अर्णवे त्वा सदने सादयामीति। प्राणो वाऽअर्णवः प्राणे ताᳬं सादयति ॥ ५१ ॥

"अपां त्वा भस्मन्त्सादयामि"–इति (३)। अभ्रं वा अपां भस्म। अभ्रे तां सादयति ॥ ४८ ॥

"अपां त्वा ज्योतिषि सादयामि"–इति (४)। विद्युद्वाऽअपां ज्योतिः। विद्युति तां सादयति ॥ ४९ ॥

"अपां त्वाऽयने सादयामि"–इति (५)। इयं वाऽअपामयनम्। अस्यां ह्यापो यन्ति। अस्यां तां सादयति। तद्या अस्यैतेभ्यो रूपेभ्य आप आयन्–ता अस्मिन्नेतत्प्रतिदधाति। अथोऽएतान्येवास्मिन्नेतद्रूपाणि दधाति ॥ ५० ॥

"अर्णवे त्वा सदने सादयामि"–इति (६)। प्राणो वाऽअर्णवः। प्राणे तां सादयति ॥ ५१ ॥

'जायन्ते' इत्यविकरणव्युत्पत्त्या 'अग्नामोघ्न ओषधयः'। "उन्दी क्लेदने" (धा. पा. रु. प. १९) इत्यस्मात्पूर्ववन्मनिन्प्रत्ययः। छान्दसे अनुनासिकलोपे गुणे च 'ओद्मन्' इति भवति। पूर्ववत्पररूपत्वम्। **अभ्रं वा अपां भस्मेति**। 'अभ्रं' मेघः, स चाप्सु निर्गतासु निःसारत्वाद् 'अपां भस्म' इत्युच्यते। एवं भस्म मेघः। 'भस्मन्' इति। "सुपां सुलुक्"–(पा. सू. ७। १। ३९) इत्यादिना सप्तम्या लुक्। "न ङिसम्बुद्ध्योः"–(पा. सू. ८। २। ८) इति नलोपाभावः ॥ ४६–४९ ॥

इयं वा अपामयनमिति। सर्वा अप्यापः पृथिवीमधिष्ठायैव प्रवहन्तीति। **तद्या इति**। 'तत्' तदा विस्रंसनावसरे खलु 'अस्य' प्रजापतेः 'एतेभ्यः' वाय्वादिभ्यो 'रूपेभ्य आपः' निर्गताः तथाविधाः 'ताः' अप एवैतस्मिन् प्रजापतौ 'प्रतिदधाति'। न केवलमपामेव प्रतिधानम्, अपि तु येभ्यो रूपेभ्य आपः निर्गतास्तेषामपि तदा निर्गतत्वात् तान्यपि पुनः 'अस्मिन्' योजयति। उक्तमन्त्रसाध्योपधानाः पञ्चेष्टकाः पूर्वस्यां दिशि उपदध्यात्। एवं वक्ष्यमाणमन्त्रसाध्योपधाना अपीष्टकाः पञ्च पञ्च दक्षिणादिषु दिक्षूपधेयाः। 'प्राणो वा अर्णवः' अर्णो जलम् (निघं. १। १२। १) तद्वान्। 'अर्णः' शब्दान्मत्वर्थीये वप्रत्यये "अर्णसो लोपश्च" (पा. सू. ५।२।१०९ वा. २) इति सकारलोपः। अर्णवत्वं च प्राणवता जलस्य पीयमानत्वादिति ॥ ५० ॥ ५१ ॥

समुद्रे त्वा सदने सादयामीति । मनो वै समुद्रो मनसो वै समुद्राद्वा-
चाऽभ्र्या देवास्त्रयीं विद्यां निरखनंस्तदेष श्लोकोऽभ्युक्तो ये समुद्रान्निरख-
नन्देवास्तीक्ष्णाभिरभ्रिभिः । सुदेवोऽअद्य तद्विद्याद्यत्र निर्वपणं दधुरिति
मनः समुद्रो वाक्तीक्ष्णाऽभ्रिस्त्रयी विद्या निर्वपणमेतदेष श्लोकोऽभ्युक्तो
मनसि ताᳪं सादयति ॥ ५२ ॥

सरिरे त्वा सदने सादयामीति । वाग्वै सरिरं वाचि ताᳪं सादयति ॥५३॥
(त्य) अपां त्वा क्षये सादयामीति । चक्षुर्वाऽअपां क्षयस्तत्र हि सर्व-
देवापः क्षियन्ति चक्षुषि ताᳪं सादयति ॥ ५४ ॥

(त्य) अपां त्वा सधिषि सादयामीति । श्रोत्रं वाऽअपाᳪं सधिः श्रोत्रे

"समुद्रे त्वा सदने सादयामि"–इति(७)।मनो वै समुद्रः । मनसो वै समुद्राद्वाचाऽभ्र्या देवा-
स्त्रयीं विद्यां निरखनन्। तदेष श्लोकोऽभ्युक्तः–" ये समुद्रान्निरखनन्, देवास्तीक्ष्णाभि-
रभ्रिभिः । सुदेवोऽअद्य तद्विद्याद् यत्र निर्वपणं दधुः"–इति । मनः समुद्रः,वाक्तीक्ष्णाऽभ्रिः।
त्रयी विद्या निर्वपणम् । एतदेष श्लोकोऽभ्युक्तः । मनसि तां सादयति ॥ ५२ ॥

" सरिरे त्वा सदने सादयामि "–इति (८) । वाग् वै सरिरम् । वाचि तां
सादयति ॥ ५३ ॥

" अपां त्वा क्षये सादयामि "–इति (९) । चक्षुर्वाऽअपां क्षयः । तत्र हि सर्वदेवापः
क्षियन्ति । चक्षुषि तां सादयति ॥ ५४ ॥

" अपां त्वा सधिषि सादयामि "–इति (१०) । श्रोत्रं वाऽअपां सधिः। श्रोत्रे तां साद-

---

तदेष श्लोकोऽभ्युक्त इति । 'समुद्राद्वाचाऽभ्र्या देवास्त्रयीं विद्यां निरखनन्' इत्यस्मिन्नर्थे 'एषः' वक्ष्यमाणो मन्त्रः 'अभ्युक्तः' इति प्रतिज्ञा,-तत्र 'ये समुद्रात्' इत्यारभ्य 'यत्र निर्वपणं दधुः' इत्यन्तो मन्त्रः । एतस्मिन्मन्त्रे स्वयमेव प्रकृतोपयोगीनि पदानि व्याचष्टे–मनः समुद्र इति । 'समुद्रात्' इति पञ्चम्यन्तस्य पदस्यार्थो मनः । 'तीक्ष्णाभिरभ्रिभिः' इत्यस्य वागर्थ इत्याह–वाक् तीक्ष्णाऽभ्रिरिति । 'निर्वपणम्' इत्यस्य च 'त्रयी' ऋग्यजुःसामलक्षणा 'विद्या' अर्थः । पुनः 'तदेष श्लोकः' इत्युपसंहारः । अत उक्तप्रकारेण 'समुद्रो मनः' इति मनस्येव 'ताम्' इष्टकां 'सादयति' ॥ ५२ ॥

वाग्वै सरिरमिति । सरणवत्त्वेन 'वाक्' सलिलं खलु, अतः 'वाचि ताम्' सादितवान्भवति ॥ ५३ ॥

तत्र हीति । 'तत्र' चक्षुषि 'सर्वदेवापः क्षियन्ति' निवसन्ति खलु, अतश्चक्षुरपां क्षयः ॥ ५४ ॥

अत्र 'अपां सधिः' इति 'सधिः' शब्देन स्थानमुच्यते । श्रोत्रस्यान्तरार्द्रीभावात् । एतच्च तैत्तिरीयके श्रूयते–" तस्मादार्द्रा अन्तरतः प्राणाः " (तै. सं. ६ । २ । ११) इति ॥ ५५–५६ ॥

ताᳪं सादयति तद्याऽअस्यैतेभ्यो रूपेभ्य ऽआप ऽआयंस्ता ऽअस्मिन्नेत-
त्प्रतिदधात्यथोऽएतान्येवास्मिन्नेतद्रूपाणि दधाति ॥ ५५ ॥

(त्य) अपां त्वा सदने सादयामीति । द्यौर्वाऽअपाᳪं सदनं दिवि
ह्यापः सन्ना दिवि ताᳪं सादयति ॥ ५६ ॥

(त्य) अपां त्वा सधस्थे सादयामीति । (त्य) अन्तरिक्षं वा अपाᳪं
सधस्थमन्तरिक्षे ताᳪं सादयति ॥ ५७ ॥

(त्य) अपां त्वा योनौ सादयामीति । समुद्रो वाऽअपां योनिः समुद्रे
ताᳪं सादयति ॥ ५८ ॥

(त्य) अपां त्वा पुरीषे सादयामीति । सिकता वाऽअपां पुरीषᳪं सिक-
तासु ताᳪं सादयति ॥ ५९ ॥

(त्य) अपां त्वा पाथसि सादयामीति । (त्यु) अन्नं वाऽअपां पाथोऽन्ने

यति । तद्या अस्यैतेभ्यो रूपेभ्य आप आयन् । ता अस्मिन्नेतत्प्रतिदधाति । अथोऽएतान्येवास्मि-
न्नेतद्रूपाणि दधाति ॥ ५५ ॥

" अपां त्वा सदने सादयामि "–इति (११)। द्यौर्वाऽअपां सदनम् । दिवि ह्यापः सन्नाः ।
दिवि तां सादयति ॥ ५६ ॥

" अपां त्वा सधस्थे सादयामि "–इति (१२)। अन्तरिक्षं वाऽअपां सधस्थम् । अन्त-
रिक्षे तां सादयति ॥ ५७ ॥

" अपां त्वा योनौ सादयामि "–इति (१३)। समुद्रो वाऽअपां योनिः । समुद्रे तां
सादयति ॥ ५८ ॥

" अपां त्वा पुरीषे सादयामि "–इति (१४)। सिकता वाऽअपां पुरीषम् । सिकतासु
तां सादयति ॥ ५९ ॥

" अपां त्वा पाथसि सादयामि "–इति (१५)। अन्नं वाऽअपां पाथः। अन्ने तां साद-

---

सधस्थ इति । " सधमादयोश्छन्दसि "–(पा. सू. ६ । ३ । ९६) इति सहशब्दस्य सधादेशः ।
आपोऽस्मिन् सम्भूय तिष्ठन्तीति अन्तरिक्षमपां सधस्थम् ॥ ५७ ॥

समुद्रो वा अपां योनिरिति । समुद्रस्य सकाशादपामुत्पत्तेः ' अपां योनिः समुद्रः ' ॥ ५८ ॥

सिकता वा अपां पुरीषमिति । भुक्तस्य निःसारोंऽशो लोके पुरीषशब्दवाच्यः, तद्वत्सिकतानामपि
निःसारत्वादपां पुरीषत्वम् ॥ ५९ ॥

अन्नं वा इति । ' पाथः ' सारांशः, अन्नस्य तत्सम्पाद्यत्वेन तत्सारत्वादन्नमपां पाथः ॥ ६० ॥

ताᳪं सादयति तद्या ऽअस्यैतेभ्यो रूपेभ्य ऽआप ऽआयंस्ता ऽअस्मिन्नेतत्प्रतिदधात्यथोऽएतान्येवास्मिन्नेतद्रूपाणि दधाति ॥ ६० ॥

गायत्रेण त्वा च्छन्दसा सादयामि । त्रैष्टुभेन त्वा च्छन्दसा सादयामि जागतेन त्वा च्छन्दसा सादयाम्यानुष्टुभेन त्वा च्छन्दसा सादयामि पाङ्क्तेन त्वा च्छन्दसा सादयामीति तद्या ऽअस्यैतेभ्यश्छन्दोभ्य ऽआप ऽआयंस्ता ऽअस्मिन्नेतत्प्रतिदधात्यथोऽएतान्येवास्मिन्नेतच्छन्दाᳪंसि दधाति ॥ ६१ ॥

ता ऽएता ऽअङ्गुलयः । (स्ताः) ताः सर्व्वत ऽउपदधाति सर्व्वतो हीमा अङ्गुलयोऽन्तेषूपदधात्यन्तेषु हीमा ऽअङ्गुलयश्चतुर्धोपदधाति चतुर्धा हीमा ऽअङ्गुलयः पञ्चपञ्चोपदधाति पञ्चपञ्च हीमा ऽअङ्गुलयो नानोपदधाति नाना हीमा ऽअङ्गुलयः सकृत्सकृत्सादयति समानं तत्करोति तस्मात्समानसम्बन्धनाः ॥ ६२ ॥

इति चतुर्थप्रपाठके द्वितीयं ब्राह्मणम् ॥ ७-४-२ ॥ (५. २.) ॥

इति चतुर्थः प्रपाठकः समाप्तः ॥ ७-४ ॥ (कण्डिकासंख्या १००)

इति पञ्चमोऽध्यायश्च समाप्तः ॥ ७-५ ॥

अस्मिन्काण्डे कण्डिकासंख्या ॥ ३९८ ॥

इति माध्यन्दिनीये शतपथब्राह्मणे हस्ति (घ) षद्नामकं सप्तमं काण्डं समाप्तम् ॥ ७ ॥

यति । तद् या अस्यैतेभ्यो रूपेभ्य आप आयन्—ता अस्मिन्नेतत्प्रतिदधाति । अथोऽएतान्येवास्मिन्नेतद्रूपाणि दधाति ॥ ६० ॥

(१) " गायत्रेण त्वा च्छन्दसा सादयामि, (२) त्रैष्टुभेन त्वा च्छन्दसा सादयामि, (३) जागतेन त्वा च्छन्दसा सादयामि, (४) आनुष्टुभेन त्वा च्छन्दसा सादयामि, (५) पाङ्क्तेन त्वा च्छन्दसा सादयामि "—(वा० सं० १३ । ५३) इति । तद् या अस्यैतेभ्यश्छन्दोभ्य आप आयन्—ता अस्मिन्नेतत्प्रतिदधाति । अथोऽएतान्येवास्मिन्नेतच्छन्दांसि दधाति ॥ ६१ ॥

ता एता अङ्गुलयः । ताः सर्वत उपदधाति । सर्वतो हीमा अङ्गुलयः । अन्तेषूपदधाति । अन्तेषु

" गायत्रेण त्वा च्छन्दसा सादयामि "—इत्यादिभिः पञ्चभिर्मंत्रैरुत्तरस्यां दिशि च्छन्दस्या उपदध्यात् । ' गायत्रेण ' इत्यादिषु स्वार्थिकोऽण् प्रत्ययः (पा. सू. ४ । ३ । १२०) । स्पष्टार्थमन्यत् ॥ ६१ ॥

अथासामपस्यानामङ्गुल्यात्मकत्वमाह—ता एता अंगुलय इति । " ता अस्याङ्गुलिभ्योऽध्यस्रवन् "—

हीमा अङ्गुलयः । चतुर्धोपदधाति । चतुर्धा हीमा अङ्गुलयः । पञ्च पञ्चोपदधाति । पञ्च पञ्च हीमा अङ्गुलयः । नानोपदधाति । नाना हीमा अङ्गुलयः । सकृत्सकृत्सादयति । समानं तत् करोति । तस्मात् समानसंबन्धनाः ॥ ६२ ॥

इत्युक्तत्वात् (श. प. ७ । ५ । २ । ४४) ता अपस्या अङ्गुलय इत्यर्थः । उक्तमेवाङ्गुल्यात्मकत्वमुपपादयति—ताः सर्वत उपदधातीत्यादिना । तत्र 'नानोपदधाति' पृथक् पृथगुपदधाति । उपधानमन्त्राः पृथक्पृथग्भवेयुरित्यर्थः । सकृदिति । पञ्चानां पञ्चानां 'सकृत्'—सादनमन्त्रः । न तूपधानमन्त्रवत् प्रतीष्टकमित्यर्थः । एवं च सति तद् इष्टकानां स्वरूपं 'समानं' सम्बद्धं करोति । तस्मादङ्गुलयः पञ्च समानबन्धना एकस्मिन्नेव हस्ते 'पञ्च—पञ्च' संबध्यन्त इत्यर्थः ॥ ६२ ॥

इति श्रीसायणाचार्यविरचिते माधवीये वेदार्थप्रकाशे माध्यन्दिनीयशतपथब्राह्मणभाष्ये
सप्तमकाण्डे पञ्चमेऽध्याये द्वितीयं ब्राह्मणम् ॥ (७–५–२) ॥

वेदार्थस्य प्रकाशेन तमो हार्दं निवारयन् । पुमर्थांश्चतुरो देयाद् विद्यातीर्थमहेश्वरः ॥ १ ॥

ब्रह्माण्डं गोसहस्रं कनकहयतुलापूरुषौ स्वर्णगर्भं,
सप्ताब्धीन्पञ्चसीरीस्त्रिदशतरुलताधेनुसौवर्णभूमीः ।
रत्नोस्रां रुक्मवाजिद्विपमहितरथौ सायणिः सिङ्गणार्यो,
व्यश्राणीद्विश्वचक्रं प्रथितविधिमहाभूतयुक्तं घटं च ॥
धान्याद्रिं धन्यजन्मा तिलभवमतुलः स्वर्णजं वर्णमुख्यः,
कार्पासीयं कृपावान्गुडकृतमजडो राजतं राजपूज्यः ।
आज्योत्थं प्राज्यजन्मा लवणजमनृणः शार्करं चार्कतेजा,
रत्नाढ्यो रत्नरूपं गिरिमकृत मुदा पात्रसात्सिङ्गणार्यः ॥

इति श्रीमद्राजाधिराजपरमेश्वरवैदिकमार्गप्रवर्तकश्रीहरिहरमहाराजसाम्राज्यधुरन्धरेण सायणाचार्येण विरचिते माधवीये वेदार्थप्रकाशे माध्यन्दिनीयशतपथब्राह्मणभाष्ये सप्तमकाण्डे पञ्चमोऽध्यायः॥ (७ । ५)

इति श्रीसायणभाष्यसमेतं समाप्तमिदं हस्ति (घ) षडाख्यं सप्तमं काण्डम् ॥ ७ ॥

ॐ

श्रीमद्वाजसनेयिमाध्यन्दिन-

शतपथब्राह्मणम् ।

सायणभाष्यसमेतम् ।

तत्र

अष्टमं काण्डम् ८ ।

(तत्र चतुर्थाध्यायस्य चतुर्थब्राह्मणमारभ्य काण्डसमाप्तिपर्यन्तं
हरिस्वामिभाष्यसमुल्लसितम् ।)

अथ चितिनामकेऽष्टमकाण्डे प्रथमः प्रपाठकः ।

प्रथमोऽध्यायः प्रारभ्यते ।

तत्र प्रथमं ब्राह्मणम् ।

ओम् । प्राणभृतऽउपदधाति । प्राणा वै प्राणभृतः प्राणानेवैतदुपदधाति ताः प्रथमायां चिताऽउपदधाति पूर्वार्धऽएषोऽग्नेर्यत्प्रथमा चितिः पुरस्तात्तत्प्राणान्दधाति तस्मादिमे पुरस्तात्प्राणाः ॥ १ ॥

(स्ता) ता दशदशोपदधाति । दश वै प्राणा यदु वाऽअपि बहुकृत्वो दश-दश दशैव तत्पञ्चकृत्वो दशदशोपदधाति पञ्च वाऽएतान्पशूनुपदधाति दशदश वाऽएकैकस्मिन्पशौ प्राणास्तदेषु सर्वेषु प्राणान्दधात्युनन्तर्हिताः पशुभ्यऽउपदधात्युनन्तर्हितांस्तत्पशुभ्यः प्राणान्दधाति सर्वतऽउपदधाति सर्वतऽएवैष्वेतत्प्राणान्दधाति ॥ २ ॥

अथ पञ्चाशत्प्राणभृदिष्टकोपधानम् ।

प्राणभृत उपदधाति । प्राणा वै प्राणभृतः । प्राणानेवैतदुपदधाति । ताः प्रथमायां चिताऽउपदधाति । पूर्वार्द्ध एषोऽग्नेः—यत्प्रथमा चितिः। पुरस्तात्तत्प्राणान्दधाति । तस्मादिमे पुरस्तात्प्राणाः॥ १॥

ता दश-दशोपदधाति । दश वै प्राणाः । यदु वाऽअपि बहुकृत्वो दश-दश-दशैव तत् । पञ्चकृत्वो दश-दशोपदधाति । पञ्च वाऽएतान्पशूनुपदधाति । दश-दश वाऽएकैकस्मिन्पशौ प्राणाः, तदेषु सर्वेषु प्राणान्दधाति । अनन्तर्हिताः पशुभ्य उपदधाति । अनन्तर्हितांस्तत्पशुभ्यः प्राणान्दधाति । सर्वत उपदधाति, सर्वत एवैष्वेतत्प्राणान्दधाति ॥ २ ॥

यस्य निःश्वसितं वेदा यो वेदेभ्योऽखिलं जगत् । निर्ममे तमहं वन्दे विद्यातीर्थमहेश्वरम् ॥ १ ॥

गार्हपत्यचयनादिपशुशीर्षापस्येष्टकोपधानपर्यन्तं सप्तमे प्रतिपादितम् । अथाष्टमकाण्डे चितीनामुपधानं प्रपञ्च्यते । तत्र प्रथमचितौ प्राणभृदुपधानं विधत्ते—**प्राणभृत उपदधातीति** । प्राणान् बिभर्ति शरीरे धारयत्याभिरिति वा प्राणलिङ्गोपेतमन्त्रोपधानाद्वा ' प्राणभृतः ' इष्टकाः । श्रुत्या तु प्रकारान्तरेणापि निर्वचनमग्रे करिष्यते । ता उपदध्यादित्यर्थः । तदेतत् प्रशंसति—**प्राणा वा इति** । याः प्राणभृदाख्या इष्टकास्ताश्चक्षुरादिप्राणात्मिकाः खलु । तथा च ' एतत् ' एतेन प्राणभृदुपधानेन अग्नौ ' प्राणानेव ' स्थापितवान्भवति । तासां प्रथमचितावुपधानं विधाय स्तौति—**ताः प्रथमायामिति** । प्रथमचितिरग्निशरीरस्य पूर्वो भागः । तत्र प्राणभृतामुपधानेन प्राणानेव स्थापयतीति ॥ १ ॥

ताः पञ्चाशत्सङ्ख्याकाः प्राणभृतः ' दश—दश ' उपधेयाः । ' दश ' सङ्ख्याकाः खलु ' प्राणाः '—सप्त शीर्षण्याः, द्वाववाञ्चौ, नाभिर्दशमीति । अतः सङ्ख्यासाम्यात् तासां प्राणरूपता सिद्धेति । **यदु वा इत्यादि** ।

यद्देव प्राणभृत उऽउपदधाति । प्रजापतेर्विस्रस्तात्प्राणाऽउदक्रामन्देवता भूत्वा तानब्रवीदुप मेत प्रति मऽएतद्धत्त येन मे यूयमुदक्रमिष्टेति स वै तदन्नꣳ सृजस्व यत्ते व्वयं पश्यन्तऽउपवसामेति ते वाऽउभये सृजामहाऽइति तथेति ते प्राणाश्च प्रजापतिश्चैतदन्नमसृजन्तैताः प्राणभृतः ॥ ३ ॥

यद्देव प्राणभृत उपदधाति । प्रजापतेर्विस्रस्तात्प्राणा उदक्रामन्–देवता भूत्वा । तानब्रवीत्–उप मेत, प्रति मऽएतद्धत्त–येन मे यूयमुदक्रमिष्टेति । स वै–तदन्नं सृजस्व–यत्ते वयं पश्यन्त उपवसामेति । ते वा उभये सृजामहाऽइति । तथेति । ते प्राणाश्च प्रजापतिश्चैतदन्नमसृजन्त–एताः प्राणभृतः ॥ ३ ॥

बहुकृत्वः बहुवारं दशसङ्ख्याका इष्टका उपधीयन्ते 'यत्' तथापि विभज्यमानाः सत्यस्ताः प्राणभृतः 'दशैव' सम्पद्यन्ते । दशसङ्ख्यातानां सङ्ख्यां विधाय स्तौति–पञ्चकृत्वो दश–दशोपदधातीति । 'पञ्चकृत्वः' पञ्चवारम् । पञ्च वा इत्यादि । पञ्चसङ्ख्याकान् हि 'पशून्' अयमध्वर्युः 'उपदधाति' तेषु एकैकस्मिन् 'पशौ' 'दश–दश' 'प्राणाः' 'तत्' तथा सति 'एषु' 'सर्वेषु' पञ्चस्वपि पशुषु प्रत्येकं दश–दश प्राणान् स्थापितवान् भवतीत्यर्थः । उपहितानां पशुशीर्षाणां समीपे तासामुपधानं विधाय स्तौति–अनन्तर्हिताः पशुभ्य इति । 'पशुभ्यः' पशुशीर्षेभ्यः सकाशाद् 'अनन्तर्हिताः' अव्यवहिताः 'तत्' तेन 'पशुभ्यः' 'अनन्तर्हितान्' अव्यवहितानेव 'प्राणान्' स्थापयति । प्राच्याद्यासु पञ्चसु दिक्षु तासामुपधानं विधत्ते–सर्वत उपदधातीति । 'सर्वतः' सर्वासु दिक्षु दश–दशोपदध्यात् । 'सर्वतः' सर्वाभ्यो दिग्भ्यः । गतमन्यत् ॥ २ ॥

प्राणभृदुपधानमनूद्य प्रकारान्तरेण स्तौति–यद्देव प्राणभृत उपदधातीति । 'विस्रस्ताद्' विश्लिष्टावयवात् 'प्रजापतेः' सकाशात् 'प्राणाः' उत्क्रान्ताः । केन रूपेणोदक्रामन्निति तदाह–देवता भूत्वेति । अग्न्याद्यधिष्ठातृदेवतारूपं प्राप्येत्यर्थः । तानब्रवीदित्यादि । प्रजापतिः 'तान्' प्राणान् 'अब्रवीत्' । हे प्राणाः ! यूयं 'मा' माम् 'उपेत' उपगच्छत । "त्वामौ द्वितीयायाः"–इति (पा. सू. ८ । १ । २३) मादेशः । 'मे' मदीयम् 'एतद्' अङ्गम् 'प्रतिधत्त' व्यवहारयोग्यं संस्कुरुत । 'येन' खलु शरीरेण विस्रस्तेन हेतुना हे प्राणाः ! 'यूयमुदक्रमिष्ट' उत्क्रान्ता अभूत । तच्छरीरं यथापूर्वं कुरुतेति सम्बन्धः । एवं प्रजापतिप्रार्थितानां प्राणानां वाक्यम्–स वै तदन्नमित्यादि । हे प्रजापते ! 'सः' तादृशस्त्वमस्मदर्थम् 'अन्नं' 'सृजस्व' 'ते' तव सम्बन्धि सृष्टम् 'यद्' अन्नम् 'पश्यन्तः' वयं तव समीपे 'उपवसामः' उपविशामेति । अथ प्रजापतिस्तानब्रवीत्; 'ते' तथाविधा 'उभये' उभयविधा अहं च यूयं च मिलिताः सन्तस्तदन्नम् 'सृजामहा इति' प्रार्थितवान् । 'ते' अपि 'तथेति' अङ्गीचक्रुः । तदनन्तरम् 'ते' 'प्राणाः' 'प्रजापतिश्च' सम्भूय प्राणभृदिष्टकारूपम् 'अन्नमसृजन्त' इत्यर्थः ॥ ३ ॥

स पुरस्तादुपदधाति । (त्य) अयं पुरो भुव ऽइत्यग्निर्वै पुरस्तद्यत्तमाह पुर ऽइति प्राञ्चꣳ ह्यग्निमुद्धरन्ति प्राञ्चमुपचरन्त्यथ यद्भुव ऽइत्याहाग्निर्वै भुवोऽग्नेर्हीदꣳ सर्वं भवति प्राणो ह्यग्निर्भूत्वा पुरस्तात्तस्थौ तदेव तद्रूपमुपदधाति ॥ ४ ॥

तस्य प्राणो भौवायन ऽइति । प्राणं तस्माद्रूपादग्नेर्निरमिमीत वसन्तः प्राणायन ऽइति वसन्तमृतुं प्राणान्निरमिमीत गायत्री वासन्तीति गायत्रीं

स पुरस्तादुपदधाति । " अयं पुरो भुवः "–इति । अग्निर्वै पुरः । तद्यत्तमाह–पुर इति । प्राञ्चं ह्यग्निमुद्धरन्ति, प्राञ्चमुपचरन्ति । अथ यद्भुव इत्याह । अग्निर्वै भुवः, अग्नेर्हीदं सर्वं भवति, प्राणो ह्यग्निर्भूत्वा पुरस्तात्तस्थौ । तदेव तद्रूपमुपदधाति ॥ ४ ॥

"तस्य प्राणो भौवायनः"–इति । प्राणं तस्माद्रूपादग्नेर्निरमिमीत ।"वसन्तः प्राणायनः"–इति । वसन्तमृतुं प्राणान्निरमिमीत । " गायत्री वासन्ती "–इति । गायत्रीं छन्दो वसन्तादतो-

---

अथ प्राच्यां दिशि प्राणभृदुपधानं समन्त्रकं विवक्ते–स पुरस्तादिति । 'पुरस्तात्' पूर्वस्यां दिशि । सप्तम्यर्थेऽस्तातिः । अत्र " पञ्चाशदिष्टकाः, पञ्चाशद्यजूंषि " इति वचनात् खण्डशः पञ्चाशद्धा विभक्ता मन्त्राः प्रयोक्तव्या इत्येकः पक्षः । विभक्तानां मन्त्रभागानामपरिसमाप्तार्थत्वात्पञ्चैव मन्त्राः; पञ्चाशत्संख्या तु आवृत्त्या पूरणीयेति पक्षान्तरम् ।

अत्र प्रथमपक्षानुसारेण तावद्व्याख्यायते–" अयं पुरो भुवः "–इत्याद्याः पूर्वस्यां दिशि प्राणभृदुपधानमन्त्राः । "अग्निर्वै पुरः" इति पूर्वदिग्वाचिना पुरःशब्देन तत्सम्बद्धोऽग्निरत्र विवक्षित इत्यर्थः ।

एतदेवोपपादयति–तद्यत्तमाहेति । 'तत्' तत्र 'यत्' यस्मात् 'तम्' अग्निम् 'पुरः' 'इत्याह' पुरःशब्दवाच्यतया प्रतिपादयति, तत्कारणमभिधीयत इति शेषः । प्राञ्चं हीत्यादि तत्कारणवर्णनम् । 'प्राञ्चम्' पूर्वदिगभिमुखम् 'अग्निम्' आहवनीयात्मना 'उद्धरन्ति' । तथा 'प्राञ्चम्' प्रागपवर्गम् 'उपचरन्ति' अग्निपरिचर्यां कुर्वन्ति 'हि' यस्मात् तस्मात्पुरःशब्देनाग्निरभिधीयत इत्यर्थः । पक्षान्तरमनूद्य व्याचष्टे–अथ यद्भुव इति । भवत्यस्मादिति व्युत्पत्त्या 'भुव'–शब्दोऽग्निवचनः । उक्तार्थपरतामाह–प्राणो हेति । प्राणवायुरेव हि 'अग्निर्भूत्वा' 'पुरस्तात्' पूर्वस्यां दिशि आहवनीयात्मना 'तस्थौ' स्थितवान् । 'तद्' अग्न्यात्मकं प्राणमेवोपहितवान् भवतीत्यर्थः । इत्थं प्रथमदशके प्रथमो मन्त्रो व्याख्यातः ॥ ४ ॥

द्वितीयं मन्त्रमनूद्य व्याचष्टे–तस्य प्राण इति । भुवस्यापत्यम् 'भौवायनः' स एव प्राणस्याग्नेरनन्तरमुत्पन्नः । प्राणं तस्मादिति । 'तस्मात्' प्रथममन्त्रप्रतिपाद्यादग्न्यात्मकाद्रूपात् 'प्राणम्' 'निरमिमीत'

१–साधारणपरप्राणभृतः कर्णसहिता दश दश पुरुषमुपार्प्यैके रेतःसिग्वेलायां च सर्वतो यथायोगमयं पुर इति प्रतिमंत्रम् । का. श्रौ. सू. १७ । १२५ ।

२–द्वितीयमयं पश्चादिति । का. श्रौ. सूत्रे १७ । १२६ । कर्कः । अत्र चैके खंडशो मंत्रान् प्रयुंजते । पंचाशदिष्टकाः पंचाशद्यजूंषीति वचनात् । तत् पुनरयुक्तम् । वाक्यानामपरिसमाप्तत्वात् । कथं तर्हि यजुषां पंचाशत्त्वम् । अभ्यासेनेत्यदोषः । लिंगाच्च । कथमस्यैताः सर्वाः प्राजापत्या भवंतीति प्रकृत्याह । यदेव सर्वास्वाह प्रजापतिगृहीतया त्वयेत्येवमु हास्यैताः सर्वाः प्राजापत्या भवंतीति । तस्मात्सकलमंत्रप्रयोगो न खंडशः इति ।

छ॒न्दो व्व॑सन्तादृ॒तोर्निर॑मिमीत गायत्र्यै गायत्रमि॑ति गायत्र्यै छन्द॑सो गायत्रꣳ सा॑म निर॑मिमीत गायत्रादु॑पाꣳशुरि॑ति गायत्रात्साम्न॑ऽउपाꣳशुं ग्रहं निर॑मिमीतोपाꣳशोस्त्रि॒व्वृदि॑त्युपाꣳशोर्ग्रहात्त्रि॒व्वृतꣳ स्तोमं॒ निर॑मिमीत त्रि॒व्वृतो॑ रथन्तरमि॑ति त्रि॒व्वृतः॒ स्तोमा॑द्रथन्तरं पृष्ठं॒ निर॑मिमीत ॥ ५ ॥

व्व॑सिष्ठऽऋ॒षिरि॑ति । प्राणो वै व्व॑सिष्ठऽऋ॒षिर्य॑द्वै नु श्रेष्ठ॒स्तेन॑ व्व॑सिष्ठोऽथो यद्व॑स्तृतमो॒ व्व॑सति॒ तेनो॑ऽएव व्व॑सिष्ठः प्र॒जाप॑तिगृहीतया त्वयेति॑ प्र॒जाप॑तिसृष्टया त्वयेत्येत॒त्प्राणं॑ गृह्णामि प्र॒जाभ्य॑ऽइति॒ प्राणं॑ पुरस्तात्प्रा॑पादयत

निरमिमीत । "गायत्र्यै गायत्रम्"–इति । गायत्र्यै छन्दसो गायत्रं साम निरमिमीत । "गायत्रादुपांशुः"–इति । गायत्रात्साम्न उपांशुं ग्रहं निरमिमीत । "उपांशोस्त्रिवृत"–इति । उपांशोर्ग्रहात्त्रिवृतं स्तोमं निरमिमीत । "त्रिवृतो रथन्तरम्"–इति । त्रिवृतः स्तोमाद्रथन्तरं पृष्ठं निरमिमीत ॥ ५ ॥

"वसिष्ठ ऋषिः"–इति । प्राणो वै वसिष्ठ ऋषिः । यद्वै नु श्रेष्ठः–तेन वसिष्ठः । अथो यद्वस्तृतमो वसति–तेनोऽएव वासिष्ठः । "प्रजापतिगृहीतया त्वया"–इति । प्रजापतिसृष्टया त्वयेत्येतत् । "प्राणं गृह्णामि प्रजाभ्यः"–(वा० सं० १३ । ५४) इति । प्राणं पुरस्तात्

निर्मितवान् सृष्टवान् भवतीत्यर्थः । "वसन्तः प्राणायनः" इति तृतीयमन्त्रः । प्राणस्यापत्यम् 'प्राणायनः' । अत्र पूर्वपूर्वमन्त्रप्रतिपाद्यादुत्तरोत्तरमन्त्रप्रतिपाद्यानामुत्पत्तिरिति प्रकरणार्थः । स च प्राणसृष्टः 'वसन्तः' । हे इष्टके ! तदात्मिकां त्वामुपदधामीति सर्वत्र योजना । 'प्राणायनः' इत्यनेन 'प्राणाद्वसन्तमृतुम' सृष्टवानित्यर्थः सिद्धः । वसन्तादुत्पन्नत्वाद् 'गायत्री वासन्ती' । तदेवाह–गायत्रीं छन्दो वसन्तादृतोरिति । तस्या गायत्र्याः सकाशाद् गायत्राख्यं 'साम' सृष्टम् । तदाह–गायत्र्यै छन्दस इति । षष्ठ्यर्थे चतुर्थी (पा. सू. २। ३।६२वा.१) । तस्माच्च गायत्राख्यात् 'साम्नः' उपांशुनामको ग्रहो निर्मितस्तदाह–गायत्रात्साम्न उपांशुमिति । स्तोत्रियानवकात्मकः स्तोमः 'त्रिवृत्' स च 'उपांशोः' निर्मितस्तदाह–उपांशोर्ग्रहात्त्रिवृतमिति । तस्मात् 'त्रिवृतः' रथन्तराख्यं साम निर्मितम् । तदाह–त्रिवृतः स्तोमाद्रथन्तरमिति । पृष्ठस्तोत्रस्य निष्पादकत्वात् 'रथन्तरं' साम 'पृष्ठम्' ॥ ५ ॥

तस्मात् 'वसिष्ठ ऋषिः' उत्पन्नः । तस्य च वसिष्ठस्य स्वरूपमाह–प्राणो वा इति । देहस्थितिहेतुत्वेन इन्द्रियाणां वासयितृत्वाद्वसिष्ठ इति प्राण एवोच्यते, तदेवाह–यद्वा इति । 'यद्वै' यस्मादेव 'नु' निश्चितमिन्द्रियाणां मध्ये प्राणः 'श्रेष्ठः,' अनुग्रहीतृत्वात् । तदनुगृहीतानि हीन्द्रियाणि स्वस्वव्यापारं कर्तुं प्रभवन्ति, 'तेन' श्रेष्ठ्ययोगेन प्राणो 'वसिष्ठः' जातः ॥

पक्षान्तरमाह–अथो इति । 'यद्' यस्मात्प्राणः 'वस्तृतमः' अतिशयेन वासयिता सन् 'वसति' शरीरे वर्तते 'तेनो' तेनैव कारणेन 'वसिष्ठः' । "तुश्छन्दसि" (पा. सू. ५ । ३ । ५९) इति स्मरणात् वस्तृशब्दादातिशायिनिके (पा. सू. ५।३।५५) इष्ठनि "तुरिष्ठेमेयस्सु" (पा. सू.६ । ४ । १५४) इति तृलोपः । "प्रजापतिगृहीतया" इति दशमो मन्त्रस्तं व्याचष्टे–प्रजापतिसृष्टयेति । कर्तृविशेषोपादान-

नानोपदधाति ये नाना कामाः प्राणे तांस्तद्दधाति सकृत्सादयत्येकं तत्प्राणं करोत्यथ यन्नाना सादयेत्प्राणꣳ ह विच्छिन्द्यात्सैषा त्रिवृदिष्टका यजुः सादनꣳ सूददोहास्तत्त्रिवृत्त्रिवृदग्निर्यावानग्निर्यावत्यस्य मात्रा तावत्तत्कृत्वोपदधाति ॥ ६ ॥

(त्यु) अथ दक्षिणतः । (तोऽ) अयं दक्षिणा विश्वकर्मेत्ययं वै वायुर्विश्वकर्मा योऽयं पवतऽएष हीदꣳ सर्वं करोति तद्यत्तमाह दक्षिणेति तस्मादेष दक्षिणैव भूयिष्ठं वाति मनो ह वायुर्भूत्वा दक्षिणतस्तस्थौ तदेव तद्रूपमुपदधाति ॥ ७ ॥ (शतम् ४२००)

प्रापादयत । नानोपदधाति । ये नाना कामाः प्राणे—तांस्तद्दधाति । सकृत्सादयति । एकं तत्प्राणं करोति । अथ यन्नाना सादयेत्—प्राणं ह विच्छिन्द्यात् । सैषा त्रिवृदिष्टका—यजुः, सादनं, सूददोहाः—तत्त्रिवृत् । त्रिवृदग्निः । यावानग्निर्यावत्यस्य मात्रा—तावत्तत्कृत्वोपदधाति (१) ॥ ६ ॥

अथ दक्षिणतः । "अयं दक्षिणा विश्वकर्मा"—इति । अयं वै वायुर्विश्वकर्मा—योऽयं पवते । एष हीदं सर्वं करोति । तद्यत्तमाह दक्षिणेति । तस्मादेष दक्षिणैव भूयिष्ठं वाति । मनो ह वायुर्भूत्वा दक्षिणतस्तस्थौ—तदेव तद्रूपमुपदधाति ॥ ७ ॥

सामर्थ्यादत्र गृह्णिधातुः सृजिधात्वर्थे वर्तत इत्यर्थः । हे इष्टके ! 'प्रजापतिसृष्टया त्वया' 'प्रजाभ्यः' तादर्थ्ये चतुर्थी, सर्वप्रजार्थम् 'प्राणं गृह्णामि' सृजामीत्यर्थः । अनेन प्राणं 'पुरस्तात्' पूर्वस्यां दिशि 'प्रापादयत' प्रजापतिः प्रावेशयत् । यजमानोऽप्यनेन मन्त्रेण प्राणं प्रपादयति प्रवेशयतीत्यर्थः ॥

दशानां पूर्वदिगुपधेयानां प्राणभृतामुपधानस्य पृथक्त्वं विधाय स्तौति—नानोपदधातीति । ये नाना कामा इति । प्राणाख्ये वायौ 'ये' नानाविधफलविषयाः 'कामाः' सन्ति 'तान्' कामान् 'तत्' तेनोपधानेन स्थापितवान् भवतीत्यर्थः । सादनस्याप्युपधानवत्प्रसक्तं नानात्वं व्यावर्तयति—सकृत्सादयतीति । 'तत्' तेन सकृत्सादनेन 'प्राणम्' 'एकम्' अविच्छिन्नं 'करोति' ॥

व्यतिरेके बाधं दर्शयति—अथ यन्नाना सादयेदिति । पार्थक्येन सादने त्रिवृत्त्वसम्पत्तिविघातः स्यात् । त्रिवृत्त्वं विवृणोति—सैषेत्यादिना । 'सैषा' प्राणभृदिष्टका 'त्रिवृत्' त्रिगुणा । त्रैगुण्यमेव दर्शयति—यजुरिति । तत्तदुपधानमन्त्रो 'यजुः' तया देवतयेत्येतत् 'सादनम्' ता अस्येति 'सूददोहाः' 'सत्' एतत्त्रितयं मिलितं सत् 'त्रिवृत्' । गतमन्यत् ॥ ६ ॥

अथ दक्षिणस्यां दिश्युपधेयानां प्राणभृतां मन्त्रान् विधाय व्याचष्टे—अथ दक्षिणत इति । अथ पुरस्तादुपधानानन्तरं दक्षिणस्यां दिशि "अयं दक्षिणा" इत्यादिभिर्मन्त्रैर्दश प्राणभृत उपदध्यादित्यर्थः । अयं वै वायुरिति । 'योऽयम्' अन्तरिक्षे 'पवते' सञ्चरति सः 'अयम्' 'वायुर्विश्वकर्मा' विश्वं सर्वं जगत् कर्म कर्तव्यं यस्य सूत्रात्मनो वायोः स तथोक्तः । श्रूयते हि—"वायुर्वै गौतम तत्सूत्रम्, वायुना वै गौतम सूत्रेणायं च लोकः, परश्च लोकः, सर्वाणि च भूतानि सन्दृब्धानि भवन्ति"—(श.प. १४।६।७।६) इति । इममेवार्थमाह—एष हीदमिति ।

त॒स्य म॒नो वै॒श्वकर्म॒णमि॒ति म॒नस्त॒स्माद्रू॒पाद्वा॒योर्नि॒रमिमीत ग्री॒ष्मो मानसऽइति ग्रीष्ममृ॒तुं म॒नसो नि॒रमिमीत त्रि॒ष्टुब्ग्रैष्मी॒ति त्रि॒ष्टुभं छ॒न्दो ग्री॒ष्मादृ॒तोर्नि॒रमिमीत त्रिष्टुभः स्वारमि॒ति त्रि॒ष्टुभश्छ॒न्दसः स्वारꣳ सा॒म नि॒रमिमीत स्वारा॒दन्तर्या॒मऽइति स्वारात्सा॒म्नोऽन्तर्यामं ग्रहं नि॒रमिमीता॒न्तर्या॒मा॒त्पञ्चदशऽइत्यन्तर्यामाद्ग्रहात्पञ्चद॒शꣳ स्तोमं नि॒रमिमीत पञ्च॒दशा॒द्बृह॒दि॒ति पञ्चदशात्स्तो॒माद्बृहत्पृष्ठं नि॒रमिमीत ॥ ८ ॥

भरद्वाजऽऋ॒षिरि॒ति। म॒नो वै॒ भरद्वाजऽऋ॒षिर॒न्नं वा॒जो॒ यो वै म॒नो बि॒भर्ति॒

"तस्य मनो वैश्वकर्मणम्"–इति। मनस्तस्माद्रूपाद्वायोर्निरमिमीत। "ग्रीष्मो मानसः"–इति। ग्रीष्ममृतुं मनसो निरमिमीत। "त्रिष्टुब् ग्रैष्मी"–इति। त्रिष्टुभं छन्दो ग्रीष्मादृतोर्निरमिमीत। "त्रिष्टुभः स्वारम्"–इति। त्रिष्टुभश्छन्दसः स्वारं साम निरमिमीत। "स्वारादन्तर्यामः"–इति। स्वारात्साम्नोऽन्तर्यामं ग्रहं निरमिमीत। "अन्तर्यामात्पञ्चदशः"–इति। अन्तर्यामाद् ग्रहात्पञ्चदशं स्तोमं निरमिमीत। "पञ्चदशाद्बृहत्"–इति। पञ्चदशात्स्तोमाद्बृहत्पृष्ठं निरमिमीत॥८॥

"भरद्वाज ऋषिः"–इति। मनो वै भरद्वाज ऋषिः। अन्नं वाजः। यो वै मनो बिभर्त्ति–

क्रियाशक्त्यात्मनाऽवस्थितः 'एषः' एव खलु वायुः 'इदम्' सर्वं करोति, तस्माद्विश्वकर्मेत्युच्यत इत्यर्थः। 'तत्' तत्र 'तम्' वायुम् 'दक्षिणेति' दक्षिणदिग्वाचिना शब्देन 'यद्' यस्माद् 'आह' 'तस्मादेषः' वायुः प्राणः सन् 'दक्षिणेव' शरीरस्य दक्षिणभाग एव 'भूयिष्ठम्' अधिकतरं 'वाति' सञ्चरते। "वा गतिगन्धनयोः" (धा. पा. अ. प. ४०) इति धातुः। मनो ह वायुर्भूत्वेत्यादि। सुखापरोक्ष्यसाधनमान्तरमिन्द्रियं 'मनः' तत्खलु प्राणवायुर्भूत्वा 'दक्षिणतः' देहस्य दक्षिणभागे 'तस्थौ' स्थितवत्। तस्मात् 'तदेव' वाय्वात्मकं मनसः रूपमुपहितवान् भवति॥ ७॥

तस्य मनो वैश्वकर्मणमिति। द्वितीयदशकस्य द्वितीयमन्त्रः। विश्वकर्मशब्दाभिधेयाद्वायोर्जातं 'मनो वैश्वकर्मणम्'। हे इष्टके! तद्रूपां त्वामुपदधामीति शेषः। एतन्मन्त्रप्रयोगेण तस्माद् विश्वकर्मशब्दाभिधेयाद्वायोः 'मनः' इन्द्रियम् 'निरमिमीत' सृष्टवान्॥

ग्रीष्मो मानस इति तृतीयेन मन्त्रेण ग्रीष्माख्यम् 'ऋतुम्' 'मनसः' सकाशान्निर्मितवान्। ग्रीष्मादुत्पन्नं छन्दस्त्रिष्टुप् 'ग्रैष्मी'। तथा च 'ग्रीष्माद्' 'ऋतोः' सकाशात् त्रिष्टुबाख्यम् 'छन्दः' निर्मितवान्॥

त्रिष्टुभः स्वारमिति। पञ्चममन्त्रः। त्रिष्टुप्छन्दसः सकाशात् 'स्वारम्' स्वरसंज्ञकैरकारादिभिरेव वर्णैः समाप्यमानं साम स्वारम् तदुत्पन्नमित्यर्थः। तदाह–'त्रिष्टुभश्छन्दसः स्वारम्' इति। एवमुत्तरत्रापि योजनीयम्। 'अन्तर्याम' इति सोमग्रहः। पञ्चदशभिः स्तोत्रियाभिर्ऋग्भिर्निष्पाद्यः स्तोमः 'पञ्चदशः'। बृहत्पृष्ठामिति। 'त्वामिद्धि हवामहे' इत्यस्मादुत्पन्नं साम 'बृहत्' तच्च पृष्ठस्तोत्ररूपेण प्रयुज्यमानत्वात् 'पृष्ठम्'॥८॥

भरद्वाज ऋषिरिति। नवमो मन्त्रस्तं व्याचष्टे–**मनो वा** इति। एतन्निर्ब्रूते–**अन्नं वाज** इति। 'यः' खलु प्राणी 'मनो बिभर्ति' धारयति जीवनविशिष्टो भवतीत्यर्थः। 'सः' च वाजाख्यम् 'अन्नम्'

सो॒ऽन्नं वाजं भरति त॒स्मान्म॒नो भर॒द्वाज ऽऋ॒षिः प्र॒जाप॑तिगृहीतया त्वयेति प्र॒जाप॑तिसृष्टया त्वयेत्येतन्म॒नो गृह्णामि प्र॒जाभ्य ऽइति म॒नो दक्षिणतः प्रा॒पादयत नाना॒पद॑धाति ये नाना कामा म॒नसि तांस्त॒द्द॑धाति सकृ॒त्साद॑-यत्ये॒कं तन्म॒नः करो॒त्यथ यन्नाना सा॒दयेन्म॒नो ह विच्छिन्द्यात्सैषा त्रिवृ॒-दिष्टका त॒स्योक्तो ब॒न्धुः ॥ ९ ॥

इति प्रथमप्रपाठके प्रथमं ब्राह्मणम् ॥ ८-१-१ (१. १.)

सोऽन्नं वाजं भरति । तस्मान्मनो भरद्वाज ऋषिः । "प्रजापतिगृहीतया त्वया"-इति । प्रजापतिसृष्टया त्वयेत्येतत् । " मनो गृह्णामि प्रजाभ्यः "-(वा. सं. १३ । ५९) इति । मनो दक्षिणतः प्रापादयत । नानोपदधाति । ये नाना कामाः मनसि, तांस्तद्दधाति । सकृत्सादयति । एकं तन्मनः करोति । अथ यन्नाना सादयेत्-मनो ह विच्छिन्द्यात् । सैषा त्रिवृदिष्टका । तस्योक्तो बन्धुः (२) ॥ ९ ॥

'भरति' देहे धत्ते । 'तस्माद्' भरणाद्वाजेन धार्यमाणत्वाच्च 'भरन्' भ्रियमाणो वाजश्च यस्येति व्युत्पत्त्या 'मनः' एव 'भरद्वाज ऋषिः' इत्यर्थः । प्रजापतिगृहीतयेत्याद्युक्तार्थम् । 'मनो गृह्णामि प्रजाभ्य इति' अनेन मन्त्रभागेन दक्षिणदिशि प्राणभृदुपधानं कुर्वन् 'दक्षिणतः' शरीरस्य दक्षिणभागे 'मनः' 'प्रापादयत' प्रजापतिः प्रावेशयत् ।

उपधानस्य नानात्वं सादनस्य सकृत्त्वं पूर्ववद्विधाय स्तौति-नानोपदधातीत्यादिना । 'मनसि' स्थिता ये नानाविधाः 'कामाः' अभिलाषविशेषाः 'तान्' 'तत्' तत्र मनसि स्थापयति । एकं तन्मन इति । 'तत्' तेन मनःसादनसकृत्त्वेन 'एकम्' अविच्छिन्नम् 'मनः' सम्पादयति । पृथक्सादने तु दोषविशेषमाह-अथ यन्नाना सादयेदिति । 'सैषा' दशमीष्टका 'त्रिवृत्' तथात्वं च प्रागाम्नातम्-" सैषा त्रिवृदिष्टका यजुः सादनः सूददोहास्तत्त्रिवृत्त्रिवृदग्निः"-इत्यादिना " (श. प. ८ । १ । १ । ६ ।) तत्प्रशंसा च तत्रानुसन्धेयेत्यतिदिशति-तस्योक्त इति । 'तस्य' त्रिवृत्त्वस्य ॥ ९ ॥

इति श्रीसायणाचार्यविरचिते माधवीये वेदार्थप्रकाशे माध्यन्दिनीयशतपथब्राह्मणभाष्ये अष्टमकाण्डे प्रथमाऽध्याये प्रथमं ब्राह्मणम् ॥ (८-१-१) ॥

अथ पश्चात् । (द) अयं पश्चाद्विश्वव्यचा ऽइत्यसौ वाऽआदित्यो व्विश्वव्यचा यदा ह्येवैषऽउदेत्यथेदꣳ सर्व्वं व्यचो भवति तद्यत्तमाह पश्चादिति तस्मादेतं प्रत्यञ्चमेव यन्तं पश्यन्ति चक्षुर्हादित्यो भूत्वा पश्चात्तस्थौ तदेव तद्रूपमुपदधाति ॥ १ ॥

तस्य चक्षुर्व्वैश्वव्यचसमिति । चक्षुस्तस्माद्रूपादादित्यान्निरमिमीत व्वर्षाश्चाक्षुष्यऽइति व्वर्षाऋतुं चक्षुषो निरमिमीत जगती व्वार्षीति जगतीं छन्दो व्वर्षाभ्यऽऋतोर्निरमिमीत जगत्याऽऋक्समिति जगत्यै छन्दस

अथ पश्चात् । "अयं पश्चाद्विश्वव्यचाः"–इति । असौ वाऽआदित्यो विश्वव्यचाः । यदा ह्येवैष उदेति–अथेदं सर्वं व्यचो भवति । तद्यत्तमाह–पश्चादिति । तस्मादेतं प्रत्यञ्चमेव यन्तं पश्यन्ति । चक्षुर्हादित्यो भूत्वा पश्चात्तस्थौ । तदेव तद्रूपमुपदधाति ॥ १ ॥

"तस्य चक्षुर्वैश्वव्यचसम्"–इति । चक्षुस्तस्माद्रूपादादित्यान्निरमिमीत । "वर्षाश्चाक्षुष्यः"–इति । वर्षाऋतुं चक्षुषो निरमिमीत । "जगती वार्षी"–इति । जगतीं छन्दो वर्षाभ्य ऋतोर्निरमिमीत । "जगत्या ऋक्समम्"–इति । जगत्यै छन्दस ऋक्समं साम

अथ प्रतीच्यां दिश्युपधेयानां प्राणभृतां दशकस्य दश मन्त्रान्दर्शयन् क्रमेण व्याचष्टे–अथ पश्चादिति । 'पश्चात्' प्रतीच्यां दिशि । "पश्चात्" (पा.सू.५।३।३२:) इत्यस्तातिर्निपात्यते । "अयं पश्चाद्विश्वव्यचाः"–इति प्रथमो मन्त्रः । "व्यचतिर्व्याप्तिकर्मा" विश्वं व्यचति व्याप्नोतीति विश्वव्यचाः 'असौ' द्युलोकस्य 'आदित्यः' । एतदेवाह–यदा ह्येवैष इति । यस्मिन् काले खलु 'एषः' सूर्यः 'उदेति' 'अथ' अनन्तरमेव 'इदं सर्वम्' 'व्यचः' व्यापनम् 'भवति' तस्मादसौ 'विश्वव्यचाः' इत्यर्थः । तद्यत्तमाहेति । 'तम्' आदित्यम् 'पश्चादिति' प्रत्यग्दिग्वाचिना शब्देन 'यत्' यस्मात्प्रतिपादयति, 'तस्माद्' एव प्रतीचीदिक्सम्बन्धात्कारणाद् 'एतम्' आदित्यम् 'प्रत्यञ्चम्' प्रत्यङ्मुखम् 'एव' 'यन्तम्' गच्छन्तम् 'पश्यन्ति' सर्वप्राणिनां 'चक्षुः' एव हि 'आदित्यो भूत्वा' 'पश्चात्' प्रत्यङ्मुखः 'तस्थौ' । 'तदेव' चक्षुरात्मकमेव 'तत्' आदित्यात्मकम् 'रूपम्' उपहितवान्भवतीत्यर्थः ॥ १ ॥

तस्य चक्षुर्वैश्वव्यचसमिति । द्वितीयो मन्त्रः । विश्वव्यचसो जातं 'वैश्वव्यचसम्' । अनेन मन्त्रेण 'तस्माद्' आदित्य–'रूपात्' कारणात् 'चक्षुः' निर्मितवान् प्रजापतिरित्यर्थः । 'वर्षाः' ऋतुः 'चाक्षुष्यः' तस्माच्चक्षुषः सृष्टाः । "अप्सुमनःसिकतासमावर्षाणाम्" इति (लिङ्गानुशासन १ । २९) स्मरणात् नियतबहुत्वेनैकस्मिन्नपि बहुत्वम् । 'वर्षाऋतुम्' इति वर्षाख्यमृतुमित्यर्थः । जगती वार्षीति ।

१–द्वितीयमयं पश्चादिति । का० श्रौ० सू० १७ । १२६ ।

ऽऋक्समᳫं साम निरमिमीतऽर्क्समाच्छुक्र ऽइत्यृक्समात्साम्नः शुक्रं ग्रहं निरमिमीत शुक्रात्सप्तदश ऽइति शुक्राद्ग्रहात्सप्तदशᳫं स्तोमं निरमिमीत सप्तदशाद्वैरूपमिति सप्तदशात्स्तोमाद्वैरूपं पृष्ठं निरमिमीत ॥ २ ॥

जमदग्निर्ऋषिरिति । चक्षुर्वै जमदग्निर्ऋषिर्यदेनेन जगत्पश्यत्यथो मनुते तस्माच्चक्षुर्जमदग्निर्ऋषिः प्रजापतिगृहीतया त्वयेति प्रजापतिसृष्टया त्वयेत्येतच्चक्षुर्गृह्णामि प्रजाभ्य ऽइति चक्षुः पश्चात्प्रापादयत नानोपदधाति ये नाना कामाश्चक्षुषि तांस्तद्दधाति सकृत्सादयन्त्येकं तच्चक्षुः करोत्यथ यन्नाना सादयेच्चक्षुर्ह विच्छिन्द्यात्सैषा त्रिवृदिष्टका तस्योक्तो बन्धुः ॥३॥

निरमिमीत । " ऋक्समाच्छुक्रः "–इति । ऋक्समात्साम्नः शुक्रं ग्रहं निरमिमीत । " शुक्रात्सप्तदशः "–इति । शुक्राद्ग्रहात्सप्तदशं स्तोमं निरमिमीत । "सप्तदशाद्वैरूपम्"–इति । सप्तदशात्स्तोमाद्वैरूपं पृष्ठं निरमिमीत ॥ २ ॥

" जमदग्निर्ऋषिः "–इति । चक्षुर्वै जमदग्निर्ऋषिः । यदेनेन जगत्पश्यति, अथो मनुते–तस्माच्चक्षुर्जमदग्निर्ऋषिः । " प्रजापतिगृहीतया त्वया "–इति । प्रजापतिसृष्टया त्वयेत्येतत् । " चक्षुर्गृह्णामि प्रजाभ्यः "–(वा. सं. १३ । ५६) इति । चक्षुः पश्चात्प्रापादयत । नानोपदधाति । ये नाना कामाः–चक्षुषि तांस्तद्दधाति । सकृत्सादयति । एकं तच्चक्षुः करोति । अथ यन्नाना सादयेत्–चक्षुर्ह विच्छिन्द्यात् । सैषा त्रिवृदिष्टका । तस्योक्तो बन्धुः ॥ ३ ॥

वर्षाभ्यो जाता ' वार्षी ' । गतमन्यत् । जगत्या ऋक्सममिति । यत्साम ऋचा समं समाप्यते न न्यूनाधिक-भावेन तत् ' ऋक्समं साम ' जगतीछन्दसः सकाशात्सृष्टम् । तदेवाह–जगत्यै छन्दस ऋक्समं सामेति । पूर्ववत्षष्ठ्यर्थे चतुर्थी (पा. सू. २ । ३ । ६२ वा. १) तस्माद्दक्समाख्यात् ' साम्नः ' शुक्राख्यः सोम-ग्रहः सृष्टस्तदाह–ऋक्समात्साम्नः शुक्रं ग्रहमिति । सप्तदश इति । सप्तदशभिः स्तोत्रियाभिर्निष्पाद्यः स्तोमः ' सप्तदशः ' । तस्माच्च वैरूपाख्यं पृष्ठं साम निर्मितमित्याह–सप्तदशात्स्तोमाद्वैरूपं पृष्ठमिति । ' सप्तदशात् स्तोमात् वैरूपं पृष्ठं ' भवति । स्पष्टोऽर्थः ॥ २ ॥

जमदग्निर्ऋषिरिति । नवमो मन्त्रः । तत्र जमदग्निपदं व्याचष्टे–चक्षुर्वा इति । एतदुपपादयति–यदेनेनेति । एनेन ' चक्षुषा ' जगद् ' रूपादिकम् ' पश्यति ' इति यत् ' अथो ' अपिच चक्षुषैव ' मनुते ' जानातीति यत् ' तस्माद् ' हेतोः जगन्मनुतेऽनेन इति व्युत्पत्त्या वर्णलोपेन जमच्चक्षुः प्रकाशकत्वादग्निर्दर्शनादृषिश्चेति " जमदग्निर्ऋषिः " इति वाक्यतात्पर्येण चक्षुरेव प्रतिपाद्यत इत्यर्थः । " प्रजापतिगृहीतया " इति दशममन्त्रं पूर्ववद्व्याचष्टे–प्रजापतिसृष्टया त्वयेत्येतादिति । ' चक्षुर्गृह्णामि ' इत्यस्य तात्पर्यमाह–चक्षुः पश्चात्प्रापाद-यतेति । ' पश्चात् ' प्रतीच्यां दिश्यनेन मन्त्रभागेन ' चक्षुः ' प्रावेशयदित्यर्थः । पूर्ववदुपधाने नानात्वम्,

(३) अथोत्तरतः । (५) इदमुत्तरात्स्वरिति दिशो वाऽ उत्तरात्तद्यत्ता ऽआहोत्तरादित्युत्तरा ह्यस्मात्सर्वस्माद्दिशोऽथ यत्स्वरित्याह स्वर्गो हि लोको दिशः श्रोत्रꣳह दिशो भूत्वोत्तरतस्तस्थौ तदेव तद्रूपमुपदधाति ॥४॥

तस्य श्रोत्रꣳ सौवमिति । श्रोत्रं तस्माद्रूपाद्दिग्भ्यो निरमिमीत शरच्छ्रौत्रीति शरदमृतुꣳ श्रोत्रान्निरमिमीतानुष्टुप्शारदीत्यनुष्टुभं छन्दः शरद ऽऋतोर्निरमिमीतानुष्टुभ ऽऐडमित्यनुष्टुभश्छन्दस ऽऐडꣳ साम निरमिमीतैडान्मन्थीत्यैडात्साम्नो मन्थिनं ग्रहं निरमिमीत मन्थिन ऽएकविꣳश ऽइति मन्थिनो ग्रहादेकविꣳशꣳ स्तोमं निरमिमीतैकविꣳशाद्वैराजमित्येकविꣳशात्स्तोमाद्वैराजं पृष्ठं निरमिमीत ॥ ५ ॥

अथोत्तरतः । "इदमुत्तरात्स्वः"–इति । दिशो वाऽउत्तरात् । तद्यत् ता आह–उत्तरादिति । उत्तरा ह्यस्मात्सर्वस्माद्दिशः । अथ यत्स्वरित्याह–स्वर्गो हि लोको दिशः । श्रोत्रं ह दिशो भूत्वोत्तरतस्तस्थौ । तदेव तद्रूपमुपदधाति ॥ ४ ॥

"तस्य श्रोत्रं सौवम्"–इति । श्रोत्रं तस्माद्रूपाद्दिग्भ्यो निरमिमीत । "शरच्छ्रौत्री"–इति । शरदमृतुं श्रोत्रान्निरमिमीत । "अनुष्टुप्शारदी"–इति । अनुष्टुभं छन्दः शरद ऋतोर्निरमिमीत । "अनुष्टुभऽऐडम्"–इति । अनुष्टुभश्छन्दस ऐडं साम निरमिमीत । "ऐडान्मन्थी"–इति । ऐडात्साम्नो मन्थिनं ग्रहं निरमिमीत । "मन्थिनऽएकविंशः"–इति । मन्थिनो ग्रहादेकविंशं स्तोमं निरमिमीत । "एकविंशाद्वैराजम्"–इति । एकविंशात्स्तोमाद्वैराजं पृष्ठं निरमिमीत ॥ ५ ॥

सादने सकृत्त्वं च विधत्ते–नानोपदधातीत्यादिना । एकं तच्चक्षुरिति । 'एकम्' अविच्छिन्नम् । नानासादने पूर्ववद्दोषमाह–अथ यन्नाना सादयेदिति । 'विच्छिन्द्यात्' विच्छिन्नं प्रशीर्णं वियुक्तं वा कुर्यादित्यर्थः । 'सैषा त्रिवृद्' इत्यादि पूर्ववद्योज्यम् ॥ ३ ॥

अथोत्तरस्यां दिश्युपधेयस्य प्राणभृद्दशकस्य मन्त्रदशकं विधाय व्याचष्टे–अथोत्तरत इत्यादिना । 'उत्तरतः' उत्तरस्यां दिशि । तत्र "इदमुत्तरात्स्वः" इति प्रथमो मन्त्रः । 'उत्तरात्' 'इति' पदस्य विवक्षितमर्थमाह–दिशो वा उत्तरादिति । एतदेव विवृणोति–तद्यदिति । 'तत्' तत्र 'ताः' दिशः 'उत्तराद्' इति शब्देन 'आह' प्रतिपादयतीति 'यत्' तत्कारणमुच्यत इति शेषः । 'हि' यस्मात् 'अस्मात्' दृश्यमानात्स्थावरजङ्गमात्मकात् 'सर्वस्मात्' जगतः 'दिशः' प्राच्याद्याः 'उत्तराः' उत्कृष्टतराः, उत्तरभागे वर्तमाना वा । अतो हेतोः "उत्तरात्" इति पदेन दिशः प्रतिपाद्यन्त इत्यर्थः । दिशां स्वर्गलोकात्मकत्वात् 'स्वः' इति पदेनापि दिश एवोच्यन्त इत्याह–अथ यत्स्वरित्याहेति । श्रोत्रं ह दिश इत्यादि । 'श्रोत्रम्' शब्दग्रहणसाधनमिन्द्रियम्; तत्स्वकारणात्मना दिग्रूपत्वं प्राप्य 'उत्तरतः' उत्तरस्यां दिशि । 'तस्थौ' तद्रूपमिति । स्वकारणात्मकमेव दिगात्मकमेव रूपमुपहितवान्भवतीत्यर्थः ॥ ४ ॥

तस्य श्रोत्रꣳ सौवमिति । द्वितीयो मन्त्रः । दिगात्मकात्स्वर्गलोकाज्जातं 'श्रोत्रम्' 'सौवम्' स्वर्शब्दस्य तद्धिते परतः द्वारादित्वादैजागमः (पा. सू. ७ । ३ । ४) । 'तस्मात्' स्वर्शब्दाभिधेयात् 'रूपात्'

व्विश्वामित्रऽऋषिरिति। श्रोत्रं वै व्विश्वामित्र ऽऋषिर्य्यदेनेन सर्व्वतः शृणोत्यथो यदस्मै सर्व्वतो मित्रं भवति तस्माच्छ्रोत्रं व्विश्वामित्र ऽऋषिः प्रजापतिगृहीतया त्वयेति प्रजापतिसृष्टया त्वयेत्येतच्छ्रोत्रं गृह्णामि प्रजाभ्यऽइति श्रोत्रमुत्तरतः प्रापादयत नानोपदधाति ये नाना कामाः श्रोत्रे तांस्तद्दधाति सकृत्सादयत्येकं तच्छ्रोत्रं करोत्यथ यन्नाना सादयेच्छ्रोत्रꣳ ह व्विच्छिन्द्यात्सैषा त्रिव्वृदिष्टका तस्योक्तो बन्धुः ॥ ६ ॥

(३) अथ मध्ये। (ध्यऽ) इयमुपरि मतिरिति चन्द्रमा वाऽउपरि तद्य-

" विश्वामित्र ऋषिः "–इति। श्रोत्रं वै विश्वामित्र ऋषिः। यदेनेन सर्वतः शृणोति। अथो यदस्मै सर्वतो मित्रं भवति–तस्माच्छ्रोत्रं विश्वामित्र ऋषिः। " प्रजापतिगृहीतया त्वया "–इति। प्रजापतिसृष्टया त्वयेत्येतत्। " श्रोत्रं गृह्णामि प्रजाभ्यः "–(वा० सं० १३। ५७) इति। श्रोत्रमुत्तरतः प्रापादयत। नानोपदधाति। ये नाना कामाः–श्रोत्रे तांस्तद्दधाति। सकृत्सादयति। एकं तच्छ्रोत्रं करोति। अथ यन्नाना सादयेत्–श्रोत्रं ह विच्छिन्द्यात्। सैषा त्रिवृदिष्टका। तस्योक्तो बन्धुः (४) ॥ ६ ॥

अथ मध्ये। "इयमुपरि मतिः"–इति। चन्द्रमा वाऽउपरि। तद्यत्तमाह–उपरीति। उपरि हि

श्रोत्रेन्द्रियम् ' दिग्भ्यः ' सकाशान्निर्मितवानित्यर्थः। तच्छ्रोत्रादुत्पन्ना 'शरच्छ्रौत्री'। तस्याः शरदः सकाशादुत्पन्ना ' अनुष्टुप् शारदी '। तथाविधादनुष्टुप्छन्दसः ' ऐडम् ' यस्य साम्नोऽन्ते इडाशब्दः प्रयुज्यते तद् ' ऐडं साम ' उत्पन्नम्। तस्माच्च ' ऐडात्साम्नः ' मन्थिसंज्ञः सोमग्रहो निर्मितः। तस्मान्मन्थिग्रहादेकविंशाख्यस्तोमः, तस्माच्च वैराजाख्यं पृष्ठं साम निर्मितम्। एतावदत्र प्रतिपाद्यम्। ततः अक्षरयोजना पूर्ववत् कार्या ॥ ५ ॥

श्रोत्रं वै विश्वामित्र ऋषिरित्यादि। विश्वं सर्वं मित्रमनेन श्रोत्रेण पुरुषस्य भवतीति विश्वस्य मित्रहेतुत्वाद्दर्शनसाधनत्वाच्च ' श्रोत्रम् ' खलु विश्वामित्राख्य ऋषिरित्यर्थः। "मित्रे चर्षौ"–(पा. सू. ६। ३। १३०) इति पूर्वपदस्य दीर्घः। उक्तमेवार्थमाविष्करोति–यदेनेनेति। ' सर्वतः ' सर्वाभ्यो दिग्भ्यः। अथो यद् अस्मा इति। व्युत्पत्त्यन्तरप्रदर्शनम्। ' अथो ' इति पक्षान्तरद्योतने। ' अस्मै ' शृण्वते जनाय ' यद् ' यस्माद् अनेन ' सर्वतः ' सर्वासु दिक्षु ' मित्रं भवति ' सम्पद्यते; तस्माद्विश्वामित्र इत्यर्थः। प्रजापतिगृहीतया इत्यादि गतम्। श्रोत्रमुत्तरतः प्रापादयतेति। उत्तरस्यां दिशि ' श्रोत्रम् ' ' प्रापादयत ' प्रजापतिः सृष्टिकाले प्रावेशयत्। ततः तस्याः दिशः सकाशात् प्रजार्थं श्रोत्रेन्द्रियं ' गृह्णामि ' उपाददे इत्यर्थः। ' नानोपदधाति ' इत्यादि पूर्ववद्योज्यम्। श्रोत्रस्य विच्छेदो बाधिर्यम् ॥ ६ ॥

अथ मध्यभाग उपधेयस्य प्राणभृद्दशकस्य दश मन्त्रान्प्रदर्शयन् व्याचष्टे–अथ मध्य इति। ' अथ ' अनतसृषु दिक्षूपधानानन्तरमग्निक्षेत्रस्य मध्यभागे दश प्राणभृत उपदध्यादित्यर्थः। तत्र " इयमुपरि मतिः "–

तमाहोपरीत्युपरि हि चन्द्रमाऽअथ यन्मतिरित्याह व्वाग्वै मतिर्व्वाचा हीदꣳ सर्व्वं मनुते व्वागेव चन्द्रमा भूत्वोपरिष्टात्तस्थौ तदेव तद्रूपमुपदधाति ॥ ७ ॥

तस्यै व्वाङ्मात्येति । व्वाचं तस्माद्रूपाच्चन्द्रमसो निरमिमीत हेमन्तो व्वाच्य ऽइति हेमन्तमृतुं व्वाचो निरमिमीत पङ्क्तिर्हैमन्तीति पङ्क्तिं च्छन्दो हेमन्तादृतोर्निरमिमीत पङ्क्त्यै निधनवदिति पङ्क्त्यै छन्दसो निधनवत्साम निरमिमीत निधनवत ऽआग्रयण ऽइति निधनवतः साम्न ऽआग्रयणं ग्रहं निरमिमीताग्रयणात्त्रिणवत्रयस्त्रिꣳशावित्याग्रयणाद्ग्रहात्त्रिणवत्रयस्त्रिꣳशौ स्तोमौ निरमिमीत त्रिणवत्रयस्त्रिꣳशाभ्याꣳ शाक्वररैवतेऽइति त्रिणवत्रयस्त्रिꣳशाभ्याꣳ स्तोमाभ्याꣳ शाक्वररैवते पृष्ठे निरमिमीत ॥ ८ ॥

चन्द्रमाः । अथ यन्मतिरित्याह । वाग्वै मतिः । वाचा हीदं सर्वं मनुते । वागेव चन्द्रमा भूत्वोपरिष्टात्तस्थौ–तदेव तद्रूपमुपदधाति ॥ ७ ॥

" तस्यै वाङ्मात्या "–इति । वाचं तस्माद्रूपाच्चन्द्रमसो निरमिमीत । "हेमन्तो वाच्यः"–इति । हेमन्तमृतुं वाचो निरमिमीत । " पङ्क्तिर्हैमन्ती "–इति । पङ्क्तिं छन्दो हेमन्तादृतोर्निरमिमीत । " पङ्क्त्यै निधनवत् "–इति । पङ्क्त्यै छन्दसो निधनवत्साम निरमिमीत । "निधनवत आग्रयणः "–इति । निधनवतः साम्न आग्रयणं ग्रहं निरमिमीत । " आग्रयणात्त्रिणवत्रयस्त्रिंशौ "–इति । आग्रयणाद्ग्रहात्त्रिणवत्रयस्त्रिंशौ स्तोमौ निरमिमीत । " त्रिणवत्रयस्त्रिंशाभ्यां शाक्वररैवते "–इति । त्रिणवत्रयस्त्रिंशाभ्यां स्तोमाभ्यां शाक्वररैवते पृष्ठे निरमिमीत ॥ ८ ॥

इति प्रथमो मन्त्रः । तत्र ' उपरि '–शब्दस्य विवक्षितमर्थमाह–चन्द्रमा वा उपरीति । प्रतिज्ञातमर्थमुपपादयति–तद्यदिति । ' तं ' चन्द्रमसमुपरीत्यूर्ध्ववाचिना शब्देन यस्मात्कारणादाह तत्कारणमुच्यत इत्यर्थः । उपरि हीति । यस्मादुपरिष्टाद्दिशि आकाशे, ' चन्द्रमाः ' दृश्यते; तस्मात् ' तम् ' सोमम् ' उपरि ' दिक्सम्बन्धादुपरीत्युच्यत इत्यर्थः । ' मतिः ' शब्दो ज्ञाने । 'मनुते' जानाति ' हि ' यस्मादेवं तस्मान्मननसाधनत्वाद् ' वाग् '–इन्द्रियम् ' चन्द्रमाः भूत्वा ' चन्द्ररूपतां प्राप्य ' उपरिष्टाद् ' ऊर्ध्वदिशि ' तस्थौ ' । अतः ' तदेव ' वागात्मकं ' रूपम् ' उपहितवान्भवतीत्यर्थः ॥ ७ ॥

तस्यै वाङ्मात्येति । द्वितीयो मन्त्रः । मतेः सकाशाज्जाता वाक् ' मात्या ' । वाचं तस्मादित्यादि । ' तस्माद् ' वाक्कारणभूताद् ' रूपाच्चन्द्रमसः ' सकाशाद् ' वाचम् ' सृष्टवान्भवतीत्यर्थः । तस्याः वाचः सकाशादुत्पन्नो ' हेमन्तो वाच्यः ' । तस्माद्धेमन्तादुत्पन्ना ' हैमन्ती पङ्क्तिः ' पङ्क्त्याख्यं छन्द इत्यर्थः । ' पङ्क्त्यै ' पङ्क्त्याः सकाशात्, (पा. सू. २।३।६२ वा.२) षष्ठ्यर्थे चतुर्थी । ' निधनवत् ' पञ्चभक्तिकस्य ' साम्नः ' अन्तिमो भागो निधनम्–" विश्वं समन्त्रिणं दहा " इत्यादि, तद्युक्तं साम ' निधनवत् ' तदुत्पन्न-

विश्वकर्मऽऋषिरिति । वाग्वै विश्वकर्मऽर्षिर्वाचा हीदꣳ सर्वं कृतं तस्माद्वाग्विश्वकर्मऽर्षिः प्रजापतिगृहीतया त्वयेति प्रजापतिसृष्टया त्वयेत्येतद्वाचं गृह्णामि प्रजाभ्य ऽइति वाचमुपरिष्टात्प्रापादयत नानोपदधाति ये नाना कामा वाचि तांस्तद्दधाति सकृत्सादयत्येकां तद्वाचं करोत्यथ यन्नाना सादयेद्वाचꣳ ह विच्छिन्द्यात्सैषा त्रिवृदिष्टका तस्योक्तो बन्धुः॥९
(२) एतद्वै तदन्नम् । यत्तत्प्राणाश्च प्रजापतिश्चासृजन्तैतावान्वै सर्वो यज्ञो यज्ञ ऽउ देवानामन्नम् ॥ १० ॥

" विश्वकर्मऽऋषिः "-इति । वाग्वै विश्वकर्मर्षिः । वाचा हीदं सर्वं कृतम् । तस्माद्वाग्विश्वकर्मर्षिः । " प्रजापतिगृहीतया त्वया "-इति । प्रजापतिसृष्टया त्वयेत्येतत् । " वाचं गृह्णामि प्रजाभ्यः "-(वा. सं. १३।५८) इति । वाचमुपरिष्टात्प्रापादयत । नानोपदधाति । ये नाना कामाः-वाचि तांस्तद्दधाति । सकृत्सादयति । एकां तद्वाचं करोति । अथ यन्नाना सादयेत् । वाचं ह विच्छिन्द्यात् । सैषा त्रिवृदिष्टका तस्योक्तो बन्धुः (९) ॥ ९ ॥

एतद्वै तदन्नम् । यत्तत्प्राणाश्च प्रजापतिश्चासृजन्त । एतावान्वै सर्वो यज्ञः । यज्ञ उ देवानामन्नम् १०

मित्यर्थः । तस्माच्च ' निधनवतः ' सकाशाद् आग्रयणाख्यः सोमग्रहो जातः । तस्माद् ' आग्रयणात् ' ' त्रिणवत्रयस्त्रिंशौ ' ' स्तोमौ ' जातौ । त्रिरावृत्तस्तोत्रियानवकेन निष्पाद्यः स्तोमस्त्रिणवः । त्रयस्त्रिंशता स्तोत्रियाभिर्निष्पाद्यस्त्रयस्त्रिंशः । " स्तोमे डविधिः पञ्चदशाद्यर्थमिति " वार्तिककृत्स्मृतेः स्तोमवाचिनः पञ्चदशसप्तदशादयः शब्दा डप्रत्ययान्ता द्रष्टव्याः । ताभ्यां त्रिणवत्रयस्त्रिंशाभ्यां सकाशाच्छाक्वररैवताख्ये पृष्ठसामनी निष्पन्ने ॥ ८ ॥

विश्वकर्मऋषिरिति मन्त्रस्य पूर्ववदिन्द्रियपरतामाह-वाग्वा इति । ' वाक् ' इन्द्रियं हि विश्वकर्माख्यः ' ऋषिः ' । तदुपपादयति-वाचा हीदमिति । वागिन्द्रियेण खलु कारणेन ' इदं सर्वम् ' जगत् प्रजापतिना ' कृतम् ' । अत एव करणीयस्य वाक्पूर्वकत्वमन्यत्राम्नातम्-" यद्वै मनसा ध्यायति तद्वाचा वदति तत्कर्मणा करोति "-इति । विश्वं क्रियतेऽनयेति व्युत्पत्त्या वागेव विश्वकर्मा सैव दर्शनादृषिश्च । अन्यन्निगदसिद्धम् । प्रजापतिगृहीतया इत्यादि पूर्ववत् । वाचं गृह्णामीत्यस्य प्रयोजनमाह-प्रजाभ्य इति । प्रजापतिर्वाचं सृष्ट्वा ऊर्ध्वायां दिशि तां प्रावेशयत् । अतः ' प्रापादयत ' । ' नानोपदधाति ' इत्यादि पूर्ववत् । एकां तद्वाचमिति । ' एकाम् ' अविच्छिन्नां सन्ततां ' वाचम् ' कृतवान्भवतीत्यर्थः । विपर्यये दोषमाह-अथ यन्नानेति । ' सैषा त्रिवृदिष्टका ' इत्यादि पूर्ववद्योज्यम् ॥ ९ ॥

एतद्वै तदन्नमिति । इत्थं पञ्चाशत्संख्याकैर्मन्त्रैर्यावन्तोऽर्थाः प्रतिपादिताः, एतदात्मकमेव खलु ' तदन्नम् ' यत्प्राणभृदाख्यमन्नं सृष्ट्यादौ ' प्राणाश्च प्रजापतिश्च ' सह मिलिताः सृष्टवन्तः । उक्तार्थजातस्यान्नरूपतां प्रतिपादयति-एतावान्वा इति । अग्नि-प्राण-वसन्त-गायत्र्यादयोऽत्र यावन्तोऽर्थाः अनुक्रान्ताः एतावान् एव ' सर्वो यज्ञः ' सर्वेषां यज्ञसाधनानां कालच्छन्दःसामग्रहस्तोमपृष्ठादीनामेतन्मन्त्रेष्वन्तर्भूतत्वात् । तादृशश्च ' यज्ञः ' ' देवानाम् ' ' अन्नम् ' उपजीवनीयो जीवनोपायः । अतस्तन्मन्त्रोपधेयानां प्राणभृतामन्नरूपत्वं युक्तमित्यर्थः ॥ १० ॥

(न्ता) ता दुश-दशोपदधाति। दुशाक्षरा व्विराड्विराडु कृत्स्नमन्नꣳ सुर्व्वमेवास्मिन्नेतुत्कृत्स्नमन्नं दधाति सर्व्वुतऽउपदधाति सर्व्वुतऽएवास्मिन्नेतुत्कृत्स्नमन्नं दधाति ता हैता व्विराजऽ एतान्प्राणान्बिभ्रति यत्प्राणान्बिभ्रति तुस्मात्प्राणभृतः ॥ ११ ॥

इति प्रथमप्रपाठके द्वितीयं ब्राह्मणम् ॥ ८-१-२ ॥ (१. २.) ॥

तदाहुः। किं प्राणाः किं प्राणभृतऽइति प्राणाऽएव प्राणाऽअङ्गानि प्राणभृन्त्यङ्गानि हि प्राणान्बिभ्रति प्राणास्त्वेव प्राणाऽअन्नं प्राणभृदन्नꣳ हि प्राणान्बिभर्त्ति ॥ १ ॥

ता दश-दशोपदधाति। दशाक्षरा विराट्। विराडु कृत्स्नमन्नम्। सर्वमेवास्मिन्नेतत्कृत्स्नमन्नं दधाति। सर्वत उपदधाति। सर्वत एवास्मिन्नेतत्कृत्स्नमन्नं दधाति। ता हैता विराज एतान्प्राणान्बिभ्रति। यत्प्राणान्बिभ्रति। तस्मात्प्राणभृतः ॥ ११ ॥

तदाहुः-किं प्राणाः, किं प्राणभृत इति। प्राणा एव प्राणाः, अङ्गानि प्राणभृन्ति। अङ्गानि हि प्राणान्बिभ्रति। प्राणास्त्वेव प्राणाः, अन्नं प्राणभृत्। अन्नं हि प्राणान्बिभर्ति ॥ १ ॥

दशसंख्यानुवादेनाप्यन्नरूपतामाह-ता दश दशेति। 'ताः' प्राणभृतः प्रतिदिशं दशदशोपधीयन्ते। तथा च दशसंख्यायोगाद्विराड्रूपता सम्पद्यते। लोके च भुज्यमानं 'कृत्स्नमन्नम्' विराडात्मकम्, अतः 'अस्मिन्' चित्येऽग्नौ 'सर्वमेव' अन्नजातं 'कृत्स्नम्' निरवशेषमेव 'एतत्' एतेन प्राणभृदुपधानेन स्थापितवान्भवतीत्यर्थः। सर्वत उपधानमनूद्य स्तौति-सर्वत उपदधातीति। सर्वत एवास्मिन्निति। 'सर्वतः' सर्वाभ्यो दिग्भ्यः सकाशादेव 'अस्मिन्' चित्येऽग्नौ 'एतत्' एतेन सर्वासु दिक्षूपधानेनोदीरितलक्षणं प्राणभृदाख्यमन्नं स्थापितवान्भवतीत्यर्थः। प्राणभृत्संज्ञां निर्ब्रूते-ता हैता इति। 'ताः' खलु 'एताः' उपहिता इष्टकाः 'विराजः' दशसंख्यायोगात्, 'एतान्प्राणान्' मनश्चक्षुरादीन् 'बिभ्रति' धारयन्ति पोषयन्ति वा। अन्नरूपत्वात्तासां प्राणभरणहेतुत्वम्। "डुभृञ् धारणपोषणयोः" (धा. पा. जु. उ. ९) इति धातुः। 'तस्मात्' प्राणभरणाद्धेतोः एता इष्टकाः प्राणभृत्संज्ञाः सम्पन्नाः ॥ ११ ॥

इति श्रीसायणाचार्यविरचिते माधवीये वेदार्थप्रकाशे माध्यन्दिनीयशतपथब्राह्मणभाष्ये अष्टमकाण्डे प्रथमेऽध्याये द्वितीयं ब्राह्मणम् ॥ (८-१-२) ॥

प्राणान् बिभ्रतीति प्राणभृत इति नामनिर्वचनं कृतम्, तत्र प्राणस्वरूपं प्राणभृत्स्वरूपं च विशदयितुं ब्रह्मवादिनां प्रश्नमुद्भावयति-तदाहुरिति। तत्रोदीरितप्रश्नांश्चोदयन्ति-प्राणानां प्राणभृतां च किं स्वरूपमिति। उत्तरमाह-प्राणा इति। प्राणा एवात्रापि प्राणाः विवक्षिताः, नान्ये। 'अङ्गानि' शरीरावयवभूताश्चक्षुराद्याः। कथमेतदित्यत आह-अङ्गानि हीति। यस्माद् 'अङ्गानि' 'प्राणान् बिभ्रति' धारयन्ति पोषयन्ति वा, तस्मात्तानि 'प्राणभृतः'। प्रकारान्तरेण प्रतिवक्ति-प्राणास्त्वेवेति। 'तु'-शब्दः पक्षव्यावर्तकः, अस्मिन्नपि पक्षे प्राणा एव प्राणाः; 'प्राणभृत्' तु 'अन्नम्' एव। तत्प्रतिपादयति-अन्नं हीति। अन्नरसस्य प्राणपोषकत्वं प्रसिद्धमिति 'हि' शब्दार्थः ॥ १ ॥

तदाहुः। कथमस्यैताः सर्वाः प्राजापत्या भवन्तीति यदेव सर्वास्वाह प्रजापतिगृहीतया त्वयेत्येवमु हास्यैताः सर्वाः प्राजापत्या भवन्ति ॥ २ ॥

तदाहुः। (र्यं) यद्ग्रहाय गृहीताय स्तुवतेऽथ शꣳसत्यथ कस्मात्पुरस्ताद्ग्रहाणामृचश्च सामानि चोपदधातीति सꣳस्था वै कर्मणोऽन्वीक्षितव्यर्चा वै प्रतिपदा ग्रहो गृह्यतऽऋचि साम गीयते तदस्यैतद्यत्पुरस्ताद्ग्रहाणामृचश्च सामानि चोपदधात्यथ यदुपरिष्टाद्ग्रहाणाꣳ स्तुतशस्त्रे भवतस्तद्वस्यैतद्यदुपरिष्टाद्ग्रहाणाꣳ स्तोमांश्च पृष्ठानि चोपदधाति ॥ ३ ॥

तदाहुः—कथमस्यैताः सर्वाः प्राजापत्या भवन्तीति। यदेव सर्वास्वाह—प्रजापतिगृहीतया त्वयेति। एवमु हास्यैताः सर्वाः प्राजापत्या भवन्ति ॥ २ ॥

तदाहुः—यद्ग्रहाय गृहीताय स्तुवते—अथ शंसति—अथ कस्मात्पुरस्ताद्ग्रहाणामृचश्च सामानि चोपदधातीति। संस्था वै कर्मणोऽन्वीक्षितव्या। ऋचा वै प्रतिपदा ग्रहो गृह्यते, ऋचि साम गीयते। तदस्यैतद्—यत्पुरस्ताद्ग्रहाणामृचश्च सामानि चोपदधाति। अथ यदुपरिष्टाद् ग्रहाणां स्तुतशस्त्रे भवतः—तद्वस्यैतद्—यदुपरिष्टाद् ग्रहाणां स्तोमांश्च पृष्ठानि चोपदधाति ॥ ३ ॥

"अयं पुरो भुवः"–(वा. सं. १३। ५४) इत्यादिकैर्विभक्तैः पञ्चाशन्मन्त्रैः पञ्चाशदिष्टका उपधेया इत्येकः पक्षस्तमेवाभिप्रेत्य प्रश्नमुद्भावयति—तदाहुः कथमस्यैता इति। 'तत्' तत्र 'आहुः' चोदयन्ति ब्रह्मवादिनः, 'अस्य' अग्नेः सम्बन्धिन्यः 'एताः' पञ्चाशदिष्टकाः 'सर्वाः' 'कथम्'? 'प्राजापत्याः' प्रजापतिदेवताका उपहिता 'भवन्तीति' तस्मिन्पक्षे एकस्मिन्नेव हि मन्त्रे "प्रजापतिगृहीतया" इति पदं, न सर्वत्र, अतः सर्वासां प्राजापत्यता न सम्भवतीति। अस्योत्तरमाह—यदेव सर्वास्वाहेति। यस्मादेव कारणात् 'सर्वासु' अपि पञ्चाशदिष्टकासु यत् "प्रजापतिगृहीतया" इति 'आह' अनेनैव खलु 'एताः' प्राणभृतः 'सर्वाः' 'प्राजापत्याः भवन्ति'। अयमभिसन्धिः, यद् "अयं पुरः" इत्यादीनां विभक्तानां मन्त्राणां प्रयोग एव न सम्भवति, अपरिसमाप्तार्थत्वात्। "अयं पुरः" इत्यारभ्य "प्रजाभ्यः"—इत्यन्ते ह्येकोऽर्थः परिसमाप्यते। एकार्थावच्छेदकत्वादेको मन्त्र इति प्रतीष्टकं सकृच एवावर्तनीयः। अतः सर्वास्वपीष्टकासु प्रजापतिगृहीतयेत्येतत्प्रजापतिशब्दसम्बन्धो भविष्यतीति सर्वासां प्राजापत्यतासिद्धिरिति ॥ २ ॥

अथ मन्त्रगतानुपूर्व्या ऋक्सामग्रहाणां प्रतीयमानमानन्तर्यमाक्षिप्य समाधत्ते—तदाहुर्यद्ग्रहाय गृहीतायेत्यादिना। एवं ह्यनुष्ठानक्रमः—प्रथमं ग्रहग्रहणम्, पश्चात्स्तोत्रम्, तदनन्तरं शस्त्रमिति। नन्वत्र गायत्रादिसामानि वैपरीत्येनोपदधातीत्याक्षेपः। संस्था वा इति। 'संस्था' निष्पत्तिः 'अन्वीक्षितव्या' अनुक्रमेण द्रष्टव्या। प्रतिपद्यते देवतास्वरूपं ज्ञायते अनयेति 'प्रतिपत्' तया खलु 'ऋचा' प्रथममैन्द्रवायवादि—'ग्रहो गृह्यते,' ततः सामाधारभूतायाम् 'ऋचि' 'साम गीयते' सामगानं क्रियते। 'तत्' तस्मात्साम्न ऋगाश्रितत्वादृचश्च प्रतिपद्रूपत्वाद् ग्रहग्रहणात्पूर्वभावित्वात्, ऋचां गायत्रीत्रिष्टुबादीनां, साम्नां गायत्रसामादीनां च उपांश्वादिग्रहेभ्यः पूर्वमुपधानमुत्पत्तिक्रमानुरोधाद्युक्तमित्यर्थः। तथा प्रयोगक्रमानुसारेणा-

तदाहुः । (४) यदेतत्त्रयꣳ सह क्रियते ग्रह स्तोत्रꣳ शस्त्रमथात्र ग्रहं चैव स्तोत्रं चोपदधाति कथमस्यात्रापि शस्त्रमुपहितं भवतीति यद्वाव स्तोत्रं तच्छस्त्रं यासु ह्येव स्तुवते ता ऽउ ऽएवानुशꣳसन्त्येवमु हास्यात्रापि शस्त्रमुपहितं भवति ॥ ४ ॥

तदाहुः । (५) यद्यथा पितुः पुत्रमेवं त्रीणि प्रथमान्याहाथ कस्मादृक्सामयोः संक्रामतीति साम वा ऽऋचः पतिस्तद्यत्तत्रापि यथा पितुः पुत्रमेवं ब्रूयाद्यथा पतिꣳ सन्तं पुत्रं ब्रूयात्तादृक्तत्तस्मादृक्सामयोः संक्रामति कस्मादु त्रिः संतनोतीति पितरं पुत्रं पौत्रं तांस्तत्संतनोति तस्मादु तेभ्य ऽएक ऽएव ददाति ॥ ५ ॥

तदाहुः–यदेतत्त्रयं सह क्रियते–ग्रहः, स्तोत्रम्, शस्त्रम् । अथात्र ग्रहं चव स्तोत्रं चोपदधाति । कथमस्यात्रापि शस्त्रमुपहितं भवतीति । यद्वाव स्तोत्रं–तच्छस्त्रम् । यासु ह्येव स्तुवते–ता ऽउ एवानुशंसन्ति । एवमु हास्यात्रापि शस्त्रमुपहितं भवति ॥ ४ ॥

तदाहुः–यद्यथा पितुः पुत्रमेवं त्रीणि प्रथमान्याह । अथ कस्मादृक्सामयोः संक्रामतीति । साम वा ऽऋचः पतिः । तद्यत्तत्रापि यथा पितुः पुत्रमेवं ब्रूयात्, यथा पतिं सन्तं पुत्रं ब्रूयात्–तादृक् तत् । तस्मादृक्सामयोः संक्रामति । कस्मादु त्रिः सन्तनोतीति–पितरम्, पुत्रम्, पौत्रम्–तांस्तत्सन्तनोति । तस्मादु तेभ्य एक एव ददाति ॥ ५ ॥

ध्युपांश्वादीनां ग्रहाणां ' उपरिष्टाद् ' उत्तरकाले उपांशोस्त्रिवृत् त्रिवृतो रथन्तरमित्यादिना त्रिवृदादीन्स्तोमान्, रथन्तरादीनि पृष्ठसामानि च ' उपदधाति ' अतो न क्रमभङ्ग इत्यर्थः ॥ ३ ॥

अन्यं प्रश्नमुद्भाव्य समाधत्ते–तदाहुर्यदेतत्त्रयमिति । ग्रह–स्तोत्र–शस्त्राणि पौर्वापर्येण ' सह ' प्रयुज्यन्ते । अत्र तु प्राणभृद्रूपोपांश्वादिग्रहं रथन्तरादिपृष्ठस्तोत्रं तत्तत्प्रतिपादकमन्त्रभागेन कृत्वा इष्टकात्वेन ' उपदधाति ' । अथास्याध्वर्योः ' कथम् ' केन प्रकारेण ' अत्र ' प्राणभृत्सु आज्यप्रउगादि 'शस्त्रमप्युपहितं भवतीति' प्रश्नः । स्तोत्रोपधानादेव शस्त्रस्याप्युपधानं सिध्यतीत्याह–यद्वाव स्तोत्रमिति । ' यद् ' एव हि ' स्तोत्रम् ' ' तद् ' एव ' शस्त्रम् ' तयोः प्रगीताप्रगीतत्वमेव विशेषः । एतदेवाह–यासु ह्येवेति । ' यासु हि ' स्तोत्रियासु ऋक्षु ' स्तुवते ' रथन्तरादीनि सामानि गायन्ति सामगाः ' ताः ' एवर्चो होतृमैत्रावरुणादयः ' अनुशंसन्ति ' । अतः स्तोत्रशस्त्रयोर्भेदाभावात्स्तोत्रोपधानेन ' शस्त्रमपि ' अस्य ' उपहितम् ' एव ' भवति ' इत्यर्थः ॥ ४ ॥

तत्रैव प्रश्नान्तरमुद्भाव्य परिहरति–तदाहुर्यद्यथा पितुः पुत्रमिति । ' यथा ' येन प्रकारेण तद्धितवृत्त्या अश्वलस्यापत्यमाश्वलीय इत्येवंरूपया 'पितुः' सम्बन्धविशिष्टं 'पुत्रं' कथयति । 'एवम्' अनेन प्रकारेण तद्धितवृत्त्या " तस्य प्राणो भौवायनः " इत्येवंरूपया ' प्रथमानि ' 'त्रीणि' प्राणवसन्तगायत्रीरूपाणि ' आह ' प्रतिपादयति ' अथ ' एवं सति ' कस्माद् ' हेतोः " गायत्र्यै गायत्रम् " इत्यादिना–प्रतिपाद्यमानयोः ' ऋक्सामयोः ' स्वरूपं ' सङ्क्रामति ' सङ्क्रमणं नाम कार्यकारणतया ' ऋचः ' सामात्मना सङ्क्रमणम्, साम्नश्च ग्रहात्मना,

तद्याः पुरस्तादुपदधाति । ताः प्राणभृतोऽथ याः पश्चात्ताश्चक्षुर्भृतस्ता ऽअपानभृतोऽथ या दक्षिणतस्ता मनोभृतस्ताऽ उ व्व्यानभृतोऽथ या ऽउत्तरतस्ताः श्रोत्रभृतस्ताऽउदानभृतोऽथ या मध्ये ता व्वाग्भृतस्ताऽउ समानभृतः ॥ ६ ॥

तद्याः पुरस्तादुपदधाति—ताः प्राणभृतः । अथ याः पश्चात्—ताश्चक्षुर्भृतः, ता अपानभृतः । अथ या दक्षिणतः—ता मनोभृतः, ता उ व्यानभृतः । अथ या उत्तरतः—ताः श्रोत्रभृतः, ता उदानभृतः । अथ या मध्ये—ता वाग्भृतः, ता उ समानभृतः ॥ ६ ॥

अत्र सर्वत्र तद्धितवृत्त्यभावात् । अनयोः पूर्वेषु त्रिष्विव पितापुत्रभावं तद्धितवृत्त्या ब्रूयात् प्रतिपादयेत् । अनयोर्जन्यजनकभावः कथं सिद्ध्येदिति प्रश्नभावार्थः । "अचतुर"—(पा. सू. ५ । ४ । ७७) इत्यादिसूत्रेण निपातनाद् ऋक्सामशब्दोऽच्प्रत्ययान्तः । संक्रमणं समर्थयते—साम वा इति । 'साम' खलु गीयमानमाधारभूतायाः 'ऋचः पतिः,' आधेयत्वेन प्राधान्यात् । तथा सति 'यत्' यदि तयोः 'ऋक्सामयोः' अपि पूर्वेषु त्रिष्विव पितापुत्रभावं तद्धितवृत्त्या 'ब्रूयात्,' तर्हि कस्याश्चित् 'पतिं सन्तम्' तामेवापेक्ष्य 'पुत्रम्' इति 'ब्रूयात्,' इत्येतद् 'यथा' अनुचितम् 'तादृग्' एव, 'तत्;' यत् पत्युः सतः साम्नः ऋचः पुत्रत्वप्रतिपादनम् । 'तस्मात्' कारणाद् ऋक्सामयोराधाराधेयभावलक्षण एव सम्बन्धः इत्याह—तस्मादिति ॥

प्रथमंतस्त्रिषु मन्त्रेषु ख्यापितस्य पितापुत्रभावस्य प्रयोजनं वक्तुमाकाङ्क्षामुत्थापयति—कस्मादु त्रिरिति । 'कस्मात्' खलु प्रयोजनादादितस्त्रीन् तद्धितवृत्त्या पितापुत्रभावेन 'सन्तनोति' सम्बद्धान् प्रतिपादयतीत्यर्थः । पितृ-पुत्र-पौत्रलक्षणत्रिपुरुषसन्तानप्रतिपादनाय तत् इति प्रतिवक्ति—पितरं पुत्रं पौत्रमिति । 'पितरं' पुत्रेण, 'पुत्रं' पौत्रेण । एवं 'तान्' पित्रादीनेव 'तत्' तेन 'सन्तनोति' सन्ततानविच्छिन्नान्करोति । 'तस्मात्' तेषां सम्बद्धत्वादेव 'तेभ्य एक एव' प्रपौत्रः 'ददाति' पिण्डानिति शेषः ॥ ५ ॥

अथैतासामुपधानमन्त्रेषु प्राणादिलिङ्गदर्शनात्तदुपजीवनेन तेषां दशकानां पृथक् संज्ञाकरणं प्रतिजानीते—तद्याः पुरस्तादित्यादिना । 'तत्' तासु प्राणभृत्सु मध्ये 'याः' पूर्वस्यां दिशि 'उपदधाति' 'ताः' प्राणभृत्संज्ञाः, तासामुपधानमन्त्रेषु "प्राणं गृह्णामि प्रजाभ्यः" इति श्रवणात् । अथेति । चक्षुर्लिंग-प्रयुक्तेन मन्त्रेण पश्चादुपधेया 'याः' एव 'चक्षुर्भृतः' ता एवेष्टका 'अपानभृतः' इत्यर्थः । कोष्ठस्य वायोर्मुखनासिकाभ्यां बहिर्निःसरणं प्राणवृत्तिः, अधः सञ्चरणम् अपानवृत्तिः, पूर्वापरभावेन तयोः सञ्चरणात्पूर्वापरदिगवस्थितानामिष्टकानां तदुभयरूपतेत्यर्थः । ता मनोभृत इति । मनोलिङ्गप्रयुक्तेन मन्त्रेण दक्षिणत उपधेया इष्टका 'मनोभृतः' 'ता' एव 'व्यानभृतः' मनस इव व्यानस्यापि सर्वशरीरव्याप्तेः । श्रोत्रलिङ्गकेन मन्त्रेण 'उत्तरतः' उपधेया इष्टकाः 'श्रोत्रभृतः' 'ता' एव 'उदानभृतः,' श्रोत्रस्येवोदानस्यापि ऊर्ध्व-देशावस्थितत्वात् । वाग्लिङ्गप्रयुक्तेन मन्त्रेण मध्यत उपधेया इष्टका एव 'वाग्भृतः' 'ता' एव 'समा-नभृतः' इत्थं प्राणभृत इति सामान्यतया विहिता एव अपानभृत इत्यादिविशेषसंज्ञामपि लभन्ते । अपानादीनां तत्तद्वृत्तित्वाच्चक्षुरादीनां च तदनुग्राहकत्वात् प्राणभृतश्चक्षुर्भृत इत्येवं पृथङ्नामधेया इत्यर्थः ॥ ६ ॥

(स्तु)तदु ह चरकाध्वर्यवः । (वोऽन्या) अन्या ऽएवापानभृतो व्यानभृत ऽउदानभृतः समानभृतश्चक्षुर्भृतो मनोभृतः श्रोत्रभृतो वाग्भृत ऽइत्युपदधति न तथा कुर्यादत्युहैव रेचयन्त्यत्रोऽएवैतानि सर्वाणि रूपाण्युपधीयन्ते ७

स वै पुरस्तादुपधाय पश्चादुपदधाति । प्राणो ह्यपानो भूत्वाऽऽङ्गुल्यग्रेभ्य ऽइति संचरत्यपान ऽउ ह प्राणो भूत्वाऽऽङ्गुल्यग्रेभ्य ऽइति संचरति तद्यत्पुरस्तादुपधाय पश्चादुपदधात्येतावेवैतत्प्राणौ संतनोति संदधाति तस्मादेतौ प्राणौ संततौ सꣳहितौ ॥ ८ ॥

(तावु) अथ दक्षिणत ऽउपधायोत्तरत ऽउपदधाति । व्यानो होदानो भूत्वाऽऽङ्गुल्यग्रेभ्य ऽइति संचरत्युदान ऽउ ह व्यानो भूत्वाऽऽङ्गुल्यग्रेभ्य

तदु ह चरकाध्वर्यवः–अन्या एवापानभृतो व्यानभृत उदानभृतः समानभृतः, चक्षुर्भृतो मनोभृतः श्रोत्रभृतो वाग्भृत–इत्युपदधति । न तथा कुर्यात् । अत्यहैव रेचयन्ति । अत्रोऽएवैतानि सर्वाणि रूपाण्युपधीयन्ते ॥ ७ ॥

स वै पुरस्तादुपधाय पश्चादुपदधाति । प्राणो ह्यपानो भूत्वाऽऽङ्गुल्यग्रेभ्य इति सञ्चरति । अपान उ ह प्राणो भूत्वाऽऽङ्गुल्यग्रेभ्य इति सञ्चरति । तद्यत्पुरस्तादुपधाय पश्चादुपदधाति । एतावेवैतत्प्राणौ सन्तनोति, सन्दधाति । तस्मादेतौ प्राणौ सन्ततौ संहितौ ॥ ८ ॥

अथ दक्षिणत उपधायोत्तरत उपदधाति । व्यानो होदानो भूत्वाऽऽङ्गुल्यग्रेभ्य इति संचरति ।

अन्यदीयं मतमुपन्यस्य निराचष्टे–तदु ह चरकाध्वर्यव इति । चरकप्रोक्तशाखाध्यायिनोऽध्वर्यवः 'चरकाध्वर्यवः' 'तत्' तत्र उक्तविषये प्राणभृद्द्वयोऽन्या एवापानभृदादीष्टकाः 'उपदधति' इति तन्मतोपन्यासः । तदेतन्निषेधति–न तथा कुर्यादिति । 'अत्रो' 'एव' अत्रैव प्राणभृत्स्वेवोदीरितरीत्या 'एतानि सर्वाणि' अपानभृच्चक्षुर्भृदेवमादीनि 'रूपाण्युपधीयन्ते' पृथगुपदधतां तेषामतिरेकदोष एव स्यादित्यर्थः ॥ ७ ॥

पूर्वदिशि प्राणभृतामुपधानानन्तरं दक्षिणां दिशं विहाय प्रतीच्यां दिशि कर्तव्यमिति विधत्ते–स वै पुरस्तादिति । एतदुपपादयति–प्राणो हेति । मुखनासिकाभ्यां बहिर्निःसरञ्छरीरस्य पूर्वभागेऽवस्थितः प्राणवायुः पुनर्मुखनासाभ्यामेवान्तःप्रविशन्नपानवृत्त्यात्मकः 'भूत्वा' 'आङ्गुल्यग्रेभ्यः' नखाग्रपर्यन्तम् 'इति'—शब्दोऽभिनयद्योतकः । अनेन प्रकारेण देहमध्ये प्रत्यङ्मुखः 'सञ्चरति' । अधोमुखः स एव 'अपानः' पुनरूर्ध्वमुखः 'प्राणो भूत्वा' नखाग्रपर्यन्तम् 'इति' अनेन प्रकारेण प्राचीनं 'सञ्चरति' अतः पूर्वापरदिशोर्नैरन्तर्येण प्राणभृदुपधानाद् 'एतावेव' प्राणापानौ परस्परं सम्बद्धौ 'संहितौ' अविच्छिन्नौ च भवत इत्यर्थः । यस्मादेवमेतस्मिन्कर्मणि 'तस्माद्' एव कारणाल्लोकेऽप्येवं प्राणापानौ दृश्येते इत्यर्थः ॥ ८ ॥

अथ दक्षिणोत्तरदिशोरपि नैरन्तर्येण प्राणभृदुपधानं विधाय स्तौति–अथ दक्षिणत इति । 'अथ'–शब्दः प्रत्यग्दिगुपधानानन्तर्यार्थः । दक्षिणत उपहिताः प्राणभृत एव मनोभृतः व्यानभृतश्च, उत्तरत उप-

ऽइति सुंचरति तद्युद्दक्षिणतु ऽउपधायोत्तरतुऽउपदुधात्येतावेवैतुत्प्राणौ सुंतनोति सुंदधाति तुस्मादेतौ प्राणौ संततौ सुᳫँहितौ ॥ ९ ॥

(तावु) अुथ या मुध्यऽउपदुधाति । सु प्राणस्ता रेतःसिचोर्व्वेलयोपदधाति पृष्ट्यो वै रेतःसिचौ मुध्यमु पृष्ट्यो मध्यतुऽ एवास्मिन्नेतुत्प्राणं दधाति सर्व्वतऽउपदधाति सर्व्वतऽएवास्मिन्नेतुत्प्राणं दधात्युथोऽएवुᳫँ हैषु गुदः प्राणः समन्तं नाभिं पुर्यक्रोऽनूचीश्च तिरश्चीश्चोपदधाति तुस्मादिमेऽन्वुञ्चश्च तिर्युञ्चश्चात्मुन्प्राणाः सुᳫँस्पृष्टाऽउपदधाति प्राणानेवैतत्सुंतनोति सुंदधाति तुस्मादिमे प्राणाः संतताः सुᳫँहिताः ॥ १० ॥

इति प्रथमप्रपाठके तृतीयं ब्राह्मणम् ॥ ८-१-३ ॥ (१. ३.) ॥

उदान उ ह व्यानो भूत्वाऽऽङ्गुल्यग्रेभ्य इति सञ्चरति । तद्यद्दक्षिणत उपधायोत्तरत उपदधाति । एतावेवैतत्प्राणौ सन्तनोति, सन्दधाति । तस्मादेतौ प्राणौ सन्ततौ, संहितौ ॥ ९ ॥

अथ या मध्यऽउपदधाति—स प्राणः । ता रेतःसिचोर्वेलयोपदधाति । पृष्ट्यो वै रेतःसिचौ । मध्यमु पृष्ट्यः, मध्यत एवास्मिन्नेतत्प्राणं दधाति । सर्वत उपदधाति । सर्वत एवास्मिन्नेतत्प्राणं दधाति । अथोऽएवं हैष गुदः प्राणः समन्तं नाभिं पर्यक्तः । अनूचीश्च तिरश्चीश्चोपदधाति । तस्मादिमेऽन्वञ्चश्च तिर्यञ्चश्चात्मन्प्राणाः । संस्पृष्टा उपदधाति । प्राणानेवैतत्सन्तनोति, सन्दधाति । तस्मादिमे प्राणाः सन्तताः संहिताः ॥ १० ॥

हिताः श्रोत्रभृत उदानभृतश्च । 'तत्' तथा च 'दक्षिणत उपधायोत्तरतः' उपधाने व्यानोदानयोः पूर्ववत्परस्पराभिमुख्येन संचरणम्, तद्धेतुकाविच्छेदश्च सिद्ध्यतीति 'व्यानो होदानो भूत्वा' इत्यादेस्तात्पर्यार्थः । गतमन्यत् ॥ ९ ॥

अथ मध्यत उपधेयानां स्थानविशेषं विधाय स्तौति—**अथ या मध्य** इति । 'मध्ये' 'याः' दशसङ्ख्याकाः प्राणभृत उपधीयन्ते 'स प्राणः' समानवृत्त्युपेतप्राणात्मिकास्ता इत्यर्थः । 'स' इति विधेयापेक्षयैकवचनम् । रेतःसिगाख्ययोरिष्टकयोर्या वेला प्रान्तदेशस्तया 'वेलया' 'ताः' उपदध्यात्, ताः मध्यवर्तिनीः प्राणभृत इत्यर्थः । **पृष्ट्यो वा** इत्यादि । कटिसम्बन्धीन्यस्थीनि 'पृष्ट्यः' तदात्मिके हि रेतःसिगाख्ये इष्टके । ताश्च पृष्ट्यो 'मध्यमु' पुरुषशरीरस्य मध्यभाग एव तथा च 'एतत्' एतेन मध्यवर्तिपृष्टिरूपरेतःसिक्समीपे प्राणभृदुपधानेन 'मध्यतः' चित्याग्निशरीरस्य मध्य एव पञ्चमवृत्त्यात्मकम् 'प्राणम्' प्रतिष्ठापयति । सर्वत उपधानमनूद्य स्तौति—**सर्वत उपदधातीति । सर्वत एवास्मिन्निति** । 'सर्वतः' सर्वाभ्यो दिग्भ्यः । सर्वत उपधानं प्रकारान्तरेण स्तौति—**अथो एवं हैष** इति । 'अथो' अपि च 'एवमेषः' खल्वेषः 'गुदः प्राणः' प्राणोत्पत्तिस्थानस्य मूलाधाराख्यस्योपलक्षणमेतत्; तथाविधः सः 'समन्तं नाभिम्' नाभेः सर्वतः 'पर्यक्नः' परिणतः "अञ्चु गतौ"—(धा. पा. भ्वा. प. १८८) इत्यस्मान्निष्ठायाम् "अञ्चोऽनपादाने"—(पा. सू. ८ । २ । ४८) इति नत्वम् । अथ सर्वासां प्राणभृतामुपधाने धर्मविशेषं

ता हैके पुरुषमुपाप्योंपदधति । (त्ये) एष वै प्राणस्तमेता बिभ्रति यत्प्राणं बिभ्रति तस्मात्प्राणभृतऽइति न तथा कुर्यादेषो ऽहैव प्राणो यऽएष हिरण्मयः पुरुषस्तस्य त्वयमात्मा यावदिदमभ्ययमग्निर्विहितस्तद्यद्धा-स्यैताऽअङ्गं नाभिप्राप्नुयुः प्राणो हास्य तदङ्गं नाभिप्राप्नुयाद्यदु वै प्राणोऽङ्गं नाभिप्राप्नोति शुष्यति वावैतन्म्लायति वा तस्मादेनाः परि-श्रित्स्वेवोपाप्योंपदध्यादथ या मध्यऽउपदधाति ताभिरस्यैष ऽआत्मा पूर्णस्ताऽ उऽएवैतस्मादनन्तर्हिताः ॥ १ ॥

ता हैके पुरुषमुपाप्योंपदधति । एष वै प्राणस्तमेता बिभ्रति । यत्प्राणं बिभ्रति—तस्मात्प्राणभृत इति । न तथा कुर्याद्—एषोऽहैव प्राणो—य एष हिरण्मयः पुरुषः। तस्य त्वयमात्मा—यावदिदमभ्य-यमग्निर्विहितः । तद्यद्धास्यैता अङ्गं नाभिप्राप्नुयुः—प्राणो हास्य तदङ्गं नाभिप्राप्नुयात् । यदु वै प्राणोऽङ्गं नाभिप्राप्नोति—शुष्यति वावैतत्, म्लायति वा । तस्मादेनाः परिश्रित्स्वेवोपाप्योंपदध्यात् । अथ या मध्यऽउपदधाति । ताभिरस्यैष आत्मा पूर्णः। ता उऽएवैतस्मादनन्तर्हिताः ॥ १ ॥

विधत्ते—अनूचीश्च तिरश्चीश्चेति । 'अनूचीः' प्राक्प्रत्यगायताः । 'तिरश्चीः' दक्षिणोत्तरायताः । तत्प्रशंसति—तस्मादिम इति । 'आत्मन्' आत्मनि शरीरे वर्तमानाः 'इमे' 'प्राणाः' तत्तन्नाडीसंस्थान-वशेन तत्र तत्र सञ्चरन्तः कचिद् 'अन्वञ्चः' अनूचीनाः कचित् 'तिर्यञ्चः' तिरश्चीनाश्च भवन्ति । तासा-मुपहितानां परस्परसंस्पर्शं विधाय स्तौति—सꣳस्पृष्टा उपदधातीति । निगदसिद्धोऽर्थः ॥ १० ॥

इति श्रीसायणाचार्यविरचिते माधवीये वेदार्थप्रकाशे माध्यन्दिनीयशतपथब्राह्मणभाष्ये
अष्टमकाण्डे प्रथमेऽध्याये तृतीयं ब्राह्मणम् ॥ (८–१–३) ॥

अथ तासां पुरुषशिरसः समीपे प्रागादिदिक्षूपधानं पूर्वपक्षयति—ता हैक इति । 'एके' शाखिनः 'ताः' प्राणभृतः 'पुरुषमुपार्प्य' उपहितं पुरुषशिरः प्राप्य तत्समीपे 'उपदधति'। एष वै प्राणः—इत्यादिना तदुप-पादनम् । 'एषः' खलु पुरुषः 'प्राणः' प्राणात्मकः । "आत्मान्तर आत्मा प्राणः" इत्यादिश्रुतेः । 'तं' पुरुषा-त्मकम् 'प्राणम्' 'एताः' इष्टकाः 'बिभ्रति' धारयन्ति । ('यत्प्राणम्' इति प्रासन्ति) तदेव निषिध्य प्रकारान्तरेणाह—न तथा कुर्यादेषोऽहैवेति । 'यः' अयम् 'हिरण्मयः पुरुषः' उपहितः 'एषः' खलु प्राणात्मकः । तस्य पूर्वोक्तस्य शिरोरूपस्य पुरुषस्य 'अयम्' बुद्धिसान्निध्यमारूढः हिरण्मयः पुरुषः 'आत्मा' तत्र कारण-माह—यावदिदमिति । यतो हेतोः 'इदम्' हिरण्मयपुरुषस्य स्वरूपम् 'अभि' लक्ष्य 'अयम्' चित्यः 'अग्निः' 'विहितः' उपहितः 'तत्' तथा सति 'यत्' यदि 'अस्य' चित्याग्निशरीरोपेतस्य हिरण्मय-पुरुषस्य 'अङ्गम्' अवयवम् 'एताः' प्राणभृतः 'नाभिप्राप्नुयुः' न सम्बध्नीयुः । तर्हि प्राणमरणहेतूनां तासामसम्बन्धात् 'प्राणः' एव 'अस्य' हिरण्मयपुरुषस्य 'अङ्गम्' शरीरम् 'नाभिप्राप्नुयात्' । ततः को दोषः ? इति तत्राह—यद्दु वा इति । 'यत्' खलु 'अङ्गम्' 'प्राणः' न व्याप्नोति तत्काष्ठवच्छुष्कं म्लानं च भवतीत्यर्थः । तस्माद्धिरण्मयपुरुषस्याभिप्राप्तिर्यथा भवति तथोपदध्यादित्याह—तस्मादिति । 'परिश्रित्सु'

(रुतु) तदाहुः । (य्) युदयं पुरो भुवोऽयं दक्षिणा विश्वकर्माऽयं पश्चा-
द्विश्वव्यचाऽ इदुमुत्तरात्स्वरियमुपरि मतिरिति सम्प्रति दिशोऽभ्यनू-
च्यन्तेऽथ कस्मादेना ऽअक्ष्णया देशेषूपदधातीति प्राणा वै प्राणभृतस्ता
युत्सम्प्रति दिश ऽउपदध्यात्प्रागयुᳫँ हैवायं प्राणः संचरेदुथ युदेना ऽएवम-
भ्यनूक्ताः सतीरक्ष्णया देशेषूपदधाति तुस्मादयं प्रागयं प्राणः सन्नक्ष्णया
सर्वाण्यङ्गानि सर्वमात्मानमनुसंचरति ॥ २ ॥

स ऽएष पशुर्यदग्निः । सोऽत्रैव सर्वः कृत्स्नः संस्कृतस्तस्य याः पुरस्ता-

---

तदाहुः–यद् अयं पुरो भुवः । अयं दक्षिणा विश्वकर्मा । अयं पश्चाद्विश्वव्यचाः । इदमुत्तरात्स्वः । इयमुपरि मतिः, इति सम्प्रति दिशोऽभ्यनूच्यन्ते । अथ कस्मादेना अक्ष्णया देशेषूपदधातीति । प्राणा वै प्राणभृतः । ता यत्सम्प्रतिं दिश उपदध्यात्–प्रागयं हैवायं प्राणः संचरेत् । अथ यदेना एवमभ्यनूक्ताः सतीरक्ष्णया देशेषूपदधाति–तस्मादयं प्रागयं प्राणः सन्नक्ष्णया सर्वाण्यङ्गानि, सर्वमात्मानमनुसंचरति ॥ २ ॥

स एष पशुर्यदग्निः । सोऽत्रैव सर्वः कृत्स्नः संस्कृतः । तस्य याः पुरस्तादुपदधाति–तौ बाहू ।

एतस्वपु दिक्षु परिश्रयणार्थमुपहितासु शर्करासु 'एव उपार्ध्ये' परिक्रम्य हिरण्मयपुरुषप्राप्तिपर्यन्तम् 'एनाः' प्राणभृतः 'उपदध्यात्' । तथा चास्य कृत्स्नशरीरे प्राणव्याप्तिः सिध्यतीत्यर्थः ॥

नन्वेवं शरीरस्य प्राणव्याप्तावपि शरीरिणः पुरुषस्य प्राणव्याप्तिः कथमित्यत आह–**अथ या मध्य इति । ताभिरस्यैष आत्मा पूर्ण इति** । 'अस्य' चित्याग्निशरीरस्य 'एषः' हिरण्मयः पुरुषः 'आत्मा' 'ताभिः' मध्य उपहिताभिः प्राणभृद्भिः सम्बन्धात् प्राणेन 'पूर्णः' । कथमेतदित्यत आह–**ता उ एवैतस्मादिति** । 'ताः' खलु मध्ये उपहिताः प्राणभृतः 'एतस्मात्' हिरण्मयपुरुषात् 'अनन्तर्हिताः' अव्यवहिताः सम्बद्धा एव यतो भवन्ति तत इत्यर्थः ॥ १ ॥

आग्नेयादिकोणदिग्भागेषु प्राणभृतां वक्ररीत्योपधानमाक्षिप्य समाधत्ते–**तदाहुर्यदयं पुरो भुव इत्यादिना** । 'सम्प्रति दिशः' सम्प्रतिपन्नाः प्रसिद्धाः प्रागादिपञ्चदिशः 'यत्' यदि ताः 'अभ्यनूच्यन्ते' प्रतिपाद्यन्ते '**अथ कस्मात्**' कारणात् 'एनाः' प्राणभृतः 'अक्ष्णया' वक्रगत्या 'देशेषु' आग्नेयादिकोणेषु 'उपदधाति' इति । तथा च मन्त्रस्यासामर्थ्यप्रसङ्गः । '**प्राणा वै**' इत्यादिपरिहारः । 'यत्' यदि 'ताः' प्राणभृतः 'सम्प्रति दिशः' प्रागादिमुख्य-दिक्सम्बद्धा एव 'उपदध्यात्' । तर्ह्ययं शरीरमध्ये वर्तमानः 'प्राणः' 'प्रागयम्' ऊर्ध्वाऽधोगतिरूपेणैव 'सञ्चरेत्' न पुनस्तिर्यग्गमनेन कृत्स्नदेहं व्याप्नुयात । अत एतद्दोषपरिहाराय 'एवं' प्रागादिदिक्सम्बन्धितया 'अभ्यनूक्ताः सतीः' अपि यत् वक्रगत्याऽऽग्नेयादिकोणेषूपदधाति 'तस्मात्' कारणात् 'अयं प्राणः' उच्छ्वासश्वासात्मना 'प्रागयम्' 'सन्' ऊर्ध्वाधोगतिकोऽपि वर्तमानः 'अक्ष्णया' वक्रगत्या 'सर्वाण्यङ्गानि' व्याप्नुवन् 'सर्वमात्मानम्' शरीरम् 'अनुसञ्चरति' सर्वतो व्याप्नोति ॥ २ ॥

प्राणभृदुपधानं पशुत्वसम्पत्त्या स्तौति–**स एष पशुरिति** । चित्योऽग्निः–इति यत् 'स एष पशुः' 'सः' च 'अत्रैव' प्राणभृदुपधाने 'सर्वः' निरवशेषः 'कृत्स्नः' सम्पूर्णावयवः 'संस्कृतः' निष्पादितो भवति ।

दुपदधाति तौ बाहूऽअथ याः पश्चात्ते सक्थ्यावथ या मध्यऽउपदधाति सऽआत्मा ता रेतःसिचोर्व्वेलयोपदधाति पृष्टयो वै रेतःसिचौ मध्यमु पृष्टयो मध्यतो ह्ययमात्मा सर्व्वतऽउपदधाति सर्व्वतो ह्ययमात्मा ॥ ३ ॥

तदाहुः । (यं) यत्पूर्व्वेषु गणेष्वेकैकꣳ स्तोममेकैकं पृष्ठमुपदधात्यथ कस्मादत्र द्वौ स्तोमौ द्वे पृष्ठेऽउपदधातीत्यात्मा वाऽअस्यैष ऽआत्मानं तदङ्गानां ज्येष्ठं व्वरिष्ठं व्वीर्यवत्तमं करोति तस्मादयमात्माऽङ्गानां ज्येष्ठो व्वरिष्ठो व्वीर्यवत्तमः ॥ ४ ॥

(स्तु) तदाहुः । कथमस्यैषोऽग्निः सर्व्वः कृत्स्नऽइष्टकायामिष्टकायाꣳ संस्कृतो भवतीति मज्जा यजुरस्थीष्टका माꣳसꣳ सादनं त्वक्सूददोहा

अथ याः पश्चात्–ते सक्थ्यौ । अथ या मध्यऽउपदधाति–स आत्मा । ता रेतःसिचोर्वेलयोपदधाति । पृष्टयो वै रेतःसिचौ । मध्यमु पृष्टयः । मध्यतो ह्ययमात्मा । सर्वत उपदधाति । सर्वतो ह्ययमात्मा ॥ ३ ॥

तदाहुः–यत्पूर्वेषु गणेष्वेकैकं स्तोममेकैकं पृष्ठमुपदधाति । अथ कस्मादत्र द्वौ स्तोमौ, द्वे पृष्ठे उपदधातीति । आत्मा वाऽअस्यैषः । आत्मानं तदङ्गानां ज्येष्ठं वरिष्ठं वीर्यवत्तमं करोति । तस्मादयमात्माऽङ्गानां ज्येष्ठो वरिष्ठो वीर्यवत्तमः ॥ ४ ॥

तदाहुः–कथमस्यैषोऽग्निः सर्वः कृत्स्न इष्टकायामिष्टकायां संस्कृतो भवतीति । मज्जा यजुः,

---

पशुरूपतां सम्पादयति–तस्य याः पुरस्तादिति । बाहुद्वय–पादद्वय–मध्यशरीरभेदेन पञ्चावयवात्मकः पशुः । अत्र च पूर्वदिश्युपहिताः प्राणभृतो ' बाहू ' । ' पश्चाद् ' उपहिताः प्राणभृतस्तु ' सक्थ्यौ ' सक्थ्युपलक्षितौ पादौ । ' अथ या मध्ये ' उपधीयन्ते ' स आत्मा ' मध्यदेहः । स्थानविशेषसम्बन्धेनापि ताद्रूप्यं प्रतिपादयति–रेतःसिचोर्वेलयेति । एतदुक्तार्थम् । सर्वतो ह्ययमात्मेति । सर्वाभिर्दिग्भिः परिच्छिन्नोऽयं मध्यदेह इत्यर्थः ॥ ३ ॥

अन्तिममन्त्रे स्तोमद्वयपृष्ठद्वयप्रतिपादनरूपस्य विशेषस्य प्रश्नपूर्वकं प्रयोजनं कथयति–तदाहुरिति । ' तत् ' तत्र प्राणभृद्विषये ' पूर्वेषु' प्रागादिदिक्षूपधेयेषु चतुर्षु मन्त्र ' गणेषु ' त्रिवृदादिम् ' एकैकं–स्तोमम् ' रथन्तरादिकम् ' एकैकं पृष्ठम् ' उपदधाति ' । अत्रान्तिमे तु ' कस्मात् ' कारणात्त्रिणवत्रयस्त्रिंशाविति स्तोमद्वयम्, शाक्वररैवते इति पृष्ठसामद्वयं च ' उपदधाति ' इति प्रश्नः । आत्मा वै इति तस्योत्तरम् । ' अस्य ' अग्नेः ' एषः ' अन्तिमो गणः ' आत्मा वै ' मध्यमशरीरं खलु ' तत् ' तेन स्तोमपृष्ठयोर्द्वैगुण्येनाङ्गेभ्यः सकाशादङ्गिनम् ' आत्मानम ' मध्यदेहम् ' ज्येष्ठम् ' प्रवृद्धतमम् ' वरिष्ठम् ' वरतमम्, अत एव ' वीर्यवत्तमम् ' बलवत्तममतिशयितसामर्थ्योपेतं च ' करोति ' । तस्मादयमिति । लोकप्रसिद्ध्या उक्तार्थनिगमनम् ॥ ४ ॥

प्रतीष्टकं कृत्स्नस्याग्नेः संस्कृतिं प्रश्नपूर्वकमुपपादयति–तदाहुरिति । ' अस्य ' यजमानस्य ॥ ५ ॥

लोम पुरीषस्य यजुरन्नं पुरीषमेवमु हास्यैषोऽग्निः सर्व्वः कृत्स्नऽइष्टकाया-मिष्टकायाᳬं संस्कृतो भवति ॥ ५ ॥

सऽएषु सार्व्वायुषोऽग्निः । स यो हैतमेवᳬं सार्व्वायुषमग्निं व्वेद सर्व्वᳬं हैवायुरेति ॥ ६ ॥

(त्य) अथातः समञ्चनप्रसारणस्यैव । संचितᳬं हैके समञ्चनप्रसारणे-नेत्यभिमृशन्ति पशुरेष यदग्निर्यदा वै पशुरङ्गानि सं चाञ्चति प्र च सार-यत्यथ स तैर्व्वीर्यं करोति ॥ ७ ॥

संव्वत्सरोऽसि परिवत्सरोऽसि । (सी) इदावत्सरोऽसीद्वत्सरोऽसि व्वत्सरोऽसि ॥ उषसस्ते कल्पन्तामहोरात्रास्ते कल्पन्तामर्धमासास्ते

अस्थीष्टका, मांसं सादनम्, त्वक् सूददोहाः, लोम पुरीषस्य यजुः, अन्नं पुरीषम्—एवमु हास्यै-षोऽग्निः सर्वः कृत्स्न इष्टकायामिष्टकायां संस्कृतो भवति ॥ ५ ॥

स एष सार्वायुषोऽग्निः । स यो हैतमेवं सार्वायुषमग्निं वेद । सर्वं हैवायुरेति ॥ ६ ॥

अथातः समञ्चनप्रसारणस्यैव । संचितं हैके समञ्चनप्रसारणेनेत्यभिमृशन्ति । पशुरेष यदग्निः । यदा वै पशुरङ्गानि सं चाञ्चति, प्र च सारयति—अथ तैर्वीर्यं करोति ॥ ७ ॥

“ **संवत्सरोऽसि, परिवत्सरोऽसि, इदावत्सरोऽसि, इद्वत्सरोऽसि, वत्सरोऽसि । उषसस्ते कल्पन्ताम् । अहोरात्रास्ते कल्पन्ताम् । अर्धमासास्ते कल्पन्ताम् । मासास्ते**

स इति । 'स एषः' चित्यः ' अग्निः ' 'सार्वायुषः' सर्वस्यापि यावज्जीवनं प्राणात्मत्वेन, यस्य स तथोक्तः । स यो हैतमिति । तद्वेदितुः फलम् ॥ ६ ॥

सुपर्णरूपस्य चित्याग्नेः 'समञ्चनं' संकोचः, ' प्रसारणम् ' प्रस्तारस्तद्धेतुतया प्राणभृदुपधानं स्तोतुमुपक्रमते—**अथातः समञ्चनप्रसारणस्यैवेति** । यतः पक्षिरूपस्य चित्याग्नेः पक्षसङ्कोचनरूपं समञ्चनम्, तत्प्रसारणं च; उभयमपि सम्पादयितव्यम् अतः कारणात्तदुभयस्य विचारः क्रियत इत्यर्थः । तत्रैकीयं मतमुपन्यस्यति—तं ' सञ्चितम्' अग्निम् ' समञ्चनप्रसारण '—प्रतिपादकेन ' इति ' अनेन वक्ष्यमाणमन्त्रेण ' अभिमृशन्ति ' अभितः संस्पृशन्ति । समञ्चनप्रसारणयोर्वीर्यहेतुतयाऽवश्योत्पाद्यतामाह—**पशुरेष इति** । अग्नेः पशुरूपता प्रागुक्ता (श. प. ६ ।२।१।१२।) । लोके हि 'पशुर्यदा' स्वकीयानि 'अङ्गानि' 'सम्' 'अञ्चति' ' प्र च सारयति ' सङ्कुचितानि, प्रसारितानि च कर्तुं शक्नोतीत्यर्थः । ' अथ ' अनन्तरमेव ' सः ' पशुः ' तैः ' समञ्चन-प्रसारणोपेतैरङ्गैः ' वीर्यम् ' स्वव्यापारं 'करोति' कर्तुं प्रभवति । अतोऽग्निः पशुः—इति तस्यापि समञ्चनप्रसा-रणवत्त्वं सम्पादनीयम् ॥ ७ ॥

अभिमर्शनमन्त्रम् ' इति '—शब्दनिर्दिष्टं पठन्ति—**संवत्सरोऽसीति** । संवत्सर-परिवत्सरादिशब्दाः प्रभवा-दिषु पञ्चसु वत्सरेषु सङ्केतिताः । हे अग्ने ! त्वम् ' संवत्सरोऽसि ' यथा संवत्सरादयः सम्पूर्णावयवाः; त्वमपि सम्पूर्णावयवत्वात्तद्रूपोऽसीत्यर्थः । तथा च संवत्सरात्मनः ' ते ' तव अवयवभूताः ' उषसः ' उषःकालाः

कल्पन्तां मासास्ते कल्पन्तामृतुवस्ते कल्पन्ताॐ संव्वत्सरस्ते कल्पताम् ॥ प्रेत्याऽएत्यै सं चाञ्च प्र च सारय ॥ सुपर्णचिदसि तया देवतयाऽङ्गिरस्वद्ध्रुवः सीदेति ॥ ८ ॥

(त्य) अपि ह स्माह शाटचायनिः । स्फोटतोर्हैकः पक्षयोरुपशुश्रावैतेनाभिमृष्टस्य तस्मादेनमेतेनाभ्येव मृशेदिति ॥ ९ ॥

(त्य) अथ ह स्माह स्वर्जिन्नाग्नजितः । (तो) नग्नजिद्वा गान्धारः प्राणो वै समञ्चनप्रसारणं यस्मिन्वाऽअङ्गे प्राणो भवति तत्सं चाञ्चति प्र च सारयति संचितमेवैनं बहिष्टादभ्यन्यात्तदस्मिन्प्राणॐ समञ्चनप्रसारणं दधाति

कल्पन्ताम् । ऋतवस्ते कल्पन्ताम् । संवत्सरस्ते कल्पताम् । प्रेत्यै, एत्यै, सं चाञ्च । प्र च सारय । सुपर्णचिदसि तया देवतयाऽङ्गिरस्वद्ध्रुवः सीद "–(वा० सं० २७ । ४५) इति ॥ ८ ॥

अपि ह स्माह शाटचायनिः । स्फोटतोर्हैकः पक्षयोरुपशुश्राव–एतेनाभिमृष्टस्य । तस्मादेतेनाभ्येव मृशेदिति ॥ ९ ॥

अथ ह स्माह स्वर्जिन्नाग्नजितो, नग्नजिद्वा गान्धारः । प्राणो वै समञ्चनप्रसारणम् । यस्मिन्वाऽ अङ्गे प्राणो भवति–तत्सं चाञ्चति, प्र च सारयति । संचितमेवैनं बहिष्टादभ्यन्यात् । तदस्मिन्

' कल्पन्ताम् ' समर्था भवन्तु । अहानि च रात्रयश्च ' अहोरात्राः ' " अहःसर्वैकदेश "–(पा. सू. ५ । ४ । ८७) इत्यादिना अच् समासान्तः । " रात्राह्नाहाः पुंसि "–(पा. सू. २ । ४ । २९) इति पुँल्लिङ्गता । अहोरात्रपक्षमासर्तुरूपास्त्वदीयावयवाः स्वस्वव्यापारसमर्था भवन्तु । तत्समुदायात्मकस्तद्रूपः ' संवत्सरः ' च ' कल्पताम् ' समर्थो भवतु । किमर्थमेषां सामर्थ्यमिति तत्राह–' प्रेत्यै ' प्रगमनाय सम्यग् ' अञ्च ' । ' एत्यै ' आगमनाय ' प्रसारय च ' अवयवैः समञ्चनम्, प्रसारणं च कुर्वित्यर्थः । हे अग्ने ! त्वम् ' सुपर्णचिदसि' सुपर्णो गरुत्मान् तदाकृत्या चीयमानो भवसि । ' तया देवतया ' इत्यादि गतम् । अग्नेरभिधेयत्वाद् ' ध्रुवः ' इति पुँल्लिङ्गत्वम् ॥ ८ ॥

एतदेकीयं मतं शाटचायनेरप्यभिमतमित्याह–अपि ह स्माहेति । ' शाटचायनिः ' अप्येवमेव ' आह स्म ' । स्फोटतोरित्यादि तद्वाक्यम्, " संवत्सरोऽसि परिवत्सरोऽसि " इत्यनेन मन्त्रेणाभिमृष्टस्य चित्यस्याग्नेः 'स्फोटतोः' स्फुटनस्वभावयोः वियति वीज्यमानत्वेन प्रकटीभावमापन्नयोः ' पक्षयोः ' स्वरूपम् ' एकः ' कश्चित्साधारणो जनः ' उपशुश्राव ' अभिमर्शनजनितसामर्थ्योपेताविमौ पक्षाविति ज्ञातवान् । ' तस्मात् ' कारणाद् ' एतेन '–एव मन्त्रेण ' एनम् ' अग्निम् ' अभिमृशेत् ' । ' इति '–शब्दः शाटचायनिवाक्यपरिसमाप्तौ ॥ ९ ॥

पक्षान्तरमाह–अथ ह स्माह स्वर्जिदिति । नग्नजितः पुत्रः ' स्वर्जित् '–नामा अथवा गन्धारेषु भवो नग्नजिदेव राजा वक्ष्यमाणपक्षस्य प्रवक्ता । प्राणो वा इत्यादि । ' प्राणः ' एव हि समञ्चनप्रसारणात्मकः,

तथा सं चाञ्चति प्र च सारयतीति तद्धैव समञ्चनप्रसारणं यत्स तदुवाच राजन्यबन्धुरिव त्वेव तदुवाच यन्नु शतं कृत्वोऽथो सहस्रं बहिष्टादभ्यन्युर्न वै तस्मिँस्ते प्राणं दध्युर्यो वाऽआत्मन्प्राणः स ऽएव प्राणस्तद्यत्प्राणभृत ऽउपदधाति तदस्मिन्प्राणꣳ समञ्चनप्रसारणं दधाति तथा सं चाञ्चति प्र च सारयत्यथ लोकम्पृणेऽउपदधात्यस्याꣳ स्रक्त्यां तयोरुपरि बन्धुः पुरीषं निवपति तस्योपरि बन्धुः ॥ १० ॥

इति प्रथमप्रपाठके चतुर्थं ब्राह्मणम् ॥ ८-१-४ ॥ (१. ४.) ॥

इति प्रथमोऽध्यायः समाप्तः ॥ ८ । १ ॥

प्राणं समञ्चनप्रसारणं दधाति । तथा सं चाञ्चति, प्र च सारयति–इति । तद्धैव समञ्चनप्रसारणं–यत् स तदुवाच । राजन्यबन्धुरिव त्वेव तदुवाच । यन्नु शतं कृत्वोऽथो सहस्रं बहिष्टादभ्यन्युः–न वै तस्मिंस्ते प्राणं दध्युः । यो वाऽआत्मन्प्राणः–स एव प्राणः । तद्यत् प्राणभृत उपदधाति–तदस्मिन्प्राणं समञ्चनप्रसारणं दधाति । तथा सं चाञ्चति, प्र च सारयति । अथ लोकंपृणेऽउपदधाति–अस्यां स्रक्त्याम् । तयोरुपरि बन्धुः । पुरीषं निवपति । तस्योपरि बन्धुः ॥ १० ॥

इत्याहवनीयाग्निचित्यायां पञ्चचितिकायां प्रथमा चितिः ।

तद्धेतुत्वात् । एतदेव तादात्म्यं प्रतिपादयति–यस्मिन्वा इति । ' यस्मिन् ' खलु ' अङ्गे ' ' प्राणो भवति ' ' तत् ' अङ्गम् ' समञ्चति ' च ' प्रसारयति च ' आकुञ्चनप्रसारणसमर्थं भवतीत्यर्थः । तथा सति ' सञ्चितमेवैनम् ' अग्निम् ' बहिष्टाद् ' बाह्यदेशादागत्य ' अभ्यन्यात् ' पर्युच्छ्वासं कुर्यात् । ' तत् ' तेन समञ्चनप्रसारणात्मकं ' प्राणम् ' स्थापितवान् भवति । ' तथा ' च सोऽग्निः समञ्चनप्रसारणसमर्थो भवति, न पुनरुक्तमन्त्राभिमर्शनं कर्तव्यमिति, नाग्निजितस्य पक्ष उपन्यस्तः ॥

तमेतं दूषयति–तद्धैवेति । ' तत् ' एव " संवत्सरोऽसि "–इति मन्त्राभिमर्शनरूपमेव प्रागुक्तं ' समञ्चनप्रसारणम् ' अनन्तरोक्तं न भवति; इत्येवकारार्थः । तत्र दूषणमाह–यत्स तदुवाचेति । ' स ' नाग्निजित् स्वर्जिद्वा ' यत् ' प्रागुक्तवान्, एतदेवोद्घाटयति–राजन्येति । राजन्याधम इव यथा वक्ति तथा तदभ्यननरूपं समञ्चनप्रसारणमुक्तवान् । एतदेवोद्घाटयति–यन्नु शतमिति । ' बहिष्टात् ' बाह्यदेशादागत्य ' यन्नु ' यमेव पदार्थम् शतवारं सहस्रवारं वा ' अभ्यन्युः ' अभितः पर्युच्छ्वासमाजं कुर्युः जनाः । ' न ' खलु ' तस्मिन् ' पदार्थे ते ' प्राणम् ' ' दध्युः ' स्थापयेयुः, अतोऽभ्यननेन यत्प्राणस्थापनं प्रागुदीरितं तदसङ्गतमित्यर्थः । ननु चित्याग्नेः पक्षपुच्छादावपि प्राणेन भवितव्यं तस्य क उपाय इत्यत आह–यो वा आत्मन्निति । ' यः ' खलु आत्मनि चित्याग्नेर्मध्यदेहे 'प्राणः स एव' पक्षाद्यङ्गेष्वपि 'प्राणः' भवति । आत्मन्यपि प्राणसद्भावः कथमिति तत्राह–तद्यत् प्राणभृत इति । उक्तार्थमेतत् । लोकंपृणाख्ययोरिष्टकयोरुपधानं विधत्ते–अथ लोकंपृणे इति । अवशिष्टं स्थानं पृणाति पूरयति इति 'लोकंपृणा' ते 'अस्यां स्रक्त्यां' कोणे इत्यर्थः । उक्तं हि सूत्रकृता–

" लोकंपृणा दक्षिणाऽसादध्यामध्यात् "–(का. श्रौ. सू. १७ । १२७) इति । ततः पुरीषनिवपनं विधत्ते–पुरीषं निवपतीति । छिद्रपूरणार्थः पांसुः ' पुरीषम् ' । ' तयोः ' लोकंपृणयोः ' तस्य ' पुरीषनिवपनस्य च प्रतिपादको वाक्यशेष उपर्याम्नास्यते " अथ लोकंपृणामुपदधात्यसौ वा आदित्यो लोकंपृणा " इति (श. प. ८ । ७ । २ । १–१९) " अथ पुरीषं निवपति माꣳसं वै पुरीषम् "–(श. प. ८।७।३।१) इत्यादिना च ॥ १० ॥

इति श्रीसायणाचार्यविरचिते माधवीये वेदार्थप्रकाशे माध्यन्दिनीयशतपथब्राह्मणभाष्ये
अष्टमकाण्डे प्रथमेऽध्याये चतुर्थं ब्राह्मणम् ॥ (८–१–४) ॥

वेदार्थस्य प्रकाशेन तमो हार्दं निवारयन् । पुमर्थांश्चतुरो देयाद्विद्यातीर्थमहेश्वरः ॥ १ ॥

ब्रह्माण्डं गोसहस्रं कनकहयतुलापूरुषौ स्वर्णगर्भं,
सप्ताब्धीन्पञ्च सीरींस्त्रिदशतरुलताधेनुसौवर्णभूमीः ।
रत्नोस्रां रुक्मवाजिद्विपमहितरथौ सायणिः सिङ्गणार्यो,
व्यश्राणीद्विश्वचक्रं प्रथितविधिमहाभूतयुक्तं घटं च ॥
धान्याद्रिं धन्यजन्मा तिलभवमतुलः स्वर्णजं वर्णमुख्यः,
कार्पासीयं कृपावान्गुडकृतमजडो राजतं राजपूज्यः ।
आज्योत्थं प्राज्यजन्मा लवणजममृगः शार्करं चार्कतेजा,
रत्नाढ्यो रत्नरूपं गिरिमकृत मुदा पात्रसात्सिङ्गणार्यः ॥

इति श्रीमद्राजाधिराजपरमेश्वरवैदिकमार्गप्रवर्तकश्रीहरिहरमहाराजसाम्राज्यधुरन्धरेण सायणाचार्येण विरचिते
माधवीये वेदार्थप्रकाशे माध्यन्दिनशतपथब्राह्मणभाष्येऽष्टमकाण्डे प्रथमोऽध्यायः ॥ (८–१) ॥

अथ द्वितीयेऽध्याये प्रथमं ब्राह्मणम् ।
प्रथमप्रपाठके च पञ्चमं ब्राह्मणम् ।

द्वितीयां चितिमुपदधाति । (त्ये) एतद्वै देवाः प्रथमां चितिं चित्वा समारोहन्नयं वै लोकः प्रथमा चितिरिममेव तल्लोकꣳ संस्कृत्य समारोहन् ॥ १ ॥

(हंस्ते) तेऽब्रुवन् । (वंश्वे) चेतयध्वमिति चितिमिच्छतेति वाव तदब्रुवन्नित ऊर्ध्वमिच्छतेति ते चेतयमाना एतां द्वितीयां चितिमपश्यन्यदूर्ध्वं पृथिव्या अर्वाचीनमन्तरिक्षात्तेषामेष लोकोऽध्रुव इवाप्रतिष्ठितऽइव मनस्यासीत् ॥ २ ॥

(त्ते) तेऽश्विनावब्रुवन् । (न्यु) युवं वै ब्रह्माणौ भिषजौ स्थो युवं न ऽइमां द्वितीयां चितिमुपधत्तमिति किं नौ ततो भविष्यतीति युवमेव

द्वितीयां चितिमुपदधाति । एतद्वै देवाः प्रथमां चितिं चित्वा समारोहन् । अयं वै लोकः प्रथमा चितिः । इममेव तल्लोकं संस्कृत्य समारोहन् ॥ १ ॥

तेऽब्रुवन्–चेतयध्वमिति । चितिमिच्छतेति वाव तदब्रुवन् । इत ऊर्ध्वमिच्छतेति । ते चेतयमाना एतां द्वितीयां चितिमपश्यन्–यदूर्ध्वं पृथिव्याः, अर्वाचीनमन्तरिक्षात् । तेषामेष लोकोऽध्रुव इवाप्रतिष्ठित इव मनस्यासीत् ॥ २ ॥

तेऽश्विनावब्रुवन्–युवं वै ब्रह्माणौ भिषजौ स्थः । युवं न इमां द्वितीयां चितिमुपधत्तामिति । किं

यस्य निःश्वसितं वेदा यो वेदेभ्योऽखिलं जगत् । निर्ममे तमहं वन्दे विद्यातीर्थमहेश्वरम् ॥ १ ॥

इत्थं प्रथमचितावुपधेयानां प्राणभृतामुपधानं पुरीषनिवपनान्तं वर्णितम्, तावता प्रथमचितिः समाप्तिता । अथ द्वितीयस्याश्चितेरुपधानं विधत्ते–**द्वितीयां चितिमुपदधातीति** । इष्टकानां प्रस्तारश्चितिः । एतस्य द्वितीयचित्युपधानस्य प्रयोजनं प्रथमचितिप्रयोजनप्रतिपादनपूर्वकमुपपादयति–**एतद्वै देवा** इत्यादिना । 'एतत्' एतर्हि खलु 'देवाः' उदीरितरूपां 'प्रथमां चितिं चित्वा' उपधाय '**समारोहन्**' सम्यगारोहणं कृतवन्तः । समारूढव्यमाह–**अयं वै लोक** इति । स्वयमातृण्णोपधानादौ पूर्वचितेर्भूलोकरूपतोक्ता, तथा च प्रथमचित्यात्मना '**इममेव**' भू–'लोकं संस्कृत्य' तस्योपरि देवताः समारोहन् ॥ १ ॥

तेऽब्रुवन्नित्यादि । प्राग् व्याख्यातम् । इत ऊर्ध्वमिच्छतेति । '**इतः**' अस्मात्प्रथमचितिरूपाद्भूलोकाद् 'ऊर्ध्वम्' लोकम् 'इच्छतेति' एवं परस्परं सम्प्रधार्य 'चेतयमानाः' सञ्जानन्तः 'ते' देवाः 'एताम्' वक्ष्यमाणां 'द्वितीयां चितिमपश्यन्' । तामेव लोकात्मना विशिनष्टि–**यदूर्ध्वमिति** । 'पृथिव्या ऊर्ध्वम्' उपरिभागः, 'अन्तरिक्षादर्वाचीनम्' अधोभागः, पृथिव्यन्तरिक्षयोर्मध्यवर्ती यो 'लोकः' तदात्मिका द्वितीया चितिरित्यर्थः । तत्राश्विनीनां प्रथममुपधानं विधित्सुराह–**तेषामेष लोक** इति । 'एषः' उदीरितलक्षणः 'लोकः' 'तेषां' देवानाम् 'अप्रतिष्ठितः' आधाररहितः 'इवासीत्' ॥ २ ॥

ततः 'ते' देवास्तस्य लोकस्य प्रतिष्ठितत्वाय 'अश्विनावब्रुवन्' । हे अश्विनौ ! 'युवम्' युवाम् खलु

नोऽस्याऽअग्निचित्यायाऽ अध्वर्यू भविष्यथ ऽइति तथेति तेभ्य ऽएतामश्विनौ द्वितीयां चितिमुपाधत्तां तस्मादाहुरश्विनावेव देवानामध्वर्यूऽइति॥३॥

स ऽउपदधाति । ध्रुवक्षितिर्ध्रुवयोनिर्ध्रुवाऽसीति यद्वै स्थिरं यत्प्रतिष्ठितं तद्ध्रुवमथ वाऽएषामेष लोकोऽध्रुवऽइवाप्रतिष्ठितऽइव मनस्यासीत्तमेवैतत्स्थिरं ध्रुवं कृत्वा प्रत्यधत्तां ध्रुवं योनिमासीद साधुयेति स्थिरं योनिमासीद साधुयेत्येतदुख्यस्य केतुं प्रथमं जुषाणेत्ययं वाऽअग्निरुख्यस्तस्यैष प्रथमः केतुर्यत्प्रथमा चितिस्तं जुषाणेत्येतदश्विनाऽध्वर्यू सादयतामिह त्वेत्यश्विनौ ह्यध्वर्यूऽउपाधत्ताम् ॥ ४ ॥

नौ ततो भविष्यतीति । युवमेव नोऽस्याऽअग्निचित्यायाऽअध्वर्यू भविष्यथः–इति । तथेति । तेभ्य एतामश्विनौ द्वितीयां चितिमुपाधत्ताम् । तस्मादाहुः–अश्विनावेव देवानामध्वर्यू इति ॥ ३ ॥

स उपदधाति । "ध्रुवक्षितिर्ध्रुवयोनिर्ध्रुवाऽसि"–इति । यद्वै स्थिरं, यत्प्रतिष्ठितं–तद्ध्रुवम् । अथ वाऽएषामेष लोकोऽध्रुव–इवाप्रतिष्ठित–इव मनस्यासीत् । तमेवैतत्स्थिरं ध्रुवं कृत्वा प्रत्यधत्ताम् । " ध्रुवं योनिमासीद साधुया "–इति । स्थिरं योनिमासीद साधुयेत्येतत् । " उख्यस्य केतुं प्रथमं जुषाणा "–इति । अयं वाऽअग्निरुख्यः । तस्यैष प्रथमः केतुः–यत्प्रथमा चितिः । तं जुषाणेत्येतत् । " अश्विनाऽध्वर्यू सादयतामिह त्वा "–(वा. सं. १४ । १) इति । अश्विनौ ह्यध्वर्यूऽउपाधत्ताम् ॥ ४ ॥

' ब्रह्माणौ ' परिवृढौ ' भिषजौ स्थः ' भवतः । अतो युवाम् 'नः' अस्मदीयां ' इमां द्वितीयां चितिमुपधत्तम् ' उपधानेन सम्पादयतम् ' इति ' देवानां वचः श्रुत्वा अश्विनावब्रूताम् । ' ततः ' तस्माद्द्वितीयचित्युपधानात् ' नौ ' आवयोः ' किम् ' प्रयोजनं ' भविष्यतीति ' । ' युवमेव '–इति देवानां वाक्यम् । ' नः ' अस्माकं सम्बन्धिन्याः ' अस्या अग्निचित्यायाः ' युवामेव ' अध्वर्यू भविष्यथः ' । ' अश्विनौ ' अपि 'तथा' अस्त्वित्यङ्गीकृत्य ' तेभ्यः ' देवेभ्यः, तादर्थ्ये चतुर्थी (पा. सू २ । ३।१३) । ' एताम् ' वक्ष्यमाणां ' द्वितीयां चितिमुपाधत्ताम् ' उपहितवन्तौ । यस्मादेवमश्विभ्यामाध्वर्यवमाचरितं देवकर्तृकेऽग्निचयने ' तस्माद् ' एव कारणात् ' अश्विनावेव देवानामध्वर्यू इत्याहुः ' ब्रह्मवादिनस्तत्र तत्र कथयन्ति ॥ ३ ॥

एवमुपोद्घातत्वेन द्वितीयचित्युपधानेऽश्विकर्तृत्वं प्रतिपाद्य औपोद्घातिकमाश्विनीनामुपधानं समन्त्रकं विधत्ते–स उपदधातीति । ' सः ' अध्वर्युः प्रथमम् आश्विनीः पञ्चेष्टका उपदध्यात् । " ध्रुवक्षितिः " इत्याद्यास्तन्मन्त्राः । अत्र प्रथममन्त्रे ध्रुवशब्दं कुर्वन् प्रागुक्तदोषपरिहाररूपं तस्य प्रयोजनमाविष्करोति–यद्वै स्थिरमिति । ' यत् ' खलु ' स्थिरम् ' अनश्वरम् ' प्रतिष्ठितम् ' लब्धास्पदं च यत् ' तत् ' उभयम् ' ध्रुवम् ' ध्रुवशब्दप्रतिपाद्यमित्यर्थः । एषामित्यादि । अथ खलु ' एषाम् ' प्रागुक्तानां देवानां ' मनसि ' पृथिव्यन्तरिक्षमध्यवर्ती ' लोकः ' अस्थिर ' इव ' निराधार इव च ' आसीत् ' ' तमेव ' लोकम् ' एतत् ' एतेन ध्रुवशब्दोपेतमन्त्रकरणकोपधानेन ' स्थिरम् ' अनश्वरं ' प्रतिष्ठितं ' च ' कृत्वा ' ' प्रत्यधत्ताम् ' अश्विनौ समाहितवन्तावित्यर्थः ॥

(ङ) कुलायिनी घृतवती पुरंधिरिति । कुलायमिव वै द्वितीया चितिः स्योने सीद सदने पृथिव्या ऽइति पृथिवी वै प्रथमा चितिस्तस्यै शिवे स्योने सीद सदनऽइत्येतदभि त्वा रुद्रा व्वसवो गृणन्त्वित्येतास्त्वां देवताऽ अभिगृणन्त्वित्येतदिमा ब्रह्म पीपिहि सौभगायेतीमा ब्रह्माव सौभगायेत्येतदश्विनाऽध्वर्यू सादयतामिह त्वेत्यश्विनौ ह्यध्वर्यूऽउपाधत्ताम् ॥ ५ ॥

“ कुलायिनी घृतवती पुरन्धिः ”–इति । कुलायमिव वै द्वितीया चितिः । “ स्योने सीद सदने पृथिव्याः ”–इति । पृथिवी वै प्रथमा चितिः । तस्यै शिवे स्योने सीद सदने–इत्येतत् । “ अभि त्वा रुद्रा वसवो गृणन्तु ”–इति । एतास्त्वां देवता अभिगृणन्त्वित्येतत् । “ इमा ब्रह्म पीपिहि सौभगाय ”–इति । इमा ब्रह्माव सौभगायेत्येतत् । “ अश्विनाऽध्वर्यू सादयतामिह त्वा ”–(वा. सं. १४ । २) इति । अश्विनौ ह्यध्वर्यूऽउपाधत्ताम् ॥ ५ ॥

द्वितीयपादमनूद्य तत्रापि ध्रुवशब्दस्योक्तार्थपरतामाह- **स्थिरं योनिमिति** । तृतीयं व्याचष्टे–**अयं वा अग्निरुख्य इति** । उखायां भवोऽग्निः ‘ उख्यः ’ गर्भरूपेण स्थितः उख्योऽग्निरेव हि शिरःपक्षाद्युपेतचित्याग्निरूपेण स्थितः ‘तस्य’ चोख्यस्याग्नेः ‘ एष प्रथमः केतुः ’ प्रज्ञापकोऽवयवः । येयं ‘प्रथमा चितिः’ ‘तम्’ अवयवं ‘जुषाणा’ सेवमानेत्यर्थः सम्पद्यते । अश्विनाऽध्वर्यू इत्यादि निगदसिद्धम् । मन्त्रार्थस्तु हे इष्टके ! ‘ ध्रुवक्षितिः ’ स्थिरनिवासा ‘ ध्रुवयोनिः ’ स्थिराधारा ‘ ध्रुवा ’ स्थिरस्वरूपा ‘ असि ’ । ‘ ध्रुवम् ’ स्थिरतरम् ‘ योनिम् ’ प्रथमचितिलक्षणम् ‘ आसीद ’ उपविश । ‘ साधुया[१] ’ अस्माभिः साधनीया । ‘ उख्यस्य ’ उखायामुत्पन्नस्य चित्याग्नेः ‘ केतुम् ’ प्रज्ञापकम् , ‘ प्रथमम् ’ प्रथमचितिरूपं ‘ जुषाणा’सेवमाना ‘असि’ । तादृशीं ‘त्वा’ त्वाम् ‘ अध्वर्यू ’ ‘ इह सादयताम् ’ अत्र स्थापयताम् ॥ ४ ॥

द्वितीयं मन्त्रं पादशोऽनूद्य व्याचष्टे–**कुलायिनी घृतवतीति** । **कुलायमिव वा इति** । कुलायो नीडम्, तदिव हि द्वितीया चितिर्भवति । यथा वृक्षादेरुपरि नीडमवतिष्ठते, तथा द्वितीयचितेरपि प्रथमचितेरुपर्यवस्थानात्तत्सादृश्यम् । द्वितीयपादे ‘ पृथिव्यै ’ इति पदस्यार्थमाह–**पृथिवी वै प्रथमा चितिरिति** । प्रथमचितेः पृथिवीरूपता प्राक् प्रतिपादिता (श. प. ८ । २ । १ । १) । तस्याः सम्बन्धिनि ‘शिवे’ शोभने ‘ स्योने ’ सुखकरे (निघं. ३ । ६ । १५) । मन्त्रस्यायमर्थः–हे इष्टके ! त्वं कुलायसदृशी द्वितीया चितिः कुलायस्तत्सम्बन्धिनी कुलायिनी, घृतमुदकमाज्यं वा तद्वती, पुरं शरीरं धीयते गर्भतयाऽस्यामिति ‘ पुरन्धिः ’ योषिद्रूपाऽसि । सा त्वं ‘ पृथिव्याः ’ प्रथमचितेः सम्बन्धिनि सुखकरे स्थाने ‘ सीद ’ आस्व । ‘ अभि त्वा ’ इत्यादि निगदसिद्धम् । ‘ अभिगृणन्तु ’ अभिष्टुवन्त्वित्यर्थः । “ गॄ शब्दे ” (धा. पा. क्र्या. प. २६) इति क्रैयादिको धातुः । प्वादित्वाद्ध्रस्वः (पा. सू. ७ । ३ । ८०) । ‘ पीपिहि ’ इति पदं व्याचष्टे–**इमा ब्रह्मावेति** । हे इष्टके ! त्वं ‘सौभगाय’ सौभाग्याय,यद्वा धनं सौभगं ‘सौभगाय’ धनाय इमानि ब्रह्माणि परिवृढानि हविरादीनि ‘ पीपिहि ’ अव पालय वर्धय वा । ‘ अश्विनाऽध्वर्यू ’ इत्यादि गतम् ॥ ५ ॥

१–अत्र महीधरः “ कीदृशं ‘ साधुया ’ साधुं श्रेष्ठम् “ सुपां सुलुक् ” (पा. सू. ७ । १ । ३९) इत्यमो यादेशः ” इति व्याख्यातवान् ।

(७५) स्वैर्दक्षैर्दक्षपितेह सीदेति । स्वेन वीर्येणेह सीदेत्येतद्देवानाꣳ सुम्ने बृहते रणायेति देवानाꣳ सुम्नाय महते रणायेत्येतत्पितेवैधि सूनवऽआ सुशेवेति यथा पिता पुत्राय स्योनः सुशेवऽएवꣳ सुशेवैधीत्येतत्स्वावेशा तन्वा संविशस्वेत्यात्मा वै तनूः स्वावेशेनात्मना संविशस्वेत्येतदश्विनाऽध्वर्यू सादयतामिह त्वेत्यश्विनौ ह्यध्वर्यूऽउपाधत्ताम् ॥ ६ ॥

(७६) पृथिव्याः पुरीषमसीति । पृथिवी वै प्रथमा चितिस्तस्या ऽएतत्पुरीषमिव यद्द्वितीयाऽप्सो नामेति रसो नामेत्येतत्तां त्वा विश्वेऽअभिगृणन्तु देवाऽइति तां त्वा सर्वेऽभिगृणन्तु देवाऽइत्येतत्स्तोमपृष्ठा घृत-

---

" स्वैर्दक्षैर्दक्षपितेह सीद "–इति । स्वेन वीर्येणेह सीदेत्येतत् । " देवानां सुम्ने बृहते रणाय "–इति । देवानां सुम्नाय महते रणायेत्येतत् । " पितेवैधि सूनवऽआ सुशेवा "–इति । यथा पिता पुत्राय स्योनः सुशेवः–एवं सुशेवैधीत्येतत् । "स्वावेशा तन्वा संविशस्व"–इति । आत्मा वै तनूः, स्वावेशेनात्मना संविशस्वेत्येतत् । " अश्विनाऽध्वर्यू सादयतामिह त्वा "–(वा. सं. १४ । ३) इति । अश्विनौ ह्यध्वर्यूऽउपाधत्ताम् ॥ ६ ॥

" पृथिव्याः पुरीषमसि "–इति । पृथिवी वै प्रथमा चितिः । तस्या एतत्पुरीषमिव–यद्द्वितीया । "अप्सो नाम"–इति । रसो नामेत्येतत् । "तां त्वा विश्वेऽअभिगृणन्तु देवाः"–इति । तां त्वा सर्वेऽभिगृणन्तु देवा इत्येतत् । " स्तोमपृष्ठा घृतवतीह सीद "–इति । यान्

तृतीयं मन्त्रमनूद्य व्याचष्टे–**स्वैर्दक्षैरि**ति । दक्षशब्दो वीर्यवचनः । बहुवचनं पूजार्थमित्यभिप्रेत्याह–**स्वेन वीर्येणे**ति । स्वकीयेन सामर्थ्येनेत्यर्थः । ' सुम्ने ' इति, ' बृहते ' इति पदयोर्व्याख्यानम् **सुम्नाय महत** इति । सुम्नशब्दाच्चतुर्थ्येकवचने "सर्वे विधयश्छन्दसि विकल्प्यन्ते" इति यादेशस्य विकल्पितत्वाद् "अतो गुणे"–(पा. सू. ६ । १ । ९७) इति पररूपत्वमेव । तृतीयपादमनूद्य व्याचष्टे–**पितेवैधी**ति । अयमर्थः–हे इष्टके ! ' दक्षपिता ' दक्षो वर्धयिताऽग्निः पिता पालको यस्याः सा तादृशी भूत्वा ' इह ' अस्मिन्स्थाने ' स्वेन वीर्येण ' उपविश । किमर्थम् ? ' देवानां सुम्नाय ' सुखाय, ' महते रणाय ' च ' पितेव ' ' यथा पिता ' ' सूनवे ' पुत्राय ' स्योनः ' सन् ' सुशेवः ' सुमुखो भवति, एवं सा त्वं देवानां सुखयित्री ' एधि ' भव । चतुर्थपादमनूद्य व्याचष्टे–**स्वावेशा तन्वे**ति । अत्र तनूशब्दः शरीरवाचीत्याह–**स्वावेशेनात्मने**ति । सुष्ठु आवेशयतीति स्वावेश् " अन्येभ्योऽपि दृश्यन्ते "–(पा. सू. ३ । २ । ७५) इति विच् । तथा च ' स्वावेशेन ' सुखोपवेशनहेतुभूतेन ' आत्मना ' ' संविशस्व ' सम्यगुपविश ' इति ' तुरीयपादस्यार्थः । **अश्विनाऽध्वर्यू** इत्यादि गतम् ॥ ६ ॥

चतुर्थमन्त्रमनूद्य व्याचष्टे–**पृथिव्याः पुरीषमसी**त्यादिना । **पुरीषमिवे**ति । प्रथमचितेरुपरि पुरीषमुप्यते । द्वितीया चितिरपि तथेति; तस्याश्चितेः पुरीषसाम्यम् । अप्स इत्येतत्पदं व्याचष्टे–**रसो नामेत्येतद**िति । अप्स इत्युदकनामसु पठितत्वात् तेन रसः अनिपातत इत्यर्थः । तां त्वा **विश्वे** इत्यादि निगदसिद्धम् । 'स्तोमपृष्ठा'

वर्ताहु सीदेति यान्त्स्तोमानस्यां तँस्यमानो भवति तैरेषा स्तोमपृष्ठा प्रजावदस्मे द्रविणाऽऽयजस्वेति प्रजावदस्मे द्रविणमायजस्वेत्येतदश्विना-ऽध्वर्यू सादयतामिह त्वेत्यश्विनौ ह्यध्वर्यूऽउपाधत्ताम् ॥ ७ ॥

(न्ता) ताऽएता दिशः । (स्ता) ता रेतःसिचोर्व्वेलयोपदधातीमे वै रेतः-सिचावनयोस्तद्दिशो दधाति तस्मादनयोर्दिशः सर्व्वतऽउपदधाति सर्व्वतस्तद्दिशो दधाति तस्मात्सर्व्वतो दिशः सर्व्वतः समीचीः सर्व्वतस्त-त्समीचीर्दिशो दधाति तस्मात्सर्व्वतः समीच्यो दिशस्ता नानोपदधाति नाना सादयति नाना सूददोहसाऽधिवदति नाना हि दिशः ॥ ८ ॥

(शोऽथ) अथ पञ्चमीं दिश्यामुपदधाति । (त्यू) ऊर्ध्वा ह सा दिक्सा या सोर्ध्वा दिगसौ सऽआदित्योऽमुमेवैतदादित्यमुपदधाति तामन्तरेण

स्तोमानस्यां तंस्यमानो भवति । तैरेषा स्तोमपृष्ठा । " प्रजावदस्मे द्रविणा यजस्व "–इति । प्रजावदस्मे द्रविणमायजस्वेत्येतत् । "आश्विनाऽध्वर्यू सादयतामिह त्वा"–(वा. सं. १४।४) इति । अश्विनौ ह्यध्वर्यूऽउपाधत्ताम् ॥ ७ ॥

ता एता दिशः । ता रेतःसिचोर्वेलयोपदधाति । इमे वै रेतःसिचौ । अनयोस्तद्दिशो दधाति । तस्मादनयोर्दिशः । सर्वत उपदधाति । सर्वतस्तद्दिशो दधाति । तस्मात्सर्वतो दिशः । सर्वतः समीचीः । सर्वतस्तत्समीचीर्दिशो दधाति । तस्मात्सर्वतः समीच्यो दिशः । ता नानोपदधाति । नाना सादयति । नाना सूददोहसाऽधिवदति । नाना हि दिशः ॥ ८ ॥

अथ पञ्चमीं दिश्यामुपदधाति । ऊर्ध्वा ह सा दिक् । सा या सोर्ध्वा दिक्–असौ स आदित्यः ।

इति पदं व्याचष्टे–**यान्स्तोमानि**ति । 'अस्याम्' चितौ 'यान्' त्रिवृदादीन् 'स्तोमान्' 'तंस्यमानः' विस्तारयिष्यमाणो 'भवति' 'तैः' स्तोमैरुपेतत्वात् स्तोमाः पृष्ठे यस्या इति व्युत्पत्त्या 'एषा स्तोम-पृष्ठा' । 'द्रविणा' इति द्वितीयार्थे आकार इत्याह–**द्रविणमायजस्वेत्येत**दिति । 'अश्विना' इत्यादि गतम् । मन्त्रार्थः सुगमः ॥ ७ ॥

एताश्चतस्र इष्टकाः संभूय प्रशंसति–**ता एता दिश** इति । प्राच्यादिदिक्षूपधीयमानत्वाद्दिगात्मिकाः । तासामुपधाने स्थानविशेषं विधाय स्तौति–**ता रेतःसिचो**रिति । 'इमे' द्यावापृथिव्यौ हि 'रेतःसिचौ' अखिलजगदुत्पत्तिहेतुत्वात् । 'तत्' तेनाश्विनीनां रेतःसिक्समीपोपधानेन 'अनयोः' द्यावापृथिव्योः प्राच्या-द्याश्चतस्रः 'दिशो दधाति' स्थापयति । 'तस्मात्' इति लोकप्रसिद्धिकथनम् । सर्वासु दिक्षु क्रमेण चत-सृणामुपधानं विधत्ते–**सर्वत उपदधाती**ति । आसामुपधाने गुणान्तरं विधाय स्तौति–**सर्वतः समीची**रिति । सर्वास्वपि दिक्षु 'समीचीः' अनूचीनाग्राः न तु तिर्यगवस्थिता इत्यर्थः । उपधानसादनसूददोहसां नानात्वं विधाय स्तौति–**ता नानोपदधाती**ति ॥ ८ ॥

अथ मध्य उपधेयामाश्विनीं विधत्ते–**अथ पञ्चमी**मिति । उक्तानां पञ्चसंख्यापूरणी पञ्चमी, दिशि ऊर्ध्वायां भवा इति 'दिश्या' " दिगादिभ्यो यत् " (पा. सू. ४।३।५४) । इमां पञ्चमीमूर्ध्वदिगादित्यरूपेण स्तौति–

दक्षिणां दिश्यामुपदधात्यमुं तदादित्यमन्तरेण दक्षिणां दिशं दधाति तस्मादेषोऽन्तरेण दक्षिणां दिशमेति ॥ ९ ॥

(त्यु) अदित्यास्त्वा पृष्ठे सादयामीति । (ती) इयं वाऽअदितिरस्यामेवैनमेतत्प्रतिष्ठायां प्रतिष्ठापयत्यन्तरिक्षस्य धर्त्रीं विष्टम्भनीं दिशामधिपत्नीं भुवनानामित्यन्तरिक्षस्य ह्येष धर्ता विष्टम्भनो दिशामधिपतिर्भुवनानामूर्मिर्द्रप्सोऽअपामसीति रसो वाऽऊर्मिर्विश्वकर्मा तऽऋषिरिति प्रजापतिर्वै विश्वकर्मा प्रजापतिसृष्टाऽसीत्येतदश्विनाऽध्वर्यू सादयतामिह त्वेत्यश्विनौ ह्यध्वर्यूऽउपाधत्ताम् ॥ १० ॥

अमुमेवैतदादित्यमुपदधाति । तामन्तरेण दक्षिणां दिश्यामुपदधाति । अमुं तदादित्यमन्तरेण दक्षिणां दिशं दधाति । तस्मादेषोऽन्तरेण दक्षिणां दिशमेति ॥ ९ ॥

" अदित्यास्त्वा पृष्ठे सादयामि "–इति । इयं वाऽअदितिः । अस्यामेवैनमेतत्प्रतिष्ठायां प्रतिष्ठापयति । " अन्तरिक्षस्य धर्त्रीं विष्टम्भनीं दिशामधिपत्नीं भुवनानाम् "–इति । अन्तरिक्षस्य ह्येष धर्त्ता, विष्टम्भनो दिशाम्, अधिपतिर्भुवनानाम् । " ऊर्मिर्द्रप्सोऽअपामसि "–इति । रसो वाऽऊर्मिः । " विश्वकर्मा तऽऋषिः "–इति । प्रजापतिर्वै विश्वकर्मा । प्रजापतिसृष्टाऽसीत्येतत् । "अश्विनाऽध्वर्यू सादयतामिह त्वा"–(वा. सं. १४ । ९) इति । अश्विनौ ह्यध्वर्यूऽउपाधत्ताम् ॥ १० ॥

ऊर्ध्वा हेत्यादिना । ' या ' इयं पञ्चमीष्टका ' सा ' ' ऊर्ध्वा दिक्, ' ' सा ' इष्टकारूपा 'या सोर्ध्वा दिक्,'। ' असौ ' एव 'सः' प्रसिद्धः ' आदित्यः ' ऊर्ध्वायां हि तस्य सञ्चरणम् । अतः ' अमुम् ' आकाशे दृश्यमानमेव ' आदित्यम् ' ' एतत् ' एतेन पञ्चमेष्टकोपधानेनोपहितवान्भवतीत्यर्थः । तामन्तरेणेत्यादि । दक्षिणदिश्युपहिता येयं दिश्या ताम् 'अन्तरेण' तस्या अभ्यन्तरदेशे 'तां' पञ्चमीमादित्यरूपामिष्टकामुपदध्यात् । 'तस्मात्' कारणात् ' एष ' आदित्यः ' दक्षिणां दिशमन्तरेण ' दक्षिणस्या दिशोऽभ्यन्तरदेशे ' एति ' गच्छति ॥९॥

तन्मन्त्रमनूद्य व्याचष्टे–अदित्यास्त्वेति । अत्रादितिशब्देन पृथिवी विवक्षितेत्याह–इयं वा अदितिरिति । अस्यामेवैनमिति । ' एनम् ' पञ्चमेष्टकारूपमादित्यम् । अन्तरिक्षस्य धर्त्रीम् इत्यादि । पञ्चमेष्टकाया आदित्यरूपत्वादादित्यरूपतयेत्याह–अन्तरिक्षस्य ह्येष धर्तेत्यादि । ' एषः ' खलु सूर्यः ' अन्तरिक्षस्य ' ' धर्ता ' धारयिता यथा दिशो न पतन्ति तथा तासां ' विष्टम्भनः ' विशेषेण स्तम्भयिता ' भुवनानाम् ' अधिकं प्रकाशवर्षादिना पालयिता, अतस्तद्रूपिण्या इष्टकाया अप्येतत्सर्वमुपपद्यत इति विशेषणानामभिप्रायः । रसो वा ऊर्मिरिति । ' रसः ' एव ह्यप्सु तरङ्गरूपेण वर्तते । तस्मादत्रोर्मिशब्दो रसपर इत्यर्थः । एतदुक्तं भवति । हे इष्टके ! अपां सम्बन्धी यो रसरूप ' ऊर्मिः ' तरङ्गो ' द्रप्सो ' दृढश्च तदुभयरूपाऽसीति । प्रजापतिर्वै विश्वकर्मेति । विश्वं सर्वं जगत् कर्म कर्तव्यं येनेति व्युत्पत्तेः ' विश्वकर्मा ' ' प्रजापतिः ' । हे इष्टके ! उदीरितरूपायाः ' ते ' तव ' विश्वकर्मा ऋषिः ' द्रष्टा । अस्य तात्पर्यमाह–प्रजापतिसृष्टाऽसीत्येतदिति । अश्विनौ ह्यध्वर्यू इत्यादि गतम् ॥ १० ॥

३३१६

यद्वेवैताऽआश्विनीरुपदधाति । प्रजापतिं विस्रस्तं देवताऽआदाय व्युदक्रामंस्तस्य यदूर्ध्वं प्रतिष्ठायाऽअवाचीनं मध्यात्तदस्याश्विनावादायोत्क्रम्यातिष्ठताम् ॥ ११ ॥

(न्ता) तावब्रवीत् । (दु) उप मेतं प्रति मऽएतद्धत्तं येन मे युवमुदक्रमिष्टमिति किं नौ ततो भविष्यतीति युवद्देवत्यमेव मऽएतदात्मनो भविष्यतीति तथेति तदस्मिन्नेतदश्विनौ प्रत्यधत्ताम् ॥ १२ ॥

(न्त) तद्याऽएताः पञ्चाश्विन्यः । (ऽ) एतदस्य तदात्मनस्तद्यदेता ऽअत्रोपदधाति यदेवास्यैताऽआत्मनस्तदस्मिन्नेतत्प्रतिदधाति तस्मादेता ऽअत्रोपदधाति ॥ १३ ॥

यद्वेवैता आश्विनीरुपदधाति । प्रजापतिं विस्रस्तं देवता आदाय व्युदक्रामन् । तस्य यदूर्ध्वं प्रतिष्ठायाः, अवाचीनं मध्यात्, तदस्याश्विनावादायोत्क्रम्यातिष्ठताम् ॥ ११ ॥

तावब्रवीत्—उप मेतं, प्रति मऽएतद्धत्तम्, येन मे युवमुदक्रमिष्टमिति । किं नौ ततो भविष्यतीति । युवद्देवत्यमेव मऽएतदात्मनो भविष्यतीति । तथेति । तदस्मिन्नेतदश्विनौ प्रत्यधत्ताम् ॥ १२ ॥

तद्या एताः पञ्चाश्विन्यः—एतदस्य तदात्मनः । तद्यदेता अत्रोपदधाति—यदेवास्यैता आत्मनः—तदस्मिन्नेतत्प्रतिदधाति । तस्मादेता अत्रोपदधाति ॥ १३ ॥

अथैतासामाश्विनीनामात्मभाग उपधानमनुवादपुरःसरमाख्यायिकया प्रतिपादयति—यद्वेवैता इत्यादिना । अश्विशब्दवानासामुपधानो मन्त्र इति विगृह्य "तद्वानासामुपधानो मन्त्रः"—(पा. सू. ४ । ४ । १२५) इति मतुपो लुकि प्राप्ते; "अश्विमानण्" (पा सू. ४ । ४ । १२६) इत्यण् प्रत्ययः, ततः (पा. सू. ४ । १ । १५) ङीप् । 'प्रजापतिम्' विस्रस्तावयवं प्रजापतिम् 'देवताः' अग्न्यादयः पृथक् पृथक् एकैकमवयवम् 'आदाय' 'व्युदक्रामन्' शरीरमध्यान्निष्क्रान्ताः । 'तस्य' प्रजापतेः 'प्रतिष्ठाया यदूर्ध्वम्' प्रतिष्ठाशब्दः पादवाची पादतलादारभ्योर्ध्वम्, 'मध्यात्' कटिप्रदेशात् 'अवाचीनम्' अधस्तनमङ्गजातम् 'अस्य' प्रजापतेः सम्बन्धि तदङ्गं 'अश्विनावादाय' तस्मात्स्थानादपक्रम्य 'अतिष्ठताम्' ॥ ११ ॥

स प्रजापतिः 'तावब्रवीत्' हे अश्विनौ ! 'मा' माम् 'उपेतम्' उपगच्छतम् । मदीयम् 'एतत्' अङ्गं 'प्रतिधत्तम्' 'येन' मदीयाङ्गेन सह 'युवं' युवां 'उदक्रमिष्टमिति' । ततोऽश्विनावब्रूताम् । 'ततः' तस्मात् प्रतिधानात् 'नौ' आवयोः 'किम्' प्रयोजनं 'भविष्यतीति' । ततः प्रजापतिरब्रवीत् । 'मे' मम 'आत्मनः' शरीरस्य सम्बन्धि 'एतद्' अङ्गम् 'युवद्देवत्यम्' 'भविष्यति' युवाम् 'अश्विनौ' देवते यस्य 'तत्' तथोक्तम् । "युवावौ द्विवचने"—(पा. सू. ७ । २ । ९२) इति मपर्यन्तस्य द्व्यर्थस्य युष्मदो युवादेशः । तौ 'तथेति' अङ्गीकृत्य 'अस्मिन्' प्रजापतौ यदुपात्तमङ्गं तत् पुनः 'प्रत्यधत्ताम्' ॥ १२ ॥

किं पुनस्तदङ्गमिति तत्राह–तद्या एता इति । 'तत्' तत्र 'या एताः' 'पञ्च' सङ्ख्याकाः 'आश्विन्यः' 'अस्य' प्रजापतेः 'आत्मनः' 'एतत्' एव 'तत्' अङ्गं तदश्विभ्यां पूर्वप्रतिहितम् । तस्मा-

ध्रुवक्षितिर्ध्रुवयोनिर्ध्रुवाऽसीति । यद्वै स्थिरं यत्प्रतिष्ठितं तद्ध्रुवमथ वाऽअस्यैतदस्थिरमिवाध्रुवमिवात्मन ऽआसीत्तदेवैतत्स्थिरं ध्रुवं कृत्वा प्रत्यधत्ताम् ॥ १४ ॥

(ङ्क) कुलायिनी घृतवती पुरन्धिरिति । कुलायमिव वाऽअस्यैतदात्मनः स्वैर्दक्षैर्दक्षपितेह सीदेत्यदक्षयतामेवास्यैतदात्मनः पृथिव्याः पुरीषमसीति पुरीषसꣳहितमिव वाऽअस्यैतदात्मनो रेतःसिचोर्वेलया पृष्ट्यो वै रेतःसिचौ पृष्टिसाचयमिव वाऽअस्यैतदात्मनः सर्वत ऽउपदधाति सर्वतो ह्यस्यैतदश्विनावात्मनः प्रत्यधत्ताम् ॥ १५ ॥

"ध्रुवक्षितिर्ध्रुवयोनिर्ध्रुवाऽसि"–इति। यद्वै स्थिरं, यत्प्रतिष्ठितं–तद्ध्रुवम् । अथ वाऽअस्यैतदस्थिरमिवाध्रुवमिवात्मन आसीत्–तदेवैतत्स्थिरं ध्रुवं कृत्वा प्रत्यधत्ताम् ॥ १४ ॥

" कुलायिनी घृतवती पुरन्धिः "–इति । कुलायमिव वाऽअस्यैतदात्मनः । " स्वैर्दक्षैर्दक्षपितेह सीद "–इति । अदक्षयतामेवास्यैतदात्मनः । " पृथिव्याः पुरीषमसि "–इति । पुरीषसंहितमिव वाऽअस्यैतदात्मनः । रेतःसिचोर्वेलया । पृष्ट्यो वै रेतःसिचौ । पृष्टिसाचयमिव वाऽअस्यैतदात्मनः । सर्वत उपदधाति । सर्वतो ह्यस्यैतदश्विनावात्मनः प्रत्यधत्ताम् ॥ १५ ॥

दात्मभागे तासामुपधानं कर्तव्यमिति प्रकृतमनुसरति–तद्यदेता इति[1] । 'अत्र ' आत्मनि । ' तस्मादेता ' इति प्रतिपादितार्थनिगमनम् ॥ १३ ॥

प्राजापत्यवयवसन्धानरूपेऽर्थे मन्त्राणामपि सामर्थ्यं प्रतिपादयति–ध्रुवक्षितिरित्यादिना । यद्वै स्थिरम्–इत्यादि प्रागुक्तार्थम् । आत्मन आसीदिति । ' आत्मनः ' प्रजापतिशरीरस्य सम्बन्ध्यङ्गं ' अस्थिरमिव ' अदृढमिव ' अध्रुवम ' अप्रतिष्ठितम् ' इव च आसीत् ' ' एतत् ' एतेन ध्रुवशब्दोपेतमन्त्रेण ' तदेवैतत् '–अङ्गम् ' स्थिरं ध्रुवम् ' च कृत्वा अश्विनौ ' प्रत्यधत्ताम् ' ॥ १४ ॥

द्वितीयमन्त्रेऽप्युक्तार्थपरतामाह–कुलायिनीति । यदेतदश्विभ्यां प्रतिहितमङ्गम् 'एतत्' अस्यात्मनः 'कुलायमिव ' हि भवति । अतः " कुलायिनी " इति मन्त्रेण तत्सन्धानं युज्यत इत्यर्थः । तृतीयमन्त्रस्याप्युक्तार्थपरतां सूचयति–स्वैर्दक्षैरिति । ' अस्यात्मनः ' प्रजापतिशरीरस्य ' एतत् ' उक्तमङ्गमश्विनौ ' अदक्षयताम् ' अवर्द्धयताम् । " दक्ष वृद्धौ "–(धा. पा. भ्वा. प. ६०९) इति धातुः । अस्मिन्मन्त्रे दक्षशब्देन सोऽर्थः प्रज्ञाप्यते । चतुर्थमन्त्रस्याप्येतदर्थपरतामाह–पृथिव्याः पुरीषमसीति । ' अस्य ' आत्मनः ' एतत् ' अश्विभ्यां प्रतिहितमङ्गम् 'पुरीषसंहितमिव' पुरीषेण संयुक्तमिव खलु भवति। अतो मन्त्रागतपुरीषशब्देनायमर्थः प्रतिपाद्यत इति तन्मन्त्रप्रयोगो युक्त इत्यर्थः । स्थानविशेषस्याप्येतदर्थानुगुणत्वमाविष्करोति–रेतःसिचोर्वेलयेति । रेतःसिगाख्ये ये इष्टके तयोः समीपे ह्येता आश्विन्य उपधीयन्ते ते च ' रेतःसिचौ ' 'पृष्ट्यः'

१–द्वितीयायामाश्विनीः प्रतिदिशम् । रेतःसिग्वेलायामनूकमुत्तरेण पूर्व्वा द्वितीये दक्षिणा पूर्व्वेण । अपरा दक्षिणेन उत्तराऽपरेण दक्षिणामुत्तरेण पंचमी । का. श्रौ. सू. । १७ १६५–१७० । २–आश्विनीर्ध्रुवक्षितिरिति प्रतिमंत्रम् । का. श्रौ. सू. १७ । १८० ।

(मु) अथर्तव्येऽउपदधाति । (त्यृ) ऋतवऽएते यदृतव्येऽऋतूनेवैतदुपदधाति शुक्रश्च शुचिश्च ग्रैष्मावृतूऽइति नामनीऽएनयोरेते नामभ्यामेवैनेऽएतदुपदधाति द्वेऽइष्टके भवतो द्वौ हि मासावृतुः सकृत्सादयत्येकं तदृतुं करोति ॥ १६ ॥

तद्यदेतेऽअत्रोपदधाति । संवत्सरऽएषोऽग्निरिमुऽउ लोकाः संवत्सरस्तस्य यदूर्ध्वं पृथिव्याऽअर्वाचीनमन्तरिक्षात्तदस्यैषा द्वितीया चितिस्तद्वस्य ग्रीष्मऽऋतुस्तद्यदेतेऽअत्रोपदधाति यदेवास्यैतेऽआत्मनस्तदस्मिन्नेतत्प्रतिदधाति तस्मादेतेऽअत्रोपदधाति ॥ १७ ॥

अथ ऋतव्येष्टकोपधानम् ।

अथऽर्तव्येऽउपदधाति । ऋतव एते-यदृतव्ये । ऋतूनेवैतदुपदधाति । "शुक्रश्च शुचिश्च ग्रैष्मावृतू"-(वा. सं. १४ । ६) इति । नामनीऽएनयोरेते । नामभ्यामेवैनेऽएतदुपदधाति । द्वेऽइष्टके भवतः । द्वौ हि मासावृतुः । सकृत्सादयति । एकं तदृतुं करोति ॥ १६ ॥

तद्यदेतेऽअत्रोपदधाति । संवत्सर एषोऽग्निः । इम उ लोकाः संवत्सरः । तस्य यदूर्ध्वं पृथिव्याः, अर्वाचीनमन्तरिक्षात्-तदस्यैषा द्वितीया चितिः । तद्वस्य ग्रीष्म ऋतुः । तद्यदेतेऽअत्रोपदधाति । यदेवास्यैतेऽआत्मनः—तदस्मिन्नेतत्प्रतिदधाति । तस्मादेतेऽअत्रोपदधाति ॥ १७ ॥

कटिप्रदेशास्थीनि पृष्ट्य इत्युच्यन्ते । 'पृष्टिसाचयमिव' पृष्टिभिः कटिसम्बन्धिभिरस्थिभिः सम्बद्धमिव खलु 'अस्य' प्रजापतिशरीरस्य 'एतद्' अश्विभ्यां प्रतिहितमङ्गम्, अतः पृष्टिसंस्तुतरेतःसिक्समीपोपधानमाश्विनीनां युक्तमिति भावः । सर्वत उपधानमप्यस्मिन्नर्थे योजयति—**सर्वत** इति । 'सर्वतः' सर्वासु प्राच्यादिदिक्षु 'उपदधाति' इति । अत्र कारणमाह—**सर्वतो** हीति । 'हि' यस्माद् 'अस्य' आत्मनः 'एतद्' अङ्गम् 'अश्विनौ' सर्वाभ्यो दिग्भ्य आहृत्य ताभिरेवाच्छिन्नं 'प्रत्यधत्ताम्' अतः 'सर्वतः' उपधानमप्येतत्प्रयोजनसिद्धये सम्पद्यत इत्यर्थः ॥ १५ ॥

इत्थमाश्विनीर्विधाय ऋतव्ययोरुपधानं विधत्ते—**अथर्तव्ये उपदधाती**ति । 'अथ' आश्विन्युपधानानन्तरम् 'ऋतव्ये' ऋतुदेवताके इष्टके उपदध्यात् । तत्प्रशंसति—**ऋतव एत** इति । संवत्सरात्मकस्य चित्यस्याग्ने- "मधुश्च माधवश्च" इत्यादिमन्त्रैरुपधेया ऋतव्या इष्टका ऋतुस्थानीया अतस्तेनैव ऋतव्योपधानेनैव 'ऋतून्' स्थापितवान्भवतीत्यर्थः । मन्त्रं विधाय व्याचष्टे—**शुक्रश्च शुचिश्चे**ति । **नामनी एनयो**रिति । 'एनयोः' ग्रीष्मर्त्वात्मिकयोर्ऋतव्ययोः 'एते' शुक्रशुचिशब्दरूपे 'नामनी' अतो 'नामभ्यामेव' एतयोरुपधानं कृतं भवतीत्यर्थः । "ऋतव्ये उपदधाति" इति विशिष्टविधिनैव सिद्धं द्वित्वमनूद्य स्तौति—**द्वे इष्टके भवतो द्वौ हि मासावृतु** इति । 'हि' शब्दः सर्वजनप्रसिद्धिद्योतनार्थः । इष्टकयोर्द्वित्वात् पृथक् सादनप्रसक्तावाह—**सकृत्सादयती**ति । 'तत्' सेन सकृत्त्वकरणेन 'ऋतुमेकम्' अद्वयात्मकं 'करोति' यजमानः ॥ १६ ॥

ऋतव्ययोर्द्वितीयचितावुपधानं प्रशंसति—**तद्यदेते अत्रे**ति । वसन्ताद्युत्विष्टकानिष्पाद्यत्वाद् 'एषः' चीय-

---

१-शुक्रश्च शुचिश्चेत्यृतव्यं पूर्व्वयोरुपरि । का. श्रौ. सू. । १७ । १८१ ।

यद्द्वैवैतेऽअत्रोपदधाति । प्रजापतिरेषोऽग्निः संवत्सर ऽउ प्रजापतिस्तस्य यदूर्ध्वं प्रतिष्ठाया ऽअवाचीनं मध्यात्तदस्यैषा द्वितीया चितिस्तद्वस्य ग्रीष्मऽऋतुस्तद्यदेतेऽअत्रोपदधाति यदेवास्यैतेऽआत्मनस्तदस्मिन्नेतत्प्रतिदधाति तस्मादेतेऽअत्रोपदधाति ॥ १८ ॥ (अर्धप्रपाठकः ५८) ॥

इति प्रथमप्रपाठके पञ्चमं ब्राह्मणम् ॥ ८-१-५ ॥ (२.१) ॥

अथ वैश्वदेवीरुपदधाति । (त्ये) एषा वै सा द्वितीया चितिर्यामेभ्यस्तदश्विनाऽउपाधत्तां तामुपधायेदꣳ सर्वमभवतां यदिदं किं च ॥ १ ॥

यद्द्वैवैतेऽअत्रोपदधाति । प्रजापतिरेषोऽग्निः । संवत्सर उ प्रजापतिः । तस्य यदूर्ध्वं प्रतिष्ठायाः, अवाचीनं मध्यात्-तदस्यैषा द्वितीया चितिः । तद्वस्य ग्रीष्म ऋतुः । तद्यदेतेऽअत्रोपदधाति-यदेवास्यैतेऽआत्मनः-तदस्मिन्नेतत्प्रतिदधाति । तस्मादेतेऽअत्रोपदधाति ॥ १८ ॥

अथ पञ्चवैश्वदेवेष्टकोपधानम् ।

अथ वैश्वदेवीरुपदधाति । एषा वै सा द्वितीया चितिः-यामेभ्यस्तदश्विनाऽउपाधत्ताम् । तामुपधायेदं सर्वमभवताम्-यदिदं किं च ॥ १ ॥

मानोऽग्निः ' संवत्सरः ' स च संवत्सर ' इमे लोकाः ' खलु संवत्सरात्मकेन प्रजापतिना सृष्टत्वात् । अग्नेः संवत्सररूपस्य लोकत्रयात्मकत्वकल्पनायाः प्रयोजनमाह-तस्य यदूर्ध्वमिति । पृथिव्याः प्रथमचित्यात्मकतायाः प्रागुक्तत्वात् (श. प. ८ । २। १ । १) तत उपरितनम्, अन्तरिक्षादधस्तनं यदस्ति; ' तदस्य ' अग्नेर्द्वितीय चितिस्थानीयम् । ' तदु ' तदेव ' अस्य ' संवत्सररूपस्य ' ग्रीष्म ऋतुः ' ' तत् ' तस्मात् ' एते ' इष्टके ' अत्र ' द्वितीयायां चितौ ' उपदधाति ' इति यत् ' तत् ' तेन ' यदेवास्य ' अग्नेः ' आत्मनः ' शरीरस्य इष्टकाद्वयरूपमङ्गं विकलमभूत् ; ' तत् ' विकलम् ' अस्मिन् ' आत्मनि ' एतत् ' इदानीम् ' प्रतिदधाति ' पुनः स्थापितवान् भवति । ' तस्मादेते ' इति निगमनम् । अयमर्थः-लोकत्रयात्मकस्य चित्याग्नेर्यत्पृथिव्यन्तरिक्षान्तरालरूपमङ्गं तद्द्वितीयचित्यनुष्ठानेन, यत्तु संवत्सरात्मकस्य ग्रीष्मर्तुरूपं तदृतव्ययोरुपधानेन प्रतिहितं भवतीति ॥ १७ ॥

पुनः प्रकारान्तरेण प्रशंसति-यद्द्वैवैते इत्यादिना । ' एषः ' चीयमानः ' अग्निः प्रजापतिः सोऽपि संवत्सर एव, किं ? ततः ' तस्य ' संवत्सरादभिन्नस्य प्रजापतिरूपस्याग्नेः ' यत् ' ' प्रतिष्ठायाः ' प्रतिष्ठा पादौ तत ' ऊर्ध्वम् ' ' मध्यात् ' कटिप्रदेशादधस्तनं च यदस्ति । शिष्टं पूर्ववत् ॥ १८ ॥

इति श्रीसायणाचार्यविरचिते माधवीये वेदार्थप्रकाशे माध्यन्दिनीयशतपथब्राह्मणभाष्ये
अष्टमकाण्डे द्वितीयेऽध्याये प्रथमं ब्राह्मणम् ॥ (८-२-१) ॥

ऋतव्ययोरुपधानानन्तरं वैश्वदेवीनामुपधानं विधायाख्यायिकया स्तौति-अथ वैश्वदेवीरुपदधात्येषा वै सेत्यादिना । ' याम् ' इष्टकाम् ' एभ्यः ' देवेभ्योऽर्थाय ' तत् ' तदा ' अश्विनौ उपाधत्ताम् ' । ' सैव

१-वैश्वदेवीः । पूर्व्वां दक्षिणेन दक्षिणामपरेण अपरामुत्तरेण उत्तरां पूर्व्वेण । का. श्रौ. सू. १७ । १७१-१७५

२-वैश्वदेवीः सजूर्ऋतुभिरिति प्रतिमन्त्रम् । का. श्रौ. सू. १७ । १८२ ।

ते देवाऽअब्रुवन् । (न्न) अश्विनौ वाऽइदᳪं सर्व्वमभूतामुप तज्जानीत यथा व्वयमिहाप्युसामेति तेऽब्रुवंश्चेतयध्वमिति चितिमिच्छतेति वाव तदब्रुवंस्तदिच्छत यथा व्वयमिहाप्यसामेति ते चेतयमानाऽएताऽइष्टकाऽ अपश्यन्वैश्वदेवीः ॥ २ ॥

(स्ते) तेऽब्रुवन् । (न्न) अश्विनौ वाऽइदᳪं सर्व्वमभूतामश्विभ्यामेवाश्विनोश्चितिमनूपदधामहाऽइति तेऽश्विभ्यामेवाश्विनोश्चितिमनूपादधत तस्मादेतामाश्विनी चितिरित्याचक्षते तस्माद्यथैव पूर्व्वासामुदर्कऽएवमेतासामश्विभ्याᳪं ह्येवाश्विनोश्चितिमनूपादधत ॥ ३ ॥

यद्वेव व्वैश्वदेवीरुपदधाति । ये वै ते व्विश्वे देवाऽएतां द्वितीयां चितिमपश्यन्ये तऽएतेन रसेनोपायंस्तऽएते तानेवैतदुपदधाति ताऽएताः सर्व्वाः

ते देवा अब्रुवन्—अश्विनौ वाऽइदं सर्वमभूताम्, उप तज्जानीत—यथा वयमिहाप्यसामेति । तेऽब्रुवन्—चेतयध्वमिति । चितिमिच्छतेति वाव तदब्रुवन् । तदिच्छत—यथा वयमिहाप्यसामेति । ते चेतयमाना एता इष्टका अपश्यन्वैश्वदेवीः ॥ २ ॥

तेऽब्रुवन्—अश्विनौ वाऽइदं सर्वमभूताम्, अश्विभ्यामेवाश्विनोश्चितिमनूपदधामहाऽइति । तेऽश्विभ्यामेवाश्विनोश्चितिमनूपादधत । तस्मादेतामाश्विनी चितिरित्या चक्षते । तस्माद्यथैव पूर्वासामुदर्कः—एवमेतासाम् । अश्विभ्यां ह्येवाश्विनोश्चितिमनूपादधत ॥ ३ ॥

यद्वेव वैश्वदेवीरुपदधाति । ये वै ते विश्वे देवा एतां द्वितीयां चितिमपश्यन्, ये त एतेन रसेनोपायन्—

द्वितीया चितिः ' खलु । ' ताम् ' द्वितीयाम् ' उपधायेदं सर्वमभवताम्; ' सर्वमिदं तयोः स्वाधीनमभूदित्यर्थः । सर्वशब्दस्यासङ्कोचं दर्शयति—यदिदं किञ्चेति । ' यत् '—यत्प्रतीयते तत्सर्वमित्यर्थः ॥ १ ॥

' ते देवाः ' ' इदं सर्वम् ' ' अश्विनौ ' एव ' अभूताम् ' अतः ' यथा ' येन प्रकारेण ' इह ' अस्मिन् सर्वस्मिन् ' वयमप्यसाम ' ' तत् ' तथा ' उपजानीत ' ' इति ' परस्परम् ' अब्रुवन् ' । एवमुक्त्वा ते पुनरब्रुवन् ' चेतयध्वमिति ' । एवं वदतामुक्तेरभिप्रायं श्रुतिरितरथा ब्रूते—चितिमिच्छतेति वाव तदब्रुवन्निति । इतस्ततो विक्षिप्ताया बुद्धिवृत्तेरैकाग्र्येणैकत्र समावेश—श्चितिः । ' ते चेतयमानाः ' इत्यादि स्पष्टम् । स्वातन्त्र्येण कार्यं साधयितुमशक्ताः ' ते ' देवा एवम् ' अब्रुवन् ' । कथं ? पूर्वम् ' इदं सर्वमश्विनौ ' एव ' अभूताम् ' खलु । अतो वयमपि ' अश्विभ्यामेव ' साधनाभ्यां (तद्धस्तादित्यर्थः) तयोः ' चितिम् ' अनुसृत्यैव वैश्वदेवीः ' उपदधामहा इति ' एवमुक्त्वा ' ते ' तथैवाकुर्वन् । ' तस्मात् ' अश्विप्रधानत्वात् ' एताम् ' द्वितीयां चितिम् ' आश्विनीत्याचक्षते ' अभिज्ञाः । ' तस्माद् ' अश्विभ्यां साधितत्वात् ' यथैव पूर्वासाम् ' आश्विनीनाम् ' उदर्कः ' मन्त्रस्यावसानम् " अश्विनाऽध्वर्यू सादयताम् " इत्येवंरूपः; ' एवमेतासाम् ' वैश्वदेवीनामप्युदर्क इति शेषः । तत्र कारणं पूर्वोक्तं पुनः स्मारयति—अश्विभ्यां ह्येवेति ॥ २ ॥ ३ ॥

प्रकारान्तरेण स्तौति—यद्वेवेति । ' यदेव ' कारणाद् ' वैश्वदेवीरुपदधाति ' तदभिधीयत इत्यर्थः । ' ये ' खलु ' ते विश्वे देवा एताम् ' वैश्वदेवीभिर्निर्मिताम् ' द्वितीयां चितिमपश्यन् ' अजानन् । ' ते ' देवाः ' एतेन

प्रजास्ता रेतःसिचोर्व्वेलयोपदधातीमे वै रेतःसिचावनयोस्तत्प्रजा दधाति तस्मादनयोः प्रजाः सर्व्वतऽउपदधाति सर्व्वतस्तत्प्रजा दधाति तस्मात्सर्व्वतः प्रजा दिश्याऽअनूपदधाति दिक्षु तत्प्रजा दधाति तस्मात्सर्व्वासु दिक्षु प्रजाः ॥ ४ ॥

(०) यद्वेव वैश्वदेवीरुपदधाति । प्रजापतेर्व्विस्रस्तात्सर्व्वाः प्रजा मध्यतऽउदक्रामन्नेतस्याऽअधि योनेस्ताऽएनमेतस्मिन्नात्मनः प्रतिहिते प्रापद्यन्त ॥ ५ ॥

स यः स प्रजापतिर्व्यस्रꣳसत । (ता) अयमेव स योऽयमग्निश्चीयतेऽथ या ऽअस्मात्ताः प्रजा मध्यतऽउदक्रामन्नेतास्ता वैश्वदेव्यऽइष्टकास्तद्यदेता ऽउपदधाति या ऽएवास्मात्ताः प्रजा मध्यतऽउदक्रामंस्ता ऽअस्मिन्ने-

---

त एते । तानेवैतदुपदधाति । ता एताः सर्वाः प्रजाः । ता रेतःसिचोर्वेलयोपदधाति । इमे वै रेतः-सिचौ । अनयोस्तत्प्रजा दधाति । तस्मादनयोः प्रजाः । सर्वत उपदधाति । सर्वतस्तत्प्रजा दधाति । तस्मात्सर्वतः प्रजाः । दिश्या अनूपदधाति । दिक्षु तत्प्रजा दधाति । तस्मात्सर्वासु दिक्षु प्रजाः ॥ ४ ॥

यद्वेव वैश्वदेवीरुपदधाति । प्रजापतेर्विस्रस्तात्सर्वाः प्रजा मध्यत उदक्रामन्-एतस्या अधि योनेः । ता एनमेतस्मिन्नात्मनः प्रतिहिते प्रापद्यन्त ॥ ५ ॥

स यः स प्रजापतिर्व्यस्रंसत-अयमेव सः-योऽयमग्निश्चीयते । अथ या अस्मात्ताः प्रजा मध्यत उदक्रामन्-एतास्ता वैश्वदेव्य इष्टकाः । तद्यदेता उपदधाति-या एवास्मात् ताः प्रजा मध्यत

रसेनोपायन् ' रसेन सङ्गता अभवन्नित्यर्थः । ' त एते ' प्रसिद्धा विश्वे देवाः । ' तानेव ' रसेनोपेतानेव देवान् ' एतद् ' एतेन वैश्वदेवीनामुपधानेन ' उपदधाति ' अध्वर्युः । कोऽसौ रस इति स उच्यते-**ता एताः सर्वाः प्रजा** इति । ' ताः ' रसत्वेन निर्दिष्टा इष्टकाः ' एताः ' परिदृश्यमानाः 'सर्वाः प्रजाः' । एतासां स्थानमाह-**ता रेतःसिचोर्वेलयेति** । गतमिदम् । ' तस्माद् ' रेतःसिचोर्द्यावापृथिव्यात्मकत्वाद् ' अनयोः ' द्यावापृथिव्यो-र्मध्ये ' प्रजाः ' वर्तन्त इति शेषः । तत्रापि विशेषं सार्थवादमाह-**सर्वत उपदधातीति** । तत्राप्याश्विनीनामानन्तर्यमाह-**दिश्या अन्विति** । ' दिश्याः ' आश्विन्यस्ताः सर्वत उपहिताः, ता अन्वेता अप्युपदध्यात् । स्पष्टोऽर्थवादः ॥ ४ ॥

पुनः प्रकारान्तरेण स्तौति-**यद्वेवेति** । ' विस्रस्तात्प्रजापतेर्मध्यतः सर्वाः प्रजाः ' उद्गताः । मध्यं विशिनष्टि-**एतस्या अधि योनेरिति** । ' अधि ' इति पञ्चम्यर्थानुवादी । ' एतस्याः ' प्रजोत्पादिकायाः ' योनेः ' सकाशात् । ' ताः ' उद्गता; प्रजापतिशरीरस्य सम्बन्धिन्यः ' एतस्मिन् ' मध्ये ' प्रतिहिते ' समाहिते सति ' एनम् ' प्रजापतिं पुरस्तात् प्रापद्यन्त ॥ ५ ॥

कोऽसौ विस्रस्तः प्रजापतिरिति तमाह-**अयमेव स इति** । एतच्छब्दार्थमाह-**योऽयमिति** । अस्तु सः । उत्क्रान्ताः प्रजाः का इति ता आह--**एतास्ता वैश्वदेव्य इति** । ' तद्यदेताः ' वैश्वदेवीः अत्र द्वितीयायां चितौ

तत्प्रपादयति रेतःसिचोर्वेलया पृष्ट्यो वै रेतःसिचौ मध्यमु पृष्टयो मध्यतऽएवास्मिन्नेताः प्रजाः प्रपादयति सर्व्वतऽउपदधाति सर्व्वतऽ एवास्मिन्नेताः प्रजाः प्रपादयति ॥ ६ ॥

यद्वेव वैश्वदेवीरुपदधाति । (त्ये) एतद्वै प्रजापतिरेतस्मिन्नात्मनः प्रतिहितेऽकामयत प्रजाः सृजेय प्रजायेयेति स ऽऋतुभिरद्भिः प्राणैः संवत्सरेणाश्विभ्याᳬं सयुग्भूत्वैताः प्रजाः प्राजनयत्तथैवैतद्यजमान ऽएताभिर्देवताभिः सयुग्भूत्वैताः प्रजाः प्रजनयति तस्माद् सर्वास्वेव सजूः सजूरित्यनुवर्तते ॥ ७ ॥

सजूर्ऋतुभिरिति । तदृतून्प्राजनयदृतुभिर्व्वै सयुग्भूत्वा प्राजनयत्सजूर्विधाभिरित्यापो वै विधाऽअद्भिर्हीदᳬं सर्व्वं विहितमद्भिर्व्वै सयुग्भूत्वा

उदक्रामन्—ता अस्मिन्नेतत्प्रपादयाति । रेतःसिचोर्वेलया । पृष्ट्यो वै रेतःसिचौ । मध्यमु पृष्टयः । मध्यत एवास्मिन्नेताः प्रजाः प्रपादयति । सर्वत उपदधाति । सर्वत एवास्मिन्नेताः प्रजाः प्रपादयति ॥ ६ ॥

यद्वेव वैश्वदेवीरुपदधाति । एतद्वै प्रजापतिरेतस्मिन्नात्मनः प्रतिहितेऽकामयत—प्रजाः सृजेय, प्रजायेयेति । स ऋतुभिः—अद्भिः—प्राणैः—सम्वत्सरेण—अश्विभ्यां सयुग्भूत्वैताः प्रजाः प्राजनयत् । तथैवैतद्यजमान एताभिर्देवताभिः सयुग्भूत्वैताः प्रजाः प्रजनयति । तस्माद् सर्वास्वेव सजूः सजूरित्यनुवर्तते ॥ ७ ॥

"सजूर्ऋतुभिः"—इति । तदृतून्प्राजनयत् । ऋतुभिर्वै सयुग्भूत्वा प्राजनयत् । "सजूर्विधाभिः"—इति । आपो वै विधाः । अद्भिर्हीदं सर्वं विहितम् । अद्भिर्वै सयुग्भूत्वा प्राजनयत् ।

'उपदधाति' 'या एव प्रजाः' 'अस्मात्' प्रजापतेः 'मध्यतः' मध्यदेशात् उत्क्रान्ताः 'ताः' एव पुनस्तत्र 'प्रपादयति' । रेतःसिग्व्याख्यानम्—'पृष्टयः' इत्यादिकम् 'सर्वत उपदधाति' इति च स्पष्टम् ॥ ६ ॥

अथासां पञ्चानां वैश्वदेवीनामुपधाने मन्त्रं विधातुमाह—यद्वेव वैश्वदेवीरुपदधात्येतद्वै प्रजापतिरित्यादिना । 'आत्मनः' शरीरस्य 'एतस्मिन्' मध्यमेऽङ्गे 'प्रतिहिते' सति 'अकामयत प्रजाः सृजेय, प्रजायेयेति' सृज्यमानप्रजारूपेण मेऽस्तु प्रादुर्भावोऽपीत्यर्थः । एवं कामयमानः 'स' ऋत्वप्प्राणसंवत्सराश्विभिः 'सयुक्' तत्सहायो 'भूत्वा' 'एताः' वक्ष्यमाणवैश्वदेव्याख्याः 'प्रजाः प्राजनयत्' । तथैवेत्यादि स्पष्टम् । 'तस्माद्'—एव सयुग्भावाद्धेतोर्वैश्वदेवीनामुपधानमन्त्रेषु 'सजूः सजूरित्यनुवर्तते' ॥ ७ ॥

अनुवृत्तिप्रकारं च स्वयमेवाह-सजूर्ऋतुभिरिति । 'इति' एवं प्रतिमन्त्रमादावनुवर्तते । 'तत्' तेन 'ऋतून् प्राजनयत्' । ऋतूत्पादनमितरप्रजासृष्टेर्ऋतुसयुग्भावाऽन्यथानुपपत्त्या समर्थयते—ऋतुभिर्वै सयुग्भूत्वा प्राजनयदिति । अन्यानिति शेषः । उत्पन्नस्य ऋतोः सयुग्भावमापद्य तत्सहायवानन्यान्

प्राजनयत्सजूर्देवैरिति तद्देवान्प्राजनयद्यद्देवाऽइत्याचक्षते सजूर्देवैर्व्वयोनाधैरिति प्राणा वै देवा व्वयोनाधाः प्राणैर्हीदᳬं सर्व्वं व्वयुनं नद्धमथो च्छन्दाᳬंसि वै देवा व्वयोनाधाश्छन्दोभिर्हीदᳬं सर्व्वं व्वयुनं नद्धं प्राणैर्व्वै सयुग्भूत्वा प्राजनयदग्नये त्वा व्वैश्वानरायेति संव्वत्सरो वाऽअग्निर्व्वैश्वानरः संव्वत्सरेण वै सयुग्भूत्वा प्राजनयदश्विनाऽध्वर्यू सादयतामिह त्वेत्यश्विभ्यां वै सयुग्भूत्वा प्राजनयत् ॥ ८ ॥

(९) सजूर्व्वसुभिरिति दक्षिणतः । (१०) तद्वसून्प्राजनयत्सजू रुद्रैरिति पश्चात्तद्रुद्रान्प्राजनयत्सजूरादित्यैरित्युत्तरतस्तदादित्यान्प्राजनय-

---

" सजूर्देवैः "—इति । तद्देवान्प्राजनयत्—यद्देवा इत्याचक्षते । " सजूर्देवैर्वयोनाधैः "—इति । प्राणा वै देवा वयोनाधाः । प्राणैर्हीदं सर्वं वयुनं नद्धम् । अथो छन्दांसि वै देवा वयोनाधाः । छन्दोभिर्हीदं सर्वं वयुनं नद्धम् । प्राणैर्वै सयुग्भूत्वा प्राजनयत् । " अग्नये त्वा वैश्वानराय "— इति । संवत्सरो वाऽअग्निर्वैश्वानरः । संवत्सरेण वै सयुग्भूत्वा प्राजनयत् । " अश्विनाऽध्वर्यू सादयतामिह त्वा "—इति । अश्विभ्यां वै सयुग्भूत्वा प्राजनयत् ॥ ८ ॥

" सजूर्वसुभिः "—इति दक्षिणतः । तद्वसून्प्राजनयत् । " सजू रुद्रैः "—इति पश्चात् । तद्रुद्रान्प्राजनयत् । " सजूरादित्यैः "—इत्युत्तरतः । तदादित्यान्प्राजनयत् ।

विश्वदेववस्वादीन् प्राजनयदित्यर्थः । एवमुत्तरेष्वपि 'सजूर्विधाभिः' ' सजूर्देवैः ' ' सजूर्देवैर्वयोनाधैः ' इत्यादिष्वनुषञ्जनीयभागेष्वपि द्रष्टव्यम् । 'सजूर्विधाभिरिति' अनुषञ्जनीयो द्वितीयभागः । तत्र विधाशब्दार्थमाह—आपो वै विधा इति । अप्सु विधाशब्दप्रवृत्तिं दर्शयति—अद्भिर्हीति । विधीयते क्रियते आभिरद्भिरिदमिति विधा आपः । ' हि '-शब्दोऽपां सर्वाश्रयत्वस्य प्रसिद्धिद्योतनार्थः । शिष्टं पूर्ववत् । इत्थं पञ्चस्वपि मन्त्रेषु पूर्वभागेऽनुषञ्जनीयमभिधाय प्रथमं मन्त्रं व्याचष्टे—सजूर्देवैरिति । " तद्देवान्प्राजनयत् " इत्यत्रत्यदेवशब्देन वक्ष्यमाणवस्वादयः सर्वेऽपि देवा विवक्षिता इति व्याचष्टे—यद्देवा इत्याचक्षत इति । देवशब्देन येऽभिधीयन्ते ते सर्वेऽप्यनेन विवक्षिता इत्यर्थः । उपरिष्टादनुषञ्जनीयप्रथमभागं व्याचष्टे—सजूर्देवैर्वयोनाधैरिति । वयोनाधशब्दार्थमाह—प्राणा वै देवा वयोनाधा इति । वयोनाधशब्दः कथं प्राणानभिधत्त इति तदुपपादयति—प्राणैर्हीदं सर्वं वयुनं नद्धमिति । वयो वयुनं नह्यन्ति बध्नन्तीति ' वयोनाधाः ' 'प्राणाः' । वयःशब्दस्य विवक्षितार्थान्तरमाह—अथो छन्दांसि वै देवा वयोनाधा इति । शिष्टं पूर्ववद्व्याख्येयम् । अनुषङ्गस्य द्वितीयभागमुदाहृत्य व्याचष्टे—अग्नये त्वा वैश्वानरायेत्यादिना । तृतीयभागं विधाय व्याचष्टे—अश्विनाऽध्वर्यू सादयतामिह त्वेति । हे इष्टके ! त्वाम् अश्विनावध्वर्यू 'इह' द्वितीयचितिप्रदेशे ' सादयताम् ' इति तस्यार्थः ॥ ८ ॥

द्वितीयेष्टकोपधानमन्त्रमुक्त्वा व्याचष्टे—सजूर्वसुभिरिति दक्षिणत इति । उपदध्यादिति शेषः । ' तत् ' तेन एतन्मन्त्रसाध्येष्टकोपधानेन ' वसून् ' अष्टसंख्यान् ' प्राजनयत् ' । सजू रुद्रैरिति तृतीयो मन्त्रः । रुद्रा एकादश, तन्मन्त्रेण पश्चादुपदध्यात् । सजूरादित्यैरिति चतुर्थेन मन्त्रेणोत्तरतः सादयेत् । स्पष्टमन्यत् ।

त्सुजूर्विंश्वैर्देवैरित्युपरिष्टात्तद्विश्वान्देवान्प्राजनयत्ता वै समानप्रभृतयः समानोदर्का नाना मध्यतस्ता युत्समानप्रभृतयः समानोदर्काः समानी-भिर्हि देवताभिः पुरस्ताच्चोपरिष्टाच्च सयुग्भूत्वा प्राजनयदथ यन्नाना मध्यतोऽन्याऽ अन्या हि प्रजा मध्यतः प्राजनयत् ॥ ९ ॥

इति प्रथमप्रपाठके षष्ठं ब्राह्मणम् ॥ ८-१-६ ॥ (२. २.) ॥

अथ प्राणभृतऽउपदधाति । (त्ये) एतद्वै देवाऽअब्रुवंश्चेतयध्वमिति चितिमिच्छतेति वाव तदब्रुवंस्ते चेतयमाना वायुमेव चितिमपश्यंस्ता-मस्मिन्नदधुस्तथैवास्मिन्नयमेतद्दधाति ॥ १ ॥

" सजूर्विश्वैर्देवैः "-(वा. सं. १४ । ७) इत्युपरिष्टात् । तद्विश्वान्देवान्प्राजनयत् । ता वै समानप्रभृतयः समानोदर्काः, नाना मध्यतः । ता यत्समानप्रभृतयः समानोदर्काः । समानीभिर्हि देवताभिः पुरस्ताच्चोपरिष्टाच्च सयुग्भूत्वा प्राजनयत् । अथ यन्नाना मध्यतः । अन्या अन्या हि प्रजा मध्यतः प्राजनयत् ॥ ९ ॥

अथ पञ्चप्राणभृदिष्टकोपधानम् ।

अथ प्राणभृत उपदधाति । एतद्वै देवा अब्रुवन् । चेतयध्वमिति । चितिमिच्छतेति वाव तदब्रुवन् । ते चेतयमाना वायुमेव चितिमपश्यन् । तामस्मिन्नदधुः । तथैवास्मिन्नयमेतद्दधाति ॥ १ ॥

सजूर्देवैरिति उपरिष्टात्सादयेत् । उक्तानां सादनमन्त्राणामाद्यन्तानुषङ्गसाम्यमाह—ता वै समानप्रभृतयः समानोदर्का इति । प्रभृतिरुपक्रमः । उदर्कोऽवसानम् । तौ सर्वासामिष्टकानां समानावित्यर्थः ॥

कृत्स्नमन्त्राणां मध्यमभागस्य नानारूपतामाह—नाना मध्यत इति । " सजूर्ऋतुभिः " इत्यादिकः सर्वासामुपक्रमः । मध्ये " सजूर्देवैः सजूर्वसुभिः " इत्यादिः पञ्चमन्त्रेष्वेकैको मन्त्रः । अन्ते " सजूर्देवैर्वयो-नाधैः " इत्यादिक इत्यर्थः । तत्त्रितयं प्रशंसति—ता यत्समानप्रभृतय इत्यादिना । ' समानीभिर्हि देव-ताभिः ' ' पुरस्ताच्चोपरिष्टाच्च ' इति ऋत्वादिभिः पुरस्तात् , ' सजूर्वयोनाधैः ' इत्यादिभिरुपरिष्टाच्चेति विभागः । अन्या अन्या हि प्रजा इति । प्रजानां वैलक्षण्यं वस्वादीनां विलक्षणत्वाद् द्रष्टव्यम् ॥ ९ ॥

इति श्रीसायणाचार्यविरचिते माधवीये वेदार्थप्रकाशे माध्यन्दिनीयशतपथब्राह्मणभाष्ये अष्टमकाण्डे द्वितीयेऽध्याये द्वितीयं ब्राह्मणम् ॥ (८-२-२) ॥

प्राणभृत्संज्ञकानामिष्टकानामुपधानं विधाय स्तौति—अथ प्राणभृत इति[1] । 'अथ' वैश्वदेवीनामनन्तरम् । ' चेतयध्वम् ' इत्यादिभागः स्पष्टः । 'चेतयमानास्ते वायुमेव चितिमपश्यन्' 'ताम्' वायुरूपां चितिम् 'अस्मिन्' द्वितीयचितिप्रदेशे ' अदधुः ' स्थापितवन्तः । ' तथैव ' इत्यादि पूर्ववत् ॥ १ ॥

१-एवं वैश्वदेवीभ्यः प्राणभृतः । प्राणभृतः प्राणं मे इति । का. श्रौ. सू. १७ । १७१ । १८४ ।

प्राणभृतऽउपदधाति । प्राणो वै व्वायुर्व्वायुमेवास्मिन्नेतद्दधाति रेतःसिचोर्व्वेलयेमे वै रेतःसिचावनयोस्तद्वायुं दधाति तस्मादनयोर्व्वायुः सर्व्वतऽउपदधाति सर्व्वतस्तद्वायुं दधाति तस्मात्सर्व्वतो व्वायुः सर्व्वतः समीचीः सर्व्वतस्तत्सम्यञ्चं व्वायुं दधाति तस्मात्सर्व्वतः सम्यङ्भूत्वा सर्व्वाभ्यो दिग्भ्यो व्वाति दिश्या ऽअनूपदधाति दिक्षु तद्वायुं दधाति तस्मात्सर्व्वासु दिक्षु व्वायुः ॥ २ ॥

(युं) यद्वेव प्राणभृतऽउपदधाति । (त्या) आस्वेवैतत्प्रजासु प्राणान्दधाति ताऽअनन्तर्हिता व्वैश्वदेवीभ्यऽउपदधात्यनन्तर्हितांस्तत्प्रजाभ्यः प्राणान्दधाति प्राणं मे पाह्यपानं मे पाहि व्यानं मे पाहि चक्षुर्मऽउर्व्व्या व्विभाहि श्रोत्रं मे श्लोकयेत्येतानेवास्वेतत्क्लृप्तान्प्राणान्दधाति ॥ ३ ॥

प्राणभृत उपदधाति । प्राणो वै वायुः । वायुमेवास्मिन्नेतद्दधाति । रेतःसिचोर्वेलया । इमे वै रेतःसिचौ । अनयोस्तद्वायुं दधाति । तस्मादनयोर्वायुः । सर्वत उपदधाति । सर्वतस्तद्वायुं दधाति । तस्मात्सर्वतो वायुः । सर्वतः समीचीः । सर्वतस्तत्सम्यञ्चं वायुं दधाति । तस्मात्सर्वतः सम्यङ् भूत्वा सर्वाभ्यो दिग्भ्यो वाति । दिश्या अनूपदधाति । दिक्षु तद्वायुं दधाति । तस्मात् सर्वासु दिक्षु वायुः ॥ २ ॥

यद्वेव प्राणभृत उपदधाति । आस्वेवैतत्प्रजासु प्राणान्दधाति । ता अनन्तर्हिता वैश्वदेवभ्य उपदधाति । अनन्तर्हितांस्तत्प्रजाभ्यः प्राणान्दधाति । "(१) प्राणं मे पाहि, (२) अपानं मे पाहि, (३) व्यानं मे पाहि, (४) चक्षुर्मऽउर्व्या विभाहि, (५) श्रोत्रं मे श्लोकय"- इति । एतानेवास्वेतत्क्लृप्तान्प्राणान्दधाति ॥ ३ ॥

पुनः स्तोतुमनुवदति–प्राणभृत उपदधातीति । प्राणो वै वायुरिति । वैशब्दो " वायुः प्राणो भूत्वा नासिके प्राविशत् " इत्यादिश्रुत्यन्तराम्नातवायुप्राणैकत्वप्रसिद्धिद्योतनार्थः । तासां स्थानमाह–रेतःसिचोर्वेलयेति । तस्मात्क्षित्यन्तरिक्षसंस्तुतरेतःसिचोर्निकटे प्राणभृतामुपधानात् रेतःसिग्रूपयोः ' अनयोः' क्षित्यन्तरिक्षयोर्मध्ये ' वायुः ' सञ्चरतीति शेषः । स्पष्टः सर्वतउपधानार्थवादः । सर्वतः समीचीरिति । प्रागादिसर्वदिक्षु तिर्यक्त्वाभावेनार्जवेन यथा वर्त्तन्ते तथोपदध्यादित्यर्थः । ' तत् ' तेन तथोपधानेन ' वायुम् ' अपि ' सम्यञ्चम् ' अकुटिलं स्थापितवान् भवति । ' तस्मात् सर्वतः ' इत्यादिः स्पष्टः ।

दिश्या अनूपदधातीति । दिश्यानन्तर्यार्थवादो वैश्वदेवीष्टकावाक्यवद्व्याख्येयः ॥ २ ॥

प्रकारान्तरेण प्राणभृतः प्रशंसति–यद्वेव प्राणभृत इति । ' आस्वेव प्रजासु ' वैश्वदेवीनां प्रजारूपत्वेन स्तुतत्वात् तासामनन्तरं प्राणभृतामुपधानेन प्रजासु प्राणान् स्थापितवान् भवति । ' ताः ' प्राणभृतो 'वैश्वदेवीभ्यः' ' अनन्तर्हिताः ' इष्टकान्तरेणाव्यवहिता यथा स्युस्तथा उपदध्यात् । तेन प्राणानपि ताभ्यः प्रजाभ्यः 'अनन्त-

(त्यु) अथापुस्याऽउुपदधाति । (त्ये) एतद्वै देवाऽअब्रुवँश्चेतुयध्व-मिति चितिमिच्छतेति वाव तुदब्रुवंस्तु चेतुयमाना व्वृष्टिमेव चितिमप-श्यंस्तामस्मिन्नदधुस्तथैवास्मिन्नयमेतद्दधाति ॥ ४ ॥

(त्य) अपुस्याऽउुपदधाति । (त्या) आपो वै व्वृष्टिर्वृष्टिमेवास्मिन्ने-तद्दधाति रेतःसिचोर्व्वेलयेमे वै रेतःसिचावनुयोस्तद्वृष्टिं दधाति तुस्मा-दनुयोर्व्वर्षति सर्व्वुत ऽउुपदधाति सर्व्वुतस्तद्वृष्टिं दधाति तुस्मात्सर्व्वुतो व्वर्षति सर्व्वुतः समीचीः सर्व्वुतस्तुत्समीचीं व्वृष्टिं दधाति तुस्मात्सर्व्वुतः सम्युङ्भूत्वा सुर्व्वाभ्यो दिग्भ्युो व्वर्षति व्वायुव्या ऽअनूपदधाति व्वायौ तद्वृष्टिं दधाति तुस्माद्यां दिशं व्वायुरेति तां दिशं व्वृष्टिरन्वेति ॥ ५ ॥

अथापस्या उपदधाति । एतद्वै देवा अब्रुवन्—चेतयध्वमिति । चितिमिच्छतेति वाव तदब्रुवन् । ते चेतयमाना वृष्टिमेव चितिमपश्यन् । तामस्मिन्नदधुः । तथैवास्मिन्नयमेतद्दधाति ॥ ४ ॥

अपस्या उपदधाति । आपो वै वृष्टिः । वृष्टिमेवास्मिन्नेतद्दधाति । रेतःसिचोर्वेलया । इमे वै रेतः-सिचौ । अनयोस्तद्वृष्टिं दधाति । तस्मादनयोर्वर्षति । सर्वत उपदधाति । सर्वतस्तद्वृष्टिं दधाति । तस्मात्सर्वतो वर्षति । सर्वतः समीचीः । सर्वतस्तत्समीचीं वृष्टिं दधाति । तस्मात्सर्वतः सम्यङ् भूत्वा सर्वाभ्यो दिग्भ्यो वर्षति । वायव्या अनूपदधाति । वायौ तद्वृष्टिं दधाति । तस्माद्यां दिशं वायुरेति—तां दिशं वृष्टिरन्वेति ॥ ५ ॥

हिंतान्' कृतवान्भवति । तासामुपधानमन्त्रान् विधाय संगृह्य तात्पर्यमाह—प्राणं मे इत्यादिना । "प्राणं मे पाहि"—इति प्रथमो मन्त्रः । "अपानं मे पाहि"—इति द्वितीयः । "व्यानं मे" इति तृतीयः । "चक्षुर्म उर्व्या"—इति चतुर्थः । हे चतुर्थेष्टके ! 'मे' मम 'चक्षुः' 'उर्व्या' अविकृतया दृष्ट्या 'विभाहि' विशेषेण दीपय । हे पञ्चमेष्टके ! 'मे' मम 'श्रोत्रं श्लोकय' श्लाघनं कुरु । अत्र यद्यपि प्रथमेष्टकामन्त्रे एव 'प्राणं मे' इति प्राणलिङ्गमुक्तं तथापि छत्रिन्यायेन लिङ्गमात्रमपेक्ष्य सर्वा अपि प्राणभृत इत्युच्यन्ते । एवं सर्वत्र यथालाभं द्रष्टव्यम् ॥ ३ ॥

अपस्या विधाय प्रशंसति[1]—अथापस्या इति । अब्लिङ्गैर्मन्त्रैरुपधेयत्वाद् 'अपस्याः', यद्वा 'वृष्टिमेव चितिम-पश्यन्' इत्युक्तत्वादभेदादाप एवापस्याः । 'एतद्वै देवा अब्रुवँश्चेतयध्वमिति' इत्यादिः सर्वोऽपि पूर्वोक्तेनैवोक्त-प्रयोजनो व्याख्यातप्रायः । आपो वै वृष्टिरिति । वृष्टिकर्मत्वादाप एव वृष्टिः । वायव्या अनूपदधातीति । प्राणभृतामन्वित्यर्थः ॥ ४ ॥ ५ ॥

१—प्राणभृद्भ्योऽपस्याः । अपः पिन्वेत्यपस्याः । का. श्रौ. सू. १७ । १७७ । १८५ ।

युद्धेवापुस्याऽउपदुधाति । (त्ये) एष्वुवैतुत्प्राणेष्वपो दधाति ताऽअन-न्तर्हिताः प्राणभृद्भ्यऽउपदधात्युनन्तार्हितास्तुत्प्राणेभ्योऽपो दधात्युथो-ऽन्नं वाऽआपोऽनन्तर्हितं तुत्प्राणेभ्योऽन्नं दधात्यपः पिन्वौषधी-र्जिन्व द्विपादव चतुष्पात्पाहि दिवो वृष्टिमेरयेत्येताऽएवैष्वेतत्क्लृप्ता ऽअपो दधाति ॥ ६ ॥

(त्य) अथ च्छन्दस्याऽउपदधाति। (त्ये) एतद्वै देवाऽअब्रुवंश्चेतयध्वमिति चितिमिच्छतेति वाव तदब्रुवंस्ते चेतयमानाः पशूनेव चितिमपश्यंस्ता-मस्मिन्नदधुस्तथैवास्मिन्नयमेतद्दधाति ॥ ७ ॥

यद्वेवापस्या उपदधाति । एष्वेवैतत्प्राणेष्वपो दधाति । ता अनन्तर्हिताः प्राणभृद्भ्य उपदधाति । अनन्तर्हितास्तत्प्राणेभ्योऽपो दधाति । अथोऽअन्नं वाऽआपः । अनन्तर्हितं तत्प्राणेभ्योऽन्नं दधाति । " (१) अपः पिन्व, (२) ओषधीर्जिन्व, (३) द्विपादव, (४) चतुष्पात्पाहि, (५) दिवो वृष्टिमेरय "-(वा. सं. १४।८) इति । एता एवैष्वेतत्क्लृप्ता अपो दधाति ॥६॥

अथैकोनविंशतिवयस्येष्टकोपधानम् ।

अथ च्छन्दस्या उपदधाति । एतद्वै देवा अब्रुवन्—चेतयध्वमिति—चितिमिच्छतेति वाव तदब्रुवन् । ते चेतयमानाः पशूनेव चितिमपश्यन् । तामस्मिन्नदधुः । तथैवास्मिन्नयमेतद्दधाति ॥ ७ ॥

प्रकारान्तरेण स्तौति—यद्वेवेति । एष्वेवैतदिति । पूर्वोपस्थापितेषु ' प्राणेष्वेव ' ' अपो दधाति ' "आपोमयः प्राणः "—इति श्रुतेः तासामभावे प्राणाः सीदन्तीत्यतः प्राणेष्वपां निधानं युक्तम् । आसां प्राणभृद्भ्यो व्यवधानाभावं विधत्ते—ता अनन्तर्हिताः प्राणभृद्भ्य उपदधातीति । तेन प्राणानामपां चाव्यवधानं कृतवान् भवति । अनन्तर्हितत्वस्य परंपरायितं प्रयोजनं दर्शयति—अथो इति । ' अथो ' अपि च ' अन्नं वा ' एतत् अन्वयव्यतिरेकानुविधायित्वादन्नस्य । ' तत् ' तेन ' अन्नं प्राणेभ्यः ' ' अनन्तर्हितम् ' स्थापितवान् भवति । अपस्यानां मन्त्रान् विधाय, सङ्गृह्य तात्पर्यमाह—अपः पिन्वेति । हे इष्टके ! त्वम् ' अपः पिन्व ' सेचय । तेन च ' ओषधीः ' व्रीहियवाद्याः ' जिन्व ' प्रीणय । तदनन्तरं हे इष्टके ! 'द्विपात्' पादद्वयोपेतं यन्मनुष्यादिकं तत् ' अव ' रक्ष तथा ' चतुष्पात् ' पश्वादिकं ' पाहि ' रक्ष । ' दिवः ' सकाशात् 'वृष्टिमेरय' आ सर्वतः प्रेरय इत्येतदिष्टकोपधानेन ' एता एव अपः क्लृप्ताः ' स्वकार्यसमर्थाः ' एषु ' एव प्राणेषु ' दधाति ' स्थापितवान् भवति ॥ ६ ॥

अथ च्छन्दस्येष्टका विधाय प्रशंसति—अथ च्छन्दस्या इत्यादिना । ' चेतयमाना देवाः पशूनेव ' चिति-त्वेनापश्यन् ' ताम् ' पशुरूपां चितिम् ' अस्मिन् ' द्वितीयचयने ' अदधुः ' स्थापितवन्तः । अयं यजमानोऽपि तथैवास्मिन् ' एतत् ' इदानीं ' दधाति ' स्थापयति ॥ ७ ॥

छन्दस्या उपदधाति । पशवो वै छन्दांꣳसि पशूनेवास्मिन्नेतद्दधाति सर्वत उपदधाति सर्वतस्तत्पशून्दधाति तस्मात्सर्वतः पशवोऽपस्या अनूपदधात्यप्सु तत्पशून्प्रतिष्ठापयति तस्माद्यदा वर्षत्यथ पशवः प्रतितिष्ठन्ति ॥ ८ ॥

यद्वेव च्छन्दस्या उपदधाति । प्रजापतेर्विस्रस्तात्पशव उदक्रामꣳश्छन्दांꣳसि भूत्वा तान्गायत्री छन्दो भूत्वा वयसाऽऽप्नोत्तद्यद्गायत्र्याऽऽप्नोदेतद्धि छन्द आशिष्ठꣳ सा तद्भूत्वा प्रजापतिरेतान्पशून्वयसाऽऽप्नोत् ॥९॥

(न्मू) मूर्धा वय इति । प्रजापतिर्वै मूर्धा स वयोऽभवत्प्रजापतिश्छन्द इति प्रजापतिरेव च्छन्दोऽभवत् ॥ १० ॥

छन्दस्या उपदधाति । पशवो वै छन्दांसि । पशूनेवास्मिन्नेतद्दधाति । सर्वत उपदधाति । सर्वतस्तत्पशून्दधाति । तस्मात्सर्वतः पशवः । अपस्या अनूपदधाति । अप्सु तत्पशून्प्रतिष्ठापयति । तस्माद्यदा वर्षति—अथ पशवः प्रतितिष्ठन्ति ॥ ८ ॥

यद्वेव च्छन्दस्या उपदधाति । प्रजापतेर्विस्रस्तात्पशव उदक्रामन्—छन्दांसि भूत्वा । तान्गायत्री छन्दो भूत्वा वयसाऽऽप्नोत् । तद्यद्गायत्र्याऽऽप्नोत्—एतद्धि छन्द आशिष्ठम् । सा तद्भूत्वा प्रजापतिरेतान्पशून्वयसाऽऽप्नोत् ॥ ९ ॥

(१) " **मूर्धा वयः** "—इति । प्रजापतिर्वै मूर्धा । स वयोऽभवत् । " **प्रजापतिश्छन्दः** "—इति । प्रजापतिरेव च्छन्दोऽभवत् ॥ १० ॥

छन्दःशब्देन पशवो विवक्षिता इति दर्शयति—**पशवो वै छन्दांसी**ति । **सर्वत उपदधाती**त्यादि पूर्ववत् । एतासामपस्यासान्निध्यं विधाय प्रशंसति—**अपस्या अन्वि**ति । । 'तत्' तेन अपस्यानन्तर्येण 'अप्सु' उपजीवनीयासु 'पशून् प्रतिष्ठापयति' स्थिरीकरोति । इदानीन्तनी या वृष्टिसमनन्तरभाविनी पशूनां प्रतिष्ठा साऽप्यपस्याछन्दस्यानां मेलनप्रयुक्तेति दर्शयति—**तस्माद्यदा वर्षत्यथ पशवः प्रतितिष्ठन्ती**ति ॥ ८ ॥

छन्दस्यानां पशुरूपत्वेन स्तुतिः कृता पुनस्तामेव पशुरूपतां ज्येष्ठां दर्शयति—**यद्वेव च्छन्दस्या** इति । 'प्रजापतेर्विस्रस्तात्' विश्लिष्टाङ्गादित्यर्थः । 'पशवः' वक्ष्यमाणाः अजादिलक्षणाः 'उदक्रामन्' । केन रूपेण ? 'छन्दांसि भूत्वा' वक्ष्यमाणविकलादिच्छन्दोरूपमास्थाय । 'तान्' उद्गतान् पशून् 'गायत्री छन्दो भूत्वा' 'वयसा' तत्तन्निर्गतपशूचितस्वशरीरपरिणामेन परिणतो भूत्वेत्यर्थः । 'आप्नोत्' अन्तर्गतान् पशून् स्वस्मिन् कृतवान् । गायत्र्या यदाशुतरत्वं तद्गायत्रीद्वारा प्रजापतिना शीघ्रं या सर्वपश्वाप्तिस्तन्मूलमिति दर्शयति—**तद्यद्गायत्र्याऽऽप्नोदि**ति । यस्माद्गायत्र्यैव सर्वान् पशूनाप्नोत्तस्मात् 'एतच्छन्दः' गायत्र्याख्यम् 'आशिष्ठम्' आशुतरम् 'हि' स्वयं प्रतिपादितोऽर्थः । " पूर्वं तथाऽऽसीदिति " श्रुतिराह—**सा तद्भूत्वे**ति । 'तत्' तदा पूर्वं 'प्रजापतिः' 'सा' गायत्री 'भूत्वा' 'एतान् पशून् वयसाऽऽप्नोत्' ॥ ९ ॥

इत्थमिष्टकानां पशुरूपतामुपपाद्य, अथ पूर्वदिश्युपधेयानां चतसृणामिष्टकानां मन्त्रान्विधाय, व्याख्यास्यन्-

(त्क्ष) क्षत्रं व्वयऽइति। प्रजापतिर्वै क्षत्रᳪ स व्वयोऽभवन्मयन्दं छन्दऽइति यद्वाऽअनिरुक्तं तन्मयन्दमनिरुक्तो वै प्रजापतिः प्रजापतिरेव च्छन्दोऽभवत् ॥ ११ ॥

(द्वि) व्विष्टम्भो व्वयऽइति । प्रजापतिर्व्वै व्विष्टम्भः स व्वयोऽभवदधिपतिश्छन्दऽइति प्रजापतिर्वाऽअधिपतिः प्रजापतिरेव च्छन्दोऽभवत् ॥ १२ ॥

---

(२) " क्षत्रं वयः "–इति । प्रजापतिर्वै क्षत्रम् । स वयोऽभवत् । " मयन्दं छन्दः "–इति । यद्वाऽअनिरुक्तं तन्मयन्दम् । अनिरुक्तो वै प्रजापतिः । प्रजापतिरेव च्छन्दोऽभवत् ॥ ११ ॥

(३) " विष्टम्भो वयः "–इति । प्रजापतिर्वै विष्टम्भः । स वयोऽभवत् । " अधिपतिश्छन्दः "–इति । प्रजापतिर्वाऽअधिपतिः । प्रजापतिरेव च्छन्दोऽभवत् ॥ १२ ॥

र्थान्निष्पन्नं गायत्रीरूपमिष्टमपि दर्शयति–मूर्द्धा वय इत्यादिना । 'प्रजापतिर्वै मूर्धा, स वयोऽभवत्' इति, उत्तरतत्तत्प्राप्तव्यपशूचिता वयोविशेषास्तेन तेन प्राप्तव्यास्तत्तच्छन्दोरूपाः पशवश्च वक्ष्यन्ते, अत्र तावत्तानि वयांसि तानि च्छन्दांसि सामान्येन प्रजा एवेति प्रतिपाद्यते, यथा प्रजापतिः सर्वेषां प्रधानं तथा मूर्द्धाऽपि सर्वेषामङ्गानां प्रधानमिति प्राधान्येन विवक्षितत्वात् ' प्रजापतिः ' एव 'मूर्द्धा' इत्युच्यते । एवमुत्तरवाक्येष्वपि तत्तदुपचारबीजं द्रष्टव्यम् । ' वयोऽभवत् ' वयस्वानभवदित्यर्थः । यद्वा ' स ' प्रजापतिः ' वै ' प्रसिद्धः प्रजापतिर्ननु ' मूर्द्धा वयोऽभवत् ' मूर्द्धरूपमत्युत्कृष्टं वयोऽभवत् । एवमुत्तरत्र मन्त्रत्रयेऽपि योज्यम् । प्रजापतिश्छन्द इति । 'प्रजापतिरेव' वक्ष्यमाणं तद्विवलं छन्दोऽभवदित्यर्थः । अथवा प्रजापतिरेव च्छन्दः प्राजापत्याख्यं छन्दोऽभवदित्यर्थः । एवमुत्तरेष्वपि त्रिषु वाक्येषु योज्यम् ॥ १० ॥

क्षत्रं वय इति । क्षत्रियजातितया तद्गतो बलविशेषो लक्ष्यते । " तच्छ्रेयोरूपमत्यसृजत क्षत्रम् " इत्यादिश्रुतेः । अथवा " क्षत्रम् इति बलनाम "–(निघं.) शरीरपरिणामेन तद्रूपं प्राप्त इत्यर्थः । योजना पूर्ववत् । मयन्दं छन्द इति । " मयः इति सुखनाम "–(निघं. ३ । ६ । ७) तद्ददातीति मयन्दम् । अस्य प्रजापतिरूपत्वे बीजमाह–यद्वा अनिरुक्तं तन्मयन्दम् इति । सुखदस्वरूपस्य विशेषेणानभिधानाल्लोकेऽपि ईदृक्–सुखदमित्यविशेषितं सामान्येन मयन्दमिति व्यवहृतत्वादिदम् 'अनिरुक्तम्' । प्रजापतेस्तु सर्वात्मकत्वाद्विशेषेण निर्वक्तुमशक्यत्वाद् अनिरुक्तत्वम् ॥ ११ ॥

विष्टम्भो वय इति । अत्र ' प्रजापतिर्वै विष्टंभः ' इति ' वै '–शब्देन " विष्टंभो धरुणः पृथिव्याः " इत्यादिसर्वश्रुतिगता प्रजापतेः सर्वजगदवलम्बनप्रसिद्धिर्द्योत्यते । ' अधिपतिश्छन्द इति ' अत्र प्रजापतेः सर्वाधिपतित्वम् " सर्वस्याधिपतिः सर्वस्येशानः " इत्यादिश्रुतिप्रसिद्धमुक्तम् ॥ १२ ॥

१–व्वयस्याः पंच पंचानूकांतेषु मूर्द्धा व्वय इति प्रतिमंत्रम् । चतस्रः पुरस्तात् दक्षिणत उत्तरतः पश्चात् । का० श्रौ० सू० । १७ । १८६–१८८ ।

(द्वि) व्विश्वकर्मा व्वयऽइति । प्रजापतिर्वै व्विश्वकर्मा स व्वयो-ऽभवत्परमेष्ठी छन्दऽइत्यापो वै प्रजापतिः परमेष्ठी ता हि परमे स्थाने तिष्ठन्ति प्रजापतिरेव परमेष्ठी छन्दोऽभवत् ॥ १३ ॥

(त्रा) तानि वाऽएतानि । चत्वारि व्वयाꣳसि चत्वारि च्छन्दाꣳसि तदष्टावष्टाक्षरा गायत्र्येषा वै सा गायत्री या तद्भूत्वा प्रजापतिरेतान्पशून्वयसाऽऽप्नोत्तस्माज्जीर्णं पशुं व्वयसाऽऽप्त ऽइत्याचक्षते तस्मादु सर्व्वास्वेव व्वयो व्वय ऽइत्यनुवर्ततेऽथ येऽस्मात्ते पशव ऽउदक्रामन्नेते ते पञ्चदशो-त्तरे व्वज्रो वै पशवो व्वज्रः पञ्चदशस्तस्माद्यस्य पशवो भवन्त्यपैव स पाप्मानꣳ हते व्वज्रो हैव तस्य पाप्मानमपहन्ति तस्माद्यां कां च दिशं पशुमानेति व्वज्रविहताꣳ हैव तामन्वेति ॥ १४ ॥

इति प्रथमप्रपाठके सप्तमं ब्राह्मणम् ॥ ८-१-७ ॥ (२. ३.)

---

(४) " विश्वकर्मा वयः "-इति । प्रजापतिर्वै विश्वकर्मा । स वयोऽभवत् । " परमेष्ठी छन्दः "-इति । आपो वै प्रजापतिः परमेष्ठी । ता हि परमे स्थाने तिष्ठन्ति । प्रजापतिरेव परमेष्ठी छन्दोऽभवत् ॥ १३ ॥

तानि वाऽएतानि चत्वारि वयांसि, चत्वारि च्छन्दांसि-तदष्टौ । अष्टाक्षरा गायत्री । एषा वै सा गायत्री-या तद्भूत्वा प्रजापतिरेतान्पशून्वयसाऽऽप्नोत् । तस्माज्जीर्णं पशुं वयसाऽऽप्त इत्याक्षते । तस्मादु सर्वास्वेव वयो वय इत्यनुवर्तते । अथ येऽस्मात्ते पशव उदक्रामन्-एते ते-पञ्चदशोत्तरे । वज्रो वै पशवः । वज्रः पञ्चदशः । तस्माद्यस्य पशवो भवन्ति-अपैव स पाप्मानं हते । वज्रो हैव तस्य पाप्मानमपहन्ति । तस्माद्यां कां च पशुमानेति-वज्रविहतां हैव तामन्वेति ॥ १४ ॥

विश्वकर्मा वय इति । अत्र ' प्रजापतिर्वै विश्वकर्मा ' इति 'प्रजापतेर्विश्वकर्मत्वम् " य इमा विश्वा भुवनानि जुह्वत् "-इति " यतो भूमिं जनयन् विश्वकर्मा " इत्यादिप्रसिद्धिं दर्शयति । परमेष्ठी छन्द इति । अत्र प्रजापतेः परमेष्ठित्वं शब्दद्वारकमिति दर्शयति । ' आपो वै प्रजापतिः परमेष्ठी ' जगत्स्रष्टुः पूर्वमपां सर्जनात्तदभेदेनापां परमेष्ठिरूपप्रजापतिरूपत्वम् । अपामस्तु प्रजापतिरूपत्वमभेदात्; कथं पुनस्तासां परमेष्ठित्वम् ? इति तद्दर्शयति-ता हि परमे स्थाने तिष्ठन्ति इति । " आदित्याज्जायते वृष्टिः " इति स्मृतेः (म. स्मृ. ३ । ७६). " दिवो वृष्टिमेरय दिवो ह्यापः सन्ताः " इत्यादिश्रुतेश्च वृष्टेः परमस्थान-भूतद्युसम्बन्धः ॥

तान् गायत्री छन्दो भूत्वेति यद्गायत्रीछन्द उक्तं तदिदानीं सम्पाद्य दर्शयति-तानि वा एतानि चत्वारि वयांसीत्यादिना । स्पष्टोऽर्थः । एषा वै सा गायत्रीति । ' एषा ' इति इदानीं सम्पादितप्रकारा गायत्री प्रङ्निर्दिष्टा सा खलु । सा केति तामाह-या तद्भूत्वा प्रजापतिरिति । प्रजापतिर्यां भूत्वा पशूनाप्नोत्सेत्यर्थः ।

बस्तो व्वयऽइति । बस्तं व्वयसाऽऽप्नोद्विवलं छन्दऽइत्येकपदा वै विवलं छन्दऽएकपदा ह भूत्वाऽजाऽउच्चक्रमुः ॥ १ ॥

---

(१) " बस्तो वयः "–इति । बस्तं वयसाऽऽप्नोत् । "विवलं छन्दः"–इति । एकपदा वै विवलं छन्दः । एकपदा ह भूत्वाऽजा उच्चक्रमुः ॥ १ ॥

" वयोऽभवद्वयोऽभवद् "–इति या प्रजापतेर्वयस आसिरुक्ता सा इदानीतनव्यवहारस्य मूलमिति दर्शयति–तस्माज्जीर्णं पशुं वयसाऽऽप्त इत्याचक्षत इति । 'जीर्णम्' वृद्धं ' पशुम् ' दृष्ट्वाऽसौ प्रभूतेन ' वयसाऽऽप्तः ' इति यथेदानीं श्रूते तथा पूर्वमपि प्रजापतिर्वयसाऽऽप्नोदित्येष सत्यवादः । 'तस्माद्' तस्मादेव वयसाऽऽप्तत्वादेव पशुस्थानीयासु सर्वास्विष्टकासु ' मूर्द्धा वयः बस्तो वयः ' इत्येवं वयःशब्दोऽनुवर्तते ॥

इत्थं गायत्र्यात्मना सम्पन्नेन मन्त्रचतुष्टयेनाऽऽप्तस्य प्रजापतेः स्वरूपं दर्शितम् । अथाऽऽप्तव्यानां पशूनां स्वरूपं सामान्येन निर्दिशन्ती श्रुतिः पशूंस्तद्गतसङ्ख्यां च प्रशंसति–अथ येऽस्मादिति । ' अस्मात् ' विस्रस्तात् प्राजापत्यङ्गात् ' ये पशवः ' ' उदक्रामन् ' ' एते ते ' प्रसिद्धा वक्ष्यमाणा बस्तादय इत्यर्थः । के ते ? 'उत्तरे' कियन्तो वा पञ्चदशेत्युत्तरम् । पञ्चदशस्तोमस्य प्रजापतेः सारभूतांशबाहुलक्षणावयवेभ्य उत्पन्नत्वाद्वा बाह्वोर्वधसाधनत्वाद्वज्रत्वम् । पशूनां वज्रत्वं स्वयमेव दर्शयति–तस्माद्यस्य पशवो भवन्तीति । ' पाप्मानम् ' क्षुद्रारिद्यलक्षणम् 'सः' पशुमान् ' अपहत एव ' । ' वज्रो ह्येव ' वज्रः खलु ' तस्य पाप्मानमपहन्ति ' अतो यद्धननसाधनं तद्वज्रमिति सिद्धोऽर्थः ॥

युक्तिभिरुपपादितमर्थं लोकस्थित्या द्रढयति–तस्माद्यां कां चेति । तां दिशं ' वज्रविहताम् ' 'एवान्वेति' पशुभिरुपक्रान्तस्य वर्त्मनोऽप्रतिहतत्वात् ॥ १३–१४ ॥

इति श्रीसायणाचार्यविरचिते माधवीये वेदार्थप्रकाशे माध्यन्दिनीयशतपथब्राह्मणभाष्ये अष्टमकाण्डे द्वितीयेऽध्याये तृतीयं ब्राह्मणम् ॥ (८–२–३) ॥

" पञ्चदशोत्तरे " इति ये पशवः संग्रहेण निर्दिष्टाः, तान् इदानीं दक्षिणोत्तरपश्चिमदिक्षु क्रमेणोपधेयेष्टकानां मन्त्रव्याख्यानप्रसङ्गेन दर्शयति–बस्तो वय इत्यादिना । ' बस्तः ' अजजातिः शरीरपरिणामविशेषः ' वयः ' बस्ताकारः शरीरपरिणामो बस्ततया प्रजापतिना स्वीकृत इत्यर्थः । " अजेतराऽभवद् बस्त इतरः" इति श्रुतेः । ' बस्तं वयसाऽऽप्नोद् ' इति तात्पर्यतो व्याख्यानं, बस्तोचितवयो धृत्वा बस्तमाप्नोदिति । ब्राह्मणं तु मन्त्रपदयोर्विभक्तिं परिणमय्य व्याचष्टे–' बस्तः ' बस्तमित्यर्थः । ' वयः ' वयसेत्यर्थः । वयसा बस्तमाप्नोदिति वाक्यार्थः । एवं सर्वत्र व्याख्येयम् । इत्थं स्वाभाविकं पशूनां रूपमभिधायोत्क्रमणसमये छन्दोरूपेणोत्क्रान्तत्वात्तद्रूपप्राप्तिमाह–विवलं छन्द इति । स्वीकृतवानिति शेषः । एतद्व्याचष्टे–एकपदा वै विवलं छन्द इति । विगतं बलं यस्या एकपदायाः सकाशादित्येकपदा वाग्विवलं छन्दः । पदद्वयाभावादेकपदाया विवलच्छन्दोरूपता युक्ता । ननु बस्तापरपर्यायेष्वजेषु उत्क्रान्तेषु विवलच्छन्दोऽवाप्तिः कुत्रोपयुज्यत ? इत्यत आह–एकपदा ह भूत्वाऽजा उच्चक्रमुरिति । एवमुत्तरत्र तत्तच्छन्दोवाक्यानि व्याख्येयानि ॥ १ ॥

(वृ॒) वृ॒ष्णि॒र्व्वय॑ ऽइति । वृ॒ष्णिं व्वय॑सा॒ऽऽप्नो॒द्विशा॒लं छन्द॑ ऽइति द्वि॒पदा॑ वै वि॒शा॒लं छन्दो॑ द्वि॒पदा॑ ह भू॒त्वाऽव॑य ऽउच्चक्रमुः ॥ २ ॥

पु॒रु॒षो व्वय॑ ऽइति । पुरु॑षं व्वय॑सा॒ऽऽप्नो॒त्तन्द्रं॒ छन्द॑ ऽइति पङ्क्ति॒र्वै तन्द्रं॒ छन्दः॑ पंक्ति॒र्ह भू॒त्वा पुरु॑षा ऽउच्चक्रमुः ॥ ३ ॥

(व्या) व्या॒घ्रो व्वय॑ ऽइति । व्या॒घ्रं व्वय॑सा॒ऽऽप्नो॒दना॑धृष्टं॒ छन्द॑ ऽइति वि॒राड्वाऽअना॑धृष्टं॒ छन्दो॒ऽन्नं वै वि॒राडन्न॒मना॑धृष्टं वि॒राड्ढ भू॒त्वा व्या॒घ्रा ऽउच्चक्रमुः ॥ ४ ॥

सि॒ꣳहो व्वय॑ ऽइति । सि॒ꣳहं व्वय॑सा॒ऽऽप्नो॒च्छदि॒श्छन्द॒ऽइत्य॑ति॒च्छन्दा॒ वै छ॒दिश्छन्दः॒ सा हि सर्वा॑णि॒ च्छन्दा॑ꣳसि च्छा॒दय॒त्यति॒च्छन्दा॑ ह भू॒त्वा सि॒ꣳहा ऽउच्चक्रमु॒रथा॑तो नि॒रुक्ता॑नेव प॒शून्नि॒रुक्ता॑नि च्छन्दा॑ꣳस्युपदधाति ५

---

(२) "वृष्णिर्वयः"—इति । वृष्णिं वयसाऽऽप्नोत् । "विशालं छन्दः"—इति । द्विपदा वै विशालं छन्दः । द्विपदा ह भूत्वाऽवय उच्चक्रमुः ॥ २ ॥

(३) "पुरुषो वयः"—इति । पुरुषं वयसाऽऽप्नोत् । "तन्द्रं छन्दः"—इति । पङ्क्तिर्वै तन्द्रं छन्दः । पङ्क्तिर्ह भूत्वा पुरुषा उच्चक्रमुः ॥ ३ ॥

(४) "व्याघ्रो वयः"—इति । व्याघ्रं वयसाऽऽप्नोत् । "अनाधृष्टं छन्दः"—इति । विराड् वा अनाधृष्टं छन्दः । अन्नं वै विराड् । अन्नमनाधृष्टम् । विराड्ढ भूत्वा व्याघ्रा उच्चक्रमुः ॥ ४ ॥

(५) "सिंहो वयः"—इति । सिंहं वयसाऽऽप्नोत् । "छदिश्छन्दः"—इति । अतिच्छन्दा वै छदिश्छन्दः । सा हि सर्वाणि च्छन्दांसि च्छादयति । अतिच्छन्दा ह भूत्वा सिंहा उच्चक्रमुः । अथातो निरुक्तानेव पशून्, निरुक्तानि च्छन्दांस्युपदधाति ॥ ५ ॥

वृष्णिर्वय इति । वृष्णिनामाऽविजातिः । व्याख्या पूर्ववत् । विशालं छन्द इति । अत्र ; 'द्विपदा वै विशालं छन्दः' इति द्विपदायामृचि पादद्वयसद्भावादेकपदापेक्षया युक्ता विशालच्छन्दोरूपता । उत्क्रमणावसरेऽवीनां द्विपदारूपाश्रयणाद् द्विपदारूपस्य विशालच्छन्दस आप्तिः प्रजापतेर्युक्तैवेत्यर्थः ॥ २ ॥

पुरुषो वय इति । 'पुरुषः' स्पष्टः । तन्द्रशब्दं व्याचष्टे—पङ्क्तिर्वै तन्द्रं छन्द इति ॥ ३ ॥

व्याघ्रो वय इति । वयसाऽऽप्तव्यस्य व्याघ्रस्यानाधृष्टत्वात्तदीयस्य च्छन्दसोऽपि अनाधृष्टत्वेनैव भवितव्यमिति तदेतद्व्याचष्टे—विराड्वा अनाधृष्टं छन्द इति । विराट्छन्दोऽन्नात्मना स्तौति—अन्नं वै विराडिति । अन्नत्वेन स्तुतौ बीजमनाधृष्टत्वसाम्यमिति दर्शयति—अन्नमनाधृष्टमिति । अन्नस्य धर्षणायोग्यत्वं सर्वप्रसिद्धम् ॥ ४ ॥

सिंहो वय इति । छादिश्छन्द इति । सर्वेषां छन्दसामाच्छादकम्, न चैकपदा द्विपदा पंक्तिरित्येवमादीनि च्छन्दांसि यथा प्रसिद्धानि तादृशमिव छदिश्छन्दः, 'छदिश्छन्द अतः' इत्येतस्यार्थमाह—अतिच्छन्दा वै छदिश्छन्द इति । यथा सिंहः सर्वान् पशूनतीत्य वर्तते, एवं तद्रूपं छन्दोऽपि 'अतिच्छन्दाः' इति युक्तम् ।

पष्ठवाड्वय ऽइति । पष्ठवाहं व्वयसाऽऽप्नोद्बृहती छन्द ऽइति बृहती ह भूत्वा पष्ठवाह ऽउच्चक्रमुः ॥ ६ ॥

(रु) उक्षा व्वय ऽइति । (त्यु) उक्षाणं व्वयसाऽऽप्नोत्ककुप्छन्द ऽइति ककुब्भ भूत्वोक्षाण ऽउच्चक्रमुः ॥ ७ ॥

(र्क्रं) ऋषभो व्वय ऽइति । (त्सृ) ऋषभं व्वयसाऽऽप्नोत्सतोबृहती च्छन्दऽ इति सतोबृहती ह भूत्वर्षभा ऽउच्चक्रमुः ॥ ८ ॥

---

(१) "पष्ठवाड्वयः"–इति । पष्ठवाहं वयसाऽऽप्नोद् । "बृहती छन्दः"–इति । बृहती ह भूत्वा पष्ठवाह उच्चक्रमुः ॥ ६ ॥

(२) "उक्षा वयः"–इति । उक्षाणं वयसाऽऽप्नोत् । "ककुप्छन्दः"–इति । ककुब्भ भूत्वोक्षाण उच्चक्रमुः ॥ ७ ॥

(३) "ऋषभो वयः"–इति । ऋषभं वयसाऽऽप्नोत् । "सतोबृहती च्छन्दः" (वा. सं १४ । ९) इति । सतोबृहती ह भूत्वर्षभा उच्चक्रमुः ॥ ८ ॥

कुतस्तस्यातिच्छन्दस्त्वमिति तत्राह–सा हि सर्वाणि च्छन्दांसि च्छादयतीति । सर्वाण्यतिजगत्यादीनि छन्दांसि 'सा' इति तच्छन्दोबद्धामृचमपेक्ष्य स्त्रीलिङ्गता, अस्याश्च इतो न्यूनच्छन्दसामन्तर्भावात् अतिच्छन्दस्त्वव्यपदेशः । अर्थात्, छादनात् 'छदिः' इति व्युत्पत्तिः प्रदर्शिता भवति ॥

इत्थं दक्षिणत उपधेयानां पञ्चानां पञ्च मन्त्रा व्याख्याताः । अथोत्तरतः पश्चाच्चोपधेयानां दशानामिष्टकानां मन्त्रान्विधाय व्याचिख्यासुरुक्तेभ्यो वक्ष्यमाणानां किञ्चिद्वैलक्षण्यमाह–अथातो निरुक्तानेव पशून्निरुक्तानि च्छन्दांस्युपदधातीति । उक्तवैलक्षण्ये 'अथ' शब्दः । पूर्वत्र पशवो निरुक्ता अजाव्यादयः, छन्दांसि तु विवलादीन्यनिरुक्तान्युक्तानि । यद्वा पूर्वत्र च्छन्दांसि 'पशवश्चे'त्युभयमप्यनिरुक्तम्, उत्तरत्र निरुक्तमिति विशेषः । पूर्वं हि "प्रजापतिश्छन्दः" "मयन्दं छन्दः" इत्युक्तत्वात् छन्दसां मध्ये प्रजापतिमयन्दादेरपि गणनात् । वक्ष्यमाणास्तु पष्ठवाडादयस्तत्तद्वेदयुक्ता निरुक्ता एव च्छन्दांस्यपि बृहतीककुबादीनि निरुक्तान्येव । 'अतः' उत्तरत्र 'निरुक्तानेव पशून्, निरुक्तानि च्छन्दांसि' उपदध्यात् ॥ ९ ॥

तत्र प्रथमं पशुं छन्दश्च निरुक्तं दर्शयति–पष्ठवाडित्यादिना । योजना तु पूर्ववत् । 'पष्ठं' पृष्ठभागः । तत्र भारं वोढुं शक्तः पष्ठवाट् तं 'पष्ठवाहम्' प्रजापतिरासव्यपष्ठवाडयोऽयं वयः शरीरविकारं प्राप्तवानित्यर्थः । 'बृहती छन्द' इत्यस्य समर्थनम्–बृहती ह भूत्वेति । बृहतीककुबादीनि च्छन्दांसि प्रसिद्धानि । बृहतीरूपेणोत्क्रान्तत्वात् प्रजापतिरपि बृहतीछन्दोऽभूदित्यर्थः ॥ ६ ॥

सेचनसमर्थः पशुः 'उक्षा' । ककुप् छन्द इति । "मध्यमश्चेत्ककुप्" इति तल्लक्षणम् । मध्यमो द्वादशाक्षरश्चेदित्यर्थः । शिष्टावष्टाक्षरौ ॥ ७ ॥

'ऋषभः' ततोऽपि उत्कृष्टवयस्कः । सतोबृहती च्छन्द इति । आद्यतृतीयौ पादौ द्वादशाक्षरौ, द्वितीयचतुर्थावष्टाक्षरौ चेत्सा सतोबृहतीनाम बृहत्यवान्तरविशेषः । "अयुजौ जागतौ सतोबृहती" इति तल्लक्षणम् ॥ ८ ॥

(१) अनड्वान्वय ऽइति । (त्य) अनड्वाहं व्वयसाऽऽप्नोत्पङ्क्तिश्छन्द ऽइति पङ्क्तिर्हं भूत्वाऽनड्वाहऽउच्चक्रमुः ॥ ९ ॥

(धें) धेनुर्व्वयऽइति । धेनुं व्वयसाऽऽप्नोज्जगती छन्द ऽइति जुगती ह भूत्वा धेनवऽउच्चक्रमुः ॥ १० ॥

(त्र्यु) त्र्युविर्व्वयऽइति । त्र्युविं व्वयसाऽऽप्नोत्त्रिष्टुप्छन्दऽइति त्रिष्टुब्भ भूत्वा त्र्युवयऽउच्चक्रमुः ॥ ११ ॥

(दि) दित्यवाड्वयऽइति । दित्यवाहं व्वयसाऽऽप्नोद्विराट्छन्द ऽइति व्विराड्ढ भूत्वा दित्यवाहऽउच्चक्रमुः ॥ १२ ॥

पुञ्चाविर्व्वयऽइति । पुञ्चाविं व्वयसाऽऽप्नोद्गायत्री छन्दऽइति गायत्री ह भूत्वा पुञ्चावयऽउच्चक्रमुः ॥ १३ ॥

---

(४) "अनड्वान्वयः"–इति । अनड्वाहं वयसाऽऽप्नोत् । "पंक्तिश्छन्दः"–इति । पङ्क्तिर्ह भूत्वाऽनड्वाह उच्चक्रमुः ॥ ९ ॥

(५) "धेनुर्वयः"–इति । धेनुं वयसाऽऽप्नोत् । "जगती छन्दः"–इति । जगती ह भूत्वा धेनव उच्चक्रमुः ॥ १० ॥

(१) " त्र्यविर्वयः "–इति । त्र्यविं वयसाऽऽप्नोत् । " त्रिष्टुप्छन्दः "–इति । त्रिष्टुब्भ भूत्वा त्र्यवय उच्चक्रमुः ॥ ११ ॥

(२) " दित्यवाड्वयः "–इति । दित्यवाहं वयसाऽऽप्नोत् । " विराट् छन्दः "–इति । विराड्ढ भूत्वा दित्यवाह उच्चक्रमुः ॥ १२ ॥

(३) " पञ्चाविर्वयः "–इति । पञ्चाविं वयसाऽऽप्नोत् । " गायत्री छन्दः "–इति । गायत्री ह भूत्वा पञ्चावय उच्चक्रमुः ॥ १३ ॥

अनड्वान्वय इति । अनोवहनसमर्थः 'अनड्वान्' । **पङ्क्तिश्छन्द** इति । "अष्टाक्षरपञ्चपदा पंक्तिः" ॥ ९ ॥

धेनुर्वय इति । नवप्रसूतिका ' धेनुः ' । **जगती छन्द** इति । अष्टाचत्वारिंशदक्षरा ' जगती ' ॥ १० ॥

पश्चादुपधेयानां मन्त्रानाह–**त्र्यविर्वय** इति । त्रेधाऽवतीति त्र्यविः, त्रैवार्षिको वाऽविस्त्र्यविः । **त्रिष्टुप् छन्द** इति । चतुश्चत्वारिंशदक्षरा ' त्रिष्टुप् ' ॥ ११ ॥

दितिरवखण्डनम्, तदर्हतीति ' दित्यम् ' धान्यम्, तद्वहतीति ' दित्यवाट् ' अल्पानल्पवाहक इत्यर्थः । दशाक्षरा ' विराट् ' ॥ १२ ॥

पञ्चाविर्वय इति । पञ्चवार्षिकोऽत्यन्तवर्षीयान्वा ' अविः ' । **गायत्री छन्द** इति । चतुर्विंशत्यक्षरा ' गायत्री ' ॥ १३ ॥

(त्रि) त्रिवत्सो व्वुय ऽइति । त्रिवत्सं व्वुयसाऽऽप्नोदुष्णिक्छन्द ऽइत्युष्णिग्घ भूत्वा त्रिवत्साऽउच्चक्रमुः ॥ १४ ॥

(स्तु) तुर्यवाड्वुय ऽइति । तुर्यवाहं व्वुयसाऽऽप्नोदनुष्टुप्छन्द ऽइत्यनुष्टुब्भ भूत्वा तुर्यवाह ऽउच्चक्रमुः ॥ १५ ॥

(रे) एते वै ते पशवः । (वो) यांस्तत्प्रजापतिर्व्वयसाऽऽप्नोत्स वै पशुं प्रथममाहाथ व्वयोऽथ च्छन्दो व्वयसा च ह्येनांश्छन्दसा च परिगत्याऽऽत्मन्नधत्तात्मन्नकुरुत तथैवैनानयमेतद्वयसा चैव च्छन्दसा च परिगत्याऽऽत्मन्धत्तऽआत्मन्कुरुते ॥ १६ ॥

स ऽएष पशुर्यदग्निः । सोऽत्रैव सर्व्वः कृत्स्नः संस्कृतस्तस्य याः पुरस्तादुपदधाति शिरोऽस्य ताऽअथ या दक्षिणतश्चोत्तरतश्च स ऽआत्माऽथ याः पश्चात्तत्पुच्छम् ॥ १७ ॥

---

(४) " त्रिवत्सो वयः "– इति । त्रिवत्सं वयसाऽऽप्नोत् । " उष्णिक्छन्दः "– इति । उष्णिग्घ भूत्वा त्रिवत्सा उच्चक्रमुः ॥ १४ ॥

(५) " तुर्यवाड्वयः "–इति । तुर्यवाहं वयसाऽऽप्नोत् । " अनुष्टुप्छन्दः "–(वा. सं. १४ । १०) इति । अनुष्टुब्भ भूत्वा तुर्यवाह उच्चक्रमुः ॥ १५ ॥

एते वै ते पशवो–यांस्तत्प्रजापतिर्वयसाऽऽप्नोत् । स वै पशुं प्रथममाह–अथ वयः–अथ च्छन्दः । वयसा च ह्येनांश्छन्दसा च परिगत्याऽऽत्मन्नधत्त, आत्मन्नकुरुत । तथैवैनानयमेतद्वयसा चैव च्छन्दसा च परिगत्याऽऽत्मन्धत्ते--आत्मन्कुरुते ॥ १६ ॥

स एष पशुर्यदग्निः । सोऽत्रैव सर्वः कृत्स्नः संस्कृतः । तस्य याः पुरस्तादुपदधाति । शिरोऽस्य ताः । अथ या दक्षिणतश्चोत्तरतश्च–स आत्मा । अथ याः पश्चात्–तत्पुच्छम् ॥ १७ ॥

' त्रिवत्सः ' त्रयो वत्सा यस्य साम्येन शक्ताः त्रिवत्सः । ' उष्णिग् ' अष्टाविंशत्यक्षरा ॥ १४ ॥

तुर्यवाड् वय इति । अनभादेरप्रतः प्रविश्य तुर्यत्वेन वोढुं शक्तः 'तुर्यवाट्'। "द्वात्रिंशदक्षराऽनुष्टुप्" ॥ १५ ॥

उपक्रमे प्रतिपादितमर्थं प्रतिज्ञापयन्नुपसंहरति–एते वै ते पशव इति । ' एते ' प्रागुक्ताः ' पशवः ' ' ते वै ' " बस्तो वयः " इत्यादिनोक्ताः खलु । के ते ? ' यांस्तत्प्रजापतिर्वयसाऽऽप्नोद् ' इत्युत्तरम् । ' तत् ' तदा ' यान् ' पशून् ' वयसा प्रजापतिराप्नोद् ' ' त एते ' इत्यर्थः ॥

सर्वेषु मन्त्रेषु पशुवयश्छन्दसां यत् पौर्वापर्यं तत्प्रशंसति–स वै पशुमिति । ' सः ' प्रजापतिः " बस्तो वयः " इत्येवमादौ बस्तं ' पशुं ' पश्चाद् ' वयः ' तदनन्तरं विवलं 'छन्दः,' तथा सत्येनं प्रथमनिर्दिष्टं पशुं ' वयसा ' स्वाभाविकेन रूपेण ' छन्दसा ' पलायनोचितैकपदादिरूपेण च ' परिगत्य ' ' आत्मन् ' आत्मनि 'अधत्त;' धृत्वा च स्वात्मन्यकुरुत, स्वात्मना सहैकीकृतवान् । ' तथैवैनान् ' इत्याद्युक्तप्रायम् ॥ १६ ॥

इष्टकानां पश्वात्मना स्तुतेः प्रयोजनमाह–स एष पशुर्यदग्निरिति । चित्यात्मकोऽग्निरिति ' यत् '

(१५) स वै पुरस्तादेवाग्रऽउपदधाति। शिरो हि प्रथमं जायमानस्य जायतेऽथ दक्षिणतऽउपधायोत्तरतऽ उपदधाति सार्धमयमात्मा जायताऽइत्यथ पश्चात्पुच्छꣳ ह्यन्ततो जायमानस्य जायते ॥ १८ ॥

तद्यानि वर्षिष्ठानि च्छन्दाꣳसि। ये स्थविष्ठाः पशवस्तान्मध्यऽउपदधाति मध्यं तत्प्रति पशुं वरिष्ठं करोति तस्मान्मध्यं प्रति पशुर्वरिष्ठोऽथ ये वीर्यवत्तमाः पशवस्तान्दक्षिणतऽउपदधाति दक्षिणं तदर्धं पशोर्वीर्यवत्तरं करोति तस्माद्दक्षिणोऽर्धः पशोर्वीर्यवत्तरः ॥ १९ ॥

स वै पुरस्तादेवाग्र उपदधाति। शिरो हि प्रथमं जायमानस्य जायते। अथ दक्षिणत उपधायोत्तरत उपदधाति। सार्द्धमयमात्मा जायताऽइति। अथ पश्चात्। पुच्छं ह्यन्ततो जायमानस्य जायते ॥ १८ ॥

तद् यानि वर्षिष्ठानि च्छन्दांसि—ये स्थविष्ठाः पशवः—तान्मध्यऽउपदधाति। मध्यं तत् प्रति पशुं वरिष्ठं करोति। तस्मान्मध्यं प्रति पशुर्वरिष्ठः। अथ ये वीर्यवत्तमाः पशवः—तान्दक्षिणत उपदधाति। दक्षिणं तदर्धं पशोर्वीर्यवत्तरं करोति। तस्माद्दक्षिणोऽर्धः पशोर्वीर्यवत्तरः ॥ १९ ॥

योऽस्ति 'एषः' इदानीमभिहितः 'पशुः' एव पशुरूपेष्टकाभिश्चितत्वात् 'सोऽग्निरेव' द्वितीयचितावेव सर्वोऽपि संस्कृतः चयनाख्येन संस्कारेण स्वरूपापन्नः कृत इत्यर्थः। सर्वशब्दस्यापेक्षिकत्वशङ्कां निराकरोति—**कृत्स्न** इति। नन्वग्नेः पक्षपुच्छाद्यङ्गानि सन्ति तानि सर्वाणि कथमुक्तपश्विष्टकाभिः संस्कृतानीत्याशंक्य विभज्य दर्शयति—**तस्य याः पुरस्तादि**ति। 'तस्य' अग्नेः 'पुरस्तात्' पूर्वदेशे 'याः' चतस्र इष्टकाः "मूर्द्धा वयः" इत्यादिमन्त्रचतुष्टयसाध्या उपदधाति 'ताः' 'अस्य अग्नेः' शिरःस्थानीयाः, 'अथ याः' "बस्तो वयः" इत्यादिभिः "पष्ठवाड्वयः" इत्यादिभिश्च पञ्चभिर्मन्त्रैः 'दक्षिणतश्चोत्तरतश्च' क्रमेणोपधेयाः पञ्च पञ्चेष्टकास्ता 'आत्मा' मध्यदेहः। 'अथ याः' "त्र्यविर्वयः"—इत्यादिभिः पञ्चभिर्मन्त्रैः 'पश्चात्' उपधेयाः 'तत्पुच्छम्' ॥ १७ ॥

अस्तु शिरआदिरूपता प्रागादिषूपधेयानां, तथापि केन क्रमेणोपधेया इति, तं क्रमं सोपपत्तिकं दर्शयति—**स वै पुरस्तादेवाग्र उपदधाती**त्यादिना। निगदव्याख्यातमिदम् ॥ १८ ॥

इदानीमविभागेन विहितानां पश्वात्मिकानामिष्टकानां यथोचितं मध्याद्यङ्गेषु विभज्य विनियोगमाह—**तद्यानि वर्षिष्ठानि**—इत्यादिना। 'वर्षिष्ठानि' अतिशयेन वृद्धानि 'छन्दांसि' 'यानि' विवलादीनि दश उक्तानि 'ये' च 'स्थविष्ठाः' अतिशयेन स्थूलाः 'पशवः' बस्तादयो दश 'तान्' मध्यतो मध्यदेशे 'उपदधाति'। मध्यत इति दक्षिणोत्तरपक्षयोरित्यर्थः। तत्रापि क्रमस्तूक्त एव "दक्षिणत उपधायोत्तरतः" इति (पूर्वकंडिकायाम्)। 'मध्यं तत्प्रति पशुम्' इत्यर्थवादः स्पष्टः। तत्रापि विशेषमाह—**अथ ये वीर्यवत्तमाः पशवस्तान्दक्षिणत** इति। पुरुष—व्याघ्र—सिंहादिलक्षणेषु पशुष्वतिशयेन वीर्यवत्त्वं प्रसिद्धम्। **दक्षिणं तदर्धमि**त्यादि स्पष्टम् ॥ १९ ॥

पूर्व्वार्धं च जघनार्धं चाणिष्ठौ करोति । यदुहामूश्रुतस्त्रस्तेनैना अणिष्ठाऽ अथ युदिह हुसिष्ठान्पशूनुपदुधाति तेनोऽएताऽअणिष्ठाः पूर्व्वार्धं च तज्ज-घनार्धं च पशोरुणिष्ठौ करोति तस्मात्पूर्व्वार्धेश्च जघनार्धेश्च पशोऽणिष्ठौ तस्मात्पूर्व्वार्धेन च जघनार्धेन च पशुरुच्च तिष्ठति सुं च विशत्युथ लोक-म्पृणेऽउपदधात्यस्याᳪं स्त्रक्त्यां तयोरुपरि बन्धुः पुरीषं निवपति तस्योपरि बन्धुः ॥ २० ॥

इति प्रथमप्रपाठके अष्टमं ब्राह्मणम् ॥ ८-१-८ ॥ (२. ४.) ॥

इति द्वितीयोऽध्यायः समाप्तः ॥ ८ ॥ २ ॥

पूर्वार्धं च जघनार्धं चाणिष्ठौ करोति । यदहामूश्चतस्रः–तेनैना आणिष्ठाः । अथ यदिह हसिष्ठान्पशूनुपदधाति–तेनो एता अणिष्ठाः । पूर्वार्धं च तज्जघनार्धं च पशोरणिष्ठौ करोति । तस्यात्पूर्वार्धेन च जघनार्धेन च पशुरुच्च तिष्ठति, सं च विशति । अथ लोकम्पृणेऽउपदधाति–अस्यां स्त्रक्त्याम् । तयोरुपरि बन्धुः । पुरीषं निवपति । तस्योपरि बन्धुः ॥ २० ॥

इत्याहवनीयाचित्यायां पञ्चचितिकायां द्वितीया चितिः ।

अथ शिरःपुच्छयोरणुतरत्वं विदधाति–**पूर्वार्द्धं चेति** । ननु पूर्वार्द्ध उपधेयानां ये मन्त्रास्तत्र प्रजापतिरभिधीयते, तत्कथं तदणुतरत्वमित्याशङ्क्येष्टकासङ्ख्याणुत्वेनेत्याह–**यदहामूश्चतस्र** इति । जघनार्धस्याणिष्ठत्वं ह्रस्वपशूपधानद्वारेणेति दर्शयति–**अथ यदिह हसिष्ठान्पशूनिति** । ‘इह’ जघनार्द्धे ‘हसिष्ठान्’ अतिशयेन ह्रस्वा अल्पशरीराः, त्र्यव्यादिषु तथा दर्शनात् । “सर्वतः पशूनुपदधाति”–इत्यभिधानम् । “स एष पशुर्यदग्निः” (श.प.८।२।४।१७) इत्युक्तत्वात् । उपक्रान्तः प्रजापतिरिति चयनाग्निस्तदङ्गादुद्धृताः पशव इष्टका अतोऽपि पशूनामुपधानमित्यभिप्रेतम् । **तस्मात्पूर्वार्द्धेन च जघनार्द्धेन च पशुरुच्च तिष्ठति सं च विशतीति** । ‘तस्मात्’ पूर्वार्द्धभूतस्य शिरसोऽणिष्ठत्वात्, ‘उत्तिष्ठति’ इति ऊर्ध्वकर्मत्वात् परस्मैपदम्, संवेशापेक्षया ‘च’ शब्दः, तस्माज्जघनार्द्धस्याणुत्वात् ‘संविशति च’ उत्थानमपेक्ष्य ‘च’ शब्दः । अत्र कात्यायनः–“वयस्याः पञ्च पञ्चानूकान्तेषु मूर्द्धा वय इति प्रतिमन्त्रम्, चतस्रः पुरस्तात्, दक्षिणत उत्तरतः पश्चात्”–इति (का. श्रौ. सू. १७ । १८७–१८९) । अथ लोकंपृणलिङ्गकमन्त्रोपधेयेष्टके ‘लोकंपृणे’ उपदध्यात् । स्थानमाह–**अस्यां स्त्रक्त्यामिति** । ‘अस्याम्’ दक्षिणस्यामित्यर्थः । ‘स्रक्तिः’ कोणप्रदेशः । अत्र कात्यायनः–“दक्षिणाश्रोणेरधि लोकंपृणाः पूर्ववद्”–इति (का. श्रौ. सू. १७ । १९०) । अनयोरपेक्षितं ब्राह्मणशेषमुत्तरत्र वक्ष्यमाणमतिदिशति– **तयोरुपरि बन्धुरिति** । ‘उपरि’ सप्तमाध्यायस्य द्वितीयब्राह्मणादौ ‘तयोः’ लोकंपृणयोः ‘बन्धुः’ अर्थवादः “असौ वा आदित्यो लोकंपृणैष हीमाँल्लोकान्पूरयत्यमुमेवैतदादित्यमुपदधाति”–(श. प. ८ । ७ । २ । १) इत्यादिनोक्त इत्यर्थः । पुरीषनिवापार्थवादमप्युत्तरत्र वक्ष्यमाणमत्रातिदिशति–**पुरीषं निवपति–तस्योपरि बन्धुरिति** । ‘उपरि’ काण्डान्ते “अन्तरिक्षमेव द्वितीया चितिर्वयांसि पुरीषम्”–

(श. प. ८ । ७ । ४ । १३) इति । यद्वा ' उपरि ' स्तोमभागाभिधानप्रस्तावे " अन्नं वै पुरीषम् "— इत्यादि वक्ष्यत इत्यर्थः ॥ २० ॥

इति श्रीसायणाचार्यविरचिते माधवीये वेदार्थप्रकाशे माध्यन्दिनीयशतपथब्राह्मणभाष्ये
अष्टमकाण्डे द्वितीयेऽध्याये चतुर्थं ब्राह्मणम् ॥ (८–२–४) ॥

वेदार्थस्य प्रकाशेन तमो हार्दं निवारयन् । पुमर्थांश्चतुरो देयाद् विद्यातीर्थमहेश्वरः ॥ १ ॥

ब्रह्माण्डं गोसहस्रं कनककहयतुलापूरुषौ स्वर्णगर्भं,
सप्ताब्धीन्पञ्चसीरींस्त्रिदशतरुलताधेनुसौवर्णभूमीः ।
रत्नोस्रां रुक्मवाजिद्विपमहितरथौ सायणिः सिङ्गणार्यो,
व्यश्राणीद्विश्वचक्रं प्रथितविधिमहाभूतयुक्तं घटं च ॥
धान्याद्रिं धन्यजन्मा तिलमवमतुलः स्वर्णजं वर्णमुख्यः,
कार्पासीयं कृपावान्गुडकृतमजडो राजतं राजपूज्यः ।
आज्योत्थं प्राज्यजन्मा लवणजमनृणः शार्करं चार्कतेजा,
रत्नाढ्यो रत्नकूटं गिरिगकृत मुदा पात्रसात्सिङ्गणार्यः ॥

इति श्रीमद्राजाधिराजपरमेश्वरवैदिकमार्गप्रवर्तकश्रीहरिहरमहाराजसाम्राज्यधुरन्धरेण सायणाचार्येण विरचिते माधवीये वेदार्थप्रकाशे माध्यन्दिनीयशतपथब्राह्मणभाष्येऽष्टमे काण्डे द्वितीयोऽध्यायः समाप्तः ॥ (८ । २) ॥

अथ तृतीयेऽध्याये प्रथमं ब्राह्मणम् ।

प्रथमप्रपाठके च नवमं ब्राह्मणम् ।

तृतीयां चितिमुपदधाति । (त्ये) एतद्वै देवा द्वितीयां चितिं चित्वा समारोहन्युदूर्ध्वं पृथिव्याऽअर्वाचीनमन्तरिक्षात्तदेव तत्संस्कृत्य समारोहन् ॥ १ ॥

(हुंस्ते) तेऽब्रुवन् । (वंश्वे) चेतयध्वमिति चितिमिच्छतेति वाव तद-ब्रुवन्नितुऽऊर्ध्वमिच्छतेति ते चेतयमानाऽअन्तरिक्षमेव बृहतीं तृतीयां चितिमपश्यंस्तेभ्यऽएष लोकोऽच्छदयत् ॥ २ ॥

(त्तु) तऽइन्द्राग्नीऽअब्रुवन् । (न्यु) युवं नऽइमां तृतीयां चितिमुपधत्त-मिति किं नौ ततो भविष्यतीति युवमेव नः श्रेष्ठौ भविष्यथऽइति तथेति तेभ्य ऽएतामिन्द्राग्नी तृतीयां चितिमुपाधत्तां तस्मादाहुरिन्द्राग्नीऽएव देवानाᳬं श्रेष्ठाविति ॥ ३ ॥

तृतीयां चितिमुपदधाति । एतद्वै देवा द्वितीयां चितिं चित्वा समारोहन् । यदूर्ध्वं पृथिव्याः, अर्वाचीनमन्तरिक्षात्–तदेव तत्संस्कृत्य समारोहन् ॥ १ ॥

तेऽब्रुवन्–चेतयध्वमिति, चितिमिच्छतेति वाव तदब्रुवन्–इत ऊर्ध्वमिच्छतेति । ते चेतयमाना अन्तरिक्षमेव बृहतीं तृतीयां चितिमपश्यन् । तेभ्य एष लोकोऽच्छदयत् ॥ २ ॥

तऽइन्द्राग्नीऽअब्रुवन्–युवं न इमां तृतीयां चितिमुपधत्तामिति । किं नौ ततो भविष्यतीति । युवमेव नः श्रेष्ठौ भविष्यथ इति । तथेति । तेभ्य एतामिन्द्राग्नी तृतीयां चितिमुपाधत्ताम् । तस्मादाहुः–इन्द्राग्नी एव देवानां श्रेष्ठाविति ॥ ३ ॥

अथ तृतीयचितिं विधाय प्रशंसति–तृतीयां चितिमुपदधात्येतद्वै देवा इत्यादि । 'एतद्वै' एतत्खलु पूर्वमासीत् । एतच्छब्दार्थमाह–'देवा द्वितीयां चितिं चित्वा समारोहन्' । तत्किमिति तदाह–यदूर्ध्वं पृथिव्या इति । पृथिव्यन्तरिक्षयोर्मध्यदेशमारोहन्नित्यर्थः । 'तत्' तदा समारोहणकाले 'तदेव' द्वितीय-चितिस्वरूपं 'संस्कृत्य समारोहन्' ॥ १ ॥

लोकान्तरसमारोहणेऽपि चितिसंस्कारमेवोपायत्वेनामनन्तः 'ते' देवाः परस्परं 'चेतयध्वमित्यब्रुवन्' । चेतितव्यविषयं श्रुतिस्तटस्था ब्रूते–चितिमिच्छतेति वाव तदब्रुवन्निति । 'चेतयमानास्ते' 'अन्तरिक्षमेव बृहतीं तृतीयां चितिमपश्यन्' । अस्या बृहतीत्वमुत्तरत्र षट्त्रिंशत्सङ्ख्याकेष्टकासंपादनेन वक्ष्यति । (श.प. ८ । ३ । ३ । ८) । 'एषः' अन्तरिक्षलोक इष्टकाच्छादनाभिधः 'अच्छदयत्' आत्मानं छादित्वा आच्छन्नो-ऽस्पष्टोऽभूदित्यर्थः ॥ २ ॥

'ते' देवास्तदा 'इन्द्राग्नी' प्रत्येवम् 'अब्रुवन्' । 'युवम्' युवां 'नः' अस्मदर्थे 'इमां तृतीयाम्' ।

स वाऽइन्द्राग्निभ्यामुपदधाति । विश्वकर्मणा सादयतीन्द्राग्नी च वै विश्वकर्मा चैतां तृतीयां चितिमपश्यंस्तस्मादिन्द्राग्निभ्यामुपदधाति विश्वकर्मणा सादयति ॥ ४ ॥

यद्वेवेन्द्राग्निभ्यामुपदधाति । विश्वकर्मणा सादयति प्रजापतिं विस्रस्तं देवता ऽआदाय व्युदक्रामंस्तस्येन्द्राग्नी च विश्वकर्मा च मध्यमादायोत्क्रम्यातिष्ठन् ॥ ५ ॥

(ष्टंस्ता) तानब्रवीत् । (इ) उप मेत प्रति मऽएतद्धत्त येन मे यूयमुदक्रमिष्टेति किं नस्ततो भविष्यतीति युष्मद्देवत्यमेव मऽएतदात्मनो भविष्यतीति तथेति तदस्मिन्नेतदिन्द्राग्नी च विश्वकर्मा च प्रत्यदधुः ॥ ६ ॥
(शतम् ४४००) ॥

स वाऽइन्द्राग्निभ्यामुपदधाति । विश्वकर्मणा सादयति । इन्द्राग्नी च वै विश्वकर्मा चैतां तृतीयां चितिमपश्यन् । तस्मादिन्द्राग्निभ्यामुपदधाति, विश्वकर्मणा सादयति ॥ ४ ॥

यद्वेवेन्द्राग्निभ्यामुपदधाति, विश्वकर्मणा सादयति । प्रजापतिं विस्रस्तं देवता आदाय व्युदक्रामन् । तस्येन्द्राग्नी च विश्वकर्मा च मध्यमादायोत्क्रम्यातिष्ठन् ॥ ५ ॥

तानब्रवीत्—'उप मेत, प्रति मऽएतद्धत्त, येन मे यूयमुदक्रमिष्ट' इति । किं नस्ततो भविष्यतीति । युष्मद्देवत्यमेव मऽएतदात्मनो भविष्यतीति । तथेति । तदस्मिन्नेतदिन्द्राग्नी च विश्वकर्मा च प्रत्यदधुः ॥ ६ ॥

अन्तरिक्षरूपां 'चितिमुपधत्तमिति' । अथ तौ श्रैष्ठ्यं वृतवन्तौ, तच्च लब्ध्वा 'तृतीयां चितिम् उपाधत्ताम्' । यस्मादेवं 'तस्मात्' वेदवादिनः 'इन्द्राग्नीऽएव देवानां श्रेष्ठावित्याहुः' ॥ ३ ॥

'सः' खलु यजमानोऽपि 'इन्द्राग्निभ्याम्' तृतीयां चितिं 'उपदधाति' । उपधानमन्त्रे तथा प्रतिपादनात् । 'विश्वकर्मणा' विश्वकर्मलिङ्गकेन मन्त्रेण 'सादयति' "विश्वकर्मा त्वा सादयतु"—इति हि मन्त्रः । अस्तु देवैः प्रार्थितत्वादिन्द्राग्निभ्यामुपधानम् । विश्वकर्मणः कः प्रसङ्ग इति तत्राह—**इन्द्राग्नी च वै विश्वकर्मा चैतां तृतीयां चितिमपश्यन्निति** । 'तस्मात्' इत्युपसंहारः ॥ ४ ॥

उक्तमर्थं पुनरनूद्य प्रकारान्तरेण प्रशंसति—**यद्वेवेन्द्राग्निभ्या**मित्यादिना । पुरा किल 'विस्रस्तं प्रजापतिं देवताः' एकैकमंशम् 'आदाय व्युदक्रामन्' विविधमुद्गताः । तस्य 'मध्यम्' मध्यभागम् 'इन्द्राग्नी च विश्वकर्मा चादायोत्क्रम्यातिष्ठन्' ॥ ५ ॥

'तान्' मध्यदेशापहर्तॄन् प्रजापतिः 'अब्रवीत्' । किमिति ? उच्यते—**उप मेतेति** । 'मा' माम् 'उपेत' उपगच्छत उपगत्य च 'मे' मदीयम् 'एतत्' अपहृतमङ्गं 'प्रतिधत्त' सन्धानं कुरुत । एतच्छन्दार्थमाह—**येनेति** । सार्द्धमिति शेषः । स्पष्टमन्यत् । 'युष्मद्देवत्यमेव म एतद् आत्मनो भविष्यतीति' ममा-

(स्तु) तुद्यैषा मध्यमा स्वयमातृण्णा । (ण्णे) एतुदस्य तुदात्मुन-स्तद्युदेतामुत्रोपदुधाति युदेवास्यैषाऽऽत्मुनस्तुदस्मिन्नेतत्प्रुतिदधाति तुस्मादेतामत्रोपदधाति ॥ ७ ॥

(त्री) इुन्द्राग्नीऽअुव्यथमानाम् । (ग्नि) इुष्टकां दृर्ठ्ँहतं युवमिति युथैव युजुस्तुथा बुन्धुः पृष्ठेन द्यावापृथिवीुऽअन्तुरिक्षं च विुबाधसऽइति पृष्ठेनु ह्येषा द्यावापृथिवीुऽअन्तुरिक्षं च विुबाधते ॥ ८ ॥

विुश्वुकर्मा त्वा सादयत्विुति । विुश्वुकर्मा ह्येतां तृतीयां चितिुमुपश्य-दन्तुरिक्षस्य पृष्ठे व्युचस्वतीं प्रुथस्वतीमित्यन्तुरिक्षस्यु ह्येतुत्पृष्ठं व्युचस्व-त्प्रुथस्वदन्तुरिक्षं यच्छान्तुरिक्षं दृर्ठ्ँहान्तुरिक्षं मा हिर्ठ्ँसीरित्यात्मानं यच्छात्मुानं दृर्ठ्ँहात्मुानं मा हिर्ठ्ँसीरित्येतत् ॥ ९ ॥

स्वयमातृण्णेष्टकोपधानम् ।

तद्यैषा मध्यमा स्वयमातृण्णा—एतदस्य तदात्मनः । तद्यदेतामत्रोपदधाति—यदेवास्यैषाऽऽत्मनः—तदस्मिन्नेतत्प्रतिदधाति । तस्मादेतामत्रोपदधाति ॥ ७ ॥

" इन्द्राग्नीऽअव्यथमानामिष्टकां दृꣳहतं युवम् "—इति । यथैव यजुस्तथा बन्धुः । " पृष्ठेन द्यावापृथिवीऽअन्तरिक्षं च विबाधसे "—(वा० सं० १४ । ११) इति । पृष्ठेन ह्येषा द्यावापृथिवीऽअन्तरिक्षं च विबाधते ॥ ८ ॥

" विश्वकर्मा त्वा सादयतु "—इति । विश्वकर्मा ह्येतां तृतीयां चितिमपश्यत् । " अन्तरिक्षस्य पृष्ठे व्यचस्वतीं प्रथस्वतीम् "—इति । अन्तरिक्षस्य ह्येतत्पृष्ठं व्यचस्वत् प्रथस्वत् । " अन्तरिक्षं यच्छान्तरिक्षं दृंहान्तरिक्षं मा हिंसीः "—इति । आत्मानं यच्छ, आत्मानं दृंह, आत्मानं मा हिंसीरित्येतत् ॥ ९ ॥

त्मनः शरीरस्य सम्बन्ध्येतदङ्गं तृतीयचितिरूपमित्यर्थः । यूयं देवता दीपयित्र्यो यस्य तद्युष्मद्दैवत्यम् । तादृशं भविष्यतीति प्रजापतिश्चाब्रवीत् । 'तथेति' अङ्गीकृत्य 'तत्' अङ्गम् 'अस्मिन्' चयनात्मकप्रजापतिशरीर-मध्यदेशे 'प्रत्यदधुः' प्रतिनिहितवन्तः ॥ ६ ॥

किं तदङ्गमिति तत्राह—तद्यैषेति । 'स्वयमातृण्णा' एव मध्ये उपधेयत्वेन प्राधान्यान्मध्यमचितिरूपाऽस्ति । 'एतदस्य' प्रजापतेः 'आत्मनः' शरीरस्य 'तत्' विस्रस्तमङ्गमित्यर्थः । 'तद्यदेताम्' स्वयमातृण्णाम् 'अत्र' मध्यमदेशे । स्पष्टमन्यत् । तस्मादेतामिति । प्रतिपादितार्थनिगमनम् ॥ ७ ॥

स्वयमातृण्णाया उपधानमन्त्रस्य पूर्वभागः स्पष्टार्थ इत्याह—इन्द्राग्नी अव्यथमानामित्यादिना । 'यथैव यजुः' इत्यस्यार्थ उक्तचरो बहुशः । हे 'इन्द्राग्नी' 'युवम्' युवाम् 'अव्यथमानाम्' कुशलाम् युवाभ्या-मुपधेयत्वाद्व्यथारहितां सुखितामित्यर्थः । तादृशीम् 'इष्टकां' 'दृंहतम्' दृढीकुरुतम् । हे स्वयमातृण्णेष्टके ! त्वं 'पृष्ठेन' स्वपृष्ठभागेन 'द्यावापृथिवी अन्तरिक्षं च' इति लोकत्रयं 'विबाधसे' पीडयसीत्ययमर्थः सुप्रसिद्ध

१—तृतीयायां स्वयमातृण्णामिन्द्राग्नी इति मध्ये । का. श्रौ. सू. १७ । ११। ।

(ह्रि) विश्वस्मै प्राणायापानाय व्यानायोदानायेति प्राणो वै स्वयमातृण्णा सर्वस्माऽउ वाऽएतस्मै प्राणः प्रतिष्ठायै चरित्रायेतीमे वै लोकाः स्वयमातृण्णाऽइमुऽउ लोकाः प्रतिष्ठा चरित्रं वायुष्ट्वाऽभिपात्विति वायुष्ट्वाऽभिगोपायत्वित्येतन्मह्या स्वस्त्येति महत्या स्वस्त्येत्येतच्छर्दिषा शंतमेनेति यच्छर्दिः शंतमं तेनेत्येतत्सादयित्वा सूददोहसाऽधिवदति तस्योक्तो बन्धुरथ साम गायति तस्योपरि बन्धुः ॥ १० ॥

"विश्वस्मै प्राणायापानाय व्यानायोदानाय"–इति। प्राणो वै स्वयमातृण्णा। सर्वस्माऽउ वाऽएतस्मै प्राणः। "प्रतिष्ठायै चरित्राय"–इति। इमे वै लोकाः स्वयमातृण्णा। इमऽउ लोकाः प्रतिष्ठा चरित्रम्। "वायुष्ट्वाऽभिपातु"–इति। वायुष्ट्वाऽभिगोपायत्वित्येतत्। "मह्या स्वस्त्या"–इति। महत्या स्वस्त्येत्येतत्। "छर्दिषा शंतमेन"–(वा. सं. १४।१२) इति। यच्छर्दिः शंतमं–तेनेत्येतत्। सादयित्वा सूददोहसाऽधिवदति। तस्योक्तो बन्धुः। अथ साम गायति। तस्योपरि बन्धुः ॥ १० ॥

इति व्याचष्टे–पृष्ठेन ह्येषेति। 'हि' यस्माद् 'विश्वकर्मा' सकलजगन्निर्माता देवः 'एतां तृतीयां चितिम्' स्वयमातृण्णाख्याम् 'अपश्यत्' अतस्तन्मन्त्रोऽपि "विश्वकर्मा त्वा सादयतु"–इति ब्रूते। कुत्र सादनम् ? 'अन्तरिक्षस्य पृष्ठे' एतन्मध्यस्थानं यदन्तरिक्षस्य पृष्ठं, तच्च 'व्यचस्वत्' व्यञ्जनवत्, 'प्रथस्वत्' प्रथनं निम्नोन्नतत्वराहित्यं तद्वत् विस्तारवदित्यर्थः। "अन्तरिक्षं यच्छ"–इत्यादयस्त्रयो मन्त्रभागाः, तत्रत्या ये त्वन्तरिक्षशब्दाः सन्ति तैरात्मैवाभिधीयत इत्याह–आत्मानं यच्छेत्यादिना ॥ ८–९ ॥

"विश्वस्मा" इत्यादिमन्त्रभागस्य तात्पर्यमाह–प्राणो वा इति। येयं स्वयमातृण्णा सा 'प्राणो वै' चित्यात्मशरीरस्य मध्ये प्राणरूपतयोपधीयमानत्वात्। अतस्तस्या उपधानम् 'एतस्मै' परिदृश्यमानाय 'सर्वस्मै' जगते तदर्थं प्राणाधारस्थानीयमित्यर्थः। एतदर्थं त्वामुपदधामीत्यन्वयः। अपानादीनां तु प्राणवृत्तिविशेषत्वात् प्राधान्येन प्राणस्यैव कीर्तनम् "प्राणो वै स्वयमातृण्णा" इति। मन्त्रे "प्रतिष्ठायै चरित्राय"–इत्यनेन लोकत्रयं विवक्ष्यत इति व्याचष्टे–इमे वै लोकाः स्वयमातृण्णा इम उ लोकाः प्रतिष्ठा चरित्रमिति। प्रथममध्यमोत्तमचितिषु लोकत्रयरूपेणोपधेयत्वात्तिस्रः 'स्वयमातृण्णा इमे लोकाः' खलु। 'इम उ' इमे एव 'लोकाः प्रतिष्ठा चरित्रम्' चरत्यत्र कृत्स्नं जगत् इति चरित्रम्। प्रतितिष्ठत्यत्रेति प्रतिष्ठा, इमे त्रयोऽपि लोकाः चरित्ररूपाः, प्रतिष्ठात्मकत्वमस्य भूलोकस्यैव तदर्थं त्वामुपदधामीत्यर्थः। स्पष्टं 'वायुष्ट्वा' इत्यस्य ब्राह्मणम्। 'मह्या' इत्यस्य व्याख्यानं 'महत्या' इति। तद् अयं मन्त्रभागत्रयस्यार्थः। हे स्वयमातृण्णे! वायुर्महत्या प्रभूतया 'स्वस्त्या' अविनाशेन 'शन्तमेन' अत्यन्तसुखहेतुभूतेन 'छर्दिषा' गृहनामैतत् (निघं. ३।४।१८।) 'तेन' च 'त्वा' त्वाम् 'अभिपातु' सर्वतो गोपायत्वित्यर्थः। "तया देवतया"–इति मन्त्रेण सादयित्वा "ता अस्य सूददोहसः"–इति मन्त्रेणाधिवदति। अस्यार्थवादं गार्हपत्यचितावुक्तम् (७।१।१।२६) अतिदिशति–तस्योक्तो बन्धुरिति। 'अथ' अधिवदनानन्तरम् 'साम' स्वयमातृण्णाङ्गभूतं गायेत्, तत्प्रतिपादकं ब्राह्मणम् 'उपरि' अन्त्यचितौ प्रदर्श्यत इत्यर्थः ॥ १० ॥

(११) अथ दिश्याऽ उपदधाति । दिशो वै दिश्या दिशऽएवैतदुपदधाति तद्याभिरदो वायुर्दिग्भिरनन्तर्हिताभिरुपैत्ता ऽएतास्ता ऽएवैतदुपदधाति ता ऽ उऽएवामूः पुरस्ताद्दर्भस्तम्बं च लोगेष्टकाश्चोपदधात्यसौ वाऽ-आदित्यऽएताऽअमुं तदादित्यं दिक्ष्वध्यूहति दिक्षु चिनोति ता यत्त्रैव स्युर्बहिर्धा तत्स्युर्बहिर्धो वाऽएतद्योनेरग्निकर्म यत्पुरा पुष्करपर्णात्ता यदि-हाहृत्योपदधाति तदेना योनौ पुष्करपर्णे प्रतिष्ठापयति तथो हैता ऽअब-हिर्धा भवन्ति ता ऽअनन्तर्हिताः स्वयमातृण्णाया ऽउपदधात्यन्तरिक्षं वै मध्यमा स्वयमातृण्णाऽनन्तर्हितास्तदन्तरिक्षाद्दिशो दधात्युत्तराऽउत्तरा-स्तदन्तरिक्षाद्दिशो दधाति रेतःसिचोर्वेलयेमे वै रेतःसिचावनयोस्त-द्दिशो दधाति तस्मादनयोर्दिशः सर्वतऽ उपदधाति सर्वतस्तद्दिशो दधाति तस्मात्सर्वतो दिशः, सर्वतः समीचीः सर्वतस्तत्समीचीर्दिशो दधाति तस्मात्सर्वतः समीच्यो दिशः ॥ ११ ॥

अथ पञ्चदिश्येष्टकोपधानम् ।

अथ दिश्या उपदधाति । दिशो वै दिश्याः । दिश एवैतदुपदधाति । तद्याभिरदो वायुर्दिग्भि-रनन्तर्हिताभिरुपैत्—ता एताः । ता एवैतदुपदधाति । ता उऽएवामूः पुरस्ताद्दर्भस्तम्बं च लोगेष्टका-श्चोपदधाति । असौ वाऽआदित्य एताः । अमुं तदादित्यं दिक्ष्वध्यूहति । दिक्षु चिनोति । ता यत्त्रैव स्युः—बहिर्धा तत्स्युः । बहिर्धो वाऽएतद्योनेरग्निकर्म । यत्पुरा पुष्करपर्णात् । ता यदिहाहृत्योपदधाति । तदेना योनौ पुष्करपर्णे प्रतिष्ठापयति । तथो हैता अबहिर्धा भवन्ति । ता अनन्तर्हिताः स्वयमा-तृण्णाया उपदधाति । अन्तरिक्षं वै मध्यमा स्वयमातृण्णा । अनन्तर्हितास्तदन्तरिक्षाद्दिशो दधाति । उत्तराः । उत्तरास्तदन्तरिक्षाद्दिशो दधाति । रेतःसिचोर्वेलया । इमे वै रेतःसिचौ । अनयोस्तद्दिशो दधाति । तस्मादनयोर्दिशः । सर्वत उपदधाति । सर्वतस्तद्दिशो दधाति । तस्मात्सर्वतो दिशः । सर्वतः समीचीः । सर्वतस्तत्समीचीर्दिशो दधाति । तस्मात्सर्वतः समीच्यो दिशः ॥ ११ ॥

अथ दिश्या नामेष्टका विधाय प्रशंसति—अथ दिश्या इति । दिग्लिङ्गैर्मन्त्रैरुपधेया 'दिश्याः' ताः पञ्चोप-पदध्यात् । 'दिश्या' नाम 'दिशो वै' साक्षात् दिश एव, दिक्तदुपधेययोरभेदात् । अतो दिशामेवोपधानं कृतवान्भवति । तद्याभिरिति । 'तत्' तदा 'अदः' विप्रकृष्टकाले प्रजापतिविस्रंसावसरे 'अनन्तर्हिताभिः' अतिरोहिताभिर्याभिर्दिग्भिः प्रजापत्यवयवभूताभिः सहितः 'वायुरुपैत' उपागतः । 'ता एताः' इष्टका

१–अनूकेषु पञ्च दिश्या वैश्व देवीवत् राज्ञ्यसीति प्रतिमंत्रम् । वत्करणं च रेतःसिग्वेलार्थं दक्षिणामुत्तरेण पंचमीत्येवमर्थं चेत्य-स्मिन् सूत्रे का. श्रौ. सू. १७।१९२ । कर्कः ।

(शो) यद्देव दिश्या ऽउपदधाति । छन्दाᳪँसि वै दिशो गायत्री वै प्राची दिक्त्रिष्टुब्दक्षिणा जगती प्रतीच्यनुष्टुबुदीची पङ्क्तिरूर्ध्वा पशवो वै छन्दाᳪँस्यन्तरिक्षं मध्यमा चितिरन्तरिक्षे तत्पशून्दधाति तस्मादन्तरिक्षायतनाः पशवः ॥ १२ ॥

(वो) यद्देव दिश्या ऽउपदधाति । छन्दाᳪँसि वै दिशः पशवो वै छन्दाᳪँस्यन्नं पशवो मध्यं मध्यमा चितिर्मध्यतस्तदन्नं दधाति ताऽअनन्तर्हिताः स्वयमातृण्णायाऽउपदधाति प्राणो वै स्वयमातृण्णाऽनन्तर्हितं

यद्देव दिश्या उपदधाति । छन्दांसि वै दिशः । गायत्री वै प्राची दिक् । त्रिष्टुब्दक्षिणा । जगती प्रतीची । अनुष्टुबुदीची । पङ्क्तिरूर्ध्वा । पशवो वै छन्दांसि । अन्तरिक्षं मध्यमा चितिः । अन्तरिक्षे तत्पशून् दधाति । तस्मादन्तरिक्षायतनाः पशवः ॥ १२ ॥

यद्देव दिश्या उपदधाति । छन्दांसि वै दिशः । पशवो वै छन्दांसि । अन्नं पशवः । मध्यं मध्यमा चितिः । मध्यतस्तदन्नं दधाति । ता अनन्तर्हिताः स्वयमातृण्णायाऽउपदधाति । प्राणो वै स्वय-

---

इत्यर्थः । 'ता एव' दिश उपस्थापितवान् भवति । एतासां दिश्यानां प्रथमचितावेवोपहितत्वान्मध्यमचितौ किमर्थं तदुपधानमित्याशङ्क्यात्राप्युपधेयत्व सोपपत्तिकमाह—ता उ एवामूरित्यादिना । 'ता उ एत' ता अपि प्रजापतेर्दिग्रूपावयवस्था एव या 'अमूः' 'दर्भस्तम्बं च लोगेष्टकाश्च पुरस्तात्' ताभ्यः पूर्वं प्रथमचितौ 'उपदधाति' । 'एताः' दिश्याः 'असौ' उपरि दृश्यमानः 'आदित्यः' रुक्मरूपेणोपहितोऽतः 'अमुम् आदित्यम्' 'दिक्षु' 'अध्यूहति' उपरि स्थापितवान्भवति । अतस्तत्रावश्यमेता उपधेया इत्यर्थः । 'ताः' दिश्याः 'यत्' यदि 'तत्रैव स्युः' प्रथमचितावेव भवेयुः नात्र 'तत्' तर्हि ताः 'बहिर्धा' अत्यन्तं भूगोलापेक्षया बहिरेव भवेयुः । तत् कथमिति तदुपपादयति—बहिर्द्धो वाऽएतद्योनेराग्निकर्म यत्पुरा पुष्करपर्णादिति । पुष्करपर्णोपधानस्य चितेर्योनिस्थानीयत्वात्ततः 'पुरा' यदग्निचयनलक्षणं कर्म क्रियते तत्सर्वं 'योनेः' 'बहिर्द्धो' बाह्यं खलु । यस्मादेवं तस्मात् 'ताः' दिश्याः 'यदिह' तृतीयायां चितौ 'आहृत्योपदधाति' 'तदेनाः' दिश्या योनिभूते 'पुष्करपर्णे प्रतिष्ठापयति' । 'तथा' सति अबहिर्भूता 'भवन्ति' । आसां स्वयमातृण्णानन्तर्हितत्व—तदुत्तरभावित्व—रेतःसिग्निकटभाक्त्व—सर्वतोभावित्व—सम्यक्त्वार्थवादाः पूर्ववत् ॥ ११ ॥

दिश्याः पुनः छन्दोलक्षणरूपेण प्रशंसति—यद्देव दिश्या इति । कथं छन्दोरूपत्वमिति तत्राह—गायत्री वै प्राची दिगित्यादिना । प्रागादिदिशां गायत्र्यादिरूपत्वं लिङ्गमात्रं बीजम् । छन्दसां पशुरूपत्वे तु "प्रजापतेर्विस्रस्तात्पशव उदक्रामञ्छन्दांसि भूत्वा"—(श. प. ८ । २ । ३ । ९) इति प्राक्प्रतिपादितम् । येयं 'मध्यमा चितिः' तदन्तरिक्षम् । अतोऽत्र दिश्यानामुपधानेन 'अन्तरिक्षे पशून्दधाति' । 'तस्मादन्तरिक्षायतनाः पशवः' अवकाशेनोरस्यवष्टम्भाभावात् ॥ १२ ॥

अन्नरूपेणापि प्रशंसति—यद्देवेति । 'अन्नं पशवः' उपभोग्यत्वात् । शिष्टं स्पष्टम् । दिश्यानां

तत्प्राणादन्नं दधात्युत्तरा ऽउत्तरं तत्प्राणादन्नं दधाति रेतःसिचोर्व्वेलया पृष्ठयो वै रेतःसिचौ मध्यमु पृष्ठयो मध्यत ऽएवास्मिन्नेतदन्नं दधाति सर्व्वत ऽउपदधाति सर्व्वत ऽएवास्मिन्नेतदन्नं दधाति ॥ १३ ॥

राज्ञ्यसि प्राची दिक् । (ग्वि) व्विराडसि दक्षिणा दिक्सम्राडसि प्रतीची दिक्स्वराडस्युदीची दिगधिपत्न्यसि बृहती दिगिति नामान्यासामेतानि नामग्राहमेवैना ऽएतदुपदधाति ता नानोपदधाति नाना सादयति नाना सूददोहसा ऽधिवदति नाना हि दिशः ॥ १४ ॥

इति प्रथमप्रपाठके नवमं ब्राह्मणम् ॥ ८-१-९ ॥ (३. १.) ॥

इति प्रथमः प्रपाठकः समाप्तः ॥ कण्डिकासंख्या ॥ ११५ ॥

मातृण्णा । अनन्तर्हितं तत्प्राणादन्नं दधाति । उत्तराः । उत्तरं तत्प्राणादन्नं दधाति । रेतःसिचोर्वेलया । पृष्टयो वै रेतःसिचौ । मध्यमु पृष्टयः । मध्यत एवास्मिन्नेतदन्नं दधाति । सर्वत उपदधाति । सर्वत एवास्मिन्नेतदन्नं दधाति ॥ १३ ॥

" राज्ञ्यसि प्राची दिक्, विराडसि दक्षिणा दिक्, सम्राडसि प्रतीची दिक्, स्वराडस्युदीची दिक्, अधिपत्न्यसि बृहती दिक्"–(वा. सं. १४ । १३) इति । नामान्यासामेतानि । नामग्राहमेवैना एतदुपदधाति । ता नानोपदधाति । नाना सादयति । नाना सूददोहसाऽधिवदति । नाना हि दिशः ॥ १४ ॥

स्वयमातृण्णाया अनन्तर्हितत्वाद्यर्थवादः । पूर्वं स्वयमातृण्णाया अन्तरिक्षरूपत्वेन संस्तुतिः । इह तु प्राणरूपत्वेन । दिश्यानां च छन्दःपशुद्वाराऽन्नरूपत्वेन स्तुतिरिति विशेषः ॥ १३ ॥

" राज्ञ्यसि " इत्यादयः पञ्च दिश्योपधानमन्त्रास्तेषां च तात्पर्यतो व्याख्यानं ' नामान्यासामेतानि ' इत्यादिकम् । ' राज्ञी, ' ' विराड् '–इत्यादीनि प्रागादिदिशां यानि ' नामानि ' क्रमेण ' एतद् ' एतेन " राज्ञ्यसि "–इत्यादिमन्त्रेण तत्तन्नाम गृहीत्वा गृहीत्वैव ' एनाः ' इष्टका उपहितवान्भवति । हे प्राच्यामुपधेयेष्टके ! त्वं ' राज्ञी ' एतन्नामिका भवसि । का सा ? प्राची दिक् । एवं सर्वेऽपि व्याख्येयाः । दिश्यानां पृथक् पृथक् मन्त्रभेदेन उपधानम्; पृथक् सादनम्; पृथक् अधिवदनं च, प्रागादीनां नानात्वात्पार्थक्यं युक्तमित्यर्थः ॥ १४ ॥

इति श्रीसायणाचार्यविरचिते माधवीये वेदार्थप्रकाशे माध्यन्दिनीयशतपथब्राह्मणभाष्ये अष्टमकाण्डे तृतीयेऽध्याये प्रथमं ब्राह्मणम् ॥ (८-३-१) ॥

समाप्तश्च प्रथमः प्रपाठकः ॥ ८ । १ ।

अथ द्वितीयप्रपाठके प्रथमं ब्राह्मणम् ।

तृतीयाऽध्याये च द्वितीयं ब्राह्मणम् ।

अथ व्विश्वज्ज्योतिषमुपदधाति । व्वायुर्व्वै मध्यमा व्विश्वज्ज्योतिर्व्वायुर्ह्येवा-
न्तरिक्षलोके व्विश्वं ज्योतिर्व्वायुमेवैतदुपदधाति तामनन्तर्हितां दिश्याभ्य-
ऽउपदधाति दिक्षु तद्वायुं दधाति तस्मात्सर्व्वासु दिक्षु व्वायुः ॥ १ ॥
(र्यं) यद्वेव व्विश्वज्ज्योतिषमुपदधाति । प्रजा वै व्विश्वज्ज्योतिः प्रजा
ह्येव व्विश्वं ज्योतिः प्रजननमेवैतदुपदधाति तामनन्तर्हितां दिश्याभ्य-
ऽउपदधाति दिक्षु तत्प्रजा दधाति तस्मात्सर्व्वासु दिक्षु प्रजाः ॥ २ ॥
(०) व्विश्वकर्मा त्वा सादयत्विति । व्विश्वकर्मा ह्येतां तृतीयां चिति-
मपश्यदन्तरिक्षस्य पृष्ठे ज्योतिष्मतीमित्यन्तरिक्षस्य ह्ययं पृष्ठे
ज्योतिष्मान्वायुः ॥ ३ ॥

अथ विश्वज्योतिरिष्टकोपधानम् ।

अथ विश्वज्योतिषमुपदधाति । वायुर्वै मध्यमा विश्वज्योतिः । वायुर्ह्येवान्तरिक्षलोके विश्वं ज्योतिः । वायुमेवैतदुपदधाति । तामनन्तर्हितां दिश्याभ्य उपदधाति । दिक्षु तद्वायुं दधाति । तस्मात्सर्वासु दिक्षु वायुः ॥ १ ॥

यद्वेव विश्वज्योतिषमुपदधाति । प्रजा वै विश्वज्योतिः । प्रजा ह्येव विश्वं ज्योतिः । प्रजननमेवैतदुपदधाति । तामनन्तर्हितां दिश्याभ्य उपदधाति । दिक्षु तत्प्रजा दधाति । तस्मात्सर्वासु दिक्षु प्रजाः ॥ २ ॥

"**विश्वकर्मा त्वा सादयतु**"–इति । विश्वकर्मा ह्येतां तृतीयां चितिमपश्यत् । "**अन्तरिक्षस्य पृष्ठे ज्योतिष्मतीम्**"–इति । अन्तरिक्षस्य ह्ययं पृष्ठे ज्योतिष्मान्वायुः ॥ ३ ॥

विश्वज्योतिराख्यामिष्टकां विधाय स्तौति–**अथ विश्वज्योतिषमिति** । मध्यमाया विश्वज्योतिरिष्टकाया वायुत्वोक्तौ मध्यमचितेस्तद्रूपत्वात्तद्देवताकान्तरिक्षलोकस्थानीयत्वं बीजम् । अस्त्वेवं तथापि वायोस्तच्छब्दवाच्यत्वं कथमिति तत्राह–**वायुर्ह्येवान्तरिक्षलोके विश्वं ज्योतिरिति** । उपचारप्रयोजनमाह–**वायुमेवैतदुपदधातीति** ।

पूर्वेष्टकाभ्योऽस्या अव्यवहितत्वं विधाय स्तौति–**तामनन्तर्हितां दिश्याभ्य** इति ॥ १ ॥

इत्थं वायुरूपेण प्रशस्याथ प्रजारूपेणापि प्रशंसति–**यद्वेव विश्वज्योतिषमित्यादिना** । पूर्ववद् व्याख्येयम् २॥

स्वयमातृण्णावद्विश्वज्योतिषोऽपि विश्वकर्मणा सादनम् । तद्व्याख्यानं च पूर्ववत् । **अन्तरिक्षस्य पृष्ठे ज्योतिष्मतीमिति** । 'अयं वायुः' एवान्तरिक्षपृष्ठवर्ती 'ज्योतिष्मान्,' तत्स्थानत्वात् । अतस्तदभेदेनेष्टकाऽपि तद्रूपिणीत्यर्थः ॥ ३ ॥

१–व्विश्वकर्म्मेति व्विश्वज्योतिषमुपरि पूर्व्वस्याः । का० श्रौ० सू० १७ । १९३ ।

(विु) विश्वस्मै प्राणायापानाय व्यानायेति प्राणो वै विश्वज्योतिः सर्वस्माऽउ वाऽएतस्मै प्राणो विश्वं ज्योतिर्यच्छेति सर्वं ज्योतिर्यच्छेत्येतद्वायुष्टेऽधिपतिरिति वायुमेवास्या ऽअधिपतिं करोति सादयित्वा सूददोहसाऽधिवदति तस्योक्तो बन्धुः ॥ ४ ॥

(रु) अथऽर्तव्याऽउपदधाति । (त्सृ) ऋतवऽएते यदृतव्याऽऋतूनेवै-तदुपदधाति नभश्च नभस्यश्च वार्षिकावृतूऽइति नामनीऽएनयोरेते नामभ्यामेवैनेऽएतदुपदधाति द्वेऽइष्टके भवतो द्वौ हि मासावृतुः सकृत्सा-दयत्येकं तदृतुं करोत्यवकासूपदधात्यवकाभिः प्रच्छादयत्यापो वाऽ-अवकाऽअपस्तदेतस्मिन्नृतौ दधाति तस्मादेतस्मिन्नृतौ भूयिष्ठं वर्षति ॥५॥

" विश्वस्मै प्राणायापानाय व्यानाय "–इति । प्राणो वै विश्वज्योतिः । सर्वस्माऽउ वाऽ-एतस्मै प्राणः । " विश्वं ज्योतिर्यच्छ "–इति । सर्वं ज्योतिर्यच्छेत्येतद् । " वायुष्टेऽधि-पतिः "–(वा. सं. १४ । १४) इति । वायुमेवास्या अधिपतिं करोति । सादयित्वा सूददोहसा-ऽधिवदति । तस्योक्तो बन्धुः ॥ ४ ॥

अथ चतुर्ऋतव्येष्टकोपधानम् ।

अथऽर्तव्या उपदधाति । ऋतव एते यदृतव्याः । ऋतूनेवैतदुपदधाति । " नभश्च नभस्यश्च वार्षिकावृतू "–(वा. सं. १४ । १५) इति । नामनी एनयोरेते । नामभ्यामेवैने एतदुपदधाति । द्वेऽइष्टके भवतः । द्वौ हि मासावृतुः । सकृत्सादयति । एकं तदृतुं करोति । अवकासूपदधाति । अवकाभिः प्रच्छादयति । आपो वाऽअवकाः । अपस्तदेतस्मिन्नृतौ दधाति । तस्मादेतस्मिन्नृतौ भूयिष्ठं वर्षति ॥ ५ ॥

विश्वस्मै प्राणायेत्यादि । स्वयमातृण्णावत् । तत्र ' विश्वं ज्योतिर्यच्छ ' इत्यस्य तात्पर्यम्–सर्वं ज्योति-र्यच्छेत्येतदिति । वायुष्टे इत्यादि सूददोहसोऽर्थवादातिदेशान्तं स्पष्टम् ॥ ४ ॥

"अथर्तव्या उपदधाति" इत्यादिः "एकं तदृतुं करोति" इत्यन्तः द्वितीयचितिवत् द्रष्टव्यः । ' नभश्च नभस्यश्च वार्षिकावृतू "–इति तयोरुपधानमन्त्रः । ' नभः ' नाम श्रावणो मासः, ' नभस्यः ' भाद्रः; तावुभौ वर्षाख्यावृतू । अवयवापेक्षया द्विवचनम् । ताश्चतस्र ऋतव्या अवकासूपधायावकाभिरेव प्रच्छादयेत् । अवका नाम ह्रदादिजलेषु स्तबकाकारेण प्ररोहन्तो हरितवर्णाः पदार्थाः शैवलानीत्यर्थः । तासां चाप्सु एव जायमानत्वादाश्रयाश्रयिणोरभेदे-नावात्मता । ऋतव्यानामृतुत्वात् तेनावकास्थापनेन तस्मिन्नेवर्त्तावप एव स्थापितवान् भवति ॥ ६ ॥

१–ऋतव्ये नभश्च नभस्यश्चेति । अवकाः कूर्मवद् । का. श्रौ. सू. १७ । १५५ ।

(त्य) अथोत्तरे । (२ऽ) इषुश्चोर्जुश्च शारदावृतू ऽइति नामनी ऽएनयोरेते नामभ्यामेवैने ऽएतदुपदधाति द्वेऽइष्टके भवतो द्वौ हि मासावृतुः सकृत्सादयत्येकं तदृतुं करोत्यवकासूपदधात्यापो वाऽअवका ऽअपस्तुदेतस्यऽर्तोः पुरस्ताद्दधाति तस्मादेतस्यऽर्तोः पुरस्ताद्वर्षति नोपरिष्टात्प्रच्छादयति तस्मान्न तथेवोपरिष्टाद्वर्षति ॥ ६ ॥

तद्यदेता ऽअत्रोपदधाति । संव्वत्सर ऽएषोऽग्निरिमऽ उ लोकाः संव्वत्सरस्तस्यान्तरिक्षमेव मध्यमा चितिरन्तरिक्षमस्य व्वर्षाशरदावृतू तद्यदेता ऽअत्रोपदधाति यदेवास्यैता ऽआत्मनस्तदस्मिन्नेतत्प्रतिदधाति तस्मादेता ऽअत्रोपदधाति ॥ ७ ॥

यद्वेवैताऽ अत्रोपदधाति । प्रजापतिरेषोऽग्निः संव्वत्सर ऽउ प्रजापतिस्तस्य मध्यमेव मध्यमा चितिर्मध्यमस्य व्वर्षाशरदावृतू तद्यदेताऽअत्रोपदधाति यदेवास्यैताऽआत्मनस्तदस्मिन्नेतत्प्रतिदधाति तस्मादेताऽअत्रोपदधाति ॥ ८ ॥

अथोत्तरे—" इषश्चोर्जश्च शारदावृतू "—(वा. सं. १४ । १६) इति । नामनीऽएनयोरेते । नामभ्यामेवैनेऽएतदुपदधाति । द्वेऽइष्टके भवतः । द्वौ हि मासावृतुः । सकृत्सादयति । एकं तदृतुं करोति । अवकासूपदधाति । आपो वाऽअवकाः । अपस्तदेतस्यऽर्तोः पुरस्ताद्दधाति । तस्मादेतस्यऽर्तोः पुरस्ताद्वर्षति । नोपरिष्टात्प्रच्छादयति । तस्मान्न तथेवोपरिष्टाद्वर्षति ॥ ६ ॥

तद्यदेता अत्रोपदधाति । संवत्सर एषोऽग्निः । इम उ लोकाः संवत्सरः । तस्यान्तरिक्षमेव मध्यमा चितिः । अन्तरिक्षमस्य वर्षाशरदावृतू । तद्यदेता अत्रोपदधाति—यदेवास्यैता आत्मनः—तदस्मिन्नेतत्प्रतिदधाति । तस्मादेता अत्रोपदधाति ॥ ७ ॥

यद्वेवैता अत्रोपदधाति । प्रजापतिरेषोऽग्निः । संवत्सर उ प्रजापतिः । तस्य मध्यमेव मध्यमा चितिः । मध्यमस्य वर्षाशरदावृतू । तद्यदेता अत्रोपदधाति । यदेवास्यैता आत्मनः—तदस्मिन्नेतत्प्रतिदधाति । तस्मादेता अत्रोपदधाति ॥ ८ ॥

' अथोत्तरे '—ऋतव्ये इष्टके अभिधीयेते इति शेषः । " इषश्चोर्जश्च शारदावृतू "—इत्युत्तरयोर्ऋतव्ययोरुपधानमन्त्रः । ' इषः ' आश्वयुजः ' ऊर्जः ' कार्त्तिकः । ' नामनी ' इत्यादि गतम् । अत्रोत्तरयोर्ऋतव्ययोरवकासूपधानमेव, नोपर्यवकाभिश्छादनं कर्त्तव्यमिति, अमुमर्थमिदानींतनवर्षणप्रकारदर्शनमुखेनोपपादयति—अवकासूपदधातीति । अधस्तादवकासम्बन्धाद्यथा ऋत्वादौ वृष्टिर्जायते, तथैवोपरिष्टात्तु तदृत्वन्ते वृष्टिर्नास्ति अवकासम्बन्धाभावात् । अत एतस्य तादृग्विधत्वं सिद्धमित्यर्थः ॥ ६ ॥

तद्यदेता अत्रोपदधाति संवत्सर एषोऽग्निरिति यद्वेवैता अत्रोपदधाति प्रजापतिरेषोऽग्निरिति—

१–इषश्चोर्जश्चेत्यपरे । का. श्रौ. सू. । १७ । १९६ ।

ता वा एताः । (श्रु) चतस्र ऋतव्या मध्यमायां चिताऽउपदधाति द्वे द्वेऽइतरासु चितिषु चतुष्पादा वै पशवोऽन्तरिक्षं मध्यमा चितिरन्तरिक्षे तत्पशून्दधाति तस्मादन्तरिक्षायतनाः पशवः ॥ ९ ॥

(वो) यद्वेव चतस्रः । (श्रु) चतुष्पादा वै पशवोऽन्नं पशवो मध्यं मध्यमा चितिर्मध्यतस्तदन्नं दधाति ॥ १० ॥

यद्वेव चतस्रः । (श्रु) चतुरक्षरं वाऽअन्तरिक्षं द्व्यक्षराऽइतराश्चितयस्तद्यावदन्तरिक्षं तावत्तत्कृत्वोपदधाति ॥ ११ ॥

यद्वेव चतस्रः । पशुरेष यदग्निर्मध्यं तत्प्रति पशुं वरिष्ठं करोति तस्मान्मध्यं प्रति पशुर्वरिष्ठः ॥ १२ ॥

ता वाऽएताश्चतस्र ऋतव्या मध्यमायां चिताऽउपदधाति, द्वे द्वे इतरासु चितिषु । चतुष्पादा वै पशवः । अन्तरिक्षं मध्यमा चितिः । अन्तरिक्षे तत्पशून्दधाति । तस्मादन्तरिक्षायतनाः पशवः ॥९॥

यद्वेव चतस्रः । चतुष्पादा वै पशवः । अन्नं पशवः, मध्यं मध्यमा चितिः । मध्यतस्तदन्नं दधाति ॥ १० ॥

यद्वेव चतस्रः । चतुरक्षरं वाऽअन्तरिक्षम् । द्व्यक्षरा इतराश्चितयः । तद्यावदन्तरिक्षं—तावत्तत्कृत्वोपदधाति ॥ ११ ॥

यद्वेव चतस्रः । पशुरेष यदग्निः । मध्यं तत्प्रति पशुं वरिष्ठं करोति । तस्मान्मध्यं प्रति पशुर्वरिष्ठः ॥ १२ ॥

चार्थवादद्वयं द्वितीयचितितृतीयचितिवत् प्रत्यर्थवादव्याख्यानैर्व्याख्यातप्रायम्, अतो न पुनर्व्याख्यानापेक्षाऽस्ति । तत्र क्षित्यन्तरिक्षयोर्मध्यदेशो द्वितीया चितिः । 'अत्र त्वन्तरिक्षमेव' तृतीया चितिः, तत्र ग्रीष्मर्तुरत्र 'वर्षा-शरदौ' इति विशेषः ॥ ७ ॥ ८ ॥

मध्यमचित्यां प्रथमोत्तमचित्योर्द्वैविध्यमृतव्यानां चतुष्ट्वं तत्प्रशंसति—ता वा एताश्चतस्र ऋतव्या मध्यमायामित्यादिना । नात्र तिरोहितोऽर्थोऽस्ति ॥ ९ ॥

चतुष्ट्वमुक्त्वा पशुत्वमुपजीव्यत्वात्मनाऽपि प्रशंसति—यद्वेव चतस्र इति । इष्टकासु संख्याचतुष्ट्वमस्ति, 'पशवः' अपि 'चतुष्पादाः' यतस्ताः पशवः अतः 'अन्नम्' हि पयोद्वारा गवादयः, स्वरूपेण चाजादयः, 'मध्यमा चितिः' च 'मध्यम्' उदरस्थानीया, अतश्चतसृणामृतव्यानामुपधानेनोदरेऽन्नमेव स्थापितं भवतीत्यर्थः ॥ १० ॥

उक्तमेव चतुष्ट्वं शब्दगतचतुःसंख्यायुक्तान्तरिक्षाख्यमध्यमचितेर्योग्यत्वाभिधानद्वारेण स्तौति—यद्वेव चतस्र इति । चतुरक्षरं वा इति । अन्तरिक्षशब्दगताक्षरपरिगणनायां चत्वार्यक्षराणि, अतोऽन्तरिक्षेतरचितीनां द्व्यक्षरत्वात्मध्यमप्रमाणं तावत्कृत्वा चतुःसंख्याका इष्टका 'उपदधाति' पूर्णप्रमाणमुपहितवान्भवति ॥ ११ ॥

प्रकारान्तरेणापि प्रशंसति—यद्वेव चतस्रः पशुरेष यदग्निरिति । चित्यग्नेः पशुत्वं छन्दस्यायां प्रकरणे—

१३५०

(स्ता) ता वुाऽएताः । (श्च) चुतस्र ऽऋतुव्यास्तुासां व्विश्वुज्योतिः पञ्चमी पुञ्च दिश्यास्तद्दुश दुशाक्षरा व्विराड्वन्नं व्विराण्मुध्यं मध्यमा चिुतिर्मध्यतस्तदुन्नं दधाति ताऽअुनन्तर्हिताः स्वयमातृण्णायाऽ उुपदधाति प्राणो वै स्वयमातृण्णाऽनन्तर्हितं तुत्प्राणादुन्नं दधात्युत्तराऽ उुत्तरं तुत्प्राणा-दुन्नं दधाति ॥ १३ ॥

(त्यु) अुथ प्राणभृतऽ उुपदधाति । प्राणा वै प्राणभृतः प्राणानेुवैतदु-पदधाति ता दुश भवन्ति दुश वै प्राणाः पूर्वार्धऽउुपदधाति पुुरस्ताद्धीमे प्राणाऽआयुर्मे पाहि ज्योतिर्मे यच्छेुति प्राणो वै ज्योतिः प्राणं मे यच्छेु-त्येुवैतुदाह ताऽअुनन्तर्हिताऽऋुतव्याभ्यऽउुपदधाति प्राणो वै व्वायु-र्ऋतुषु तद्वायुं प्रुतिष्ठापयति ॥ १४ ॥

इति द्वितीयप्रपाठके प्रथमं ब्राह्मणम् ॥ ८-२-१ ॥ (३. २.) ॥

ता वाऽएताश्चतस्र ऋतव्याः । तासां विश्वज्योतिः पञ्चमी । पञ्च दिश्याः । तद्दश । दशाक्षरा विराट् । अन्नं विराट् । मध्यं मध्यमा चितिः । मध्यतस्तदन्नं दधाति । ता अनन्तर्हिताः स्वयमातृ-ण्णाया उपदधाति । प्राणो वै स्वयमातृण्णा । अनन्तर्हितं तत्प्राणादन्नं दधाति । उत्तराः । उत्तरं तत्प्राणादन्नं दधाति ॥ १३ ॥

अथ दशप्राणभृदिष्टकोपधानम् ।

अथ प्राणभृत उपदधाति । प्राणा वै प्राणभृतः । प्राणानेवैतदुपदधाति । ता दश भवन्ति । दश वै प्राणाः । पूर्वार्धे उपदधाति । पुरस्ताद्धीमे प्राणाः । " आयुर्मे पाहि ज्योतिर्मे यच्छ "-(वा० सं० १४ । १७) इति । प्राणो वै ज्योतिः । प्राणं मे यच्छेत्येवैतदाह । ता अनन्तर्हिता ऋतव्याभ्य उपदधाति । प्राणो वै वायुः, ऋतुषु तद्वायुं प्रतिष्ठापयति ॥ १४ ॥

" स एष पशुर्यदग्निः"-इत्यादिना दर्शितम् । मध्यं तत् प्रति पशुं वरिष्ठं करोतीति । 'तस्मात्' तेन ' पशुं प्रति ' ' मध्यं ' मध्यदेशमिति यावत् । स्पष्टमन्यत् ॥ १२ ॥

अथैताश्चतस्रः प्रागुक्ताभिः सह समुच्चित्य विराट्त्वसम्पादनाय स्तौति—ता वा इत्यादिना । ' ताः ' ' एताश्चतस्र ऋतव्याः ' एका ' विश्वज्योतिः ' ' पञ्च दिश्याः ' इति ' दश ' । विराडपि ' दशाक्षरा ' अत आसां विराट्सम्पत्तिर्भवति । सा च ' विराडन्नम् ' गोरूपत्वात् । अतो दशानामुपधानेनान्नमेव ' मध्यतः ' उदरे स्थापितवान् भवति । ता अनन्तर्हिताः स्वयमातृण्णाया इति । ' ताः ' विराट्त्वेन स्तुता दशापी-ष्टका इत्यर्थः । उत्तरा इति । ता एव दश ' स्वयमातृण्णायाः ' ' उत्तराः ' उपरिवर्तिनीरित्यर्थः ॥ १३ ॥

अथ प्राणभृत उपदधातीत्यादि । प्राणलिङ्गकमन्त्रोपधेयाः 'प्राणभृतः' 'ता दश ' एव । दश वै प्राणा इति । सप्त शीर्षण्याः, द्वाववाञ्चौ, नाभिर्दशमीति प्राणानां दशसंख्याकत्वात् । एतां चितिं ' पूर्वार्धे ' उपद-

अथ च्छन्दस्या॒ऽउप॑दधाति । पशवो॒ वै छन्दा॒ᳬसि॒न्तरि॑क्षं मध्य॒मा चि॒तिर॒न्तरि॑क्षे त॒त्पशू॒न्दधाति त॒स्माद॒न्तरि॑क्षायतनाः पशवः ॥ १ ॥

(वो) य॒द्वेव च्छन्द॒स्या॒ऽउप॑दधाति । पशवो॒ वै छन्दा॒ᳬस्य॒न्नं पशवो म॒ध्यं मध्य॒मा चि॒तिर्म॑ध्यतस्त॒द॒न्नं द॒धाति ॥ २ ॥

ता द्वाद॑श द्वाद॒शोप॑दधाति । द्वाद॑शाक्षरा॒ वै जग॑ती पशवो॒ वै जग॑त्य॒न्तरि॑क्षं मध्य॒मा चि॒तिर॒न्तरि॑क्षे त॒त्पशू॒न्दधाति त॒स्माद॒न्तरि॑क्षायतनाः पशवः ॥ ३ ॥

अथ च्छन्दस्या उपदधाति । पशवो वै छन्दांसि । अन्तरिक्षं मध्यमा चितिः । अन्तरिक्षे तत्पशून् दधाति । तस्मादन्तरिक्षायतनाः पशवः ॥ १ ॥

यद्वेव च्छन्दस्या उपदधाति । पशवो वै छन्दांसि । अन्नं पशवः । मध्यं मध्यमा चितिः । मध्यतस्तदन्नं दधाति ॥ २ ॥

ता द्वादश द्वादशोपदधाति । द्वादशाक्षरा वै जगती । पशवो वै जगती । अन्तरिक्षं मध्यमा चितिः । अन्तरिक्षे तत्पशून्दधाति । तस्मादन्तरिक्षायतनाः पशवः ॥ ३ ॥

ध्यात् । तत्रोपपत्तिः—पुरस्ताद्धीमे प्राणा इति । ' पुरस्तात् ' शरीरस्य पुरोभागे ' इमे ' शीर्षण्यादयः ' प्राणाः ' वर्त्तन्त इति शेषः । " पूर्वार्द्धे प्राणभृतो दशायुर्मे इति प्रतिमन्त्रम् " इति हि सूत्रम् (का. श्रौ. सू. १७ । १९७) । प्राणानां प्रतीकमुपादत्ते—आयुर्मे पाहीति । स्पष्टार्थत्वादकार्त्स्न्येनाभिधाय प्रत्याहारन्यायेनान्त्यं निर्दिशति—ज्योतिर्मे यच्छेति । तदर्थवादः—प्राणो वै ज्योतिरिति स्पष्टः । ता अनन्तर्हिता इत्यादि—निगदव्याख्यातम् ॥ १४ ॥

इति श्रीसायणाचार्यविरचिते माधवीये वेदार्थप्रकाशे माध्यन्दिनीयशतपथब्राह्मणभाष्ये अष्टमकाण्डे तृतीयेऽध्याये द्वितीयं ब्राह्मणम् ॥ (८-३-२) ॥

अथ च्छन्दस्या उपदधातीत्यादि । छन्दोलिङ्गकमन्त्रोपधेयाः ' छन्दस्याः ' छन्दस्यानां पशुरूपत्वं द्वितीयचितिस्थच्छन्दस्यार्थवादे दर्शितम् (श. प. ८ । २ । ३ । ८) । पशवश्च अन्नरूपाः, मध्यमा चितिर्याऽस्ति सा प्रजापतेर्मध्यम्; उदरस्थानीयाऽतस्तेन मध्यदेश एवान्नं दधाति । ताश्छन्दस्याः पूर्वार्द्धे प्राणभृतामुपहितत्वाद्दक्षिणादिदिक्षु ' द्वादश—द्वादश ' उपदध्यात् । ' जगती ' अपि ' द्वादशाऽक्षरा ' सा च ' जगती पशवो वै, ' सोमाहरणप्रस्तावे पश्वात्मनाऽऽहरणसम्बन्धात्पशुत्वम् । " अन्तरिक्षमेव बृहतीं तृतीयां चितिमपश्यन् "—इत्युक्तत्वान्मध्यमचितेरन्तरिक्षत्वम् (श. प. ८ । ३ । १ । २) । अतः मध्यमचितौ द्वादशसङ्ख्याकेष्टकोपधानात् ' अन्तरिक्षे पशून्दधाति ' ॥ १-३ ॥

(वो) यद्वेव द्वादश-द्वादश । द्वादशाक्षरा वै जगती पशवो वै जगत्यन्नं पशवो मध्यं मध्यमा चितिर्मध्यतस्तदन्नं दधाति ताऽअनन्तर्हिताः प्राणभृद्भ्यऽउपदधात्यनन्तर्हितं तत्प्राणेभ्योऽन्नं दधात्युत्तराऽ उत्तरं तत्प्राणेभ्योऽन्नं दधाति ॥ ४ ॥

मा च्छन्दऽइति । (त्य) अयं वै लोको माऽयꣳ हि लोको मितऽइव प्रमा च्छन्दऽइत्यन्तरिक्षलोको वै प्रमाऽन्तरिक्षलोको ह्यस्माल्लोकात्प्रमितऽइव प्रतिमा च्छन्दऽइत्यसौ वै लोकः प्रतिमैष ह्यन्तरिक्षलोके प्रतिमितऽइवास्त्रीवयश्छन्दऽइत्यन्नमस्त्रीवयस्तद्यदेषु लोकेष्वन्नं तदस्त्रीवयोऽथो यदेभ्यो लोकेभ्योऽन्नꣳ स्रवति तदस्त्रीवयोऽथातो निरुक्तान्येव च्छन्दाꣳस्युपदधाति ॥ ५ ॥

यद्वेव द्वादश द्वादश । द्वादशाक्षरा वै जगती । पशवो वै जगती । अन्नं पशवः । मध्यं मध्यमा चितिः । मध्यतस्तदन्नं दधाति । ता अनन्तर्हिताः प्राणभृद्भ्य उपदधाति । अनन्तर्हितं तत्प्राणेभ्योऽन्नं दधाति । उत्तराः । उत्तरं तत्प्राणेभ्योऽन्नं दधाति ॥ ४ ॥

(१) "**मा च्छन्दः**"–इति । अयं वै लोको मा । अयं हि लोको मित इव । (२) "**प्रमा च्छन्दः**"–इति । अन्तरिक्षलोको वै प्रमा । अन्तरिक्षलोको ह्यस्माल्लोकात्प्रमित इव (३) "**प्रतिमा च्छन्दः**"–इति । असौ वै लोकः प्रतिमा । एष ह्यन्तरिक्षलोके प्रतिमित इव । (४) "**अस्त्रीवयश्छन्दः**"–इति । अन्नमस्त्रीवयः । तद्यदेषु लोकेष्वन्नम्–तदस्त्रीवयः । अथो यदेभ्यो लोकेभ्योऽन्नं स्रवति–तदस्त्रीवयः । अथातो निरुक्तान्येव च्छन्दांस्युपदधाति ॥ ५ ॥

उक्तामेवेष्टकासङ्ख्यां पुनर्जगत्यादिद्वारेणान्नात्मना प्रशंसति–यद्वेव द्वादश–द्वादश–द्वादशाक्षरा वा इत्यादिना । पूर्वेष्टकाभ्योऽव्यवधानं विधाय स्तौति–ता अनन्तर्हिताः प्राणभृद्भ्य इति । 'उत्तराः' ऊर्ध्वमाविनीश्च कुर्यात् । स्पष्टोऽर्थवादः ॥ ४ ॥

तत्र दक्षिणत उपधेयेष्टकानां मन्त्रान्विधाय व्याचष्टे–मा च्छन्द इत्यादिना । मा संज्ञया छन्दो 'मा च्छन्दः' तच्च 'अयं लोको वै' भूलोकः खलु, मीयते परिच्छिद्यत इति 'मा' इति व्युत्पत्तेः । एतल्लोकसाम्यमुपपादयति–अयं हि लोको मित इवेति । सर्वतः परिच्छिन्न एव, पञ्चाशत्कोटियोजनविस्तारा पृथिवीति ह्याचक्षते । प्रमा च्छन्द इति । द्वितीयो मन्त्रः । प्रकर्षेण मितः प्रमा तत्संज्ञकः छन्दोऽन्तरिक्षलोकः खलु । तल्लोकसाम्यमाह–अन्तरिक्षलोको ह्यस्माल्लोकात्प्रमित इवेति । भूलोकादप्यधिकतरेण मानेन मित इव वर्तते 'अन्तरिक्षलोकः' । प्रतिमा च्छन्द इति । तृतीयः । असौ वै लोकः प्रतिमेति । 'असौ' द्युलोकः प्रतिमाख्यं छन्दः । कुतः ? 'एषोऽन्तरिक्षलोके प्रतिमित इव' अन्तरिक्षपरिमाणेन परिच्छिन्न इव वर्तते । अतः प्रतिरूपत्वेन मितत्वात् 'प्रतिमा' 'असौ लोकः' । चतुर्थमन्त्रं विधाय व्याचष्टे–अस्त्रीवयश्छन्द

पङ्क्तिश्छन्दः । (५) उष्णिक्छन्दो बृहती च्छन्दोऽनुष्टुप्छन्दो विराट् छन्दो गायत्री च्छन्दस्त्रिष्टुप्छन्दो जगती च्छन्दऽइत्येतानि निरुक्तानि विराडष्टमानि च्छन्दाꣳस्युपदधाति पृथिवी च्छन्दोऽन्तरिक्षं च्छन्दऽइति यान्येतद्देवत्यानि च्छन्दाꣳसि तान्येवैतदुपदधात्यग्निर्देवता वातो देवतेत्येता वै देवताश्छन्दाꣳसि तान्येवैतदुपदधाति ॥ ६ ॥

---

(५) " पङ्क्तिश्छन्दः " (६) " उष्णिक्छन्दः " (७) " बृहती च्छन्दः " (८) " अनुष्टुप्छन्दः " (९) " विराट्छन्दः " (१०) " गायत्री च्छन्दः " (११) " त्रिष्टुप्छन्दः " (१२) " जगती च्छन्दः "–(वा० सं० १४ । १८) इति । एतानि निरुक्तानि विराडष्टमानि च्छन्दांस्युपदधाति । " पृथिवी च्छन्दोऽन्तरिक्षं छन्दः "–(वा० सं० १४ । १९) इति । यान्येतद्देवत्यानि च्छन्दांसि–तान्येवैतदुपदधाति । " अग्निर्देवता वातो देवता "–(वा. सं. १४ । २०) इति । एता वै देवताश्छन्दांसि । तान्येवैतदुपदधाति ॥ ६ ॥

इति । अन्नम् ' अस्रीवयः ' लोकानां त्रित्वात्तन्निष्ठान्नस्यापि त्रित्वम् । अतस्तदपेक्षया ' अस्रीवयः ' इति बहुवचननिर्देशः । तदेवोपपादयति–तद्यदेषु लोकेष्वन्नं तदस्रीवय इति । अस्रीविच्छन्दःसाम्यमन्नस्य दर्शयति–यदेभ्यो लोकेभ्योऽन्नं स्रवति तदस्रीवय इति । भूम्यादिलोकेभ्य आसमन्ताद्वृष्टिरूपेण स्रवतीत्यस्रीवि अन्नम्, छान्दसत्वादभिमतरूपसिद्धिः । अर्थान्मादीनां छन्दसां व्युत्पत्तिर्दर्शिता । मादीनि हि गायत्र्यादिष्वपाठादनिरुक्तानि मन्तव्यानि । अतः उक्तेभ्यो वक्ष्यमाणानां वैलक्षण्यं दर्शयन्नुत्तरा अष्टाविष्टका विधत्ते–अथातो निरुक्तान्येव च्छन्दांस्युपदधातीति । अनिरुक्तेष्टकामन्त्रचतुष्टयादनन्तरं निरुक्तानि पङ्क्त्यादीनि प्रसिद्धानि च्छन्दांस्युपदधातीत्युच्यते । एवं तत्र तत्र द्रष्टव्यम् ॥ ५ ॥

तानि निरुक्तानि दर्शयति–पङ्क्तिश्छन्द इत्यादिना । एतेषां लक्षणानि द्वितीयचितौ दर्शितानि (श. प. ८ । २ । ४ । ३–१५) । विराट्छन्दसः प्रसिद्धगायत्र्यादिसप्तच्छन्दोमध्ये अपठितत्वात् ' द्वाभ्यां विराट् स्वराजौ "–इत्युक्तेष्वन्तर्भावात् निर्दिष्टस्यापि ' विराडष्टमानि ' इति पुनरभिधानम् ॥

पश्चादुपधेयानां द्वादशानामिष्टकानां ये मन्त्रास्तेषां प्रतीकमुपादाय तेषां समानार्थत्वेन मादिच्छन्दोरूपतामाशङ्क्य तद्भिन्नत्वमुपपादयंस्तात्पर्यमाह–पृथिवी च्छन्दोऽन्तरिक्षं छन्द इति । यान्येतद्देवत्यानि च्छन्दांसि तान्येवैतदुपदधातीति । ' एतद्देवत्यानि ' पृथिव्यन्तरिक्षादिदेवताकमन्त्रोपरिबद्धानि ' यानि च्छन्दांसि ' सन्ति तानीत्यर्थः । पूर्ववदुपधेयेष्टकामन्त्रप्रतीकमुपादाय व्याचष्टे–अग्निर्देवता वातो देवतेति । एता वै देवताश्छन्दांसि तान्येवैतदुपदधातीति । अग्निवातसूर्यादिदेवताः खलु ' च्छन्दांसि ' ' अग्नेर्गायत्र्यभवत् ' इति वाक्यादेव ताभ्यश्छन्दसामुत्पत्तेः, उत्पादकोत्पाद्यानामभेदविवक्षया देवतानामेव च्छन्दस्त्वव्यपदेशः । अत्र कात्यायनः–" छन्दस्या द्वादश द्वादश पक्षपुच्छाप्ययेषु मा च्छन्द इति प्रतिमन्त्रम् "–(का. श्रौ. सू. १७ । १९८) इति ॥ ६ ॥

स वै निरुक्तानि चानिरुक्तानि चोपदधाति । स यत्सर्व्वाणि निरुक्ता-न्युपाधास्यदन्तवद्धान्नमभविष्यदक्षेष्यत ह्याथ यत्सर्व्वाण्यनिरुक्तानि परोऽक्षᳫँ ह्यान्नमभविष्यन्न हैनदद्रक्ष्यंश्चन निरुक्तानि चानिरुक्तानि चोप-दधाति तस्मान्निरुक्तमन्नमद्यमानं न क्षीयते ॥ ७ ॥

तानि वाऽएतानि । त्रीणि द्वादशान्युपदधाति तत्षट्त्रिᳫँशत्षट्त्रिᳫँ-शदक्षरा बृहत्येषा वै सा बृहती यां तद्देवाऽअन्तरिक्षं बृहतीं तृतीयां चिति-मुपश्यंस्तस्याऽएतस्यै देवाऽउत्तमाः ॥ ८ ॥

स वै निरुक्तानि चानिरुक्तानि चोपदधाति । स यत्-सर्वाणि निरुक्तान्युपाधास्यत् । अन्त-वद्धान्नमभविष्यत्-अक्षेष्यत ह । अथ यत्सर्वाण्यनिरुक्तानि-परोऽक्षं हान्नमभविष्यत्-न हैनदद्रक्ष्यं-श्चन । निरुक्तानि चानिरुक्तानि चोपदधाति । तस्मान्निरुक्तमन्नमद्यमानं न क्षीयते ॥ ७ ॥

तानि वाऽएतानि त्रीणि द्वादशान्युपदधाति । तत् षट्त्रिंशत् । षट्त्रिंशदक्षरा बृहती । एषा वै सा बृहती-यां तद्देवा अन्तरिक्षं बृहतीं तृतीयां चितिमपश्यन् । तस्याऽएतस्यै देवा उत्तमाः ॥ ८ ॥

अथ दक्षिणोत्तरपक्षपुच्छसन्धिषु निरुक्तानिरुक्तभेदेन द्विविधानामपि च्छन्दसामुपधानमन्यतरोपधानपक्षे दोष-प्रदर्शनपुरःसरं प्रशंसति-स वै निरुक्तानि चेत्यादिना । 'सः' उपधाता 'यदि' केवलम् 'निरुक्तानि एवोपाधास्यत्,' तर्हि छन्दसां पशुरूपत्वेनान्नत्वात्तेषां छन्दसां निःशेषोपधानेन मितत्वात् 'अन्नमप्यन्तवदेवाभविष्यत्' । यथा द्विप्रस्थं त्रिप्रस्थम् इत्येवं निरुक्तिमापन्नं ख्यापितं सत् पुनश्चानिरुक्तस्यान्नस्यासम्भवात् अन्तवदेव भवति । तद्वत्त्वे को बाधः ? इत्यत्राह-अक्षेष्यत हेति । 'ह' इति विनिग्रहार्थीयः (निरु. १ । २ । २ ।) क्षयमापद्येत ॥

अथ उक्तवैपरीत्येन 'यत्' यदि 'सर्वाणि' अपि च्छन्दांसि 'अनिरुक्तानि' एवोपाधास्यत् इत्यनुषज्यते; तर्हि इदमिति निरुक्तत्वाभावादन्नं परोऽक्षमभविष्यत्' । अस्तु 'परोक्षं' को दोषस्तत्राह-न हैनदद्रक्ष्यंश्चनेति । 'एनद्' अन्नम् जना नापि 'अद्रक्ष्यन्' अस्पष्टत्वेनेन्द्रियाविषयत्वात् । दोषद्वयासंस्पर्शोपायमाह-निरुक्तानि चानिरुक्तानि चोपदधातीति । 'तस्मात्' उभयस्याप्यनुष्ठितत्वात् 'निरुक्तमन्नमद्यमानम्' अपि अनिरु-क्तस्यासङ्ख्यातस्यान्यस्यान्नस्य सद्भावात् 'न संक्षीयते' ! अतः केषांचिन्निरुक्तानां केषाञ्चिदनिरुक्तानां चोपधानं प्रशस्तमित्यर्थः ॥ ७ ॥

प्रतिदिक्षु यद्द्वादशत्वं तद्बृहतीसम्पत्तिद्वारा स्तौति-तानि वा एतानि त्रीणि द्वादशान्युपदधातीति । छन्दसां द्वादशकं द्वादशम्, तादृशानि 'त्रीणि द्वादशानि' उपदध्यात् । मिलितानि 'षट्त्रिंशत्', बृहत्याश्च 'षट्त्रिंशत् अक्षराणि,' अतः 'एषा बृहती' सम्पन्ना । तृतीयचित्युपक्रमे प्रतिपादिता या बृहती "अन्त-रिक्षं बृहतीं तृतीयां चितिमपश्यन्"-(श. प. ८ । ३ । १ । २) इति । 'तस्याऽएतस्यै देवा उत्तमाः' इत्युपधीयन्त इति शेषः । ते च "अग्निर्देवता वातो देवता" इत्यादिना निर्दिष्टाः ॥ ८ ॥

(०) यद्वेवैताऽइष्टकाऽउपदधाति । प्रजापतेर्व्विस्रस्तात्सर्व्वाणि भूतानि सर्व्वा दिशोऽनु व्युदक्रामन् ॥ ९ ॥

(न्त्स) स यः स प्रजापतिर्व्यस्रꣳसत । (ता) अयमेव स योऽयमग्निश्चीयतेऽथ यान्यस्मात्तानि भूतानि व्व्युदक्रामन्नेतास्ताऽइष्टकास्तद्यदेताऽउपदधाति यान्येवास्मात्तानि भूतानि व्व्युदक्रामंस्तान्यस्मिन्नेतत्प्रतिदधाति ॥ १० ॥

तद्या दश प्रथमाऽउपदधाति । स चन्द्रमास्ता दश भवन्ति दशाक्षरा व्विराडन्नं व्विराडन्नमु चन्द्रमाऽअथ याऽ उत्तराः षट्त्रिꣳशदर्धमासाश्च ते मासाश्च चतुर्व्विꣳशतिरर्धमासा द्वादश मासाश्चन्द्रमा वै संव्वत्सरः सर्व्वाणि भूतानि ॥ ११ ॥

यद्वेवैता इष्टका उपदधाति । प्रजापतेर्विस्रस्तात्सर्वाणि भूतानि सर्वा दिशोऽनु व्युदक्रामन् ॥९॥

स यः स प्रजापतिर्व्यस्रंसत–अयमेव सः–योऽयमग्निश्चीयते । अथ यान्यस्मात्तानि भूतानि व्युदक्रामन्–एतास्ता इष्टकाः । तद्यदेता उपदधाति–यान्येवास्मात्तानि भूतानि व्युदक्रामन्–तान्यस्मिन्नेतत्प्रतिदधाति ॥ १० ॥

तद्या दश प्रथमा उपदधाति–स चन्द्रमाः । ता दश भवन्ति । दशाऽक्षरा विराट् । अन्नं विराट् । अन्नमु चन्द्रमाः । अथ या उत्तराः षट्त्रिंशत्–अर्धमासाश्च ते, मासाश्च । चतुर्विंशतिरर्धमासाः, द्वादश मासाः । चंद्रमा वै संवत्सरः सर्वाणि भूतानि ॥ ११ ॥

एता एवेष्टकाः पुनर्विस्रस्तप्रजापत्यवयवप्रतिसन्धानरूपत्वेन स्तौति–यद्वेवैता इष्टका उपदधाति प्रजापतेर्विस्रस्तादित्यादिना । प्रजापतिर्नाम चितिलक्षणोऽग्निः । ततो विस्रस्तानि भूतानीत्येताः षट्त्रिंशदिष्टकाः । अत एतासामुपधानेन विस्रस्तात्प्रजापतेर्निर्गतानां भूतानां प्रतिसन्धानं कृतं भवतीत्यर्थः ॥ ९ ॥ १० ॥

अथैताः पूर्वोक्ताभिः सह समुच्चित्य स्तौति–तद्या दशेत्यादिना । 'याः' 'दश' 'प्रथमाः' प्राणभृत उपहिताः 'स चन्द्रमाः' चन्द्रमसोऽपेक्षया 'स' इति पुँल्लिङ्गनिर्देशः ॥

उक्तं चन्द्रमस्त्वमेवोपपादयति–ता दश भवन्तीत्यादिना । 'ताः' प्राणभृतः 'दश' 'विराट्' अपि 'दशाक्षरा' सा तु 'अन्नम्' विराजोऽन्नत्वं प्रागुक्तम् (श. प. ८ । ३ । २ । १३) । 'चन्द्रमाः' अपि 'अन्नमु' अन्नमेव "एष वै सोमो राजा देवानामन्नम्, तं देवा भक्षयन्ति" इति श्रुतेः । ओषध्यादिरूपस्य तस्यान्नत्वं व्यक्तमेव । 'अथ या उत्तराः षट्त्रिंशत्' छन्दस्याः सन्ति, 'तेऽर्द्धमासा मासाश्च' । मासापेक्षया 'ते' इति पुँल्लिङ्गनिर्देशः । विभज्य दर्शयति–चतुर्विंशतिरर्धमासा द्वादश मासा इति । चन्द्रस्योपचयापचयाभ्यां शुक्लकृष्णौ पक्षौ भवतः, तयोरावृत्त्या मासादिद्वारेण संवत्सरो निष्पद्यत इत्यभिप्रेत्य 'चन्द्रमा वै संवत्सरः' इत्युक्तम् । स च 'सर्वाणि भूतानि' संवत्सरकाले सर्वभूतानामुत्पत्तेः ॥ ११ ॥

१९५६

तं यत्र देवाः समस्कुर्वन् । (वंस्तु) तदस्मिन्नेतानि सर्वाणि भूतानि मध्यतोऽदधुस्तथैवास्मिन्नयमेतद्दधाति ताऽअनन्तर्हिताऽऋतव्याभ्यऽ-उपदधात्यृतुषु तत्सर्वाणि भूतानि प्रतिष्ठापयति ॥ १२ ॥

इति द्वितीयप्रपाठके द्वितीयं ब्राह्मणम् ॥ ८-२-२ ॥ (३. ३.) ॥

अथ वालखिल्याऽउपदधाति । प्राणा वै वालखिल्याः प्राणानेवैतदु-पदधाति ता यद्वालखिल्या नाम यद्वाऽउर्वरयोरसम्भिन्नं भवति खिल ऽइति वै तदाचक्षते वालमात्रादु हेमे प्राणाऽअसम्भिन्नास्ते यद्वालमात्रादसम्भि-न्नास्तस्माद्वालखिल्याः ॥ १ ॥

तं यत्र देवाः समस्कुर्वन्—तदस्मिन्नेतानि भूतानि मध्यतोऽदधुः । तथैवास्मिन्नयमेतद्दधाति । ता अनन्तर्हिता ऋतव्याभ्य उपदधाति । ऋतुषु तत्सर्वाणि भूतानि प्रतिष्ठापयति ॥ १२ ॥

अथ चतुर्दशवालखिल्येष्टकोपधानम् ।

अथ वालखिल्या उपदधाति । प्राणा वै वालखिल्याः । प्राणानेवैतदुपदधाति । ता यद्वाल-खिल्या नाम । यद्वाऽउर्वरयोरसम्भिन्नं भवति—खिल इति वै तदाचक्षते । वालमात्रादु हेमे प्राणा असम्भिन्नाः । ते यद्वालमात्रादसम्भिन्नाः—तस्माद्वालखिल्याः ॥ १ ॥

‘ तम् ’ संवत्सरात्मकं प्रजापतिम् । ‘ यत्र ’ यस्मिन्काले ‘ देवाः ’ ‘ समस्कुर्वन् ’ तदा ‘ सर्वाणि ’ भूतानि मध्यदेशे स्थापयामासुः ‘ तथैव ’ देववदेव ‘ अयम् ’ अपि यजमानः ‘ एतत् ’ एतेन छन्दस्येष्टकोपधानेन स्थापयति । गतोऽनन्तर्हितत्वार्थवादः (श. प. ८।३।२।१४) भाष्ये ॥ १२ ॥

इति श्रीसायणाचार्यविरचिते माधवीये वेदार्थप्रकाशे माध्यन्दिनीय शतपथब्राह्मणभाष्ये अष्टमकाण्डेतृतीयेऽध्याये तृतीयं ब्राह्मणम् ॥ (८-३-३) ॥

वालखिल्येष्टका विधाय स्तौति—अथ वालखिल्या उपदधाति प्राणा वै वालखिल्या इति । प्राणत्व-मुपरिष्टाद्वक्ष्यते । प्रतिज्ञापूर्वकं नाम निर्ब्रूते—ता यद्वालखिल्या नामेति । तत्प्रकारः प्रदर्श्यत इति शेषः । खिलस्वरूपं तावदाह—यद्वा इति । यदेव खलु क्षेत्रम् । ‘उर्वरयोः’ द्वयोः सर्वसस्याढ्ययोः क्षेत्रयोः ‘असम्भिन्नम्’ अस्पृष्टम् ‘ भवति ’ । स्वयमसस्यं भवतीत्यर्थः । ‘ तत् ’ क्षेत्रं ‘ खिलः ’ इत्याचक्षते । प्रकृते कथं तत्राह—वालमात्राद्दिति । ‘ इमे ’ प्राणाः ‘ वालमात्राद् ’ व्यवधानाद् ‘ असम्भिन्नाः ’ अत एव खिलाः ‘ ते ’ खिला एव खिल्याः, यस्मादेवं तस्मात् प्राणा वालखिल्याः देहे स्थितानां प्राणानां वालमात्रेणापि भेदाभावे देहेन साङ्कर्य्यं स्यात्, प्राणानां वालमात्रनाडीव्यवधानं तु शास्त्रसिद्धम् ॥ १ ॥

स वै स॒प्त पु॒रस्ता॒दुप॑दधाति । स॒प्त प॒श्चात्तद्याः स॒प्त पु॒रस्ता॒दुप॑दधाति यऽए॒वेमे स॒प्त पु॒रस्ता॑त्प्रा॒णास्ता॒नस्मि॑न्ने॒तद्द॑धाति ॥ २ ॥

(त्यु) अथ॒ याः स॒प्त प॒श्चात् । (दे) ए॒षामे॒वैत॒त्प्रा॒णाना॑मे॒तान्प्रा॒णान्प्र॒तिप्र॑ती॒न्क॑रोति॒ तस्मा॒द्यदे॒भिर॒न्नम॒त्ति तदे॒तैर॒त्येति ॥ ३ ॥

यद्वे॒व स॒प्त पु॒रस्ता॒दुप॑दधाति । स॒प्त वाऽइ॒मे पु॒रस्ता॑त्प्रा॒णाश्च॒त्वारि॒ दो॒र्बा॑ह॒वाणि॒ शिरो॑ ग्री॒वा यदू॒र्ध्वं ना॒भेस्तत्स॑प्त॒मम॒ङ्गेऽङ्गे॒ हि प्रा॒ण ऽए॒ते वै स॒प्त पु॒रस्ता॑त्प्रा॒णास्ता॒नस्मि॑न्ने॒तद्द॑धाति ॥ ४ ॥

स वै सप्त पुरस्तादुपदधाति । सप्त पश्चात् । तद्याः सप्त पुरस्तादुपदधाति–यऽएवेमे सप्त पुरस्तात्प्राणास्तानस्मिन्नेतद्दधाति ॥ २ ॥

अथ याः सप्त पश्चात् । एषामेवैतत्प्राणानामेतान्प्राणान्प्रातिप्रतीन्करोति । तस्माद्यदेभिरन्नमत्ति–तदेतैरत्येति ॥ ३ ॥

यद्वेव सप्त पुरस्तादुपदधाति । सप्त वाऽइमे पुरस्तात्प्राणाः–चत्वारि दोर्बाहवाणि, शिरः, ग्रीवा, यदूर्ध्वं नाभेः-स्तत्सप्तमम् । अङ्गेऽङ्गे हि प्राणः । एते वै सप्त पुरस्तात्प्राणाः-तानस्मिन्नेतद्दधाति ॥ ४ ॥

ताः 'पुरस्तात्' पश्चाच्च 'सप्त सप्तोपदध्यात्[1] । पुरस्तादुपधेयेष्टकासप्तकं प्राणात्मना स्तौति–तद्याः सप्तेति । 'अस्मिन्' शरीरे । स्पष्टमन्यत् ॥ २ ॥

तत्पश्चाद्भागे च 'सप्त' उपदध्यात् । 'एषामेव' पुरस्तादुपधीयमानेष्टकालक्षणसप्तप्राणानामेव 'एतत्' एतेन पश्चादुपधानेन 'एतान्' अधोवर्तिनः 'प्राणान्' 'प्रतिप्रतीन्' प्रतिनिधिरूपान् 'करोति' । अथवा 'प्रतिप्रतीन्' प्रतिकूलव्यापारवतः करोति । तेषामूर्ध्वमुखव्यापारः, एषां त्वधोमुख इति प्रातिकूल्यमेव दर्शयति–तस्माद्यदेभिरन्नमत्ति तदेतैरत्येतीति । 'एभिः' पुरस्ताद्वर्तमानैर्भक्षितम् 'अन्नम्' 'एतैः' अधोवर्तमानैः 'अत्येति' देहान्मलादिरूपेणातिक्रामति, निःसारयतीत्यर्थः । यद्यप्यूर्ध्वप्राणेष्वेकस्यैवात्तृत्वम्, तथापीतरेषां षण्णां तदनुकूलव्यापारवत्त्वादत्तृत्वमुपचर्यते । एवमधस्तात्प्राणानामप्यन्नापसारकत्वम् ॥ ३ ॥

इत्थं प्राणात्मना पुरस्तात्पश्चाच्चोपधेयेष्टकाः प्रशस्येदानीं प्राणशब्देन विवक्षितमर्थमभिदधत्प्रकारान्तरेण स्तौति–यद्वेव सप्त पुरस्तादित्यादिना । के ते ? पुरस्तात्प्राणा इति तान् दर्शयति–चत्वारि दोर्बाहवाणीति । दोर्द्वयं बाहुद्वयं चेति चत्वार्यङ्गानि, मध्यसन्धेरुपरिभागो दोः, अधोभागो बाहुः, चत्वारि दोर्बाहवाणि, शिरो ग्रीवाचेति द्वे अङ्गे, 'नाभेरूर्ध्वं, यदेकं 'तत्सप्तमम्' । सर्वाणि मिलित्वा पुरस्तात्सप्त प्राणाः । नन्वेतान्यङ्गानि-भवन्ति कथमेषां प्राणत्वमिति, ? तत्राह–अङ्गेऽङ्गे हि प्राण इति । प्रत्यङ्गं प्राणाभावे तु तत्तदङ्गचेष्टैव नोपपद्यते । एते वा इत्यादि स्पष्टमेव ॥ ४ ॥

1–वालखिल्याः सप्त पुरस्तात् । प्राणभृद्भ्यो वाऽपराः । द्वादशभ्योऽपरास्तु । मूर्द्धासि राडित्रति प्रतिमंत्रम् । का. श्रौ. सू. १७ । १९९–२०३ ।

(त्यु) अथ याः सप्त पश्चात् । (त्स) सप्त वाऽइमे पश्चात्प्राणाश्चत्वा-
र्यूर्वष्ठीवानि द्वे प्रतिष्ठे यदवाङ्नाभेस्तत्सप्तममङ्गेऽङ्गे हि प्राणऽएते वै सप्त
पश्चात्प्राणास्तानस्मिन्नेतद्दधाति ॥ ५ ॥

मूर्द्धाऽसि राड् । (द्ध्रु) ध्रुवाऽसि धरुणा धर्त्र्यसि धरणी यन्त्री राड्य-
न्त्र्यसि यमनी ध्रुवाऽसि धरित्रीत्येतानेवास्मिन्नेतद् ध्रुवान्प्राणान्यच्छति ॥ ६ ॥
यद्वेव वालखिल्याऽउपदधाति । (त्ये) एतद्वै देवा वालखिल्याभि-

अथ याः सप्त पश्चात्—सप्त वाऽइमे पश्चात्प्राणाः—चत्वार्यूर्वष्ठीवानि, द्वे प्रतिष्ठे, यदवाङ्नाभेस्तत्सप्तमम् । अङ्गेऽङ्गे हि प्राणः । एते वै सप्त पश्चात्प्राणाः—तानस्मिन्नेतद्दधाति ॥ ५ ॥

"मूर्धाऽसि राड् ध्रुवाऽसि धरुणा धर्त्र्यसि धरणी" "यन्त्री राड् यन्त्र्यसि यमनी ध्रुवाऽसि धरित्री"—(वा० सं १४ । २१ । २२) इति । एतानेवास्मिन्नेतद्ध्रुवान्प्राणान्यच्छति ॥ ६ ॥

यद्वेव वालखिल्या उपदधाति । एतद्वै देवा वालखिल्याभिरेवेमाँल्लोकान्त्समयुः, इतश्चोर्ध्वान्,

---

अथ याः सप्त पश्चादित्यादि—एवमेव व्याख्येयम् । पादस्य मध्यसन्धेरुपरिभाग ऊरुः, अधोभागोऽष्ठीवशब्दवाच्यः, द्वे प्रतिष्ठे पादौ नाभेरधोऽङ्गं सप्तमं स्पष्टमन्यत् ॥ ५ ॥

पुरस्तात्पश्चाच्चोपधेयानां मध्ये त्रींस्त्रीन्मन्त्रानुदाहृत्य सङ्गृह्य तात्पर्यमाह—मूर्द्धाऽसीत्यादिना । उत्तरत्र मूर्द्धादीनां त्रयाणां भूरादिलोकत्रयरूपेण स्तूयमानत्वान्मूर्द्धादिभिः शब्दैर्भूरादिलोका विवक्ष्यन्ते । हे इष्टके ! त्वं मूर्द्धाऽसि मूर्द्धवदुत्कृष्टभूर्लोकरूपाऽसि । मूर्द्धत्वं सर्ववस्त्वाश्रयत्वात् । तथा 'राट्' राजमानाऽसि । हे द्वितीयेष्टके ! त्वं 'ध्रुवा' । उभयतो लोकसद्भावाद्ध्रुवोऽन्तरिक्षलोकस्तद्रूपा 'असि' । सैव विशेष्यते—'धरुणा' सर्वस्य पक्ष्यादेरपि धारिका । हे तृतीयेष्टके ! त्वं 'धर्त्र्यसि' धरणी चासि । त एते त्रयो मन्त्राः । "आयुषे त्वा" "वर्चसे त्वा" "कृष्यै त्वा" "क्षेमाय त्वा" इति चत्वार आम्नास्यन्ते; ते तु स्पष्टार्थाः । तान्पृथगुदाहृत्य व्याख्यास्यति । तत्र 'यन्त्री राट्'—इति पश्चादुपधेयानां प्रथमो मन्त्रः, एतेषां त्रयाणां स्वर्गादिक्रमणसाधनत्वेन स्तूयमानत्वादिष्टकाः स्वर्गादिरूपेण स्तूयन्ते—हे प्रथमेष्टके ! त्वं 'यन्त्री' सर्वस्य नियमयित्री 'राट्' राजमाना, उक्तलक्षणस्वर्गरूपाऽसीत्यर्थः । हे द्वितीयेष्टके ! त्वं 'यमनी' विशेषेण नियन्तृरूपा 'यन्त्री' उक्तलक्षणान्तरिक्षरूपाऽसीत्यर्थः । हे तृतीयेष्टके ! त्वं 'ध्रुवा' अविचलिता 'धरित्री' सर्वस्य धारिका उक्तलक्षणपृथिवीरूपाऽसि । अग्रिमेष्टकोपधानमन्त्राश्चत्वारः—"इषे त्वा" "ऊर्जे त्वा" "रय्यै त्वा" "पोषाय त्वा"—इत्येत उपरिष्टादाम्नास्यन्ते; ते स्पष्टार्थाः । निर्दिष्टानां षण्मन्त्राणां तात्पर्यमाह—एतानेवास्मिन्नेतद्ध्रुवान्प्राणान्यच्छतीति । एषु मन्त्रेषु ध्रुवसंशब्दनात् 'एतानेव ध्रुवान्' लोकान् ध्रुवप्राणात्मकान्कृत्वा 'अस्मिन्' प्रजापतिशरीरात्मके चितिस्वरूपे एतेन मूर्द्धादिमन्त्रसाध्येष्टकोपधानेन 'यच्छति' स्थापयतीत्यर्थः ॥ ६ ॥

प्रकारान्तरेण स्तौति—यद्वेव वालखिल्या इत्यादिना । 'एतद्वै' एतत् खलु पुराऽऽसीत् । किमेतदिति ? तत्राह—'देवाः' पुरा 'वालखिल्याभिः' इष्टकाभिः 'एव' इमाँस्त्रीँल्लोकान्समयुः' सम्यगाप्तवन्तः । केन

रेवेमाँल्लोकान्त्समयुरितश्चोर्ध्वानमुतश्चार्वाचस्तथैवैतद्यजमानो वाल-खिल्याभिरेवेमाँल्लोकान्त्संयातीतश्चोर्ध्वानमुतश्चार्वाचः ॥ ७ ॥

(चो) मूर्द्धाऽसि राडितीमं लोकमरोहन् । (न्ध्रु) ध्रुवाऽसि धरुणेत्यन्तरिक्षं लोकं धर्त्र्यसि धरणीत्यमुं लोकमायुषे त्वा वर्चसे त्वा कृष्यै त्वा क्षेमाय त्वेति चत्वारश्चतुष्पादाः पशवोऽन्नं पशवस्तऽएतैश्चतुर्भिश्चतुष्पादैः पशुभिरेतेनान्नेनामुष्मिंल्लोके प्रत्यतिष्ठंस्तथैवैतद्यजमान ऽएतैश्चतुर्भिश्चतुष्पादैः पशुभिरेतेनान्नेनामुष्मिंल्लोके प्रतितिष्ठति ॥ ८ ॥

स स पराङिव रोहः । (ऽ) इयमु वै प्रतिष्ठा ते देवाऽइमां प्रतिष्ठामभिप्रत्यायंस्तथैवैतद्यजमान ऽइमां प्रतिष्ठामभिप्रत्यैति ॥ ९ ॥

अमुतश्चार्वाचः । तथैवैतद्यजमानो वालखिल्याभिरेवेमाँल्लोकान्त्संयाति । इतश्चोर्ध्वान्, अमुतश्चार्वाचः ॥ ७ ॥

" मूर्द्धाऽसि राट् "-इति । इमं लोकमरोहन् । " ध्रुवाऽसि धरुणा "-इति । अन्तरिक्षलोकम् । " धर्त्र्यसि धरणी "-इति । अमुं लोकम् । " आयुषे त्वा वर्चसे त्वा कृष्यै त्वा क्षेमाय त्वा "-(वा. सं. १४ । २१) इति । चत्वारश्चतुष्पादाः पशवः । अन्नं पशवः । तऽएतैश्चतुर्भिश्चतुष्पादैः पशुभिरेतेनान्नेनामुष्मिँल्लोके प्रत्यतिष्ठन् । तथैवैतद्यजमान एतैश्चतुर्भिश्चतुष्पादैः पशुभिरेतेनान्नेनामुष्मिँल्लोके प्रतितिष्ठति ॥ ८ ॥

स स पराङिव रोहः । इयमु वै प्रतिष्ठा । ते देवा इमां प्रतिष्ठामभिप्रत्यायन् । तथैवैतद्यजमान इमां प्रतिष्ठामभिप्रत्यैति ॥ ९ ॥

क्रमेण १ इत्युच्यते-' इतः ' भूलोकात् ' ऊर्ध्वान् ' ' अमुतः ' स्वर्गात् ' अर्वाचः ' अधस्तनान्, इत्यारोहावरोहभेदाद् द्विप्रकारेण समयुरित्यर्थः ' तथैवैतद्यजमानः ' इत्यादि स्पष्टम् ॥ ७ ॥

उक्तं प्रकारं विभज्य दर्शयति-**मूर्द्धाऽसि राडितीमं लोकमरोहन्नित्यादिना** । एतन्निगदसिद्धम् । पुरस्तादुपधेयेष्टकानां चतुरो मन्त्रानुदाहृत्य तात्पर्यं दर्शयति-**आयुषे त्वेत्यादिना** । एते ' चत्वारः ' ' पशवश्चतुष्पादाः ' ते च ' अन्नम् ' ते देवाः 'एतैश्चतुर्भिः' मन्त्रैश्चतुःसंख्यासाम्येन चतुष्पादयुक्तैः ' पशुभिः ' तद्रूपेण ' एतेन ' ' अमुष्मिन् ' भूरादिक्रमेणारूढे स्वर्गे ' प्रत्यतिष्ठन् ' प्रतिष्ठिता अभूवन् । एवं पूर्वोक्तास्त्रयो मन्त्राः क्रमेण लोकत्रयाक्रमणस्थानीयाः, उपरितनाश्चत्वार आक्रान्तवतां देवानामन्नस्थानीयाः, इति सिद्धा पुरस्तादुपधेयानां वालखिल्यानां स्तुतिः । ' तथैव '-इत्याद्युक्तप्रायम् ॥ ८ ॥

पश्चाद्वालखिल्याप्रसञ्जनार्थमाह-**स स पराङिवेति** । लोकानां त्रित्वेन तदारोहस्यापि त्रित्वात्तदपेक्ष्य ' स ' इति वीप्सा । ' पराङिव ' पुनरावृत्तिरिवेयम् । कथमेवं स्वर्गेऽपि प्रतिष्ठानं किं न स्यादित्यत आह-**इयमु वै प्रतिष्ठेति** । सुकृतक्षये पुनर्भूलोके पतनादित्यभिप्रायः । अस्याः प्रतिष्ठात्वं तु सर्वजीवाश्रयत्वात् । यस्मादेवं तस्माद्देवाः स्वर्गं प्राप्ताः सन्तोऽपि इमां ' प्रतिष्ठां ' भुवम् अभिलक्ष्य ' प्रत्यायन् ' प्रतिमुखं प्राप्ताः । ' तथैवैतद् ' इति गतप्रायम् ॥ ९ ॥

युन्त्री राड्डित्यमुं लोकुमरोहन्। (न्यु) युन्त्र्यसि युमनीत्यन्तारिक्षलोकं ध्रुवाऽसि धुरित्रीतीमं लोकामिषे त्वोर्जे त्वा रय्यै त्वा पोषाय त्वेति चत्वार-श्चतुष्पादाः पशवोऽन्नं पशवस्तुऽएतैश्चतुर्भिश्चतुष्पादैः पशुभिरेतेनान्ने-नास्मिंल्लोके प्रत्यतिष्ठंस्तथैवैतद्यजमान ऽएतैश्चतुर्भिश्चतुष्पादैः पशुभिरेते-नान्नेनास्मिंल्लोके प्रतितिष्ठति ॥ १० ॥

(त्य) अथातः सुंस्कृतिरेव। या ऽअमूरेकादशेष्टकाऽउपदधाति योऽसौ प्रथमोऽनुवाकस्तदन्तरिक्षꣳ स ऽआत्मा तद्यत्ता ऽएकादश भवन्त्येका-दशाऽक्षरा वै त्रिष्टुप्त्रैष्टुभमन्तरिक्षमुथ या ऽउत्तराः षष्टिः स वायुः स प्रजापतिः सोऽग्निः स यजमानः ॥ ११ ॥

" यन्त्री राट् "–इति। अमुं लोकमरोहन्। " यन्त्र्यसि यमनी "–इति। अन्तरिक्ष-लोकम्। " ध्रुवाऽसि धरित्री "–इति। इमं लोकम्। " इषे त्वोर्जे त्वा रय्यै त्वा पोषाय त्वा "–(वा० सं० १४। २२) इति। चत्वारश्चतुष्पादाः पशवः। अन्नं पशवः। तऽएतैश्चतुर्भि-श्चतुष्पादैः पशुभिरेतेनान्नेनास्मिंल्लोके प्रत्यतिष्ठन्। तथैवैतद्यजमान एतैश्चतुर्भिश्चतुष्पादैः पशुभि-रेतेनान्नेनास्मिंल्लोके प्रतितिष्ठति ॥ १० ॥

अथातः संस्कृतिरेव। या अमूरेकादशेष्टका उपदधाति। योऽसौ प्रथमोऽनुवाकः। तदन्तरिक्षम्। स आत्मा। तद्यत्ता एकादश भवन्ति। एकादशाक्षरा वै त्रिष्टुप्। त्रैष्टुभमन्तरिक्षम्। अथ या उत्तराः षष्टिः–स वायुः। स प्रजापतिः। सोऽग्निः। स यजमानः ॥ ११ ॥

प्रतिगतिप्रकारं विभज्य दर्शयति–यन्त्री राडित्यमुं लोकमित्यादिना। एवमुत्तरांश्चतुरो मन्त्रान्प्रदर्शयन् भुवः प्रतिष्ठात्वमन्नत्वेन स्तौति–इषे त्वेत्यादिना। एतत्पूर्वेणैव व्याख्यातप्रायम् ॥ १० ॥

वक्ष्यमाणग्रन्थस्य विषयं दर्शयति–अथातः संस्कृतिरेवेति। तृतीयचितौ या इष्टकाः सन्ति ताभिरुपहिताभि-श्चित्याग्निरूपस्य प्रजापतेर्लोकस्तदभिमानिदेवतादिरूपः संस्कार एवोत्पाद्यत इत्यर्थः। संस्कृतिरेव प्रदर्श्यते–या अमूरित्यादिना। 'अमूरेकादशेष्टकाः,' एका स्वयमातृण्णा, पञ्च दिश्याः, एका विश्वज्योतिः, चतस्र ऋतव्या इत्येकादश। ताः सङ्गृह्याह–'योऽसौ प्रथमोऽनुवाकः' एकादशपद्यात्मकः सङ्घः तदन्तरिक्षस्थानीयम्। 'स आत्मा' मध्यशरीरम्। उक्तामेकादशसंख्यां स्तौति–एकादशाऽक्षरा वै त्रिष्टुबिति। गायत्रीत्रिष्टुब्-जगतीनां क्षित्यन्तरिक्षद्युरूपत्वेन सर्वत्राभिधानाद् 'अन्तरिक्षं त्रैष्टुभम्'। अथ या उत्तराः षष्टिरिति। प्राण-भृतो दश, छन्दस्याः षट्त्रिंशत्, वालखिल्याश्चतुर्दशेति 'षष्टिः' 'स वायुः' बाह्या एकोनपञ्चाशत् वायवः, आन्तरा दश एकः साधारण इति वायोः षष्ट्यात्मकता। 'सः' एव 'प्रजापतिः,' तत्रात्मा 'सः' एवोपधी-यमानः 'अग्निः' 'सः' एव यजमानः। चयनसंस्कारेणोत्तरत्र प्राजापत्यात्मनोत्पत्तेः ॥ ११ ॥

(स्त) तद्याः पुरस्तादुपदधाति । शिरोऽस्य तास्ता दश भवन्ति दश वै प्राणाः प्राणाऽउ वै शिरः पूर्व्वार्धऽउपदधाति पुरस्ताद्धीदꣳ शिरः॥१२॥

(ग्रोऽथ) अथ या दक्षिणतः । (तो) यदूर्ध्वं मध्यादवाचीनꣳ शीर्ष्ण-स्तदस्य ताऽअथ याः पश्चाद्यदूर्ध्वं प्रतिष्ठायाऽअवाचीनं मध्यात्तदस्य ताः प्रतिष्ठैवोत्तरतः ॥ १३ ॥

(स्त) तद्याः सप्त पुरस्ताद्वालखिल्याऽउपदधाति । यऽएवेमे सप्त पुरस्तात्प्राणास्तानस्मिन्नेतद्दधाति ताऽअनन्तर्हिताऽएताभ्यो दशभ्य ऽउपदधात्यनन्तर्हितांस्तच्छीर्ष्णः प्राणान्दधाति ॥ १४ ॥

(त्यु) अथ याः सप्त पश्चात् । (ग्यु) यऽएवेमे सप्त पश्चात्प्राणास्तान-

---

तद्याः पुरस्तादुपदधाति । शिरोऽस्य ताः । ता दश भवन्ति । दश वै प्राणाः । प्राणा उ वै शिरः । पूर्वार्धऽउपदधाति । पुरस्ताद्धीदं शिरः ॥ १२ ॥

अथ या दक्षिणतः । यदूर्ध्वं मध्यात्, अवाचीनं शीर्ष्णः—तदस्य ताः । अथ याः पश्चात्—यदूर्ध्वं प्रतिष्ठायाः, अवाचीनं मध्यात्,—तदस्य ताः । प्रतिष्ठैवोत्तरतः ॥ १३ ॥

तद्याः सप्त पुरस्ताद्वालखिल्या उपदधाति । यऽएवेमे सप्त पुरस्तात्प्राणाः—तानस्मिन्नेतद्दधाति । ता अनन्तर्हिता एताभ्यो दशभ्य उपदधाति । अनन्तर्हितांस्तच्छीर्ष्णः प्राणान्दधाति ॥ १४ ॥

अथ याः सप्त पश्चात् । यऽएवेमे सप्त पश्चात्प्राणाः—तानेतस्मिन्नेतद्दधाति । ता अनन्तर्हिता

इत्थं प्रजापतेः शरीररूपेण संस्कारमभिधायेदानीमाद्या स्वयमातृण्णा, पञ्च दिश्याः, विश्वज्योतिः, चतस्र ऋतव्या इत्येकादश त्यक्त्वाऽवशिष्टानां शिरआद्यङ्गकल्पनया तत्रत्यप्राणरूपसंस्कारं दर्शयति—तद्याः पुरस्तादि-त्यादिना । ' तत् ' तत्रात्मनि ' याः ' प्राणभृतो दश ' पुरस्तात् ' पूर्वदिशि ' उपदधाति, ' ' ताः ' ' अस्य ' चितिशरीरस्य ' शिरः ' आश्रयाश्रयिणामभेदस्य विवक्षितत्वात् ' प्राणा उ वै शिरः ' इति व्यपदेशः ॥ १२ ॥

' अथ या दक्षिणतः ' द्वादश ' तत् ' कटिप्रदेशात् ' ऊर्ध्वम् ' ' शीर्ष्णः ' अधस्तनं यदङ्गं तत्स्थानीया इत्यर्थः । पश्चाद्भाविन्यः ' याः ' द्वादशेष्टकाः ' ताः ' पादादुपरि, ' मध्याद् ' अधस्तनमङ्गम् । उत्तरत्र या दश ताः ' प्रतिष्ठैव ' पादावेवेत्यर्थः ॥ १३ ॥

एवं च सति ' याः सप्त पुरस्ताद्वालखिल्या उपदधाति ' ताभिः ' इमे ' परिदृश्यमानाः ' सप्त पुरस्तात्प्राणाः ' " चत्वारि दोर्बाहवाणि "—इत्यादिनोक्ताः । (श. प. ८ । ३ । ४ । ४) ' तानस्मिन्नेतद्दधाति ता अनन्तर्हिता एताभ्यो दशभ्य उपदधातीति । ' दशभ्यः ' प्राणभृद्भ्य इत्यर्थः । ' तत् ' तेन ' शीर्ष्णः ' शिरसः ' अनन्तर्हितान्प्राणान्दधाति ' ॥ १४ ॥

एवम् ' अथ याः सप्त पश्चात् ' इत्युत्तरवाक्यमपि व्याख्येयम् । सप्त पश्चात्प्राणाः " चत्वार्यूर्वष्ठीवानि " इत्यादिनोक्ताः (श. प. ८।३।४।९ ।) एताभ्यो द्वादशभ्य इति । मध्यत उपधेयाभ्यश्छन्दस्याभ्यः ' अन-

स्मिन्नेतुदधाति ताऽअुनन्तर्हिताऽएताभ्यो द्वादशुभ्यऽउुपदधात्युनन्त-र्हितांस्तुदात्मुनः प्राणुान्दधाति सुऽएषु व्वायुः प्रजापतिरस्मिंस्त्रैष्टुभे-ऽन्तुरिक्षे समन्तं पुर्यक्रस्तद्युत्तृतीयां चितिमुपदुधाति व्वायुं चैव तुदन्तुरिक्षं च संस्कृत्योपधत्तेऽथ लोकम्पृणेऽउुपदधात्यस्याᳬं स्रक्त्यां तुयोरुपरि बुन्धुः पुरीषं निवपति तुस्योपरि बुन्धुः ॥ १९ ॥

इति द्वितीयप्रपाठके तृतीयं ब्राह्मणम् ॥ ८–२–३ ॥ (३. ४.)

इति तृतीयोऽध्यायः समाप्तः ॥ ८ ॥ ३ ॥

एताभ्यो द्वादशभ्य उपदधाति । अनन्तर्हितांस्तदात्मनः प्राणान्दधाति । स एष वायुः प्रजापति-रस्मिंस्त्रैष्टुभेऽन्तरिक्षे समन्तं पर्यक्रः । तद्यत्तृतीयां चितिमुपदधाति–वायुं चैव तदन्तरिक्षं च संस्कृत्योपधत्ते । अथ लोकम्पृणेऽउपदधाति–अस्यां स्रक्त्याम् । तयोरुपरि बन्धुः । पुरीषं निवपाति । तस्योपरि बन्धुः ॥ १९ ॥

न्तार्हिताः ' इत्यर्थः । ' स एषः ' प्राणभृदादिवालखिल्यान्त इष्टकारूपः प्राणशरीरवान् ' प्रजापतिः ' ' अस्मिन् ' स्वयमातृण्णाद्यृतव्यान्तैकादशेष्टकारूपे त्रैष्टुभेऽन्तरिक्षे ' ' समन्तं पर्यक्रः ' परिव्याप्तो वर्तते । ' तत् ' तस्मात् इमाम् ' तृतीयां चितिमुपदधाति ' इति ' यत् ' ' तत् ' तेनोपधानेन ' वायुम् ' ' अन्तरिक्षं च ' ' संस्कृत्य ' उपहितवान्भवति । अथ लोकंपृणे इति । द्वे इष्टके उपदध्यात् । तयोर्ब्राह्मणमुपरि वक्ष्यते । (८।७।२।१) । अथ ' पुरीषं निवपति ' तस्यापि ब्राह्मणमुत्तरत्र वक्ष्यत इत्यतिदिशति–तस्योपरि बन्धुरिति । काण्डावसाने " असौ वा आदित्यो लोकम्पृणा इति–(श. प. ८ । ७ । २ । १ ।) " अन्नं वै पुरीषम् " (श. प. ८ । ७ । ३ । २) इत्यादिना वक्ष्यत इत्यर्थः ॥ १९ ॥

इति श्रीसायणाचार्यविरचिते माधवीये वेदार्थप्रकाशे माध्यन्दिनीयशतपथब्राह्मणभाष्ये अष्टमकाण्डे तृतीयेऽध्याये चतुर्थं ब्राह्मणम् ॥ (८–३–४) ॥

वेदार्थस्य प्रकाशेन तमो हार्दं निवारयन् । पुमर्थांश्चतुरो देयाद्विद्यातीर्थमहेश्वरः ॥ १ ॥

ब्रह्माण्डं गोसहस्रं कनकहयतुलापूरुषौ स्वर्णगर्भं,
सप्ताम्भोधीन्पञ्च सीरींस्त्रिदशतरुलताधेनुसौवर्णभूमीः ।
रत्नोस्रां रुक्मवाजिद्विपमहितरथौ सायणिः सिङ्गणार्यो,
व्यश्राणीद्विश्वचक्रं प्रथितविधिमहाभूतयुक्तं घटं च ॥
धान्याद्रिं धन्यजन्मा तिलभवमतुलः स्वर्णजं वर्णमुख्यः,
कार्पासीयं कृपावान्गुडकृतमजडो राजतं राजपूज्यः ।
आज्योत्थं प्राज्यजन्मा लवणजमनृणः शार्करं चार्कतेजा,
रत्नाढ्यो रत्नरूपं गिरिमकृत मुदा पात्रसात्सिङ्गणार्यः ॥

इति श्रीमद्राजाधिराजपरमेश्वरवैदिकमार्गप्रवर्तकश्रीहरिहरमहाराजसाम्राज्यधुरन्धरेण सायणाचार्येण विरचिते माधवीये वेदार्थप्रकाशे माध्यन्दिनीयशतपथब्राह्मणभाष्येऽष्टमकाण्डे तृतीयोऽध्यायः ॥ (८–३) ॥

अथ चतुर्थोऽध्याये प्रथमं ब्राह्मणम् ।

द्वितीयप्रपाठके च चतुर्थं ब्राह्मणम् ।

चतुर्थीं चितिमुपदधाति । (त्ये) एतद्वै देवास्तृतीयां चितिं चित्वा समारोहन्नन्तरिक्षं वै तृतीया चितिरन्तरिक्षमेव तत्संस्कृत्य समारोहन् ॥ १ ॥

(हंस्ते) तेऽब्रुवन् । (वंश्चे) चेतयध्वमिति चितिमिच्छतेति वाव तदब्रुवन्नितऽऊर्ध्वमिच्छतेति ते चेतयमानाऽएतां चतुर्थीं चितिमपश्यन्युदूर्ध्वमन्तरिक्षादर्वाचीनं दिवस्तेषामेष लोकोऽध्रुव ऽइवाप्रतिष्ठितऽइव मनस्यासीत् ॥ २ ॥

(त्ते) ते ब्रह्माब्रुवन् । (वँस्त्वा) त्वामिहोपदधामहाऽइति किं मे ततो भविष्यतीति त्वमेव नः श्रेष्ठं भविष्यसीति, तथेति तेऽत्र ब्रह्मोपादधत तस्मादाहुर्ब्रह्मैव देवानाꣳ श्रेष्ठमिति तदेतया वै चतुर्थ्या चित्येमे द्यावापृथिवी विष्टब्धे ब्रह्म वै चतुर्थी चितिस्तस्मादाहुर्ब्रह्मणा द्यावापृथिवी विष्टब्धेऽइति स्तोमानुपदधाति प्राणा वै स्तोमाः प्राणाऽउ वै ब्रह्म ब्रह्मैवैतदुपदधाति ॥ ३ ॥

अष्टादशस्तोमेष्टकोपधानम् ।

चतुर्थीं चितिमुपदधाति । एतद्वै देवास्तृतीयां चितिं चित्वा समारोहन् । अन्तरिक्षं वै तृतीया चितिः । अन्तरिक्षमेव तत्संस्कृत्य समारोहन् ॥ १ ॥

तेऽब्रुवन्–चेतयध्वमिति–चितिमिच्छतेति वाव तदब्रुवन्–इत ऊर्ध्वमिच्छतेति । ते चेतयमाना एतां चतुर्थीं चितिमपश्यन्–यदूर्ध्वमन्तरिक्षाद अर्वाचीनं दिवः । तेषामेष लोकोऽध्रुवऽइवाप्रतिष्ठित इव मनस्यासीत् ॥ २ ॥

ते ब्रह्माब्रुवन्–त्वामिहोपदधामहाऽइति । किं मे ततो भविष्यतीति । त्वमेव नः श्रेष्ठं भविष्यसीति । तथेति । तेऽत्र ब्रह्मोपादधत । तस्मादाहुः–ब्रह्मैव देवानां श्रेष्ठमिति । तदेतया वै चतुर्थ्या चित्येमे द्यावापृथिवी विष्टब्धे । ब्रह्म वै चतुर्थी चितिः । तस्मादाहुः–ब्रह्मणा द्यावापृथिवी विष्टब्धे इति । स्तोमानुपदधाति । प्राणा वै स्तोमाः । प्राणा उ वै ब्रह्म । ब्रह्मैवैतदुपदधाति ॥ ३ ॥

अथ चतुर्थे चतुर्थचित्या उपधानं विधाय स्तौति–चतुर्थीं चितिमुपदधात्येतद्वै देवा इत्यादिना । अन्तरिक्षादूर्ध्वं दिवोऽर्वाचीनं यत्स्थानं तच्चतुर्थी चितिः । अस्यां ब्रह्मण उपधानं विधातुमाह–तेषामेष लोक इति । 'तेषां मनसि ' ' अध्रुवः ' अत एव ' अप्रतिष्ठित इव ' स ' लोकः ' आसीत् ॥ १–२ ॥

' ते ' देवाः ब्रह्माख्यां देवताम् ' अब्रुवन् ' किमिति ? ' त्वामिहोपदधामहा इति ' ब्रह्म; तेन ' मे किम् '

यद्देव स्तोमानुपदधाति । (त्ये) एतद्वै देवाः प्रजापतिमब्रुवंस्त्वामिहो-
पदधामहाऽइति तथेति स वै नाब्रवीत्किं मे ततो भविष्यतीति यदु ह
किं च प्रजापतिर्देवेष्वीषे किमस्माकं ततो भविष्यतीत्येवोचुस्तस्माद्ध हैत-
द्यत्पिता पुत्रेष्विच्छते किमस्माकं ततो भविष्यतीत्येवाहुरथ यत्पुत्राः
पितरि तथेत्येवाहैवᳪं हि तदग्रे प्रजापतिश्च देवाश्च समवदन्त स्तोमानु-
पदधाति प्राणा वै स्तोमाः प्राणाऽउ वै प्रजापतिः प्रजापतिमेवैतदुपदधाति ४

यद्देव स्तोमानुपदधाति । एतद्वै देवाः प्रजापतिमब्रुवन्–त्वामिहोपदधामहाऽइति । तथेति । स वै नाब्रवीत्–किं मे ततो भविष्यतीति । यदु ह किं च प्रजापतिर्देवेष्वीषे– किमस्माकं ततो भविष्यतीत्येवोचुः । तस्माद्ध हैतद्–यत्पिता पुत्रेष्विच्छते–किमस्माकं ततो भविष्यतीत्येवाहुः । अथ यत्पुत्राः पितरि ' तथा ' इत्येवाह,–एवं हि तदग्रे प्रजापतिश्च देवाश्च समवदन्त । स्तोमानुपदधाति । प्राणा वै स्तोमाः । प्राणा उ वै प्रजापतिः । प्रजापतिमेवैतदुपदधाति ॥ ४ ॥

स्यादित्यब्रवीत् । ते देवाः ' त्वमेव ' ' नः ' अस्माकं मध्ये ' श्रेष्ठं भविष्यसि ' ' इति '–अब्रुवन् । ' तथेति ' चेत्युक्ताः ' ते ' ब्रह्मैवात्र ' उपादधत ' ' तस्मात् ' वेदविदो वदन्ति–' ब्रह्मैव देवानां श्रेष्ठमिति ' ' तत् ' तस्मात् परिवृढस्य ब्रह्मण उपहितत्वात् ' एतया चतुर्थ्या चित्या ' ' इमे द्यावापृथिवी ' ' विष्टब्धे ' विशेषेण धृते । चतुर्थ्याः चित्या विष्टम्भकारणत्वमाह–ब्रह्म वै चतुर्थी चितिरिति । स्पष्टमेतत् । स्तोमसंज्ञका इष्टका विधाय ब्रह्मात्मना स्तौति–स्तोमानुपदधाति प्राणा वै स्तोमा इति । त्रिवृत्स्तोमस्य वायुत्वेन स्तूयमानत्वाद् वायोश्च प्राणत्वात्तत्प्राधान्येऽपि सर्वेऽपि ' स्तोमाः प्राणाः ' इत्युच्यन्ते । ते च प्राणा ब्रह्मैव तदधिष्ठितत्वात् । अतस्तेन स्तोमोपधानेन साक्षाद्ब्रह्मैवोपदधाति ॥ ३ ॥

पुनः प्राजापत्यात्मना स्तौति–यद्देव स्तोमानुपदधातीत्यादिना । पुरा देवा स्वयं ' प्रजापतिं ' चतुर्थचितौ ' त्वामुपदधामहा इत्यब्रुवन् ' । ' सः ' तु तथेत्येवाङ्गीचकार । एवं यथा पुरा ब्रह्म किं मे ततः स्यादित्यब्रवीत्; तथा प्रजापतिर्नोवाचेत्यमुमर्थं लौकिकपितृपुत्रव्यवहारप्रदर्शनपुरःसरमुपपादयति–स वै नाब्रवीत्किं मे तत इत्यादिना । ' सः ' प्रजापतिः ' किं मे ततः ' स्यादिति ? ' नाब्रवीत् ' । ' यदु ह ' यदेव किंचित्फलं ' प्रजापतिः ' ' देवेषु ' देवानधिकृत्य ' ईषे ' ऐच्छत् । तदा देवाः ' किमस्माकं ततो भविष्यतीत्येव ऊचुः ' । ' तस्माद् '–एव कारणादिदानीमपि ' पिता पुत्रेषु ' कार्यमिच्छते, यदि किञ्चित् फलमिच्छति तदा स्वकर्तव्यप्रतिनिधित्वे ' किमस्माकं ततो भविष्यति ' इति ब्रूयुः । ' अथ यत् पुत्राः पितरि ' इच्छेयुस्तर्हि तथैवेत्याह; पिता हि पुत्रार्थं कस्मिन्फले साध्ये सति तथैवेत्यङ्गीकुर्यात्, किं ततः स्यादिति न ब्रूयादित्यर्थः । ' एवं हि ' उक्तेन प्रकारेण खलु ' तत् ' तदा ' अग्रे ' देवकर्तृकप्रजापतिप्रार्थनासमये ' प्रजापतिश्च देवाश्च समवदन्त ' संवादमकुर्वन् । " व्यक्तवाचां समुच्चारणे "–(पा. सू. १ । ३ । ४८) इत्यात्मनेपदम् । प्रयोगान्तरेण व्यवधानात् पुनरनुवदति–स्तोमानुपदधातीति । स्तोमानां प्राणत्वमुक्तं प्राक् (अनुपदमेव तृतीयकण्डिकायाम्) । अङ्गाङ्गिनोरभेदात् प्राण एव प्रजापतिः । अतः स्तोमोपधाने प्रजापतिमेवोपदधाति ॥ ४ ॥

य॒द्धेव स्तो॒मानु॒पद॒धाति । ये वै ते॒ प्राणा ऽऋ॒षय ऽए॒तां चतु॒र्थीं चि॒तिम॒पश्य॑न्ये त॒ऽए॒तेन र॒सेनोपा॒यंस्त॒ऽए॒ते ता॒नेवै॒तदु॒पद॒धाति स्तो॒मानु॒पद॒धाति प्राणा॒ वै स्तो॒माः प्राणा॒ऽ उ वा॒ऽऋ॒षय ऽऋ॒षीने॒वैतदु॒पद॒धाति ॥ ५ ॥

य॒द्धेव स्तो॒मानु॒पद॒धाति । प्र॒जाप॑तिं॒ व्विस्र॑स्तं दे॒व॒ता॒ऽआदा॒य व्व्यु॒दक्रा॒मं॒स्त॒स्य य॒दूर्ध्वं॑ म॒ध्याद॒वाचीन॑ᳪ शी॒र्ष्ण॑स्त॒द॒स्य व्वा॒यु॒रादा॒योत्क्र॒म्याति॑ष्ठ॒द्दे॒व॒ताश्च॒ भूत्वा॒ सं॒व्व॒त्स॒र॒रू॒पा॒णि च ॥ ६ ॥

त॒मब्र॑वीत् । (वु) उ॒प मे॒हि॒ प्र॒ति म॒ऽए॒त॒द्धे॒हि॒ ये॒न मे॒ त्व॒मु॒द॒क्र॒मी॒रि॒ति॒ किं॒ मे॒ त॒तो॒ भ॒वि॒ष्य॒ती॒ति॒ त्व॒द्दे॒व॒त्य॒मे॒व॒ म॒ऽए॒त॒दा॒त्म॒नो॒ भ॒वि॒ष्य॒ती॒ति॒ त॒थे॒ति॒ त॒द॒स्मि॒न्ने॒त॒द्वा॒युः॒ प्र॒त्य॒द॒धा॒त् ॥ ७ ॥

यद्धेव स्तोमानुपदधाति । ये वै ते प्राणा ऋषय एतां चतुर्थीं चितिमपश्यन्, ये तऽएतेन रसेनोपायन्–तऽएते । तानेवैतदुपदधाति । प्राणा वै स्तोमाः । प्राणा उ वा ऋषयः । ऋषीनेवैतदुपदधाति ॥ ५ ॥

यद्धेव स्तोमानुपदधाति । प्रजापतिं विस्रस्तं देवता आदाय व्युदक्रामन् । तस्य यदूर्ध्वं मध्यात्, अवाचीनं शीर्ष्णः–तदस्य वायुरादायोत्क्रम्यातिष्ठत्–देवताश्च भूत्वा संवत्सररूपाणि च ॥ ६ ॥

तमब्रवीत्–उप मेहि, मति मऽएतद्धेहि–येन मे त्वमुदक्रमीरिति । किं मे ततो भविष्यतीति । त्वद्देवत्यमेव म एतदात्मनो भविष्यतीति । तथेति । तदस्मिन्नेतद्वायुः मत्यदधात् ॥ ७ ॥

पूर्वं प्राणद्वारा प्रजापतिरूपत्वेन स्तुत्वेदानीं चितिप्रयुक्तमृषित्वं प्राणेषु सम्पाद्य तदात्मना स्तौति–यद्धेव स्तोमानित्यादिना । ' ये ' प्राणाख्याः ' ऋषयः ' ' एतां चतुर्थीं चितिमपश्यन् '; एते चितिद्रष्टारः ऋषयः प्राणाः, ' एतेन रसेन ' चतुर्थचित्यात्मना दृष्टेन सारेण ' उपायन् '। 'ते' प्राजापत्यात्मकतां प्राप्ता एव 'एते' प्रसिद्धाः प्राणा इत्यर्थः । ' तानेव ' चितिरसाभिन्नान्प्राणानेव ' उपदधाति ' । उक्तमृषित्वमुपजीव्य पुनः स्तौति–प्राणा उ वा ऋषय इति । स्तोमदर्शनात् ' ऋषयः प्राणाः ' ॥ ५ ॥

अथ पुनर्विस्रस्तप्रजापत्यवयवप्रतिसन्धानरूपतया प्रशंसति–यद्धेव स्तोमानुपदधाति प्रजापतिमित्यादिना । पितुः प्रजापतेः सर्वपुत्रसाधारणद्रव्यत्वादितरदेवतावद् ' वायुः ' अपि प्रजापतेर्मध्यभागशिरोभागयोर्मध्यदेशम् ' आदाय देवताश्च संवत्सररूपाणि च भूत्वोत्क्रम्यातिष्ठत् ' ॥ ६ ॥

अथ 'तम्' वायुं प्रजापतिः 'अब्रवीत्' 'मा' मां 'उपेहि' 'मे' मदीयम् 'एतत्' त्वयाऽपहृतमङ्गं ' प्रतिधेहि ' प्रतिधानं कुरु । ' येन ' ' मे ' अङ्गेन सह ' त्वमुदक्रमीः ' गतवानसि । ' किं मे ततो भविष्यति ' इति पृष्टः प्रजापतिः ' मे आत्मनः ' शरीरस्य ' सम्बन्धि एतद् ' अङ्गं ' त्वद्देवत्यमेव भविष्यति ' ' इति '–अब्रवीत् । अथासौ वायुः ' तथेति ' उक्त्वा तदङ्गं ' प्रत्यदधात् ' ॥ ७ ॥

(त्त) तद्या ऽएता ऽअष्टादश प्रथमाः । (ऽ) एतदस्य तदात्मनस्तद्य-
देताऽअत्रोपदधाति यदेवास्यैताऽआत्मनस्तदस्मिन्नेतत्प्रतिदधाति तस्मा-
देताऽअत्रोपदधाति स्तोमानुपदधाति प्राणा वै स्तोमाः प्राणा ऽउ वै
व्वायुर्व्वायुमेवैतदुपदधाति ॥ ८ ॥

स पुरस्तादुपदधाति । (त्या) आशुस्त्रिवृदिति य ऽएव त्रिवृत्स्तोमस्तं
तदुपदधाति तद्यत्तमाहाशुरित्येष हि स्तोमानामाशिष्ठोऽथो व्वायुर्व्वा-
ऽआशुस्त्रिवृत्सऽएषु त्रिषु लोकेषु व्वर्त्तते तद्यत्तमाहाशुरित्येष हि सर्व्वेषां
भूतानामाशिष्ठो व्वायुर्ह भूत्वा पुरस्तात्तस्थौ तदेव तद्रूपमुपदधाति ॥ ९ ॥

तद् या एता अष्टादश प्रथमाः—एतदस्य तदात्मनः । तद्यदेता अत्रोपदधाति—यदेवास्यैता आत्मनः—तदस्मिन्नेतत्प्रतिदधाति । तस्मादेता अत्रोपदधाति । स्तोमानुपदधाति । प्राणा वै स्तोमाः । प्राणा उ वै वायुः । वायुमेवैतदुपदधाति ॥ ८ ॥

स पुरस्तादुपदधाति । (१) "आशुस्त्रिवृत्"—इति । य एव त्रिवृत्स्तोमस्तं तदुपदधाति । तद्यत्तमाह—आशुरिति । एष हि स्तोमानामाशिष्ठः । अथो वायुर्वा आशुस्त्रिवृत् । स एषु त्रिषु लोकेषु वर्त्तते । तद्यत्तमाह—आशुरिति—एष हि सर्वेषां भूतानामाशिष्ठः । वायुर्ह भूत्वा पुरस्तात्तस्थौ । तदेव तद्रूपमुपदधाति ॥ ९ ॥

प्रतिहितो भागः क इति तं दर्शयति—तद्या एता अष्टादश प्रथमा एतदस्य तदात्मन इति । प्रथममुपधेया 'अष्टादश'—सङ्ख्याकाः 'याः' स्तोमेष्टकाः "आशुस्त्रिवृत्" इत्यादिमन्त्रोपधेयाः सन्ति एतदेव तदङ्गमित्यर्थः । 'तस्मादेताः' इत्यादि स्पष्टम् । स्तोमानुपदधाति प्राणा वा इत्यादिना—वायुत्वेनैकैका स्तूयते ॥ ८ ॥

उपधानमनूद्य मन्त्रान्विधाय व्याचष्टे—स पुरस्तादुपदधात्याशुस्त्रिवृदित्यादिना । 'आशुस्त्रिवृत्'—'इति'—मन्त्रसाध्येष्टकोपधानेन 'य एव' त्रिवृदाख्यः "तिसृभ्यो हिङ्करोति" इत्याद्युक्तलक्षणस्तोमोऽस्ति तमेव तत्रोपदधाति । एवं पञ्चदशादिष्वपि व्याख्येयम् । त्रिवृतो यद्विशेषणमाशुरिति तद्व्याचष्टे—तद्यत्तमाहेति । 'तत्' तत्र 'यत्' येनाभिप्रायेण 'तम्' त्रिवृत्स्तोमम् 'आशुरिति' 'आह' मन्त्रः, सोऽभिप्रायोऽभिधीयत इत्यर्थः । 'एष हि' त्रिवृत्स्तोमः खलु 'स्तोमानाम्' पञ्चदशादीनां मध्ये 'आशिष्ठः' अतिशयेनाशुः ऋचां नवकरूपत्वेन शीघ्रं समाप्तेः । प्रकारान्तरेण मन्त्रं व्याचष्टे—अथो वायुर्वा आशुस्त्रिवृदिति । स च त्रिषु लोकेषु वर्तमानस्त्रिवृत् । अस्तु त्रिवृद्वायुस्तस्याशुत्वविशेषणं कथमिति तदुपपादयति—तद्यत्तमाहेत्यादिना । अस्तु व्युत्पत्त्या वायुराशुस्त्रिवृत्, तथापि तस्य चितिसम्बन्धः कथमिति तत्राह—वायुर्ह भूत्वा पुरस्तात्तस्थाविति । पुरा त्रिवृत्स्तोमो 'वायुर्भूत्वा' पूर्वस्यां दिशि देवानां चयनानुष्ठानसमये 'तस्थौ' स्थितवान् । 'तदेव' वायुरूपं पुरस्ताद्देशे 'उपदधाति' यजमानः ॥ ९ ॥

१—उत्तरां पूर्वयोराशुस्त्रिवृदिति । का. श्रौ. सू. । १७ । २११ ।

भान्तुः पञ्चदश ऽइति । सु ऽएवु पञ्चदश स्तोमस्तं तदुपदधाति तद्यत्तमाह भान्तऽइति व्वज्रो वै भान्तो व्वज्रः पञ्चदशोऽथो चन्द्रमा वै भान्तुः पञ्चदशः स च पुञ्चदशाहान्यापूर्यते पुञ्चदशापक्षीयते तद्यत्तमाह भान्त ऽइति भाति हि चन्द्रमाश्चन्द्रमा ह भूत्वा दक्षिणतुस्तस्थौ तुदेव तुद्रूपमुपदधाति ॥ १० ॥

व्योमा सप्तदश ऽइति । सुऽएवु सप्तदश स्तोमस्तं तदुपदधाति तद्यत्तमाह व्योमेति प्रजापतिर्व्वै व्योमा प्रजापतिः सप्तदशोऽथो संव्वत्सरो वावु व्योमा सप्तदशस्तुस्य द्वादश मासाः पुञ्चऽर्तवस्तद्यत्तमाहु व्योमेति व्योमा हि संव्वत्सरुः संव्वत्सरो ह भूत्वोत्तरतुस्तस्थौ तुदेव तुद्रूपमुपदधाति ॥ ११ ॥

---

(२) "भान्तः पञ्चदशः"–इति । य एव पञ्चदश स्तोमः–तं तदुपदधाति । तद्यत्तमाह–भान्त इति–वज्रो वै भान्तः । वज्रः पञ्चदशः । अथो चन्द्रमा वै भान्तः पञ्चदशः । स च पञ्चदशाहान्यापूर्यते, पञ्चदशापक्षीयते । तद्यत्तमाह–भान्त इति । भाति हि चन्द्रमाः । चन्द्रमा ह भूत्वा दक्षिणतस्तस्थौ । तदेव तद्रूपमुपदधाति ॥ १० ॥

(३) "व्योमा सप्तदशः" इति । य एव सप्तदश स्तोमः–तं तदुपदधाति । तद् यत्तमाह–व्योमेति । प्रजापतिर्वै व्योमा । प्रजापतिः सप्तदशः । अथो संवत्सरो वाव व्योमा सप्तदशः । तस्य द्वादश मासाः, पञ्चर्तवः । तद् यत्तमाह–व्योमेति । व्योमा हि संवत्सरः । संवत्सरो ह भूत्वोत्तरतस्तस्थौ । तदेव तद्रूपमुपदधाति ॥ ११ ॥

दक्षिणत उपधेयद्वितीयेष्टकामन्त्रं व्याचष्टे–भान्तः पञ्चदशः इति । द्वितीयामिष्टकामुपदध्यादित्यर्थः । त्रिवृत्पञ्चदशादयो वक्ष्यमाणाः । सप्तदशादिस्तोमाश्च सामब्राह्मणे, तत्सूत्रे च द्रष्टव्याः । पञ्चदशस्तोमोपधानेन साक्षात्तं स्तोममेवोपदधाति । तद्यत्तमाहेति । एतत्पूर्ववद्व्याख्येयम् । 'भान्तः' इति पञ्चदशस्तोमविशेषणम् । विशेषणविशेष्ययोः सामानाधिकरण्यायैकार्थपरतामाह–वज्रो वै भान्तो वज्रः पञ्चदश इति । मन्त्रस्यार्थान्तरमाह–अथो चन्द्रमा वै भान्तः पञ्चदश इति । पञ्चदशस्तोमस्य यथा स्तोत्रीयागतपञ्चदशसंख्यासम्बन्धः । एवं पञ्चदशशब्दाभिधेयस्य चन्द्रमसोऽपि पञ्चदशसंख्यायोगमाह–स च पञ्चदशाहान्यापूर्यते पञ्चदशापक्षीयते इति । अयमर्थः सर्वजनदृश्यः उपचयापचयकालावच्छेदकत्वेन पञ्चदशानामह्नां सम्बन्धाच्चन्द्रः पञ्चदश इति । तथा पञ्चदशशब्दस्य चन्द्रे प्रवृत्तौ निमित्तं दर्शितं भवति । एवं भान्तशब्दस्यापि चन्द्रे प्रवृत्तिनिमित्तं दर्शयति–भाति हि चन्द्रमा इति । भाति दीप्यत इति भान्तश्चन्द्रः शिष्टं वायुवाक्यवत् । 'दक्षिणतस्तस्थौ' इति लिङ्गादनेन मन्त्रेण दक्षिणत उपदध्यादित्यर्थः । एवमुत्तरतः पश्चात् इत्यनयोरपि वाक्ययोर्द्रष्टव्यम् ॥ १० ॥

उत्तरत्रोपधेयेष्टकामन्त्रः–व्योमा सप्तदश इति । तत्र विशेषणविशेष्ये उभे अपि प्रजापतिमेवैकार्थवृत्तित्व-

---

१–दक्षिणां दक्षिणयोर्भान्तः पंचदश इति । का. श्रौ. सू. १७ । २१३ । २–दक्षिणामुत्तरयोर्व्योमा सप्तदश इति । का. श्रौ. सू. १७ । २१४ ।

धरुणऽएकविꣳश ऽइति । य ऽएवैकविꣳश स्तोमस्तं तदुपदधाति तद्यत्तमाह धरुण ऽइति प्रतिष्ठा वै धरुणः प्रतिष्ठैकविꣳशोऽथोऽअसौ वाऽआदित्यो धरुण ऽएकविꣳशस्तस्य द्वादश मासाः पञ्चऽर्तवस्त्रय ऽइमे लोकाऽअसावेवादित्यो धरुण ऽएकविꣳशस्तद्यत्तमाह धरुण ऽइति यदा ह्येवैषोऽस्तमेत्यथेदꣳ सर्वं ध्रियतऽआदित्यो ह भूत्वा पश्चात्तस्थौ तदेव तद्रूपमुपदधात्यथ संव्वत्सररूपाण्युपदधाति ॥ १२ ॥ (अर्धप्रपाठकः) ॥

प्रतूर्तिरष्टादश ऽइति । य ऽएवाष्टादश स्तोमस्तं तदुपदधात्यथो संव्वत्सरो वाव प्रतूर्तिरष्टादशस्तस्य द्वादश मासाः पञ्चऽर्तवः संव्वत्सर ऽएव प्रतूर्तिरष्टादशस्तद्यत्तमाह प्रतूर्तिरिति संव्वत्सरो हि सर्वाणि भूतानि प्रतिरति तदेव तद्रूपमुपदधाति ॥ १३ ॥

---

(४) "धरुण एकविंशः"–इति । य एवैकविंशः स्तोमः–तं तदुपदधाति । तद् यत्तमाह–धरुण इति । प्रतिष्ठा वै धरुणः । प्रतिष्ठैकविंशः । अथो असौ वा आदित्यो धरुण एकविंशः । तस्य द्वादश मासाः, पञ्चर्तवः, त्रय इमे लोकाः, असावेवादित्यो धरुण एकविंशः । तद् यत्तमाह धरुण–इति । यदा ह्येवैषोऽस्तमेति–अथेदं सर्वं ध्रियते । आदित्यो ह भूत्वा पश्चात्तस्थौ । तदेव तद्रूपमुपदधाति । अथ संवत्सररूपाण्युपदधाति ॥ १२ ॥

(५) "प्रतूर्तिरष्टादशः"–इति । य एवाष्टादशः स्तोमः–तं तदुपदधाति । अथो संवत्सरो वाव प्रतूर्तिरष्टादशः । तस्य द्वादश मासाः, पञ्चर्तवः, संवत्सर एव प्रतूर्तिरष्टादशः । तद्यत्तमाह–प्रतूर्तिरिति । संवत्सरो हि सर्वाणि भूतानि प्रतिरति । तदेव तद्रूपमुपदधाति ॥ १३ ॥

प्रदर्शनाय भूत इत्याह–प्रजापतिर्वै व्योमेति । विशेषेणावति सर्वमिति व्योमो[1] । प्रजापतिः सप्तदश इति । प्रजापतेः सप्तदशत्वं दर्शयति–द्वादश मासाः पञ्चर्तव इति ॥ ११ ॥

पश्चादुपधेयेष्टकामन्त्रमुदाहृत्य व्याचष्टे–धरुण एकविंश इति[2] । आदित्यस्यैकविंशत्वं द्वादशमासपञ्चर्तु-लोकत्रयात्मकान्पदार्थानपेक्ष्यास्यैकविंशतिसङ्ख्यापूरकत्वादित्याह–द्वादशेत्यादिना । आदित्यस्य धरुणत्वमुप-पादयति–यदा ह्येवैषोऽस्तमेत्यथेदं सर्वं ध्रियत इति । अस्तमयानन्तरं स्वस्वव्यापारस्य दृष्टिप्रसवाभावात्सर्वं निभृतं धृतमिव भवति;अतः ' असावेवादित्यो धरुणः ' शिष्टं पूर्ववत् ॥

इत्थं चतुर्दिक्षु वाय्वादिदेवतारूपाणां चतसृणामिष्टकानामुपधानमभिधायोत्तरत्रोपधेयानां चतुर्दशानां संव-त्सररूपतां प्रतिजानीते–अथ संवत्सररूपाण्युपदधातीति ॥ १२ ॥

तानि क्रमेण दर्शयति–प्रतूर्तिरष्टादश इत्यादिना[3] । प्रजापतेः प्रतूर्तित्वमुपपादयति–संवत्सरो हि सर्वाणि

१–विपूर्वादवतेर्व्याप्त्यर्थात् " सर्वधातुभ्यो मनिन् " इति (पा. सू. उणा. ४ । १४८) उणादिसूत्रेण मनिन्प्रत्यय ज्वरत्वरस्रिव्यविमवामुपधायाश्च " (पा. सू. ६ । ४ । २०) इत्यूठि च (पा० सू० ६ । १ । ८७) गुणः ।

२–दक्षिणामपरयोर्धरुण एकविंश इति । का. श्रौ. सू. १७ । २१२ । ३–चतुर्दश प्रतिमंत्रं प्रतूर्तिरष्टादश इति । का. श्रौ. सू. १७ । २१५ ॥

तपो नवदशऽइति । यऽएव नवदश स्तोमस्तं तदुपदधात्यथो संव्वत्सरो वाव तपो नवदशस्तस्य द्वादश मासाः षड्टतवः संव्वत्सरऽएव तपो नवदशस्तद्यत्तमाह तपऽइति संव्वत्सरो हि सर्व्वाणि भूतानि तपति तदेव तद्रूपमुपदधाति ॥ १४ ॥

(त्य) अभीवर्तः सविᳬंशऽइति । यऽएव सविᳬंश स्तोमस्तं तदुपदधात्यथो संव्वत्सरो वाऽअभीवर्तः सविᳬंशस्तस्य द्वादश मासाः सप्तऽर्त्तवः संव्वत्सरऽएवाभीवर्तः सविᳬंशस्तद्यत्तमाहाभीवर्तऽइति संव्वत्सरो हि सर्व्वाणि भूतान्यभिवर्तते तदेव तद्रूपमुपदधाति ॥ १५ ॥

व्वर्चो द्वाविᳬंशऽइति । यऽएव द्वाविᳬंश स्तोमस्तं तदुपदधात्यथो संव्वत्सरो वाव व्वर्चो द्वाविᳬंशस्तस्य द्वादश मासाः सप्तऽर्त्तवो द्वेऽअहोरात्रे

---

(६) "तपो नवदशः"—इति । य एव नवदशः स्तोमः—तं तदुपदधाति । अथो संवत्सरो वाव तपो नवदशः । तस्य द्वादश मासाः, षड्टतवः, संवत्सर एव तपो नवदशः । तद्यत्तमाह—तप इति । संवत्सरो हि सर्वाणि भूतानि तपति । तदेव तद्रूपमुपदधाति ॥ १४ ॥

(७) "अभीवर्तः सविंशः"—इति । य एव सविंशः स्तोमः—तं तदुपदधाति । अथो संवत्सरो वा अभीवर्तः सविंशः । तस्य द्वादश मासाः, सप्तऽर्तवः, संवत्सर एवाभीवर्तः सविंशः । तद्यत्तमाह—अभीवर्त इति । संवत्सरो हि सर्वाणि भूतान्यभिवर्तते । तदेव तद्रूपमुपदधाति ॥ १५ ॥

(८) "वर्चो द्वाविंशः"—इति । य एव द्वाविंशः स्तोमः—तं तदुपदधाति । अथो संवत्सरो

भूतानि प्रतिरतीति । 'सर्वाणि भूतानि' उद्दिश्य तत्तदुत्पत्त्यादिनिमित्तं स्वयं 'प्रतिराति' प्रपूर्वस्तिरतिर्वर्धनार्थः; कलाकाष्ठादिक्रमेण वर्धत इत्यर्थः । शिष्टं पूर्ववत् ॥ १३ ॥

एवमुत्तरत्रापि त्रयोदशस्तोमेष्टकोपधानमन्त्रब्राह्मणानि व्याख्येयानि, तत्र तपो—ऽभीवर्त—वर्चः—सम्भरण—योनि—गर्भ—ओजः—क्रतु—प्रतिष्ठा—ब्रध्नस्यविष्टप—नाक—विवर्त—धर्त्रैस्त्रयोदशभिर्विशेषणैर्विशेष्याः—नवदश—सविंश—द्वाविंश—त्रयोविंश—चतुर्विंश—पञ्चविंश—त्रिणव—एकत्रिंश—त्रयस्त्रिंश—चतुस्त्रिंश—षट्त्रिंश—अष्टाचत्वारिंश—चतुष्टोमाख्यास्त्रयोदश स्तोमा एव । तत्र पूर्वपूर्वस्तोत्रेभ्यश्चतुःस्तोत्रियाधिकस्तोमश्चतुष्टोमस्तस्य क्लृप्तिप्रकारो वाय्वायने सामसूत्रे प्रदर्शितः । शिष्टास्तत्तत्संख्याकाभिः स्तोत्रियाभिर्निष्पाद्यास्तत्रैव द्रष्टव्याः । एतैः सर्वैः सविशेषणैः स्तोमैः प्रजापतिरेवाभिधीयते । तस्य तावत्सङ्ख्यापूरकत्वं मासार्धमासपञ्चषट्सप्तर्तुलोकत्रयाहोरात्राद्यपेक्षया तत्र तत्रोक्तप्रकारेण द्रष्टव्यम् । तपआदिविशेषणानां संवत्सराभिधायकत्वं योजयित्वा प्रदर्श्यते तथा हि—तपतीति 'तपः' संवत्सरः । कथम् ? संवत्सरो हि सर्वाणि भूतानि, तेषामर्थाय 'तपति' सकलभौतिकपदार्थपरिपाकस्य संवत्सरकालाधीनत्वात्तत्तद्भूततपनस्य भूतार्थता । 'संवत्सरः सर्वाणि भूतान्यभिवर्तते' तदर्थं पुनरावर्तते इति 'अभीवर्तः' । अभिवर्तनस्य भूतार्थत्वं पूर्ववद्द्रष्टव्यम् । अतो भूतार्थमभिवर्तनाद् अभीवर्तः । "उपसर्गस्य घञ्यमनुष्ये बहुलम्"—(पा. सू. ६ । ३ । १२२) इति दीर्घः । यस्मात् 'संवत्सरः'

संव्वत्सर ऽएव व्वर्चो द्वाविꣳशस्तद्यत्तमाह व्वर्च ऽइति संव्वत्सरो हि सर्व्वेषां भूतानां व्वर्चस्वितमस्तदेव तद्रूपमुपदधाति ॥ १६ ॥

सम्भरणस्त्रयोविꣳश ऽइति । य ऽएव त्रयोविꣳश स्तोमस्तं तदुपदधात्यथो संव्वत्सरो वाव सम्भरणस्त्रयोविꣳशस्तस्य त्रयोदश मासाः सप्त ऽर्त्तवो द्वे ऽअहोरात्रे संव्वत्सर ऽएव सम्भरणस्त्रयोविꣳशस्तद्यत्तमाह सम्भरण ऽइति संव्वत्सरो हि सर्व्वाणि भूतानि सम्भृतस्तदेव तद्रूपमुपदधाति ॥ १७ ॥

योनिश्चतुर्विꣳश ऽइति । य ऽएव चतुर्विꣳश स्तोमस्तं तदुपदधात्यथो संव्वत्सरो वाव योनिश्चतुर्विꣳशस्तस्य चतुर्विꣳशतिरर्धमासास्तद्यत्तमाह योनिरिति संव्वत्सरो हि सर्व्वेषां भूतानां योनिस्तदेव तद्रूपमुपदधाति ॥ १८ ॥

गर्भाः पञ्चविꣳश ऽइति । य ऽएव पञ्चविꣳश स्तोमस्तं तदुपदधात्यथो संव्वत्सरो वाव गर्भाः पञ्चविꣳशस्तस्य चतुर्विꣳशतिरर्धमासाः संव्वत्सर ऽ

वाव वर्चो द्वाविंशः । तस्य द्वादश मासाः, सप्तऽर्तवः, द्वेऽअहोरात्रे, संवत्सर एव वर्चो द्वाविंशः । तद्यत्तमाह—वर्च इति । संवत्सरो हि सर्वेषां भूतानां वर्चस्वितमः । तदेव तद्रूपमुपदधाति ॥ १६ ॥

(९) "**सम्भरणस्त्रयोविंशः**"—इति । य एव त्रयोविंशः स्तोमः—तं तदुपदधाति । अथो संवत्सरो वाव सम्भरणस्त्रयोविंशः । तस्य त्रयोदश मासाः, सप्तऽर्तवः, द्वेऽअहोरात्रे, संवत्सर एव सम्भरणस्त्रयोविंशः । तद्यत्तमाह—सम्भरण इति । संवत्सरो हि सर्वाणि भूतानि सम्भृतः । तदेव तद्रूपमुपदधाति ॥ १७ ॥

(१०) "**योनिश्चतुर्विंशः**"—इति । य एव चतुर्विंशः स्तोमः—तं तदुपदधाति । अथो संवत्सरो वाव योनिश्चतुर्विंशः । तस्य चतुर्विंशतिरर्धमासाः । तद्यत्तमाह—योनिरिति । संवत्सरो हि सर्वेषां भूतानां योनिः । तदेव तद्रूपमुपदधाति ॥ १८ ॥

(११) "**गर्भाः पञ्चविंशः**"—इति । य एव पञ्चविंशः स्तोमः—तं तदुपदधाति । अथो संवत्सरो वाव गर्भाः पञ्चविंशः । तस्य चतुर्विंशतिरर्धमासाः । संवत्सर एव गर्भाः पञ्चविंशः । तद्यत्तमाह—गर्भा इति । संवत्सरो ह त्रयोदशो मासो गर्भो भूत्वऽर्तून्प्रविशति । तदेव तद्रूपमुपदधाति ॥ १९ ॥

सर्वेषां भूतानां ' मध्ये ' वर्चस्वितमः ' वर्चो बलम् अतिशयेन तद्वानित्यर्थः । तत्तद्वतोरभेदाद्वर्चः संवत्सरः । यस्मात्सर्वाणि भूतानि सम्भ्रियन्ते स्वाङ्गैः सम्पूर्णाः, अतः सम्भरतीति ' सम्भरणः ' संवत्सरः । " कालः सृजति भूतानि कालः संहरते प्रजाः " (हारीतस्मृ. ४ अ.) इति स्मरणात्सर्वभूतोत्पत्त्याश्रयत्वाद् ' योनिः ' उच्यते । संवत्सरः कदाचित्त्रयोदशेनाधिकमासेन गर्भः, अतः ' संवत्सरो ह त्रयोदशो मासो गर्भो भूत्वर्तून्प्रविशति '

एव गुर्भाः पञ्चविꣳशस्तद्यत्तमाह गुर्भा ऽइति संव्वत्सरो ह त्रयोदशो मासो गुर्भो भूत्वाऽऽर्तून्प्रविशति तुदेव तद्रूपमुपदधाति ॥ १९ ॥

(त्यो) ओजस्त्रिणव ऽइति । स ऽएव त्रिणव स्तोमस्तं तदुपदधाति तद्यत्तमाहौज ऽइति व्वज्रो वाऽओजो व्वज्रस्त्रिणवोऽथो संव्वत्सरो वाऽओजस्त्रिणवस्तस्य चुतुर्विꣳशतिरर्धमासा द्वेऽअहोरात्रे संव्वत्सरऽ एवौजस्त्रिणवस्तद्यत्तमाहौज ऽइति संव्वत्सरो हि सुर्व्वेषां भूतानामोजस्वितमस्तुदेव तद्रूपमुपदधाति ॥ २० ॥

क्रुतुरेकत्रिꣳश ऽइति । स ऽएवैकत्रिꣳश स्तोमस्तं तदुपदधात्यथो संव्वत्सरो वाव क्रुतुरेकत्रिꣳशस्तस्य चुतुर्विꣳशतिरर्धमासाः षुडृतवः संव्वत्सर ऽएव क्रुतुरेकत्रिꣳशस्तद्यत्तमाह क्रुतुरिति संव्वत्सरो हि सुर्व्वाणि भूतानि करोति तुदेव तद्रूपमुपदधाति ॥ २१ ॥

प्रतिष्ठा त्रयस्त्रिꣳश ऽइति । स ऽएव त्रयस्त्रिꣳश स्तोमस्तं तदुपदधाति तद्यत्तमाह प्रतिष्ठेति प्रतिष्ठा हि त्रयस्त्रिꣳशोऽथो संव्वत्सरो वाव प्रतिष्ठा त्रयस्त्रिꣳशस्तस्य चुतुर्विꣳशतिरर्धमासाः षुडृतवो द्वेऽअहोरात्रे संव्वत्सरऽ

---

(१२) "ओजस्त्रिणवः"—इति । य एव त्रिणवः स्तोमः—तं तदुपदधाति । तद्यत्तमाह—ओज इति । वज्रो वाऽओजः । वज्रस्त्रिणवः । अथो संवत्सरो वाऽओजस्त्रिणवः । तस्य चतुर्विंशतिरर्धमासाः, द्वेऽअहोरात्रे, संवत्सर एवौजस्त्रिणवः । तद्यत्तमाह—ओज इति । संवत्सरो हि सर्वेषां भूतानामोजस्वितमः । तदेव तद्रूपमुपदधाति ॥ २० ॥

(१३) "क्रतुरेकत्रिंशः"—इति । य एवैकत्रिंशः स्तोमः—तं तदुपदधाति । अथो संवत्सरो वाव क्रतुरेकत्रिंशः । तस्य चतुर्विंशतिरर्धमासाः, षड्ऋतवः, संवत्सर एव क्रतुरेकत्रिंशः । तद्यत्तमाह—क्रतुरिति । संवत्सरो हि सर्वाणि भूतानि करोति । तदेव तद्रूपमुपदधाति ॥ २१ ॥

(१४) "प्रतिष्ठा त्रयस्त्रिंशः"—इति । य एव त्रयस्त्रिंशः स्तोमः—तं तदुपदधाति । तद्यत्तमाह—प्रतिष्ठेति । प्रतिष्ठा हि त्रयस्त्रिंशः । अथो सम्वत्सरो वाव प्रतिष्ठा त्रयस्त्रिंशः । तस्य चतुर्विंशतिरर्ध

इत्युक्तम् । यथा गर्भो जननीजठरे प्रविष्ट एवमृत्वन्तःप्रवेशाद्गर्भत्वम् । तथाऽयमेव मासोऽधिको भवतीति नियमाभावात् कदाचित्कस्मिंश्चिदृतावनुप्रवेशादृतून् प्रविशतीति बहुवचननिर्देशः । संवत्सरस्यौजोरूपत्वं वर्चो वद्व्याख्येयम् । 'सर्वाणि भूतानि करोति' इति 'क्रतुः' । सर्वत्र भूतशब्देन भूतविकाराः पदार्था उच्यन्ते ॥ १४–२१ ॥

सर्वभूतानां प्रतिष्ठास्पदत्वात् 'संवत्सरः प्रतिष्ठा' ॥ २२ ॥

एव प्रतिष्ठा त्रयस्त्रिꣳशस्तद्यत्तमाह प्रतिष्ठेति संवत्सरो हि सर्वेषां भूतानां प्रतिष्ठा तदेव तद्रूपमुपदधाति ॥ २२ ॥

ब्रध्नस्य विष्टपं चतुस्त्रिꣳश ऽइति । य ऽएव चतुस्त्रिꣳश स्तोमस्तं तदुपदधात्यथो संवत्सरो वाव ब्रध्नस्य विष्टपं चतुस्त्रिꣳशस्तस्य चतुर्विꣳशतिरर्धमासाः सप्तऽर्तवो द्वेऽअहोरात्रे संवत्सर ऽएव ब्रध्नस्य विष्टपं चतुस्त्रिꣳशस्तद्यत्तमाह ब्रध्नस्य विष्टपमिति स्वाराज्यं वै ब्रध्नस्य विष्टपꣳ स्वाराज्यं चतुस्त्रिꣳशस्तदेव तद्रूपमुपदधाति ॥ २३ ॥

नाकः षट्त्रिꣳश ऽइति । य ऽएव षट्त्रिꣳश स्तोमस्तं तदुपदधात्यथो संवत्सरो वाव नाकः षट्त्रिꣳशस्तस्य चतुर्विꣳशतिरर्धमासा द्वादश मासास्तद्यत्तमाह नाक ऽइति न हि तत्र गताय कस्मैचनाकं भवत्यथो संवत्सरो वाव नाकः संवत्सरः स्वर्गो लोकस्तदेव तद्रूपमुपदधाति ॥२४॥

मासाः, षड्ऋतवः, द्वे अहोरात्रे, संवत्सर एव प्रतिष्ठा त्रयस्त्रिंशः । तद्यत्तमाह—प्रतिष्ठेति । सम्वत्सरो हि सर्वेषां भूतानां प्रतिष्ठा । तदेव तद्रूपमुपदधाति ॥ २२ ॥

(१५) " ब्रध्नस्य विष्टपं चतुस्त्रिंशः "—इति । य एव चतुस्त्रिंशः स्तोमः—तं तदुपदधाति । अथो सम्वत्सरो वाव ब्रध्नस्य विष्टपं चतुस्त्रिंशः । तस्य चतुर्विंशतिरर्धमासाः, सप्तऽर्तवः, द्वे अहोरात्रे, सम्वत्सर एव ब्रध्नस्य विष्टपं चतुस्त्रिंशः । तद्यत्तमाह—ब्रध्नस्य विष्टपमिति । स्वाराज्यं वै ब्रध्नस्य विष्टपम् । स्वाराज्यं चतुस्त्रिंशः । तदेव तद्रूपमुपदधाति ॥ २३ ॥

(१६) "नाकः षट्त्रिंशः"—इति । य एव षट्त्रिंशः स्तोमः—तं तदुपदधाति । अथो सम्वत्सरो वाव नाकः षट्त्रिंशः । तस्य चतुर्विंशतिरर्धमासाः, द्वादश मासाः । तद्यत्तमाह—नाक इति । न हि तत्र गताय कस्मैचनाकं भवति । अथो सम्वत्सरो वाव नाकः । सम्वत्सरः स्वर्गो लोकः । तदेव तद्रूपमुपदधाति ॥ २४ ॥

चतुस्त्रिंशस्तोमात्मकस्य संवत्सरस्य ब्रध्नस्य विष्टपत्वं प्रतिपादयति—स्वाराज्यं वै ब्रध्नस्य विष्टपं स्वाराज्यं चतुस्त्रिंश इति । 'ब्रध्न' आदित्यस्तस्य विष्टपं स्थानं 'ब्रध्नस्य विष्टपम्' तत् 'स्वाराज्यम्' स्वयमेव राजते अनन्यपरतन्त्रतयेति स्वराट् तस्य भावः स्वाराज्यम् ! सूर्यलोके हि तथाविधस्वाराज्योपपत्तेस्तत्र लोक एव स्वाराज्यमिति व्यपदिश्यते ॥ २३ ॥

नाकशब्देन षट्त्रिंशस्तोमो विशेष्यते । कथं स नाक इति तदुपपादयति—न हि तत्र गताय कस्मैचनाकं भवति इति । तत्र स्वर्गं प्राप्ताय कस्मैचन पुरुषाय अकं दुःखं न खलु भवतीत्यतो न विद्यते अकमत्रेति 'नाकः'। 'हि'-शब्दो "न वा अमुं लोकं जग्मुषे किंचनाकम्" इत्यादिप्रसिद्धिद्योतनार्थः । "षड्दक्षिणेति हि मासान्मासेभ्यः संवत्सरं संवत्सरादादित्यम्" इति च छन्दोगश्रुतेः । सुकृतिभिः प्राप्तव्यत्वात् 'संवत्सरो वाव नाकः' अत एव सः 'स्वर्गो लोकः' ॥ २४ ॥

व्विवुर्त्तोऽष्टाचत्वारिꣳशꣳश ऽइति । स ऽएवाष्टाचत्वारिꣳशꣳश स्तोमस्तं तदु-पदधात्यथो संव्वत्सरो वाव व्विवुर्त्तोऽष्टाचत्वारिꣳशꣳशस्तस्य षड्विꣳशति-रर्धमासास्त्रयोदश मासाः सप्तऽर्त्तवो द्वेऽअहोरात्रे तद्यत्तमाह व्विवर्त्त ऽइति संव्वत्सराद्धि सर्व्वाणि भूतानि व्विवर्त्तन्ते तदेव तद्रूपमुपदधाति ॥ २५ ॥

धर्त्रं चतुष्टोम ऽइति । स ऽएव चतुष्टोम स्तोमस्तं तदुपदधाति तद्यत्तमाह धर्त्रमिति प्रतिष्ठा वै धर्त्रं प्रतिष्ठा चतुष्टोमोऽथो व्वायुर्व्वाव धर्त्रं चतुष्टोमः स ऽआभिश्चतसृभिर्दिग्भिः स्तुते तद्यत्तमाह धर्त्रमिति प्रतिष्ठा वै धर्त्रं व्वायुरु सर्व्वेषां भूतानां प्रतिष्ठा तदेव तद्रूपमुपदधाति स वै व्वायुमेव प्रथममुपदधाति व्वायुमुत्तमं व्वायुनैव तदेतानि सर्व्वाणि भूतान्युभयतः परिगृह्णाति ॥ २६ ॥

---

(१७) "विवर्तोऽष्टाचत्वारिंशः"–इति । य एवाष्टाचत्वारिंशः स्तोमः–तं तदुपदधाति । अथो सम्वत्सरो वाव विवर्तोऽष्टाचत्वारिंशः । तस्य षड्विंशतिरर्धमासाः, त्रयोदश मासाः, सप्तऽर्तवः, द्वेऽअहोरात्रे । तद्यत्तमाह–विवर्त इति । सम्वत्सराद्धि सर्वाणि भूतानि विवर्तन्ते । तदेव तद्रूपमुपदधाति ॥ २५ ॥

(१८) "धर्त्रं चतुष्टोमः"–(वा.सं.१४।२३) इति । य एव चतुष्टोमः स्तोमः । तं तदुपदधाति । तद्यत्तमाह–धर्त्रमिति । प्रतिष्ठा वै धर्त्रम् । प्रतिष्ठा चतुष्टोमः । अथो वायुर्वाव धर्त्रं चतुष्टोमः । स आभिश्चतसृभिर्दिग्भिः स्तुते । तद्यत्तमाह–धर्त्रमिति । प्रतिष्ठा वै धर्त्रम् । वायुरु सर्वेषां भूतानां प्रतिष्ठा । तदेव तद्रूपमुपदधाति । स वै वायुमेव प्रथममुपदधाति, वायुमुत्तमम् । वायुनैव तदेतानि सर्वाणि भूतान्युभयतः परिगृह्णाति ॥ २६ ॥

विवर्त इति । एतस्य संवत्सरवाचकत्वमुपपादयति–' संवत्सराद्धि सर्वाणि भूतानि विवर्तन्ते ' इति । सर्वभूतविवर्तनायतनत्वाद् ' विवर्तः संवत्सरः ' ॥ २५ ॥

धर्त्रं चतुष्टोम इति । स च चरमेष्टकोपधानमन्त्रः । उक्तं चतुष्टोमस्वरूपम् (अत्रैव १४कं.भाष्ये)। धर्त्रचतुष्टोमावुभावपि प्रतिष्ठात्मना स्तौति–प्रतिष्ठा वै धर्त्रं प्रतिष्ठा चतुष्टोम इति । यत्तु 'धर्त्रम्' धारकं वस्तु तस्य सर्वस्याप्याश्रय इति धर्त्रशब्दवाच्यस्य संवत्सरस्य प्रतिष्ठात्मकता । चतुष्टोमस्यापि चतुःसङ्ख्यायोगात्पादचतुष्टयोपेतमिव, इति प्रतिष्ठारूपत्वम् । प्रकारान्तरेण व्याचष्टे–अथो वायुर्वाव धर्त्रं चतुष्टोम इति । वायोश्चतुष्टोमशब्दवाच्यत्वमाह–स आभिश्चतसृभिर्दिग्भिः स्तुत इति । वायोश्चतुर्दिङ्मध्ये सशब्दं सञ्चारात् ' चतसृभिर्दिग्भिः स्तुते ' स्तूयत इत्युपचर्यते । यकारलोपश्छान्दसः । अतश्चतसृभिः स्तूयमानत्वाच्चतुष्टोमः । वायुपक्षेऽपि धर्त्रशब्दस्य सङ्गतार्थतामाह–प्रतिष्ठा वै धर्त्रमिति । यत् ' धर्त्रम् ' सा 'प्रतिष्ठा' इत्येतत्पृथिव्यादौ दृष्टम् । 'वायुः' अपि ' सर्वेषां भूतानां प्रतिष्ठा ' प्राणरूपत्वेन धारकत्वात् । एवं स्तोमविशेषणत्वपक्षेऽपि तपआदिशब्दा यथायोगं द्रष्टव्याः । शिष्टं त्रिवृदादिवाक्यवद्व्याख्येयम् । आद्यन्तस्तोमेष्टकयोर्वायुरूपतां स्तौति–स वै वायुमेव प्रथममित्यादिना ॥ २६ ॥

ता वा ऽएताः । (ऽ) अष्टादशेष्टका ऽउपदधाति । तौ द्वौ त्रिवृतौ प्राणो वै त्रिवृद्वायुरु प्राणो व्वायुरेषा चितिः ॥ २७ ॥

(यँ) यद्वेवाष्टादश । (शा) अष्टादशो वै संव्वत्सरो द्वादश मासाः पञ्चऽर्त्तवः संव्वत्सर ऽएव प्रजापतिरष्टादशः प्रजापतिरग्निर्यावानग्निर्यावत्यस्य मात्रा तावत्तत्कृत्वोपदधाति ॥ २८ ॥

इति द्वितीयप्रपाठके चतुर्थं ब्राह्मणम् ॥ ८-२-४ ॥ (४. १.)

अथ स्पृतऽ उपदधाति । (त्ये) एतद्वै प्रजापतिरेतस्मिन्नात्मनः प्रतिहिते सर्व्वाणि भूतानि गर्ब्भ्यभवत्तान्यस्य गर्भऽएव सन्ति पाप्मा मृत्युरगृह्णात् ॥ १ ॥

ता वाऽएताऽअष्टादशेष्टका उपदधाति । तौ द्वौ त्रिवृतौ । प्राणो वै त्रिवृत् । वायुरु प्राणः । वायुरेषा चितिः ॥ २७ ॥

यद्वेवाष्टादश । अष्टादशो वै सम्वत्सरः—द्वादश मासाः, पञ्चऽर्तवः, संवत्सर एव प्रजापतिरष्टादशः । प्रजापतिरग्निः । यावानग्निर्यावत्यस्य मात्रा—तावत्तत्कृत्वोपदधाति ॥ २८ ॥

अथ स्पृदिष्टकोपधानम् ।

अथ स्पृत उपदधाति । एतद्वै प्रजापतिः, एतस्मिन्नात्मनः प्रतिहिते सर्वाणि भूतानि गर्भ्यभवत् । तान्यस्य गर्भऽएव सन्ति पाप्मा मृत्युरगृह्णात्॥ १ ॥

उक्तामष्टादशसंख्यां त्रिवृत्स्तोमद्वयसंपत्त्या स्तौति—ता वा एता अष्टादशेष्टका उपदधाति तौ द्वौ त्रिवृताविति । अष्टादशसंख्यया निष्पाद्यौ 'तौ द्वौ त्रिवृतौ' भवतः एकस्य त्रिवृत्स्तोमस्य ऋचां नवकत्वादष्टादशसंख्यया द्वौ स्तोमौ सम्पद्येते, स च 'त्रिवृत्प्राणः' प्राण उदानो व्यान इति त्रित्वात् 'सप्त शीर्षण्या द्वाववाञ्चौ' इति नवसंख्यायोगाद्वा । स च 'प्राणो वायुः' एव, "एषा चतुर्थी चितिः" इति प्रागुक्तम् । अतस्तादृक्त्रिवृद्द्वयरूपत्वादिष्टकागताष्टादशसंख्या प्रशस्ता ॥ २७ ॥

प्रकारान्तरेण स्तौति—यद्वेवाष्टादशाष्टादशो वै संवत्सर इत्यादिना । यावानग्निरिति । 'अग्निः' प्रजापतिः संवत्सरद्वारा 'यावान्' यावत्प्रमाणः द्वादश मासाः षडृतव इत्याद्यष्टादशसंख्याप्रमाण इत्यर्थः । तस्यैव व्याख्यानम्—यावत्यस्य मात्रेति । 'तावत्तत्कृत्वा' अग्निमात्रासमं कृत्वा 'उपदधाति' ॥ २८ ॥

इति श्रीसायणाचार्यविरचिते माधवीये वेदार्थप्रकाशे माध्यन्दिनीयशतपथब्राह्मणभाष्ये अष्टमे काण्डे चतुर्थेऽध्याये प्रथमं ब्राह्मणम् ॥ (८-४-१) ॥

अथ स्पृत्संज्ञकेष्टका विधाय स्तौति—अथ स्पृत उपदधात्येतद्वा इत्यादिना । पुरा 'प्रजापतिः' 'आत्मनः' स्वशरीरस्य सम्बन्धिनि 'एतस्मिन्' अन्तरिक्षस्वर्गयोरन्तराललक्षणेऽङ्गे पूर्वोक्तेष्टकोपधानेन 'प्रतिहिते' सति 'सर्वाणि भूतानि' अपेक्ष्य 'गर्भ्यभवत्' भूतज्ञानलक्षणेन गर्भेण तद्वानासीदित्यर्थः ।

(त्सु) स देवानब्रवीत् (द्यु) युष्माभिः सहेमानि सर्व्वाणि भूतानि पाप्मनो मृत्यो स्पृणवानीति किं नस्ततो भविष्यतीति व्वृणीध्वमित्यब्रवीत्तं भागो नोऽस्त्वित्येकेऽब्रुवन्नाधिपत्यं नोऽस्त्वित्येके स भागमेकेभ्यः कृत्वाऽऽधिपत्यमेकेभ्यः सर्व्वाणि भूतानि पाप्मनो मृत्योरस्पृणोद्यदस्पृणोत्तस्मात्स्पृतस्तथैवैतद्यजमानो भागमेकेभ्यः कृत्वाऽऽधिपत्यमेकेभ्यः सर्व्वाणि भूतानि पाप्मनो मृत्यो स्पृणोति तस्मादु सर्व्वास्वेव स्पृतᳪं स्पृतमित्यनुवर्त्तते ॥ २ ॥

(तेऽग्ने) अग्नेर्भागोऽसि । दीक्षायाऽ आधिपत्यमिति व्वाग्वै दीक्षाऽग्नये भागं कृत्वा व्वाचऽआधिपत्यमकरोद्ब्रह्म स्पृतं त्रिवृत्स्तोमऽइति ब्रह्म प्रजानां त्रिवृता स्तोमेन पाप्मनो मृत्योरस्पृणोत् ॥ ३ ॥

स देवानब्रवीत्—युष्माभिः सहेमानि सर्वाणि भूतानि पाप्मनो मृत्योः स्पृणवानीति । किं नस्ततो भविष्यतीति । वृणीध्वमित्यब्रवीत् । तं 'भागो नोऽस्तु' इत्येकेऽब्रुवन्, 'आधिपत्यं नोऽस्तु' इत्येके । स भागमेकेभ्यः कृत्वाऽऽधिपत्यमेकेभ्यः सर्वाणि भूतानि पाप्मनो मृत्योरस्पृणोत् । यदस्पृणोत्तस्मात्स्पृतः । तथैवैतद्यजमानो भागमेकेभ्यः कृत्वाऽऽधिपत्यमेकेभ्यः सर्वाणि भूतानि पाप्मनो मृत्योः स्पृणोति । तस्मादु सर्वास्वेव स्पृतं स्पृतमित्यनुवर्तते ॥ २ ॥

(१) "अग्नेर्भागोऽसि दीक्षाया आधिपत्यम्"—इति । वाग्वै दीक्षा । अग्नये भागं कृत्वा वाचऽआधिपत्यमकरोत् । "ब्रह्म स्पृतं, त्रिवृत्स्तोमः"—इति । ब्रह्म प्रजानां त्रिवृता स्तोमेन पाप्मनो मृत्योरस्पृणोत् ॥ ३ ॥

'तानि' 'अस्य' प्रजापतेः 'गर्भ एव सन्ति' अवस्थितान्युदरस्थान्येव 'पाप्मा' पापरूपः 'मृत्युः' अगृह्णात्' जग्राह ॥ १ ॥

अथ 'सः' प्रजापतिः 'देवानब्रवीत्' हे देवाः ! युष्मत्सहायो भूत्वाऽहं गर्भस्थानि 'इमानि' 'भूतानि' मृत्योः' सकाशात् 'स्पृणवानि' स्पृतानि चलितानि करवाणीति । अथ देवैः 'किं नस्ततः' इति पृष्टः 'वृणीध्वम्' इत्युक्तैर्वृतश्च केषाचिद्देवानामिष्टकास्वध्यस्तरूपाणां ब्रह्मक्षत्रादिरूपाणां भूतानां 'भागम्', केषाञ्चित् 'आधिपत्यं' च तत्तदभिलाषाऽनुसारेण प्रदाय पश्चाद्देवसहायः सन् 'सर्वाणि भूतानि पाप्मनो मृत्योरस्पृणोत्' "स्पृ स्थितिबलनयोः (धा. पा. स्वा. प. १३)" बलवन्ति कृतवान् । यद्वा "स्पृ स्थितिचलनयोः" इति केषाञ्चित्पाठः । प्रविचालितवानित्यर्थः । प्रसङ्गात् तन्नाम निर्वक्ति—यद् अस्पृणोत् तस्मात् स्पृत इति । स्परणात्स्पृत इत्युक्तं भवति । 'तथैवैतत्' इत्यादि स्पष्टम् । तस्मात् सर्वास्विष्टकासु स्पृतं स्पृतमित्यनुवर्तते ॥ २ ॥

तत्र प्रथमेष्टकामन्त्रं विधाय व्याचष्टे—अग्नेर्भागोऽसीत्यादिना । हे इष्टके ! त्वं 'अग्नेः' देवस्य 'भागोऽसि' तथा दीक्षायाः वाग्देव्याः 'आधिपत्यम्' अधिपतित्वं तव, त्वं दीक्षास्वामिकेत्यर्थः । ब्रह्म स्पृतं त्रिवृत्स्तोमः,

---

१–दक्षिणां पूर्व्वयोरग्नेर्भाग इति । का. श्रौ. सू. १७।२।६ ।

(द्वि) इन्द्रस्य भागोऽसि । विष्णोराधिपत्यमितीन्द्राय भागं कृत्वा विष्णवऽआधिपत्यमकरोत्क्षत्रꣳ स्पृतं पञ्चदश स्तोम ऽइति क्षत्रं प्रजानां पञ्चदशेन स्तोमेन पाप्मनो मृत्योरस्पृणोत् ॥ ४ ॥

(तृ) नृचक्षसां भागोऽसि। धातुराधिपत्यमिति देवा वै नृचक्षसो देवेभ्यो भागं कृत्वा धात्रऽआधिपत्यमकरोज्जनित्रꣳ स्पृतꣳ सप्तदश स्तोमऽ इति विड्वै जनित्रं विशं प्रजानाꣳ सप्तदशेन स्तोमेन पाप्मनो मृत्योरस्पृणोत् ॥ ५ ॥

---

(२) " इन्द्रस्य भागोऽसि विष्णोराधिपत्यम् "-इति। इन्द्राय भागं कृत्वा विष्णव आधिपत्यमकरोत् । " क्षत्रं स्पृतं, पञ्चदशः स्तोमः "-इति। क्षत्रं प्रजानां पञ्चदशेन स्तोमेन पाप्मनो मृत्योरस्पृणोत् ॥ ४ ॥

(३) " नृचक्षसां भागोऽसि धातुराधिपत्यम् "-इति। देवा वै नृचक्षसः । देवेभ्यो भागं कृत्वा धात्र आधिपत्यमकरोत् । " जनित्रं स्पृतं, सप्तदशः स्तोमः "-इति विड्वै जनित्रम्। विशं प्रजानां सप्तदशेन स्तोमेन पाप्मनो मृत्योरस्पृणोत् ॥ ५ ॥

इति भागान्तरम्। अत्राभ्यासाश्रयाणामिष्टकानामध्यस्यमानानां ब्रह्मक्षत्रादिभूतानां चाभेदस्य विवक्षितत्वात्तत्स्थं रूपमभिधीयते । प्रजानां भूतानां मध्ये 'ब्रह्म' ब्राह्मणजातिः ' स्पृतं ' पाप्मनो मृत्योः सकाशादपसारितम्। केन साधनेनेति तदुच्यते-त्रिवृत् स्तोम इति । ब्राह्मणानुसारेण विभक्तिर्विपरिणमयितव्या। तव स्वभूतेन त्रिवृता स्तोमेन। एवमुत्तरेष्टकामन्त्रा अपि योज्याः, तत्र दीक्षाशब्दस्योक्तार्थपरतामाह-वाग्वै दीक्षेति । वाग्देवताया दीक्षाभिमानिदेवतात्वाद्वा नियन्तव्यतया वाक्सम्बन्धाद्वा दीक्षा वागित्युच्यते । तामिष्टकाम् ' अग्नये भागं कृत्वा ' 'दीक्षायै' तस्या इष्टकाया ' आधिपत्यमकरोत् ' प्रजापतिः। भागान्तरं व्याख्यातुं " ब्रह्म स्पृतं त्रिवृत्स्तोमः " इत्यस्य विभक्तिविपरिणामः कृतः। " ब्रह्म प्रजानां त्रिवृता स्तोमेन पाप्मनो मृत्योरस्पृणोत् " इति । उक्तमिदम्। अत्र ब्रह्मणः त्रिवृत्स्तोमसंबन्धे प्राथम्यं बीजम्। प्रजापतिमुखात् सहोत्पत्तिर्वा कारणं त्रिवृद्ब्रह्मणोः सम्बन्धे। एवमुत्तरेषां मन्त्राणां ब्राह्मणान्यपि व्याख्यातव्यानि ॥ ३ ॥

तत्र किञ्चित् किञ्चिदभिधीयते-क्षत्रं स्पृतमिति[1]। 'क्षत्रम्' क्षत्रियजातिः ॥ ४ ॥

नृचक्षसां भागोऽसीति[2]। तृतीयमन्त्रे-' देवा वै नृचक्षसः ' इति स्तूयते, तत्र नॄन् पुण्यपापकृतो मनुष्यान् साक्षितया चक्षते पश्यन्तीति नृचक्षसो देवा इत्यर्थः । **विड् वै जनित्रमिति** । जायत इति ' जनित्रम् ' ' विट् ' वैश्यजातिः; एतच्छूद्रस्याप्युपलक्षणम् । यद्वा सामान्येन विट्शब्दः प्रजामभिधत्ते ॥ ५ ॥

१-उत्तरामुत्तरयोरिंद्रस्य भाग इतिं। का. श्रौ. सू. १७। २१९। २ उत्तरां दक्षिणयोर्नृचक्षसां भाग इति। का. श्रौ. सू. १७। २१८।

(न्मि) मित्रस्य भागोऽसि । व्वुरुणस्याधिपत्यमिति प्राणो वै मित्रोऽपानो व्वुरुणः प्राणाय भागं कृत्वाऽपानायाधिपत्यमकरोद्दिवो व्वृष्टिर्व्वात स्पृत ऽएकविꣳश स्तोम ऽइति व्वृष्टिं च व्वातं च प्रजानामेकविꣳशेन स्तोमेन पाप्मनो मृत्योरस्पृणोत् ॥ ६ ॥

(द्वु) व्वसूनां भागोऽसि । रुद्राणामाधिपत्यमिति व्वसुभ्यो भागं कृत्वा रुद्रेभ्य ऽआधिपत्यमकरोच्चतुष्पात्स्पृतं चतुर्विꣳश स्तोम ऽइति चतुष्पात्प्रजानां चतुर्विꣳशेन स्तोमेन पाप्मनो मृत्योरस्पृणोत् ॥ ७ ॥

(द्वा) आदित्यानां भागोऽसि । मरुतामाधिपत्यमित्यादित्येभ्यो भागं कृत्वा मरुद्भ्य ऽआधिपत्यमकरोद्गर्भाः स्पृताः पञ्चविꣳश स्तोम ऽइति गर्भान्प्रजानां पञ्चविꣳशेन स्तोमेन पाप्मनो मृत्योरस्पृणोत् ॥ ८ ॥

---

(४) " मित्रस्य भागोऽसि वरुणस्याधिपत्यम् "–इति । प्राणो वै मित्रः, अपानो वरुणः । प्राणाय भागं कृत्वाऽपानायाधिपत्यमकरोत् । " दिवो वृष्टिर्वातः । स्पृतः, एकविंशः स्तोमः "–(वा. सं. १४ । २४) इति । वृष्टिं च वातं च प्रजानामेकविंशेन स्तोमेन पाप्मनो मृत्योरस्पृणोत् ॥ ६ ॥

(५) "वसूनां भागोऽसि रुद्राणामाधिपत्यम् "–इति । वसुभ्यो भागं कृत्वा रुद्रेभ्य आधिपत्यमकरोत् । "चतुष्पात्स्पृतं, चतुर्विंशः स्तोमः"–इति । चतुष्पात्प्रजानां चतुर्विंशेन स्तोमेन पाप्मनो मृत्योरस्पृणोत् ॥ ७ ॥

(६) " आदित्यानां भागोऽसि मरुतामाधिपत्यम् "–इति । आदित्येभ्यो भागं कृत्वा मरुद्भ्य आधिपत्यमकरोत् । " गर्भाः स्पृताः, पञ्चविंशः स्तोम "–इति । गर्भान्प्रजानां पञ्चविंशेन स्तोमेन पाप्मनो मृत्योरस्पृणोत् ॥ ८ ॥

मित्रस्य भागोऽसि वरुणस्याधिपत्यमिति[१] । अत्र ' प्राणो वै मित्रः, ' ' अपानो वरुणः, ' इति । मित् नाशान्दः । [illegible] ततस्त्रायत इति मित्रः प्राणः । ऊर्ध्वं निर्गच्छन्तं प्राणमावृणोति, इति वरुणोऽपानः । दिवो वृष्टिर्वातः स्पृत इति । चतुर्थमन्त्रभागः । वाताभिप्रायेण स्पृत इति पुँल्लिङ्गता । अत्र वृष्टेर्वातस्य चोभयोः स्परणमिति व्याचष्टे–वृष्टिं च वातं चेति ॥ ६ ॥

चतुष्पात्स्पृतमिति । अत्र चतुष्पादोपेतं पशुजातं ' स्पृतम् ' इति सामान्याभिप्रायेण नपुंसकता ॥ ७–८ ॥

१–ब्रह्मरामपरयोर्मित्रस्य भाग इति । का. श्रौ. सू. । १७ । २१७ ।

२–षट् प्रतिमंत्रं व्वसूनां भाग इति । का. श्रौ. सू. १७ । २२० ।

(ट) अदित्यै भागोऽसि । पूष्ण ऽआधिपत्यमितीयं वाऽअदितिरस्यै भागं कृत्वा पूष्णऽआधिपत्यमकरोदोज स्पृतं त्रिणव स्तोम ऽइत्योजः प्रजानां त्रिणवेन स्तोमेन पाप्मनो मृत्योरस्पृणोत् ॥ ९ ॥

(ठ) देवस्य सवितुर्भागोऽसि । बृहस्पतेराधिपत्यमिति देवाय सवित्रे भागं कृत्वा बृहस्पतयऽआधिपत्यमकरोत्समीचीर्दिशः स्पृताश्चतुष्टोम स्तोमऽ इति सर्वा दिशः प्रजानां चतुष्टोमेन स्तोमेन पाप्मनो मृत्योरस्पृणोत् ॥ १० ॥

(ड) यवानां भागोऽसि । (ढ) अयवानामाधिपत्यमिति पूर्वपक्षा वै यवा ऽअपरपक्षा ऽअयवास्ते हीदꣳ सर्वं युवते चायुवते च पूर्वपक्षेभ्यो भागं कृत्वाऽपरपक्षेभ्य ऽआधिपत्यमकरोत्प्रजा स्पृताश्चतुश्चत्वारिꣳश स्तोम ऽइति सर्वाः प्रजाश्चतुश्चत्वारिꣳशेन स्तोमेन पाप्मनो मृत्योरस्पृणोत् ॥ ११ ॥

---

(७) " अदित्यै भागोऽसि पूष्ण आधिपत्यम् "–इति । इयं वाऽआदितिः । अस्यै भागं कृत्वा पूष्ण आधिपत्यमकरोत् । " ओजः स्पृतं, त्रिणवः स्तोमः "–इति । ओजः प्रजानां त्रिणवेन स्तोमेन पाप्मनो मृत्योरस्पृणोत् ॥ ९ ॥

(८) " देवस्य सवितुर्भागोऽसि बृहस्पतेराधिपत्यम् "–इति । देवाय सवित्रे भागं कृत्वा बृहस्पतय आधिपत्यमकरोत् । " समीचीर्दिशः स्पृताः, चतुष्टोमः स्तोमः "–(वा. सं. १४ । २५)–इति । सर्वा दिशः प्रजानां चतुष्टोमेन स्तोमेन पाप्मनो मृत्योरस्पृणोत् ॥ १० ॥

(९) " यवानां भागोऽस्ययवानामाधिपत्यम् "–इति । पूर्वपक्षा वै यवाः; अपरपक्षा अयवाः । ते हीदं सर्वं युवते चायुवते च । पूर्वपक्षेभ्यो भागं कृत्वाऽपरपक्षेभ्य आधिपत्यमकरोत् । "प्रजाः स्पृताः, चतुश्चत्वारिंशः स्तोमः"–इति । सर्वाः प्रजाश्चतुश्चत्वारिंशेन स्तोमेन पाप्मनो मृत्योरस्पृणोत् ॥ ११ ॥

ओजः स्पृतमिति । ओजो बलं तत्कारणमष्टमो धातुर्वा । " ओजो नामाष्टमो धातुः " इत्याचार्यस्मरणात् ॥ ९ ॥

समीचीर्दिशः स्पृता इति । सामान्येन तिर्यक्त्वेन वावर्तमाना इत्यर्थः । उक्तं चतुष्टोमलक्षणं चतुस्तोत्रीयाद्यध्येति ॥ १० ॥

यवायवशब्दयोः पूर्वपक्षापरपक्षतावचनमुपपादयति—ते हीदं सर्वं युवते चायुवते चेति । 'ते' पूर्वपक्षा अपरपक्षाश्च क्रमेण 'इदं सर्वम्' जगत् 'युवते चायुवते च' यथाक्रमं मिश्रणामिश्रणं कुर्वन्ति । अयुवत इत्यत्र " अमानोनाः प्रतिषेधे "–इति स्मरणात् 'अ' इति प्रतिषेधवाचि भिन्नं पदम् । पूर्वपक्षेषु चन्द्रस्य

१–'अ' इति " संबोधनेऽधिक्षेपे निषेधे च " इति तत्त्वबोधिनी । " अभावे नह्यनोनापि " इत्यमरः ।

(६) ऋभूणां भागोऽसि । विश्वेषां देवानामाधिपत्यमित्यृभुभ्यो भागं कृत्वा विश्वेभ्यो देवेभ्य ऽआधिपत्यमकरोद्भूतꣳ स्पृतं त्रयस्त्रिꣳशस्तोमऽइति सर्व्वाणि भूतानि त्रयस्त्रिꣳशेन स्तोमेन पाप्मनो मृत्योरस्पृणोत्तथैवैतद्यजमानः सर्व्वाणि भूतानि त्रयस्त्रिꣳशेन स्तोमेन पाप्मनो मृत्यो स्पृणोति ॥ १२ ॥

ता वाऽएता दशेष्टकाऽउपदधाति । दशाक्षरा विराड् विराडग्निर्दश दिशो दिशोऽग्निर्दश प्राणाः प्राणाऽअग्निर्यावानग्निर्यावत्यस्य मात्रा तावतैव तदेतानि सर्व्वाणि भूतानि पाप्मनो मृत्यो स्पृणोति ॥ १३ ॥

---

(१०) " ऋभूणां भागोऽसि विश्वेषां देवानामाधिपत्यम् "-इति । ऋभुभ्यो भागं कृत्वा विश्वेभ्यो देवेभ्य आधिपत्यमकरोत् । " भूतं स्पृतं, त्रयस्त्रिंशः स्तोमः "-(वा. सं. १४ । २६) इति । सर्वाणि भूतानि त्रयस्त्रिंशेन स्तोमेन पाप्मनो मृत्योरस्पृणोत् । तथैवैतद्यजमानः सर्वाणि भूतानि त्रयस्त्रिंशेन स्तोमेन पाप्मनो मृत्योः स्पृणोति ॥ १२ ॥

ता वा एता दशेष्टका उपदधाति । दशाक्षरा विराट् विराडग्निः । दश दिशः । दिशोऽग्निः । दश प्राणाः । प्राणा अग्निः । यावानग्निर्यावत्यस्य मात्रा-तावतैव तदेतानि सर्वाणि भूतानि पाप्मनो मृत्योः स्पृणोति ॥ १३ ॥

कलावृद्धिसद्भावात्, सर्वजगदाप्यायनस्य च तदधीनत्वाद्, ' युवते ' इत्युक्तम् । उक्तवैपरीत्यात् चायुवत इति । यद्वा मासर्तुसंवत्सरादिरूपस्य कालस्य पूर्वापरपक्षावृत्तिरूपत्वात् ' ते ' पूर्वापरपक्षरूपाः कालविशेषाः इदं सर्वमुत्पत्त्यवस्थापन्नं युवते, विनाशावस्थापन्नं वियुवते चेत्यर्थः ॥ ११ ॥

इत्थं भूतानां मध्ये ब्रह्मक्षत्रादिभूतैकैकदेशमभिधाय, अन्ते सर्वं भूतजातं सङ्गृह्याभिधत्ते-**भूतं स्पृतं त्रयस्त्रिंशः । स्तोम** इति । भूतशब्दस्य भविष्यदादिप्रतियोगिकाले प्रसिद्धेरत्राभिमतमर्थमाह-**सर्वाणि भूतानीति** । एतदेवाभिप्रेत्य ' विश्वेभ्यो देवेभ्य आधिपत्यमकरोत् ' इत्यन्ते विश्वेऽपि देवा उपात्ताः " ये देवासो दिव्येकादशस्थ "-(वा. सं. ७ । १९) इत्यादिमन्त्रेषु त्रयस्त्रिंशत्सङ्ख्याकानां देवानामभिधानात् " त्रयस्त्रिंशद्वै सर्वा देवताः " इति श्रुतेश्च सर्वेषां देवानामेष्वन्तर्भावादुचितस्त्रयस्त्रिंशस्तोमोऽन्ते निर्दिष्ट इति वेदितव्यम् । इत्थं प्रजापत्यनुष्ठितमर्थं दृष्टान्तत्वेन प्रदर्श्य दार्ष्टान्तिकतया यजमानेऽपि योजयति-**तथैवैतद्यजमानः सर्वाणि भूतानि त्रयस्त्रिंशेन स्तोमेन पाप्मनो मृत्योः स्पृणोतीति** । अन्तिमवाक्ये ' तथैवैतत् ' इत्यभिधानम्, इतरवाक्येष्वप्येवं द्रष्टव्यमित्यवगमयितुम् । यद्वाऽस्य सर्वोक्तार्थपरत्वादस्मिन्नेवाभिधानं कृतमिति ॥ १२ ॥

अथ सङ्ख्यां स्तौति-**ता वा एता दशेष्टका उपदधाति दशाक्षरा विराडि**त्यादिना । कृत्स्नस्य चितिरूपस्याग्नेर्विराडात्मकत्वादग्न्येकदेशस्याप्यग्नित्वादनन्तरोक्तस्पृत्संज्ञकेष्टकादशकसाध्यत्वाद्वा ' विराडग्निः, ' । 'दिशोऽग्निः' इति सर्वासु दिक्षु चीयमानत्वात् । "अग्निर्देवेभ्यो न्यलीयत स दिशोऽनुप्राविशत्" इति श्रुतिप्रसिद्ध-

(त्यु) अथऽर्तव्येऽउपदधाति । (त्यृ) ऋतवऽएते यदृतव्येऽऋतूनेवैतदुपदधाति सहश्च सहस्यश्च हैमन्तिकावृतूऽइति नामनीऽएनयोरेते नामभ्यामेवैनेऽएतदुपदधाति द्वेऽइष्टके भवतो द्वौ हि मासावृतुः सकृत्सादयत्येकं तदृतुं करोति ॥ १४ ॥

तद्यदेतेऽअत्रोपदधाति । संवत्सरऽएषोऽग्निरिमऽउ लोकाः संवत्सरस्तस्य यदूर्ध्वमन्तरिक्षादर्वाचीनं दिवस्तदस्यैषा चतुर्थी चितिस्तद्वस्य हेमन्त ऽऋतुस्तद्यदेतेऽअत्रोपदधाति यदेवास्यैतेऽआत्मनस्तदस्मिन्नेतत्प्रतिदधाति तस्मादेतेऽअत्रोपदधाति ॥ १५ ॥

यद्वेवैतेऽअत्रोपदधाति । प्रजापतिरेषोऽग्निः संवत्सर ऽउ प्रजापतिस्तस्य यदूर्ध्वं मध्यादवाचीनꣳ शीर्ष्णस्तदस्यैषा चतुर्थी चितिस्तद्वस्य

अथ ऋतव्येष्टकोपधानम् (२) ।

अथऽर्तव्ये उपदधाति । ऋतव एते–यदृतव्ये । ऋतूनेवैतदुपदधाति । "सहश्च सहस्यश्च हैमन्तिकावृतू"–(वा. सं. १४–२७) इति । नामनी एनयोरेते । नामभ्यामेवैने एतदुपदधाति । द्वे इष्टके भवतः । द्वौ हि मासावृतुः । सकृत्सादयति । एकं तदृतुं करोति ॥ १४ ॥

तद्यदेते अत्रोपदधाति । संवत्सर एषोऽग्निः । इम उ लोकाः संवत्सरः । तस्य यदूर्ध्वमन्तरिक्षाद्, अर्वाचीनं दिवः–तदस्यैषा चतुर्थी चितिः । तद्वस्य हेमन्त ऋतुः । तद्यदेते अत्रोपदधाति–यदेवास्यैते आत्मनः–तदस्मिन्नेतत्प्रतिदधाति । तस्मादेते अत्रोपदधाति ॥ १५ ॥

यद्वेवैते अत्रोपदधाति । प्रजापतिरेषोऽग्निः । संवत्सर उ प्रजापतिः । तस्य यदूर्ध्वं मध्याद्, अवा-

---

दिगन्तप्रवेशाद्वा दशसंख्येष्टकासाध्यत्वाद्वा 'दिशोऽग्निः' । पूर्वत्र "स्तोमानुपदधाति प्राणा वै स्तोमाः" इति प्रकृत्य "ये वै ते प्राणा ऋषय एतां चतुर्थीं चितिमपश्यंस्तानेवैतदुपदधाति" इति च स्तोमेष्टकानां प्राणत्वेनाभिधानात्तदिष्टकासाध्यस्याग्नित्वात् 'प्राणा अग्निः' इत्युक्तम् । 'यावानग्निः'–इति विराट् दिक्प्राणैरभिन्नत्वाद् यावान् विराडादिप्रमाणक इत्यर्थः । 'यावत्यस्य मात्रा'–इति विराड्–दिक्प्राणत्वेन स्तुतस्याग्नेर्या चितिमात्रा विराडादिद्वारिका दशसङ्ख्यात्मिकेत्यर्थः । स्पष्टमन्यत् ॥ १३ ॥

अथर्तव्येऽउपदधातीत्यादिकम् ऋतव्येष्टकाब्राह्मणं पूर्वचितिवद्व्याख्येयम् । सहश्च सहस्यश्च हैमान्तिकावृतू इति । एतावानेव भेदः, 'सहो' मार्गशीर्षः, 'सहस्यः' पौषमासः ॥ १४ ॥

तद्यदेते अत्रोपदधाति संवत्सर एषोऽग्निरिम उ लोकाः संवत्सर इति, यद्वेवैते अत्रोपदधाति

१–ऋतव्ये सहश्च सहस्यश्चेति । का० श्रौ० सू० १७ । २२१ ।

हेमन्तुऽऋतुस्तद्युदेतेऽअत्रोपदुधाति युदेवास्यैतेऽआत्मनस्तुदस्मिन्ने-
तत्प्रतिदधाति तुस्मादेतेऽअत्रोपदधाति ॥ १६ ॥

इति द्वितीयप्रपाठके पंचमं ब्राह्मणम् ॥ ८।२।५॥ (४।२)॥

अुथ सृष्टीरुपदधाति । (त्ये) एतद्वै प्रजापतिः सुर्व्वाणि भूतानि
पाप्मुनो मृत्योर्मुक्त्वाऽकामयत प्रजाः सृजेय प्रजायेयेति ॥ १ ॥

सु प्राणानब्रवीत् । (द्यु) युष्माभिः सुहेमाः प्रजाः प्रजनयानीति ते
वै केन स्तोष्यामह ऽइति मया चैव युष्माभिश्चेति तथेति ते प्राणैश्चैव

चीनं शीर्ष्णः,-तदस्यैषा चतुर्थी चितिः । तद्धस्य हेमन्त ऋतुः । तद्यदेते अत्रोपदधाति-यदेवा-
स्यैते आत्मनः । तदस्मिन्नेतत्प्रतिदधाति । तस्मादेते अत्रोपदधाति ॥ १६ ॥

अथ सृष्टीरुपदधाति । एतद्वै प्रजापतिः सर्वाणि भूतानि पाप्मनो मृत्योर्मुक्त्वाऽकामयत-प्रजाः
सृजेय, प्रजायेयेति ॥ १ ॥

स प्राणानब्रवीत्-' युष्माभिः सहेमाः प्रजाः प्रजनयानि ' इति । ते वै-केन स्तोष्यामह इति ।

प्रजापतिरेषोऽग्निः संवत्सर उ प्रजापतिः इति चार्थवादद्वयेन प्रजापतेर्लोकत्रयात्मकं संवत्सरात्मकं चेति
रूपद्वयं यत्, यच्च तस्य विश्लिष्टमङ्गं तत्प्रतिसन्धानस्थानीयमिति ऋतव्ययोः स्तुतिः कृतेति तात्पर्यार्थः॥ १५॥ १६॥

इति श्रीसायणाचार्यविरचिते माधवीये वेदार्थप्रकाशे माध्यन्दिनीयशतपथब्राह्मणभाष्ये
अष्टमे काण्डे चतुर्थेऽध्याये द्वितीयं ब्राह्मणम् ॥ (८-४-२) ॥

अथ सृष्टिसंज्ञकाः सप्तदशेष्टका विधाय स्तौति -अथ सृष्टीरुपदधात्येतद्वै प्रजापतिरित्यादिना । कथ-
मासां सृष्टिशब्दवाच्यतेत्याकाङ्क्षायां स्वयमेवोत्तरत्र " तद्यदसृजत तस्मात्सृष्टयः "-(श. प. ८।४।३।२०)
इति वक्ष्यते। व्याकरणप्रसिद्ध्या "तद्वानसाम्" (पा.सू.४।४।१२९) इति सृष्टिशब्दोपेतमन्त्रैरुपधेयत्वात् सृष्टयः।
यद्यपि " एकयाऽस्तुवत, सप्तविंशत्याऽस्तुवत "-(श. प. ८।४।३।३।१६ ।) इत्यादौ सृष्टिशब्दो नास्ति
तथापि धातुमात्रं सृष्टसृष्टिसमूहे वर्त्तत इति । सर्वासां सृष्टिशब्दवाच्यत्वं द्रष्टव्यम् । पुरा ' प्रजापतिः ' पूर्वोक्त-
प्रकारेण ' सर्वाणि भूतानि ' ब्रह्मक्षत्रादीनि ' पाप्मनो मृत्योः '-सकाशात् ' मुक्त्वा ' सर्वभूतानां स्वव्यक्तिरू-
पत्वाद्भूतसमष्टिरूपः स्वयं मृत्योः सकाशान्मुक्तः सन्नित्यर्थः । यद्वा भूतानां गर्भरूपावस्थानस्योक्तत्वात्तानि
स्वयं ' मुक्त्वा ' इत्युच्यते । स च ' अकामयत, ' किमिति ? ' प्रजाः सृजेय ' सृष्टाभिस्ताभिः स्वयमेव
' प्रजायय ' इत्यकामयत ॥ १ ॥

' सः ' स्वयमेक एवासक्तः सन् ' प्राणान् ' ' युष्माभिः ' सहितः प्रजायेय इति । ' अब्रवीत् ' प्रजापतेः
स्थूलशरीरत्वात्प्राणाभावे केवलस्य शरीरस्य निर्वाहाभावात्सृज्यमानस्य प्राणिजातस्य शरीरप्राणसङ्घातात्मकत्वा-
त्प्राणसाहाय्यमपेक्षितवानित्यभिप्रायः । इत्थं सृष्टिपुरुषसामग्रीमभिधाय सृष्टेः सामर्थ्यसव्यपेक्षत्वात् , तस्याश्च

१-रेतःसिग्वेलायां च सप्तदश सर्व्वतो नव दक्षिणेनानूकं सृष्टीरेकयाऽस्तुवतेति प्रतिमन्त्रम् । का, श्रौ. सू. । १७ । २२२ ।

प्रजापतिना चास्तुवत यदु ह किं च देवाः कुर्वते स्तोमेनैव तत्कुर्वते यज्ञो वै स्तोमो यज्ञेनैव तत्कुर्वते तस्मादु सर्वास्वेवास्तुवतास्तुवतेत्यनुवर्तते ॥ २ ॥

(त८) एकयाऽस्तुवतेति । वाग्वाऽएका वाचैव तदस्तुवत प्रजाऽअधीयन्तेति प्रजाऽअत्राधीयन्त प्रजापतिरधिपतिरासीदिति प्रजापतिरत्राधिपतिरासीत् ॥ ३ ॥

मया चैव युष्माभिश्चेति । तथेति । ते प्राणैश्चैव प्रजापतिना चास्तुवत । यदु ह किंच देवाः कुर्वते–स्तोमेनैव तत्कुर्वते । तस्मादु सर्वास्वेवास्तुवतास्तुवतेत्यनुवर्तते ॥ २ ॥

(१) "एकयाऽस्तुवत"–इति । वाग्वाऽएका । वाचैव तदस्तुवत । "प्रजाऽअधीयन्त"–इति । प्रजाऽअत्राधीयन्त । "प्रजापतिरधिपतिरासीत्"–इति । प्रजापतिरत्राधिपतिरासीत् ॥ ३ ॥

कर्मजन्यत्वात्, तद्रूपां सामग्रीं दर्शयति–ते वै केन स्तोष्यामह इति । अब्रुवन्निति शेषः । स्तुतेरावश्यकत्वं स्वयमेव वक्ष्यति । अतोऽत्र स्वव्यतिरिक्तस्य कस्याप्यभावादुद्गात्रादिस्थानीयेन केन स्तोष्यामह इति पृष्टवन्त इत्यर्थः । अलमन्यैरस्मद्व्यतिरिक्तैः परं 'मया च युष्माभिश्च स्तोष्यामहे' इति प्रजापतिरब्रवीत् । 'तथेति' प्राणा अङ्गीकृत्य 'ते' प्राणप्रजापतयः 'प्राणैः' स्वस्वरूपेण 'प्रजापतिना चास्तुवत' स्वात्मानमेव देवत्वादन्यतयाऽभिधानं स्वयमेव कर्तारः स्वैरेव कारणभूतैरस्तुवतेत्यर्थः । स्तोत्रं त्रिवृदादिस्तोमसाध्यम् स च स्तोमः किमर्थमपेक्ष्यत ? इत्यत आह–यदु ह किं च देवाः कुर्वत इति । यज्ञो वै स्तोम–इति । स्तोमप्राधान्यात् ज्योतिष्टोमादियज्ञो नाम स्तोम एवेत्यर्थः अस्तुवतास्तुवतेत्यनुवर्तत इति । तस्मात्सर्वस्या विकृतेः स्तोमसाध्यत्वात्सर्वास्विष्टकासु तत्तत्सृष्ट्यभिधायकेष्टकामन्त्र इति यावत् ॥ २ ॥

तत्र प्रथमेष्टकामन्त्रं विधाय व्याचष्टे–वाग्वा एकेत्यादिना । यद्यपि परापश्यन्त्यादिभेदेन बहुविधा तथापि वागात्मना एकत्वात् 'वाग्वा एका' इत्याह । 'तत्' तेन 'एकयाऽस्तुवत' इति मन्त्रपाठेन वाच एकत्वात् साक्षाद् 'वाचैवास्तुवत' । यद्वा तदा प्रजासृष्टिसमये 'वाचैवास्तुवत, अतो मन्त्र 'एकयाऽस्तुवत' इत्याहेत्यर्थः । एवमुत्तरत्रापि व्याख्येयम् । 'एकया' स्तोत्रियया 'अस्तुवत' एकेन स्तोमेनास्तुवतेत्यर्थः । सैवैका स्तोत्रिया वागात्मना स्तुता भवति । एवं 'तिसृभिरस्तुवत' इत्यादयो व्याख्येयाः । भागान्तरमुपादाय व्याचष्टे–प्रजा अधीयन्तेति प्रजा अत्राधीयन्तेति । 'अत्र' सृष्टिप्रस्तावे 'प्रजाः' धारिता आसन् । दधातेः (धा. पा. जु. उ. १०) लङ् । बहुवचने कर्मणि रूपम् । अतः 'प्रजा अधीयन्त' इति मन्त्र आहेत्यर्थः । भागान्तरमुदाहृत्य व्याचष्टे–प्रजापतिरधिपतिरासीदिति । 'अत्र' प्रजासृष्टौ 'प्रजापतिः' प्रजास्वाधिपत्यवान् 'आसीत्' तस्मान्मन्त्रः 'प्रजापतिरधिपतिरासीत्' इत्याहेत्यर्थः । एवमुत्तरेषां षोडशमन्त्राणां तद्ब्राह्मणानां चापि व्याख्यानं द्रष्टव्यम् । 'अधीयन्त' इत्यस्य स्थाने 'असृज्यन्त' इति विशेषः । स च तत्र तत्र विशेषोऽभिधास्यते ॥ ३ ॥

(त्रि) तिसृभिरस्तुवतेति । त्रयो वै प्राणाः प्राणऽ उदानो व्यानस्तैरेव तदस्तुवत ब्रह्माऽसृज्यतेति ब्रह्मात्रासृज्यत ब्रह्मणस्पतिरधिपतिरासीदिति ब्रह्मणस्पतिरत्राधिपतिरासीत् ॥ ४ ॥

(त्प) पञ्चभिरस्तुवतेति । यऽएवेमे मनःपञ्चमाः प्राणास्तैरेव तदस्तुवत भूतान्यसृज्यन्तेति भूतान्यत्रासृज्यन्त भूतानां पतिरधिपतिरासीदिति भूतानां पतिरत्राधिपतिरासीत् ॥ ५ ॥

(त्स) सप्तभिरस्तुवतेति । यऽएवेमे सप्त शीर्षन्प्राणास्तैरेव तदस्तुवत सप्तऽऋषयोऽसृज्यन्तेति सप्तर्षयोऽत्रासृज्यन्त धाताऽधिपतिरासीदिति धाताऽत्राधिपतिरासीत् ॥ ६ ॥

(त्न) नवभिरस्तुवतेति । नव वै प्राणाः सप्त शीर्षन्नवाञ्चौ द्वौ तैरेव तदस्तुवत पितरोऽसृज्यन्तेति पितरोऽत्रासृज्यन्तादितिरधिपत्न्यासीदित्यदितिरत्राधिपत्न्यासीत् ॥ ७ ॥ (शतम् ४५००)

---

(२) " तिसृभिरस्तुवत "–इति । त्रयो वै प्राणाः–प्राणः, उदानः, व्यानः । तैरेव तदस्तुवत । " ब्रह्मासृज्यत "–इति । ब्रह्मात्रासृज्यत । " ब्रह्मणस्पतिरधिपतिरासीत् "–इति । ब्रह्मणस्पतिरत्राधिपतिरासीत् ॥ ४ ॥

(३) " पञ्चभिरस्तुवत "–इति । यऽएवेमे मनःपञ्चमाः प्राणास्तैरेव तदस्तुवत । " भूतान्यसृज्यन्त "–इति । भूतान्यत्रासृज्यन्त । " भूतानां पतिरधिपतिरासीत् "–इति । भूतानां पतिरत्राधिपतिरासीत् ॥ ५ ॥

(४) " सप्तभिरस्तुवत "–इति । यऽएवेमे सप्त शीर्षन्प्राणास्तैरेव तदस्तुवत । " सप्तऽऋषयोऽसृज्यन्त"–इति । सप्तर्षयोऽत्रासृज्यन्त । "धाताऽधिपतिरासीत्"–(वा. सं. १४। २८) इति । धाताऽत्राधिपतिरासीत् ॥ ६ ॥

(५) " नवभिरस्तुवत "–इति । नव वै प्राणाः–सप्त शीर्षन्, अवाञ्चौ द्वौ । तैरेव तदस्तुवत । " पितरोऽसृज्यन्त "–इति । पितरोऽत्रासृज्यन्त । " अदितिरधिपत्न्यासीत् "–इति । अदितिरत्राधिपत्न्यासीत् ॥ ७ ॥

ब्रह्मासृज्यत इत्यत्र सर्वसृष्टिसाधनभूतो वेदराशिः ' ब्रह्म ' इत्युच्यते । ' ब्रह्मणस्पतिः ' तत्पालकश्च चतुर्वक्त्रः, यद्वा उत्तरत्र ' पञ्चदशभिरस्तुवत ' इत्यत्र पञ्चदशेन स्तोमेन क्षत्रसृष्टेरभिधास्यमानत्वादत्र त्रिवृत्स्तोमेन ब्राह्मणजातिर्विवक्षिता । तत्र ब्रह्मणस्पतिरुच्यते "आग्नेयो वै ब्राह्मणः" इति (श.प.११।५।४।१२)श्रुतेः ॥४॥

" पञ्चभिरस्तुवत " इत्यत्र ' य एवेमे मनःपञ्चमाः प्राणाः ' इति श्रूयते; तत्र मन एकम्, इमे पूर्वोक्ताः वाक्प्राणोदानव्यानाश्चत्वार इत्यवगन्तव्यम् । चक्षुःश्रोत्रनासारन्ध्रगताः षड् प्राणाः, वदनस्थ एक इति सप्त

(द्वे) एकादशभिरस्तुवतेति। दश प्राणाऽआत्मैकादशस्तेनैव तदस्तुवतऽऋतवोऽसृज्यन्तेत्यृतवोऽत्रासृज्यन्तार्तवाऽ अधिपतयऽ आसन्नित्यार्तवाऽ अत्राधिपतयऽ आसन् ॥ ८ ॥

(संत्र) त्रयोदशभिरस्तुवतेति। दश प्राणा द्वे प्रतिष्ठेऽआत्मा त्रयोदशस्तेनैव तदस्तुवत मासाऽ असृज्यन्तेति मासाऽ अत्रासृज्यन्त संवत्सरोऽधिपतिरासीदिति संवत्सरोऽत्राधिपतिरासीत् ॥ ९ ॥

(त्प) पञ्चदशभिरस्तुवतेति। दश हस्त्याऽ अङ्गुलयश्चत्वारि दोर्बाहवाणि यदूर्ध्वं नाभेस्तत्पञ्चदशं तेनैव तदस्तुवत क्षत्रमसृज्यतेति क्षत्रमत्रासृज्यतेन्द्रोऽधिपतिरासीदितीन्द्रोऽत्राधिपतिरासीत् ॥ १० ॥

(त्स) सप्तदशभिरस्तुवतेति। दश पाद्या ऽअङ्गुलयश्चत्वार्यूर्वष्ठी-

---

(६) "एकादशभिरस्तुवत"–इति। दश प्राणाः, आत्मैकादशः। तेनैव तदस्तुवत। "ऋतवोऽसृज्यन्त"–इति। ऋतवोऽत्रासृज्यन्त। "आर्तवा अधिपतय आसन्"–इति। आर्तवा अत्राधिपतय आसन् ॥ ८ ॥

(७) "त्रयोदशभिरस्तुवत"–इति। दश प्राणाः, द्वे प्रतिष्ठे, आत्मा त्रयोदशः। तेनैव तदस्तुवत। "मासा असृज्यन्त"–इति। मासा अत्रासृज्यन्त। "संवत्सरोऽधिपतिरासीत्"–(वा. सं. १४। २९) इति। संवत्सरोऽत्राधिपतिरासीत् ॥ ९ ॥

(८) "पञ्चदशभिरस्तुवत"–इति। दश हस्त्या अंगुलयः, चत्वारि दोर्बाहवाणि, यदूर्ध्वं नाभेःतत्पञ्चदशम्। तेनैव तदस्तुवत "क्षत्रमसृज्यत"–(वा. सं. १४।२९) इति। क्षत्रमत्रासृज्यत। "इन्द्रोऽधिपतिरासीत्"–इति। इन्द्रोऽत्राधिपतिरासीत् ॥ १० ॥

(९) "सप्तदशभिरस्तुवत"–इति। दश पाद्या अंगुलयः, चत्वार्यूर्वष्ठीवानि, द्वे प्रतिष्ठे,

---

शीर्षण्याः प्राणाः। सप्त ऋषय इति। भरद्वाजः कश्यपोऽत्रिर्गौतमो विश्वामित्रो जमदग्निर्वसिष्ठः सप्तर्षयः। अवाञ्चाविति। मलमूत्रद्वारस्थावित्यर्थः। 'पितरः' अग्निष्वात्ताः, बर्हिषदश्च 'असृज्यन्त'। 'अदितिः' देवमाता अदीनत्वात् सा पितॄणाम् 'अधिपत्न्यासीत्' ॥ ५–७ ॥

दश प्राणा इति। "नाभिर्दशमी" इति श्रुत्यन्तरात् नाभिसहिताः पूर्वोक्ता दश 'आत्मा' देहः स चैकादशः। 'आर्तवाः' ऋत्वभिमानिदेवाः। द्वे प्रतिष्ठे इति। द्वौ पादावित्यर्थः। पञ्चदशभिरस्तुवत इति। अत्र हस्तद्वयगता दश अंगुलयः, चत्वारि दोर्बाहवाणि दोर्द्वयम्, बाहुद्वयमिति चत्वारीत्यर्थः। नाभेरुपरिष्टाद्भागः सर्वोऽपि पञ्चदशः। 'क्षत्रम्' क्षत्रियजातिस्तस्याः 'पतिः' 'इन्द्र आसीत्' ॥ ८–१० ॥

सप्तदशभिरस्तुवतेति। अत्र 'पाद्याः' पादयोर्भवाः 'अंगुलयः दश,' 'ऊर्वष्ठीवानि चत्वारि',

वानि द्वे प्रतिष्ठे यदवाङ्नाभेस्तत्सप्तदशं तेनैव तदस्तुवत ग्राम्याः पशवोऽसृज्यन्तेति ग्राम्याः पशवोऽत्रासृज्यन्त बृहस्पतिरधिपतिरासीदिति बृहस्पतिरत्राधिपतिरासीत् ॥ ११ ॥

(न) नवदशभिरस्तुवतेति । दश हस्त्याऽ अङ्गुलयो नव प्राणास्तैरेव तदस्तुवत शूद्रार्यावसृज्येतामिति शूद्रार्यावत्रासृज्येतामहोरात्रेऽअधिपत्नीऽआस्तामित्यहोरात्रेऽअत्राधिपत्नीऽआस्ताम् ॥ १२ ॥

(मे) एकविंशत्याऽस्तुवतेति । दश हस्त्या ऽअङ्गुलयो दश पाद्या ऽआत्मैकविंशस्तेनैव तदस्तुवतैकशफाः पशवोऽसृज्यन्तेत्येकशफाः पशवोऽत्रासृज्यन्त वरुणोऽधिपतिरासीदिति वरुणोऽत्राधिपतिरासीत् ॥ १३ ॥

(त्रु) त्रयोविंशत्याऽस्तुवतेति । दश हस्त्या ऽअङ्गुलयो दश

यदवाङ्नाभेस्तत्सप्तदशम् । तेनैव तदस्तुवत । " ग्राम्याः पशवोऽसृज्यन्त "–इति । ग्राम्याः पशवोऽत्रासृज्यन्त । " बृहस्पतिरधिपतिरासीत् "–(वा. सं. १४ । २९) इति । बृहस्पतिरत्राधिपतिरासीत् ॥ ११ ॥

(१०) "नवदशभिरस्तुवत"–इति । दश हस्त्या अंगुलयो, नव प्राणाः, तैरेव तदस्तुवत । "शूद्रार्यावसृज्येताम्"–इति । शूद्रार्यावत्रासृज्येताम् । "अहोरात्रे अधिपत्नी आस्ताम्"–इति । अहोरात्रे अत्राधिपत्नी आस्ताम् ॥ १२ ॥

(११) " एकविंशत्याऽस्तुवत "–इति । दश हस्त्या अंगुलयो, दश पाद्याः, आत्मैकविंशः, तेनैव तदस्तुवत । "एकशफाः पशवोऽसृज्यन्त"–इति । एकशफाः पशवोऽत्रासृज्यन्त । " वरुणोऽधिपतिरासीत् "–इति । वरुणोऽत्राधिपतिरासीत् ॥ १३ ॥

(१२) " त्रयोविंशत्याऽस्तुवत "–इति । दश हस्त्या अंगुल्यो, दश पाद्याः, द्वे प्रतिष्ठे,

---

ऊरुद्वयम्, अष्ठीवद्द्वयं चेति भावः । अष्ठीवच्छब्देन जानुमण्डलभाग उच्यते । ' द्वे प्रतिष्ठे ' द्वौ पादौ । ' नाभेः ' अधोभागः सप्तदशसङ्ख्यापूरणः । ' ग्राम्याः पशवः ' गोमहिषाजादयः ॥ ११ ॥

शूद्रार्यावसृज्येतामिति । शूद्रः प्रसिद्धः, ' अर्यः ' वैश्यजातिः ॥ १२ ॥

' एकशफाः पशवः ' गर्दभाश्वादयः । " अप्सुयोनिर्वा अश्वः " इति श्रुतेः अपां च वरुणस्वामिकत्वादेकशफानां ' वरुणोऽधिपतिरासीत् ' इत्युक्तम् । एवं सर्वत्र यथासम्भवमूहनीयम् ॥ १३ ॥

' क्षुद्राः पशवः ' अजाविप्रभृतयः, तेषां ' पूषा ' पुष्ट्यभिमानी देवः ' अधिपतिः ' स्वामी इत्यभिप्रायः ॥ १४ ॥

पा॒द्या द्वे प्र॑ति॒ष्ठेऽआ॒त्मा त्र॒योवि॒ꣳश॒स्ते॒नैव त॒दस्तु॑वत क्षु॒द्राः प॒शवो॒ऽसृज्य॒न्तेति॑ क्षु॒द्राः प॒शवो॒ऽत्रासृ॑ज्यन्त पू॒षाऽधि॑पति॒रासी॒दिति॑ पू॒षाऽत्रा॒धि॑पति॒रासी॒त् ॥ १४ ॥

(त्पु) प॒ञ्चवि॒ꣳश॒त्याऽस्तु॑व॒तेति॑ । द॒श ह॒स्त्या ऽअ॒ङ्गुल॑यो द॒श पा॒द्या॒श्च॒त्वार्य॒ङ्गान्या॒त्मा प॒ञ्चवि॒ꣳश॒स्ते॒नैव त॒दस्तु॑वतार॒ण्याः प॒शवो॒ऽसृज्य॒न्तेत्यार॒ण्याः प॒शवो॒ऽत्रासृ॑ज्यन्त वा॒यु॒र॒धि॑पति॒रासी॒दिति॑ वा॒यु॒र॒त्राधि॑पति॒रासी॒त् ॥ १५ ॥

(त्स) स॒प्तवि॒ꣳश॒त्याऽस्तु॑व॒तेति॑ । द॒श ह॒स्त्या॑ऽ अ॒ङ्गुल॑यो द॒श पा॒द्या॒श्च॒त्वार्य॒ङ्गानि॒ द्वे प्र॑ति॒ष्ठेऽआ॒त्मा स॒प्तवि॒ꣳश॒स्ते॒नैव त॒दस्तु॑वत द्या॒वा॒पृ॒थि॒वी व्यै॒ता॒मिति॑ द्या॒वा॒पृ॒थि॒वीऽअ॒त्र व्यै॑तां॒ व॒स॑वो रु॒द्रा ऽआ॑दि॒त्याऽअ॒नु॒व्या॒य॒न्निति॑ व॒स॑वो रु॒द्रा ऽआ॑दि॒त्या ऽअ॒त्रानु॒व्या॒यं॒स्त॒ऽए॒वा॒धि॑पतय॒ऽआ॒स॒न्निति॑ त॒ऽ उ॒ऽ ए॒वा॒त्राधि॑पतय॒ऽआ॒सन् ॥ १६ ॥

आत्मा त्रयोविंशः, तेनैव तदस्तुवत । "क्षुद्राः पशवोऽसृज्यन्त"–इति । क्षुद्राः पशवोऽत्रासृज्यन्त । "पूषाऽधिपतिरासीत्"–इति । पूषाऽत्राधिपतिरासीत् ॥ १४ ॥

(१३) "पञ्चविंशत्याऽस्तुवत"–इति । दश हस्त्या अंगुलयो, दश पाद्याः, चत्वार्यङ्गानि, आत्मा पञ्चविंशः । तेनैव तदस्तुवत । "आरण्याः पशवोऽसृज्यन्त"–इति । आरण्याः पशवोऽत्रासृज्यन्त । "वायुरधिपतिरासीत्"–(वा. सं. १४।३०) इति । वायुरत्राधिपतिरासीत्॥ १५॥

(१४) "सप्तविंशत्याऽस्तुवत"–इति । दश हस्त्या अंगुलयो, दश पाद्याः, चत्वार्यङ्गानि, द्वे प्रतिष्ठे, आत्मा सप्तविंशः । तेनैव तदस्तुवत । "द्यावापृथिवी व्यैताम्"–इति । द्यावापृथिवीऽअत्र व्यैताम् । "वसवो रुद्रा आदित्या अनुव्यायन्"–इति । वसवो रुद्रा आदित्या अत्रानुव्यायन् । "तऽएवाधिपतय आसन्"–(वा. सं १४।३०) इति । त उ एवात्राधिपतय आसन् ॥ १६ ॥

एवमारण्यानां वायुरधिपतिः ॥ १५ ॥

चत्वार्य्यङ्गानीति । पादौ द्वौ, पाणी द्वौ इत्यर्थः । **द्यावापृथिवी अत्र व्यैतामिति** । पूर्वंसृष्टे द्यावापृथिव्यौ प्राण्युपकारार्थं विभक्ते अभवताम् । संसर्गस्तु शाखान्तरे उक्तः,–"द्यावापृथिवी संसृष्टे आस्तां ते वियती अब्रूताम्" इति । द्यावापृथिव्योर्ग्रहणेन तदन्तरालवर्तिनोऽन्तरिक्षस्यापि ग्रहणं बोध्यम् । अत एव तत्तत्स्वामिनो 'वसवः, रुद्राः, आदित्याः' च 'अनुव्यायन्' इत्युक्तम् ॥ १६ ॥

(न्नु) नवविंशत्याऽस्तुवतेति । दश हस्त्या ऽअङ्गुलयो दश पाद्या नव प्राणास्तैरेव तदस्तुवत वनस्पतयोऽसृज्यन्तेति वनस्पतयोऽत्रासृज्यन्त सोमोऽधिपतिरासीदिति सोमोऽत्राधिपतिरासीत् ॥ १७ ॥

(दे) एकत्रिंशताऽस्तुवतेति । दश हस्त्या ऽअङ्गुलयो दश पाद्या दश प्राणा ऽआत्मैकत्रिंशस्तेनैव तदस्तुवत प्रजा ऽअसृज्यन्तेति प्रजाऽअत्रासृज्यन्त यवाश्चायवाश्चाधिपतय ऽआसन्निति पूर्वपक्षापरपक्षा ऽएवात्राधिपतय ऽआसन् ॥ १८ ॥

(संभु) त्रयस्त्रिंशताऽस्तुवतेति । दश हस्त्याऽ अङ्गुलयो दश पाद्या दश प्राणा द्वे प्रतिष्ठेऽआत्मा त्रयस्त्रिंशस्तेनैव तदस्तुवत भूतान्यशाम्यन्निति सर्वाणि भूतान्यत्राशाम्यन्प्रजापतिः परमेष्ठ्यधिपतिरासीदिति प्रजापतिः परमेष्ठ्यत्राधिपतिरासीत् ॥ १९ ॥ (काण्डस्यार्धम्)

---

(१५) "**नवविंशत्याऽस्तुवत**"–इति । दश हस्त्या अंगुलयो, दश पाद्याः, नव प्राणाः । तैरेव तदस्तुवत । "**वनस्पतयोऽसृज्यन्त** "–इति । वनस्पतयोऽत्रासृज्यन्त । "**सोमोऽधिपतिरासीत्** "–इति । सोमोऽत्राधिपतिरासीत् ॥ १७ ॥

(१६) " **एकत्रिंशताऽस्तुवत** "–इति । दश हस्त्या अङ्गुलयो, दश पाद्याः, दश प्राणाः, आत्मैकत्रिंशः । तेनैव तदस्तुवत । " **प्रजा असृज्यन्त** "–इति । प्रजा अत्रासृज्यन्त । " **यवाश्चायवाश्चाधिपतय आसन्** "–इति । पूर्वपक्षापरपक्षा एवात्राधिपतय आसन् ॥ १८ ॥

(१७) "**त्रयस्त्रिंशताऽस्तुवत**"–इति । दश हस्त्या अङ्गुलयो, दश पाद्याः, दश प्राणाः, द्वे प्रतिष्ठे, आत्मा त्रयस्त्रिंशः । तेनैव तदस्तुवत । " **भूतान्यशाम्यन्** "–इति । सर्वाणि भूतान्यत्राशाम्यन् । "**प्रजापतिः परमेष्ठ्यधिपतिरासीत्**"–(वा. सं. १४ । ३१) इति । प्रजापतिः परमेष्ठ्यत्राधिपतिरासीत् ॥ १९ ॥

वनस्पतिशब्देनौषध्यादयोऽपि विवक्षिताः, तासां पृथगनभिधानात् ॥ १७ ॥

विविच्याभिहितं सङ्गृह्याभिधत्ते–प्रजा असृज्यन्तेति । तासां 'यवाश्चायवाश्चाधिपतय आसन्' । एतद्व्याचष्टे–पूर्वपक्षापरपक्षा एवात्राधिपतय आसन्निति । उपादानं तु " ते हीदं सर्वं युवते चायुवते च "–इत्यादिना प्राक् उक्तत्वादत्र नोक्तम् । सर्वासां प्रजानामुत्पत्तेः कालसव्यपेक्षत्वान्मासर्त्वादिकालस्य पूर्वपक्षापरपक्षावृत्ति साध्यत्वात्तेषां तदधिपतित्वाभिधानमिति द्रष्टव्यम् ॥ १८ ॥

त्रयस्त्रिंशेन स्तोमेन स्तुते 'सर्वाणि भूतान्यशाम्यन्' शान्तान्यपगतोपद्रवाण्यभूवन् । त्रयस्त्रिंशस्तोमो हि सर्वेषां स्तोमानां श्रेष्ठः । अतः परमे निरतिशये स्थाने तिष्ठतीति 'परमेष्ठी' तादृशः 'प्रजापतिः' हिरण्यगर्भोऽत्र 'अधिपतिः' इति युक्तम् ॥ १९ ॥

(त्ता) ता वाऽएताः। सप्तदशेष्टकाऽउपदधाति सप्तदशो वै संवत्सरः प्रजापतिः स प्रजनयिता तदेतेन वै सप्तदशेन संवत्सरेण प्रजापतिना प्रजनयित्रैताः प्रजाः प्राजनयद्यत्प्राजनयदसृजत तद्यदसृजत तस्मात्सृष्टयस्ताः सृष्ट्वाऽऽत्मन्प्रापादयत तथैवैतद्यजमानऽएतेन सप्तदशेन संवत्सरेण प्रजापतिना प्रजनयित्रैताः प्रजाः प्रजनयति ताः सृष्ट्वाऽऽत्मन्प्रपादयते रेतःसिचोर्वेलया पृष्ट्यो वै रेतःसिचौ मध्यमु पृष्ट्यो मध्यतऽएवास्मिन्नेताः प्रजाः प्रपादयति सर्वतऽउपदधाति सर्वतऽएवास्मिन्नेताः प्रजाः प्रपादयति ॥ २० ॥

इति द्वितीयप्रपाठके षष्ठं ब्राह्मणम् ॥ ८-२-६ ॥ (४. ३.) ॥

इति द्वितीयः प्रपाठकः समाप्तः ॥ ८।२ ॥

कण्डिकासंख्या ॥ १०९ ॥

ता वा एताः सप्तदशेष्टका उपदधाति। सप्तदशो वै सम्वत्सरः प्रजापतिः। स प्रजनयिता। तदेतेन वै सप्तदशेन सम्वत्सरेण प्रजापतिना प्रजनयित्रैताः प्रजाः प्राजनयत्। यत् प्राजनयत्—असृजत तत्। यदसृजत—तस्मात्सृष्टयः। ताः सृष्ट्वाऽऽत्मन्प्रापादयत। तथैवैतद्यजमान एतेन सप्तदशेन सम्वत्सरेण प्रजापतिना प्रजनयित्रैताः प्रजाः प्रजनयति। ताः सृष्ट्वाऽऽत्मन्प्रपादयते। रेतःसिचोर्वेलया। पृष्ट्यो वै रेतःसिचौ। मध्यमु पृष्ट्यः। मध्यत एवास्मिन्नेताः प्रजाः प्रपादयति। सर्वत उपदधाति। सर्वत एवास्मिन्नेताः प्रजाः प्रपादयति ॥ २० ॥

इष्टकागतां सङ्ख्यां स्तौति—ता वा एता इति। संवत्सरात्मकः 'प्रजापतिः सप्तदशः' सप्तदशसमुदायात्मकः; द्वादश मासाः पञ्चर्तव इति सप्तदशता। स एव भूतानां प्रजनयिता 'तत्' स्रष्टव्यं जगत्स्रष्टा स प्रजापतिः 'एतेन' 'सप्तदशेन' सप्तदशसङ्ख्यात्मकेन संवत्सरलक्षणेन 'प्रजापतिना' स्वकीयकालात्मकशरीरेणेत्यर्थः। 'प्रजनयित्रा' सर्वोत्पादकेन 'एताः प्रजाः' ब्रह्मक्षत्रादिरूपाः 'प्राजनयत्' उदपादयत्। सर्वेषामुत्पत्तिमतां कालत एवोत्पत्तेः प्रजनयितृत्वम्। तस्मात् सप्तदशसङ्ख्या प्रशस्तेत्यर्थः। तदेतदप्रोक्तं तच्छब्दार्थं विशिनष्टि—यत्प्राजनयदसृजतेति। 'यद्' भूतजातं 'प्राजनयत्' इति 'असृजत' इत्यर्थः। तदेतेन वा इति। पूर्वत्रान्वयः। प्रसङ्गात् सृष्टिनामनिरुक्तिं दर्शयति—तद्यदसृजत तस्मात्सृष्टय इति। सर्जनात्सृष्टय इत्युक्तं भवति। ननु सृष्टाः प्रजाः, कथमिष्टकाः सृष्टय इत्युच्यन्त इति चेत्, नैष दोषः। इष्टकासु तासामध्यस्तरूपत्वात्। तथैवैतदित्याद्युक्तप्रायम्। रेतःसिचोर्वेलयेत्याद्यपि—गतम् ॥ २० ॥

इति श्रीसायणाचार्यविरचिते माधवीये वेदार्थप्रकाशे माध्यन्दिनीयशतपथब्राह्मणभाष्ये अष्टमे काण्डे चतुर्थेऽध्याये तृतीयं ब्राह्मणम् ॥ (८-४-३) ॥

अथ तृतीयप्रपाठके प्रथमं ब्राह्मणम् ।

चतुर्थाध्याये च चतुर्थं ब्राह्मणम् ।

अथातोऽन्वावृतम् । (न्त्रि) त्रिवृद्वतीं पुरस्तादुपदधात्येकविꣳशवतीं पश्चात्पञ्चदशवतीं दक्षिणतः सप्तदशवतीमुत्तरतः ॥ १ ॥

(८) एतद्वै प्रजापतिम् । (न्त्रि) त्रिवृद्वत्यामुपहितायां पञ्चदशवत्यां मृत्युरसीददिमामत उपधास्यते तमत्र ग्रहीष्यामीति तं प्रापश्यत्तं प्रख्याय परिक्रम्यैकविꣳशवतीमुपाधत्तैकविꣳशवतीं मृत्युरागच्छत्पञ्चदशवतीमुपाधत्त पञ्चदशवतीं मृत्युरागच्छत्सप्तदशवतीमुपाधत्त सोऽत्रैव मृत्युं न्यकरोदत्रामोहयत्तथैवैतद्यजमानोऽत्रैव सर्वान्पाप्मनो निकरोत्यत्र मोहयति ॥ २ ॥

अथातोऽन्वावृतम् । त्रिवृद्वतीं पुरस्तादुपदधाति, एकविंशवतीं पश्चात्. पञ्चदशवतीं दक्षिणतः । सप्तदशवतीमुत्तरतः ॥ १ ॥

एतद्वै प्रजापतिं त्रिवृद्वत्यामुपहितायां पञ्चदशवत्यां मृत्युरसीदत्—इमामत उपधास्यते, तमत्र ग्रहीष्यामीति । तं प्रापश्यत् । तं प्रख्याय परिक्रम्यैकविंशवतीमुपाधत्त । एकविंशवतीं मृत्युरागच्छत् । पञ्चदशवतीमुपाधत्त । पञ्चदशवतीं मृत्युरागच्छत् । सप्तदशवतीमुपाधत्त । सोऽत्रैव मृत्युं न्यकरोत्, अत्रामोहयत् । तथैवैतद्यजमानोऽत्रैव सर्वान्पाप्मनो निकरोति, अत्र मोहयति ॥२॥

अथातोऽन्वावृतमिति । अत्र ब्राह्मणे स्तोमानां स्पृतां च क्रमदेशावुच्येते । किन्त्वप्रासङ्गिकं तत् प्रतिजानीते—'अथातः' परम् 'अन्वावृतम्' वक्ष्यत इति शेषः । आवृत एवानुकुर्यात् किंचित् क्रमादिना वक्ष्यत इति । (नतु किञ्चित् क्रमार्या) किं चितिमाशुस्त्रिवृदिति मंत्रोपधेयां 'पुरस्तात्' पूर्वस्यां दिशि 'एनामुपदधाति' इति । अनूक्रान्ते तूक्रम् । उत्तरेण कुत एतत् पुरस्तादित्यवशेषितत्वात् परं पूर्वार्द्धो गम्यते । तत्रापि 'त्रिवृद्वत्यामेव त्रिवृद्वतीमनूपदधाती' ति वचनादनूकमुत्तरेणेति गम्यते । एवं हि सा अन्या त्रिवृद्वती दक्षिणेनानूकमुपधीयमाना गम्यते (मन्तर्धाय) तेनान्यथा एकविंशस्तोमवती धरुण एकविंश इत्येतन्मन्त्रोपधेयां पश्चात्तथैव (अनुकाक्ष्यन्तीनुदग्) दक्षिणेऽनूकमुपदधाति । येनोत्तरेणैकविंशवतीं तां मन्त्रान्तरेण तामुपधीयते पश्चात् । पञ्चदशवतीं मांतः पञ्चदश इत्येतां दक्षिणतोऽनूकान्ते सप्तदशवतीमिमां सप्तदश इत्येतामुत्तरस एव । सोऽत्रैव लोके । तथा हि तस्यामुत्तरतो वायूनां पञ्चदशवतीमिति । एतत् क्रमवाक्यमेव द्रष्टव्यम् । देशस्तु पूर्वार्द्ध उपदधातीत्यत्रैव विधास्यत इति । इह तस्मिन् विधीयमाने गुणवाक्यमनेकार्थं भिद्येत ॥

'एतद्वा' इति । इतिहासेनास्य क्रमस्य 'प्रजापतिम्' ऋषिं मृत्युः उपासीदत्, इत्युपप्लवः सद्दिर्द्रष्टव्यः । तथापि सकर्मकः प्रजापतिमित्यनेन सम्बध्यते नान्यथेति ॥ १ ॥ २ ॥

(त्य) अथोत्तराः। (त्रि) त्रिवृद्वत्यामेव त्रिवृद्वतीमनूपदधात्येक-विꣳशवत्यामेकविꣳशवतीं पञ्चदशवत्याꣳ सप्तदशवतीꣳ सप्तदशवत्यां पञ्चदशवतीं ता यदेवं व्यतिहारमुपदधाति तस्मादक्ष्णयास्तोमीया ऽअथो यदेते स्तोमा ऽअतोऽन्यथाऽनुपूर्वं तस्माद्वेवाक्ष्णयास्तोमीया ऽअथोऽएवं देवा ऽउपादधतेतरथाऽसुरास्ततो देवा ऽअभवन्पराऽसुरा भवत्यात्मना पराऽस्य द्विषन्भ्रातृव्यो भवति य ऽएवं वेद॥ ३॥

स ऽएष पशुर्यदग्निः। सोऽत्रैव सर्व्वः कृत्स्नः संस्कृतस्तस्य त्रिवृद्व-

---

अथोत्तराः—त्रिवृद्वत्यामेव त्रिवृद्वतीमनूपदधाति; एकविंशवत्यामेकविंशवतीम्; पञ्चदशवत्यां सप्तदशवतीम्; सप्तदशवत्यां पञ्चदशवतीम्। ता यदेवं व्यतिहारमुपदधाति—तस्मादक्ष्णयास्तोमीयाः। अथो यदेते स्तोमाः—अतोऽन्यथाऽनुपूर्वम्। तस्माद्वेवाक्ष्णयास्तोमीयाः। अथोऽएवं देवा उपादधत, इतरथाऽसुराः। ततो देवा अभवन्, पराऽसुराः। भवत्यात्मना, पराऽस्य द्विषन्भ्रातृव्यो भवति—य एवं वेद॥ ३॥

स एष पशुः—यदग्निः। सोऽत्रैव सर्वः कृत्स्नः संस्कृतः। तस्य त्रिवृद्वत्यावेव शिरः। ते यत्त्रिवृ-

---

अथोत्तरा इति। 'त्रिवृद्वत्यामेव' त्रिवृद्वतीसमीपे एव, एकविंशवत्यादिसमीप इति द्रष्टव्यं लक्षणया, कुत एतत् ते अनन्तर्हिते उपदधातीति वचनाद्वाह्ये पंचदशवत्यौ भवतोऽन्तरे सप्तदशवत्याविति च पार्श्वे उपधानदर्शनम्। 'त्रिवृद्वतीम्' अग्नेर्भागोऽसीत्येतामनुलभ्यामुपदधाति। पूर्वार्द्धे अनूके दक्षिण। एकविंशवती (समीपगुणग्राममेवान्तकमुतद्रेधाणैकविंशतीमि) इन्द्रस्य भाग इति तां पूर्वश्चोत्तरश्च यस्मादेवं व्यतिहाराय दधातीत्यस्मात्ता इष्टका अक्ष्णयास्तोमीया अधोऽधोवर्तिनः स्तोमा आसामित्यक्ष्णयास्तोमीयाः मत्वर्थीयः छप्रत्ययो द्रष्टव्यः। कुत एतत्। त्रिवृद्वतीमित्यादिषु मतुपो दर्शनादन्यस्य च तद्धितार्थस्यासम्भवात् इष्टकानां व्यतिहारमुपधाने सति तदनुरूपोऽयं स्तोमानामपि व्यतिहारो युक्तः। (तैस्तु वध्येति हिपमनिषु तद्वेष्टका।) अक्ष्णयास्तोमीया भवन्तीत्यभिप्रायः। (अतोयदेते स्तोमा अतो उपदन्यथा स्थिता। I कं) गे अनुपूर्वं त्रिवृत्पञ्चदश सप्तदश एकविंश इत्येवंरूपादेवान्यत्र (वस्था) तस्मादप्येता अक्ष्णया एवमुक्ता इत्येकोऽभिप्रायः। एतदुक्तं त्रिवृद्वत्यामुपहिपहितायां पञ्चदशवत्यां मृत्युरसीददिति तत्रैवं द्रष्टव्यम्। पूर्वस्यामिष्टकायामुपहितायां दक्षिणस्याः स्थाने मृत्युरुपासीदत (इमोमेतत्स्थानां) अत्र स्थाने ग्रहीष्यामीति तं च मृत्युं तत्र दक्षिणपार्श्वे उपासीदत्तं प्रख्याय दृष्ट्वा परिक्रम्य (तुतिर्यतदक्षिणं स्थानं वोपस्थादुपहितवानित्यादि ततश्च एवैव गाशिकस मृत्युं दृष्ट्वा नन्तराक्रमातीदन्देवस्तोमेष्वपि ततश्च वृषतिस्तो उपहिते पञ्चदशे स्तोमे मृत्युरासीदेति तमसीदेति तमीत्येकविंशमुपासीत्ततः पञ्चदशंसप्तदशमित्येवमक्ष्णयोपहितवान) मृत्युं मोहयितुमत्र पूर्वेण त्रिवृत्पञ्चदशसप्तदशैकविंशानीति। आद्या एवमक्ष्णयास्तोमीया देवा उपहितवन्तः॥ ३॥

स एष पशुः (विततसप्तथुना) अतः परं प्रागुत्तमायाः काण्डिकायाः पूर्वोक्तानामेव यजुष्मतीनां देशो विधीयते 'त्रिवृद्धि शिरः' (स्वर्गाक्षिमक्षिमस्तिष्क) इति त्रिगुणं त्रिवृदपि स्तोमः। त्रिगुण एव गुणा अपि तु

त्यावेव शिरस्ते यत्त्रिवृद्वत्यौ भवतस्त्रिवृद्धि शिरो द्वे भवतो द्विकपालꣳ हि शिरः पूर्वार्धऽउपदधाति पुरस्ताद्धीदꣳ शिरः ॥ ४ ॥

प्रतिष्ठैकविꣳशवत्यौ । ते यदेकविꣳशवत्यौ भवतः प्रतिष्ठा ह्येकविꣳशो द्वे भवतो द्वन्द्वꣳ हि प्रतिष्ठा पश्चादुपदधाति पश्चाद्धीयं प्रतिष्ठा ॥ ५ ॥

बाहू पञ्चदशवत्यौ । ते यत्पञ्चदशवत्यौ भवतः पञ्चदशौ हि बाहू द्वे भवतो द्वौ हीमौ बाहू पार्श्वतऽ उपदधाति पार्श्वतो हीमौ बाहू ॥ ६ ॥

(ऽ) अन्नꣳ सप्तदशवत्यौ । ते यत्सप्तदशवत्यौ भवतः सप्तदशꣳ ह्यन्नं द्वे भवतो द्व्यक्षरꣳ ह्यन्नं तेऽअनन्तर्हिते पञ्चदशवतीभ्यामुपदधात्यनन्तर्हितं तद्बाहुभ्यामन्नं दधाति बाह्ये पञ्चदशवत्यौ भवतोऽन्तरे सप्तदशवत्यौ बाहुभ्यां तदुभयतोऽन्नं परिगृह्णाति ॥ ७ ॥

(त्यु) अथ या मध्यऽउपदधाति । स ऽआत्मा ता रेतःसिचोर्वेलयोपदधाति पृष्टयो वै रेतःसिचौ मध्यमु पृष्टयो मध्यतो ह्ययमात्मा सर्वत

द्वत्यौ भवतः—त्रिवृद्धि शिरः । द्वे भवतः—द्विकपालं हि शिरः । पूर्वार्द्धे, उपदधाति—पुरस्ताद्धीदं शिरः ॥ ४ ॥

प्रतिष्ठैकविंशवत्यौ । ते यदेकविंशवत्यौ भवतः—प्रतिष्ठा ह्येकविंशः । द्वे भवतो—द्वन्द्वं हि प्रतिष्ठा । पश्चादुपदधाति—पश्चाद्धीयं प्रतिष्ठा ॥ ५ ॥

बाहू पञ्चदशवत्यौ । ते यत्पञ्चदशवत्यौ भवतः—पञ्चदशौ हि बाहू । द्वे भवतो—द्वौ हीमौ बाहू । पार्श्वत उपदधाति—पार्श्वतो हीमौ बाहू ॥ ६ ॥

अन्नं सप्तदशवत्यौ । ते यत्सप्तदशवत्यौ भवतः—सप्तदशं ह्यन्नम् । द्वे भवतः—द्व्यक्षरं ह्यन्नम् । ते अनन्तर्हिते पञ्चदशवतीभ्यामुपदधाति । अनन्तर्हितं तद्बाहुभ्यामन्नं दधाति । बाह्ये पञ्चदशवत्यौ भवतः—अन्तरे सप्तदशवत्यौ । बाहुभ्यां तदुभयतोऽन्नं परिगृह्णाति ॥ ७ ॥

अथ या मध्य उपदधाति—स आत्मा । ता रेतःसिचोर्वेलयोपदधाति । पृष्टयो वै रेतःसिचौ । मध्यमु पृष्टयः । मध्यतो ह्ययमात्मा । सर्वत उपदधाति । सर्वतो ह्ययमात्मा । अथ यदतोऽन्यद्—

सस्य (त्रिगुणयेवनातु) ' द्विकपालं हि शिरः ' इति (दक्षिणोत्तरे सः कया जेनिष्टयत इति—द्वोपादावन्यतः) सहचारिणौ सहाभिव्याप्यते इति द्वन्द्वः ॥ ४—६ ॥

'पञ्चदशौ हि बाहू' इति प्रत्येकं (सयुलीना त्रीणिर्वरामति प्रत्यपञ्चदशादिशब्दाश्च) बाह्वादिषु पञ्चदशपारिमाणमस्य सवज्रस्येव वज्रस्य वै स्तोमेन सिद्धिः पञ्चदशाद्यर्थे इत्येतदङ्गीकृत्य द्रष्टव्य इति स्रष्टव्य इति सृष्टयस्तु रेतःसिचोरित्यनुवाद एव (याविधसंदेशः ।) ' अथ यदतो ' अनुक्रान्ताः स्युश्चतुर्दश षड्वेष्टका अतिरिक्तता । (तत्पशुत्वादग्नेवतीनिरितराष्ट्राष्टासु सप्तदशसु चक्षुस्सस्य) पशुविधस्य संस्कृतत्वादित्यभिप्रायः ।

ऽउपदधाति सꣳवुँतो ह्ययुमात्माऽथ यदुतोऽन्यदुतिरिक्तं तद्यद्वै देवाना-
मुतिरिक्तं छुन्दाꣳसि तुानि तद्युानि तुानि च्छुन्दाꣳसि पशुवस्ते तद्ये तु
पशुवः पुण्यास्तुा लुक्ष्म्यस्तद्यास्ताः पुण्या लुक्ष्म्योऽसौ सुऽ आदित्यः
सुऽ आसामेषु दक्षिणतः ॥ ८ ॥

(स्ता) ता हैकेऽनन्तर्हितास्त्रिवृद्रतीभ्यामुपदधति । जिह्वा हनूऽइति
ऽवदन्तो याश्चतुर्दश ते हनू याः षट् सा जिह्वेति न तथा कुर्यादति
ते रेचयन्ति यथा पूर्व्वयोर्हन्वोरपरे हनूऽअनूपदध्याद्यथा पूर्व्वस्यां
जिह्वायामुपरां जिह्वामनूपदध्यात्तादृक्तद्यत्राहैव शिरस्तदेव हनू तज्जिह्वा ॥ ९ ॥

अतिरिक्तं तत् । यद्वै देवानामतिरिक्तम्—छन्दांसि तानि । तद्यानि तानि च्छन्दांसि—पशवस्ते । तद्ये ते पशवः—पुण्यास्ता लक्ष्म्यः । तद्यास्ताः पुण्या लक्ष्म्यः—असौ स आदित्यः । स आसामेष दक्षिणतः ॥ ८ ॥

ता हैकेऽनन्तर्हितास्त्रिवृद्वतीभ्यामुपदधति । जिह्वा हनू इति वदन्तः । याश्चतुर्दश ते हनू । याः षट्—सा जिह्वेति । न तथा कुर्यात् । अति ते रेचयन्ति । यथा पूर्वयोर्हन्वोरपरे हनू अनूपदध्याद्, यथा पूर्वस्यां जिह्वायामपरां जिह्वामनूपदध्यात् । तादृक्तत् । यत्राहैव शिरः—तदेव हनू, तज्जिह्वा ॥ ९ ॥

यत् ' देवानामतिरिक्तं ' किञ्चित्तत् ' छन्दांसि ' तेषामपरिमितत्वात् तत्तेषां देवानां ' यानि तानि ' अतिरिक्तानि च्छन्दांसि 'ते पशवः' पशवोऽतिरिक्तानि हविर्वहनाद् छन्दोभिमानिन्यो देवता इति । तेषां च ते छन्दआत्मकाः पशवः ' ताः पुण्या लक्ष्म्यः ' " पुण कर्मणि शुभे " पुण्येति शुभं कर्म तत्कुर्वन्तीति पुण्याः । किं पुण्याः पशवस्ता लक्ष्म अलंकारेण लक्ष्म तैश्चिक्ष्यते ताभिरिति लक्ष्यते पशुर्हि तद्वा लक्ष्यतेऽसौ नामेश्वरो बहुपशुरिति लक्षणत्व-पुण्यमपि भवत्यसौ (नामा श्वागानिगो वेति तन्निवृत्त्यर्थं) 'पुण्या लक्ष्म्यः' इत्याह देवानामेव हि ते कार्यसिद्धये संसारा अत इत्यभिप्रायः । 'तद्यास्ताः' तेषां यास्ताः ' पुण्या लक्ष्म्यः असौ स आदित्यः ' " सैषा त्रयी विद्या तपति "—(श.प.१०।५।२।२) इति वक्ष्यते । तथा चोक्तम्—अवद्यास्ता देवा यजुष्मत्यस्तन्नः प्रियाणि धामानि सार्द्धसमवदति रेत आदित्ये सन्नीश्ते हितवन्त इति ' स आसामेष दक्षिणत ' इति च्छन्दोमय आदित्य आसां मध्यो न हि (तत्सित्मकानां) प्रजानामेष इति स्थितिः । आदित्यमभिनन्द्यैनं दर्शयति दक्षिणत इति आर्या-वर्तनिवासिनीनां प्रजानां दक्षिणतः यदेतीत्येतदभिप्रायमेतदध्यात्मकमभिसत्यासां प्रजानामेतद्दक्षिणतो दक्षिणेऽक्षिणि व्यवस्थितस्तथा च वक्ष्यति "स एष या पुरुषं एतस्मिन् मण्डले पुरुषो यश्चायं दक्षिणेऽक्षन्पुरुषः" (श. प. १० । ५ । २ । २३) इति ॥ ६–८ ॥

' ता हैकेऽनन्तर्हिताः ' स्तोत्नापैश्रुत्येतदभिप्रायमेतदध्यात्मकमपि स आसां प्रजानामेष यद्दक्षिणतो दक्षिणो दक्षिणेऽक्षणि व्यवस्थितः । तथा च वक्ष्यति—स एव एष एतस्मिन् हि या अतिरिक्ताः ' चतुर्दश ' षड्ङ्ग्रेष्टका

(ह्वाऽस्मिं) अस्मिन्नु हैकेऽवान्तरदेशऽउपदधति । (त्य) असौ वाऽ-आदित्यऽएताऽअमुं तदादित्यमेतस्यां दिशि दध्म ऽइति न तथा कुर्या-दन्यानि वाव तानि कर्माणि यैरेतमत्र दधाति ॥ १० ॥

दक्षिणत ऽउ हैकऽउपदधति । तदेताः पुण्या लक्ष्मीर्दक्षिणतो दध्महऽइति तस्माद्यस्य दक्षिणतो लक्ष्म भवति तं पुण्यलक्ष्मीकऽ इत्याचक्षतऽउत्त-रत स्त्रियाऽ उत्तरतऽआयतना हि स्त्री तत्तत्कृतमेव पुरस्तात्त्वेवैनाऽउप-दध्याद्यत्रांहैव शिरस्तदेव हनू तज्जिह्वाऽथैताः पुण्या लक्ष्मीर्मुखतो धत्ते तस्माद्यस्य मुखे लक्ष्म भवति तं पुण्यलक्ष्मीकऽ इत्याचक्षते ॥ ११ ॥

अस्मिन्नु हैकेऽवान्तरदेश उपदधति । असौ वा आदित्य एताः । अमुं तदादित्यमेतस्यां दिशि दध्म इति । न तथा कुर्यात् । अन्यानि वाव तानि कर्माणि—यैरेतमत्र दधाति ॥ १० ॥

दक्षिणत उ हैक उपदधति—तदेताः पुण्या लक्ष्मीर्दक्षिणतो दध्मह इति । तस्माद्यस्य दक्षिणतो लक्ष्म भवति—तं पुण्यलक्ष्मीक इत्याचक्षते । उत्तरतः स्त्रियाः । उत्तरतआयतना हि स्त्री । तत् तत्कृतमेव । पुरस्तात्त्वेवैनाऽउपदध्यात् । यत्रांहैव शिरः—तदेव हनू, तज्जिह्वा । अथैताः पुण्या लक्ष्मीर्मुखतो धत्ते । तस्माद्यस्य मुखे लक्ष्म भवति—तं पुण्यलक्ष्मीक इत्याचक्षते ॥ ११ ॥

स्तौन्य शाखिनः 'शिरः' संस्तुताभ्यां 'त्रिवृद्वतीभ्याम्' अनुलग्नां पश्चात् 'उपदधति' 'जिह्वा' च पशुस्थाने चैत्य इष्टकानि द्वाहनूनां च शिरसामन्तरोद्देशेन वदन्तस्तत्राप्येतां व्यवस्थामाहुर्यां व्यवस्थामाहुः ('याश्चतुर्दश तदहत्तव शिरसोत्तारत्रिवृद्वतीभ्यामपराभ्यामुत्तराभ्यामन्तरा एवं चतुर्दशोपधेया इत्यभिप्रायः ।) (योपरसाजिह्वावन्तर्हितो भवतीति चतुर्दशायांप्यपराः यदुपधेया इत्यभिप्रायः) ॥ ९ ॥

अस्मिन्नुहैक इति । अस्मिन्निति दक्षिणमाशांसमभिनयेन दर्शयति । कुत एतत् 'अमुं तदादित्यमेतस्यां दिशि दध्म इति' वचनात् पूर्वां दक्षिणेति आदित्या एते व्यत्ययेन हि सनित्यमुदितो गच्छति । तथा चोक्तम् " स आसामेष दक्षिणतः " इति । तथा चादित्यसंस्तुते क्रमे उक्तं 'दक्षिणतोऽषाढाया ' इति तथा युक्ते प्रहर्षं दक्षिणार्द्धं सादयत्येतां ह्येष दिशः संत्विति अन्यानि वाव तानि कर्माणीति । अथैनमित ऊर्ध्वं प्राञ्चं प्रमृहीति । अथैनमतऊर्ध्वं प्रांचं (विनोत्ये—पञ्चमी दित्यात्स्या मुरदधाति स वायुनस्त्वां) सक्त्यां प्रथमे उपद-धाति । इत्येतैरेवमुपादैन्यमेतस्यां दिशि दधाति । दक्षिणतो यस्माद्यस्य—दक्षिणतः पुण्या लक्ष्म्य उपधीयन्ते । तस्मात्तदनुकारेणाथात्म—स्य दक्षिणपार्श्वे लक्षणं । किं यस्य वाकरमते सा किं तरात्मकं भवति तं पुरुषं पुण्य-लक्ष्मीकमित्याचक्षते । उत्तरतः स्त्रिया यस्या लक्ष्म भवति तां पुण्यलक्ष्मीकेत्याचक्षते । इत्यपि प्रासङ्गि-कमुक्तं उत्तरत आयतनं स्थानं तस्या इत्युत्तरतआयतना स्त्री सा हि प्राक्शिरसं शयानं उत्तरत उपशेते तेन उत्तरतआयतना ' ततश्च यत्र यस्यां उत्तरतो लक्ष्म तत्सामानि-तस्याः (प्रवीत्यभिप्रायः ।) तत्र तत्रैव क्रमोपधा-नादौ कृतमेवादित्यात्मिकानां पुण्यानां लक्ष्मणां कूर्मादिरूपैर्दक्षिणत उपहितत्वात् किं पुनस्ततश्च पुरस्ता-द्वेवैता उपदध्यात्तदनु च तत्रातिरिक्तदोष एवोक्त एव इत्यत आह—सत्यं यत्रैव जिह्वा च वक्तृत्वं किन्तु

सैषा ब्रह्मचितिः । (यं) यद्ब्रह्मोपादधत तस्माद्ब्रह्मचितिः सा प्रजापतिचितिर्यत्प्रजापतिमुपादधत तस्मात्प्रजापतिचितिः सऽर्षिचितिर्यदृषीनुपादधत तस्मादृषिचितिः सा वायुचितिर्यद्वायुमुपादधत तस्माद्वायुचितिः सा स्तोमचितिर्यत्स्तोमानुपादधत तस्मात्स्तोमचितिः सा प्राणचितिर्यत्प्राणानुपादधत तस्मात्प्राणचितिरतो यतमदेव कतमच्च विद्यात्तेन हैवास्यैषाऽऽर्षेयवती बन्धुमती चितिर्भवत्यथ लोकम्पृणेऽउपदधात्यस्याँ स्रक्त्यां तयोरुपरि बन्धुः पुरीषं निवपति तस्योपरि बन्धुः ॥ १२ ॥

इति तृतीयप्रपाठके प्रथमं ब्राह्मणम् ॥ ८–३–१ ॥ (४. ४.) ॥

इति चतुर्थोऽध्यायः समाप्तः ॥ ८ ॥ ४ ॥

सैषा ब्रह्मचितिः । यद्ब्रह्मोपादधत–तस्माद्ब्रह्मचितिः । सा प्रजापतिचितिः । यत्प्रजापतिमुपादधत–तस्मात्प्रजापतिचितिः । सऽर्षिचितिः । यदृषीनुपादधत–तस्मादृषीचितिः । सा वायुचितिः । यद्वायुमुपादधत–तस्माद्वायुचितिः । सा स्तोमचितिः । यत्स्तोमानुपादधत–तस्मात्स्तोमचितिः । सा प्राणचितिः । यत्प्राणानुपादधत–तस्मात्प्राणचितिः । अतो यतमदेव कतमच्च विद्यात्–तेन हैवास्यैषाऽऽर्षेयवती बन्धुमती चितिर्भवति । अथ लोकम्पृणेऽउपदधात्यस्यां स्रक्त्याम् । तयोरुपरि बन्धुः । पुरीषं निवपति । तस्योपरि बन्धुः ॥ १२ ॥

इत्याहवनीयचित्यां पञ्चचितिकायां चतुर्थी चितिः ।

पुण्यलक्ष्मीरेतस्य मुखे धत्ते न हतजिह्वा इत्यनतिरेकः । यस्माच्च यज्ञे मुखतो लक्ष्मी पुण्या धत्ते तस्मात्तदनुकारेणाध्यात्ममपि यस्य मुखलक्षणदक्षिणदंष्ट्राभिरेकादि भवति ' तं पुण्यलक्ष्मीक इति ' विशेषत ' आचक्षते ' ॥ १०–११ ॥

' सैषा ब्रह्मोपादधत । सैवेत्यष्टादशाभिरेकवोपादधत । इतरास्तु तस्या एवोपकरणमित्यभिप्रायः । ब्रह्मैव चितिः 'ब्रह्मचितिः' । समानाधिकरणसमासः । कुत एतत् । 'यद्ब्रह्मोपादधत' । ब्रह्मण उपधानकर्मत्वात् एवमुत्तरत्रापि त एषां ब्रह्मादीनां " किंयत्तदो निर्द्धारणे द्वयोरेकस्य डतरच् । " (पा.सू.५।३।९२) इति डतरच् प्रत्ययो द्रष्टव्यः । यदेवैषामायाविद्या उपासीत तेनैषा चतुर्थी चितिरस्य यजमानस्य 'आर्षेयवती' भवतीति आर्षेयवतीमेव कर्म क्रियमाणमभ्युदयाय भवतीति दर्शयति–ननु च ' विद्यात् ' इति ज्ञानमात्रमिह श्रूयते–नोपासना नैष दोषः । (विद्याग्रहणेनात्रोदसेन लक्षणो वानलक्षणे वानलक्षणो वा न स्मृतं गृह्यते) । कुत एतत् । ' अतो यतमदेव ' इति विकल्पादिवचनात् । यदि हि विज्ञानमात्रेणार्षेयवती स्यात् तत एव तस्माद्ग्रन्थात् सर्वाण्येव ब्रह्मादीनि विज्ञायन्त इति । साधोरार्षेयवती स्यात् । नैकेनचित् उपासनं तु न नियोगतः सर्वविषयं भवतीत्युपपन्नस्तत्र विकल्प एवमन्यत्रापि प्रायेणायं विदितरूपोपासनाभिप्राय एव द्रष्टव्यः । उत नु नाऽत्र ब्रह्मादय इष्टकाशरीरा उपधेयाः उक्ताः ततश्च तैस्तदेवं भवति नार्षेय आर्षेयत्वं स्यादेवार्षेयत्वाद्द्रष्टृत्वात्तस्या हि ते चेतयमाना एतां

अथ पञ्चमेऽध्याये प्रथमं ब्राह्मणम् ।

तृतीयप्रपाठके च द्वितीयं ब्राह्मणम् ।

पञ्चमीं चितिमुपदधाति । (त्ये) एतद्वै देवाश्चतुर्थीं चितिं चित्वा समा-
रोहन्यदूर्ध्वमन्तरिक्षादर्वाचीनं दिवस्तदेव तत्संस्कृत्य समारोहन् ॥ १ ॥
(हुंस्ते) तेऽब्रुवन् । (वंश्चे) चेतयध्वमिति चितिमिच्छतेति वाव तद-
ब्रुवन्नितऽऊर्ध्वमिच्छतेति ते चेतयमाना दिवमेव विराजं पञ्चमीं चिति-
मपश्यंस्तेभ्यऽएष लोकोऽच्छदयत् ॥ २ ॥
(त्ते) तेऽकामयन्त । (न्ता) असपत्नमिमं लोकमनुपबाधं कुर्वीम-

अथ असपत्नेष्टकोपधानम् ।

पञ्चमीं चितिमुपदधाति । एतद्वै देवाश्चतुर्थीं चितिं चित्वा समारोहन् । यदूर्ध्वमन्तरिक्षात्, अर्वाचीनं दिवः—तदेव तत्संस्कृत्य समारोहन् ॥ १ ॥

तेऽब्रुवन्—चेतयध्वमिति—चितिमिच्छतेति वाव तदब्रुवन्—इत ऊर्ध्वमिच्छतेति । ते चेतयमाना दिवमेव विराजं पञ्चमीं चितिमपश्यन् । तेभ्य एष लोकोऽच्छदयत् ॥ २ ॥

तेऽकामयन्त—असपत्नमिमं लोकमनुपबाधं कुर्वीमहीति । तेऽब्रुवन्—उप तज्जानीत—यथेमं लोक-

---

चतुर्थीं चितिमपश्यन् ते देवा द्रष्टार उक्ताश्चितिमालिकायां चर्षयश्चतुर्थीमित्यृषयः । एवं तर्हि कथमयं ग्रन्थो योजनीयः । अस्य ब्रह्मादिदेवैर्ऋषिभिश्च द्रष्टार उक्तास्तथार्षेयस्य यदेव किञ्चिद्देवैर्ऋषिभिर्वै पिहितमित्येवं विद्यात् तेनैव येन विदितार्षेयवती भवति 'बन्धुमती' इति ब्रह्मादिनाऽऽश्विदेवेनेति । 'अस्यां सक्त्याम्' इत्युत्तरांसे॥ १२॥

इति श्रीसर्वविद्यानिधानकवीन्द्राचार्यसरस्वतिश्रीहरिस्वामिनः कृतौ माध्यंन्दिनीयशतपथब्राह्मणभाष्ये
अष्टमकाण्डे चतुर्थेऽध्याये चतुर्थं ब्राह्मणम् ॥ (८–४–४) ॥

इत्यष्टमे काण्डे चतुर्थोऽध्यायः समाप्तः ॥ (८ । ४) ॥

पञ्चमीं चितिमिति । विराजामुपधानस्योपन्यासः ॥ १ ॥

कुत एतत् ?–' ते चेतयमाना दिवमेव विराजं पञ्चमीं चितिमपश्यन् ' इति वचनात्, " एषा वै सा विराडयां तद्देवा विराजं पञ्चमीं चितिमपश्यन् " इति च 'तेभ्यः' देवेभ्यः 'एष लोको' यो नाम ' अच्छदयत् ' " छद अपवारणे "–(धा. पा. चु. उ. ३००) । अत्र रुच्यर्थो द्रष्टव्यः । तथा हि "रुच्यर्थानां प्रीयमाणः"–(पा. सू. १।४।३३) इति देवाः संप्रदानं भवति । ततश्च तेभ्य इति चतुर्थी युज्यते नान्या ॥ २ ॥

तेऽकामयन्तेति । कण्डिकाद्वयेनैतेनासपत्नानां पञ्चानामिष्टकानामुपधानं[२] तस्य च देवा द्रष्टार इत्येतदु-

---

१–उत्तराः सादाधि लोकंपृणाः पूर्ववत् । का. श्रौ. सू. १७।२२३।

२–पंचम्यामंतेष्वाश्विनीवदसपत्नाः । दक्षिणयोररत्न्यंतरं अग्ने जातानिति प्रतिमंत्रम् । पश्चिमा द्वितीया । का. श्रौ. सू. । १७ । २२४–२२७ ।

हीति तेऽब्रुवन्नुप तज्जानीत यथेमं लोकमसपत्नमनुपबाधं करवामहाऽइति तेऽब्रुवंश्चेतयध्वमिति चितिमिच्छतेति वाव तदब्रुवंस्तदिच्छत यथेमं लोकमसपत्नमनुपबाधं करवामहाऽइति ॥ ३ ॥

ते चेतयमानाः । (ऽ) एताऽइष्टका ऽअपश्यन्नसपत्नास्ताऽ उपादधत ताभिरेतं लोकमसपत्नमनुपबाधमकुर्वत तद्यदेताभिरेतं लोकमसपत्नमनुपबाधमकुर्वत तस्मादेताऽअसपत्नास्तथैवैतद्यजमानो यदेताऽ उपदधात्येतमेवैतल्लोकमसपत्नमनुपबाधं कुरुते सर्वतऽउपदधाति सर्वत ऽएवैतदेतं लोकमसपत्नमनुपबाधं कुरुते परार्धऽउपदधाति सर्वमेवैतदेतं लोकमसपत्नमनुपबाधं कुरुते ॥ ४ ॥

(तेऽथ) अथ विराजऽ उपदधाति । (त्ये) एषा वै सा विराड्यां तद्देवा विराजं पञ्चमीं चितिमपश्यंस्ता दश दशोपदधाति दशाक्षरा विराड् विराडेषा चितिः सर्वतऽ उपदधाति यो वाऽएकस्यां दिशि विराजति न वै स विराजति यो वाव सर्वासु दिक्षु विराजति स एव विराजति ॥ ५ ॥

मसपत्नमनुपबाधं करवामहाऽइति । तेऽब्रुवन्—चेतयध्वमिति । चितिमिच्छतेति वाव तदब्रुवन् । तदिच्छत—यथेमं लोकमसपत्नमनुपबाधं करवामहाऽइति ॥ ३ ॥

ते चेतयमाना एता इष्टका अपश्यन्—असपत्नाः । ता उपादधत । ताभिरेतं लोकमसपत्नमनुपबाधमकुर्वत । तद्यदेताभिरेतं लोकमसपत्नमनुपबाधमकुर्वत—तस्मादेता असपत्नाः । तथैवैतद्यजमानो यदेता उपदधाति—एतमेवैतल्लोकमसपत्नमनुपबाधं कुरुते । सर्वत उपदधाति । सर्वत एवैतदेतं लोकमसपत्नमनुपबाधं कुरुते । परार्ध उपदधाति । सर्वमेवैतदेतं लोकमसपत्नमनुपबाधं कुरुते ॥ ४ ॥

अथ विराज उपदधाति । एषा वै सा विराट्—यां तद्देवा विराजं पञ्चमीं चितिमपश्यन् । ता दश—दशोपदधाति । दशाऽक्षरा विराट् । विराडेषा चितिः । सर्वत उपदधाति । यो वाऽएकस्यां दिशि विराजति—न वै स विराजति । यो वाव सर्वासु दिक्षु विराजति—स एव विराजति ॥ ५ ॥

च्यते । ‘ सर्वतः ’ सर्वासु दिक्षु । ‘ परार्द्धे ’ परस्मिन्नग्नेर्भागेऽन्त्ये लोक इत्यर्थः । पञ्चम्या उपधानं च वक्ष्यति ‘ अन्तरेण दक्षिणां दिश्याम् ’ इति (त्रयोदश्यां कण्डिकायाम्) ॥ ३–४ ॥

अथ विराज इति । असपत्ना उपधाय ‘अथ’ अनन्तरं ‘विराज उपदधाति’ इति क्रमवचनम् । अथ यदुक्तं ‘पञ्चमीं चितिमुपदधाति ते चेतयमाना दिक्ष्वेव विराजं पञ्चमीं चितिमपश्यन्’ इति किमियं पञ्चमचितिस्तूक्तमर्थं पुनरुपन्यस्यत आहोस्विदन्यासामेवेष्टकानामपूर्वमेवेदमुपधानमुपदिश्यत इति सन्देहनिवृत्त्यर्थमाह—एषा वै सा विराडिति । ननु च ‘अथ विराज’ इति या विराज उपक्रान्ताः, कथम् ‘एषा वै सा विराट्’ इत्येकवचनेन परामृश्यन्ते । नैष दोषः, विराडक्षरास्तावच्छन्दोवचनास्ते संख्यासामान्याच्च प्रयुज्यन्ते । तत्र छन्दः दशाक्षरेणैव केनापि पादेन

य॒द्वे॑वैता॒ऽअसप॒त्ना॒ऽउप॒द॒धाति । (त्ये) एतद्वै प्र॒जाप॑तिमे॒तस्मि॑न्ना॒त्मन॑: प्र॒तिहि॑ते स॒र्व्वत॑: पा॒प्मोपा॑यतत स॒ऽए॒ता॒ऽइ॒ष्ट॒का॒ऽअ॒प॒श्य॒द॒स॒प॒त्ना॒स्ता॒ऽउ॒पा॒ध॒त्त ता॒भि॒स्तं पा॒प्मा॒न॒मु॒पा॒ह॒त पा॒प्मा वै स॒प॒त्न॒स्त॒द्य॒दे॒ता॒भि॒: पा॒प्मा॒न॒ᳬ स॒प॒त्न॒म॒पा॒ह॒त त॒स्मा॒दे॒ता॒ऽअ॒स॒प॒त्ना॒: ॥ ६ ॥

(स्त) त॒द्वा॒ऽए॒त॒त्क्रि॒य॒ते । य॒द्दे॒वा॒ऽअ॒कु॒र्व॒न्नि॒दं न्वि॒मᳬ स पा॒प्मा नोप॑यतते य॒त्त्वे॒त॒त्क॒रो॒ति य॒द्दे॒वा॒ऽअ॒कु॒र्व्वँ॒स्त॒त्क॒र॒वा॒णी॒त्य॒थो य॒ऽए॒व पा॒प्मा

यद्वेवैता असपत्ना उपदधाति । एतद्वै प्रजापतिमेतस्मिन्नात्मनः प्रतिहिते सर्वतः पाप्मोपायतत । स एता इष्टका अपश्यदसपत्नाः । ता उपाधत्त । ताभिस्तं पाप्मानमपाहत । पाप्मा वै सपत्नः । तद्यदेताभिः पाप्मानं सपत्नमपाहत—तस्मादेता असपत्नाः ॥ ६ ॥

तद्वाऽएतत्क्रियते—यद्देवा अकुर्वन् । इदं न्विमं स पाप्मा नोपयतते । यत्त्वेतत्करोति । यद्देवा अकुर्वन्—तत्करवाणीति । अथो य एव पाप्मा, यः सपत्नः—तमेताभिरपहते । तद्यदेताभिः पाप्मानं

विराडित्युच्यते । चतुर्भिरपि ततश्च तदनुकारेणायमत्र विराड् इष्टकानां दशके यदा प्रयुज्यतेऽतस्तदा ते चत्वारो दशका इति कृत्वा विराज इति बहुवचनं न भवति । यदा तु चत्वारिंशदक्षरा विराट् च तत्सामान्यादिष्टकानामपि चत्वारिंशदेव विराडित्येतदभिप्रायमेतदेकवचनमेव भवतीत्युपपन्नम् । कीदृशी पुनर्विराड् उपदधाति—किं च चत्वारिंशदात्मिका । आहोस्विद्दशात्मिका इत्यत आह—ता दश दशेति । 'ता दश दश' तदात्मिका विराजो न चत्वारिंशदात्मिका इति तदर्थः । चत्वारिंशद्विराज इत्येतदात्मकमेत,लोकाश्चतस्रो विराजो दशात्मिकास्ताश्चत्वारिंशद्यजुष्मत्य इति । अन्यास्तु ता विराजो दशदशेति सामानाधिकरण्याच्चत्वारिंशद्विराज इति च सामानाधिकरण्यादिष्टकानामेव विराज इत्येतेन समं मन्यन्ते । तत्प्रागुक्तम् । प्रतीष्टकयोर्योगस्यादर्शनात् सङ्ख्यासामान्याच्च प्रवृत्तिनिमित्तस्यासंभवादेतस्यां विराज इति च दशके एकवचनात्तस्य दर्शनाच्चतस्रो दश च इति च शब्देनात्मव्यवहारदर्शनाच्छन्दस्याशब्दस्य तन्निमित्तस्येष्टकानां तु प्रागुक्तत्वात् । तस्माद्यथावर्णित एव ग्रन्थार्थो युक्तः । एवं तावद्देवैरसपत्ना विराजश्च दृष्टा इत्येतदुक्तं संप्रति ब्राह्मणशेषेणासपत्नासु प्राजापत्यं दर्शनं प्रपञ्च्यते । परेण च ब्राह्मणेन विराड् 'एतस्मिन्नात्मनः' इति तदूर्ध्वमध्या.... 'सर्वतः' सर्वासु दिक्षु 'पाप्मा' न क्षरणे पातव्यं तस्मादिति पाप्मा दृष्टादृष्टम् उपपातकम् । अदृष्टस्तावदधर्मस्तत्पूर्वश्चाध्यात्मिको मोहरागद्वेषमिथ्याभिनिवेशनिद्रालस्यप्रमादव्याधिगौरवादिबाधश्चाकीर्तिप्रभावो पिभूतिः । साधनवैगुण्यद्वेष्टा द्वेष्यदात्मको दन्दशूकोऽन्यो वा न तु कुलशीतोष्णादि उपायतत इति (प्रयां तु उपरन्ते यतस्तस्मिन्) 'तद्यदेताभिः' इत्यनेन सोपपन्नताकारणभूता 'असपत्ना' इत्येतद्दर्शयति ॥ ५ ॥ ६ ॥

तद्वा एतदिति । प्राजापत्यस्येतिहासस्यायमधियज्ञमुपसंहारः । 'यद्देवा अकुर्वन्' इति (प्रजापतिपदमसीरतिश्चान्यैरपि) देवैरुपहिता इति बहुवचनम् । इतरथा त्वेवमवक्ष्यत् तद्वा एतत् क्रियते यत्प्रजापतिरकरोत् । 'इदम्'

१—विराजो दश दश प्रतिदिशं पुरस्तात् प्रथममेवरछंद इति प्रतिमंत्रम् । गायत्र्यसपत्नागणमध्येऽसंभवात् । पश्चिमश्चो वा पर भर्भपया वपभाथ असपत्ना स्पृशोऽन्यतोऽन्तराः ॥ का. श्रौ. सू. १७ । २२८ ।

यः सपत्नस्तमेताभिरपहते तद्यदेताभिः पाप्मानꣳ सपत्नमपहते तस्मादेताऽअसपत्नाः सर्व्वतऽउपदधाति सर्व्वतऽएवैतत्पाप्मानꣳ सपत्नमपहते परार्धऽउपदधाति सर्व्वस्मादेवैतदात्मनः पाप्मानꣳ सपत्नमपहते ॥ ७ ॥

स पुरस्तादुपदधाति । (स्य) अग्ने जातान्प्रणुदा नः सपत्नानिति यथैव यजुस्तथा बन्धुरथ पश्चात्सहसा जातान्प्रणुदा नः सपत्नानिति यथैव यजुस्तथा बन्धुः ॥ ८ ॥

सा या पुरस्तादग्निः । सा या पश्चादग्निः साऽग्निनैव तत्पुरस्तात्पाप्मानमपाहताग्निना पश्चात्तथैवैतद्यजमानोऽग्निनैव पुरस्तात्पाप्मानमपहतेऽग्निना पश्चात् ॥ ९ ॥

सपत्नमपहते—तस्मादेता असपत्नाः । सर्वत उपदधाति । सर्वत एवैतत्पाप्मानं सपत्नमपहते । परार्ध उपदधाति । सर्वस्मादेवैतदात्मनः पाप्मानं सपत्नमपहते ॥ ७ ॥

स पुरस्तादुपदधाति । “ अग्ने जातान्प्रणुदा नः सपत्नान् ”–(वा० सं० १९ । १) इति । यथैव यजुस्तथा बन्धुः । अथ पश्चात् । “ सहसा जातान्प्रणुदा नः सपत्नान् ”– (वा० सं० १९ । २) इति । यथैव यजुस्तथा बन्धुः ॥ ८ ॥

सा या पुरस्ताद्–अग्निः सा । या पश्चाद्–अग्निः सा । अग्निनैव तत्पुरस्तात्पाप्मानमपाहत, अग्निना पश्चात् । तथैवैतद्यजमानोऽग्निनैव पुरस्तात्पाप्मानमपहते, अग्निना पश्चात् ॥ ९ ॥

इति सन्निहितं प्रमाणान्तरं दृश्यं दर्शयति । चतुर्थ्यां चितौ चितायामिमं यजमानं स पाप्मा चोपयतत इदं दृश्यते एव नहि नियोग एतस्यामवस्थायां स केन चिदध्यात्मिकेन बाह्येन चोपद्रवेणासाध्यत इत्यर्थः । ‘ अथो य एव ’ इति यद्यप्यपूर्वेपाप्मानमेनमपाहत तथोर्याभिर्मनुष्यत्वात्तस्यास्त्येव कश्चित्पात्मानम् । ‘ एताभिरपहते ’ यः सपत्नः पाप्मा विशेष एव यः समानार्थस्य पतिरेकार्थाभिलाषी समुच्यते तस्य च भेदेन ग्रहणमिहासपत्नाशब्दनिर्वचनार्थः । एतदुक्तं भवति । असपत्नाशब्दे सपत्नशब्दः पाप्मलक्षणार्थस्ततश्च पाठः सपत्नः स पाप्मा इत्ययमेवार्थ इति ॥ ७ ॥

स पुरस्तादिति । ‘ स पुरस्तात् ’ सर्वत उपदधातीत्येतेन दिशः प्राप्ताः य एव मन्त्राश्च पाठक्रमो नियमार्थोऽन्ये चैतानि वचनानि पुरस्तात् प्रथमम् ‘ उपदधाति ’ ततः पश्चात्, ततो दक्षिणतः । तत उत्तरतो मध्येचिति एवं सतीह दिग्विधानं स्पष्टं नास्ति गायत्र्यादिषु च पूर्वार्द्धे उपदधातीति स्पष्टमस्तीति तदनुरोधेनैव अश्विनीवदनूकमुत्तरेण द्वितीयेषु लोकेषूपधेया इति गम्यते ‘ यथैव यजुः ’ इतीष्टकाशरीरोऽग्निरात्मन्युपधीयत इत्यभिप्रायः ॥ ८ ॥

एतदेव स्पष्टीकरोति—सा या पुरस्तादग्निः सा या पश्चादग्निरिति । ‘ सा या पुरस्तात् ’ इष्टकाभिः ‘ सा ’ इत्यादिना ॥ ९ ॥

(दु) अथ दक्षिणतः । षोडशी स्तोम ऽओजो द्रविणमित्येकादशाक्षरा वै त्रिष्टुप्त्रैष्टुभमन्तरिक्षं चतस्रो दिशऽएषऽ एव वज्रः पञ्चदशस्तस्यासा-वेवादित्यः षोडशी वज्रस्य भर्ता स ऽएतेन पञ्चदशेन वज्रेणैतया त्रिष्टुभा दक्षिणतः पाप्मानमपाहत तथैवैतद्यजमानऽएतेन पञ्चदशेन वज्रेणैतया त्रिष्टुभा दक्षिणतः पाप्मानमपहते ॥ १० ॥

(तेऽथो) अथोत्तरतः । (श्च) चतुश्चत्वारिꣳश स्तोमो वर्चो द्रविण-मिति चतुश्चत्वारिꣳशदक्षरा वै त्रिष्टुप्त्रैष्टुभो वज्रः सऽएतेन चतुश्च-त्वारिꣳशेन वज्रेणैतया त्रिष्टुभोत्तरतः पाप्मानमुपाहत तथैवैतद्यजमानऽ-एतेन चतुश्चत्वारिꣳशेन वज्रेणैतया त्रिष्टुभोत्तरतः पाप्मानमपहते ॥ ११ ॥

अथ दक्षिणतः । " षोडशी स्तोम ओजो द्रविणम् "—इति । एकादशाक्षरा वै त्रिष्टुप् । त्रैष्टुभमन्तरिक्षम् । चतस्रो दिशः । एष एव वज्रः पञ्चदशः । तस्यासावेवादित्यः षोडशी वज्रस्य भर्ता । स एतेन पञ्चदशेन वज्रेणैतया त्रिष्टुभा दक्षिणतः पाप्मानमपाहत । तथैवैतद्यजमान एतेन पञ्चदशेन वज्रेणैतया त्रिष्टुभा दक्षिणतः पाप्मानमपहते ॥ १० ॥

अथोत्तरतः । " चतुश्चत्वारिंशः स्तोमो वर्चो द्रविणम् "—इति । चतुश्चत्वारिंशदक्षरा वै त्रिष्टुप् । त्रैष्टुभो वज्रः । स एतेन चतुश्चत्वारिंशेन वज्रेणैतया त्रिष्टुभोत्तरतः पाप्मानमपाहत । तथैवैतद्यजमान एतेन चतुश्चत्वारिंशेन वज्रेणैतया त्रिष्टुभोत्तरतः पाप्मानमपहते ॥ ११ ॥

(द्विविधः दर्योक्तुरायैनृण्णवेति) षोडशिमन्त्रोपात्ताः त्रिष्टुभः अन्तर्गता दर्शयति । त्रैष्टुभो विकारस्त्रिष्टुभा सा सम्मितं दशदिशोऽन्तरिक्षमेकादशं रुद्रायतनं चेति कृत्वा (वस्तः) दिशो महत्या पूर्व एकादशभिर्मणिः स एष वज्रः पञ्चदशपरिमाणमस्य वज्रस्योत्पत्त्यैवं वज्रमात्रेण प्रत्ययो द्रष्टव्यः । तस्य च वज्रं यस्य पञ्चदशादित्यो भर्ता स च षोडशीति प्रयोगात् षोडशानां पूरण इत्येतस्मिन्नर्थे णिनिप्रत्ययं दर्शयति । अथवा षोडशं स्थानं (संख्यां) अस्य यजमानस्यास्तीति षोडशी मत्वर्थीय एव गिनिः, एवं षोडश्युपादानैव वज्रस्त्रिष्टु-भोऽनुपातं दर्शयित्वा (तयोर्वेति यो रामाह ।) प्रजापतिरेतेनेति एतत् ब्रुवति । इमं मन्त्रार्थं दर्शयति । यः षोडशी स्तोम इति त्रिष्टुप् वज्रस्तं पाप्मा यद्येतेनोपधेयमुपदधातीति एवमुत्तरत्रापि यश्चतुश्चत्वारिंशो वज्रस्त-मुपदधामीति मन्त्रार्थः । अर्थे हि तद्यदेताभिः—अपाहतेतीष्टकाभिरपघातो दर्शितः । तेन मन्त्रे, इष्टकाः वज्रात्मिका दर्शनीया इति युक्तम् ॥ १० ॥

अथोत्तरत इति । ' अथोत्तरतः ' त्रैष्टुभस्त्रिष्टुप्संमितो वा ' चतुश्चत्वारिंशत् ' अस्ति अपहितवधेव वज्रः, अन्तरिक्षमपि च चतुश्चत्वारिंशमेकैका दिगित्येवं गृह्यमाणा ॥ ११ ॥

(तेऽथ) अथ मध्ये । (ध्येऽग्नेः) अग्नेः पुरीषमसीति ब्रह्म वै चतुर्थी चितिरग्निरु वै ब्रह्म तस्या ऽएतत्पुरीषमिव यत्पञ्चम्यप्सो नामेति तस्योक्तो बन्धुः ॥ १२ ॥

(स्तां) तां प्राचीं तिरश्चीमुपदधाति । (त्ये) एतद्धैतया प्रजापतिः पाप्मनो मूलमवृश्चत्तथैवैनयाऽयमेतत्पाप्मनो मूलं वृश्चति दक्षिणतो दक्षिणतऽउद्यामो हि वज्रोऽन्तरेण दक्षिणां दिश्यामुद्यामाय ह तमवकाशं करोति १३

सा या पुरस्तात्प्राणः सा । या पश्चादपानः सा प्राणेनैव तत्पुरस्तात्पाप्मानमपाहतापानेन पश्चात्तथैवैतद्यजमानः प्राणेनैव पुरस्तात्पाप्मानमपहतेऽपानेन पश्चात् ॥ १४ ॥

अथ मध्ये-" अग्नेः पुरीषमसि "-इति । ब्रह्म वै चतुर्थी चितिः । अग्निरु वै ब्रह्म । तस्या एतत्पुरीषमिव-यत्पञ्चमी । " अप्सो नाम "-(वा. सं. १५ । ३) इति । तस्योक्तो बन्धुः ॥ १२ ॥

तां प्राचीं तिरश्चीमुपदधाति । एतद्धैतया प्रजापतिः पाप्मनो मूलमवृश्चत् । तथैवैनयाऽयमेतत्पाप्मनो मूलं वृश्चति । दक्षिणतः । दक्षिणतउद्यामो हि वज्रः । अन्तरेण दक्षिणां दिश्याम् । उद्यामाय ह तमवकाशं करोति ॥ १३ ॥

सा या पुरस्तात्-प्राणः सा । या पश्चाद्-अपानः सा । प्राणेनैव तत् पुरस्तात्पाप्मानमपाहत, अपानेन पश्चात् । तथैवैतद्यजमानः प्राणेनैव पुरस्तात्पाप्मानमपहते, अपानेन पश्चात् ॥ १४ ॥

' अथ मध्ये ' ' अग्निरु वै ब्रह्मेति ' चतुर्थ्यां चितौ ब्रह्मोपहितं तदग्न्यात्मकमिति दर्शयति-किंदेवत्या पुनरेषा पुरीषवती चन्द्रावती कुत एतत् । अनन्तरं पुरीष....नीतिह्याह चन्द्रमाश्च दैवमन्नमिति तथा च मन्त्रवर्णस्य ' अप्सो नामेति ' रसो नामेत्येतदिति ॥ १२ ॥

तां प्राचीमिति । ' तां ' मध्यमां (मय) 'प्राचीं' प्राग्लक्षणामुपदधाति ' तिरश्चीम् ' इति सन्निकृष्टेष्टकान्तरापेक्षया तिरश्चीमिति . केवल्याः सन्निकृष्टास्तत्रोदग्लक्षणा इष्टका उपधेयाः (स्कन्धोश्च) प्राचीत्ववचनादुत्तरामपि उपधीयन्त इति दर्शयति । ततश्च श्रोण्यंसयोरन्तराले उदग्लक्षणा एव । परिशेषात्तु लोमसंस्तवाच, आसामन्तराले च प्राग्लक्षणा उपधेयाः । ' मूलमवृश्चत् ' इति । तिरश्चोत्तरस्य प्रयोजनमतिरश्चाभिशक्यमूलं छेत्तुमित्यभिप्रायः । ताश्च दक्षिणत उपदधाति नच पारमार्थिक एवाग्नेर्मध्य इत्यर्थः । किं कारणं ? 'दक्षिणतउद्यामो हि वज्रः' दक्षिणत उद्याम उत्कर्षोऽस्येति दक्षिणतउद्यामः । स्वभावो वज्रे योमामवज्रं क्षिपति । किमस्मिन् पुनःप्रादेशे दक्षिणतस्तामुपदधातीत्यत आह-अन्तरेण दक्षिणां दिश्यां । न अरत्निमात्रे कुत एतद्रुहिस्तोमभागं पुरीषवतीमतिच्छन्दसं चोपदधातीति वचनात् । किमर्थमन्तरेण (नव हि यतदेलाद्याभिवचेत्यत आह) ' उद्यामाय ' प्रक्षेपार्थाय तमवकाशं करोति यदस्या दक्षिणतोऽग्नेरवशिष्यत इत्यभिप्रायः ॥ १३ ॥

सा या पुरस्तादिति-त्रिभिरेताभिः कण्डिकाभिः प्राजापत्यमेव दर्शनान्तरं यजमान उपसंह्रियते । किं

(३) अथ येऽअभितः । (स्तौ) तौ बाहू स योऽस्याभितः पाप्माऽऽसी-द्बाहुभ्यां तमपाहत तथैवैतद्यजमानो योऽस्याभितः पाप्मा भवति बाहु-भ्यामेव तमपहते ॥ १५ ॥

(तेऽन्नं) अन्नं पुरीषवती । स योऽस्योपरिष्टात्पाप्माऽऽसीदन्नेन तमपाहत तथैवैतद्यजमानो योऽस्योपरिष्टात्पाप्मा भवत्यन्नेनैव तमपहते ॥ १६ ॥

स यद्ध वाऽएवंवित्प्राणिति । योऽस्य पुरस्तात्पाप्मा भवति तं तेनाप-हतेऽथ यदपानिति तेन तं यः पश्चादथ यद्बाहुभ्यां कर्म कुरुते तेन तं योऽभितोऽथ यदन्नमत्ति तेन तं यऽउपरिष्टात्सर्व्वदा ह वाऽएवंवित्पा-प्मानमपहतेऽपि स्वपंस्तस्मादेवं विदुषः पापं न कीर्तयेन्नेदस्य पाप्मा-ऽसानीति ॥ १७ ॥

इति तृतीयप्रपाठके द्वितीयं ब्राह्मणम् ॥ ८–३–२ ॥ (५. १) ॥

अथ येऽअभितः–तौ बाहू । स योऽस्याभितः पाप्माऽऽसीद्–बाहुभ्यां तमपाहत । तथैवैतद्यजमानो योऽस्याभितः पाप्मा:भवति–बाहुभ्यामेव तमपहते ॥ १५ ॥

अन्नं पुरीषवती । स योऽस्योपरिष्टात्पाप्माऽऽसीद्–अन्नेन तमपाहत । तथैवैतद्यजमानो योऽस्यो-परिष्टात्पाप्मा भवति–अन्नेनैव तमपहते ॥ १६ ॥

स यद्ध वाऽएवंवित्प्राणिति–योऽस्य पुरस्तात्पाप्मा भवति–तं तेनापहते । अथ यदपानीति–तेन तम्–यः पश्चात् । अथ यद्बाहुभ्यां कर्म कुरुते–तेन तम्–योऽभितः । अथ यदन्नमात्ति–तेन तम्–य उपरिष्टात् । सर्वदा ह वाऽएवं वित्पाप्मानमपहते–अपि स्वपन् । तस्मादेवं विदुषः पापं न कीर्तयेत्–नेदस्य पाप्माऽसानीति ॥ १७ ॥

पुनः'उपरिष्टात् पाप्मा भवति'य उपरिभागे न कृतः;यो वा शिरोरोगादिकं परिवर्त्तते संनिपातादिर्वा॥ १४–१६॥

' स यद्ध वै ' एवंविदेव (सको वेरेवासि) चयनादेवं ' पाप्मानमपहत ' इत्यर्थः । कुत एतत् । यजमानः पाप्मानमपहन्तीत्यस्यार्थस्यापूर्वेणैवोक्तत्वात् । तस्मादेवमुपासकस्य भूताद्या ' पापम् ' अन्यो ' न कीर्तयेत् ' प्रोक्तं किमिति विदुषः (आहते) त अस्यैवमुपासकस्य पाप्माऽपहन्तव्यः असानि (वार्थनाथाते)' नेत् ' न हि पाप्मा भवतीति मान्योऽर्थः ॥ १७ ॥

इति श्रीहरिस्वामिनः कृतौ माध्यन्दिनीयशतपथब्राह्मणभाष्ये अष्टमे काण्डे पञ्चमेऽध्याये

प्रथमं ब्राह्मणम् ॥ (८–५–१) ॥

अथ च्छन्दस्याऽ उपदधाति । (त्ये) एतद्वै प्रजापतिः पाप्मनो मृत्योर्मुक्त्वाऽन्नमैच्छत्तस्मादु हैतदुपतापी व्वसीयान्भूत्वाऽन्नमिच्छति तस्मिन्नाशꣳसन्तेऽन्नमिच्छति जीविष्यतीति तस्मै देवाऽएतदन्नं प्रायच्छन्नेताश्छन्दस्याः पशवो वै छन्दाꣳस्यन्नं पशवस्तान्यस्माऽअच्छदयंस्तानि यदस्माऽअच्छदयंस्तस्माच्छन्दाꣳसि ॥ १ ॥

ता दश दशोपदधाति । दशाऽक्षरा व्विराड्विराडु कृत्स्नमन्नꣳ सर्व्वमेवास्मिन्नेतत्कृत्स्नमन्नं दधाति सर्व्वतऽ उपदधाति सर्व्वतऽएवास्मिन्नेतत्कृत्स्नमन्नं दधाति ॥ २ ॥

अथ चत्वारिंशच्छन्दस्येष्टकोपधानम् ।

अथ च्छन्दस्या उपदधाति । एतद्वै प्रजापतिः पाप्मनो मृत्योर्मुक्त्वाऽन्नमैच्छत् । तस्मादु हैतदुपतापी वसीयान्भूत्वाऽन्नमिच्छति । तस्मिन्नाशंसन्ते—अन्नमिच्छति, जीविष्यतीति । तस्मै देवा एतदन्नं प्रायच्छन्—एताश्छन्दस्याः । पशवो वै छन्दांसि । अन्नं पशवः । तान्यस्माऽअच्छदयन् । तानि यदस्माऽअच्छदयन्—तस्माच्छन्दांसि ॥ १ ॥

ता दश दशोपदधाति । दशाऽक्षरा विराट् । विराडु कृत्स्नमन्नम् । सर्वमेवास्मिन्नेतत्कृत्स्नमन्नं धाति । सर्वत उपदधाति । सर्वत एवास्मिन्नेतत्कृत्स्नमन्नं दधाति ॥ २ ॥

एवमसपत्नासु प्राजापत्यदर्शनं प्रपंच्यानेन तदेव परा प्रपञ्चयति । तासां च प्रसंगस्तावत् पञ्चमीं चितिमुपदधातीत्येवमुपधानं उपन्यस्तं ततः पुनरपि विराज उपदधातीत्येतदेव क्रमार्थमुत्कीर्तनमधुना तु च्छन्दःसंबन्धिना निमित्तेन (प्रतीष्टेवर्तिनोपादाय) पुरस्तादेवोपन्यस्यते (असपत्यांनं या तेर्थतेत्तरं) 'छन्दस्या उपदधाति' या पूर्वं विराड्वदेषोपन्यस्ता इति । कथं पुनरस्य ते विराजामेवायं प्रपञ्चार्थः । पुनरर्थापीनच्छन्दस्या इष्टकान्तराणीत्युच्यते । तत्र विराण्मितानां मन्त्राणामनुक्रमेणोदितानुक्रमेण विराजां च दशकात्मिकानामिहैव प्रत्यभिज्ञानादसपत्नवच्च प्रपञ्चस्यापेक्षितत्वाच्च । (मपभाश्च). चत्वारिंशद्विराज एकधानः त्रिंशस्तोमभाग इत्यत्र च प्रत्यभिज्ञानादेशोदर्शनाद्विराजामेवापुनर्वाद इति गम्यते । ' प्रजापतिः पाप्मनः ' आत्मानं मुक्त्वा अधियज्ञिकमेव अन्नमैच्छत्तदनुकरणवादोऽपि उपतप्यतेऽनेनेत्युपतापो रोगोऽस्यास्तीति ' उपतापी ' आतुरः इति यावत् "वस निवासे" ("नस्तरः" स्थिरतर्त्रोरा दृढतरपूर्वन्नितिवस्थातो भूत्वा) अत्तुमिच्छति तस्मिन्नत्तुमिच्छति पार्श्वस्था आशंसंते जीवितं कामयतेऽन्नमिच्छत्ययं जीवतीति मन्यमानास्तां पचन्तीत्यर्थः । तस्मै प्राजापत्याय एतदाधियज्ञिकमन्नं छन्दस्यात्मकं दत्तवन्तः ' पशवो वै छन्दांसि ' (इतीष्टकानामन्नत्वो यामोदात्वन) एतदुक्तं भवत्येता इष्टकाश्छन्दांसि पश्वात्मकानि पशवोऽन्नात्मका एवं तस्मा अन्नमित्येवं च छन्दः तदिष्टकाशरीरमुपदधातीत्येतद् मन्त्रार्थं दर्शयत्येवमुत्तरेष्वपि दर्शनीयस्तानि च्छन्दांस्यस्मै प्रजापतये अच्छदयन्नाराधयन्नित्यर्थः ॥ १ ॥

ता दश दशेति । पूर्ववदध्यात्मं व्याख्याता एव छन्दःक्रमप्राप्तमन्त्रानुक्रमणव्याख्यानार्थं चेत्यस्मिंस्तान्येव

(त्ये) एवश्छन्द ऽइति । (त्य) अयं वै लोकऽ एवश्छन्दो वरिवश्छन्दऽ-इत्यन्तरिक्षं वै वरिवश्छन्दः शम्भूश्छन्दऽइति द्यौर्वै शम्भूश्छन्दः परिभूश्छन्द ऽइति दिशो वै परिभूश्छन्द ऽआच्छच्छन्दऽइत्यन्नं वाऽआच्छच्छन्दो मनश्छन्दऽ इति प्रजापतिर्वै मनश्छन्दो व्यचश्छन्दऽइत्यसौ वाऽआदित्यो व्यचश्छन्दः ॥ ३ ॥

सिन्धुश्छन्द ऽइति । प्राणो वै सिन्धुश्छन्दः समुद्रश्छन्दऽइति मनो वै समुद्रश्छन्दः सरिरं छन्द ऽइति वाग्वै सरिरं छन्दः ककुप्छन्द ऽइति प्राणो वै ककुप्छन्दस्त्रिककुप्छन्द ऽइत्युदानो वै त्रिककुप्छन्दः काव्यं छन्द ऽइति त्रयी वै विद्या काव्यं छन्दोऽङ्कुपं छन्द ऽइत्यापो वाऽअङ्कुपं छन्दोऽक्षरपङ्क्तिश्छन्द ऽइत्यसौ वै लोकोऽक्षरपङ्क्तिश्छन्दः पदपङ्क्तिश्छन्द ऽइत्ययं वै लोकः पदपङ्क्तिश्छन्दो विष्टारपङ्क्तिश्छन्द ऽइति दिशो वै विष्टारपङ्क्तिश्छन्दः क्षुरो भ्रुजश्छन्दऽइत्यसौ वाऽआदित्युः क्षुरो भ्रुजश्छन्द ऽआच्छच्छन्दः प्रच्छच्छन्दऽइत्यन्नं वाऽआच्छच्छन्दोऽन्नं प्रच्छच्छन्दः ॥ ४ ॥

---

(१) (१) " एवश्छन्दः "–इति । अयं वै लोक एवश्छन्दः । (२) " वरिवश्छन्दः "–इति । अन्तरिक्षं वै वरिवश्छन्दः । (३) " शम्भूश्छन्दः "–इति । द्यौर्वै शम्भूश्छन्दः । (४) " परिभूश्छन्दः "–इति । दिशो वै परिभूश्छन्दः । (५) " आच्छच्छन्दः "–इति । अन्नं वा आच्छच्छन्दः । (६) " मनश्छन्दः "–इति । प्रजापतिर्वै मनश्छन्दः । (७) " व्यचश्छन्दः "–इति । असौ वा आदित्यो व्यचश्छन्दः ॥ ३ ॥

(८) " सिन्धुश्छन्दः "–इति । प्राणो वै सिन्धुश्छन्दः । (९) " समुद्रश्छन्दः "–इति । मनो वै समुद्रश्छन्दः । (१०) " सरिरं छन्दः "–इति । वाग्वै सरिरं छन्दः । (२) (११) " ककुप्छन्दः "–इति । प्राणो वै ककुप्छन्दः । (१२) "त्रिककुप्छन्दः"–इति । उदानो वै त्रिककुप्छन्दः । (१३) "काव्यं छन्दः"–इति । त्रयी वै विद्या काव्यं छन्दः । (१४) " अङ्कुपं छन्दः "–इति । आपो वाऽअङ्कुपच्छन्दः । (१५) "अक्षरपङ्क्तिश्छन्दः "–इति । असौ वै लोकोऽक्षरपङ्क्तिश्छन्दः । (१६) " पदपङ्क्तिश्छन्दः "–इति । अयं वै लोकः पदपङ्क्तिश्छन्दः । (१७) " विष्टारपङ्क्तिश्छन्दः "–इति । दिशो वै विष्टारपङ्क्तिश्छन्दः । (१८) " क्षुरो भ्रजश्छन्दः "–(वा. सं. १५।४) इति । असौ वा आदित्यः क्षुरो भ्रजश्छन्दः । (१९) " आच्छच्छन्दः । (२०) प्रच्छच्छन्दः "–इति । अन्नं वाऽआच्छच्छन्दः । अन्नं प्रच्छच्छन्दः ॥ ४ ॥

छन्दोऽयं लोक इत्याधिदैविकेन शरीरेण छन्दोविशेषमुपासनार्थं निरूपयत्येवं सर्वमावृणोषीति वरिवः । शं भाव-

संयच्छन्द ऽइति । रात्रिर्व्वै संयच्छन्दो वियच्छन्द ऽइत्यहर्व्वै विय-
च्छन्दो बृहच्छन्दऽइत्यसौ वै लोको बृहच्छन्दो रथन्तरं छन्दऽइत्ययं वै लोको
रथन्तरं छन्दो निकायश्छन्द ऽइति व्वायुर्व्वै निकायश्छन्दो व्विवधश्छन्दऽ
इत्यन्तरिक्षं वै व्विवधश्छन्दो गिरश्छन्द ऽइत्यन्नं वै गिरश्छन्दो भ्रजश्छन्दऽ
इत्यग्निर्वै भ्रजश्छन्दः सँस्तुप्छन्दोऽनुष्टुप्छन्दऽइति व्वागेव सँस्तुप्छन्दो
व्वागनुष्टुप्छन्द ऽएवश्छन्दो व्वरिवश्छन्द ऽइति तस्योक्तो बन्धुः ॥ ५ ॥

(र्व्वु) व्वयश्छन्दऽइति ।(त्यु) अन्नं वै व्वयश्छन्दो व्वयस्कृच्छन्दऽइत्य-
ग्निर्वै व्वयस्कृच्छन्दो व्विष्पर्धाश्छन्द ऽइत्यसौ वै लोको व्विष्पर्धाश्छन्दो
व्विशालं छन्द ऽइत्ययं वै लोको व्विशालं छन्दश्छदिश्छन्दऽइत्यन्तरिक्षं
वै छदिश्छन्दो दूरोहणं छन्द ऽइत्यसौ वाऽआदित्यो दूरोहणं छन्दस्तन्द्रं
छन्द ऽइति पङ्क्तिर्व्वै तन्द्रं छन्दोऽङ्काङ्कं छन्द ऽइत्यापो वाऽअङ्काङ्कं छन्दः ॥ ६

(स्त) तद्याः पुरस्तादुपदधाति । प्राणस्तासां प्रथमा व्यानो द्विती-

---

(३)(२१) "संयच्छन्दः"–इति । रात्रिर्वै संयच्छन्दः । (२२) "वियच्छन्दः"–इति । अहर्वै वियच्छन्दः । (२३) "बृहच्छन्दः"–इति । असौ वै लोको बृहच्छन्दः । (२४) "रथन्तरं छन्दः"–इति । अयं वै लोको रथन्तरं छन्दः । (२५) "निकायश्छन्दः"–इति । वायुर्वै निकायश्छन्दः । (२६) "विवधश्छन्दः"–इति । अन्तरिक्षं वै विवधश्छन्दः । (२७) "गिरश्छन्दः"–इति । अन्नं वै गिरश्छन्दः । (२८) "भ्रजश्छन्दः"–इति । अग्निर्वै भ्रजश्छन्दः । (२९) "संस्तुप्छन्दः" (३०) "अनुष्टुप्छन्दः"–इति । वागेव संस्तुप्छन्दो वागनुष्टुप्छन्दः । (४) (३१) "एवश्छन्दः" (३२) "वरिवश्छन्दः"–इति । तस्योक्तो बन्धुः ॥ ५ ॥

(३३) "वयश्छन्दः"–इति । अन्नं वै वयश्छन्दः । (३४) "वयस्कृच्छन्दः"–इति । अग्निर्वै वयस्कृच्छन्दः । (३५) "विष्पर्धाश्छन्दः"–इति । असौ वै लोको विष्पर्धाश्छन्दः । (३६) "विशालं छन्दः"–इति । अयं वै लोको विशालं छन्दः । (३७) "छदिश्छन्दः"–इति । अन्तरिक्षं वै छदिश्छन्दः । (३८) "दूरोहणं छन्दः"–इति । असौ वा आदित्यो दूरोहणं छन्दः । (३९) "तन्द्रं छन्दः"–इति । पंक्तिर्वै तन्द्रं छन्दः । (४०) "अङ्काङ्कं छन्दः" (वा० सं० १५ । ५)–इति । आपो वा अङ्काङ्कं छन्दः ॥ ६ ॥

(१) तद्याः पुरस्तादुपदधाति–प्राणस्तासां प्रथमा, व्यानो द्वितीया, उदानस्तृतीया ।

यतीति शंभूः । परिभवतीति परिभ्वादिनिर्वचनं द्रष्टव्यम् । तयाः पुरस्तादुपदधाति प्राणस्तासां प्रथमेत्येवादीन्येव च्छन्दांसि प्राणादिरूपाणि निरूपयति दर्शनानन्तरम् । अथ पुनः प्राणास्ते इन्द्रियात्मका दर्शनानन्तरमेवमुत्तरस्यापि।

योदानुस्तृतीयोदानश्चतुर्थी व्व्यानुः पञ्चमी प्राणः षष्ठी प्राणः सप्तमी व्व्यानोऽष्टम्युदानो नवमी यजमान ऽएवात्र दशमी स ऽएष यजमान ऽएतस्यां व्विराज्युध्यूढः प्रतिष्ठितः प्राणमुख्यामर्व्वाचीश्च पराचीश्चोपदधाति तस्मादिमे प्राणा ऽअर्व्वाञ्चश्च पराञ्चश्च ॥ ७ ॥

(श्रा) अथ या दक्षिणतः । (तोऽ) अग्निस्तासां प्रथमा व्वायुर्द्वितीया-ऽऽदित्यस्तृतीयाऽऽदित्यश्चतुर्थी व्वायुः पञ्चम्यग्निः षष्ठ्यग्निः सप्तमी व्वायु-रष्टम्यादित्यो नवमी यजमान ऽएवात्र दशमी स ऽएष यजमान ऽएतस्यां व्विराज्युध्यूढः प्रतिष्ठितो देवतामुख्यामर्व्वाचीश्च पराचीश्चोपदधाति तस्मादेते देवा ऽअर्व्वाञ्चश्च पराञ्चश्च ॥ ८ ॥

(श्रा) अथ याः पश्चात् । (द) अयं लोकस्तासां प्रथमाऽन्तरिक्षं द्वितीया द्यौस्तृतीया द्यौश्चतुर्थ्यन्तरिक्षं पञ्चम्ययं लोकः षष्ठ्ययं लोकः सप्तम्य-न्तरिक्षमष्टमी द्यौर्नवमी यजमान ऽएवात्र दशमी स ऽएष यजमान ऽएत-स्यां विराज्युध्यूढः प्रतिष्ठितो लोकमुख्यामर्व्वाचीश्च पराचीश्चोपदधाति तस्मादिमे लोका ऽअर्व्वाञ्चश्च पराञ्चश्च ॥ ९ ॥

(श्रा) अथ या ऽउत्तरतः । (तो) ग्रीष्मस्तासां प्रथमा व्वर्षा द्वितीया हेमन्तस्तृतीया हेमन्तश्चतुर्थी व्वर्षाः पञ्चमी ग्रीष्मः षष्ठी ग्रीष्मः सप्तमी

उदानश्चतुर्थी, व्यानः पञ्चमी, प्राणः षष्ठी । प्राणः सप्तमी, व्यानोऽष्टमी, उदानो नवमी । यजमान एवात्र दशमी । स एष यजमान एतस्यां विराज्यध्यूढः प्रतिष्ठितः प्राणमख्याम् । अर्वाचीश्च पराचीश्चोपदधाति । तस्मादिमे प्राणा अर्वाञ्चश्च पराञ्चश्च ॥ ७ ॥

(२) अथ या दक्षिणतः—अग्निस्तासां प्रथमा, वायुर्द्वितीया, आदित्यस्तृतीया । आदित्यश्चतुर्थी, वायुः पञ्चमी, अग्निः षष्ठी । अग्निः सप्तमी, वायुरष्टमी, आदित्यो नवमी । यजमान एवात्र दशमी । स एष यजमान एतस्यां विराज्यध्यूढः प्रतिष्ठितो देवतामख्याम् । अर्वाचीश्च पराचीश्चोपदधाति । तस्मादेते देवा अर्वाञ्चश्च पराञ्चश्च ॥ ८ ॥

(३) अथ याः पश्चात् । अयं लोकस्तासां प्रथमा, अन्तरिक्षं द्वितीया, द्यौस्तृतीया । द्यौश्चतुर्थी, अन्तरिक्षं पञ्चमी, अयं लोकः षष्ठी । अयं लोकः सप्तमी, अन्तरिक्षमष्टमी, द्यौर्नवमी । यजमान एवात्र दशमी । स एष यजमान एतस्यां विराज्यध्यूढः प्रतिष्ठितो लोकमख्याम् । अर्वाचीश्च पराचीश्चोपदधाति । तस्मादिमे लोका अर्वाञ्चश्च पराञ्चश्च । ॥ ९ ॥

(४) अथ या उत्तरतः—ग्रीष्मस्तासां प्रथमा, वर्षा द्वितीया, हेमन्तस्तृतीया । हेमन्तश्चतुर्थी, वर्षाः पञ्चमी, ग्रीष्मः षष्ठी । ग्रीष्मः सप्तमी, वर्षा अष्टमी, हेमन्तो नवमी । यजमान एवात्र दशमी ।

व्वर्षा ऽअष्टमी हेमन्तो नवमी यजमान ऽएवात्र दशमी स ऽएष यजमान ऽएतस्यां व्विराज्यध्यूढः प्रतिष्ठित ऽऋतुमय्यामर्व्वाचीश्च पराचीश्चोपदधाति तस्मादेत ऽऋतवोऽर्व्वाञ्चश्च पराञ्चश्च ॥ १० ॥

(श्वा) अथ पुनरेव । याः पुरस्तादुपदधाति प्राणास्ते ता दश भवन्ति दश वै प्राणाः पूर्वार्धऽउपदधाति पुरस्ताद्धीमे प्राणाः ॥ ११ ॥

(ऽ) अथ या दक्षिणतः । (ऽ) एतास्ता देवता ऽअग्निश्च पृथिवी च व्वायुश्चान्तरिक्षं चादित्यश्च द्यौश्च चन्द्रमाश्च नक्षत्राणि चान्नं चापश्च ॥ १२ ॥

(श्वा) अथ याः पश्चात् । (द्वि) दिशस्ताश्चतस्रो दिशश्चतस्रोऽवा-न्तरदिश ऽऊर्ध्वा चेयं च ॥ १३ ॥

(चा) अथ या ऽउत्तरतः । (तो) मासास्ते व्वासन्तिकौ द्वौ ग्रैष्मौ द्वौ व्वार्षिकौ द्वौ शारदौ द्वौ हैमन्तिकौ द्वौ ॥ १४ ॥

(द्वाव) अथ पुनरेव । या प्रथमा दशदयꣳ स लोको या द्वितीयाऽन्त-रिक्षं तद्या तृतीया द्यौः सेममेव लोकं प्रथमया दशताऽरोहन्नन्तरिक्षं द्विती-यया दिवं तृतीयया तथैवैतद्यजमान ऽइममेव लोकं प्रथमया दशता रोहत्य-न्तरिक्षं द्वितीयया दिवं तृतीयया ॥ १५ ॥

स एष यजमान एतस्यां विराज्यध्यूढः प्रतिष्ठित ऋतुमय्याम् । अर्वाचीश्च पराचीश्चोपदधाति । तस्मादेत ऋतवोऽर्वाञ्चश्च पराञ्चश्च ॥ १० ॥

(१) अथ पुनरेव याः पुरस्तादुपदधाति । प्राणास्ते । ता दश भवन्ति । दश वै प्राणाः । पूर्वार्द्ध उपदधाति । पुरस्ताद्धीमे प्राणाः ॥ ११ ॥

(२) अथ या दक्षिणतः—एतास्ता देवताः—अग्निश्च पृथिवी च वायुश्चान्तरिक्षं चादित्यश्च द्यौश्च चन्द्रमाश्च नक्षत्राणि चान्नं चापश्च ॥ १२ ॥

(३) अथ याः पश्चाद्—दिशस्ताः । चतस्रो दिशः, चतस्रोऽवान्तरादिशः, ऊर्ध्वं चेयं च ॥ १३ ॥

(४) अथ या उत्तरतः—मासास्ते । वासन्तिकौ द्वौ, ग्रैष्मौ द्वौ, वार्षिकौ द्वौ, शारदौ द्वौ, हैमन्तिकौ द्वौ ॥ १४ ॥

अथ पुनरेव या प्रथमा दशद्—अयं स लोकः । या द्वितीया—अन्तरिक्षं तत् । या तृतीया—द्यौः सा । इममेव लोकं प्रथमया दशताऽरोहन् । अन्तरिक्षं द्वितीयया । दिवं तृतीयया । तथैवैतद्यजमान इममेव लोकं प्रथमया दशता रोहति । अन्तरिक्षं द्वितीयया । दिवं तृतीयया ॥ १५ ॥

अथ पुनरेव या प्रथमा दशदयं स लोक इति दर्शनान्तरं सर्वाणि चैतानि च्छन्दांस्येव द्रष्टव्यानि सर्वे पशवः सर्वेषु

स स पुराङिव रोहः । (ऽ)इयमु वै प्रतिष्ठा ते देवाऽ इमां प्रतिष्ठामभिप्रत्यायंस्तथैवैतद्यजमानऽ इमां प्रतिष्ठामभिप्रत्यैत्यथ योत्तमा दशद्यꣳ स लोकस्तस्माद्यथैव प्रथमायै दशतः प्रभृतिरेवमुत्तमायै समानꣳ ह्येतद्यदेते दशतावयमेव लोकः ॥ १६ ॥

(स्ता) ता वाऽएताः । (श्च) चत्वारिꣳशदिष्टकाश्चत्वारिꣳशद्यजूꣳषि तदशीतिरन्नमशीतिस्तद्यद्यदेतदाह तदस्माऽअन्नमशीतिं कृत्वा प्रयच्छति तेनैनं प्रीणाति ॥ १७ ॥

इति तृतीयप्रपाठके तृतीयं ब्राह्मणम् ॥ ८-३-३ ॥ (५. २.) ॥

अथ स्तोमभागाऽ उपदधाति । (त्ये) एतद्वै प्रजापतेरेतदन्नमिन्द्रोऽभ्यध्यायत्सोऽस्मादुदचिक्रमिषत्तमब्रवीत्कथोत्क्रामसि कथा मा जहासीति स वै मेऽस्यान्नस्य रसं प्रयच्छेति तेन वै मा सह प्रपद्यस्वेति तथेति तस्माऽएतस्यान्नस्य रसं प्रायच्छत्तेनैनꣳ सह प्रापद्यत ॥ १ ॥

स स पराङिव रोहः । इयमु वै प्रतिष्ठा । ते देवा इमां प्रतिष्ठामभिप्रत्यायन् । तथैवैतद्यजमान इमां प्रतिष्ठामभिप्रत्यैति । अथ योत्तमा दशद्-अयं स लोकः । तस्माद्यथैव प्रथमायै दशतः प्रभृतिः एवमुत्तमायै । समानं ह्येतद्-यदेते दशतौ-अयमेव लोकः ॥ १६ ॥

ता वाऽएताश्चत्वारिंशदिष्टकाः, चत्वारिंशद्यजूंषि-तदशीतिः । अन्नमशीतिः । तद् यद् यदेतदाह-तदस्मा अन्नमशीतिं कृत्वा प्रयच्छति, तेनैनं प्रीणाति ॥ १७ ॥

अथैकोनत्रिंशत्स्तोमभागेष्टकोपधानम् ।

अथ स्तोमभागा उपदधाति । एतद्वै प्रजापतेरेतदन्नमिन्द्रोऽभ्यध्यायत् । सोऽस्मादुदचिक्रमिषत् । तमब्रवीत्-कथोत्क्रामसि, कथा मा जहासीति । स वै मेऽस्यान्नस्य रसं प्रयच्छेति । तेन वै मा सह प्रपद्यस्वेति । तथेति । तस्माऽएतस्यान्नस्य रसं प्रायच्छत् । तेनैनं सह प्रापद्यत ॥ १ ॥

मे वादयः शन्दाश्चेति वक्तव्याः । यथा प्रथमा दशतः प्रथमं भ्रियतेऽनयेति भूत्यारम्भ एवश्छन्दो वरिवश्छंद इत्येषा । ता वा एताः । प्रसन्ना ॥ २-१७ ॥

इति श्रीहरिस्वामिनः कृतौ माध्यन्दिनीयशतपथब्राह्मणभाष्येऽष्टमे काण्डे पञ्चमेऽध्याये द्वितीयं ब्राह्मणम् ॥ (८-५-२) ॥

अथ स्तोमभागा इति । स्तोमभागा नामेष्टका उपदधातीति[1] । अतः परेणेतिहासेन तासामधिदैवं निरूपयन्नाह 'एतद्वै' तस्मिन्काले प्रजापतेः स्वतवान् । छन्दस्यात्मकत्वमिन्द्रः प्राणोऽभिध्यातवान् स इन्द्रो-

---

१-सर्वतोऽषाढवेलायाः स्तोमभागा रश्मिना सत्यायेति प्रतिमन्त्रम् । पंचदश दक्षिणेनानूकम् । व्वेषश्रीः क्षत्राय क्षत्रं जिन्वेति त्रिंशत्तमभिके । का. श्रौ. सू. १७।२२२-२३४ ।

स यः स प्रजापतिः । (२) अयमेव स योऽयमग्निश्चीयतेऽथ यत्तदन्न-मेतास्ताइछन्दस्याऽअथ यः सोऽन्नस्य रसऽएतास्ता स्तोमभागा ऽअथ यः स ऽइन्द्रोऽसौ स ऽआदित्यः स ऽएष ऽएव स्तोमो यद्धि किं च स्तुवत-ऽएतमेव तेन स्तुवन्ति तस्माऽएतस्मै स्तोमायैतं भागं प्रायच्छत्तद्यदेतस्मै-स्तोमायैतं भागं प्रायच्छत्तस्मात्स्तोमभागाः ॥ २ ॥

(०) रश्मिना सत्याय सत्यं जिन्वेति । (त्ये) एष वै रश्मिरन्नᳬ रश्मिरेतं च तद्रसं च संधायात्मन्प्रपादयते प्रेतिना धर्मणा धर्मं जिन्वेत्येष वै प्रेतिरन्नं प्रेतिरेतं च तद्रसं च संधायात्मन्प्रपादयतेऽन्वित्या दिवा दिवं-

---

स यः स प्रजापतिः—अयमेव सः—योऽयमग्निश्चीयते । अथ यत्तदन्नम्—एतास्ताइछन्दस्याः । अथ यः सोऽन्नस्य रसः—एतास्ताः सोमभागाः । अथ यः स इन्द्रः—असौ स आदित्यः । स एष एव स्तोमः । यद्धि किं च स्तुवते—एतमेव तेन स्तुवन्ति । तस्मा एतस्मै स्तोमायैतं भागं प्रायच्छत् । तद्यदेतस्मै स्तोमायैतं भागं प्रायच्छत्—तस्मात्स्तोमभागाः ॥ २ ॥

" रश्मिना सत्याय सत्यं जिन्व "—इति । एष वै रश्मिः । अन्नं रश्मिः । एतं च तद्रसं च सन्धायात्मन्प्रपादयते । " प्रेतिना धर्मणा धर्मं जिन्व "—इति । एष वै प्रेतिः । अन्नं प्रेतिः । एतं च तद्रसं च सन्धायात्मन्प्रपादयते । " अन्वित्या दिवा दिवं जिन्व "—इति । एष

ऽस्मात् प्रजापतेरपक्रमितुमैच्छत् 'तम्' इन्द्रम् प्रजापतिः 'अब्रवीत्' 'कथा' "था हेतौ च च्छन्दसि" (पा.सू. ५।३।२६) इति हेतौ थाप्रत्यये रूपम् । 'कथा' च केन हेतुना 'मा' पितरं 'जहासीति' तं प्रजापतिमिन्द्र उवाच अस्यान्नस्य छन्दस्यात्मकस्य 'रसं प्रयच्छेति' । प्रजापतिरुवाच तेन तस्य रसेन मा सह रसेनैव त्वं मा प्रपद्यस्व मच्छरीररस एव भव तथा हि त्वं च तेन रसेन वसतिद्वारेण ह चेत्यभिप्रायः । प्रजापतिस्तु तथेत्युक्त्वा तस्मा इन्द्रायैतस्य छन्दस्यात्मकस्याधिदैवाधितयाऽध्यात्मस्यान्नस्य रसं प्रायच्छत् । तथैवानेन रसेन सहैनं प्रजापतिमिन्द्रः प्रपन्नः ॥ १ ॥

स यः स प्रजापतिरिति । प्रजापत्यादीनि मन्त्राद्यात्मिकानि शरीराणि दृश्यन्ते । आधिदैवपक्षस्यायमर्थः—'यः स इन्द्रोऽसौ स आदित्यः' इति यः प्राणस्य तेजसा महांगे शस्तश्चासावादित्योऽवकाशस्तथा चाह (तद्वा एवैनो उद्बोधनगमयद्योयं दक्षिणेऽक्षन्पुरुषवेनामे योयं दक्षिणेक्षन्पुरुष इत्यादित्ये एवादित्ये भर्तव्यत्वात्स्तोमः । बा दैवेहिकं वाचा लोकवेदयोः स्तुवते केचित्तेन सर्वेण द्वारस्ततिनः समवादित्यस्तुवन्त्येतस्यैव सर्वात्मशिनः सर्वं स्तूयमानत्वात् प्राणमित्यभिप्रायः । ततः किञ्चिद्यदादित्यः स्तोम इत्येतदादित्यस्तोम इत्यत आह 'तस्मै एतस्मै' स्तोमादित्यौ । यतः परमात्मसपत्नकं देवाधिदेवाकारेणावस्थितं ततो भजनीयमित्यत्र भूतं स्थितिहेतुं प्रभवमित्यादिनिर्वचनेन तु चैवं कुर्वतो षष्ठीसमासोऽयं दर्शितः स्तोमस्य भागः स्तोमभाग इति च । तथासामिति भागवत्त्वाच्च स्त्रीलिङ्गबहुवचनेनोपधेयता) नैष दोषः ॥ २ ॥

निरूढस्यैव स्त्रीलिङ्गस्य बहुवचनान्तस्य चाभ्युत्पत्तिमन्त्रमात्रेणवारभ्यते—रश्मिना इति । एष वै रश्मिरित्यादिनेतिहासार्थं मन्त्राणामभिधानं दर्शयति—तस्य चेतिहासशेषसंक्षेपेणार्थः । प्रजापतेर्विश्वरूपस्य

जिन्वेत्येष वाऽअन्वितिरन्नमन्वितिरेतं च तद्रसं च संधायात्मन्प्रपादयते तद्यद्यदेतदाह तञ्च तद्रसं च संधायात्मन्प्रपादयतेऽमुनाऽदो जिन्वादोऽस्यमुष्मै त्वाऽधिपतिनोर्जोर्जं जिन्वेति त्रेधाविहितास्त्रेधाविहितᳬं ह्यन्नम् ॥ ३

वाऽअन्वितिः । अन्नमन्वितिः । एतं च तद्रसं च संधायात्मन्प्रपादयते । तद् यद्यदेतदाह–तञ्च तद्रसं च संधायात्मन्प्रपादयते । अमुनाऽदो जिन्व, अदोऽसि, अमुष्मै त्वा, " अधिपतिनोर्जा, ऊर्जं जिन्व "–(वा. सं. १५ । ६–९) इति त्रेधा विहिताः । त्रेधाविहितं ह्यन्नम् ॥ ३ ॥

सत्यधर्मादिभिराकारैरवस्थितस्य यदिदं स्थावरजङ्गमात्मकमन्नं तस्य रश्मिरादाय संचरतीत्यादित्यप्रजापतिनामात्मानं च सर्वांश्च प्रजापतेः प्रत्यङ्गभूतदेवतास्तेन रसेन तर्पयति न केवलमात्मानम् । तथैवायमध्यात्मं प्राणं सर्वान् प्राणान् प्राणिनामात्मानमवान्तररसेन तर्पयत्येतत्तेन प्रजापतिसंवादेनेति निष्पन्नम । तथैतदधियज्ञमन्त्रेणेष्टकासु दर्शयते तत्र प्रथमतो यदिष्टकोच्यते । हे इष्टके ! सत्याय सत्यात्मकाय प्रजापतये यदात्माने (पयस्वीहमु) उपधीयेति शेषः । कुत एतत्त्रिवृतोपदधामीत्यादि चतुर्थ्यत्वात्तत्र चोपदधातीत्यस्य तस्य कल्पनीयत्वादत्रापि त्वामुपदधामीति शब्दो विज्ञायते । तत् सत्यात्मकं प्रजापतिं यजमानत्वमत्राग्नीकोपधीयमानं 'जिन्व' तर्पय केन रश्मिना समश्नुत इति । रश्मिश्चादित्येन रसस्थितस्य तस्य रसो रश्मिता रसोऽपि रश्मिस्थितत्वाद्रश्मिः । अथवा रसत्वसाधनादयस्तेन रश्मिना रसपूर्णनादित्यनेन जित्वा रसः पूर्णः स्यादित्यस्य त्वमधियज्ञिकशरीरभूता इमं चित्यामेकमधियज्ञं प्रजापतिं यजमानं च प्रपद्यस्वेत्यर्थः । एतदाह–एष वै आदित्यो रश्मिभिरुक्तो निर्वचनात् । रसं चान्नरसं रश्मिना स्थानशब्देन योगादेव ता एवं च (तदादित्यरसश्चसवापि कीर्त्या) तथैकशब्दोपादानेनेष्टकाशरीरोक्तत्वात्सशरीरे अधियज्ञिके प्रजापतेर्यजमानस्य च प्रपादयते । एवमेवोत्तरेष्वपि मन्त्रेषु यद्द्वितीयान्तेन धर्मादि तर्पणीय प्रपद्य तत्पूर्व. चतुर्थ्यन्तेन (उपधानप्रयोजनत्वेनोपत्यस्तृतीयनेमश्च) यत्र द्वितीयायुक्तानां प्रातिपदिकानां प्रथमतृतीयानिर्देशास्ते व्यत्ययेन चतुर्थीनिर्देशा द्रष्टव्या इत्येतदङ्गीकृत्य प्रेतिशब्देन च केवलेनादित्यं रसं चोपात्ते सन्ध्यात्मकं प्रपादयत इत्याह–(प्रकृत्यष्वागतिरादित्य भूतानां तस्यावादभ्यरसो पिबति । एवमनयन्ति तमित्यात्विगिरस्थत्वाद्वातरसः । एवं रश्मीति स्त्रीच्छन्दत्वात्तुमित्यावद्वचनत्वात्) अभ्याख्यानव्याहृत्यर्थं सामान्यव्याख्यां करोति । यत्संविधादित्यतीया अनेन शब्देन जिन्वतिकारणमाह–तच्च संवत्सर स्थितं सन्धायात्मन् प्रपादयत इति । अत्र तस्येति वचनं प्रायः संधाय तत् । संवत्सरमित्यर्थः । 'अमुनाऽदो जिन्वेति सवननामत्वमग्नेर्नानाविशेषयुक्तानां मन्त्राणामेकप्रकारं दर्शयति । अमुनाऽदो रश्म्यादिना । 'अदः' सत्यादीत्येवंरूपस्ताद्देका कण्डिकादधोमन्त्राणां राशिः । अत्र च राशावमुष्मै त्वोपदधातीत्येतदनास्तातत्वादर्थतो विद्यमानमपि न कीर्तितः । 'अदः' त्रिवृदाद्यस्य अमुष्मै त्रिवृदादिकार्यायेत्येवंरूपोऽपरो तत्र राशिः अधिपतिनेरस्तेन चोर्जं प्रजापतिं जिन्वोपदधामीत्येष तृतीयो मन्त्रभेदः । यद्यपि च प्रथमस्यैवाद्यमन्त्रस्य राशेरपहरति तेषामपि लक्षणैर्व्यवहितत्वात् पृथगवस्थितापि । एवमेते तावन्मन्त्राः ' त्रेधा ' त्रिषु स्थानेषु ' विहिताः ' तेषां त्रेधा विहितत्वात् । आद्युक्ता इष्टकास्त्रेधा विहिता इत्याह–त्रेधा विहितं ह्यन्नम् । जङ्गमं तावत्पिता माता पुत्र इत्येवं स्थावरमपि तापो वृष्टिर्बीजमिति तदनुकारेण सोऽपि त्रेधाविहितस्तदनुकारा इष्टका इत्यभिप्रायः ॥३॥

यद्वेव स्तोमभागाऽउपदधाति । (त्ये) एतद्वै देवा विराजं चितिं चित्वा समारोहंस्तेऽब्रुवंश्चेतयध्वमिति चितिमिच्छतेति वाव तदब्रुवंस्ते चेतयमाना नाकमेव स्वर्गं लोकमपश्यंस्तमुपादधत स यः स नाकः स्वर्गो लोकऽ एतास्ताः स्तोमभागास्तद्यदेताऽ उपदधाति नाकमेवैतत्स्वर्गं लोकमुपधत्ते ॥ ४ ॥

तद्यास्तिस्रः प्रथमाः । (ऽ) अयꣳ स लोको या द्वितीयाऽन्तरिक्षं तद्यास्तृतीया द्यौः सा याश्चतुर्थ्यः प्राची सा दिग्याः पञ्चम्यो दक्षिणा सा याः षष्ठ्यः प्रतीची सा याः सप्तम्य ऽउदीची सा ॥ ५ ॥

ता वाऽएताः । (ऽ) एकविꣳशतिरिष्टकाऽइमे च लोका दिशश्चेमे च वै लोका दिशश्च प्रतिष्ठेमे च लोका दिशश्चैकविꣳशस्तस्मादाहुः प्रतिष्ठैकविꣳश ऽइति ॥ ६ ॥

यद्वेव स्तोमभागा उपदधाति । एतद्वै देवा विराजं चितिं चित्वा समारोहन् । तेऽब्रुवन्—चेतयध्वमिति—चितिमिच्छतेति वाव तदब्रुवन् । ते चेतयमाना नाकमेव स्वर्गं लोकमपश्यन् । तमुपादधत । स यः स नाकः स्वर्गो लोकः—एतास्ताः स्तोमभागाः । तद्यदेता उपदधाति—नाकमेवैतत्स्वर्गं लोकमुपधत्ते ॥ ४ ॥

तद् यास्तिस्रः प्रथमाः—अयं स लोकः । या द्वितीयाः—अन्तरिक्षं तत् । यास्तृतीयाः—द्यौः सा । याश्चतुर्थ्यः—प्राची सा दिक् । याः पञ्चम्यो—दक्षिणा सा । याः षष्ठ्यः—प्रतीची सा । याः सप्तम्यः—उदीची सा ॥ ५ ॥

ता वा एता एकविंशतिरिष्टकाः—इमे च लोकाः, दिशश्च । इमे च वै लोका दिशश्च प्रतिष्ठा । इमे च लोका दिशश्चैकविंशः । तस्मादाहुः—प्रतिष्ठैकविंश इति ॥ ६ ॥

एवं तावच्छन्दस्यासु यत् प्राजापत्यदर्शनमुक्तं तस्यानन्तरं (सम्बन्धगेवासारमेव भागास्विदं) प्राजापत्यदर्शन-सम्बद्धं स्तोमभागास्वपि दैवे दर्शनं वक्तुमाह—यद्वेव स्तोमभागा इति । ' यद्वेव ' विराजम् द्युलोकं ' चित्वा ' समारूढाः स्तोमभागमपदः । (स्वरहितं वाऽमी) तद्दिवः सारभूतं प्रधानो देवनिवासं ' स्वर्गम् ' ' लोकम् ' स्तोमभागात्मकं त्रैलोक्यदिशश्च । दर्शयति—तत्र स्विदं वक्तव्यम् । द्युलोक एवायं विद्वाद्भिः कल्पितः । कुतोऽत्र प्रकृत्य पृथिवी चान्तरिक्षं त्वायातमिति । नैष दोषः । द्युलोक एव ह्येतदुत्तममध्यमाधमस्तोमगतेष्टका त्रैलोक्यं परिकल्पते ॥ ४ ॥

तत्र चायं लोक इत्यादयः शब्दाः स्थानसामान्येन वेदितव्याः । एवं प्रथमादयोऽपि दिश आदित्या एव द्रष्टव्याः । अथ वा तेऽपि स्वर्गो लोको लवणोदकवत् त्रैलोक्येऽप्युक्त एवेत्येतदभिप्रायमेतत्ततश्चामुत्रापि लोके यः सारभूतः सुखोक्तदेशः स स्वर्ग एवेत्येतदेतेन त्रैलोक्यकल्पनेनावसीयते ॥ ५ ॥

ता वा एता इति । एकविंशतिपरिमाणसमूह एकविंशः सम्भूतानां प्रतिष्ठास्वधिवास इति प्रसिद्धिः ॥ ६ ॥

(त्यु) अथ या ऽअष्टाविष्टका ऽअतियन्ति । साऽष्टाक्षरा गायत्री ब्रह्म गायत्री तद्यत्तद्ब्रह्मैतत्तद्यदेतन्मण्डलं तपति तदेतस्मिन्नेकविᳬंशे प्रतिष्ठायां प्रतिष्ठितं तपति तस्मान्नावपद्यते ॥ ७ ॥

तद्धैके । त्वेषश्रीः क्षत्राय क्षत्रं जिन्वेति त्रिᳬंशत्तमीमुपदधाति त्रिᳬंशदक्षरा विराड्विराडेषा चितिरिति न तथा कुर्यादति ते रेचयन्त्येकविᳬंशसम्पदमथो गायत्रीसम्पदमथोऽइन्द्रलोको हैष यैषा न्यूना विराडिन्द्राय ह तऽइन्द्रलोके द्विषन्तं भ्रातृव्यं प्रत्युद्यामिनं कुर्व्वन्तीन्द्रमिन्द्रलोकान्नुदन्ते यजमानो वै स्वे यज्ञऽइन्द्रो यजमानाय ह ते यजमानलोके द्विषन्तं भ्रातृव्यं प्रत्युद्यामिनं कुर्व्वन्ति यजमानं यजमानलोकान्नुदन्ते यं वाऽएतमग्निमाहरन्त्येष ऽएव यजमान ऽआयतनेनैष उऽएवात्र त्रिᳬंशत्तमी ॥ ८ ॥ (अर्धप्रपाठकः ॥)

इति तृतीयप्रपाठके चतुर्थं ब्राह्मणम् ॥ ८–३–४ ॥ (५. ३.)

अथ या अष्टाविष्टका अतियन्ति–साऽष्टाक्षरा गायत्री । ब्रह्म गायत्री । तद्–यत्तद्ब्रह्म–एतत्तद्–यदेतन्मण्डलं तपाति । तदेतास्मिन्नेकविंशे प्रतिष्ठायां प्रातिष्ठितं तपति । तस्मान्नावपद्यते ॥ ७ ॥

नद्धैके–" वेषश्रीः क्षत्राय क्षत्रं जिन्व "–इति त्रिंशत्तमीमुपदधाति । त्रिंशदक्षरा विराट् । विराडेपा चितिरिति । न तथा कुर्यात् । अति ते रेचयन्त्येकविंशसम्पदम् । अथो गायत्रीसम्पदम् । अथो इन्द्रलोको हैष–यैषा न्यूना विराट् । इन्द्राय ह त इन्द्रलोके द्विषन्तं भ्रातृव्यं प्रत्युद्यामिनं कुर्वन्ति । इन्द्रमिन्द्रलोकान्नुदन्ते । यजमानो वै स्वे यज्ञ इन्द्रः । यजमानाय ह ते यजमानलोके द्विपन्तं भ्रातृव्यं प्रत्युद्यामिनं कुर्वन्ति । यजमानं यजमानलोकान्नुदन्ते । यं वा एतमाग्निमाहरन्ति–एष एव यजमान आयतनेन । एष उ एवात्र त्रिंशत्तमी ॥ ८ ॥

अथ या अष्टाविति । साऽष्टाक्षरा गायत्री संख्यासामान्याद् ब्रह्मलक्षणा गायत्री प्रतिपादयति । ऋगादीनां गायत्र्यामेव भूत्वा चतुर्थीलक्षणं ब्रह्मैतत्तथात् यस्मात् एतन्मण्डलं एव तपति त्रयीजन्यापूर्वाराध्वायं सत् तदिति नाभिवासास्तनत्रयीकार्यत्वात्त्रयी कल्प्यत इत्येते त्रयीपाप्मत्वेनातिगतामेतत्तेजसा समानार्थपुरुषात्मकं शरीरमित्यन्यत्र एव तु विकारस्तेजसोऽयं मतान्तरं ब्रह्मणोऽभिधेयत्वान्मण्डलं ब्राह्मत्पार (   ) यथा वासनं तु सर्वमुपपन्नमिति स्थितिः । तदेतस्मिन्नेकविंशतिरश्मिभिः प्रतिष्ठितमेवैतस्मिन्नेतत् । ' तस्मान्नावपद्यते ' यस्मादन्नं प्रथमोऽत्र विवृत्तत्वाद्वा'मत्प्रधानात्मिकम् ॥ ७ ॥

तद्धैके इति । अथ उ इन्द्रलोको हैष इति । यत्तद्विराजः त्रिंशत्तमं शून्यं स्थानं तदिन्द्रस्य स्वराज्यस्य भोक्तुं स्थानं तत्र स्थितः स तां विराजं भुङ्क्ते । यस्तु तत्रापीष्टकामुपदधाति स तस्येन्द्रस्य लोकस्थाने भ्रातृव्यं

१–त्वेषश्रीः क्षत्राय क्षत्रं जित्वेति त्रिंशत्तमीमेके । का. श्रौ. सू. । १७ । २३४ ॥

ताऽ अषाढायै व्वेलयोपदधाति । व्वाग्वाऽअषाढा रसऽएष व्वाचि तद्रसं दधाति तस्मात्सर्व्वेषामङ्गानां व्वाचैवान्नस्य रसं विजानाति ॥ १ ॥

यद्देवाषाढायै । (याऽ) इयं वाऽअषाढाऽसावादित्यः स्तोमभागा ऽअमुं तदादित्यमस्यां प्रतिष्ठायां प्रतिष्ठापयति ॥ २ ॥

यद्देवाषाढायै । (याऽ) इयं वाऽअषाढा हृदयᳬं स्तोमभागा ऽअस्यां तद्धृदयं मनो दधाति तस्मादस्याᳬं हृदयेन मनसा चेतयते सर्व्वतऽ उपदधाति सर्व्वतस्तद्धृदयं मनो दधाति तस्मादस्याᳬं सर्व्वतो हृद-

---

ता अषाढायै वेलयोपदधाति । वाग्वाऽअषाढा । रस एषः । वाचि तद्रसं दधाति । तस्मात्सर्वेषामङ्गानां वाचैवान्नस्य रसं विजानाति ॥ १ ॥

यद्देवाषाढायै । इयं वाऽअषाढा; असावादित्यः स्तोमभागाः । अमुं तदादित्यमस्यां प्रतिष्ठायां प्रतिष्ठापयति ॥ २ ॥

यद्देवाषाढायै । इयं वा अषाढा, हृदयं स्तोमभागाः । अस्यां तद्धृदयं मनो दधाति । तस्मादस्यां हृदयेन मनसा चेतयते । सर्वत उपदधाति । सर्वतस्तद्धृदयं मनो दधाति । तस्मादस्यां सर्वतो

करोति, इत्यागमिकम् । यदि तु त्रिंशत्तम्याः प्रयोजनं ततोऽयमेवाग्निः सञ्चिनोति चिते-आहरन्त्येषु पचन्ति । सप्तमीष्टका भविष्यतीति । न तु तत्रापि स दोषः स्थित एव यजमानस्य द्विषन्तं भ्रातृव्यं प्रत्युद्यामिनं कुर्वन्तीत्यत आह—एष यजमान इति । स एवाग्निः स एव यजमानः कथमानयते न तु प्राधान्यतेत्यर्थः । स्वामी हि यजमानो यज्ञे प्रधानं चित्योऽग्निः प्रधानम् । अतः प्राधान्याद्यजमान एवाग्निः । ततश्चाग्नौ त्रिंशत्तम्याम् एवेन्द्रो यजमानश्चायतनवान् भवतीति । अत्रापि च देवे दर्शनमन्त्रास्तथैव योजनीयाः । स हि नाकः स्वर्गो लोको रश्मिशरीरसत्यादिदेवयास्ताव स्तोमेष्टकोच्यते सत्यादयश्च ये स्वर्गावयवभूताः । यच्चोपदधाति सा त्वमुपधीयमाना सह रसेन सत्यं जिन्व तर्पयेत्याकारसमर्थं कुर्वित्ययमुत्तरेष्वपि योज्यः ॥ ८ ॥

इति श्रीहरिस्वामिनः कृतौ माध्यन्दिनीयशतपथब्राह्मणभाष्येऽष्टमे काण्डे

पञ्चमेऽध्याये तृतीयं ब्राह्मणम् ॥ (८–५–३) ॥

ता अषाढाया इति । ताः स्तोमभागा अषाढाया वेलायां मध्ये षष्ठे पादलोके उपदधातीत्येतत् त्रिभिः कण्डिकाभिर्विधीयते—**वाग्वा अषाढेति** । वाचा तु जिह्वा लक्ष्यते । सर्वेषां अङ्गादीनां मध्येष विधानात्तस्य रसं विजानातीति वचनात् ॥ १ ॥

यद्देवाषाढाया इति । प्रसन्ना ॥ २ ॥

यद्देवाषाढाया इति । इयं वै पृथिवी शरीराकारेण व्यवस्थिताऽषाढा 'हृदयं' हृदयस्थम् । मनः स्तोमभागो रसत्वात् । रसो हि सारः शरीरे च मनःसार इति । तस्य यदषाढा वेलायां स्तोमभागा उपदधाति

१–सर्वतोऽषाढवेलायाः स्तोमभागा रश्मिना सत्यायेति प्रतिमंत्रम् का. श्रौ. सू. १७ । २३२ ॥

येन मनसा चेतयतेऽथो पुण्या हैता लक्ष्म्यस्ताऽएतत्सर्व्वतो धत्ते तस्मा-द्यस्य सर्व्वतो लक्ष्म भवति तं पुण्यलक्ष्मीकऽइत्याचक्षते ॥ ३ ॥

(तेऽथै) अथैनाः पुरीषेण प्रच्छादयति । (तत्र) अन्नं वै पुरीषꣳ रसऽ एष तमेतत्त्तिरः करोति तस्मात्तिरऽइवान्नस्य रसः ॥ ४ ॥

(सो) यद्वेव पुरीषेण । (ता) अन्नं वै पुरीषꣳ रसऽएषोऽन्नं च तद्रसं च संतनोति संदधाति ॥ ५ ॥

यद्वेव पुरीषेण । हृदयं वै स्तोमभागाः पुरीतत्पुरीषꣳ हृदयं तत्पुरी-तता प्रच्छादयति ॥ ६ ॥

हृदयेन मनसा चेतयते । अथो पुण्या हैता लक्ष्म्यः । ता एतत्सर्वतो धत्ते । तस्माद्यस्य सर्वतो लक्ष्म भवति—तं पुण्यलक्ष्मीक इत्याचक्षते ॥ ३ ॥

अथैनाः पुरीषेण प्रच्छादयति । अन्नं वै पुरीषम् । रस एषः । तमेतत्तिरः करोति । तस्मात्तिर इवान्नस्य रसः ॥ ४ ॥

यद्वेव पुरीषेण । अन्नं वै पुरीषम् । रस एषः । अन्नं च तद्रसं च सन्तनोति, सन्दधाति ॥ ५ ॥

यद्वेव पुरीषेण । हृदयं वै स्तोमभागाः, पुरीतत्पुरीषम् । हृदयं तत्पुरीतता प्रच्छादयति ॥ ६ ॥

तस्यां पृथिव्यां हृदयादिशरीरभावे भावस्थितायां हृदयं चास्यां मनो दधाति तस्मादेव च यज्ञानुकारात् 'अस्यामेव चेतयते' शरीरस्यान्यतरं वा वस्तुनाहि बतस्माः अस्यां शरीरलक्षणायां पृथिव्यां सर्वतः सरसं चेतयते इत्यर्थः । अग्रतः पार्श्वतः पृष्ठतश्च (नवज्ञ रोषतयाग्रतं) इत्यर्थः । अथो पुण्याः प्रशंस्या एता लक्ष्म्यस्ताः स्तोमभागाः देवैः दर्शनेनावयवार्थाभिमानिन्य एता देवताः ताश्च पुण्यलक्ष्मीकाः ॥ ३ ॥

अथैना इति । 'एनाः' स्तोमभागाः शरीरेण तूर्णं प्रच्छादयति' इत्येतदन्नं पुरीषग्रन्थिना विधीयते । अन्नं वै पुरीषमन्नकारणत्वाददो ह्यन्नं प्रभवति स तं एष स्तोमभागात्मके पथि (मरिनाप्य) दैवाभिप्रायेण तत्तिरः समेतत्पुरीषेण व्यवहितं प्रच्छन्नं करोति तस्मात्तिर इत्यन्नत्वाच्च तस्य रसः सारो ऽन्नात् पृथगुपलभ्यत इति ॥ ४ ॥

यद्वेवेति प्रायः प्रसङ्गे । पुरीतत्पुरीषं पुरि हृदये तायते इति पुरीतत् हृदयवेष्टनं । यद्वेव वपुः संवत्सर एषोऽग्निस्तमेतं चित्वा चितिभिः पुरीषैश्च व्यावर्त्तयति । व्यावृत्त्या संवर्त्तयति सर्वेषामेव भूतानामेकैकानां सञ्चित्या चयमेनेत्येकैकपुरीषेणेत्यर्थः ।[1]

१—पुरीषमस्यावपाति मन्त्रेण वातापाश्रितस्य तूष्णीꣳ श्रुतेः । तूष्णीमेवेह पुरीषनिवापः । न मन्त्रेणेति कर्कभाष्यम् । का. श्रौ. सू. १७ । २६५ ॥

यद्देव पुरीषेण। संव्वत्सर ऽएषोऽग्निस्तमेतच्चितिपुरीषैर्व्यावर्तयति तद्या-श्चतस्रः प्रथमाश्चितयस्ते चत्वार ऽऋतवोऽथ स्तोमभागा ऽउपधाय पुरीषं निवपति सा पञ्चमी चितिः स पञ्चमऽऋतुः ॥ ७ ॥

(स्तु) तदाहुः। (यं) यल्लोकम्पृणान्ता ऽअन्याश्चितयो भवन्ति नात्र लोकम्पृणामुपदधाति क्वाऽत्र लोकम्पृणेत्यसौ वाऽआदित्यो लोकम्पृणैष उऽएषा चितिः सैषा स्वयं लोकम्पृणा चितिरथ यदत ऽऊर्ध्वमा पुरीषात्सा षष्ठी चितिः स षष्ठऽऋतुः ॥ ८ ॥

(उ) अथ पुरीषं निवपति। तत्र व्विकर्णीं च स्वयमातृण्णां चोपदधाति हिरण्यशकलैः प्रोक्षत्यग्निमभ्यादधाति सा सप्तमी चितिः स सप्तमऽ ऋतुः ९

(स्ता) ता ऽउ वै षडेव। यद्धि व्विकर्णी च स्वयमातृण्णा च षष्ठ्या एव तच्चितेः ॥ १० ॥

(स्ता) ताऽ उ वै पञ्चैव। यजुषाऽन्यासु पुरीषं निवपति तूष्णीमत्र तेनैषा

यद्देव पुरीषेण। संवत्सर एषोऽग्निः। तमेतच्चितिपुरीषैर्व्यावर्तयति। तद्—याश्चतस्रः प्रथमाश्चितयः—ते चत्वार ऋतवः। अथ स्तोमभागा उपधाय पुरीषं निवपति। सा पञ्चमी चितिः। स पञ्चम ऋतुः ॥ ७ ॥

तदाहुः—यल्लोकम्पृणान्ता अन्याश्चितयो भवन्ति, नात्र लोकंपृणामुपदधाति, क्वाऽत्र लोकम्पृणेति। असौ वा आदित्यो लोकम्पृणा। एष उ एषा चितिः। सैषा स्वयं लोकम्पृणा चितिः। अथ यदत ऊर्ध्वम्—आ पुरीषात्—सा षष्ठी चितिः, स षष्ठ ऋतुः ॥ ८ ॥

अथ पुरीषं निवपति। तत्र विकर्णीं च स्वयमातृण्णां चोपदधाति। हिरण्यशकलैः प्रोक्षति। अग्निमभ्यादधाति। सा सप्तमी चितिः, स सप्तम ऋतुः ॥ ९ ॥

ता उ वै षडेव। यद्धि विकर्णी च स्वयमातृण्णा च—षष्ठ्या एव तच्चितेः ॥ १० ॥

ता उ वै पञ्चैव। यजुषाऽन्यासु पुरीषं निवपति। तूष्णीमत्र। तेनैषा न चितिः। अथो

तास्त्रयः स्तोमवत्सतस्रश्चितयः। प्रथमास्तोमाश्चत्वारः प्ररिाद्यपाऽन्तर्बहेरन्त एव ता अपि पुरीषाः स्तोमभागाः पंचमी चितिः। पंचमश्चंद्रः संपत्स्यते इत्येवमर्थं येन पुरीषेण प्रच्छादयति ॥ ५–७ ॥

तदाहुरिति। नात्र स्तोमात्मिकायां चितौ लोकंपृणां तां अग्निमित्यतस्तूपरिवर्तित्वात्पुरीषमित्याशय एव-मेतत् संवत्सरमग्निचितिं पुरीषे व्यावर्त्तयति ॥ ८ ॥ ९ ॥

ता उ वै षडेवेति। प्रसन्ना एवैताश्चितयः। चितिषु षडेव दर्शनं प्रासङ्गिकं कुर्वन्ति ॥ १०–१२॥

न चितिरथो लोकम्पृणान्ता ऽअन्याश्रितयो भवन्ति नात्र लोकम्पृणामुप-
दधाति तेनोऽएवैषा न चितिः ॥ ११ ॥

(स्ता) ताऽ उ वै तिस्रऽ एव । (वा) अयमेव लोकः प्रथमा चिति-
र्द्यौरुत्तमाऽथ याऽ एतास्तिस्रस्तदन्तरिक्षं तद्वाऽइदमेकमिवैवान्तरिक्षं
ताऽएवं तिस्रऽ एवं पञ्चैवᳪं षडेवᳪं सप्त ॥ १२ ॥

इति तृतीयप्रपाठके पञ्चमं ब्राह्मणम् ॥ ८–३–५ ॥ (५. ४.) ॥

इति पञ्चमोऽध्यायः समाप्तः ॥

लोकम्पृणान्ता अन्याश्रितयो भवन्ति, नात्र लोकम्पृणामुपदधाति। तेनो एवैषा न चितिः ॥ ११ ॥

ता उ वै तिस्र एव। अयमेव लोकः प्रथमा चितिः, द्यौरुत्तमा, अथ या एतास्तिस्रः–तदन्तरिक्षम्। तद्वा इदमेकमिवैवान्तरिक्षम्। ता एवं तिस्रः, एवं पञ्च, एवं षट्, एवं सप्त ॥ १२ ॥

इति श्रीहरिस्वामिनः कृतौ माध्यन्दिनीयशतपथब्राह्मणभाष्येऽष्टमे काण्डे पञ्चमेऽध्याये
चतुर्थं ब्राह्मणम् ॥ (८–५–४) ॥

इति पञ्चमोऽध्यायश्च समाप्तः ॥ (८–५) ॥

अथ षष्ठेऽध्याये प्रथमं ब्राह्मणम् ।

तृतीयप्रपाठके च षष्ठं ब्राह्मणम् ।

नाकसदऽउपदधाति । देवा वै नाकसदोऽत्रैष सर्व्वोऽग्निः संस्कृतः स ऽएषोऽत्र नाकः स्वर्गो लोकस्तस्मिन्देवा ऽअसीदंस्तद्यदेतस्मिन्नाके स्वर्गे लोके देवा ऽअसीदंस्तस्माद्देवा नाकसदस्तथैवैतद्यजमानो यदेताऽ उप-दधात्येतस्मिन्नेवैतन्नाके स्वर्गे लोके सीदति ॥ १ ॥

यद्वेव नाकसद ऽउपदधाति । (त्ये) एतद्वै देवाऽएतं नाकꣳ स्वर्गं लोकमपश्यन्नेताः स्तोमभागास्तेऽब्रुवन्नुप तज्जानीत यथाऽस्मिन्नाके स्वर्गे लोके सीदामेति तेऽब्रुवंश्चेतयध्वमिति चितिमिच्छतेति वाव तदब्रुवंस्तदिच्छत यथाऽस्मिन्नाके स्वर्गे लोके सीदामेति ॥ २ ॥

ते चेतयमानाः । (ऽ) एता ऽइष्टकाऽअपश्यन्नाकसदस्ता ऽउपादधत ताभिरेतस्मिन्नाके स्वर्गे लोकेऽसीदंस्तद्यदेताभिरेतस्मिन्नाके स्वर्गे लोके-

---

अथ पञ्चनाकसादिष्टकोपधानम् ।

नाकसद उपदधाति । देवा वै नाकसदः । अत्रैष सर्वोऽग्निः संस्कृतः । स एषोऽत्र नाकः स्वर्गो लोकः । तस्मिन्देवा असीदन् । तद्यदेतस्मिन्नाके स्वर्गे लोके देवा असीदन्–तस्माद्देवा नाकसदः । तथैवैतद्यजमानो यदेता उपदधाति–एतस्मिन्नेवैतन्नाके स्वर्गे लोके सीदति ॥ १ ॥

यद्वेव नाकसद उपदधाति । एतद्वै देवा एतं नाकं स्वर्गं लोकमपश्यन्–एताः स्तोमभागाः । तेऽब्रुवन्–उप तज्जानीत यथाऽस्मिन्नाके स्वर्गे लोके सीदामेति । तेऽब्रुवन्–चेतयध्वमिति–चितिमिच्छतेति वाव तदब्रुवन्–तदिच्छत–यथाऽस्मिन्नाके स्वर्गे लोके सीदामेति ॥ २ ॥

ते चेतयमाना एता इष्टका अपश्यन्नाकसदः । ता उपादधत । ताभिरेतस्मिन्नाके स्वर्गे लोके-

---

नाकसद इति । नाकसदो नाम पञ्चेष्टकास्तासामुपधानमेतासु दशसु कण्डिकासु प्रपञ्च्यते[1] । देवा वै नाकसदो नाके असीदन्निति । तेषां चाधियाज्ञिकानि शरीराणि इष्टका अपि तदात्मिका एवेति । नाकसदो यजमानोऽपि आत्मरूपा एतमपश्यन् तमुपदधुः उपदधाति इत्येतत् प्रथमायां कण्डिकायां भेददर्शनम् ॥ १ ॥

यद्वेव नाकसद इति । एताभ्यां कण्डिकाभ्यां भेददर्शनं मदशक्तीन्युच्यन्ते । ताभिरुपायभूताभिर्भिन्नादिति नार्थवदेवासीदिति यजमानोऽप्यात्मने ता एवोपायभूताः पश्यंस्ताभिर्नाके सीदतीति नाकसदः न करणसाधनः घञ् । किन्तु क्विप्रत्ययो दर्शितः ॥ २ ॥ ३ ॥

१–नाकसदोऽनूकेषु पूर्व्ववर्जमृतव्यावेलायामाश्विनीवद्दाश्यर्सीति प्रतिमंत्रम् । का. श्रौ. सू. १७ । २३६ ।

ऽसीदंस्तस्मादेता नाकसदस्तथैवैतद्यजमानो यदेता ऽउपदधात्येतस्मि-न्नेवैतन्नाके स्वर्गे लोके सीदति ॥ ३ ॥

दिक्षूपदधाति। दिशो वै स नाकः स्वर्गो लोकः स्वर्गऽएवैना ऽएतल्लोके सादयत्यृतव्यानां वेलया संवत्सरो वाऽऋतव्याः संवत्सरः स्वर्गो लोकः स्वर्गऽएवैना ऽएतल्लोके सादयत्यन्तस्तोमभागमेष वै स नाकः स्वर्गो लोकस्तस्मिन्नेवैनाऽएतत्प्रतिष्ठापयति ॥ ४ ॥

स पुरस्तादुपदधाति। राज्ञ्यसि प्राची दिगिति राज्ञी ह नामैषा प्राची दिग्वसवस्ते देवाऽ अधिपतयऽ इति वसवो हैतस्यै दिशो देवा ऽअधिपतयोऽग्निर्हेतीनां प्रतिधर्तेत्यग्निर्हैवात्र हेतीनां प्रतिधर्ता त्रिवृत्त्वा स्तोमः पृथिव्याᳬं श्रयत्वितित्रिवृता हैषा स्तोमेन पृथिव्याᳬं श्रिताऽऽज्यमुक्थ-मव्यथायै स्तभ्नात्वित्याज्येन हैषोक्थेनाव्यथायै पृथिव्याᳬं स्तब्धा रथन्तरᳬं साम प्रतिष्ठित्याऽ अन्तरिक्षऽ इति रथन्तरेण हैषा साम्ना प्रति-

---

ऽसीदन्। तद्यदेताभिरेतस्मिन्नाके स्वर्गे लोकेऽसीदन्—तस्मादेता नाकसदः। तथैवैतद्यजमानो यदेता उपदधाति—एतस्मिन्नेवैतन्नाके स्वर्गे लोके सीदति ॥ ३ ॥

दिक्षूपदधाति। दिशो वै स नाकः स्वर्गो लोकः। स्वर्ग एवैना एतल्लोके सादयति। ऋतव्यानां वेलया। सम्वत्सरो वा ऋतव्याः। सम्वत्सरः स्वर्गो लोकः। स्वर्ग एवैना एतल्लोके सादयति। अन्तस्तोमभागम्। एष वै स नाकः स्वर्गो लोकः। तस्मिन्नेवैना एतत्प्रतिष्ठापयति ॥ ४ ॥

(१) स पुरस्तादुपदधाति। "राज्ञ्यसि प्राची दिक्"—इति। राज्ञी ह नामैषा प्राची दिक्। "वसवस्ते देवा अधिपतयः"—इति। वसवो हैतस्यै दिशो देवा अधिपतयः। "अग्निर्हेतीनां प्रतिधर्ता"—इति। अग्निर्हैवात्र हेतीनां प्रतिधर्ता। "त्रिवृत्त्वा स्तोमः पृथिव्यां श्रयतु"—इति। त्रिवृता हैषा स्तोमेन पृथिव्यां श्रिता। "आज्यमुक्थमव्यथायै स्तभ्नातु"—इति। आज्येन हैषोक्थेनाव्यथायै पृथिव्यां स्तब्धा। "रथन्तरं साम प्रतिष्ठित्या अन्तरिक्षे"—इति। रथन्तरेण हैषा साम्ना प्रतिष्ठिताऽन्तरिक्षे। "ऋषयस्त्वा प्रथमजा देवेषु"—

दिक्षूपदधातीति। दिक्षूपदधाति ता वै दिक्ष्वित्येतत् यमेव (ततश्चास्यात्तुचतोवै दिशो वै भवति भुक्त इत्यभिप्रायः)। अन्ये स्तोमभागानां ऋतव्या वदन्तीत्यनुवाद एवायम् ॥ ४ ॥

स पुरस्तादिति। पञ्चभिरेताभिः प्रसन्नम्। एवमन्या व्याख्यायंते। ते च संक्षेपेणात्र इष्टका उच्यते। देवता यूयं भरतवस्वादयश्च देवा अधिपतयोऽभवन्नग्न्यादयश्च रक्षितारस्त्रिवृदाद्याः पृथिव्यां वा भूतानि प्रतिष्ठापयन्त आज्यादीनि शस्त्राणि तत्रैव ददीत रथन्तरादीनि सामान्यन्तरिक्षस्तत्र तत्तु प्रतिष्ठार्थम्। ऋषयश्च सहदेवलोकादिभिर्यव-पराक्षत्रमर्थ एवावस्था नाके स्वर्गे दिवः सारं तेयुग्मा यजमानं च सादयंत्विति प्राणा वा ऋषय इतीन्द्रियग्राहिणः

ष्ठिताऽन्तरिक्षऽ ऋषयस्त्वा प्रथमजा देवेष्विति प्राणा वाऽऋषयः प्रथमजास्तद्धि ब्रह्म प्रथमजं दिवो मात्रया वरिम्णा प्रथन्त्विति यावती द्यौस्तावतीं वरिम्णा प्रथन्त्वित्येतद्विधर्ता चायमधिपतिश्चेति वाक्च तौ मनश्च तौ हीदꣳ सर्वं विधारयतस्ते त्वा सर्वे संविदाना नाकस्य पृष्ठे स्वर्गे लोके यजमानं च सादयन्त्विति यथैव यजुस्तथा बन्धुः ॥ ५ ॥

(२) अथ दक्षिणतः । (तो) विराडसि दक्षिणा दिगिति विराड्ढ नामैषा दक्षिणा दिग्रुद्रास्ते देवाऽ अधिपतयऽ इति रुद्रा हैतस्यै दिशो देवाऽ अधिपतयऽ इन्द्रो हेतीनां प्रतिधर्त्तेतीन्द्रो हैवात्र हेतीनां प्रतिधर्त्ता पञ्चदशस्त्वा स्तोमः पृथिव्याꣳ श्रयत्विति पञ्चदशेन हैषा स्तोमेन पृथिव्याꣳ श्रिता प्रउगमुक्थमव्यथायै स्तभ्नात्विति प्रउगेण हैषोक्थेनाव्यथायै पृथिव्याꣳ स्तब्धा बृहत्साम प्रतिष्ठित्याऽअन्तरिक्षऽइति बृहता हैषा साम्ना प्रतिष्ठिताऽन्तरिक्षऽऋषयस्त्वा प्रथमजा देवेष्विति तस्योक्तो बन्धुः ॥ ६ ॥

इति । प्राणा वा ऋषयः प्रथमजाः, तद्धि ब्रह्म प्रथमजम् । "दिवो मात्रया वरिम्णा प्रथन्तु"–इति । यावती द्यौस्तावतीं वरिम्णा प्रथन्त्वित्येतद् । " विधर्ता चायमधिपतिश्च "–इति । वाक्च तौ मनश्च तौ हीदं सर्वं विधारयतः । " ते त्वा सर्वे संविदाना नाकस्य पृष्ठे स्वर्गे लोके यजमानं च सादयन्तु "–(वा. सं. १५ । १०) इति । यथैव यजुस्तथा बन्धुः ॥ ५ ॥

(२) अथ दक्षिणतः । "विराडसि दक्षिणा दिक्"–इति। विराड्ढ नामैषा दक्षिणा दिक् । " रुद्रास्ते देवा अधिपतयः "–इति । रुद्रा हैतस्यै दिशो देवा अधिपतयः । " इन्द्रो हेतीनां प्रतिधर्ता "–इति । इन्द्रो हैवात्र हेतीनां प्रतिधर्ता । " पञ्चदशस्त्वा स्तोमः पृथिव्यां श्रयतु "–इति । पञ्चदशेन हैषा स्तोमेन पृथिव्यां श्रिता । " प्रउगमुक्थमव्यथायै स्तभ्नातु "–इति । प्रउगेण हैषोक्थेनाव्यथायै पृथिव्यां स्तब्धा । " बृहत्साम प्रतिष्ठित्या-अन्तरिक्षे "–इति । बृहता हैषा साम्ना प्रतिष्ठिताऽन्तारिक्षे । "ऋषयस्त्वा प्रथमजा देवेषु"–(वा. सं. १५ । ११) इति । तस्योक्तो बन्धुः ॥ ६ ॥

(सुमीरक्रियातद्यावाय) एवाभिः प्रतानेन्द्रियाणि कुतः विधर्ता चायमधिपतिश्च ते त्वा नरः सद्य उत्तरत्रोपादानात् । ऋषिशब्देनेन्द्रियाण्युपात्तानि स्युः । ततोऽस्य रसस्तयोस्तदन्तर्भूतयोः पृथगुपादानमनर्थकमेव स्यात् कथं पुनः प्राणाः प्रथमजा इत्येतदाह–तद्धि प्राणात्मकं ब्राह्मविकाराणां भर्तृप्रथमजं सर्वाह्नमेव गीयते । ता आपः सत्यम॰

१–" दिवो मात्रया वरिम्णा प्रथन्तु विधर्ता चायमधिपतिश्च ते त्वा सर्वे संविदाना नाकस्य पृष्ठे स्वर्गे लोके यजमानं च सादयन्तु "–इत्येतावान् मन्त्रभागः प्रतीष्टकोपधानमन्त्रे योज्यः ।

(३) अथ पश्चात् । (त्स) सम्राडसि प्रतीची दिगिति सम्राड्ढ नामैषा प्रतीची दिगादित्यास्ते देवा ऽअधिपतय ऽइत्यादित्या हैतस्यै दिशो देवाऽअधिपतयो व्वरुणो हेतीनां प्रतिधर्त्तेति व्वरुणो हैवात्र हेतीनां प्रतिधर्त्ता सप्तदशस्त्वा स्तोमः पृथिव्याᳬं श्रयत्त्विति सप्तदशेन हैषा स्तोमेन पृथिव्याᳬं श्रिता मरुत्वतीयमुक्थमव्यथायै स्तभ्नात्त्विति मरुत्वतीयेन हैषोक्थेनाव्यथायै पृथिव्याᳬं स्तब्धा व्वैरूपᳬं साम प्रतिष्ठित्याऽअन्तरिक्षऽइति व्वैरूपेण हैषा साम्ना प्रतिष्ठिताऽन्तरिक्षऽऋषयस्त्वा प्रथमजा देवेष्विति तस्योक्तो बन्धुः ॥ ७ ॥

(४) अथोत्तरतः । स्वराडस्युदीची दिगिति स्वराड्ढ नामैषोदीची दिङ्मरुतस्ते देवाऽअधिपतय ऽइति मरुतो हैतस्यै दिशो देवाऽअधिपतयः सोमो हेतीनां प्रतिधर्त्तेति सोमो हैवात्र हेतीनां प्रतिधर्त्तैकविᳬंशस्त्वा स्तोमः पृथिव्याᳬं श्रयत्त्वित्येकविᳬंशेन हैषा स्तोमेन पृथिव्याᳬं श्रिता निष्केवल्यमुक्थमव्यथायै स्तभ्नात्त्विति निष्केवल्येन हैषोक्थेनाव्यथायै पृथिव्याᳬं स्तब्धा व्वैराजᳬं साम प्रतिष्ठित्याऽअन्तरिक्षऽ-

---

(३) अथ पश्चात् । "सम्राडसि प्रतीची दिक्"–इति । सम्राड्ढ नामैषा प्रतीची दिक् । "आदित्यास्ते देवा अधिपतयः"–इति । आदित्या हैतस्यै दिशो देवा अधिपतयः । "वरुणो हेतीनां प्रतिधर्ता"–इति । वरुणो हैवात्र हेतीनां प्रतिधर्ता । "सप्तदशस्त्वा स्तोमः पृथिव्यां श्रयतु"–इति । सप्तदशेन हैषा स्तोमेन पृथिव्यां श्रिता । "मरुत्वतीयमुक्थमव्यथायै स्तभ्नातु"–इति । मरुत्वतीयेन हैषोक्थेनाव्यथायै पृथिव्यां स्तब्धा । "वैरूपं साम प्रतिष्ठित्या अन्तरिक्षे"–इति । वैरूपेण हैषा साम्ना प्रतिष्ठिताऽन्तरिक्षे । "ऋषयस्त्वा प्रथमजा देवेषु"–(वा. सं. १५ । १२) इति । तस्योक्तो बन्धुः ॥ ७ ॥

(४) अथोत्तरतः । "स्वराडस्युदीची दिक्"–इति । स्वराड्ढ नामैषोदीची दिक् । "मरुतस्ते देवाऽधिपतयः"– इति । मरुतो हैतस्यै दिशो देवा अधिपतयः । "सोमो हेतीनां प्रतिधर्ता"–इति । सोमो हैवात्र हेतीनां प्रतिधर्ता । "एकविंशस्त्वा स्तोमः पृथिव्यां श्रयतु"–इति । एकविंशेन हैषा स्तोमेन पृथिव्यां श्रिता । "निष्केवल्यमुक्थमव्यथायै स्तभ्नातु"–इति । निष्केवल्येन हैषोक्थेनाव्यथायै पृथिव्यां स्तब्धा । "वैराजं साम प्रति-

---

सृजन्त । सत्यं ब्रह्मेत्यादिष्वेतदुक्तं भवति । एवम् ऋषयः सन् मूर्च्छितरूपा ब्रह्मेत्युच्यते । ततश्च नैव सशयितव्यं तद्ब्रह्म प्रथमजमुक्तमिति । तत्तु प्राणास्तेन विरुद्धावेतावाभाति । किं तर्हि समानार्थावेताविति वा वाङ्मनः

इति वैराजेन हैषा साम्ना प्रतिष्ठिताऽन्तरिक्षऽऋषयस्त्वा प्रथमजा देवे-
ष्विति तस्योक्तो बन्धुः ॥ ८ ॥

(९) अथ मध्ये । (ध्येऽधि) अधिपत्न्यसि बृहती दिगित्यधिपत्नी ह नामैषा बृहती दिग्विश्वे ते देवाऽ अधिपतयऽ इति विश्वे हैतस्यै दिशो देवाऽ अधिपतयो बृहस्पतिर्हेतीनां प्रतिधर्तेति बृहस्पतिर्हैवात्र हेतीनां प्रतिधर्ता त्रिणवत्रयस्त्रिꣳशौ त्वा स्तोमौ पृथिव्याꣳ श्रयतामिति त्रिणवत्रयस्त्रिꣳशाभ्याꣳ हैषा स्तोमाभ्यां पृथिव्याꣳ श्रिता वैश्वदेवाग्निमारुतेऽउक्थेऽअव्यथायै स्तभ्नीतामिति वैश्वदेवाग्निमारुताभ्याꣳ हैषोक्थाभ्यामव्यथायै पृथिव्याꣳ स्तब्धा शाक्वररैवते सामनी प्रतिष्ठित्याऽ अन्तरिक्षऽइति शाक्वररैवताभ्याꣳ हैषा सामभ्यां प्रतिष्ठिताऽन्तरिक्षऽऋषयस्त्वा प्रथमजा देवेष्विति तस्योक्तो बन्धुः ॥ ९ ॥

(१०) एतावान्वै सर्वो यज्ञः । (ज्ञो) यज्ञऽ उ देवानामात्मा यज्ञमेव तद्देवाऽ आत्मानं कृत्वैतस्मिन्नाके स्वर्गे लोकेऽसीदंस्तथैवैतद्यजमानो यज्ञमेवात्मानं कृत्वैतस्मिन्नाके स्वर्गे लोके सीदति ॥ १० ॥

ष्ठित्याऽअन्तरिक्षे "-इति । वैराजेन हैषा साम्ना प्रतिष्ठिताऽन्तरिक्षे । "**ऋषयस्त्वा प्रथमजा देवेषु**"-(वा० सं० १५ । १३) इति । तस्योक्तो बन्धुः ॥ ८ ॥

(९) अथ मध्ये । "**अधिपत्न्यसि बृहती दिक्**"-इति । अधिपत्नी ह नामैषा बृहती दिक् । "**विश्वे ते देवा अधिपतयः**"-इति । विश्वे हैतस्यै दिशो देवा अधिपतयः । "**बृहस्पतिर्हेतीनां प्रतिधर्ता**"-इति । बृहस्पतिर्हैवात्र हेतीनां प्रतिधर्ता । "**त्रिणवत्रयस्त्रिंशौ त्वा स्तोमौ पृथिव्यां श्रयताम्**"-इति । त्रिणवत्रयस्त्रिंशाभ्यां हैषा स्तोमाभ्यां पृथिव्यां श्रिता । "**वैश्वदेवाग्निमारुते उक्थे अव्यथायै स्तभ्नीताम्**"-इति । वैश्वदेवाग्निमारुताभ्यां हैषोक्थाभ्यामव्यथायै पृथिव्यां स्तब्धा । "**शाक्वररैवते सामनी प्रतिष्ठित्या अन्तरिक्षे**"-इति । शाक्वररैवताभ्यां हैषा सामभ्यां प्रतिष्ठिताऽन्तरिक्षे । "**ऋषयस्त्वा प्रथमजा देवेषु**"-(वा. सं. १५ । १४) इति । तस्योक्तो बन्धुः ॥ ९ ॥

एतावान्वै सर्वो यज्ञः । यज्ञ उ देवानामात्मा । यज्ञमेव तद्देवा आत्मानं कृत्वैतस्मिन्नाके स्वर्गे लोकेऽसीदन् । तथैवैतद्यजमानो यज्ञमेवात्मानं कृत्वैतस्मिन्नाके स्वर्गे लोके सीदति ॥ १० ॥

साहचर्याद्वागिन्द्रियं विज्ञायते तौ हीदं सर्वं जगद्विधारयत इति । मनश्च सर्वव्यवहारांशत्वात् । (तास्वपि न सविवस्वादयः) ॥ ९–९ ॥

एतावान्वै सर्वो यज्ञ इति । न च देवा नाकसदोऽत्र कीर्त्तनीयाः । त्रिवृदादीनां यज्ञोपकरणानामेव कः

(त्यु) अथ पुञ्चचूडाऽ उुपदधाति । युज्ञो वै नाकसुदो युज्ञ ऽउऽएव पुञ्चचूडास्तुद्युऽ इमे चत्वारऽ ऋत्विजो गृहपतिपञ्चमास्ते नाकसुदो होत्राः पुञ्चचूडाऽ अुतिरिक्तं वै तद्यद्धोत्रा युदु वाऽअुतिरिक्तं चूडः स तद्यत्पञ्चा- तिरिक्तास्तुस्मात्पुञ्चचूडाः ॥ ११ ॥

(०) युद्वेवु नाकसत्पञ्चचूडा ऽउपदुधाति । (त्या) आत्मा वै नाकसुदो मिथुनं पुञ्चचूडा ऽअर्धमु हैतुदात्मुनो युन्मिथुनं युदा वै सहु मिथुनेनाथ सव्वोंऽथ कृत्स्नः कृत्स्नुतायै ॥ १२ ॥

अथ पञ्चचूडेष्टकोपधानम् ।

अथ पञ्चचूडा उपदधाति । यज्ञो वै नाकसदः, यज्ञ उ पञ्चचूडाः । तद् य इमे चत्वार ऋत्विजो गृहपतिपञ्चमाः–ते नाकसदः । होत्राः पञ्चचूडाः । अतिरिक्तं वै तद्–यद्धोत्राः । यदु वा अतिरिक्तं– चूडः सः । तद्यत्पञ्चातिरिक्ताः–तस्मात्पञ्चचूडाः ॥ ११ ॥

यद्वेव नाकसत्पञ्चचूडा उपदधाति। आत्मा वै नाकसदो, मिथुनं पञ्चचूडाः । अर्धमु हैतदा- त्मनो–यन्मिथुनम् । यदा वै सह मिथुनेन । अथ सर्वः । अथ कृत्स्नः । कृत्स्नतायै ॥ १२ ॥

प्रसङ्गः । सति चाङ्गे यावत एता दिगादयो यज्ञोपकरणनीव यद्युक्ताः स एतावानेव प्राधान्येन एतेष्वेवोपकरणा- न्तराणामन्तर्भावात् । कथं दिक्षु तावद्दिकान्युपकरणान्यन्तर्गतानि वस्वग्न्यादिषु च देवताः स्तोमेषु सामसु च स्तोत्राणि सामानि च उक्थेषु ना शस्त्राणि च प्राणेषु प्राणिनः सर्व इत्येव । ननु चात्र यजुरेव यज्ञोपकरणं नास्ति किमुच्यते–वाग्वै सर्वो यज्ञ इति । नैष दोषः । अन्यानि तु यज्ञोपकरणानि यजुषा निधेयत्वात् इत्युपादी- यते यज्ञं साक्षादेवेदं प्रगृह्यते । तस्य किमभिधानेन प्रयोजनं यावत्तदेतदत्रैव यज्ञश्चित्तमिति नित्यस्यच तुष्टामेध- दर्शयति । ततश्चोपपन्नमेतदेतावानेव यज्ञ इति । ततःकिमित्यत आह–यज्ञ इति । तद्देवानामात्मानं हितमात्म- त्वेनाभिगीता आत्मयाजित्वात् ततश्चाधियज्ञं हि याजिताभ्यां ते देवा अधिदेवमपि यज्ञमेवात्मानं कृत्वा एतस्मिन् नाके स्वर्गे लोकेऽसीदन्, यज्ञरूपेणैव देवत्वस्य प्रतिलब्धत्वात् । यज्ञमात्मानं कृत्वाऽसीदन्निति । चक्रवते तद- र्शयति । यथैव प्राच्यादयो दिश इष्टकाशरीरा इन्द्रादी ( ) ते एव ( ) पूर्वं हित्वास इष्टकात्मकत्वादतिरिक्तमधुना तेषामेव यज्ञात्मकत्वमुच्यते । तेनेष्टकानां ( ) यज्ञोपकरणात्मकत्वमस्तीति गम्यते ॥ १० ॥

अथ पञ्चचूडा इति । अथ पञ्चचूडा नामेष्टका उपदधाति । इत्येतदत एव उपधत्ते न तत्र आधाभिश्चत- सृभिः कण्डिकाभिरन्त्याभ्यां च द्वाभ्यां नाकसदामपि किञ्चिदुच्यते । 'यज्ञो वै नाकसद' इति । संख्यासामान्य- मुपपादयितुमुपन्यासः । गृहपतिरिति यजमान एवात्राभिप्रेतः स हि पञ्च गृहीणा ( ) विक्षुः एतदक्षिसाह- चर्यात् ( ) तावते च यजमान इति वा उपहाराद्धोत्राः प्रशास्त्रादयः पञ्चमे पुनरपत्ये शब्दानुग्रहेषु सबलं कुर्वन्ति ततोऽभिप्रेताः कुतस्तद्यत्पञ्चातिरिक्ता इति वचनादितरे ऋत्विजस्तत्रैवान्तर्गता इत्यभिप्रायः । अतोऽ-

---

१–पुरीषमोऽयोपर्ययं पुर भति पंचचूडाः प्रतिमंत्रम् । प्रतिदिशं यथालिंगं पश्चिमोत्तमा । का. श्रौ. सू. १७ । २३७ ।

यद्वेव नाकसत्पञ्चचूडा ऽउपदधाति । (त्या) आत्मा वै नाकसदः प्रजा पञ्चचूडा ऽअतिरिक्तं वै तदात्मनो यत्प्रजा यदु वाऽअतिरिक्तं चूडः स तद्यत्पञ्चातिरिक्तास्तस्मात्पञ्चचूडाः ॥ १३ ॥

(०) यद्वेव नाकसत्पञ्चचूडा ऽउपदधाति । दिशो वै नाकसदो दिश ऽउऽएव पञ्चचूडास्तद्याऽअमुष्मादादित्यादर्वाच्यः पञ्च दिशस्ता नाकसदो याः पराच्यस्ताः पञ्चचूडा ऽअतिरिक्ता वै ता दिशो याऽअमुष्मादादित्यात्पराच्यो यदु वाऽअतिरिक्तं चूडः स तद्यत्पञ्चातिरिक्तास्तस्मात्पञ्चचूडाः ॥ १४ ॥

(०) यद्वेव पञ्चचूडा ऽउपदधाति । (त्ये) एतद्वै देवा ऽअबिभयुर्यद्वै न ऽइमाँल्लोकानुपरिष्टाद्रक्षाᳬसि नाष्ट्रा न हन्युरिति तऽएतानेषां लोकानामुपरिष्टाद्गोप्तृनकुर्वत यऽएते हेतयश्च प्रहेतयश्च तथैवैतद्यजमान ऽएतानेषां लोकानामुपरिष्टाद्गोप्तृन्कुरुते यऽएते हेतयश्च प्रहेतयश्च ॥ १५ ॥

यद्वेव नाकसत्पञ्चचूडा उपदधाति । आत्मा वै नाकसदः, प्रजा पञ्चचूडाः । अतिरिक्तं वै तदात्मनो—यत्प्रजा । यदुवा अतिरिक्तं चूडः सः । तद्यत्पञ्चातिरिक्ताः—तस्मात्पञ्चचूडाः ॥ १३ ॥

यद्वेव नाकसत्पञ्चचूडा उपदधाति । दिशो वै नाकसदः, दिश उ एव पञ्चचूडाः । तद्या अमुष्मादादित्यादर्वाच्यः पञ्च दिशः—ता नाकसदः । याः पराच्यः—ताः पञ्चचूडाः । अतिरिक्ता वै ता दिशः—या अमुष्मादादित्यात्पराच्यः । यदु वा अतिरिक्तं—चूडः सः । तद्यत्पञ्चातिरिक्ताः—तस्मात्पञ्चचूडाः ॥ १४ ॥

यद्वेव पञ्चचूडा उपदधाति । एतद्वै देवा अबिभयुः—यद्वै न इमाँल्लोकानुपरिष्टाद्रक्षांसि नाष्ट्रा न हन्युरिति । त एतानेषां लोकानामुपरिष्टाद्गोप्तृनकुर्वत—य एते हेतयश्च प्रहेतयश्च । तथैवैतद्यजमान एतानेषां लोकानामुपरिष्टाद्गोप्तृन्कुरुते—य एते हेतयश्च प्रहेतयश्च ॥ १५ ॥

तिरिक्तं वै तद्यद्धोत्रा इति पूर्वेभ्यः पुरुषेभ्यो बहिरङ्गत्वादतिरिक्ता यदृत्विजस्तत्रैवान्तर्गताः अतिरिक्तं कायस्य वै (तातत्वर्जितं) स चूडः केशपुञ्जस्ततश्चातिरिक्तसामान्याद्धोत्रा यज्ञस्य चूडा अभूत्, 'तद्यत्पञ्चातिरिक्ता' इति समानाधिकरणं समासं दर्शयति—तस्मात् पञ्चचूडा इति । चूडशब्दस्योभयलिङ्गनिर्देशः । अथ च इष्टकासु पञ्चचूडाशब्दस्य निरूढस्यैव व्युत्पत्तिमात्रमेतदिति द्रष्टव्यम् ॥ ११ ॥ १२ ॥

यद्वेव नाकसत्पञ्चचूडा इति । आत्मा यजमानस्य शरीरं पुनः आत्मा स चात्माधिदैवादग्निमेव पञ्चमाध्यायस्थितमिति पञ्चनाकसदो मिथुनमस्यापिदेविकमाराख्याविकसंग्रहेण पञ्चैवानस्थिता इति । तदात्मिकाः पञ्चचूडा अपि वै नाकसदः प्रजापतिनैवायं पञ्च इत्यभिप्रायः ॥ १३ ॥ १४ ॥

यद्वेव पञ्चचूडा इति । ननु च यदि य एते हेतयश्च प्रहेतयश्च दन्दशूकवः पशव इत्यादयस्ताः पञ्चचूडात्मका एषां लोकानामुपरिष्टाद् गोप्तृनकुर्वत । ततः हरिकेशादीनां किमर्थमुपादानम् । नैष दोषः ।

स पुरस्तादुपदधाति । (त्य) अयं पुरो हरिकेशऽइत्यग्निर्वै पुरस्त-द्यत्तमाह पुरऽइति प्राञ्चꣳ ह्यग्निमुद्धरन्ति प्राञ्चमुपचरन्त्यथ यद्धरिकेश ऽइत्याह हरिरिव ह्यग्निः सूर्यरश्मिरिति सूर्यस्येव ह्यग्ने रश्मयस्तस्य रथगृ-त्सश्च रथौजाश्च सेनानीग्रामण्याविति वासन्तिकौ तावृतू पुञ्जिकस्थला च क्रतुस्थला चाप्सरसाविति दिक्चोपदिशा चेति ह स्माह माहित्थिः सेना च तु ते समितिश्च दङ्क्ष्णवः पशवो हेतिः पौरुषेयो वधः प्रहेतिरिति यद्वै सेनायां च समितौ चऽर्तीयन्ते ते दङ्क्ष्णवः पशवो हेतिः पौरुषेयो वधः प्रहेतिरिति यदन्योऽन्यं घ्नन्ति स पौरुषेयो वधः प्रहेतिस्तेभ्यो नमोऽ-अस्त्विति तेभ्य ऽएव नमस्करोति ते नो मृडयन्त्विति तऽएवास्मै मृड-यन्ति ते यं द्विष्मो यश्च नो द्वेष्टि तमेषां जम्भे दध्म ऽइति यमेव द्वेष्टि यश्चैनं द्वेष्टि तमेषां जम्भे दधात्यमुमेषां जम्भे दधामीति ह ब्रूयाद्यं द्विष्यात्ततोऽह तस्मिन्न पुनरस्त्यपि तन्नाद्रियेत स्वयं निर्दिष्टो ह्येव स यमेवंविद् द्वेष्टि ॥ १६ ॥

---

(१)स पुरस्तादुपदधाति । "अयं पुरो हरिकेशः"—इति । अग्निर्वै पुरः । तद् यत्तमाह—पुर इति । प्राञ्चं ह्यग्निमुद्धरन्ति, प्राञ्चमुपचरन्ति । अथ यद्धरिकेश इत्याह—हरिरिव ह्यग्निः । " सूर्य-रश्मिः "—इति । सूर्यस्येव ह्यग्ने रश्मयः । "तस्य रथगृत्सश्च रथौजाश्च सेनानीग्रामण्यौ"—इति । वासन्तिकौ तावृतू । " पुञ्जिकस्थला च क्रतुस्थला चाप्सरसौ "—इति । दिक् चोप-दिशा चेति ह स्माह—माहित्थिः । सेना च तु ते समितिश्च । " दङ्क्ष्णवः पशवो हेतिः पौरुषेयो वधः प्रहेतिः "—इति । यद्वै सेनायां च समितौ चऽर्तीयन्ते—ते दङ्क्ष्णवः पशवः । हेतिः पौरुषेयो, वधः प्रहेतिरिति । यदन्योऽन्यं घ्नन्ति—स पौरुषेयो वधः प्रहेतिः । " तेभ्यो नमो अस्तु "—इति । तेभ्य एव नमस्करोति । " ते नो मृडयन्तु "—इति । त एवास्मै मृडयन्ति । " ते यं द्विष्मो यश्च नो द्वेष्टि तमेषां जम्भे दध्मः "—(वा. सं. १५ । १५) इति । यमेव द्वेष्टि, यश्चैनं द्वेष्टि—तमेषां जम्भे दधाति । अमुमेषां जम्भे दधामीति ह ब्रूयात्—यं द्विष्यात् । तस्मिन्न पुनरस्ति । अपि तन्नाद्रियेत । स्वयं निर्दिष्टो ह्येव सः—यमेवंविद् द्वेष्टि ॥ १६ ॥

स्वामिभिरधिष्ठिता एव (मेनाश्चा भ्रामणाभिस्यते) गोपायितुं सामर्थ्यं नान्यथेति । याः स्वामिका एवोपधीयंते न केवलाः प्रख्यतमत्वात् स्वामिन एव गोप्तार इत्युक्तम् । (स सेरस्ता) यद्वै सेनायां समितौ चेति लिङ्गवचन-प्रत्युपस्थिता । समितौ च स्थल मेलके सन्तो दङ्क्ष्णवः पशवो दङ्क्ष्णवन्तीति दङ्क्ष्णवः पशवो जन्मनः (स्पर्द्धा-यद्वै सेनायां चेन्मंत्रेण सेनायां चेति लिङ्गवचनात्पौरुषेयो । वधः पुरुषेभ्यो हितः चूडाः पशवो दयान्मोन्याश्चबन्धनः प्रसयन्ति) तदा पुरुषेभ्यो हितः पशवो यदा पुरुषाणां क्षेमो भवति । पशून् पुरुषा उपयुञ्जते । नैयायिकास्तु

(घ्च) अथ दक्षिणतः । (तोऽयं) अयं दक्षिणा विश्वकर्मेत्ययं वै वायुर्विश्वकर्मा योऽयं पवतऽएष हीदꣳ सर्वं करोति तद्यत्तमाह दक्षिणेति तस्मादेष दक्षिणैव भूयिष्ठं वाति तस्य रथस्वनश्च रथेचित्रश्च सेनानीग्रामण्याविति ग्रैष्मौ तावृतू मेनका च सहजन्या चाप्सरसाविति दिक्चोपदिशा चेति ह स्माह माहित्थिरिमे तु ते द्यावापृथिवी यातुधाना हेती रक्षाꣳसि प्रहेतिरिति यातुधाना हैवात्र हेती रक्षाꣳसि प्रहेतिस्तेभ्यो नमोऽअस्त्विति तस्योक्तो बन्धुः ॥ १७ ॥

(र) अथ पश्चात् । (द) अयं पश्चाद्विश्वव्यचाऽ इत्यसौ वाऽआदित्यो विश्वव्यचा यदा ह्येवैषऽ उदेत्यथेदꣳ सर्वं व्यचो भवति तद्यत्तमाह पश्चादिति तस्मादेतं प्रत्यञ्चमेव यन्तं पश्यन्ति तस्य रथप्रोतश्चासमरथश्च सेनानीग्रामण्याविति वार्षिकौ तावृतू प्रम्लोचन्ती चानुम्लोचन्ती चाप्सरसाविति दिक्चोपदिशा चेति ह स्माह माहित्थिरहोरात्रे तु ते ते

---

(२) अथ दक्षिणतः । " अयं दक्षिणा विश्वकर्मा "–इति । अयं वै वायुर्विश्वकर्मा–योऽयं पवते । एष हीदं सर्वं करोति । तद् यत्तमाह–दक्षिणेति । तस्मादेष दक्षिणैव भूयिष्ठं वाति । " तस्य रथस्वनश्च रथेचित्रश्च सेनानीग्रामण्यौ "–इति । ग्रैष्मौ तावृतू । " मेनका च सहजन्या चाप्सरसौ "–इति । दिक्चोपदिशा चेति ह स्माह माहित्थिः । इमे तु ते द्यावापृथिवी । " यातुधाना हेती रक्षांसि प्रहेतिः "–इति । यातुधाना हैवात्र हेती रक्षांसि प्रहेतिः । " तेभ्यो नमो अस्तु "–(वा. सं. १५ । १६) इति । तस्योक्तो बन्धुः ॥ १७ ॥

(३)अथ पश्चात् । "अयं पश्चाद्विश्वव्यचाः"–इति । असौ वाऽआदित्यो विश्वव्यचाः। यदा ह्येवैष उदेति–अथेदं सर्वं व्यचो भवति । तद् यत्तमाह–पश्चादिति । तस्मादेतं प्रत्यञ्चमेव यन्तं पश्यन्ति। " तस्य रथप्रोतश्चासमरथश्च सेनानीग्रामण्यौ "–इति। वार्षिकौ तावृतू । " प्रम्लोचन्ती चानुम्लोचन्ती चाप्सरसौ"–इति । दिक्चोपदिशा चेति ह स्माह माहित्थिः । अहो-

---

" पुरुषेभ्यो हितत्वञ्च पुरुषाणामयं वध " इत्यस्मिन्नर्थे पौरुषेयशब्दं व्युत्पादयन्ति तेषां तत्र विरोधः प्राप्नोति तस्मात् पुरुषेभ्यो हित इत्ययमेवार्थो युक्तः । एवं तु वर्ण्यमाने वधक्रियाऽऽयुधं हेतिरित्युक्तं स्यात् । उत्तरत्र रक्षांसि प्रहेतिरिति प्राणिः प्रहेतयश्च वक्ष्यन्ते भवनसादृश्यं स्यात् तस्माद्वचनादर्थत एवान्योऽन्यं हन्तारो लक्ष्यन्त इति वक्तव्यम् । ततोऽस्मिन् ततः (अमखदिरधर्माणां) एषां रक्षःप्रभृतीनां जम्भे दधामीति इत्येतस्माद्वचनादुत्तरकाले तद्द्वेष्टा तस्मिन् देशे नास्ति न भवति तदेव प्रवचनार्थः ॥१५॥ १६ ॥

अथ दक्षिणत इति । प्रसन्नप्रायाः । ततः प्रभृति यज्ञं हिंसन्ति जन्म दक्षिणं वक्ष्यमाणं मन्यमानाः कथम-

हि प्र च म्लोचतोऽनु च म्लोचतो व्याघ्रा हेतिः सर्पाः प्रहेतिरिति व्याघ्रा हैवात्र हेतिः सर्पाः प्रहेतिस्तेभ्यो नमोऽअस्त्विति तस्योक्तो बन्धुः ॥ १८ ॥

(४) अथोत्तरतः । (तोऽयं) अयमुत्तरात्संयद्वसुरिति यज्ञो वाऽउत्तरात्तद्यत्तमाहोत्तरादित्युत्तरतऽउपचारो हि यज्ञोऽथ यत्संयद्वसुरित्याह यज्ञꣳ हि संयन्तीतीदं वस्विति तस्य तार्क्ष्यश्चारिष्टनेमिश्च सेनानीग्रामण्याविति शारदौ तावृतू विश्वाची च घृताची चाप्सरसाविति दिक्चोपदिशा चेति स्माह माहित्थिर्वेदिश्च तु ते स्रुक्च वेदिरेव विश्वाची स्रुग्घृताच्यापो हेतिर्वातः प्रहेतिरित्यापो हैवात्र हेतिर्वातः प्रहेतिरतो ह्येवोष्णो वात्यतः शीतस्तेभ्यो नमोऽअस्त्विति तस्योक्तो बन्धुः ॥ १९ ॥

(५) अथ मध्ये । (ध्येऽय) अयमुपर्यर्वाग्वसुरिति पर्जन्यो वाऽउपरि तद्यत्तमाहोपरीत्युपरि हि पर्जन्योऽथ यदर्वाग्वसुरित्याहातो ह्यर्वाग्वसु वृष्टिरन्नं प्रजाभ्यः प्रदीयते तस्य सेनजिच्च सुषेणश्च सेनानी-

---

रात्रे तु ते । ते हि प्र च म्लोचतोऽनु च म्लोचतः । " व्याघ्रा हेतिः सर्पाः प्रहेतिः "–इति । व्याघ्रा हैवात्र हेतिः, सर्पाः प्रहेतिः । " तेभ्यो नमो अस्तु " –(वा. सं. १५ । १७) इति । तस्योक्तो बन्धुः ॥ १८ ॥

(४) अथोत्तरतः । " अयमुत्तरात्संयद्वसुः "–इति । यज्ञो वा उत्तरात् । तद् यत्तमाहोत्तरादिति । उत्तरतउपचारो हि यज्ञः । अथ यत्संयद्वसुरित्याह । यज्ञं हि संयन्ति–इतीदं वस्विति । " तस्य तार्क्ष्यश्चारिष्टनेमिश्च सेनानीग्रामण्यौ "–इति । शारदौ तावृतू । " विश्वाची च घृताची चाप्सरसौ "–इति । दिक्चोपदिशा चेति ह स्माह–माहित्थिः । वेदिश्च तु ते स्रुक्च । वेदिरेव विश्वाची, स्रुग्घृताची । " आपो हेतिर्वातः प्रहेतिः "–इति । आपो हैवात्र हेतिः, वातः प्रहेतिः । अतो ह्येवोष्णो वात्यतः शीतः । " तेभ्यो नमो अस्तु "–(वा. सं. १५ । १८) इति । तस्योक्तो बन्धुः ॥ १९ ॥

(५) अथ मध्ये । " अयमुपर्यर्वाग्वसुः "–इति । पर्जन्यो वाऽउपरि । तद्यत्तमाह उपरीति । उपरि हि पर्जन्यः । अथ यदर्वाग्वसुरित्याह–अतो ह्यर्वाग्वसु–वृष्टिरन्नं प्रजाभ्यः प्रदीयते । " तस्य सेनजिच्च सुषेणश्च सेनानीग्रामण्यौ "–इति । हैमन्तिकौ तावृतू ॥

सपत्न इति । एतमवस्थितं नाम रे ! वत्र ते तुभ्यं पशुहिरण्यादि दर्शयतीदं धनं तुभ्यं हे दीक्षितेत्येव युक्तिर्धाने संयतिः ततः किं धनवत्संयुक्तधनानां नाति संयतितश्च सम्यक् यन्ति वसुने धनाय तत्र तस्मिन् स संयद्वसुर्यज्ञः । आपो हैवात्रोत्तरस्यां दिशि हेतिः प्रहेतिः कथमापो हैवात्र अस्यामेव ह्युत्तरस्यां दिश्युत्तरायामनुष्णो वायुर्वाति ग्रीष्मर्तौः । अत्रैवोपदर्शितः शीतकाले न तथाऽन्येषु शीतोष्णाभ्यां च प्राणिनो हन्यन्ते । पर्जन्यः अर्वाग्वसुः तौ हि पर्जन्यादर्वाग्वा पृथिव्यां वसु प्रजाभ्यः पशुभ्यः प्रदीयते कथं पुनर्वृष्टिरन्नमित्येतदाह–अन्न॰

ग्रामण्याविति हैमन्तिकौ तावृतूऽउर्व्वशी च पूर्व्वचित्तिश्चाप्सरसाविति दिक्चोपदिशा चेति ह स्माह माहितिथिराहुतिश्च तु ते दक्षिणा चावस्फूर्जन्हेतिर्व्विद्युत्प्रहेतिरित्यवस्फूर्जन्हैवात्र हेतिर्व्विद्युत्प्रहेतिस्तेभ्यो नमोऽस्त्विति तस्योक्तो बन्धुः ॥ २० ॥

(२) एते वै ते हेतयश्च प्रहेतयश्च । यांस्तद्देवा ऽएषां लोकानामुपरिष्टाद्गोप्तॄनकुर्व्वताथ यास्ताः प्रजाऽएते ते सेनानीग्रामण्योऽथ यत्तन्मिथुनमेतास्ताऽअप्सरसः सर्व्वऽएव तद्देवाः कृत्स्ना भूत्वा सह प्रजया सह मिथुनेनैतस्मिन्नाके स्वर्गे लोकेऽसीदंस्तथैवैतद्यजमानः सर्व्वऽएव कृत्स्नो भूत्वा सह प्रजया सह मिथुनेनैतस्मिन्नाके स्वर्गे लोके सीदति ॥ २१ ॥(शतम् ४६००)

ता वाऽएताः । (०) दशेष्टकाऽ उपदधाति दशाक्षरा विराड्विराडेषा चितिस्ता ऽउ वै पञ्चैव द्वे द्वे ह्युपदधाति ता हैता ऽअग्नेराशिषस्ताऽउत्तमायां चिताऽउपदधात्यन्त ऽएषोऽग्नेर्यदुत्तमा चितिरन्ततस्तदग्नेराशिषो निराह पञ्च भवन्ति पञ्च हि यज्ञऽआशिषोऽथैनेऽअन्तरा पुरीषं

“ उर्वशी च पूर्वचित्तिश्चाप्सरसौ ”—इति । दिक्चोपदिशा चेति ह स्माह माहित्थिः । आहुतिश्च तु ते दक्षिणा च । “ अवस्फूर्जन्हेतिर्विद्युत्प्रहेतिः ”—इति । अवस्फूर्जन्हैवात्र हेतिः, विद्युत्प्रहेतिः । “ तेभ्यो नमो अस्तु ”—(वा० सं० १५ । १९) इति । तस्योक्तो बन्धुः ॥२०॥

एते वै ते हेतयश्च प्रहेतयश्च—यांस्तद्देवा एषां लोकानामुपरिष्टाद्गोप्तॄनकुर्वत । अथ यास्ताः प्रजाः—एते ते सेनानीग्रामण्यः । अथ यत्तन्मिथुनम्—एतास्ता अप्सरसः । सर्व एव तद्देवाः कृत्स्ना भूत्वा सह प्रजया सह मिथुनेनैतस्मिन्नाके स्वर्गे लोकेऽसीदन् । तथैवैतद्यजमानः सर्व एव कृत्स्नो भूत्वा सह प्रजया सह मिथुनेनैतस्मिन्नाके स्वर्गे लोके सीदति ॥ २१ ॥

ता वा एता दशेष्टका उपदधाति । दशाक्षरा विराट् । विराडेषा चितिः । ता उ वै पञ्चैव । द्वे द्वे ह्युपदधाति । ता हैता अग्नेराशिषः । ता उत्तमायां चिता उपदधाति । अन्त एषोऽग्नेः—यदुत्तमा चितिः । अन्ततस्तदग्नेराशिषो निराह । पञ्च भवन्ति । पञ्च हि यज्ञ आशिषः । अथैने अन्तरा

हेतुत्वाद्वृष्टिरन्नं (ततश्चावधिसुत्यतो) ह्यर्वाग्वसुः पर्जन्य इत्युपपत्तिः । अवस्फूर्जन् ज्ञातव्यपिपशु तदित्यर्थः ॥ १७—२० ॥

एते वै ते हेतयश्च प्रहेतयश्च यद्वा प्रभृतयः । ‘ अथ यास्ताः पञ्चचूडा इत्येके । नामाप्ये अथ यत्तन्मिथुनं सर्वासु अथ चूडासु इति तदेता अप्सरसश्चेत्युपकरणानि । अत्रोपधीयत इतिवत् तत्सर्वाण्येतानीष्टकाशरीराण्युपधीयन्त इति दर्शयति । ता उ वै पञ्चैवेति । कथं द्वे द्वे ह्युपदधात्येकैकस्मिन् लोक इत्य-

निवपत्यग्नी हैतौ युदेतेऽइष्टके नेदिमावग्नी सᳬंशोचात ऽइत्युथोऽअन्नं वै पुरीषमन्नेनैवाभ्यामेतत्संज्ञां करोति ॥ २२ ॥

(त्य) अथातोऽन्वावृतम् । (म्पु) पुरस्तादुपधाय दक्षिणतः पश्चादुत्तरतो मध्यऽउपदधात्यथोत्तराः पुरस्तादेवाग्रऽउपधाय दक्षिणतुऽउत्तरतो मध्ये पश्चादुपदधात्यवस्तात्प्रपदनो ह स्वर्गो लोकुऽएतद्वै देवाऽइमाँल्लोकान्त्सर्वतः समपिधायावस्तात्स्वर्गं लोकं प्रापद्यन्त तथैवैतद्यजमान ऽइमाँल्लोकान्त्सर्वतः समपिधायावस्तात्स्वर्गं लोकं प्रपद्यते ॥२३॥

इति तृतीयप्रपाठके षष्ठं ब्राह्मणम् ॥ ८–३–६ ॥ (६.१) ॥

पुरीषं निवपति । अग्नी हैतौ–यदेते इष्टके । नेदिमावग्नी संशोचात इति । अथो अन्नं वै पुरीषम् । अन्नेनैवाभ्यामेतत्संज्ञां करोति ॥ २२ ॥

अथातोऽन्वावृतम् । पुरस्तादुपधाय दक्षिणतः, पश्चाद्–उत्तरतः, मध्य उपदधाति । अथोत्तराः । पुरस्तादेवाग्र उपधाय दक्षिणतः, उत्तरतो मध्ये पश्चादुपदधाति । अवस्तात्प्रपदनो ह स्वर्गो लोकः । एतद्वै देवा इमांल्लोकान्त्सर्वतः समपिधायावस्तात्स्वर्गं लोकं प्रापद्यन्त । तथैवैतद्यजमान इमांल्लोकान्त्सर्वतः समपिधायावस्तात्स्वर्गं लोकं प्रपद्यते ॥ २३ ॥

भिप्रायः । सहोजो धीयते न वा पार्श्वत उपधीयमानान्यपाङ्गप्रदेशो लभते । एकस्मिन् लोके पूर्वस्या उपरि उपहिताभेदे व्यपदेशं जहात्यपि पूर्वस्याः सादृश्यत्वाल्लोकान्तरानवधारणात्तस्मादभाववचनात् । नाकसदामुपरि स्थाने ये उपधेया इति । अतो अग्रे सारमुपरि स्थाने ये उपधेया इति । अतो अग्रे सारमुपादयितुं व्यावर्तेत नाममायमित्येतेन मन्त्रेणोपधानात् पञ्च भवन्त्युत्तराः पञ्च भवन्ति । अन्तरायोरेकादशत्वादन्यत्वमेवेत्यभिप्रायः । 'पञ्च हि यज्ञे आशिषः ' सूक्तवाके दर्शिताः जीवितं प्रजाः पशवः सजातवनस्पत्यादिबन्धभित्येत्यता । (अथैनं द्वन्द्वं उपदधाति त एनं तपसुरात्री अन्यं न हि सारस्तः । गाधातोराशङ्कायां लभत एवाश्चत्वारो मन्त्राग्नीष्टकाभ्यां तु यत्तदुक्तवतः ।) परन्तु आवृतं क्रियामुपधानम् (उपपन्नम्) तदवतिष्ठत इति शेषः । अधस्तात् प्रपदनमाक्रमणम् उन्मादस्थानीयं यस्य साध्यावस्था प्रपदनः क्षमारोहणमित्यर्थः । द्वे एते इमाँल्लोकान्नर्हतः । उत्तरायां भूमिकायामपिधाय ततो (अधस्ताद् ( ) मुष्कोक्षणान्तर्गतेन आरोहन् स्वर्गं लोकं स्वापदांतेनैति) ॥ २१–२३ ॥

इति श्रीहरिस्वामिनः कृतौ माध्यन्दिनीयशतपथब्राह्मणभाष्येऽष्टमे काण्डे
षष्ठेऽध्याये प्रथमं ब्राह्मणम् ॥ (८–६–१) ॥

छन्दुस्याऽ उुपदधाति । (त्यु) अत्रैष सुर्व्वोऽग्निः संस्कृतः स ऽएषोऽत्र श्रियमैच्छुन्नो हैषोऽतः पुरा तुस्माऽअलमास यच्छ्रियमुधारयिष्यत्तुस्मादिदमुप्येतुर्ह्याहुर्न वाऽएषोऽलᳪ श्रियै धारणाय राज्याय वा ग्रामणीष्ठ्याय वेति तुस्मै देवाऽएताᳪ श्रियं प्रायच्छन्नेताऽइछन्दुस्याः पशवो वै च्छुन्दाᳪस्युन्नं पशवोऽन्नमु श्रीः ॥ १ ॥

(त्रि) त्रिचान्युपदधाति । त्रिवृद्वै पशुः पिता माता पुत्रोऽथो गर्भऽउुल्वं जराऽवथो त्रिवृद्वाऽअन्नं कृषिर्व्वृष्टिर्बीजमुकैवातिच्छन्दा भवत्युेका ह्येव

अथ एकत्रिंशच्छन्दस्येष्टकोपधानम् ।

छन्दस्या उपदधाति । अत्रैष सर्वोऽग्निः संस्कृतः । स एषोऽत्र श्रियमैच्छत् । नो हैषोऽतः पुरा तस्मा अलमास—यच्छ्रियमधारयिष्यत् । तस्मादिदमप्येतर्ह्याहुः—न वा एषोऽलं श्रियै धारणाय, राज्याय वा, ग्रामणीष्ठ्याय वेति । तस्मै देवा एतां श्रियं प्रायच्छन्—एताश्छन्दस्याः । पशवो वै छन्दांसि । अन्नं पशवः । अन्नमु श्रीः ॥ १ ॥

त्रिचान्युपदधाति । त्रिवृद्वै पशुः—पिता, माता, पुत्रः । अथो गर्भमुल्वं जरायु । अथो त्रिवृद्वा

छन्दस्या उपदधातीति[1] । छन्दोभ्यो निर्मिताः छन्दस्या इष्टकास्ता उपदधातीत्येतदत्र ब्राह्मणे । कथं पुरस्तादयमग्निरित्यादिना वक्ष्यते । तच्छन्दसां (सुभद्र) तस्यापि सारभूता एकत्रिंशदचः सारभूता निष्क्रामिताः स पृथगुपलभ्यत इति प्रसिद्धं । तेनैतास्तावच्छन्दोनिर्मिता एतासां च ब्राह्मणशरीरा छन्दस्या इत्युच्यन्ते । अत्र पाद्याभिश्वतसृभिश्चैताः छन्दस्या एतदुक्थमित्येतत्प्रदर्शयति प्रसिद्धार्थं परेण तु ब्राह्मणशेषेण प्रजापतिरपि च्छन्दस्या शिष्टा इत्येतद्दर्श्यते । अस्यामवस्थायां वेषश्रीर्यस्यातीत्यग्निः स्थावरं जंगमं (प्रत्यंगौमन्त्रामिव) द्रुमाः पुष्पं फलश्रियं श्रपणीयमुपजीव्यं सारं बलमैच्छत् । अथ पूर्वं कस्मान्नैच्छदित्यत आह—नो हैषोऽतः पुरा तस्मा अलं बभूव । ये देवश्रियं सागरवाधिष्यं न ह्यङ्कुरावस्था स एवारभ्य वृक्षः पुष्यति फलति वा तस्मादेतावानशक्त्यानुभावाद्द्रुमाः । एवं जानातीति । श्रियै एष धारणाय नालमित्यत आह—'राज्याय वा' राज्यकर्मणि 'ग्रामणीष्ठ्याय वा' ग्रामणीष्ठस्य कर्म ग्रामणीष्ठ्यं कर्मणि प्रत्ययो द्रष्टव्यः (श्रुतस्त्रीरिति सर्वतत्रैव गधदः नुमुपजीव्यं) संसारः श्रीरिति प्रोच्यत इत्यभिप्रायः ॥ १ ॥

त्रिचान्युपदधातीति । तिसृणामिदं नैष तृच इति पुलिङ्गोऽपि तृचशब्दः प्रयुज्यते तास्तिस्रो दिश्या उपदधाति

१—छदस्यास्तिस्रस्तिस्रोऽनूकांतेषु पुरस्तात् गायत्रीरग्निर्मूर्द्धेति प्रत्यृचम् । उत्तराश्च । चशब्दात् प्रत्यृचम् । पुरस्तात्त्रिष्टुभो रेतःसिग्वेलायां भुवो यज्ञस्येति । एभिर्मंत्रैः प्रतिमंत्रम् । जगतीश्च पश्चादयमिहेति । चशब्दात् रेतःसिग्वेलायामेव । अपरास्ताभ्योऽनुष्टुभः सखायः संव्व इति । एभिर्मंत्रैर्जगतीभ्योऽपरा अनुष्टुभः । अषाढावेलायाः पुरस्तात् बृहतीरेना व इति । भद्रो न इति ककुभस्ताभ्यो बृहत्यंतरे श्रुतेर्मंत्रक्रमेण । उद्धृतान्यपकृष्येच्छन् । अपरा गायत्रीभ्य उष्णिहोऽग्ने व्वाजस्येति । अनूकांते दक्षिणे पंक्तीरग्नि तामिति । उत्तरे पदपंक्तीरग्ने तमद्येति । पुरीषवत्याः पूर्व्वामाति च्छंदसं प्राच्यौ पुरीषसहिते भद्रा रात्रिर्व्वृत्रतूर्येऽवस्थिराऽग्निः होतारमिति । अग्ने त्वमित्यनूकांतेऽपरे द्विपदाः । का. श्रौ. सू. १७ । २४०-२५२ ॥

सा सर्वाणि च्छन्दा॑ᳬस्यति सा या सा श्रीर्महत्तदुक्थं तद्यत्तन्महदुक्थमेतास्ताइछन्दस्याः ॥ २ ॥

(स्तु) तस्य शिरो गायत्र्यः । (ऽ) आत्मा त्रिष्टुभोऽनूकं जगत्यः पक्षौ पङ्क्तयोऽथैतासां ककुभां चत्वारि चत्वार्यक्षराण्यादायातिच्छन्दस्युपदधाति सा साऽतिच्छन्दाऽ एव भवति गायत्र्यऽ इतराः सम्पद्यन्ते सैव गायत्र्यशीतिर्या बृहत्यः सा बार्हती याऽउष्णिहः सौष्णिह्यथ यद्दशो यदर्धर्चौ यदैन्द्राग्नं यदावपनं तदतिच्छन्दाऽ अथ यन्नदो यत्सूददोहा यत्पदनुषङ्गा यत्किंचात्रानुष्टुप्कर्माणं तदनुष्टुभः ॥ ३ ॥

अन्नम्-कृषिर्वृष्टिर्बीजम् । एकैवातिच्छन्दा भवति । एका ह्येव सा सर्वाणि च्छन्दांस्यति । सा-या सा श्रीः । महत्तदुक्थम् । तद्यत्तन्महदुक्थम्-एतास्ताश्छन्दस्याः ॥ २ ॥

तस्य शिरो गायत्र्यः । आत्मा त्रिष्टुभः । अनूकं जगत्यः । पक्षौ पङ्क्तयः । अथैतासां ककुभां चत्वारि चत्वार्यक्षराण्यादायातिच्छन्दस्युपदधाति । सा साऽतिच्छन्दा एव भवति । गायत्र्य इतराः सम्पद्यन्ते । सैव गायत्र्यशीतिः । या बृहत्यः-सा बार्हती । या उष्णिहः-सौष्णिही । अथ यद्दशो, यदर्धर्चौ, यदैन्द्राग्नम्; यदावपनम्, तदतिच्छन्दाः । अथ यन्नदो, यत्सूददोहाः, यत्पदनुषङ्गा, यत्किंचात्रानुष्टुप् कर्माणं-तदनुष्टुभः ॥ ३ ॥

छन्दः महास्तिकं भवति । यस्मादेकैव सा सर्वाणि च्छन्दांस्यतिवर्तते । तस्मादेकैकरसा भवति सा प्रजापतये देवैः सन्ना । तन्महदुक्थं महाव्रतं सहचारि होतव्यं तु पृषदाज्यवद्धि सर्वमच्छिन्नं सारभूतं व्रतपति यदुक्थमिति (जीव गाच्छन्मतायेमं) महदुक्थाय सर्वा हि एतास्तृचो हृदयस्थानयोः सारभूताश्च इत्यभिप्रायः । तस्य शिरः प्रतिष्ठा द्विपदा इत्येवमपि च्छन्दस्यासु महदुक्थमिममनुप्रविष्टमिति दर्शयति तस्य महदुक्थस्य पद्ध इदं सुषिरो बृहदिति क्रमेण मंत्राः मिता (मृदत्राग्नेस्तत्येतत्रिधोपधेय) इत्येवमुपासनीयम् । आत्मा त्रिष्टुभो यस्तु नामेति । न होताऽपमृष्टाः सम्पत्तेः एष महत्तदुक्थस्य तन्मास्र ' भुवो यज्ञस्य ' एतेनात्र त्रिष्टुभो द्रष्टव्याः । ननु च महदुक्थे आहारानन्तरं तूष्णीं सत्रिंवंशस्थानान्तरमेवायमात्मा शस्यते । तत्रात्मन्येवाग्निसम्भवतः सम्भवति सम्भवक्रमेणात्मा प्रथमस्य तु शिरो हि प्रथमं जायमानस्य जायत इति ।

(सीति छन्दांसि ण्यतेन्यासिक्यादुनो द्वारेण) त एव ककुभो गायत्रीमेवोपपादयत्यर्थे वा संवादयत्यथैतासां ककुभामिति ततश्चायनककुभां द्वादशाक्षराः पादास्तेषां यानियानि चत्वार्यक्षराणि तानि वचनान्यतिच्छन्दांसि प्रपाद्यानि ककुप्सु या बृहत्योऽत्र सा तत्र चाहते (   ) सीति । इन्द्रभुजां आकार इत्यादि । अत्राद्या-उष्णिहोऽग्ने वाजस्येति स तत्र औष्णिही राज्यसीति । इन्द्रसुतेषु सोमोऽन्वित्यादि अथ यद्दशः यदङ्गं महदुक्थः परमपुरुषा इति त्रयस्त्रिंशगतानां द्वादश उदरं यदयच्छत 'तदिदासभुवनेषु ज्येष्ठ' मिति । (स समाने तृतीयोरुत्तरो-द्वत्तीं न सूत एतस्याश्चोत्तर एतस्योत्तर एवार्थद्वाःस्थैव वृषणो दशस्यानन्तरं स स्यात् । एता) द्विपदा विंशतिः । शास्ता इन्द्राग्नी परं सुतं दमो विनाऽपि तस्य वृत्तिरित्युत्तरपदे द्रष्टव्यः । तपश्च तपस्यश्च तु गन्ता इन्द्रस्य नु वीर्याणि

प्रतिष्ठा द्विपदाः । (ऽ) एतावद्वै महदुक्थं महदुक्थꣳ श्रीः सर्व्वामेवास्माऽएतां देवाः श्रियं प्रायच्छंस्तथैवास्माऽअयमेताꣳ सर्व्वाꣳ श्रियं प्रयच्छति ॥ ४ ॥

यद्वेव च्छन्दस्याऽउपदधाति । (त्ये) एतद्वै देवाऽ एतं नाकꣳ स्वर्गं लोकमपश्यन्नेताः स्तोमभागास्तस्मिन्नविशंस्तेषां विशतां प्रजापतिरुत्तमोऽविशत्स यः स प्रजापतिरेतास्ताश्छन्दस्याः ॥ ५ ॥

(स्तु) तस्य शिरो गायत्र्यः । (स्ता) ता यद्गायत्र्यो भवन्ति गायत्रꣳ हि शिरस्तिस्रो भवन्ति त्रिवृद्धि शिरः पूर्व्वार्धऽउपदधाति पुरस्ताद्धीदꣳ शिरः ॥ ६ ॥

प्रतिष्ठा द्विपदाः । एतावद्वै महदुक्थम् । महदुक्थं श्रीः । सर्वामेवास्मा एतां देवाः श्रियं प्राय- च्छन् । तथैवास्मा अयमेतां सर्वां श्रियं प्रयच्छति ॥ ४ ॥

यद्वेव च्छन्दस्या उपदधाति । एतद्वै देवा एतं नाकं स्वर्गं लोकमपश्यन् । एताः स्तोमभागाः । तस्मिन्नविशन् । तेषां विशतां प्रजापतिरुत्तमोऽविशत् । स यः स प्रजापतिः—एतास्ताश्छन्दस्याः ॥ ५ ॥

तस्य शिरो गायत्र्यः । ता यद्गायत्र्यो भवन्ति—गायत्रं हि शिरः । तिस्रो भवन्ति । त्रिवृद्धि शिरः । पूर्वार्धे उपदधाति—पुरस्ताद्धीदं शिरः ॥ ६ ॥

प्रवोचमित्यस्यान्त्यस्य विभ्रंशे तस्य पहावशिष्टा स्यानुष्टुभे ऋचे योप्यतीरंफण इत्यस्य कर्माणं । एभिः स्तोमा अभिस्वरेव्यानुष्टुभः समाम्नाताः पञ्चमी ऋचः तत्सर्वमत्रानुष्टुभो द्रष्टव्याः । एष चानुष्टुभः समाम्नातस्तत्रावपना- दनन्तरं वागात्मकः शस्यते ॥ २ ॥ ३ ॥

प्रतिष्ठा द्विपदा इति । तत्र द्विपदादिचत्वं प्रसिद्ध इह तु द्विपदा एव प्रसिद्धा सा दृष्टव्या । एतावद्वै महदुक्थम् इत्युक्तस्याप्युपक्रतं भवतीत्यभिप्रायः इति ।

जन्मक्रमेण शिरः प्रथममुपधीयत इति द्रष्टव्यम् । (तथा तत्र महदुक्थं शिरसोऽनन्तरं औष्णिहस्तृचः शस्यते तस्य द्वे गायत्र्या नकारेभ्यः ज्ञाुतेन च गायत्री यनात्रगतोऽत्र द्रष्टव्यः । ग्रीवानन्तरं च तत्र स्त ( ) गोदक्षिणः शस्यते तस्य च मध्ये ततः पक्षस्ततोक्तं इहानुक्रममनुक्तत्वाद्बृहदकं जगत्याः यस- स्योक्तस्य इन्द्राय यह्वाइव युतमित्यादीनि जागतपर्यन्ताभिश्चाभ्य ( ) माजगतीषु सर्वेष। छन्दसामन्तर्भावात्तस्य च सर्वच्छन्दो ? पार्श्वात्तदित्यभिप्रायः ।) पङ्क्तयः । यो तव भक्षादि कासौ ( ) पक्षौ तावत्तत्र पंक्तयो दक्षयज्ञया दक्षिणाश्च तत्राङ्गिरसुत्य " अग्निं तं मन्ये " इत्यादयः । अथैतासां ककुभामिति या तस्य महदुक्थस्थ गायत्र्यः तृचोऽस्तीति दर्शित अनशङ्कुभिरित्यर्थः । सकुप्यं गायत्र्य-( ) ॥ ४ ॥

यद्वेव च्छन्दस्या उपदधातीति । छन्दस्यासु च दर्शनान्तरमेतद्ब्राह्मणशेषेणान्यतमे स्थाने विशाखाश्च

(ऽ) उुरस्त्रिष्टुभः । (स्ता) ता रेतःसिचोर्व्वेलयोपदधाति पृष्टयो वै रेतःसिचाऽउुरो वै प्रति पृष्टयः ॥ ७ ॥

श्रोणी जुगत्यः । स यावति पुरस्तात्स्वयमातृण्णायै त्रिष्टुभ ऽउपदधाति तावति पश्चाज्जगतीर्यो वाऽअयं मध्ये प्राणस्तुदेषा स्वयमातृण्णा यावत्यु वाऽएतस्मात्प्राणात्पुरस्तादुरस्तावति पश्चाच्छ्रोणी ॥ ८ ॥

सुक्थ्यावनुष्टुभः । (स्ता) ताऽअनन्तर्हिता जुगतीभ्यऽउपदधात्युनन्तर्हिते तच्छ्रोणिभ्याᳬ सुक्थ्यौ दधाति ॥ ९ ॥

पर्शवो बृहत्यः । कीकसाः ककुभः सोऽन्तरेण त्रिष्टुभश्च ककुभश्च बृहतीरुपदधाति तस्मादिमाऽ उभयत्र पर्शवो बद्धाः कीकसासु च जत्रुषु च ॥ १० ॥

ग्रीवा ऽउष्णिहः । (स्ता) ताऽअनन्तर्हिता गायत्रीभ्यऽउपदधात्युनन्तर्हितास्तच्छीर्ष्णो ग्रीवा दधाति ॥ ११ ॥

उरस्त्रिष्टुभः । ता रेतःसिचोर्वेलयोपदधाति । पृष्टयो वै रेतःसिचौ । उरो वै प्राति पृष्टयः ॥ ७ ॥

श्रोणी जगत्यः । स यावति पुरस्तात्स्वयमातृण्णायै त्रिष्टुभ उपदधाति;—तावति पश्चाज्जगतीः । यो वा अयं मध्ये प्राणः—तदेषा स्वयमातृण्णा । यावत्यु वा एतस्मात्प्राणात्पुरस्तादुरः—तावति पश्चाच्छ्रोणी ॥ ८ ॥

सक्थ्यावनुष्टुभः । ता अनन्तर्हिता जगतीभ्य उपदधाति । अनन्तर्हिते तच्छ्रोणिभ्यां सक्थ्यौ दधाति ॥ ९ ॥

पर्शवो बृहत्यः । कीकसाः ककुभः । सोऽन्तरेण त्रिष्टुभश्च ककुभश्च बृहतीरुपदधाति । तस्मादिमा उभयत्र पर्शवो बद्धाः—कीकसासु च जत्रुषु च ॥ १० ॥

ग्रीवा उष्णिहः । ता अनन्तर्हिता गायत्रीभ्य उपदधाति । अनन्तर्हितास्तच्छीर्ष्णो ग्रीवा दधाति ॥ ११ ॥

निरूप्यन्ते यावत्यध्वनि स्वयमातृण्णायाः पुरस्तात्त्रिष्टुभ उपदधाति तावत्येव पश्चात् स्वयमातृण्णायाः जगतीरुपदधाति रेतःसिचोर्वेलायामित्यर्थः । **यो वा अयं मध्ये प्राण** इति स्वयमातृण्णाः इत्यत्र कटिशीर्षकेशस्थानानि अत्रोच्यन्ते । अनन्तर्हिते तत्तच्छ्रोणीभ्यां सक्थ्यौ दधातीति वचनात् । सर्वस्य दोष्णो दक्षिणायाश्च श्रोणिरित्यत्र तु प्रत्यासत्त्योरू एव श्रोणिशब्देनोक्तः । पर्शवो बृहत्यस्ता बृहत्यः ककुभो ग्रीवाणामधस्तात्पृष्ठतः रतोभवन्ति ततः ककुभः स्ववशीयात्मकानामुष्णिहः पश्चादुपवया इति गम्यत एवेत्युक्तम् । सोत्तरेण त्रिष्टुभश्च ककुभश्च बृहतीरूपे तस्मादिमाः पर्शव उभयत्र बद्धाः क्षोभयते इत्यत आह–कीकसासु च कीकसाऽतिरात्रं लक्ष्यते सम्बद्धत्वात् कीकसासम्बन्धे पृष्टवंशे सर्वे बद्धास्तत्र एव तासामुत्थानात् । जत्रुषु च पर्शवो बद्धा जत्रुषु च पर्शवो बद्धा जत्रवः कंबलशलाकारस्ताभिरप्यत्र उरो लक्ष्यते । प्रत्यासत्तेरेव (तत्वर्श्चर्यमद्यः) त्रिष्टुप्ककुभोः को ( ) जत्रुवसम्बन्ध उरसि च प्रतिपद्य अर्धत पर्शवः पश्चाच्च कीकसासम्बद्धेष्टका दश इति । यद्यपि सोऽन्तरेण त्रिष्टुभश्च ककुभश्चैतावत्तावदुच्यते । तथाऽषाढावेलायां पुरस्ताद्बृहत्य उपधेयाः कुतः

पक्षौ पङ्क्तयः । (स्ता) ता यत्पङ्क्तयो भवन्ति पाङ्क्तौ हि पक्षौ पार्श्वतऽ उपदधाति पार्श्वतो हीमौ पक्षौ यद्वर्षीयश्छन्दस्तद्दक्षिणतऽउपदधाति दक्षिणं तदर्धं पशोर्वीर्यवत्तरं करोति तस्माद्दक्षिणोऽर्धः पशोर्वीर्यवत्तरः ॥ १२ ॥

(ऽ) उदरमतिच्छन्दाः । पशवो वै च्छन्दाᳬंस्यन्नं पशवऽउदरं वाऽ-अन्नमत्त्युदरᳬं हि वाऽ अन्नमत्ति तस्माद्यदोदरमन्नं प्राप्नोत्यथ तज्जग्धं यातयामरूपं भवति तद्यदेषा पशूंश्छन्दाᳬंस्यत्ति तस्मादत्तिच्छन्दाऽअत्तिच्छन्दा ह वै तामतिच्छन्दाऽइत्याचक्षते परोऽक्षं परोऽक्षकामा हि देवाः ॥ १३ ॥

(०) योनिः पुरीषवती । ते सᳬंस्पृष्टेऽउपदधाति सᳬंस्पृष्टे ह्युदरं च योनिश्च पुरीषसᳬंहिते भवतो माᳬंसं वै पुरीषं माᳬंसेन वाऽउदरं च योनिश्च सᳬंहिते पूर्वाऽतिच्छन्दा भवत्यपरा पुरीषवत्युत्तरᳬं ह्युदर-मधरा योनिः ॥ १४ ॥

पक्षौ पङ्क्तयः । ता यत्पङ्क्तयो भवन्ति—पाङ्क्तौ हि पक्षौ । पार्श्वत उपदधाति । पार्श्वतो हीमौ पक्षौ । यद्वर्षीयश्छन्दः—तद्दक्षिणत उपदधाति । दक्षिणं तदर्धं पशोर्वीर्यवत्तरं करोति । तस्माद्दक्षिणोऽर्धः पशोर्वीर्यवत्तरः ॥ १२ ॥

उदरमतिच्छन्दाः । पशवो वै च्छन्दांसि । अन्नं पशवः । उदरं वाऽअन्नमत्ति । उदरं हि वाऽअन्न-मत्ति । तस्माद्यदोदरमन्नं प्राप्नोति—अथ तज्जग्धं यातयामरूपं भवति । तद्यदेषा पशूंश्छन्दांस्यत्ति—तस्मादत्तिच्छन्दाः । अत्तिच्छन्दा ह वै तामतिच्छन्दा इत्याचक्षते परोऽक्षम् । परोऽक्षकामा हि देवाः ॥ १३ ॥

योनिः पुरीषवती । ते संस्पृष्टेऽउपदधाति । संस्पृष्टे ह्युदरं च योनिश्च । पुरीषसंहिते भवतः । मांसं वै पुरीषम् । मांसेन वाऽउदरं च योनिश्च संहिते । पूर्वाऽतिच्छन्दा भवति, अपरा पुरीषवती । उत्तरं ह्युदरम्, अधरा योनिः ॥ १४ ॥

अषाढावेलायां तावत्स्तोमभागो (दुर द्वा प्रविश्वान्यारिति) ऋतव्यावेलायाश्च स्वयमेव विश्वज्योतिरिति ताभिरेव गम्यमानत्वात् । पञ्चभिः पूर्वार्धे गायत्र्यस्तासां अर्धपद्याः (चोस्मेसिः) विश्वादनन्तर्हिता उष्णिहस्ततः ककुभः । ततो बृहत्य इत्यषाढावेलायां विराजां—मध्ये गायत्र्यो यत्र उपधेयाः सहेति गम्यते ॥ ९–१२ ॥

उदरमतिच्छन्दा इति । उदरमत्र अतिच्छन्दाः तत्प्राप्तं स्यात् तस्य विनाशात् । एवं च सति पूर्वार्द्धे गायत्र्यस्तासां विराडनन्तर्हिता उपन्यस्यतिमिलानाच्छन्दः अतिच्छन्दांस्यतिच्छन्दोऽन्तराणां तस्यामन्तर्भावात् । छन्दांसि च पश्चान्नादत्ते ततश्चैषां छन्दोलक्षणमन्नमत्तीत्युदरमित्युपपन्नम् । यस्माच्चैषा छन्दांस्यत्ति तस्मादत्तिच्छ-न्दसं (स ह वैतां) सतीं अतिच्छन्दा इत्याचक्षते । द्वितीयास्थाने प्रथमा प्रयुक्ता । अत्तिच्छन्दा इत्यत्र (   ) तिङन्तस्यात्ति—शब्दस्य समासो दर्शितः ॥ १३ ॥

योनिः पुरीषवती (पञ्चम्या सम्पन्नोऽग्नेपुरीषमित्येतस्यागात्) ॥ १४ ॥

(स्ते) ते प्राच्याऽउपदधाति । प्राङ् ह्येषोऽग्निश्चीयतेऽथो प्राग्वै प्राचऽ उदरं प्राची योनिर्बहिस्तोमभागꣳ हृदयं वै स्तोमभागा हृदयमु वाऽ-उत्तममथोदरमथ योनिः ॥ १५ ॥

(स्ते) ते दक्षिणतः स्वयमातृण्णायाऽउपदधाति । (त्यु) अथ प्रथमायां चिताऽउत्तरतः स्वयमातृण्णायाऽउदरं च योनिं चोपदधाति यो वाऽअयं मध्ये प्राणस्तदेषा स्वयमातृण्णैतस्य तत्प्राणस्योभयत ऽउदरं च योनिं च दधाति तस्मादेतस्य प्राणस्योभयत ऽउदरं च योनिश्च ॥ १६ ॥

प्रतिष्ठा द्विपदाः । (स्ता) ता यद्द्विपदा भवन्ति द्वन्द्वꣳ हि प्रतिष्ठा तिस्रो भवन्ति त्रिवृद्धि प्रतिष्ठा पश्चादुपदधाति पश्चाद्धीयं प्रतिष्ठा ॥ १७ ॥

सोऽस्यैष सुकृतऽआत्मा । तद्यस्य हैतमेवꣳ सुकृतमात्मानं कुर्वन्त्येतꣳ ह स सुकृतमात्मानमभिसम्भवत्यथ यस्य हैतमतोऽन्यथा

ते प्राच्या उपदधाति । प्राङ् ह्येषोऽग्निश्चीयते । अथो प्राग्वै प्राचऽउदरम्, प्राची योनिः । बहिस्तोमभागम् । हृदयं वै स्तोमभागाः । हृदयमु वाऽउत्तमम् । अथोदरम्, अथ योनिः ॥ १५ ॥

ते दक्षिणतः स्वयमातृण्णायाऽउपदधाति । अथ प्रथमायां चिता उत्तरतः स्वयमातृण्णाया उदरं च योनिं चोपदधाति । यो वाऽअयं मध्ये प्राणः—तदेषा स्वयमातृण्णा । एतस्य तत्प्राणस्योभयत उदरं च योनिं च दधाति । तस्मादेतस्य प्राणस्योभयत उदरं च योनिश्च ॥ १६ ॥

प्रतिष्ठा द्विपदाः । ता यद्द्विपदा भवन्ति । द्वन्द्वं हि प्रतिष्ठा । तिस्रो भवन्ति । त्रिवृद्धि प्रतिष्ठा । पश्चादुपदधाति । पश्चाद्धीयं प्रतिष्ठा ॥ १७ ॥

सोऽस्यैष सुकृत आत्मा । तद्यस्य हैतमेवं सुकृतमात्मानं कुर्वन्ति—एतं ह स सुकृतमात्मान-

---

ते प्राच्यौ प्राक्लक्षणे उपदधाति । 'प्राङ् ह्येषोऽग्निश्चीयते' (सुच्छन्दस्यपश्चाद्वचनादयो) प्राचः प्राङ्मुखस्य प्रागेवोर्ध्वं भवति (प्राचीनयोन्यावरात्मकेतो) प्राच्यामुपदधाति । बहिः स्तोमभागेभ्यो बहिस्तोमभागम् । " अपपरिबहिरञ्चवः पञ्चम्या "—(पा० सू. २ । १ । १२ ।) इत्यव्ययीभावसमासः । हृदयं हि स्तोमभागा हृदयमणिः कोष्ठमुत्तमं भवत्यधस्तादुदरमथ तस्याप्यधस्ताद्योनिरेव स्वभावादनुकारेणात्राप्युदरं स्तोमभागास्ततो हि मध्येऽग्निः शिरो भविष्यति । शिरश्च प्रत्यासन्नं हृदयमित्यभिप्रायः । ते दक्षिणत इति दर्शनार्थोऽनुवादः । ' प्रथमायां चितौ ' उत्तरत इत्युखायोनि ससृवलमित्येतौ स्वावेव पादौ प्रतिष्ठे इत्यर्थः । त्रिवृद्धि प्रतिष्ठा ऊरू जंघे पादावित्येवं त्रिविभागा प्रतिष्ठेत्यर्थः । सोऽस्य यजमानस्यैष छन्दस्योभयं ' सुकृतः ' शोभनः ' आत्मा ' शरीरं भवति ततश्च यस्य यजमानस्यैतमवश्यं यथोक्तमात्मानं कुर्वन्त्यृत्विजः स

कुर्व्वन्ति दुष्कृतꣳ ह तस्यात्मानं कुर्व्वन्ति स ह स दुष्कृतमेवात्मानमभिसम्भवति ॥ १८ ॥

तदेते सामनिधनेऽअभ्युक्ते । (क्ते॰ऽअ) अर्क्को देवानां परमे व्योमन्नर्कस्य देवाः परमे व्योमन्नित्येतद्धै देवानां विशतां प्रजापतिरुत्तमोऽविशत्तस्मादाहार्क्को देवानां परमे व्योमन्नित्यथ यदाहार्कस्य देवाः परमे व्योमन्नित्ययं वाऽअग्निरर्कस्तस्यैतदुत्तमायां चितौ सर्व्वे देवा विष्टास्तस्मादाहार्कस्य देवाः परमे व्योमन्निति ॥ १९ ॥

इति तृतीयप्रपाठके सप्तमं ब्राह्मणम् ॥ ८–३–७ ॥ (६. २.) ॥

इति तृतीयः प्रपाठकः समाप्तः ॥ ८ । ३ ॥

कण्डिकासंख्या ॥ १०८ ॥

मभिसम्भवति । अथ यस्य हैतमतोऽन्यथा कुर्वन्ति–दुष्कृतं ह तस्यात्मानं कुर्वन्ति । स ह स दुष्कृतमेवात्मानमभिसम्भवति ॥ १८ ॥

तदेते सामनिधने अभ्युक्ते । " अर्को देवानां परमे व्योमन्, अर्कस्य देवाः परमे व्योमन् "–इति । एतद्धै देवानां विशतां प्रजापतिरुत्तमोऽविशत् । तस्मादाह–अर्को देवानां परमे व्योमन्–इति । अथ यदाह–अर्कस्य देवाः परमे व्योमन्–इति । अयं वा अग्निरर्कः–तस्यैतदुत्तमायां चितौ सर्वे देवा विष्टाः । तस्मादाह–अर्कस्य देवाः परमे व्योमन्–इति ॥ १९ ॥

सुकृतमेवैतं प्रजापतिमात्मानमभिसम्भवति । (   ) ' यस्य हैनमतोऽन्यथा ' चरकाध्वर्यवमार्गेणेत्यभिप्रायः ॥ १९–१८ ॥

तदेते इति । तेजसा देवानां विशतां प्रजापतिरुत्तमोऽविशादित्येतदस्तुमिर्यतनं वक्ष्यमाणश्चायं पुष्पाह्वययोः साम्नोर्निधने उक्ते । अर्कः प्रजापतिर्देवानां 'परमे' स्थाने अविशदिति शेषः । अर्कस्य प्रजापतेश्चित्यस्य परमे सवस्थाने 'उत्तमायां चितौ देवाः' विष्टा इति शेषः । ननु चार्को देवानामित्यनेनैव प्रकृतं च स्तूयते न द्वितीयं ममेतदेवं केवलेन द्यकेन तत्र दिवि कचिदेवान' परमेष्ठी परमे प्रजापतिर्निविष्ट इति गम्यते । यत् स विशिष्टेनेति (   ) अग्नेरुत्तमायां चितौ देवानां प्रजापतिरुत्तमो विष्ट इत्येष एकस्मिन्निधना (   ) गम्यते इत्युभयोपन्यासः। ननु चायमागमः स्वयमेव प्रमाणं किमित्यागमान्तरमनुसंवादिस्ववचनस्योपोद्बलकमुपन्यस्यति । उच्यते–नैवागमान्तरमुपोद्बलनार्थमुपन्यस्यते । किं तर्हि प्रसङ्गाद् व्याख्यातः । सामवेदे हि कालोऽयं वृत्तान्त एव (पोव्याख्यानापनरतद्रवणीयस्य) नात्रैव प्रसङ्गाद् व्याख्यायते । एवमन्येऽप्यागमान्तराभ्यासात्तदेतदृचाऽभ्युक्तमित्यादयो व्याख्यानार्था एवेति वक्तव्यम् ॥ १९ ॥

इति श्रीहरिस्वामिनः कृतौ माध्यन्दिनीयशतपथब्राह्मणभाष्येऽष्टमे काण्डे षष्ठेऽध्याये द्वितीयं ब्राह्मणम् ॥ (८–६–२) ॥

अथ चतुर्थप्रपाठके प्रथमं ब्राह्मणम् ।

षष्ठेऽध्याये च तृतीयं ब्राह्मणम् ।

गा॒र्ह॑पत्यमु॒प॑दधाति । (त्ये) ए॒तद्वै॑ दे॒वाः प्रा॒प्य रा॒द्ध्वे॑वाम॑न्यन्त॒ तेऽब्रुव॒न्केने॒दम॑रा॒त्स्मेति॒ गा॒र्ह॑पत्ये॒नैवेत्य॑ब्रुव॒न्गा॒र्ह॑पत्यं॒ वै चि॒त्वा स॑मा॒रुह्य॑ प्र॒थ॒मां चि॒तिम॑पश्याम प्रथ॒मायै॑ द्वि॒तीयां॑ द्वि॒तीया॑यै तृ॒तीयां॑ तृ॒तीया॑यै चतु॒र्थीं च॑तु॒र्थ्यै॑ पञ्च॒मीं प॑ञ्च॒म्या ऽइ॒दमि॑ति ॥ १ ॥

तेऽब्रु॑वन् । (ब्रु) उप॑ त॒ज्जानी॑त य॒थेयम॒स्मास्वे॒व रा॒द्धिर॒सदि॑ति॒ तेऽब्रुवं॒श्चेत॒यध्व॒मिति॒ चिति॑मिच्छ॒तेति॒ वाव॒ तद॑ब्रुवं॒स्तदि॑च्छत य॒थेयम॒स्मास्वे॒व रा॒द्धिर॒सदि॑ति ॥ २ ॥

अथाष्टगार्हपत्येष्टकोपधानम् ।

गार्हपत्यमुपदधाति । एतद्वै देवाः प्राप्य राद्ध्वेवामन्यन्त । तेऽब्रुवन्—केनेदमरात्स्मेति । गार्हपत्येनैवेत्यब्रुवन् । गार्हपत्यं वै चित्वा समारुह्य प्रथमां चितिमपश्याम, प्रथमायै द्वितीयां, द्वितीयायै तृतीयां, तृतीयायै चतुर्थीं, चतुर्थ्यै पञ्चमीं, पञ्चम्या इदम्—इति ॥ १ ॥

तेऽब्रुवन्—उप तज्जानीत—यथेयमस्मास्वेव राद्धिरसदिति । तेऽब्रुवन्—चेतयध्वमिति—चितिमिच्छतेति वाव तदब्रुवन्—तदिच्छत यथेयमस्मास्वेव राद्धिरसदिति ॥ २ ॥

गार्हपत्यमुपदधातीति । शालाद्वार्योऽग्निस्तदर्था चितिरपि गार्हपत्यस्तस्यां सारभूतोऽयं यजुष्मतीश्चेत्येकादश सोऽपि गार्हपत्यस्तस्य प्रतिरूपभूतोऽन्यत्रान्यस्तदाकारस्तद्धर्मकस्तद्भक्तिश्च गार्हपत्यापृष्ठे तमुपदधातीत्येतदर्थं सप्तभिः कण्डिकाभिः प्रपञ्च्यते । तत्राद्यासु चतसृष्वितिहासेनेदं दर्शयति—योऽसौ गार्हपत्यः पूर्वं चितः सोऽस्याः समृद्धेः कारणं मङ्गल्य इति मत्वा देवैस्तु स्वर्गस्य मध्ये सर्वसाधारणे देशे स्थापितः तद्वृद्धिकारणभूतमात्मन्नदधत इति । एतत्स्थानं स्वर्गाख्यं 'प्राप्य' 'देवाः' 'राद्धिः' "राध साध संसिद्धौ"—(धा. पा. स्वा. प. १६) भावे क्तिप्रत्ययः । राद्धिः समृद्धिः (राधुद्धाः आत्मनो मन्दात्मासु) वयं समृद्धाः यैरिदं प्राप्तं ते कथं केन मूलभूतेन वयमरात्स्म संसिद्धा इति । ते गार्हपत्येनैवेत्यब्रुवन् । तस्य चितिकर्ममूलभूतत्वात् 'प्रथमायै' प्रथमाया ऊर्ध्वं द्वितीयां चितिमपश्याम । 'पञ्चम्यर्थे सर्वत्र चतुर्थी' । पञ्चम्या ऊर्ध्वम् 'इदं' स्वर्गाख्यं स्थानम् ॥ १ ॥

तेऽब्रुवन्निति । समृद्धिकारणं राद्धेः स एव गार्हपत्यः—तत्र नेत्याह तादृशमेवान्यानि (श्वतहेत अअ) इति । मानिनस्तु गार्हपत्यस्य तच्चेतयध्वमिति वचनं कुत एतद्विविनाशप्रसङ्गाद्येन हि तत्र स्थितेन राद्धिरसदनाप्ता सा

ते चेतयमानाः । (ऽ) एतदपश्यन्निहेममाहृत्योपदधामहाऽइति तमि-
हाहृत्योपादधत तस्मिन्व्यवदन्त वसवः पुरस्ताद्रुद्रा दक्षिणतऽआदित्याः
पश्चान्मरुत ऽउत्तरतो विश्वे देवा ऽउपरिष्टादिहोपदधामेहोपदधामेति ॥ ३ ॥

तेऽब्रुवन् । (न्म) मध्यऽएवोपदधामहै स नो मध्यऽउपहितः सर्वेषां
भविष्यतीति तं मध्यऽउपादधत तदेताᳩं राद्धिमात्मन्नदधत मध्यतो
मध्यतऽएवैतदेताᳩं राद्धिमात्मन्नदधत तथैवैतद्यजमानो यद्गार्हपत्यमुप-
दधात्येतामेवैतद्राद्धिमात्मन्धत्ते मध्यतो मध्यतऽ एवैतदेताᳩं राद्धि-
मात्मन्धत्ते ॥ ४ ॥

यद्वेव गार्हपत्यमुपदधाति । (त्य) अन्नं वै गार्हपत्योऽत्ताऽयम-
ग्निश्चितोऽत्तुऽएवैतदन्नमपिदधाति मध्यतो मध्यत ऽ एवास्मिन्नेतदन्नं
दधाति ॥ ५ ॥

यद्वेव गार्हपत्यमुपदधाति । वेदिर्वै देवलोकोऽथ वाऽएष बहिर्वेदि

ते चेतयमाना एतदपश्यन्—इहेममाहृत्योपदधामहा इति । तमिहाहृत्योपादधत । तस्मिन्व्य-
वदन्त—वसवः पुरस्तात् । रुद्रा दक्षिणतः, आदित्याः पश्चात्, मरुत उत्तरतः, विश्वे देवा उपरिष्टात्—
इहोपदधाम, इहोपदधामेति ॥ ३ ॥

तेऽब्रुवन्—मध्य[1] एवोपदधामहै । स नो मध्य उपहितः सर्वेषां भविष्यतीति । तं मध्य उपादधत ।
तदेतां राद्धिमात्मन्नदधत । मध्यतः । मध्यत एवैतदेतां राद्धिमात्मन्नदधत । तथैवैतद्यजमानो यद्गार्ह-
पत्यमुपदधाति—एतामेवैतद्राद्धिमात्मन्धत्ते । मध्यतः । मध्यत एवैतदेतां राद्धिमात्मन्धत्ते ॥ ४ ॥

यद्वेव गार्हपत्यमुपदधाति । अन्नं वै गार्हपत्यः, अत्ताऽयमग्निश्चितः । अन्न एवैतदन्नमपिदधाति ।
मध्यतः । मध्यत एवास्मिन्नेतदन्नं दधाति ॥ ५ ॥

यद्वेव गार्हपत्यमुपदधाति । वेदिर्वै देवलोकः । अथ वा एष बहिर्वेदि चितो भवति । तं यदिहा-
हृत्योपदधाति—तदेनं वेदौ देवलोके प्रतिष्ठापयति ॥ ६ ॥

कथं तस्मादपनीयते । तदपरित्यागेन तु सन्नीयत इति नानुपपन्नम् । तस्मिन् गार्हपत्ये निमित्तभूते विरुद्धमव-
दन्त देवाः, इहोपदधाम इत्येव का पुनर्दर्शयन्निहेति विरुद्धं दर्शितवन्त इत्यत आह—वसवः पुरस्तादुक्तवन्त
इहोपदधाम इत्येतमन्येऽपि यथादेशम् ॥ २—४ ॥

यद्वेव गार्हपत्यमिति । प्रसङ्गे द्वे । अन्नं वै गार्हपत्य इति हविःश्रपणप्रधानत्वादन्नं गार्हपत्यः । होमप्रधानत्वा-
दाहवनीयोऽयमग्निश्चित इति दर्शनान्तरम् ॥ ५ ॥ ६ ॥

---

[1]—मध्येऽष्टकं गार्हपत्यम् । का. श्रौ. सू. १७ । २५३ ।

चितो भवति तं यदिहाहृत्योपदधाति तदेनं व्वेदौ देवलोके प्रतिष्ठापयति ॥ ६ ॥

यद्वेव गार्हपत्यमुपदधाति । योनिर्व्वै पुष्करपर्णमथ वाऽएष बहिर्योनि चितो भवति बहिर्धा वाऽएतद्योनेरग्निकर्म यत्पुरा पुष्करपर्णात्तं यदिहाहृत्योपदधाति तदेनं योनौ पुष्करपर्णे प्रतिष्ठापयति तथो हैषोऽबहिर्धा भवत्यष्टाविष्टका ऽउपदधाति तस्योक्तो बन्धुस्तं वाऽएतैरेव यजुर्भिरेतयाऽऽवृता चिनोति यो ह्येवासौ स ऽएवायं तमेवैतदाहृत्येहोपदधाति ॥ ७ ॥

(त्यु) अथ पुनश्चितिमुपदधाति । (त्ये) एतद्वै देवा गार्हपत्यं चित्वा तस्मिन्नाद्धिं नापश्यन्योनिर्वै गार्हपत्या चितिरेषो वै योने राद्धिर्यद्रेतः प्रजातिस्तस्यामेतस्यां योनौ रेतः प्रजातिं नापश्यन् ॥ ८ ॥

यद्वेव गार्हपत्यमुपदधाति । योनिर्वै पुष्करपर्णम् । अथ वा एष बहिर्योनि चितो भवति । बहिर्धा वा एतद्योनेरग्निकर्म—यत् पुरा पुष्करपर्णात् । तं यदिहाहृत्योपदधाति—तदेनं योनौ पुष्करपर्णे प्रतिष्ठापयति । तथो हैषोऽबहिर्धा भवति । अष्टाविष्टका उपदधाति । तस्योक्तो बन्धुः । तं वा एतैरेव यजुर्भिरेतयाऽऽवृता चिनोति । यो ह्येवासौ स एवायम् । तमेवैतदाहृत्येहोपदधाति ॥ ७ ॥

अथाष्टपुनश्चितीष्टकोपधानम् ।

अथ पुनश्चितिमुपदधाति । एतद्वै देवा गार्हपत्यं चित्वा तस्मिन्नार्द्धिं नापश्यन् । योनिर्वै गार्हपत्या चितिः । एषो वै योने राद्धिः—यद्रेतः प्रजातिः । तस्यामेतस्यां योनौ रेतः प्रजातिं नापश्यन् ॥ ८ ॥

एतैरेव यजुर्भिरयं सोऽग्निरिति । 'एतयाऽऽवृता' दक्षिणत उपदधाति । उत्तरार्धे प्रथमामुपदधातीत्यादिकया ह्यत्रासौ स एवायमभिधत्तेत्यभिप्रायः । न चैतद् यदिहाहृत्योपदधाति । पुनस्ता एवेष्टकास्तत (उत्पाद्ये बाधयति) कुतस्तस्यावयवस्याविघातप्रसङ्गादादौ गार्हपत्यादित्यष्टौ पुनश्चितिरिति च पञ्चम्यां चितावुक्तौ पुनर्लोकंपृणं (म्ले) संकल्पमाना स्वाहा तादात्म्यैकविंशति गार्हपत्य उपदधाति द्वाभ्यां न स्तीति धिष्ण्येश्विति (न च कथं मनायां क्रियमाणायां अत एवेष्टकाद्विर्गण्येतारं तस्यायसेधे तदाहृत्ये तत्समादाभिप्रास्योत्पाद्य न च नास्ति) प्रायस्तथापि पुनश्चितावपि परिक्षपति य एवायमग्निश्चितस्तमेवैतदाहृत्य गार्हपत्यस्योपरिष्टात्पुनश्चिनोतीति । तदपि तद्भक्तित्वादेव युज्यते नोत्पाद्य हरणेन ॥ ७ ॥

अथ पुनरिति । यैरिदं गार्हपत्यं चास्मात् पुनश्चितिरिति दर्शनान्तरमनुव्याख्यायोपयोगित्वेन स यः

१-पुनश्चितिं चोपारे तद्वयेन ऋषभ इति प्रत्यृचं पुच्छसंधावेके । पूर्वार्द्धे वा । गार्हपत्यं पुच्छसंधौ कृत्वा । का. श्रौ. सू. १७ । २५४-२५७ ॥

(इयँस्ते) तेऽब्रुवन् । (त्रु) उप तज्जानीत यथाऽस्यां योनौ रेतः प्रजातिं दधामेति तेऽब्रुवंश्चेतयध्वमिति चितिमिच्छतेति वाव तदब्रुवंस्तदिच्छत यथाऽस्यां योनौ रेतः प्रजातिं दधामेति ॥ ९ ॥

ते चेतयमानाः । (ऽ) एतां पुनश्चितिमपश्यंस्तामुपादधत तदेतस्यां योनौ रेतः प्रजातिमदधुर्मध्यतो मध्यत ऽएवैतदेतस्यां योनौ रेतः प्रजातिमदधुस्तथैवैतद्यजमानो यत्पुनश्चितिमुपदधात्येतस्यामेवैतद्योनौ रेतः प्रजातिं दधाति मध्यतो मध्यतऽएवैतदेतस्यां योनौ रेतः प्रजातिं दधाति १०

ताꣳ हैके जघनार्धऽउपदधति । जघनार्धाद्वै रेतः सिच्यते पुच्छसंधौ पुच्छाद्वै रेतः सिच्यतऽइति न तथा कुर्याद्बहिर्धा ह ते योने रेतः प्रजातिं दधति ये तथा कुर्वन्ति मध्यऽएवोपदध्यात्तत्सम्प्रति योनौ रेतः प्रजातिं दधाति ॥ ११ ॥

(त्य) अष्टाविष्टकाऽ उपदधाति । (त्य) अष्टाक्षरा गायत्री गायत्रोऽग्निर्यावानग्निर्यावत्यस्य मात्रा तावतैवैनमेतद्रेतोभूतꣳ सिञ्चति पञ्चकृत्वः सादयति पञ्चचितिकोऽग्निः पञ्चर्तवः संवत्सरः संवत्सरोऽग्निर्यावानग्निर्यावत्यस्य मात्रा तावतैवैनमेतद्रेतोभूतꣳ सिञ्चत्यष्टाविष्टकाः पञ्चकृत्वः

तेऽब्रुवन्—उप तज्जानीत—यथाऽस्यां योनौ रेतः प्रजातिं दधामेति । तेऽब्रुवन्—चेतयध्वमिति—चितिमिच्छतेति वाव तदब्रुवन्—तदिच्छत—यथाऽस्यां योनौ रेतः प्रजातिं दधामेति ॥ ९ ॥

ते चेतयमाना एतां पुनश्चितिमपश्यन् । तामुपादधत । तदेतस्यां योनौ रेतः प्रजातिमदधुः । मध्यतः । मध्यत एवैतदस्यां योनौ रेतः प्रजातिमदधुः । तथैवैतद्यजमानो यत्पुनश्चितिमुपदधाति—एतस्यामेवैतद्योनौ रेतः प्रजातिं दधाति । मध्यतः । मध्यत एवैतदेतस्यां योनौ रेतः प्रजातिं दधाति ॥ १० ॥

तां हैके जघनार्ध उपदधति । जघनार्धाद्वै रेतः सिच्यते । पुच्छसन्धौ । पुच्छाद्वै रेतः सिच्यते—इति । न तथा कुर्यात् । बहिर्धा ह ते योने रेतः प्रजातिं दधति—ये तथा कुर्वन्ति । मध्य एवोपदध्यात्—तत्सम्प्रति योनौ रेतः प्रजातिं दधाति ॥ ११ ॥

अष्टाविष्टका उपदधाति । अष्टाक्षरा गायत्री । गायत्रोऽग्निः । यावानग्निर्यावत्यस्य मात्रा—तावतैवैनमेतद्रेतोभूतं सिञ्चति । पञ्चकृत्वः सादयाति । पञ्चचितिकोऽग्निः । पञ्चऽर्तवः संवत्सरः । संवत्सरोऽग्निः । यावानग्निर्यावत्यस्य मात्रा—तावतैवैनमेतद्रेतोभूतं सिञ्चति । अष्टाविष्टकाः पञ्चकृत्वः साद-

---

सप्तभिरेताभिः प्रसन्नप्रायाभिरेव मन्त्रव्याख्यानं च । अस्मिन्नेतादृशी (   ) विश्वसृजे दूरस्थान् दर्शयति—सर्वदा हैव स स्वर्गो लोकस्तीर्णो बहिर्यज्ञस्योपकरणात्तत्र नित्यमवस्थानात्तथा वक्ष्यति । (प्रस्तारणपङ्क्ति

सादयति तत्त्रयोदश त्रयोदश मासाः संवत्सरस्त्रयोदशाग्नेश्चितिपुरीषाणि यावानग्निर्यावत्यस्य मात्रा तावत्तद्भवति ॥ १२ ॥

यद्वेव पुनश्चितिमुपदधाति । (त्ये) एतद्वाऽएतदयथायथं करोति यदाहवनीयाद्गार्हपत्यमुत्तरं चिनोति तद्यत्पुनश्चितिमुपदधाति य ऽएवा-यमग्निश्चितस्तमेवैतदाहुत्यास्योपरिष्टात्पुनश्चिनोति तद्यच्चितꣳ सन्तं पुनश्चिनोति तस्मात्पुनश्चितिः ॥ १३ ॥

(स्त) तद्धैके । जघनार्धे गार्हपत्यमुपदधति पूर्वार्धे पुनश्चितिमाहव-नीयश्च वाऽएतौ गार्हपत्यश्चैवं वाऽएतावग्नीऽइति न तथा कुर्यादयं वै लोको गार्हपत्यो द्यौराहवनीयऽ उत्तरो वाऽअसावस्यै तस्मादेनामुत्तरामे-वोपदध्यात् ॥ १४ ॥

(यु) यद्वेव गार्हपत्यं च पुनश्चितिं चोपदधाति । वेदिश्च हैतेऽअग्ने-रुत्तरवेदिश्चाथ येऽअमू पूर्वे निवपत्यध्वरस्य तेऽअथ हैतेऽअग्नेस्तद्य-देतेऽउपधायाग्निं निदधाति वेदौ चैवैनमेतदुत्तरवेदौ च प्रतिष्ठापयति॥१५॥

यद्वेव पुनश्चितिमुपदधाति । पुनर्यज्ञो हैष ऽउत्तरा हैषा देवयज्या पुन-र्यज्ञमेवैतदुपधत्तऽउत्तरामेव देवयज्यामुप हैनं पुनर्यज्ञो नमति ॥ १६ ॥

यति–तत्त्रयोदश । त्रयोदश मासाः संवत्सरः । त्रयोदशाग्नेश्चितिपुरीषाणि । यावानग्निर्यावत्यस्य मात्रा–तावत्तद्भवति ॥ १२ ॥

यद्वेव पुनश्चितिमुपदधाति । एतद्वा एतदयथायथं करोति–यदाहवनीयाद्गार्हपत्यमुत्तरं चिनोति । तत् पुनश्चितिमुपदधाति–य एवायमग्निश्चितः–तमेवैतदाहुत्यास्योपरिष्टात्पुनश्चिनोति । तद्यच्चितं सन्तं पुनश्चिनोति–तस्मात्पुनश्चितिः ॥ १३ ॥

तद्धैके जघनार्धे गार्हपत्यमुपदधति, पूर्वार्धे पुनश्चितिम् । आहवनीयश्च वा एतौ गार्हपत्यश्च । एवं वा एतावग्नी इति । न तथा कुर्यात् । अयं वै लोको गार्हपत्यः, द्यौराहवनीयः । उत्तरो वा असावस्यै । तस्मादेनामुत्तरामेवोपदध्यात् ॥ १४ ॥

यद्वेव गार्हपत्यं च पुनश्चितिं चोपदधाति । वेदिश्च हैते अग्नेरुत्तरवेदिश्च । अथ ये अमू पूर्वे निव-पति–अध्वरस्य ते । अथ हैते अग्नेः । तद्यदेते उपधायाग्निं निदधाति–वेदौ चैवैनमेतदुत्तरवेदौ च प्रतिष्ठापयति ॥ १५ ॥

यद्वेव पुनश्चितिमुपदधाति । पुनर्यज्ञो हैषः, उत्तरा हैषा देवयज्या । पुनर्यज्ञमेवैतदुपधत्ते– उत्त-रामेव देवयज्याम् । उप हैनं पुनर्यज्ञो नमति ॥ १६ ॥

(स्यसासंस्य) स्वर्गगमनयाग्निं निदधाति । पुनश्चितिरिति शरीरं निदधे । तं स्वर्गं लोकं पत्न्यादिना सर्वेण

यद्देव पुनश्चितिमुपदधाति । यं वै तं प्राणाऽ ऋषयोऽग्रेऽग्निᳩं समस्कुर्वन्त्स ऽएष तमेवैतत्पुनश्चिनोति तदचितᳩं सन्तं पुनश्चिनोति तस्माद्देव पुनश्चितिः ॥ १७ ॥

(येँ) येनऽऋषयस्तपसा सत्रमायन्निति । (त्य) अमूनेतदृषीनाहेन्धानाऽ अग्निᳩं स्वराभरन्तऽइतीन्धानाऽ अग्निᳩं स्वर्गं लोकमाहरन्तऽ इत्येतत्तस्मिन्नहं निदधे नाकेऽअग्निमिति स्वर्गो वै लोको नाको यमाहुर्मनव स्तीर्णबर्हिषमिति ये विद्वाᳩंसस्ते मनव स्तीर्णबर्हिषमिति सर्वदा हैव स स्तीर्णबर्हिः ॥ १८ ॥

(स्तं) तं पत्नीभिरनुगच्छेम देवाः । पुत्रैर्भ्रातृभिरुत वा हिरण्यैरित्येतेनैनᳩं सर्वेणानुगच्छेमेत्येतन्नाकं गृभ्णानाः सुकृतस्य लोकऽइति स्वर्गो वै लोको नाकः स्वर्गं लोकं गृभ्णानाः सुकृतस्य लोकऽइत्येतत्तृतीये पृष्ठेऽअधिरोचने दिवऽ इत्येतद्ध तृतीयं पृष्ठᳩं रोचनं दिवो यत्रैषऽएतत्तपति १९

यद्देव पुनश्चितिमुपदधाति । यं वै तं प्राणा ऋषयोऽग्रेऽग्निं समस्कुर्वन्—स एषः । तमेवैतत्पुनश्चिनोति । तदयचितं सन्तं पुनश्चिनोति तस्माद्देव पुनश्चितिः ॥ १७ ॥

"येन ऋषयस्तपसा सत्रमायन्"—इति । अमूनेतदृषीनाह । "इन्धाना अग्निं स्वराभरन्तः"—इति । इन्धाना अग्निं स्वर्गं लोकमाहरन्त इत्येतत् । "तस्मिन्नहं निदधे नाके अग्निम्"—इति । स्वर्गो वै लोको नाकः । "यमाहुर्मनवः स्तीर्णबर्हिषम्"—(वा. सं. १५ । ४९) इति । ये विद्वांसस्ते मनवः । स्तीर्णबर्हिषमिति । सर्वदा हैव स स्तीर्णबर्हिः ॥ १८ ॥

"तं पत्नीभिरनुगच्छेम देवाः पुत्रैर्भ्रातृभिरुत वा हिरण्यैः"—इति । एतेनैनं सर्वेणानुगच्छेमेत्येतत् । "नाकं गृभ्णानाः सुकृतस्य लोके"—इति । स्वर्गो वै लोको नाकः । स्वर्गं लोकं गृभ्णानाः सुकृतस्य लोक इत्येतत् । "तृतीये पृष्ठे अधिरोचने दिवः"—(वा. सं. १५ । ५०) इति । एतद्ध तृतीयं पृष्ठं रोचनं दिवः—यत्रैष एतत्तपति ॥ १९ ॥

अनुगच्छेम तद्देवा इत्युपधीयमानेष्टकाशरीरेणाग्निरेव तस्याश्च प्रजननार्थं बहुवचनम् । अन्ये तु मन्त्रवर्णात् एतदेव एता इष्टका मन्यंते । एतद्वृत्ता पृष्ठं दिवः सर्वान् पृथिव्यन्तरिक्षे पृष्ठापेक्षया तृतीयं दिवः पृष्ठम् एतद्धेधा

१-इह "अग्निर्मूर्द्धा दिवः"—(वा. सं. १५ । २०) इत्यारभ्य—"अग्ने त्वं नो अन्तमः"—(वा. सं. १५ । ४९) इत्येतत्पर्यन्तं ये मन्त्रास्ते नावलम्बिताः ।

(त्या) आ वाचो मध्यमरुहद्भुरण्युरिति। (त्ये) एतद्ध वाचो मध्यं यत्रैष एतच्चीयते भुरण्युरिति भर्तेत्येतदयमग्निः सत्पतिश्चेकितान इत्ययमग्निः सतां पतिश्चेतयमान इत्येतत्पृष्ठे पृथिव्या निहितो दविद्युतदिति पृष्ठे पृथिव्या निहितो दीप्यमान इत्येतदधस्पदं कृणुतां ये पृतन्यव इत्यधस्पदं कुरुताᳬं सर्वान्पाप्मन इत्येतत् ॥ २० ॥

(द) अयमग्निर्वीरतमो वयोधा इति। (त्य) अयमग्निर्वीर्यवत्तमो वयोधा इत्येतत्सहस्रियो द्योततामप्रयुच्छन्निति सहस्रियो दीप्यतामप्रमत्त इत्येतद्विभ्राजमानः सरिरस्य मध्य इतीमे वै लोकाः सरिरं दीप्यमान एषु लोकेष्वित्येतदुप प्रयाहि दिव्यानि धामेत्युप प्रयाहि स्वर्गं लोकमित्येतत् ॥ २१ ॥

(त्स) सम्प्रच्यवध्वमुपसम्प्रयातेति। (त्य) अमूनेतदृषीनाह समेनं प्रच्यवध्वमुप चैनᳬं सम्प्रयातेत्यग्ने पथो देवयानान्कृणुध्वमिति यथैव

"आ वाचो मध्यमरुहद्भुरण्युः"–इति। एतद्ध वाचो मध्यम्–यत्रैष एतच्चीयते। भुरण्युरिति–भर्तेत्येतत्। "अयमग्निः सत्पतिश्चेकितानः"–इति। अयमग्निः सतां पतिश्चेतयमान इत्येतत्। "पृष्ठे पृथिव्या निहितो दविद्युतत्"–इति। पृष्ठे पृथिव्या निहितो दीप्यमानः–इत्येतत्। "अधस्पदं कृणुतां ये पृतन्यवः"–(वा० सं० १५।५१) इति। अधस्पदं कुरुतां सर्वान् पाप्मन इत्येतत् ॥ २० ॥

"अयमग्निर्वीरतमो वयोधाः"–इति। अयमग्निर्वीर्यवत्तमो वयोधा–इत्येतत्। "सहस्रियो द्योततामप्रयुच्छन्"–इति। सहस्रियो दीप्यतामप्रमत्तः–इत्येतत्। "विभ्राजमानः सरिरस्य मध्ये"–इति। इमे वै लोकाः सरिरम्। दीप्यमान एषु लोकेष्वित्येतत्। "उप प्रयाहि दिव्यानि धाम"–(वा. सं. १५। ५२) इति। उप प्रयाहि स्वर्गं लोकमित्येतत् ॥ २१ ॥

"सम्प्रच्यवध्वमुपसम्प्रयात"–इति। अमूनेतदृषीनाह–समेनं प्रच्यवध्वम्, उप चैनं सम्प्रयातेति। "अग्ने पथो देवयानान्कृणुध्वम्"–इति। यथैव यजुस्तथा बन्धुः। "पुनः

मध्यं चैवैषोऽग्निरस्यत्रोपधानात्। सहस्रियः सहस्रेण संमितः सहस्रियः (व्युथेव) बृहतीसहस्रस्य मितः संमितः आहवनीयः स एवायमिति कृत्वा सहस्रिय इत्याह। उपप्रयात्विति पुरुषव्यत्ययो द्रष्टव्यः। "सहस्रियो द्योतताम्" इति प्रथमपुरुषेणोपक्रान्तत्वात्। "समेनं प्रच्यवध्वमुप चैनं संप्रयात" इत्यत्राप्येवम् अग्नेरुपधीयमाने इष्टकाशरीरस्यामन्त्रितविभक्त्याऽप्रत्यक्षीकृतत्वादृषीणां पारोक्ष्यं युज्यते। ततश्चात्र पुरुषसर्वनामव्यत्ययो द्रष्टव्यः।

यजुस्तथा बन्धुः पुनः कृण्वाना पितरा युवानेति वाक् च वै मनश्च पितरा युवाना वाक् च मनश्चैतावग्नीऽअन्वाताꣳसीत्त्वयि तन्तुमेतमिति योऽसावृषिभिस्तन्तुस्ततस्तमेतदाह ॥ २२ ॥

(हो) उद्बुध्यस्वाग्ने प्रतिजागृहि त्वमिति । (ती) इममेतदग्निमाहोच्चैनं बुध्यस्व प्रति चैनं जागृहीतीष्टापूर्ते सꣳसृजेथामयं चेति यथैव यजुस्तथा बन्धुरस्मिन्त्सधस्थेऽअध्युत्तरस्मिन्निति द्यौर्वाऽउत्तरꣳसधस्थं विश्वे देवा यजमानश्च सीदतेति तद्विश्वैर्देवैः सह यजमानꣳसादयति ॥ २३ ॥

येन वहसि सहस्रम् । येनाग्ने सर्व्ववेदसमित्येतद्वाऽस्य प्रतिज्ञाततमं धाम येन सहस्रं वहति येन सर्व्ववेदसं तेनेमं यज्ञं नो नय स्वर्देवेषु गन्त-

---

कृण्वाना पितरा युवाना"-इति । वाक् च वै मनश्च पितरा । युवाना वाक् च मनश्चैतावग्नी । "अन्वातांसीत्त्वयि तन्तुमेतम् "-(वा. सं. १५ । ५३) इति । योऽसावृषिभिस्तन्तुः, ततस्तमेतदाह ॥ २२ ॥

"**उद्बुध्यस्वाग्ने प्रतिजागृहि त्वम्** "-इति । इममेतदग्निमाह-उच्चैनं बुध्यस्व, प्रति चैनं जागृहीति । "**इष्टापूर्ते संसृजेथामयं च** "-इति । यथैव यजुस्तथा बन्धुः । "**अस्मिन्त्सधस्थे अध्युत्तरस्मिन्**"-इति । द्यौर्वा उत्तरं सधस्थम् । "**विश्वे देवा यजमानश्च सीदत**"-(वा. सं. १५ । ५४) इति । तद्विश्वैर्देवैः सह यजमानं सादयति ॥ २३ ॥

"**येन वहसि सहस्रम्, येनाग्ने सर्ववेदसम्** "-इति । एतद्वाऽस्य प्रतिज्ञाततमं धाम-येन सहस्रं वहति, येन सर्ववेदसम् । "**तेनेमं यज्ञं नो नय स्वर्देवेषु गन्तवे** "-(वा. सं. १५।५५)

द्योततामप्रयुच्छन् गतायेत्यर्थः । उपसंप्रयातेति वचनात् । एतदक्षयः । पथो देवयानान् कृणुध्वं तदुपगमनेन यद्वहिष्ठादयमित्यर्थः । वाक् च वै मनश्च पितरा ते वाङ्मनसी स्वेनोपकारेण जगतः पालयितारौ युवाना नित्यतरुणौ अन्वाताꣳसीदिति अनुनासिकमिति लोडर्थ एव लुङ्लकारवचने व्यत्ययो द्रष्टव्यः । (किमत्वातनुतो त्वयिके अग्नेवतकंम) ऋषिभिः योऽसौ यज्ञे तन्तुः ततः तमेव तनुतामिति प्रार्थ्यते । कथं वाङ्मनसी नाशयति गे तत्र त्वया तनुतामित्यत आह-वाङ्मनश्चैतावग्नी गार्हपत्याहवनीयौ तत्पूर्वकत्वात् । ततश्च तौ पितरौ पुनरेव ताविवात्मानौ गार्हपत्यं पुनश्चितिलक्षणं मत्वा तनुतां त्वयैतं यज्ञे यं तंतुं इदं पदान्त इममेतदग्निमुपधीयमानेष्टकाशरीरमाह-' उद्बुध्यस्वाग्ने ' इत्येतेन मन्त्रेण नामात्र पावितं च कुर्वन्ति । एवमिति यजमानं कुत एतत् इष्टापूर्ते संसर्पवचनाद्यजमानश्च सीदतेति च परतो दर्शनात् । एतद्वास्य प्रतिज्ञाततममतिशयेन परिज्ञातेमे मम जन्म शरीरं येन

वऽइति तेन न ऽइमं यज्ञं नय स्वर्गं लोकं देवेषु गन्तवऽइत्येतदयं ते योनिर्ऋत्वियऽइति तस्योक्तो बन्धुरष्टाविष्टका ऽउपदधाति तस्योऽएवोक्तः ॥ २४ ॥

इति चतुर्थप्रपाठके प्रथमं ब्राह्मणम् ॥ ८–४–१ ॥ (६. ३.) ॥

इति षष्ठोऽध्यायः समाप्तः ॥ ८ । ६ ॥

इति । तेन न इमं यज्ञं नय स्वर्गं लोकं देवेषु गन्तव इत्येतत् । " **अयं ते योनिर्ऋत्वियः** "–(वा. सं. १२ । ५६) इति । तस्योक्तो बन्धुः । अष्टाविष्टका उपदधाति । तस्यो एवोक्तः ॥२४॥

सहस्रं बहु वहसि येन सर्ववेदसं वहसि यजमानाय प्रतिदातुं नः शरीरेण तेन यज्ञं स्वर्गलोकं देवेषु देवानां मध्ये नः पराधास्माकं स्वमन्त्रोपधीयमानो यज्ञमश्वश्च स्वर्गमिष्टकाशरीरेऽग्निरूपश्च ते गार्हपत्यचितिलक्षणाऽसौ योनिस्तयोराह इष्टकाशरीरोऽग्निः निरुप्यते ॥ ८–२४ ॥

इति सर्वविद्यानिधानकवीन्द्राचार्यसरस्वतीश्रीहरिस्वामिनः कृतौ माध्यन्दिनीयशतपथब्राह्मणभाष्ये अष्टमे काण्डे षष्ठेऽध्याये तृतीयं ब्राह्मणम् ॥ (८–६–३) ॥

इति षष्ठोऽध्यायः समाप्तः ॥ (८–६)

अथ सप्तमेऽध्याये प्रथमं ब्राह्मणम् ।

चतुर्थप्रपाठके च द्वितीयं ब्राह्मणम् ।

ऋतव्याऽ उपदधाति । (त्सृ) ऋतवऽ एते यदृतव्याऽ ऋतूनेवैतदुपदधाति तदेतत्सर्व्वं यदृतव्याः संव्वत्सरो वाऽऋतव्याः संव्वत्सरऽ इदᳬ सर्व्वमिदमेवैतत्सर्व्वमुपदधात्यथो प्रजननमेतत्संव्वत्सरो वाऽऋतव्याः संव्वत्सरः प्रजननं प्रजननमेवैतदुपदधाति ॥ १ ॥

यद्वेवऽर्त्तव्याऽउपदधाति । क्षत्रं वाऽऋतव्या व्विशऽइमाऽइतराऽ इष्टकाः क्षत्रं तद्विश्यत्तारं दधाति ताः सर्व्वासु चितिषूपदधाति सर्व्वस्यां तद्विशि क्षत्रमत्तारं दधाति ॥ २ ॥

यद्वेवऽर्त्तव्याऽ उपदधाति । संव्वत्सरऽ एषोऽग्निः स ऋतव्याभिः सᳬहितः संव्वत्सरमेवैतदृतुभिः संतनोति संदधाति ता वै नानाप्रभृतयः समानोदर्क्काऽऋतवो वाऽअसृज्यन्त ते सृष्टा नानैवासन् ॥ ३ ॥

अथ द्वयोर्ऋतव्येष्टकयोरुपधानम् ।

ऋतव्या उपदधाति[1]-ऋतव एते-यदृतव्याः; ऋतूनेवैतदुपदधाति । तदेतत्सर्वं-यदृतव्याः । संवत्सरो वा ऋतव्याः । संवत्सर इदं सर्वम् । इदमेवैतत्सर्वमुपदधाति । अथो प्रजननमेतत् । संवत्सरो वा ऋतव्याः । संवत्सरः प्रजननम् । प्रजननमेवैतदुपदधाति ॥ १ ॥

यद्वेवर्तव्या उपदधाति । क्षत्रं वा ऋतव्याः, विश इमा इतरा इष्टकाः । क्षत्रं तद्विश्यत्तारं दधाति । ताः सर्वासु चितिषूपदधाति । सर्वस्यां तद्विशि क्षत्रमत्तारं दधाति ॥ २ ॥

यद्वेवर्तव्या उपदधाति । संवत्सर एषोऽग्निः । स ऋतव्याभिः संहितः । संवत्सरमेवैतदृतुभिः संतनोति सन्दधाति । ता वै नानाप्रभृतयः समानोदर्काः । ऋतवो वा असृज्यन्त । ते सृष्टा नानैवासन् ॥ ३ ॥

ऋतव्या उपदधातीति । प्रसन्ना एवैताश्चतुर्दश कण्डिका ज्ञातव्याः अत्र भाष्ये ॥ तत्राद्यास्तिस्रोऽन्त्याश्च सर्वर्त्तव्यानामेव । प्रसन्नप्रायाः साधारण्यमध्ये तु षोडश तयोरुत्तमयोरिति च दर्शितमित्युक्तमेवोत्तरार्थं पुनरुपन्यस्यते । विश इमा इतरा यजुष्मत्य एवायमधिकारात् 'ताः वै' ऋतव्याः 'नानाप्रभृतयो' नानारम्भाः

१-ऋतव्ये तपश्च तपस्यश्चेति । का. श्रौ. सू. १७ । ९५८

(संस्ते) तेऽब्रुवन् । (न्न) न वाऽइत्थꣳ सन्तः शक्ष्यामः प्रजनयितुꣳ रूपैः समायामेति तऽएकैकमृतुꣳ रूपैः समायंस्तस्मादेकैकस्मिन्नृतौ सर्वेषामृतूनाꣳ रूपं ता यन्नानाप्रभृतयो नाना ह्यसृज्यन्ताथ यत्समानोदर्का रूपैर्हि समायन् ॥ ४ ॥

(न्त्स) सऽउपदधाति । तपश्च तपस्यश्च शैशिरावृतूऽइति नामनीऽएनयोरेते नामभ्यामेवैनेऽएतदुपदधात्यसौ वाऽआदित्यस्तपस्तस्मादेतावृतूऽअनन्तर्हितौ तद्यदेतस्मादेतावृतूऽअनन्तर्हितौ तस्मादेतौ तपश्च तपस्यश्च ॥ ५ ॥

(श्चा) अग्नेरन्तःश्लेषोऽसीति । संवत्सरऽएषोऽग्निः सऽऋतव्याभिः सꣳहितः संवत्सरमेवैतदृतुभिः संतनोति संदधाति कल्पेतां द्यावापृथिवी कल्पन्तामापऽओषधयऽइतीदमेवैतत्सर्वमृतुभिः कल्पयति कल्पन्तामग्नयः पृथङ् मम ज्यैष्ठ्याय सव्रताऽइत्यग्नयो हैते पृथग्यदेता ऽइष्टकास्ते यथाऽनयोर्ऋत्वोर्ज्यैष्ठ्याय कल्पेरन्नेवमेतदाह येऽअग्नयः समनसोऽन्तरा द्यावापृथिवीऽइमेऽइति यथैव यजुस्तथा बन्धुः शैशिरा-

---

तेऽब्रुवन्—न वा इत्थं सन्तः शक्ष्यामः प्रजनयितुम्, रूपैः समायामेति । त एकैकम् ऋतुं रूपैः समायन् । तस्मादेकैकस्मिन्नृतौ सर्वेषामृतूनां रूपम् । ता यन्नानाप्रभृतयो—नाना ह्यसृज्यन्त । अथ यत्समानोदर्काः—रूपैर्हि समायन् ॥ ४ ॥

स उपदधाति । " तपश्च तपस्यश्च शैशिरावृतू "—इति । नामनी एनयोरेते । नामभ्यामेवैने एतदुपदधाति । असौ वा आदित्यस्तपः । तस्मादेतावृतू अनन्तर्हितौ । तत्; यदेतस्मादेतावृतू अनन्तर्हितौ । तस्मादेतौ तपश्च तपस्यश्च ॥ ५ ॥

" अग्नेरन्तःश्लेषोऽसि "—इति । संवत्सर एषोऽग्निः । स ऋतव्याभिः संहितः । संवत्सरमेवैतदृतुभिः संतनोति, सन्दधाति । " कल्पेतां द्यावापृथिवी, कल्पन्तामाप ओषधयः "—इति । इदमेवैतत्सर्वमृतुभिः कल्पयति । "कल्पन्तामग्नयः पृथङ्मम ज्यैष्ठ्याय सव्रताः"—इति । अग्नयो हैते पृथग्—यदेता इष्टकाः; ते यथाऽनयोर्ऋत्वोर्ज्यैष्ठ्याय कल्पेरन्—एवमेतदाह । " ये अग्नयः समनसोऽन्तरा द्यावापृथिवी इमे "—इति । यथैव यजुस्तथा बन्धुः ।

' समानोदर्काः ' समाना इति धर्मेणेष्टकानामुपदेशः । कस्मात्ताः समानाक्यवा भवन्तीत्यत आह—ऋतवो वा असृज्यन्त इति ॥ १—९ ॥

अग्नेरन्तःश्लेषोऽसीत्यृतुरुच्यते तमेवैतदृतुभिः सन्तनोति संदधातीति वचनात् इति दर्शयति । ते यथाऽनयो-

वृतूऽअभिकल्पमानाऽ इन्द्रमिव देवाऽ अभिसंविशन्त्विति यथेन्द्रं देवाऽ अभिसंविष्टाऽएवमिमावृतू ज्यैष्ठ्यायाभिसंविशन्त्वित्येतद्द्वेऽइष्टके भवतो द्वौ हि मासावृतुः सकृत्सादयत्येकं तदृतुं करोति ॥ ६ ॥

तद्यदेतेऽअत्रोपदधाति । संवत्सरऽ एषोऽग्निरिमऽउ लोकाः संवत्सरस्तस्य द्यौरेव पञ्चमी चितिर्द्यौरस्य शिशिरऽ ऋतुस्तद्यदेतेऽअत्रोपदधाति यदेवास्यैतेऽआत्मनस्तदस्मिन्नेतत्प्रतिदधाति तस्मादेतेऽअत्रोपदधाति॥७॥

यद्वेवैतेऽअत्रोपदधाति। प्रजापतिरेषोऽग्निः संवत्सरऽ उ प्रजापतिस्तस्य शिरऽ एव पञ्चमी चितिः शिरोऽस्य शिशिरऽ ऋतुस्तद्यदेतेऽअत्रोपदधाति यदेवास्यैतेऽआत्मनस्तदस्मिन्नेतत्प्रतिदधाति तस्मादेतेऽअत्रोपदधाति॥८॥

स पुरस्तात्स्वयमातृण्णायै च विश्वज्योतिषश्चऽर्तव्येऽउपदधाति। द्यौर्वाऽउत्तमा स्वयमातृण्णाऽऽदित्य ऽउत्तमा विश्वज्योतिरर्वाचीनं तद्दिवश्चादित्याच्चऽर्तून्दधाति तस्मादर्वाचीनमेवात ऽऋतवोऽथो प्रजननमेत-

---

" शैशिरावृतूअभिकल्पमाना इन्द्रमिव देवा अभिसंविशन्तु "–(वा. सं. १५।५७) इति । यथेन्द्रं देवा अभिसंविष्टाः; एवमिमावृतू ज्यैष्ठ्यायाभिसंविशन्त्वित्येतत् । द्वे इष्टके भवतः । द्वौ हि मासावृतुः । सकृत्सादयति । एकं तदृतुं करोति ॥ ६ ॥

तद्यदेते अत्रोपदधाति–संवत्सर एषोऽग्निः । इम उ लोकाः संवत्सरः । तस्य द्यौरेव पञ्चमी चितिः । द्यौरस्य शिशिर ऋतुः । तद्यदेते अत्रोपदधाति –यदेवास्यैते आत्मनः–तदस्मिन्नेतत्प्रति दधाति । तस्मादेते अत्रोपदधाति ॥ ७ ॥

यद्वेवैते अत्रोपदधाति । प्रजापतिरेषोऽग्निः । संवत्सर उ प्रजापतिः । तस्य शिर एव पञ्चमी चितिः । शिरोऽस्य शिशिर ऋतुः । तद्यदेते अत्रोपदधाति;–यदेवास्यैते आत्मनस्तदस्मिन्नेतत्प्रतिदधाति । तस्मादेते अत्रोपदधाति ॥ ८ ॥

स पुरस्तात्स्वयमातृण्णायै च विश्वज्योतिषश्चऽर्तव्येऽउपदधाति । द्यौर्वा उत्तमा स्वयमातृण्णा । आदित्य उत्तमा विश्वज्योतिः । अर्वाचीनं तद्दिवश्चादित्याच्चर्तून्दधाति । तस्मादर्वाचीनमेवातः

ऋत्वोः ज्यैष्ठ्याय कल्पेरन्नेवमेतदाहेत्यत्र चोद्यते " कल्पन्तामग्नयः पृथङ् मम ज्यैष्ठ्याय " इति (मारबेपच्यन्त) तस्य कथमयमर्थो भवत्येतयोर्ऋत्वोः ज्यैष्ठ्याय कल्पेरन्निति । नैष दोषः । यद्यत्र यजमानस्य (याज्येष्ठोरुपांसोयज्ञानुकारणत्वाणावाजा) ज्यैष्ठ्ये सत्युपपद्यते । नान्यथेत्यादि दैविकयोर्न्यं ( )

दर्व्वाचीनं तद्दिवश्चादित्याच्च प्रजननं दधाति तस्मादर्व्वाचीनमेवातः प्रजायते स्थितछं हैवातः पराक्प्रजननं यावन्तो ह्येव सनाग्रे देवास्ता वन्तो देवाः ॥ ९ ॥

(ऽ) अथ प्रथमायै स्वयमातृण्णायै प्रथमायै च विश्वज्योतिषऽउपरिष्टा-दृतव्येऽउपदधाति । (ती) इयं वै प्रथमा स्वयमातृण्णाऽग्निः प्रथमा विश्वज्योतिस्तदूर्ध्वानृतून्दधाति तस्मादित ऽऊर्ध्वा ऽऋतवोऽथो प्रजननमेतदि-तस्तदूर्ध्वं प्रजननं दधाति तस्मादित ऽऊर्ध्वमेव प्रजायते ॥ १० ॥

ता न व्यूहेत् । (त्रे) नेदृतून्व्यूहानीति यो वै म्रियतऽऋतवो ह तस्मै व्युह्यन्ते तस्माद्यत्रैव प्रथमेऽउपदधाति तत्सर्व्वा ऽउपदध्यात् ॥ ११ ॥

(दु) अथोऽइमे वै लोका ऽऋतव्याः । (ऽ) इमांस्तल्लोकानूर्ध्वांश्चितिभिश्चिनोत्यथो क्षत्रं वा ऽऋतव्याः क्षत्रं तदूर्ध्वं चितिभिश्चिनोत्यथो संव्वत्सरो वाऽऋतव्याः संव्वत्सरं तदूर्ध्वं चितिभिश्चिनोति ता नान्यया यजुष्मत्येष्टकयोपरिष्टादभ्युपदध्यान्नेत्क्षत्रं व्विशाऽभ्युपदधानीति ॥ १२ ॥

ऋतवः । अथो प्रजननमेतत् । अर्वाचीनं तद् दिवश्चादित्याच्च प्रजननं दधाति । तस्मादर्वाचीनमेवातः प्रजायते । स्थितं हैवातः पराक्प्रजननम् । यावन्तो ह्येव सनाग्रे देवाः–तावन्तो देवाः ॥ ९ ॥

अथ प्रथमायै स्वयमातृण्णायै प्रथमायै च विश्वज्योतिष उपरिष्टादृतव्ये उपदधाति । इयं वै प्रथमा स्वयमातृण्णा । अग्निः प्रथमा विश्वज्योतिः । तदूर्ध्वानृतून्दधाति । तस्मादित ऊर्ध्वा ऋतवः । अथो प्रजननमेतत् । इतस्तदूर्ध्वं प्रजननं दधाति । तस्मादित ऊर्ध्वमेव प्रजायते ॥ १० ॥

ता न व्यूहेत् । नेदृतून्व्यूहानीति । यो वै म्रियते–ऋतवो ह तस्मै व्युह्यन्ते । तस्माद्यत्रैव प्रथमे उपदधाति–तत्सर्वा उपदध्यात् ॥ ११ ॥

अथो इमे वै लोका ऋतव्याः । इमांस्तल्लोकानूर्ध्वांश्चितिभिश्चिनोति । अथो क्षत्रं वा ऋतव्याः । क्षत्रं तदूर्ध्वं चितिभिश्चिनोति । अथो संवत्सरो वा ऋतव्याः । संवत्सरं तदूर्ध्वं चितिभिश्चिनोति । ता नान्यया यजुष्मत्येष्टकयोपरिष्टादभ्युपदध्यात् । नेत्क्षत्रं विशाऽभ्युपदधानीति ॥ १२ ॥

उग्रेष्वाय कल्पेरन् इति ब्राह्मणे दर्शितम् । सर्वाधीनमेवातो दिव अर्वाचीना ( ) तावत्येव तु विशेषः । अथो प्रजननं तत्प्रजायते दिवि प्रजननं तस्मादर्वाचीनानामेवातिदिव आदित्याच्च प्रजायते स्थावरं जङ्गमं च न वत्सरादिकम् । ननु च परतोऽपि देवाः सन्ति कथं ते प्रजननादृतेतवः इत्युपपद्यते(नादित्यरित्यत) अत–आह–स्थितमेवातः परं प्रजायते यावत् यमग्रे सृष्टवाऽयं वक्ष्यमाणप्रकार इति । यत्रैव देशे सर्वा ऋतव्या

ता हैता ऽएव संयान्यः । (ऽ) एतद्वै देवाऽ ऋतव्याभिरेवेमाँल्लोकान्त्सु- मयुरितश्चोर्ध्वानमुतश्चार्वाचस्तथैवैतद्यजमानऽऋतव्याभिरेवेमाँल्लोकान्त्सं- यातीतश्चोर्ध्वानमुतश्चार्वाचः ॥ १३ ॥

(स्तु) तदु ह चरकाध्वर्यवः । (वोऽन्या) अन्याऽ एव संयानीरित्युप- दधाति न तथा कुर्यादत्यहैव रेचयन्त्येताऽ उऽ एव संयान्यः ॥ १४ ॥

(न्योऽथ) अथ विश्वज्योतिषमुपदधाति । (त्या) आदित्यो वाऽउत्तमा विश्वज्योतिरादित्यो ह्येवामुष्मिँल्लोके विश्वं ज्योतिरादित्यमेवैत- दुपदधाति ॥ १५ ॥

यद्वेव विश्वज्योतिषमुपदधाति । प्रजा वै विश्वज्योतिः प्रजा ह्येव विश्वं ज्योतिः प्रजननमेवैतदुपदधाति ॥ १६ ॥

स पुरस्तात्स्वयमातृण्णायै विश्वज्योतिषमुपदधाति । द्यौर्वाऽउत्तमा स्वयमातृण्णाऽऽदित्यऽ उत्तमा विश्वज्योतिरर्वाचीनं तद्दिवऽआदित्यं दधाति तस्मादेषोऽर्वाचीनमेवातस्तपत्यथो प्रजननमेतदर्वाचीनं तद्दिवः प्रजननं दधाति तस्मादर्वाचीनमेवातः प्रजायते ॥ १७ ॥

ता हैता एव संयान्यः । एतद्वै देवा ऋतव्याभिरेवेमांल्लोकान्त्समयुः । इतश्चोर्ध्वान्,–अमुतश्चार्वाचः । तथैवैतद्यजमान ऋतव्याभिरेवेमांल्लोकान्त्संयाति–इतश्चोर्ध्वान्, अमुतश्चार्वाचः ॥ १३ ॥

तदु ह चरकाध्वर्यवोऽन्या एव संयानीरित्युपदधति । न तथा कुर्यात् । अत्यहैव रेचयन्ति–एता उ एव संयान्यः ॥ १४ ॥

अथ विश्वज्योतिषमुपदधाति । आदित्यो वा उत्तमा विश्वज्योतिः । आदित्यो ह्येवामुष्मिंल्लोके विश्वं ज्योतिः । आदित्यमेवैतदुपदधाति ॥ १५ ॥

यद्वेव विश्वज्योतिषमुपदधाति । प्रजा वै विश्वज्योतिः । प्रजा ह्येव विश्वं ज्योतिः । प्रजननमेवैतदुपदधाति ॥ १६ ॥

स पुरस्तात्स्वयमातृण्णायै विश्वज्योतिषमुपदधाति । द्यौर्वाऽउत्तमा स्वयमातृण्णा । आदित्य उत्तमा विश्वज्योतिः । अर्वाचीनं तद्दिव आदित्यं दधाति । तस्मादेषोऽर्वाचीनमेवातस्तपति । अथो प्रजननमेतत् । अर्वाचीनं तद्दिवः प्रजननं दधाति । तस्मादर्वाचीनमेवातः प्रजायते ॥ १७ ॥

उपदधाति ते वाऽन्यया यजुष्मत्येष्टकयोपरिष्टाद्वक्ष्यमाणः प्रकार इति । लोके वृद्धयाऽभ्युपधानं दर्शयति । इतरथा हि ततोऽन्यथा इष्टकाया उपरिष्टादभ्युपदधाति इत्येवावक्ष्यत ॥ ६–१४ ॥

अथ विश्वज्योतिषमुपदधातीति । अतः परं प्रसन्नमेव ब्राह्मणम् ॥ १५–१७ ॥

(तेऽथ) अथ प्रथमायै स्वयमातृण्णायै । (याऽउ) उपरिष्टाद्विश्व-
ज्योतिषमुपदधातीयं वै प्रथमा स्वयमातृण्णाऽग्निः प्रथमा विश्वज्योति-
रितस्तदूर्ध्वमग्निं दधाति तस्मादितऽऊर्ध्वोऽग्निर्दीप्यतेऽथो प्रजननमेतदि-
तस्तदूर्ध्वं प्रजननं दधाति तस्मादितऽऊर्ध्वमेव प्रजायते ॥ १८ ॥
(तेऽथ) अथ मध्यमायै स्वयमातृण्णायै । (याऽउ) उपरिष्टाद्वि-
श्वज्योतिषमुपदधात्यन्तरिक्षं वै मध्यमा स्वयमातृण्णा वायुर्मध्यमा
विश्वज्योतिरन्तरिक्षे तद्वायुं दधाति तस्मादयमन्तरिक्षे वायुः ॥ १९ ॥
(स्ता) तान्येतानि ज्योतीᳲंषि । तद्यदेता ऽएवमुपदधात्येतान्येवैत-
ज्ज्योतीᳲंषि सम्यञ्चि दधाति तस्मादित ऽऊर्ध्वोऽग्निर्दीप्यतेऽर्वाङसा-
वादित्यस्तपत्यन्तरिक्षेऽयं तिर्यङ् वायुः पवते ॥ २० ॥
परमेष्ठी त्वा सादयत्विति । परमेष्ठी ह्येतां पञ्चमीं चितिमपश्यद्दिवस्पृष्ठे
ज्योतिष्मतीमिति दिवो ह्यसौ पृष्ठे ज्योतिष्मानादित्यः ॥ २१ ॥
(त्यो) विश्वस्मै प्राणायापानाय । व्यानायेति प्राणो वै विश्वज्योतिः
सर्वस्माऽउ वाऽएतस्मै प्राणो विश्वं ज्योतिर्यच्छेति सर्वं ज्योतिर्यच्छे-

---

अथ प्रथमायै स्वयमातृण्णाया उपरिष्टाद्विश्वज्योतिषमुपदधाति । इयं वै प्रथमा स्वयमातृण्णा । अग्निः प्रथमा विश्वज्योतिः । इतस्तदूर्ध्वमग्निं दधाति । तस्मादित ऊर्ध्वोऽग्निर्दीप्यते । अथो प्रजननमेतत् । इतस्तदूर्ध्वं प्रजननं दधाति । तस्मादित ऊर्ध्वमेव प्रजायते ॥ १८ ॥

अथ मध्यमायै स्वयमातृण्णाया उपरिष्टाद् विश्वज्योतिषमुपदधाति । अन्तरिक्षं वै मध्यमा स्वयमातृण्णा । वायुर्मध्यमा विश्वज्योतिः । अन्तरिक्षे तद्वायुं दधाति । तस्मादयमन्तरिक्षे वायुः ॥ १९ ॥

तान्येतानि ज्योतींषि । तद् यदेता एवमुपदधाति–एतान्येवैतज्ज्योतींषि सम्यञ्चि दधाति । तस्मादित ऊर्ध्वोऽग्निर्दीप्यते । अर्वाङ् असावादित्यस्तपति । अन्तरिक्षेऽयं तिर्यङ् वायुः पवते ॥ २० ॥

" परमेष्ठी त्वा सादयतु "–इति । परमेष्ठी ह्येतां पञ्चमीं चितिमपश्यत् । " दिवस्पृष्ठे ज्योतिष्मतीम् "–इति । दिवो ह्यसौ पृष्ठे ज्योतिष्मानादित्यः ॥ २१ ॥

"विश्वस्मै प्राणायापानाय व्यानाय"–इति । प्राणो वै विश्वज्योतिः । सर्वस्मा उ वा एतस्मै प्राणः । " विश्वं ज्योतिर्यच्छ "–इति । सर्वं ज्योतिर्यच्छेत्येतत् । " सूर्यस्तेऽधि-

---

प्रथमाया मध्यमायाश्च प्रासङ्गिकं दर्शनमत्रोक्तम् ॥ १८–२४ ॥

१–विश्वज्योतिषं परमेष्ठी त्वेति । का. श्रौ. सू. १७ । २५९ ।

त्येतत्सूर्यस्तेऽधिपतिरिति सूर्यमेवास्या ऽअधिपतिं करोति सादयित्वा सूददोहसाऽधिवदति तस्योक्तो बन्धुः ॥ २२ ॥

(स्ता) ता हैता ऽएव संयान्यः । (ऽ) एतद्वै देवा विश्वज्योतिर्भि-रेवेमाँल्लोकान्त्समयुरितश्चोर्ध्वानमुतश्चार्वाचस्तथैवैतद्यजमानो विश्व-ज्योतिर्भिरेवेमाँल्लोकान्त्संयातीतश्चोर्ध्वानमुतश्चार्वाचः ॥ २३ ॥

(स्त) तदु ह चरकाध्वर्यवः । (वोऽन्या) अन्या ऽएव संयानीरित्युपद-धाति न तथा कुर्यादत्यहैव रेचयन्त्येता ऽउऽएव संयान्यः ॥ २४ ॥

इति चतुर्थप्रपाठके द्वितीयं ब्राह्मणम् ॥ ८ । ४ । २ ॥ (७ । १)

अथ लोकम्पृणामुपदधाति । (त्य) असौ वाऽआदित्यो लोकम्पृणैष हीमाँल्लोकान्पूरयत्यमुमेवैतदादित्यमुपदधाति ताꣳ सर्वासु चितिषूपद-

---

पतिः "-(वा. सं. १५ । ५८) इति । सूर्यमेवास्या अधिपतिं करोति । सादयित्वा सूददोहसाऽधिवदति । तस्योक्तो बन्धुः ॥ २२ ॥

ता हैता एव संयान्यः । एतद्वै देवा विश्वज्योतिर्भिरेवेमांल्लोकान्त्समयुः । इतश्चोर्ध्वान्, अमुतश्चार्वाचः । तथैवैतद्यजमानो विश्वज्योतिर्भिरेवेमांल्लोकान्त्संयाति-इतश्चोर्ध्वान्, अमुतश्चार्वाचः ॥ २३ ॥

तदु ह चरकाध्वर्यवोऽन्या एव संयानीरित्युपदधति । न तथा कुर्यात् । अत्यहैव रेचयन्ति । एता उ एव संयान्यः ॥ २४ ॥

इत्याहवनीयचित्यां पञ्चचितिकायां पञ्चमी चितिः ।

(यजुष्मतीष्टकोपधानं सम्पूर्णम् ।)

अथ सर्वचितिशेषः ।

अथ लोकम्पृणेष्टकोपधानम् ।

अथ लोकम्पृणामुपदधाति । असौ वा आदित्यो लोकम्पृणा । एष हीमांल्लोकान्पूरयति ।

इति श्रीहरिस्वामिनः कृतौ माध्यन्दिनीयशतपथब्राह्मणभाष्येऽष्टमे काण्डे सप्तमेऽध्याये प्रथमं ब्राह्मणम् ॥ (८-७-१) ॥

अथ लोकम्पृणामिति । अधिलोकं पृणशब्दवानप्रधानं मात्वा पयस्या इष्टका लोकंपृणा उपदधाति[1] विश्व-

---

१-दक्षिणा ऽंसात्प्रत्यगरत्निमात्रादधिलोकंपृणाः पूर्व्ववत् । का. श्रौ. सू. १७ । २६० ।

धातीमे वै लोकाऽएताश्चितयोऽमुं तदादित्यमेषु लोकेषु दधाति तस्मादेष सर्व्वेभ्यऽ एवैभ्यो लोकेभ्यस्तपति ॥ १ ॥

यद्वेव लोकम्पृणामुपदधाति । क्षत्रं वै लोकम्पृणा विशऽइमा ऽइतरा इष्टकाः क्षत्रं तद्विश्यत्तारं दधाति ताᳮं सर्व्वासु चितिषूपदधाति सर्व्वस्यां तद्विशि क्षत्रमत्तारं दधाति ॥ २ ॥

सैषैकैव भवति । (त्ये) एकस्थं तत्क्षत्रमेकस्थाᳮं श्रियं करोत्यथ या द्वितीया मिथुनं तदर्धमु हैतदात्मनो यन्मिथुनं यदा वै सह मिथुनेनाथ सर्व्वोऽथ कृत्स्नः कृत्स्नतायाऽएकेन यजुषा बह्वीरिष्टका ऽउपदधाति क्षत्रं तद्वीर्य्येणात्यादधाति क्षत्रं विशो वीर्य्यवत्तरं करोत्यथेतराः पृथङ्-नाना यजुर्भिरुपदधाति विशं तत्क्षत्रादवीर्य्यतरां करोति पृथग्वादिनीं नानाचेतसम् ॥ ३ ॥

अमुमेवैतदादित्यमुपदधाति । तां सर्वासु चितिषूपदधाति । इमे वै लोका एताश्चितयः । अमुं तदादित्यमेषु लोकेषु दधाति । तस्मादेष सर्वेभ्य एवैभ्यो लोकेभ्यस्तपति ॥ १ ॥

यद्वेव लोकम्पृणामुपदधाति । क्षत्रं वै लोकम्पृणा, विश इमा इतरा इष्टकाः । क्षत्रं तद् विश्यत्तारं दधाति । तां सर्वासु चितिषूपदधाति । सर्वस्यां तद् विशि क्षत्रमत्तारं दधाति ॥ २ ॥

सैषैकैव भवति । एकस्थं तत् क्षत्रमेकस्थां श्रियं करोति । अथ या द्वितीया—मिथुनं तत् । अर्धमु हैतदात्मनो—यन्मिथुनम् । यदा वै सह मिथुनेन—अथ सर्वः, अथ कृत्स्नः । कृत्स्नतायै । एकेन यजुषा बह्वीरिष्टका उपदधाति । क्षत्रं तद्वीर्येणात्यादधाति । क्षत्रं विशो वीर्यवत्तरं करोति । अथेतराः पृथङ्नाना यजुर्भिरुपदधाति । विशं तत्क्षत्रादवीर्यतरां करोति—पृथग्वादिनीं नानाचेतसम् ॥ ३ ॥

ज्योतिषामुपधानानन्तरमेवेति विधिः । ' असौ वा आदित्यो लोकंपृणा ' एष हि रश्मिभिरिमाँल्लोकान्पूरयति । तत्सर्वासु चितिषु पुनर्वचनमर्थवादसम्बन्धार्थम् । अथ लोकंपृणामुपदधाति । प्राप्तमेव लोकंपृणायाः सर्वचितिषूपधानम् ॥ १ ॥

यद्वेव लोकंपृणामिति । प्रसङ्गा ॥ २ ॥

सैषैकेवेति । एषा लोकंपृणाप्येकैव भवति इत्येकविभक्तित्वादित्यभिप्रायः । ' एकस्थम् ' एकत्वात्तेन क्षत्रं एकस्थं तत्फलम् । यस्त्वयं करोति तथा च व्यवहारं कल्पयन् यजुषोपदधाति तेन । विशं नानाचेतसं चेति शेषः । स परस्परं वीर्यवत्तरं करोति क्षत्रमेकाथां श्रियं सहैकवित्तमेकवचनमिति शेषः ॥ ३ ॥

(४) स वाऽअस्या॑ᳪ स्रक्त्यां प्रथमेऽउपदधाति । (त्य) अमुं तदादि॑त्यमेतस्यां दिशि दधात्यथैतस्तस्माद्ृतोऽनुपर्यैत्यथैतस्तस्माद्ृतोऽनुपर्यै॑त्यथैतस्तस्माद्ृतोऽनुपर्यैत्यथातस्तस्माद्तोऽनुपर्यै॑ति ॥ ४ ॥

स यद्यत्रैव प्रथमेऽउपदधाति । तदुत्तमेऽअनूपदध्यात्सकृद्धैवासावादित्यऽइमाँल्लोकान्पर्येत्य नातिप्रच्यवेतातिहृत्य पूर्वेऽउत्तमेऽअनूपदधात्यमुं तदादित्यमिमाँल्लोकानतिप्रच्यावयति तस्मादसावादित्यऽइमाँल्लोकानुसᳪस्थितो दक्षिणावृत्पुनः पुनरनुपर्यै॑ति ॥ ५ ॥

लोकं पृण च्छिद्रं पृणेति । लोकं च पूरय च्छिद्रं च पूरयेत्येतदथो सीद ध्रुवा त्वमित्यथो सीद स्थिरा त्वं प्रतिष्ठितेत्येतदिन्द्राग्नी त्वा बृहस्पतिरस्मिन्योनावसीषदन्नितीन्द्राग्नी च त्वा बृहस्पतिश्चास्मिन्योनौ प्रत्य-

---

स वा अस्यां स्रक्त्यां प्रथमे उपदधाति । अमुं तदादित्यमेतस्यां दिशि दधाति । अथैतस्तस्मादतोऽनुपर्यैति, अथैतस्तस्मादतोऽनुपर्यैति, अथैतस्तस्मादतोऽनुपर्यैति, अथातस्तस्मादतोऽनुपर्यैति ॥ ४ ॥

स यद्यत्रैव प्रथमे उपदधाति–तदुत्तमे अनूपदध्यात् । सकृद्धैवासावादित्य इमांल्लोकान्पर्येत्य नातिप्रच्यवेत । अतिहृत्य पूर्वे उत्तमे अनूपदधाति । अमुं तदादित्यमिमांल्लोकानतिप्रच्यावयति । तस्मादसावादित्य इमांल्लोकानसंस्थितो दक्षिणावृत् पुनः पुनः अनुपर्यैति ॥ ५ ॥

" लोकं पृण छिद्रं पृण "–इति । लोकं च पूरय छिद्रं च पूरयेत्येतत् । " अथो सीद ध्रुवा त्वम् "–इति । अथो सीद स्थिरा त्वं प्रतिष्ठितेत्येतत् । " इन्द्राग्नी त्वा बृहस्पतिरस्मिन्योनावसीषदन् "–(वा. सं. १५ । ५९) इति । इन्द्राग्नी च त्वा बृहस्पतिश्चास्मिन्योनौ

स वा अस्यामिति । अस्यामित्यभिनयेन दक्षिणस्रक्तिं दर्शयति–कुत एतत् ? ' अमुं तदादित्यमेतस्यां ' पूर्वस्यां ' दिशि ' उपदधातीति वाक्यशेषात् । ननु च वाक्यशेषोऽसौ तदादित्यं विवक्ष्यत इत्यविस्पष्टमेवैतत् । नैष दोषः । अत्रापि वाक्यशेषादेव निर्णयः । तस्मादसावादित्यः पुरस्तात् प्रणिधीयते इत्येतेन तावत् पूर्वोक्ता स्रक्तिरिति निर्णीयते । तस्मादसावादित्य इमाँल्लोकान् दक्षिणावृदत्येति । दक्षिणावृदसावुदेत्येतां (   ) दिशं ज्येवानुसंचरतीत्येतेन दक्षिणा स्रक्तिरिति निर्णीयते । लोकंपृणे प्रथमायां चिताविद्यर्थः । अथ प्रथमायां चितौ दक्षिणस्यां श्रोण्यां तेन चामुमादित्यमेतस्यामुपरिष्टाद्दिशि दधाति तस्मादेवानुपर्यैति । पूर्वस्यां दिश्युदित आलोकः पृणयति पञ्चम्यां चितौ । यैस्तु लोकंपृणा इति उपदधाति भवेदित्यर्थः । प्रत्यतिष्ठिपन् प्रतिष्ठापितवन्तः (देषु त्वांवज्यं सोऽर्यः) न तु ते प्रतिष्ठापितवन्तः किं तर्हि प्रतिष्ठापयन्ति तेन प्रार्थ्यते न च्छन्दसाऽयं मे भूतवत्प्रयोगो द्रष्टव्यः । प्रतिष्ठापयन्तीत्यर्थः । वाक्यैः शब्दात्मिका अनुष्टुभा तु सर्वमत्र स्तोम) वाचैवेन्द्रियेणादित्यस्तुत्येकत्वादिन्द्र आदित्यो लोकं पृणाति । दर्शितमेव न सादयति तया देवतयेत्यनेन

तिष्ठिपन्नित्येतदनुष्टुभा वाग्वाऽअनुष्टुब्वागिन्द्र ऽइन्द्रो लोकम्पृणा न सादयत्यसन्नो ह्येष सूददोहसाऽधिवदति प्राणो वै सूददोहाः प्राणेनैवैनमेतत्संतनोति संदधाति ॥ ६ ॥

तदाहुः । कथमेषा लोकम्पृणाऽयातयाम्नी भवतीत्यसौ वाऽआदित्यो लोकम्पृणाऽयातयामा वाऽएषोऽथो वाग्वै लोकम्पृणाऽयातयाम्न्यु वै वाक् ॥ ७ ॥

(क्स) स वै यजुष्मतीरुपधाय । लोकम्पृणया प्रच्छादयत्यन्नं वै यजुष्मत्यऽइष्टकाऽ आत्मा लोकम्पृणाऽन्नं तदात्मना परिदधाति तस्मादन्नमात्मना परिहितमात्मैव भवति ॥ ८ ॥

स वाऽआत्मन्नेव । यजुष्मतीरुपदधाति न पक्षपुच्छेष्वात्मंस्तदन्नं दधाति यद्ध वाऽआत्मन्नन्नं धीयते तदात्मानमवति तत्पक्षपुच्छान्यथ यत्पक्षपुच्छेषु नैव तदात्मानमवति न पक्षपुच्छानि ॥ ९ ॥

(न्यु) उभयीर्यजुष्मतीश्च लोकम्पृणाश्चात्मन्नुपदधाति । तस्मादय-

---

प्रत्यातिष्ठिपन्नित्येतत् । अनुष्टुभा । वाग्वाऽअनुष्टुप्, वागिन्द्रः । इन्द्रो लोकम्पृणा । न सादयति । असन्नो ह्येषः । सूददोहसाऽधिवदति । प्राणो वै सूददोहाः । प्राणेनैवैनमेतत्सन्तनोति, सन्दधाति ॥ ६ ॥

तदाहुः—कथमेषा लोकम्पृणाऽयातयाम्नी भवतीति । असौ वा आदित्यो लोकम्पृणा । अयातयामा वा एषः । अथो वाग्वै लोकम्पृणा । अयातयाम्न्यु वै वाक् ॥ ७ ॥

स वै यजुष्मतीरुपधाय लोकम्पृणया प्रच्छादयति । अन्नं वै यजुष्मत्य इष्टकाः, आत्मा लोकम्पृणा । अन्नं तदात्मना परिदधाति । तस्मादन्नमात्मना परिहितमात्मैव भवति ॥ ८ ॥

स वा आत्मन्नेव यजुष्मतीरुपदधाति, न पक्षपुच्छेषु । आत्मंस्तदन्नं दधाति । यद्ु वा आत्मन्नन्नं धीयते—तदात्मानमवति, तत्पक्षपुच्छानि । अथ यत्पक्षपुच्छेषु—नैव तदात्मानमवति, न पक्षपुच्छानि ॥ ९ ॥

उभयीर्यजुष्मतीश्च लोकंपृणाश्चात्मन्नुपदधाति । तस्मादयमात्मा द्विगुणो बहुलतर इव लोकं-

---

मन्त्रेणेति सामान्यविधेः पर्युदासः । सूद दोहसाऽधिवदति इति (   ) (प्रच्छादयेरन्ततोनमामिनो परिष्टुत) प्रच्छादयेरन्यथा यजुष्मत्योऽपि पृथगेवाच्छाद्यन्ते । तथाऽन्नमपि आच्छाद्यते । न च सर्वोऽग्निर्दृष्टिविषये लोकंपृणामेवातिसम्पद्येत प्राणेन वाक्यात्मकं किंचिदङ्गं स्यात् । सर्वाण्येवान्नानि वासांसि भवेयुर्यजुष्मत्य एवान्नानामाजानानः प्रधानभूता इत्येतदुपधानं नेच्छति । स वा आत्मन्नेवेति । अनुवाद एवायं दर्शनार्थः ॥४–९॥

उभयीर्यजुष्मतीश्चेति । उभयीरित्यनुवाद एव लोकंपृणा एवेत्ययं पक्ष । एतदेव यजुष्मतीरुपधाय

मात्मा द्विगुणो बहुलतर-इव लोकम्पृणा ऽएव पक्षपुच्छेषु तस्मात्पक्षपुच्छानि तनीयाᳬसीवानूचीश्च तिरश्चीश्चात्मन्नुपदधात्यस्थीनि वाऽइष्टकास्तस्मादिमान्यन्वञ्चि च तिर्यञ्चि चात्मन्नस्थीनि पराचीरेव पक्षपुच्छेषु न हि किंचन पक्षपुच्छेषु तिर्यगस्थ्यस्ति तद्वैतदेव चितस्य चाचितस्य च विज्ञानमेवमेव चितऽइतरथाऽचितः ॥ १० ॥

स वै स्वयमातृण्णां लोकम्पृणया प्रच्छादयति। प्राणो वै स्वयमातृण्णाऽऽदित्यो लोकम्पृणा प्राणं तदादित्येन समिन्द्धे तस्मादयमुष्णः प्राणस्तया सर्वमात्मानं प्रच्छादयति सर्वं तदात्मानमादित्येन समिन्द्धे तस्मादयᳬ सर्व ऽएवात्मोष्णस्तद्वै तदेव जीविष्यतश्च मरिष्यतश्च विज्ञानमुष्णऽएव जीविष्यञ्छीतो मरिष्यन् ॥ ११ ॥

(न्तत) स यस्याᳬ स्रक्त्यां प्रथमेऽउपदधाति। ततो दशभिर्दशभिः संच्छादयन्नेत्या स्वयमातृण्णायै स तनैव दक्षिणावृज्जघनेन स्वयमातृण्णां

पृणा एव पक्षपुच्छेषु । तस्मात्पक्षपुच्छानि तनीयांसीव । अनूचीश्च तिरश्चीश्चात्मन्नुपदधाति। अस्थीनि वा इष्टकाः। तस्मादिमान्यन्वञ्चि च तिर्यञ्चि चात्मन्नस्थीनि। पराचीरेव पक्षपुच्छेषु। न हि किंचन पक्षपुच्छेषु तिर्यगस्थ्यस्ति। तद्वैतदेव चितस्य चाचितस्य च विज्ञानम्। एवमेव चितः, इतरथाऽचितः ॥ १० ॥

स वै स्वयमातृण्णां लोकम्पृणया प्रच्छादयति। प्राणो वै स्वयमातृण्णा, आदित्यो लोकंपृणा। प्राणं तदादित्येन समिन्द्धे। तस्मादयमुष्णः प्राणः। तया सर्वमात्मानं प्रच्छादयति। सर्वं तदात्मानमादित्येन समिन्द्धे। तस्मादयं सर्व एवात्मोष्णः। तद्वैतदेव जीविष्यतश्च मरिष्यतश्च विज्ञानम्। उष्ण एव जीविष्यन्, शीतो मरिष्यन् ॥ ११ ॥

स यस्यां स्रक्त्यां प्रथमे उपदधाति—ततो दशभिर्दशभिः संछादयन्नेति—आ स्वयमातृण्णायै

लोकंपृणया प्रच्छादयतीति। पराचीः पक्षपुच्छानीत्येव मतं वित्तस्यादेव विपरीतं तद्विज्ञानलिङ्गं तदाह—एवमेव यजुष्मतीरुपधाय लोकंपृणया प्रच्छादयतीत्यनेनैव स्वयमातृण्णाया अनुवादप्रदर्शनार्थं पुनरुच्यते। तदादित्येन समिन्धे प्राणस्य समिन्धनं विधीयते तैरेवैतत्प्राणवायुधारिणं वायुना इत्येतत्कायाग्निरूपेण सदा स्थापयति। तथा लोकंपृणया सर्वमग्नेरायातं सर्वं कार्यं यजुष्मत्येष्टकयाऽव्यतिरिक्तमपि प्रच्छादयति स पक्षपुच्छमित्यभिप्रायः। तस्मादयं सर्व एवात्मोष्ण इति पक्षपुच्छानामप्युष्णत्वात् ॥ १० ॥ ११ ॥

स यस्यां स्रक्त्यामिति। यस्यां स्रक्त्यां अंसे श्रोण्यां प्रथमे लोकंपृणे उपदधाति। तत्स्रक्तेरारभ्य

संच्छादयन्नेत्याऽऽनूक्यायाऽअथ पुनरेत्य तमवधिꣳ संच्छादयति ॥ १२ ॥

(त्या) आत्मानमग्रे संछादयति । (त्या) आत्मा ह्येवाग्रे सम्भवतः सम्भवत्यथ दक्षिणं पक्षमथ पुच्छमथोत्तरं तद्दक्षिणावृत्तद्धि देवत्राऽथोऽएवं वाऽअसावादित्य ऽइमाँल्लोकान्दक्षिणावृदनुपर्य्येति ॥ १३ ॥

स ऽएष प्राण ऽएव यल्लोकम्पृणा । तया सर्व्वमात्मानं प्रच्छादयति सर्व्वस्मिंस्तदात्मन्प्राणं दधाति तद्यद्धास्यैषाऽङ्गं नाभिप्राप्नुयात्प्राणो हास्य तदङ्गं नाभिप्राप्नुयाद्यद्वै प्राणोऽङ्गं नाभिप्राप्नोति शुष्यति वावैतन्म्लायति वा तस्मादेनꣳ सर्व्वमेवैतया प्रच्छादयेत् ॥ १४ ॥

(त्स) स वाऽआत्मनऽएवाधि पक्षपुच्छानि चिनोति । (त्या) आत्मनो ह्येवाध्यङ्गानि प्ररोहन्त्यथ यत्पुरस्तादर्व्वाचीरुपदध्याद्यथाऽन्यतऽआहृत्याङ्गं प्रतिदध्यात्तादृक्तत् ॥ १५ ॥

स तेनैव दक्षिणावृज्जघनेन स्वयमातृण्णां संछादयन्नेत्य–आनूक्यायै । अथ पुनरेत्य तमवधिं संछादयति ॥ १२ ॥

आत्मानमग्रे संछादयति । आत्मा ह्येवाग्रे सम्भवतः सम्भवति । अथ दक्षिणं पक्षम् । अथ पुच्छम् । अथोत्तरम् । तद् दक्षिणावृत् । तद्धि देवत्रा । अथो एवं वा असावादित्य इमाँल्लोकाग्दक्षिणावृदनुपर्यैति ॥ १३ ॥

स एष प्राण एव–यल्लोकम्पृणा । तया सर्वमात्मानं प्रच्छादयति । सर्वस्मिंस्तदात्मन्प्राणं दधाति । तद्यद्धास्यैषाऽङ्गं नाभिप्राप्नुयात्–प्राणो हास्य तदङ्गं नाभिप्राप्नुयात् । यद्व वै प्राणोऽङ्गं नाभिप्राप्नोति–शुष्यति वावैतत्, म्लायति वा । तस्मादेनं सर्वमेवैतया प्रच्छादयेत् ॥ १४ ॥

स वा आत्मन एवाधि पक्षपुच्छानि चिनोति । आत्मनो ह्येवाध्यङ्गानि प्ररोहन्ति । अथ यत्पुरस्तादर्वाचीरुपदध्यात्–यथाऽन्यत आहृत्याङ्गं प्रतिदध्यात्–तादृक् तत् ॥ १५ ॥

दशभिर्दशभिर्लोकंपृणाभिः सकृत्प्रयुक्तमंत्राभिः संछादयन्नेत्यायस्या स्वयमातृण्णायै एवमनन्तरापंक्तीर्यस्य स तेनैव मार्गेण प्रदक्षिणं जघनेन स्वयमातृण्णां संछादयन्नागच्छति यावत्पूर्वम् आनूक्याया अनूके भवायाः । अथ पुनर्जघनेन स्वयमातृण्णायामेत्य संछादयन्नवधिं संछादयन्ननूक्याया एवारम्य तथाहि प्रदक्षिणं भवति । आत्मानं अग्रे संछादयति इति क्रमवचनम् ॥ १२ ॥ १३ ॥

स एष प्राण इति । 'प्राणः' कायाग्निः ॥ १४ ॥

स वा आत्मन इति । 'आत्मन एवाऽधि पक्षपुच्छानि चिनोति' इत्येतदत्रोच्यते । आहृत्याङ्गमिष्टका उपदध्यादित्यर्थः ॥ १५ ॥

(भ्र) न भिन्नां न कृष्णामुपदध्यात् । (द्रा) आर्च्छति वाऽएषा या भिद्यतऽआर्तम्वेतद्रूपं यत्कृष्णं नेदार्तमात्मानमभिसंस्करवाऽइति नाभिन्नां परास्येन्नेदनार्तमात्मनो बहिर्धा करवाणीति धिष्ण्येभ्यः प्रतिसंख्याय या व्विराजमतिरिच्येरन्नोत्तरामुद्धवेयुस्तद्वै खलु ता ऽआर्च्छन्ति ता भित्त्वोत्करऽउत्किरेदुत्करो वाऽअतिरिक्तस्य प्रतिष्ठा तद्यत्रातिरिक्तस्य प्रतिष्ठा तदेवैना ऽएतत्प्रतिष्ठापयति ॥ १६ ॥

(त्य) अथातऽइष्टकामात्राणामेव । पादमात्रीः प्रथमायां चोत्तमायां च चित्योरुपदध्यात्प्रतिष्ठा वै पादो यो वै पादः स हस्त ऽऊर्वस्थमात्र्यो व्वर्षिष्ठाः स्युर्न ह्यूर्वस्थात्किंचन व्वर्षीयोऽस्थ्यस्ति त्र्यालिखितवत्यस्तिस्रःश्रितयः स्युस्त्रिवृतो हीमे लोकाऽअपरिमिताऽऽलिखिते द्वे रसो हैते

न भिन्नां न कृष्णामुपदध्यात् । आर्च्छति वा एषा—या भिद्यते । आर्तम्वेतद्रूपं—यत्कृष्णम् । नेदार्तमात्मानमभिसंस्करवा इति । नाभिन्नां परास्येत् । नेदनार्तमात्मनो बहिर्धा करवाणीति । धिष्ण्येभ्यः प्रतिसङ्ख्याय या विराजमतिरिच्येरन्, नोत्तरामुद्धवेयुः । तद्वै खलु ता आर्च्छन्ति । ता भित्त्वोत्कर उत्किरेत् । उत्करो वा अतिरिक्तस्य प्रतिष्ठा । तद् यत्रातिरिक्तस्य प्रतिष्ठा—तदेवैना एतत्प्रतिष्ठापयति ॥ १६ ॥

अथात इष्टकामात्राणामेव । पादमात्रीः प्रथमायां चोत्तमायां च चित्योरुपदध्यात् । प्रतिष्ठा वै पादः । यो वै पादः । स हस्तः । ऊर्वस्थमात्र्यो वर्षिष्ठाः स्युः । न ह्यूर्वस्थात्किञ्चन वर्षीयोऽस्थ्यस्ति । त्र्यालि-

'आर्च्छति' ऋ गतौ धातुः आङ्पूर्वः ऋच्छतिर्नाशे वर्त्तते न विनश्यतीति चैषा या नेष्टका भिद्यते आर्तं च विनष्टं 'उ एतद् रूपम्' तत एवमात्मानमभिसंस्करवै इति न वा परोऽक्षेऽपि तदेतन्मार्गे (मम) मासानामभ्यर्द्धं करवाणीति । कथं तर्ह्यतिरिक्ता इष्टकाः कुर्यादित्येतदाह—आत्मनि अन्नं धीयते आत्मार्थं प्रतिसंख्याय गणयित्वा द्वाभ्यां नासीदिति इष्टकादशको विराडिति (संकालायदोश्च न) कामयेत् न संकल्प्यमानास्त्रय इष्टका विराजं (दशकर्मारंभे तवतूत्तरवेदिविराजं चोद्धवेयुर्ये) पुरस्तात् भित्त्वा उत्किरेत् । ननु चैवं सत्यनार्तमेवायमात्मनो बहिर्धा कुर्यादित्यत आह । तद्वै खलु आर्च्छंति तेनैव ते विनश्यन्ति येन विराजं नाप्नुवतीत्येव वृथा हि सा विराडित्यभिप्रायः ॥ १६ ॥

अथात इष्टकामात्राणामेव पादमात्रीः प्रथमायां चोत्तमायां च चित्योरुपदध्यादिति । विशेषेण यजुष्मतीः लोकंपृणाश्च ताश्च समन्ततः पादमात्रीः समचतुरस्राः पादमात्रीः । अशिरोऽपिहि पादमात्रमेव प्रादेशमात्रत्वादित्येषोऽत्राभिप्रायः । ऊर्वस्थमात्र्यो वृद्धतमाः स्युरन्यास्त्वर्थादतोऽर्वाङ्नैषेत्यभिप्रायः । समचतुरस्रा इत्येषामविशेषात् प्राप्ते क्षेत्रस्याल्पत्वान्नैतानि सङ्ख्यानियतपरिमाणाश्च तत्र पादमात्रीरिति सामर्थ्याद्युचितत्वा-

चितीऽअपरिमित ऽउ वै रसः सर्व्वास्त्वेव त्र्यालिखितवत्यः स्युः सर्व्वे ह्येवेमे लोकास्त्रिवृतः ॥ १७ ॥

(तोऽथा) अथातऽ इष्टकानामेवावपनस्य। यां कां च यजुष्मतीमिष्टकां विद्यात्तां मध्यमायां चितावुपदध्यादन्तरिक्षं वै मध्यमा चितिरन्तरिक्षमु वै सर्व्वेषां भूतानामावपनमथोऽ अन्नं वै यजुष्मत्य ऽइष्टका ऽउदरं मध्यमा चितिरुदरे तदन्नं दधाति ॥ १८ ॥

तदाहुः। (नों) नोपदध्यान्नेदतिरेचयानीति स वाऽउपैव दध्यात्कामेभ्यो वाऽएताऽइष्टकाऽउपधीयन्ते न वै कामानामतिरिक्तमस्ति स वै नैवोपदध्यादेतावद्वाऽएतद्देवा ऽअकुर्व्वन् ॥ १९ ॥

इति चतुर्थप्रपाठके तृतीयं ब्राह्मणम् ॥ ८-४-३ ॥ (७. २.) ॥

खितवत्यस्तिस्त्रश्चितयः स्युः। त्रिवृतो हीमे लोकाः। अपरिमिताऽऽलिखिते द्वे। रसो हैते चिती। अपरिमित उ वै रसः। सर्वास्त्वेव त्र्यालिखितवत्यः स्युः। सर्वे ह्येवेमे लोकास्त्रिवृतः॥ १७॥

अयात इष्टकानामेवावपनस्य। यां कां च यजुष्मतीमिष्टकां विद्यात्-तां मध्यमायां चिता उपदध्यात्। अन्तरिक्षं वै मध्यमा चितिः। अन्तरिक्षमु वै सर्वेषां भूतानामावपनम्। अथो अन्नं वै यजुष्मत्य इष्टकाः, उदरं मध्यमा चितिः। उदरे तदन्नं दधाति ॥ १८ ॥

तदाहुः–नोपदध्यात्, नेदतिरेचयानीति। स वा उपैव दध्यात्। कामेभ्यो वा एता इष्टका उपधीयन्ते। न वै कामानामतिरिक्तमस्ति। स वै नैवोपदध्यात्। एतावद्वा एतद्देवा अकुर्वन् ॥ १९ ॥

त्पादमात्रता च हीयते सा तु केन वा पूरणकारेण चतुरस्रपादभागावतीयापादभागार्द्धपादभागचतुर्भागेषु(   ) सर्वे चैवेत्युक्तेर्द्दोषे (   ) पद्यास्वे तस्य चान्ततः स्वगृहीतासु तद्यतः संगृहीता अपि नैवास्तु पादभागोद्दिष्टाप्येकतः परित्यक्तं तच्चापि हि पादमात्रीत्वं प्रतिहतम्। यथा समिति अवधि प्रादेशमात्रीत्वमेककर्त्त एव निविष्टमिति मन्यमाने।(इदमेव अवोस्रपक्तं प्रसंगेन प्रतिष्ठा वै पादः ततः किं प्रथमावचितिः प्रतिष्ठाते मगस्यां विप्रकृष्टाऽनुरूपाः पादमात्रीरूपवित्यभिप्रायः यद्येवं ततः प्रतिष्ठोमेकायां प्रथमायामेव पादमात्र्यो नैवं तु पंचमी तु शिरः संस्तुता तस्यां किमिति पादमात्र इत्यत आह यो वैषादसहरिस्तुल्यपरिमाणत्वायोच्चरतावततः कियद्येवं एतदैवो भवति तदस्थिरः प्रादेशमात्रं प्रादेशहासस्तोहश्चपश्चापादस्तेन शिरोभूतान्यामपि पंचम्यां चितौ युक्त्या एव यामेव लिंगोत्युमेकैकस्य भेते नस्यां विप्रक्तितिष्ठानुरूपाः पादमात्रीरूपत्वादित्यभिप्रायः। लोकप्रत्यापुरीषं व्यपधीयते तेन यजुष्मत्यां अपि तदस्तीति व्यपदेक्ष्यते) ॥ १७ ॥

अथात इति। प्रसन्ने द्वे ॥ १८ ॥ १९ ॥

इति श्रीहरिस्वामिनः कृतौ माध्यन्दिनीयशतपथब्राह्मणभाष्येऽष्टमे काण्डे
सप्तमेऽध्याये द्वितीयं ब्राह्मणम् ॥ (८–७–२) ॥

अथ पुरीषं निवपति । माᳪंसं वै पुरीषं माᳪंसेनैवैनमेतत्प्रच्छादयतीष्टका ऽउपधायास्थीष्टका ऽअस्थि तन्माᳪंसैः संछादयति ॥ १ ॥

स वै स्वयमातृण्णायामावपति । प्राणो वै स्वयमातृण्णाऽन्नं पुरीषं प्राणे तदन्नं दधाति तेन सर्व्वमात्मानं प्रच्छादयति तस्माद्यत्प्राणेऽन्नं धीयते तत्सर्व्वमात्मानमवति सर्व्वमात्मानमनुव्येति ॥ २ ॥

न स्वयमातृण्णायामावपेदित्यु हैकऽआहुः । प्राणः स्वयमातृण्णा नेत्प्राणानपिदधानीति स वाऽएव व्वपेदन्नेन वै प्राणा व्विष्टब्धा यो वाऽअन्नं नात्ति सर्व्वे तस्य प्राणा रोहन्ति तद्यस्य ह तथा कुर्व्वन्ति यथा शुष्का सूर्मी सुषिरैवᳪं ह सोऽमुष्मिँल्लोके सम्भवति तस्मात्स्वयमातृण्णायामेव व्वपेत् ॥ ३ ॥

अथ पुरीषनिवपनम् ।

अथ पुरीषं निवपति । मांसं वै पुरीषम् । मांसेनैवैनमेतत्प्रच्छादयति । इष्टका उपधाया । अस्थीष्टकाः । अस्थि तन्मांसैः संछादयति ॥ १ ॥

स वै स्वयमातृण्णायामावपति । प्राणो वै स्वयमातृण्णा । अन्नं पुरीषम् । प्राणे तदन्नं दधाति । तेन सर्वमात्मानं प्रच्छादयति । तस्माद्यत्प्राणेऽन्नं धीयते—तत् सर्वमात्मानमवति, सर्वमात्मानमनुव्येति ॥ २ ॥

न स्वयमातृण्णायामावपेदित्यु हैके आहुः । प्राणः स्वयमातृण्णा । नेत्प्राणानपिदधानीति । स वा एव वपेत् । अन्नेन वै प्राणा विष्टब्धाः । यो वा अन्नं नात्ति—सं वै तस्य प्राणा रोहन्ति । तद् यस्य ह तथा कुर्वन्ति—यथा शुष्का सूर्मी सुषिरा—एवं ह सोऽमुष्मिल्लोके सम्भवति । तस्मात्स्वयमातृण्णायामेव वपेत् ॥ ३ ॥

अथ लोकंपृणायां पञ्चम्यां चितावुपदिष्टमाह—अथेति । 'अथ' लोकंपृणाधानस्यानन्तरं पुरीषं निवपति, अस्यामेव पञ्चम्यां चिताविति गम्यते । तथा च यदेतदूर्ध्वमुपरि पुरीषं सा एषा चितिः । अथ पञ्चमीं चितिमुपधाय पुरीषं निवपतीत्युत्तमायामपि चितौ पुरीषं दृश्यते । न च तस्यान्यद्विधानं किंचन अस्ति यथाऽन्यासु चितिषु पुरीषं निवपति तस्योपरि बन्धुरिति तस्मादुत्तमाया एवायं विधिरथ पुरीषं निवपतीति । मांसं वै पुरीषमित्यादिस्त्वर्थवादसाधारणस्योपरि बन्धुरिति वचनात् । मांसं पुरीषमिष्टकापेक्षया फल्गुत्वाद्वाप्याचलघुत्वात वाऽप्याल्पत्वाचेष्टका उपधाय सर्वास्वेव दर्शनायानुवाद अपीष्टकाकाठिन्यादंत्ययोरनन्तरत्वात् ॥ १ ॥

स वै स्वयमातृण्णायामिति । स्वयमातृण्णायाः स्वयमातृण्णादेशे मध्ये सर्वमेव पुरीषं प्रथमं तावदावपति । ततस्तेन सर्वमात्मानं प्रच्छादयति कस्मात्पुनः स्वयमातृण्णायाः प्रदेशो लक्ष्यते । सामर्थ्यादस्यां तावच्चितावपि स्वयमातृण्णोपधीयते । अन्यथा कथं तस्यां पुरीषमोप्येत ? अथ प्रथमतृतीयचितावेतदित्युच्यते । ततः 'तस्योपरि बन्धुः' इत्यनेनार्तवं सर्वविषयप्रत्ययो बाध्येत अपि च तत्रापि स वै स्वयमातृण्णां लोकंपृणया प्रच्छादयतीति प्रच्छन्नायां लोकंपृणायां(सौक्ष्म्यातपुरीषमशक्यामावापस्तुतस्मादवश्यं) स्वयमातृण्णादेशमध्ये आवपतीत्येतद-

(त्स्व) स्वयमातृण्णायामोप्य । (प्या) अनूक्यया संछादुयन्नैत्या परि-
श्रिद्भ्यः स तेनैव दक्षिणावृज्जघुनेन स्वयमातृण्णाᳬं संछादुयन्नैत्या पुन-
रनूक्यायै ॥ ४ ॥

(याऽआ) आत्मानमुग्रे संछादयति । (त्या) आत्मा ह्येवाग्रे सम्भु-
वतः सम्भवत्युथ दुक्षिणं पक्षमुथ पुच्छमथोत्तरं तुद्दक्षिणावृत्तद्धि देवत्रा॥५॥

स एषऽप्राणु ऽएव यत्पुरीषम् । (न्ते) तेन सुर्व्वमात्मानं प्रच्छादयति
सुर्व्वस्मिंस्तदात्मन्प्राणं दधाति तद्यद्धास्यैतदङ्गं नाभिप्राप्नुयात्प्राणो
हास्य तदुङ्गं नाभिप्राप्नुयाद्यदु वै प्राणोऽङ्गं नाभिप्राप्नोति शुष्यति
वावैतन्म्लायति वा तुस्मादेनᳬं सुर्व्वमेवैतेन प्रच्छादयेत् ॥ ६ ॥

(द्रि) इन्द्रं विश्वाऽअवीवृधन्निति । (ती) इन्द्रᳬं हि सुर्व्वाणि भूतानि
व्वर्धयन्ति समुद्रव्यचसं गिरऽइति महिमानमस्यैतुदाह रथीतमᳬं रथी-
नामिति रथितमो ह्येष रथिनां व्वाजानाᳬं सत्पतिं पतिमित्युन्नं वै

स्वयमातृण्णायामोप्य, अनूक्यया संछादयन्नैति–आ परिश्रिद्भ्यः । स तेनैव दक्षिणावृज्जघनेन स्वयमातृण्णां संछादयन्नैति–आ पुनरनूक्यायै ॥ ४ ॥

आत्मानमग्रे संछादयति । आत्मा ह्येवाग्रे सम्भवतः संभवति । अथ दक्षिणं पक्षम् । अथोत्तरम् । तद्दक्षिणावृत् । तद्धि देवत्रा ॥ ५ ॥

स एष प्राण एव–यत्पुरीषम् । तेन सर्वमात्मानं प्रच्छादयति । सर्वस्मिंस्तदात्मन् प्राणं दधाति । तद् यद्धास्यैतदङ्गं नाभिप्राप्नुयात्–प्राणो हास्य तदङ्गं नाभिप्राप्नुयात् । यदु वै प्राणोऽङ्गं नाभिप्राप्नोति–शुष्यति वावैतत्, म्लायति वा । तस्मादेनं सर्वमेतेन प्रच्छादयेत् ॥ ६ ॥

" इन्द्रं विश्वा अवीवृधन् "–इति । इन्द्रं हि सर्वाणि भूतानि वर्धयन्ति । " समुद्रव्यचसं गिरः "–इति । महिमानमस्यैतदाह । " रथीतमं रथीनाम् "–इति । रथितमो ह्येष रथिनाम् । " वाजानां सत्पतिं पतिम् "–(वा. सं. १५ । ६१) इति । अन्नं वै वाजाः । अन्नानां

म्युपगन्तव्यम् । प्राणो वै स्वयमातृण्णा मध्यवर्त्तित्वात् । अन्नं पुरीषं फलं कामयतीत्यर्थः । मध्ये तथा कुर्वन्ति । स्वयमातृण्णायामावपंति । स यथा शुष्कासु सूर्मीसु ईरिता दीर्घकाष्ठकोष्ठीसु रात्रिः सुषिरैरमस्मिँल्लोके सम्भवति सर्वपुरीषं स्वयमातृण्णादेशे कूटयित्वा अनूक्यया लेख्यया सहितं छन्दाः प्राङ्मुख एव यावत्यः परिश्रितः स तेनैव अनुवाकानुकारेण दक्षिणावृत्तं छादयंस्तावदेव यावत् सैषा जायेत ॥ २-४ ॥

आत्मानमग्रे संछादयतीति । प्रसन्ने द्वे ॥ ५ ॥ ६ ॥

इन्द्रं विश्वा अवीवृधन्निति । ऐन्द्रमिमं (पुरीषशरीरमयान्युक्ता मनं सर्वावारिनि) सामात्मिका वर्द्धयन्त्वित्यनेन मन्त्रार्थो दर्शित इति द्रष्टव्यम् । स इन्द्रं इति वचनात् ॥ ७ ॥

व्वाजाऽ अन्नानाᳪं सत्पतिं पतिमित्येतदैन्द्र्याऽनुष्टुभा निवपत्यैन्द्रᳪं हि पुरीषं तदेतदर्धमग्नेर्यत्पुरीषमर्धमैष्टकम् ॥ ७ ॥

(न्तु) तदाहुः । (यं) यत्सर्व्वैश्छन्दोभिः सर्व्वाभिर्देवताभिरिष्टका ऽउपदधात्यथैतदेकयैकदेवत्यया निवपति कथमेतदर्धमग्नेरितीन्द्रो वै सर्व्वान्देवान्प्रतिप्रतिस्तद्यदैन्द्र्या निवपति तेनैतदर्धमग्नेरथ यदनुष्टुभा व्वाग्वाऽअनुष्टुब्वाग्घि सर्व्वाणि च्छन्दाᳪंसि तेनोऽएवार्धम् ॥ ८ ॥

(मु) अथ विकर्णीं च स्वयमातृण्णां चोपदधाति । व्वायुर्वै व्विकर्णी द्यौरुत्तमा स्वयमातृण्णा व्वायुं च तद्दिवं चोपदधात्युत्तमेऽउपदधात्युत्तमे हि व्वायुश्च द्यौश्च सᳪंस्पृष्टे सᳪंस्पृष्टे हि व्वायुश्च द्यौश्च पूर्व्वां विकर्णीमुपदधात्यर्व्वाचीनं तद्दिवो व्वायुं दधाति तस्मादेषोऽर्व्वाचीनमेव व्वातः पवते ॥ ९ ॥

सत्पतिं पतिमित्येतत् । ऐन्द्र्याऽनुष्टुभा निवपति । ऐन्द्रं हि पुरीषम् । तदेतदर्धमग्नेः—यत्पुरीषम्, अर्धमैष्टकम् ॥ ७ ॥

तदाहुः—यत्सर्वैश्छन्दोभिः सर्वाभिर्देवताभिरिष्टका उपदधाति, अथैतदेकयैकदेवत्यया निवपति, कथमेतदर्धमग्नेरिति । इन्द्रो वै सर्वान्देवान्प्रतिप्रातिः । तद् यदैन्द्र्या निवपति—तेनैव तदर्धमग्नेः । अथ यदनुष्टुभा । वाग्वा अनुष्टुप् । वाग्घि सर्वाणि च्छन्दांसि । तेनो एवार्धम् ॥ ८ ॥

अथ विकर्णीं च स्वयमातृण्णां चोपदधाति । वायुर्वै विकर्णी । द्यौरुत्तमा स्वयमातृण्णा । वायुं च तद्दिवं चोपदधाति । उत्तमे उपदधाति । उत्तमे हि वायुश्च द्यौश्च । संस्पृष्टे । संस्पृष्टे हि वायुश्च द्यौश्च । पूर्वां विकर्णीमुपदधाति । अर्वाचीनं तद्दिवो वायुं दधाति । तस्मादेषोऽर्वाचीनमेव वातः पवते ॥ ९ ॥

तदाहुर्यत्सर्वैश्छन्दोभिरिति । "प्रकारे गुणवचनस्य" (पा. ८ । १ । १२) इति प्रतेर्द्विर्वचनं कर्मधारयवद्रूपमेतत्प्रतिप्रतिरिति । गुणवचनत्वं सादृश्ये वक्तव्यम् । इन्द्रः सर्वेषां देवानां सदृशः प्रतिरूपमित्यर्थः ॥ ८ ॥

अथ विकर्णीं चेति । विष्णोः स्थानाकाराश्छिद्राः शर्कराः स्वयमातृण्णाः स्वयंछिद्राः शर्करास्तयोः पुरीषस्योपधानमेताभिस्त्रयोदशभिः कण्डिकाभिः प्रपञ्च्यते । तत्र आद्या-तृतीया द्वादशी त्रयोदशी एताः साधारण्य एव द्वितीयया चतुर्थ्या विकर्ण्या किंचिदुच्यते । शिष्टाभिः स्वयमातृण्णायाः प्रायः (प्रारवावेता) पूर्वं प्रथमां विकर्णीमुपदधाति ॥ ९ ॥

१–प्रच्छाद्य पुरीषेण व्विकर्ण्यौ स्वयमातृण्णे शर्करे सँस्पृष्टे छिद्रे प्रोथदश्व इत्युत्तरां व्विकर्ण्यामायोष्ट्वेति स्वयमातृण्णां सङ्क्षिप्ते । का. श्रौ. सू. १७ । २६१–२६२ ।

य॒द्वेव॒ विक॑र्णीमुप॒दधा॑ति । य॒त्र वा॒ऽअदो॒ऽश्वं॒ चिति॑मव॒घ्राप॑यन्ति त॒दसा॒वादि॒त्यऽइ॒माँल्लो॒कान्त्सू॒त्रे स॑मा॒वय॑ते त॒द्यत्तत्सू॒त्रं वा॒युः स स यः स वा॒युरे॒षा सा विक॑र्णी त॒द्यदे॒ता॒मु॒प॒दधा॑त्य॒सावे॒व त॒दादि॒त्यऽ इ॒माँल्लो॒कान्त्सू॒त्रे स॑मा॒वय॑ते ॥ १० ॥

य॒द्वेव॒ विक॑र्णीं च स्वयमातृ॒ण्णां चो॑प॒दधा॑ति । (त्या) आ॒यु॒र्वै विक॑र्णी प्रा॒णः स्व॑यमातृ॒ण्णाऽऽयु॑श्च त॒त्प्रा॒णं चो॑प॒दधा॑त्युत्त॒मेऽउ॑प॒दधा॑त्युत्त॒मे ह्या॒युश्च॑ प्रा॒णश्च॒ स॒ᳫं स्पृ॒ष्टे स॒ᳫं स्पृ॒ष्टे ह्या॒युश्च॑ प्रा॒णश्च॒ पूर्वा॑मु॒त्तरां॒ विक॑र्णी॒मु॒प॒दधा॑त्या॒युषा॒ त॒त्प्रा॒णमु॒भय॑तः॒ परि॑गृह्णाति ॥ ११ ॥

प्रोथ॒दश्वो॒ न यव॑से । (सेऽवि) अ॒वि॒ष्यन्यदा॑ म॒हः सं॒वर॑णा॒द्व्यस्था॑त् । आ॒दस्य॒ वातो॒ऽअनु॑वाति शो॒चिर॑ध स्म ते॒ व्रज॑नं कृ॒ष्णम॒स्तीति य॒दा वा॒ऽएत॒स्य वातो॒ऽनु॒वाति॑ शो॒चिर॑थै॒तस्य॒ व्रज॑नं कृ॒ष्णं भ॑वति त्रि॒ष्टुभो॑प॒दधा॑ति

यद्वेव विकर्णीमुपदधाति । यत्र वा अदोऽश्वं चितिमवघ्रापयन्ति—तदसावादित्य इमांल्लोकान्त्सूत्रे समावयते । तद् यत्तत्सूत्रम्—वायुः सः । स यः स वायुः—एषा सा विकर्णी । तद् यदेतामुपदधाति—असावेव तदादित्य इमांल्लोकान्त्सूत्रे समावयते ॥ १० ॥

यद्वेव विकर्णीं च स्वयमातृण्णां चोपदधाति । आयुर्वै विकर्णी, प्राणः स्वयमातृण्णा । आयुश्च तत्प्राणं चोपदधाति । उत्तमे उपदधाति । उत्तमे ह्यायुश्च प्राणश्च । संस्पृष्टे । संस्पृष्टे ह्यायुश्च प्राणश्च । पूर्वामुत्तरां विकर्णीमुपदधाति । आयुषा तत्प्राणमुभयतः परिगृह्णाति ॥ ११ ॥

"प्रोथदश्वो न यवसेऽविष्यन् यदा महः संवरणाद्व्यस्थात् । आदस्य वातो अनु वाति शोचिरध स्म ते व्रजनं कृष्णमस्ति"—(वा. सं. १९ । ६२) इति । यदा वा एतस्य वातोऽनुवाति शोचिरथैतस्य व्रजनं कृष्णं भवति । त्रिष्टुभोपदधाति । त्रैष्टुभो हि वायुः ।

यद्वेव विकर्णीमिति । 'समावयते' समापूर्वकस्य "वेञ् तन्तुसन्ताने"—(धा. पा. भ्वा. उ. १० ३१) इत्येतस्य रूपम् । सूत्रस्योपरि सन्तनोति इत्यर्थः ॥ १० ॥

यद्वेव विकर्णीं च स्वयमातृण्णां चेति । 'आयुः' (स्वयमातृण्णा) विकर्णी आग्नेयेन मन्त्रेणोपधानात् । उत्तमे ह्यायुश्च प्राणश्चेति सर्वाङ्गे व्याधितेऽपि उत्तमेऽन्तकाले ( ) एवोपसंह्रियत इत्यभिप्रायमेतत् । 'सᳫंस्पृष्टे ह्यायुश्चेति' । प्राणाग्न्योरत्यन्तसम्पर्कं दर्शयति—पूर्वां क्रमतः उत्तरां दैवतः । उत्तरपार्श्वे स्वयमातृण्णायाः, विकर्णीमुपदधाति । आयुषाऽग्निना तत्प्राणं वायुमुभयोः पूर्वतः उत्तरतश्च परिगृह्णाति । कायाग्निं परित एव प्राणो मध्ये संचरति इत्यभिप्रायः ॥ ११ ॥

प्रोथदश्व इति । अश्वो यदा तावद्वायुर्व्यस्थात् प्रकाशीभवति । इति दर्शनं तदा योनेः शोचिरधः

त्रैष्टुभो हि व्वायुराग्नेय्याऽग्निकर्म ह्यनिरुक्तयाऽनिरुक्तो हि व्वायुरथ यद्वात इत्याह व्वातो हि व्वायुः ॥ १२ ॥ (शतम् ४७००) ॥

(ग) अथ स्वयमातृण्णामुपदधाति । (त्या) आयोष्ट्वा सदने सादयामीत्येष व्वाऽआयुस्तस्यैतत्सदनमवतऽइत्येष हीदᳬ सर्व्वमवति च्छायायामित्येतस्य हीदᳬ सर्व्वं छायायाᳬ समुद्रस्य हृदय ऽइति समुद्रस्य ह्येतद्धृदयᳬ रश्मीवतीं भास्वतीमिति रश्मीवती हि द्यौर्भास्वत्या या द्यां भास्या पृथिवीमोर्व्वन्तरिक्षमित्येवᳬ ह्येष ऽइमाँल्लोकानाभाति ॥ १३ ॥

परमेष्ठी त्वा सादयत्विति । परमेष्ठी ह्येतां पञ्चमीं चितिमपश्यत् ॥ १४ ॥

(घ) यद्वेव परमेष्ठिनोपदधाति । प्रजापतिं व्विस्रस्तं देवताऽ आदाय व्युदक्रामंस्तस्य परमेष्ठी शिर ऽआदायोत्क्रम्यातिष्ठत् ॥ १५ ॥

आग्नेय्या अग्निकर्म हि । अनिरुक्तया । अनिरुक्तो हि वायुः । अथ यद्वात इत्याह—वातो हि वायुः ॥ १२ ॥

अथ स्वयमातृण्णामुपदधाति । “ आयोष्ट्वा सदने सादयामि ”—इति । एष वा आयुः । तस्यैतत्सदनम् । “ अवतः ”—इति । एष हीदं सर्वमवति । “ छायायाम् ”—इति । एतस्य हीदं सर्वं छायायाम् । “ समुद्रस्य हृदये ”—इति । समुद्रस्य ह्येतद्धृदयम् । “ रश्मीवतीं भास्वतीम् ”—इति । रश्मीवती हि द्यौः, भास्वती । “आ या द्यां भास्या पृथिवीमोर्वन्तरिक्षम् ”—(वा० सं० १५ । ६३) इति । एवं ह्येष इमांल्लोकानाभाति ॥ १३ ॥

“ परमेष्ठी त्वा सादयतु ”—इति । परमेष्ठी ह्येतां पञ्चमीं नितिमपश्यत् ॥ १४ ॥

यद्वेव परमेष्ठिनोपदधाति । प्रजापतिं विस्रस्तं देवता आदाय व्युदक्रामन् । तस्य परमेष्ठी शिर आदायोत्क्रम्यातिष्ठत् ॥ १५ ॥

(अनेन वाविनयस्तामसूपदधाति) इति मन्त्रार्थः । उपहर्त्तव्यः यदा वायुरग्निः विकर्णीति दर्शनं तदा यस्य प्रोथत् शोचिरधः वाति यस्य च भजनं कृष्णं भवति तामहमुपदधामीति ॥ १२ ॥

अथ स्वयमातृण्णामिति । (स्वयमातृण्णामायुरमादित्ययसाश्वेः तदातथ) एष आदित्य इदं जगत् सर्वमवति रक्षति न प्रकाशादिना ह्येतस्य आदित्यस्येति (दवं रार्वधायया) अयननिमित्तं वर्त्तते । तदनु च निमित्तस्य वृत्तिः समुद्राद्युदकस्यैतदयं हृदयमिति तत्तु न बहिर्द्यौरिति द्यौः सेयं स्वयमातृण्णा इत्यभिप्रायः । एवं हि सहितानि लोकानि यः सविताऽऽभाति तत्त्वया (   ) भास्वतीमिति मंत्रे द्यौरिष्टकासक्ता कथं ब्राह्मणा । एवं ह्येतदादित्यो विधृत्य नैष दोषः । न हि द्यौरिष्टा साऽऽभाति किं तर्हि आदित्यसम्पर्कात् तनू य (। दिव इति एवं भाव एव ब्राह्मणरक्षणे दर्शितः । ‘ ह्येष इमाँल्लोकानाभाति ’ तत्संपर्काद्द्यौरिष्टका चेत्यर्थः ॥ १३ ॥

परमेष्ठी त्वेति । षट् प्रसन्नाः ॥ १४–१९ ॥

(त्तु) तुमब्रवीत् (ङु) उुप मेहि प्रुति मऽएतुद्धेहि येन मे त्वमुदक्रमी-
रिति किं मे तुतो भविष्यतीति त्वद्देवुत्यमेवु मऽएतुदात्मुनो भविष्यतीति
तथेति तुदस्मिन्नेतुत्परमेष्ठी प्रुत्यदधात् ॥ १६ ॥

(त्तु) तुद्यैषोत्तमा स्वयमातृण्णा । (ण्णे) एतुदस्य तुदात्मुनस्तद्यु-
देतामुत्रोपदुधाति युदेवास्यैषाऽऽत्मुनस्तुदस्मिन्नेतत्प्रतिदधाति तुस्मादेता-
मत्रोपदधाति ॥ १७ ॥

दिवुस्पृष्ठे व्युचस्वतीं प्रुथस्वतीमिति । दिवो ह्येतुत्पृष्ठं व्युचस्व-
त्प्रुथस्वद्दिवं यच्छ दिवं दृꣳह दिवं मा हिꣳसीरित्यात्मानं यच्छात्मानं
दृꣳहात्मानं मा हिꣳसीरित्येतत् ॥ १८ ॥

(द्वि)विश्वस्मै प्राणायापानाय व्यानायोदानायेति प्राणो वै स्वयमातृण्णा
सुर्व्वस्माऽउ वाऽएतस्मै प्राणः प्रतिष्ठायै चरित्रायेतीमे वै लोकाः स्वय-
मातृण्णाऽइमुऽउ लोकाः प्रतिष्ठा चरित्रꣳ सूर्यस्त्वाऽभिपात्विति सूर्यस्त्वाऽ
भिगोपायत्वित्येतुन्मह्या स्वस्त्येति महत्या स्वस्त्येत्येतुच्छिर्दिषा शंत-
मेनेति युच्छार्दिः शंतमं तेनेत्येतत् ॥ १९ ॥

(न्ना) नानोपदधाति । नाना हि व्वायुश्च द्यौश्च सकृत्सादयति समानं

तमब्रवीत्—उप मेहि, मति म एतद्धेहि, येन मे त्वमुदक्रमीरिति। किं मे ततो भविष्यतीति। त्वद्देवत्यमेव म एतदात्मनो भविष्यतीति। तथेति। तदस्मिन्नेतत् परमेष्ठी मत्यदधात् ॥ १६ ॥

तद् यैषोत्तमा स्वयमातृण्णा—एतदस्य तदात्मनः। तद् यदेतामत्रोपदधाति—यदेवास्यैषाऽऽत्मनः—तदस्मिन्नेतत्प्रतिदधाति। तस्मादेतामत्रोपदधाति ॥ १७ ॥

“ दिवस्पृष्ठे व्यचस्वतीं प्रथस्वतीम् ”–इति । दिवो ह्येतत्पृष्ठं व्यचस्वत्प्रथस्वत् । “ दिवं यच्छ, दिवं दृंह, दिवं मा हिंसीः ”–इति। आत्मानं यच्छ, आत्मानं दृंह, आत्मानं मा हिंसीरित्येतत् ॥ १८ ॥

“ विश्वस्मै प्राणायापानाय व्यानायोदानाय ”–इति। प्राणो वै स्वयमातृण्णा। सर्वस्मा उ वा एतस्मै प्राणः। “ प्रतिष्ठायै चरित्राय ”–इति। इमे वै लोकाः स्वयमातृण्णा, इम उ लोकाः प्रतिष्ठा चरित्रम् । “ सूर्यस्त्वाऽभिपातु ”–इति। सूर्यस्त्वाऽभिगोपायत्वित्येतत् । “ मह्या स्वस्त्या ”–इति। महत्या स्वस्त्येत्येतत्। “ छर्दिषा शंतमेन ”–(वा. सं. १९। ६४) इति। यच्छार्दिः शंतमं तेनेत्येतत् ॥ १९ ॥

नानोपदधाति। नाना हि वायुश्च द्यौश्च। सकृत् सादयति। समानं तत्करोति। समानं ह्यायुश्च

स प्राणो विभूत इति। प्राणत्वमतः प्राणकारणत्वात्प्राणः। नान्यस्य तु याव सोधिका ( ) मातः स

तुत्करोति समानꣳ ह्युवायुश्च प्राणश्च ते वाऽउभेऽएव शर्करे भवतऽउभे स्वयमातृण्णे समानꣳ ह्येवायुश्च प्राणश्चाथैने सूददोहसाऽधिवदति प्राणो वै सूददोहाः प्राणेनैवैनेऽएतत्संतनोति संदधाति ॥ २० ॥

ताऽ अस्य सूददोहस ऽइति । (त्या) आपो वै सूदोऽन्नं दोहः सोमꣳ श्रीणन्ति पृश्नय इत्युन्नं वै पृश्नि जन्मन्देवानामिति संवत्सरो वै देवानां जन्म विश ऽइति यज्ञो वै विशो यज्ञे हि सर्वाणि भूतानि विष्टानि त्रिष्वा रोचने दिव ऽइति सवनानि वै त्रीणि रोचनानि सवनान्येतदाहानुष्टुभा वाग्वाऽअनुष्टुब्वागु सर्वे प्राणा वाचा चैवैनेऽएतत्प्राणेन च संतनोति संदधाति सा वाऽएषैका सती सूददोहाः सर्वाऽ इष्टका ऽअनुसंचरति प्राणो वै सूददोहास्तस्मादयमेक ऽएव प्राणः सन्त्सर्वाण्युङ्गानि सर्वमात्मानमनुसंचरति ॥ २१ ॥

इति चतुर्थप्रपाठके चतुर्थं ब्राह्मणम् ॥ ८-४-४ ॥ (७. ३.) ॥

प्राणश्च । ते वा उभे एव शर्करे भवतः । उभे स्वयमातृण्णे—समानं ह्येवायुश्च प्राणश्च । अथैने सूददोहसाऽधिवदति । प्राणो वै सूददोहाः । प्राणेनैवैने एतत्सन्तनोति, सन्दधाति ॥ २० ॥

"ता अस्य सूददोहसः"–इति । आपो वै सूदः, अन्नं दोहः । "सोमं श्रीणन्ति पृश्नयः"–इति । अन्नं वै पृश्नि । "जन्मन्देवानाम्"–इति । संवत्सरो वै देवानां जन्म । "विशः"–इति । यज्ञो वै विशः । यज्ञे हि सर्वाणि भूतानि विष्टानि । "त्रिष्वा रोचने दिवः"–(वा. सं. १९ । ६०) इति । सवनानि वै त्रीणि रोचनानि । सवनान्येतदाह । अनुष्टुभा । वाग्वा अनुष्टुप् । वागु सर्वे प्राणाः । वाचा चैवैने एतत्प्राणेन च सन्तनोति, सन्दधाति । सा वा एषैका सती सूददोहाः सर्वा इष्टका अनुसंचरति । प्राणो वै सूददोहाः । तस्मादयमेक एव प्राणः सन् सर्वाण्यङ्गानि, सर्वमात्मानमनुसंचरति ॥ २१ ॥

लोकमागता अपस्ता अस्य यजमानस्य या अपः (?) ति प्रापयानि त्रीणि सवनानि तेषु (प. सूता) दधामीत्येतस्य समुदायार्थसिद्ध्यर्थं च पदार्थानाचष्टे । आपो वै तदा तद्दक्षिणकरणे स्यन्दतीति सूदः स्थानसंघातस्तदाह—संवोदकः संघातः कार्याद्यभावेन परिणत उपजीव्यत्वादन्नं वृत्त इति दोहः । तदुदकसंघातो दोहः । कार्यं चासां सूक्ष्माणामुपात्तानां सूददोहस इत्यभिप्रायः । एतदस्य दिवस्पते अन्नं वै पृश्नि प्राप्य नानावर्णं राहींवान्नानि अद्यापि पृश्नय इत्यभिप्रायः । संवत्सरो वै यज्ञोत्पन्नानां देवानां तस्माद्धि तद्देवत्वं लभते । विश इति षष्ठी ।. सवनसम्बन्धजनितारः सवनानीति सवनरोचत इति वचनव्यत्ययं दर्शयति । वाचा चैवैने एतत्प्राणेनेति । सर्वं प्राणानामेव एष स्थितिकारणेन सन्धीयमानत्वात् । ( ) प्राणा हि ता एव भवन्ति ताश्च वाचा वाक्यमुखैः प्राणैः प्राणेनैव मान्यो एकः नैतन्मनः तिर्यक् सूददोहसा

अथ स्वयमातृण्णासु सामानि गायति । (ती) इमे वै लोकाः स्वयमातृण्णास्ता ऽएताः शर्करास्ता देवा ऽउपधायैतादृशीरेवापश्यन्युथैताः शुष्काः शर्कराः ॥ १ ॥

(स्ते) तेऽब्रुवन् । (न्नु) उप तज्जानीत युथैषु लोकेषु रसमुपजीवनं दधामेति तेऽब्रुवंश्चेतयध्वमिति चितिमिच्छतेति वाव तदब्रुवंस्तदिच्छत युथैषु लोकेषु रसमुपजीवनं दधामेति ॥ २ ॥

ते चेतयमानाः । (ऽ) एतानि सामान्यपश्यंस्तान्यगायंस्तैरेषु लोकेषु रसमुपजीवनमदधुस्तथैवैतद्यजमानो यदेतानि सामानि गायत्येष्वेवैतल्लोकेषु रसमुपजीवनं दधाति ॥ ३ ॥

स्वयमातृण्णासु गायति । (ती) इमे वै लोकाः स्वयमातृण्णाऽ एष्वेवैतल्लोकेषु रसमुपजीवनं दधाति ॥ ४ ॥

स वै भूर्भुवः स्वरिति । (त्ये) एतासु व्याहृतिषु गायति भूरिति वाऽअयं लोको भुवऽ इत्यन्तरिक्षलोकः स्वरित्यसौ लोकऽएष्वेवैतल्लोकेषु रसमुपजीवनं दधाति ॥ ५ ॥

अथ स्वयमातृण्णासु सामानि गायति । इमे वै लोकाः स्वयमातृण्णाः । ता एताः शर्कराः । ता देवा उपधायैतादृशीरेवापश्यन्—यथैताः शुष्काः शर्कराः ॥ १ ॥

तेऽब्रुवन्—उप तज्जानीत—यथैषु लोकेषु रसमुपजीवनं दधामेति । तेऽब्रुवन्—चेतयध्वमिति । चितिमिच्छतेति वाव तदब्रुवन् । तदिच्छत—यथैषु लोकेषु रसमुपजीवनं दधामेति ॥ २ ॥

ते चेतयमाना एतानि सामान्यपश्यन् । तान्यगायन् । तैरेषु लोकेषु रसमुपजीवनमदधुः । तथैवैतद्यजमानो यदेतानि सामानि गायति—एष्वेवैतल्लोकेषु रसमुपजीवनं दधाति ॥ ३ ॥

स्वयमातृण्णासु गायति । इमे वै लोकाः स्वयमातृण्णाः । एष्वेवैतल्लोकेषु रसमुपजीवनं दधाति ॥ ४ ॥

स वै "भूर्भुवः स्वः"—इति एतासु व्याहृतिषु गायति । भूरिति वाऽअयं लोकः, भुव इत्यन्तरिक्षलोकः, स्वरित्यसौ लोकः । एष्वेवैतल्लोकेषु रसमुपजीवनं दधाति ॥ ५ ॥

संदधाति सा वा एषैका सतीति सामान्यो विधिः । अथ त्वायाहि (   ) योन्ते च सर्वत्र विसृष्टो विधिः । किमिति क्लिष्टेन कल्पितेनेति ततस्तस्यायमर्थवादो द्रष्टव्यः ॥ २० ॥ २१ ॥

इति श्रीहरिस्वामिनः कृतौ माध्यन्दिनीयशतपथब्राह्मणभाष्येऽष्टमेकाण्डे सप्तमेऽध्याये
तृतीयं ब्राह्मणम् ॥ (८–७–३) ॥

अथ साम गायतीति वक्तव्ये—स्वयमातृण्णासु सामानि गायतीति पूर्वोक्तोऽप्युपन्यासो ब्राह्मणस्य साधारण्यार्थः । अथ च द्विविधोक्तिः स्वयमातृण्णासामगानस्योत्तरार्थं तु वचनद्वयमिति द्रष्टव्यम् । तदाऽन्तरिक्षलोकं-

---

१--सत्यसाम गायति । का. श्रौ. सू. । १७ । ७२ ।

तानि वै नानाप्रस्तावानि । समाननिधनानि तानि यन्नानाप्रस्तावानि नाना ह्यपश्यन्नथ यत्समाननिधनान्येका ह्येव यज्ञस्य प्रतिष्ठैकं निधनꣳ स्वर्ग एव लोकस्तस्मात्स्वर्ज्योतिर्निधनानि ॥ ६ ॥

(न्यु)अथैनꣳ हिरण्यशकलैः प्रोक्षति । (त्यु) अत्रैष सर्वोऽग्निः संस्कृतस्तस्मिन्देवा ऽएतदमृतꣳ रूपमुत्तममदधुस्तथैवास्मिन्नयमेतदमृतꣳ रूपमुत्तमं दधाति ॥ ७ ॥

यद्वेवैनꣳ हिरण्यशकलैः प्रोक्षति । (त्ये) एतद्वाऽअस्मिन्नदोऽमूं पुरस्ताद्रुक्म्यां तनूं मध्यतो दधाति रुक्मं च पुरुषं चाथैनमेतत्सर्वमेवोपरिष्टाद्रुक्म्यया तन्वा प्रच्छादयति ॥ ८ ॥

द्वाभ्यां द्वाभ्याꣳ शताभ्याम् । (न्द्वि) द्विपाद्यजमानो यजमानोऽग्निर्यावानाग्निर्यावत्यस्य मात्रा तावतैवास्मिन्नेतदमृतꣳ रूपमुत्तमं दधाति

तानि वै नानाप्रस्तावानि, समाननिधनानि । तानि यन्नानाप्रस्तावानि-नाना ह्यपश्यन् । अथ यत्समाननिधनानि-एका ह्येव यज्ञस्य प्रतिष्ठा, एकं निधनं स्वर्ग एव लोकः । तस्मात्स्वर्ज्योतिर्निधनानि ॥ ६ ॥

अथैनं हिरण्यशकलैः प्रोक्षति । अत्रैष सर्वोऽग्निः संस्कृतः । तस्मिन्देवा एतदमृतं रूपमुत्तममदधुः । तथैवास्मिन्नयमेतदमृतं रूपमुत्तमं दधाति ॥ ७ ॥

यद्वेवैनं हिरण्यशकलैः प्रोक्षति । एतद्वा अस्मिन्नदोऽमूं पुरस्ताद्रुक्म्यां तनूं मध्यतो दधाति-रुक्मं च पुरुषं च । अथैनमेतत्सर्वमेवोपरिष्टाद्रुक्म्यया तन्वा प्रच्छादयति ॥ ८ ॥

द्वाभ्यां द्वाभ्यां शताभ्याम् । द्विपाद्यजमानः । यजमानोऽग्निः । यावानग्निर्यावत्यस्य मात्रा-तावतैवास्मिन्नेतदमृतं रूपमुत्तमं दधाति । पञ्चकृत्वः । पञ्चचितिकोऽग्निः । पञ्चऽर्तवः सम्वत्सरः ।

पूर्णात्राक्येऽप्यस्या (वेषनीति) द्रष्टव्यः । प्रसन्नप्रायाश्चैताः षट् कण्डिकाः । 'नाना' पृथग्भूताः प्रस्तावाः येषामिति नानाप्रस्तावानि भूर्भुवः स्वरित्यनेन हि नानाप्रारम्भास्तेषां समानं निधनं समाप्तिः एषामिति समाननिधनानि स्वर्ज्योतिरित्येषा (एवायमपि चैषामेतानि समाख्यानादध्वर्युः । एवमन्नदमर्दति शेषवचनमुद्रा नास्ति ।) एका ह्येव यज्ञस्य प्रतिष्ठा ( ) प्रतिनिधिः कार्यः तस्याः चितिं प्रयतिष्यामि यतः ( ) तस्मिन्निति च नाकं तु स्वर्ग एव लोकस्तस्मादेतत्स्वर्ज्योतिरित्येतन्निधनानि ॥ १-६ ॥

अथैनं हिरण्यशकलैरिति । प्रसन्नाः चतस्रः ॥ ७-१० ॥

१-पुरस्ताभिहोमवत् तिष्ठन्नग्निं प्रोक्षति हिरण्यशकलसहस्रेण शते द्वे द्वे प्रकिराति सहस्रस्येति प्रतिमंत्रं२ सहस्रस्येति प्रतिमंत्रम् । का. श्रौ. सू. १७ । २६३ ॥

पुञ्चकृत्वः पुञ्चचितिकोऽग्निः पुञ्चऽर्तुवः संव्वत्सरः संव्वत्सरोऽग्निर्यावान- ग्निर्यावत्यस्य मात्रा तावतैवास्मिन्नेतदमृतꣳ रूपमुत्तमं दधाति सहस्रेण सुर्व्वं वै सहस्रꣳ सुर्व्वेणैवास्मिन्नेतदमृतꣳ रूपमुत्तमं दधाति ॥ ९ ॥

पश्चादग्रे प्राङ्तिष्ठन् । (न्त्र) अथोत्तरतो दक्षिणाऽथ पुरस्तात्प्रत्य- ङ्ङथ जघनेन परीत्य दक्षिणतऽ उदङ्तिष्ठंस्तद्दक्षिणावृत्तद्धि देवत्राऽथा- नुपरीत्य पश्चात्प्राङ्तिष्ठंस्तथो हास्यैतत्प्रागेव कर्म कृतं भवति ॥ १० ॥

सहस्रस्य प्रमाऽसि । सहस्रस्य प्रतिमाऽसि सहस्रस्योन्माऽसि साहस्रोऽसि सहस्राय त्वेति सुर्व्वं वै सहस्रꣳ सुर्व्वमासि सुर्व्वस्मै त्वेत्येतत् ॥ ११ ॥

(द) अथातश्चितिपुरीषाणामेव मीमाꣳसा । (साऽयु) अयमेव लोकः प्रथमा चितिः पशवः पुरीषं यत्प्रथमां चितिं पुरीषेण प्रच्छादयतीमं तल्लोकं पशुभिः प्रच्छादयति ॥ १२ ॥

(त्य) अन्तरिक्षमेव द्वितीया चितिः । (र्व्वु) व्वयाꣳसि पुरीषं यद्द्वि- तीयां चितिं पुरीषेण प्रच्छादयत्यन्तरिक्षं तद्वयोभिः प्रच्छादयति ॥ १३ ॥

सम्वत्सरोऽग्निः । यावानग्निर्यावत्यस्य मात्रा—तावतैवास्मिन्नेतदमृतं रूपमुत्तमं दधाति । सहस्रेण । सर्वं वै सहस्रम् । सर्वेणैवास्मिन्नेतदमृतं रूपमुत्तमं दधाति ॥ ९ ॥

पश्चादग्रे प्राङ् तिष्ठन् । अथोत्तरतो दक्षिणा । अथ पुरस्तात्प्रत्यङ् । अथ जघनेन परीत्य दक्षिणत उदङ् तिष्ठन् । तद्दक्षिणावृत् । तद्धि देवत्रा । अथानुपरीत्य पश्चात्प्राङ् तिष्ठन् । तथो हास्यैतत्प्रागेव कर्म कृतं भवति ॥ १० ॥

"सहस्रस्य प्रमाऽसि, सहस्रस्य प्रतिमाऽसि, सहस्रस्योन्माऽसि, साहस्रोऽसि, सह- स्राय त्वा"–(वा. सं. १५ । ६५) इति । सर्वं वै सहस्रम् । सर्वमसि सर्वस्मै त्वेत्येतत् ॥ ११ ॥

(१) अथातश्चितिपुरीषाणामेव मीमांसा । अयमेव लोकः प्रथमा चितिः । पशवः पुरीषम् । यत्प्रथमां चितिं पुरीषेण प्रच्छादयति—इमं तल्लोकं पशुभिः प्रच्छादयति ॥ १२ ॥

(२) अन्तरिक्षमेव द्वितीया चितिः । वयांसि पुरीषम् । यद्द्वितीयां चितिं पुरीषेण प्रच्छादयति— अन्तरिक्षं तद्वयोभिः प्रच्छादयति ॥ १३ ॥

सहस्रस्य प्रमाऽसीत्येते पञ्च मन्त्राः ॥ ११ ॥

अथातश्चितिपुरीषाणामिति । सप्तभिरेताभिरेव चितिभिः पुरुषविषयाणि दर्शनान्तराण्युच्यन्ते ॥ १२–१८ ॥

द्यौरेव तृतीया चितिः । (नुं) नक्षत्राणि पुरीषं यत्तृतीयां चितिं पुरीषेण प्रच्छादयति दिवं तन्नक्षत्रैः प्रच्छादयति ॥ १४ ॥

यज्ञऽएव चतुर्थी चितिः । (ईं) दक्षिणाः पुरीषं यच्चतुर्थीं चितिं पुरीषेण प्रच्छादयति यज्ञं तद्दक्षिणाभिः प्रच्छादयति ॥ १५ ॥

यजमानऽ एव पञ्चमी चितिः । प्रजा पुरीषं यत्पञ्चमीं चितिं पुरीषेण प्रच्छादयति यजमानं तत्प्रजया प्रच्छादयति ॥ १६ ॥

स्वर्गऽ एव लोकः षष्ठी चितिः । (दें) देवाः पुरीषं यत्षष्ठीं चितिं पुरीषेण प्रच्छादयति स्वर्गं तल्लोकं देवैः प्रच्छादयति ॥ १७ ॥

(त्य) अमृतमेव सप्तमी चितिः । (स्ता) तामुत्तमामुपदधात्यमृतं तदस्य सर्व्वस्योत्तमं दधाति तस्मादस्य सर्व्वस्यामृतमुत्तमं तस्माद्देवाऽ अनन्तर्हितास्तस्मादु तेऽमृताऽ इत्याधिदेवतम् ॥ १८ ॥

(मु) अथाध्यात्मम् । यैवेयं प्रतिष्ठा यश्चायमवाङ्प्राणस्तत्प्रथमा चितिर्मा-ꣳसं पुरीषं यत्प्रथमां चितिं पुरीषेण प्रच्छादयत्येतदस्य तदात्मनो माꣳसैः संछादयतीष्टका ऽउपधायास्थीष्टकाऽ अस्थि तन्माꣳसैः संछादयति नाधस्तात्संछादयति तस्मादिमे प्राणा ऽअधस्तादसंछन्ना ऽउपरिष्टात्तु

---

(३) द्यौरेव तृतीया चितिः । नक्षत्राणि पुरीषम् । यत्तृतीयां चितिं पुरीषेण प्रच्छादयति–दिवं तन्नक्षत्रैः प्रच्छादयति ॥ १४ ॥

(४) यज्ञ एव चतुर्थी चितिः । दक्षिणाः पुरीषम् । यच्चतुर्थीं चितिं पुरीषेण प्रच्छादयति–यज्ञं तद्द दक्षिणाभिः प्रच्छादयति ॥ १५ ॥

(५) यजमान एव पञ्चमी चितिः । प्रजा पुरीषम् । यत्पञ्चमीं चितिं पुरीषेण प्रच्छादयति–यजमानं तत् प्रजया प्रच्छादयति ॥ १६ ॥

(६) स्वर्ग एव लोकः षष्ठी चितिः । देवाः पुरीषम् । यत् षष्ठीं चितिं पुरीषेण प्रच्छादयति–स्वर्गं तल्लोकं देवैः प्रच्छादयति ॥ १७ ॥

(७) अमृतमेव सप्तमी चितिः । तामुत्तमामुपदधाति । अमृतं तदस्य सर्वस्योत्तमं दधाति । तस्मादस्य सर्वस्यामृतमुत्तमम् । तस्माद्देवा अनन्तर्हिताः । तस्मादु तेऽमृता इत्याधिदेवतम् ॥ १८ ॥

(१) अथाध्यात्मम्–यैवेयं प्रतिष्ठा, यश्चायमवाङ् प्राणः–तत्प्रथमा चितिः । मांसं पुरीषम् । यत्प्रथमां चितिं पुरीषेण प्रच्छादयति–एतदस्य तदात्मनो मांसैः संछादयति। इष्टका उपधाय । अस्थीष्टकाः । अस्थि तन्मांसैः संछादयति । नाधस्तात्संछादयति । तस्मादिमे प्राणा अधस्तादसंछन्नाः । उपरि-

---

अथाध्यात्मम् । एताभिराध्यात्मिकानि दर्शनान्युच्यन्ते ॥ १९–२१ ॥

प्रच्छादयत्येतुदस्य तदात्मनऽ उपुरिष्टान्माᳫँसैः संछादयति तुस्मा-द्स्यैतुदात्मनऽ उपुरिष्टान्माᳫँसैः संछन्नं नावकाशते ॥ १९ ॥

यदूर्ध्वं प्रतिष्ठायाऽअवाचीनं मध्यात् । (स) तद्द्वितीया चितिर्माᳫँसं पुरीषं यद्द्वितीयां चितिं पुरीषेण प्रच्छादयत्येतुदस्य तदात्मनो माᳫँसैः संछादयतीष्टकाऽ उपधायास्थीष्टकाऽअस्थि तन्माᳫँसैः संछादयति पुरीषऽउपदधाति पुरीषेण प्रच्छादयत्येतुदस्य तदात्मनऽ उभयतो माᳫँसैः संछादयति तुस्मादस्यैतुदात्मन ऽउभयतो माᳫँसैः संछन्नं नावकाशते २०

मध्यमेव तृतीया चितिः । (यं) यदूर्ध्वं मध्यादवाचीनं ग्रीवाभ्यस्त-च्चतुर्थी चितिर्ग्रीवाऽ एव पञ्चमी चितिः शिरऽ एव षष्ठी चितिः प्राणाऽ एव सप्तमी चितिस्तामुत्तमामुपदधाति प्राणास्तुदस्य सर्वस्योत्तमान्दधाति तुस्मादस्य सर्वस्य प्राणाऽ उत्तमाः पुरीषऽउपदधाति माᳫँसं वै पुरीषं माᳫँसेन तत्प्राणान्प्रतिष्ठापयति नोपुरिष्टात्प्रच्छादयति तुस्मादिमे प्राणाऽ उपुरिष्टादसंछन्नाः ॥ २१ ॥

इति चतुर्थप्रपाठके पञ्चमं ब्राह्मणम् ॥ ८॥४–५ ॥ (७. ४.) ॥

इति चतुर्थः प्रपाठकः समाप्तः ॥ ८॥४ ॥ (कण्डिकासंख्या १०९)

इति सप्तमोऽध्यायश्च समाप्तः ॥ ८ ॥ ७ ॥

अस्मिन्काण्डे कण्डिकासंख्या ॥ ४३७ ॥

इति माध्यन्दिनीये शतपथब्राह्मणे चितिनामकमष्टमं काण्डं समाप्तम् ॥ ८ ॥

ष्टाच्च प्रच्छादयति । एतदस्य तदात्मन उपरिष्टान्मांसैः संछादयति । तस्मादस्यैतदात्मन उपरिष्टान्मांसैः संछन्नं नावकाशते ॥ १९ ॥

(२) यदूर्ध्वं प्रतिष्ठायाः, अवाचीनं मध्यात्–तद्द्वितीया चितिः । मांसं पुरीषम् । यद्द्वितीयां चितिं पुरीषेण प्रच्छादयति–एतदस्य तदात्मनो मांसैः संछादयति । इष्टका उपधाय । अस्थीष्टकाः । अस्थि तन्मांसैः संछादयति । पुरीष उपदधाति, पुरीषेण प्रच्छादयति । एतदस्य तदात्मन उभयतो मांसैः संछादयति । तस्मादस्यैतदात्मन उभयतो मांसैः संछन्नं नावकाशते ॥ २० ॥

(३) मध्यमेव तृतीया चितिः (४) । यदूर्ध्वं मध्यादवाचीनं ग्रीवाभ्यः तच्चतुर्थी चितिः । (५) ग्रीवा एव पञ्चमी चितिः । (६) शिर एव षष्ठी चितिः । (७) प्राणा एव सप्तमी चितिः ।

तामुत्तमामुपदधाति—प्राणांस्तदस्य सर्वस्योत्तमान्दधाति । तस्मादस्य सर्वस्य प्राणा उत्तमाः । पुरीष उपदधाति । मांसं वै पुरीषम् । मांसेन तत्प्राणान्प्रतिष्ठापयति । नोपरिष्टात्प्रच्छादयति । तस्मादिमे प्राणा उपरिष्टादसंछन्नाः ॥ २१ ॥

इत्याहवनीयाग्निचयनं समाप्तम् ।

* इति श्रीहरिस्वामिनः कृतौ माध्यन्दिनीयशतपथब्राह्मणभाष्येऽष्टमे काण्डे सप्तमेऽध्याये चतुर्थं ब्राह्मणम् ॥ (८–७–४) ॥

इति सप्तमोऽध्यायश्च समाप्तः ॥ (८–७) ॥

इति समाप्तमिदमष्टमं चितिकाण्डम् ॥ ८ ॥

* अस्मिन्नष्टमे काण्डे आद्ययोर्द्वयोः प्रपाठकयोरर्थादादितश्चतुर्थाध्यायस्य तृतीयब्राह्मणपर्यन्तमेव सायणभाष्यमुपलब्धम् । ततोऽग्रिमं सायणभाष्यं लुप्तप्रायमभूत् तदन्वेषणे प्रयतितव्यं विपश्चिद्भिः । अन्त्ययोर्द्वयोः प्रपाठकयोरर्थाच्चतुर्थाध्यायस्य चतुर्थ ब्राह्मणमारभ्य काण्डसमाप्तिपर्यन्तमेकेन ब्राह्मणेनाधिकस्याध्यायत्रयस्य हरिस्वामिभाष्यमुपलब्धमतस्तदेवात्र संगृहीतम् । परंन्तदत्यन्ताशुद्धमस्ति । यदेतद्भाष्यस्यादर्शभूतं पुस्तकद्वयं प्राप्तं तदप्यशुद्धिबहुलम् । परंतु केवलं मूलमात्रसंग्रहापेक्षया सभाष्यस्य संग्रहः प्रशस्त इति मत्वा तादृगपीदं हरिस्वामिभाष्यं यथामति यथाशक्ति संशोध्य संगृहीतमिति ध्येयम् । अस्याशुद्धिविषये विद्वद्भिः क्षन्तव्यम् । एतद्भाष्यस्य शुद्धं पुस्तकान्तरं यदि केषांचन विदुषां सविधे स्यात्तर्दर्शयेत चेद्द्वितीयावृत्तौ तत्संयोजयाम इति सविनयं प्रार्थ्यन्ते ते महाभागाः ॥

इति श्रीशतपथब्राह्मणे सायणभाष्यसमेतम्
चितिनामकमष्टमं काण्डं
समाप्तम्।

(तत्र आदितश्चतुर्थाध्यायस्य तृतीयब्राह्मणावध्येव सायणभाष्यमुपलब्धम्। अग्रे चासमाप्ति हरिस्वामिभाष्यं संगृहीतं वर्तते ॥)

ॐ

श्रीमद्वाजसनेयिमाध्यन्दिन-

शतपथब्राह्मणम् ।

सायणभाष्यसमेतम् ।

तत्र

नवमं काण्डम् ९ ।

अथ संचितिसंज्ञकं नवमं काण्डं प्रारभ्यते ।

प्रथमोऽध्यायः प्रारभ्यते ।

तत्र प्रथमं ब्राह्मणम् ।

प्रथमप्रपाठके च प्रथमं ब्राह्मणम् ।

अथातः शतरुद्रियं जुहोति । (त्यु) अत्रैष सर्व्वोऽग्निः संस्कृतः सऽ एषोऽत्र रुद्रो देवता तस्मिन्देवा ऽएतदमृतꣳ रूपमुत्तममदधुः स एषोऽत्र दीप्यमानोऽतिष्ठदन्नमिच्छमानस्तस्माद्देवा ऽअबिभयुर्यद्वै नोऽयं न हिꣳस्यादिति ॥ १ ॥

तेऽब्रुवन् । (ष्टु) अन्नमस्मै सम्भराम तेनैनꣳ शमयामेति तस्माऽ-

---

अथातः शतरुद्रियं जुहोति । अत्रैष सर्वोऽग्निः संस्कृतः । स एषोऽत्र रुद्रो देवता । तस्मिन्देवा एतदमृतं रूपमुत्तममदधुः । स एषोऽत्र दीप्यमानोऽतिष्ठदन्नमिच्छमानः । तस्माद्देवा अबिभयुः-यद्वै नोऽयं न हिंस्यादिति ॥ १ ॥

तेऽब्रुवन्-अन्नमस्मै सम्भराम, तेनैनं शमयाम-इति । तस्मा एतदन्नं समभरन् शान्तदेवत्यम् ।

यस्य निश्वसितं वेदा यो वेदेभ्योऽखिलं जगत् । निर्ममे तमहं वन्दे विद्यातीर्थमहेश्वरम् ॥ १ ॥

चितीनामुपधानं हि काण्डेऽष्टम उदीरितम् । अथास्मिन्नवमे कर्म संचितस्याभिधास्यते ॥ २ ॥

तत्रादौ तावच्छतरुद्रियहोमं विधत्ते-अथात इति । ' अथ '-शब्देनात्र चित्युपधानपरिसमाप्त्यानन्तर्यं द्योत्यते । ' अतः ' इति यतः कारणात्संचितोऽग्निरुपशमनीयः अतो हेतोः, ' शतरुद्रियम् ' इति कर्मनामधेयम् ; यथा अग्निहोत्रं जुहोतीति ' शतरुद्रियं जुहोति ' शतरुद्रियाख्यं होमं भावयेदित्यर्थः । विहितोऽयं होमो रुद्ररूपतापन्नस्याग्नेरुपशमनार्थ इत्याह-अत्रैष इत्यादिना तेनैनं शमयतीत्यन्तेन । ' अत्र ' अस्मिन्नवसरे ' एषः ' ' अग्निः ' साकल्येन ' संस्कृतः ' भवति । अतश्च ' सः ' ' रुद्रो देवता ' यतः कारणाद् ' देवाः ' ' तस्मिन् ' ' एतत् ' चयनलक्षणेन संस्कारेण निष्पन्नम् ' अमृतम् ' अत एव ' उत्तमं रूपम् ' ' अदधुः ' विस्रंसनात्प्राक् यदमृतं रूपमस्ति तस्य विस्रंसनावसरे गतत्वात्तदेव पुनरत्र चयनसंस्कारेणादधुः । ' तस्माद् ' ' एषः ' अग्निः ' दीप्यमानः ' ' अन्नमिच्छमानः ' ' अतिष्ठत् ' । इच्छमान इति व्यत्ययेन-(पा. सू. ३।१।८९) शानच् । अथवा (पा. सू. ३ । २ । १२९) शक्यार्थे चानश्प्रत्ययः । तथाविधाद्रुद्राद् ' देवाः ' येनोपायेन ' नः ' ' अयं न हिंस्यादिति ' ' अबिभयुः ' इति " सिजभ्यस्तविदिभ्यश्च "-(पा. सू. ३ । ४ । १०९) इति झेर्जुस् ॥ १ ॥

पश्चात् ' ते ' देवाः ' अस्मै ' रुद्राय ' अन्नं सम्भराम ' ' तेनैनं शमयामेति ' परस्परमुक्त्वा तथैवाकार्षुः । ' शान्तदेवत्यं ' देवताशान्त्यर्थमित्यर्थः । अत एव शमनार्थत्वात् ' तद् ' अन्नं ' शान्तदेवत्यम्, ' ' तत् ' च

एतदन्नꣳ सुमभरञ्छान्तदेवत्यं तेनैनमशमयंस्तद्यदेतं देवमेतेनाशमयंस्तस्माच्छान्तदेवत्यꣳ शान्तदेवत्यꣳ ह वै तच्छतरुद्रियमित्याचक्षते परोऽक्षं परोऽक्षकामा हि देवास्तथैवास्मिन्नयमेतदमृतꣳ रूपमुत्तमं दधाति स ऽएषोऽत्र दीप्यमानस्तिष्ठत्यन्नमिच्छमानस्तस्माऽएतदन्नꣳ सम्भरति शान्तदेवत्यं तेनैनꣳ शमयति ॥ २ ॥

जर्तिलैर्जुहोति । जायतऽएष ऽएतद्यच्चीयते सऽएष सर्व्वस्माऽअन्नाय जायतऽउभयम्वेतदन्नं यज्जर्तिला यच्च ग्राम्यं यच्चारण्यं यदह तिलास्तेन ग्राम्यं यदकृष्टे पच्यन्ते तेनारण्यमुभयेनैवैनमेतदन्नेन प्रीणाति ग्राम्येण चारण्येन च ॥ ३ ॥

(चा) अर्कपर्णेन जुहोति । (त्य) अन्नमर्कोऽन्नेनैवैनमेतत्प्रीणाति ॥ ४ ॥

परिश्रित्सु जुहोति । (त्य) अग्नय ऽएते यत्परिश्रितस्तथो हास्यैताऽअग्निमत्येवाहुतयो हुता भवन्ति ॥ ५ ॥

तेनैनमशमयन् । तद् यदेतं देवमेतेनाशमयन् । तस्माच्छान्तदेवत्यम् । शान्तदेवत्यं ह वै तच्छतरुद्रियमित्याचक्षते परोऽक्षम् । परोऽक्षकामा हि देवाः । तथैवास्मिन्नयमेतदमृतं रूपमुत्तमं दधाति । स एषोऽत्र दीप्यमानः तिष्ठत्यन्नमिच्छमानः। तस्मा एतदन्नं सम्भरति–शान्तदेवत्यम्। तेनैनं शमयति॥२॥

जर्तिलैर्जुहोति । जायतऽएष एतद्–यच्चीयते। स एष सर्वस्मा अन्नाय जायते। उभयम्वेतदन्नं–यज्जर्तिलाः–यच्च ग्राम्यं, यच्चारण्यम् । यदह तिलाः–तेन ग्राम्यम् । यदकृष्टे पच्यन्ते–तेनारण्यम् । उभयेनैवैनमेतदन्नेन प्रीणाति–ग्राम्येण चारण्येन च ॥ ३ ॥

अर्कपर्णेन जुहोति । अन्नमर्कः । अन्नेनैवैनमेतत्प्रीणाति ॥ ४ ॥

परिश्रित्सु जुहोति । अग्नय एते–यत्परिश्रितः । तथो हास्यैता अग्निमत्येवाहुतयो हुता भवन्ति ॥ ५ ॥

देवाः परोऽक्षकामत्वात् 'शतरुद्रियमिति' अभिदधते, तदन्नसाध्यत्वात्कर्मापि तथैव व्यपदिश्यते । तथा च पूर्वं यथैव 'देवाः' अकार्षुः 'तथैव' असावपि यजमानः 'तेन' अन्नेन 'रुद्रं' शमितवान् भवति ॥ २ ॥

प्रकृते होमद्रव्यविशेषं विधाय तस्य चोभयविधान्नात्मकत्वाच्चयनसंस्कारे जातरुद्रदेवतोचितरूपत्वेन प्रशंसति–जर्तिलैर्जुहोतीत्यादिना । जर्तिला आरण्यतिलाः । स एष इति । उत्पद्यमानस्य सर्वस्य सर्वभोगार्थमुत्पत्तेः 'स एषः' अग्निः 'सर्वस्मै' 'अन्नाय जायते' सर्वान्नभोगार्थं जायत इत्यर्थः ॥ ३ ॥

साधारण्येन होमसाधनतया जुह्वाः प्राप्तावपवादमाह–अर्कपर्णेनेति । अन्नमर्क इति । अर्कस्य भोग्यप्रपञ्चान्तःपातित्वादन्नत्वम् ॥ ४ ॥

जुहोतीति चोदितत्वेनाहवनीये होमप्रसक्तावाह–परिश्रित्स्विति । 'परिश्रितः' इति । चितीः परितो

यद्वेवैतच्छतरुद्रियं जुहोति । प्रजापतेर्विस्रस्ताद्देवता ऽउदक्रामंस्तमेकऽ एव देवो नाजहान्मन्युरेव सोऽस्मिन्नन्तर्व्विततोऽतिष्ठत्सोऽरोदीत्तस्य यान्यश्रूणि प्रास्कन्दंस्तान्यस्मिन्मन्यौ प्रत्यतिष्ठन्त्सऽ एव शतशीर्षा रुद्रः समभवत्सहस्राक्षः शतेषुधिरथ याऽअन्या व्विप्रुषोऽपतंस्ताऽअसंख्याता सहस्राणीमाँल्लोकाननुप्राविशंस्तद्यद्रुदितात्समभवंस्तस्माद्रुद्राः सोऽयꣳ शतशीर्षा रुद्रः सहस्राक्षः शतेषुधिरधिज्यधन्वा प्रतिहितायी भीषयमाणोऽतिष्ठदन्नमिच्छमानस्तस्माद्देवाऽअबिभयुः ॥ ६ ॥

(स्ते) ते प्रजापतिमब्रुवन् । (न्न) अस्माद्वै बिभीमो यद्वै नोऽयं न हिꣳस्यादिति सोऽब्रवीदन्नमस्मै सम्भरत तेनैनꣳ शमयतेति तस्माऽएतदन्नꣳ समभरञ्छतरुद्रियं तेनैनमशमयंस्तद्यदेतꣳ शतशीर्षाणꣳ रुद्र-

---

यद्वेवैतच्छतरुद्रियं जुहोति । प्रजापतेर्विस्रस्ताद्देवता उदक्रामन् । तमेक एव देवो नाजहात्—मन्युरेव । सोऽस्मिन्नन्तर्विततोऽतिष्ठत् । सोऽरोदीत् । तस्य यान्यश्रूणि प्रास्कन्दन्—तान्यस्मिन्मन्यौ प्रत्यतिष्ठन् । स एव शतशीर्षा रुद्रः समभवत्—सहस्राक्षः शतेषुधिः । अथ या अन्या विप्रुषोऽपतन्—ता असंख्याता सहस्राणीमाँल्लोकाननुप्राविशन् । तद्यद्रुदितात्समभवन्—तस्माद्रुद्राः । सोऽयं शतशीर्षा रुद्रः सहस्राक्षः शतेषुधिरधिज्यधन्वा प्रतिहितायी भीषयमाणोऽतिष्ठद्—अन्नमिच्छमानः । तस्माद्देवा अबिभयुः ॥ ६ ॥

ते प्रजापतिमब्रुवन्—'अस्माद्वै बिभीमो—यद्वै नोऽयं न हिंस्याद्'—इति । सोऽब्रवीत्—'अन्नमस्मै सम्भरत, तेनैनं शमयत' इति । तस्मा एतदन्नं समभरञ्छतरुद्रियम् । तेनैनमशमयन् । तद्यदेतं

निक्षिप्ताः क्षुद्रपाषाणाः । तेष्वयं होमः कर्तव्यः । तेषां चाग्नेः परितः श्रयणादग्नित्वेन 'एताः' 'आहुतयः' 'अग्निमत्येव' प्रदेशे 'हुता भवन्ति' । अत्र कात्यायनः—"शतरुद्रियहोम उत्तरपक्षस्यापरस्यां स्रक्त्यां परिश्रित्स्वर्कपर्णेनार्ककाष्ठेन शातयन्निति" (का. श्रौ. सू. १८ । १) इति । अर्ककाष्ठं च दण्डस्थाने करणीयम् ॥ ५ ॥

अथ पुनस्तमेव होमं शतशीर्ष्णः रुद्रस्येतरेषां च रुद्राणामुत्पत्तिप्रकारं दर्शयन् तच्छमनार्थत्वेन प्रशंसति—यद्वेवैतदित्यादिना । 'प्रजापतेः' सकाशाद् विस्रंसनावसरे सर्वासु देवतासु निर्गतास्वपि 'एक एव मन्युर्देवः' तमपरित्यज्य 'तस्मिन् एवान्तर्विततः' 'अतिष्ठत्' पश्चात् 'सः' प्रजापतिः विस्रंसनाद् 'अरोदीत्' रोदनाद् वदनतो 'यान्यश्रूणि प्रास्कन्दन्' अपतन् । तान्यन्तर्वर्तमाने 'मन्यौ' प्रतिष्ठितान्यभूवन् । ततः 'सः' मन्युः शतशीर्षत्वादिगुणको 'रुद्रः' अभूत् 'अथ' ततो ये अश्रुकणा जातास्ते अनेकभूताः पृथिव्यादिलोकान् प्राविशन् । ततश्च ते अनेके रुद्रा जाताः । रोदनाच्च तेषामुत्पत्तेः रुद्रत्वम् । यः पुनः 'शतशीर्षा रुद्रः' अभूत् सः 'प्रतिहितायी' अभिमुखस्थायी 'भीषयमाणः' 'अन्नम्' इच्छन्

मेतेनाशमयंस्तस्माच्छतशीर्षरुद्रशमनीयꣳ शतशीर्षरुद्रशमनीयꣳ ह वै तच्छतरुद्रियमित्याचक्षते परोऽक्षं परोऽक्षकामा हि देवास्तथैवास्माऽअयमेतदन्नꣳ सम्भरति शतरुद्रियं तेनैनꣳ शमयति ॥ ७ ॥

गवेधुकासक्तुभिर्जुहोति । यत्र वै सा देवता विस्रस्ताऽशयत्ततो गवेधुकाः समभवन्त्स्वेनैवैनमेतद्भागेन स्वेन रसेन प्रीणाति ॥ ८ ॥

(त्य) अर्कपर्णेन जुहोति । (त्ये) एतस्य वै देवस्याशयादर्कः समभवत्स्वेनैवैनमेतद्भागेन स्वेन रसेन प्रीणाति ॥ ९ ॥

शतशीर्षाणं रुद्रमेतेनाशमयन्–तस्माच्छतशीर्षरुद्रशमनीयम् । शतशीर्षरुद्रशमनीयं ह वै तच्छतरुद्रियमित्याचक्षते परोऽक्षम् । परोऽक्षकामा हि देवाः । तथैवास्मा अयमेतदन्नं सम्भरति शतरुद्रियम् । तेनैनं शमयति ॥ ७ ॥

गवेधुकासक्तुभिर्जुहोति । यत्र वै सा देवता विस्रस्ताऽशयत्–ततो गवेधुकाः समभवन् । स्वेनैवैनमेतद्भागेन स्वेन रसेन प्रीणाति ॥ ८ ॥

अर्कपर्णेन जुहोति । एतस्य वै देवस्याशयादर्कः समभवत् । स्वेनैवैनमेतद्भागेन स्वेन रसेन प्रीणाति ॥ ९ ॥

' अतिष्ठत् ' ' तस्माद्देवाः ' ' अबिभयुः ' । भीत्वा च ' प्रजापतिम् ' अपृच्छन् । ततोऽन्नसंभरणैः ' शमयत ' इत्युपदेशं प्राप्य तथैवान्वतिष्ठन् । तच्चान्नं शतशीर्षरुद्रशमनार्थत्वात् ' शतशीर्षरुद्रशमनीयम् ' तच्च परोऽक्षकामत्वाद्देवाः ' शतरुद्रियम् ' इति व्याहरन्ति । अतो यथैव देवाः शतशीर्षाणं रुद्रमशमयन् तथैव ' अयम् ' अपि यजमानः ' एनम् ' ' एतत् ' शतरुद्रियहोमलक्षणेनोपायेन शमितवान् भवति ॥ ६–७ ॥

होमद्रव्यान्तरं विधाय प्रशंसति–गवेधुकासक्तुभिरिति । गवेधुका आरण्यगोधूमास्तेषां पिष्टैः शतरुद्रियं जुहुयात् । ' सा ' प्रजापतिरूपा ' देवता ' यस्मिन् प्रदेशे ' विस्रस्ताऽशयत् ' अशयदिति शेतेर्लङि व्यत्ययेन परस्मैपदं शब्विकरणे च रूपम् । शयितप्रदेशाद्गवेधुका जाता अतः स्वे होमसम्पादने ' स्वेनैव ' ' भागेन ' तस्यैवार्थप्रदर्शनं–स्वेन रसेनेति । स्वकार्येण रसनीयेन ' भागेन ' ' एनं ' प्रीणितवान् भवति । अत्र जर्तिलैर्जुहोति गवेधुकासक्तुभिर्जुहोतीति पृथगेव विहितत्वाद्द्रव्यविकल्पः । अत एवापस्तंबेन सूत्रितम्–" शतरुद्रियं जुहोति जर्तिलयवाग्वा गवेधुकयवाग्वा जर्तिलैर्गवेधुकसक्तुभिः कुशत्रय–सर्पिषाऽजाक्षीरेण मृगीक्षीरेण वा " इति । यत्पुनरुक्तं कात्यायनेन ' सन्ततं जर्तिलमिश्रान् गवेधुकासक्तून् '–(का. श्रौ. सू. १८ । १) इति समुच्चयेन, तच्छाखान्तरानुसारेणोक्तमित्यवगन्तव्यम् ॥ ८ ॥

" अर्कपर्णेन जुहोत्यन्नमर्कः " इत्यनेनैवार्कपर्णं होमसाधनं विहितम्, तदेव पुनरपि प्रकारान्तरेण स्तौति–अर्कपर्णेनेति । आशयो हृदयदेशः ॥ ९ ॥

१–अजाक्षीरमेके तिष्ठन्नुदङ्नमस्त इत्यध्यायेन । इति सूत्रशेषः ।

परिश्रित्सु जुहोति। लोमानि वै परिश्रितो न वै लोमसु विषं न किं-
चन हिनस्त्युत्तरार्धेऽग्नेरुदङ्तिष्ठञ्जुहोत्येतस्याᳪँ ह दिश्येतस्य देवस्य
गृहाः स्वायामेवैनमेतद्दिशि प्रीणाति स्वायां दिश्यवयजते ॥ १० ॥
स वै जानुदघ्ने प्रथमᳪँ स्वाहाकरोति। (त्य) अध ऽइव वै तद्यज्जानु-
दघ्नमध ऽइव तदयं लोकस्तद्य ऽइमं लोकᳪँ रुद्राः प्राविशंस्तांस्त-
त्प्रीणाति ॥ ११ ॥
(त्यु) अथ नाभिदघ्ने। मध्यमिव वै तद्यन्नाभिदघ्नं मध्यमिवान्तरिक्ष-
लोकस्तद्येऽन्तरिक्षलोकᳪँ रुद्राः प्राविशंस्तांस्तत्प्रीणाति ॥ १२ ॥
(त्यु) अथ मुखदघ्ने। (घ्नुऽ) उपरीव वै तद्यन्मुखदघ्नमुपरीव तद्यदसौ
लोकस्तद्येऽमुं लोकᳪँ रुद्राः प्राविशंस्तांस्तत्प्रीणाति स्वाहाकारेणान्नं वै
स्वाहाकारोऽन्नेनैवैनानेतत्प्रीणाति ॥ १३ ॥

परिश्रित्सु जुहोति। लोमानि वै परिश्रितः। न वै लोमसु विषम्, न किंचन हिनस्ति। उत्तरार्धेऽग्नेरुदङ्तिष्ठन् जुहोति। एतस्यां ह दिश्येतस्य देवस्य गृहाः। स्वायामेवैनमेतद्दिशि प्रीणाति, स्वायां दिश्यवयजते ॥ १० ॥

स वै जानुदघ्ने प्रथमं स्वाहाकरोति। अथ इव वै तद्-यज्जानुदघ्नम्। अध इव तद्-यदयं लोकः। तद्य इमं लोकं रुद्राः प्राविशन्-तांस्तत् प्रीणाति ॥ ११ ॥

अथ नाभिदघ्ने। मध्यमिव वै तद्-यन्नाभिदघ्नम्। मध्यमिवान्तरिक्षलोकः। तद्येऽन्तरिक्षलोके रुद्राः प्राविशन्-तांस्तत् प्रीणाति ॥ १२ ॥

अथ मुखदघ्ने। उपरीव वै तद्-यन्मुखदघ्नम्। उपरीव तद्-यदसौ लोकः। तद्येऽमुं लोकं रुद्राः प्राविशन्-तांस्तत् प्रीणाति। स्वाहाकारेण। अन्नं वै स्वाहाकारः। अन्नेनैवैनानेतत्प्रीणाति ॥ १३ ॥

अर्कपर्णवदेव परिश्रितोऽपि प्रकारान्तरेण स्तौति-परिश्रित्सु जुहोतीति। लोमानि वै परिश्रित इति। लोमानि देहं परितः श्रयन्ति, परिश्रितोऽप्यग्निं परितः श्रयन्तीति 'लोमसु'। 'विषं' नास्ति। लोमसु विषसंस्पृष्टेष्वपि बाधाभावात्। अतश्च लोमात्मकेषु परिश्रित्सु होमाद्रुद्रोऽपि 'न किञ्चन' अपि वस्तु 'हिनस्ति'। 'एतस्यां ह दिश्येतस्य' इत्यादिकस्यायमर्थः-'एतस्य देवस्य' रुद्रस्य 'गृहाः' उत्तरस्यां दिशि भवन्ति, तस्या दिशोऽहिंसात्मकत्वात्, अत 'एतद्' उत्तरार्द्धहोमेन स्वस्यामेव 'दिशि' 'एनं' रुद्रं 'प्रीणाति' तस्यामेव तम् 'अवयजते' पृथक्करोति ॥ १० ॥

"स वा अशीत्यां च स्वाहाकरोति" इत्यादिना तिसृष्वशीतिषु स्वाहाकारः क्रियत इत्युपरिष्टाद्वक्ष्यते; तत्र कस्मिन् प्रदेशे स्वाहाकार इति तत्राह-जानुदघ्न इति। 'जानुदघ्ने' जानुप्रमाणदेशे 'सः' अध्वर्युः 'प्रथमं स्वाहाकरोति'। तथा सति जानुदघ्नदेशस्याधोदेशत्वादधःस्थान् पृथिवीं प्रविष्टान् रुद्रानेतेन 'प्रीणाति'।

१-त्र्यानुकवाकांते स्वाहाकारो जानुमात्रे। का. श्रौ. सू. १८।२।

नुमस्ते रुद्र मन्युवऽइति । य ऽएवास्मिन्त्सोऽन्तुर्मन्युर्व्वितुतोऽतिष्ठ-त्तुस्माऽएतन्नुमस्करोत्युतो तऽइषवे नुमो बाहुभ्यामुत ते नुमऽ इतीष्वा च हि बाहुभ्यां च भीषुयमाणोऽतिष्ठत् ॥ १४ ॥

(त्सु) सु ऽएषु क्षत्त्रं देवः । (वो) यः सु शतुशीर्षा समुभवद्विशऽ इमऽ-इतरे ये व्विप्रुड्भ्यः समुभवंस्तुस्माऽएतुस्मै क्षत्त्रायैता व्विशऽ एतं पुर-स्तादुद्धारमुदहरन्युऽ एषु प्रथुमोऽनुवाकस्तुनैनमप्रीणंस्तुथैवास्माऽअयु-मेतं पुरस्तादुद्धारमुद्धरति तुनैनं प्रीणाति तुस्मादेषुऽएकदेवुत्यो भवति रौद्र ऽएतुᳫँ ह्येतेन प्रीणाति ॥ १५ ॥

" नमस्ते रुद्र मन्यवे "–इति । य एवास्मिन्त्सोऽन्तर्मन्युर्विततोऽतिष्ठत्–तस्मा एतन्नमस्करोति । " उतो त इषवे नमो, बाहुभ्यामुत ते नमः "–(वा. सं. १६ । १) इति । इष्वा च हि बाहुभ्यां च भीषयमाणोऽतिष्ठत् ॥ १४ ॥

स एष क्षत्रं देवो–यः स शतशीर्षा समभवत् । विश इम इतरे–ये विप्रुड्भ्यः समभवन् । तस्मा एतस्मै क्षत्रायैता विश एतं पुरस्तादुद्धारमुदहरन्–य एष प्रथमोऽनुवाकः–तेनैनमप्रीणन् । तथैवास्मा अयमेतं पुरस्तादुद्धारमुद्धरति । तेनैनं प्रीणाति । तस्मादेष एकदेवत्यो भवति रौद्रः । एतं ह्येतेन प्रीणाति ॥ १५ ॥

एवं ' नाभिदघ्ने ' ' मुखदघ्ने ' च स्वाहाकरोति । ततोऽन्तरिक्षगतान् द्युलोकगतांश्च रुद्रान् प्रीणाति[1] । लोकत्रये पतिता अश्रुकणाः असङ्ख्याता रुद्राः समभवन्निति (षष्ठ्यां कण्डिकायां) प्रागुक्तम् । अथ या अन्या इत्यादिना स्वाहाकारस्य हविर्लक्षणान्नप्रदानसाधनत्वेनान्नत्वात्तेन होमविधानेन एनान् रुद्रानेतेन प्रीणितवान् भवतीत्याह–स्वाहाकारेणेति ॥ ११–१३ ॥

अथ प्रथमानुवाकस्य[2] प्रथमामृचं व्याचष्टे–नमस्त इति । ' अस्मिन् ' प्रजापतौ ' सः ' प्रागुक्तः ' य एव ' ' मन्युर्विततोऽतिष्ठत् ' ' तस्मा ' एवैतेन ' नमस्करोति ' । यद्यप्यत्र मन्युरेव शतशीर्षा रुद्रः समभवदिति मन्युरेव रुद्रः, तथापि रुद्रशब्देनात्र तदाधारत्वेनाभेदात्प्रजापतिरुच्यते । ' इषवे बाहुभ्यां नमः ' इति तैः ' भीषयमाणोऽतिष्ठत् ' इति तेभ्य एव नमस्कारं करोति । मन्युरेव शतशीर्षा रुद्रो भूत्वा इषुणा बाहुभ्यां च सर्वेषां भयमुत्पादयामासेति तन्निबन्धनभयपरिहाराय तेभ्यः सर्वेभ्यो नमस्कारः क्रियते ॥ १४ ॥

' स एष क्षत्रम् ' इत्यादिकस्यायमर्थः । प्रजापते रोदनावसरे ' सः ' मन्युरूपः ' यो देवः ' ' शतशीर्षा ' रुद्रोऽभूत् । ' सः ' एव ' देवः ' ' क्षत्रम ', ' विप्रुड्भ्यः ' ' ये ' जातास्ते ' इतरे विशः ' ततश्च ' एता विशः ' ' तस्मै ' ' क्षत्राय ' ' य एष प्रथमोऽनुवाकः ' ' एतं पुरस्तादुद्धारं ' भागमब्रुवन्, ' तेन ' भागेन ' एनं ' रुद्रं प्रीणितवन्तः । यथा लोके प्रजा राज्ञे भागं प्रदाय प्रीणयन्ति तद्वत् । अतो यजमानोऽपि तथैव

१–पंचांते च नाभिमात्रे । प्राक्च प्रत्यवरोहेभ्यो मुखमात्रे । का. श्रौ. सू. १८ । ३ । ४ ।

२–प्रथमेऽनुवाके " नमस्ते रुद्र मन्यवे " इत्याद्याः–" सदामित्वा हवामहे " इत्यन्ताः षोडश मन्त्रा विज्ञेयाः ॥

चतुर्दशैतानि यजूꣳषि भवन्ति । त्रयोदश मासाः संवत्सरः प्रजापतिश्चतुर्दशः प्रजापतिरग्निर्यावानाग्निर्यावत्यस्य मात्रा तावतैवैनमेतदन्नेन प्रीणाति नमो नम इति यज्ञो वै नमो यज्ञेनैवैनमेतन्नमस्कारेण नमस्यति तस्मादु ह नायज्ञियं ब्रूयान्नमस्तऽइति यथा हैनं ब्रूयाद्यज्ञस्तऽइति तादृक्तत् ॥ १६ ॥

(ड) अथ द्वन्द्विभ्यो जुहोति । नमोऽमुष्मै चामुष्मै चेति तद्यथा वै ब्रूयादसौ त्वं च न ऽएष च मा हिꣳसिष्टमित्येवमेतदाह नतराꣳ हि विदितऽ आमन्त्रितो हिनस्ति ॥ १७ ॥

चतुर्दशैतानि यजूंषि भवन्ति । त्रयोदश मासाः संवत्सरः । प्रजापतिश्चतुर्दशः । प्रजापतिरग्निः । यावानाग्निर्यावत्यस्य मात्रा—तावतैवैनमेतदन्नेन प्रीणाति । नमो नम इति । यज्ञो वै नमः । यज्ञेनैवैनमेतन्नमस्कारेण नमस्यति । तस्मादु ह नायज्ञियं ब्रूयाद्—'नमस्ते' इति, यथा हैनं ब्रूयाद्—यज्ञस्ते इति—तादृक् तत् ॥ १६ ॥

अथ द्वन्द्विभ्यो जुहोति । नमोऽमुष्मै चामुष्मै च—इति । तद्यथा वै ब्रूयाद्—असौ त्वं च नः, एष च मा हिंसिष्टामिति, एवमेतदाह । नतरां हि विदित आमन्त्रितो हिनस्ति ॥ १७ ॥

तस्य प्रथमानुवाकलक्षणं भागं कृत्वा 'तेनैनं' 'प्रीणाति' प्रथमानुवाकस्य साध्यो होमो रुद्रस्य प्रीतिहेतुः पुरस्ताद्भागः सम्पादितो भवतीत्यर्थः । तस्मादेष इति । यतः 'एषः' अनुवाकः रुद्रस्य 'पुरस्ताद् उद्धारः,' अतः 'एकदेवत्यः' तदेव प्रदर्शितं 'रौद्रः' इति ॥ १५ ॥

प्रथमानुवाके षोडश मन्त्रास्तत्र चतुर्दश मन्त्रानवयुत्य स्तौति—चतुर्दशैतानीति । अधिमासेन सह 'संवत्सरस्त्रयोदश मासाः' 'प्रजापतिः' 'चतुर्दशः' चतुर्दशसंख्यापूरकः । स पुनः 'प्रजापतिः' अग्न्यात्मकः । सोऽग्निरपि चतुर्दशः । तथा च 'अग्निः' यत्परिमाणकः अस्य येऽश्वादयोऽपि यत्परिमाणकाः तत्परिमाणेनैव 'अन्नेन' अग्न्यात्मकं रुद्रं 'प्रीणाति' । चतुर्दशमन्त्रसाध्यहोमलक्षणेनान्नेन अग्न्यात्मकं रुद्रं कार्त्स्न्येन प्रीणातीत्यर्थः । मन्त्रे पौनःपुन्येन 'नमः' शब्दः प्रयुज्यते । स च पूजावचनत्वेन यज्ञात्मकः । ततश्च 'नमो नमः,' इत्यनेन यज्ञरूपेणैव 'नमस्कारेणैनम्' पूजितवान् भवतीत्याह—नमो नमः इति । नमस्यति इति । "नमोवरिवश्चित्रङः क्यच्"—(पा. सू. ३ । १।१९) इत्यत्र "नमसः पूजायामिति" वचनात्—पूजार्थे क्यच्प्रत्ययः । तस्मादु हेति । यस्मात् 'नमः' शब्दो यज्ञः 'तस्मान्नमस्ते' इत्येतत् 'नायज्ञियं' 'ब्रूयात्' । किन्तु 'यज्ञियं' यज्ञकर्मार्हमेव 'ब्रूयात्' ततश्च 'एनं' रुद्रं यज्ञस्त इति 'ब्रूयात्' 'नमस्त' इत्यपि तद्वदेव ॥ १६ ॥

अथ द्वन्द्विभ्यो होमं विधत्ते—अथेति । "नमो हिरण्यबाहवे" इत्यादिषु मन्त्रेषु प्रतिपाद्या देवता द्वन्द्विनः, तत्र द्वयोर्देवतयोः प्रतिपादनात् । 'दिशां च पतये' इत्येतत् 'हिरण्यबाहवे सेनान्ये' इत्येतयोर्विशेषणम् । एवमुत्तरत्रापि, एकैकस्य विशेषणमन्यत् द्वयोर्द्वयोरेव देवतयोः प्रतिपादनं भवति । 'अमुष्मै

नमो हिरण्यबाहवे । सेनान्ये दिशां च पतये नमऽ इत्येषऽ एव हिरण्यबाहुः सेनानीरेष दिशां पतिस्तद्यत्किं चात्रैकदेवत्यमेतमेव तेन प्रीणाति क्षत्रमेव तद्विश्यपि भागं करोति तस्माद्यद्विशस्तस्मिन्क्षात्रियोऽपि भागोऽथ याऽ असंख्याता सहस्राणीमाँल्लोकाननुप्राविशन्नेतास्ता देवता याभ्यऽ एतज्जुहोति ॥ १८ ॥

(त्यु) अथ जातेभ्यो जुहोति । (त्ये) एतानि ह जातान्येते रुद्राऽअनुप्रविविशुर्यत्र यत्रैते तदेवैनानेतत्प्रीणात्यथोऽएवꣳ हैतानि रुद्राणां जातानि देवानां वै विधामनु मनुष्यास्तस्मादु हेमानि मनुष्याणां जातानि यथाजातमेवैनानेतत्प्रीणाति ॥ १९ ॥

" नमो हिरण्यबाहवे सेनान्ये दिशां च पतये नमः "–(वा. सं. १६ । १७) इति । एष एव हिरण्यबाहुः सेनानीः । एष दिशां पतिः । तद्यत्किंचात्रैकदेवत्यम्–एतमेव तेन प्रीणाति–क्षत्रमेव तद् विश्यपि भागं करोति । तस्माद् यद्विशः–तस्मिन्क्षात्रियोऽपि भागः । अथ या असंख्याता सहस्राणीमान् लोकाननुप्राविशन्–एतास्ता देवताः–याभ्य एतज्जुहोति ॥ १८ ॥

अथ जातेभ्यो जुहोति । एतानि ह जातानि, एते रुद्रा अनु प्रविविशुः । यत्र यत्रैते–तदेवैनानेतत्प्रीणाति । अथो एवं हैतानि रुद्राणां जातानि । देवानां वै विधामनु मनुष्याः । तस्मादु हेमानि मनुष्याणां जातानि । यथाजातमेवैनानेतत्प्रीणाति ॥ १९ ॥

चामुष्मै चेति ' 'नमो हिरण्यबाहवे' इत्यादिना द्वन्द्विनां निर्देशः । ' यथा ' लोके 'असौ त्वं च एष च' उभावपि नो ' मा हिंसिष्टमिति ' जनो ' ब्रूयात् ' । एवमेवामुष्मा अमुष्मा इत्यनेनाभिहितं भवति । लोके असौ त्वं च एष च नो मा हिंसिष्टम् इत्येवमभिधानस्य प्रयोजनं दर्शयति–नतराꣳ हीति । ' विदितो ' ज्ञातो जनः ' आमन्त्रितः ' सन् यथाऽभिधातारं न हिनस्ति, एवमिह ' नतराम् ' ' हिनस्ति ' । ततश्च प्रकृतेऽपि तद्वदेवाभिधानात् रुद्रो न हिनस्तीति भावः ॥ १७ ॥

तानेव देवान् दर्शयति–नमो हिरण्यबाहव इति । ' एष एव ' रुद्र एव ' हिरण्यबाहुः ' ' सेनानीः ' ' दिशां पतिश्च ' । अत उक्तं मन्त्रे–'नमो हिरण्यबाहव' इति । प्रथमानुवाकः शतशीर्षरुद्रदेवत्यः । द्वितीयाद्यनुवाकेष्वपि यत्किञ्चैकदेवत्यमेकवचनान्तमन्त्रसाध्यहोमलक्षणमन्नमस्ति ' तेन ' अपि ' एतमेव ' रुद्रं ' प्रीणाति ' नेतरम्, " स एष क्षत्त्रं देवः विश इम इतरे " (श. प. ९।१।१।१५) इत्युक्तत्वात् प्रजायामपि तं क्षत्त्रं भागिनं करोति । तस्माल्लोकेऽपि प्रजाया यद्धनमस्ति तत्रापि क्षत्रियसम्बद्धो ' भागो ' विद्यते । ' वृक्षेभ्यो हरिकेशेभ्यः ' इत्यादिबहुवचनान्तमन्त्रप्रतिपादिताभ्यो याभ्यो देवताभ्य एतद्धोमं करोति ताः पृथिव्यादिलोकान्प्रविष्टा विप्रुड्भ्यो जाता अनेका रुद्रदेवताः बहुवचनान्तमन्त्रसाध्यो होमोऽपि विप्रुड्जातानां रुद्राणामित्यर्थः ॥ १८ ॥

द्वन्द्विहोमानन्तरं जातेभ्यो जुहुयादित्याह–अथेति । "नमः सभाभ्यः सभापतिभ्यः" (वा. सं. १६।२४)–इत्यादिप्रतिपादितानि द्वन्द्विविशेषभूतान्येव जातानि, ' एतानि ' खलु जातान्यमु ' एते ' ' रुद्राः ' ' प्रवि-

तेषां वाऽउभयतोनमस्काराऽ अन्ये । (न्येऽ) अन्यतरतोनमस्काराऽअन्ये ते ह ते घोरतराऽअशान्ततरा वाऽउभयतोनमस्काराऽ उभयतऽएवैनानेतद्यज्ञेन नमस्कारेण शमयति ॥ २० ॥

स वाऽअशीत्यां च स्वाहाकरोति । प्रथमे चानुवाकेऽथाशीत्यामथाशीत्यां च यानि चोर्ध्वानि यजूꣳष्यावतानेभ्योऽन्नमशीतयोऽन्नेनैवैनानेतत्प्रीणाति ॥ २१ ॥

(त्यु) अथैतानि यजूꣳषि जपति । नमो वः किरिकेभ्यऽइत्येतद्धास्य

तेषां वा उभयतोनमस्कारा अन्ये । अन्यतरतोनमस्कारा अन्ये । ते ह ते घोरतरा अशान्ततराः—य उभयतोनमस्काराः । उभयत एवैनानेतद्यज्ञेन नमस्कारेण शमयति ॥ २० ॥

स वा अशीत्यां च स्वाहाकरोति । प्रथमे चानुवाके । अथाशीत्याम्, अथाशीत्यां च, यानि चोर्ध्वानि यजूंष्यावतानेभ्यः । अन्नमशीतयः । अन्नेनैवैनानेतत्प्रीणाति ॥ २१ ॥

अथैतानि यजूंषि जपति । " नमो वः किरिकेभ्यः "–(वा. सं. १६ । ४६) इति ।

विशुः' । यत्र यत्रेते 'तत्, तत्र तत्र ' एवैनान् ' ' प्रीणाति' । किंच ''एवम् ' ' एतानि रुद्राणां जातानि ' खलु ' देवानां ' ' विधाम् ' प्रकारमनुसृत्य ' मनुष्याः ' भवन्ति । ' तस्माद् ' एतानि ' मनुष्याणाम् ' अपि ' जातानि ' अतो मनुष्यजातेभ्यः ' एव ' होमे सति देवजातेभ्योऽपि स्यादिति ' यथा जातम् ' एव ' एनान् ' सर्वान् रुद्रान् ' प्रीणाति ' ॥ १९ ॥

तेषां मन्त्राणां मध्ये केचन उभयतोनमस्काराः, केचनान्यतरतोनमस्कारा इति तद्वैषम्ये कारणमाह—तेषां वा इति ॥ २० ॥

अन्यत्र सर्वत्र होमे प्रतिमन्त्रद्रव्यप्रक्षेपं स्वाहाकार इत्यत्रापि तथैव प्राप्तावाह—स वा इति । ' सः वै ' अध्वर्युर्मन्त्राणाम् ' अशीत्यां ' तत् ' स्वाहाकरोति ' । तत्र ' प्रथमानुवाके ' षोडश मन्त्राः, तेषां सर्वेषामन्ते सकृत्स्वाहाकारः । " अथ नमो हिरण्यबाहवे " (वा. सं. १६ । १७) इत्यारभ्य " अर्भकेभ्यश्च वो नमः " (वा. सं. १६ । २६) इत्यन्तमेका अशीतिः सम्पद्यते । एकैकस्यां कण्डिकायामष्टावष्टौ मन्त्राः । " दिशां च पतये नमः " इत्यादिकं विशेषणतया सम्बन्धनीयमिति (श. प. ९ । १ । १ । १७ भाष्ये) प्रागेवोक्तम् । तथा च दशसु कण्डिकासु मन्त्राणामशीतिः सम्पद्यते । " नमस्तक्षभ्यः " (वा. सं. १६ । २७) इत्यारभ्य " सुधन्वने च " (वा. सं. १६ । ३६) इत्यन्तमेका—अशीतिः सम्पद्यते । पुनः " नमः स्रुत्याय " (वा. सं. १६ । ३७)–इत्यारभ्य " धनुष्कृद्भ्यश्च वो नमः " (वा. सं. १६ । ४६) इत्यन्तमेका—अशीतिः सम्पद्यते । एतस्या अशीत्याः ' ऊर्ध्वानि ' अवतानसंज्ञेभ्यः पूर्वाणि ' यानि च यजूंषि ' सन्ति, एतच्चोत्तरत्र विनियोगाय प्रतिनिर्देष्टुं व्याख्यातम् । अत्राशीत्यां स्वाहाकरोति । यानि चोर्ध्वानि—चेति यदुभयं निर्दिष्टमत्राशीतिं प्रशंसति—अन्नमशीतय इति । अशीति—शब्दे अशिधातुस्मरणादन्नत्वम् । अशीतिषु स्वाहाकारे ' अन्नेनैवैनान् ' रुद्रान् प्रीणाति ॥ २१ ॥

अथ यानि चेति निर्दिष्टानां विनियोगमाह—अथैतानीति । ' एतद्धास्य ' इत्यादिकस्यायमर्थः ।

प्रतिज्ञाततमं धाम यथा प्रियो वा पुत्रो हृदयं वा तस्माद्यत्रैतस्माद्देवा-
च्छङ्केत तदेताभिर्व्याहृतिभिर्जुहुयादुप हैवैतस्य देवस्य प्रियं धाम गच्छति
तथो हैनमेष देवो न हिनस्ति ॥ २२ ॥

नमो वः किरिकेभ्य ऽइति । (त्ये) एते हीदꣳ सर्वं कुर्वन्ति देवा-
नाꣳ हृदयेभ्य ऽइत्यग्निर्वायुरादित्य ऽएतानि ह तानि देवानाꣳ हृद-
यानि नमो विचिन्वत्केभ्यऽइत्येते हीदꣳ सर्वं विचिन्वन्ति नमो विक्षि-
णत्केभ्यऽ इत्येते वै तं विक्षिणन्ति यं विचिक्षीषन्ति नमऽ आनिर्हतेभ्य
इत्येते ह्येभ्यो लोकेभ्यो निर्हताः ॥ २३ ॥

एतद्वा अस्य प्रतिज्ञाततमं धाम । यथा प्रियो वा, पुत्रो, हृदयं वा । तस्माद्यत्रैतस्माद्देवाच्छङ्केत–तदेताभिर्व्याहृतिभिर्जुहुयात् । उप हैवैतस्य देवस्य प्रियं धाम गच्छति । तथो,हैनमेष देवो न हिनस्ति ॥ २२ ॥

नमो वः किरिकेभ्यः–इति । एते हीदं सर्वं कुर्वन्ति । “ देवानां हृदयेभ्यः ”–(वा. सं. १६ । ४६) इति । अग्निर्वायुरादित्यः,–एतानि ह तानि देवानां हृदयानि । “ नमो विचिन्वत्केभ्यः ”–(वा. सं. १६ । ४६) इति । एते हीदं सर्वं विचिन्वन्ति । “ नमो विक्षिणत्केभ्यः ”–(वा. सं. १६ । ४६) इति । एते वै तं विक्षिणन्ति–यं विचिक्षीषन्ति । “ नम आनिर्हतेभ्यः ”–(वा. सं. १६ । ४६) इति । एते ह्येभ्यो लोकेभ्यो निर्हताः ॥ २३ ॥

‘ यथा प्रियः पुत्रो हृदयं वा प्रतिज्ञाततमम्,’ अभिमतं ‘ धाम ’ स्थानम्, तद्वदेतन्मन्त्रचतुष्टयमपि प्रियं ‘धाम’ ‘ तस्माद्यत्रैतस्माद्देवाद् ’ रुद्राच्छङ्कितो भवति ‘तद्’ ‘ एताभिर्व्याहृतिभिर्जुहुयात् ’ । तथा चैतस्य रुद्रस्य ‘ प्रियं धाम ’ एव प्राप्नोतीति स ‘ देवः ’ पश्चाद् ‘ एनं ’ ‘ न हिनस्ति ’ इति ॥ २२ ॥

मन्त्रान् क्रमेण व्याचष्टे–नमो वः किरिकेभ्य इति । ‘एते हि ’ रुद्राः ‘ इदं सर्वम् ’ अपि जगत् ‘ कुर्वन्ति ’ एतेषां प्रजापत्यश्रुकणनिष्पन्नत्वेन प्रजापत्यात्मकत्वात् । अत एते किरिकाः कर्त्तारस्ततस्तादृशेभ्यो वो नमोऽस्त्विति मन्त्रार्थः । अग्निर्वायुरिति । ‘ अग्निर्वायुरादित्यः ’ इति ‘ एतानि ’ देवाना हृदयानि ’ । यथा हृदयं प्रधानं तथैवैते प्रधानानीत्यर्थः । अतस्तदात्मकेभ्यो रुद्रेभ्यो ‘ नमः ’ इत्यर्थः । अत्राग्निवाय्वादित्यप्रकाशमन्त्रसाहित्येनैतेषां मन्त्राणां व्याहृतिशब्देनाभिधानम् (श. प. ९ । १ । १ । २२) । किंच यद्देवानां हृदयानीति तत्प्रकाशकानामपि मन्त्राणां हृदयत्वम्, तस्मात्तदभिप्रायेण “ एतद्वास्य प्रतिज्ञाततमं धाम यथा प्रियो वा पुत्रो हृदयं वा ” (श. प. ९ । १ । १ । २२) इत्युक्तम् । विचिन्वन्त एव विचिन्वत्काः ‘ एते ’ रुद्राः ‘ इदं सर्वं विचिन्वन्ति ’ अभ्यवहारार्थम्, अतस्तत्परिहाराय तेभ्यो ‘ नमः ’ इत्याह । विक्षिण्वन्त एव विक्षिणत्काः ‘ एते ’ रुद्राः ‘ यं ’ विक्षीणं कर्तुमिच्छन्ति तं ‘ विक्षिणन्ति ’ । अतश्च तेभ्यो नमोऽस्तु । ‘ निर्हताः ’ निर्गताः, तत्र विशीर्णेभ्योऽश्रुकणेभ्यस्तदुत्पत्तेः । अतः ‘आनिर्हतेभ्यः’ रुद्रेभ्यो नम इत्याह ॥ २३ ॥

(८) अथोत्त॑राणि जपति । द्रापेऽअन्ध॑सस्पतऽइत्येष वै द्रापिरेष वै तं द्रापयति यं दिद्रापयिषत्यन्धसस्पतऽइति सोम॑स्य पत॑ऽइत्येतद्दरिद्र नील॑लोहितेति नामानि चास्यैतानि रूपाणि च नामग्राहमेवैनमेतत्प्रीणात्यासां प्रजानामेषां पशूनां मा भेर्मा रोङ्मो च नः किं चनाममदिति यथैव यजुस्तथा बन्धुः ॥ २४ ॥

सऽएष क्षत्रं देवः । (स्तु) तस्माऽएतस्मै क्षत्रायैता विशोऽमुं पुरस्ता॑दुद्धारमुदहरन्योऽसौ प्रथमोऽनुवाकोऽथास्माऽएतमुपरिष्टादुद्धारमुदहरंस्तेनैनमप्रीणंस्तथैवास्माऽ अयमेतमुपरिष्टादुद्धारमुद्धरति तेनैनं प्रीणाति तस्मादप्येषऽ एकदेवत्यो भवति रौद्रऽ एवैतᳪं ह्येवैतेन प्रीणाति ॥ २५ ॥

सप्तैतानि यजूᳪंषि भवन्ति । सप्तचितिकोऽग्निः सप्तऽर्तवः संव्वत्सरः

अथोत्तराणि जपति । "द्रापेऽअन्धसस्पते"–इति । एष वै द्रापिः । एष वै तं द्रापयति–यं दिद्रापयिषति । अन्धसस्पतऽइति । सोमस्य पत इत्येतत् । "दरिद्र नीललोहित"–इति । नामानि चास्यैतानि रूपाणि च । नामग्राहमेवैनमेतत्प्रीणाति । "आसां प्रजानामेषां पशूनां मा भेर्मा रोङ्मो च नः किं चनाममत्"–(वा० सं० १६ । ४७) इति । यथैव यजुस्तथा बन्धुः ॥ २४ ॥

स एष क्षत्रं देवः । तस्मा एतस्मै क्षत्रायैता विशोऽमुं पुरस्तादुद्धारमुदहरन्–योऽसौ प्रथमोऽनुवाकः । अथास्मा एतमुपरिष्टादुद्धारमुदहरन् । तेनैनमप्रीणन् । तथैवास्मा अयमेतमुपरिष्टादुद्धारमुद्धरति । तेनैनं प्रीणाति । तस्मादप्येष एकदेवत्यो भवति–रौद्र एव । एतं ह्येवैतेन प्रीणाति ॥ २५ ॥

सप्तैतानि यजूंषि भवन्ति । सप्तचितिकोऽग्निः। सप्तर्तवः सम्वत्सरः। सम्वत्सरोऽग्निः। यावानग्निर्या-

---

व्याहृतिहोमानन्तरमुत्तराणि यजूंषि जपेदित्याह–अथेति । तत्र प्रथमं मन्त्रं व्याचष्टे–एष वा इति । 'यं' जनं 'दिद्रापयिषति' कुत्सितं कर्तुमिच्छति 'तं' तथैव करोति । अत एव 'एषः' रुद्रो 'द्रापिः' । अन्धः–शब्देन सोमलक्षणमन्नं विवक्षितमित्याह–सोमस्येति । दरिद्र नीललोहितेति 'एतानि' 'अस्य' रुद्रस्य 'नामानि च रूपाणि च' भवन्तीति तस्य नाम गृहीत्वा 'एव' 'एनं' रुद्रं प्रीणितवान् भवतीत्याह–दरिद्रेति । 'आसां प्रजानामेषां पशूनाम्' इत्येष मन्त्रभागः स्पष्टार्थ इत्याह–यथैवेति ॥ २४ ॥

असङ्ख्यातरुद्ररूपाः 'विशः' शतशीर्षरुद्ररूपाय 'क्षत्राय' प्रथमानुवाकं 'पुरस्तादुद्धारमुदहरन्' । अथ "द्रापे अन्धसस्पते" इत्येतमनुवाकम् 'उपरिष्टादुद्धारम्' उद्धृत्य तम् 'अप्रीणन्' । 'तथैव' यजमानोऽप्येतदनुवाकजपेन कृतवान् भवतीत्याह––स एष इत्यादिना । यतोऽस्य रुद्रस्यैकोऽनुवाक उद्धारः कृतस्तस्मात् स रुद्रः 'एकदेवत्यः' इत्याह–तस्मादिति ॥ २५ ॥

एतस्मिन्ननुवाके यजर्गता सप्तत्वसङ्ख्या कार्त्स्न्येन तृप्तिहेतुर्भवतीत्याह–सप्तैतानीति । 'सप्तचितिकोऽग्निः'

संवत्सरोऽग्निर्यावानग्निर्यावत्यस्य मात्रा तावतैवैनमेतदन्नेन प्रीणाति तान्युभयान्येकविँशतिः सम्पद्यन्ते द्वादश मासाः पञ्चऽर्तवस्त्रय ऽइमे लोकाऽ असावादित्यऽ एकविँशऽएतामभिसम्पदम् ॥ २६ ॥

(मु) अथावतानाञ्जुहोति । (त्ये) एतद्वाऽएनान्देवा ऽएतेनान्नेन प्रीत्वाऽथैषामेतैरवतानैर्धनूँष्यवातन्वंस्तथैवैनानयमेतदेतेनान्नेन प्रीत्वाऽथैषामेतैरवतानैर्धनूँष्यवतनोति न ह्यवततेन धनुषा कं चन हिनस्ति ॥ २७ ॥

तद्वै सहस्रयोजनऽइति । (त्ये) एतद्ध परमं दूरं यत्सहस्रयोजनं तद्यदेव परमं दूरं तदेवैषामेतद्धनूँष्यवतनोति ॥ २८ ॥

वत्यस्य मात्रा—तावतैवैनमेतदन्नेन प्रीणाति । तान्युभयान्येकविंशतिः सम्पद्यन्ते । द्वादश मासाः, पञ्चर्तवः, त्रय इमे लोकाः, असावादित्य एकविंशः—एतामभिसम्पदम् ॥ २६ ॥

अथावतानाञ्जुहोति । एतद्वा एनान्देवा एतेनान्नेन प्रीत्वाऽथैषामेतैरवतानैर्धनूंष्यवातन्वन् । तथैवैनानयमेतत् एतेनान्नेन प्रीत्वाऽथैषामेतैरवतानैर्धनूंष्यवतनोति । न ह्यवततेन धनुषा कं चन हिनस्ति ॥ २७ ॥

तद्वै—"सहस्रयोजनः"—(वा० सं० १६।५४) इति । एतद्ध परमं दूरं—यत्सहस्रयोजनम् । तद् यदेव परमं दूरं तदेवैषामेतद्धनूंष्यवतनोति ॥ २८ ॥

इत्यनेनैकेन प्रकारेणाग्नेः सप्तत्वसङ्ख्यासम्बन्ध उक्तः । 'सप्तर्तवः संवत्सरः' 'संवत्सरोऽग्निः' इत्यन्येन प्रकारेण सप्तत्वसङ्ख्यायोगित्वं प्रदर्श्यते । अधिमासापेक्षया संवत्सरे सप्तर्तवो भवन्ति । प्रथमानुवाके एतस्मिन्ननुवाके च मिलिता या यजुःसङ्ख्या, तामिदानीं प्रशंसति—तान्युभयानीति । 'चतुर्दशैतानि यजूंषि भवन्ति' (श. प. ९।१।१।१६) इति तत्रोक्तत्वात्, तानि चतुर्दश, अत्रत्यानि सप्त च मिलित्वा उभयान्यपि 'एकविंशतिः' 'सम्पद्यन्ते' । सा चैकविंशतिसङ्ख्या 'द्वादश मासाः पञ्चर्तवस्त्रय इमे लोका असावादित्य एकविंशः' इति यैषा सङ्ख्या सम्पत्तिस्तामभिलक्ष्य भवति, तथाविधा सङ्ख्यासम्पत्तिरत्र सम्पादिता भवतीत्यर्थः ॥ २६ ॥

अथावतानाख्यान्होमान्कुर्यादित्याह—अथेति । "सहस्राणि सहस्रशः" इत्यादिमन्त्रसाध्यहोमा अवतानाः । तेषामवतन्यन्ते अवरोह्यन्ते धनूंष्येभिरित्युपदिशति तत्संज्ञाम् । तेषामुक्तमेवार्थं प्रयोजनतया दर्शयति—एतद्वा इति । धनूंष्यवातन्वन्निति । आरोपितानि धनूंष्यवरोपितवन्त इत्यर्थः । 'न ह्यवततेन' इत्यनेन अवरोपणस्य प्रयोजनमहिंसनं दर्शितम् ॥ २७ ॥

मन्त्रेषु सहस्रयोजनपदप्रयोगात् परमे दूरे धनुषामवरोपणं कृतं भवतीत्याह—तद्वा इति ॥ २८ ॥

यद्देवाह सहस्रयोजनऽइति । (त्य) अयमग्निः सहस्रयोजनं न ह्येतु-स्मादति नेत्यन्यत्परमस्ति तद्यदग्नौ जुहोति तदेवैषाᳪ सहस्रयोजने धनूᳪष्यवतनोति ॥ २९ ॥

(त्य) असंख्याता सहस्राणि । (ण्य) अस्मिन्महत्यर्णवऽइति यत्र यत्र ते तदेवैषामेतद्धनूᳪष्यवतनोति ॥ ३० ॥

दशैतानवतानाञ्जुहोति । दशाक्षरा विराड् विराडग्निर्दश दिशो दिशो-ऽग्निर्दश प्राणाः प्राणाऽ अग्निर्यावानग्निर्यावत्यस्य मात्रा तावतैवैषामेत-द्धनूᳪष्यवतनोति ॥ ३१ ॥

यद्देवाह—सहस्रयोजन इति । अयमग्निः सहस्रयोजनम् । न ह्येतस्मादति । नेत्यन्यत्परमस्ति । तद् यदग्नौ जुहोति । तदेवैषां सहस्रयोजने धनूंष्यवतनोति ॥ २९ ॥

"असंख्याता सहस्राणि, अस्मिन्महत्यर्णवे"—(वा. सं. १६ । ५४, ५५) इति । यत्र यत्र ते—तदेवैषामेतद्धनूंष्यवतनोति ॥ ३० ॥

दशैतानवतानाञ्जुहोति । दशाक्षरा विराट् । विराडग्निः । दश दिशः । दिशोऽग्निः । दश प्राणाः । प्राणा अग्निः । यावानग्निर्यावत्यस्य मात्रा—तावतैवैषामेतद्धनूंष्यवतनोति ॥ ३१ ॥

अथाग्नेः सहस्रयोजनत्वादग्नौ होमेन सहस्रयोजन एव धनुषामवरोपणं भवतीत्याह—यद्देवेति । 'अयमग्निः' 'सहस्रयोजनम्' इत्येतदेवोपपाद्यते—न ह्येतस्मादतीति । एतद्व्यतिरिक्तम् 'अन्यत्' किञ्चिदपि वस्तु 'परम्' अधिकं 'नास्ति' । तस्याग्नेः प्रजापत्यात्मकत्वेन सर्वाधिकत्वात् । अतश्चाग्नेः सहस्रयोजनत्वेन तत्र होमे सहस्र-योजन एव धनुषामवरोपणं सम्पादितवान् भवति ॥ २९ ॥

मन्त्रे 'असंख्याता सहस्राणि, अस्मिन्महत्यर्णवे' इत्येतत्पदप्रयोगस्याभिप्रायमाह—असंख्यातेति । 'यत्र यत्र' स्थाने 'ते' एते भवन्ति, तत्र तत्रैवैतेषामेतेन 'धनूंषि' अवरोपयति । अर्णव—शब्देन पृथिव्यादयो लोका विवक्ष्यन्ते, तस्य च 'महति' इत्यनेन कार्त्स्न्यं विवक्ष्यते । एवं च पृथिव्यादिषु लोकेषु सर्वत्र "असंख्याता सहस्राणि' अपरिमितसहस्रसंख्याका एते रुद्रा अवतिष्ठन्ते । तेषां सर्वेषामेव धनुषामवरोपणं सिद्ध्यतीति यत्र यत्रैते रुद्रास्ते तत्र सर्वत्र असंख्याता इत्येतद्वचनेन रुद्राणां धनूंष्यवरोपितवान्भवतीत्युक्तम्॥ ३० ॥

विहितानामवतानानां होमानां संख्याविशेषं विधाय प्रशंसति—दशैतानवतानान् जुहोतीति । विराड-ग्निरिति । षष्टिश्च त्रीणि च शतानि यजुष्मत्य इष्टका उपधीयन्ते, ताश्च षट्त्रिंशद्दशकानि भवन्ति । अत-श्चैवं दशसंख्यायोगादग्नेर्विराट्त्वम्, ऊर्ध्वाधोदिग्भिः सह दिशां दशत्वम् । अग्नेरत्र दिगात्मकत्वं सर्व-दिग्व्यापकत्वात् । मुखे सप्त प्राणाः, अधः पायूपस्थौ द्वौ, नाभिर्दशमीति 'दश प्राणाः' । प्राणानां च सूत्रात्मकत्वाद् 'अग्निः' प्राणात्मकः । एवं च सत्यवतानानां दशत्वेनाग्न्यात्मकानां रुद्राणां यावत्परिमाणं 'तावतैव' एतानि 'धनूंषि' अवरोपयति । साकल्येन सर्वेषां धनुरवरोपणं कृतं भवतीति भावः ॥ ३१ ॥

(त्यु) अ॒थ प्र॒त्यव॒रोहा॑ञ्जुहोति । (त्ये) एतद्वा॑ऽएत॒दि॒माँल्लो॒का॒नि॑तऽ ऊ॒र्ध्वो रो॑हति स स पु॒राङि॑व रोहऽइ॒यमु॒ वै प्रति॒ष्ठा ते दे॒वाऽइ॒मां प्रति॒ष्ठाम॑भि॒प्रत्या॑यँस्त॒थै॒वैत॒द्यज॑मान ऽइ॒मां प्रति॒ष्ठाम॑भि॒प्रत्यै॑ति ॥ ३२ ॥

यद्वे॒व प्र॒त्यव॒रोह॑ति । (त्ये) एतद्वा॑ऽएना॒नेत॒त्प्री॒णन्न॒न्ववै॑ति त॒त ऽए॒वैत॑दा॒त्मान॒मपो॑द्धरते जी॒वात्वै॒ त॒थो हा॑ने॒नात्म॑ना॒ सर्व॒मायु॑रेति ॥ ३३ ॥

यद्वे॒व प्र॒त्यव॒रोह॑ति । (त्ये) एतद्वा॑ऽएत॒दे॒तान्रु॒द्रानि॑तऽ ऊ॒र्ध्वान्प्री॑णाति तान्पुन॑र॒मुतो॑ऽर्वा॒चः ॥ ३४ ॥

अथ प्रत्यवरोहाञ्जुहोति । एतद्वाएतदिमाँल्लोकानित ऊर्ध्वो रोहति । स स पराङिव रोहः । इयमु वै प्रतिष्ठा । ते देवा इमां प्रतिष्ठामभिप्रत्यायन् । तथैवैतद्यजमान इमां प्रतिष्ठामभिप्रत्यैति ॥ ३२ ॥

यद्वेव प्रत्यवरोहति । एतद्वा एनानेतत्प्रीणन्नन्ववैति । तत एवैतदात्मानमपोद्धरते—जीवात्वै । तथो हानेनात्मना सर्वमायुरेति ॥ ३३ ॥

यद्वेव प्रत्यवरोहति । एतद्वा एतदेतान्रुद्रानित ऊर्ध्वान्प्रीणाति । तान्पुनरमुतोऽर्वाचः ॥ ३४ ॥

अवतानहोमानन्तरं प्रत्यवरोहान् जुहुयादित्याह—अथेति । "नमोऽस्तु रुद्रेभ्यः" इत्यादिमन्त्रसाध्या होमाः प्रत्यवरोहास्तान् कुर्यादित्यर्थः । तेषामुपयोगमाह—एतद्वा इति । एतस्मिन्काले खलु एतेन होमेन इमान् । पृथिव्यादीन् लोकानितः 'ऊर्ध्वो' भूत्वा 'रोहति' 'स' यजमानः । एतद्वा इत्यनेन बुद्धिस्थः कालः परामृश्यते । एतदिति च जान्वादिप्रमाणेषु जातो होमः, आतश्च 'स रोहः पराङिव' भवति । तदारोहणमनावृत्ततया ऊर्ध्वमेव भवतीत्यर्थः । अतश्च देवाः अस्याः पृथिव्याः प्रतिष्ठात्मकत्वाद् 'इमां प्रतिष्ठां' प्रत्यागतवन्तः । यथैव देवाः प्रत्यागतवन्तस्तथैवायं यजमानोऽप्येतेन प्रत्यवरोहहोमेनेमां प्रतिष्ठात्मिकां पृथिवीं प्रत्यैति ॥ ३२ ॥

प्रकारान्तरेणापि प्रत्यवरोहान् प्रशंसति—यद्वेवेति । एतस्मिन् खलु काले एतेन जान्वादिप्रमाणेषु कृतेन होमेन 'एनान्' रुद्रान् 'प्रीणन्' अनुगच्छति यजमानः । अतश्च तेन प्रत्यवरोहणेन 'तत एव' रुद्रेभ्य एव 'आत्मानं' 'जीवात्वै' जीवनाय पृथक्करोति । तथा सति 'अनेन' इदानीं पृथक् क्रियमाणेनैव 'आत्मना' शरीरेण 'सर्वमायुरेति' ॥ ३३ ॥

अथ पुनरपि केनचित्प्रकारेण तानेव स्तौति—यद्वेवेति । तूर्णं जान्वादिप्रमाणेषु कृतेन होमेन 'इत ऊर्ध्वान्' रुद्रान् 'प्रीणाति' उपर्युपरिप्रदेशे होमस्य निष्पादनात् । अतश्च प्रत्यवरोहैः 'एतान्' 'रुद्रान्' 'अमुतः' ऊर्ध्वप्रदेशादर्वाचीनान् प्रीणाति । पूर्वं पृथिव्यादिलोकत्रयानुप्रविष्टान् रुद्रान् पृथिवीमारभ्य द्युलोकपर्यन्तं प्रीणाति । इदानीं द्युलोकमारभ्य पृथिवीपर्यन्तं प्रीणातीत्यर्थः । अत एव सूत्रे "प्रतिलोमं प्रत्यवरोहान् जुहोति" (का. श्रौ. सू. १८।९) इत्युक्तम् । प्रातिलोम्यं च प्रथमं मुखप्रमाणे ततो नाभिप्रमाणे-पश्चाज्जानुप्रमाणे होमः ॥ ३४ ॥

१–प्रमाणेषु नमोऽस्त्विति प्रतिमन्त्रम् इति सूत्रशेषः ।

(चो) नमोऽस्तु रुद्रेभ्यो ये दिवीति तद्येऽमुष्मिँल्लोके रुद्रास्तेभ्यऽ एतन्नमस्करोति येषां वर्षमिषवऽ इति वर्षᳯँ ह तेषामिषवो वर्षेण ह ते हिᳯँसन्ति यं जिहिᳯँसिषन्ति ॥ ३५ ॥

नमोऽस्तु रुद्रेभ्यो येऽन्तरिक्षऽइति । तद्येऽन्तरिक्षलोके रुद्रास्तेभ्यऽ एतन्नमस्करोति येषां वातऽ इषवऽ इति वातो ह तेषामिषवो वातेन ह ते हिᳯँसन्ति यं जिहिᳯँसिषन्ति ॥ ३६ ॥

नमोऽस्तु रुद्रेभ्यो ये पृथिव्यामिति । तद्येऽस्मिँल्लोके रुद्रास्तेभ्यऽ एतन्नमस्करोति येषामन्नमिषव ऽइत्यन्नᳯँ ह तेषामिषवोऽन्नेन ह ते हिᳯँसन्ति यं जिहिᳯँसिषन्ति ॥ ३७ ॥

तेभ्यो दश प्राचीः । (ई) दश दक्षिणा दश प्रतीचीर्दशोदीचीर्दशोर्ध्वाऽ इति दशदशेति दशाक्षरा विराड्विराडग्निर्दश दिशो दिशोऽग्निर्दश प्राणाः प्राणाऽ अग्निर्यावानग्निर्यावत्यस्य मात्रा तावतैवैनानेतदन्नेन प्रीणाति ॥३८॥

" नमोऽस्तु रुद्रेभ्यो ये दिवि "–(वा. सं. १६ । ६४) इति । तद् येऽमुष्मिँल्लोके रुद्राः–तेभ्य एतन्नमस्करोति । "येषां वर्षमिषवः"–(वा. सं. १६ । ६४) इति । वर्षं ह तेषामिषवः । वर्षेण ह ते हिंसन्ति–यं जिहिंसिषन्ति ॥ ३५ ॥

"नमोऽस्तु रुद्रेभ्यो येऽन्तरिक्षे"–(वा. सं. १६।६५) इति । तद् येऽन्तरिक्षलोके रुद्राः–तेभ्य एतन्नमस्करोति । " येषां वात इषवः "–(वा. सं. १६ । ६५) इति । वातो ह तेषामिषवः । वातेन ह ते हिंसन्ति–यं जिहिंसिषन्ति ॥ ३६ ॥

"नमोऽस्तु रुद्रेभ्यो ये पृथिव्याम्"–(वा. सं. १६ । ६६) इति तद् येऽस्मिँल्लोके रुद्राः–तेभ्य एतन्नमस्करोति । "येषामन्नमिषवः"–(वा. सं. १६ । ६६) इति । अन्नं ह तेषामिषवः । अन्नेन ह ते हिंसन्ति–यं जिहिंसिषन्ति ॥ ३७ ॥

"तेभ्यो दश प्राचीः, दश दक्षिणाः, दश प्रतीचीः, दशोदीचीः, दशोर्ध्वाः" इति । दशदशेति । दशाक्षरा विराट् । विराडग्निः । दश दिशः । दिशोऽग्निः । दश प्राणाः । प्राणा अग्निः । यावानग्निर्यावत्यस्य मात्रा–तावतैवैनानेतदन्नेन प्रीणाति ॥ ३८ ॥

अथ प्रत्यवरोहान् प्रदर्शयन् व्याचष्टे–नमोऽस्त्वित्यादिना । " नमोऽस्तु रुद्रेभ्यो ये दिवि "–इत्यनेन द्युलोकस्थेभ्यो रुद्रेभ्यो नमस्कारः कृतो भवति । तत्रत्याश्च रुद्राः यं हिंसितुमिच्छन्ति तं वर्षेण हिंसति । अतश्च 'तेषाम्' 'इषवो' 'वर्षं' खलु । अत उक्तं मन्त्रे ' येषां वर्षमिषवः ' इति । 'तेभ्यो दश प्राचीः' इत्यादिकस्तु मन्त्रभागस्त्रयाणामपि सम्मत इत्युत्तरत्र सकृदेव व्याख्यास्यत इति ॥ ३५ ॥

द्वितीयं मन्त्रं व्याचष्टे–नमोऽस्तु रुद्रेभ्यो येऽन्तरिक्ष इति । स स्पष्टार्थ इति । अन्यत् मन्त्रत्रयसाधारणम् । तेभ्यो दशेत्यादिकं तु प्रागेव (श. प. ९ । १ । १ । ३१) व्याख्यातम् ॥ ३६–३८ ॥

यद्वेवाह दश दशेति । दश वाऽअञ्जलेरङ्गुलयो दिशि दिश्येवैभ्यऽ एतदञ्जलिं करोति तस्मादु हैतद्भीतोऽञ्जलिं करोति तेभ्यो नमोऽअस्त्विति तेभ्यऽ एव नमस्करोति ते नो मृडयन्त्विति तऽएवास्मै मृडयन्ति ते यं द्विष्मो यश्च नो द्वेष्टि तमेषां जम्भे दध्मऽ इति यमेव द्वेष्टि यश्चैनं द्वेष्टि तमेषां जम्भे दधत्यमुमेषां जम्भे दधामीति ह ब्रूयाद्यं द्विष्यात्ततोऽह तस्मिन्न पुनरस्त्यपि तन्नाद्रियेत स्वयंनिर्दिष्टो ह्येव स यमेवं विद्वेष्टि ॥३९॥

यद्वेवाह—दशदशेति । दश वा अञ्जलेरङ्गुलयः । दिशि दिश्येवैभ्य एतदञ्जलिं करोति । तस्मादु हैतद्भीतोऽञ्जलिं करोति । "तेभ्यो नमो अस्तु"—इति । तेभ्य एव नमस्करोति । "ते नो मृडयन्तु "—इति । त एवास्मै मृडयन्ति । "ते यं द्विष्मो यश्च नो द्वेष्टि तमेषां जम्भे दध्मः"—(वा. सं. १६ । ६६) इति । यमेव द्वेष्टि, । यश्चैनं द्वेष्टि—तमेषां जम्भे दधाति । अमुमेषां जम्भे दधामीति ह ब्रूयाद्—यं द्विष्यात् । ततो ह तस्मिन् न पुनरस्ति । अपि तन्नाद्रियेत । स्वयंनिर्दिष्टो ह्येव सः— यमेवं विद्वेष्टि ॥ ३९ ॥

पूर्वं दश प्राचीर्दश दक्षिणा इत्यादौ सङ्ख्येयं दिग्विशेषं च पर्यालोच्य सङ्ख्यामात्रमुपजीव्य प्राशंसि । इदानीं तत्सर्वमुपजीव्य प्रशंसति—यद्वेवाहेति । पुटीकृतं करद्वयमञ्जलिरित्युच्यते । तस्य च ' अञ्जलेः ' ' अङ्गुलयो दश ' भवन्ति । प्रत्येकं करयोः पञ्चाङ्गुलीनां भावात् । तथा च सति " दश प्राचीः " इत्यादिना मन्त्रभागेन तेभ्यो रुद्रेभ्यः प्रागादिमुखादयो दशाङ्गुलयः कृता इत्यस्यार्थस्य प्रतिपादनात् प्रतिदिशम् ' एव ' ' एभ्यो ' रुद्रेभ्यः ' अञ्जलिं करोति ' होमावसरे तेभ्यो दश प्राचीरित्यादिमन्त्रभागकथनेनैव तत्र तत्र दिशि वर्त्तमानेभ्यो रुद्रेभ्योऽञ्जलिं कृतवान् भवतीत्यर्थः । तस्मादु हैतदिति । अञ्जलिकरणस्य कारणं प्रदर्श्यते—' तस्माद् ' रुद्राद् ' भीतः ' सन्नेतेन ' अञ्जलिं ' ' करोति ' इति । अथवा एवं व्याख्यानम्—असौ यजमानोऽध्वर्युमुखेन रुद्रेभ्यो भीतः सन्—उक्तवान् । ' तस्माद् ' एतस्मिँल्लोकेऽपि जनो भीतोऽञ्जलिं करोतीति । ' तेभ्यो नमो अस्त्वित्यादि " अवशिष्टमन्त्रप्रयोगोपयोगमाह—तेभ्यो नम इत्यादिना । तेभ्य एवेति । ' ते ' एव रुद्रा ' असौ ' यजमानाय ' मृडयन्ति ' सुखमुत्पादयन्ति । यमेवेति । असौ यजमानो ' यमेव ' पुरुषं ' द्वेष्टि ' ' यो वा ' ' एनं ' यजमानं ' द्वेष्टि ' ' तमेषां ' रुद्राणां ' जम्भे ' मुखे निदधातीत्यर्थः । " तमेषां जम्भे दध्मः "—इत्यत्र तमित्यस्य स्थाने अमुमिति प्रयुञ्ज्यादिति कस्यचिन्मतं पूर्वपक्षयितुमाह—अमुमेषामिति । 'यं ' पुरुषं ' द्विष्यात्, ' ' तम् ' ' अमुम् ' ' एषां जम्भे दध्मः ' इति ब्रूयात् । अमुमिति तन्नामनिर्देशः । ततश्च ' तस्मिन् ' द्विष्यमाणे ' पुनर्न किञ्चिदप्यस्ति ' म्रियत इत्यर्थः । समुपन्यस्तं मतं निराचष्टे—अपीति । ' तद् ' उक्तं मतं नाद्रियेत इत्यपि कथं तस्य वध्यस्य निर्देशः सेत्स्यतीति तत्राह—स्वयमिति । ' यं ' पुरुषम् ' एवं ' 'यं द्विष्म' इति ' विद्वेष्टि " सः ' ' स्वयमेव ' ' निर्दिष्टो ' भवति । नामधेयग्रहणं तन्निर्देशसिद्ध्यर्थं भवति । स च निर्देशो ' यं द्विष्मो यश्च नो द्वेष्टि तमेषाम् ' इत्यभिधानादेव सिद्ध इति तथा न कुर्यादित्यर्थः ॥ ३९ ॥

त्रिष्कृत्वः प्रत्यवरोहति । त्रिवृदग्निर्यावानग्निर्यावत्यस्य मात्रा तावतैवै-
नानेतदन्नेन प्रीणाति स्वाहाकारेणान्नं वै स्वाहाकारोऽन्नेनैवैनानेतत्प्री-
णाति त्रिरितऽऊर्ध्वो रोहति तत्षट् तस्योक्तो बन्धुः ॥ ४० ॥
(र्यु) यद्वेव त्रिष्कृत्वः प्रत्यवरोहति । त्रिर्हि कृत्वऽ ऊर्ध्वो रोहति तद्याव-
त्कृत्वऽ ऊर्ध्वो रोहति तावत्कृत्वः प्रत्यवरोहति ॥ ४१ ॥
(त्यु) अथ तदर्कपर्णं चात्वाले प्रास्यति । (त्ये) एतद्वाऽएनेनैतद्रौद्रं
कर्म करोति तदेतदशान्तं तदेतत्तिरः करोति नेदिदमशान्तं कश्चिदभिति-
ष्ठात्तन्नेद्धिनसदिति तस्माच्चात्वाले यद्वेव चात्वालेऽग्निरेष यच्चात्वाल-
स्तथो हैनदेषोऽग्निः सन्दहत्यथातः सम्पदेव ॥ ४२ ॥

त्रिष्कृत्वः प्रत्यवरोहति । त्रिवृदग्निः । यावानग्निर्यावत्यस्य मात्रा—तावतैवैनानेतदन्नेन प्रीणाति । स्वाहाकारेण । अन्नं वै स्वाहाकारः । अन्नेनैवैनानेतत्प्रीणाति । त्रिरित ऊर्ध्वो रोहति । तत्षट् । तस्योक्तो बन्धुः ॥ ४० ॥

यद्वेव त्रिष्कृत्वः प्रत्यवरोहति । त्रिर्हि कृत्व ऊर्ध्वो रोहति । तद्—यावत्कृत्व ऊर्ध्वो रोहति—तावत्कृत्वः प्रत्यवरोहति ॥ ४१ ॥

अथ तदर्कपर्णं चात्वाले प्रास्यति । एतद्वा एनेनैतद्रौद्रं कर्म करोति । तदेतदशान्तम् । तदेतत्तिरः करोति । नेदिदमशान्तं कश्चिदभितिष्ठात्, तन्नेद्धिनसदिति । तस्माच्चात्वाले । यद्वेव चात्वाले । अग्निरेषः—यच्चात्वालः । तथो हैनदेषोऽग्निः सन्दहति । अथातः सम्पदेव ॥ ४२ ॥

अथ प्रत्यवरोहान् जुहोतीति सामान्येन विधाय सङ्ख्याविशेषे पर्यावर्त्तनमभिधत्ते—त्रिष्कृत्व इति । सा त्रित्वसंख्या रुद्राणां साकल्येन तृप्तिहेतुर्भवतीत्याह—त्रिवृदिति । आद्यस्तु त्रिवृत्प्रकारः षष्ठकाण्डेऽभिहितः । 'अग्निर्यावान्' 'अस्य' च 'मात्रा यावती' 'तावतैव' 'एनान्' अग्न्यात्मकान् रुद्रान् 'प्रीणाति' प्रीणितवान् भवति । मन्त्रान्ते स्वाहाकारस्यान्नप्रदानसाधनत्वादन्नरूपेण प्रशंसति—स्वाहाकारेणेति । आरोहप्रत्यवरोहाणां च मिलितां सङ्ख्यां प्रशंसति—त्रिरित इति । जान्वादिमुखान्तेषु त्रिषु प्रमाणेषु होमकरणाद्, 'इत ऊर्ध्वं' 'त्रिःकृत्वो 'रोहति,' पुनश्च त्रिःकृत्वः प्रत्यवरोहति । तथा सति षट्संख्या सम्पद्यते । तस्याश्च ब्राह्मणं "षड् वा ऋतवः" इत्यादिना प्रागेवोक्तमित्यर्थः ॥ ४० ॥

प्रकारान्तरेणापि षट्सङ्ख्यामुपपादयति—यद्वेवेति । त्रिःकृत्व ऊर्ध्वमारोहणात्तदनुसारेण त्रिःकृत्व एव प्रत्यवरोहणं कृतं भवति । उपपन्नं चैतत्, नो चेत् न्यूनातिरिक्तम्; अस्त्विति चेत्, मैवं; न्यूनत्वे चापर्याप्तत्वादतिरेके च आधिक्याद्यथापूर्वमवस्थानं न सुलभमिति आरोहणसङ्ख्यानुसारेणैव प्रत्यवरोहणे तत् सुलभमिति सैव सङ्ख्योचितेत्यर्थः ॥ ४१ ॥

उक्तहोमानन्तरं तद्धोमसाधनमर्कपर्णं चात्वाले प्रक्षिपेदित्याह—अथेति[1] । चात्वालप्रक्षेपस्य कारणमाह—

१–हवने प्रास्यति चात्वाले । का. श्रौ. सू. १८ । ६ ।

तदाहुः । कथमस्यैतच्छतरुद्रियꣳ संवत्सरमग्निमाप्नोति कथꣳ संवत्सरेणाग्निना सम्पद्यतऽइति षष्टिश्च ह वै त्रीणि च शतान्येतच्छतरुद्रियमथ त्रिꣳशदथ पञ्चत्रिꣳशत्ततो यानि षष्टिश्च त्रीणि च शतानि तावन्ति संवत्सरस्याहानि तत्संवत्सरस्याहान्याप्नोत्यथ यानि त्रिꣳशत्त्रिꣳशन्मासस्य रात्रयस्तन्मासस्य रात्रीराप्नोति तदुभयानि संवत्सरस्याहोरात्राण्याप्नोत्यथ यानि पञ्चत्रिꣳशत्स त्रयोदशो मासः स ऽआत्मा त्रिꣳशदात्मा प्रतिष्ठा द्वे प्राणा द्वे शिरऽ एव पञ्चत्रिꣳशमेतावान्वै संवत्सरऽएवमु हास्यैतच्छतरुद्रियꣳ संवत्सरमग्निमाप्नोत्येवꣳ संवत्सरेणाग्निना सम्पद्यतऽएतावत्यऽ उ वै शाण्डिलेऽग्नौ मध्यतो यजुष्मत्यऽ इष्टकाऽ उपधीयन्तेऽग्नयो हैते पृथग्यदेताऽइष्टका ऽएवमु हास्यैतेऽग्नयः पृथक्छतरुद्रियेणाभिहुता भवन्ति ॥ ४२ ॥

तदाहुः—कथमस्यैतच्छतरुद्रियं संवत्सरमग्निमाप्नोति, कथं संवत्सरेणाग्निना सम्पद्यत इति । षष्टिश्च ह वै त्रीणि च शतान्येतच्छतरुद्रियम् । अथ त्रिंशत्, अथ पञ्चत्रिंशत् । ततो यानि षष्टिश्च त्रीणि च शतानि, तावन्ति संवत्सरस्याहानि । तत्—संवत्सरस्याहान्याप्नोति । अथ यानि त्रिंशत्—त्रिंशन्मासस्य रात्रयः—तन्मासस्य रात्रीराप्नोति । तदुभयानि संवत्सरस्याहोरात्राण्याप्नोति । अथ यानि पञ्चत्रिंशत्—स त्रयोदशो मासः । स आत्मा । त्रिंशदात्मा, प्रतिष्ठा द्वे, प्राणा द्वे, शिर एव पञ्चत्रिंशम् । एतावान्वै संवत्सरः । एवमु हास्यैतच्छतरुद्रियं संवत्सरमग्निमाप्नोति । एवं संवत्सरेणाग्निना सम्पद्यते । एतावत्य उ वै शाण्डिलेऽग्नौ मध्यतो यजुष्मत्य इष्टका उपधीयन्ते । अग्नयो हैते पृथक्—यदेता इष्टकाः । एवमु हास्यैतेऽग्नयः पृथक् शतरुद्रियेणाभिहुता भवन्ति ॥ ४२ ॥

एतद्वा इति । एतस्मिन् काले खलु 'एनेन' अर्कपर्णेन 'एतद्रौद्रं कर्म करोति' । अतश्च 'एतत्' पर्णम् 'अशान्तं भवति' । 'तद्' 'इदमशान्तं' पर्णं 'कश्चिद्' अपि नाभितिष्ठतु । तच्च न कमपि हिनस्त्विति 'तदेतत्' पर्णं 'तिरः करोति' व्यवहितं करोति, चात्वालस्य गर्तत्वादित्यर्थः । अथ पुनरपि तत्रैव प्रक्षेपमुपपादयति—यद्वेवेति । चात्वालस्य "योनिर्वै यज्ञस्य चात्वालम्"—(तै. सं. ६ । १ । ३ । ८) इति श्रुतेः—धिष्ण्यत्वेनाग्नित्वात्तत्र प्रक्षिप्तं तदर्कपर्णम् 'एषः' चात्वालरूपः 'अग्निः' 'सन्दहति' सम्यग्दहति । इत्थं शतरुद्रियहोममभिधायेदानीं तस्य सम्पदभिधानं प्रतिजानीते—अथातः सम्पदेवेति । सम्पत्सम्पत्तिः केनचित्प्रकारेण सादृश्यसम्पादनं यतः कारणात् कर्मानुष्ठानावसरे सम्पत्तिरनुसन्धातव्या; 'अतः' कारणात् सा 'सम्पदेव' अभिधास्यत इत्यर्थः । 'एव'—कारेणात्र होमकरणप्रकारस्य कार्त्स्न्येन विहितत्वमुच्यते । अतः सम्पदेव प्रदर्श्यते न पुनर्होमकरणप्रकारः तस्य सर्वस्याभिहितत्वादिति ॥ ४१ ॥

तामेव सम्पत्तिं प्रश्नोत्तराभ्यां दर्शयति—तदाहुः कथमित्यादिना । 'तत्' तत्र शतरुद्रियविषये 'अस्य' यजमानस्य 'एतच्छतरुद्रियं' 'कथं' संवत्सरात्मकम् 'अग्निमाप्नोति' 'कथं' च तेन 'संपद्यते' सदृशो भवति

तदाहुः । कथमस्यैतच्छतरुद्रियं महदुक्थमाप्नोति कथं महतोक्थेन सम्पद्यतऽइति यान्यमूनि पञ्चविꣳशतिर्यजूꣳष्यभितोऽशीतीः स पञ्चविꣳशऽ आत्मा यत्र वाऽआत्मा तदेव शिरस्तत्पक्षपुच्छान्यथ या अशीतयः सैवाशीतीनामाप्तिरशीतिभिर्हि महदुक्थमाख्यायतेऽथ यदूर्ध्वमशीतिभ्यो यदेवादो महतऽ उक्थस्योर्ध्वमशीतिभ्य ऽएतदस्य तदेवमु हास्यैतच्छतरुद्रियं महदुक्थमाप्नोत्येवं महतोक्थेन सम्पद्यते ॥ ४४ ॥

इति प्रथमप्रपाठके प्रथमं ब्राह्मणम् ॥ ९-१-१ ॥ (१. १.) ॥

तदाहुः—कथमस्यैतच्छतरुद्रियं महदुक्थमाप्नोति, कथं महतोक्थेन सम्पद्यत इति । यान्यमूनि पञ्चविंशतिर्यजूंषि—अभितोऽशीतीः—स पञ्चविंश आत्मा । यत्र वा आत्मा—तदेव शिरः, तत्पक्ष-पुच्छानि । अथ या अशीतयः—सैवाशीतीनामाप्तिः । अशीतिभिर्हि महदुक्थमाख्यायते । अथ यदूर्ध्वमशीतिभ्यो—यदेवादो महत उक्थस्योर्ध्वमशीतिभ्यः—एतदस्य तत् । एवम् हास्यैतच्छतरुद्रियं महदुक्थमाप्नोति । एवं महतोक्थेन सम्पद्यते ॥ ४४ ॥

‘ इत्याहुः ’ याज्ञिकाः । एतस्योत्तरं—षष्टिश्च ह वा इत्यादि । ‘ एतच्छतरुद्रियं ’ षष्ट्युत्तराणि ‘ त्रीणि शतानि ’ यजूंषि पश्चात् ‘ त्रिंशत् ’ ततः ‘ पञ्चत्रिंशद् ’ इति । ततश्चात्र ‘ यानि ’ षष्ट्युत्तराणि ‘ त्रीणि च शतानि, ’ ‘संवत्सरस्याहानि’ अपि ‘ तावन्ति ’ सम्भवन्ति । ततः तैः ‘ संवत्सरस्याहानि ’ प्राप्नोति । अथ ‘ यानि त्रिंशद् ’ यजूंषि, मासरात्रीणामपि त्रिंशत्त्वात् तैः ‘ मासस्य रात्रीः ’ प्राप्नोति । एवं सति मासस्य संवत्सरावयवत्वात् ‘ तत् ’ संवत्सरात्मकत्वात्, ‘ उभयानि संवत्सरस्याहोरात्राण्याप्नोति ’ । ‘ अथ ’ अवशिष्टानि ‘ यानि ’ ‘ पञ्चत्रिंशद् ’ विद्यन्ते तानि ‘ त्रयोदशो मासः ’ । स च अधिको मासः ‘ सः ’ ‘ संवत्सरस्य आत्मा ’ मध्यभागः । ‘ द्वे ’ यजुषी पादौ । प्रतिष्ठा-शब्देन पादावुच्येते । पुनः ‘ द्वे ’ यजुषी ‘ प्राणाः ’ इन्द्रियाणि । यद्यपि ते प्राणा बहवस्तथापि येन पञ्चत्रिंशद्दिनाधिकमासस्य संवत्सरान्तःपातित्वमभिदधत् तन्मासात्मकेन पञ्चत्रिंशत्त्वात् संवत्सरस्य कर—चरणादिविशिष्टपुरुषाकारतया प्रदर्श्यते—एतावानिति । एतत्प्रमाणकः खलु संवत्सरः । ‘ एवं ’ च सति संवत्सरे यावती सङ्ख्याऽस्ति शतरुद्रियेऽपि तावती सङ्ख्या विद्यत इति सङ्ख्याद्वारा ‘ शतरुद्रियं संवत्सरमग्निमाप्नोति ’ तेन तस्य सदृशो भवति । ‘ एतावत्य उ वै ’ इत्यादिकस्यायमर्थः । ‘ शाण्डिले ’ शाण्डिलदृष्टेऽस्मिन् ‘ अग्नौ ’ ‘ मध्यतो ’ मध्यप्रदेशे ‘ एतावत्यः ’ षष्ट्युत्तर—शतत्रयसङ्ख्याका याः ‘इष्टकाः’ मन्त्रवत्य ‘ उपधीयन्ते ’ । इयं च परिगणनोत्तरस्मिन् काण्डे अभिधास्यते । इष्टकाश्चाग्न्यवयवत्वात् ‘ पृथगग्नयः ’ एवं च सति सङ्ख्यासामान्यात् ‘ शतरुद्रियेण ’ इष्टकारूपाः ‘ अग्नयः ’ ‘ पृथग् ’ एव ‘ अभिहुताः ’ ‘ भवन्ति ’ इति ॥ ४३ ॥

अथ प्रकारान्तरेणापि शतरुद्रियस्य सम्पत्तिं प्रश्नोत्तराभ्यामाह—तदाहुरित्यादिना । महदुक्थमिति । महाव्रते बृहस्पतिसहस्रव्यपदेशं शस्त्रं तेनानुशंसनीयं स्तोत्रं पक्षाकारं भवति । तत्र पञ्चविंशस्तोम आत्मभागः । अतश्चात्रापि अशीतीनाम् ‘ अभितो ’ विद्यमानानि ‘ यानि पञ्चविंशतिर्यजूंषि ’ तान्येव महदुक्थे पञ्च-

अथैनमतः परिषिञ्चति । (त्ये) एतद्वाऽएनं देवाः शतरुद्रियेण शमयित्वाऽथैनमेतद्भूयऽ एवाशमयंस्तथैवैनमयमेतच्छतरुद्रियेण शमयित्वाऽथैनमेतद्भूय ऽएव शमयति ॥ १ ॥

(त्य) अद्भिः परिषिञ्चति । शान्तिर्वाऽआपः शमयत्येवैनमेतत्सर्वतः

अथैनमतः परिषिञ्चति । एतद्वा एनं देवाः शतरुद्रियेण शमयित्वाऽथैनमेतद्भूय एवाशमयन् । तथैवैनमयमेतच्छतरुद्रियेण शमयित्वाऽथैनमेतद्भूय एव शमयति ॥ १ ॥

अद्भिः परिषिञ्चति । शान्तिर्वा आपः । शमयत्येवैनमेतत् । सर्वतः परिषिञ्चति । सर्वत एवैन-

विंशतिस्तोमात्मक आत्मभागः । यद्यप्यत्र पक्ष्याकारता स्तोमस्यैवाग्नेरिति आत्मभाग इत्यपि तत्रैव, तथापि तदनुशंसनात्मके शस्त्रे भेदेनोच्यते । 'यत्र' आत्मा भवति तत्रैव शिरःपक्षपुच्छानीत्यङ्गानि भवन्ति । आत्मभागादेषां सर्वेषामुत्पत्तेरात्मभागे तानि सर्वाण्यन्तर्भूतानि । आत्मभागोपपादनादेव शिरःपुच्छप्रभृतीन्यपि सङ्गृहीतानि भवन्तीत्यर्थः । अथातः शतरुद्रिये ' या अशीतयो ' भवन्ति ताभिर्महदुक्थस्याशीतिभिराख्यानात्तत्सम्बन्धिनीनाम् ' अशीतीनामाप्तिः ' भवति । अथ शतरुद्रिये ' अशीतिभ्यो यदेवोर्ध्वं ' मन्त्रजातमस्ति–महदुक्थस्य ' अशीतिभ्यः ' 'ऊर्ध्वं' 'अदो' यदेव मन्त्रजातं तदेव भवति । तेन तस्याप्तिरित्यर्थः । अद इति महदुक्थात्परं मन्त्रजातं बुद्धिस्थं परामृश्यते । ' एवम् ' उक्तप्रकारेण शतरुद्रिये विद्यमानेनानेन भागेन महति उक्थे विद्यमानस्य तस्य तस्य साङ्गस्यातः शतरुद्रियं ' महदुक्थमाप्नोति ' तथा ' महतोक्थेन सम्पद्यते ' ॥ ४४ ॥

इति श्रीसायणाचार्यविरचिते माधवीये वेदार्थप्रकाशे माध्यन्दिनीयशतपथब्राह्मणभाष्ये नवमकाण्डे प्रथमेऽध्याये प्रथमं ब्राह्मणम् ॥ (९–१–१) ॥

पूर्वस्मिन् ब्राह्मणे शतरुद्रियहोमोऽभिहितः । अथास्मिन्नग्नौ परिषेकप्रेङ्खकरणावकर्षणादिकं कर्माभिधास्यते । कात्यायनः–" चित्यं परिषिञ्चत्यग्नीद्दक्षिणे निकक्षेऽद्रिं कृत्वाऽश्मन्नूर्जमित्यद्रेरधि "–(का. श्रौ. सू. १८ । ७) इति । आग्नीध्रो दक्षिणकक्षप्रदेशे पाषाणं निधाय " अश्मन्नूर्जम् "–(वा. सं. १७ । १) इति मन्त्रेण पाषाणस्योपरि आरभ्याग्निं परिषिञ्चतीति सूत्रार्थः । तमेकं परिषेकं विधत्ते–अथेति । यतः कारणात्संचितोऽग्नी रुद्ररूपत्वादशान्तः । ' अतः ' ' एनं ' शान्त्यर्थं परिषिञ्चेत् । ननु चात्र सञ्चितस्याग्ने रुद्ररूपत्वेनाशान्तस्य शमनार्थमेव शतरुद्रियहोमः । अत एव तत्रोक्तम् "तस्माऽएतदन्नं सममरञ्छान्तदेवत्यम्"–(श. प. ९।१।१।२) इति । अतः किमर्थं पुनः शमनार्थं परिषेकस्य विधानम् । न हि शान्तः पुनरपि शान्तिमपेक्षते । न हि भुक्तवान् भोजनमपेक्षत–इत्यत आह–एतद्वा इति । ' एतत् ' इति देवानां कर्मानुष्ठानावसरपरामर्शः । एतस्मिन्नवसरे सर्वे 'देवाः' अशान्तम् ' एनम् ' अग्निं ' शतरुद्रियेण ' ' शमयित्वा ' ' अथ ' एतेन परिषेकेण ' भूय एव ' अधिकमेव ' अशमयन् ' । अतो यथैव देवा अकुर्वन्, ' तथैव ' अयमपि यजमानः शतरुद्रियेण शान्तमपि पुनरधिकशमनार्थं परिषिञ्चति । अतः शमनाधिक्यार्थत्वात्परिषेकोऽवश्यं विधेय इति भावः ॥ १ ॥

' अथैनमतः परिषिञ्चति ' इति सामान्यविधानात्पयआदिनाऽपि परिषेकः स्यादित्यत आह–अद्भिरिति । परिषेकस्य शमनार्थत्वादपां चाग्न्यादिकृतसन्तापशमनक्षमत्वेन शान्तित्वादद्भिः सम्पादितेन परिषेकेणैनं शमयति ।

परिषिञ्चति सर्व्वत एवैनमेतच्छमयति त्रिष्कृत्वः परिषिञ्चति त्रिवृदग्नि-
र्यावानग्निर्यावत्यस्य मात्रा तावतैवैनमेतच्छमयति ॥ २ ॥

यद्वेवैनं परिषिञ्चति। (ती) इमे वै लोका ऽएषोऽग्निरिमांस्तल्लोका-
नद्भिः परितनोति समुद्रेण हैनांस्तत्परितनोति सर्व्वतस्तस्मादिमाँल्लो-
कान्त्सर्व्वतः समुद्रः पर्येति दक्षिणावृत्तस्मादिमाँल्लोकान्दक्षिणावृत्स-
मुद्रः पर्येति ॥ ३ ॥

(त्य) अग्नीत्परिषिञ्चति। (त्य) अग्निरेष यदाग्नीध्रो नो वा ऽआत्मा-
ऽऽत्मानꣳ हिनस्त्यहिꣳसायाऽअश्मनोऽध्यश्मनो ह्यापः प्रभवन्ति
निकक्षान्निकक्षाद्ध्यापः प्रभवन्ति दक्षिणान्निकक्षाद्दक्षिणाद्धि निकक्षादापः
प्रभवन्ति ॥ ४ ॥

मेतच्छमयति। त्रिष्कृत्वः परिषिञ्चति। त्रिवृदग्निः। यावानग्निर्यावत्यस्य मात्रा—तावतैवैनमे-
तच्छमयति ॥ २ ॥

यद्वेवैनं परिषिञ्चति। इमे वै लोकाः एषोऽग्निः। इमांस्तल्लोकानद्भिः परितनोति। समुद्रेण हैनांस्त-
त्परितनोति। सर्वतः। तस्मादिमाँल्लोकान्त्सर्वतः समुद्रः पर्येति। दक्षिणावृत्। तस्मादिमांल्लोका-
न्दक्षिणावृत्समुद्रः पर्येति ॥ ३ ॥

अग्नीत्परिषिञ्चति। अग्निरेषः—यदाग्नीध्रः। नो वा आत्माऽऽत्मानं हिनस्ति। अहिंसायै।
अश्मनोऽधि। अश्मनो ह्यापः प्रभवन्ति। निकक्षात्। निकक्षाद्ध्यापः प्रभवन्ति। दक्षिणा-
न्निकक्षात्। दक्षिणाद्धि निकक्षादापः प्रभवन्ति ॥ ४ ॥

अद्भिरपि क्वचिदेव परिषेके साकल्येन शमनं न सेत्स्यतीत्याह—**सर्वत** इति। "सकृत् कृतः शास्त्रार्थः" इति न्यायेन सकृदपि परिषेके कृते परिषेकविधिश्चरितार्थः स्यादित्यभिप्रेत्य तदावृत्तिसङ्ख्यां दर्शयति—**त्रिष्कृत्व** इति। त्रित्वसङ्ख्यस्य परिषेकस्य कार्त्स्न्येन शमनहेतुत्वमित्याह—**त्रिवृदग्नि**रिति ॥ २ ॥

अथ तमेव परिषेकं प्रकारान्तरेण प्रशंसति—**यद्वेवैन**मिति। 'एषः' सञ्चितः 'अग्निः' प्रजापत्यात्मकत्वेन प्रजापतेश्च सर्वलोकहेतुत्वेन तदात्मकत्वाद् 'इमे' पृथिव्यादयो 'लोकाः' खलु। अतश्च तादृशस्याग्नेः परिषेकेण 'इमान्' 'एव' 'लोकान्' 'अद्भिः परितनोति' परिवेष्टयति। समुद्रस्याबात्मकत्वात् 'अद्भिः' परिषेके 'समुद्रेण' एव 'एनान्' 'लोकान्' परिवेष्टयति। स च परिषेकः 'सर्वतः' सम्पादित इति 'समुद्रः' अपि 'इमान् लोकान्' 'सर्वतः' 'पर्येति' पृथिव्याः समुद्रेण वलयितत्वादन्तरिक्षद्युलोकयोः पृथिव्या उपरि वर्त्तमानत्वात् पृथिव्यादींन्त्सर्वान् लोकान्सर्वतः समुद्रः 'पर्येति' इत्युच्यते। सर्वतः परिषेकः सव्यावृदपि कर्तुमीप्सितः स्यात् इत्यत आह—**दक्षिणावृ**दिति। यतः प्रादक्षिण्येन क्रमेण परिषेकः सम्पादितः अतः 'समुद्रः' अपि तथैव 'पर्येति' ॥ ३ ॥

समाख्याविनियोगादध्वर्योः परिषेकप्राप्तावपवादमाह—**अग्नी**दिति। अथ कस्मादध्वर्युपरित्यागेनाग्नीध्रः परिगृह्यत इत्यत आह—**अग्निरेष** इति। परिषेक्तव्यस्याग्नेः शमने नक्षमत्वादध्वर्यौ परिषेक्तरि च हिंसा सम्भाविता

(न्त्यु) अश्मन्नूर्जं पर्वते शिश्रियाणामिति । (त्यु) अश्मनि वाऽएषोर्क् पर्वतेषु श्रिता यदापोऽद्भ्यऽ ओषधीभ्यो व्वनस्पतिभ्योऽअधि सम्भृतं पय ऽइत्येतस्माद्ध्येतत्सर्व्वस्मादधि सम्भृतं पयस्तान्न ऽइषमूर्जं धत्त मरुतः सꣳरराणाऽ इति मरुतो वै व्वर्षस्येशतेऽश्मंस्ते क्षुदिति निदधाति तदश्मनि क्षुधं दधाति तस्मादश्मा नाद्योऽथो स्थिरो वाऽअश्मा स्थिरा क्षुत्स्थिरऽएव तत्स्थिरं दधाति मयि तऽऊर्गित्यपादत्ते तदात्मन्नूर्जं धत्ते तथा द्वितीयं तथा तृतीयम् ॥ ५ ॥

" अश्मन्नूर्जं पर्वते शिश्रियाणाम् "-इति । अश्मनि वा एषोर्क् पर्वतेषु श्रिता । यदापः । " अद्भ्य ओषधीभ्यो वनस्पतिभ्यो अधि सम्भृतं पयः "-इति । एतस्माद्ध्येतत्सर्वस्मादधि सम्भृतं पयः । " तान्न इषमूर्जं धत्त मरुतः संरराणाः "-इति । मरुतो वै वर्षस्येशते । " अश्मंस्ते क्षुत "-इति निदधाति । तदश्मनि क्षुधं दधाति । तस्मादश्मा नाद्यः । अथो स्थिरो वा अश्मा, स्थिरा क्षुत् । स्थिर एव तत् स्थिरं दधाति । " मयि तऽऊर्क् "-इति अपादत्ते । तदात्मन्नूर्जं धत्ते । तथा द्वितीयम्, तथा तृतीयम् ॥ ५ ॥

स्यात् । आग्नीध्रस्य पुनरन्यात्मकत्वेन आत्मनैवात्मनो हिंसाया असम्भवादहिंसार्थं तस्य परिग्रह इत्यर्थः । परिषेकावसरे दक्षिणे निकक्षे कंचित्पाषाणं निधाय तत आरभ्यत इत्याह-अश्मनोऽधीत्यादिना । ' निकक्षः ' कक्षप्रदेशः तत्सन्धिस्थानम् । लोकेऽपि पर्वतादिषु दक्षिणात्पाषाणात्संधिस्थानादपामुत्पत्तेरुक्तस्थाने पाषाणं निधाय, तत आरभ्य परिषिच्यत इत्यर्थः ॥ ४ ॥

इत्थं सप्रकारकं परिषेकं विधाय तत्र मन्त्रं प्रदर्शयन् व्याचष्टे-अश्मन्नूर्जमिति । ' आपः ' इति ' यद् ' ' एषा ' ' पर्वतेषु ' ' अश्मनि ' स्थिता ' ऊर्क् ' रसः । पर्वतेषु पाषाणसन्धिभ्योऽपामुत्पत्तेः अतश्चाश्मन्नूर्जमित्येष भागोऽप एवाभिधत्ते । ' शिश्रियाणाम् ' इति श्रयतेः कानचि, इयङादेशे च रूपम् । उत्तरत्र ' रराणाः ' इत्येतदपि कानजन्तं पदम् । ' अद्भ्य ओषधीभ्यः ' इत्येतन्मन्त्रभागप्रतिपाद्योऽर्थः प्रसिद्ध इत्याह-एतस्माद्धीति । ' पयः ' क्षीरं तच्चाबादिभ्यः सम्पाद्यत इत्येतत्प्रसिद्धमेव । अबाद्युपभुक्तवतीभ्यो गोभ्यस्तदुत्पत्तिरिति । तां न इषमित्यनेन भागेन मरुतां तत्प्रदातृत्वस्य प्रतिपादनात्तेषां तत्प्रेरकत्वेन तदुपपादयति-मरुतो वा इति । मन्त्रस्यायमर्थः-' पर्वते ' अश्मनि ' शिश्रियाणां ' श्रितांम् ' ऊर्जं ' रसम्, अप इत्यर्थः । ' ताम् ' ऊर्जम् ' अद्भ्य ओषधीभ्यो वनस्पतिभ्यश्च " सम्पादितं पयो व्याहरन्ति तद्रसत्वात् । हे मरुतः ! ' संरराणाः ' " रा दाने "-(धा. पा. अ. प. ४७) सम्यग्ददाना यूयं ' तामिषम् ' इष्यमाणाम् ' ऊर्जं ' रसं ' नः ' अस्मभ्यं ' धत्त ' सम्पादयतेति । परिषेकानन्तरं ' अश्मंस्ते ' इत्यनेन मन्त्रेण पाषाणे कुम्भं निदध्यादित्याह-अश्मंस्ते क्षुदिति[1] निदधातीति । अश्मनि कुम्भस्य निधाने परिषेकेण शान्तस्य रुद्रस्य क्षुधं

१-अश्मस्ते क्षुदित्यश्मौ कुंभं कृत्वा मयि त ऊर्गित्यादायैवं द्विरपरम् । का. श्रौ. सू. १८ । ८ ।

(त्रि) निधायोदहुरणं त्रिर्व्विपुल्ययते । (तऽ) एतद्वाऽएतमेतल्लघूयतीव यदेनᳬं समन्तं पर्य्यैति तस्माऽएवैतन्निह्नुतेऽहिᳬंसायै ॥ ६ ॥

यद्वेव व्विपल्ययते । (तऽ) एतद्वाऽएनमेतदन्वेति ततऽ एवैतदात्मानमपोद्धरते जीवात्वै तथो हानेनात्मना सर्व्वमायुरेति ॥ ७ ॥

निधायोदहरणं त्रिर्विपल्ययते । एतद्वा एनमेतल्लघूयतीव-यदेनं समन्तं पर्येति । तस्मा एवैतन्निह्नुतेऽहिंसायै ॥ ६ ॥

यद्वेव विपल्ययते । एतद्वा एनमेतदन्वेति । तत एवैतदात्मानमपोद्धरते । जीवात्वै । तथो हानेनात्मना सर्वमायुरेति ॥ ७ ॥

पाषाणे निहितवान्भवतीत्याह-तदश्मनि क्षुधं दधातीति । तस्मादिति । यतः 'अश्मनि क्षुद्' निहिता 'तस्मादश्मा नाद्यः ' नः भक्षणीयः । तस्याग्निक्षुदाधारत्वेन घस्मरत्वात् । नन्वग्निसंबन्धिन्याः क्षुधो निधानं पाषाणव्यतिरिक्तस्थानेऽपि कर्तव्यं स्यात् । अतस्तदुल्लङ्घनेनात्रैव किमिति निहितेति तत्राह-अथो इति । 'अश्मा' कठिनत्वात् 'स्थिरः' 'क्षुद्' अपि तथा 'स्थिरा' हि । इदानीमुपशान्तापि कालान्तरेऽनुवर्त्तनात् । अतोऽश्मनि क्षुधो निधाने 'स्थिर एव स्थिरं दधाति' । अश्मनि निहितस्य कुम्भस्य पुनर्मन्त्रेण स्वीकारं विधत्ते-मयि त इति । 'तत्' तेन स्वीकारेण पुनरात्मनि 'ऊर्जम्' अन्नात्मिकां 'धत्ते' । पूर्वं क्षुधोऽपगमनार्थम् अश्मनि कुम्भो निहितः । 'तथा' चाश्मन्यूर्जो धारणं न सिद्ध्येदिति तदर्थं पुनः तस्य स्वीकारो भवतीत्यर्थः । परिषेकादि अश्मनि निधानान्तं कर्म पुनर्द्विवारं कर्तव्यमित्याह-तथा द्वितीय तथा तृतीयम् इति ॥ ५ ॥

तृतीयवारनिधाने किं कर्त्तव्यमिति तत्राह-निधायेति । उदकं ह्रियतेऽनेनेति 'उदहरणं' कुम्भः । "उदकस्योदः संज्ञायाम्"-(पा. सू. ६ । ३ । ५७) इत्युदादेशः । तं 'निधाय' त्रिवारं 'विपल्ययते' प्रतिपर्येति । सव्यावृत् पर्येति । 'विपल्ययते' इति "उपसर्गस्यायतौ"-(पा. सू. ८ । २ । १९) इति लत्वम् । किमर्थं विपल्ययनमित्याह-एतद्वा इति । एतस्मिन्नवसरे खलु 'एनम्' अग्निं समन्तात् 'पर्येति' इति यत् एतेन 'एनम्' लघुमिवाचरति । अतस्तथा कृतेऽग्निं हिंस्यादिति । अहिंसार्थं 'तस्मा एव' अग्नये 'निह्नुते' स्वकृतं तद्विषयमपराधमपमार्ष्टीत्यर्थः । 'लघूयतीति' "उपमानादाचारे"-(पा. सू. ३ । १ । १०) इति क्यच् प्रत्ययः । तस्मा एवाग्नये "श्लाघह्नुङ्स्था०" (पा. सू. १ । ४ । ३४) इत्यादिना सम्प्रदानसंज्ञायां चतुर्थी ॥ ६ ॥

प्रकारान्तरेणापि विपल्ययनं प्रशंसति-यद्वेवेति । प्रदक्षिणप्रक्रमावसरे 'एनम्' अग्निमनुगतो भवति । विपल्ययनात्तत एव जीवनायात्मानं पृथक्करोति । तथा सति 'अनेन' इदानीं ध्रियमाणेन शरीरेण च 'सर्वमायुः' प्राप्नोति ॥ ७ ॥

१-तावत्प्रतिपर्येति । का. श्रौ. सू. १८ । ५ ।

त्रिर्व्विपल्ययते । त्रिर्हि कृत्वः पर्य्येति सद्यावत्कृत्वः पर्य्येति तावत्कृत्वो व्विपल्ययते ॥ ८ ॥

(तेऽथ) अथ तमश्मानमुदहरणेऽवधाय । (ये) एतां दिशꣳ हरन्त्येषा वै नैर्ऋती दिङ्नैर्ऋत्यामेव तद्दिशि शुचं दधाति ॥ ९ ॥

(त्ये) एतद्वाऽएनं देवाः शतरुद्रियेण चाद्भिश्च शमयित्वाऽथास्यैतेन शुचं पाप्मानमपाघ्नंस्तथैवैनमयमेतच्छतरुद्रियेण चाद्भिश्च शमयित्वाऽथास्यैतेन शुचं पाप्मानमपहन्ति ॥ १० ॥

बाह्येनाग्निꣳ हरति । (ती) इमे वै लोकाऽएषोऽग्निरेभ्यस्तल्लोकेभ्यो बहिर्धा शुचं दधाति बहिर्व्वेदीयं वै व्वेदिरस्यै तद्बहिर्धा शुचं दधाति ॥११॥

(अर्धप्रपाठकः ५९)

स व्वेदेर्द्दक्षिणायाꣳ श्रोणौ । प्राङ्तिष्ठन्दक्षिणा निरस्यति यं द्विष्मस्तं

त्रिर्विपल्ययते । त्रिर्हि कृत्वः पर्यैति । तद्द यावत्कृत्वः पर्यैति—तावत्कृत्वो विपल्ययते ॥ ८ ॥

अथ तमश्मानमुदहरणेऽवधायैतां दिशं हरन्ति । एषा वै नैर्ऋती दिक् । नैर्ऋत्यामेव तद्दिशि शुचं दधाति ॥ ९ ॥

एतद्वा एनं देवाः शतरुद्रियेण चाद्भिश्च शमयित्वाऽथास्यैतेन शुचं पाप्मानमपाघ्नन् । तथैवैनमयमेतच्छतरुद्रियेण चाद्भिश्च शमयित्वाऽथास्यैतेन शुचं पाप्मानमपहन्ति ॥ १० ॥

बाह्येनाग्निं हराति । इमे वै लोका एषोऽग्निः । एभ्यस्तल्लोकेभ्यो बहिर्धा शुचं दधाति । बहिर्वेदि । इयं वै वेदिः । अस्यै तद्बहिर्धा शुचं दधाति ॥ ११ ॥

स वेदेर्दक्षिणायां श्रोणौ प्राङ्तिष्ठन् दक्षिणा निरस्यति । " यन्द्विष्मस्तं ते शुगृच्छतु "–

विपल्ययनस्य त्रिवारकरणं प्रशंसति–त्रिर्विपल्ययत इति ॥ ८ ॥

त्रिवारं पर्येत्य पश्चात् साश्मानं कुम्भं नैर्ऋत्यां दिशि प्रक्षिपेदित्याह–अथेति । एतां दिशमिति । नैर्ऋती 'दिशं' हस्तेनाभिनीय दर्शयति–'एषा वै नैर्ऋती दिग्' इति विवरणात् ॥ ९ ॥

एतद्वा–इति । पूर्वं देवा 'एनम्' अग्निं 'शतरुद्रियेणाद्भिश्च शमयित्वा 'अथ' 'अस्य' अग्नेः 'एतेन' उक्तप्रदेशे प्रक्षेपेण 'शुचं' शोकरूपं पापं हतवन्तः अतो यजमानोऽपि तत्र प्रक्षेपेण तथैव कृतवान् भवति ॥१०॥

प्रक्षेपार्थं हरणावसरे अग्नेर्बाह्यभागेन हरेदित्याह–बाह्येनाग्निमिति । तथा हरणेन शोध्यः पृथिव्यादिभ्यो लोकेभ्यो बहिर्धा कृतो भवतीत्याह–इमे वा इति । अग्नेः पृथिव्यादिलोकरूपात्मकत्वं प्रजापत्यात्मकत्वात् । तथैव वेदेरपि बहिर्हरणमभिधाय प्रशंसति–बहिर्वेदीति ॥ ११ ॥

उक्तप्रकारेण साश्मानं कुम्भं कृत्वा वेदेर्दक्षिणस्यां श्रोणौ प्राङ्मुखस्तिष्ठन् 'यं द्विष्मः' इत्यनेन मन्त्रेण दक्षिणतो निरस्यतीत्याह–स इत्यादिना । उक्तमन्त्रेण निरसने मन्त्रार्थस्तथैव फलतीत्याह–यमेवेति ।

१–बहुत्वं चिन्त्यम् । २–कुम्भेऽद्रिं कृत्वा दक्षिणस्यां वेदिश्रोणौ प्राङ्तिष्ठन् दक्षिणाऽस्यति यं द्विष्म इति । का.श्रौ.सू.१८।१०।

ते शुगृच्छत्विति यमेव द्वेष्टि तमस्य शुगृच्छत्यमुं ते शुगृच्छत्विति ह ब्रूयाद्यं द्विष्यात्ततो ह तस्मिन्न पुनरस्त्यपि तन्नाद्रियेत स्वयंनिर्दिष्टो ह्येव स यमेवं विद्वेष्टि यदि नु भिद्येत भेत्तवै ब्रूयाद्यदा ह्येव स भिद्यतेऽथ तᳪ शुगृच्छति यं द्वेष्ट्यप्रतीक्षमायन्त्यप्रतीक्षमेव तच्छुचं पाप्मानं जहाति १२

प्रत्येत्येष्टका धेनूः कुरुते । (त९) एतद्वाऽएनं देवाः शतरुद्रियेण चाद्भिश्च शमयित्वा शुचमस्य पाप्मानमपहत्य प्रत्येत्येष्टका धेनूरकुर्वत तथैवैनमयमेतच्छतरुद्रियेण चाद्भिश्च शमयित्वा शुचमस्य पाप्मानमपहत्य प्रत्येत्येष्टका धेनूः कुरुते ॥ १३ ॥

(वा. सं. १७ । १) इति । यमेव द्वेष्टि—तमस्य शुगृच्छति । अमुं ते शुगृच्छतु—इति ह ब्रूयात्—यं द्विष्यात् । ततो ह तस्मिन्न पुनरास्ति । अपि तन्नाद्रियेत । स्वयंनिर्दिष्टो ह्येव सः—यमेवं विद्वेष्टि । यदि न भिद्येत—भेत्तवै ब्रूयात् । यदा ह्येव स भिद्यते—अथ तं शुगृच्छति—यं द्वेष्टि । अप्रतीक्षमायन्ति । अप्रतीक्षमेव तच्छुचं पाप्मानं जहाति ॥ १२ ॥

प्रत्येत्येष्टका धेनूः कुरुते । एतद्वा एनं देवाः शतरुद्रियेण चाद्भिश्च शमयित्वा शुचमस्य पाप्मानमपहत्य प्रत्येत्येष्टका धेनूरकुर्वत । तथैवैनमयमेतच्छतरुद्रियेण चाद्भिश्च शमयित्वा शुचमस्य पाप्मानमपहत्य प्रत्येत्येष्टका धेनूः कुरुते ॥ १३ ॥

'अमुं ते शुगृच्छतु' इत्यादिकं तु प्रागेव व्याख्यातम् । निरस्तस्य तस्याश्मनोऽभेदने किं कुर्यादिति तत्राह—यदीति । 'भेत्तवै' भेत्तुं "तुमर्थे" (पा. सू. ३ । ४ । ९) इत्यादिसूत्रेण तुमर्थे तवै-प्रत्ययः । निरसनेनाभिन्नस्य तस्य बलाद्भेदने किं लभ्यत इति तत्राह—यदीति । अत्र 'यदि न भिद्येत भेत्तवै ब्रूयाद्' इति सामान्येन च तद्भेदनमश्मविषयमुत कुम्भविषयमिति निर्णयो न दृश्यते अतोऽत्र विचार्यते किमेतद्भेदनं कुम्भविषयमश्मविषयं वेति । किं तावत्प्राप्तम् । सामर्थ्यात्कुम्भविषयमेतद्भेदनं नाश्मविषयम् । कुत एतत् । एवमेतद्वचनं समर्थं भवति—यदि न भिद्येत भेत्तवै ब्रूयादिति । अद्रौ त्वसमर्थमेव । नहि तस्य कठिनत्वाद्भेदनमाशङ्क्येत इति प्राप्तेऽभिधीयते । अश्मविषयं चैतद्भेदनं प्रतिपत्तव्यम्, न कुम्भविषयम् । कुतः ? अर्थवादात् 'यदा ह्येव स भिद्यतेऽथ तं शुगृच्छति यं द्वेष्टि' इति । सा च शुगश्मनि निहिता "तदश्मनि शुचं दधाति" इति । किञ्च अश्मन्येव वाच्यं भेदनम्, न कुम्भे । स ह्यद्रिगर्भः क्षिप्तोऽवश्यमेव भिद्येतेति । तदेतत्सर्वं कात्यायनेन सूत्रितम्—"अभिन्ने भेत्तवै ब्रूयात्, कुम्भे भेदनᳪ सामर्थ्यात्, अश्मनि वाऽर्थवादात्, वाच्यत्वाच्च"—(का. श्रौ. सू. १८ । ११, १२, १३, १४) इति । निरसनानन्तरं कर्त्तव्यमाह—अप्रतीक्षमिति ॥ १२ ॥

साश्मानं कुम्भं निरस्य प्रत्येत्येष्टका धेनूः कुर्यादित्याह—प्रत्येत्येति । धेनुकरणं नाम वक्ष्यमाणमन्त्रजपपूर्वकं धेनुरूपेणानुसंधानम् । शतरुद्रियादिकुम्भनिरसनान्तं कर्म कृत्वा प्रत्येत्य देवैः धेनुकरणाद्यजमानोऽपि एतेन तथैव कृतवान् भवतीत्याह—एतद्वा इति । 'देवा इष्टका धेनूरकुर्वत, तथैवैनमयम्' इत्यादि स्पष्टम् ॥ १३ ॥

(त८) आसीनः कुर्व्वीतेत्यु हैकऽआहुः । (ग्र) आसीनो वै धेनुं दोग्धीति तिष्ठंस्त्वेव कुर्व्वीतेमे वै लोकाऽएषोऽग्निस्तिष्ठन्तीव वाऽइमे लोका ऽअथो तिष्ठन्वै व्वीर्यवत्तरः ॥ १४ ॥

(ऽ) उदङ्प्राङ्तिष्ठन् । (न्पु) पुरस्ताद्वाऽएषा प्रतीची यजमानं धेनुरुपतिष्ठते दक्षिणतो वै प्रतीचीं धेनुं तिष्ठन्तीमुपसीदन्ति ॥ १५ ॥

स यत्राभ्याप्नोति । तदभिमृश्यैतद्यजुर्जपतीमा मेऽअग्नऽइष्टका धेनवः सन्त्वित्यग्निर्हैतासां धेनुकरणस्येष्टे तस्मादेतावतीनां देवतानामग्निमेवा-

---

आसीनः कुर्वीतेत्यु हैक आहुः । आसीनो वै धेनुं दोग्धीति । तिष्ठंस्त्वेव कुर्वीत । इमे वै लोका एषोऽग्निः । तिष्ठन्तीव वा इमे लोकाः । अथो तिष्ठन्वै वीर्यवत्तरः ॥ १४ ॥

उदङ् प्राङ्तिष्ठन् । पुरस्ताद्वा एषा प्रतीची यजमानं धेनुरुपतिष्ठते । दक्षिणतो वै प्रतीचीं धेनुं तिष्ठन्तीमुपसीदन्ति ॥ १५ ॥

स यत्राभ्याप्नोति–तदभिमृश्यैतद्यजुर्जपति । "इमा मे अग्न इष्टका धेनवः सन्तु"–इति । अग्निर्हैतासां धेनुकरणस्येष्टे । तस्मादेतावतीनां देवतानामग्निमेवामन्त्रयते । "एका च दश

विहितं धेनुकरणम् आसीनेन संपाद्यमिति केषांचिच्छाखिनां सोपपत्तिकं मतं पूर्वपक्षयितुं दर्शयति–आसीन इति । स्वमतमाह–तिष्ठंस्त्वेवेति । 'तिष्ठन् एव कुर्वीत' न पुनरासीन इत्येवकारेण पूर्वमुपन्यस्तस्य मतस्य निरासः । स्वमते उपपत्तिमाह–इमे वा इति । 'एषः' संचितः 'अग्निः' 'इमे' पृथिव्यादयो 'लोकाः' । कुतः ? प्रजापतिस्तावत्पृथिव्यादिलोकहेतुत्वेन तदात्मकः । एषोऽग्निः प्रजापत्यात्मकः । "स यः स प्रजापतिर्व्यस्रंसतायमेव स योऽयमग्निश्चीयते" (श. प. ८ । २ । २ । ६)–इत्युक्तत्वात् । एवं प्रजापत्यात्मना अग्निरिमे लोकाः, लोकाश्चैते 'तिष्ठन्तीव' ऊर्द्ध्वा अवतिष्ठन्त इव । अतश्च पृथिव्यादिलोकत्रयात्मकस्याग्नेरवयवीभूतानामिष्टकानां धेनुकरणं स्थित्वा संपाद्यमित्यर्थः । अपि च अग्निवल्लोके तिष्ठन् पुरुषो वीर्यवत्तरो भवति न त्वासीनः । ततश्च वीर्यवानिव भूत्वाऽनुकरोति । यथा धेनवोऽभिमतं पयो दुहन्ति तद्वदेवैता अपीष्टकाः स्वाभिलषितं दुहन्ति इति बुद्ध्या धेनुरूपेणानुसन्धानं क्रियते । धेनवश्च वीर्यवत्तरेण जनेन दुह्यमानाः भूयः पयो दुहन्ति न पुनर्दुर्बलेन । अतोऽत्रापि स्वाभिलषितदोहनार्थं धेनुकरणं वीर्यवता सम्पाद्यम् । तच्च वीर्यवत्त्वं तिष्ठत एव सम्भवतीति तिष्ठन्नेव धेनूः कुर्यादिति भावः ॥ १४ ॥

तिष्ठन्नपि कथं तिष्ठन्कुर्यादिति तत्राह–उदङ्प्राङिति[1] । 'उदङ् प्राङ्' इति ऐशानी दिगुच्यते तदभिमुखस्तिष्ठन्नित्यर्थः । लोके हि यजमानस्य पूर्वभागे धेनोः प्रत्यङ्मुखतयाऽवस्थानाद्दोग्धॄणां च प्रत्यङ्मुखाया धेनोः दक्षिणतो दोहनात्स्वाभिलषितदोहनार्थे इष्टकानां धेनुकरणे तथा करणमुचितमित्याह–पुरस्ताद्वा इति ॥ १५ ॥

प्रकृते धेनुकरणे स्थानविशेषस्पर्शपूर्वकं मन्त्रं विधत्ते–स यत्रेति । अग्नेरात्मभागस्योपरि 'यत्र' स्प्रष्टुमाप्नोति 'तत्' स्थानम् 'अभिमृश्य' "इमा मे अग्ने"–(वा. सं. १७।२) इति मन्त्रं जपेदित्यर्थः । अत्र आत्मन

१–अनपेक्षमेत्योदङ्प्राङ् तिष्ठन्नात्मन उपरि प्रापणान्ते जपतीमा म इति । का० श्रौ० सू० १८ । १५ ।

मन्त्रयतऽएका च दश चान्तश्च परार्धश्चेत्येष हावराध्यों भूमा यदेका च दश चाथ हैष पराध्यों भूमा यदन्तश्च परार्धश्चावरार्धतश्चैवैनाऽएतत्परार्धतश्च परिगृह्य देवा धेनूरकुर्वत तथैवैनाऽअयमेतदवरार्धतश्चैव परार्धतश्च परिगृह्य धेनूः कुरुते तस्मादपि नाद्रियेत बह्वीः कर्तुममुत्र वाऽएषऽएता ब्रह्मणा यजुषा बह्वीः कुरुतेऽथ यत्संतनोति कामानेव तत्सन्तनोति ॥ १६ ॥

यद्वेवेष्टका धेनूः कुरुते । वाग्वाऽअयमग्निर्वाचा हि चितः स यदाहैका

चान्तश्च परार्धश्च "–इति । एष ह्यवराध्यों भूमा–यदेका च दश च । अथ हैष पराध्यों भूमा–यदन्तश्च परार्धश्च । अवरार्धतश्चैवैना एतत्परार्धतश्च परिगृह्य देवा धेनूरकुर्वत । तथैवैना अयमेतदवरार्धतश्चैव परार्धतश्च परिगृह्य धेनूः कुरुते । तस्मादपि नाद्रियेत बह्वीः कर्तुम् । अमुत्र वा एष एता ब्रह्मणा यजुषा बह्वीः कुरुते । अथ यत्सन्तनोति–कामानेव तत्सन्तनोति ॥ १६ ॥

यद्वेवेष्टका धेनूः कुरुते । वाग्वा अयमग्निः । वाचा हि चितः । स यदाह–एका च दश चान्तश्च

इत्याम्न्यातमभागस्येत्यर्थः । अग्निव्यतिरिक्तासु बह्वीषु देवतासु सतीष्वपि तत्राग्निमेव प्राधान्येन किमिति संबोधयतीत्याह–अग्निर्हैतासामिति । अवयवव्यापारेऽवयविनः सामर्थ्योपलम्भादिष्टकानामग्न्यवयवत्वेनाग्निस्तासां धेनुकरणे समर्थ इति भावः । मन्त्रे आदावेका च दश चेति, अवसाने–अन्तश्च परार्द्धश्चेति सङ्ख्याविशेषप्रयोगस्याभिप्रायमाह–एका च दश चेति । य एषः 'अवराध्यों भूमा' अपकृष्टं बहुत्वम् अवरसङ्ख्यापरमसीमा । शताद्यपेक्षया दशत्वसङ्ख्या अवरा, ततोऽप्यवरा एकत्वसङ्ख्या । ततश्चार्वाचीनायाः सङ्ख्याया अभावादिति । यदन्तश्चेति । य एव पुनः 'परार्द्धयों भूमा' उत्कृष्टं बहुत्वम् अधिकसंख्या । एकदशशतसहस्रादिसंख्यापेक्षयाऽन्तस्याधिकत्वम् । ततोऽपि परार्द्धस्याधिकत्वम् , तत उत्तरस्या अधिकसंख्याया अभावादित्यर्थः । एवं च 'देवाः' न्यूनसंख्याभूम्ना अधिकसंख्याभूम्ना च मध्यतः शतादिसंख्याका 'एनाः' इष्टकाः परितो गृहीत्वा 'धेनूरकुर्वत' यत एवम्, तस्मादिदानीं यजमानोऽपि "एका च" इत्यादिमन्त्रपाठेन तद्वदेव 'परिगृह्य धेनूः कुरुते' इति । नन्वेवं सति मन्त्रे यत्संख्याकानामिष्टकानां धेनुरूपता सम्पाद्यते तत्संख्याका इष्टका धेनवः क्रियन्ते । तथाप्युक्तसंख्यातिक्रमेण तत्संख्यानुसाराद् 'बह्वीः कर्तुं नाद्रियेत' इत्यर्थः । कथं तथेष्टकास्तत्संख्याका धेनवः सम्पाद्यन्त इत्यत आह–अमुत्र वा इति । 'एषः' यजमानोऽमुष्मिँल्लोके, उपलक्षणमेतत् । इह लोकेऽपि ब्रह्मणा बृहता वीर्यवतेत्यर्थः । तेन यजुर्मन्त्रेण 'एता' इष्टकाः 'बह्वीः' एकादिपरार्द्धान्तसंख्याकाः 'कुरुते' मन्त्रसामर्थ्यादल्पस्य बहुभवनं तैत्तिरीयके श्रूयते–"धान्यमसि धिनुहि देवानित्याह । एतस्य यजुषो वीर्येण । यावदेका देवता कामयते यावदेका । तावदाहुतिः प्रथते । नहि तदस्ति । यत्तावदेव स्यात् । यावज्जुहोति" (तै. ब्रा. ३ । २ । ९ । ३) इति । मन्त्रे एका च दश चेत्यादिनोत्तरोत्तराधिकसंख्यासन्तानस्य फलमाह–अथ यदिति ॥ १६ ॥

अथ तदेवेष्टकाधेनुकरणं वाग्धेनुकरणात्मना प्रशंसति–यद्वेवेति । मन्त्ररूपया वाचा चितत्वादग्निर्वागात्मकः । एकत्वादिका अपि संख्या वाचा प्रकाश्यमानत्वाद् वागात्मिकाः । एवं च सति अग्न्यवयवीभूतानामिष्टकानाम्

च दुश चान्तश्च परार्धश्चेति व्वाग्वाऽएका व्वाग्दुश व्वागुन्तो व्वाक्परार्धो व्वाचमेव तुद्देवा धेनुमकुर्व्वत तुथैवैतद्युजमानो व्वाचमेव धेनुं कुरुतेऽथ युत्सन्तनोति व्वाचमेव तत्सुंतनोत्येता मेऽअग्नऽइष्टका धेनुवः सन्त्वमुत्रामुष्मिँल्लोकऽ इत्येतद्वाऽ एनाऽअस्मिँल्लोके धेनूः कुरुतेऽथैनाऽएतदमुष्मिँल्लोके धेनूः कुरुते तुथो हैनमेताऽउभयोर्लोकयोर्भुञ्जन्त्यस्मिंश्चामुष्मिंश्च ॥ १७ ॥

(श्वर्तु) ऋतुव स्थेति । (त्सृ) ऋतुवो ह्येताऽऋतावृध ऽइति सत्यवृध ऽइत्येतुदृतुष्ठा स्थ ऽऋतावृध ऽइत्यहोरात्राणि वाऽइष्टकाऽऋतुषु वाऽअहोरात्राणि तिष्ठन्ति घृतश्चुतो मधुश्चुत ऽइति तुदेना घृतश्चुतश्च मधुश्चुतश्च कुरुते ॥ १८ ॥

परार्धश्चेति । वाग्वा एका, वाग्दश, वागन्तः, वाक् परार्धः । वाचमेवं तद्देवा धेनुमकुर्वत । तथैवैतद्यजमानो वाचमेव धेनुं कुरुते । अथ यत्सन्तनोति-वाचमेव तत्सन्तनोति । " एता मे अग्न इष्टका धेनवः सन्त्वमुत्रामुष्मिँल्लोके "-(वा. सं. १७ । २) इति । एतद्वा एना अस्मिँल्लोके धेनूः कुरुते । अथैना एतदमुष्मिँल्लोके धेनूः कुरुते । तथो हैनमेता उभयोर्लोकयोर्भुञ्जन्ति-अस्मिंश्चामुष्मिंश्च ॥ १७ ॥

" ऋतव स्थ "-इति । ऋतवो ह्येताः । " ऋतावृधः "-इति । सत्यवृध इत्येतत् । "ऋतुष्ठा स्थ ऋतावृधः"-इति । अहोरात्राणि वा इष्टकाः । ऋतुषु वा अहोरात्राणि तिष्ठन्ति । " घृतश्चुतो मधुश्चुतः "-इति । तदेना घृतश्चुतश्च मधुश्चुतश्च कुरुते ॥ १८ ॥

' एका च दश च ' इत्यादिसंख्याप्रकाशकेन मन्त्रेण ' देवा वाचम् ' एव ' धेनुम् ' अकुर्वन् । अत इदानीन्तनोऽपि ' यजमानः ' तद्वदेव करोति । एकत्वादिसंख्यानां वागात्मकत्वादुत्तरोत्तराधिकसंख्यासन्तानेन वाचमेव भूयसीमविच्छिन्नां सम्पादितवान् भवतीत्याह—अथेति । ननु च " इमा मे अग्न इष्टका धेनवः सन्तु " इत्यनेन धेनुरूपत्वसंपादनात् पुनरपि तदेव "एता मे अग्ने" इत्यादिना सम्पाद्यत इति पौनरुक्त्याशङ्कां निवारयति—एतद्वा इति । " इमा मे अग्ने " इत्येतेनैता ' इष्टकाः ' ' अस्मिँल्लोके ' इह लोके धेनूः करोति । अथ 'एता मे अग्ने' इत्यनेन ' अमुष्मिँल्लोके ' स्वर्गे ' धेनूः ' करोति । अतश्च पृथगर्थत्वान्न पुनरुक्तिरिति भावः । इष्टकानां लोकद्वयेऽपि धेनुरूपतासम्पादनस्य फलमाह—तथो हेति । तथा सति, ' एताः ' इष्टकारूपा धेनवः, ' अस्मिंश्चामुष्मिंश्च ' इति ' उभयोर्लोकयोः ' अपि ' एनम् ' यजमानं ' भुञ्जन्ति ' पालयन्तीत्यर्थः । भुञ्जन्तीति " भुजोऽनवने "-(पा. सू. १ । ३ । ६६) इत्यात्मनेपदविधाने अवननिषेधात्परस्मैपदम् । हे अग्ने ! इमा ' इष्टका ' इह लोके एकत्वादिपरार्द्धान्तसंख्याविशिष्टा ' धेनवः ' न केवलं हि इह लोक एव, किन्तु हे-अग्ने ! अमुत्रेत्येतत्पदं मन्त्र एव विवृणोति—अमुष्मिँल्लोक इति । तत्रापि ' एता इष्टका मे धेनवः सन्तु ' इति मन्त्रस्यार्थः ॥ १७ ॥

अथ तत्रैव मन्त्रान्तरं प्रदर्शयन् व्याचष्टे—ऋतवः स्थेति । ऋतवो हीति । एता इष्टका ऋतवः खलु

विराजो नामेति। (त्ये) एतद्वै देवा ऽएताऽ इष्टका नामभिरुपाह्वयन्त यथायथैना ऽएतदाचक्षते ताऽएनानभ्युपावर्तन्ताथ लोकम्पृणाऽएव पराच्यस्तस्थुरहितनाम्न्यो निमेमिहत्यस्ता विराजो नामाकुर्वत ता ऽएनानभ्युपावर्तन्त तस्माद्दशदशेष्टकाऽउपधाय लोकम्पृणयाऽभिमन्त्रयते तदेना विराजः कुरुते दशाक्षरा हि विराट्कामदुघा ऽअक्षीयमाणा ऽइति तदेनाः कामदुघाऽअक्षीयमाणाः कुरुते ॥ १९ ॥

(तेऽथै) अथैनं विकर्षति। मण्डूकेनावकया वेतसशाखयैतद्वा ऽएनं देवाः शतरुद्रियेण चाद्भिश्च शमयित्वा शुचमस्य पाप्मानमपहत्याथैनमेतद्भूय ऽएवाशमयंस्तथैवैनमयमेतच्छतरुद्रियेण चाद्भिश्च शमयित्वा

"विराजो नाम"–इति। एतद्वै देवा एता इष्टका नामभिरुपाह्वयन्त–यथायथैना एतदाचक्षते। ता एनानभ्युपावर्तन्त। अथ लोकम्पृणा एव पराच्यस्तस्थुरहितनाम्न्यो निमेमिहत्यः। ता विराजो नामाकुर्वत। ता एनानभ्युपावर्तन्त। तस्माद्दशदशेष्टका उपधाय लोकम्पृणयाऽभिमन्त्रयते। तदेना विराजः कुरुते। दशाक्षरा हि विराट्। "कामदुघा अक्षीयमाणाः"–(वा. सं. १७। ३) इति। तदेनाः कामदुघा अक्षीयमाणाः कुरुते ॥ १९ ॥

अथैनं विकर्षति–मण्डूकेनावकया वेतसशाखया। एतद्वा एनं देवाः शतरुद्रियेण चाद्भिश्च शमयित्वा शुचमस्य पाप्मानमपहत्याथैनमेतद्भूय एवाशमयन्। तथैवैनमयमेतच्छतरुद्रियेण चाद्भिश्च

संवत्सरात्मकस्य अग्नेरवयवत्वादित्यर्थः। अहोरात्राणि वा इष्टका इत्यत्राप्येवमेवाभिप्रायः। 'ऋतावृधः' इति च्छान्दसो दीर्घः। 'ऋतावृध' इति पुनर्वचनमादरार्थम्। स्पष्टमन्यत् ॥ १८ ॥

विराजो नामेत्यादिकस्यायमर्थः। एतस्मिन्काले खलु 'देवाः' यथायथा 'एता इष्टका' आचक्षाणा यैर्नामभिः 'एना' इष्टका 'आचक्षते' जनास्तैरेव 'नामभिः' स्वगमभ्युपाह्वयन्त। ततश्च एता इष्टका 'एनान्' देवान् 'अभ्युपावर्त्तन्त' समीपमगमन्। अथ लोकम्पृणा इति। एता अविहितनाम्न्यः धेनुरूपतयाऽत्यर्थं मूत्रं विसृजन्त्यः पराङ्मुख्य एव 'तस्थुः'। अन्यासामिष्टकानां स्वयमातृण्णारेतःसिग्विश्वज्योतिरपस्याप्राणभृदित्यादिकानि नामानि विद्यन्ते। लोकम्पृणानां तु तथा प्रातिस्विकनामधेयाभावादितरेष्टकावत्स्वसमानाह्वानेन विमुखीभूता अवस्थिता इत्यर्थः। पश्चाद्देवाः 'ताः' इष्टका विराड्नाम्नीः 'अकुर्वत' अतः स्वयमपि तत्समीपमगमन्। अत एव तदुपधानावसरेऽपि लोकम्पृणा 'दशदशोपधाय' मन्त्रेण 'अभिमन्त्रयते'। एवं च सति विराजो दशाक्षरत्वादेता 'विराजः' कृतवान् भवतीति तस्मान्मन्त्रे लोकम्पृणा उद्दिश्य विराजो नामेति प्रयुक्तमिति विशदमन्यत्। 'गतवा एव' इत्यादिमन्त्रस्य योजनं यथाश्रुतमेव ॥ १९ ॥

इष्टकानां धेनुरूपतासम्पादनानन्तरं मण्डूकावकावेतसशाखाभिरग्निस्थलस्य विकर्षणं विधत्ते–अथेति'।

१–मंडूकावकावेतसशाखा भेणो मध्द्राऽवकर्षति मंत्रकद्ववत् समुद्रस्य त्वेति प्रत्यृचम्। का. श्रौ. सू. १८। १६।

शुचमस्य पाप्मानमपहत्याथैनमेतद्भूयऽएव शमयति सर्व्वतो विकर्षति सर्व्वतऽएवैनमेतुच्छमयति ॥ २० ॥

युद्धेवैनं विकर्षति । (त्ये) एतद्वै यत्रैतं प्राणाऽऋषयोऽग्रेऽग्निꣳ समस्कुर्वंस्तमद्भिरवोक्षंस्ताऽ आपः समस्कन्दंस्ते मण्डूकाऽअभवन् ॥ २१ ॥

(वंस्ताः) ताः प्रजापतिमब्रुवन् । (न्य) यद्वै नः कमभूदवाक्तदगादिति सोऽब्रवीदेष वऽएतस्य वनस्पतिर्वेत्त्विति वेत्तु स वेत्तसो ह वै तं वेतसऽइत्याचक्षते परोऽक्षं परोऽक्षकामा हि देवाऽअथ यदब्रुवन्नवाङ्नः कमगादिति ताऽअवाकाऽअभवन्नवाका ह वै ता ऽअवका ऽइत्याचक्षते परोऽक्षं परोऽक्षकामा हि देवास्ता हैतास्तिस्र ऽआपो यन्मण्डूकोऽवका वेतसशाखैताभिरेवैनमेतत्त्रयीभिरद्भिः शमयति ॥ २२ ॥

शमयित्वा शुचमस्य पाप्मानमपहत्याथैनमेतद्भूय एव शमयति । सर्वतो विकर्षति । सर्वत एवैनमेतच्छमयति ॥ २० ॥

यद्वेवैनं विकर्षति । एतद्वै यत्रैतं प्राणा ऋषयोऽग्रेऽग्निं समस्कुर्वन् । तमद्भिरवोक्षन्—ता आपः समस्कन्दन्—ते मण्डूका अभवन् ॥ २१ ॥

ताः प्रजापतिमब्रुवन्—यद्वै नः कमभूद्—अवाक्तदगादिति । सोऽब्रवीत्—एष व एतस्य वनस्पतिर्वेत्त्विति । वेत्तु सः । वेत्तुसो ह वै तं वेतस इत्याचक्षते परोक्षम् । परोक्षकामा हि देवाः । अथ यदब्रुवन्—अवाङ् नः कमगादिति—ता अवाका अभवन् । अवाका ह वै ता अवका इत्याचक्षते परोऽक्षम् । परोऽक्षकामा हि देवाः । ता हैतास्तिस्र आपः—यन्मण्डूकः, अवका, वेतसशाखा, एताभिरेवैनमेतत्त्रयीभिरद्भिः शमयति ॥ २२ ॥

"एतद्वा" इत्यादिकस्य संबन्धस्तु (श. प. ९ । १ । २ । १०) प्रागेवाभिहितः । विहितं तद्विकर्षणं सर्वतः कर्तव्यमित्याह—सर्वत इति । सर्वत्रापि विकर्षणप्रकारः परस्तात्स्वयमेव वक्ष्यते ॥ २० ॥

अथ मण्डूकावकावेतसशाखानामुत्पत्तिप्रदर्शनपूर्वकं तत्संपाद्यस्य विकर्षणस्य शमनार्थतां दर्शयति—यद्वेवैनमिति । 'एनम्' अग्निं मण्डूकादिभिर्विकर्षतीति 'यत्' तत्र 'एतत्' कारणं खल्विति कारणाभिधानं प्रतिज्ञाय 'यत्रैतम्' इत्यादिना तत्प्रदर्श्यते—'अग्रे' पूर्वं 'यत्र' यस्मिन्प्रस्तावे ऋषिशब्दाभिधेयाः 'प्राणाः' 'एतमग्निं' 'समस्कुर्वन्' । संस्कारप्रकारस्तु षष्ठकाण्डस्यादावुक्तः । तदा ते प्राणाः 'तम्' अग्निम् 'अद्भिः' अवोक्षितवन्तः । 'ताः' चापः 'समस्कन्दंस्ते मण्डूका अभवन्' ॥ २१ ॥

ततः प्रजापतिं प्रति 'नः' अस्माकं 'कं' रसः 'अवागगात्' इत्यद्भिरुक्ते स प्रजापतिः 'वः' एतस्य 'रसस्य' एष वनस्पतिर्वेत्तु' इति 'अब्रवीत्' । एतस्येति कर्मार्थे षष्ठी । 'एष' इति प्रत्यक्षेण निर्दिष्टस्तं 'वनस्पतिर्वेत्तु सः' इति परोक्षेणाप्याह । यत एवमुक्तं तेन वेत्तुसोऽभूत् खलु । 'तं' देवाः परोक्षकामत्वाद् 'वेतस' इति

यद्द्वेवैनं विकर्षति । जायतऽएष ऽएतद्यच्चीयते सऽएष सर्वस्माऽअन्नाय जायते सर्वम्वेतदन्नं यन्मण्डूकोऽवका वेतसशाखा पशवश्च ह्येता ऽआपश्च वनस्पतयश्च सर्वेणैवैनमेतदन्नेन प्रीणाति ॥ २३ ॥

मण्डूकेन पशूनाम् । (न्तु) तस्मान्मण्डूकः पशूनामनुपजीवनीयतमो यातयामा हि सोऽवकाभिरपां तस्मादवकाऽ अपामनुपजीवनीयतमा यातयाम्न्यो हि ता वेतसेन वनस्पतीनां तस्माद्वेतसो वनस्पतीनामनुपजीवनीयतमो यातयामा हि सः ॥ २४ ॥

यद्द्वेवैनं विकर्षति । जायतऽएष एतद्–यच्चीयते । स एष सर्वस्मा अन्नाय जायते । सर्वम्वेतदन्नम्–यन्मण्डूकः, अवका, वेतसशाखा । पशवश्च ह्येताः, आपश्च, वनस्पतयश्च । सर्वेणैवैनमेतदन्नेन प्रीणाति ॥ २३ ॥

मण्डूकेन पशूनाम् । तस्मान्मण्डूकः पशूनामनुपजीवनीयतमः । यातयामा हि सः । अवकाभिरपाम् । तस्मादवका अपामनुपजीवनीयतमाः । यातयाम्न्यो हि ताः । वेतसेन वनस्पतीनाम् । तस्माद्वेतसो वनस्पतीनामनुपजीवनीयतमः । यातयामा हि सः ॥ २४ ॥

' आचक्षते ' । ' अथ ' आपो ' यदब्रुवन् ' ' अवाक् तदगादिति ' तस्मात् स रसः ' अवाका ' अभवन् । ' ताः ' च देवाः परोक्षकामत्वाद् ' अवका ' इति ' आचक्षते ' । ता हैता इति । उक्तप्रकारेण मण्डूकाः साक्षादेवापः, वेतसोऽपि तद्रसवेदनाद्, अवकास्तु तद्रसात्मकत्वादिति सर्वेऽप्येते मण्डूकादयः अबात्मका इति ' ता एताः ' त्रिविधा आपः खलु । तस्मात्तैरवकर्षणे ' एताभिः ' त्रिविधाभिरपि ' अद्भिः ' ' एनम् ' अग्निम् शमितवान्भवति ॥ २२ ॥

इत्थं मण्डूकादीनामबात्मकत्वेन शमनार्थत्वं प्रदर्श्याथ तानेव कृत्स्नान्नरूपेण प्रशंसति–यद्द्वेवेति । पूर्वं प्रजासृष्टिनिबन्धनेन परासुः प्रजापतिरिदानीं चयनलक्षणान्नसंस्कारेण प्राणादीनां निधानात्पुनरुत्पद्यत इति चीयमानाग्निलक्षणः प्रजापतिर्जायत एव । जायमानस्य च सर्वान्नभोगार्थमेवोत्पत्तेः ' एषः ' अपि ' सर्वस्मा अन्नाय जायते ' । मण्डूकादयश्च कृत्स्नमन्नं, तदेव प्रदर्श्यते–पशवश्च ह्येता इति । ' एताः ' मण्डूकावकावेतसशाखाः क्रमेण ' पशव आपो वनस्पतयश्च ' भवन्तीति मण्डूकादयः स्थावरजङ्गमात्मकं कृत्स्नमन्नम् । अत्र यद्यप्येते मण्डूकादयः सर्वेऽप्यबात्मकाः, तथापि अवकानां जलैकायतनत्वाद् वेतसानामप्ररूढवनस्पतिरूपत्वाच्च ता आप इत्युक्तम् । एवं च सति मण्डूकादिभिर्विकर्षणेन ' एनम् ' अग्निं ' सर्वेणैवान्नेन प्रीणाति ' इति ॥ २३ ॥

विकर्षणेन वान्तरसा मण्डूकादयोऽनुपजीवनीया आसन्नित्याह–मण्डूकेनेति । " पशूनां " मध्ये मण्डूकेन विकृष्टवानिति ' यद् ' तस्मात् पशूनां मध्ये मण्डूको गतसारत्वात् पश्वन्तरवदुपकारको न भवति । एवमवका अपि भक्ष्याः पेया वा न भवन्तीति । वेतसोऽपि वनस्पत्यन्तरवत्पुष्पफलादिनोपकारको न भवतीति एते सर्वेऽप्यनुपजीवनीया अभूवन्नित्यर्थः ॥ २४ ॥

(स तु) तानि वृꣳशे प्रबुध्य । दक्षिणार्धेनाग्नेरन्तरेण परिश्रितः प्रागग्रे विकर्षति समुद्रस्य त्वाऽवकयाऽग्ने परिव्ययामसि । पावकोऽअस्मभ्यꣳ शिवो भवेति समुद्रियाभिस्त्वाऽद्भिः शमयामऽइत्येतत् ॥ २५ ॥

(डु) अथ जघनार्धेनोदक् । (घि) हिमस्य त्वा जरायुणाऽग्ने परिव्ययामसि । पावकोऽअस्मभ्यꣳ शिवो भवेति यद्वै शीतस्य प्रशीतं तद्धिमस्य जरायु शीतस्य त्वा प्रशीतेन शमयामऽइत्येतत्॥२६॥(शतम् ४८००॥)

तानि वंशे प्रबध्य दक्षिणार्धेनाग्नेरन्तरेण परिश्रितः प्रागग्रे विकर्षति । "समुद्रस्य त्वाऽवकयाऽग्ने परिव्ययामसि । पावकोऽअस्मभ्यं शिवो भव"–(वा. सं. १७ । ४) इति । समुद्रियाभिस्त्वाऽद्भिः शमयाम इत्येतत् ॥ २५ ॥

अथ जघनार्धेनोदक् । "हिमस्य त्वा जरायुणाऽग्ने परिव्ययामसि । पावकोऽअस्मभ्यं शिवो भव"–(वा. सं. १७ । ५) इति । यद्वै शीतस्य प्रशीतं–तद्धिमस्य जरायु । शीतस्य त्वा प्रशीतेन शमयाम इत्येतत् ॥ २६ ॥

मण्डूकादिभिः कथं विकर्षणं सम्भवतीति तदुपायमाह–तानीति । 'तानि' मण्डूकादीनि 'वंशे' 'प्रबध्य' विकर्षेदिति शेषः । पूर्वमग्निस्थलस्य सामान्येन विकर्षणमुक्तम् । "अथैनं विकर्षति" इति । कुत्रेदानीं कस्मिन् कस्मिन् प्रदेशे केन केन प्रकारेणेति विशेषजिज्ञासायामाह–दक्षिणार्धेनेति । परिश्रिताम् 'अन्तरेण' अग्नेरात्मभागस्य दक्षिणभागे प्रथमं 'प्राक्' अपवर्गं कर्षति "समुद्रस्य त्वा"–(वा. सं. १७ । ४) इति मन्त्रेणेत्यर्थः । दक्षिणार्द्धेनेति । (पा. सू. ३ । १ । ८५) व्यत्ययेन तृतीया । समुद्रस्य त्वाऽवकयाऽग्ने परिव्ययामसीत्यस्य तात्पर्यमाह–समुद्रियाभिरिति । 'समुद्र' शब्देनात्र जलाशय उच्यते । समुद्रसम्बन्धिनीभिः 'अद्भिः' 'त्वां' 'शमयाम' 'इत्येतद्' उक्तं भवति । अवकाया अबात्मकत्वात् तया संवरणेन शमनस्य निष्पादनादित्यर्थः । समुद्रियाभिरिति "समुद्राभ्राद्घः"–(पा. सू. ४ । ४ । ११८) इति घप्रत्ययः । "आयनेयीनीयियः फढखछघां प्रत्ययादीनाम्"–(पा. सू. ७ । १ । २) इति सूत्रेणेयादेशः । हे अग्ने ! त्वां समुद्रसम्बन्धिन्या अवकया 'परिव्ययामसि' परितः संवृणुमः । "इदन्तो मसि" (पा. सू. ७ । १ । ४६) इत्युत्तमपुरुषबहुवचनसकारस्यान्ते इकारागमः । तेन च संवरणेन शान्तस्त्वम् 'अस्मभ्यम्' अस्मदर्थं पावयति शोधयतीति 'पावकः' 'शिवः' स्योनः आनुकूल्यवान् 'भव' इति मन्त्रस्यार्थः ॥ २५ ॥

उक्तप्रकारेण दक्षिणभागे विकृष्य पश्चिमभागमुदगपवर्गं हिमस्य त्वेत्यनेन मन्त्रेण विकर्षेदित्याह–अथ जघनार्द्धेनेति । 'यद्वै शीतस्य' इत्यादिकस्यायमर्थः–'यत्' खलु 'शीतस्य' अपि 'प्रशीतं' प्रकृष्टं शीतं 'तद्धिमस्य' 'जरायु' जरायु–शब्दो गर्भवेष्टनवचनः । अतश्च जरायुर्यथा गर्भमाच्छादयति तद्वदधिकं शीतमप्यल्पं शीतम् । 'तद्धिमस्य जरायुणा' इति । शीतादप्यधिकं शीतमुच्यत इति । अत्राबात्मका मण्डूकादय एव हिमस्य जरायुणेत्येतेन विवक्ष्यन्ते । तेन च शब्देन तेषामभिधानं प्रकृष्टशमनसमर्थत्वसूचनार्थमिति प्रतिपत्तव्यम् ॥ २६ ॥

(द्व) अथोत्तरार्धेन प्राक् । (गु) उप ज्मन्नुप वेतसेऽवतर नदीष्वा । अग्ने पित्तमपामसि मण्डूकि ताभिरागहि सेमं नो यज्ञं पावकवर्णँ शिवं कृधीति यथैव यजुस्तथा बन्धुः ॥ २७ ॥

(रु) अथ पूर्वार्धेन दक्षिणा । (णाऽपा) अपामिदं न्ययनँ समुद्रस्य निवेशनम् । अन्यांस्तेऽअस्मत्तपन्तु हेतयः पावकोऽअस्मभ्यँ शिवो भवेति यथैव यजुस्तथा बन्धुरित्यग्रे विकर्षत्यथेति । अथेत्यथेति तद्दक्षिणावृत्तद्धि देवत्रा ॥ २८ ॥

(त्राऽऽत्मा) आत्मानमग्रे विकर्षति । (त्या) आत्मा ह्येवाग्रे सम्भवतः सम्भवत्यथ दक्षिणं पक्षमथ पुच्छमथोत्तरं तद्दक्षिणावृत्तद्धि देवत्रा ॥ २९ ॥

अथोत्तरार्धेन प्राक् । "उप ज्मन्नुप वेतसेऽवतर नदीष्वा । अग्ने पित्तमपामसि मण्डूकि ताभिरागहि सेमं नो यज्ञं पावकवर्णं शिवं कृधि "–(वा. सं. १७ । ६) इति । यथैव यजुस्तथा बन्धुः ॥ २७ ॥

अथ पूर्वार्धेन दक्षिणा । " अपामिदं न्ययनं समुद्रस्य निवेशनम् । अन्यांस्ते अस्मत्तपन्तु हेतयः पावकोऽअस्मभ्यं शिवो भव "–(वा. सं. १७।७) इति । यथैव यजुस्तथा बन्धुः । इत्यग्रे विकर्षति । अथेति, अथेति, अथेति–तद् दक्षिणावृत् । तद्धि देवत्रा ॥ २८ ॥

आत्मानमग्रे विकर्षति । आत्मा ह्येवाग्रे सम्भवतः सम्भवति । अथ दक्षिणं पक्षम् । अथ पुच्छम् । अथोत्तरम् । तद्दक्षिणावृत् । तद्धि देवत्रा ॥ २९ ॥

अथ पश्चाद्भागे विकर्षणानन्तरमुत्तरभागं प्रागपवर्गं विकर्षेदित्याह–अथोत्तरार्द्धेन प्रागिति । विकर्षणे मन्त्रमाह–उप ज्मन्नुपेति । मन्त्रस्तु स्पष्टार्थ इत्याह–यथैवेति ॥ २७ ॥

अथ पूर्वभागे अपामिदमिति मन्त्रेण दक्षिणापवर्गं विकर्षेदित्याह–अथ पूर्वार्द्धेनेति । अयमपि मन्त्रः स्पष्टार्थ इत्याह–यथैवेति । हे अग्ने ! यदेतन्मण्डूकावकावेतसशाखालक्षणं वस्तु ' इदमपां न्ययनं ' नितरां स्थानम् । अपां मध्ये लीनत्वेन तदयनत्वं सम्भवतीति तत्राह–समुद्रस्येति । न ह्यल्पीयसीनामपामयनमेतत्, अपि तु ' समुद्रस्य ' जलनिधेरेव 'निवेशनं' निविशतेऽस्मिन्निति निवेशनम् । अधिकरणे ल्युट्, स्थानमित्यर्थः । एवं च तथाविधेन मण्डूकादिना विकृष्यसे यतः, अतः त्वां ब्रवीमि । ' ते हेतयो ' ज्वालाः ' अस्मदन्याँस्तपन्तु ' । ' अस्मभ्यं ' तु त्वं 'पावकः' ' शिवः ' च भवेति मन्त्रार्थः । तत्तद्भागे विकर्षणप्रकारं हस्ताभिनयेन दर्शयन् दक्षिणभागादिक्रमेण विकर्षणात् सिद्धं प्रादक्षिण्यक्रमं प्रशंसति–इत्यग्रे विकर्षतीति । ' देवत्रेति ' " देवमनुष्यपुरुषपुरुमर्त्येभ्यो द्वितीयासप्तम्योर्बहुलम्– "–(पा. सू. ५ । ४ । ५६) इति सूत्रेणात्र देवात्सप्तम्यर्थे त्राप्रत्ययः । देवदेयं देवोचितं भवतीत्यर्थः ॥ २८ ॥

आत्मभागविकर्षणस्य प्राथमिकत्वमुपपादयति–आत्मानमिति । दक्षिणार्द्धेनेत्यादिना विहितं विकर्षणमग्रे-

(त्राऽभ्या) अभ्यात्मं पक्षपुच्छानि व्विकर्षति । (त्य) अभ्यात्मुमेव तच्छान्तिं धत्ते परस्तादर्व्वाक्परस्तादेव तुदर्व्वाचीᳫं शान्तिं धत्तेऽग्ने पावक रोचिषेति दक्षिणं पक्षᳫं स नः पावक दीदिव ऽइति पुच्छं पावकया यश्चितयन्त्या कृपेत्युत्तरं पावकं पावकमिति यद्वै शिवᳫं शान्तं तत्पावकᳫं शमयत्येवैनमेतत् ॥ ३० ॥

(त्स) सप्तभिर्व्विकर्षति । सप्तचितिकोऽग्निः सप्तर्तवः संव्वत्सरः संव्वत्सरोऽग्निर्यावानग्निर्यावत्यस्य मात्रा तावतैवैनमेतद्विकर्षति तं वᳫंशमुत्करे न्यस्य ॥ ३१ ॥

अभ्यात्मं पक्षपुच्छानि विकर्षति । अभ्यात्ममेव तच्छान्तिं धत्ते । परस्तादर्वाक् । परस्तादेव तदर्वाचीं शान्तिं धत्ते । "अग्ने पावक रोचिषा"–(वा. सं. १७ । ८) इति दक्षिणं पक्षम् । "स नः पावक दीदिवः"–(वा. सं. १७ । ९) इति पुच्छम् । "पावकया यश्चितयन्त्या कृपा"–(वा० सं. १७।१०) इति उत्तरम् । पावकं पावकमिति । यद्वै शिवं शान्तं तत्पावकम् । शमयत्येवैनमेतत् ॥ ३० ॥

सप्तभिर्विकर्षति । सप्तचितिकोऽग्निः । सप्तर्तवः संवत्सरः । संवत्सरोऽग्निः । यावानग्निर्यावत्यस्य मात्रा–तावतैवैनमेतद्विकर्षति । तं वंशमुत्करे न्यस्य ॥ ३१ ॥

त्ममाग एव क्रियते । अतश्चाग्ने आत्मानं विकर्षतीत्येतदुपपन्नम् । कुतः ? 'सम्भवतो' जायमानस्य करचरणाद्यवयवजातस्य मध्ये पूर्वमात्मभाग एव 'सम्भवति' तत्सकाशात्करचरणादीनामुत्पत्तिरिति । अथ दक्षिणपक्षादीनां विकर्षणं विधाय ततः क्रमसिद्धं प्रादक्षिण्यं पूर्ववत्प्रशंसति–अथेति ॥ २९ ॥

पक्षादीनां विकर्षणमात्मभागमभिलक्ष्य कुर्यादित्याह–अभ्यात्ममिति[1] । अभिरूपमात्मानमभि अभ्यात्मम् "लक्षणेनाभिप्रती आभिमुख्ये"–(पा. सू. २ । १ । १४) इत्यव्ययीभावसमासः । "अनश्च"–(पा. सू. ५ । ४ । १०८) इति समासान्तष्टच् । विकर्षणानुसारेण शान्तिं निहितवान्भवतीत्याह–अभ्यात्ममेवेति । कथमभ्यात्मं विकर्षणं भवतीति तत्राह–परस्तादिति अथ दक्षिणपक्षादीनां विकर्षणेषु मन्त्रान्विधत्ते–अग्ने पावक रोचिषेत्यादिना । मन्त्रेषु पावकशब्दप्रयोगस्याभिप्रायमाह- पावकं पावकमिति । 'यद्वै' खलु वस्तु 'शिवम्' तस्यैवार्थप्रदर्शनं 'शान्तम्' इव तत्पावकं भवति । शान्तं शान्तेः शुद्धिसम्पादकत्वात् । अतश्चाग्नेः शान्ततासिद्धये तेन शब्देन सम्बोधनमिति भावः ॥ ३० ॥

विकर्षणे विनियुक्तानां मन्त्राणां सप्तसंख्यां प्रशंसति–सप्तचितिकोऽग्निरिति । पञ्च चितयो नित्याः इतरे द्वे चिती नैमित्तिके इति सप्त चितयः । अधिमासापेक्षया 'सप्तर्तवः' । यस्मिन् वंशे मण्डूकादीनि बद्धानि 'तं वंशम्' 'उत्करे' प्रक्षिपेदित्याह–तं वंशमिति[2] ॥ ३१ ॥

१–पक्षपुच्छानि चाभ्यात्ममग्ने पावक रोचिषेति । अन्त्यमुत्तरम् । का० श्रौ० सू० । १८ । १७ । १८ ।
२–वेणुमुत्करे कृत्वा । का० श्रौ० सू० । १८ । १९ ।

(स्या) अथैनꣳ सामभिः परिगायति । (त्य) अत्रैष सर्व्वोऽग्निः संस्कृतस्तस्मिन्देवा ऽएतदमृतꣳ रूपमुत्तममदधुस्तथैवास्मिन्नयमेतदमृतꣳ रूपमुत्तमं दधाति सामानि भवन्ति प्राणा वै सामान्यमृतमु वै प्राणाऽअमृतमेवास्मिन्नेतद्रूपमुत्तमं दधाति सर्व्वतः परिगायति सर्व्वतऽएवास्मिन्नेतदमृतꣳ रूपमुत्तमं दधाति ॥ ३२ ॥

यद्वेवैनꣳ सामभिः परिगायति । (त्ये) एतद्वै देवाऽअकामयन्तानस्थिकमिममृतमात्मानं कुर्व्वीमहीति तेऽब्रुवन्नुप तज्जानीत यथेममात्मानमनस्थिकममृतं करवामहाऽइति तेऽब्रुवंश्चेतयध्वमिति चितिमिच्छतेति वाव तदब्रुवंस्तदिच्छत यथेममात्मानमनस्थिकममृतं करवामहाऽइति ॥ ३३ ॥

ते चेतयमानाः । (ऽ) एतानि सामान्यपश्यंस्तैरेनं पर्यगायंस्तैरेतमात्मानमनस्थिकममृतमकुर्व्वत तथैवैतद्यजमानो यदेनꣳ सामभिः परिगायत्येतमेवैतदात्मानमनस्थिकममृतं कुरुते सर्व्वतः परिगायति सर्व्वतऽएवैतदेतमात्मानमनस्थिकममृतं कुरुते तिष्ठन्गायति तिष्ठन्तीव वाऽइमे

अथैनं सामभिः परिगायति । अत्रैष सर्वोऽग्निः संस्कृतः । तस्मिन्देवा एतदमृतं रूपमुत्तममदधुः । तथैवास्मिन्नयमेतदमृतं रूपमुत्तमं दधाति । सामानि भवन्ति । प्राणा वै सामानि । अमृतमु वै प्राणाः । अमृतमेवास्मिन्नेतद्रूपमुत्तमं दधाति । सर्वतः परिगायति । सर्वत एवास्मिन्नेतदमृतं रूपमुत्तमं दधाति ॥ ३२ ॥

यद्वेवैनं सामभिः परिगायति । एतद्वै देवा अकामयन्त—अनस्थिकमिममृतमात्मानं कुर्वीमहीति । तेऽब्रुवन्—उप तज्जानीत—यथेममात्मानमनस्थिकममृतं करवामहा इति । तेऽब्रुवन्—चेतयध्वमिति । चितिमिच्छतेति वाव तदब्रुवन् । तदिच्छत—यथेममात्मानमनस्थिकममृतं करवामहा इति ॥ ३३ ॥

ते चेतयमाना एतानि सामान्यपश्यन् । तैरेनं पर्यगायन् । तैरेतमात्मानमनस्थिकममृतमकुर्वत । तथैवैतद्यजमानो यदेनं सामभिः परिगायति—एतमेवैतदात्मानमनस्थिकममृतं कुरुते । सर्वतः परि-

---

अथैनमग्निं परितः सामभिर्गायेदित्याह—अथेति[1] । विहितं सामगानममृतरूपतया प्रशंसति—अत्रैष इति । कथमेतत्साम्नाममृतरूपत्वमिति तत्राह—यद्वेवेत्यादिना ॥ ३२–३४ ॥

१–चित्यमालभ्य तिष्ठन् हिंकृत्य साम गायति । का० श्रौ० सू० १८ । १९ ।

लोका ऽअथो तिष्ठन्वै व्वीर्यवत्तरो हिङ्कृत्य गायति तत्र हि सर्व्वं कृत्स्नꣳ साम भवति ॥ ३४ ॥

गायत्रं पुरस्ताद्गायति । (त्य) अग्निर्व्वै गायत्रमग्निमेवास्यैतच्छिरः करोत्यथो शिर ऽएवास्यैतदनस्थिकममृतं करोति ॥ ३५ ॥

रथन्तरं दक्षिणे पक्षे । (क्षऽ) इयं वै रथन्तरमियमु वाऽएषां लोकानाꣳ रसतमोऽस्याꣳ हीमे सर्व्वे रसा रसंतमꣳ ह वै तद्रथन्तरमित्याचक्षते परोऽक्षं परोऽक्षकामा हि देवा ऽइमामेवास्यैतद्दक्षिणं पक्षं करोत्यथो दक्षिणमेवास्यैतत्पक्षमनस्थिकममृतं करोति ॥ ३६ ॥

बृहदुत्तरे पक्षे । द्यौर्व्वै बृहद्द्यौर्हि बर्हिष्ठा दिवमेवास्यैतदुत्तरं पक्षं करोत्यथोऽउत्तरमेवास्यैतत्पक्षमनस्थिकममृतं करोति ॥ ३७ ॥

गायति । सर्वत एवैतदेतमात्मानमनस्थिकममृतं कुरुते । तिष्ठन् गायति । तिष्ठन्तीव वा इमे लोकाः । अथो तिष्ठन्वै वीर्यवत्तरः । हिङ्कृत्य गायति । तत्र हि सर्वं कृत्स्नं साम भवति ॥ ३४ ॥

गायत्रं पुरस्ताद्गायति । अग्निर्वै गायत्रम् । अग्निमेवास्यैतच्छिरः करोति । अथो शिर एवास्यैतदनस्थिकममृतं करोति ॥ ३५ ॥

रथन्तरं दक्षिणे पक्षे । इयं वै रथन्तरम् । इयमु वा एषां लोकानां रसतमः । अस्यां हीमे सर्वे रसाः; रसन्तमं ह वै तद्रथन्तरमित्याचक्षते परोऽक्षम् । परोऽक्षकामा हि देवाः । इमामेवास्यैतद्दक्षिणं पक्षं करोति । अथो दक्षिणमेवास्यैतत्पक्षमनस्थिकममृतं करोति ॥ ३६ ॥

बृहदुत्तरे पक्षे । द्यौर्वै बृहत् । द्यौर्हि बर्हिष्ठा । दिवमेवास्यैतदुत्तरं पक्षं करोति । अथो उत्तरमेवास्यैतत्पक्षमनस्थिकममृतं करोति ॥ ३७ ॥

गायत्रं पुरस्ताद्गायतीति[1] । गायत्रस्य शिरः-प्रदेशत्वात् । किं चास्य शिर एवोक्तसामगानेनानस्थिकममृतं करोति ॥ ३५ ॥

" अभि त्वा शूर नोनुमः " (वा. सं. २७ । ३५) इत्येतस्यामृच्युत्पन्नं साम ' रथन्तरम् ' । तद्दक्षिणपक्षे[2] । अतिशयरसाधारत्वेनेयं ' रसतमः ' । रसतम एव रसंतमः । तं च परोऽक्षकामत्वाद्देवा रथन्तरमित्यभिदधत इत्यर्थः । एवं चास्य पृथिवीमेव दक्षिणपक्षं कृतवान् भवति ॥ ३६ ॥

बृहदुत्तरे पक्ष इति[3] । " त्वामिद्धि हवामहे "-(वा. सं. २७ । ३७) इत्येतस्यामृच्युत्पन्नं साम ' बृहत् ' । ' बर्हिष्ठा ' अतिशयेन बृहती । बृहच्छन्दादतिशयार्थे इष्ठनि टिलोपे च रूपम् ॥ ३७ ॥

१-पुरस्तात् गायत्रम् । का. श्रौ. सू. १८ । २० । २-दक्षिणे पक्षे रथंतरम् । का. श्रौ. सू. १८ । २१ ।
३-उत्तरे बृहत् । का. श्रौ. सू. १८ । २१ ।

वामदेव्यमात्मन् । (न्श्रा) प्राणो वै वामदेव्यं वायुरु प्राणः सर्वे-
षामु हैष देवानामात्मा यद्वायुर्वायुमेवास्यैतदात्मानं करोत्यथोऽआत्मा-
नमेवास्यैतदनस्थिकममृतं करोति ॥ ३८ ॥

यज्ञायज्ञियं पुच्छम् । (श्च) चन्द्रमा वै यज्ञायज्ञियं यो हि कश्च यज्ञः
संतिष्ठत ऽएतमेव तस्याहुतीनाᳬं रसोऽप्येति तद्यदेतं यज्ञो यज्ञोऽप्येति
तस्माच्चन्द्रमा यज्ञायज्ञियं चन्द्रमसमेवास्यैतत्पुच्छं करोत्यथो पुच्छमेवा-
स्यैतदनस्थिकममृतं करोति ॥ ३९ ॥

(त्यु) अथ प्रजापतेर्हृदयं गायति । (त्य) असौ वाऽआदित्यो हृद-

वामदेव्यमात्मन् । प्राणो वै वामदेव्यम् । वायुरु प्राणः । सर्वेषामु हैष देवानामात्मा—यद्वायुः । वायुमेवास्यैतदात्मानं करोति । अथो आत्मानमेवास्यैतदनस्थिकममृतं करोति ॥ ३८ ॥

यज्ञायज्ञियं पुच्छम् । चन्द्रमा वै यज्ञायज्ञियम् । यो हि कश्च यज्ञः सन्तिष्ठते—एतमेव तस्याहुतीनां रसोऽप्येति । तद् यदेतं यज्ञो—यज्ञोऽप्येति—तस्माच्चन्द्रमा यज्ञायज्ञियम् । चन्द्रमसमेवास्यैतत्पुच्छं करोति । अथो पुच्छमेवास्यैतदनस्थिकममृतं करोति ॥ ३९ ॥

अथ प्रजापतेर्हृदयं गायति । असौ वा आदित्यो हृदयम् । श्लक्ष्ण एषः । श्लक्ष्णं हृदयम् ।

"कया नश्चित्र आभुवद्"—(वा. सं. २७ । ३९) इत्येतस्यामृच्युत्पन्नं साम वामदेव्यम्, तदात्मभागे गायेदित्याह—वामदेव्यमिति[1] । आत्मभागे वामदेव्यस्य गानेन वायुमेवात्मानं करोतीत्याह—प्राणो वा इति । सर्वेषामु हैष देवानामात्मा यद्वायुरिति । तदभावे तेषां व्यवहाराभावादित्यर्थः ॥ ३८ ॥

अथ पुच्छे यज्ञायज्ञियं साम गायेदित्याह—यज्ञायज्ञियमिति[2] । "यज्ञायज्ञा वो अग्नयः"—(वा. सं. २७।४२) इत्येतस्यामृच्युत्पन्नं साम यज्ञायज्ञीयम्, यज्ञायज्ञशब्दोऽस्मिन्नस्तीति "मतौ छः सूक्तसाम्नोः"—(पा. सू. ५ । २ ५९) इति सामार्थे छप्रत्ययः, (पा. सू. ७ । १ । २) छस्य—ईयादेशः । अत्र 'यज्ञायज्ञियम्' इति ह्रस्वत्वं छान्दसम् । यज्ञायज्ञियस्य चन्द्रात्मतां प्रतिजानीते—चन्द्रमा वै यज्ञायज्ञियमिति । तदेवोपपादयति—यो हि कश्चेति । यज्ञः 'संतिष्ठते' सम्पूर्णतामेति । 'तस्याहुतीनां रसः' 'एतं' चन्द्रमसम् 'एति' । अतस्ता देवतास्तमुपजीवन्ति । अतो यज्ञाहुतिरसस्य चन्द्रं प्रति प्राप्तिद्वारा यज्ञायज्ञः कृत्स्न एव यज्ञः 'एतमप्येति । 'तस्माद्' यज्ञोयज्ञ एतमेतीति 'चन्द्रमा यज्ञायज्ञियमित्यर्थः । अस्तु यज्ञायज्ञियस्य चन्द्रात्मकत्वं ततः किं प्रकृते समायातमिति तत्राह—चन्द्रमसमेवेति ॥ ३९ ॥

'अथ प्रजापतेर्हृदयम्' इति किंचित्साम, तदप्यत्र गायेदित्याह—अथेति[3] । तत्साम आदित्यात्मना स्तौति—असौ वा इति । आदित्यस्य हृदयसादृश्यप्रदर्शनेनोक्तं प्रजापतेर्हृदयत्वमुपपादयति-श्लक्ष्ण एष इति ।

१-आत्मनि वामदेव्यम् । का. श्रौ. सू. १८ । २१ । २-पुच्छे यज्ञायज्ञियम् । का. श्रौ. सू. १८ । २१ ।
३-दाक्षिणे निकक्षे प्रजापतिहृदयम् । का. श्रौ. सू. । १८ । २१ ।

यꣳ श्लक्ष्ण ऽएष श्लक्ष्णꣳ हृदयं परिमण्डल ऽएष परिमण्डलꣳ हृदयमा-
त्मन्गायत्यात्मन्हि हृदयं निकक्षे निकक्षे हि हृदयं दक्षिणे निकक्षेऽतो हि
हृदयं नेदीय ऽआदित्यमेवास्यैतद्धृदयं करोत्यथो हृदयमेवास्यैतदनस्थि-
कममृतं करोति ॥ ४० ॥

प्रजासु च प्रजापतौ च गायति । तद्यत्प्रजासु गायति तत्प्रजासु हृदयं
दधात्यथ यत्प्रजापतौ गायति तदग्नौ हृदयं दधाति ॥ ४१ ॥

परिमण्डल एषः । परिमण्डलं हृदयम् । आत्मन् गायति । आत्मन् हि हृदयम् । निकक्षे । निकक्षे हि हृदयम् । दक्षिणे निकक्षे । अतो हि हृदयं नेदीयः । आदित्यमेवास्यैतद्धृदयं करोति । अथ हृदयमेवास्यैतदनस्थिकममृतं करोति ॥ ४० ॥

प्रजासु च प्रजापतौ च गायति । तद्यत्प्रजासु गायति–तत्प्रजासु हृदयं दधाति । अथ यत्प्रजापतौ गायति–तदग्नौ हृदयं दधाति ॥ ४१ ॥

गायत्र्यादीनां गानस्य स्थानविशेष उक्तः, अथैतद्गानं कस्मिन्स्थाने कर्त्तव्यमिति तत्राह–आत्मन्निति । आत्मभागेऽपि यत्र क्वचित् क्रियेतेति तत्राह–निकक्ष इति । निकक्षावपि द्वौ विद्येते इति तत्रान्यतरस्मिन् क्रियेत इत्यत आह–दक्षिणे निकक्ष इति । 'अतः' अस्मान्निकक्षाद् 'हृदयं नेदीयः' अत्यन्तं सन्निहितम् । नेदीय इत्यस्यान्तिकार्थत्वात्तद्योगे "दूरान्तिकार्थैः षष्ठ्यन्यतरस्याम्"–(पा. सू. २ । ३ । ३४) इति पक्षे प्रकरणात्पञ्चम्या विधानात् 'अतः' इति पञ्चमी । इत्थं प्रजापतेर्हृदयस्यादित्यात्मकत्वात्तस्य गानेनादित्यमेवाग्नेरात्मभागं करोतीत्याह–आदित्यमेवेति ॥ ४० ॥

प्रजापतेर्हृदयं गायत्र्यादिसामवत् कस्यांचिदृचि न गीयते, अपि तु केवलं प्रजापतिशब्देन गीयते । अत एव आपस्तम्बेन सूत्रितम्–"प्रजापतेः साम्नस्तृचं गायति" इति । अतस्तस्य साम्नस्तयोः शब्दयोर्गानं प्रशंसति–प्रजासु च प्रजापतौ चेति । नन्वत्र 'प्रजासु प्रजापतौ' इत्यभिधेयनिर्देशः क्रियते । नहि तत्र गानं सम्भवति, अशक्यत्वात् । न चायं शब्दनिर्देशः 'प्रजासु' इति बहुवचनवैयर्थ्यात् । अतः कथमस्य वचनस्योपपत्तिरिति ? नैतदस्ति, वाच्यवाचकयोरभेदविवक्षया वाचकशब्दे क्रियमाणं गानं वाच्ये क्रियत इत्युपचर्यते । 'तद्यत्प्रजासु गायति' । 'तत्प्रजासु हृदयं दधाति' । 'अथ यत्प्रजापतौ गायति, तदग्नौ हृदयं दधाति' इत्यभिधेयफलसम्बन्धप्रदर्शनात्तदनुरोधेन अभिधेय एव गायतीति–उपचारोक्तेरभिप्रायः ॥ ४१ ॥

यद्वेव प्रजासु च प्रजापतौ च गायति । (त्य) अयं वा ऽअग्निः प्रजाश्च प्रजापतिश्च तद्यदग्नौ गायति तदेव प्रजासु च प्रजापतौ च हृदयं दधाति ॥ ४२ ॥

ता हैता ऽअमृतेष्टकाः । (स्ता) ता ऽउत्तमा उपदधात्यमृतं तदस्य सर्व्वस्योत्तमं दधाति तस्मादस्य सर्व्वस्यामृतमुत्तमं नान्योऽध्वर्योर्गायेदिष्टका वा ऽएता विचितो ह स्याद्यदन्योऽध्वर्योर्गायेत् ॥ ४३ ॥

इति प्रथमप्रपाठके द्वितीयं ब्राह्मणम् ॥ ९-१-२ ॥ (१. २.) ॥

इति प्रथमोऽध्यायः समाप्तः ॥ ९ । १ ॥

यद्वेव प्रजासु च प्रजापतौ च गायति । अयं वा अग्निः प्रजाश्च प्रजापतिश्च । तद्यदग्नौ गायति—तदेव प्रजासु च प्रजापतौ च हृदयं दधाति ॥ ४२ ॥

ता हैता अमृतेष्टकाः । ता उत्तमा उपदधाति । अमृतं तदस्य सर्वस्योत्तमं दधाति । तस्मादस्य सर्वस्यामृतमुत्तमम् । नान्योऽध्वर्योर्गायेत् । इष्टका वा एताः । विचितो ह स्यात्—यदन्योऽध्वर्योर्गायेत् ॥ ४३ ॥

पूर्वं प्रजा–प्रजापतिशब्दयोर्गानेन प्रजासु–अग्नौ च हृदयं निधीयत इत्युक्तम् । अथाग्नेस्तदुभयात्मकत्वात्तत्रैव गानेन उभयत्रापि हृदयं निधीयत इत्याह–यद्वेवेति । प्रजाशब्देन प्रजापतिशब्देन च तस्य गानमग्नौ क्रियते । अतश्च पूर्वं तच्छब्दद्वयाभिधेयप्राधान्येनाग्नेरुपसर्जनत्वमुक्तम् । अत्र तु, अग्निप्राधान्येन तच्छब्दद्वयाभिधेयस्योपसर्जनत्वमुच्यत इति विभागः । अयं वा अग्निः प्रजाश्च प्रजापतिश्चेति । "स यः स प्रजापतिर्व्यस्रंसतायमेव स योऽयमग्निश्चीयते" (श. प. ८ । २ । २ । १) इति श्रुतेः अग्निस्तावत् प्रजापतिः, प्रजापतेश्च सर्वप्रजानिर्मातृत्वेन तदात्मकत्वात्तद्वाराऽग्निरपि प्रजात्मक इत्यर्थः ॥ ४२ ॥

अथैतानि गायत्र्यादीनि सामानीष्टकारूपेण स्तौति–ता हैता इति । "सामानि भवन्ति प्राणा वै सामान्यमृतमु वै प्राणा अमृतमेवास्मिन्नेतद्रूपमुत्तमं दधाति" इति साम्नां तावदमृतत्वमुक्तम् । एवमिष्टकानां प्रतिदिशमुपधीयमानत्वात्तदुपधानवदेतेषां प्रतिदिशं गानादिष्टकात्वोपचारः । एवं च तान्येतानि सामान्यमृतेष्टका भवन्ति । ता हैता इति स्त्रीलिङ्गं विधेयेष्टकापेक्षया । ताश्चेष्टका 'उत्तमाः' सर्वाभ्य इष्टकाभ्यः उपरितनीः उपदधाति । तेनास्य दृश्यमानस्य 'सर्वस्य' अपि 'अमृतम्' 'उत्तमं' 'दधाति' । 'तस्मादस्य सर्वस्य' प्रपञ्चस्य 'अमृतमुत्तमं' भवति । विहितं सामगानं समाख्यानात् उद्गातुः प्राप्नोतीति तदपवादमाह–नान्योऽध्वर्योरिति । इतरस्य गातृत्वे दोषमाह–इष्टका वा एता इति । एतेषा

साम्नामिष्टकात्वादिष्टकानां चाध्वर्युणा उपधेयत्वात् तद्व्यतिरिक्तस्य गातृत्वे तदुपधानवैधुर्येणाध्वर्युः ' विचितः विजितः पराभूतो भवेदित्यर्थः ॥ ४३ ॥

इति श्रीसायणाचार्यविरचिते माधवीये वेदार्थप्रकाशे माध्यन्दिनीयशतपथब्राह्मणभाष्ये नवमकाण्डे प्रथमेऽध्याये द्वितीयं ब्राह्मणम् ॥ (९-१-२) ॥

वेदार्थस्य प्रकाशेन तमो हार्दं निवारयन् । पुमर्थांश्चतुरो देयाद्विद्यातीर्थमहेश्वरः ॥ १ ॥

ब्रह्माण्डं गोसहस्रं कनकहयतुलापूरुषौ स्वर्णगर्भं,
सप्ताब्धीन्पञ्च सीरींस्त्रिदशतरुलताधेनुसौवर्णभूमीः ।
रत्नोस्रां रुक्मवाजिद्विपमहितरथौ सायणिः सिङ्गणार्यो,
व्याश्राणीद्विश्वचक्रं प्रथितविधिमहाभूतयुक्तं घटं च ॥
धान्याद्रिं धन्यजन्मा तिलभवमतुलः स्वर्णजं वर्णमुख्यः,
कार्पासीयं कृपावान्गुडकृतमजडो राजतं राजपूज्यः ।
आज्योत्थं प्राज्यजन्मा लवणजमनृगः शार्करं चार्कतेजा,
रत्नाढ्यो रत्नरूपं गिरिमकृत मुदा पात्रसात्सिङ्गणार्यः ॥

इति श्रीमद्राजाधिराजपरमेश्वरवैदिकमार्गप्रवर्त्तकहरिहरभूपालसाम्राज्यधुरन्धरेण सायणाचार्येण विरचिते माधवीये वेदार्थप्रकाशे माध्यन्दिनीयशतपथब्राह्मणभाष्ये नवमकाण्डे प्रथमोऽध्यायः (९-१ ॥)

अथ द्वितीयेऽध्याये प्रथमं ब्राह्मणम् ।
प्रथमप्रपाठके च तृतीयं ब्राह्मणम् ।

उपवसथीयेऽहन्प्रातरुदितऽआदित्ये । व्वाचं व्विसृजते व्वाचं व्विसृज्य पञ्चगृहीतमाज्यं गृहीते तत्र पञ्च हिरण्यशकलान्प्रास्यत्यथैतत्त्रयꣳ समासिक्तं भवति दधि मधु घृतं पात्र्यां वा स्थाल्यां वोरुबिल्यां तदुपरिष्टाद्दर्भमुष्टिं निदधाति ॥ १ ॥

(त्यु) अथाग्निमारोहति । नमस्ते हरसे शोचिषे नमस्तेऽअस्त्वर्चिषऽइत्यत्रैष सर्वोऽग्निः संस्कृतः स ऽएषोऽत्र तस्माऽअलं यद्धिꣳस्याद्यं जिहिꣳसिषेद्यमु वाऽएष हिनस्ति हरसा वैनꣳ शोचिषा वाऽर्चिषा वा हिनस्ति तथो हैनमेष ऽएतैर्न हिनस्त्यन्यांस्तेऽअस्मत्तपन्तु हेतयः पावकोऽअस्मभ्यꣳ शिवो भवेति यथैव यजुस्तथा बन्धुः ॥ २ ॥

उपवसथीयेऽहन्प्रातरुदित आदित्ये वाचं विसृजते । वाचं विसृज्य पञ्चगृहीतमाज्यं गृह्णीते । तत्र पञ्च हिरण्यशकलान्प्रास्यति । अथैतत्त्रयं समासिक्तं भवति—दधि, मधु, घृतम् । पाड्यां वा स्थाल्यां वोरुबिल्याम् । तदुपरिष्टाद्दर्भमुष्टिं निदधाति ॥ १ ॥

अथाग्निमारोहति—" नमस्ते हरसे शोचिषे, नमस्तेऽअस्त्वर्चिषे "—इति । अत्रैष सर्वोऽग्निः संस्कृतः । स एषोऽत्र तस्मा अलम्—यद्धिंस्यात् । यं जिहिंसिषेत्, यमु वा एष हिनस्ति । हरसा वैनं शोचिषा वाऽर्चिषा वा हिनस्ति । तथो हैनमेष एतैर्न हिनस्ति । " अन्यांस्ते अस्मत्तपन्तु हेतयः, पावको अस्मभ्यं शिवो भव "—(वा. सं. १७ । ११) इति । यथैव यजुस्तथा बन्धुः ॥ २ ॥

यस्य निःश्वसितं वेदा यो वेदेभ्योऽखिलं जगत् । निर्ममे तमहं वन्दे विद्यातीर्थमहेश्वरम् ॥ १ ॥

औपवसथ्यदिवसात्प्राचीने दिवसे कर्तव्यं प्रयोगमभिधाय तथा तस्मिन्दिवसे कर्तव्यमभिधत्ते—उपवसथीयेऽहन्नित्यादिना । ' प्रातरुदित आदित्ये वाचं विसृजते ' यजमानः । ' वाचं विसृज्य ' इत्यत्र पूर्वकालमात्रे क्त्वा—प्रत्ययः । न हि तत्र पूर्वोत्तरक्रिययोः समानकर्तृत्वमस्ति । यजमानस्य वाग्विसर्जनादध्वर्योराज्यग्रहणादिति । पात्री शरावाकारा, स्थाली तु पिठराकारा, ' उरुबिल्यां ' महामुख्याम् । व्यत्ययेन ङीप्प्रत्ययः । तदुपरिष्टादिति । यत्र पात्र्यां स्थाल्यां वा दध्यादित्रयं समासिक्तं तदुपरिष्टादित्यर्थः ॥ १ ॥

अथाग्निमारोहतीति । दर्भमुष्टिनिधानानन्तरं तदाज्यं वप्पादि—चादाय 'नमस्ते' इति मन्त्रेणाग्निमारोहेत् । अत एव कात्यायनः—" उभयमादाय चित्यारोहणं नमस्त इति " (१८ । २३) इति । आरोहणे ' नमस्ते '

१-औपवसथ्ये व्विसृष्टवाचि पंचगृहीतं हिरण्यशकलान् प्रास्यति पंच ॥ दधि मधु घृतं पात्र्यां समासिच्य स्थाल्यां वा महामुख्यां कुशमुष्टिं चोपर्युभयमादाय चित्यारोहणं नमस्त इति । का. श्रौ. सू. १८ । २२ । २३ ।

(रा) आरुह्याग्निꣳ स्वयमातृण्णां व्याघारयति । (त्या) आज्येन पञ्चगृहीतेन तस्योक्तो बन्धुः ॥ ३ ॥

स्वयमातृण्णां व्याघारयति । प्राणः स्वयमातृण्णा प्राणे तदन्नं दधाति ॥ ४ ॥

यद्वेव स्वयमातृण्णां व्याघारयति । (त्यु) उत्तरवेदिर्हैषाऽग्नेरथ याममूं पूर्वां व्याघारयत्यध्वरस्य साऽथ हैषाऽग्नेस्तामेतद्व्याघारयति ॥ ५ ॥

आरुह्याग्निं स्वयमातृण्णां व्याघारयत्याज्येन पञ्चगृहीतेन । तस्योक्तो बन्धुः ॥ ३ ॥
स्वयमातृण्णां व्याघारयति । प्राणः स्वयमातृण्णा । प्राणे तदन्नं दधाति ॥ ४ ॥

यद्वेव स्वयमातृण्णां व्याघारयति । उत्तरवेदिर्हैषाऽग्नेः । अथ याममूं पूर्वां व्याघारयति–अध्वरस्य सा । अथ हैषाऽग्नेः । तामेतद्व्याघारयति ॥ ५ ॥

इत्यस्य मन्त्रस्य पूर्वार्द्धस्य पाठे प्रयोजनमाह–अत्रैष सर्वोऽग्निरिति । ' अत्र ' अस्मिन्नवसरे ' एषोऽग्निः सर्वः संस्कृतः ' साकल्येन कृतसंस्कारः अतोऽत्र स एषोऽग्निः यद्वस्तु हिंस्यात् यं जिहिंसिषेत् तस्मै ' अलं ' समर्थः हननेच्छाया हननस्य चेत्युभयस्यापि समर्थः । ' सः ' च ' यं ' हिनस्ति ' ' एनं ' ' हरसा ' ' शोचिषा ' वा, ' अर्चिषा ' ' वा हिनस्ति ' । अतश्चास्य मन्त्रभागस्य पाठेन ' एनम् ' ' अध्वर्युम् ' एतैः ' हरःप्रभृतिभिः ' न हिनस्ति ' । ' हर ' इति हरणसमर्थं तेजः, ' शोचिः– ' इति शोचनसमर्थम्, ' अर्चिः ' इति तदहतं प्रशस्तं तेजः । मन्त्रस्य द्वितीयार्धं स्पष्टार्थमित्याह–अन्यांस्ते अस्मदिति । हे अग्ने ! ' ते हरसे नमोऽस्तु, ' ' शोचिषे नमोऽस्तु ' । तथा ' ते अर्चिषे नमोऽस्तु ' । ' अन्यान् ' अस्मच्छत्रून् ' ते हेतयः ' हरःप्रभृतयः ' तपन्तु ' । ' अस्मभ्यं ' तु त्वं ' पावकः शिवः ' च ' भव ' ॥ २ ॥

अग्निमारुह्य किं कुर्यादित्याह–आरुह्याग्निमिति[1] । प्रथममध्यमोत्तमासु चितिषु तिस्रः स्वयमातृण्णा उपधीयन्ते । तत्र तृतीयायां स्वयमातृण्णायां व्याघारणक्रियाया ईप्सिततमत्वात्स्वयमातृण्णामिति द्वितीया । व्याघारणं नाम एकस्मात्कोणात्कोणान्तरं प्रत्याज्यधाराक्षारणम् । तच्च व्याघारणं ' पञ्चगृहीतेनाज्येन ' क्रियत इति ' तस्य ' उभयस्य ब्राह्मणं प्रागुक्तमित्याह–आज्येनेति ॥ ३ ॥

अथ व्याघारणस्य स्वयमातृण्णाधारकत्वं प्रशंसति–स्वयमातृण्णामिति । स्वयमातृण्णायाः प्राणत्वं सप्तमकाण्डेऽभिहितम्–" प्राणो वै स्वयमातृण्णा प्राणो ह्येवैतत्स्वयमात्मानमातृन्ते " (श. प. ४ । २ । १) इति । अतश्चाग्निसंबन्धिनि प्राणे तदाज्यलक्षणमन्नं निहितवान्भवति ॥ ४ ॥

प्रकारान्तरेणापि स्वयमातृण्णायां व्याघारणमुपपादयति–यद्वेवेति । ' एषा ' स्वयमातृण्णा ' अग्नेः ' ' उत्तरवेदिः ' खलु । ' अथ याममूं ' बुद्धौ परामर्शः । पूर्वामुत्तरवेदिं व्याघारयति, सा पुनः सोमयागस्य । अतोऽस्यां स्वयमातृण्णायां व्याघारणेन ' अग्नेस्ताम् ' उत्तरवेदिं व्याघारयति ॥ ५ ॥

1–स्वयमातृण्णायां पंचगृहीतं जुहोति नाभिवद्धिरण्यादर्शनं च । का. श्रौ. सू. १८ । ३४ ।

पुश्यंस्तत्र हिरण्यं व्याघारयते । प्रत्युक्षं वै तद्यत्पुश्यति प्रत्युक्षꣳ सोत्तरवेदिः प्रास्ता ऽएवेह भवन्ति परोऽक्षं वै तद्यत्प्रास्ताः परोऽक्षमियमुत्तरवेदिः ॥ ६ ॥

स्वाहाकारेण तां व्याघारयति । प्रत्युक्षं वै तद्यत्स्वाहाकारः प्रत्युक्षꣳ सोत्तरवेदिर्वैट्कारेणेमां परोऽक्षं वै तद्यद्वैट्कारः परोऽक्षमियमुत्तरवेदिराज्येनाज्येन ह्युत्तरवेदिं व्याघारयन्ति पञ्चगृहीतेन पञ्चगृहीतेन ह्युत्तरवेदिं व्याघारयन्ति व्यतिहारं व्यतिहारꣳ ह्युत्तरवेदिं व्याघारयन्ति ॥ ७ ॥

नृषदे वेडिति । प्राणो वै नृषन्मनुष्या नरस्तद्योऽयं मनुष्येषु प्राणोऽग्निस्तमेतत्प्रीणात्यप्सुषदे वेडिति योऽप्स्वग्निस्तमेतत्प्रीणाति बर्हि-

---

पश्यंस्तत्र हिरण्यं व्याघारयति । प्रत्यक्षं वै तत्–यत्पश्यति । प्रत्यक्षं सोत्तरवेदिः । प्रास्ता एवेह भवन्ति । परोऽक्षं वै तद्–यत्प्रास्ताः । परोऽक्षमियमुत्तरवेदिः ॥ ६ ॥

स्वाहाकारेण तां व्याघारयति । प्रत्यक्षं वै तत्–यत्स्वाहाकारः । प्रत्यक्षं सा–उत्तरवेदिः । वेट्कारेणेमाम् । परोऽक्षं वै तद्–यद्वेट्कारः । परोऽक्षमियमुत्तरवेदिः । आज्येन । आज्येन ह्युत्तरवेदिं व्याघारयन्ति । पञ्चगृहीतेन । पञ्चगृहीतेन ह्युत्तरवेदिं व्याघारयन्ति । व्यतिहारम् । व्यतिहारं ह्युत्तरवेदिं व्याघारयन्ति ॥ ७ ॥

" नृषदे वेट् "–इति । प्राणो वै नृषत्, मनुष्या नरः । तद् योऽयं मनुष्येषु प्राणोऽग्निस्तमेतत्प्रीणाति । " अप्सुषदे वेट् "–इति । योऽप्स्वग्निः–तमेतत्प्रीणाति । " बर्हिषदे वेट् "–

ननु यद्येषा स्वयमातृण्णाऽग्नेरुत्तरवेदिस्तर्हि तद्व्याघारणं पूर्वोत्तरवेदिवद् हिरण्यदर्शनादिपूर्वकत्वेन भवितव्यमित्यत आह–पश्यंस्तत्रेति । प्रत्यक्षं सोत्तरवेदिसंयुक्तमन्त्रादिनिर्मितत्वाभावेनौपचारिकोत्तरवेदित्वाद्व्याघारणमित्यर्थः ॥ ६ ॥

स्वाहाकारस्य सर्वत्र हविःप्रदानार्थसाधनत्वेन–प्रत्यक्षत्वम्, वेट्कारस्य तु तथात्वाभावेन परोऽक्षत्वम् । आज्येन पञ्चगृहीतेन व्यतिहारमुत्तरवेदेर्व्याघारणात्तथैवास्या अपि उत्तरवेदित्वेन व्याघारणमुपपन्नमित्याह–आज्येनेत्यादिना व्यतिहारमित्यन्तेन । पूर्वं दक्षिणांसे व्याघारणम् । तत उत्तरश्रोणौ, पश्चाद्दक्षिणश्रोणौ, तत उत्तरांसे, ततो मध्ये, इत्ययं क्रमो विवक्षितः ॥ ७ ॥

अथ क्रमेण व्याघारणमन्त्रान्प्रदर्शयन् व्याचष्टे–नृषदे वेडिति[1] । नृषु सीदतीति नृषत् इति प्राणव्यतिरिक्तमपि संग्रहीतुं शक्यत इति विवक्षितोऽर्थो दर्शितः–प्राणो वै नृषदिति । नृषदित्यत्र नृशब्दस्य प्रसिद्ध एवार्थो विवक्षितो नेतर इत्युक्तं–मनुष्या नर इति । एतन्मन्त्रसाध्यव्याघारणस्य फलमुक्तं–तद्योऽयमिति । ' वेट् ' इति सम्प्रदानार्थीयो निपातः । ' नृषदे ' मनुष्येषु वर्तमानाय प्राणरूपायाग्नये ' वेट् ' इदमाज्यरूपं

१–नृषदे वेडिति प्रातिमन्त्रम् । का. श्रौ. सू. १८ । २४ ।

षुदे व्वेडिति य ऽ ओषधिष्वग्निस्तमेतत्प्रीणाति व्वनसदे व्वेडिति यो व्वनस्पतिष्वग्निस्तमेतत्प्रीणाति स्वर्व्विदे व्वेडित्ययमग्निः स्वर्व्विदिम-मेवैतदग्निं प्रीणाति ॥ ८ ॥

यद्वेवाह । नृषदे व्वेडप्सुषदे व्वेडित्यस्यैवैतान्यग्नेर्नामानि तान्येतत्प्री-णाति तानि हविषा देवतां करोति यस्यै वै देवतायै हविर्गृह्यते सा देवता न सा यस्यै न गृह्यतेऽथोऽएतानेवैतदग्नीनस्मिन्नग्नौ नामग्राहं दधाति॥९॥

पञ्चैताऽ आहुतीर्जुहोति । पञ्चचितिकोऽग्निः पञ्चऽर्तवः संव्वत्सरः संव्व-त्सरोऽग्निर्यावानग्निर्यावत्यस्य मात्रा तावतैवैनमेतदन्नेन प्रीणाति ॥ १० ॥

इति । य ओषधिष्वग्निः—तमेतत्प्रीणाति । " वनसदे वेट् "—इति । यो वनस्पतिष्वग्निः—तमे-तत्प्रीणाति । " स्वर्विदे वेट् "—(वा. सं १७ । १२) इति । अयमग्निः स्वर्विद् । इममे-वैतदग्निं प्रीणाति ॥ ८ ॥

यद्वेवाह—नृषदे वेडप्सुषदे वेडिति । अस्यैवैतान्यग्नेर्नामानि । तान्येतत्प्रीणाति । तानि हविषा देवतां करोति । यस्यै वै देवतायै हविर्गृह्यते—सा देवता । न सा—यस्यै न गृह्यते । अथो एतानेवैतदग्नीन-स्मिन्नग्नौ नामग्राहं दधाति ॥ ९ ॥

पञ्चैता आहुतीर्जुहोति । पञ्चचितिकोऽग्निः । पञ्चऽर्तवः संवत्सरः । संवत्सरोऽग्निः । यावानग्नि-र्यावत्यस्य मात्रा—तावतैवैनमेतदन्नेन प्रीणाति ॥ १० ॥

हविर्दत्तमित्यर्थः । अयमग्निः स्वर्विदिति । ' अयं ' सञ्चितोऽग्निः ' स्वर्वित् ' स्वर्गं लम्भयतीति स्वर्वित् । स्पष्टार्थमन्यत् ॥ ८ ॥

प्रकारान्तरेण मन्त्राणामभिधानं प्रशंसति—यद्वेवाहेति । अप्सुषदे वेडितीति । अत्रेतिशब्दः प्रकारवाची । तेन बर्हिषदे वेडित्यादीन्यपि संगृहीतानि भवन्ति । ' एतानि ' नृषदित्यादीनि ' अस्यैव ' संचिताग्नेः 'नामानि' अस्य सर्वात्मकत्वेन मनुष्यादिस्थिताग्न्यात्मकत्वात् । अत एतेन तान्येव नामानि प्रीणितवान् भवति । न केवलं तेषां प्रीणनम्, अपि तु देवतात्वसंपत्तिरपीत्याह—तानीति । ' यस्यै ' खलु ' देवतायै हविर्गृह्यते सा देवता ' ' यस्यै ' पुनः ' न गृह्यते, 'सा देवता' ' न ' भवति । अतोऽत्र नृषदादिनामानि चतुर्थ्यन्तान्युच्चार्य होमविधानात्तदर्थं हविर्ग्रहणमिति हविषा तानि नामानि देवताः कृतवान् भवति । किञ्च नृषदादिशब्दाभिधेयान् ' अग्नीन् नामग्राहम् ' ' अस्मिन् ' संचितेऽग्नौ निदधाति ॥ ९ ॥

आहुतीनां पञ्चत्वसंख्या अग्नेः कार्त्स्न्येन प्रीतिहेतुर्भवतीत्याह—पञ्चैता इति । पञ्चगृहीतमाज्यं दध्यादिकं चेत्युभयमपि संचितस्याग्नेरुपर्यानीतं तत्राज्यस्य विनियोगोऽभिहितः । अथावशिष्टस्य विनियोगमाह—

(त्यु) अथैनꣳ समुक्षति । दध्ना मधुना घृतेन जायतऽएषऽ एतद्यच्ची-यते सऽ एष सर्व्वस्माऽअन्नाय जायते सर्व्वम्वेतदन्नं यद्दधि मधु घृतꣳ सर्व्वेणैवैनमेतदन्नेन प्रीणाति सर्व्वतः समुक्षति सर्व्वतऽ एवैनमेतत्सर्व्वेणा-न्नेन प्रीणाति ॥ ११ ॥

यद्वेवैनꣳ समुक्षति । (त्यु) अत्रैष सर्व्वोऽग्निः संस्कृतस्तस्मिन्देवाऽ एतद्रूपमुत्तममदधुस्तथैवास्मिन्नयमेतद्रूपमुत्तमं दधात्यन्नं वै रूपमेतदु परममन्नं यद्दधि मधु घृतं तद्यदेव परमꣳ रूपं तदस्मिन्नेतदुत्तमं दधाति सर्व्वतः समुक्षत्यपि बाह्येन परिश्रितः सर्व्वतऽ एवास्मिन्नेतद्रूपमुत्तमं दधाति दर्भैस्ते हि शुद्धा मेध्याऽ अग्रैरग्रꣳ हि देवानाम् ॥ १२ ॥

यद्वेवैनꣳ समुक्षति । (त्ये) एतद्वै यत्रैतं प्राणा ऽऋषयोऽग्रेऽग्निꣳ समस्कुर्वंस्तदस्मिन्नदोऽमुं पुरस्ताद्भागमकुर्व्वतादः सजूरब्दीयमथास्मि-

---

अथैनं समुक्षति—दध्ना मधुना घृतेन । जायत एषः एतत् । यच्चीयते । स एष सर्वस्मा अन्नाय जायते । सर्वम्वेतदन्नम्—यद्दधि, मधु, घृतम् । सर्वेणैवैनमेतदन्नेन प्रीणाति । सर्वतः समुक्षति । सर्वत एवैनमेतत्सर्वेणान्नेन प्रीणाति ॥ ११ ॥

यद्वेवैनं समुक्षति । अत्रैष सर्वोऽग्निः संस्कृतः । तस्मिन्देवा एतद्रूपमुत्तममदधुः । तथैवास्मिन्न-यमेतद्रूपमुत्तमं दधाति । अन्नं वै रूपम् । एतदु परममन्नम्—यद्दधि, मधु, घृतम् । तद् यदेव परमं रूपम्-तदस्मिन्नेतदुत्तमं दधाति । सर्वतः समुक्षति । आपि बाह्येन परिश्रितः। सर्वत एवास्मिन्नेतद्रूप-मुत्तमं दधाति । दर्भैः । ते हि शुद्धा मेध्याः । अग्रैः । अग्रं हि देवानाम् ॥ १२ ॥

यद्वेवैनं समुक्षति । एतद्वै यत्रैतं प्राणा ऋषयोऽग्रेऽग्निं समस्कुर्वन् । तदस्मिन्नदोऽमुं पुरस्ताद्भाग-मकुर्वत । अदः सजूरब्दीयम् । अथास्मिन्नेतं संचित उपरिष्टाद्भागमकुर्वत । तद् यत्समुक्षति—य

अथैनमिति । तदुपयोगमाह—जायत एष इति । दध्यादीनां बहुत्वात् सर्वान्नत्वम् विहितं तत्समुक्षणं परिश्रिद्भ्यो बहिरपि कर्तव्यमित्याह—सर्वत इति । उपरिष्टाद्दर्भमुष्टिं निदधातीत्युक्तान् दर्भान्समुक्षणे विनियुज्य प्रशंसति—दर्भै-रिति । अग्रं हि देवानामिति । हिशब्दः शाखान्तरप्रसिद्धिं द्योतयति । अत एव तैत्तिरीयके श्रूयते—"यत्परुषि दिनं तद्देवानाम्"—इति । एतैर्दध्यादिभिः समुक्षणेनास्मिन् संस्कृतेऽग्नावुत्तमरूपनिधानं भवतीति प्रशंसति—यद्वेवेति । अन्नं वै रूपमित्यादिना परमरूपत्वमुपपाद्यते । ' अन्नं ' तावद्रूपकारणत्वाद् 'रूपम्' परमरूपत्वं तु दध्यादीनां रसातिशयवत्त्वादिति दध्यादीनि परमं रूपमित्यर्थः ॥ १०–१२ ॥

अथ पुनस्तान्येव दध्यादीन्यग्नेरुपरिष्टाद्भागरूपेण प्रशंसति—यद्वेवैनमिति । ' अग्रे ' पूर्वं ' यत्र ' यस्मि-न्नवसरे ऋषिशब्दाभिधेयाः ' प्राणाः ' विस्रस्तं प्रजापतिं ' समस्कुर्वन् ' । तद् ' अदः ' काले अदःशब्द-

---

१–समाविश्कान् कुशैः प्रोक्षति सपरिश्रित्कं बाह्येन च ये देवा इति । का० श्रौ० सू० १८ । २५ ।

२–अस्मिन्नेव ब्राह्मणे प्रथमकण्डिकायाम् ।

न्नेत१ँ सुंचित ऽउपरिष्टाद्भागमकुर्व्वत तद्युत्समुक्षति युऽएवास्मिंस्ते प्राणाऽ ऋषयः सुंचितऽउपरिष्टाद्भागमकुर्व्वत तानेवैतत्प्रीणाति दध्ना मधुना घृतेन तस्योक्तो बन्धुः ॥ १३ ॥

(युँ) ये देवा देवानाम् । यज्ञिया यज्ञियानामिति देवा ह्येते देवानां यज्ञियाऽ उ यज्ञियाना१ँ संव्वत्सरीणमुप भागमासतऽइति संव्वत्सरीण१ँ ह्येतऽएतं भागमुपासतेऽहुतादो हविषो यज्ञेऽअस्मिन्नित्यहुतादो हि प्राणाः स्वयं पिबन्तु मधुनो घृतस्येति स्वयमस्य पिबन्तु मधुनश्च घृतस्य चेत्येतत ॥ १४ ॥

एवास्मिंस्ते प्राणाः ऋषयः सञ्चित उपरिष्टाद्भागमकुर्वत—तानेवैतत्प्रीणाति । दध्ना, मधुना, घृतेन । तस्योक्तो बन्धुः ॥ १३ ॥

"ये देवा देवानाम्, यज्ञिया यज्ञियानाम्"—इति । देवा ह्येते देवानाम्, यज्ञिया उ यज्ञियानाम् । "संवत्सरीणमुप भागमासते"—इति । संवत्सरीणं ह्येत एतं भागमुपासते । "अहुतादो हविषो यज्ञे अस्मिन्"—इति । अहुतादो हि प्राणाः । "स्वयं पिबन्तु मधुनो घृतस्य"—(वा. सं. १७ । १३) इति । स्वयमस्य पिबन्तु मधुनश्च घृतस्य चेत्येतत् ॥ १४ ॥

एतस्य कालस्य विप्रकर्षमभिधत्ते 'अमुं' पुरस्तात् भागम् 'अकुर्वत' । अमुमित्यपि विप्रकृष्टो भाग उच्यते । अमुं भागमिति यदुक्तं तदेवाह—अदः सजूरब्दीयमिति । "सजूरब्दो अयवोभिः" (वा. सं. १२ । ७४) इत्यनेन मन्त्रेण प्रतिपादितं होमरूपमन्नम् । 'अथास्मिन्' 'सञ्चिते' अग्नौ 'एतं' दध्यादिलक्षणम् 'उपरिष्टाद्भागमकुर्वत' । अतश्च दध्यादिभिरेभिः समुक्षणेन य 'एते ऋषयः प्राणाः' संचिते तस्मिन् 'उपरिष्टाद्भागमकुर्वत' । अतश्च दध्यादिभिः संचितस्य अग्नेः प्राणविशिष्टत्वेन प्राणकृतः अग्नेर्भागः प्राणानामपि भवतीति । तस्याग्नेरनेनोपरिष्टाद्भागेन 'तानेव' प्राणान् प्रीणितवान्भवतीत्यर्थः । दध्यादिविषयं ब्राह्मणं प्रागुक्तमित्याह—दध्नेति । तच्च सप्तमकाण्डे (श. प. ७ । ५ । १ । ३) कूर्मोपधानकथनावसरेऽभिहितम् ॥ १३ ॥

अथ समुक्षणे प्रथमं मन्त्रं दर्शयन् व्याचष्टे—ये देवा देवानामिति । 'देवानाम्' अपि 'देवाः,' 'यज्ञियानाम्' यज्ञार्हाणामपि तत्पूर्वककथनेन सर्वेषां यज्ञार्हत्वमित्यर्थः । 'यज्ञियाः' ते प्राणाः । द्वितीयतृतीयपादौ प्रसिद्धावित्याह—संवत्सरीणमिति । 'संवत्सरीणं' संवत्सरसम्बन्धिनं 'उप भागमासते' । अस्मिन् यज्ञे एतस्य समुक्षणस्य संवत्सरक्रियमाणत्वात् संवत्सरीणे भागे यतः प्राणा दध्यादीन्यहुतान्येवादन्ति अतो 'अहुतादो हविष' इत्युक्तम् । चतुर्थपादे मधुनो घृतस्येत्यनेन प्रकृतमेव दध्यादि उच्यत इत्याह—स्वयमस्येति । 'स्वयम्' 'अस्य मधुनो घृतस्य पिबन्तु' । मधुनो घृतस्येति व्यत्ययेन कर्मणि षष्ठी, मधु घृतम् । उपलक्षणमेतत् । दध्यपि पिबन्त्विति प्रथमस्यार्थः ॥ १४ ॥

(ग्रु) ये देवा देवेषु । (ष्वु) अधिदेवत्वमायन्निति देवा ह्येते देवेष्वधिदेवत्वमायन्ये ब्रह्मणः पुरऽएतारोऽअस्येत्ययमग्निर्ब्रह्म तस्यैते पुरऽएतारो येभ्यो नऽऋते पवते धाम किंचनेति न हि प्राणेभ्यऽ ऋते पवते धाम किंचन न ते दिवो न पृथिव्याऽ अधि स्नुष्विति नैव ते दिवि न पृथिव्यां यदेव प्राणभृत्तस्मिंस्तऽइत्येतत् ॥ १९ ॥

(द्द्वा) द्वाभ्याᳬं समुक्षति । द्विपाद्यजमानो यजमानोऽग्निर्यावानग्निर्यावत्यस्य मात्रा तावतैवैनमेतत्समुक्षति ॥ १६ ॥

(त्यु) अथ प्रत्यवरोहति । प्राणदा ऽअपानदाऽइति सर्वे हैते प्राणा योऽयमग्निश्चितः स यदेतामत्रात्मनः परिदां न वदेतात्र हैवास्यैष प्राणा-

---

" ये देवा देवेष्वधिदेवत्वमायन् "-इति । देवा ह्येते देवेष्वधिदेवत्वमायन् । " ये ब्रह्मणः पुरएतारो अस्य "-इति । अयमग्निर्ब्रह्म । तस्यैते पुरएतारः । " येभ्यो न ऋते पवते धाम किंचन "-इति । न हि प्राणेभ्य ऋते पवते धाम किंचन । " न ते दिवो न पृथिव्या अधि स्नुषु "-(वा. सं. १७ । १४) इति । नैव ते दिवि, न पृथिव्याम् , यदेव प्राणभृत्-तस्मिंस्त इत्येतत् ॥ १९ ॥

द्वाभ्यां समुक्षति । द्विपाद्यजमानः । यजमानोऽग्निः । यावानग्निर्यावत्यस्य मात्रा-तावतैवैनमेतत्समुक्षति ॥ १६ ॥

अथ प्रत्यवरोहति । " प्राणदा अपानदाः "-इति । सर्वे हैते प्राणाः-योऽयमग्निश्चितः । स यदेतामत्रात्मनः परिदां न वदेत-अत्र हैवास्यैष प्राणान्वृञ्जीत । अथ यदेतामत्रात्मनः परिदां

अथ द्वितीयमन्त्रं व्याचष्टे-ये देवा देवेष्विति (का. श्रौ. सू. १८ । २९) । ये देवा देवेष्वपि अधिदेवत्वं प्राप्नुयुः । देवा ह्येत इति । ' एते देवाः ' प्राणाः ' देवेषु अधिदेवत्वम् ' अधिका देवा अधिदेवास्तेषां भावस्तत्त्वम ' आयन् ' आप्नुवन् तान्प्रति स्वेषामुपजीव्यत्वात् , अत उक्तं ' ये देवा देवेषु ' इति । द्वितीयपादे सर्वात्मकत्वम् । ननु बृहत्त्वाद्ब्रह्मशब्देनाग्निरुच्यत इत्याह-अयमग्निरिति । किञ्च ये ' तस्य ' अग्नेः ' पुरो ' गन्तारो भवन्ति । ' येभ्यो ' विना किञ्चिदपि शरीरं न प्रवर्तते । तृतीयपादः प्रसिद्धार्थ इत्याह-नहि प्राणेभ्य इति । तुरीयपादेऽभिप्रेतं विशेषमाह-नैव त इति । ' ते ' प्राणाः ' दिवि ' अपि ' न ' सन्ति, ' पृथिव्याम् ' अपि ' न ' सन्ति । किन्तु ' यदेव प्राणभृद् ' वस्तु ' तस्मिन् ' सन्ति ' इत्येतद् उक्तं भवति इति द्वितीयस्यार्थः ॥ १९ ॥ १६ ॥

अथ प्रत्यवरोहणे मन्त्रजपस्यान्वयव्यतिरेकयोर्गुणदोषावाह-सर्वे हैत इत्यादिना । ' योऽयमग्निः ' चयने संस्कृतः ' एषः ' ' सर्वे प्राणाः, ' प्रजापत्यात्मकत्वात् सर्वेषां प्राणा इत्यर्थः । अतः ' सः ' अध्वर्युः ' अत्र

न्वृञ्जीताथ यदेतामत्रात्मनः परिदां वदते तथो हास्यैष प्राणान्न वृङ्क्ते प्राणदा ऽअपानदा व्यानदा वर्चोदा वरिवोदा ऽइत्येतद्वा मेऽसीत्येवै-तदाहान्यांस्तेऽअस्मत्तपन्तु हेतयः पावकोऽअस्मभ्यꣳ शिवो भवेति यथैव यजुस्तथा बन्धुः ॥ १७ ॥

प्रत्येत्य प्रवर्ग्योपसद्भ्यां प्रचरति । प्रवर्ग्योपसद्भ्यां प्रचर्याथास्मै व्रतं वाऽर्धव्रतं वा प्रयच्छत्यथ प्रवर्ग्योपसद्भ्यामथ प्रवर्ग्यमुत्सादयत्याप्त्वा तं कामं यस्मै कामायैनं प्रवृणक्ति ॥ १८ ॥

तं वै परिष्यन्दऽउत्सादयेत् । (त्त) तप्तो वाऽएष शुशुचानो भवति

वदते–तथो हास्यैष प्राणान्न वृङ्क्ते । " प्राणदा अपानदा व्यानदा वर्चोदा वरिवोदाः "– इति । एतद्वा मेऽसीत्येवैतदाह । " अन्यांस्ते अस्मत्तपन्तु हेतयः, पावको अस्मभ्यं शिवो भव "–(वा. सं. १७ । १५) इति । यथैव यजुस्तथा बन्धुः ॥ १७ ॥

प्रत्येत्य प्रवर्ग्योपसद्भ्यां प्रचरति । प्रवर्ग्योपसद्भ्यां प्रचर्य, अथास्मै व्रतं वाऽर्धव्रतं वा प्रयच्छति । अथ प्रवर्ग्योपसद्भ्याम् । अथ प्रवर्ग्यमुत्सादयति । आप्त्वा तं कामं–यस्मै कामायैनं प्रवृणक्ति ॥ १८ ॥

तं वै परिष्यन्द उत्सादयेत् । तप्तो वा एष शुशुचानो भवति । तं यदस्यामुत्सादयेत्–इमामस्य

अवसरे यदि 'आत्मनः' 'एतां' " प्राणदाः " इत्येतन्मन्त्ररूपां प्राणरक्षां न 'वदेत,' तर्हि 'एषः' अग्निः 'अस्य' अध्वर्योः 'प्राणान् वृञ्जीत' वर्जयेदपगमयेदित्यर्थः । प्राणदा इत्यादिमन्त्ररूपपरिदाभिधाने तु तथा न कुर्यात् । इत्थं मन्त्ररूपस्योपयोगमभिधायाथ मन्त्रं व्याचष्टे–प्राणदा[1] इति । एतद्वा मेऽसीत्येवेति । एतेन मदर्थमेषां प्राणादीनां दाताऽसीत्येतदेवोक्तं भवति न पुनरन्यार्थमित्यर्थः । हे अग्ने ! त्वं मे प्राणापानव्यानानां वर्चसो धनस्य च दाताऽसि, अतो ब्रवीमि 'ते हेतयोऽस्मदन्यांस्तपन्तु' 'अस्मभ्यं' तु त्वं पावकः शिवश्च भव ॥ १७ ॥

अग्नेरवरुह्य पश्चात्कर्तव्यं प्रयोगमाह–प्रत्येत्येति[2] । अथास्मा इति । 'अस्मै' यजमानाय 'व्रतं' पयः कृत्स्नं 'वा' 'अर्धव्रतं वा प्रयच्छति' । 'अथ' तदानीमेवापराह्णिकीभ्यां 'प्रवर्ग्योपसद्भ्यां' 'प्रचर्य' 'अथ प्रवर्ग्यमुत्सादयति' 'यस्मै कामायैनं प्रवृणक्ति' तस्य कामस्याप्तिः स्यादित्यर्थः ॥ १८ ॥

प्रवर्ग्यमुत्सादयतीति सामान्येन विधानाद्यत्र कचित्प्रसक्तावाह–तं वा इति[3] । परितः स्यन्दो जलस्रवणं यस्य सः 'परिष्यन्दो' द्वीपः । ननु पृथिव्यामप्सु वा कस्मान्नोत्साद्यत इत्यत आह–तप्तो वा इति । 'एषः'

१–प्राणदा इत्यवरोहति । का. श्रौ. सू. १८ । २६ । २–एवमारोहणावरोहणमतः । का. श्रौ. सू. १८ । २७ ।
३–उपसदंते प्रवर्ग्योत्सादनं यथोक्तमग्नौ वा परिष्यन्दे वा । का. श्रौ. सू. १८ । २८ ।

तं यदस्यामुत्सादयेदिमामस्य शुगृच्छेद्यदप्सूत्सादयेदपोऽस्य शुगृच्छेदथ यत्परिष्यन्दऽउत्सादयति तथो ह नैवापो हिनस्ति नेमां यदहाप्सु न प्रास्यति तेनापो न हिनस्त्यथ यत्समन्तमापः परियन्ति शान्तिर्वाऽ-आपस्तेनोऽइमां न हिनस्ति तस्मात्परिष्यन्दऽउत्सादयेत् ॥ १९ ॥

(द) अग्नौ त्वेवोत्सादयेत् । (दि) इमे वै लोका ऽएषोऽग्निरापः परिश्रितस्तं यदग्नाऽ उत्सादयति तदेवैनं परिष्यन्दऽ उत्सादयति ॥ २० ॥

यद्वेवाग्नाऽउत्सादयति । (ती) इमे वै लोका ऽएषोऽग्निरग्निर्वायुरादित्यस्तदेते प्रवर्ग्याः स यदन्यत्राग्नेरुत्सादयेदेतांस्तद्देवान्बहिर्धैभ्यो लोकेभ्यो दध्यादथ यदग्नाऽ उत्सादयत्येतानेवैतद्देवानेषु लोकेषु दधाति ॥ २१ ॥

शुगृच्छेत् । यदप्सूत्सादयेत्—अपोऽस्य शुगृच्छेत् । अथ यत्परिष्यन्द उत्सादयति—तथो ह नैवापो हिनस्ति, नेमाम् । यदहाप्सु न प्रास्यति—तेनापो न हिनस्ति । अथ यत्समन्तमापः परियन्ति । शान्तिर्वा आपः । तेनो इमां न हिनस्ति । तस्मात्परिष्यन्द उत्सादयेत् ॥ १९ ॥

अग्नौ त्वेवोत्सादयेत् । इमे वै लोका एषोऽग्निः । आपः परिश्रितः । तं यदग्ना उत्सादयति—तदेवैनं परिष्यन्दऽउत्सादयति ॥ २० ॥

यद्वेवाग्ना उत्सादयति । इमे वै लोका एषोऽग्निः—अग्निर्वायुरादित्यः । तदेते प्रवर्ग्याः । स यदन्यत्राग्नेरुत्सादयेत्—एतांस्तद्देवान्बहिर्धैभ्यो लोकेभ्यो दध्यात् । अथ यदग्ना उत्सादयति—एतानेवैतद्देवानेषु लोकेषु दधाति ॥ २१ ॥

प्रवर्ग्यस्तप्तत्वाच्छोकविशिष्टो भवति । अतस्तं यदि पृथिव्यामुत्सादयेत्, तदा 'अस्य' शोकः पृथिवीं प्राप्नोति । अथ 'यदप्सूत्सादयेत्,' तदा 'अस्य' शोकोऽपः प्राप्नोति । तस्मात्तत्र नोत्सादनीयः, किन्तु परिष्यन्दे । तथा च पृथिवीमपश्च न हिनस्ति । ननु परिष्यन्द उत्सादनेऽपि तत्र तदुभयसम्भवात् कथं तासां—हिंसाभाव इति ? तत्राह—यदहाप्स्विति । अपां मध्य उत्सादनात् अपो न हिनस्ति, यद्यपि द्वीपे पृथिव्यामेवोत्सादयति तथापि परितः शान्तिहेतुभूताभिरद्भिर्वलयितत्वात् पृथिव्या अपि हिंसा नास्तीत्यर्थः ॥ १९ ॥

प्रवर्ग्योद्वासनस्य स्थानान्तरं विधत्ते—अग्नौ त्वेवेति । पूर्वोक्तपरिष्यन्दे अग्नौ वा प्रवर्ग्य उत्साद्यते इति विकल्पविधानमेतत् । अत एव कात्यायनः—"अग्नौ परिष्यन्दे वा"—(१८ । २८) इति । ततस्य प्रवर्ग्यस्य परिष्यन्द एव उद्वासने कस्यचिदपि बाधाभावादस्याप्यग्नेः परिष्यन्दत्वमाह—इमे वै लोका इति । पृथिव्यादि-लोकात्मकस्याग्नेः समुद्रवद्वेष्टनात्परिश्रितामब्रात्मकत्वम् ॥ २० ॥

अथाग्नावेवोद्वासनं प्रशंसति—यद्वेवेति । अग्न्यादयो देवा दीप्यमानत्वेन प्रवर्ग्याः । अतश्च लोकत्रयात्मका-दग्नेरन्यत्र प्रवर्ग्योत्सादने अग्न्यादीनेभ्यो लोकेभ्यो बहिर्द्धा कुर्यात् । अग्नौ तदुद्वासने तु एष्वेव लोकेषु अग्न्यादीन्निहितवान् भवति । 'अग्ना उत्सादयति' इति । "लोपः शाकल्यस्य"—(पा. सू. ८।३।१९) इति वकारलोपः ॥ २१ ॥

यद्वेवाग्ना उत्सादयति । शिर एतद्यज्ञस्य यत्प्रवर्ग्य आत्मायमग्निश्चितः स यदन्यत्राग्नेरुत्सादयेद्बहिर्धाऽस्माच्छिरो दध्यादथ यदग्ना उत्सादयत्यात्मानमेवास्यैतत्सꣳस्कृत्य शिरः प्रतिदधाति ॥ २२ ॥

स्वयमातृण्णया सꣳस्पृष्टं प्रथमं प्रवर्ग्यमुत्सादयति । प्राणः स्वयमातृण्णा शिरः प्रवर्ग्य आत्मायमग्निश्चितः शिरश्च तदात्मानं च प्राणेन संतनोति संदधात्युत्साद्य प्रवर्ग्यं यथा तस्योत्सादनम् ॥ २३ ॥

इति प्रथमप्रपाठके तृतीयं ब्राह्मणम् ॥ ९ । १ । ३ ॥ (२–१)

इति निरवसानः प्रथमः प्रपाठकः समाप्तः ॥

कण्डिकासंख्या ॥ ११० ॥

यद्वेवाग्ना उत्सादयति । शिर एतद्यज्ञस्य–यत्प्रवर्ग्यः । आत्माऽयमाग्निश्चितः । स यदन्यत्राग्नेरुत्सादयेद्–बहिर्धाऽस्माच्छिरो दध्यात् । अथ यदग्ना उत्सादयति–आत्मानमेवास्यैतत्संस्कृत्य शिरः प्रतिदधाति ॥ २२ ॥

स्वयमातृण्णया संस्पृष्टं प्रथमं प्रवर्ग्यमुत्सादयति । प्राणः स्वयमातृण्णा, शिरः प्रवर्ग्यः, आत्माऽयमाग्निश्चितः, शिरश्च तदात्मानं च प्राणेन सन्तनोति, सन्दधाति । उत्साद्य प्रवर्ग्यम्–यथा तस्योत्सादनम् ॥ २३ ॥

अथ पुनस्तत्रैवोद्वासनं यज्ञस्य शिरःशरीरसन्धानरूपेण प्रशंसति–यद्वेवाग्ना उत्सादयतीति ॥ २२ ॥

यदा त्वग्नावुत्सादनं तदोक्तोद्वासने विशेषमाह–स्वयमातृण्णयेति[1] । प्रथमं प्रवर्ग्यं स्वयमातृण्णया संस्पृष्टमुद्वासयेत् । एवं च स्वयमातृण्णायाः प्राणरूपत्वात् प्रवर्ग्यात्मकस्य यज्ञस्य शिरसः संचिताग्न्यात्मकस्य यज्ञशरीरस्य प्राणेन सन्तनोति सन्दधाति सन्धानं करोति । अस्यैव विवरणम्–उत्साद्य प्रवर्ग्यमिति । 'तस्य' प्रवर्ग्यस्य 'यथा' येन प्रकारेण प्रवर्ग्यकाण्डोक्तप्रकारेण 'उत्सादनम्' उक्तं तेन प्रकारेण प्रवर्ग्यमुत्सादयेत् । प्रत्येत्याग्निं प्रहरिष्यन् इत्याद्युक्तकालक्रियापेक्षया 'उत्साद्य' इति ल्यबन्तस्य प्रयोगः ॥ २३ ॥

इति श्रीसायणाचार्यविरचिते माधवीये वेदार्थप्रकाशे माध्यन्दिनीयशतपथब्राह्मणभाष्ये नवमकाण्डे द्वितीयेऽध्याये प्रथमं ब्राह्मणम् ॥ (९–२–१) ॥

१–स्वयमातृण्णास्पृष्टं प्रथमम् । का. श्रौ सू. १८ । २९ । २–(श. प. १४ । १ । १३–१५) ।

अथ द्वितीयप्रपाठके प्रथमं ब्राह्मणम् ।

द्वितीयेऽध्याये च द्वितीयं ब्राह्मणम् ।

प्रत्येत्याग्निं प्रहरिष्यन् । (१) आहुतीश्च जुहोति समिधश्चादधात्ये-
तद्वाऽएनं देवाऽएष्यन्तं पुरस्तादन्नेनाप्रीणन्नाहुतिभिश्च समिद्भिश्च तथै-
वैनमयमेतदेष्यन्तं पुरस्तादन्नेन प्रीणात्याहुतिभिश्च समिद्भिश्च स वै
पञ्चगृहीतं गृह्णीते तस्योक्तो बन्धुः ॥ १ ॥

(२) अथ षोडशगृहीतं गृह्णीते । षोडशकलः प्रजापतिः प्रजापतिरग्नि-
रात्मसंमितेनैवैनमेतदन्नेन प्रीणाति यदु वाऽआत्मसंमितमन्नं तदवति
तन्न हिनस्ति यद्भूयो हिनस्ति तद्यत्कनीयो न तदवति समान्याꣳ
स्रुचि गृह्णीते समानो हि स यमेतत्प्रीणाति वैश्वकर्मणाभ्यां जुहोति

प्रत्येत्याग्निं प्रहरिष्यन्नाहुतीश्च जुहोति, समिधश्चादधाति । एतद्वा एनं देवा एष्यन्तं पुरस्तादन्नेनाप्रीणन्-आहुतिभिश्च समिद्भिश्च । तथैवैनमयमेतदेष्यन्तं पुरस्तादन्नेन प्रीणाति-आहुतिभिश्च समिद्भिश्च । स वै पञ्चगृहीतं गृह्णीते । तस्योक्तो बन्धुः ॥ १ ॥

अथ षोडशगृहीतं गृह्णीते । षोडशकलः प्रजापतिः । प्रजापतिरग्निः । आत्मसम्मितेनैवैनमेतदन्नेन प्रीणाति । यदु वा आत्मसम्मितमन्नं-तदवति, तन्न हिनस्ति । यद्भूयो-हिनस्ति तत् । यत्कनीयो-न तदवति । समान्यां स्रुचि गृह्णीते । समानो हि सः-यमेतत्प्रीणाति । वैश्वकर्मणाभ्यां

प्रवर्ग्योद्वासनानन्तरं सञ्चिते इष्टकासमूहे स्थापनायाग्निं प्रणेतुं तावद्गार्हपत्ये आज्यहोमं समिद्धोमं च विधत्ते-प्रत्येत्याग्निमिति । 'प्रहरिष्यन्' इति । प्रणेष्यन्नित्यर्थः । विहितहोम आहवनीयप्रदेशं गमिष्यतोऽग्नेः प्रीणनाय पुरस्तादन्नेन सम्पादयत इत्याह-एतद्वा एनमित्यादिना । 'आहुतिभिः' 'समिद्भिश्च' इत्येतद् अन्नेन इत्यस्य विशेषणम् । आहुतिसमिद्रूपेणान्नेनेत्यर्थः । आहुतिभिश्च समिद्भिश्चेति सामान्येन विधानात् कथं होमप्रकार इत्यपेक्षायामाह-स वै पञ्चगृहीतमिति । आज्यं च पञ्चगृहीतं यथा भवति तथा 'गृह्णीते' पञ्चवारं गृह्णीत इत्यर्थः । तस्य तु '"पञ्च वा ऋतवः" इत्यादिकं ब्राह्मणं प्रागुक्तम् । अनेन पञ्चगृहीतेनाज्येनैकाहुतिः सम्पद्यते ॥ १ ॥

'अथ षोडशगृहीतम्' आज्यं 'गृह्णीते' । अष्टौ प्राणाः, अष्टावङ्गानीत्येतैः षोडशावयवः 'प्रजापतिः' अयं च चीयमानः 'अग्निः' प्रजापत्यात्मकः । अतस्तस्य षोडशगृहीतमात्मसदृशमन्नं भवतीति तदुचिते-

---

१-पञ्चगृहीतं जुहोत्यग्निस्तिग्मेनेत्यृचा षोडशगृहीतार्धमनुवाकशेषेण । का. श्रौ. सू. १८ । ३० ।

द्विश्वकर्माऽयमग्निस्तमेवैतत्प्रीणाति तिस्रऽआहुतीर्जुहोति त्रिवृदग्निर्यावा-
नग्निर्यावत्यस्य मात्रा तावतैवैनमेतदन्नेन प्रीणाति ॥ २ ॥

(त्यु) अथ समिधऽआदधाति । यथा तर्पयित्वा परिवेविष्यात्तादृक्तदौ-
दुम्बर्यो भवन्त्यूर्ग्वै रस ऽउदुम्बर ऽऊर्जैवैनमेतद्रसेन प्रीणात्यार्द्रा भवन्त्ये-
तद्वै वनस्पतीनामनार्तं जीवं यदार्द्रं तद्यदेव वनस्पतीनामनार्तं जीवं ते-
नैनमेतत्प्रीणाति घृते न्युत्ता भवन्त्याग्नेयं वै घृतꣳ स्वेनैवैनमेतद्भागेन
स्वेन रसेन प्रीणाति सर्वांꣳ रात्रिं वसन्ति तत्र हि ता रसेन सम्पद्यन्ते
तिस्रः समिधऽआदधाति त्रिवृदग्निर्यावानग्निर्यावत्यस्य मात्रा तावतैवैनमे-
तदन्नेन प्रीणाति ॥ ३ ॥

जुहोति । विश्वकर्माऽयमग्निः । तमेवैतत्प्रीणाति । तिस्र आहुतीर्जुहोति । त्रिवृदग्निः । यावानग्नि-र्यावत्यस्य मात्रा—तावतैवैनमेतदन्नेन प्रीणाति ॥ २ ॥

अथ समिध आदधाति । यथा तर्पयित्वा परिवेविष्यात्—तादृक् तत् । औदुम्बर्यो भवन्ति । ऊर्ग्वै रस उदुम्बरः । ऊर्जैवैनमेतद्रसेन प्रीणाति । आर्द्रा भवन्ति । एतद्वै वनस्पतीनामनार्तं जीवम्—यदार्द्रम् । तद् यदेव वनस्पतीनामनार्तं जीवं—तेनैनमेतत्प्रीणाति । घृते न्युत्ता भवन्ति । आग्नेयं वै घृतम् । स्वेनैवैनमेतद्भागेन स्वेन रसेन प्रीणाति । सर्वां रात्रिं वसन्ति । तत्र हि ता रसेन सम्पद्यन्ते । तिस्रः समिध आदधाति । त्रिवृदग्निः । यावानग्निर्यावत्यस्य मात्रा—तावतैवैनमेतदन्नेन प्रीणाति॥३॥

नैव ' अन्नेन एनं प्रीणाति ' लोके हि ' यद् एव अन्नमात्मसम्मितं ' तदेव रक्षति, न च ' हिनस्ति ' भूयसो हिंसकत्वादल्पस्य त्वपर्याप्तत्वेनारक्षकत्वादिति । अत्र षोडशगृहीतं समं विभज्य द्वे आहुती क्रियेते, अतश्चाहुतिभेदेन पृथगेव ग्रहणप्रसक्तावाह—समान्यामिति । 'समान्याम्' एकस्याम् 'स्रुचि गृह्णीते' षोडशगृहीतमाज्यं सहैव गृह्णीयादित्यर्थः । आहुतिभेदेऽपि कथमेकं गृह्यत इत्याह—समानो हीति । एतेन षोडशगृहीतेनाज्येन ' यं ' ' प्रीणाति ' तस्याग्नेरेकत्वादित्यर्थः । प्रकृतेन षोडशगृहीतेनाज्येन साध्यौ द्वौ होमाविति दर्शयन् मान्त्रवर्णिकदेवतासम्बन्धस्याग्नेये प्रकृतहोमे पर्यवसानार्थतामाह—वैश्वकर्मणाभ्यामिति । ' वैश्वकर्मण '—शब्द उद्भिदादिशब्दवत् कर्मनामधेयम् । अग्नेः प्रजापत्यात्मकत्वेन विश्वविषयकर्मवत्त्वाद्विश्वकर्मत्वम् । पञ्चगृहीतेनाज्येनैकाहुतिः, षोडशगृहीतेन द्वे आहुती, इति तिस्र आहुतयः सम्पद्यन्ते । या च त्रित्वसङ्ख्या सा संचितस्याग्नेस्तृप्तिहेतुर्भवतीत्याह—तिस्र आहुतीर्जुहोति त्रिवृदग्निरिति॥२॥

आहुतीश्च जुहोति समिधश्चादधातीति होमद्वयमपि सामान्येन विहितम् । तत्राज्याहुतीनां होमप्रकारोऽभिहितः। अथ समिधां होमे विशेषमभिधातुमाह—अथ समिध इति । यथा तर्पयित्वेति । लोके जनः कंचित्पुरुषं साधारणान्नेन तर्पयित्वा पश्चादन्नविशेषाणां परिवेषणं करोति तद्वदेवायमपि समिद्धोमो भवति । आज्याहुतिलक्षणस्यान्नस्य प्रथमं सम्पादितत्वादित्यर्थः । ' परिवेविष्यात् ' इति यङ्लुगन्तस्य लिङि रूपम् । ताश्च समिध

यद्वेवैता ऽआहुतीर्जुहोति । (त्ये) एतद्वा ऽएनं देवा ऽएष्यन्तं पुरस्ता-दन्नेन समस्कुर्वन्नेताभिराहुतिभिस्तथैवैनमयमेतदेष्यन्तं पुरस्तादन्नेन सꣳस्करोत्येताभिराहुतिभिः ॥ ४ ॥

स वै पञ्चगृहीतं गृह्णीते । पञ्चधाविहितो वा ऽअयꣳ शीर्षन्प्राणो मनो वाक्प्राणश्चक्षुः श्रोत्रमेतमेवास्मिन्नेतत्पञ्चधाविहितꣳ शीर्षन्प्राणं दधा-त्यग्निस्तिग्मेन शोचिषेति तिग्मवत्या शिर ऽएवास्यैतया सꣳश्यति तिग्मतायै ॥ ५ ॥

यद्वेवैता आहुतीर्जुहोति । एतद्वा एनं देवा एष्यन्तं पुरस्तादन्नेन समस्कुर्वन्-एताभिराहुतिभिः । तथैवैनमयमेतदेष्यन्तं पुरस्तादन्नेन संस्करोति-एताभिराहुतिभिः ॥ ४ ॥

स वै पञ्चगृहीतं गृह्णीते । पञ्चधाविहितो वा अयं शीर्षन्प्राणः । मनो, वाक्, प्राणः, चक्षुः, श्रोत्रम् । एतमेवास्मिन्नेतत्पञ्चधाविहितं शीर्षन्प्राणं दधाति । "अग्निस्तिग्मेन शोचिषा"-(वा. सं. १७ । १६) इति तिग्मवत्या । शिर एवास्यैतया संश्यति तिग्मतायै ॥ ५ ॥

औदुम्बर्यो भवेयुरित्याह-औदुम्बर्य इति । उदुम्बरस्य च ऊर्ग्रूपरसात्मकत्वात्तेनैनं प्रीणातीत्याह-ऊर्ग्वा इति । 'एतद्वै वनस्पतीनाम्' इत्यादिकस्यायमर्थः । 'आर्द्रम्' आर्द्रत्वं गुण इति यदेतद्वनस्पतीनामार्द्रत्वमनुपहतं 'जीवम्' आर्द्रेतराणामुपजीव्यत्वात् । अत आर्द्राभिः समिद्भिर्होमे तेन जीवेन एनं प्रीणाति । अग्नौ हूयमानस्य घृतस्य समिदादिवद्भस्मीभावाभावात्, केवलं ज्वालारूपेण परिणामाद् 'आग्नेयम्' अत एव श्रूयते-"एतद्वा अग्नेः प्रियं धाम यदाज्यमिति" (तै. सं. ६।३।९।४) । 'ताः समिधः' पूर्वेद्युः रात्रौ सर्वस्यामेव घृते 'वसन्ति' । 'सर्वां रात्रिम्' इति अत्यन्तसंयोगे द्वितीया । तत्तथा निवासे हि ताः रसेन सम्पन्ना भवन्तीति । अतस्तथाविधाभिः समिद्भिर्होमे स्वकीयेन रसरूपेण भागेन 'एनम्' अग्निम् प्रीणितवान् भवतीति । समिध आदधातीति सामान्येन बहुत्वविधानात्तद्विशेषपर्यवसानमाह-तिस्र इति । तां च त्रित्वसङ्ख्यां सकलाग्निप्रीति-हेतुत्वेन प्रशंसति-त्रिवृदग्निरित्यादिना ॥ ३ ॥

यद्वेवैता इति । समस्कुर्वन्निति । आहवनीयरूपतानुगुणं संस्कार-विशिष्टमकुर्वन्नित्यर्थः ॥ ४ ॥

तत्र प्रथमाहुत्यर्थं पञ्चवारग्रहणमग्नेः शीर्षण्यप्राणपञ्चकोपाधानरूपेण प्रशंसति-स वै पञ्चगृहीतमिति । वागिति । 'वाग्' इति मुखम्, प्राण इति घ्राणम्, चक्षुर्द्वयं श्रोत्रद्वयं च द्वौ प्राणौ, मनःसहिता वागादयः शिरसि पञ्चधाविहिताः प्राणः । अतश्च पञ्चवारग्रहणेन 'अस्मिन्' अग्नौ शिरसि मनः-प्रभृति प्राणपञ्चकं निदधाति । होममन्त्रस्य तिग्मपदसम्बन्धं प्रशंसति-अग्निस्तिग्मेनेति । तिग्मशब्दस्य तीक्ष्णवाचकत्वात् तद्वत्या ऋचा होमेन तैक्ष्ण्यसिद्धयेऽग्नेः शिरस्तीक्ष्णं करोति । 'संश्यति' इति "शो तनूकरणे"-(धा. पा. दि. प. ३९) अस्माल्लटि श्यनि "ओतः श्यनि"-(पा. सू. ७ । ३ । ७१) इत्याकारलोपः ॥ ५ ॥

(या॰अ) अथ षोडशगृहीतं गृह्णीते । (तेऽष्टौ) अष्टौ प्राणा ऽअष्टावङ्गा-
येतामभिसम्पदꣳ समान्याꣳ स्रुचि गृह्णीते समाने ह्येवात्मन्नङ्गानि च
ाणाश्च भवन्ति नाना जुहोत्यङ्गेभ्यश्च तत्प्राणेभ्यश्च विधृतिं करोति
वैश्वकर्मणाभ्यां जुहोति विश्वकर्माऽयमग्निस्तमेवैतत्सꣳस्करोति तिस्र ऽ
आहुतीर्जुहोति त्रिवृदग्निर्यावानग्निर्यावत्यस्य मात्रा तावतैवैनमेतदन्नेन
ꣳस्करोति सप्तदशभिर्ऋग्भिः सप्तदशः प्रजापतिः प्रजापतिरग्निर्यावान-
ग्निर्यावत्यस्य मात्रा तावतैवैनमेतत्सꣳस्करोत्येकविꣳशतिगृहीतेन
द्वादश मासाः पञ्चऽर्तवस्त्रय ऽइमे लोका ऽअसावादित्य ऽएकविꣳश ऽ
एतामभिसम्पदम् ॥ ६ ॥

अथ षोडशगृहीतं गृह्णीते । अष्टौ प्राणाः, अष्टावङ्गानि, एतामभिसम्पदम् । समान्यां स्रुचि
गृह्णीते । समाने ह्येवात्मन्नङ्गानि च प्राणाश्च भवन्ति । नाना जुहोति । अङ्गेभ्यश्च तत्प्राणेभ्यश्च
विधृतिं करोति । वैश्वकर्मणाभ्यां जुहोति । विश्वकर्माऽयमग्निः । तमेवैतत् संस्करोति । तिस्र आहुती-
र्जुहोति । त्रिवृदग्निः । यावानग्निर्यावत्यस्य मात्रा—तावतैवैनमेतदन्नेन संस्करोति । सप्तदशभिर्ऋग्भिः ।
सप्तदशः प्रजापतिः । प्रजापतिरग्निः । यावानग्निर्यावत्यस्य मात्रा—तावतैवैनमेतत् संस्करोति । एक
विंशतिगृहीतेन । द्वादश मासाः, पञ्चर्तवः, त्रय इमे लोकाः, असावादित्य एकविंशः—एतामभि-
सम्पदम् ॥ ६ ॥

अथ तत्राहुतिद्वयार्थं षोडशवारग्रहणं प्रशंसति—अथेति । शीर्षण्याः प्राणाः सप्त, अवाङ् प्राण एक इत्यष्टौ प्राणाः, "चत्वारि दोर्बाहवाणि, चत्वार्यूर्वष्ठीवानीति"[1] च प्रसिद्धान्यष्टावङ्गानि । एतां सम्पदमभिलक्ष्य षोडशगृहीतस्य ग्रहणमस्मिन्नग्नौ प्राणानामङ्गानां च अष्टकसम्पादनार्थम् षोडशवारं गृह्णीत इत्यर्थः । एकस्मिन्नेव शरीरेऽङ्गानां प्राणानां चावस्थानात्षोडशगृहीतमेकस्रुचि गृह्णीते । होमं तु पृथगेव करोति । एवञ्च अङ्गानां प्राणानाञ्च 'विधृतिं' विभेदेन धारणमसङ्कीर्णतां करोति । तयोर्होमयोर्वैश्वकर्मणत्वाद् विश्वकर्मशब्दाभिधेयमग्निं संस्करोति । आहुतीनाञ्च त्रित्वात्त्रिवृतोऽग्नेः सकलस्यापि संस्कारं सम्पादयति । अत्र "अग्निस्तिग्मेन" (वा. सं. १७।१६) इत्यनया ऋचा पञ्चगृहीतं हूयते । "य इमा विश्वा" (वा. सं. १७।१७) इत्यादिभिरष्टाभिर्ऋग्भिः षोडशगृहीतार्धं हूयते । अवशिष्टं "चक्षुषः पिता" (वा. सं. १७।२५) इत्यादिभिरष्टभिर्हूयते । अत एव कात्यायनः—"पञ्चगृहीतं जुहोत्यग्निस्तिग्मेनेत्यृचा षोडशगृहीतार्धमनुवाकशेषेण" (१८।३०) "चक्षुषः पितेत्यपरमनुवाकेन" इति । एवं सर्वाः सम्भूय सप्तदश भवन्ति । तामेतां मन्त्रगतां संख्यां कृत्स्ना-ग्निसंस्कारहेतुत्वेन प्रशंसति—सप्तदशभिर्ऋग्भिरिति । प्रजापतेः सप्तदशत्वं तैत्तिरीयके श्रुतम्—"आश्रावयेति चतुरक्षरमस्तु श्रौषडिति चतुरक्षरं यजेति द्व्यक्षरं ये यजामह इति पञ्चाक्षरं द्व्यक्षरो वषट्कार एष वै सप्तदशः

---

[1] इत्युक्तसूत्रस्थकर्कभाष्यम् ।

यद्द्वैताः समिध ऽआदधाति । (त्ये) एतद्वाऽएनं देवाः सर्वं कृत्स्नꣳ सꣳस्कृत्याथैनमेतेनान्नेनाप्रीणन्नेताभिः समिद्भिस्तथैवैनमयमेतत्सर्वं कृत्स्नꣳ सꣳस्कृत्याथैनमेतेनान्नेन प्रीणात्येताभिः समिद्भिरौदुम्बर्यो भवन्त्यार्द्रा घृते न्युत्ताः सर्वाꣳ रात्रिं वसन्ति तस्योक्तो बन्धुरुदेनमुत्तरां नयेन्द्रेमं प्रतरां नय यस्य कुर्मो गृहे हविरिति यथा यजुस्तथा बन्धुस्तिस्रः समिधऽआदधाति त्रिवृदग्निर्यावानग्निर्यावत्यस्य मात्रा तावतैवैनमेतदन्नेन प्रीणाति तिस्र ऽआहुतीर्जुहोति तत्षट् तस्योक्तो बन्धुः ॥ ७ ॥

इति द्वितीयप्रपाठके प्रथमं ब्राह्मणम् ॥ ९-२-१ ॥ (२. २.) ॥

यद्द्वैताः समिध आदधाति । एतद्वा एनं देवाः सर्वं कृत्स्नं संस्कृत्य—अथैनमेतेनान्नेनाप्रीणन्—एताभिः समिद्भिः । तथैवैनमयमेतत्सर्वं कृत्स्नं संस्कृत्य—अथैनमेतेनान्नेन प्रीणाति—एताभिः समिद्भिः । औदुम्बर्यो भवन्ति । आर्द्राः घृते न्युत्ताः । सर्वां रात्रिं वसन्ति । तस्योक्तो बन्धुः । "उदेनमुत्तरां नय"—(वा. सं. १७ । ५०) "इन्द्रेमं प्रतरां नय"—(वा. सं. १७।५१) "यस्य कुर्मो गृहे हविः"—(वा. सं. १७ । ५२) इति । यथा यजुस्तथा बन्धुः । तिस्रः समिध आदधाति । त्रिवृदग्निः । यावानग्निर्यावत्यस्य मात्रा तावतैवैनमेतदन्नेन प्रीणाति । तिस्र आहुतीर्जुहोति । तत् षट् । तस्योक्तो बन्धुः ॥ ७ ॥

प्रजापतिः" (तै. सं. १।६।११।१) इति । अथवा अष्टौ प्राणाः, अष्टावङ्गानि, स्वयमेक इति सप्तदशात्मकः । मिलितो ग्रहणसंख्यां प्रशंसति—एकविꣳशतिगृहीतेनेति । 'द्वादश मासाः पञ्चर्तवस्त्रय इमे लोका असावादित्य एकविंशः' एषा संपत् । एतामभिलक्ष्य एकविंशतिगृहीतेन हूयते । एतस्याग्नेर्यथोक्तैकविंशात्मकत्वसम्पादनायैकविंशतिगृहीतेन होम इत्यर्थः ॥ ६ ॥

अथ समिधां होमं प्रकारान्तरेण प्रशंसति—यद्द्वैता इति । पूर्वं "यथा तर्पयित्वा परिवेविष्याद्" इति आज्याहुतिलक्षणेनान्नेन तर्पितस्याग्नेः समिद्धोमः परिवेषणवद्भवतीति प्रशंसितः । इदानीं तु एकविंशतिगृहीतेन होमेन एकविंशत्यात्मकत्वसम्पादनात् कार्त्स्न्येन संस्कृतस्याग्नेरन्नरूपेण प्रशस्यत इति न पौनरुक्त्यम् । सर्वमित्यस्यैवार्थकथने—'कृत्स्नम्' इति । औदुम्बर्यो भवन्त्यार्द्रा घृते न्युत्ताः सर्वां रात्रिं वसन्तीति यदस्ति तस्य 'ऊर्ग्वा उदुम्बरः' इत्यादिरूपं ब्राह्मणमनन्तरमेवोक्तं (तृतीयायां कण्डिकायां) तदेवानुसंधेयमित्यर्थः । प्रकृतानां समिदाहुतीनां मन्त्रा निगदव्याख्याता इत्याह—उदेनमुत्तरां नयेति । "उदेनमुत्तरां नय" इत्यादिकः प्रथमो मन्त्रः, "इन्द्रेमं प्रतरां नय" इत्यादिको द्वितीयः, "यस्य कुर्मो गृहे हविः"—इत्यादिकस्तृतीयः, एते यथा मन्त्राः स्पष्टा स्तथैव ब्राह्मणं स्पष्टार्थमित्यर्थः । 'तिस्रः समिधः' इत्येतदुक्तार्थम् । आज्यसमिदाहुतिसङ्ख्यां भूयः स्तौति—तिस्र आहुतीरिति । प्रकृतत्वात् तिस्रः समिध आदधातीति सम्बध्यते । एवं षट्संख्या सम्पद्यते । तद्ब्राह्मणं "षड्वा ऋतवः"—इत्यादिरूपं प्रागुक्तमित्यर्थः ॥ ७ ॥

इति श्रीसायणाचार्यविरचिते माधवीये वेदार्थप्रकाशे माध्यन्दिनीयशतपथब्राह्मणभाष्ये नवमकाण्डे द्वितीयेऽध्याये द्वितीयं ब्राह्मणम् ॥ (९ । २ । २) ॥

२–आर्द्रौदुंबरीर्घृतोषितास्तिस्र उदेनमित्यादधाति प्रत्यृचम् । अभि प्रणयति । का. श्रौ. सू. १८ । ३१ । ३२ ।

अथातः सम्प्रेष्यति । (त्यु) दुद्यच्छेध्ममुपयच्छोपयमनीरग्नये प्रह्रियु-
माणायानुब्रूह्यग्नीदेकस्फ्ययाऽनूदेहि ब्रह्मन्नप्रतिरथं जपेति ॥ १ ॥

(त्ये) एतद्वै देवानुपप्रैष्यतः । (ऽ) एतं यज्ञं तꣳस्यमानान्दक्षिणतो-
ऽसुरा रक्षाꣳसि नाष्ट्रा ऽअजिघाꣳसन्न यक्ष्यध्वे न यज्ञं तꣳस्यध्व-
ऽइति ॥ २ ॥

ते देवा ऽइन्द्रमब्रुवन् । (वंस्त्वं) त्वं वै नः श्रेष्ठो बलिष्ठो वीर्यवत्तमो-
ऽसि त्वमिमानि रक्षाꣳसि प्रतियतस्वेति तस्य वै मे ब्रह्म द्वितीय-
मस्त्विति तथेति तस्मै वै बृहस्पतिं द्वितीयमकुर्वन्ब्रह्म वै बृहस्पतिस्त-

---

अथातः सम्प्रेष्यति–उद्यच्छेध्मम्, उपयच्छोपयमनीः, अग्नये प्रह्रियमाणायानुब्रूहि, अग्नीद् ! एकस्फ्ययाऽनूदेहि, ब्रह्मन् ! अप्रतिरथं जप इति ॥ १ ॥

एतद्वै देवानुपप्रैष्यत एतं यज्ञं तंस्यमानान् दक्षिणतोऽसुरा रक्षांसि नाष्ट्रा अजिघांसन्–'न यक्षध्वे, न यज्ञं तंस्यध्वे' इति ॥ २ ॥

ते देवा इन्द्रमब्रुवन्–'त्वं वै नः श्रेष्ठो बलिष्ठो वीर्यवत्तमोऽसि, त्वमिमानि रक्षांसि प्रतियतस्व' इति। 'तस्य वै मे ब्रह्म द्वितीयमस्तु' इति। तथेति। तस्मै वै बृहस्पतिं द्वितीयमकुर्वन्। ब्रह्म वै

इत्थमग्निप्रणयनार्थं यथोक्तं होमं विधायाथ तत्प्रायणोपयिकीः क्रियाः कर्तुं तदुचितं संप्रैषमाह–अथातः संप्रेष्यतीति'। प्रणेष्यमाणाग्निसिद्ध्यर्थं गार्हपत्ये प्रक्षिप्तं काष्ठम् 'इध्मं' तद् 'उद्यच्छ'। अग्निधारणार्थमधस्तात्क्रियमाणाः सिकता उपयमन्यः, ताश्च 'उपयच्छ' ताः कुरु। तदेतदुभयं प्रतिप्रस्थातारं प्रत्युच्यते। हे होतः ! 'प्रह्रियमाणाय' 'अग्नये' 'अनुब्रूहि'। अग्निप्रणयनीया ऋचः 'अनुब्रूहि'। हे अग्नीत् ! त्वमेकया स्फ्यरेखयाऽनुगच्छ। हे ब्रह्मन् ! "आशुः शिशानः" (वा. सं. १७। ३३–४९) इत्येतदप्रतिरथाख्यं सूक्तं 'जप' इति। एवं तत्र तत्र व्यापारे तं तं 'संप्रेष्यति' विनियुञ्ज्यादित्यर्थः ॥ १ ॥

अत्र संप्रैषे ब्रह्मन्नप्रतिरथं जपेति यदुक्तं तस्योपयोगमभिधातुं पुराकल्पमवतारयति–एतद्वा इति। एतस्मिन्काले खलु 'एतम्' अग्निचयनाख्यं 'यज्ञं' 'तंस्यमानान्' करिष्यमाणान्। इडभावश्छान्दसः। अत एवाग्निविहारसमीपे गच्छतो देवान् दक्षिणभागेन एत्य असुरा रक्षांसि च 'न यक्षध्वे' लोडर्थे व्यत्ययेन लृट्प्रत्ययः। न यज्ञं तंस्यध्वे विस्तारयध्वमिति 'अजिघांसन्' देवानां यज्ञं विहन्तुमैच्छन्नित्यर्थः ॥ २ ॥

पश्चात्तैर्देवैरस्माकं मध्ये त्वमेव प्रशस्यतमो बलवत्तमश्चासि। बलिष्ठ इत्येतद्विशेषणम् वीर्यवत्तम इति। अतः त्वमिमानि रक्षांसि 'प्रतियतस्व' प्रतियत्नं कुरुष्व इत्युक्ते इन्द्रेण 'मे' ब्राह्मणो द्वितीयोऽस्त्वित्युक्तम्।

१–अग्नये प्रह्रियमाणायानुब्रूह्यग्नीदेकस्फ्ययाऽनूदेहि ब्रह्मन्नप्रतिरथं जपेति। का. श्रौ. सू. १८। ३४।

इन्द्रेण चैव बृहस्पतिना च दक्षिणतोऽसुरान्रक्षाᳩसि नाष्ट्रा ऽअपहत्याभये-ऽनाष्ट्रऽएतं यज्ञमतन्वत ॥ ३ ॥

तद्वाऽएतत्क्रियते । यद्देवाऽ अकुर्वन्निदं नु तानि रक्षाᳩसि देवैरेवाप-हतानि यत्त्वेतत्करोति यद्देवाऽअकुर्वंस्तत्करवाणीत्यथोऽइन्द्रेण चैवैतद्-बृहस्पतिना च दक्षिणतोऽसुरान्रक्षाᳩसि नाष्ट्राऽ अपहत्याभयेऽनाष्ट्रऽएतं यज्ञं तनुते ॥ ४ ॥

स यः स ऽइन्द्रः । (ऽ) एष सोऽप्रतिरथोऽथ यः स बृहस्पतिरेष स ब्रह्मा तद्यद्ब्रह्माऽप्रतिरथं जपतीन्द्रेण चैवैतदबृहस्पतिना च दक्षिणतोऽसुरान्र-क्षाᳩसि नाष्ट्रा ऽअपहत्याभयेऽनाष्ट्रऽएतं यज्ञं तनुते तस्माद्ब्रह्माऽप्रति-रथं जपति ॥ ५ ॥

बृहस्पतिः । त इन्द्रेण चैव बृहस्पतिना च दक्षिणतोऽसुरान् , रक्षांसि, नाष्ट्रा अपहत्य; अभये-ऽनाष्ट्र एतं यज्ञमतन्वत ॥ ३ ॥

तद्वा एतत्क्रियते—यद्देवा अकुर्वन् । इदं नु तानि रक्षांसि देवैरेवापहतानि—यत्त्वेतत्करोति—यद्देवा अकुर्वन्—तत्करवाणीति । अथोऽइन्द्रेण चैवैतद् बृहस्पतिना च दक्षिणतोऽसुरान् रक्षांसि नाष्ट्रा अपहत्याभयेऽनाष्ट्र एतं यज्ञं तनुते ॥ ४ ॥

स यः स इन्द्रः—एष सोऽप्रतिरथः । अथ यः स बृहस्पतिः—एष स ब्रह्मा । तद् यद्ब्रह्माऽप्रतिरथं

तथैव कुर्म इति बृहस्पतेर्ब्राह्मणत्वात् तमिन्द्रस्य 'द्वितीयमकुर्वन्' । तथा कृत्वा 'ते' देवाः 'इन्द्रेण बृहस्पतिना च' 'दक्षिणतो' दक्षिणभागे नाशकान् 'असुरान्' 'रक्षांसि' चापहत्य 'अनाष्ट्रे' अत एव 'अभये' प्रदेशे 'एतं' प्रकृतं 'यज्ञम्' अकुर्वत ॥ ३ ॥

तद्वा एतदित्यादिकस्यायमर्थः । 'देवाः' पूर्वं यत्कर्म 'अकुर्वन्' एतस्मिन्कालेऽपि 'तद्' एव 'क्रियते' खलु 'इदम्' इत्यपहननक्रियाविशेषणम् । इदं रक्षसामपहननं पूर्वं देवैरेव सम्पादितम्, तस्माच्चरितार्थत्वा-देतत्कर्म यद्यपि न करणीयम्; तथापि 'यदेतत्' कर्म 'करोति' तद् 'देवाः' 'यदकुर्वन्' 'तत् करवाणीति' धिया क्रियते । न तु रक्षसामपहननार्थं तस्य तु देवैरेव सम्पादितत्वात् । किञ्च स्वयमपि चैतेन 'इन्द्रेण बृहस्पतिना च' दक्षिणभागस्थितान्नाशकान् 'असुरान् रक्षांसि' च 'अपहत्य' 'अनाष्ट्रे' 'अभये' देशे 'एतं' कृतवान् भवतीति ॥ ४ ॥

ननु देवाः पूर्वमिन्द्रबृहस्पतिभ्यां रक्षांस्यपाघ्नन्नित्येतदस्तु प्रकृते कः इन्द्रः को वा बृहस्पतिः कथं वा ताभ्यां रक्षसामपहननं कर्तुं युक्तमुपपद्यते इत्याह—स यः स इति । प्रागमतच्छब्देन पूर्वं दक्षिणभागे रक्षसामपहन्ता इन्द्रः परामृश्यते । 'सः यः' इन्द्रोऽस्ति 'एष सोऽप्रतिरथः' इत्यादि स्पष्टम् ॥ ५ ॥

(त्या) आशुः शिशानो व्वृषभो नु भीमऽ इति । (त्यै) ऐन्द्योऽभिरूपा द्वादश भवन्ति द्वादश मासाः संव्वत्सरः संव्वत्सरोऽग्निर्यावानग्निर्यावत्यस्य मात्रा तावतैवैतद्दक्षिणतोऽसुरान्रक्षाᳪँसि नाष्ट्रा ऽअपहन्ति त्रिष्टुब्भिर्व्वज्रो वै त्रिष्टुब्वज्रेणैवैतद्दक्षिणतोऽसुरान्रक्षाᳪँसि नाष्ट्रा ऽअपहन्ति ता द्वाविᳪँशतिर्गायत्र्यः सम्पद्यन्ते तदाग्नेय्यो भवन्त्यग्निकर्म हि ॥ ६ ॥

(ह्यु) अथैनमुद्यच्छति । (त्यु) उदु त्वा व्विश्वे देवा ऽअग्ने भरन्तु चित्तिभिरिति तस्योक्तो बन्धुः ॥ ७ ॥

जपति–इन्द्रेण चैवैतद् बृहस्पतिना च दक्षिणतोऽसुरान् रक्षांसि नाष्ट्रा अपहत्याभयेऽनाष्ट्र एतं यज्ञं तनुते । तस्माद्ब्रह्माऽप्रतिरथं जपति ॥ ५ ॥

" आशुः शिशानो वृषभो न भीमः "–(वा० सं० १७ । ३३) इति । ऐन्द्योऽभिरूपा द्वादश भवन्ति । द्वादश मासाः संवत्सरः । संवत्सरोऽग्निः । यावानग्निर्यावत्यस्य मात्रा–तावतैवैतद्दक्षिणतोऽसुरान् रक्षांसि नाष्ट्रा अपहन्ति । त्रिष्टुब्भिः । वज्रो वै त्रिष्टुप् । वज्रेणैवैतद्दक्षिणतोऽसुरान् रक्षांसि नाष्ट्रा अपहन्ति । ता द्वाविंशतिर्गायत्र्यः सम्पद्यन्ते । तदाग्नेय्यो भवन्ति । अग्निकर्म हि ॥ ६ ॥

अथैनमुद्यच्छति । " उदु त्वा विश्वे देवा अग्ने भरन्तु चित्तिभिः "–(वा० सं० १७ । ५३) इति । तस्योक्तो बन्धुः ॥ ७ ॥

अप्रतिरथस्यैव इन्द्रात्मकत्वमुपपादयति आशुः शिशानः इति । मन्त्रप्रतिपाद्यायाः देवतायाः मन्त्रस्य चाभेदात् आशुः शिशान इत्यादिका ऐन्द्र्य ऋचोऽभिरूपाः सदृशा भवन्तीति इन्द्रत्वेन स्वीकर्तुमुचिता भवन्तीत्यर्थः । अप्रतिरथसूक्तस्थानामृचां द्वादशसंख्यया कृत्स्नाग्नेः सकाशात् असुरा रक्षांसि च अपहन्यन्ते इति प्रशंसति–द्वादश भवन्तीति । अप्रतिरथे ऋचो द्वादश भवन्तीति । तासां छन्दः प्रशंसति–त्रिष्टुब्भिरिति । त्रिष्टुभो वज्रत्वं वज्रिणेन्द्रेण सहोत्पत्तेः । सा चोत्पत्तिः–तैत्तिरीयके श्रूयते–"उरसो बाहुभ्यां पञ्चदशं निरमिमीत तमिन्द्रो देवताऽन्वसृज्यत त्रिष्टुप् छन्दः" (तै.सं.७।१।१।४) इति । अथवा वीर्यवत्त्वात् त्रिष्टुभो वज्रत्वम्, वीर्यवत उरःप्रदेशात्तन्निर्माणात् । अत एव श्रुतं " तस्मात्ते वीर्यावन्तो वीर्याद्ध्यसृज्यन्त " (तै. सं. ७।१।१।५) इति । ननु प्रकृतस्याग्निकर्मत्वात् तत्रैतासामैन्द्रीणामृचामसमवेतार्थत्वं स्यादित्यत आह–ता द्वाविंशतिरिति । चतुश्चत्वारिंशदक्षरा द्वादश त्रिष्टुभः सम्भूयाष्टाविंशतिपञ्चशताक्षराणि सम्पद्यन्ते । चतुर्विंशत्यक्षराणां गायत्रीणां 'द्वाविंशतिः' च तावदक्षरा भवन्ति । अतो द्वादश त्रिष्टुभो मिलित्वा द्वाविंशतिर्गायत्र्यः । ताश्च 'आग्नेय्यो' भवन्ति । अग्निना सहोत्पन्नत्वात् । अत एव श्रूयते–" स मुखतस्त्रिवृतं निरमिमीत तमग्निर्देवताऽन्वसृज्यत गायत्री छन्दः" (तै. सं. ७।१।१।२) इति । प्रकृतं च कर्माग्निसम्बन्धि भवति, तत्प्रणयनात्मकत्वात् । अतस्ता ऋच ऐन्द्र्योऽपि छन्दःसम्पत्तिद्वारा प्रकृतकर्मसमवेतार्था एवेत्यर्थः ॥ ६ ॥

इत्थं ब्रह्मणा कृतस्याप्रतिरथसूक्तजपस्योपयोगमुक्त्वा अथाग्नेरुद्यमनं समन्त्रकं विधत्ते–अथैनमिति । " उदु

१–निरुक्तायामुद्यम्योदु त्वेति । का० श्रौ० सू० १८ । ३५ ॥

(उ) अथाभिप्रयन्ति । पञ्च दिशो दैवीर्यज्ञमवन्तु देवीरिति देवाश्चासुराश्चोभये प्राजापत्या दिक्ष्वस्पर्द्धन्त ते देवा ऽअसुराणां दिशोऽवृञ्जत तथैवैतद्यजमानो द्विषतो भ्रातृव्यस्य दिशो वृङ्क्ते दैवीरिति तदेना दैवीः कुरुते यज्ञमवन्तु देवीरिति यज्ञमिममवन्तु देवीरित्येतदपामतिं दुर्मतिं बाधमाना ऽइत्यशनाया वा ऽअमतिरशनायामपबाधमाना ऽइत्येतद्रायस्पोषे यज्ञपतिमाभजन्तीरिति रय्यां च पोषे च यज्ञपतिमाभजन्तीरित्येतद्रायस्पोषे ऽअधि यज्ञो ऽअस्थादिति रय्याञ्च पोषे चाधि यज्ञोऽस्थादित्येतत् ॥८॥

अथाभिप्रयन्ति । " पञ्च दिशो दैवीर्यज्ञमवन्तु देवीः "–इति । देवाश्चासुराश्चोभये प्राजापत्या दिक्ष्वस्पर्द्धन्त । ते देवा असुराणां दिशोऽवृञ्जत । तथैवैतद्यजमानो द्विषतो भ्रातृव्यस्य दिशो वृङ्क्ते । दैवीरिति । तदेना दैवीः कुरुते । यज्ञमवन्तु देवीरिति । यज्ञमिममवन्तु देवीरित्येतत् । " अपामतिं दुर्मतिं बाधमानाः "–इति । अशनाया वाऽअमतिः । अशनायामपबाधमाना इत्येतत् । " रायस्पोषे यज्ञपतिमाभजन्तीः "–इति । रय्यां च पोषे च यज्ञपतिमाभजन्तीरित्येतत् । " रायस्पोषे अधि यज्ञो अस्थात "–(वा. सं १७।५४) इति । रय्यां च पोषे च अधि यज्ञोऽस्थादित्येतत् ॥ ८ ॥

त्वा विश्वे देवा अग्ने भरन्तु चित्तिभिः " इत्यादिना मन्त्रेणेत्यर्थः । तस्य मन्त्रस्य ब्राह्मणं (श. ५. ६ । ८ । १ । ७) प्रागुक्तमित्याह–तस्योक्तो बन्धुरिति ॥ ७ ॥

उद्यमनानन्तरमध्वर्युप्रभृतीनां चित्यं प्रति गमनं विधत्ते–अथेति । अत्र " पञ्च दिशो दैवीः " इत्यादिभिः पञ्चभिर्ऋग्भिराग्नीध्रपर्यन्तं गच्छन्ति । अतस्ता ऋचः क्रमेण व्याचष्टे–देवाश्चासुराश्चेत्यादिना । प्रजापत्यपत्यभूता देवाश्चासुराश्चेत्येते ' उभये ' दिग्विषये स्पर्द्धां कृतवन्तः । पश्चाद् ' देवाः असुराणां दिशोऽवृञ्जत ' उपगम्य स्वाधीनीकृतवन्तः । मन्त्रे 'पञ्च दिशः' इत्यनेन 'तथैव' यजमानोऽपि द्वेषं कुर्वतो 'भ्रातृव्यस्य' 'दिशः' स्वाधीनाः करोति । ' दैवीः' इत्यनेन ' एना दिशो ' देवसंबन्धिनीः ' कुरुते ' । असुरेभ्य उपगमय्य देवैः स्वाधीनीकृतत्वाद् ' दैवीः ' इत्यनेन तथैव सम्पादितवान् भवतीत्यर्थः । ' यज्ञमवन्तु देवीः ' इत्यनेन प्रकृतस्य यज्ञस्यावनं विवक्षितमिति दर्शयति–यज्ञमिममिति । ' अमति ' शब्दस्याशनेच्छाऽर्थ इति व्याचष्टे–अपामतिमिति । " अशनायोदन्यधनाया० " (पा. सू. ७।४।३४) इत्यादिसूत्रेण ' अशनाया ' शब्दः क्यजन्तो निपातितः । ' रायस्पोषे ' इति धने तद्विषये पोषे चेति वक्तुमभिप्रेतमित्याह–रायस्पोष इति । रायस्पोषे अधीत्यत्रापि तथैव विवक्षितमित्याह–रायस्पोषे अधीति । मन्त्रार्थस्तु–' दैवीः ' दीव्यन्तीः देवसंबन्धिन्यः ' पञ्च दिशः ' ' अमतिम् ' अशनेच्छाम्, ' दुर्मतिम् ' अशास्त्रीयां मतिं च ' अपबाधमानाः ' धने तद्विषयपोषणे च यज्ञपतिसम्बन्धिन्यः एनं प्रणीयमानाग्निलक्षणं ' यज्ञमवन्तु ' । अस्थादिति

१–चित्यं गच्छांति पंच दिश इति । का० श्रौ० सू० १८ । ३६ ।

(त्सु) सुमिद्धेऽअग्नावधि मामहान ऽइति । यजमानो वै मामहान ऽउक्थ-पत्र ऽइत्युक्थानि ह्येतस्य पत्त्राणीड्य ऽइति यज्ञिय ऽइत्येतद्गृभीत ऽइति धारित ऽइत्येतत्तप्तं घर्मं परिगृह्यायजन्तेति तप्तꣳ ह्येतं घर्मं परिगृह्या-यजन्तोर्जा यद्यज्ञमयजन्त देवाऽ इत्यूर्जा ह्येतं यज्ञमयजन्त देवाः ॥ ९ ॥

दैव्याय धर्त्रे जोष्ट्रऽइति । दैवो ह्येष धर्ता जोषयितृतमो देवश्रीः श्रीमनाः शतपया ऽइति देवश्रीर्ह्येष श्रीमनाः शतपयाः परिगृह्य देवा यज्ञमाय-न्निति परिगृह्य ह्येतं देवा यज्ञमायन्देवा देवेभ्योऽअध्वर्यन्तो ऽअस्थुरि-त्यध्वरो वै यज्ञो देवा देवेभ्यो यज्ञियन्तोऽस्थुरित्येतत् ॥ १० ॥

" **समिद्धे अग्नावधि मामहानः** "–इति । यजमानो वै मामहानः । "**उक्थपत्रः**"–इति । उक्थानि ह्येतस्य पत्राणि । " **ईड्यः** "–इति । यज्ञिय इत्येतत् । " **गृभीतः** "–इति । धारित इत्येतत् । " **तप्तं घर्मं परिगृह्यायजन्त** "–इति । तप्तं ह्येतं घर्मं परिगृह्यायजन्त । " **ऊर्जा यद्यज्ञमयजन्त देवाः** "–(वा. सं. १७ । ५५) इति । ऊर्जा ह्येतं यज्ञमयजन्त देवाः ॥ ९ ॥

" **दैव्याय धर्त्रे जोष्ट्रे** "–इति । दैवो ह्येष धर्ता जोषयितृतमः । " **देवश्रीः श्रीमनाः शतपयाः** "–इति । देवश्रीर्ह्येष श्रीमनाः शतपयाः । " **परिगृह्य देवा यज्ञमायन्** "–इति । परिगृह्य ह्येतं देवा यज्ञमायन् । " **देवा देवेभ्यो अध्वर्यन्तो अस्थुः** "–(वा० सं० १७ । ५६) इति । अध्वरो वै यज्ञः । देवा देवेभ्यो यज्ञियन्तोऽस्थुरित्येतत् ॥ १० ॥

" छन्दसि लुङ्लङ्लिटः "–(पा. सू. ३ । ४ । ६) इति लोडर्थे लुङ् प्रत्ययः । किञ्चायमपि यज्ञः धने तत्पोषे चाधितिष्ठत्विति प्रथममन्त्रस्यार्थः ॥ ८ ॥

यजमानस्यैव पूजकत्वात् ' मामहान ' शब्दो यजमानपर इत्याह–**यजमानो वा** इति । अग्नेरुक्थानि स्तोत्र-शस्त्राणि पत्राण्यङ्गानि भवन्तीत्यग्निरुक्थपत्र इत्याह–**उक्थानि ह्येतस्येति** । यद्वा उक्थान्येव पत्रं वाहनं यस्य स उक्थपत्रः, इति । 'गृभीतः' इत्यनेनाध्वर्युणा 'धारित' इत्येतदुक्तं भवतीत्याह–**गृभीत** इति । यतो देवाः तप्तं 'घर्मं' घर्मलक्षणम् अग्निं ' परिगृह्य अयजन्त ' अत उच्यते मन्त्रे तप्तं घर्ममित्याह–**तप्तं घर्ममिति** । उत्तर-वाक्यमप्येवमेव व्याचष्टे–**ऊर्जेति** । ' ऊर्जा ' आज्यदधिपयःप्रभृतिना रसेनेत्यर्थः । मन्त्रार्थस्तु–सम्यग्दीप्ते अग्नौ प्रणीयमाने मामहानोऽत्यर्थं पूजको यजमानोऽधिकारभावेनानुगच्छति । उक्थान्येवाङ्गानि यस्य सः ' उक्थपत्रः ' ' ईड्यः ' स्तुत्यो यज्ञियो वा स चाग्निरध्वर्युणा धारितः । किञ्च देवास्तप्तं घर्मात्मकं तमग्निं परिगृह्यायजन्त यतस्तत्त्वादेव यज्ञरूपम् तम् आज्यादिहविर्विलक्षणेनान्नेनाशमयन्तेति द्वितीयस्यार्थः ॥ ९ ॥

अग्नेर्देवसम्बन्धित्वाद् धारयितृत्वाज्जोषयितृतमत्वाच्चाग्निरेव दैव्यायेत्यादिनोच्यते इत्याह–**दैव्यायेति** । उत्तर-वाक्यद्वयं प्रसिद्धार्थमित्याह–**देवश्रीरिति** । **परिगृह्येति** । ' देवा देवेभ्यः ' इत्यत्र ' अध्वर्यन्त ' इत्येतत्पदं

(द्वी) व्वीतꣳ हविः शमितꣳ शमिता यजध्याऽइति । (ती) इष्टꣳ स्विष्टमित्येतत्तुरीयो यज्ञो यत्र हव्यमेतीत्यध्वर्युः पुरस्ताद्यजूꣳषि जपति होता पश्चादृचोऽन्वाह ब्रह्मा दक्षिणतोऽप्रतिरथं जपत्येष ऽएव तुरीयो यज्ञस्ततो व्वाका ऽआशिषो नो जुषन्तामिति ततो नो व्वाकाश्चाशिषश्च जुषन्तामित्येतत् ॥ ११ ॥

(त्सू) सूर्यरश्मिर्हरिकेशः पुरस्तात् । (त्स) सविता ज्योतिरुदयाँ२॥ अजस्रमित्यसौ वाऽआदित्य ऽएषोऽग्निः स ऽएष सूर्यरश्मिर्हरिकेशः पुरस्तात्सवितैतज्ज्योतिरुद्यच्छत्यजस्रं तस्य पूषा प्रसवे याति विद्वानिति पशवो वै पूषा तऽएतस्य प्रसवे प्रेरते सम्पश्यन्विश्वा भुवनानि गोपा-

---

" वीतं हविः शमितं शमिता यजध्यै "–इति । इष्टं स्विष्टमित्येतत् । " तुरीयो यज्ञो यत्र हव्यमेति "–इति । अध्वर्युः पुरस्ताद्यजूंषि जपति । होता पश्चादृचोऽन्वाह । ब्रह्मा दक्षिणतोऽप्रतिरथं जपति । एष एव तुरीयो यज्ञः । " ततो वाका आशिषो नो जुषन्ताम् "–(वा० सं० १७ । ५७) इति । ततो नो वाकाश्चाशिषश्च जुषन्तामित्येतत् ॥ ११ ॥

" सूर्यरश्मिर्हरिकेशः पुरस्तात्सविता ज्योतिरुदयाँ अजस्रम् "–इति । असौ वा आदित्य एषोऽग्निः । स एष सूर्यरश्मिर्हरिकेशः पुरस्तात् सवितैतज्ज्योतिरुद्यच्छत्यजस्रम् ।

व्याचष्टे–अध्वरो वा इति । 'अध्वर्यन्त' इति " कव्यध्वरपृतनस्यर्चि लोपः "–(पा. सू. ७ । ४ । ३९) इति क्यचि अध्वर्यूकारलोपः । मन्त्रार्थस्तु–देवसम्बन्धिने धारयित्रे जोषयितृतमायाग्नये हविर्दानार्थं तत्प्रणयनं क्रियत इति वाक्यशेषः । किञ्च यो ' देवश्रीः ' श्रयन्त इति श्रियः देवाः श्रियो यस्य स तथोक्तः । भक्तेभ्यः श्रियं दातुं मनो यस्येति ' श्रीमनाः ' शतानि पयांसि यस्यासौ ' शतपयाः ' तमग्निं परिगृह्य देवा यजनप्रदेशं गतवन्तः गत्वा च देवा ऋत्विगादयः देवेभ्यो यज्ञमिच्छन्तः स्थितवन्त इति तृतीयस्यार्थः ॥ १० ॥

' वीतं शमितम् ' इत्यस्य पदद्वयस्यार्थमाह–इष्टं स्विष्टमिति । अध्वर्युहोतृब्रह्मणां यथास्थानं यथायथं मन्त्रजप एव तुरीयो यज्ञ इति व्याचष्टे–अध्वर्युः पुरस्तादिति । 'वाकाः, आशिषः ' इत्यनयोः शब्दयोः सामानाधिकरण्यशङ्कां निवारयति–ततो नो वाकाश्चाशिषश्चेति । मन्त्रार्थस्तु–शमितेति तृतीयैकवचनस्य सु इत्यादेशः । ' शमित्रा ' अग्न्यर्थयागीयं हविः वीतम् इष्टं यत्र यस्मिन् प्रणयनदेशे हव्यं हवनार्हमग्निम् तुरीयो यज्ञो गच्छति । तथाविधादस्मादग्नेः अध्वर्य्वादीनाम् अप्रतिरथादयो मन्त्रा वाकाः ऋग्यजुःसामलक्षणानि वाक्यानि, आशिषश्च ' नः ' अस्माकं जुषन्तामिति चतुर्थस्यार्थः ॥ ११ ॥

एतस्य प्रणीयमानस्याग्नेरादित्यात्मकत्वात् ' स एषः ' प्रणीयमानाग्निलक्षणः सूर्यस्य च रश्मिभिर्युक्तो हरित-वर्णकेशः तेजोरूपः ' सविता ' अनवच्छिन्नं ' पुरस्तादुदयान् ' यद् ' उद्यच्छति ' अतो मन्त्र इममेवार्थमाचष्ट इत्याह–सूर्यरश्मिरिति । पूष्णः पशुजनकत्वेन ' पूषा ' इति पशवः उच्यन्ते । ' त एतस्य ' अग्नेरनुज्ञाया

ऽइत्येष वाऽइदꣳ सर्वꣳ सम्पश्यत्येष ऽउऽएवास्य सर्वस्य भुवनस्य गोप्ता ॥ १२ ॥

तद्याऽ अमुष्मादादित्यादर्व्वाच्यः पञ्च दिशः । (स्ता) ताऽएतद्देवाऽअसुराणामवृञ्जताथो ता ऽएवैतत्समारोहंस्ताऽ उऽएवैतद्यजमानो द्विषतो भ्रातृव्यस्य व्वृङ्क्तेऽथो ता ऽएवैतत्समारोहत्यथोऽएतद्वाऽएताभिर्देवाऽआतः सम्प्राप्नुवंस्तथैवाभिरयमेतदातः संप्राप्नोति ॥ १३ ॥

(त्य) अथाऽश्मानं पृश्निमुपदधाति । (त्य) असौ वाऽआदित्योऽश्मा

“ तस्य पूषा प्रसवे याति विद्वान् ”-इति । पशवो वै पूषा । त एतस्य प्रसवे प्रेरते । “ सम्पश्यन्विश्वा भुवनानि गोपाः ”-(वा. सं. १७ । ५८) इति । एष वा इदं सर्वं सम्पश्यति । एष उऽएवास्य सर्वस्य भुवनस्य गोप्ता ॥ १२ ॥

तद् या अमुष्मादादित्यादर्वाच्यः पञ्च दिशः-ता एतद्देवा असुराणामवृञ्जत । अथो ता एवैतत् समारोहन् । ता उ एवैतद्यजमानो द्विषतो भ्रातृव्यस्य वृङ्क्ते । अथो ता एवैतत्समारोहति । अथो एतद्वा एताभिर्देवा आतः सम्प्राप्नुवन् । तथैवाभिरयमेतदातः सम्प्राप्नोति ॥ १३ ॥

अथाऽश्मानं पृश्निमुपदधाति । असौ वा आदित्योऽश्मा पृश्निः । अमुमेवैतदादित्यमुपदधाति ।

प्रवर्त्तन्त इत्ययमर्थो मन्त्रभागेन विवक्षित इत्याह-पशवो वा इति । ‘ प्रेरते ’ “ ईर गतौ ” (धा. पा. अ. आ. ८) इत्यस्यादादिकस्य लेटि बहुवचने रूपम । अग्नेः प्रजापत्यात्मकत्वेन सर्वस्यापि द्रष्टृत्वाद्द्रष्टा रक्षितृत्वाच्च गोपाः तत्रायं संपश्यन्नित्यादिमन्त्रभागः समवेतार्थ इत्याह-संपश्यन्निति । मन्त्रार्थस्तु-सूर्यस्य च रश्मिभिर्युक्तो हरितकेशस्तेजोरूपः प्रणीयमानाग्निः पुरस्तादुद्यच्छति तस्य प्रसवे विद्वान् पूषा याति अग्नेः प्रजापत्यात्मकत्वेन, विश्वा भुवनानि संपश्यन् सर्वस्यापि भुवनस्य द्रष्टृत्वाद्द्रष्टा, ‘ गोपाः ’ रक्षितृत्वाद् ‘ भुवनस्य गोप्ता ’ गोपायितेति पञ्चमस्यार्थः ॥ १२ ॥

“ तथैवैतद्यजमानो द्विषतो भ्रातृव्यस्य दिशो वृङ्क्ते ” इति सामान्येनोक्तम । सम्प्रति ता एव पञ्च दिशो विशिष्य दर्शयन् तासामुक्तमन्त्रैः स्वाधीनतया प्राप्तिमाह-तद्या इति । ‘तद्’ इति देवा यस्मिन् काले असुराणां दिशोऽवृञ्जत तस्य कालस्य परामर्शः । एतच्छब्देनानन्तरोक्ता मन्त्राः परामृश्यन्ते । ‘अवृञ्जत’ एभ्य उपनमितवन्तः । ‘समारोहन्’ स्वाधीनीकृतवन्तः । अथो इति । किञ्च देवास्तस्मिन्काले एताभिर्ऋग्भिः ‘ आतः ’ सूर्यावस्थानप्रदेशलक्षणान्तरिक्षपर्यन्तं ‘ सम्प्राप्नुवन् ’ तद्वदेवायमपि यजमानो भ्रातृव्यतोऽपगमय्य स्वाधीनीकृताः ताः ‘पञ्च दिशः’ ‘आतः सम्प्राप्नोति’ अन्तरिक्षात्मकाग्नीध्रमण्डपपर्यन्तं सः सम्प्राप्नोति । उक्तैर्मन्त्रैराग्नीध्रपर्यन्तं गमने भ्रातृव्यसम्बन्धित्वादन्तरिक्षादर्वाचीनाः पञ्च दिशस्ततोऽपगमय्य स्वाधीनतायां संप्राप्ता भवन्तीत्यर्थः ॥ १३ ॥

उक्तैर्मन्त्रैः आग्नीध्रपर्यन्तं गत्वा तत्रैकस्य पृश्निवर्णस्याश्मन उपधानं विधत्ते-अथेति[1] । पृश्निशब्देन श्वेत्य-

---

१-आग्नीध्रदेशाद्दक्षिणं पृष्ठ्या सहितं पृश्न्यश्मानमुपदधाति ।व्विमान इति । का. श्रौ. सू. १८ । ३७ ।

पृश्निरश्मेवैतदादित्यमुपदधाति पृश्निर्भवति रश्मिभिर्हि मुण्डलं पृश्नि तमन्तरेणाहवनीयं च गार्हपत्यं चोपदधात्ययं वै लोको गार्हपत्यो द्यौरा- हवनीयऽ एतं तदिमौ लोकावन्तरेण दधाति तस्मादेषऽ इमौ लोकावन्तरेण तपति ॥ १४ ॥

(स्या) आग्नीध्रवेलायाम् । (म) अन्तरिक्षं षाऽआग्नीध्रमेतं तदन्तरिक्षे दधाति तस्मादेषोऽन्तरिक्षायतनो व्यध्वे व्यध्वे ह्येषु ऽइतः ॥ १५ ॥

सऽएष प्राणः । प्राणमेवैतदात्मन्धत्ते तदेतदायुरायुरेवैतदात्मन्धत्ते तदे- तदन्नमायुर्ह्येतदन्नमु वाऽआयुरश्मा भवति स्थिरो वाऽअश्मा स्थिरं तदायुः कुरुते पृश्निर्भवति पृश्नीव ह्यन्नम् ॥ १६ ॥

पृश्निर्भवति । रश्मिभिर्हि मण्डलं पृश्नि । तमन्तरेणाहवनीयं च गार्हपत्यं चोपदधाति । अयं वै लोको गार्हपत्यः, द्यौराहवनीयः । एतं तदिमौ लोकावन्तरेण दधाति । तस्मादेष इमौ लोका- वन्तरेण तपति ॥ १४ ॥

आग्नीध्रवेलायाम् । अन्तरिक्षं वा आग्नीध्रम् । एतं तदन्तरिक्षे दधाति । तस्मादेषोऽन्तरिक्षायतनः । व्यध्वे । व्यध्वे ह्येष इतः ॥ १५ ॥

स एष प्राणः । प्राणमेवैतदात्मन्धत्ते । तदेतदायुः । आयुरेवैतदात्मन्धत्ते । तदेतदन्नम् । आयु- र्ह्येतत् । अन्नमु वा आयुः । अश्मा भवति । स्थिरो वा अश्मा । स्थिरं तदायुः कुरुते । पृश्निर्भ- वति । पृश्नीव ह्यन्नम् ॥ १६ ॥

मुच्यते । पृश्नेरश्मन उपधानेनादित्यस्यैवोपधानं भवतीत्याह—असौ वा आदित्य इति । आदित्यमण्डलसादृश्य- प्रदर्शनेनोक्तमश्मनः पृश्नित्वमुपपादयति—पृश्निर्भवतीति । तस्य चाश्मन उपधानं गार्हपत्याहवनीययोर्मध्ये कर्तव्यमित्याह—तमन्तरेणेति । गार्हपत्याहवनीययोरधस्तनोपरितनलोकद्वयात्मकत्वाल्लोकद्वयस्य च मध्ये सूर्यस्य तपनात् सूर्यात्मकस्याश्मनस्तत्रोपधानमुपपन्नमित्याह—अयं वै लोक इति । गार्हपत्याहवनीययोर्मध्यभागस्यो- पधानस्थानतया विधानात् आग्नीध्रादन्यत्रापि तदुपधानं स्यात् इत्यत आह—आग्नीध्रवेलायामिति । वेलाशब्दः अवकाशमाचष्टे—गार्हपत्याहवनीययोरधस्तनोपरितनलोकात्मकयोर्मध्यवर्तित्वेनाग्नीध्रस्यान्तरिक्षत्वम् । ' व्यध्व ' इत्यर्द्धमार्ग उच्यते । तत्रैतस्याश्मन उपधानं क्रियते । तस्मात् ' इतः ' प्रदेशात् ' व्यध्वे ' अर्द्धमार्गे ' एषः ' सूर्यस्तपतीत्यर्थः ॥ १४ ॥ १५ ॥

अथ तस्याश्मन आदित्यात्मकत्वादादित्यस्य च प्राणाद्यात्मकत्वात् तदुपधानेनात्मनि प्राणादिधारणं सम्पाद्यत इत्याह—स एष इति । ' सः ' आदित्यात्मकः 'एषः' अश्मा ' प्राणः ' प्राणात्मकादित्यरूपत्वात् । आदित्यस्य च प्राणत्वं तदुदये प्राणिनश्चेष्टन्ते ; तदस्तमये तु न चेष्टन्त इति । अत एव श्रूयते—" योऽसौ तपन्नुदेति

(१५) स उपदधाति । विमान ऽएष दिवो मध्यऽआस्तऽइति विमानो ह्येष दिवो मध्यऽआस्तऽआपप्रिवान्रोदसी ऽअन्तरिक्षमित्युद्यन्वाऽएषऽ इमाँल्लोकानापूरयति स विश्वाचीरभिचष्टे घृताचीरिति स्रुचश्चैतद्वेदीश्चा-हान्तरा पूर्वमपरं च केतुमित्यन्तरेमं च लोकममुं चेत्येतदथो यच्चेदमे-तर्हि चीयते यच्चादः पूर्वमचीयतेति ॥ १७ ॥

(त्यु) उक्षा समुद्रोऽअरुणः सुपर्णऽइति । (त्यु) उक्षा ह्येष समुद्रो-ऽरुणः सुपर्णः पूर्वस्य योनिं पितुराविवेशेति पूर्वस्य ह्येषऽ एतं योनिं

स उपदधाति । "विमान एष दिवो मध्य आस्ते "-इति । विमानो ह्येष दिवो मध्य आस्ते । " आपप्रिवान्रोदसी अन्तरिक्षम् "-इति । उद्यन्वा एष इमांल्लोकानापूरयति । " स विश्वाचीरभिचष्टे घृताचीः "-इति । स्रुचश्चैतद्वेदीश्चाह । " अन्तरा पूर्वमपरञ्च केतुम् "-(वा. सं. १७।५९) इति । अन्तरेमं च लोकममुं चेत्येतत् । अथो यच्चेदमेतर्हि चीयते, यच्चादः पूर्वमचीयतेति ॥ १७ ॥

" उक्षा समुद्रो अरुणः सुपर्णः "-इति । उक्षा ह्येष समुद्रोऽरुणः सुपर्णः । " पूर्वस्य योनिं पितुराविवेश"-इति । पूर्वस्य ह्येष एतं योनिं पितुराविशति । "मध्ये दिवो निहितः

स सर्वेषां भूतानां प्राणानादायोदेति, असौ योऽस्तमेति स सर्वेषां भूतानां प्राणानादायास्तमेति"-(तै.आ.१। १४।१) इति । प्राणत्वादेवायूरूपत्वं प्राणिनामेव जीवनकालसम्बन्धात् । आयुर्ह्येतदिति । एषः ' अश्मा ' यतः कारणात् ' आयुः ' एव ' एतद् ' इति नपुंसकलिङ्गमायुरित्येतदपेक्षम् । तद् ' आयुः ' अन्नम् । तद्गतामेव भोक्तृत्वात् । यत् एतदन्नं तस्मात्तदुपधानेन स्वकीय आत्मनि प्राणादीन् धारितवान् सम्भवति ॥ १६॥

अथ तस्योपधाने मन्त्रद्वयं प्रदर्शयन् व्याचष्टे-स उपदधाति विमान एष इति । ' हि ' यस्मात्कारणात् ' एषः ' सूर्यो भूतग्रामस्य निर्माता द्युलोकस्य ' मध्य आस्ते ' अत उक्तम् ' विमान ' इति । उदयमानः सूर्यः पृथिव्यादीन् स्वप्रकाशेनापूरयतीति तमर्थमाहेति व्याचष्टे-आपप्रिवानिति । " प्रा पूरणे "-(धा. पा. अ. प. ५१) इत्यस्माद्वर्त्तमानार्थस्य लिटः क्वसुरादेशः । ' विश्वाची घृताची '-पदाभ्यां विश्वेषां हविषां घृतानां च स्थापनाद् वेदयः स्रुचश्च विवक्ष्यन्त इत्याह-स विश्वाचीरिति । पूर्वमपरमिति पृथिवी-द्युलोकावभिधीयेते । किञ्च पूर्वमित्यनेन पूर्वच्चितो गार्हपत्य उच्यते, अपरमित्यनेन तदानीं चीयमान आहवनीय इति व्याचष्टे-अन्तरा पूर्वमिति । भूतग्रामस्य निर्माता द्यावापृथिव्यौ अन्तरिक्षं चा समन्तात्पूरयन् एष सूर्यो द्युलोकस्य मध्ये तिष्ठति । किञ्च यः सूर्यः ' पूर्वमपरं च केतुं ' लोकम् ' अन्तरा ' द्यावापृथिव्योर्मध्ये गार्हपत्याहवनीययोर्वा मध्ये सन् विश्वाचीर्वेदीः, घृताचीः स्रुचश्च ' अभिचष्टे ' पश्यतीति प्रथमस्यार्थः ॥ १७॥

द्वितीयमन्त्रे उक्षा समुद्रः, पूर्वस्य योनिं, मध्ये दिवः इति पादत्रयार्थः प्रसिद्ध इत्याह-उक्षा समुद्रो अरुण इति । चतुर्थपादे रजःशब्देनैते लोका विवक्ष्यन्त इत्याह-विचक्रम इति । ' उक्षा ' सेचकः " आदित्याज्जायते वृष्टिः "-(म. स्मृ. ३ । ७६) इति तस्य वृष्टिहेतुत्वात् । अत एव

पितुराविशति मुध्ये दिवो निहितः पृश्निरश्मेति मुध्ये ह्येष दिवो निहितः पृश्निरश्मा व्विचक्रमे रजसस्पात्यन्ताविति विक्रममाणो वाऽएष ऽएषां लोकानामन्तान्पाति ॥ १८ ॥

द्वाभ्यामुपदधाति । द्विपाद्यजमानो यजमानोऽग्निर्यावानग्निर्यावत्यस्य मात्रा तावतैवैनमेतदुपदधाति त्रिष्टुब्भ्यां त्रैष्टुभो ह्येष न सादयत्यसन्नो ह्येष न सूददोहसाऽधिवदति प्राणो वै सूददोहाः प्राणऽ एष किं प्राणे प्राणं दध्यामिति तं निधाय यथा न नश्येत् ॥ १९ ॥

(द) अथोपायन्ति ।(न्ती) इन्द्रं व्विश्वा ऽअवीवृधन्निति तस्योक्तो बन्धुर्देवहूर्यज्ञ ऽआ च व्वक्षत्सुम्नहूर्यज्ञ ऽआऽ च व्वक्षदिति देवहूश्चैव यज्ञः

पृश्निरश्मा "-इति । मध्ये ह्येष दिवो निहितः पृश्निरश्मा । "विचक्रमे रजसस्पात्यन्तौ"-(वा. सं. १७ । ६०) इति । विक्रममाणो वा एष एषां लोकानामन्तान्पाति ॥ १८ ॥

द्वाभ्यामुपदधाति । द्विपाद्यजमानः । यजमानोऽग्निः । यावानग्निर्यावत्यस्य मात्रा-तावतैवैनमेतदुपदधाति । त्रिष्टुब्भ्याम् । त्रैष्टुभो ह्येषः । न सादयति । असन्नो ह्येषः । न सूददोहसाऽधिवदति । प्राणो वै सूददोहाः । प्राण एषः । किं प्राणे प्राणं दध्यामिति । तं निधाय यथा न नश्येत् ॥१९॥

अथोपायन्ति । " इन्द्रं विश्वा अवीवृधन् "-(वा. सं. १७ । ६१) इति । तस्योक्तो बन्धुः । " देवहूर्यज्ञ आ च वक्षत, सुम्नहूर्यज्ञ आ च वक्षत्"-इति । देवहूश्चैव यज्ञः सुम्न-

---

समुद्रात्मकः वर्णतोऽरुणः । पर्णशब्देन पतनमुच्यते । शोभनपतनः एवंविधः सूर्यः 'पूर्वस्य' द्युलोकस्य पितृरूपस्य 'योनिं' स्थानम् आविवेश ' द्युलोकादादित्याज्जायमान इव दृश्यत इति तस्य पितृलोकोपचारः । किंच 'दिवो मध्ये' आग्नीध्रमण्डपलक्षणे 'निहितः' वर्णतः पृश्निः 'अश्मा' अश्मरूपः सूर्यः विविधं लोकान् क्रमते "छन्दसि लुङ्लङ्लिटः"-(पा. सू. ३ । ४ । ६) इति वर्तमाने लिट् । "विक्रममाणो वा एष एषां लोकानामन्तान्पाति" इति श्रुतेः । रजस इत्येकवचनम् अन्ताविति द्विवचनं च अविवक्षितं, लोकानामन्तान् प्रान्तान् पाति स्वकीयेन प्रकाशेन तमो निवर्त्तयन् पदार्थांश्च दर्शयन् रक्षतीति द्वितीयस्यार्थः ॥ १८ ॥

उपधानमन्त्रयोर्द्वित्वं प्रशंसति-द्वाभ्यामिति । अथ तयोरेव छन्दः प्रशंसति-त्रिष्टुब्भ्यामिति । 'एषः' सूर्यः 'त्रैष्टुभः' त्रैष्टुभेऽन्तरिक्षे वर्तमानत्वात् । अन्तरिक्षस्य त्रैष्टुभत्वं तैत्तिरीयके श्रूयते-" गायत्री वै पृथिवी त्रैष्टुभमन्तरिक्षम्" (तै. सं. ५।२।११।१) इति । प्रकृतस्याश्मन इष्टकान्तरवदुपधानस्य विधानात्तद्वदेव सादनप्रसक्तौ निषेधति-न सादयतीति । तत्रोपपत्तिमाह-असन्नो ह्येष इति । 'एषः' सूर्यः 'असन्नः' क्वचिदेवावस्थितो न भवति सर्वत्र परिभ्रमणादित्यर्थः । मा भूदसन्नत्वात्तस्य सादनं सूददोहसाऽधिवदनं तु कर्तव्यमित्यत आह-न सूददोहसाऽधिवदतीति । सूददोहसाऽधिवदनमपि न कर्तव्यम्, कुत इत्यत आह-प्राणो वा इति । प्राणात्मके सूर्ये

सुम्नहूश्च युक्षदुग्निर्देवो देवाँ॥ऽआ च व्वक्षदिति युक्षच्चैवाग्निर्देवो देवान्ना च व्वहत्वित्येतुत् ॥ २० ॥

(ह्रा) व्वाजस्य मा प्रसुवः । (ऽ) उद्ग्राभेणोदग्रभीत् । अधा सपत्नानिन्द्रो मे निग्राभेणाधराँ॥ऽ अकरिति यथैव यजुस्तथा बन्धुः ॥ २१ ॥

(रु) उद्ग्राभं च निग्राभं च । ब्रह्म देवाऽअवीवृधन् । अधा सपत्नानिन्द्राग्नी मे व्विषूचीनान्व्यस्यतामिति यथैव यजुस्तथा बन्धुः ॥ २२ ॥

(स्त) तद्याऽअमुष्मादादित्यादूर्ध्वाश्चतस्रो दिशः । (स्ता) ताऽ एतद्देवाऽअसुराणामवृञ्जताथो ताऽ एवैतुत्समारोहंस्ताऽ उऽएवैतद्यजमानो द्विषतो भ्रातृव्यस्य व्वृङ्क्तेऽथो ताऽ एवैतुत्समारोहत्यथोऽएतद्वाऽ एताभिर्देवा ऽआतः संप्राप्नुवंस्तथैवाभिरयमेतदातः सम्प्राप्नोति ॥ २३ ॥

हूश्च । " यक्षदग्निर्देवो देवान् आ च वक्षत् "-(वा. सं. १७ । ६२) इति । यक्षच्चैवाग्निर्देवो देवान् आ च वहत्वित्येतत् ॥ २० ॥

" वाजस्य मा प्रसव उद्ग्राभेणोदग्रभीत् । अधा सपत्नानिन्द्रो मे निग्राभेणाधरान् अकः "-(वा. सं १७ । ६३) इति । यथैव यजुस्तथा बन्धुः ॥ २१ ॥

" उद्ग्राभं च निग्राभं च ब्रह्म देवा अवीवृधन् । अधा सपत्नानिन्द्राग्नी मे विषूचीनान्व्यस्यताम् "-(वा. सं. १७ । ६४) इति । यथैव यजुस्तथा बन्धुः ॥ २२ ॥

तद् या अमुष्मादादित्यादूर्ध्वाश्चतस्रो दिशः-ता एतद्देवा असुराणामवृञ्जत । अथो ता एवैतत्समारोहन् । ता उ एवैतद्-यजमानो द्विषतो भ्रातृव्यस्य वृङ्क्ते । अथो ता एवैतत्समारोहति । अथो एतद्वा एताभिर्देवा आतः सम्प्राप्नुवन् । तथैवाभिरयमेतदातः सम्प्राप्नोति ॥ २३ ॥

प्राणात्मकस्य सूददोहसः पिष्टपेषणवन्नैष्फल्यादित्यर्थः । तस्योपहितस्याश्मनो रक्षां विधायाहवनीयदेशं प्रति गच्छेयुरिति विधत्ते-तं निधायेति' । 'यथा' अश्मा 'न' नश्येत्तथा निधायाग्नीध्रसमीपदेशमतिक्रामेयुरित्यर्थः । तस्योक्तो बन्धुरिति । " इन्द्रं विश्वा अवीवृधन्नितीन्द्रं हि सर्वाणि भूतानि वर्द्धयन्ति " इत्यादिनाऽस्य ब्राह्मणं (श. प. ८।७।३।७) अष्टमकाण्डेऽभिहितम् । ' देवहूः ' इत्यादिकस्यायमर्थः । यतो यज्ञो देवानाह्वयतीति देवहूः । सुम्नमिति सुखनामधेयम् (निघ. ३।६।१६) सुम्नमाह्वयतीति 'सुम्नहूः' तत्साधनत्वात् । अतो देवहूर्यज्ञो देवान् आ च वक्षत् आवहतु सुम्नहूर्यज्ञः ' आवहतु ' इत्युच्यते-यक्षच्चैवाग्निरिति । अग्निर्देवो देवान् यक्षत् यजतु आवहतु इत्येतदुक्तं भवतीति । यक्षत् वक्षत् इति यजेर्वहतेश्च लेटि रूपम् ॥१९॥२०॥

वाजस्येति उद्ग्राभं चेति मन्त्रद्वयं निगदव्याख्यातम् इत्याह-वाजस्य मा प्रसव इति । पञ्च दिशो दैवीरित्यादिमंत्रैर्गार्हपत्यादाग्नीध्रपर्यन्तं गमने भ्रातृव्यसम्बन्धिनीः सूर्यादर्वाचीः पञ्च दिशः ततोपगमय्य स्वयं प्राप्तवान्

१-निधायैनमतिक्रामतीन्द्रं विश्वा इति । का. श्रौ. सू. १८ । ३५ ।

(त्यु) अथाग्निमारोहन्ति । क्रमध्वमग्निना नाकमिति स्वर्गो वै लोको नाकः क्रमध्वमनेनाग्निनैतꣳ स्वर्गं लोकमित्येतदुख्यꣳ हस्तेषु बिभ्रत इत्युख्यꣳ ह्येतऽएतꣳ हस्तेषु बिभ्रति दिवस्पृष्ठꣳ स्वर्गत्वा मिश्रा देवेभिराध्वमिति दिवस्पृष्ठꣳ स्वर्गं लोकं गत्वा मिश्रा देवेभिराध्वमित्येतत् ॥ २४ ॥

(त्या) प्राचीमनु प्रदिशं प्रेहि विद्वानिति । प्राची वै दिगग्नेः स्वामनु प्रदिशं प्रेहि विद्वानित्येतदग्नेरग्ने पुरोऽअग्निर्भवेहेत्यस्य त्वमग्नेरग्ने पुरोऽग्निर्भवेहेत्येतद्विश्वाऽआशा दीद्यानो विभाहीति सर्वाऽआशा दीप्यमानो विभाहीत्येतदूर्जं नो धेहि द्विपदे चतुष्पदऽइत्याशिषमाशास्ते ॥ २५ ॥

अथाग्निमारोहन्ति । "क्रमध्वमग्निना नाकम्"–इति । स्वर्गो वै लोको नाकः । क्रमध्वमनेनाग्निनैतं स्वर्गं लोकमित्येतत् । "उख्यं हस्तेषु बिभ्रतः"–इति । उख्यं ह्येत एतं हस्तेषु बिभ्रति । "दिवस्पृष्ठं स्वर्गत्वा मिश्रा देवेभिराध्वम्"–(वा. सं. १७ । ६५) इति । दिवस्पृष्ठं स्वर्गं लोकं गत्वा मिश्रा देवेभिराध्वमित्येतत् ॥ २४ ॥

"प्राचीमनु प्रदिशं प्रेहि विद्वान्"–इति । प्राची वै दिगग्नेः । स्वामनु प्रदिशं प्रेहि विद्वानित्येतत् । "अग्नेरग्ने पुरो अग्निर्भवेह"–इति । अस्य त्वमग्नेरग्ने पुरोऽग्निर्भवेहेत्येतत् ।

भवति इत्युक्तम् । अथेन्द्रं विश्वा अवीवृधन्नित्यादिमन्त्रैराग्नीध्रादाहवनीयपर्यन्तं गमने सूर्यादूर्ध्वा भ्रातृव्यसम्बन्धिनीश्चतस्रो दिशः तथैव प्राप्नोतीत्याह–तद्या अमुष्मादित्यादिना । 'आतः' इति द्युलोकपर्यन्तमित्यर्थः ॥ २१–२३ ॥

चित्याग्निसमीपगमनानन्तरं क्रमध्वमित्यादिभिः पञ्चभिर्मन्त्रैस्तस्यारोहणं विधत्ते[1]–अथाग्निमिति । चित्याग्नेरुपरि धार्यमाणे उख्याग्नौ होमविधानेन तत्र तद्धारणार्थे कस्यचिदपेक्षणादग्निनिधाने यजमानस्यापि संनिधानात्तदपेक्षमारोहन्तीति बहुवचनम् । स्वर्गो वै लोको नाक इत्यादिनाऽऽरोहणमन्त्रान्व्याचष्टे । क्रमध्वमिति तेषामेव परोऽक्षेणाभिधानम् । 'अनेनाग्निना' चित्याग्निना 'एतम्' इत्यभिनयेन निर्देशः । एतं स्वर्गं 'क्रमध्वम्' अप्रतिबन्धेन गच्छत इत्येतदुक्तं भवतीत्यर्थः । क्रमध्वमिति वृत्त्यर्थे तङ् । एते क्रममाणा अध्वर्युप्रभृतयः एतमुख्याग्निं हस्तेषु चितिषु बिभ्रति यतः अतः स एवार्थो मन्त्रेण प्रतिपाद्यते । 'दिवस्पृष्ठं स्वर्गं लोकम्' इत्यनेन मन्त्रे 'स्वर्गत्वा' इत्यत्र 'स्वः' इत्यस्यार्थ उक्तः । अत्र दिवःशब्देन द्युलोक उच्यते । द्युलोकस्य पृष्ठम् उपरितनं स्वर्गं सुखातिशयहेतुं तस्यैव स्थानविशेषं गत्वा देवैर्मिश्राः सन्तस्तिष्ठतेत्यर्थः । 'दिवस्पृष्ठम्' इति "षष्ठ्याः पतिपुत्रपृष्ठ०" (पा.सू. ८।३।५३) इत्यादिना विसर्जनीयस्य सकारः ॥ २४ ॥

प्राची वै दिगग्नेरिति । 'प्राची' दिक् 'अग्नेः' सम्बन्धिनी खलु । अत एव तैत्तिरीयके–"प्राची

१–क्रमध्वमग्निनेति चित्यमारोहंति । का० श्रौ० सू० १८ । ४० ।

पृथिव्या॒ऽ अ॒हम् । (मु) द्गुदन्त॒रिक्ष॒मारु॑हम॒न्त॒रिक्षा॒द्दिव॒मारु॑हमि॒ति गा॒र्ह॑-पत्या॒द्ध्वा॒ग्नीध्री॑यमा॒गच्छ॑न्त्या॒ग्नीध्री॑यादा॒हव॒नी॑यं दिवो ना॒कस्य॑ पृ॒ष्ठा-त्स्व॒र्ज्यो॒तिर॑गाम॒हमि॒ति दिवो ना॒कस्य॑ पृ॒ष्ठात्स्व॒र्गं लो॒कम॑गाम॒ह-मि॒त्य॒ेत॒त् ॥ २६ ॥

(त्स्व) स्व॒र्य॒न्तो ना॒पेक्ष॑न्ते । (न्त॒ऽ) आ द्या॒ᳫँ रो॑हन्ति रो॒दसी॒ऽइ॒ति न॒ हैव ते॒ऽपेक्ष॑न्ते ये॒ स्व॒र्गं लो॒कं य॒न्ति य॒ज्ञं ये॒ वि॒श्वतो॑धार॒ᳫँ सु॒विद्वा॒ᳫँसो वि॒ते॒नि॒र॒ऽइत्ये॒षऽ ए॒व य॒ज्ञो वि॒श्वतो॑धार॒ऽएत॒ऽउ॒ऽए॒व सु॒विद्वा॒ᳫँसो य॒ऽए॒तं वि॒तन्व॒ते ॥ २७ ॥

" विश्वा आशा दीद्यानो विभाहि "–इति । सर्वा आशा दीप्यमानो विभाहीत्येतत् । " ऊर्जं नो धेहि द्विपदे चतुष्पदे "–(वा. सं. १७ । ६६) इति । आशिषमाशास्ते ॥ २५ ॥

"पृथिव्या अहमुदन्तरिक्षमारुहम्, अन्तरिक्षाद्दिवमारुहम्"–इति । गार्हपत्याद्ध्याग्नीध्रीयमागच्छन्ति, आग्नीध्रीयादाहवनीयम् । " दिवो नाकस्य पृष्ठात्स्वर्ज्योतिरगामहम् "–(वा. सं. १७ । ६७) इति । दिवो नाकस्य पृष्ठात्स्वर्गं लोकमगामहमित्येतत् ॥ २६ ॥

" स्वर्यन्तो नापेक्षन्त आ द्यां रोहन्ति रोदसी "–इति । न हैव तेऽपेक्षन्ते–ये स्वर्गं लोकं यन्ति । " यज्ञं ये विश्वतोधारं सुविद्वांसो वितेनिरे "–(वा. सं. १७ । ६८) इति । एष एव यज्ञो विश्वतोधारः । एत उ एव सुविद्वांसो–य एतं वितन्वते ॥ २७ ॥

दिक् अग्निर्देवता "–इति । अस्य त्वामिति । ' अस्य ' इष्टकास्थलरूपस्य ' अग्नेः ' ' त्वं ' पुरो वर्त्तमानः ' अग्निर्भव ' हे यज्ञ ! इत्युक्तं भवति । दीप्यमान इति ' दीद्यानः ' इत्यस्यार्थकथनम् ॥ २५ ॥

पृथिव्या अहमिति । गार्हपत्याग्नीध्राहवनीयानां पृथिव्यादिलोकत्रयात्मकत्वात् क्रमेण तत्र गमनात् पृथिव्यादिलोकत्रयं क्रमेणारूढवानस्मीत्यर्थः । आरुहमिति । " कृ मृ दृ–रुहिभ्यश्छन्दसि " (पा. सू. ३ । १ । ५९) इति च्लेरङादेशः । दिवो नाकस्येति । ' नाकस्य ' सुखहेतुभूतस्य द्युलोकस्य ' पृष्ठात् ज्योतिः ' विशिष्टं प्रकाशमानं ' स्वर्गं लोकमगामहमित्येतद् ' उक्तं भवति । अत्रापि पूर्ववत् सुखातिशये हेतुभूतो द्युलोको देशविशेषः स्वर्गशब्देनोच्यते ॥ २६ ॥

न हैवेति । ' ये स्वर्गं लोकं यन्ति, ' ' ते ' फलान्तरं ' नापेक्षन्ते ' खलु, अत उक्तम्–स्वर्यन्त इति । एष एवेति । सर्वेण प्रकारेण जगद्धारयतीति ' एष एव यज्ञो विश्वतोधारः ' । ' ये ' नराः ' एतं ' यज्ञं ' वितन्वते ', ' एत एव ' ' सुविद्वांसः ' खलु । विदुषामेव यज्ञनिष्पादकत्वादित्यर्थः ॥ २७ ॥

(ते॒ऽग्ने॒) अग्ने॒ प्रेहि॑ प्रथ॒मो दे॑वय॒ताम्मिति॑ । (ती) इ॒ममे॒तद॒ग्निमा॑ह॒ त्वमे॒षां प्रेहि॑ प्रथ॒मो दे॑वय॒ताम्मिति॒ चक्षु॑र्दे॒वाना॑मु॒त मर्त्या॑नाम्मित्यु॒भये॑षाᳬं हैतद्दे॑वमनु॒ष्या॒णां चक्षु॒रिय॑क्षमाणा भृगु॑भिः स॒जोषा॒ऽइति॒ यज॑मानो भृगु॑भिः स॒जोषा॒ऽइत्ये॒तत्स्व॒र्यन्तु॒ यज॑मानाः स्व॒स्तीति॑ स्व॒र्गं लो॒कं यन्तु॒ यज॑मानाः स्व॒स्तीत्ये॒तत् ॥ २८ ॥

(त्त) तद्या॒ऽअ॒मुष्मि॑ँल्लो॒के पञ्च॒ दिशः॑ । (स्ता) ता॒ऽ ए॒तद्दे॒वा॒ऽ असु॑राणामवृञ्जताथो॒ ता॒ऽ ए॒वैतत्स॒मारो॑हँस्ता॒ऽ उ॒ऽए॒वैतद्यज॑मानो॒ द्विष॒तो भ्रातृ॑व्यस्य वृङ्क्ते॒ऽथो॒ ता॒ऽ ए॒वैतत्स॒मारो॑ह॒त्यथो॒ऽ ए॒तद्वा॒ऽ ए॒ताभि॑र्दे॒वा॒ऽ आ॒तः सम्प्रा॑प्नुव॒ꣳस्तथै॒वाभि॑रय॒मेतदा॒तः सम्प्रा॑प्नोति ॥ २९ ॥

(त्यु) अथै॑नम॒भिजु॑होति । (त्ये) ए॒तद्वा॒ऽए॒नं दे॒वा॒ऽ ई॒यि॒वाꣳस॑मु॒परि॑ष्टा॒दन्ने॒नाप्री॑ण॒न्नेत॑या॒ऽऽहु॑त्या त॒थै॒वैन॑म॒यमे॒तदी॑यि॒वाꣳस॑मु॒परि॑ष्टा॒दन्ने॑न॒ प्रीणा॑त्येत॒याऽऽहु॑त्या कृ॒ष्णायै॑ शु॒क्लव॑त्सायै॒ पय॑सा॒ रात्रि॒र्वै कृ॒ष्णा शु॒क्लव॑त्सा

"अग्ने प्रेहि प्रथमो देवयताम्"–इति । इममेतदग्निमाह–त्वमेषां प्रेहि प्रथमो देवयतामिति । "चक्षुर्देवानामुत मर्त्यानाम्"–इति । उभयेषां हैतद्देवमनुष्याणां चक्षुः । "**इयक्षमाणा भृगुभिः सजोषाः**"–इति । यजमानो भृगुभिः सजोषा इत्येतत् । "**स्वर्यन्तु यजमानाः स्वस्ति**"–(वा. सं. १७ । ६९) इति । स्वर्गं लोकं यन्तु यजमानाः स्वस्तीत्येतत् ॥ २८ ॥

तद् या अमुष्मिंल्लोके पञ्च दिशः–ता एतद्देवा असुराणामवृञ्जत । अथो ता एवैतत्समारोहन् । ता उ एवैतद्यजमानो द्विषतो भ्रातृव्यस्य वृङ्क्ते । अथो ता एवैतत्समारोहति । अथो एतद्वा एताभिर्देवा आतः सम्प्राप्नुवन् । तथैवाभिरयमेतदातः सम्प्राप्नोति ॥ २९ ॥

अथैनमभिजुहोति । एतद्वा एनं देवा ईयिवांसमुपरिष्टादन्नेनाप्रीणन्नेतयाऽऽहुत्या । तथैवैनमयमेतदीयिवांसमुपरिष्टादन्नेन प्रीणात्येतयाऽऽहुत्या । कृष्णायै शुक्लवत्सायै पयसा । रात्रिर्वै कृष्णा शुक्ल-

इममेतदिति । 'त्वमेषां' देवान्यष्टुमिच्छतां 'प्रथमः प्रेहि' इति इममुख्याग्निमाह । अग्नेश्चक्षुष्ट्वं च बहूपकारकत्वात् । 'इयक्षमाणाः' इति व्याख्यातम् 'यजमानो भृगुभिः' इति । स्पष्टमन्यत् ॥ २८ ॥

उक्तमन्त्रसाध्येन चित्याग्नेरारोहणेन स्वर्गे लोके विद्यमाना भ्रातृव्यसम्बन्धिनीः पञ्च दिशः पूर्वतः प्राप्तवान् भवतीत्याह–**तद्या अमुष्मिंल्लोक** इति । अत्रापि 'आतः' इति द्युलोकादुपरितनस्वर्गावधित्वेनोच्यते ॥ २९ ॥

चित्याग्निसमारोहणानन्तरमस्मिन्नुख्याग्नौ होमं विधत्ते–**अथे**ति । 'अभिजुहोति' अभिहोमानामीप्सिततमत्वात् 'एनम्' इति कर्मणि द्वितीया । विहिताहुतिश्चित्यं प्राप्तस्याग्नेरुपरिष्टादन्नं सम्पादयत इत्याह–**एतद्वा** इति ।

१–स्वयमातृण्णामध्यग्निं धारयन् शुक्लवत्सापयसाऽभिजुहोति कृष्णाया दोहनेन स्वयमातृण्णामवसिंचन्नक्षोषासेति । का० श्रौ० सू० । १८ । ४१ ।

तस्या ऽअसावादित्यो वत्सः स्वेनैवैनमेतद्भागेन स्वेन रसेन प्रीणात्युपरि धार्यमाण ऽउपरि हि स यमेतत्प्रीणाति दोहनेन दोहनेन हि पयः प्रदीयते ॥ ३० ॥

यद्वेवैनमभिजुहोति । शिर ऽएतद्यज्ञस्य यदग्निः प्राणः पयः शीर्षंस्तत्प्राणं दधाति यथा स्वयमातृण्णामभिप्रक्षरेदेवमभिजुहुयात्प्राणः स्वयमातृण्णा रस ऽएष शिरश्च तत्प्राणं च रसेन संतनोति संदधाति नक्तोषासा समनसा विरूपे ऽइति तस्योक्तो बन्धुः ॥ ३१ ॥

(३) अग्ने सहस्राक्षेति । हिरण्यशकलैर्वा ऽएष सहस्राक्षः शतमूर्धन्निति यददः शतशीर्षा रुद्रोऽसृज्यत शतं ते प्राणाः सहस्रं व्याना ऽइति शतँ

वत्सा । तस्या असावादित्यो वत्सः । स्वेनैवैनमेतद्भागेन स्वेन रसेन प्रीणाति । उपरि धार्यमाणे । उपरि हि सः—यमेतत्प्रीणाति । दोहनेन । दोहनेन हि पयः प्रदीयते ॥ ३० ॥

यद्वेवैनमभिजुहोति । शिर एतद्यज्ञस्य—यदग्निः । प्राणः पयः । शीर्षंस्तत्प्राणं दधाति । यथा स्वयमातृण्णामभिप्रक्षरेद् एवमभिजुहुयात् । प्राणः स्वयमातृण्णा । रस एषः । शिरश्च तत्प्राणं च रसेन संतनोति, संदधाति । " नक्तोषासा समनसा विरूपे "–(वा. सं. १७ । ७०) इति । तस्योक्तो बन्धुः ॥ ३१ ॥

" अग्ने सहस्राक्ष "–इति । हिरण्यशकलैर्वा एष सहस्राक्षः । "शतमूर्द्धन्"–इति । यददः

विहिते होमे द्रव्यं विधत्ते—कृष्णायै शुक्लवत्सायै पयसेति । उक्तलक्षणाया गोः पयस उपादाने कारणमाह—रात्रिर्वा इति । रात्रिः खलु कृष्णा शुक्लवत्सा । अस्या रात्रेः असौ आदित्यो वत्सः यथा वत्सो गोसमीपे वर्तते तद्वदस्य रात्रिसमीपे वर्तमानत्वात् । अयमेवार्थस्तैत्तिरीयके श्रूयते—"अग्निश्चादित्यश्च रात्रेर्वत्सः"(तै.आ. १।१०।९) इति । एवं चास्याग्नेरादित्यात्मकत्वात्तथाविधाया गोःपयसा होमे स्वकीयभागेन तदेव विव्रियते—स्वेन रसेनेति । तेन प्रीणितवान् भवति । प्रीणयितव्यस्यादित्यात्मकस्याग्नेरुपरि एव वर्तमानत्वेन उपरि धार्यमाणे एव उख्याग्नौ जुहुयादित्याह—उपरीति । प्रकृतहोमे साधारणं जौहवं प्राप्नोतीति तदपवादत्वेन दोहनं विधत्ते—दोहनेनेति । दोहनेन हि पयः प्रदीयते इति । दोहनानन्तरं पात्रान्तरे दोहनेन खलु पयः प्रदीयते इत्यर्थः ॥ ३० ॥

प्रकृतमेवाभिहोमं प्र[illegible]रान्तरेण प्रशंसति—यद्वेवेति । अग्नेः शिरोवत्प्राधान्यात् स हि शिरः । पयसः प्राणत्वं तत्पुष्टिहेतुत्वात् यथा स्वयमातृण्णामिति । होमाभिघारः स्वयमातृण्णायामुपरि किञ्चित्किञ्चिद्यथा 'प्रक्षरेत्' तथा [illegible] कु[illegible]त् । एवं च स्वयमातृण्णायाः प्राणत्वात्, अग्नेस्तु शिरस्त्वात् 'प्राणं च शिरश्च' इत्युभे अपि पयोलक्षणेन 'रसेन' 'संतनोति' । तदेव विवृणोति 'सन्दधाति' परस्परसम्बद्धं करोतीत्यर्थः । प्रकृतहोमे मन्त्रौ दर्शयन् प्रथममन्त्रस्य ब्राह्मणं षष्ठकाण्डे (श. प. ६ । ७ । २ । ३) प्रागेवाभिहितमित्याह—नक्तोषासेति ॥ ३१ ॥

द्वितीयं मन्त्रं व्याचष्टे—अग्ने सहस्राक्षेति । हिरण्यशकलैर्वा इति । 'एषः' अग्निः प्रोक्षणे विनियुक्तैः

हैव तस्य प्राणाः सहस्रं व्याना युः शतशीर्षा त्वꣳ साहस्रस्य रायऽ ईशिषऽइति त्वꣳ सर्वस्यै रय्याऽईशिषऽइत्येतत्तस्मै ते विधेम वाजाय स्वाहेत्येष वै वाजस्तमेतत्प्रीणाति ॥ ३२ ॥

द्वाभ्यामभिजुहोति । द्विपाद्यजमानो यजमानोऽग्निर्यावानग्निर्यावत्यस्य मात्रा तावतैवैनमेतदभिजुहोति ॥ ३३ ॥

(त्यु) अथैनं निदधाति । सुपर्णोऽसि गरुत्मानित्येतद्वाऽएनमदो विकृत्या सुपर्णं गरुत्मन्तं विकरोति तꣳ सुपर्णं गरुत्मन्तं चिनोति तꣳ सुपर्णं गरुत्मन्तं कृत्वाऽन्ततो निदधाति पृष्ठे पृथिव्याः सीद भासाऽन्तरिक्ष-

---

शतशीर्षा रुद्रोऽसृज्यत । " शतं ते प्राणाः सहस्रं व्यानाः "-इति । शतं हैव तस्य प्राणाः, सहस्रं व्यानाः-यः शतशीर्षा । " त्वं साहस्रस्य राय ईशिषे "-इति । त्वं सर्वस्यै रय्या ईशिष इत्येतत् । " तस्मै ते विधेम वाजाय स्वाहा "-(वा० सं० १७ । ७१) इति । एष वै वाजः । तमेतत्प्रीणाति ॥ ३२ ॥

द्वाभ्यामभिजुहोति । द्विपाद्यजमानः । यजमानोऽग्निः । यावानग्निर्यावत्यस्य मात्रा-तावतैवैनमेतदभिजुहोति ॥ ३३ ॥

अथैनं निदधाति । " सुपर्णोऽसि गरुत्मान् "-इति । एतद्वा एनमदो विकृत्या सुपर्णं

सहस्रसंख्याकैः ' हिरण्यशकलैः सहस्राक्षः ' खलु । अतश्च मन्त्रे तथा सम्बोध्यत इत्यर्थः । प्रकाशकत्वसाधारण्येन हिरण्यशकलानामक्षित्वोपचारः । यददः शतशीर्षेति । प्रजापतिरोदनेन उदितेष्वश्रुषु अन्तर्वर्त्तमाने मन्यौ प्रतिष्ठितेषु स एव शतशीर्षा रुद्रः समभूत् इति (श. प.९।१।१।६) काण्डस्यादावुक्तम् । अतोऽत्रादः-शब्देन स कालः परामृश्यते । ' अदः ' अस्मिन्काले ' शतशीर्षा रुद्रोऽसृज्यत ' इति यत् अत उक्तं मन्त्रे ' शतमूर्धन्निति ' इत्यर्थः । 'यः शतशीर्षा ' भवति तस्य शतसंख्याकाः 'प्राणाः' सहस्रसंख्याका ' व्यानाः ' च भवन्ति । सहस्रमित्यपरिमितनामधेयम् (निघ. ३ । १ । १०) तस्मादुच्यते-शतं त इति । त्वं सर्वस्यै इति । सहस्रमित्यपरिमितसंख्यावचनात् ' साहस्रस्य ' इत्यनेनापरिमितसंख्यावत इत्यस्यार्थस्याभिधानात् 'सर्वस्या ' इत्येतदुक्तं भवति । " अधीगर्थदयेशां कर्मणि " (पा. सू. २ । ३ । ५२) इति षष्ठीप्राप्तौ " षष्ठ्यर्थे चतुर्थी वाच्या " (पा. सू. २ । ३ । ६२ वा. १) सर्वस्यै, रय्या इति चतुर्थी । एष वै वाज इति । ' वाज ' शब्दोऽन्नवाची तद्धेतुत्वाद् ' एषः ' अग्निर्वाजः खलु । अतः ' तस्मै ते विधेम वाजाय स्वाहा ' इत्यनेन ' तम् ' अग्निं ' प्रीणाति ' । हे सहस्राक्ष शतमूर्द्धन् अग्ने ! ते शतसंख्याकाः प्राणाः सहस्रसंख्याका व्यानाश्च भवन्ति । त्वं सर्वस्य धनस्य ईशिषे ईश्वरो भवसि । तस्मै ' वाजाय ' अन्नहेतुत्वेन तदात्मकाय ते वयं ' विधेम ' परिचरेम, इदं हविः ते ' स्वाहा ' सुहुतमस्त्विति मन्त्रार्थः ॥ ३२ ॥

मन्त्रगतेन द्वित्वेन सकलस्याग्नेरभिहोमः सम्पद्यत इति प्रशंसति-द्वाभ्यामिति ॥ ३३ ॥

अभिहोमानन्तरमुख्याग्नेश्चितीनामुपरि निधानं विधत्ते-अथैनमि[1]ति । निधानमन्त्रे सुपर्णोऽसि गरुत्मानि-

---

१-तस्यामग्निं निदधाति सुपर्णोऽसीति वषट्कारेण । का० श्रौ० सू० । १८ । ४२ ।

मापृण ज्योतिषा दिवमुत्तभान तेजसा दिशऽ उद्दृꣳहेत्येवꣳ ह्येषऽ एतत्सर्व्वं करोति ॥ ३४ ॥

(त्या) आजुह्वानः सुप्रतीकः पुरस्तादिति । (त्या) आजुह्वानो नः सुप्रतीकः पुरस्तादित्येतदग्ने स्वं योनिमासीद साधुयेत्येष वाऽअस्य स्वो योनिस्तꣳ साध्वासीदेत्येतदस्मिन्त्सधस्थेऽअध्युत्तरस्मिन्निति द्यौर्वाऽ-उत्तरꣳ सधस्थं विश्वे देवा यजमानश्च सीदतेति तद्विश्वैर्देवैः सह यज-मानꣳ सादयति द्वाभ्यां निदधाति तस्योक्तो बन्धुर्व्वषट्कारेण तस्योपरि बन्धुः ॥ ३५ ॥

गरुत्मन्तं विकरोति । तं सुपर्णं गरुत्मन्तं चिनोति । तं सुपर्णं गरुत्मन्तं कृत्वाऽन्ततो निदधाति । " **पृष्ठे पृथिव्याः सीद । भासाऽन्तरिक्षमापृण । ज्योतिषा दिवमुत्तभान । तेजसा । दिश उद्दृंह** "–(वा० सं० १७ । ७२) इति । एवं ह्येष एतत्सर्वं करोति ॥ ३४ ॥

" **आजुह्वानः सुप्रतीकः पुरस्तात्** "–इति । आजुह्वानो नः सुप्रतीकः पुरस्तादित्येतत् । "**अग्ने स्वं योनिमासीद साधुया**"–इति । एष वा अस्य स्वो योनिः । तं साध्वासीदेत्येतत् । "**अस्मिन्त्सधस्थे अध्युत्तरस्मिन्** "–इति । द्यौर्वा उत्तरं सधस्थम् । **विश्वे देवा यजमानश्च सीदत** "–(वा. सं. १७ । ७३) इति । तद् विश्वैर्देवैः सह यजमानं सादयति । द्वाभ्यां निद-धाति । तस्योक्तो बन्धुः । वषट्कारेण । तस्योपरि बन्धुः ॥ ३५ ॥

त्यस्योपयोगमाह–एतद्वा इत्यादिना । लोके हि योनौ सिक्तं प्रजननसमर्थं रेतो विक्रियते अवयवविभागवत् क्रियते, अतोऽत्रापि योनिरूपायामुखायामाहितस्याग्नेरितरस्यान्नस्यापि विकृत्या भवितव्यमिति पूर्वं ' विकृत्या ' विकृतिसाधनभूतेन मन्त्रेण सुपर्णोऽसि गरुत्मानित्यादिकेन सुपर्णं गरुत्मन्तं कृत्वा चितवान् । तथा चयन-कालेऽपि सुपर्णं गरुत्मन्तमेव कृत्वा चितवान् । संप्रति ' सुपर्णोऽसि गरुत्मान् ' इत्यादिकेन सुपर्णं गरुत्मन्तं कृत्वा निहितवान् भवति । चीयमानस्याग्नेः पक्ष्याकारेण चयनात् सुपर्णोऽसि गरुत्मान् इत्युक्तम् । ' गरुत्मान् ' प्रशस्तपक्षवान् अत एव ' सुपर्णः ' पर्णशब्देन पतनमुच्यते शोभनपतनविशिष्ट इत्यर्थः । एवं ह्येष इति । ' एषः ' अग्निः, ' एवम् ' उक्तप्रकारम् ' एतत्सर्वं करोति ' यतः, अतः उक्तं मन्त्रे पृष्ठे पृथिव्याः सीदेत्यर्थः ॥ ३४ ॥

द्वितीयं मन्त्रं व्याचष्टे–**आजुह्वान** इति । 'सुप्रतीकः' शोभनावयवः । तत्त्वमितरान् प्रति न, अपि तु अस्मा-न्प्रतीति व्याचष्टे–**आजुह्वानो नः सुप्रतीक** इति । 'अस्य' उख्याग्नेः 'एषः' चित्याग्निः । 'स्वो योनिः' स्वसम्बन्धि स्थानम् अतोऽग्ने स्वं योनिमित्यादिना चित्याग्निं साध्वधितिष्ठेत्येतदुक्तं भवतीति व्याचष्टे–**अग्ने स्वमिति** । **अस्मिन्** इति । पृथिव्यन्तरिक्षाभ्यामुपरि वर्त्तमानत्वेन द्युलोकात्मकत्वात् **'अस्मिन्'** चित्याग्निलक्षणे द्युलोके **'अध्यासीद'**

(६) अथास्मिन्त्समिध ऽआदधाति । (त्ये) एतद्वाऽएनं देवाऽ ईयि-
वाᳬसमुपरिष्टादन्नेनाप्रीणन्त्समिद्भिश्चाहुतिभिश्च तथैवैनमयमेतदीयिवाᳬ-
समुपरिष्टादन्नेन प्रीणाति समिद्भिश्चाहुतिभिश्च ॥ ३६ ॥

स वै शमीमयीं प्रथमामादधाति । (त्ये) एतद्वाऽएषऽ एतस्यामा-
हुत्याᳬ हुतायां प्रादीप्यतोदज्वलत्तस्माद्देवा ऽअबिभयुर्यद्वै नोऽयं न
हिᳬस्यादिति तऽएताᳬ शमीमपश्यंस्तयैनमशमयंस्तद्यदेतᳬ
शम्याऽशमयंस्तस्माच्छमी तथैवैनमयमेतच्छम्या शमयति शान्त्याऽएव
न जग्ध्यै ॥ ३७ ॥

अथास्मिन्त्समिध आदधाति । एतद्वा एनं देवा ईयिवांसमुपरिष्टादन्नेनाप्रीणन् । समि-
द्भिश्चाहुतिभिश्च । तथैवैनमयमेतदीयिवांसमुपरिष्टादन्नेन प्रीणाति । समिद्भिश्चाहुतिभिश्च ॥ ३६ ॥

स वै शमीमयीं प्रथमामादधाति । एतद्वा एष एतस्यामाहुत्यां हुतायां प्रादीप्यतोदज्वलत् ।
तस्माद्देवा अबिभयुः–'यद्वै नोऽयं न हिंस्यात्' इति । त एतां शमीमपश्यन् । तयैनमशम-
यन् । तद्यदेतं शम्याऽशमयन् । तस्माच्छमी । तथैवैनमयमेतच्छम्या शमयति । शान्त्या एव, न
जग्ध्यै ॥ ३७ ॥

इत्यर्थः । 'विश्वे देवाः' इत्यनेन विश्वैर्देवैः सह त्वं यजमानमत्रासादितवान् भवति । हे अग्ने ! त्वं 'गरु-
त्मान्' अत एव शोभनपतनोऽसि तादृशस्त्वं पृथिव्याः पृष्ठे उपरि सीद, स्वीयया भासा अन्तरिक्षमापूरय,
ज्योतिषा दिवं दृढां कुरु, तेजसा दिशोऽपि दृढीकुर्विति प्रथमस्यार्थः । भाः ज्योतिस्तेज इति प्रकाशविशेषः ।
हे अग्ने ! त्वं पूर्वस्यां दिशि आहूयमानः अस्माकं शोभनावयवो भूयाः । अतः त्वं योनिं चित्याग्निं 'साधुया'
क्रियया अधितिष्ठ । 'साधुया' इति तृतीयैकवचनस्य "सुपां सुलुक्"–(पा. सू. ७ । १ । ३९) इत्या-
दिना यादेशः । अस्मिन् चित्याग्निरूप उत्तरस्मिन् सधःस्थे द्युलोके अध्यासीद । हे विश्वे देवाः ! यूयं यजमानश्च
अत्र सीदत यूयं सम्प्रदानत्वेन सीदत यजमानोऽधिकारित्वेन सीदत्विति द्वितीयस्यर्गर्थः स्पष्टार्थः ॥ ३५ ॥

उत्तरवाक्यद्वये निधानानन्तरमस्मिन्नग्नौ समिधामाधानं विधाय ताः समिधश्चित्याग्निं प्राप्तस्याग्नेरुपरितनान्न-
रूपेण स्तौति–अथास्मिन्निति ॥ ३६ ॥

तत्र शमीमयीं समिधं प्रथमामादध्यादित्याह–स वा इति । शमीमय्याः प्रथममाधाने हेतुमाह–एतद्वा इति ।
एतस्यामाहुत्यामित्यनेन 'अथैनमभिजुहोति' इति विहिताऽऽहुतिः परामृश्यते । एतस्यामाहुत्यां हुतायामग्निः
प्रदीप्तः सन्नुदज्वलत् । पश्चात् अग्निं दृष्ट्वा येनोपायेन 'नोऽयं न हिंस्यादिति' देवास्तस्माद् भीताः । पश्चादहिंसो-
पायत्वेन ते एतां शमीमयीं समिधं अपश्यन् दृष्ट्वा च तया एनमशमयन् । यत्त एतमनयाऽशमयन् । तस्मादसौ
शमीनामधेया अभूत् । अतः प्रथमं शमीमय्याः समिध आधानेन तथैवायमपि यजमानः शान्त्यै एनं शमयति, न
जग्ध्यै, जग्धिर्भक्षणं भक्षणाभावाय अहिंसायै इत्यर्थः ॥ ३७ ॥

ताᳬं सवितुर्व्वरेण्यस्य । चित्रामाहं व्वृणे सुमतिं व्विश्वजन्याम् । यामस्य कण्वोऽअदुहत्प्रपीनाᳬं सहस्रधारां पयसा महीं गामिति कण्वो हैनां ददर्श सा हास्मै सहस्रधारा सर्व्वान्कामान्दुदुहे तथैवैतद्यजमानाय सहस्रधारा सर्व्वान्कामान्दुहे ॥ ३८ ॥

(हेऽथ) अथ व्वैकङ्कतीमादधाति । तस्याऽउक्तो बन्धुर्व्विधेम ते परमे जन्मन्नग्नऽइति द्यौर्व्वाऽअस्य परमं जन्म व्विधेम स्तोमैरवरे सधस्थऽइत्यन्तरिक्षं वाऽअवरᳬं सधस्थं यस्माद्योनेरुदारिथा यजे तमित्येष वाऽअस्य स्वो योनिस्तं यजऽइत्येतत्प्र त्वे हवीᳬंषि जुहुरे समिद्धऽइति यदा वाऽएष समिध्यतेऽथैतस्मिन्हवीᳬंषि प्रजुह्वति ॥ ३९ ॥

"तां सवितुर्वरेण्यस्य चित्रामाहं वृणे सुमतिं विश्वजन्याम् । यामस्य कण्वो अदुहत्प्रपीनां सहस्रधारां पयसा महीं गाम् "–(वा. सं. १७ । ७४) इति । कण्वो हैनां ददर्श । सा हास्मै सहस्रधारा सर्वान्कामान्दुदुहे । तथैवैतद्यजमानाय सहस्रधारा सर्वान्कामान्दुहे ॥ ३८ ॥

अथ वैकंकतीमादधाति । तस्या उक्तो बन्धुः। "विधेम ते परमे जन्मन्नग्ने"–इति। द्यौर्वा अस्य परमं जन्म। " विधेम स्तोमैरवरे सधस्थे "–इति। अन्तरिक्षं वा अवरं सधस्थम् । "यस्माद्योनेरुदारिथा यजे तम् "–इति । एष वा अस्य स्वो योनिः, तं यज इत्येतत् । " प्र त्वे हवींषि जुहुरे समिद्धे "–(वा.सं. १७।७५) इति । यदा वाऽएष समिध्यते–अथैतस्मिन्हवींषि प्रजुह्वति ॥ ३९ ॥

अथास्याः शमीसमिध आधाने मन्त्रं दर्शयति–तां सवितुरिति[1] । कण्वो हैनामित्यस्यायमर्थः । ' कण्वो ' महर्षिः ' एनां ' शमीरूपां गां ' ददर्श ' खलु । अतश्च सा सहस्रधारा भूत्वा अस्मै कण्वाय सर्वान् कामान् दुदुहे । तस्मादाहिता शमी तथैव यजमानाय सर्वान् कामान् दुग्धे । दुह इति "लोपस्त आत्मनेपदेषु" (पा.सू. ६।४।१०७) इति तकारलोपः। अस्य अग्नेरुत्पादकत्वेन सम्बन्धेन । अत एव श्रुतिः–"शमीगर्भादग्निं मन्थति" (तै. ब्रा. १।९।१) इति । 'प्रपीनां' प्रकर्षेण पीवरीं 'सहस्रधारां' 'पयसा' 'महीं' महतीं टिलोपश्छान्दसः । शमीरूपां या गां कण्वमहर्षिः ' अदुहत् ' । व्यत्ययेन शः । वरणीयस्य ' सवितुः ' अभिमतां चित्रां चयनीयां 'सुमतिं' शोभनमतिं विश्वं जन्यं जनहितं यस्याः सा तथोक्ता। सर्वस्योत्पादयित्रीं वा तामहमावृणे इत्यर्थः ॥३८॥

शमीसमिदाधानानन्तरं वैकङ्कतसमिदाधानं विधाय तस्या वैकङ्कतसमिधो होमब्राह्मणं प्रागेव (श.प.६।६।३।१) षष्ठकाण्डेऽभिहितमित्याह–अथेति । तदाधानमन्त्रं व्याचष्टे–विधेमेति । प्रथमपादे परमे जन्मन्नित्यनेन द्युलोको

१–समिदाधानं शमीमयीं वैकंकतीमौदुम्बरीं वा । २ सवितुरिति प्रत्यृचमुत्तमां सकर्णकां ॥ कर्णकाऽभावे दधिद्रप्सा का । का. श्रौ. सू. । १८ । ४५–४६ ।

(त्य) अथौदुम्बरीमादधाति । (त्यू) ऊर्ग्वै रस ऽउदुम्बरऽ ऊर्जैवैनमेतद्रसेन प्रीणाति कर्णकवती भवति पशवो वै कर्णकाः पशुभिरेवैनमेतदन्नेन प्रीणाति यदि कर्णकवतीं न विन्देद्दधिद्रप्समुपहत्यादध्यात्तद्यद्दधिद्रप्सऽ उपतिष्ठते तदेव पशुरूपं प्रेद्धोऽअग्ने दीदिहि पुरो नऽइति विराजाऽऽदधात्यन्नं विराडन्नेनैवैनमेतत्प्रीणाति तिस्रः समिधऽआदधाति त्रिवृदग्निर्यावानग्निर्यावत्यस्य मात्रा तावतैवैनमेतदन्नेन प्रीणाति ॥ ४० ॥

(त्य) अथाहुतीर्जुहोति । यथा परिविष्यानुपाययेत्तादृक्तत्स्रुवेण पूर्वे

अथौदुम्बरीमादधाति । ऊर्ग्वै रस उदुम्बरः । ऊर्जैवैनमेतद्रसेन प्रीणाति । कर्णकवती भवति । पशवो वै कर्णकाः । पशुभिरेवैनमेतदन्नेन प्रीणाति । यदि कर्णकवतीं न विन्देद्-दधिद्रप्समुपहत्याऽऽदध्यात् । तद् यद्दधिद्रप्स उपतिष्ठते-तदेव पशुरूपम् । "प्रेद्धो अग्ने दीदिहि पुरो नः"-(वा. सं. १७ । ७६) इति विराजाऽऽदधाति । अन्नं विराट् । अन्नेनैवैनमेतत्प्रीणाति । तिस्रः समिध आदधाति । त्रिवृदग्निः । यावानग्निर्यावत्यस्य मात्रा-तावतैवैनमेतदन्नेन प्रीणाति ॥ ४० ॥

अथाहुतीर्जुहोति । यथा परिविष्यानुपाययेत्-तादृक् तत् । स्रुवेण पूर्वे । स्रुचोत्तराम् । " अग्ने

विवक्ष्यत इत्याह-द्यौर्वा इति । द्वितीयपादे अवरे सधस्थे इत्यनेनान्तरिक्षमुच्यत इत्याह-अन्तरिक्षं वा इति । यस्माद्योनेरित्यत्र योनिशब्देनैष भूलोको विवक्ष्यत इत्याह-एष वा इति । ' प्र त्वे हवींषि ' इति तुरीयः पादः प्रसिद्धार्थ इत्याह-यद्वा वाऽएष इति । हे ' अग्ने ' ' ते ' तव ' परमे जन्मन् ' उत्पत्तिस्थाने द्युलोके ' विधेम ' परिचरेम । न केवलं द्युलोक एव किन्तु ' स्तोमैः ' स्तुतिभिरुपलक्षिता वयम् ' अवरे सधस्थे ' द्युलोकादधस्थाने अन्तरिक्षेऽपि विधेम । किञ्च यस्माद्योनेः पृथिव्यात्मकयोनेः त्वम् ' उदारिथ ' उद्गतवानसि । अर्तेर्लिटि थलि " इडत्त्यर्तिव्ययतीनाम् "-(पा. सू. ७।२।६६) इतीडागमः । " अन्येषामपि दृश्यते " (पा. सू. ६।३।१३७) इति दीर्घः । ' तम् ' एतं लोकम् अनया समिधा यज्ञेषु द्युलोकादीनामग्निकारणत्वे-नाग्नेः कारणादेकहोम उक्तः । अथ प्रत्येत्य हवींषीत्यनेन कार्याकारेऽग्नौ होमो विधीयते-समिद्ध इति । समिद्धे ' त्वे ' त्वयि छान्दसत्वात्, हवींषि ' प्रजुहुरे ' जुहविरे । विभक्षित इति शेषः । ' जुहुरे ' इति " इरयोरे " (पा.सू.६।४।७६) इति रे आदेशः । अतो वयमपि समिद्धे त्वयि एतां समिधमादध्महे इत्यर्थः ॥ ३९ ॥

वैकङ्कतसमिद्धोमानन्तरमौदुम्बरसमिधो होमं विधत्ते-अथौदुम्बरीमिति । आधातव्याया उदुम्बरसमिधः कति गुणास्तानाह-कर्णकवती भवतीति । कर्णकशब्देनात्र पत्रशाखादिकं विवक्ष्यते । पत्रादीनां पशुपुष्टि-साधनत्वेन पशुत्वात्तथाविधायाः समिधो होमेन पशुरूपेणैव अन्नेनैनं प्रीणाति । तथाविधायाः समिधोऽसम्भवे किं कुर्यादिति तत्राह-यदि कर्णकवतीं न विन्देदिति । ' दधिद्रप्सं ' दधिबिन्दुम् ' उपहत्य ' समिधि संश्लिष्य आदध्यात् । तत्र समिधि द्रप्स उपतिष्ठते इति यत् तदेव पशुरूपं भवति । अतस्तथाविधायाः समिध आधानेऽपि एनमग्निं पशुरूपेणान्नेन प्रीणाति । ' प्रेद्धो अग्ने दीदिहि ' इत्यादिकं दीप्त्यर्थम् ॥ ४० ॥

समिद्धोमानन्तरमाज्याहुतीर्विधत्ते[1]-अथाहुतीरिति । यथेति । लोके भुञ्जानस्य पुरुषस्य यथा शाकसूपौ-

१-स्रुवाहुती जुहोत्यग्ने तमद्येति च प्रत्यृचम् । का० श्रौ० सू० १८ । ४७ ।

स्रुचोत्तरामग्ने तमद्याश्वं न स्तोमैः क्रतुं न भद्रꣳ हृदिस्पृशम् । ऋध्यामा त ओहैरिति यस्ते हृदिस्पृक्स्तोमस्तं तऽऋध्यासमित्येतत्पङ्क्त्या जुहोति पञ्चपदा पङ्क्तिः पञ्चचितिकोऽग्निः पञ्चऽर्तवः संवत्सरः संवत्सरोऽग्निर्यावानग्निर्यावत्यस्य मात्रा तावतैवैनमेतदन्नेन प्रीणाति ॥ ४१ ॥

(त्यु) अथ वैश्वकर्मणीं जुहोति । विश्वकर्माऽयमग्निस्तमेवैतत्प्रीणाति चित्तिं जुहोमि मनसा घृतेनेति चित्तमेषां जुहोमि मनसा च घृतेन चेत्येतद्यथा देवाऽ इहागमन्निति यथा देवाऽ इहागच्छानित्येतद्वीतिहोत्राऽऋतावृधऽइति सत्यवृधऽ इत्येतत्पत्ये विश्वस्य भूमनो जुहोमि विश्वकर्मणऽइति

तमद्याश्वं न स्तोमैः क्रतुं न भद्रं हृदिस्पृशम् । ऋध्यामा त ओहैः"–(वा॰ सं. १७।७७) इति । यस्ते हृदिस्पृक् स्तोमः–तं तऽऋध्यासमित्येतत् । पंक्त्या जुहोति । पञ्चपदा पंक्तिः । पञ्चचितिकोऽग्निः । पञ्चर्तवः संवत्सरः । संवत्सरोऽग्निः । यावानग्निर्यावत्यस्य मात्रा–तावतैवैनमेतदन्नेन प्रीणाति ॥ ४१ ॥

अथ वैश्वकर्मणीं जुहोति । विश्वकर्माऽयमग्निः । तमेवैतत्प्रीणाति । " चित्तिं जुहोमि मनसा घृतेन "–इति । चित्तमेषां जुहोमि मनसा च घृतेन चेत्येतत् । " यथा देवा इहागमन् "–

दनादिकं परिविष्य पश्चात् जलादिकं पेयं पाययेत्तथाऽऽज्याहुतिकरणं भवति । प्रथमसमिद्धोमस्य परिवेषणवत् कृतत्वादित्यर्थः । तत्र साधारण्येन स्रुचैव सर्वासामेव होमप्राप्तौ आह–स्रुवेणेति । अग्ने तमद्याश्वमित्यस्य प्रथमाहुतिमन्त्रस्य तादृशं तात्पर्यमाह–यस्ते हृदिस्पृगिति । " ह्रद्द्युभ्यां ङेरुपसंख्यानम् " इति सप्तम्या अलुक् । हे अग्ने ! ते हृदिस्पृग् यः स्तोमोऽस्ति ते तं स्तोमं ऋध्यासं समृद्धं क्रियासमित्युक्तं भवति अनेन मन्त्रेणेत्यर्थः । अथास्य मंत्रस्य छन्दः प्रशंसति–पंक्त्या जुहोतीति । पंच पादा यस्याः सा पञ्चपदा । "संख्यासुपूर्वस्य" इति सूत्रस्थभाष्ये 'पादोऽन्यतरस्याम्' इति विकल्पेन ङीपि प्राप्ते टाप् प्रत्ययो दृष्टः । पंचचितिकोऽग्निरित्यनेन अग्नेः पञ्चत्वसंख्यायोगो दर्शितः । 'पञ्चर्तवः संवत्सरः संवत्सरोऽग्निः' इत्यनेनापि प्रकारान्तरेण स एव योगः प्रदर्श्यते । हेमन्तशिशिरयोरुभयोरपि विहितवैशिष्ट्याविशेषेणैकत्वमभिप्रेत्योक्तम्- पञ्चर्तव इति । होमः तत्सम्मितेनैवान्नेन एनं प्रीणातीत्यर्थः ॥ ४१ ॥

अथेति । विश्वकर्मा देवताऽस्या इति वैश्वकर्मणीमाहुतिं जुहोति कुर्यादित्यर्थः । ननु अस्य होमस्याग्न्यर्थत्वादत्र विश्वकर्मदेवताकत्वाच्च प्रकृतसमवेतार्थता न स्यादित्यत उक्तम्–विश्वकर्माऽयमग्निरिति । अथैतद्धोमसाधनमन्त्रं व्याचष्टे–चित्तिं जुहोमीत्यादिना । अत्र ' चित्ति '–शब्दार्थं दर्शयन् तस्य चात्र सम्बन्धिविशेषोपादानाभावेन साधारण्यात् सम्बन्ध्यन्तरप्रसक्तिनिवारणेनोत्तरवाक्योपात्तादेव सम्बन्धित्वं दर्शयति–चित्तमेषामिति । 'यथा देवा इहागमन्' इत्यत्रागमन्नित्येतत्पदं व्याचष्टे–यथा देवा इहागच्छानिति । आगच्छानिति । आगच्छेयुरित्यर्थः । गमेर्लिङर्थे लेटि " इतश्च लोपः परस्मैपदेषु "–(पा. सू. ३ । ४ । ९७) इतीकारलोपः । " लेटोऽडाटौ " (पा. सू. ३ । ४ । ९४) इत्यडागमः । ' ऋतावृध ' इत्यत्र ऋतशब्दस्य सत्यमर्थ

योऽस्य सर्वस्य भूतस्य पतिस्तस्मै जुहोमि विश्वकर्मणऽइत्येतद्विश्वाहादाभ्यꣳ हविरिति सर्वदैवाक्षितꣳ हविरित्येतत् ॥ ४२ ॥

(ङ) अथ पूर्णाहुतिं जुहोति । सर्वमेतद्यत्पूर्णꣳ सर्वेणैवैनमेतत्प्रीणाति ॥ ४३ ॥

सप्त तेऽअग्ने समिधऽइति । प्राणा वै समिधः प्राणा ह्येतꣳ समिन्धते सप्त जिह्वाऽइति यानमून्त्सप्त पुरुषानेकं पुरुषमकुर्वंस्तेषामेतदाह सप्तऽऋषयऽइति सप्त हि तऽऋषयऽआसन्त्सप्त धाम प्रियाणीति च्छन्दाꣳस्येतदाह च्छन्दाꣳसि वाऽअस्य सप्त धाम प्रियाणि सप्त होत्राः सप्तधा त्वा यजन्तीति सप्त ह्येतꣳ होत्राः सप्तधा यजन्ति सप्त योनीरिति चितीरेतदाहा-

---

इति । यथा देवा इहागच्छानित्येतत् । "वीतिहोत्रा ऋतावृधः"–इति । सत्यवृध इत्येतत् । "पत्ये विश्वस्य भूमनो जुहोमि विश्वकर्मणे"–इति । योऽस्य सर्वस्य भूतस्य पतिः–तस्मै जुहोमि विश्वकर्मण इत्येतत् । "विश्वाहादाभ्यं हविः"–(वा. सं. १७ । ७८) इति । सर्वदैवाक्षितं हविरित्येतत् ॥ ४२ ॥

अथ पूर्णाहुतिहोमः ।

अथ पूर्णाहुतिं जुहोति । सर्वमेतद्यत्पूर्णम् । सर्वेणैवैनमेतत्प्रीणाति ॥ ४३ ॥

"सप्त तेऽअग्ने समिधः"–इति । प्राणा वै समिधः । प्राणा ह्येतं समिन्धते । "सप्त जिह्वाः"–इति । यानमून्त्सप्त पुरुषानेकं पुरुषमकुर्वन् । तेषामेतदाह । "सप्त ऋषयः"–इति । सप्त हि त ऋषय आसन् । "सप्त धाम प्रियाणि"–इति । छन्दांस्येतदाह । छन्दांसि

इत्याह–सत्यवृध इति । विश्वस्येत्यादिपदद्वयं व्याचष्टे–योऽस्येति । विश्वाहादाभ्यमित्येतद्व्याख्यातम् । वीतिहोत्राः कामितयज्ञाः । 'होत्रा'–शब्दो यजमाननामसु पठितः (निघ. ३।१७।८) । 'ऋतावृधः' सत्येन वर्द्धमानाः । छांदसो दीर्घः । देवा यथा इहाग्निसमीपे आगमन् आगच्छेयुः तदर्थमेषां देवानां चित्तिं अस्य यजमानस्य यज्ञं गच्छाम इत्येवंरूपं जुहोमि सम्पादयामि । केन साधनेन ? 'समाहितेन मनसा' हूयमानेन अनेन घृतेन च एषां चित्तं सम्पादयामि । यत एतस्य विश्वस्य अस्य सर्वस्य भुवनस्य पत्ये विश्वकर्मणे 'एतत्' सर्वदा विषयप्रकाशनमक्षितम् इदमाज्यरूपं हविर्जुहोमीत्यर्थः ॥ ४२ ॥

उक्तहोमानन्तरं पूर्णाहुतिं विधत्ते[1]–अथेति । पूर्णा चासावाहुतिश्चेति पूर्णाहुतिः । आज्यपूर्णया स्रुचा संपाद्यमाना आहुतिरित्यर्थः । सर्वमेतद्यदिति । पूर्णा चासावाहुतिरिति 'यत्' पूर्णं तत्सर्वं अपरिमितत्वात् । अतः 'एनम्' तेन 'सर्वेणैवान्नेन प्रीणाति' ॥ ४३ ॥

सप्त तेऽअग्न इत्यादिना तन्मन्त्रं व्याचष्टे । तत्र 'समिध' इत्यनेनास्य समिन्धनहेतुत्वात्प्राणा विवक्ष्यन्त इत्याह–प्राणा वै समिध इति । प्रजापतेर्विस्रंसनेनैते निर्मिताः 'ऋषयः' पृथगेव 'यान् अमून् सप्त' देहानसृजन् । ततश्च तान् व्यवहारासमर्थान् दृष्ट्वा पश्चात्तान् 'एकमेव पुरुषमकुर्वन् ।' एतत्सर्वं सप्रपञ्चं (श.प. ६।१।१।१) षष्ठ-

---

[1] पूर्णाहुतिं च सप्त त इति । का. श्रौ. सू. १८ । ४८ ।

पृणस्वेत्या प्रजायस्वेत्येतद्घृतेनेति रेतो वै घृतꣳ रेतऽ एवैतदेषु लोकेषु दधाति स्वाहेति यज्ञो वै स्वाहाकारो यज्ञियमेवैतदिदꣳ सकृत्सर्वं करोति ॥ ४४ ॥

सप्त सप्तेति । सप्तचितिकोऽग्निः सप्तऽर्त्तवः संवत्सरः संवत्सरोऽग्निर्यावानग्निर्यावत्यस्य मात्रा तावतैवैनमेतत्प्रीणाति तिस्रऽ आहुतीर्जुहोति त्रिवृदग्निर्यावानग्निर्यावत्यस्य मात्रा तावतैवैनमेतदन्नेन प्रीणाति तिस्रः समिधऽआदधाति तत्पद् तस्योक्तो बन्धुः ॥ ४५ ॥

(स्तु) तिष्ठन्त्समिधऽआदधाति । (त्यु) अस्थीनि वै समिधस्तिष्ठन्तीव वाऽअस्थीन्यासीनऽआहुतीर्जुहोति माꣳसानि वाऽआहुतयऽ

वा अस्य सप्त धाम प्रियाणि । "सप्त होत्राः सप्तधा त्वा यजन्ति"–इति । सप्त ह्येतं होत्राः सप्तधा यजन्ति । "सप्त योनीः"–इति । चितीरेतदाह । "आपृणस्व"–इति । आ प्रजायस्वेत्येतद् । "घृतेन"–इति । रेतो वै घृतम् । रेत एवैतदेषु लोकेषु दधाति । "स्वाहा"–(वा. सं. १७ । ७९) इति । यज्ञो वै स्वाहाकारः । यज्ञियमेवैतदिदं सकृत् सर्वं करोति ॥४४॥

सप्त सप्त–इति । सप्तचितिकोऽग्निः । सप्तर्तवः संवत्सरः । संवत्सरोऽग्निः । यावानग्निर्यावत्यस्य मात्रा–तावतैवैनमेतत्प्रीणाति । तिस्र आहुतीर्जुहोति । त्रिवृदग्निः । यावानग्निर्यावत्यस्य मात्रा–तावतैवैनमेतदन्नेन प्रीणाति । तिस्रः समिध आदधाति । तत्पद् । तस्योक्तो बन्धुः ॥ ४५ ॥

तिष्ठन्त्समिध आदधाति । अस्थीनि वै समिधः । तिष्ठन्तीव वा अस्थीनि । आसीन आहुती-

---

काण्डस्यादावभिहितम् । स एव प्रजापतिः प्रणीयमानोऽग्निः । अतोऽत्र जिह्वाशब्देन सप्त पुरुषा विवक्ष्यन्त इत्याह–यानमूनिति । तेषामेतदाहेति । तेषाम् 'एतद्' अभिधानं करोति 'तान् आह' इत्यर्थः । अत्र प्राणशब्देन शरीरस्थानीन्द्रियाण्युच्यन्ते, जिह्वाशब्देन सप्तपुरुषात्मकानीन्द्रियाणि । ऋषिशब्देन तु निर्गतानि इष्टकास्थापनानि इन्द्रियाण्युच्यन्ते । अतश्चैषां शब्दानामन्तरम्, इन्द्रियवाचकत्वेऽपि न सांकर्यम् । 'सप्त धाम प्रियाणि' इत्यनेन छन्दांस्यभिधीयन्त इत्याह–छन्दांसीति । यत एतमग्निं होतृमैत्रावरुणादयः सप्त होत्रा अग्निष्टोमादिभेदेन सप्तधा यजन्ति । अत उच्यतेऽस्यार्थो मन्त्रेणेत्याह–सप्त होत्रा इति । स्थानवाचकत्वाद्योनिशब्देन तु चितय उच्यन्ते अत आह–सप्त योनीरिति । स्पष्टमन्यत् ॥ ४४ ॥

मन्त्रे पौनःपुन्येन सप्तशब्दप्रयोगः कृत्स्नस्याग्नेस्तृप्तिहेतुर्भवतीत्याह–सप्त सप्तेति । प्रकृताहुतीनां त्रित्वमपि तथैव प्रशंसति–तिस्र आहुतीरिति । समिधामाहुतीनां च मिलिता षट्संख्या भवति तस्य तु ब्राह्मणं (श. प. ९ । २ । २ । ७) प्रागुक्तमित्याह–तिस्रः समिध इति ॥ ४५ ॥

अथ समिदाहुतीनामस्थिमांसात्मकत्वात्तत्सन्निवेशानुसारेण तास्तिष्ठन् आसीनो वा जुहुयादित्याह–तिष्ठंन्नि-

---

१–तिष्ठन् समिधः सर्वत्र मध्ये । का० श्रौ० सू. १८ । ४५ ।

आसतऽइव वै माᳪँसान्युन्तराः समिधो भवन्ति ब्राह्या ऽआहुतयोऽन्तराणि ह्यस्थीनि ब्राह्यानि माᳪँसानि ॥ ४६ ॥

(न्य) अथातः सम्पदेव । षट् पुरस्ताज्जुहोति षड्डुपरिष्टात्षड्भिराश्मनः पृश्नेर्यन्ति द्वाभ्यामश्मानं पृश्निमुपदधाति चतुर्भिरामेर्यन्ति पञ्चभिरग्निमारोहन्ति तदेकान्नत्रिᳪँशदाहुतिरेव त्रिᳪँशत्तमी द्वाभ्यामग्निं निदधाति तद्द्वात्रिᳪँशद्द्वात्रिᳪँशदक्षराऽनुष्टुप्सैषाऽनुष्टुप् ॥ ४७ ॥

जुहोति । मांसानि वा आहुतयः । आसत इव वै मांसानि । अन्तराः समिधो भवन्ति । बाह्या आहुतयः । अन्तराणि ह्यस्थीनि, बाह्यानि मांसानि ॥ ४६ ॥

अथातः सम्पदेव । षट् पुरस्ताज्जुहोति, षड्डुपरिष्टात्, षड्भिराश्मनः पृश्नेर्यन्ति, द्वाभ्यामश्मानं पृश्निमुपदधाति, चतुर्भिरामेर्यन्ति, पञ्चभिरग्निमारोहन्ति—तदेकान्नत्रिंशत् । आहुतिरेव त्रिंशत्तमी । द्वाभ्यामग्निं निदधाति । तद्—द्वात्रिंशत् । द्वात्रिंशदक्षराऽनुष्टुप् । सैषाऽनुष्टुप् ॥ ४७ ॥

त्यादिना । कठिनावयवसन्निवेशसाधारण्यात् समिधामस्थित्वम् । तानि उच्छ्रितत्वात्तिष्ठन्तीव भवन्ति । मृद्ववयवसन्निवेशसामान्यादाज्यस्य मांसत्वम् । तानि च मांसानि आसीनानीव सन्ततानि भवन्ति । अस्थिमांसानुसारेण समिधः अन्तरा आज्याहुतयस्तु बाह्याः कर्तव्या इत्याह—अन्तरा इति ॥ ४६ ॥

अथास्याग्निप्रणयनात्मकस्य कर्मणः सम्पत्तिमभिधातुं प्रतिजानीते—**अथातः सम्पदेवेति** । तामेव दर्शयति—षट्पुरस्तादित्यादिना । प्रणयनात्पूर्वं तिस्र आज्याहुतीस्तिस्रः समिदाहुतीश्च जुहोति । अतस्ते षण्मन्त्रा भवन्ति । यद्यपि द्वितीयतृतीययोराज्याहुत्योः षोडश मन्त्राः प्रयुज्यन्ते । तथापि आहुत्यनुसारेण ते सर्वेऽपि द्वौ मन्त्राविति परिगण्यन्ते । ' उपरिष्टाद् ' अग्निनिधानात्पश्चात्तिस्रः समिदाहुतीस्तिस्र आज्याहुतीश्च जुहोतीति तेऽपि षण्मन्त्राः । आग्नीध्रमण्डपेऽपि कश्चित् पृश्निरश्मोपधीयते, तत्पर्यन्तं षड्भिर्मन्त्रैर्गच्छन्ति । अत्र यद्यपि " पञ्च दिशो दैवीः " (वा. सं. १७ । ५४–५८) इत्यादयः पञ्चैव मन्त्रा गमने विनियुक्ताः, तथापि " उदु त्वा " (वा. सं. १७ । ५३) इति मन्त्रेण सहिताः षड् भवन्ति; इति षण्णामपि मन्त्राणां गमनसाधनत्वाभिधानं गमनमन्त्रबाहुल्याभिप्रायम् । " विमान एषः " (वा० सं० १७ । ५९) इति द्वाभ्यां पृश्निमश्मानमुपदधाति । " इन्द्रं विश्वा " (वा० सं० १७ । ६१–६४) इत्यादिभिश्चतुर्भिर्मन्त्रैरग्निपर्यन्तं गच्छन्ति । "क्रमध्वमग्निना" इत्यादिभिः पञ्चभिर्मन्त्रैश्चित्याग्निमारोहन्ति । तदेवमेकोनत्रिंशन्मन्त्रा भवन्ति । एतदुक्तमंत्रसाध्या आहुतिरेव त्रिंशत्तमी त्रिंशत्संख्यापूरणी । यद्यपि आहुतिव्यक्तयो बह्व्यः सन्ति तथापि सामान्यानुसारेण ताः सर्वा अपि एकैवाहुतिर्भवति । "सुपर्णोऽसि गरुत्मान्" (वा.सं. १७।७२) इत्याभ्यां द्वाभ्यामग्निं निदधातीति द्वात्रिंशत्संख्येयं सम्पद्यते । अनुष्टुप् द्वात्रिंशदक्षरा भवति । अतस्तदेतदग्निप्रणयनं सर्वमन्त्राहुतिसंख्याद्वारा अनुष्टुप्छन्दो भवति । सैषेति स्त्रीलिङ्गाच्च 'अनुष्टुप्' इत्येतद्द्वितीयविशेषापेक्षम् ॥ ४७ ॥

(प्त) तद्याऽअमूस्तिस्रोऽनुष्टुभः । (भो) गार्हपत्ये सम्पादयन्ति तासामेतामत्रैकामाहरन्ति तद्यदेतामत्राहरन्त्यत्रैष सर्वोऽग्निः संस्कृतः स एषोऽत्र तस्मै नालमासीद्यदन्नमात्स्यत् ॥ ४८ ॥

(त्सो) सोऽग्निमब्रवीत् । (त्व) त्वयाऽन्नमदानीति तथेति तस्माद्यदैवैतमत्राहरन्त्यथैषोऽलमन्नायालमाहुतिभ्यो भवति ॥ ४९ ॥

(त्यु) अथोऽआहुः । प्रजापतिरेवैतं प्रियं पुत्रमुरस्याधत्तऽइति स यो हैतदेवं वेदा हैवं प्रियं पुत्रमुरसि धत्ते ॥ ५० ॥

तद् या अमूस्तिस्त्रोऽनुष्टुभो गार्हपत्ये सम्पादयन्ति–तासामेतामत्रैकामाहरन्ति । तद् यदेतामत्राहरन्ति–अत्रैष सर्वोऽग्निः संस्कृतः । स एषोऽत्र तस्मै नालमासीद्–यदन्नमात्स्यत् ॥ ४८ ॥

सोऽग्निमब्रवीत्–त्वयाऽन्नमदानीति । तथेति । तस्माद्यदैवैतमत्राहरन्ति–अथैषोऽलमन्नाय, अलमाहुतिभ्यो भवति ॥ ४९ ॥

अथो आहुः–प्रजापतिरेवैतं प्रियं पुत्रमुरस्याधत्त इति । स यो हैतदेवं वेद–आ हैवं प्रियं पुत्रमुरसि धत्ते ॥ ५० ॥

सप्तमकाण्डे (श. प. ७ । १ । २ । १९) गार्हपत्यचयनाभिधानानन्तरं तत्र तिस्रोऽनुष्टुभः सम्पाद्य तासां मध्ये एकामाहवनीयं हरन्तीत्युक्तम्, अत्रोक्तप्रकारेणानुष्टुभः सम्पादनेन एतासामेकामनुष्टुभमत्राहृतवन्तो भवन्तीत्याह–तद्या अमूरिति । गार्हपत्यात् खल्वग्निराहवनीयस्थानं प्रति प्रणीयते । अतश्चाग्निप्रणयने विद्यमानमन्त्राहुतिसंख्याद्वाराऽस्या अनुष्टुभः सम्पादनाद् गार्हपत्ये सम्पादितानामनुष्टुभाममूमेकामत्राहृतवन्तो भवन्तीत्युच्यते । गार्हपत्यादेकस्या अनुष्टुभोऽत्राहरणे प्रयोजनमाह–तद्यदेतामिति । 'अत्र' अस्मिन्नवसरे 'एषोऽग्निः' 'सर्वः संस्कृतः' कात्स्न्येंन संस्कृतः, स एषोऽग्निः 'अन्नमात्स्यत्' अभक्षयिष्यदिति यत् तस्मै 'नालमासीत्' । अन्नादनाय समर्थो नाभूदित्यर्थः ॥ ४८ ॥

पश्चात् 'सः' चित्याग्निः प्रणेष्यमाणम 'अग्निम्' 'त्वया' आगतेन 'अन्नमदानि इति' 'अब्रवीत्' ततः 'तथेति' तेनाप्यङ्गीकृतम् । 'तस्मात्' यस्मिन्नेवावसरे 'एतम्' अग्निं गार्हपत्यादेव चित्याग्नावाहरन्ति । अनेन गार्हपत्यादनुष्टुभ आहरणमुक्तम् । 'अथ' पश्चाद् 'एषः' 'अन्नाय' समर्थो भवति । 'अलमाहुतिभ्यः' इति तदेवान्नं दर्शितम् । आहुतिरूपायान्नाय' समर्थो भवति । अग्निप्रणयनानन्तरं भवतीत्यग्नेराहुतिसम्बन्धादिति भावः । "नमःस्वस्ति"–(पा. सू. २ । ३ । १६) इत्यादिना 'अलं'–शब्दयोगात् चतुर्थी ॥ ४९ ॥

अथोऽआहुरित्यादिकस्यायमर्थः । किंच गार्हपत्यादनुष्टुभः आहरणेन चित्याग्निरूपः प्रजापतिरेव प्रणीताग्निरूपं 'प्रियं पुत्रमुरसि' धारितवन् भवति 'इति' ब्रह्मवादिन 'आहुः' अतोऽपि तस्मादनुष्टुभमाहरन्तीत्यर्थः । उक्तार्थवेदनं प्रशंसति–स यो हैतादिति । लोके 'यः' कश्चिज्जनः 'एतद्' अर्थरूपं 'एवम्' उक्तप्रकारेण जानाति 'सः' जनश्च 'एवम्' एव 'उरसि प्रियं पुत्रम्' आधत्ते खलु । हेति निपातः प्रसिद्ध्यर्थद्योतकः । "व्यवहिताश्च" (पा. सू. १ । ४ । ८२) इत्यनुशासनात्पदान्तरव्यवहितोऽप्याङित्युपसर्गो धत्त इत्यनेन सम्बध्यते ॥ ५० ॥

यद्वेवैतमत्राहरन्ति । यान्वै तान्त्सप्त पुरुषानेकं पुरुषमकुर्व्वन्नयमेव स योऽयमग्निश्चीयतेऽथ यामेषां तामूर्ध्वाꣳ श्रियꣳ रसꣳ समुदौहन्नेष स यमेतमत्राग्निमाहरन्ति तद्यदेतमत्राहरन्ति यैवैतेषाꣳ सप्तानां पुरुषाणाꣳ श्रीर्यो रसस्तमेतदूर्ध्वꣳ समुदूहन्ति तदस्यैतच्छिर ऽआत्माऽयमग्निश्चित ऽआत्मानमेवास्यैतत्सꣳस्कृत्य शिरः प्रतिदधाति ॥ ५१ ॥

इति द्वितीयप्रपाठके द्वितीयं ब्राह्मणम् ॥ ९ । २ । २ ॥ (२-३)

इति द्वितीयोऽध्यायः समाप्तः ॥ ९-२ ॥

यद्वेवैतमत्राहरन्ति । यान्वै तान्त्सप्त पुरुषानेकं पुरुषमकुर्वन्-अयमेव सः-योऽयमग्निश्चीयते । अथ यामेषां तामूर्ध्वां श्रियं रसं समुदौहन्-एष सः-यमेतमत्राग्निमाहरन्ति । तद्यदेतमत्राहरन्ति-यैवैतेषां सप्तानां पुरुषाणां श्रीः, यो रसः, तमेतदूर्ध्वं समुदूहन्ति। तदस्यैतच्छिरः । आत्माऽयमग्निश्चितः । आत्मानमेवास्यैतत्संस्कृत्य शिरः प्रतिदधाति ॥ ५१ ॥

अथ प्रकारान्तरेणापि गार्हपत्यादग्नेराहरणं प्रशंसति-यद्वेवैतमिति । अयमेवेति । 'योऽयमग्निः' अधुनाऽस्माभिः 'चीयते' । अयमेव चित्याग्निः सप्तानां पुरुषाणां समष्टिरूप एकः पुरुषः । अथ 'एषां' पुरुषाणां यां श्रियम् 'ऊर्ध्वां समुदौहन्' समुदाक्षिपन् । 'एषः' सरूपा श्रीः 'सोऽग्निः' । एष इति पुँल्लिङ्गविधिरग्न्यपेक्षया । एतमग्निमिदानीं चित्याग्नावाहरन्ति । इदानीं चाह्रियमाणोऽग्निः सप्तपुरुषाणां समुत्क्षिप्तश्रीरूप इत्यर्थः । तस्मात् कारणात् 'तम्' एतमग्निम् अत्राहरन्तीति यत्तेन एतेषां सप्तानां पुरुषाणां श्रीरूपो यो रसोऽस्ति तमूर्ध्वमुत्क्षिपन्ति । किञ्च तस्याः श्रियः शिरोरूपत्वं तत्रैव षष्ठकाण्डेऽभिहितम् (श. प. ६।१।१।७) तस्मात्तदेतच्छ्रीरूपो योऽग्निरस्य प्रजापतेः शिरश्चितोऽयमग्निः पुनः-'आत्मा' शरीरम् । अत एतेन गार्हपत्यादग्नेराहरणसंस्कृतेन प्रजापतिशरीरेण स्वकीयं शिर एव सम्बध्नातीत्यर्थः ॥ ५१ ॥

इति श्रीसायणाचार्यविरचिते माधवीये वेदार्थप्रकाशे माध्यन्दिनीयशतपथब्राह्मणभाष्ये नवमकाण्डे द्वितीयेऽध्याये तृतीयं ब्राह्मणम् ॥ (९-२-३) ॥

वेदार्थस्य प्रकाशेन तमो हार्दं निवारयन् । पुमर्थांश्चतुरो देयाद्विद्यातीर्थमहेश्वरः ॥ १ ॥

ब्रह्माण्डं गोसहस्रं कनकहयतुलापूरुषौ स्वर्णगर्भं,
सप्ताब्धीन्पञ्च सीरीस्त्रिदशतरुलताधेनुसौवर्णभूमीः ।
रत्नोस्रां रुक्मवाजिद्विपमहितरथौ सायणिः सिङ्गणार्यो,
व्यश्राणीद्विश्वचक्रं प्रथितविधिमहाभूतयुक्तं घटं च ॥ २ ॥
धान्याद्रिं धन्यजन्मा तिलभवमतुलः स्वर्णजं वर्णमुख्यः,
कार्पासीयं कृपावान्गुडकृतमजडो राजतं राजपूज्यः ।
आज्योत्थं प्राज्यजन्मा लवणजमनृगः शार्करं चार्कतेजा,
रत्नाढ्यो रत्नरूपं गिरिमकृत मुदा पात्रसात्सिङ्गणार्यः ॥ ३ ॥

इति श्रीमद्राजाधिराजपरमेश्वरवैदिकमार्गप्रवर्त्तकश्रीवीरहरिहरसाम्राज्यधुरन्धरेण सायणाचार्येण विरचिते माधवीये वेदार्थप्रकाशे माध्यन्दिनीयशतपथब्राह्मणभाष्ये नवमकाण्डे द्वितीयोऽध्यायः ॥ ९-२ ॥

अथ तृतीयेऽध्याये प्रथमं ब्राह्मणम् ।
द्वितीयप्रपाठके च तृतीयं ब्राह्मणम् ।

अथातो वैश्वानरं जुहोति । (त्यु) अत्रैष सर्वोऽग्निः सꣳस्कृतः स एषोऽत्र वैश्वानरो देवता तस्माऽएतद्धविर्जुहोति तदेनꣳ हविषा देवतां करोति यस्यै वै देवतायै हविर्गृह्यते सा देवता न सा यस्यै न गृह्यते द्वादशकपालो द्वादश मासाः संवत्सरः संवत्सरो वैश्वानरः ॥ १ ॥

(रो) यद्वेवैतं वैश्वानरं जुहोति । वैश्वानरं वाऽएतमग्निं जनयिष्यन्भवति तमदः पुरस्ताद्दीक्षणीयायाꣳ रेतोभूतꣳ सिञ्चति यादृग्वै योनौ रेतः सिच्यते तादृग्जायते तद्यत्तत्र वैश्वानरꣳ रेतोभूतꣳ सिञ्चति तस्मा-

---

वैश्वानरहोमः ।

अथातो वैश्वानरं जुहोति । अत्रैष सर्वोऽग्निः संस्कृतः । स एषोऽत्र वैश्वानरो देवता । तस्मा एतद्धविर्जुहोति । तदेनं हविषा देवतां करोति । यस्यै वै देवतायै हविर्गृह्यते-सा देवता, न सा-यस्यै न गृह्यते । द्वादशकपालः । द्वादश मासाः संवत्सरः । संवत्सरो वैश्वानरः ॥ १ ॥

यद्वेवैतं वैश्वानरं जुहोति । वैश्वानरं वा एतमग्निं जनयिष्यन्भवति । तमदः पुरस्ताद्दीक्षणीयायां रेतोभूतं सिञ्चति । यादृग्वै योनौ रेतः सिच्यते-तादृग् जायते । तद् यत्तत्र वैश्वानरं रेतोभूतं

यस्य निःश्वसितं वेदा यो वेदेभ्योऽखिलं जगत् । निर्ममे तमहं वन्दे विद्यातीर्थमहेश्वरम् ॥ १ ॥

पूर्वस्मिन्नध्याये स्वयमातृण्णाव्याघारणसमुक्षणादिकर्माभिहितम् । अथास्मिन्नध्याये वैश्वानरमारुतवसोर्द्धारादिहोमलक्षणं कर्माभिधास्यते—तत्रादौ वैश्वानरं होमं विधत्ते—**अथात** इति । अथशब्देन अग्निप्रणयनानन्तर्यं द्योत्यते । अत इति अत्रैष सर्वोऽग्निः इत्याद्युत्तरकालप्रतिपाद्यमर्थं हेतुतया परामृशति । वैश्वानरशब्दस्तद्देवत्यं हविराचष्टे । यतोऽस्मिन्नवसरे अग्निर्वैश्वानरो देवता भवति । अतस्तत्प्रीणनार्थं तद्देवत्यं हविर्जुहुयादित्यर्थः । न केवलमनेन अस्मै भागसम्पादनं क्रियते, अपि तु देवतात्वसम्पादनमपीत्याह—**तदेनमिति** । तदेवान्वयव्यतिरेकाभ्यामुपपादयति—**यस्यै वा** इति । "वैश्वानरं जुहोति"—इति सामान्येनाभिधानादग्न्यादिकमपि तच्छब्देनोपपाद्यते इत्याह—**द्वादशकपाल** इति । द्वादशसु कपालेषु संस्कृतः पुरोडाशः द्वादशकपालः । द्वादश मासाः सम्भूय संवत्सरो भवति, वैश्वानरोऽग्निश्च संवत्सरात्मकः । ततस्तदर्थं हविर्द्वादशकपालसंस्कृतपुरोडाशो भवतीत्यर्थः ॥ १ ॥

अथ पुनरेतमेव वैश्वानरहोमं प्रशंसति—**यद्वेवैतमिति** । 'अदः' शब्दो दीक्षणीयेष्टिकालं परामृशति । **पुरस्ताद्** इति पूर्वकालमाचष्टे । पूर्वममुष्मिन्काले दीक्षणीयेष्ट्यां तं वैश्वानरं रेतोभूतं सिञ्चतीति यस्मात् अत

दयमिह वैश्वानरो जायतऽउपांशु तत्र भवति रेतो वै तत्र यज्ञऽ उपांशु वै रेतः सिच्यते निरुक्तऽ इह निरुक्तं हि रेतो जातं भवति ॥ २ ॥
(शतम् ४९००) ॥

स यः स वैश्वानरः । (ऽ) इमे स लोका ऽइयमेव पृथिवी विश्वमग्निर्नरोऽन्तरिक्षमेव विश्वं वायुर्नरो द्यौरेव विश्वमादित्यो नरः ॥ ३ ॥

(स्ते) ते ये तऽइमे लोकाः । (ऽ) इदं तच्छिरऽ इदमेव पृथिव्योषधयः श्मश्रूणि तदेतद्विश्वं वागेवाग्निः स नरः सोपरिष्टादस्य भवत्युपरिष्टाद्ध्यस्याऽ अग्निः ॥ ४ ॥

सिञ्चति । तस्मादयमिह वैश्वानरो जायते । उपांशु तत्र भवति । रेतो वै तत्र यज्ञः । उपांशु वै रेतः सिच्यते । निरुक्त इह । निरुक्तं हि रेतो जातं भवति ॥ २ ॥

स यः स वैश्वानरः—इमे स लोकाः । इयमेव पृथिवी विश्वम्, अग्निर्नरः । अन्तरिक्षमेव विश्वम्, वायुर्नरः । द्यौरेव विश्वम्, आदित्यो नरः ॥ ३ ॥

ते ये त इमे लोकाः—इदं तच्छिरः—इदमेव पृथिवी, ओषधयः श्मश्रूणि । तदेतद्विश्वम् । वागेवाग्निः । स नरः । सोपरिष्टादस्य भवति । उपरिष्टाद्ध्यस्या अग्निः ॥ ४ ॥

एतमग्निं वैश्वानररूपं जनयिष्यन्भवति । दीक्षणीयायां कृतो वैश्वानरार्थो होमः एतस्याग्नेर्वैश्वानररूपेणोत्पादनार्थं रेतःसेचनवद्भवतीत्यर्थः । लोके हि 'योनौ' यत्प्रकारविशिष्टं 'रेतः सिच्यते' उत्पत्तिकालेऽपि तत्प्रकारवैशिष्ट्येनैव तज्जायते, न पुनः प्रकारान्तरवैशिष्ट्येन । ततो दीक्षणीयायां वैश्वानरं रेतोरूपेण सिक्तवानिति यत्तस्मादयमग्निरिहापि तदनुरोधेन वैश्वानर एव जायते । अतश्च वैश्वानररूपेणोत्पादनाय वैश्वानरदेवत्यं हविर्जुहुयादिति भावः । 'उपांशु तत्र भवति' इत्यादिकस्यायमर्थः । 'यज्ञ' शब्देन यष्टव्यत्वाद्वैश्वानर उच्यते । तत्र दीक्षणीयायां यज्ञो रेतोरूपो भवति खलु । रेतश्च 'उपांशु' रहस्येव सिच्यते, न प्रकाशम् । अतस्तत्र प्रधानमुपांशु भवति । इह तु प्रधानं 'निरुक्तम्' उच्चैरौच्चयविशिष्टं भवति । जननावस्थायां रेतसः प्रकाशमेव जायमानत्वादत्रत्यस्य वैश्वानरस्य तथाविधत्वादिति ॥ २ ॥

अथास्य वैश्वानरात्मकतामाह—स य इत्यादिना । पूर्वोक्तो 'यः वैश्वानरः' अग्निः स 'एव' 'इमे' पृथिव्यादयो 'लोकाः' । कुतः ? 'इयमेव पृथिवी विश्वम्' तदधिष्ठाताऽग्निरेव 'नरः', तथा 'अन्तरिक्षमेव विश्वम्' । तदधिष्ठाता 'वायुर्नरः' एवम् 'द्यौरेव विश्वम्' तदधिष्ठाता 'आदित्यो नरः' पृथिव्यादीनां लोकानामनेकपदार्थाधारत्वेन विश्वत्वम् । अग्न्यादीनां च तदधिष्ठातृपुरुषत्वम् । एवं च वैश्वानर इत्यत्र तदितरस्य स्वार्थिकत्वात्साधिष्ठातृका इमे लोका एव स वैश्वानर इत्यर्थः ॥ ३ ॥

अथ शिरसो वैश्वानररूपलोकात्मकतामाह—ते य इति । 'इदम्' इति मुखं श्मश्रुविशिष्टं हस्तेन प्रदर्श्यते । 'इदमेव' स्थानं 'पृथिवी', शिरसोऽश्मभागत्वात्, अत्रत्यानि 'श्मश्रूणि' एव 'ओषधयः' ।

(रि) इदमेवान्तरिक्षम् । (न्तु) तस्मादेतदलोमकमलोमकमिव ह्यन्तरिक्षं तदेतद्विश्वं प्राण ऽ एव व्वायुः स नरः स मध्येनास्य भवति मध्येन ह्यन्तरिक्षस्य व्वायुः ॥ ५ ॥

शिरऽ एव द्यौः । (नं) नक्षत्राणि केशास्तदेतद्विश्वं चक्षुरेवादित्यः स नरस्तदवस्ताच्छीर्ष्णो भवत्यवस्ताद्धि दिव ऽआदित्यस्तदस्यैतच्छिरो व्वैश्वानर ऽआत्माऽयमग्निश्चित ऽआत्मानमेवास्यैतत्सꣳस्कृत्य शिरः प्रतिदधाति ॥ ६ ॥

(त्यु) अथ मारुताञ्जुहोति । प्राणा वै मारुताः प्राणानेवास्मिन्नेतद्दधाति व्वैश्वानरꣳ हुत्वा शिरो वै व्वैश्वानरः शीर्षंस्तत्प्राणान्दधाति ॥ ७ ॥

इदमेवान्तरिक्षम् । तस्मादेतदलोमकम् । अलोमकमिव ह्यन्तरिक्षम् । तदेतद्विश्वम् । प्राण एव वायुः । स नरः । स मध्येनास्य भवति । मध्येन ह्यन्तरिक्षस्य वायुः ॥ ५ ॥

शिर एव द्यौः । नक्षत्राणि केशाः । तदेतद्विश्वम् । चक्षुरेवादित्यः । स नरः । तदवस्ताच्छीर्ष्णो भवति । अवस्ताद्धि दिव आदित्यः । तदस्यैतच्छिरो वैश्वानरः । आत्माऽयमग्निश्चितः । आत्मानमेवास्यैतत्संस्कृत्य शिरः प्रतिदधाति ॥ ६ ॥

अथ मारुतहोमः ।

अथ मारुताञ्जुहोति । प्राणा वै मारुताः । प्राणानेवास्मिन्नेतद्दधाति । वैश्वानरं हुत्वा । शिरो वै वैश्वानरः । शीर्षंस्तत्प्राणान्दधाति ॥ ७ ॥

तदेतद्विश्वमिति । शिरसि दर्शितायाः पृथिव्या वैश्वानरात्मकत्वमुक्तम् । वागिति तत्स्थानमुच्यते । अतश्च वाकिचबुकयोरौत्तराधर्येणोक्तं वैश्वानरत्वमुपपादयति—सोपरिष्टादिति ॥ ४ ॥

इदमिति । 'इदम्' इति मुखादुपरितनं दन्तनेत्रनासिकाललाटस्थानं निर्दिश्यते । अलोमकमिव ह्यन्तरिक्षमिति । तत्र पृथिवीवन्महीधरमहीरुहादीनामभावादित्यर्थः । स मध्येनास्येति । वायुरन्तरिक्षस्य मध्यप्रदेशेन वर्त्तत इति 'सः' प्राणः 'अस्य' निर्दिष्टप्रदेशस्य 'मध्येन' वर्तते मध्यस्थाने वर्तते । करणत्वेन विवक्षितत्वात्तृतीया ॥ ५ ॥

शिर एवेति । अत्र 'शिरः'—शब्देन ललाटादुपरितनं केशोद्गमस्थानमुच्यते । 'इदं तच्छिरः' इत्यत्र गलादुपरितनं सर्वमपि शिरःशब्देन विवक्षितम् । अन्यथा पूर्वोक्तस्यानुपपत्तेः । तदस्यैतदिति । यत एवम् तस्माद्वैश्वानरः 'अस्य' प्रजापतेः 'एतद्' उक्तप्रकारं 'शिरः' । चितोऽयमग्निस्तु शरीरम् । अत एतेन होमेन 'अस्य' आत्मानं 'संस्कृत्य' तत्र 'शिरः' संबध्नातीत्यर्थः ॥ ६ ॥

वैश्वानरयागानन्तरं मारुतानां होमं विधाय तान् प्राणात्मना प्रशंसति—अथेति । तद्धोमस्य वैश्वानरसम्बन्धादित्यर्थः ॥ ७ ॥

(त्ये) एक॒ऽ ए॒ष भ॑वति । (त्ये) ए॒क॒मि॑व॒ हि शिरः॑ स॒प्तेत॑रे स॒प्तक॑पाला॒ यदु॑ वाऽअ॒पि ब॑हु॒कृत्वः॑ स॒प्त स॑प्त स॒प्तैव तु॒च्छीर्ष॒ण्येव॒ तु॒त्स॒प्त प्रा॒णान्द॑धाति ॥ ८ ॥

निरु॑क्तऽए॒ष भ॑वति । निरु॑क्तमिव॒ हि शिरो॒ऽनि॑रुक्ता ऽइत॑रेऽनि॑रुक्ता इव॒ हि प्रा॒णास्ति॒ष्ठन्ने॒तं जु॑होति॒ तिष्ठ॑तीव॒ हि शिर॒ ऽआसी॑न ऽइत॑राना॒सत॑ऽइव॒ हि प्रा॒णाः ॥ ९ ॥

(स्त) तद्यौ॑ प्रथ॒मौ मा॑रु॒तौ जु॒होति॑ । (तौ) इ॒मौ तौ प्रा॒णौ तौ मध्ये॑ वैश्वान॒रस्य॑ जुहोति॒ मध्ये॒ ह्यी॒मौ शी॒र्ष्णः प्रा॒णौ ॥ १० ॥

एक एष भवति । एकमिव हि शिरः । सप्तेतरे सप्तकपालाः । यदु वा अपि बहुकृत्वः सप्त–सप्त–सप्तैव तत् । शीर्षण्येव तत्सप्त प्राणान्दधाति ॥ ८ ॥

निरुक्त एष भवति । निरुक्तमिव हि शिरः । अनिरुक्ता इतरे । अनिरुक्ता इव हि प्राणाः । तिष्ठन्नेतं जुहोति । तिष्ठतीव हि शिरः । आसीन इतरान् । आसत इव हि प्राणाः ॥ ९ ॥

तद् यौ प्रथमौ मारुतौ जुहोति–इमौ तौ प्राणौ । तौ मध्ये वैश्वानरस्य जुहोति । मध्ये हीमौ शीर्ष्णः प्राणौ ॥ १० ॥

तान्प्राणात्मना प्रशंस्य प्राणात्मकत्वात्तेषां तदनुविधायिनीं संख्यामाह–**एक एष** इति । 'एषः' वैश्वानरः । 'इतरे' मारुताः पुरोडाशाः सप्तसु कपालेषु संस्कृताः सप्त भवेयुः । 'बहुकृत्वः अपि' सप्त–सप्तेति यदस्ति एतत्सप्तैव । यद्यपि सप्तानां कपालसप्तकानां मिलिता संख्या एकोनपञ्चाशत् भवति, मरुतां तावत्संख्याकत्वात् । तथापि सप्तधा भागेन ते सप्तैव भवन्ति । अतश्चैतच्छिरस्येव सप्त प्राणान्निदधाति ॥ ८ ॥

अथ तदेव प्राणत्वमुपजीव्य तेषामुपांशुयागादिकमाह–**निरुक्त एष** इति । 'एषः' वैश्वानरः 'निरुक्तः' व्यक्तः, उच्चैर्यागो भवति शिरसो व्यक्तत्वात् । 'इतरे' मारुताः 'अनिरुक्ताः' अव्यक्ता उपांशुयागा भवेयुः । प्राणानामतीन्द्रियत्वेनाव्यक्तत्वादित्यर्थः । तिष्ठतीव हीति । शिर उच्छ्रितत्वात् 'तिष्ठतीव' भवति । इन्द्रियाणि तु 'आसत इव' आसीनानीव भवन्ति ॥ ९ ॥

अथ द्वन्द्वशो मारुतानां होममनूद्य तेषां तत्तद्द्वन्द्वीभूतप्राणात्मकताप्रदर्शनेन होमस्थानप्रकारमाह–**तद्यौ प्रथमा**वित्यादिना । अत्र प्रथमसन्निधानेन द्वितीये उपचारात् प्रथमशब्दप्रयोगः । एवमुत्तरत्र द्वितीयौ तृतीयाविति–त्रापि । इमौ ताविति । 'तौ' प्रथमौ 'प्राणौ' 'इमौ' इति कर्णयोर्हस्तेन निर्देशः । 'तौ' 'वैश्वानरस्य' पुरोडाशस्य 'मध्ये जुहोति'–अनयोः श्रोत्रयोः शिरोमध्येऽवस्थानात् । अत एव कात्यायनेन "वैश्वानरे वा वैश्वानरं पृथुं कृत्वा" (का. श्रौ. सू. १८ । १२) इति "अग्नौ वा वैश्वानरे वा" इति विकल्पः सूत्रितः । तत्र अग्नौ होमः शाखान्तरानुसारेण विकल्पितः । वैश्वानरे यदा होमस्तदा वैश्वानरस्य पृथुत्वकरणम् ॥ १० ॥

(णावु) अथ यौ द्वितीयौ । (यावि) इमौ तौ तौ सुमन्तिकतरं जुहोति सुमन्तिकतरमिवु हीमौ प्राणौ ॥ ११ ॥

(णावु) अथ यौ तृतीयौ । (यावि) इमौ तौ तौ सुमन्तिकतरं जुहोति सुमन्तिकतरमिवु हीमौ प्राणौ व्वागेवारण्येऽनूच्युः सोऽरण्येऽनूच्यो भवति बहु हि व्वाचा घोरं निगच्छति ॥ १२ ॥

युद्वेवु व्वैश्वानरमारुताञ्जुहोति । क्षत्रं वै व्वैश्वानरो व्विण्मारुताः क्षत्रं च तद्विशं च करोति व्वैश्वानरं पूर्व्वं जुहोति क्षत्रं तत्कृत्वा व्विशं करोति ॥ १३ ॥

(त्ये) एक ऽएषु भवति । (त्ये) एकस्थं तत्क्षत्रमेकस्थाᳬ श्रियं करोति बहुव ऽइतरे व्विशि तद्भूमानं दधाति ॥ १४ ॥

अथ यौ द्वितीयौ–इमौ तौ । तौ समन्तिकतरं जुहोति । समन्तिकतरमिव हीमौ प्राणौ ॥ ११ ॥

अथ यौ तृतीयौ–इमौ तौ । तौ समन्तिकतरं जुहोति । समन्तिकतरमिव हीमौ प्राणौ । वागेवारण्येऽनूच्यः । सोऽरण्येऽनूच्यो भवति । बहु हि वाचा घोरं निगच्छति ॥ १२ ॥

यद्वेव वैश्वानरमारुताञ्जुहोति । क्षत्रं वै वैश्वानरो, विण्मारुताः । क्षत्रं च तद्विशं च करोति । वैश्वानरं पूर्वं जुहोति । क्षत्रं तत्कृत्वा विशं करोति ॥ १३ ॥

एक एष भवति । एकस्थं तत्क्षत्रमेकस्थां श्रियं करोति । बहव इतरे । विशि तद्भूमानं दधाति ॥ १४ ॥

अथ यौ द्वितीयौ । इमौ ताविति । 'इमौ' इति चक्षुषोः निर्देशः । 'तौ समन्तिकतरम्' सन्निहिततरं जुहुयात् चक्षुषोः परस्परं सन्निधानेनावस्थानात् । होमस्तु वैश्वानरस्य पश्चाद्भागे कर्तव्यः । पंचमषष्ठयोर्होमस्तृतीयचतुर्थयोः पश्चात् । सप्तमस्य तु होमः सर्वेषां पश्चात्क्रियते । अत एव कात्यायनः–"वैश्वानरमधिश्रित्य दक्षिणोत्तरौ मारुतौ" "पश्चाच्च सन्निकृष्टतरौ" "एवमपरौ" "पश्चादरण्येऽनूच्यम्" "होमासादनयोश्च" (का. श्रौ. सू. १८ । ५९–६०) इति । वैश्वानरस्य मारुतानामेकतन्त्रत्वाद्वैश्वानरमधिश्रित्य दक्षिणोत्तरौ मारुतावित्यर्थः । तत्प्रयोगप्रकारस्तु सूत्रतोऽवगन्तव्यः ॥ ११ ॥

अथ यौ तृतीयाविमौ तावित्यत्र इमाविति नासिकाविवरयोर्निर्देशः । इत्थं षण्णां मारुतानां तत्प्राणात्मकत्वमभिधाय 'अरण्येऽनूच्यं' वागात्मना प्रशंसति–वागेवेति । 'अरण्येऽनूच्यः' कश्चिदनुवाकः, तेन हूयमानोऽपि पुरोडाशः "अरण्येऽनूच्यो" भवतीत्यादिना तस्य वागात्मतामेवोपपादयति । यतः कारणाद्वाचा बहु घोरं निगच्छति । अरण्ये प्रकाश्यते यः सोऽनुवाकोऽरण्येऽनूच्यो भवति । तस्मादरण्येऽनूच्यवचनात्तस्य वागात्मकत्वमुपपन्नमिति भावः ॥ १२ ॥

'पूर्वं वैश्वानरं शिरोरूपेण मारुतांस्तु तत्तत्प्राणरूपेण उक्तवान् । इदानीं तु तानेव वैश्वानरमारुतान् क्षत्रप्रजात्मना स्तौति–यद्वेवेति । वैश्वानरस्य प्रजापत्यात्मकत्वेन सर्वतः प्राधान्यात् क्षत्रत्वम् । मरुतां प्रजात्वं तैत्तिरीयके श्रूयते–"मरुतो वै देवानां विशः" (तै. सं. ९ । ४ । ७ ७) इति ॥ १३ ॥

अथ तेषामुक्तमेव क्षत्रप्रजात्मकत्वमुपजीव्य तत्संख्यादिकं प्रशंसति–एक एष भवतीति । वैश्वानरस्यैकत्वेन

निरुक्त ऽएषु भवति । निरुक्तमिव हि क्षत्रमनिरुक्ताऽइतरेऽनिरुक्तेव हि व्विट्तिष्ठन्नेतं जुहोति तिष्ठतीव हि क्षत्रमासीन ऽइतरानास्तऽइव हि व्विट् ॥ १५ ॥

(ट्तं) तं वाऽएतम् । (म्पु) पुरोऽनुवाक्यवन्तं याज्यवन्तं व्वषट्कृते स्रुचा जुहोति हस्तेनैवेतरानासीनः स्वाहाकारेण क्षत्रायैव तद्विशं कृतानुकरामनुवर्त्मानं करोति ॥ १६ ॥

तदाहुः । कथमस्यैते पुरोऽनुवाक्यवन्तो याज्यवन्तो व्वषट्कृते स्रुचा हुता भवन्तीत्येतेषां वै सप्तपदानां मारुतानां यानि त्रीणि प्रथमानि पदानि

निरुक्त एष भवति । निरुक्तमिव हि क्षत्रम् । अनिरुक्ता इतरे । अनिरुक्तेव हि विट् । तिष्ठन्नेतं जुहोति । तिष्ठतीव हि क्षत्रम् । आसीन इतरान् । आस्त इव हि विट् ॥ १५ ॥

तं वा एतं पुरोऽनुवाक्यवन्तं याज्यवन्तं वषट्कृते स्रुचा जुहोति । हस्तेनैवेतरान्–आसीनः स्वाहाकारेण । क्षत्रायैव तद्–विशं कृतानुकरामनुवर्त्मानं करोति ॥ १६ ॥

तदाहुः–कथमस्यैते पुरोऽनुवाक्यवन्तो याज्यवन्तो वषट्कृते स्रुचा हुता भवन्तीति । एतेषां वै सप्तपदानां मारुतानां यानि त्रीणि प्रथमानि पदानि सा त्रिपदा गायत्री पुरोऽनुवाक्या । अथ

तत्र जातिनिबन्धनं प्राधान्यमेकस्थमेव करोति । अत एव 'श्रियम्' अपि 'एकस्थाम्' करोति । बहुक्षत्रप्राधान्ये परस्परैकमत्याभावेन राष्ट्रविप्लवप्रसङ्गात् । मारुतानां बहुत्वेन प्रजायामेव 'भूमानम्' बहुत्वं निदधाति । प्रजां बह्वीकृतवान् भवति । भूमानमिति "बहोर्लोपो भू च बहोः"–(पा. सू. ६ । ४ । १५८) इति बहुशब्दाद्विहितस्येमनिच इकारस्य लोपः । प्रकृतेश्च भू इत्ययमादेशः ॥ १४ ॥

निरुक्तमिव हि क्षत्रमिति । स्वाज्ञया सर्वां प्रजामाक्रम्योच्चैर्वर्त्तमानत्वेन क्षत्रस्य निरुक्तत्वम् । प्रजायास्तु तदाज्ञाधीनत्वात नीचैर्वृत्तेरनिरुक्तत्वम् । अत एव क्षत्रं तिष्ठतीव भवति । प्रजा त्वासीनेव भवति ॥ १५ ॥

"वैश्वानरं जुहोति, मारुतान् जुहोति"–इति होममात्रविधानात्तत्र विशेषं विधाय प्रशंसति–तं वा एतमिति । पुरोऽनुवाक्यवन्तं याज्यवन्तमिति । छान्दसो ह्रस्वः । तमेव वैश्वानरं कीदृशं पुरोऽनुवाक्यवन्तं याज्यवन्तम् । होत्रा वषट्कृते जुह्वा जुहुयात् । इतरान्मारुतान् आसीनो हस्तेन स्वाहाकारेण जुहुयात् । एवं च वैश्वानरस्य पुरोऽनुवाक्यासम्बन्धनिबन्धनेन यागत्वेन प्राधान्यादितरेषां तु तद्वैलक्षण्येनोपसर्जनत्वात् प्रजां क्षत्राय कृतानुकारिणीमनुगतवर्त्मानं च करोति ॥ १६ ॥

अथ मारुतानामुक्तप्रकारेण होमेन वैश्वानरवद्यागसंपत्तिर्घटते इति सा संपत्तिः कथं भवतीति प्रश्नपूर्वकं तां दर्शयति–तदाहुरिति । एतेषां वै सप्तपदानामिति । अत्र मारुतशब्देन तद्धोमसाधनभूताः "शुक्रज्योतिश्च"

१–इयं सप्तदशी कंडिका कपुच्छलश्रुतिः दंडश्रुतिर्वा इत्युच्यते ।

सा त्रिपदा गायत्री पुरोऽनुवाक्याऽथ यानि चत्वार्युत्तमानि सा चतुष्पदा त्रिष्टुब्याज्येदमेव कपुच्छलमयं दण्डः स्वाहाकारो व्वषट्कारऽएवमु हास्यैते पुरोऽनुवाक्यवन्तो याज्यवन्तो व्वषट्कृते स्रुचा हुता भवन्ति ॥ १७॥

तद्यं प्रथमं दक्षिणतो मारुतं जुहोति । याः सप्त प्राच्यः स्रवन्ति ताः स सु सप्तकपालो भवति सप्त हि ता याः प्राच्यः स्रवन्ति ॥ १८ ॥

(न्त्यु) अथ यं प्रथममुत्तरतो जुहोति । (त्सृ) ऋतवः स सु सप्तकपालो भवति सप्त ह्यृतवः ॥ १९ ॥

(वोऽथ) अथ यं द्वितीयं दक्षिणतो जुहोति । पशवः स सु सप्तकपालो भवति सप्त हि ग्राम्याः पशवस्तमनन्तर्हितं पूर्व्वस्माज्जुहोत्यप्सु तत्पशून्प्रतिष्ठापयति ॥ २० ॥

यानि चत्वार्युत्तमानि–सा चतुष्पदा त्रिष्टुप् याज्या । इदमेव कपुच्छलम् । अयं दण्डः । स्वाहाकारो वषट्कारः । एवमु हास्यैते पुरोऽनुवाक्यवन्तो याज्यवन्तो वषट्कृते स्रुचा हुता भवन्ति ॥ १७ ॥

तद् यं प्रथमं दक्षिणतो मारुतं जुहोति–याः सप्त प्राच्यः स्रवन्ति–ताः सः । स सप्तकपालो भवति । सप्त हि ताः–याः प्राच्यः स्रवन्ति ॥ १८ ॥

अथ यं प्रथममुत्तरतो जुहोति–ऋतवः सः । स सप्तकपालो भवति । सप्त हि ऋतवः ॥ १९ ॥

अथ यं द्वितीयं दक्षिणतो जुहोति–पशवः सः । स सप्तकपालो भवति । सप्त हि ग्राम्याः पशवः । तमनन्तर्हितं पूर्वस्माज्जुहोति । अप्सु तत्पशून्प्रतिष्ठापयति ॥ २० ॥

(वा.सं. १७।८०) इत्यादयो मन्त्राः विवक्ष्यन्ते ते च सप्तपदा भवन्ति । अतश्चैतेषां मन्त्राणां यानि त्रीणि 'प्रथमानि पदानि ' सन्ति–' सा त्रिपदा गायत्री ' सैव ' पुरोऽनुवाक्या ' भवति । ' अथ यानि चत्वारि ' उपरितनानि पदानि सन्ति तानि ' चतुष्पदा त्रिष्टुप् ' । सैव ' याज्या ' भवति । ' इदमेव ' इति प्रसृतिरभिनयेन प्रदर्श्यते । कपुच्छलमिति स्रुचो मुखम् उच्यते । ' अयम् ' इति बाहुदण्डः प्रदर्श्यते । एवं बाहुरेव स्रुक् इत्युक्तं भवति । स्वाहाकार एव वषट्कारो भवति । इत्थमुक्तेन प्रकारेणास्याग्नेर्यजमानस्य च सम्बन्धिन एव मारुताः पुरोऽनुवाक्यावन्तो याज्यावंतो ' वषट्कृते स्रुचा हुता भवन्ति ' ॥ १७ ॥

अथ होमक्रमेण तान्मारुतान् प्रत्येकं नद्यादिरूपेण प्रशंसति–तद्यं प्रथममिति । ' प्राच्यः ' प्राङ्मुखाः पूर्वसमुद्रगामिन्यो गङ्गायमुनादयो याः ' सप्त ' नद्यः स्रवन्ति । ' ताः सः ' प्रथमं दक्षिणभागे हुतो मारुतः पुरोडाशः । स सप्तसु कपालेषु संस्कृतो भवति । या नद्यः प्राच्यः स्रवन्ति तासां सप्तसंख्याप्रदर्शनेन तस्य मारुतस्योक्तसंख्यनद्यात्मकत्वं समर्थ्यते । उत्तरत्र सर्वत्राप्येवमेव ॥ १८ ॥

अधिमासापेक्षया ' सप्तहि ऋतव ' इत्युक्तम् ॥ १९ ॥

अनन्तर्हितमिति । ' तम् ' द्वितीयं पुरोडाशं ' पूर्वस्मात् ' मारुताद् ' अनन्तर्हितम् ' अव्यवहितं तत्सम्बद्धं जुहुयात् । एवं पूर्वस्यापात्मकत्वादप्स्वेव पशून् प्रतिष्ठापयति ॥ २० ॥ २१ ॥

(त्यु) अथ यं द्वितीयमुत्तरतो जुहोति । सप्तऽऋषयः स स सप्तकपालो भवति सप्त हि सप्तऽर्षयस्तमनन्तर्हितं पूर्वस्माज्जुहोत्यृतुषु तदृषीन्प्रतिष्ठापयति ॥ २१ ॥

(त्यु) अथ यं तृतीयं दक्षिणतो जुहोति । प्राणाः स स सप्तकपालो भवति सप्त हि शीर्षन्प्राणास्तमनन्तर्हितं पूर्वस्माज्जुहोत्यनन्तर्हितांस्तच्छीर्ष्णः प्राणान्दधाति ॥ २२ ॥

(त्यु) अथ यं तृतीयमुत्तरतो जुहोति । छन्दाꣳसि स स सप्तकपालो भवति सप्त हि चतुरुत्तराणि छन्दाꣳसि तमनन्तर्हितं पूर्वस्माज्जुहोत्यनन्तर्हितानि तदृषिभ्यश्छन्दाꣳसि दधाति ॥ २३ ॥

(त्यु) अथ याः सप्त प्रतीच्यः स्रवन्ति सोऽरण्येऽनूच्यः स सप्तकपालो भवति सप्त हि ता याः प्रतीच्यः स्रवन्ति सोऽस्यैषोऽवाङ्प्राण ऽएतस्य प्रजापतेः

अथ यं द्वितीयमुत्तरतो जुहोति–सप्त ऋषयः सः । स सप्तकपालो भवति । सप्त हि सप्तर्षयः । तमनन्तर्हितं पूर्वस्माज्जुहोति–ऋतुषु तदृषीन्प्रतिष्ठापयति ॥ २१ ॥

अथ यं तृतीयं दक्षिणतो जुहोति–प्राणाः सः । स सप्तकपालो भवति । सप्त हि शीर्षन्प्राणाः । तमनन्तर्हितं पूर्वस्माज्जुहोति । अनन्तर्हितांस्तच्छीर्ष्णः प्राणान्दधाति ॥ २२ ॥

अथ यं तृतीयमुत्तरतो जुहोति–छन्दांसि सः । स सप्तकपालो भवति । सप्त हि चतुरुत्तराणि छन्दांसि । तमनन्तर्हितं पूर्वस्माज्जुहोति । अनन्तर्हितानि तदृषिभ्यश्छन्दांसि दधाति ॥ २३ ॥

अथ याः सप्त प्रतीच्यः स्रवन्ति–सोऽरण्येऽनूच्यः । स सप्तकपालो भवति । सप्त हि ताः–याः प्रतीच्यः स्रवन्ति । सोऽस्यैषोऽवाङ्प्राण एतस्य प्रजापतेः । सोऽरण्येऽनूच्यो भवति । तिर इव तद्–

अनन्तर्हितांस्तच्छीर्ष्णः प्राणान्दधातीति । पूर्वमारुतपुरोडाशस्य प्रथममारुतेन सम्बन्धात्तस्य च वैश्वानरेण सम्बन्धात् प्राणान् शिरसोऽनन्तर्हितानव्यवहितान् करोतीत्यर्थः ॥ २२ ॥

सप्त हि चतुरुत्तराणीति । चतुरक्षराधिकानि छन्दांसि सप्त भवन्ति । यद्यप्यवान्तरच्छन्दांसि बहूनि सन्ति तथापि चतुरक्षराधिकानि छन्दांसि सप्तैवेत्यर्थः । गायत्री चतुर्विंशत्यक्षरा, उष्णिक् पुनरष्टाविंशत्यक्षरा, अनुष्टुप् द्वात्रिंशदक्षरा, एवं बृहतीपङ्क्तित्रिष्टुब्जगत्यश्चतुरक्षराधिका भवन्ति ॥ २३ ॥

अथ या इति । 'सोऽस्यैषः' इत्यादिकस्याऽयमर्थः । 'सः' 'एषः' 'अरण्येऽनूच्यः' गणः 'अवाङ्' अधस्तनः 'प्राणः' इन्द्रियम् । अस्येति पदस्यैवार्थं विवृणोति–एतस्य प्रजापतेरिति । तरुगुल्मादिभूयिष्ठत्वेनाप्रका-

---

१–त्रिमुखेनारण्येऽनूच्यम् । का० श्रौ० सू० १८ । ६३ ॥ अरण्येऽनूच्यमानः अप्रश्च भीमश्चेति मंत्रो त्रिमुखसंज्ञः ।

सोऽरण्येऽनूच्यो भवति तिरऽइव तद्यदरण्यं तिरऽ इव तद्यदवाङ्प्राणस्त- स्माद्यऽएतासां नदीनां पिबन्ति रिप्रतराः शपनतरा ऽआहनस्य वादितरा भवन्ति तद्यद्यदेतदाहेदं मारुताऽ इति तदस्माऽअन्नं कृत्वाऽपिदधाति तेनैनं प्रीणाति ॥ २४ ॥

स यः स वैश्वानरः । (सोऽसौ) असौ स ऽआदित्योऽथ ये ते मारुता रश्मयस्ते ते सप्त सप्तकपाला भवन्ति सप्त सप्त हि मारुता गणाः ॥ २५ ॥

स जुहोति । शुक्रज्योतिश्च चित्रज्योतिश्च सत्यज्योतिश्च ज्योतिष्मां-

---

यदरण्यम् । तिर इव तद्—यदवाङ् प्राणः । तस्माद्य एतासां नदीनां पिबन्ति—रिप्रतराः, शपनतराः, आहनस्य वादितरा भवन्ति । तद् यद् यदेतदाह—इदं मारुता इति । तदस्मा अन्नं कृत्वाऽपिदधाति । तेनैनं प्रीणाति ॥ २४ ॥

स यः स वैश्वानरः—असौ स आदित्यः । अथ ये ते मारुताः—रश्मयस्ते । ते सप्त सप्तकपाला भवन्ति । सप्त सप्त हि मारुता गणाः ॥ २५ ॥

स जुहोति । "शुक्रज्योतिश्च चित्रज्योतिश्च सत्यज्योतिश्च ज्योतिष्मांश्च"—

शत्वादरण्यं तिरोहितं भवति । अवाङ्प्राणोऽप्याच्छादितो भवति । अत एव अनेन तस्योक्तमवाङ्प्राणत्वं समर्थितम् । तस्मात्तदात्मिकानाम् 'एतासां नदीनां' कर्मणि षष्ठी; नदीः ये पिबन्ति । अथवा अप इत्यध्याहार्य तासामपो ये पिबन्ति, ते 'रिप्रतराः' रिप्रमिति पापमुच्यते । पापिष्ठाः । 'शपनतराः' अत्यर्थमुपालम्भनीयाः । आहनमिति नीचोक्तिरुच्यते । तस्या अत्यर्थं वादितरा भवन्तीति, मूत्ररूपत्वात्तासां नदीनां तदिदं पयः पिबन्तोऽतितरां नीचा भवन्तीत्यर्थः । उत्तरकण्डिकायाम् 'अथ ये ते मारुताः' इत्यभिधानेन द्रव्यदेवतासम्बन्धप्रतीतेः अन्नं सम्पाद्य 'अस्मै' प्रजापतये प्रतिपादयति तेनैनं प्रीणातीत्याह—तद्यद्यदेतदिति ॥ २४ ॥

अथ वैश्वानरमादित्यरूपेण मारुतांस्तु रश्मिरूपेण प्रशंसति—स यः स वैश्वानर इति । 'ते' च 'मारुताः' मरुद्गणसंख्यानुसारेण सप्तकपाला भवेयुरित्याह—ते सप्त सप्तकपाला इति । सप्त सप्त हीति । 'मारुता गणाः' सप्त सप्तकानि भवन्ति । एकोनपञ्चाशत्संख्याका मरुतः सप्तधा विभागेन सप्त समुदाया भवन्ति । अतस्तत्संख्यानुसारेण तत्पुरोडाशाः सप्त सप्तकपाला भवेयुः । ननु च पूर्वमेव "सप्तेतरे सप्तकपालाः" इत्यत्र तेनायमेवार्थोऽभिहितः किमिति स एवात्रोच्यत इति । नैतदस्ति, पूर्वं "यदु वा अपि बहुकृत्वः" इत्यादिना सप्तधा विभागेन ते सर्वे सप्तैव भवन्तीति शिरसि सप्त प्राणान्निदधातीत्युक्तम् । ननु सप्तकपालानां सप्तत्वकरणमुक्तम् । अत्र पुनस्तत्करणमुच्यते ॥ २५ ॥

अथ मारुतानां होमे मन्त्रान्दर्शयति—स जुहोतीति । "शुक्रज्योतिश्चे चित्रज्योतिश्च सत्यज्योतिश्च

१—वैश्वानरे वैश्वानरं पूर्थं कृत्वा शुक्रज्योतिरिति प्रतिमंत्रम् । का० श्रौ० सू० १८ । ६२ ।

श्चेति नामान्येषामेतानि मण्डलमेवैतत्सᳫँस्कृत्याथास्मिन्नेतान्रश्मीन्नाम-
ग्राहं प्रतिदधाति ॥ २६ ॥

इति द्वितीयप्रपाठके तृतीयं ब्राह्मणम् ॥ ९ । २ । ३ ॥ (३–१)

अथातो व्वसोर्धारां जुहोति । (त्यु) अत्रैष सर्व्वोऽग्निः सᳫँस्कृतः स
ऽएषोऽत्र व्वसुस्तस्मै देवाऽ एतां धारां प्रागृह्णंस्तयैनमप्रीणंस्तद्यदेतस्मै
व्वसवऽएतां धारां प्रागृह्णंस्तस्मादेनां व्वसोर्धारेत्याचक्षते तथैवास्माऽअयु-
मेतां धारां प्रगृह्णाति तयैनं प्रीणाति ॥ १ ॥

यद्वेवैतां व्वसोर्धारां जुहोति । (त्य) अभिषेक ऽएवास्यैष ऽएतद्वाऽएनं
देवाः सर्व्वं कृत्स्नᳫँ सᳫँस्कृत्याथैनमेतैः कामैरभ्यषिञ्चन्नेतया व्वसोर्धा-
रया तथैवैनमयमेतत्सर्व्वं कृत्स्नᳫँ सᳫँस्कृत्याथैनमेतैः कामैरभिषिञ्चत्ये-
तया व्वसोर्धारयाऽऽज्येन पञ्चगृहीतेनौदुम्बर्या स्रुचा तस्योक्तो बन्धुः ॥ २ ॥

(वा. सं. १७ । ८०) इति । नामान्येषामेतानि । मण्डलमेवैतत्संस्कृत्य, अथास्मिन्नेतान् रश्मी-न्नामग्राहं प्रतिदधाति ॥ २६ ॥

अथ वसोर्धाराहोमः ।

अथातो वसोर्धारां जुहोति । अत्रैष सर्वोऽग्निः संस्कृतः । स एषोऽत्र वसुः । तस्मै देवा एतां धारां प्रागृह्णन् । तयैनमप्रीणन् । तद् यदेतस्मै वसव एतां धारां प्रागृह्णन्–तस्मादेनां वसोर्धारेत्याचक्षते । तथैवास्मा अयमेतां धारां प्रगृह्णाति । तयैनं प्रीणाति ॥ १ ॥

यद्वेवैतां वसोर्धारां जुहोति । अभिषेक एवास्यैषः । एतद्वा एनं देवाः सर्वं कृत्स्नं संस्कृत्य, अथैन-

---

ज्योतिष्मांश्च " इत्यादिकैर्मन्त्रैरित्यर्थः । नामान्येषामिति । एतानि शुक्रज्योतिरित्यादीनि एषां रश्मीनां नामानि । वैश्वानरस्यादित्यात्मकत्वं मारुतानां च रश्म्यात्मकत्वं प्रागुक्तम् । अतश्चैतैर्नामभिर्होमे आदित्यमेव संस्कृत्याथास्मिन्मण्डले एतानुक्तनाम्नो रश्मीनवस्थापयति ॥ २६ ॥

इति श्रीसायणाचार्यविरचिते माधवीये वेदार्थप्रकाशे माध्यन्दिनीयशतपथब्राह्मणभाष्ये नवमकाण्डे तृतीयेऽध्याये प्रथमं ब्राह्मणम् ॥ (९–३–१) ॥

अथात इति । अत्रैष इति । प्रकृतत्वात् ' एतत् ' शब्देन चित्याग्निं परामृशति । ' धारां प्रागृह्णन् गृहीतया तया एनमप्रीणन् । ततः ' एतस्मै वसवे एतां धारां प्रागृह्णन् ' इति ' यत् ' ' तस्मादेनां वसोर्द्धारे-त्याचक्षते ' ब्रह्मवादिन इति शेषः । अतो यजमानोऽपि अनेन होमेन तथैव करोति ॥ १ ॥

अथ पुनस्तामेव वसोर्द्धारां संस्कृताग्नेरभिषेकात्मना प्रशंसति–यद्वेवैतामिति । ' सर्वम् ' इत्येतस्यैव विव-

(वैं) वैश्वानरꣳ हुत्वा । शिरो वै वैश्वानरः शीर्ष्णो वाऽअन्नमद्यतेऽथो शीर्षतो वाऽअभिषिच्यमानोऽभिषिच्यते मारुतान्हुत्वा प्राणा वै मारुताः प्राणैरु वाऽ अन्नमद्यतेऽथो प्राणेषु वाऽअभिषिच्यमानोऽभिषिच्यते ॥ ३ ॥

तद्वाऽअरण्येऽनूच्ये । वाग्वाऽअरण्येऽनूच्यो वाचो वाऽअन्नमद्यतेऽथो वाचा वाऽअभिषिच्यमानोऽभिषिच्यते तदेतत्सर्वं वसु सर्वे ह्येते कामाः सैषा वसुमयी धारा यथा क्षीरस्य वा सर्पिषो वैवमारम्भायैवैष-माज्याहुतिर्हूयते तद्यदेषा वसुमयी धारा तस्मादेनां वसोर्धारे-त्याचक्षते ॥ ४ ॥

मेतैः कामैरभ्यषिञ्चन्–एतया वसोर्धारया । तथैवैनमयमेतत्सर्वं कृत्स्नं संस्कृत्य, अथैनमेतैः कामैरभिषिञ्चति–एतया वसोर्धारया । आज्येन पञ्चगृहीतेन औदुम्बर्या स्रुचा । तस्योक्तो बन्धुः ॥ २ ॥

वैश्वानरं हुत्वा । शिरो वै वैश्वानरः । शीर्ष्णो वाऽअन्नमद्यते । अथो शीर्षतो वा अभिषिच्यमानोऽभिषिच्यते । मारुतान्हुत्वा । प्राणा वै मारुताः । प्राणैरु वा अन्नमद्यते । अथो प्राणेषु वा अभिषिच्यमानोऽभिषिच्यते ॥ ३ ॥

तद्वा अरण्येऽनूच्ये । वाग्वा अरण्येऽनूच्यः । वाचो वा अन्नमद्यते । अथो वाचा वा अभिषिच्यमानोऽभिषिच्यते । तदेतत्सर्वं वसु । सर्वे ह्येते कामाः । सैषा वसुमयी धारा–यथा क्षीरस्य वा, सर्पिषो वा–एवमारम्भायैवयमाज्याहुतिर्हूयते । तद् यदेषा वसुमयी धारा–तस्मादेनां वसोर्धारेत्याचक्षते ॥ ४ ॥

रणम्–'कृत्स्नम्' इति । एतैः कामैरिति । "वाजश्च मे प्रसवश्च मे" इत्यादिमन्त्रोक्ता वाजादयः काम्यमानत्वात् कामशब्देनोच्यन्ते । तैश्च 'एतया वसोर्द्धारया' च 'अभ्यषिञ्चन्' । अत एवोपरिष्टान्मन्त्रान्व्याचक्षमाणोऽमुमेवार्थम् "अनेन च त्वाऽभिषिञ्चाम्यनेन चेत्येतत्" इत्याह । अत इदानींतनोऽपि यजमानस्तथैव कृतवान् भवति । विहिता वसोर्द्धारा 'आज्येन पञ्चगृहीतेनौदुम्बर्या स्रुचा' कर्तव्या । 'तस्य' आज्यादिकस्य सर्वस्यापि ब्राह्मणं प्रागुक्तमित्याह–आज्येनेति ॥ २ ॥

अथैतस्या वैश्वानरहोमानन्तर्यं प्रशंसति–वैश्वानरं हुत्वेति । 'शीर्ष्णः' इति तृतीयार्थे पञ्चमी 'उ' इति निपातो वा गलादुपरितनस्य सप्तकस्य सर्वस्यापि शिरस्त्वान्मुखेनाद्यतेऽपिच शिरसा वाऽन्नमद्यते । किंच लोके अभिषिच्यमानः पुरुषः शिरस आरभ्यैवाभिषिच्यते । अतोऽस्य वैश्वानरस्य शिरस्त्वादन्नाभिषेकात्मिकाया वसोर्धाराया होमस्तद्धोमानन्तरमेव युज्यत इत्यर्थः । मारुतहोमानन्तर्यमप्युक्तप्रकारेणैव प्रशंसति–मारुतान्हुत्वेति । प्राणैरु वाऽ अन्नमद्यत इति । अन्नमिति शब्दादिन्द्रियार्थात्मकं भोग्यं वस्तु उच्यते । गतार्थमन्यत् ॥ ३ ॥

वसोर्धारां जुहोतीति स्थानविशेषानुपादानेन विधानादग्नौ यत्र कुत्रापि होमप्रसक्तावाह–तद्वा इति । तत्र वसोर्धाराविषयो होमोऽरण्येऽनूच्ये पुरोडाशे कर्तव्य इत्यर्थः । अत्र कात्यायनः–"वसोर्धारां जुहोत्यौदुम्बर्या

स ऽआह । (हे) इदं च मऽइदं च मऽइत्यनेन च त्वा प्रीणाम्यनेन चानेन च त्वाऽभिषिञ्चाम्यनेन चेत्येतदथोऽइदं च मे देहीदं च मऽइति सा यदैवैषा धाराऽग्निं प्राप्नुयादथैतद्यजुः प्रतिपद्येत ॥ ५ ॥

(तै) एतद्वाऽएनं देवाः । (ऽ) एतेनान्नेन प्रीत्वैतैः कामैरभिषिच्यैतया व्वसोर्धारयाऽथैनमेतान्कामानयाचन्त तेभ्य ऽइष्टः प्रीतोऽभिषिक्त ऽएतान्कामान्प्रायच्छत्तथैवैनमयमेतदेतेनान्नेन प्रीत्वैतैः कामैरभिषिच्यैतया व्वसोर्धारयाऽथैनमेतान्कामान्याचते तस्माऽइष्टः प्रीतोऽभिषिक्तऽएतान्कामान्प्रयच्छति द्वौ द्वौ कामौ संयुनक्त्यव्यवच्छेदाय यथा व्यांकसौ संयुञ्ज्यादेवं यज्ञेन कल्पन्तामिति ॥ ६ ॥

स आह–इदं च म इदं च म इति । अनेन च त्वा प्रीणामि, अनेन च, अनेन च त्वाऽभिषिञ्चामि, अनेन चेत्येतत् । अथो इदं च मे देहि, इदं च म इति । सा यदैवैषा धाराऽग्निं प्राप्नुयाद्–अथैतद्यजुः प्रतिपद्येत ॥ ५ ॥

एतद्वा एनं देवा एतेनान्नेन प्रीत्वैतैः कामैरभिषिच्य, एतया वसोर्धारयाऽथैनमेतान् कामानयाचन्त । तेभ्य इष्टः प्रीतोऽभिषिक्त एतान्कामान्प्रायच्छत् । तथैवैनमयमेतदेतेनान्नेन प्रीत्वा,

---

प्रश्नगृहीतं सन्ततं यजमानोऽरण्येऽनूच्येऽग्निप्रोते " (का. श्रौ. सू. १८ । ६६) इति । अथ तदेव वसोर्धारापदं प्रकारान्तरेण निर्वक्ति–तदेतत्सर्वमिति । यत एते सर्वे वाजादयः काम्यमानत्वात्कामाः अतः काम्यमानस्यैव वसुत्वात् तदेतत्सर्वं वाजादिकं ' वसु ' शब्देनोच्यते । तस्मात्तत्प्रतिपादकमन्त्रसाध्या 'एषा धारा' ' वसुमयी ' भवति । किञ्च ' यैवेयमाज्याहुतिर्हूयते ' ' एषा ' लोके ' यथा क्षीरस्य वा ' ' सर्पिषो वा ' ' धारा ' क्रियते । ' एवमारम्भाय ' एवमुपक्रमाय सम्पाद्यते इदानीं क्रियमाणेयमाहुतिः क्षीरादिधारावत् सम्पाद्यत इति धाराकारता प्रदर्श्यते । तथा चोक्तप्रकारेण ' एषा वसुमयी ' या ' धारा ' भवति । यत एवं ' तस्मादेनां वसोर्द्धारेत्याचक्षते ' ॥ ४ ॥

अथ प्रकृतहोमसाधनानां मन्त्राणां तात्पर्यार्थं दर्शयति–स आहेति । ' इदं च म इदं च म इति ' " वाजश्च मे प्रसवश्च मे "–इत्यादिमन्त्राणां निर्देशः । ' अनेन च ' इति ' अनेन चानेन च ' इत्यत्र हि–वाजादयो निर्दिश्यन्ते । हे अग्ने ! त्वाम् अनेन चानेन प्रीणामि । अग्ने ! त्वां वाजादिना ' अभिषिञ्चामि च ' किञ्च–इदं च मे देहीदं च मे देहीत्यर्थो मन्त्रैर्विवक्षित इत्यत आह–अथो इति । अतस्तदात्मकस्त्वं मे वाजादि देहीत्ययमर्थोऽमीभिर्मन्त्रैर्विवक्षित इत्युक्तं भवति । अन्यत्र सर्वत्र मन्त्रान्ते कर्मकरणात्, तद्वदत्रापि होमप्रसक्तावाह–सा यदैवेति । प्रतिपद्येतेति । मन्त्रेण संपाद्यत इत्यर्थः ॥ ५ ॥

अथ कथमेषोऽर्थो मन्त्रैर्विवक्षित इत्यत आह–एतद्वा इति । एतया वसोर्द्धारयेति । वसोर्द्धारानाम " वाजश्च मे "–(वा. सं. १८ । १–२९) इत्यादिमन्त्रैः क्रियमाणा आज्यधारा । अतश्च वसोर्द्धारये-

---

१–वाजश्च म इत्यष्टानुवाकेन । इति सूत्रशेषः ।

(त्ये)एतद्धै देवाऽ अब्रुवन् । (न्के) केनेमान्कामान्प्रतिग्रहीष्यामऽ इत्यात्म-
नैवेत्यब्रुवन्यज्ञो वै देवानामात्मा यज्ञऽ उऽएव यजमानस्य स यदाह यज्ञेन
कल्पन्तामित्यात्मना मे कल्पन्तामित्येवैतदाह॥७॥(काण्डस्यार्धम्२०१)॥

द्वादशसु कल्पयति । द्वादश मासाः संवत्सरः संवत्सरोऽग्निर्यावानग्नि-
र्यावत्यस्य मात्रा तावतैवैनमेतदन्नेन प्रीणात्यथो तावतैवैनमेतदन्नेनाभि-
षिञ्चति चतुर्दशसु कल्पयत्यष्टासु कल्पयति दशसु कल्पयति त्रयो-
दशसु कल्पयति ॥ ८ ॥

एतैः कामैरभिषिच्य, एतया वसोर्धारयाऽथैनमेतान्कामान्याचते । तस्मा इष्टः प्रीतोऽभिषिक्त एतान्कामान्प्रयच्छति । द्वौ द्वौ कामौ संयुनक्ति—अव्यवच्छेदाय । यथा व्योकसौ संयुञ्ज्याद्—एवं यज्ञेन कल्पन्तामिति ॥ ६ ॥

एतद्धै देवा अब्रुवन्—केनेमान्कामान्प्रतिग्रहीष्याम इति । आत्मनैवेत्यब्रुवन् । यज्ञो वै देवानामात्मा । यज्ञ उ एव यजमानस्य । स यदाह—यज्ञेन कल्पन्ताम् इति । आत्मना मे कल्पन्तामित्येवैतदाह ॥ ७ ॥

द्वादशसु कल्पयति । द्वादश मासाः संवत्सरः । संवत्सरोऽग्निः । यावानग्निर्यावत्यस्य मात्रा तावतैवैनमेतदन्नेन प्रीणाति । अथो तावतैवैनमेतदन्नेनाभिषिञ्चति । चतुर्दशसु कल्पयति, अष्टासु कल्पयति, दशसु कल्पयति, त्रयोदशसु कल्पयति ॥ ८ ॥

त्येतदेव विविच्य दर्शितम्—एतेनान्नेन प्रीत्वैतैः कामैरभिषिच्येति । 'अथ' प्रीणनाभिषेकानन्तरम् 'एनम्' अग्निम् 'एतान्' वाजादीन् 'कामान्' 'अयाचन्त' ततः 'इष्टः' कृतयागः प्रीतो भूत्वा तेभ्यः 'एतान् प्रायच्छत्' अतः तथैव 'यजमानोऽपि' कुरुते । अत एतदनुसारेण मन्त्राणामुक्तविध एवार्थो विवक्षित इति भावः । मन्त्रेषु प्रत्येकं पर्यवसाने व्यवच्छेदः स्यादिति—तदभावाय द्वौ मन्त्रौ संयुञ्ज्यादित्याह—द्वौ द्वाविति । यथेति । 'व्योकसौ' विभिन्नदेशस्थावाचार्यौ 'यथा' संयुज्येते 'एवम्' एतदपि संयोजनं भवति । मंत्रेषु तत्र तत्रावसानेषु यज्ञेन कल्पन्तामित्याम्नायते तस्येदानीमुपयोगमाह—यज्ञेन कल्पन्तामिति ॥ ६ ॥

यज्ञेन कल्पन्तामित्यत्र यज्ञशब्देनात्मनेत्यर्थो विवक्ष्यत इत्याह—एतद्धै देवा इति । पूर्वं देवाः "केनेमान्कामान्प्रतिग्रहीष्यामः" इति परस्परमुक्त्वा पश्चादात्मनैव प्रतिग्रहीष्याम इति निर्णीय 'अब्रुवन्' । 'देवानां' 'आत्मा' शरीरं यज्ञः खलु शरीरवत्सर्वभोगसाधनत्वात् । अतश्च यज्ञरूपेण देवाः कामान्प्रागृह्णन् इत्यर्थः । तद्वदेव यजमानस्यापि यज्ञ एव शरीरम् । एवं च यज्ञेन कल्पन्तामिति वचने मे आत्मनैवैते कामाः कल्पन्तामित्येवैतदुक्तं भवति ॥ ७ ॥

तद्वाक्यं द्वादशमन्त्रावसाने प्रयुञ्ज्यादित्याह—द्वादशसु कल्पयतीति । तत्र कल्पनं कथं कृत्स्नाग्निप्रीतिहेतुर्भवतीत्याह—द्वादश मासा इति । ननु सर्वत्र द्वादशस्वेव कल्पयेदिति नेत्याह—चतुर्दशसु कल्पयतीति॥८॥

(त्यु) अथार्धेन्द्राणि जुहोति । सुर्व्वमेतद्युदर्धैन्द्राणि सुर्व्वेणैवैनमेतु-
त्प्रीणात्युथो सुर्व्वेणैवैनमेतुदभिषिञ्चति ॥ ९ ॥
(त्यु) अथ ग्रहाञ्जुहोति । यज्ञो वै ग्रहा यज्ञेनैवैनमेतदन्नेन प्रीणात्युथो
यज्ञेनैवैनमेतदन्नेनाभिषिञ्चति ॥ १० ॥

इति द्वितीयप्रपाठके चतुर्थं ब्राह्मणम् ॥ ९-२-४ ॥ (३. २.) ॥

इति द्वितीयप्रपाठकः समाप्तः ॥ ९-२ ॥

कण्डिकासंख्या ॥ ९४ ॥

अथोत्तरहोमाः ।

(१) अथार्धेन्द्राणि जुहोति । सर्वमेतद्-यदर्धेन्द्राणि । सर्वेणैवैनमेतत्प्रीणाति । अथो सर्वेणैवैनमेतदभिषिञ्चति ॥ ९ ॥

(२) अथ ग्रहान् जुहोति । यज्ञो वै ग्रहाः । यज्ञेनैवैनमेतदन्नेन प्रीणाति । अथो यज्ञेनैवैनमेतदन्नेनाभिषिञ्चति ॥ १० ॥

"वाजश्च मे प्रसवश्च मे" (वा.सं.१८।१-२९)-इत्यारभ्याष्टाभिरनुवाकैरेषा वसोर्धारा हूयते तत्रैकस्मिन्ननुवाके "अग्निश्च म इन्द्रश्च मे, सोमश्च म इन्द्रश्च मे" (वा. सं. १८ । १६-१८) इत्यादयो मन्त्राः समाम्नाताः । तत्र द्वौ द्वौ संयुनक्तीति वचनेन द्वयोर्द्वयोरवसानविधानात् प्रतिमन्त्रं "इन्द्रश्च मे"-इत्येतदर्द्धं भवति । अतस्ते मन्त्रा अर्द्धेन्द्रशब्देनोच्यन्ते । अतश्च 'अथार्द्धेन्द्राणि' इत्यनेन तन्मन्त्रसाध्यं होमं स्तोतुमनुवदति-अथार्द्धेन्द्राणीति । अर्द्धेन्द्राणीति शब्दो मन्त्रवाक्यपरः तद्वैशिष्ट्येन द्रव्यस्य होमादुपचारेणार्द्धेन्द्राणि जुहोतीत्युक्तम् । एवमुत्तरत्रापि । अर्धेन्द्रमन्त्रकरणकान्होमान्कुर्यादित्यर्थः । सर्वाधिपतित्वेन सर्वस्येन्द्रसंबंधादर्धेन्द्राणामपि सर्वत्वात्तत्करणकहोमे कृते सर्वेणैवान्नेनैनमग्निं प्रीणात्यभिषिञ्चति चेत्याह-सर्वमेतदिति ॥ ९ ॥

"अंशुश्च मे-रश्मिश्च मे" (वा. सं. १८ । १९-२१)-इत्यादयो मन्त्रा ग्रहप्रतिपादकत्वाद् ग्रहाः तत्साध्यमपि होममनूद्य प्रशंसति-अथ ग्रहानिति । यज्ञो वै ग्रहा इति । यज्ञसाधनत्वाद् ग्रहाणां यज्ञत्वम् ॥ १० ॥

इति श्रीसायणाचार्यविरचिते माधवीये वेदार्थप्रकाशे माध्यन्दिनीयशतपथब्राह्मणभाष्ये नवमकाण्डे तृतीयेऽध्याये द्वितीयं ब्राह्मणम् ॥ (९-३-२) ॥

अथ तृतीयप्रपाठके प्रथमं ब्राह्मणम् ।

तृतीयेऽध्याये च तृतीयं ब्राह्मणम् ।

अथैतान्यज्ञक्रतूञ्जुहोति । (त्य) अग्निश्च मे घर्मश्च मऽइत्येतैरेवैनमेतद्यज्ञक्रतुभिः प्रीणात्यथोऽएतैरेवैनमेतद्यज्ञक्रतुभिरभिषिञ्चति ॥ १ ॥

(त्यु) अथायुज स्तोमाञ्जुहोति । (त्ये) एतद्वै देवाः सर्व्वान्कामानाप्त्वाऽयुग्भि स्तोमैः स्वर्गं लोकमायंस्तथैवैतद्यजमानः सर्व्वान्कामानाप्त्वाऽयुग्भि स्तोमैः स्वर्गं लोकमेति ॥ २ ॥

तद्वै त्रयस्त्रिँशशादिति । (त्यु) अन्तो वै त्रयस्त्रिँशोऽयुजाँ स्तोमानामन्ततऽ एव तद्देवाः स्वर्गं लोकमायंस्तथैवैतद्यजमानोऽन्ततऽ एव स्वर्गं लोकमेति ॥ ३ ॥

---

(३) अथैतान्यज्ञक्रतून् जुहोति । "अग्निश्च मे घर्मश्च मे"-(वा. सं. १८ । २२) इति । एतैरेवैनमेतद्यज्ञक्रतुभिः प्रीणाति । अथो एतैरेवैनमेतद्यज्ञक्रतुभिरभिषिञ्चति ॥ १ ॥

(४) अथायुज स्तोमाञ्जुहोति । एतद्वै देवाः सर्वान्कामानाप्त्वाऽयुग्भिः स्तोमैः स्वर्गं लोकमायन् । तथैवैतद्यजमानः सर्वान्कामानाप्त्वाऽयुग्भि स्तोमैः स्वर्गं लोकमेति ॥ २ ॥

तद्वै त्रयस्त्रिंशादिति । अन्तो वै त्रयस्त्रिंशः–अयुजां स्तोमानाम् । अन्तत एव तद्देवाः स्वर्गं लोकमायन् । तथैवैतद्यजमानोऽन्तत एव स्वर्गं लोकमेति ॥ ३ ॥

अथ पूर्ववद्यज्ञक्रतुमन्त्रसाध्यहोमं प्रशंसति–अथैतानिति । "अग्निश्च मे घर्मश्च मे" (वा. सं. १८ । २२ । २३) इत्यादयो मन्त्रा यज्ञक्रतवः । तत्राऽग्न्यादिपदानां यज्ञक्रतुप्रतिपादकत्वात् ॥ १ ॥

"एका च मे तिस्रश्च मे" (वा. सं. १८ । २४) इत्यादयो मन्त्रा अयुजस्तोमाः तत्साध्यं होमं प्रशंसति–अथायुज इति । स्तोमशब्दः स्तोत्रीया आचष्टे ॥ २ ॥

अत्र च एकादिशब्दास्त्रयस्त्रिंशस्तोमस्यावधित्वं प्रतिपादयन्ति । "स्तोमे डविधिः पञ्चदशाद्यर्थम्" (पा. सू. ५ । ४ । ७२ वा.) इति त्रयस्त्रिंशच्छब्दात् डप्रत्यये–टिलोपे त्रयस्त्रिंशः इति भवति । 'अयुजां स्तोमानां' त्रयस्त्रिंशस्तोम एवान्तिमो भवति । ततः परस्यायुजस्तोमस्याभावात् । देवाश्च सर्वान् कामानाप्त्वा 'अन्ततः' 'स्वर्गं लोकं' गतवन्तः । अतश्च यजमानोऽपि त्रयस्त्रिंशस्तोमपर्यन्तं होमेन सर्वान् कामानाप्त्वा अन्ततः स्वर्गं लोकं प्राप्नोति ॥ ३ ॥

(त्यु) अथ युग्मतो जुहोति । (त्ये) एतद्वै छन्दाᳩंस्यब्रुवन्यातयामा वाऽअयुज स्तोमा युग्मभिर्व्वयᳫं स्तोमैः स्वर्गं लोकमयामेति तानि युग्मभि स्तोमैः स्वर्गं लोकमायंस्तथैवैतद्यजमानो युग्मभि स्तोमैः स्वर्गं लोकमेति ॥ ४ ॥

तद्वाऽअष्टाचत्वारिᳩंशादिति । (त्यु) अन्तो वा ऽअष्टाचत्वारिᳩंशो युग्मताᳫं स्तोमानामन्तत ऽएव तच्छन्दाᳩंसि स्वर्गं लोकमायंस्तथैवै-तद्यजमानोऽन्ततऽ एव स्वर्गं लोकमेति ॥ ५ ॥

सऽ आह । (है) एका च मे तिस्रश्च मे चतस्रश्च मेऽष्टौ च मऽइति यथा व्वृक्षᳫं रोहन्नुत्तरामुत्तराᳫं शाखाᳫं समालम्भᳫं रोहेत्ताद्दक्तद्यद्देव स्तोमाञ्जुहोत्यन्नं वै स्तोमा ऽअन्नेनैवैनमेतदभिषिञ्चति ॥ ६ ॥

(त्यु) अथ व्वयाᳩंसि जुहोति । पशवो वै व्वयाᳩंसि पशुभिरेवैनमे-तदन्नेन प्रीणात्यथो पशुभिरेवैनमेतदन्नेनाभिषिञ्चति ॥ ७ ॥

---

(५) अथ युग्मतो जुहोति । एतद्वै छन्दांस्यब्रुवन्-यातयामा वा अयुजः । स्तोमाः, युग्मभिर्वयं स्तोमैः स्वर्गं लोकमयामेति । तानि युग्मभिः स्तोमैः स्वर्गं लोकमायन् । तथैवैतद्यजमानो युग्मभिः स्तोमैः स्वर्गं लोकमेति ॥ ४ ॥

तद्वा अष्टाचत्वारिंशादिति । अन्तो वा अष्टाचत्वारिंशो युग्मतां स्तोमानाम् । अन्तत एव तच्छन्दांसि स्वर्गं लोकमायन् । तथैवैतद्यजमानोऽन्तत एव स्वर्गं लोकमेति ॥ ५ ॥

स आह-" एका च मे तिस्रश्च मे "-" चतस्रश्च मेऽष्टौ च मे "-(वा. सं. १८ । २४-२५) इति । यथा वृक्षं रोहन्नुत्तरामुत्तरां शाखां समालम्भं रोहेत्-तादृक्तत । यद्देव स्तोमाञ्जुहोति । अन्नं वै स्तोमाः । अन्नेनैवैनमेतदभिषिञ्चति ॥ ६ ॥

(६) अथ वयांसि जुहोति । पशवो वै वयांसि । पशुभिरेवैनमेतदन्नेन प्रीणाति । अथो पशु-भिरेवैनमेतदन्नेनाभिषिञ्चति ॥ ७ ॥

"चतस्रश्च मेऽष्टौ च मे" (वा. सं. १८ । २५)-इत्यादयो मन्त्राः युग्मतः, तन्मन्त्रसाध्यं होमं प्रशंसति-अथेति । पूर्वं छन्दांसि अयुजः । स्तोमाः सर्वत्र प्रयोगात् ' यातयामाः ' अतश्च युग्मभूतैः स्तोमैः ' स्वर्गं लोकं ' गमिष्याम इत्युक्त्वा तथैव अकुर्वन् । ततश्च युग्मतो होमेन तथैव यजमानोऽपि करोति ॥ ४ ॥

अत्रापि पूर्ववदवधिं प्रशंसति-तद्वा अष्टाचत्वारिंशादिति ॥ ५ ॥

अथ तत्रोत्तरोत्तरस्तोमपरिग्रहे वृक्षशाखारोहणक्रमेण तानेव द्विविधान् स्तोमान् स्तौति-स आहेति । अथ पुनस्तानेव स्तोमान् अन्नात्मना प्रशंसति-यद्देव स्तोमानिति । अन्नसाधनत्वात्स्तोमानामन्नत्वम् ॥ ६ ॥

" त्र्यविश्च मे त्र्यवी च मे " (वा. सं. १८ । २६ । २७) इत्यादयो मन्त्राः वयांसि एकहायन-

(त्यु) अ॒थ नामग्राहं जुहोति । (त्ये) एतद्वै देवाः स॒र्वान्कामानाप्त्वाऽथै॒तमे॒व प्रत्य॒क्षमप्रीणं॒स्तथै॒वैतद्य॒जमानः स॒र्वान्कामानाप्त्वाऽथै॒तमे॒व प्रत्य॒क्षं प्रीणाति वा॒जाय स्वा॒हा प्रसवाय स्वाहे॒ति ना॒मान्यस्यै॒तानि नामग्राह॒मे॒वैनमेतत्प्रीणाति ॥ ८ ॥

त्र॒योदशै॒तानि ना॒मानि भवन्ति । त्र॒योदश मा॒साः संव्वत्सरस्त्र॒योदशा॒ग्ने॒श्चितिपुरीषाणि या॒वानग्नि॒र्या॒वत्यस्य मा॒त्रा ता॒वतै॒वैनमेत॒त्प्रीणाति य॒द्वे॒व नामग्राहं जुहोति नामग्राहमे॒वैनमेतद॒भिषिञ्चति ॥ ९ ॥

(त्यु) अ॒थाह । (हे) इ॒यं ते रा॒ण्मित्रा॒य य॒न्ताऽसि य॒मन ऽ ऊ॒र्जे त्वा

---

(७) अथ नामग्राहं जुहोति । एतद्वै देवाः सर्वान्कामानाप्त्वा-अथैतमेव प्रत्यक्षमप्रीणन् । तथैवै-तद्यजमानः सर्वान्कामानाप्त्वा-अथैतमेव प्रत्यक्षं प्रीणाति । "वाजाय स्वाहा, प्रसवाय स्वाहा "-(वा. सं. १८ । २८) इति । नामान्यस्यैतानि । नामग्राहमेवैनमेतत्प्रीणाति ॥ ८ ॥

त्रयोदशैतानि नामानि भवन्ति । त्रयोदश मासाः संवत्सरः । त्रयोदशाग्नेश्चितिपुरीषाणि । यावानग्निर्यावत्यस्य मात्रा-तावतैवैनमेतत्प्रीणाति । यद्वेव नामग्राहं जुहोति । नामग्राहमेवैनमेतदभि-षिञ्चति ॥ ९ ॥

अथाह-" इयं ते राण्मित्राय यन्ताऽसि यमन ऊर्जे त्वा वृष्ट्यै त्वा प्रजानां

प्रभृत्याप्यायनात्पशवो वै वयांसि इत्युच्यन्ते, तत्र तेषां प्रतिपादनात् । ततस्तन्मन्त्रसाध्यं होमं प्रशंसति-अथ वयांसीति ॥ ७ ॥

" त्र्यविश्च मे त्र्यवी च मे " इत्यादिमन्त्राणामवसाने केचन " वाजाय स्वाहा " (वा. सं. १८।२८) इत्यादयो मन्त्राः समाम्नाताः । तन्मन्त्रसाध्यं होमं प्रशंसति-अथेति । नामग्राहं जुहोतीति । नाम गृहीत्वा जुहुयात् । " नाम्न्यादिशिग्रहोः " (पा. सू. ३ । ४ । ५८) इति नामशब्दे उपपदे ग्रहेर्णमुल् प्रत्ययः । पूर्ववदेव-" वाजश्च मे प्रसवश्च मे "-इत्यादिभिर्मन्त्रैः ' सर्वान्कामानाप्त्वा ' अथ तमेवाग्निं ' प्रत्यक्षमप्रीणन् ' अतश्चैतेन तथैव यजमानोऽपि करोति । अत्र " वाजाय स्वाहा " इत्यादिमन्त्रेषु तु चतुर्थ्या सम्प्रदानत्वप्रतीतेर्द्रव्यदेवतासम्बन्धः प्रत्यक्ष इति ' प्रत्यक्षमप्रीणन् ' इत्युक्तम् । न चैवं ' वाजश्च मे '-इत्यादिषु द्रव्यदेवतासम्बन्धः प्रत्यक्षः किन्तु प्रथमया निर्दिष्टत्वात्परोऽक्षः । ननु कानि नामानि यानि गृहीत्वा होमः क्रियत इति तत्राह-वाजाय स्वाहेति ॥ ८ ॥

अथ तेषां मन्त्राणां संख्या कृत्स्नाग्निप्रीतिहेतुर्भवतीति प्रशंसति-त्रयोदशैतानि नामानीति । ' त्रयोदशाग्नेश्चितिपुरीषाणि ' सप्त चितयः सप्तमचितौ पुरीषाभावात् षडेव पुरीषाणीति मिलित्वा चितिपुरीषाणि त्रयोदश भवन्तीत्यर्थः । स्पष्टमन्यत् ॥ ९ ॥

वाजाय स्वाहेत्यादिमन्त्रहोमानन्तरम् " इयं ते राट् " इति मन्त्रस्य प्रयोगं विधत्ते-अथाहेति । मन्त्रे

वृष्ट्यै त्वा प्रजानां त्वाऽऽधिपत्यायेत्युन्नं वाऽऊर्गुन्नं वृष्टिरुन्नेनैवैनमे-
तत्प्रीणाति ॥ १० ॥

युद्देवाह । (हे) इयं ते राणिमत्राय युन्ताऽसि युमनऽ ऊर्जे त्वा वृष्ट्यै त्वा प्रजानां त्वाऽऽधिपत्यायेतीदं ते राज्यमभिषिक्तोऽसीत्येतुन्मित्रस्य त्वं युन्ताऽसि युमनऽऊर्जे च नोऽसि वृष्ट्यै च नोऽसि प्रजानां च नऽआधिपत्यायासीत्युपब्रुवतऽएवैनमेतदेतुस्मै नः सुर्वस्माऽअुस्येतुस्मै त्वा सुर्वस्माऽअुभ्यषिचामहीति तुस्मादु हेदं मानुषᳩं राजानमभिषिक्तमुपब्रुवते ॥ ११ ॥

त्वाऽऽधिपत्याय "-(वा० सं० १८ । २८) इति । अन्नं वा ऊर्क् । अन्नं वृष्टिः । अन्नेनैवैन मेतत्प्रीणाति ॥ १० ॥

यद्देवाह-इयं ते राणिमत्राय यन्ताऽसि यमन ऊर्जे त्वा वृष्ट्यै त्वा प्रजानां त्वाऽऽधिपत्यायेति, इ ते राज्यम्, अभिषिक्तोऽसीत्येतत् । मित्रस्य त्वं यन्ताऽसि यमन ऊर्जे च नोऽसि वृष्ट्यै च नोऽसि प्रजानां च न आधिपत्यायासि-इति । उपब्रुवत एवैनमेतत् । एतस्मै नः सर्वस्मा असि एतस्मै त्वा सर्वस्मा अभ्यषिचामहि-इति । तस्मादु हेदं मानुषं राजानमभिषिक्तमुपब्रुवते ॥ ११

'ऊर्जे त्वा वृष्ट्यै' इति प्रयुज्यते । उर्क् इति साक्षादन्नमुच्यते, वृष्टिरन्नहेतुत्वादन्नम् । ततश्च 'ऊर्जे' 'वृष्ट्यै' इत्यनेनान्नस्य प्रतीतेरन्नेनैवैनमग्निं प्रीणातीत्याह-अन्नं वा इति ॥ १० ॥

अथ तमेव मन्त्रं व्याख्यातुमनुवदति-यद्देवाहेति । व्याचष्टे- इदं इति । यतः 'अभिषिक्तोऽसि' अत 'इदं राज्यम्' तवैवेत्येतदुक्तं भवति । 'इयं ते' इत्यनेनाभिषिक्तत्वादेव 'त्वं मित्रस्य यन्ताऽसि' किञ्च 'नः अस्मत्संबन्धिनो यजमानस्य 'ऊर्जे च नः यमनोऽसि' यमयतीति यमनो नियन्ता । "कृत्यल्युटो बहुलम्"- (पा. सू. ३ । ३ । ११३) इति कर्तरि ल्युट् । 'वृष्ट्यै च प्रजानामाधिपत्याय च' 'नोऽसि इत्यनेन प्रकारेण 'एनम' 'उपब्रुवते' एवं स्तुत्या प्रोत्साहयत्येवैनमेतेनेत्यर्थः । मन्त्रे 'ऊर्जे त्वा वृष्ट्यै त्वा इति त्वाशब्दः प्रयुज्यते । तस्य कथमन्वय इति तत्राह-सर्वस्मा इति । 'अस्य' यजमानस्य 'एतस्मै ऊर्जे अन्नभूताय 'सर्वस्मै' त्वाम् 'अभ्यषिचामहीति' संबन्ध इत्यर्थः । 'अभ्यषिचामहि' इति "आत्मनेपदेष्वन्यतरस्याम्"-(पा. सू. ३ । १ । ५४) इति च्लेरङादेशः । तदयं मन्त्रस्यार्थः हे अग्ने ! त्वमभिषिक्तोऽसि, अतस्तवेदं राज्यं भवति । मित्रायेति षष्ठ्यर्थे चतुर्थी (पा. सू. २ । ३ । ६२ वा०) । मित्रस्य च नियन्ताऽसि यजमानस्य ऊर्जे त्वामभ्यषिचामहि, वृष्ट्यै च त्वामभ्यषिचामहि, प्रजानामाधिपत्याय च त्वामभ्यषिचामहि, अतस्तस्य सर्वस्यापि यमनोऽसि । यतः एतं देवानां राजानमग्निमुपब्रुवते तस्मात् 'अभिषिक्तं मानुषम्' अपि राजानमेवमुपब्रुवते इत्याह-तस्मादिति । तवेदं राज्यम् अतोऽस्माकं सर्वेषां सर्वविषये त्वमेव नियापक एक इत्येवमादि उपब्रुवते इत्यर्थः ॥ ११ ॥

(तेऽथ) अथ कल्पाञ्जुहोति । प्राणा वै कल्पाः प्राणानेवास्मिन्नेतद्दधात्यायुर्यज्ञेन कल्पतां प्राणो यज्ञेन कल्पतामित्येतानेवास्मिन्नेतत्क्लृप्तान्प्राणान्दधाति ॥ १२ ॥

द्वादश कल्पाञ्जुहोति । द्वादश मासाः संव्वत्सरः संव्वत्सरोऽग्निर्यावानग्निर्यावत्यस्य मात्रा तावतैवास्मिन्नेतत्क्लृप्तान्प्राणान्दधाति यद्वेव कल्पाञ्जुहोति प्राणा वै कल्पाऽअमृतमु वै प्राणाऽअमृतेनैवैनमेतदभिषिञ्चति ॥ १३ ॥

(त्यु) अथाह । स्तोमश्च यजुश्चऽर्क्च साम च बृहच्च रथन्तरं चेति त्रयी ह्येषा विद्याऽन्नं वै त्रयी विद्याऽन्नेनैवैनमेतत्प्रीणात्यथोऽअन्नेनैवैनमेतदभिषिञ्चति स्वर्देवा ऽअगन्मामृताऽ अभूमेति स्वर्हि गच्छत्यमृतो हि भवति प्रजापतेः प्रजाऽअभूमेति प्रजापतेर्हि प्रजा भवति वेट् स्वाहेति वषट्कारो

---

(८) अथ कल्पाञ्जुहोति । प्राणा वै कल्पाः । प्राणानेवास्मिन्नेतद्दधाति । "आयुर्यज्ञेन कल्पताम्, प्राणो यज्ञेन कल्पताम्"–(वा. सं. १८ । २९) इति । एतानेवास्मिन्नेतत्क्लृप्तान्प्राणान्दधाति ॥ १२ ॥

द्वादश कल्पाञ्जुहोति । द्वादश मासाः सम्वत्सरः । सम्वत्सरोऽग्निः । यावानग्निर्यावत्यस्य मात्रा– तावतैवास्मिन्नेतत्क्लृप्तान्प्राणान्दधाति । यद्वेव कल्पाञ्जुहोति । प्राणा वै कल्पाः । अमृतमु वै प्राणाः । अमृतेनैवैनमेतदभिषिञ्चति ॥ १३ ॥

अथाह । "स्तोमश्च यजुश्च ऋक्च साम च बृहच्च रथन्तरं च"–इति । त्रयी ह्येषा विद्या । अन्नं वै त्रयी विद्या । अन्नेनैवैनमेतत्प्रीणाति । अथो अन्नेनैवैनमेतदभिषिञ्चति ।

अथ कल्पहोमं प्रशंसति–अथ कल्पानिति । "कृपि" (धा. पा. भ्वा. आ. ७६३) धातुसाहित्येन मन्त्राणां कल्पशब्देनाभिधानम् । प्राणप्रतिपादकरूपत्वात् कल्पानां प्राणत्वमित्यभिप्रायेणोक्तम्–प्राणा वै कल्पाः इति । एतानेवास्मिन्निति । 'एतानेव' आयुरादीनेव कृत्स्नान् 'प्राणान्' 'अस्मिन्' अग्नौ निदधाति । प्राणानेवास्मिन्नेतद्दधातीति परोऽक्षेणोक्तान्–'एतानेवास्मिन्' इति प्रत्यक्षेण दर्शयति ॥ १२ ॥

कल्पहोमा द्वादश भवन्ति । अग्निश्च द्वादशमाससंवत्सरात्मकः, अतस्तत्संमितेनैवैतेनाग्निं प्रीणाति–इत्याह–द्वादश कल्पानिति । अथ तानेव कल्पान्प्रकारान्तरेण प्रशंसति–यद्वेव कल्पानिति । अमृतमु वै प्राणा इति । प्राणसंबन्धे मरणाभावात् प्राणाः अमृतं खल्वित्यर्थः ॥ १३ ॥

अथान्तिमं मन्त्रं व्याचष्टे- अथाह स्तोमश्चेति । त्रयी ह्येषा विद्येति । 'यजुश्च ऋक् च साम च' इत्युक्तत्वात् एतानि यजुरादीनि 'विद्या' खलु । 'एषा' इति स्त्रीलिङ्गम् 'त्रयी विद्या' इति विधेयापे-

हैषु परो॒ऽक्षं यद्वेट्का॑रो॒ व॑षट्का॒रेण॑ वा वै स्वा॑हाका॒रेण॑ वा दे॒वेभ्यो॑ऽन्नं प्र॒दीय॑ते त॒देन॑मे॒ताभ्या॑मु॒भाभ्यां॑ प्रीणाति॒ व॑षट्का॒रेण॑ च स्वाहाका॒रेण॒ चाथो॑ऽए॒ताभ्या॑मे॒वैन॑मे॒तदु॒भाभ्या॑मभि॒षिञ्च॒त्यत्र॒ ताᳫँ स्रु॒चम॑नु॒प्रास्य॑ति॒ यद॒त्राज्य॑लिप्तं तन्ने॒द्वहि॒र्धाऽग्नेर॑स॒दिति॑ ॥ १४ ॥

त॒स्यै वा॑ ऽए॒तस्यै॒ व॒सोर्धा॒रायै॑ । द्यौरे॒वात्माऽभ्रमू॒धो॒ वि॒द्युत्स्त॒नो धा॒रैव धारा॑ दि॒वो॑ऽधि॒ गामा॒गच्छ॑ति ॥ १५ ॥

त॒स्यै गौरे॒वात्मा । (त्मो) ऊध॒ ऽए॒वोध॒ स्त॒न॒ स्त॒नो धा॒रैव॒ धारा॒ गोर॒धि य॒जमा॑नम् ॥ १६ ॥

" स्वर्देवा अगन्मामृता अभूम "–इति । स्वर्हि गच्छति, अमृतो हि भवति । " प्रजापतेः प्रजा अभूम "–इति । प्रजापतेर्हि प्रजा भवति । " वेट् स्वाहा "–(वा. सं. १८ । २९) इति । वषट्कारो हैष परोऽक्षं–यद्वेट्कारः । वषट्कारेण वा वै स्वाहाकारेण वा देवेभ्योऽन्नं प्रदीयते । तदेनमेताभ्यामुभाभ्यां प्रीणाति–वषट्कारेण च स्वाहाकारेण च । अथो एताभ्यामेवैनमेतदुभाभ्यामभिषिञ्चति । अत्र तां स्रुचमनुप्रास्यति–यदत्राज्यलिप्तम् । तन्नेद्बहिर्धाऽग्नेरसदिति ॥ १४ ॥

तस्यै वा एतस्यै वसोर्धारायै । द्यौरेवात्मा, अभ्रमूधः, विद्युत्स्तनः, धारैव धारा (१) । दिवोऽधि गामागच्छति ॥ १५ ॥

तस्यै गौरेवात्मा, ऊध एवोधः, स्तनः स्तनः, धारैव धारा (२) । गोरधि यजमानम् ॥ १६ ॥

क्षम् । त्रय्या विद्याया नानाविधफललक्षणस्यानन्तस्य हेतोः कर्मणः प्रतिपादकत्वादनन्तत्वम् । यतोऽस्मिन्नवसरे यजमानः स्वर्गं गच्छति, अमृतो भवति अत उच्यते मन्त्रेण सोऽयं इत्याह–स्वर्देवा इति । यतः सर्वा अपि 'प्रजाः' प्रजापतेरेव सम्बन्धिन्यो भवन्ति, अतस्तमर्थमाहेति व्याचष्टे–प्रजापतेरिति । वेट्कारस्य परोऽक्षे वषट्कारत्वात् वषट्कारेण स्वाहाकारेण देवेभ्योऽन्नप्रदानत्वात् वेट् स्वाहेति प्रयोगेणोभाभ्यां वषट्कारस्वाहाकाराभ्याम् 'एनम्' 'प्रीणाति' 'अभिषिञ्चति च' इत्याह–वेट्स्वाहेतीति । अस्मिन्नवसरे अग्नौ स्रुचम् प्रास्येदिति विधत्ते–अत्रेति । 'आज्यलिप्तम्' लिप्तमाज्यम् " वाऽऽहिताग्न्यादिषु "–(पा. सू. २।२।३७) आहिताग्न्यादित्वान्निष्ठायाः परनिपातः । अत्र स्रुचि यल्लिप्तमाज्यं तदग्नेर्बहिर्माऽस्त्विति तामौदुम्बरीं स्रुचमग्नौ 'अनुप्रास्यति' प्रक्षिपेदित्यर्थः ॥ १४ ॥

अथैतस्या वसोर्धारायाः द्युलोकादिषु गवाकारताप्रदर्शनेन पर्याप्तिं दर्शयति–तस्यै वा एतस्या इति । तस्या एतस्या देवान् प्राप्ताया वसोर्धारायाः द्युलोक एवात्मा शरीरम् 'अभ्रम्' मेघः स एव 'ऊधः' 'विद्युत्' एव 'स्तनः' जलधारैव 'धारा' उक्तप्रकारेण द्युलोके गवाकारा वसोर्धारा दिवः सकाशाद्गामभ्यागच्छति ॥ १५ ॥

तत्र तस्याः वसोर्धारायाः 'गौरेवात्मा' 'ऊध एव ऊधः' । 'स्तनः' एव 'स्तनः' 'धारैव' क्षीरधारा । एवं गवि गवाकारा सा गौः गोः सकाशाद्यजमानमभ्यागच्छति ॥ १६ ॥

तस्यै यजमान एवात्मा बाहुरूधः स्रुक्स्तनो धारेव धारा यजमाना-
दधि देवान्देवेभ्योऽधि गां गोऽधि यजमानं तदेतदनन्तमक्षय्यं देवाना-
मन्नं परिप्लवते स यो हैतदेवं वेदैवꣳ हैवास्यैतदनन्तमक्षय्यमन्नं भव-
त्यथातः सम्पदेव ॥ १७ ॥

तदाहुः । कथमस्यैषा वसोर्धारा संवत्सरमग्निमाप्नोति कथꣳ संव-
त्सरेणाग्निना सम्पद्यत इति षष्टिश्च ह वै त्रीणि च शतान्येषा वसोर्धाराऽथ
षडथ पञ्चत्रिंशत्ततो यानि षष्टिश्च त्रीणि च शतानि तावन्ति संवत्सर-
स्याहानि तत्संवत्सरस्याहान्याप्नोत्यथ यानि षट्षड्वा ऋतवस्तदृ-
तूनाꣳ रात्रीराप्नोति तदुभयानि संवत्सरस्याहोरात्राण्याप्नोत्यथ यानि
पञ्चत्रिꣳशत्स त्रयोदशो मासः स आत्मा त्रिꣳशदात्मा प्रतिष्ठा द्वे प्राणा
द्वे शिर एव पञ्चत्रिꣳशमेतावान्वै संवत्सर एवमु हास्यैषा वसोर्धारा
संवत्सरमग्निमाप्नोत्येवꣳ संवत्सरेणाग्निना सम्पद्यत एतावत्य उ वै
शाण्डिलेऽग्नौ मध्यतो यजुष्मत्य इष्टका उपधीयन्तेऽमुयो हैते पृथग्यु-
देता इष्टका एवमु हास्यैतेऽमुयः पृथग्वसोर्धारयाऽभिहुता भवन्ति ॥ १८ ॥

तस्यै यजमान एवात्मा, बाहुरूधः, स्रुक् स्तनः, धारैव धारा (३) । यजमानादधि देवान् । देवेभ्योऽधि गाम् । गोरधि यजमानम् । तदेतदनन्तमक्षय्यं देवानामन्नं परिप्लवते । स यो हैतदेवं वेद–एवं हैवास्यैतदनन्तमक्षय्यमन्नं भवति । अथातः सम्पदेव ॥ १७ ॥

तदाहुः–कथमस्यैषा वसोर्धारा संवत्सरमग्निमाप्नोति, कथं संवत्सरेणाग्निना सम्पद्यत इति । षष्टिश्च ह वै त्रीणि च शतानि एषा वसोर्धारा, अथ षट्, अथ पञ्चत्रिंशत् । ततो यानि षष्टिश्च त्रीणि च शतानि–तावन्ति संवत्सरस्याहानि । तत्संवत्सरस्याहान्याप्नोति । अथ यानि षट् ।

तत्र तस्या यजमान एव शरीरम् । यजमानसम्बन्धी बाहुरेवोधः । बाहुस्था स्रुगेव स्तनः । धारैव आज्य-
धारा । एवं यजमाने च गवाकारा वसोर्द्धारा यजमानाद्देवानागच्छति । देवेभ्यो गाम् । गोश्च यजमानम् । पुन-
रप्येवमेवागच्छति । एवञ्च एतद्वसोर्द्धारात्मकं देवानामन्नम् 'अनन्तम्' अत एव 'अक्षय्यम्' सत् 'परिप्ल-
वते' पर्यावर्तते । यजमानेन हुता वसोर्द्धारा देवादीन् प्राप्नोति । तया प्रीता देवाश्च यजमानाय पशून् सम-
र्पयन्ति । ततस्तद्भवमाज्यं यजमानमेति । तेन चाज्येन पुनर्देवेभ्यो वसोर्द्धारा हूयते । इत्यनेनाभिप्रायेण वसोर्द्धारा
गवाकारेण पुनः पुनः पर्यावर्तत इत्युक्तम् । उक्तार्थवेदनं प्रशंसति–स यो हैतदेवं वेदेति । अथास्याः वसो-
र्द्धारायाः सम्पत्तिमभिधातुं प्रतिजानीते–अथातः सम्पदेवेति ॥ १७ ॥

षष्टिश्च ह वै त्रीणि चेति । आवृत्तमन्त्रसाहित्येन यजूंषि षष्टिश्चेत्यादिनोक्तसंख्यानि भवन्ति ।

तदाहुः । कथमस्यैषा व्वसोर्धारा महदुक्थमाप्नोति कथं महतोक्थेन सम्पद्यत ऽइत्येतस्याऽएव व्वसोर्धारायै यानि नव प्रथमानि यजूᳪंषि तत्त्रिवृच्छिरोऽथ यान्यष्टाचत्वारिᳪंशत्तौ चतुर्विᳪंशौ पक्षावथ यानि पञ्चविᳪंशतिः स पञ्चविᳪंशऽ आत्माऽथ यान्येकविᳪंशतिस्तदेकविᳪंशम्पुच्छमथ यानि त्रयस्त्रिᳪंशत्स व्वशोऽथ याऽ अशीतयः सैवाशीतीनामाप्तिरशीतिभिर्हि महदुक्थमाख्यायतेऽथ यदूर्ध्वमशीतिभ्यो यदेवादो महतऽउक्थस्योर्ध्वमशीतिभ्यऽ एतदस्य तदेवमु हास्यैषा व्वसोर्धारा महदुक्थमाप्नोत्येवं महतोक्थेन सम्पद्यते ॥ १९ ॥

इति तृतीयप्रपाठके प्रथमं ब्राह्मणम् ॥ ९।३।१ ॥ (३-३)

षड्वा ऋतवः । तदृतूनां रात्रीराप्नोति । तदुभयानि संवत्सरस्याहोरात्राण्याप्नोति । अथ यानि पञ्चत्रिंशत् । स त्रयोदशो मासः । स आत्मा । त्रिंशदात्मा । प्रतिष्ठा द्वे । प्राणा द्वे । शिर एव पञ्चत्रिंशम् । एतावान् वै संवत्सरः । एवमु हास्यैषा वसोर्धारा संवत्सरमग्निमाप्नोति । एवं संवत्सरेणाग्निना सम्पद्यते । एतावतय उ वै शाण्डिलेऽग्नौ मध्यतो यजुष्मत्य इष्टका उपधीयन्ते । अग्नयो हैते पृथग्-यदेता इष्टकाः । एवमु हास्यैतेऽग्नयः पृथग् वसोर्धारयाऽभिहुता भवन्ति ॥ १८ ॥

तदाहुः-' कथमस्यैषा वसोर्धारा महदुक्थमाप्नोति, कथं महतोक्थेन सम्पद्यते ' इति । एतस्या एव वसोर्धारायै यानि नव प्रथमानि यजूंषि-तत्त्रिवृच्छिरः । अथ यान्यष्टाचत्वारिंशत्-तौ चतुर्विंशौ पक्षौ । यानि पञ्चविंशतिः-स पञ्चविंश आत्मा । अथ यान्येकविंशतिः-तदेकविंशं पुच्छम् । अथ यानि त्रयस्त्रिंशत्-स वशः । अथ या अशीतयः-सैवाशीतीनामाप्तिः । अशीतिभिर्हि महदुक्थमाख्यायते । अथ यदूर्ध्वमशीतिभ्यो-यदेवादो महत उक्थस्योर्ध्वमशीतिभ्यः एतदस्य तत् । एवमु हास्यैषा वसोर्धारा महदुक्थमाप्नोति, एवं महतोक्थेन सम्पद्यते ॥ १९ ॥

' एतस्या एव वसोर्द्धारायै यानि नव प्रथमानि ' इत्यादिना वसोर्द्धारासंबन्धिनामुक्तसंख्याकानां यजुषां क्रमेण विभज्य विनियोगः प्रदर्श्यते । ' अथ यानि त्रयस्त्रिंशत्स वशः ' वशशब्देन प्रजोत्पत्तिस्थानमुच्यते । गतमन्यत् ॥ १८ ॥ १९ ॥

इति श्रीसायणाचार्यविरचिते माधवीये वेदार्थप्रकाशे माध्यन्दिनीयशतपथब्राह्मणभाष्ये नवमकाण्डे तृतीयेऽध्याये तृतीयं ब्राह्मणम् ॥ (९-३-३) ॥

अथातो वाजप्रसवीयं जुहोति । (त्यु) अन्नं वै वाजोऽन्नप्रसवीयꣳ
हास्यैतदन्नमेवास्माऽएतेन प्रसौति ॥ १ ॥

(त्ये) एतद्वाऽ एनं देवाः । (ऽ) एतेनान्नेन प्रीत्वैतैः कामैरभिषिच्यैतया
वसोर्धारयाऽथैनमेतद्भूयऽएवाप्रीणंस्तथैवैनमयमेतदेतेनान्नेन प्रीत्वैतैः
कामैरभिषिच्यैतया वसोर्धारयाऽथैनमेतद्भूय ऽएव प्रीणाति ॥ २ ॥

यद्वेवैतद्वाजप्रसवीयं जुहोति । (त्य) अभिषेक ऽएवास्यैष ऽएतद्वाऽएनं
देवा ऽएतेनान्नेन प्रीत्वैतैः कामैरभिषिच्यैतया वसोर्धारयाऽथैनमेतद्भूयऽ
एवाभ्यषिञ्चंस्तथैवैनमयमेतदेतेनान्नेन प्रीत्वैतः कामैरभिषिच्यैतया वसो-
र्धारयाऽथैनमेतद्भूयऽ एवाभिषिञ्चति ॥ ३ ॥

सर्व्वौषधं भवति । सर्व्वमेतदन्नं यत्सर्व्वौषधꣳ सर्व्वेणैवैनमेतदन्नेन
प्रीणात्यथो सर्व्वेणैवैनमेतदन्नेनाभिषिञ्चति तेषामेकमन्नमुद्धरेत्तस्य नाश्नी-

---

अथ वाजप्रसवीयहोमः ।

अथातो वाजप्रसवीयं जुहोति । अन्नं वै वाजः । अन्नप्रसवीयं हास्यैतत्–अन्नमेवास्मा एतेन प्रसौति ॥ १ ॥

एतद्वा एनं देवा एतेनान्नेन प्रीत्वा, एतैः कामैरभिषिच्य, एतया वसोर्धारयाऽथैनमेतद्भूय एवाप्रीणन् । तथैवैनमयमेतदेतेनान्नेन प्रीत्वा, एतैः कामैरभिषिच्य, एतया वसोर्धारयाऽथैनमेतद्भूय एव प्रीणाति ॥ २ ॥

यद्वेवैतद्वाजप्रसवीयं जुहोति । अभिषेक एवास्यैषः । एतद्वा एनं देवा एतेनान्नेन प्रीत्वा, एतैः कामैरभिषिच्य, एतया वसोर्धारयाऽथैनमेतद्भूय एवाभ्यषिञ्चन् । तथैवैनमयमेतदेतेनान्नेन प्रीत्वा, एतैः कामैरभिषिच्य, एतया वसोर्धारयाऽथैनमेतद्भूय एवाभिषिञ्चति ॥ ३ ॥

सर्वौषधं भवति । सर्वमेतदन्नं–यत्सर्वौषधम् । सर्वेणैवैनमेतदन्नेन प्रीणाति । अथो सर्वेणैवैनमे-
तदन्नेनाभिषिञ्चति। तेषामेकमन्नमुद्धरेत्–तस्य नाश्नीयाद् यावज्जीवम् । औदुम्बरेण चमसेन । औदु-

---

अथ वाजप्रसवीयहोमं विधाय तत्प्रयोजनकथनद्वारा तस्य पदस्य प्रवृत्तिनिमित्तं दर्शयति–**अथात** इति । वाजप्रसवीयमिति कर्म नामधेयम् । 'वाजप्रसवीयं जुहोति' वाजप्रसवीयाख्यं होमं कुर्यादित्यर्थः । वाज-शब्देनान्नस्याभिधानादस्याग्नेरर्थे क्रियमाणमेतत्कर्म अन्नप्रसवीयम् । ततश्चैतेन कर्मणा अस्मा अग्नये सर्वमप्यन्नं 'प्रसौति' अनुजानाति 'सर्वौषधं भवति' (उत्तरत्र ४ कं.) इति वक्ष्यमाणत्वात् सर्वस्याप्यन्नस्य स्वामिनं करोतीत्यर्थः ॥ १ ॥

पूर्वं वसोर्धारया प्रीणितस्याभिषिक्तस्य च अग्नेरयं वाजप्रसवीयो होमो भूयः प्रीणनाभिषेकहेतुर्भवतीति प्रशंसति–**एतद्वा** इत्यादिना **भूय एवाभिषिंचतीत्यन्तेन** । विस्पष्टार्थमेतत् ॥ २ ॥ ३ ॥

प्रकृतहोमे द्रव्यविशेषं विधाय प्रशंसति–**सर्वौषधमिति** । प्रकृतं वाजप्रसवीयं हविः सर्वौषधं सर्वाभिरोषधीभिः

याद्यावज्जीवमौदुम्बरेण चमसेनौदुम्बरेण स्रुवेण तयोरुक्तो बन्धुश्चतु-स्रक्ती भवतश्चतस्रो वै दिशः सर्व्वाभ्य ऽएवैनमेतद्दिग्भ्योऽन्नेन प्रीणात्यथो सर्व्वाभ्य ऽएवैनमेतद्दिग्भ्योऽन्नेनाभिषिञ्चति ॥ ४ ॥

यद्देवैतद्वाजप्रसवीयं जुहोति। (त्ये) एता ह देवताः सुता ऽएतेन सवेन येनैतत्सोष्यमाणो भवति ऽता ऽएवैतत्प्रीणाति ताऽअस्माऽइष्टाः प्रीताऽ एतꣳ सवमनुमन्यन्ते ताभिरनुमतः सूयते यस्मै वै राजानो राज्यमनुम-न्यन्ते स राजा भवति न स यस्मै न तद्यदग्नौ जुहोति तदग्निमभिषिञ्च-त्यथो यदेताभ्यो देवताभ्यो जुहोति तदु तान्देवान्प्रीणाति यऽ एतस्य सवस्येशते ॥ ५ ॥

म्बरेण स्रुवेण। तयोरुक्तो बन्धुः। चतुःस्रक्ती भवतः। चतस्रो वै दिशः। सर्वाभ्य एवैनमेत-द्दिग्भ्योऽन्नेन प्रीणाति। अथो सर्वाभ्य एवैनमेतद्दिग्भ्योऽन्नेनाभिषिञ्चति ॥ ४ ॥

यद्वेवैतद्वाजप्रसवीयं जुहोति। एता ह देवताः सुता एतेन सवेन—येनैतत्सोष्यमाणो भवति—ता एवैतत्प्रीणाति। ता अस्मा इष्टाः प्रीता एतं सवमनुमन्यन्ते। ताभिरनुमतः सूयते। यस्मै वै राजानो राज्यमनुमन्यन्ते—स राजा भवति। न सः—यस्मै न। तद् यदग्नौ जुहोति—तदग्निमभिषिञ्चति। अथो यदेताभ्यो देवताभ्यो जुहोति—तदु तान् देवान् प्रीणाति—य एतस्य सवस्येशते ॥ ५ ॥

संपादितं भवति। अत्र सर्वौषधय इति सप्त ग्राम्याः सप्तारण्याः परिगृह्यन्ते। ताश्चितिस्थले बीजवापावसरे-ऽभिहिताः। लोके यत्किञ्चिद्वस्तु ग्राम्यमारण्यं वा भवति। अतश्चात्र तदुभय्योऽप्योषधयः परिगृह्यन्त इति सर्व-मेतदन्नमित्युक्तम्। एवं च एतेन सर्वौषधसंपादितेन होमेन एनमग्निं सर्वेणैवान्नेन प्रीणात्येनमभिषिञ्चति च। तेषां चतुर्दशानामन्नानां मध्ये एकमन्नं परित्यजेत्, तदन्नं यावज्जीवं नाश्नीयादित्याह-तेषामिति। तस्येति व्यत्ययेन कर्मणि षष्ठी। अथ तत्रैव होमे पात्रविशेषं विधत्ते[1]—औदुम्बरेण चमसेनौदुम्बरेण स्रुवेणेति। प्रकृतं वाज-प्रसवीयं जुहुयात्। अत्र स्रुवेणैव वाजप्रसवीयहोमः क्रियते न तु चमसेन। अथ पुनः संपातावनयनार्थमभिषेकार्थं च। अभिषेकस्य तत्संपाद्यत्वेन तदन्तःपातित्वविवक्षयौदुम्बरेण चमसेनेति चमसः करणत्वेनाम्नातः। तयो-रुक्तो बन्धुरिति। तयोरौदुम्बरयोः स्रुवचमसयोर्ब्राह्मणं सप्तमकाण्डे (श. प. ७।५।१।१५-२२) उलूखलमुसलोपधानविधानावसरेऽभिहितमिति यावत्। तयोः स्रुवचमसयोराकारविशेषं विधाय प्रशंसति—चतुःस्रक्ती भवत इति। दिग्भ्योऽन्नेनेति। दिग्भ्योऽभिसंपादितेनान्नेनेत्यर्थः ॥ ४ ॥

अथ पुनस्तमेव वाजप्रसवीयहोमं प्रकारान्तरेण प्रशंसति—यद्वेवैतदिति। अत्र सव इति सर्वाधिपत्यविषयं प्रेरणमुच्यते, तन्निमित्तत्वादभिषेकस्य तत्राभिषेके सवशब्दः पर्यवस्यति। येनैतदिति। 'एतत्' शब्देन अभिषेककालः परामृश्यते। एतस्मिन्काले 'एतेन सवेन' यजमानः 'सोष्यमाणो भवति'। एतेन सवेनैता

१—वाजप्रसवीयानि वप्रावरसंभृत्य चमसवत् स्रुवेण वाजपेयिकानि वाजस्येममिति। आग्निकानि च वाजस्य न्विति। का. श्रौ. सू. १८।७०।

(तेऽथ) अथ वाऽएतत्पार्थान्यभि जुहोति । (त्ये) एतद्वै देवाऽअकामयन्तात्रैव सर्व्वैः सवैः सूयेमहीति तेऽत्रैव सर्व्वैः सवैरसूयन्त तथैवैतद्यजमानोऽत्रैव सर्व्वैः सवैः सूयते ॥ ६ ॥

तद्यानि पार्थानि । तानि राजसूयस्य वाजप्रसवीयं तद्यत्तानि जुहोति तद्राजसूयेन सूयतेऽथ यानि चतुर्दशोत्तराणि ततो यानि सप्त पूर्व्वाणि तानि वाजपेयस्य वाजप्रसवीयं तद्यत्तानि जुहोति तद्वाजपेयेन सूयतेऽथ यानि सप्तोत्तराणि तान्यग्नेस्तद्यत्तानि जुहोति तदग्निसवेन सूयते ॥ ७ ॥

अथ वा एतत्पार्थान्यभि जुहोति । एतद्वै देवा अकामयन्त–अत्रैव सर्वैः सवैः सूयेमहीति । तेऽत्रैव सर्वैः सवैरसूयन्त । तथैवैतद्यजमानोऽत्रैव सर्वैः सवैः सूयते ॥ ६ ॥

तद्यानि पार्थानि–तानि राजसूयस्य वाजप्रसवीयम् । तद्यत्तानि जुहोति–तद्राजसूयेन सूयते । अथ यानि चतुर्दशोत्तराणि–ततो यानि सप्त पूर्वाणि–तानि वाजपेयस्य वाज-

---

मन्त्रप्रतिपादिता ' देवताः ' पूर्वं ' सुताः ' अभिषिक्ताः । अतश्च ' एतेन ' वाजप्रसवीयेन ' ताः ' एव देवताः ' प्रीणाति ' । ता वै देवताः ' इष्टाः ' अत एव ' प्रीताः ' सत्यः ' अस्मै ' यजमानाय ' एतम् ' उपरि क्रियमाणमभिषेकम् ' अनुमन्यन्ते ' अनुजानन्ति । ततस्ताभिरनुमतोऽभिषिच्यते । ननु चाभिषेके किमर्थमेतासां देवतानामनुज्ञां प्रेप्सति तत्राह–यस्मै वा इति । यतः ' राजानो ' ' यस्मै ' पुरुषाय ' राज्यमनुमन्यन्ते ' ' स राजा भवति ' । 'यस्मै' पुनर्नानुमन्यन्ते 'स' राजा ' न ' भवति । अतः पूर्वमभिषेकेण प्राप्तराज्यानां देवतानामनुपेक्षणायेत्यर्थः । ननु चायं होमोऽग्नेरभिषेकत्वेन संपाद्यत इति (पूर्वत्र ३ कं.) प्रागुक्तम्–" अभिषेक एवास्यैषः " इति । अत्र तु स एष होमोऽभिषेकानुमत्यर्थ इति अथवा पूर्वाभिषिक्तदेवताप्रीणनार्थ इति, कथमेतदित्यत आह–तद्यदग्नाविति । अग्नौ होमादेवाग्नेरभिषेकः सिद्धः । अथ एताभ्यो मन्त्रप्रतिपाद्याभ्यो देवताभ्यो होमेनाभिषेकाधिपतीन् देवान् प्रीणाति । एवं चोक्तमुभयमपि संगच्छते इति न कश्चिद्विरोधः ॥ ५ ॥

' अग्नये स्वाहा, सोमाय स्वाहा ' इत्यादिभिश्च षड्भिर्मन्त्रैः क्रियमाणा आहुतयः पार्थानि । तेषां च पृथिना दृष्टत्वात्पार्थत्वम् । अत एव तैत्तिरीयके श्रूयते–"पृथिर्वैन्यः । अभ्यषिच्यत । स राष्ट्रं नाभवत् । स एतानि पार्थान्यपश्यत् । तान्यजुहोत् । तैर्वै स राष्ट्रमभवत् । यत्पार्थानि जुहोति । राष्ट्रमेव भवति "– (तै. ब्रा. १ । ७ । ७ । ३) इति । तानि पार्थानि प्रकृतस्य वाजप्रसवीयस्याभितो जुहुयादित्याह–अथवा एतदिति । किमर्थमेवं जुहुयात् इति तत्राह–एतद्वै देवा इति । पूर्वं देवा ' अत्रैव ' आग्निकाभिषेकावसरे ' एव ' ' सर्वैः ' सवैरभिषिच्येमहीत्यकामयन्त ततः अभ्यषिच्यन्त । ' तथैव ' यजमानोऽपि ,विहितप्रकारेण होमेनास्मिन्नेवावसरे तथैव सर्वैरभिषेकैरभिषिच्यते । अत्र ' सर्वैः सवैः सूयेमहीति ' लिङ्गा । " अथ यानि चतुर्दशोत्तराणि, ततो यानि सप्त पूर्वाणि, तानि वाजपेयस्य " इति सिद्धवदनुवादाच्च पूर्वं पार्थहोमानन्तरं " वाजश्च मे "–इत्यादिमन्त्रसाध्यं होमं जुहुयादिति विधिरुन्नेयः ॥ ६ ॥

पूर्वोक्तप्रकारेण होमेन सर्वाभिषेकसिद्धिः कथमिति तत्राह–तद्यानीति । यानि चतुर्दशोत्तराणीति ।

१–अग्नये स्वाहेति षट् पार्थानि जुहोति । का. श्रौ. सू. १८ । ६८ ।

स वै राजसूयस्य पूर्व्वाणि जुहोति । (त्यु) अथ व्वाजपेयस्य राजा वै राजसूयेनेष्ट्वा भवति सम्राड्वाजपेयेन राज्यमु वाऽअग्रेऽथ साम्राज्यं तस्माद्वाजपेयेनेष्ट्वा न राजसूयेन यजेत प्रत्यवरोहः स यथा सम्राट् सन्त्राजा स्यात्ताहक्तत् ॥ ८ ॥

(द) अग्नेरुत्तमानि जुहोति । सर्व्वे हैते सवा यदग्निसवः सर्व्वᳬ हैतदग्निसवेन सुतो भवति राजा च सम्राट्च तस्मादग्नेरुत्तमानि जुहोति ॥ ९ ॥

प्रसवीयम् । तद्यत्तानि जुहोति-तद्वाजपेयेन सूयते । अथ यानि सप्तोत्तराणि-तान्यग्नेः । तद्यत्तानि जुहोति-तदग्निसवेन सूयते ॥ ७ ॥

स वै राजसूयस्य पूर्वाणि जुहोति । अथ वाजपेयस्य । राजा वै राजसूयेनेष्ट्वा भवति, सम्राड् वाजपेयेन । राज्यमु वा अग्रे, अथ साम्राज्यम् । तस्माद्वाजपेयेनेष्ट्वा न राजसूयेन यजेत । प्रत्यवरोहः सः । यथा सम्राट् सन्राजा स्यात्-तादृक्तत् ॥ ८ ॥

अग्नेरुत्तमानि जुहोति । सर्वे हैते सवाः-यदग्निसवः । सर्वं हैतदग्निसवेन सुतो भवति-राजा च, सम्राट् च । तस्मादग्नेरुत्तमानि जुहोति ॥ ९ ॥

' यानि चतुर्दशोत्तराणि ' कर्माणि सन्ति । ततश्च ' यानि सप्त पूर्वाणि ' ' वाजस्येमम् ' इत्यादिमन्त्रसाध्यानि कर्माणि तानि वाजपेयस्य वाजप्रसवीयं कर्म । अथ यानीति । यानि सप्त " वाजस्य नु प्रसवे " इत्यादिमन्त्रसाध्यानि कर्माणि तान्यपि अग्निचयनस्य वाजप्रसवीयम् । स्पष्टमन्यत् ॥ ७ ॥

अथ राजसूयवाजपेयसंबन्धिनां वाजप्रसवीयकर्मणां पौर्वापर्ये कारणमाह-स वै राजसूयस्येति । राजसूययागं कृत्वा राजा भवति । वाजपेययागं कृत्वा सम्राड् भवति । साम्राज्यं च राज्यानन्तरभावित्वेन ततोऽप्यधिकम् । तस्माद्वाजपेयं कृत्वा राजसूयं न कुर्यात् । तथा करणस्य प्रत्यवरोहक्रमत्वात् । तमेव दर्शयति-यथेति । यथा सम्राट् सन् पश्चात् राजा स्यात् तदपि तादृगिति । तस्माद्राजसूयवाजप्रसवीयकर्मणोः पौर्वापर्यमुपपन्नमित्यर्थः ॥ ८ ॥

अथाग्निकानामुत्तमत्वमुपपादयति-अग्नेरुत्तमानीति । ' अग्नेः ' सर्वात्मकत्वेन तत्समवायिनः सर्वे सवाः खलु । एवं च एतेनाग्निसवेन सर्वं सुतो भवति । सर्वशब्दार्थमेव दर्शयति-राजा च सम्राट्चेति । सर्वमिति सामान्योपक्रमत्वान्नपुंसकत्वम् । सर्वसवात्मकेनाग्निसवेन राजा च सम्राट् चेत्यस्य सर्वस्याभिषेको युज्यत इत्यभिहितः क्रमः प्रशस्त इत्यर्थः ॥ ९ ॥

१-ग्रामपतिर्देशपतिर्भवितुमुचितम् । न देशपतिर्भूत्वा पश्चाद्ग्रामपतिना भवितुमुचितमित्याह इति क. पुस्तकेऽधिकः पाठोऽत्र दृश्यते ।

(त्यु) अथैनं कृष्णाजिनेऽभिषिञ्चति । यज्ञो वै कृष्णाजिनं यज्ञऽएवै-नमेतदभिषिञ्चति लोमतश्छन्दाᳬंसि वै लोमानि च्छन्दःस्वेवैनमेतदभि-षिञ्चत्युत्तरतस्तस्योपरि बन्धुः प्राचीनग्रीवे तद्धि देवत्रा ॥ १० ॥

तᳬं हैके दक्षिणतोऽग्नेरभिषिञ्चन्ति । दक्षिणतो वाऽअन्नस्योपचारस्त-देनमन्नस्यार्धादभिषिञ्चामऽइति न तथा कुर्यादेषा वै दिक्पितृणां क्षिप्रे हैतां दिशं प्रैति यं तथाऽभिषिञ्चन्ति ॥ ११ ॥

अथाभिषेकः ।

अथैनं कृष्णाजिनेऽभिषिञ्चति । यज्ञो वै कृष्णाजिनम् । यज्ञ एवैनमेतदभिषिञ्चति । लोमतः । छन्दांसि वै लोमानि । छन्दःस्वेवैनमेतदभिषिञ्चति । उत्तरतः । तस्योपरि बन्धुः । प्राचीनग्रीवे । तद्धि देवत्रा ॥ १० ॥

तं हैके दक्षिणतोऽग्नेरभिषिञ्चन्ति । दक्षिणतो वा अन्नस्योपचारः । तदेनमन्नस्यार्धादभिषिञ्चाम इति । न तथा कुर्यात् । एषा वै दिक् पितृणाम् । क्षिप्रे हैतां दिशं प्रैति—यं तथा-ऽभिषिञ्चन्ति ॥ ११ ॥

इत्थं सक्रमं पार्थहोममभिधायेदानीं यजमानस्य कृष्णाजिनेऽभिषेकं विधत्ते—अथेति । तत् कृष्णाजिनं यज्ञा-त्मना प्रशंसति—यज्ञो वा इति । कृष्णमृगरूपेण यज्ञस्य पलायनात् कृष्णाजिनस्य यज्ञत्वम् । तथा पलायनं तैत्तिरीयके श्रूयते—“ यज्ञो देवेभ्यो निलायत कृष्णो रूपं कृत्वा ”—(तै. सं. ६ । २ । ४ । १) इति । “ कृष्णाजिनेऽभिषिञ्चति ” इति सामान्येन विधानान्निर्लोमप्रदेशे कदाचिदभिषेकः स्यादिति कस्यचित्प्रति-पत्तिं निवारयितुं विधत्ते—लोमत इति । छन्दांसि वा इति । छन्दसामृक्सामनिष्ठत्वादृक्सामयोश्च कृष्णमृग-रूपेणापक्रमणात् कृष्णाजिनसंबद्धानि लोमानि च्छन्दांसि । अतश्च लोमतोऽभिषेके ‘ छन्दःस्वेवैनमभिषि-ञ्चति ’ । ऋक्सामयोः कृष्णमृगरूपेणापक्रमणं तैत्तिरीयके श्रूयते “ ऋक्सामे वै देवेभ्यो यज्ञायातिष्ठमाने कृष्णो रूपं कृत्वाऽपक्रम्यातिष्ठताम् ” (तै. सं. ६।१।३।१) इति । स च विहिताभिषेक उत्तरभागे कर्तव्य इत्याह—उत्तरत इति । ‘ एषा होभयेषां देवमनुष्याणाम् ’ इत्यादिना तस्य ब्राह्मणमुपरिष्टाद्वक्ष्यते (उत्तरत्र कं. १३) इत्याह—तस्योपरि बन्धुरिति । कृष्णाजिनस्य संस्थानविशेषं विधाय प्रशंसति—प्राचीनग्रीव इति । प्राच्या देवसंबन्धित्वं तैत्तिरीयके श्रूयते—“ प्राचीनवंशं करोति देवमनुष्या दिशो व्यभजन्त प्राचीं देवा दक्षिणा पितरः ” (तै. सं. ६ । १ । १ । १) इति ॥ १० ॥

अथाभिषेकस्थानविषये सोपपत्तिकं केषांचिच्छाखिनां मतमनूद्य निरस्यति—तं हैके दक्षिणत इति । दक्षिणभागे स्थित्वा होमकरणादन्नस्योपचारो दक्षिणतः खलु, अतश्च अन्नस्यार्द्धात्प्रदेशात् अन्नप्रदेशमाश्रि-त्यैनमभिषिञ्चाम इत्यभिप्रायेणैके शाखिनोऽग्नेर्दक्षिणतस्तं यजमानमभिषिञ्चन्ति । ‘तथा न कुर्यात्’ । कुतः ‘एषा’

(न्त्या) आहवनीयऽउ हैकेऽभिषिञ्चन्ति । स्वर्गो वै लोक ऽआहवनीय-स्तदेनꣳ स्वर्गे लोकेऽभिषिञ्चाम ऽइति न तथा कुर्याद्दैवो वाऽअस्यैषऽ आत्मा मानुषोऽयमनेन हास्य ते मर्त्येनात्मनैतं दैवमात्मानमनुप्रसजन्ति यं तथाऽभिषिञ्चन्ति ॥ १२ ॥

(न्त्यु) उत्तरतऽ एवैनमभिषिञ्चेत् । (दे) एषा ह्योभयेषां देवमनुष्याणां दिग्यदुदीची प्राची स्वायामेवैनमेतद्दिश्यायत्तं प्रतिष्ठितमभिषिञ्चति न वै स्वऽआयतने प्रतिष्ठितो रिष्यति ॥ १३ ॥

आहवनीय उ हैकेऽभिषिञ्चन्ति । स्वर्गो वै लोक आहवनीयः । तदेनं स्वर्गे लोकेऽभिषिञ्चाम इति । न तथा कुर्यात् । दैवो वाऽअस्यैष आत्मा, मानुषोऽयम् । अनेन हास्य ते मर्त्येनात्मनैतं दैवमात्मानमनुप्रसजन्ति—यं तथाऽभिषिञ्चन्ति ॥ १२ ॥

उत्तरत एवैनमभिषिञ्चेत् । एषा ह्योभयेषां देवमनुष्याणां दिक्—यदुदीची प्राची । स्वायामेवैन-मेतद्दिश्यायत्तं प्रतिष्ठितमभिषिञ्चति । न वै स्व आयतने प्रतिष्ठितो रिष्यति ॥ १३ ॥

दक्षिणा दिक् ' पितॄणां ' सम्बन्धिनी भवति । अतस्तथा दक्षिणभागे यमभिषिञ्चन्ति स शीघ्रमेवैतां दिशं प्राप्नु-यादित्यर्थः ॥ ११ ॥

तथैवान्येषामपि मतमनूद्य निरस्यति—आहवनीय उ हैक इति । आहवनीयशब्दोऽग्नौ मुख्यः । एवं चाग्नाववस्थानस्य दुष्करत्वात् गङ्गायां घोष इत्यत्र गङ्गाशब्दवदत्राहवनीयशब्दोऽपि स्वसमीपं लक्षयति । आहवनीयस्य स्वर्लोकत्वं गार्हपत्याद्यपेक्षया परत्वात् । दैवो वा इति । ' अस्य ' यजमानस्य ' एषः ' आह-वनीयो देवसम्बन्धी ' आत्मा ' । अग्निचयनेन यजमानस्याग्नित्वप्राप्तेः । अयमिति च यजमानो निर्दिश्यते । अयं पुनर्मानुष आत्मा । एवं चाहवनीयसमीपेऽभिषिञ्चन्तस्ते ऋत्विजोऽस्य यजमानस्य दैवमात्मानम् ' मर्त्येन ' ' आत्मना ' ' अनुप्रसजन्ति ' मेलयन्ति द्वावप्यात्मानौ संकीर्णौ कुर्वन्तीत्यर्थः ॥ १२ ॥

मा भूद्दक्षिणभागे आहवनीये वाऽभिषेकः । कुत्र तर्हि तस्य करणमित्यत आह—उत्तरत एवैनमिति । ननु त्वदभिमतायामुत्तरस्यां दिश्यभिषेके को वा गुणो लभ्यत इत्यत आह—एषा ह्योभयेषामिति । उदीची प्राचीति । गार्हपत्याद्यपेक्षयोदीच्येव प्राची भवतीत्येवमुक्तम् । गार्हपत्याद्यपेक्षया प्राचीत्वसम्पादनस्यायमाशयः । अभि-षेक्तव्ययजमानस्य द्वौ दैवमानुषावात्मानौ विद्येते । प्राच्युदीच्यौ च देवमनुष्यसम्बन्धिन्यौ । एवं च देव-मनुष्यात्मकस्य यजमानस्याभिषेकस्तत्सम्बन्धिन्योर्दिशोः कर्तव्य इति । ' आयत्तम् ' इत्यस्यार्थकथनं ' प्रति-ष्ठितम् ' इति । स्वायामेवैनमेतद्दिशीति । दिशोऽत्र धनत्वेन विवक्षितत्वात् " स्वमज्ञातिधनाख्यायाम् " (पा० सू० १।१।३५) इति पर्युदासेन स्वशब्दस्य धनाख्यायां सर्वनामसंज्ञावैधुर्येण ' स्वायाम् ' इत्यत्र स्याडागमाभावः । न वै स्व आयतन इति । अत्राप्येवमेव स्मिन्नादेशाभावः । न रिष्यतीति । न विनश्ये-दित्यर्थः ॥ १३ ॥

(त्या) आसीनं भूतमभिषिञ्चेत् । (द्वा) आस्तऽइव वै भूतस्तिष्ठन्तं बुभूषन्तं तिष्ठतीव वै बुभूषन्बस्ताजिने पुष्टिकाममभिषिञ्चेत्कृष्णाजिने ब्रह्मवर्चसकाममुभयोरुभयकामं तदुत्तरतः पुच्छस्योत्तरलोम प्राचीनग्रीवमुपस्तृणाति ॥ १४ ॥

(त्या) आस्पृष्टं परिश्रितः । (स्त) तद्यत्कृष्णाजिनमास्पृष्टं परिश्रितो भवति तथो हास्यैष दैव ऽआत्मा कृष्णाजिनेऽभिषिक्तो भवत्यथ यदेनमन्वारब्धमग्निं तिष्ठन्तमभिषिञ्चति तथा हैतस्माद्दैवादभिषेकान्न व्यवच्छिद्यते ॥ १५ ॥

आसीनं भूतमभिषिञ्चेत् । आस्त इव वै भूतः । तिष्ठन्तं बुभूषन्तम् । तिष्ठतीव वै बुभूषन् । बस्ताजिने पुष्टिकाममभिषिञ्चेत् । कृष्णाजिने ब्रह्मवर्चसकामम् । उभयोरुभयकामम् । तदुत्तरतः पुच्छस्योत्तरलोम प्राचीनग्रीवमुपस्तृणाति ॥ १४ ॥

आस्पृष्टं परिश्रितः । तद्-यत्कृष्णाजिनमास्पृष्टं परिश्रितो भवति–तथो हास्यैष दैव आत्मा कृष्णाजिनेऽभिषिक्तो भवति । अथ यदेनमन्वारब्धमग्निं तिष्ठन्तमभिषिञ्चति–तथा हैतस्माद्दैवादभिषेकान्न व्यवच्छिद्यते ॥ १५ ॥

अथ प्राप्तैश्वर्यस्य प्राप्स्यमानैश्वर्यस्य च यजमानस्याभिषेकसंस्थानविशेषं विधत्ते–आसीनं भूतमिति[1] । 'भूतः' प्राप्तैश्वर्यः । सर्वैश्वर्येषु प्राप्तेषु प्रयत्नवैधुर्येणासीन इव भवतीति तम् 'आसीनम् अभिषिञ्चेत्' । ऐश्वर्यं प्राप्तुमिच्छन् बुभूषन् स चोक्तवैपरीत्येन 'तिष्ठन्निव' भवतीति तिष्ठन्तं तमभिषिञ्चेदित्यर्थः । फलविशेषानुरोधेन धर्मविशेषेऽभिषेकं विधत्ते-बस्ताजिने पुष्टिकाममिति[2] । उत्तरत एवैनमभिषिञ्चेदित्युत्तरदिङ्मात्रं विहितम् । ततश्च तत्र विवक्षितस्थानादन्यदपि प्रसज्यत इति विवक्षितस्थानसंस्थानविशेषविशिष्टं कृष्णाजिनास्तरणं विधत्ते–उत्तरतः पुच्छस्येति । अग्नेः पुच्छभागस्योत्तरतः ॥ १४ ॥

आस्पृष्टं परिश्रित इति । 'परिश्रितः' इति तृतीयार्थे षष्ठी । आङीषदर्थे । 'परिश्रितः' किञ्चित्स्पृष्टमित्यर्थः । कृष्णाजिनस्य परिश्रितां स्पर्शो यजमानसंबन्धिदैवात्माऽभिषेकहेतुर्भवतीति प्रशंसति–तद्यदिति । प्रकारान्तरेणापि दैवस्यात्मनोऽभिषेकं सिद्धं दर्शयति–अथ यदेनमिति । 'अग्निम्' 'अन्वारब्धम्' स्पृष्टवन्तम् तिष्ठन्तमभिषिञ्चतीति यत् तेनासौ यजमानो 'दैवादभिषेकात् न व्यवच्छिद्यते' दैवात्मसंबन्धिनोऽभिषेकान्न परिक्षीयते-स्वकीयदैवात्मनोऽग्नेः संस्पर्शेनाभिषेकसंबन्धादित्यर्थः ॥ १५ ॥

१–स्रुवं प्रास्य परिश्रित्स्पृक्कृष्णाजिनमास्तीर्य पुच्छादुत्तरं शेषेऽपः कृत्वा । अभिषेकसामर्थ्यात् । क्षीरोदके वा वाजपेयिकानीति श्रुतेः । तत्राभिषिच्यते ब्रह्मवर्चसकामश्चित्यन्वारब्धो देवस्य त्वेति । तिष्ठन् बुभूषुः । भूत उपविष्टः । का० श्रौ० सू० १८ । ७१-७६ । २–बस्तचर्मणि पुष्टीच्छुः । उभयेच्छुरुभयोः । एके दक्षिणतश्चित्ये वा । का. श्रौ. सू. १८ । ७७-७९ ॥

(ते॒ऽग्नौ)अ॒ग्नौ हु॒त्वाऽथै॒नम॒भि॒षि॑ञ्चति । दै॒वो वा॒ऽअ॒स्यै॒ष ऽआ॒त्मा मा॒नु॒षो॒-
ऽयं दे॒वा॒ऽ उ॒ वा॒ऽअग्रे॒ऽथ म॒नु॒ष्या॒स्त॒स्मा॒द॒ग्नौ हु॒त्वाऽथै॒नं त॒स्यै॒व प॒रि॒शि॒ष्टे-
ना॒भि॒षि॒ञ्च॒त्य॒त्र त॒ᳪं स्रु॒व॒म॒नु॒प्रा॒स्य॒ति ॥ १६ ॥

(त्यु) अ॒थै॒नं द॒क्षि॒णं बा॒हु॒म॒नु॒प॒र्या॒वृ॒त्या॒भि॒षि॒ञ्च॒ति । दे॒व॒स्य त्वा॒ स॒वि॒तुः॒
प्र॒स॒वे॒ऽश्वि॒नो॒र्बा॒हु॒भ्यां॒ पू॒ष्णो॒ ह॒स्ता॒भ्या॒ᳪं स॒र॒स्व॒त्यै॒ वा॒चो॒ य॒न्तु॒र्य॒न्त्रे॒णा॒ग्नेः॒
सा॒म्रा॒ज्ये॒ना॒भि॒षि॒ञ्चा॒मी॒ति वा॒ग्वै स॒र॒स्व॒ती त॒स्या॒ऽ इ॒द॒ᳪं स॒र्वं य॒न्त्र॒ᳪं
स॒वि॒तृ॒प्र॒सू॒त॒ऽ ए॒वै॒न॒मे॒त॒द॒ने॒न स॒र्वे॒ण स॒र॒स्व॒त्यै॒ वा॒चो॒ य॒न्तु॒र्य॒न्त्रे॒णा॒ग्नेः॒
सा॒म्रा॒ज्ये॒ना॒भि॒षि॒ञ्च॒त्य॒त्र तं च॒म॒स॒म॒नु॒प्रा॒स्य॒ति य॒द॒त्र वि॒लि॒प्तं त॒न्ने॒द्ब॒हि॒र्धा-
ऽग्ने॒र॒स॒दि॒ति ॥ १७ ॥

अग्नौ हुत्वाऽथैनमभिषिञ्चति । दैवो वा अस्यैष आत्मा, मानुषोऽयम् । देवा उ वा अग्रे, अथ मनुष्याः । तस्मादग्नौ हुत्वाऽथैनं तस्यैव परिशिष्टेनाभिषिञ्चति । अत्र तं स्रुवमनुप्रास्यति ॥ १६ ॥

अथैनं दक्षिणं बाहुमनुपर्यावृत्याभिषिञ्चति । "देवस्य त्वा सवितुः प्रसवेऽश्विनोर्बाहुभ्यां पूष्णो हस्ताभ्याम् । सरस्वत्यै वाचो यन्तुर्यन्त्रेणाग्नेः साम्राज्येनाभिषिञ्चामि"-(वा. सं. १८ । ३७) इति । वाग्वै सरस्वती । तस्या इदं सर्वं यन्त्रम् । सवितृप्रसूत एवैनमेतद-नेन सर्वेण सरस्वत्यै वाचो यन्तुर्यन्त्रेणाग्नेः साम्राज्येनाभिषिञ्चति । अत्र तं चमसमनुप्रास्यति । यदत्र विलिप्तम्-तन्नेद्बहिर्धाऽग्नेरसदिति ॥ १७ ॥

अग्नेर्यजमानदैवात्मत्वमुपजीव्य पार्थादिहोमस्याऽभिषेकस्य च पौर्वापर्यमुपपादयति-अग्नौ हुत्वेति । तस्यैव परिशिष्टेनेति । तस्यैव हुतद्रव्यस्य परिशिष्टेनांशेनाभिषिञ्चति । अस्मिन्नवसरे तमौदुम्बरं होमसाधनभूतं स्रुवमनुप्रास्येत् तत्कार्यस्य होमस्य सम्पन्नत्वादित्याह-अत्रेति ॥ १६ ॥

अथास्य यजमानस्य "देवस्य त्वा" इत्यादिना मन्त्रेणाभिषेकमाह-अथेति । स्रुवस्यानुप्रासनं होमानन्तर-मेव कृत्वा पश्चात्कृष्णाजिनास्तरणादिकं क्रियते । अत एव कात्यायनः-" स्रुवं प्रास्य परिश्रित्स्पृक्कृष्णाजिनमा-स्तीर्य"(का.श्रौ.सू. १८।७१-७२) इति । एवं चात्राथशब्देन कृष्णाजिनास्तरणादिकार्यानन्तर्यमुच्यते । दक्षिणं बाहुमनुपर्यावृत्येति । यजमानस्य दक्षिणबाहुसमीपं गत्वेत्यर्थः । अभिषेकमन्त्रं व्याचष्टे-वाग्वै सरस्वतीति । तस्या वागात्मिकायाः सरस्वत्या इदं सर्वमपि जगत् यन्त्रं नियम्यं भवति । सर्वस्यापि वाग्विषयस्यैव सतो व्यवहारार्हत्वात् । एवं च सति सवितुर्देवस्यानुज्ञया अश्विनोर्बाहुभ्यां पूष्णो हस्ताभ्यां 'यन्तुः' इति ङीब्भाव-श्छान्दसः । नियन्त्र्या वाग्रूपायाः सरस्वत्या नियम्येन समस्तजगल्लक्षणेनाग्नेः साम्राज्येन हेतुना त्वामभिषिञ्चा-मीति मन्त्रस्यार्थः । एतन्मन्त्रप्रयोगादध्वर्युः सवितृप्रसूत एव अनेन सर्वेण सर्वजगदात्मकेन नियन्त्र्या वाग्रूपायाः सरस्वत्या नियम्येनाग्नेः साम्राज्येन हेतुनाऽभिषिक्तवान्भवति । अभिषेकार्थत्वाच्चमसस्येदानींतनस्य चाभि-षेकलक्षणकार्यस्य निष्पन्नत्वात्तं चमसमग्नौ प्रक्षिपेदित्याह-अत्र तं चमसमिति । अन्यत्राप्रक्षेपेणाभावेव प्रक्षेपे कारणमाह-यदत्रेति ॥ १७ ॥

तं वै मध्ये पार्थानामभिषिञ्चति । संव्वत्सरो वै पार्थानि संव्वत्सरस्यैवैनमेतन्मध्यतऽ आदधाति षट् पुरस्ताज्जुहोति षडुपरिष्टात्षड्वाऽऋतवऽऋतुभिरेवैनमेतत्सुषुवाणमुभयतः परिगृह्णाति बृहस्पतिः पूर्वेषामुत्तमो भवतीन्द्रऽ उत्तरेषां प्रथमो ब्रह्म वै बृहस्पतिः क्षत्रमिन्द्रो ब्रह्मणा चैवैनमेतत्क्षत्रेण च सुषुवाणमुभयतः परिगृह्णाति ॥ १८ ॥

इति तृतीयप्रपाठके द्वितीयं ब्राह्मणम् ॥ ९-३-२ ॥ (३. ४.) ॥

इति तृतीयोऽध्यायः समाप्तः ॥ ९ । ३ ॥

तं वै मध्ये पार्थानामभिषिञ्चति । सम्वत्सरो वै पार्थानि । सम्वत्सरस्यैवैनमेतन्मध्यत आदधाति । षट्पुरस्ताज्जुहोति, षडुपरिष्टात् । षड्वाऽऋतवः । ऋतुभिरेवैनमेतत् सुषुवाणमुभयतः परिगृह्णाति । बृहस्पतिः पूर्वेषामुत्तमो भवति, इन्द्र उत्तरेषां प्रथमः । ब्रह्म वै बृहस्पतिः, क्षत्रमिन्द्रः । ब्रह्मणा चैवैनमेतत्क्षत्रेण च सुषुवाणमुभयतः परिगृह्णाति ॥ १८ ॥

अभिषेकस्य पूर्वोत्तरपार्थमध्यवर्तित्वं प्रशंसति—तं वै मध्य इति । पूर्वोत्तराणि पार्थानि मिलित्वा द्वादश भवन्ति । संवत्सरश्च द्वादशमासात्मकः । एवं सति द्वादशपार्थानां संवत्सरात्मकत्वात्पार्थमध्याभिषेकेण 'एनम्' यजमानं 'संवत्सरस्य' मध्य एव निदधाति । पार्थानां पृथक् षट्संख्यां प्रशंसति—षट् पुरस्तादिति[1] । पूर्वपार्थमन्त्राणामुत्तममन्त्रे बृहस्पतिः प्रतिपाद्यते, उत्तरपार्थमन्त्राणामादिमे मन्त्रे इन्द्रः प्रतिपाद्यते । अतस्तयोस्ताथाविध्यं प्रशंसति—बृहस्पतिः पूर्वेषामिति ॥ १८ ॥

इति श्रीसायणाचार्यविरचिते माधवीये वेदार्थप्रकाशे माध्यन्दिनीयशतपथब्राह्मणभाष्ये नवमकाण्डे तृतीयेऽध्याये चतुर्थं ब्राह्मणम् ॥ (९-३-४) ॥

वेदार्थस्य प्रकाशेन तमो हार्दं निवारयन् । पुमर्थांश्चतुरो देयाद्विद्यातीर्थमहेश्वरः ॥ १ ॥

ब्रह्माण्डं गोसहस्रं कनकहयतुलापूरुषौ स्वर्णगर्भं,
सप्ताम्भोधीन्पञ्च सीरींस्त्रिदशतरुलताधेनुसौवर्णभूमीः ।
रत्नोस्रां रुक्मवाजिद्विपमहितरथौ सायणिः सिङ्गणार्यो,
व्यश्राणीद्विश्वचक्रं प्रथितविधिमहाभूतयुक्तं घटं च ॥ २ ॥

धान्याद्रिं धन्यजन्मा तिलभवमतुलः स्वर्णजं वर्णमुख्यः,
कार्पासीयं कृपावान्गुडकृतमजडो राजतं राजपूज्यः ।
आज्योत्थं प्राज्यजन्मा लवणजमनृगः शार्करं चार्कतेजा,
रत्नाढ्यो रत्नरूपं गिरिमकृत मुदा पात्रसात्सिङ्गणार्यः ॥ ३ ॥

इति श्रीमद्राजाधिराजपरमेश्वरवैदिकमार्गप्रवर्त्तकश्रीवीरहरिहरसाम्राज्यधुरन्धरेण सायणाचार्येण विरचिते माधवीये वेदार्थप्रकाशे माध्यन्दिनीयशतपथब्राह्मणभाष्ये नवमकाण्डे तृतीयोऽध्यायः ॥ ९-३ ॥

१-प्राश्य चमसमिंद्राय स्वाहेति षड् जुहोति प्रतिमंत्रम् । का. श्रौ. सू. १८ । ८० ।

अथ चतुर्थाऽध्याये प्रथमं ब्राह्मणम् ।

तृतीयप्रपाठके च तृतीयं ब्राह्मणम् ।

अथातो राष्ट्रभृतो जुहोति । राजानो वै राष्ट्रभृतस्ते हि राष्ट्राणि बिभ्र त्येता ह देवताः सुताऽएतेन सवेन येनैतत्सोष्यमाणो भवति ताऽएवैतत्प्रीणाति ताऽअस्माऽइष्टाः प्रीताऽ एतꣳ सवमनुमन्यन्ते ताभिरनुमतः सूयते यस्मै वै राजानो राज्यमनुमन्यन्ते स राजा भवति न स यस्मै न तद्यद्राजानो राष्ट्राणि बिभ्रति राजानऽउऽएते देवास्तस्मादेता राष्ट्रभृतः ॥ १ ॥

अथ राष्ट्रभृद्धोमः ।

अथातो राष्ट्रभृतो जुहोति । राजानो वै राष्ट्रभृतः । ते हि राष्ट्राणि बिभ्रति । एता ह देवताः सुता एतेन सवेन । येनैतत्सोष्यमाणो भवति–ता एवैतत्प्रीणाति । ताऽ अस्मा इष्टाः प्रीता एतं सवमनुमन्यन्ते । ताभिरनुमतः सूयते । यस्मै वै राजानो राज्यमनुमन्यन्ते–स राजा भवति । न सः–यस्मै न । तद् यद्राजानो राष्ट्राणि बिभ्रति, राजान उ एते देवाः । तस्मादेता राष्ट्रभृतः ॥ १ ॥

यस्य निःश्वसितं वेदा यो वेदेभ्योऽखिलं जगत् । निर्ममे तमहं वन्दे विद्यातीर्थमहेश्वरम् ॥ १ ॥

अथ राष्ट्रभृतां होमं विधत्ते–अथात इति । 'राष्ट्रभृतो जुहोति' राष्ट्रभृदाख्यान् होमान् कुर्यात् । राष्ट्रभरणसाधारण्येनैतेषां राष्ट्रभृतां राजत्वमाह–राजानो वा इति । अथ किमर्थमयं राष्ट्रभृतां होम इति तत्राह–एता ह देवता इति । अत्र एता देवताः पूर्वमभिषिक्ता इति कथनादेतदुपयोगित्वेन अनन्तरं राजत्वमुक्तम् । ननु चात्र येनैतत्सोष्यमाणो भवतीति लृट्प्रत्ययः प्रयुज्यते । स च भविष्यति । न चात्राभिषेको भविष्यति काले क्रियते तस्य पूर्वमेव संपादितत्वात् । एवं च कथमेतत्संगच्छत इति ? उच्यते । अभिषेकात्पूर्वो यः कालस्तदपेक्षायां लृट्प्रत्ययप्रयोगः । एवं तर्हि ता एवैतत्प्रीणाति ताभिरनुमतः सूयत इत्येतन्नोपपद्यते–कुतः? न खलु अभिषेकात्पूर्वमेतासां प्रीणनार्थं होमः क्रियते । अप्रीणिताश्च नानुमन्यन्ते इति । नैष दोषः । अभिषेकात्पूर्वमेतद्देवताऽनुमत्यभावेऽपि इदानीमनेन होमेन प्रीणिताः प्राक् सम्पादितमभिषेकमनुमन्यन्ते । ततः स यजमानस्ताभिरनुमत एवाभिषिक्तो भवति । अन्यथाऽभिषेकेऽप्येतद्देवतानुमतिविरहेणानभिषिक्तप्रायो भवतीत्यर्थः । अथवा "अथ रथशीर्षे जुहोति । एष वै स सवः" इति परस्तादप्यभिषेको (त्रयोदशकण्डिकायाम्) वक्ष्यते तत्कालापेक्षयायं लृट्प्रत्ययः । अथैतेषां राष्ट्रभृत्संज्ञाप्राप्तिं दर्शयति–तद्यद्राजान इति । 'राजानो वै राष्ट्रभृतः' इति राजत्वस्योक्तत्वात् एते देवा राजानः । राजानश्च राष्ट्राणि बिभ्रति । यत एवं तस्मादेता राष्ट्रभृतः । पूर्वं राष्ट्रभरणेन राजत्वमुक्तम् । इदानीं तु राजत्वमुपजीव्य राष्ट्रभृत्संज्ञकत्वमुच्यते ॥ १ ॥

१–द्वादशगृहीतं स्त्रिप्राहं जुहोत्यृताषाडिति प्रतिस्वाहाकारं राष्ट्रभृतो स्वाहाकारांतः पूर्वः पूर्वो मंत्रः । का. श्रौ. सू. १८।८।१।

(ता) यद्वेवैता राष्ट्रभृतो जुहोति। प्रजापतेर्विस्रस्तान्मिथुनान्युदक्रामन्ग-
न्धर्वाप्सरसो भूत्वा तानि रथो भूत्वा पर्यगच्छत्तानि परिगत्यात्मन्न-
धत्तात्मन्नकुरुत तथैवैनान्ययमेतत्परिगत्यात्मन्धत्तऽआत्मन्कुरुते ॥ २ ॥

स यः स प्रजापतिर्व्यस्रँसत। (ता) अयमेव स योऽयमग्निश्चीयतेऽथ
यान्यस्मात्तानि मिथुनान्युदक्रामन्नेतास्ता देवता याभ्य ऽएतज्जुहोति ॥३॥

गन्धर्वाप्सरोभ्यो जुहोति। गन्धर्वाप्सरसो हि भूत्वोदक्रामन्नथो गन्धेन
च वै रूपेण च गन्धर्वाप्सरसश्चरन्ति तस्माद्यः कश्च मिथुनमुपप्रैति गन्धं
चैव स रूपं च कामयते ॥ ४ ॥

यद्वेवैता राष्ट्रभृतो जुहोति। प्रजापतेर्विस्रस्तान्मिथुनान्युदक्रामन्–गन्धर्वाप्सरसो भूत्वा। तानि रथो भूत्वा पर्यगच्छत्। तानि परिगत्यात्मन्नधत्त, आत्मन्नकुरुत। तथैवैनान्ययमेतत्परिगत्यात्मन्धत्ते, आत्मन्कुरुते ॥ २ ॥

स यः स प्रजापतिर्व्यस्रंसत–अयमेव सः–योऽयमग्निश्चीयते। अथ यान्यस्मात्तानि मिथुनान्युदक्रामन्–एतास्ता देवताः–याभ्य एतज्जुहोति ॥ ३ ॥

गन्धर्वाप्सरोभ्यो जुहोति। गन्धर्वाप्सरसो हि भूत्वोदक्रामन्। अथो गन्धेन च वै रूपेण च गन्धर्वाप्सरसश्चरन्ति। तस्माद्यः कश्च मिथुनमुपप्रैति–गन्धं चैव स रूपं च कामयते ॥ ४ ॥

प्रकारान्तरेण राष्ट्रभृतां होमं प्रशंसति–यद्वेवैता इति। पूर्वं 'विस्रस्तात्प्रजापतेः' 'गन्धर्वाप्सरसो भूत्वोत्क्रान्तानि 'मिथुनानि' प्रजापतिः स्वयं 'रथो भूत्वा तानि' परिगत्यात्मनि धृतवान्, धृत्वा च पुनर्यथा नोत्क्रामेयुस्तथा कृतवान्। अतश्च राष्ट्रभृतां होमेन यजमानोऽपि तथैव कुरुते ॥ २ ॥

ननु कथमग्नौ राष्ट्रभृतां होमेन प्रजापतेर्मिथुननिधानं घटत इति तत्राह–स यः स प्रजापतिरिति ॥ ३ ॥

गन्धर्वाप्सरोरूपेणोत्क्रमणात्तदुद्देशेन होमो युज्यत इत्याह–गन्धर्वाप्सरोभ्यो जुहोतीति। अथ गन्धर्वाप्सरःशब्दानुसारेण तदीयमिथुनत्वं दर्शयति–अथो गन्धेनेति। 'गन्धेन च वै रूपेण च गन्धर्वाप्सरसश्चरन्ति' इत्यनेन गन्धर्वशब्दोऽप्सरःशब्दश्च निरुच्यते। गन्धेन विशन्तीति गन्धर्वाः। अप्शब्देन रूपमभिधीयते, तेन विशिष्टाः सरन्तीति अप्सरसः, ते च ताश्च गन्धर्वाप्सरसः। गन्धर्वाप्सरःशब्दयोः पृषोदरादित्वात्–वर्णागमादिविधानेनोक्त एवार्थे साधुत्वं द्रष्टव्यम्। तस्माल्लोके यः कश्चिदपि मिथुनमुपगच्छति। अत्र मिथुनशब्देन मिथुनभावः स्त्री चाभिधीयते। 'सः' पुरुषो 'गन्धं चैव रूपं च कामयते' एवं च गन्धर्वाप्सरःशब्दानुसारेण गन्धर्वाप्सरसां मिथुनत्वं दर्शितं भवति ॥ ४ ॥

मिथुनानि जुहोति। मिथुनाद्वाऽअधि प्रजातिर्यो वै प्रजायते स राष्ट्रं भवत्यराष्ट्रं वै स भवति यो न प्रजायते तद्यन्मिथुनानि राष्ट्रं बिभ्रति मिथुना ऽउऽएते देवास्तस्मादेता राष्ट्रभृतऽ आज्येन द्वादशगृहीतेन ताऽ उ द्वादशैवाहुतयो भवन्ति तस्योक्तो बन्धुः ॥ ५ ॥

पुᳪँसे पूर्वस्मै जुहोति। (त्य) अथ स्त्रीभ्यः पुमाᳪँसं तद्वीर्येणात्यादधात्येकस्माऽइव पुᳪँसे जुहोति बहुभ्यऽ इव स्त्रीभ्यस्तस्मादप्येकस्य पुᳪँसो बह्व्यो जाया भवन्त्युभाभ्यां वषट्कारेण च स्वाहाकारेण च पुᳪँसे जुहोति स्वाहाकारेणैव स्त्रीभ्यः पुमाᳪँसमेव तद्वीर्येणात्यादधाति ॥ ६ ॥

(त्स्न) ऋताषाडृतधामेति। सत्यसाट् सत्यधामेत्येतदग्निर्गन्धर्वस्तस्यौ-

---

मिथुनानि जुहोति। मिथुनाद्वा अधि प्रजातिः। यो वै प्रजायते-स राष्ट्रं भवति। अराष्ट्रं वै स भवति-यो न प्रजायते। तद्यन्मिथुनानि राष्ट्रं बिभ्रति, मिथुना उ एते देवाः-तस्मादेता राष्ट्रभृतः। आज्येन द्वादशगृहीतेन। ता उ द्वादशैवाहुतयो भवन्ति। तस्योक्तो बन्धुः ॥ ५ ॥

पुंसे पूर्वस्मै जुहोति, अथ स्त्रीभ्यः। पुमांसं तद्वीर्येणात्यादधाति। एकस्मा इव पुंसे जुहोति, बहुभ्य इव स्त्रीभ्यः। तस्मादप्येकस्य पुंसो बह्व्यो जाया भवन्ति। उभाभ्यां-वषट्कारेण च, स्वाहाकारेण च पुंसे जुहोति। स्वाहाकारेणैव स्त्रीभ्यः। पुमांसमेव तद्वीर्येणात्यादधाति ॥ ६ ॥

"ऋताषाडृतधामा"-इति। सत्यसाट् सत्यधामेत्येतत्। "अग्निर्गन्धर्वस्तस्यौषध-

---

पुनः प्रकारान्तरेणैतासां राष्ट्रभृत्संज्ञासम्बन्धं दर्शयति-मिथुनानि जुहोतीति। 'प्रजातिः' प्रकर्षेण जननं पुत्रपौत्रादीनामुत्पत्तिः सा मिथुनादेव भवति खलु। अतश्च यो वै पुरुषः प्रजायते पुत्रपौत्रादिरूपेण विविधं जायते स एव राष्ट्रं भवति। तस्य प्रजाबाहुल्येन राष्ट्रसाधनसामर्थ्यात्। यस्तु न प्रजायते स राष्ट्रं न भवति, तस्य प्रजाभावेन राष्ट्रसाधनसामर्थ्याभावात्। एवं च मिथुनानां राष्ट्रभृत्त्वात् मिथुनभूतानामेतेषां देवानामपि राष्ट्रभृत्त्वमित्यर्थः। प्रकृतहोमे द्रव्यं तत्परिमाणं च विधत्ते-आज्येन द्वादशगृहीतेनेति। ग्रहणसंख्यानुसारेण ता द्वादशैवाहुतयो भवन्ति। तत्र द्वादशेत्यस्य ब्राह्मणं "द्वादश मासाः संवत्सरः"-इत्यादिना प्रागुक्तमित्याह-ता उ द्वादशैवेति ॥ ५ ॥

मंत्रे तस्मै स्वाहा वाट् ताभ्यः स्वाहेत्याम्नानात् तेनैव क्रमेण होमं प्रशंसति-पुंसे पूर्वस्मा इति। तत्तेन प्रथमं होमेन स्त्रीभ्यः पुमांसं वीर्येणात्यादधाति अतिशयितं करोति। तस्मै स्वाहा ताभ्यः स्वाहेत्युक्तां स्त्रीपुंसयोः संख्यां प्रशंसति-एकस्मा एवेति। वषट्कारस्वाहाकाराभ्यां पुंसे हूयते। स्वाहाकारेणैव स्त्रीभ्यो हूयते। एवं च प्रधानशब्दाधिक्यात्स्त्रीपुंभ्यः पुमांसंवीर्याधिकं कृतवान् भवतीत्याह-उभाभ्यामिति। उभशब्दार्थं दर्शयति-वषट्कारेण च स्वाहाकारेण चेति। वाडिति परोऽक्षो वषट्कार इत्युक्तम् ॥ ६ ॥

अथ क्रमेण मन्त्रान्व्याचिख्यासुस्तत्र प्रथममन्त्रे ऋताषाडृतधामेत्यत्र ऋतशब्दस्य सत्यमर्थ इत्याह-

षधयोऽप्सरसऽ इत्यग्निर्ह गन्धर्वऽ ओषधिभिरप्सरोभिर्मिथुनेन सहोच्चक्राम
मुदो नामेत्योषधयो वै मुदऽओषधिभिर्हीदꣳ सर्वं मोदते स नऽ इदं
ब्रह्म क्षत्रं पातु तस्मै स्वाहा वाट्ताभ्यः स्वाहेति तस्योक्तो बन्धुः ॥ ७ ॥

सꣳहित ऽइति । (त्य) असौ वाऽ आदित्यः सꣳहित ऽएष ह्यहोरात्रे
संदधाति विश्वसामेत्येष ह्येव सर्वꣳ साम सूर्यो गन्धर्वस्तस्य मरीचयो-
ऽप्सरसऽ इति सूर्यो ह गन्धर्वो मरीचिभिरप्सरोभिर्मिथुनेन सहोच्चक्रामायुवो
नामेत्यायुवाना ऽइव हि मरीचयः प्लवन्ते स न ऽइदं ब्रह्म क्षत्रं पात्विति
तस्योक्तो बन्धुः ॥ ८ ॥

योऽप्सरसः "–इति । अग्निर्ह गन्धर्वः–ओषधिभिरप्सरोभिर्मिथुनेन सहोच्चक्राम । " मुदो नाम "–इति । ओषधयो वै मुदः । ओषधिभिर्हीदं सर्वं मोदते । " स न इदं ब्रह्म क्षत्रं पातु तस्मै स्वाहा वाट्, ताभ्यः स्वाहा "–(वा. सं. १८ । ३८) इति । तस्योक्तो बन्धुः ॥७॥

" संहितः "–इति । असौ वा आदित्यः संहितः । एष ह्यहोरात्रे सन्दधाति । " विश्व-सामा "–इति । एष ह्येव सर्वं साम । " सूर्यो गन्धर्वस्तस्य मरीचयोऽप्सरसः "–इति । सूर्यो ह गन्धर्वो मरीचिभिरप्सरोभिर्मिथुनेन सहोच्चक्राम । " आयुवो नाम "–इति । आयु-

---

ऋताषाडिति । यतोऽग्निरेव गन्धर्व ओषधिभिरेवाप्सरोभिः सह मिथुनभावेनोच्चक्राम । अत उच्यते मन्त्रेण–
अग्निर्ह गन्धर्व इति । व्रीह्यादिभिरोषधिभिरिदं सर्वं जगन्मोदत इति ओषधयो मुदः । अत उक्तं मुदो नामे-
त्याह–मुदो नामेतीति । वषट्कारस्वाहाकारयोर्ब्राह्मणं "वषट्कारेण वा वै स्वाहाकारेण वा देवेभ्योऽन्नं प्रदीयते"
(श.प.९।१।२।१४) इत्येवं प्रागेवोक्तमित्याह–तस्मै स्वाहा वाट् ताभ्यः स्वाहेति तस्योक्तो बन्धुरिति ।
अत्रैवं मन्त्रविभागः । यान्यत्र पुँल्लिङ्गानि पदानि तान्येकवाक्यतामुपनेयानि, एवं स्त्रीलिङ्गान्यपि । "ऋताषाडृत-
धामाऽग्निर्गन्धर्वः स न इदं ब्रह्म क्षत्रं पातु तस्मै स्वाहा वाट्" इति पूर्वो मन्त्रः । "तस्यौषधयोऽप्सरसो मुदो नाम
ताभ्यः स्वाहा" इत्युत्तरो मन्त्रः। तस्यौषधय इति साकाङ्क्षत्वात्–'ऋताषाडृतधामाऽग्निर्गन्धर्वः' इत्यनुवर्तते ।
ऋतं सत्यं सहत इति ऋताषाट् " छन्दसि सहः "–(पा. सू. ३ । २ । ६३) इति क्विप् प्रत्ययः ।
" नहिवृति० " (पा. सू. ६ । ३ । ११६) इत्यादिना पूर्वपदस्य दीर्घः । ऋतं धाम यस्यासौ ऋत-
धामाऽग्निरेव यो गन्धर्वः स नोऽस्मत्संबन्धिनो यजमानस्य ' इदं ब्रह्म ' ब्राह्मणजातिं ' क्षत्रम् ' क्षत्रियजातिं
च पातु, तस्मा अग्नये गन्धर्वाय ' इदम् ' हविः स्वाहा वाट् इति शब्दद्वयमपि संप्रदानार्थे, स्वाहा वाट् दत्तम-
स्त्विति प्रथमस्यार्थः । ऋताषाट् ऋतधामा योऽग्निर्गन्धर्वोऽस्ति तस्य मुदो नाम या ओषधय एवाप्सरसः सन्ति
ताभ्य इदम् हविः स्वाहा सुहुतमस्त्विति द्वितीयस्यार्थः । उत्तरत्र सर्वत्राप्येवमेव योजना ॥ ७ ॥

अहोरात्रयोः संबन्धाधायकत्वेन संहितशब्दोऽयमादित्यसमवेतार्थ इत्याह–असौ वा आदित्य इति ।
" य एष एतस्मिन्मण्डलेऽर्चिर्दीप्यते तानि सामानि " इत्यादिश्रुतेः एष एव ' आदित्यः ' ' सर्वं साम '

सुषुम्ण ऽइति । सुयज्ञिय ऽ इत्येतत्सूर्यरश्मिरिति सूर्यस्येव हि चन्द्रमसो रश्मयश्चन्द्रमा गन्धर्वस्तस्य नक्षत्राण्यप्सरस ऽ इति चन्द्रमा ह गन्धर्वो नक्षत्रैरप्सरोभिर्मिथुनेन सहोच्चक्राम भेकुरयो नामेति भाकुरयो ह नामैते भाᳬं हि नक्षत्राणि कुर्वन्ति स न ऽइदं ब्रह्म क्षत्रं पात्विति तस्योक्तो बन्धुः ॥ ९ ॥

(रि) इषिरऽ इति । क्षिप्र ऽ इत्येतद्विश्वव्यचा इत्येषु हीदᳬं सर्वं व्यचः करोति व्वातो गन्धर्वस्तस्यापोऽअप्सरस ऽ इति व्वातो ह गन्धर्वोऽद्भि-रप्सरोभिर्मिथुनेन सहोच्चक्रामोर्जो नामेत्यापो वाऽऊर्जोऽद्भ्यो ह्यूर्ग्जायते स न ऽइदं ब्रह्म क्षत्रं पात्विति तस्योक्तो बन्धुः ॥ १० ॥

वाना इव हि मरीचयः प्लवन्ते । " स न इदं ब्रह्म क्षत्रं पातु "-(वा. सं. १८ । ३९) इति । तस्योक्तो बन्धुः ॥ ८ ॥

" सुषुम्णः "-इति । सुयज्ञिय इत्येतत् । " सूर्यरश्मिः "-इति । सूर्यस्येव हि चन्द्रमसो रश्मयः । " चन्द्रमा गन्धर्वस्तस्य नक्षत्राण्यप्सरसः "-इति । चन्द्रमा ह गन्धर्वो नक्षत्रैरप्सरोभिर्मिथुनेन सहोच्चक्राम । " भेकुरयो नाम "-इति । भाकुरयो ह नामैते । भां हि नक्षत्राणि कुर्वन्ति । " स न इदं ब्रह्म क्षत्रं पातु "-(वा० सं० १८ । ४०) इति । तस्योक्तो बन्धुः ॥ ९ ॥

" इषिरः "-इति । क्षिप्र इत्येतत् । " विश्वव्यचाः "-इति । एष हीदं सर्वं व्यचः करोति । " वातो गन्धर्वस्तस्यापोऽप्सरसः "-इति । वातो ह गन्धर्वोऽद्भिरप्सरोभिर्मिथुनेन सहोच्चक्राम । " ऊर्जो नाम "-इति । आपो वा ऊर्जः । अद्भ्यो ह्यूर्ग्जायते । " स न इदं ब्रह्म क्षत्रं पातु "-(वा० सं० १८ । ४१) इति । तस्योक्तो बन्धुः ॥ १० ॥

खलु । अत उच्यते विश्वसामेत्याह-विश्वसामेतीति । विश्वं साम यस्यासौ विश्वसामा । तत्तद्वतोरभेदमाश्रित्योक्तम् ' एष ह्येव सर्वं साम ' इति । यतो मरीचय आयुवाना इव प्लवन्ते अत उक्तम् आयुवो नामेत्याह-आयुवो नामेतीति । शिष्टं पूर्ववत् ॥ ८ ॥

सुम्नशब्देन सुखस्याभिधानात् सुखस्य च यज्ञसाध्यत्वेन यज्ञार्हत्वात् ' यज्ञिय ' इत्ययमर्थो विवक्षितः सुम्नशब्देनेत्याह-सुषुम्ण इति सुयज्ञिय इत्येतदिति । प्रकाशमानत्वसामान्येन चन्द्ररश्मयः सूर्यरश्मयः इव भवन्तीति, चन्द्रः सूर्यरश्मिरित्यभिधीयत इत्याह-सूर्यरश्मिरितीति । भेकुरयो नामेतीति । ' नक्षत्राणि ' भास्तेजांसि ' कुर्वन्ति ' इति ' भाकुरयः ' भाकुरय एव भेकुरयः, आकारस्य व्यत्ययेनैकारः । गतमन्यत् ॥९॥

" इष गतौ " (धा. पा. भ्वा. आ. ६१२) इत्यस्मादौणादिके किरच् प्रत्यये ' इषिर ' इति भवति ।

(भुं) भुज्युः सुपर्णऽ इति । यज्ञो वै भुज्युर्यज्ञो हि सर्वाणि भूतानि भुनक्ति यज्ञो गन्धर्वस्तस्य दक्षिणाऽअप्सरसऽ इति यज्ञो ह गन्धर्वो दक्षिणाभिरप्सरोभिर्मिथुनेन सहोच्चक्राम स्तावा नामेति दक्षिणा वै स्तावा दक्षिणाभिर्हि यज्ञ स्तूयतेऽथो यो वै कश्च दक्षिणां ददाति स्तूयतऽएव स स न ऽइदं ब्रह्म क्षत्त्रं पात्विति तस्योक्तो बन्धुः ॥ ११ ॥ (अर्धप्रपाठकः ॥ कं० ४८) ॥

प्रजापतिर्विश्वकर्मेति । प्रजापतिर्वै विश्वकर्मा स हीदꣳ सर्वमकरोन्मनो गन्धर्वस्तस्यऽऋक्सामान्यप्सरस ऽइति मनो ह गन्धर्वऽऋक्सामैरप्सरोभिर्मिथुनेन सहोच्चक्रामेष्टयो नामेत्यृक्सामानि वाऽएष्टयऽऋक्सामैर्ह्याशासतऽइति नोऽस्त्वित्थं नोऽस्त्विति स न ऽइदं ब्रह्म क्षत्त्रं पात्विति तस्योक्तो बन्धुः ॥ १२ ॥

" भुज्युः सुपर्णः "–इति । यज्ञो वै भुज्युः । यज्ञो हि भूतानि भुनक्ति । " यज्ञो गन्धर्वस्तस्य दक्षिणा अप्सरसः "–इति । यज्ञो ह गन्धर्वो दक्षिणाभिरप्सरोभिर्मिथुनेन सहोच्चक्राम । " स्तावा नाम "–इति । दक्षिणा वै स्तावाः । दक्षिणाभिर्हि यज्ञः स्तूयते । अथो यो वै कश्च दक्षिणां ददाति–स्तूयत एव सः । " स न इदं ब्रह्म क्षत्रं पातु "–(वा. सं. १८ । ४२) इति । तस्योक्तो बन्धुः ॥ ११ ॥

" प्रजापतिर्विश्वकर्मा "–इति । प्रजापतिर्वै विश्वकर्मा । स हीदं सर्वमकरोत् । " मनो गन्धर्वस्तस्यऽऋक्सामान्यप्सरसः "–इति । मनो ह गन्धर्व ऋक्सामैरप्सरोभिर्मिथुनेन सहोच्चक्राम । "एष्टयो नाम"–इति । ऋक्सामानि वा एष्टयः । ऋक्सामैर्ह्याशासते । इति नोऽस्तु, इत्थं नोऽस्त्विति । " स न इदं ब्रह्म क्षत्रं पातु "–(वा० सं० १८ । ४३) इति । तस्योक्तो बन्धुः ॥ १२ ॥

अतश्चैतेन क्षिप्र इत्येतदुक्तं भवतीत्याह–इषिर इतीति । यतश्चैष वायुरिदं सर्वमपि व्यचो व्याप्तं करोति । अत उक्तं विश्वव्यचा इत्याह-विश्वव्यचा इतीति । अद्भ्यः सकाशादूर्क् सर्वमप्यन्नं जायत इति, आप एवोर्जः । अत उक्तम् आप ऊर्जो नामेत्याह–ऊर्जो नामेतीति ॥ १० ॥

' यज्ञो हि ' वृष्ट्यादिसम्पादनेन ' सर्वाणि भूतानि भुनक्ति ' रक्षतीति भुज्युशब्दो यज्ञे समवेतार्थ इत्याह–यज्ञो वा इति । यज्ञः खलु दक्षिणाभिः प्रशंस्यते । साधुजातो यज्ञोऽयमिति स्वीकृतदक्षिणैर्ऋत्विग्भिः स्तूयमानत्वात् । किञ्च ' यो वै कश्चन ' ' दक्षिणां ददाति ' सोऽपि प्रतिग्रहीतृभिः स्तूयते । अत इत्थं स्तुतिहेतुत्वाद्दक्षिणाः स्तावा नामेत्याह–दक्षिणा वै स्तावा इति । व्यत्ययेन घञ् प्रत्ययः ॥ ११ ॥

यतः प्रजापतिरिदं सर्वमकरोत्, अतः प्रजापतिर्विश्वकर्मा । अत उक्तम् प्रजापतिर्विश्वकर्मेत्याह–प्रजापति-

(रु) अथ रथशीर्षे जुहोति । (त्ये) एष वै स सवऽ एतद्वै तत्सूयते युमस्मै तमेता देवताः सवमनुमन्यन्ते याभिरनुमतः सूयते यस्मै वै राजानो राज्यमनुमन्यन्ते स राजा भवति न स यस्मै नाज्येन पञ्चगृहीतेन ताऽ उ पञ्चैवाहुतयो हुता भवन्ति तस्योक्तो बन्धुः ॥ १३ ॥

शीर्षतः । शीर्षतो वाऽअभिषिच्यमानोऽभिषिच्यतऽ उपरि धार्यमाणऽउपरि हि स यमेतदभिषिञ्चति समानेन मन्त्रेण समानो हि स यमेतदभिषिञ्चति सर्वतः परिहारऌँ सर्वत ऽएवैनमेतदभिषिञ्चति ॥ १४ ॥

अथ रथशीर्षे जुहोति–एष वै स सवः । एतद्वै तत्सूयते–यमस्मै तमेता देवताः सवमनुमन्यन्ते । याभिरनुमतः सूयते । यस्मै वै राजानो राज्यमनुमन्यन्ते–स राजा भवति । न सः–यस्मै न । आज्येन पञ्चगृहीतेन । ता उ पञ्चैवाहुतयो हुता भवन्ति । तस्योक्तो बन्धुः ॥ १३ ॥

शीर्षतः । शीर्षतो वा अभिषिच्यमानोऽभिषिच्यते । उपरि धार्यमाणे । उपरि हि सः–यमेतदभिषिञ्चति । समानेन मन्त्रेण । समानो हि सः–यमेतदभिषिञ्चति । सर्वतः परिहारम् । सर्वत एवैनमेतदभिषिञ्चति ॥ १४ ॥

विश्वकर्मेतीति । मनो गन्धर्व इति । प्रजापतेर्मनस्त्वं मनोवदनियुक्ताकारत्वात् । एष्टयो नामेति । इत्येतत्फलं नोऽस्तु इत्थं नोऽस्त्विति । 'ऋक्सामैर्ह्याशासते' खलु अत इष्यमाणसाधनत्वात् इष्टयः आ इष्टय 'एष्टयः' । 'उबकामेष्टयः' इत्यत्र "ओमाङोश्च" (पा. सू. ६ । १ । ९५) इति पररूपम् । गतमन्यत् ॥ १२ ॥

राष्ट्रभृद्धोमानन्तरं रथशिरसि होमं विधत्ते–अथेति[1] । प्रकृतहोमं यजमानाय सवात्मना प्रशंसति–एष वै स सव इति । अस्मै यजमानाय यं सवं सम्पादयति स सव एष खलु । एतद्वै तत्सूयते इत्ययमेवार्थो विक्रियते । स एव सवः क्रियते इत्यर्थः । एतत्तदिति–धात्वर्थविशेषणत्वान्नपुंसकत्वम् । 'याभिरनुमतः सूयते' यजमानश्च तदैव 'एता देवताः' 'तम्' एतम् 'सवमनुमन्यन्ते' । अस्य होमस्य यजमानाभिषेकमनुजानन्त्यो देवता एतं होमात्मकं सवमनुमन्यन्त इत्यर्थः । तस्योक्तो बन्धुरिति । "पञ्चचितिकोऽग्निः पञ्चर्तवः संवत्सरः" इत्यादिलक्षणं ब्राह्मणं प्रागेवोक्तमित्यर्थः । स्पष्टमन्यत् ॥ १३ ॥

अभिषिच्यमानस्य शिरसः सकाशादेव तदभिषेकाद्रथशिरसो होमः प्रशस्यते इत्याह–शीर्षत इति । अभिषेकावसरे यजमानः कृष्णाजिनादेरुपरि स्थित एवाभिषिच्यत इत्यत आह–उपरि धार्यमाण इति । रथशिरसीति शेषः । अभिषिच्यमानस्य यजमानस्यैकत्वात्स पञ्चाप्याहुतयश्च एकेन मंत्रेण क्रियेरन्नित्याह–समानेन मंत्रेणेति । सर्वत एवैतस्य यजमानस्याभिषेको यथा स्यादिति प्रादक्षिण्येन क्रमेण सर्वतः परिहृत्य जुहुयादित्याह–सर्वतः परिहारमिति ॥ १४ ॥

१–पंचगृहीतं च रथशिरस्यध्यध्याहवनीयं ध्रियमाणे पंचकृत्वः स नो भुवनस्येति । का० श्रौ० सू० १५ । ६ । १

यद्वेव रथशीर्षे जुहोति । (त्य) असौ वाऽआदित्य ऽएष रथऽएतद्वै तद्रूपं कृत्वा प्रजापतिरेतानि मिथुनानि परिगत्यात्मन्नधत्तात्मन्नकुरुत तथैवैनान्ययमेतत्परिगत्यात्मन्धत्तऽ आत्मन्कुरुतऽ उपरि धार्यमाण ऽउपरि हि स यऽएतानि मिथुनानि परिगत्यात्मन्नधत्तात्मन्नकुरुत समानेन मन्त्रेण समानो हि स यऽएतानि मिथुनानि परिगत्यात्मन्नधत्तात्मन्नकुरुत सर्वतः परिहारꣳ सर्वतो हि स य ऽएतानि मिथुनानि परिगत्यात्मन्नधत्तात्मन्नकुरुत ॥ १५ ॥

स नो भुवनस्य पते प्रजापतऽ इति । भुवनस्य ह्येष पतिः प्रजापतिर्यस्य तऽउपरि गृहा यस्य वेहेत्युपरि च ह्येतस्य गृहा ऽइह चास्मै ब्रह्मणेऽस्मै क्षत्रायेत्ययं वाऽअग्निर्ब्रह्म च क्षत्रं च महि शर्म यच्छ स्वाहेति महच्छर्म यच्छ स्वाहेत्येतत् ॥ १६ ॥

इति तृतीयप्रपाठके तृतीयं ब्राह्मणम् ॥ ९-३-३ ॥ (४. १.)

यद्वेव रथशीर्षे जुहोति । असौ वा आदित्य एष रथः । एतद्वै तद्रूपं कृत्वा प्रजापतिरेतानि मिथुनानि परिगत्यात्मन्नधत्त, आत्मन्नकुरुत । तथैवैनान्ययमेतत्परिगत्यात्मन्धत्ते, आत्मन्कुरुते । उपरि धार्यमाणे । उपरि हि सः-य एतानि मिथुनानि परिगत्यात्मन्नधत्त, आत्मन्नकुरुत । समानेन मन्त्रेण । समानो हि सः-य एतानि मिथुनानि परिगत्यात्मन्नधत्त, आत्मन्नकुरुत । सर्वतः परिहारम् । सर्वतो हि सः-य एतानि मिथुनानि परिगत्यात्मन्नधत्त, आत्मन्नकुरुत ॥ १५ ॥

" स नो भुवनस्य पते प्रजापते "-इति । भुवनस्य ह्येष पतिः प्रजापतिः । " यस्य त उपरि गृहाः । यस्य वेह "-इति । उपरि च ह्येतस्य गृहाः, इह च । " अस्मै ब्रह्मणेऽस्मै क्षत्राय "-इति । अयं वाऽअग्निर्ब्रह्म च, क्षत्रं च । " महि शर्म यच्छ स्वाहा "-(वा. सं. १८ । ४४) इति । महच्छर्म यच्छ स्वाहेत्येतत् ॥ १६ ॥

अथ पुनस्तमेव होमं प्रकारान्तरेण प्रशंसति-यद्वेवेति । एष आहवनीयस्य 'उपरि' धार्यमाणो रथः असावाकाशमध्ये वितायमान आदित्यात्मकः । रथस्यादित्यात्मकत्वम् आदित्यवन्मण्डलाकाररथाङ्गवत्त्वात्, शीघ्रगामित्वाद्वा । अतः प्रजापतिरादित्यात्मकम् एतद्रूपं रथरूपं कृत्वा एतानि पूर्वोक्तानि मिथुनानि 'परिगत्य' आत्मनि धृत्वा स्वाधीनीकृतवान् । तस्माद्यजमानोऽपि रथशिरसि होमं तद्वदेव कुरुते । स्पष्टमन्यत् ॥ १५ ॥

अथाऽस्मिन्होमे मन्त्रं दर्शयन् व्याचष्टे-स नो भुवनस्येति । एष रथरूपेण मिथुनानि परिगतवान् सर्वस्य भुवनस्य पतिः प्रजापतिश्च भवतीति मन्त्रो युक्तमाहेत्याह-भुवनस्य ह्येष इति । एतस्य प्रजापतेः सर्वाधि-

अथ व्वातहोमाँञ्जुहोति। (ती) इमे वै लोका ऽएषोऽग्निर्व्वायुर्व्वातहोमा ऽएषु तल्लोकेषु व्वायुं दधाति तस्मादयमेषु लोकेषु व्वायुः ॥ १ ॥

(ब्रीं) बाह्येनाग्निमाहरति। (त्या) आप्तो वाऽअस्य स व्वायुर्य ऽएषु लोकेष्वथ य ऽइमाँल्लोकान्परेण व्वायुस्तमस्मिन्नेतद्दधाति ॥ २ ॥

बहिर्व्वेदेरियं वै व्वेदिः। (रा) आप्तो वाऽअस्य स व्वायुर्योऽस्यामथ य ऽइमां परेण व्वायुस्तमस्मिन्नेतद्दधाति ॥ ३ ॥

(त्य) अञ्जलिना न ह्येतस्येतीवाभिपत्तिरस्ति स्वाहाकारेण जुहोति ह्यधोऽधो धुरमसौ वाऽआदित्य ऽएष रथोऽर्व्वाचीनं तदादित्याद्वायुं दधाति तस्मादेषोऽर्व्वाचीनमेवातः पवते ॥ ४ ॥

अथ वातहोमाः।

अथ वातहोमाञ्जुहोति। इमे वै लोका एषोऽग्निः, वायुर्वातहोमाः। एषु तल्लोकेषु वायुं दधाति। तस्मादयमेषु लोकेषु वायुः ॥ १ ॥

बाह्येनाग्निमाहरति। आप्तो वा अस्य स वायुः–य एषु लोकेषु। अथ य इमांल्लोकान्परेण वायुः–तमस्मिन्नेतद्दधाति ॥ २ ॥

बहिर्वेदेः। इयं वै वेदिः। आप्तो वा अस्य स वायुः–योऽस्याम्। अथ य इमां परेण वायुः–तमस्मिन्नेतद्दधाति ॥ ३ ॥

अञ्जलिना। न ह्येतस्येतीवाभिपत्तिरस्ति। स्वाहाकारेण। जुहोति हि। अधोऽधो धुरम्। असौ वाऽआदित्य एष रथः। अर्वाचीनं तदादित्याद्वायुं दधाति। तस्मादेषोऽर्वाचीनमेवातः पवते ॥४॥

पत्येन स्वर्लोके इह लोके च गृहा विशन्त इति यस्येत्यादिना स एवार्थोऽभिधीयत इत्याह–उपरि च ह्येतस्येति। अयमेव चीयमानोऽग्निः सर्वात्मकत्वेन ब्रह्मक्षत्रशब्दाभ्यामुच्यत इत्याह–अयं वा अग्निरिति। अग्नेश्च भावियजमानरूपत्वेन ब्रह्मणे क्षत्रायेत्यनयोः शब्दयोः यजमाने पर्यवसानमवगन्तव्यम्। 'महि शर्म यच्छ' इत्यत्र महिशब्दस्य महदित्ययमर्थ इत्याह–महच्छर्म यच्छेत्येतदिति ॥ ११ ॥

इति श्रीसायणाचार्यविरचिते माधवीये वेदार्थप्रकाशे माध्यन्दिनीयशतपथब्राह्मणभाष्ये नवमकाण्डे चतुर्थेऽध्याये प्रथमं ब्राह्मणम् ॥ (९।४।१) ॥

उक्तहोमानन्तरं वातहोमान्कुर्यादिति विधत्ते–अथेति। एतस्याग्नेः पृथिव्यादिलोकात्मकत्वाद्वातहोमानां वायुत्वात् तैर्होमैः पृथिव्यादिषु लोकेषु वायुं निहितवान् भवतीत्याह–इमे वै लोका इति ॥ १ ॥

होष्यमाणो वायुरग्नेर्बाह्यप्रदेशादाहरणीय इत्याह–बाह्येनाग्निमिति। एवं चाग्नेर्लोकत्रयात्मकत्वेन लोकत्रयावस्थितस्य वायोः प्रागेवाप्तत्वाच्चतो बहिरवस्थितस्य वायोर्निधानमस्मिन्नग्नौ संपाद्यत इत्याह–आप्तो वा अस्येति। वेद्याः पृथिव्यात्मकत्वात्तत्रत्यस्यापि वायोः पूर्वमेवाप्तत्वाद्वेदेर्बहिराहरेदित्याह–बहिर्वेदेरिति॥२॥॥३॥

तदाहरणमञ्जलिना कर्तव्यमित्याह–अञ्जलिनेति। ननु वायोर्होमद्रव्यत्वाज्जुह्वादिना कस्मान्नाहरेदित्यत

समुद्रोऽसि नभस्वानिति । (त्य) असौ वै लोकः समुद्रो नभस्वाना-र्द्रदानुरित्येषु ह्यार्द्रं ददाति तद्योऽमुष्मिँल्लोके व्वायुस्तमस्मिन्नेतद्दधाति शम्भूर्मयोभूरभि मा व्वाहि स्वाहेति शिवः स्योनोऽभि मा व्वाहीत्येतत् ॥ ५ ॥

(न्मा) मारुतोऽसि मरुतां गण ऽइति । (त्य) अन्तरिक्षलोको वै मारुतो मरुतां गणस्तद्योऽन्तरिक्षलोके व्वायुस्तमस्मिन्नेतद्दधाति शम्भू-र्मयोभूरभि मा व्वाहि स्वाहेति शिवः स्योनोऽभि मा व्वाहीत्येतत् ॥ ६ ॥

"समुद्रोऽसि नभस्वान्"–इति। असौ वै लोकः समुद्रो नभस्वान् । "आर्द्रदानुः"–इति । एष ह्यार्द्रं ददाति । तद्–योऽमुष्मिँल्लोके वायुः–तमस्मिन्नेतद्दधाति । " शम्भूर्मयोभूरभि मा वाहि स्वाहा "–इति । शिवः स्योनोऽभि मा वाहीत्येतत् ॥ ५ ॥

"मारुतोऽसि मरुतां गणः"–इति। अन्तरिक्षलोको वै मारुतो मरुतां गणः ।तद् योऽन्त-

---

आह–नं ह्येतस्येति । 'इतीव' इत्यभिनयेन दर्शितम् । 'एतस्य' वायोः 'इतीव' आज्यादिवत् स्कन्दनाद्यभिपत्तिर्नास्ति । आ अभिपत्तिरिति पदविभागः । तस्मादञ्जलिना आहरेत् । होमेषु सर्वत्र स्वाहाकार-प्रयोगादस्यापि होमः स्वाहाकारेण हूयते इत्याह–स्वाहाकारेण, जुहोति हीति । होमप्रदेशमाह–अधोऽधो धुरमिति । उपरि धार्यमाणस्य रथस्य धुरोऽधोऽधो भागे जुहुयात् । अत्र कात्यायनः–" वातहोमाञ्जुहोत्यंजलि-नाऽऽहृत्य पुरस्ताद्धविर्वेदेरधो दक्षिणस्यां धुर्युत्तरत उत्तरस्यां दक्षिणतो दक्षिणाप्रष्टेः "–(का. श्रौ. सू. १८ । ८९) इति । पुरस्ताद्धविर्वेदेर्वातमाहृत्य दक्षिणस्यां धुरि अधो जुहुयात् । अथोत्तरत आहृत्य उत्तरस्यां धुरि अधो जुहुयात् । अथ दक्षिणत आहृत्य दक्षिणाप्रष्टेरधो जुहुयात् । इति सूत्रस्यार्थः । तस्य रथस्यादि-त्यात्मकत्वात्, तस्याधोभागे वातहोमेन वायुमादित्यादर्वाचीनं निहितवान् भवतीत्याह–असौ वा आदित्य इति ॥ ४ ॥

अथ प्रथमं मन्त्रं व्याचष्टे[1]–समुद्रोऽसीति । 'असौ लोकः' स्वर्लोकः सर्वदा वृष्टिप्रदानेन समुन्दनशी-लत्वात् 'समुद्रः' । नभ इति नक्षत्रनाम । नभस्वान् नक्षत्रविशिष्टश्च भवति । एष ह्यार्द्रमिति । 'एषः' स्वर्लोकः 'आर्द्रं' वृष्टिं 'ददाति' यतः–तस्मात् 'आर्द्रदानुः' । तद्योऽमुष्मिन्निति । तेन समुद्रो-ऽसीत्यादिना मन्त्रप्रयोगेण 'अमुष्मिँल्लोके' यो वायुः बहिःप्रदेशादाहृतोऽस्ति तमेवास्मिन्नग्नौ निदधाति । हे वायो ! त्वं समुद्रो नभस्वानार्द्रदानुर्यः स्वर्लोकस्तत्र वर्तमानस्त्वं, तदात्मकोऽसीति मन्त्रेण प्रतिपादनात् बाह्यप्रदेशादाहृतं नभस्वान् आर्द्रदानुर्यः तं वायुमस्मिन्निहितवान्भवतीत्यर्थः । शम्भूर्मयोभूरित्यनयोरेकार्थताशङ्कां निवारयितुमाह–शिवः स्योन इति । 'शिवः' शोभनः 'स्योनः' सुखकरः । हे वायो ! यस्त्वं समुद्रो नभस्वा-नार्द्रदानुरसि तादृशस्त्वं शोभनः सुखकरो भूत्वा मामभिगच्छेत्यर्थः ॥ ५ ॥

द्वितीयमन्त्रं व्याचष्टे–मारुतोऽसीति । अन्तरिक्षलोको मरुद्भिर्विशिष्टत्वान्मारुतः । अत एव मरुतां गणः आधाराधेययोरभेदविवक्षयैवमुक्तम् । अवशिष्टं पूर्ववत् ॥ ६ ॥

१–समुद्रोऽसीति प्रतिमंत्रम् । का० श्रौ० सू० १८ । ८९ ।

(द)अवस्यूरसि दुवस्वानिति । (त्य) अयं वै लोकोऽवस्यूर्दुवस्वांस्तद्यो- ऽस्मिँल्लोके वायुस्तमस्मिन्नेतद्दधाति शम्भूर्मयोभूरभि मा वाहि स्वाहेति शिवः स्योनोऽभि मा वाहीत्येतत् ॥ ७ ॥

(त्रि) त्रिभिर्जुहोति । त्रय ऽइमे लोकाऽअथो त्रिवृदग्निर्यावानग्निर्याव- त्यस्य मात्रा तावतैव तदेषु लोकेषु वायुं दधाति ॥ ८ ॥

यद्वेव वातहोमाञ्जुहोति । (त्ये) एतमेवैतद्रथं युनक्त्येतद्वै देवा ऽएतꣳ रथꣳ सर्वेभ्यः कामेभ्योऽयुञ्जत युक्तेन समश्नवामहाऽइति तेन युक्तेन सर्वान्कामान्त्समाश्नुवत तथैवैतद्यजमान ऽएतꣳ रथꣳ सर्वेभ्यः कामे- भ्यो युङ्क्ते युक्तेन समश्नवाऽइति तेन युक्तेन सर्वान्कामान्त्समश्नुते ॥ ९ ॥

वातहोमैर्युनक्ति । प्राणा वै वातहोमाः प्राणैरेवैनमेतद्युनक्ति त्रिभि- र्युनक्ति त्रयो वै प्राणाः प्राणऽउदानो व्यानस्तैरेवैनमेतद्युनक्त्यधोऽधो धुरमधोऽधो हि धुरं योग्यं युञ्जन्ति हस्ताभ्याꣳ हस्ताभ्याꣳ हि योग्यं युञ्जन्ति विपरिक्रामं विपरिक्रामꣳ हि योग्यं युञ्जन्ति ॥ १० ॥

रिक्षलोके वायुः—तमस्मिन्नेतद्दधाति । " शम्भूर्मयोभूरभि मा वाहि स्वाहा "—इति । शिवः स्योनोऽभि मा वाहीत्येतत् ॥ ६ ॥

"अवस्यूरसि दुवस्वान्"—इति । अयं वै लोकोऽवस्यूर्दुवस्वान् । तद्—योऽस्मिँल्लोके वायुः— तमस्मिन्नेतद्दधाति । " शम्भूर्मयोभूरभि मा वाहि स्वाहा "—(वा. सं. १८।४५) इति । शिवः स्योनोऽभि मा वाहीत्येतत् ॥ ७ ॥

त्रिभिर्जुहोति । त्रय इमे लोकाः । अथो त्रिवृदग्निः । यावानग्निर्यावत्यस्य मात्रा—तावतैव तदेषु लोकेषु वायुं दधाति ॥ ८ ॥

यद्वेव वातहोमाञ्जुहोति । एतमेवैतद्रथं युनक्ति । एतद्वै देवा एतं रथं सर्वेभ्यः कामेभ्योऽयुञ्जत । युक्तेन समश्नवामहा इति । तेन युक्तेन सर्वान्कामान्त्समाश्नुवत । तथैवैतद्यजमान एतं रथं सर्वेभ्यः कामेभ्यो युङ्क्ते । युक्तेन समश्नवा ऽइति । तेन युक्तेन सर्वान्कामान्त्समश्नुते ॥ ९ ॥

वातहोमैर्युनक्ति । प्राणा वै वातहोमाः । प्राणैरेवैनमेतद्युनक्ति । त्रिभिर्युनक्ति । त्रयो वै प्राणाः—

तृतीयं मन्त्रं व्याचष्टे—अवस्यूरसीति । अयं लोको भूलोकः ' अवस्यूः ' । अवस्यूरित्यन्नमुच्यते । तद्वि- शिष्टः अत्रैव सर्वेषामन्नानामुत्पत्तेः । अत एव ' दुवस्वान् ' हविष्मान् । शेषं पूर्ववत् ॥ ७ ॥

अथैतेषां मन्त्राणां त्रित्वसंख्यां प्रशंसति—त्रिभिर्जुहोतीति ॥ ८ ॥

अथैतानेव वातहोमान् सर्वकामप्राप्त्यर्थं रथनियोजनात्मना प्रशंसति—यद्वेव वातहोमानिति ॥ ९ ॥

वातहोमानामेव नियोजनसाधनत्वं प्रशंसति—वातहोमैर्युनक्तीति । अन्तःस्थानां प्राणानां वातात्मकत्वाद्

स दक्षिणायुग्यमेवाग्रे युनक्ति । (त्त्यु) अथ सव्यायुग्यमथ दक्षिणाप्रष्टि-मेवं देवत्रेतरथा मानुषे तं नाभियुञ्ज्यान्नेद्युक्तमभियुनजानीति व्वाहनं तु दद्याद्युक्तेन भुनजाऽइति तमुपर्य्येव हरन्त्याध्वर्य्योरावसथादुपरि ह्येष तम-ध्वर्य्यवे ददाति स हि तेन करोति तं तु दक्षिणानां कालेऽनुदिशेत् ॥११॥

(द्व) अथ रुक्मतीर्जुहोति । (त्यु) अत्रैष सर्व्वोऽग्निः संस्कृतः स ऽएषोऽत्र रुचमैच्छत्तस्मिन्देवा ऽएताभी रुक्मतीभी रुचमदधुस्तथैवास्मि-न्नयमेतद्दधाति ॥ १२ ॥

प्राण उदानो व्यानः । तैरेवैनमेतद्युनक्ति । अधोऽधो धुरम् । अधोऽधो हि धुरं योग्यं युञ्जन्ति । हस्ताभ्याम् । हस्ताभ्यां हि योग्यं युञ्जन्ति । विपरिक्रामम् । विपरिक्रामं हि योग्यं युञ्जन्ति ॥१०॥

स दक्षिणायुग्यमेवाग्रे युनक्ति, अथ सव्यायुग्यम्, अथ दक्षिणाप्रष्टिम् । एवं देवत्रा । इतरथा मानुषे । तं नाभियुञ्ज्यात्–नेद्युक्तमभियुनजानीति । वाहनं तु दद्यात्–युक्तेन भुनजा इति । तमुपर्येव हरन्ति–आ अध्वर्योरावसथात् । उपरि ह्येषः । तमध्वर्यवे ददाति । स हि तेन करोति । तं तु दक्षिणानां कालेऽनुदिशेत् ॥ ११ ॥

अथ रुक्मतीहोमः ।

अथ रुक्मतीर्जुहोति । अत्रैष सर्वोऽग्निः संस्कृतः । स एषोऽत्र रुचमैच्छत् । तस्मिन्देवा एताभी रुक्मतीभी रुचमदधुः । तथैवास्मिन्नयमेतद्दधाति ॥ १२ ॥

' वातहोमाः प्राणाः; ' एवं चैतेन होमेन रथं प्राणैरेव नियुनक्ति । ' प्राण उदानो व्यानः ' इति प्राणानां त्रित्वात्तदात्मकानामपि वातहोमानां त्रित्वमुपपद्यत इत्याह–त्रिभिर्युनक्तीति । लोके धुरोऽधोभागे हस्ताभ्यां विपरिक्रम्य विपरिक्रम्याश्वस्य नियोजनादत्रापि तद्वदेव नियुज्यत इत्याह–अधोऽधो धुरमित्यादिना ॥ १० ॥

रथे अश्वानां नियोजने क्रममाह–स दक्षिणायुग्यमेवेति । युगं वहतीति युग्य इति युग्यशब्देनाश्वोऽभिधीयते। ननु चोक्तप्रकारे क्रमे को गुणः तद्वैपरीत्ये वा को दोषः इत्यत आह–एवं देवत्रेति । अत एव तैत्तिरीयके–दीक्षितस्य नेत्रयोरंजनक्रमविधानावसरे श्रुतम्–" दक्षिणं पूर्वमाङ्क्ते सव्यं हि पूर्वं मनुष्या आंजते "(तै.सं.६।१।१।५) इति । ननु तर्ह्युक्तक्रमेणाश्वमेव नियुंज्यादिति नेत्याह–तं नाभियुञ्ज्यादिति । वातहोमानामश्वत्वात्तैर्युक्तं रथं नाभियुनजानीत्यभिप्रायेण तमश्वं नाभियुञ्ज्यादित्यर्थः । अभियोजनं नाम युक्ते पुनर्योजनम् । एवं तर्ह्यस्य रथस्य प्रत्यक्षाश्वसम्बन्धो न स्यादित्यत आह–वाहनं त्विति । वाहनयुक्तेन रथेन कामान् भुनजा इत्याशयेन वाहनं दद्यात् । तं रथम् अध्वर्युगृहपर्यन्तमुपरि एव आहरेयुः इत्याह–तमुपर्येवेति । उपरि ह्येष इति । ' एषः ' रथो होमावसरे ' उपरि ' धारितः खल्वित्यर्थः । तेन रथेनाध्वर्युरेव होमादिकं कृतवानिति–तमध्वर्यवे दद्यादित्याह–तमध्वर्यव इति । तर्हीदानीमेव तस्मै तमनुदिशेदिति नेत्याह–तं तु दक्षिणानामिति ॥ ११ ॥

वातहोमानन्तरं रुक्मतीनां होमं विधत्ते–अथेति[1] । रुक्छन्दसम्बन्धाद्धोमसाधनभूता ऋचो रुक्मत्यः । एवं

१–नव जुहोति यास्त इति प्रतिमंत्रम् । का. श्रौ. सू. । १८ । ६१ ।

यद्वेव रुक्मतीर्जुहोति । प्रजापतेर्विस्रस्ताद्रुगुदक्रामत्तं यत्र देवाः समस्कुर्वंस्तदस्मिन्नेताभी रुक्मतीभी रुचमदधुस्तथैवास्मिन्नयमेतद्दधाति ॥ १३ ॥ (शतम् ५०००) ॥

यास्तेऽअग्ने सूर्ये रुचः । (चो) या वो देवाः सूर्ये रुचो रुचं नो धेहि ब्राह्मणेष्विति रुचꣳ रुचमित्यमृतत्वं वै रुगमृतत्वमेवास्मिन्नेतद्दधाति तिस्रऽआहुतीर्जुहोति त्रिवृदग्निर्यावानग्निर्यावत्यस्य मात्रा तावतैवास्मिन्नेतद्रुचं दधाति ॥ १४ ॥

(त्यु) अथ वारुणीं जुहोति । (त्यु) अत्रैष सर्वोऽग्निः संस्कृतः स ऽएषोऽत्र वरुणो देवता तस्माऽएतद्धविर्जुहोति तदेनꣳ हविषा देवतां करोति यस्यै वै देवतायै हविर्गृह्यते सा देवता न सा यस्यै न गृह्यते वारुण्यऽर्चा स्वेनैवैनमेतदात्मना स्वया देवतया प्रीणाति ॥ १५ ॥

यद्वेव रुक्मतीर्जुहोति । प्रजापतेर्विस्रस्ताद्रुगुदक्रामत् । तं यत्र देवाः समस्कुर्वन्—तदस्मिन्नेताभी रुक्मतीभी रुचमदधुः । तथैवास्मिन्नयमेतद्दधाति ॥ १३ ॥

" यास्तेऽअग्ने सूर्ये रुचो, या वो देवाः सूर्ये रुचो, रुचं नो धेहि ब्राह्मणेषु "—(वा. सं. १६ । ४६–४८) इति । रुचं रुचमिति । अमृतत्वं वै रुक् । अमृतत्वमेवास्मिन्नेतद्दधाति । तिस्र आहुतीर्जुहोति । त्रिवृदग्निः । यावानग्निर्यावत्यस्य मात्रा—तावतैवास्मिन्नेतद्रुचं दधाति ॥ १४ ॥

अथ वारुणीहोमः ।

अथ वारुणीं जुहोति । अत्रैष सर्वोऽग्निः संस्कृतः । स एषोऽत्र वरुणो देवता । तस्मा एतद्धविर्जुहोति । तदेनं हविषा देवतां करोति । यस्यै वै देवतायै हविर्गृह्यते—सा देवता । न सा—यस्यै न गृह्यते । वारुण्यर्चा । स्वेनैवैनमेतदात्मना स्वया देवतया प्रीणाति ॥ १५ ॥

च ' रुक्मतीर्जुहोति ' इत्यस्य तत्साध्यान् होमान्कुर्यादित्यर्थः । पूर्वं ' देवाः ' संस्कृतेऽस्मिन्नग्नौ ' एताभी रुक्मतीभी रुचमदधुः ' इति तथैव यजमानोऽपि करोतीत्याह- अत्रैष इति ॥ १२ ॥

अथ तासामेव होमं प्रकारान्तरेण प्रशंसति—यद्वेवेति । पूर्वं ' विस्रस्तात् ' ' प्रजापतेः ' उत्क्रान्तां रुचं देवाः प्रजापतिं संस्कृत्य ' अस्मिन्नेताभी रुचमदधुः ' इति तथैवायमपि यजमानः संचिताग्निलक्षणेऽस्मिन् प्रजापतौ रुचं निदधाति ॥ १३ ॥

ताश्च रुक्मतीर्ऋचो दर्शयति—यास्ते अग्न इति । मन्त्रेषु पौनःपुन्येन रुक्शब्दस्य प्रयोगादस्मिन्नग्नावमृतत्वमेव निदधातीत्याह—रुचं रुचमित्यमृतत्वमिति । आहुतीनां त्रित्वेन कृत्स्न एवाग्नौ रुचं निदधातीत्याह—तिस्र आहुतीरिति ॥ १४ ॥

" तत्त्वा यामि ब्रह्मणा वन्दमानः " इतीयमृग्वारुणी, एतत्साध्यं होमं विधत्ते—अथ वारुणीं जुहोतीति ।

य॒द्वेव॒ वा॑रुणीं जु॒होति । प्र॒जाप॑ते॒र्वि॑स्र॒स्ताद्वी॒र्य॑मु॒दक्रा॑म॒त्तं य॒त्र दे॒वाः
सम॒स्कुर्वँ॒स्तद॒स्मिन्ने॒तया॒ वी॒र्य॑मदधु॒स्तथै॒वास्मि॑न्नय॒मे॒तद्द॑धाति वा॒रुण्य॒ऽ
र्चा क्षत्रं वै वरु॑णो वी॒र्यं॑ वै क्षत्रं॑ वी॒र्ये॑णै॒वास्मि॑न्ने॒तद्वी॒र्यं॑ दधाति ॥ १६ ॥

तत्त्वा॑ यामि॒ ब्रह्म॑णा॒ वन्द॑मान॒ऽइति । तत्त्वा॑ याचे॒ ब्रह्म॑णा॒ वन्द॑मान
ऽइ॒त्येतत्त॒दा शा॑स्ते॒ यज॑मानो ह॒विर्भि॒रिति तद॒यमा॒शास्ते यज॑मानो ह॒वि-
र्भि॒रित्ये॒तद॒हेड॑मानो॒ वरु॑णेह॒ बोधीत्यक्रु॑ध्यन्नो॒ वरु॑णेह॒ बोधी॒त्येतदु-
रु॒शꣳस॒ मा न॒ऽआयुः॒ प्रमो॑षी॒रित्या॒त्मनः॒ परि॒दां वदते ॥ १७ ॥

यद्वेव वारुणीं जुहोति । प्रजापतेर्विस्रस्ताद्वीर्यमुदक्रामत् । तं यत्र देवाः समस्कुर्वन्-तदस्मिन्ने-तया वीर्यमदधुः । तथैवास्मिन्नयमेतद्दधाति । वारुण्यर्चा । क्षत्रं वै वरुणः । वीर्यं वै क्षत्रम् । वीर्येणैवास्मिन्नेतद्वीर्यं दधाति ॥ १६ ॥

"तत्त्वा यामि ब्रह्मणा वन्दमानः"–इति । तत्त्वा याचे ब्रह्मणा वन्दमान इत्येतत् । "तदाशास्ते यजमानो हविर्भिः"–इति । तदयमाशास्ते यजमानो हविर्भिरित्येतत् । "अहेडमानो वरुणेह बोधि "–इति । अक्रुध्यन्नो वरुणेह बोधीत्येतत् । "उरुशंस मा न आयुः प्रमोषीः "–(वा. सं. १८ । ४९) इति । आत्मनः परिदां वदते ॥ १७ ॥

विहितं होमं प्रशंसति–अत्रैष इति । स एषोऽत्र वरुणो देवतेति । कार्त्स्न्येन संस्कृतस्य पूर्वावस्थापन्नस्य प्रजापतेः सर्वावरणसामर्थ्यादस्मिन्नवसरे य एव प्राजापत्यात्मकोऽग्निः स वरुणो देवता भवतीत्यर्थः । गतम-न्यत् । होमसाधनभूताया ऋचो वरुणसम्बन्धं प्रशंसति–वारुण्यर्चेति । स्वेनात्मना स्वरूपेण स्वया देवतया चैनं प्रीणयतीत्यर्थः ॥ १९ ॥

अथ पुनस्तेनैव होमेन विस्रस्तात्प्रजापतेरुत्क्रान्तस्य वीर्यस्य धारणमस्मिन् सम्पाद्यत इत्याह–यद्वेव वारु-णीमिति ॥ १६ ॥

होममन्त्रं व्याचष्टे–तत्त्वा यामीति । तत्र यामीत्यस्यार्थं प्रदर्शयति–याच इति । 'तदाशास्ते यजमानः' इत्यत्र प्रकृतो यजमानो विवक्ष्यते नान्य इति व्याचष्टे–तदयमिति । 'अहेडमानः' इत्यनेनास्मभ्यमक्रुध्य-न्नित्ययमर्थो विवक्षित इत्याह–अक्रुध्यन्नो वरुणेति । उरुशंसेत्यनेनात्मन आशिषमाशास्ते । मा न आयुः प्रमोषीरित्यनेन वरुणादात्मनो रक्षणमुक्तवान्भवतीत्याह–आत्मनः परिदां वदत इति । हे वरुण ! यद् यज्ञपरि-समाप्तिलक्षणं प्रयोजनमस्ति तत्प्रयोजनं ब्रह्मणा वेदेन वंदमानः स्तुतिं कुर्वाणः तत्त्वा यामि याचे ! अयं यजमानो हविर्भिस्तदेव प्रयोजनमाशास्ते । तस्मात्त्वमस्मभ्यमहेडमानोऽक्रुध्यन्निहास्मद्विषये तत्प्रयोजनं प्रतिपादयितुं बोधि बुध्यस्व तदीयतामित्यर्थः । "दीपजनबुध०" इत्यादिना कर्तरि चिण् "बहुलं छन्दसि" इत्यादिनाऽड-भावः । हे उरुशंस बहुस्तुतिविशिष्ट ! नोऽस्माकमायुः मा प्रमोषीर्माऽपहार्षीरिति मन्त्रस्यार्थः ॥ १७ ॥

(ते॒ऽथा) अथा॒र्काश्वमे॒धयोः॒ संत॑ती॒र्जु॑होति । (त्य) अ॒यं वा॒ऽअ॒ग्निर॒र्को॑ऽसा॒वा॑दि॒त्योऽश्वमे॒धस्तौ॑ सृ॒ष्टौ ना॒नै॒वास्तां॒ तौ दे॒वा॒ऽए॒ता॒भिरा॒हु॒ति॒भिः॒ सम॑तन्वन्त्सम॑दधु॒स्त॒थै॒वै॑नाव॒यमे॒त॒दे॒ता॒भिरा॒हु॒ति॒भिः सं॒तनोति सं॒दधा॒ति ॥१८॥

स्व॒र्ण॒ घ॒र्मः स्वाहे॒ति । (त्य) अ॒सौ वा॒ऽआ॒दि॒त्यो घ॒र्मो॑ऽमुं त॒दा॒दि॒त्यम॒स्मि॒न्न॒ग्नौ प्र॒ति॒ष्ठा॒पय॒ति ॥ १९ ॥

स्व॒र्णा॒र्कः॒ स्वाहे॒ति । (त्य) अ॒यम॒ग्निर॒र्क॒ ऽइ॒मं त॒द॒ग्निम॒मु॒ष्मि॒न्ना॒दि॒त्ये प्र॒ति॒ष्ठा॒पय॒ति ॥ २० ॥

स्व॒र्ण॒ शु॒क्रः स्वाहे॒ति । (त्य) अ॒सौ वा॒ऽआ॒दि॒त्यः॒ शु॒क्रस्तं पु॒नर॑मु॒त्र द॒धा॒ति ॥ २१ ॥

स्व॒र्ण ज्यो॒तिः॒ स्वाहे॒ति । (त्य) अ॒यम॒ग्निर्ज्यो॒ति॒स्तं पु॒नरि॒ह द॒धा॒ति ॥२२॥

अथ सन्ततिहोमः ।

अथार्काश्वमेधयोः सन्ततीर्जुहोति । अयं वा अग्निरर्कः, असावादित्योऽश्वमेधः । तौ सृष्टौ नानैवास्ताम् । तौ देवा एताभिराहुतिभिः समतन्वन्, समदधुः । तथैवैनावयमेतदेताभिराहुतिभिः संतनोति, संदधाति ॥ १८ ॥

" स्वर्ण घर्मः स्वाहा "–इति । असौ वा आदित्यो घर्मः । अमुं तदादित्यमस्मिन्नग्नौ प्रतिष्ठापयति ॥ १९ ॥

" स्वर्णार्कः स्वाहा "–इति । अयमग्निरर्कः । इमं तदग्निमस्मिन्नादित्ये प्रतिष्ठापयति॥२०॥

" स्वर्ण शुक्रः स्वाहा "–इति। असौ वा आदित्यः शुक्रः । तं पुनरमुत्र दधाति ॥ २१ ॥

" स्वर्ण ज्योतिः स्वाहा "–इति । अयमग्निर्ज्योतिः । तं पुनरिह दधाति ॥ २२ ॥

अथ अर्काश्वमेधसन्ततिसंज्ञान् होमान् विधत्ते–अथेति । ननु कावर्काश्वमेधौ किमर्थं वा तयोः सन्धानसम्पादनमित्यत आह-अयं वा अग्निरिति । 'अयम्' इदानीं संचितोऽग्निरेवार्कः । 'असौ' इति दूरदेशवर्त्ती सूर्यो निर्दिश्यते । तस्य चाश्वमेधत्वम् अश्वमेधसंबन्धिनोऽश्वस्य तदात्मनाऽनुसन्धातव्यत्वात् । तावर्काश्वमेधौ पूर्वं संसृष्टौ सन्तौ पश्चाद्विभिन्नावभूताम्, अतो देवा विभिन्नौ 'तौ एताभिराहुतिभिः समतन्वन्' एतस्यैव विवरणम्–समदधुरिति । पुनरपि संसृष्टावकुर्वन्नित्यर्थः । अतश्च यजमानोऽपि एताभिराहुतिभिस्तथैवैनौ संसृष्टौ करोति ॥ १८ ॥

होममन्त्रान्व्याचष्टे–स्वर्ण घर्मः स्वाहेति । असौ वा आदित्य इति । 'घर्म' इत्यसावादित्य उच्यते । ततश्चैतन्मंत्रसाध्येन होमेनामुमादित्यमस्मिन्नग्नौ प्रतिष्ठापयति । स्वरिति स्वर्लोक उच्यते । नशब्द इवार्थे । सुखहेतुत्वेन स्वर्लोक इव यो घर्म आदित्यः तं स्वाहा अस्मिन्नग्नौ जुहोमि । प्रतिष्ठापयामीति मंत्रस्यार्थः ।

स्वर्ण सूर्यः स्वाहेति । (त्य) असौ वाऽआदित्यः सूर्योऽमुं तदादित्यमस्य सर्वस्योत्तमं दधाति तस्मादेषोऽस्य सर्वस्योत्तमः ॥ २३ ॥

पञ्चैता ऽआहुतीर्जुहोति । पञ्चचितिकोऽग्निः पञ्चऽर्तवः संवत्सरः संवत्सरोऽग्निर्यावानग्निर्यावत्यस्य मात्रा तावतैवैनावेतत्संतनोति संदधाति॥२४॥

यद्धेवाह । स्वर्ण घर्मः स्वाहा स्वर्णार्कः स्वाहेत्यस्यैवैतान्यग्नेर्नामानि तान्येतत्प्रीणाति तानि हविषा देवतां करोति यस्यै वै देवतायै हविर्गृह्यते सा देवता न सा यस्यै न गृह्यतेऽथोऽएतानेवैतदग्नीनस्मिन्नग्नौ नामग्राहं दधाति ॥ २५ ॥

पञ्चैता ऽआहुतीर्जुहोति । पञ्चचितिकोऽग्निः पञ्चऽर्तवः संवत्सरः संवत्सरोऽग्निर्यावानग्निर्यावत्यस्य मात्रा तावतैवैनमेतदन्नेन प्रीणाति ॥ २६ ॥

"स्वर्ण सूर्यः स्वाहा"-(वा० सं० १८ । ५०) इति । असौ वाऽआदित्यः सूर्यः । अमुं तदादित्यमस्य सर्वस्योत्तमं दधाति । तस्मादेषोऽस्य सर्वस्योत्तमः ॥ २३ ॥

पञ्चैता आहुतीर्जुहोति । पञ्चचितिकोऽग्निः । पञ्चऽर्तवः संवत्सरः । संवत्सरोऽग्निः । यावानग्निर्यावत्यस्य मात्रा-तावतैवैनावेतत्संतनोति, संदधाति ॥ २४ ॥

यद्धेवाह-स्वर्ण घर्मः स्वाहा, स्वर्णार्कः स्वाहेति । अस्यैवैतान्यग्नेर्नामानि । तान्येतत्प्रीणाति । तानि हविषा देवतां करोति । यस्यै वै देवतायै हविर्गृह्यते-सा देवता । न सा-यस्यै न गृह्यते । अथो एतानेवैतदग्नीनस्मिन्नग्नौ नामग्राहं दधाति ॥ २५ ॥

पञ्चैता आहुतीर्जुहोति । पञ्चचितिकोऽग्निः । पञ्चर्तवः संवत्सरः । संवत्सरोऽग्निः । यावानग्निर्यावत्यस्य मात्रा-तावतैवैनमेतदन्नेन प्रीणाति ॥ २६ ॥

एवमुत्तरेष्वपि मन्त्रेषु योजनीयम् । " तं पुनरमुत्र दधाति, तं पुनरिह दधाति " इति मन्त्रद्वयेन अन्योऽन्यस्मिन्नन्योऽन्यस्य प्रतिष्ठापनात् आदित्य एवाग्निर्जातः; अग्निरेवादित्यो जातः । तस्मादग्निरमुत्रेति दूरदेशवर्ती परामृश्यते । आदित्यस्त्विहेति सन्निहितः परामृश्यते । अमुं तदादित्यमिति । स्वर्ण सूर्यः स्वाहेत्यनेनोपर्यादित्यस्य प्रतिष्ठापनादादित्यमस्य सर्वजगत उत्तममुपरि वर्तमानं निहितवान्भवति । यत एवं तस्मादिदानीमेष आदित्योऽस्य सर्वस्योत्तमो वर्तते ॥ १९-२३ ॥

आहुतीनां पंचत्वसंख्याम् अर्काश्वमेधयोः संधानसाकल्यहेतुर्भवतीति प्रशंसति-पञ्चैता आहुतीरिति ॥२४॥

अथ स्वर्ण घर्मः स्वाहेत्यादिमन्त्रप्रयोगं प्रकारान्तरेण प्रशंसति-यद्धेवाहेति । नृषदे वेडित्यादि (श. प. ९ । २ । १ । ८-९) स्वयमातृण्णाव्याघारणमन्त्रव्याख्यानेनैव व्याख्यातमेतत् ॥ २५ ॥

यद्धेवाहेत्यादिकस्यार्थवादान्तरत्वानुसारेण पुनरपि तामेवाहुतिसंख्यां प्रशंसति-पञ्चैता आहुतीरिति ॥ २६ ॥

(त्य) अथातऽआहुतीनामेवावपनस्य । यां कां च ब्राह्मणवतीमाहुतिं व्विद्यात्तामेतस्मिन्काले जुहुयात्कामेभ्यो वाऽएतᳬं रथं युङ्क्ते तद्यां कां चात्राहुतिं जुहोत्याप्तां ताᳬं सतीं जुहोति ॥ २७ ॥

तदाहुः । (नं) न जुहुयान्नेदतिरेचयानीति स वै जुहुयादेव कामेभ्यो वाऽएता ऽआहुतयो हूयन्ते न वै कामानामतिरिक्तमस्ति ॥ २८ ॥

इति तृतीयप्रपाठके चतुर्थं ब्राह्मणम् ॥ ९-३-४ ॥ (४. २.) ॥

अथात आहुतीनामेवावपनस्य । यां कां च ब्राह्मणवतीमाहुतिं विद्यात्–तामेतस्मिन् काले जुहुयात् । कामेभ्यो वा एतं रथं युङ्क्ते । तद् यां कां चात्राहुतिं जुहोति । आप्तां तां सतीं जुहोति ॥ २७ ॥

तदाहुः–न जुहुयात्–नेदतिरेचयानीति । स वै जुहुयादेव । कामेभ्यो वाऽएता आहुतयो हूयन्ते । न वै कामानामतिरिक्तमस्ति ॥ २८ ॥

इत्याहवनीयाग्निचयनोत्तरकर्माणि ।

अथाहुतीनामावपनस्य मीमांसां प्रतिजानीते–अथात इति । आवपनं प्रक्षेपः, तस्य मीमांसा क्रियत इति शेषः । तामेव मीमांसां दर्शयति–यां कां च ब्राह्मणवतीमिति । ब्राह्मणसंयुक्तां शाखान्तरे अग्निचयनब्राह्मणोक्तामनारभ्याधीतां यां कांचनाहुतिं जानीयात्–तामेतस्मिन्काले जुहुयात् । ननु च कालान्तरोल्लङ्घनेनास्मिन्नेव काले कस्मात्तदाहुतिहोम इति तत्राह-कामेभ्यो वा इति । एतस्मिन्काले कामानाप्तुमेव निरवशेषं संस्कृतमेतमग्निमेव रथं युंक्ते तस्मादस्मिन्काले यां कांचनाहुतिं जुहोति । तामाप्तां सतीं जुहोतीति । पूर्वं तु हुताऽपि तदानीमग्नेरसंस्कृतत्वादनाप्तैव भवतीत्यर्थः ॥ २७ ॥

अथ ब्राह्मणोक्तानामाहुतीनामहोमं पूर्वपक्षीकृत्य पुनर्होममेव सिद्धान्तयति–तदाहुरिति । एतस्मिन्ब्राह्मणेऽनाम्नानात्तथाविधाहुतीनां होमेऽतिरेकः स्यादिति हेतुमाहुः–नेदतिरेचयानीति । इत्यभिप्रायेण न जुहुयादिति केचिच्छाखिन आहुः । न चैवमतिरेकशङ्कया न जुहुयात् । कुतः ? कामेभ्यः खल्वेता आहुतयो हूयन्ते । नहि कामानामतिरिक्तमतिरेकोऽस्ति । सर्वेषामपि कामानामपेक्षितत्वात्तथा च कामार्थानामेतासामाहुतीनां होमोऽपि नातिरेक इति जुहुयादेवेत्यर्थः ॥ २८ ॥

इति श्रीसायणाचार्यविरचिते माधवीये वेदार्थप्रकाशे माध्यन्दिनीयशतपथब्राह्मणभाष्ये नवमकाण्डे चतुर्थेऽध्याये द्वितीयं ब्राह्मणम् ॥ (९-४-२) ॥

१–आतन् ब्राह्मणोक्ता जुहुयाद् वा । का० श्रौ० सू० १८ । ९२ ।

अथ प्रत्येत्य धिष्ण्यानां काले धिष्ण्यान्निवपति । (त्य) अग्नय ऽएते यद्धिष्ण्या ऽअग्नीनेवैतच्चिनोति ता ऽएता व्विशः क्षत्रमयमग्निश्चितः क्षत्रं च तद्विशं च करोत्यमुं पूर्वं चिनोत्यथेमान्क्षत्रं तत्कृत्वा व्विशं करोति ॥ १ ॥

(त्ये) एक ऽएष भवति । (त्ये) एकस्थं तत्क्षत्रमेकस्थाᳪं श्रियं करोति बहव ऽइतरे व्विशि तद्भूमानं दधाति ॥ २ ॥

पञ्चचितिक ऽएष भवति । (त्ये) ऽएकचितिका ऽइतरे क्षत्रं तद्वीर्य्येणात्याऽदधाति क्षत्रं व्विशो व्वीर्य्यवत्तरं करोत्यूर्ध्वमेतं चिनोति क्षत्रं तदूर्ध्वं चितिभिश्चिनोति तिरश्च ऽइतरान्क्षत्राय तद्विशमधस्तादुपनिषादिनीं करोति ॥ ३ ॥

अथाष्टानां धिष्ण्याग्नीनां चयनम् ।

अथ प्रत्येत्य धिष्ण्यानां काले धिष्ण्यान्निवपति । अग्नय एते–यद्धिष्ण्याः । अग्नीनेवैतच्चिनोति । ता एता विशः, क्षत्रमयमग्निश्चितः । क्षत्रं च तद्विशं च करोति । अमुं पूर्वं चिनोति–अथेमान् । क्षत्रं तत्कृत्वा विशं करोति ॥ १ ॥

एक एष भवति । एकस्थं तत्क्षत्रमेकस्थां श्रियं करोति । बहव इतरे । विशि तद्भूमानं दधाति ॥ २ ॥

पञ्चचितिक एष भवति, एकचितिका इतरे । क्षत्रं तद्वीर्येणात्यादधाति । क्षत्रं विशो वीर्यवत्तरं करोति । ऊर्ध्वमेतं चिनोति । क्षत्रं तदूर्ध्वं चितिभिश्चिनोति । तिरश्च इतरान् । क्षत्राय तद्विशमधस्तादुपनिषादिनीं करोति ॥ ३ ॥

अथ प्रत्येत्य धिष्ण्यानां काले धिष्ण्यान्निवपेदित्याह–अथेति । धिष्ण्यानां काल इत्यनेन धिष्ण्यनिवपनात्पूर्वभाविकर्म कृत्वा पश्चाद्धिष्ण्यान्निवपेदिति गम्यते । अत एव कात्यायनः–"हविर्द्धानप्रक्षालनाद्याग्नीध्रालम्भनान्तं कृत्वा धिष्ण्यांश्चिनोति" (का. श्रौ. सू. १८।९३) इति । धिष्ण्यानां निवपनेनाग्नीनेव चिनोतीत्याह–अग्नय एते यद्धिष्ण्या इति । धिष्ण्यानां स्वेषु अग्निविहरणादग्नित्वम् । अत एव तैत्तिरीयकेऽपि धिष्ण्यानामग्नित्वं श्रूयते "अग्नयो वा अथ धिष्णियाः" (तै. सं. ६।३।१।३) इति । सञ्चितस्याग्नेः क्षत्रत्वादेतेषां धिष्ण्यानां विट्त्वात् 'क्षत्रं च' 'विशं च' चितवान् भवतीत्याह–ता एता विश इति । अग्निचयनस्य धिष्ण्यचयनस्य च पौर्वापर्यात् पूर्वं क्षत्रं कृत्वा अथ विशं कृतवान् भवतीत्याह–अमुं पूर्वमिति ॥ १ ॥

संचितस्याग्नेरेकत्वात् क्षत्रजातिस्थं प्राधान्यं श्रियं चेत्युभे अप्येकस्थे करोति । धिष्ण्यानां बहुत्वात् 'विशि' एव बहुत्वं करोतीत्याह–एक एष भवतीत्यादिना ॥ २ ॥

एषोऽग्निः 'पञ्चचितिको' भवति 'इतरे' धिष्ण्यास्तु एकचितिका भवेयुः । तेन चितिबाहुल्यात् 'क्षत्रम्' एव वीर्येणोपरि करोति । 'विशः' अपेक्षया वीर्यवत्तरं च करोतीत्याह–पञ्चचितिक इति । किञ्च 'एतम्' अग्निम् 'ऊर्ध्वं चिनोति' क्रमेणोपर्युपरि पञ्चानां चितीनामुपधानात् । तेन क्षत्रमेवोर्ध्वं 'चितिभिश्चिनोति' । इतरान् धिष्ण्यांस्तु तिर्यग्गतांश्चिनुयात्, तेनोपरि वर्त्तमानाय क्षत्राय विशमधस्तादवस्थितां करोतीत्याह–ऊर्ध्वमेतमिति ॥ ३ ॥

(त्यु) उभाभ्यां यजुष्मत्या च लोकम्पृणया चैतं चिनोति । लोकम्पृणयैवेमान्क्षत्रमेव तद्वीर्येणात्यादधाति क्षत्रं विशो वीर्यवत्तरं करोति विशं क्षत्रादवीर्यतराम् ॥ ४ ॥

(ल्वँ) स यदिमाँल्लोकम्पृणयैव चिनोति । क्षत्रं वै लोकम्पृणा क्षत्रं तद्विश्यत्तारं दधात्युभयांश्चिनोत्यध्वरस्य चाग्नेश्चाध्वरस्य पूर्वानथाग्नेस्तस्योक्तो बन्धुर्यं यमेवाध्वरधिष्ण्यं निवपति तं तं चिनोत्याग्नीध्रीयं प्रथमं चिनोति तँ हि प्रथमं निवपति दक्षिणत उदङ्ङासीनस्तस्योक्तो बन्धुः ॥ ५ ॥

(स्तु) तस्मिन्नष्टाविष्टका उपदधाति । (त्य) अष्टाक्षरा गायत्री गायत्रोऽग्निर्यावानग्निर्यावत्यस्य मात्रा तावन्तमेवैनमेतच्चिनोति तासामश्मा

उभाभ्यां–यजुष्मत्या च लोकम्पृणया चैतं चिनोति । लोकम्पृणयैवेमान् । क्षत्रमेव तद् वीर्येणात्यादधाति । क्षत्रं विशो वीर्यवत्तरं करोति । विशं क्षत्रादवीर्यतराम् ॥ ४ ॥

स यदिमाँल्लोकम्पृणयैव चिनोति । क्षत्रं वै लोकम्पृणा । क्षत्रं तद्विश्यत्तारं दधाति । उभयाँश्चिनोति–अध्वरस्य चाग्नेश्च । अध्वरस्य पूर्वान्, अथाग्नेः । तस्योक्तो बन्धुः । यं यमेवाध्वरधिष्ण्यं निवपति–तं तं चिनोति । आग्नीध्रीयं प्रथमं चिनोति । तं हि प्रथमं निवपति । दक्षिणत उदङ्ङासीनः । तस्योक्तो बन्धुः ॥ ५ ॥

तस्मिन्नष्टाविष्टका उपदधाति । अष्टाक्षरा गायत्री । गायत्रोऽग्निः । यावानग्निर्यावत्यस्य मात्रा–तावन्तमेवैनमेतच्चिनोति । तासामश्मा पृश्निर्नवमः । नव वै प्राणाः–सप्त शीर्षन्, अवाञ्चौ द्वौ । ताने·

'यजुष्मत्या' 'लोकम्पृणया' चेति 'उभाभ्याम्' इष्टकाभ्याम् 'एतम्' अग्निम् 'चिनोति'। 'इमान्' धिष्ण्यांस्तु केवलं लोकम्पृणयैव इष्टकया चिनुयात् । तेन क्षत्रमेव वीर्येण उपरि करोति । विशोऽपेक्षया वीर्यवत्तरं च करोति । विशं पुनः क्षत्रादवीर्यतरां कृतवान्भवतीत्याह–उभाभ्यामिति ॥ ४ ॥

एषां धिष्ण्यानां चयनेन क्षत्रमेव भोग्यरूपायां विशि भोक्तारं निदधातीत्याह–स यदिमांल्लोकम्पृणयैवेति । 'उभयांश्चिनोति' इत्यस्यायमर्थः–सोमयागसंबन्धिनोऽग्निचयनसम्बन्धिनश्चेत्युभयानपि धिष्ण्यांश्चिनोति । तत्र सोमयागसम्बन्धिनः पूर्वं निवपेत् । पश्चादग्निचयनसम्बन्धिनश्चिनुयात् । तस्य तु पौर्वापर्यस्य ब्राह्मणं (श. प. ६ । ६ । १ । ४) प्रागुक्तमित्याह–तस्योक्तो बन्धुरिति । ननु तर्हि सर्वानपि न्युप्य पश्चात् चिनुयादिति नेत्याह–यं यमेवेति । यं यमेवाध्वरधिष्ण्यं निवपति तदानीमेव तं तं चिनुयात् । पूर्वमाग्नीध्रीयस्याध्वरधिष्ण्यस्य निवपनात्तथैव तं पूर्वमेव चिनुयादित्याह–आग्नीध्रीयं प्रथममिति । तस्य चयनं दक्षिणभागे उदङ्मुख आसीनः कुर्यात् इत्याह–दक्षिणत इति । तस्य तु ब्राह्मणं प्रागुक्तमित्याह–तस्योक्तो बन्धुरिति॥ ५॥

अथ धिष्ण्येऽष्टाविष्टका उपदधातीत्याह–तस्मिन्नष्टाविति । तामिष्टकासंख्यां प्रशंसति–अष्टाक्षरा

पृश्निर्नवमो नव वै प्राणाः सप्त शीर्षन्नवाञ्चौ द्वौ तानेवास्मिन्नेतद्दधाति यश्चितेऽग्निर्निधीयते स दशमो दश वै प्राणा मध्यमाग्नीध्रं मध्यतस्तत्प्राणान्दधाति मध्ये ह वाऽएतत्प्राणाः सन्त ऽइति चेति चात्मानमनु व्युच्चरन्ति ॥ ६ ॥

(न्त्ये) एकविꣳशतिꣳ होत्रीयऽउपदधाति । (त्ये) एकविꣳशतिर्वै परिश्रितस्तस्योक्तो बन्धुरेकादश ब्राह्मणाच्छꣳस्यऽएकादशाक्षरा वै त्रिष्टुप्त्रैष्टुभ ऽइन्द्र ऽऐन्द्रो ब्राह्मणाच्छꣳस्यष्टावष्टावितरेषु तस्योक्तो बन्धुः ॥ ७ ॥

वास्मिन्नेतद्दधाति । यश्चितेऽग्निर्निधीयते–स दशमः । दश वै प्राणाः । मध्यमाग्नीध्रम् । मध्यतस्तत्प्राणान्दधाति । मध्ये ह वा एतत्–प्राणाः सन्त इति चेति चात्मानमनु व्युच्चरन्ति ॥ ६ ॥

(१) एकविंशतिं होत्रीय उपदधाति । एकविंशतिर्वै परिश्रितः । तस्योक्तो बन्धुः । (२) एकादशं ब्राह्मणाच्छंस्ये । एकादशाक्षरा वै त्रिष्टुप् । त्रैष्टुभ इन्द्रः । ऐन्द्रो ब्राह्मणाच्छंसी । (३, ४, ५, ६, ७) अष्टावष्टावितरेषु । तस्योक्तो बन्धुः ॥ ७ ॥

गायत्रीति । गायत्र्या सहोत्पत्तेः अग्नेर्गायत्रत्वम् । एतासामष्टानामिष्टकानाम् आग्नीध्रीये विहितोपधाने पृश्नावश्मनि नवमे सति नवत्वसंख्या संपद्यते । प्राणाश्च शिरसि सप्तावाञ्चौ द्वाविति नव भवन्ति । अतश्चानया संख्यया एतस्मिन्नेव प्राणानेव दधातीत्याह- तासामश्मेति, नव वा इति । अग्नौ निहितमग्निं दशमं कृत्वा पुनरपि तथैव प्रशंसति–यश्चितेऽग्निरिति । नाभ्या सह प्राणानां दशत्वम् । अत एव श्रूयते–" नव वै पुरुषे प्राणा नाभिर्दशमी " (तै. सं. ५ । ३ । २ । ३) इति । एवं चाग्नीध्रस्य मध्यप्रदेशत्वान्मध्यत एव दश प्राणान्दधाति । ननु चोर्ध्वाधोभागेभ्यः प्राणानां संचारान्मध्यतः तन्निधानमनुचितमित्यत आह–मध्ये ह वा एतदिति । इति चेति चेति ऊर्ध्वाधोभागौ हस्तेन दर्शयति । हृदयदेशे ' प्राणाः ' अवतिष्ठमानाः ' आत्मानं ' शरीरम् ' अनु ' लक्ष्य ' इति चेति च ' ऊर्ध्वभागादधोभागाच्च ' व्युच्चरन्ति ' विविधमुत्क्रामन्ति । यथायथं गोलकैर्निर्गच्छन्तीत्यर्थः ॥ ६ ॥

अथ होत्रीये धिष्ण्ये एकविंशतिमिष्टका एकविंशतिपरिश्रितश्चोपदध्यादित्याह–एकविंशतिमिति । तस्य तु ब्राह्मणं " द्वादश मासाः "–इत्यादिना प्रागेवोक्तमित्याह–तस्योक्तो बन्धुरिति । अथ ब्राह्मणाच्छंसिनो धिष्ण्ये एकादशेष्टका उपदध्यादित्याह–एकादशेति । तत्रोपधेयानामिष्टकानामेकादशत्वमुपपन्नमित्याह–एकादशाक्षरा वै त्रिष्टुबिति । एकादशाक्षरपादत्वात् त्रिष्टुबेकादशाक्षरा । इन्द्रश्च त्रैष्टुभो भवति । इन्द्रस्य त्रिष्टुभा सहोत्पत्तेः । ब्राह्मणाच्छंसी पुनरैन्द्रः तेन प्रतिपादिताभिर्ऋग्भिर्यागस्य विधानात् । इत्थं परम्परया ब्राह्मणाच्छंसिनः त्रिष्टुभा सम्बन्धात् तत्संख्यानुविधानमिष्टकानां युज्यत इत्यर्थः । नन्वितरेषु धिष्ण्येषु कति इष्टका उपदध्यादिति तत्राह–अष्टावष्टावितरेष्विति' ॥ ७ ॥

१–अष्टेष्टकां लोकंपृणाभिश्चतुःस्रक्त्यांस्तिरश्चो न्युप्य न्युप्य । पृश्न्यश्मा चाग्नीध्रीये । सकृन्मंत्रवचनम् । होत्रीये त्रिरेकाविंशत्या । ब्राह्मणाच्छं ॰ स्ये द्विरेकादशमु षण्मार्जालीये । शेषा अष्टेष्टकाः । का. श्रौ. सू. १८ । ५३–५८ ।

षुण्मार्जालीये । षड्वा ऽऋतुव ऽऋतुवः पितुरस्तुँ हैतमृतुवः पितुरो दक्षिणतः पुर्य्यूहिरे सु ऽएषामेषु दक्षिणतः स वा ऽइतीममुपदधातीतीमानि-त्यमुं व्विशं तुत्क्षत्रमभिसंमुखां करोति ॥ ८ ॥

(त्यु) अथैनान्परिश्रिद्भिः पुरिश्रयति । (त्या) आपो वै परिश्रितो-ऽद्भिरेवैनांस्तत्परितनोति स वै पुर्येव निदधाति क्षत्रुँ हैता ऽअपां याः खातेन यन्त्यथ हैता व्विशो यानीमानि वृथोदकानि स यदमुं खातेन परिश्रयति क्षत्रे तुत्क्षत्रं दधाति क्षत्रं क्षत्रेण पुरिश्रयत्युथ युदिमान्पुर्येव निदधाति व्विशि तद्विशं दधाति व्विशा व्विशं पुरिश्रयति तेषां वै यावत्य ऽएव यजुष्मत्यस्तावत्यः परिश्रितो यावत्यो ह्येवामुष्य यजुष्मत्यस्ता-वत्यः परिश्रितः क्षत्रायैव तद्विशं कृतानुकरामनुवर्त्मानं करोति ॥ ९ ॥

---

(८) षण्मार्जालीये । षड्वाऽऋतवः । ऋतवः पितरः । तं हैतमृतवः पितरो दक्षिणतः पर्य्यूहिरे । स एषामेष दक्षिणतः । स वा इतीममुपदधाति, इतीमान्, इत्यमुम् । विशं तत्क्षत्रमभिसंमुखां करोति ॥ ८ ॥

अथैनान्परिश्रिद्भिः परिश्रयति । आपो वै परिश्रितः । अद्भिरेवैनांस्तत्परितनोति । स वै पर्येव निदधाति । क्षत्रं हैता अपां—याः खातेन यन्ति । अथ हैता विशो—यानीमानि वृथोदकानि । स यदमुं खातेन परिश्रयति—क्षत्रे तत् क्षत्रं दधाति । क्षत्रं क्षत्रेण परिश्रयति । अथ यदिमान्पर्येव निदधाति—विशि तद्विशं दधाति । विशा विशं परिश्रयति । तेषां वै यावत्य एव यजुष्मत्यस्ता-वत्यः परिश्रितः । यावत्यो ह्येवामुष्य यजुष्मत्यः—तावत्यः परिश्रितः । क्षत्रायैव तद्विशं कृतानुकरा-मनुवर्त्मानं करोति ॥ ९ ॥

एवं—षण्मार्जालीय इति । अथ कथं तत्र षण्णामिष्टकानामुपधानमिति तत्राह—षड्वा ऋतव इति । यस्मिन्नृतौ यो म्रियेत स जनः स एवर्तुर्भवति । अयमर्थस्तैत्तिरीयके श्रूयते—" यदि वसन्ता प्रमीयते वसन्तो भवति "—(तै. ब्रा.) इत्यादिना । यतश्च ऋत्वात्मकाः पितरस्तं मार्जालीयं धिष्ण्यं दक्षिणभागे व्यवस्थापित-वन्तः अत इदानीं स एष मार्जालीय एषां देवानां दक्षिणभागेऽवतिष्ठते । एवमृत्वात्मकपितृसम्बन्धात्तत्रोपधेयाना-मिष्टकानामृतुसंख्यानुविधानमुपपन्नम् । अथ धिष्ण्यानां चित्याग्नेश्च संस्थानं प्रशंसति—स वा इतीति । आग्नीध्र-देशे धिष्ण्योपधानप्रकारं हस्तेन दर्शयति—इतीमानिति । ' इतीमान् ' इत्यत्र 'इति' शब्देन सदसि होत्रीयादि-धिष्ण्यानामुपधानप्रकारम्, ' इत्यमुम् ' इति ' इति '—शब्देन चित्याग्न्युपधानप्रकारम् ' तत् ' तेनोक्त-प्रकारेणोपधानेनामुं धिष्ण्यरूपां विशं क्षत्रमभिसम्मुखां कृतवान् भवति । तस्माद्धिष्ण्यानामग्नेश्चोक्तप्रकारमुपधान-मुपपन्नमित्यर्थः ॥ ८ ॥

इष्टकाभिश्चितानां धिष्ण्यानां परिश्रिद्भिः परिश्रयणं विधत्ते—अथैनानिति । आपो वै परिश्रित इति ।

(त्यु) अ॒थैषु पु॒रीषं नि॒वपति । त॒स्योक्तो ब॒न्धुस्तू॒ष्णीम॒निरु॒क्ता हि॒ वि॒ड॒थाग्नी॒षोमी॒यस्य पशु॒पुरोडाशम॒नु दिशाम॒वेष्टी॒र्निर्व्वपति दि॒श ऽए॒षो-ऽग्नि॒स्ता॒भ्य ऽए॒तानि ह॒वीँ॑षि नि॒र्व्वपति त॒देना ह॒वि॒षा दे॒व॒तां क॒रोति॒ य॒स्यै वै दे॒व॒तायै ह॒वि॒र्गृ॒ह्य॒ते सा दे॒व॒ता न सा य॒स्यै न गृ॒ह्य॒ते प॒ञ्च भ॒वन्ति प॒ञ्च हि दि॒शः ॥ १० ॥

अथैषु पुरीषं निवपति । तस्योक्तो बन्धुः । तूष्णीम् । अनिरुक्ता हि विट् । अथाग्नीषोमीयस्य पशुपुरोडाशमनु दिशामवेष्टीर्निर्वपति । दिश एषोऽग्निः । ताभ्य एतानि हवींषि निर्वपति । तदेना हविषा देवतां करोति । यस्यै वै देवतायै हविर्गृह्यते–सा देवता । न सा–यस्यै न गृह्यते । पञ्च भवन्ति । पञ्च हि दिशः ॥ १० ॥

समुद्रगता आपो यथा पृथिवीं परिश्रयन्ति–तद्वत्परिश्रितोऽपि धिष्ण्यान् परिश्रयन्ति । तस्मात्परिश्रयणसाधारण्ये-नैतासामबात्मकत्वम् । चित्याग्नेः परितश्चैताः परिश्रितो धीयन्ते । अतोऽत्रापि परिश्रयतीति विधानात्तद्वदेव प्रसक्तावाह–स वा इति । 'पर्येव निदधाति' परिनिदधात्येव परिनिधानमात्रमेव कर्तव्यम् । न तु खात्वा तन्नि-धानमित्येवकारार्थः । क्षत्रं हैता इति । 'अपां' मध्ये 'याः खातेन यन्ति' एताः क्षत्रं खलु । क्षत्रवद्वीर्येण भुवं विदार्य गमनात्प्रतिष्ठितत्वाच्च खातेन गच्छन्तीनामपां क्षत्रत्वम् । अथ 'यानीमानि' लौकिकानि 'वृथोदकानि' उत्तानदेशगामीनि एताः विशः खलु, विशो हि क्षत्रवत् सामर्थ्याभावात्प्रतिष्ठिताश्च न भवन्ति । उत्तानदेश-गामीन्यप्युदकानि तद्वदिति तेषां विडात्मकत्वम् । अतश्चामुं चित्याग्निं खातेन परिश्रयतीति यत् तेन क्षत्रे क्षत्रं दधाति क्षत्रं क्षत्रेण परिश्रयति । अथेमान् धिष्ण्यान् परिनिदधात्येवेति यत् तेन विशि एव विशं दधाति । विशा विशं परिश्रयति । अथैतेषां धिष्ण्यानां परिश्रितां परिमाणं विधत्ते–तेषां वा इति । तत्र यजुष्मत्य इति उपहिता इष्टका एवोच्यन्ते । न त्वयजुष्मदिष्टकान्यवच्छेदार्थमेवमुक्तम् । धिष्ण्येषूपधीयमानाः सर्वा अपि इष्टका लोकम्पृणामन्त्रेणोपधीयन्ते–" लोकम्पृणयैवेमानि " इत्युक्तत्वात् । यावत्यो ह्येवामुष्य यजुष्मत्य इति । अनेन लोकम्पृणाव्यतिरिक्तमन्त्रवत्य इष्टका उच्यन्ते । उत्तरत्राग्निरहस्ये तथैव परिगणनात् । एवं च चित्या-ग्नेर्यथा यजुष्मतीष्टकासङ्ख्यानुरोधेन परिश्रितोऽभूवन् तद्वदेव धिष्ण्यानामपि भवन्तीति विशं क्षत्राय कृतानुका-रिणीमनुगतवर्त्मानं च करोति ॥ ९ ॥

अथैतेषु धिष्ण्येषु पुरीषनिवापं विधाय तस्य ब्राह्मणं (श. प. ८।७।३।१) प्रागुक्तमित्याह–अथेति[2] । पूर्वं समंत्रकस्य पुरीषनिवापस्याभिधानादत्रापि तद्वदेव प्रसक्तावाह–तूष्णीमिति । अनिरुक्तेति । क्षत्रं यथा स्वकीयया आज्ञया सर्वमप्यतिक्रम्य व्यक्तं वर्तते तथा विशो न वर्तन्त इति विट् 'अनिरुक्ता' अव्यक्ता । एवं च विडात्मकेषु धिष्ण्येषु पुरीषनिवपनममन्त्रकमेव युज्यत इत्यर्थः । अथाग्नीषोमीयपशुपुरोडाशात्प्राग्भावि कर्म कृत्वा अग्नीषोमीयस्य पशुपुरोडाशमनु पशुपुरोडाशस्य पश्चाद्दिशामवेष्टीर्निर्वपेत् इत्याह–दिशामवेष्टीरिति ।

१–यावदिष्टकं परिश्रितः परिश्रिताव । का. श्री. सू. १८ । ९९ । २–पुरीषं च तूष्णीम् । का. श्री. सू. १८ । १०० ।
३–राजसूये अग्नीषोमीयस्य पशुपुरोडाशमनु देवसूहवींषि निर्वपति यजमानाय । का. श्री. सू. १५ । ६४ ।

(स्तु) तदाहुः। (द्) दशहविषमेवैतामिष्टिं निर्व्वपेत्सा सर्व्वस्तोमा सर्व्वपृष्ठा सर्व्वाणि च्छन्दाᳬसि सर्व्वा दिशः सर्व्वऽऋतवः सर्व्वम्वेतद्यमग्निस्तदेनᳬ हविषा देवतां करोति यस्यै वै देवतायै हविर्गृह्यते सा देवता न सा यस्यै न गृह्यते दश भवन्ति दशाक्षरा विराड्विराडग्निर्दश दिशो दिशोऽग्निर्दश प्राणाः प्राणा ऽअग्निर्यावानग्निर्यावत्यस्य मात्रा तावतैवैनमेतदन्नेन प्रीणाति ॥ ११ ॥

तस्वै देवस्वामेव। (वै) एतानि हवीᳬषि निर्व्वपेदेता ह देवताः सुता ऽएतेन सवेन येनैतत्सोष्यमाणो भवति ता ऽएवैतत्प्रीणाति ताऽअस्माऽइष्टाः प्रीता ऽएतᳬ सवमनुमन्यन्ते ताभिरनुमतः सूयते यस्मै वै राजानो

तदाहुः। दशहविषमेवैतामिष्टिं निर्वपेत्। सा सर्वस्तोमा, सर्वपृष्ठा, सर्वाणि च्छन्दांसि, सर्वा दिशः, सर्व ऋतवः। सर्वम्वेतद्यदग्निः। तदेनं हविषा देवतां करोति। यस्यै वै देवतायै हविर्गृह्यते–सा देवता। न सा–यस्यै न गृह्यते। दश भवन्ति। दशाक्षरा विराट्। विराडग्निः। दश दिशः। दिशोऽग्निः। दश प्राणाः। प्राणा अग्निः। यावानग्निर्यावत्यस्य मात्रा–तावतैवैनमेतदन्नेन प्रीणाति ॥ ११ ॥

तस्वै देवस्वामेवैतानि हवींषि निर्वपेत्। एता ह देवताः सुताः–एतेन सवेन–येनैतत्सोष्यमाणो भवति। ता एवैतत्प्रीणाति। ता अस्मा इष्टाः प्रीता एतं सवमनुमन्यन्ते। ताभिरनुमतः सूयते।

बहुवचनं हविर्बहुत्वापेक्षम्। इष्टेरेकत्वात्। अग्नेः सर्वासु दिक्षु वर्त्तमानत्वेन दिशोऽग्न्यात्मिकाः। अतस्ताभ्यो दिग्भ्य एतानि हवींषि निरुप्तवान् भवतीत्याह–दिश एषोऽग्निरिति। 'तदेना हविषा' इत्यादिकं तु प्रागेव व्याख्यातम्। दिशामवेष्टीरित्युक्तस्य बहुत्वसामान्यस्य तद्विशेषे पर्यवसानमाह–पञ्च भवन्तीति ॥ १० ॥

विहितामिष्टिं पूर्वपक्षीकृत्य तत्रेष्ट्यन्तरं विधत्ते–तदाहुरिति। 'तत्' तत्राग्नीषोमीयस्य पशुपुरोडाशे दशहविषमेवैतामिष्टिं निर्वपेत्। विहितेष्टिस्थाने दशहविषमिष्टिं सर्वपृष्ठेष्टिमेव निर्वपेत्। ननु पूर्वोक्तामिष्टिमित्यर्थः। पूर्वोक्तामिष्टिमतिक्रम्यैतदिष्टिस्वीकारे कारणमाह–सर्वस्तोमेति। 'सा' इष्टिः त्रिवृदादिभिः सर्वैः स्तोमैः, रथन्तरादिभिः सर्वैः पृष्ठैश्च विशिष्टा। सर्वाणि च छन्दांसि, तद्विशिष्टत्वात्। सर्वाश्च दिशः तदीयानां पुरोऽनुवाक्यानां तल्लिङ्गत्वात्। सर्वे च ऋतवस्तद्विशिष्टत्वात्। अत एव तैत्तिरीयके श्रूयते–"अग्नये गायत्राय त्रिवृते राथन्तराय वासन्तायाष्टाकपालः" इत्यादि (तै. सं. ७। ५। १४। ४) "दिग्वतीः पुरोनुवाक्या भवन्ति सर्वासां दिशामभिजित्यै" इति च (तै. सं. ७। ५। १५)। अयमग्निरेतत्सर्वजगदात्मकः। तथा च सर्वात्मकाग्नावये सर्वस्तोमादिविशिष्टेष्टिरुपसमाप्नोत्यर्थः। तदेनमित्येतद्व्याख्यातम्। अथात्र हविःसङ्ख्यां प्रशंसति–दश भवन्तीति। दशाक्षरा विराडित्येतदपि प्रागेव व्याख्यातम् ॥ ११ ॥

पूर्ववद्देवतामयीमिष्टिं पक्षीकृत्येष्ट्यन्तरं विधत्ते–तस्वै देवस्वामेवेति। देवताः सुता इत्येतत् "राष्ट्रभृतो जुहोति"

राज्यमनुमन्यन्ते स राजा भवति न स यस्मै न तद्यदेता देवताः सुता ऽएतेन सवेन यद्वैनमेता देवता ऽएतस्मै सवाय सुवते तस्मादेता देवस्वः ॥ १२ ॥

(स्ता) ता वै द्विनाम्न्यो भवन्ति । द्विनामा वै सवेन सुतो भवति यस्मै वै सवाय सूयते येन वा सवेन सूयते तदस्य द्वितीयं नाम ॥ १३ ॥

(मा) अष्टौ भवन्ति । (न्त्य) अष्टाक्षरा गायत्री गायत्रोऽग्निर्यावानग्निर्यावत्यस्य मात्रा तावतैवैनमेतदन्नेन प्रीणाति ॥ १४ ॥

तदाहुः । (नैं) नैतानि हवीᳪंषि निर्व्वपेन्नेदतिरेचयानीति तानि वै निर्व्वपेदेव कामेभ्यो वाऽएतानि हवीᳪंषि निरुप्यन्ते न वै कामानामतिरिक्तमस्ति यद्वै किं च पशुपुरोडाशमनु हविर्निरुप्यते पशावेव स मध्यतो मेधो धीयतऽउभयानि निर्व्वपत्यध्वरस्य चाग्नेश्चाध्वरस्य पूर्व्वमथाग्नेस्तस्योक्तो बन्धुरुच्चैः पशुपुरोडाशो भवत्युपाᳪंश्वेतानीष्टिहर्ᳪंनुब्रूहि प्रेष्येति

यस्मै वै राजानो राज्यमनुमन्यन्ते—स राजा भवति । न सः—यस्मै न । तद्यदेता देवताः सुताः—एतेन सवेन, यद्वैनमेता देवता एतस्मै सवाय सुवते—तस्मादेता देवस्वः ॥ १२ ॥

ता वै द्विनाम्न्यो भवन्ति । द्विनामा वै सवेन सुतो भवति । यस्मै वै सवाय सूयते—येन वा सवेन सूयते—तदस्य द्वितीयं नाम ॥ १३ ॥

अष्टौ भवन्ति । अष्टाक्षरा गायत्री । गायत्रोऽग्निः । यावानग्निर्यावत्यस्य मात्रा—तावतैवैनमेतदन्नेन प्रीणाति ॥ १४ ॥

तदाहुः—नैतानि हवींषि निर्वपेत्—नेदतिरेचयानीति । तानि वै निर्वपेदेव । कामेभ्यो वा एतानि हवींषि निरुप्यन्ते । न वै कामानामतिरिक्तमस्ति । यद्वै किं च पशुपुरोडाशमनु हविर्निरुप्यते—

इत्यत्र व्याख्यातम् । देवसूशब्दप्रवृत्तिनिमित्तं द्वेधा दर्शयति—तद्यदेता देवता इति । एता अग्न्यादयो देवताः 'एतेन' पूर्वोक्तेन 'सवेन' 'सुताः' इति 'यत्' यद्वा—एता देवता एनं यजमानम् 'एतस्मै सवाय सुवते' इति यत् तस्मादेता देवस्व इति कर्मणि कर्तरि च द्वेधा व्युत्पत्तिर्दर्शिता ॥ १२ ॥

अथैतासामग्न्यादिदेवतानां नामद्वयसंबन्धमुपपादयति—ता वै द्विनाम्न्य इति । द्विनामा वा इति । सवेन सुतो द्विनामा भवति खलु । तदेव द्वितीयं नाम दर्शयति—यस्मै वै सवाय इति । राजसूयक्रतुसंबन्धिना सवेन सुतश्चेद्राजसूययाजीत्येवमादि द्विनामा भवति । देवस्वामेवैतानि हवींषीति सामान्येन विधानादेषां संख्याविशेषं विधाय प्रशंसति—अष्टौ भवन्तीति ॥ १३ ॥ १४ ॥

तदाहुर्नैतानि हवींषीत्येतत्तु पुरस्ताद्व्याख्यातम् । ननु च कामानामतिरेकाभावेन निर्वाप्यत्वेऽपि पशुपुरोडाशमनुलक्ष्यैव कस्मान्निरुप्यन्त इति तत्राह—यद्वै किञ्चेति । 'मेधो' रसः । उभयानि निर्वपतीति । पशुपुरो·

पशुपुरोडाशस्याहानुब्रूहि यजेत्येतेषामिष्टिर्हि समानः स्विष्टकृत्समानीडेष्टा देवता भवन्त्यसमवहितᳪ स्विष्टकृते ॥ १५ ॥

(तेऽथै) अथैनं पूर्व्वाभिषेकेणाभिमृशति । सविता त्वा सवानाᳪ सुवतामेष वोऽमी राजा सोमोऽस्माकं ब्राह्मणानाᳪ राजेति ब्राह्मणानेवापोद्धरत्यनाद्यान्करोति ॥ १६ ॥

इति तृतीयप्रपाठके पञ्चमं ब्राह्मणम् ॥ ९-३-५ ॥ (४. ३.) ॥

इति तृतीयप्रपाठकः समाप्तः ॥ ९-३ ॥

कण्डिकासंख्या ॥ ९७ ॥

पशावेव स मध्यतो मेधो धीयते । उभयानि निर्वपति-अध्वरस्य चाग्नेश्च । अध्वरस्य पूर्वम् । अथाग्नेः । तस्योक्तो बन्धुः । उच्चैः पशुपुरोडाशो भवति, उपांश्वेतानि । इष्टिर्हि । 'अनुब्रूहि प्रेष्य'-इति पशुपुरोडाशस्याह । ' अनुब्रूहि यज ' इत्येतेषाम् । इष्टिर्हि । समानः स्विष्टकृत् । समानीडा । इष्टा देवता भवन्ति । असमवहितं स्विष्टकृते ॥ १५ ॥

अथैनं पूर्वाभिषेकेणाभिमृशति । " सविता त्वा सवानां सुवताम् । एष वोऽमी राजा सोमोऽस्माकं ब्राह्मणानां राजा "-(वा. सं. ९ । ३९ । ४०) इति । ब्राह्मणानेवापोद्धरति । अनाद्यान्करोति ॥ १६ ॥

इति धिष्ण्याग्निचयनम् ।

अग्निचयनं वृत्तम् ।

डाशो देवस्वां हवींषि चेज्यन्ते । गतमन्यत् । इष्टिर्हीति । काम्येष्टिषु प्रधानस्योपांशुत्वमिति व्यवस्थितत्वात् अस्या अपि कामार्थेष्टित्वादित्यर्थः । अनुब्रूहि यजेत्येतेषामिष्टिर्हीति । इष्ट्यामध्वरत्वान्मैत्रावरुणो नास्तीति अनुब्रूहि यजेत्येव ब्रूयात् । स्पष्टमन्यत् । अथ देवतायागानन्तरं स्विष्टकृदवदानात्पूर्वं सविता त्वा सवानामित्यादिना पूर्वाभिषेकाख्येन मंत्रेणैनमग्निमभिमृशेदित्याह-इष्टा देवता भवन्तीति । " इमं देवाः " इति मन्त्रे " सोमोऽस्माकं ब्राह्मणानां राजा " इत्यनेन ब्राह्मणानेव विभजति । तेन ब्राह्मणान्प्रति क्षत्रस्य राजन्यत्वात्तानभोज्यान्करोतीत्याह-ब्राह्मणानेवेति ॥ १५ ॥ १६ ॥

इति श्रीसायणाचार्यविरचिते माधवीये वेदार्थप्रकाशे माध्यन्दिनीयशतपथब्राह्मणभाष्ये नवमकाण्डे चतुर्थेऽध्याये तृतीयं ब्राह्मणम् ॥ (९-४-३) ॥

१-अनुपदेशाद्या पुरोडाशस्विष्टकृतोऽभिषेचनीयवत् । का. श्रौ. सू. १८ । १०१ ॥

अथ चतुर्थप्रपाठके प्रथमं ब्राह्मणम् ।

चतुर्थाऽध्याये च चतुर्थं ब्राह्मणम् ।

अथ प्रातः प्रातरनुवाकमुपाकरिष्यन् । (न्न) अग्निं युनक्ति युक्तेन समश्नवाऽइति तेन युक्तेन सर्वान्कामान्त्समश्नुते तं वै पुरस्तात्सर्वस्य कर्मणो युनक्ति तद्यत्किंचात ऽऊर्ध्वं क्रियते युक्ते तत्सर्वꣳ समाधीयते॥१॥

परिधिषु युनक्ति । (त्त्य) अग्नय ऽएते यत्परिधयोऽग्निभिरेव तदग्निं युनक्ति ॥ २ ॥

अथ सुत्याहकर्माणि ।

अथ प्रातः प्रातरनुवाकमुपाकरिष्यन्नग्निं युनक्ति । युक्तेन समश्नवा इति । तेन युक्तेन सर्वान्कामान्त्समश्नुते । तं वै पुरस्तात्सर्वस्य कर्मणो युनक्ति । तद् यत्किंचात ऊर्ध्वं क्रियते–युक्ते तत्सर्वं समाधीयते ॥ १ ॥

परिधिषु युनक्ति । अग्नय एते–यत्परिधयः । अग्निभिरेव तदग्निं युनक्ति ॥ २ ॥

इत्थमौपवसथ्यदिवसप्रयोगमभिधायाथ सुत्याहप्रयोगं विवक्षुः प्रथममग्नियोगं विधत्त–अथ प्रातरिति[1] । प्रातर्यावभ्यो देवेभ्योऽनुब्रूहीत्येवं संप्रैषः । प्रातरनुवाकस्योपाकरणं तत् करिष्यन् प्रातरनुवाकोपाकरणात् पूर्वं युक्तेनाग्निना 'सर्वान् कामान्' प्राप्नवानीत्यभिप्रायेण ' अग्निं युनक्ति ' । यथा लोके नियुक्ताश्वेन रथेन जिगमिषितप्रदेशान् गच्छति, तद्वन्नियमितेनानेन सर्वान् कामानाप्नवानीति यजमानोऽध्वर्युमुखेनाग्निं नियच्छतीत्यर्थः । येनाभिप्रायेणैनं ' युनक्ति सोऽभिप्रायस्तथैव फलतीत्याह–युक्तेन सर्वान्कामानिति । तन्नियोजनस्य सर्वस्मादपि कर्मणः पूर्वत्वं प्रशंसति–तं वै पुरस्तादिति । तद्यदिति । ' तत् ' तस्मिन्नहनि ' अत ऊर्ध्वं ' यत् किं च कर्म 'क्रियते' ' तत्सर्वम् ' ' युक्ते ' एवाग्नौ सम्यग् ' आधीयते ' लोके हि नियुक्ते रथादौ निहितेन जिगमिषितप्रदेशस्य गमनात् तद्वदेव युक्तेऽग्नौ समाहित सर्वकामप्राप्तये समर्थं भवतीति युक्त एवाग्नौ समाहितं भवतीत्यर्थः ॥ १ ॥

विहितोऽयमग्नियोगः कुत्र कर्त्तव्य इति तत्राह–परिधिष्विति । परिधीनामग्नित्वम्, अग्निभ्रात्रात्मकत्वात् । अत्र तैत्तिरीयकम्–" अग्नेस्त्रयो ज्यायांसो भ्रातर आसन् " इत्युपक्रम्य–" अथो खल्वाहुरेते वावैनं ते भ्रातरः परिशेरे यत्पौतुद्रवाः परिधय इति " (तै. सं. ६ । २ । ८ । ६) इति ॥ २ ॥

---

१. अग्नियोजनं प्रातरनुवाकमुपाकरिष्यन् परिधीनालभ्य यथापूर्वमग्निं युनज्मीति प्रत्यृचम् । का. श्रौ. सू. १०।१।२ ।

स मध्यमं परिधिमुपस्पृश्य। (इयै) एतद्यजुर्जपत्यग्निं युनज्मि शवसा घृतेनेति बलं वै शवोऽग्निं युनज्मि बलेन च घृतेन चेत्येतद्दिव्यᳬं सुपर्णं व्वयसा बृहन्तमिति दिव्यो वाऽएष सुपर्णो व्वयसा बृहन्धूमेन तेन व्वयं गमेम ब्रध्नस्य व्विष्टपᳬं स्वो रुहाणा ऽअधि नाकमुत्तममिति स्वर्गो वै लोको नाकस्तेन व्वयं गमेम ब्रध्नस्य व्विष्टपᳬं स्वर्गं लोकᳬं रोहन्तोऽधि नाकमुत्तममित्येतत् ॥ ३ ॥

(ट) अथ दक्षिणे। (णऽ) इमौ ते पक्षावजरौ पतत्रिणौ याभ्याᳬं रक्षाᳬंस्यपहᳬंस्यग्ने ॥ ताभ्यां पतेम सुकृतामु लोकं यत्रऽऋषयो जग्मुः प्रथमजाः पुराणा ऽइत्यमूनेतदृषीनाह ॥ ४ ॥

स मध्यमं परिधिमुपस्पृश्यैतद्यजुर्जपति–" अग्निं युनज्मि शवसा घृतेन "–इति। बलं वै शवः। अग्निं युनज्मि बलेन च घृतेन चेत्येतत्। " दिव्यं सुपर्णं वयसा बृहन्तम् "–इति। दिव्यो वा एष सुपर्णो वयसा बृहन्धूमेन। " तेन वयं गमेम ब्रध्नस्य विष्टपं स्वो रुहाणा अधि नाकमुत्तमम् "–(वा. सं. १८। ५१) इति। स्वर्गो वै लोको नाकः। तेन वयं गमेम ब्रध्नस्य विष्टपं स्वर्गं लोकं रोहन्तोऽधि नाकमुत्तममित्येतत् ॥ ३ ॥

अथ दक्षिणे। " इमौ ते पक्षावजरौ पतत्रिणौ याभ्यां रक्षांस्यपहंस्यग्ने। ताभ्यां पतेम सुकृतामु लोकं यत्रऽऋषयो जग्मुः प्रथमजाः पुराणाः "–(वा. सं. १८। ५२) इति। अमूनेतदृषीनाह ॥ ४ ॥

परिधिषु नियोजनमपि कथं कुर्यादिति तत्राह–स मध्यममिति। ' सः ' अध्वर्युः ' मध्यमं परिधिमुपस्पृश्य ' ' अग्निं युनज्मि शवसा घृतेनेति ' एतद्यजुर्जपेत्। तमेतं मन्त्रं व्याचष्टे–बलं वै शव इति। ' शवः ' इति बलमुच्यते (निघ० २।९)। एवं च युनज्मीत्यनेन ' बलेन च घृतेन च ' ' अग्निं युनज्मि ' ' इत्येतत् ' उक्तं भवति। दिव्यो वा एष इति। यतः ' एषः ' अग्निर्दिवि भवो दिव्यः ' सुपर्णः ' शोभनपतनः। वयसेत्यस्य व्याख्यानम्–धूमेनेति। ' वयसा ' धूमेन बृहन् भवति; अत उच्यते–दिव्यं सुपर्णमिति। स्वर्गो वै लोक इति। नास्मिन्नकं दुःखमस्तीति नाकः, स्वर्गो लोकः खलु नाको भवति–तत्राल्पस्यापि दुःखस्याऽभावात्। एवं च 'तेन वयम्' इत्यनेन भागेन युक्तेनाग्निना ' वयं गमेम ब्रध्नस्य विष्टपम् ' कीदृशा वयम्? ' नाकमुत्तमं ' स्वर्गं लोकमधिरोहन्त इत्येतदुक्तं भवतीत्यर्थः। मन्त्रार्थस्तु–दिवि भवं शोभनपतनं वयसा धूमेन बृहन्तमग्निं बलेन च घृतेन च युनज्मि तेन युक्तेनाग्निना वयं नाकं सुखहेतुभूतमत एवोत्तमं स्वः स्वर्गं लोकम् अधिरुहाणाः सन्तस्तदर्थं ब्रध्नस्य सूर्यस्य विष्टपं गमेम गच्छेम इति प्रथमस्यार्थः। गमेमेति " लिङ्याशिष्यङ् "–(पा. सू. ३। १। ८६) इत्यङ् प्रत्ययः ॥ ३ ॥

परिधानक्रमेण मध्यमपरिधौ प्रथमं युक्त्वा अथ दक्षिणपरिधौ इमौ ते पक्षावित्यादिना मन्त्रेण युञ्ज्यादित्याह–अथ दक्षिण इमौ ते पक्षाविति। मन्त्रे ' ऋषय ' इति ऋषिशब्देन षष्ठकाण्डस्यादावभिहितान् ऋषी-

(हा) अथोत्तरे । (र) इन्दुर्दक्षः श्येनऽऋतावा हिरण्यपक्षः शकुनो भुरण्युरित्यमृतं वै हिरण्यममृतपक्षः शकुनो भर्तैत्येतन्महान्त्सधस्थे ध्रुवऽआनिषत्तो नमस्तेऽअस्तु मा मा हिꣳसीरित्यात्मनः परिदां वदते ॥५॥

तद्यन्मध्यमं यजुः । स ऽआत्माऽथ येऽअभितस्तौ पक्षौ तस्मात्ते पक्षवती भवतः पक्षौ हि तौ ॥ ६ ॥

त्रिभिर्युनक्ति । त्रिवृदग्निर्यावानग्निर्यावत्यस्य मात्रा तावतैवैनमेतद्युनक्ति ॥ ७ ॥

अथोत्तरे । " इन्दुर्दक्षः श्येन ऋतावा हिरण्यपक्षः शकुनो भुरण्युः "-इति । अमृतं वै हिरण्यम् । अमृतपक्षः शकुनो भर्तैत्येतत् । " महान्त्सधस्थे ध्रुव आनिषत्तो नमस्तेऽअस्तु मा मा हिंसीः "-(वा. सं. १८ । ५३) इति । आत्मनः परिदां वदते ॥ ५ ॥

तद्यन्मध्यमं यजुः-स आत्मा । अथ येऽभितः-तौ पक्षौ । तस्मात्ते पक्षवती भवतः । पक्षौ हि तौ ॥ ६ ॥

त्रिभिर्युनक्ति । त्रिवृदग्निः । यावानग्निर्यावत्यस्य मात्रा-तावतैवैनमेतद्युनक्ति ॥ ७ ॥

नाहेति व्याचष्टे-अमूनेतादिति । मन्त्रार्थस्तु-हे अग्ने ! त्वं याभ्यां पक्षाभ्यां रक्षांसि अपहंसि पतत्रिणौ ते ताव अजरौ जरारहितौ पक्षौ इमौ परिदृश्यमानौ । वयं ताभ्यां पक्षाभ्यां सुकृतां पुण्यकृतां लोकं पतेम उत्पतेम । यत्र सुकृल्लोके प्रथमजाः प्रथमोत्पन्नाः पुराणाः पुरातनाः ऋषयो जग्मुरिति द्वितीयस्यार्थः ॥ ४ ॥

अथोत्तरपरिधौ ' इन्दुर्दक्षः श्येनः ' इत्यनेन मन्त्रेण युञ्ज्यादित्याह-अथेति । हिरण्यपक्षः शकुनो भुरण्युरिति । अत्र हिरण्यशब्दार्थं भुरण्युशब्दार्थं चाह-अमृतं वा इति । ' नमस्ते अस्तु मा मा हिंसीः ' इत्यनेनात्मनो रक्षां याचत इत्याह-आत्मनः परिदां वदते इति । मन्त्रार्थस्तु-हे अग्ने ! 'इन्दुः' ईश्वरः । " इदि परमैश्वर्ये " । 'दक्षः' उत्साहवान् 'श्येनः' श्येनवदुत्पतनशीलः ' ऋतावा ' सत्यवान् ' हिरण्यपक्षः ' अमृतपक्षः 'शकुनः' पक्ष्याकारः 'भुरण्युः' भर्ता 'महान्' प्रभावेण 'सधस्थे' ब्रह्मणा सह स्थाने ' आनिषत्तः ' समन्तान्निषण्णः यस्त्वमेतादृशः तस्मै ते तुभ्यं नमोऽस्तु त्वं मां मा हिंसीरिति तृतीयस्यार्थः ॥ ५ ॥

अथैतानेव मन्त्रानग्नेरात्मपक्षात्मना प्रशंसति-तद्यन्मध्यममिति । अत्र मध्यमं यजुरिति यजुषो मध्यमत्वं मन्त्रक्रमापेक्षं न भवति, किन्तु परिधिमध्यमापेक्षम् । एवं चाग्निं युनज्मीत्ययं प्रथमो मन्त्रः । अथ ये इति । ये यजुषी अभितस्तौ पक्षौ तयोः पक्षत्वात्ते यजुषी इमौ ते पक्षौ हिरण्यपक्षाविति पक्षशब्देन युक्ते भवत इति स्पष्टम् ॥ ६ ॥

अग्नियोजनमन्त्राणां त्रित्वं प्रशंसति-त्रिभिर्युनक्तीति ॥ ७ ॥

(त्यु) अथ राजानमभिषुत्याग्नौ जुहोति । (त्ये) एष वै स सवः एतद्वै तत्सूयते यमस्मै तमेता देवताः सवमनुमन्यन्ते याभिरनुमतः सूयते यस्मै वै राजानो राज्यमनुमन्यन्ते स राजा भवति न स यस्मै न तद्यदग्नौ जुहोति तदग्निमभिषिञ्चति सोऽस्यैष दैवऽ आत्मा सोमाभिषिक्तो भवत्यमृताभिषिक्तोऽथ भक्षयति तदात्मानमभिषिञ्चति सोऽस्यायमात्मा सोमाभिषिक्तो भवत्यमृताभिषिक्तः ॥ ८ ॥

(क्तोऽग्नौ) अग्नौ हुत्वाऽथ भक्षयति । दैवो वाऽअस्यैष ऽआत्मा मानुषोऽयं देवा ऽउ वाऽअग्रेऽथ मनुष्यास्तस्मादग्नौ हुत्वाऽथ भक्षयति ॥ ९ ॥

(त्यु) अथैनं विमुञ्चति । (त्या) आप्त्वा तं कामं यस्मै कामायैनं युङ्क्ते यज्ञायज्ञियꣳ स्तोत्रमुपाकरिष्यन्त्स्वर्गो वै लोको यज्ञायज्ञियमेतस्य वै गत्याऽएनं युङ्क्ते तदाप्त्वा तं कामं यस्मै कामायैनं युङ्क्ते ॥ १० ॥

अथ राजानमभिषुत्याग्नौ जुहोति । एष वै स सवः । एतद्वै तत्सूयते—यमस्मै तमेता देवताः सवमनुमन्यन्ते, याभिरनुमतः सूयते । यस्मै वै राजानो राज्यमनुमन्यन्ते—स राजा भवति । न सः—यस्मै न । तद् यदग्नौ जुहोति—तदग्निमभिषिञ्चति । सोऽस्यैष दैव आत्मा सोमाभिषिक्तो भवति, अमृताभिषिक्तः । अथ भक्षयति । तदात्मानमभिषिञ्चति । सोऽस्यायमात्मा सोमाभिषिक्तो भवति, अमृताभिषिक्तः ॥ ८ ॥

अग्नौ हुत्वा—अथ भक्षयति । दैवो वा अस्यैष आत्मा, मानुषोऽयम् । देवा उ वाऽअग्रे, अथ मनुष्याः । तस्मादग्नौ हुत्वा—अथ भक्षयति ॥ ९ ॥

अथैनं विमुञ्चति—आप्त्वा तं कामम्—यस्मै कामायैनं युङ्क्ते । यज्ञायज्ञियं स्तोत्रमुपाकरिष्यन् । स्वर्गो वै लोको यज्ञायज्ञियम् । एतस्य वै गत्या एनं युङ्क्ते । तदाप्त्वा तं कामं—यस्मै कामायैनं युङ्क्ते ॥ १० ॥

अथ प्राकृतौ सोमाभिषवहोमौ कुर्यादित्याह—अथ राजानमिति । 'एष वै स सव एतद्वा' इत्यादिकम् 'अथ रथशीर्षे जुहोति' इत्यत्र व्याख्यातम् । ननु कथमग्नौ होमात् स्वस्याभिषेकसिद्धिरिति तत्राह—तद्यदग्नाविति । 'तत्' तत्राग्नौ जुहोतीति यत् तेनाग्निमभिषिञ्चति । 'सः' 'एषः' अग्निः 'अस्य' यजमानस्य 'दैवः आत्मा' एवं च यजमान एवाभिषिक्तो भवतीत्यर्थः । सोमस्यामृतत्वात् सोमाभिषेकेणामृताभिषिक्त एव भवतीत्याह—सोमाभिषिक्तो भवतीति ॥ ८ ॥

होमानन्तरं हुतशेषं भक्षयेदित्याह—अग्नौ हुत्वेति । तयोरेव होमभक्षणयोः पौर्वापर्यमुपपादयति—दैवो वा इति ॥ ९ ॥

अथैतस्याग्नेर्विमोचनं विधत्ते—अथैनमिति । 'यस्मै कामाय एनं युङ्क्ते तं कामम् आप्त्वा' एनं विमुञ्चेत् ।

तं वै पुरस्तात्स्तोत्रस्य विमुञ्चति । स यदुपरिष्टात्स्तोत्रस्य विमुञ्चेत्पराङ् हैतछँ स्वर्गं लोकमतिप्रणश्येदथ यत्पुरस्तात्स्तोत्रस्य विमुञ्चति तत्सम्प्रति स्वर्गं लोकमाप्त्वा विमुञ्चति ॥ ११ ॥

परिधिषु विमुञ्चति । परिधिषु ह्येनं युनक्ति यत्र वाव योग्यं युञ्जन्ति तदेव तद्विमुञ्चन्ति ॥ १२ ॥

स संध्योरुपस्पृश्य । (इमे) एते यजुषी जपति तथा द्वे यजुषी त्रीन्परिधीननुविभवतो दिवो मूर्धाऽसि पृथिव्या नाभिरिति दक्षिणे विश्वस्य मूर्धन्नधि तिष्ठसि श्रित ऽइत्युत्तरे मूर्धवतीभ्यां मूर्धा ह्यस्यैषोऽप्सुमतीभ्यामग्नेरेतद्वैश्वानरस्य स्तोत्रं यद्यज्ञायज्ञियछँ शान्तिर्वाऽआपस्तस्मादप्सुमतीभ्याम् ॥ १३ ॥

तं वै पुरस्तात्स्तोत्रस्य विमुञ्चति । स यदुपरिष्टात्स्तोत्रस्य विमुञ्चेत्–पराङ्हैतं स्वर्गं लोकमतिप्रणश्येत् । अथ यत्पुरस्तात्स्तोत्रस्य विमुञ्चति–तत्सम्प्रति स्वर्गं लोकमाप्त्वा विमुञ्चति ॥ ११ ॥

परिधिषु विमुञ्चति । परिधिषु ह्येनं युनक्ति । यत्र वाव योग्यं युञ्जन्ति–तदेव तद्विमुञ्चन्ति ॥ १२ ॥

स सन्ध्योरुपस्पृश्य–एते यजुषी जपति । तथा द्वे यजुषी त्रीन्परिधीननुविभवतः । " दिवो मूर्द्धाऽसि पृथिव्या नाभिः "–(वा. सं. १८ । ५४) इति दक्षिणे । " विश्वस्य मूर्धन्नधि तिष्ठसि श्रितः "–(वा. सं. १८ । ५५) इत्युत्तरे । मूर्द्धवतीभ्याम् । मूर्धा ह्यस्यैषः । अप्सुमतीभ्याम् । अग्नेरेतद्वैश्वानरस्य स्तोत्रं, यद्यज्ञायज्ञियम् । शान्तिर्वा आपः । तस्मादप्सुमतीभ्याम् १३

एतस्य विमोचनस्य कालविशेषप्रदर्शनद्वारा तमेव क्रमं दर्शयति–यज्ञायज्ञियमिति । ' यज्ञायज्ञियं स्तोत्रमुपाकरिष्यन् ' एनमग्निं विमुञ्चेत् । कुतः ? यज्ञायज्ञियस्तोत्रं स्वर्गो लोकः खलु स्वर्गलोकस्य गत्यै एवैनमग्निं युङ्क्ते । अतश्च यज्ञायज्ञियलक्षणस्य स्वर्गस्य प्राप्तेर्यस्मै स्वर्गलोकप्राप्तिलक्षणाय कामाय एनं युङ्क्ते तस्य कामस्याप्तत्वादस्मिन्नवसरे विमुञ्चेदित्यर्थः ॥ १० ॥

विपक्षे बाधकप्रदर्शनेन यज्ञायज्ञियस्तोत्रात् पूर्वमेव विमुञ्चेदित्याह–तं वै पुरस्तादिति । यदि स्तोत्रादुपरि विमुञ्चेत् तदा एनं यज्ञायज्ञियलक्षणं स्वर्गं लोकमतिक्रम्य पराङेव भूत्वा प्रणश्येत् । अथ यदि स्तोत्रात्पूर्वं विमुञ्चेत्–तदा संप्रति अनतिक्रमेण युक्तमेव स्वर्गं लोकम् आप्त्वा विमुक्तवान् भवति ॥ ११ ॥

लोके यत्राश्वं युञ्जन्ति तत्रैव तं विमुञ्चन्ति । अतोऽत्रापि अग्नेः परिधिषु योजनात्तत्रैवैनं विमुञ्चेदित्याह–परिधिष्विति ॥ १२ ॥

कथं तद्विमोचनप्रकार इति तत्राह–स सन्ध्योरिति[२] । ' सः ' अध्वर्युः परिधिसन्ध्योरुपस्पृश्यैते–वक्ष्यमाणे दिवो मूर्द्धाऽसीत्यादिके यजुषी जपेत् । ननु विमोचनमपि योजनवत्परिधिमध्यमुपस्पृश्यैव कस्मान्न क्रियत इति तत्राह–तथा द्वे यजुषी इति । पूर्व त्रिभिर्मन्त्रैस्त्रिष्वपि परिधिष्वग्नेर्युक्तत्वात्तथैव विमोचनमपि कर्तव्यं,

१–आग्निमारुतस्तोत्रपुरस्ताद्विमोचनम् का. श्रौ. सू. १८।१०३। २–परिधिसंध्योर्दिवो मूर्द्धेति प्रत्यृचम् । का. श्रौ.सू. १८.१०३।

द्वाभ्यां व्विमुञ्चति । द्विपाद्यजमानो यजमानोऽग्निर्यावानग्निर्यावत्यस्य मात्रा तावतैवैनमेतद्विमुञ्चति त्रिभिर्युनक्ति तत्पञ्च पञ्चचितिकोऽग्निः पञ्चऽर्तवः संव्वत्सरः संव्वत्सरोऽग्निर्यावानग्निर्यावत्यस्य मात्रा तावत्तद्भवति ॥ १४ ॥

तᳫँ हैके । प्रायणीयऽएवातिरात्रे युञ्जन्त्युदयनीये व्विमुञ्चन्ति सᳫँस्थारूपं वाऽएतद्यद्विमोचनं किं पुरा सᳫँस्थायै सᳫँस्थारूपं कुर्यामिति न तथा कुर्यादहरहर्व्वाऽएष यज्ञस्तायतेऽहरहः संतिष्ठतेऽहरहरेनᳫँ स्वर्गस्य लोकस्य गत्यै युङ्क्तेऽहरहरेनेन स्वर्गं लोकं गच्छति तस्मादहरहरेव युञ्ज्यादहरहर्व्विमुञ्चेत् ॥ १५ ॥

द्वाभ्यां विमुञ्चति । द्विपाद्यजमानः । यजमानोऽग्निः । यावानग्निर्यावत्यस्य मात्रा—तावतैवैनमेतद्विमुञ्चति । त्रिभिर्युनक्ति । तत् पञ्च । पञ्चचितिकोऽग्निः । पञ्चऽर्तवः संवत्सरः । सम्वत्सरोऽग्निः । यावानग्निर्यावत्यस्य मात्रा—तावत्तद्भवति ॥ १४ ॥

तं हैके—प्रायणीय एवातिरात्रे युञ्जन्ति, उदयनीये विमुञ्चन्ति । संस्थारूपं वा एतत्—यद्विमोचनम् । किं पुरा संस्थायै संस्थारूपं कुर्यामिति । न तथा कुर्यात् । अहरहर्वा एष यज्ञस्तायते, अहरहः सन्तिष्ठते, अहरहरेनं स्वर्गस्य लोकस्य गत्यै युङ्क्ते, अहरहरेनेन स्वर्गं लोकं गच्छति । तस्मादहरहरेव युञ्ज्यात्, अहरहर्विमुञ्चेत् ॥ १५ ॥

न चैवमत्र सम्भवति मन्त्रयोरत्र द्वित्वेनापर्याप्तत्वात् । ततश्च परिधिसन्ध्योः संस्पर्शे त्रयाणामपि परिधीनां संस्पर्शसिद्धेर्द्वे एव यजुषी त्रीन्परिधीन्प्रति पर्याप्ते भवत इति । अथ कस्मिन्सन्धौ कं मन्त्रं जपेदिति तत्राह—दिवो मूर्द्धाऽसीति । मन्त्रयोर्मूर्द्धशब्दसम्बन्धं प्रशंसति—मूर्द्धवतीभ्यामिति । अस्याग्नेरेष विमोचनलक्षणः प्रयोगो मूर्धा मूर्द्धवत् सर्वस्याप्युपरितनो भवति । अतश्च मूर्द्धशब्दयुक्ताभ्यामृग्भ्यामस्य विमोचनमुपपन्नम् । तथैवाप्सुशब्दसम्बन्धमपि प्रशंसति—अप्सुमतीभ्यामिति । अत्रोत्तरमन्त्रे अप्सुशब्दप्रयोगादुपचारेण प्रथममन्त्रस्याप्सुमत्त्वमित्यप्सुमतीभ्यामित्युक्तम् । एतद्यज्ञायज्ञियं स्तोत्रं वैश्वानरस्याग्नेः सम्बन्धि भवति; तद्देवत्यत्वात् । अनेनास्य शान्तत्वमुक्तम् । आपस्तु दहनादिनाशस्य शान्तिहेतुत्वाच्छान्तिः खलु । तस्माद्यज्ञायज्ञियस्तोत्रे कर्तव्यं विमोचनमप्सुमतीभ्यामृग्भ्यां क्रियते ॥ १३ ॥

विमोचनमन्त्रयोर्द्वित्वसंख्यां प्रशंसति—द्वाभ्यामिति । योजनविमोचनमन्त्राणां संख्यां सम्भूय प्रशंसति—त्रिभिर्युनक्तीति । प्रकृतत्वात् द्वाभ्यां विमुञ्चतीति संबध्यते तत्तथा सति पञ्च भवन्ति । तावत्तद्भवतीति । ' तद् ' योजनविमोचनात्मकं कर्म तावत्तत्परिमितमेव भवतीत्यर्थः ॥ १४ ॥

प्रसङ्गादहर्गणेष्वपि योजनविमोचनप्रकारं विवक्षुस्तत्र पूर्वपक्षत्वेन केषांचित्पक्षं सोपपत्तिकमनुवदति—तं हैक इति । ' एके ' शाखिनः प्रायणीयातिरात्र एव तमग्निं ' युञ्जन्ति ' । पश्चादुदयनीयातिरात्रे च ' विमुञ्चन्ति ' । तथा कुर्वतां च तेषामयमाशयः—विमोचनमिति ' यत् ' ' एतत्संस्थारूपं ' खलु । अतश्च संस्थायाः पूर्वम्

१–प्रायणीयेऽतिरात्रे युक्त्वोदयनीये विमोकमेके । का. श्रौ. सू. १८ । १०४ ।

(तु) अथो यथा प्रायणीयेऽतिरात्रे । सामिधेनीरनूच्य ब्रूयादुदयनीय-ऽएवातोऽनुवक्ताऽस्मीति तादृक्तत्तस्मादहरहरेव युञ्ज्यादहरहर्विमुञ्चेत् ॥ १६
(त्त)तद्धैतच्छाण्डिल्यः । कङ्कतीयेभ्योऽहरहः कर्म प्रदिश्य प्रवव्राजाहरहरेव वो युनजानहरहर्विमुञ्चानिति तस्मादहरहरेव युञ्ज्यादहरहर्विमुञ्चेत् ॥ १७ ॥

इति चतुर्थप्रपाठके प्रथमं ब्राह्मणम् ॥ ९-४-१ ॥ (४. ४.) ॥

इति चतुर्थोऽध्यायः समाप्तः ॥ ९ । ४ ॥

अथो यथा प्रायणीयेऽतिरात्रे सामिधेनीरनूच्य ब्रूयात्-उदयनीयऽएवातोऽनुवक्ताऽस्मीति-तादृक् तत् । तस्मादहरहरेव युञ्ज्याद्, अहरहर्विमुञ्चेत् ॥ १६ ॥

तद्धैतच्छाण्डिल्यः कङ्कतीयेभ्योऽहरहः कर्म प्रदिश्य प्रवव्राज-अहरहरेव वो युनजान्, अहरहर्विमुञ्चानिति । तस्मादहरहरेव युञ्ज्याद्, अहरहर्विमुञ्चेत् ॥ १७ ॥

किमर्थं 'संस्थारूपं कुर्यामेति' । तदेतन्मतं निरस्य स्वमतमाह-न तथेति । 'एषः' यज्ञः 'अहरहः' प्रत्यहं वितायते । प्रत्यहमेव संतिष्ठते । प्रत्यहं च यजमानः स्वर्गं लोकं गन्तुमेनं युङ्क्ते । तथैव प्रत्यहं स्वर्गं लोकं गच्छति । अतश्च प्रत्यहमेव युञ्ज्यात् । प्रत्यहमेव विमुञ्चेत् ॥ १९ ॥

अथ तदेव पूर्वपक्षीकृतं मतं तदनभिमतदृष्टान्तप्रदर्शनेन निरस्य स्वमतमेव द्रढयति-अथो यथेति । किञ्च प्रायणीयेऽतिरात्रे सामिधेनीरनूच्य अतः परम् उदयनीयातिरात्रे एव तासामनुवक्ताऽस्मीति यथा ब्रूयात् तदपि तादृग्भवति । स यदि सामिधेनीनामनुवचनमाद्यन्तयोरेवाह्नोः क्रियते तदा योजनविमोचने अपि तथैव कुर्यात् । तद्यथा सामिधेन्योऽहरहरनूच्यन्ते । तासां कर्माङ्गत्वेन प्रत्यहं परिसमाप्ते कर्मणि कर्मणि अनूच्यत्वात् । अतस्तत्समानत्वेन योजनविमोचने अपि प्रत्यहमेव कुर्वीत ॥ १६ ॥

हेत्वन्तरेणापि स्वमतमेव द्रढयति-तद्धैतदिति । 'तदेतत्' योजनविमोचनविषये शाण्डिल्यः कङ्कतीयेभ्यः प्रात्यहिकं कर्म प्रदिश्य वोऽध्वर्युः प्रत्यहमग्निं युनक्तु विमुञ्चत्विरयुक्त्वा प्रवव्राज । युनजान् विमुञ्चान् इति लोडर्थे लेट्प्रत्ययः । यत एवं तस्मादपि प्रत्यहमेव युञ्ज्यात् प्रत्यहं विमुञ्चेत् ॥ १७ ॥

इति श्रीसायणाचार्यविरचिते माधवीये वेदार्थप्रकाशे माध्यन्दिनीयशतपथब्राह्मणभाष्ये नवमकाण्डे चतुर्थेऽध्याये चतुर्थं ब्राह्मणम् ॥ (९-४-४) ॥

वेदार्थस्य प्रकाशेन तमो हार्दं निवारयन् । पुमर्थांश्चतुरो देयाद्विद्यातीर्थमहेश्वरः ॥ १ ॥
ब्रह्माण्डं गोसहस्रं कनकहयतुलापूरुषौ स्वर्णगर्भं, सप्ताब्धीन्पञ्च सीरीस्त्रिदशतरुलताधेनुसौवर्णभूमीः ।
रत्नोस्त्रां रुक्मवाजिद्विपमहितरथौ सायणिः सिङ्गणार्यो, व्यश्राणीद्विश्वचक्रं प्रथितविधिमहाभूतयुक्तं घटं च ॥ २ ॥
धान्याद्रिं धन्यजन्मा तिलभवमतुलः स्वर्णजं वर्णमुख्यः, कार्पासीयं कृपावान्गुडकृतमजडो राजतं राजपूज्यः ।
आज्योत्थं प्राज्यजन्मा लवणजमनृणः शार्करं चार्कतेजा, रत्नाढ्यो रत्नरूपं गिरिमकृत मुदा पात्रसात्सिङ्गणार्यः ॥ ३ ॥

इति श्रीमद्राजाधिराजपरमेश्वरवैदिकमार्गप्रवर्तकश्रीवीरहरिहरसाम्राज्यधुरन्धरेण सायणाचार्येण विरचिते माधवीये वेदार्थप्रकाशे माध्यन्दिनीयशतपथब्राह्मणभाष्ये नवमकाण्डे चतुर्थोऽध्यायः ॥ ९-४ ॥

२२११

अथ पञ्चमेऽध्याये प्रथमं ब्राह्मणम् ।
चतुर्थप्रपाठके च द्वितीयं ब्राह्मणम् ।

अथातः पयोव्रतताये । पयोव्रतो दीक्षितः स्याद्देवेभ्यो ह वाऽअमृत-
मपचक्राम ॥ १ ॥

ते होचुः । श्रमेण तपसेदमन्विच्छामेति तच्छ्रमेण तपसाऽन्वैच्छंस्ते
दीक्षित्वा पयोव्रता ऽअभवन्नेतद्वै तपो यो दीक्षित्वा पयोव्रतोऽसत्तस्य
घोषमाशुश्रुवुः ॥ २ ॥

(स्ते) ते होचुः । (नें) नेदीयो वै भवति भूयस्तप ऽउपायामेति ते
त्रीन्त्स्तनानुपेयुस्तत्परादहशुः ॥ ३ ॥

अथ यजमानव्रतमीमांसा ।

अथातः पयोव्रततायै । पयोव्रतो दीक्षितः स्यात् । देवेभ्यो ह वा अमृतमपचक्राम ॥ १ ॥

ते होचुः—श्रमेण तपसेदमन्विच्छामेति । तच्छ्रमेण तपसाऽन्वैच्छन् । ते दीक्षित्वा पयोव्रता अभ-
वन् । एतद्वै तपो यो दीक्षित्वा पयोव्रतोऽसत् । तस्य घोषमाशुश्रुवुः ॥ २ ॥

ते होचुः—नेदीयो वै भवति, भूयस्तप उपायामेति । ते त्रीन्त्स्तनानुपेयुः । तत्परादहशुः ॥ ३ ॥

यस्य निःश्वसितं वेदा यो वेदेभ्योऽखिलं जगत् । निर्ममे तमहं वन्दे विद्यातीर्थमहेश्वरम् ॥ १ ॥

अथावशिष्टः कृत्स्नोऽपि प्रयोगः प्रकृतिवदेवेत्यभिप्रायेण तमनभिधाय पयोव्रतस्य मीमांसा क्रियत इति प्रति-जानीते—**अथातः पयोव्रतताया** इति । षष्ठ्यर्थे चतुर्थी । पयोव्रततायाः मीमांसा क्रियत इति वाक्यशेषः । विधत्ते—**पयोव्रत** इति । 'दीक्षितः पयोव्रतः स्यात्' । व्रतशब्देनात्राभ्यवहार उच्यते । पय एव व्रतम् अभ्यवहारो यस्य स पयोव्रतः । अथैतदेव पयोव्रतं प्रशंसितुं कांचित्कथामवतारयति—**देवेभ्यो ह वा** इत्यादिना । पुरा किलामृतं देवेभ्यः सकाशादपचक्राम । तत् 'श्रमेण' तत्साध्येन 'तपसा' च 'इदम्' अमृतम् 'अन्विच्छाम' इति परस्परमुक्त्वा तथैवाकार्षुः । 'तच्छ्रमेण तपसाऽन्वैच्छन्' इत्येतदेव दीक्षित्वेत्यादिना विवृणोति । 'दीक्षित्वा पयोव्रतो भवेदिति' यत् तदेव तपः खलु । तस्मात् ते देवा दीक्षित्वा पयोव्रता अभवन् । ततस्तेन तपसा तस्यामृतस्य घोषमाशुश्रुवुः । श्रुत्वा च ते तदमृतं सन्निहितं भवति घोषस्य श्रुतत्वात् इति बुद्ध्वा अतोऽधिकं तप उपगच्छेमेत्युक्त्वा त्रीन्स्तनानुपेयुः । स्तनत्रयादुत्पन्नं पयोऽभ्यवहृतवन्तः । अनेन पूर्वं पयोव्रता अभवन्नित्यत्र चतुरः स्तनानुपेयुरित्यर्थोऽवगम्यते । ततो देवाः 'तत्' नेदीयोऽमृतं परादद्दशुः । त्रीन् स्तनानित्यनेन, द्वितीयदिने प्रथमोपसदि त्रिस्तननिर्गलितपयोव्रता भवेयुरिति प्रतिपद्यते ॥ १–३ ॥

(स्तु) ते होचुः । (नैं) नेदीयो वै भवति भूयस्तप ऽउपायामेति ते द्वौ स्तुनाऽउपेयुस्तन्नेदीयसः पुरादद्दृशुः ॥ ४ ॥

(स्तु) ते होचुः । (नैं) नेदीयो वै भवति भूयस्तप ऽउपायामेति तऽ- एकꣳ स्तुनमुपेयुस्तदधिजगाम नु त्वभिपत्तुꣳ शेकुः ॥ ५ ॥

(स्तु) ते होचुः । (र) अधि वाऽअगन्न त्वभिपत्तुꣳ शक्नुमः सर्व्वं तुप ऽउपायामेति तुऽउपवसथेऽनाशकमुपेयुरेतद्वै सर्व्वं तुपो यदनाशक- स्तुस्मादुपवसथे नाश्नीयात् ॥ ६ ॥

(त्तु) तत्प्रातरभिपद्य । (द्या) अभिषुत्याग्नावजुहवुस्तदग्नावमृतमदधुः सर्व्वेषामु हैष देवानामात्मा यदग्निस्तद्यदग्नावमृतमदधुस्तदात्मन्नमृत- मदधत ततो देवा ऽअमृता ऽअभवन् ॥ ७ ॥

ते होचुः–नेदीयो वै भवति, भूयस्तप उपायामेति । ते द्वौ स्तना उपेयुः । तन्नेदीयसः परा- ददृशुः ॥ ४ ॥

ते होचुः–नेदीयो वै भवति, भूयस्तप उपायामेति । त एकं स्तनमुपेयुः । तदधिजगाम । न त्वभिपत्तुं शेकुः ॥ ५ ॥

ते होचुः–अधि वा अगत्, न त्वभिपत्तुं शक्नुमः, सर्वं तप उपायामेति । त उपवसथेऽनाशक- मुपेयुः । एतद्वै सर्वं तपो–यदनाशकः । तस्मादुपवसथे नाश्नीयात् ॥ ६ ॥

तत्प्रातरभिपद्य, अभिषुत्य, अग्नावजुहवुः–तदग्नावमृतमदधुः । सर्वेषामु हैष देवानामात्मा– यदग्निः । तद्यदग्नावमृतमदधुः–तदात्मन्नमृतमदधत । ततो देवा अमृता अभवन् ॥ ७ ॥

द्वितीयोपसदिने पूर्वदिनापेक्षया सन्निहितममृतं दृष्ट्वा भूयस्तप उपायामेति द्विस्तननिर्गलितपयोव्रता अभू- वन् इति प्रतिपादितं भवति ॥ ४ ॥

तृतीयोपसदिने सन्निहिततरं दृष्ट्वा भूयस्तप उपायामेति एकस्तनदुग्धपयोव्रता आसन् इति प्रति- पाद्यते ॥ ५ ॥

उपवसथीये चतुर्थदिने देवा ऊचुः । सन्निहिततरमप्यमृतं प्राप्तुं न शक्नुम इति सर्वमनाशकात्मकं तप उपायामेति तथैवाकार्षुः । अनाशकस्य सर्वतपस्त्वात् । तस्मादुपवसथे नाश्नीयात् ॥ ६ ॥

ततः पञ्चमदिने सुत्याहे तदमृतं सोमरूपं प्राप्य कण्डनं कृत्वा तदग्नावजुहवुः । कुत इत्याह–सर्वेषा- मिति । ' एषः ' अग्निः सर्वेषां देवानामात्मा खलु । अतश्चामृतमग्नावदधुरिति यत् तेनात्मन्येवामृतं धृतवन्तः । तेनामृतधारणेन पश्चाद्देवा अमृता अभवन् ॥ ७ ॥

(वंस्त) तद्यत्तदमृतᳯं सोमः सः । (०) तदद्यापि यजमानः श्रमेण तपसाऽन्विच्छति स दीक्षित्वा पयोव्रतो भवत्येतद्वै तपो यो दीक्षित्वा पयोव्रतोऽसत्तस्य घोषमाशृणोतीत्यहे क्रय ऽइति ॥ ८ ॥

स त्रीन्त्स्तनानुपैति । तत्पुरापश्यति स द्वौ स्तनाऽउपैति तन्नेदीयसः पुरापश्यति स ऽएकᳯं स्तनमुपैति तदधिगच्छति न त्वभिपत्तुᳯं शक्नोति स ऽउपवसथेऽनाशकमुपैत्येतद्वै सर्व्वं तपो यदनाशकस्तस्मा-दुपवसथे नाश्नीयात् ॥ ९ ॥

(त्तु) तत्प्रातरभिपद्य । (द्या) अभिषुत्याग्नौ जुहोति तदग्नावमृतं दधात्यथ भक्षयति तदात्मन्नमृतं धत्ते सोऽमृतो भवत्येतद्वै मनुष्यस्या-मृतत्वं यत्सर्व्वमायुरेति तथो हानेनात्मना सर्व्वमायुरेति ॥ १० ॥

(त्य) अग्नौ हुत्वाऽथ भक्षयति । दैवो वाऽअस्यैष ऽआत्मा मानुषो-ऽयं देवा ऽउ वाऽअग्रेऽथ मनुष्यास्तस्मादग्नौ हुत्वाऽथ भक्षयति ॥ ११ ॥

तद्यदमृतं-सोमः सः । तदद्यापि यजमानः श्रमेण तपसाऽन्विच्छति । स दीक्षित्वा पयोव्रतो भवति । एतद्वै तपो-यो दीक्षित्वा पयोव्रतोऽसत् । तस्य घोषमाशृणोतीत्यहे क्रय इति ॥ ८ ॥

स त्रीन्त्स्तनानुपैति । तत्परापश्यति । स द्वौ स्तना उपैति । तन्नेदीयसः परापश्यति । स एकं स्तनमुपैति । तदधिगच्छति । न त्वभिपत्तुं शक्नोति । स उपवसथेऽनाशकमुपैति । एतद्वै सर्वं तपो यदनाशकः । तस्मादुपवसथे नाश्नीयात् ॥ ९ ॥

तत्-प्रातरभिपद्य अभिषुत्य अग्नौ जुहोति । तदग्नावमृतं दधाति । अथ भक्षयति । तदात्मन्नमृतं धत्ते, सोऽमृतो भवति । एतद्वै मनुष्यस्यामृतत्वम्-यत् सर्वमायुरेति । तथो हानेनात्मना सर्वमायुरेति ॥ १० ॥

अग्नौ हुत्वा-अथ भक्षयति । दैवो वा अस्यैष आत्मा, मानुषोऽयम् । देवा उ वा अग्रे, अथ मनुष्याः । तस्मादग्नौ हुत्वाऽथ भक्षयति ॥ ११ ॥

पूर्वं यदुक्तममृतमिति तत्सोम एव नान्यदित्याह-तद्यदिति । इत्थं देवानां कथामवतार्य तथैवेदानीं तत् सर्वं करोतीत्याह-तदद्यापीत्यादिना । तस्य घोषमाशृणोतीत्यहे क्रय इतीति । 'अहे' इति लुप्तान्तादहन्-शब्दात् सप्तमी । 'इत्यहे' एतादृशेऽह्नि सोम-' क्रयः ' इति घोषमाशृणोतीत्यर्थः ॥ ८ ॥ ९ ॥

तदग्नावमृतं दधातीति । तेनाग्निलक्षणे स्वस्य दैवात्मनि अमृतं दधाति ॥ १० ॥

अग्नौ हुत्वाऽथ भक्षयतीत्यादि । विशदार्थम् ॥ ११ ॥

२२१९

(त्य) अथातः समिष्टयजुषामेव मीमाᳬसा । देवाश्चासुराश्चोभये प्राजापत्याः प्रजापतेः पितुर्दायमुपेयुर्वाचमेव सत्यानृते सत्यं चैवानृतं च तऽउभयऽएव सत्यमवदन्नुभयेऽनृतं ते ह सदृशं वदन्तः सदृशाऽएवासुः १२

(स्ते) ते देवा ऽउत्सृज्यानृतम्। (ᳬ) सत्यमन्वालेभिरेऽसुराऽउ होत्सृज्य सत्यमनृतमन्वालेभिरे ॥ १३ ॥

तद्धेदᳬ सत्यमीक्षांचक्रे। यदसुरेष्वास देवा वाऽउत्सृज्यानृतᳬ सत्यमन्वालप्सत हन्त तदयानीति तद्देवानाजगाम ॥ १४ ॥

(मा) अनृतमु हेक्षांचक्रे। यद्देवेष्वासासुरा वाऽउत्सृज्य सत्यमनृतमन्वालप्सत हन्त तदयानीति तदसुरानाजगाम ॥ १५ ॥

अथ समिष्टयजुर्मीमांसा।

अथातः समिष्टयजुषामेव मीमांसा। देवाश्चासुराश्चोभये प्राजापत्याः प्रजापतेः पितुर्दायमुपेयुः—वाचमेव सत्यानृते। सत्यं चैवानृतं च। त उभय एव सत्यमवदन्, उभयेऽनृतम्। ते ह सदृशं वदन्तः सदृशा एवासुः ॥ १२ ॥

ते देवा उत्सृज्यानृतं सत्यमन्वालेभिरे। असुरा उ होत्सृज्य सत्यमनृतमन्वालेभिरे ॥ १३ ॥

तद्धेदं सत्यमीक्षाञ्चक्रे—यदसुरेष्वास। देवा वाऽउत्सृज्यानृतं सत्यमन्वालप्सत—हन्त तदयानीति। तद्—देवानाजगाम ॥ १४ ॥

अनृतमु हेक्षाञ्चक्रे—यद्देवेष्वास। असुरा वा उत्सृज्य सत्यमनृतमन्वालप्सत—हन्त तदयानीति। तदसुरानाजगाम ॥ १५ ॥

अथ समिष्टयजुषां मीमांसा क्रियत इति प्रतिजानीते—अथात इति। अत्रापि पूर्ववत्कांचित्कथामवतारयति—देवाश्चासुराश्चेत्यादिना। पुरा किल प्रजापतेरपत्यभूता देवाश्चाऽसुराश्चोभये पितुः प्रजापतेः दायमुपेयुः। तमेव दायमाह—वाचमेवेति। कीदृशीं वाचमिति तत्राह—सत्यानृते इति। तदेव विवृणोति—सत्यं चैवानृतं चेति। सत्यानृतरूपां वाचमेव दायमुपेयुरित्यर्थः। ते देवा असुरा उभय एव सत्यमवदन्। तथा सदृशं वदन्त उभयेऽपि सदृशा बभूवुः ॥ १२ ॥

पश्चात्ते देवा वैषम्यसिद्धये अनृतमुत्सृज्य सत्यमेव स्वीकृतवन्तः। तथाऽसुरा अपि तेभ्यो वैलक्षण्यसिद्धये सत्यमुत्सृज्य अनृतं स्वीकृतवन्तः ॥ १३ ॥

ततोऽसुरेषु विद्यमानं सत्यं देवा अनृतं विसृज्य सत्यमेव स्वीकृतवन्तः, तत्रैव गच्छानीति विचार्य देवानाजगाम। हन्तेति निपातः स्वाश्रयप्राप्तिनिमित्तं हर्षं द्योतयति। देवेषु विद्यमानमनृतं च तथैव विचार्यासुरानाजगाम। ततो देवा असुरेषु विद्यमानस्य सत्यस्यात्रागमनात् सर्वं सत्यमवदन्। असुराश्च देवेषु विद्यमानस्यानृतस्यात्रागमनात् सर्वमनृतमवदन् ॥ १४ ॥ १५ ॥

ते देवाः । सर्व्वᳫ सत्यमवदन्त्सर्व्वमसुरा ऽअनृतं ते देवा ऽआसक्ति सत्यं
व्वदन्तऽऐषावीरतरा ऽइवासुरनाढ्यतरा ऽइव तस्मादु हैतद्य ऽआसक्ति सत्यं
व्वदत्यैषावीरतर ऽइवैव भवत्यनाढ्यतर ऽइव स ह त्वेवान्ततो भवति देवा
ह्येवान्ततोऽभवन् ॥ १६ ॥

(ग्र) अथ ह्यसुराः । (ऽ) आसक्त्यनृतं व्वदन्त ऽऊष ऽइव पिपिशुराढ्या
इवासुस्तस्मादु हैतद्य ऽआसक्त्यनृतं व्वदत्यूषऽइवैव पिश्यत्याढ्य ऽइव
भवति परा ह त्वेवान्ततो भवति परा ह्यसुरा ऽअभवन् ॥ १७ ॥

(वंस्त) तद्यत्तत्सत्यम् । (न्त्र) त्रयी सा विद्या ते देवा ऽअब्रुवन्यज्ञं
कृत्वेदᳫ सत्यं तनवामहाऽइति ॥ १८ ॥

ते देवाः सर्वं सत्यमवदन्, सर्वमसुरा अनृतम् । ते देवा आसक्ति सत्यं वदन्त ऐषावीरतरा इवासुरनाढ्यतरा इव । तस्माद्ु हैतद्-य आसक्ति सत्यं वदति-ऐषावीरतर इवैव भवति, अनाढ्यतर इव । स ह त्वेवान्ततो भवति । देवा ह्येवान्ततोऽभवन् ॥ १६ ॥

अथ हासुरा आसक्त्यनृतं वदन्त ऊष इव पिपिशुः, आढ्या इवासुः । तस्मादु हैतद्-य आसक्त्यनृतं वदति-ऊषऽइवैव पिश्यति, आढ्य-इव भवति । परा ह त्वेवान्ततो भवति । परा ह्यसुरा अभवन् ॥ १७ ॥

तद्यत्तत्सत्यम्-त्रयी सा विद्या । ते देवा अब्रुवन्-यज्ञं कृत्वेदं सत्यं तनवामहा इति ॥ १८ ॥

ते देवा आसक्ति सत्यं केवलं सत्यं वदन्तस्तदानीम् अवीरतरा इव अनाढ्यतरा इवाभवन् । 'ऐष' इति शब्दः तदानीमित्यस्मिन्नर्थे वर्तते । आसुरिति-च्छान्दसत्वाद् भूत्वाभावः । केवलं सत्यं वदतां कार्यानुरोधेन वचनप्रयोगस्यासंभवात्तदानीमसमर्था इव अनाढ्या इव अभवन् । तस्मादिदानीमपि तथैव तदानीमवीरतर इवानाढ्यतर इव भवति । परन्तु सः अन्ततो 'भवति ह' विजयते खलु ॥ १६ ॥

अथासुराः केवलानृतं वदन्तस्तदानीं 'पिपिशुः' "पिश अवयवे"-(धा. पा. तु. प. १६६) अवयविन इव बभूवुः । पुष्टा इव बभूवुरित्यर्थः । आढ्या इव च बभूवुः । तस्मादिदानीमपि स्वकार्यानुसारेण तथा वदन् पुरुषः पुष्ट इव भवति । आढ्य इव भवति । अन्ततस्तु पराभवति-तथा वदतामसुराणामन्ततः पराभूतत्वात् ॥ १७ ॥

तद्यदिति । 'तत्' देवैरुपन्यस्तं 'सत्यम्' इति यत् 'सा त्रयी विद्या' । अतस्ते देवा एतत्प्रतिपाद्यं यज्ञं कृत्वा त्रयीलक्षणमिदं सत्यं विस्तारयामेत्युक्त्वा-॥ १८ ॥

ते दीक्षणीयां निरवपन् । (पंस्तु) तदु हासुरा ऽअनुबुबुधिरे यज्ञं वै कृत्वा तद्देवाः सत्यं तन्वते प्रेत तदाहरिष्यामो यदस्माकं तत्रेति तस्य समिष्टयजुरहुतमासाथाजग्मुस्तस्मात्तस्य यज्ञस्य समिष्टयजुर्न जुह्वति ते देवा ऽअसुरान्प्रतिदृश्य समुल्लुप्य यज्ञमन्यत्कर्तुं दध्रिरेऽन्यद्वै कुर्वन्तीति पुनः प्रेयुः ॥ १९ ॥

(स्ते) तेषु प्रेतेषु । प्रायणीयं निरवपंस्तदु हासुरा ऽअन्वेव बुबुधिरे तस्य शंय्योरुक्तमासाथाजग्मुस्तस्मात्स यज्ञः शंय्वन्तस्ते देवा ऽअसुरान्प्रतिदृश्य समुल्लुप्य यज्ञमन्यदेव कर्तुं दध्रिरेऽन्यद्वै कुर्वन्तीति पुनरेव प्रेयुः ॥ २० ॥

(स्ते) तेषु प्रेतेषु । राजानं क्रीत्वा पर्युह्याथास्माऽआतिथ्यꣳ हविर्निरवपंस्तदु हासुराऽ अन्वेव बुबुधिरे तस्येडोपहूताऽऽसाथाजग्मुस्तस्मात्स यज्ञ ऽइडान्तस्ते देवा ऽअसुरान्प्रतिदृश्य समुल्लुप्य यज्ञमन्यदेव कर्तुं दध्रिरेऽन्यद्वै कुर्वन्तीति पुनरेव प्रेयुः ॥ २१ ॥

ते दीक्षणीयां निरवपन् । तदु हासुरा अनुबुबुधिरे—यज्ञं वै कृत्वा तद्देवाः सत्यं तन्वते । प्रेत, तदाहरिष्यामो—यदस्माकं तत्रेति । तस्य समिष्टयजुरहुतमास । अथाजग्मुः । तस्मात्तस्य यज्ञस्य—समिष्टयजुर्न जुह्वति । ते देवा असुरान्प्रतिदृश्य समुल्लुप्य यज्ञमन्यत्कर्तुं दध्रिरे । अन्यद्वै कुर्वन्तीति पुनः प्रेयुः ॥ १९ ॥

तेषु प्रेतेषु प्रायणीयं निरवपन् । तदु हासुरा अन्वेव बुबुधिरे । तस्य शंयोरुक्तमास । अथाजग्मुः । तस्मात्स यज्ञः शंय्वन्तः । ते देवा असुरान्प्रतिदृश्य समुल्लुप्य यज्ञमन्यदेव कर्तुं दध्रिरे । अन्यद्वै कुर्वन्तीति पुनरेव प्रेयुः ॥ २० ॥

तेषु प्रेतेषु राजानं क्रीत्वा पर्युह्य—अथास्माऽआतिथ्यं हविर्निरवपन् । तदु हासुरा अन्वेव बुबु-

---

ते दीक्षणीयामिष्टिं निरवपन् । तत्तथाकरणम् असुरा अनुबुध्य, देवा यज्ञं कृत्वा तत्सत्यं तन्वते 'प्रेत' गच्छत, तत्रास्माकं यत्सत्यमस्ति तदाहरिष्याम इति यदा तस्य यज्ञस्य समिष्टयजुरहुतमभूत् अथाजग्मुः । समिष्टयजुषः पूर्वभाविकर्म कृतं समिष्टयजुर्न कृतं तस्मिन्नवसरे आगताः । तस्मादद्यापि 'तस्य' 'यज्ञस्य' 'समिष्टयजुर्न जुह्वति' । ततस्ते 'देवा' असुरान्दृष्ट्वा यज्ञं 'समुल्लुप्य' विच्छिद्य अन्यत्कार्यं कर्तुं दध्रिरे उपचक्रिरे । ततोऽसुरा नैते यज्ञं कुर्वन्ति—किन्त्वन्यदेव कुर्वन्तीति पुनः परागताः ॥ १९ ॥

तेषु प्रगतेषु 'प्रायणीयं' हविर्निरवपन् । उत्तरत्र 'तदु हासुरा' इत्यादिकं पूर्ववदेव । शंयोरुक्तमासेति । शंयोर्देवस्य तदीयं मन्त्रवाक्यमुक्तमभूत् । शंयुवाकान्तं कर्म कृतमित्यर्थः ॥ २० ॥

राजानं क्रीत्वेति । सोमं क्रीत्वाऽनसा 'पर्युह्याथास्मै' सोमायातिथ्यं हविर्निरवपन् ।

(स्ते) तेषु प्रेतेषु। (षू) उपसदोऽतन्वत ते तिस्रऽ एव सामिधेनीरनूच्य देवताऽ एवायजन्न प्रयाजान्नानुयाजानुभयतो यज्ञस्योदसादयन्भूयिष्ठꣳ हि तत्रात्वरन्त तस्मादुपसत्सु तिस्रऽ एव सामिधेनीरनूच्य देवताऽएव यजति न प्रयाजान्नानुयाजानुभयतो यज्ञस्योत्सादयति ॥ २२ ॥

तऽउपवसथेऽग्नीषोमीयं पशुमालेभिरे। तदु हासुराऽअन्वेव बुबुधिरे तस्य समिष्टयजूꣳष्यहुतान्यासुरथाजग्मुस्तस्मात्तस्य पशोः समिष्टयजूꣳषि न जुह्वति ते देवाऽअसुरान्प्रतिदृश्य समुल्लुप्य यज्ञमन्यदेव कर्तुं दध्रिरे-ऽन्यद्वै कुर्वन्तीति पुनरेव प्रेयुः ॥ २३ ॥

(स्ते) तेषु प्रेतेषु। प्रातः प्रातःसवनमतन्वत तदु हासुराऽअन्वेव बुबु-धिरे तस्यैतावत्कृतमास यावत्प्रातःसवनमथाजग्मुस्ते देवाऽ असुरान्प्रति-दृश्य समुल्लुप्य यज्ञमन्यदेव कर्त्तुं दध्रिरेऽन्यद्वै कुर्वन्तीति पुनरेव प्रेयुः॥२४॥

(स्ते) तेषु प्रेतेषु। माध्यन्दिनꣳ सवनमतन्वत तदु हासुराऽअन्वेव बुबुधिरे तस्यैतावत्कृतमास यावन्माध्यन्दिनमथाजग्मुस्ते देवा असुरान्प्रति-दृश्य समुल्लुप्य यज्ञमन्यदेव कर्त्तुं दध्रिरेऽन्यद्वै कुर्वन्तीति पुनरेव प्रेयुः॥२५॥

धिरे। तस्येडोपहूताऽऽस। अथाजग्मुः। तस्मात्स यज्ञ इडान्तः। ते देवा असुरान्प्रतिदृश्य समुल्लुप्य यज्ञमन्यदेव कर्तुं दध्रिरे। अन्यद्वै कुर्वन्तीति पुनरेव प्रेयुः ॥ २१ ॥

तेषु प्रेतेषूपसदोऽतन्वत। ते तिस्र एव सामिधेनीरनूच्य देवता एवायजन्। न प्रयाजान्। नानु-याजान्। उभयतो यज्ञस्योदसादयन्। भूयिष्ठं हि तत्रात्वरन्त। तस्मादुपसत्सु तिस्र एव सामिधेनी-रनूच्य देवता एव यजति। न प्रयाजान्, नानुयाजान्। उभयतो यज्ञस्योत्सादयति ॥ २२ ॥

त उपवसथेऽग्नीषोमीयं पशुमालेभिरे। तदु हासुरा अन्वेव बुबुधिरे। तस्य समिष्टयजूंष्यहुता-न्यासुः। अथाजग्मुः। तस्मात्तस्य पशोः समिष्टयजूंषि न जुह्वति। ते देवा असुरान्प्रतिदृश्य समु-ल्लुप्य यज्ञमन्यदेव कर्तुं दध्रिरे। अन्यद्वै कुर्वन्तीति पुनरेव प्रेयुः ॥ २३ ॥

तेषु प्रेतेषु प्रातः प्रातःसवनमतन्वत। तदु हासुरा अन्वेव बुबुधिरे। तस्यैतावत्कृतमास—यावत् प्रातःसवनम्। अथाजग्मुः। ते देवा असुरान्प्रतिदृश्य समुल्लुप्य यज्ञमन्यदेव कर्तुं दध्रिरे। अन्यद्वै कुर्वन्तीति पुनरेव प्रेयुः ॥ २४ ॥

तेषु प्रेतेषु माध्यन्दिनं सवनमतन्वत। तदु हासुरा अन्वेव बुबुधिरे। तस्यैतावत्कृतमास—याव-

---

उभयतो यज्ञस्योदसादयन्निति। यज्ञस्य पूर्वोत्तरभागावुत्सन्नावकुर्वन्प्रयाजानुयाजानामकरणात्। तस्यैताव-दिति। यावत् प्रातःसवनसम्बन्धि कर्मास्ति तस्यैतावत्कर्म कृतमभूत्। तत्समुल्लुप्य यज्ञमिति। माध्य-

(स्ते) तेषु प्रेतेषु । सवनीयेन पशुनाऽच रंस्तदु हासुरा ऽअन्वेव बुबुधिरे तु-
स्यैतावत्कृतमास यावदेतस्य पशोः क्रियः ऽथाजग्मुस्ते देवा ऽअसुरान्प्रति-
दृश्य समुल्लुप्य यज्ञमन्यदेव कर्त्तुं दध्रिरेऽन्यद्वै कुर्व्वन्तीति पुनरेव प्रेयुः२६
(स्ते) तेषु प्रेतेषु । तृतीयसवनमतन्वत तत्समस्थापयन्यत्समस्थापयं-
स्तत्सर्वᳬ सत्यमाप्नुवंस्ततोऽसुरा ऽअपपुप्लुविरे ततो देवा ऽअभवन्पराऽसुरा
भवत्यात्मना पराऽस्य द्विषन्भ्रातृव्यो भवति यऽ एवं व्वेद ॥ २७ ॥

ते देवाऽअब्रुवन् । (न्ये) ये न ऽइमे यज्ञाः सामि सᳬस्थिता यानिमा-
न्विजहतोऽगामोप तज्जानीत यथेमान्त्सᳬस्थापयामेति तेऽब्रुवंश्चेतय-
ध्वमिति चितिमिच्छतेति वाव तदब्रुवंस्तदिच्छत यथेमान्यज्ञान्त्सᳬ-
स्थापयामेति ॥ २८ ॥

न्माध्यन्दिनम् । अथाजग्मुः । ते देवा असुरान्प्रतिदृश्य समुल्लुप्य यज्ञमन्यदेव कर्तुं दध्रिरे । अन्यद्वै कुर्वन्तीति पुनरेव प्रेयुः ॥ २५ ॥

तेषु प्रेतेषु सवनीयेन पशुनाऽचरन् । तदु हासुरा अन्वेव बुबुधिरे । तस्यैतावत्कृतमास–यावदे-तस्य पशोः क्रियते । अथाजग्मुः । ते देवा असुरान्प्रतिदृश्य समुल्लुप्य यज्ञमन्यदेव कर्तुं दध्रिरे । अन्यद्वै कुर्वन्तीति पुनरेव प्रेयुः ॥ २६ ॥

तेषु प्रेतेषु तृतीयसवनमतन्वत । तत्समस्थापयन् । यत्समस्थापयन्–तत्सर्वं सत्यमाप्नुवन् । ततो-ऽसुरा अपपुप्लुविरे । ततो देवा अभवन्, पराऽसुराः । भवत्यात्मना, पराऽस्य द्विषन्भ्रातृव्यो भवति-य एवं वेद ॥ २७ ॥

ते देवा अब्रुवन्–ये न इमे यज्ञाः सामि संस्थिताः, यानिमान्विजहतोऽगाम–उप तज्जानीत-यथेमान्त्संस्थापयामेति । तेऽब्रुवन्–चेतयध्वमिति । चितिमिच्छतेति वाव तदब्रुवन् । तदिच्छत यथेमान्यज्ञान्त्संस्थापयामेति ॥ २८ ॥

न्दिनसवनस्योपक्रमात्तावतैव यज्ञं विच्छिद्येत्यर्थः । तत्समस्थापयन्निति । तृतीयसवनं समापयन् । सर्वयज्ञ-निष्पादनेन 'सर्वं सत्यमाप्नुवन्' । तत्तथा करणेन असुराणामागमनसमये यज्ञं समापितं विज्ञाय पश्चादसुरा अपगतवन्तः । ततो देवाः समृद्धा अभूवन् । असुरास्तु पराऽभूवन् असमृद्धा अभूवन् । यः एवमुक्तप्रकारं जानाति । आत्मना स्वयमेव समृद्धो भवति । 'अस्य द्विषन्' 'भ्रातृव्यः' पराभूतो भवति ॥ २१–२७ ॥

ते देवाः पश्चात्तः संबंधिनो य इमे यज्ञाः सामि संस्थिताः यानिमान्यज्ञान्परित्यजन्तो गता वयं, तदुपजा-नीत, यथेमान्यज्ञान् संस्थापयाम इत्युक्त्वा चेतयध्वमित्यब्रुवन् । तदेव विव्रियते–चितिमिच्छतेति वाव तदब्रुवन्निति । चितिविचारः अन्वेषणम् । एवमपि किमर्थमब्रुवन्नित्याशङ्क्याह–तदिच्छतेति ॥ २८ ॥

ते चेतुयमानाः । (८) एतानि समिष्टयजूᳩंष्यपश्यंस्तान्यजुहवुस्तैरे-
तान्यज्ञान्त्सुमस्थापयन्युत्समुस्थापयंस्तुस्मात्सᳩंस्थितयजूᳩंष्युथ यत्स-
मयजंस्तुस्मात्समिष्टयजूᳩंषि ॥ २९ ॥

ते वाऽएते नुव युज्ञाः । (०) नुवैतानि समिष्टयजूᳩंषि तद्युदेतानि
जुहोत्येतानेवैतुद्यज्ञान्त्सᳩंस्थापयत्युभयानि जुहोत्यध्वरुस्य चाग्नेश्चाध्व-
रुस्य पूर्वाण्युथाग्नेस्तुस्योक्तो बन्धुः ॥ ३० ॥

(द्वे) द्वेऽअग्नेर्जुहोति । द्विपाद्युजमानो युजमानोऽग्निर्यावानग्निर्यांव-
त्यस्य मात्रा तावतैवैतुद्यज्ञᳩं सᳩंस्थापयतीष्टो यज्ञो भृगुभिरिष्टो-
ऽअग्निराहुतः पिपर्तु न ऽइति ॥ ३१ ॥

ते चेतयमाना एतानि समिष्टयजूंष्यपश्यन् । तान्यजुहवुः । तैरेतान्यज्ञान्त्समस्थापयन् । यत्सम-
स्थापयन्—तस्मात्संस्थितयजूंषि । अथ यत्समयजन्—तस्मात्समिष्टयजूंषि ॥ २९ ॥

ते वा एते नव यज्ञाः । नवैतानि समिष्टयजूंषि । तद् यदेतानि जुहोति । एतानेवैतद्यज्ञान्त्संस्था-
पयति । उभयानि जुहोति—अध्वरस्य चाग्नेश्च । अध्वरस्य पूर्वाणि, अथाग्नेः । तस्योक्तो बन्धुः॥ ३० ॥

द्वेऽअग्नेर्जुहोति । द्विपाद्यजमानः । यजमानोऽग्निः । यावानग्निर्यावत्यस्य मात्रा—तावतैवैतद्यज्ञं
संस्थापयति । " इष्टो यज्ञो भृगुभिः, इष्टोऽअग्निराहुतः पिपर्तु नः "–(वा. सं. १८ ।
५६ ।५७) इति ॥ ३१ ॥

पश्चात्ते देवा विचारयन्तः एतानि समिष्टयजूंष्यपश्यन् । तैरेतान् यज्ञान् समस्थापयन् समापितवन्तः ।
अथैतेषां द्वेधा नाम निर्वक्ति—यत्समस्थापयन्निति । तैः एतैः यज्ञान् समस्थापयन्निति यत् तदेतानि
संस्थितयजूंषीत्युच्यन्ते । अथैतैः सम्यगयजन्निति यत् तस्मात्समिष्टयजूंषीत्युच्यन्त इत्यर्थः ॥ २९ ॥

अथैतान्येव समिष्टयजूंषि संख्याविशेषप्रदर्शनेन प्रशंसति—ते वा एत इति । 'ते एते' असमापिता
दीक्षणीयादयो 'यज्ञाः' 'नव' भवन्ति । 'एतानि समिष्टयजूंषि' च नव भवन्ति । एवं चैतेषां नवानां
समिष्टयजुषां होमेन एतान् दीक्षणीयादीन्नवापि संस्थापितवान् भवति । सौमिकान्याग्निकानि चेत्युभयान्यपि
समिष्टयजूंषि जुहुयादित्याह—उभयानीति ॥ ३० ॥

आग्निकानि कति जुहुयादिति तत्राह—द्वे अग्नेरिति । तयोर्द्वित्वं प्रशंसति—द्विपाद्यजमान इति । अथ
तयोरेवाग्निकयोः समिष्टयजुषोर्मन्त्रौ दर्शयति—इष्टो यज्ञ इति ॥ ३१ ॥

१-अध्वरसमिष्टयजुरन्त इष्टो यज्ञ इति प्रत्यृचमपरे । का. श्रौ. सू. १८ । १०५ ।

तान्युभयान्येकादश सम्पद्यन्ते । (न्तऽ) एकादशाक्षरा त्रिष्टुब्वीर्यं त्रिष्टुब्वीर्यमेवैतद्यज्ञमभिसम्पादयति ॥ ३२ ॥

यद्वेवैकादश । (शै) एकादशाक्षरा वै त्रिष्टुप्त्रैष्टुभऽइन्द्रऽ इन्द्रो यज्ञस्यात्मेन्द्रो देवता तद्यऽ एव यज्ञस्यात्मा या देवता तस्मिन्नेवैतद्यज्ञमन्ततः प्रतिष्ठापयति ॥ ३३ ॥ (अर्धप्रपाठकः ॥ ५० ॥)

समिष्टयजूꣳषि हुत्वाऽवभृथं यन्ति । (न्त्य) अवभृथादुदेत्योदयनीयेन चरित्वाऽनूबन्ध्यस्य पशुपुरोडाशमनु देविकानाꣳ हवीꣳषि निर्वपति ॥ ३४ ॥

(त्ये) एतद्वै प्रजापतिः । प्राप्य राद्ध्वेवामन्यत स दिक्षु प्रतिष्ठायेदꣳ सर्वं दधद्विदधदतिष्ठद्यद्दधद्विदधदतिष्ठत्तस्माद्धाता तथैवैतद्यजमानो दिक्षु प्रतिष्ठायेदꣳ सर्वं दधद्विदधत्तिष्ठति ॥ ३५ ॥

तान्युभयान्येकादश सम्पद्यन्ते । एकादशाक्षरा त्रिष्टुप् । वीर्यं त्रिष्टुप् । वीर्यमेवैतद्यज्ञमभिसम्पादयति ॥ ३२ ॥

यद्वेवैकादश । एकादशाक्षरा वै त्रिष्टुप् । त्रैष्टुभ इन्द्रः । इन्द्रो यज्ञस्यात्मा । इन्द्रो देवता । तद् य एव यज्ञस्यात्मा, या देवता–तस्मिन्नेवैतद्यज्ञमन्ततः प्रतिष्ठापयति ॥ ३३ ॥

अथ देविकाहवींषि ।

समिष्टयजूंषि हुत्वा, अवभृथं यन्ति । अवभृथादुदेत्य, उदयनीयेन चरित्वा, अनूबन्ध्यस्य पशुपुरोडाशमनु देविकानां हवींषि निर्वपति ॥ ३४ ॥

एतद्वै प्रजापतिः प्राप्य राध्वेवामन्यत । स दिक्षु प्रतिष्ठायेदं सर्वं दधद् विदधत् अतिष्ठत् । यद्–दधद् विदधद् अतिष्ठत्-तस्माद्धाता । तथैवैतद्यजमानो दिक्षु प्रतिष्ठायेदं सर्वं दधद्–विदधत्–तिष्ठति ३५

सौमिकाग्निकानां मिलितां संख्यां प्रशंसति–तान्युभयानीति । वीर्यं त्रिष्टुबिति । " उरसो बाहुभ्यां पञ्चदशं निरमिमीत तमिन्द्रो देवताऽन्वसृज्यत, त्रिष्टुप्छन्दः" इत्युपक्रम्य "तस्मात्ते वीर्यावन्तो वीर्याद्ध्यसृज्यन्त" (तै. सं. ७ । १ । १ । ४) इति त्रिष्टुभो वीर्यत्वम् । एवं चैकादशसंख्यया यज्ञमभिलक्ष्य वीर्यमेव सम्पादयति यज्ञं वीर्यवन्तं करोतीत्यर्थः ॥ ३२ ॥

प्रकारान्तरेण तामेव मिलितां संख्यां प्रशंसति–यद्वेवैकादशेति । त्रैष्टुभ इन्द्र इति । त्रिष्टुभा सह इन्द्रस्योत्पत्तेः । इन्द्रश्च यज्ञस्यात्मा देवता च । अतश्चैकादशसंख्यया य एव यज्ञस्यात्मा या देवता च तस्मिन्नेवान्ततो यज्ञं प्रतिष्ठापयति ॥ ३३ ॥

समिष्टयजुर्होमानन्तरम् अनुष्ठेयं प्रयोगमाह–समिष्टयजूंषि हुत्वाऽवभृथं यन्तीति । अनूबन्ध्यस्येति । अवभृथादागत्य उदयनीयेन चरित्वा अनूबन्ध्यारम्भः । तत्र पशुपुरोडाशमनु देविकाख्यानां देवतानां हवींषि निर्वपेत् ॥ ३४ ॥

अत्र देविकानां हविःषु धात्रो द्वादशकपालो निरुप्यते । तत्र धातृशब्दस्य प्रवृत्तिनिमित्तं दर्शयन्

युद्धैवैतानि हवीꣳषि निर्वपति । दिश ऽ एषोऽग्निस्ता ऽउऽएवामूः पुरस्ताद्दर्भस्तम्बं च लोगेष्टकाश्चोपदधाति ताः प्राणभृतः प्रथमायां चितौ सर्वैव द्वितीया सर्वा तृतीया सर्वा चतुर्थ्यथ पञ्चम्यै चितेरसपत्ना नाकसदः पञ्चचूडास्ता ऽऊर्ध्वा ऽउत्क्रामन्त्य ऽआयंस्ताभ्यः प्रजापतिरबिभेत्सर्वं वा ऽइदमिमाः पराच्योऽत्येष्यन्तीति ता धाता भूत्वा पर्यगच्छत्तासु प्रत्यतिष्ठत् ॥ ३६ ॥

(त्स) स यः स धाताऽसौ स ऽआदित्यः । (त्योऽथ) अथ यत्तद्दिशां परमं क्रान्तमेतत्तद्यस्मिन्नेष ऽ एतत्प्रतिष्ठितस्तपति ॥ ३७ ॥

यद्धैवैतानि हवींषि निर्वपति । दिश एषोऽग्निः । ता उ एवामूः पुरस्ताद्दर्भस्तम्बं च लोगेष्टकाश्चोपदधाति । ताः प्राणभृतः प्रथमायां चितौ । सर्वैव द्वितीया । सर्वा तृतीया । सर्वा चतुर्थी । अथ पञ्चम्यै चितेरसपत्ना नाकसदः पञ्चचूडाः । ता ऊर्ध्वा उत्क्रामन्त्य आयन् । ताभ्यः प्रजापतिरबिभेत्—सर्वं वा इदमिमाः पराच्योऽत्येष्यन्तीति । ता धाता भूत्वा पर्यगच्छत् । तासु प्रत्यतिष्ठत् ॥ ३६ ॥

स यः स धाता—असौ स आदित्यः । अथ यत्तद्दिशां परमं क्रान्तम्—एतत्तद्—यस्मिन्नेष एतत् प्रतिष्ठितस्तपति ॥ ३७ ॥

तद्वाराऽस्य प्रयोजनमाह—एतद्वै प्रजापतिरिति । पूर्वं प्रजापतिः चयनकर्मणा स्वकीयं रूपं प्राप्य राध्वेव सिद्धिं गत्वेवामन्यत आत्मानं सिद्धममन्यतेत्यर्थः । ततः स दिक्षु प्रतिष्ठायेदं सर्वं जगद्दधद्धारयन् विदधत् कुर्वाणः अतिष्ठत् । यत एवं सर्वमपि दधद्विदधदतिष्ठत् तस्मादसौ धाता । अतश्च तद्यागेन यजमानोऽपि तथैव दिक्षु प्रतिष्ठायेदं सर्वं दधद्विदधत्तिष्ठति ॥ ३५ ॥

तथैतेषां सर्वेषामपि हविषां संभूयोपयोगं वक्तुमाह—यद्धैवैतानि इत्यादिना । एष सञ्चितोऽग्निर्दिशो, दिगात्मकत्वं च तस्य ता उ एवामूः पुरस्तादित्यादिना स्पष्टीक्रियते । दर्भस्तम्बादीनां प्रथमायां चितावुपधानात् अमूरिति विप्रकृष्टवाचिना शब्देन परामर्शः । पूर्वं प्रथमायां चितौ दर्भस्तम्बं च लोगेष्टकाश्चोपदधाति । तत्र हि प्रागादिक्रमेण चतसृषु दिक्षु लोगेष्टका मध्ये दर्भस्तम्बश्चोपधीयन्ते । अतश्च दिश एव तदात्मनोपदधाति । एवमिष्टकानां दिगात्मकत्वादेव—' दिश एषोऽग्निः ' इति अग्नेर्दिगात्मकत्वमुक्तम् । ताः दिगात्मिका दर्भस्तम्बादिदिश इष्टकाः तत्रैव प्रथमायां चितौ प्रागादिक्रमेण पञ्चसु दिक्षु प्राणभृतामुपधानात् दिगात्मिकाः प्राणभृतश्च । द्वितीयादिषु चतुर्थ्यन्तासु तिसृषु ,चितिषु सर्वासामपीष्टकानां प्रागादिक्रमेणैवोपधानात् तासां दिगात्मकत्वम् । ताश्च पञ्चम्याश्चितेः सम्बन्धिन्यः असपत्ना नाकसदः पञ्चचूडा इत्येता अपि तथैवोपधानाद्दिगात्मिकाः । ' ताः ' एताः सर्वा अपि दिग्रूपा इष्टकाः ऊर्ध्वा उत्क्रामन्त्योऽपगताः । ततः ' प्रजापतिः ' ' इमाः ' इष्टकाः ' पराच्यः ' सत्यः ' इदं ' ' सर्वम् ' अपि जगदतिक्रमिष्यंतीति ताभ्यो भीतस्ताः ' धाता भूत्वा ' परिगत्य तासु प्रतिष्ठितोऽभूत् ॥ ३६ ॥

अथ तमेव दिङ्निरोधार्थं परिगतं धातारं दिशामुत्क्रान्तरूपं च दर्शयति-स यः स धातेति । स दिङ्-

स यः स धाताऽयमेव स धात्रः । (त्रो) द्वादशकपालः पुरोडाशो द्वादशकपालो द्वादश मासाः संव्वत्सरः संव्वत्सरः प्रजापतिः प्रजापतिर्धाताऽथ यत्तद्दिशां परमं क्रान्तमेतानि तानि पूर्व्वाणि हवींᳪंष्यनुमत्यै चरू राकायै चरुः सिनीवाल्यै चरुः कुह्वै चरुस्तद्यदेतानि निर्व्वपति यदेव तद्दिशां परमं क्रान्तं तस्मिन्नेवैनमेतत्प्रतिष्ठापयति तᳪं सर्व्वं जुहोत्येतस्यैव कृत्स्नतायै ॥ ३८ ॥

ता वाऽ एता देव्यः । (व्यो) दिशो ह्येताश्छन्दाᳪंसि वै दिशश्छन्दाᳪंसि देव्योऽथैष कः प्रजापतिस्तद्यद्देव्यश्च कश्च तस्माद्देविकाः पञ्च भवन्ति पञ्च हि दिशः ॥ ३९ ॥

स यः स धाता—अयमेव स धात्रो द्वादशकपालः पुरोडाशः । द्वादशकपालः । द्वादश मासाः संवत्सरः । संवत्सरः प्रजापतिः । प्रजापतिर्धाता । अथ यत्तद्दिशां परमं क्रान्तम्—एतानि तानि पूर्वाणि हवींषि । अनुमत्यै चरुः । राकायै चरुः । सिनीवाल्यै चरुः । कुह्वै चरुः । तद्यदेतानि निर्वपति—यदेव तद्दिशां परमं क्रान्तं—तस्मिन्नेवैनमेतत्प्रतिष्ठापयति । तं सर्वं जुहोति—एतस्यैव कृत्स्नतायै ॥ ३८॥

ता वा एता देव्यः । दिशो ह्येताः । छन्दांसि वै दिशः । छन्दांसि देव्यः । अथैष कः प्रजापतिः । तद्—यद्देव्यश्च कश्च—तस्माद्देविकाः । पञ्च भवन्ति । पञ्च हि दिशः ॥ ३९ ॥

निरोधार्थं परिगतो यो धाताऽस्ति स धाता उपरि तपन्नादित्यः खलु । अथ दिशां तद्यत् परममन्तिमं क्रान्तं उत्क्रान्तं रूपमस्ति तदेतत् । एतच्छन्दार्थमेव दर्शयति—यस्मिन्नेष इति । 'एषः' आदित्यः 'यस्मिन्प्रतिष्ठितः' एतत् तपनं करोति । एतदन्तरिक्षं तद्दिशां परममुत्क्रान्तरूपं दिशामन्तरिक्षावधि उत्क्रांतत्वात्तदेव परममुत्क्रान्तरूपमित्यर्थः ॥ ३७ ॥

असावादित्यो धाता अन्तरिक्षमेव दिशां परममुत्क्रान्तत्वात्तदेव रूपं ततः किमायातं प्रकृत इति तत्राह—स यः स धातेति । स आदित्यात्मको यो धाता सोऽयमेव धात्रो धातृदेवत्यः पुरोडाशः । स च द्वादशकपालो भवति । द्वादश मासा इत्यादिना तां द्वादशसंख्यामुपपादयति । संवत्सरो द्वादशमासात्मकः । प्रजापतिस्तथाविधसंवत्सरात्मकः । स एव प्रजापतिर्धाता । एवं धातुर्द्वादशसंख्यासंबंधात्तद्देवत्यस्य पुरोडाशस्य द्वादशकपालत्वमुपपन्नम् । अथ तत्पूर्वोक्तं यद्दिशां परममुत्क्रांतरूपं तान्येतानि पूर्वाणि हवींषि, तान्येव दर्शयति—अनुमत्यै चरुरित्यादिना । धात्रपुरोडाशस्योत्तमत्वात्तदपेक्षया एतेषां पूर्वत्वमत एव कात्यायनेन—एतेषां हविषामन्ते धात्रो द्वादशकपालः सूत्रितः । "अनुमतिराकासिनीवालीकुहूभ्यश्चरवो धात्रो द्वादशकपालः सर्वहुतः"—(का० श्रौ सू. १८ । १०६–१०७) इति । तथा चैतानि देविकानां हवींषि निर्वपतीति यत् तेन यदेव तद्दिशां परममुत्क्रांतरूपं तस्मिन्नेवैनं धातारं प्रतिष्ठापयति । एतेन हविषां निर्वापेन दर्भस्तम्बादीध्रकालक्षणासु उत्क्रान्तासु दिक्षु प्रजापतिं प्रतिष्ठापितवान्भवतीत्यर्थः । तस्य धात्रपुरोडाशस्य होमावसरे पुरोडाशान्तरवदवदानप्रसक्तावाह—तं सर्वमिति । सर्वहोमस्योपयोगमाह—एतस्यैवेति ॥ ३८ ॥

अथ देविकाशब्दं निर्वक्ति—ता वा एता इति । 'ता एताः' अनुमत्यादयो 'देव्यः' खलु । एतद्देवो-

(स्तु) तुदाहुः । (नै) नैतानि हुवीꣳषि निर्व्वपेन्नेदतिरेचयानीति तानि वै निर्व्वपेदेव कामेभ्यो वाऽएतानि हवीꣳषि निरुप्यन्ते न वै कामानामतिरिक्तमस्ति यद्वै किं च पशुपुरोडाशमनु हविर्निरुप्यते पशावेव स मध्यतो मेधो धीयतऽउभयानि निर्व्वपत्यध्वरस्य चाग्नेश्चाध्वरस्य पूर्व्वमथाग्नेस्तस्योक्तो बन्धुरुच्चैः पशुपुरोडाशो भवत्युपाꣳश्वेतानीष्टिर्ह्येनुब्रूहि प्रेष्येति पशुपुरोडाशस्याहानुब्रूहि यजेत्येतेषामिष्टिर्हि समानः स्विष्टकृत्समानीडा ॥ ४० ॥

तस्य वाऽएतस्य पशोः । (जु) जुहति समिष्टयजूꣳष्यभ्युवयन्ति हृदयशूलेनावभृथꣳ सꣳस्था ह्येषु पशुर्हृदयशूलेन चरित्वा ॥ ४१ ॥

तदाहुः-नैतानि हवींषि निर्वपेत् । नेदतिरेचयानीति । तानि वै निर्वपेदेव । कामेभ्यो वा एतानि हवींषि निरुप्यन्ते । न वै कामानामतिरिक्तमस्ति । यद्वै किं च पशुपुरोडाशमनु हविर्निरुप्यते-पशावेव स मध्यतो मेधो धीयते । उभयानि निर्वपति-अध्वरस्य चाग्नेश्च । अध्वरस्य पूर्वम्, अथाग्नेः । तस्योक्तो बन्धुः । उच्चैः पशुपुरोडाशो भवति, उपांश्वेतानि । इष्टिर्हि । 'अनुब्रूहि' 'प्रेष्य' इति पशुपुरोडाशस्याह । 'अनुब्रूहि' 'यज' इत्येतेषाम् । इष्टिर्हि । समानः स्विष्टकृत् । समानीडा॥४०॥

तस्य वा एतस्य पशोर्जुह्वति समिष्टयजूंषि, अभ्यवयन्ति हृदयशूलेनावभृथम् । संस्था ह्येष पशुः । हृदयशूलेन चरित्वा ॥ ४१ ॥

पद्यते-दिशो ह्येता इत्यादिना । 'एताः' सिनीवाल्यादयो दिशः खलु 'दिशश्छन्दांसि' खलु तानि च्छन्दांसि द्योतमानत्वेन देव्यः, एवं च परम्परया सिनीवाल्यादयो देव्यः । अथैष 'प्रजापतिः' 'कः' इत्युच्यते । तथा सति 'देव्यश्च कश्च' इति यत् 'तस्मात्' एताः 'देविकाः' इति । "ङ्यापोः संज्ञाछन्दसोर्बहुलम्"-(पा. सू. ६ । ३ । ६३) इति देवीशब्दस्य ह्रस्वत्वम् । अथैतेषां पञ्चत्वसंख्यामुपपादयति-पञ्च भवन्तीति । दिशां पञ्चत्वात्तदात्मिकानां देविकानामपि हवींषि पञ्चैव भवेयुरित्यर्थः ॥ ३९ ॥

तदाहुः इत्यादिकम् समानीडा इत्यन्तम् प्रागेव व्याख्यातम् ॥ ४० ॥

दीक्षणीयादीष्टीनां समिष्टयजुर्होमात् पूर्वभावित्वेन समिष्टयजुर्होमः सिद्ध्यति, अग्नीषोमीयपशोः पुनर्न सिद्ध्यति, न चासौ पशुस्ततः पूर्वभावी । अतोऽस्य पृथगेव समिष्टयजूंषि जुहुयादित्याह-**तस्य वा एतस्येति** । तस्य पशोः समाप्तिरूपत्वात् हृदयशूलेन अवभृथमभ्यवेयुरित्याह-**अभ्यवयन्तीति** । हृदयशूलमुद्वास्य प्रत्येत्य वैश्वकर्मणानि जुहुयादित्याह-**हृदयशूलेन चरित्वेति**[1] ॥ ४१ ॥

१-हृदयशूलांते स्रुवाहुतीर्जुहोति यदाकूतादिति प्रत्यृचमष्टौ । । का. श्रौ. सू. १८ । १०८ ।

प्रत्येत्य वैश्वकर्मणानि जुहोति । विश्वानि कर्माण्ययमग्निस्तान्यस्यात्र सर्वाणि कर्माणि कृतानि भवन्ति तान्येतत्प्रीणाति तानि हविषा देवतां करोति यस्यै वै देवतायै हविर्गृह्यते सा देवता न सा यस्यै न गृह्यतेऽथो विश्वकर्माऽयमग्निस्तमेवैतत्प्रीणाति ॥ ४२ ॥

यद्वेव वैश्वकर्मणानि जुहोति । प्रायणं च ह्यग्नेरुदयनं च सावित्राणि प्रायणं वैश्वकर्मणान्युदयनꣳ स यत्सावित्राण्येव जुहुयान्न वैश्वकर्मणानि यथा प्रायणमेव कुर्यान्नोदयनं तादृक्तदथ यद्वैश्वकर्मणान्येव जुहुयान्न सावित्राणि यथोदयनमेव कुर्यान्न प्रायणं तादृक्तदुभयानि जुहोति प्रायणं च तदुदयनं च करोति ॥ ४३ ॥

अथ वैश्वकर्मणहोमः ।

प्रत्येत्य वैश्वकर्मणानि जुहोति । विश्वानि कर्माण्ययमग्निः । तान्यत्र सर्वाणि कर्माणि कृतानि भवन्ति । तान्येतत्प्रीणाति । तानि हविषा देवतां करोति । यस्यै वै देवतायै हविर्गृह्यते सा देवता । न सा—यस्यै न गृह्यते । अथो विश्वकर्माऽयमग्निः । तमेवैतत्प्रीणाति ॥ ४२ ॥

यद्वेव वैश्वकर्मणानि जुहोति । प्रायणं च ह्यग्नेरुदयनं च । सावित्राणि प्रायणम्, वैश्वकर्मणान्युदयनम् । स यत्सावित्राण्येव जुहुयात्, न वैश्वकर्मणानि, यथा प्रायणमेव कुर्यान्नोदयनं—तादृक् तत् । अथ यद्वैश्वकर्मणान्येव जुहुयात्, न सावित्राणि; यथोदयनमेव कुर्यात, नप्रायणम्—तादृक् तत् । उभयानि जुहोति—प्रायणं च तदुदयनं च करोति ॥ ४३ ॥

तेषां होमस्योपयोगमाह—प्रत्येत्य वैश्वकर्मणानीति । 'अयमग्निः' एव 'विश्वानि कर्माणि' धातुर्विश्वेषां कर्मणां तावदग्निसाध्यत्वात्—अस्याग्नेस्तानि सर्वाणि कर्माणि अस्मिन्नवसरे 'कृतानि' भवन्ति । अतश्चैतेन होमेन 'तान्येव' कर्माणि 'प्रीणाति' । अथो विश्वकर्मेति । किंच 'अयमग्निः' विश्वस्य कर्तृत्वेन विश्वकर्मा तमेवैतेन होमेन प्रीणातीति । संप्रति विश्वकर्मविशिष्टमग्निं प्रीणातीत्युक्तत्वात् विश्वानि कर्माणि देवतैषामिति वैश्वकर्मणानीति प्रथमपक्षे व्युत्पत्तिः । द्वितीयपक्षे विश्वकर्मा देवता एषां इति वैश्वकर्मणानि इति व्युत्पत्तिः॥ ४२॥

अथ तान्येव वैश्वकर्मणानि प्रशंसति—यद्वेवेति । वैश्वकर्मणहोमेन 'अग्नेः' 'प्रायणम्' 'उदयनं च' सम्पादितं भवति । प्रायणं प्रारम्भः । उदयनं समापनम् । कथमेतदुभयमपि सम्पाद्यत इति तत्राह—सावित्राणीति । आदौ सम्पादितानि 'सावित्राणि' एव प्रायणं भवति । एतानि वैश्वकर्मणान्येवोदयनं भवतीति अग्नेस्तदुभयसिद्धिरित्यर्थः । सावित्रवैश्वकर्मणानां प्रायणोदयनात्मकत्वेनैव तेषां उभयेषामपि होमस्यावश्यकत्वमाह—स यत्सावित्राण्येवेति । सोऽध्वर्युर्यदि सावित्राण्येव जुहुयान्न वैश्वकर्मणानि तदा यथा कस्यचित्कार्यस्यारम्भमेव कुर्यात्, न समापनम् 'तादृक् तत्' तथा करणमपि तादृक् भवति । अथ यदि वैश्वकर्मणान्येव जुहुयात् न सावित्राणि तथा करणे यथा कस्यचित्कार्यस्य समापनमेव

(त्य) अष्टावमूनि भवन्ति । (न्त्ये) एवमिमानि तद्यथा प्रायणं तथो-
दयनं करोति स्वाहाकारोऽमीषां नवमो भवत्येवमेषां तद्यथा प्रायणं
तथोदयनं करोत्याहुतिरमीषां दशमी भवत्येवमेषां तद्यथा प्रायणं तथो-
दयनं करोति संततां तत्राहुतिं जुहोति रेतो वै तत्र यज्ञो रेतसोऽविच्छे-
दाय स्रुवेणेह स्वाहाकारं निरुक्तᳫं हि रेतो जातं भवति ॥ ४४ ॥

यदाकूतात् । (त्स) समसुस्रोद्धृदो वा मनसो वा सम्भृतं चक्षुषो वेत्ये-
तस्माद्धचैतत्सर्वस्मादग्रे कर्म समभवत्तदनु प्रेत सुकृतामु लोकं यत्र-
ऽऋषयो जग्मुः प्रथमजाः पुराणाऽ इत्यमूनेतदृषीनाह ॥ ४५ ॥

अष्टावमूनि भवन्ति। एवमिमानि । तद्यथा प्रायणं तथोदयनं करोति । स्वाहाकारोऽमीषां नवमो भवति । एवमेषाम् । तद्यथा प्रायणं तथोदयनं करोति । आहुतिरमीषां दशमी भवति । एवमेषाम् । तद्यथा प्रायणं तथोदयनं करोति । सन्ततां तत्राहुतिं जुहोति । रेतो वै तत्र यज्ञः । रेतसोऽविच्छेदाय । स्रुवेणेह स्वाहाकारम् । निरुक्तं हि रेतो जातं भवति ॥ ४४ ॥

" यदाकूतात्समसुस्रोद्धृदो वा मनसो वा सम्भृतं चक्षुषो वा "–इति । एतस्माद्धचैतत्सर्वस्मादग्रे कर्म समभवत् । " तदनु प्रेत सुकृतामु लोकं यत्र ऋषयो जग्मुः प्रथमजाः पुराणाः "–(वा. सं. १८।५८) इति । अमूनेतदृषीनाह ॥ ४५ ॥

कुर्यान्न प्रारम्भं तादृक् तत्तथाकरणमपि तादृक् । तस्मादुभयेषामपि होमं कुर्यादित्याह–उभयानीति । एवं चाग्नेः प्रारम्भणं समापनं च सम्पादितवान्भवतीति ॥ ४३ ॥

अथ वैश्वकर्मणानां सावित्रवदेव संख्यासंबंधात्प्रायणवदेवोदयनमपि संपाद्यते इत्याह–अष्टावमूनीति । अमूनि इत्यदःशब्देन सर्वत्र विप्रकृष्टानि सावित्राणि परामृश्यन्ते । इमानीत्यादीदंशब्देन सर्वत्र सन्निकृष्टानि वैश्वकर्मणानि परामृश्यंते । नन्वेवं तर्हि सावित्रवदेवात्रापि किं सर्वमपि कर्तव्यमिति नेत्याह–संततां तत्राहुतिमिति । तत्र सावित्रेषु आहुतिं संततामविच्छिन्नां जुहुयात् । तत्रोपक्रमरूपत्वेन यज्ञस्य रेतस्त्वाद्रेतसो विच्छेदाभावायेति । इह वैश्वकर्मणेषु पुनः स्रुवेण स्वाहाकृत्य जुहुयात् । अनेन प्रत्याहुति विच्छेदो दर्शितः । रेतश्चोत्पत्तिसमये निरुक्तमवयवविभागविशिष्टं सत् जातं भवति । अतश्चास्य रेतोरूपस्य यज्ञस्योत्पत्तेरवसरत्वाद्विच्छेदेन जुहुयात् इति ॥ ४४ ॥

अथ तानग्रे वैश्वकर्मणहोममन्त्रान् क्रमेण व्याख्यातुमनुवदति–यदाकूतादिति । 'अग्रे' पूर्वं एतस्मात् खल्वाकूतादेः 'सर्वस्मात्' 'कर्म समभवत्' अत उक्तम्-यदाकूतादिति । सर्वत्र 'वा' शब्दः समुच्चयार्थः । समसुस्रोदिति । समभवत् । आकूतमिति निश्चयावस्थं मन उच्यते । हृदिति मनोऽवस्थानप्रदेशः । मनो विमर्शात्मकम् । कृत्स्नमपि कर्म हृदयस्थेन विमर्शात्मना मनसा विचार्य निश्चयात्मना तेनैव निश्चित्य पश्चात् 'चक्षुषा' तत्साधनं दृष्ट्वा क्रियते । अतश्च तस्मात् सम्भृतं 'समसुस्रोत्' इत्युक्तम् ।

(है) एतꣳ सधस्थ । परि ते ददामीति स्वर्गो वै लोकः सधस्थस्त-देनꣳ स्वर्गाय लोकाय परिददाति यमावहाच्छेवधिं जातवेदाः॥अन्वागन्ता यज्ञपतिर्वोऽअत्र तꣳ स्म जानीत परमे व्योमन्निति यथैव यजु-स्तथा बन्धुः ॥ ४६ ॥

(रे) एतं जानाथ । परमे व्योमन्देवाः सधस्था विद रूपमस्य ॥ यदा-गच्छात्पथिभिर्देवयानैरिष्टापूर्ते कृणवाथाविरस्माऽइति यथैव यजुस्तथा बन्धुरुद्बुध्यस्वाग्ने येन व्वहसीति तयोरुक्तो बन्धुः ॥ ४७ ॥

प्रस्तरेण परिधिना । स्रुचा व्वेद्या च बर्हिषा ॥ ऋचेमं यज्ञं नो नय स्वर्देवेषु गन्तवऽइत्येतैर्नो यज्ञस्य रूपैः स्वर्गं लोकं गमयेत्येतत् ॥ ४८ ॥

"एतं सधस्थ परि ते ददामि"–इति । स्वर्गो वै लोकः सधस्थः । तदेनं स्वर्गाय लोकाय परिददाति । "यमावहाच्छेवधिं जातवेदाः ॥ अन्वागन्ता यज्ञपतिर्वोऽअत्र तं स्म जानीत परमे व्योमन्"–(वा. सं १८।५९) इति । यथैव यजुस्तथा बन्धुः ॥ ४६ ॥

"एतं जानाथ परमे व्योमन्, देवाः सधस्था विद रूपमस्य । यदागच्छात्पथिभिर्देवयानैरिष्टापूर्ते कृणवाथाविरस्मै"–(वा. सं. १८ । ६०) इति । यथैव यजुस्तथा बन्धुः । "उद्बुध्यस्वाग्ने, येन वहसि"–(वा. सं. १८ । ६१ । ६२) तयोरुक्तो बन्धुः ॥ ४७ ॥

"प्रस्तरेण परिधिना स्रुचा वेद्या च बर्हिषा । ऋचेमं यज्ञं नो नय स्वर्देवेषु गन्तवे"–(वा. सं. १८ । ६३) इति । एतैर्नो यज्ञस्य रूपैः स्वर्गं लोकं गमयेत्येतत् ॥ ४८ ॥

'प्रथमजाः पुराणाः' 'ऋषयः' इति पुरस्तात् षष्ठेऽभिहितान् ऋषीनभिधत्त इत्याह–अमूनेतदिति । हृदो हृदयप्रदेशेऽवस्थितादाकूतान्मनसश्च चक्षुषश्च यत्कर्म संभृतं सन् समभवत् तदनुलक्ष्य तत्कर्म कृत्वा अनन्तरं हे यजमानाः! आदरार्थं बहुवचनम् । शोभनकर्मकारिणां लोकं प्रगच्छत । यत्र यस्मिन् लोके प्रथमजाः पुराणाः ऋषयोऽभिहितप्रकारं कर्म कृत्वा जग्मुः तं लोकं गच्छतेत्यर्थः ॥ ४५ ॥

सधस्थशब्देन स्वर्ग उच्यते इत्याह–एतं सधस्थेत्यादिना । 'एतं' यजमानं स्वर्गाय लोकाय रक्षणार्थं दत्तवान् भवतीत्याह–तदेनं स्वर्गाय लोकाय इति । अवशिष्टो मन्त्रभागः स्पष्टार्थ इत्याह–यथैव यजुरिति ॥४६॥

एतं जानाथेत्ययमपि मन्त्रः स्पष्टार्थ इत्याह–एतं जानाथेति । यथैव यजुरिति । मन्त्रार्थस्तु मन्त्रव्याख्यानादेव बोद्धव्यः । अत्र पुनस्तत्र तत्र ब्राह्मणोक्तव्याख्यानाविरोधेन केषांचिन्मन्त्राणां, योजना क्रियते । न तु सर्वेषाम्, अप्रस्तुतत्वात् । "उद्बुध्यस्वाग्ने" "येन वहसि" इत्यनयोर्मन्त्रयोर्ब्राह्मणं प्रागुक्तमित्याह–उद्बुध्यस्वेति ॥ ॥ ४७ ॥

एतैर्नो यज्ञस्येति । नः अस्माकं भोगार्थैतैः प्रस्तरादिभिर्यज्ञस्य रूपैः सह यज्ञं स्वर्गं लोकं प्रापयेत्येतदुक्तं भवति । 'प्रस्तरेण परिधिना स्रुचा वेद्या च बर्हिषा' 'ऋचा' च सह 'इमं यज्ञम्' अस्माकं भोगार्थं देवेषु गन्तुं स्वर्गं लोकं प्रापयेत्यर्थः ॥ ४८ ॥

(ञ) यद्दत्तं यत्परादानम् । यत्पूर्तं याश्च दक्षिणाः ॥ तदग्निर्वैश्वकर्मणः स्वर्देवेषु नो दधदिति यच्चैव सम्प्रति दध्मो यच्चासम्प्रति तन्नोऽयमग्निर्वैश्वकर्मणः स्वर्गे लोके दधात्वित्येतत् ॥ ४९ ॥

(ट) यत्र धाराऽअनपेताः । (०) मधोर्घृतस्य च याः ॥ तदग्निर्वैश्वकर्मणः स्वर्देवेषु नो दधदिति यथैव यजुस्तथा बन्धुः ॥ ५० ॥

(र) अष्टौ वैश्वकर्मणानि जुहोति । (त्य) अष्टाक्षरा गायत्री गायत्रोऽग्निर्यावानग्निर्यावत्यस्य मात्रा तावतैवैनमेतदन्नेन प्रीणाति ॥ ५१ ॥

वैश्वकर्मणानि हुत्वा नाम करोति । यदा वै सर्वः कृत्स्नो जातो भवत्यथ नाम कुर्वन्त्यत्र वाऽएष सर्वः कृत्स्नो जातो भवति ॥५२॥ (शतं५१००)

" यद्दत्तं यत्परा-दानं यत्पूर्तं याश्च दक्षिणाः । तदग्निर्वैश्वकर्मणः स्वर्देवेषु नो दधत "–(वा. सं. १८ । ६४) इति । यच्चैव सम्प्रति दध्मो, यच्चासम्प्रति–तन्नोऽयमग्निर्वैश्वकर्मणः स्वर्गे लोके दधात्वित्येतत् ॥ ४९ ॥

" यत्र धारा अनपेता मधोर्घृतस्य च याः । तदग्निर्वैश्वकर्मणः स्वर्देवेषु नो दधत् "–(वा. सं. १८ । ६५) इति । यथैव यजुस्तथा बन्धुः ॥ ५० ॥

अष्टौ वैश्वकर्मणानि जुहोति । अष्टाक्षरा गायत्री । गायत्रोऽग्निः । यावानग्निर्यावत्यस्य मात्रा-तावतैवैनमेतदन्नेन प्रीणाति ॥ ५१ ॥

अथ चित्याग्नेर्नामकरणम् ।

वैश्वकर्मणानि हुत्वा नाम करोति । यदा वै सर्वः कृत्स्नो जातो भवति–अथ नाम कुर्वन्ति । अत्र वा एष सर्वः कृत्स्नो जातो भवति ॥ ५२ ॥

यच्चैव संप्रतीति । 'यत्' कर्म 'संप्रति' युक्तमन्यूनातिरिक्तं 'दध्मो' धारयामः कुर्मः । 'यच्च' कर्म 'असम्प्रति' न्यूनातिरिक्तं, 'नः' अस्माकं तत्सर्वं कर्मायं वैश्वकर्मणोऽग्निः स्वर्गे लोके दधात्वित्येतदुक्तं भवति । यद्दत्तं यदुचितं दानं कृतं यच्चानुचितं न्यूनमतिरिक्तं वा दानं कृतम् यत्पूर्तं आरामादिकं कर्म कृतं याश्च यज्ञे दक्षिणाः संपादिताः नोऽस्माकं सम्बन्धि तत्सर्वं अयं वैश्वकर्मणोऽग्निः स्वर्गे विद्यमानेषु देवेषु दधात्विति मन्त्रार्थः ॥ ४९ ॥

" यत्र धारा " इत्यादिको मन्त्रः स्पष्टार्थ इत्याह–यथैव यजुरिति ॥ ५० ॥

अथैतेषां वैश्वकर्मणानां संख्यां प्रशंसति–अष्टौ वैश्वकर्मणानीति ॥ ५१ ॥

वैश्वकर्मणहोमानन्तरमस्याग्नेर्नाम कुर्यादित्याह–वैश्वकर्मणानि हुत्वा नाम करोतीति । तच्च नामधेयं कात्यायनेनोक्तम्–" नाम करोति चित्रोऽसीति "–(का. श्रौ. सू. १८ । १०८) इति । तत्रास्मिन् प्रस्तावे नामकरणस्य कोऽभिप्राय इति तत्राह–यदा वै सर्व इति । लोके यस्मिन्नवसरे साकल्येन ' जातो भवति ' अनन्तरमेव तस्य 'नाम कुर्वन्ति' । अयमग्निश्चेदानीं साकल्येन ' जातो भवति ' । सर्वस्याप्यग्निकर्मणोऽत्र सम्पादितत्वात् । तस्मादेतस्मिन्प्रस्तावे नामकरणमुचितम् ॥ ५२ ॥

१२१२

नाम कृत्वाऽथैनमुपतिष्ठते । सर्व्वेण वाऽएष ऽएतमात्मना चिनोति स यदेतामत्रात्मनः परिदां न व्वदेतात्र हैवास्यैष ऽआत्मानं व्वृञ्जीताथ यदेतामत्रात्मनः परिदां व्वदते तथो हास्यैषऽआत्मानं न वृङ्क्ते येऽअग्नयः पाञ्चजन्या ऽअस्यां पृथिव्यामधि ॥ तेषामसि त्वमुत्तमः प्र नो जीवातवे सुवेति ये के चाग्नयः पञ्चचितिका ऽअस्यां पृथिव्यामधि तेषामसि त्वꣳ सत्तमः प्रोऽअस्माञ्जीवनाय सुवेत्येतदनुष्टुभा व्वाग्वाऽअनुष्टुब्व्वागु सर्व्वाणि च्छन्दाꣳसि सर्व्वैरेवास्माऽएतच्छन्दोभिर्न्निह्नुतऽउपस्थायाग्निꣳ समारोह्य निर्मथ्योदवसानीयया यजते ॥ ५३ ॥

अथ चित्याग्नेरुपस्थानम् ।

नाम कृत्वाऽथैनमुपतिष्ठते । सर्वेण वा एष एतमात्मना चिनोति । स यदेतामत्रात्मनः परिदां न वदेत–अत्र हैवास्यैष आत्मानं वृञ्जीत । अथ यदेतामत्रात्मनः परिदां वदते–तथो हास्यैष आत्मानं न वृङ्क्ते । " ये अग्नयः पाञ्चजन्या अस्यां पृथिव्यामधि । तेषामसि त्वमुत्तमः प्र नो जीवातवे सुव "–(वा. सं. १८ । ६७) इति । ये के चाग्नयः पञ्चचितिका अस्यां पृथिव्यामधि–तेषामसि त्वं सत्तमः, प्रोऽअस्माञ्जीवनाय सुवेत्येतत् । अनुष्टुभा । वाग्वाऽअनुष्टुप् । वागु सर्वाणि च्छन्दांसि । सर्वैरेवास्मा एतच्छन्दोभिर्निह्नुते । उपस्थायाग्निं समारोह्य निर्मथ्योदवसानीयया यजते ॥ ५३ ॥

नामकरणानन्तरमस्याग्नेरुपस्थानं विधत्ते–नाम कृत्वेति[1] । ननु–किमर्थमुपस्थानमिति तत्राह–सर्वेण वा इति । एषोऽध्वर्युरेतमग्निं सर्वेणात्मना स्वरूपेण चिनोति । अस्याग्नेर्यावत्स्वरूपमस्ति तावता स्वरूपेणाऽधुना चितवान्भवति । अतश्चेदानीं निग्रहानुग्रहसमर्थो भवति । तस्मादत्र यद्यात्मनः परिदां रक्षणं न वदेत तदा तस्मिन्नवसरे ह्येषोऽग्निरस्याध्वर्योरात्मानं वृञ्जीत वर्जयेत् । तस्मिन्नेवोपस्थाने मन्त्रं प्रदर्श्य व्याचष्टे–येऽअग्नयः पाञ्चजन्या इति । अस्यां पृथिव्यां ये के चाग्नयः पञ्चचितिका विद्यन्ते । तेषां मध्ये त्वमुत्तमोऽसि । अतो जीवनायास्मान् सर्वाननुजानीहि इत्येतदुक्तं भवतीत्यर्थः । अथैतस्य मन्त्रस्य छन्दः प्रशंसति–अनुष्टुभेति । अनुष्टुभो वागात्मकत्वाद्वाचश्च सर्वच्छन्दोरूपत्वात्सर्वैरेव च्छन्दोभिरस्मा अग्नये निह्नुते आत्मरक्षणप्रार्थनलक्षणमपराधमपनयतीत्यर्थः । उपस्थानानन्तरं कर्तव्यं प्रयोगमाह–उपस्थायाग्निमिति । ' उपस्थायाग्निम् ' अरण्योः समारोह्य गृहं गत्वा तत्र पुनर्निर्मथ्य तस्मिन्निर्मथितेऽग्नौ उदवसानीययेष्ट्या यजते इत्यर्थः ॥ ५३ ॥

१–चित्रोऽसीति चित्यनाम कृत्वोपतिष्ठते येऽअग्नय इति । का. श्रौ. सू. १८ । १०९ ।

(ते॒ऽथ) अथ मै॒त्रावरु॒ण्या प॒यस्य॑या यजते । दे॒वत्रा वा॒ऽएष भवति॒ य ऽएतत्कर्म॒ करोति दै॒वम्वे॒तन्मि॑थुनं यन्मि॒त्रावरु॑णौ स य॒देतया॒ऽनिष्ट्वा मानुष्यां च॒रेत्प्रत्यवरो॒हः स य॒था दे॒वः सन्मा॒नुषः स्या॒त्तादृक्तदथ य॒दे-त॒या मै॒त्रावरु॒ण्या प॒यस्य॑या य॒जते दै॒वमे॒वैतन्मि॑थुनमु॒पैत्ये॒तयेष्ट्वा का॒मं य॒थाप्रतिरू॒पं चरेत् ॥ ५४ ॥

(य॒) यद्वे॒वैत॒या मै॒त्रावरु॒ण्या प॒यस्य॑या य॒जते । प्र॒जाप॑ते॒र्वि॒स्र॒स्ता॒द्रेतः॑ परापतत्तं य॒त्र दे॒वाः समस्कु॒र्वस्त॒दस्मि॑न्ने॒तया मै॒त्रावरु॒ण्या प॒यस्य॑या रे॒तो॒ऽदधु॒स्तथै॒वास्मि॑न्नयमे॒तद्द॑धाति ॥ ५५ ॥

स यः स प्र॒जाप॑तिर्व्य॒स्र॒ꣳसत । (ता) अ॒यमे॒व स योऽयम॒ग्निश्ची॒यते-

---

अथ मैत्रावरुणी पयस्या ।

अथ मैत्रावरुण्या पयस्यया यजते । देवत्रा वा एष भवति–य एतत्कर्म करोति । दैवम्वेतन्मिथुनम्–यन्मित्रावरुणौ । स यदेतयाऽनिष्ट्वा मानुष्यां चरेत्–प्रत्यवरोहः सः । यथा देवः सन्मानुषः स्यात्–तादृक् तत् । अथ यदेतया मैत्रावरुण्या पयस्यया यजते–दैवमेवैतन्मिथुनमुपैति । एतयेष्ट्वा कामं यथाप्रतिरूपं चरेत् ॥ ५४ ॥

यद्वेवैतया मैत्रावरुण्या पयस्यया यजते । प्रजापतेर्विस्रस्ताद्रेतः परापतत् । तं यत्र देवाः समस्कुर्वन् । तदस्मिन्नेतया मैत्रावरुण्या पयस्यया रेतोऽदधुः । तथैवास्मिन्नयमेतद्दधाति ॥ ५५ ॥

स यः स प्रजापतिर्व्यस्रंसत–अयमेव सः–योऽयमग्निश्चीयते । अथ यदस्मात्तद्रेतः परापतत्–

उदवसानीयानन्तरं मैत्रावरुण्या पयस्यया यागं विधत्ते[1]–अथ मैत्रावरुण्येति। तस्याः प्रयोजनमाह–देवत्रा वा एष भवतीत्यादिना । 'यः' यजमानः 'एतत्' अग्निचयनाख्यं 'कर्म करोति' एतेन देवेषु भवति खलु । 'मित्रावरुणौ' इति यत् 'एतत् दैवम् मिथुनम्' । अतश्च यदि यजमान एतया मैत्रावरुण्या पयस्यया-ऽनिष्ट्वा मानुष्या स्त्रिय चरेत् तर्हि स प्रत्यवरोहः स्यात् । तमेव दर्शयति–यथेति । 'यथा' यः कश्चित्पूर्वं देवसम्बन्धी सन् पश्चात् मानुषः स्यात् तदपि तद्वदेवेति । अथ यदेतया मैत्रावरुण्या पयस्यया यजते तदा देवसम्बन्ध्येव मिथुनमुपैति । एतद्यागानन्तरं तु यथेच्छं स्वोचितमानुषस्त्रियमनतिक्रम्य चरेत् । अग्निचयनेन यजमानस्य देवत्वे प्राप्ते उचितक्रमानुसारेण मैत्रावरुण्या पयस्यया प्रथमं दैवं मिथुनमुपेत्य पश्चात् स्वेच्छया स्वकीयां भार्यामुपेयादिति यावत् ॥ ५४ ॥

अथ तमेव पयस्यायागं प्रकारान्तरेण प्रशंसति–यद्वेवैतयेति । पूर्वं प्रजासर्जनेन विस्रस्तावयवात् 'प्रजापतेः' सकाशात् 'रेतः' पराचीनमगमत् । 'तम्' प्रजापतिं यस्मिन्नवसरे 'देवाः' संस्कृतमकुर्वन् तदा तद्रेतः 'एतया' मैत्रावरुण्या पयस्यया अस्मिन्निहितवन्तः । अतोऽयमिदानींतनोऽपि यजमानो मैत्रावरुण्या पयस्यया अस्मिन् प्रजापतौ तथैव रेतो निदधाति ॥ ५५ ॥

ननु कथमस्मिन्नग्नौ पयस्यया [illegible] प्रजापतौ रेतोनिधानं घटते तत्राह–स यः स प्रजापतिरिति ।

---

[1]–पयस्या मैत्रावरुणी । का. श्रौ. सू. १८।११०।

ऽथ युदस्मात्तद्रेतः परापतदेषा सा पयस्या मैत्रावरुणी भवति प्राणोदानौ वै मित्रावरुणौ प्राणोदानाउऽउ वै रेतः सिक्तं विकुरुतः पयस्या भवति पयो हि रेतो यज्ञो भवति यज्ञो ह्येव यज्ञस्य रेत ऽउपाꣳशु भवत्युपाꣳशु हि रेतः सिच्यतेऽन्ततो भवत्यन्ततो हि रेतो धीयते ॥ ५६ ॥

तस्यै वाजिनेन चरन्ति । तस्मिन्दक्षिणां ददाति तूपरौ मिथुनौ दद्यादित्यभ्याज्ञाय नैवमन्यऽइति ह स्माह माहित्थिः स्रवत्यु हैषाऽग्निचित ऽआहुतिः सोमाहुतिर्यामनिष्टके जुहोति ॥ ५७ ॥

एषा सा पयस्या । मैत्रावरुणी भवति । प्राणोदानौ वै मित्रावरुणौ । प्राणोदाना उ वै रेतः सिक्तं विकुरुतः । पयस्या भवति । पयो हि रेतः । यज्ञो भवति । यज्ञो ह्येव यज्ञस्य रेतः । उपांशु भवति । उपांशु हि रेतः सिच्यते । अन्ततो भवति । अन्ततो हि रेतो धीयते ॥ ५६ ॥

तस्यै वाजिनेन चरन्ति । तस्मिन्दक्षिणां ददाति । तूपरौ मिथुनौ दद्यात्–इत्यभ्याज्ञाय नैवमन्य इति ह स्माह माहित्थिः । स्रवत्यु हैषाऽग्निचित आहुतिः सोमाहुतिः–यामनिष्टके जुहोति ॥ ५७ ॥

स इति यस्मिन्नवसरे प्रजापतिर्व्यस्रंसत सोऽवसरः परामृश्यते । स यः स प्रजापतिर्व्यस्रंसत सोऽयमेव योऽयमग्निः इदानीं 'चीयते' । अथास्मात्प्रजापतेः सकाशात् यद्रेतः परापतदेषा सा पयस्या, । एषा सेति स्त्रीलिङ्गं विधेयपयस्यापेक्षम् । तस्मादस्मिन् संचितेऽग्नौ पयस्यायागेनैव प्रजापतौ पराचीनं रेतः पुनरेवाहितं भवतीत्यर्थः । अथैतस्याः पयस्यायाः मित्रावरुणदेवतासंबन्धं प्रशंसति–मैत्रावरुणी भवतीति । मित्रावरुणौ प्राणोदानौ खलु । तयोः प्राणोदानवत्साहचर्यात् । प्राणोदानौ हि सिक्तं रेतो विकुरुतः । प्राणोदानविशिष्टायामेव स्त्रियामन्तःसिक्तस्य रेतसोऽवयवसंनिवेशेन अवयविवृद्धेः । तस्माद्रेतोरूपायाः पयस्यायाः प्राणोदानात्मकमित्रावरुणसम्बन्धो युज्यते । इत्थं देवताविशेषसम्बन्धमुपपाद्य हविषः पयस्यात्मकत्वमुपपादयति–पयस्या भवतीति । रेतोऽभिवृद्धिहेतुत्वेन पयसो रेतस्त्वम् । अथास्य यज्ञात्मकत्वमुपपादयति–यज्ञो भवतीति । लोके रेत उपांश्वेव सिच्यते तद्वदेवात्रापि भवेदित्याह–उपांशु भवतीति । लोके शरीरस्यान्ततो रेतो निधीयते इति तदात्मकोऽयमपि यज्ञः अन्ते भवेदित्याह–अन्ततो भवतीति ॥ ५६ ॥

अथैतस्मिन्यागे कालविशेषे दक्षिणादानं विधत्ते–तस्यै वाजिनेनेति । तस्या इति षष्ठ्यर्थे चतुर्थी (पा. सू. २ । ३ । ६२ वा.) तस्याः पयस्यायाः वाजिनेन चरन्त्यध्वर्यवः । तस्मिन्वाजिने दक्षिणां दद्यात् । तूपरौ मिथुनौ दद्यादित्यादेरयमर्थः ! माहित्थिर्नाम महर्षिः तत्र तूपरौ शृंगरहितौ मिथुनौ गावौ दद्यादिति विचार्य–अन्ये एवं दक्षिणां न ददति–इत्याह । अथैकत्वारमग्निं चितवतो यजमानस्य पश्चात्क्रियमाणे क्रतौ इष्टकावैधुर्यदोषमाह–स्रवतीत्यादिना । इष्टकारहितेऽग्नौ यामाहुतिं जुहोत्यग्निचितः सा सोमाहुतिः स्रवति प्रच्यवते निष्फला भवतीत्यर्थः । अत एव तैत्तिरीयके–"न वा एतस्यानिष्टक आहुतिरवकल्पते यां वा एषोऽनिष्टक आहुतिं जुहोति स्रवति वै सा, तां स्रवन्तीं यज्ञोऽनु पराभवति यज्ञं यजमानः" (तै. सं. ५।४।१०।३) इति ॥ ५७ ॥

१–तूपरमिथुनदक्षिणोदवसानीयान्ते । का० श्रौ० सू० १८ । ११० ।

स स्वयमातृण्णाऽएवोपदधीत । (ते) इमे वै लोकाः स्वयमातृण्णा ऽइमुऽउ लोका ऽएषोऽग्निश्चितः ॥ ५८ ॥

(ऽ) ऋतव्याऽएवोपदधीत । संव्वत्सरो वाऽऋतव्याः संव्वत्सरऽएषो-ऽग्निश्चितः ॥ ५९ ॥

(तो) व्विश्वज्योतिषऽएवोपदधीत । (तै) एता वै देवता व्विश्वज्योतिष ऽएता ऽउ देवता ऽएषोऽग्निश्चितः ॥ ६० ॥

पुनश्चितिमेवोपदधीत । पुनर्यज्ञो हैषऽउत्तरा हैषा देवयज्या पुनर्यज्ञमेवैत-दुपधत्तऽउत्तरामेव देवयज्यामुप हैनं पुनर्यज्ञो नमतीति न तथा कुर्याद्यो वाव चितेऽग्निर्निधीयते तामेवेष्टकामेष सर्व्वोऽग्निरभिसम्पद्यते तद्यदग्नौ जुहोति तदेवास्य यथा सर्व्वस्मिंश्छाण्डिलेऽग्नौ संचिते पक्षपुच्छवत्या-हुतयो हुताः स्युरेवमस्यैता ऽआहुतयो हुता भवन्ति ॥ ६१ ॥

स स्वयमातृण्णा एवोपदधीत । इमे वै लोकाः स्वयमातृण्णाः । इम उ लोका एषो-ऽग्निश्चितः ॥ ५८ ॥

ऋतव्या एवोपदधीत । संवत्सरो वा ऋतव्याः । संवत्सर एषोऽग्निश्चितः ॥ ५९ ॥

विश्वज्योतिष एवोपदधीत । एता वै देवता विश्वज्योतिषः । एता उ देवता एषोऽग्निश्चितः ॥ ६० ॥

अथ गार्हपत्यस्य पुनश्चितिः ।

पुनश्चितिमेवोपदधीत । पुनर्यज्ञो हैषः, उत्तरा हैषा देवयज्या । पुनर्यज्ञमेवैतदुपधत्ते, उत्तरामेव देवयज्याम्, उप हैनं पुनर्यज्ञो नमतीति । न तथा कुर्यात् । यो वाव चितेऽग्निर्निधीयते-तामेवे-

---

ननु तर्हि पूर्तनदेन किंगग्निचयनं कृत्स्नमपि कुर्यादिति तत्राह—स स्वयमातृण्णा एवेति । 'सः' अध्वर्युः अनन्तरं क्रियमाणे क्रतौ स्वयमातृण्णा एवोपदधीत, न पुनरिष्टकान्तरमित्यर्थः । एतावता कथं तस्याग्नेः सिद्धिरिति तत्राह—इमे वै लोका इति । प्रथममध्यमोत्तमासु तिसृषु उपधीयमानास्तिस्रः स्वयमातृण्णाः पृथि-व्यादिलोकत्रयात्मिकाः । 'एषः' संचितोऽग्निरपि प्रजापतिरूपत्वाल्लोकत्रयात्मकः । एवं च स्वयमातृण्णोप-धानेनैव स संचितोऽग्निः सेत्स्यतीत्यर्थः ॥ ५८ ॥

अथवा ऋतव्या, विश्वज्योतिषो वा पुनश्चितिमेव वोपदधीतेत्याह—ऋतव्या एवेति । अत्र सर्वत्र एवकार-स्यावधारणार्थत्वादितरनिषेधसिद्धौ स्वयमातृण्णादीनां सर्वासामपि विधिनिषेधसम्भवात् षोडशीग्रहणाग्रहणवद्वि-कल्पसिद्धिः । अत एव कात्यायनः—"चित्याशक्तौ पुनः सोमेज्यायां स्वयमातृण्णाविश्वज्योतिरृतव्यानामन्य-तमाः । पुनश्चितिम्" (का. श्रौ. सू. १८।११९–१२०) । एता वै देवता इति । 'एताः' अग्निवाय्वा-दित्यात्मिका देवता विश्वज्योतिषः 'एषः सञ्चितोऽग्निः अपि' एता अग्निवाय्वादित्या देवता इत्यर्थः ॥५९॥६०॥

पुनर्यज्ञो हैष इति । पुनश्चितिरिति यत् 'एषः' पुनर्यज्ञः । किंच एषः पुनश्चितिलक्षणो यज्ञः उत्तरा देवयज्या । अत एतेन पुनर्यज्ञं देवयज्यां चोपधत्ते—'एनम्' यजमानं पुनर्यज्ञ उपनमतीति हेतोः पुनश्चितिमेवोपदधी-

सर्व्वाणि वाऽएष भूतानि । सर्व्वान्देवान्गर्भी भवति योऽग्निं बिभर्ति स योऽसंव्वत्सरभृतं चिनुतऽएतानि ह स सर्व्वाणि भूतानि गर्भं भूतं निर्हते यो न्वेव मानुषं गर्भं निर्हन्ति तन्न्वेव परिचक्षतेऽथ किं य ऽएतं दैवो ह्येष नासंव्वत्सरभृतस्यर्त्विजा भवितव्यमिति ह स्माह व्वात्स्यो नेदस्य देवरेतसस्य निर्हण्यमानस्य मेद्यसानीति ॥ ६२ ॥

षण्मास्यमन्तमं चिन्वीतेत्याहुः । षण्मास्या वाऽअन्तमा गर्भा जाता जीवन्तीति स यद्यसंव्वत्सरभृते महदुक्थꣳ शꣳसेदृगशीतीः शꣳसेद-

---

ष्टकामेष सर्वोऽग्निरभिसंपद्यते । तद्यदग्नौ जुहोति-तदेवास्य-यथा सर्वस्मिञ्छाण्डिलेऽग्नौ संचिते पक्षपुच्छवत्याहुतयो हुताः स्युः-एवमस्यैता आहुतयो हुता भवन्ति ॥ ६१ ॥

अथ उख्यसम्भरणमीमांसा ।

सर्वाणि वा एष भूतानि सर्वान्देवान् गर्भी भवति । योऽग्निं बिभर्त्ति । स योऽसंवत्सरभृतं चिनुते-एतानि ह स सर्वाणि भूतानि गर्भं भूतं निर्हते । यो न्वेव मानुषं गर्भं निर्हन्ति-तन्न्वेव परिचक्षते-अथ किं य एतम् । दैवो ह्येषः । नासंवत्सरभृतस्यर्त्विजा भवितव्यमिति ह स्माह वात्स्यः । नेदस्य देवरेतसस्य निर्हण्यमानस्य मेद्यसानीति (१) ॥ ६२ ॥

षण्मास्यमन्तमं चिन्वीतेत्याहुः । षण्मास्या वा अन्तमा गर्भा जाता जीवन्तीति । स यद्यसंवत्सरभृते महदुक्थं शंसेद्-ऋगशीतीः शंसेत् । असर्वं वै तद्-यदसंवत्सरभृतः । असर्वं तद्-यद-

---

तेत्यर्थः । उक्त्वाऽपि पक्षान्तिरस्य प्रकारान्तरस्य दर्शनेन विवक्षितमिद्रिमाह-न तथा कुर्यादिति । अथ पूर्वोक्तप्रकारेणोपधानं न कुर्यात्; कुतः संचितेऽग्नौ य एवाग्निर्निधीयते-तदग्निरूपामेवेष्टकामभिलक्ष्य एष सर्वोऽपि चित्याग्निः संपद्यते । उपरिनिधीयमानायामग्निरूपायामेतदिष्टकायामिष्टकासमूहरूपः कृत्स्नोऽप्यग्निरन्तर्भवतीत्यर्थः । तथा सत्यग्नावेव जुहोतीति यत् तेनैवास्य यजमानस्य यथा सर्वस्मिन् शाण्डिल्यमुनिसंस्कृते पक्षपुच्छवति संचितेऽग्नौ आहुतयो हुता भवेयुः एवमेवास्य यजमानस्य आहुतयो हुता भवन्ति । अग्नावेव कृत्स्नस्य चित्याग्नेरन्तर्भावमनुसंदधानस्य यजमानस्याग्निचयने क्रियमाणे चाक्रियमाणे कृतास्वपि सोमाहुतीनां स्वयमातृण्णादीनां इष्टकानां प्राधान्यतः तासामप्युपधानमाद्रियते इत्यर्थः ॥ ६१ ॥

अस्याग्नेः संवत्सरभरणमवश्यं क्रियत इति दर्शयति-सर्वाणि वा इति । यो यजमानोऽग्निं बिभर्ति स सर्वाणि भूतानि सर्वान्देवान् गर्भी भवति गर्भीभावयति । अन्तर्भावितण्यर्थोऽत्र भूः । अतश्च यो यजमानः स यदि असंवत्सरभृतमग्निं चिनुते स एतानि गर्भीभूतानि सर्वाणि भूतानि निर्हन्ति । लोके खलु यो जनः मानुषं एव गर्भं निर्हन्ति तं लोकाः परिवर्जयन्त्येव । अथ यः एतं दैवं गर्भं निर्हन्ति तं परिवर्जयन्तीति किमु वक्तव्यम् । अत एवास्य निर्हण्यमानस्य देवरेतसस्य भागी न असानीति असंवत्सरभृतस्याग्नेर्ऋत्विजा न भवितव्यमिति वात्स्यो महर्षिराह स्म ॥ ६२ ॥

तत्र पक्षान्तरमाह-षण्मास्यमिति । अन्ततः षण्मास्या भूता गर्भा जाताः सन्तो जीवन्तीति अन्ततः

१-अचयनं वा, चित्यस्याहवनीयाभिसंपत्तेः "का० श्रौ० सू० १२१ । १२२ ।

सर्व्वं वै तद्यदसंव्वत्सरभृतोऽसर्व्वं तद्यदृगशीतयो व्विकृष्टं त्वेनᳬं स भूयो व्विकर्षेद्यदि चैव संव्वत्सरभृतः स्याद्यदि चासंव्वत्सरभृतः सर्व्वमेव महदुक्थᳬं शᳬंसेत् ॥ ६३ ॥

(३) अथ ह शाण्डिल्यायनः प्राच्यां जगाम । तᳬं ह दैयाम्पातिरुवाच शाण्डिल्यायन कथमग्निश्चेतव्यो ग्लायामो ह संव्वत्सरभृतायाग्निमु चिकीषामहऽइति ॥ ६४ ॥

स होवाच । कामं न्वाऽएनᳬं स चिन्वीत येन पुरा संव्वत्सरं भृतः स्यात्तᳬं ह्येव तं भृतᳬं सन्तं चिनुतऽइति ॥ ६५ ॥

काममेवैनᳬं स चिन्वीत । यः संव्वत्सरमभिषविष्यन्त्स्यादेष वाऽएनं प्रत्यक्षमन्नेन बिभर्त्येताभिराहुतिभिः ॥ ६६ ॥

गशीतयः । विकृष्टं त्वेनं स भूयो विकर्षेत् । यदि चैव संवत्सरभृतः स्यात् । यदि चासंवत्सरभृतः– सर्वमेव महदुक्थं शंसेत् (२) ॥ ६३ ॥

अथ ह शाण्डिल्यायनः प्राच्यां जगाम । तं ह दैयाम्पातिरुवाच–शाण्डिल्यायन कथमग्निश्चेतव्यः । ग्लायामो ह संवत्सरभृताय, अग्निमु चिकीषामह इति ॥ ६४ ॥

स होवाच–कामं न्वा एनं स चिन्वीत–येन पुरा संवत्सरं भृतः स्यात् । तं ह्येव तं भृतं सन्तं चिनुत इति (३) ॥ ६५ ॥

काममेवैनं स चिन्वीत–यः संवत्सरमभिषविष्यन्त्स्यात् । एष वा एनं प्रत्यक्षमन्नेन बिभर्ति– एताभिराहुतिभिः (४) ॥ ६६ ॥

षण्मासान्भृतमग्निं चिन्वीतेत्याहुः केचिच्छाखिनः । यथा महाव्रते महदुक्थस्य शंसनादि अग्निचित्ये अस्मिन् असंवत्सरभरणपक्षेऽपि तथैव शंसनप्रसक्तावाह–स **यद्यसंवत्सरभृत** इति । असंवत्सरभृते यदि महदुक्थं शंसेत् तदा ऋगशीतीरेव शंसेत्; कुतः ? 'असंवत्सरभृत' इति यत् तदप्यसर्वम् । ऋगशीतय इति यत् तदप्यसर्वमिति । एवं तर्हि असंवत्सरभरणेन विकृष्टं सेंधनमग्निमृगशीतिमात्रशंसनेन भूयोऽपि विकर्षेदित्याह– **विकृष्टं त्वेनमिति** । कथं तर्हि शंसेदिति तत्राह–**यदि चैवेति** । 'यदि' अयमग्निः 'संवत्सरभृतः स्यात्'– यदि वाऽसंवत्सरभृतस्तदा सर्वदापि 'सर्वमेव महदुक्थं शंसेत्' न ऋगशीतीरेवेत्यर्थः ॥ ६३ ॥

अथाग्निभरणविषये अन्यानपि कांश्चित् पक्षान् दर्शयितुमुपोद्घातयति–**अथ हेति** । 'शाण्डिल्यायनः' कश्चिदृषिः 'प्राच्यां' दिशि 'जगाम' । 'तं' शाण्डिल्यायनं 'दैयाम्पातिर्नाम' अन्यो महर्षिः 'उवाच' हे शाण्डिल्यायन ! अग्निं चेतुमिच्छामः । संवत्सरभृतायाग्नये 'ग्लायामः' । 'कथमग्निश्चेतव्यः' इति ॥ ६४ ॥

स होवाचेत्यादिना तानेव पक्षान्दर्शयति । पूर्वं येन यजमानेनैकवारमग्निः संवत्सरभृतः स्यात् । स यजमानो यथेच्छमेवैनमग्निं चिन्वीत न तस्य संवत्सरभरणनियमः । किन्तु कानिचिद्दिनानि भृत्वा चयनम् । पूर्वं संवत्सरभरणात्तमग्निमिदानीमनियमेन भरणेऽपि संवत्सरभृतं सन्तमेव चिनुत इति ॥ ६५ ॥

अथवा यः संवत्सरं सोममभिषविष्यन् स्यात् । गवामयनादौ संवत्सरं सोमस्याभिषवात् । तत्र चिचीषमाणो

१–संवत्सरभृतिनोऽसंवत्सरभृतेऽपि । संवत्सरं सोष्यतः । संवत्सराहिताग्नेः । जातस्य च । षण्मास्यमन्त्यम् । का० श्रौ० सू० १६ । १७८–१८२ ।

कामम्वेवैनꣳ स चिन्वीत । यः संव्वत्सरमग्निहोत्रं जुहुयाद्बिभर्ति वाऽएनमेष योऽग्निहोत्रं जुहोति ॥ ६७ ॥

कामम्वेवैनꣳ स चिन्वीत । यः संव्वत्सरं जातः स्यात्प्राणो वाऽअग्निस्तमेतद्बिभर्त्यथ ह वै रेतः सिक्तं प्राणोऽन्ववरोहति तद्विन्दते तद्यज्जातं जातं विन्दते तस्माज्जातवेदास्तस्मादप्येवंवित्कामꣳ सद्योभूतं चिन्वीत यदु ह वाऽएवंवित्पिबति वा पाययति वा तदेवास्य यथा सर्वस्मिञ्छाण्डिलेऽग्नौ संचिते पक्षपुच्छवत्याहुतयो हुताः स्युरेवमस्यैता ऽआहुतयो हुता भवन्ति ॥ ६८ ॥

इति चतुर्थप्रपाठके द्वितीयं ब्राह्मणम् ॥ ९-४-२ ॥ (९. १.) ॥

कामम्वेवैनं स चिन्वीत । यः संवत्सरमग्निहोत्रं जुहुयात् । बिभर्ति वा एनमेषः—योऽग्निहोत्रं जुहोति (५) ॥ ६७ ॥

कामम्वेवैनं स चिन्वीत—यः संवत्सरं जातः स्यात् । प्राणो वा अग्निः—तमेतद्बिभर्ति । अथ ह वै रेतः सिक्तं प्राणोऽन्ववरोहति, तद्विन्दते । तद्यज्जातं जातं विन्दते—तस्माज्जातवेदाः । तस्मादप्येवंवित् कामं सद्योभूतं चिन्वीत । यदु ह वाऽएवंवित्पिबति वा पाययति वा—तदेवास्य यथा सर्वस्मिञ्छाण्डिलेऽग्नौ संचिते पक्षपुच्छवत्याहुतयो हुताः स्युः—एवमस्यैता आहुतयो हुता भवन्ति (६) ॥ ६८ ॥

यजमानो यथेच्छमेवैनमग्निं चिन्वीत । एष यजमानः एताभिः पुरस्तात् क्रियमाणाभिराहुतिभिरन्नेनाहुतिलक्षणेन चैनमग्निं प्रत्यक्षं बिभर्त्तीति ॥ ६६ ॥

अथवा यः ' संवत्सरमग्निहोत्रं जुहुयात् ' सोऽपि यथेच्छमग्निं चिन्वीत तेनाग्निहोत्रहोमेन संवत्सरभरणस्य संपादनात् ॥ ६७ ॥

अथवा यः ' संवत्सरं जातः स्यात् ' द्वादशसु मासेषु पूर्णेषु जातः स्यात् । सोऽपि काममेवैनमग्निं चिन्वीत । कुतः शरीरान्तर्वर्त्तमानः ' प्राणो ' यतोऽग्न्यात्मकः । तमेतमग्निमसौ संवत्सरं जातो बिभर्त्ति । रेतसा सह प्राणसाहित्येनैव सिच्यमानत्वात् । प्रसङ्गात् प्राणस्य जातवेदस्त्वं दर्शयति—अथेति । ' अथ ' खलु ' सिक्तं रेतः प्राणोऽन्ववरोहति ' तदा ' तद्रेतः प्राणो विन्दते ' लभते । तस्मात् ' जातं जातं ' रेतो विन्दत इति यत तस्मात्प्राणो जातवेदाः । उक्तार्थवेदिताऽपि सद्योभूतमपि तं चिन्वीतेत्याह—तस्मादप्येवमिति । एतस्यैवार्थस्य वेदिता स्वयं यत्किञ्चित् ' पिबति ' वा अन्यं ' पाययति वा ' ' तदेवास्य यथा सर्वस्मिन् संचिते पक्षपुच्छवति ' ' शाण्डिलेऽग्नौ ' ' या आहुतयो हुताः ' एवमेवास्यैता आहुतयो हुता भवन्तीत्याह—यदु ह वा एवं विदिति ॥ ६८ ॥

इति श्रीसायणाचार्यविरचिते माधवीये वेदार्थप्रकाशे माध्यन्दिनीयशतपथब्राह्मणभाष्ये नवमकाण्डे पञ्चमेऽध्याये प्रथमं ब्राह्मणम् ॥ (९-५-१) ॥

इन्द्रऽएतत्सप्तर्चमपश्यत्। (न्यू) न्यूनस्याप्त्याऽअतिरिक्तस्यानतिरिक्त्यै व्यृद्धस्य समृद्ध्याऽअथ ह वाऽईश्वरोऽग्निं चित्वा किंचिद्दौरितमापत्तोर्विं वा ह्वलितोर्यद्वा यदा ह वा एतच्छ्रुत्यापर्णः सायकायनः शुश्रावाथ हैतत्कर्मोपदधर्ष ॥ १ ॥

सैषा त्रयस्य समृद्धिः । (र) अग्नेः समृद्धिर्योऽग्निं चिनुते तस्य समृद्धिर्योऽग्निं चिनोति तस्य समृद्धिः ॥ २ ॥

(स्त) तद्यदेतेनोपतिष्ठते । यदेवास्यात्र विद्वान्वाऽविद्वान्वाऽति वा रेचयति न वाऽभ्यापयति तदेवास्यैतेन सर्वमाप्तं भवति यदस्य किं चानाप्तं

अथ सर्वचित्यन्तसाधारणोपस्थानम् ।

इन्द्र एतत्सप्तर्चमपश्यत्–न्यूनस्याप्त्यै, अतिरिक्तस्यानतिरिक्त्यै, व्यृद्धस्य समृद्ध्यै । अथ ह वा ईश्वरोऽग्निं चित्वा किंचिद्दौरितमापत्तोर्विं वा ह्वलितोः यद्वा । यदा ह वा एतच्छ्रुत्यापर्णः सायकायनः शुश्राव–अथ हैतत्कर्मोपदधर्ष ॥ १ ॥

सैषा त्रयस्य समृद्धिः । अग्नेः समृद्धिः (१) । योऽग्निं चिनुते तस्य समृद्धिः (२) । योऽग्निं चिनोति तस्य समृद्धिः (३) ॥ २ ॥

तद्यदेतेनोपतिष्ठते–यदेवास्यात्र विद्वान्वाऽविद्वान्–वा–अति वा रेचयाति, न वाऽभ्यापयाति–

अथ " येऽग्नयः पाञ्चजन्याः " इत्यस्य मन्त्रस्यानन्तरं " वार्त्रहत्याय शवसे " इत्यादयः सप्त मन्त्राः समाम्नायन्ते तेषामिदानीं विनियोगमभिधातुमुपोद्घातमाह–इन्द्र एतदिति । ' एतत् ' इति वक्ष्यमाणपरामर्शः । सप्त ऋचो यस्मिन् समुदाये स सप्तर्चः "ऋक्पूरब्धूःपथामानक्षे" (पा. सू. ९ । ४ । ७४) इति अकारः समासान्तः । ' एतत् ' इति लिङ्गव्यत्ययः छान्दसः । ' इन्द्र एतं सप्तर्चमपश्यत् ' । किमर्थं तमपश्यदिति तत्राह–न्यूनस्येति । ' न्यूनस्य ' अकृतस्य कर्मणः प्राप्त्यै, आधिक्येन कृतस्यानाधिक्याय, अन्यथा कृतस्य च यथाकरणाय सप्तर्चमपश्यत् इति[३] ॥ १ ॥

१–अथ पंचम्याः सप्तर्चोपस्थान २ सर्व्वोपधानात् । धिष्ण्यान्वा चित्योत्तमासंयोगात् । अभिमृशेदिच्छन् संवत्सरोऽसीति । एवं यथाचितिः । का. श्रौ. सू. १८ । ५१–५४ ।

२–क्षितिं पुरीषवतीमुपतिष्ठते वार्त्रहत्यायेति सप्तभिः । अष्टाभिरेके दशभिर्वा । का० श्रौ० सू० १७ । १३५–१३६ ।

३–इतोऽग्रेऽस्य ब्राह्मणस्य सायणभाष्यं वा हरिस्वामिभाष्यं वा नोपलब्धम् । अतो मूलमात्रं ऋजुपाठसहितं मुद्रितम् । यद्येतद्भाष्यं केषांचन महाभागानां सविधे वर्तते तैर्दीयेत चेद्द्वितीयावृत्तौ संगृह्य मुद्रितं भवेदिति ते प्रार्थ्यन्ते ॥

य उ तस्यामनुष्टुभ्यृचि कामोऽत्रैव तमाप्नोत्यथोऽएतस्मादेवैतत्कर्मणो रक्षाᳫँसि नाष्ट्रा ऽअपहन्ति नो हैनमनुव्याहारिण स्तृण्वते तस्मादप्येवंवित्कामं परस्माऽअग्निं चिनुयादीश्वरो ह श्रेयान्भवितोः ॥ ३ ॥

(वा) वार्त्रहत्याय शवसे । सहदानुं पुरुहूत क्षियन्तमिति वार्त्रघ्नीभ्यां प्रथमाभ्यामुपतिष्ठतऽएतद्वै देवा वृत्रं पाप्मानᳫँ हत्वाऽपहतपाप्मान ऽएतत्कर्माकुर्वत तथैवैतद्यजमानो वृत्रं पाप्मानᳫँ हत्वाऽपहतपाप्मैतत्कर्म कुरुते ॥ ४ ॥

वि न ऽइन्द्र मृधो जहि । मृगो न भीमः कुचरो गिरिष्ठा ऽइति वैमृधीभ्यां द्वितीयाभ्यामेतद्वै देवा मृधः पाप्मानᳫँ हत्वाऽपहतपाप्मान ऽएतत्कर्माकुर्वत तथैवैतद्यजमानो मृधः पाप्मानᳫँ हत्वाऽपहतपाप्मैतत्कर्म कुरुते ॥ ५ ॥

वैश्वानरो नऽऊतये । पृष्टो दिवि पृष्टोऽअग्निः पृथिव्यामिति वैश्वानरीभ्यां तृतीयाभ्यामेतद्वै देवा वैश्वानरेण पाप्मानं दग्ध्वाऽपहतपाप्मान ऽएतत्कर्माकुर्वत तथैवैतद्यजमानो वैश्वानरेण पाप्मानं दग्ध्वाऽपहतपाप्मैतत्कर्म कुरुते ॥ ६ ॥

तदेवास्यैतेन सर्व्वमाप्तं भवति—यदस्य किं चानाप्तम् । य उ तस्यामनुष्टुभ्यृचि कामः—अत्रैव तमाप्नोति । अथो एतस्मादेवैतत्कर्मणो रक्षांसि नाष्ट्रा अपहन्ति । नो हैनमनुव्याहारिणः स्तृण्वते । तस्मादप्येवंवित् कामं परस्मा अग्निं चिनुयात्—ईश्वरो ह श्रेयान्भवितोः ॥ ३ ॥

(१) " वार्त्रहत्याय शवसे, (२) सहदानुं पुरुहूत क्षियन्तम् "—(वा सं. १८ । ६८, ६९) इति वार्त्रघ्नीभ्यां प्रथमाभ्यामुपतिष्ठते । एतद्वै देवा वृत्रं पाप्मानं हत्वाऽपहतपाप्मान एतत्कर्माकुर्वत । तथैवतद्यजमानो वृत्रं पाप्मानं हत्वाऽपहतपाप्मैतत्कर्म कुरुते ॥ ४ ॥

(३) " वि न इन्द्र मृधो जहि, (४) मृगो न भीमः कुचरो गिरिष्ठाः "—(वा. सं. १८ । ७०, ७१) इति वैमृधीभ्यां द्वितीयाभ्याम् । एतद्वै देवा मृधः पाप्मानं हत्वाऽपहतपाप्मान एतत्कर्माकुर्वत । तथैवैतद्यजमानो मृधः पाप्मानं हत्वाऽपहतपाप्मैतत्कर्म कुरुते ॥ ५ ॥

(५) " वैश्वानरो न ऊतये, (६) पृष्टो दिवि पृष्टो अग्निः पृथिव्याम् "—(वा. सं. १८।७२,७३) इति वैश्वानरीभ्यां तृतीयाभ्याम् । एतद्वै देवा वैश्वानरेण पाप्मानं दग्ध्वाऽपहतपाप्मान एतत्कर्माकुर्वत । तथैवैतद्यजमानो वैश्वानरेण पाप्मानं दग्ध्वाऽपहतपाप्मैतत्कर्म कुरुते ॥ ६॥

(तेऽश्या) अश्याम तं काममग्ने तवोतीति । (त्ये) एकया कामवत्यै-तद्वै देवाः षडृचेन पाप्मानमपहत्यैकया कामवत्यैकधाऽन्ततः सर्वान्कामा-नात्मन्नकुर्वत तथैवैतद्यजमानः षडृचेन पाप्मानमपहत्यैकया कामवत्यै-कधाऽन्ततः सर्वान्कामानात्मन्कुरुते ॥ ७ ॥

सप्तर्चं भवति । सप्तचितिकोऽग्निः सप्तऽर्तवः सप्त दिशः सप्त देवलोकाः सप्त स्तोमाः सप्त पृष्ठानि सप्त च्छन्दाᳩसि सप्त ग्राम्याः पशवः सप्तारण्याः सप्त शीर्षन्प्राणा यत्किं च सप्तविधमधिदेवतमध्यात्मं तदेनेन सर्वमाप्नोति ता ऽअनुष्टुभमभिसंपद्यन्ते व्वाग्वाऽअनुष्टुब्वाचैवास्य तदाप्नोति यदस्य किं चानाप्तम् ॥ ८ ॥

(म) अष्टर्चेनोपतिष्ठेतेत्यु हैकऽआहुः । (व्वं) व्वयं तेऽअद्य ररिमा हि काममिति द्वितीयया कामवत्या सप्त पूर्वास्तदष्टावष्टाक्षरा गायत्री गायत्रोऽग्निर्यावानग्निर्यावत्यस्य मात्रा तावतैवास्य तदाप्नोति यदस्य किं चानाप्तमथोऽएवᳫ समं देवते भजेतेऽइति न तथा कुर्यादेता वाव सप्ता-ष्टावनुष्टुभो भवन्ति स योऽष्टर्चे कामोऽत्रैव तमाप्नोति ॥ ९ ॥

(त्ये) ऐन्द्राग्नीभिरुपतिष्ठते । (तऽऐ) ऐन्द्राग्नोऽग्निर्यावानग्निर्यावत्यस्य मात्रा तावतैवास्य तदाप्नोति यदस्य किं चानाप्तमिन्द्राग्नी वै सर्वे देवाः सर्वं-

---

(७) "अश्याम तं काममग्ने तवोती"–(वा. सं. १८ । ७४) इति एकया काम-वत्या । एतद्वै देवाः षडृचेन पाप्मानमपहत्यैकया कामवत्यैकधाऽन्ततः सर्वान्कामानात्मन्नकुरुत । तथैवैतद्यजमानः षडृचेन पाप्मानमपहत्यैकया कामवत्यैकधाऽन्ततः सर्वान्कामानात्मन्कुरुते ॥ ७ ॥

सप्तर्चं भवति । सप्तचितिकोऽग्निः, सप्तऽर्तवः, सप्त दिशः, सप्त देवलोकाः, सप्त स्तोमाः, सप्त पृष्ठानि, सप्त च्छन्दांसि, सप्त ग्राम्याः पशवः, सप्तारण्याः, सप्त शीर्षन्प्राणाः–यत्किं च सप्तविध-मधिदेवतमध्यात्मं–तदेनेन सर्वमाप्नोति । ता अनुष्टुभमभि सम्पद्यन्ते । वाग्वा अनुष्टुप् । वाचैवास्य तदाप्नोति–यदस्य किं चानाप्तम् ॥ ८ ॥

अष्टर्चेनोपतिष्ठेतेत्यु हैक आहुः । "वयं ते अद्य ररिमा हि कामम्"–(वा. सं. १८।७५) इति द्वितीयया कामवत्या । सप्त पूर्वाः । तदष्टौ । अष्टाक्षरा गायत्री । गायत्रोऽग्निः । यावानग्नि-र्यावत्यस्य मात्रा तावतैवास्य तदाप्नोति यदस्य किं चानाप्तम् । अथो एवं समं देवते भजेते इति । न तथा कुर्यात् । एता वाव सप्ताष्टावनुष्टुभो भवन्ति । स योऽष्टर्चे कामः–अत्रैव तमाप्नोति ॥ ९ ॥

ऐन्द्राग्नीभिरुपतिष्ठते । ऐन्द्राग्नोऽग्निः । यावानग्निर्यावत्यस्य मात्रा तावतैवास्य तदाप्नोति–यदस्य

दे॒व॒त्यो॑ऽग्नि॒र्या॒वा॑नग्नि॒र्या॒व॑त्यस्य॒ मा॒त्रा॒ ता॒वतै॒वास्य॒ त॒दा॑प्नोति॒ य॒दस्य॒ किं च॒ना॑प्तम् ॥ १० ॥

(न्त) त॒द्धैके । क॒र्म॑णः क॒र्म॑ण ऽए॒वैतां॒ प्र॒ति॒प॒दं॑ कु॒र्व॒ते॒ऽप॒ह॒त॒पा॒प्मा॒न ऽए॒तत्क॒र्म॑ क॒र॒वा॒म॒हा॒ऽइ॒ति पु॒री॒ष॒वतीं॒ चि॒तिं कृ॒त्वो॒प॒ति॒ष्ठे॒ते॒त्यु॒ है॒क॒ऽआ॒हु॒स्त॒त्र हि॒ सा स॒र्वा कृ॒त्स्ना भ॑व॒ती॒ति॒ स य॒था का॒म॒ये॒त॒ त॒था कु॒र्या॒दि॒ति॒ नु च॒य॒न॒स्या॒था॒तो॒ऽच॒य॒न॒स्य ॥ ११ ॥

त्र॒यो ह॒ वै॒ स॑मु॒द्राः । (ऽ) अ॒ग्नि॒र्य॒जु॒षां॒ म॒हा॒व्र॒तꣳ॒ सा॒म्नां॒ म॒ह॒दु॒क्थ॒मृ॒चाꣳ॒ स य॒ ऽए॒ता॒नि पु॒र॒स्मै॑ क॒रो॒त्ये॒ता॒न्ह॒ स॒ स॒मु॒द्रा॒ञ्छो॒ष॒य॒ते॒ ता॒ञ्छु॒ष्य॒तो॒ऽन्व॒स्य॒ च्छ॒न्दाꣳ॒सि॒ शु॒ष्य॒न्ति॒ च्छ॒न्दाꣳ॒स्य॒नु॒ लो॒को॒ लो॒क॒म॒न्वा॒त्मा॒ऽऽत्मा॒न॒म॒नु॒ प्र॒जा॒ प॒श॒वः॒ स॒ ह॒ श्वः॒ श्व॒ ऽए॒व॒ पा॒पी॒या॒न्भ॒व॒ति॒ य॒ ऽए॒ता॒नि॒ पु॒र॒स्मै॒ क॒रो॒ति ॥ १२ ॥

(न्यु) अ॒थ॒ य॒ ऽए॒ता॒न्य॒कृ॒त्वा । पु॒र॒स्मा॒ऽअ॒पि॒ स॒र्वै॒र॒न्यै॒र्य॒ज्ञ॒क्र॒तु॒भि॒र्या॒ज॒ये॒दे॒ते॒भ्यो॒ है॒वा॒स्य॒ स॒मु॒द्रे॒भ्य॒श्छ॒न्दाꣳ॒सि॒ पु॒न॒रा॒प्या॒य॒न्ते॒ च्छ॒न्दाꣳ॒स्य॒नु॒ लो॒को॒ लो॒क॒म॒न्वा॒त्मा॒ऽऽत्मा॒न॒म॒नु॒ प्र॒जा॒ प॒श॒वः॒ स॒ ह॒ श्वः॒ श्व॒ ऽए॒व॒ श्रे॒या॒न्भ॒व॒ति॒ य॒ ऽए॒ता॒नि॒ पु॒र॒स्मै॒ न॒ क॒रो॒त्य॒थै॒ष॒ ह॒ वा॒ऽअ॒स्य॒ दै॒वो॒ऽमृ॒त॒ ऽआ॒त्मा॒ स॒ य॒

किं चानाप्तम् । इन्द्राग्नी वै सर्वे देवाः । सर्वदेवत्योऽग्निः । यावानग्निर्यावत्यस्य मात्रा तावतैवास्य तदाप्नोति यदस्य किं चानाप्तम् ॥ १० ॥

तद्धैके—कर्मणः कर्मण एवैतां प्रतिपदं कुर्वते । अपहतपाप्मान एतत्कर्म करवामहा इति । पुरीषवतीं चितिं कृत्वोपतिष्ठेतेत्यु हैक आहुः । तत्र हि सा सर्वा कृत्स्ना भवतीति । स यथा कामयेत तथा कुर्यात् । इति नु चयनस्य । अथातोऽचयनस्य ॥ ११ ॥

त्रयो ह वै समुद्राः—अग्निर्यजुषाम्, महाव्रतं साम्नाम्, महदुक्थमृचाम् । स य एतानि परस्मै करोति—एतान् ह स समुद्राञ्छोषयते । ताञ्छुष्यतोऽन्वस्य च्छन्दांसि शुष्यन्ति । छन्दांस्यनु लोकः । लोकमन्वात्मा । आत्मानमनु प्रजा पशवः । स ह श्वः श्व एव पापीयान्भवति—य एतानि परस्मै करोति ॥ १२ ॥

अथ य एतान्यकृत्वा परस्मा अपि सर्वैरन्यैर्यज्ञक्रतुभिर्याजयेत्—एतेभ्यो हैवास्य समुद्रेभ्यश्छन्दांसि पुनराप्यायन्ते । छन्दांस्यनु लोकः । लोकमन्वात्मा । आत्मानमनु प्रजा पशवः । स ह श्वः श्व एव श्रेयान् भवति । य एतानि परस्मै न करोति । अथैष ह वाऽअस्य दैवोऽमृत आत्मा । स य

ऽएतानि पुरस्मै करोत्येतᳬं ह स दैवमात्मानं पुरस्मै प्रयच्छत्यथ शुष्क ऽएव स्थाणुः परिशिष्यते ॥ १३ ॥

तद्धैके । कृत्वा कुर्व्वते वा प्रति वा कारयन्तऽएषा प्रायश्चित्तिरिति न तथा कुर्याद्यथा शुष्कᳬं स्थाणुमुदकेनाभिषिञ्चेत्तादृक्तत्पूयेद्वा वै स वि वा म्रियेतन्नैतस्य प्रायश्चित्तिरस्तीत्येव विद्यात् ॥ १४ ॥

(३) अथ ह स्माह शाण्डिल्यः । (स्तु) तुरो ह कावषेयः कारोत्यां देवेभ्योऽग्निं चिकाय तᳬं ह देवाः पप्रच्छुर्मुने यदलोक्यामग्निचित्यामाहुरथ कस्मादचैषीरिति ॥ १५ ॥

स होवाच । किं नु लोक्यं किमलोक्यमात्मा वै यज्ञस्य यजमानो-ऽङ्गान्यृत्विजो यत्र वाऽआत्मा तदङ्गानि यत्रोऽअङ्गानि तदात्मा यदि वाऽऋत्विजोऽलोका भवन्त्यलोकऽउ तर्हि यजमानऽउभये हि समानलोका भवन्ति दक्षिणासु त्वेव नु संवदितव्यᳬं संवादेनैवऽर्त्विजोऽलोका ऽइति।१६॥

इति चतुर्थप्रपाठके तृतीयं ब्राह्मणम् ॥ ९-४-३ ॥ (५. २.) ॥

चतुर्थः प्रपाठकः समाप्तः ॥९-४॥ (कण्डिकासंख्या १००)

इति पञ्चमोऽध्यायश्च समाप्तः ॥ ९-५ ॥

अस्मिन् काण्डे कण्डिकासंख्या ॥ ४०२ ॥ ब्राह्मणानां संख्या ॥ १५ ॥

इति माध्यन्दिनीये शतपथब्राह्मणे संचितिनामकं

नवमं काण्डं समाप्तम् ॥ ९ ॥

एतानि परस्मै करोति-एतं ह स दैवमात्मानं परस्मै प्रयच्छति । अथ शुष्क एव स्थाणुः परि-शिष्यते ॥ १३ ॥

तद्धैके कृत्वा कुर्वते वा, प्रति वा कारयन्ते-एषा प्रायश्चित्तिरिति । न तथा कुर्यात् । यथा शुष्कं स्थाणुमुदकेनाभिषिञ्चेत्-तादृक्तत् । पूयेद्वा वै सः । वि वा म्रियेत् । नैतस्य प्रायश्चित्तिरस्ति-इत्येव विद्यात् ॥ १४ ॥

अथ ह स्माह शाण्डिल्यः-तुरो ह कावषेयः कारोत्यां देवेभ्योऽग्निं चिकाय । तं ह देवाः पप्रच्छुः । मुने ! यदलोक्यामग्निचित्यामाहुः-अथ कस्मादचैषीरिति ॥ १५ ॥

स होवाच-किं नु लोक्यम्, किमलोक्यम् । आत्मा वै यज्ञस्य यजमानः, अङ्गान्यृत्विजः । यत्र

वा आत्मा–तदङ्गानि । यत्रो अङ्गानि–तदात्मा । यदि वा ऋत्विजोऽलोका भवन्ति–अलोक उ तर्हि यजमानः । उभये हि समानलोका भवन्ति । दक्षिणासु त्वेव न सम्वदितव्यम् । संवादेनैवर्त्विजोऽलोका इति ॥ १६ ॥

इति संचितिप्रकरणं सम्पूर्णम् ।

इति श्रीसायणाचार्यविरचिते माधवीये वेदार्थप्रकाशे माध्यन्दिनीयशतपथब्राह्मणभाष्ये नवमकाण्डे पञ्चमेऽध्याये द्वितीयं ब्राह्मणम् ॥ (९–५–२) ॥

वेदार्थस्य प्रकाशेन तमो हार्दं निवारयन् । पुमर्थांश्चतुरो देयाद् विद्यातीर्थमहेश्वरः ॥ १ ॥

ब्रह्माण्डं गोसहस्रं कनकहयतुलापूरुषौ स्वर्णगर्भं,
सप्ताम्भोध्यब्धसीरीरीश्रिदशतरुलताधेनुसौवर्णभूमीः ।
रत्नोस्रां रुक्मवाजिद्विपमहितरथौ सायणिः सिङ्गणार्यो,
व्यश्राणीद्विश्वचक्रं प्रथितविधिमहाभूतयुक्तं घटं च ॥
धान्याद्रिं धन्यजन्मा तिलभवमतुलः स्वर्णजं वर्णमुख्यः,
कार्पासीयं कृपाम्बुश्चक्रतमजडो राजतं राजपूज्यः ।
आज्योत्थं प्राज्यजन्मा लवणजमनुणः शार्करं चार्कतेजा,
रत्नाढ्यो रत्नरूपं गिरिमकृत मुदा पात्रसात्सिङ्गणार्यः ॥

इति श्रीमद्राजाधिराजपरमेश्वरवैदिकमार्गप्रवर्त्तकश्रीवीरबुक्कहरिहरमहाराजसाम्राज्यधुरन्धरेण सायणाचार्येण विरचिते माधवीये वेदार्थप्रकाशे माध्यन्दिनीयशतपथब्राह्मणभाष्ये नवमकाण्डे पञ्चमोऽध्यायः ॥ (९–५) ॥

इति श्रीशतपथब्राह्मणे सायणभाष्यसमेतं
संचितिसंज्ञकं नवमं काण्डं
समाप्तम् ।

अत्रादितः षष्ट्यध्यायसंमितो नवकाण्डात्मकः
ऐष्टिक–पाशुक–सौमिक–चैत्यकेतिप्रकरण-
चतुष्टयप्रतिपादकः शतपथब्राह्मणान्तर्गतः
षष्टिपथसंज्ञको ब्राह्मणभागश्चरमध्वंस-
मगात् इति ॥

श्रीवाजसनेयि-माध्यन्दिन-

शतपथब्राह्मणम्

श्रीमत्सायणाचार्यविरचित-
वेदार्थप्रकाशाख्यव्याख्यासमेतम्
उपयुक्तभाष्यानुपलब्धिस्थाने
श्रीहरिस्वामिभाष्यसमेतम्

"प्रथमखण्डात् पंचमखण्डपर्यन्तं"

चतुर्थो भागः

दशमैकादशद्वादशत्रयोदशचतुर्दशाद्यप्रवर्ग्यकाण्डात्मकः

GIAN

ज्ञानपब्लिशिंगहाउस

देहली-११००० (भारतम्)

ज्ञानपब्लिशिंगहाउस

देहली-११०००२ (भारतम्)

प्रथमं पुनर्मुद्रणं १९८७ तमे वर्षे

भारते मुद्रितम्

इदं पुस्तकं ज्ञानपब्लिशिंगहाउस कृते गायत्रीगर्गमहाभागया
देहली ११०००२ तः प्रकाशितम् तथा गोयलआफसेटमुद्रणालय
देहली ११००३५ तः मुद्रितम् ।

THE ŚATAPATHABRĀHMAṆA

ACCORDING TO
THE
MĀDHYANDINA RECENSION
WITH
THE VEDARAPRAKĀŚA BHĀṢYA
OF
SĀYAṆĀCĀRYA
SUPPLEMENTED BY THE COMMENTARY
OF
HARISVĀMIN

VOLUME IV
CHAPTERS 10-14

GYAN PUBLISHING HOUSE
New Delhi - 110002

श्रीशः शरणम् ।

अथाग्निरहस्यनामके दशमे काण्डे

विषयानुक्रमणिका प्रारभ्यते ।

अथ द्वितीयोऽध्यायः ।

इति षष्ठोऽध्यायः ।

इत्यग्निरहस्यं नाम दशमं काण्डं समाप्तम् ।

इति माध्यंदिनशतपथब्राह्मणस्य पूर्वार्द्धं परिसमाप्तम् ॥

श्रीशः शरणम् ।

अथैकादशे सङ्ग्रहापरपर्यायेऽष्टाध्यायीसंज्ञके काण्डे

विषयानुक्रमणिका प्रारभ्यते ।

ब्रा०	विषयाः	पृष्ठाङ्काः

ब्रा० विषयाः	पृष्ठाङ्काः
समृद्धिरुपासकस्यैवोक्तफलहेतुः स्यादिति निगमनम्, इत्थं हविषः समृद्धिमुपपाद्य प्रसङ्गात्तत्साध्यस्य यज्ञस्यापि न्यूनत्वादिदोषपरिहाराय समृद्धिं वक्तुं प्रतिज्ञाकरणम्, तत्र यज्ञसमृद्धिं वक्तुं न्यूनातिरिक्तत्वादिधर्माणां यज्ञावयवत्वप्रतिपादनम्, एतदुपजीव्य यज्ञसमृद्ध्यर्थं तदुपासनकथनम्, इत्थं न्यूनातिरिक्तदोषस्योपासनया समीकरणमुक्त्वा सम्यगनुष्ठितस्याप्यङ्गस्याधिकफलसिद्ध्यर्थमुपासनविधानम्, प्रतिज्ञाताया यज्ञसमृद्धेर्निगमनम्, तत्र समृद्धिरूपवेदनस्य फलनिरूपणं चेत्यादि.	११४-११८

इति चतुर्थोऽध्यायः ।

अथ पञ्चमोऽध्यायः ।

ब्रा० विषयाः	पृष्ठाङ्काः
१ **आश्वत्थ्योररण्योरुत्पत्तिख्यापकं ब्राह्मणम्**—तत्र दर्शपूर्णमासविकृतिभूतांश्चातुर्मास्यादीन्प्रशंसितुमादौ तत्राग्निमन्थनसद्भावात्तत्साधनभूतयोररण्योरश्वत्थविकृतित्वस्य विधित्सया तदर्थमाख्यायिकाया अभिधानं, तस्यां चोर्वशीपुरूरवसोः ससंवित्कस्य जायापत्यभावस्य वर्णनं, तत्रोर्वशी यावता कालेन गर्भवती बभूव तावच्चिरकालपर्यन्तमस्मिल्लोके पुरूरवसि निवसति स्मेत्यर्थस्याभिधानं, एवमुर्वश्यां चिरकालं मनुष्यलोकसंस्थायिन्यां तद्विरहमसहमानैर्गन्धर्वैः कृतस्य तद्धरणोपायस्य सप्रकारकं प्रदर्शनं, तत्र गन्धर्वाणां कौशल्येन जातं समयभङ्गं दृष्ट्वोर्वश्यास्तिरोभावकथनं, उर्वशीदर्शनकामनया कुरुक्षेत्रसमीपेऽन्यतःप्लक्षनाम्नः सरसस्तीरे सञ्चरतः पुरूरवसः पुरतो जलचरपक्षिविशेषरूपं परिहायान्याभिरप्सरोभिः साकमुर्वश्या आत्मनः प्रादुर्भावकथनम्, अप्सरोगणमध्यस्थितामुर्वशीं ज्ञात्वा हे उर्वशि ! मा गास्तिष्ठ गमनान्निवर्तस्व क्षिप्रं संवदावहै इत्यादिरूपेण पुरूरवसः प्रार्थनाकरणस्योर्वश्यास्तत्प्रत्याख्यानकरणस्य च यथायथं मंत्रद्वयेनोपवर्णनम्, उर्वश्या एवं निराकृतस्य पुरूरवस एकेन मंत्रेण दुःखप्रदर्शनम्, एवं परिदेवने कृते तन्निवारणार्थमुर्वश्या कृतस्य तत्समाधानस्यकेन मंत्रेण सप्रकारकं कथनम्, इत्थं सहसा प्राप्तुकामं पुरूरवसं निराकृत्योर्वश्या स्वप्राप्त्युपायान्तरं तस्योपदेष्टुं तत्कृतोपकारस्यैकेन मंत्रेणाविष्करणकथनं, यदत्र मंत्रपञ्चकात्मकं उर्वशीपुरूरवसोरुक्तप्रत्युक्तलक्षणसूक्तैकदेश उक्तस्तत्सूक्तं पञ्चदशर्चं बह्वृचाः प्राहुरित्याद्यभिधानम्, इत्थमुक्तिप्रत्युक्तिभ्यां विलीनहृदययोर्वश्या पुनः पुरूरवसा सह संवत्सरस्यान्तिमायां रात्र्यां पुनर्मेलनार्थं समयं कृत्वा तमनुसृत्य मेलनं कृत्वा च गन्धर्वास्ते प्रातर्वरं दास्यन्ति तदा त्वं हे गन्धर्वाः ! युष्माकं मध्येऽहमप्येको भवानीति वरं वृणीष्वेत्यर्थस्य निरूपणम्, इत्थं गन्धर्वरूपत्वे पुरूरवसा प्रार्थिते सति तत्प्राप्त्युपायफलस्य गन्धर्वैरुपदेश्यस्यानुक्रमणं, तत्र प्रथमं गन्धर्वत्वप्रापकं यागं कर्तुं पुरूरवसे गन्धर्वैर्यज्ञार्होऽग्निः स्थाल्यामोप्य प्रत्त इत्यभिधानम्, एवं गन्धर्वैर्दत्ते सति पुरूरवास्तमग्निम् उर्वशीगर्भाज्जातं कुमारं चादाय तन्मध्यात्स्थालीसहितमग्निमरण्ये एव निधाय कुमारेणैव सह ग्रामे स्वस्थानमाजगामेत्याद्यर्थस्य प्रतिपादनं, ततः पुरूरवाः पुनररण्यमेत्य निहितं सस्थ	

ब्रा० विषयाः	पृष्ठाङ्काः

इति षष्ठोऽध्यायः ।

अथ सप्तमोऽध्यायः ।

इत्यष्टमोऽध्यायः ।

इति संग्रहापरनामधेयमष्टाध्यायीनामकमेकादशं काण्डं समाप्तम् ॥

श्रीशः शरणम् ।

अथ द्वादशे मध्यम–सौत्रामण्युभयनामके काण्डे

विषयानुक्रमणिका प्रारभ्यते ।

ब्रा० विषयाः — पृष्ठाङ्काः

तत्र प्रथमोऽध्यायः ।

इति प्रथमोऽध्यायः ।

अथ द्वितीयोऽध्यायः ।

इति द्वितीयोऽध्यायः ।

ब्रा० विषयाः	पृष्ठाङ्काः

अथ तृतीयोऽध्यायः ।

ब्रा०	विषयाः	पृष्ठाङ्काः

इति चतुर्थोऽध्यायः ।

अथ पञ्चमोऽध्यायः ।

ब्रा० विषयाः	पृष्ठाङ्काः	ब्रा० विषयाः	पृष्ठाङ्काः

मारण्यकपशूनां लोमभिः श्रीणीयादिति प्रशंसार्थवादेन सूचनं, प्रसङ्गाल्लोकेऽपि यज्ञानुकरणेन सुरां पीत्वा रौद्रमनाः पुरुषो ग्राम्याणां पशूनामहिंसायै मृगयाव्याजेनारण्येषु पशुषु रौद्रमायुधं दधातीति लौकिकव्यवहारप्रदर्शनम्, अध्वर्युप्रतिप्रस्थातारौ जघनेन वेदिम्प्राञ्चमावृत्तं यजमानं "या व्याघ्रं" इति मन्त्रद्वयेन श्येनपत्राभ्यामूर्ध्वञ्चावाञ्चञ्च पावयत इति सार्थवादं प्रतिपादनं, "सम्पृचः स्थ" इति मन्त्रेण पयोग्रहान् "विपृचः स्थ" इति मन्त्रेण सुराग्रहान्संमृशेदिति सार्थवादं विधानं चेत्यादि. ९९–१०३

इति सप्तमोऽध्यायः ।

अथाष्टमोऽध्यायः ।

–यत्रेन्द्रस्येन्द्रियाणि वीर्याणि व्युदक्रामंस्तानि देवाः पुनरग्निमग्ने पयोग्रहाणां सुराग्रहाणां च ग्रहणेन तस्मिन्समदधुरिति वक्ष्यमाणानां पयोग्रहसुराग्रहहोमानां प्रशंसनम्, उत्तरेऽग्नौ पयोग्रहा होतव्या इति सार्थवादं विधानम्, अध्वर्युः "सुरावन्तं" इति मन्त्रेण पयोग्रहान् जुहुयादिति विधायोक्तं मन्त्रं व्याख्याय च होमोत्तरं हुतशेषं भक्षयेदिति सार्थवादं विधानं, विहितं भक्षणमनूद्य तत्र मन्त्रं विधाय तस्य व्याख्यानं, सुराग्रहा दक्षिणेऽग्नौ होतव्या इति सार्थवादं विधानम्, अध्वर्युः "यस्ते रसः सम्भृतः" इति मन्त्रेण सुराग्रहान् जुहुयादिति विधायोक्तं मन्त्रं व्याख्याय च होमोत्तरं हुतशेषं भक्षयेदिति सार्थवादं विधानं, विहितं भक्षणमनूद्य तत्र मन्त्रं विधाय तस्य व्याख्यानं, तदेतत्सुराग्रहभक्षणं भक्षार्थं परिक्रीतेन राजन्यवैश्ययोरन्यतरेण कर्तव्यमिति चरकाध्वर्यूणां मतमनूद्य सकारणं निरस्य च कारणप्रदर्शनपुरःसरं प्रागुक्तस्वीयमतस्य दृढीकरणं, दक्षिणस्याहवनीयाग्नेस्त्रीनङ्गारान् बहिष्परिधि निर्वर्त्य तेषु "पितृभ्यः" इत्येताभिस्तिसृभिर्व्याहृतिभिर्होमावशिष्टान् सुराग्रहान् जुहुयादिति प्रोक्तव्याहृतीनामभिप्रायसहितं विधानं, ग्रहपात्रेष्वप आनीय ता होमदेशेषु यथाक्रमं निनयतीति मन्त्रमन्त्राभिप्रायसहितं विधानं, "पितरः शुन्धध्वम्" इत्यस्य मन्त्रस्य जपविधानम्, अनुपूर्वमेवैनान्पित्रादीन्सर्वान् पावयतीति सहेतुकं विधानं, तच्च विहितं पावनं त्रिभिः पवित्रैः पावमानीभिः "पुनन्तु मा पितरः" इत्येताभिर्ऋग्भिस्तत्रापि तिसृभिस्तिसृभिर्ऋग्भिरेवं नवभिर्ऋग्भिः पावयन्त्यध्वर्युप्रभृतय इति सार्थवादं विधानं, पूर्वं "त्रिभिः पवित्रैः पावयन्ति" इति यत्सामान्यतो विहितं तत्राजाविलोममयेन पवित्रेण गोऽश्ववालमयेन पवित्रेण हिरण्मयेन पवित्रेण च पावयन्तीति विशेषस्य सार्थवादं विधानम्, एतानि त्रीणि पवित्राण्यन्तर्धाय पूतया सुरया पावयन्तीति तात्पर्यतो विधानं, यो विद्वानेवमुक्तरीत्या सौत्रामण्या यजते वा उक्तार्थं वेद स सर्वस्मात्पाप्मनो निर्मुच्यत इति फलाभिधानं, सौत्रामण्या याजयितव्यं न वा याजयितव्यमिति सन्देहमुद्भाव्य यतोऽनन्तरायं ह्यस्य यज्ञः सर्वं पाप्मानमपघ्नन्ति तस्माद्याजयितव्यमिति केवलयाज्ञिकविषयकस्य पक्षस्य प्रदानं प्रदाय याजयितव्यमेवेति विद्वद्विषयकस्य पक्षस्य

ब्रा० विषयाः	पृष्ठाङ्काः	ब्रा० विषयाः	पृष्ठाङ्काः
स्य उपास्यति प्रतिमन्त्रं मन्त्राभिप्रायोपेतमभिधानं, "पशूनां वसयाऽभिषिञ्चति" इत्यभिषेकसाधनभूतस्य द्रव्यस्य सार्थवादं विधानं, ऋषभशफैर्गृहीता वसाग्रहा भवन्ति ते च त्रयस्त्रिंशत्संख्याकास्तांश्च जगतीछन्दस्काभिः षोडशभिर्ऋग्भिर्जुहुयादिति प्रत्येकस्यार्थस्य सार्थवादं निरूपणं, "सीसेन तन्त्रं मनसा" इति मन्त्रोपलक्षितेनानुवाकेन प्रत्यृचं द्वौ द्वौ होमौ समासं हुत्वा तच्छेषान्सते पात्रे समवनयेदिति सार्थवादं विधानं, तच्च सताख्यं पात्रं वैतसं भवतीति सार्थवादमभिधानं, यजमानस्य सर्वसुरम्युन्मर्दनं कर्तव्यमिति सार्थवादं विधानं, यजमानस्य पुरस्तात्समीपे प्रतिदिशमवस्थितः सन्नध्वर्युरामुखादन्ववस्रावयन् यजमानं शिरस्यभिषिञ्चेदिति सार्थवादं विधानं, तत्र तावद्विहितोऽभिषेकः प्रथमवारमाश्विनेन यजुषा द्वितीयवारं सारस्वतेन यजुषा तृतीयवारमैन्द्रेण यजुषा चतुर्थवारमेकेषां मतेन सर्वाभिर्देवताभिरर्थात्तद्देवत्यैस्त्रिभिर्यजुर्भिः पुनरेकेषां मतेन "भूर्भुवः स्वः" इत्येताभिर्व्याहृतिभिरभिषिञ्चेदिति विधानं, तत्रापि एकेषां व्याहृतिपक्षं कारणाभिधानेन समर्थ्य तं निरस्य च स्वमतेन "एताभिरेवैनं देवताभिरभिषिञ्चेत्" इत्यस्य पक्षस्य कारणोपन्यासपुरःसरं समर्थनं, "पुरस्तात्स्विष्टकृतोऽभिषिञ्चति-अन्तरा वनस्पतिञ्च स्विष्टकृतञ्चाभिषिञ्चति" इत्यादिनाऽभिषेकस्य सार्थवादमवसरविधानं, एवं यजमानं क्रमेण जानुमात्रे नाभिमात्रे मुखमात्रे इत्येतेषु प्रमाणेषु धारयेयुरिति		सार्थवादं विधानं, वाजपेयसौत्रामण्योरभिषेकवत्त्वसामान्येन समानत्ववर्णनं, सकारणं सार्थवादं यजमानस्य कृष्णाजिने प्रत्यवरोहणं विधाय तत्र मन्त्रं विनियुज्य तस्य साभिप्रायं तात्पर्यार्थकथनं, वक्ष्यमाणं त्रयस्त्रिंशं वसाग्रहमुद्दिश्य तदङ्गत्वेन सामगानस्य सार्थवादं विधानं, तच्च साम बृहतीच्छन्दस्कायामिन्द्रलिङ्गायां "बृहदिन्द्राय गायत" इत्यस्यामृचि गेयमिति सार्थवादमभिधानम्, ऋत्विजो यजमानश्च सर्वे "संश्रवसे" इत्यादि चत्वारि संज्ञानापरनामधेयानि चतुर्निधनानि पठेयुरिति कारणपूर्वकसंज्ञाननामनिरुक्तिसहितं सार्थवादं विधानं, एतस्य गीयमानस्य साम्न उक्थप्रतिष्ठयोः प्रश्नोत्तराभ्यां निरूपणं, "त्रया देवा एकादश-प्रथमा द्वितीयैः" इत्येताभ्यां मन्त्राभ्यां त्रयस्त्रिंशं वसाग्रहं जुहुयादिति विधाय विनियुक्तयोरेतयोर्मन्त्रयोर्व्याख्यानं, तत ऋत्विक्षूपहवमिष्ट्वा यजमानो भक्षयतीति सार्थवादं विधानं, विहितं यजमानकर्तृकं भक्षणमनूद्य तत्र मन्त्रस्य विनियोजनं, यः सौत्रामण्याऽभिषिच्यते यश्चावान्तरामात्मानमुपह्वयते तस्य पुरुषस्य सर्वमङ्गं संस्कृतमन्यून च संभवतीति सौत्रामण्याः प्रशंसनं चेत्यादि.	१२४-१३४
		इत्यष्टमोऽध्यायः ।	
		अथ नवमोऽध्यायः ।	
		१ **सौत्रामणीयज्ञात्पुरुषोत्पत्तिः**-तत्र प्रकृतादेतस्मात्सौत्रामणीयज्ञात् पुरुषो जायते इति पुरुषोत्पत्त्युपक्रमस्य निरूपणं, तत्र प्रसङ्गादयं सौत्रामणीयज्ञो	

ब्रा० विषयाः	पृष्ठाङ्काः
मित्येतत्सार्थवादमभिधानं, बह्लिकस्य स्वगृहमागत्य रेवोत्तरसाऽनुष्ठितवृत्तान्तस्य कथनम्, उत्तरेऽग्नौ पशुपुरोडाशपयोग्रहैः प्रचरणस्य फलनिरूपणं, दक्षिणेऽग्नौ च सुराग्रहहवनस्य त्रिषंयुक्ताभिः पवित्राभिः पावनस्य च फलनिरूपणं, सौत्रामण्या आत्मत्वमैन्द्रवायोधसयोः पश्वोर्बाहुद्वयरूपत्वं च सकारणमुपपाद्य सौत्रामण्या आदावन्ते च यथाक्रमं तयोरैन्द्रवायोधसयोः पश्वोरनुष्ठानस्य सार्थवादं विधानम्, एवमेव सौत्रामण्यां मध्येऽस्य त्रिपशोरेक एव आत्मसदृशो यूपो भवति तदभित इमौ बाहुसदृशौ ऐन्द्रवायोधसौ पशू भवत इति प्रतिपादनं चेत्यादि.	१४४–१५९

इति नवमोऽध्यायः ।

इति द्वादशं सौत्रामण्यपरनामकं मध्यमसंज्ञकं काण्डं समाप्तम् ।

विशेषसूचनम् ।

१ द्वादशे काण्डे तृतीयेऽध्याये चतुर्थब्राह्मणे एकादश्यां कण्डिकायां (द्विचत्वारिंशत्तमे पृष्ठे) ऋजुपाठे प्रथमपर्यायादग्रेतनो द्वितीयः पर्यायः "सर्वान् देवान् आत्मन्नविषि सर्वेषु देवेषु आत्मानमधाम् ।"इत्याकारक पाठः परिच्युतः । स चात्र मुद्रितः । स तत्र मूलानुसारेणानुसन्धेय इति सप्रश्रयं सूच्यते ॥

२ द्वादशे एव काण्डेऽष्टमेऽध्याये प्रथमब्राह्मणे द्वाविंश्यां कण्डिकायां (द्वादशोत्तरशततमे पृष्ठे) ऋजुपाठेऽन्ते "धत्त । इति " इत्यस्मादनन्तरं " हिरण्येन मार्जयन्ते " इत्यस्मात्प्राक् च " तत् ये एवैनमेते याजयन्ति, तानेतदाह-एतन्मयि सर्वं धत्तेति ।" इत्याकारकोंऽशः परिच्युतः । स चात्र मुद्रितः । स तत्र मूलानुसन्धेय इति सप्रश्रयं सूच्यते ॥

श्रीशः शरणम् ।

अथ त्रयोदशेऽश्वमेधसंज्ञके काण्डे

विषयानुक्रमणिका प्रारभ्यते ।

अ० विषयाः	पृष्ठाङ्काः	अ० विषयाः	पृष्ठाङ्काः

मूल्यार्हः प्रथमवया दक्षिणधुर्यभ्य उत्कृष्टश्वेत्यादिविशिष्टलक्षणैरुपलक्षितोऽपेक्ष्यते इति सार्थवादमभिधानं, तत्र भाल्लवेयर्षिमतेन त्वश्वः शुक्लकृष्णेति द्विरूपः कृष्णसारङ्गो वाऽपेक्ष्यते इति सकारणं सार्थवादमभिधानं, तथा सात्ययज्ञिमतेन त्वश्वः पूर्वार्द्धे कृष्णोऽपरार्द्धे शुक्लः पुरस्ताल्ललाटे कृत्तिकाञ्जिरित्येवं त्रिरूपोऽपेक्ष्यते इति सकारणं सार्थवादमभिधानं, दिग्विजयार्थं विसृष्टस्याश्वस्य पुरस्तात्समन्ततश्च शतं कवचिनो राजपुत्राः-शतं निषङ्गिणो राजन्याः—शतमिषुधर्षिणः सूतग्रामणीपुत्राः—शतं दण्डिनः क्षात्त्रसङ्ग्रहीतॄणां पुत्राः निरमगं निरष्टमश्वशतं च रक्षितृत्वेन नियुञ्ज्यादिति विधानम्।

सावित्रीष्टिः—तत्र प्रथमायां प्रसवितृगुणकाय सवित्रे द्वादशकपालं पुरोडाशं निर्वपेदिति सार्थवादं प्रथमायाः सावित्रीष्टेर्विधानम्, तस्या एतस्याः प्रथमायाः सावित्रीष्टेः पञ्चदश सामिधेन्यः—वार्त्रघ्नावाज्यभागौ—उपांशुहविषो याज्याऽनुवाक्ययोर्मन्त्रप्रतीके विराजौ संयाज्ये शतमानं सुवर्णं हिरण्यं दक्षिणा चेतिकर्तव्यताविशेषस्य सार्थवादं विधानम्, तथैतस्यामिष्टौ प्रयाजेषु तायमानेषु वीणागाथी कश्चनाविंग्भिन्नो ब्राह्मणो दक्षिणत उपविश्योत्तरमन्द्रया वीणया स्वयंकृता राजकर्तृकयागदानेतिहासविशिष्टास्तिस्रो गाथा गायतीति विधानम्, आसवितृगुणकाय सवित्रे द्वादशकपालं पुरोडाशं निर्वपेदिति सार्थवादं द्वितीयायाः सावित्रीष्टेर्विधानम्, तस्या एतस्या द्वितीयायाः सावित्रीष्टेः सप्तदश सामिधेन्यः सद्वन्तावाज्यभागौ—उपांशुहविषो याज्याऽनुवाक्ययोर्मन्त्रप्रतीके अनुष्टुभौ संयाज्ये—शतमानं रजतं हिरण्यं दक्षिणा चेतिकर्तव्यताविशेषस्य सार्थवादं विधानम्, पूर्वेष्टिवत्प्रयाजेषु तायमानेषु वीणागाथी कश्चनार्विग्भिन्नो ब्राह्मणो दक्षिणत उपविश्योत्तरमन्द्रया वीणया स्वयङ्कृता राजकर्तृकयागदानेतिहासविशिष्टास्तिस्रो गाथा गायतीति विधानम्, सत्यप्रसवगुणकाय सवित्रे द्वादशकपालं पुरोडाशं निर्वपेदिति सार्थवादं तृतीयायाः सावित्रीष्टेर्विधानम्, तस्या एतस्यास्तृतीयायाः सावित्रीष्टेः सप्तदश सामिधेन्यः रथिमन्तावाज्यभागौ उपांशुहविषो याज्यानुवाक्ययोर्मन्त्रप्रतीके नित्ये संयाज्ये शतमानं सुवर्णं हिरण्यं दक्षिणा चेतिकर्तव्यताविशेषस्य सार्थवादं विधानम्, पूर्वेष्टिवत्प्रयाजेषु तायमानेषु वीणागाथी कश्चनार्विग्भिन्नो ब्राह्मणो दक्षिणत उपविश्योत्तरमन्द्रया वीणया स्वयङ्कृता राजकर्तृकयागदानेतिहासविशिष्टास्तिस्रो गाथा गायतीति विधानम्, तृतीयायां सावित्र्यिष्ट्यां संस्थितायामध्वर्युयजमानावुत्थायाश्वस्य दक्षिणे कर्णे "विभूर्मात्रा प्रभूः पित्रा" इतीमानि यजूंष्याजपतो जपोत्तरञ्चैनमश्वमुत्तरपूर्वस्यां दिशि प्रसृजतश्चेति सार्थवादं विधानं, ततोऽश्वस्य रक्षिणः प्रति सप्रकारकं मन्त्रेण रक्षणविषयकमादेशकरणविधानम्, तत्र संवत्सरात्मके प्रवासेऽश्वस्याश्वरक्षकाणां च खादनपाननिवासजयसम्पादनादिकाया दिनचर्यायाः

इति पुरुषमेधः ।

इति षष्ठोऽध्यायः ।

अथ सप्तमोऽध्यायः ।

इति सर्वमेधः।

इति सप्तमोऽध्यायः।

अथ अष्टमोऽध्यायः।

ब्रा० विषयाः	पृष्ठाङ्काः	ब्रा० विषयाः	पृष्ठाङ्काः
र्तीति कारणनिर्देशपुरःसरं प्रत्याख्यानं, पुनरेतच्छ्मशानं समभूमौ--तत्रापि रमणीये सुखनीये च प्रदेशे--तत्रापि दूराध्वनि प्रदेशे--तत्रापि वृक्षगुल्माद्याकाशवर्जिते प्रदेशे--तत्रापि वृक्षगुल्मादिभिः समन्तात्संवृते सत्यधस्ताभिनि प्रदेशे--तत्रापि पार्श्वतोऽवकाशवर्जिते प्रदेशे--तत्रपि वनगिरिदेवगृहादिना चित्रेऽर्थादर्शनीये प्रदेशे तत्राप्यूषरे प्रदेशे--तत्रापि वीरिणमिश्रे औषधिमूलसहिते प्रदेशे--तत्रापि विशाखशराश्वगन्धापृश्निपर्ण्यध्याण्डादिविवर्जिते प्रदेशे तत्राप्यश्वत्थविभीतकतिल्वकस्फूर्जकहरिद्रुन्यग्रोधानां ये च पापनामानो वृक्षास्तेषामनन्तिके प्रदेशे कर्तव्यमिति प्रतिपर्यायं सोपपत्तिकं सार्थवादं श्मशानोचितप्रदेशप्रदर्शनम्, पुनस्तच्छ्मशानमग्निचितोऽग्निविधया कुर्यादिति सोपपत्तिकं सार्थवादमभिधानं, पुनरप्येतच्छ्मशानं महत्न कुर्यात्किन्तु यावानपक्षपुच्छोऽग्निस्तावन्मितं कुर्यादिति सकारणं केषाञ्चिन्मतमुपन्यस्य पुरुषमात्रं पश्चादुत्तरतश्च पृथुतरं च कुर्यादिति सार्थवादं सप्रयोजनं विधाय तदप्रदक्षिणं वलिताभी रज्जुभिः पर्यातन्यादिति सहेतुकं निरूपणं, तत्र श्मशाने यावति प्रदेशेऽस्थिनिवापः सम्भवेत्तावन्तं प्रदेशं लाङ्गलेनोद्धन्यादित्येकीयं मतमुपन्यस्य पुरुषमात्रमेवोद्धन्यादिति स्वमतस्य सार्थवादमभिधानं चेत्यादि.	१४४–१५२	न्यस्यानन्तर्द्धाय निवपन्तीति पुनरन्यदीयस्य मतस्य सेतिहासं निरूपणं, ततः श्मशानक्षेत्रे गार्हपत्यचितिपरिश्रिदपेक्षयाऽपरिमिताभिः परिश्रिद्भिः परिश्रयति--तत्राग्निकीनां परिश्रितां यजुषा परिश्रयणमेतासां पैतृमेधिकीनां परिश्रितां तु तूष्णीं परिश्रयणं-यदेवाग्निकीनां परिश्रितां प्रयोजनं तदेवैतासां पैतृमेधिकीनां परिश्रितामित्येतत्सार्थवादं निरूपणं, ततः पलाशशाखया श्मशानक्षेत्रस्य व्युदूहनमर्थात्तृणपर्णादिभिर्विहीनीकरणं विधाय तत्रर्ग्यजूषी विनियुज्य तयोर्व्याख्यानम्, अस्याः पित्र्यायाः पलाशशाखाया दक्षिणस्यां निरसनमितरस्यास्तूत्तरस्यामित्यभिधानं, श्मशानक्षेत्रस्य दक्षिणत एकेषां मतेनोत्तरतो वा सीरं युनक्तीति पक्षद्वयस्येच्छाविकल्पत्वं प्रदर्श्य युंक्तेति सम्प्रेष्याभिमन्त्रयत इति विधानं, तत्राभिमन्त्रणमन्त्रं प्रतिपाद्य तस्याभिप्रेतार्थप्रदर्शनम्, तच्च सीरं षड्गवं भवतीति सार्थवादं प्रतिपादनं, ततश्चतुर्भिर्यजुर्भिश्चतसृणां सीतानां कर्षणस्य सप्रकारकं सार्थवादं विधानं, तत आत्मनो विकर्षणस्य सार्थवादं सप्रकारकं विधानम्, एवं सीताविकर्षणं कर्म कृत्वा सीरं विमुञ्चतीति समन्त्रकं सप्रयोजनमभिधायास्य पित्र्यस्य सीरस्य दक्षिणस्यां निरसनं तदितरस्य दैवस्य तूत्तरस्यां निरसनमिति सकारणमभिधानं चेत्यादि.	१५२–१५४
२ तत्र पृथिव्यां किञ्चिद्वस्त्वैरिष्टकान्तर्द्धानं कृत्वाऽस्थीनि निवपन्तीत्येकीयं मतमुप-		३ कृष्टक्षेत्रमध्ये सर्वौषधं वपतीति विधाय यच्चाग्निकं सर्वौषधवपनं तद्व्रीहिभिर्भिन्नमिदं पैतृमेधिकं च सर्वौषधवपनमेकत्र्यर्चा	

इति पितृमेधः।

इत्यष्टमोऽध्यायः।

इति परिशेषाख्ये भागे त्रयोदशेऽश्वमेधकाण्डे विषयानुक्रमणिका समाप्ता।

श्रीशः शरणम्।

अथोत्तराख्ये भागे बृहदारण्यकसंज्ञकचतुर्दश-काण्डान्तर्गते प्रवर्ग्यकाण्डे

विषयानुक्रमणिका प्रारभ्यते।

इति प्रथमोऽध्यायः।

अथ द्वितीयोऽध्यायः।

ब्रा० विषयाः	पृष्ठाङ्काः	ब्रा० विषयाः	पृष्ठाङ्काः

विनियोजनं, ततोऽस्य घर्मयागस्य वषट्कारप्रदानत्वात्प्रसक्तायाः पुरोऽनुवाक्याया निषेधप्रदर्शनं, महावीरस्थेन हविषा वषट्कृते होमस्य विधानं, विहिते होमे मन्त्रं विनियुज्य तस्य स्वाहाकारार्थवादसहितं व्याख्यानं, होमानंतरं त्रिवारं महावीरस्याग्नेरूर्ध्वाभिमुखमुज्ज्वालनं समंत्रकं विधाय तन्मंत्रस्य व्याख्यानम्, अनुवषट्कारे च समन्त्रकं होमं विधाय तन्मन्त्रस्य तात्पर्यार्थविवरणं, सप्रयोजनं ब्रह्मकर्तृकघर्मानुमन्त्रणमन्त्रं विधाय तस्य भागशोऽनूद्य व्याख्यानं, सोपपत्तिकं यजमानस्यापि घर्मानुमन्त्रणमन्त्रं विधाय तस्य भागशोऽनूद्य व्याख्यानम्, एवं वषट्कारानुवषट्कारयोर्महावीरस्थं हविर्हुत्वा तत्र यदवशिष्टं तेन प्रतिदिशमध्वर्युणा पिन्वने क्रियमाणे यजमानकर्तृकं घर्मपिन्वमानानुमन्त्रणमन्त्रं विधाय तस्य भागशोऽनूद्य व्याख्यानं, यजमानफलार्थं प्रथममूर्ध्वं पश्चात्प्रागादिदिक्षु च देवपितृतृप्त्यर्थं पिन्वनं कुर्यादित्यर्थवादेनोन्नयनम्, एवं कुर्वतो दक्षिणतोऽवस्थितस्याध्वर्योः प्रत्याक्रमणविधानं, विहिते प्रत्याक्रमणे कर्तव्यप्रकारं मन्त्रं चाभिधाय तत्र मन्त्रस्य तात्पर्यार्थं प्रदर्श्य च प्रवर्ग्ये तत्सङ्गतेरुपपादनम्, एवमुत्तरपूर्वार्द्धेऽतिक्रम्याहवनीयस्योत्तरस्यां दिशि सिकतयोप्ते स्थले महावीरस्य समन्त्रकं सादनं विधाय तस्य मन्त्रस्य व्याख्यानं, सप्तभिर्मन्त्रैः सप्त विकङ्कतशकलान्घर्मे न्यज्य जुहोति हुत्वा हुत्वा प्रथमपरिधौ हस्तलेपं निर्माष्टीति च सार्थवादं विधानम्, एतेषां सप्तानामपि शाकलमन्त्राणां मध्ये प्रथममन्त्रस्य पूषपरत्वं व्याख्याय द्वितीयतृतीयपञ्चमषष्ठशाकलमन्त्राणां प्राणपरत्वव्याख्यानं, तथा चतुर्थशाकलमन्त्रेण चतुर्थशकलं घर्मे न्यज्याग्नावहुतं सन्तं वेद्यामास्तीर्णे बर्हिषि दक्षिणभागे स्वयमुदीचीं दिशमीक्षमाणः संवृणुयादिति सार्थवादं सविशेषं विधानं, सप्तमशाकलमन्त्रेण तु सप्तमस्य शकलस्य होमं निषिध्य सप्रकारकं सोपपत्तिकं निरसनविधानम्, एताः सप्त शाकलाहुतीः संहृत्य तासां प्रशंसनं, महावीरे वर्तमानस्यावशिष्टस्य हविष उपयमन्यामासेचनस्य मन्त्रतदभिप्रायसहितं स्तावकार्थवादातिदेशसहितं च विधानं, सायंप्रातःकालयोः प्रवृञ्जनोपरिष्टात्काले होतव्यत्वेन विहितौ यौ रौहिणपुरोडाशौ तावस्मिन्काले होतव्याविति समन्त्रकं स्तावकार्थवादातिदेशसहितं च विधानम्, उपयमन्यामानीतस्यावशिष्टस्य घर्मस्य यजमानेन सहोपहवयाचनपूर्वकं मन्त्रतदर्थसहितं भक्षणविधानम्, स्तावकार्थवादातिदेशसहितं प्राग्वंशस्य दक्षिणादिग्भागे प्रवर्ग्यकर्तॄणां मार्जनविधानं, ततोऽवशिष्टानां वैकंकतशकलानां प्रहरणविधानम्, इत्थं सप्रवर्गे क्रतौ प्रवर्ग्याख्यं कर्म निर्वर्त्य तदनूपसदाख्यं कर्म कर्तव्यमित्यभिधाय प्रवर्ग्यस्य प्रयोजनकथनपूर्वकमुपसंहरणम्, इमं प्रवर्ग्यं प्रथमयज्ञे न प्रवृञ्ज्यादिति सदोषं सकारणं निषिध्य द्वितीये तृतीये वा तु यज्ञेऽमुं प्रवर्ग्यं प्रवृञ्ज्यादेवेति सोपपत्तिकं सप्रयोजनं सकारणं विपक्षे बाधककथनपुरःसरं विधानं, द्वितीयतृतीयादिष्वपि यज्ञेषु न सर्वेषां यजमानानामविशेषेणैतत्प्रवर्ग्यानुष्ठानं कर्तव्यं, किन्तु

इति तृतीयोऽध्यायः ।

इति बृहदारण्यकसंज्ञकचतुर्दशकाण्डान्तर्गते प्रवर्ग्यकाण्डे विषयानुक्रमणिका समाप्ता ।

समाप्तं प्रवर्ग्यकाण्डम् ।

श्रीशः शरणम् ।

दशमादि चतुर्दश काण्डान्तर्गत प्रथम प्रवर्ग्यकाण्डान्तेषु काण्डेषु ।

अकाराद्यनुक्रमेण विशिष्टनाम्नां सूची.

वंशोक्तान्यृषिनामानि तु तत एवावगन्तव्यानि ।

इति दशमं काण्डं समाप्तम् ।

नामानि	अ. ब्रा. क.
सोमयागः	७ । २ । १
सोमशुष्मः (सात्ययज्ञिः)	६ । २ । १
सैन्धवः (अश्वः)	९ । ९ । १२
स्वधा	९ । ६ । २
स्वेदायनः	४ । १ । २

इत्येकादशं काण्डं समाप्तम् ।

अथ द्वादशे काण्डे–

नामानि	अ. ब्रा. क.
अर्क्यम्	३ । ३ । १४
अङ्गिराः	२ । २ । ९
अच्छावाकः (ऋत्विग्)	१ । १ । ८
अतिरात्रः	२ । १ । ९, ६
अन्वाहार्यपचनः– (अग्निः)	४ । १ । ५ ४ । २ । १
आग्नीध्रः	१ । १ । ९
आरुणिः	४ । १ । ११
उद्दालकः (आरुणिरेव)	२ । २ । १३
उक्थ्यः (यागः)	२ । १ । ६, ७
उन्नेता (ऋत्विग्)	१ । १ । ९, १०
ऋभुः	३ । ४ । ९
गवामयनम् (सत्रम्)	१ । २ । १ । ३
गौरवीतिः (शाक्त्यः)	८ । ३ । ७
गृहपतिः	१ । १ । १
ग्रावस्तुत् (ऋत्विग्)	१ । १ । ९
छन्दोमः (स्तोमः)	१ । २ । ३
दुष्टरीतुः (पौंसायनः राजा)	९ । ३ । १, २, १३
नमुचिः (असुरः)	७ । १ । १० ७ । ३ । १, ४ ८ । १ । ३
नारायणः (परमात्मा)	३ । ४ । १
नेष्टा (ऋत्विग्)	१ । १ । ७, ८
पोता (ऋत्विग्)	२ । १ । ८
पैङ्ग्यः (ऋषिः)	२ । ४ । ८
प्रतिप्रस्थाता– (ऋत्विग्)	१ । १ । ९, ७ ८ । १ । ४
प्रतीदर्शः (श्वैक्नः)– (ऐमावतः)	८ । २ । ३ १ । १ । ८
प्रस्तोता (ऋत्विग्)	१ । १ । ६
प्रोतिः कौशाम्बेयः (कौसुरुबिन्दिः)	२ । २ । १३
बालाकिः	३ । १ । १
महाव्रतम्	१ । ३ । २३ ३ । १ । ९
याज्ञवल्क्यः	४ । १ । १०
वसोर्धारा (होमः)	६ । १ । ३८, ४१
विश्वरूपः	७ । १ । १
विषुवत्	१ । २ । २ । १ । ३ । २३ २ । ३ । ६, ७, ८
शृञ्जयः	९ । ३ । १, २, ३
श्रौषट्	३ । ३ । ३
श्वेतकेतुः (आरुणेयः)	२ । १ । ९
सत्रम्	१ । १ । २ । १ । ३ । ३
सत्रिन्	३ । ९ । २
सुपर्णः	३ । ४ । ४
स्नातकः	१ । १ । १०
सुप्ला (सार्ञ्जयः)	८ । २ । ३
सृंजयः	९ । ३ । १, २, ३
सुब्रह्मण्या	१ । १ । ९
स्वधा	८ । १ । ७

इति द्वादशं काण्डम् ।

अथ त्रयोदशे काण्डे–

नामानि	अ. ब्रा. क.
अग्निष्टोमं (साम)	९ । १ । २
अग्निष्टुत् (अग्निष्टोमसाम)	७ । १ । ३
अग्नीषोमीयः (पशुः)	४ । ४ । ३ ॥ ४ । ४ । ११ ६ । १ । ४
अङ्गिराः	४ । ३ । ८
अतिरात्रः (यागः)	३ । १ । ४ ॥ ३ । ३ । ६ ९ । ३ । ९

इति त्रयोदशं काण्डम् ।

अथ चतुर्दशकाण्डन्तर्गते प्रथमे

प्रवर्ग्यकाण्डे-

इति चतुर्दशकाण्डान्तर्गतं प्रथमं प्रवर्ग्यकाण्डं समाप्तम् ।

अथ

* माध्यन्दिनशतपथब्राह्मणे बहुवारमागतानां विशिष्टनाम्नामकाराद्यनुक्रमेणेयं स्वतंत्रा सूची।

अग्निः
अग्निहोत्रम्
अग्निष्टोमः
अदितिः
अध्वर्युः
अनुष्टुप्
अश्वमेधः
अश्विनौ
असुराः
आदित्यः
आदित्याः
आहवनीयः
इन्द्रः
उख्यः (अग्निः)
उद्गाता (ऋत्विक्)
उपसद् (इष्टिः)
ऋचः
ऋषिः
क्षत्रः
क्षत्रियः
गन्धर्वः
गायत्री (छन्दः)
गार्हपत्यः (अग्निः)
जगती (छन्दः)
त्वष्टा
त्रिष्टुप् (छन्दः)
दक्षिणा दिक्
नक्षत्रम्

निर्ऋतिः (राक्षसः)
पत्नी
वसवः
वाक्
वाजपेयः (सोमसंस्था)
वाजश्रवाः (ऋषिः)
वायुः
विराट् (छन्दः)
विश्वकर्मा
विश्वेदेवाः
विष्णुः
वेदः
वैश्यः
वैश्वानरः (अग्निः)
वृत्रः
शतरुद्रियम्
शाण्डिल्यः
पितरः
पूषा
प्रजापतिः
प्रवर्ग्यः (सौमिको भागः)
ब्रह्म (परं ब्रह्म)
ब्रह्मा (प्रजापतिः)
ब्रह्मचारी
ब्राह्मणः
बृहस्पतिः
बृहती (छन्दः)
मनः (वाक्)

* एतत्सूचीगताः शब्दा माध्यन्दिनशतपथब्राह्मणे प्रथमादिचतुर्दशकाण्डान्तर्गतप्रथमप्रवर्ग्यकाण्डान्तेषु काण्डेषु बहुवारमागता इति कृत्वा तेषामग्रेऽध्यायब्राह्मणकण्डिकाङ्का न निर्दिष्टाः—काण्डनिर्दर्शनमपि न कृतमिति बोध्यम्।

मरुतः	रुद्रः
महदुक्थम्	रौद्राः
महाव्रतम्	वरुणः
मित्रः	श्वेतकेतुः (आरुणेयः) ऋषिः
मित्रावरुणौ	सरस्वती
मृत्युः	सविता
मैत्रावरुणः (प्रशास्ता ऋत्विक्)	साकमेधाः
यजमानः	साम
यजमानपत्नी	सूर्यः
यजुः	सोमक्रयणी (गौः)
यमः	सोमः
यज्ञः	सौत्रामणिः
याज्ञवल्क्यः	स्तोमः
यूपः	स्विष्टकृत्
राजन्यः	होता
राजसूयः	

* इति बहुवारमागतानां शब्दानां निदर्शिका विशिष्टा स्वतन्त्रा सूची समाप्ता ।

* अस्मिन् शतपथब्राह्मणसंस्करणे यत्र यत्र श्रीहरिस्वामिनां भाष्यं संयोजितमास्ते तत्र तत्र भाष्ये यावानत्यन्तोऽशुद्धोंऽशस्तावान् (   ) इत्याकारककंसचिह्नान्तराले स्थापितोऽस्तीति विज्ञेयं विचक्षणवरेण्यैरिति ।

श्रीः ।

ॐ

श्रीमद्वाजसनेयिमाध्यन्दिन-

शतपथब्राह्मणम् ।

सायणभाष्यसमेतम् ।

तत्र

दशमं काण्डम् १० ।

अथाग्निरहस्यं नाम दशमं काण्डं प्रारभ्यते ।

प्रथमोऽध्यायः प्रारभ्यते ।

तत्र प्रथमं ब्राह्मणम् ।

प्रथमप्रपाठके च प्रथमं ब्राह्मणम् ।

अग्निरेष पुरस्ताच्चीयते । संवत्सर ऽउपरिष्टान्महदुक्थꣳ शस्यते प्रजापतेर्विस्रस्तस्याग्रꣳ रसोऽगच्छत् ॥ १ ॥

अग्निरेष पुरस्ताच्चीयते संवत्सरः । उपरिष्टान्महदुक्थं शस्यते । प्रजापतेर्विस्रस्तस्याग्रं रसोऽगच्छत् ॥ १ ॥

यस्य निःश्वसितं वेदा यो वेदेभ्योऽखिलं जगत् । निर्ममे तमहं वन्दे विद्यातीर्थमहेश्वरम् ॥ १ ॥

षष्ठादिकाण्डचतुष्टये उखासम्भरणादिसञ्चितिकर्मान्तमग्निचयनं साङ्गं निरूपितम् । तत्र कर्मणां भावनापुरःसरमनुष्ठाने फलविशेषो भविष्यतीति प्रतिपादयितुं दशमकाण्डमारभ्यते । षष्ठादिकाण्डचतुष्टयेन प्रतिपादितकर्मणो भावनोपयोगितयाऽनुष्ठानाङ्गयुक्तकर्मप्रतिपादकतया च सर्वशेषत्वादस्य काण्डस्याग्निरहस्यमिति संज्ञा; रहसि भवं रहस्यम्, अग्निविषयं रहस्यज्ञानमित्यर्थः । तत्र अग्निशब्देनाहवनीयाधिकरणं सप्तपुरुषाधिकशतपुरुषपरिमितं चितं क्षेत्रमभिधीयते । "इष्टकाभिरग्निं चिनोति"—इति श्रुतेः । तथा "अग्निमारोहति, अग्निं प्रोक्षति" (श.प.९।२।१।२) इति च आरोहणप्रोक्षणे स्थूलस्यैवोच्येते । तस्य चित्याग्नेरुपरि निधीयमान आहवनीयोऽग्निस्तत्कर्म चाग्निशब्देनोच्यते । तद्विषयं पूर्वमनुक्तमग्निमानादिकं तद्रहस्यं च ध्यानभागोऽस्मिन् काण्डे वक्ष्यत इति "अग्निरहस्यम्" इति—नामधेयं युक्तम् । "तत्राग्निं चिनुते" (श. प. १० । १ । ४ । १३–१४) इत्यनारभ्य विहितस्य "अन्तरोपसदौ चिनोति" (श. प. १०।२।५।१) "प्रायणीयेन प्रचर्य सीरं युनक्ति" (श. प. ७ । २ । २ । २) इति "चितो गार्हपत्यो भवत्यचित आहवनीयोऽथ राजानं क्रीणाति" (श. प. ७ । ३ । १ । १) इत्येवमादिगुणयोगादग्नेः सोमयागाङ्गत्वेऽपि "तस्मादेतानि सर्वाणि सहोपेयादग्निं महाव्रतं महदुक्थम्"—(श. प. १०।१।२।२) इति समाम्नानात् महाव्रतस्य क्रतुविशेषे नियमदर्शनादन्यत्र प्रथमज्योतिष्टोमाग्निष्टोमसंस्थाव्यतिरिक्तेष्विच्छयाऽनुष्ठानम्—तथा च कात्यायनः—"अग्निः सोमाङ्गं तद्गुणव्यतिषङ्गात्" "इच्छतः स महाव्रते नियमः" "न प्रथमाहारे" "उत्तरवेद्यग्निनिधानात्"—(का. श्रौ. सू. १६, १–४) इति । महाव्रतं नाम संवत्सरसाध्यस्य गवामयनस्योपान्त्यमहः, तत्राग्निचयनमहाव्रतसामबृहदुक्थानां नियमेन सह प्रयोज्यत्वात्तानि त्रीण्येवं सह भावनीयानीति वक्तुमग्निबृहदुक्थे प्रथममनुवदति–**अग्निरेष पुरस्तादिति ।** आद्यन्तवर्तिचयनार्थयोर्ग्रहणेन तन्मध्यपतितं महाव्रतसामापि संगृहीतं भवति । 'एषोऽग्निः' संवत्सरात्मकः 'पुरस्तात्' 'पूर्वम्' 'चीयते' इष्टकाभिः । अग्नेः संवत्सरात्मकत्वं षष्ठे काण्डे प्रतिपादितम् (श. प. ६ । २ । १ । ३६) । 'उपरिष्टात्' मरुत्वतीयशस्त्रादनन्तरं महाव्रतसामोद्गात्रा गीयते । तस्मादनन्तरं 'महदुक्थं'

(त्स) स यः स प्रजापतिर्व्यस्रꣳसत । संवत्सरः सोऽथ यान्यस्य तानि पर्वाणि व्यस्रꣳसन्ताहोरात्राणि तानि ॥ २ ॥

स यः स संवत्सरः प्रजापतिर्व्यस्रꣳसत । (ता) अयमेव स योऽयमग्निश्चीयतेऽथ यान्यस्य तान्यहोरात्राणि पर्वाणि व्यस्रꣳसन्तेष्टका ऽएव तास्तद्यदेताऽउपदधाति यान्येवास्य तान्यहोरात्राणि पर्वाणि व्यस्रꣳसन्त तान्यस्मिन्नेतत्प्रतिदधाति तदेतदत्रैव यजुश्चितमत्राप्तम् ॥ ३ ॥

स यः स प्रजापतिर्व्यस्रंसत–संवत्सरः सः । अथ यान्यस्य तानि पर्वाणि व्यस्रंसन्त–अहोरात्राणि तानि ॥ २ ॥

स यः स संवत्सरः प्रजापतिर्व्यस्रंसत–अयमेव सः–योऽयमग्निश्चीयते । अथ यान्यस्य तान्यहोरात्राणि पर्वाणि व्यस्रंसन्त–इष्टका एव ताः । तद्यदेता उपदधाति–यान्येवास्य तान्यहोरात्राणि पर्वाणि व्यस्रंसन्त, तान्यस्मिन्नेतत्प्रतिदधाति । तदेतदत्रैव यजुश्चितम् । अत्राप्तम् ॥ ३ ॥

नाम बृहतीसहस्रात्मकं शस्त्रं होत्रा 'शस्यते' । संवत्सरात्मकाग्नेः पूर्वं चयनं, बृहदुक्थस्यान्ते शंसनम् इति यदुक्तं तत् प्रशंसितुमाह–प्रजापतेरिति । अग्निचयनं नाम प्रजापतिसन्धानार्थमिति षष्ठे प्रपञ्चेन प्रतिपादितम् । 'विस्रस्तस्य' विश्लिष्टावयवस्य 'प्रजापतेः' 'रसः' शरीरगतः 'अग्रम्' ऊर्ध्वलोकम् 'अगच्छत्' तद्रसो महदुक्थमभवदिति वक्ष्यति ॥ १ ॥

प्रजापतेः संवत्सररूपतामाह–स यः स प्रजापतिरिति । यस्य रस ऊर्ध्वं गतः । एकस्तच्छब्दः प्रसिद्धवाची । अपरस्तच्छब्दः प्रतिनिर्देशः । 'स यः' 'प्रजापतिः' विस्रस्तः 'स' एव 'संवत्सरः' । तदेवोपपादयति–अथ यानीति । विस्रंसनसमये 'यानि' प्रजापतेः 'पर्वाणि' सन्धयः विस्रस्तानि 'तानि' 'अहोरात्राणि' यथा शरीरस्यावयविनः पर्वाण्यवयवाः एवं संवत्सरस्यावयविनः अहोरात्रा अवयवा इति प्रजापतिविस्रंसनं संवत्सरविस्रंसनं, पर्वविस्रंसनम् अहोरात्रविस्रंसनमित्यर्थः ॥ २ ॥

चीयमानाग्नेः संवत्सरप्रजापतिरूपतामाह–स यः स संवत्सर इति । 'अयमेव' इत्यस्य विवरणम्–योऽयमग्निश्चीयत इति । 'यः' इदानीमिष्टकाभिः 'चीयते' स एव प्रजापतिरित्यर्थः । संवत्सररूपस्य प्रजापतेः अवयवभूताहोरात्ररूपाणि विस्रस्तानि 'पर्वाणि' 'एव' 'इष्टकाः' अभूवन् । तत्तस्माद् 'एताः' इष्टका उपदधातीति यत् एतद् एतेनोपधानेन प्रजापतेर्विस्रस्तानवयवान्पुनः प्रतिसंहितवान् भवति । इष्टकाश्च सप्तत्युत्तरशताधिकैकादशसहस्रसंमिता उपधेया इति । तथा च कात्यायनेनोक्तम्–"अथातः सर्वासां पक्वेष्टकानां समासेन सङ्ख्याप्रमाणान्यनु व्याख्यास्यामः । सहस्राण्येकादश सप्ततिं च शतमिति" (का. श्रौ. सू. परिशिष्टे पूरणसूत्रे ९ । १–२) इति । अत्र यावत्य इष्टका यजुर्मन्त्रैरुपहिताः- तावत्य एव प्रजापत्यवयवात्मना प्रतिसंहिता इत्याह–तदेतदत्रैवेति । 'अत्रैव' अग्नौ एतत् 'यजुश्चितम्' यजुर्मन्त्रैरिष्टकाभिश्चयनं

(मु) अ॒थ॒ यो॑ऽस्य॒ सो॑ऽग्र॒ᳪ᳭ रसो॑ऽगच्छत् । (न्म) मह॒त्तदु॒क्थं त॒मस्य॒ तᳪ᳭ र॒समृ॒क्सामा॒भ्याम॒नुय॒न्ति त॒द्यत्त्र॒ य॒जुः पु॒रस्ता॑देत्यभि॒नै॑तैव त॒देति॒ य॒थाऽदो मे॑ऽमु॒त्रै॑कं त॒दाह॑रिष्यामी॒त्ये॒वं त॒द्य॒जुः पु॒रस्ता॑देति॒ तᳪ᳭ संव्वत्सर॒ऽआप्नु॒वन्ति ॥ ४ ॥

त॒मध्व॒र्यु॒र्ग्र॒हेण गृह्णाति । य॒द्गृ॒ह्णाति त॒स्माद्ग्र॒हस्त॒स्मिन्नु॒द्गाता म॒हाव्व्र॒तेन॒ र॒सं द॒धाति स॒र्व्वाणि है॒तानि॒ सा॒मानि॒ य॒न्म॒हाव्व्र॒तं त॒द॒स्मिन्त्स॒र्वैः सा॒मभी र॒सं द॒धाति त॒स्मिन्हो॒ता म॒ह॒तो॒क्थेन॒ र॒सं द॒धाति स॒र्व्वा है॒ता ऽऋ॒चो य॒न्म॒ह॒दु॒क्थं त॒द॒स्मिन्त्स॒र्वाभि॒र्ऋ॒ग्भी र॒सं द॒धाति ॥ ५ ॥

अथ योऽस्य सोऽग्रं रसोऽगच्छत्–महत्तदुक्थम् । तमस्य तं रसमृक्सामाभ्यामनुयन्ति । तद्-यत्तत्र यजुः पुरस्तादेति–अभिनेतैव तदेति । यथाऽदो मेऽमुत्रैकं तदाहरिष्यामीति । एवं तद्यजुः पुरस्तादेति । तं संवत्सरऽआप्नुवन्ति ॥ ४ ॥

तमध्वर्युर्ग्रहेण गृह्णाति । यद्गृह्णाति–तस्माद्ग्रहः । तस्मिन्नुद्गाता महाव्रतेन रसं दधाति । सर्वाणि हैतानि सामानि यन्महाव्रतम् । तदस्मिन्त्सर्वैः सामभी रसं दधाति । तस्मिन् होता महतोक्थेन रसं दधाति । सर्वा हैता ऋचो यन्महदुक्थम् । तदस्मिन्त्सर्वाभिर्ऋग्भी रसं दधाति ॥ ५ ॥

कृतम् तदत्र प्रजापतौ आसं प्रतिसंहितम् । अवयवात्मना युक्तं संवत्सरसम्बन्धिनामहोरात्राणां पर्वरूपाणां यजुष्मतीनामिष्टकानां च सङ्ख्यासाम्यात्ताभिरेव कृत्स्नं प्रजापतिशरीरमापद्यत इत्यभिप्रायः ॥ ३ ॥

एवं चित्यमग्निं प्रजापत्यात्मना स्तुत्वा स्तोत्रशस्त्रे स्तोतुमाह–**अथ योऽस्य सोऽग्रमिति** । 'यो रसः' पूर्वं विस्रस्तस्य प्रजापतेः सम्बन्धी ऊर्ध्वं गतः स एव 'महदुक्थम्' अभूत् । अत्रोक्थशब्दः स्तुतशस्त्रसाधारणः । उत्तरत्र द्वयोरपि स्तूयमानत्वात् । "ग्रहं वा गृहीत्वा चमसं वोन्नीय स्तोत्रमुपाकुर्यात्" इति ग्रहग्रहणं वा चमसोन्नयनं वा स्तोत्रप्रारम्भकालः । स्तुतमनुशंसतीति स्तोत्रादनन्तरं शस्त्रं शंसनीयम् । अत इदानीं तत्पूर्व-भाविग्रहग्रहणं प्रशंसितुं तत्र ग्रहे सिच्यमानं चमसं स्तौति–**तमस्य तं रसमिति** । 'अस्य' प्रजापतेः 'तम्' ऊर्ध्वं गतं 'तं' प्रसिद्धं 'रसम्' 'ऋक्सामाभ्याम्' 'अनुयन्ति' अनुगमयन्ति । **यथाऽदो मेऽमुत्रेति** । लोके यथा 'अमुत्र' विप्रकृष्टे प्रदेशे 'अदः' दृष्टं 'मे' मदीयम् 'एकम्' वस्तु 'आहरिष्यामि' अहमिति पूर्वं गच्छति–'एवं' यजुर्मन्त्रः ऋक्सामाभ्यां प्रथमं रसानयनाय गच्छति । 'तं रसं संवत्सरे' संवत्सरसाध्यगवामयनोपान्त्यदिवसनिष्पाद्ये महाव्रते 'आप्नुवन्ति' ॥ ४ ॥

रसस्य ग्रहणमाह **तमध्वर्युरिति** । गृह्यते अनेन रस इति ग्रहः । करणसाधनः । व्युत्पत्तिं दर्शयति–**यद्गृह्णातीति** । स महाव्रतीयो ग्रह इत्युच्यते । तथा चोत्तरत्र चतुर्थाध्याये समाम्नास्यते । "एष महाव्रतीयो ग्रहः । तमध्वर्युर्ग्रहेण गृह्णाति" (श. प. १० । ४ । १ । १२–१३) " इति । तथा च महाव्रत-क्रतुं प्रस्तुत्य सूत्रकृतोक्तम्–"महाव्रतमग्निष्टोमः प्राजापत्य उपालम्भ्यो ग्रहं गृह्णाति वि न इन्द्र, वाचस्पतिं विश्व-

ते यदा स्तुवते यदाऽनुशꣳसति । (स्तु) अथास्मिन्नेतं वषट्कृते जुहोति तदेनमेष रसोऽप्येति न वै महाव्रतमिदꣳ स्तुतꣳ शेतऽइति पश्यन्ति नो महदिदमुक्थमित्यग्निमेव पश्यन्त्यात्मा ह्यग्निस्तदेनमेतऽउभे रसो भूत्वाऽपीत ऽऋक्च साम च तदुभेऽऋक्सामे यजुरपीतः ॥ ६ ॥

स ऽएष मिथुनोऽग्निः । प्रथमा च चितिर्द्वितीया च तृतीया च चतुर्थी चाथ पञ्चम्यै चितेर्यश्चितेऽग्निर्निधीयते तन्मिथुनं मिथुन ऽउऽएवायमात्मा ॥७॥

ते यदा स्तुवते, यदाऽनुशंसति—अथास्मिन्नेतं वषट्कृते जुहोति । तदेनमेष रसोऽप्येति । न वै महाव्रतमिदं स्तुतं शेत इति पश्यन्ति, नो महदिदमुक्थमिति । अग्निमेव पश्यन्ति । आत्मा ह्यग्निः । तदेनमेतेऽउभे रसो भूत्वाऽपीतः । ऋक् च साम च । तदुभे ऋक्सामे यजुरपीतः ॥ ६ ॥

स एष मिथुनोऽग्निः । प्रथमा च चितिर्द्वितीया च । तृतीया च चतुर्थी च । अथ पञ्चम्यै चितेर्यश्चितेऽग्निर्निधीयते—तन्मिथुनम् । मिथुन उ एवायमात्मा ॥ ७ ॥

कर्मणीति वा "(का. श्रौ. सू. १३ । २९–३१) इति । ग्रहग्रहणमेव स्तोत्रप्रारम्भसमय इति यदुक्तं तदिदानीमाह—तस्मिन्नुद्गातेति । तस्मिन्निति निमित्तसप्तमी । यजुषा ग्रहे गृहीते 'उद्गाता' ऋत्विक् 'महाव्रतेन' एतन्नाम्ना साम्ना 'रसं दधाति' । पूर्वमृक्सामाभ्यामनुयन्तीत्युक्तम् । अत्र महाव्रतेनेत्युच्यते । एतत्परस्परविरुद्धमिति तत्राह—**सर्वाणि हैतानि सामानि यन्महाव्रतम्** इति । यत् 'तत्सर्वाणि' 'सामानि' तत्र राजनगायत्र-बृहद्रथन्तरभद्राख्यानि पञ्च 'सामानि' विद्यन्ते । स्तुतमनुशंसतीति स्तोत्रादनन्तरं शस्त्रमिति यदुक्तं तदपि दर्शयति—**तस्मिन्होता महतोक्थेनेति** । बृहदुक्थस्य गायत्र्यौष्णिहबार्हततृचाशीतित्रयात्मकत्वात् सर्वा ऋचो महदुक्थमित्युपपन्नम् ॥ ५ ॥

पूर्वं प्रजापते रससंयुक्तता स्यात्, अन्यथा रसाभावेन शरीरमदढं भवेदितीमामाशङ्कां रसस्थापनेन व्युदस्यति—**ते यदा स्तुवत** इति । 'यदा' यस्मिन्काले 'स्तुवते' उद्गातृ–प्रस्तोतृ–प्रतिहर्तारः, ऋत्विक्त्रयापेक्षया स्तुवत इति बहुवचनम् । अत एव च्छन्दोगा आमनन्ति,—"सर्वे सहर्त्विजो महाव्रतेन स्तुवीरन्" इति । 'यदा चानुशंसति' । स्तोत्रमनुलक्ष्य शस्त्रं पठेत् होता । अत्र होतुरेकत्वात् शंसतीत्येकवचनम् । अथ शस्त्रादनन्तरं वषट्कृते शस्त्रयाज्यान्ते वषट्कारे कृते एनं गृहीतं स्तोत्रशस्त्राभ्यां संस्कृतं रसमस्मिन्नग्नौ प्रजापतिरूपे जुहोति । चित्याग्निरेव प्रजापत्यात्मेतीदानीमुक्तम्—" अयमेव स योऽयमग्निश्चीयते "–(श. प. १०।१।१।३।) इति । 'तत्' तेन होमेन 'एनम्' प्रजापतिम् 'एषः' हुतो 'रसोऽप्येति' अपिगच्छति संयुक्तो भवति इत्यर्थः । अग्नौ रसस्याप्ययं प्रशंसति—**न वै महाव्रतमिदमिति** । इदानीमस्मिन् चयनप्रदेशे 'महाव्रतं' साम 'स्तुतम्' 'शेते' तिष्ठति 'इति न पश्यन्ति' । महदुक्थं शस्तमिति न पश्यन्ति, किन्तु अग्निं चितमेव पश्यन्ति । अग्निर्हि 'आत्मा' स्थूलं शरीरं 'तत्' तस्मात् 'एनम्' चित्याग्निम् 'एते उभे' महाव्रतबृहदुक्थे 'रसो भूत्वा अपीतः' अपिगच्छतः एकीभवतः । 'उभे ऋक्सामे' ग्रहग्रहणाय 'यजुरपीतः' ऋक्सामाभ्यां पुरस्तात् यजुर्मन्त्रेण ग्रहग्रहणात् ॥ ६ ॥

चित्याग्निं मिथुनरूपेण प्रशंसति—**स एष मिथुनोऽग्निरिति** । अग्नौ पञ्च चितयः स्वयमातृण्णाद्याः उपधेयाः ।

(त्माऽङ्गु) अङ्गुष्ठाऽइति पुमाᳪँसः । (सोऽङ्गु) अङ्गुलय ऽइति स्त्रियः कर्णाविति पुमाᳪँसौ भ्रुवाविति स्त्रियाऽओष्ठाविति पुमाᳪँसौ नासिकेऽइति स्त्रियौ दन्ता इति पुमाᳪँसो जिह्वेति स्त्री सर्वऽएव मिथुनः सोऽनेन मिथुनेनात्मनैतं मिथुनमग्निमप्येति ॥ ८ ॥

(त्ये) एषाऽत्रापीतिः । (र) अथ हैवं मिथुन ऽइत्थᳪँ ह त्वेवापि मिथुनो व्वागेवेयं सोऽयमग्निश्चितो व्वाचा हि चीयतेऽथ यश्चितेऽग्निर्निधीयते स प्राणः प्राणो वै व्वाचो व्वृषा प्राणो मिथुनं व्वाग्वेवायमात्माऽथ यऽआत्मन्प्राणस्तन्मिथुनᳪँ सोऽनेन मिथुनेनात्मनैतं मिथुनमग्निमप्येति ॥ ९ ॥

अंगुष्ठा–इति पुमांसः, अंगुलयः–इति स्त्रियः । कर्णाविति पुमांसौ, भ्रुवाविति स्त्रियौ । ओष्ठाविति पुमांसौ, नासिके इति स्त्रियौ । दन्ताः–इति पुमांसः, जिह्वेति स्त्री । सर्व एव मिथुनः । सोऽनेन मिथुनेनात्मनैतं मिथुनमग्निमप्येति ॥ ८ ॥

एषाऽत्रापीतिः । अथ हैवं मिथुनः । इत्थं ह त्वेवापि मिथुनः । वागेवेयं योऽयमग्निश्चितः । वाचा हि चीयते । अथ यश्चितेऽग्निर्निधीयते स प्राणः । प्राणो वै वाचो वृषा । प्राणो मिथुनम् । वाग्वेवायमात्मा । अथ य आत्मन् प्राणः–तन्मिथुनम् । सोऽनेन मिथुनेनात्मनैतं मिथुनमग्निमप्येति ॥ ९ ॥

तत्र प्रथमाद्वितीये सम्भूयैकं मिथुनं भवति । तृतीयाचतुर्थौ चेत्येकं मिथुनम् । पञ्चम्याः चितेर्मिथुनत्वं सम्पादयति–अथ पञ्चम्यै चितेरिति । पञ्चम्यै इति 'षष्ठ्यर्थे चतुर्थी''–(पा. सू. २ । ३ । ६२ वा.) । 'चिते' चित्याग्नौ योऽग्निराहवनीयो 'निधीयते' अतः पञ्चमी चितिः तस्या उपरि निधीयमान आहवनीयोऽग्निरिति द्वयमेकं मिथुनम् । आत्मा वाग्निरित्यभेददात्मत्वमुक्तम्, तस्मिन्नात्मशब्दवाच्ये शरीरे मिथुनत्वं संपादयितुमाह–मिथुन उ एवायमात्मेति । अयं 'अयमात्मा, स्थूलं शरीरं 'मिथुन उ एव' मिथुनरूप एव भवति ॥ ७ ॥

मिथुनत्वं नाम स्त्रीपुंसयुगल. तच्छरीरे प्रदर्शयति–अङ्गुष्ठा इति पुमांस इत्यादिना । 'अंगुष्ठा इति' पुँल्लिङ्गशब्दवाच्यत्वात् पुमांस इत्युक्तम् । 'अंगुलयः' इति स्त्रीलिङ्गशब्दाभिधेयत्वादंगुलीनां स्त्रीत्वम् । तन्मिथुनम् । शरीरे पुंस्त्रीलिङ्गशब्दवाच्यानामन्येषामवयवानां सद्भावेऽपि सान्निध्ययोगादंगुष्ठांगुलीनां मिथुनत्वम् । एवमुत्तरत्र सान्निध्यान्मिथुनत्वसम्पादनम् । कर्णभ्रुवोः पुंस्त्रीलिङ्गवाच्ययोरवयवयोः सान्निध्यात् मिथुनत्वम् । एकः कर्णः एका भ्रूरिति एकं मिथुनम् । एवम् ओष्ठनासिकयोः । दन्ताः पुमांसः । जिह्वा स्त्री । एवमात्मा स्थूलशरीरं मिथुनरूपः संपन्नः । अस्तु किं प्रस्तुत इति तदाह–सोऽनेनेति । 'सः' वषट्कारान्ते हुतो रसः 'अनेन' 'मिथुनेनात्मना' शरीरेण 'एतं' चितिद्वन्द्वरूपं 'मिथुनम्' 'अग्निम्' 'अप्येति' अपिगच्छति ॥ ८ ॥

एषाऽत्रापीतिरिति । उक्तमिथुनरूपेणाप्ययनप्रकारः प्रदर्शित इत्यर्थः । पुनश्चित्याग्निं मिथुनरूपेण स्तोतुं प्रकारान्तरेण मिथुनत्वं प्रतिजानीते–अथ हैवमिति । 'एवम्' इति वक्ष्यमाणप्रकारेणापि मिथुनोऽग्निः ।

(त्ये) एषोऽत्रापीतिः । (नं) न ह वाऽअस्यापुत्रतायै काचन शङ्का भवति य ऽएवमेतौ मिथुनावात्मानं चाग्निं च वेदान्नꣳ ह त्वेवायमात्मा दक्षिणाऽन्नं वनुते यो न ऽआत्मेति ह्यप्यृषिणाऽभ्युक्तम् ॥ १० ॥

(न्तु) तदिदमन्नं जग्धं द्वेधा भवति । यदस्यामृतमूर्ध्वं तन्नाभेरूर्ध्वैः प्राणैरुच्चरति तद्वायुमप्येत्यथ यन्मर्त्यं पराक्तन्नाभिमप्येति तद्द्वयं भूत्वे-

---

एषोऽत्रापीतिः । न ह वा अस्यापुत्रतायै का चन शङ्का भवति । य एवमेतौ मिथुनौ-आत्मानं चाग्निं च वेद । अन्नं ह त्वेवायमात्मा । “ दक्षिणाऽन्नं वनुते यो न आत्मा ”-इति ह्यप्यृषिणाऽभ्युक्तम् ॥ १० ॥

तदिदमन्नं जग्धं द्वेधा भवति । यदस्यामृतम्-ऊर्ध्वं तन्नाभेरूर्ध्वैः प्राणैरुच्चरति-तद्वायुमप्येति । अथ यन्मर्त्यं पराक् तन्नाभिमप्येति । तद्द्वयं भूत्वेमामप्येति-मूत्रं च पुरीषं च । तद् यदिदमप्येति-

---

तुशब्दः पक्षान्तरद्योतनार्थः । इत्थमेव वा मिथुनः । पूर्वं चित्याग्नेः चितिद्वन्द्वेन मिथुनत्वम् । आत्मरूपेणापि मिथुनत्वमिति मिथुनद्वयमुक्तम् । एवमुत्तरत्र मिथुनद्वयं सम्पादयितुं “अथ हैतं मिथुन इत्थं ह त्वेवापि मिथुनः” इति मिथुनद्वयं प्रतिज्ञातमित्यर्थः । तद्द्वयं दर्शयति-वागेवेयमित्यादिना । ‘ योऽयम् ’ इष्टकाभिः ‘ चितः ’ सा ‘ वागेव ’ ‘ हि ’ यस्मात् ‘ वाचा ’ मन्त्रेण ‘ चीयते ’ साधनसाध्ययोरभेदादेवमुक्तम् । ‘ चिते ’ अग्नौ यः ‘ अग्निः ’ आहवनीयो ‘ निधीयते ’ ‘ स ’ प्राणरूपः । शरीरं यथा प्राणेन व्याप्रियमाणं सत् फलसम्पादकम् एवं चित्याग्निरपि आहवनीयेनाग्निना फलसम्पादक इति प्राण इत्युक्तम् । अतः ‘ वाचः ’ स्त्रियाः ‘ प्राणो ’ ‘ वृषा ’ पुमान् । तस्मात् प्राणो मिथुनात्मक इति एकं मिथुनम् । अन्यदाह-‘ वागेवात्मा ’ शरीरं तात्स्थ्यात्ताच्छब्द्यम् । आत्मन् । सप्तम्या लुक् । शरीरे यः प्राणः तदन्यन्मिथुनम् । तस्माद्वषट्कृते हुतो रसः अनेन मिथुनेनात्मना शरीरप्राणरूपेण एनं मिथुनं वाक्प्राणरूपं ‘ अग्निमप्येति ’ ॥ ९ ॥

अथ मिथुनपरम्परावेदितुः फलमाह-न ह वा अस्येति । ‘ यः ’ पुरुष एवमुक्तप्रकारेण मिथुनरूपमात्मानं मिथुनरूपमग्निं च वेत्ति ‘ अस्यापुत्रतायै ’ पुत्रराहित्याय काचन शङ्का नास्ति । सन्तानप्रतिबन्धकं कारणं नास्ति । प्रत्युत पुत्रवत्त्वसम्पादकमस्तीत्यर्थः । प्रकारान्तरेणाप्यमुं प्रकारं वक्तुमात्मनोऽन्नरूपत्वमाह-**अन्नं ह त्वेवायमात्मेति** । ‘ अयम् ’ ‘आत्मा’ अन्नमेव तत्साध्यत्वात् । उक्तार्थे मन्त्रं संवादयति-**दक्षिणाऽन्नं वनुत इति** । स मन्त्रो दाशतय्यामेवं दक्षिणादानस्तावकसूक्ते समाम्नायते-“ दक्षिणाऽश्वं दक्षिणा गां ददाति दक्षिणा चन्द्रमुत यद्धिरण्यम् । दक्षिणाऽन्नं वनुते यो न आत्मा दक्षिणां वर्म कृणुते विजानन् ”(ऋ. सं.) इति । अस्यार्थः- न इत्यस्मच्छब्देन मन्त्रद्रष्टा ऋषिरुच्यते । नोऽस्मभ्यमश्वादिकं दक्षिणारूपेण ददाति । य आत्माऽस्ति तदन्नं दक्षिणाचतुष्टयमन्नात्मकमात्मानं च दक्षिणात्वेन ददाति । “ वनु याचने ”-(धा. पा. तु. उ. ९) इत्ययं धातुश्छन्दसि दाने वर्त्तते । “ ब्रह्म वन्वानो अजरं सुवीरम् ”-इत्यादिमन्त्रान्तरेषु दानार्थस्य दृष्टत्वात् । दक्षिणां प्रयच्छन् पुरुषः विजानन् दक्षिणां वर्म कवचं कृणुते करोतीति । अस्य मन्त्रस्य तृतीयपादे आत्मनोऽन्नरूपत्वमुक्तमिति स तृतीयपाद एव संवादत्वेनोक्तः ॥ १० ॥

यदर्थमन्नरूपत्वमुक्तं तद्दर्शयति-**तदिदमन्नं जग्धमिति** । ‘ तत् ’ ‘ अन्नम् ’ ‘ जग्धम् ’ भक्षितं सत्

मामुप्येति मूत्रं च पुरीषं च तद्युदिमामप्येति योऽयमग्निश्चितस्तं तदुप्ये- त्युथ युद्वायुमप्येति युश्चितेऽग्निर्निधीयुते तं तदुप्येत्येषोऽएवात्रापीतिः ॥ ११

इति प्रथमप्रपाठके प्रथमं ब्राह्मणम् ॥ १०-१-१ ॥ (१-१) ॥

प्रजापतिरिमाँल्लोकानैप्सत् । (त्स्) स ऽएतं व्वयोविधमात्मानमपश्यदग्निं तं व्यधत्त तेनेमं लोकमाप्नोत्स द्वितीयं व्वयोविधमात्मानमपश्यन्महाव्व्रतं तद्व्यधत्त तेनान्तरिक्षमाप्नोत्स तृतीयं व्वयोविधमात्मानमपश्यन्महदुक्थं तद्व्यधत्त तेन दिवमाप्नोत् ॥ १ ॥

योऽयमग्निश्चितस्तं तदप्येति । अथ यद्वायुमप्येति–यश्चितेऽग्निर्निधीयते–तं तदप्येति । एषोऽएवात्रापीतिः ॥ ११ ॥

प्रजापतिरिमाँल्लोकानैप्सत् । स एतं वयोविधमात्मानमपश्यत् । अग्निं तं व्यधत्त । तेनेमं लोकमाप्नोत् । स द्वितीयं वयोविधमात्मानमपश्यत् । महाव्रतं तद्व्यधत्त । तेनान्तरिक्षमाप्नोत् । स तृतीयं वयोविधमात्मानमपश्यत् । महदुक्थं तद्व्यधत्त । तेन दिवमाप्नोत् ॥ १ ॥

'द्वेधा' द्विप्रकारं मर्त्यामृतभेदेन 'भवति' । तत्र 'अस्य' जग्धस्यान्नस्य 'यद्' 'अमृतम्' सूक्ष्मरूपमस्ति 'तत् नाभेः' ऊर्ध्वप्रदेशे स्थित्वा 'ऊर्ध्वैः' नासिकापुटादुद्गच्छद्भिः 'प्राणैः' सह 'उत्क्रामति' उद्गच्छति । तदुद्गच्छदन्नं 'वायुम्' प्राणरूपम् 'अप्येति' संयौति । 'यत् मर्त्यं' स्वरूपं 'तत्' नाभेरधस्तात्तिष्ठति । मर्त्यस्य द्वैविध्यमाह-तद्द्वयमिति । 'तत्' मर्त्यं 'द्वयम्' मूत्रपुरीषभेदेन द्विप्रकारं भूत्वा 'इमां' भूमिम् अप्येति' । 'इमाम्' इत्यस्यार्थमाह–योऽयमग्निश्चित इति । भूमावग्निश्चीयते, अत आधाराधेययोरभेदोपचारेण भूमेरग्नित्वं सम्पन्नम् । पूर्वम् "अन्नस्यामृतभागो वायुमप्येति"–इत्युक्तं तत्प्रकृते योजयति–यद्वायुमप्येतीति । यश्चितेऽग्निरिति । 'चिते' अग्नौ 'योऽयम्' आहवनीयोऽग्निः 'निधीयते' 'तम्' अग्निं तदमृतमन्नरूपं कर्तृ 'अप्येति' संयुक्तं भवति । अनेनैतदुक्तं भवति, चितोऽग्निर्जग्धान्नस्य विष्ठभागात्मना भावनीयः । तस्योपरि निहितोऽग्निरन्नस्याणिष्ठभागात्मना ध्येय इति ॥ ११ ॥

इति श्रीसायणाचार्यविरचिते माधवीये वेदार्थप्रकाशे माध्यन्दिनीयशतपथब्राह्मणभाष्ये दशमकाण्डे प्रथमेऽध्याये प्रथमं ब्राह्मणम् ॥ (१०-१-१) ॥

पूर्वं महाव्रतयज्ञे सह प्रयुक्तानि अग्निचयनमहाव्रतसाममहदुक्थशस्त्राणि त्रीण्यपि पक्ष्याकाराणि अधिदैवं, पृथिव्यन्तरिक्षद्युलोकात्मकानि अध्यात्मं मनःप्राणवाग्रूपाणि चेति द्वितीयब्राह्मणे प्रतिपाद्यते । ज्योतिष्टोमयज्ञ एवैतेषां त्रयाणां सम्पादनप्रकारश्चोच्यते–प्रजापतिरिमाँल्लोकानैप्सदिति । 'ऐप्सत्' आप्तुमैच्छत्, आप्नोतेः सनि (पा. सू. ७ । ४ । ५४) अभ्यासलोपे (पा. सू. ७ । ४ । ५८) "आप्ज्ञप्यृधामीत्"–(पा. सू. ७ । ४ । ५५) पश्चादाडागमे वृद्धौ रूपम् । 'सः' प्रजापतिः 'एतम्' 'आत्मानं' 'वयोविधम्' पक्ष्याकारम् 'अपश्यत्' 'तम्' पक्ष्याकारम् 'अग्निम्' चित्याग्निं 'व्यधत्त' । चित्याग्नेः पक्ष्याकारत्वं

(द) अयं वाव लोक एषोऽग्निश्चितः । (तोऽन्त) अन्तरिक्षं महाव्रतं द्यौर्महदुक्थं तस्मादेतानि सर्वाणि सहोपेयादग्निं महाव्रतं महदुक्थꣳ सह हीमे लोका ऽअसृज्यन्त तद्यदग्निः प्रथमश्चीयतेऽयꣳ ह्येषां लोकानां प्रथमोऽसृज्यतेत्यधिदेवतम् ॥ २ ॥

(म) अथाध्यात्मम् । (म्म) मन ऽएवाग्निः प्राणो महाव्रतं वाङ्महदुक्थं तस्मादेतानि सर्वाणि सहोपेयात्सह हि मनः प्राणो वाक्तद्यदग्निः प्रथमश्चीयते मनो हि प्रथमं प्राणानाम् ॥ ३ ॥

(मा) आत्मैवाग्निः । प्राणो महाव्रतं वाङ्महदुक्थं तस्मादेतानि सर्वाणि सहोपेयात्सह ह्यात्मा प्राणो वाक्तद्यदग्निः प्रथमश्चीयतऽआत्मा हि प्रथमः संभवतः संभवति ॥ ४ ॥

अयं वाव लोकः-एषोऽग्निश्चितः । अन्तरिक्षं महाव्रतम् । द्यौर्महदुक्थम् । तस्मादेतानि सर्वाणि सहोपेयात् । अग्निम्, महाव्रतम्, महदुक्थम् । सह हीमे लोका असृज्यन्त । तद्यदग्निः प्रथमश्चीयते-अयं ह्येषां लोकानां प्रथमोऽसृज्यत । इत्यधिदेवतम् ॥ २ ॥

अथाध्यात्मम् । मन एवाग्निः । प्राणो महाव्रतम् । वाङ्महदुक्थम् । तस्मादेतानि सर्वाणि सहोपेयात् । सह हि मनः प्राणो वाक् । तद्यदग्निः प्रथमश्चीयते । मनो हि प्रथमं प्राणानाम् ॥ ३ ॥

आत्मैवाग्निः । प्राणो महाव्रतम् । वाङ्महदुक्थम् । तस्मादेतानि सर्वाणि सहोपेयात् । सह ह्यात्मा प्राणो वाक् । तद्यदग्निः प्रथमश्चीयते । आत्मा हि प्रथमः सम्भवतः सम्भवति ॥ ४ ॥

श्रूयते-" श्येनचितं चिन्वीत, कङ्कचितं चिन्वीत "-(तै. सं. ५ । ४ । ११) इत्यादि । ' तेन ' अग्निना 'एनम्' भूलोकम ' आप्नोत् ' । ' द्वितीयं ' पक्ष्याकारम् ' आत्मानम् ' महाव्रतसामत्वेनाकरोत् । ' तेन ' साम्ना ' अन्तरिक्षमाप्नोत् ' । ' तृतीयम् ' पक्ष्याकारम् ' आत्मानम् ' ' बृहदुक्थम् ' बृहतीसहस्रात्मकं शस्त्रं ' व्यधत्त ' । ' तेन ' शस्त्रेण द्युलोकं प्राप्तवान् ॥ १ ॥

उक्तानां भूम्यादिलोकानामग्न्यादेश्चाभेदविवक्षया तदात्मकतामाह-अयं वाव लोक एषोऽग्निरिति । यस्मादिमे त्रयो लोकाः सहासृज्यन्त । ' तस्मादेतानि ' त्रीणि अग्निमहाव्रतबृहदुक्थानि सहानुतिष्ठेत् । तत्र त्रिषु मध्ये ' प्रथमः ' ' अग्निः ' इष्टकाभिः ' चीयते ' । एवं ' लोकानां ' मध्ये भूलोक एव प्रथमः सृष्टः ' इत्यधिदेवतम् ' त्रयाणामग्न्यादीनामर्थ उक्तः ॥ २ ॥

अध्यात्ममपि दर्शयति-अथाध्यात्ममिति । आत्मन्यधिकृत्य अध्यात्मम् । विभक्त्यर्थेऽव्ययीभावः (पा. सू. २ । १ । ६) " अनश्च "-(पा. सू. ५ । ४ । १०८) इति समासान्तष्टच् प्रत्ययः । अग्न्यादीनि त्रीणि मनःप्राणवागात्मकानि यथाऽग्निः ' प्रथमश्चीयते ' एवं ' प्राणानां ' ' मन ' एव ' प्रथमम् ' ॥ ३ ॥

अध्यात्ममेव प्रकारान्तरेण तानि त्रीणि स्तौति-आत्मैवाग्निरिति । अग्न्यादय आत्मप्राणवागात्मकाः ।

शिर ऽएवाग्निः । प्राणो महाव्रतमात्मा महदुक्थं तस्मादेतानि सर्वाणि सहोपेयात्सह हि शिरः प्राणऽआत्मा तद्यदग्निः प्रथमश्चीयते शिरो हि प्रथमं जायमानस्य जायते तस्माद्यत्रैतानि सर्वाणि सह क्रियन्ते महदेवो-क्थमातमां ख्यायतऽआत्मा हि महदुक्थम् ॥ ५ ॥

(न्तु) तदाहुः । (र्य) यदेतानि सर्वाणि सह दुरुपापानि कैतेषामुपाति-रिति ज्योतिष्टोमऽएवाग्निष्टोमे ज्योतिष्टोमेनैवाग्निष्टोमेन यजेत ॥ ६ ॥

शिर एवाग्निः । प्राणो महाव्रतम् । आत्मा महदुक्थम् । तस्मादेतानि सर्वाणि सहोपेयात् । सह हि शिरः प्राण आत्मा । तद्यदग्निः प्रथमश्चीयते । शिरो हि प्रथमं जायमानस्य जायते । तस्माद्यत्रैतानि सर्वाणि सह क्रियन्ते । महदेवोक्थमातमां ख्यायते । आत्मा हि महदुक्थम् ॥ ५ ॥

तदाहुः—यदेतानि सर्वाणि सह दुरुपापानि । कैतेषामुपाप्तिरिति । ज्योतिष्टोम एवाग्निष्टोमे । ज्योतिष्टोमेनैवाग्निष्टोमेन यजेत ॥ ६ ॥

आत्मा हि प्रथम इति । 'सम्भवतः' उत्पद्यमानस्य पुरुषस्य 'प्रथमः आत्मा' मध्यशरीरं 'सम्भवति' ॥ ४ ॥

अन्यथैतत्त्रयं स्तौति–शिर एवाग्निरिति । अग्निचयनमहाव्रतसामबृहदुक्थानि शिरःप्राणात्मरूपाण्य-नुसन्धेयानि, यस्मादग्निः 'प्रथमः चीयते' तस्मात् 'जायमानस्य' पुरुषस्य शिर एव प्रथमं योनेः सकाशा-दुत्पद्यते । तस्माद्यत्र यज्ञे 'एतानि' 'सर्वाणि' त्रीणि 'सह' 'क्रियन्ते' तत्र 'महदुक्थम्' 'आख्या-यतेतमाम्' सम्पूर्णमुच्यते । बृहतीसहस्रात्मकत्वात्सम्पूर्णोक्तिः । सम्पूर्णोक्तौ युक्त्यन्तरमाह–आत्मा हीति । 'हि' यस्मात् 'महदुक्थम्' 'आत्मा' तत्स्वरूपम् । आत्मनस्तु सर्वाङ्गेभ्योऽपि स्थूलत्वात् ॥ ५ ॥

महाव्रतयज्ञे तावदेतान्यग्निमहाव्रतसामबृहदुक्थान्यविनाभूतानि । तेषामधिदैवमध्यात्मं च पृथिव्यादिरूपता मनःप्राणादिरूपता चोक्ता । अधुना प्रथमसंस्थारूपज्योतिष्टोमाग्निष्टोमं महाव्रतयज्ञात्मना स्तोतुं तत्रैवाग्निचयनादि-त्रयस्योपाप्तिं प्रश्नादिप्रश्नोत्तराभ्यां दर्शयति–तदाहुर्यदेतानि सर्वाणीति । यस्मात् 'एतानि सर्वाणि' त्रीण्यग्निचयनमहाव्रतसामबृहदुक्थानि सह युगपत्, 'दुरुपापानि' आप्नोतेः खल् प्रत्ययः । उपाप्तुमशक्यानि सर्वेषां महाव्रतयज्ञानुष्ठाने प्रयोगबाहुल्येन ऋत्विक्सम्पादनादेर्दुष्करत्वेन चानधिकारात् । तथा चैतरेयकम्–"नादीक्षितो महाव्रतं शंसेन्नानग्नौ न परस्मात्"–इत्यादि । अतः 'एतेषां' त्रयाणां 'का' कीदृशी 'उपाप्तिः' आप्तिः सम्पादनप्रकारः । कुत्र प्रदेशे तेषामाप्तिरिति प्रश्नार्थः । आप्तिस्थानं दर्शयति–ज्योतिष्टोम एवाग्निष्टोम इति । अतस्तस्मिन्पक्षे त्रयाणां सम्पादनात् ज्योतिष्टोमाग्निष्टोमेन यागः कर्त्तव्यः । तत्राग्निष्टोम इति पदेनाग्नि-स्तवनोक्तेरग्निचयनमुक्तमिति मन्तव्यम् । अग्निष्टोमशब्दस्याग्निस्तवनार्थोक्तिरैतरेयकब्राह्मणे समाम्नाता–" स वा एषोऽग्निरेव यदग्निष्टोमस्तं यदस्तुवंस्तस्मादग्निस्तोमस्तमग्निस्तोमं सन्तमग्निष्टोम इत्याचक्षते परोक्षेण परोक्षप्रिया इव हि देवाः" (ऐ. ब्रा. १४ । ५ । ४३) इति ॥ ६ ॥

तुस्य वुाऽएतुस्य ज्योतिष्टोमस्याग्निष्टोमुस्य त्रिवृद्बहिष्पवमानं तुद्ब्रतुस्य शिरः पञ्चदशसप्तदशाऽउत्तरौ पुवमानौ तौ पक्षौ पञ्चदशꣳ होतुराज्यꣳ सप्तदशुं पृष्ठमेकविꣳशुं यज्ञायज्ञियं तत्पुुच्छम् ॥ ७ ॥

(न्तु) तुयोर्व्वुाऽएतुयोः । पञ्चदशसप्तदशुयोर्द्वात्रिꣳशत्स्तोत्रियास्तुतो याः पुञ्चविꣳशतिः सु पञ्चविꣳशुऽआत्मुाऽथ याः सुप्तातियुन्ति तुाः परिमुादः पशुवो हैतुाः पशवः परिमाद ऽएतुावद्वै महाव्व्रतं तुदेतदुत्रैवु महाव्व्रतुमाप्नोति ॥ ८ ॥

तस्य वा एतस्य ज्योतिष्टोमस्याग्निष्टोमस्य त्रिवृद्बहिष्पवमानम् । तद्ब्रतस्य शिरः । पञ्चदशसप्तदशाऽउत्तरौ पवमानौ । तौ पक्षौ । पञ्चदशं होतुराज्यं सप्तदशं पृष्ठम् । एकविंशं यज्ञायज्ञियम् । तत्पुच्छम् ॥ ७ ॥

तयोर्वा एतयोः पञ्चदशसप्तदशयोर्द्वात्रिंशत्स्तोत्रियाः—ततो याः पञ्चविंशतिः, स पञ्चविंश आत्मा । अथ याः सप्तातियन्ति, ताः परिमादः । पशवो हैताः । पशवः परिमादः । एतावद्वै महाव्रतम् । तदेतदत्रैव महाव्रतमाप्नोति ॥ ८ ॥

पक्ष्याकारस्य महाव्रतसाम्नो हि शिरः पक्षमध्यपुच्छात्मकाः पञ्चावयवाः । " शिरो गायत्रम् । राथन्तरं दक्षिणः पक्षः । बृहदुत्तरः पक्षः । भद्रसाम पुच्छम् । राजनसाम ह्यात्मा " इति । तत्सर्वमग्निष्टोमे सम्पादयति—तस्य वा एतस्येत्यादिना । त्रिवृद्बहिष्पवमानं तद्ब्रतस्य शिर इति । ऋक्त्रयात्मकमेकं सूक्तम् । तादृशानि त्रीणि सूक्तानि त्रिवृतोऽवयवा यस्य स्तोमस्य तदिदं त्रिवृद्बहिष्पवमानं प्रातःसवनिकं त्रिवृत् तृचसूक्तत्रयात्मकं बहिष्पवमानं महाव्रतस्य शिरो भवति । बहिष्पवमानमपि गायत्रीछन्दस्कैस्तृचैर्गातव्यम् । तथा च तैत्तिरीयकम्—"त्रिवृच्छिरो भवति त्रेधाविहितं हि शिरः"—इति । पञ्चदशसप्तदशाविति । माध्यन्दिनः पञ्चदशस्तोत्रियात्मकः पवमानः, तृतीयसवने सप्तदशस्तोत्रियात्मकः आर्भवः पवमानः । तावुभौ 'पक्षौ' पक्षस्थानीयौ । 'पञ्चदशं' 'होतुराज्यम्' होत्राऽनुशंसनीयं प्रथममाज्यस्तोत्रं सप्तदशस्तोत्रियात्मकं पृष्ठयनामकं होतुः प्रथमं स्तोत्रम् । तदुभयं 'पृष्ठं' मध्यात्मरूपम्, मध्यात्मरूपाः परिमादश्च इति वक्ष्यते (श. प. १० । १ । २ । ८ ।) । एकविंशम् एकविंशत्यावृत्तिरूपं यज्ञायज्ञियं " यज्ञायज्ञा वो अग्नयः " (वा. सं. २७ । ४२.) इत्यत्रोत्पन्नं साम तत्पुच्छस्थानीयम् ॥ ७ ॥

यद् आज्यं पृष्ठमित्युक्तं तयोर्मध्यात्मरूपतामाह—**तयोर्वा एतयोरिति** । आज्यस्तोत्रं पञ्चदशस्तोत्रियात्मकं पृष्ठं सप्तदशात्मकमुभयं मिलित्वा द्वात्रिंशत्स्तोत्रियात्मकम् । तत्र पञ्चविंशतिः स्तोत्रिया आत्मा । तथा च तैत्तिरीयकम्—" पञ्चविंश आत्मा भवति, तस्मान्मध्यतः पशवो वरिष्ठाः " इति । यास्तत्र सप्ताधिकास्ताः परिमादः परितो हर्षहेतवः महाव्रते क्रियमाणानि यानि परिमान्नामकानि सामानि तत्स्थानीयास्ताः । एताः शिरःपक्षमध्यपुच्छपरिमाद एव महाव्रतं साम तदत्राग्निष्टोमे विद्यत इति तद्यज्ञेन महाव्रतयज्ञमेवाप्तवान्भवति ॥ ८ ॥

(त्यु) अथ होता सप्त च्छन्दाᳬंसि शᳬंसति । चतुरुत्तराण्येकर्चानि विराडष्टमानि तेषां तिस्रश्चाशीतयोऽक्षराणि पञ्चचत्वारिᳬंशच्च ततो या ऽअशीतयः सैवाशीतीनामाप्तिरशीतिभिर्हि महदुक्थमाख्यायतेऽथ यानि पञ्चचत्वारिᳬंशत्ततो यानि पञ्चविᳬंशतिः स पञ्चविᳬंश ऽआत्मा यत्र वाऽआत्मा तदेव शिरस्तत्पक्षपुच्छान्यथ यानि विᳬंशतिस्तदावपनमेतावद्वै महदुक्थं तदेतदत्रैव महदुक्थमाप्नोति तानि वाऽएतानि सर्वाणि ज्योतिष्टोमऽएवाग्निष्टोमऽआप्यन्ते तस्माद् ज्योतिष्टोमेनैवाग्निष्टोमेन यजेत ॥ ९ ॥

इति प्रथमप्रपाठके द्वितीयं ब्राह्मणम् ॥ १०-१-२ ॥ (१. २.) ॥

अथ होता सप्त च्छन्दांसि शंसति । चतुरुत्तराण्येकर्चानि विराडष्टमानि । तेषां तिस्रश्चाशीतयोऽक्षराणि पञ्चचत्वारिंशच्च । ततो या अशीतयः । सैवाशीतीनामाप्तिः । अशीतिभिर्हि महदुक्थमाख्यायते । अथ यानि पञ्चचत्वारिंशत् । ततो यानि पञ्चविंशतिः । स पञ्चविंश आत्मा । यत्र वा आत्मा तदेव शिरः । तत्पक्षपुच्छानि । अथ यानि विंशतिः–तदावपनम् । एतावद्वै महदुक्थम् । तदेतदत्रैव महदुक्थमाप्नोति । तानि वा एतानि सर्वाणि ज्योतिष्टोम एवाग्निष्टोम आप्यन्ते । तस्माद् ज्योतिष्टोमेनैवाग्निष्टोमेन यजेत ॥ ९ ॥

महदुक्थेऽपि गायत्रबार्हतौष्णिहतृचाशीतयः पक्षमध्यपुच्छात्मकाश्चावयवाः सन्ति, तत्सर्वमपि अग्निष्टोमे दर्शयति–अथ होता सप्त च्छन्दांसीति । प्रातरनुवाके गायत्र्यादीनि सप्त च्छन्दांसि धाय्यादिषु विराट्छन्दश्चाष्टमं होता शंसति । तेषां मध्ये गायत्र्याश्चतुर्विंशत्यक्षराणि, चतुरुत्तराणि तावन्ति उष्णिहः, तथा चोष्णिहोऽष्टाविंशतिरक्षराणि; एवं चतुरक्षरोत्तराणि सप्त च्छन्दांसि । "विराजस्त्रयस्त्रिंशदक्षराणि"–इति अत्रैव काण्डे पञ्चमाध्याये वक्ष्यते । "अथ यानि त्रयस्त्रिंशत्सा त्रयस्त्रिंशदक्षरा विराड्" (श. प. १० । ५ । ४ । ८) इति । एतेषामष्टानां छन्दसामक्षराण्यशीतित्रयसङ्ख्याकानि पञ्चचत्वारिंशदधिकानि । तत्र होत्रा शंसनीयानां गायत्र्यादिविराडष्टमच्छन्दस्कानां बह्वीनामृचां सद्भावादक्षरैः सह परिगणने अनेकसंख्यान्यक्षराणि भविष्यन्तीति मत्वा 'एकर्चानि' इत्युक्तम् । एकैकस्मिन् छन्दसि एकैका ऋक् स्वीकर्त्तव्येत्यर्थः । अत्र या अक्षरपरिगणनेन 'तिस्रोऽशीतयः' सम्पन्नास्ता महदुक्थगतास्तिस्रोऽशीतयः । बृहदुक्थेऽशीतित्रयमस्तीति प्रागुक्तम् । "बृहदुक्थे महदुक्थे शिरःपक्षावपनाः सन्ति"–इत्युक्तं तद्दर्शयति–अथ यानि पञ्चचत्वारिंशदिति । अशीतित्रयादधिकानि पञ्चचत्वारिंशदक्षराणि विद्यन्ते तत्र 'यानि' पञ्चविंशतिसंख्यान्यक्षराणि तान्यात्मा मध्यशरीरम् । अनेन शिरःपक्षद्वयपुच्छान्यवयवा अप्युक्ता वेदितव्याः । अथ यान्यवशिष्टानि विंशतिरक्षराणि तदावपनं नाम महदुक्थशस्त्रस्योभागात्मकत्वेन शंसनीयेषु सूक्तेषु–"वनेन वायो धायि चाकन्यो जात एव प्रथमो मनस्वान्"–इत्यनयोः सूक्तयोर्मध्ये आयुष्कामयजमानार्थं कासांचिदृचां शंसनम् । तथा चैतरेयकम्–"ते-

प्रजापतिः प्रजाऽ असृजत । सऽ ऊर्ध्वेभ्य ऽएव प्राणेभ्यो देवानसृजत येऽ-
वाञ्चः प्राणास्तेभ्यो मर्त्याः प्रजाऽ अथोर्ध्वमेव मृत्युं प्रजाभ्योऽत्तारमसृजत ॥ १
तस्य ह प्रजापतेः । (२) अर्धमेव मर्त्यमासीदर्धममृतं तद्यदस्य मर्त्य-
मासीत्तेनमृत्योरबिभेत्स बिभ्यदिमां प्राविशद्द्वयं भूत्वा मृच्चापश्च ॥ २ ॥

स मृत्युर्देवानब्रवीत् । (त्क) क नु सोऽभूद्यो नोऽसृष्टेति त्वद्बिभ्यदिमां
प्राविक्षदिति सोऽब्रवीत्तं वाऽअन्विच्छाम तꣳ सम्भराम न वाऽअहं तꣳ
हिꣳसिष्यामीति तं देवा ऽअस्याऽअधि समभरन्यदस्याप्स्वासीत्ता ऽअपः

प्रजापतिः प्रजा असृजत । स ऊर्ध्वेभ्य एव प्राणेभ्यो देवानसृजत । येऽवाञ्चः प्राणास्तेभ्यो मर्त्याः प्रजाः । अथोर्ध्वमेव मृत्युं प्रजाभ्योऽत्तारमसृजत ॥ १ ॥

तस्य ह प्रजापतेरर्धमेव मर्त्यमासीत् । अर्धममृतम् । तद्यदस्य मर्त्यमासीत्तेन मृत्योरबिभेत् । स बिभ्यदिमां प्राविशद्-द्वयं भूत्वा । मृच्चापश्च ॥ २ ॥

स मृत्युर्देवानब्रवीत्-क नु सोऽभूत्-यो नोऽसृष्टेति । त्वद्बिभ्यदिमां प्राविक्षदिति । सोऽब्रवीत् ।

ऽन्तरेणायाह्यर्वाङुपबन्धुरेष्टा विधुं दद्राणं शमने बहूनाम्”-(ऐ. ब्रा.) इत्येतदावपनं दशतीनामैन्द्रीणां त्रिष्टुब्जगतीनां बृहतीसम्पन्नानां यावतीरावपेरस्तावत्यूर्ध्वमायुषो वर्षाणि जिजीविषेदिति । एतावद्वा इति । ‘एतावत्’ एव अशीतित्रयं शिरःपक्षपुच्छानि, आत्मा च आवपनम् एतावदेव महदुक्थम् । तत्सर्वमत्राग्निष्टोमे विद्यत इति सप्त च्छन्दसां विराजश्च शंसनेन महदुक्थमेव तत्र सम्भृतवान् भवतीत्यर्थः । यतो ज्योतिष्टोमाग्निष्टोमे एतानि सर्वाणि अग्निमहाव्रतमहदुक्थानि सम्पादनया विद्यन्त इत्येतस्य महाव्रतपञ्चात्मना स्तुतत्वाज्ज्योतिष्टोमयागविधिः प्रशस्त इत्यर्थः ॥ ९ ॥

इति श्रीसायणाचार्यविरचिते माधवीये वेदार्थप्रकाशे माध्यन्दिनीयशतपथब्राह्मणभाष्ये दशमकाण्डे प्रथमेऽध्याये द्वितीयं ब्राह्मणम् ॥ (१०।१।२) ॥

अग्निचयनेष्टकाहेतवो मृदापश्च, चित्याग्नेः पञ्चेष्टकाचितयः, पञ्च पुरीषचितयः चित्युपस्थानमन्त्रश्च । तत्र प्रजापतिरूपेणेष्टकाचितयः, पुरीषचितयः प्रजापतेर्मर्त्यामृतशरीरात्मना, मन्त्रोपस्थानं कृत्स्नशरीरसम्पादकत्वेन च तृतीयब्राह्मणे स्तूयते-प्रजापतिः प्रजा इति । पूर्वं ‘प्रजापतिः’ प्रजासर्जनकाले ऊर्ध्वप्राणेभ्यो देवप्रजाः सृष्टवान् । अवाग्भ्यः प्राणेभ्यो ‘मर्त्याः प्रजाः,’ । अथ चरमसृष्टानां मर्त्यप्रजानाम् ‘अत्तारम्’ भक्षयितारं ‘मृत्युं’ च सृष्टवान् ॥ १ ॥

एवंविधाः प्रजाः सृष्टवतः प्रजापतेः शरीरस्यार्द्धं ‘मर्त्यं’ मरणधर्मकं जातम्, ‘अर्धममृतम्’ । तत्र मर्त्यरूपेण स्वयमपि मर्त्यप्रजाभक्षकात् ‘मृत्योरबिभेत्’ ‘स बिभ्यदिमाम्’ भूमिं मृज्जलरूपेण प्रविष्टवान् ॥ २ ॥

भूप्रवेशमेव मृत्युदेवप्रश्नप्रतिवचनाभ्यामाह-स मृत्युर्देवानिति । एवं मृत्युभयेन प्रजापतौ मृदुदकात्मना

सुमभरन्नुथ युदुस्यां तां मृदं तदुभयॐ सम्भृत्य मृदं चापश्चेष्टकामकुर्वं-
स्तुस्मादेतदुभयमिष्टका भवति मृच्चापश्च ॥ ३ ॥

तुदेता वाऽअस्य ताः । पुञ्च मुर्त्यास्तुन्व ऽआसँल्लोम त्वुङ्मांॐस-
मुस्थि मज्जाऽथैता ऽअमृता मुनो व्वाक्प्राणश्चुक्षुः श्रोत्रम् ॥ ४ ॥

(ॐ) स यः सु प्रजापतिः । (२) अयुमेव सु योऽयमग्निश्चीयतेऽथ याऽ
अस्य ताः पुञ्च मुर्त्यास्तुन्व ऽआसन्नेतास्ताः पुरीषचितयोऽथ या ऽअमृता
ऽएतास्ता ऽइष्टकाचितयः ॥ ५ ॥

तं वाऽअन्विच्छाम। तं सम्भराम। न वाऽअहं तं हिंसिष्यामीति। तं देवा अस्या अधि समभरन्।
यदस्याप्स्वासीत्, ताः—अपः समभरन्। अथ यदस्यां—तां मृदम्। तदुभयं सम्भृत्य मृदं चापश्चेष्टका-
मकुर्वन्। तस्मादेतदुभयमिष्टका भवति। मृच्चापश्च ॥ ३ ॥

तदेता वा अस्य ताः पञ्च मर्त्यास्तन्व आसन्—लोम, त्वक्, मांसम्, अस्थि, मज्जा। अथैता
अमृताः—मनः, वाक्, प्राणः, चक्षुः, श्रोत्रम् ॥ ४ ॥

स यः स प्रजापतिः। अयमेव स योऽयमग्निश्चीयते। अथ या अस्य ताः पञ्च मर्त्यास्तन्व
आसन्—एतास्ताः पुरीषचितयः। अथ या अमृताः—एतास्ता इष्टकाचितयः ॥ ५ ॥

भूमिं प्रविष्टवति 'मृत्युर्देवानब्रवीत्' हे देवाः! यः 'नः' अस्मान् मां युष्मांश्च 'असृष्ट' सृष्टवान्। 'स क्व' प्रदेशे 'अभूत्' इति मृत्योर्वचनम्। अथ देवा ऊचुः—हे मृत्यो! 'त्वत्' त्वत्तः सकाशात् 'बिभ्यत्' 'इमाम्' भूमिं 'प्राविक्षत्'। विशेर्लुङि 'शल इगुपधादनिटः क्सः"—(पा. सू. ३।१।४५)। एवं देवैरुक्ते 'स' मृत्युः 'अब्रवीत्'—तं स्रष्टारम् 'अन्विच्छाम' अन्विष्याम। 'तं' मृज्जलरूपं 'सम्भराम' इच्छतेर्भरतेश्च लोटि बहुवचनम्। देवसाहित्येन 'अहं' तु 'तं' प्रजापतिं 'न हिंसिष्यामि' इति मृत्युनोक्ते देवाः 'तम्' प्रजापतिम् 'अस्याऽअधि' अधिः पञ्चम्यर्थानुवादी; भूमेः सकाशात् सम्भृतवन्तः। तत्र मृदुदकयोः सम्भरणस्थानमाह—यदस्येति। 'यद्' अङ्गं प्रजापतेः 'अप्सु' प्रविष्टं 'ताः अपः' सम्भृतवन्तः। 'यद्' भूमौ 'तां मृदम्' इति 'तदुभयं सम्भृत्य' उभयेन इष्टकाः कृतवन्तः। तस्मादिदानीं मृज्जलाभ्यामिष्टकाः क्रियन्ते ॥ ३ ॥

अग्निचयने पञ्च इष्टकाचितयः, पञ्च पुरीषचितयः सन्ति। ताः प्रजापतेः मर्त्यामृतशरीराणीति प्रतिपादयति—तदेता वाऽअस्य ता इति। 'अस्य' मृज्जलात्मनः प्रजापतेर्मरणधर्माणः पञ्चसंख्याका लोमत्वङ्मांसास्थिमज्जात्मकाः देहाः आसन्। लोमादीनि स्थूलशरीरगतानीति मर्त्यशब्देनोक्तानि। अथ मनो-वाक्-प्राण-चक्षुः श्रोत्ररूपाः पञ्च अमृतरूपास्तन्वः। मनःप्रभृतीनां सूक्ष्मशरीरधर्मत्वात् स्थूलदेहनाशेऽपि तदनाशादमृतत्वम् ॥ ४ ॥

उभय्यः पञ्च तन्वश्चित्याग्नेरेवेति वक्तुं प्रजापतेस्तदात्मकतामाह—स यः स प्रजापतिरिति। तत्र 'याः' 'मर्त्याः' 'पञ्च तन्वः' ता एकैकेष्टकाचितेरुपरि निधीयमानाः पञ्च पुरीषचितयः। मनःप्रभृतयो 'याः' अमृततन्वः, 'ता' 'इष्टकाचितयः' ॥ ५ ॥

(स्तु) ते देवा ऽअब्रुवन् । (न्न) अमृतमिमं करवामेति तस्यैताभ्याममृताभ्यां तनूभ्यामेतां मर्त्यां तनूं परिगृह्यामृतामकुर्वन्निष्टकाचितिभ्यां पुरीषचितिं तथा द्वितीयां तथा तृतीयां तथा चतुर्थीम् ॥ ६ ॥

(मु) अथ पञ्चमीं चितिमुपधाय । पुरीषं निवपति तत्र विकर्णीं च स्वयमातृण्णां चोपदधाति हिरण्यशकलैः प्रोक्षत्यग्निमभ्यादधाति सा सप्तमी चितिस्तदमृतमेवमस्यैताभ्याममृताभ्यां तनूभ्यामेतां मर्त्यां तनूं परिगृह्यामृतामकुर्वन्निष्टकाचितिभ्यां पुरीषचितिं ततो वै प्रजापतिरमृतोऽभवत्तथैवैतद्यजमान ऽएतममृतमात्मानं कृत्वा सोऽमृतो भवति॥७॥

ते देवा अब्रुवन्—अमृतमिमं करवामेति । तस्यैताभ्याममृताभ्यां तनूभ्यामेतां मर्त्यां तनूं परिगृह्यामृतामकुर्वन् । इष्टकाचितिभ्यां पुरीषचितिम् । तथा द्वितीयाम् । तथा तृतीयाम् । तथा चतुर्थीम् ॥ ६ ॥

अथ पञ्चमीं चितिमुपधाय पुरीषं निवपति । तत्र विकर्णीं च स्वयमातृण्णां चोपदधाति । हिरण्यशकलैः प्रोक्षति, अग्निमभ्यादधाति । सा सप्तमी चितिः । तदमृतम् । एवमस्यैताभ्याममृताभ्यां तनूभ्यामेतां मर्त्यां तनूं परिगृह्यामृतामकुर्वन्—इष्टकाचितिभ्यां पुरीषचितिम् । ततो वै प्रजापतिरमृतोऽभवत् । तथैवैतद्यजमान एतममृतमात्मानं कृत्वा सोऽमृतो भवति ॥ ७ ॥

अथ मर्त्यशरीराणाममृतत्वकरणं दर्शयति—ते देवा अब्रुवन्नमृतमिममिति । 'इमं' मर्त्यामृतरूपेण द्विविधं प्रजापतिम् 'अमृतम्' 'करवामेति' 'देवा' विचार्य द्वाभ्याममृततनूभ्याम् एकां 'मर्त्यां' तनूं मध्ये निहिताम् 'अमृताम्' कृतवन्तः । अमृतशरीरद्वयेन एकमर्त्यशरीरस्यामृतीकरणं चित्याग्नौ दर्शयति—इष्टकाचितिभ्यां पुरीषचितिमिति । यथा प्रथमद्वितीयेष्टकाचितिभ्यामेकां प्रथमचितेरुपरि निहितां प्रथमां पुरीषचितिममृतां कृतवन्तः । एवं द्वितीयतृतीयाभ्यामितरां पुरीषचितिं तृतीयचतुर्थीभ्यामपरां चतुर्थीपञ्चमीभ्यामन्यामिति पञ्चेष्टकाचितिभिश्चतस्रः पुरीषचितयोऽमृतीकृताः ॥ ६ ॥

यदि द्वाभ्यामेकस्यामृतीकरणं चेत् पञ्चम्याः पुरीषचितेरुपरि चित्यन्तराभावात्तस्या अमृतत्वं नास्तीत्याशङ्क्याह—अथ पञ्चमीं चितिमिति । पञ्चम्या इष्टकाचितेरुपरि निहितायाः पञ्चम्याः पुरीषचितेरुपरि विकर्णीं नामैकामिष्टकां स्वयमातृण्णां नामैकामिष्टकां 'चोपधाय' 'हिरण्यशकलैः' सम्प्रोक्ष्य तत्राहवनीयाग्नेराधानं सप्तमी चितिरिति व्यवह्रियते अतः पञ्चमीसप्तमीभ्यामिष्टकाचितिभ्यां तन्मध्यस्थितायाः पुरीषचितेरमृतीकरणमिति प्रजापतेः सर्वशरीराणाममृतत्वात् तस्यैवामृतत्वं संपन्नम् । एवं यजमानोऽपि भाविशरीररूपचित्याग्नेरिष्टकाभिरमृतीकरणेन स्वयममृतो भवतीत्यर्थः ॥ ७ ॥

ते वै देवास्तं नाविदुः । (यं) यद्येनꣳ सर्व्वं वाऽकुर्व्वन्न वा सर्व्वं यद्यति वाऽरेचयन्न वाऽभ्यापयंस्तऽएतामृचमपश्यन्धामच्छदग्निरिन्द्रो ब्रह्मा देवो बृहस्पतिः ॥ सचेतसो व्विश्वे देवा यज्ञं प्रावन्तु नः शुभऽइति ॥ ८ ॥

तस्याऽअस्त्येवाग्नेयम् । (म) अस्त्यैन्द्रमस्ति व्वैश्वदेवं तद्यदस्याऽआग्नेयं यदेवैतस्याग्नेराग्नेयं तदस्य तेन समस्कुर्व्वन्यदैन्द्रं तदैन्द्रेण यद्वैश्वदेवं तद्वैश्वदेवेन तमत्रैव सर्व्वं कृत्स्नꣳ समस्कुर्व्वन् ॥ ९ ॥

(व्वंस्त) तद्यदेतयोपतिष्ठते । यदेवास्यात्र व्विद्वान्वाऽविद्वान्वाऽति वा रेचयति न वाऽभ्यापयति तदेवास्यैतया सर्व्वमाप्नोति यदस्य किंचानाप्तमनुष्टुब्धामच्छद्भवति व्वाग्वाऽअनुष्टुब्वाग्धामच्छद्वाचैवास्य तदाप्नोति

ते वै देवास्तं नाविदुः—यद्येनं सर्वं वाऽकुर्वन्—न वा सर्वं, यद्यति वाऽरेचयन्—न वाऽभ्यापयन् । त एतामृचमपश्यन् । "धामच्छदग्निरिन्द्रो ब्रह्मा देवो बृहस्पतिः । सचेतसो विश्वे देवा यज्ञं प्रावन्तु नः शुभे"—(वा. सं. १८ । ७६) इति ॥ ८ ॥

तस्या अस्त्येवाग्नेयम् । अस्त्यैन्द्रम् । अस्ति वैश्वदेवम् । तद्यदस्या आग्नेयम्—यदेवैतस्याग्नेरा[illegible] । तदस्य तेन समस्कुर्वन् । यदैन्द्रम्—तदैन्द्रेण । यद्वैश्वदेवम्—तद्वैश्वदेवेन । तमत्रैव सर्वं कृत्स्नं [समस्]कुर्वन् ॥ ९ ॥

[त]द्यदेतयोपतिष्ठते, यदेवास्यात्र विद्वान्वाऽविद्वान्वाऽति वा रेचयति, न वाऽभ्यापयति, तदेवा[स्य]ैतया सर्वमाप्नोति । यदस्य किञ्चानाप्तम् । अनुष्टुब्धामच्छद्भवति । वाग्वा अनुष्टुब्, वाग्धाम-

---

[च]ित्याग्नेर्न्यूनातिरेकपरिहाराय मन्त्रेणोपस्थानं देवाः कृतवन्त इत्यर्थं श्रुतिः स्वयमेव देवकर्तृकाज्ञानपुरःसरं [न]िरूपयति—ते वै देवास्तं नाविदुरिति । 'ते' 'देवाः' 'तम्' अर्थम् 'नाविदुः' न ज्ञातवन्तः । 'यदि' 'एनम्' अग्निं सम्पूर्णं कुर्युः, अथवा 'सर्वं' न कुर्युः । यदि वा अतिरिक्तं कुर्युः । 'न' 'वाऽभ्यापयन्' न्यूनं वा कुर्युरित्येवमर्थं न ज्ञातवन्त इत्यर्थः । तत्तद्दोषपरिजिहीर्षया उपस्थानमन्त्रं दृष्ट-वन्त इत्याह—त एतामृचमिति । ऋचोऽयमर्थः—धामानि तेजांसि स्थानानि वा च्छादयतीति 'धामच्छदग्निः' एतेऽग्न्यादयो 'देवाः' सचेतसः समानमनस्काः 'नः' अस्मदीयं यज्ञं 'शुभे' शोभने विषये 'प्रावन्तु' [र]क्षन्तु पूरयन्त्विति ॥ ८ ॥

मन्त्रगताग्नीन्द्रविश्वदेवपदैः प्रतिपाद्याभिः सवनदेवताभिः सवनत्रयव्यापिचित्याग्नेः संस्कृतत्वमाह—[त]स्या अस्त्येवाग्नेयमिति । यदस्या ऋच 'आग्नेयम्' अग्निदेवतासम्बन्धस्तेन 'अग्नेः' आग्नेयेन स्वरूपेण '[त]ं' चित्याग्निं संस्कृतवन्त इत्यनेन प्रातःसवनव्यापित्वमुक्तम् । एवं माध्यन्दिने सवने ऐन्द्रेण स्वरूपेण । [त]ृतीये विश्वदेवरूपेण संस्कृतवन्त इत्यनेनाग्नेः कृत्स्नसंस्कार उक्तः ॥ ९ ॥

अनया ऋचोपस्थाने पूर्वोक्तासर्वकरणादिदोषपरिहारो भवतीत्याह—तद्यदेतयोपातिष्ठत इति । यदस्य

यदस्य किञ्चानाप्तं पुरीषवतीं चितिं कृत्वोपतिष्ठेतेत्यु हैकऽआहुस्तत्र सा सर्व्वा कृत्स्ना भवतीति ॥ १० ॥

तदु वाऽआहुः । (खं) यविष्ठवत्यैवोपतिष्ठेतैतद्धास्य प्रियं धाम यद्यविष्ठऽइति तद्यदस्य प्रियं धाम तेनास्य तदाप्नोति यदस्य किंचानाप्तमाग्नेय्या ऽग्निकर्म हि गायत्र्या गायत्रोऽग्निर्यावानग्निर्यावत्यस्य मात्रा तावतैवास्य तदाप्नोति यदस्य किंचानाप्तमनिरुक्तया सर्व्वं वाऽअनिरुक्तꣳ सर्व्वेणैवास्य तदाप्नोति यदस्य किंचानाप्तं त्वं यविष्ठ दाशुषऽइति तस्योक्तो बन्धुः पुरीषवतीं चितिं कृत्वोपतिष्ठेत तत्र हि सा सर्व्वा कृत्स्ना भवति ॥ ११

इति प्रथमप्रपाठके तृतीयं ब्राह्मणम् ॥ १०-१-३ ॥ (१. ३.)

च्छदद्, वाचैवास्य तदाप्नोति—यदस्य किञ्चानाप्तम् । पुरीषवतीं चितिं कृत्वोपतिष्ठेतेत्यु हैक आ तत्र हि सा सर्वा कृत्स्ना भवतीति ॥ १० ॥

तदु वा आहुः—यविष्ठवत्यैवोपतिष्ठेत । एतद्धास्य प्रियं धाम यद्यविष्ठ इति । तद्यदस्य धाम तेनास्य तदाप्नोति । यदस्य किञ्चानाप्तम् । आग्नेय्या । अग्निकर्म हि । गायत्र्या । गाय ऽग्निः । यावानग्निर्यावत्यस्य मात्रा तावतैवास्य तदाप्नोति—यदस्य किञ्चानाप्तम् । अनिरुक्त सर्वं वा अनिरुक्तम्, सर्वेणैवास्य तदाप्नोति—यदस्य किञ्चानाप्तम् । " त्वं यविष्ठ दाशुषः (वा. सं. १८ । ७७) इति । तस्योक्तो बन्धुः । पुरीषवतीं चितिं कृत्वोपतिष्ठेत । तत्र हि सर्वा कृत्स्ना भवति ॥ ११ ॥

किञ्चेति । ' अस्य ' अग्नेः यत्किञ्चन स्वरूपमनाप्तं तत् ' सर्वम् ' ' एतया ' ऋचा आप्तवान् भव ऋग्गतमनुष्टुप्छन्दो वाग्रूपेण प्रशंसति—अनुष्टुब्धामच्छदिति । धामच्छदग्निः इत्यृक् अनुष्टुप् वा चतुष्पात्त्वसाम्यात् । " चत्वारि वाक्परिमिता पदानि " (श. प. ३।१।३।१७) इति वाचः पादचतु माम्नातम् । परा, पश्यन्ती, मध्यमा, वैखरी, इत्येतत्पदचतुष्टयमन्यैर्व्याख्यातम् । " अग्निर्वाग्भूत्वा मुखं प्र शत्"—इत्यग्नेर्वाक्त्वम् । उपस्थानकालमाह—पुरीषवतीं चितिमिति । अन्तिमां ' पुरीषवतीम् ' ' चिति कृत्वा, अनेन मन्त्रेणोपस्थानमिति ' एके ' आचार्या आहुरिति । सर्वासां चितीनामन्ते उपस्थानेन ' चितिः समिष्टा ' कृत्स्ना ' संपूर्णा भवतीति । उपस्थाने मन्त्रभेदं वक्तुम् ' एक आहुः ' इति पक्षान्तर न तु चित्यन्तरान्ते उपस्थानमिति वक्ष्यमाणोऽपि वैकल्पिको मन्त्रोऽन्तिमपुरीषचितेरनन्तरमेवोपस विनियोक्तव्यः ॥ १० ॥

तं मन्त्रमाह—तदु वा आहुर्यविष्ठवत्येति । यविष्ठपदवत्या ऋचेत्यर्थः । पूर्वं धामच्छदग्निरिति—अग्ने मच्छदिति गुणोऽभिहितः । अत्रापि तमेव गुणं दर्शयितुं यविष्ठपदस्य धामार्थतामाह—एतद्धास्य प्रियं ध

उभयꣳ हैतदग्रे प्रजापतिरास। मर्त्यं चैवामृतं च तस्य प्राणा ऽएवामृता ऽआसुः शरीरं मर्त्यꣳ स ऽएतेन कर्मणैतयाऽऽवृतैकधाऽजरममृतमात्मान-मकुरुत तथैवैतद्यजमान ऽउभयमेव भवति मर्त्यं चैवामृतं च तस्य प्राणा ऽएवामृता भवन्ति शरीरं मर्त्यꣳ स ऽएतेन कर्मणैतयाऽऽवृतैकधाऽजर-ममृतमात्मानं कुरुते ॥ १ ॥

उभयं हैतदग्रे प्रजापतिरास-मर्त्यं चैवामृतं च। तस्य प्राणा एवामृता आसुः। शरीरं मर्त्यम्। स एतेन कर्मणैतयाऽऽवृतैकधाऽजरममृतमात्मानमकुरुत। तथैवैतद्यजमान उभयमेव भवति-मर्त्यं चैवामृतं च। तस्य प्राणा एवामृता भवन्ति। शरीरं मर्त्यम्। स एतेन कर्मणैतयाऽऽवृतैकधाऽजर-ममृतमात्मानं कुरुते ॥ १ ॥

यद्यविष्ठ इति। धामनामेत्यर्थः। अस्या ऋचोऽग्निदेवत्यत्वं च प्रशंसति-आग्नेय्याऽग्निकर्म हीति। यस्माद् 'अग्नेः' 'कर्म' तस्माद् 'आग्नेय्या' अग्निदेवत्यया उपस्थानम्। 'गायत्र्या' अनया। अग्नेर्गायत्रत्वं षष्ठे काण्डेऽभि-[illegible]-"अष्टावग्निरूपाणि, अष्टाक्षरा गायत्री, गायत्रोऽग्निः" (श.प.ब्रा. ६।१।२।१९) इति। 'अग्निर्यावान्' [illegible] परिमाण इति अवयविपरिमाणवचनम्। 'अस्य' अग्नेः यावती मात्रा इति अवयवपरिमाणवचनम्। [illegible] आग्नेस्तद्रूपं तावता तत्परिमाणरूपेण आत्मवान् भवति। अनिरुक्तयेति। अस्पष्टाग्निलिङ्गया ऋचेत्यर्थः। म[illegible] वा अनिरुक्तामिति। निर्वक्तुमनर्हम् अनिरुक्तम्। यविष्ठपदवतीमृचं पठति-त्वं यविष्ठ दाशुष इति। एषाऽऽग्नेयी, यद्यपि अग्न्यादिपदं स्पष्टतया न प्रतीयते अथापि सूक्तस्याग्नेयत्वादस्या अप्याग्नेयत्वं प्रकरणादव-सी[illegible]ते। अस्य मन्त्रस्य व्याख्यापकं ब्राह्मणमतिदिशति-तस्योक्तो बन्धुरिति। सप्तमकाण्डस्योपरिभागे-" [illegible] द्वे जात इदं सर्वमयुवत तस्माद्यविष्ठस्त्वं यविष्ठ दाशुष इति, यजमानो वै दाश्वान्" (श. प. ७।१।२। [illegible]। ३९) इत्यादिना। उपस्थानकालमाह-पुरीषवतीं चितिं कृत्वेति। पूर्ववद् व्याख्येयम् ॥ ११ ॥

इति श्रीसायणाचार्यविरचिते माधवीये वेदार्थप्रकाशे माध्यन्दिनीयशतपथब्राह्मणभाष्ये दशमकाण्डे प्रथमेऽध्याये तृतीयं ब्राह्मणम् ॥ (१०-१-३) ॥

चतुर्थे ब्राह्मणे षट्सङ्ख्याका इष्टकाचितयः प्रजापतेरमृतशरीरगतप्राणापानव्यानोदानसमानवाग्रूपत्वेन, षड्-[illegible] चितयः प्रजापतेर्मरणधर्मकस्थूलशरीरगतमज्जास्थिस्नावमांसमेदोऽसृक्त्वग्रूपत्वेन, एकैकस्या इष्टकाचिते-[illegible] निधीयमानाया एकैकस्याः पुरीषचितेरमृतत्वसम्पत्त्या अन्तिमायाश्चितेरुपरिनिहितविकर्णीस्वयमातृण्णेष्टका-[illegible] हिरण्यशकलाहवनीयनिधानं प्रजापतेर्हिरण्मयरूपत्वेन, प्रणीतेऽग्नौ हूयमानाः समिधो देवानामन्नत्वेन च स्तूयन्ते। [illegible] ग्निचितः पक्षिभक्षणवर्जनव्रतं च प्रतिपाद्यते। अनन्तरातीतब्राह्मणे यत्प्रजापतेर्मर्त्यामृतभेदेन द्वैविध्यमित्यु-[illegible] (श. प. १०।१।२।६) तद्द्वयोर्मर्त्यामृतयोरर्थं वक्तुं तत्स्मारयति-उभयं हैतदग्र इति। [illegible]' पूर्वम्। अमृतशब्देन वाक्सहिताः पञ्च प्राणा विवक्षिताः। मर्त्यपदेन स्थूलगतमज्जास्थिस्नावमांसमेदो-ऽसृक् त्वचोऽभिधीयन्ते। स एवं मर्त्यामृतभेदेन द्विप्रकारः प्रजापतिरेतेनाग्निकर्मणा एतयाऽऽवृता क्रियया एकधा

स प्रथमां चितिं चिनोति । सा हास्यैषा प्राणऽएव तद्वै तदमृतममृतᳫं हि प्राणः सैषाऽमृतचितिरथ पुरीषं निवपति तद्धास्यैतन्मज्जैव तद्वै तन्मर्त्यं मर्त्यो हि मज्जा तदेतस्मिन्नमृते प्रतिष्ठापयति तेनास्यैतदमृतं भवति ॥ २ ॥

द्वितीयां चितिं चिनोति । सा हास्यैषाऽपानऽएव तद्वै तदमृतममृतᳫं ह्यपानः सैषाऽमृतचितिस्तदेतन्मर्त्यमुभयतोऽमृतेन परिगृह्णाति तेनास्यैतदमृतं भवत्यथ पुरीषं निवपति तद्धास्यैतदस्थ्येव तद्वै तन्मर्त्यं मर्त्यᳫं ह्यस्थि तदेतस्मिन्नमृते प्रतिष्ठापयति तेनास्यैतदमृतं भवति ॥ ३ ॥

तृतीयां चितिं चिनोति । सा हास्यैषा व्यानऽएव तद्वै तदमृतममृतᳫं हि व्यानः सैषाऽमृतचितिस्तदेतन्मर्त्यमुभयतोऽमृतेन परिगृह्णाति तेनास्यैतदमृतं भवत्यथ पुरीषं निवपति तद्धास्यैतत्स्नावेव तद्वै तन्मर्त्यं मर्त्यᳫं हि स्नाव तदेतस्मिन्नमृते प्रतिष्ठापयति तेनास्यैतदमृतं भवति ॥ ४ ॥

स प्रथमां चितिं चिनोति—सा हास्यैषा प्राण एव । तद्वै तदमृतम् । अमृतं हि प्राणः । सैषाऽमृतचितिः । अथ पुरीषं निवपति—तद्धास्यैतन्मज्जैव । तद्वै तन्मर्त्यम् । मर्त्यो हि मज्जा । तदेतस्मिन्नमृते प्रतिष्ठापयति । तेनास्यैतदमृतं भवति ॥ २ ॥

द्वितीयां चितिं चिनोति—सा हास्यैषाऽपान एव । तद्वै तदमृतम् । अमृतं ह्यपानः । सैषाऽमृत चितिः । तदेतन्मर्त्यमुभयतोऽमृतेन परिगृह्णाति । तेनास्यैतदमृतं भवति । अथ पुरीषं निवपति—तद्धास्यैतदस्थ्येव । तद्वै तन्मर्त्यम् । मर्त्यं ह्यस्थि । तदेतस्मिन्नमृते प्रतिष्ठापयति । तेनास्यैतदमृतं भवति ॥ ३ ॥

तृतीयां चितिं चिनोति—सा हास्यैषा व्यान एव । तद्वै तदमृतम् । अमृतं हि व्यानः । सैषाऽमृतचितिः । तदेतन्मर्त्यमुभयतोऽमृतेन परिगृह्णाति—तेनास्यैतदमृतं भवति । अथ पुरीषं निवपति । तद्धास्यैतत्स्नावेव । तद्वै तन्मर्त्यम् । मर्त्यं हि स्नाव । तदेतस्मिन्नमृते प्रतिष्ठापयति । तेनास्यैतदमृतं भवति ॥ ४ ॥

एकप्रकारमात्मानम् अजरं जरारहितम् 'अमृतं' मरणधर्मरहितं कृतवान् । एवं यजमानोऽपि मर्त्यामृतभेदेन द्विप्रकार एतेन अग्निचयनकर्मणा एकमेव स्वात्मानं जरामरणधर्मरहितं कृतवान् भवति ॥ १ ॥

स प्रथमां चितिमिति । कण्डिकाया अयमर्थः—प्रथमा इष्टकाचितिरमृतात्मकप्राणादिषट्कमध्ये प्राणरूपा, प्राणेष्टकाचित्योरमृतत्वव्यवहाराद्द्वयमप्यमृतम्; तस्या उपरि निधीयमाना पुरीषचितिर्मर्त्यशरीरगतमज्जात्मिका; अतस्तस्याममृतरूपायां प्रथमेष्टकाचितौ निहितां मर्त्यरूपपुरीषचितिममृतां कृतवान् भवति ॥ २ ॥

एवं द्वितीयां चितिं चिनोतीत्याद्याः पञ्च कण्डिका व्याख्येयाः । तत्र इष्टकाचितीनाममृतरूपापानव्यानो-

चतुर्थीं चितिं चिनोति । सा हास्यैषोदान एव तद्वै तदमृतममृतꣳ ह्युदानः सैषाऽमृतचितिस्तदेतन्मर्त्यमुभयतोऽमृतेन परिगृह्णाति तेनास्यैतदमृतं भवत्यथ पुरीषं निवपति तद्धास्यैतन्माꣳसमेव तद्वै तन्मर्त्यं मर्त्यꣳ हि माꣳसं तदेतस्मिन्नमृते प्रतिष्ठापयति तेनास्यैतदमृतं भवति ॥ ५ ॥

पञ्चमीं चितिं चिनोति । सा हास्यैषा समान एव तद्वै तदमृतममृतꣳ हि समानः सैषाऽमृतचितिस्तदेतन्मर्त्यमुभयतोऽमृतेन परिगृह्णाति तेनास्यैतदमृतं भवत्यथ पुरीषं निवपति तद्धास्यैतन्मेद एव तद्वै तन्मर्त्यं मर्त्यꣳ हि मेदस्तदेतस्मिन्नमृते प्रतिष्ठापयति तेनास्यैतदमृतं भवति ॥ ६ ॥

षष्ठीं चितिं चिनोति । सा हास्यैषा वागेव तद्वै तदमृतममृतꣳ हि वाक्सैषाऽमृतचितिस्तदेतन्मर्त्यमुभयतोऽमृतेन परिगृह्णाति तेनास्यैतदमृतं भवत्यथ पुरीषं निवपति तद्धास्यैतदसृगेव त्वगेव तद्वै तन्मर्त्यं मर्त्यꣳ ह्यसृङ्मर्त्या त्वक्तदेतस्मिन्नमृते प्रतिष्ठापयति तेनास्यैतदमृतं भवति ॥ ७ ॥

चतुर्थीं चितिं चिनोति—सा हास्यैषोदान एव । तद्वै तदमृतम् । अमृतं ह्युदानः । सैषाऽमृतचितिः । तदेतन्मर्त्यमुभयतोऽमृतेन परिगृह्णाति । तेनास्यैतदमृतं भवति । अथ पुरीषं निवपति । तद्धास्यैतन्मांसमेव । तद्वै तन्मर्त्यम् । मर्त्यं हि मांसम् । तदेतस्मिन्नमृते प्रतिष्ठापयति । तेनास्यैतदमृतं भवति ॥ ५ ॥

पञ्चमीं चितिं चिनोति—सा हास्यैषा समान एवं । तद्वै तदमृतम् । अमृतं हि समानः । सैषाऽमृताचितिः । तदेतन्मर्त्यमुभयतोऽमृतेन परिगृह्णाति । तेनास्यैतदमृतं भवति । अथ पुरीषं निवपति । तद्धास्यैतन्मेद एव । तद्वै तन्मर्त्यम् । मर्त्यं हि मेदः । तदेतस्मिन्नमृते प्रतिष्ठापयति । तेनास्यैतदमृतं भवति ॥ ६ ॥

षष्ठीं चितिं चिनोति—सा हास्यैषा वागेव । तद्वै तदमृतम् । अमृतं हि वाक् । सैषाऽमृताचितिः । तदेतन्मर्त्यमुभयतोऽमृतेन परिगृह्णाति । तेनास्यैतदमृतं भवति । अथ पुरीषं निवपति—तद्धास्यैत·

नसमानवाग्रूपत्वम् । पुरीषचितीनामस्थिस्नावमांसमेदोऽसृक्त्वगात्मकत्वम् । षष्ठ्याः पुरीषचितेरसृक्त्वं त्वक्त्वं चेति द्वयरूपत्वमिति विशेषः । तदेतन्मर्त्यमुभयतोऽमृतेन परिगृह्णातीति । 'तदेतत्' 'मर्त्यम्' पुरीषचितिरूपम् 'उभयतोऽमृतेन' इष्टकाद्वयेन 'परिगृह्णाति' मध्यस्थितं करोति । तेन कारणेन अस्य प्रजापतेस्तत्र्त्यं रूपममृतं भवति । एवमुत्तरत्र योजनीयम् ॥ ३–६ ॥

षष्ठीं चितिमिति । स्तोमभागानन्तरं पुरीषनिवपनविधानात्तदन्ता पञ्चमी चितिः । तत ऊर्ध्वं पुरीषचितेः

ता वाऽएताः । षुडिष्टकाचितयः षुट्पुरीषचितयस्तद्द्वादश द्वादश मासाः संव्वत्सरः संव्वत्सरोऽग्निर्य्यावानग्निर्य्यावत्यस्य मात्रा तावतैव तत्प्रजापतिरेकधाऽजरममृतमात्मानमकुरुत तथैवैतद्यजमान ऽएकधाऽजरममृतमात्मानं कुरुते ॥ ८ ॥

(तेऽथ) अथ विकर्णीं च स्वयमातृण्णां चोपधाय । हिरण्यशकलैः प्रोक्षत्यग्निमभ्युादधाति रूपमेव तत्प्रजापतिर्हिरण्मयमन्ततऽआत्मनोऽकुरुत तद्यदन्ततस्तस्मादिदमन्त्यमात्मनो रूपं तस्मादाहुर्हिरण्मयः प्रजापतिरिति तथैवैतद्यजमानो रूपमेव हिरण्मयमन्ततऽआत्मनः कुरुते तद्यदन्ततस्तस्मादिदमन्त्यमात्मनो रूपं तस्माद्ये चैतद्विदुर्ये च न हिरण्मयोऽग्निचिदमुष्मिँल्लोके सम्भवतीत्येवाहुः ॥ ९ ॥

दसृगेव, त्वगेव । तद्वै तन्मर्त्यम् । मर्त्यं ह्यसृक्, मर्त्या त्वक् । तदेतस्मिन्नमृते प्रतिष्ठापयति । तेनास्यैतदमृतं भवति ॥ ७ ॥

ता वा एताः षडिष्टकाचितयः, षट् पुरीषचितयः, तद् द्वादश । द्वादश मासाः संवत्सरः । संवत्सरोऽग्निः । यावानग्निर्यावत्यस्य मात्रा तावतैव तत्प्रजापतिरेकधाऽजरममृतमात्मानमकुरुत । तथैवैतद्यजमान एकधाऽजरममृतमात्मानं कुरुते ॥ ८ ॥

अथ विकर्णीं च स्वयमातृण्णां चोपधाय–हिरण्यशकलैः प्रोक्षति । अग्निमभ्यादधाति । रूपमेव तत्प्रजापतिर्हिरण्मयमन्तत आत्मनोऽकुरुत । तद्यदन्ततः–तस्मादिदमन्त्यमात्मनो रूपम् । तस्मादाहुः–हिरण्मयः प्रजापतिरिति । तथैवैतद्यजमानो रूपमेव हिरण्मयमन्तत आत्मनः कुरुते । तद्यदन्ततः–तस्मादिदमन्त्यमात्मनो रूपम् । तस्माद्ये चैतद्विदुः, ये च न,–हिरण्मयोऽग्निचिदमुष्मिँल्लोके सम्भवती–त्येवाहुः ॥ ९ ॥

प्राक् याः नाकसत्पञ्चचूडच्छन्दस्याद्य इष्टका उपधीयन्ते–सा षष्ठी चितिः इति अष्टमे काण्डे प्रपञ्चेन निरूपितम्–" स्तोमभागा उपधाय पुरीषं निवपति सा पञ्चमी चितिः । अथ यदेतदूर्ध्वमा पुरीषात्सा षष्ठी चितिः " (श. प. ब्रा. ८ । ३ । ७) इति ॥ ७ ॥

चितिद्वयगतां संख्यामनूद्य सम्भूय संवत्सररूपाग्न्यात्मना प्रशंसति–ता वा एताः षडिष्टकाचितयः, षट् पुरीषचितय इति ॥ ८ ॥

विकर्ण्यादीष्टकाहिरण्यशकलाहवनीयनिधानं हिरण्मयरूपत्वेन प्रशंसति–अथ विकर्णीं च स्वयमातृण्णामिति । विकर्णीनामिका स्वयमातृण्णानामिका च इष्टका । 'सुवर्णशकलैः' चित्याग्निं प्रोक्ष्य आहवनीयं निदधाति । एवमिष्टकाग्निनिधानेन प्रजापतिः 'अन्ततः' अन्ते 'हिरण्मयम्' सुवर्णमयं रूपं स्वात्मनः कृतवान् यतोऽन्ते 'आत्मनः' सुवर्णरूपकरणेन प्रजापतिर्हिरण्मय इति वेदवादिन आहुः । तथाऽयं यजमानः सर्वं

(स्तु) तद्धैतच्छाण्डिल्यश्च साप्तरथवाहनिश्च । (श्चा) आचार्यान्तेवासिनौ व्यूदाते रूपमेवास्यैतदिति ह स्माह शाण्डिल्यो लोमानीति साप्तरथवाहनिः ॥ १० ॥

स होवाच शाण्डिल्यः । (ल्यो) रूपं वाव लोमवद्रूपमलोमकꣳ रूपमेवास्यैतदिति तद्धै तत्तथा यथा तच्छाण्डिल्य ऽउवाच संचिते ऽग्निः प्रणीयते प्रणीतादूर्ध्वꣳ समिध ऽआहुतय ऽइति हूयन्ते ॥ ११ ॥

प्राणेन वै देवा ऽअन्नमदन्ति । (न्त्य) अग्निरु देवानां प्राणस्तस्मात्प्राग्देवेभ्यो जुह्वति प्राणेन हि देवा ऽअन्नमदन्त्यपानेन मनुष्या ऽअन्नमदन्ति तस्मात्प्रत्यङ्मनुष्येष्वन्नं धीयते ऽपानेन हि मनुष्या ऽअन्नमदन्ति ॥ १२ ॥

तद्धैतच्छाण्डिल्यश्च साप्तरथवाहनिश्चाचार्यान्तेवासिनौ व्यूदाते । रूपमेवास्यैतदिति ह स्माह शाण्डिल्यः । लोमानीति साप्तरथवाहनिः ॥ १० ॥

स होवाच शाण्डिल्यः-रूपं वाव लोमवत्, रूपमलोमकम्, रूपमेवास्यैतदिति । तद्धै तत् [illegible]-यथा तच्छाण्डिल्य उवाच । संचितेऽग्निः प्रणीयते । प्रणीतादूर्ध्वं समिध आहुतय इति [illegible] ॥ ११ ॥

[illegible]ाणेन वै देवा अन्नमदन्ति । अग्निरु देवानां प्राणः । तस्मात्प्राग् देवेभ्यो जुह्वति । प्राणेन हि

[illegible] नामन्ते हिरण्यशकलप्रोक्षणानन्तरमाहवनीयनिधानेन स्वात्मनोऽपि हिरण्मयं 'रूपं' करोति । 'तस्मात्' [illegible]ोऽभिज्ञाः पुरुषाः 'ये' चानभिज्ञास्ते उभयेऽपि 'अग्निचित्' अग्निं चितवान् यजमानः 'अमुष्मिन्' [illegible] 'लोके' 'हिरण्मयो' हिरण्यसमानवर्णः 'सम्भवतीति' अविवादेन वदन्तीत्यर्थः ॥ ९ ॥

हिरण्यशकलाहवनीयनिधानं प्रजापतेर्हिरण्मयरूपमित्युक्तम् । तत्र गुरुशिष्ययोः संवादं दर्शयति-तद्धैतच्छा[illegible]ल्यश्च साप्तरथवाहनिश्चेति । 'आचार्यान्तेवासिनौ' 'शाण्डिल्य' आचार्यः इतरः शिष्यः 'व्यूदाते' [illegible] कृतवन्तौ । विवादस्वरूपमाह-रूपमेवास्यैतदिति । 'अस्य' प्रजापतेः 'एतत्' हिरण्मयं [illegible]मेति शाण्डिल्यमतम् । 'लोमानि' एव न रूपमिति साप्तरथवाहनेः शिष्यस्य मतम् ॥ १० ॥

एवं विवादे आचार्यः शाण्डिल्यो रूपमित्येव सोपपत्तिकं निश्चितवानित्याह-स होवाच शाण्डिल्य इति । 'लोमवत्' लोमयुक्तमपि 'रूपम्' भवति । 'अलोमकम्' लोमरहितमपि 'रूपं' भवति । अत 'एतत्' हिरण्मयत्वम् 'अस्य' प्रजापतेः 'रूपं' रूपमेवेत्यर्थः । शाण्डिल्योक्तमर्थं श्रुतिरनुमोदते-तद्धै तत्तथा यथा तच्छाण्डिल्य उवाचेति । चित्याग्निमभिलक्ष्याहवनीयाग्नेः प्राङ्मुखत्वेन प्रणयनं प्रशंसितुमाह-संचितेऽग्निः प्रणीयत इति । 'सञ्चिते' इष्टकाचितेऽग्नौ 'अग्निः' आहवनीयः 'प्रणीयते' प्राङ्मुखो [illegible]ते 'प्रणीतादूर्ध्वम्' प्रणीतेऽग्नौ 'समिध आहुतय' इत्येवं 'हूयन्ते' ॥ ११ ॥

प्राणेन वै देवा अन्नमदन्तीत्यादेरयमर्थः । यतः 'अग्निः' 'देवानाम्' प्राणभूतः 'तस्मात्' प्राण-

तदाहुः । (१) न व्वयसोऽग्निचिदश्नीयाद्वयो वाऽएष रूपं भवति योऽग्निं चिनुतऽईश्वर ऽआर्तिमार्तोस्तस्मान्न व्वयसोऽग्निचिदश्नीयादिति तद्वै काममेवैवंविदश्नीयादग्निर्व्वाऽएष रूपं भवति योऽग्निं चिनुते सर्व्वं वा इदमग्नेरन्नꣳ सर्व्वं मऽइदमन्नमित्येवैवंविद्विद्यादिति ॥ १३ ॥

तदाहुः । किं तदग्नौ क्रियते येन यजमानः पुनर्मृत्युमपजयतीत्यग्निर्व्वाऽएष देवता भवति योऽग्निं चिनुतेऽमृतमु वाऽअग्निः श्रीर्देवाः श्रियं गच्छति यशो देवा यशो ह भवति य ऽएवं व्वेद ॥ १४ ॥

इति प्रथमप्रपाठके चतुर्थं ब्राह्मणम् ॥ १०-१-४ ॥ (१. ४.) ॥

देवा अन्नमदन्ति । अपानेन मनुष्या अन्नमदन्ति । तस्मात्प्रत्यङ्मनुष्येष्वन्नं धीयते । अपानेन हि मनुष्या अन्नमदन्ति ॥ १२ ॥

तदाहुः-न वयसोऽग्निचिदश्नीयात् । वयो वा एष रूपं भवति-योऽग्निं चिनुते । ईश्वर आर्तिमार्तोः । तस्मान्न वयसोऽग्निचिदश्नीयात्-इति । तद्वै काममेवैवंविदश्नीयात् । अग्निर्वा एष रूपं भवति योऽग्निं चिनुते । सर्वं वा इदमग्नेरन्नम् । सर्वं म इदमन्नमित्येवैवंविद्विद्यात्-इति ॥ १३ ॥

तदाहुः-किं तदग्नौ क्रियते-येन यजमानः पुनर्मृत्युमपजयतीति । अग्निर्वाऽएष देवता भवति-

---

स्योर्ध्वगतित्वात्, 'देवेभ्यः प्राक्' प्राचा हस्तेनोर्ध्वं 'जुह्वति' होमं कुर्वन्ति यतो 'देवाः' 'प्राणेन' 'अन्नमदन्ति' 'मनुष्याः' खलु 'अपानेन' अवाङ्मुखेन वायुना भुञ्जते, तस्मादग्नेः प्रणयनं देवानां प्राङ्मुखत्वेन हवनमित्यर्थः ॥ १२ ॥

अग्निचितः कञ्चिद्धर्मं विधत्ते-तदाहुर्न वयसोऽग्निचिदिति । अग्निं चितवान् यजमानः 'वयसः' पक्षिणो 'न अश्नीयात्' इति । तत्र हेतुमाह-वयो वा एष रूपमिति । 'योऽग्निं चिनुते' 'एषः वयो रूपं' 'भवति' चित्याग्निरेव पक्षी अग्निचितः स्वरूपम् अतः पक्षिमांसभक्षणेन चित्याग्निमेव भक्षितवान् भवति । तथा च तैत्तिरीयके-"वयो वा अग्निर्यदग्निचित्पक्षिणोऽश्नीयात्तमेवाग्निमद्यात्"-(तै. सं. ५ । ७ । १) इति । ईश्वर आर्तिमार्तोरिति । 'आर्त्तिम्' दुःखम् 'आर्त्तोः' गन्तुमीश्वरो भवति । एवं पक्षिभक्षणवर्जननियममनूद्य तं दूषयति-तद्वै काममेवैवंविदश्नीयादिति । 'एवंवित्' चित्याग्निरूपः पक्षी स च स्वात्मा एवं जानानः पुरुषः 'कामम्' स्वेच्छया 'अश्नीयात्' । अत्र हेतुमाह-अग्निर्वा एष रूपमिति । 'यः' अग्निचित् स हि अग्निरूपः अतो यथाऽग्नेः 'सर्वम् अन्नम् भवति' एवं मे अग्निरूपस्य मम 'सर्वम् अन्नं भवति' 'इत्येव'-'एवंविद्' 'विद्यात्' जानीयात् । तस्मात् कामं पक्षिणोऽद्यादित्यर्थः ॥ १३ ॥

अग्निचयनसाध्यं फलं वेदवादिप्रश्नोत्तराभ्यां निरूपयति-तदाहुः किं तदग्नौ क्रियत इति । 'येन'

१-पक्ष्यभोजनम् । का. श्रौ. सू. १८ । ११२ ।

सु॒र्व्वे हैते य॒ज्ञा यो॒ऽयम॒ग्निश्चि॒तः । स य॒त्पशु॒मालभते त॒दग्न्या॒धेय॒मु॒थ य॒दु॒खाᳫँ सं॒भरति ता॒न्यग्न्याधेयह॒वीᳫँष्यु॒थ य॒द्दीक्षते त॒द॒ग्निहो॒त्रमु॒थ य॒द्दी॒क्षि॒तः स॒मि॒धावाद॒धाति॒ ते॒ऽअग्निहो॒त्राहु॒ती ॥ १ ॥

ते वै॒ सा॒यंप्रा॒तरा॒दधाति । सा॒यंप्रा॒तर्ह्य॒ग्निहो॒त्राहु॒ती जु॒ह्वति समा॒ने॒न मु॒न्त्रेण समा॒नेन हि मु॒न्त्रेणाग्निहो॒त्राहु॒ती जु॒ह्व॒त्यु॒थ य॒द्व॒नीवाह॒नं च भु॒स्मन॒श्चाभ्यव॒ह॒रणं तौ॒ दर्श॒पूर्ण॒मासा॒वु॒थ य॒द्गा॒र्ह॒पत्यं॒ चिनो॒ति ता॒नि चा॒तुर्मा॒स्या-

---

योऽग्निं चिनुते । अमृतमु वा अग्निः, श्रीर्देवाः, श्रियं गच्छति । यशो देवाः । यशो ह भवति--य एवं वेद ॥ १४ ॥

सर्वे हैते यज्ञाः--योऽयमग्निश्चितः । स यत्पशुमालभते--तदग्न्याधेयम् । अथ यदुखां सम्भरति--तान्यग्न्याधेयहवींषि । अथ यद्दीक्षते--तदग्निहोत्रम् । अथ यद्दीक्षितः समिधावादधाति--ते अग्निहोत्राहुती ॥ १ ॥

ते वै सायंप्रातरादधाति । सायंप्रातर्ह्यग्निहोत्राहुती जुह्वति । समानेन मन्त्रेण । समानेन हि

कर्मणा ' यजमानः ' ' पुनर्मृत्युमपजयति ' तिरस्करोति तत्कर्म ' किम् अग्नौ क्रियते ' इति तदर्थजातमाहुः पृष्टवन्तः । इतिशब्दः प्रश्नसमाप्त्यर्थः । उत्तरम्--अग्निर्वा इति । योऽग्निचित् ' एषः ' अग्निर्देवता भवति । ' अग्निः ' हि अमृतम् एवं यष्टा अमृतो भवति । पुनर्मृत्युं जितवान् भवति । ' श्रीर्देवाः ' अग्न्यादयो देवाः श्रीरूपाः, अग्निकर्मणा ' श्रियं गच्छति ' किं च ' देवाः ' ' यशः '--स्वरूपाः तदपि अग्निकर्मणा आप्नोति । वेदितुः फलमाह--यशो ह भवति य एवं वेदेति । यशोरूपो भवतीति भावः ॥ १४ ॥

इति श्रीसायणाचार्यविरचिते माधवीये वेदार्थप्रकाशे माध्यन्दिनीयशतपथब्राह्मणभाष्ये दशमकाण्डे प्रथमेऽध्याये चतुर्थं ब्राह्मणम् ॥ (१०-१-४) ॥

अग्निचयनकर्म अग्न्याधानादिहविरग्निहोत्रदर्शपूर्णमासेष्टिपशुचातुर्मास्यसोमाध्वरराजसूयादिसर्वयज्ञात्मकमिति [illegible]े ब्राह्मणे स्तूयते । यज्ञवीर्याणां मीमांसा च वक्ष्यते । तत्र प्रथमं संक्षेपत एवाग्नेः सर्वयज्ञात्मकतामाह--**सर्वे** [illegible] **यज्ञा योऽयमग्निश्चित** इति । विविच्य दर्शयति--**स यत् पशुमालभत** इति । सोऽग्निं चिकीर्षमाणः [illegible]शुम् ' पुरुषाश्वादीन् पशून् ' आलभते ' इति ' यत् ' ' तदग्न्याधेयम् ' आधानम, प्रथमकरणसाम्यात् [illegible]लम्भनमेवाधानरूपत्वेन स्तूयते । एवमुत्तरत्र । **अथ यदुखां सम्भरतीति** । उखार्थद्रव्यसम्भरणं [illegible]ष्टकायामुखां सम्भरति " (श. प. । ६ । २ । २ । २३) इति यत् तदग्न्याधानहवींषि आग्नेयपाव[illegible]दीनि तदात्मकानीत्यर्थः । दीक्षैव ' अग्निहोत्रम् ' । दीक्षितः पुरुषः संवत्सरपर्यन्तं प्रत्यहं सायं प्रातः [illegible]धमेकैकामग्नौ ' आदधाति ' तदेवाग्निहोत्राहुतिद्वयम् ॥ १ ॥

' ते ' च समिधौ ; ' समानेन मन्त्रेण ' । प्रातःकालीन एक एव मन्त्रः । सायन्तनोऽप्येक एव । " रात्रि

१--' अहरहः ' इत्यत्र ' रात्रिं रात्रिम् ' इत्यूहः । मंत्रस्तु--स एवेत्यर्थः ।

न्युथ युदूर्ध्वं गार्हपत्यादा सर्व्वौषधात्ता ऽइष्टयोऽथ युदूर्ध्वॅं सर्व्वौषधात्प्राचीनं चितिभ्यस्ते पशुबन्धा युऽएवैतेषु युज्ञेषु व्विष्णुक्रमास्ते व्विष्णुक्रमा यज्जुप्यं तद्वात्सप्रम् ॥ २ ॥ (अर्धप्रपाठकः ॥ ४७ ॥)

(ॐ) सौम्योऽध्वरः प्रथमा चितिः । (युं) युत्प्राचीनॅं सर्वेभ्यो राजसूयो द्वितीया व्वाजपेयस्तृतीयाऽश्वमेधश्चतुर्थ्यग्निसवः पञ्चमी यैश्चितॅं सामभिः परिगायति तन्महाव्व्रतमुथ यत्तत्रोद्गातुः पुरस्ताज्जप्यं तच्छतरुद्रियं व्वसोर्धारा महदुक्थमुथ युदूर्ध्वॅं सामभ्यः प्राचीनं व्वसोर्धारायै युदेव तत्र होतुः पुरस्ताज्जप्यं तत्तदथ युदूर्ध्वं व्वसोर्धारायै ते गृहमेधाऽएतावन्तो वै सर्व्वे यज्ञास्तानग्निनाऽऽप्नोति ॥ ३ ॥

मन्त्रेणाग्निहोत्राहुती जुहोति । अथ यद्वनीवाहनं च भस्मनश्चाभ्यवहरणम्—तौ दर्शपूर्णमासौ । अथ यद्गार्हपत्यं चिनोति—तानि चातुर्मास्यानि । अथ यदूर्ध्वं गार्हपत्याद्—आ सर्वौषधात्—ता इष्टयः । अथ यदूर्ध्वं सर्वौषधात्, प्राचीनं चितिभ्यः—ते पशुबन्धाः । य एवैतेषु यज्ञेषु विष्णुक्रमाः—ते विष्णुक्रमाः । यज्जप्यम्—तद्वात्सप्रम् ॥ २ ॥

सौम्योऽध्वरः प्रथमा चितिः—यत्प्राचीनं सर्वेभ्यः । राजसूयो द्वितीया । वाजपेयस्तृतीया । अश्वमेधश्चतुर्थी । अग्निसवः पञ्चमी । यैश्चितं सामभिः परिगायति—तन्महाव्रतम् । अथ यत्तत्रोद्गातुः पुरस्ताज्जप्यम्—तच्छतरुद्रियम् । वसोर्धारा महदुक्थम् । अथ यदूर्ध्वं सामभ्यः, प्राचीनं

रात्रिमप्रयावम् "—(वा. सं. ११ । ७५) इति सायन्तनो मन्त्रः । " अहरहरप्रयावम " (वा. सं. ११ । ७५) इति प्रातःकालीनो मन्त्रः । अग्निहोत्राहुत्योरपि मन्त्र एक एव । " अग्निर्ज्योतिः "—(वा. सं. ३ । ९) इति सायंकालीनः । " सूर्यो ज्योतिः "—(वा. सं. ३ । ९) इति प्रातर्मन्त्रः । ' अथ यद्वनीवाहनम् ' देवयजनं प्रत्यग्नेः प्रणयनं ' भस्मनोऽभ्यवहरणम् ' अप्सूल्यभस्मावपनम् । ' तौ ' ते कर्मणी ' दर्शपूर्णमासौ ' । ' गार्हपत्यं चेष्यन् ' (श. ए. ७ । १ । १) इत्यादिविहितं गार्हपत्यचयनमेव चातुर्मास्यत्वेन स्तूयते । गार्हपत्यचयनादूर्ध्वभावीनि चित्याग्निक्षेत्रे सर्वौषधवपनपर्यन्तं यानि कर्माणि ता इष्टयः । ओषधिवपनादूर्ध्वभावि इष्टका—' चितिभ्यः ' ' प्राचीनं ' कर्मजातं निरूढपशुबन्धात्मकम् । ' एतेषु ' दर्शपूर्णमासादियज्ञेषु ये ' विष्णुक्रमाः ' त एव अग्निचयने क्रियमाणा ' विष्णुक्रमाः ' अत्रत्या विष्णुक्रमाः त एव । यज्ञेषु ' यत् जप्यम् ' अस्ति तद् ' वात्सप्रम् ' सूक्तम् ॥ २ ॥

' प्रथमा ' स्वयमातृण्णाद्या ' चितिः ' सवा नाम अभिषेकयुक्ता यज्ञाः, तेभ्यः प्राचीनः ' सौम्योऽध्वरः ' सौमिको यज्ञः प्रथमा चितिः सौमिकयज्ञरूपा । द्वितीयाद्याश्चतस्रः अभिषेकयुक्तराजसूयवाजपेयाश्वमेधाग्निसवा-

---

१–' दिवस्परि प्रथमं जज्ञे ' इत्याद्याः ' विवत्तु ' इत्यन्ता वाजसनेयसंहितायां द्वादशाध्यायगता (१८–२८) एकादश मन्त्रा वात्सप्रसूक्तमिति वेदवादिन आहुरिति ।

(त्य) अथातो यज्ञवीर्य्याणामेव । सायंप्रातर्ह वाऽअमुष्मिँल्लोकेऽग्निहोत्रहुदश्नाति तावती ह तस्मिन्यज्ञऽऊर्गर्धमासेऽर्धमासे दर्शपूर्णमासयाजी चतुर्षु चतुर्षु मासेषु चातुर्मास्ययाजी षट्सु षट्सु पशुबन्धयाजी संव्वत्सरे संव्वत्सरे सोमयाजी शते शते संव्वत्सरेष्वग्निचित्काममश्नाति कामं न तद्धैतद्यावच्छतꣳ संव्वत्सरास्तावदमृतमनन्तमपर्यन्तꣳ स यो हैतदेवं व्वेदैवꣳ हैवास्यैतदमृतमनन्तमपर्यन्तं भवति तस्य यदपीषीकयेवोपहन्यात्तदेवास्यामृतमनन्तमपर्यन्तं भवति ॥ ४ ॥

इति प्रथमप्रपाठके पञ्चमं ब्राह्मणम् ॥ १०–१–५ ॥ (१. ५.) ॥

इति प्रथमोऽध्यायः समाप्तः ॥ १० । १ ॥

वसोर्धारायै—यदेव तत्र होतुः पुरस्ताज्जप्यं तत्तत् । अथ यदूर्ध्वं वसोर्धारायै—ते गृहमेधाः । एतावन्तो वै सर्वे यज्ञाः । तानग्निनाऽऽप्नोति ॥ ३ ॥

अथातो यज्ञवीर्याणामेव । सायंप्रातर्ह वा अमुष्मिँल्लोकेऽग्निहोत्रहुदश्नाति । तावती ह तस्मिन्यज्ञऽऊर्क् । अर्धमासेऽर्धमासे दर्शपूर्णमासयाजी । चतुर्षु चतुर्षु मासेषु चातुर्मास्ययाजी । षट्सु षट्सु पशुबन्धयाजी । सम्वत्सरे संवत्सरे सोमयाजी । शते–शते सम्वत्सरेष्वग्निचित्काममश्नाति कामम् । न तद्धैतद् यावच्छतं सम्वत्सराः—तावदमृतमनन्तमपर्यन्तम् । स यो हैतदेवं वेद—एवं हैवास्यैतदमृतमनन्तमपर्यन्तं भवति । तस्य यदपीषीकयेवोपहन्यात्तदेवास्यामृतमनन्तमपर्यन्तं भवति ॥ ४ ॥

रिभक्तः । चितमग्निं यैः सामभी रथन्तरादिभिः परिगायति तत्सामजातं महाव्रतम् । तत्र महाव्रतयज्ञे सामगानात् प्रागुद्गात्रा पुरस्ताज्जप्यो मन्त्रोऽस्ति तदत्र ' शतरुद्रियं ' शतरुद्रियमेवोद्गातुः 'पुरस्तात्' जप्यस्थानीयमित्यर्थः । वसोर्धारा नाम चमकसूक्तैर्हूयमानाऽऽज्यधारा सा बृहदुक्थम् । बृहतीसहस्रात्मकं शस्त्रं बृहदुक्थस्यादौ होत्रा जप्यं मन्त्रजातमस्ति तत्साम्नस्य ' ऊर्ध्वं ' वसोर्धारायाः प्राचीनं कर्मजातम् । तस्या ऊर्ध्वभावि यत् ' ते ' ' गृहमेधाः ' सत्रयागाः । ' एतावन्तो वै ' ' यज्ञाः ' इष्टिपशुसोमरूपाः । सौमिकेषु च एकाहाहीनसत्रात्मका एतावन्त एव ' यज्ञाः ' ' तान् ' सर्वान् 'अग्निना' अग्निचयनकर्मणाऽऽप्तवान् भवति । एवमग्नेः सर्वयज्ञात्मकत्वमुक्तम् ॥३॥

अथात इति । अथ ' यज्ञवीर्याणामेव ' मीमांसा वक्ष्यत इति शेषः । सायंप्रातरिति । यो यजमानः 'सायंप्रातः' अग्निहोत्रं जुहोति स 'अमुष्मिन्' स्वर्गे 'लोके' प्रतिदिनं सायंप्रातरश्नाति । अत्रत्यमाहुतिद्वयं परलोके भोज्यत्वेन परिणमत इत्यर्थः । तावती हेति । तावत्परिमाणा च 'तस्मिन्' अग्निहोत्रात्मके यज्ञे 'ऊर्क्' भवति । एवं ' अर्धमासेऽर्धमासे दर्शपूर्णमासयाजी ' इत्यादिकं व्याख्येयम् । पशुबन्धः षट्सु षट्सु मासेषु क्रियते । " वसन्ते वसन्ते ज्योतिषा यजेत "—इति सोमयागः संवत्सरे विधीयते । अतस्तद्याजी तावत्कालपरिमित तत्फलम् 'अश्नाति' । अग्निचितस्तु विशेषमाह—शत इति । अग्निं चितवान् पुरुषस्तु शतसंख्याकेषु संवत्सरेषु

'कामम्' अपरिमितं 'कामम्' अभीष्टं तत्फलम् 'अश्नाति'। शतशब्दस्यापरिमितार्थमाह–न तद्धैतादिति। 'तदेतत्' 'शतम्' 'न' एतत् परिमितं न–किन्तु अपरिमितमेव। अतो यावन्तः शतं संवत्सराः' 'तावदमृतम्' देवत्वप्रापकम् 'अनन्तम्' अपरिमितमन्नं भवति। वेदितुः फलमाह–स यो हैतदेवं वेदेति। 'तस्य यदपि' इत्यादेरयमर्थः–तस्य चयनकर्मण एकदेशभूतं यत् किञ्चिदपि 'इषीकया' सूक्ष्मतृणाग्रेण 'उपहन्यात्' पृथक्कुर्यात्। उपपूर्वस्य हन्तेः पृथक्करणमर्थः। तथा चापस्तम्बप्रयोगः–"अपि वा सकृदुपहत्य जुहुयात्" (आप० श्रौ. सू.) इति। तत्कर्मण एकदेशोऽपि अस्य चितवतोऽदृष्टम् 'अमृतम्' 'अनन्तमपर्यन्तम्' 'भवति' किल। किमुत सकलं कर्मेति फलस्तुतिः ॥ ४ ॥

इति श्रीसायणाचार्यविरचिते माधवीये वेदार्थप्रकाशे माध्यन्दिनीयशतपथब्राह्मणभाष्ये दशमकाण्डे प्रथमेऽध्याये पञ्चमं ब्राह्मणम् ॥ (१०–१–५) ॥

वेदार्थस्य प्रकाशेन तमो हार्दं निवारयन्। पुमर्थांश्चतुरो देयाद् विद्यातीर्थमहेश्वरः ॥ १ ॥

ब्रह्माण्डं गोसहस्रं कनकहयतुलापूरुषौ स्वर्णगर्भं,
सप्ताब्धीन्पञ्चसीरीं स्त्रिदशतरुलताधेनुसौवर्णभूमीः।
रत्नोस्रां रुक्मवाजिद्विपमहितरथौ सायणिः सिङ्गणार्यो,
व्यश्राणीद्विश्वचक्रं प्रथितविधिमहाभूतयुक्तं घटं च ॥
धान्याद्रिं धन्यजन्मा तिलभवमतुलः स्वर्णजं वर्णमुख्यः,
कार्पासीयं कृपावान्गुडकृतमजडो राजतं राजपूज्यः।
आज्योत्थं प्राज्यजन्मा लवणजमनृणः शार्करं चार्कतेजा,
रत्नाढ्यो रत्नरूपं गिरिमकृत मुदा पात्रसात्सिङ्गणार्यः ॥

इति श्रीमद्राजाधिराजपरमेश्वरवैदिकमार्गप्रवर्त्तकश्रीहरिहरमहाराजसाम्राज्यधुरन्धरेण सायणाचार्येण विरचिते माधवीये वेदार्थप्रकाशे माध्यन्दिनीयशतपथब्राह्मणभाष्ये दशमकाण्डे प्रथमोऽध्यायः ॥ (१०–१) ॥

अथ द्वितीयेऽध्याये प्रथमं ब्राह्मणम् ।

प्रथमप्रपाठके च षष्ठं ब्राह्मणम् ।

प्रजापतिः स्वर्गं लोकमजिगाᳬं सत् । (त्स) सर्वे वै पशवः प्रजापतिः पुरुषोऽश्वो गौरविरजः स ऽएतै रूपैर्नाशक्नोत्स ऽएतं वयोविधमात्मानमपश्यदग्निं तं व्यधत्त सोऽनुपसमुह्यानुपाधायोदपिपतिषत्स नाशक्नोत्स ऽउपसमुह्योपाधायोदपतत्तस्मादप्येतर्हि वयाᳬंसि यदैव पक्षा ऽउपसमूहन्ते यदा पत्राणि विसृजन्तेऽथोत्पतितुᳬं शक्नुवन्ति ॥ १ ॥

प्रजापतिः स्वर्गं लोकमजिगांसत् । सर्वे वै पशवः प्रजापतिः—पुरुषः, अश्वः, गौः, अविः, अजः । स एतै रूपैर्नाशक्नोत् । स एतं वयोविधमात्मानमपश्यत् । अग्निं तं व्यधत्त । सोऽनुपसमुह्यानुपाधायोदपिपतिषत् । स नाशक्नोत् । स उपसमुह्योपाधायोदपतत् । तस्मादप्येतर्हि वयांसि यदैव पक्षा उपसमूहन्ते—यदा पत्राणि विसृजन्ते, अथोत्पतितुं शक्नुवन्ति ॥ १ ॥

यस्य निःश्वसितं वेदा यो वेदेभ्योऽखिलं जगत् । निर्ममे तमहं वन्दे विद्यातीर्थमहेश्वरम् ॥ १ ॥

एवं पूर्वाध्यायेन महाव्रतयज्ञे अग्निचयनमहाव्रतबृहदुक्थानि सहप्रयोक्तव्यानीत्युक्त्वा तानि च सर्वैरग्निष्टोम एवाप्तुं शक्यानीत्यग्निष्टोमगतसामशस्त्राण्येव महाव्रतसामबृहदुक्थात्मना स्तुत्वा चित्याग्निं प्रजापत्यात्मना प्रस्तुत्य पञ्चेष्टकाचितीः पुरीषचितीश्च प्रजापतेर्मर्त्यामृतशरीरात्मना प्रतिपाद्य हिरण्यशकलप्रोक्षणमाहवनीयस्थापनं च हिरण्मयरूपत्वेन स्तुत्वाऽग्निचितो वयोभक्षणवर्जननियमादनन्तरमग्निचयनस्य पुनर्मृत्युजयरूपं फलं तस्याग्निकर्मणः सर्वयज्ञात्मना स्तुतिरुक्ता । अथ द्वितीयेऽध्याये चित्याग्निविषयो विचारो वक्ष्यते, तत्र प्रथमब्राह्मणे चित्याग्नेः पक्षिरूपत्वं पक्षपुच्छयोः प्रमाणं च विधीयते—प्रजापतिः स्वर्गमिति । पूर्वं ' प्रजापतिः ' ' स्वर्गम् ' ' लोकमजिगांसत् ' गन्तुमैच्छत् । इणः सनि (पा. सू. २ । १ । ७) " सनि च " (पा. सू. २।४।४७) इति गम्यादेशे छान्दसत्वात्तडीडभावः "अज्झनगमां सनि" –(पा.सू. ६।४।१६) इति । दीर्घः । ' सर्वे ' ' पशवः ' पुरुषादिपञ्चपशवः ' प्रजापतिः ' सर्वात्मकत्वात्तस्य । यद्वा—अग्नेः पशुषु प्रवेशस्य षष्ठकाण्डे समाम्नानात् (श. प. ६ । २ । १ । १–१२ ।), प्रजापतेश्चाग्न्यात्मकत्वादग्निरूपाणि प्रजापतिरूपाणीति कृत्वा प्रजापतिः सर्वपशुरूप इत्युक्तम् । ' स पशुरूपैर्नाशक्नोत्, ' स्वर्गं गन्तुमिति शेषः । स ' आत्मानं ' स्वर्गगमनसाधनभूतं ' वयोविधम् ' पक्षिरूपम् ' अपश्यत् ' । ' तम् ' पक्षिणम् ' अग्निम् ' चित्याग्निं व्यधत्त । पक्षपुच्छानि विधातुं केवलस्य पक्षिरूपात्मनः स्वर्गगमनसामर्थ्याभावं दर्शयति—सोऽनुपसमुह्येति । ' स ' केवलः पक्षिरूपः ' अनुपसमुह्य ' मध्यप्रदेशेऽवष्टम्भमकृत्वा ' अनुपाधाय ' कञ्चिदाधारमकृत्वा । अथ वा ' अनुपसमुह्य ' पक्षाभ्यां मध्यमागमनवष्टभ्य ' अनुपाधाय ' पक्षाग्राणि अविस्तीर्य ' उदपिपतिषत् ' उत्पतितुं स्वर्गं प्रति उद्गन्तुमैच्छत् । स ' नाशक्नोत् ' पक्षरूपमवष्टम्भमकृत्वा न शक्तः । अथ तथा कृत्वा स्वर्गं गत इत्याह—स इति । स प्रजापतिः पक्षाभ्यां मध्यं ' समुह्य ' पक्षाग्राणि वितत्योत्पतितः ' तस्माद् ' एतस्मात् ' एतर्हि '

तं वाऽअङ्गुलिभिर्म्मिमीते । पुरुषो वै यज्ञस्तेनेदᳩ सर्व्वं मितं तस्यैषाऽवमा मात्रा यदङ्गुलयस्तद्याऽस्यावमा मात्रा तामस्य तदाप्नोति तयैनं तन्मिमीते ॥ २ ॥

चतुर्व्विᳩशत्याऽङ्गुलिभिर्म्मिमीते । चतुर्व्विᳩशत्यक्षरा वै गायत्री गायत्रोऽग्निर्यावानग्निर्यावत्यस्य मात्रा तावतैवैनं तन्मिमीते ॥ ३ ॥

स चतुरङ्गुलमेवोभयतोऽन्तरत ऽउपसमूहति । चतुरङ्गुलमुभयतो बाह्यतो व्युदूहति तद्यावदेवोपसमूहति तावद्व्युदूहति तन्नाहैवातिरेचयति नो कनीयः करोति तथा पुच्छस्य तथोत्तरस्य पक्षस्य ॥ ४ ॥

तं वा अङ्गुलिभिर्मिमीते । पुरुषो वै यज्ञः । तेनेदं सर्वं मितम् । तस्यैषाऽवमा मात्रा यदङ्गुलयः । तद्याऽस्यावमा मात्रा—तामस्य तदाप्नोति । तयैनं तन्मिमीते ॥ २ ॥

चतुर्विंशत्याऽङ्गुलिभिर्मिमीते । चतुर्विंशत्यक्षरा वै गायत्री, गायत्रोऽग्निः । यावानग्निर्यावत्यस्य मात्रा तावतैवैनं तान्मिमीते ॥ ३ ॥

स चतुरङ्गुलमेवोभयतोऽन्तरत उपसमूहति । चतुरङ्गुलमुभयतो बाह्यतो व्युदूहति । तद् यावदे-

---

इदानीं ' वयांसि ' ' यदैव पक्षौ ' ' उपसमूहन्ते ' पक्षाभ्यां मध्यभागं समूहन्ते · पक्षमूलभागं मध्यभागसमीपे सङ्कोचयन्ति । यदा च ' पत्राणि ' पक्षाग्राणि ' विसृजन्ते ' विकिरन्ति तदा पक्षिणः ' उत्पतितुम् ' ' शक्नुवन्ति ' ॥ १ ॥

उत्तरत्र पक्षपुच्छयोश्चतुरङ्गुलिपरिमाणेन समूहनव्यूहनादिकं विधास्यते, अतश्चित्याग्नेरङ्गुलिपरिमाणं दर्शयति—तं वा अङ्गुलिभिर्मिमीत इति । अङ्गुलिपरिमाणं प्रशंसति—पुरुषो वै यज्ञ इति । निर्वर्त्यनिर्वर्त्तकयोरभेदोपचारेण यज्ञस्य पुरुषात्मकत्वम् । ' तेन ' पुरुषेण ' इदम् ' ' सर्वम् ' यज्ञक्षेत्रं ' मितम् ' ' तस्य ' पुरुषस्य ' अवमा ' ' मात्रा ' परिमाणं तदेव ' यदङ्गुलयः ' अङ्गुलिभ्योऽर्वाचीनं परिमाणं नास्ति अतस्ता एव ' अवमा मात्रा ' अतोऽङ्गुलिमानेन चित्याग्नावपि ' ताम् ' मात्रामाप्तवान् भवति ॥ २ ॥

सप्तपुरुषाष्टपुरुषादिपरिमाणानामग्नीनामङ्गुलीभिः परिमाणं न शक्यमित्यरत्निपरिमाणं विधत्ते—चतुर्विंशत्याऽङ्गुलिभिर्मिमीत इति । वितस्तिर्द्वादशांगुलः, वितस्तिद्वयमरत्निः सा चतुर्विंशत्यंगुलपरिमाणा तया ' मिमीते ' " अथ पक्षयोररत्नी उपादधाति "—(श. प. १० । २ । २ । ७ ।) इति । अरत्नैर्यजमानस्य वक्ष्यमाणत्वात्, चित्याग्निरपि उद्बाहुना पुरुषेण मातव्यः " तं वा उद्बाहुना पुरुषेण मिमीते "—(श. प. १० । २ । २ । ६) इति श्रुतेः । " यजमानेनोर्ध्वबाहुना प्रपदोच्छ्रितेन समस्थितेन वा "—(का. श्रौ. सू. । १६ । २३१) इति कात्यायनवचनाच्च । तादृशः पुरुषो हि पञ्चारत्निः । "अरत्निश्चतुर्विंशत्यङ्गुलिपरिमाणा " इति । अंगुलिभिर्मानमित्युक्तम् । अंगुलिगतां संख्यां प्रशंसति—चतुर्विंशत्यक्षरा वै गायत्रीति । अग्नेर्गायत्रत्वं षष्ठे (श. प. । ६ । १ । १९) प्रतिपादितम् ॥ ३ ॥

पक्षपुच्छकरणे कश्चिद्विशेषः कात्यायनेन सूत्रितः—" पक्षपुच्छाप्ययेषु चतुरंगुलं चतुरंगुलं संकर्षति विकर्षत्यन्ते " इति (का. श्रौ. सू. १६।८।२०) । अप्ययाः सन्धयः, तदिदं विधत्ते—स चतुरंगुलमेवोभयत

(स्या) अथ निर्णामौ पक्षयोः करोति । निर्णामौ हि व्वयसः पक्षयोर्भ्भवतो व्वितृतीये व्वितृतीये हि व्वयसः पक्षयोर्न्निर्णामौ भवतोऽन्तरे व्वितृतीयेऽन्तरे हि व्वितृतीये व्वयसः पक्षयोर्न्निर्णामौ भवतः स चतुरङ्गुलमेव पुरस्तादुदूहति चतुरङ्गुलं पश्चादुपसमूहति तद्यावदेवोदूहति तावदुपसमूहति तन्नाहैवातिरेचयति नो कनीयः करोति ॥ ५ ॥

स तस्मिन्निर्णामे । (म) एकामिष्टकामुपदधाति तद्येयं व्वयसः पततो निर्णामादेका नाड्युपशेते तां तत्करोत्यथोऽइदम् ॥ ६ ॥

वोपसमूहति । तावद् व्युदूहति । तन्नाहैवातिरेचयति । नो कनीयः करोति । तथा पुच्छस्य । तथोत्तरस्य पक्षस्य ॥ ४ ॥

अथ निर्णामौ पक्षयोः करोति । निर्णामौ हि वयसः पक्षयोर्भवतः । वितृतीये । वितृतीये हि वयसः पक्षयोर्निर्णामौ भवतः । अन्तरे वितृतीये । अन्तरे हि वितृतीये वयसः पक्षयोर्निर्णामौ भवतः । स चतुरङ्गुलमेव पुरस्तादुदूहति । चतुरङ्गुलं पश्चादुपसमूहति । तद् यावदेवोदूहति तावदुपसमूहति । तन्नाहैवातिरेचयति । नो कनीयः करोति ॥ ५ ॥

स तस्मिन्निर्णाम एकामिष्टकामुपदधाति । तद् येयं वयसः पततो निर्णामादेका नाड्युपशेते । तां तत् करोति । अथो इदम् ॥ ६ ॥

इति । 'उभयतः' पक्षस्य पार्श्वद्वये 'अन्तरतः' चित्याग्नेर्मध्यदेशे 'चतुरंगुलम्' 'उपसमूहति' संकर्षति प्रवेशयतीत्यर्थः । पक्षस्य पार्श्वद्वये 'बाह्यतः' अग्निमध्यात् बाह्यप्रदेशे चतुरङ्गुलं 'व्युदूहति' अन्ते निवर्भगति । यावदेवोपरागूहतीत्यादेरयमर्थः—न्यूनातिरेकपरिहारेण समूहनसमानं व्युदूहनकरणं सप्तपुरुषपरिमितचित्याग्नेराधिक्यन्यूनतापरिहाराय इति । एकत्र पक्षे उक्तमर्थम् इतरपक्षे पुच्छे चातिदिशति—**तथा पुच्छस्य तथोत्तरस्य पक्षस्ये**ति ॥ ४ ॥

अथ पक्षयोर्निर्णमनं विधत्ते—**अथ निर्णामौ पक्षयोः करोती**ति । नितरां नामो नमनं 'निर्णामः' चित्याग्नेः पक्षिरूपत्वात् पक्षिणः पक्षयोर्मध्ये 'निर्णामौ' यथा तथाऽत्रेति । निर्णामप्रदेशं विधत्ते—**वितृतीय** इति । पक्षभागं त्रेधा विभज्य अन्तरे तृतीयभागे निर्णामकरणम् । निर्णामकरणप्रकारमाह—**स चतुरङ्गुलमेवे**ति । एतां श्रुतिमपेक्ष्यैवापस्तम्बेनोक्तम्—" वक्रपक्षो व्यस्तपुच्छो भवति, पश्चात्प्राङुदूहति पुरस्तात्प्रत्युदूहति, एवमेव हि वयसां मध्ये पक्षनिर्णामो भवतीति विज्ञायते "—(आप. श्रौ. सू.) इति ॥ ५ ॥

निर्णाम इष्टकोपधानं विधत्ते—**स तस्मिन्निर्णाम एकामिष्टकामुपदधाती**ति । इष्टकोपधानं पक्षिपक्षमध्यगतनाडीत्वेन प्रशंसति—**तद्येयं वयस** इति । 'निर्णामे' प्रदेशे एकेष्टकोपधानेन पक्षिरूपचित्याग्नेः पक्षमध्ये एकां नाडीमेव निहितवान् भवति ॥ ६ ॥

(मु) अथ व्वक्रौ पक्षौ करोति । व्वक्रौ हि व्वयसः पक्षौ भवतः स चतु-रङ्गुलमेव पश्चादुदूहति चतुरङ्गुलं पुरस्तादुपसमूहति तद्यावदेवोदूहति तावदुपसमूहति तन्नाहैवातिरेचयति नो कनीयः करोति ॥ ७ ॥

(त्यु) अथ रूपमुत्तमं करोति । (त्यु) अत्रैष सर्व्वोऽग्निः संस्कृतस्त-स्मिन्देवाऽएतद्रूपमुत्तममदधुस्तथैवास्मिन्नयमेतद्रूपमुत्तमं दधाति स सह-स्रमृज्वालिखिताऽइष्टकाः करोति सहस्रमित्यालिखिताः सहस्रमित्या-लिखिताः ॥ ८ ॥

(ऽ) अथ पञ्चमीं चितिमुपधाय । त्रेधाऽग्निं व्विमिमीते स मध्यमे व्वितृ-तीये सहस्रमृज्वालिखिता ऽइष्टका ऽउपदधाति तद्यानीमानि व्वयसः प्रत्यञ्चि शीर्ष्ण ऽआ पुच्छादृजूनि लोमानि तानि तत्करोति ॥ ९ ॥

अथ वक्रौ पक्षौ करोति । वक्रौ हि वयसः पक्षौ भवतः। स चतुरङ्गुलमेव पश्चादुदूहति। चतुर-ङ्गुलं पुरस्तादुपसमूहति । तद् यावदेवोदूहति–तावदुपसमूहति । तन्नाहैवातिरेचयाति । नो कनीयः करोति ॥ ७ ॥

अथ रूपमुत्तमं करोति । अत्रैष सर्वोऽग्निः संस्कृतः । तस्मिन्देवा एतद्रूपमुत्तममदधुः । तथैवा-स्मिन्नयमेतद्रूपमुत्तमं दधाति । स सहस्रमृज्वालिखिता इष्टकाः करोति, सहस्रमित्यालिखिताः, सहस्रमित्यालिखिताः ॥ ८ ॥

अथ पञ्चमीं चितिमुपधाय–त्रैधाऽग्निं विमिमीते । स मध्यमे वितृतीये सहस्रमृज्वालिखिता

अथ पक्षयोर्वक्रतां विधत्ते–**अथ वक्रौ पक्षौ करोतीति** । चतुरङ्गुलमात्रं ‘पश्चाद्भागे’ ‘उदूहति’ उत्कर्षति, ‘पुरस्ताद्’ भागे चतुरङ्गुलमात्रं ‘समूहति’ सङ्कर्षति । एवं कृते वक्रत्वं भवति ॥ ७ ॥

अथ पञ्चेष्टका-चित्युपधानानन्तरमात्ममध्ये पक्षद्वये च ऋज्वालिखितदक्षिणावृत्सव्यावृतः सहस्रत्रयसंख्याका इष्टका उपधेयाः, तदुपधानं प्रशंसति–**अथ रूपमुत्तमामिति** । ‘उत्तमम्’ अन्तिमं रूपमग्नेः कुर्यात् । ‘अत्र’ अन्तिमे रूपे ‘एषः’ ‘सर्वोऽग्निः’ ‘संस्कृतः’ इष्टकाभिश्चितः । यथा पूर्वं ‘तस्मिन्’ अग्नौ ‘देवाः’ ‘एतद्रूपम्’ ऋज्वालिखितादीष्टकोपधानलक्षणमुत्तममदधुः । एवं यजमानोऽपि तादृशेष्टकोपधानेन ‘उत्तमम्’ रूपं कृतवान् भवति । त्रिविधा इष्टका आह–**सहस्रमृज्वालिखिता इति** । ऋजुलेखा अकुटिलरेखाः ‘इति आलिखिताः’ इतिशब्दोऽभिनये एवम् ‘आलिखिताः’ इत्यनेन दक्षिणावृतः । द्वितीयेत्यालिखितशब्देन सव्यावृतः । यदाहापस्तम्बः–“ऋजुलेखा दक्षिणावृतः सव्यावृतः”–इति । ताश्च प्रत्येकं सहस्रसंख्याका इति मिलित्वा सहस्रत्रयसंख्याकाः ॥ ८ ॥

तासामुपधानकालं प्रदेशं च दर्शयति–**अथ पञ्चमीं चितिमिति** । ‘पञ्चमीम्’ इष्टकाचितिम् ‘उप-

(त्यु) अथ सहस्रमित्यालिखिता दक्षिणतऽउपदधाति । तद्यानीमानि व्वयसो दक्षिणतो व्वक्राणि लोमानि तानि तत्करोति ॥ १० ॥

(त्यु) अथ सहस्रमित्यालिखिता ऽउत्तरत ऽउपदधाति । तद्यानीमानि व्वयस ऽउत्तरतो व्वक्राणि लोमानि तानि तत्करोति सहस्रेण सर्व्वं वै सहस्रᳪं सर्व्वेणैवास्मिन्नेतद्रूपमुत्तमं दधाति त्रिभिः सहस्रैस्त्रिवृदग्निर्य्यावानग्निर्य्यावत्यस्य मात्रा तावतैवास्मिन्नेतद्रूपमुत्तमं दधाति ॥ ११ ॥

इति प्रथमप्रपाठके षष्ठं ब्राह्मणम् ॥ १०–१–६ ॥ (२. १.) ॥

इष्टका उपदधाति । तद् यानीमानि वयसः प्रत्यञ्चि शीर्ष्ण आ पुच्छादृजूनि लोमानि–तानि तत्करोति ॥ ९ ॥

अथ सहस्रमित्यालिखिता दक्षिणत उपदधाति । तद् यानीमानि वयसो दक्षिणतो वक्राणि लोमानि–तानि तत्करोति ॥ १० ॥

अथ सहस्रमित्यालिखिता उत्तरत उपदधाति । तद् यानीमानि वयस उत्तरतो वक्राणि लोमानि तानि तत्करोति । सहस्रेण । सर्वं वै सहस्रम् । सर्वेणैवास्मिन्नेतद्रूपमुत्तमं दधाति । त्रिभिः सहस्रैः । त्रिवृदग्निः । यावानग्निर्यावत्यस्य मात्रा–तावतैवास्मिन्नेतद्रूपमुत्तमं दधाति ॥ ११ ॥

धाय ' ' अग्निं ' सप्तपुरुषसम्मितं ' त्रेधा ' विभज्य ' मध्यमे ' तृतीयभागे ऋजुलेखा इष्टका उपदध्यात् । एतासामुपधानेन पक्षिरूपस्य चित्याग्नेः शीर्षमारभ्य पुच्छपर्यन्तं प्रत्यञ्चि प्रतिलोमानि ऋजूनि लोमानि कृतवान्भवति । लोके हि पक्षिणां लोमानि शिरःप्रभृतिपुच्छपर्यन्तं प्रत्यञ्चि प्रतिलोमानि ऋजूनि भवन्ति तद्वत् ॥ ९ ॥

अथ सहस्रमित्यालिखिता इति । ' दक्षिणतः ' दक्षिणपक्षे ' इत्यालिखिता ' दक्षिणावृत इष्टकाः । ' उत्तरतः ' उत्तरस्मिन् पक्षे ' इत्यालिखिताः ' सव्यावृत इष्टका उपदध्यात् । यथा लोके पक्षिणां पार्श्वद्वयवर्तीनि ' लोमानि वक्राणि ' । एवं दक्षिणसव्यावृदिष्टकोपधानेन चित्याग्नेः पार्श्वद्वये वक्राणि लोमानि निहितवान् भवतीति । इष्टकागतां त्रित्वसंख्यामनूद्य प्रशंसति–त्रिभिः सहस्रैस्त्रिवृदग्निरिति । अग्नेस्त्रिवृत्त्वं षष्ठे प्रतिपादितम् । " अष्टावग्निरूपाणि कुमारो नवमः सैवाग्नेस्त्रिवृत्ता "–(श. प. ब्रा. का. ६ । १ । ३ । १८) इति । ऋज्वालिखितादिसहस्रत्रयेष्टकोपधानं तत्स्थानविशेषं च संग्रहेणासूत्रयत्–कात्यायनः–सुपर्णचित्याग्निं प्रकृत्य " पञ्चम्यामन्तरा विराजः पुच्छसक्त्योः पादलोकावष्टौ च मध्यत आपूर्वान्तात् स मध्यमो भागस्तस्मिन्नृज्वालिखिता दक्षिणोत्तरयोर्वक्रालिखिताः "–(का. श्रौ. सू. इष्टकापूरणपा॰. ७ । १–२) इति ॥ १० ॥ ११ ॥

इति श्रीसायणाचार्यविरचिते माधवीये वेदार्थप्रकाशे माध्यन्दिनशतपथब्राह्मणभाष्ये दशमकाण्डे द्वितीयाध्याये प्रथमं ब्राह्मणम् ॥ (१०–२–१) ॥

यान्वै तान्त्सप्त पुरुषान् । (नु) एकं पुरुषमकुर्व्वन्त्स प्रजापतिरभवत्स प्रजा ऽअसृजत स प्रजाः सृष्ट्वोर्ध्व ऽउदक्रामत्स ऽएतं लोकमगच्छद्यत्रैष ऽएतत्तपति नो ह तर्ह्यन्य ऽएतस्मादत्र यज्ञिय ऽआस तं देवा यज्ञेनैव यष्टुमध्रियन्त ॥ १ ॥

तस्मादेतदृषिणाऽभ्यनूक्तम् । यज्ञेन यज्ञमयजन्त देवाऽइति यज्ञेन हि तं यज्ञमयजन्त देवास्तानि धर्माणि प्रथमान्यासन्निति ते हि धर्माः प्रथमेऽक्रियन्त ते ह नाकं महिमानः सचन्तेति स्वर्गो वै लोको नाको देवा महिमानस्ते देवाः स्वर्गं लोकॐ सचन्त ये तं यज्ञमयजन्नित्येतत् ॥ २ ॥

यान्वै तान्त्सप्त पुरुषानेकं पुरुषमकुर्वन्–स प्रजापतिरभवत् । स प्रजा असृजत । स प्रजाः सृष्ट्वोर्ध्व उदक्रामत् । स एतं लोकमगच्छत्–यत्रैष एतत्तपति । नो ह तर्ह्यन्य एतस्मादत्र यज्ञिय आस । तं देवा यज्ञेनैव यष्टुमध्रियन्त ॥ १ ॥

तस्मादेतदृषिणाऽभ्यनूक्तम् । "यज्ञेन यज्ञमयजन्त देवाः"–इति । यज्ञेन हि तं यज्ञमयजन्त देवाः । " तानि धर्म्माणि प्रथमान्यासन् "–इति । ते हि धर्माः प्रथमेऽक्रियन्त । " ते ह नाकं महिमानः सचन्त "–इति । स्वर्गो वै लोको नाकः । देवा महिमानः । ते देवाः स्वर्गं लोकं सचन्त–ये तं यज्ञमयजन् इत्येतत् ॥ २ ॥

द्वितीये ब्राह्मणे चित्याग्नेः सप्तपुरुषप्रमाणतां पक्षपुच्छयोश्चारत्निवितस्तिप्रमाणतां विधत्ते–यान्वै तान्सप्त पुरुषानिति । ' वै ' शब्दः प्रसिद्धिद्योतकः । यच्छब्दो विप्रकृष्टवचनः, तच्छब्दः प्रकृतवचनः, ' यांस्तान् ' ' सप्त पुरुषान् ' ' एकं पुरुषमकुर्वन् ' ' स ' एव पुरुषः ' प्रजापतिरभवत् ' इति षष्ठकाण्डादौ सप्त प्राणाः स्वस्वाश्रयान्नानादेहानाश्रित्य सङ्घसाध्यव्यापारासमर्थाः सन्तः सर्वेन्द्रियाधारमेकं पुरुषमकुर्वन्नित्यभिहितम्– "न वा इत्थं संतः शक्ष्यामः प्रजनयितुमिमान् सप्त पुरुषान् एकं पुरुषं करवामेति त एतान् सप्त पुरुषानेकं पुरुषमकुर्वन् "–(श. प. ६।१।१।३) इति । " स एव पुरुषः प्रजापतिरभवत् "–(श. प. ६।१।१।५) इति च । तथाविधस्य प्रजापतेः प्रतिनिधिः सप्तपुरुषसम्मितः प्राकृतोऽग्निरित्यमुमर्थं मन्त्रसंवादपुरःसरं प्रतिपादयति–स प्रजा असृजतेति । ' सः ' सप्तपुरुषात्मकः प्रजापतिः ' प्रजाः ' सृष्ट्वा कृतकर्त्तव्यः ' ऊर्ध्वः ' सन् 'उदक्रामत्' 'सूर्यलोकमगच्छत्' । ' अत्र ' लोके ' तर्हि ' तदा ' एतस्मात् सवितुः ' अन्यो ' ' यज्ञियो ' यज्ञार्हो यष्टव्यो ' नास ' न बभूव । ' तम् ' यज्ञियं सवितारं ' यज्ञेन ' अग्निकर्मणा देवाः ' ' यष्टुमध्रियन्त ' निश्चितवन्तः । यष्टव्यः प्रजापतिस्तु सूर्यलोकं गतः । अतस्तत्र सूर्य एव यष्टव्य इति निश्चितवन्त इत्यनेन चयनस्य सूर्यलोकप्राप्तिः फलमिति सूचितं भवति ॥ १ ॥

यज्ञार्हस्य यज्ञेन यजनकरणे मन्त्रसंवादं दर्शयति–तस्मादेतदृषिणाऽभ्यनूक्तमिति । ऋषिर्मन्त्रः । देवाः ' यज्ञेन ' चयनरूपेण ' यज्ञम् ' यष्टव्यम् । यजेः कर्मणि ' यजयाचयतविच्छप्रच्छरक्षो नङ् "–(पा. सू.

(द्य) यत्र पूर्वे साध्याः सन्ति देवा इति। प्राणा वै साध्या देवास्त एतमग्र एवमसाधयन्नेतदेव बुभूषन्तस्त उ एवाप्येतर्हि साधयन्ति पश्चे-दमन्यदभवद्यजत्रममर्त्यस्य भुवनस्य भूनेति पश्चा हैवेदमन्यद्यज्ञियमास यत्किञ्चामृतम् ॥ ३ ॥

(ध्वै) सुपर्णोऽअङ्ग सवितुर्गरुत्मान्। (न्पू) पूर्वो जातः स उ अस्यानु धर्मेति प्रजापतिर्वै सुपर्णो गरुत्मानेष सवितैतस्य प्रजापतिरनु-धर्ममित्येतत् ॥ ४ ॥

" यत्र पूर्वे साध्याः सन्ति देवाः "–(वा. सं. ३१। १६) इति। प्राणा वै साध्या देवाः। त एतमग्र एवमसाधयन्–एतदेव बुभूषन्तः। त उ एवाप्येतर्हि साधयन्ति। " पश्चेद-मन्यदभवद् यजत्रममर्त्यस्य भुवनस्य भूना "–इति। पश्चा हैवेदमन्यद्यज्ञियमास–यत्कि-ञ्चामृतम् ॥ ३ ॥

" सुपर्णो अङ्ग सवितुर्गरुत्मान पूर्वो जातः स उ अस्मानु धर्म "–इति। प्रजापतिर्वै सुपर्णो गरुत्मान्। एष सविता। एतस्य प्रजापतिरनुधर्ममित्येतत् ॥ ४ ॥

३।३।८३) 'तम्' सवितारम् 'अयजन्त' ततः 'प्रथमानि' आदिमानि 'तानि' 'धर्माणि' कर्माणि 'आसन्,' देवैः सम्पादितानि बभूवुः। 'महिमानो' महत्त्वयुक्ताः 'ते' देवाः 'नाकम्' दुःखरहितं स्वर्गलोकं 'सचन्त' सम्भजन्ते। यत्र लोके पूर्वे चिरन्तनाः साध्या देवाः प्रजापतेः स्रष्टारः सन्ति। मन्त्रं प्रतिपादमनूद्य व्याचष्टे–**यज्ञेन हि तं यज्ञमिति। ये तं यज्ञमयजन्नित्येतदिति।** उक्तार्थस्य तात्पर्यकथनम्। साध्यपदस्यार्थ-माह–**प्राणा वै साध्या देवा इति।** 'अग्रे' पूर्वं ते 'प्राणाः' 'एतम्' एव प्रजापतिम् 'असाधयन्' " सप्त प्राणा एकं पुरुषमकुर्वन् "–(श. प. ६।१।१।३) इति प्रागुक्तम्। किमर्थमेवं साधितवन्त इति तत्राह–**एतदेव बुभूषन्त इति।** प्राणाः स्वयमपि प्रजापत्यात्मना भवितुमिच्छन्तः, अतः 'एतर्हि' इदानीमपि 'त एव' प्राणाः 'साधयन्ति' कार्यम्। प्राणवतैव हि कार्यं साध्यते। अनेन मन्त्रेणैतदुक्तं भवति–सूर्य-लोकं गतं प्रजापतिं लब्धुं सूर्यं यष्टुमध्रियन्त इति। तस्य प्रजापतेः कथं लब्धिरित्याशङ्कां परिहर्तुं यत्र साध्याः सन्तीति प्राणरूपकारणसद्भावः प्रदर्शितः। कारणे विद्यमाने कार्यमुत्पद्यत इत्यभिप्रायः। एवं सूर्यो यज्ञरूप-प्रजापत्यात्मना यष्टव्य इत्युक्तम्। सृष्ट्यादौ प्रजापतिव्यतिरिक्तस्य यष्टव्यदेवजातस्य विरहात्सूर्य एव पक्ष्यात्मक-प्रजापतिरूपेण यष्टव्य इत्यमुमर्थं च मन्त्रान्तरेण प्रतिपादयति–**पश्चेदमन्यदभवद्यजत्रमिति।** अयं दाशत-य्याम् " सविता यन्त्रैः पृथिवीमरम्णाद् "–(ऋ. सं. ८। ८। ७। १) इति सावित्रसूक्ते समाम्नातो मन्त्रः। तस्यार्थः–पश्चाद् देवानां प्रजापतिमुद्दिश्य यागादनन्तरम् अमर्त्यस्य मरणधर्मरहितस्य भुवनस्य सर्व-लोकाधिष्ठातुः, भूना इमनिचो मकारस्य लोपः। 'भूम्ना' बहुभावेन 'अन्यद्' इतरत् 'यजत्रम्' यष्टव्य-मिन्द्रादिदेवतान्तरमभवदुत्पन्नम्। सवितृसकाशात् पूर्वोत्पन्नत्वं समर्थितम्, अतोऽन्यो यज्ञियस्तदानीं नासीदिति भावः। पूर्वार्धगतं यजत्रपदं व्याचष्टे–**पश्चा हैवेदमन्यद्यज्ञियमिति** ॥ २ ॥ ३ ॥

'सुपर्णः' शोभनपतनः 'गरुत्मान्' पक्षवान् चित्याग्न्यात्मको विराड्रूपः प्रजापतिः सवितुः सर्वप्रेरका-

(त्स) स वै सप्तपुरुषो भवति । सप्तपुरुषो ह्ययं पुरुषो यच्चत्वार ऽआत्मा त्रयः पक्षपुच्छानि चत्वारो हि तस्य पुरुषस्यात्मा त्रयः पक्षपुच्छानि ॥ ५ ॥

तं वाऽउद्बाहुना पुरुषेण मिमीते । पुरुषो वै यज्ञस्तेनेदꣳ सर्वं मितं तस्यैषा परमा मात्रा यदुद्बाहुस्तयाऽस्य परमा मात्रा तामस्य तदाप्नोति तयैनं तन्मिमीते तत्रोप यत्प्रपदेनाभ्युच्छ्रितो भवति तत्परिश्रिद्भिराप्नोति तस्माद् बाह्येनैव लेखां परिश्रिद्भ्यः खनेत् ॥ ६ ॥

(द) अथ पक्षयोररत्नीऽउपादधाति । पक्षयोस्तद्वीर्यं दधाति बाहू वै पक्षौ बाहुभ्यामु वाऽअन्नमद्यतेऽन्नायैव तमवकाशं करोति तद्यत्पक्षयोररत्नीऽउपादधात्यरत्निमात्राद्ध्यन्नमद्यते ॥ ७ ॥

स वै सप्तपुरुषो भवति । सप्तपुरुषो ह्ययं पुरुषः । यत् चत्वार आत्मा, त्रयः पक्षपुच्छानि । चत्वारो हि तस्य पुरुषस्यात्मा, त्रयः पक्षपुच्छानि ॥ ५ ॥

तं वा उद्बाहुना पुरुषेण मिमीते । पुरुषो वै यज्ञः । तेनेदं सर्वं मितम् । तस्यैषा परमा मात्रा-यदुद्बाहुः । तद् याऽस्य परमा मात्रा-तामस्य तदाप्नोति । तयैनं तन्मिमीते । तत्रोप यत्प्रपदेनाभ्युच्छ्रितो भवति-तत्परिश्रिद्भिराप्नोति । तस्माद् बाह्येनैव लेखां परिश्रिद्भ्यः खनेत् ॥ ६ ॥

अथ पक्षयोररत्नी उपादधाति-पक्षयोस्तद्वीर्यं दधाति । बाहू वै पक्षौ । बाहुभ्यामु वाऽअन्नमद्यते । अन्नायैव तमवकाशं करोति । तद् यत्पक्षयोररत्नीऽउपादधाति । अरत्निमात्राद्ध्यन्नमद्यते ॥ ७ ॥

हिरण्यात्मकात् सूर्यात् ' पूर्वो ' ' जातः ' प्रथममुत्पन्नः । 'सः' खलु ' गरुत्मान् अस्य ' सवितुः ' अनुधर्म ' धारणमनुकरोति तदात्मको भवतीति यावत् । उत्तरार्धस्य तात्पर्यमाह-**प्रजापतिर्वै सुपर्ण** इति ॥ ४ ॥

तस्य सप्तपुरुषात्मकत्वमाह-**स वा** इति । ' सः ' सुपर्णरूपः प्रजापतिः सप्तपुरुषसम्मितो भवेत् । हि यस्माद् ' अयम् ' ' पुरुषः ' सप्तभिः पुरुषैर्निर्मितः । तानेव पुरुषानाह-**यच्चत्वार आत्मा त्रयः पक्षपुच्छानीति** । मध्यभागः चतुःपुरुषप्रमाणः । दक्षिणः पक्ष एकपुरुषप्रमाणः । तथा पुच्छम् । तथोत्तरः पक्ष इत्यर्थः ॥ ५ ॥

पुरुषप्रमाणं विधत्ते-**तं वा उद्बाहुना पुरुषेणेति** । समस्थितेन यजमानेनोर्ध्वबाहुना चित्याग्नेर्मानं कुर्यादित्यर्थः । उद्बाहुत्वं प्रशंसति-**पुरुषो वै यज्ञ** इति । पुरुषस्योर्ध्वबाहुत्वमेव ' परमा मात्रा ' प्रमाणम् । ' तेन ' मानेन तत्प्रमाणमग्नावाप्तवान् भवति । यथोर्ध्वबाहुत्वं प्रमाणम्, एवं प्रपदेनोच्छ्रितत्वमपि प्रमाणम् । तेनाप्यग्निर्मातव्य इत्याशङ्क्य तत्प्रमाणमन्यतः सिद्धमिति दर्शयति-**तत्रोप यत्प्रपदेनेति** । ' प्रपदेन ' पादाग्रेणावस्थानादुन्नतो भवतीति यत्प्रमाणमस्ति ' तत्परिश्रिद्भिः ' शर्कराभिराप्तवान् भवति । परिश्रिदर्थः सूत्रकृतोक्तः । " ऊर्ध्वाः शर्कराः खाते " (का. श्रौ. सू. १६ । २५४) इति । **तस्मादु बाह्येनेति** । यस्मात्परिश्रितः चित्याग्निक्षेत्रमध्यपातिन्यः अतः ' परिश्रिद्भ्यो ' बाह्यतः ' लेखां खनेत् ' ॥ ६ ॥

" चित्याग्निः सार्द्धसप्तपुरुषप्रमाणः "-इत्यापस्तम्बवचनम् । अत्र सप्तपुरुषप्रमाणमेवोच्यते-अधिकमर्धपुरुष-

(तेऽथ) अथ पुच्छे वितस्तिमुपादधाति । प्रतिष्ठायां तद्वीर्यं दधाति प्रतिष्ठा वै पुच्छꣳ हस्तो वितस्तिर्हस्तेन वाऽअन्नमद्यतेऽन्नायैव तमव-काशं करोति तद्यत्पुच्छे वितस्तिमुपादधात्यन्नऽएवैनं तत्प्रतिष्ठाप-यति तद्यत्तत्र कनीय ऽउपादधात्यन्ने ह्येवैनं तत्प्रतिष्ठापयत्यथोऽएता-वद्वाऽइदं मितं भवत्येतावदिदं तद्यदेवं मिमीतऽएतस्यैवाप्त्यै ॥ ८ ॥

इति प्रथमप्रपाठके सप्तमं ब्राह्मणम् ॥ १० । १ । ७ ॥ (२-२)

या वाऽइयं वेदिः सप्तविधस्य । (स्यै) एषा वेदेर्मात्रा स देवयजन-मध्यवसाय पूर्वया द्वारा पत्नीशालं प्रपद्य गार्हपत्यायोद्धत्यावोक्षति गार्ह-

---

अथ पुच्छे वितस्तिमुपादधाति-प्रतिष्ठायां तद्वीर्यं दधाति । प्रतिष्ठा वै पुच्छम्, हस्तो वितस्तिः । हस्तेन वा अन्नमद्यते । अन्नायैव तमवकाशं करोति । तद् यत्पुच्छे वितस्तिमुपादधाति-अन्न एवैनं तत्प्रतिष्ठापयति । तद् यत्तत्र कनीय उपादधाति-अन्ने ह्येवैनं तत्प्रतिष्ठापयति । अथो एतावद्वा इदं मितं भवति । एतावदिदम् । तद् यदेवं मिमीते-एतस्यैवाप्त्यै ॥ ८ ॥

या वा इयं वेदिः सप्तविधस्य-एषा वेदेर्मात्रा । स देवयजनमध्यवसाय पूर्वया द्वारा पत्नीशालं

प्रमाणं नोक्तमिति तद्विधत्ते-अथ पक्षयोररत्नी इति । " पुरुषः पञ्चारत्निकः "-(का. श्रौ, सू. परिशिष्ट शुल्बसूत्रे ८२) इत्युक्तम् । पक्षद्वयेऽरत्निद्वयं पुच्छे वितस्तिरिति वक्ष्यते । उभयं मिलित्वा सार्द्धमरत्निद्वयमर्द्ध-पुरुषप्रमाणं लभ्यते । पक्षौ अरत्नी च प्रशंसति-बाहू वै पक्षाविति । यतः 'पक्षौ' बाहुस्थानीयौ, ' बाहुभ्यां ' हि ' अन्नमद्यते ' अतः पक्षकरणेन आद्यस्यान्नस्यावकाशं कृतवान् भवति । बाह्वोरभावे आद्यान्नस्यावकाश एव नास्ति केनाश्नीयादिति । यतो ' अरत्निमात्रात् ' बाहोः ' अन्नमद्यते ' अतो बाहुरूपयोः पक्षयोररत्निप्रमाणो-पधानं युक्तमित्यर्थः ॥ ७ ॥

पुच्छे वितस्तिप्रमाणोपधानं विधत्ते-अथ पुच्छे वितस्तिमिति । प्रतिष्ठा वै पुच्छमिति । हस्तो वित-स्तिरिति । मणिबन्धादारभ्य साङ्गुलिरग्रकरो ' वितस्तिः ' तेन हि अन्नमद्यते, अतः पुच्छकरणेन आद्यान्न-स्यावकाशं कृतवान् भवति । तत्र पुच्छे वितस्तिकरणेन ' एनं ' यजमानमन्ने प्रतिष्ठितं करोति । पक्षप्रमाणात् न्यूनप्रमाणकरणं प्रतिष्ठाहेतुत्वेन प्रशंसति-तद्यत्तत्र कनीय इति । वासस्थानमल्पं भोग्यं बहु चेति युक्तम् । स्थानमधिकं भोग्यमल्पं न युक्तमित्यर्थः । अरत्निवितस्तिप्रमाणं सम्भूय स्तौति-अथो एतावद्वा इदं मितमिति । ' इदम् ' पक्षक्षेत्रम् ' एतावन्मितम् ' अरत्निभ्याम्, 'एतावदिदम्' पुच्छक्षेत्रं वितस्त्या, ' एतस्यैव ' पक्षपुच्छ-क्षेत्रस्यैव ' आप्त्यै ' प्राप्तये एवं मानं कर्तव्यमित्यर्थः ॥ ८ ॥

इति श्रीसायणाचार्यविरचिते माधवीये वेदार्थप्रकाशे माध्यन्दिनीयशतपथब्राह्मणभाष्ये दशमकाण्डे द्वितीयेऽध्याये द्वितीयं ब्राह्मणम् ॥ (१०-२-२) ॥

प्राकृतस्य सप्तविधस्याग्नेः विकृतेष्वन्त्यस्यैकशतविधस्याग्नेश्च वेदिमानं तृतीये ब्राह्मणे विधत्ते-या वा इयं वेदिः

पत्यस्योद्धतात्सप्त प्राचः प्रक्रमान्प्रक्रामति ततः प्राञ्चं व्यामं विमिमीते तस्य मध्यऽआहवनीयायोद्धत्यावोक्षति पूर्व्वार्धाद्व्यामस्य त्रीन्प्राचः प्रक्रमान्प्रक्रामति स वेद्यन्तः ॥ १ ॥ (शतम् ५२००) ॥

(स्ते) ते वाऽएते । व्यामैकादशाः प्रक्रमा ऽअन्तरा वेद्यन्तं च गार्हपत्यं चैकादशाक्षरा त्रिष्टुब्वज्रस्त्रिष्टुब्वीर्यं त्रिष्टुब्वज्रेणैवैतद्वीर्येण यजमानः पुरस्ताद्यज्ञमुखाद्रक्षाᳫँसि नाष्ट्रा ऽअपहन्ति ॥ २ ॥

प्रपद्य गार्हपत्यायोद्धत्यावोक्षति । गार्हपत्यस्योद्धतात्सप्त प्राचः प्रक्रमान् प्रक्रामति । ततः प्राञ्चं व्यामं विमिमीते । तस्य मध्य आहवनीयायोद्धत्यावोक्षति । पूर्वार्धाद्व्यामस्य त्रीन्प्राचः प्रक्रमान्प्रक्रामति । स वेद्यन्तः ॥ १ ॥

ते वा एते व्यामैकादशाः प्रक्रमाः—अन्तरा वेद्यन्तं च गार्हपत्यं च । एकादशाक्षरा त्रिष्टुप् । वज्रस्त्रिष्टुप् । वीर्यं त्रिष्टुप् । वज्रेणैवैतद्वीर्येण यजमानः पुरस्ताद्यज्ञमुखाद्रक्षांसि नाष्ट्रा अपहन्ति ॥ २ ॥

सप्तविधस्यैषा वेदेमत्रिेति । 'या इयं वेदिः' सौमिकी प्रसिद्धा सा सप्तविधस्याग्नेः 'मात्रा' भवतीत्यर्थः । वेदिमानस्य कालं कात्यायनः सूत्रितवान्—"दीक्षाणामुत्तमेऽहनि वेद्यग्निमानम्"—(का. श्रौ. सू. १६ । २२७) इति । महावेदेर्मानं विधातुं प्राचीनवंशगतवेदेर्मानं सेतिकर्तव्यताकं विधत्ते-स देवयजनमध्यवसायेति । 'सः' अध्वर्युः 'देवयजनं' क्षेत्रं निश्चित्य पूर्वद्वारेण 'पत्नीशालम्' प्राग्वंशं प्रविश्य गार्हपत्यार्थमुद्धत्य खात्वा तत्क्षेत्रम् 'अवोक्षति' जलेन सिञ्चेत् । गार्हपत्यस्थानं कल्पयेदित्यर्थः । गार्हपत्यार्थं कल्पितात् प्रदेशात् 'सप्त प्रक्रमान्' 'प्राचः' प्रागायतान् गृह्णीयात् । प्रक्रमलक्षणमुक्तं सूत्रकृता—"पञ्चारत्निः पुरुषो दशपदो द्वादशांगुलं पदं प्रक्रमस्त्रिपदः"—(का. श्रौ.सू.१६।१४९) इति । सप्त प्रक्रमा गार्हपत्याहवनीययोर्मध्यमित्यर्थः । 'ततः' सप्तप्रक्रमेभ्यः 'प्राञ्चम्' 'व्यामम्' 'विमिमीते' । व्यामश्चतुररत्निप्रमाणः । 'तस्य' व्यामस्य 'मध्ये' आहवनीयस्थानं कल्पयेत् । एष आहवनीयो वक्ष्यमाणायाश्चयनमहावेदेर्गार्हपत्यो भवति । अत एव कात्यायनः—"उख्यस्थानेऽर्द्धव्यामेन गार्हपत्यस्य मण्डलं परिलिखति"—(का. श्रौ. सू. १६ । २२८) इति । आपस्तम्बोऽपि—"एतच्छुत्यपेक्षया व्याममात्रेण गार्हपत्यस्य चयनम्"—(आ. श्रौ. सू.) इत्युक्तवान् । "व्याममात्री भवतीति गार्हपत्यचितेर्विज्ञायते" इति । गार्हपत्यचित्यर्थं कल्पितस्य व्यामस्य पूर्वार्द्धात् प्रदेशादारभ्य 'त्रीन् प्रक्रमान् प्राचः' क्रमेत् स वेद्यन्तः सप्तक्रमत्रयान्तःप्रदेशो महावेदेः पश्चिमभागस्यान्त इत्यर्थः ॥ १ ॥

पूर्वं गार्हपत्यादारभ्य प्राञ्चः सप्त प्रक्रमाः गार्हपत्याद्भविष्यत आहवनीयस्य पूर्वार्द्धात् प्राञ्चस्त्रयः प्रक्रमास्ते दश व्याम एकादशस्तामेकादशसंख्यामनूद्य त्रिष्टुबात्मना स्तौति—ते वा एते व्यामैकादशाः प्रक्रमा इति । 'वेद्यन्तं च गार्हपत्यञ्च अन्तरा' तयोर्मध्ये "अन्तराऽन्तरेणयुक्ते"—(पा. सू. २ । ३ । ४) इति द्वितीया । 'वज्रस्त्रिष्टुब्' इत्यस्य विवरणं वीर्यं त्रिष्टुबिति । इन्द्रत्रिष्टुभोः सहोत्पन्नत्वात्तस्या वीर्यत्वम् । एवं व्यामैकादशप्रक्रमकरणेन यजमानो वीर्यात्मना 'वज्रेण' पूर्वं 'यज्ञमुखात्' नाशकानि रक्षांसि विनाशितवान् भवति ॥ २ ॥

सैषा व्वेदेर्योनिः । (२) एतस्यै वै योनेर्देवा व्वेदिं प्राजनयन्नथ युऽएष व्यामः सा गार्हपत्यस्य योनिरेतस्यै वै योनेर्देवा गार्हपत्यं प्राजनयन्गार्हपत्यादाहवनीयम् ॥ ३ ॥

(४ँ) स व्वेद्यन्तात् । (त्ष) षट्त्रिᳪँशत्प्रक्रमां प्राचीं व्वेदिं व्विमिमीते त्रिᳪँशतं पश्चात्तिरश्चीं चतुर्व्विᳪँशतिं पुरस्तात्तन्नवतिः सैषा नवतिप्रक्रमा व्वेदिस्तस्याᳪँ सप्तविधमग्निं व्विदधाति ॥ ४ ॥

तदाहुः । कथमेष सप्तव्विध ऽएतया व्वेद्या सम्पद्यतऽइति दश वाऽइमे पुरुषे प्राणाश्चत्वार्य्यङ्गान्यात्मा पञ्चदश ऽएवं द्वितीयऽएवं तृतीये षट्सु पुरुषेषु नवतिरथैकः पुरुषोऽत्येति पाङ्क्तो वै पुरुषो लोम त्वङ्माᳪँसमस्थि मज्जा पाङ्क्तोऽइयं व्वेदिश्चतस्रो दिश ऽआत्मा पञ्चम्येवमेष सप्तविध ऽएतया व्वेद्या सम्पद्यते ॥ ५ ॥

सैषा वेदेर्योनिः । एतस्यै वै योनेर्देवा वेदिं प्राजनयन् । अथ य एष व्यामः—सा गार्हपत्यस्य योनिः । एतस्यै वै योनेर्देवा गार्हपत्यं प्राजनयन् । गार्हपत्यादाहवनीयम् ॥ ३ ॥

स वेद्यन्तात्षट्त्रिंशत्प्रक्रमां प्राचीं वेदिं विमिमीते । त्रिंशतं पश्चात्तिरश्चीम् । चतुर्विंशतिं पुरस्तात् । तन्नवतिः । सैषा नवतिप्रक्रमा वेदिः । तस्यां सप्तविधमग्निं विदधाति ॥ ४ ॥

तदाहुः—कथमेष सप्तविध एतया वेद्या सम्पद्यत इति । दश वा इमे पुरुषे प्राणाः, चत्वार्यङ्गानि, आत्मा पञ्चदशः । एवं द्वितीये । एवं तृतीये । षट्सु पुरुषेषु नवतिः । अथैकः पुरुषोऽत्येति । पाङ्क्तो

व्यामैकादशप्रक्रमकृतां वेदिं महावेदेर्योनित्वेन प्रशंसति—**सैषा वेदेर्योनिरि**ति । 'एतस्याः' दशप्रक्रमपरिमितायाः वेदेः सकाशान्महावेदिं 'देवाः' जनितवन्तः । 'यो व्यामः' स 'गार्हपत्यस्य योनिः' 'एतस्याः' व्यामरूपाया योनेर्गार्हपत्यचित्यात्मकमग्निं जनितवन्तः । गार्हपत्यादाहवनीयं महावेदिगतमाहवनीयचित्यात्मकम् 'अजनयन्' ॥ ३ ॥

महावेदेर्मानं विधत्ते—**स वेद्यन्तात्षट्त्रिंशत्प्रक्रमां प्राचीं वेदिमि**ति । पूर्वोक्तात् 'वेद्यन्तात्' प्रागायतां 'षट्त्रिंशत्संख्याकप्रक्रमपरिमितां 'वेदिम्' । 'मिमीते' 'पश्चाद्भागे' 'तिरश्चीम्' । दक्षिणोत्तरगतान् 'त्रिंशतं' प्रक्रमान् । वेदेः पूर्वभागे दक्षिणोत्तरगतचतुर्विंशतिसंख्याकान् प्रक्रमान् मिमीते प्राञ्चः षट्त्रिंशत्प्रक्रमाः, पश्चिमभागे तिर्यञ्चः त्रिंशत्, 'पुरस्तात्' तिर्यञ्चः चतुर्विंशतिः, मिलित्वा 'नवतिः' 'सम्पद्यते' । 'तस्यां' नवतिप्रक्रमपरिमितायां वेद्यां 'सप्तविधम्' सप्तपुरुषप्रमाणम् 'अग्निम्' 'विदधाति' इष्टकाभिः कुर्यात् ॥ ४ ॥

नवतिप्रक्रमवेदेः सप्तविधाग्नेश्च सङ्ख्यासम्पत्तिं वेदवादिविचारमुखेन दर्शयति—**तदाहुः कथमेष सप्तविध**

तद्धैके । (क॰ ८) उत्तरा विधा विधास्यन्त ऽएतांश्च प्रक्रमानेतं च व्याममनुवर्धयन्ति योनिमनुवर्धयाम ऽइति न तथा कुर्यान्न वै जातं गर्भं योनिरनुवर्धते यावद्वाव योनावन्तर्गर्भो भवति तावदेव योनिर्वर्धत ऽएतावत्यु वाऽअत्र गर्भस्य वृद्धिः ॥ ६ ॥

वै पुरुषः—लोम, त्वग्, मांसम्, अस्थि, मज्जा । पाङ्क्ता उ इयं वेदिः—चतस्रो दिशः, आत्मा पञ्चमी एवमेष सप्तविध एतया वेद्या संपद्यते ॥ ५ ॥

तद्धैके—उत्तरा विधा विधास्यन्त एतांश्च प्रक्रमान्, एतं च व्याममनुवर्धयन्ति—योनिमनुवर्धयाम इति । न तथा कुर्यात् । न वै जातं गर्भं योनिरनुवर्धते । यावद्वाव योनावन्तर्गर्भो भवति । तावदेव योनिर्वर्धते । एतावत्यु वा अत्र गर्भस्य वृद्धिः ॥ ६ ॥

एतया वेद्या सम्पद्यत इति । एकस्मिन् पुरुषे सप्त शीर्षण्याः, द्वाववाञ्चौ, नाभिर्दशमी, 'चत्वार्यङ्गानि', बाहुद्वयमूरुद्वयम्, 'आत्मा' मध्यदेहः पञ्चदशसङ्ख्यापूरक इति पञ्चदशसङ्ख्याऽस्ति । एवं द्वितीयतृतीयादिषु । एवं 'षट्सु पुरुषेषु' नवतिसंख्या सम्पद्यते । अथ 'एकः' 'पुरुषोऽस्त्येति' नवतिसङ्ख्यायाः अतिरिक्तो भवति । तस्यापि वेदिसङ्ख्यायाः सम्पत्तिरुच्यते—पाङ्क्तो वै पुरुष इति । 'पुरुषः पाङ्क्तः' पञ्चसङ्ख्यायुक्तः । पंक्तिः पंचपदेति पांक्तवचनेन पंचसंख्यायोग इति । 'लोम त्वङ्मांसमस्थि मज्जा' इति पुरुषे पञ्च विद्यन्ते । वेदिरपि पाङ्क्ता पञ्चसङ्ख्यायुक्तैव, वेदेः 'चतस्रो दिशः' पूर्वापरे दक्षिणोत्तरे इति चतुःसङ्ख्या, 'आत्मा' वेदिः स्वयमेव 'पञ्चमी,' अतो नवतिप्रक्रमायाः महावेदेः सङ्ख्यया सप्तपुरुषविधोऽग्निः सम्पन्नो भवति॥ ५ ॥

अथ यथा सप्तविधस्य प्राकृताग्नेर्व्यामैकादशाः प्रक्रमाः एवमष्टविधनवविधादिपुरुषप्रमाणानामेकशतविधपर्यन्तानामग्नीनां व्यामैकादशप्रक्रमा प्राकृती वेदिः किं पुरुषसङ्ख्यया वर्द्धयितव्या आहोस्विन्न वेति संशयं व्युदसितुं पूर्वपक्षयति—तद्धैक उत्तरा विधा विधास्यन्त इति । 'उत्तरा विधाः' अष्टविधाद्येकशतपर्यन्तानग्निप्रकारान् 'विधास्यन्तः' करिष्यन्तः, एतान् 'प्रक्रमान्' गार्हपत्यात् प्राचः सप्त, आहवनीयपूर्वार्द्धात् प्राचस्त्रीन्, आहवनीयकल्पसमेकं 'व्यामम्' 'च' अनुवर्द्धयन्ति । तत्र हेतुः—योनिमनुवर्धयाम इतीति । अष्टविधाद्यग्निमहावेदीनां योनिभूतवेदिवृद्धिं विना वृद्धिः कर्तुं न युक्तेत्यतो हेतोः 'योनिं वर्द्धयाम' इति वदन्त एके.आचार्या योनिभूतवेदिं पुरुषसङ्ख्यया वर्द्धयन्तीति पूर्वः पक्षः । तं पक्षं दूषयति—न तथा कुर्यादिति । हेतुमाह—न वै जातं गर्भमिति । लोके उत्पन्नं गर्भमनुलक्ष्य योनिर्न वर्द्धते किन्तु 'गर्भो' वर्धमानो यावान् 'भवति' तावती 'योनिर्वर्धते' गर्भं स्वतोऽपसारयितुम् । तर्हि तदा गर्भोऽपि योनौ वर्धमानो बहुधा वर्धतामित्याशंक्याह—एतावत्यु वा अत्र गर्भस्य वृद्धिरिति । अनेनैतदुक्तं भवति । अग्निः 'गर्भः' स हि सप्तपुरुषप्रमाण एव प्राकृतेऽष्टविधादीनामपि भवति । जातस्यैव तस्याष्टविधादिरूपेण वृद्धिः । अतस्तस्य योनिभूता वेदिर्व्यामैकादशप्रक्रममात्रैव । अत उत्तरासु विधास्वपि गर्भस्यैकरूपेण तद्वृद्ध्यभावाद्योनिर्न वर्धते अत उत्तरेष्वग्निषु योनिभूता वेदिर्न वर्द्धयितव्येति तात्पर्यम् ॥ ६ ॥

(स्ते) ते ये ह तथा कुर्व्वन्ति । (न्त्ये) एतꣳ ह ते पितरं प्रजापतिꣳ सम्पदश्च्यावयन्ति तऽइष्ट्वा पापीयाꣳसो भवन्ति पितरꣳ हि प्रजापतिꣳ सम्पदश्च्यावयन्ति सा यावत्येषा सप्तविधस्य वेदिस्तावतीं चतुर्दश कृत्वऽ-एकशतविधस्य वेदिं विमिमीते ॥ ७ ॥

ते ये ह तथा कुर्वन्ति । एतं ह ते पितरं प्रजापतिं सम्पदश्च्यावयन्ति । त इष्ट्वा पापीयांसो भवन्ति—पितरं हि प्रजापतिं सम्पदश्च्यावयन्ति । सा यावत्येषा सप्तविधस्य वेदिः—तावतीं चतुर्दश-कृत्व एकशतविधस्य वेदिं विमिमीते ॥ ७ ॥

व्यतिरेकमुखेनाह—ते ये ह तथा कुर्वन्तीति । 'ये' 'तथा कुर्वन्ति' वेदिं वर्द्धयेयुः 'ते' 'एतम्' 'पितरं प्रजापतिं' 'सम्पदः' "एकादशाक्षरा त्रिष्टुप्" इति सङ्ख्यासम्पत्तेः सकाशात् 'च्यावयन्ति' अपगमयन्ति । 'ते' एवम् 'इष्ट्वा' । वेदिवर्द्धनेन यागं कृत्वा पापिष्ठा 'भवन्ति'—प्रजापतेः सम्पत्तिसकाशात् च्यावनात् । सूत्र्यते हि—" नान्तःपात्यगार्हपत्ययोर्विवृद्धिस्तावदेव योनिर्भवति न वै जातं गर्भं योनिरनुवर्द्धत इति श्रुतेर्वृद्धेरत्यंतप्रतिषेध इति " (का. श्रौ. सू. शुल्बपरिशिष्टं । ६ । ६) तस्मादष्टविधाद्येकशतविधान्तासु विकृतिषु प्राग्वंशगता वेदिर्गार्हपत्यचितिश्च प्रकृतिभूतसप्तविधैकपरिमाणैव कार्या । अग्निक्षेत्रं महावेदिरिष्टका इत्येतत्सर्वमुत्तरोत्तरं वर्द्धते । तद्वृद्धिप्रकारः सूत्रे दर्शितः—"उत्तरेषु पुरुषोच्चयेनैकशतविधादित्येतद्वक्ष्यामः" । "आद्योऽग्निर्द्विगुणस्त्रिगुणो भवतीति सर्वसमासः । एकविꣳशतिविधो भवतीति पुरुषाभ्यासः" । "पुरुषाभ्यासे यावानग्निः सपक्षपुच्छविशेषस्तावत्समचतुरस्रं कृत्वा तस्मिन् पुरुषप्रमाणमवदध्यात्" । "समस्तं पञ्चदशभागान् कृत्वा-द्वावेकसमासेन समस्येत् स पुरुषः" (का.श्रौ.सू.शुल्बपरिशिष्टे।५।१—९) इति । अयमर्थः—आद्योऽग्निः सार्द्धसप्त-पुरुषप्रमाणस्तमग्निं चतुरस्रीकृत्य द्विकरणीसमासेन समस्येत् । त्रिगुणोऽप्येवं त्रिकरणीसमासेनेति विशेषः । उभयत्राग्निमानाय द्विपुरुषा रज्जुरुत्पादयितव्या । एवं मानं कुर्वन्नष्टविधादिषु सप्तविधक्षेत्राधिक्येनोत्तरोत्तरमेकैकपुरुष-परिमितक्षेत्रमभ्यस्येत् । अभ्यस्तपुरुषपरिमितक्षेत्रसञ्चितस्य प्राकृतस्याग्निक्षेत्रस्य पञ्चदशधा भक्तस्य भागद्वय एकः पुरुषस्तेन पुरुषेणाष्टविधादिष्वग्निक्षेत्रमानं कर्त्तव्यम्, तच्च वेदिवृद्धिमन्तरेण न घटत इति तद्वृद्धिप्रकारोऽप्युक्तः सूत्रे—"यथाऽग्निवेदीष्टकाप्रमाणं विवर्द्धत इत्येतद् वक्ष्यामः"—(शु. सू. कं. ५ । १ ।) इति प्रक्रम्य "प्रक्रमेण वा सप्तमभागेन" (प्रक्रमार्थः) "आ एकशतविधात्"—(शु. सू. कं. ५।४-५।) इत्यन्तेनाष्टविधादिषु प्राकृते प्रक्रमे एकैकं प्रक्रमसप्तमांशमधिकं प्रक्षिप्य तत्तदधिकसहितेन प्रक्रमेण षट्त्रिंशत्प्रक्रमां प्राचीमित्युक्त-प्रकारेण वेदिमाने तत्तदग्निक्षेत्रपर्याप्ता महावेदिरपि वर्द्धते । एतत्सर्वं न्यायसिद्धमिति कृत्वा आद्यन्तभूतयोः सप्तै-कशतविधयोरेवाग्निवेदिमानमुक्तम् । तत्रैकशतविधे त्रिभिः प्रक्रमसप्तमांशैः सहिताश्चतुर्दशप्रक्रमाः सम्भूयैकः प्रक्रमस्तेन वेदिमानं कर्त्तव्यम् । तदिदं सप्तविधप्राकृताग्निवेदेरावृत्तिविशेषणं विधत्ते—सा यावत्येषा सप्त-विधस्य वेदिस्तावतीं चतुर्दशकृत्व एकशतविधस्य वेदिं विमिमीत इति । सप्तपुरुषाश्चतुर्दशभिर्गुणनेनाष्टनवतिः सम्पद्यन्ते । अत्र त्रिपुरुषप्रमाणयोजनेन एकशतविधोऽग्निरुत्पाद्यत इति ॥ ७ ॥

१-इदमत्रत्यं कर्कभाष्यमिति ज्ञेयम् ।

(तेऽथ) अथ षट्त्रिँशत्प्रक्रमाँ रज्जुं मिमीते । ताँ सप्तधा समस्यति तस्यै त्रीन्भागान्प्राचऽ उपदधाति निःसृजति चतुरः ॥ ८ ॥

(सोऽथ) अथ त्रिँशत्प्रक्रमां मिमीते । ताँ सप्तधा समस्यति तस्यै त्रीन्भागान्पश्चादुपदधाति निःसृजति चतुरः ॥ ९ ॥

(सोऽथ) अथ चतुर्विँशतिप्रक्रमां मिमीते । ताँ सप्तधा समस्यति तस्यै त्रीन्भागान्पुरस्तादुपदधाति निःसृजति चतुरऽ इति नु वेदिविमानम् ॥ १० ॥

(मु) अथाग्नेर्विधाः । (ऽ) अष्टाविँशतिः प्राञ्चः पुरुषा ऽअष्टाविँशतिस्तिर्यञ्चः स ऽआत्मा चतुर्दश पुरुषा दक्षिणः पक्षश्चतुर्दशोत्तरश्चतु-

---

अथ षट्त्रिंशत्प्रक्रमां रज्जुं मिमीते । तां सप्तधा समस्यति । तस्यै त्रीन्भागान्प्राच उपदधाति । निःसृजति चतुरः ॥ ८ ॥

अथ त्रिंशत्प्रक्रमां मिमीते । तां सप्तधा समस्यति । तस्यै त्रीन् भागान्पश्चादुपदधाति । निःसृजति चतुरः ॥ ९ ॥

अथ चतुर्विंशतिप्रक्रमां मिमीते । तां सप्तधा समस्यति । तस्यै त्रीन्भागान्पुरस्तादुपदधाति । निःसृजति चतुरः । इति नु वेदिविमानम् ॥ १० ॥

अथाग्नेर्विधाः—अष्टाविंशतिः प्राञ्चः पुरुषाः । अष्टाविंशतिस्तिर्यञ्चः—स आत्मा । चतुर्दश पुरुषा

अथ अग्निमानं वक्ष्यते । सर्वेषां सप्तविधाद्येकशतपर्यन्तानामग्नीनामिष्टकोपधानप्रदेश एतावान् महावेदिषु भवतीति सङ्ग्रहतो दर्शयति--अथ षट्त्रिंशत्प्रक्रमां रज्जुमिति । प्रथमं वेद्यन्तात् प्रागायतषट्त्रिंशत्प्रक्रमां 'रज्जुम्' मित्वा 'ताम्' सप्तधा विभज्य 'तस्याः' रज्ज्वाः' सप्तसु भागेषु मध्ये 'प्राचस्त्रीन् भागान्' 'उपदधाति' इष्टकाभिरुपदध्यात् । अवशिष्टान् 'चतुरो' भागान् 'निःसृजति' उपधानार्थं न विनियुञ्जीत किन्तु हविर्धानसदःप्रभृत्यर्थं परित्यजेदित्यर्थः ॥ ८ ॥

एवं त्रिंशत्प्रक्रमायां चतुर्विंशतिप्रक्रमायां रज्ज्वां च सप्तधा विभक्तायामभितो द्वौ द्वौ भागौ विहाय मध्ये भागत्रयपरिग्रहेणाग्निक्षेत्रस्य पश्चात् पुरस्तात्तिर्यग्विस्तार उक्तो भवति । अग्निविषयं वेदिमानमुपसंहरति—इति नु वेदिविमानमिति । 'इति' एवं सप्तविधैकशतविधयोः वेद्योर्मानमित्युक्तम् ॥ ९ ॥ १० ॥

अथ चित्याग्नेः प्रकारान् प्रतिजानीते—अथाग्नेर्विधा इति । 'विधाः' प्रकारा उच्यन्त इति शेषः । तत्राष्टानवतिपुरुषप्रमाणस्याग्नेरेतावदात्मपक्षपुच्छप्रमाणमिति दर्शयति—अष्टाविंशतिः प्राञ्चः पुरुषा इति ।

१–षट्त्रिंशत्प्रक्रमां रज्जुमित्यादेर्यद्विवेचनम् । कृतं भाष्ये न तत्सूत्रश्रुतियोगार्थसंगतम् ॥ १ ॥ षट्त्रिंशत्प्रक्रमायामे सप्तमांशास्त्रयोऽत्र ते । प्रक्रमा दश पञ्चार्थांगुलानि दश पञ्च च ॥ २ ॥ सप्तमांशास्त्रयोऽप्येकस्यांगुलस्य भवंति तु । नैतत्पूर्वापरं मानमग्निना व्याप्यते क्वचित् ॥ ३ ॥ नैव तिर्यक्प्रमाणं च भाष्ये प्रोक्तं यथा तथा । अत्र चैकशतस्याग्नेर्वेदिः श्रुत्योच्यते यथा ॥ ४ ॥ यावत्येषेत्युपक्रम्य षट्त्रिंशत्प्रक्रमामिति ॥ ५ ॥

इत्येषा टिप्पणिरत्र काशीस्थ कै. पं. गौरीनाथ दीक्षित जावजीभट्ट इत्येतेषामानीतादर्शपुस्तके वर्त्तते ॥

दंश पुच्छं चतुर्दशारत्नीन्दक्षिणे पक्षऽउपदधाति चतुर्दशोत्तरे चतुर्दश वितस्तीः पुच्छऽइति न्वष्टानवतेः पुरुषाणां मात्रा साधिमानानाम् ॥ ११ ॥

(मु) अथ त्रिपुरुषाᳬं रज्जुं मिमीते । ताᳬं सप्तधा समस्यति तस्यै चतुरो भागानात्मन्नुपदधाति त्रीन्पक्षपुच्छेषु ॥ १२ ॥

(ष्वु) अथारत्निमात्रीं मिमीते । ताᳬं सप्तधा समस्यति तस्यै त्रीन्भागान्दक्षिणे पक्षऽउपदधाति त्रीनेवोत्तरे निःसृजति चतुरः ॥ १३ ॥

(रोऽथ) अथ वितस्तिमात्रीं मिमीते । ताᳬं सप्तधा समस्यति तस्यै

दक्षिणः पक्षः । चतुर्दशोत्तरः । चतुर्दश पुच्छम् । चतुर्दशारत्नीन् दक्षिणे पक्ष उपदधाति । चतुर्दशोत्तरे । चतुर्दश वितस्तीः पुच्छे । इति न्वष्टानवतेः पुरुषाणां मात्रा साधिमानानाम् ॥ ११ ॥

अथ त्रिपुरुषां रज्जुं मिमीते—तां सप्तधा समस्यति । तस्यै चतुरो भागानात्मन्नुपदधाति । त्रीन्पक्षपुच्छेषु ॥ १२ ॥

अथारत्निमात्रीं मिमीते । तां सप्तधा समस्यति । तस्यै त्रीन्भागान्दक्षिणे पक्ष उपदधाति, त्रीनेवोत्तरे । निःसृजति चतुरः ॥ १३ ॥

अथ वितस्तिमात्रीं मिमीते—तां सप्तधा समस्यति । तस्यै त्रीन्भागान्पुच्छ उपदधाति । निःसृजति चतुरः । एवमेष एकशतविध एतया वेद्या सम्पद्यते ॥ १४ ॥

सप्तपुरुषाणां चतुर्दशकृत्व आवर्तनेऽष्टानवतिः । तत्र 'अष्टाविंशतिः' 'प्राञ्चः पुरुषाः,' तावन्तः 'तिर्यञ्चः,' उभये 'आत्मा' अष्टानवतेरग्नेर्मध्यदेहो भवति । पक्षपुच्छानि प्रत्येकं चतुर्दशपुरुषपरिमितानि । पूर्वं सप्तविधे पक्षयोरुपहितारत्न्योश्चतुर्दशगुणने चतुर्दशारत्नयः उभयोः पक्षयोर्भवन्ति । वितस्तयोऽपि तथा पुच्छे भवन्ति । उक्तं प्रमाणमग्निविशेषस्येत्याह—इति न्वष्टानवतेः पुरुषाणामिति । 'इति' एवं 'साधिमानानाम्' पक्षपुच्छेष्वाधिक्येन निक्षिप्तारत्निवितस्तिप्रमाणसहितानां 'पुरुषाणां' 'मात्रा' 'अष्टानवतेः' अग्नेरुक्तेत्यर्थः ॥ ११ ॥

अशीकशतविधाग्नेः प्रकारं दर्शयति—अथ त्रिपुरुषां रज्जुं मिमीत इति । पूर्वमुक्ताया अष्टानवतेरुपरि त्रिपुरुषसम्मितां 'रज्जुम्' 'मिमीते' पुरुषत्रयप्रमाणस्यैकत्र पक्षे पुच्छे चात्मनि योजने पक्षिरूपोऽग्निः समो न भवति—इत्याशङ्क्य योजनस्थानं विभज्याह—तां सप्तधा समस्यतीति । तस्या रज्ज्वाः 'चतुरो' 'भागान्' आत्मनि मध्यभागे 'उपदधाति' त्रीन् भागान् पक्षपुच्छेषु ॥ १२ ॥

एवमेकशतपुरुषप्रमाणं मध्यपक्षपुच्छेषु दर्शयित्वा प्राकृताग्निवत्पक्षपुच्छेष्वधिकं योजनीयं प्रमाणमाह—अथारत्निमात्रीमिति । 'अरत्निमात्रीम्' रज्जुं मित्वा 'ताम्' 'सप्तधा' विभज्य 'त्रीन् भागान् दक्षिणे पक्ष उपदधाति' एवमुत्तरे पक्षे । अवशिष्टान् 'चतुरो भागान्' निःसृजेत् ॥ १३ ॥

पुच्छेऽपि वितस्तिमात्रीं रज्जुं मित्वा तां पूर्ववद्विभज्य कुर्यात् । एकस्यैकशतपुरुषप्रमाणस्याग्नेर्वाप्रक्र-

---

१—अथ त्रिपुरुषाᳬं रज्जुं मिमीते ताᳬं सप्तधा समस्यति तस्यै चतुरो भागानात्मन्नुपदधाति त्रीन् पक्षपुच्छेषु । एवमेव का. श्रौ. सू. परि. शुल्बे—५ । १२ ॥ २—या करणी चतुर्दशप्रक्रमान् संक्षिपति त्रीन् प्रक्रमसप्तभागान् स एकशतविधे प्रक्रमः । का० श्रौ० शुल्बे सू० परि० ६ । २ ।

त्रीन्भागान्पुच्छऽउपदधाति निःसृजति चतुर ऽएवमेष ऽएकशतविध ऽएतया वेद्या सम्पद्यते ॥ १४ ॥

तदाहुः । (यं) यत्त्रयोदश पुरुषा ऽअतियन्ति कथमेते सम्पदो नु च्यवन्तऽइति या वाऽएतस्य सप्तमस्य पुरुषस्य सम्पत्सैवैतेषाᳪं सर्व्वेषाᳪं सम्पत् ॥ १५ ॥

(दु) अथोऽआहुः । प्रजापतिरेवात्मानं विधाय तस्य यत्र यत्र न्यूनमासीत्तदेतैः समापूरयत तेनोऽएवापि सम्पन्न ऽइति ॥ १६ ॥

तद्धैके । (कऽ) एकविधं प्रथमं विदधत्यथैकोत्तरमाऽपरिमितविधान्न तथा कुर्यात् ॥ १७ ॥

तदाहुः—यत् त्रयोदश पुरुषा अतियन्ति—कथमेते सम्पदो न च्यवन्त इति । या वा एतस्य सप्तमस्य पुरुषस्य सम्पत्—सैवैतेषां सर्वेषां सम्पत् ॥ १५ ॥

अथो आहुः—प्रजापतिरेवात्मानं विधाय तस्य यत्र—यत्र न्यूनमासीत्तदेतैः समापूरयत । तेन उ एवापि सम्पन्न—इति ॥ १६ ॥

तद्धैके—एकविधं प्रथमं विदधति । अथैकोत्तरम्—आ अपरिमितविधात् । न तथा कुर्यात् ॥१७॥

माया वेद्याः संख्यासम्पत्तिं दर्शयति—एवमेष इति । 'एषः' एकशतविधः 'एतया वेद्या सम्पद्यते' इति सम्पत्तिः । एवं प्रतिपुरुषं दश प्राणाः—चत्वार्यङ्गानि, आत्मा पञ्चदश इति पञ्चदशसंख्याऽस्ति । एवं षट्सु पुरुषेषु नवतिः, सप्तमस्य पुरुषस्य वेदिश्चतुर्दिगात्मभिः पञ्चभिः लोमत्वङ्मांसास्थिमज्जाभिश्च संख्यासाम्यात् सप्तविधवेदिसंख्या सम्पद्यते । एवमेकशतविधे प्रथमसप्तविधव्यतिरिक्तेषु त्रयोदशसु पर्यायेषु संख्यासम्पत्तिर्द्रष्टव्या ॥ १४ ॥

अस्तु प्रतिपुरुषं पञ्चदशसंख्यया षट्सु षट्सु पुरुषेषु नवतिसंख्यासम्पत्तिः न त्वधिकेषु त्रयोदशपर्यायाणामन्तिमेषु त्रयोदशसु पुरुषेषु, इति वेदवादिविचारमुद्भाव्य तत्रापि पूर्ववत्सप्तमपुरुषस्य वेदिगतपञ्चसंख्ययैव सम्पत्तिं दर्शयति—तदाहुर्यत्त्रयोदश पुरुषा अतियन्तीति । 'एते' त्रयोदशपुरुषाः 'कथं सम्पदो' वेदिगतसंख्यासम्पत्तेः 'न च्यवन्ते ?'—च्यवन्त एवेति प्रश्नः । उत्तरम्—या वा एतस्येति । सप्तमस्य पुरुषस्येति । प्राकृतसप्तविधे सप्तमस्य या संख्यासम्पत्तिरुक्ता । यथा—"अथैकः पुरुषोऽस्त्येति पाङ्क्तो वै पुरुषो लोम त्वङ्मांसमस्थि मज्जा पाङ्क्तो इयं वेदिश्चतस्रो दिश आत्मा पञ्चम्येवमेष सप्तविध एतया वेद्या सम्पद्यते"—(श. प. १० । २ । ३ । ९ ।) इति । सा सम्पत्तिरितरेषु त्रयोदशपुरुषेषु द्रष्टव्येत्यर्थः ॥ १५ ॥

प्रकारान्तरेण सम्पत्तिमाह—अथो आहुः प्रजापतिरेवात्मानमिति । पूर्वं 'प्रजापतिरात्मानम्' विधाय 'यत्र यत्र न्यूनम्' अङ्गजातं तत्र तत्र 'एतैः' त्रयोदशभिः पूरितवान् । अतः संख्या सम्पन्ना भवतीत्याचार्याः आहुरित्यर्थः ॥ १६ ॥

अथ सर्वेषां चित्याग्नीनां सप्तविध एव प्राकृतः एकशतविध एवान्त इति सिद्धान्तयितुं पूर्वपक्षयति—तद्धैक

(१८) सप्तविधो वाऽअग्रे प्रजापतिरसृज्यत स ऽआत्मानं विदधानऽ
ऐत्स ऽएकशतविधेऽतिष्ठत स योऽर्वाचीनᳪ सप्तविधाद्विधत्तऽएतᳪ ह
स पितरं प्रजापतिं विच्छिनत्ति स ऽइष्ट्वा पापीयान्भवति यथा श्रेयाᳪ-
सᳪ हिᳪसित्वाऽथ य ऽएकशतविधमतिविधत्तेऽस्मात्स सर्वस्माद्बहिर्धा
निष्पद्यते सर्वᳪ हीदं प्रजापतिस्तस्मादु सप्तविधमेव प्रथमं विद-
धीताथैकोत्तरमैकशतविधादेकशतविधं तु नातिविदधीत नाहैतं पितरं
प्रजापतिं विच्छिनत्ति नोऽअस्मात्सर्वस्माद्बहिर्धा निष्पद्यते ॥ १८॥

इति प्रथमप्रपाठके अष्टमं ब्राह्मणम् ॥ १०-१-८ ॥ (२. ३.) ॥

सप्तविधो वा अग्रे प्रजापतिरसृज्यत । स आत्मानं विदधान ऐत् । स एकशतविधेऽतिष्ठत । स योऽर्वाचीनं सप्तविधाद्विधत्ते । एतं ह स पितरं प्रजापतिं विच्छिनत्ति । स इष्ट्वा पापीयान्भवति—यथा श्रेयांसं हिंसित्वा । अथ य एकशतविधमतिविधत्ते—अस्मात्स सर्वस्माद्बहिर्धा निष्पद्यते । सर्वं हीदं प्रजापतिः । तस्मादु सप्तविधमेव प्रथमं विदधीत—अथैकोत्तरम्—आ एकशतविधात् । एकशतविधं तु नातिविदधीत—नाहैतं पितरं प्रजापतिं विच्छिनत्ति । नो अस्मात्सर्वस्माद्बहिर्धा निष्पद्यते ॥ १८ ॥

एकविधं प्रथमं कुर्वन्तीति । 'एके' आचार्याः 'प्रथमम्' आदौ 'एकविधम्' एकपुरुषप्रमाणमग्निं 'कुर्वन्ति'। ततः 'एकोत्तरं' द्विपुरुषप्रमाणं त्रिपुरुषप्रमाणमित्येकैकपुरुषाधिक्येन अपरिमितपुरुषप्रमाणपर्यन्तमग्निं वर्द्धयन्ति । तन्मतं दूषयति—न तथा कुर्यादिति ॥ १७ ॥

तत्र कारणमाह सप्तविधो वा अग्रे प्रजापतिरसृज्यतेति । पूर्वं प्रजापतिः सप्तभिः प्राणैः सप्तपुरुषात्मक एकः पुरुषः सृष्टः इति षष्ठे प्रतिपादितम्—" त एतान्सप्त पुरुषानेकं पुरुषमकुर्वन् "—(श. प. ६ । १ । १ । २) । " स एव पुरुषः प्रजापतिरभवत् " (श. प. ६ । १ । १ । ५) इति । सोऽयं 'प्रजापतिरात्मानम्' एकोत्तरवृद्ध्या 'विदधान ऐत्' अगच्छत् 'स एकशतविधे' 'अतिष्ठत' ततः परं न गतवान् । अतः 'सप्तविधाद्' अर्वाचीनपुरुषप्रमाणमग्निं '[illegible]' चिनुयात् 'सः' यथा महान्तं 'हिंसित्वा' 'पापीयान् भवति' तथा 'श्रेयांसम्' 'पितरम्' 'प्रजापतिम्' विच्छिद्य 'इष्ट्वा' पापी भवति । तथा 'यः' एकशतविधाग्निमतिक्रम्य अधिकपुरुषप्रमाणमग्निं चिनुयात् स सर्वस्मादस्माद्बहिर्भूतो 'निष्पद्यते,' यतः 'इदं सर्वं प्रजापतिः' 'तस्मात्' सप्तविध 'एव' 'प्रथमं' चेतव्यः । ततः उपरि एकैकपुरुषाभिवृद्ध्या एकशतविधपर्यन्तं चिनुयात् । एवं च न्यूनत्वे जातः प्रजापतिविच्छेदः, आधिक्ये तु जातः स्वस्य सर्वस्माद्बहिर्भावः, तावुभावपि न सम्भवत इति तात्पर्यम् ॥ १८ ॥

इति श्रीसायणाचार्यविरचिते माधवीये वेदार्थप्रकाशे माध्यन्दिनीयशतपथब्राह्मणभाष्ये
दशमकाण्डे द्वितीयेऽध्याये तृतीयं ब्राह्मणम् ॥ (१०-२-३) ॥

संव्वत्सरो वै प्रजापतिः । (२) अग्निरु सर्व्वे कामाः सोऽयꣳ संव्वत्सरः प्रजापतिरकामयताग्निꣳ सर्व्वान्कामानात्मानमभिसंचिन्वीयेति स ऽएकशतधाऽऽत्मानं व्यधत्त स ऽएकशतधाऽऽत्मानं विधायाग्निꣳ सर्वान्कामानात्मानमभिसमचिनुत स सर्व्वे कामा ऽअभवत्तस्मान्न कश्चन बहिर्धा कामोऽभवत्तस्मादाहुः संव्वत्सरः सर्व्वे कामा ऽइति न ह संव्वत्सरात्कश्चन बहिर्धा कामोऽस्ति ॥ १ ॥

तथैवैतद्यजमानः । (ऽ) एकशतधाऽऽत्मानं विधायाग्निꣳ सर्व्वान्कामानात्मानमभिसंचिनुते स सर्व्वे कामा भवति तस्मान्न कश्चन बहिर्धा कामो भवति ॥ २ ॥

स यः स संव्वत्सरोऽसौ स ऽआदित्यः । सऽ एषऽ एकशतविधस्तस्य रश्मयः शतं विधा ऽएष ऽएवैकशततमो यऽ एष तपत्यस्मिन्त्सर्व्वस्मिन्प्रतिष्ठितस्तथैवैतद्यजमानऽएकशतधाऽऽत्मानं विधायास्मिन्त्सर्व्वस्मिन्प्रतितिष्ठति ॥ ३ ॥

संवत्सरो वै प्रजापतिः । अग्निरु सर्वे कामाः । सोऽयं संवत्सरः प्रजापतिरकामयत—अग्निं सर्वान्कामानात्मानमभिसंचिन्वीयेति । स एकशतधाऽऽत्मानं व्यधत्त । स एकशतधाऽऽत्मानं विधायाग्निं सर्वान्कामानात्मानमभिसमचिनुत । स सर्वे कामा अभवत् । तस्मान्न कश्चन बहिर्धा कामोऽभवत् । तस्मादाहुः—संवत्सरः सर्वे कामा इति । न ह संवत्सरात्कश्चन बहिर्धा कामोऽस्ति ॥ १ ॥

तथैवैतद्यजमान एकशतधाऽऽत्मानं विधायाग्निं सर्वान्कामानात्मानमभिसंचिनुते । स सर्वे कामा भवति । तस्मान्न कश्चन बहिर्धा कामो भवति ॥ २ ॥

स यः स संवत्सरः—असौ स आदित्यः । स एष एकशतविधः । तस्य रश्मयः शतं विधाः ।

चतुर्थब्राह्मणे एकशतविधस्याग्नेः सर्वकामरूपत्वेनादित्यात्मना स्तुतिः, तस्य सप्तविधप्राकृताग्निसंख्यायाः । सम्पत्तिप्रकारः, सप्तविधस्य चैकशतविधसङ्ख्यायाः सम्पत्तिश्च प्रदर्श्यते—संवत्सरो वै प्रजापतिरिति । 'प्रजापतिः' हि संवत्सरात्मकः । प्रजापतेः संवत्सररूपत्वं प्रतिपादितम् । 'अग्निः' अपि 'सर्वे कामाः' सर्वकामरूपः । स सम्वत्सररूपः प्रजापतिः स्वयं सर्वकामप्राप्त्यर्थं तद्रूपम् 'अग्निम्' सञ्चिनवानीति निश्चित्य 'आत्मानम्' 'एकशतधा' विभज्य तावत्संख्याकमग्निं चितवानित्यर्थः । 'स सर्वे कामा अभवत्' यतोऽग्निं सर्वकामात्मकम् 'आत्मानम्' अचिनोत्, अतः संवत्सरः सर्वकामरूपः । न हि संवत्सररूपाद् बहिर्धा कामोऽस्ति । अत इदानीमनुष्ठाताऽपि एकशतविधमग्निं चित्वा सर्वकामात्मको भवति ॥ १ ॥ २ ॥

स यः स सम्वत्सरोऽसौ स आदित्य इति । 'यः' संवत्सर इत्युक्तः 'सः' 'आदित्यः' एकशत-

(न्यु) अथ वाऽएकशतविधः । सप्तविधमभिसम्पद्यतऽएकशतधा वाऽअसावादित्यो विहितः सप्तसु देवलोकेषु प्रतिष्ठितः सप्त वै देवलोकाश्चतस्रो दिशस्त्रयऽ इमे लोका ऽएते वै सप्त देवलोकास्तेष्वेष प्रतिष्ठितस्तथैवैतद्यजमान ऽएकशतधाऽऽत्मानं विधाय सप्तसु देवलोकेषु प्रतितिष्ठति ॥ ४ ॥

यद्वेवैकशतविधः । सप्तविधमभिसम्पद्यत ऽएकशतधा वाऽअसावादित्यो विहितः सप्तस्वृतुषु सप्तसु स्तोमेषु सप्तसु पृष्ठेषु सप्तसु च्छन्दःसु सप्तसु प्राणेषु सप्तसु दिक्षु प्रतिष्ठितस्तथैवैतद्यजमान ऽएकशतधाऽऽत्मानं विधायैतस्मिन्त्सर्वस्मिन्प्रतितिष्ठति ॥ ५ ॥

एष एवैकशततमो—य एष तपति—अस्मिन्त्सर्वस्मिन्प्रतिष्ठितः । तथैवैतद्यजमान एकशतधाऽऽत्मानं विधायास्मिन्त्सर्वस्मिन्प्रतितिष्ठति ॥ ३ ॥

अथ वा एकशतविधः सप्तविधमभिसम्पद्यते । एकशतधा वा असावादित्यो विहितः सप्तसु देवलोकेषु प्रतिष्ठितः । सप्त वै देवलोकाः—चतस्रो दिशः, त्रय इमे लोकाः । एते वै सप्त देवलोकाः । तेष्वेष प्रतिष्ठितः । तथैवैतद्यजमान एकशतधाऽऽत्मानं विधाय सप्तसु देवलोकेषु प्रतितिष्ठति ॥ ४ ॥

यद्वेवैकशतविधः सप्तविधमभिसम्पद्यते । एकशतधा वा असावादित्यो विहितः—सप्तस्वृतुषु, सप्तसु स्तोमेषु, सप्तसु पृष्ठेषु, सप्तसु छन्दःसु, सप्तसु प्राणेषु, सप्तसु दिक्षु प्रतिष्ठितः । तथैवैतद्यजमान एकशतधाऽऽत्मानं विधायैतस्मिन्त्सर्वस्मिन्प्रतितिष्ठति ॥ ५ ॥

विधः । तस्यादित्यस्य एकशतविधत्वं स्फुटयति—तस्य रश्मय इति । शतसंख्याकाः 'रश्मयः' आदित्य एकशतसंख्यापूरकः । स यथा सर्वत्र लोके 'प्रतिष्ठितः' एवं तमग्निं चितवान् 'यजमानः' अपि सर्वत्र प्रतिष्ठितो भवति ॥ ३ ॥

अथ वा एकशतविध इत्यादिना सप्तविधसंख्यासम्पत्तिप्रदर्शनं फलविवक्षया । 'असावादित्यः' 'एकशतधा' शतं रश्मयः स्वात्मा एकशतसंख्यापूरकः । 'सप्तसु देवलोकेषु' दिक्षु चतसृषु त्रिषु लोकेष्वित्यर्थः । एवं 'यजमानोऽपि' तेषु सप्तलोकेषु 'प्रतिष्ठितो' भवति ॥ ४ ॥

प्रकारान्तरेण सम्पत्तिः—यद्वेवैकशतेति । एकशतविध आदित्यः "संसर्पकांहस्पतिनामकक्रतुना सह सप्तर्तवः"—(श. प. । ८ । ४ । १ । १७ । वा. सं. १६ । २३ । "संभरणत्रयोविंशः" इत्यत्र) इत्युक्तम् । 'सप्तसु स्तोमेषु' त्रिवृत्पञ्चदशसप्तदशैकविंशचतुर्विंशत्रिणवत्रयस्त्रिंशेषु बृहद्रथन्तरवैरूपवैराजशाक्वरादिषु 'सप्तसु पृष्ठेषु' गायत्र्यादिषु 'सप्तसु छन्दःसु' 'सप्तसु' शीर्षण्येषु 'प्राणेषु' 'सप्तसु दिक्षु' प्राच्याद्यश्चतस्रः, ऊर्ध्वावाच्यौ द्वे, सूर्यमण्डलमेव सप्तमी दिगिति सप्त दिशः । "स दिग्भिरेव सप्तविध" इतीत्युत्तरत्र (श. प. १० । २ । ५ । २ ।) एवं सप्त दिशो वक्ष्यन्ते । एतेषु ऋत्वादिसप्तकेष्वादित्यः 'प्रतिष्ठितः' एवमेकशतविधं चितवान् 'यजमानः' अपि सर्वत्र ऋत्वादिषु प्रतिष्ठितो भवति ॥ ५ ॥

यद्द्वेवैकशतविधः । सप्तविधमभिसम्पद्यतऽएकशतधा वाऽअसावादित्यो विहितः सप्ताक्षरे ब्रह्मन्प्रतिष्ठितः सप्ताक्षरं वै ब्रह्मऽर्गित्येकमक्षरं यजुरिति द्वे सामेति द्वेऽअथ यदतोऽन्यद्ब्रह्मैव तद्द्व्यक्षरं वै ब्रह्म तदेतत्सर्वꣳ सप्ताक्षरं ब्रह्म तस्मिन्नेष प्रतिष्ठितस्तथैवैतद्यजमान ऽएकशतधाऽऽत्मानं विधाय सप्ताक्षरे ब्रह्मन्प्रतितिष्ठति ॥ ६ ॥

तस्मादु सप्तभिः सप्तभिः परिश्रयन्ति । तस्मादेकशतविधः सप्तविधमभिसम्पद्यतेऽथ वै सप्तविध ऽएकशतविधमभिसम्पद्यते ॥ ७ ॥

सप्तविधो वाऽअग्रे प्रजापतिरसृज्यत । स ऽएतमेकशतधाऽऽत्मानं विहितमपश्यत्प्राणभृत्सु पञ्चाशदिष्टकाः पञ्चाशद्यजूꣳषि तच्छतꣳ सादनं च सूददोहाश्चैकशततमे तत्समानꣳ सादयित्वा हि सूददोहसाऽधिवदति स ऽएतेनैकशतविधेनात्मनेमां जितिमजयदिमां व्यष्टिं व्याश्नुत तथैवैतद्यजमान ऽएतेनैकशतविधेनात्मनेमां जितिं जयतीमां व्यष्टिं व्यश्नुतऽएवमु सप्त-

---

यद्वेवैकशतविधः सप्तविधमभिसम्पद्यते । एकशतधा वा असावादित्यो विहितः–सप्ताक्षरे ब्रह्म-प्रतिष्ठितः । सप्ताक्षरं वै ब्रह्म–ऋगित्येकमक्षरम्, यजुरिति द्वे, साम–इति द्वे । अथ यदतोऽन्यद्–ब्रह्मैव तद् । द्व्यक्षरं वै ब्रह्म । तदेतत्सर्वं सप्ताक्षरं ब्रह्म । तस्मिन्नेष प्रतिष्ठितः । तथैवैतद्यजमान एकशतधाऽऽत्मानं विधाय सप्ताक्षरे ब्रह्मन्प्रतितिष्ठति ॥ ६ ॥

तस्मादु सप्तभिः–सप्तभिः परिश्रयन्ति । तस्मादेकशतविधः सप्तविधमभिसम्पद्यते । अथ वै सप्त-विध एकशतविधमभिसम्पद्यते ॥ ७ ॥

सप्तविधो वा अग्रे प्रजापतिरसृज्यत । स एतमेकशतधाऽऽत्मानं विहितमपश्यत् । प्राणभृत्सु पञ्चाशदिष्टकाः, पञ्चाशद्यजूंषि, तच्छतम् । सादनं च सूददोहाश्चैकशततमे । तत् समानम् । साद-

---

प्रकारान्तरेण संख्यासम्पत्तिः–एकशतविध आदित्यः ऋग्यजुःसामब्रह्मेत्यस्मिन् सप्ताक्षरे ब्रह्मणि प्रतिष्ठितः । एवं ' यजमानः ' अपि ' सप्ताक्षरे ' ब्रह्मणि प्रतिष्ठितः भवति ॥ ६ ॥

सप्तभिः सप्तभिः परिश्रयणेनापि एकशतविधोऽग्निः ' सप्तविधम् ' अग्निम् ' अभिसम्पद्यते ' ॥ ७ ॥

अथ सप्तविधाग्नेरेकशतविधसंख्यासम्पत्तिं दर्शयति–सप्तविधो वा अग्रे इति । ' अग्रे ' पूर्वं ' प्रजापतिः ' 'सप्तविधः' सप्तपुरुषात्मकः सृष्टः । स 'आत्मानम्' 'एकशतधा' प्राणभृन्नामिकास्विष्टकासु दृष्टवान् । तदेवाह–प्राणभृत्स्विति । प्राणभृदिष्टकाः पञ्चाशत्प्रतीष्टकमेकैकमुपधानं यजुरिति ' पञ्चाशद्यजूंषि ' तदुभयं 'शतं'

विध ऽएकशतविधमभिसम्पद्यते स यु ऽएवैकशतविधः सु सप्तविधो युः सप्तविधः स ऽएकशतविध ऽइति नु विधानाम् ॥ ८ ॥

इति प्रथमप्रपाठके नवमं ब्राह्मणम् ॥ १०-१-९ ॥ (२. ४.)

इति प्रथमः संलग्नः प्रपाठकः समाप्तः ॥ १०-१ ॥

कण्डिकासंख्या ॥ ९४ ॥

यित्वा हि सूददोहसाऽधिवदति । स एतेनैकशतविधेनात्मनेमां जितिमजयत् । इमां व्यष्टिं व्याश्नुत । तथैवैतद्यजमान एतेनैकशतविधेनात्मनेमां जितिं जयति । इमां व्यष्टिं व्यश्नुते । एवमु सप्तविध एकशतविधमभिसम्पद्यते । स य एवैकशतविधः-स सप्तविधः । यः सप्तविधः-स एकशतविधः । इति नु विधानाम् ॥ ८ ॥

भवति । तासामिष्टकानां "तया देवतयाऽङ्गिरस्वत् ध्रुवा सीद" इत्यनेन सादनं च, " ता अस्य सूददोहसः " इत्यधिवदनं चोभयमेकशतसंख्यापूरकम् । अतः 'एतेन' 'एकशतविधेनात्मना' 'इमां जितिम्' जितवान् । सर्वं जित्वा सर्वां ' व्यष्टिम् ' नानापदार्थरूपतां ' व्याश्नुत ' तथा यजमानोऽपि सप्तविधेन इष्टकायजुःसादनाधिवदनैः एकशतविधेन इमां जितिं जितवान् सर्वात्मकतां स व्याप्तवान् भवति । एवं सप्तविधैकशतविधयोरन्योन्यात्मकत्वमुक्तम् । अग्निविधाविषयं विचारमुपसंहरति-इति नु विधानामिति ॥ ८ ॥

इति श्रीसायणाचार्यविरचिते माधवीये वेदार्थप्रकाशे माध्यन्दिनीयशतपथब्राह्मणभाष्ये दशमकाण्डे द्वितीयेऽध्याये चतुर्थं ब्राह्मणम् ॥ (१० । २ । ४) ॥

अथ द्वितीयप्रपाठके प्रथमं ब्राह्मणम् ।

द्वितीयेऽध्याये च पञ्चमं ब्राह्मणम् ।

(म) अथातश्चयनस्यैव । (वा) अन्तरोपसदौ चिनोत्येतद्वै देवा ऽअबिभयुर्यद्वै नऽ इममिह रक्षाᳪंसि नाष्ट्रा न हन्युरिति तऽएताः पुरोऽपश्यन्नुपसदऽ इमानेव लोकानिमे वै लोकाः पुरस्ताः प्रापद्यन्त ताः प्रपद्याभयेऽनाष्ट्रऽ एतमात्मानᳪं समस्कुर्वत तथैवैतद्यजमानऽ एताः पुरः प्रपद्याभयेऽनाष्ट्रऽ एतमात्मानᳪं सᳪंस्कुरुते ॥ १ ॥

अथातश्चयनस्यैव । अन्तरोपसदौ चिनोति । एतद्वै देवा अबिभयुः । यद्वै न इममिह रक्षांसि नाष्ट्रा न हन्युरिति । त एताः पुरोऽपश्यन्नुपसदः, इमानेव लोकान् । इमे वै लोकाः पुरः । ताः प्रापद्यन्त । ताः प्रपद्याभयेऽनाष्ट्र एतमात्मानं समस्कुर्वत । तथैवैतद्यजमान एताः पुरः प्रपद्याभयेऽनाष्ट्र एतमात्मानं संस्कुरुते ॥ १ ॥

एवं चित्याग्नेर्देशश्च मानमुक्तम्—अथ चयनविषयविचारो वक्ष्यत इति प्रतिजानीते—अथातश्चयनस्यैवेति । विधिरिति मीमांसेति वा शेषः । तत्र कालं विधत्ते—अन्तरोपसदौ चिनोतीति । पौर्वाह्णिक्यापराह्णिक्योरुपसदोर्मध्ये चिनुयात्[1], तत्र साग्निकप्रकृतावग्निष्टोमे तिस्र उपसदः । साग्निके ऐकाहिके क्रतौ तिस्र उपसदः । द्वादशाहगवामयनतापश्चितादिषु अहीनसत्रसांवत्सरेषु द्वादशचतुर्विंशतिषष्ट्युत्तरत्रिशतसंख्या उपसद इति वक्ष्यते । ताश्च त्रित्वादिपक्षेष्वपि एकैकस्मिन्दिने पूर्वाह्णापराह्णयोः उपसदः कार्याः । तथा चैतरेयकं ब्राह्मणम्—"त इमास्तिस्रः सतीरुपसदो द्विर्द्विरेकैकामुपायन्" इति । "त इमाः षट् सतीरुपसदो द्विर्द्विरेकैकामुपायन्" (ऐ. ब्रा. ४ । ६ । २३) इत्यादि । तस्मात्तु पूर्वाह्ण एव पूर्वयोपसदा प्रचरितव्यमपि स्वपराह्णेऽपरया " (ऐ. ब्रा. ४ । ६ । २३) तत्र कालं प्रशंसति—एतद्वै देवा अबिभयुरिति । एतस्मिन् काले 'देवाः' भीतवन्तः । इह अस्मिन् काले 'नः' अस्मान् 'नाष्ट्रा' नाशका राक्षसा यथा 'नहन्युः' 'इति' भीताः 'उपसदः' 'पुरोऽपश्यन्' उपसदां पुरत्वं तद्विशेषलोकात्मकत्वं चैतरेयके समाम्नातम्—" इमानेव लोकान् पुरोऽकुर्वत " इत्युपक्रम्य " ते वा अयस्मयीमेव इमामकुर्वत रजतामन्तरिक्षं हरिणीं दिवम् " (ऐ. ब्रा. ४ । ६ । २३) इति । " ते देवा अब्रुवन्—उपसद उपयामोपसदा वै महापुरं जयन्ति " (ऐ. ब्रा. ४ । ६ । २३) इति । त एवं लोकपुररूपा उपसदः 'प्रपद्याभये' भीतिरहिते 'अनाष्ट्रे' नाशकरहिते स्थाने देवाः 'एतमात्मानं' संस्कृतवन्तः । तथाऽयं यजमानोऽपि उपसदोर्मध्येऽग्निचयनेनात्मानं संस्कुरुते ॥ १ ॥

[1]—उपसत्सु पौर्वाह्णिक्यापराह्णिक्यंतरे चयनपुरीषनिवपनं । का० श्रौ० सू० १७ । १२७ । कर्तव्ये इति सूत्रशेषः ॥

यद्वेवान्तरोपसदौ चिनोति । (त्यं) एतद्वै देवा ऽअबिभयुर्यद्वै नऽइममिह रक्षाᳩसि नाष्ट्रा न हन्युरिति तऽएतान्वज्रानपश्यन्नुपसदो व्वज्रा वाऽउपसदस्तान्प्रापद्यन्त तान्प्रपद्याभयेऽनाष्ट्रऽएतमात्मानᳩ समस्कुर्वत तथै-वैतद्यजमानऽएतान्वज्रान्प्रपद्याभयेऽनाष्ट्रऽएतमात्मानᳩ सᳩस्कुरुते ॥२॥

(तऽ) एतदु ह यज्ञे तपः । (पो) यदुपसदस्तपो वाऽउपसदस्त-द्यत्तपसि चीयते तस्मात्तापश्चितस्तद्वै यावद्देवोपसद्भिश्चरन्ति तावत्प्रवर्ग्येण संव्वत्सरमेवोपसद्भिश्चरन्ति संव्वत्सरं प्रवर्ग्येण ॥ ३ ॥

(णा) अहोरात्राणि वाऽउपसदः । (ऽ) आदित्यः प्रवर्ग्योऽमुं तदा-दित्यमहोरात्रेषु प्रतिष्ठापयति तस्मादेषोऽहोरात्रेषु प्रतिष्ठितः ॥ ४ ॥

यद्वेवान्तरोपसदौ चिनोति । एतद्वै देवा अबिभयुः—यद्वै न इममिह रक्षांसि नाष्ट्रा न हन्युरिति । त एतान्वज्रानपश्यन्नुपसदः । वज्रा वा उपसदः—तान्प्रापद्यन्त । तान्प्रपद्याभयेऽनाष्ट्र एतमात्मानं समस्कुर्वत । तथैवैतद्यजमान एतान्वज्रान्प्रपद्याभयेऽनाष्ट्र एतमात्मानं संस्कुरुते ॥ २ ॥

एतदु ह यज्ञे तपो—यदुपसदः । तपो वा उपसदः । तद्यत् तपसि चीयते । तस्मात्तापश्चितः । तद्वै यावद्देवोपसद्भिश्चरन्ति—तावत्प्रवर्ग्येण । संवत्सरमेवोपसद्भिश्चरन्ति । संवत्सरं प्रवर्ग्येण ॥ ३ ॥

अहोरात्राणि वा उपसदः, आदित्यः प्रवर्ग्यः । अमुं तदादित्यमहोरात्रेषु प्रतिष्ठापयति । तस्मा-देषोऽहोरात्रेषु प्रतिष्ठितः ॥ ४ ॥

प्रकारान्तरेण तं कालं स्तौति--यद्वेवान्तरोपसदौ चिनोतीति । वज्रा वा उपसद इति । शत्रुनाशक-त्वादुपसदां वज्रत्वम् । शिष्टं पूर्ववद् व्याख्येयम् ॥ २ ॥

तापश्चितोऽग्निस्तत्रोपसत्सङ्ख्यां दर्शयति—एतदु ह यज्ञे तपो यदुपसद इति । यत् ' एतद् यज्ञे तपः ' तत्र तत्तव्रतो भवति । 'मदन्तीभिर्मार्जयन्ते' इत्यादिनियमविधानात्तासां तपस्त्वम्, यस्मात्तपसि तपोरूपासूपसत्सु चीयते तस्मादग्निस्तापश्चित इत्युच्यते । तत्र यावतीरुपसदः कुर्यात् तावद्भिः प्रवर्ग्यैश्चरितव्यम् । उपसदस्ताप-श्चिते चयने संवत्सरसम्मिताः । तथा च कात्यायनः—" तापश्चितं दीक्षाः संवत्सरमुपसदश्च तथा सुत्याः । "—(का. श्रौ. सू. २४ । १९८) इति ॥ ३ ॥

उपसत्सु प्रवर्ग्यचरणं प्रशंसति—अहोरात्राणि वा उपसद इति । यतः संवत्सरं तापश्चित 'उपसदः'—अतः 'अहोरात्राणि' तत्र चैकैकस्मिन् दिने द्वे द्वे इति तयोरहोरात्ररूपत्वम् । तथा चैतरेयकम्—"यामेव पूर्वाह्ण उपसदमु-पायंस्तथैवैनानह्नोऽनुदन्त, यामपराह्णे तया रात्रेस्तांस्तयोभाभ्यामहोरात्राभ्यामन्तरायन् "—(ऐ. ब्रा. ४।६।२३) इति । ' आदित्यः ' ' प्रवर्ग्यः ' तदात्मनोपास्यत्वात् । तस्मादुपसत्सु प्रवर्ग्यचरणेन साम्वत्सरसम्बन्धिषु 'अहोरात्रेषु' आदित्यं प्रतिष्ठापितवान् भवति ॥ ४ ॥

(तोऽथ) अथ यदि चतुर्व्विꣳशतिः । (श्च) चतुर्व्विꣳशतिर्व्वाऽअर्ध-
मासाऽअर्द्धमासा ऽउपसद ऽआदित्यः प्रवर्ग्योऽमुं तदादित्यमर्धमासेषु
प्रतिष्ठापयति तस्मादेषोऽर्धमासेषु प्रतिष्ठितः ॥ ५ ॥

(तोऽथ) अथ यदि द्वादश । द्वादश वै मासा मासाऽउपसदऽआदित्यः
प्रवर्ग्योऽमुं तदादित्यं मासेषु प्रतिष्ठापयति तस्मादेष मासेषु प्रतिष्ठितः ॥६॥

(तोऽथ) अथ यदि षट् । षड्वाऽऋतवऽ ऋतवऽउपसद ऽआदित्यः
प्रवर्ग्योऽमुं तदादित्यमृतुषु प्रतिष्ठापयति तस्मादेषऽऋतुषु प्रतिष्ठितः॥ ७॥

(तोऽथ) अथ यदि तिस्रः । (स्त्र) त्रयो वाऽइमे लोका ऽइमे लोका
ऽउपसद ऽआदित्यः प्रवर्ग्योऽमुं तदादित्यमेषु लोकेषु प्रतिष्ठापयति
तस्मादेष ऽएषु लोकेषु प्रतिष्ठितः ॥ ८ ॥

(तोऽथा) अथातश्चितिपुरीषाणामेव मीमाꣳसा । मासं प्रथमा चिति-

अथ यदि चतुर्विंशतिः । चतुर्विंशतिर्वा अर्धमासाः । अर्धमासा उपसदः, आदित्यः प्रवर्ग्यः । अमुं तदादित्यमर्धमासेषु प्रतिष्ठापयति । तस्मादेषोऽर्धमासेषु प्रतिष्ठितः ॥ ५ ॥

अथ यदि द्वादश । द्वादश वै मासाः । मासा उपसदः, आदित्यः प्रवर्ग्यः । अमुं तदादित्यं मासेषु प्रतिष्ठापयति । तस्मादेष मासेषु प्रतिष्ठितः ॥ ६ ॥

अथ यदि षट् । षड्वाऽऋतवः । ऋतव उपसदः, आदित्यः प्रवर्ग्यः । अमुं तदादित्यमृतुषु प्रतिष्ठापयति । तस्मादेष ऋतुषु प्रतिष्ठितः ॥ ७ ॥

अथ यदि तिस्रः । त्रयो वा इमे लोकाः । इमे लोका उपसदः, आदित्यः प्रवर्ग्यः । अमुं तदा-दित्यमेषु लोकेषु प्रतिष्ठापयति । तस्मादेष एषु लोकेषु प्रतिष्ठितः ॥ ८ ॥

अथातश्चितिपुरीषाणामेव मीमांसा । मासं प्रथमा चितिः । मासं पुरीषम् । एतावान्वासान्तिक ऋतौ कामः । तद् यावान्वासन्तिक ऋतौ कामः—तं तत्सर्वमात्मानमभिसञ्चिनुते ॥ ९ ॥

न केवलमत्रैव तापश्चितीषु किन्तु यत्र यत्राधिका न्यूना वा उपसदः तत्र तत्र प्रवर्ग्यचरणेनादित्यस्थापनं कृतं भवतीत्याह—**अथ यदि चतुर्विंशतिरि**ति । क्रतुविशेषे चतुर्विंशतिसङ्ख्या ' उपसदः ' कार्याः । संवत्सरस्य हि तावन्तोऽर्धमासाः । तत्र प्रवर्ग्यचरणेन तेष्वर्धमासेष्वादित्यं प्रतिष्ठापितवान् भवति ॥ ५ ॥

एवम्—**अथ यदि द्वादश** इति वाक्यं योज्यम् । द्वादशाहे द्वादशोपसदः ॥ ६ ॥

अथ यदि षडिति । सामान्येन षडुपसदश्चित्याग्नेर्भवन्तीति ॥ ७ ॥

अथ प्रकृतौ तिस्र उपसदः कार्याः, तत्रापि प्रवर्ग्यचरणमिति दर्शयति—**अथ यदि तिस्र** इति । तिसृणा-मुपसदां लोकत्रयात्मकत्वं प्रागुक्तम् "इमानेव लोकान् पुरोऽकुर्वत" (ऐ. ब्रा. ४ । ६ । २३) इति ॥ ८ ॥

एवमुपसदां मध्ये चयनमित्युक्तम्, तत्रोपसदां मध्येऽनुष्ठातव्यस्य चयनस्येष्टकाचितिपुरीषनिवपनयोरनुष्ठान-

मा॒सं पु॑री॒षमे॒ताव॒न्वा॑स॒न्तिक॒ऽऋ॒तौ का॒मस्त॒द्याव॒न्वा॑स॒न्तिक॒ऽऋ॒तौ का॒मस्तं त॒त्स॒र्व्व॑मा॒त्मा॒नम॒भि॒सं॑चिनु॒ते ॥ ९ ॥

मा॒सं द्वि॒तीया । मा॒सं पु॑री॒षमे॒ताव॒न्ग्रैष्म॒ ऽऋ॒तौ का॒मस्त॒द्याव॒न्ग्रैष्म॒ ऽऋ॒तौ का॒मस्तं त॒त्स॒र्व्व॑मा॒त्मा॒नम॒भि॒सं॑चिनु॒ते ॥ १० ॥

मासं द्वितीया । मासं पुरीषम् । एतावान् ग्रैष्म ऋतौ कामः । तद् यावान्ग्रैष्म ऋतौ कामः–तं तत्सर्वमात्मानमभिसञ्चिनुते ॥ १० ॥

प्रकारं प्रतिजानीते–**अथातश्चितिपुरीषाणामेव मीमांसेति** । यत उपसदां मध्ये चयनं कर्त्तव्यमित्युक्तमत इत्यर्थः । तत्र त्र्युपसत्कादिकक्रतुषु चितिपुरीषानुष्ठानप्रकारः कात्यायनेन दर्शितः–तथाहि–" त्र्युपसत्के द्वे प्रथमायां तिस्रो मध्यमायां च" "पञ्चगृहीतादुत्तमा" " उत्तरासु च" "सपुरीषा षट्स्वेकैका" "द्वादशोपसत्के व्यत्यासं चितिपुरीषे " " विकर्ण्यादिकादश्याम् "–(का. श्रौ. सू. १७ । १४०–१४९) इति । अयमर्थः–उपसत्त्रय वति क्रतौ प्रथमायामुपसदि द्वे चिती चीयेते, मध्यमायां तिस्रः, पञ्चगृहीतादिरुत्तमोपसद्भवति । " उपवसथीयेऽहन् प्रातरुदित आदित्ये वाचं विसृजते वाचं विसृज्य पञ्चगृहीतमाज्यं गृह्णीते"(श.प.९।२।१।१) इत्युपक्रम्य "प्रवर्ग्योपसद्भ्यां प्रचरति" (श. प. ९ । २ । १ । १८) इति श्रूयते । उत्तरासु चोपसत्सु पञ्चगृहीतादुत्तमोपसद् भवति । षट्सूपसत्सु सपुरीषा चितिरेकैका स्तोमभागानन्तरं तूष्णीं पुरीषनिवपनम् । तदेषा पञ्चमी चितिः । तत ऊर्ध्वं " नाकसत्प्रभृतयः षष्ठी चितिः " इति (श. प. ८।५।४।७–८भा.) प्राक् प्रतिपादितम् । तद्विवक्षया षडुपसत्के एकैका सपुरीषा चितिरित्युक्तम् । द्वादशोपसत्के क्रतौ व्यत्यासेन चितिपुरीषे भवतः । एकस्मिन् दिने इष्टकाचितिः, द्वितीये पुरीषचितिरेवमुत्तरेष्विति व्यत्यासेन विभज्यानुष्ठानमित्यर्थः । तत्र चैकादश्यामुपसदि विकर्ण्यादि कर्त्तव्यम् । इयं त्रिषडेकादशोपसत्केषु क्रतुषु चितिपुरीषमीमांसा सूत्रसंवादादुक्ता । तापश्चिताख्ये क्रतौ चितिपुरीषानुष्ठानप्रकारं श्रुतिः स्वयमेव दर्शयति–**मासं प्रथमा चितिरित्यादिना** । अग्नौ षडिष्टकाचितयः । षट् पुरीषचितयस्ताश्च तापश्चिते क्रतौ प्रतिमासमेकैका उपधेयाः । तथा च–वसन्तादिषु षट्सु ऋतुषु योयः कामस्तं ' सर्वमात्मानम् ' अभिलक्ष्य सम्पादितवान् भवतीति वक्ष्यमाणस्य प्रकरणस्य तात्पर्यम् । अत्र कात्यायनः–"तापश्चिते मासशश्चितिपुरीषे चतसृणाम्" । "पञ्चम्यामसपत्ना विराजः प्रथमेऽहन् " " स्तोमभागा अन्वहम् " " मासं पुरीषं तूष्णीम् " । "नाकसत्प्रभृति मासम् " । " पुरीषं च "–(का. श्रौ. सू. १७।१४८–१५३) इति । चकारो मासानुकर्षणार्थः । इति द्वादश मासाः सम्पन्नाः । मासं प्रथमा चितिः । " कालाध्वनोरत्यन्तसंयोगे "–(पा. सू. २।३।५।) इति मासशब्दस्य द्वितीया । मासपर्यन्तं प्रथमा इष्टकाचितिरुपधेया । द्वितीयमासे पुरीषचितिरुपधेया । मासद्वयात्मकश्च ऋतुः । चयनस्य वसन्तकाले चोदितत्वाद् ' वासन्तिक ऋतुः ' प्रथमं निर्दिष्टः । तस्मिन्नादिमे ऋतौ ' एतावान् कामः ' मासद्वयपरिमितः कामः । तत् तेन मासद्वयेन इष्टकापुरीषचित्युपधानेन ' तं ' ' सर्वं ' कामम् ' आत्मानम् ' अभिलक्ष्य ' संचिनुते ' आपादयति ॥ ९ ॥

एवं मासं द्वितीयेत्यादिपर्यायत्रयं व्याख्येयम् ॥ १०–१२ ॥

मासं तृतीया । मासं पुरीषमेतावान्वार्षिकऽऋतौ कामस्तद्यावान्वार्षिकऽऋतौ कामस्तं तत्सर्वमात्मानमभिसंचिनुते ॥ ११ ॥

मासं चतुर्थी । मासं पुरीषमेतावाञ्छारदऽऋतौ कामस्तद्यावाञ्छारदऽऋतौ कामस्तं तत्सर्वमात्मानमभिसंचिनुते ॥ १२ ॥

(तेऽथ) अथ पञ्चम्यै चितेः । (१) असपत्ना विराजश्च प्रथमाहमुपदधाति स्तोमभागाऽएकैकामन्वहं ताः सकृत्सादयति सकृत्सूददोहसाऽधिवदति तूष्णीं मासꣳ स्तोमभागापुरीषमभिहरन्त्येतावान्हैमन्तिकऽऋतौ कामस्तद्यावान्हैमन्तिकऽऋतौ कामस्तं तत्सर्वमात्मानमभिसञ्चिनुते ॥ १३ ॥

मासꣳ षष्ठी । मासं पुरीषमेतावाञ्छैशिरऽऋतौ कामस्तद्यावाञ्छैशिरऽऋतौ कामस्तं तत्सर्वमात्मानमभिसंचिनुतऽएतावान्वै द्वादशसु मासेषु कामः षट्स्वृतुषु तद्यावान्द्वादशसु मासेषु कामः षट्स्वृतुषु तं तत्सर्वमात्मानमभिसंचिनुते ॥ १४ ॥

मासं तृतीया । मासं पुरीषम् । एतावान्वार्षिक ऋतौ कामः । तद्यावान्वार्षिक ऋतौ कामः—तं तत्सर्वमात्मानमभिसञ्चिनुते ॥ ११ ॥

मासं चतुर्थी । मासं पुरीषम् एतावाञ्छारद ऋतौ कामः । तद् यावाञ्छारद ऋतौ कामः—तं तत्सर्वमात्मानमभिसञ्चिनुते ॥ १२ ॥

अथ पञ्चम्यै चितेरसपत्ना विराजश्च प्रथमाहमुपदधाति । स्तोमभागा एकैकामन्वहम् । ताः सकृत्सादयति । सकृत्सूददोहसाऽधिवदति । तूष्णीं मासं स्तोमभागापुरीषमभिहरन्ति । एतावान्हैमन्तिक ऋतौ कामः । तद्यावान्हैमन्तिक ऋतौ कामः—तं तत्सर्वमात्मानमभिसञ्चिनुते ॥ १३ ॥

मासं षष्ठी । मासं पुरीषम् । एतावाञ्छैशिर ऋतौ कामः । तद् यावाञ्छैशिर ऋतौ कामः—तं

पञ्चम्यां चिताविष्टकोपधाने विशेषमाह—अथ पञ्चम्यै चितेरिति । असपत्नानामधेयाः पञ्च, विराट्संज्ञकाश्चत्वारिंशदिष्टकाः 'प्रथमाहं' प्रथमदिवसे उपदध्यात् । स्तोमभागानामधेयेष्टका एकोनत्रिंशत्, प्रतिदिवसमेकैकामिष्टकामुपदध्यात् । एवं मासान्ते सर्वासां मासप्रथमदिवसे उपहितानामसपत्नाविराजामेकोनत्रिंशद्दिवसेषु प्रत्येकमुपहितानां स्तोमभागानां च 'सकृत्' एकवारं 'सादनम्' "तया देवतया"—इति मन्त्रेण तथा 'ता अस्य सूददोहसः' इत्यनेन एतासां 'सकृद्' अधिवदनम् । एवमिष्टकाचितिं निर्णीय पुरीषचितौ विशेषं दर्शयति—तूष्णीमिति । 'तूष्णीम्' मन्त्रवर्जं स्तोमभागानामिष्टका अभिलक्ष्य मासपर्यन्तं पुरीषं हरेयुः । एतावान् हैमन्तिक इत्यादि । पूर्ववत् ॥ १३ ॥

मासं षष्ठीति । स्तोमभागानन्तरं तूष्णीं पुरीषनिवापोक्तेः तदन्ता पञ्चमी चितिरिति कृत्वा नाकसत्पञ्च-

---

१–'स्तोमभागाः' इति सविसर्गः पाठो युक्तः ।

(१९) अथ त्रीण्यहान्युपातियन्ति । यदहः शतरुद्रियं जुहोति यदहरुपवसथो यदहः प्रसुतस्तद्यत्तेष्वहःसूपसदा चरन्ति तानि तस्य मासस्याहोरात्राण्यथ यत्प्रवर्ग्येण तदु तस्मिन्नृतावादित्यं प्रतिष्ठापयत्येतावान्वै त्रयोदशसु मासेषु कामः सप्तस्वृतुषु तद्यावाँस्त्रयोदशसु मासेषु कामः सप्तस्वृतुषु तं तत्सर्व्वमात्मानमभिसंचिनुते ॥ १९ ॥

स संव्वत्सरं प्रसुतः स्यात् । (२०) सर्व्वं वै संव्वत्सरः सर्व्वमेकशतविधः सर्व्वेणैव तत्सर्व्वमाप्नोति यदि संव्वत्सरं न शक्नुयाद्विश्वजिता सर्व्व-

---

तत्सर्वमात्मानमभिसञ्चिनुते । एतावान्वै द्वादशसु मासेषु कामः षट्स्वृतुषु । तद् यावान्द्वादशसु मासेषु कामः षट्स्वृतुषु । तं तत् सर्वमात्मानमभिसञ्चिनुते ॥ १४ ॥

अथ त्रीण्यहान्युपातियन्ति—यदहः शतरुद्रियं जुहोति, यदहरुपवसथः, यदहः प्रसुतः । तद् यत्तेष्वहःसूपसदा चरन्ति—तानि तस्य मासस्याहोरात्राणि । अथ यत्प्रवर्ग्येण, तदु तस्मिन्नृतावादित्यं प्रतिष्ठापयति । एतावान्वै त्रयोदशसु मासेषु कामः सप्तस्वृतुषु । तद् यावांस्त्रयोदशसु मासेषु कामः सप्तस्वृतुषु । तं तत्सर्वमात्मानमभिसञ्चिनुते ॥ १९ ॥

स संवत्सरं प्रसुतः स्यात् । सर्वं वै संवत्सरः । सर्वमेकशतविधः । सर्वेणैव तत्सर्वमाप्नोति । यदि

चूडादीष्टकाभिः षष्ठी चितिः सम्पादितेत्यर्थः । तदन्ते मुख्या पुरीषचितिरस्ति । तथा चाष्टमे काण्डे समाम्नातम्—" स्तोमभागा उपधाय पुरीषं निवपति सा पञ्चमी चितिः " । " अथ यदत ऊर्ध्वमापुरीषात्सा षष्ठी " (श. प. । ८ । ५ । ४ । ७ । ८) इति । सर्वमासगतसङ्ख्यां सम्भूय प्रशंसति—**एतावान् वै द्वादशसु मासेषु काम** इति ॥ १४ ॥

अथ त्रीण्यहान्युपातियन्तीति । द्वादशस्य मासस्याष्टाविंशतिसङ्ख्याकैरहोभिः पुरीषनिवपनम् । तत उत्तमे द्वे अहनी परिशिष्येते । एकमेव च सुत्यमहरावृत्त्या संवत्सरो भवतीति तदेकमहरित्युच्यते । तानि त्रीण्यहानि पुरीषचितेरतिरिक्तानि भवन्ति । तान्यहानि विशिनष्टि—**यदहः शतरुद्रियमिति** । तेष्वतिरिक्तेषु प्रथमेऽहनि शतरुद्रियकर्मोपलक्षितविकर्ण्याद्यग्न्युक्थ्यशंसनान्तं प्रयोगजातं कर्त्तव्यम् । द्वितीयेऽहनि पञ्चगृहीताज्यग्रहणाद्यौपवसथ्यप्रयोगः । यस्मिन्नहनि प्रसुतः सोमोऽभिषुतो भवति तत्तृतीयमहः । " तापश्चिते मासशश्चितिपुरीषे " इति प्रक्रम्य सूत्रितम्—" नाकसत्प्रभृति मासं पुरीषं चोत्तमयोरह्नोर्विकर्ण्यादि पूर्वे " (का. श्रौ. सू. १७ । १४८–१५४) इति । अयमर्थः—अन्तिममासस्योत्तमयोरह्नोः पूर्वेऽहनि विकर्ण्यादि कर्त्तव्यम् । अन्तिमेऽहनि पञ्चगृहीताद्युत्तमेति परिमाणितत्वात् तदादिविकृत्यौपवसथप्रयोग इति । तेष्वहःसु यत्प्रवर्ग्योपसदामनुष्ठानं तेन तस्य संसर्पाहस्पतिसंज्ञकस्य त्रयोदशमासात्मकस्य संबन्धिष्वहोरात्रेषु आदित्यात्मकस्य सप्तमर्तोः स्थापनं कृतं भवतीत्यर्थः । उक्तत्रयोदशमाससाहित्येन पूर्वोक्तां संख्यां प्रशंसति—**एतावान् वै त्रयोदशस्विति** ॥ १९ ॥

तत्र सुत्यानां संख्यां विधत्ते—**स संवत्सरं प्रसुतः स्यादिति** । संवत्सरपर्यन्तं प्रसुतः सोमयागः स्यादिति

पृष्ठेनातिरात्रेण यजेत तस्मिन्त्सर्व्ववेदसं दद्यात्सर्व्वं वै विश्वजित्सर्व्व-
पृष्ठोऽतिरात्रः सर्व्वᳬ सर्व्ववेदसᳬ सर्व्वमेकशतविधः सर्व्वेणैव तत्सर्व्व-
माप्नोति ॥ १६ ॥

इति द्वितीयप्रपाठके प्रथमं ब्राह्मणम् ॥ १०-२-१ ॥ (२.९.)

संव्वत्सरो वै प्रजापतिरेकशतविधः । (स्तु) तस्याहोरात्राण्यर्धमासा
मासा ऽऋतवः षष्टिर्म्मासस्याहोरात्राणि मासि वै संव्वत्सरस्याहोरात्राण्या-
प्यन्ते चतुर्व्विᳬशतिरर्धमासास्त्रयोदश मासास्त्रयऽऋतवस्ताः शतं विधाः
संव्वत्सरऽ एवैकशततमी विधा ॥ १ ॥

सम्वत्सरं न शक्नुयात्—विश्वजिता सर्वपृष्ठेनातिरात्रेण यजेत । तस्मिन्त्सर्ववेदसं दद्यात् । सर्वं वै विश्वजित् । सर्वपृष्ठोऽतिरात्रः । सर्वं सर्ववेदसम् । सर्वमेकशतविधः । सर्वेणैव तत् सर्वमाप्नोति॥ १६॥

संवत्सरो वै प्रजापतिरेकशतविधः । तस्याहोरात्राणि अर्धमासाः, मासाः, ऋतवः । षष्टिर्मासस्याहोरात्राणि । मासि वै संवत्सरस्याहोरात्राण्याप्यन्ते । चतुर्विंशतिरर्धमासाः, त्रयोदश मासाः, त्रयः ऋतवः । ताः शतं विधाः । संवत्सर एवैकशततमी विधा ॥ १ ॥

प्रतिदिवसमेकैकः सोमयाग इति षष्ट्युत्तरत्रिशतसंख्याकाः सोमयागाः भवन्तीत्यर्थः । तत्र तापश्चिते कर्त्तव्यमग्निविशेषं प्रदर्शयन्स्तौति—सर्वमेकशतविध इति । अतः 'सर्वेण' संवत्सरपर्यन्तं क्रियमाणेन एकशतविधाऽग्निमता सोमयागेन 'सर्वम्' आप्तवान् भवति । संवत्सरं सोमयागकरणाशक्तौ पक्षान्तरं दर्शयति—यदि संवत्सरं न शक्नुयादिति । 'अतिरात्रेण' अतिरात्रसंस्थेन सर्वपृष्ठवता विश्वजिदाख्येन यजेत । तत्र दक्षिणां विधत्ते—तस्मिन् सर्ववेदसं दद्यादिति । सर्वस्वं देयमित्यर्थः । एतद्यज्ञकरणं सर्वप्राप्तिहेतुत्वेन प्रशंसति—सर्वं वै विश्वजिदिति । अत्र विश्वजिति सर्वेषां पृष्ठानां करणात् सर्वस्वदक्षिणादानात् एकशतविधाग्निचयनाच्च सर्वमाप्तवान् भवति ॥ १६ ॥

इति श्रीसायणाचार्यविरचिते माधवीये वेदार्थप्रकाशे माध्यन्दिनीयशतपथब्राह्मणभाष्ये दशमकाण्डे द्वितीयेऽध्याये पञ्चमं ब्राह्मणम् ॥ (१०-२-५) ॥

पूर्वं संवत्सररूपप्रजापतेरेकशतविधाग्नित्वम् (श. प. १०।२।४।१ ।) उक्तम् । तस्यादित्यरूपत्वं शतसंख्याकरश्मिभिर्मण्डलेनैकशतसंख्यापूरकेण सम्पन्नमिति चोक्तम् (श. प. १०।२।३) । अधुना प्रकारान्तरेणैकशतसंख्यावत्त्वं सप्तविधाग्निना सम्पत्तिश्च लक्ष्यते चयनस्यामृतत्वप्राप्तिः फलमिति च । संवत्सरो वै प्रजापतिरिति । 'एकशतविधो' नामाग्निः संवत्सरात्मकप्रजापतिरूपः । तस्य संवत्सरस्य एकशतत्वेन प्रतिपादनं—तस्याहोरात्राणि इत्यादिना । तस्य संवत्सरस्य तावदेतावन्तः अहोरात्रा अर्द्धमासा मासास्त्रय ऋतव इति । एतेष्वेवोक्तसंख्या सम्पद्यत इति दर्शयितुमेकमासस्थिताहोरात्रा विवक्षिता इति । ऋतवश्च त्रित्वसंख्याका इत्याह—षष्टिर्मासस्येति । सर्वमासाहोरात्रपरिगणनेऽधिका संख्या सम्पद्यते । ये मासगताहोरात्रास्तेषा व संव-

स ऽऋतुभिरेव सप्तविधः। षडृतवः संवत्सर ऽएव सप्तमी विधा तस्यै-तस्य संवत्सरस्यैतत्तेजो य ऽएष ऽतपति तस्य रश्मयः शतं विधा मण्डलमेवैकशततमी विधा ॥ २ ॥

स दिग्भिरेव सप्तविधः। (धो) ये प्राच्यां दिशि रश्मयः सैका विधा ये दक्षिणायाᳬं सैका ये प्रतीच्याᳬं सैका यऽउदीच्याᳬं सैका यऽ-ऊर्ध्वायाᳬं सैका येऽवाच्याᳬं सैका मण्डलमेव सप्तमी विधा ॥ ३ ॥

तस्यैतस्य परस्तात्कामप्रो लोकः। (कोऽमृ) अमृतं वै कामप्रममृत-मेवास्य तत्परस्तात्तद्यत्तदमृतमेतत्तद्यदेतदर्चिर्दीप्यते ॥ ४ ॥

स ऋतुभिरेव सप्तविधः—षडृतवः, संवत्सर एव सप्तमी विधा। तस्यैतस्य संवत्सरस्यैतत्तेजो—य एष तपति। तस्य रश्मयः शतं विधाः। मण्डलमेवैकशततमी विधा ॥ २ ॥

स दिग्भिरेव सप्तविधः, ये प्राच्यां दिशि रश्मयः सैका विधा। ये दक्षिणायां सैका। ये प्रतीच्यां सैका। य उदीच्यां सैका। य ऊर्ध्वायां सैका। येऽवाच्यां सैका। मण्डलमेव सप्तमी विधा ॥ ३ ॥

तस्यैतस्य परस्तात्—कामप्रो लोकः। अमृतं वै कामप्रम्। अमृतमेवास्य तत् परस्तात्। तद्यत्तद-मृतम्—एतत्तत्—यदेतदर्चिर्दीप्यते ॥ ४ ॥

त्सरपर्यन्तावर्त्तनादिति न पृथग्गणनेति तात्पर्यम्। एकस्मिन् मासि त्रिंशदहानि त्रिंशद्रात्रय इति षष्टिः सम्प-द्यते। अर्द्धमासाश्चतुर्विंशतिः—मलिम्लुचसाहित्येन त्रयोदश मासाः। द्वौ द्वावृतू एकीकृत्य त्रय ऋतव इत्युक्तम्। एवं संवत्सरे शतं विधाः सम्पद्यन्ते संवत्सरः स्वयमेकशतसंख्यापूरक इति तत्संख्यासम्पत्तिः ॥ १ ॥

तस्य संवत्सररूपस्यैकशतविधस्य सप्तविधाग्निना सम्पत्तिमृतुभिर्दर्शयति—स ऋतुभिरेव सप्तविध इति। 'षडृतवः' ऋत्वात्मकः संवत्सरः सप्तम इत्यर्थः। सप्तविधस्याप्येकशतविधसंख्यासम्पत्तिमाह—तस्यैतस्येति। 'यः' तपति स हि संवत्सरस्य तेजः, तस्य शतं रश्मयः मण्डलमेकशतसंख्यापूरकमिति तयोरन्योऽन्या-त्मकत्वम् ॥ २ ॥

प्रकारान्तरेण सम्पत्तिमाह—स दिग्भिरेव सप्तविध इति। तदुपपादयति—ये प्राच्यां दिशीति। प्राग्द-क्षिणपश्चिमोदीच्यश्चतस्रः, ऊर्ध्वावाच्यौ द्वे, रश्मियुक्तं मण्डलं सप्तममित्युक्तसंख्यासम्पत्तिः ॥ ३ ॥

सप्तविधाद्येकशतपर्यन्ताग्निचयनस्य सूर्यलोकः फलमिति दर्शयति—तस्यैतस्य परस्तात्कामप्र इति। 'एतस्य' सवितुर्मण्डलस्य 'परस्तात्' उपरिभागे सर्वकामपूरकः 'अमृतः' मरणधर्मरहितः 'लोकः' अस्ति। अमृतलोकं विशिनष्टि—यदेतदर्चिर्दीप्यत इति। 'यदेतदर्चिः' तेजो 'दीप्यते' सोऽमृतलोक इत्यर्थः ॥ ४ ॥

तदेतद्वसु चित्रꣳ राधः । (स्तु) तदेष सविता विभक्ताभ्यः प्रजाभ्यो विभजत्यप्योषधिभ्योऽपि वनस्पतिभ्यो भूय ऽइव ह त्वेकाभ्यः प्रयच्छति कनीयऽ इवैकाभ्यस्तद्याभ्यो भूयः प्रयच्छति ता ज्योक्तमां जीवन्ति याभ्यः कनीयः कनीयस्ताः ॥ ५ ॥

(स्तु) तदेतदृचाऽभ्युक्तम् । (म्रि) विभक्तारꣳ हवामहे वसोश्चित्रस्य राधसः । सवितारं नृचक्षसमिति तदेतत्सर्वमायुर्दीर्घमनन्तꣳ हि तद्यदिदमाहुर्दीर्घं तऽआयुरस्तु सर्वमायुरिहीत्येष ते लोक ऽएतत्तेऽस्त्विति हैवैतत् ॥ ६ ॥

तदेतद् वसु चित्रं राधः । तदेष सविता विभक्ताभ्यः प्रजाभ्यो विभजति–अप्योषधिभ्यः, अपि वनस्पतिभ्यः । भूय–इव ह त्वेकाभ्यः प्रयच्छति, कनीय–इवैकाभ्यः । तद् याभ्यो भूयः प्रयच्छति–ता ज्योक्तमां जीवन्ति । याभ्यः कनीयः–कनीयस्ताः ॥ ५ ॥

तदेतदृचाऽभ्युक्तम्–" विभक्तारं हवामहे वसोश्चित्रस्य राधसः । सवितारं नृचक्षसम् "–(वा. सं. ३० । ३) इति । तदेतत्सर्वमायुर्दीर्घम् । अनन्तं हि तत् । यदिदमाहुः–" दीर्घं त आयुरस्तु । सर्वमायुरिहि "–इति । एष ते लोकः । एतत्तेऽस्त्विति हैवैतद् ॥ ६ ॥

अर्चिषोऽमृतफलत्वं सवितृसम्बन्धित्वं च प्रदर्शयति–**तदेतद्वसु चित्रं राध इति** । ' वसु ' वासयोग्यं ' चित्रम् ' नानाप्रकारं भूयोऽल्पभेदेन ' तदेतद् ' अर्चीरूपं ' राधः ' दीर्घायूरूपं फलम् ' एष सविता ' अर्चिष्मान् ' विभक्ताभ्यः ', स्थावरजङ्गमभेदेन तत्रापि मनुष्यपशुपक्ष्यादिरूपेण ओषधिवनस्पत्यादिरूपेण च ' विभक्ताभ्यः प्रजाभ्यः ' विभज्य विभज्य प्रयच्छति । " अप्योषधिभ्योऽपि वनस्पतिभ्यः " इति ओषध्यादिभ्योऽपि प्रयच्छति । अनेन सर्वस्य विभज्य दानं कैमुतिकन्यायसिद्धमित्युक्तं भवति । तत्र दाने विशेषं दर्शयति–**भूय इव ह त्वेकाभ्यः प्रयच्छतीति** । ' ह तु ' इति पदद्वयम् । इवशब्द एवार्थे । कतिपयाभ्यः प्रजाभ्यो ' भूयः ' आयूरूपमेव राधः ' प्रयच्छति ' । ' एकाभ्यः कनीयः ' राधः । तत्र यासां भूयोदानम्, ताः ' ज्योक्तमाम् ' चिरं जीवन्ति । आयुषो भूयस्त्वात्तद्भोगाय चिरकालजीवनम् । यासां कनीयः फलं, ता अल्पकालं जीवन्ति ॥ ५ ॥

सवितैव सर्वप्रजाभ्यो नानारूपं कामं ददातीत्यर्थं दाशतय्या मन्त्रसंवादेन द्रढयति–**तदेतदृचाऽभ्युक्तमिति** । अयमर्थः–' वसोः ' वासयोग्यस्य 'चित्रस्य' नानाविधस्य 'राधसः' आयुर्लक्षणफलस्य विभक्तारं विभज्य प्रदातारम् । ' नृचक्षसम ' नृणां द्रष्टारं तत्कर्मसाक्षिणम् । यद्वा चष्टेः कर्मण्यसुन् । नृभिर्दृश्यमानं ' सवितारं हवामहे ' । सर्वायुष्ट्वमिदानीमाह–**तदेतत्सर्वमायुरिति** । सर्वपदस्यार्थमाह–**दीर्घमनन्तं हि तदिति** । तदेतत् राधो लोकलक्षणं ततः सर्वायूरूपं दीर्घायूरूपमित्यर्थः । उक्तमर्थं लोकप्रसिद्ध्या द्रढयति–**यदिदमाहुर्दीर्घं त आयुरिति** । लोके पूर्ववयोभिरभिवादिता ज्यायांसः पुरुषाः एतामाशिषं कुर्वन्ति–दीर्घं त आयु-

(त्पु) पश्यन्ती वाग्वदति। तदेतदेकशतविधेन वैवाऽऽप्तव्यꣳ शतायुतया वा य ऽएवैकशतविधं विधत्ते यो वा शतं वर्षाणि जीवति स हैवैतदमृतमाप्नोति तस्माद्ये चैतद्विदुर्ये च न लोक्या शतायुतेत्येवाहुस्तस्मादु ह न पुराऽऽयुषः स्वकामी प्रेयादलोक्यꣳ हैतऽउ वाव लोका यदहोरात्राण्यर्धमासा मासा ऽऋतवः संवत्सरः ॥ ७ ॥

(स्तु) तद्येऽर्वाग्विꣳशेषु वर्षेषु प्रयन्ति। (न्त्य) अहोरात्रेषु ते लोकेषु सज्यन्तेऽथ ये परोविꣳशेष्वर्वाक्चत्वारिꣳशेष्वर्धमासेषु तेऽथ ये परश्चत्वारिꣳशेष्वर्वाक्षष्टेषु मासेषु तेऽथ ये परःषष्टेष्वर्वागशीतिष्वृतुषु तेऽथ ये परोऽशीतिष्वर्वाक्छतेषु संवत्सरे तेऽथ य ऽएव शतं वर्षाणि यो वा भूयाꣳसि जीवति स हैवैतदमृतमाप्नोति ॥ ८ ॥

पश्यन्ती वाग्वदति। तदेतदेकशतविधेन वैवाऽऽप्तव्यम्, शतायुतया वा। य एवैकशतविधं विधत्ते। यो वा शतं वर्षाणि जीवति। स हैवैतदमृतमाप्नोति। तस्माद्ये चैतद् विदुः, ये च न—लोक्या—शतायुता इत्येवाहुः। तस्मादु ह न पुराऽऽयुषः स्वकामी प्रेयात्। अलोक्यं ह। एत उ वाव लोकाः—यदहोरात्राणि, अर्धमासाः, मासाः, ऋतवः, संवत्सरः ॥ ७ ॥

तद् ये—अर्वाग्विंशेषु वर्षेषु प्रयन्ति—अहोरात्रेषु ते लोकेषु सज्यन्ते। अथ ये परोविंशेष्वर्वाक् चत्वारिंशेषु—अर्धमासेषु ते। अथ ये परश्चत्वारिंशेष्वर्वाक्षष्टेषु—मासेषु ते। अथ ये परःषष्टेष्वर्वाग-

---

रस्त्विति। सर्वमायुरिहीति च। इहि गच्छ। इणो लोटि रूपम्। इति यदिदं लोके आयुस्तस्यार्थं श्रुतिः स्वयं दर्शयति—एष ते लोक इति। सर्वमायुरिहीति दीर्घं त आयुरस्त्वित्यनयोः अयमर्थः—तव 'एषः' लोकः सावित्रादिरूपोऽस्तु। 'ते' तव 'एतत्' सावित्रं तेजः 'अस्तु' भवत्विति ॥ ६ ॥—

'एतद्' अर्थजातं 'पश्यन्ती' विचारयन्ती वाक् दीर्घं त आयुरस्त्वित्यादिका वदतीति। तस्यामृतत्व-फलसाधनं दर्शयति—तदेतदेकशतविधेन वैवाऽऽप्तव्यमिति। 'एकशतविधेन' अग्निना 'तत्' अमृतत्व-रूपं रायः 'आप्तव्यम्' 'शतायुतया' शतवर्षजीवनेन वाऽऽप्तव्यम् इति साधनप्रश्नः। उभाभ्यामपि तत् फलं लभ्यत इत्युत्तरमाह—य एवैकशतविधं विधत्त इति। शतवर्षजीवनमपि पुण्यलोकहेतुरित्यत्र लोकप्रसिद्धिं दर्शयति—तस्माद्ये चैतद्विदुरिति। उक्तार्थज्ञाः तदनभिज्ञाश्च 'शतायुता' शतवर्षजीवनं 'लोक्या' लोकहिता पुण्यलोकहेतुरित्याहुः। यस्मात् शतायुर्जीवनं लोकहितं तस्मादस्मादायुषः 'पुरा' पूर्वं 'स्वकामी' स्वहित-मिच्छन् स्वेच्छया 'न प्रेयात्' न म्रियेत। तन्मरणम् 'अलोक्यम्' अमृतत्वरूपलोकसाधनं न भवति। शतादर्वाचीनेषु वर्षेषु मरणं पुण्यलोकसाधकं न भवतीत्येतमर्थं विशदयति—एत इति। अहोरात्रार्द्धमास-मासर्तुसंवत्सराः यद्यपि 'लोकाः' तथापि 'अलोक्याः' अमृतत्वप्रापका न भवन्ति ॥ ७ ॥

तत्रैतादृशेषु वर्षेषु मरणमहोरात्रार्द्धमासाद्यात्मकलोकहेतुः, नतु अमृतत्वफलप्रापकमित्याह—तद्येऽर्वाग्विंशेष्वित्या-

बहुभिर्ह वै यज्ञैः । (रे) एकमहरेका रात्रिर्मिता स य ऽएवैकशतविधं विधत्ते यो वा शतं वर्षाणि जीवति स हैवैनदद्धातमामाप्नोत्येष वाऽएक-शतविधं विधत्ते य ऽएनᳫँ संवत्सरं बिभर्ति तस्मादेनᳫँ संवत्सर-भृतमेव चिन्वीतेत्यधिदेवतम् ॥ ९ ॥

(म) अथाधियज्ञम् । यानमूनेकशतमुद्वाहून्पुरुषान्मिमीते स विधैक-शतविधः स चितिभिरेव सप्तविधः षडृतव्यवत्यश्चितयोऽग्निरेव सप्तमी विधा ॥ १० ॥

शीतेषु–ऋतुषु ते । अथ ये परोऽशीतेष्वर्वाक् शतेषु–संवत्सरे ते । अथ य एव शतं वर्षाणि–यो वा भूयांसि जीवति । स हैवैतदमृतमाप्नोति ॥ ८ ॥

बहुभिर्ह वै यज्ञैरेकमहरेका रात्रिर्मिता । स य एवैकशतविधं विधत्ते–यो वा शतं वर्षाणि जीवति । स हैवैनदद्धातमामाप्नोति । एष वा एकशतविधं विधत्ते–य एनं संवत्सरं बिभर्ति । तस्मादेनं सम्व-त्सरभृतमेव चिन्वीत । इत्यधिदेवतम् ॥ ९ ॥

अथाधियज्ञम्–यानमूनेकशतमुद्वाहून्पुरुषान्मिमीते–स विधैकशतविधः । स चितिभिरेव सप्त-विधः । षडृतव्यवंत्याश्चितयः । अग्निरेव सप्तमी विधा ॥ १० ॥

दिना । ये विंशतिवर्षादर्वाचीनेषु ' वर्षेषु ' म्रियंते ते अहोरात्ररूपेषु लोकेषु ' सज्यन्ते ' सम्बध्यन्ते । एवमुत्तरत्र योज्यम् । ' अर्वाक्षष्टेषु ' षष्टिवर्षादर्वाचीनेषु । शतवर्षजीवनस्य सूक्तमेव फलमिति निगमयति–**अथ य एव शतं वर्षाणि, यो वा भूयांसि जीवतीति** ॥ ८ ॥

बहुभिर्हेति । ' बहुभिर्ह वै यज्ञैरेकमहः ' इत्यादेरयमर्थः–'एकमहः' 'एका रात्रिरपि बहुभिर्यज्ञैः' ' मिता ' एकदिनजीवनमेकरात्रिजीवनमपि बहुयज्ञफलं किमुत शतवर्षाणि जीवनवतोऽमृतत्वप्राप्तिरिति । एवमग्नेरमृतत्वं फलमित्युक्त्वा एकशतविधस्याग्नेः संवत्सरोख्यधारणं नियतमित्याह–**एष वा एकशतविधं विधत्त इति** । 'यः' पुरुषः 'एनम्' उख्याग्निं संवत्सरपर्यन्तं बिभर्त्ति–एष एकशतविधं चित्याग्निं विधातुं योग्यः । यस्मात्संवत्सर-मुख्याग्निं बिभ्रत एवैकशतविधाग्नेर्विधाने योग्यत्वम् तस्मात् ' संवत्सरभृतमिव ' । इव–शब्दोऽवधारणे । वर्ष-पर्य्यन्तं 'भृतमेव' अग्निं ' चिन्वीत ' 'इत्यधिदेवतम्' । इति संवत्सरेण सूर्यात्मना वैकशतसंख्यावत्वं सम्पद्यत इति प्रागुक्तम् । "संवत्सरो वै प्रजापतिरेकशतविधः । तस्याहोरात्राणि, अर्द्धमासाः, मासाः, ऋतवः । षष्टिर्मासस्याहो-रात्राणि, मासि वै संवत्सरस्याहोरात्राण्याप्यन्ते चतुर्विंशतिरर्द्धमासाः त्रयोदश मासाः त्रय ऋतवः–ताः शतं विधाः, संवत्सर एवैकशततमी विधा " इति " तस्य रश्मयः शतं विधा मण्डलमेवैकशततमी विधा " (श. प. १० । २ । ६ । १–२) इति चोक्तत्वात् ॥ ९ ॥

अथाधियज्ञमिति । अभिधीयते । एकशतसंख्याकोद्वाहुपुरुषमितत्वात्तद्विधाभिः पुरुषैः " एकशतविधः " स भूयः सन्नपि चितिभिः सप्तविधः । चितीनां सप्तत्वमष्टमे काण्डे (श. प. ८।७।४।१२–२१) प्रतिपादितम्; तदेव संग्रहेणाह–षडिति । प्रतिचिति ऋतव्ये उपदधातीत्युक्तत्वात् ऋतव्यसंज्ञकेष्टकाद्वयवत्यः षट् चितय-स्तत्रोपरि निर्धायमान आहवनीयः सप्तमी चितिरित्येकोऽर्थः अधियज्ञमुक्तम् ॥ १० ॥

१.–' संवत्सरभृतमेव ' इति भाष्यकारसंमतः पाठः ।

सुऽउ वाऽइष्टकैकशतविधः । (घो) याः पञ्चाशत्प्रथमाऽइष्टका याश्चो-त्तमास्ताः शतं विधा ऽअथ या ऽएतदन्तरेणेष्टका ऽउपधीयन्ते सैवैक-शततमी विधा ॥ ११ ॥

स उ ऽएव यजुस्तेजाः । (०) यजुरेकशतविधो यानि पञ्चाशत्प्रथमानि यजूँषि यानि चोत्तमानि ताः शतं विधाऽअथ यान्येतदन्तरेण यजूँषि क्रियन्ते सैवैकशततमी विधैवमु सप्तविध ऽएकशतविधो भवति स यः शतायुतायां कामो यऽएकशतविधे सप्तविधेन हैव तमेवंविदाप्नोति ॥ १२ ॥

(त्ये) एवं वाव सर्वे यज्ञाः । (ऽ) एकशतविधा आऽग्निहोत्रादृग्भि-र्यजुर्भिः पदैरक्षरैः कर्मभिः सामभिः स यः शतायुतायां कामो यऽएकश-तविधे यः सप्तविधे यज्ञेनयज्ञेन हैव तमेवंविदाप्नोतीत्युऽएवाधियज्ञम् ॥ १३ ॥

स उ वा इष्टकैकशतविधः । याः पञ्चाशत्प्रथमा इष्टकाः । याश्चोत्तमास्ताः शतं विधाः । अथ या एतदन्तरेणेष्टका उपधीयन्ते—सैवैकशततमी विधा ॥ ११ ॥

स उ एव यजुस्तेजाः । यजुरेकशतविधः । यानि पञ्चाशत्प्रथमानि यजूंषि, यानि चोत्तमानि—ताः शतं विधाः । अथ यान्येतदन्तरेण यजूंषि क्रियन्ते—सैवैकशततमी विधा । एवमु सप्तविध एक-शतविधो भवति । स यः शतायुतायां कामः, य एकशतविधे—सप्तविधेन हैव तमेवंविदाप्नोति ॥ १२ ॥

एवं वाव सर्वे यज्ञाः । एकशतविधा आऽग्निहोत्रात्—ऋग्भिः, यजुर्भिः, पदैः, अक्षरैः, कर्मभिः,

---

अपरमाह—स उ वा इष्टकैकशतविध इति । ' याः ' ' प्रथमाः ' प्रथमचिता उपहिताः प्राणभृतः ' पञ्चाशत् '—इष्टकाः ' याश्चोत्तमाः ' उत्तमचिता उपहिता विराड्—नाकसत्—पञ्चचूडाख्याः ' पञ्चाशत् ' ' ताः ' ' शतम् ' । आसामाद्यन्तोपहितानां मध्ये याः ' इष्टकाः उपधीयन्ते ' ताः सर्वा अपि ' एकशत-तमी विधा ' इति ॥ ११ ॥

उपधानमन्त्रसङ्ख्ययाऽप्येकशतविधत्वमधियज्ञमेव दर्शयति—स उ एव यजुस्तेजा इति । यजूंष्येव तेजो यस्याग्नेः स उ तद्यजुर्मन्त्रैरेकशतसङ्ख्याक इत्यर्थः । 'यानि' प्राणभृतामुपधानयजूंषि पंचाशत् ' यानि ' चोत्त-मानामुपधानयजूंषि पञ्चाशत्—तानि शतम् । एतेषां मध्ये यान्युपधानयजूंषि क्रियन्ते तानि सर्वाण्यपि सङ्घा-त्मनैकशतपूरकाणीति । यदुक्तमिष्टकाभिर्यजुर्भिश्चैकशतविधसप्तविधे प्रतिपादिते एवमु सप्तविध एकशतविधो भवतीति—सप्तविधस्यैकशतविधत्वसम्पादनेन किं जातमिति तदाह—स यः शतायुतायां काम इति । यः शतवर्षे जीवने एकशतविधाग्निचयने च काम उक्तः—अमृतत्वप्राप्तिलक्षणः तं कामं सप्तविधेनाग्निना एवमर्थं विद्वान् पुरुष आप्नोति ॥ १२ ॥

यथा सप्तविधस्येष्टकायजुरादिसंख्यासम्पत्त्यैकशतविधत्वमुच्यते तथा सर्वयज्ञेष्वपि यथाकथञ्चनैकशतविधत्वं सम्पादयितुं शक्यत इत्याह—एवं वाव सर्वे यज्ञा एकशतविधा आऽग्निहोत्रादिति । एवं सप्तविधस्यैकशतत्व-

(मु) अ॒थाध्या॒त्मम् । (म्पु) प॒ञ्चेमाश्च॒तु॑र्व्विधा॒ ऽअ॒ङ्गुल॑यो॒ द्वे क॑ल्कु॒षी दो॒रॐ॒॑सफ॑ल॒कं चा॒क्षश्च॒ तत्प॑ञ्चवि॒ॐ॑श॒तिरे॒व॒मि॒मानी॒त॑राण्य॒ङ्गा॑नि॒ ता॑ः श॒तं व्वि॒धा ऽआ॒त्मै॒वैक॑शतत॒मी व्वि॒धो॒क्तॐ॑ सप्त॒विध॑तायै ॥ १४ ॥

स॒ ऽउ॒ऽए॒व प्रा॒णते॑जाः । प्रा॒णैक॑शतविधो॒ऽन्व॒ङ्गम॒ङ्गे॒ऽङ्गे॒ हि प्रा॒णः स॒ य॒ः श॒तायु॑तायां॒ का॒मो॒ य ऽएक॑शतविधे॒ य॒ः सप्त॒विधे॒ यः॒ सर्व्वे॑षु॒ य॒ज्ञेषु॒ वि॒द्य॒या॒ है॒व त॒मे॒वं॒वि॒दा॒प्नोति॒ स॒र्व्वैर्हि॒ य॒ज्ञैरा॒त्मा॒न॒ॐ॑ स॒म्पन्नं॒ व्वि॒दे ॥ १५ ॥

सामभिः । स यः शतायुतायां कामो, य एकशतविधे, यः सप्तविधे--यज्ञेनयज्ञेन हैव तमेवंविदाप्नोति । इत्यु एवाधियज्ञम् ॥ १३ ॥

अथाध्यात्मम्–पञ्चेमाश्चतुर्विधा अङ्गुलयः, द्वे कल्कुषी, दोः, अंसफलकं चाक्षश्च, तत्पञ्चविंशतिः । एवमिमानीतराण्यङ्गानि । ताः शतं विधाः । आत्मैवैकशततमी विधा । उक्तं सप्तविधतायै ॥ १४ ॥

स उ एव प्राणतेजाः । प्राणैकशतविधोऽन्वङ्गम् । अङ्गेऽङ्गे हि प्राणः । स यः शतायुतायां कामः, य एकशतविधे, यः सप्तविधे, यः सर्वेषु यज्ञेषु । विद्यया हैव तमेवं विदाप्नोति । सर्वैर्हि यज्ञैरात्मानं सम्पन्नं विदे ॥ १५ ॥

सम्पत्तिन्यायवदेकाहाहीनसत्रादिकाश्चाग्निहोत्रावसानाः सर्वेऽपि यज्ञा एकशतविधा भवन्ति । एतदेव दर्शयति–ऋग्भिर्यजुर्भिरिति । एकस्मिन् यज्ञे आदितः पञ्चाशदृचः, अन्ते च पञ्चाशत्–तन्मध्यवर्तिन्यः सर्वा अप्यृच एकशततमी विधा इति । एवमेकस्य यज्ञस्यैकशतविधत्वम् । एवं सर्वेषां यज्ञानां यजुरादिभिरेकशतविधत्वमूह्यम् । तेषामेवमेकशतविधानां सर्वेषां यज्ञानां पूर्वमुक्तं फलमादिशति–स यः शतायुतायां काम इति । ' यज्ञेन यज्ञेन '–इति वीप्सया सर्वैर्यज्ञैरपि उक्तं फलमाप्नोति । एवमधियज्ञमर्थोऽभिहितः ॥ १३ ॥

अथाध्यात्ममिति । एकशतविधत्वं तदुच्यत इति शेषः । एकस्मिन् पुरुषे विद्यमानस्यैकहस्तस्य पञ्चाङ्गुलयोऽपि चतुर्विधा इति–एकैकाङ्गुलिपर्वभेदेन चतुर्विधा इति–पञ्चस्वङ्गुलिषु विंशतिः सम्पन्ना । द्वे कल्कुषी मणिबन्धारत्नी, बाहुरेकः, ' अंसफलकम् ' एकम् ' अक्षः ' अंसाग्रे वर्त्तमानं ग्रीवायामक्षवत् प्रोतमस्थि तदेकम् इति पञ्चविंशतिसङ्ख्या । एवमेकस्मिन् हस्ते पञ्चविंशतिः । तथाऽन्यस्मिन् हस्ते पादद्वये चेति शतं सङ्ख्या सम्पद्यते । ' आत्मा ' अस्य देह एकशततमी विधेति । एतस्य प्राणैः सतविधत्वमुक्तमिति स्मारयति–उक्तं सप्तविधताया इति ॥ १४ ॥

अध्यात्ममेव प्रकारान्तरेणैकशतविधत्वं निरूपयति–स उ एव प्राणतेजा इति । उक्तरीत्या शतसंख्याकेष्वङ्गेषु प्राणो वर्तत इति सोऽपि शतसंख्याकः आत्मनि वर्त्तमानः ' प्राणः ' एकशततमः । " स यः शतायुतायां कामः" इत्यादिना–"आत्मानं सम्पन्नं विदे" इत्यन्तेन वेदितुः फलनिरूपणम् । ' विदे ' विदतेः–" लोपस्त आत्मनेपदेषु "–(पा. सू. ७ । १ । ४१) इति तलोपः ॥ १५ ॥

त्रीणि वाऽइमानि पञ्चविधानि । संवत्सरोऽग्निः पुरुषस्तेषां पञ्च विधाऽ अन्नं पानᳫँ श्रीर्ज्योतिरमृतं यदेव संवत्सरेऽन्नं तदन्नं याऽआपस्तत्पानᳫँ रात्रिरेव श्रीः श्रियाᳫँ हैतद्राव्याᳫँ सर्वाणि भूतानि संवसन्त्यहर्ज्योतिरादित्योऽमृतमित्यधिदेवतम् ॥ १६ ॥

(मु) अथाधियज्ञम् । यदेवाग्नावन्नमुपधीयते तदन्नं या ऽआपस्तत्पानं परिश्रित ऽएव श्रीस्तद्धि रात्रीणाᳫँ रूपं यजुष्मत्यो ज्योतिस्तद्ध्यह्नाᳫँ रूपमग्निरमृतं तद्ध्यादित्यस्य रूपमित्यु ऽएवाधियज्ञम् ॥ १७ ॥

(मु) अथाध्यात्मम् । यदेव पुरुषेऽन्नं तदन्नं या ऽआपस्तत्पानमस्थी-

---

त्रीणि वा इमानि पञ्चविधानि–संवत्सरः, अग्निः, पुरुषः । तेषां पञ्च विधाः–अन्नम्, पानम्, श्रीः, ज्योतिः, अमृतम् । यदेव संवत्सरेऽन्नं तदन्नम् । या आपस्तत्पानम् । रात्रिरेव श्रीः । श्रियां हैतद्राव्यां सर्वाणि भूतानि संवसन्ति । अहः, ज्योतिः, आदित्यः, अमृतम् । इत्यधिदेवतम् ॥ १६ ॥

अथाधियज्ञम्–यदेवाग्नावन्नमुपधीयते–तदन्नम् । या आपस्तत्पानम् । परिश्रित एव श्रीः । तद्धि रात्रीणां रूपम् । यजुष्मत्यो ज्योतिः । तद्ध्यह्नां रूपम् । अग्निरमृतम् । तद्ध्यादित्यस्य रूपम् । इत्यु एवाधियज्ञम् ॥ १७ ॥

अथाध्यात्मम्–यदेव पुरुषेऽन्नम्–तदन्नम् । या आपस्तत्पानम् । अस्थीन्येव श्रीः–तद्धि परि-

---

यदुक्तं एकशतविधं विधत्त इत्यत्राधिदेवाधियज्ञाध्यात्मत्रयविषये संवत्सरचित्याग्निपुरुषा इति, तत्र तेषां संवत्सराग्निपुरुषाणां पञ्चविधत्वमिदानीमाह–त्रीणि वा इमानि पञ्चविधानीति । अन्नपानादीनि पञ्च विधाः, तत्र अधिदेवतं संवत्सरे अन्नादीनामर्थमाह–यदेवेति । यत् ' अन्नम् ' संवत्सरे समुत्पद्यते तदेवान्नशब्दवाच्यम् । या वृष्टा आपस्ता एव पानशब्दवाच्याः । रात्र्याः श्रीत्वं प्रतिपादयति–श्रियां हैतदिति । श्रयन्ति निवसन्त्यस्मिन् काल इति ' रात्रिः ' श्रीशब्दवाच्या । अह्नि प्रकाशसद्भावात् तदेव ' अहः ज्योतिः ' ' आदित्योऽमृतमित्यधिदेवतम् ' पञ्चविधार्थाः ॥ १६ ॥

अथाधियज्ञमिति । चित्याग्नौ अन्नादीनामर्थ उच्यते, यदेव प्राक् सर्वौषधमुपधीयते तदेवान्नम् । प्रोक्षणार्था आपः पानम् । परिश्रितः श्रीशब्दवाच्याः । यजुष्मत्य इष्टका ज्योतिःशब्दवाच्याः । परिश्रितां रात्रिरूपत्वं, यजुष्मतीनामिष्टकानामहोरूपत्वम् (श. प. १०।५।४।१०) इति अधस्तात् प्रतिपादितम् । चित्याग्नेरुपरि निधीयमानोऽग्निराहवनीय एवामृतशब्दवाच्यः । अग्नेः कथममृतत्वमिति :तत्राह–तद्ध्यादित्यस्य रूपमिति । आदित्यस्य अमृतत्वं प्रागुक्तम्–" अमृतमेतद्यदेतदर्चिर्दीप्यते "–(श. प. १० । २ । ५ । ४) इति ॥ १७ ॥

अथाध्यात्ममिति । पुरुषेऽन्नादीनामर्थ उच्यते–'यदन्नम्' अद्यते तदेवान्नम्, 'याः' पीयन्ते ' तत् पानम् '

न्येव श्रीस्तद्धि परिश्रिताꣳ रूपं मज्जानो ज्योतिस्तद्धि युजुष्मतीनाꣳ रूपं प्राणोऽमृतं तद्ध्यग्ने रूपं प्राणोऽग्निः प्राणोऽमृतमित्यु वाऽआहुः ॥ १८ ॥

(२) अन्नाद्धाऽअशनाया निवर्तते । पानात्पिपासा श्रियै पाप्मा ज्योतिषस्तमोऽमृतान्मृत्युर्नि ह वाऽअस्मादेतानि सर्वाणि वर्तन्तेऽप पुनर्मृत्युं जयति सर्वमायुरेति यऽएवं वेद तदेतदमृतमित्येवामुत्रोपासीतायुरितीह प्राण ऽइति हैकऽउपासते प्राणोऽग्निः प्राणोऽमृतमिति वदन्तो न तथा विद्यादध्रुवं वै तद्यत्प्राणस्तं ते विष्याम्यायुषो न मध्यादिति ह्यपि यजुषाऽभ्युक्तं तस्मादेतदमृतमित्येवामुत्रोपासीतायुरितीह तथो ह स सर्वमायुरेति ॥ १९ ॥

इति द्वितीयप्रपाठके द्वितीयं ब्राह्मणम् ॥ १०-२-२ ॥ (२. ६.) ॥

इति द्वितीयोऽध्यायः समाप्तः ॥ १०-२ ॥

श्रितां रूपम् । मज्जानो ज्योतिः । तद्धि यजुष्मतीनां रूपम् । प्राणोऽमृतम् । तद्ध्यग्ने रूपम् । प्राणोऽग्निः । प्राणोऽमृतम्-इत्यु वा आहुः ॥ १८ ॥

अन्नाद्धा अशनाया निवर्तते । पानात्पिपासा, श्रियै पाप्मा, ज्योतिषस्तमः, अमृतान्मृत्युः । नि ह वा अस्मादेतानि सर्वाणि वर्तन्ते, अप पुनर्मृत्युं जयति, सर्वमायुरेति-य एवं वेद । तदेतदमृतमित्येवामुत्रोपासीत, आयुरितीह । प्राण इति हैक उपासते-प्राणोऽग्निः, प्राणोऽमृतमिति वदन्तः । न तथा विद्यात् । अध्रुवं वै तत्-यत्प्राणः । "तं ते विष्याम्यायुषो न मध्यात्"-(वा. सं. १२ । ६९) इति ह्यपि यजुषाऽभ्युक्तम् । तस्मादेतदमृतमित्येवामुत्रोपासीत-आयुरितीह । तथो ह सर्वमायुरेति ॥ १९ ॥

'अस्थीन्येव' श्रीशब्दवाच्यानि, परिश्रयणहेतुत्वात् । मज्जैव ज्योतिःशब्दवाच्या । अस्थिमज्जरूपयोः परिश्रिद्यजुष्मतीरूपत्वमुपपादितमधस्तात् (श. प. १०।१।४।१२।) । शरीरगतः प्राण एवात्र अमृतशब्दवाच्यः प्राणः । कथं प्राणस्यामृतत्वमिति, तत्र वेदवादिप्रसिद्धयोपपादयति- तद्ध्यग्ने रूपं प्राणोऽग्निरिति ॥ १८ ॥

अन्नादिपञ्चकेन निवर्त्यपञ्चकं दर्शयति-अन्नाद्धा अशनायेति । 'अन्नाद्' 'अशनाया' बुभुक्षा 'निवर्त्तते' । पानात्पानेच्छा । श्रियाः पाप्मा दारिद्र्यम् । ज्योतिषः प्रकाशात् तमस्तिमिरम् । अमृतात्मृत्युर्मरणं निवर्त्तते । अन्नादिपञ्चकं विदुषां फलमाह-नि ह वा अस्मादेतानीति । य एवमन्नादिपञ्चकमधिदैवादित्रयं वेद अस्माद्वेदितुः सकाशाद् 'एतानि' अशनायादीनि पञ्चानिष्टानि निवर्त्तन्ते । किञ्चामृतरूपपान्तिमविद्यापरिज्ञानेन 'मृत्युं' 'जयति' 'सर्वम्' अत्यन्तम् 'आयुः' अश्नुते । यदुक्तम् अमृतरूपपञ्चमविद्यापरिज्ञानेन मृत्युं जयति सर्वमायुः प्राप्नोतीति तद्विशदयति-तदेतदमृतमिति । अमुत्रादित्ये अमृतमित्येवोपासनं कुर्यात् । इह

आयुरित्येवोपासनं कुर्यात्, अतोऽग्नेरायुष्ट्वेनोपासनात् सर्वायुःप्राप्तिः फलम्। एके केवलाध्यात्मविषयेऽन्तिमविधाया निरूपणसमये "प्राणोऽग्निः प्राणोऽमृतम्" इति समाम्नातत्वादमृतशब्दस्य प्राणोऽर्थ इति मत्वा तस्यैवोपासनं चित्याग्नौ मन्यन्ते तन्मतमनूद्य निराचष्टे—**प्राण इति हैक** इति। यस्मात् प्राणः अध्रुवः अनित्यः तस्मात् 'प्राणः' अमृतशब्दवाच्यो न भवति, प्राणस्यानित्यत्वं यजुर्मन्त्रेण संवादयति—**तं ते विष्याम्यायुषो न मध्यात्** (वा. सं. १२। ६५) इति। अयमर्थः—हे यष्टः! 'ते' तव 'आयुषो' जीवनस्य मध्यात् तं प्राणं न विष्यामि न विनाशयामि, "षोऽन्तकर्मणि"—(धा. पा. दि. प. ४१) श्यनि (पा. सू. ३। १। ६९) "ओतः श्यनि"—(पा. सू. ७। ३। ७१) इति लोपे कृते रूपम्। न विष्यामीति विनाशनिरासोक्त्या विनाशोऽस्तीति सम्भाव्यत इति यजुषोऽर्थः। तस्मादुक्त एवार्थ इति निगमयति—**तस्मादेतदमृतमित्येवामुत्रेति** ॥ १९ ॥

इति श्रीसायणाचार्यविरचिते माधवीये वेदार्थप्रकाशे माध्यन्दिनीयशतपथब्राह्मणभाष्ये दशमकाण्डे द्वितीयेऽध्याये षष्ठं ब्राह्मणम् ॥ (१०–२–६) ॥

वेदार्थस्य प्रकाशेन तमो हार्दं निवारयन्। पुमर्थांश्चतुरो देयाद् विद्यातीर्थमहेश्वरः ॥ १ ॥

ब्रह्माण्डं गोसहस्रं कनकहयतुलापूरुषौ स्वर्णगर्भं,
सप्ताब्धीन्पञ्चसीरींस्त्रिदशतरुलताधेनुसौवर्णभूमीः।
रत्नोस्रां रुक्मवाजिद्विपमहितरथौ सायणिः सिङ्गणार्यो,
व्यश्राणीद्विश्वचक्रं प्रथितविधिमहाभूतयुक्तं घटं च ॥
धान्याद्रिं धन्यजन्मा तिलभवमतुलः स्वर्णजं वर्णमुख्यः,
कार्पासीयं कृपावान्गुडकृतमजडो राजतं राजपूज्यः।
आज्योत्थं प्राज्यजन्मा लवणजमनृणः शार्करं चार्कतेजा,
रत्नाढ्यो रत्नरूपं गिरिमकृत मुदा पात्रसात्सिङ्गणार्यः ॥

इति श्रीमद्राजाधिराजपरमेश्वरवैदिकमार्गप्रवर्त्तकश्रीहरिहरमहाराजसाम्राज्यधुरन्धरेण सायणाचार्येण विरचिते माधवीये वेदार्थप्रकाशे माध्यन्दिनीयशतपथब्राह्मणभाष्ये दशमकाण्डे द्वितीयोऽध्यायः समाप्तः ॥ (१०–२) ॥

अथ तृतीयेऽध्याये प्रथमं ब्राह्मणम् ।
द्वितीयप्रपाठके च तृतीयं ब्राह्मणम् ।

प्राणो गायत्री । चक्षुरुष्णिग्वागनुष्टुम्मनो बृहती श्रोत्रं पङ्क्तिर्यऽएवायं प्रजननः प्राणऽएष त्रिष्टुबथ योऽयमवाङ्प्राण ऽएष जगती तानि वा ऽएतानि सप्त च्छन्दाᳪंसि चतुरुत्तराण्यग्नौ क्रियन्ते ॥ १ ॥

प्राणो गायत्री, चक्षुरुष्णिग्, वागनुष्टुब्, मनो बृहती, श्रोत्रं पङ्क्तिः । य एवायं प्रजननः प्राणः—एष त्रिष्टुब् । अथ योऽयमवाङ् प्राणः—एष जगती । तानि वा एतानि सप्त छन्दांसि चतुरुत्तराण्यग्नौ क्रियन्ते ॥ १ ॥

यस्य निःश्वसितं वेदा यो वेदेभ्योऽखिलं जगत् । निर्ममे तमहं वन्दे विद्यातीर्थमहेश्वरम् ॥ १ ॥

चयने पक्वेष्टकाः किञ्चिदधिकैकादशसहस्रसम्मिता उपधेयाः । तथा च कात्यायनः—"अथातः सर्वासां पक्वेष्टकानां समासेन संख्याप्रमाणान्यनुव्याख्यास्यामः" "सहस्राण्येकादश सप्ततिश्च शतम्" (का. श्रौ. सू. परि० पूरणसूत्रे ९ । १–२) इति । यद्यपि दर्भस्तम्बपुष्करपर्णरुक्मपुरुषाः स्रुगुलूखलपशुशीर्षकूर्मादयो यजुष्मदिष्टकामध्ये परिगणितास्तथापि ते पक्वेष्टका न भवंति । अतो न तेषामत्र परिगणनम् तत्रोक्तसंख्यानां मध्ये लोकंपृणेष्टका अष्टशतोत्तरदशसहस्रसंख्याकाः । शिष्टा यजुष्मत्यश्च । तथाच कात्यायनः लोकंपृणानां प्रतिचिति संख्याविशेषं वदलेतावत्यः इति सूत्रितवान् । "द्विसाहस्री प्रथमा लोकंपृणानां पञ्चाशदूना," "उत्तराश्च" "त्रिसाहस्र्युत्तमा" "वक्रालिखितानां दक्षिणोत्तरे मध्य इत्तरासाम्" "षट्त्रिंशच्छत्या वा तृतीया" "अष्टादशशत्या इतराः" (का. श्रौ. सू. १७ । १९५–१९९) इति । अयमर्थः—प्रथमा चितिः पञ्चाशदूनद्विसहस्रलोकंपृणेष्टकायुक्ता । एवमुत्तरास्तिस्रो द्वितीयाद्याः । एवं चतसृणां चितीनां शतद्वयोनाष्टासहस्राणि । पञ्चमी चितिस्त्रिसहस्रयुक्ता ऋजुसव्यदक्षिणरेखावदिष्टकायुक्ता इति लोकंपृणानामष्टशतोत्तराणि दश सहस्राणि जातानि । अथवा षट्त्रिंशच्छतसंख्याका तृतीया चितिः । उत्तरा अष्टादशशतसम्मिता इति । अत्रापि पक्षे प्रोक्तसंख्या सम्भवति । तत्र पञ्चम्यां चितावुपधेयानां लोकंपृणानां त्रिसहस्रसम्मितानामृजुदक्षिणसव्यलेखनं समाम्नातम् अत्रैव काण्डे द्वितीयाध्याये "सहस्रमृज्वालिखिता इष्टकाः करोति सहस्रमित्यालिखिताः सहस्रमित्यालिखिताः" (श. प. १० । २ । १ । ८) इति, अत्र इतिशब्दोऽभिनयप्रदर्शकः । इति दक्षिणावृतः सव्यावृतश्च आलिखिता इति रेखायुक्ता इत्यर्थः । आपस्तम्बेन तु स्पष्टमुक्तम्—"ऋजुलेखा दक्षिणावृतः सव्यावृतः" इति । ताश्च तत्रैवाध्याये (श. प. १० । २ । १ । ९–११) त्रिसहस्रसम्मिताः सुपर्णचित्याग्नेर्मध्यदक्षिणोत्तरभागत्रये लोमरूपत्वेन स्तुता इति

१—एतच्च स्पष्टीकृतं श्लोकैः कात्यायनेनैव पूरणसूत्रे—अयुतं च सहस्रं च शतं च सप्ततिं तथा । एताः पक्वेष्टका ज्ञेया अग्नौ वाजसनेयके ॥ तत्र—अयुतं च शतान्यष्टौ ज्ञेया लोकम्पृणेष्टकाः । इतोऽन्याश्च यजुष्मत्यस्त्वपक्वाः पंचविंशतिः ॥ इति । १२–१५ ॥

प्राणो गायत्रीति । तद्य ऽएव प्राणस्य महिमा यद्वीर्यं तदेतत्सहस्रं प्राणस्यैवैतद्वीर्यं यद्ध्यस्य चिन्वतः प्राण ऽउत्क्रामेत्तत ऽएवैषोऽग्निर्न चीयेतैतेनैवास्य रूपेण सहस्रमेष गायत्रीः संचितो भवति ॥ २ ॥

चक्षुरुष्णिगिति । तद्य ऽएव चक्षुषो महिमा यद्वीर्यं तदेतत्सहस्रं चक्षुष ऽएवैतद्वीर्यं यद्ध्यस्य चिन्वतश्चक्षुरुत्क्रामेत्तत ऽएवैषोऽग्निर्न चीयेतैतेनैवास्य रूपेण सहस्रमेष ऽउष्णिहः संचितो भवति ॥ ३ ॥

प्राणो गायत्रीति–तद् य एव प्राणस्य महिमा, यद्वीर्यम्–तदेतत्सहस्रम् । प्राणस्यैवैतद्वीर्यम् । यद्ध्यस्य चिन्वतः प्राण उत्क्रामेत्–तत एवैषोऽग्निर्न चीयेत, एतेनैवास्य रूपेण सहस्रम् एष गायत्रीः सञ्चितो भवति ॥ २ ॥

चक्षुरुष्णिगिति–तद् य एव चक्षुषो महिमा, यद्वीर्यम्–तदेतत्सहस्रम् । चक्षुष एवैतद्वीर्यम् । यद्ध्यस्य चिन्वतश्चक्षुरुत्क्रामेत्–तत एवैषोऽग्निर्न चीयेत । एतेनैवास्य रूपेण सहस्रम् एष उष्णिहः सञ्चितो भवति ॥ ३ ॥

तत्सहस्रत्रयं परित्यज्यावशिष्टानां सप्तसहस्राणां शिरःप्रभृति पादपर्यन्तमुपहितानामेव शरीररूपत्वेन स्थितानां गायत्र्यादिसप्तच्छन्दोवीर्यत्वेन स्तुतिस्तृतीयाध्याये प्रथमब्राह्मणे क्रियते । यद्यप्यष्टौ शतान्यतिरिच्यन्ते तथापि सहस्रत्वेन स्तोतुमयोग्यत्वात्तासां स्तुतिरत्र न क्रियते । यद्वा अष्टमकाण्डे चरमचितौ " छन्दस्या उपदधाति " (श. प. । ८ । ६ । २ । १–१९) इति सप्तानां छन्दसामुपधानमुक्तम् । तेषां छन्दसां स्तुतिः–**प्राणो गायत्रीति** । चित्याग्निरूपस्य प्रजापतेः 'प्राणो' ' गायत्रीति ' गायत्री छन्दः, प्राणः प्राणसंचारस्थानं नासिकोच्यते । शीर्षण्याः प्राणाश्चत्वार उक्ताः । द्वाववाञ्चावाह–**य एवायं प्रजननः प्राण** इत्यादिना । मनस्तु सर्वेन्द्रियसङ्गतमेकमिति सप्त प्राणा इत्यर्थः । पूर्वमपि प्रजापतिः सप्तभिः प्राणैः सप्तपुरुषात्मक एकः पुरुषः सृष्ट इति विवक्षया सप्तावयवा उक्ता इति तात्पर्यम् । छन्दसामग्नौ प्रगतिं दर्शयति तानि वा एतानीति । **चतुरुत्तराणीति** । गायत्र्याश्चतुर्विंशतिरक्षराणि, तस्याश्चत्वार्यधिकान्युष्णिहः । तस्याश्चत्वार्यक्षराण्यनुष्टुभ इति सर्वाणि चतुरक्षराधिकानि सप्त च्छन्दांसि अग्नौ क्रियन्ते छन्दस्येष्टकोपधानकरणमन्त्रतया ॥ १ ॥

एवं छन्दसां प्राणाद्यात्मकत्वमुक्तम् । तत्र वियुज्य स्तोतुमनुवदति–**प्राणो गायत्रीतीति** । 'यः' ' प्राणस्य ' ' महिमा ' महत्त्वं ' यद्वीर्यं ' च ' तदेतद् ' इष्टका–' सहस्रं ' प्राणवीर्यात्मकम् । इष्टकानां प्राणात्मकत्वमेव व्यतिरेकमुखेनाह–**यद्ध्यस्य चिन्वत इति** । यदि ' चिन्वतो ' यजमानस्य कर्ममध्ये प्राण उत्क्रान्तः स्यात् तर्हि एषोऽग्निर्न चेतुं योग्यः । कर्तृलोपे कर्मकरणन्यायाभावात् । अतोऽग्नौ प्राणरूपगायत्रीछन्दोऽनुवचनेन अस्यानुत्क्रान्तप्राणस्य ' एतेनैव रूपेण ' पुनः देहावस्थानलक्षणेन रूपेणात्मना एष चित्याग्निः ' सहस्रं गायत्रीः ' इष्टकाः ' सञ्चितः ' । कर्त्तरि क्तः । सञ्चितवान् व्याप्तवान् ' भवति ' । छन्दस्योपधानस्तुतिपक्षे तदेतत्प्राणवीर्यं सहस्रगुणमिति ॥ २ ॥

एवमुत्तरे चक्षुरुष्णिगित्यादयः षट्पर्याया व्याख्येयाः । तत्र " चक्षुरुत्क्रामेत् " " वागुत्क्रामेत् " " मन

वागनुष्टुबिति । तद्य ऽएव वाचो महिमा यद्वीर्यं तदेतत्सहस्रं वाच ऽएवैतद्वीर्यं यद्धचस्य चिन्वतो वागुत्क्रामेत्तत ऽएवैषोऽग्निर्न चीयेतैतेनै-वास्य रूपेण सहस्रमेषोऽनुष्टुभः संचितो भवति ॥ ४ ॥

मनो बृहतीति । तद्य ऽएव मनसो महिमा यद्वीर्यं तदेतत्सहस्रं मनस ऽएवैतद्वीर्यं यद्धचस्य चिन्वतो मन ऽउत्क्रामेत्तत ऽएवैषोऽग्निर्न चीयेतैतेनै-वास्य रूपेण सहस्रमेष बृहतीः संचितो भवति ॥ ५ ॥

श्रोत्रं पङ्क्तिरिति । तद्यऽएव श्रोत्रस्य महिमा यद्वीर्यं तदेतत्सहस्रँ श्रोत्र-स्यैवैतद्वीर्यं यद्धचस्य चिन्वतः श्रोत्रमुत्क्रामेत्तत ऽएवैषोऽग्निर्न चीयेतैतेनै-वास्य रूपेण सहस्रमेष पङ्क्तीः संचितो भवति ॥ ६ ॥

यऽएवायं प्रजननः प्राणः । (ऽ) एष त्रिष्टुबिति तद्य ऽएवैत[illegible] प्राणस्य महिमा यद्वीर्यं तदेतत्सहस्रमेतस्यैवैतत्प्राणस्य वीर्यं यद्धचस्य चिन्वतऽ एष प्राण ऽआलुभ्येत्तत ऽएवैषोऽग्निर्न चीयेतैतेनैवास्य रूपेण सहस्रमेष त्रिष्टुभः संचितो भवति ॥ ७ ॥

वागनुष्टुबिति–तद् य एव वाचो महिमा, यद्वीर्यम्–तदेतत्सहस्रम् । वाच एवैतद्वीर्यम् । यद्धचस्य चिन्वतो वागुत्क्रामेत्–तत एवैषोऽग्निर्न चीयेत । एतेनैवास्य रूपेण सहस्रम् एषोऽनुष्टुभः सञ्चितो भवति ॥ ४ ॥

मनो बृहतीति–तद् य एव मनसो महिमा, यद्वीर्यम्–तदेतत्सहस्रम् । मनस एवैतद्वीर्यम् । यद्धचस्य चिन्वतो मन उत्क्रामेत्–तत एवैषोऽग्निर्न चीयेत । एतेनैवास्य रूपेण सहस्रम् एष बृहतीः सञ्चितो भवति ॥ ५ ॥

श्रोत्रं पङ्क्तिरिति–तद् य एव श्रोत्रस्य महिमा, यद्वीर्यम्–तदेतत्सहस्रम् । श्रोत्रस्यैवैतद्वीर्यम् । यद्धचस्य चिन्वतः श्रोत्रम् उत्क्रामेत्–तत एवैषोऽग्निर्न चीयेत । एतेनैवास्य रूपेण सहस्रम् एष पङ्क्तीः सञ्चितो भवति ॥ ६ ॥

य एवायं प्रजननः प्राण एष त्रिष्टुबिति । तद् य एवैतस्य प्राणस्य महिमा, यद्वीर्यम् । तदेतत्सहस्रम् । एतस्यैवैतत्प्राणस्य वीर्यम् । यद्धचस्य चिन्वत एष प्राण आलुभ्येत्–तत एवैषोऽग्निर्न चीयेत । एतेनैवास्य रूपेण सहस्रम् एष त्रिष्टुभः सञ्चितो भवति ॥ ७ ॥

उत्क्रामेत् " " श्रोत्रमुत्क्रामेत् " " एषोऽग्निर्न चीयेत " इति पठ्यते । तस्यार्थः–अन्धमूकबधिरादीनां यजमानानां कर्मण्यनधिकारादग्निचयनं न स्यादिति । प्रजननः प्राण आलुभ्येदिति । प्रजननशक्तिरहितो भवेत् ।

(त्यु) अथ योऽयमवाङ्प्राणः । (ऽ) एष जगतीति तद्य ऽएवैतस्य प्राणस्य महिमा यद्वीर्यं तदेतत्सहस्रमेतस्यैवैतत्प्राणस्य व्वीर्यं यद्धयस्य चिन्वत ऽएष प्राणऽ आलुभ्येत्तत ऽएवैषोऽग्निर्नं चीयेतैतेनैवास्य रूपेण सहस्रमेष जगतीः संचितो भवति ॥ ८ ॥

तानि वाऽएतानि । सप्त च्छन्दाᳬसि चतुरुत्तराण्यन्योऽन्यस्मिन्प्रतिष्ठितानि सप्तेमे पुरुषे प्राणा ऽअन्योऽन्यस्मिन्प्रतिष्ठितास्तद्यावन्तमेवंविच्छन्दसां गणमन्वाह च्छन्दसश्छन्दसो हैवास्य सोऽनूक्तो भवति स्तुतो वा शस्तो वोपहितो वा ॥ ९ ॥

इति द्वितीयप्रपाठके तृतीयं ब्राह्मणम् ॥ १०-२-३ ॥ (३. १.) ॥

अथ योऽयमवाङ् प्राण एष जगतीति–तद् य एवैतस्य प्राणस्य महिमा, यद्वीर्यम्–तदेतत्सहस्रम् । एतस्यैवैतत्प्राणस्य वीर्यम् । यद्धयस्य चिन्वत एष प्राण आलुभ्येत्–तत एवैषोऽग्निर्न चीयेत । एतेनैवास्य रूपेण सहस्रम् एष जगतीः सञ्चितो भवति ॥ ८ ॥

तानि वाऽएतानि सप्त च्छन्दांसि चतुरुत्तराण्यन्योऽन्यस्मिन्प्रतिष्ठितानि । सप्तेमे पुरुषे प्राणा अन्योऽन्यस्मिन्प्रतिष्ठिताः । तद् यावन्तमेवंवित् छन्दसां गणमन्वाह–छन्दसश्छन्दसो हैवास्य सोऽनूक्तो भवति । स्तुतो वा, शस्तो वा, उपहितो वा ॥ ९ ॥

'एषोऽग्निर्न चीयेत' नपुंसकस्य कर्मानधिकारात् । अवाङ्प्राण आलुभ्येदिति । दुश्चिकित्समूलरोगराजयक्ष्मादिगृहीतः पुरुषः कर्मणि नाधिक्रियते ॥ ३–८ ॥

सम्भूय च्छन्दांसि प्रशंसति–तानि वा एतानि सप्तेति । यतः 'छन्दांसि' परस्परम् 'अन्योऽन्यस्मिन्' प्रतिष्ठितानि गायत्र्यां तावत् सर्वाणि च्छन्दांसि तस्याश्चतुर्विंशत्यक्षराणां सर्वच्छन्दःस्वनुगमात् । तथा जगत्यामन्तिमच्छन्दसि सर्वाणि गायत्र्यादिच्छन्दांसि प्रतिष्ठितानि सकलच्छन्दोऽक्षरसद्भावात् । एवं मध्यमानि च्छन्दांस्यूह्यानि । एवं पुरुषे वर्त्तमानाः 'सप्तेमे प्राणाः' 'अन्योन्यस्मिन्' 'प्रतिष्ठिताः' तदुक्तं प्राक् "न वा इत्थं सन्तः शक्ष्यामः प्रजनयितुमिमान् सप्त पुरुषानेकं पुरुषं करवाम" (श.प.६।१।१।३) इत्यादिना । अतः सप्तानां छन्दसामग्नौकरणेन एकस्मिन् पुरुषे चित्याग्नौ सप्त प्राणान् प्रतिष्ठापितवान् भवतीति प्रकरणार्थः वेदितुः फलमाह–तद्यावन्तमेवंविदिति । विद्वान् पुरुषः गायत्र्यादीनां मध्ये 'यावन्तम्' छन्दोगणमनुब्रूयात् तेनैवानुवचनेन तस्य विदुषः 'छन्दसश्छन्दसः' सर्वच्छन्दसां गणः सम्यग् 'अनूक्तः' संस्तुतः शस्तः सम्यगुपहितश्च भवतीत्यर्थः ॥ ९ ॥

इति श्रीसायणाचार्यविरचिते माधवीये वेदार्थप्रकाशे माध्यन्दिनीयशतपथब्राह्मणभाष्ये
दशमकाण्डे तृतीयेऽध्याये प्रथमं ब्राह्मणम् ॥ (१०–३–१) ॥

तदाहुः। किं छुन्दः का देवताऽग्नेः शिर ऽइति गायत्री छुन्दोऽग्निर्दैवता शिरः ॥ १ ॥

किं छुन्दः। का देवता ग्रीवा ऽइत्युष्णिक्छुन्दः सविता देवता ग्रीवाः ॥२॥

किं छुन्दः। का देवताऽनूकमिति बृहती छुन्दो बृहस्पतिर्दैवताऽनूकम् ॥३॥

(ङ्किं) किं छुन्दः। का देवता पक्षाविति बृहद्रथन्तरे च्छुन्दो द्यावापृथिवी देवते पक्षौ ॥ ४ ॥

किं छुन्दः। का देवता मध्यमिति त्रिष्टुप्छुन्दऽइन्द्रो देवता मध्यम् ॥ ५ ॥

(ङ्किं) किं छुन्दः। का देवता श्रोणीऽइति जगती छुन्दऽ आदित्यो देवता श्रोणी ॥ ६ ॥

किं छुन्दः। का देवता यस्मादिदं प्राणाद्रेतः सिच्यतऽ इत्यतिच्छुन्दाश्छुन्दः प्रजापतिर्दैवता ॥ ७ ॥

तदाहुः–किं छन्दः का देवताऽग्नेः शिर इति। गायत्री छन्दोऽग्निर्देवता शिरः ॥ १ ॥

किं छन्दः का देवता ग्रीवा इति। उष्णिक्छन्दः सविता देवता ग्रीवाः ॥ २ ॥

किं छन्दः का देवताऽनूकमिति। बृहती छन्दो बृहस्पतिर्देवताऽनूकम् ॥ ३ ॥

किं छन्दः का देवता पक्षाविति। बृहद्रथन्तरे छन्दो द्यावापृथिवी देवते पक्षौ ॥ ४ ॥

किं छन्दः का देवता मध्यमिति। त्रिष्टुप्छन्द इन्द्रो देवता मध्यम् ॥ ५ ॥

किं छन्दः का देवता श्रोणी इति। जगती छन्द आदित्यो देवता श्रोणी ॥ ६ ॥

किं छन्दः का देवता यस्मादिदं प्राणाद्रेतः सिच्यत–इति। अतिच्छन्दाश्छन्दः, प्रजापतिर्देवता ॥ ७ ॥

एवं चित्याग्नेश्चक्षुरादिसप्तावयवानां छन्दोमयत्वमुक्तम्। अथ शिरोग्रीवादीनां छन्दोमयत्वं वेदवादिप्रश्नोत्तराभ्यां निरूपयति–तदाहुः किं छन्दः का देवताऽग्नेः शिर इतीति। 'अग्नेः' चित्यस्य 'शिरः इति' यदस्ति तस्य किं छन्दः का देवतेति प्रश्नः। उत्तरम्–'गायत्री छन्दोऽग्निर्देवता'–"अग्निर्मूर्द्धा दिवः ककुद्"–(वा. सं. १५। २०) इत्यस्य छन्दस्येष्टकोपधानमन्त्रस्य गायत्रत्वादाग्नेयत्वाच्च (श. प. ७।४।१।४१) शिरसस्तदुभयात्मकत्वम् (श. प.। ८। ६। २। ६) अन्यत्र "गायत्रं हि शिरः" इति श्रूयते ॥ १ ॥

एवं ग्रीवानूकपक्षादिषु तत्तच्छन्दोमयत्वं तत्तद्देवतामयत्वं च यथायोग्यं मन्तव्यम् ॥ २ ॥

अनूकशब्दस्य पक्षयोर्मध्यदेहस्य सन्धिः पुच्छमध्ययोश्च सन्धिरित्यर्थः ॥ ३–७ ॥

किं छन्दः । का देवता योऽयमवाङ्प्राणऽइति यज्ञायज्ञियं छन्दो वैश्वानरो देवता ॥ ८ ॥

किं छन्दः । का देवतोरूऽइत्यनुष्टुप्छन्दो विश्वे देवा देवतोरू ॥ ९ ॥

किं छन्दः । का देवताऽष्ठीवन्ताविति पङ्क्तिश्छन्दो मरुतो देवताऽष्ठीवन्तौ १०

किं छन्दः । का देवता प्रतिष्ठेऽइति द्विपदा च्छन्दो विष्णुर्देवता प्रतिष्ठे ११

किं छन्दः । का देवता प्राणाऽइति विच्छन्दाश्छन्दो वायुर्देवता प्राणाः १२

किं छन्दः । का देवतोनातिरिक्तानीति न्यूनाक्षरा च्छन्दऽ आपो देवतोनातिरिक्तानि सैषाऽऽत्मविद्यैवैतन्मयो हैवैता देवताऽएतमात्मानमभिसम्भवति न ह्यत्रान्या लोक्यतायाऽआशीरस्ति ॥ १३ ॥

इति द्वितीयप्रपाठके चतुर्थं ब्राह्मणम् ॥ १०-२-४ ॥ (३. २.) ॥

किं छन्दः का देवता योऽयमवाङ् प्राण इति । यज्ञायज्ञियं छन्दो वैश्वानरो देवता ॥ ८ ॥

किं छन्दः का देवतोरूऽइति । अनुष्टुप् छन्दो विश्वे देवा देवतोरू ॥ ९ ॥

किं छन्दः का देवताऽष्ठीवन्ताविति । पंक्तिश्छन्दो मरुतो देवताऽष्ठीवन्तौ ॥ १० ॥

किं छन्दः का देवता प्रतिष्ठे इति । द्विपदा च्छन्दो विष्णुर्देवता प्रतिष्ठे ॥ ११ ॥

किं छन्दः का देवता प्राणा इति । विच्छन्दाश्छन्दो वायुर्देवता प्राणाः ॥ १२ ॥

किं छन्दः का देवतोनातिरिक्तानीति । न्यूनाक्षरा छन्द आपो देवतोनातिरिक्तानि । सैषाऽऽत्मविद्यैव । एतन्मयो हैवैता देवता एतमात्मानमभिसम्भवति । न ह्यत्रान्या लोक्यतायाऽआशीरस्ति ॥ १३ ॥

यज्ञायज्ञियमिति । " यज्ञायज्ञा वो अग्नये "–(वा. सं. २७ । ४२) इत्यत्रोत्पन्नं ' यज्ञायज्ञियं ' तदेव छन्दः बृहतीत्यर्थः ॥ ८ ॥ ९ ॥

' अष्ठीवन्तौ ' जानुप्रदेशावित्यर्थः ॥ १० ॥

' प्रतिष्ठे ' पादौ ॥ ११ ॥

विच्छन्दा इति । विविधच्छन्दस्का ऋक् विच्छन्दाः, तादृक् छन्दः ॥ १२ ॥

ऊनातिरिक्तानीति । उक्तेभ्योऽङ्गेभ्योऽन्यानि न्यूनाधिकपरिमाणान्यङ्गानि च किं छन्दस्कानि किं देवत्यानि– इति प्रश्नः । उत्तरम्–न्यूनाक्षरा छन्दः, आपो देवतेति । " आपो वा इदं सर्वं विश्वा भूतान्यापः प्राणा वा आपः "–इति श्रुतेः अपां सर्वात्मत्वात् न्यूनातिरिक्तान्यङ्गान्यब्देवत्यानीत्यर्थः । यदुक्तम्–अग्नेः शिरोग्रीवादिपरिकल्पनेन छन्दोदेवतास्वरूपत्वं तदेतत्पुण्यलोकसाधनमात्मविद्यैवेति प्रशंसति–सैषाऽऽत्मविद्यैवेति । आत्मन उदीरितच्छन्दोदेवतासमष्टिरूपविराडात्मकस्य सम्बन्धिनः स्वस्य विद्या । य एवंविधमग्निं चिन्वीत, वेद वा स एतन्मयः । अत्रोक्ताग्निसवित्रादिदेवतास्वरूपः सः ' एतमात्मानम् ' एवंविधच्छन्दोदेवतारूपावयवयुक्तं

धीरो ह शातपर्णेयः । (यो) महाशालं जाबालमुपोत्ससाद तꣳ होवाच किं मा विद्वानुपोदसद ऽइत्यग्निं वेदेति कमग्निं वेत्थेति वाचमिति यस्तुमग्निं वेद किꣳ स भवतीति वाग्मी भवतीति होवाच नैनं वाग्जहातीति १

वेत्थाग्निमिति होवाच । किमेव मा विद्वानुपोदसद ऽइत्यग्निं वेदेति कमग्निं वेत्थेति चक्षुरिति यस्तमग्निं वेद किꣳ स भवतीति चक्षुष्मान्भवतीति होवाच नैनं चक्षुर्जहातीति ॥ २ ॥

वेत्थाग्निमिति होवाच । किमेव मा विद्वानुपोदसद ऽइत्यग्निं वेदेति कमग्निं वेत्थेति मन ऽइति यस्तमग्निं वेद किꣳ स भवतीति मनस्वी भवतीति होवाच नैनं मनो जहातीति ॥ ३ ॥

वेत्थाग्निमिति होवाच । किमेव मा विद्वानुपोदसद ऽ इत्यग्निं वेदेति कमग्निं वेत्थेति श्रोत्रमिति यस्तमग्निं वेद किꣳ स भवतीति श्रोत्रवान्भवतीति होवाच नैनꣳ श्रोत्रं जहातीति ॥ ४ ॥

धीरो ह शातपर्णेयो महाशालं जाबालमुपोत्ससाद । तं होवाच-किं मा विद्वानुपोदसद इति । अग्निं वेदेति । कमग्निं वेत्थेति । वाचमिति । यस्तमग्निं वेद-किं स भवतीति । वाग्मी भवतीति-होवाच । नैनं वाग्जहातीति ॥ १ ॥

वेत्थाग्निमिति होवाच-किमेव मा विद्वानुपोदसद इति । अग्निं वेदेति । कमग्निं वेत्थेति । चक्षुरिति । यस्तमग्निं वेद-किं स भवतीति । चक्षुष्मान्भवतीति होवाच । नैनं चक्षुर्जहातीति ॥ २ ॥

वेत्थाग्निमिति होवाच-किमेव मा विद्वानुपोदसद इति । अग्निं वेदेति । कमग्निं वेत्थेति । मन इति । यस्तमग्निं वेद-किं स भवतीति । मनस्वी भवतीति होवाच । नैनं मनो जहातीति ॥ ३ ॥

वेत्थाग्निमिति होवाच-किमेव मा विद्वानुपोदसद इति । अग्निं वेदेति । कमग्निं वेत्थेति । श्रोत्रमिति । यस्तमग्निं वेद-किं स भवतीति । श्रोत्रवान्भवतीति होवाच । नैनं श्रोत्रं जहातीति ॥ ४ ॥

शरीरम् 'अभि' लक्ष्य सम्भवति उत्पद्यते । अग्निचितो वेदितुश्च सर्वदेवतास्वरूपप्राप्तिरित्युक्तं भवति । न हात्रेति । 'अत्र' अग्नौ 'लोक्यतायै' पुण्यलोकावाप्तये 'अन्या' उक्तव्यतिरिक्ता 'आशीः' प्रार्थना नास्तीत्यर्थः ॥ १३ ॥

इति श्रीसायणाचार्यविरचिते माधवीये वेदार्थप्रकाशे माध्यन्दिनीयशतपथब्राह्मणभाष्ये दशमकाण्डे तृतीयेऽध्याये द्वितीयं ब्राह्मणम् ॥ (१०-३-२) ॥

तृतीयब्राह्मणेऽग्नेः सर्वदेवतासमष्टिरूपप्राणवाय्वात्मकत्वं धीरमहाशालनाम्नोर्महर्ष्योः प्रश्नप्रतिवचनाभ्यां प्रतिपाद्यते । विद्याविषये गुरुशिष्यप्रतिपत्तिः कार्येति वक्तुं तत्प्रतिपत्तिमादौ दर्शयति-धीरो ह शातपर्णेय इति । 'उपोत्ससाद' समीपमभ्यागतः । तस्मात् सकाशाद् विद्यां ग्रहीतुमुपसत्तिं कृतवान् । गुरुः शिष्यस्य समीपा-

वे॒त्था॒ग्निमि॒ति॒ हो॒वा॒च । कि॒मे॒व॒ मा॒ वि॒द्वा॒नु॒पो॒द॒स॒द॒ऽइ॒त्य॒ग्निं॒ वे॒दे॒ति॒ क॒म॒ग्निं॒ वे॒त्थे॒ति॒ य॒ ऽए॒त॒त्स॒र्व॒म॒ग्नि॒स्तं॒ वे॒दे॒ति॒ त॒स्मि॒न्हो॒क्त॒ऽउ॒पा॒व॒रु॒रो॒हा॒धी॒हि॒ भो॒स्त॒म॒ग्नि॒मि॒ति॒ ॥ ५ ॥

स॒ हो॒वा॒च । प्रा॒णो॒ वा॒व॒ सो॒ऽग्नि॒र्य॒दा॒ वै॒ पु॒रु॒षः॒ स्व॒पि॒ति॒ प्रा॒णं॒ त॒र्हि॒ वा॒गु॒प्ये॒ति॒ प्रा॒णं॒ च॒क्षुः॒ प्रा॒णं॒ म॒नः॒ प्रा॒ण॒ꣳ॒ श्रो॒त्रं॒ य॒दा॒ प्र॒बु॒ध्य॒ते॒ प्रा॒णा॒दे॒वा॒धि॒ पु॒न॒र्जा॒य॒न्त॒ऽइ॒त्य॒ध्या॒त्म॒म् ॥ ६ ॥

वेत्थाग्निमिति होवाच–किमेव मा विद्वानुपोदसद इति । अग्निं वेदेति । कमग्निं वेत्थेति । य एतत्सर्वमग्निस्तं वेदेति । तस्मिन्होक्तऽउपावरुरोह–अधीहि भोः–तमग्निमिति ॥ ५ ॥

स होवाच–प्राणो वाव सोऽग्निः । यदा वै पुरुषः स्वपिति–प्राणं तर्हि वागप्येति । प्राणं चक्षुः । प्राणं मनः । प्राणं श्रोत्रम् । यदा प्रबुध्यते प्राणादेवाधि पुनर्जायन्ते । इत्यध्यात्मम् ॥ ६ ॥

गमनमात्रं दृष्ट्वा विद्यामुपदेष्टुं नार्हति, किन्तु तस्य बुभुत्साविशेषं परिज्ञाय वक्तुमुचितः इति दर्शयितुं महाशालस्य वचनमाह–तं होवाच किं मा विद्वानिति । स जाबालो महाशालः 'तं' धीरमुपसन्नं शिष्यमुवाच–हे धीर ! ' किं विद्वान् ' कमर्थं जानानो माम् ' उपोदसदः ' उपसन्नवानसीति । शिष्यस्योत्तरम्–' अग्निं वेद ' जानामीति । वेत्तेर्लडुत्तमे मिपो णलादेशे रूपम् । कमग्निं वेत्थेति । अग्निविशेषप्रश्नो महाशालस्य । वाचम् इति । वाग्रूपमग्निं वेदेति शिष्यस्योत्तरम् । अथ महाशालस्य वाग्रूपाग्निपरिज्ञाने किं फलमिति फलप्रश्नः–यस्तमग्निं वेद किं स भवतीति । अत्र वेत्तेर्लट्प्रथमैकवचने तिपो णलादेशे रूपम् । अथ वाग्रूपफलकथनं वाग्मी भवतीत्यादिना । 'वाग्मी' प्रशस्तवाग्भवति इत्येवमुवाच धीरः । तदेव विवृणोति–नैनमिति । 'एनम्' वाग्रूपमग्निं विद्वांसं ' वाक् न जहाति ' न त्यजति । सर्वत्र प्रश्नप्रतिवचनसमाप्तिद्योतका इतिशब्दाः ॥ १ ॥

वेत्थाग्निमिति होवाचेत्यादयो जाबालस्य धीरं प्रति कृताः प्रश्नाः, एवमुत्तरत्र वागाद्यग्निविशेषविषयप्रश्नप्रतिवचनरूपाः पर्याया व्याख्येयाः ॥ २–४ ॥

य एतत्सर्वमग्निस्तं वेदेति । पुनः जाबालेन कीदृशमग्निं ' वेत्थेति ' प्रश्ने कृते वागादिसर्वात्मकमग्निं जानामीति धीर उक्तवान् । अथैवमुक्ते सर्वात्मकमग्निमजानानो महाशालस्तस्माद्धीरात् सकाशादग्निं परिजिज्ञासितुमासनादुपावरूढ इत्याह–तस्मिन् होक्त उपावरुरोहेति । हे धीर ! ' तं ' सर्वात्मकम् ' अग्निम् ' माम् ' अधीहि ' अध्यापयेति उपसन्न इत्यर्थः ॥ ५ ॥

उपास्याग्नेरध्यात्ममधिदैवतभेदेन सर्वात्मकत्वं विशदयति–स होवाच प्राणो वाव सोऽग्निरिति । ' स ' धीरः ' तम् ' अग्निमुक्तवान् । ' सोऽग्निः ' ' प्राणो वाव ' प्राण एव । प्राणस्य सर्वात्मकत्वमाह–यदा वै पुरुषः स्वपितीति । सुषुप्त्यवस्थामनुभवति तदा वाक्चक्षुःश्रोत्रादीनि ज्ञानकर्मेन्द्रियाणि मनश्चान्तरमिन्द्रियं ' प्राणमप्येति'–प्राण एकीभवति । केवलं प्राण एव वर्तत इत्यर्थः । अथ ' यदा ' पुरुषः ' प्रबुध्यते ' ज्ञानवान् भवति तदा प्राणादेवाधि पुनरिन्द्रियाणि जायन्ते अतः प्राणरूपोऽग्निः सर्वात्मक इत्यध्यात्ममित्यर्थः ॥ ६ ॥

(मु) अथाधिदेवतम्। या वै सा व्वागग्निरेव स यत्तच्चक्षुरसौ सऽआदित्यो यत्तन्मनऽएष स चन्द्रमा यत्तच्छ्रोत्रं दिशऽएव तदथ यः स प्राणोऽयमेव स व्वायुर्योऽयं पवते ॥ ७ ॥

यदा वाऽअग्निरनुगच्छति। व्वायुं तर्ह्यनूद्वाति तस्मादेनमुदवासीदित्याहुर्व्वायुꣳ ह्यनूद्वाति यदाऽऽदित्योऽस्तमेति व्वायुं तर्हि प्रविशति व्वायुं चन्द्रमा व्वायौ दिशः प्रतिष्ठिता व्वायोरेवाधि पुनर्जायन्ते स यदैवंविदस्माल्लोकात्प्रैति व्वाचैवाग्निमप्येति चक्षुषाऽऽदित्यं मनसा चन्द्रꣳ श्रोत्रेण दिशः प्राणेन वायुꣳ सऽएतन्मय ऽएव भूत्वैतासां देवतानां यां यां कामयते सा भूत्वैलयाति ॥ ८ ॥

इति द्वितीयप्रपाठके पञ्चमं ब्राह्मणम् ॥ १०-२-५॥ (३. ३.)॥

अथाधिदेवतम्—या वै सा वाक्—अग्निरेव सः। यत्तच्चक्षुः—असौ स आदित्यः। यत्तन्मनः—एष स चन्द्रमाः। यत्तच्छ्रोत्रम्—दिश एव तत्। अथ यः स प्राणः—अयमेव स वायुः—योऽयं पवते ॥ ७ ॥

यदा वा अग्निरनुगच्छति—वायुं तर्ह्यनूद्वाति। तस्मादेनमुदवासीदित्याहुः। वायुं ह्यनूद्वाति। यदाऽऽदित्योऽस्तमेति—वायुं तर्हि प्रविशति। वायुं चन्द्रमाः। वायौ दिशः प्रतिष्ठिताः। वायोरेवाधि पुनर्जायन्ते। स यदैवंविदस्माल्लोकात्प्रैति—वाचैवाग्निमप्येति। चक्षुषाऽऽदित्यम्। मनसा चन्द्रम्। श्रोत्रेण दिशः। प्राणेन वायुम्। स एतन्मयः एव भूत्वैतासां देवतानां यां यां कामयते—सा भूत्वैलयाति ॥ ८ ॥

अधिदैवमाह—अथाधिदेवतमिति। 'या वै सा वागग्निरेव'—"अग्निर्वाग्भूत्वा मुखं प्राविशद्" (ऐ. आ. २।४।२)—इति श्रुतेः। चक्षुर्मनःश्रोत्रप्राणानामादित्यचन्द्रदिग्वायुरूपत्वमैतरेयके समाम्नायते—"वायुः प्राणो भूत्वा नासिके प्राविशद्, आदित्यश्चक्षुर्भूत्वाऽक्षिणी प्राविशद्, दिशः श्रोत्रं भूत्वा कर्णौ प्राविशन्, चन्द्रमा मनो भूत्वा हृदयं प्राविशद्"—(ऐ. आ. २।४।२) इति। 'योऽयं पवते' अन्तरिक्षे प्रवहति स वायुः प्राण इत्यर्थः ॥ ७ ॥

तेषामग्न्यादीनां वाय्वधीनतां दर्शयति—यदा वा अग्निरिति। 'यदाऽग्निः' 'अनुगच्छति' तदा 'वायुम्' अनुलक्ष्य 'उद्वाति' नश्यति। वायावधिकं वाति सति अग्निर्विनष्टो भवति। तस्मादेनं नष्टमग्निम् 'उदवासीदित्याहुः' नष्टोऽनुगत उद्वात इति पर्याया इत्यर्थः। यदाऽऽदित्योऽस्तमेतीति। 'अस्तमेति' इति पदेन विलयो लक्ष्यते। आदित्यचन्द्रमसोर्वायौ प्रवेशः "ज्योतिष्यापः प्रलीयन्ते तेजो वायौ प्रलीयते"—इति श्रुतेरवगम्यते। 'वायौ' सूत्रात्मनि 'दिशः' 'प्रतिष्ठिताः' वर्त्तन्ते।

श्वेतुकेतुर्हारुणेयुः । (यो) वक्ष्यमाणऽ आस तॐ ह पितोवाच कानृत्विजोऽवृथाऽइति स होवाचायं न्वेव मे व्वैश्वावसव्यो होतेति तॐ ह पप्रच्छ व्वेत्थ ब्राह्मण व्वैश्वावसव्य ॥ १ ॥

चत्वारि महान्ती३ऽइति । व्वेद भो३ऽइति होवाच व्वेत्थ चत्वारि महतां महान्ती३ऽइति व्वेद भो३ऽइति होवाच व्वेत्थ चत्वारि व्व्रतानी३ऽइति व्वेद भो३ऽइति होवाच व्वेत्थ चत्वारि व्व्रतानां व्व्रतानी३ऽइति व्वेद भो३ऽइति होवाच व्वेत्थ चत्वारि क्यानी३ऽइति व्वेद भो३ऽइति होवाच व्वेत्थ चत्वारि क्यानां क्यानी३ऽइति व्वेद भो३ऽइति होवाच व्वेत्थ चतुरोऽर्का३न्निति व्वेद भो३ऽइति होवाच व्वेत्थ चतुरोऽर्काणामर्का३न्निति व्वेद भो३ऽइति होवाच ॥ २ ॥

श्वेतकेतुर्हारुणेयो वक्ष्यमाण आस । तं ह पितोवाच—कानृत्विजोऽवृथा इति । स होवाच—अयं न्वेव मे वैश्वावसव्यो होतेति । तं ह पप्रच्छ—वेत्थ ब्राह्मण वैश्वावसव्य ॥ १ ॥

चत्वारि महान्ती३ इति—वेद भो३ इति होवाच । वेत्थ चत्वारि महतां महान्ती३ इति—वेद भो३ इति होवाच । वेत्थ चत्वारि व्रतानी३ इति—वेद भो३ इति होवाच । वेत्थ चत्वारि व्रतानां व्रतानी३ इति—वेद भो३ इति होवाच । वेत्थ चत्वारि क्यानी३ इति—वेद भो३ ऽइति होवाच ।

'पुनः' वायोः सकाशादेवाग्न्यादयो जायन्त इत्यधिदैवतमर्थः । वेदितुः फलमाह—स यदैवंविदस्माल्लोकात्प्रैतीति । वेदिता यदि म्रियेत तदा वाक्चक्षुरादिभिरग्न्यादित्यादीनुपेत्य 'एतन्मयो' देवतामयो भूत्वा 'एतासाम्' 'देवतानाम्' मध्ये या देवता भवामि इति स्वयमिच्छति सा 'सा' देवता भूत्वा 'एलयति' सञ्चरति चेष्टत इत्यर्थः ॥ ८ ॥

इति श्रीसायणाचार्यविरचिते माधवीये वेदार्थप्रकाशे माध्यन्दिनीयशतपथब्राह्मणभाष्ये दशमकाण्डे तृतीयेऽध्याये तृतीयं ब्राह्मणम् ॥ (१०-३-३) ॥

उत्तरब्राह्मणेऽग्निवाय्वादित्यपुरुषाणामोषधि-वनस्पत्युदकचन्द्रपशूनां च बहुविधनामव्यपदेश्यत्वेन स्तुतिः । तत्रापि पुरुषस्यार्करूपतया च स्तुतिरनेकैः प्रश्नप्रतिवचनैः प्रतिपाद्यते । तौ प्रष्टृप्रतिवक्तारौ दर्शयितुं तत्प्रसङ्गमादावाह—श्वेतकेतुर्हारुणेय इति । पूर्वं 'श्वेतकेतुः' नाम 'यक्ष्यमाणो' बभूव । 'तम्' पुत्रं 'पिता उक्तवान्' । हे पुत्र ! 'कान्' कीदृशान् 'ऋत्विजः' वृतवानसीति—पितुर्वचनम् । 'स होवाच' इत्यादिना श्वेतकेतुः 'अयं न्वेव मे वैश्वावसव्यो होता' वैश्वावसव्यनामको होता वृत इति उक्तवान् । 'तं ह पप्रच्छ वेत्थ ब्राह्मण' इत्यादिना होतारं प्रति पितुः प्रश्नः ॥ १ ॥

'चत्वारि' चतुःसंख्यानि 'महान्ति' सर्वेभ्योऽपि महान्ति वस्तूनि हे होतः ! 'वेत्थ' अपि जानासि

व्वेत्थार्कमिति । (त्यु) अथ वै नो भवान्वक्ष्यतीति व्वेत्थार्कपर्णेऽइत्यथ वै नो भवान्वक्ष्यतीति व्वेत्थार्कपुष्पेऽइत्यथ वै नो भवान्वक्ष्यतीति व्वेत्थार्ककोश्यावित्यथ वै नो भवान्वक्ष्यतीति व्वेत्थार्कसमुद्गावित्यथ वै नो भवान्वक्ष्यतीति व्वेत्थार्कधानाऽइत्यथ वै नो भवान्वक्ष्यतीति व्वेत्थार्काष्ठीलामित्यथ वै नो भवान्वक्ष्यतीति व्वेत्थार्कमूलमित्यथ वै नो भवान्वक्ष्यतीति ॥ ३ ॥

स ह वै यत्तदुवाच । व्वेत्थ चत्वारि महान्ति व्वेत्थ चत्वारि महतां महान्तीत्यग्निर्महांस्तस्य महतो महदोषधयश्च व्वनस्पतयश्च तद्धचस्यान्नं व्वायुर्महांस्तस्य महतो महदापस्तद्धचस्यान्नमादित्यो महांस्तस्य महतो महच्चन्द्रमास्तद्धचस्यान्नं पुरुषो महांस्तस्य महतो महत्पशवस्तद्धच-

---

वेत्थ चत्वारि क्यानां क्यानी३ इति—वेद भो३ इति होवाच । वेत्थ चतुरोऽर्कां३निति—वेद भो३ इति होवाच । वेत्थ चतुरोऽर्काणामर्कां३निति—वेद भो ३ इति होवाच ॥ २ ॥

वेत्थार्कमिति । अथ वै नो भवान्वक्ष्यतीति । वेत्थार्कपर्णे इति । अथ वै नो भवान्वक्ष्यतीति । वेत्थार्कपुष्पे इति । अथ वै नो भवान्वक्ष्यतीति । वेत्थार्ककोश्याविति । अथ वै नो भवान्वक्ष्यतीति । वेत्थार्कसमुद्गाविति । अथ वै नो भवान्वक्ष्यतीति । वेत्थार्कधाना इति । अथ वै नो भवान्वक्ष्यतीति । वेत्थार्काष्ठीलामिति । अथ वै नो भवान्वक्ष्यतीति । वेत्थार्कमूलमिति । अथ वै नो भवान्वक्ष्यतीति ॥ ३ ॥

स ह वै यत्तदुवाच—वेत्थ चत्वारि महान्ति, वेत्थ चत्वारि महतां महान्ति—इति । अग्निर्महान्—तस्य महतो महदोषधयश्च वनस्पतयश्च—तद्धचस्यान्नम् । वायुर्महान्—तस्य महतो महदापः—तद्धच-

---

इति । महान्तीत्यत्र प्रश्नार्थे विचार्यमाणानां प्लुतः 'वेद भोः' अत्र प्रतिवचनेऽर्थे प्लुतः । तानि त्वया पृष्टानि महान्ति वेद जानामीति होतुर्वाक्यस्यार्थः । एवमुत्तराणि "वेत्थ चत्वारि महतां महान्ती३" इत्यादीनि सप्त प्रश्नप्रतिवचनानि व्याख्येयानि । 'वेत्थार्कम्' इति श्वेतकेतोः पित्रा पृष्टो होता स्वयमर्करूपमजानानस्तस्मात्पितुः सकाशादेव संजिज्ञासुराह—अथ वै नो भवान्वक्ष्यतीति । 'नः' अस्माकं 'भवान्' 'वक्ष्यति' तमर्कमुपदिश इति होतुर्विज्ञापनम् । एवं 'वेत्थार्कपर्णे' इत्यादयः सप्त पर्याया व्याख्येयाः । पूर्वाणि पितुः प्रश्नवचनानि, उत्तराणि तत्सकाशाद्धोतुर्विद्याग्रहणप्रार्थनावाक्यानि ॥ २ ॥ ३ ॥

वेत्थ चत्वारि महान्तीत्यादेः प्रश्नसमुदायस्याग्न्यादिकमर्थं श्रुतिः स्वयं विशदयति—स ह वै यत्तदुवाच वेत्थ चत्वारि महान्तीति । यदुवाच पिता तस्यार्थोऽयमिति 'अग्निर्महान्' इत्यादिनोच्यते । तत्र महच्छब्देन अग्निवाय्वादित्यपुरुषाश्चत्वार उच्यन्ते । 'महतां महान्ति' इति पदेन महतामग्निवाय्वादित्यपुरुषाणामुपजीव्या

स्यान्नमेतान्येव चत्वारि महान्त्येतानि चत्वारि महतां महान्त्येता-
न्येव चत्वारि व्रतान्येतानि चत्वारि व्रतानां व्रतान्येतान्येव चत्वारि
क्यान्येतानि चत्वारि क्यानां क्यान्येतऽएव चत्वारोऽर्काऽ एते चत्वारो-
ऽर्काणामर्काः ॥ ४ ॥

(५) अथ ह वै यत्तदुवाच । वेत्थार्कमिति पुरुषꣳ हैव तदुवाच वेत्था-
र्कपर्णेऽइति कर्णौ हैव तदुवाच वेत्थार्कपुष्पेऽइत्यक्षिणी हैव तदुवाच
वेत्थार्ककोश्याविति नासिके हैव तदुवाच वेत्थार्कसमुद्गावित्योष्ठौ हैव
तदुवाच वेत्थार्कधानाऽइति दन्तान्हैव तदुवाच वेत्थार्काष्ठीलामिति
जिह्वाꣳ हैव तदुवाच वेत्थार्कमूलमित्यन्नꣳ हैव तदुवाच सऽएषोऽग्निरर्को
यत्पुरुषः स यो हैतमेवमग्निमर्कं पुरुषमुपास्तेऽयमहमग्निरर्कोऽस्मीति
विद्यया हैवास्यैषऽआत्मन्नग्निरर्कश्चितो भवति ॥ ५ ॥

इति द्वितीयप्रपाठके षष्ठं ब्राह्मणम् ॥ १०-२-६ ॥ (३. ४.) ॥

स्यान्नम् । आदित्यो महान्—तस्य महतो महच्चन्द्रमाः—तद्धयस्यान्नम् । पुरुषो महान्—तस्य महतो महत्पशवः—तद्धयस्यान्नम् । एतान्येव चत्वारि महान्ति, एतानि चत्वारि महतां महान्ति । एतान्येव चत्वारि व्रतानि, एतानि चत्वारि व्रतानां व्रतानि । एतान्येव चत्वारि क्यानि, एतानि चत्वारि क्यानां क्यानि । एत एव चत्वारोऽर्काः, एते चत्वारोऽर्काणामर्काः ॥ ४ ॥

अथ ह वै यत् तदुवाच—वेत्थार्कमिति—पुरुषं हैव तदुवाच । वेत्थार्कपर्णे इति—कर्णौ हैव तदुवाच । वेत्थार्कपुष्पे इति—अक्षिणी हैव तदुवाच । वेत्थार्ककोश्याविति—नासिके हैव तदुवाच । वेत्थार्कसमुद्गाविति—ओष्ठौ हैव तदुवाच । वेत्थार्कधाना इति—दन्तान्हैव तदुवाच । वेत्थार्काष्ठीलामिति—जिह्वां हैव तदुवाच । वेत्थार्कमूलमिति—अन्नं हैव तदुवाच । स एषोऽग्निरर्को यत्पुरुषः । स यो हैतमेवमग्निमर्कं पुरुषमुपास्ते—अयमहमग्निरर्कोऽस्मीति । विद्यया हैवास्यैष आत्मन्नग्निरर्कश्चितो भवति ॥ ५ ॥

ओषधि—वनस्पत्युदकचन्द्रपशवश्चत्वार उच्यन्ते । एतेषामोषध्यादीनामग्न्यादिभिरुपजीव्यत्वात्तेषां महच्छब्द-वाच्यानामपि एतान्योषध्यादीनि महतां महान्तीत्युच्यन्ते । यो हि उपजीव्यः स महानिति व्यवह्रियते । उक्त-मग्निवाय्वादिकमोषधिवनस्पत्युदकादिकं च उत्तरेषां चत्वारि व्रतानीत्यादीनां वाक्यानां क्रमेणार्था इति निरूपयति—एतान्येव चत्वारीत्यादिना अर्काणामर्काः इत्यन्तेन । 'क्यानि' । कः प्रजापतिस्तस्मै हितानि क्यानि । 'अर्काः' अर्चनीयाः ॥ ४ ॥

"वेत्थार्कमि"त्यादिकस्य प्रश्नस्यार्थं दर्शयति—अथ ह वै यत्तदुवाच वेत्थार्कमिति पुरुषमिति । 'वेत्थार्कमिति' यत् पृष्टस्तत्रार्कपदेन पुरुष एवोक्तः । 'अर्कपर्णे' इति पदेन पुरुषकर्णावुक्तौ । 'कर्णौ'

अयं वाव युजुर्योऽयं पुवते । (तऽ) एष हि युन्नेवेदᳶ सुर्व्वं जनुयत्येतं युन्तमिदमुनु प्रुजायते तुस्माद्वायुरेव युजुः ॥ १ ॥

(२) अयुमेवाकाशो जूः । (युँ) युदिदमन्तुरिक्षमेतᳶ ह्याकाशमुनु जुवते तुदेतद्युजुर्व्वायुश्चान्तुरिक्षं च युच्च जूश्च तुस्माद्युजुरेषुऽ एव युदेष

अयं वाव यजुः–योऽयं पवते । एष यन्नेवेदं सर्वं जनयति । एतं यन्तमिदमनु प्रजायते तस्माद्वायुरेव यजुः ॥ १ ॥

अयमेवाकाशो जूः–यदिदमन्तरिक्षम् । एतं ह्याकाशमनु जवते । तदेतद्यजुर्वायुश्चान्तरिक्षं च

अपि पर्णाकारौ तिष्ठत इति मत्वोक्तम् । 'अर्कपुष्पे' 'इत्यक्षिणी' उक्ते । **अर्ककोश्याविति** । कोश्याकारे फलके एतत्पदेन पुरुषनासिके उक्ते । 'अर्ककोश्यौ' अपि नासिकाकृती । **अर्कसमुद्गाविति** । अर्ककोशाग्रे विदलितौ ओष्ठभागौ । 'धाना' पदेन 'अर्कबीजानि' । **अर्काष्ठीलामिति** । अर्ककोशमध्ये विस्तरेण वर्तमाना तूली जीह्वामूली । **अर्कमूलमिति** । इत्यनेन 'अन्नम्' उक्तम् । अन्नं हि पुरुषस्य मूलम् । **स एषोऽग्निरर्क इति** । अर्कपर्णादिभिर्यः पुरुषो निरूपितः 'सः' 'अग्निरर्कः' । अहंग्रहोपासकस्य फलमाह–**स यो हैतमेवमग्निमर्कमिति** । 'अग्निम्' 'अर्कम्' पुरुष इत्युपास्ते । अहम अग्निरर्कः पुरुषोऽस्मीत्यहंग्रहणम् । अनेन प्रतीकोपासनं न भवतीत्युक्तं भवति । एष उपासको 'विद्यया' एवंरूपज्ञानेनात्मन् स्वशरीरे भाविनि 'अग्निरर्को भवति । अग्न्यर्कात्मको भवतीत्यर्थः ॥ ५ ॥

इति श्रीसायणाचार्यविरचिते माधवीये वेदार्थप्रकाशे माध्यन्दिनीयशतपथब्राह्मणभाष्ये दशमकाण्डे तृतीयेऽध्याये चतुर्थं ब्राह्मणम् ॥ (१० । ३ । ४) ॥

अथ अत्र यजुस्तद्विधायकब्राह्मणयोर्निर्वचनपुरःसरमधिदैवाध्यात्मभेदेनार्थः, मन्त्रब्राह्मणप्रसङ्गादुपनिषदः स्तुतिः, तत्स्वरूपं, तद्विदुषः फलमानन्दावाप्तिः, यजुषाम् उपांश्वनुष्ठानं चेति पञ्चमब्राह्मणप्रतिपादितार्थसंग्रहः । यजुःशब्देन वायुं निर्ब्रुवन् अधिदैवमर्थमाह–**अयं वाव यजुर्योऽयं पवत इति** । 'यः' अन्तरिक्षे 'पवते' सञ्चरति स हि यजुरात्मकः, यजुरित्यत्र द्वे अक्षरे 'य' इति 'जुः' इति । **एष यन्नेवेदमिति** । एष वायुः 'यन्' सर्वत्र सञ्चरन् 'इदम् सर्वं जनयति' उत्पादयति । 'एतं यन्तम्' संचरन्तं वायुमनुलक्ष्य सर्वाः प्रजा उत्पद्यन्ते । एतस्य यजुरात्मकस्य वायोर्ज्येष्ठब्रह्मरूपत्वमुत्तरत्रास्मिन् ब्राह्मणे (कं. १० । १४ ।) वक्ष्यते सूत्रात्मश्रुत्यभिप्रायेण । तस्माद्वायुसञ्चारमनु सर्वजगत उत्पत्तिर्युक्तेत्यर्थः । अत्र वायुः 'यन्' जननिमित्तं चेति यजुःशब्दनिर्वचनं कृतमित्यर्थः ॥ १ ॥

एवं प्रथमाक्षरधात्वर्थकथनम् उत्तरस्यार्थतो व्याख्यानं च कृतम् । अथ द्वितीयाक्षरस्य धात्वर्थकथनं पूर्वस्यार्थतो व्याख्यानं चाह–**अयमेवाकाशो जूरिति** । 'जूः' इति सौत्रो धातुर्गत्यर्थः । 'यदिदं' प्रतीयमानम्

१–'अयं वाव यजुः' 'वायुरेव यजुः'–इत्येवमेव श्रौतः पाठः सर्वेष्वेवोपलब्धपुस्तकेषूपलभ्यते । अर्थस्वारस्यात्तु यजुःशब्दस्थाने 'यन्'–इति पाठः पुरातने भवेत् । वैदिकयाज्ञिकानां लेखदोषात्तु कालक्रमेण यन्नित्यस्य स्थाने यजुरिति पदं प्रक्षिप्तमिति प्रतीमः । एवमेव 'तदेतद्यजुर्वायुश्च'–इत्यत्रापि यजुःशब्दस्थाने 'यज्जूः' इति पाठं साधु मन्यामहे । यजुःशब्दनिर्वचनार्थे प्रकरणे शुद्धस्य यजुःशब्दस्य पाठायोगात् । इह हि यज्जूःशब्दस्य परोक्षवृत्त्या यजुरिति निर्वचनं कृतं दृश्यते इत्यूह्यम् ।

ह्येति तुदेतद्युजुर्ऋक्सामुयोः प्रतिष्ठितमृक्सामे व्वहतस्तुस्मात्समानैरेवा-ध्वर्युर्ग्रहैः कुर्म करोत्यन्यान्यन्यानि स्तुतशस्त्राणि भवन्ति युथा पूर्व्वाभ्याᳬं स्यन्त्वा पराभ्यां धावयेत्तादृक्तत् ॥ २ ॥

(द) अग्निरेव पुरः । (रोऽग्निᳬं) अग्निᳬं हि पुरस्कृत्येमाः प्रजाऽ-उपासतऽआदित्यऽ एव चुरणं युदा ह्येवैषऽ उदेत्यथेदᳬं सुर्व्वं चरति तुदेतद्युजुः सुपुरश्चरणमधिदेवतम् ॥ ३ ॥

यच्च जूश्च । तस्माद्यजुरेष एव । यदेष ह्येति । तदेतद्यजुर्ऋक्सामयोः प्रतिष्ठितम्–ऋक्सामे वहतः । तस्मात्समानैरेवाध्वर्युर्ग्रहैः कर्म करोति । अन्यान्यन्यानि स्तुतशस्त्राणि भवन्ति । यथा पूर्वाभ्यां स्यन्त्वा पराभ्यां धावयेत्–तादृक् तत् ॥ २ ॥

अग्निरेव पुरः । अग्निं हि पुरस्कृत्येमाः प्रजा उपासते । आदित्य एव चरणम् । यदा ह्येवैष उदेति–अथेदं सर्वं चरति । तदेतद्यजुः सपुरश्चरणमाधिदेवतम् ॥ ३ ॥

‘अन्तरिक्षम्’ अस्ति तदेव ‘जूः’ इति पदेनोच्यते । ‘एतमाकाशम्’ अनुलक्ष्य जवते ‘वायुः’ गच्छति । वायुजवयोरधिकरणत्वाद् ‘जूः’ आकाशः । जवतेरधिकरणार्थे क्विप् “क्विब्वचि०”–(पा. सू. कृ. उ० २।५७) इति दीर्घत्वम् । उक्तमर्थद्वयमक्षरद्वये योजयित्वा दर्शयति–तदेतद्यजुर्वायुश्चान्तरिक्षमिति । ‘यद्’ इति वायुः, ‘जूः’ इति आकाश उच्यत इत्यर्थः । आधाराधेययोर्वाय्वाकाशयोरभेदोपचारेण वायोरेव यजुःशब्दमाह–तस्माद्यजुरेष एवेति । ‘एष’ वायुः ‘यस्माद्’ अन्तरिक्षे ‘एति’ तस्माद् असौ यजुःशब्दाऽभिधेय इत्यर्थः । तदेतद्यजुर्ऋक्सामयोः प्रतिष्ठितमित्यादेरयमर्थः । अन्तरिक्षलोको हि द्यावापृथिव्योर्मध्यवर्तीति तयोरधिकरणमुपचर्यते, तयोश्च ऋक्सामरूपत्वम् भूःस्वरिति ऋक्सामसारभूतव्याहृतिद्वयकल्पितत्वात् । तथाऽन्यत्राम्नायते–“स भूरिति व्याहरत्, स भूमिमसृजत । स भुव इति व्याहरत्, सोऽन्तरिक्षमसृजत । स स्वरिति व्याहरत्, स दिवमसृजत” इति । अतो यजुर्ऋक्सामयोः प्रतिष्ठितं मध्यस्थितमित्यर्थः । तस्यैव विवरणम्–ऋक्सामे वहत इति । ‘तस्मात्’ आधारयोर्नानारूपतो भेदेऽपि आधेयस्यैकरूपेण भेदाभावात् ‘अध्वर्युणा’ याजुषेण ‘समानैरेव’ ‘ग्रहैः’ प्रकृतिसोमयागगतैरेवैन्द्रवायवादिभिर्विकृतिकर्म क्रियते । सामगबह्वृचैः स्तुतशस्त्राणि स्तोत्रशस्त्राणि, अन्यान्यन्यानि प्रकृतिगतव्यतिरिक्तानि क्रियन्ते । यथा महाव्रतयज्ञे बृहद्रथन्तरयोर्वैकल्पिकयोः प्राकृतयोः पृष्ठसाम्नोः स्थाने पञ्च सामानि, निष्केवल्यस्थाने महदुक्थमित्युक्तम् । ऋक्सामयोस्तत्र क्रतुषु भिन्नरूपत्वं स्तौति–यथा पूर्वाभ्यां स्यन्त्वेति । यथा ‘पूर्वाभ्याम्’ अश्वाभ्यां ‘स्यन्त्वा’ गत्वा श्रान्तौ तौ विमुच्य ‘पराभ्याम्’ अन्याभ्यां ‘धावयेत्’ ‘तादृक् तत्’ तत्रान्यस्यान्यस्य स्तुतशस्त्रस्य करणमित्यर्थः । ‘स्यन्त्वा’ इति “स्यन्दू प्रस्रवणे”–(धा. पा. भ्वा. आ. ७६२) क्त्वाप्रत्यये ऊदित्त्वादिडभावपक्षे रूपं, छान्दसो नकारालोपः ॥ २ ॥

अथ ब्राह्मणापरनामधेयस्य पुरश्चरणशब्दस्य पूर्ववन्निर्वचनपुरःसरमधिदैवमर्थमाह–अग्निरेव पुर इत्यादिना । ‘इमाः’ प्रजा वैदिक्योऽग्निं ‘पुरस्कृत्य’ ‘उपासते’ तस्माद्–‘अग्निः’ पुरःशब्दवाच्यः । ‘आदित्यः’

(मु) अथाध्यात्मम् । (म्रा) प्राणऽ एव यजुः प्राणो हि यन्नेवेदꣳ
सर्वं जनयति प्राणं यन्तमिदमनु प्रजायते तस्मात्प्राणऽएव यजुः ॥ ४ ॥
(र) अयमेवाकाशो जूः । (यौ) योऽयमन्तरात्मन्नाकाशऽएतꣳ ह्याका-
शमनु जवते तदेतद्यजुः प्राणश्चाकाशश्च यच्च जूश्च तस्माद्यजुः प्राणऽएव
यत्प्राणो ह्येति ॥ ५ ॥ (शतम् ५३००) ॥
(त्यु) अन्नमेव यजुः । (रु) अन्नेन हि जायतेऽन्नेन जवते तदेतद्यजुरन्ने
प्रतिष्ठितमन्नं व्वहति तस्मात्समानऽएव प्राणेऽन्यदन्यदन्नं धीयते ॥ ६ ॥
मनऽ एव पुरः । (रो) मनो हि प्रथमं प्राणानां चक्षुरेव चरणं चक्षुषा
ह्ययमात्मा चरति तदेतद्यजुः सपुरश्चरणमधिदेवतं चाध्यात्मं च प्रति-
ष्ठितꣳ स यो हैतदेवं यजुः सपुरश्चरणमधिदेवतं चाध्यात्मं च प्रति-
ष्ठितं व्वेद ॥ ७ ॥

अथाध्यात्मम्—प्राण एव यजुः । प्राणो हि यन्नेवेदं सर्वं जनयति । प्राणं यन्तमिदमनु प्रजायते । तस्मात्प्राण एव यजुः ॥ ४ ॥

अयमेवाकाशो जूः । योऽयमन्तरात्मन्नाकाशः । एतं ह्याकाशमनु जवते । तदेतद्यजुः प्राणश्चाकाशश्च यच्च जूश्च । तस्माद्यजुः प्राण एव यत्प्राणो ह्येति ॥ ५ ॥

अन्नमेव यजुः । अन्नेन हि जायते । अन्नेन जवते । तदेतद्यजुरन्ने प्रतिष्ठितम् । अन्नं वहति । तस्मात्समान एव प्राणेऽन्यदन्यदन्नं धीयते ॥ ६ ॥

मन एव पुरः । मनो हि प्रथमं प्राणानाम् । चक्षुरेव चरणम् । चक्षुषा ह्ययमात्मा चरति ।

चरणशब्दवाच्यः । 'यदा' असौ 'उदेति' तदैव सर्वस्य स्वव्यापारं प्रति चरणात् । अनेन 'चरति' गच्छति अस्मिन् उदित इति अधिकरणे ल्युडित्यर्थः । उक्तं शब्दतो निर्वचनं तदर्थं चोपसंहरति—तदेतद्यजुः सपुरश्चरणमिति ॥ ३ ॥

एतयोराध्यात्मिकोऽर्थो वक्ष्यत इति प्रतिजानीते—अथाध्यात्मं प्राण एव यजुरिति । प्राणः पंचभूतात्मकः । अन्तरात्मन्नाकाश इति । हृदयमध्यवर्ती देहे एवाकाशः । शिष्टं पूर्ववत् व्याख्येयम् ॥ ४ ॥ ५ ॥

अन्नमेव यजुरित्यादेरयमर्थः । यथा यजुः ऋक्सामाधिकरणे प्रतिष्ठितम् एवं प्राणोऽपि अन्ने प्रतिष्ठितः । आधारस्याप्यन्नस्य जननजीवननिमित्तत्वमाश्रित्य यजुरात्मकत्वकथनम् । "अन्नाद्वै प्रजाः प्रजायन्ते अन्नेन जातानि जीवन्ति"—(तै. आ. २ । २) इति श्रुतेः । तदेतद्यजुरिति । 'प्राणः' परामृश्यते । 'यजुः' यजुरात्मकः 'प्राणः' यजुरात्मकेऽन्ने प्रतिष्ठितः । अत्रापि प्राणस्यैकत्वात्तत्पोषकस्यान्नस्य नानात्वादाधेयस्य प्राणस्यैकत्वादेकरूपे प्राणे विषये नानाविधमन्नं धीयते ॥ ६ ॥

पुरश्चरणपदस्याप्यध्यात्मपरतामाह—मन एव पुर इति । यस्मात् सर्वं—'प्राणानाम्' 'मनः' 'प्रथमम्'

(ड्रा) अरिष्टो हैवानार्तः । स्वस्ति यज्ञस्योदृचमश्नुतेऽथो स्वानाᳬ श्रेष्ठः पुरऽएता भवत्यन्नादोऽधिपतिर्यऽएवं वेद ॥ ८ ॥

यऽ उ हैवंविदम् । (ᳬ) स्वेषु प्रति प्रतिर्बुभूषति न हैवालं भार्येभ्यो भवत्यथ यऽ एवैतमनुभवति यो वै तमनु भार्यान्बुभूर्षति स हैवालं भार्येभ्यो भवति ॥ ९ ॥

तदेतज्ज्येष्ठं ब्रह्म । न ह्येतस्मात्किं चन ज्यायोऽस्ति ज्येष्ठो ह वै श्रेष्ठः स्वानां भवति यऽएवं वेद ॥ १० ॥

तदेतद्यजुः सपुरश्चरणमधिदेवतं चाध्यात्मं च प्रतिष्ठितम् । स यो हैतदेवं यजुः सपुरश्चरणमधिदेवतं चाध्यात्मं च प्रतिष्ठितं वेद ॥ ७ ॥

अरिष्टो हैवानार्तः स्वस्ति यज्ञस्योदृचमश्नुते । अथो स्वानां श्रेष्ठः पुरएता भवत्यन्नादोऽधिपतिर्य एवं वेद ॥ ८ ॥

य उ हैवंविदं स्वेषु प्राति प्रतिर्बुभूषति—न हैवालं भार्येभ्यो भवति । अथ य एवैतमनुभवति । यो वै तमनु भार्यान्बुभूर्षति—स हैवालं भार्य्येभ्यो भवति ॥ ९ ॥

तदेतज्ज्येष्ठं ब्रह्म । न ह्येतस्मात्किं चन ज्यायोऽस्ति । ज्येष्ठो ह वै श्रेष्ठः स्वानां भवति—य एवं वेद ॥ १० ॥

तस्मात् तत्पुरःशब्दाभिधेयम् । चक्षुषा हि सर्वो जनः स्वस्वव्यापारार्थं सञ्चरतीति चक्षुश्चरणशब्दवाच्यमुक्तम् । यजुःपुरश्चरणशब्दयोरधिदैवाध्यात्मभेदेनोक्तमर्थं विदुषः फलमाह—स यो हैतदेवं यजुः सपुरश्चरणमिति ॥ ७ ॥

आरिष्ट इति । 'अरिष्टः' अन्येनाबाधितः 'अनार्त्तः' शरीरपीडारहितः अत्र 'स्वस्ति' क्षेमेण 'यज्ञस्योदृचम्' समाप्तिं 'अश्नुते'। तस्यैव फलान्तरं समुच्चिनोति—अथो स्वानां श्रेष्ठ इति। 'स्वानाम्' ज्ञातीनां मध्ये स्वयं 'श्रेष्ठः' प्रशस्यतमः 'पुरएता' पुरतो गन्ता 'अन्नादः' ईश्वरो भवति ॥ ८ ॥

विद्वन्निन्दकस्य दोषं तत्स्तावकस्य च फलं दर्शयति—य उ हैवंविदमिति । 'यः' पुरुषः 'स्वेषु' मध्ये 'एवंविदम्' उक्तविद्यां जानानं पुरुषं प्रति 'प्रतिर्बुभूषति' प्रातिकूल्यमाचरितुमिच्छति स 'भार्येभ्यः' पोषणीयेभ्यः स्वीयेभ्यो 'नालं' न पर्याप्तो भवति—पोषणसमर्थो न भवतीत्यर्थः । यस्तु एवंविदमनुकूलयेत् सः पोष्यान् पोषयितुं शक्नोति ॥ ९ ॥

यजुःशब्दस्य वायुप्राणरूपोऽर्थः उक्तः । तं ज्येष्ठब्रह्मात्मना स्तौति—तदेतज्ज्येष्ठं ब्रह्मेति । ब्रह्मणि ज्येष्ठत्वमाह—न ह्येतस्मादिति । न हि हिरण्यगर्भात्मनः (सूत्रात्मनः) परस्ताज्ज्यायो वस्त्वस्ति तस्यैव सर्वजगदाधारत्वात् । तथा च बृहदारण्यके चतुर्दशकाण्डे समाम्नास्यते—" वायुर्वै गौतम तत् सूत्रम् । वायुना वै गौतम सूत्रेणायं च लोकः परश्च लोकः सर्वाणि च भूतानि संदृब्धानि भवन्ति " (१४ । ६ । ७ । ६) इति । वेदितुरपि ज्येष्ठत्वं फलं भवतीत्याह—ज्येष्ठो ह वै श्रेष्ठ इति ॥ १० ॥

तदेतद्ब्रह्मापूर्व्वमपरवत्। (त्स) स यो हैतदेवं ब्रह्मापूर्व्वमपरवद्वेद न हास्मात्कश्चन श्रेयान्त्समानेषु भवति श्रेयाᳬंसः श्रेयाᳬंसो हैवास्मादपरपुरुषा जायन्ते तस्माद्योऽस्माज्ज्यायान्त्स्याद्दिशोऽस्मात्पूर्वाऽइत्युपासीत तथो हैनं न हिनस्ति ॥ ११ ॥

तस्य वाऽएतस्य यजुषः। (षो) रस ऽएवोपनिषत्तस्माद्यावन्मात्रेण यजुषाऽध्वर्युर्ग्रहं गृह्णाति सऽउभे स्तुतशस्त्रेऽअनुविभवत्युभे स्तुतशस्त्रेऽअनुव्यश्नुते तस्माद्यावन्मात्र ऽइवान्नस्य रसः सर्व्वमन्नमवति सर्व्वमन्नमनुव्येति ॥ १२ ॥

तृप्तिरेवास्य गतिः। (स्तु) तस्माद्यदाऽन्नस्य तृप्यत्यथ स गत ऽइव मन्यत ऽआनन्द ऽएवास्य विज्ञानमात्माऽऽनन्दात्मानो हैव सर्व्वे देवाः

तदेतद्ब्रह्मापूर्वमपरवत्। स यो हैतदेवं ब्रह्मापूर्वमपरवद्वेद—न हास्मात्कश्चन श्रेयान्त्समानेषु भवति। श्रेयांसः। श्रेयांसो हैवास्मादपरपुरुषा जायन्ते। तस्माद्योऽस्माज्ज्यायान्त्स्यात्—दिशोऽस्मात्पूर्वा इत्युपासीत। तथो हैनं न हिनस्ति ॥ ११ ॥

तस्य वा एतस्य यजुषो रस एवोपनिषत्। तस्माद्यावन्मात्रेण यजुषाऽध्वर्युर्ग्रहं गृह्णाति—स उभे स्तुतशस्त्रे अनुविभवति। उभे स्तुतशस्त्रे अनुव्यश्नुते। तस्माद्यावन्मात्र—इवान्नस्य रसः—सर्वमन्नमवति। सर्वमन्नमनुव्येति ॥ १२ ॥

तृप्तिरेवास्य गतिः। तस्माद्यदाऽन्नस्य तृप्यति। अथ स गत—इव मन्यते। आनन्द एवास्य विज्ञानमात्मा। आनन्दात्मानो हैव सर्वे देवाः। सा हैषैव देवानामद्धा विद्या। स ह स न मनुष्यो य एवंवित्। देवानां हैव स एकः ॥ १३ ॥

तदेतत् ब्रह्मापूर्वमित्यादेरयमर्थः—यदुक्तं 'तद्ब्रह्म' 'अपूर्वम्' यस्मात् पूर्वो न विद्यते कारणरहितम्। 'अपरवत्' स्रष्टव्यजगद्रूपापरवत्। उक्तगुणद्वयविशिष्टस्योपासनस्य फलमाह—स यो हैतदिति। एवमुपासीतेत्यर्थः। यदि वेदितुः सकाशात् ज्यायसः पुरुषस्य सद्भावे तदा स्वयं बाध्यो भवतीत्याशंक्य-तस्मात् पुरुषादधिकं वस्तु दिशः इत्युपासितव्यमित्याह—योऽस्माज्ज्यायानिति। यदि 'अस्मात्' उपासकात् 'यः' अधिकः स्यात् तर्हि तस्मात् अधिकात् 'दिशः' 'पूर्वाः' 'इत्युपासीत' ततः ज्यायसोऽपि ज्यायउपासने स्वस्याधिक्यात् बाधको नास्तीत्यर्थः ॥ ११ ॥

यजुर्मन्त्रब्राह्मणप्रसङ्गादुपनिषदोऽर्थं तत्स्वरूपं वेदितुः फलं च दर्शयति—तस्य वा एतस्य यजुष इति। अन्नरूपस्य 'यजुषो रसः' सार 'एव' 'उपनिषत्'। तस्याश्च वेदसारत्वमन्नरसदृष्टान्तेन प्रतिपादयति—तस्माद्यावदिति। यथा 'अन्नस्य' यावान् 'रसः' तावान् स्वाश्रयभूतं 'सर्वमन्नम्' 'अवति' तर्पयति भोगयोग्यं करोति, 'अनुव्येति' व्याप्नोति च अत उपनिषत् सकलं साङ्गं वेदं व्याप्नोति ॥ १२ ॥

अस्य अन्नात्मकस्य यजुषः 'तृप्तिरेव गतिः' फलावाप्तिः। यथा लोके अन्नेन तृप्तः पुरुषः गतः प्राप्त-

---

१-अत्र "श्रेयान्सोऽश्रेयांसो हैव" इति पाठः साधीयान् प्रतिभाति।

सा हैषैव देवानामद्धा विद्या स ह स न मनुष्यो य एवंविद्देवानाᳪं हैव स एकः ॥ १३ ॥

(ऽ) एतद्ध स्म वै तद्विद्वान्प्रियव्रतो रौहिणायन आह । वायुं वान्तमानन्दस्त आत्मेतो वा वाहीतो वेति स ह स्म तथैव वाति तस्माद्यां देवेष्वाशिषमिच्छेदेतेनैवोपतिष्ठेतानन्दो वा आत्माऽसौ मे कामः स मे समृध्यतामिति सᳪं हैवास्मै स काम ऋध्यते यत्कामो भवत्येताᳪं ह वै तृप्तिमेतां गतिमेतमानन्दमेतमात्मानमभिसम्भवति य एवं वेद ॥ १४ ॥

तदेतद्यजुरुपाᳪंशुनिरुक्तम् । (म्प्रा) प्राणो वै यजुरुपाᳪंश्वायतनो

एतद्ध स्म वै तद्विद्वान्प्रियव्रतो रौहिणायन आह–वायुं वान्तम् । आनन्दस्त आत्मा । इतो वा वाहि, इतो वेति । स ह स्म तथैव वाति । तस्माद्यां देवेष्वाशिषमिच्छेद्–एतेनैवोपतिष्ठेत–"आनन्दो वा आत्मा, असौ मे कामः, स मे समृध्यताम्"–इति । सं हैवास्मै स काम ऋध्यते–यत्कामो भवति । एतां ह वै तृप्तिम्, एतां गतिम्, एतमानन्दम्, एतमात्मानम्–अभिसम्भवति–य एवं वेद ॥ १४ ॥

तदेतद्यजुरुपांश्वनिरुक्तम् । प्राणो वै यजुः । उपांश्वायतनो वै प्राणः । तद् यदेनं निर्ब्रुवन्तं ब्रूयात्–अनिरुक्तां देवतां निरवोचत्प्राण एनं हास्यतीति । तथा हैव स्यात् ॥ १५ ॥

प्रयोजन इव मन्यते । उपनिषत्प्रतिपाद्यस्वरूपमाह–आनन्द एवास्य विज्ञानमात्मेति । 'अस्य' उपनिषदात्मकस्य रसस्य 'आनन्दः' 'विज्ञानमेव' 'आत्मा' सच्चिदानन्दैकरसमखण्डं वस्तुस्वरूपमित्यर्थः । आनन्दात्मान इत्यादिकेन विद्याप्रशंसा । 'अद्धा विद्या' आनन्दात्मकदेवानां प्रतिपादकत्वादेषा उपनिषत् 'अद्धा' अपरोक्षा विद्या साक्षादमरत्वात् । तद्वेदितुर्देवत्वमेव फलमित्याह–स ह स न मनुष्य इति । 'एवम्' उपनिषदखण्डविज्ञानलक्षणमात्मानं जानानो 'मनुष्यो न' भवति किं तु 'देवानां' मध्ये 'एको' भवतीत्यर्थः ॥ १३ ॥

उक्तं देवानामानन्दात्मत्वमुपजीव्य यजुरात्मकवायोरानन्दात्मत्वपरिज्ञानफलं पुरावृत्तकथनेन दर्शयति–एतद्ध स्म वै तद्विद्वानिति । 'एतद्' देवानामानन्दात्मत्वं यजूरसरूपाया उपनिषद आनन्दविज्ञानरूपं च 'विद्वान्' रौहिणपुत्रः 'प्रियव्रतो' नामाह 'वायुं वान्तं' सञ्चरन्तं वायुमुक्तवान् । किमिति ? हे वायो 'ते' तव 'आत्मा' स्वरूपम् 'आनन्दः' इति । तस्मात् 'इतः' अन्यप्रदेशे 'वाहि' 'इतो' 'वा' देशे 'वाहि' सञ्चरेति वायुमुक्तवान् । स वायुरपि स्वकीयानन्दलक्षणस्वरूपं वेदितुर्वाक्यमनतिलङ्घयन्निदानीमपि 'तथैव' इतस्ततो 'वाति' । वायुवशीकरणं तस्य फलमित्युक्तं भवति । तस्माद्यां देवेष्वाशिषम्–इत्यादेरयमर्थः–सर्वत्र देवेष्वानन्दत्वपरिज्ञानेन सर्वकामप्राप्तिर्भवतीति । आनन्दो वा आत्मा–इत्ययं ब्राह्मणप्रतिपादित उपस्थानमन्त्रः । "तस्य वा एतस्य यजुषो रस एवोपनिषद्"–इत्यादिना प्रतिपादितमर्थजातं विदुषः फलमाह–एतां ह वै तृप्तिमेतां गतिमिति ॥ १४ ॥

एवं वायुप्राणरूपत्वेन स्तुतस्य यजुष उपांशुत्वगुणं विधत्ते–तदेतद्यजुरुपांश्वनिरुक्तमिति । इदमीदृक्

वै प्राणस्तद्यदेनं निर्ब्रुवन्तं ब्रूयादनिरुक्तां देवतां निरवोचत्प्राण ऽ एनꣳ हास्यतीति तथा हैव स्यात् ॥ १५ ॥

(च) तस्य ह यो निरुक्तमाविर्भावं वेद। (दा) आविर्भवति कीर्त्या यशसोपाꣳशु यजुषाऽध्वर्युर्ग्रहं गृह्णाति गृहीतः सन्नऽआविर्भवत्युपाꣳशु यजुषाऽग्निं चिनोति चितः संचितऽआविर्भवत्युपाꣳशु यजुषा हविर्निर्वपति शृतं निष्ठितमाविर्भवत्येवं यत्किंचोपाꣳशु करोति कृतं निष्ठितमाविर्भवति तस्य ह य ऽएतमेवं निरुक्तमाविर्भावं वेदाविर्भवति कीर्त्या यशसा ब्रह्मवर्चसेन क्षिप्रऽउ हैवाविदं गच्छति स ह यजुरेव भवति यजुषैनमाचक्षते ॥ १६ ॥

इति द्वितीयप्रपाठके सप्तमं ब्राह्मणम् ॥ १०-२-७ ॥ (३. ५.) ॥

इति तृतीयोऽध्यायः समाप्तः ॥ १०-३ ॥

तस्य ह यो निरुक्तमाविर्भावं वेद—आविर्भवति कीर्त्या, यशसा । उपांशु यजुषाऽध्वर्युर्ग्रहं गृह्णाति—गृहीतः सन्न आविर्भवति। उपांशु यजुषाऽग्निं चिनोति—चितः संचित आविर्भवति । उपांशु यजुषा हविर्निर्वपति—शृतं निष्ठितमाविर्भवति। एवं यत्किञ्चोपांशु करोति—कृतं निष्ठितमाविर्भवति। तस्य ह य एतमेवं निरुक्तमाविर्भावं वेद—आविर्भवति कीर्त्या, यशसा, ब्रह्मवर्चसेन। क्षिप्र उ हैवाविदं गच्छति। स ह यजुरेव भवति। यजुषैनमाचक्षते ॥ १६ ॥

क्रियत इति निर्वक्तुमनर्हम् 'अनिरुक्तम्' तदेवोपांशुत्वलक्षणम्। आन्तरत्वात् प्राणस्योपांशुस्थानत्वम्। उपांशुत्वेनानुष्ठाने दोषमाह—तद्यदेनं निर्ब्रुवन्तमिति। 'एनम्' प्राणरूपं यजुर्मन्त्रं 'निर्ब्रुवन्तम्' उच्चैः पठन्तं पुरुषं 'ब्रूयात्'—विद्वानसौ 'अनिरुक्ताम्' उच्चैर्वक्तुमनर्हां 'देवताम्' उच्चैरवादीत्। 'एनं' निर्ब्रुवन्तं 'प्राणो' 'हास्यति' त्यक्ष्यति उपांशुत्वविघातादिति 'यत्' ब्रूयात् तत् 'तथैव स्यात्' इति सम्बन्धः। यावन्तं कालं प्राण उपांशुरान्तरो वर्त्तते तावन्तं जीवति स यदा ऊर्ध्वं निष्क्रामति तदा मरिष्यतीत्यर्थः ॥ १५ ॥

उपांशुत्वं प्रशस्य निरुक्तत्वं प्रशंसति—तस्य ह यो निरुक्तमिति। अग्नौ उपांशु यजुषा कर्त्तव्यानि संगृह्णाति—उपांशु यजुषाऽध्वर्युर्ग्रहं गृह्णाति इति। ग्रहणकाले उपांशुत्वं गृहीतस्य ग्रहस्यायतने सादितस्य 'आविर्भावः' अयमेष ग्रह इति सर्वैर्ज्ञायते। एवमुत्तरं योज्यम्। शृतं निष्ठितमिति। 'शृतं' पक्वम् 'निष्ठितम्' प्रयोगार्हमवदानार्हमित्यर्थः। यत्किञ्चोपांश्वित्यादिनोपांशुकर्त्तव्यसामान्यसंग्रहः। यद्यदुपांशु क्रियते तत्तत्पश्चादाविर्भूतं सर्वै-

रिदं कर्म कृतमिति बुध्यते । क्षिप्र उ हैवाविदं गच्छतीति । यो यजुष उपांशुत्वं पश्चादाविर्भावं वेत्ति स आयुःकीर्त्यादियुक्तः ' क्षिप्रम ' ' आविदम् ' प्रसिद्धिं ' गच्छति ' " अयं महान्पुरुषः "–इति । ' यजुषैन माचक्षते ' इति ज्ञातृज्ञेययोरभेदोपचारेण तस्य विदुष एव ' यजुः ' इति तस्य व्यवहार्यत्वं भवतीत्यर्थः ॥१६॥

इति श्रीसायणाचार्यविरचिते माधवीये वेदार्थप्रकाशे माध्यन्दिनीयशतपथब्राह्मणभाष्ये
दशमकाण्डे तृतीयेऽध्याये पंचमं ब्राह्मणम् ॥ (१०–३–५) ॥

वेदार्थस्य प्रकाशेन तमो हार्दं निवारयन् । पुमर्थांश्चतुरो देयाद् विद्यातीर्थमहेश्वरः ॥ १ ॥

ब्रह्माण्डं गोसहस्रं कनकहयतुलापूरुषौ स्वर्णगर्भं,
सप्ताब्धीन्पञ्चसीरींस्त्रिदशतरुलताधेनुसौवर्णभूमीः ।
रत्नोस्रां रुक्मवाजिद्विपमहितरथौ सायणिः सिङ्गणार्यो,
व्यश्राणीद्विश्वचक्रं प्रथितविधिमहाभूतयुक्तं घटं च ॥
धान्याद्रिं धन्यजन्मा तिलभवमतुलः स्वर्णजं वर्णमुख्यः,
कार्पासीयं कृपावान्गुडकृतमजडो राजतं राजपूज्यः ।
आज्योत्थं प्राज्यजन्मा लवणजमनृणः शार्करं चार्वतेजा,
रत्नाढ्यो रत्नरूपं गिरिमकृत मुदा पात्रसात्सिङ्गणार्यः ॥

इति श्रीमद्राजाधिराजपरमेश्वरवैदिकमार्गप्रवर्त्तकश्रीहरिहरमहाराजसाम्राज्यधुरन्धरेण सायणाचार्येण विरचिते माधवीये वेदार्थप्रकाशे माध्यन्दिनीयशतपथब्राह्मणभाष्ये
दशमकाण्डे तृतीयोऽध्यायः समाप्तः ॥ (१०–३) ॥

अथ चतुर्थेऽध्याये प्रथमं ब्राह्मणम् ।
द्वितीयप्रपाठके च अष्टमं ब्राह्मणम् ।

प्रजापतिं विस्रस्तम् । यत्र देवाः समस्कुर्वंस्तमुखायां योनौ रेतोभूतमसिञ्चन्योनिर्वाऽउखा तस्मा ऽएतत्संवत्सरेऽन्नꣳ समस्कुर्वन्योऽयमग्निश्चितस्तदात्मना पर्यदधुस्तदात्मना परिहितमात्मैवाभवत्तस्मादन्नमात्मना परिहितमात्मैव भवति ॥ १ ॥

प्रजापतिं विस्रस्तं यत्र देवाः समस्कुर्वन् । तमुखायां योनौ रेतोभूतमसिञ्चन् । योनिर्वा उखा । तस्मा एतत्सम्वत्सरेऽन्नं समस्कुर्वन् । योऽयमग्निश्चितः । तदात्मना पर्यदधुः । तदात्मना परिहितमात्मैवाभवत् । तस्मादन्नमात्मना परिहितमात्मैव भवति ॥ १ ॥

यस्य निःश्वसितं वेदा यो वेदेभ्योऽखिल जगत् । निर्ममे तमहं वन्दे विद्यातीर्थमहेश्वरम् ॥ १ ॥

चतुर्थेऽध्याये आहवनीयाग्निरूपप्रजापतेरुखाप्रक्षेपतश्चित्याग्नेरन्नत्वेन परिकल्पितयोर्भोक्तृभोग्ययोरग्निचित्ययोर्द्वन्द्वस्यार्क्यमहाव्रतोक्थनामभिर्यजुःसामर्क्पदत्रयपरिभाषासिद्धैर्व्यवहार्यत्वेन स्तुतिः । अथ रुक्मपुरुषयोरिष्टकापुरीषचित्योश्चित्याहवनीययोश्चेन्द्राग्न्यात्मना स्तुतिः । पश्चात् प्रजापतिरूपाहवनीयस्य तत्र हूयमानमहाव्रतीयग्रहरसस्य यद्द्वंद्वं सम्पद्यते–तस्यार्क्यमहाव्रतोक्थनामभिर्व्यपदेश्यत्वम् । कलाभिः सप्तदशात्मकस्य चित्याग्निरूपस्य प्रजापतेः सप्तदशात्मकः सोमयागोऽन्नम् । तयोरधिदैवमादित्यचन्द्रात्मनाऽध्यात्मं प्राणात्मना च स्तुतिः त्रिष्वपि स्थानेषु अर्क्यादिनामत्रयप्रतिपाद्यत्वमिति प्रतिपाद्यसंग्रहः । अथादौ प्रजापतेर्भोक्तृत्वमाहवनीयरूपत्वेनाह–**प्रजापतिं विस्रस्तमिति** । 'यत्र' यदा 'विस्रस्तम्' विश्लिष्टावयवं 'प्रजापतिम्' संस्कृतवन्तः–तदा 'तम्' 'उखायां योनौ रेतोभूतं' सिक्तवन्तः । अग्नेः पत्नीयजमानाभ्यां 'रेतोरूपेण सेकः, तस्य संवत्सरान्ते समुत्पत्तिश्च षष्ठकाण्डादौ प्रतिपादिता । तथा हि "तस्यामस्यां प्रतिष्ठायां भूतानि च भूतानां च पतिः संवत्सरायादीक्षन्त, भूतानां पतिर्गृहपतिरासीत् । उषाः पत्नी" (श. प. । ६ । १ । ३।७।) इत्युपक्रम्य "संवत्सर उषसि रेतोऽसिञ्चन्त्स सम्वत्सरे कुमारोऽजायत" (श. प. ६।१।३। ८।) इति । तस्य प्रजापतेर्देवैः संस्कारः तस्य चाग्निरिति नामव्यपदेशस्तत्रैव प्रतिपादितः । तदेतत्सर्वमभिप्रेत्योक्तम् । तस्मै उख्याग्निरूपप्रजापतये 'संवत्सरे' अतीते सति 'एतद्' वक्ष्यमाणं चित्याग्निरूपम 'अन्नम्' संस्कृतवन्तः । "तस्मादेनं संवत्सरभृतमेव चिन्वीत" (श. प. १०।२।६। ९) इति वचनादुख्योऽग्निः संवत्सरं धारयितव्यः, पश्चादिष्टकाचयनमित्यर्थः । यद्वा 'संवत्सरे' संवत्सरसाध्यगवामयनादौ गवामयनोपान्त्यदिवसे महाव्रताख्यमन्नमिति योज्यम् । अनेन संस्कारप्रकारमाह–**तदात्मनेति** । 'तत्' चित्याग्निरूपमन्नम् 'आत्मना' प्रजापतिशरीरेण पर्यदधुराच्छादितवंतः । यस्माच्छरीरेणान्नं परिहितं तस्माच्चित्याग्निरूपमन्नं प्रजापतिशरीरात्मकमेवासीत् । शरीरात्मकत्वं लोकप्रसिद्ध्योपपादयति–**तस्मादन्नमात्मना परिहितमिति** ॥ १ ॥

तथैवैतद्यजमानः । (ऽ) आत्मानमुखायां योनौ रेतोभूतꣳ सिञ्चति योनिर्वाऽउखा तस्माऽएतत्संवत्सरेऽन्नꣳ सꣳस्करोति योऽयमग्निश्चित-स्तदात्मना परिदधाति तदात्मना परिहितमात्मैव भवति तस्मादन्नमा-त्मना परिहितमात्मैव भवति ॥ २ ॥

तं निदधाति । व्वौषडिति व्वौगिति वाऽएष षडितीदꣳ षट्चितिक-मन्नं कृत्वाऽस्माऽअपिदधात्यात्मसंमितं यदु वाऽआत्मसंमितमन्नं तद-वति तन्न हिनस्ति यद्भूयो हिनस्ति तद्यत्कनीयो न तदवति ॥ ३ ॥

स ऽएष ऽएवार्कः । (कौं) यमेतमत्राग्निमाहरन्ति तस्यैतदन्नं क्यं योऽयमग्निश्चितस्तदक्यं यजुष्ट ऽएष ऽएव महांस्तस्यैतदन्नं व्रतं तन्महा-

---

तथैवैतद्यजमान आत्मानमुखायां योनौ रेतोभूतं सिञ्चति । योनिर्वा उखा—तस्मा एतत्संवत्सरेऽन्नं संस्करोति । योऽयमग्निश्चितः । तदात्मना परिदधाति । तदात्मना परिहितमात्मैव भवति । तस्मादन्नमात्मना परिहितमात्मैव भवति ॥ २ ॥

तं निदधाति । वौषट्—इति । वौग्—इति वा एषः । षडिति । इदं षट्चितिकमन्नं कृत्वाऽस्मा अपि-दधात्यात्मसम्मितम् । यदु वा आत्मसंमितमन्नं तदवति । तन्न हिनस्ति । यद्भूयः । हिनस्ति तत् । यत्कनीयः । न तदवति ॥ ३ ॥

स एष एवार्कः—यमेतमत्राग्निमाहरन्ति । तस्यैतदन्नं क्यम् । योऽयमग्निश्चितः । तदक्यम्—

यथा पूर्वं देवैर्विस्रस्तस्य प्रजापतेरुखायां रेतोरूपेण सेकस्तस्मै समुत्पन्नाय प्रजापतये चित्याग्नेरन्नत्वेन संस्कारः । तस्य चान्नस्य शरीरेण परिहितत्वादात्मत्वम् । तत्सर्वमधुनातनानुष्ठातरि योजयति—तथैवैतद्यजमान इति । 'आत्मानम्' स्वरूपम् 'उखायाम्' रेतोरूपं सिक्तवान् ॥ २ ॥

चित्याग्नेरुपरि उख्याग्निनिधानमन्त्र "वौषट्" इति श्रूयते—तस्याक्षरद्वयस्य यथाक्रमम् अग्निचित्याग्निपरतां दर्शयति—तं निदधातीति । चित्याग्नेरुपरि स्थापयति । तत्र 'वौगिति' पूर्वाक्षरेण 'एषः' अग्निरुच्यते । वक्तेर्वौ-गिति पदनिष्पत्तिरूह्या । षडित्यक्षरेण षट्चितिकोऽग्निः । तथा सति 'वौषट्' इत्यस्यायमर्थः सम्पद्यते 'अस्मै' आहवनीयाग्नये 'षट्चितिकमग्निमन्नं' 'कृत्वा,' 'आत्मसम्मितम्' 'अपिदधाति' कृतवान् भवति । अन्नस्य शरीरसम्मितत्वमन्वयव्यतिरेकाभ्यां दर्शयति—यदु वा आत्मेति । 'यत्' शरीरस्याधिकम् 'अन्नम्' 'तद्धिनस्ति' शरीरम्—अजीर्णत्वात् । अल्पं 'तत्' शरीरं 'न अवति' न पोषयति, अतः शरीरपर्याप्तमेवान्नं कार्यमित्यर्थः ॥ ३ ॥

अग्निचित्याग्निद्वन्द्वस्य यजुःसामर्वेदत्रयपरिभाषासिद्धार्क्यमहाव्रतोक्थनामभिर्व्यपदेश्यत्वं तत्तन्नामाऽवयवनिर्व-चनेन दर्शयति—स एष एवार्क इत्यादिना । योऽग्निराहवनीयोऽत्र षट्चितिकेऽग्नावाह्रियते निधीयते 'स

व्रतꣳ सामत ऽएष ऽउऽएवोक्तस्यैतदन्नं थं तदुक्थमृक्तस्तदेतदेकꣳ सत्त्रेधाऽऽख्यायते ॥ ४ ॥

(तेऽथे) अथेन्द्राग्नी वाऽअसृज्येताम् । (म्ब्र) ब्रह्म च क्षत्त्रं चाग्निरेव ब्रह्मेन्द्रः क्षत्रं तौ सृष्टौ नानैवास्तां तावब्रूतां न वाऽइत्थꣳ सन्तौ शक्ष्यावः प्रजाः प्रजनयितुमेकꣳ रूपमुभावसावेति तावेकꣳ रूपमुभावभवताम् ॥५॥

(न्तौ) तौ यौ ताविन्द्राग्नी । (ऽ) एतौ तौ रुक्मश्च पुरुषश्च रुक्म ऽएवेन्द्रः पुरुषोऽग्निस्तौ हिरण्मयौ भवतो ज्योतिर्वै हिरण्यं ज्योतिरिन्द्राग्नीऽअमृतꣳ हिरण्यममृतमिन्द्राग्नी ॥ ६ ॥

यजुष्टः । एष एव महान् । तस्यैतदन्नं व्रतम् । तन्महाव्रतम्—सामतः । एष उ एवोक् । तस्यैतदन्नं थम् । तदुक्थम्—ऋक्तः । तदेतदेकं सत्—त्रेधाऽऽख्यायते ॥ ४ ॥

अथेन्द्राग्नी वा असृज्येताम् । ब्रह्म च क्षत्रं च । अग्निरेव ब्रह्म । इन्द्रः क्षत्रम् । तौ सृष्टौ नानैवास्ताम् । तावब्रूताम् । न वा इत्थं सन्तौ शक्ष्यावः प्रजाः प्रजनयितुम् । एकं रूपमुभावसावेति । तावेकं रूपमुभावभवताम् ॥ ५ ॥

तौ यौ ताविन्द्राग्नी—एतौ तौ रुक्मश्च पुरुषश्च । रुक्म एवेन्द्रः । पुरुषोऽग्निः । तौ हिरण्मयौ भवतः । ज्योतिर्वै हिरण्यम्, ज्योतिरिन्द्राग्नी । अमृतं हिरण्यम्, अमृतमिन्द्राग्नी ॥ ६ ॥

एषोऽर्कः ' आदित्यः । यस्योपरि निहितः स हि तस्यान्नं क्यं कः प्रजापतिः ' तस्मै ' हितम् ' अन्नम् ' चित्याग्निरूपं 'क्यम्' भवतीति कृत्वोक्तम् । अतः अर्कः क्यम् इति पदद्वयं यजुष्टो यजुर्वेदेऽर्क्यम् इति श्लिष्टोच्चारणेन व्यवहृतमित्यर्थः । " तदर्क्यं भवति "—इति तैत्तिरीयकेऽग्निप्रकरणे समाम्नायते । एषोऽग्निः ' महान् ' महच्छब्दवाच्यः, तस्य चित्योऽग्निर्व्रतसंज्ञकमन्नं तदुभयं ' सामतः ' सामवेदे ' महाव्रतम् ' इति व्यवहृतम् । यस्मात् 'एषः' अग्निः उगिति पदेनोच्यते । तस्य चित्याग्निः ' थम् ' अन्नमुच्यत इत्यर्थः । तदुभयम् ' ऋक्तः ऋग्वेदे ' 'उक्थम्' इति नाम्ना व्यवहृतम् । बृहतीसहस्रस्योक्थमिति संज्ञा । अतः ' तदेतदेकम् ' अग्निचित्याग्निद्वन्द्वं ' सत्त्रेधा ' वेदत्रये अर्क्य-महाव्रत—उक्थ—नामभिराख्यायते ॥ ४ ॥

एतदग्निद्वयं चेन्द्राग्न्यात्मना स्तोतुमादाविन्द्राग्निसृष्टिमाह—अथेन्द्राग्नी वा असृज्येतामिति । पूर्वं ब्रह्मक्षत्ररूपौ ' इन्द्राग्नी ' प्रजापतिना 'सृष्टौ' 'नानैव' भेदेन ' आस्ताम् ' । पृथगवस्थितौ 'तौ'परस्परम् ' अब्रूताम् ' ' न वा इत्थं ' भेदेन ' सन्तौ ' ' प्रजा ' उत्पादयितुं ' न शक्ष्यावः '—न समर्थौ भविष्यावः । तस्मादुभावावामेकं समानं रूपमसाव भवावेति तथैवाभूताम् ॥ ५ ॥

तत्र प्रथमेष्टकाचितावुपधेयौ रुक्मपुरुषाविन्द्राग्न्यात्मना स्तौति—तौ यौ ताविन्द्राग्नी इति । तयोरेकरूपापन्नयोः स्वरूपमाह—रुक्मश्च पुरुषश्चेति । ' रुक्मो ' नामैकविंशतिनिर्बाधं हिरण्मयं फलकम्, पुरुषश्च हिरण्मयः । हिरण्यस्य ' ज्योतिरमृत ' पदाभ्यां स्तुतिः ॥ ६ ॥

१—श. प. ७ । १ । २ । अत्र निर्बाधशब्दार्थः स्पष्टः । " यजमानः कण्ठे रुक्मं प्रतिमुञ्चते परिमण्डलमेकविंशतिपिण्डम् " का. श्रौ. सू. १६ । १४६ । इति ।

तावेताविन्द्राग्नीऽएव चिन्वन्ति । यद्धि किं चैष्टकमग्निरेव तत्तस्मात्तदग्निना पचन्ति यद्धि किं चाग्निना पचन्त्यग्निरेव तदथ यत्पुरीषꣳ स ऽइन्द्रस्तस्मात्तदग्निना न पचन्ति नेदग्निरेवासन्नेन्द्र ऽइति तस्मादेताविन्द्राग्नीऽएव चितौ ॥ ७ ॥

(ताव) अथ यश्चितेऽग्निर्निधीयते । तदेकꣳ रूपमुभौ भवतस्तस्मात्तावेतेनैव रूपेणेमाः प्रजाः प्रजनयतः सैषैकैवेष्टकाऽग्निरेव तामेष सर्व्वोऽग्निरभिसम्पद्यते सैषेष्टकासम्पत्तदेतदेकमेवाक्षरं वौगिति तदेष सर्व्वोऽग्निरभिसम्पद्यते सैवाक्षरसम्पत् ॥ ८ ॥

(त्त) तद्धैतत्पश्यन्नृषिरभ्यनूवाद । भूतं भविष्यत्प्रस्तौमि महद्ब्रह्मैकमक्षरं बहु ब्रह्मैकमक्षरमित्येतद्ध्येवाक्षरꣳ सर्व्वं देवाः सर्व्वाणि

तावेताविन्द्राग्नी एव चिन्वन्ति। यद्धि किं चैष्टकम्—अग्निरेव तत्। तस्मात्तदग्निना पचन्ति—यद्धि किं चाग्निना पचन्ति। अग्निरेव तत्। अथ यत्पुरीषम्—स इन्द्रः। तस्मात्तदग्निना न पचन्ति। नेदग्निरेवासन्नेन्द्र इति। तस्मादेताविन्द्राग्नी एव चितौ ॥ ७ ॥

अथ यश्चितेऽग्निर्निधीयते—तदेकं रूपमुभौ भवतः। तस्मात्तावेतेनैव रूपेणेमाः प्रजाः प्रजनयतः। सैषैकैवेष्टकाऽग्निरेव। तामेष सर्वोऽग्निरभिसम्पद्यते। सैषेष्टकासम्पत्। तदेतदेकमेवाक्षरं वौगिति। तदेष सर्वोऽग्निरभिसम्पद्यते सैवाक्षरसम्पत् ॥ ८ ॥

तद्धैतत्पश्यन्नृषिरभ्यनूवाद। "भूतं भविष्यत्प्रस्तौमि महद्ब्रह्मैकमक्षरम्—बहु ब्रह्मै-

---

इष्टकापुरीषचितिद्वयमिन्द्राग्न्यात्मना स्तौति—तावेताविन्द्राग्नी एव चिन्वन्तीति। तत्र 'ऐष्टकम्' इष्टकासमूहः तत् 'अग्निः,' 'पुरीषं' स 'इन्द्रः,' अत एव इष्टकानामग्न्यात्मकत्वाद् अग्निना ताः पक्वाः कर्त्तव्याः। पुरीषस्येन्द्रात्मकत्वात्, तस्याग्निना न पाकः कर्त्तव्यः। इष्टकानां पाके पुरीषस्यापाके कारणमाह—नेदग्निरेवाऽसन्नेन्द्र इति। यदि उभयोः पाकस्तदा तर्हि इन्द्राग्न्योरेकैकं कृतं भवति। न तूभयोः। अतस्तत्रोभयरूपत्वाय इष्टकानां पाकः पुरीषस्य तदभाव इत्यर्थः ॥ ७ ॥

एवं विभिन्नयो रुक्मपुरुषयोरिष्टकापुरीषचित्योरिन्द्राग्नित्वमुक्तम्। तयोरिदानीमैक्यमाह—अथ यश्चितेऽग्निर्निधीयत इति। 'उभौ' इन्द्राग्नी 'एकम्' 'रूपम्' आहवनीयात्मकमभवताम्। कथमेकरूपत्वमिति? तदिष्टकासम्पत्त्या अक्षरसम्पत्त्या चोपपादयति—सैषैकैवेष्टकाऽग्निरेवेति। यदग्निद्वन्द्वमुक्तं सा 'एकेष्टका' अग्निरूपा। 'एष सर्वोऽग्निः' तामिष्टकामभिलक्ष्य 'सम्पद्यते'—इष्टकारूपेणैकेन सम्पन्न इति एक इति गण्यते 'सा' इयमिष्टकासम्पत्। एकमेवाक्षरं वौगिति—इत्यस्यार्थः—आहवनीयनिधानमन्त्रगतवौषडवयववौगित्यात्मकैकाक्षरेण सर्वोऽग्निः सम्पद्यत इत्यक्षरैकत्वादेकत्वम्। सैवेयमक्षरसम्पत् ॥ ८ ॥

अक्षरस्यैकत्वं मन्त्रसंवादेन द्रढयति—तद्धैतत्पश्यन्नृषिरभ्यनूवादेति। एतमर्थं पश्यन्नृषिर्मन्त्र उक्तवान्।

भूतान्यभिसम्पद्यन्ते तदेतद्ब्रह्म च क्षत्त्रं चाग्निरेव ब्रह्मेन्द्रः क्षत्त्रमिन्द्राग्नी वै विश्वे देवा विड् विश्वे देवास्तदेतद्ब्रह्म क्षत्रं विट् ॥ ९ ॥

(ङ) एतद्ध स्म वै तद्विद्वाञ्छ्यापर्णः सायकायन ऽआह । यद्वै मऽइदं कर्म समाप्स्यत ममैव प्रजा सल्वानाᳫँ राजानोऽभविष्यन्मम ब्राह्मणा मम वैश्या यत्तु मऽएतावत्कर्मणः समापि तेन मऽउभयथा सल्वान्प्रजाऽतिरेक्ष्यतऽइति स ऽएष ऽएव श्रीरेष यश ऽएषोऽन्नादः ॥ १० ॥

कमक्षरम्" इति । एतद्ध्येवाक्षरं सर्वे देवाः, सर्वाणि भूतान्यभिसम्पद्यन्ते । तदेतद्ब्रह्म च क्षत्रं च । अग्निरेव ब्रह्म, इन्द्रः क्षत्रम् । इन्द्राग्नी वै विश्वे देवाः । विड् विश्वे देवाः । तदेतद्ब्रह्म क्षत्रं विट् ॥९॥

एतद्ध स्म वै तद्विद्वाञ्छ्यापर्णः सायकायन आह—यद्वै म इदं कर्म समाप्स्यत ममैव प्रजा सल्वानां राजानोऽभविष्यन्, मम ब्राह्मणाः, मम वैश्याः । यत्तु म एतावत्कर्मणः समापि—तेन म उभयथा सल्वान्प्रजाऽतिरेक्ष्यत इति । स एष एव श्रीः, एष यशः, एषोऽन्नादः ॥ १० ॥

'भूतं भविष्यत्' मिलितं भूतभविष्यत्कालवर्त्ति महत् महत्त्वार्तातस्य विश्रान्तिभूमिः "ज्यायानेभ्यो लोकेभ्यः"—इति श्रुतेः । अथ वा ब्रह्म कीदृशं ? सकलजगदात्मना महत् अतिप्रभूतम् एकम् अद्वितीयम्, एकत्वसङ्ख्या द्वित्वादिसङ्ख्यानिरासार्था । न तु तत्रैकत्वसङ्ख्याविधानार्था । अन्यथा—" अस्थूलमनण्वह्रस्वं ब्रह्म "—(बृ. उ. १४।६।८।९) इति निर्गुणश्रुतिव्याकोपः स्यात्, इति ब्रह्मविदां मतम् । ' अक्षरम् '—अविनश्वरं सर्वगतं वा ब्रह्म सच्चिदानन्दैकरसं ' प्रस्तौमि ' । बहु ब्रह्मैकमक्षरमित्येतदुक्तस्य विवरणम् । एतद्ध्येवाक्षरम् इति । अयमर्थः—' सर्वे देवाः ' ' सर्वाणि भूतानि ' चैतद्ब्रह्मलक्षणमेकमक्षरमभिसम्पद्यन्ते । सर्वेषां कारणरूपाक्षरात्मनैकत्वं सम्पन्नमित्यर्थः । उक्तमग्नेरिन्द्राग्न्यात्मकत्वमुपजीव्य वर्णत्रयात्मना स्तौति—तदेतद् ब्रह्म च क्षत्रं चेति । इन्द्राग्न्योरवयवशो ब्रह्मक्षत्ररूपत्वात्तदुभयरूपस्याग्नेस्तत्तादात्म्यं तयोर्विश्वदेवात्मकत्वाच्च ' विड् ' रूपता । इन्द्राग्न्योर्विश्वदेवात्मकत्वमेवम्—इन्द्रः सर्वेदेवानां परमः, अग्निरवमः । तयोराद्यन्तवर्तिनोर्ग्रहणेन सर्वे देवाः संगृहीता इति, तयोस्तदात्मकत्वं विश्वदेवानां विट्त्वम्—इन्द्रप्रजात्वात् । अतस्तदेकमग्न्यात्मकमक्षरं ब्रह्मक्षत्रवैश्यरूपमित्यर्थः ॥ ९ ॥

उक्तं वर्णत्रयात्मकत्वमुपजीव्य कर्मणः श्रीयशोऽन्नादत्वलक्षणं फलं पुरावृत्तकथनेन दर्शयति—एतद्ध स्म वै तद्विद्वाञ्छ्यापर्ण इति । ' एतद् ' अग्न्यात्मकमक्षरं वर्णत्रयात्मकं जानानः सायकपुत्रः, नडादित्वात् फक् (पा. सू. ४ । १ । ९९) ' श्यापर्णः ' उक्तवान् । ' यदिदम् ' एतादृशं कर्म समाप्स्यत समापितमभविष्यत् तर्हि मम स्वीयैव प्रजा ' सल्वानाम् ' देशनामैतत् राजानोऽभविष्यन् क्रियातिपत्तौ लृङः प्रयोगः । मम प्रजा सल्वानां ब्राह्मणा वैश्याश्चाभविष्यन्निति । अयमर्थः एवंरूपकर्मणः समापने मदीया प्रजैव सल्वदेशानां राजानः क्षत्रिया ब्राह्मणा वैश्याश्च भविष्यन्तीति । फलान्तरमाह—यत्त्वित्यादिना । यदि मदीयम् ' एतावत् ' कर्म समाप्यते तर्हि ' मे ' मदीया प्रजा उभयथा ' सल्वान् ' देशान् ' अतिरेक्ष्यते ' अतिरिक्ता अधिका भविष्यतीति ' श्यापर्ण आह '—इति सम्बन्धः । यदुभयथा—इति तस्यार्थं श्रुतिः स्वयमाह—स एष एव श्रीरिति । ' एषः ' अग्निः ' श्रीः ' श्रीरूपः तद्धेतुः ' यशः ' अन्नादरूपस्तद्धेतुरित्यर्थः । अतः प्रजा श्रीरूपत्वेन यशोऽन्नादरूपत्वेन चोभयथा अतिरिक्ता भविष्यतीत्यर्थः ॥ १० ॥

(ऽ) एतद्ध वै तच्छाण्डिल्यः । (ल्यो) व्वामकक्षायणाय प्रोच्योवाच श्रीमान्यशस्व्यन्नादो भविष्यसीति श्रीमान्ह वै यशस्व्यन्नादो भवति यऽ एवं व्वेद ॥ ११ ॥

स एषोऽग्निः प्रजापतिरेव । ते देवा ऽएतमग्निं प्रजापतिᳬं सᳬंस्कृत्याथास्माऽएतत्संव्वत्सरेऽन्नᳬं समस्कुर्व्वन्य ऽएष महाव्व्रतीयो ग्रहः ॥ १२ ॥

(स्तु) तमध्वर्युर्ग्रहेण गृह्णाति । यद्गृह्णाति तस्माद्ग्रहस्तस्मिन्नुद्गाता महाव्व्रतेन रसं दधाति सर्व्वाणि हैतानि सामानि यन्महाव्व्रतं तदस्मिन्त्सर्व्वैः सामभी रसं दधाति तस्मिन्होता महतोक्थेन रसं दधाति सर्व्वा हैता ऽऋचो यन्महदुक्थं तदस्मिन्त्सर्व्वाभिर्ऋग्भी रसं दधाति ॥ १३ ॥

ते यदा स्तुवते यदाऽनुशᳬंसति । (त्य) अथास्मिन्नेतं व्वषट्कृते जुहोति व्वौगिति वाऽएष षडितीदᳬं षड्विधमन्नं कृत्वाऽस्माऽअपिदधा-

---

एतद्ध वै तच्छाण्डिल्यो वामकक्षायणाय प्रोच्योवाच—श्रीमान्यशस्व्यन्नादो भविष्यसीति । श्रीमान्ह वै यशस्व्यन्नादो भवति य एवं वेद ॥ ११ ॥

स एषोऽग्निः प्रजापतिरेव । ते देवा एतमग्निं प्रजापतिं संस्कृत्याथास्मा एतत्सम्वत्सरेऽन्नं समस्कुर्वन्—य एष महाव्रतीयो ग्रहः ॥ १२ ॥

तमध्वर्युर्ग्रहेण गृह्णाति—यद् गृह्णाति तस्माद्ग्रहः । तस्मिन्नुद्गाता महाव्रतेन रसं दधाति । सर्वाणि हैतानि सामानि—यन्महाव्रतम् । तदस्मिन्त्सर्वैः सामभी रसं दधाति । तस्मिन् होता महतोक्थेन रसं दधाति । सर्वा हैता ऋचो—यन्महदुक्थम् । तदस्मिन्त्सर्वाभिर्ऋग्भी रसं दधाति ॥ १३ ॥

ते यदा स्तुवते । यदाऽनुशंसति । अथास्मिन्नेतं वषट्कृते जुहोति । वौगिति वा एषः । षडितीदं

उक्तं श्रीयशःप्रभृतिकं फलं संवादेन द्रढयति—**एतद्ध वै तच्छाण्डिल्य** इति । शाण्डिल्यो नामर्षिः वामकक्षपुत्राय एतत्फलं ' प्रोच्य ' स्वयं सम्यक् पर्यालोच्य ' उवाच ' किमिति ? हे वामकक्षपुत्र ! त्वमग्न्यैकरूप्यभावनया 'श्रीमान्' 'भविष्यसि' इति प्रतिवाक्यमन्वयः । वेदितुः फलमाह—**श्रीमान् ह वा** इति ॥११॥

अथ प्रजापतिरूपाहवनीयाग्नेस्तत्र हूयमानमहाव्रतीयग्रहरसस्य च यद्द्वन्द्वं तस्य पूर्ववदर्क्यमहाव्रतोक्थनामत्रयेणाभिधेयत्वं वक्तुं ग्रहग्रहणं स्तुतशस्त्रपठनं तस्य रसस्य वषट्कारान्ते होमं च क्रमेण दर्शयति—**स एषोऽग्निः प्रजापतिरेवे**त्यादिना । पूर्वं ' देवाः ' अग्निरूपप्रजापतिं ' संस्कृत्य ' तस्मै संवत्सरान्ते संवत्सरसाध्यगवामयनादौ एतद्वक्ष्यमाणमन्नं संस्कृतवन्तः । अन्नमिति यदुक्तं तदाह—**य एष महाव्रतीयो ग्रह** इति । महाव्रतप्रतिपत्तिनिर्वर्त्यो यो ग्रहः स एवान्नशब्देनोच्यते । कात्यायनोऽपि महाव्रतैकनियतं ग्रहणं सूत्रितवान् । तथा हि—" महाव्रतमग्निष्टोमः प्राजापत्य उपालम्भ्यो ग्रहं गृह्णाति वि न इन्द्र वाचस्पतिं विश्वकर्मन्निति वा " (का. श्रौ. सू. १३ । २९ । ३० । ३१) इति ॥ १२ ॥

अथ तस्य ग्रहस्य ग्रहणं विधत्ते—**तमध्वर्युर्ग्रहेण गृह्णाती**ति । एतदादिकम् " अथास्मिन् एतं वषट्कृते

त्यात्मसंमितं यद्दु वाऽआत्मसंमितमन्नं तदवति तन्न हिनस्ति यद्भूयो हिनस्ति तद्यत्कनीयो न तदवति ॥ १४ ॥

सऽएषऽएवार्कः । (क्यौ) योऽयमग्निश्चितस्तस्यैतदन्नं क्यमेष महाव्रतीयो ग्रहस्तदर्क्यं यजुष्ट ऽएष ऽएव महांस्तस्यैतदन्नं व्रतं तन्महाव्रतꣳ सामत ऽएषऽउऽएवोक्तस्यैतदन्नं थं तदुक्थमृक्तस्तदेतदेकꣳ सत्त्रेधाऽऽख्यायते ॥ १५ ॥

सऽएष संवत्सरः प्रजापतिरग्निः । (स्तु) तस्यार्धमेव सावित्राण्यर्धं वैश्वकर्मणान्यष्टावेवास्य कलाः सावित्राण्यष्टौ वैश्वकर्मणान्यथ यदेतदन्तरेण कर्म क्रियते स ऽएव सप्तदशः प्रजापतिर्यो वै कला मनुष्याणामक्षरं तद्देवानाम् ॥ १६ ॥

षड्विधमन्नं कृत्वाऽस्मा अपिदधात्यात्मसंमितम् । यद्दु वा आत्मसंमितमन्नं तदवति । तन्न हिनस्ति । यद्भूयः । हिनस्ति तत् । यत्कनीयो न तदवति ॥ १४ ॥

स एष एवार्कः–योऽयमग्निश्चितः । तस्यैतदन्नं क्यम् । एष महाव्रतीयो ग्रहः । तदर्क्यम्–यजुष्टः । एष एव महान् । तस्यैतदन्नं व्रतम् । तन्महाव्रतम्–सामतः । एष उ एवोक्–तस्यैतदन्नं थम् । तदुक्थम्–ऋक्तः । तत् एतदेकं सत् त्रेधाऽऽख्यायते ॥ १५ ॥

स एष संवत्सरः प्रजापतिरग्निः । तस्यार्धमेव सावित्राणि–अर्धं वैश्वकर्मणानि । अष्टावेवास्य कलाः सावित्राणि–अष्टौ वैश्वकर्मणानि । अथ यदेतदन्तरेण कर्म क्रियते–स एव सप्तदशः प्रजापतिः । या–उ वै कला मनुष्याणाम्–अक्षरं तद्देवानाम् ॥ १६ ॥

जुहोति " इत्येतदन्तं एतत्काण्डस्य प्रथमाध्याये (श. प. १० । १ । १ । ५–६) व्याख्यातम् । वौषडिति अक्षरद्वयस्य अग्निरसार्थपरतां दर्शयति–वौगिति वा एष इति । 'वौगिति' अक्षरेण एषोऽग्निराहवनीय उच्यते । 'षट्' इत्यक्षरेण इदं महाव्रतग्रहरसं षड्भिर्मधुरादिभेदेन षट्प्रकारमन्नं 'कृत्वा' अस्मै प्रजापतिरूपाग्नये संमितमपिदधाति स्थापयति । अन्नस्य शरीरसम्मितत्वमन्वयव्यतिरेकाभ्यामाह–यद्दु वा आत्मेति ॥१३॥१४॥

स एष एवार्कः इत्यादेरयमर्थः । 'यः' अग्निश्चितः 'सः' अर्करूपः । पूर्वम् आहवनीयाग्नेरर्कत्वमुक्तम् " स एष एवार्को यमेतमत्राग्निमाहरन्ति " (श. प. १०।४।१।४) इति । अत्र तु विशिष्टस्याहवनीयस्यार्कत्वमिति विशेषः । तस्य महाव्रतीयग्रहरूपमन्नं क्यमिति पदेनोच्यते । अर्कक्ययोः श्लिष्टोच्चारणादर्क्यं यजुर्वेदतः सिद्धमित्यर्थः । शिष्टम् एष एव महान् इत्यादि पूर्ववद् (चतुर्थकण्डिकावत्) व्याख्येयम् ॥

तदिदमग्निरसद्वयम् एकं सत् त्रेधा अर्क्यादिनामत्रयेणाम्नायते–स एष संवत्सरः प्रजापतिरग्निरित्यादिना अधियज्ञं प्रजापतिसौम्याध्वरयोर्द्वन्द्वस्य, अधिदैवम् आदित्यचन्द्रद्वयस्य, अध्यात्मम् प्राणान्न-

(न्त) तद्वै लोमेति द्वेऽअक्षरे। त्वगिति द्वेऽअसृगिति द्वे मेद ऽइति द्वे माꣳसमिति द्वे स्नावेति द्वेऽ अस्थीति द्वे मज्जेति द्वे ताः षोडश कलाऽ अथ यऽ एतदन्तरेण प्राणः संचरति स ऽ एव सप्तदशः प्रजापतिः ॥ १७ ॥

(स्तु) तस्माऽएतस्मै प्राणाय। (यै) एताः षोडश कला ऽ अन्नमभिहरन्ति ता यदाऽनभिहर्तुं ध्रियन्तेऽथैताऽएव जग्ध्वोत्क्रामति तस्मादु हैतदशिशिषतस्तृप्रमिव भवति प्राणैरद्यमानस्य तस्मादु हैतदुपतापी कृशऽइव भवति प्राणैर्हि जग्धो भवति ॥ १८ ॥

तद्वै लोम-इति द्वे अक्षरे। त्वग्-इति द्वे। असृग्-इति द्वे। मेदः-इति द्वे। मांसम्-इति द्वे। स्नाव-इति द्वे। अस्थि-इति द्वे। मज्जा-इति द्वे। ताः षोडश कलाः। अथ य एतदन्तरेण प्राणः सञ्चरति। स एव सप्तदशः प्रजापतिः ॥ १७ ॥

तस्मा एतस्मै प्राणायैताः षोडश कला अन्नमभिहरन्ति। ता यदाऽनभिहर्तुं ध्रियन्ते-अथैता एव जग्ध्वोत्क्रामति। तस्मादु हैतदशिशिषतस्तृप्रमिव भवति-प्राणैरद्यमानस्य। तस्मादु हैतदुपतापी कृश इव भवति। प्रणैर्हि जग्धो भवति ॥ १८ ॥

द्वयस्य च अग्न्यादिनामत्रयभाक्त्वं प्रदर्श्यते। 'स एषः' प्रजापतिरूपोऽग्निः 'संवत्सरः' सप्तदशावयव इत्यर्थः। अंशस्तावदवयवत्वमाह-तस्यार्द्धमिति। आदौ "युञ्जानः प्रथमं मनः" (वा. सं. ११।१-८।) इत्यादिभिर्यजुरष्टमाभिर्ऋग्भिः क्रियमाणानि 'सावित्राण्यष्टौ' तदेकमग्नेरर्द्धम्। 'वैश्वकर्मणानि' षोडशगृहीतस्यार्द्धेन "य इमा विश्वा भुवनानि" (वा. सं. १७-।१७-२४) इत्यष्टभिर्ऋग्भिरेकाहुतिः। अवशिष्टेनार्द्धेन "चक्षुषः पिता मनसा" (वा. सं. १७।२५-३२।) इत्यष्टभिरपरा। अतोऽष्टशो गृहीतत्वादष्टावेव वैश्वकर्मणानि। तदपरमर्द्धम्, एवं षोडश सम्पद्यन्ते। तयोः सावित्रवैश्वकर्मणहोमयोर्मध्ये उखासम्भरणादि 'यत्' 'कर्म क्रियते' 'सः' एव 'सप्तदशः' अग्निः 'प्रजापतिः'। तद्धोमद्वयं कलाष्टकद्वयात्मना स्तौति-अष्टावेवास्य कला इति। 'अस्य' इति अग्निरूपप्रजापतेरित्यर्थः। यो वै कलेत्यस्यायमर्थः-'मनुष्याणां' या 'कला' इति व्यवहृता सैव 'देवानाम्' मते अक्षरमित्युच्यते। षोडशकलः पुरुष इति मनुष्यसंकेते देवैः षोडशाक्षरः पुरुष इति व्यवह्रियते ॥ १५ ॥ १६ ॥

तान्येवाक्षराणि शरीरे दर्शयति-तद्वै लोमेति द्वे अक्षरे इत्यादि। कलानामधेयानि लोमत्वगसृङ्मेदोमांसस्नावास्थिमज्जगतानि षोडशाक्षराणि शरीरे विद्यन्ते। तदंतरेण यत्कर्म श्वासप्रश्वासादिका क्रिया क्रियते स एव सप्तदशः प्रजापतिरग्निरित्यर्थः ॥ १७ ॥

तस्मा एतस्मै प्राणाय-इत्यादेरयमर्थः-'तस्मै' पुरुषशरीरमध्यवर्तिने पञ्चवृत्त्यात्मकप्राणाय 'एताः' उक्ताः 'षोडश कलाः' 'अन्नमभिहरन्ति' अर्प्पयन्ति। यदा ताः कला अन्नमभिहर्तुं 'न' 'ध्रियन्ते' न समर्थाः तदा प्राण एताः कलाः 'जग्ध्वा' भक्षयित्वा 'उत्क्रामति' देहान्निर्गच्छति। 'तस्मात्' लोके

१-अत्र "यदा नाभिहर्तुम्" इति पाठः साधीयान्प्रतिभाति।

तस्माऽएतस्मै सप्तदशाय प्रजापतये । (यऽ) एतत्सप्तदशमन्नꣳ सम-
स्कुर्वन्यऽ एष सौम्योऽध्वरोऽथ याऽअस्य ताः षोडश कलाऽ एते ते
षोडशर्त्विजस्तस्मान्न सप्तदशमृत्विजं कुर्वीत नेदतिरेचयानीत्यथ यऽ-
एवात्र रसो याऽ आहुतयो हूयन्ते तदेव सप्तदशमन्नम् ॥ १९ ॥

(न्ते) ते यदा स्तुवते यदाऽनुशꣳसति । (त्य) अथास्मिन्नेतं वषट्-
कृते जुहोति वौगिति वाऽएष षडितीदꣳ षड्विधमन्नं कृत्वाऽस्माऽ अपि-
दधात्यात्मसंमितं यदु वाऽआत्मसंमितमन्नं तदवति तन्न हिनस्ति यद्भूयो
हिनस्ति तद्यत्कनीयो न तदवति ॥ २० ॥

सऽ एषऽ एवार्कः । (र्को) योऽयमग्निश्चितस्तस्यैतदन्नं क्यमेष
सौम्योऽध्वरस्तदर्क्यं यजुष्टऽएषऽएव महांस्तस्यैतदन्नं व्रतं तन्महा-
व्रतꣳ सामतऽएषऽ उऽएवोक्तस्यैतदन्नं थं तदुक्थमृक्तस्तदेतदेकꣳ सत्रे-

---

तस्मा एतस्मै सप्तदशाय प्रजापतय एतत्सप्तदशमन्नं समस्कुर्वन् । य एष सौम्योऽध्वरः । अथ या अस्य ताः षोडश कलाः–एते ते षोडशर्त्विजः । तस्मान्न सप्तदशमृत्विजं कुर्वीत–नेदतिरेचयानीति । अथ य एवात्र रसः, या आहुतयो हूयन्ते-तदेव सप्तदशमन्नम् ॥ १९ ॥

ते यदा स्तुवते, यदाऽनुशंसति । अथास्मिन्नेतं वषट्कृते जुहोति । वौगिति वा एषः । षडितीदं षड्विधमन्नं कृत्वाऽस्मा अपिदधात्यात्मसंमितम् । यदु वा आत्मसंमितमन्नम्–तदवति । तन्न हिनस्ति । यद्भूयो हिनस्ति तत् । यत्कनीयो न तदवति ॥ २० ॥

स एष एवार्कः–योऽयमग्निश्चितः । तस्यैतदन्नं क्थम् । एष सौम्योऽध्वरः । तदर्क्यं–यजुष्टः । एष एव महान्–तस्यैतदन्नं व्रतम् । तन्महाव्रतम्–सामतः । एष उ एवोक्तस्यैतदन्नं थं तदुक्थम्–ऋक्तः ।

'अशिशिषतः' अशितुं भोक्तुमिच्छतः क्षुधितस्य 'प्राणैरद्यमानस्य' पुरुषस्य 'तृप्तमिव' संतप्तमिव भवति । "तृप तृप्तौ संदीपने इत्येके" (धा. पा. चु. २८६) इति धातुः । बुभुक्षितशरीरे धातुसंक्षयेण सदा व्यग्रता दृश्यत इत्यर्थः । यतः प्राणैरद्यते तस्माल्लोके 'उपतापी' ज्वरार्दितः कृशो भवति ॥ १८ ॥

अथ अन्यात्मकस्य प्रजापतेर्भोक्तुः सप्तदशात्मकत्वमुक्तं तद्भोग्यस्याप्यन्नस्य तत्संख्योपेततामाह–तस्मा एतस्मै सप्तदशाय प्रजापतय इति । षोडशर्त्विज अध्वर्यूद्गातृहोतृब्रह्माण उत्तरोत्तरपुरुषत्रयसमेताः । एवं यज्ञस्य 'षोडश कलाः' 'ऋत्विजां' षोडशकलारूपत्वोक्तेः तेभ्योऽन्यः सप्तदश ऋत्विक् न कर्तव्य इत्यर्थः । सप्तदशसंख्यापूरकस्तु सोमरसपुरोडाशाज्याहुत्यात्मकस्तदेवात्र 'सप्तदशम्' अन्नम् ॥ १९ ॥

यथा पूर्वं देवाः सप्तदशाय प्रजापतये संस्कृतवन्तस्तथाऽयमध्वर्युः स्तोत्रशस्त्रान्ते अस्मिन्नग्नौ एतं सोमरसादिकं वषट्कृते जुहोति । तत्र वौषडित्यक्षरद्वयस्य अन्यन्नरूपतां दर्शयति–वौगिति वा एष इति । पूर्ववद् व्याख्येयम् ॥

स एष एवार्को योऽयमग्निश्चितः–इत्यादिना–त्रेधाऽऽख्यायते–इत्यन्तेनार्क्यादिनामत्रयोक्तिः । अत्र

धाऽऽख्यायते सऽ एतेनान्नेन सहोर्ध्वऽउदक्रामत्स यः सऽ उदक्रामदसौ सऽ आदित्योऽथ येन तेनान्नेन सहोदक्रामदेष स चन्द्रमाः ॥ २१ ॥

स ऽएष ऽएवार्को य ऽएष तपति । तस्यैतदन्नं क्यमेष चन्द्रमास्त-दक्यँ यजुष्ट ऽ एष ऽ एव महांस्तस्यैतदन्नं व्रतं तन्महाव्रतꣳ सामत ऽ एष उऽएवोक्तस्यैतदन्नं थं तदुक्थमृक्कस्तदेतदेकꣳ सत्त्रेधाऽऽख्यायत ऽ इत्यधिदेवतम् ॥ २२ ॥

(म) अथाध्यात्मम् । (ब्रा) प्राणो वाऽअर्कस्तस्यान्नमेव क्यं तदक्यँ यजुष्टः प्राण ऽएव महांस्तस्यान्नमेव व्रतं तन्महाव्रतꣳ सामतः प्राण ऽउऽएवोक्तस्यान्नमेव थं तदुक्थमृक्कस्तदेतदेकꣳ सत्त्रेधाऽऽख्यायते स ऽएष ऽ एवैषोऽधिदेवतमयमध्यात्मम् ॥ २३ ॥

इति द्वितीयप्रपाठकेऽष्टमं ब्राह्मणम् ॥ १०–२–८ ॥ (४. १.) ॥

इति द्वितीयः प्रपाठकः समाप्तः ॥ १०–२ ॥

कण्डिकासंख्या ॥ १०९ ॥

तदेतदेकं सत् त्रेधाऽऽख्यायते । स एतेनान्नेन सहोर्ध्व उदक्रामत् । स यः स उदक्रामत्–असौ स आदित्यः । अथ येन तेनान्नेन सहोदक्रामदेष स चन्द्रमाः ॥ २१ ॥

स एष एवार्को य एष तपति । तस्यैतदन्नं क्यम्–एष चन्द्रमाः । तदक्यँ यजुष्टः । एष एव महांस्तस्यैतदन्नं व्रतं तन्महाव्रतं सामतः । एष उ एवोक् । तस्यैतदन्नं थम्–तदुक्थम् । ऋक्तः । तदेतदेकं सत् त्रेधाऽऽख्यायत इत्यधिदेवतम् ॥ २२ ॥

अथाध्यात्मम्–प्राणो वा अर्कस्तस्यान्नमेव क्यं तदक्यं यजुष्टः । प्राण एव महान्–तस्यान्नमेव व्रतं तन्महाव्रतं सामतः । प्राण उ एवोक्–तस्यान्नमेव थं तदुक्थं ऋक्तः । तदेकं सत् त्रेधाऽऽख्यायते । स एष एवैषोऽधिदेवतमयमध्यात्मम् ॥ २३ ॥

सौम्योऽध्वरः क्यमिति पदेनोच्यत इति विशेषः । अग्न्यन्नयोरधिदैवमादित्यचन्द्रार्थपरतामाह–स एतेनान्नेन सहोर्ध्व उदक्रामदिति । ' सः ' अग्निः प्रजापतिः ' एतेन ' हुतेन सप्तदशेन ' अन्नेन ' ' सह ' ' ऊर्ध्वम् ' उद्गतः । तत्राग्निः प्रजापतिरादित्यात्मना जातः । अन्नं चन्द्रमसो रूपम् ॥ २१ ॥

अत्रापि अर्क्यादिनामत्रयं योजयति–स एष एवार्क इति । अत्रार्कशब्दो मुख्य इत्याह–य एष तपतीति । तस्य ' चन्द्रमाः ' ' अन्नम् ' ' क्यम् ' इत्युच्यते । एवमादित्यचन्द्रमसोर्युगलं अर्क्यादिनामभिर्वेदत्रयसिद्धैर्व्यवह्रियत ' इत्यधिदेवतम् ' अर्थः ॥ २२ ॥

अध्यात्ममप्यर्कक्ययोरर्थमाह–अथाध्यात्मं प्राणो वा अर्क इति । प्राण एवार्कशब्देनोच्यते । अत्र मुख्यमन्नं क्यमित्युच्यते । अस्य प्राणान्नयुगलस्यार्क्यादिनामव्यपदेश्यत्वमित्यध्यात्मम् । अधिदैवाध्यात्मद्वयेन

अथ तृतीयप्रपाठके प्रथमं ब्राह्मणम् ।
चतुर्थेऽध्याये च द्वितीयं ब्राह्मणम् ।

संवत्सरो वै प्रजापतिरग्निः । सोमो राजा चन्द्रमाः स ह स्वयमेवात्मानं प्रोचे यज्ञवचसे राजस्तम्बायनाय यावन्ति वाव मे ज्योतीꣳषि तावत्यो मऽइष्टका ऽइति ॥ १ ॥

तस्य वाऽएतस्य संवत्सरस्य प्रजापतेः । सप्त च शतानि विꣳशतिश्चाहोरात्राणि ज्योतीꣳषि ता ऽइष्टकाः षष्टिश्च त्रीणि च शतानि परिश्रितः षष्टिश्च त्रीणि च शतानि यजुष्मत्यः सोऽयꣳ संवत्सरः प्रजापतिः सर्व्वाणि भूतानि ससृजे यच्च प्राणि यच्चाप्राणमुभयान्देवमनुष्यान्त्स सर्व्वाणि भूतानि सृष्ट्वा रिरिचानु ऽइव मेने स मृत्योर्बिभयां चकार ॥ २ ॥

संवत्सरो वै प्रजापतिः अग्निः । सोमो राजा चन्द्रमाः । स ह स्वयमेवात्मानं प्रोचे–यज्ञवचसे राजस्तंबायनाय । यावन्ति वाव मे ज्योतींषि–तावत्यो म इष्टका इति ॥ १ ॥

तस्य वा एतस्य संवत्सरस्य प्रजापतेः सप्त च शतानि विंशतिश्चाहोरात्राणि ज्योतींषि–ता इष्टकाः । षष्टिश्च त्रीणि च शतानि परिश्रितः । षष्टिश्च त्रीणि च शतानि यजुष्मत्यः । सोऽयं

समुदितमर्थमुपसंहरति–स एष एवैषोऽधिदेवतमिति । एष सन्तापक आदित्योऽधिदेवतम् । अयं प्राणोऽध्यात्ममित्यर्थः ॥ २३ ॥

इति श्रीसायणाचार्यविरचिते माधवीये वेदार्थप्रकाशे माध्यन्दिनीयशतपथब्राह्मणभाष्ये दशमकाण्डे चतुर्थेऽध्याये प्रथमं ब्राह्मणम् ॥ (१०–४–१) ॥

अथास्मिन् द्वितीये ब्राह्मणे प्रजापतिरूपचित्याग्नेः कालमन्त्रात्मकत्वं, चयनफलं च; मृत्युरूपत्वं मृत्युरूपोपासनाफलमुपधेयानामिष्टकानां सङ्ख्या, तद्विभागश्च, अग्नेरिष्टकानां च संवत्सरतदवयवाहोरात्रमुहूर्त्तात्मकत्वं मन्त्ररूपत्वं च स्पष्टमाम्नायते । तत्र प्रथमं संवत्सररूपप्रजापतेरग्नीषोमात्मकत्वमाह–संवत्सरो वै प्रजापतिरग्निः सोमो राजा चन्द्रमा इति । संवत्सरात्मकप्रजापतिरेवाग्निरित्युच्यते । सोमो राजैव चन्द्रमा इत्युच्यते । तच्चन्द्रमसो वचनमुत्तरत्र "यः स उदक्रामदेष स चन्द्रमाः"–(श. प. १० । ४ । २ । २७) इति प्रजापतेश्चन्द्रत्वोक्तावुपयुज्यते । सः प्रजापतिः स्वयमेव राजस्तम्बपुत्राय यज्ञवचसे यज्ञऋषये आत्मानं स्वस्वरूपं प्रोचे; किमिति ? तदाह–मे मम यावन्ति ज्योतींषि सन्ति तावत्यो मे इष्टकाः कार्याः इति प्रोवाच इति सम्बन्धः ॥ १ ॥

यदुक्तं प्रजापतिना यावन्ति ज्योतींषीति–तत्र ज्योतिःशब्दार्थं तत्सङ्ख्यां च श्रुतिः स्वयं लोकोपकाराय दर्शयति–तस्य वा एतस्येति । संवत्सररूपस्य प्रजापतेः विंशत्युत्तराणि सप्तशतसङ्ख्याकान्यहोरात्रलक्षणानि

स हेक्षां चक्रे । कथं न्वहमिमानि सर्वाणि भूतानि पुनरात्मन्नावपेय पुनरात्मन्दधीय कथं न्वहमेवैषाᳪं सर्वेषां भूतानां पुनरात्मा स्यामिति ॥ ३ ॥

स द्वेधाऽऽत्मानं व्यौहत् । (तत्) षष्टिश्च त्रीणि च शतान्यन्यतरस्येष्टकाऽअभवंस्तथाऽन्यतरस्य स न व्याप्नोत् ॥ ४ ॥

संवत्सरः प्रजापतिः सर्वाणि भूतानि ससृजे-यच्च प्राणि, यच्चाप्राणम् । उभयान्देवमनुष्यान् । स सर्वाणि भूतानि सृष्ट्वा रिरिचानः-इव मेने । स मृत्योर्बिभयां चकार ॥ २ ॥

स हेक्षां चक्रे । कथं न्वहमिमानि सर्वाणि भूतानि पुनरात्मन्नावपेय । पुनरात्मन्दधीय । कथं न्वहमेवैषां सर्वेषां भूतानां पुनरात्मा स्यामिति ॥ ३ ॥

स द्वेधाऽऽत्मानं व्यौहत्-षष्टिश्च त्रीणि च शतान्यन्यतरस्येष्टका अभवन् । एवमन्यतरस्य । स न व्याप्नोत् ॥ ४ ॥

ज्योतींषि विद्यन्ते ता अत्रेष्टकाः संपन्नाः । संवत्सरे षष्ट्युत्तरत्रिशतसंख्यान्यहानि तावत्यो रात्रयः, इत्युक्तसंख्या सिद्धेत्यर्थः । उक्तामहोरात्रसंख्यामिष्टकासु दर्शयति-षष्टिश्च त्रीणीति । परिश्रितो नाम परित उपधेयाः शर्कराः । एवं च मन्त्रैरुपहिता इष्टकाः षष्ट्यधिकत्रिशतसंख्याका भवन्तीति, तावतीनां यजुर्मन्त्रोपहितानामिष्टकाना तावत्यः परिश्रितः-इत्यहोरात्रसंख्या परिश्रिद्यजुष्मतीनामस्तीति अग्नेः संवत्सरात्मकप्रजापतित्वम् । परिश्रिद्यजुष्मतीनामेषा भवत्येव संख्येत्युत्तरत्र वक्ष्यते । अथ संवत्सराग्नेः पक्षगततिथ्यर्द्धमासमुहूर्तान् दर्शयितुं प्रस्तौति-सोऽयं संवत्सरः प्रजापतिः सर्वाणि भूतानीति । सोऽयमग्निसंवत्सरात्मकः प्रजापतिः सकलं 'प्राणि' चेष्टमानं जङ्गमम् 'अप्राणम्' अचेष्टमानं स्थावरम् उभयान् द्विप्रकारान् देवमनुष्यान् सृष्ट्वा रिरिचान इव मेने । यथा लोके कश्चन धनाढ्यो धनं विद्यां वा दत्त्वा रिक्तः शून्यः मम किञ्चिदपि नावशिष्टमिति मन्यते; एवमयं रिक्तः सन् मृत्योः सकाशाद् भीतः ॥ २ ॥

स हेति । 'सः' 'ईक्षांचक्रे' पर्यालोचितवान् । कथमिमानि सृष्टानि भूतानि आत्मनि 'पुनरावपेय' प्रक्षिपेयम्, प्रक्षिप्य कथमात्मनि 'दधीय' धारयेयम्, कथं चाहं सर्वभूतानामात्मा भवेयमिति विचार्य पूर्वमेकः सन् प्रजापतिः स्वात्मानं द्वेधा 'व्यौहत्' व्यभजत् विभक्तयोर्द्वयोरात्मनोः पूर्वोक्ता अहोरात्रसंख्याकाः परिश्रित इष्टकाश्च विभज्य दर्शयति-षष्टिश्च त्रीणि च शतान्यन्यतरस्येष्टका अभवन्निति । पूर्वं परिश्रितो यजुष्मत्यश्चोभय्यो विंशत्यधिकसप्तशतसंख्याका इत्युक्तम् । तासां समविभाग एकैकस्य षष्ट्यधिकत्रिशतसङ्ख्याका यजुष्मत्य इष्टकाः, परिश्रितश्च सम्भूय भवन्तीत्यर्थः । परिश्रितामपि "तया देवतयाऽङ्गिरस्वद्"-(वा. सं. १२ । ५३) इति मन्त्रेणोपधानादिष्टकाशब्दव्यवहार्यत्वमिति मन्तव्यम् । एवमुत्तरत्र त्रिचतुरप्रभृत्यात्मविभागेषु तत्तदात्मसंख्यया विंशत्यधिकसप्तशतसंख्या एव परिश्रिद्यजुष्मतीर्विभज्य दर्शयिष्यतीति न तत्र वक्तव्यमस्ति । त्रिप्रभृत्यात्मान्तरकल्पने कारणमाह-स न व्याप्नोदिति । एतावता द्वेधाऽऽत्मव्यूहेन सर्वभूतानि स्वात्मनि प्रक्षेप्तुं धारयितुं स्वयं च तेषामात्मा भवितुं समर्थो नाभवदित्यर्थः ॥ ३ ॥ ४ ॥

(त्री) त्रीनात्मनोऽकुरुत । तिस्रस्तिस्रोऽशीतय ऽएकैकस्येष्टका ऽअभवन्त्स नैव व्याप्नोत् ॥ ५ ॥

(च्च) चतुर ऽ आत्मनोऽकुरुत । (ता) अशीतिशतेष्टकान्त्स नैव व्याप्नोत् ॥ ६ ॥

(त्पु) पञ्चात्मनोऽकुरुत । चतुश्चत्वारिꣳशꣳ शतमेकैकस्येष्टका ऽअभवन्त्स नैव व्याप्नोत् ॥ ७ ॥

(त्षु) षडात्मनोऽकुरुत । विꣳशतिशतेष्टकान्त्स नैव व्याप्नोन्न सप्तधा व्यभवत् ॥ ८ ॥

(द) अष्टावात्मनोऽकुरुत । नवतीष्टकान्त्स नैव व्याप्नोत् ॥ ९ ॥

(न्नु) नवात्मनोऽकुरुत । (ता) अशीतीष्टकान्त्स नैव व्याप्नोत् ॥ १० ॥

(द्दु) दशात्मनोऽकुरुत । द्वासप्ततीष्टकान्त्स नैव व्याप्नोन्नैकादशधा व्यभवत् ॥ ११ ॥

त्रीनात्मनोऽकुरुत । तिस्रस्तिस्रोऽशीतय एकैकस्येष्टका अभवन् । स नैव व्याप्नोत् ॥ ५ ॥
चतुर आत्मनोऽकुरुत—अशीतिशतेष्टकान् । स नैव व्याप्नोत् ॥ ६ ॥
पञ्चात्मनोऽकुरुत । चतुश्चत्वारिंशं शतमेकैकस्येष्टका अभवन् । स नैव व्याप्नोत् ॥ ७ ॥
षडात्मनोऽकुरुत—विंशतिशतेष्टकान् । स नैव व्याप्नोत् । न सप्तधा व्यभवत् ॥ ८ ॥
अष्टावात्मनोऽकुरुत—नवतीष्टकान् । स नैव व्याप्नोत् ॥ ९ ॥
नवात्मनोऽकुरुत—अशीतीष्टकान् । स नैव व्याप्नोत् ॥ १० ॥
दशात्मनोऽकुरुत—द्वासप्ततीष्टकान् । स नैव व्याप्नोत् । नैकादशधा व्यभवत् ॥ ११ ॥

त्रिधाऽऽत्मविभागे एकैकस्य भागस्य अशीतित्रयसंख्याका इष्टकाः; तेषामशीतित्रयाणां त्रयं मिलित्वा गणने सति विंशत्यधिकसप्तशतसंख्या सम्पद्यत इत्यर्थः ॥ ५ ॥

चतुर्धाऽऽत्मविभागे एकैकस्य अशीत्यधिकशतसंख्याका इष्टका भवन्ति ॥ ६ ॥

पञ्चधा विभागे एकैकस्यात्मनश्चतुश्चत्वारिंशदधिकशतसंख्याका भवन्ति । "तदस्मिन्नधिकमिति दशान्ताड्डः "—(पा. सू. ५ । २ । ४५) "शदन्तविंशतेश्च "—(पा. सू. ५ । २ । ४६) इति चतुश्चत्वारिंशत्पदस्य डप्रत्ययः ॥ ७ ॥

षोढाविभागे विंशत्यधिकशतसंख्याका भवन्ति । न सप्तधा व्यभवदित्यस्यायमर्थः—सप्तधाऽऽत्मविभागे विंशत्यधिकसप्तशतसंख्यानां संवत्सरावयवभूताहोरात्ररूपाणां परिश्रिदिष्टकानां समविभागो न भवति, किन्तु न्यूनोऽधिको वा भवतीति मत्वा सप्तधा विभागं न कृतवान् । एवमुत्तरत्र विभागाभाववचनस्यायमेवार्थ उन्नेयः ॥ ८ ॥

अष्टावात्मनोऽकुरुतेत्यादि त्रयोविंशतिधेत्येवमन्तं निगदव्याख्यातम् ॥ ९-११ ॥

(द्वा) द्वादशात्मनोऽकुरुत । षडीष्टकान्त्स नैव व्याप्नोन्न त्रयोदशधा व्यभवन्न चतुर्दशधा ॥ १२ ॥

पञ्चदशात्मनोऽकुरुत । (ता) अष्टाचत्वारिꣳशदिष्टकान्त्स नैव व्याप्नोत् ॥ १३ ॥

(त्षो) षोडशात्मनोऽकुरुत । पञ्चचत्वारिꣳशदिष्टकान्त्स नैव व्याप्नोन्न सप्तदशधा व्यभवत् ॥ १४ ॥

(द) अष्टादशात्मनोऽकुरुत । चत्वारिꣳशदिष्टकान्त्स नैव व्याप्नो-न्नैकान्नविꣳशतिधा व्यभवत् ॥ १५ ॥

(द्वि) विꣳशतिमात्मनोऽकुरुत । षट्त्रिꣳशदिष्टकान्त्स नैव व्याप्नो-न्नैकविꣳशतिधा व्यभवन्न द्वाविꣳशतिधा न त्रयोविꣳशतिधा ॥ १६ ॥

चतुर्विꣳशतिमात्मनोऽकुरुत । त्रिꣳशदिष्टकान्त्सोऽत्रातिष्ठत पञ्चदशे व्यूहे तद्यत्पञ्चदशे व्यूहेऽतिष्ठत तस्मात्पञ्चदशापूर्यमाणस्य रूपाणि पञ्चदशापक्षीयमाणस्य ॥ १७ ॥

द्वादशात्मनोऽकुरुत–षडीष्टकान् । स नैव व्याप्नोत् । न त्रयोदशधा व्यभवत् । न चतुर्दशधा ॥ १२ ॥

पञ्चदशात्मनोऽकुरुत–अष्टाचत्वारिंशदिष्टकान् । स नैव व्याप्नोत् ॥ १३ ॥

षोडशात्मनोऽकुरुत–पञ्चचत्वारिंशदिष्टकान् । स नैव व्याप्नोत् । न सप्तदशधा व्यभवत् ॥ १४ ॥

अष्टादशात्मनोऽकुरुत–चत्वारिंशदिष्टकान् । स नैव व्याप्नोत् । नैकान्नविंशतिधा व्यभवत् ॥ १५ ॥

विंशतिमात्मनोऽकुरुत–षट्त्रिंशदिष्टकान् । स नैव व्याप्नोत् । नैकविंशतिधा व्यभवत् । न द्वाविंशतिधा । न त्रयोविंशतिधा ॥ १६ ॥

चतुर्विंशतिमात्मनोऽकुरुत–त्रिंशदिष्टकान् । सोऽत्रातिष्ठत–पञ्चदशे व्यूहे । तद् यत्पञ्चदशे व्यूहेऽतिष्ठत–तस्मात्पञ्चदशापूर्यमाणस्य रूपाणि । पञ्चदशापक्षीयमाणस्य ॥ १७ ॥

चतुर्विंशतिधाऽऽत्मविभागे एकैकस्यात्मनस्त्रिंशत्संख्याका इष्टका भवन्ति, मिलित्वा चतुर्विंशतेस्त्रिंशता गुणने विंशत्यधिकसप्तशतसंख्या जायते । इत उत्तरमात्मविभागो नास्तीत्याह–सोऽत्रातिष्ठत पञ्चदशे व्यूह इति । स प्रजापतिरत्र चतुर्विंशतिधाऽऽत्मविभागे 'अतिष्ठत' स्थितः । अत्र चतुर्विंशतेर्मध्ये आत्मविभागस्थानानां परिगणने द्वित्रिचतुरादयः चतुर्दश व्यूहाः, पूर्वस्त्वेक इति पञ्चदश व्यूहाः । न सप्तधा व्यभवन्नैकादशधेत्यादय आत्मविभागप्रदेशा न भवन्तीति न तेषां व्यूहसंज्ञाऽस्ति, व्यूहपञ्चदशकं पक्षावयवपञ्चदशतिथ्यात्मना स्तौति–तद्यत्पञ्चदशे व्यूहेऽतिष्ठतेति । आपूर्यमाणस्य चन्द्रकलाभिः पूरयितव्यस्य शुक्लपक्षस्य, अपक्षीयमाणस्य कृष्णपक्षस्य च पञ्चदश रूपाणि तिथय इत्यर्थः ॥ १७ ॥

(स्या) अथ यच्चतुर्विꣳशतिमात्मनोऽकुरुत तस्माच्चतुर्विꣳशत्यर्धमासाः संवत्सरः स एतैश्चतुर्विꣳशत्या त्रिꣳशदिष्टकैरात्मभिर्न व्यभवत्स पञ्चदशाह्नो रूपाण्यपश्यदात्मनस्तन्वो मुहूर्ताँल्लोकम्पृणाः पञ्चदशैव रात्रेस्तद्यन्मुहु त्रायन्ते तस्मान्मुहूर्ताऽअथ यत्क्षुद्राः सन्त ऽ इमाँल्लोकानापूरयन्ति तस्माल्लोकम्पृणाः ॥ १८ ॥

(ऽ) एष वाऽइदꣳ सर्वं पचति । (त्य) अहोरात्रैरर्धमासैर्मासैर्ऋतुभिः संवत्सरेण तदमुना पक्वमयं पचति पक्वस्य पक्तेति ह स्माह भारद्वाजोऽग्निममुना हि पक्वमयं पचतीति ॥ १९ ॥

अथ यच्चतुर्विंशतिमात्मनोऽकुरुत–तस्माच्चतुर्विंशत्यर्धमासः संवत्सरः । स एतैश्चतुर्विंशत्या त्रिंशदिष्टकैरात्मभिर्न व्यभवत् । स पञ्चदशाह्नो रूपाण्यपश्यदात्मनस्तन्वो मुहूर्तान्–लोकम्पृणाः । पञ्चदशैव रात्रेः । तद् यन्मुहुः त्रायन्ते–तस्मान्मुहूर्ताः । अथ यत्क्षुद्राः सन्त इमाँल्लोकानापूरयन्ति–तस्माल्लोकम्पृणाः ॥ १८ ॥

एष वा इदं सर्वं पचाति–अहोरात्रैः, अर्धमासैः, मासैः, ऋतुभिः, संवत्सरेण । तदमुना पक्वमयं पचाति । पक्वस्य पक्तेति ह स्माह भारद्वाजोऽग्निम् । अमुना हि पक्वमयं पचतीति ॥ १९ ॥

चतुर्विंशतिधा विभागानर्द्धमासात्मना स्तौति–अथ यच्चतुर्विंशतिमिति । एवं संवत्सररूपाऽग्नेः पक्षगततिथ्यर्द्धमासा उक्ताः, मुहूर्त्तानपि दर्शयति–स एतैश्चतुर्विंशत्येत्यादिना । एतैः चतुर्विंशतिधा विभागैर्न व्यभवत्प्रजापतिः । 'सः' पञ्चदशसंख्याकान्यह्नो रूपाण्यपश्यत्, तथा रात्रे रूपाणि च । अहोरात्ररूपाणीति यदुक्तं तस्यार्थो मुहूर्त्ताः । लोकंपृणेष्टकानां मुहूर्त्तरूपत्वं वक्तुं लोकंपृणा इत्यन्तेनोक्तिः । अहोरात्रसम्बन्धिनो मुहूर्त्ताः लोकंपृणेष्टका इत्यर्थः । एकस्याहोरात्रस्य षष्टिर्घटिकाः, ते द्वे द्वे एकैको मुहूर्त्त इति त्रिंशन्मुहूर्त्ताः । तत्राह्नः पञ्चदश रात्रेश्च तावन्त इत्यर्थः । मुहूर्त्तशब्दं निर्वक्ति–तद्यन्मुहुस्त्रायन्त इति । लोकंपृणेष्टकानां मुहूर्त्तरूपत्वं वक्तुं लोकंपृणाशब्दं मुहूर्त्तपरत्वेन निर्वक्ति–अथ यत्क्षुद्रा इति । क्षुद्रा अल्पपरिमाणाः सन्तः सर्वलोकान् पूरयन्तीति लोकंपृणाः ॥ १८ ॥

एष वा इदं सर्वं पचतीत्यादि । न हि कालानवच्छिन्नं वस्त्वस्ति । सूर्य एव अहोरात्रादिसंवत्सरान्तकालेन प्रथमं सर्वं वस्तु पचति, पश्चादयमग्निरमुना सूर्येण पक्वं पचति । उक्तार्थे भारद्वाजसंवादः–पक्वस्य पक्तेति हि भारद्वाजनाग्निर्व्यवहृतः, अतोऽग्निसूर्ययोः प्रजापत्यात्मनोरभेदादहोरात्रमासादिभिः जगत्परिपाकनिमित्तत्वात् सूर्यगत्यधीनाः संवत्सरावयवा अहोरात्रसम्बन्धिनो मुहूर्त्ता एव चित्याग्न्यवयवभूतलोकंपृणेष्टका इति तात्पर्यार्थः ॥ १९ ॥

तानि संव्वत्सरे । दश च सहस्राण्यष्टौ च शतानि समपद्यन्त सोऽत्रा-
तिष्ठत दशसु च सहस्रेष्वष्टासु च शतेषु ॥ २० ॥

(ष्व) अथ सर्व्वाणि भूतानि पर्य्यैक्षत् । (त्स) स त्रय्यामेव विद्यायाᳬं सर्व्वाणि भूतान्यपश्यदत्र हि सर्व्वेषां छन्दसामात्मा सर्व्वेषाᳬं स्तोमानाᳬं सर्व्वेषां प्राणानाᳬं सर्व्वेषां देवानामेतद्वाऽअस्त्येतद्ध्यमृतं यद्ध्यमृतं तद्ध्यस्त्येतदु तद्यन्मर्त्यम् ॥ २१ ॥

(ᳬं) स ऽऐक्षत प्रजापतिः । (स्र) त्रय्यां वाव विद्यायाᳬं सर्व्वाणि भूतानि हन्त त्रयीमेव विद्यामात्मानमभिसᳬंस्करवाऽइति ॥ २२ ॥

तानि सम्वत्सरे दश च सहस्राणि, अष्टौ च शतानि समपद्यन्त । सोऽत्रातिष्ठत-दशसु च सहस्रेषु, अष्टासु च शतेषु ॥ २० ॥

अथ सर्वाणि भूतानि पर्यैक्षत् । स त्रय्यामेव विद्यायां सर्वाणि भूतान्यपश्यत् । अत्र हि सर्वेषां छन्दसामात्मा । सर्वेषां स्तोमानाम् । सर्वेषां प्राणानाम् । सर्वेषां देवानाम् । एतद्वा अस्त्येतद्ध्यमृतम् । यद्ध्यमृतं तद्ध्यस्ति । एतदु तद् यन्मर्त्यम् ॥ २१ ॥

स ऐक्षत प्रजापतिः । त्रय्यां वाव विद्यायां सर्वाणि भूतानि । हन्त त्रयीमेव विद्यामात्मानमभिसंस्करवा इति ॥ २२ ॥

यदुक्तं पञ्चदशाह्नो रूपाणि मुहूर्त्ताः, पञ्चदश रात्रेरित्यनेन एकैकस्याहोरात्रस्य त्रिंशन्मुहूर्त्ता भवन्तीति, ते मुहूर्ताः संवत्सरे सम्भूयैतावन्तः स्युरिति परिगणयति-तानि संवत्सरे दशेति । प्रतिमासं नवशतसङ्ख्याका मुहूर्ताः, मिलित्वा अष्टशताधिकदशसहस्रसम्मिताः संवत्सरे भवन्तीत्यर्थः । सोऽत्रातिष्ठतेति । उक्तसंख्येषु संवत्सरसम्बन्धिषु मुहूर्तेषु प्रतिष्ठितोऽभवत् ॥ २० ॥

यत्पूर्वं प्रजापतिना-" कथं न्वहमिमानि भूतानि पुनरात्मन्नावपेय, पुनरात्मन् दधीय, कथं न्वहमेवैषाᳬं सर्व्वेषां भूतानामात्मा स्यामिति " (श. प. १०।४।२।३) इतीक्षितं तदभिधानव्याजेन त्रय्याः सर्वभूतात्मकता प्रतिपाद्यते-अथ सर्वाणि भूतानि पर्यैक्षदित्यादिना । ' पर्यैक्षत् ' अन्विष्येष व्याप्तुमिति शेषः । त्रयी विद्या वेदत्रयम् तत्र सर्वभूतानि दृष्टवान् । त्रय्याः सर्वाश्रयत्वमाह-अत्र हि सर्वेषां छन्दसामिति । गायत्र्यादिसकलच्छन्दसां स्वरूपमस्ति, स्तोमास्त्रिवृदादयः, मन्त्राणां सकलदेवप्रतिपादकत्वाद्देवस्वरूपमप्यस्ति, किं बहुना मर्त्यामृतभेदेन यद् द्विविधं तत्सर्वं त्रय्येवेत्याह-एतद्वा अस्तीत्यादिना । एतत्त्रयीरूपं वस्तु ' अस्ति ' सर्वदा विद्यते । एतदेव खल्वमृतं नाशरहितम् । त्रय्यास्तावदमृतत्वं नित्यत्वात् स्वतः सिद्धम् । यस्मादमृतं तस्मादस्ति, यतः सदा विद्यते तस्मादमृतानां देवानामाश्रयं तेनामृतात्मकत्वं, यच्च ' मर्त्यं ' मरणधर्मकं मनुष्यादि तदप्येतत्त्रयीरूपमेव अतो मर्त्यामृतात्मकं सर्वं जगदत्रान्तर्भूतमित्यर्थः ॥ २१ ॥

यस्मात् ' त्रय्यां ' सर्वभूतानि विद्यन्ते अतः ' हन्तेति ' हर्षे ' त्रयीमेव विद्यामात्मानमभि ' लक्ष्य

स ऽ ऋचो व्यौहत् । (द्वा) द्वादश बृहतीसहस्राण्येतावत्यो हऽर्चो याः प्रजापतिसृष्टास्तास्त्रिꣳशत्तमे व्यूहे पङ्क्तिष्वतिष्ठन्त ता यत्त्रिꣳशत्तमे व्यूहेऽतिष्ठन्त तस्मात्त्रिꣳशन्मासस्य रात्रयोऽथ यत्पङ्क्तिषु तस्मात्पाङ्क्तः प्रजापतिस्ता अष्टाशतꣳ शतानि पङ्क्तयोऽभवन् ॥ २३ ॥

(न्न) अथेतरौ वेदौ व्यौहत् । (द्वा) द्वादशैव बृहतीसहस्राण्यष्टौ यजुषां चत्वारि साम्नामेतावद्धैतयोर्वेदयोर्यत्प्रजापतिसृष्टं तौ त्रिꣳशत्तमे व्यूहे पङ्क्तिष्वतिष्ठेतां तौ यत्त्रिꣳशत्तमे व्यूहेऽतिष्ठेतां तस्मात्त्रिꣳशन्मासस्य रात्रयोऽथ यत्पङ्क्तिषु तस्मात्पाङ्क्तः प्रजापतिस्ता ऽअष्टाशतमेव शतानि पङ्क्तयोऽभवन् ॥ २४ ॥

स ऋचो व्यौहत्—द्वादश बृहतीसहस्राणि । एतावत्यो हर्चो याः प्रजापतिसृष्टाः । तास्त्रिंशत्तमे व्यूहे पङ्क्तिष्वतिष्ठन्त । ता यत्त्रिंशत्तमे व्यूहेऽतिष्ठन्त । तस्मात्त्रिंशन्मासस्य रात्रयः । अथ यत्पाङ्क्तिषु—तस्मात्पाङ्क्तः प्रजापतिः । ता अष्टाशतं शतानि पङ्क्तयोऽभवन् ॥ २३ ॥

अथेतरौ वेदौ व्यौहत्—द्वादशैव बृहतीसहस्राणि । अष्टौ यजुषाम् । चत्वारि साम्नाम् । एतावद्धैतयोर्वेदयोर्यत्प्रजापतिसृष्टम् । तौ त्रिंशत्तमे व्यूहे पङ्क्तिष्वतिष्ठेताम् । तौ यत्त्रिंशत्तमे व्यूहेऽतिष्ठे-

---

'संस्करवै' वेदत्रयात्मकं स्वशरीरं संस्कृतं करवाणीति विचार्य स प्रजापतिर्द्वादश–बृहतीसहस्रसम्मिताः 'ऋचो' 'व्यौहत्' विभक्तवान् । ऋचां न्यूनाधिकसङ्ख्यासंशयं व्युदस्यति—एतावत्यो हऽर्चो याः प्रजापतिसृष्टा इति । 'तास्त्रिशत्तमे व्यूहे' इत्यादेः, 'अष्टाशतं शतानि पङ्क्तयोऽभवन्' इत्येवमन्तस्यायमर्थः—ता द्वादशसहस्र-सङ्ख्याका बृहत्य ऋचो द्वित्रिचतुरादिक्रमेण पूर्ववद्विभज्यावसाने त्रिंशद्भागाः कृताः । तत्र एकैकस्य भागस्य चतुःशतं बृहत्यः, एष त्रिंशत्तमः त्रिंशत्सङ्ख्यापूरको व्यूहो विभागस्थानमित्यर्थः । बृहती षट्त्रिंशदक्षरा, पङ्क्तिस्तु चत्वारिंशदक्षरा, अतो दश बृहत्यो नव पङ्क्तयः सम्पद्यन्ते । एवं शतं बृहत्यो नवतिः पङ्क्तयः । तथा चैकैकभागगतबृहतीचतुःशतस्य षष्ट्यधिकत्रिशतसङ्ख्याकाः पङ्क्तयः सम्पद्यन्ते । एवं सर्वासां त्रिंशत्सङ्ख्याका-त्मगतद्वादशसहस्रसम्मितानां बृहतीच्छन्दस्कानामृचां पङ्क्तित्वसम्पादने सहस्रं बृहत्यो नवशतपङ्क्तय इति रीत्या द्वादशानां बृहतीसहस्राणां द्वादशशतानि न्यूनानि । एवं च अष्टाशतं शतानि पङ्क्तयो भवन्ति । अष्टोत्तर-शतसङ्ख्यायाः नियतानि शतं शतानि तावत्यः पङ्क्तयो जाताः; अष्टाशतानि दशसहस्राणि अष्टशताधिकानी-त्यर्थः । तत्र ऋचां त्रिंशत्तमे भागे तत्रापि पङ्क्तिष्ववस्थानं च प्रशंसति—ता यत्त्रिंशत्तमे व्यूह इति । यतस्त्रिंश-द्भागाः, अतो 'मासस्य' त्रिंशद्रात्रयः, यतः पङ्क्तिष्वतिष्ठन्त अतः 'पाङ्क्तः प्रजापतिः' पाङ्क्तत्वं नाम पञ्चसङ्ख्यावत्त्वम्–पञ्चपदा पङ्क्तिरिति संख्यासाम्यात् प्रजापतेर्लोमत्वङ्मांसास्थिमज्जात्मानः पञ्च चितय इति षष्ठे प्रतिपादितम् (श. प. का. ६) ॥ २२ ॥ २३ ॥

यथा ऋग्वेदस्य त्रिंशता विभागैर्विभक्तानां द्वादशसहस्रबृहतीनां पङ्क्तित्वसम्पादनेन अष्टशताधिकदशसहस्र-सम्मिताः पङ्क्तयो जाताः एवं यजुःसामवेदयोरपि विभागं पङ्क्तित्वसम्पादनं च प्रदर्शयति—अथेतरौ वेदौ

(वंस्ते) ते सर्व्वे त्रयो व्वेदाः । (०) दश च सहस्राण्यष्टौ च शतान्यशीतीनामभवन्त्स मुहूर्तेन मुहूर्तेनाशीतिमाप्नोन्मुहूर्तेन मुहूर्तेनाशीतिः समपद्यत ॥ २५ ॥

स ऽएषु त्रिषु लोकेषूखायाम् । योनौ रेतोभूतमात्मानमसिञ्चच्छन्दोमयꣳ स्तोममयं प्राणमयं देवतामयं तस्यार्धमासे प्रथमऽआत्मा समस्क्रियत दवीयसि पुरो दवीयसि पुरः संव्वत्सरऽएव सर्व्वः कृत्स्नः समस्क्रियत ॥ २६ ॥

ताम्—तस्मात्त्रिंशन्मासस्य रात्रयः । अथ यत्पङ्क्तिषु—तस्मात्पाङ्क्तः प्रजापतिः । ता अष्टाशतमेव शतानि पङ्क्त्योऽभवन् ॥ २४ ॥

ते सर्वे त्रयो वेदाः दश च सहस्राण्यष्टौ च शतान्यशीतीनामभवन् । स मुहूर्तेन—मुहूर्तेनाशीतिमाप्नोत् । मुहूर्तेन मुहूर्तेनाशीतिः समपद्यत ॥ २५ ॥

स एषु त्रिषु लोकेषूखायां योनौ रेतोभूतमात्मानमसिञ्चत्—छन्दोमयम्, स्तोममयम्, प्राणमयम्, देवतामयम् । तस्यार्धमासे प्रथम आत्मा समस्क्रियत । दवीयसि परः । दवीयसि परः । सम्वत्सर एव सर्वः कृत्स्नः समस्क्रियत ॥ २६ ॥

व्यौहदिति । अनयोरपि वेदयोर्द्वादशबृहतीसहस्राणामृचां तत्र यजुषामष्टौ सहस्राणि, साम्नां चत्वारि मिलित्वोक्तैव संख्या । एतावत्य एव हि पूर्वं वेदद्वये प्रजापतिना सृष्टा ऋच इति । न ततो न्यूना वा अधिका वेत्यर्थः । तौ त्रिंशत्तमे व्यूहे पङ्क्तिष्वतिष्ठेतामित्यादिकं पूर्ववद् व्याख्येयम् । एवं त्रय्याः अष्टशताधिकदशसहस्रपङ्क्तिरूपत्वसम्पादनाय संवत्सरस्य प्रजापतेर्मुहूर्त्तसंख्यासाम्येन त्रयीशरीरकत्वमुक्तम् ॥ २४ ॥

अथात्र वेदत्रयगताः सकलाः पङ्क्तीः सम्भूय अशीत्यात्मना सम्पादयति—ते सर्वे त्रयो वेदा इति । वेदत्रये तावत् चतुर्विंशतिबृहतीसहस्राणि, षट्शताधिकैकविंशतिसहस्रसम्मिताः पङ्क्तयः सम्पन्नाः । पङ्क्तिश्चत्वारिंशदक्षरा, पङ्क्तिद्वयं अशीतिरेका भवति, अशीत्यक्षराणि भवन्तीत्यर्थः । एवं च वेदत्रयगताः सर्वाः पङ्क्तयो द्वयोर्द्वयोरेकैकाऽशीतिर्भवतीति न्यायेन अष्टशताधिकदशसहस्रसंख्या इति प्रागुक्तम् । अत उभयोः संख्यासाम्यान्मुहूर्त्तानामशीत्यात्मना सम्पत्तिः ॥ २५ ॥

उक्तरीत्या प्रजापतेः संवत्सरात्मकत्वं स्पष्टमुक्तमिति दर्शयति—स एषु त्रिषु लोकेष्विति । 'स' प्रजापतिः लोकत्रयरूपायामुखायां योनावात्मानं रेतोरूपेण सिक्तवान् । आत्मानं विशिनष्टि—छन्दोमयमिति । त्रयीविद्यायां हि छन्दस्तोमप्राणदेवताः सन्तीति प्रागुक्तम्, तन्मयमात्मानं सिक्तवान् । तत्र तस्य प्रजापतेः प्रथम आत्माऽर्द्धमासे संस्कृतश्चतुर्विंशतिधा विभक्ता तावत्संख्या अर्द्धमासा इति तत्रैव संस्कृत इत्युच्यते । परोऽन्य आत्मा दवीयसि दूरतरे मासतिथ्यात्मके वेदत्रयस्य त्रिंशद्धा विभागे चतुर्विंशतेर्दूरतर इत्यर्थः । पुनर्दवीयसि पर इति वचनं मुहूर्त्तात्मके सर्वत्राप्येतेषां बहुसंख्यासंख्येयत्वादत्यन्तदूरतरत्वम् । एवं संवत्सर एव अर्द्धमासतिथिमुहूर्त्तात्मके सर्वत्रात्मा कृत्स्नः संस्कृतः ॥ २६ ॥

१-' नैवाशीतिम् ' इत्येवमत्र क. पु. पाठो दृश्यते ।

तद्यत्परिश्रितमुपाधत्त । तद्रात्रिमुपाधत्त तदनु पञ्चदश मुहूर्तान्मुहूर्ता-
ननु पञ्चदशाशीतीरथ यद्यजुष्मतीमुपाधत्त तदहरुपाधत्त तदनु पञ्चदश
मुहूर्तान्मुहूर्ताननु पञ्चदशाशीतीरेवमेतां त्रयीं विद्यामात्मन्नावपतात्मन्न-
कुरुत सोऽत्रैव सर्व्वेषां भूतानामात्माऽभवच्छन्दोमय स्तोममयः प्राण-
मयो देवतामयः सऽएतन्मयऽ एव भूत्वोर्ध्वऽ उदक्रामत्स यः सऽ उद-
क्रामदेष स चन्द्रमाः ॥ २७ ॥

(स्तु) तस्यैषा प्रतिष्ठा । यऽ एष तपत्येतस्मादेवाध्यचीयतैतस्मिन्न-
ध्यचीयतात्मनऽएवैनं तन्निरमिमीतात्मनः प्राजनयत् ॥ २८ ॥

तद् यत्परिश्रितमुपाधत्त—तद्रात्रिमुपाधत्त । तदनु पञ्चदश मुहूर्तान् । मुहूर्ताननु पञ्चदशाशीतीः । अथ यद्यजुष्मतीमुपाधत्त—तदहरुपाधत्त । तदनु पञ्चदश मुहूर्तान् । मुहूर्ताननु पञ्चदशाशीतीः । एवमेतां त्रयीं विद्यामात्मन्नावपत । आत्मन्नकुरुत । सोऽत्रैव सर्वेषां भूतानामात्माऽभवत्—छन्दोमयः, स्तोममयः, प्राणमयः, देवतामयः । स एतन्मय एव भूत्वोर्ध्व उदक्रामत् । स यः स उदक्रामद्—एष स चन्द्रमाः ॥ २७ ॥

तस्यैषा प्रतिष्ठा य एष तपति, एतस्मादेवाध्यचीयत । एतस्मिन्नध्यचीयत । आत्मन एवैनं तन्निरमिमीत । आत्मनः प्राजनयत् ॥ २८ ॥

यदुक्तं प्रजापतेः संवत्सरस्याहोरात्रमुहूर्त्तात्मकत्वं वेदत्रयरूपत्वं च तत्सर्वं चित्याग्नौ विभज्य प्रजापतिकर्तृकोपधानवचनव्याजेन दर्शयति—**तद्यत्परिश्रितमुपाधत्ते**त्यादिना । 'तत्' तदा 'परिश्रितं' शर्करामुपाधत्त प्रजापतिरिति यत् तेन रात्रिमेवोपहितवान्भवति । तदनु पञ्चदश मुहूर्त्तानुपाधत्त, मुहूर्त्ता लोकंपृणेष्टका इति उक्तम् । अतः पञ्चदशलोकंपृणेष्टकोपधानेन रात्रौ पञ्चदश मुहूर्त्तानेवोपहितवान्भवति । मुहूर्त्तानामशीत्यात्मकत्वात्तावतीरप्यशीतीरुपहितवान् । अयमर्थः—प्रथमपरिश्रिदुपधानेन रात्रिं, पञ्चदशलोकंपृणोपधानेन चाग्नौ संवत्सररूपे रात्रिगतमुहूर्त्तान्, वेदत्रयरूपे तु पञ्चदशपङ्क्त्यशीतीरुपहितवान् । एवम् **अथ यद्यजुष्मतीमुपाधत्ते**ति योज्यम्, यजुष्मती नाम मन्त्रेणोपहितेष्टका तदुपधानेन अहः, तामनु पञ्चदशलोकंपृणोपधानेन अहर्गतपञ्चदशमुहूर्त्तान् । वेदत्रयपक्षे पञ्चदशाशीतीरुपहितवानिति । एतदुक्तं भवति—एकस्याः परिश्रितो यजुष्मत्याश्चोपधानेन रात्रिमहश्च त्रिंशल्लोकंपृणोपधानेन तद्गतान् त्रिंशन्मुहूर्त्तांस्त्रिंशतमशीतीश्चोपहितवानिति । एवं षष्ट्युत्तरत्रिशतसङ्ख्याकानां परिश्रितां यजुष्मतीनां चोपधानेन संवत्सरगतानहोरात्रान् लोकंपृणोपधानेन सर्वान् मुहूर्त्तान् सकलाशीतीश्च चित्याग्नावुपहितवानिति । "हन्त त्रयीमेव विद्यामात्मानमभि संस्करवै" इति प्रजापतिना प्रतिज्ञातं निगमयति—**एवमेतां त्रयीं विद्यामात्मन्नावपतात्मन्नकुरुते**ति । यतस्त्रयी विद्या सर्वच्छन्दस्तोमादिसर्वभूताधारः, अतस्त्रयीविद्यायाः आत्मन्यावापधारणाभ्यां सर्वभूतानां प्रजापतिरात्मा, सर्वच्छन्दस्स्तोमप्राणदेवतामयोऽभवदित्यर्थः । एवमग्निं चितवतः प्रजापतित्वं निदर्शयति—**स एतन्मय एव भूत्वे**ति । 'एतन्मयः' इत्येतच्छब्दः प्रकृतं सर्वं परामृशति, 'ऊर्ध्वः' 'उदक्रामत्' स 'एषः' 'चन्द्रमाः' जातः ॥ २७ ॥

'तस्य' चन्द्रमोरूपस्य प्रजापतेः आदित्यात्मिका 'एषा' प्रतिष्ठा आश्रयो जातः, चन्द्रः सन्नादित्या-

(३८) स यदग्निं चेष्यमाणो दीक्षते । यथैव तत्प्रजापतिरेषु त्रिषु लोकेषूखायां योनौ रेतोभूतमात्मानमसिञ्चदेवमेवैषऽ एतदात्मानमुखायां योनौ रेतोभूतꣳ सिञ्चति च्छन्दोमयꣳ स्तोममयं प्राणमयं देवतामयं तस्यार्धमासे प्रथमऽ आत्मा सꣳस्क्रियते दवीयसि परो दवीयसि परः संवत्सरऽएव सर्वः कृत्स्नः सꣳस्क्रियते ॥ २९ ॥

तद्यत्परिश्रितमुपधत्ते । तद्रात्रिमुपधत्ते तदनु पञ्चदश मुहूर्तान्मुहूर्ताननु पञ्चदशाशीतीरथ यद्यजुष्मतीमुपधत्ते तदहरुपधत्ते तदनु पञ्चदश मुहूर्तान्मुहूर्ताननु पञ्चदशाशीतीरेवमेतां त्रयीं विद्यामात्मन्नावपतऽआत्मन्कुरुते सोऽत्रैव सर्वेषां भूतानामात्मा भवति च्छन्दोमय स्तोममयः प्राणमयो देवतामयः सऽएतन्मयऽ एव भूत्वोर्ध्वऽउत्क्रामति ॥ ३० ॥

तस्यैषा प्रतिष्ठा । यऽ एष तपत्येतस्माद्वेवाधिचीयतऽएतस्मिन्नधिचीयतऽआत्मनऽएवैनं तन्निर्मिमीतऽआत्मनः प्रजनयति स यदैवंविदस्माल्लोकात्प्रैत्यथैतमेवात्मानमभिसम्भवति च्छन्दोमयꣳ स्तोममयं प्राण-

---

स यदग्निं चेष्यमाणो दीक्षते—यथैव तत्प्रजापतिरेषु त्रिषु लोकेषूखायां योनौ रेतोभूतमात्मानमसिञ्चत्—एवमेवैष एतदात्मानमुखायां योनौ रेतोभूतं सिञ्चति—छन्दोमयम्, स्तोममयम्, प्राणमयम्, देवतामयम् । तस्यार्द्धमासे प्रथम आत्मा संस्क्रियते, दवीयसि परः, दवीयासि परः । संवत्सर एव सर्वः कृत्स्नः संस्क्रियते ॥ २९ ॥

तद् यत्परिश्रितमुपधत्ते—तद्रात्रिमुपधत्ते । तदनु पञ्चदश मुहूर्तान् । मुहूर्ताननु पञ्चदशाशीतीः । अथ यद्यजुष्मतीमुपधत्ते—तदहरुपधत्ते । तदनु पञ्चदश मुहूर्तान् । मुहूर्ताननु पञ्चदशाशीतीः । एवमेतां त्रयीं विद्यामात्मन्नावपते, आत्मन् कुरुते । सोऽत्रैव सर्वेषां भूतानामात्मा भवति—छन्दोमयः, स्तोममयः, प्राणमयः, देवतामयः । स एतन्मय एव भूत्वोर्ध्व उत्क्रामति ॥ ३० ॥

तस्यैषा प्रतिष्ठा—य एष तपति—एतस्माद्वेवाधिचीयते । एतस्मिन्नाधिचीयते, आत्मन एवैनं तान्निर्मिमीते, आत्मनः प्रजनयति । स यदैवंविदस्माल्लोकात्प्रैति—अथैतमेवात्मानमभिसम्भवति—छन्दो-

---

त्मभावेन स्थित इत्यर्थः । एतस्मादेवाध्यचीयत—इत्यादेरयमर्थः—एकमपुरुषात्मकादेतस्मात्सूर्यादुपर्यध्यचीयत अतः 'एतस्मिन्' एवाधारे सर्वोऽग्निश्चितः । एतस्यैव विवरणम्—आत्मन एवैनमिति । अत आधारभूतस्य सूर्यस्य प्रतिष्ठारूपतेति ॥ २८ ॥

यत्प्रजापतेरुखायां सिक्ते स्वात्मनि संवत्सरमन्त्ररूपे परिश्रिद्यजुष्मतीष्टकोपधानेनादित्ये प्रतिष्ठितत्वम्, तत्सर्वमिदानीन्तने यजमाने योजयितुं प्रस्तौति—स यदग्निं चेष्यमाणो दीक्षत इति । 'सः' अनुष्ठाता 'यत्'

मुयं देवतामुयꣳ सुऽएतन्मुयऽएवु भूत्वोर्ध्वऽउुत्क्रामति यु ऽएवं विद्वाने- तत्कुर्म कुरुते यो वैतदेवं व्वेद ॥ ३१ ॥

इति तृतीयप्रपाठके प्रथमं ब्राह्मणम् ॥ १०-३-१ ॥ (४. २.) ॥

एष वै मृत्युर्युत्संव्वत्सरः । (५) एष हि मुर्त्यानामहोरात्राभ्यामायुः क्षिणोत्युथ म्रियन्ते तुस्मादेषुऽ एवु मृत्युः स यो हैतं मृत्युꣳ संव्वत्सरं व्वेद नु हास्यैष पुरा जरसोऽहोरात्राभ्यामायुः क्षिणोति सुर्व्वꣳ हैवायुरेति ॥ १ ॥

मयम्, स्तोममयम्, प्राणमयम्, देवतामयम् । स एतन्मय एव भूत्वोर्ध्व उत्क्रामति–य एवं विद्वाने- तत्कर्म कुरुते, यो वैतदेवं वेद ॥ ३१ ॥

एष वै मृत्युर्यत्संवत्सरः । एष हि मर्त्यानामहोरात्राभ्यामायुः क्षिणोति । अथ म्रियन्ते । तस्मादेष एव मृत्युः । स यो हैतं मृत्युं संवत्सरं वेद–न हास्यैष पुरा जरसोऽहोरात्राभ्यामायुः क्षिणोति । सर्वं हैवायुरेति ॥ १ ॥

यदा 'अग्निम्' इष्टकाभिः 'चेष्यमाणः' हेतौ शानच् प्रत्ययः । चयनाद्धेतोः 'दीक्षते' तदा प्रजापतिवत् सर्वमनुष्ठातव्यम् । फलं च तस्य तद्भवतीत्याह–यथैव तत्प्रजापतिरित्यादिना–आत्मन एवैनं निर्मिमीत आत्मनः प्रजनयति इत्यन्तेन । पूर्ववद्व्याख्येयम् । अयमत्र विशेषः–प्रजापतिवृत्तान्तस्य भूतत्वादाख्या- तानां भूतकालेऽर्थे अनद्यतने लङ् । अत्र तु वर्त्तमानप्रयोग इति । उक्तमर्थजातं विदुषः फलमाह–स यदेवं- विदस्माल्लोकात्प्रैतीति । वेदितृनुष्ठात्रोरयं विशेषः–एकदा ज्ञात्वाऽनुष्ठाने फलम् । ज्ञानमात्रे तु यावज्जीवम् । एवं कर्मणो भावनायां फलमिति । अत एव ज्ञानपूर्वककर्मानुष्ठानं केवलं च ज्ञानमित्युभयं दर्शितम्–य एवं विद्वानेतत्कर्म कुरुते यो वैतदेवं वेदेति ॥ २९–३१ ॥

इति श्रीसायणाचार्यविरचिते माधवीये वेदार्थप्रकाशे माध्यन्दिनीयशतपथब्राह्मणभाष्ये दशमकाण्डे चतुर्थेऽध्याये द्वितीयं ब्राह्मणम् ॥ (१०–४–२) ॥

अथ संवत्सररूपप्रजापतेर्मृत्युन्तकरूपत्वं तद्रूपोपासनस्य फलम्, अग्निचयनस्यामृतत्वलक्षणं फलम्, परिश्रिद्यजुष्मतीलोकंपृणेष्टकानां संख्या तृतीयब्राह्मणे प्रदर्श्यते–एष वै मृत्युरिति । 'मृत्युः' आयुषः क्षप- यिता । संवत्सरस्य मृत्युरूपत्वं व्यनक्ति–एष हि मर्त्यानामहोरात्राभ्यामिति । परिवर्त्तमानाभ्याम् 'अहो- रात्राभ्यामायुः क्षिणोति' हिनस्ति, "क्षिणु हिंसायाम्"–(धा. पा. त. प. ४) इत्यस्य रूपम् । 'अथ' आयुःक्षयानन्तरं म्रियन्ते । संवत्सरमृत्युरूपोपासकस्य फलमाह–स यो हैतं मृत्युमिति । एवं संवत्सरो मृत्यु- रिति 'यः' उपास्ते अस्य 'आयुः' आयुष्यं 'जरसः पुरा' 'एष' संवत्सरो 'न' हिनस्ति मदीयं रूपमसौ जानातीत्यनुग्रहबुद्धेत्यर्थः । तस्मात् सर्वमायुरेति ॥ १ ॥

(त्ये) एषुऽ उऽएवान्तकुः । (ऽ) एष हि मुर्त्यानामहोरात्राभ्यामायुषोऽन्तं गुच्छत्युथ म्रियन्ते तुस्मादेषुऽ एवान्तकः स यो हैतमुन्तकं मृत्युᳫँ संव्व-त्सरं व्वेद न हास्यैष पुरा जरुसोऽहोरात्राभ्यामायुषोऽन्तं गुच्छति सर्व्वᳫँ हैवायुरेति ॥ २ ॥

ते देवाः । (ऽ) एतुस्मादुन्तकान्मृत्योः संव्वत्सरात्प्रजापतेर्बिभयाञ्चक्रुर्यद्वै नोऽयमहोरात्राभ्यामायुषोऽन्तं न गुच्छेदिति ॥ ३ ॥

तुऽएतान्यज्ञक्रतूंस्तेनिरे । (रेऽग्नि) अग्निहोत्रं दर्शपूर्णमासौ चातुर्मास्यानि पशुबन्धुᳫँ सौम्युमध्वरं तुऽएतैर्यज्ञक्रतुभिर्युजमाना नामृतत्वमानशिरे ॥ ४ ॥

एष उ एवान्तकः । एष हि मर्त्यानामहोरात्राभ्यामायुषोऽन्तं गच्छति । अथ म्रियन्ते । तस्मादेष एवान्तकः । स यो हैतमन्तकं मृत्युं संवत्सरं वेद—न हास्यैष पुरा जरसोऽहोरात्राभ्यामायुषोऽन्तं गच्छति, सर्वं हैवायुरेति ॥ २ ॥

ते देवा एतस्मादन्तकान्मृत्योः संवत्सरात्प्रजापतेर्बिभयाञ्चक्रुः । यद्वै नोऽयमहोरात्राभ्यामायुषोऽन्तं न गच्छेदिति ॥ ३ ॥

त एतान्यज्ञक्रतूंस्तेनिरे । अग्निहोत्रम्, दर्शपूर्णमासौ, चातुर्मास्यानि, पशुबन्धम्, सौम्यमध्वरम् । तऽएतैर्यज्ञक्रतुभिर्यजमाना नामृतत्वमानशिरे ॥ ४ ॥

संवत्सरस्यान्तकरूपत्वमाह—एष उ एवान्तक इति । अन्तं करोतीत्यन्तकः, करोतेः "अन्यत्रापि दृश्यते"—(पा. सू. ३ । २ । ४८ वा. ४) इति डः प्रत्ययः । अन्तकशब्दं निर्वक्ति—एष हि मर्त्यानामिति । आयुषोऽन्तं गच्छति, अन्तर्भावितण्यर्थः । गमयति करोतीत्यर्थः । यद्वा स्वयं सर्वेषाम् 'आयुषोऽन्तं गच्छति' । स यो हैतमन्तकं मृत्युं संवत्सरम् इत्यादिकं तद्रूपोपासनावाक्यं पूर्ववद्व्याख्येयम् ॥ २ ॥

चयनस्यामृतत्वफलवत् यज्ञक्रतूनाममृतत्वं फलमित्याह—ते देवा एतस्मादन्तकादिति । 'ते देवाः' मृत्य्वन्तकसंवत्सररूपात्प्रजापतेर्भीताः सन्तः इदमूचुः—यथा 'अयं' 'नः' अस्माकम् 'आयुषोऽन्तं न गच्छेदिति' ॥ ३ ॥

ततः 'ते' तद्भीतिपरिहाराय 'यज्ञक्रतूंस्तेनिरे' यज्ञा अग्निहो[illegible]यः, यूपवन्तः क्रतवः तान् । 'सौम्यमध्वरं' सोमद्रव्यकं यज्ञम् । 'एतैः' 'यजमानाः' यजन्[illegible]र्वाणाः 'अमृतत्वं' पुनरनुत्पत्तिलक्षणम् 'आनशिरे' "अश्नोतेश्च" (पा. सू. ७ । ४ । ७२) इति नुडागमः ॥ ४ ॥

१—अत्र "यजमाना अमृतत्वम्" इति भाष्यानुसारी पाठः साधुः ।

ते ह्याप्यग्निं चिक्यिरे। तेऽपरिमिता ऽ एव परिश्रित ऽ उपदधुरपरिमिता यजुष्मतीरपरिमिता लोकम्पृणा यथेदमप्येतर्ह्येक ऽउपदधतीति देवा ऽअकुर्व्वन्निति ते ह नैवामृतत्वमानशिरे ॥ ५ ॥

तेऽर्चन्तः श्राम्यन्तश्चेरुः। (२) अमृतत्वमवरुरुत्समानास्तान्ह प्रजापतिरुवाच न वै मे सर्व्वाणि रूपाण्युपधत्थाति वैव रेचयथ न वाऽभ्यापयथ तस्मान्नामृता भवथेति ॥ ६ ॥

ते होचुः। (स्ते) तेभ्यो वै नस्त्वमेव तद्ब्रूहि यथा ते सर्व्वाणि रूपाण्युपदधामेति ॥ ७ ॥

ते हाप्यग्निं चिक्यिरे। तेऽपरिमिता एव परिश्रित उपदधुः, अपरिमिता यजुष्मतीः, अपरिमिता लोकम्पृणाः—यथेदमप्येतर्ह्येक उपदधति—इति देवा अकुर्वन्निति। ते ह नैवामृतत्वमानशिरे ॥ ५ ॥

तेऽर्चन्तः श्राम्यन्तश्चेरुरमृतत्वमवरुरुत्समानाः। तान्ह प्रजापतिरुवाच—न वै मे सर्वाणि रूपाण्युपधत्थ। अति वैव रेचयथ। न वाऽभ्यापयथ। तस्मान्नामृता भवथेति ॥ ६ ॥

ते होचुः—तेभ्यो वै नस्त्वमेव तद् ब्रूहि। यथा ते सर्वाणि रूपाण्युपदधामेति ॥ ७ ॥

अथ यथाविध्यनुष्ठितस्य चयनस्याप्येतदेवामृतत्वं फलमिति वक्तुं तद्विपरीतानुष्ठाने फलं न सेत्स्यतीति पुरावृत्तं प्रस्तौति—ते हाप्यग्निं चिक्यिर इति। 'ते' मृत्युभयं परिहरन्तो देवाः 'अग्निमपि चिक्यिरे' चितवन्तः। "चिञ् चयने"—(धा. पा. स्वा. उ. ५) "परोक्षे लिट्"—(पा. सू. ३। २। ११५)। "विभाषा चेः"—(पा. सू. ७। ३। ५८) इति कुत्वम्। "एरनेकाचः"—(पा. सू. ६। ४। ८२) इति यणादेशः। 'ते' चिन्वन्तो देवाः 'अपरिमिताः' असंख्याताः परिश्रितो यजुष्मतीः लोकंपृणाश्चोपदधुः। देवकृतं तादृशमनुष्ठानमिदानीन्तनानुष्ठानेन सममिति संवादेन दर्शयति—यथेदमप्येतर्ह्येक उपदधतीति देवा अकुर्वन्निति। प्रथम इतिशब्दोऽनेकानुष्ठानप्रकारदर्शकः। द्वितीय इतिशब्दो हेत्वर्थः। इत्येवमपरिमितपरिश्रिदादिभिर्देवा अकुर्वन्नित्यतो हेतोः 'एतर्हि' अस्मिन्काले 'एके' आचार्यास्तथैवोपदधति। 'ते' एवमपरिमितपरिश्रिदादिभिर्देवा अनुष्ठितवन्तः 'अमृतत्वं' 'न' व्याप्तवन्तः ॥ ५ ॥

अथामृतत्वप्राप्त्यर्थं देवानां तपो दर्शयति—तेऽर्चन्तः श्राम्यन्त इति। 'अवरुरुत्समानाः' अवरोद्धुकामाः। तान् ह प्रजापतिरुवाचेत्यादेरयमर्थः—अग्निरूपः प्रजापतिः स्वात्मन्युपधेयेष्टकासंख्यापरिज्ञानाभावेन फलाभावमनुवदन् तैः पृष्टः स्वात्मरूपत्वेनोपधेयानामिष्टकानां परिश्रितां च संख्यां विभज्योक्तवानिति। उपधत्थ, अतिरेचयथ, अभ्यापयथ, भवथ,—इति चत्वारो वर्त्तमानप्रयोगाः। अभ्यापनं नामाभ्याप्तिरन्यूनता 'यथा ते सर्वाणि रूपाणि उपदधामेति' देववाक्यम्। दधातेर्लोटि "आडुत्तमस्य पिच्च"—(पा. सू. ३। ४। ९२) इत्याडागमः ॥ ६ ॥ ७ ॥

स होवाच । षष्टिं च त्रीणि च शतानि परिश्रित उपधत्त षष्टिं च त्रीणि च शतानि यजुष्मतीरधि षट्त्रिंशतमथ लोकम्पृणा दश च सहस्राण्यष्टौ च शतान्युपधत्ताथ मे सर्वाणि रूपाण्युपधास्यथाथामृता भविष्यथेति ते ह तथा देवाऽउपदधुस्ततो देवा ऽअमृता ऽआसुः ॥ ८ ॥

स मृत्युर्देवानब्रवीत् । (दि) इत्थमेव सर्वे मनुष्या ऽ अमृता भविष्यन्त्यथ को मह्यं भागो भविष्यतीति ते होचुर्नातोऽपरः कश्चन सह शरीरेणामृतोऽसद्यदैव त्वमेतं भागꣳ हरासाऽअथ व्यावृत्य शरीरेणामृतोऽसद्योऽमृतोऽसद्विद्यया वा कर्मणा वेति यद्वै तदब्रुवन्विद्यया वा कर्मणा वेत्येषा हैव सा विद्या यदग्निरेतदु हैव तत्कर्म यदग्निः ॥ ९ ॥

स होवाच—षष्टिं च त्रीणि च शतानि परिश्रित उपधत्त । षष्टिं च त्रीणि च शतानि यजुष्मतीः—अधि षट्त्रिंशतम् । अथ लोकंपृणा दश च सहस्राणि, अष्टौ च शतान्युपधत्त । अथ मे सर्वाणि रूपाण्युपधास्यथ, अथामृता भविष्यथेति । ते ह तथा देवा उपदधुः । ततो देवा अमृता आसुः ॥ ८ ॥

स मृत्युर्देवानब्रवीत्—इत्थमेव सर्वे मनुष्या अमृता भविष्यन्ति । अथ को मह्यं भागो भविष्यतीति । ते होचुः—नातोऽपरः कश्चन सह शरीरेणामृतोऽसद् । यदैव त्वमेतं भागं हरासै । अथ व्यावृत्य शरीरेणामृतोऽसद्, योऽमृतोऽसद्—विद्यया वा कर्मणा वेति । यद्वै तदब्रुवन्—विद्यया वा कर्मणा वेति । एषा हैव सा विद्या—यदग्निः । एतदु हैव तत्कर्म—यदग्निः ॥ ९ ॥

स होवाचेत्यादि । 'उपधत्त' इति द्वयं लोटि मध्यमे रूपम् । उपधास्यथ, भविष्यथेति द्वयं भविष्यत्प्रयोगे । यजुष्मत्यः षष्ट्यधिकत्रिशतसङ्ख्याकाः 'अधि षट्त्रिंशतम्' इत्यस्यायमर्थः—ता यजुष्मत्यः पञ्चोनचतुःशत-सम्मिता इत्युत्तरत्र वक्ष्यते । "ताः सर्वाः पञ्चभिर्न चत्वारि शतानि"—(श. प. १० । ४ । ३ । १९) इति । तत्र षष्ट्यधिकत्रिशतादधिकाः पञ्चत्रिंशत्संख्याकाः, पुरीषं षट्त्रिंशी सम्पत्तिः । "अथ याः । षट्त्रिंश-त्पुरीषं तासां षट्त्रिंशी"—(श. प. १० । ४ । ३ । १९) इति च वक्ष्यते । ता एवात्र अधिषट्-त्रिंशतमित्युक्ताः । एवं प्रजापतिना स्वात्मन्युपधेयेष्टकासंख्यायामुक्तायां देवा अपि तथैवाकार्षुः, फलं च लब्धवन्त इत्याह—ते ह तथा देवा उपदधुरिति । 'अमृता आसुः' सशरीराः सन्त एवामृतत्वं प्राप्ता इत्यर्थः ॥ ८ ॥

इदानींतनानामग्निचितां शरीरसाहित्येनामृतत्वाभावं प्रश्नप्रतिवचनाभ्यां दर्शयति—स मृत्युर्देवानब्रवी-दिति । 'इत्थमेव' अनेन प्रकारेण स्वशरीरसाहित्येन 'सर्वे मनुष्याः अमृताः भविष्यन्ति' । 'अथ'—शब्दश्चे-दर्थे, एवं चेत् 'मह्यं' मृत्यवे 'कः' 'भागः भविष्यति' सर्वेऽप्यमृताश्चेन्मृत्योर्भागो नास्ति, मृत्युर्नाम

(स्ते) ते यऽएवमेतद्विदुः । (यें) ये वैतत्कर्म कुर्व्वते मृत्वा पुनः सम्भवन्ति ते सम्भवन्त ऽएवामृतत्त्वमभिसम्भवन्त्यथ यऽएवं न विदुर्ये वैतत्कर्म न कुर्व्वते मृत्वा पुनः सम्भवन्ति तऽएतस्यैवान्नं पुनः पुनर्भवन्ति ॥ १० ॥

स यदग्निं चिनुते । (तऽ) एतमेव तदन्तकं मृत्युꣳ संव्वत्सरं प्रजापतिमग्निमाप्नोति यं देवाऽआप्नुवन्नेतमुपधत्ते यथैवैनमदो देवाऽउपादधत ॥ ११ ॥

ते य एवमेतद्विदुः । ये वैतत्कर्म कुर्वते–मृत्वा पुनः सम्भवन्ति । ते सम्भवन्त एवामृतत्वमभिसम्भवन्ति । अथ यऽएवं न विदुः । ये वैतत्कर्म न कुर्वते, मृत्वा पुनः सम्भवन्ति–त एतस्यैवान्नं पुनः पुनर्भवन्ति ॥ १० ॥

स यदग्निं चिनुते–एतमेव तदन्तकं मृत्युं संवत्सरं प्रजापतिमग्निमाप्नोति–यं देवा आप्नुवन् । एतमुपधत्ते । यथैवैनमदो देवा उपादधत ॥ ११ ॥

बाधकः, बाध्यानामभावे बाधकत्वमपि निवृत्तमित्यर्थः । अथ देववाक्यम्–' अतः ' एभ्योऽस्मत्तः ' परः कश्चन ' अपि 'शरीरेण' 'सह' 'नामृतोऽसत्' अमृतो न भवेत् । अस्तेः पञ्चमलकारस्य रूपम् असदिति । हे मृत्यो ! त्वम् यदा 'एतं भागं' शरीरलक्षणं 'हरासै' अपहरेः–"हृञ् हरणे–" (धा. पा. भ्वा. उ. ९२४) पञ्चमे लकारे " लेटोऽडाटौ "–(पा. सू. ३।४।९४) इत्याडागमे " वैतोऽन्यत्र "–(पा. सू. ३।४।९६) इत्यैकारः । अथ तदानीमेव शरीरेण व्यावृत्य शरीरं विहायेत्यर्थः । अमृतोऽसत् भवेत् । किमेवं सर्वेऽप्यमृताः ? नेत्याह–**योऽमृतोऽसद्विद्यया वा कर्मणा वेति** । यो ' विद्यया ' उपासनया ' कर्मणा ' अनुष्ठानेन वाऽमृतत्वं प्राप्नोति तस्य शरीरं त्वया भागत्वेन स्वीकर्तव्यमित्यर्थः । यदुक्तं देवैः–' विद्यया वा कर्मणा वेति ' तयोरर्थं श्रुतिः स्वयमाह–**यद्वै तदब्रुवन्विद्यया वेति** । अग्निविषयैव विद्या, अग्निचयनमेव कर्म नान्यविषयं ज्ञानं कर्म वेत्यर्थः ॥ ९ ॥

कर्म कुर्वतां विदुषामविदुषां च शरीरपरित्यागोत्पत्ती समाने, कुतः कर्मविद्याभ्यां ज्ञाने विशेष इत्याशङ्क्योभयेषां फलव्यतिरेकं दर्शयति–**ते य एवमेतद्विदुरिति** । अग्निं विद्वांसोऽनुतिष्ठन्तश्च ' मृत्वा ' शरीरं विहाय ' पुनः सम्भवन्ति ' उत्पद्यन्ते, उत्पद्यमाना अमृता एवोत्पद्यन्ते । ये तु विद्याकर्मविरहितास्ते मृत्वा पुनः पुनरुत्पद्यमाना मृत्योः ' अन्नं ' भवन्ति । मृत्युना अद्यमाना भवन्तीति विद्याकर्मतदभावयोरमृतत्वतदभावाविति फलव्यतिरेकोऽस्तीत्यर्थः ॥ १० ॥

चयनस्याऽमृतत्वं फलमित्युक्तम्, अमृतशब्दार्थमाह–**स यदग्निं चिनुत इति** । यदा ' अग्निं ' चिन्वानस्तदा ' यं देवाः ' फलत्वेनाप्नुवन् ' एतमेव ' अन्तकं मृत्युं संवत्सरं प्रजापतिरूपमग्निं प्राप्नोति–अन्तकादिरूपाग्नित्वमेव देवैरमृतरूपफलत्वेन प्राप्तमेवेत्यर्थः । देवाः फलसाधनत्वेन यदकार्षुः, तदेवेदानीन्तनैरपि कृतमिति

परिश्रिद्भिरेवास्य रात्रीराप्नोति । यजुष्मतीभिरहान्यर्धमासान्मासानृतूँल्लोकम्पृणाभिर्मुहूर्तान् ॥ १२ ॥

(तास्त) तद्याः परिश्रितः । (ता) रात्रिलोकास्ता रात्रीणामेव साऽऽप्तिः क्रियते रात्रीणां प्रतिमा ताः षष्टिश्च त्रीणि च शतानि भवन्ति षष्टिश्च ह वै त्रीणि च शतानि संवत्सरस्य रात्रयस्तासामेकविंशतिं गार्हपत्ये परिश्रयति द्वाभ्यां नाशीतिं धिष्ण्येषु द्वेऽएकषष्टे शतेऽआहवनीये ॥ १३ ॥

परिश्रिद्भिरेवास्य रात्रीराप्नोति । यजुष्मतीभिरहानि । अर्धमासान्, मासान्, ऋतून् । लोकंपृणाभिर्मुहूर्तान् ॥ १२ ॥

तद् याः परिश्रितः—रात्रिलोकास्ताः । रात्रीणामेव साऽऽप्तिः क्रियते, रात्रीणां प्रतिमा । ताः षष्टिश्च त्रीणि च शतानि भवन्ति । षष्टिश्च ह वै त्रीणि च शतानि संवत्सरस्य रात्रयः । तासामेकविंशतिं गार्हपत्ये परिश्रयति । द्वाभ्यां नाशीतिं धिष्ण्येषु । द्वे एकषष्टे शते आहवनीये ॥ १३ ॥

साधनैक्यं दर्शयति—एतमुपधत्ते यथैवैनमदो देवा इति । अदः—शब्दो विप्रकृष्टवचनः, पूर्वं यथा देवा एतमग्निमुपादधुः, एवमेतमग्निमिदानीमनुष्ठाताऽप्युपधत्ते ॥ ११ ॥

चयनेन "संवत्सरं प्रजापतिमग्निमाप्नोति" इति समनन्तरातीतग्रन्थे (श.प.१०।४।२।११) उदितम्, तदेव विशदयति—परिश्रिद्भिरेवास्य रात्रीराप्नोतीत्यादिना । परिश्रितां रात्रिरूपत्वं यजुष्मतीनामहोरूपत्वं च (श. प. १०।४।२।२७) प्रागुक्तम् । यजुष्मतीभिरेवार्द्धमासमासर्तुप्राप्तिरुत्तरत्र वक्ष्यते—"ततो याश्चतुर्विंशतिरर्द्धमासलोकास्ता अर्द्धमासानामेव साऽऽप्तिः क्रियतेऽर्धमासानां प्रतिमाऽथ या द्वादशमासलोकास्तामासानामेव साऽऽप्तिः क्रियते मासानां प्रतिमा ता उ द्वे द्वे सहऽर्तुलोका ऋतूनामशून्यतायै"—(श.प.१० । ४ । ३ । १९) इति । लोकंपृणाभिरिष्टकाभिर्मुहूर्तानाप्नोति । तासां मुहूर्त्तरूपत्वमुक्तम् ॥ १२ ॥

परिश्रिदादिभिः रात्र्यहरादिप्राप्तिमेव क्रमेण विवृणोति—तद्याः परिश्रित इत्यादिना । तत्र परिश्रितां संख्याम्, स्थानविशेषेण तद्विभागं चाह—षष्टिश्च त्रीणि च शतानीति । गार्हपत्ये एकविंशतिं परिश्रितः उपदध्यात् । द्वाभ्यां नाशीतिं धिष्ण्येष्विति । धिष्ण्या अष्टौ—होतृप्रशास्तृब्राह्मणाच्छंस्यच्छावाकपोतृनेष्टॄणां षण्णां षट्, आग्नीध्रीयमार्जालीयौ द्वौ । अत्र परिश्रिदिष्टकाविभागं कात्यायनः सूत्रयामास—"धिष्ण्यांश्चिनोत्यष्टेष्टकांल्लोकंपृणाभिश्चतुःस्रक्तींस्तिरश्चो न्युप्य न्युप्य पृश्न्यश्मा चाग्नीध्रीये सकृन्मंत्रवचनम् । होत्रीये त्रिरेकविंशत्या ब्राह्मणाच्छंस्ये द्विरेकादशसु षण्मार्जालीये शेषा अष्टेष्टकाः । यावदिष्टकं परिश्रितः परिनिधाय" (का. श्रौ. सू. १८ । ९३–९९) इति । अत्र पृश्न्यश्मेति यजुष्मतीष्टका । त्रिर्द्विःपदे मन्त्रावृत्तिवाचके । अत्र होत्रब्राह्मणाच्छंस्यमार्जालीयानां त्रयाणां सम्भूय अष्टात्रिंशत्परिश्रितः । शिष्टानां पञ्चानां धिष्ण्यानामष्टाविति चत्वारिंशत् । उभयोर्द्वाभ्यामूनाऽशीतिर्भवन्ति । आहवनीये तु एकषष्ट्युत्तरद्विशतसंख्याकाः परिश्रितः । 'एकषष्टे' इति—"तदस्मिन्नधिकमिति दशान्ताड्डः"—(पा. सू. ५ । २ । ४५) इति षष्टिशब्दाड्डः प्रत्ययः ॥ १३ ॥

(पुेऽथ) अथ युजुष्मत्यः । (त्यो) दर्भस्तम्बो लोगेष्टकाः पुष्करपर्णᳬं रुक्मपुरुषौ स्रुचौ स्वयमातृण्णा दूर्वेष्टका द्वियजू रेतःसिचौ विश्वज्यो-तिर्ऋतव्येऽअषाढा कूर्मऽउलूखलमुसलेऽउखा पुञ्च पशुशीर्षाणि पुञ्च-दशापस्याः पुञ्च च्छन्दस्याः पञ्चाशत्प्राणभृतस्ता द्वाभ्यां नु शतं प्रथमा चितिः ॥ १४ ॥ (अर्धप्रपाठकः ॥ कं० ४९)

अथ यजुष्मत्यः–दर्भस्तम्बः, लोगेष्टकाः, पुष्करपर्णम्, रुक्मपुरुषौ, स्रुचौ, स्वयमातृण्णा, दूर्वेष्टका, द्वियजुः, रेतःसिचौ, विश्वज्योतिः, ऋतव्ये, अषाढा, कूर्मः, उलूखलमुसले, उखा, पञ्च पशुशीर्षाणि, पञ्चदशापस्याः, पञ्च च्छन्दस्याः, पञ्चाशत्प्राणभृतः । ता द्वाभ्यां न शतं प्रथमा चितिः ॥ १४ ॥

यजुष्मतीनां संख्याम्, चितिषु तद्विभागं च दर्शयति–अथ यजुष्मत्य इति । संख्यां तावत्–" ताः सर्वाः पञ्चभिर्न चत्वारि शतानि " (१९ कण्डिकायां) इति वक्ष्यते । अत्र पञ्चचितिभेदेन यजुष्मतीः परिगणयति–दर्भस्तम्ब इत्यादिना । " कुशस्तम्बमुपदधाति मध्ये तूष्णीं" (का. श्रौ. सू. १७ । ४१) इति तस्योपधानमुक्तम्, अस्य तूष्णींमुपधानात्कथं यजुष्मदिष्टकानाम्ना व्यपदेशः ? सत्यम्; अस्योपरि समन्त्रहोमकरणादस्य यजुष्मत्त्वम् उच्यते । तथा च तं प्रस्तुत्य कात्यायनः–" पञ्चगृहीतेनोद्गृह्णन्नभिजुहोति सजूरब्द इति " (का. श्रौ. सू. १७ । ४७) इति । लोगेष्टका नाम " मा मा हिंसीत् " (वा. सं. १२।१०२) इति प्रत्यृचमुपहिताश्चतस्र इष्टकाः–(का. श्रौ. सू. १७ । ६१) । " अपां पृष्ठमसि " (वा. सं. १३–२) इति–मन्त्रेणोपहितं पुष्करपर्णम् (का. श्रौ. सू. १७ । ७३) । " ब्रह्म जज्ञानम् " इति रुक्मः (का. श्रौ. सू. १७ । ७४) । " हिरण्यगर्भः " (वा. सं. १३ । ४ ।) इति पुरुष उपहितः (का. श्रौ. सू. १७ । ७६) । " अग्नेष्ट्वा " (वा. सं. १३ । १३ ।) इति मन्त्रेण घृतपूर्णा कार्ष्मर्यमयी स्रुक् (का. श्रौ. सू. १७ । ८४) । " इन्द्रस्य त्वा " (वा. सं. १३ । १४) इति दधिपूर्णौ-दुम्बरी स्रुक् (का. श्रौ. सू. १७ । ८५) । " ध्रुवाऽसि " (वा. सं. १३ । १६) इति स्वयमातृण्णा (का. श्रौ. सू. १७ । ८७) । " काण्डात्काण्डात् " (वा. सं. १३ । २०) इति दूर्वेष्टका (का. श्रौ. सू. १७ । ९०) । " यास्ते अग्ने सूर्ये " (वा. सं. १३ । २२) इति मन्त्रेणोपहिता द्वियजुर्नामेष्टका (का. श्रौ. सू. १७ । ९२) । " विराट् स्वराट् " (वा. सं. १३।२४) इति 'रेतःसिचौ' (का. श्रौ. सू. १७ । ९४) । 'प्रजापतिष्ट्वा सादयतु" (वा. सं. १३ । २४) इति 'विश्वज्योतिः' (का. श्रौ. सू. १७ । ९५) । " मधुश्च माधवश्च " (वा. सं. १३ । २५) इति द्वे ऋतव्यसंज्ञके (का. श्रौ. सू. १७ । ९६) । " अषाढाऽसि " (वा. सं. १३ । २६) इति 'अषाढा' (का. श्रौ. सू. १७ । ९७) । " मधु वाता ऋतायते " (वा. सं. १३ । २७–२९) इति मन्त्रैरुपहितः 'कूर्मः' (का. श्रौ. सू. १७ । ९९) । " विष्णोः कर्माणि " (वा. सं. १३ । ३३) इति 'उलूखलमुसले' (का. श्रौ. सू. १७ । १०२) । " ध्रुवासि " (वा. सं. १३ । ३४) इति मन्त्रेण उखा (का. श्रौ. सू. १७ । १०५) ।

(२) अथ द्वितीया। पञ्चाश्विन्यो द्वेऽऋतव्ये पञ्च वैश्वदेव्यः पञ्च प्राणभृतः पञ्चापस्याऽएकया न विꣳशतिर्वयस्यास्ताऽएकचत्वारिꣳशद्द्वितीया चितिः ॥ १५ ॥

(२) अथ तृतीया। स्वयमातृण्णा पञ्च दिश्या विश्वज्योतिश्चतस्रऽऋतव्या दश प्राणभृतः षट्त्रिꣳशच्छन्दस्याश्चतुर्दश वालखिल्यास्ताऽएकसप्ततिस्तृतीया चितिः ॥ १६ ॥

अथ द्वितीया–पञ्चाश्विन्यः, द्वे ऋतव्ये, पञ्च वैश्वदेव्यः, पञ्च प्राणभृतः, पञ्चापस्याः । एकया न विंशतिर्वयस्याः। ता एकचत्वारिंशत् द्वितीया चितिः ॥ १५ ॥

अथ तृतीया–स्वयमातृण्णा, पञ्च दिश्याः, विश्वज्योतिः, चतस्र ऋतव्याः, दश प्राणभृतः, षट्त्रिंशच्छन्दस्याः, चतुर्दश वालखिल्याः। ता एकसप्ततिः तृतीया चितिः ॥ १६ ॥

" आदित्यं गर्भम् " (वा. सं. १३ । ४१) इति प्रतिमन्त्रमुपहितानि 'पञ्च पशुशीर्षाणि' (का. श्रौ. सू. १७ । ११६)। " अपां त्वेमन् " (वा. सं. १३ । ५३) इति प्रतिमन्त्रमुपहिताः 'पञ्चदशापस्याः '–(का. श्रौ. सू. १७ । १२४) । गायत्रेणेति प्रतिमन्त्रमुपहिताः 'पञ्च च्छन्दस्याः '। " अयं पुरो भुवः " (वा. सं. १३ । ५४) इति प्रतिमन्त्रमुपहिताः 'पञ्चाशत् प्राणभृतः' (का. श्रौ. सू. १७ । १२९)। एवं प्रथमचिता उक्ता यजुष्मतीरिष्टकाः सम्भूय गणपतिद्वाभ्यां न शतं प्रथमा चितिरिति। द्वाभ्यामूनं शतमित्यर्थः ॥ १४ ॥

द्वितीयायां चितौ दर्श्यन्ते इति प्रतिजानीते–अथ द्वितीयेति । " ध्रुवक्षितिर्ध्रुवयोनिः "–(वा. सं. १४ । १) इति प्रतिमन्त्रमुपहिताः 'पञ्चाश्विन्यः' (का. श्रौ. सू. १७ । १८०) । " शुक्रश्च शुचिश्च "–(वा. सं. १४ । ६) इति 'द्वे ऋतव्ये' (का. श्रौ. सू. १७ । १८१)। " सजूर्ऋतुभिः "–(वा. सं. १४ । ७) इति प्रतिमन्त्रं 'पञ्च वैश्वदेव्यः' (का. श्रौ. सू. १७ । १८३)। " प्राणं मे "–(वा. सं. १४ । ८) इति पञ्चभिर्मन्त्रैरुपहिताः 'पञ्च प्राणभृतः' (का. श्रौ. सू. १७ । १८५)। " अपः पिन्व " (वा. सं. १४ । ८) इति प्रतिमन्त्रं 'पञ्चापस्याः' (का. श्रौ. सू. १७ । १८६)। " मूर्द्धा वयः "–(वा. सं. १४ । ९) इति प्रतिमन्त्रमुपहिताः एकोनविंशतिर्वयस्याः (का. श्रौ. सू. १७ । १८७)। एवं द्वितीयायां चितौ एकचत्वारिंशद्यजुष्मत्यः ॥ १५ ॥

तृतीयायां " इन्द्राग्नी अव्यथमानाम् "–(वा. सं. १४ । ११) इति मन्त्रेणोपहिता 'स्वयमातृण्णेष्टका' (का. श्रौ. सू. १७ । १९१) । " राज्ञ्यसि "–(वा. सं. १४ । १३) इति प्रतिमन्त्रम् । 'पञ्च दिश्याः' (का. श्रौ. सू. १७ । १९२)। " विश्वकर्मा त्वा सादयतु "–(वा. सं. १४ । १४) इति मन्त्रेण 'विश्वज्योतिः' (का. श्रौ. सू. १८ । १९३)। " नभश्च नभस्यश्च "–(वा. सं. १४ । १५) इति " इषश्चोर्जश्च "–(वा. सं. १४ । १६) इति च 'चतस्र ऋतव्याः' (का. श्रौ.

(२) अथ चतुर्थी । (र्थ्यै) अष्टादश प्रथमाऽअथ द्वादशाऽथ सप्तदश ताः सप्तचत्वारिꣳशच्चतुर्थी चितिः ॥ १७ ॥

(२) अथ पञ्चमी । पञ्चासपत्नाश्चत्वारिꣳशद्विराजऽएकया न त्रिꣳशत्स्तोमभागाः पञ्च नाकसदः पञ्च पञ्चचूडाऽएकत्रिꣳशच्छन्दस्याऽअष्टौ गार्हपत्या चितिरष्टौ पुनश्चितिरृतव्ये विश्वज्योतिर्विकर्णी च स्वयमातृण्णा चाश्मा पृश्निर्यश्चितेऽग्निर्निधीयते ताऽअष्टात्रिꣳशꣳ शतं पञ्चमी चितिः ॥ १८ ॥

अथ चतुर्थी—अष्टादश प्रथमाः, अथ द्वादश, अथ सप्तदश । ताः सप्तचत्वारिंशत् चतुर्थी चितिः ॥ १७ ॥

अथ पञ्चमी—पञ्चासपत्नाः, चत्वारिंशद्विराजः, एकया न त्रिंशत्स्तोमभागाः, पञ्च नाकसदः, पञ्च पञ्चचूडाः, एकत्रिंशच्छन्दस्याः, अष्टौ गार्हपत्या चितिः, अष्टौ पुनश्चितिः, ऋतव्ये, विश्वज्योतिः, विकर्णी च, स्वयमातृण्णा च, अश्मा पृश्निः, यश्चितेऽग्निर्निधीयते । ता अष्टात्रिंशं शतं पञ्चमी चितिः ॥ १८ ॥

सू. १७ । १९४–१९६) । "आयुर्मे पाहि" (वा. सं. १४ । १७) इति प्रतिमन्त्रम् 'दश प्राणभृतः'–(का. श्रौ. सू. १७ । १९७) । "मा च्छन्दः प्रमा च्छन्दः" (वा. सं. १४ । १८) इति प्रतिमन्त्रम् 'षट्त्रिंशच्छन्दस्याः' (का. श्रौ. सू. १७।१९८) । "मूर्द्धाऽसि राट्"–(वा. सं. १४।२१) इति प्रतिमन्त्रम् 'चतुर्दश वालखिल्याः'–(का. श्रौ. सू. १७ । १९९–२०२) । एवं तृतीयस्यां चितौ एकसप्ततिर्यजुष्मत्यः ॥ १६ ॥

चतुर्थ्याम्–"आशुस्त्रिवृत्"–(वा. सं. १४ । २३) इति प्रतिमन्त्रमुपहिता अष्टादश स्तोमाख्या इष्टकाः प्रथमा इत्युच्यन्ते । "अग्नेर्भागः"–(वा. सं० १४ । २४) इति प्रतिमन्त्रम् 'दश स्पृतः' (का. श्रौ. सू. १७।२११–२२०) । "सहश्च सहस्यश्च"–(वा. सं. १४।२७) इति द्वे ऋतव्ये (का. श्रौ. सू. १७ । २२१) । मिलित्वा 'अथ द्वादश' इत्युक्तम् । "एकयाऽस्तुवत"–(वा. सं. १४ । २८) इति प्रतिमन्त्रं सप्तदश सृष्टयः–(का. श्रौ. सू. १७।२२२) । एवं चतुर्थ्यां सप्तचत्वारिंशद्यजुष्मत्यः ॥ १७ ॥

पञ्चम्याम्–"अग्ने जातान्"–(वा. सं. १५ । १) इति प्रतिमन्त्रं 'पञ्चासपत्नाः'–(का. श्रौ. सू. १७ । २२६) । "एवश्छन्दः"–(वा. सं. १५ । ४) इति प्रतिमन्त्रं 'चत्वारिंशद्विराजः'–(का. श्रौ. सू. १७।२२८) । "रश्मिना सत्याय सत्यं जिन्व"–(वा. सं. १५ । ६) इति प्रतिमन्त्रमुपहिताः 'एकोनत्रिंशत्स्तोमभागाः'–(का. श्रौ. सू. १७।२३२) । "राज्ञ्यसि प्राची दिक्"–(वा. सं. १५ । १०) इति प्रतिमन्त्रं 'पञ्च नाकसदः'–(का. श्रौ. सू. १७ । २३६) । "अयं पुरः" (वा. सं. १५ । १५) इति प्रतिमन्त्रं 'पञ्च पञ्चचूडाः'–(का. श्रौ. सू. १७।२३७) । "अग्निर्मूर्द्धा दिवः ककुत्"–(वा. सं. १५ । २०) इति प्रत्यृचमेकत्रिंशच्छन्दस्याः–(का. श्रौ. सू. १७ । २४०) ।

(स्ता) ताः सुर्व्वाः पञ्चभिर्न् चत्वारि शतानि । तुतो युाः षष्टिश्च त्रीणि च शतान्युहर्लोकास्ताऽअह्नामेव सुाऽऽप्तिः क्रियतेऽह्नां प्रतिमा ताः षष्टिश्च त्रीणि च शतानि भवन्ति षष्टिश्च ह वै त्रीणि च शतानि संव्वत्सरस्याहान्युथ याः षुट्त्रिॐशत्पुरीषं तुासाॐ षट्त्रिॐशी तुतो याश्चुतुर्व्विॐशतिरर्धमासुलोकास्ता ऽअर्धमासुानामेव सुाऽऽप्तिः क्रियुतेऽर्धमासुानां प्रतिमुाऽथ या द्वादशमुासलोकास्ता मुासानामेव सुाऽऽप्तिः क्रियते मुासानां प्रतिमा तुाऽउ द्वे द्वे सुहऽर्तुलोका ऽऋतूनुामशून्यतायै ॥ १९ ॥

ताः सर्वाः पञ्चभिर्न चत्वारि शतानि । ततो याः षष्टिश्च त्रीणि च शतानि–अहर्लोकास्ताः । अह्नामेव साऽऽप्तिः क्रियते, अह्नां प्रतिमा । ताः षष्टिश्च त्रीणि च शतानि भवन्ति । षष्टिश्च ह वै त्रीणि च शतानि सम्वत्सरस्याहानि । अथ याः षट्त्रिंशत्पुरीषम्–तासां षट्त्रिंशी । ततो याश्चतुर्विंशतिः–अर्धमासलोकास्ताः । अर्धमासानामेव साऽऽप्तिः क्रियते । अर्धमासानां प्रतिमा । अथ या द्वादशमासलोकास्ताः । मासानामेव साऽऽप्तिः क्रियते, मासानां प्रतिमा। ता उ द्वे द्वे ह ऋतुलोकाः ऋतुनामशून्यतायै ॥ १९ ॥

" अयं सोऽग्निः "–(वा. सं. १२ । ४७) इत्यादिरुपधेया अष्टौ गार्हपत्यादिभिः " येन ऋषयस्तपसा-सत्रम् "–(वा. सं. १५ । ४९) इत्यादिभिरुपहिता अष्टौ पुनश्चितिः–(का. श्रौ. सू. १७ । २५४) । ' तपश्च तपस्यश्च"–(वा. सं. १५ । ५७) इति द्वे ऋतव्ये–(का. श्रौ. सू, १७।२५८) । " परमेष्ठी त्वा सादयतु "–(वा. सं. १५।५८) इति विश्वज्योतिः–(श्रौ. सू. १७ । २५९) ।"प्रोथदश्वः"–(वा.सं. १५।६२) इति विकीर्णी–(का. श्रौ. सू.१७।२६१) । " आयोष्ट्वा सदने"–(वा. सं.१५ । ६३) इति मन्त्रेणोपहिता ' स्वयमातृण्णा–(का. श्रौ. सू. १७।२६१) । "विमान एष दिवः"–(वा. सं. १७।५४) इति द्वाभ्यामाग्नीध्रीये उपहितः "पृश्न्यश्मा" सूत्रं तु " पृश्न्यश्मा चाग्नीध्रीये " (का. श्रौ. सू. १८ । ९४) इत्युदाहृतम् । चित्याग्रेरुपरि अग्निं निदधाति । " सुपर्णोऽसि " (वा. सं. १७।७२) इति " वषट्कारेण " (का. श्रौ.सू. १८।४७) इति सूत्रात् । वषट्कारान्तमन्त्रेण निहितोऽग्निराहवनीय इष्टकेत्यर्थः । एवं पञ्चम्यां चितौ असपत्नाद्या आहवनीयान्ताः आग्नीध्र्योपहितपृश्न्यश्मना सह अष्टात्रिंशदधिकं शतं यजुष्मत्य इष्टकाः॥१८

पञ्चचितिगता यजुष्मतीः सर्वाः सम्भूय गणयति–**ताः सर्वाः पञ्चभिर्न चत्वारि शतानीति** । पञ्चोनचतुःशतसंख्याकाः सर्वा यजुष्मत्य इत्यर्थः । एतासामेवाहरर्द्धमासर्तुरूपतां विभज्य दर्शयति–**ततो याः षष्टिश्च त्रीणि च शतान्यहर्लोकास्ता** इति । तत्र ' याः ' षष्ट्यधिकत्रिशतसंख्याकाः यजुष्मत्य इष्टकाः ता ' अहर्लोकाः ' अहर्लोकप्राप्तिहेतुभूता इत्यर्थः । ता अह्नां प्रतिमाः प्रतिकृतय इति । संवत्सरस्यापि तावन्त्येवाहानि एवं षष्ट्यधिकशतत्रये गते पञ्चत्रिंशदवशिष्टाः । अथ तासां पुरीषमन्तिमं संयोज्य षट्त्रिंशत्संपन्ना इत्याह–**अथ याः षट्त्रिंशत्पुरीषं तासां षट्त्रिंशीति** । " इन्द्रं विश्वा अवीवृधन् "–(वा. सं. १२ । ५६) इति मन्त्रेण पुरीषमुपधीयते, अतस्तस्यापि यजुष्मत्त्वाद्यजुष्मतीष्विष्टकासु मध्ये परिगणनमित्य-

---

१–अत्र कण्डिकायां सर्वत्र ' प्रतिमा ' इति पाठो भाष्यानुसारी साधीयान्प्रतिभाति । एवमुत्तरत्रापि ।

(या॒ऽअु) अथ या लोकम्पृणाः । (०) मुहूर्तलोकास्ता मुहूर्तानामेव साऽऽप्तिः क्रियते मुहूर्तानां प्रतिमा ता दश च सहस्राण्यष्टौ च शतानि भवन्त्येतावन्तो हि संवत्सरस्य मुहूर्तास्तासामेकविंशतिं गार्हपत्यऽउपदधाति द्वाभ्यां नाशीतिं धिष्ण्येष्वाहवनीयऽइतराऽएतावन्ति वै संवत्सरस्य रूपाणि तान्यस्यात्राप्तान्युपहितानि भवन्ति ॥ २० ॥

तद्धैके । (कऽ) आहवनीयऽएवैताꣳ सम्पदमापिपयिषन्त्यन्ये वाऽएतेऽग्नयश्रिताः किमन्यत्रोपहिता ऽइह सम्पश्येमेति न तथा कुर्याद्दश वाऽएतानग्नींश्चिनुतेऽष्टौ धिष्ण्यानाहवनीयं च गार्हपत्यं च तस्मादाहु-

---

अथ या लोकम्पृणाः–मुहूर्तलोकास्ताः । मुहूर्तानामेव साऽऽप्तिः क्रियते, मुहूर्तानां प्रतिमा । ता दश च सहस्राणि, अष्टौ च शतानि भवन्ति । एतावन्तो हि संवत्सरस्य मुहूर्ताः । तासामेकविंशतिं गार्हपत्य उपदधाति । द्वाभ्यां नाशीतिं धिष्ण्येषु । आहवनीय इतराः । एतावन्ति वै संवत्सरस्य रूपाणि–तान्यस्यात्राप्तान्युपहितानि ॥ २० ॥

तद्धैक आहवनीय एवैतां सम्पदमापिपयिषन्ति । अन्ये वा एते, अग्नयश्रिताः किमन्यत्रोपहिता इह सम्पश्येमेति । न तथा कुर्यात् । दश वा एतानग्नींश्चिनुते, अष्टौ धिष्ण्यान्, आहवनीयं च

भिप्रायः । ताः षट्त्रिंशतमिष्टकाः विभज्य अर्द्धमासमासाद्यात्मिका इत्याह–ततो याश्चतुर्विंशतिर्यजुष्मत्यः ता अर्द्धमासप्रतिमाः–संख्यासाम्यात् अर्द्धमासात्मना सम्पन्नाः । संवत्सरस्यापि तावन्त एवार्द्धमासाः । अथ या द्वादश विद्यन्ते ता मासप्रतिमाः संख्यासाम्यात् । एवं षट्त्रिंशदिष्टका अर्द्धमासमासात्मना सम्पन्नाः । अथ कथं यजुष्मतीभिरहान्यर्द्धमासान्मासानृतूनिति । यजुष्मतीभिर्ऋतुप्राप्तिरुक्ता तत्राह–ता उ द्वे द्वे सह ऋतुलोकाः इति । 'ताः' द्वादश लोकाः 'द्वे द्वे' सह सम्भूय ऋतुलोकाः संवत्सरेऽपि वर्तन्त इति साम्यात् । किमर्थमेवं सम्पादनमिति तद्दर्शयति–**ऋतूनामशून्यताया** इति । ऋतूनामिष्टकारूपत्वाभावे तेषां संवत्सरावयवानामप्राप्तिर्भवतीति तात्पर्यम् ॥ १९ ॥

लोकंपृणाभिर्मुहूर्तप्राप्तिं संख्यासाम्यादुपपादयति–**अथ या लोकम्पृणा मुहूर्तलोकास्ता** इति । तासामुपधानप्रदेशसंख्याविशेषं दर्शयति–**एकविंशतिं गार्हपत्य उपदधाती**ति । लोकंपृणानामष्टशताधिकदशसाहस्रसम्मितानां मध्ये गार्हपत्ये एकविंशतिं लोकंपृणा उपदध्यात् । तत्र परिश्रितोऽपि तावत्य इत्युक्तम् । **द्वाभ्यां नाशीतिं धिष्ण्ये**ष्विति । अस्मिन्नर्थे सूत्रम्–"परिश्रिदुपधानविभागसमये पूर्वमुदाहृतम् । "धिष्ण्यांश्चिनोत्यष्टेष्टकांल्लोकंपृणाभिश्चतुःस्रक्तीन्" (का. श्रौ. सू. १८ । ९३) इत्यादिकम् । अत्र गार्हपत्यधिष्ण्यानामेकोनशतं लोकंपृणा गताः । शिष्टाः सर्वा आहवनीये उपधेयाः एवं परिश्रिद्यजुष्मतीलोकंपृणाभिः संवत्सरस्य सकलानि रूपाणि, अहोरात्रार्द्धमासमासर्तुमुहूर्त्तात्मकान्युपहितवान् भवतीति चयनस्य संवत्सरात्मकाग्निप्राप्तिः फलमित्युक्तं युक्तमित्यर्थः ॥ २० ॥

अत्र केचनाहवनीय एव सकला अपि लोकम्पृणा उपधेया इत्याहुः, तेषां मतमनूद्य दूषयति–तद्धैक

र्व्विराडग्निरिति दुशाक्षरा हि व्विराट् ताञ्च सुर्व्वानेकमिवैवाचक्षतेऽग्निरि-त्येतस्य ह्येवैतानि सुर्व्वाणि रूपाणि यथा संव्वत्सरस्याहोरात्राण्यर्धमासा मासा ऽऋतुव ऽएवुमस्यैतानि सुर्व्वाणि रूपाणि ॥ २१ ॥

ते ये ह तुथा कुर्व्वन्ति । (न्त्ये) एतानि हास्य ते रूपाणि बहिर्धा कुर्व्वन्त्युथो पापवस्यसं कुर्व्वन्ति क्षत्त्राय व्विशं प्रतिप्रतिनीं प्रत्युद्या-मिनीमाग्नीध्रीये वाऽअश्मानं पृश्निमुपदधात्युथ तᳬं सुम्पश्यति किमु तᳬं सम्पश्यन्नितरा न सुम्पश्येद्येनैव निर्ऋतिं पाप्मानमपहते स ऽएकादशः ॥ २२ ॥

गार्हपत्यं च । तस्मादाहुर्विराडग्निरिति । दशाक्षरा हि विराट् । ताञ्च सर्वानेकमिवैवाचक्षते । अग्नि-रित्येतस्य ह्येवैतानि सर्वाणि रूपाणि । यथा संवत्सरस्याहोरात्राणि, अर्धमासाः, मासाः, ऋतवः, एवमस्यैतानि सर्वाणि रूपाणि ॥ २१ ॥

ते ये ह तथा कुर्वन्ति—एतानि हास्य ते रूपाणि बहिर्धा कुर्वन्ति । अथो पापवस्यसं कुर्वन्ति । क्षत्त्राय विशं प्रतिप्रतिनीं प्रत्युद्यामिनीम् । आग्नीध्रीये वा अश्मानं पृश्निमुपदधाति । अथ तं सम्पश्यति । किमु तं सम्पश्यन्नितरा न सम्पश्येत् । येनैव निर्ऋतिं पाप्मानमपहते—स एका-दशः ॥ २२ ॥

आहवनीय एवैतां सम्पदमिति । लोकम्पृणानां मुहूर्त्तरूपाणां सम्पत्तिमाहवनीयाग्नावेवाप्तुमिच्छन्ति । तत्रैषो-पपत्तिः—' अन्ये वाऽएते अग्नयः ' गार्हपत्यधिष्ण्योपलक्षणाः चिताः लोकम्पृणेष्टकाभिः । अतः अन्यत्रोपहिता इष्टका इहाहवनीयचित्याऽग्नौ किं सम्पश्येम सम्भूय जानीमह इति केषांचिन्मतम् । तस्योत्तरम्—चित्ये यजमानो दशाग्नीन्, गार्हपत्याहवनीयौ, अष्टौ धिष्ण्यान्, चिनुते । अग्निगतदशसंख्याया एव विराडात्मकत्वेनैव वैदिक-प्रसिद्धिं दर्शयति—तस्मादाहुर्विराडग्निरिति । दशाक्षरा हि विराट्, अतोऽग्निर्विराड्रूप इति वदन्ति । यद्येवम् अग्निं चिनुत इत्येकवचनान्ताग्निशब्दव्यवहारः कथमित्याशङ्क्य तदुपपादयति—ताञ्च सर्वानेकमिवैवाचक्षतेऽ-ग्निरिति । एतस्यैकस्यैवाग्नेरितराणि गार्हपत्यादिलक्षणानि रूपाणि यथैकस्य संवत्सरस्य अहोरात्रार्द्धमासमासर्तवो रूपाणि एवमित्यर्थः ॥ २१ ॥

केषांचिन्मते दोषमाह—ते ये ह तथा कुर्वन्तीति । ये तथा आहवनीय एव संख्यासम्पत्तिं कुर्वन्ति—ते ' एतानि ' गार्हपत्यधिष्ण्यलक्षणानि रूपाणि संवत्सरात्मकादग्नेर्बहिर्द्धा कुर्वन्ति । किञ्च पापयुक्तं कर्मैव तत् । यतः ' क्षत्त्राय ' प्रजाभूतां वैश्यजातिं ' प्रतिप्रतिनीं ' प्रतिकोटिभूतां ' प्रत्युद्यामिनीं ' स्पर्द्धिनीं च कुर्वन्ति । अतो मुख्यस्याहवनीयाग्नेः सकाशादेतेषां गार्हपत्यादीनां बहिर्द्धाकरणात्तस्य तैः सह प्रातिकूल्यमेव कृतवन्तो भवन्ति । यद्येवमन्यत्र चित्यानामिष्टकानां सम्भूय परिगणनम्, तर्हि निर्ऋतिदेवत्यानां तिसृणामिष्टकानामप्यत्रैव सन्दर्शनं कर्तव्यमित्यनिष्टमापादयितुं भूमिकामारचयति—आग्नीध्रीये वा अश्मानं पृश्निमुपदधातीति ।

(स्तु) तुदाहुः । कथमु तां ऽअत्र न सम्पश्यतीति न ह्येना ऽअभिजुहोत्याहुत्या वाऽइष्टका सुर्वा कृत्स्ना भुवतीति ॥ २३ ॥

तुदाहुः । कथमस्यैता ऽअनतिरिक्ताऽउपहिता भवन्तीति व्वीर्य्यं वाऽअस्यैता ऽअनतरिक्तं वै पुरुषं व्वीर्य्यंᳯ स ह वाऽएतᳯ सुर्व्वं कृत्स्नं प्रजापतिᳯ सुᳯस्करोति य ऽएवंविद्वानेतत्कर्म कुरुते यो वैतुदेवं व्वेद ॥ २४ ॥

इति तृतीयप्रपाठके द्वितीयं ब्राह्मणम् ॥ १०–३–२ ॥ (४. ३.)

तदाहुः–कथमु ता अत्र न सम्पश्यतीति । न ह्येना अभिजुहोति । आहुत्या वा इष्टका सर्वा कृत्स्ना भवतीति ॥ २३ ॥

तदाहुः–कथमस्यैता अनतिरिक्ता उपहिता भवन्तीति । वीर्यं वा अस्यैताः । अनतिरिक्तं वै पुरुषं वीर्यम् । स ह वा एतं सर्वं कृत्स्नं प्रजापतिं संस्करोति । य एवं विद्वानेतत्कर्म कुरुते । यो वैतदेवं वेद ॥ २४ ॥

पृश्न्यश्मा तु यजुष्मतीमध्ये परिगणितः । तस्याग्नीध्रीयेऽग्नावुपधानसूत्रं तूदाहृतम् । "पृश्न्यश्मा चाग्नीध्रीये"–(का. श्रौ. सू. १८।९४) इति । 'अथ तं' तं अश्मानं सम्पश्यति–यजुष्मतीषु मध्ये सम्भूय जानाति । तद्वदितरधिष्ण्यगता अपि लोकम्पृणाः कथं न संपश्येत् । अन्यत्र स्थितानामपि पृश्न्यश्मवत् सम्पश्यत्यन्तर्भावो न विरुध्यत इत्यर्थः । एवमन्तर्नैर्ऋतीनां प्रसक्तिः सम्पद्यते–येनैव निर्ऋतिमिति । येनाग्निना 'निर्ऋतिं पाप्मानमहते' अपहन्ति । स एकादशोऽग्निः । पूर्वं दशाग्नय उक्ताः तेषामयमेकादशसंख्यापूरक इत्यर्थः ॥ २२ ॥

इत्थं पीठिकां कृत्वा चोदयन्ति–**तदाहुः कथमु ता** इति । नैर्ऋत्य इष्टकाः उपधेया इति प्राग्विहितम् । "अथातो नैर्ऋतीर्हरन्ति"–(श. प. ७।२।१।१) इति । कात्यायनेनापि "नैर्ऋतीः कृष्णास्तुषपकास्तिस्रः" इति–प्रक्रम्य–"दक्षिणामुखोऽनुपस्पृशन् 'असुन्वन्तं' (वा. सं. १२।६२) इति प्रत्यृचं पराचीः"–(का. श्रौ. सू. १७ । २३–२४) इति । तासां कथमत्र न परिगणनमिति चोदनार्थः । तद्दूषयति–**न ह्येना जुहोती**त्यादिना । आहुतिभिरिष्टका सम्पाद्यते । नात्राहुतिरस्तीति इष्टकात्वमेव नास्ति कुतस्तासामिष्टकामध्ये परिगणनमित्युत्तरस्यार्थः । "होमेन हीष्टका भवति" इति षष्ठकाण्डादौ प्रतिपादितम् । "यां यामाहुतिमजुहवुः सासैनं पक्वेष्टकाभूत्वाऽप्यपद्यत । तद्यदिष्टात्समभवंस्तस्मादिष्टकाः"–(श. प. ६ । १ । २ । २२ ।) इति ॥ २३ ॥

अथासां नैर्ऋतीनां तिसृणामिष्टकानां सतत्यधिकशतोत्तरैकादशसहस्रसम्मितेष्टकाभ्यो नातिरेकेनोपधानं प्रश्नोत्तराभ्यामाह–**तदाहुः कथमस्यैता** इति । 'अस्य' चित्याग्नेः 'अनतिरिक्ताः' 'उपहिताः' अतिरेकाभावेनोपहिताः कथं भवन्तीति प्रश्नार्थः । **वीर्यं वा अस्यैता** इति । अस्याग्नेरेतास्तिस्र इष्टकाः 'वीर्यं' वीर्यरूपा इत्यर्थः । वीर्यत्वेऽपि कथमनतिरेकस्तदाह–**अनतिरिक्तं वै पुरुषमिति** । पुरुषस्य वीर्यम् अनतिरिक्तम् अनधिकं, तस्मादेतासामनतिरेकेणोपधानमेवेत्यर्थः । अथ विदित्वाऽनुष्ठातुः केवलवेदितुश्च फलमाह–**स ह वा एतं सर्वं कृत्स्नं प्रजापतिमिति** । यः पुरुषः एवं परिश्रियजुष्मतीलोकम्पृणानामुक्तविधां सम्पत्तिं ज्ञात्वा चयनकर्म

प्रजापतिं वै प्रजाः सृजमानम् । (म्पा) पाप्मा मृत्युरभिपरिजघान स तपोऽतप्यत सहस्रꣳ संवत्सरान्पाप्मानं विजिहासन् ॥ १ ॥

(संस्तु) तस्य तपस्तेपानस्य । (स्यै) एभ्यो लोमगर्तेभ्य ऽऊर्ध्वानि ज्योतीꣳष्यायंस्तद्यानि तानि ज्योतीꣳष्येतानि तानि नक्षत्राणि यावन्त्येतानि नक्षत्राणि तावन्तो लोमगर्ता यावन्तो लोमगर्तास्तावन्तः सहस्रसंवत्सरस्य मुहूर्ताः ॥ २ ॥

स सहस्रतमे संवत्सरे । सर्वोऽत्यपवत स यः सोऽत्यपवतायमेव स वायुर्योऽयं पवतेऽथ यं तं पाप्मानमत्यपवतेदं तच्छरीरं कऽउ तस्मै मनुष्यो यः सहस्रसंवत्सरमवरुन्धीत विद्यया ह वाऽएवंवित्सहस्रसंवत्सरमवरुन्द्धे ॥ ३ ॥

प्रजापतिं वै प्रजाः सृजमानं पाप्मा मृत्युरभिपरिजघान । स तपोऽतप्यत—सहस्रं संवत्सरान् । पाप्मानं विजिहासन् ॥ १ ॥

तस्य तपस्तेपानस्यैभ्यो लोमगर्तेभ्य ऊर्ध्वानि ज्योतींष्यायन् । तद् यानि तानि ज्योतींष्येतानि तानि नक्षत्राणि । यावन्त्येतानि नक्षत्राणि—तावन्तो लोमगर्ताः । यावन्तो लोमगर्तास्तावन्तः सहस्रसंवत्सरस्य मुहूर्ताः ॥ २ ॥

स सहस्रतमे संवत्सरे सर्वोऽत्यपवत । स यः सोऽत्यपवत । अयमेव स वायुर्योऽयं पवते । अथ यं तं पाप्मानमत्यपवत—इदं तच्छरीरम् । क उ तस्मै मनुष्यः—यः सहस्रसंवत्सरमवरुन्धीत । विद्यया ह वा एवं वित्सहस्रसंवत्सरमवरुन्द्धे ॥ ३ ॥

करोति, यश्च या ऋचो वेद, स प्रजापतिं चित्याग्निरूपं सर्वं कृत्स्नं संस्करोति नाधिकं न्यूनं किं तु संपूर्णमेव संस्कृतवान् भवतीत्यर्थः ॥ २४ ॥

इति श्रीसायणाचार्यविरचिते माधवीये वेदार्थप्रकाशे माध्यन्दिनीयशतपथब्राह्मणभाष्ये दशमकाण्डे चतुर्थेऽध्याये तृतीयं ब्राह्मणम् ॥ (१०–४–३) ॥

उत्तरेणाध्यायद्वयेन अग्निविषया उपासना वक्ष्यते तत्रादावस्मिन् ब्राह्मणद्वये संवत्सररूपाग्नेः तदवयवानां च सहस्ररूपत्वेनोपासनं तत्फलं च प्रदर्श्यते । सहस्रप्रसङ्गं प्रजापतिवृत्तान्तेन प्रस्तौति—प्रजापतिं वै प्रजा इति । पूर्वं प्रजाः सृष्टवन्तं प्रजापतिं पापरूपो मृत्युरभिजघान । 'सः' 'पाप्मानं विजिहासन्' त्यक्तुमिच्छन् । "ओहाक् त्यागे"—(पा. धा. जु. प. ३) सनि रूपम् । सहस्रसंवत्सरपर्यन्तं तपस्तेपे ॥ १ ॥

'तस्य' 'तेपानस्य' तपश्चरितवतो रोमकूपेभ्य ऊर्ध्वमुखानि ज्योतींषि निरगच्छन् । 'तानि' इमानि 'नक्षत्राणि' 'प्रजापतेः यावन्तः 'लोमगर्ताः' 'तावन्तः' सहस्रसंवत्सरात्मकस्य दिनानि लक्षत्रयं षष्टिसहस्राणि (३, ६०,०००) । तन्मुहूर्ताः, कोटिरेका, अष्टौलक्षाणि (१, ८, ०००००) ॥ २ ॥

'सः' प्रजापतिः 'सहस्रतमे' पूरणार्थे तमट् प्रत्ययः—"विंशत्यादिभ्यस्तमडन्यतरस्याम्"—(पा.

सर्व्वा ऽ एवैता ऽइष्टकाः साहस्रीरुपासीत । रात्रिसहस्रेण रात्रिसहस्रेणैकैकां परिश्रितꣳ सम्पन्नामुपासीताहःसहस्रेणाहःसहस्रेणैकैकामहर्भाजमर्धमाससहस्रेणार्धमाससहस्रेणैकैकामर्धमासभाजं माससहस्रेण माससहस्रेणैकैकां मासभाजमृतुसहस्रेण ऽर्तुसहस्रेणैकैकामृतुभाजं मुहूर्तसहस्रेण मुहूर्तसहस्रेणैकैकां मुहूर्तभाजꣳ संवत्सरसहस्रेण संवत्सरं ते य ऽएतमेवमग्निꣳ संव्वत्सरेण सम्पन्नं व्विदुः सहस्रतमीꣳ हास्य ते कलां व्विदुरथ य ऽएनमेवं न व्विदुर्न हास्य ते सहस्रतमीं चन कलां विदुरथ य ऽएवैवं व्वेद यो वैतत्कर्म कुरुते स हैवैतꣳ सर्व्वं कृत्स्नं प्राजापत्यमग्निमाप्नोति यं प्रजापतिराप्नोत्तस्मादेवंवित्तप ऽएव तप्येत यदु ह वाऽएवंवित्तप ऽ एव तप्यत ऽआ मैथुनात्सर्व्वꣳ हास्य तत्स्वर्गं लोकमभिसम्भवति ॥ ४ ॥

सर्वा एवैता इष्टकाः साहस्रीरुपासीत । रात्रिसहस्रेण रात्रिसहस्रेणैकैकां परिश्रितं सम्पन्नामुपासीत । अहःसहस्रेण अहःसहस्रेणैकैकामहर्भाजम् । अर्धमाससहस्रेणार्धमासहस्रेणैकैकामर्धमासभाजम् । माससहस्रेण माससहस्रेणैकैकां मासभाजम् । ऋतुसहस्रेण ऋतुसहस्रेणैकैकामृतुभाजम् । मुहूर्तसहस्रेण मुहूर्तसहस्रेणैकैकां मुहूर्तभाजम् । संवत्सरसहस्रेण संवत्सरम् । ते य एतमेवमग्निं संवत्सरेण सम्पन्नं विदुः, सहस्रतमीं हास्य ते कलां विदुः । अथ य एनमेवं न विदुः, न हास्य ते सहस्रतमीं चन कलां विदुः । अथ य एवैवं वेद, यो वैतत्कर्म कुरुते—स हैवैतं सर्वं कृत्स्नं प्राजापत्यमग्निमाप्नोति । यं प्रजापतिराप्नोत् । तस्मादेवंवित्तप एव तप्येत । यदु ह वा एवंवित्तप एव तप्यते—आमैथुनात्सर्वं हास्य तत्स्वर्गं लोकमभिसम्भवति ॥ ४ ॥

ऋ. ९ । २ । ९६) इति । सहस्रसंख्यापूरकेऽन्तिमे संवत्सरे 'सर्वोऽत्यपवत' अत्यक्षरत् बहुसंक्षरित इत्यर्थः । स यः सोऽत्यपवत अयमेव पवमानो वायुरासीत् । अथ यमेवं तं मृत्युरूपं पाप्मानमत्यपवत तदिदं शरीरम् अतिपूतं शरीरमेव तदानीं प्रजापतेर्गतमित्यर्थः । क उ तस्मै मनुष्य इत्यादिना । सहस्रोपासनायाः प्रसङ्गमाह 'यः सहस्रसंवत्सरमवरुन्धीत' जीवन्निति शेषः । तस्मै सहस्रसंवत्सरजीवनाय को वा मनुष्यः शक्नुयात् ?—मनुष्यायुषः परमावधिः शतम्, अतो जीवता मनुष्येण सहस्रसंवत्सराः प्राप्तुमशक्याः । तर्हि तेषां कथं प्राप्तिः तदुपायमाह—विद्यया ह वा इति ॥ ३ ॥

सहस्रसंवत्सरावरोधे मनुष्यस्य विद्यैव साधनं यतः, अतस्तामुपासनामाह—सर्वा एवैता इष्टका इति । सामान्येन सर्वा इष्टकाः साहस्रीः सहस्रसम्मिता इत्युपासीत । विशेषत आह—रात्रिसहस्रेणेति । एकैकां परिश्रितं रात्रिसहस्रेण सम्पन्नां तदात्मिकामुपासीत । अत्रोपासनक्रियया परिश्रिदादीनां रात्रिसहस्राद्यात्मना कार्त्स्न्येन व्याप्तिः सर्वत्र वीप्सार्थः । परिश्रिद्यजुष्मतीलोकम्पृणानां रात्र्यहरर्द्धमासमासर्तुमुहूर्त्तात्मकत्वं (श. प. १० ४।२ ब्राह्मणे) प्रागुक्तम् । अहर्भाजमर्द्धमासभाजं मासभाजमृतुभाजमिति पदचतुष्टयस्याप्ययमर्थः—यजुष्मतीषु चतु-

तदेतदृचाऽभ्युक्तम् । (न्न) न मृषा श्रान्तं यदवन्ति देवा ऽइति नु हैवैवं-
विदुषः किंचन मृषा श्रान्तं भवति तथो हास्यैतत्सर्वं देवा ऽअवन्ति ॥ ५ ॥

इति तृतीयप्रपाठके तृतीयं ब्राह्मणम् ॥ १०-३-३ ॥ (४. ४.) ॥

अथादेशा ऽउपनिषदाम् । (म्वा) व्वायुरग्निरिति ह शाकायनिन ऽउपा-
सतऽआदित्योऽग्निरित्यु हैकऽआहुरथ ह स्माह श्रौमत्यो वा हालिङ्गवो
वा व्वायुरेवाग्निस्तस्माद्यदेवाध्वर्युरुत्तमं कर्म करोत्यथैतमेवाप्येतीति ॥ १ ॥

तदेतदृचाऽभ्युक्तम्-" **न मृषा श्रान्तं, यदवन्ति देवाः** "-(ऋ. सं. २ । ४ । २२ । ३) इति । न हैवैवं विदुषः किंचन मृषा श्रान्तं भवति । तथो हास्यैतत्सर्वं देवा अवन्ति ॥ ५ ॥

अथादेशा उपनिषदाम्-वायुरग्निरिति ह शाकायनिन उपासते । आदित्योऽग्निरित्यु हैक आहुः । अथ ह स्माह श्रौमत्यो वा हालिङ्गवो वा-वायुरेवाग्निः । तस्माद्यदेवाध्वर्युरुत्तमं कर्म करोति-अथैतमेवाप्येतीति ॥ १ ॥

रूनचतुःशतसंख्याकास्विष्टकासु मध्ये षष्ट्युत्तरत्रिशतसंख्याका अहोरूपाः । चतुर्विंशतिरर्द्धमासरूपाः । द्वादशावशिष्टा मासरूपाः । ता एव द्वे द्वे भूत्वा षड् ऋतुरूपाः । तदभिप्रायेण अहर्भाजमिष्टकामहःसहस्रेण सम्पन्नामुपासीत । एवमर्द्धमासभाजमित्यादि व्याख्येयम् । मुहूर्त्तभाजमिति लोकम्पृणाभिप्रायम् । संवत्सरसहस्रेण संवत्सरमिति । समष्टिरूपचित्याग्निविषयम् । उपासनाफलमाह-**य एतमेवमग्निं संवत्सरेण सम्पन्नं विदुरिति** । सहस्रतमींकलां पापाभिभवहेतुभूतामस्याग्निरूपप्रजापतेः कलां विदुर्जानन्ति । येषां तादृशज्ञानाभावस्तेषां पापजयहेतुभूतोपायदर्शनाभाव इत्याह-**अथ य एनमेवमिति** । सर्वेषु व्यापारेष्वपि एतदुपासनं कर्तुं युज्यत इति वक्तुम् । **आमैथुनादिति** । मैथुनान्तव्यापारेषु सर्वेष्वपि एतत्तपः अग्नेस्तदवयवानां च सहस्रात्मकत्वरूपं करोति तस्माच्च स्वर्गलोकप्राप्तिर्भवतीत्यर्थः ॥ ४ ॥

विदुषः किञ्चिदपि व्यापारमात्रं व्यर्थं न भवतीत्यर्थे मन्त्रं संवादयन्ति-**तदेतदृचाऽभ्युक्तं न मृषेति** । अत्र "न मृषा श्रान्तं यदवन्ति देवाः" इत्येतावान् पाद एव संवादः । उत्तरस्मिन्पादत्रये लोपामुद्राऽगस्त्यप्रतिपादकानि । अश्नवाव जयाव अभ्यजीवावेति त्रीणि द्विवचनान्तानि पदानि प्रयुक्तानि । तान्यत्र **न सङ्गच्छन्त** इति पाद एव संवादत्वेन पठितः । पादस्यार्थमाह-**न हैवैवं विदुष इति** । एवं जानानस्य पुरुषस्य किञ्चन किञ्चिदपि न मृषा श्रान्तं व्यर्थः श्रमो न भवति । एवं विद्वान् यः कुरुते तत्सर्वं यद्यस्मात् देवा अवन्ति ॥ ५ ॥

इति श्रीसायणाचार्यविरचिते माधवीये वेदार्थप्रकाशे माध्यन्दिनीयशतपथब्राह्मणभाष्ये दशमकाण्डे चतुर्थेऽध्याये चतुर्थं ब्राह्मणम् ॥ (१० । ४ । ४) ॥

एवं प्रजापत्यात्मकसमष्टिरूपोपासनामभिधाय व्यष्टिरूपाग्निविषयामुपासनां वक्तुं प्रतिजानीते-**अथादेशा उपनिषदामिति** । 'अथ' अनन्तरम् 'उपनिषदां' रहस्यार्थानाम् 'आदेशाः' उपदेशाः वक्ष्यन्त इत्यर्थः । तत्र वाय्वादित्यरूपेणाग्न्युपासनं ससम्प्रदायमाह-**वायुरग्निरिति** । शाकायनिन आचार्याः चित्याग्निं वायु-

शाट्यायनिरु ह स्माह । संव्वत्सरऽएवाग्निस्तस्य व्वसन्तः शिरो ग्रीष्मो दक्षिणः पक्षो व्वर्षाऽ उत्तरः शरदृतुर्मध्यमात्मा हेमन्तशिशिरावृतू पुच्छं प्रतिष्ठा व्वागग्निः प्राणो व्वायुश्चक्षुरादित्यो मनश्चन्द्रमाः श्रोत्रं दिशऽ आपो मिथुनं तपः प्रतिष्ठा मासाः पर्व्वाण्यर्धमासा नाड्योऽहोरात्राणि रजतसुवर्णानि पत्त्राणि सऽएवं देवानप्येतीति संव्वत्सरोऽग्निरित्यु हैव विद्यादेतन्मयो भवतीति त्वेव विद्यात् ॥ २ ॥

(त्रु) चेलकऽउ ह स्माह शाण्डिल्यायनः । (ऽ) इमऽएव लोकास्तिस्रः स्वयमातृण्णावत्यश्चितयो यजमानश्चतुर्थी सर्व्वे कामाः पञ्चमीमांश्च लोकान्त्सᳪंस्कुर्व्वऽआत्मानं च सर्व्वांश्च कामानित्येव विद्यादिति ॥ ३ ॥

इति तृतीयप्रपाठके चतुर्थं ब्राह्मणम् ॥ १०-३-४ ॥ (४. ९.) ॥

इति चतुर्थोऽध्यायः समाप्त ॥ १०-४ ॥

शाट्यायनिरु ह स्माह—सम्वत्सर एवाग्निः—तस्य वसन्तः शिरः, ग्रीष्मो दक्षिणः पक्षः, वर्षा उत्तरः, शरदृतुर्मध्यम्, आत्मा हेमन्तशिशिरावृतू । पुच्छं प्रतिष्ठा, वागग्निः, प्राणो वायुः, चक्षुरादित्यः, मनश्चन्द्रमाः, श्रोत्रं दिशः, आपो मिथुनम्, तपः प्रतिष्ठा, मासाः पर्वाणि, अर्धमासा नाड्यः, अहोरात्राणि रजतसुवर्णानि पत्राणि, स एवं देवानप्येतीति । सम्वत्सरोऽग्निः—इत्युहैव विद्यात्—एतन्मयो भवतीति त्वेव विद्यात् ॥ २ ॥

चेलक उ ह स्माह शाण्डिल्यायनः—इम एव लोकास्तिस्रः स्वयमातृण्णावत्यश्चितयः, यजमान-

---

रग्निरित्युपासते । 'एके' केचन आदित्योऽग्निरिति । अथ वायुरूपत्वेनाग्न्युपासनं सयुक्तिकं प्रदर्शयति—अथ ह स्माहेति । वा—शब्दौ समुच्चयार्थौ । श्रौमत्य आचार्यः, हालिङ्गवो नामाचार्यश्च वायुरेवाग्निरित्याह । एवशब्दोऽन्योपाध्युपासनानिरासार्थः । यतो वायुरेवाग्निः तस्मादध्वर्युर्यदा उत्तमं यज्ञसमाप्तिलक्षणं कर्म करोति तदैतमेव वायुमप्येति । तथाहि समिष्टयजुर्होमे "देवा गातुविदो गातुं वित्त्वा गातुमित । मनसस्पते"—(वा. सं.२।२१) इति—मन्त्रे "यज्ञं स्वाहा वाते धाः स्वाहा" इति वायौ धारणमुक्तम्, अतो वायुरेवाग्निरित्यर्थः॥ १॥

संवत्सरे शिरःपक्षपुच्छावयवाग्न्युपासनां दर्शयति—शाट्यायनिर्ह स्माहेति । संवत्सरेऽपि पञ्चावयवान् दर्शयति—तस्य वसन्तः शिर इति । संवत्सरात्मकस्याग्नेर्वाक्प्राणादीनि दर्शयति—वागग्निरिति । बाह्योऽग्निरेव तस्य वाक्त्वेन सम्पन्नः, वायुः प्राणत्वेन, आदित्यश्चक्षुरात्मना, चन्द्रमा मनोरूपेण, दिशः श्रोत्रात्मना, आप एव मिथुनं प्रजननम्, तद्रूपेण तपः प्रतिष्ठात्मना, मासाः पर्वात्मना, अर्द्धमासा एव नाड्यात्मना, अहोरात्राणि रजतसुवर्णानि पत्राणि, पक्षिरूपत्वेन दर्शनात् पत्राणीत्युक्तम् । "अहरेषा सुवर्णाऽभवद्रजता रात्रिः"—इति तैत्तिरीयकश्रुतेः । एवमग्न्यादीन् देवान् स संवत्सरोऽप्येति युनक्तीति हेतोः 'संवत्सरः' इत्येवाग्निरित्युपासनीयः। तत्फलमाह—एतन्मयो भवतीति । त्वेव विद्यात्—इति श्रुतिः । परेषामग्न्युपासनाफलमाविष्करोति । अग्नेः पूर्वं शिरःपक्षपुच्छरूपावयवाः सन्तीति संवत्सरेऽपि तथैव दर्शिताः ॥ २ ॥

इदानीं प्रकारान्तरेण पञ्चचितिरूपसम्पत्तिं तथैवोपासनां दर्शयति—चेलक उ ह स्माह शाण्डिल्यायन इति ।

श्चतुर्थी, सर्वे कामाः पञ्चमी । इमांश्च लोकान्त्संस्कुर्वे । आत्मानं च, सर्वांश्च कामानित्येव विद्यादिति ॥ ३ ॥

शाण्डिल्यपुत्रश्चेलकोनामर्षिरेवमाह–'इमे' त्रयो लोकाः 'एव' अग्नेः स्वयमातृण्णावत्यः–तिस्रश्चितयः स्वयमातृण्णानाम सहजच्छिद्रयुक्तपाषाणेष्टकाः । ताश्च तिसृषु प्रथममध्यमोत्तमासु चितिषु उपधीयन्ते । 'यजमानः' कर्ता चतुर्थी चितिः । सर्वे कामाः पञ्चमी चितिः । एवमिमांस्त्रीँल्लोकान् सर्वान् कामान्, आत्मानं, पञ्चचित्यात्मना संस्कुर्वे इति ध्यायेदिति ॥ ३ ॥

इति श्रीसायणाचार्यविरचिते माधवीये वेदार्थप्रकाशे माध्यन्दिनीयशतपथब्राह्मणभाष्ये दशमकाण्डे चतुर्थेऽध्याये पंचमं ब्राह्मणम् ॥ (१०–४–५) ॥

वेदार्थस्य प्रकाशेन तमो हार्दं निवारयन् । पुमर्थांश्चतुरो देयाद् विद्यातीर्थमहेश्वरः ॥ १ ॥

ब्रह्माण्डं गोसहस्रं कनकहयतुलापूरुषौ स्वर्णगर्भं,
सप्ताब्धीन्पञ्चसीरींस्त्रिदशतरुलताधेनुसौवर्णभूमीः ।
रत्नोस्रां रुक्मवाजिद्विपमहितरथौ सायणिः सिङ्गणार्यो,
व्यश्राणीद्विश्वचक्रं प्रथितविधिमहाभूतयुक्तं घटं च ॥
धान्याद्रिं धन्यजन्मा तिलमवमतुलः स्वर्णजं वर्णमुख्यः,
कार्पासीयं कृपावान्गुडकृतमजडो राजतं राजपूज्यः ।
आज्योत्थं प्राज्यजन्मा लवणजमनृणः शार्करं चार्कतेजा,
रत्नाढ्यो रत्नरूपं गिरिमकृत मुदा पात्रसात्सिङ्गणार्यः ॥

इति श्रीमद्राजाधिराजपरमेश्वरवैदिकमार्गप्रवर्त्तकश्रीहरिहरमहाराजसाम्राज्यधुरन्धरेण सायणाचार्येण विरचिते माधवीये वेदार्थप्रकाशे माध्यन्दिनीयशतपथब्राह्मणभाष्ये दशमकाण्डे चतुर्थोऽध्यायः समाप्तः ॥ (१०–४) ॥

अथ पञ्चमेऽध्याये प्रथमं ब्राह्मणम् ।
तृतीयप्रपाठके च पञ्चमं ब्राह्मणम् ।

तस्य वाऽएतस्याग्नेः (वर्गौ) वागेवोपनिषद्वाचा हि चीयतऽऋचा यजुषा साम्नेति नु दैव्याऽथ यन्मानुष्या वाचा हेतीदं कुरुतेतीदं कुरुतेति तदु ह तया चीयते ॥ १ ॥

सा वाऽएषा वाक्त्रेधा विहिता । (तर्चौ) ऋचो यजूꣳषि सामानि तेनाग्निस्त्रेधा विहित ऽएतेन हि त्रयेण चीयतेऽथ हैवं त्रेधा विहितऽइत्थꣳ ह त्वेवापि त्रेधा विहितो यदस्मिंस्त्रेधा विहिताऽइष्टका ऽउपधीयन्ते पुन्नाम्न्य स्त्रीनाम्न्यो नपुꣳसकनाम्न्यस्त्रेधा विहितान्युऽएवेमानि पुरुषस्याङ्गानि पुन्नामानि स्त्रीनामानि नपुꣳसकनामानि ॥ २ ॥ (शतम् ५४७०)

तस्य वा एतस्याग्नेर्वागेवोपनिषद् । वाचा हि चीयते, ऋचा, यजुषा, साम्नेति नु दैव्या । अथ यन्मानुष्या वाचा हेति । इदं कुरुतेति, इदं कुरुतेति । तद्‌ ह तया चीयते ॥ १ ॥

त्रयीमयादित्याग्न्युपासनं ब्राह्मणम् ।

सा वा एषा वाक् त्रेधा विहिता—ऋचः, यजूंषि, सामानि । तेनाग्निस्त्रेधा विहितः । एतेन हि त्रयेण चीयते । अथ हैवं त्रेधा विहितः—इत्थं ह त्वेवापि त्रेधा विहितः । यदस्मिंस्त्रेधा विहिता इष्टका उपधीयन्ते—पुन्नाम्न्यः, स्त्रीनाम्न्यः, नपुंसकनाम्न्यः । त्रेधा विहितान्यु एवेमानि पुरुषस्याङ्गानि—पुन्नामानि, स्त्रीनामानि, नपुंसकनामानि ॥ २ ॥

यस्य निःश्वसितं वेदा यो वेदेभ्योऽखिलं जगत् । निर्ममे तमहं वन्दे विद्यातीर्थमहेश्वरम् ॥ १ ॥

पूर्वम् " आदित्योऽग्निरित्युहैक आहुः " (श. प. १० । ४ । ६ । १) इत्युक्तं तत्र त्रयीमयादित्येऽन्युपासनाऽस्मिन् ब्राह्मणे वक्ष्यते । अथ तस्याग्नेस्त्रयीमयत्वं दर्शयति—तस्य वा एतस्याग्नेरिति । ' वागेवोपनिषद् ' रहस्यं स्वरूपम् । यतोऽग्निः ऋग्यजुः—सामरूपया दैव्या ' वाचा ' चीयते, ' मानुष्या ' मनुष्यसम्बन्धिन्या ' वाचा ' अपि चीयते । तामेवाभिनयेनाह—इतीदं कुरुतेति ' इति इदं कुरुतेति ' ॥ १ ॥

वाचस्त्रैविध्यादग्निरपि तया चितस्त्रिविध इत्याह—सा वा एषा वाक् त्रेधा विहितेति । तेनाग्निस्त्रेधा विहितः अग्निवायुसूर्यात्मनेत्यर्थः । अथ हैवं त्रेधा विहित इत्यनेन वेदत्रयद्वाराऽग्नेरुक्तत्रैविध्योपसंहारः । इत्थं ह त्वेवापि त्रेधा विहित इत्यनेन वक्ष्यमाणत्रैविध्यप्रतिज्ञा । ' यत् ' यस्मात् ' अस्मिन् ' अग्नौ ' त्रेधा विहिता इष्टका उपधीयन्ते ' । ' पुंनाम्न्यः ' पुँल्लिङ्गशब्दाभिधेयाः स्तोमाख्याः । " स्तोमानुपदधाति "—

सोऽयमात्मा त्रेधा विहित ऽएव । सोऽनेन त्रेधा विहितेनात्मनैतं त्रेधा विहितं दैवममृतमाप्नोति ता ऽउ सर्वा ऽइष्टका ऽइत्येवाचक्षते नेष्टक ऽइति नेष्टकमिति वाचो रूपेण वाग्घ्येवैतत्सर्वं यत्स्त्री पुमान्नपुꣳसकं वाचा ह्येवैतत्सर्वमाप्तं तस्मादेनाऽअङ्गिरस्वद्ध्रुवा सीदेत्येव सर्वाः सादयति नाङ्गिरस्वद्ध्रुवः सीदेति नाङ्गिरस्वद्ध्रुवꣳ सीदेति वाचꣳ ह्येवैताꣳ सꣳस्कुरुते ॥ ३ ॥

सा या सा वागसौ स ऽआदित्यः । स ऽएष मृत्युस्तद्यत्किं चार्वाचीनमादित्यात्सर्वं तन्मृत्युनाऽऽप्तꣳ स यो हैनमतोऽर्वाचीनं चिनुते

सोऽयमात्मा त्रेधा विहित एव । सोऽनेन त्रेधा विहितेनात्मनैतं त्रेधा विहितं दैवममृतमाप्नोति । ता उ सर्वा इष्टका इत्येवाचक्षते—नेष्टक इति, नेष्टकमिति । वाचो रूपेण । वाग्घ्येवैतत्सर्वम्—यत् स्त्री, पुमान्, नपुंसकम् । वाचा ह्येवैतत्सर्वमाप्तम् । तस्मादेना "अङ्गिरस्वद्ध्रुवा सीद" (वा. सं. १२ । ५३) इत्येव सर्वाः सादयति । नाङ्गिरस्वद्ध्रुवः सीदेति । नाङ्गिरस्वद्ध्रुवं सीदेति । वाचं ह्येवैतां संस्कुरुते ॥ ३ ॥

सा या सा वाक्—असौ स आदित्यः । स एष मृत्युः । तद् यत्किंचार्वाचीनमादित्यात्—सर्वं तन्मृत्युनाऽऽप्तम् । स यो हैनमतोऽर्वाचीनं चिनुते—मृत्युना हैनं स आप्तं चिनुते । मृत्यवे ह स

(श. प. । ८ । ४ । १ । ४–६) इति श्रुतेः । 'स्त्रीनाम्न्यः' स्त्रीलिङ्गशब्दाभिधेयाः अषाढाच्छन्दस्याविकर्ण्याद्याः । 'नपुंसकनाम्न्यः' नपुंसकशब्दाभिधेयाः पशुशीर्षाद्याः पञ्च । "पशुशीर्षाण्युपदधाति"—(श. प. । ७ । ५ । २ । १) इति श्रुतेः । यथा चित्याग्नेरवयवभूता इष्टका लिङ्गत्रयशब्दाभिहिताः—एवं पुरुषस्याङ्गानि लिङ्गत्रययुक्तशब्दाभिधेयानि । यथा कर्णः, पाणिः, पादः, इति पुँल्लिङ्गशब्दाः । नासिका, जङ्घा, इति स्त्रीलिङ्गशब्दाः । लोचनं, चक्षुः, शिरः, इति नपुंसकलिङ्गशब्दाः ॥ २ ॥

'सोऽयमात्मा' पुरुषस्त्रेधाविहितः, लिङ्गत्रयशब्दाभिहिताङ्गयुक्तः । अनेन त्रेधाविहितेनात्मना त्रिविधेष्टकाचितेन त्रेधा विहितम् अग्निवायुसूर्यात्मना त्रिविधं दैवममृतमादित्यमाप्नोति तद्यदीष्टकानां स्त्रीपुन्नपुंसकलिङ्गशब्दभिधेयत्वं तर्हि तथैव कथमिष्टकाशब्दस्य लिङ्गत्रयव्यवहारो नास्तीत्याशङ्क्य वाग्रूपत्वेन परिहरति—ता उ सर्वा इष्टका इत्येवाचक्षत इति । स्त्रीलिङ्गशब्देनैव व्यवह्रियन्ते न तु पुन्नपुंसकलिङ्गाभ्यामिति । तदनुवदति—नेष्टक इति, नेष्टकमिति । किमर्थमेवं 'वाचो रूपेण' वाचः स्त्रीलिङ्गत्वं स्फुटम् । सादनमन्त्रेऽपि स्त्रीलिङ्गत्वमेवेत्याह-तस्मादेना अङ्गिरस्वद् ध्रुवासीदेति । ध्रुवशब्दात् स्त्रियां टाप् प्रत्ययः । पुंनपुंसकलिङ्गतां ध्रुवपदेन संयोज्य प्रदर्शयति निराकरणाय—नाङ्गिरस्वद् ध्रुवः सीदेति । नाङ्गिरस्वद् ध्रुवꣳ सीदेति । ध्रुव इति पुँल्लिङ्गत्वं ध्रुवमिति नपुंसकत्वम् इत्येवमग्नेर्वाग्रूपत्वमुक्तम् ॥ ३ ॥

वाच आदित्यरूपत्वं चाह—सा या सा वागसौ स आदित्य इति । 'यत्किञ्चादित्यादर्वाचीनम्' अध-

मृत्युना हैनथ्ँ स ऽआप्तं चिनुते मृत्यवे ह स ऽआत्मानमपिदधात्यथ य ऽएनमत ऽऊर्ध्वं चिनुते स पुनर्मृत्युमपजयति विद्यया ह वाऽअस्यैषोऽत ऽऊर्ध्वं चितो भवति ॥ ४ ॥

सा वाऽएषा वाक्त्रेधा विहिता। (तर्चो) ऋचो यजूथ्ँषि सामानि मण्डलमेवऽर्चोऽर्चिः सामानि पुरुषो यजूथ्ँष्यथैतदमृतं यदेतदर्चिर्दीप्यतऽइदं तत्पुष्करपर्णं तद्यत्पुष्करपर्णमुपधायाग्निं चिनोत्येतस्मिन्नेवैतदमृतऽऋङ्मयं यजुर्मयथ्ँ साममयमात्मानथ्ँ सथ्ँस्कुरुते सोऽमृतो भवति ॥ ५ ॥

इति तृतीयप्रपाठके पञ्चमं ब्राह्मणम् ॥ १०-३-५ ॥ (५. १.) ॥

आत्मानमपि दधाति । अथ य एनमत ऊर्ध्वं चिनुते—स पुनर्मृत्युमपजयति । विद्यया ह वा अस्यैषोऽत ऊर्ध्वं चितो भवति ॥ ४ ॥

सा वा एषा वाक् त्रेधा विहिता—ऋचः,यजूंषि, सामानि । मण्डलमेवऽर्चः, आर्चिः सामानि, पुरुषो यजूंषि, अथैतदमृतम्—यदेतदार्चिर्दीप्यते । इदं तत्पुष्करपर्णम्—तद् यत्पुष्करपर्णमुपधायाग्निं चिनोति—एतस्मिन्नेवैतदमृतऽऋङ्मयम्, यजुर्मयम्, साममयमात्मानं संस्कुरुते । सोऽमृतो भवति ॥ ५ ॥

भू-

स्तनं भूतजातं तत्सर्वं मृत्युनाऽऽप्तम् । न हि सूर्यप्रकाशानाक्रान्तं वस्त्वस्ति । अतः सूर्यादर्वाचीनं चिनुते । मृत्युनाऽऽक्रान्तमेव चिचिन्वन्यजमानः स्वात्मानमपि मृत्यवे अर्पितवान् भवति । यत एवम्, अतः सूर्यादूर्ध्वे चयने मृत्युकर्तृकाक्रमणस्याभावात् पुनर्मृत्युजयः फलं भवति । तत्कथं सूर्यादूर्ध्वं चयनमसम्भवपरिहतत्वा-दित्याशंक्य तत्राप्युपायं दर्शयति—विद्यया ह वा इति । यद्यपि वस्तुस्थित्या आदित्यस्योपरि चयनाभावस्त-थापि ज्ञानेनोर्ध्वचयनं सम्पादयितुं शक्यते । अतस्तथोपासनायां पुनर्मृत्युजयः फलं भवतीत्यर्थः ॥ ४ ॥

यदुक्तं विद्यया अस्यादित्यस्योर्ध्वमग्निश्चितो भवतीति तद्विशदयति—सा वा एषा वाक् त्रेधा विहितेति । सूर्यमण्डले तावत्त्रीणि विद्यन्ते ज्योतिर्मयमण्डलम्, अर्चींषि, तदन्तर्वर्ती पुरुषः, इति । चयनेऽपि वेदत्रय-मस्ति तत्र 'मण्डलमेव' ऋग्रूपत्वेनोपासनीयम्, 'अर्चिः' एव सामरूपत्वेन, अन्तर्वर्त्ती अग्निपुरुष एव यजूरूप-त्वेन । 'अर्चिर्दीप्यते' इति यत् तद् 'एतदमृतं' 'तत् पुष्करपर्णं' । यतः "अपां पृष्ठमसि"—(वा. सं. । १३ । २ ।) इति मन्त्रेण प्रथमं पुष्करपर्णमुपधाय तस्योपर्यग्नेश्चयनम् । अतस्तदात्मकेऽमृते-ऽर्चिर्मये आदित्येऽयमुपासिता स्वीयमात्मानं वेदत्रयरूपं चित्याग्निरूपं संस्कुर्वन् 'अमृतः' मृत्युबाधारहितः सूर्यात्मको भवतीत्यर्थः ॥ ५ ॥

इति श्रीसायणाचार्यविरचिते माधवीये वेदार्थप्रकाशे माध्यन्दिनीयशतपथब्राह्मणभाष्ये दशमकाण्डे पञ्चमेऽध्याये प्रथमं ब्राह्मणम् ॥ (१०-५-१) ॥

यदेतन्मण्डलं तपति। तन्महदुक्थं ताऽ ऋचः सऽऋचां लोकोऽथ यदे-तदर्चिर्दीप्यते तन्महाव्रतं तानि सामानि स साम्नां लोकोऽथ यऽएष ऽएत-स्मिन्मण्डले पुरुषः सोऽग्निस्तानि यजूंषि स यजुषां लोकः ॥ १ ॥

मण्डलपुरुषोपासनं ब्राह्मणम् ।

यदेतन्मण्डलं तपति—तन्महदुक्थम्, ता ऋचः, स ऋचां लोकः । अथ यदेतदर्चिर्दीप्यते तन्महाव्रतं तानि, तानि सामानि, स साम्नां लोकः । अथ य एष एतस्मिन्मण्डले पुरुषः—सोऽग्निः, तानि यजूंषि, स यजुषां लोकः ॥ १ ॥

अथ मण्डलब्राह्मणं व्याख्यायते—सूर्यमण्डलार्चिःपुरुषत्रयस्याधिदैवाधियज्ञाध्यात्मपरत्वेनार्थ उच्यते । तत्राधिदैवमयमर्थः—चयनगतमहदुक्थमहाव्रताग्नित्रयं क्रमेण मण्डलार्चिःपुरुषरूपत्वेनोपासनीयमिति । अधियज्ञमयमर्थः—चयनगतरुक्मपुष्करपर्णहिरण्मयपुरुषाणां मण्डलादित्रयरूपत्वेनोपासनमिति । अध्यात्ममपि मण्डलादित्रयमेव दक्षिणाक्षिगतशुक्लकृष्णवर्णतदन्तर्वर्तिपुरुषाणां मण्डलादित्रयरूपत्वेनोपासनमिति । लोचने हि शुक्लरूपं

अथ पण्डितमण्डनं नाम मंडलब्राह्मणभाष्यम् ॥

विचार्य सर्ववेदांतैः संचार्य हृदयांबुजे । प्रचार्य सर्वलोकेषु आचार्यं शंकरं भजे ॥ १ ॥
पद्मपादो विश्वरूपो हस्तामलकत्रोटकौ । अद्वैतदीक्षागुरवः साचार्याः पंच पांतु माम् ॥ २ ॥
नारायणेन्द्रपादाब्जं विद्येंद्रचरणांबुजम् । नृसिंहेंद्रपदांभोजं कैवल्येन्द्रपदांबुजम् ॥ ३ ॥
एतानि पद्मरत्नानि चत्वारि हृदयांबुजे । मामकीने प्रकाशंतां भुक्तिमुक्तिप्रसिद्धये ॥ ४ ॥
नारायणेंद्रपादाब्जमिलिंदीकृतमानसः । श्रीशाश्वतेंद्रो जयति राजहंसापराभिधः ॥ ५ ॥
योगपट्टांतरं चास्य राजहंससरस्वती । षड्दर्शनी प्रवक्ताऽयमिति यं जानते बुधाः ॥ ६ ॥
माध्यंदिनानां शाखायां पौरुषेयत्ववर्जिते । चतुर्दशमहाकांडे ब्राह्मणे तु शताध्वनि ॥ ७ ॥
त्रिलोकीनायकाकंठगीयमानयशस्तुतेः । सांगैर्वेदैः सहोपांगैर्गीयमानयशस्तुतेः ॥ ८ ॥
त्रिलोकीनयनाब्जस्य त्रयीमूर्तेर्महौजसः । आंगनाबालगोपालप्रसिद्धस्यामितद्युतेः ॥ ९ ॥
स्वरूपज्ञापकं पुण्यं मंडलं ब्राह्मणं शुभम् । वर्तते यत्तदधुना पदवाक्यप्रमाणतः ॥ १० ॥
व्याख्यायते यथाशक्ति यथाबुद्धि यथायथम् । मुहुर्मुहुर्विचार्यैतत्सूर्यभक्तिधुरंधरैः ॥ ११ ॥
व्याक्यार्थज्ञानपूर्वो हि वेदपाठो महाफलः । वाक्यार्थं मनसा ध्यायन् देवतामुपतिष्ठते ॥ १२ ॥
यत्तस्य पुण्यमाहात्म्यं शेषो वक्तुं न पार्यते । यत एवं ततो विप्रैर्वाक्यार्थः सुविचार्यताम् ॥ १३ ॥

तथा च सामब्राह्मणं—"यदेव विद्यया करोति श्रद्धयोपनिषदा तदेव वीर्यवत्तरं भवति" (छां. उ. १ । १ । १ । १०) इति अस्य ब्राह्मणस्य मंडलब्राह्मणमिति नामधेयम् । यतो मध्याह्नसंध्यागायत्रीजपांते "विभ्राडित्यनुवाकपुरुषसूक्तशिवसंकल्पमंडलब्राह्मणैरादित्यमुपस्थाय" (का. त्रिकं. ब्रा. सू. २ । ५) इति सूत्रसिद्धं ततो मंडलब्राह्मणमादित्योपस्थाने विनियुक्तं इत्यप्यावेदितमस्माभिः । नामार्थस्तु—मण्डलस्तावकं ब्राह्मणं मंडलब्राह्मणमिति । शाकपार्थिवादिगणपाठात् उत्तरपदलोपेन विगृह्यते । औपलक्ष्ण्येनार्चिःपुरुषस्तावकं इत्यपि

कृष्णरूपं चास्ति तदन्तर्वर्ती पुरुषश्च दृश्यते। एतत्प्रसङ्गेन सव्यलोचनगतपुरुषस्य मिथुनत्वसम्पादनम्। अथ पुरुषस्य मृत्युत्वमुपजीव्य मृत्युगतैकत्वबहुत्वान्तिकत्वदूरत्वमीमांसा। तस्यैव पुरुषस्य बहुधोपासनं तत्फलमिति मण्डलब्राह्मणप्रतिपादितार्थसंग्रहः। अक्षरार्थो व्याख्यायते--यदेतन्मण्डलं तपति तन्महदुक्थमिति। यदुक्तं तन्मण्डलत्वेन ध्येयम्। एवं महाव्रतचित्याग्नी अर्चिःपुरुषात्मना ध्येयौ, वेदत्रयस्याग्निवायुसूर्यात्मकत्वेन त्रयो वेदा दैवतानीति वक्तुं प्रयुज्यते। अतो मण्डलस्य बृहदुक्थद्वारा ऋग्वेदात्मकत्वोपासनमिति। उत्तरत्राधियज्ञपर्याये, ऋक्सामादयो यज्ञावयवरूपविशेषा इति। नीध्यात्माधियज्ञयोः [1]स्तेषामुपास्यार्थता। तन्महदुक्थं ता ऋचः स ऋचां लोक इति। उक्थस्य, ऋक्संघात्मकत्वात्, तस्य च मण्डलात्मकत्वोपासनात् 'ऋचां लोकः' ऋग्वेदरूपेण मण्डलमुपासनीयम्, मण्डलरूपेण वा ऋग्वेद उपासनीयः, तदुभयात्मना महदुक्थमुपासनीयम्, उभयथा व्याख्यातत्वात्। एवमुत्तरत्र महाव्रतं सर्वसामात्मकमर्चीरूपमिति सामवेदात्मना वा ध्यानमर्चिषः। अग्निर्मण्डलस्थपुरुषरूपः, अग्निश्च यजुर्मन्त्रसाध्य इति तस्य पुरुषत्वोक्त्या यजुर्मन्त्रसाध्यत्वोक्त्या च यजुर्वेदात्मकत्वम्। एवमुक्थमहाव्रतचित्याग्नीनां मण्डलार्चिःपुरुषात्मकत्वेन तस्य मण्डलादित्रयस्य, ऋग्यजुःसामरूपत्वम् ॥ १ ॥

विज्ञायताम्। तथा मूलग्रंथे विस्फीतं प्रतिभानात्। तत्रादौ भगवतस्त्रैलोक्यनायकस्यादितेयाग्रगण्यस्यादित्यस्य दिव्यगृहस्थानीयं मंडलं तोष्टूयते श्रुत्या। तत्स्तुतौ मंडलिस्तवाधिक्योपपत्तेः। यथा हि लोके राजन्यस्येदं हर्म्यतलं रम्यं बहुमूल्यं चेत्युक्ते राजन्यो बहुधनो महाभाग्य इत्यर्थात्सिध्यति तथैवात्रापि विज्ञायताम्। अर्चिःस्तुत्यादौ पुरुषस्तुत्यादौ च अथशब्दपाठात् एतत्प्रथमकंडिकादौ मंडलस्तुत्यारंभेऽपि उत्तरत्रत्यो अथशब्दो अनुषंजनीयः। प्रायःपाठसामर्थ्यात् अध्याहारो मूलबाह्यः। अनुषंगस्तु मूले एकत्र पठितस्यापरत्र नयनम्। अनुषंजितो अथशब्दो मंगलार्थः। तथाच स्मृतिः--ओंकारश्चाथशब्दश्च द्वावेतौ ब्रह्मणः पुरा। कंठे भित्त्वा विनिर्यातौ तस्मान्मांगलिकावुभौ" (ब्र.सू. १।१।१ इत्यत्र भाष्ये रत्नप्रभायां)। इतरावथशब्दावानंतर्यार्थौ। तच्च प्रतिपदव्याख्यानकाले स्पष्टीकरिष्यते। अध्याहारानुषंगौ वेदेऽपि प्रथितौ। यथा 'इषे त्वा' (वा. सं. १ । १ । १) इत्यत्र छिनद्मीति। यथा वा तैत्तिरीयके 'तेषाꣳसहस्रयोजनेऽवधन्वानि तन्मसि' (तै. सं. ४ । ५ । ११) इति ऋगुत्तरार्द्धस्य उत्तरत्रोन्नयनं। संप्रति कंडिका व्याख्यायते। अनुषंजिताथशब्देन मंगलमनुष्ठाय भगवती श्रुतिर्मंडलस्य सर्वात्मकत्वं निरूपयति--यदेतन्मंडलमिति। 'एतत्' सर्वप्राणिचक्षुर्गोचरं मंडलं वर्तुलाकारं मंडयति भूषयत्यंबरमिति मंडलं। 'मडिभूषणे'। 'यत्तपति' तन्मंडलं 'महत्' सर्वजगत्पूज्यं 'उक्थं' बृहतीसहस्रत्वेन प्रसिद्धो हौत्रे शस्त्रविशेषः। तथाच ऋग्वेदारण्यकं 'उक्थमुक्थमिति वै प्रजावदंति' (ऐ. आ. २ । १ । २ । १) इति। किंच 'ताः' प्रसिद्धाः 'अग्निमीळे पुरोहितम्' (ऋ. सं. १ । १ । १ । १) इत्याद्या ऋचोऽपि मंडलमेव। 'सः' प्रसिद्धः ऋचामध्ययनफलीभूतो लोकोऽपि मंडलमेव। औपलक्षण्येन सर्वात्मकं मंडलमिति भावः। यद्वा मंडले महदुक्थत्वर्ग्वेदलोकत्वदृष्टिः कार्या। सर्वात्मकत्वबुध्योपासितव्यमिति वा। एवं कैमुतिकन्यायेन मंडलाधिष्ठातारं स्तोतुं मंडलमभिष्टूय पुनस्तेनैव न्यायेनार्चिरभिष्टवीति--अथेति। अथ मंडलस्तुत्यनंतरं 'एतत्' सार्वजनीनं 'सु' प्रसिद्धं 'यत् अर्चिः' त्रैलोक्यप्रकाशकं सौरं तेजः दीप्यते 'तदर्चिः' 'महाव्रतं' क्रतुविशेषः। तथा च ऋग्वेदारण्यकम्। 'अथ महाव्रतमिंद्रो वृत्रं हत्वा महानभवत्, यन्महानभवत्तन्महाव्रतस्य महाव्रतत्वम्' (ऐ. आ. १ । १ । १) इत्यादि 'तानि'

१--'नाधिदैवाधियज्ञयोः समानार्थता तेषामुपास्यतेति'--क्वचित्पुस्तके पाठभेदः।

सैषा त्र॒य्येव॒ वि॒द्या त॑पति । तद्धै॒तद॒प्य॒वि॒द्वाꣳस॑ऽ आहु॒स्त्रयी॒ वा॒ऽए॒षा वि॒द्या त॒प॒तीति॒ वाग्घै॒व त॒त्पश्य॑न्ती॒ व॑दति ॥ २ ॥

सैषा त्रय्येव विद्या तपति । तद्धैतदप्यविद्वांस आहुः-त्रयी वा एषा विद्या तपतीति-वाग्घैव तत्पश्यन्ती वदति ॥ २ ॥

सैषा त्रय्येव तपतीति । 'त्रयी' वेदत्रयम् 'एव' 'तपति'। उक्तार्थे लोकसम्मतिमाह-तद्धैतदप्यविद्वांस आहुरिति । 'ह' प्रसिद्धम् । 'अविद्वांसः' 'अपि' 'एतद्' 'आहुः'-'एषा' 'त्रयी' 'एव' 'विद्या' 'तपतीति'। एतदुक्तमर्थस्वरूपं 'पश्यन्ती' पर्यालोचयन्ती 'वाग्' 'वदति'- 'त्रय्येव विद्या तपतीति' ॥ २ ॥

प्रसिद्धानि बृहद्रथंतरमित्यादीनि सामानि अर्चिरेव 'सः' प्रसिद्धः साम्नामध्ययनफलीभूतो लोकोऽपि आर्चिरेव सर्वात्मकमिति भावः । अर्थांतरं पूर्ववत् । यदर्थगेतद्युगयं श्रुत्वा अभिष्टुतं सोऽयं भगवानादित्यो अभिष्टूयते-अथेति । अथ मंडलार्चिषोः स्तुतेरूर्ध्वं मंडलाभिमानी आर्चिष्मान्महीक्रियत इति शेषः । 'एषः' प्राणिमात्रानुभूयमानः 'यः' एतस्मिन्पूर्वोक्ते मंडले तदभिमानी पुरुषो वर्तते । 'सः' अग्निः अग्न्युपलक्षितसमस्तदेवतात्मकः । 'तानि' प्रसिद्धानि इषे त्वेत्यादीनि यजूंषि पुरुष एव । 'सः' प्रसिद्धः । यजुषामध्ययनफलीभूतो लोकोऽपि पुरुष एव सर्वात्मकः सर्वान्तर्यामीति भावः । तथा च मंत्रः-'सूर्य आत्मा जगतस्तस्थुषश्च' (वा. सं. ९ । ४२) इति । पुरुषशब्दो बहुधा व्युत्पाद्यते । पूरयति स्वतेजसा भुवनत्रयमिति पुरुषः । तथाच मंत्रः-'आ प्रा द्यावापृथिवी अंतरिक्षम्' (वा. सं. ७ । ४२) इति । सर्वप्राणिशरीरेषु शेते इति वा पुरुषः । तथा च श्रुतिः-'सर्वासु पूर्षु[1] शेते' (श. प. १४ । २ । ९ । १८) इति । 'पुरुषविधब्राह्मणे तु-'सर्व्वान्पाप्मन[2] औषत्[3]तस्मात्पुरुषः' (श. प. १४ । १ । २ । २) इति । अन्यत्सर्वं पूर्ववत् ॥ १ ॥

आद्यकंडिकायां मंडलस्य महदुक्थाद्यात्मकत्वदृष्टिमुपदिश्य द्वितीयकंडिकायां केवलवेदत्रयात्मकत्वमुपदिशति-सैषेति । यदेतत्तपति तन्मंडलं न भवति किंतु 'सा' प्रसिद्धा 'एषा' श्रीगुरुभिः छात्रप्रछात्रोपछात्रद्वारा अध्याप्यमाना त्रयी विद्या तपति । एवकारो मंडलत्वबुद्धिं दूरीकरोति । त्रयीशब्दो वेदत्रयवाचकः वेदत्रयमेव तपति न मंडलमिति इममर्थं कैमुतिकन्यायेन द्रढयति-तद्धैतदिति । तदिति पदच्छेदः । ह किल तदेतत् पूर्वोक्तार्थजातं 'अविद्वांसः' बालगोपालादयोऽपि आहुः । किल किमिति त्रयी वै प्रसिद्धौ । एषा विद्या तपति न मंडलमिति । किमुत शास्त्रजन्यपरिज्ञाना ब्रह्मण्या इति भावः । ननु-यद्यपि अज्ञप्राज्ञप्रसिद्धिरस्ति तथापि वेदप्रसिध्या भवितव्यमिति आशंक्य साऽप्यस्तीत्याह-वाग्घैवेति । 'तत्' विद्यायास्तापकत्वं 'पश्यंती' वीक्षमाणा वेदलक्षणा वाक् वदति । किमिति-'त्रयी वा एषा विद्या तपतीति' देहलीप्रदीपन्यायेनान्वीयते । 'ह एव' आभ्यां निपाताभ्यां वेदाः प्रमाणं विद्वदविद्वदनुभवश्च प्रमाणं इति सोसूच्यते । यत एवं ततो मंडले वेदत्रयीत्वदृष्टिः कर्तव्येति भावः ॥ २ ॥

१-पुरेषु शरीरेषु इत्यर्थः । २-पाप्मनो मृत्यूनित्यर्थः । ३-औषदहदित्यर्थः ।

सु॒ऽ ए॒षु॒ऽ ए॒वु मृ॒त्युः । (स्रुं) सु॒ऽ ए॒षु॒ऽए॒तु॒स्मिन्मुण्डले पु॒रु॒षो॒ऽथैतु॒दमृतं यु॒देतु॒दर्चिर्दीप्यते तु॒स्मान्मृत्युर्न॒ म्रियते॒ऽमृ॒तु॒ ह्य॒न्तस्तु॒स्मादु नु॒ दृश्यते॒ऽमृ॒तु॒ ह्य॒न्तः ॥ ३ ॥

(स्तु) तु॒दे॒ष श्लोको भवति । (त्यु) अ॒न्तरं मृ॒त्योरमृ॒तमित्यु॒वरु॒ꣳ

स एष एव मृत्युः, य एष एतस्मिन्मण्डले पुरुषः । अथैतदमृतं यदेतदर्चिर्दीप्यते । तस्मान्मृत्युर्न म्रियते—अमृते ह्यन्तः । तस्मादु न दृश्यते—अमृते ह्यन्तः ॥ ३ ॥

तदेष श्लोको भवति । "अन्तरं मृत्योरमृतम्"—इति । अवरं ह्येतन्मृत्योरमृतम् । "मृत्या-

---

अथ मण्डलस्थपुरुषस्य मृत्युरूपत्वमार्चिषोऽमृतरूपत्वं चाह—स एष एव मृत्युरिति । 'यः' 'एतस्मिन्मण्डले,' 'पुरुषः' 'सः' 'मृत्युः' । 'यत्' 'एतदर्चिर्दीप्यते' तदमृतम् । यतः 'अमृते' मरणरहिते, अर्चिषि 'अन्तः' मध्ये वर्तते । अतो 'मृत्युर्न म्रियते' । न ह्यमृतमध्यवर्ती विनश्यति । तस्यापि विनाशेऽमृतत्वप्राप्तिः उत्त[illegible]लत्वेनोपन्यसितुमयुक्तेति तात्पर्यम् । अन्तर्वर्तित्वमेव विशदयति—तस्मादु न दृश्यतेऽमृते ह्यन्तरिति । मृत्युरूपः पुरुषोऽमृतरूपेऽर्चिष्यन्तर्वर्त्तत इत्युक्तेऽस्मिन्नर्थेऽर्चिराश्रयमण्डलस्य पुरुषाधिष्ठितत्वम् ॥ ३ ॥

पुरुषार्चिषोरुभयोर्मण्डलमेव प्रतिष्ठेत्यस्मिन्नुक्ते चार्थे मन्त्रं संवादयति—तदेष श्लोको भवतीति । 'श्लोकः'

इत्थं द्वितीयकंडिकायां मंडलस्य वेदत्रयत्वमुपदिश्य रूपांतरमुद्दिश्य अथ पुरुषस्योपदेष्टव्यं तथापि प्रथमकंडिकोक्तक्रमभंगभीत्या होमपाकन्यायेन "अर्थक्रमो बलवान् पाठक्रमात्" । य एष एतस्मिन्मंडले पुरुषोऽभिमानी वर्तते । स एष एव मृत्युः । एवकारेण आद्यकंडिकोक्ताग्न्याद्यात्मकत्वं निवार्यते मृत्युत्वं च दृढीक्रियते । ननु—संयमनीपतिर्मृत्युरन्यः कथमत्र सूर्यो मृत्युरिति श्रुतिर्वदतीति चेत्; मैवं अहोरात्रपक्षमासर्तुविषुवायनसंवत्सरपरिवत्सरेदावत्सरादिरूपेणाभ्यावर्तमानः प्राणिनां पुरुषायूंषि क्षपयति तस्मात्सूर्यो मृत्युरिति नास्ति विरोधः । अर्चिषो रूपान्तरमुपदिशति—अथेति । अथ मंडलवर्तिनो मृत्युत्वोपदेशादूर्ध्वं 'यदेतदर्चिर्दीप्यते' 'तदर्चिरमृतम्' । अर्चिषि अमृतत्वदृष्टिः कर्तव्येति यावत् । मृत्युशब्दस्य मारयत्यन्यान्, म्रियते वा स्वयमिति, निरुक्तिद्वयमस्ति । तत्र द्वितीयामादाय सूर्यस्यानित्यत्वमाशंक्य परिहरति—'तस्मादिति' हि यस्मात् अमृते अर्चिषि अंतः सूर्यो वर्तत इति शेषः । तस्मान्मृत्युः सूर्यो न म्रियते । नहि अमृतमध्यवर्तिनो मृतिरस्ति अमृतवीर्यव्याघातप्रसंगात् । ननु—अर्चिर्नाम सूर्यदिव्यकायकांतिविशेषः, तथा सति कथं स तत्र वर्तते इत्युच्यते । शृणु, लोके कुत्रचित् स्थापितस्य मणेः प्रभा परितः प्रसरति यदा तदा मणिः प्रभाजालमध्यवर्तीव प्रतिभाति । तथा अयमर्चिष्मान् सूर्यः अर्चिर्वर्तीव, इति भावः । ननु—मंडलमेवोपलभामहे नतु ततो व्यतिरिक्तं पुरुषं इत्यत आह—तस्मादु—इति । उनिपातश्चोद्यविच्छेदकः । हि यस्मात् अमृते अर्चिषि अंतरस्ति भगवानर्यमा तस्मादस्माभिर्न दृश्यते । नहि केनचिदाच्छादितं वस्तु उपलभ्यते लोकैः । अंतरेण सर्वज्ञान् तस्मात् सूर्ये मृत्युत्वं अर्चिषि अमृतत्वं सूर्ये नित्यत्वं च, ध्यातव्यमिति भावः ॥ ३ ॥

तृतीयकंडिकोक्तेऽर्थे प्रमाणत्वेन मंत्रमुदाहरति—तदेष श्लोक इति । तदित्यव्ययं तत् तस्मिन् तृतीयकंडि-

ह्येतन्मृत्योरमृतं मृत्यावमृतमाहितमित्येतस्मिन्हि पुरुषऽएतन्मण्डलं प्रतिष्ठितं तपति मृत्युर्व्विवस्वन्तं व्वस्तऽ इत्यसौ वाऽआदित्यो व्विवस्वानेष ह्यहोरात्रे व्विवस्ते तमेष व्वस्ते सर्व्वतो ह्येनेन परिवृतो मृत्योरात्मा व्विवस्वतीत्येतस्मिन्हि मण्डलऽएतस्य पुरुषस्यात्मैतदेष श्लोको भवति ॥ ४ ॥

षमृतमाहितम् "-इति । एतस्मिन् हि पुरुष एतन्मण्डलं प्रतिष्ठितं तपति । मृत्युर्विवस्वन्तं वस्ते " इति । असौ वा आदित्यो विवस्वान्, एष ह्यहोरात्रे विवस्ते । तमेष वस्ते सर्वतो ह्येनेन परिवृतः । " मृत्योरात्मा विवस्वति " इति । एतस्मिम् हि मण्डल एतस्य पुरुषस्यात्मा । तदेष श्लोको भवति ॥ ४ ॥

मन्त्रः पादबद्धत्वसाम्यात् । मन्त्रपाठस्त्वेवम्–' अन्तर मृत्योरमृतं, ' 'मृत्यावमृतमाहितं,' 'मृत्युर्विवस्वन्तं वस्ते,' ' मृत्योरात्मा विवस्वति ' इति । अयमर्थः–मृत्योः पुरुषस्यामृतमार्चिरन्तरं व्यवधायकम् । अमृतमध्यवर्तित्वात्पुरुषस्येतरैर्जीवैरदर्शनात् अमृतमेव तस्यान्तरमित्युक्तम् । मृत्यौ पुरुषे अमृतं अमृतरूपार्चिरधिकरणं मण्डलम्, 'अन्तरम्' अवरं तदपेक्षयाऽधरत्वात् । 'आहितं 'प्रतिष्ठितम्' । 'विवस्वन्तम्' 'अहोरात्रे' विवासयति–इदमहरेषा रात्रिरिति विभजति–पुनः पुनः करोतीति वा ' विवस्वान् ' आदित्यमण्डलमित्यर्थः । तं ' मृत्युः ' 'वस्ते' आच्छादयति–'सर्वतः' स्वतेजसा परिवृणोति । 'मृत्योः' पुरुषस्य, 'आत्मा विवस्वति' मण्डले प्रकाशत इति । अत्र वेदान्तिनो ' मण्डलस्थः पुरुष ईश्वर इति ' मण्डलं केवलं न तपति, किन्तु तन्मध्यवर्तिनी पुरुषतेजसीति प्रतिपादयन्ति । ईश्वरस्य च मृत्युरूपत्वम्, "अन्तस्तद्धर्मोपदेशात् "–(वे. सू. १।१।६२।२) "ज्योतिषि भावाच्च"–(वे. सू. १।३।९।३२) " अत्ता चराचरग्रहणात् "–(वे. सू. १।२।२।९) इत्येतैरधिकरणैः । अत्रापि तन्मतानुसारेण मण्डलवर्तिनः पुरुषस्य मृत्युरूपत्वम् । मण्डलं च तेनाधिष्ठितं तस्य च मण्डलमेव प्रतीतिस्थानत्वेन प्रतिष्टा–इति । पूर्वमुक्तं मन्त्रं प्रतिपादमनूद्य व्याचष्टे–अन्तरं मृत्योरमृतमित्यवरं ह्येतन्मृत्योरमृतमि-

---

कार्थे एष वक्ष्यमाणः श्लोको मंत्रः प्रमाणं भवति । " श्लोको यशसि मंत्रे च "–(३ । ३ । २ ।) इत्यमरः । ननु–मंत्रब्राह्मणयोरुभयोरपि अपौरूषेयत्वाविशेषात् कथं ब्राह्मणेन मंत्रः प्रमाणत्वेनोदाह्रियत इति चेत्; आकर्णय–उपदिशामि वेदपुरुषगर्भस्थं रहस्यं यद्यपि मंत्रब्राह्मणे उभे परमात्मनः निःश्वसिते अनादिनी तथापि अस्ति कश्चिद्विशेषः–मंत्रो मूलं ब्राह्मणं व्याख्यानं मंत्रार्थप्रकाशकत्वात् । मंत्रविनियोजकमपि कल्पसूत्रवन्मंत्रविनियोगस्य ब्राह्मणेन प्रदर्शितत्वात् । तर्हि किं कल्पसूत्रैरिति चेत्; न विनियोगस्फुटत्वस्य प्रयोजनत्वात् । तथाच सति मंत्रब्राह्मणयोर्मूलमूलित्वात् मूलिनमपेक्ष्य मूलस्य प्राबल्यं मनसि निधाय मूलिना मूलं प्रमाणत्वेन लिख्यते । एवमेव लोकव्यवहारस्य शिक्षणीयत्वात् । इत्थमेव समस्तशाखासु ब्राह्मणग्रंथेषु मंत्रोदाहरणानि बहुलमुपलभ्यंते । केचित्तु मंत्रब्राह्मणाभ्यामुभाभ्यां कथितोऽर्थो दृढीभवतीति सङ्गिरन्ते । तर्हि सर्वशाखासंहिता-

---

१-अमरकोषेतु–' पद्ये यशसि च श्लोकः ' इति पाठोऽस्ति । वेदगतं पद्यं श्लोकश्च मंत्र इत्युच्यत इति भावः ।

स्यादिना । अवरम् ' अधस्तादुभवममृतं पुरुषस्य परस्तादित्यर्थः सिद्धः । ' अनेन ' अमृतमध्यवर्तित्वमुक्तमि-त्यर्थः । द्वितीयपादगतामृतपदेनार्चिरधिकरणमण्डलमुच्यते तत् पुरुषे प्रतिष्ठितं तपति । तेन हि तस्य मण्डलस्य जगत्प्रकाशकत्वमस्तीति । तृतीयपादगतं विवस्वत्पदं निर्वक्ति-एष ह्यहोरात्रे विवस्त इति । एतेन विवस्वता परिवृतः सर्वतो वेष्टितः । चतुर्थपादं व्याचष्टे-एतस्मिन् विवस्वति मण्डले पुरुषस्यात्मा प्रतीयत इति शेषः । ' एतदेष श्लोको भवति ' इति निगमनम् ॥ ४ ॥

ग्रंथेषु ' तदेतद्ब्राह्मणं भवतीति ' किमिति मंत्रैर्ब्राह्मणं नोदाहृतं इति चेत् अत्रास्मदुक्तमेव प्रत्युत्तरमिति श्रद्धी-यताम । प्रकृते-' तदेष श्लोको भवतीति ' प्रतिज्ञाय केवलमंत्रो नोदाहारि ब्राह्मणेन, अपि तु पच्छो मंत्रं व्याकु-र्वदेव ब्राह्मणमुदाहरति । कथं विज्ञायत इति चेत् सेतिकारं सव्याख्यानं, चरणचतुष्कदर्शनात् । केवलमंत्रस्तु असिकोशन्यायेन निष्काश्यास्माभिः प्रदर्श्यते-" अंतरं मृत्योरमृतं मृत्यावमृतमाहितम् ॥ मृत्युर्विवस्वंतं वस्ते मृत्योरात्मा विवस्वति (१) अस्य मंत्रस्यानुष्टुप् छंदः याज्ञवल्क्यर्षिः भगवानादित्यो देवता जपे विनियोगः । प्रथमपादं विवृणोति सप्रतीकम्-अंतरं मृत्योरमृतमित्यवरं ह्येतन्मृत्योरमृतमिति । 'एतत्' प्रसिद्धं त्रिविष्टपे इन्द्रकोशकनककलशस्थममृतं, 'मृत्योः' आदित्यात् ' अवरं ' हि एव, निकृष्टमेव अमृतप्राप्ते-र्भगवदादित्यापांगांचलदृष्टिनिमित्तकत्वात् । एतेन ' अंतरं ' ' अवरं ' पर्यायं इति द्योतितम् । द्वैतीयकं पादं विवृणोति-मृत्यावमृतमाहितमित्येतस्मिन् हि पुरुष एतन्मंडलं प्रतिष्ठितं तपतीति । ' मृत्यौ ' एतस्मि-न्पुरुषे ' अमृतं मण्डलं ' ' आहितं ' ' प्रतिष्ठितं ' एते पर्यायाः । सूर्ये तदभिमानिपुरुषे जीवस्थानीये सति देहस्थानीयं मंडलं प्रतिष्ठितं स्थितिमत्सत्तपति । अन्यथा निरात्मकशरीरवन्निश्चेष्टं सन्मंडलमधःपतेत् । तृतीय-चरणं व्याकरोति-मृत्युर्विवस्वंतं वस्त इत्यसौ वा आदित्यो विवस्वानेष ह्यहोरात्रे विवस्ते तमेष वस्ते सर्व्वतो ह्येनेन परिवृत इति । विविस्वंतमिति मंत्रस्थपदेप्रथमायां द्वितीया । ' विवस्वान् ' इति ब्राह्मणेन दर्शनात् । विवांसि तेजांसि यस्य संति स विवस्वानादित्यः 'एषः' प्रसिद्धः 'अहोरात्रे' रात्रिंदिवे ' विवस्ते ' । ' वस आच्छादने ' उपसर्गवशादन्योऽर्थः, स्वोदयास्तमानाभ्यां करोतीत्यर्थः । किंच ' तमादित्यं ' ' एषः ' प्रत्यक्षः प्रपंचः ' वस्ते ' आच्छादयति । यथा अध्यस्तं रजतं आधारशुक्तिमाच्छादयति तथा अध्यस्तं प्रतीयते नत्वाधार इति भावः । सूर्यस्यापि परब्रह्मत्वेन जगदाधारत्वं बोध्यम् । अपि च एतेन भगवता पूष्णा प्रपंचः परिवृतः आच्छादितः । कथं 'सर्वतः' अंतर्बहिरिति यावत् । हिशब्दद्वयेन उक्तवक्ष्यमाणौ दृष्टांतौ उच्येते । यथा मृत्पिंडं कारणं कार्यं घटं सर्वतो व्याप्य वर्तते तथा सुरनरतिर्यगादिनानाविधविचित्रपिंडांडयुक्तं चतुर्दशलोकं ब्रह्मांडं स्वकार्यं सर्वतो व्याप्य भगवानादित्यः कारणं वर्तत इति । तथाच मधुब्राह्मणम्-" नैनेन किंचनानावृतं नैनेन किंचनासंवृतम् " (बृ. उ. १४ । २ । ५ । १८) इति । शाखांतरं च " अंतर्बहिश्च तत्सर्वं व्याप्य नारायणः स्थितः " (नारा. उ. ४ । १) इति । नहि नारायणः पूष्णो भिद्यते सर्वात्मकत्वस्य आद्य-कंडिकायां निपुणतरमुपपादितत्वात् । चरमचरणं व्याचष्टे-मृत्योरात्मा विवस्वतीत्येतस्मिन् हि मंडल एतस्य पुरुषस्यात्मेति । 'विवस्वति' इति पदेन सप्तम्यंतं मंडलमुच्यते तथा ब्राह्मणदर्शनात् एवं च सति रूढिमुपेक्ष्य योग आश्रयणीयः । अनेकतेजोयुक्ते मंडले मृत्योरर्यम्णः आत्मा जीवो वर्तते ! राहोः शिर इतिवदभेदे षष्ठी ।

१-अनेन निर्गुणेन ईश्वरेण किंचन वस्तु अनावृतं आच्छादनरहितं नास्ति, तथा अनेन ईश्वरेण किंचन वस्तु असंवृतं मध्ये प्रवेश-रहितं नास्ति । अयःपिंडे अग्निवत् अंतर्बहिश्च व्याप्य तिष्ठति इति मधुब्राह्मणार्थः ।

तुयोर्वाऽएतुयोः । (रु) उभुयोरेतुस्य चार्चिष ऽएतुस्य च पुरुषस्यैतन्मुण्डलं प्रतिष्ठा तुस्मान्महुदुक्थं पुरस्मै नु शꣳसेन्नेदेतां प्रतिष्ठां छिनुदा ऽइत्येताꣳ ह स प्रतिष्ठां छिन्ते यो महुदुक्थं पुरस्मै शꣳसति तुस्मादुक्थशसं भूयिष्ठं पुरिचक्षते प्रतिष्ठाछिन्नो हि भुवतीत्याधिदैवतम् ॥ ९ ॥

तयोर्वा-एतयोरुभयोरेतस्य चार्चिषः, एतस्य च पुरुषस्यैतन्मण्डलं प्रतिष्ठा । तस्मान्महदुक्थं परस्मै न शंसेत्-नेदेतां प्रतिष्ठां छिनदा इति । एतां ह स प्रतिष्ठां छिन्ते-यो महदुक्थं परस्मै शंसाति । तस्मादुक्थशसं भूयिष्ठं परिचक्षते । प्रतिष्ठाछिन्नो हि भवति । इत्यधिदेवतम् ॥ ९ ॥

तयोर्वा एतयोः-इत्यादेरयमर्थः-यतः पुरुषार्चिषोर्मण्डलमेव प्रतिष्ठा अतो मण्डलरूपं 'महदुक्थं' 'न' 'परस्मै' 'शंसेत्'। 'एतां' 'प्रतिष्ठां' 'नेच्छिनदै' 'नेदिति परिभये' (निरु. १।११।१) न च्छिन्द्यामिति । स्वप्रतिष्ठाया अन्याधीनत्वे स्वयमप्रतिष्ठितो भवतीत्यर्थः। तथाच बहुधा बृहदुक्थस्य परस्मै शंसननिषेधः ऐतरेयकोपनिषदि समाम्नायते-"तस्मादेवं विद्वान्न परस्मा अग्निं चिनुयान्न परस्मै महाव्रतेन स्तुवीत न परस्मा एतदहः शंसेत्"-(ऐ.आ. ३।२।४।१०) इति। यतः परस्मै बृहदुक्थशंसनं निषिध्यते। अतः 'उक्थशसं भूयिष्ठं परिचक्षते'। परस्मै शंसितारं होतारं लोके बहु निन्दन्ति, यतः 'प्रतिष्ठाछिन्नः' प्रतिष्ठाहीनो भवतीति । मण्डलार्चिःपुरुषाणां बृहदुक्थमहाव्रताग्निद्वारेण ऋग्यजुःसामरूपत्वेनोपासनाच्च बृहदुक्थादीनां तादृक् मण्डलाद्यात्मनोपासनमिति 'अधिदेवतम्' अर्थ उक्त इत्युपसंहरति-इत्याधिदेवतमिति ॥ ९ ॥

अर्यमा मंडलमध्यास्ते इत्यभिप्रायः । सव्याख्यानं प्रमाणीकृतं श्लोकमुपसंहरति-एतदेष श्लोको भवतीति । एतद्वत्ययेन एतस्मिन् तृतीयकंडिकार्थे एष उक्तः श्लोको मंत्रः उदाहृत्य व्याख्यातो भवतीत्युपसंहारः ॥ ४ ॥

इत्थं चतसृभिः कंडिकाभिः उपासितव्योपासनाप्रकारमुपदिश्य उपासितारं प्रति किंचिच्छिक्षितव्यमिति उपदेष्टुकामा श्रुतिरुपोद्घातमारचयति-तयोर्वा इति । ननु उपासितेति प्रयोगाश्रवणात् कथमुपासितारमिति प्रायुंक्त भवानिति चेत् बाढं न श्रुतं परं श्रोष्यसि, यथा यथोपासते तदेव भवतीति वक्ष्यमाणत्वात् । उपासनाफलमपि 'तदेव भवति' (कं. १०) इत्यनेनैव कथयिष्यते । अत एव तत्कार्योऽधिकारीति सेत्स्यत्यर्थात् 'वै' वाक्यालंकारे 'यस्मादर्थे वा । तयोः प्रसिद्धयोः एतस्यार्चिषश्च एतस्य पुरुषस्य च आहत्योभयोः एतत् पूर्वोक्तं मण्डलं प्रतितिष्ठति अस्यामिति प्रतिष्ठा आधारं निवासस्थानं इति यावत् । यथा कुन्दनं मणेराधारं मणिः प्रभायाः तथा च प्रभाधारमपि कुंदनमेव प्रतिभाति, तथा अर्चिष्मानादित्यः यदा मण्डलमधितिष्ठति तदा अर्चिरपि मंडलवर्तीव विभाति । यस्मादेवं तस्मादादित्योपासकः महदुक्थं हौत्रार्त्विज्यप्रसिद्धं शस्त्रं परस्मै परार्थं न शंसेत् । अत्र को हेतुरिति चेत् ? शृणु-प्राक् मंडले उक्थत्वदृष्टिरुपदिष्टा यत्र यद्बुद्धिरुपदिश्यते न तयोर्भेदोऽस्ति । तथा च उक्थाभिन्नं मंडलं परमपुरुषनिवासस्थानं यदि परार्थं शंसनद्वारा विक्रीतमभविष्यत् तदा परमपुरुषो निराधारः सन्नुपासकाय नोपकारमकरिष्यत् । तस्मात्तदाधारत्वलब्धये उक्थाभिन्नं मंडलं कुक्षिंभरिणा परार्थं न

(मु) अथाधियज्ञम् । यदेतन्मण्डलं तपत्ययꣳ स रुक्मोऽथ यदेतदर्चिर्दीप्यत ऽइदं तत्पुष्करपर्णमापो ह्येता ऽआपः पुष्करपर्णमथ युऽ

अथाधियज्ञम्—यदेतन्मण्डलं तपति—अयं स रुक्मः । अथ यदेतदर्चिर्दीप्यते—इदं तत्पुष्करपर्णम् । आपो ह्येताः । आपः पुष्करपर्णम् । अथ य एष एतस्मिन्मण्डले पुरुषः—अयमेव स योऽयं

अधियज्ञं वक्तुं प्रतिजानीते—अथाधियज्ञमिति । अत्र रुक्मपुष्करपर्णहिरण्मयपुरुषाणां मण्डलार्चिःपुरु-

---

विक्रयितव्यम् । परशब्देन पित्राचार्यस्वात्मव्यतिरिक्ताश्चैवर्णिका उच्यंते तेभ्यो न शंसेत् । पित्रे आचार्याय स्वात्मने च शंसितव्यम् । तथा च ऋग्वेदारण्यके प्रतिप्रसवः श्रूयते—" तस्मादेवं विद्वान्न परस्मा अग्निं चिनुयान्न परस्मै महाव्रतेन स्तुवीत न परस्मा एतदहः शंसेत्कामं पित्रे वाऽऽचार्याय वा शंसेदात्मन एवास्य तत्कृतं भवति " (ऐ. आ. ३ । २ । ४ । १०) इति । उपासकाभिप्रायमाह । नेदेतामिति । न इत् एतां इति पदच्छेदः । इत् इवार्थे । अहमुपासकः एतां मंडललक्षणां परमपुरुषप्रतिष्ठां न, छिनदै न छेदं करवै इति मनसि निधाय परस्मै न शंसेदेव इति पूर्वेणान्वयः । निषेधमुखेन प्रोक्तमर्थं विधिमुखेन द्रढयति । एताꣳहेति । य उपासकः कुक्षिंभरः सन् महदुक्थं परस्मै शंसति स एतां प्रतिष्ठां छिंते ह छेदं कुर्यादेवेत्यर्थः । तथाचोपासनीयः पुरुषः उपासकदृष्ट्या निष्प्रतिष्ठः सन् नोद्कुर्वीतेति भावः । यस्मादेवं तस्माद्याज्ञिका उक्थं शंसंतीति उक्थशसः, तं-क्थशसं शंसेः क्विप् पचादिर्वा । उक्थशंसनकर्तारं होतारं ' भूयिष्ठम् ' अधिकतरं अध्वर्युप्रभृतिभ्यः ' परिचक्षते ' परितः कथयंति । ' बहोर्लोपो भू च बहोः ' (पा. सू. ६।४।१५८) इति इष्ठनि परे भू आदेशः । किंच याज्ञिका मिथो वदंति । यदि वयमादित्योपासितारमृत्विक्त्वेन वृणमहे, सोऽपि दरिद्रवशेन वृतो अभविष्यत् । तदा प्रतिष्ठां छिनत्तीति प्रतिष्ठाच्छिद्भवति । इदमस्माकमपि हानिकरमेव । तस्मात्प्रतिष्ठाच्छिन्नो भवतु न भवतु । इति हृदि निधाय यायजूका अपि उपासितारम् न वृणुयुः । ' हि ' एव । उक्थस्वरूपं ऋग्वेदे बहुधा प्रसिद्धम् । उक्थस्यैव शस्त्रस्य निष्कैवल्यमिति नाम । एतदेवोक्थं बहुधा उपासितव्यत्वेन बह्वृचद्वितीयारण्यके । (ऐ. आ. २ । ३ । ४ । ११ इत्यत्र सायनभाष्ये) प्रपंचितम् , तेषां ब्राह्मणं तु पक्षित्वेन विस्तृतम् , तथाहि— ' इंद्रमिद्गाथिनः ' इत्यादि मंत्रजालं उक्थलक्षणपक्षिणः शिरः । ' अभि त्वा शूर नो नुमः ' इत्यादि दक्षिणः पक्षः । ' त्वामिद्धि हवामहे ' इत्यादि उत्तरः पक्षः । ' इमा नु कं भुवनानाम् ' इत्यादि पुच्छम् । ' तदिदास ' इत्यादि मध्यमशरीरम् । ' महाँ इंद्रो य ओजसा ' इत्यादि गायत्री तृचाशीतिः 'विष्णोर्नुकम्' इत्यादि बृहती तृचाशीतिः ' योऽपि यऽइंद्रसोमपातमः ' इत्यादि उष्णिगशीतिः आहत्य तिस्रो ऽशीतयः शस्त्रपक्षिणो अन्नम् । एवमादिर्महान्प्रतापो उक्थशस्त्रस्य ऋग्वेदग्रंथे परिशीलनीयः । बृहदारण्यके तु—" उक्थं प्राणो वा उक्थं प्राणो हीदं सर्वमुक्थापयति " (बृ. उ. ५ । १३ । १) इत्युक्तम् । यद्वा । उक्थशब्देन क्रतुविशेष उच्यते—' अग्निष्टोम अत्यग्निष्टोम उक्थ ' इत्यादिना सोमसंस्थासु पाठात् । तथाच प्रकृतब्राह्मणे तद्धित-यल्लोपश्छांदसः । अथेदानीं प्रकारांतरेण कथितकथ्यमानोपासनाविभागं प्रतिजानीते—' इत्यधिदेवतमिति ' देवतामधिकृत्य प्रवृत्तमुपासनमधिदेवतमिति पूर्वोक्तरीत्यासप्रपंचं निरूपितमिति शेषः ॥ ९ ॥

पूर्वोक्तमेवोपासनं विधांतरेण प्रतिजानीते—अथाधियज्ञमिति । अथ अधिदेवतोपासनानंतर यज्ञमधिकृत्य

एष ऽएतस्मिन्मण्डले पुरुषोऽयमेव स योऽयꣳ हिरण्मयः पुरुषस्तदे-तदेवैतत्त्रयꣳ सꣳस्कृत्येहोपधत्ते तद्यज्ञस्यैवानु सꣳस्थामूर्ध्वमुत्क्रामति तदेतमप्येति यऽएष तपति तस्मादग्निं नाद्रियेत परिहन्तुममुत्र ह्येष तदा भवतीत्युऽएवाधियज्ञम् ॥ ६ ॥

हिरण्मयः पुरुषः । तदेतदेवैतत्त्रयं संस्कृत्येहोपधत्ते । तद् यज्ञस्यैवानु संस्थामूर्ध्वमुत्क्रामति । तदे-तमप्येति—य एष तपति । तस्मादग्निं नाद्रियेत परिहन्तुम् । अमुत्र ह्येष तदा भवतीत्यु एवाधि-यज्ञम् ॥ ६ ॥

षात्मनोपासनमित्यधियज्ञवाक्यस्य तात्पर्यम् । अक्षरार्थस्तु—' यत् ' ' मण्डलं तपति ' ' अयम् ' अत्रोपहितो रुक्मः ' यत् ' ' अर्चिर्दीप्यते ' तत् रुक्मपुरुषयोरधस्तादुपहितं ' पुष्करपर्णम् ' । कथमर्चिषः पुष्करपर्णा-त्मत्वं तत्राह—आपो ह्येता आपः पुष्करपर्णमिति । आर्चिषो ह्यापः, सूर्यकिरणानामेव वृष्टिकर्तृत्वात्, कार्य-कारणयोरभेदेन अर्चिरेव आप इत्युक्तम् । पुष्करपर्णमपि अद्भ्य उत्पन्नत्वात्तदात्मकमित्यर्थः । मण्डलमध्यवर्ती पुरुष एवात्रोपहितो हिरण्मयः पुरुषः । एवमेतत् रुक्मादित्रयं मण्डलाद्यात्मना ' संस्कृत्य ' भावयित्वा इहाग्नावु-पधत्ते । तदा यज्ञस्य संस्थां समाप्तिम् ' अनु ' ऊर्ध्वम् ' उत्क्रामति '—उत्क्रामन् यजमानः ' एतं ' मण्डला-दिरूपेण त्रिविधमादित्यम् ' अप्येति ' प्राप्नोति । ' य एष तपति ' । अत्र कंचिद्धर्ममाह—तस्मादग्निं नाद्रि-येत परिहन्तुममुत्र ह्येष तदा भवतीति । यतोऽस्मिन्नग्निं चितवान् परत्रादित्यो भवति—अतः ' अग्निं ' परिहन्तुं ' ' नाद्रियेत '—चितमग्निमिष्टकाविशेषेण नाशयितुमादरं न कुर्यात् । कुतः एषोऽग्निरमुत्र भवति परलोके यजमानशरीरात्मनोत्पद्यत इति । यद्वा परिहन्तुं प्राप्तुं स्प्रष्टुमित्यर्थः । चित्याग्निस्पर्शने दोषश्रवणात् । एवमधियज्ञमर्थो व्याख्यातः ॥ ६ ॥

प्रवर्तिष्यमानमुपासनमधियज्ञं निरूपयिष्यत इति शेषः । अस्ति कश्चित् चयनक्रतौ संप्रदायः । यदा इष्टका उपधीयंते तदा पूर्वं पंचभिः संस्कारैर्भूमिं शोधयित्वा शोधितभूमौ माषत्रयपरिमाणं सुवर्णं निक्षिप्य तदुपरि पद्मिनीपत्रं संस्थाप्य अद्भिः प्रोक्ष्य तदुपरि सौवर्णीं पुरुषाकृतिमाधाय अथ इष्टका उपधीयंते । ततो अग्नि-प्रतिष्ठेति । तदेतत्सर्वं मंडलादौ उत्प्रेक्ष्यते उपासनाय यदेतन्मंडलमिति । एतत् प्रत्यक्षं यन्मंडलं तपति । तत् सोऽयं रुक्मश्चयनयागीयः । मंडले रुक्मत्वदृष्टिः कार्या अधःस्थितिसाम्यात् । अथ तद्दृष्टयनंतरं यदेतदर्चिर्दीप्यते तदिदं पुष्करपर्णं चायनपद्मिनीपत्रम् । तत्र तद्दृष्टिः क्रियतां उपरितनसाम्यात् । हिशब्दो निपातादानंतर्यार्थः । तद्दृष्टयनंतरं एताः सूर्यमंडलस्थाः आपः पुष्करपर्णव्यत्ययेन पुष्करपर्णे प्रोक्षणनिमित्तेन स्थिता आपः, तत्र तद्दृष्टिः कार्या ' अथ ' तद्दृष्टयनंतरं ' य एष एतस्मिन्मंडले पुरुषः '—अयमेव सः ' कः ' योऽयं हिरण्मयः, चायनः पुरुषः, तत्र तद्दृष्टिः क्रियतां सर्वोपरित्वसाम्यात् । ' तदेतदेवैतत्त्रयं ' रुक्मपुष्कर-पर्णजलरूपं संस्कृत्य इह एतत्त्रितयोपरि सुवर्णमयसर्वावयवः परमपुरुषोऽस्तीत्युपासीत इति भावः । अतएवेद-मुपासनयज्ञमधिकृत्य प्रवृत्तं इत्यवोचाम । सूर्यमंडले आपः संतीति सर्ववेदघंटाघोषः । तथा च तैत्तिरीयका आमनंति—' याभिरादित्यस्तपति रश्मिभिस्ताभिः पर्जन्यो वर्षति (तै. आ. ४ अं. अनु.) इति । स्मृतिरपि—

१-राजहंससरस्वतीनां भाष्यानुसारेण ' हिरण्ययः ' इति पाठः । एवमग्रेऽपि ।

(मु) अथाध्यात्मम् । यदेतन्मण्डलं तपति यश्चैष रुक्म ऽइदं तच्छुक्लमक्षन्नथ यदेतदर्चिर्दीप्यते यच्चैतत्पुष्करपर्णमिदं तत्कृष्णमक्षन्नथ य ऽएष ऽएतस्मिन्मण्डले पुरुषो यश्चैष हिरण्मयः पुरुषोऽयमेव स योऽयं दक्षिणेऽक्षन्पुरुषः ॥ ७ ॥

अथाध्यात्मम् यदेतन्मण्डलं तपति, यश्चैष रुक्मः-इदं तच्छुक्लमक्षन् । अथ यदेतदर्चिर्दीप्यते, यच्चैतत्पुष्करपर्णम्-इदं तत्कृष्णमक्षन् । अथ य एष एतस्मिन्मण्डले पुरुषः, यश्चैष हिरण्मयः पुरुषः । अयमेव स योऽयं दक्षिणेऽक्षन्पुरुषः ॥ ७ ॥

'अथाध्यात्मम्' प्रदर्श्यते इतिशेषः । अत्रायं विशेषः—मण्डलादित्रयस्याधियज्ञिकरुक्मपुष्करपर्णहिरण्मय-पुरुषत्रयस्य च दक्षिणाक्षिगतशुक्लकृष्णवर्णद्वयतदन्तर्वर्तिपुरुषेषु तादात्म्येनोपासनमिति । अक्षन्निति । अक्षि-शब्दात् । "अस्थिदधि." (पा. सू. ७ । १ । ७५)-इत्यादिना अनङ् "सुपां सुलुक्"-(पा. सू. ७ । १ । ३९) इति सप्तम्या लुक् । एवं मण्डलादित्रयस्य लोचनगतशुक्लादित्रयस्य च तादात्म्येन ध्यान-मुक्तम् । पुरुषस्य च द्वे चक्षुषी-तत्र यथा दक्षिणे तथा सव्यलोचनेऽपि पुरुषो दृश्यते ॥ ७ ॥

'आदित्याज्जायते वृष्टिः' (म. स्मृ. ३ । ७६) इति । यदि मंडलं निर्जलमभविष्यत् तर्हि कथमवर्षिष्यदा-दित्यः । हिरण्मय इति वक्तव्ये 'ऋत्व्यवास्त्व्यवास्त्वमाध्वीहिरण्ययानि छंदसि' (पा. सू. ६ । ४ । १७५) इति निपातनान्मयडादिलुप्तिः । यस्मादेवं तस्मात्तन्मंडलार्चिरुदकपुरुषाणां चतुष्कं यज्ञस्य चयनाख्यस्य संस्थां स्थितिं अनु पश्चात् चयनयागीयरुक्माद्युपमितं सत् ऊर्ध्वं नभोमंडलोपरि उत्क्रामति निर्गच्छति स्म इति एवकारेणा-वधार्यते । तत्तस्मात्कारणात् तं आदित्यपुरुषं उपासकः अप्येति प्राप्नोति इति फलनिरूपणम् । एतं कं य एष तपति तमित्यन्वयः । यस्मादेवं तस्मान्मंडलादौ चयनीयपदार्थदृष्ट्युपासको अग्निं नाद्रियेत चयनादिकर्मसु न श्रद्धां बध्नीयादिति भावः । तत्र हेतुमाह—परिहंतुमिति । हि यस्मात् एष उपासको यदा आदित्यमुपास्ते तदा 'अमुत्र' परलोके आदित्यमंडले इति यावत् 'भवति' वर्तते । किमर्थं 'परिहंतुं' परितो गंतुं सूर्यमेकीभावेन गंतुं । हंतिरत्र गत्यर्थः, गतिः प्राप्त्यर्थः । इत्थं खलु मर्यादा यो यदुपास्ते स तदात्मा सन्नप्येति । तथाच सति आदित्योपासकः, 'अमुत्र भवतीति' श्रुत्या उक्तम् । उक्तमर्थमुपसंहरति—इत्यु एवाधियज्ञमिति । पूर्वोक्त-रीत्या अधियज्ञमेवोपासनं प्रपंचितं नान्यत् । उनिपातः प्रकरणविभागप्रयोजनः ॥ ६ ॥

प्रकारांतरेण उपासनांतरं प्रतिजानीते—अथाध्यात्ममिति । अथाधियज्ञोत्तरं आत्मानं शरीरमधिकृत्य प्रवृत्तमुपासनं अध्यात्मं कथयिष्यत इति शेषः । दक्षिणेऽक्षन्निति । कंडिकांते पाठात् मध्यग्रंथेऽपि दक्षिणपदं विशेषणीयम् । दक्षिणे अक्षन् अक्षिणि । विभक्तेर्लोपः । 'तच्छुक्लं' धवलभागः तदिदं शुक्लं रुक्मः मंडलवर्ती पुरुष एव । य एष यागीयरुक्मदृष्टांतः तद्दृष्टिं दक्षिणनेत्रस्थशुक्ले कुर्यात् । यदेतन्मंडलं तपति तद्दृष्टिं च दक्षिणनेत्रे कुर्यात् । रुक्माधारं मंडलं शुक्लाधारं नयनं इत्युपमानात् । अथैवंभावनादूर्ध्वं दक्षिणेऽक्षन्नक्षिणि 'तच्छुक्लं' शुक्ल-भागमध्यस्थं तदिदं तत्पुष्करपर्णं यागीयं रुक्मोपरिस्थं यत् तत्र तद्भावनां कुर्यात् । 'यदेतदर्चिर्दीप्यते' तदे-तद्दक्षिणनेत्रमिति भावयेत् आधाराधेयभावसाम्यात् उपरितनसाम्याच्च । शुक्लोपरि कृष्णं रुक्मोपरि पर्णमिति भावः ।

सु॒ऽ ए॒षु॒ऽ ए॒वु लो॒क॒म्पृ॒णा । तामेष सुर्व्वो॒ऽग्निरभिसुंपद्यते तुस्यै॒तुन्मि॑थु॒नं यो॒ऽयुछ्ँ सुव्ये॒ऽक्ष॒न्पु॒रु॑षो॒ऽर्धमु॒ हैतु॒दात्मनो॒ युन्मिथुनं यदा वै सह मिथुने॒नाथ सर्व्वो॒ऽथ कृत्स्नुः कृत्स्नुता॒यै तद्य॒त्ते द्वे भवतो द्वन्द्वछ्ँ हि मिथुनं प्रजुननं तुस्माद्वे द्वे लो॒क॒म्पृ॒णेऽउ॒पधी॑येते तुस्मादु द्वाभ्यां चितिं प्रणयन्ति ॥ ८ ॥

स एष एव लोकम्पृणा—तामेष सर्वोऽग्निरभिसंपद्यते । तस्यैतन्मिथुनम् । योऽयं सव्येऽक्षन्पुरुषः । अर्धमु हैतदात्मनः—यन्मिथुनम् । यदा वै सह मिथुनेन । अथ सर्वः । अथ कृत्स्नः—कृत्स्नतायै तद् । यत्ते द्वे भवतः । द्वंद्वं हि मिथुनं प्रजननम् । तस्माद् द्वे द्वे लोकम्पृणे उपधीयेते । तस्मादु द्वाभ्यां चितिं प्रणयन्ति ॥ ८ ॥

सोपमुक्तदक्षिणाक्षिपुरुषस्य मिथुनत्वेन सम्पद्यत इत्याह—स एष एव लोकम्पृणेति । ' सः ' ' एषः ' सूर्यमण्डलगतपुरुष एव ' लोकम्पृणा ' इष्टका लोकम्पृणेष्टकाया आदित्यात्मत्वमष्टमकाण्डावसाने प्रतिपादितम्—तथा हि " अथ लोकम्पृणामुपदधात्यसौ वा आदित्यो लोकम्पृणाऽथ हीमान् लोकान् पूरयत्यमुमेवैतदादित्यमुपदधाति " (श. प. ८।७।२।१) इति । तां सूर्यात्मकलोकम्पृणेष्टकामभिलक्ष्य सर्वोऽग्निः सम्पद्यते—लोकम्पृणाभिः सर्वोऽग्निः कृत्स्नः संतर्प्यत इत्यर्थः । तस्य सूर्यपुरुषात्मकदक्षिणाक्षिपुरुषस्य सव्याक्षिगतः ' पुरुषः ' ' मिथुनं ' योषित् इत्येतस्मिन् मिथुने हि ' आत्मनः ' ' अर्द्धम् ' अर्द्धभागः । " अर्द्धो वा एष आत्मनो

अथोत्प्रेक्षाद्वयात् ऊर्ध्वं 'य एष एतस्मिन्मंडले पुरुषः, य एष हिरण्मयः पुरुषः, सोऽयं' 'दक्षिणेऽक्षन्' अक्षिणि पुरुषो नेत्राभिमानी रूपादिदर्शनहेतुर्यो वर्तते सोऽयमेक एव । प्राणिनेत्रेषु मंडले च एक एव परमात्मा अस्तीति भावयेदिति रहस्यं । "एको देवः सर्वभूतेषु गूढः" (श्वेता. उ. ६।११) इति शाखांतरात् । अस्यां कंडिकायां बहुलं सर्वनामप्रयोगो वस्तुसाक्षात्कारविद्योतकः । एवं पूर्वत्र च चकाराश्वयनयज्ञीयरुक्मादिदृष्टांतमंडलादिनिदर्शनं च, प्राणिनेत्रशुक्लादौ दार्ष्टांतिके समुच्चिन्वते । हिरण्मय इत्यत्र मयट् न विकारे अनित्यत्वप्रसंगात् । अपि तु प्राचुर्ये प्रचुरं कनकाभरणो देव इत्यर्थः । दिव्यमंगलविग्रह इति वा । यद्वा मंडले यागरुक्मदृष्टिः शुक्ले अर्चिःपर्णदृष्टिः कृष्णे मंडलयागपुरुषद्वयदृष्टिः अक्षिपुरुषे कार्या इति वा कंडिकार्थः ॥ ७ ॥

अथेदानीमष्टमकंडिकायां मिथुनत्वलक्षणमुपासनमुपदिशति । स एष इति । यः पूर्वोक्तो भानुमान् स एषः लोकंपृणाद्यौरेव इत्युपासीत । लोक्यते सर्वदर्शिभिरिति लोकं ब्रह्मांडं वृष्टिद्वारा पालयतीति लोकंपृणा द्यौः । पॄ पालनपूरणयोः । द्वितीयाया अलुक् । जायास्थानीया दिवं एषः प्रत्यक्षः सर्वः सर्वात्मकः । अत एव अग्निशब्दवाच्यो भानुः पतिस्थानापन्नः आभिमुख्येन संपद्यते मिथुनीभूतवान् । अयं भावः—एक एवादित्यो द्यौर्भूत्वा जायाशब्देन स्वरूपतः पुरुषशब्देन चोच्यते । अत एव परमात्मप्रकरणे बृहदारण्यके " स इममेवात्मानं द्वेधा पातयत् । ततः पतिश्च पत्नी चाभवताम् " (बृ. उ. १ । ४ । ३) इति । नच परमात्ममंडलपुरुषयोर्भेदोऽस्तीति असकृदवोचाम । अत्र तित्तिरिः कूजति ।

यत्पत्नी " (तै. सं. ६।१।८)—इति तैत्तिरीयश्रुतेः । यतोऽर्द्धमतः सव्याक्षिपुरुषो नातिरिक्त इत्यर्थः । 'यदा' आत्मा 'मिथुनेन' युक्तः 'तदा' 'सर्वः' 'कृत्स्नः' सम्पूर्णः । पुरुषद्वयं मिथुनात्मना स्तौति—तद्यत्ते द्वे भवत इति । ' यत् ' यदा ' ते द्वे ' ' भवतः ' तदा ' कृत्स्नतायै ' पूर्णत्वाय द्वे इति व्यक्त्यपेक्षं नपुंसकलिङ्गत्वम् । यतः पुरुषयोः ' द्वन्द्वं ' यतः सूर्यात्मिके ' लोकंपृणे ' ' द्वे द्वे ' ' उपधीयेते ' " तिसृषु लोकंपृणासु मंत्रो दशसु च द्वयोर्वा दशस्वेकस्यां च " (का.श्रौ. सू. १७।१७) इति लोकम्पृणोपधानप्रस्तावे सूत्रम् । अष्टमकाण्डे लोकम्पृणाप्रस्तावे द्वंदश उपधानमुक्तम् । अथ तत्र या द्वितीया 'मिथुनं' तत् 'अर्धमु हैतदात्मनो यन्मिथुनं' " स यस्यां सक्त्यां प्रथमे उपदधाति ततो दशभिर्दशभिः संछादयति" (श. प. ८।७।२।१२) इति । द्वित्वमेवमन्यत्रापि दर्शयति—तस्मादु द्वाभ्यामिति । तस्मादेव द्वाभ्यां द्वाभ्यां यजुष्मतीलोकम्पृणाभ्यां ' चितिं ' ' प्रणयन्ति ' ॥ ८ ॥

" स यश्चायं पुरुषे यश्चासावादित्ये स एकः " (तै. उ. ब्र. व. २ । ८) इति । द्युलोकादित्ययोर्मिथुनत्वं सप्तान्नब्राह्मणे प्रसाधितं—" तावती द्यौस्तावानसावादित्यस्तौ मिथुनᳪ समैतां ततः प्राणोऽजायत " (बृ. उ. १ । ५ । १२) इति । एतत्प्राक्तनकंडिकोक्तमध्यात्माधिदेवतभेदाभावं स्थूणानिखननन्यायेन प्रबलयति । तस्येति । 'योऽयं सव्ये अक्षन्' अक्षिणि पुरुषो वर्तते । तस्यैव 'एतन्मिथुनं' मिथुनत्वनिरूपणमिति भावः । सव्यं दक्षिणमिति सव्यापसव्यप्रकरणे दर्शनात् । स्त्रीपुंसयोरन्योन्यात्मकत्वं स्फीतयति । ' अर्द्धमुह ' इति यन्मिथुनमस्ति ' एतदात्मनः ' आत्मनः परस्परस्यार्द्धं । उ ह निपाताभ्यां प्रसिद्धिः प्रकाश्यते । तथाच बृहदारण्यकम्— " तस्मादिदमर्द्ध बृगलमिव स्व इति ह स्माह याज्ञवल्क्यस्तस्मादयमाकाशः स्त्रिया पूर्यते " (बृ. उ. १ । ४ । ३) इति स्थलांतरेऽपि । "अर्द्धो वा एष आत्मनो यत्पत्नी" (तै. सं. ६ । १ । ८) इति । इत्थं जंपतिभ्यां द्युलोकद्युमणिभ्यां जगदुत्पत्तिमाचष्टे । यदेति । यदा यस्मिन् काले मिथुनेन " व्यत्ययो बहुलम् " (पा. सू. ३ । १ । ८५) इत्यनुशासनात् । मिथुनं प्राक्कथितं सह एकीभावेन मिलति । वै वाक्यालंकारे । अथ तदानीं सर्वश्चतुर्दशभुवनसमूहः गगनादिभूतसमूहो वा जायते । अथ लोकजनेरूर्ध्वं ' कृत्स्नः ' सुरासुरद्विपचतुष्पत्पक्षिसर्पादिसमूहः समभवदिति शेषः । लोकसृष्ट्यनंतरं प्राणिसृष्टिः बृहदारण्यके प्रमाणीकृता— " आत्मा वा इदमेक एवाग्र आसीत् " (बृ. उ. १ । ४ । १) इत्यादिना । लोकोत्पत्तिं भावयित्वा— "स ईक्षते मेऽनु लोकाश्च लोकपालाश्चान्नमेभ्यः सृजा इति" (ऐ. आ. २।४।२३) इति लोकपालाद्युत्पत्तेरुत्तरत्र भाषितत्वात् । पंचभूतोत्पत्तेरनंतरं प्राण्युत्पत्तिं तित्तिरी रोरवीति—" आत्मन आकाशः संभूतः "(तै. उ. ब्र. व. १) इत्यादिना भूतसर्गं संभाष्य " ओषधिभ्योऽन्नं अन्नात्पुरुषः " (तै. उ. ब्र. व. १) इत्यादिना पुरुषोपलक्षितप्राणिमात्रसर्गसंभाषणात् । यथा द्युलोकद्युमणी मिथुनीभूय कृत्स्नं जनयतः । तथा लोकेऽपीत्याह—कृत्स्नतायै इति । ' तत् यत् ' तत् व्यत्ययेन तौ द्वौ कृत्स्नतायै स्वार्थे तल् । कृत्स्नाय कृत्स्नसर्गायेत्यर्थः । द्वंद्वं भवतः । हि एव तत् तस्मात् लोकेऽपि प्राणिमात्रं सत् प्रजनयतीति । प्रजननमुत्पादनसमर्थं भवति । न एकैकशः । तदेतत्सर्वं पुरुषविधब्राह्मणे (बृ. उ. १ । ४) आलोचनीयम् । यस्मादित्थं तस्मात् चयनेऽपि 'द्वे द्वे' इष्टके उपधीयेते अध्वर्युणा । कथंभूते इष्टके ' लोकंपृणे ' व्युत्पत्तिः प्राग्वत् । औपलक्षण्येन दर्शादावपि द्वंद्वशः पात्रासादनं इत्यादि बोध्यं । 'तस्मादु' तस्मादेव कारणात् 'द्वाभ्यां द्वाभ्याम्' इष्टकाभ्यां ' चितिं ' चयनं क्रतौ ' प्रणयंति ' याज्ञिका निष्पादयंति । सर्वथाऽपि द्वंद्वमेव कार्यक्षमम् । नैकाकी नैकाकिनी वा इति भावः ॥ ८ ॥

सऽ एषऽ एवेन्द्रः । (न्द्रो) योऽयं दक्षिणेऽक्षन्पुरुषोऽथेयमिन्द्राणी ताभ्यां देवा ऽएतां विधृतिमकुर्वन्नासिकां तस्माज्जायायाऽअन्ते नाश्नीयाद्वीर्यवान्हास्माज्जायते वीर्यवन्तमु ह सा जनयति यस्याऽ अन्ते नाश्नाति ॥ ९ ॥

तदेतद्देवव्रतम् । (ष्ठुँ) राजन्यबन्धवो मनुष्याणामनुतमां गोपायन्ति तस्मादु तेषु वीर्यवाञ्जायतेऽमृतवाका वयसाᳪं सा क्षिप्रश्येनं जनयति १०

स एष एवेन्द्रः—योऽयं दक्षिणेऽक्षन्पुरुषः । अथेयमिन्द्राणी ताभ्यां देवा एतां विधृतिमकुर्वन्—नासिकाम् । तस्माज्जायाया अन्ते नाश्नीयाद् । वीर्यवान्हास्माज्जायते । वीर्यवन्तमु ह सा जनयति—यस्या अन्ते नाश्नाति ॥ ९ ॥

तदेतद्देवव्रतम् । राजन्यबन्धवो मनुष्याणामनुतमां गोपायन्ति । तस्मादु तेषु वीर्यवाञ्जायते । अमृतवाका वयसाम्—सा क्षिप्रश्येनं जनयति ॥ १० ॥

यदुक्तमक्षिद्वये पुरुषद्वन्द्वं मिथुनमिति तदेव स्त्रीपुँलिङ्गेन्द्रेन्द्राणीशब्दाभ्यां विशदयति—**स एष एवेन्द्र** इति । दक्षिणाक्षिपुरुष इन्द्र इत्युच्यते । सव्याक्षिपुरुष इन्द्राणीत्युच्यते । इन्द्रस्य स्त्री इन्द्राणी । "इन्द्रवरुणभव०", (पा. सू. ४।१।४९) इत्यादिना ङीषानुकौ । 'ताभ्यां' स्त्रीपुंसाभ्यामिन्द्राणीन्द्राभ्यामर्थे 'एतां' 'नासिकां' 'विधृतिं' व्यवधायकवस्त्रस्थानीयाम 'अकुर्वन्' यतः स्त्रीपुरुषयोर्मध्ये 'देवाः' 'विधृतिं' कृतवन्तः । अतः 'जायाया अन्ते नाश्नीयात्'—स्त्रियाः समीपे स्त्रियं पश्यन् भोजनं न कुर्यादित्यर्थः । स्त्रीसमीपे भोजनाकरणस्य फलं दर्शयति **वीर्यवान्हास्मा**दिति । अस्मात् स्त्रीसमीपे भोजनमकुर्वतो 'वीर्यवान्' सुतो जायते । यस्याः समीपे न भुङ्क्ते 'सा उ ह' साऽपि 'वीर्यवन्तम्' उत्पादयति ॥ ९ ॥

एतद् व्रतमनुतिष्ठतां वीर्यवत्पुत्रोत्पत्तिर्भवतीत्याह—**तदेतद्देवव्रतं राजन्यबन्धव** इति । यदुक्तं 'जायाया

नवम्यां विधांतरेण मिथुनत्वं कल्पयते—**स एष** इति । 'यो अयं दक्षिणे अक्षन्' अक्षिणि 'पुरुषः' अस्ति । 'स एष एवेन्द्रः' 'परमैश्वर्यमण्डलपुरुषगिरात्वात् ।' 'अथ' अनंतरं 'इयं' वामाक्षिनिष्ठकनीनिका 'इंद्राणी' अनुपदमुक्ता इंद्रपत्नी । एतयोर्जांपत्यम् कूर्चब्राह्मणे—" इंधो ह वै नाम "—(बृ. उ. ४ । २ । २) इति । द्वितीयकंडिकायां सव्यनेत्रस्थस्येन्द्रत्वं व्याहृत्य " अथैतद्वामेऽक्षिणि पुरुषरूपमेषाऽस्य पत्नी "—(बृ. उ. ४ । २ । ३) इति तृतीयकंडिकायां अपसव्यनेत्रस्थकनीनिकायाः पत्नीरूपत्वं प्रपंचितम् । यतोऽनयोर्दांपत्यं अतः सर्वदा यथा दर्शनं नास्ति जातुचिदेव दर्शनम् तथा मर्यादा अपेक्षिता । तामाचष्टे—**ताभ्यामिति** । 'देवाः' इंद्रादयः ताभ्यां तादर्थ्ये चतुर्थी । तयोरर्थाय 'एतां' अपरोक्षां 'नासिकां' नयनयोर्मध्ये 'विधृतिं' मर्यादाम् 'अकुर्वन्' चक्रुः । विशेषेण धारयति व्यवस्थामिति विधृतिर्मर्यादा । यस्मात् स्त्रीपुंसयोः सर्वदा मर्यादा देवैः कृता 'तस्मात् जायायाः' 'अंते' समीपे दृष्टिगोचरे जायायाः भोजनस्यांते वा 'नाश्नीयात्' न भुंजीत । यदि 'ह' तर्हि 'अस्मात्' तथा अभोक्तुः सकाशात् 'वीर्यवान्' 'पुत्रः' 'जायते' । 'सा' अपि जाया 'वीर्यवन्तम्' आत्मजं 'जनयति' प्रसूते । 'उ ह' निश्चये । सा का ? 'यस्या अंते नाश्नाति' पतिः । अन्यथा निर्वीर्यस्तनयो भवतीति व्यतिरेको बोध्यः ॥ ९ ॥

अनुपदमुक्तां शिक्षां लोकानुभवेन प्रकटयति—**तदेतद्देवव्रतमिति** । यद्यपि पंचाग्निब्राह्मणे—" राजन्यबधु-

तौ हृदयस्याकाशं प्रत्यवेत्य । मिथुनीभवतस्तौ यदा मिथुनस्यान्तं गच्छतोऽथ हैतत्पुरुषः स्वपिति तद्यथा हैवेदं मानुषस्य मिथुनस्यान्तं गत्वाऽ संविदऽ इव भवत्येवꣳ हैवैतदसंविदऽ इव भवति दैवꣳ ह्येतन्मिथुनं परमो ह्येषु ऽआनन्दः ॥ ११ ॥

तौ हृदयस्याकाशं प्रत्यवेत्य मिथुनीभवतः । तौ यदा मिथुनस्यान्तं गच्छतः अथ । हैतत्पुरुषः

अन्ते नाश्नीयात् ' इति ' तत् ' इदं देवकल्पितं व्रतम् ' एतत् ' ' मनुष्याणां ' मध्ये ' राजन्यबन्धवः ' 'अनुतमां गोपायन्ति ' अनुतमाम् अत्यर्थं रहस्यत्वेन कुर्वन्ति । ' तस्मात् ' ' उ ' तस्मादेव ' तेषु ' ' वीर्यवान् ' पुत्रो जायते ' वयसां ' पक्षिणां मध्ये ' अमृतवाका ' नाम पक्षिजातिरेतद्व्रतं गोपायति, अतः ' सा ' ' क्षिप्रश्येनं ' शीघ्रगामिनं श्येननामकं पक्षिणं ' जनयति ' ॥ १० ॥

अथेन्द्रेन्द्राणीनाम्नोः स्त्रीपुरुषयोः सङ्गमस्य स्थानं तल्लक्षणानि चाह—तौ हृदयस्याकाशमित्यादिना । स्त्रीपुरुषौ हृदयाकाशं दहरं प्राप्य ' मिथुनीभवतः ' मिथुनकर्म सम्भोगं कुरुत इत्यर्थः । ' तौ ' ' यदा ' मैथुन-

---

दप्राक्षीत् " (छां. उ. ५.३.५.) इति पितरं गौतमं प्रति श्वेतकेतूक्तौ राजन्यो बंधुरस्यासौ राजन्यबंधुः । न तु स्वयं राजन्य इति काकूक्त्या राजन्याधमपरत्वेन परमहंससाम्राज्यधुरंधुरैः नारायणेंद्रसरस्वतीभिर्व्याख्यातं, जैबलराजन्यनिंदायाः श्वेतकेतुना अभिप्रेतत्वात् । तथाऽपि प्रकृते राजन्य एव बंधुर्यस्येति अवधारणापूर्वपदसमासे स्वस्य राजन्यतमत्वं प्रतिभाति । अन्यथा स्वस्याधमत्वे कथमत्रधारणं स्वामिनामुक्तौ अवधारणाभावात् कर्मधारयो वा । बंधुत्वमपि सौहार्दादिना बोद्धव्यम् । ननु एवं प्रयासे को हेतुरिति चेत् निंदाया अभावः । तेषु वीर्यवान् जायत इति वीर्यवत्पुत्रलाभश्च हेतुरिति वेदपुरुषांतरस्थं जानीहीति दिक् । यदेतद्देवैर्निर्मितं व्रतं देवव्रतं जायांतेऽनशनादि । तदेतत् 'मनुष्याणां' मध्ये 'राजन्यबंधवः' पुष्पवंतोरन्ववायजयध्वजाः । 'अनुतमां' अतितरां 'गोपायंति' रक्षंति स्म यस्मात् 'तस्मात् उ' एव कारणात् 'तेषु' राजन्यश्रेष्ठेषु पुष्पवंद्वंशमणिषु 'वीर्यवान्' पुत्रो 'जायते' । अनुभवसिद्धमेतत् सूर्याचंद्रमसोरन्ववाये । अपि च 'मृतवाका' मृताः वाकाः वर्णव्यत्ययेन पाकाः यस्याः सा मृतवाका मृतवंध्या । पाकाः पुत्राः । वर्णव्यत्ययः "ऐलबृदा आयुर्युधः" इत्यत्र (वा.सं. १६।६० उवट भाष्ये) ऐलभृत इति भाष्यकारैः परोऽक्षवृत्त्या अंगीकृतः । व्यत्ययसूत्रे (पा.सू. ३।१।८५) पतंजलिना अपि । ' सा ' मृतवंध्या अपि तादृग्व्रतधारिपतिका सती मनुष्यमध्ये वीर्यवंतं पाकं ' जनयति । कमिव ' क्षिप्रश्येनम् ' क्षिप्रगामी श्येनः क्षिप्रश्येनः तमिव । लुप्तोपमानमेतत् । ' वयसां ' पक्षिणां मध्ये यथा श्येनः प्रतापप्रभावाभ्यां पक्षिमात्रतिरस्कर्ता । तथा तेजःशौर्याभ्यां मनुष्यमात्राभिभवितारं पुत्रं तादृशभर्तृका मृतवंध्याऽपि प्रसूते । इतरा प्रसूत इति का कथेति भावः ॥ १० ॥

पुनरपि अध्यात्मं मिथुनवृत्तान्तं कथयति । 'अधिदैवतं कथितप्रायमेव भेदाभावात् इति मन्वानो वेदपुरुष आह—ताविति । " पुमान् स्त्रिया " (पा. सू. १ । २ । ६७) इत्येकशेषसूत्रात्, सा च स च ताविति

१–राजहंससरस्वतीभिस्तु 'मृतवाका' इति पदच्छेदमंगीकृत्य व्याख्यातम् । २–सूर्यचन्द्रयोरित्यर्थः । ३–सूर्यचन्द्रवंशमित्यर्थः ।

(स्तु) तुस्मादेवंवित्स्वप्यात् । (ल्लो) लोक्यᳬं हैतेऽएव तुद्देवते मिथु-नेन प्रियेण धाम्ना समर्धयति तुस्मादु ह स्वपन्तं धुरेव नु बोधयेन्नेदेते देवते मिथुनीभवन्त्यौ हिनसानीति तुस्मादु हैतत्सुषुपुषः श्लेष्मणमिव

स्वपिति। तद् यथा हैवेदं मानुषस्य मिथुनस्यान्तं गत्वाऽसंविद इव भवति–एवं हैवैतदसंविद इव भवति। दैवं ह्येतमिथुनम्। परमो ह्येष आनन्दः ॥ ११ ॥

तस्मादेवंवित्स्वप्यात् । लोक्यं हैते एव तद्देवते । मिथुनेन प्रियेण धाम्ना समर्धयति । तस्मादु ह स्वपन्तं धुरेव न बोधयेत् । नेदेते देवते मिथुनीभवन्त्यौ हिनसानीति । तस्मादु हैतत् सुषु-

कर्मणः ' अन्तम् ' अवसानं गच्छतः तदानीमेव पुरुषः जीवात्मा स्वपिति लोके मानुषस्य मैथुनस्यान्तं गत्वा असंविदः अजानानेव स्त्री भवति । एवं तदा तयोर्मिथुनभावे पुरुषः 'असंविद इव भवति ' अजानन्निव भवति । " विदेः इगुपधलक्षणः "–(पा. सू. ३।१।१३५) इति कः प्रत्ययः । 'हि' यतः ' एतन्मिथुनम् ' इन्द्रेन्द्राणीद्वन्द्वं दैवं देवनिर्मितम्–अतस्तयोर्मिथुनभावे ' परमः ' ' आनन्दः ' भवति ॥ ११ ॥

' तस्मात् एवं ' जानानः स्वापेन तयोर्मिथुनकर्म समर्द्धयति ' परमानन्दयुक्तं करोति । अत्र कश्चिद्धर्ममाह–तस्मादु ह स्वपन्तं धुरेवेति । यतः स्त्रीपुंसयोर्मैथुनेन पुरुषः स्वपिति तस्मात् स्वापं कुर्वन्तं ' धुरेव ' पीडयि

समासः । 'तौ' प्राक्कथितौ जंपती जाग्रदवस्थायां स्वस्थानयोः स्थित्वा सुषुप्तौ 'हृदयस्य' हृदयकमलस्य मध्यमभागरूपमाकाशः । " तल्लिंगात् दहर उत्तरेभ्यः " (ब्र. सू. १।३।५।६।१४–१८) इत्यधिकरणद्वयसिद्धदहरशब्दवाच्यम् 'आकाशं' 'प्रत्यवेत्य' संप्राप्य 'मिथुनीभवतः' । एकदेहीभवतः । एकदेहीभूय ' तौ ' 'यदा' यस्मिन् काले 'मिथुनस्य' ग्राम्यधर्मस्य 'अंतं' समाप्तिं रत्यंतमिति भावः । 'गच्छतः' । 'अथ' तदा 'ह' किल । 'एतत्पुरुषः' एष चासौ पुरुषश्च इत्यभेदसमासः । ' स्वपिति ' रतिश्रमनिवृत्तये सोऽपि स्वपितीति बोध्यं । तथाच कूर्चब्राह्मणं–" तयोरेष सᳬं स्तावो यऽएषोऽन्तर्हृदय आकाशः " (बृ. उ. ४।२।३) इति । 'तत्' तस्मात् यथैव 'ह' किल 'इदं' प्रसिद्धं 'मानुषस्य मिथुनस्य' व्यत्ययेन मानुषं मिथुनम् । स्त्रीपुंसलक्षणं 'अंतं' रतिसमाप्तिं 'गत्वा' न विद्यते संवित् व्यवहारज्ञानं यस्य तत् इति वक्तव्ये ' आपं चैव हलंतानां ' (पा. सू. २ । ४ । ८२ सि. कौ.) इति न्यायेन आपमंगीकृत्य । पुनर्न विद्यते संविदा यस्य मिथुनस्य तत् 'असंविदः' । व्यत्ययेन असंविदमिव 'भवति' । एवमेवाह किल 'एतद्दैवं मिथुनं' 'असंविद इव' असंविदमिव भवति । इदमत्राकूतं–यथा स्त्रीपुंसौ रत्यंते श्रांतौ संतौ निद्राणीभवतः न किंचिज्जानत इव । इवशब्देन यत्किंचित् ज्ञानमुच्यते । एवं दैवमिथुनं जाग्रद्व्यवहारक्लेशाक्लिष्टं सत् सुषुप्तौ हृत्पद्मकोशे लीनं सत् निर्विज्ञानमुत्प्रेक्ष्यते । ननु–इत्थं चेत् दैवमानुषमिथुनयोः को भेदः ? इत्यत्राह–दैवमिति । 'हि' यस्मात्, एतन्मिथुनं दैवं हि तस्मात् 'एषः' मिथुनसंभवः ' आनंदोऽपि परमः ' । एतेन मानुषमिथुनजानंदस्तुच्छ इत्युक्तं भवति ॥ ११ ॥

अथेदानीं दिव्यमिथुनवृत्तांतविदुपासकस्य कंचिन्नियमविधिं विधत्ते वेदः–तस्मादेवंवित् इति । यस्मात्प्रागीरितं द्वंद्वं हृदयाकाशे रहसि सुषुप्तौ एकीभूय रमते न जाग्रति तस्मात् एवंवेत्तीत्येवंवित् उपासकः 'स्वप्यात्' यद्यपि प्राणि-

मुखं भवत्येतेऽएव तद्देवते रेतः सिञ्चतस्तस्माद्रेतसऽइदꣳ सर्व्वꣳ सम्भवति यदिदं किञ्च ॥ १२ ॥

पुषः श्लेष्मणामिव मुखं भवति । एते एव तद् देवते रेतः सिञ्चतः । तस्माद्रेतस इदं सर्वं सम्भवति-यदिदं किं च ॥ १२ ॥

एव न बोधयेत्–न प्रबुद्धं कुर्यात् । धूर्वतेर्हिंसार्थात्–(धा. पा. भ्वा. ५७४) क्विपि " राल्लोपः "–(पा. सू. ६ । ४ । ४ । २१) इति रूपम । इव एवार्थे । यद्वा धुरा इव वेगेनेव न प्रबोधयेत् । अत्याहितकार्ये शनैः प्रबोधयेदित्यर्थः । तत्र कारणम्–**नेदेते देवते** इति । यदि सहसा प्रबोधस्तर्हि एते देवते इन्द्रेन्द्राणीनाम्न्यौ ' मिथुनीभवन्त्यौ ' न ' हिनसानि ' न हनानीति मनीषया सुप्तस्य सहसा प्रबोधो न कार्यः । तयोरिदानीं मिथुनीभावस्य लक्षणमाह–**तस्मादु हैतत्सुषुपुप** इति । यस्मात्तयोर्मिथुनभावेन पुरुषस्य स्वापस्तस्मात्सुप्तवतो जनस्य ' मुखं ' ' श्लेष्मणं ' श्लेष्मयुक्तम् ' इव ' ' भवति ' श्लेष्मशब्दात् मत्वर्थे पामादित्वात्–(पा. सू. ५ । २ । १००) नः प्रत्ययः । कुतो मुखस्य श्लेष्मयुक्तता तत्राह–**एते एव तद्देवते रेतः सिञ्चत** इति । तयोर्देवतयो रेतःसेकात् सुप्तमुखं श्लेष्मयुक्तं तदाकारमिव भवतीत्यर्थः । ' तस्माद्रेतसः ' सकाशात् ' इदं सर्वं ' विश्वं ' सम्भवति ' उत्पद्यते, ' यदिदं किंच ' यत्किञ्चित्प्राणिजातम्॥ १२॥

मात्रसाधारणः स्वापः तथापि 'स्वप्यात्' इति लिङा दिवा नक्तं वा अवश्यं स्वापं कुर्यादेव इत्युपासको नियम्यते । दिव्यद्वंद्वस्य रहःप्राप्तिसिद्ध्यर्थं इत्थं विधिमाश्रित्य उपासको अहन्यपि निद्रातीति यत् तत् 'लोक्यं' सर्वलोकहितं 'ह' किल "तस्मैहितम्" (पा.सू.५।१।५) इति तद्धितः । ननु-कथंसर्वलोकहित मितिचेत्; एतत्कंडिकांते संलपिष्यते । अत एवायमुपासको निद्रालुः सन् 'एते देवते' धाम्ना' हृदाकाशरूपस्थानेन 'समर्धयति' मेलयतीत्यर्थः । कथ विधेन 'धाम्ना मिथुनेन ' मिथुनस्य ' प्रियेण ' एकांतः खलु मिथुनप्रीतिहेतुरिति प्रथा । एतत्सर्वमेवकारो अवधारयति । 'उ ह' यस्मादर्थे । यस्मादित्थं 'तस्मात्' 'स्वपंतम' उपासकं 'धुरा' पाणिना तदंगपेषणादिभारेण 'न बोधयेत्' नोत्थापयेत् । अनुत्थापनाभिप्रायमाह–नेदिति । न इत् इति पदच्छेदः। 'मिथुनीभवंत्यौ एते देवते न हिनसानि ' न पृथक् करोमि इति मनसि निधाय न बोधयेदित्यन्वयः । इव इत् आभ्यामयमर्थो नियम्यते । अयंभावः–दिवा नक्तं वा निद्रालुमुपासितारं यः कश्चिदबोधयिष्यत् चेत्; तदा दिव्यं द्वंद्वं व्यभजिष्यत् । तद्विभागो महापातकहेतुः । विभाजकस्यास्मिन्परस्मिन् वा जन्मनि द्वंद्वविघातकश्च । अत एव दिवा स्वापनिषेधकं शास्त्रमपि न विरुध्यते । ननु दक्षिणाक्षिकमलाभिमानी सूर्यो वामाक्षिकमलतारका च स्त्रीपुंसीभूय निद्रालोरूपासकस्य हृत्कमलकर्णिकायां रमते इत्येतत् अप्रसिद्धमिव इत्याशंक्य भावनाबलेन अनुभावयति–**तस्मादिति । उ हेति** । यस्मात् 'एते देवते' क्रीडित्वा ' तत् ' प्रसिद्धं 'रेतः सिञ्चत एव तस्मात्' सुषुप्तिं पुष्णातीति 'सुषुपुट्' पृषोदरादित्वात् वर्णो लुप्तः । तस्य सुषुप्तिपोषकस्य एतत् अपरोक्षं 'मुखं श्लेष्मणं' फेनाकुलमिवोपलभ्यते कांतिसामान्यात् । श्लेष्म नयतीति श्लेष्मणं । " रषाभ्यां० " (पा. सू. ८ । ४ । १) इति णत्वम् । रेतःसेककार्योपलब्धेर्दिव्यद्वंद्वक्रीडा अनुमीयते । तस्मात् अवश्यं एवंवित् स्वप्यात् । ननु ' –रेतसः ' किं भवतीति चेत् शृणु । ' यदिदं किंच ' जगद्वर्तते । ' इदं ' सर्वं तस्मात् रेतसो भवति । सर्वजगत्कारणं तद्वीर्यमिति भावः । अत एव लोक्यमिति भाषितवंतो वयं । अत्रार्थे एतत्सजातीयं कूर्चब्राह्मणद्वितीयतृतीयकंडिकाभ्यां (बृ. उ. ४ । २ । ३) संलपितसंस्तावान्नप्रावरणादिकमपि गुणोपसंहारन्यायेन (जै. सू. २ । ४ । २ । ८–३२) संग्राह्यं ॥ १२ ॥

सऽ एषऽ एव मृत्युः । (यं) यऽ एषऽ एतस्मिन्मण्डले पुरुषो यश्चायं दक्षिणेऽक्षन्पुरुषस्तस्य हैतस्य हृदये पादावतिहतौ तौ हैतदाच्छिद्योत्क्रामति स यदोत्क्रामत्यथ हैतत्पुरुषो म्रियते तस्मादु हैतत्प्रेतमाहुराच्छेद्यस्येति ॥ १३ ॥

(त्ये) एषऽ उऽ एव प्राणः । (ऽ) एष हीमाः सर्वाः प्रजाः प्रणयति तस्यैते प्राणाः स्वाः स यदा स्वपित्यथैनमेते प्राणाः स्वाऽअपियन्ति

स एष एव मृत्युः—य एष एतस्मिन्मण्डले पुरुषः । यश्चायं दक्षिणेऽक्षन्पुरुषः—तस्य हैतस्य हृदये पादावतिहतौ । तौ हैतदाच्छिद्योत्क्रामति । स यदोत्क्रामति—अथ हैतत् पुरुषो म्रियते । तस्मादु हैतत्प्रेतमाहुः—आच्छेद्यस्येति ॥ १३ ॥

एष उ एव प्राणः, एष हीमाः सर्वाः प्रजाः प्रणयति । तस्यैते प्राणाः स्वाः । स यदा स्वपिति—

एवं प्रासङ्गिकं परिसमाप्य मण्डलस्थपुरुषात्मनोपासनीयस्य दक्षिणाक्षिपुरुषस्य मृत्युरूपत्वमेवाह—**स एष एव मृत्युर्य एष एतस्मिन्मण्डल** इति । ' तस्य ' एतस्याक्षिपुरुषस्य ' पादौ ' ' हृदये ' ' अतिहतौ ' व्याप्तौ कीलितौ भवतः । ' तौ ' ' यदा ' ' पादौ ' आच्छिद्योत्क्रामति ' पुरुषशरीरात् तदानीमेव पुरुषो म्रियते । यस्मादाच्छिद्य गतस्तस्मादिमं प्रेतमित्याहुः । प्रपूर्वादेतेः क्तप्रत्यये रूपं प्रेत इति ॥ १३ ॥

ननु कथमक्षिपुरुषनिर्गमे पुरुषस्य मरणमन्यत्र प्राणं प्रस्तुत्याम्नातम्—" तस्मिन्नुत्क्रान्ते " इत्यादिना प्राणनिर्गमादनन्तरमेव शरीरपात इत्याशंक्य तस्यैवाक्षिपुरुषस्य प्राणात्मकतामाह—**एष उऽएव प्राण** इति ।

अथेदानीं सिंहावलोकनन्यायेन प्रागुक्तं स्वमृत्युत्वं अन्वयव्यतिरेकाभ्यां स्थिरयति—**स एष एवे**ति । अस्यां कंडिकायां व्यवहितान्वयः । 'य एष एतस्मिन्मंडले पुरुषः यश्चायं दक्षिणेऽक्षन् पुरुषः' विद्यते सः स्थानद्वयस्थो एक एव मृत्युः । तस्योपासितुर्हृदये एतत् स्वक्रीडास्थानं 'आच्छिद्य उत्क्रामति' देहवासं परित्यज्य निष्क्रामति । 'स यदा उत्क्रामति' 'अथ' तदा 'एतत् पुरुषः' उपासकः 'यत्' यदा देहेन वियुज्यते तदा 'अस्य' मृतस्य 'पादौ' अतितरां हतौ निश्चेष्टौ ' तौ ' प्रसिद्धौ करावपि औपलक्षण्येन समस्तावयवा व्याहन्यंते । यस्मादेवं ' तस्मात् ' 'एतत्' उपासितृकलेवरं ' प्रेतमाहुः ' ज्ञातयो ग्रामीणाश्च । 'अस्य' कलेवरं मृत्युना 'आच्छेदि' । णिचोरूपम् । छिन्नमित्यपि आहुः । उपासकजीवो नित्यत्वादुपास्तिमांद्यमध्यमतीव्रतीव्रतरैः सालोक्यसामीप्यसारूप्यसायुज्यलक्षणं निर्वाणं आदित्यलोके गत्वा प्राप्नोतीति फलवाक्यमध्याहर्तव्यम् । एतदर्थ एव बहु निपातप्रयोगः॥ १३॥

अथाधुना आदित्यस्यैव गुणांतरमुपासितुं विधत्ते—**एष** इति । 'हि' यस्मात् । 'एषः' आदित्यः उदयगिरिमारुह्य यावत् अस्तगिर्यारोहणं तावत् सर्वाः उलूकादिव्यतिरिक्ताः 'इमाः प्रजाः प्रणयति' प्रकर्षेण हानोपादानो-

तस्मात्स्वाप्ययः स्वाप्ययो ह वैतᳬ स्वप्नऽइत्याचक्षते परोऽक्षं परोऽक्षकामा हि देवाः ॥ १४ ॥

अथैनमेते प्राणाः स्वाः अपियन्ति । तस्मात्स्वाप्ययः । स्वाप्ययो ह वैतं स्वप्न इत्याचक्षते- परोऽक्षम् । परोऽक्षकामा हि देवाः ॥ १४ ॥

' एषः ' अक्षिपुरुषः ' एव प्राणः ' । निर्वचनमाह—हि यतः ' एषः ' इमाः प्रजाः ' सर्वाः ' ' प्रणयति ' लोकान्तरं प्रापयति ' तस्मात् ' एष एव प्राणः । तस्याक्षिपुरुषस्य प्राणरूपस्य ' एते ' ' प्राणाः ' प्राणापानादयः पञ्च प्राणाः ' स्वाः ' जातयः प्राणत्वेन समानजातीया इत्यर्थः । ' सः ' अक्षिपुरुषः ' यदा ' ' स्वपिति ' निलीयते तदा ' एनम् ' ' एते ' ' स्वाः ' ' प्राणाः ' ' अपियन्ति ' प्राप्नुवन्ति अनुलीयन्त इत्यर्थः । स्वानामप्यय इति ' स्वाप्ययः ' स्वाप्ययं ' स्वप्न इत्याचक्षते ' परोऽक्षेण । यतो हि ' परोऽक्षकामाः ' ' देवाः ' ॥ १४ ॥

पेक्षाबुद्धीर्नयति प्रापयति । नयतिर्द्विकर्मा । 'उ' तस्मात् एष आदित्यः प्राग एवेति ध्यायेत् । प्र आ एतत्पूर्वान्नयतेः " अन्येभ्योऽपि दृश्यते "–(पा. सू. ३।२।१७) इति ड प्रत्यये "रषाभ्यां०"–(पा. सू. ८।४।१।) इति णत्वे च प्राण इति रूपम् । अत एव प्राणिनयनानयनसाम्यात् आदित्ये सर्वेंद्रियराज मुख्यप्राणदृष्टिं कुर्वीतेति सुकरो विधिः । अत एव "प्राणस्तथाऽनुगमात्" (ब्र.सू १।१।११।२८) इत्यधिकरणसिद्धप्राणशब्दार्थांगीकारे ' तस्यैते प्राणाः स्वाः ' इति इंद्रियसाहचर्याद्रुपपत्तिः । ज्येष्ठश्रेष्ठब्राह्मणोक्तरीत्या (बृ. उ. ६।१) मुख्यप्राणस्य सकलादिंद्रियग्रामात् ज्येष्ठत्वान् श्रेष्ठत्वाच्च पाप्मना मृत्युना अनपहतत्वात् सकलासूपनिषत्सु बहुधा उपास्यत्वेन प्रतीयमानत्वाच्च मुख्यः प्राणः एष आदित्यः इति विजानीयात् । अत एव एते समस्तप्राणिशरीरस्थाः ' प्राणाः ' इंद्रियाणि तस्यादित्यस्य ' स्वाः ' स्वकीयाः । अत एव ' सः ' आदित्यो मुख्यप्राणाभिन्नः सन् ' यदा स्वपिति ' ' अथ ' तदा एते स्वाः ' स्वकीयभूताः ' ' प्राणाः ' इंद्रियाणि 'एनं' सूर्यं 'अपियंति' प्राप्नुवंति । मुख्यप्राणरूपे रवौ स्वापं याते सति सर्वाणीन्द्रियाणि स्वपंति उदितेउद्यंति इत्यर्थः । अयं भावः—द्व्याहब्राह्मणे (बृ. उ. १।३।१।७) गर्वितेषु इतरेंद्रियेषु मृत्युध्वस्तेषु सत्सु मुख्यः प्राणः " अश्मलोष्ठ " न्यायेन मृत्युं विध्वंस्य विजयते स्म । तं विजयमानं दूराद्यनेकनामानं मुखनासिकासंचारिणं इतरेंद्रियाणि सेवकवन्निषेव्य, तत्तृप्त्या संतृप्य तदुदयेन, उदेत्य तल्लयेन संलीय छायावत् तदनुसारीणि अभवन् । अयमेवेतिहासो भंग्यंतरेण ज्येष्ठब्राह्मणेऽपि विद्यते । अत्रैव—"ते हेमे प्राणाः अहं श्रेयसे विवदमानाः ब्रह्म जग्मुः" (बृ. उ. ६।१।८) इति दर्शनात् प्राणशब्देन इंद्रियाण्यपि उच्यंते । इत्थं सति यो अयं प्राणस्य प्राणानां च व्यवहारः स सर्वोऽपि प्राणाभिन्नत्वेन उपास्यत्वात् आदित्यस्य प्राणानां च द्रष्टव्यः । यस्मादेव तस्मात् स्वाः प्राणाः अपियंति यं । ' असौ ' स्वाप्ययो रविः । पुनरुक्तिः ' ह वा ' निपातौ च आदरार्थौ । यद्यपि उक्तभंग्या आदित्यस्य स्वाप्ययः इति पावनं नाम तथापि ' एतं ' त्रिलोकीनयनेन्दीवरः ' स्वप्नः ' इति नामांतरेण ' परोऽक्षं ' यथा तथा शास्त्रज्ञाः ' आचक्षते ' । तत्र निदानं ' हि ' यस्मात् ' देवाः परोक्षकामाः ' । तथाच कूर्चे (बृ. उ. ४।२।२।) ' इंधः ' इति वक्तव्ये इंद्र इत्यवोचि । सर्वेन्द्रियजनिस्थितिविनष्टिहेतुरादित्यः इति वेदपुरुषहृदयंगमो भावः ॥ १४ ॥

स॒ऽ ए॒तैः सु॒प्तः । (सो) न कस्य॑ च॒न व्वे॑द न मन॑सा सङ्क॒ल्पय॑ति न व्वा॒चाऽन्न॑स्य र॒सं व्वि॑जाना॒ति न प्रा॒णे॑न ग॒न्धं व्वि॑जानाति न चक्षु॑षा पश्यति न श्रोत्रे॑ण शृणो॒त्येत॒ᳪ᳭ ह्ये॒ते त॒दाऽपी॑ता भवन्ति स॒ऽ ए॒षऽ ए॒कः स॒न्प्रजा॒सु ब॒हुधा॒ व्या॒विष्ट॒स्त॒स्मादे॒का स॒ती लो॑कम्पृ॒णा स॒र्व्वम॒ग्निम॑नुवि॒भ॑व॒त्यथ॒ यदे॒कऽ॒एव॒ त॒स्मादे॒का ॥ १९ ॥

स एतैः सुप्तो न कस्य चन वेद न मनसा सङ्कल्पयति । न वाचाऽन्नस्य रसं विजानाति । न प्राणेन गन्धं विजानति । न चक्षुषा पश्यति । न श्रोत्रेण शृणोति । एतं ह्येते तदाऽपीता भवन्ति । स एष एकः सन्प्रजासु बहुधा व्याविष्टः । तस्मादेका सती लोकम्पृणा सर्वमग्निमनुविभवति । अथ यदेक एव । तस्मादेका ॥ १९ ॥

तस्मिन् सर्वेषां प्राणानामप्ययं विशदयति—स एतैः सुप्तो न कस्य चन वेदेति । सामान्योक्तं विवृणोति—न मनसेति । सङ्कल्पो नामाध्यवसायः ' वाचा ' रसनया । ' प्राणेन ' नासिकया । वस्तुत एकस्यैवाक्षिपुरुषस्य नानाप्रजास्वावेशाद्बहुत्वमित्याह—स एष एकः सन् प्रजास्विति । तस्मात् ' लोकम्पृणा ' सूर्यपुरुषात्मिका वस्तुतो जात्या एकाऽपि सती ' सर्वमग्निमनुविभवति ' व्याप्नोति । अथ यतः ' एक एव ' पुरुषः ' तस्मादेका ' लोकम्पृणा ॥ १९ ॥

अथ संप्रति सर्वप्राणसहिते मुख्यप्राणरूपे रवौ स्वापं याते सति जीवावस्थामाचष्टे-स एतैरिति । ' स ' आदित्यरूपः प्राणः ' एतैः ' प्राणैः सह यदा ' सुप्तः ' तदा जीवो 'न कस्यचन' कर्मणि षष्ठी ' न ' किंचित् ' वेद ' ' न मनसा ' धर्ममधर्मं वा ' संकल्पयति ' सर्वत्र करणार्थे तृतीया । कर्ता जीवः । वाक्शब्देन रसना लक्ष्यते । वाक्परत्वे रसज्ञानानुपपत्तिर्लक्षणाबीजं । ऐकाधिकरण्यरूपः शक्यसंबंधोऽपि विद्यते । वाग्रसनेंद्रिययोरेकजिह्वाप्रवर्तितत्वात् । ' वाचा ' रसनया 'अन्नस्य' गुडादेश्च 'रसं' मधुरादिं ' न विजानाति ' ' प्राणेन ' घ्राणेंद्रियेण ' गंधं न विजानाति ' । उपसर्गान्न जिघ्रति इत्यर्थः । " प्राणो वै ग्रहः " (बृ.उ. ३।२। २) इति ग्रहातिग्रहब्राह्मणे प्राणो घ्राणेंद्रियमिति नारायणेंद्रसरस्वतीगीर्भिर्वृतम् । 'न चक्षुषा' पीतादिरूपं 'पश्यति' ' न श्रोत्रेण ' वर्णध्वनिं शब्दं ' शृणोति ' तत्र निदानम् । 'हि' यस्मात् 'एते' मनआदिप्राणा उपलक्षिताश्च ' तदा ' सुप्तौ ' एतं ' भास्करम् 'अपीताः' संप्राप्ताः ' भवंति ' । अपिपूर्व इतिर्गत्यर्थः । गतिः प्राप्तिः । इत्थं महता प्रबंधेन प्रविष्टसमस्तपिंडांडं जनितब्रह्मांडं मार्तंडं श्रुतिः बंदिवत्सीमंतिनीव तोष्टूयोपास्यत्वेन प्रतिपाद्य च अथ इदानीं सर्ववेदशास्त्ररहस्यमुपदिशति—स एष इति । 'स एष एकः सन्' 'प्रजासु' जरायुजादिचतुर्विधासु 'बहुधा' तत्तज्जन्मवंरूपं धारं धारं तत्तद्वेषं ग्राहं ग्राहम् तत्तद्विद्यां पाठं पाठं तत्तद्भाषं भाषं वादं वादं तत्तल्लिपिं लेखं लेखं तत्तत्क्रियां कारं कारं सुखदुःखान्यनुभवन् मुष्टामुष्टि विद्विषन् हस्ताहस्ति मित्रयन् संसारिवत् मुक्तवत् शिष्टाशिष्टादिवच्च ' व्याविष्टः ' प्रविष्टः । तथाच ऋग्वेदः—" अथातो विभूतयोऽस्य पुरुषस्य " (ऐ. आ. २ । १ । ७) इत्यादिना सर्वं जगद्विभुरिति दर्शयति—"एक एवाग्र आसीत् " (ऐ. आ. ४ । १ । २१) इति । " तत्सृष्ट्वा तदेवानुप्राविशत्तदनुप्रविश्य सच्च त्यच्चाभवदिति " (तै. उ. ब्र. व. ७ । ६) इति च तित्तिरिः । छांदोग्यम्—' सर्वं खल्विदं ब्रह्म ' (छां. उ. ३ । १४ । १) इति " अनेन जीवेना-

तदाहुः । (रे) एको मृत्युर्बहवा३ ऽइत्येकश्च बहवश्चेति ह ब्रूयाद्यदहासावमुत्र तेनैकोऽथ यदिह प्रजासु बहुधा व्याविष्टस्तेनो बहवः ॥ १६ ॥

तदाहुः-एको मृत्युर्बहवा ३ इति । एकश्च बहवश्चेति ह ब्रूयात् । यदहासावमुत्र-तेनैकः; अथ यदिह प्रजासु बहुधा व्याविष्टस्तेनो बहवः ॥ १६ ॥

एवं मण्डलमध्यवर्ति पुरुषात्मनोपासनीयस्य दक्षिणाक्षिपुरुषस्य मृत्युरूपत्वं प्राणरूपत्वं चोक्तम् । तत्र मृत्योरेकत्वं बहुत्वं चेति प्रश्नोत्तराभ्यामाह-तदाहुरेको मृत्युरिति । एको मृत्युर्बहवश्च । बहवा ३ इत्यत्र विचारार्थे प्लुतिः, 'असावमुत्र' लोके आदित्यमण्डलमध्यवर्ती पुरुष एकः । 'इह' भूलोके 'प्रजासु' मनुष्यपक्ष्यादिष्वन्तरावेशाद् 'बहवः' मृत्यवः ॥ १६ ॥

त्मनाऽनुप्रविश्य नामरूपे व्याकरोत्" (छां. उ. ६ । ३ । ३) इति च । वाजसनेयिनः-"इंद्रो मायाभिः पुरुरूप ईयते" (बृ. उ. २ । ५ । १९) इति, अंतर्यामिब्राह्मणादिकमपि (बृ.उ. ३ । ७) । सूत्राणिच-"जन्माद्यस्य यतः" (ब्र. सू. १ । १ । २ । १) इत्यादीनि । जगद्विवर्तोपादानवत् ब्रह्माभिन्नं जगत् । "क्षेत्रज्ञं चापि मां विद्धि" (भ. गीता १३।२) "वासुदेवः सर्वम्" (भ. गीता ७ । १९) इत्यादि प्रमाणजालमुदाह्रियतां । एतत्सर्वं "तमेतमग्निः" इत्यादिना विंशतितमकंडिकायां चतुरतरं चर्चयिष्यामहे इत्यलं नारायणेंद्रसरस्वतीचरणसरसीरुहमधुपानमदविभ्रांतलीलाविलासैः । यस्मादेवं 'तस्मात्' भगवती सूर्यदेवता स्वयम् 'एका सती लोकंपृणा' चतुर्दशलोकपावयित्री वर्तते । अद्भुतमेतत् । पालनम् कामतः सुखप्रदानम् । तथा कठा आमनंति-"एको बहूनां यो विदधाति कामान्" (कठ. उ. २ । ५ । १३) इति । किंच 'अग्निं' तदुपलक्षितदेवतामात्रं 'सर्वं अनु' लक्ष्य 'विभजति' विभुर्भवति । "त्रयश्च त्री च शता त्रयश्च त्रीच सहस्रा" (बृ. उ. ३ । ९ । १) इति शाकल्यब्राह्मणोक्तसंख्यासंख्येयदेवतासार्वभौमो जगदंध्यापहंता प्राणिमात्राक्षिमंडलमधिशयानो देव इति श्रुतिमृगीदृगंतरंगं । अग्निशब्दस्योपलक्षणत्वे सर्वमितिविशेषणं निदानं । एतदेव प्रबलीक्रियते-अथेति । 'यत्' यस्मात् 'एक एव' सूर्यः तेजस्वितमः 'तस्मात् एका' सूर्यदेवता सर्वानुप्रविष्टा इति उपसंहारः ॥ १९ ॥

अनुपदकंडिकोक्तमेकत्वं सिद्धांतयितुं ब्रह्मवादिनां चर्चामुत्थापयति-तदाहुरिति । किं 'मृत्युः' मृत्युशब्दवाच्यो जगच्चक्षुः 'एकः' उत अहो 'बहवः' मृत्यव इति । तत् तस्मिन् पूर्वोक्तार्थे केचन महर्षयः आहुः कंचन ब्रह्मनिष्ठं पप्रच्छुरित्यर्थः । प्लुतिः संशयद्योतिका । एवं संशयानैः पृष्टः कश्चिद्विज्ञातसर्वरहस्यः 'एकश्च' मृत्युः 'बहवश्च' मृत्यवः 'इति' 'ह' किल 'ब्रूयात्' प्रत्युत्तरं दद्यात् पृच्छामंगीकुर्यादित्यर्थः । पक्षद्वयं समर्थयति । 'यत्' यस्मात् 'असौ' सूर्यरूपः परमात्मा 'अमुत्र' सर्वनाम्नां बुद्धिस्थवाचकत्वात् अनेकार्थत्वाच्चाव्ययानामुक्तौ 'अहः' "सुपां सुलुक्" (पा. सू. ७ । १ । ३९) इत्यादिना सोर्लोपे अहः, हंति किमपि इति हः हंतेर्डः न हः अहः अहंता इत्यर्थः । स्वव्यतिरिक्ताभावात् सर्वं स्वयमेवेति सूर्यः किं हन्यात् न किंचित् अतः अयं अहः एकाकी इति ध्वनितोऽर्थः । तेन कारणेन मोक्षावस्थायां अयम् 'एकः' । नन्वियं क्लिष्टकल्पना, न, श्रीगुरूपदेशगम्यत्वादस्यार्थवादस्य । 'अथ' पक्षांतरे । 'यत्' येन कारणेन 'इह' ब्रह्मांडे 'प्रजासु बहुधा व्याविष्टः' । 'तेन' कारणेन 'बहवः' 'उ' शब्देन बहुत्वस्य वास्तवत्वमपाक्रियते । चंद्रस्य अनेकजलाशयप्रवेशात् बहुत्वं न

(स्तु) तदाहुः । (र) अन्तिके मृत्युर्दूरा३ऽ इत्यन्तिके च दूरे चेति ह ब्रूयाद्यदहायमिहाध्यात्मं तेनान्तिकेऽथ यदसावमुत्र तेनो दूरे ॥ १७ ॥

तदेष श्लोको भवति । (त्यु) अन्ने भात्युपश्रितो रसानाᳬँ संक्षरेऽमृतऽ इति यदेतन्मण्डलं तपति तदन्नमथ यऽएषऽ एतस्मिन्मण्डले पुरुषः सोऽत्ता स ऽएतस्मिन्नन्नेऽपश्रितो भातीत्यधिदेवतम् ॥ १८ ॥

तदाहुः–अन्तिके मृत्युर्दूरा ३ इति । अन्तिके च दूरे चेति ह ब्रूयात् । यदहायमिहाध्यात्मम्–तेनान्तिके । अथ यदसावमुत्र–तेनो दूरे ॥ १७ ॥

तदेष श्लोको भवति–" अन्ने भात्यपश्रितो रसानां संक्षरेऽमृतः "–इति । यदेतन्मण्डलं

तदाहुरन्तिक इति । मृत्योः समीपदूरवर्तित्ववाक्यमप्येवं व्याख्येयम्–' इहाध्यात्मम् ' अयमक्षिपुरुषः समीपवर्ती ' अमुत्र ' द्युलोके ' असौ ' मण्डलस्थः पुरुषो दूरवर्तीति ॥ १७ ॥

अथ मृत्योरन्नात्तृत्वं मन्त्रसंवादपूर्वकमाह–तदेष श्लोको भवतीति । " अन्ने भात्यपश्रितो रसानां संक्षरे

वस्तुतः तथेदमिति । तथा चाथर्वणिका आमनंति–" एक एव हि भूतात्मा भूतिभूते व्यवस्थितः । एकधा बहुधा चैव दृश्यते जलचंद्रवत् " इति । ननु द्वादशादित्यस्य मध्ये कस्येदं निरूपणमिति चेत्; यो यदा त्रिलोकीमुखकमलविकासाख्यं कर्म अधिकरोति तस्य । किं बहुना तेषामपि न मिथो भेदिमा अस्ति । अनुपदमस्माभिः सिद्धांतितं किं विस्मरसि । को नाम त्वां वारं वारं बोधयति । श्रद्धत्स्व संप्रदायिकस्य मे वचनं । वस्तुतः एकस्य बहुत्वं औपाधिकं इति राद्धांतः ॥ १६ ॥

अथ इदानीं भास्करपरब्रह्मस्थितिं निश्चेतुं छात्रपृच्छामुपस्थापयति–तदाहुरिति । मृत्युः पूर्वोक्तः किं 'अंतिके' अस्ति अथवा 'दूरे' इति । 'तत्' तत्रार्थे संशयानाश्छात्रा आहुः । प्लुतिरपरिज्ञानं ज्ञापयति । एवं पृष्टो गुरुः 'अंतिके च दूरे च' मृत्युरस्ति'इति ह' 'ब्रूयात्' कोटिद्वयं समर्थयते । ' यत् ' यस्मात् 'इह' ब्रह्मांडे 'अध्यात्मं' शरीरमध्ये 'अयं' सूर्यः । अहः पदनिरुक्तिः पूर्ववत् । अहः जीवरूपेण एकाकी वर्तते । 'तेन' कारणेन 'अंतिके' मृत्युरस्तीति कथितम् । अथ पक्षांतरे 'यत्' यस्मात् ' असौ अमुत्र ' परलोके अस्ति । तेन हेतुना 'दूरे' अस्ति इत्युक्तम् । ' उ ' शब्दो दूरस्थत्वं न बहु मन्यते । अंतिकस्थत्वं संमन्यते च । तथाच ईशावास्यम्–" तद्दूरे तद्वंतिके " (ईशा. उप. ५) इति । अत्र मृत्युशब्देन न यम उच्यते किंतु प्रलये सर्वसंहर्ता परमात्मा सर्वसंहारकाले यमः उपदंशी भवति । अत्र कठाः पठंति–" यस्य ब्रह्म च क्षत्रं चोभे भवत ओदनो मृत्युर्यस्योपसेचनं " (कठ. उ. १ । २ । २५) इति । सूत्रं च–" अत्ता चराचरग्रहणात् " (ब्र. सू. १ । २ । २ । ९) इति । अयमभिप्रायः–चतुर्दशभुवनोपगृहं ब्रह्मांडगृहं स्वाभिन्नं निर्माय सुरासुराद्यनेकजीवरूपेण वर्तते जीवति पुनरुपसंहरति । एवं मौहुर्मुह्येन लीलया स्वशक्त्या विलसति परमात्मा क्रीडति रमते । तथाच सूत्रं–" लोकवत्तु लीलाकैवल्यं " (ब्र. सू. २ । १ । ११ । ३३) इति ॥ १७ ॥

उक्तार्थे मंत्रमुदाहरति–तदेष श्लोको भवति इति । व्याख्यातं वाक्यं । यजूरूपो मंत्रः । " अन्ने भात्य-

---

१–अत्र ' यत्, अहः, अयं, ' इति पदच्छेदो राजहंससरस्वतीकृत-व्याख्यानुरोधान्मंन्तव्यः । ' अहायं ' इति संधिस्तु छांदसः ।

(मु) अथाध्यात्मम् । (मि) इदमेव शरीरमन्नमथ योऽयं दक्षिणेऽक्षन्पुरुषः सोऽत्ता स ऽएतस्मिन्नन्नेऽपश्रितो भाति ॥ १९ ॥

तपति—तदन्नम् अथ य एष एतस्मिन्मण्डले पुरुषः सोऽत्ता । स एतस्मिन्नन्नेऽपश्रितो भाति । इत्यधिदेवतम् ॥ १८ ॥

अथाध्यात्मम्—इदमेव शरीरमन्नम् । अथ योऽयं दक्षिणेऽक्षन्पुरुषः सोऽत्ता । स एतस्मिन्नन्नेऽपश्रितो भाति ॥ १९ ॥

ऽमृतः " इति एतावान्मन्त्रः । तमेव श्लोकमधिदेवाध्यात्मपरत्वेन व्याचष्टे—यदेतन्मण्डलं तपतीति । ' यदेतत् ' जगत्प्रकाशकं ज्योतिर्मण्डलं ' तदन्नं ' तन्मध्यवर्ती ' पुरुषः ' ' अत्ता ' ' रसानां ' ' संक्षरे ' ' अन्ने ' ' मण्डले ' ' अपश्रितः ' स्थितः ' सः ' ' अमृतः ' मरणधर्मरहितः पुरुषोऽत्ता ' भाति ' दीप्यत इत्यधिदेवतमर्थः ॥ १८ ॥

' अध्यात्मम् ' तु ' इदमेव शरीरमन्नं ' दक्षिणाक्षिपुरुष एव ' अत्ता ' तथा च ' अन्ने ' शरीरे ' अपश्रितः ' अमृतोऽक्षिपुरुषोऽत्ता ' भाति ' प्रकाशत इति ॥ १९ ॥

पश्रितो रसाना ५ संक्षरे मृतः " इति । अस्यार्थः—प्रथमं एकत्वानेकत्वपरतया व्याख्यायते—' अमृतः ' परमात्मा 'अन्ने' अन्नमयशरीरे तत्तज्जीवरूपेण 'भाति' इत्यनेन बहुत्वमवादि । 'रसानां' वृष्टिरूपोदकानां ' संक्षरे ' क्षरणहेतुभूते मंडले ' भाति ' इत्यनेन एकत्वमसूचि । ' अमृतः ' कथंभूतः ' अपश्रितः ' भावे क्तप्रत्ययः । श्रयणमाश्रयो अपगतो यस्मात् स अपश्रितः निराश्रयः स्वयं सर्वजगदाश्रयश्च । तथा च छांदोग्यं— " स भगवः कस्मिन्प्रतिष्ठित इति स्वे महिम्नि " (छां. उ. ७ । २४ । १) इति । स्कांदेऽपि " सर्वाधारो निराधारो भगवान्परमेश्वरः " (स्कं. पु. का. खं.) इति । अक्षरब्राह्मणे (बृ. उ. ३।८) सर्वाधारत्वं स्फुटं । अथांतिकदूरपरत्वेन व्याख्या ' अन्ने भाति ' इत्यनेन नैकट्यं 'रसानां संक्षरे भाति' इत्युक्त्या अनैकट्यं । यजुरिदं तिरोहितार्थमिति मन्वानेन ब्राह्मणेन विव्रियते—यदेतन्मंडलमिति । अस्माभिः प्रकृतानुसारेण विवृतं यजुः । ब्राह्मणेन तु एक एवार्थो उपलक्षणत्वेन सोसूच्यते । 'यदेतन्मंडलं तपति' 'तत्' मण्डलं 'अन्नं' वृष्टि द्वारा अन्नहेतुत्वात् । 'अथ' एवं 'य एष एतस्मिन्मंडले पुरुषः' अस्ति 'स अत्ता' भक्षयता प्रलये ब्रह्मांडं इत्यत इतरकाले 'स एतस्मिन्नन्ने अपश्रितः' सन् 'भाति' । श्रुतिकृतव्याख्यानेन एकत्वदूरस्थत्वे उपलभ्येते । अस्मद्विवरणे तु "तदाहुरिति" कंडिकाद्वयस्थं सर्वं अत्रैव मंत्र उदाहृतं तदिति पूर्वपरामर्शात् । व्याख्यायुग्मे तु विरोध इति न मंतव्यं उपलक्षणात् । यद्यपि अत्र मंडलपुरुषयोः अन्नान्नादभावप्रतीतिः अस्ति तथापि अनुभवविरोधात् अस्मदुक्तं श्रद्धीयतां नहि मंडलं तत्रत्यः पुरुषो भक्षयति । ' इति अधिदेवतम् ' उपासनमुक्तं ॥ १८ ॥

अथाध्यात्मं वक्ष्यते । 'इदमेव शरीरमन्नं' अन्नविकारं । ' अथ ' एवं ' योऽयं दक्षिणेऽक्षन्पुरुषः ' अस्ति ' स अत्ता, स्वानुष्ठितक्रियाफलभोक्ता ' सः ' एवंविधः ' एतस्मिन्नन्ने ' अन्नोपचिते ' अपश्रितो भाति ' अत्रापि शरीराक्षिपुरुषयोरन्नान्नादभावोऽस्तीति कश्चित् बंभ्रमीति । न बंभ्रमीतु अस्माभिर्विशदीकृतत्वात् । नहि

तुमेतुमग्निरित्यध्वर्य्युव॒ऽ उपासते । यजुरित्येषु हीद॑ᳪ सर्व्वं युनक्ति सामेति च्छन्दोगाऽएतस्मिन्हीद॑ᳪ सर्व्वᳪ समानमुक्थमिति बह्वृचाऽ एषु हीद॑ᳪ सर्व्वमुत्थापयति यातुरिति यातुविद॒ऽ एतेन हीद॑ᳪ सर्व्वं यतं विषमिति सर्पाः सर्पऽ इति सर्पविदऽऊर्गिति देवा रयिरिति मनुष्या मायेत्यसुराः स्वधेति पितरो देवजनऽ इति देवजनविदो रूपमिति गन्धर्व्वा गन्धऽइत्यप्सरसंस्त यथायथोपासते तदेव भवति तद्धैनान्भूत्वाऽवति तस्मादेनमेवंवित्सर्व्वैरेवैतैरुपासीत सर्व्वᳪ हैतद्भवति सर्व्वᳪ हैनमेतद्भूत्वाऽवति ॥२०॥

तमेतमग्निरित्यध्वर्यव उपासते, यजुः–इति एष हीदं सर्वं युनक्ति । साम–इति छन्दोगाः, एतस्मिन्हीदं सर्वं समानम् । उक्थमिति बह्वृचाः, एष हीदं सर्वमुत्थापयति । यातुः–इति यातुविदः । एतेन हीदं सर्वं यतम् । विषमिति सर्पाः । सर्प इति सर्पविदः । ऊर्गिति देवाः । रयिरिति मनुष्याः । मायेत्यसुराः । स्वधेति पितरः । देवजन इति देवजनविदः । रूपमिति गन्धर्वाः । गन्ध इत्यप्सरसः । तं यथायथोपासते, तदेव भवति–तद्धैनान्भूत्वाऽवति । तस्मादेनमेवंवित्सर्वैरेवैतैरुपासीत । सर्वं हैतद्भवति । सर्वं हैनमेतद्भूत्वाऽवति ॥ २० ॥

एवमधिदैवमध्यात्मं च यः पुरुषः परमात्मा ध्येयत्वेनोक्तः तस्य प्रशंसार्थं नानारूपैरुपासनं दर्शयति–तमेतमग्निरित्यध्वर्यव उपासते यजुरिति । 'तमेतम् अग्निः' इति यः पुरुष उक्तः स परमात्मेति सर्वत्र व्याख्येयम् । अत एवैतरेयके अध्यात्ममधिदैवं चैकं परमात्मानं प्रस्तुत्य समाम्नातम्–"एतं ह्येव बह्वृचामहत्युक्थे मीमांसन्त एतमग्नावध्वर्यव एतं महाव्रते छन्दोगा एतमस्यामेतं दिव्येतं वायवे तमाकाशः" इति प्रक्रम्य "सर्वेषु भूतेष्वेतमेव ब्रह्मेत्याचक्षते"(ऐ.आ. ३।२।३।९)इति।तत्राध्वर्यवो याजुषाः । एतं पुरुषमग्निरिष्टकाचयनेन निष्पादितोऽग्नि

शरीरमक्षिस्थो भुंक्ते । अपि तु तदन्यत् भोग्यं । अत एव भोगायतनं शरीरमिति शरीरलक्षणं । मंडलमपि सूर्यभोगायतनमेव । सुरासुरनरादीनां तुल्ययोगक्षेमत्वात् । तर्हि सूर्यः कथं परमात्मा । आकर्णय, "शास्त्रदृष्ट्या तु उपदेशो वामदेववत् "–(ब्र. सू. १ । १ । ११ । ३० ।) इति सूत्रं । अन्यत्सर्वमसकृत् व्याचक्ष्महे स्म इति सर्वमवदातं ॥ १९ ॥

अथ इदानीं समस्तशाखाप्रवर्तकानां भूमिदेवानां मतानि उपन्यस्यन्ते सर्वात्मकत्वद्योतनाय–तमेतमिति । "रुचीनां वैचित्र्यादृजुकुटिलनानापथजुषां नृणामेकोगम्यस्त्वमसि " (शि. म. स्तो. ७) इति न्यायात् । "यदक्षरं वेदविदो वदंति " (भ. गीता. ८ । ११) इत्यादि न्यायाच । 'अध्वर्यवः ' षडशीतिशाखावंतो याजुषाः ' तमेतं अग्निः ' 'इति' बुध्या 'उपासते' तं कं एतावता निर्बंधेन सप्रपंचं तात्पर्येण उपपादितः यः तमिति शेषयित्वा अन्वेतव्यम् । यजुर्वेदे अग्निरिष्टदेवता कुलदेवता च । अध्वर्युभिः आहवनीयस्य नैर्ऋत्यभागे उत्थाय सवषट्कारं ईशानभागे स्थित्वा सस्वाहाकारं यजति जुहोति शब्दितानां समित्पयोदधिघृतपुरोडाशपशुसोमादिलक्षणानां नानाविधानां हविषां आहवनीयद्वयशामित्रादौ गार्हपत्ये पत्नीसंयाजादीनां दक्षिणाग्न्यादौ

रित्युपासते यजुरिति च । यजुःशब्दस्य परमात्मपरतां दर्शयति—एष हीदं सर्वं युनक्तीति । 'एषः' पुरुषः 'इदं' 'सर्वं' जगत् 'युनक्ति' सर्वत्र स्वयं संगत इति । अनेन सर्वव्यापकत्वमुक्तम् । 'सामेति छन्दोगाः' सामवेदिनः सामेत्युपासते । सामशब्दस्य परात्मपरतां निर्वक्ति-एतस्मिन् हीदमिति । 'एतस्मिन्' परमात्मनि कारणे 'इदं सर्वं' कार्यजातं 'समानं' समानमिति सामशब्दनिष्पत्तिः । 'उक्थमिति बह्वृचाः' बह्व ऋचो येषां ते 'बह्वृचाः' ऋग्वेदिन उक्थमित्युपासते । 'एष-हीदं सर्वमुत्थापयति' जनयति सर्वमिति उक्थशब्देन परमात्मोच्यत इत्यर्थः । उत्पूर्वात्तिष्ठतेः कप्रत्यये तकारस्य ककारश्छान्दसः इत्युक्थशब्दव्युत्पत्तिः । 'यातुविदः' यातुधाना 'यातुः' इत्युपासते । 'एतेन' सर्वं 'यतं' नियतं स्वस्वस्थानमनतिलङ्घ्य स्थापितं वर्तत इति । यातुशब्दः पुरुषवाचकः 'सर्पाः' 'विषमिति' स्वोपजीव्यत्वाद्विषस्योपासनम् । एवमुत्तरत्र-'सर्पविदः' आहितुण्डिकाः । संग्रहेणाह-तं यथा यथोपासते तदेव भवतीति । तं परमात्मानं यथा येन रूपेण उक्तेन प्रकारेणान्येन वा उपासीरन् ते 'तदेव' तत्स्वरूपा भवन्तीति ॥ २० ॥

तत्तदुचितानां हूयमानत्वात् । एष खलु सर्ववेदेषु संप्रदायः । होतृद्गातृप्रशास्तॄणामृत्विजां याज्यापुरोऽनुवाक्याशंस्यादीनां ऋचां पाठे सावधानता । तत्सर्वावेक्षणपाटवं ब्रह्मणः । सर्वथाऽपि अनध्वर्योर्हवनकर्तृत्वं नास्तीत्यत्र न मुग्धोऽपि संदिग्धे । ऋत्विगभावपक्षे यो जुहोति स अध्वर्युरस्मीति भावनयैव जुहोति । तथाच त्रयीभाष्यकारैः सायनाचार्यैः प्रतिपादितं "आर्त्विज्येषु आध्वर्यवस्य प्रधानत्वात् तत्प्रयोगविनियुक्तमंत्रकदंबको याजुषवेदोऽपि प्रधानतया प्रथमः । ततो अध्वर्युनिष्पादितहविरादेर्वेदिकायामासादनानंतरं प्रयाजाज्यभागप्रधानयागाद्यपेक्षितहौत्रविनियुक्तमंत्रकदंबको रौचो वेदो द्वितीयकः । ततो ऋगाश्रितगीतिविशेषसामप्रतिपादकः सामवेदस्तार्तीयकः । आथर्वणवेदस्य तु क्रियासु विनियोगो नास्ति । तस्मात् यजुर्वेदो अर्थानुष्ठानक्रमाभ्यां आदिमः" इति । यस्मादेवं तस्मात् त्रेताग्नेः समस्ता याजुषाः सन्निकृष्टप्रियाः । होत्रादयस्तु, होतृषदनादिस्थानप्रियाः तमादित्यमध्वर्यवो यजुरित्युपासते । रवेर्यजुष्ट्वे युक्तिरुच्यते-'हि' यस्मात् 'एषः' रविः 'इदं सर्वं' जगत् पुण्यपापद्वारा सुखदुःखाभ्यां सह 'युनक्ति' तथा कौषीतकाः-"एष ह्येव साधु कर्म कारयति तं यमेभ्यो लोकेभ्यो उन्निनीषते एष ह्येवासाधु कर्म कारयति तं यमेभ्यो लोकेभ्योऽधो निनीषते"-(कौषि. उ. ३ । ९) इति । अग्नित्वे, न युक्तिः-किंतु भावबलम् । बृहद्रथंतरादिपञ्चविधं सप्तविधं वा 'साम' । तद्रूपम् 'इति' 'छन्दोगाः' सामगाः उपासते । अत्र युक्तिः-'हि' यस्मात् 'इदं सर्वं' जगत् 'एतस्मिन्' आधारे 'समानं' तुल्यं अस्ति । "न मे द्वेष्योऽस्ति न प्रियः"-(भ. गीता. ९ । २९) इति शास्त्रात् । 'उक्थं' पूर्वोक्तं तद्रूपम् 'इति बह्वृचाः' युक्तिस्तु 'हि' यस्मात् 'एषः' 'इदं सर्वं' स्वोदयेन निद्रातः 'उत्थापयति' जीववेषेण कायजातं वा । अत्र कठपाठः-"न प्राणेन नापानेन मृत्योर्जीवति कश्चन । इतरेण तु जीवति यस्मिन्नेतावुपाश्रितौ"-(कठ. उ. २ । ५ । ५) इति । 'यातुः' याति यदध्ययनेन स्वर्गापवर्गौ त्रैवर्णिकाः असौ, 'यातुः' अथर्ववेदः तद्वेत्तारो 'यातुविदः' आथर्वणिका इति यावत् । ते तं 'यातुरिति' उपासते । यातुर्नाम अथर्वणवेदप्रमेयं नानाविधप्रयोगलक्षणं, अयमर्थो गुरूपदेशगम्यः । युक्तिस्तु 'हि' यस्मात् 'इदं सर्वं एतेन यतं' नियतं नियमितम् एतच्छासनवर्तीत्यर्थः । तथाच गार्गीं प्रति याज्ञवल्क्यः-"एतस्य वा अक्षरस्य प्रशासने गार्गि०" (बृ. उ. ३ । ८ । ९) इत्यादि । इत्थं चतुर्वेदीमतिभिः स्वस्वमतानुसारेण नामांतरैः एक एवादित्यः उपास्यते इत्युक्तं । अत्रैव "एतं ह्येव बह्वृचा महत्युक्थे मीमांसते एतमग्नावध्वर्यवः" (ऐ. आ. ३ । २ । ३ । १) इत्यादि शाखांतरमुदाहियतां ।

अथेदानीं लौकिकानि वेदाबाह्यमताभिमतानि उपन्यस्यति–‘ विषमिति सर्पाः ’ विषस्य सर्पप्रधानत्वात्, विषभीत्यैव सर्पेभ्यो बिभ्यति जनाः । ‘ सर्प इति सर्पविदः ’ तक्षकशेषाद्युपासकाः । ‘ऊर्गिति देवाः ’ इंद्रादयः । ऊर्जयति भोक्तॄन् इति ऊर्क् । अन्नं हविरादि “ ऊर्जबलप्राणनयोः ” (धा. पा. चु. प. १६) अस्मात् क्विप् । ‘रयिः’ गजांतलक्ष्मीः ‘इति मनुष्याः’।‘मायेत्यसुराः’ मायेंद्रजिदादिषु मायाविता प्रसिद्धा ।‘स्वधा’ तत्पूर्वकं कव्यं ‘इति पितरः ’ अग्निष्वात्तादयः ।‘देवजनः’ जायते ब्रह्मणः सकाशात् इति जनः, देवश्चासौ जनश्चेति देवजनः सखीजन इत्यादिवत् स्वार्थे जनशब्दः देव इति भावः ‘इति’ ‘ देवजनविदः ’ प्राग्वद्देवोपासका इत्यर्थः । ‘ रूपमिति गंधर्वाः ’ तेषां सौंदर्यप्रधानत्वात् । ‘ गंधः इति अप्सरसो ’ रंभाद्याः तासामंगरागप्रधानत्वात् । अत्रेदमुपलक्षणं, शिव इति शैवाः । विष्णुरिति वैष्णवाः । विरंचिरिति वैरिंच्याः । इंद्र इति ऐंद्राः । गणपतिरिति गाणपत्याः । सुर इति सौराः । भैरव इति कापालिकाः । शक्तिरिति शाक्तेयाः । पशुपतिरिति पाशुपताः । सुप्तुशब्दः स्फोटः इति च वैयाकरणाः । नित्यज्ञानेच्छाप्रयत्नगुणकः क्षित्यादिकार्यलिंगगम्यो जगन्निमित्तमीश्वर इति आक्षपादिकाः काणादाश्च । प्रकृतिव्यतिरिक्ताः सच्चिदानंदाः निःसंगा बहवः पुरुषाः इति कापिलाः पातंजलाश्च । शुक्लकृष्णं कर्म इति पूर्वमीमांसकाः । सर्वजीवरूपं निर्गुणं ब्रह्म इति उत्तरमीमांसकाः । इदमेव समस्तराद्धांतसिद्धांजनं क्षणक्षणभंगुरं क्षणक्षणोदयं विज्ञानं इति सौगताः । शून्यमिति दिगंबराः । क्षणिकं जगदिति जैनाः । मदशक्तिन्यायेन भूतचतुष्कसंभवं चैतन्यं इति चार्वाकाः । प्रत्यक्षदेवतेति सर्वे प्राणिनः । त्रिलोकीनायिकामुखपुंडरीकमिति रसिकाः । त्रिलोकीनायिकानयनेंदीवरमिति अदिवांधाः । इत्थं मत्स्येंद्रगोरक्षनाथ-नानक–पाश्चात्यादि–मतानि उपन्यसनीयानि, एवंविधाः सर्वेऽपि तमादित्यं स्वस्वाभिमतं उपासते । वयं तूपास्महे श्रीनारायणेन्द्रसरस्वतीति । ननु–इत्थं चेत्; सूर्यस्वरूपं संदिग्धं भवेत् इत्याशंक्य नेत्याह–‘तं’ आदित्यं पूर्वोक्तवादिविवादिनो ‘ यथायथा उपासते ’ सोऽपि आदित्यः ‘ तदेव ’ तद्रूपमेव भवति सर्वात्मकत्वात् । न संशयः । सर्वात्मकवस्तुनो न स्वरूपावधारणं दूषणमपितु भूषणम् । ब्रह्मणः सर्वात्मत्वे षडशीतियजुःशाखामुक्ताफलमालामध्यवर्तिनायकरत्नायमानाः शतरुद्रियाध्यायाः प्रमाणं एते शिवपरा इति चेत् हा हा हंत बत मूर्खोऽसि “ वेदत्रयमयात्सूर्याद्देवत्रयमयाद्रवेः । मातृत्रयमयाद्भानोरन्यत्किंचिन्न विद्यते ॥ ” (वा. रामा. आदित्यहृदये) अस्मिन्नर्थे वाल्मिकिरामायणस्थं रघुकुलतिलकं प्रति चतुर्मुखोपदिष्टमादित्यहृदयं प्रमाणयितव्यं मूर्द्धानुकंपनैः सानुकंपं बहुमानयितव्यं पदवाक्यप्रमाणज्ञैरित्थमेवेत्थमेवेति मध्ये सममभिमानयितव्यं च । मध्येपंचमवेदमपि “ यो यो यां यां तनुं भक्तः श्रद्धयाऽर्चितुमिच्छति । तस्य तस्याचलां श्रद्धां तामेव विदधाम्यहं ॥ स तया श्रद्धया युक्तस्तस्याराधनमीहते । लभते च ततः कामान् मयैव विहितान्हितान् । ” (भ. गीता. ७ । २१ । २२) इति अत एव आदित्यब्रह्मणः स्त्रीपुंनपुंसकत्वनिर्धारणमपि नास्ति–तथाच ऋगारण्यकं “–नैनं वाचा स्त्रियं ब्रुवन्नैनमस्त्री पुमान् ब्रुवन् । पुमांसं न ब्रुवन्नैनं वदन्वदति कश्चन ” (ऐ. आ. २ । ३ । २०) इति । श्वेताश्वतरमंत्रोऽपि “–नैव स्त्री न पुमानेष नैव चायं नपुंसकः ” (श्वेता. उ. ५ । १० ।) इति । अत एव न शरीरत्रयधारणं–“ अस्थूलादि (बृ. उ. ३ । ८ । ८) वाक्यात् अचक्षुष्कादि (बृ. उ. ३ । ८ । ८) वाक्याच्च । “ अशरीरं शरीरेष्वनवस्थेष्ववस्थितम् ” (क. उ. १ । २ । २१) इति कठपाठाच्च । अत एव न जातिवर्णाश्रमप्रसक्तिः शरीरग्रहणपूर्वकत्वात्तस्याः । अत एव न पित्राद्यपेक्षा–“ नित्यो नित्यानां चेतनश्चेतनानाम् ” (कठ. उ. १ । २ । २२) इति कठपाठात् । अत एव नभोनेत्रस्थानद्वयवासोऽपि मृषा “ सर्वव्यापी सर्वभूतांतरात्मा ” (कठ. उ. २ । ५ । १३ ।) इति काठकात् । अत एव संज्ञाछायादिसंगो

सु॒ऽ ए॒षु त्रीष्टुकोऽग्निः । (ऋं) ऋगे॒का य॒जुरे॒का सामै॒का तद्यां कां चा॒त्र॒ऽर्चौप॒द॒धाति रु॒क्म॒ऽए॒व त॒स्याऽ आ॒यत॒नमु॒थ यां य॒जुषा पु॒रुषऽ ए॒व त॒स्याऽआ॒यत॒नमु॒थ याᳫँ सा॒म्ना पुष्करप॒र्णमे॒व त॒स्याऽआ॒यत॒नमे॒वं त्रीष्टकः ॥ २१ ॥

स एष त्रीष्टकोऽग्निः–ऋगेका, यजुरेका, सामैका । तद् यां कां चात्रऽर्चोपदधाति–रुक्म एव

यदुक्तम् पूर्वस्मिन् ब्राह्मणे, "एतस्याग्नेर्वागेवोपनिषद्" इति–प्रक्रम्य "सा वा एषा वाक् त्रेधा विहिता

मृषा " आत्मरति रात्मक्रीडः " (छां. उ. ७ । २५ । २) इति श्रुतेः । आदित्यादिनामान्यपि मिथ्या । " अनामागोत्रम् " (बृ. उ. ३–८–८) इति शतपथात् । व्योमचारादिकमपि माया । " निष्कलं निष्क्रियं शांतं निरवद्यं निरंजनं " (श्वेता. उ. ६ । १९ ।) इति श्वेताश्वतरात् । " चक्षोः सूर्यो अजायत " (वा सं. ३१ । १२) इति जन्ममनुरपि गौणः देहापेक्षत्वात् । देवदत्तो जातो ध्वस्तः इतिवत् " वासांसि जीर्णानि. " (भ. गी. २ । २२) इत्यादि । "नैनं छिन्दन्ति शस्त्राणि." (भ. गी. २ । २३) " न हन्यते हन्यमाने शरीरे०" (भ. गी. २ । २०) " न जायते म्रियते वा०" (भ. गी. २ । २०) इत्यादि पंचमवेदात् । नहि जीवानित्यत्वं वैदिका अंगीकुर्वते । कृतनाशाकृतागम प्रसंगात् स्वर्गकामादिशास्त्रमात्रोच्छेदप्रसंगात् । यस्मादेवं तस्मात् अवाङ्मनोगोचरं " आदित्यो ब्रह्म " (छां उ. ३ । १९ । १) इति वेदपुरुषांतरङ्गागमप्रसिद्धोऽर्थः । तथाच तित्तिरिः–" यतो वाचो निवर्तन्ते अप्राप्य मनसा सह " (तै. उ. ब्र. व. ९) इति । अत एव पुरुषमेधमहाक्रतुशतानुष्ठानफलं सौरं पदमिति (तंत्रवार्तिकसिद्धांतोऽपि मृषा । सूर्यब्रह्मणः ब्रह्मवल्ल्युक्त (तै. उ. ब्र. व. २) मनुष्यानन्दानि शत-शतगणितोगालितसंख्यापरमावधिसुखरूपत्वात् । बृहदारण्यकोक्त (बृ. उ. ४ । ३ । ३३ ।) मनुष्यजित-लोकपितृकर्मदेवाजानदेवदेवलोकगंधर्वलोकाद्यानन्दशतशतसंख्यायमानविख्यायमानानन्दसीमानन्दरूपत्वाच्च । नच एतादृशं फलं पुरुषमेधशतायत्तं सहस्रसंवत्सरसत्राद्यायत्तं वा । अपि तु निजं सहजम् । किंबहुना अस्मदादेरिव सूर्यस्य सांसारिकत्वादिप्रतिपादका ग्रंथा अर्थवादाः । किंबहुना जीवमात्रस्य कर्तृत्वादिव्यवहारो मायाविलासि-नीविलासः इति वदतां गुरुवेदांतवचोरत्नमालां श्रद्धादृढसूत्रगुंफितां अद्वैतदीक्षागुरुभगवच्छंकराचार्यभाष्यवाक्प्रभां कंठे धारयतां अस्माकं सूर्यस्य निर्गुणत्वप्रतिपादने कः प्रयासः का कथा इत्यलं गुरुचरणस्मरणपारवश्यसंभ्रमलीलागीतैः । प्रकृतमनुसरामः–यैर्यैः यथायथोपासितं त्रिलोकीनायिकाफालफलककस्तूरीतिलकमध्यवर्तिदीप्तिमन्मौ-क्तिकं ब्रह्म 'तत् एतान्' उपाससकान् सर्वान् तत्तद्रूपं 'भूत्वा अवति' रक्षति । 'ह' किल उपास्तितारतम्येन-फलतरतमभावप्रदं भवतीत्यर्थः । यस्मादेवं 'तस्मात्' कश्चिद्रसिकः एवंवित्सन् 'एनम्' आदित्यं 'सर्वैः' पूर्वोक्तैः 'एतैः' स्वरूपैः उपेतम् 'एवोपासीत' यदा तदा 'एतत्' रविब्रह्म 'सर्वं ह' सर्वात्मकमेव 'भवति' 'एनम्' उपासकं 'एतत्सर्वं भूत्वा अवति ह' इत्यस्य व्याख्यानं प्राग्वत् । अस्यां कंडिकायां उल्लेखालंकारः " बहुभिर्बहुधोल्लेखादुल्लेख इति कथ्यते "–(साहि. १० । ३७) इति लक्षणात् ॥ २० ॥

प्रागीरितरुक्माद्युपादायोपासनान्तरं विधत्ते–स एष इति । यः प्रकृतग्रंथप्रमेयः 'स एषः' भानुमान्

(स्तो) ते वुाऽ एतु । (ऽ) उभेऽ एषु च रुक्मुऽ एतुच्च पुष्करपर्णुमेतं पुरुष-मुपीतऽउभे ह्यृक्सामे युजुरपीतऽएवम्वुेकेष्टकः ॥ २२ ॥

तस्या आयतनम् । अथ यां यजुषा—पुरुष एव तस्या आयतनम् । अथ यां साम्ना—पुष्करपर्णमेव तस्या आयतनम् । एवं त्रीष्टकः ॥ २१ ॥

ते वाऽएते उभे—एष च रुक्मः, एतच्च पुष्करपर्णम् । एतं पुरुषमपीतः । उभे हि ऋक्सामे यजुरपीतः । एवम्वेकेष्टकाः ॥ २२ ॥

ऋचो, यजूंषि, सामानि तेनाग्निस्त्रेधा विहितः, तेन हि त्रयेण चीयते " इति । तत्र सूर्यमण्डलार्चिःपुरुषरूपत्व-मेवमुक्तम् "मण्डलमेव ऋचः, आर्चिः सामानि, पुरुषो यजूंषि" इति । अथैतेषामधियज्ञमेवमुक्तं "यदेतन्म-ण्डलं तपत्ययं स रुक्मोऽथ यदेतदर्चिर्दीप्यत इदं तत्पुष्करपर्णमथ य एष एतस्मिन्मण्डले पुरुषोऽयमेव स योऽयं हिरण्मयः पुरुषः" इति तत्सर्वं पर्यालोच्याह—स एष त्रीष्टकोऽग्निरिति । 'एषः' चित्याग्निः 'त्रीष्टकः' त्रिसंख्याकेष्टकः । ता एवेष्टका दर्शयति—ऋगेका यजुरेका सामैकेति । 'तद्यां कां चात्रर्चोपदधाति' इत्या-देरयमर्थः । अत्राग्नौ 'यां' 'काम्' इष्टकाम् 'ऋचा' ऋङ्मन्त्रेणोपदध्यात् सा ऋगिष्टका । साध्य-साधनयोरभेदोपचारादेवमुक्तम् । 'तस्याः' 'रुक्मः' 'एव' 'आयतनम्' ऋगात्मकं मण्डलमेवाधियज्ञे रुक्म इत्युक्तम् । 'याम्' इष्टकां यजुर्मन्त्रेणोपदध्यात् सा यजुरिष्टका 'तस्याः' पुरुष एवायतनं मण्डला-न्तर्वर्तियजुरात्मकः पुरुष इत्युक्तम् । मण्डलाधिष्ठातुः पुरुषस्याधियज्ञं हिरण्मयपुरुषत्वमुक्तम् । अथ यामिष्टकां साम्नोपदध्यात्सा सामेष्टका । 'तस्याः' 'पुष्करपर्णमेव' 'आयतनं' सामात्मकार्चिषोऽधियज्ञं 'पुष्करपर्णमेव' 'आयतनं' सामात्मकार्चिषोऽधियज्ञं पुष्करपर्णात्मत्वमुक्तम् । एवमृगादिभेदेन त्रीष्टकोऽग्न्याख्यो यज्ञः ॥ २१ ॥

एकेष्टकत्वं सम्पादयितुमाह—ते वाऽएते उभे इति । 'एषः' 'रुक्मः' 'एतत्' 'पुष्करपर्णं' 'च' 'एते' 'उभे' 'एतं' 'पुरुषमपीतः' प्राप्नुतस्तदाधारे भवत इत्यर्थः । 'ऋक्सामे' 'उभे' यजुर-पीतः यजुरधीने स्तः । 'एवम्' 'उ' 'एवम्' एवैकेष्टकः । रुक्मपुष्करपर्णयोः पुरुषाधारत्वम्, ऋक्साम-योश्च यजुरधीनत्वं तस्मादेकेष्टकोऽग्निरित्यर्थः ॥ २२ ॥

'त्रीष्टकः' तिस्रः इष्टकाः यस्यासौ त्रीष्टकः । त्रित्रीष्टक इति वीप्सायां तात्पर्यं । "तिसृभिस्तिसृभिरिष्टकाभि-रुपदधाति" इति कात्यायनोक्तेः । पंचचित्यात्मकचयनक्रतोः अंगेष्टौ 'एषः अग्निः' एकैकोपधाने ऋग्यजुःसामानि सूत्रकृद्विनियुक्तानि पठनीयानि यं मंत्रमुच्चार्य या इष्टका उपधीयते । तयोर्भेदो नास्ति इत्यभिप्रायेणाह 'एका' इष्टका 'ऋक्' एकेष्टका 'यजुः' एकेष्टका 'साम' यतो भेदो नास्ति । 'तत्' तस्मात् अत्र अंगेष्टौ 'यां कां च' इष्टकां 'ऋचा' 'अध्वर्युः' उपदधाति तस्या रुक्म एवायतनं । 'अथ यां यजुषा' उपदधाति 'तस्याः पुरुष एवायतनं' । 'अथ यां साम्ना' उपदधाति 'तस्याः पुष्करपर्णमायतनं' । उक्तमर्थं निगमयति । य एवं उक्तरीत्या 'त्रीष्टको' वह्निरिति त्रीष्टकवह्निबुध्याऽपि भगवंतं ब्रह्मांडचक्षुषमुपासीतेतिभावः । रुक्मा-दिस्वरूपमुपन्यस्तमस्माभिः प्राक् ॥ २१ ॥

उपास्त्यन्तरमुपदिशति । ये प्रागुक्ते 'ते वै' वाक्यालंकारे । 'एते एष रुक्मश्च एतत् पुष्करपर्णं च' 'उभे एतं' हिरण्मयं 'पुरुषं अपीतः' व्याप्नुतः । 'हि' एवार्थे । 'उभे' रुक्मपुष्करपर्णोपधानविनियुक्ते 'ऋक्सामे' । "अचतुर-

सुऽ एषुऽ एवु मृत्युः । (युँ) यु ऽएषुऽ एतुस्मिन्मुण्डले पुरुषो युश्चायुं दक्षिणेऽक्षन्पुरुषः सुऽ एषुऽ एवंविदुऽ आत्मा भवति स युदैवंविदस्मा-ल्लोकात्प्रैत्युथैतुमेवात्मानमभिसुम्भवति सोऽमृतो भवति मृत्युर्ह्यं-स्यात्मा भवति ॥ २३ ॥

इति तृतीयप्रपाठके षष्ठं ब्राह्मणम् ॥ १०-३-६ ॥ (५. २.) ॥

इति तृतीयः प्रपाठकः समाप्तः ॥ १०-३ ॥

कण्डिकासंख्या ॥ ९१ ॥

स एष एव मृत्युः-य एष एतस्मिन्मण्डले पुरुषः । यश्चायं दक्षिणेऽक्षन्पुरुषः स एष एवंविद आत्मा भवति । स यदैवंविदस्माल्लोकात्प्रैति । अथैतमेवात्मानमभिसम्भवति । सोऽमृतो भवति, मृत्युर्ह्यस्यात्मा भवति ॥ २३ ॥

स एष एव मृत्युरित्यादिना । वेदितुः फलवर्णनम् । ' स एषः ' अग्निर्यजुरात्मकोऽधिदैवं मण्डलमध्य-वर्ती । अध्यात्मं दक्षिणाक्षिवर्ती पुरुषः मृत्युरूपः तमात्मत्वेन विद्वानस्माल्लोकात्प्रयन्नेवामृतो भवतीति ॥ २३ ॥

इति श्रीसायणाचार्यविरचिते माधवीये वेदार्थप्रकाशे माध्यन्दिनीयशतपथब्राह्मणभाष्ये दशमकाण्डे पञ्चमेऽध्याये द्वितीयं ब्राह्मणम् ॥ (१०-५-२) ॥

विचतुर०"-(पा.सू.५।४।७७) इत्यादिना निपातः। हेमपुरुषमूर्त्युपधानविनियुक्तं 'यजुः अपीतः' व्याप्नुतः । 'उ' शब्देन यजुः पुरुषं अप्येति इति वक्तव्यं। एवं सति पुरुष एक एव अवशिष्यते । स पुरुषः 'एकेष्टकः' इत्युच्यते । यथा वेदांतसिद्धांते भौतिकं ब्रह्मांडं भूतानि अप्येति । भूतानि च पञ्च तन्मात्रा आपियंति । तन्मात्राः कार्याविद्यां सा च कारणाविद्यां सा च परमात्मानं इति विलापनविधा। एवं रुक्मादिकं पुरुषे विलाप्य पुरुषं शेषयित्वा निर्गुणो निर्विकारो निष्प्रपञ्चो निष्कायत्रयः सर्वव्यापी ऊर्ध्वाधस्तिर्यक्परिपूर्णः परमपुरुषः । " एक-मेवाद्वितीयं ब्रह्म "-(छां. उ. ६ । २ । २) " नेह नानाऽस्ति किंचन "-" मृत्योः स मृत्युमाप्नोति " " स इह नानेव पश्यति "-(क. उ. २ । ४ । १०-११) "अथात आदेशो नेति नेति"-(बृ. उ. २ । ३ । ६ ।) " तद्धैतत्पश्यन्नृषिर्वामदेवः प्रतिपेदे "-(छां. ६ । १६ । ३) " अहं मनुरभवं सूर्यश्चेति "-(बृ. उ. १ । ४ । १०) " गर्भ एवैतच्छयानो वामदेव एवमुवाच "-(ऐ. आ. २ । ५ । १ । २४) इति । "तत्त्वमसि" (छां. उ. ६ । १६ । ३) इति । " योऽन्यां देवतामुपास्तेऽसावन्योऽहमस्मीति न स वेद यथा पशुः "-(बृ. उ. १ । ४ । १०) " स एष इह प्रविष्ट आनखाग्रेभ्यो यथा क्षुरः क्षुरधानेऽवहितः स्याद्विश्वंभरो वा विश्वंभरकुलाये तं न पश्यंत्यकृत्स्नो हि सः " " अत्र ह्येते सर्व एकं भवन्ति " (बृ. उ. १ । ४ । ७ ।) इत्याद्यनेकवेदमस्तकमुगुटमणिमंजरीनीराजितचरणकनकसरसीरुहः परमात्मा अहमस्मि इति निर्विकल्पिकासंप्रज्ञातसमाधिनिष्ठो भूयो भूयो भूयात् इति द्वाविंशतिकंडिकासमु-दायार्थः ॥ २२ ॥

अथेदानीं पूर्वोक्तोपास्तितत्परस्य " तस्माच्छांतो दांतः "-(बृ. उ. ४ । ४ । २३ ।) इत्यादि-वेदोक्तगुणस्य " तमेतं वेदानुवचनेन ब्राह्मणा विविदिषंति "-(बृ. उ. ४ । ४ । २२) इत्यादिसाधनस्य

" तद्यथेह कर्मचितो लोकः क्षीयते "–(छां. उ. ८ । १ । ६) इत्यादिना विरक्तस्य मुमुक्षोः फलमुच्यते चरमया कंडिकया स एष इति । " स एष एव मृत्युर्य एष एतस्मिन्मंडले पुरुषो यश्चायं दक्षिणेऽक्षन्पुरुषः" इति । अतिरोहितार्थं निगदव्याख्यान च । 'स एषः' मंडलब्राह्मणवेद्यो जगदात्मा सूर्यः । 'एवंविदः' मुमुक्षोः 'आत्मा भवति' " राहुमस्तकन्यायेन " अनन्यषष्ठी । अत एव 'सः' यः 'एवंवित्' यदा 'अस्माल्लोकात्प्रैति' त्यक्तदेहचतुष्को भवति । 'अथ' 'एतमेव एतम्' 'आत्मानमभितः संभवति' उपसर्गादेकीभवति । न कालांतरे । एतेन " क्रममुक्तिपक्षपरांतकाले परिमुच्यंति सर्वे " इति कलरवेण तित्तिरिणा कूजितं–दूरीकृत्य "ब्रह्मैव सन् ब्रह्माप्येति" (बृ. उ.४।४।६) "ब्रह्मविद्ब्रह्मैव भवति" (मुण्ड. उ.२.१।९) इति वेदसिद्धा सद्योमुक्तिर्विवक्षितेति वेदपुरुषहृदयंगमोऽर्थः । अत एव–'सोऽमृतो भवति मृत्युर्ह्यस्यात्मा भवति' इति । सर्वात्मकत्वाद्वेदांतवेत्तुः कालयममृत्युचित्रगुप्तादयोऽपि न भिदेलिमाः, पचेलिमानि च तत्र त्रिविधकर्माणि, तस्य च्छिदेलिमा विषयाः । अत्राथर्वांगिरसो जगुः " भिद्यते हृदयग्रंथिः " (मुण्ड. २।२।८) इत्यादि । "संचितागामिप्रारब्धं ज्ञानेनेश्वरतोषतः । भोगेनापि च विध्वस्तं नारोहेत्प्लुष्टबीजवत्" समाप्ते वाक्यार्थे मीमांसामात्रीये विंशतिकंडिकाभिः एकमेवोपासनं सद्योमोक्षफलकमुपदिष्टं तत्रभवता भगवता वेदपुरुषेण । कुतो विज्ञायेत, इति चेत् वेद्यैकत्वेऽपि संवर्ग–शांडिल्य–उपकोसल–पर्यंकादि–विद्याभेदवत् भिद्यतां इति चेन्नैवम् । ब्रह्मैकत्वेपि गुणभेदात् वेद्यभेदस्तत्रास्तीति गुणोपसंहारे पादे (ब्र. सू. ३।३) स्थितम् । "विशेषणभेदाद्विशेष्यभेदः" इति तर्कसमयः । यद्यपि अत्रापि कुत्रचिन्मध्येकंडिकं गुणभेदो अस्ति तथापि उद्गीथदहरादिविद्यावत् गुणा उपसंहर्तव्याः । आद्यकंडिकाद्वयेन सर्वात्मकं मंडलपुरुषमुद्दिश्य संलक्ष्य च " स एष मृत्युरिति " । तृतीयांतिमाभ्यां एकस्यैव परामृष्टत्वात् उपक्रमादितात्पर्यनिश्चायकलिंगषट्कप्रतिभानाच्च न अर्चिरादिदेवयानमार्गप्राप्तिरपि 'अथैतमेवात्मानं' इत्युक्तः । न देहांतरग्रहणमपि ' सोऽमृतः ' इत्युक्तः । ननु–" अपाम सोमममृता अभूम " (तै. सं. ३ । २ । ५ । ४) इति वत् सातिशयममृतत्वमिति चेन्न ' स एष एवंविद आत्मा ' इत्युक्तेः । स्वर्गं लोकमेतीत्यनुक्तेश्च । अत एव इदमहंग्रहोपासनं सर्वात्मत्वोक्तेः । " मनो ब्रह्मेत्युपासीत " (छां. उ. ३।१) इत्यादिवत् न अध्यासोपासनं । " ते अर्चिषमभिसंभवंति अर्चिषोऽन्हः, अन्ह आपूर्यमाणपक्षं " (निरु. उ. ष. ७ । ८ ।) इत्यादित्यगत्याः श्रवणात् । अत एव " तमेव विदित्वाऽतिमृत्युमेति " (वा. सं. ३१ । १८) इत्यादि न विरुध्यते मंडलब्राह्मणस्य वेदांतत्वात् । अत एव श्रवणमननादिभिरेव मुक्तिरित्यस्मदुक्तिः । ननु कथं वेदांतः कर्मकांडमध्यवर्तीति चेत् शतरुद्रियवत् पुरुषसूक्तवच्च । ननु चयनांगशतरुद्रियहोमविनियुक्तो रौद्राध्यायः कथं ब्रह्मविद्या । शृणु । ब्राह्मणसूत्रकाराभ्यां कृतं जङ्गजनव्यापारोद्धारं साहसं, अविनियोगार्हः ताभ्यां विनियुक्तः । अत एव विद्यारण्यगुरुवरैः तैत्तिरीयकादिसंहिताभाष्येषु रुद्राध्यायं विनियोगानुसारेण व्याख्याय स्वतंत्रं केवलरुद्राध्यायं व्याचिकीर्षुः उपोद्घाते अस्य वेदांतग्रंथस्य अनुबंधचतुष्टयं उच्यते इति प्रतिज्ञातं । युक्तिरपि उपन्यस्ता वेदांतोऽयं सर्वात्मत्वनिरूपणात् । नहि कर्मकांडे सर्वात्मत्वं संभवति अहमनेन यक्ष्ये इष्ट्वा च इदं लभिष्ये इत्याद्यपेक्षितत्वात् । अस्माभिरपि मध्ये प्रसंगात् अनुबंधो निरूपितः । तस्मादेतद्वेदांतश्रवणादिना निर्वाणं न दुर्वारमिति सर्वं रमणीम् ॥ २३ ॥

नारायणेंद्रकर्मन्दिसरस्वत्याः पदाब्जयोः । रत्नपादुकयोश्छायां समाश्रित्य भवापहाम् ॥ १ ॥
मण्डलब्राह्मणस्यास्य सूर्यरूपनिवेदिनः । व्याख्यानमेतद्रचितं निर्भेदत्वकरं परम् ॥ २ ॥
निर्मत्सराणां सूरीणां हृदयव्योममण्डले । राजहंससरस्वत्या तदंघ्रिप्रीतये सदा ॥ ३ ॥
समस्तशाखाकल्पोक्तसंध्यावंदनकर्मसु । विनियुक्ता वेदमंत्रा व्याख्याता येन सर्वशः ॥ ४ ॥

माध्यंदिने तैत्तिरीये वेदे मैत्रायणीयके । षड्भिरंगैरुपेतस्य रुद्राध्यायस्य सक्रमम् ॥ ५ ॥
तत्तद्भाष्याणि संलोच्य भाष्यं संगतिपूर्वकम् । कर्मकाण्डक्रमं त्यक्त्वा संगृहीतं च येन च ॥ ६ ॥
अन्ये च वैदिकग्रंथाः कृता येन च द्राविडे । आंध्रे देशे सुप्रसिद्धः पदवाक्यप्रमाणतः ॥ ७ ॥
सोऽयं विराजते भूमौ राजहंससरस्वती । नामांतरेण सः प्रोक्तः शाश्वतेन्द्रसरस्वती ॥ ८ ॥
मंडलब्राह्मणस्यास्य निर्मेयं भाष्यमुत्तमं । आद्यंतमध्यमालोच्य सावधानेन चेतसा ॥ ९ ॥
शास्त्रांतरप्रमेयानि शब्दाम्नानार्थगोचरान् । मुहुर्मुहुः संविचार्य ततो मां संस्तुवंतु वा ।
निंदंतु वा न तु क्षिप्रं गुणं दोषं वदंतु मे ॥ १० ॥
आसुप्तादामृतेः कालं वेदवेदांतगोचरं । योऽभिप्रायं सदा चित्ते विचारयति सर्वदा ॥ ११ ॥
तस्येमां कृतिमालोच्य तुष्यंतु भुवि सूरयः । सशिष्याः सप्रशिष्याश्च सोपशिष्या दयालवः ॥ १२ ॥

इति श्रीपरमहंसपरिव्राजकाचार्यश्रीनारायणेंद्रसरस्वत्याः कृतौ माध्यंदिनशाखीयशतपथ-
मध्यगताखंडमार्तंडमण्डलब्राह्मणभाष्यं पंडितमंडनं नाम संपूर्णम् ॥

इति पंडितमंडनं नाम मंडलब्राह्मणभाष्यम् ॥

अथ चतुर्थप्रपाठके प्रथमं ब्राह्मणम् ।

पञ्चमेऽध्याये च तृतीयं ब्राह्मणम् ।

नेव वा॒ऽइ॒दम॑ग्रे॒ऽस॑दासी॒न्नेव॒ स॒दा॒सी॒त् । (ह्रा) आ॒सी॒दि॒व॒ वा॒ऽइ॒दम॑ग्रे॒ नेवा॑सी॒त्तद्ध॒ तन्मन॑ ऽए॒वास॑ ॥ १ ॥

मानसाग्न्युपासनं ब्राह्मणम् ।

नेव वा इदमग्रेऽसदासीत्, नेव सदासीत् । आसीदिव वा इदमग्रे नेवासीत् । तद्ध तन्मन एवास ॥ १ ॥

उत्तरब्राह्मणे सकलपुरुषवार्त्तिमनोवाक्प्राणचक्षुःश्रोत्रकर्माग्निवृत्तिसम्पाद्यचित्याग्निविषया उपासना वक्ष्यन्ते । एते मनश्चिदादयोऽग्नयः क्रियानुप्रवेशिनः तच्छेषभूताः उत स्वतन्त्राः केवलविद्यात्मकाः इति विचार्याधिकरणमवतारितमाचार्यैः शारीरकभाष्ये । तथाहि–“ लिङ्गभूयस्त्वात्तद्धि बलीयस्तदपि ” (ब्र. सू. ३।३।२८।४४) इति । अधिकरणार्थः श्लोकद्वयेन संङ्गृहीतः तत्त्वविद्भिरभियुक्तैः–“कर्मशेषाः स्वतन्त्रा वा मनश्चित्प्रमुखाग्नयः । कर्मशेषः प्रकरणाल्लिङ्गं त्वन्यार्थदर्शनम् ॥ उक्तेय एव धीलिङ्गादेव श्रुत्या च वाक्यतः । बाध्यं प्रकरणं तस्मात् स्वतन्त्रं वह्निचिन्तनम्” ॥ इति । इदमेव ब्राह्मणं विषयवाक्यम्–तद्यथा–नेव वाऽइदमग्रेऽसदासीदिति प्रकृत्य मनोऽधिकृत्याभिधीयते–“ तत् षट्त्रिंशतं सहस्राण्यपश्यदात्मनोऽग्नीनर्कान्मनोमयान् मनश्चितः ” (कं. ३) इत्यादि । अयमर्थः–पुरुषस्य शतसंवत्सरमित आयुषि षट्त्रिंशत्सहस्राणि दिनानि भवन्ति ३६००० । तत्रैकैकस्मिन् दिवसे या मनोवृत्तिः तस्या एकैकाग्नित्वेन ध्याने सति ध्यातव्या अग्नयः षट्त्रिंशत्सहस्रसंख्याकाः ३६०००–सम्पद्यन्ते । ते चाग्न्यात्मस्वरूपत्वेन ध्येयाः । अत एवार्का अर्चनीया मनसा चीयन्ते सम्पाद्यन्त इति मनश्चितः । एवं वाक्चितः, प्राणचितः, चक्षुश्चितः, श्रोत्रचितः, कर्मचितोऽग्निचित इति । ते चाग्नयोऽग्निचयनप्रकरणपठितत्वात् कर्मशेषाः, न तु स्वतन्त्रसङ्कल्पात्मकलिङ्गबलात् स्वतन्त्रविद्यात्मका भविष्यन्ति । तथाहि अस्मिन् ब्राह्मण एव “ तद्यत्किं चेमानि भूतानि मनसा सङ्कल्पयन्ति तेषामेव सा कृतिरिति ” (कं. ३) इति । एवं वागादिपर्यायेष्वपि । “ तद्यत्किं चेमानि भूतानि वाचा वदन्ति तेषामेव सा कृतिः ” (कं. ४) इति । “ प्राणिनः प्राणन्ति ” (कं. ५) इत्यादिलिङ्गानि सन्ति । एषामर्थः–यत्किंच भूतानि मनसा ध्यायन्ति, वाचा वदन्ति तैः सङ्कल्पवदनादिभिरेव तेषामग्नीनां करणमिति । तथा एतद्ब्राह्मणावसाने “ तान् हैतानेवंविदे सर्वदा सर्वाणि भूतानि चिन्वन्त्यपि स्वपते ” (कं. १२) इति वाक्यशेषः पठ्यते । तस्यायमर्थः–उपासकस्य स्वपतोऽप्यग्नयोऽविच्छिन्नाः । स्वकीयमनोवागादिवृत्त्युपरमेऽपि प्रबुद्ध पुरुषमनोवागादिवृत्तीनां प्रवर्त्तमानत्वादशेषपुरुषमनोवृत्तीनामग्नित्वेन वर्णनात् । तस्मादेवंविदे स्वपतेऽपि तानेतानग्नीन् सर्वदा सर्वाणि भूतानि चिन्वतीति । तत्र यावज्जीवमग्नीनामविच्छेदेन नैरन्तर्यं प्रतीयते । तच्च विद्यास्वातन्त्र्यलिङ्गम् । कर्मशेषत्वे हि कर्मणो यावज्जीवं नैरन्तर्याभावात्तद्विषयाणां मनश्चिदादीनां कथं नैरन्तर्यं स्यात् तच्च लिङ्गं प्रकरणाद्बलीयः, तस्मात् स्वतन्त्रविद्यात्मका इति । नायं दोषः । अन्यार्थदर्शनरूपत्वेन लिङ्गस्यैतस्य दुर्बलत्वात् । तथाहि–द्विविधं लिङ्गम्, सामर्थ्यमन्यार्थदर्शनं चेति । तत्र विध्युद्देशगतं लिङ्गं सामर्थ्यं, तच्च स्वात-

तस्मादेतदृषिणाऽभ्यनूक्तम् । (व्रा) नासदासीन्नो सदासीत्तदानीमिति नेव हि सन्मनो नेवासत् ॥ २ ॥

(त्तु) तदिदं मनः सृष्टमाविरबुभूषत् । (न्नि) निरुक्ततरं मूर्ततरं तदात्मानमन्वैच्छत्तत्तपोऽतप्यत तत्प्रामूर्च्छत्तत्षट्त्रिंशतं सहस्राण्यपश्यदात्मनोऽग्नीनर्कान्मनोमयान्मनश्चितस्ते मनसैवाधीयन्त मनसाऽचीयन्त मनसैषु ग्रहाऽअगृह्यन्त मनसाऽस्तुवत मनसाऽशंसन्यत्किञ्च यज्ञे कर्म क्रियते यत्किञ्च यज्ञियं कर्म मनसैव तेषु तन्मनोमयेषु मनश्चित्सु मनोमयमक्रियत तद्यत्किञ्चेमानि भूतानि मनसा संकल्पयन्ति तेषामेव सा कृतिस्तानेवादधति तांश्चिन्वन्ति तेषु ग्रहान् गृह्णन्ति तेषु स्तुवते तेषु

तस्मादेतदृषिणाऽभ्यनूक्तम्—" नासदासीन्नो सदासीत्तदानीम् "—इति। नेव हि सन्मनो नेवासत् ॥ २ ॥

तदिदं मनः सृष्टमाविरबुभूषत् । निरुक्ततरं मूर्ततरं तदात्मानमन्वैच्छत् । तत्तपोऽतप्यत । तत्प्रामूर्च्छत् । तत्षट्त्रिंशतं सहस्राण्यपश्यदात्मनोऽग्नीनर्कान्मनोमयान्मनश्चितः । ते मनसैवाधीयन्त ।

न्त्र्येण प्रमाणम् । अर्थवादगतं त्वन्यशेषवाक्ये दृश्यमानत्वात् अन्यार्थदर्शनम्; तत्र तात्पर्यरहितत्वान्न स्वातन्त्र्येण प्रमाणं, किन्तु प्रमेयसाधकप्रमाणान्तरे सति केवलमुपोद्बलकं भवति । एवं च सत्यत्रोदाहृतलिङ्गानां दुर्बलत्वात्, प्रकरणात् अग्निशेषा मनश्चिदादय इति प्राप्ते ब्रूमः—न तावदत्र शाब्दो विधिरुपलभ्यते लिङ्गादेरश्रवणात् किं तर्ह्यर्थवादसामर्थ्यादुन्नेयो विधिः । तथा च फलप्रतिपादकस्तावकवाक्यानां रात्रिसत्रन्यायेनाधिकारिसमर्पणपर्यवसानादशेषमप्येतद्ब्राह्मणं विधिरूपं भविष्यति । ततो विध्युद्देशगतत्वेन लिङ्गस्य प्राबल्यं; " किंच ते हैते विद्याचित एव " (क. १२) इत्येवकारश्रुत्या कर्माङ्गत्वं व्यावर्तते । तथा "विद्यया हैवैत एवंविदश्चिता भवन्ति" (क. १२) इति वाक्यशेषोऽपि स्वातन्त्र्यगमकः । तस्माच्छ्रुतिलिङ्गवाक्यैः प्रकरणं बाधित्वा स्वतन्त्रविद्यात्मत्वं मनश्चिदादीनामभ्युपगन्तव्यमित्यधिकरणार्थः । तत्र सर्वेषामिन्द्रियाणां मनसः प्रामुख्यात् तत्सम्पाद्यमग्निं प्रस्तोतुं मनसः स्वरूपं तत्सृष्टिं चाह—नेव वाऽइदमग्र इति । ' अग्रे ' सृष्टेः प्राक्काले इदं जगन्नैवासदासीत्, असदिव नासीत्, सदपि च नैवासीत्, सदसद्विलक्षणमासीदित्यर्थः । किं तदुभयविलक्षणं तदासीत् । तद्ध तन्मन एवासेति ॥ १ ॥

सृष्टिप्राक्काले सदसद्विलक्षणसद्भावं मन्त्रसंवादेन द्रढयति—तस्मादेतदृषिणाऽभ्यनूक्तम् , नासदासीन्नो सदासीत्तदानीम् , इति प्रथमः पाद एव संवादकः । उक्तं सदसद्वैलक्षण्यं मनसि दर्शयति—नेव हि सन्मन इति । मनः सद्रूपं न भवति, घटादिवद्रूपादिमत्त्वाभावात् । असच्च न भवति—प्रतीयमानत्वात् ॥ २ ॥

' तदिदं ' सृष्टं ' मनः ' ' आविरबुभूषत् ' ' निरुक्ततरं ' शब्दनिर्वाच्यं ' मूर्ततरं ' सदाविर्भवितुमैच्छत् तन्मनः ' आत्मानं ' स्वकारणं परमात्मानं स्वस्वरूपं वा ' अन्वैच्छत् ' ' तपः ' पर्यालोचनं कृत्वा ' प्रामूर्च्छत् '

शꣳसन्त्येतावती वै मनसो विभूतिरेतावती विसृष्टिरेतावन्मनः षट्त्रिꣳ-
शत्सहस्राण्यग्नयोऽर्कास्तेषामेकैक ऽएव तावान्यावानसौ पूर्वः ॥ ३ ॥
(स्त) तन्मनो वाचमसृजत । सेयं वाक्सृष्टाऽविरबुभूषन्निरुक्ततरा मूर्त-
तरा साऽऽत्मानमन्वैच्छत्सा तपोऽतप्यत सा प्रामूर्च्छत्सा षट्त्रिꣳशतꣳ
सहस्राण्यपश्यदात्मनोऽग्नीनर्कान्वाङ्मयान्वाक्चितस्ते वाचैवाधीयन्त
वाचाऽचीयन्त वाचैषु ग्रहा ऽअगृह्यन्त वाचाऽस्तुवत वाचाऽशꣳसन्य
त्किञ्च यज्ञे कर्म क्रियते यत्किञ्च यज्ञियं कर्म वाचैव तेषु तद्वाङ्मयेषु

मनसाऽचीयन्त । मनसैषु ग्रहा अगृह्यन्त । मनसाऽस्तुवत मनसाऽशंसन् । यत्किञ्च यज्ञे कर्म क्रियते यत्किञ्च यज्ञियं कर्म मनसैव तेषु तन्मनोमयेषु मनश्चित्सु मनोमयमक्रियत । तद् यत्किञ्च इमानि भूतानि मनसा सङ्कल्पयन्ति । तेषामेव सा कृतिः । तानेवादधति । तांश्चिन्वन्ति । तेषु ग्रहान् गृह्णन्ति । तेषु स्तुवते । तेषु शंसन्ति । एतावती वै मनसो विभूतिः । एतावती विसृष्टिः । एतावन्मनसः षट्त्रिंशत्सहस्राण्यग्नयोऽर्काः–तेषामेकैक एव तावान्––यावानसौ पूर्वः ॥ ३ ॥

तन्मनो वाचमसृजत । सेयं वाक्सृष्टाऽऽविरबुभूषत्–निरुक्ततरा, मूर्ततरा । साऽऽत्मानमन्वैच्छत् । सा तपोऽतप्यत । सा प्रामूर्च्छत् । सा षट्त्रिंशतं सहस्राण्यपश्यत्–आत्मनोऽग्नीन् । अर्कान्वाङ्मयान्–

" मूर्च्छा मोहसमुच्छ्राययोः " (धा. पा. भ्वा. २१२) । समुच्छ्रितं बभूव । ' तत् ' मनः कर्तृ ' षट्त्रिंशत्सहस्राणि ' अधिकरणविषयवाक्यविवरणसमये व्याख्यातम् । पुरुषायुषोऽहानि तत्सम्बन्धिनीषु मनोवृत्तिषु, अग्नित्वमारोप्यत इति द्रष्टव्यम् । एतावत्संख्याकान् ' अर्कान् ' अर्चनीयान् मनउपादानकान् ' मनश्चितः ' मनसा चीयमानान् ' मनः ' सम्पाद्य ' आत्मनोऽग्नीन् ' ' अपश्यत् ' एतस्य मनश्चितोऽग्नेः क्रियामयाग्निप्रकरणमुपगृह्य स्वातन्त्र्यं प्रतिपत्तुं मनोव्यापारक्रियावयवमनुबध्नाति–ते मनसैवाधीयन्त इत्यादिना । ' ते ' अग्नयो ' मनसैवाधीयन्त ' आधाने मनोव्यापार एव कारणमित्यर्थः । एवं चयनग्रहणस्तुतशस्त्रादिकरणं केवलमनोव्यापारसिद्धमित्यर्थः । सम्पद्युलोकाद्याधानवत्प्रत्यक्षाः क्रियावयवाः संपदा प्रतिष्ठापयितव्याः; तदेव विशदयति–तद्यत् किंचेमानि इति । 'इमानि भूतानि' यत्किंच 'मनसा सङ्कल्पयन्ति' ध्यायन्ति, मनसा सङ्कल्प एव 'तेषाम्' अग्नीनां 'सा कृतिः' तत्करणजनितानग्नीनेवादधति भूतानीति सर्वत्र सम्बध्यते । " तान् हैतानेवंविदे सर्वदा सर्वाणि भूतानि चिन्वन्त्यपि स्वपते" (कं. १२) इति वाक्यशेषोऽभिधास्यते । 'एवावती वै मनसः' इति । मनोमयषट्त्रिंशसहस्रसंख्याका अग्नय एव ' मनसः ' ' विभूतिः ' महिमा ' विसृष्टिः ' विविधा विभक्ता सृष्टिरित्यर्थः । ' एतावन्मनः ' उक्तसंख्याग्निरूपं पुनरप्यस्य मनश्चितोऽग्निः । केवलविद्यामयत्वेन स्वातन्त्र्यं वक्तुं क्रियामयस्याग्नेर्माहात्म्यं मनोमयेऽतिदिशति–तेषामेकैक एव तावान्यावानसौ पूर्व इति । ' असौ पूर्वः ' इति पदाभ्यामिष्टकाचितोऽग्निर्विवक्ष्यते । सः यावान्परिश्रिद्यजुष्मतीलोकम्पृणाभेदेनाहोरात्रध्यानेन च यत्परिमाणस्तेषां षड्त्रिंशत्सहस्रसम्मितानामग्नीनां मध्ये एकैकोऽग्निरपि ' तावान् ' तत्परिमाणो ध्येयः । अनेन क्रियामयस्याग्नेर्माहात्म्यस्य ज्ञानमयानामग्नीनामेकैकस्मिन्नतिदेशे क्रियायामनादरो दर्शितः इत्युक्तं भवति । अतोऽयमग्निः केवल विद्यामय एवेति सुस्थितम् ॥ ३ ॥

एवमुत्तरे वाक्चिदादयोऽग्निचित्पर्यन्ताः षट्पर्याया व्याख्येयाः; तत्र वागादिसम्पाद्यानग्नीन् दर्शयितुं तत्तत्पर्या-

वाक्चित्सु वाङ्मयक्रियत तद्यत्किञ्चेमानि भूतानि वाचा वदन्ति तेषा-
मेव सा कृतिस्तानेवादधति तांश्चिन्वन्ति तेषु ग्रहान्गृह्णन्ति तेषु स्तुवते
तेषु शꣳसन्त्येतावती वै वाचो विभूतिरेतावती विसृष्टिरेतावती वाक्
षट्त्रिꣳशत्सहस्राण्यग्नयोऽर्कास्तेषामेकैकऽएव तावान्यावानसौ पूर्वः ॥ ४ ॥

सा वाक्प्राणमसृजत । सोऽयं प्राणः सृष्टऽ आविरबुभूषन्निरुक्ततरो
मूर्ततरः सऽ आत्मानमन्वैच्छत्स तपोऽतप्यत स प्रामूर्च्छत्स षट्त्रिꣳ
शतꣳ सहस्राण्यपश्यदात्मनोऽग्नीनर्कान्प्राणमयान्प्राणचितस्ते प्राणेनैवा-
धीयन्त प्राणेनाऽचीयन्त प्राणेनैषु ग्रहाऽ अगृह्यन्त प्राणेनास्तुवत प्राणे-
नाशꣳसन्यत्किञ्च यज्ञे कर्म क्रियते यत्किञ्च यज्ञियं कर्म प्राणेनैव तेषु
तत्प्राणमयेषु प्राणचित्सु प्राणमयमक्रियत तद्यत्किञ्चेमानि भूतानि
प्राणेन प्राणन्ति तेषामेव सा कृतिस्तानेवादधति तांश्चिन्वन्ति तेषु ग्रहा-
न्गृह्णन्ति तेषु स्तुवते तेषु शꣳसन्त्येतावती वै प्राणस्य विभूतिरेतावती
विसृष्टिरेतावान्प्राणः षट्त्रिꣳशत्सहस्राण्यग्नयोऽर्कास्तेषामेकैकऽएव तावा-
न्यावानसौ पूर्वः ॥ ५ ॥

वाक्चितः । ते वाचैवाधीयन्त । वाचाऽचीयन्त । वाचैषु ग्रहा अगृह्यन्त । वाचाऽस्तुवत । वाचाऽशं-
सन् । यत्किञ्च यज्ञे कर्म क्रियते—यत्किञ्च यज्ञियं कर्म—वाचैव । तेषु तद्वाङ्मयेषु वाक्चित्सु
वाङ्मयाक्रियत । तद् यत्किंचेमानि भूतानि वाचा वदन्ति—तेषामेव सा कृतिः । तानेवादधति ।
तांश्चिन्वन्ति । तेषु ग्रहान् गृह्णन्ति । तेषु स्तुवते । तेषु शंसन्ति । एतावती वै वाचो विभूतिः । एता-
वती विसृष्टिः । एतावती वाक् । षट्त्रिंशत्सहस्राण्यग्नयोऽर्काः । तेषामेकैक एव तावान्—यावा-
नसौ पूर्वः ॥ ४ ॥

सा वाक्प्राणमसृजत । सोऽयं प्राणः सृष्ट आविरबुभूषत्—निरुक्ततरः, मूर्ततरः । स आत्मानमन्वै-
च्छत् । स तपोऽतप्यत । स प्रामूर्च्छत् । स षट्त्रिंशतं सहस्राण्यपश्यदात्मनोऽग्नीन्, अर्कान्प्राणम-
यान्, प्राणचितः । ते प्राणेनैवाधीयन्त । प्राणेनाचीयन्त । प्राणेनैषु ग्रहा अगृह्यन्त । प्राणेना-
स्तुवत । प्राणेनाशंसन्—यत्किञ्च यज्ञे कर्म क्रियते । यत्किञ्च यज्ञियं कर्म—प्राणेनैव तेषु तत्
प्राणमयेषु, प्राणचित्सु, प्राणमयमक्रियत । तद् यत्किञ्चेमानि भूतानि प्राणेन प्राणन्ति । तेषामेव
सा कृतिः । तानेवादधति । तांश्चिन्वन्ति । तेषु ग्रहान् गृह्णन्ति । तेषु स्तुवते । तेषु शंसन्ति । एता-
वती वै प्राणस्य विभूतिः । एतावती विसृष्टिः । एतावान्प्राणः षट्त्रिंशत् सहस्राण्यग्नयोऽर्काः ।
तेषामेकैक एव तावान्—यावानसौ पूर्वः ॥ ५ ॥

यद्वो तस्य तस्योत्पत्तिरुक्ता—तन्मनो वाचमसृजतेति । "सा वाक् प्राणमसृजत" इत्यादेः—"तच्छ्रोत्रं कर्मासृजत

स प्राणश्चक्षुरसृजत । तदिदं चक्षुः सृष्टमाविरबुभूषन्निरुक्ततरं मूर्त्ततरं तदात्मानमन्वैच्छत्तत्तपोऽतप्यत तत्प्रामूर्च्छत्तत्षट्त्रिꣳशतꣳ सहस्राण्यपश्यदात्मनोऽग्नीनर्कांश्चक्षुर्मयांश्चक्षुश्चितस्ते चक्षुषैवाधीयन्त चक्षुषाऽचीयन्त चक्षुषैषु ग्रहाऽ अगृह्यन्त चक्षुषाऽस्तुवत चक्षुषा ऽशꣳसन्यत्किञ्च यज्ञे कर्म क्रियते यत्किञ्च यज्ञियं कर्म चक्षुषैव तेषु तच्चक्षुर्मयेषु चक्षुश्चित्सु चक्षुर्मयमक्रियत तद्यत्किञ्चेमानि भूतानि चक्षुषा पश्यन्ति तेषामेव सा कृतिस्तानेवादधति ताँश्चिन्वन्ति तेषु ग्रहान्गृह्णन्ति तेषु स्तुवते तेषु शꣳसन्त्येतावती वै चक्षुषो विभूतिरेतावती विसृष्टिरेतावच्चक्षुः षट्त्रिꣳशत्सहस्राण्यग्नयोऽर्कास्तेषामेकैकऽएव तावान्यावानसौ पूर्वः ॥ ६ ॥

(स्त) तच्चक्षुः श्रोत्रमसृजत । तदिदꣳ श्रोत्रꣳ सृष्टमाविरबुभूषन्निरुक्ततरं मूर्त्ततरं तदात्मानमन्वैच्छत्तत्तपोऽतप्यत तत्प्रामूर्च्छत्तत्षट्त्रिꣳशतꣳ सहस्राण्यपश्यदात्मनोऽग्नीनर्कांञ्छ्रोत्रमयाञ्छ्रोत्रचितस्ते श्रोत्रेणैवाधीयन्त श्रोत्रेणाचीयन्त श्रोत्रेणैषु ग्रहा ऽअगृह्यन्त श्रोत्रेणास्तुवत श्रोत्रेणाशꣳसन्यत्किञ्च यज्ञे कर्म क्रियते यत्किञ्च यज्ञियं कर्म श्रोत्रेणैव तेषु तच्छ्रोत्रमयेषु श्रोत्रचित्सु श्रोत्रमयमक्रियत तद्यत्किञ्चेमानि भूतानि श्रोत्रेण शृण्वन्ति तेषामेव सा कृतिस्तानेवादधति ताँश्चिन्वन्ति

स प्राणश्चक्षुरसृजत–तदिदं चक्षुः सृष्टमाविरबुभूषत्–निरुक्ततरम्, मूर्ततरम् । तदात्मानमन्वैच्छत् । तत्तपोऽतप्यत । तत्प्रामूर्च्छत् । तत्षट्त्रिंशतं सहस्राण्यपश्यत्–आत्मनोऽग्नीन्, अर्कांश्चक्षुर्मयांश्चक्षुश्चितः । ते चक्षुषैवाधीयन्त । चक्षुषाऽचीयन्त । चक्षुषैषु ग्रहा अगृह्यन्त । चक्षुषाऽस्तुवत । चक्षुषाऽशंसन् । यत्किञ्च यज्ञे कर्म क्रियते, यत्किञ्च यज्ञियं कर्म–चक्षुषैव । तेषु तत् चक्षुर्मयेषु, चक्षुश्चित्सु चक्षुर्मयमक्रियत । तद् यत्किञ्चेमानि भूतानि चक्षुषा पश्यन्ति–तेषामेव सा कृतिः । तानेवादधति । तेषु ग्रहान्गृह्णन्ति । तेषु स्तुवते । तेषु शंसन्ति । एतावती वै चक्षुषो विभूतिः । एतावती विसृष्टिः । एतावच्चक्षुः षट्त्रिंशत्सहस्राण्यग्नयोऽर्काः । तेषामेकैक एव तावान्–यावानसौ पूर्वः ॥ ६ ॥

तत् चक्षुः श्रोत्रमसृजत–तदिदं श्रोत्रं सृष्टमाविरबुभूषत्–निरुक्ततरम, मूर्ततरम । तदात्मानमन्वैच्छत् । तत् तपोऽतप्यत । तत्प्रामूर्च्छत् । तत् षट्त्रिंशतं सहस्राण्यपश्यत्–आत्मनोऽग्नीन् । अर्कांञ्छ्रोत्रमयान्–श्रोत्रचितः । ते श्रोत्रेणैवाधीयन्त । श्रोत्रेणाचीयन्त । श्रोत्रेणैषु ग्रहा अगृ-

---

तत्प्राणानभिसममूर्च्छत्'' (कं. ८) इत्यन्तस्यायमर्थः । श्रोत्रेण सृष्टं कर्म प्राणानभिसममूर्च्छत, अभिव्याप्नोत् । इमं

तेषु ग्रहान्गृह्णन्ति तेषु स्तुवते तेषु शꣳसन्त्येतावती वै श्रोत्रस्य विभूति-रेतावती विसृष्टिरेतावच्छ्रोत्रꣳषट्त्रिꣳशत्सहस्राण्यग्नयोऽर्कास्तेषामे-कैकऽएव तावान्यावानसौ पूर्वः ॥ ७ ॥

(स्त) तच्छ्रोत्रं कर्मासृजत । तत्प्राणानभिसममूर्च्छदिमꣳ संदेहम-न्नसंदेहमकृत्स्नं वै कर्मऽर्ते प्राणेभ्योऽकृत्स्नाऽ उ वै प्राणाऽऋते कर्मणः ॥ ८ ॥

(स्तु) तदिदं कर्म सृष्टमाविरबुभूषत् । (त्रि) निरुक्ततरं मूर्त्ततरं तदा-त्मानमन्वैच्छत्तत्तपोऽतप्यत तत्प्रामूर्च्छत्तत्षट्त्रिꣳशतꣳ सहस्राण्यपश्य-दात्मनोऽग्नीनर्कान्कर्ममयान्कर्मचितस्ते कर्मणैवाधीयन्त कर्मणाऽचीयन्त कर्मणैषु ग्रहाऽअगृह्यन्त कर्मणाऽस्तुवत कर्मणाऽशꣳसन्यत्किञ्च यज्ञे कर्म क्रियते यत्किञ्च यज्ञियं कर्म कर्मणैव तेषु तत्कर्ममयेषु कर्मचित्सु कर्म-मयमक्रियत तद्यत्किञ्चेमानि भूतानि कर्म कुर्वते तेषामेव सा कृतिस्ता-नेवादधति तांश्चिन्वन्ति तेषु ग्रहान्गृह्णन्ति तेषु स्तुवते तेषु शꣳसन्त्ये-तावती वै कर्मणो विभूतिरेतावती विसृष्टिरेतावत्कर्म षट्त्रिꣳशत्सह-स्राण्यग्नयोऽर्कास्तेषामेकैकऽएव तावान्यावानसौ पूर्वः ॥ ९ ॥

ह्यन्त । श्रोत्रेणास्तुवत । श्रोत्रेणाशंसन्—यत्किञ्च यज्ञे कर्म क्रियते । यत्किञ्च याज्ञियं कर्म श्रोत्रे-णैव । तेषु तत् श्रोत्रमयेषु, श्रोत्रचित्सु श्रोत्रमयमाक्रियत । तद् यत्किञ्चेमानि भूतानि श्रोत्रेण शृण्वन्ति—तेषामेव सा कृतिः । तानेवादधति, तांश्चिन्वन्ति, तेषु ग्रहान् गृह्णन्ति, तेषु स्तुवते, तेषु शंसन् । एतावती वै श्रोत्रस्य विभूतिः, एतावती विसृष्टिः, एतावच्छ्रोत्रं षट्त्रिंशत् सहस्राण्यग्न-योऽर्काः । तेषामेकैक एव तावान्—यावानसौ पूर्वः ॥ ७ ॥

तच्छ्रोत्रं कर्मासृजत । तत् प्राणानभिसममूर्च्छत् । इमं संदेहमन्नसन्देहम् । अकृत्स्नं वै कर्म ऋते प्राणेभ्यः । अकृत्स्ना उ वै प्राणाः ऋते कर्मणः ॥ ८ ॥

तदिदं कर्म सृष्टमाविरबुभूषत् । निरुक्ततरम्, मूर्ततरम् । तदात्मानमन्वैच्छत् । तत्तपोऽतप्यत । तत्प्रामूर्च्छत् । तत् षट्त्रिंशतं सहस्राण्यपश्यदात्मनोऽग्नीन्, अर्कान्कर्ममयान्कर्मचितः । ते कर्मणै-वाधीयन्त । कर्मणाऽचीयन्त । कर्मणैषु ग्रहा अगृह्यन्त । कर्मणाऽस्तुवत । कर्मणाऽशंसन् । यत्किञ्च यज्ञे कर्म क्रियते—यत्किञ्च यज्ञियं कर्म—कर्मणैव तेषु कर्ममयेषु, कर्मचित्सु, कर्ममयमक्रियत । तत्

सन्देहमनुप्राणाश्रयं शरीरमुद्दिश्य समुच्छ्रितं बभूव । स्वयमसंदेहमशरीरं सत् कर्म प्राणानयोरन्योन्यसाहचर्या-दभिव्यक्ति व्यतिरेकमुखेनाह—अकृत्स्नं वै कर्म ऋते प्राणेभ्य इति ॥ ४–९ ॥

(स्त) तत्कर्माग्निमसृजत। (ता) आविस्तरां वाऽअग्निः कर्मणः कर्मणा ह्येनं जनयन्ति कर्मणेन्धते ॥ १० ॥

सोऽयमग्निः सृष्टऽआविरबुभूषत्। (न्ति) निरुक्ततरो मूर्त्ततरः सऽआत्मानमन्वैच्छत्स तपोऽतप्यत स प्रामूर्च्छत्स षट्त्रिंशतꣳ सहस्राण्यपश्यदात्मनोऽग्नीनर्कानग्निमयानग्निचितस्तेऽग्निनैवाधीयन्ताग्निनाचीयन्ताग्निनैषु ग्रहाऽअगृह्यन्ताग्निनाऽस्तुवताग्निनाऽशꣳसन्यात्किञ्च यज्ञे कर्म क्रियते यत्किञ्च यज्ञियं कर्माग्निनैव तेषु तदग्निमयेष्वग्निचित्स्वग्निमयमक्रियत तद्यत्किञ्चेमानि भूतान्यग्निमिन्धते तेषामेव सा कृतिस्तानेवादधाति तांश्चिन्वन्ति तेषु ग्रहान्गृह्णन्ति तेषु स्तुवते तेषु शꣳसन्त्येतावती वाऽअग्नेर्विभूतिरेतावती विसृष्टिरेतावानग्निः षट्त्रिꣳशत्सहस्राण्यग्नयोऽर्कास्तेषामेकैकऽएव तावान्यावानसौ पूर्वः ॥ ११ ॥

(स्ते) ते हैते विद्याचितऽएव। तान्हैतानेवंविदे सर्वदा सर्वाणि भूतानि चिन्वन्त्यपि स्वपते विद्यया हैवैतऽएवंविदश्चिता भवन्ति ॥ १२ ॥

इति चतुर्थप्रपाठके प्रथमं ब्राह्मणम् ॥ १०-४-१ ॥ (५. ३.) ॥

यत्किञ्चेमानि भूतानि कर्म कुर्वते—तेषामेव सा कृतिस्तानेवादधाति, तांश्चिन्वन्ति, तेषु ग्रहान् गृह्णन्ति, तेषु स्तुवते, तेषु शंसन्ति। एतावती वै कर्मणो विभूतिः, एतावती विसृष्टिः, एतावत्कर्म षट्त्रिंशत्सहस्राण्यग्नयोऽर्काः। तेषामेकैक एव तावान्—यावानसौ पूर्वः ॥ ९ ॥

तत्कर्माग्निमसृजत। आविस्तरां वा अग्निः कर्मणः—कर्मणा ह्येनं जनयन्ति। कर्मणेन्धते ॥ १० ॥

सोऽयमग्निः सृष्ट आविरबुभूषत्—निरुक्ततरः, मूर्ततरः। स आत्मानमन्वैच्छत्। स तपोऽतप्यत। स प्रामूर्च्छत्। स षट्त्रिंशतं सहस्राण्यपश्यदात्मनोऽग्नीन्। अर्कानग्निमयानग्निचितः। तेऽग्निनैवाधीयन्त। अग्निनाऽचीयन्त। अग्निनैषु ग्रहा अगृह्यन्त। अग्निनाऽस्तुवत। अग्निनाऽशंसन्। यत्किञ्च यज्ञे कर्म क्रियते। यत्किञ्च यज्ञियं कर्म—अग्निनैव तेषु तदग्निमयेष्वग्निचित्स्वग्निमयमक्रियत। तद् यत्किञ्चेमानि भूतान्यग्निमिन्धते—तेषामेव सा कृतिस्तानेवादधाति। तांश्चिन्वन्ति। तेषु ग्रहान्गृह्णन्ति। तेषु स्तुवते। तेषु शंसन्ति। एतावती वा अग्नेर्विभूतिः। एतावती विसृष्टिः एतावानग्निः षट्त्रिंशत्सहस्राण्यग्नयोऽर्काः—तेषामेकैक एव तावान्—यावानसौ पूर्वः ॥ ११ ॥

ते हैते विद्याचित एव। तान्हैतानेवं विदे सर्वदा सर्वाणि भूतानि चिन्वन्ति। अपि स्वपते। विद्यया हैवैत एवंविदश्चिता भवन्ति ॥ १२ ॥

कर्मणाऽग्निसृष्टिं स्पष्टीकरोति—आविस्तरां वा अग्निः कर्मण इति। कर्मसकाशादग्नेर्जननात् समिन्धनाच्चाग्निराविस्तरां स्पष्टो दृश्यत इत्यर्थः ॥ १०-११ ॥

एतेषां मनश्चित्प्रमुखाग्नीनां मर्गानां मनन्त्रविद्यामयत्वोपोद्बलकानि श्रुतिलिङ्गवाक्यान्युदाहरति—ते हैते

अयं वावु लोकऽएषोऽग्निश्चितः । (स्त) तस्यापऽएवु परिश्रितो मनुष्या युजुष्मत्यऽ इष्टकाः पशवः सूददोहाऽ ओषधयश्च व्वुनस्पतयश्च पुरीषमाहुतयः समिधोऽग्निर्लोकम्पृणा तद्वाऽएतत्सर्व्वमग्निमेवाभिसम्पद्यते तत्सर्व्वोऽग्निर्लोकम्पृणामभिसम्पद्यते स यो हैतदेवं व्वेद लोकम्पृणामेनं भूतमेतत्सर्व्वमभिसम्पद्यते ॥ १ ॥

चित्याग्नौ लोकदृष्ट्युपासनं ब्राह्मणम् ।

अयं वाव लोक एषोऽग्निश्चितः । तस्याप एव परिश्रितः । मनुष्या यजुष्मत्य इष्टकाः । पशवः सूददोहाः । ओषधयश्च वनस्पतयश्च पुरीषम् । आहुतयः समिधः । अग्निर्लोकम्पृणा । तद्वा एतत्सर्वमग्निमेवाभिसम्पद्यते । तत्सर्वोऽग्निर्लोकम्पृणामभिसम्पद्यते । स यो हैतदेवं वेद—लोकम्पृणाम् । एनं भूतमेतत्सर्वमभिसम्पद्यते ॥ १ ॥

विद्याचित एवेति । एते मनश्चिदादयो ' विद्याचित एव ' विद्ययैव चीयमाना भवन्ति—एवकारश्रुतिः कर्माङ्गत्वं व्यावर्नयति । " ताऽहैतानेवंविदे सर्वदा सर्वाणि भूतानि चिन्वन्त्यपि स्वपते " इति लिङ्गम् । " विद्यया हैवैत एवंविदश्चिता भवन्ति " इति वाक्यं च स्वातन्त्र्यपक्षमुपोद्बलयति ॥ १२ ॥

इति श्रीसायणाचार्यविरचिते माधवीये वेदार्थप्रकाशे माध्यन्दिनीयशतपथब्राह्मणभाष्ये दशमकाण्डे पञ्चमेऽध्याये तृतीयं ब्राह्मणम् ॥ (१० । ५ । ३) ॥

उत्तरब्राह्मणे भूम्यादिलोकत्रयादित्यनक्षत्रच्छन्दःसंवत्सरात्मानः चित्याग्निरूपत्वेनोपासनीया उच्यन्ते । अत एव लोकादेः परिश्रियजुष्मतीपशुपुरीषसमिदादिसामान्यधर्मवर्णनमत्र केवलं विद्याविधित्वे शब्दस्य तात्पर्यं लक्ष्यते न शुद्धकर्माङ्गविधित्वे । तथाहि अस्मिन्नेव ब्राह्मणे " विद्यया तदारोहन्ति यत्र कामाः परागताः । न तत्र दक्षिणा यन्ति नाविद्वांसस्तपस्विनः " (कं.—१६) इत्यनेन श्लोकेन केवलकर्मनिन्दापुरःसरं विद्याप्रशंसा—अयं वाव लोक एषोऽग्निश्चित इति । ' अयं ' भूलोक एव ' एषः ' ' चितः ' ' अग्निः ' ध्येयः । अग्निसामान्यधर्मानाह—तस्याप एवेत्यादिना । ' तस्य ' भूलोकस्याग्नेः 'आप एव' 'परिश्रितः' समुद्रोदकान्येव परिश्रिद्रूपाणीति ध्येयानि, भूमौ वर्तमानमनुष्या यजुष्मत्य इष्टकाः, ' पशवः ' ' सूददोहाः ' अमृतदोहाः अन्नमित्यर्थः । यद्वा " ता अस्य सूददोहसः " (वा. सं. १२ । ५५) इत्यनेन यद्विवचनं तत्पशव इत्यर्थः । ' ओषधयः ' 'वनस्पतयः' एव 'पुरीषम्' आहुतिः—समित्त्रयरूपा । एतस्य पुरीषाहुतेः समित्त्रयरूपत्वमुत्तरत्र स्पष्टीकरिष्यते । " अथ यद्दिक्षु च रश्मिषु चान्नं तत्पुरीषं ता आहुतयस्ताः समिधः " (कं. ४) इति । बाह्यः ' अग्निः ' ज्वलन एव ' लोकम्पृणा ' इष्टकाः । यस्माद्बाह्योऽग्निर्लोकम्पृणेष्टकारूपः—तस्मात् ' एतत्सर्वं ' परिश्रियजुष्मत्यादिरूपोदकमनुष्यादिकम् ' अग्निमेवाभिसम्पद्यते ' अग्निना सर्वे सम्पन्नाः स्वस्वव्यापारदक्षा भवन्ति । यथा चित्याग्निर्लोकम्पृणेष्टकाभिः सम्पूर्णः । अयमर्थः—भूलोकस्य चित्याग्नित्वपरिज्ञाने समुद्रोदकमनुष्यपशुओषधिवनस्पतिपुरीषाहुतिज्वलनाः परिश्रियजुष्मतीसूददोहाः पुरीषाहुतिसमिल्लोकम्पृणारूपाः परिज्ञेया इति । वेदितुः फलमाह—स यो हैतदेवं वेदेति । एवं भूलोकं चित्याग्निरूपं वेद—स लोकम्पृणाभूतम् ' एनम् ' लोकाधिष्ठितारमग्निमेव ' सम्पद्यते ' तदात्मको भवतीत्यर्थः ॥ १ ॥

(तेऽन्तु) अन्तरिक्षꣳ ह त्वेवैषोऽग्निश्चितः । (स्तु) तस्य द्यावापृथिव्योरेव सन्धिः परिश्रितः परेण हान्तरिक्षं द्यावापृथिवी संधत्तस्ताः परिश्रितो वयाꣳसि यजुष्मत्य इष्टका वर्षꣳ सूददोहा मरीचयः पुरीषमाहुतयः समिधो वायुर्लोकम्पृणा तद्वाऽएतत्सर्वं वायुमेवाभिसम्पद्यते तत्सर्वोऽग्निर्लोकम्पृणामभिसंपद्यते स यो हैतदेवं वेद लोकम्पृणामेनं भूतमेतत्सर्वमभिसंपद्यते ॥ २ ॥

द्यौर्ह त्वेवैषोऽग्निश्चितः । (स्त) तस्यापऽ एव परिश्रितो यथा ह वाऽइदं कोशः समुब्जितऽ एवमिमे लोकाऽ अप्स्वन्तस्तद्याऽइमाँल्लोका-न्परेणापस्ताः परिश्रितो देवा यजुष्मत्यऽ इष्टका यदेवैतस्मिँल्लोकेऽन्नं तत्सूददोहा नक्षत्राणि पुरीषमाहुतयः समिधऽ आदित्यो लोकम्पृणा तद्वाऽएतत्सर्वमादित्यमेवाभिसम्पद्यते तत्सर्वोऽग्निर्लोकम्पृणामभिसंपद्यते स यो हैतदेवं वेद लोम्कपृणामेनंभूतमेतत्सर्वमभिसंपद्यते ॥ ३ ॥

अन्तरिक्षं ह त्वेवैषोऽग्निश्चितः । तस्य द्यावापृथिव्योरेव सन्धिः परिश्रितः । परेण हान्तरिक्षं द्यावापृथिवी सन्धत्तः । ताः परिश्रितः । वयांसि यजुष्मत्य इष्टकाः । वर्षम् सूददोहाः । मरीचयः पुरीषम् । आहुतयः समिधः । वायुर्लोकम्पृणा । तद्वा एतत्सर्वं वायुमेवाभिसम्पद्यते । तत्सर्वोऽग्निर्लोकम्पृणामभिसम्पद्यते । स यो हैतदेवं वेद । लोकम्पृणाम् । एनं भूतमेतत्सर्वमभिसम्पद्यते ॥ २ ॥

द्यौर्ह त्वेवैषोऽग्निश्चितः । तस्याप एव परिश्रितः । यथा ह वाऽइदं कोशः समुब्जितः—एवमिमे लोका अप्स्वन्तः । तद् या इमाँल्लोकान्परेणापः—ताः परिश्रितः । देवा यजुष्मत्य इष्टकाः । यदेवैतस्मिँल्लोकेऽन्नं तत्सूददोहाः । नक्षत्राणि पुरीषम् । आहुतयः समिधः । आदित्यो लोकम्पृणा । तद्वा एतत्सर्वमादित्यमेवाभिसम्पद्यते तत्सर्वोऽग्निर्लोकम्पृणामभिसम्पद्यते । स यो हैतदेवं वेद । लोकम्पृणाम् । एनं भूतमेतत्सर्वमभिसम्पद्यते ॥ ३ ॥

एवमुत्तरे " अन्तरिक्षं ह त्वेवैषोऽग्निश्चितः "—इत्यादयः " सर्वाणि ह त्वेव भूतानि सर्वे देवा एषोऽग्निश्चितः "—इत्यन्ता अष्टौ पर्याया व्याख्येयाः । यत्र यत्र विशेषः स उच्यते । अन्तरिक्षपर्याये ' द्यावापृथिव्योः ' ' सन्धिः ' ' परिश्रितः ' इत्युक्तं विशदयति—परेण हान्तरिक्षमिति । अन्तरिक्षं ' परेण ' परस्तात् अन्त इत्यर्थः । यद् द्यावापृथिवी संयुक्तौ भवतः । स सन्धिः परिश्रिद्रूपो ध्येयः । अत्र वायुप्राप्तिः फलम् ॥ २ ॥

द्युलोकपर्याये "तस्या आप एव परिश्रितः" इत्युक्तम्, तत्समर्थयते—यथा ह वा इदं कोशः समुब्जित इति ।

(तऽ) आदित्यो ह त्वेवैषोऽग्निश्चितः । (स्तु) तस्य दिशऽएव परिश्रितस्ताः षष्टिश्च त्रीणि च शतानि भवन्ति षष्टिश्च ह वै त्रीणि च शतान्यादित्यं दिशः समन्तं परियन्ति रश्मयो यजुष्मत्यऽइष्टकास्ताः षष्टिश्चैव त्रीणि च शतानि भवन्ति षष्टिश्च ह वै त्रीणि च शतान्यादित्यस्य रश्मयस्तद्यत्परिश्रित्सु यजुष्मतीः प्रत्यर्प्पयति रश्मींस्तद्दिक्षु प्रत्यर्प्पयत्यथ यदन्तरा दिशश्च रश्मींश्च तत्सूददोहाऽअथ यद्दिक्षु च रश्मिषु चान्नं तत्पुरीषं ताऽआहुतयस्ताः समिधोऽथ यद्दिशऽइति च रश्मयऽइति चाख्यायते तल्लोकम्पृणा तद्वाऽएतत्सर्व्वं दिशऽइति चैव रश्मयऽइति चाख्यायते तत्सर्व्वोऽग्निर्लोकम्पृणामभिसम्पद्यते स यो हैतदेवं वेद लोकम्पृणामेनं भूतमेतत्सर्व्वमभिसंपद्यते ॥ ४ ॥

आदित्यो ह त्वेवैषोऽग्निश्चितः । तस्य दिश एव परिश्रितः । ताः षष्टिश्च त्रीणि च शतानि भवन्ति । षष्टिश्च ह वै त्रीणि च शतान्यादित्यं दिशः समन्तं परियन्ति । रश्मयो, यजुष्मत्य इष्टकाः । ताः षष्टिश्चैव त्रीणि च शतानि भवन्ति । षष्टिश्च ह वै त्रीणि च शतान्यादित्यस्य रश्मयः । तद्यत्परिश्रित्सु यजुष्मतीः प्रत्यर्पयति–रश्मींस्तद्दिक्षु प्रत्यर्पयति । अथ यदन्तरा दिशश्च रश्मींश्च तत्सूददोहाः । अथ यद्दिक्षु च रश्मिषु चान्नं तत्पुरीषम् । ता आहुतयः । ताः समिधः । अथ यद्दिश इति च रश्मय इति चाख्यायते–तल्लोकम्पृणा । तद्वा एतत्सर्वं दिश इति चैव रश्मय इति चाख्यायते–तत्सर्वोऽग्निर्लोकम्पृणामभिसम्पद्यते । स यो ह तदेवं वेद । एनं भूतमेतत्सर्वमभिसम्पद्यते ॥ ४ ॥

भूलोकपर्याये समुद्रोदकान्येव परिश्रितः, अत्र तथा न सन्तीति तत्समर्थनोक्तिः यथा 'इदम्' इदानीम् 'कोशः' पेटिका 'समुब्जितः। सम्पिहितो वर्तते–'एवमिमे' त्रयो 'लोकाः!' 'अप्स्वन्तः' कोशरूपत्वेन वर्तन्ते । तस्मात् 'इमान्' त्रीन् 'लोकान्' 'परेण' तेषां परस्ताद्या अपः परिवेष्ट्य वर्तन्ते ताः परिश्रितः । अत्रादित्यप्राप्तिः फलमुक्तम् ॥ ३ ॥

आदित्यपर्याये षष्ठ्युत्तरत्रिशतसङ्ख्याका आदित्यमण्डलस्य समन्तात्परिगता दिशः परिश्रिदात्मिकाः । तत्रत्या एव तावत्सङ्ख्यकाः 'रश्मयः' किरणा एव यजुष्मत्य इष्टकाः । संवत्सरस्य षष्ठ्यधिकत्रिशतदिनानि विद्यन्ते । अत्रादित्यस्यैकैकदिने एकैका दिक् एकैकश्च रश्मिरित्युक्तं भवति । अत्र परिश्रित्सु यजुष्मतीनां विधानम्, विदिक्षु रश्मिप्रत्यर्पणम् । अथ यद्दिक्षु च रश्मिषु चान्नमिति । दिशां रश्मीनां लोकत्वादत्रान्नसम्भावनाऽस्ति । अत्र दिशां रश्मीनां यन्मध्यवर्तनं तत्सूददोहस्थानीयमित्यर्थः । लोकम्पृणेष्टकास्थानीयं सम्पादयति–अथ यद्दिश इति च रश्मय इति चाख्यायते तल्लोकम्पृणेति । यद्दिश इति रश्मय इत्याख्यानं वचनमेव लोकम्पृणात्मकमित्यर्थः । आदित्यमग्निरूपत्वेनोपासकस्य दिग्रश्मितादात्म्यं फलमित्याह–स यो हैतदेवमिति ॥ ४ ॥

नृक्षत्राणि ह त्वेवैषोऽग्निश्चितः । (स्ता) तानि वाऽएतानि सप्तुविꣳशतिर्नक्षत्राणि सप्तुविꣳशतिः सप्तविꣳशतिर्हौपनक्षत्राण्येकैकं नुक्षत्रमनूपतिष्ठन्ते तानि सप्त च शतानि विꣳशतिश्चाधि षट्त्रिꣳशत्तो यानि सप्त च शतानि विꣳशतिश्चेष्टकाऽ एव ताः षष्टिश्च त्रीणि च शतानि परिश्रितः षष्टिश्च त्रीणि च शतानि यजुष्मत्योऽथ यान्यधि षट्त्रिꣳशत्स त्रयोदशो मासः सऽ आत्मा त्रिꣳशदात्मा प्रतिष्ठा द्वे प्राणा द्वे शिरऽएव षट्त्रिꣳश्यौ तद्यत्ते द्वे भवतो द्व्यक्षरꣳ हि शिरोऽथ यदन्तरा नुक्षत्रे तत्सूददोहाऽअथ यन्नक्षत्रेष्वन्नं तत्पुरीषं ताऽआहुतयस्ताः समिधोऽथ यन्नक्षत्राणीत्याख्यायते तल्लोकम्पृणा तद्वाऽएतत्सर्व्वं नक्षत्राणीत्येवाख्यायते तत्सर्व्वोऽग्निर्लोकम्पृणामभिसम्पद्यते स यो हैतदेवं वेद लोकम्पृणामेनं भूतमेतत्सर्व्वमभिसम्पद्यते ॥ ५ ॥

नक्षत्राणि ह त्वेवैषोऽग्निश्चितः । तानि वा एतानि सप्तविंशतिर्नक्षत्राणि । सप्तविंशतिः सप्तविंशतिर्हौपनक्षत्राणि एकैकं नक्षत्रमनूपतिष्ठन्ते । तानि सप्त च शतानि विंशतिश्चाधि षट्त्रिंशत् । ततो यानि सप्त च शतानि विंशतिश्च, इष्टका एव ताः । षष्टिश्च त्रीणि च शतानि परिश्रितः । षष्टिश्च त्रीणि च शतानि यजुष्मत्यः । अथ यान्यधि षट्त्रिंशत्—स त्रयोदशो मासः । स आत्मा । त्रिंशदात्मा । प्रतिष्ठा द्वे । प्राणा द्वे । शिर एव षट्त्रिंश्यौ । तद् यत्ते द्वे भवतः । द्व्यक्षरं हि शिरः । अथ यदन्तरा नक्षत्रे तत्सूददोहाः । अथ यन्नक्षत्रेष्वन्नं तत्पुरीषम् । ता आहुतयः । ताः समिधः । अथ यन्नक्षत्राणीत्याख्यायते तल्लोकम्पृणा । तद्वा एतत्सर्वं नक्षत्राणीत्येवाख्यायते--तत्सर्वोऽग्निर्लोकम्पृणामभिसंपद्यते । स यो हैतदेवं वेद । लोकम्पृणाम् एनं भूतमेतत्सर्वमभिसम्पद्यते ॥ ५ ॥

नक्षत्राणाभग्नित्वेनोपासनं कर्तव्यमित्यस्मिन्पर्याये सप्तविंशतेर्नक्षत्राणां मध्ये, एकैकस्य मुख्यनक्षत्रस्य ' सप्तविंशतिः सप्तविंशतिरुपनक्षत्राणि ' विद्यन्ते । तत्र सर्वाणि सप्तविंशतिनक्षत्राणि ' उपनक्षत्राणि ' च सम्भूय विंशत्यधिकानि सप्तशतानि षट्त्रिंशदधिकानि च सम्भवन्ति तत्र विंशत्यधिकसप्तशतसङ्ख्याकानां नक्षत्राणां मध्ये षष्ट्यधिकत्रिशतसङ्ख्याकानि परिश्रितः तावन्ति नक्षत्राणि यजुष्मत्यः । यान्यधिकानि षट्त्रिंशत्संख्याकानि विद्यन्ते तेषां विभागं विवक्षुः सामान्येन तेषां त्रयोदशमासरूपतामाह—स त्रयोदशो मास इति । विंशत्यधिकसप्तशतसंख्याकेष्टकारूपनक्षत्रवचनेन तावत्संख्याहोरात्रसंवत्सरात्मकोऽग्निरुक्त इति मत्वा, अधिकानां षट्त्रिंशन्नक्षत्राणां त्रयोदशमासरूपत्वमुच्यते । संवत्सरेण विना मासासम्भवात् । तत्र त्रिंशन्नक्षत्राण्यात्मा मध्यदेहः । द्वे नक्षत्रे प्रतिष्ठा पादरूपेण, पादयोर्द्वित्वं स्फुटम् । ' द्वे ' ' नक्षत्रे ' प्राणाः चक्षुरादिप्राणानां द्वन्द्वशोऽवस्थानादेवमुक्तम् । द्वे नक्षत्रे शिरोरूपम् । षट्त्रिंश्याविति स्त्रीलिङ्गवचनमिष्टकाभिप्रायेण । शिरसो नक्षत्रद्वयात्मकत्वमक्षरसंख्यया प्रतिपादयति—तद्यत्ते द्वे भवतो द्व्यक्षरं हि शिर इति । यदन्तरा नक्षत्रे तत्सूददोहा इति ।

ता वाऽएताः । (ऽ) एकविꣳशतिर्बृहत्यऽएकविꣳशो वै स्वर्ग्गो लोको बृहती स्वर्ग्गो लोकस्तदेष स्वर्ग्गं लोकमभिसम्पद्यतऽएकविꣳशं च स्तोमं बृहतीं च च्छन्दः ॥ ६ ॥

(इछ) छन्दाꣳसि ह त्वेवैषोऽग्निश्चितः । (स्ता) तानि वाऽएतानि सप्त च्छन्दाꣳसि चतुरुत्तराणि त्रिचानि तेषाꣳ सप्त च शतानि विꣳशतिश्चाक्षराण्यधि षट्त्रिꣳशत्ततो यानि सप्त च शतानि विꣳशतिश्चेष्टकाऽएव ताः षष्टिश्च त्रीणि च शतानि परिश्रितः षष्टिश्च त्रीणि च शतानि यजुष्मत्योऽथ यान्यधि षट्त्रिꣳशत्स त्रयोदशो मासः सऽ आत्मा त्रिꣳशदात्मा प्रतिष्ठा द्वे प्राणा द्वे शिरऽएव षट्त्रिꣳश्यौ तद्यत्ते द्वे भवतो द्व्यक्षरꣳ हि शिरः ॥ ७ ॥

ता वा एता एकविंशतिर्बृहत्यः । एकविंशो वै स्वर्गो लोकः । बृहती स्वर्गो लोकः । तदेष स्वर्गं लोकमभिसम्पद्यते । एकविंशं च स्तोमं बृहतीं च छन्दः ॥ ६ ॥

छन्दांसि ह त्वेवैषोऽग्निश्चितः । तानि वा एतानि सप्त छन्दांसि । चतुरुत्तराणि त्रिचानि । तेषां सप्त च शतानि, विंशतिश्चाक्षराण्यधि षट्त्रिंशत् । ततो यानि सप्त च शतानि विंशतिश्च, इष्टका एव ताः । षष्टिश्च त्रीणि च शतानि परिश्रितः । षष्टिश्च त्रीणि च शतानि यजुष्मत्यः । अथ यान्यधि षट्त्रिंशत्-स त्रयोदशो मासः । स आत्मा । त्रिंशदात्मा । प्रतिष्ठा द्वे । प्राणा द्वे । शिर एव षट्त्रिंश्यौ । तद् यत्ते द्वे भवतः । द्व्यक्षरं हि शिरः ॥ ७ ॥

द्वयोर्द्वयोर्नक्षत्रयोर्मध्ये सूददोहोरूपेण ध्येयम् । "नक्षत्राणीति" यदाख्यानं वचनं तल्लोकम्पृणास्वरूपेण ध्येयम् । यस्मान्नक्षत्राख्यानं लोकम्पृणारूपं ततो मुख्यनक्षत्राण्युपनक्षत्राणि च सर्वाणि नक्षत्राणीति एव आख्यायन्ते । नक्षत्रसम्पत्तिः फलमस्य ध्यानस्योक्तम् ॥ ५ ॥

नक्षत्रोपनक्षत्रसम्पन्नां सङ्ख्यां बृहत्यात्मना स्तौति-**ता वा एता एकविंशतिर्बृहत्य** इत्यादि । विंशत्यधिकसप्तशतनक्षत्रैर्विंशतिर्बृहत्यः, अधिकया षट्त्रिंशतेकेति 'एकविंशतिर्बृहत्यः' । एकविंशो वै स्वर्गो लोकः । स्वर्गस्त्वादित्य इति गम्यते; सुखरूपो वा लोकः स्वर्गः एकविंशतिसङ्ख्यापूरकः । तथाच तैत्तिरीयके स्वर्गस्य चैकविंशत्वं तस्यादित्यस्वरूपत्वमाम्नायते-"एकविंशो वा इतः स्वर्गो लोकः स्वर्गं लोकमाप्नोति, असौ वा आदित्य एकविंशः" इति, "बृहती स्वर्गो लोकः" इति । तैत्तिरीयक एवादित्यस्य च्छन्दोमयत्वप्रस्तावे "बृहत्येवादित्योऽभवत्" इति श्रुतम् । स्वर्गो लोको बृहत्यात्मक इत्यर्थः । अथ नक्षत्रसङ्ख्यां बृहत्यात्मनोपासितुः स्वर्गलोकादिफलमित्याह-**तदेष स्वर्गं लोकमभिसम्पद्यत एकविंशं च स्तोमं बृहतीं च छन्द** इति । एकविंशतिस्तोत्रियात्मकः स्तोम एकविंश उच्यते ॥ ६ ॥

छन्दसामग्निरूपेण ध्यानं विधत्ते-**छन्दांसि ह त्वेवैषोऽग्निश्चित** इति । **तानि वा एतानि सप्त च्छन्दांसि**-इत्यादेरयमर्थः-तत्र येषां छन्दसामग्नित्वमुक्तम् । तानि गायत्र्यादीनि सप्त च्छन्दांसि । तदुत्तरो-

(स्तु) तुस्यै वाऽएतुस्यै षुट्त्रिꣳशदक्षरायै बृहत्यै । यानि दुश प्रथमा- न्यक्षुराणि सा दुशाक्षरैकपदाऽथ यानि विꣳशतिः सा विꣳशुत्यक्षरा द्विपदाऽथ यानि त्रिꣳशत्सा त्रिꣳशुदक्षरा विराडथ यानि त्रयस्त्रिꣳ शत्सा त्रयस्त्रिꣳशदक्षराऽथ यानि चतुस्त्रिꣳशत्सा चतुस्त्रिꣳशदक्षरा स्वराडथ यत्सुर्व्वैश्छन्दोभिरयमग्निश्चितस्तदतिच्छन्दास्ताऽ उ सुर्व्वाऽ इष्टकाऽ एवेष्टकेति त्रीण्यक्षुराणि त्रिपदा गायत्री तेनैष गायत्रोऽग्निर्मृदापऽ इति त्रीण्यक्षुराणि त्रिपदा गायत्री तेनोऽएवैष गायत्रोऽथ यदन्तरा च्छन्दसी तत्सूददोहाऽअथ यच्छन्दःस्वन्नं तत्पुरीषं ताऽ आहुतयस्ताः समिधोऽथ यच्छन्दाꣳसीत्याख्यायते तल्लोकम्पृणा तद्वाऽएतत्सुर्व्वं छन्दाꣳसीत्ये- वाख्यायते तत्सुर्व्वोऽग्निर्लोकम्पृणामभिसंपद्यते स यो हैतदेवं वेद लोक- म्पृणामेनं भूतमेतत्सुर्व्वमभिसंपद्यते ॥ ८ ॥

तस्यै वा एतस्यै षट्त्रिंशदक्षरायै बृहत्यै यानि दश प्रथमान्यक्षराणि—सा दशाक्षरैकपदा । अथ यानि विंशतिः—सा विंशत्यक्षरा द्विपदा । अथ यानि त्रिंशत्—सा त्रिंशदक्षरा विराट् । अथ यानि त्रयस्त्रिंशत्—सा त्रयस्त्रिंशदक्षरा । अथ यानि चतुस्त्रिंशत्—सा चतुस्त्रिंशदक्षरा स्वराट् । अथ यत्सर्वैश्छन्दोभिरयमग्निश्चितः—तदतिच्छन्दाः । ता उ सर्वा इष्टका एव । इष्टकेति त्रीण्यक्षराणि, त्रिपदा गायत्री । तेनैष गायत्रोऽग्निः । मृदापः—इति त्रीण्यक्षराणि । त्रिपदा गायत्री । तेनो एवैष गायत्रः । अथ यदन्तरा छन्दसी तत्सूददोहाः । अथ यच्छन्दःस्वन्नं तत्पुरीषम् । ता आहुतयः । ताः समिधः । अथ यच्छन्दांसीत्याख्यायते—तल्लोकम्पृणा । तद्वा एतत्सर्वं छन्दांसीत्याख्यायते—तत्सर्वोऽग्निर्लोकम्पृणामभिसम्पद्यते । स यो हैतदेवं वेद । लोकम्पृणाम् । एनं भूतमेतत्सर्वमभिसम्पद्यते ॥ ८ ॥

त्तरं चतुरक्षराधिकानि 'त्रिचानि' प्रत्येकं ऋक्त्रयात्मकानि, विवक्षितसंख्यासिद्धये त्रिचानीत्युक्तम् । त संख्यामाह—तेषां सप्त च शतानीति । तेषां प्रत्येकमृक्त्रयात्मनां सप्तानां छन्दसां सम्भूयाक्षरपरिगणनं सति विंशत्यधिकानि सप्तशतानि षट्त्रिंशदधिकानि चाक्षराणि भवन्ति । तत्र यानि विंशत्यधिकानि सप्तशताक्षराणि तेष्विष्टकारूपेषु, षष्ठ्युत्तरत्रिशताक्षराणि परिश्रितः, तावन्ति 'यजुष्मत्यः' । अथाधिकान षट्त्रिंशदक्षराणामधिकमासात्मकानां विभागमाह—त्रिंशदात्मेति । 'आत्मा' मध्यमभागः त्रिंशदक्षरात्मकः, 'प्रतिष्ठा' पादो द्व्यक्षरात्मकः, 'प्राणाः' चक्षुरादयो द्व्यक्षरात्मकाः, शिरो द्व्यक्षरात्मकम् ॥ ७ ॥

एवमधिकानां षट्त्रिंशदक्षराणां विभागमुक्त्वा तावद्भिरक्षरैर्बृहतीं सम्पाद्य तां नानाच्छन्दोमयत्वेन सम्पाद- यति—तस्यै वा एतस्यै षट्त्रिंशदक्षरायै बृहत्या इति । तत्र षट्त्रिंशदक्षरायां बृहत्यां यानि प्रथमानि आदिमानि दशाक्षराणि तैर्दशाक्षरा एकपदा विराट् सम्पन्ना । अत्र विराजः पादत्रयं व्युदसितुं एकपदा इत्युक्तं । तथा यानि बृहत्याः प्रथमानि विंशतिरक्षराणि तैर्विंशत्यक्षरा द्विपदा विराट् संपन्ना । अथ यानि बृहत्या-

ता वाऽएताः । (ऽ) एकविꣳशतिर्बृहत्य ऽएकविꣳशो वै स्वर्गो लोको बृहती स्वर्गो लोकस्तदेषु स्वर्गं लोकमभिसम्पद्यतऽएकविꣳशं च स्तोमं बृहतीं च च्छन्दः ॥ ९ ॥

संवत्सरो ह त्वेवैषोऽग्निश्चितः । (स्तु) तस्य रात्रय ऽएव परिश्रितस्ताः षष्टिश्च त्रीणि च शतानि भवन्ति षष्टिश्च ह वै त्रीणि च शतानि संवत्सरस्य रात्रयोऽहानि यजुष्मत्यऽ इष्टकास्ताः षष्टिश्चैव त्रीणि च शतानि भवन्ति षष्टिश्च ह वै त्रीणि च शतानि संवत्सरस्याहान्यथ याऽअमूः षट्त्रिꣳशदिष्टकाऽ अतियन्ति यः स त्रयोदशो मासऽ आत्माऽर्द्धमासाश्च ते मासाश्च चतुर्विꣳशतिरर्धमासा द्वादश मासाऽ अथ यदन्तराऽहोरात्रे तत्सूददोहाऽअथ यदहोरात्रेष्वन्नं तत्पुरीषं ताऽ आहुतयस्ताः समिधोऽथ यदहोरात्राणीत्याख्यायते तल्लोकम्पृणा तद्वाऽएतत्सर्व्वमहोरात्राणीत्येवाख्यायते तत्सर्व्वोऽग्निर्लोकम्पृणामभिसंपद्यते स यो हैतदेवं वेद लोकम्पृणामेनं भूतमेतत्सर्व्वमभिसंपद्यते ॥ १० ॥

ता वाऽएता एकविंशतिर्बृहत्यः एकविंशो वै स्वर्गो लोकः । बृहती स्वर्गो लोकः । तदेष स्वर्गं लोकमभिसम्पद्यते । एकविंशं च स्तोमम् । बृहतीं च छन्दः ॥ ९ ॥

सम्वत्सरो ह त्वेवैषोऽग्निश्चितः । तस्य रात्रय एव परिश्रितः । ताः षष्टिश्च त्रीणि च शतानि भवन्ति । षष्टिश्च ह वै त्रीणि च शतानि सम्वत्सरस्य रात्रयः । अहानि यजुष्मत्य इष्टकाः । ताः षष्टिश्चैव त्रीणि च शतानि भवन्ति । षष्टिश्च ह वै त्रीणि च शतानि सम्वत्सरस्याहानि । अथ

स्त्रिंशदक्षराणि तैस्त्रिंशदक्षरा विराट् संपन्ना । एवं त्रयस्त्रिंशताक्षरैस्तावदक्षरा विराट् । अथ चतुस्त्रिंशदक्षरैस्तावदक्षराच स्वराण्नाम च्छन्दः सम्पन्नम् । एवमेव सा बृहत्येव नानाच्छन्दोरूपेण स्तुता । अग्नेरतिच्छन्दोरूपत्वमाह—अथ यत्सर्वैरिति । यस्मात् 'अयमग्निः' सर्वैर्गायत्र्यादिभिः 'छन्दोभिः' 'दितः' छन्दस्योपधानसमये तस्मादयमतिच्छन्दा इत्युच्यते चित्याग्निरतिच्छन्दा इति—यत् तेन सर्वा इष्टका अतिच्छन्दोमय्य इत्युक्तम् । इष्टकेति नाम्न्यपि छन्दः सम्पादयति—इष्टकेति त्रीण्यक्षराणि त्रिपदा गायत्रीति । संख्यासाम्यात्—अत इष्टका गायत्र्यश्चतिस्रस्तच्चितोऽग्निरपि गायत्र इत्युच्यते । इष्टकाकरणानां मृदपामपि संख्यासाम्यात् गायत्रीच्छन्दस्त्वं तद्द्वाराऽग्नेर्गायत्रीत्वं सम्पादयति—मृदाप इति त्रीण्यक्षराणीति । अथ च्छन्दोमयाग्नेः पूर्ववत्सूददोहपुरीषादिकं सम्पादयति—अथ यदन्तरा च्छन्दसी इति । यदुभयोः छन्दसोर्मध्यमेव मध्यवर्ति वा वस्तु तत्सूददोहस्थानीयं, छन्दांसीत्याख्यानमेव लोकम्पृणेष्टकास्थानीयम् ॥ ८ ॥

ता वा एता एकविंशतिर्बृहत्य इत्यादिकं पूर्ववद्व्याख्येयम् ॥ ९ ॥

संवत्सरस्याग्न्यात्मना ध्याने षष्ठ्यधिकत्रिशतसंख्याका रात्रय एव परिश्रितः सम्पन्नाः । तावत्संख्यान्यहानि

ता वाऽएताः । (ऽ) एकविᳪंशतिर्बृहत्यऽ एकविᳪंशो वै स्वर्गो लोको बृहती स्वर्गो लोकस्तदेष स्वर्गं लोकमभिसम्पद्यतऽएकविᳪंशं च स्तोमं बृहतीं च च्छन्दः ॥ ११ ॥

(ऽ) आत्मा ह त्वेवैषोऽग्निश्चितः । (स्त) तस्यास्थीन्येव परिश्रितस्ताः षष्टिश्च त्रीणि च शतानि भवन्ति षष्टिश्च ह वै त्रीणि च शतानि पुरुषस्यास्थीनि मज्जानो यजुष्मत्यऽइष्टकास्ताः षष्टिश्चैव त्रीणि च शतानि भवन्ति षष्टिश्च ह वै त्रीणि च शतानि पुरुषस्य मज्जानोऽथ याऽअमूः षट्त्रिᳪंशदिष्टकाऽअतियन्ति यः स त्रयोदशो मासऽआत्मा प्राणः स तस्य त्रिᳪंशदात्मन्विधाः प्रतिष्ठायां द्वे प्राणेषु द्वे शीर्षन्द्वे तद्यत्ते द्वे भवतो द्विकपालᳪं हि शिरोऽथ येनेमानि पर्वाणि सन्ततानि तत्सूददोहाऽ अथैतत्त्रयं येनायमात्मा प्रच्छन्नो लोम त्वङ्माᳪंसमिति तत्पुरीषं यत्पिबति ता ऽआहुतयो यदश्नाति ताः समिधोऽथ यदात्मेत्याख्यायते तल्लोकम्पृणा तद्वाऽएतत्सर्वमात्मेत्येवाख्यायते तत्सर्वोऽग्निर्लोक-

---

या अमूः षट्त्रिंशदिष्टका अतियन्ति । यः स त्रयोदशो मास आत्मा । अर्धमासाश्च ते मासाश्च । चतुर्विंशतिरर्धमासाः, द्वादश मासाः । अथ यदन्तराऽहोरात्रे तत्सूददोहाः । अथ यदहोरात्रेष्वन्नम्—तत्पुरीषम् । ता आहुतयः । ताः समिधः । अथ यदहोरात्राणीत्याख्यायते—तल्लोकम्पृणा । तद्वा एतत्सर्वमहोरात्राणीत्येवाख्यायते—तत्सर्वोऽग्निर्लोकम्पृणामभिसम्पद्यते । स यो हैतदेवं वेद । लोकम्पृणाम् । एनं भूतमेतत्सर्वमभिसम्पद्यते ॥ १० ॥

ता वा एता एकविंशतिर्बृहत्यः । एकविंशो वै स्वर्गो लोकः । बृहती स्वर्गो लोकः । तदेष स्वर्गं लोकमभिसम्पद्यते । एकविंशं च स्तोमम्, बृहतीं च छन्दः ॥ ११ ॥

आत्मा ह त्वेवैषोऽग्निश्चितः—तस्यास्थीन्येव परिश्रितः । ताः षष्टिश्च त्रीणि च शतानि भवन्ति । षष्टिश्च ह वै त्रीणि च शतानि पुरुषस्यास्थीनि । मज्जानो यजुष्मत्य इष्टकाः । ताः षष्टिश्चैव

यजुष्मत्यः । यजुष्मत्यश्च पुरीषेण सह चतुरूनचतुःशतसंख्याका इति चतुर्थाध्याये उक्तम् (श. प. १०।४।१।१४–१९) तत्र षष्ट्यधिकत्रिशतसंख्या अहोरूपा ध्येयाः । अधिका याः षट्त्रिंशतसंख्याकाः सन्ति—स संवत्सरावयवस्त्रयोदशमासः स एवार्द्धमासमासात्मक आत्मा । तच्चतुर्विंशतिरर्द्धमासरूपाः द्वादशमासरूपाः अहोरात्राणीत्याख्यायते, तत्सर्वं लोकम्पृणेष्टकारूपम् ॥ १०–११ ॥

अथोपासकेन स्वशरीरमेवाग्निरूपत्वेनोपासनीयमिति विधत्ते—आत्मा ह त्वेवैषोऽग्निश्चित इति । स्वशरीररूपाग्नेः षष्ट्यधिकत्रिशतसंख्याकान्यस्थीनि परिश्रिद्रूपेणोपासनीयानि । तावत्संख्याका मज्जानो यजुष्मती-

म्पृणामभिसम्पद्यते स यो हैतदेवं वेद लोकम्पृणामेनं भूतमेतत्सर्वम-भिसम्पद्यते ॥ १२ ॥

ता वाऽएताः । (ऽ) एकविंशतिर्बृहत्यऽ एकविंशो वै स्वर्गो लोको बृहती स्वर्गो लोकस्तदेषु स्वर्गं लोकमभिसम्पद्यतऽ एकविंशं च स्तोमं बृहतीं च च्छन्दः ॥ १३ ॥

सर्वाणि ह त्वेव भूतानि । सर्वे देवाऽ एषोऽग्निश्चितऽ आपो वै सर्वे देवाः सर्वाणि भूतानि ता हैताऽआपऽ एवैषोऽग्निश्चितस्तस्य नाव्याऽ एव परिश्रितस्ताः षष्टिश्च त्रीणि च शतानि भवन्ति षष्टिश्च ह वै त्रीणि च

त्रीणि च शतानि भवन्ति । षष्टिश्च ह वै त्रीणि च शतानि पुरुषस्य मज्जानः । अथ या अमूः षट्त्रिंशदिष्टका अतियन्ति–यः स त्रयोदशो मास आत्मा–प्राणः सः । तस्य त्रिंशदात्मन्विधाः–प्रतिष्ठायां द्वे, प्राणेषु द्वे, शीर्षन् द्वे । तद्य यत्ते द्वे भवतः–द्विकपालं हि शिरः । अथ येनेमानि पर्वाणि सन्ततानि–तत्सूददोहाः । अथैतत्त्रयं येनायमात्मा प्रच्छन्नः–लोम, त्वङ्, मांसमिति तत्पुरीषम् । यत्पिबति ता आहुतयः । यदश्नाति ताः समिधः । अथ यदात्मेत्याख्यायते–तत्सर्वोऽग्निर्लोक-म्पृणामभिसम्पद्यते । स यो हैतदेवं वेद । लोकम्पृणाम् । एनं भूतमेतत्सर्वमभिसम्पद्यते ॥ १२ ॥

ता वा एता एकविंशतिर्बृहत्यः । एकविंशो वै स्वर्गो लोकः । बृहती स्वर्गो लोकः । तदेषु स्वर्गं लोकमभिसम्पद्यते । एकविंशं च स्तोमं, बृहतीं च छन्दः ॥ १३ ॥

सर्वाणि ह त्वेव भूतानि । सर्वे देवा एषोऽग्निश्चितः । आपो वै सर्वे देवाः । सर्वाणि भूतानि । ता हैता आप एवैषोऽग्निश्चितः । तस्य नाव्या एव परिश्रितः । ताः षष्टिश्च त्रीणि च शतानि भवन्ति । षष्टिश्च ह वै त्रीणि च शतान्यादित्यं नाव्याः समन्तं परियन्ति । नाव्या उ एव यजुष्मत्य इष्टकाः ।

रूपाः । अथ याः षट्त्रिंशदधिकाः यजुष्मत्योऽतियन्ति–तासां विभागमाह–सः त्रयोदशो मास आत्मा प्राणः स तस्य त्रिंशदात्मन्विधा इति । ' तस्य ' शरीराग्नेः ' आत्मन् ' आत्मनि ' त्रिंशद्विधा ' यजु-ष्मत्यो ध्येयाः । ' प्रतिष्ठायां ' पादयोः ' द्वे ' इष्टकाद्वयम् । ' प्राणेषु ' चक्षुःश्रोत्रादिषु इष्टकाद्वयम् ' शीर्षन् ' शिरसि इष्टकाद्वयम् । पूर्वत्र पर्यायेषु त्रिंशदात्मा प्रतिष्ठा ' द्वे ' प्राणाः ' द्वे ' शिर एव षट्त्रिंश्याविति । आत्म-प्रतिष्ठाप्राणशिरोरूपेणाधिकाः षट्त्रिंशदुपासनीया इत्युक्तम् । अत्र शरीरे प्राणपादचक्षुरादिशिरसां सद्भावात्तत्र-तत्रेष्टका ध्येयाः इति विशेषः । सन्ततानि पर्वाण्येव सूददोहाः लोमत्वङ्मांसैरात्मा प्रच्छन्न इति तत्त्रयमेवात्र पुरीषत्वेन ध्येयम् । यत्पिबति ता एव आहुतयः । यदश्नाति भक्ष्यादि ता एव समिधो ध्येयाः । यदात्मेत्याख्यानं तल्लोकम्पृणेष्टकारूपम् ॥ १२ ॥

बृहतीसम्पादनादिकं पूर्ववद्बोद्धव्यम् ॥ १३ ॥

अथाप्स्वग्नित्वेनोपासनं विधित्सुरपां सर्वदेवभूतात्मकत्वमाह–सर्वाणि ह त्वेव भूतानि सर्वे देवा एषो-

शतान्यादित्यं नाव्याः समन्तं परियन्ति नाव्या उ ऽएव यजुष्मत्य ऽइष्टकास्ताः षष्टिश्चैव त्रीणि च शतानि भवन्ति षष्टिश्च ह वै त्रीणि च शतान्यादित्यं नाव्या ऽअभिक्षरन्त्यथ यदन्तरा नाव्ये तत्सूददोहा ऽअथ या ऽअमूः षट्त्रिँशदिष्टका ऽअतियन्ति यः स त्रयोदशो मास ऽआत्मा ऽयमेव स योऽयँ हिरण्मयः पुरुषः ॥ १४ ॥

(स्तु) तस्यैते प्रतिष्ठे । रुक्मश्च पुष्करपर्णं चापश्चादित्यमण्डलं च स्रुचौ बाहू ताविन्द्राग्नी द्वे स्वयमातृण्णे ऽइयं चान्तरिक्षं च तिस्रो विश्वज्योतिष ऽएता देवता ऽअग्निर्वायुरादित्य ऽएता ह्येव देवता विश्वं ज्योतिर्द्वादश ऽर्तव्याः स संवत्सरः स ऽआत्मा पञ्च नाकसदः पञ्च पञ्चचूडाः स यज्ञस्ते देवा ऽअथ यद्विकर्णी च स्वयमातृण्णा चाऽइमा पृश्नि-

---

ताः षष्टिश्च ह वै त्रीणि च शतानि भवन्ति । षष्टिश्च ह वै त्रीणि च शतान्यादित्यं नाव्या अभिरक्षन्ति । अथ यदन्तरा नाव्ये–तत्सूददोहाः । अथ या अमूः षट्त्रिंशदिष्टका अतियन्ति, यः स त्रयोदशो मासः–आत्माऽयमेव स योऽयं हिरण्मयः पुरुषः ॥ १४ ॥

तस्यैते प्रतिष्ठे–रुक्मश्च पुष्करपर्णं च । आपश्चादित्यमण्डलं च । स्रुचौ बाहू–ताविन्द्राग्नी । द्वे स्वयमातृण्णे । इयं चान्तरिक्षं च तिस्रो विश्वज्योतिषः–एता देवताः । अग्निर्वायुरादित्य एता

ऽग्निश्चित इति । 'सर्वाणि' 'भूतानि' 'सर्वे देवाः' अग्नित्वेन ध्येया इत्यर्थः । "आप एव सर्वभूतदेवात्मिका, आपो वा इदं सर्वम्, विश्वाभूतान्यापः, प्राणा वा आपः, पशव आपः, इति सर्वमापः, सर्वा देवता आपः"–इति तैत्तिरीयश्रुतेः । तत्र अब्रूपाग्नेरादित्यमण्डलपरिसरवर्त्तिन्यो 'नाव्याः' नावा तार्याः षष्ठ्यभिकत्रिशतसंख्याका नाव्या एव परिश्रिताः । तावत्संख्याका एव नाव्या यजुष्मत्य इष्टकाः सूर्यमण्डलसमीपे नानासंख्याका नद्यः सन्ति इत्याद्युक्तं तैत्तिरीयके–"शतं सहस्राणि प्रयुतानि नाव्यानामयं यः श्वेतो रश्मिः" इति । 'नाव्ये अन्तरा यत्' उभयोर्नाव्ययोर्मध्ये यदस्ति तत्सूददोहत्वेन ध्येयम् । अधिकानां षट्त्रिंशत्संख्यानामिष्टकानां विशेषेण विभागं विवक्षुरादौ सामान्येनानूद्याग्रे तमाह–अथ या अमूः षट्त्रिंशदिष्टका इति । या अधिका इष्टकास्ताः अथोक्तेषु पर्यायेषु सवत्सररूपाग्न्यवयवत्रयोदशमासात्मिकाः आत्मा, अग्न्यात्मना ध्येयानामपामात्मेत्यर्थः । आत्मस्वरूपमाह–अयमेव स इति । योऽयमात्मेत्यर्थः । अयमेव हिरण्मयः पुरुषः अधिदेवं, मण्डलान्तर्वर्त्ती पुरुषोऽधियज्ञं, प्रथमचितावुपहितपुरुषोऽग्निरूपाणामपामात्मेत्यर्थः ॥ १४ ॥

अथोक्तेषु पर्यायेष्वत्र या अमूः षट्त्रिंशदित्युक्तं तद्विभागमाह–तस्यैते प्रतिष्ठे इति । योऽयं हिरण्मयः पुरुष आत्मेत्युक्तः तस्याधियज्ञं रुक्मपुष्करपर्णाख्ये अधिदेवमत्रादित्यमण्डलात्मके द्वे इष्टके 'प्रतिष्ठे'–पादौ

यँश्चितेऽग्निर्निधीयते सा पञ्चत्रिँशी लोकम्पृणायै यजुः षट्त्रिँशी सोऽस्यैष सर्वस्यान्तममेवात्मा स ऽएष सर्वासामपां मध्ये स ऽएष सर्वैः कामैः सम्पन्न ऽआपो वै सर्वे कामाः स ऽएषोऽकामः सर्वकामो न ह्येतं कस्य चन कामः ॥ १९ ॥

(स्तु) तदेष श्लोको भवति । विद्यया तदारोहन्ति यत्र कामाः परागताः । न तत्र दक्षिणा यन्ति नाविद्वाँसस्तपस्विन ऽइति न हैव तं लोकं दक्षिणाभिर्न तपसाऽनेवंविदश्नुत ऽएवं विदाँ हैव स लोकः ॥ १६ ॥

ह्येव देवताः । विश्वं ज्योतिर्द्वादशाऽर्तव्याः । स संवत्सरः स आत्मा । पञ्च नाकसदः । पञ्च पञ्च-चूडाः । स यज्ञः । ते देवाः । अथ यद्विकर्णी च स्वयमातृण्णा चाश्मा पृश्निः । यश्चितेऽग्निर्निधीयते–सा पञ्चत्रींशी लोकम्पृणायै । यजुः षट्त्रिंशी । सोऽस्यैष सर्वस्यान्तममेवात्मा । स एष सर्वासामपां मध्ये स एष सर्वैः कामैः सम्पन्नः । आपो वै सर्वे कामाः । स एषोऽकामः, सर्वकामो वा । न ह्येतं कस्य चन कामः ॥ १९ ॥

तदेष–श्लोको भवति–" विद्यया तदरोहन्ति यत्र कामाः परागताः । न तत्र दक्षिणा यन्ति नाविद्वांसस्तपस्विनः " इति । न हैव तं लोकं दक्षिणाभिः, न तपसा, अनेवंविद-श्नुते । एवंविदां हैव स लोकः ॥ १६ ॥

पादरूपेण ध्येये । बाहुरूपेण ध्येये द्वे स्रुचौ । भूम्यन्तरिक्षात्मके द्वे स्वयमातृण्णे इष्टके । अग्निवाय्वादित्यात्मना ध्येयास्तिस्रो विश्वज्योतिषः । द्वादशसमसंख्या ऋतव्येष्टका संवत्सररूपात्मत्वेन ध्येयाः, यज्ञात्मना देवात्मना च स्तुताः ' पञ्च नाकसदः ' 'पञ्च पञ्चचूडाः' अष्टमकाण्डे–" नाकसदः पञ्चचूडाः स त्रिवृत्पञ्चदशाज्यप्रउगादिना रथन्तरादिसाम्ना वसुरुद्रादित्यादिरूपेण च यज्ञदेवतात्मना स्तुताः " (श. प. ८ । ६ । १ । १–१२) इति । अतोऽत्र स यज्ञस्ते देवा इत्युक्तम्, एवं प्रतिष्ठारूपरुक्मपुष्करपर्णादयः पञ्चचूडान्ता एकत्रिंशज्जाताः, ' विकर्णी ' ' स्वयमातृण्णा ' चेति द्वे, आग्नीध्रीये उपहितः ' अश्मा ' ' पृश्निः ' एका, एवं चतुस्त्रिंशज्जाताः, चित्याग्नौ निहित आहवनीयोऽग्निः पञ्चत्रिंशी, लोकम्पृणोपधानयजुष्मत्यः षट्त्रिंशी, उपधेयानां लोकम्पृणानां बहुसहस्रसंमितत्वात्ताः परित्यज्य " लोकम्पृण छिद्रम्पृण. " (वा. सं. १२ । ५४) इति तदुपधानमन्त्र एक इति स एव षट्त्रिंशीष्टकेति परिगृह्यते । एवं षट्त्रिंशदिष्टकामयो हिरण्मयः पुरुष आत्मा सर्वभूतदेवात्म-नामपामग्न्यात्मना ध्येयानां मध्ये वर्तत इत्याह–सोऽस्यैष सर्वस्येति । ' सः ' ' एषः ' ' सर्वैः कामैः ' ' सम्पन्नः ' इत्यादिना सर्वात्मनामपां मध्यवर्ती आत्मा सर्वकामसम्पन्नः स्वयम् 'अकामः' इत्युक्तम् । एतदेव विशदयति–नह्येतं कस्य चनेति ॥ १९ ॥

तादृग्रूप आत्मा सर्वैर्ज्ञानेन लभ्यो न कर्मशतैरिति मन्त्रसंवादेन प्रतिपादयति–तदेष श्लोको भवति–विद्यया तदारोहन्तीति । मन्त्रस्यायमर्थः–' यत्र ' स्वरूपे ' कामाः ' सर्वे ' परागताः ' निवृत्ताः स्वयम-

(कोऽन्नं) अन्नं पुरीषम् । (अ) चन्द्रमा ऽआहुतयो नक्षत्राणि समिधो यच्चन्द्रमा नक्षत्रे व्वसत्याहुतिस्तत्समिधि व्वसत्येतद्दु वा ऽआहुतेरन्नमेषा प्रतिष्ठा तस्मादाहुतिर्न क्षीयतऽएतद्ध्यस्या ऽअन्नमेषा प्रतिष्ठाऽथ यद्देवाऽ इत्याख्यायते तल्लोकम्पृणा तद्वाऽएतत्सर्व्वं देवा ऽइत्येवाख्यायते ॥१७॥

तदेतदृचाऽभ्युक्तम् । (वि) व्विश्वे देवा ऽअनु तत्ते यजुर्गुरिति सर्व्वाणि ह्यत्र भूतानि सर्व्वे देवा यजुरेव भवन्ति तत्सर्व्वोऽग्निर्लोकम्पृणामभिसम्पद्यते स यो हैतदेवं व्वेद लोकम्पृणामेनं भूतमेतत्सर्व्वमभिसम्पद्यते ॥१८॥

अन्नं पुरीषम् । चन्द्रमा आहुतयः । नक्षत्राणि समिधः । यच्चन्द्रमा नक्षत्रे वसति । आहुतिस्तत्समिधि वसति । एतद्‌ वा आहुतेरन्नम् । एषा प्रतिष्ठा । तस्मादाहुतिर्न क्षीयते । एतत् हि अस्या अन्नम् । एषा प्रतिष्ठा । अथ यद्देवा इत्याख्यायते–तल्लोकम्पृणा । तद्वा एतत्सर्वं देवा इत्येवाख्यायते ॥ १७ ॥

तदेतदृचाऽभ्युक्तम्–" विश्वे-देवा अनु तत्ते यजुर्गुः " इति । सर्वाणि ह्यत्र भूतानि, सर्वे देवा यजुरेव भवन्ति । तत् सर्वोऽग्निर्लोकम्पृणामभिसम्पद्यते । स यो हैतदेवं वेद–लोकम्पृणामेनं भूतमेतत्सर्वमभिसम्पद्यते ॥ १८ ॥

काममित्यर्थः । तदात्मस्वरूपं विद्यया ज्ञानेन आरोहन्ति आप्नुवन्ति । ' अविद्वांसः ' पुरुषाः तत् स्वरूपं ' दक्षिणा '–तृतीयाया लुक् दक्षिणाभिः ' न ' ' यन्ति ' न गच्छन्ति । तथा ' तपस्विनः ' अपि अविद्वांसस्तन्न गच्छन्ति । मन्त्रस्य तात्पर्यमाह–न हैव तं लोकमित्यादिना–एवंविदां हैव स लोक इत्यन्तेन ॥ ११ ॥

अनूपाग्नेः पुरीषाहुतिसमिल्लोकम्पृणाः सम्पादयति–अन्नं पुरीषमिति । यच्चन्द्रमा नक्षत्र इति । चन्द्रमसो नक्षत्रेऽवस्थानमेव समित्तदाहुतिरूपेण ध्येयमित्यर्थः । एतदेव नक्षत्रेऽवस्थानमाहुतेरन्नं प्रतिष्ठा । ' तस्मादाहुतिर्न क्षीयते ' नक्षत्रशब्दस्याप्येवं व्युत्पत्तिरिति नैरुक्ता आहुः । ' लोकम्पृणा इष्टका ये नाम देवा इत्याख्यातम् । " सर्वाणि हत्वेवभूतामि सर्वे देवा एषोऽग्निश्चितः " (कं. १४) इत्यस्य पर्यायस्यादावुक्तम्' अतो ' देवाः ' इत्याख्यातं लोकम्पृणेष्टकाः अतः सर्वपरिश्रिद्यजुष्मत्यादिकं देवा इत्युच्यत इत्यर्थः ॥ १७ ॥

उक्तं देवात्मत्वं मन्त्रसंवादेनोपपादयति–तदेतदृचाऽभ्युक्तं विश्वे देवा इति । अयमर्थः–ते प्रसिद्धा उक्ताः ' विश्वे ' सर्वे 'देवाः' तदुपलक्षणम्–सर्वाणि भूतानि तद्यजुर्मन्त्रस्वरूपम् 'अनु गुः' अनुगच्छन्ति इति । मन्त्रस्य तात्पर्यमाह–सर्वाणि ह्यत्रेति । अधिदैवाध्यात्मादिभेदेन यद्यजुरात्मकं ब्रह्म प्रागुक्तम्–अतस्तदात्मकाः ' सर्वे देवाः ' भवन्तीत्यर्थः । उपासकस्य फलमाह–स यो हैतदेवमिति । एवं सर्वभूतदेवरूपा अपोऽग्न्यात्मना विद्यात् । स लोकम्पृणात्मकोऽग्निरेवाभिसम्पद्यते ॥ १८ ॥

ता वु॒ऽएताः । (ऽ) एकवि॒ꣳशतिर्बृ॒हुत्य ऽएकवि॒ꣳशो वै॒ स्वर्गो॒ लोको॒ बृहती॒ स्वर्गो॒ लोकस्तुदेषु स्वर्गं॒ लोकुमभिसुम्पद्यत ऽएकवि॒ꣳशं च स्तोमं बृहतीं च च्छुन्दः ॥ १९ ॥

इति चतुर्थ प्रपाठके द्वितीयं ब्राह्मणम् ॥ १०-४-२ ॥ (५. ४.) ॥

कु॒श्रिर्हं॒ व्वाजश्रवुसोऽग्निं चिक्ये । तुꣳ होवाच सुश्रवाः कौश्यो गौतम य॒दुग्निमुचैषीः प्राञ्चमेनमचैषीः प्रत्युञ्चमेनमचैषुीन्यं॒ञ्चमेनमचैषीरुत्तानुमेनमचैषीः ॥ १ ॥

(यं) यद्युहैनं प्राञ्चमुचैषीः । (यु) युथा पुराचऽआसीनाय पृष्ठतोऽन्नाद्यमुपाहुरेत्ताहक्तन्न ते हविः प्रतिग्रहीष्यति ॥ २ ॥

ता वा एता एकविंशतिर्बृहत्यः । एकविंशो वै स्वर्गो लोकः । बृहती स्वर्गो लोकः । तदेष स्वर्गं लोकमभिसम्पद्यते । एकविंशं च स्तोमं बृहतीं च छन्दः ॥ १९ ॥

कुश्रिर्ह वाजश्रवसोऽग्निं चिक्ये । तं होवाच सुश्रवाः कौश्यः । गौतम यदग्निमचैषीः-प्राञ्चमेनमचैषीः । प्रत्यञ्चमेनमचैषीः । न्यञ्चमेनमचैषीः । उत्तानमेनमचैषीः ॥ १ ॥

यद्यहैनं प्राञ्चमचैषीः-यथा पराच आसीनाय पृष्ठतोऽन्नाद्यमुपाहरेत्तादृक् तत् । न ते हविः प्रतिग्रहीष्यति ॥ २ ॥

ता वा एता एकविंशतिर्बृहत्य इत्यादि पूर्वव्द्याख्येयम् । अत्र नानारूपपरिश्रियजुष्मतीनां विंशत्यधिकसप्तशतसङ्ख्यानां रुक्मपुष्करपर्णादीनां लोकम्पृणामन्त्रान्तगणानां षट्त्रिंशत्संख्यानां च बृहतीसम्पादने विशेषः ॥ १९ ॥

इति श्रीसायणाचार्यविरचिते माधवीये वेदार्थप्रकाशे माध्यन्दिनीयशतपथब्राह्मणभाष्ये दशमकाण्डे पञ्चमेऽध्याये चतुर्थं ब्राह्मणम् ॥ (१०-५-४) ॥

उत्तरब्राह्मणे चित्याग्नेः सर्वदिग्गतमुखत्वपृथक्छिरसो निरूहणाभावः प्रतिपाद्यते । तत्रैकैकदिग्गतमुखत्वे दोषमुद्भावयितुं तान्पक्षान्पुरावृत्तेनानुवदति-कुश्रिर्ह वाजेति । वाजश्रवसोऽपत्यं कुश्रिर्नाम 'अग्निं चिक्ये' चितवान् । तं कुश्रिं कौश्यः कुशगोत्रजः सुश्रवा नामोवाच पृष्टवान् । गौतमेति कुश्रेः संबुद्धिः । यदग्निं चितवानसि तदा किम् 'एनम्' अग्निं 'प्राञ्चं' पूर्वमुखम् 'अचैषीः', 'प्रत्यञ्चं' प्रत्यङ्मुखम् 'न्यञ्चं' अवाङ्मुखं 'उत्तानम' ऊर्ध्वमुखमिति चत्वारः पक्षाः उद्दिष्टाः ॥ १ ॥

तेषु यथाक्रमं दोषान् स्वयमेव सुश्रवा आह-यद्यहैनं प्राञ्चमिति । यदि प्राङ्मुखोऽग्निश्चितः । तर्हि प्राङ्मुखेनापि यजमानेन तत्र हविःप्रक्षेपः । यदि प्रत्यङ्मुखम् 'अचैषीः' तर्हि कस्माद्धेतोः 'पुच्छं' पश्चिमतः

यद्यु वाऽएनं प्रत्यञ्चमचैषीः । कस्मादस्य तर्हि पश्चात्पुच्छमकार्षीः ॥ ३ ॥
(सं) यद्यु वाऽएनं न्यञ्चमचैषीः । (सं) यथा नीचः शयानस्य पृष्ठेऽन्नाद्यं प्रतिष्ठापयेत्तादृक्तन्नैव ते हविः प्रतिग्रहीष्यति ॥ ४ ॥

यद्यु वाऽएनमुत्तानमचैषीः । (नं) न वाऽउत्तानं वयः स्वर्गं लोकमभिवहति न त्वा स्वर्गं लोकमभिवक्ष्यत्यस्वर्ग्यऽउ ते भविष्यतीति ॥ ५ ॥

स होवाच प्राञ्चमेनमचैषं प्रत्यञ्चमेनमचैषं न्यञ्चमेनमचैषमुत्तानमेनमचैषꣳ सर्वा ऽअनुदिश ऽएनमचैषमिति ॥ ६ ॥

स यत्प्राञ्चं पुरुषमुपदधाति । प्राच्यौ स्रुचौ तत्प्राङ् चीयतेऽथ यत्प्रत्यञ्चं कूर्ममुपदधाति प्रत्यञ्चि पशुशीर्षाणि तत्प्रत्यङ् चीयतेऽथ यन्न्यञ्चं कूर्म-

---

यद्यु वा एनं प्रत्यञ्चमचैषीः—कस्मादस्य तर्हि पश्चात्पुच्छमकार्षीः ॥ ३ ॥

यद्यु वा एनं न्यञ्चमचैषीः—यथा नीचः शयानस्य पृष्ठेऽन्नाद्यं प्रतिष्ठापयेत्तादृक् तत् । नैव ते हविः प्रतिग्रहिष्यति ॥ ४ ॥

यद्यु वा एनमुत्तानमचैषीः—न वा उत्तानं वयः स्वर्गं लोकमभिवहति । न त्वा स्वर्गं लोकमभिवक्ष्यति । अस्वर्ग्य उ ते भविष्यतीति ॥ ५ ॥

स होवाच—प्राञ्चमेनमचैषम् । प्रत्यञ्चमेनमचैषम् । न्यञ्चमेनमचैषम् । उत्तानमेनमचैषम् । सर्वा अनु दिश एनमचैषमिति ॥ ६ ॥

स यत्प्राञ्चं पुरुषमुपदधाति—प्राच्यौ स्रुचौ तत्प्राङ् चीयते । अथ यत्प्रत्यञ्चं कूर्ममुपदधाति—प्रत्यञ्चि पशुशीर्षाणि तत्प्रत्यङ् चीयते । अथ न्यन्न्यञ्चं कूर्ममुपदधाति—न्यञ्चि पशुशीर्षाणि,

---

कृतवानसि, प्राङ्मुखस्य पक्षिणः पुच्छं पश्चिमतः तिष्ठति । प्रत्यङ्मुखस्य तु पुच्छं पूर्वतः । अत्र त्वया पक्षिरूपस्याग्नेः पुच्छस्य पश्चिमतः करणेन पश्चिममुखोऽग्निश्चित इति न वक्तुं युज्यत इत्यर्थः । यदि न्यञ्चोऽवाङ्मुखश्चितस्तर्हि तस्योपरि हविःप्रक्षेपो नाम नीचीनस्यावाङ्मुखस्य शयानस्य पृष्ठभागेऽन्नाद्यनिधानसमान इत्यर्थः । यद्यग्निः उत्तानश्चितः तर्हि यथा 'उत्तानं' 'वयः' पक्षी स्वयमाकाशमुत्पतितुं न शक्नोति किल किमुत अन्यपुरुषं चञ्च्वा द्वाभ्यां पक्षाभ्यां वा गृहीत्वोत्पतितुं न शक्नुत इति । यथा यजमानेन त्वया स्वर्गप्रापणाद्धेतोः पक्षिरूपेण चितोऽग्निः चितवन्तं त्वां स्वर्गं लोकं प्रापयितुं न शक्नोति—उत्तानचयनादित्यर्थः । 'अभिवक्ष्यति' इति 'वह प्रापणे'—(धा. पा. भ्वा. उ. १०२९) । लृटि स्यप्रत्यये रूपम् । एवमेकैकदिगभिमुखत्वेन चयनदोषा उक्ताः ॥ २–५ ॥

अथाग्निचित् पश्चित् उक्तदोषपरिजिहीर्षया सकलदिङ्मुखमग्निं चितवानित्याह—स होवाच प्राञ्चमेनमिति । प्रागादिचतुर्दिगभिमुखः इत्यवान्तरदिगभिमुखश्च चित इत्यर्थः ॥ ६ ॥

विपरीतानुष्ठानेऽन्येन चोदिते स्वयमपि यथाविधि कृतमित्युक्तम् । तत् वचनमात्रेण कर्म साङ्गं न भवतीति मत्वा स्वानुष्ठानप्रकारेणाग्नेः सकलदिगभिमुखत्वं विशदयति—स य त्प्राञ्चं पुरुषमुपदधातीति । हिरण्मय-

मुपदधाति न्यञ्चि पशुशीर्षाणि नीचीरिष्टकास्तन्न्यङ् चीयतेऽथ यदुत्तानं पुरुषमुपदधात्युत्ताने स्रुचाऽउत्तानमुलूखलमुत्तानामुखां तदुत्तानश्चीयतेऽथ यत्सर्वाऽअनु दिशः परिसर्पमिष्टकाऽ उपदधाति तत्सर्वतश्चीयते ॥ ७॥
(अर्धप्रपाठकः कंडिका संख्या ॥ ३८ ॥)

(तेऽथ) अथ ह कोषा धावयन्तः । (न्तो) निरूढशिरसमग्निमुपाधावयाञ्चक्रुस्तेषाᳬहैकऽ उवाच श्रीर्वै शिरः श्रियमस्य निरौहीत्सर्वज्यानिं ज्यास्यतऽइति स ह तथैवास ॥ ८ ॥

नीचीरिष्टकाः । तत् न्यङ् चीयते । अथ यदुत्तानं पुरुषमुपदधाति–उत्ताने स्रुचा उत्तानमुलूखलम्, उत्तानामुखां तदुत्तानश्चीयते । अथ यत्सर्वा दिशः परिसर्पमिष्टका उपदधाति । तत्सर्वतश्चीयते ॥ ७ ॥

अथ ह कोषा धावयन्तो निरूढशिरसमग्निमुपाधावयाञ्चक्रुः । तेषां हैक उवाच–श्रीर्वै शिरः, श्रियमस्य निरौहीत् । सर्वज्यानिं ज्यास्यते–इति । स ह तथैवास ॥ ८ ॥

पुरुषस्य स्रुचोश्च प्राचीमुखत्वेनोपधानादग्नेः प्राङ्मुखत्वेन चयनं जातम् । कूर्मस्य पशुशीर्षाणां प्रत्यक्त्वेनावाङ्मुखत्वेन चोपधानात्प्रत्यक्त्वमवाक्त्वं च, अग्नेः इष्टकानां नीचीनत्वेनोपधानं नाम ऋजुलेखादक्षिणापसव्यालिखितादिलेखानामुपरिभागे दर्शनं पशुशीर्षोपधाने पुरुषशीर्षस्य स्रुचोरुलूखलोखयोश्चोत्तानत्वोपधानादग्नेः ऊर्ध्वं चयनं सिद्धमित्यर्थः । अथ यत्सर्वा अनु दिशः–इत्यस्यायमर्थः–'परिसर्पम्' परिसृप्य । णमुल् प्रत्ययः । अपस्याप्राणभृदश्विनीदिश्यावैश्वदेव्यादिषु सर्वत उपधानमिति अग्नेः सर्वतश्चयनं निष्पन्नमित्यर्थः ॥ ७ ॥

अथ पक्षिरूपस्य चित्याग्नेरिष्टकोपधानक्रमेण कूर्मपशुशिरः परोऽक्षम्–आहवनीयाग्निरेव प्रत्यक्षं शिरः–न तु पक्षपुच्छवत् पृथक् शिरसः करणमिति वक्तुं पृथक्करणपक्षं पुरावृत्तकथनेन निन्दति–अथ ह कोषा धावयन्तो निरूढशिरस इति । 'कोषाः' नाम–ऋषयः ' धावयन्तः आर्त्विज्याय गच्छन्तः याजयन्तः 'अग्निं' 'निरूढशिरसम्' ' उपाधावयाञ्चक्रुः ' । यस्य कस्य चन यजमानस्य गृहे शिरः पृथक् चितवन्तः । आपस्तम्बेनापि शिरसः पृथक्पृथक्त्वपक्षो निरूपितो विद्यते । "शिरसो निरूहणं न विद्यत इत्यपरम् " इति । ' तेषाम् ' इत्यादिना तन्निराकरणं । तेषां तथा चितवतां कोषाणां याजयितॄणां मध्ये ' एकः ' उक्तवान् । किमिति तदाह–शिरो नाम ' श्रीः ' । शिरसः श्रीरूपत्वं सर्वदेवाश्रयणादिति षष्ठे काण्डादौ (श. प. ६ । १ । १ । ४–७) प्रतिपादितम् । अस्य यज्ञस्य श्रियं शिरः निरौहीत् पृथक्कृतमकार्षीत् । ऋत्विग्जन इत्यध्याहारः । अतोऽग्नेः पृथक् शिरसो निरूहणेन यजमानात् श्रीरेवमेव पृथक् कृता । अतोऽयं यष्टा ' सर्वज्यानिं ' ' ज्यास्यते ' सर्वथा श्रीक्षीणो भविष्यतीति–स ह तथैवास इति वाक्येन श्रुतिः स्वयमृत्विग्भिः कोषैस्तथा पृथक्करणेन यजमानोऽपि तथा निःश्रीक आसेति तन्मतनिन्दयोक्तवती ॥ ८ ॥

(सोऽथ) अथ हैकऽ उवाच । प्राणा वै शिरः प्राणानस्य निरौहीदिति क्षिप्रे ऽमुं लोकमेष्यतीति सऽ उ ह तथैवास ॥ ९ ॥

(सो) ऊर्ध्वो वा ऽएष ऽएतच्चीयते । यद्दर्भस्तम्बो लोगेष्टकाः पुष्करपर्णꣳ रुक्मपुरुषौ स्रुचौ स्वयमातृण्णा दूर्व्वेष्टका द्वियजू रेतःसिचौ विश्वज्योतिर्ऋतव्येऽअषाढा कूर्मोऽथ हास्यैतदेव प्रत्यक्षतमाꣳ शिरो यश्चितेऽग्निर्निधीयते तस्मान्न निरूहेत् ॥ १० ॥

इति चतुर्थप्रपाठके तृतीयं ब्राह्मणम् ॥ १०-४-३ ॥ (५. ५.) ॥

इति पञ्चमोऽध्यायः समाप्तः ॥ १०-५ ॥

अथ हैक उवाच-प्राणा वै शिरः, प्राणानस्य निरौहीत् । क्षिप्रेऽमुं लोकमेष्यतीति । स उ ह तथैवास ॥ ९ ॥

ऊर्ध्वो वा एष एतच्चीयते । यत्-दर्भस्तम्बः, लोगेष्टकाः, पुष्करपर्णम्, रुक्मपुरुषौ, स्रुचौ, स्वयमातृण्णा, दूर्वेष्टका, द्वियजू, रेतःसिचौ, विश्वज्योतिः, ऋतव्ये, अषाढा, कूर्मः । अथ हास्यैतदेव प्रत्यक्षतमां शिरो यश्चीते-अग्निर्निधीयते । तस्मान्न निरूहेत् ॥ १० ॥

अथ शिरसः प्राणरूपत्वमेव मतं तत्रैव दोषान्तरं समुच्चिनोति-अथ हैक उवाच प्राणा वै शिर इति । 'शिरः' नाम प्राणास्तदाधारत्वात् यतोऽग्नेः पृथक्करणेन यजमानात् प्राणानां पृथक्करणम्, अतः स क्षिप्रेण वेगेनामुं परलोकमेष्यति न तु चिरंजीविष्यतीति 'एक उवाच' । स उ ह तथैवास इति । निन्दाप्रदर्शनाय वाक्योपन्यासः ॥ ९ ॥

एवं शिरसः पृथक्करणपक्षो निन्दितः यद्येतर्हि पक्षिरूपोऽग्निः शिरोरहितः स्यादितीमामाशंक्कां परिहर्त्तुमिष्टकाभिरेव परोऽक्षमपरोऽक्षं च शिरः सम्पादयति-ऊद्दर्ध्वो वा एष एतच्चीयत इति । 'एषः' अग्निः 'ऊद्दर्ध्वश्चीयते' तदुत्तरोत्तरक्रमेणोर्ध्वं उन्नतश्चितः । यथा तिष्ठतः पुरुषस्य पादबाह्वादयोऽवयवा उत्तरोत्तरक्रमेणावस्थिताः संतो मूर्द्धांतं यंति एवं चास्य चित्याग्नेरवयवरूपेष्टकासंनिवेशं दर्शयति-यद्दर्भस्तम्बो लोगेष्टका इत्यादिना । दर्भस्तम्बादिदूर्वेष्टकापर्यन्तमुत्तरोत्तरं क्रमेणोपहितानां मध्ये पुष्करपर्णरुक्मौ पादरूपौ पुरुषो हिरण्मयो हृदयान्तवर्ती, 'स्रुचौ' बाहुद्वयस्थानीये, 'स्वयमातृण्णा' कण्ठात्मिका, 'दूर्वेष्टका' लोमरूपा, एवं 'द्वियजूरेतःसिचौ विश्वज्योतिर्ऋतव्ये अषाढा' इत्येता इष्टका यथायथमवयवरूपाः कल्पनीयाः 'कूर्मः' मूर्द्धस्थानीयः, एवमिष्टकोपधानक्रमेण पादादिमूर्द्धान्तपरिकल्पनया कूर्म एव परोऽक्षं शिर इत्युक्तम् । अथ प्रत्यक्षतमं शिरो दर्शयति-अथ हास्यैतदेव प्रत्यक्षतमां शिर इति । यद्यपि कूर्मः अप्रत्यक्षो मूर्द्धा, अथापि तस्योपरीष्टकोपधानादन्तर्हितो मूर्धेति ये मन्यन्ते तान् प्रति प्रत्यक्षतमशिरोवर्णनं

चित्याग्नेरुपरि निहितोऽग्निराहवनीय एव प्रत्यक्षतमां सर्वैरत्यन्तं दृष्टं शिर इत्यर्थः । यतः कूर्मे आहवनीयोऽग्निश्च चित्याग्नेः शिरः ' तस्मान्न निरूहेत् ' पृथक् शिर इष्टकाभिर्न कुर्यादित्यर्थः ॥ १० ॥

इति श्रीसायणाचार्यविरचिते माधवीये वेदार्थप्रकाशे माध्यन्दिनीयशतपथब्राह्मणभाष्ये
दशमकाण्डे पञ्चमेऽध्याये पंचमं ब्राह्मणम् ॥ (१०–५–५) ॥

वेदार्थस्य प्रकाशेन तमो हार्दं निवारयन् । पुमर्थांश्चतुरो देयाद् विद्यातीर्थमहेश्वरः ॥ १ ॥

ब्रह्माण्डं गोसहस्रं कनकहयतुलापूरुषौ स्वर्णगर्भं,
सप्ताब्धीन्पञ्चसीरींस्त्रिदशतरुलताधेनुसौवर्गभूमीः ।
रत्नोस्रां रुक्मवाजिद्विपमहितरथौ सायणिः सिङ्गणार्यो,
व्यश्राणीद्विश्वचक्रं प्रथितविधिमहाभूतयुक्तं घटं च ॥
धान्याद्रिं धन्यजन्मा तिलभवमतुलः स्वर्णजं वर्णमुख्यः,
कार्पासीयं कृपावान्गुडकृतमजडो राजतं राजपूज्यः ।
आज्योत्थं प्राज्यजन्मा लवणजमनृणः शार्करं चार्कतेजा,
रत्नाढ्यो रत्नरूपं गिरिमकृत मुदा पात्रसात्सिङ्गणार्यः ॥

इति श्रीमद्राजाधिराजपरमेश्वरवैदिकमार्गप्रवर्त्तकश्रीहरिहरमहाराजसाम्राज्यधुरन्धरेण सायणा
चार्येण विरचिते माधवीये वेदार्थप्रकाशे माध्यन्दिनीयशतपथब्राह्मणभाष्ये
दशमकाण्डे पञ्चमोऽध्यायः समाप्तः ॥ (१०–५) ॥

अथ षष्ठेऽध्याये प्रथमं ब्राह्मणम् ।

चतुर्थप्रपाठके च चतुर्थं ब्राह्मणम् ।

अथ हैतेऽरुणे । (ण॒ऽ) औपवेशौ समाजग्मुः सत्ययज्ञः पौलुषिर्महाशालो जाबालो बुडिल ऽआश्वतराश्विरिन्द्रद्युम्नो भाल्लवेयो जनः शार्कराक्ष्यस्ते ह व्वैश्वानरे समासत तेषाᳫँ ह व्वैश्वानरे न समियाय ॥ १ ॥

ते होचुः । (उ॒) अश्वपतिर्व्वाऽअयं कैकेयः सम्प्रति व्वैश्वानरं व्वेद तं गच्छामेति ते हाश्वपतिं कैकेयमाजग्मुस्तेभ्यो ह पृथगावसथान्पृथगपचितीः पृथक्साहस्रान्त्सोमान्प्रोवाच ते ह प्रातरसंविदाना ऽएव समित्पाणयः प्रतिचक्रमिरऽउप त्वायामेति ॥ २ ॥

वैश्वानराग्न्युपासनं ब्राह्मणम् ।

अथ हैतेऽरुणे औपवेशौ समाजग्मुः–सत्ययज्ञः पौलुषिः, महाशालो जाबालः, बुडिल आश्वतराश्विः, इन्द्रद्युम्नो भाल्लवेयः, जनः शार्कराक्ष्यः । ते ह वैश्वानरे समासत । तेषां ह वैश्वानरे न समियाय ॥ १ ॥

ते होचुः–अश्वपतिर्वा अयं कैकेयः सम्प्रति वैश्वानरं वेद । तं गच्छामेति । ते हाश्वपतिं कैकेयमाजग्मुः । तेभ्यो ह पृथगावसथान् , पृथगपचितीः, पृथक्साहस्रान्त्सोमान्प्रोवाच । ते ह प्रातरसंविदाना एव समित्पाणयः प्रतिचक्रमिरे । उप त्वायामेति ॥ २ ॥

यस्य निःश्वसितं वेदा यो वेदेभ्योऽखिलं जगत् । निर्ममे तमहं वन्दे विद्यातीर्थमहेश्वरम् ॥ १ ॥

षष्ठाध्याये प्रथमे ब्राह्मणे वैश्वानरविद्या, द्वितीयब्राह्मणे पुरुषस्याग्नित्रिधार्कविधोक्थविधित्वनिरूपणम् । तृतीये शाण्डिल्यविद्या, चतुर्थे उषा वा अश्वस्येत्यस्मिन् ब्राह्मणे उषाऽश्वोपासना, पञ्चमेऽर्काश्वमेधाग्न्युक्थोपासना विद्या सम्प्रदायप्रवर्त्तकमुनिवंशकथनमिति प्रतिपाद्यसङ्ग्रहः । वैश्वानरविद्यायां–**अथ हैतेऽरुण**–इत्याख्यायिका सुखावबोधार्था विद्यासम्प्रदायप्रदर्शनार्था च । अथ अनन्तरम् एते वक्ष्यमाणाः सत्ययज्ञादयः पंच ऋषयः । औपवेशौ उपवेशापुत्रे अरुणे–नामतः 'समाजग्मुः' वैश्वानरविद्यामध्येतुमरुणसकाशं गतवन्त इत्यर्थः । सत्ययज्ञो नामतः यः 'पौलुषिः' पुलुषपुत्रः, महाशालो नामतः यः जाबालपुत्रः, बुडिलो नामतः अश्वतरस्यापत्यमाश्वतराश्विः, 'इन्द्रद्युम्नः' नामतः, भाल्लवेरपत्यं भाल्लवेयः । जनो नामतः, शर्कराक्षस्यापत्यं 'शार्कराक्ष्यः' । एते पञ्चापि 'वैश्वानरे' 'समासत' वैश्वानरस्वरूपपरिज्ञानाय अरुणसमीपे स्थिताः । अथ सोऽरुणः । 'तेषां' सत्ययज्ञादीनां पञ्चानां वैश्वानरं बोधयितुं 'न समियाय' सङ्गतः शक्तो नाभवत् ॥ १ ॥

ते होचुरितीति । तदा अरुणः, इतरे सत्ययज्ञादयः पञ्च परस्परम् 'ऊचुः'–केकयदेशाधिपतिः 'अश्वपतिः' नामतः 'सम्प्रति' इदानीं 'वैश्वानरं' 'वेद' जानाति 'तं' गच्छामेति विचार्य 'अश्वपतिं' समाजग्मुः । स राजा एतेषां महर्षीणां 'पृथगावसथान्' गृहान् पृथक् पृथक् 'अपचितीः' पूजाश्च कृत्वा एते प्रतिग्रहार्थमागता

स होवाच । यन्नु भगवन्तोऽनूचाना ऽअनूचानपुत्राः किमिदमिति ते होचुर्व्वैश्वानरꣳ ह भगवान्त्सम्प्रति व्वेद तं नो ब्रूहीति स होवाच सम्प्रति खलु न्वाऽअहं व्वैश्वानरं व्वेदाभ्याधत्त समिधऽउपेता स्थेति ॥ ३ ॥

स होवाचारुणमौपवेशिम् । (इग्गौ) गौतम कं त्वं व्वैश्वानरं व्वेत्थेति पृथिवीमेव राजन्निति होवाचोमिति होवाचैष वै प्रतिष्ठा व्वैश्वानरऽ एतꣳ हि वै त्वं प्रतिष्ठां व्वैश्वानरं व्वेत्थ तस्मात्त्वं प्रतिष्ठितः प्रजया पशुभिरसि

स होवाच–यन्नु भगवन्तोऽनूचाना अनूचानपुत्राः ! किमिदमिति । ते होचुः–वैश्वानरं ह भगवान्सम्प्रति वेद, तं नो ब्रूहीति । स होवाच–सम्प्रति खलु न्वा अहं वैश्वानरं वेद । अभ्याधत्त समिधः, उपेताः स्थेति ॥ ३ ॥

स होवाचारुणमौपवेशिम् ! गौतम । कं त्वं वैश्वानरं वेत्थेति । पृथिवीमेव राजन्निति होवाच । ओमिति होवाच । एष वै प्रतिष्ठा वैश्वानरः । एतं हि वै त्वं प्रतिष्ठां वैश्वानरं वेत्थ । तस्मात्त्वं प्रति-

---

इति बुद्ध्वा तेषां 'पृथक्साहस्रान् सोमान् प्रोवाच' । सहस्रदक्षिणाकेषु सोमयज्ञेषु युष्मान् ऋत्विजो वृत्वा तत्रैकैकस्य ऋषेः सहस्रं ददामीत्यर्थः । एवमश्वपतिनोक्ते मुनयः स्वागमनप्रयोजनमनुक्त्वा परेद्युः शिष्यलक्षणयुता उपसेदुरित्याह–प्रातरसंविदाना इति । 'असंविदानाः' सङ्केतमकुर्वाणा राज्ञे स्वाशयमनाविष्कुर्वन्त एव प्रातः समित्पाणयः सन्तः 'हे राजन् त्वामुपयाम' उपासीदामेति वदन्तः 'प्रतिचक्रमिरे' तंप्रति आजग्मुः इत्यन्वयः । अत्र समित्पाणित्वं शिष्यलक्षणमित्यन्यत्राम्नायते–"समित्पाणिः श्रोत्रियं ब्रह्मनिष्ठम्" (मुण्ड. १ । २ । १२) इति । जातितो हीनं राजानं विद्यार्थिनो विनयेनोपजग्मुः; तथाऽन्यैर्विद्यार्थिभिर्भवितव्यमिति कथितं भवति ॥ २ ॥

पूर्वमसम्भवं मत्वा इदानीं महर्षीणां समित्पाणित्वेनोपसदनम् राजा पृच्छति–सहोवाच यन्नु भगवन्त इति । यद्यस्माद्यूयं हे भगवन्तो महर्षयः अनूचानाः साङ्गवेदाध्यायिनोऽनुष्ठातारः 'अनूचानपुत्राः' सनत्कुमारपुत्राः भवन्तः सन्तः किमिदमनुचितमित्युवाचेति सम्बन्धः । जातितो हीनोऽहं यूयं तु महानुभावाः तदेवमुपसदनं किमर्थमित्युक्तवानित्यर्थः । अथ ते नः विद्यार्थित्वेनागमनमिति स्वाभाविकमाविष्कुर्वन्ति–ते होचुर्वैश्वानरमिति । भगवान् वेदार्थसम्पन्नो भवान् 'संप्रति' इदानीं 'वैश्वानरं' 'वेद' जानाति तं वैश्वानरं 'नः' अस्मभ्यं 'ब्रूहि' उपदिशेति । वैश्वानरपदेन परमेश्वर इति–एतद्ब्राह्मणावसानाधिकरणेन प्रतिपादितव्यमिति 'सः' राजा 'उवाच' सम्प्रति खलु न्वा अहं वैश्वानरं वेदेति । सम्प्रति इदानी वैश्वानरं वेद जानामि । खलु न्वै । खलु न्वा इति निपातसमुदाय एकार्थवाची । नु वै इति पदद्वयं । नुशब्दस्य उकारं वैशब्दे परतः याजुषा लुंपंति । वेत्तेर्लेटयुत्तमैकवचने रूपम् । यूयं 'समिधो अभ्याधत्त' अग्नौ । 'उपेताः स्थ' उपसन्ना भवथेति राजोवाच ॥ ३ ॥

एवमन्येनापि विद्यादानेच्छा ग्राह्या, च श्रद्धानतयेति शिष्यकार्यं स्वीकार्यं सः कथमुवाचेत्याह–स होवाचारुणमौपवेशिमिति । राजा प्रथममुपवेशपुत्रमरुणम् उवाच गौतमेति अरुणस्य संबुद्धिः ।

यो वाऽएतं प्रतिष्ठां वैश्वानरं वेदाप पुनर्मृत्युं जयति सर्वमायुरेति पादौ त्वाऽएतौ वैश्वानरस्य पादौ तेऽम्लास्यतां यदि ह नागमिष्यऽइति पादौ ते विदितावभविष्यतां यदि ह नागमिष्यऽ इति वा ॥ ४ ॥

(वाऽथ) अथ होवाच सत्ययज्ञं पौलुषिम् । (प्रा) प्राचीनयोग्य कं त्वं वैश्वानरं वेत्थेत्यपऽ एव राजन्निति होवाचोमिति होवाचैष वै रयिर्वैश्वानरऽएतँ हि वै त्वँ रयिं वैश्वानरं वेत्थ तस्मात्त्वँ रयिमान्पुष्टिमानसि यो वाऽ एतँ रयिं वैश्वानरं वेदाप पुनर्मृत्युं जयति सर्वमायुरेति बस्तिस्त्वाऽएष वैश्वानरस्य बस्तिस्त्वाऽहास्यद्यदि ह नागमिष्यऽ इति बस्तिस्ते विदितोऽभविष्यद्यदि ह नागमिष्यऽ इति वा ॥ ५ ॥

ष्ठितः प्रजया, पशुभिरसि । यो वा एतं प्रतिष्ठां वैश्वानरं वेद—अप पुनर्मृत्युं जयति । सर्वमायुरेति । पादौ त्वा एतौ वैश्वानरस्य । पादौ ते अम्लास्यताम् । यदिह नागमिष्य इति । पादौ ते विदितावभविष्यताम्—यदि ह नागमिष्य इति वा ॥ ४ ॥

अथ होवाच सत्ययज्ञं पौलुषिम् । प्राचीनयोग्य ! कं त्वं वैश्वानरं वेत्थेति । अप एव राजन्निति होवाच । ओमिति होवाच । एष वै रयिर्वैश्वानरः । एतं हि वै त्वं रयिं वैश्वानरं वेत्थ । रयिमान्पुष्टिमानसि यो वा एतं रयिं वैश्वानरं वेद—अप पुनर्मृत्युं जयति सर्वमायुरेति । बस्तिस्त्वा एष वैश्वानरस्य । बस्तिस्त्वाऽहास्यद् यदि ह नागमिष्य इति । बस्तिस्ते विदितोऽभविष्यद् यदि ह नागमिष्य इति वा ॥ ५ ॥

'कं त्वं वैश्वानरं वेत्थेति' स्वाभिमतं वैश्वानरस्वरूपमुपदेष्टुं राज्ञोऽवगमार्थः प्रश्नः, पृथिवीमेव तं वैश्वानरं वेद्मि 'राजन्निति' अरुण उवाच 'ओम्' इत्यङ्गीकारः, 'एषः' पृथिवीरूपो 'वैश्वानरः' 'प्रतिष्ठा' यस्मात्त्वं वैश्वानरैकदेशं प्रतिष्ठारूपं वैश्वानरं वेत्थ—तस्मात्त्वं प्रजया, पशुभिः, प्रतिष्ठितोऽसि एवंरूपं वैश्वानरमुपासीनस्य फलमाह—यो वा एतं प्रतिष्ठामिति । 'यः' कश्चिदेतं यथोक्तमेतं वैश्वनरं वेद—सः 'पुनर्मृत्युं जयति' 'सर्वमायुः' अमृतत्वमेति । एष प्रतिष्ठारूपः वैश्वानरस्यावयवादिभिः परमेश्वरस्य पादावेव न समस्तो वैश्वानरः 'त्वा' इति निपातद्वयं । तु वै इति पदद्वयं । तु शब्दस्य उकारं वैशब्दे परतो याजुषा लुम्पंति । अतः समस्तबुद्ध्या वैश्वानरस्य ज्ञानात् पादौ ते तव विपरीतग्राहिणे 'अम्लास्यताम्' ग्लानौ गमनासमर्थावभविष्यतां यदि मां नागमिष्यः । इत्थं दोषपर्यवसानमुक्तम् । एकदेशज्ञानमेव दोष इत्याह—पादौ ते विदिताविति । वैश्वानरस्य पादमात्रं त्वया विदितं, न तु कृत्स्नो वैश्वानरः अतः साध्वकार्षीर्यन्मामागतोऽसीत्यभिप्रायः । क्रियातिपत्तौ लृङ्प्रयोगः । वाशब्दो विकल्पार्थः ॥ ४ ॥

एवमुत्तर पञ्च पर्यायाः सामान्येन व्याख्येयाः । विशेषस्तु कथ्यते—प्राचीनयोग्येति—सत्ययज्ञस्य संबोधनम्, आपः 'एव' अब्रूपं वैश्वानरं जानामि 'राजन्निति' सत्ययज्ञस्योत्तरम् । एष वै रयिर्वैश्वानर इति । एष अबात्मको

(वाऽथ) अथ होवाच महाशालं जाबालम् । (मौ) औपमन्यव कं त्वं वैश्वानरं वेत्थेत्याकाशमेव राजन्निति होवाचोमिति होवाचैष वै बहुलो वैश्वानरऽएतꣳ हि वै त्वं बहुलं वैश्वानरं वेत्थ तस्मात्त्वं बहुः प्रजया पशुभिरसि यो वाऽएतं बहुलं वैश्वानरं वेदाप पुनर्मृत्युं जयति सर्व्वमायुरेत्यात्मा त्वाऽएष वैश्वानरस्यात्मा त्वाऽहास्यद्यदि ह नागमिष्यऽइत्यात्मा ते विदितोऽभविष्यद्यदि ह नागमिष्यऽइति वा ॥ ६ ॥

(वाऽथ) अथ होवाच बुडिलमाश्वतराश्विम् । (म्वै) वैयाघ्रपद्य कं त्वं वैश्वानरं वेत्थेति वायुमेव राजन्निति होवाचोमिति होवाचैष वै पृथग्वर्त्मा वैश्वानरऽएतꣳ हि वै त्वं पृथग्वर्त्मानं वैश्वानरं वेत्थ तस्मात्त्वां पृथग्रथश्रेणयोऽनुयान्ति यो वाऽएतं पृथग्वर्त्मानं वैश्वानरं वेदाप पुनर्मृत्युं जयति सर्व्वमायुरेति प्राणस्त्वाऽएष वैश्वानरस्य प्राणस्त्वा-

---

अथ होवाच महाशालं जाबालम् । औपमन्यव ! कं त्वं वैश्वानरं वेत्थेति । आकाशमेव राजन्निति होवाच । एष वैश्वानरः । एतं हि वै त्वं बहुलं वैश्वानरं वेत्थ । तस्मात्त्वं बहुः प्रजया पशुभिरसि । यो वा एतं बहुलं वैश्वानरं वेद । अप पुनर्मृत्युं जयति सर्वमायुरेति । आत्मा त्वा एष वैश्वानरस्य आत्मा त्वाऽहास्यद् यदि ह नागमिष्य इति । आत्मा ते विदितोऽभविष्यद् यदि ह नागमिष्य इति वा ॥ ६ ॥

अथ होवाच बुडिलमाश्वतराश्विम् । वैयाघ्रपद्य ! कं त्वं वैश्वानरं वेत्थेति । वायुमेव राजन्निति होवाच ओमिति होवाच । एष वै पृथग्वर्त्मा वैश्वानरः एतं हि वै त्वं पृथग्वर्त्मानं वैश्वानरं वेत्थ ।

वैश्वानरः, 'रयिः' धनरूपः यस्माद्धनरूपं वेत्थ तस्माद्धनवान् ' पुष्टिमानसि ' । बस्तिस्त्वा एष वैश्वानरस्येति । एष रयिरूपोऽबात्मको वैश्वानरः वैश्वानरस्यावयविन ईश्वरस्य बस्तिर्मूत्राशय एव न समस्तमित्यर्थः । बस्तिस्त्वा एष इत्यत्र ' त्वा ' इति निपातद्वयम् । बस्तिस्त्वा हास्यद्यदीति । युष्मच्छब्दद्वितीयैकवचनादेशस्त्वाशब्दः त्वां भवन्तमेकदेशोपासकं सत्ययज्ञं बस्तिरहस्यं त्यक्तमभविष्यत् " ओहाक् त्यागे "–(धा. पा. जु. प. ८) ॥ ९ ॥

' औपमन्यव ' इति महाशालस्य सम्बोधनम् । आकाशात्मकं वैश्वानरं वेत्थ । ' राजन्निति '–महाशालवचनम् । एष वै बहुलो वैश्वानर इति । बहुत्वमाकाशस्य सर्वगतत्वात् । बहुगुणोपासनाम्यः ' त्वं ' प्रजयापशुभिर्बहुर्भवसि । आत्मा त्वा एष इति । ' एषः ' आकाशो वैश्वानरस्यात्मा मध्यशरीरं न कृत्स्नः । ' त्वा एषः ' इत्यत्र तु वै इति निपातद्वयम् । आत्मा त्वाऽहास्यद्यदीति युष्मदेकवचनादेशः । एवमुत्तरत्र ॥ ६ ॥

वैयाघ्रपद्येति बुडिलसंबुद्धिः । व्याघ्रपदो गोत्रमित्यर्थे–" गर्गादिभ्यो यञ् "–(पा. सू. ४।१।१०५) इति । गर्गादित्वाद्यञ् । " मध्वाभ्यां० "–(पा. सू. ७ । ३ । ३) इत्यैजागमः । " म संज्ञायाम " पदाभ्यां

ऽहास्यद्यदि ह नागमिष्य इति प्राणस्ते विदितोऽभविष्यद्यदि ह नागमिष्य ऽइति वा ॥ ७ ॥

(वाऽथ) अथ होवाचेन्द्रद्युम्नं भाल्लवेयम् । (म्वै) व्वैयाघ्रपद्य कं त्वं व्वैश्वानरं व्वेत्थेत्यादित्यमेव राजन्निति होवाचोमिति होवाचैष वै सुततेजा व्वैश्वानर ऽएतꣳ हि वै त्वꣳ सुततेजसं व्वैश्वानरं व्वेत्थ तस्मात्तवैषु सुतोऽद्यमानः पच्यमानोऽक्षीयमाणो गृहेषु तिष्ठति यो वाऽएतꣳ सुततेजसं व्वैश्वानरं व्वेदाप पुनर्मृत्युं जयति सर्व्वमायुरेति चक्षुस्त्वाऽएतद्वैश्वानरस्यचक्षुस्त्वाऽहास्यद्यदि ह नागमिष्यऽइति चक्षुस्ते विदितमभविष्यद्यदि ह नागमिष्यऽइति वा ॥ ८ ॥

तस्मात्त्वां पृथग्रथश्रेणयोऽनुयान्ति । यो वा एतं पृथग्वर्त्मानं वैश्वानरं वेद । अप पुनर्मृत्युं जयति । सर्वमायुरेति । प्राणस्त्वा एष वैश्वानरस्य प्राणस्त्वाऽहास्यद् यदि ह नागमिष्य इति । प्राणस्ते विदितोऽभविष्यद् यदि ह नागमिष्य इति वा ॥ ७ ॥

अथ होवाचेन्द्रद्युम्नं भाल्लवेयम् । वैयाघ्रपद्य ! कं त्वं वैश्वानरं वेत्थेति । आदित्यमेव राजन्निति होवाच । ओमिति होवाच । एष वै सुततेजा वैश्वानरः । एतं हि वै त्वं सुततेजसं वैश्वानरं वेत्थ । तस्मात्तवैष सुतोऽद्यमानः पच्यमानोऽक्षीयमाणो गृहेषु तिष्ठति । यो वा एतं सुततेजसं वैश्वानरं वेदाप पुनर्मृत्युं जयति । सर्वमायुरेति । चक्षुस्त्वा एतद्वैश्वानरस्य चक्षुस्त्वाऽहास्यद् यदि नागमिष्य इति । चक्षुस्ते विदितमभविष्यद् यदि ह नागमिष्य इति वा ॥ ८ ॥

मास्० "–(पा. ६ । १ । ६३ ।) इति पादस्य पद्भावः । वायुरूपं वैश्वानरं वेद्मीति बुडिलस्योत्तरम् । एष वै पृथग्वर्त्मा वैश्वानर इति । नाना वर्त्म मार्गो यस्य वायोः आवहोद्वहादिभेदेन वर्त्तमानस्य सोऽयं पृथग्वर्त्मा तदात्मनो वैश्वानरस्य ज्ञानात् पृथङ्नानाविधाः ' रथश्रेणयः ' रथपङ्क्तयः ' त्वाम् ' ' अनुयान्ति ' ' अनुगच्छन्ति । प्राणस्त्वा एष इति । पृथग्वर्त्मा आत्मा इति 'वैश्वानरस्य' प्राणवायुरेव न समस्तो वैश्वानरः ' प्राणस्त्वाऽहास्यत् ' उदक्रमिष्यत् ॥ ७ ॥

' वैयाघ्रपद्य ' इति, इन्द्रद्युम्नसम्बुद्धिः । आदित्यमेव वैश्वानरं वेद्मीति इन्द्रद्युम्नोत्तरम् । एष वै सुततेजा इति, सुतमभिषुतं सोमरूपं तेजो यस्य सोऽयं तदात्मनो वैश्वानरस्य परिज्ञानात्तव गृहेषु सुतोऽभिषुतः सोमरसः 'अद्यमानः' एतद्रूपलक्षणं पुरोडाशादि 'पच्यमानः' ' अक्षीयमाणः' सर्वदा विनाशरहितस्तिष्ठति । चक्षुस्त्वा एतत् इति । एष सुततेजोरूपादित्यात्मको वैश्वानरः अवयविनो वैश्वानरस्य परमेश्वरस्य चक्षुरेव न समस्तः । तस्मादेकदेशोपासकत्वाच्चक्षुस्त्यक्तमभविष्यद्यदि नागमिष्यश्चक्षुर्मात्रमेव विदितं ज्ञातम् । यदि ' नागमिष्यः ' इति समानम् ॥ ८ ॥

(वाऽथ) अथ होवाच जनꣳ शार्कराक्ष्यम् । (५ꣳ) सायवस कं त्वं
वैश्वानरं वेत्थेति दिवमेव राजन्निति होवाचोमिति होवाचैष वाऽअतिष्ठा
वैश्वानर ऽएतꣳ हि वै त्वमतिष्ठां वैश्वानरं वेत्थ तस्मात्त्वꣳ समाना-
नतितिष्ठसि यो वाऽएतमतिष्ठां वैश्वानरं वेदाप पुनर्मृत्युं जयति सर्व्व-
मायुरेति मूर्द्धा त्वाऽएष वैश्वानरस्य मूर्द्धा त्वाऽहास्यद्यदि ह नागमिष्यऽ
इति मूर्द्धा ते विदितोऽभविष्यद्यदि ह नागमिष्य ऽइति वा ॥ ९ ॥

तान्होवाच (चै) एते वै यूयं पृथग्वैश्वानरान्विद्वाꣳसः पृथगन्न-
मघस्त प्रादेशमात्रमिव ह वै देवाः सुविदिताऽअभिसम्पन्नास्तथा तु
वऽएनान्वक्ष्यामि यथा प्रादेशमात्रमेवाभिसम्पादयिष्यामीति ॥ १० ॥

अथ होवाच जनं शार्कराक्ष्यम् । सायवस ! कं त्वं वैश्वानरं वेत्थेति । दिवमेव राजन्निति होवाच । ओमिति होवाच । एष वा अतिष्ठा वैश्वानरः । एतं हि वै त्वमतिष्ठां वैश्वानरं वेत्थ । तस्मात्त्वं समानानतितिष्ठसि । यो वा एतमतिष्ठां वैश्वानरं वेदाप पुनर्मृत्युं जयति । सर्वमायुरेति । मूर्द्धा त्वा एष वैश्वानरस्य मूर्द्धा त्वाऽहास्यद् यदि ह नागमिष्य इति । मूर्द्धा ते विदितोऽभविष्यद् यदि ह नागमिष्य इति वा ॥ ९ ॥

तान्होवाच-एते वै यूयं पृथग्वैश्वानरान् विद्वांसः पृथगन्नमघस्त । प्रादेशमात्रमिव ह वै देवाः सुविदिताः अभिसम्पन्नाः । तथा तु व एनान्वक्ष्यामि-यथा प्रादेशमात्रमेवाभिसम्पादयिष्यामीति ॥ १० ॥

'सायवस' इति जनसंबुद्धिः । शार्कराक्ष्य इति ऋषिस्तस्य गोत्रम् । दिवमेव द्युलोकात्मकमेव वैश्वानरं वेद्मीति जनस्योत्तरम् । एष वा अतिष्ठा इति । अतीत्य सर्वमतिक्रम्य तिष्ठतीत्यतिष्ठाः, अतिष्ठागुणको वैश्वानर इत्यर्थः । यस्मात् 'त्वमतिष्ठाः'-गुणपरिज्ञानात्तस्मात् 'समानान्' अज्ञान् 'अतितिष्ठसि' अतिक्रम्य वर्तसे । मूर्द्धा त्वा एष इति । एषः अतिष्ठागुणको द्युलोकः तु वै वैश्वानरः, अवयविनो वैश्वानरस्य परमेश्वरस्य मूर्द्धैव न समस्तः, अतः समस्तमूर्द्धवैश्वानरस्यापरिज्ञानान्मूर्द्धविपरीतग्राहिणं मूर्द्धा 'अहास्यत्' त्यक्तोऽभविष्यत् । यदि माम् 'नागमिष्यः' अथवा ते तव मूर्द्धैव विदितो ज्ञातोऽभविष्यत् यदि मां नागतोऽभविष्यः-साध्वकार्षीर्यन्मागतोऽसीत्यभिप्रायः ॥ ९ ॥

एवमरुणसत्ययज्ञादीनामृषीणां वैश्वानरस्य तदेकदेशमात्रपरिज्ञानं न युक्तम्; पादादिमूर्द्धान्तावयवसंपूर्णं वैश्वानरं पुरुषमुपदिष्टवानित्याह-**तान्होवाच एते वै यूयम्**, इत्यादिब्राह्मणशेषेण । तानुक्तवैश्वानरदर्शनवत उवाच । एते यूयं पृथक् पृथगेकदेशरूपान् वैश्वानरान् विद्वांसः पृथगन्नं भुक्तवन्तः स्थ, अत उक्तावयवसंपूर्णं कृत्स्नं वैश्वानरं जानीतेति तात्पर्यम् । यच्चैवं यथोक्तावयवैः पृथिवीपादादिभिः द्युमूर्द्धान्तावयवैर्विशिष्टमेकं वस्तु तत्प्रादेशमात्रं प्रादेशप्रमाणमिव देवाः सुविदिताः सम्यक् ज्ञानवन्तोऽभिसम्पन्नाः प्राप्तफला बभूवुरित्यर्थः ।

स होवाच । मूर्द्धानमुपदिशन्नेष वाऽअतिष्ठा वैश्वानरऽइति चक्षुषीऽउपदिशन्नुवाचैष वै सुततेजा वैश्वानरऽइति नासिकेऽउपदिशन्नुवाचैष वै पृथग्वर्त्मा वैश्वानरऽ इति मुख्यमाकाशमुपदिशन्नुवाचैष वै बहुलो वैश्वानरऽइति मुख्याऽ अप ऽउपदिशन्नुवाचैष वै रयिर्वैश्वानरऽ इति चुबुकमुपदिशन्नुवाचैष वै प्रतिष्ठा वैश्वानरऽ इति सऽएषोऽग्निर्वैश्वानरो यत्पुरुषः स यो हैतमेवमग्निं वैश्वानरं पुरुषविधं पुरुषेऽन्तः प्रतिष्ठितं वेदाप पुनर्मृत्युं जयति सर्वमायुरेति न हास्य ब्रुवाणं चन वैश्वानरो हिनस्ति ॥ ११ ॥

इति चतुर्थप्रपाठके चतुर्थं ब्राह्मणम् ॥ १०-४-४ ॥ (६. १.) ॥

स होवाच मूर्द्धानमुपदिशन्-एष वा अतिष्ठा वैश्वानर इति । चक्षुषी उपदिशन्नुवाच-एष वै सुततेजा वैश्वानर इति । नासिके उपदिशन्नुवाच-एष वै पृथग्वर्त्मा वैश्वानर इति । मुख्यमाकाशमुपदिशन्नुवाच-एष वै बहुलो वैश्वानर इति । मुख्या अप उपदिशन्नुवाच-एष वै रयिर्वैश्वानर इति । छुबुकमुपदिशन्नुवाच-एष वै प्रतिष्ठा वैश्वानर इति । स एषोऽग्निर्वैश्वानरः-यत्पुरुषः । स यो हैतमेवमग्निं वैश्वानरं पुरुषविधं पुरुषेऽन्तः प्रतिष्ठितं वेद । अप पुनर्मृत्युं जयति । सर्वमायुरेति । न ह अस्य ब्रुवाणं चन वैश्वानरो हिनस्ति ॥ ११ ॥

यथा एतदेकं पादादिविशिष्टं वस्तु प्रादेशमात्रमेवाभिसम्पादयिष्यामि, तथा तुशब्द एवकारार्थे । तथैव तद्वदेव वः युष्मभ्यमेनान् वैश्वानरावयवान् ' वक्ष्यामि ' । अत्र मूर्द्धादिचुबुकान्तप्रतिष्ठः (कं०१-११) इति प्रादेशैर्द्युमूर्द्धादिभिः पृथिवीपादान्तैरवयवैरध्यात्मं मीयत इति प्रादेशमात्रः परिकल्पनम् । आचार्यैस्तु (ब्र. सू. शा. भा. १ । २ । ७ । २४) इत्यत्र शाखांतरानुसारेण प्रादेशमात्रस्य बहुधा प्रवचनं कृतम् । प्रादेशैर्द्युमूर्द्धादिभिः पृथिवीपादान्तैरध्यात्मं मीयत इति प्रादेशमात्रः, मुखादिषु करणदेशेषु कर्तृत्वेन मीयत इति प्रादेशमात्रः, द्युलोकादिपृथिव्यन्तः, प्रदेशपरिमाणो वा प्रादेशमात्रः । प्रकर्षेण शास्त्रेणादिश्यन्त इति, प्रदेशाः द्युलोकादय एव, तावत्परिमाणो वा प्रादेशमात्रः, मूर्द्धादिचुबुकान्तप्रतिष्ठ इति वा प्रादेशमात्रः इति ॥ १० ॥

अथ राजा पूर्वोक्तान् अतिष्ठा वैश्वानरादीन् वैश्वानरावयवान् मूर्द्धादिचुबुकान्तावयवेन प्रदर्शितवानिति श्रुतिराह-**स होवाच मूर्द्धानमुपदिशन्निति** । 'मूर्द्धानमुपदिशन्' राजा ' एष अतिष्ठा वैश्वानरः ' इत्युक्तवान् । मूर्द्धा अवयवोऽतिष्ठागुणः वैश्वानरात्मक इत्यर्थः । चक्षुर्द्वयं सुतं तेजो वैश्वानरः, नासिकारन्ध्रद्वयं पृथग्वर्त्म वैश्वानरः, मुख्यं मुखे भवमाकाशम् ' उपदिशन् ' बहुलगुणो वैश्वानर इत्युक्तवान्, मुख्याः मुखे भवा अप उदकान्युपदिशन् रयिर्गुणो वैश्वानर इत्युक्तवान् । चुबुकमवयवमुपदिशन्नेषु प्रतिष्ठात्मको वैश्वानर इत्युक्तवान् । चुबुकमिति अधरं मुखफलकमित्युच्यते । ' स एषोऽग्निर्वैश्वानरो यत्पुरुषः ' मूर्द्धादिचुबुकान्ते प्रादेशमात्रस्थले पुरुषावयवानां शिरःप्रभृतीनां पादान्तानां परिकल्पनात् । एषोऽतिष्ठादिगुणवैश्वानरसमष्टिरूपे एको वैश्वानरोऽग्निरित्युच्यत इति । विश्वान्नरान्पुण्यपापरूपां गतिं नयतीति विश्वानरः सर्वात्मा एक एव ईश्वरो विश्वानर एव

वैश्वानर इति । आचार्यैस्तु–वैश्वानरस्य एवमर्थ उक्तः । "विश्वश्चायं नर[1]श्च, विश्वेषां[2] वा अयं नरः[3], विश्वे[4] वा नरा[5] अस्य,[6] इति–विश्वानरः परमात्मा सर्वात्मत्वात् । विश्वानर एव वा वैश्वानरः । तद्धितोऽनन्यार्थः । राक्षसवाय-सादिवत्" । (ब्र. सू. शां. भा. । १ । २ । ७ । २८) इति । यद्वा विश्वैर्वा नरैः प्रत्यगात्मा यो विभज्य नीयते इति स वैश्वानरः, इति यथोक्तं वैश्वानराग्निं विदुषः फलमाह–स यो हैतमेवमग्निमिति । 'पुरुषविधं' पुरुषावयवयुक्तं । 'पुरुषेऽन्तः प्रतिष्ठितं' मूर्द्धादिचुबुकान्तप्रादेशमात्रमित्यर्थः । तादृशं वैश्वानरमग्निं यो वेद, सः 'पुनर्मृत्युं जयति' । 'सर्वमायुः अमृतत्वम् 'एति' । 'अस्य वैश्वानराग्नेः । व्यत्ययेन कर्मणि षष्ठी, 'ब्रुवाणम्' उपदेष्टारमपि वैश्वानरो न हिनस्ति । वैश्वानरपदेन परमात्मा विभज्यत इति । "वैश्वानरः साधारणशब्द-विशेषात्" (ब्र. सू. भा. १ । २ । ७ । २४) इत्यस्मिन्नधिकरणे आचार्यैः समर्थितम् । एतदर्थस्तत्त्वविद्भिः श्लोकाभ्यां सङ्गृहीतः–"वैश्वानरः को नु भूतदेवजीवेश्वरेषु कः । वैश्वानरात्मशब्दाभ्यामीशादन्येषु कश्चन ॥ द्युमूर्द्धत्वादिना ब्रह्मशब्दाच्चेश्वर इष्यते । वैश्वानरात्मशब्दौ तावीश्वरस्यापि वाचकौ ॥" (वै. न्या. १।२।७) इति । वैश्वानरः–किमयं वैश्वानरः कुक्षिस्थोऽग्निः, उत बाह्योऽग्निः आहोस्विदादित्यदेवता किं वा जीवात्मा, उत परमात्मेति । तत्र वैश्वानरशब्दवशादाद्यं पक्षत्रयं प्राप्तम् । "अयमग्निर्वैश्वानरो योऽयमन्तःपुरुषे येनेदमन्नं पच्यते यदिदमद्यते" (बृ. उ. ५ । ९ । १) इति श्रुतेर्वैश्वानराग्निशब्दो जाठराग्नौ प्रयुक्तः । "विश्वस्मा अग्निं भुवनाय देवा वैश्वानरम्" (ऋ. सं. १० । ८८ । १२) इति । बाह्येऽग्नौ प्रयुक्तः । "वैश्वानरस्य सुमतौ स्याम" (ऋ. सं. । १ । ९८ । १) इति देवतायां प्रयुक्तः । अतः पक्षत्रयप्राप्तिः । आत्म शब्दस्य जीवे रूढत्वात् जीवो वा वैश्वानरः स्यात् । न त्वीश्वरः तद्गमकाभावादिति प्राप्ते–ब्रूमः वैश्वानरो ब्रह्म भवितुमर्हतीति द्युमूर्द्धत्वादिश्रवणात् । तस्यैतस्यात्मनो वैश्वानरस्य मूर्द्धत्वादिना द्युलोकाद्युक्त्या जगतो वैश्वानरावयवत्वं श्रूयते–न चैतदीश्वरादन्यत्र संभवति । किंच "को न आत्मा, किं ब्रह्म" (छां. ५।११।१) इति ब्रह्मशब्दस्त्वीश्वरे मुख्यः, वैश्वानरशब्दस्तु योगवृत्त्या ब्रह्मणि वर्तते । विश्वश्चासौ नरश्च विश्वानरः सर्वात्मकः पुरुषः इत्यर्थः । विश्वानर एव वैश्वानरः । आत्मशब्दवत् जीवे ब्रह्मण्यपि वर्तते । तस्माद्वैश्वानरः परमेश्वरः । स समानार्थत्वादपीश्वर इति द्रष्टव्यम् ॥ ११ ॥

इति श्रीसायणाचार्यविरचिते माधवीये वेदार्थप्रकाशे माध्यन्दिनीयशतपथब्राह्मणभाष्ये दशमकाण्डे षष्ठेऽध्याये प्रथमं ब्राह्मणम् ॥ (१०–६–१) ॥

१–नरो जीवः । २–विश्वेषां विकाराणां ३–नरः कर्ता । ४–विश्वे सर्वे ५–नरा जीवाः ६–अस्य आत्मत्वेन नियम्यत्वेन वा । ७–"नरे संज्ञायाम्" (पा. सू. । ६ । ३ । १२९) इति पूर्वपदस्य दीर्घता । ८–रक्ष एव राक्षसः इतिवत्स्वार्थे तद्धितः प्रत्ययः इति रत्नप्रभायाम् ।

द्वयं वाऽइदमत्ता चैवाद्यं च । तद्यदोभयꣳ समागच्छत्यत्तैवाख्यायते नाद्यम् ॥ १ ॥

(१ꣳ) स वै यः सोऽत्ताऽग्निरेव सः । (०) तस्मिन्यत्किञ्चाभ्यादधत्याहितयऽ एवास्य ताऽआहितयो ह वै ताऽआहुतयऽ इत्याचक्षते परोऽक्षं परोऽक्षकामा हि देवाः ॥ २ ॥

(०) आदित्यो वाऽअत्ता । तस्य चन्द्रमा ऽएवाहितयश्चन्द्रमसꣳ ह्यादित्यऽआदधतीत्यधिदेवतम् ॥ ३ ॥

(मु) अथाध्यात्मम् । (म्प्रा) प्राणो वाऽअत्ता तस्यान्नमेवाहितयोऽन्नꣳ हि प्राणऽआदधतीति न्वग्नेः ॥ ४ ॥

पुरुषस्याग्न्यर्कोक्थविधत्वोपासनं ब्राह्मणम् ।

तत्राग्निविधोपासनम् ।

द्वयं वा इदम्–अत्ता चैवाद्यं च । तद् यदोभयं समागच्छति–अत्तैवाख्यायते । नाद्यम् ॥ १ ॥

स वै यः सोऽत्ता–अग्निरेव सः । तस्मिन् यत्किञ्च अभ्यादधाति–आहितय एवास्य ताः । आहितयो ह वै ता आहुतय इत्याचक्षते । परोऽक्षम् । परोऽक्षकामा हि देवाः ॥ २ ॥

आदित्यो वा अत्ता । तस्य चन्द्रमा एवाहितयः । चन्द्रमसं ह्यादित्य आदधति । इत्यधिदेवतम् ॥ ३ ॥

अथाध्यात्मम्–प्राणो वा अत्ता, तस्यान्नमेवाहितयः । अन्नं हि प्राणा आदधति । इति नु अग्नेः ॥ ४ ॥

द्वितीये पुरुषस्यैवाग्निविधत्वमर्कविधत्वमुक्थविधत्वमुच्यते–द्वयं वा इदमिति । 'इदं' जगत् 'अत्ता चैवाद्यं च' इति 'द्वयं' द्व्यात्मकं योऽत्ता भोक्ता, 'आद्यं' भोग्यं तदुभयं यदा 'समागच्छति' युक्तमेकीभूतं भवति तदा 'द्वयम्' अत्तैवेत्याख्यायते, आद्यमिति नाख्यायते ॥ १ ॥

योऽत्तेत्युक्तः सोऽग्निरेव तस्मिन्नत्तृरूपेऽग्नौ यत्किञ्च वस्त्वभ्यादधति प्रक्षिपन्ति–अस्याग्नेस्ताः प्रक्षिप्ता आहितय इत्युच्यन्ते आधानादाहितयः । दधातेः–क्तिनि । (पा. सू. ७ । ४ । ४२) हिरादेशः । आहितानामेवाहुतित्वम् ॥ २ ॥

अत्रोक्तयोः अत्त्राहुत्योरधिदैवमध्यात्मं चार्थमाह–आदित्यो वा अत्तेति । 'योऽयमत्ताऽग्निः' 'सः' आदित्यः । तस्याहितयः 'चन्द्रमाः' । 'चन्द्रमसं ह्यादित्य आदधति' इत्यनेन चन्द्रमस आदित्ये आधानादाहितित्वं प्रतिपादितम् ॥ ३ ॥

अध्यात्मं प्राण एवात्ता । 'तस्य' आद्यम् 'अन्नमेवाहितयः' 'प्राणे' अन्नस्याधानादाहितित्वं व्यक्तम् । इति न्वग्नेः–इति । इति नु अत्ता आद्यम् एवम् 'उभयम्' भागद्वयमग्नेरेव समाख्या । स चात्ताऽग्निरिति

(रु) अ॒थार्क॑स्य । (स्या) अ॒ग्निर्वा॑ऽअ॒र्कस्तस्या॑हुतय॒ऽएव॒ कमा॑हु॒तयो॒ ह्य॒ग्नये॒ कम् ॥ ५ ॥

(मा) आ॒दि॒त्यो वा॑ऽअ॒र्कः । (स्तु) स्तस्य॑ चन्द्र॒माऽ एव॒ कं च॒न्द्रमा॒ ह्या॒दि॒त्याय॒ कमि॒त्यधि॑दैवतम् ॥ ६ ॥

(मु) अ॒थाध्या॒त्मम् । (म्प्रा) प्रा॒णो वा॑ऽअ॒र्कस्तस्या॒न्नमे॑व॒ कम॒न्नꣳ हि प्रा॒णाय॒ कमि॒ति न्वे॒वार्क॑स्य ॥ ७ ॥

(स्या) अ॒थोक्थ॑स्य । (स्या) अ॒ग्निर्वा॑ऽउ॒क्थस्या॑हु॒तय॒ऽ एव॒ थमा॑हु॒तिभि॒र्ह्य॒ग्निरु॒त्तिष्ठ॑ति ॥ ८ ॥

अर्कविधोपासनम् ।

अथार्कस्य—अग्निर्वा अर्कः । तस्याहुतय एव कम् आहुतयो ह्यग्नये कम् ॥ ५ ॥

आदित्यो वा अर्कः, । तस्य चन्द्रमा एव कम् । चन्द्रमा ह्यादित्याय कम् । इत्यधिदेवतम् ॥ ६ ॥

अथाध्यात्मम् । प्राणो वा अर्कः । तस्यान्नमेव कम् । अन्नं हि प्राणाय कम् । इति नु एवार्कस्य ॥ ७ ॥

उक्थविधोपासनम् ।

अथोक्थस्य अग्निर्वा, उक् तस्याहुतय एव थम् । आहुतिभिर्ह्यग्निरुत्तिष्ठति ॥ ८ ॥

तस्याग्नेस्तत्र च निहितानां वस्तूनामधिदैवाध्यात्मपरत्वेनार्थद्वयव्याख्यानादग्नेर्विधोक्तेति शेषः । अग्निशब्दोपजीवनादग्निविधः पुरुष इत्युक्तं भवतीति तात्पर्यम् ॥ ४ ॥

अर्कशब्दोपजीवनेन पूर्ववदग्न्याहुत्योरर्थद्वयं दर्शयितुं प्रतिजानीते—अथार्कस्येति । विधोच्यते—इति शेषः । अग्निर्हि—' अर्कः ' इत्युच्यते, ' तस्याहुतय एव कम् '—इति ' कं ' पदेनोच्यते । ' हि ' यस्मात् ' अग्नये ' आहुतयः कं सुखहेतवोऽतोऽर्कशब्देनाग्न्याहुतिद्वयं विवक्ष्यत इत्यर्थः ॥ ५ ॥

एतयोरर्कवाच्ययोरग्न्याहुत्योरधिदैवाध्यात्मपरत्वेनार्थमाह—आदित्यो वा अर्क इति । अथाध्यात्ममिति । इति न्वेवार्कस्य इति । पूर्ववद्व्याख्येयम् ॥ ६ ॥ ७ ॥

उक्थशब्दोपजीवनेन पूर्ववदग्न्याहुत्योरर्थद्वयं वक्तुं प्रतिजानीते- अथोक्थस्येति । उक्थन्दवाच्यः ' अग्निः ' थशब्दवाच्याः ' आहुतयः ' । ' हि ' यस्मात् ' आहुतिभिः ' अग्निरुत्तिष्ठति—उत्तिष्ठत्यनेनाग्निरिति उक्थशब्दनिष्पत्त्या, अग्न्याहुत्योरुक्थशब्दवाच्यत्वं छान्दसो वर्णो यजनो द्रष्टव्यः ॥ ८ ॥

(त्या) आदित्यो वाऽउक् । (त्तु) तस्य चन्द्रमाऽ एव थं चन्द्रमसा ह्यादित्यऽ उत्तिष्ठतीत्यधिदैवतम् ॥ ९ ॥

(मु) अथाध्यात्मम् । (म्प्रा) प्राणो वा ऽउक्तस्यान्नमेव थमन्नेन हि प्राणऽ उत्तिष्ठतीति न्वेवोक्थस्य स ऽएषोऽग्निविधोऽर्कविध ऽउक्थविधो यत्पुरुषः स यो हैतमेवमग्निविधमर्कविधमुक्थविधं पुरुषमुपास्ते विदुषो हैवास्यैवं भ्रातृव्यो म्लायति ॥ १० ॥

प्राणेन वाऽअग्निर्दीप्यते । (तेऽग्नि) अग्निना वायुर्व्वायुनाऽऽदित्यऽआदित्येन चन्द्रमाश्चन्द्रमसा नक्षत्राणि नक्षत्रैर्व्विद्युदेतावती वै दीप्तिरस्मिंश्च लोकेऽमुष्मिंश्च सर्व्वाᳬ हैतां दीप्तिं दीप्यतेऽस्मिंश्च लोकेऽमुष्मिंश्च य ऽएवं व्वेद ॥ ११ ॥

इति चतुर्थप्रपाठके पञ्चमं ब्राह्मणम् ॥ १०।४।५ ॥ (६. २.)

आदित्यो वा उक्, तस्य चन्द्रमा एव थम् । चन्द्रमसा हि आदित्य उत्तिष्ठति । इत्यधिदैवतम् ॥ ९ ॥

अथाध्यात्मम्—प्राणो वाऽउक्, तस्यान्नमेव थम् । अन्नेन हि प्राण उत्तिष्ठति—इति नु एवोक्थस्य । स एषोऽग्निविधः, अर्कविधः, उक्थविधः । यत् पुरुषः सः । यो हैतमेवमग्निविधमर्कविधमुक्थविधं पुरुषमुपास्ते । विदुषो हैवास्यैवं भ्रातृव्यो म्लायति ॥ १० ॥

प्राणेन वा अग्निर्दीप्यते, अग्निना वायुः, वायुनाऽऽदित्यः, आदित्येन चन्द्रमाः, चन्द्रमसा नक्षत्राणि, नक्षत्रैर्विद्युत् । एतावती वै दीप्तिः अस्मिंश्च लोके—अमुष्मिंश्च । सर्वां हैतां दीप्तिं दीप्यते । अस्मिंश्च लोके, अमुष्मिंश्च । य एवं वेद ॥ ११ ॥

तयोरुक्थवाच्ययोरग्न्याहुत्योरधिदैवाध्यात्मपरत्वेनार्थमाह—आदित्यो वा उगिति । अथाध्यात्ममिति इति । इति न्वेवोक्थस्येति—पूर्ववत् । एवमग्न्यादिशब्दार्थवचने यदुक्तं तद्दर्शयति—स एषोऽग्निविध इति । यत्पुरुषः स इति । तस्योक्तरीत्याऽग्निविधादिसम्पत्तिः । यथोक्तं पुरुषं विदुषः फलमाह—स यो हैतमेवमिति—'भ्रातृव्यः' सपत्नः 'म्लायति' नश्यति ॥ ९ ॥ १० ॥

प्राणाग्न्यादित्यचन्द्रमःप्रसङ्गाज्ज्योतीरूपोपासनं फलं चाह—प्राणेन वा अग्निर्दीप्यत इति । योऽयमग्निरत्ता इत्युक्तः स ह प्राणेन दीप्यते प्राणवायोरभावेऽल्पत्वेऽग्नेर्दीपनं नास्ति । अग्निना वायुर्दीप्यते वायुनाऽऽदित्यावष्टम्भात् भानोर्दीपनम्, आदित्येन चन्द्रमसः प्रकाशो—ज्योतिःशास्त्रे प्रसिद्धः । रात्रौ नक्षत्राणि चन्द्रमसा प्रकाशन्ते । दिवा हि महत्तरेण सूर्यप्रकाशेन तिरोभूतत्वान्न तदा प्रकाशः । नक्षत्रैर्विद्युत्प्रकाश्यते एतावती हि

सत्यं ब्रह्मेत्युपासीत । (तु॒ऽअथ) अथ खलु क्रतुमयोऽयं पुरुषः स यावत्क्रतुरयमस्माल्लोकात्प्रैत्येवं क्रतुर्हामुं लोकं प्रेत्याभिसम्भवति ॥ १ ॥

स ऽआत्मानमुपासीत । मनोमयं प्राणशरीरं भारूपमाकाशात्मानं कामरूपिणं मनोजवसꣳ सत्यसंकल्पꣳ सत्यधृतिꣳ सर्व्वगन्धꣳ सर्व्वरसꣳ सर्व्वा ऽअनु दिशः प्रभूतꣳ सर्व्वमिदमभ्याप्तमवाक्कमनादरं यथा व्रीहिर्वा यवो वा श्यामाको वा श्यामाकतण्डुलो वैवमयमन्तरात्मन्पुरुषो हिरण्मयो यथा ज्योतिरधूममेवं ज्यायान्दिवो ज्यायानाकाशाज्ज्यायानस्यै पृथिव्यै ज्यायान्त्सर्व्वेभ्यो भूतेभ्यः स प्राणस्यात्मैष मऽआ-

---

शाण्डिल्याग्न्युपासनं ब्राह्मणम् ।

सत्यं ब्रह्मेत्युपासीत । अथ खलु क्रतुमयोऽयं पुरुषः-स यावत्क्रतुरयमस्माँल्लोकात्प्रैति । एवं क्रतुर्हामुं लोकं प्रेत्याभिसम्भवति ॥ १ ॥

स आत्मानमुपासीत । मनोमयं प्राणशरीरं भारूपमाकाशात्मानं, कामरूपिणं, मनोजवसं, सत्यसंकल्पं, सत्यधृतिं, सर्वगन्धं, सर्वरसं, सर्वा अनु दिशः प्रभूतं सर्वमिदमभ्याप्तमवाक्कमनादरम् । यथा

लोकद्वये दीप्तिः । भूलोके हि प्राणाग्निवायवः, इतरेतरस्मिन्निति । यः पुरुषः एतावतीं लोकद्वयगतां दीप्तिं 'वेद' जानाति उपास्ते तस्य सर्वतेजोरूपत्वं फलमित्यर्थः ॥ ११ ॥

इति श्रीसायणाचार्यविरचिते माधवीये वेदार्थप्रकाशे माध्यन्दिनीयशतपथब्राह्मणभाष्ये दशमकाण्डे षष्ठेऽध्याये द्वितीयं ब्राह्मणम् ॥ (१० । ६ । २) ॥

तृतीये शाण्डिल्यविद्योच्यते—सत्यं ब्रह्मेत्युपासीतेति । 'सत्यम्' अबाध्यं नित्यं ब्रह्मेति वक्ष्यमाणैर्मनोमयत्वादिभिर्गुणैरुपेतमात्मानमुपासीत 'ब्रह्म' बृहतः सकलजगतः सृष्टिस्थितिसंहृतिहेतुभूतम् । तथा च च्छान्दोग्ये शाण्डिल्यविद्यामेव प्रस्तोतुमाम्नायते—"सर्वं खल्विदं ब्रह्म तज्जलान् इति शान्त उपासीत"—(छान्दो.उप. ३।१४।१) इति । तदुपासनप्रतिपादनाय—अथ खल्वित्यादिग्रन्थः—अथ खल्विति । हेत्वर्थः । अथ खलु यस्मात् 'क्रतुमयः' क्रतुर्निश्चयोऽध्यवसायः । एवमेव नान्यथेत्यविचलितप्रत्ययः । तदात्मकः सः पुरुषो जीवो 'यावत्क्रतुः' यादृशक्रतुः, यथाध्यवसायो यादृङ्निश्चयोऽस्मिन् लोके जीवत्पुरुषो भवति । तथाऽयं क्रतुरस्माल्लोकात्प्रेत्य मृत्वा 'अमुं लोकमभिसम्भवति' क्रत्वनुरूपफलात्मको भवतीत्यर्थः । एवं च एतच्छास्त्रतो दृष्टम्—"यं यं वाऽपि स्मरन् भावं त्यजत्यन्ते कलेवरम् । तं त मेवैति कौन्तेय सदा तद्भावभावितः"—(भ. गी. अ. ८।६) इति । यतः क्रत्वनुरूपं फलमुक्तं । ब्रह्मात्मविषयः क्रतुः कर्तव्य इत्यभिप्रायः ॥ १ ॥

कथं क्रतुकरणमिति तत्राह—स आत्मानमुपासीत मनोमयमित्यादि । सत्यं ब्रह्म मनोमयत्वादिगुणविशिष्टमात्मानमुपासीत एतदेव क्रतुकरणं 'मनोमयं' मनःप्रायं—मनुतेऽनेनेति मनः—यस्य प्रवृत्त्या विषयेषु प्रवृत्तो

त्मैतमित ऽआत्मानं प्रेत्याभिसम्भविष्यामीति यस्य स्यादद्धा न विचिकित्साऽस्तीति ह स्माह शाण्डिल्यऽएवमेतदिति ॥ २ ॥

इति चतुर्थप्रपाठके षष्ठं ब्राह्मणम् ॥ १०।४।६॥ (६-३)

व्रीहिर्वा, यवो वा, श्यामाको वा, श्यामाकतण्डुलो वा । एवमयमन्तरात्मन्पुरुषो हिरण्मयः । यथा ज्योतिरधूमम्, एवम् ज्यायान् दिवः । ज्यायानाकाशात् । ज्यायानस्यै पृथिव्यै । ज्यायान्त्सर्वेभ्यो भूतेभ्यः । स प्राणस्यात्मा । एष मे आत्मा । एतमित आत्मानं प्रेत्याभिसम्भविष्यामीति यस्य स्यात् । अद्धा न विचिकित्साऽस्ति, इति ह स्माह शाण्डिल्यः । एवमेतदिति ॥ २ ॥

भवति—तेन मनसा—तन्मयः-तत्प्रवृत्तौ प्रवृत्त इव—तदपाये निवृत्त इव । अत एव मनोमयं प्राणशरीरं प्राणः शरीरं यस्य—प्राणो लिङ्गात्मा । विज्ञानक्रियाशक्तिद्वयसंमूर्च्छितः । "यो वै प्राणः स प्रज्ञा या वा प्रज्ञा स प्राणः" (कौषि. उ. । ३ । ३ ।) इति । "स एष प्राण एव प्रज्ञात्मा" (कौषि. उप. । ४। २०) इति । "यस्य प्राणः शरीरं" (श. प. । १४।३।७।२१।) इति श्रुतेः । "अकृत्स्नो हि सः प्राणन्नेव प्राणो नाम भवति" (श प. । १४ । १ । २ । ७ ।) इति च श्रुतेः । 'भारूपं' भा दीप्तिश्चैतन्यात्मलक्षणा रूपं यस्य तम्, आकाशात्मानं आकाश इव आत्मा स्वरूपं सर्वगतत्वसूक्ष्मत्वरूपादिविहीनत्वादिनाऽऽकाशतुल्यं । 'कामरूपिणं' सर्वकामात्मकं । 'मनोजवसं' मनोवेगं 'सत्यसंकल्पम्' अवितथसङ्कल्पम्; संसारिणोऽनैकान्तिकफलः सङ्कल्पः नैवमीश्वरस्येत्यर्थः । 'सत्यधृतिं' यथार्थधारणं । 'सर्वगन्धं' सर्वे गन्धाः सुखकराः अस्य । "पुण्यो गन्धः पृथिव्यां च" इति स्मृतेः । 'सर्वरसं' तथा रसा अपि विज्ञेयाः । अपुण्यगन्धरसग्रहणस्य पाप्मसम्बन्धिनिमित्तश्रवणात् । तस्मात् "स नोभयं जिघ्रति यत्सुरभि यद्दुर्गन्धि न पाप्मना ह्येष विद्धः" इति श्रुतेः । न च पाप्मसंसर्ग ईश्वरस्य अविद्याशेषानुपपत्तेः । 'सर्वा अनुदिशः प्रभूतं' "सर्वा दिशोऽनु प्रभूतं सर्वतो ब्रह्म" इति श्रुतेः । 'सर्वमिदमभ्यात्तं' सर्वमिदं जगदभ्यात्तम् । आप्नोतेर्व्याप्तिकर्मणः कर्तरि निष्ठा । 'अवाकं' वाचा रहितं पूर्वं गन्धरसादिश्रवणेन ईश्वरस्य प्राप्तानि घ्राणादीनि गन्धादिग्रहणाय, अतो वाक्प्रतिषेधेन तानि प्रतिषिध्यन्ते । "अपाणिपादो जवनो ग्रहीता, पश्यत्यचक्षुः, स शृणोत्यकर्णः । स वेत्ति वेद्यं न च तस्यास्ति वेत्ता तमाहुरग्र्यं पुरुषं महान्तम् ॥" (श्वेता० ३।१९) इति मन्त्रवर्णात् । 'अनादरम्' असंभ्रमम्—अप्राप्तौ अतिसंभ्रमः स्यादनाप्तकामस्य । ननु नित्यतृप्तस्येश्वरस्य संभ्रमोऽस्ति । एवं गुणकमात्मानमुपासीतेत्यन्वयः । तस्यैवाणुत्वज्यायस्त्वपरिमाणं दर्शयति—**यथा व्रीहिर्वा यवो** वेति । व्रीह्याद्युपन्यासोऽत्यन्तसूक्ष्मत्वप्रदर्शनार्थः, श्यामाकतण्डुलो वा यथा सूक्ष्मः एवं यथोक्तगुणोऽयम् 'अन्तरात्मन्' अन्तर्देहे अयं पुण्डरीकमध्ये 'हिरण्मयः' सुवर्णसमानतेजाः पुरुषोऽणीयानित्यर्थः । "आप्रणखात् सर्व एव सुवर्णः" इति श्रुतेः । अणुश्च न सर्व एव सुवर्णसमानकेवलज्योतीरूप इत्याह—**यथा ज्योतिरधूममेवमिति** । यथा धूमवर्जितं ज्योतिर्दीप्यते—एवं हिरण्मयः पुरुषो हृदयमध्ये दीप्यते । व्रीहियवश्यामाकतण्डुलवदणीयानित्युक्तेः । अणुपरिमाणत्वं प्राप्तमाशङ्क्य तत्प्रतिषेधायारभते—**ज्यायानिति** । ज्यायः परिमाणाज्ज्यायस्त्वं दर्शयन्ननन्तपरिमाणं दर्शयति—**ज्यायान् सर्वेभ्यो भूतेभ्य इति** । यथोक्तगुणलक्षण ईश्वरो ध्येयः । अत एव "तत्त्वमस्यात्मैवेदं सर्वमिति" तत्तत्तादात्म्यमात्रप्रतिपादने तात्पर्यम् । **एष म आत्मैतमित आत्मानं प्रेत्याभिसंभविष्यामीति**

लिङ्गात् आत्मशब्देन प्रत्यगात्मैवोच्यते । ' मे ' इति षष्ठ्यासम्बन्धार्थप्रत्यायकत्वात्—एतमभिसंभविष्यामीति च कर्मकर्तृविरोधात् । अतः उक्तगुणः ' प्राणस्यात्मा ' प्राणरूपस्य मे मम आत्मा इतोऽस्माच्छरीरात् प्रेत्य पूतमात्मानं क्रतुफलात्मकमभिसंभविष्यामि संपत्स्य इति—निश्चिता बुद्धिर्यस्यैवं विदितं स्याद्भवेत् ' अद्धा ' अपरोक्षेण च 'न विचिकित्साऽस्ति' एतस्मिन् क्रतुफलसम्बन्धे तथैवेश्वरभावं प्रतिपद्यत इत्येवमेतत् 'आह स्म' उक्तवान् ' शाण्डिल्यः ' नाम ऋषिरिति । अत्रेदं चिन्त्यते—किं मनोमयः प्राणशरीर इत्यादि विशेषणैर्जीवो वा ईश्वरो वेति विचारायाचार्यैरधिकरणमवतारितम्—" सर्वत्र प्रसिद्धोपदेशात् " (ब्र. सू. १।२।१। १) इति । तदर्थः श्लोकद्वयेन संगृहीतः " मनोमयोऽयं शारीर ईशो वा प्राणमानसः । हृदयस्थित्यणीयस्त्वे जीवे स्तस्तेन जीवगीः । समवायगतं ब्रह्म तद्धितादिरपेक्षते । प्राणादियोगश्चित्तार्थः श्चित्तं ब्रह्मप्रसिद्धितः ॥" (वै. न्या. मा. १ । २ । १ ।) इति । तद्धि च्छान्दोग्ये तृतीयाध्याये (खं. ३ । १४ । १ ।) शाण्डिल्यविद्यायामाम्नायते " मनोमयः प्राणशरीरो भारूपः " (छां. उ. ३ । १४ । २) इति । तत्र जीव ईश्वरो वेति सन्देहे जीव इति प्राप्तम्, मनःसम्बन्धादीनां जीवे सुसंपादत्वात् मनसो विकारो मनोमय इति मनःसम्बन्धः, प्राणः शरीरं यस्येति प्राणसम्बन्धः । न चेदं द्वयमीश्वरे सुसंपादं " अप्राणो ह्यमनाः शुभ्रः " (मुंड. उ. २ । १ । २) इति निषेधात् । तथा "एष य आत्माऽन्तर्हृदयेऽणीयान्" (छांदो. ३ । १४ । ३) इति निरूप्यमाणं हृदयावस्थानमणीयस्त्वं च निराधारस्य सर्वगतस्य न कथञ्चिदप्युपपद्यते;—तस्माज्जीव इति प्राप्ते ब्रूमः—" सर्वं खल्विदं ब्रह्म तज्जलानिति शान्त उपासीत " (छांदो. ३।१४।१) इति । एतस्मिन् शमविधिपरे पूर्ववाक्ये श्रूयमाणं यद्ब्रह्म—तदेव मनोमयः प्राणशरीर इत्येताभ्यां तद्धितबहुव्रीहिभ्यां विशेष्यत्वेनापेक्ष्यते । शमवाक्यस्यायमर्थः—यस्मात्सर्वमिदं विकारजातं ब्रह्मैव तज्जत्वात्तल्लत्वात्तदनत्वाच्च इति तस्मात् सर्वात्मके ब्रह्मणि रागद्वेषादिविषयासम्भवात् उपास्तिकाले शान्तो भवेदिति तद्वाक्यगतब्रह्मणि विशेष्यत्वेनान्विते मनोमयवाक्यस्यापि ब्रह्मपरत्वं भविष्यति । न च ब्रह्मणो मनःप्राणसम्बन्धाद्यनुपपत्तिः—निरुपाधिके तदनुपपत्तावपि सोपाधिकस्यैवोपास्यस्य चिन्तनार्थतया तदुपत्तेः । तस्मात्सर्वेष्वपि वेदान्तेषु यद्ब्रह्मोपास्यत्वेन प्रसिद्धं तदेवात्राप्युपास्यम् । न हि क्वचिदपि वेदान्ते जीवस्योपास्यत्वं प्रसिद्धम् । ततो ब्रह्मेति राद्धान्तः । तत्रापि " मनोमयः प्राणशरीरः " इत्यादिश्रुतेः । यथा " व्रीहेर्वा यवाद्वा सर्षपाद्वा श्यामाकाद्वा श्यामाकतण्डुलाद्वा" (छां. ३।१४।३) इति श्रुतेः । एष म आत्मेति । अयं जीवो ब्रह्म वेति सन्देहः । " सत्यं ब्रह्मेत्युपासीत" (श. प. १४।१०।६। ३।१) इति सत्यश्रुतेर्ब्रह्मैवेति सिद्धान्तः । सत्यामेव शाण्डिल्यविद्यामधिकृत्यान्यच्चिंतितम्—"समान एवं चाभेदात्" (ब्र.सू.भा.३।३।१०।१९) इत्यधिकरणे। तदर्थः श्लोकद्वयेनाचार्यैः संगृहीतः—"शाण्डिल्यविद्याकाण्वानां द्विविधैकविधाऽथवा । द्विरुक्तेरेकशाखायां द्वे विद्ये इति गम्यते । एका मनोमयेत्यादिप्रत्यभिज्ञानतो भवेत् । विद्याया विधिरेकत्र स्यादन्यत्र गुणो विधिः ॥ " (वै. न्या. मा. ३ । ३ । १० । १९) इति । अत्र ह्येवमाम्नायते—" स आत्मनमुपासीत मनोमयं प्राणशरीरम् " इत्यादिकम् । इदानीमुदाहृता बृहदारण्यकोपनिषदि एषैव विद्या पठिता " मनोमयोऽयं पुरुषो भाः सत्यः " (बृ. उ. ५ । ६ । १) इति । तत्र पौनरुक्त्यभयाद्विद्याभेद इति प्राप्ते ब्रूमः—मनोमयत्वादिकस्य वेद्यरूपस्य प्रत्यभिज्ञानादेकैव विद्या न च पुनरुक्तिः; एकत्र विद्यां

१–तज्जेति । तस्माज्जायत इति तज्जं । तस्मिँल्लीयत इति तल्लं । तस्मिन्ननिति चेष्टत इति तदनं । तज्जं च तल्लं च तदनं च तत्–इति तज्जलान् कर्मधारयेऽस्मिन् शाकपार्थिवन्यायेन मध्यमपदस्यतच्छब्दस्य लोपः । तज्जलानामितिवाच्ये अवयवलोपश्छांदसः । इति हेतो । इति न्यायनिर्णयः ॥

उषा वाऽअश्वस्य मेध्यस्य शिरः। सूर्य्यश्चक्षुर्व्वातः प्राणो व्यात्तमग्निर्व्वैश्वानरः संव्वत्सरऽआत्माऽश्वस्य मेध्यस्य द्यौष्पृष्ठमन्तरिक्षमुदरं पृथिवी पाजस्यं दिशः पार्श्वेऽअवान्तरदिशः पर्शवऽ ऋतवोऽङ्गानि मासाश्चार्द्धमासाश्च पर्व्वाण्यहोरात्राणि प्रतिष्ठा नक्षत्राण्यस्थीनि नभो माᳫँसान्यूवध्यᳫँ सिकताः सिन्धवो गुदा यकृच्च क्लोमानश्च पर्व्वताऽओषधयश्च व्वनस्पतयश्च लोमान्युद्यन्पूर्व्वार्द्धो निम्लोचञ्जघनार्द्धो यद्विजृम्भते तद्विद्योतते यद्विधूनुते तत्स्तनयति यन्मेहति तद्वर्षति व्वागेवास्य व्वागहर्व्वाऽअश्वं पुरस्तान्महिमाऽन्वजायत तस्य पूर्व्वे समुद्रे योनी रात्रिरेनं

अश्वावयवेषु विराडवयवोपासनं ब्राह्मणम्।

उषा वा अश्वस्य मेध्यस्य शिरः, सूर्यश्चक्षुः, वातः प्राणः, व्यात्तमग्निर्वैश्वानरः। संवत्सर आत्मा। अश्वस्य मेध्यस्य-द्यौष्पृष्ठम्, अन्तरिक्षमुदरम्, पृथिवी पाजस्यम्, दिशः पार्श्वे, अवान्तरदिशः पर्शवः, ऋतवोऽङ्गानि, मासाश्चार्धमासाश्च पर्वाणि, अहोरात्राणि प्रतिष्ठा, नक्षत्राण्यस्थीनि, नभो मांसानि, ऊवध्यं सिकताः, सिन्धवो गुदा, यकृच्च क्लोमानश्च पर्वताः, ओषधयश्च वनस्पतयश्च लोमानि, उद्यन्पूर्वार्धः, निम्लोचञ्जघनार्धः, यद्विजृम्भते-तद् विद्योतते। यद्विधूनुते-

---

विधायपरत्र तदनुवादेन सत्यत्वसर्वेशानत्वादिगुणानां विधातुं शक्यत्वात्। "अग्निहोत्रं जुहोति, दध्ना जुहोति" इत्यादिवत्। तस्मादेकविधैव शाण्डिल्यविद्या ॥ २ ॥

इति श्रीसायणाचार्यविरचिते माधवीये वेदार्थप्रकाशे माध्यन्दिनीयशतपथब्राह्मणभाष्ये दशमकाण्डे षष्ठेऽध्याये तृतीयं ब्राह्मणम् ॥ (१०-६-३) ॥

उषा वा अश्वस्य मेध्यस्य शिर इत्यादिकम्, अश्वावयवेषु विराडवयवोपासनपरं ब्राह्मणम् ॥

श्रीमच्छंकराचार्यभाष्यम्।

अस्य तु अश्वमेधकर्मसम्बन्धिनो विज्ञानस्य प्रयोजनं येषामश्वमेधे नाधिकारः तेषामस्मादेव विज्ञानात् तत्फलप्राप्तिः। " विद्यया वा कर्मणा वा तद्धैतल्लोकजिदेव " इत्येवमादिश्रुतिभ्यः कर्मविषयत्वमेव विज्ञानस्येति चेन्न; " योऽश्वमेधेन यजते य उ चैनमेवं वेद " इति विकल्पश्रुतेः। विद्याप्रकरणे चाम्नानात् कर्मांतरे च संपादनदर्शनात् विज्ञानात् तत्फलप्राप्तिरस्तीत्यवगम्यते।

१-अस्य " उषा वाऽश्वस्य, नैवेह किञ्चन " इति ब्राह्मण द्वयस्य सायणाचार्यैर्भाष्यं न कृतं वार्तिककारेण उपबृंहणपुरःसरं प्रपंचितत्वात् इति वैरेवाबोधि। अतोऽत्र एतस्मिन्ब्राह्मणद्वये श्रीमच्छंकराचार्यकृतं भाष्यं तदीयबृहदारण्यकभाष्यादुद्धृत्य संगृहीतं। अस्य ब्राह्मणद्वयस्य माध्यंदिनपाठे काण्वपाठे च सार्वात्म्येन पाठसाम्यं, क्वचित् कण्डिकाभेदेन एकद्विपदाधिक्येन अस्ति किंचित् वैलक्षण्यं, तथापि न तद्विरुध्यते इति ध्येयम्।

पश्चान्महिमाऽन्वजायत तस्यापरे समुद्रे योनिरेतौ वाऽअश्वं महिमानावभितः सम्बभूवतुर्हयो भूत्वा देवानवहद्वाजी गन्धर्वानर्वाऽसुरानश्वो मनुष्यान्त्समुद्रऽएवास्य बन्धुः समुद्रो योनिः ॥ १ ॥

इति चतुर्थप्रपाठके सप्तमं ब्राह्मणम् ॥ १०-४-७ ॥ (६-४.) ॥

तत्स्तनयति । यन्मेहति–तद्वर्षति । वागेवास्य वाक्, अहर्वा अश्वं पुरस्तान्महिमाऽन्वजायत । तस्य पूर्वे समुद्रे योनिः । रात्रिरेनं पश्चान्महिमाऽन्वजायत । तस्यापरे समुद्रे योनिः । एतौ वा अश्वं महिमानावभितः सम्बभूवतुः । हयो भूत्वा देवानवहद् । वाजी गन्धर्वान् । अर्वाऽसुरान् । अश्वो मनुष्यान् । समुद्र एवास्य बन्धुः, समुद्रो योनिः ॥ १ ॥

सर्वेषां च कर्मणां परं कर्म अश्वमेधः समष्टिव्यष्टिप्राप्तिफलत्वात् । तस्य चेह ब्रह्मविद्याप्रारंभऽआम्नानं सर्व-कर्मणां संसारविषयत्वप्रदर्शनार्थं । तथाच दर्शयिष्यति फलं अशनाया मृत्युभावं । न नित्यानां संसारविषय-फलत्वमितिचेत् ; न सर्वकर्मफलोपसंहारश्रुतेः । सर्वं हि पत्नीसंबद्धं कर्म । " जाया मे स्यादथ प्रजायेयाथ वित्तं मे स्यादथ कर्म कुर्वीयेत्येतावान्वै कामः " (बृ. उप. १४ । १ । २ । १७) इति निसर्गत एव सर्व कर्मणां काम्यत्वं दर्शयित्वा पुत्रकर्मापरविद्यानां च "त्रयो वाव लोका मनुष्यलोकः पितृलोको देवलोकः" (बृ. १४ । १ । ३ । १६ ।) इति फलं दर्शयित्वा अन्नात्मकतां चांते उपसंहरिष्यति । " त्रयं वा इदं नाम रूपं कर्म " (बृ. १४ । ४ । १) इति सर्वकर्मणां फलं व्याकृतं संसार एवेति ।

इदमेव त्रयं प्रागुत्पत्तेस्तर्ह्यव्याकृतमासीत् । तदेव पुनः सर्वप्राणिकर्मवशात् व्याक्रियते । बीजादिव वृक्षः । सोऽयं व्याकृताव्याकृतरूपः संसारः अविद्या विषयः । क्रियाकारकफलात्मकतया आत्मरूपत्वेनाध्यारोपितः अविद्ययैव मूर्तामूर्ततद्वासनात्मकः । अतो विलक्षणोऽनामरूपकर्मात्मकोऽद्वयो नित्यशुद्धबुद्धमुक्तस्वभावोऽपि क्रियाकारकफलभेदादिविपर्ययेणावभासते । अतोऽस्मात्क्रियाकारकफलभेदस्वरूपात् एतावदिदमिति साध्यसा-धनरूपाद्विरक्तस्य कामादिदोषकर्मबीजभूताविद्यानिवृत्तये रज्ज्वामिव सर्पविज्ञानापनयाय ब्रह्मविद्याऽऽरभ्यते ।

तत्र तावदश्वमेधविज्ञानाय " उषा वा अश्वस्य " इत्यादि । तत्राश्वविषयमेव दर्शनमुच्यते । प्राधान्याद-श्वस्य । प्राधान्यं च–तन्नामांकितत्वात्क्रतोः प्रजापत्यत्वाच्च ।

उषा इति । ब्राह्मो मुहूर्त उषा । वै शब्दः स्मारणार्थः । प्रसिद्धं कालं स्मारयति । शिरः प्राधान्यात् । शिरश्च प्रधानं शरीरावयवानां । ' अश्वस्य मेध्यस्य ' मेधार्हस्य यज्ञियस्य उषा शिर इति सम्बन्धः । कर्मांगस्य पशोः संस्कर्तव्यत्वात् कालादिदृष्टयः शिरआदिषु क्षिप्यंते । प्राजापत्यत्वं च प्रजापतिदृष्ट्यध्यारोपणात् । काल-लोकदेवतात्वाध्यारोपणं च प्रजापतित्वकरणं पशोः । एवंरूपो हि प्रजापतिः विष्णुत्वादिकरणमिव प्रतिमादौ ।

सूर्यश्चक्षुः शिरसोऽनंतरत्वात् सूर्याधिदैवतत्वाच्च । ' वातः प्राणः ' वायुस्वाभाव्यात् । ' व्यात्तमग्निर्वैश्वानरः '

१-काण्वशाखीयपाठानुसारेणेति बोद्धव्यम् ।

व्यात्तं विवृतं मुखं, अग्निर्वैश्वानरः वैश्वानर इत्यग्नेर्विशेषणं। वैश्वानरो नामाऽग्निर्विवृतं मुखमित्यर्थः। मुखस्याग्निदैवतत्वात् संवत्सर आत्मा संवत्सरो द्वादशमासस्त्रयोदशमासो वा। आत्मा शरीरं। कालावयवानां च संवत्सरः शरीरं शरीरं चात्मा। "मध्यं ह्येषामंगानामात्मा" इति श्रुतेः। 'अश्वस्य मेध्यस्य' इति सर्वत्रानुषंगार्थं पुनर्वचनं। द्यौः पृष्ठं[१] ऊर्ध्वत्वसामान्यात्। 'अंतरिक्षमुदरं' सुषिरत्वसामान्यात्। 'पृथिवी पाजस्यं' पादस्यमिति वर्णव्यत्ययेन पादासनस्थानमित्यर्थः। 'दिशः पार्श्वे' दिशश्चतस्रोऽपि पार्श्वे पार्श्वेन दिशां संबंधात्। पार्श्वयोर्दिशां च संख्यावैषम्यादयुक्तमिति चेन्न सर्वमुखत्वोपपत्तेरीश्वरस्य पार्श्वाभ्यामेव सर्वदिशां संबंधाददोषः। 'अवांतरदिशः पर्शवः' अवांतरदिशः आग्नेय्याद्याः पर्शवः पार्श्वास्थीनि। 'ऋतवोऽङ्गानि' संवत्सरावयवत्वात् अंगसाधर्म्यात्। 'मासाश्चार्द्धमासाश्च पर्वाणि' पर्वाणि संधयः—संधिसामान्यात्। 'अहोरात्राणि प्रतिष्ठा' बहुवचनात् प्राजापत्यदैवपित्र्यमानुषाणि प्रतिष्ठाः पादाः प्रतितिष्ठति एतैरिति। अहोरात्रैर्हि कालात्मा प्रतितिष्ठति अश्वश्च पादैः 'नक्षत्राण्यस्थीनि' शुक्लत्वसामान्यात्। 'नभो मांसानि' नभो नभस्था मेघाः[२] अंतरिक्षस्योदरत्वोक्तेर्मांसानि—उदकरुधिरसेचनसामान्यात्। 'ऊवध्यं सिकताः'—ऊवध्यमुदरस्थमर्द्धजीर्णमशनं सिकताः विश्लिष्टावयवत्वसामान्यात्। 'सिंधवो गुदाः' स्यंदनसामान्यान्नद्यो गुदा नाड्यो बहुवचनाच्च। 'यकृच्च क्लोमानश्च पर्वताः' यकृच्च क्लोमानश्च हृदयस्याधस्तात् दक्षिणोत्तरौ मांसखंडौ क्लोमान इति नित्यं बहुवचनमेकस्मिन्नेव पर्वताः काठिन्यादुच्छ्रितत्वाच्च। 'ओषधयश्च वनस्पतयश्च लोमानि' ओषधयश्च क्षुद्राः स्थावराः वनस्पतयो महांतः लोमानि केशाश्च यथासंभवं। 'उद्यन् पूर्वार्धः' उद्यन् उद्गच्छन् भवति सविता आमध्याह्नात् अश्वस्य पूर्वार्धो नाभेरूर्ध्वमित्यर्थः। 'निम्लोचन् जघनार्द्धः' अस्तं यन् आ मध्यान्हात् जघनार्द्धो अपरार्द्धः पूर्वापरत्वसाधर्म्यात्। 'यत् विजृंभते तद्विद्योतते' यद्विजृंभते गात्राणि विनामयति विक्षिपति तद्विद्योतते विद्योतनं मुखविवरविदारण[३]सामान्यात्। 'यद्विधूनते तत्स्तनयति' यद्विधूनते गात्राणि कंपयति तत्स्तनयति गर्जनशब्दसामान्यात्॥

'यन्मेहति तद्वर्षति' यत् मेहति मूत्रं करोत्यश्वः—तद्वर्षति वर्षणं तत् सेचनसामान्यात्। वागेवास्य वाक्' वागेव शब्द एव अस्याऽश्वस्य वाक् इति नात्र कल्पनेत्यर्थः॥ (काण्वपाठानुसारेणात्र प्रथमा कंडिका समाप्ता)

'अहर्वा अश्वं' अहर्वा इति। सौवर्णराजतौ महिमाऽऽख्यौ ग्रहौ अश्वस्य अग्रतः पृष्ठतश्च स्थाप्येते तद्विषयमिदं दर्शनम। अहः सौवर्णो ग्रहः दीप्तिसामान्याद्धि। 'अहरश्वं पुरस्तान्महिमाऽन्वजायत' इति कथं अश्वस्य प्रजापतित्वात् प्रजापतिर्हि आदित्यलक्षणोऽन्हां लक्ष्यते। अश्वं लक्षयित्वा अजायत सौवर्णो महिमाग्रहो वृक्षमनुविद्योतते विद्युदिति यद्वत्। 'तस्य पूर्वे समुद्रे योनिः' तस्य ग्रहस्य पूर्वे पूर्वः समुद्रे समुद्रः योनिः—विभक्तिव्यत्ययेन योनिरित्यासादनस्थानम्। 'रात्रिरेनं पश्चान्महिमाऽन्वजायत तस्यापरे समुद्रे योनिः' तथा रात्री राजतो ग्रहो वर्णसामान्यात् जघन्यत्वसामान्याद्वा 'एनम्' अश्वं पश्चात्पृष्ठतो महिमाऽन्वजायत तस्यापरे समुद्रे योनिः महिमा महत्वात्। 'एतौ वा अश्वं महिमानावभितः संबभूवतुः' अश्वस्य हि विभूतिरेषा यत्सौवर्णो राजतश्च ग्रहावुभयतः स्थाप्येते तावेतौ वै महिमानौ महिमाख्यौ ग्रहौ अश्वमभितः संबभूवतुः उक्तलक्षणावेव संभूतौ। इत्थमसावश्वो महत्वयुक्त इति पुनर्वचनं स्तुत्यर्थं। तथाच 'हयो भूत्वा' इत्यादि स्तुत्यर्थमेव। 'हयः' "हिनोतेर्गतिकर्मणः" विशिष्टगतिरित्यर्थः। जातिविशेषो वा। 'देवानवहत्' देवत्वमगमयन् प्रजापतित्वात्। देवानां वा वोढा अभवत्।

१—द्यौष्पृष्ठमिति माध्यंदिनीयानां पाठः। २—घना मेघाः। ३—विदारणं विद्युत्स्फुरणं॥

नैवेह किञ्चनाग्रऽआसीत् । (न्मृ) मृत्युनैवेदमावृतमासीदशनायुयाऽशनाया हि मृत्युस्तन्मनोऽकुरुतात्मन्वी स्यामिति सोऽर्चन्नचरत्तस्यार्चतऽआपोऽजायन्तार्चते वै मे कमभूदिति तदेवार्क्यस्यार्कत्त्वं कंँ ह वाऽअस्मै भवति यऽएवमेतदर्क्यस्यार्कत्वं वेद ॥ १ ॥

उपास्यस्य हिरण्यगर्भस्य स्वरूपप्रतिपादकं ब्राह्मणम् ।

नैवेह किं चनाग्रऽआसीत्—मृत्युनैवेदमावृतमासीत् । अशनाययाऽशनाया हि मृत्युस्तन्मनोऽकुरुत—आत्मन्वी स्यामिति । सोऽर्चन्नचरत् । तस्यार्चत अपोऽजायन्त । अर्चते वै मे कमभूदिति । तदेवार्क्यस्यार्कत्वम् । कं ह वा अस्मै भवति—य एवमेतदर्क्यस्यार्कत्वं वेद ॥ १ ॥

" नैवेह किञ्चनाग्र आसीत् " इत्यादिकम्, उपास्यहिरण्यगर्भस्वरूपप्रतिपादनरं ब्राह्मणं चेत्येतद्द्वयं काण्वशाखानुसारेण बृहदारण्यकोपनिषदादौ प्रपञ्चेन वार्त्तिककारेणोपबृंहितं व्याख्यातमिति नेह पुनरुच्यते, पाठसाम्यात्; तत् तत एवावधारणीयम् । अक्षरार्थस्तु उत्तरत्र बृहदारण्ये ॥

ननु—निंदैव वाहनत्वं । नैष दोषः, वाहनत्वं स्वाभाविकमश्वस्य स्वाभाविकत्वादुच्छ्रायप्राप्तिर्देवादिसंबंधोऽश्वस्येति स्तुतिरेवैषा । तथा वाज्यादयो जातिविशेषाः । वाजी भूत्वा गंधर्वानवहत् इत्यनुषंगः । तथा अर्वा भूत्वा असुरान् । अश्वो भूत्वा मनुष्यान् । ' समुद्र एवास्य बंधुः ' समुद्र एवेति परमात्मा बंधुर्बन्धनं बध्यतेऽस्मिन्निति बंधुः । ' समुद्रो योनिः ' योनिः कारणमुत्पत्तिं प्रति । एवमसौ शुद्धयोनिः शुद्धस्थितिः स्तूयते । " अप्सुयोनिर्वा अश्वः " इति श्रुतेः । प्रसिद्ध एव वा समुद्रो योनिः ॥ (काण्वपाठानुसारेण अत्र द्वितीया कंडिका समाप्ता ॥ २ ॥) ॥ १ ॥

इति श्रीगोविन्दभगवत्पूज्यपादशिष्यैः परमहंसपरिव्राजकाचार्यैः श्रीशंकरभगवद्भिः (काण्वपाठानुसारिबृहदारण्यकादौ कृतं) अत्रोद्धृतं " उषा वा अश्वस्य मेध्यस्य " इत्यस्य ब्राह्मणस्य भाष्यं समाप्तम् ॥ (१०–६–४) ॥

नैवेहेति[1] । अथाग्नेरश्वमेधोपयोगिकस्योत्पत्तिरुच्यते । तद्विषयदर्शनविवक्षयैवोत्पत्तिः स्तुत्यर्था । " नैवेह[2] किंचनाग्र आसीत् " इह संसारमंडले—किञ्चन किञ्चिदपि नामरूपप्रविभक्तविशेषं नैवासीन्न बभूव अग्रे प्राक् उत्पत्तेर्मनआदेः किं शून्यमेव बभूव शून्यमेव स्यात् " नैवेह किञ्चन " इति श्रुतेः । न कार्यं कारणं वा आसीत्—उत्पत्तेश्च उत्पद्यते हि घटः—अतः प्रागुत्पत्तेः घटस्य नास्तित्वं । ननु—कारणस्य न नास्तित्वं मृत्पिंडादिदर्शनात् । यन्नोपलभ्यते तस्यैव नास्तिता अस्तु कार्यस्य । नतु कारणस्य उपलभ्यमानत्वात् न प्रागुत्पत्तेः सर्वानुपलंभात् । अनुपलब्धिश्चेत्; अभावहेतुः सर्वस्य जगतः प्रागुत्पत्तेर्न कारणं कार्यं वा उपलभ्यते तस्मात्सर्वस्यैवाभावोऽस्तु, ॥

न, " मृत्यु[3]नैवेदमावृतमासीत् "—इति श्रुतेः । यदि हि किंचिदपि नाऽऽसीत्—येनाव्रियते यच्चाव्रियते

१–तार्किकानां शंका । २–शून्यवादिबौद्धानामेतत् । ३–भाष्यकृतां सिद्धांतग्रन्थः ।

तदा नावक्ष्यत् “ मृत्युनैवेदमावृतम् ” इति । नहि भवति गगनकुसुमच्छन्नो वंध्यापुत्र इति । ब्रवीति च— “ मृत्युनैवेदवृतमासीत् ” इति । तस्मात् येनावृतं कारणेन यच्चावृतं कार्यं प्रागुत्पत्तेस्तदुभयमासीत् श्रुतेः प्रामाण्यादनुमेयत्वाच्च ' अनुमीयते च प्रागुत्पत्तेः कार्यकारणयोरस्तित्वं । कार्यस्य हि सतो जायमानस्य कारणे सति उत्पत्तिदर्शनात् । असति चादर्शनात् । जगतोऽपि प्रागुत्पत्तेः कारणास्तित्वमनुमीयते घटादिकारणा-स्तित्ववत् ॥

घटादिकारणस्यापि असत्त्वमेवानुपमृद्य मृत्पिंडादिकं घटाद्यनुत्पत्तेरिति चेत्, न, मृदादेः कारणत्वात् । मृत्सुवर्णादि हि तत्र कारणं घटरुचकादेः—न पिण्डाकारविशेषः । तदभावेऽभावात् । असत्यपि पिण्डाकार-विशेषे मृत्सुवर्णादिकारणद्रव्यमात्रादेव घटरुचकादिकार्योत्पत्तिर्दृश्यते । तस्मान्न पिंडाकारविशेषो घटरुच-कादिकारणं । असति तु मृत्सुवर्णादिद्रव्ये घटरुचकादिर्न जायत इति मृत्सुवर्णादिद्रव्यमेव कारणं न तु पिण्डा-कारविशेषः । सर्वं हि कारणं कार्यमुत्पादयत् पूर्वोत्पन्नस्यात्मकार्यस्य तिरोधानं कुर्वत् कार्यान्तरमुत्पादयति । एक-स्मिन् कारणे युगदपनेककार्यविरोधात् । न च—पूर्वकार्योपमर्दे कारणस्य स्वात्मोपमर्दो भवति । तस्मात्पिण्डाद्युपमर्दे कार्योत्पत्तिदर्शनमहेतुः प्रागुत्पत्तेः कारणासत्त्वे । पिंडादिव्यतिरेकेण मृदादेरसत्त्वादयुक्तमितिचेत् पिंडादिपूर्व-कार्योपमर्दे मृदादिकारणं नोपपद्यते घटादिकार्यांतरेऽप्यनुवर्तत इत्येतदयुक्तं । पिंडघटादिव्यतिरेकेण मृदादि-कारणस्यानुपलंभादिति चेत्; न, मृदादिकारणानां घटाद्युत्पत्तौ पिंडादिनिवृत्तावनुवृत्तिदर्शनात् ।

सादृश्यादन्वयदर्शनं न कारणानुवृत्तेरिति चेत्; न, पिंडादिगतानां मृदाद्यवयवानामेव घटादौ प्रत्यक्षत्वे अनुमानाभासात् सादृश्यादिकल्पनानुपपत्तेः । नच प्रत्यक्षानुमानयोर्विरुद्धाऽव्यभिचारिता । प्रत्यक्षपूर्वकत्वादनु-मानस्य सर्वत्रैवानाश्वासप्रसंगात् । यदि च क्षणिकं सर्वं तदेवेदं इति गम्यमानं तद्बुद्धेरप्यन्यतद्बुद्ध्यपेक्षत्वे तस्याप्यन्यतद्बुद्ध्यपेक्षमित्यनवस्थायां तत्सदृशमिदमित्यस्या अपि बुद्धेर्मृषात्वात् सर्वत्रानाश्वासतैव । तदिदं बुद्ध्योरपि कर्त्रभावे संबन्धानुपपत्तिः । सादृश्यात्तत्संबंध इति चेत्; न, तदिदं बुद्ध्योरितरेतरविषयत्वानुपपत्तेः । असति च इतरेतरविषयत्वे सादृश्यग्रहणानुपपत्तिः । असत्येवं सादृश्ये तद्बुद्धिरिति चेत्; न, तदिदं बुद्ध्योरपि सादृश्य बुद्धिवदसद्विषयत्वप्रसंगात् ।

असद्विषयत्वमेव सर्वबुद्धीनामस्त्विवतिचेत्; न, बुद्धिबुद्धेरपि असद्विषयत्वप्रसंगात् । तदप्यस्त्विवति चेत्; न, सर्वबुद्धीनां मृषात्वे असत्यबुद्ध्यनुपपत्तेः । तस्मादसदेतत् सादृश्यात्तद्बुद्धिरिति । अतः सिद्धः प्राक्कार्योत्पत्तेः कारणसद्भावः ।

कार्यस्य च अभिव्यक्तिलिंगत्वात् । कार्यस्य च सद्भावः प्रागुत्पत्तेः सिद्धः । कथं ? अभिव्यक्तिलिंगत्वात् अभिव्यक्तिर्लिङ्गमस्येति । अभिव्यक्तिः साक्षाद्विज्ञानालम्बनत्वप्राप्तिः । यद्धि लोके प्रावृतं तमआदिना घटादि वस्तु तदालोकादिना प्रावरणतिरस्कारेण विज्ञानविषयत्वं प्राप्नुवत् प्राक्सद्भावं न व्यभिचरति । तथा इदमपि जगत् प्रागुत्पत्तेरित्यवगच्छामः । नहि अविद्यमानो घट उदितेऽप्यादित्ये उपलभ्यते ।

न, ते अविद्यमानत्वाभावात् उपलभ्येतैव इति चेत्; नहि तव घटादिकार्यं कदाचिदपि अविद्यमानं । इत्युदित आदित्य उपलभ्येतैव मृत्पिण्डेऽसन्निहिते तमआद्यावरणे चासति ।

विद्यमानत्वादिति चेत्; न, द्विविधत्वादावरणस्य । घटादिकार्यस्य द्विविधं ह्यावरणं मृदादेरभिव्यक्तस्य

१-शंकाग्रंथः । २-इदमनुमानं बौद्धानाम् । ३-एतदपि बौद्धानाम् । ४-इदमपि बौद्धानाम् । ५-इदं विज्ञानवादि-बौद्धानाम् । ६-इदं शून्यवादिबौद्धानाम् ।

तमःकुड्यादि प्राङ्मृदोऽभिव्यक्तेर्मृदाद्यवयवानां पिंडादिकार्यांतररूपेण संस्थानं । तस्मात्प्रागुत्पत्तेर्विद्यमानस्यैव घटादिकार्यस्य आवृतत्वादनुपलब्धिः ।

नष्टोत्पन्नभावाभावशब्दप्रत्ययभेदस्तु अभिव्यक्तितिरोभावयोर्द्विविधत्वापेक्ष । पिंडकपालादेरावरणवैलक्षण्याद युक्तमिति चेत्; तमःकुड्यादि हि घटाद्यावरणं घटादिभिन्नदेशं दृष्टं न तथा घटादिभिन्नदेशे दृष्टे पिंडकपाले । तस्मात् पिंडकपालसंस्थानयोर्विद्यमानस्यैव घटस्य आवृतत्वादनुपलब्धिरिति अयुक्तमावरणधर्मवैलक्षण्यात्—इति चेत्; न, क्षीरोदकादेः क्षीराद्यावरणेन एकदेशत्वदर्शनात् । घटादिकार्ये कपालचूर्णाद्यवयवानां अंतर्भावात् अनावरणत्वं इति चेत्; न, विभक्तानां कार्यांतरत्वात् आवरणत्वोपपत्तेः ।

आवरणाभाव एव यत्नः कर्तव्य इति चेत्; पिंडकपालावस्थयोः विद्यमानमेव घटादिकार्यमावृतत्वान्नोपलभ्यत इति चेत्; घटादिकार्यार्थिना तदावरणविनाश एव यत्नः कर्तव्यः न, घटाद्युत्पत्तौ। न चैतदस्ति । तस्मादयुक्तं विद्यमानस्यैव आवृतत्वादनुपलब्धिरिति चेत्; न, अनियमात् । नहि विनाशमात्रप्रयत्नादेव घटाद्यभिव्यक्तिर्नियता ।

तमआद्यावृते घटादौ प्रदीपाद्युत्पत्तौ प्रयत्नदर्शनात् सोऽपि तमोनाशायैवेति चेत्; दीपाद्युत्पत्तावपि यः प्रयत्नः सोऽपि तमस्तिरस्करणाय तस्मिन्नष्टे घटः स्वयमेवोपलभ्यते । नहि घटे किंचिदाधीयत इति चेत्; न, प्रकाशवतो घटस्योपलभ्यमानत्वात् । यथा प्रकाशविशिष्टो घट उपलभ्यते प्रदीपकरणे न तथा प्राक् प्रदीपकरणात् । तस्मान्न, तमस्तिरस्कारायैव प्रदीपकरणं किं तर्हि प्रकाशवत्त्वाय प्रकाशवत्त्वेनैव उपलभ्यमानत्वात् । कचिदावरणविनाशेऽपि यत्नः स्यात् यथा कुड्यादिविनाशे । तस्मान्न नियमोऽस्ति अभिव्यक्त्यार्थिना आवरणविनाश एव यत्नः कार्य इति ।

नियमार्थवत्त्वाच्च कारणे वर्तमान कार्यं कार्यांतराणामावरणं इति अवोचाम । तत्र यदि पूर्वाभिव्यक्तस्य कार्यस्य पिंडस्य व्यवहितस्य वा कपालस्य विनाश एव यत्नः क्रियेत तदा विदलचूर्णाद्यपि कार्यं जायेत । तेनाप्यावृतो घटो नोपलभ्यत इति पुनः प्रयत्नांतरापेक्षैव । तस्मात् घटाद्यभिव्यक्त्यर्थिनो नियत एव कारकव्यापारोऽर्थवान् । तस्मात्प्रागुत्पत्तेरपि सदेव कार्यं ।

अतीतानागतप्रत्ययभेदाच्च अतीतो घटः अनागतो घटः इत्येतयोश्च प्रत्यययोः वर्तमानघटप्रत्ययवत् न निर्विषयत्वं युक्तं अनागतार्थिप्रवृत्तेश्च । नहि असति अर्थितया प्रवृत्तिर्लोके दृष्टा । योगिनां च अतीतानागतज्ञानस्य सत्यत्वात् । असंश्चेत् भविष्यद्घट ऐश्वरं भविष्यद्घटविषयं प्रत्यक्षज्ञानं मिथ्या स्यात् । न च प्रत्यक्षमुपचर्यते । घटसद्भावे हि अनुमानमवोचाम । विप्रतिषेधाच्च यदि घटो भविष्यतीति कुलालादिषु व्याप्रियमाणेषु घटार्थं प्रमाणेन निश्चितं । येन च कालेन घटस्य संबंधो भविष्यतीत्युच्यते तस्मिन्नेव काले घटो असन्निति विप्रतिषिद्धमभिधीयते ।

भविष्यन् घटोऽसन्निति न भविष्यतीत्यर्थः । अयं घटो न वर्तत इति यद्वत् । अथ प्रागुत्पत्तेर्घटः असन्नित्युच्येत घटार्थं प्रवृत्तेषु कुलालादिषु तत्र यथा व्यापाररूपेण वर्तमानास्तावत्कुलालादयः तथा घटो न वर्तत इति असच्छब्दस्यार्थश्चेत्; न विरुध्यते कस्मात् स्वेन हि भविष्यद्रूपेण घटो वर्तते नहि पिंडस्य वर्तमानता कपालस्य वा घटस्य भवति नच तयोर्भविष्यत्ता घटस्य तस्मात्कुलालादिव्यापारवर्तमानतायां प्रागुत्पत्तेर्घटोऽसन्निति न विरुध्यते यदि घटस्य यत्स्वं भविष्यत्ताकार्यरूपं तत् प्रतिषिध्येत तत्प्रतिषेधे विरोधः स्यात् । ननु तद्भवान्

१–शंका प्रथः ।

प्रतिषेधति । अथ सर्वेषां क्रियावतामेकैव वर्तमानता भविष्यत्त्वं वा अपि च चतुर्विधानामभावानां घटस्य इतरेतराभावो घटादन्यो दृष्टो यथा घटाभावः पटादिरेव । न घटस्वरूपमेव ।

नच घटाभावः सन् पटो अभावात्मकः किं तर्हि भावरूप एव, एवं घटस्य प्राक्प्रध्वंसात्यंताभावानामपि घटादन्यत्वं स्यात्—घटेन व्यपदिश्यमानत्वात् घटस्येतरेतराभाववत् । तथैव भावात्मकता अभावानां एवं चासति घटस्य प्रागभाव इति न घटस्वरूपमेव प्रागुत्पत्तेर्नास्ति ।

अथ घटस्य प्रागभाव इति घटस्य यत्स्वरूपं तदेवोच्येत घटस्येति व्यपदेशानुपपत्तिः । अथ कल्पयित्वा व्यपदिश्येत शिलापुत्रकस्य शरीरमिति यद्वत् । तथाऽपि घटस्य प्रागभाव इति कल्पितस्यैवाभावस्य घटेन व्यपदेशो न घटस्वरूपस्यैव । अथार्थांतरं घटात् घटस्याभाव इति उक्तोत्तरमेतत् ॥

किंचान्यत् प्रागुत्पत्तेः शशविषाणवत् अभावभूतस्य घटस्य स्वकारणसत्तासंबंधानुपपत्तिः द्विनिष्ठत्वात्संबंधस्य । अयुतसिद्धानामदोष इति चेत्; न, भावाभावयोरयुतसिद्धत्वानुपपत्तेः । भावभूतयोर्हि युतसिद्धता अयुतसिद्धता वा स्यात्, नतु भावाभावयोः अभावयोर्वा तस्मात् सदेव कार्यं प्रागुत्पत्तेः इति सिद्धम् ।

किं लक्षणेन मृत्युना आवृतमित्यत आह । अशनायया अशितुमिच्छा अशनाया सैव मृत्योर्लक्षणं । तया लक्षितेन मृत्युना अशनायया । कथमशनाया मृत्युरिति उच्यते 'अशनाया हि मृत्युः ' हिशब्देन प्रसिद्धं हेतुमवद्योतयति यो हि अशितुमिच्छति स अशनायानन्तरमेव हंति जंतून् । तेन असौ अशनायया लक्ष्यते 'मृत्युः इति अशनाया हि '—इत्याह—

बुध्यात्मनो अशनाया धर्म इति स एष बुध्यवस्थो हिरण्यगर्भो मृत्युरित्युच्यते । तेन मृत्युना इदं कार्यमावृतमासीत् । यथा पिंडावस्थया मृदा घटादय आवृताः स्युः इति तद्वत् ।

तन्मनोऽकुरुत ' तदिति मनसो निर्देशः । स प्रकृतो मृत्युः वक्ष्यमाणकार्यसिसृक्षया तत्कार्यालोचनक्षमं मनःशब्दवाच्यं संकल्पादिलक्षणं अन्तःकरणमकुरुत कृतवान् ।

केनाभिप्रायेण मनोऽकरोदिति उच्यते—' आत्मन्वी स्यामिति ' । आत्मन्वी आत्मवान् स्यां भवेयं, अहमनेनात्मना मनसा मनस्वी स्यामित्यभिप्रायः । ' सः ' प्रजापतिः अभिव्यक्तेन मनसा समनस्कः सन् ' अर्चन् ' अर्चयन् पूजयन् आत्मानमेव कृतार्थोऽस्मीति ' अचरत् ' चरणमकरोत् । ' तस्य ' प्रजापतेः ' अर्चतः ' पूजयतः ' आपः ' रसात्मिकाः पूजांगभूताः ' अजायंत ' उत्पन्नाः ।

अत्र आकाशप्रभृतीनां त्रयाणामुत्पत्त्यनंतरं इति वक्तव्यं श्रुत्यंतरसामर्थ्यात् द्विकल्पासंभवाच्च सृष्टिक्रमस्य ॥
' अर्चते ' पूजां कुर्वते ' वै ' ' मे ' मह्यं ' कं ' उदकं ' अभूत् ' ' इति ' एवममन्यत ॥
यस्मान्मृत्युः ' तदेव ' तस्मादेव हेतोः ' अर्कस्य ' अग्नेरश्वमेधक्रतूपयोगिकस्य ' अर्कत्वम् ' अर्कत्वे हेतुरित्यर्थः । अग्नेरर्कनामनिर्वचनमेतत् ।

अर्चनात् सुखहेतुपूजाकरणात् अप्संबंधाच्च अग्नेः एतत् गौणं नाम अर्क इति ॥
' यः एव ' यथोक्तं ' अर्कस्यार्कत्वंवेद ' जानाति—' कं ' उदकं सुखं वा नामसामान्यात् । ' ह वा ' इत्यवधारणार्थौ भवत्येवेति । ' अस्मै ' एवंविदे एवंविदर्थं भवति ॥ १ ॥

(आ) आपो वाऽअर्कः । (त) तद्यदपाᳪं शरऽआसीत्तत्समहन्यत सा पृथिव्यभवत्तस्यामश्राम्यत्तस्य श्रान्तस्य तप्तस्य तेजो रसो निरवर्तताग्निः॥२॥

स त्रेधाऽऽत्मानं व्यकुरुत । (ता) आदित्यं तृतीयं व्वायुं तृतीयᳪं सऽ एष प्राणस्त्रेधा विहितस्तस्य प्राची दिक्छिरोऽसौ चासौ चेर्मावथास्य प्रतीची दिक्पुच्छमसौ चासौ च सक्थ्यौ दक्षिणा चोदीची च पार्श्वे द्यौष्पृष्ठमन्तरिक्षमुदरमियमुरः सऽएषोऽप्सु प्रतिष्ठितो यत्र क्व चैति तदेव प्रतितिष्ठत्येवं व्विद्वान् ॥ ३ ॥

आपो वाऽअर्कः । तद् यदपां शर आसीत्—तत्समहन्यत । सा पृथिव्यभवत् । तस्यामश्राम्यत्—तस्य श्रान्तस्य तप्तस्य तेजो रसो निरवर्तताग्निः ॥ २ ॥

स त्रेधाऽऽत्मानं व्यकुरुत—आदित्यं तृतीयम्, वायुं तृतीयम् । स एष प्राणस्त्रेधा विहितस्य प्राची दिक् शिरः । असौ चासौ चेर्मौ । अथास्य प्रतीची दिक् पुच्छम् । असौ चासौ च सक्थ्यौ । दक्षिणा चोदीची च पार्श्वे । द्यौष्पृष्ठम् । अन्तरिक्षमुदरम् । इयमुरः । स एषोऽप्सु प्रतिष्ठितो यत्र क्व चैति—तदेव प्रतितिष्ठति । एवं विद्वान् ॥ ३ ॥

"आपो वा अर्कः"—कः पुनरसावर्क इति उच्यते । आपो वै अर्चनांगभूताः ता एवार्कः अग्नेरर्कस्य हेतुत्वात् । अप्सु चाग्निः प्रतिष्ठित इति । न पुनः साक्षादेवार्कस्ताः । तत्सामप्रकरणात् अग्नेश्च प्रकरणं, वक्ष्यति च—"अयमग्निरर्क इति" । 'तत्' तत्र 'यदपां शरः' इव शरो दध्न इव मंडभूतम् 'आसीत्'—'तत्समहन्यत' संघातमापद्यत तेजसा बाह्यान्तः पच्यमानं लिंगव्यत्ययेन वा य अपां शरः स समहन्यतेति । 'सा पृथिवी अभवत्' स संघातः येयं पृथिवी सा अभवत् । ताभ्योऽद्भ्यः अंडमभिनिर्वृत्तमित्यर्थः । 'तस्यां' पृथिव्यामुत्पादितायां स मृत्युः प्रजापतिः 'अश्राम्यत्' श्रमयुक्तो बभूव । सर्वो हि लोकः कार्यं कृत्वा श्राम्यति । प्रजापतेश्च तन्महत्कार्यं यत्पृथिवीसर्गः । किं तस्य श्रांतस्य इत्युच्यते—'तस्य श्रांतस्य तप्तस्य' खिन्नस्य 'तेजो रसः' तेज एव रसस्तेजोरसः रसःसारः 'निरवर्तत' प्रजापतिशरीरान्निष्क्रांत इत्यर्थः । कोऽसौ निष्क्रांतः 'अग्निः' स अंडस्यांतर्विराट् प्रजापतिः प्रथमजः कार्यकारणसंघातवान् जातः । "स वै शरीरी प्रथमः"—इति स्मरणात् ॥ २ ॥

'स त्रेधाऽऽत्मानं' स च जातः प्रजापतिः—त्रेधा त्रिप्रकारं आत्मानं स्वयमेव कार्यकारणसंघातं 'व्यकुरुत' व्यभजत् । इत्येतत्कथं त्रेधेत्याह—'आदित्यं तृतीयं' अग्निवाय्वपेक्षया त्रयाणां पूरणं अकुरुतेत्यनुवर्तते । तथा अग्न्यादित्यापेक्षया 'वायुं तृतीयं' तथा वाय्वादित्यापेक्षया अग्निं तृतीयमिति द्रष्टव्यं । सामर्थ्यस्य तुल्यत्वात् त्रयाणां संख्यापूरणत्वे । 'स एष प्राणः' सर्वभूतानामात्माऽपि अग्निवाय्वादित्यरूपेण विशेषतः स्वेनैव मुख्यात्मना त्रेधा विहितः' विभक्तो न विराट्स्वरूपोपमर्दनेन । तस्यास्य प्रथमजस्याग्नेरश्वमेधोपयोगिकस्यार्कस्य विराजश्चित्यात्मकस्याश्वस्येव दर्शनमुच्यते । सर्वा हि पूर्वोक्ता उत्पत्तिः अस्य स्तुत्यर्था इत्यवोचाम ।

(न्त्सो) सोऽकामयत । द्वितीयो मऽआत्मा जायेतेति स मनसा व्वाचं मिथुनꣳ समभवदशनाया मृत्युस्तद्यद्रेत ऽआसीत्स संव्वत्सरोऽभवन्न ह पुरा ततः संव्वत्सरऽआस तमेतावन्तं कालमबिभर्य्यावान्त्संव्वत्सरस्तमेतावतः कालस्य परस्तादसृजत तं जातमभिव्व्यादादात्सभाणकरोत्सैव व्वागभवत् ॥ ४ ॥

सोऽकामयत-द्वितीयो म आत्मा जायेतेति । स मनसा वाचं मिथुनं समभवत्-अशनाया मृत्युः । तद् यद्रेत आसीत् । स संवत्सरोऽभवत् । न ह पुरा ततः संवत्सर आस । तमेतावन्तं कालमबिभर्यावान्त्संवत्सरः । तमेतावतः कालस्य परस्तादसृजत । तं जातमभिव्यादादात् । स भाणकरोत् । सैव वागभवत् ॥ ४ ॥

इत्थमसौ शुद्धजन्मेति । 'तस्य प्राची दिक्शिरः' विशिष्टत्व सामान्यात् 'असौ चासौ च' ऐशान्याग्नेय्यौ-'ईर्मौ' बाहू 'ईरयतेर्गतिकर्मणः' । 'अथास्य' अग्नेः 'प्रतीची दिक् पुच्छं' जघन्यो भागः । प्राङ्मुखस्य प्रत्यग्दिक्संबंधात् । 'असौ चासौ च' वायव्यनैर्ऋत्यौ-'सक्थ्यौ' सक्थिनी पृष्ठकोणत्वसामान्यात् । दक्षिणा चोदीची च पार्श्वे' उभयदिक्संबंधसामान्यात् । द्यौः पृष्ठमंतरिक्षमुदरम्' इति पूर्ववत् । 'इयमुरः' अधोभागसामान्यात् । 'स एषः' अग्निः प्रजापतिरूपो लोकाद्यात्मको अग्निः 'अप्सु प्रतिष्ठितः' "एवमिमे लोका अप्स्वन्तः" इति श्रुतेः । 'यत्र क्व च' यस्मिन् कस्मिश्चित् 'एति' गच्छति । 'तदेव' तत्रैव । 'प्रतितिष्ठति' स्थितिं लभते । कोऽसावेवं यथोक्तमप्सु प्रतिष्ठितत्वं अग्नेर्विद्वान् विजानन् । गुणफलमेतत् ॥ ३ ॥

'सोऽकामयत' यः असौ मृत्युः-स अबादिक्रमेण आत्मना आत्मानं अंडस्यांतःकार्यकारणसंघातवंतं विराजमग्निं असृजत "त्रेधाऽऽत्मानं व्यकुरुत (कं० ३) इत्युक्तम् ।

स किंव्यापारः सन्नसृजत इत्युच्यते-स मृत्युरकामयत कामितवान् किं ? 'द्वितीयो मे मम आत्मा जायेतेति' द्वितीयो मे मम आत्मा शरीरं येनाहं शरीरी स्याम्, स जायेतोत्पद्यत इत्येवमेतदकामयत । 'सः' एवं कामयित्वा 'मनसा' पूर्वोत्पन्नेन 'वाचं' त्रयीलक्षणां 'मिथुनं' द्वंद्वभावं 'समभवत्' संभवनं कृतवान् । मनसा त्रयीमालोचितवान् त्रयीविहितं सृष्टिक्रमं मनसा अन्वालोचयत् इत्यर्थः । क असौ अशनायया लक्षितो मृत्युः "अशनाया मृत्युः" इत्युक्तं तमेव परामृशति । अन्यत्र प्रसंगो माऽभूदिति ।

'तद्यद्रेत आसीत्' तत्तत्र मिथुने यद्रेत आसीत् प्रथमशरीरिणः प्रजापतेरुत्पत्तौ कारणं रेतो बीजं ज्ञानकर्मरूपं त्र्यालोचनायां यत् दृष्टवानासीत् जन्मांतरकृतम् । तद्भावभावितः अपः सृष्ट्वा तेन रेतसा बीजेन अप्सु अनुप्रविश्य अंडरूपेण गर्भीभूतः 'सः' 'संवत्सरोऽभवत्' संवत्सरकालनिर्माता संवत्सरः प्रजापतिरभवत् । 'न ह पुरा' पूर्वं-'ततः'-तस्मात्संवत्सरकालनिर्मातुः प्रजापतेः-'संवत्सरः' कालः न 'आस' न बभूवह । 'तं संवत्सरकालनिर्मातारं अंतर्गर्भं प्रजापतिं 'यावान्' इह प्रसिद्धः कालः 'एतावंतं' एतावत्संवत्सरपरिमाणं 'कालं' अबिभः' भृतवान् 'मृत्युः' यावान् संवत्सर इह प्रसिद्धः ।

(तस्) स ऽऐक्षत । यदि वा ऽइममभिमꣳस्ये कनीयोऽन्नं करिष्य ऽइति स तया व्वाचा तेनात्मनेदꣳ सर्व्वमसृजत यदिदं किञ्चऽर्चो यजूꣳषि सामानि च्छन्दाꣳसि यज्ञान्प्रजां पशून्त्स यद्यदेवासृजत तत्तदत्तुमध्रियत सर्व्वं वा ऽअत्तीति तददितेरदितित्वꣳ सर्व्वस्यात्ता भवति सर्व्वमस्यान्नं भवति य ऽएवमेतददितेरदितित्वं व्वेद ॥ ५ ॥

स ऐक्षत । यदि वा इममभिमंस्ये । कनीयोऽन्नं करिष्य इति । स तया वाचा, तेनात्मनेदं सर्वमसृजत-यदिदं किं च ऋचः, यजूंषि, सामानि, छन्दांसि, यज्ञान्, प्रजाम्, पशून् । स यद्यदेवा-असृजत-तत्तदत्तुमध्रियत । सर्वं वा अत्तीति । तददितेरदितित्वम् । सर्वस्यात्ता भवति । सर्वमस्यान्नं भवति-य एवमेतददितेरदितित्वं वेद ॥ ५ ॥

ततः परस्तात् किं कृतवान् । 'तमेतावतः कालस्य' संवत्सरमात्रस्य 'परस्तात्' ऊर्ध्वं 'असृजत' सृष्टवान् अंडमभिनदित्यर्थः । 'तं' एवं कुमारं जातमग्निं प्रथमशरीरिणं अशनायावत्त्वात् मृत्युः 'अभिव्या-ददात्' मुखविदारणं कृतवान् अत्तुम् । 'सः' च कुमारो भीतः स्वाभाविक्या अविद्यया युक्तः 'भाण्' इत्येवं शब्दं 'अकरोत्' 'सैव वागभवत्' वाक् शब्दः अभवत् ॥ ४ ॥

'स ऐक्षत' स एवं भीतं कृतरवं कुमारं दृष्ट्वा मृत्युरैक्षत ईक्षितवान् अशनायावानपि 'यदि वा' कदाचिद्वा 'इमं' कुमारं 'अभिमंस्ये' 'अभिपूर्वो मन्यतिर्हिंसार्थः' हिंसिष्ये इत्यर्थः । 'कनीयोऽन्नं करिष्ये' कनीयः अल्पमन्नं करिष्ये इति । एवमीक्षित्वा तद्भक्षणादुपरराम । बहु हि अन्नं कर्तव्यं दीर्घकालभक्षणाय न कनीयः तद्भक्षणे हि कनीयोऽन्नं स्यात् बीजभक्षण इव सस्याभावः । स एवं प्रयोजनं अन्नबाहुल्यमा-लोच्य 'तया' एव त्रय्या 'वाचा' पूर्वोक्तया 'तेन' एव च 'आत्मना' मनसा मिथुनीभावमालोचनं उपगम्य उपगम्य 'इदं सर्वं' स्थावरं जंगमं च 'असृजत' 'यदिदं किंच' यत्किंचेदम् । किं तत् । 'ऋचो यजूंषि सामानि छंदांसि' च सप्त गायत्र्यादीनि । स्तोत्रशस्त्रादिकर्मांगभूतान् त्रिविधान् मंत्रान् गायत्र्यादि-च्छंदोविशिष्टान् 'यज्ञांश्च' तत्साध्यान् । प्रजाः तत्कर्त्रीः । 'पशून्' च ग्राम्यानारण्यान् कर्मसाधनभूतान् ।

ननु-त्रय्या मिथुनीभूतयाऽसृजतेत्युक्तं ऋगादीनीह कथमसृजतेति । नैष दोषः । मनसस्तु अव्यक्तोऽयं मिथुनीभावस्त्रय्या बाह्यस्तु ऋगादीनां विद्यमानानामेव कर्मसु विनियोगभावेन व्यक्तीभावः सर्ग इति । स प्रजापतिः एवमन्नवृद्धिं बुद्ध्वा 'यत् यदेव' क्रियां क्रियासाधनं फलं वा किंचित् 'असृजत' 'तत्तदत्तुं' भक्षयितुं 'अध्रियत' धृतवान् मनः । सर्वं कृत्स्नं वै यस्मात् 'अत्तीति' 'तत्' तस्मात् 'अदितेः' अदितिनाम्नो मृत्योः 'अदितित्वं' प्रसिद्धम् । तथाच मंत्रः-"अदितिर्द्यौरदितिरन्तरिक्षमदितिर्माता स पिता०"-(वा. सं. २५ । २३ ।) इत्यादि । 'सर्वस्य' एतस्य जगतः अन्नभूतस्य 'अत्ता' सर्वा-त्मनैव भवति । अन्यथा विरोधात् । नहि कश्चित् सर्वस्य एको अत्ता दृश्यते तस्मात् सर्वात्मा भवतीत्यर्थः ॥

१-बहुवचनांतः पाठः काण्वीयः । माध्यंदिनीयो ह्येकवचनांतः ।

सोऽकामयत । भूयसा यज्ञेन भूयो यजेयेति सोऽश्राम्यत्स तपोऽतप्यत तस्य श्रान्तस्य तप्तस्य यशो व्वीर्यमुदक्रामत्प्राणा वै यशो व्वीर्यं तत्प्राणेषूत्क्रान्तेषु शरीरꣳ श्वयितुमध्रियत तस्य शरीरऽएव मन ऽआसीत् ॥ ६ ॥

(त्सो) सोऽकामयत । मेध्यं मऽइदꣳ स्यादात्मन्व्यनेन स्यामिति ततोऽश्वः समभवद्यदश्वत्तन्मेध्यमभूदिति तदेवाश्वमेधस्याश्वमेधत्वमेष ह वाऽअश्वमेधं व्वेद य ऽएनमेवं व्वेद ॥ ७ ॥

सोऽकामयत–भूयसा यज्ञेन भूयो यजेयेति । सोऽश्राम्यत्, स तपोऽतप्यत । तस्य श्रान्तस्य तप्तस्य यशो वीर्यमुदक्रामत् । प्राणा वै यशः, वीर्यं तत् प्राणेषूत्क्रान्तेषु शरीरं श्वयितुमध्रियत । तस्य शरीर एव मन आसीत् ॥ ६ ॥

सोऽकामयत–मेध्यं म इदं स्यात्–आत्मन्वी अनेन स्यामिति । ततोऽश्वः समभवत् । यदश्वत् तन्मेध्यमभूदिति । तदेवाश्वमेधस्याश्वमेधत्वम् । एष ह वा अश्वमेधं वेद–य एनमेवं वेद ॥ ७ ॥

'सर्वमस्यान्नं भवति' अत एव सर्वात्मनो ह्यत्तुः सर्वमन्नं भवतीत्युपपद्यते । 'य एवमेतत्' यथोक्तं 'अदितेः' मृत्योः प्रजापतेः सर्वस्यादनात् 'अदितित्वं वेद तस्यैतत्फलम् ॥ ५ ॥

सोऽकामयतेति । अश्वाश्वमेधयोर्निर्वचनार्थमिदमाह–'भूयसा' महता 'यज्ञेन' 'भूयः' पुनरपि 'यजेयेति' जन्मांतरकरणापेक्षया भूयःशब्दः । स प्रजापतिर्जन्मांतरे अश्वमेधेनायजत । स तद्भावभावित एव कल्पादौ व्यावर्तत । सोऽश्वमेधक्रियाकारकफलात्मत्वेन निर्वृतः सन्नकामयत । भूयसा यज्ञेन भूयो यजेयेति एवं महत् कार्यं कामयित्वा लोकवत् 'अश्राम्यत्' ।

'स तपोऽतप्यत' । 'तस्य श्रांतस्य तप्तस्येति' पूर्ववत् । 'यशोवीर्यमुदक्रामत्' इति । स्वयमेवपदार्थमाह–'प्राणाः' चक्षुरादयः 'वै' 'यशः' यशोहेतुत्वात् तेषु हि सत्सु ख्यातिर्भवति । तथा 'वीर्यं' बलं अस्मिन् शरीरे नहि उत्क्रांतप्राणो यशस्वी बलवान् वा भवति तस्मात्प्राणा एव यशो वीर्यं चास्मिन् शरीरे । तदेवं प्राणलक्षणं यशो वीर्यं 'उदक्रामत्' उत्क्रांतवत् । तदेवं यशोवीर्यभूतेषु 'प्राणेषूत्क्रांतेषु' शरीरान्निष्क्रांतेषु तत् 'शरीरं' प्रजापतेः 'श्वयितुं' उच्छूनभावं गंतुं 'अध्रियत' अमेध्यं चाभवत् । 'तस्य' प्रजापतेः शरीरान्निर्गतस्यापि तस्मिन्नेव 'शरीरे मन आसीत्' यथा कस्यचित् प्रिये विषये दूरं गतस्यापि मनो भवति तद्वत् ॥ ६ ॥

स तस्मिन्नेव शरीरे गतमनाः सन् किमकरोत् इति उच्यते । 'सोऽकामयत' कथं 'मेध्यं' मेधार्हं यज्ञियं मे इदं शरीरं स्यात् । किंच–'आत्मन्वी' आत्मवांश्च 'अनेन' शरीरेण शरीवान् स्याम् इति प्रविवेश 'यत्' यस्मात् 'तत्' शरीरं मद्वियोगात् गतयशोवीर्यं सत् 'अश्वत्' अश्वयत्–'ततः' तस्मात् 'अश्वः' 'समभवत्' ततः अश्वनामा प्रजापतिरेव साक्षात् इति स्तूयते । यस्माच्च पुनस्तत्प्रवेशात् गतयशोवीर्यत्वात्

१–इदमित्यनेन "भूयसा यज्ञेनेत्यादि" कं० ६ "तदेवाश्वमेधस्याश्वमेधत्वं" कं० ७ इत्यन्तं श्रुतिः स्वयमेवाह इति अवगम्यताम् ।

तमनवरुध्येवामन्यत । तꣳ संव्वत्सरस्य परस्तादात्मनऽआलभत पशून्देवताभ्यः प्रत्यौहत्तस्मात्सर्व्वदेवत्यं प्रोक्षितं प्राजापत्यमालभन्तऽएष वाऽश्वमेधो य ऽएष तपति तस्य संव्वत्सरऽ आत्माऽयमग्निरर्कस्तस्येमे लोका आत्मानस्तावेतावर्काश्वमेधौ सो पुनरेकैव देवता भवति मृत्युरेवाप पुनर्मृत्युं जयति नैनं मृत्युराप्नोति मृत्युरस्यात्मा भवति सर्व्वमायुरेत्येतासां देवतानामेको भवति य ऽएवं व्वेद ॥ ८ ॥ (शतम् ५५००) ॥

तमनवरुध्येवामन्यत । तं संवत्सरस्य परस्तादात्मानऽआलभत । पशून्देवताभ्यः प्रत्यौहत् । तस्मात्सर्वदेवत्यं प्रोक्षितं प्राजापत्यमालभन्त । एष वा अश्वमेधः–य एष तपति । तस्य संवत्सर आत्मा, अयमग्निरर्कः, तस्येमे लोका आत्मानः । तावेतावर्काश्वमेधौ । सा उ पुनरेकैव देवता भवति मृत्युरेव । अप पुनर्मृत्युं जयति । नैनं मृत्युराप्नोति । मृत्युरस्यात्मा भवति । सर्वमायुरेति । एतासां देवतानामेको भवति–य एवं वेद ॥ ८ ॥

अमेध्यं सत् ' मेध्यम् ' अभूत् । ' तदेव ' तस्मादेव ' अश्वमेधस्य ' अश्वमेधनाम्नः क्रतोः अश्वमेधनामलाभः। क्रियाकारकफलात्मको हि क्रतुः स च प्रजापतिरेवेति स्तूयते ।

क्रतुनिर्वर्तकस्याश्वस्य प्रजापतित्वमुक्तं " उषा वा अश्वस्य मेध्यस्य " (श. प. १०।६।४।१) इत्यादिना तस्यैवाश्वस्य मेधस्य प्रजापतिस्वरूपस्याग्नेश्च यथोक्तस्य क्रतुफलात्मरूपतया समस्योपासनं विधातव्यं इत्यारभ्यते– पूर्वत्र क्रियापदस्य विधायकस्याश्रुतत्वात् क्रियापदापेक्षत्वाच्च प्रकरणस्य अयमर्थो अवगम्यते–' एष ह वा अश्वमेधं ' ' क्रतुं वेद ' ' यः ' कश्चित् ' एन ' अश्वं अग्निरूपमर्कं च यथोक्तं ' एवं ' वक्ष्यमाणेन समासेन प्रदर्श्यमानेन विशेषणेन विशिष्टं ' वेद ' सः ' एषः ' अश्वमेधं वेद नान्यः । तस्मात् एवं वेदितव्य इत्यर्थः॥ ७॥

कथं ? तत्र पशुविषयमेव तावद्दर्शनमाह–' तमनवरुध्यैवामन्यत ' तत्र प्रजापतिः भूयसा यज्ञेन भूयो यजेयेति कामयित्वा–आत्मानमेव पशुं मेध्यं कल्पयित्वा तं पशुमनवरुध्यैव उत्सृष्टपशुमवरोधमकृत्वैव मुक्तप्रग्रहं अमन्यताचिंतयत् । ' तं संवत्सरस्य ' पूर्णस्य ' परस्तात् ' ऊर्ध्वं ' आत्मने ' आत्मार्थम् ' आलभत ' प्रजापतिदेवताकत्वेनेत्येतदालभत आलंभं कृतवान् ' पशून् ' अन्यान् ग्राम्यानारण्यांश्च ' देवताभ्यः ' यथादैवतं ' प्रत्यौहत् ' प्रतिगमितवान् । यस्माच्च एवं प्रजापतिरमन्यत तस्मात् एवं अन्यः अपि उक्तेन विधिना आत्मानं पशुं अश्वं मेध्यं कल्पयित्वा सर्वदेवत्योऽहम् प्रोक्ष्यमाण आलभ्यमानस्त्वहं मद्देवत्य एव स्याम् । अन्य इतरे पशवः ग्राम्यारण्या यथादैवतमन्याभ्यो देवताभ्य आलभ्यंते मदवयवभूताभ्य एवेति विद्यात । अत एव इदानीं सर्वदेवत्यं प्रोक्षितं प्राजापत्यमालभंते याज्ञिकाः । एवं ' एषे ह वा अश्वमेधो य एष तपति ' यस्त्वेवं पशुसाधनकः क्रतुः स एषः साक्षात्फलभूतो निर्दिश्यते ' एष ह वा अश्वमेधः' कोऽसौ ' य एषः ' सविता ' तपति ' जगत् अवभासयति तेजसा ' तस्य ' अस्य क्रतुफलात्मनः ' संवत्सरः ' कालविशेषः ' आत्मा ' शरीरं तन्निर्वर्त्यत्वात्संवत्सरस्य तस्यैव क्रत्वात्मनो अग्निसाध्यत्वाच्च फलस्य क्रतुत्वरूपेणैव निर्देशः । ' अयं '

१–" एष वाऽअश्वमेधः "–इति माध्यंदिनीयानां पाठ;।

पार्थिवः 'अग्निरर्कः' साधनभूतः 'तस्य' च अर्कस्य क्रतौ चित्यस्य 'इमे लोकाः' त्रयोऽपि 'आत्मानः' शरीरावयवाः । तथाच व्याख्यातम्--" तस्य प्राची दिक् " इत्यादिना । 'तौ अग्न्यादित्यौ' एतौ यथाविशेषितौ 'अर्काश्वमेधौ' क्रतुफले । अर्को यः पार्थिवोऽग्निः स साक्षात् क्रतुरूपः क्रियात्मकः क्रतोरग्निसाध्यत्वात् तद्रूपेणैव निर्देशः । क्रतुसाध्यत्वाच्च फलस्य क्रतुरूपेणैव निर्देश आदित्योऽश्वमेध इति । तौ साध्यसाधनौ क्रतुफलभूतौ अग्न्यादित्यौ । 'सा' 'उ' 'पुनः' भूयः—'एकैव देवता भवति' का सा ? 'मृत्युरेव' पूर्वमपि एकैवासीत् क्रियासाधनफलभेदाय विभक्ता । तथा चोक्तम्--" स त्रेधाऽऽत्मानं व्यकुरुत " इति । सा पुनरपि क्रियानिर्वृत्त्युत्तरकालं एकैव देवता भवति—मृत्युरेव फलरूपः । यः पुनरेवं एनमश्वमेधं मृत्युं एकां देवतां वेद, अहमेव मृत्युरस्मि अश्वमेध एका देवता मद्रूपाश्वाग्निसाधनसाध्येति । सः 'अप जयति' पुनर्मृत्युं पुनर्मरणं सकृन्मृत्वा पुनर्मरणाय न जायत इत्यर्थः । अपजितोऽपि मृत्युः एनं पुनरायायात् इत्याशंक्याह—'नैनं' 'मृत्युराप्नोति' कस्मात् ? 'मृत्युरस्य' एवंविदः 'आत्मा भवति' । किंच मृत्युरेव फलरूपः सन् 'एतासां देवतानामेको भवति' तस्यैतत्फलम् ॥८॥ (काण्वानामत्र सप्तमी कंडिका समाप्ता) ॥

इति श्रीगोविन्दभगवत्पूज्यपादशिष्यैः परमहंसपरिव्राजकाचार्यैः श्रीशंकरभगवद्भिः (काण्वपाठानुसारिबृहदारण्यकादौ कृतं) अत्रोद्धृतं " नैवेह किञ्चनाग्रे " इत्यस्य ब्राह्मणस्य भाष्यं समाप्तम् ॥ (१० । १ । ९) ॥

इति श्रीमच्छंकराचार्यकृतं भाष्यं समाप्तम् ।

(ब्रा) अथ वꣳशः । समानमासाञ्जीवीपुत्रात्साञ्जीवीपुत्रो माण्डूकाय-
नेर्म्माण्डूकायनिर्म्माण्डव्यान्माण्डव्यः कौत्सात्कौत्सो माहित्थेर्म्माहित्थि-
र्व्वामकक्षायणाद्वामकक्षायणो वात्स्याद्वात्स्यः शाण्डिल्याच्छाण्डिल्यः
कुश्रेः कुश्रिर्य्यज्ञवचसो राजस्तम्बायनाद्यज्ञवचा राजस्तम्बायनस्तुरात्काव-
षेयात्तुरः कावषेयः प्रजापतेः प्रजापतिर्ब्रह्मणो ब्रह्म स्वयम्भु ब्रह्मणे नमः ॥ ९ ॥

इति चतुर्थप्रपाठकेऽष्टमं ब्राह्मणम् ॥ १०–४–८ ॥ (६. ५.) ॥

इति चतुर्थः प्रपाठकः समाप्तः ॥ १०–४ ॥

कण्डिकासंख्या ॥ ७५ ॥ षष्ठोऽध्यायश्च समाप्तः ॥ १०–६ ॥

अस्मिन्काण्डे कण्डिकासंख्या ॥ ३६९ ॥

इति माध्यन्दिनीये शतपथब्राह्मणेऽग्निरहस्यं नाम दशमं काण्डं समाप्तम् ॥ १० ॥

अथ वंशः–समानम् आ साञ्जीविपुत्रात् । साञ्जीविपुत्रो माण्डूकायनेः । माण्डूकायनिर्माण्डव्यात् । माण्डव्यः कौत्सात् । कौत्सो माहित्थेः । माहित्थिर्वामकक्षायणात् । वामकक्षायणो वात्स्यात् । वात्स्यः शाण्डिल्यात् । शाण्डिल्यः कुश्रेः । कुश्रिर्यज्ञवचसो राजस्तम्बायनात् । यज्ञवचा राजस्तम्बायनस्तुरात् कावषेयात् । तुरः कावषेयः प्रजापतेः । प्रजापतिर्ब्रह्मणः । ब्रह्म स्वयम्भु । ब्रह्मणे नमः ॥ ९ ॥

वंशब्राह्मणसमाम्नास्यमानानां विद्यासम्प्रदायप्रवर्त्तकानामृषीणां मध्येऽग्निरहस्यविद्याप्रवर्त्तकमृषिप्रवाहमनुक्रामति–अथ वंशः समानम् आसांजीवीपुत्रादिति ॥ ९ ॥

विद्यासंप्रदायप्रवर्तकानां ऋषीणां वंशः ।

१ स्वयंभु ब्रह्म	८ वामकक्षायणः
२ प्रजापतिः	९ माहित्थिः
३ तुरः कावषेयः	१० कौत्सः
४ यज्ञवचा राजस्तंबायनः	११ मांडव्यः
५ कुश्रिः–(वाजश्रवसः गोतमः)	१२ मांडूकायनिः
६ शांडिल्यः	१३ सांजीवीपुत्रः
७ वात्स्यः	

इति श्रीसायणाचार्यविरचिते माधवीये वेदार्थप्रकाशे माध्यन्दिनीयशतपथब्राह्मणभाष्ये दशमकाण्डे षष्ठेऽध्याये चतुर्थं पञ्चमं च ब्राह्मणम् ॥ (१०।६।४–५) ॥

वेदार्थस्य प्रकाशेन तमो हार्दं निवारयन् । पुमर्थांश्चतुरो देयाद् विद्यातीर्थमहेश्वरः ॥ १ ॥

ब्रह्माण्डं गोसहस्रं कनकहयतुलापूरुषौ स्वर्णगर्भं,
सप्ताब्धीन्पञ्चसीरींस्त्रिदशतरुलताधेनुसौवर्णभूमीः ।
रत्नोस्रां रुक्मवाजिद्विपमहितरथौ सायणिः सिङ्गणार्यो,
व्यश्राणीद्विश्वचक्रं प्रथितविधिमहाभूतयुक्तं घटं च ॥
धान्याद्रिं धन्यजन्मा तिलभवमतुलः स्वर्णजं वर्णमुख्यः,
कार्पासीयं कृपावान्गुडकृतमजडो राजतं राजपूज्यः ।
आज्योत्थं प्राज्यजन्मा लवणजमनृणः शार्करं चार्कतेजा,
रत्नाढ्यो रत्नरूपं गिरिमकृत मुदा पात्रसात्सिङ्गणार्यः ॥

इति श्रीमद्राजाधिराजपरमेश्वरवैदिकमार्गप्रवर्त्तकश्रीहरिहरमहाराजसाम्राज्यधुरन्धरेण सायणाचार्येण विरचिते माधवीये वेदार्थप्रकाशे माध्यन्दिनीयशतपथब्राह्मणभाष्ये दशमकाण्डे षष्ठोऽध्यायः समाप्तः ॥ (१०—६) ॥

अग्निरहस्यं नाम दशमं काण्डं समाप्तम् ॥

इति शतपथ ब्राह्मणस्य पूर्वार्द्धं समाप्तम् ॥

इति सायणभाष्यसमेतस्य

श्रीशतपथब्राह्मणस्य

पूर्वार्धं समाप्तम् ।

ॐ

श्रीमद्वाजसनेयिमाध्यन्दिन-

शतपथब्राह्मणम् ।

सायणभाष्यसमेतम् ।

तत्र

एकादशं काण्डम् ११ ।

अथ शतपथब्राह्मणस्योत्तरार्द्धम् ।

अथाष्टाध्यायीनामकं एकादशं काण्डं प्रारभ्यते ।

प्रथमोऽध्यायः प्रारभ्यते ।

तत्र प्रथमं ब्राह्मणम् ।

प्रथमप्रपाठके च प्रथमं ब्राह्मणम् ।

सम्वत्सरो वै यज्ञः प्रजापतिः । (स्तु) तस्यैतद्द्वारं यदमावास्या चन्द्रमा ऽएव द्वारपिधानः ॥ १ ॥

संवत्सरो वै यज्ञः प्रजापतिः । तस्यैतद्द्वारम् । यदमावास्या । चंद्रमा एव द्वारपिधानः ॥ १ ॥

यस्य निःश्वसितं वेदा यो वेदेभ्योऽखिलं जगत् । निर्ममे तमहं वंदे विद्यातीर्थमहेश्वरम् ॥ १ ॥

इत्थं कांडदशकात्मकः शतपथपूर्वभागो व्याख्यातः । तत्र प्रथमद्वितीयकांडाभ्यां दर्शपूर्णमासाधानाग्निहोत्र-तदुपस्थानादीनि चातुर्मास्यांतानि प्रतिपादितानि । तृतीयचतुर्थाभ्यामेकहाहीनसत्रात्मकसकलसोमयागप्रकृति-

---

१--अस्य काण्डस्य "संग्रहम्" इति नामान्तरम् । "ततः षष्टिपथं कृत्स्नं सरहस्यं ससंग्रहम्" (म. भा. शां. प. मो. ध. ४३ । १६) इत्यत्र प्रतिपादितम् ।

श्रीकाशीनिवासिजावजीभट्टानां पुस्तकस्था एकादशकाण्डप्रतिपाद्यविषयानुक्रमणिकाश्लोकाः ।

१-एकादशेऽस्मिन् कांडे वै अष्टाध्यायीतिनामनि । आधानाहानुनिर्वापो छायाचाभ्युदयस्तथा ॥
हिरण्यगर्भाद्युत्पत्तिर्देवीसंपदथात्मनः । व्रतोपायनमीमांसा अभिमानकथा तथा ॥
ऋणत्रयापाकरणाऽऽहुतेरर्थस्तु ब्रह्म च । न्यूनातिरिक्तदोषास्तु वेद्यालंभकथापि च ॥
पूर्णशब्ददर्शशब्दार्थोऽश्वमेधफलं तु यत् । तदेव च दर्शपूर्णमासाभ्यामग्निहोत्रतः ॥
प्रणीताशिर इत्यादिसंस्तुतिर्देवयाजिनः । तथापि चात्मयाजित्वं श्रेष्ठमेवेति निर्णयः ॥
यज्ञः संवत्सरात्मकस्तत्साधनर्त्विगादि च । निन्द्येऽपि च ऋतुष्यासादनियज्ञवत्फलम् ॥
अग्निहोत्रहोमद्रव्यं ब्रह्मचर्यफलं तथा । आघारादेस्तुमीमांसा सा प्रश्नोत्तरपूर्विका ॥
स्रुगादानातिक्रमयोस्तथा स्रुग्धारणस्य च । आश्रावणस्य होमार्थं स्रुगुपाहरणस्य च ॥
मित्रविन्दा च हविषः समृद्धिः षट्प्रकारतः । न्यूनातिरिक्तग्रज्ञस्य मिश्रसंपूरितस्य च ॥
समृद्धिरग्नेरुत्पत्तिकथा चारणिकी ततः । चातुर्मास्यदेवतानामंगरूपनिरूपणम् ॥
ब्रह्मोद्यमग्निहोत्रं चोपनयनप्रसंगतः । विधिस्तथा देवगणाः स्वर्गं गताः कथाऽपि च ॥
पञ्चमहायज्ञफलं ब्रह्मयज्ञस्य च पृथक् । प्रजापतेरनंतरं पृथिव्यादित्रयं ततः ॥

भूतश्चतुःसंस्थो ज्योतिष्टोमः प्रत्यपादि । पञ्चमेन वाजपेयराजसूयौ षष्ठादिकांडचतुष्टयेन प्रकृतिविकृतिभूतसोमयागांगभूतमग्निचनाख्यं कर्म विस्तरेण प्रतिपादितम् । दशमे तत्प्रशंसाऽर्थमुखेन तदाश्रितान्युपशमनानि विहितानि, इति पूर्वभागार्थसंक्षेपः । उत्तरभागे अष्टाध्यायीसौत्रामण्यश्वमेधाख्यास्त्रयः काण्डाः । चतुर्थस्तु ब्रह्मप्रतिपादको बृहदारण्यकाख्यः । तत्र प्रथमे कांडे पूर्वोक्तमाधानादिकं कर्मानूद्य प्राग्विहितकालाद्यवशिष्टांगकलापविधिः तत्प्रशंसा च क्रियते ।

तत्र तावदग्निहोत्रदर्शपूर्णमासाग्निष्टोमानां मूलप्रकृतीनां तद्विकृतीनां मासाग्निहोत्रसौर्ययागविश्वजिदादीनां सर्वेषां श्रौतकर्मणां गार्हपत्याद्यग्निसाध्यत्वात् । तस्य त्वाधानपवमानेष्टिभ्यामग्निसिद्धिरिति न्यायेनाधाननिष्पाद्यत्वादाधानमेवादौ वक्तव्यम् । तस्य च स्वाभिमतं कालं विसृजन् यज्ञादीन् संवत्सराद्यात्मना निरूपयति–**संवत्सरो वै यज्ञ** इत्यादिना ।

योऽयं दर्शपूर्णमासादियज्ञात्मकः ' प्रजापतिः ' ' स संवत्सरो वै ' संवत्सरात्मकः तत्साध्यत्वात् । ओश्रावयेत्यादिसप्तदशाक्षरसाध्यत्वाद्यज्ञस्य प्रजापतित्वम् । तथा च तैत्तिरीयके–ओश्रावयेति चतुरक्षरमिति प्रक्रम्य "एष वै सप्तदशः प्रजापतिर्यजमानाय ते" (तै. सं. १।६।१०) इत्याम्नातं । संवत्सरस्यापि द्वादश मासाः पंचर्तवः संवत्सर इति सप्तदशावयवत्वसाम्यात् प्रजापतेस्तस्य च तादात्म्यम् । यथा–" आदित्यो यूपः " इत्यत्र तेजःसारूप्यात् यूपस्यादित्यात्मना स्तुतिः । एवमत्रापि संख्यासारूप्यात् स्तुतिरेव मंतव्या । वैशब्द उक्तार्थप्रसिद्धिद्योतनार्थः । तथाच तैत्तिरीयकम्–" द्वादश मासाः पंचर्तवः " (तै. सं. ५।६।७) इति । हेमन्तशिशिरयोः समासेन तावान् संवत्सरः प्रजापतिरिति । एवं यज्ञस्य संवत्सरकालात्मकत्वमुक्त्वा केन द्वारेण स प्रवेष्टव्य इत्याकांक्षायामाह–**तस्यैतद्द्वारमित्यादि** ।

' अमावास्या ' अमेत्ययं शब्दः सहशब्दार्थे वर्तते । प्रतिपदादितिथिषु मध्ये यस्यां तिथौ अमा सूर्येण सह चंद्रो वसति साऽमावास्या । अमापूर्वाद्वसेः "ऋहलोर्ण्यत्" (पा. सू. ३।१।१२४) इति ण्यत्प्रत्ययः । यद्वा वसुशब्दाभिधेय इंद्रः सान्नाय्यपानार्थं देवैः सह अस्यां तिथौ वसतीत्यमावास्या । तथा च तैत्तिरीयकम्–" अमा वैनोऽद्य वसतीन्द्रो हि देवानां वसु तदमावास्याया अमावास्यात्वम् " (तै. सं. २।५।३) इति । अमावास्येति यदस्ति ' एतचस्य ' संवत्सरात्मनो यज्ञस्य द्वारम् । लौकिकद्वारवत् कर्मानुष्ठानप्रवेशनसाधनमित्यर्थः । अमावास्या संवत्सरस्य द्वारं चेत्; तस्य केन चित् द्वारपिधायकेन भवितव्यं–किं तदित्यत आह–

चंद्रमा एवेति । माति प्रतिपदाद्यांस्तिथीन्परिच्छिनत्तीति माः । "मा माने" (धा. पा. अ. प. ५२) इत्यस्मादसुन् । चंद्रः अमृतमयैः किरणैः सर्वजनाल्हादकः । चंद्रश्चासौ माश्च चंद्रमाः । सः ' एव द्वारपिधानः, द्वारस्यामावास्यारूपस्य पिधानः तिरोधायकः । सच अमावास्यायां नास्तीत्येतदात्मकं विवृतमेव भवति । अतस्तेनैव द्वारेण यज्ञप्रवेशः सुकर इत्यर्थः ॥ १ ॥

तापेन सूर्यादित्रिकमेवं वेदाः क्रमेण तु । प्रायश्चित्तप्रसंगेन ऋत्विजामपि निर्णयः ॥
जयरूपाऽग्निहोत्रस्य कथा कामःपरा तथा । अतिप्रश्नकथा सम्यक् हविर्यज्ञपशोर्विधिः ॥
सायं वै अग्निहोत्रस्योपस्थानस्य च कारणम् । आहृतोद्धृतप्रहृतविहृताग्नेस्तु निर्णयः ॥
पशुदेवतानिर्णयोऽनुप्राणनविधिस्ततः । आदित्यस्याऽऽदानकथा प्रायश्चित्तं तु घर्मधुक् ॥
शार्दूलेन हता चेदित्यस्मिन्नेष क्रमस्तु सः । व्याख्यातः सायनाचार्यैर्माधवापरनामकैः ॥

॥ इति एकादशकांडप्रतिपाद्यविषयानुक्रमणिकाश्लोकाः ॥

स योऽमावास्यायामग्नीऽ आधत्ते। यथा विवृतायां द्वारि द्वारा पुरं प्रपद्येत स ततऽ एव स्वर्गं लोकमियादेवं तद्योऽमावास्यायामाधत्ते ॥ २ ॥

(तेऽथ) अथ यो नक्षत्रऽआधत्ते। यथा पिहितायां द्वार्य्यद्वारा पुरं प्रपित्सेत्स जिह्मः पुरः स्यादेवं तद्यो नक्षत्रऽ आधत्ते तस्मान्न नक्षत्रऽआदधीत। ३॥

स योऽमावस्यायामग्नी आधत्ते। यथा विवृतायां द्वारि द्वारा पुरं प्रपद्येत। स तत एव स्वर्गं लोकमियात्। एवं तत्। योऽमावास्यायामाधत्ते ॥ २ ॥

अथ यो नक्षत्र आधत्ते। यथा पिहितायां द्वारि। अद्वारा पुरं प्रपित्सेत्। स जिह्मः पुरः स्यात्। एवं तत्। यो नक्षत्र आधत्ते। तस्मान्न नक्षत्र आदधीत ॥ ३ ॥

इत्थममावास्यां प्रशंस्य तत्राधानकर्तव्यतामाह—स य इति। 'यः' कश्चिदग्न्याधित्सुर्भवति। 'सः' सर्वोऽपि यजमानः 'अमावास्यायां' तिथौ। 'अग्नी' प्राधान्यात् गार्हपत्याहवनीयाख्यौ। 'आदधीत' [1]आयतनेषु विधानेन स्थापयेत्, अप्राप्तार्थत्वात्पंचमलकाराश्रयणेन विध्यर्थोऽत्राधिगंतव्यः। दक्षिणाग्नेः सद्भावेऽपि द्वयोरेव प्राधान्यं श्रुत्यंतरेऽप्याम्नातम्—"उपस्तीर्य पूर्वश्चाग्निरपरश्चेत्याहुः" इति। "उभावग्नी उपस्तृणत" इति च।

उक्तद्वारादिकल्पनोपजीवनेनामावास्याधानं दृष्टांतेनोपपादयति—यथा विवृतायामिति। 'यथा' लोके नगरस्य 'द्वारि' द्वारे 'विवृतायाम्' उद्घाटितकपाटे सति 'द्वारा' तेन द्वारेण 'पुरं प्रपद्येत' प्रविशेत प्रविश्य च स्वाभिलषितं देशं प्राप्नोति। 'एवं तत्' अमावास्याधानमेतत्सदृशम् अमावास्यायाः संवत्सरात्मकयज्ञद्वारत्वात्, तत्रापिधायकचंद्रादर्शनेन विवृतत्वाच्च। अपि च आधानतः 'तत एव' अमावास्यारूपद्वारेण यज्ञप्रवेशादेव। 'स्वर्गं लोकं' लोक्यत इति लोकः। सुष्ठु अर्ज्यते शोभनेनार्जनेन गम्यत इति वा स्वर्गः। सर्वजनेनाभिलषणीयं दुःखासंभिन्नं कर्मफलमित्यर्थः। तथाचाहुः—"यन्न दुःखेन संभिन्नं नच ग्रस्तमनंतरम्। अभिलाषोपनीतं च सुखं स्वर्गपदास्पदम्" इति। तादृशं स्वर्गफलं 'इयात्' प्राप्नुयात्। यस्मादेवं अमावास्याधानं प्रशस्तं तस्मादेवममावास्यायामेवाधातव्यमित्युक्तमेवार्थं दार्ढ्यायोपसंहरति—योऽमावास्यायामग्नी आधत्त इति। स य इति पूर्वत्र संबंधः ॥ २ ॥

उक्तामावास्याधानप्रशंसार्थमस्मच्छाखायां [2]तैत्तिरीयादिशाखांतरे च विहितं नक्षत्राधानमनूद्य दूषयति—अथ यो नक्षत्र आधत्त इति।

अथेति पक्षांतरद्योतनार्थः। यस्तु यजमानोऽमावास्यां विहाय केवले कृत्तिकादिनक्षत्रे अग्नी आधत्ते पूर्वोक्तमग्न्याधानं कुर्यात्। 'सः' च। 'यथा' नगरस्य 'द्वारि पिहितायां' सत्यां लौकिको जनः। 'अद्वारा'

१—आयतनेष्विति बहुवचनं "दक्षिणाग्नेः सद्भावेऽपि द्वयोरेव प्राधान्यम्" इत्याद्यग्रिमस्वीयभाष्याविरोधात् अग्नी आधत्ते इति मूलश्रुतिविरोधाच्चासंगतं भवतीति "आयतनयोः" इति द्विवचनेन परिणमितव्यम्।

२—अस्मच्छाखायां आपस्तंबशाखायामित्यर्थः। अस्मच्छब्देन भाष्यकर्ता परामर्शात् तेषां तच्छाखीयत्वात्। माध्यंदिनशाखायामित्यपि बोध्यम्। अस्यां केवलस्य नक्षत्राधानस्योक्तत्वात्।

यदुहरेवैषः । (षो) नु पुरस्तान्न पश्चाद्दृश्येत तदुहरुपवसेत्तर्हि ह्येषु इमं लोकमागच्छति तस्मिन्निह वसति ॥ ४ ॥

सर्व्वे देवा वसन्ति । सर्व्वाणि भूतानि सर्व्वा देवताः सर्व्वऽऋतवः सर्व्वे स्तोमाः सर्व्वाणि पृष्ठानि सर्व्वाणि च्छन्दांसि ॥ ५ ॥

यदहरेवैष न पुरस्तान्न पश्चात् दृश्येत । तदहरुपवसेत् । तर्हि एष इमं लोकमागच्छति । तस्मिन्निह वसति ॥ ४ ॥

सर्व्वे देवा वसंति । सर्वाणि भूतानि । सर्वा देवताः । सर्व ऋतवः । सर्वे स्तोमाः । सर्वाणि पृष्ठानि । सर्वाणि छन्दांसि ॥ ५ ॥

द्वारवर्जितप्रदेशेन मोहात् ' पुरं प्रपित्सेत् ' प्रपत्तुं प्रवेष्टुमिच्छेत् । " प्रपूर्वात्पदगतौ "–(धा.पा.दि.प. ६३) इत्यस्मादिच्छार्थे सनि द्विर्वचने । " सनि मीमाघुरभलभशकपतपदामच इस् "–(पा. सू. ७ । ४ । ५४) इत्यचः स्थाने इस् । " अत्र लोपोऽभ्यासस्य "–(पा. सू . ७ । ४ । ५८) इत्यभ्यासलोपः । स च ' अद्वारा पुरं ' प्रविशंत् । ' पुरः ' पुरोभागे । ' जिह्मः ' वक्रः प्रतिहतगतिर्भवतीत्यर्थः । अतो ' यो नक्षत्र आधत्ते' तस्य तन्नक्षत्राधानमेवमेव । आधानदिवसे चन्द्रदर्शनेन अमावास्यारूपस्य द्वारस्य पिहितत्वात् तस्य यज्ञप्रवेशो दुष्कर इत्यर्थः । नक्षत्राधानं दूषयित्वा स्वमतदार्ढ्यार्थं निषेधति–तस्मान्न नक्षत्र आदधीत इति ॥ ३॥

अथाधानोपक्रमस्य विवक्षितममावास्याविशेषं दर्शयति–यदहरेवैष न पुरस्तान्न पश्चात् दृश्येत तदहरुपवसेदिति । ' यदहः ' यस्मिन्नहनि । ' एषः ' चंद्रमाः । ' पुरस्तात् ' पूर्वस्यां ' न दृश्येत ' तथा ' पश्चात् ' प्रतीच्यां दिश्यपि न दृश्येत । ' तदहः ' तस्मिन्नहनि ' उपवसेत् ' उपवासो नाम आधानसंभारान् संभृत्य गार्हपत्यायतनसमीपे व्रतचारिणा अवस्थानम् चतुर्दशीप्रतिपन्मिश्रितायाममावास्यायामाधानं प्रारभेतेत्यर्थः । उक्तगुणविशिष्टाया अमावास्यायाः कोऽतिशयः ? इत्याह–तर्हि ह्येष इमं लोकमागच्छति तस्मिन्निह वसति । " सर्वे देवा वसंति, सर्वाणि भूतानि, सर्वा देवताः, सर्वे ऋतवः, सर्वे स्तोमाः, सर्वाणि पृष्ठानि, सर्वाणि छंदांसि" इति । यस्यां पुरस्तात्पश्चाच्च न संदृश्यते चन्द्रमाः । तर्हि तस्याममावस्यायामेषः चन्द्रो द्युलोकं विहायेमं 'लोकमागच्छति ' आगत्य च ' तस्मिन् ' दिवसे इहास्मिन्नेव लोके 'वसति' । अत एव स्मर्यते–" वनस्पतिगते सोम " इति ॥ ४ ॥

तस्मिन् दिवसे चंद्रो भूम्यां वसति तदुपजीविनो देवाद्याः इमं लोकमधिवसंतीत्याह–सर्वे देवा इत्यादि । ' देवाः ' इंद्रादयः ते ' सर्वे ' चंद्रमसो निवृत्त्या अमावास्यायामस्मिन्नेव लोके 'वसंति' । तथा 'भूतानि' लोकांतरवर्तीनि प्राणिजातान्यपि । तथा अन्या अपि याः काश्चन ' देवताः ' ' सर्वा ' इहैव वसंति । ' ऋतवः ' वसंताद्याः ते अपि चंद्रगत्यवधानत्वात् तमनुसृत्य वसंति । ' स्तोमाः ' त्रिवृदादयः । ' पृष्ठानि ' बृहद्रथंतरवैरूपादीनि । ' छंदांसि ' गायत्र्युष्णिगनुष्टुबादीनि । दिव्यस्यैव चंद्रमसः सोमलतारूपेण भूमावस्थानात् सोमयागांगभूताखिलदाद्याः सर्वेऽपि तमनुसृत्य इह लोके सह वसंतीत्यर्थः ॥ ५ ॥

सर्वेषु ह वाऽ अस्य देवेषु । सर्वेषु भूतेषु सर्वासु देवतासु सर्वेष्वृतुषु सर्वेषु स्तोमेषु सर्वेषु पृष्ठेषु सर्वेषु च्छन्दःस्वग्नीऽ आहितौ भवतो योऽमावास्या यामाधत्ते तस्मादमावास्यायामेवाग्नीऽआदधीत ॥ ६ ॥

याऽसौ वैशाखस्यामावास्या । तस्यामादधीत सा रोहिण्या संपद्यतऽ आत्मा वै प्रजा पशवो रोहिण्यात्मन्येवैतत्प्रजायां पशुषु प्रतितिष्ठत्यमावास्या वाऽअग्न्याधेयरूपं तस्मादमावास्यायामेवाग्नीऽ आदधीत पौर्णमास्यामन्वारभेतामावास्यायां दीक्षेत ॥ ७ ॥

इति प्रथमप्रपाठके प्रथमं ब्राह्मणम् ॥ १-१-१ ॥ (१. १.) ॥

सर्वेषु ह वा अस्य देवेषु । सर्वेषु भूतेषु । सर्वासु देवतासु । सर्वेषु ऋतुषु । सर्वेषु स्तोमेषु । सर्वेषु पृष्ठेषु । सर्वेषु छन्दःसु । अग्नी आहितौ भवतः । योऽमावास्यायामाधत्ते । तस्मादमावास्यायामेव । अग्नी आदधीत ॥ ६ ॥

या असौ वैशाखस्यामावास्या तस्यामादधीत । सा रोहिण्या संपद्यते । आत्मा वै प्रजा पशवः । रोहिण्याऽऽत्मन्येवैतत्प्रजायां पशुषु प्रतितिष्ठति । अमावास्या वा अग्न्याधेयरूपम् । तस्मादमावास्यायामेव । अग्नी आदधीत । पौर्णमास्यामन्वारभेत । अमावास्यायां दीक्षेत ॥ ७ ॥

अस्त्वेवममावास्यातिशयः । आधानस्य किं जातमित्यत आह–सर्वेषु ह वा इति । ये देवाद्या अमावास्यासंबंधितया प्रथमान्तशब्दैर्निर्दिष्टाः तेषु 'सर्वेषु' सत्सु अमावास्याधानकर्तुरग्नी 'आहितौ' स्थापितौ 'भवतः' । उक्तमर्थं निगमयति–तस्मादिति । निगदसिद्धोऽर्थः ॥ ६ ॥

उक्तामावास्याया ऋक्षविशेषसंबंधरूपं गुणं विधत्ते–याऽसाविति । विशाखानक्षत्रयुक्ता पौर्णमासी यस्मिन् मासि स वैशाखः, तत्संबंधिनी या अमावास्या तस्यामग्नी आदधीत । उक्तामावास्यायाः फलविशेषे हेतुमाह–सा रोहिण्येति । 'सा' वैशाखी अमावास्या 'रोहिण्या' संपद्यते रोहिणीनक्षत्रयुक्ता भवति । यतो वैशाख्यां पौर्णमास्यां तावद्विशाखानक्षत्रं । ततः पञ्चदशसु नक्षत्रेषु परिगणितेषु अमावास्यायां रोहिणी भवति । अस्त्वेवं किं तत इत्याह–आत्मा वा इति ।

'प्रजा' पुत्रादिरूपा या अस्ति सा 'पशवः' तत्साधनभूतत्वात् । रोहत्यनया पश्वादिसमृद्धिमिति तद्व्युत्पत्तेः तथा च तैत्तिरीयकम्–"प्रजापती रोहिण्यामग्निमसृजत देवा रोहिण्यामादधत ते वैते सर्वानरोहानरोहन् तद्रोहिण्यै रोहिणीत्वम्" इति । एवंच आधाता एकदेवतारोहिण्यात्मनि आत्मप्रतिरूपायां मे 'प्रजायां पशुषु' च 'प्रतितिष्ठति' प्रतिष्ठो भवति । रोहिण्याधानेन पुत्रपश्वादिसमृद्धो भवतीत्यर्थः । इत्थममावास्याधानं बहुशः प्रशंस्य निगमयति–अमावास्या वा अग्न्याधेयरूपमिति । उक्तार्थप्रसिद्धो वै शब्दः । यस्मादुक्तेन प्रकारेण अमावास्यायाः खल्वग्न्याधेयस्य रूपत्वम् । नक्षत्राधानादमावास्याधानप्राशस्त्यस्य दर्शितत्वात् तस्मादित्यादि सिद्धम् । इत्थमाधानेन गार्हपत्याद्यग्निस्वरूपसिद्धौ तन्निष्पाद्यानां दर्शपूर्णमासानामनियमेन प्रारंभे प्राप्ते, तं नियमयति–पौर्ण-

घ्नन्ति वाऽएतद्यज्ञं । यदेनं तन्वते यन्वेव राजानमभिषुण्वंति तत्तं घ्नन्ति स यत्पशुꣳ संज्ञपयंति विशासति तत्तं घ्नन्त्युलूखलमुसलाभ्यां दृषदुपलाभ्याꣳ हविर्यज्ञं घ्नन्ति ॥ १ ॥

घ्नंति वा एतद्यज्ञं, यदेनं तन्वते । यन्वेव राजानमभिषुण्वंति । तत्तं घ्नंति । स यत् पशुं संज्ञपयन्ति । विशासति । तत्तं घ्नंति । उलूखलमुसलाभ्यां दृषदुपलाभ्यां हविर्यज्ञं घ्नंति ॥ १ ॥

मास्यामिति । अमावास्यायां पवमानेष्टिभिः सहाधाने परिसमाप्ते यद्यपि दर्शयागः प्राप्तावसरः, तथापि आगामिन्यां पौर्णमास्यामन्वारभेत । "अन्वारंभणीयेष्टिं कुर्यात्, दर्शपौर्णमासाभ्यां स्वर्गकामो यजेत" इत्यादौ दर्शयागस्य प्राथम्यमाम्नायते । कथं ? पौर्णमासयागस्य प्राथम्यमिति । नैष दोषः । पूर्णमासश्च दर्शश्चेति विगृह्य द्वंद्वसमासे अल्पाक्षरत्वात् दर्शशब्दस्य पूर्वनिपातः नानुष्ठानापेक्षया । पौर्णमास्यां पौर्णमासेनेष्ट्वा आगामिन्याममावास्यायां दर्शयागमपि कृत्वा तस्यामेव 'अमावास्यायां दीक्षेत' सोमयागं प्रारभेत । सोमयागस्य च दर्शपूर्णमासपूर्वकत्वं तैत्तिरीयेऽप्याम्नातम्–"यो दर्शपूर्णमासाविष्ट्वा सोमेन यजेत" (तै. सं. २।५।६) इत्यादि ॥

ननु "सोमेन यक्ष्यमाणो न ऋतून् प्रेक्षेत न नक्षत्रम्" इत्यादि श्रुतेराधानं सोमपूर्वमित्युच्यते । सोमयाग एवारभ्यते चेत्; तदा आधानानंतरं सोमप्रारंभ एवावसीयते । नैष दोषः । तथाहि आधानं तावत्त्रिविधं–अवश्यारभ्याणामग्निहोत्रसोमेष्टीनां भेदात् । आधानानानंतरं सर्वकर्मभ्यः पूर्वं यद्यग्निहोत्रमारभ्यते तदाऽऽधानं होमपूर्वकमित्युच्यते । सोमयाग एवारभ्यते चेत्; तदाऽऽधानं सोमपूर्वमिति गीयते । अथ दर्शपौर्णमासौ वा तर्हि तदाधानमिष्टिपूर्वं भवति । अत्र तु इष्टिपूर्वस्याधानस्य क्रमनियमोऽयमिति न विरोधः ॥ ७ ॥

इति श्रीसायणाचार्यविरचिते माधवीये वेदार्थप्रकाशे माध्यन्दिनीयशतपथब्राह्मणभाष्ये एकादशकाण्डे प्रथमाऽध्याये प्रथमं ब्राह्मणम् ॥ (११–१–१) ॥

एवमाधानस्यामावास्यालक्षणं प्रारंभकालं नियम्य दर्शपूर्णमासयोरपि उपवसथकालं निर्णेष्यन् आदौ च तत्रत्यानामाहुतीनां संख्याविशेषमुपजीव्य स्तोतुमुपोद्घातयति–घ्नंति वा इति । 'एतत्' एतर्हि इष्टिपशुसोमात्मानं त्रिविधं 'यज्ञं घ्नंति' हिंसंति ऋत्विग्यजमानाः । 'यत्' यदा 'एनं तन्वते' विस्तारयंति ।

१–तथाऽत्र कात्यायनः सूत्रयामास "दर्शपूर्णमासाभ्यामिष्ट्वाऽन्येन यजेतेति श्रुतेः, सोमेन वोपक्लृप्तसोमः" (का. श्रौ. सू. ७।१।१।२) इति च । अत्र कर्कादयः । अन्यशब्देन यजतेरेवाभिधानं न जुहोतेरपि । अन्येन यजेतेति वचनात् । तथाच प्रागप्यग्निहोत्रं न निवार्यत इति । ततश्च प्रागप्यग्निहोत्रं हूयत एव तेनाधानस्य होमपूर्वकत्वं निरस्तं भवति । तथा आधानस्य सर्वार्थतायाः सर्वसंभवत्वेन उपक्लृप्तसोमस्याधातुः सोमपूर्वत्वं अनुपक्लृप्तसोमस्याधातुर्दर्शपूर्णमासपूर्वत्वसोमपूर्वत्वेऽपि चान्ययजतीनां सोमानुष्ठानानंतरं वाचनिकं दर्शपूर्णमासपूर्वकमेवारंभणम् । तथात्रैव सूत्रव्याख्याने–वाशब्दश्च व्यवस्थितविभाषार्थः । उपक्लृप्तसोमस्य सोमपूर्वत्वं इतरस्य इष्टिपूर्वत्वमिति । सोमपूर्वत्वेऽपि च अन्येषां यागानां दर्शपूर्णमासपूर्वतैव वाचनिकीति कर्कादिसिद्धांतात् । त्रिविधमाधानं निरस्तं भवति । तथा सोमेन यक्ष्यमाणो नर्तुमिच्छेन्न नक्षत्रमित्यनेनाधानस्य कालांतरतोच्यते । न सर्वार्थताऽप्यपनीयत इति अत्रैव सूत्रे कर्कादिसिद्धांतात् सोमपूर्वमाधानमित्युद्घोषोऽपि निरस्तो भवति ॥

तꣳहत्वा यज्ञम्। (म) अग्नावेव योनौ रेतोभूतꣳसिञ्चत्यग्निर्वै योनिर्यज्ञस्य स ततः प्रजायते तद्दशता ऽआहुतीः संपादयेद्याभ्यो वषट्क्रियते॥२॥ (तेऽयं) अयं वै यज्ञो योऽयं पवते। सोऽयमेकऽइवैव पवते सोऽयं पुरुषेऽन्तः प्रविष्टो दशधा विहितः सऽएवं क्लृप्तैः प्राणैरग्नेर्योनेरधिजायते सैषा दशाक्षरा विराट् सैषा संपत्स यज्ञः॥ ३॥

तं हत्वा यज्ञं अग्नावेव योनौ रेतोभूतं सिंचति। अग्निर्वै योनिर्यज्ञस्य। स ततः प्रजायते। तद्दशता आहुतीः संपादयेत्। याभ्यो वषट्क्रियते॥ २॥

अयं वै यज्ञः, योऽयं पवते। सोऽयमेक इवैव पवते। सोऽयं पुरुषेऽन्तःप्रविष्टो दशधा विहितः। स एवं क्लृप्तैः प्राणैरग्नेर्योनेरधिजायते। सैषा दशाक्षरा विराट्। सैषा संपत्। स यज्ञः॥ ३॥

एतदेव विविच्यते—यन्त्वेवेत्यादिना। 'राजानं' लतारूपं सोमं, 'अभिषुण्वंति' निष्पीडयंतीत्यर्थः। 'पशुं संज्ञपयंति' मारयंतीत्यर्थः। "मारणतोषणनिशामनेषु ज्ञा" (धा. पा. भ्वा.प. ८१२) इति मित्प्रकरणे स्मरणात्। " मितां ह्रस्वः " (पा. सू. ६। ४। ९२) इति ह्रस्वत्वम्। 'विशासति' विशासनं त्वगस्थ्यादेरनवदानीयात् हृदयाद्यवदानस्य पृथगुद्धरणं तत्कुर्वंतीत्यर्थः। " जक्षित्यादयः षट् " (पा. सू. ६। १। ६) इत्यभ्यस्तसंज्ञा। "अदभ्यस्तात्" (पा. सू. ७। १। ४) इत्यदादेशः। एवं सोमपशुयागयोर्हननमुक्तम्। अथ हविर्यज्ञस्योच्यते—उलूखलमुसलाभ्यां दृषदुपलाभ्यामिति। " व्रीहिभिर्यजेतेति " पुरोडाशप्रकृतित्वेन विहिता व्रीहयो अत्र हविर्यज्ञशब्देन तत्साध्ययागवाचिना विवक्षिताः। ते प्रथमं ' उलूखलमुसलाभ्यां ' अवहननेन वितुषीक्रियंते। पश्चात् ' दृषदुपलाभ्यां ' पिष्यन्ते इति हविर्यज्ञस्यैवंपरंपरया हननं कृतं भवतीत्यर्थः॥ १॥

तꣳहत्वेत्यादि। अभिषवसंज्ञपनावहननैः ' तम् ' उक्तविधं त्रिविधं ' यज्ञं हत्वा '। अग्निरूपायां ' योनौ रेतोभूतं ' कारणरूपतामापन्नम्। ' सिंचति ' प्रक्षिपति प्रौढः सन्नुत्पद्यत इति। अग्नेर्यज्ञयोनित्वं प्रसिद्धमित्याह—अग्निर्वै योनिरिति। अग्निरेव खलु ' यज्ञस्य योनिः ' उत्पत्तिकारणम् गार्हपत्याद्यग्निसाध्यत्वात्तस्येत्यर्थः। ' सः ' च रेतोभूतो अग्नौ सिक्तो यज्ञः। ' ततः ' तस्मात् योन्यात्मकादग्नेः प्रकर्षेण जायते। एवमग्नेः सकाशात् यज्ञस्योत्पत्तिमुपोद्घातत्वेन प्रतिपाद्य तत्रत्यानामाहुतीनामग्नेरुत्पद्यमानानां दशसंख्यासंपादनं विधत्ते—तद्दशता इति। दशसंख्यासंपन्नो वर्गो दशता। " पंचदशतौ वर्गे वा " (पा. सू. ५। १। ६०) इति स्मृतेः। तत्रत्याभ्य आहुतिभ्यः ' वषट्क्रियते ' वषट्कारप्रदानास्ताः ' आहुतीः ' ' दशताः ' दशकसंघातरूपाः ' संपादयेत् ' न न्यूनाधिकसंख्या इत्यर्थः॥ २॥

तस्य दशसंख्यासंपादनस्य प्रयोजनमाह—अयं वै यज्ञ इति। ' योऽयं ' वायुरंतरिक्षे ' पवते ' अयमेव खलु ' सः ' यज्ञः। " वायवदध्वर्युर्यज्ञं प्रयुंक्ते " इत्यादिश्रुतेः। ' सोऽयं ' अंतरिक्षे संचरन् 'एक एव' अनिरूपितभेदः सन् एकरूप एव अंते संचरति। योऽयं बाह्यो वायुः ' पुरुषे ' मनुष्यादिशरीरे ' अंतःप्रविष्टः ' प्राणो वायुर्भूत्वा चक्षुःश्रोत्रादिरंध्रदशकात् विनिर्गच्छन् ' दशधा विहितः ' विभक्तः। स एव-

(ओऽथो) अथोऽअपि नव स्युः । (स्तु) तन्न्यूनां विराजं करोति प्रजननाय न्यूनाद्वा इमाः प्रजाः प्रजायंते सैषा संपत्स यज्ञः ॥ ४ ॥

(ओऽथो) अथोऽअप्येकाऽतिरिक्ता स्यात् । (त्सा) सा प्रजापतिमभ्यतिरिच्यते सैषा संपत्स यज्ञः ॥ ५ ॥

अथो अपि नव स्युः । तन्न्यूनां विराजं करोति प्रजननाय । न्यूनाद्वा इमाः प्रजाः प्रजायंते । सैषा संपत् । स यज्ञः ॥ ४ ॥

अथो अप्येकाऽतिरिक्ता स्यात् । सा प्रजापतिमभ्यतिरिच्यते । सैषा संपत् । स यज्ञः ॥ ५ ॥

भित्यादि । 'सः' जायमानः 'यज्ञः' एवमुदीरितप्रकारेण 'क्लृप्तैः' दशभिः 'प्राणैः' सह अग्निलक्षणाया योनेरधिजायते ' "अधिपरी अनर्थकौ" इत्यधिरनर्थकः । 'सैषा' आहुतीनां दशसंख्या दशाक्षरविराट्रूपतया संपन्ना । 'सा' पूर्वोक्ता 'संपत्' एषैव येयं विराट्रूपता । यज्ञश्च यो विराट्संपन्नः स एव यज्ञः । तत्र दर्शपूर्णमासयोः प्रथमं पंच प्रयाजाः । ततो द्वावाज्यभागौ । आग्नेयः, अग्निषोमीयः, उपांशुयाजश्चेति पौर्णमास्यां त्रीणि प्रधानानि । दर्शे आग्नेयोऽष्टाकपालः, वैष्णव उपांशुयाजः, ऐन्द्रं दधिपयः, इति त्रीणि । एवं दश वषट्कारप्रदाना आहुतयः । एवं पशुसोमयोरित्यनेन न्यायेन दशसंख्यासंपत्तिर्द्रष्टव्या ॥ ३ ॥

असोमयाजिनस्तु पौर्णमासे अग्नीषोमीययागो नास्ति, अतस्तदपेक्षया नवसंख्योपजीवनेन स्तौति–**अथो अपि नव स्युरिति** । 'अथो' इति प्रकारांतरद्योतनार्थः । वषट्कारप्रदाना आहुतयो नवसंख्याकाः 'अपि' कदाचित् भवेयुः । 'तत्' तदा एवेन 'न्यूनां' 'विराजं संपादयंति । किमर्थं 'प्रजननाय' प्रजारूपेणोत्पत्तये । न्यूनस्य प्रजोत्पत्तिहेतुता प्रसिद्धेत्याह–**न्यूनाद्वा इति** । न्यूनादेव तु गर्भाशयरूपात् प्रजननस्थानात् 'इमाः' मनुष्याद्याः 'प्रजाः प्रजायंते' सैषेत्यादि सिद्धम् ॥ ४ ॥

प्रधानानंतरभाविस्विष्टकृद्यागापेक्षया स्तौति–**अथो अप्येकाऽतिरिक्ता स्यादिति** । वषट्कारप्रदानाहुतिदशकानंतरम् स्विष्टकृद्यागरूपा एका स्विष्टकृदाहुतिरूपा 'अतिरिक्ता' विराजो अधिका 'स्यात्' सा प्रजापतिमभिलक्ष्यातिरिच्यते । उभयोरेकत्वसंख्यायोगः साम्यं । 'एषा' प्रजापतिरूपैव एकस्या आहुतेः 'संपत्' तथाच यो यज्ञः प्रजापत्यात्मकः 'सः' एव 'यज्ञः' ॥ ५ ॥

१–इदं प्रवचनं (कृष्णयजुष) मूलं , आश्वलायनः "–यद्यग्निषोमीय उपांशुयाजोऽग्नीषोमीयो अग्ववामान्यंदिवोमातरिश्वाजभार "(पू. प. १ । ६) विकल्पमाह । शांखायनसूत्रे तु (१ । ८ । ८) सान्नाय्ययाजिने अग्नीषोमीययागः, असान्नाय्ययाजिनो वैष्णव इति व्यवस्थितविकल्पः ।

याजुर्वैदिके हौत्रे तु कात्यायनः " विष्णुश्चे दिदं विष्णुरिति । तथा आध्वर्यवेऽपि । पुरोडाशान्तरेणाग्नीषोमा उपांश्वाज्यस्य (३ । ३ । २३) विष्णुर्वामावास्यायां हौत्राम्नानात् "(३ । ३ । २४) इति ।

अत्र कर्कः " अमावास्यायां विष्णुर्वा इज्यते । अग्नीषोमौ वा । एवं हि हौत्रे आम्नायते–विष्णुश्चेदिदं विष्णुरिति । ततश्च वाजसनेयिनां (असोमयाजिनामपि) पौर्णमासे अग्नीषोमीय उपांशुयागो नियत एव । दर्शे तु अग्नीषोमीयो वैष्णवो वा उपांशुयागः तेन दशवषट्कारप्रदाना दशाहुतयः, न नवेति "।

(ओऽथो) अथोऽअपि द्वेऽअतिरिक्ते स्याताम् । द्वन्द्वं वै मिथुनं प्रजननं मिथुनमेवैतत्प्रजननं क्रियते सैषा संपत्स यज्ञः ॥ ६ ॥

(ओऽथो) अथोऽअपि तिस्रोऽतिरिक्ताः स्युः । (द्वं) द्वन्द्वमहामिथुनं प्रजननमथ यज्जायते तत्तृतीयꣳ सैषा संपत्स यज्ञः ॥ ७ ॥

(ओऽथो) अथोऽ अपि चतस्रोऽतिरिक्ताः स्युः । (स्त) तद्यथैकैव चतस्रस्त्रयो वा ऽइमे लोकास्तदिमानेव लोकांस्तिसृभिराप्नोति प्रजापतिर्वाऽ अतीमांल्लोकांश्चतुर्थस्तत्प्रजापतिमेव चतुर्थ्याऽऽप्नोति सैषा संपत्स यज्ञः॥८॥

अथो अपि द्वे अतिरिक्ते स्याताम् । द्वंद्वं वै मिथुनम् । प्रजननं मिथुनम् । एवैतत्प्रजननं क्रियते । सैषा संपत् । स यज्ञः ॥ ६ ॥

अथो अपि तिस्रोऽतिरिक्ताः स्युः । द्वंद्वमह मिथुनं प्रजननम् । अथ यज्जायते तत्तृतीयम् । सैषा संपत् । स यज्ञः ॥ ७ ॥

अथो अपि चतस्रोऽतिरिक्ताः स्युः । तद्यथैका । एवं चतस्रः । त्रयो वा इमे लोकाः । तदिमानेव लोकांस्तिसृभिराप्नोति । प्रजापतिर्वा अतीमांल्लोकांश्चतुर्थः। तत्प्रजापतिमेव चतुर्थ्याऽऽप्नोति । सैषा संपत् । स यज्ञः ॥ ८ ॥

इत्थमिष्टिविषये स्विष्टकृतः संपत्तिमभिधाय पशुयागविषयो विशेषो विद्यते इत्यभिप्रेत्य प्रतिपादयति— अथो अपि द्वे इति । तत्र हि वनस्पतियागः स्विष्टकृद्यागश्चेति 'द्वे' आहुती अधिके 'स्यातां' तत्र हि द्वित्वसंख्यया प्रजोत्पत्तये मिथुनरूपतासंपत्तिः प्रतिपाद्यत इत्यर्थः । सैषा संपदिति उक्तार्थनिगमनम् ॥ ६ ॥

अथ दर्शपूर्णमासयोरनुयाजसंख्योपजीवनेन संपत्तिमाह—अथो अपि तिस्र इति । अनुयाजयागरूपाः 'तिस्रः' आहुतयः प्रकृतादाहुतिदशकादधिका भवेयुः । 'अह' शब्दो अवधारणे । स्त्रीपुंसरूपं द्वंद्वमेव खलु 'प्रजननं' प्रजोत्पादकम् । अथानंतरं तस्मात् द्वंद्वात्, यदपत्यं 'जायते' 'तत् तृतीयं' पितृमातृपुत्ररूपास्ता आहुतय इत्यर्थः । सैषेत्यादि पूर्ववत् ॥ ७ ॥

इत्थमेकैकं स्तुत्वा स्विष्टकृदनुयाजान् संभूयापि प्रशंसति—अथो अपि चतस्र इति । प्रागुदीरितात् प्रधानपर्यंतात् आहुतिदशकात् 'चतस्रः' स्विष्टकृदनुयाजरूपा आहुतयः 'अतिरिक्ताः' भवेयुः । यद्वा सोमस्त्वष्टा देवपत्न्योऽग्निर्गृहपतिरिति चत्वारः पत्नीसंयाजाः । तेऽपि उक्तादशकादतिरिच्यंत इति । तदपेक्षया चतस्र इत्येतत् व्याख्येयम्—तद्यथैकैवमित्यादि । तत्र चतसृभिरेका । यथा एका अतिरिक्ता प्रजापतिरूपेण संपन्ना । एवं चतस्रोऽपि पर्यवसानवृत्त्या प्रजापतिमेवाप्नोति सैषा संपत्तिरूपेण संपाद्यत इत्यर्थः । तामेव संपत्तिमाह—त्रयो वा इमे लोका इति । प्रजापतिर्वा इत्यादि । पूर्वाभिस्तिसृभिराहुतिभिः प्राप्तान् पृथिव्यादीन् त्रीन् लोकानतिक्रम्य 'प्रजापतिः' एव हि तदपेक्षया 'चतुर्थः' चतुःसंख्यापूरकः । तत्तस्मात् 'चतुर्थ्या' आहुत्या 'प्रजापतिमेव' प्राप्नोति । सैषा संपदिति उक्तार्थनिगमनम् ॥ ८ ॥

स यद्द्वाभ्यामूनं तदूनम् । (७ॕ) सोऽयज्ञो यत्पञ्चभिरतिरिक्तं तदति-
रिक्तꣳ सोऽयज्ञः सैषैव दशत्यधिसंपदेषा विꣳशत्यामेषाऽऽसहस्रात् ॥९॥

(दा) आर्जि वा ऽएते धावंति । ये दर्शपूर्णमासाभ्यां यजंते स वै पञ्च-
दश व्वर्षाणि यजेत तेषां पञ्चदशानां व्वर्षाणां त्रीणि च शतानि षष्टिश्च
पौर्णमास्यश्चामावास्याश्च त्रीणि च वै शतानि षष्टिश्च संव्वत्सरस्य रात्र-
यस्तद्रात्रीराप्नोति ॥ १० ॥

स यद्वाभ्यामूनं तदूनम् , सोऽयज्ञः । यत्पञ्चभिरातिरिक्तं तदतिरिक्तम् । सोऽयज्ञः । सैषैव दश-त्यधिसंपत् । एषा विंशत्याम् । एषाऽऽसहस्रात् ॥ ९ ॥

आर्जि वा एते धावंति, ये दर्शपूर्णमासाभ्यां यजंते । स वै पंचदश वर्षाणि यजेत । तेषां पंचदशानां वर्षाणां त्रीणि च शतानि षष्टिश्च पौर्णमास्यश्चामावास्याश्च । त्रीणि च वै शतानि षष्टिश्च संवत्सरस्य रात्रयः, तद्रात्रीराप्नोति ॥ १० ॥

एवमेकेन न्यूनत्वं चतुर्भिरतिरिक्तत्वं च प्रतिपाद्य प्रशंसा कृता । एवं द्वाभ्यां न्यूनत्वं पंचभिरतिरिक्तत्वं च प्रदर्श्य कस्मान्न स्तूयत इत्याशंक्याह—स यद्वाभ्यामिति । 'सः' इति प्रसिद्धौ । लिंगव्यत्ययः । यज्ञसंबंधि 'अंगं' द्वाभ्यां न्यूनं भवति । 'तत्' ऊनमेव न संपूर्णं अत एव अयज्ञः स भवति । 'यत्' तु यज्ञसंबंधि अंगं पंचसंख्यया 'अतिरिक्तं' तत् अतिरिक्तमेव यज्ञशरीरमतिक्रम्य वर्तते । अतः सोऽपि 'अयज्ञः' भवति "हानिवदंगानामतिरेकोऽपि विरोध" इति न्यायात् । मंत्रवर्णादपि अयमर्थो अवगम्यते "अतिरिक्तं यच्च कर्मणो हीनम्" इति । तस्मादत्र एकेन न्यूनत्वस्य चतुर्भिरतिरेकस्य प्रागुदीरितरीत्या संपत्तिहेतुत्वेन यज्ञसमृद्धिकरत्वात् उपन्यासः, तद्राहित्यात् द्वाभ्यामूनत्वस्य पंचभिरतिरेकस्यचानुपन्यासः, इति विभागो द्रष्टव्यः । प्रकृतां संपत्तिं निगमयति—सैषेति । विंशतिप्रभृतिषु दशकेषु एवमेषा अनुसंधेया । तत उपर्यपि 'आसहस्रात्' यावत्सहस्रसंख्या पूर्यते तावत्पर्यंतम एकैकं दशकं विभज्य एषा विराट् संपत्ति ज्ञातव्येत्यर्थः । 'एवकारः प्रकारांतरव्युदसनार्थः । 'अधिः' सप्तम्यर्थानुवादी । 'दशतौ' दशवर्गे 'एषा' उक्ता संपत् ज्ञातव्येत्यर्थः ॥ ९ ॥

यावज्जीवं दर्शपौर्णमासाभ्यां यजेतेत्येकः पक्षः । त्रिंशतं वा वर्षाणीति पक्षांतरम् । तदिदानीं प्रतिपाद्यते—आर्जि वा एत इति । क्रियातः प्राप्तव्यो अवधिः 'आजिः' 'ये दर्शपूर्णमासाभ्यां यजंते' 'एते' आजिमेव खलु धावंति । अतो यावता कालेनाजिः प्राप्यते तावत्ताभ्यां यष्टव्यम् । ननु कियता कालेन तत्प्राप्तिरित्याशंक्य तदुचितं कालं विधत्ते—स वै पंचदशवर्षाणीति । तावता कालेन संवत्सरात्मकस्य यज्ञस्य रात्रिलक्षणार्द्धभागप्राप्तिमाह—तेषां पंचदशानामिति । एकैकस्मिन् वर्षे चतुर्विंशतिसंख्याकाः दर्शपूर्णमासयागाः, तेषां पंचदशसंख्यया गणने सति षष्ट्युत्तरा त्रिशती संख्या संपद्यते । एकस्मिन् वत्सरे विद्यमाना रात्रयोऽपि तावत्यः । अतस्तत्संख्याकैर्यागैस्ता रात्रीराप्नोतीत्यर्थः ॥ १० ॥

(त्थ) अथापराणि पुञ्चदशैवु व्वर्षाणि यजेत । तेषाम्पञ्चदशानां व्वर्षाणां त्रीणि चैवु शतानि षष्टिश्च पौर्णमास्यश्चामावास्याश्च त्रीणि च वै शतानि षष्टिश्च सम्वत्सरस्याहानि तदहान्याप्नोति तद्देवु सम्व्वत्सरमाप्नोति ॥ ११ ॥

मर्त्या ह वाऽअग्रे देवाऽ आसुः । स यदैव ते संव्वत्सरमापुरथामृताऽ-आसुः सर्व्वं वै सम्व्वत्सरः सर्व्वं वाऽअक्षय्यमेतेनोहास्याक्षय्यँ सुकृतं भवत्यक्षय्यो लोकः ॥ १२ ॥

सऽ आजिसृतामेकः । (को) यऽ एवं व्विद्वांस्त्रिँशतं व्वर्षाणि यजते तस्मादु त्रिँशतमेवु व्वर्षाणि यजेत यद्यु दाक्षायणयज्ञी स्यादथोऽ अपि पञ्चदशैवु व्वर्षाणि यजेतात्र ह्येव सा संपत्संपद्यते द्वे हि पौर्णमास्यौ यजते द्वेऽ अमावास्येऽ अत्रो ऽएव खलु सा सम्पद्भवति ॥ १३ ॥

इति प्रथमप्रपाठके द्वितीयं ब्राह्मणम् ॥ ११-१-२ ॥ (१. २.) ॥

अथापराणि पंचदशैव वर्षाणि यजेत । तेषां पंचदशानां वर्षाणां त्रीणि चैव शतानि षष्टिश्च पौर्णमास्यश्चामावास्याश्च । त्रीणि च वै शतानि षष्टिश्च संवत्सरस्याहानि । तदहान्याप्नोति, तद्देव संवत्सरमाप्नोति ॥ ११ ॥

मर्त्या ह वा अग्रे देवा आसुः । स यदैवते संवत्सरमापुः । अथामृता आसुः । सर्वं वै संवत्सरः, सर्वं वा अक्षय्यं एतेनो हास्याक्षय्यं सुकृतं भवति । अक्षय्यो लोकः ॥ १२ ॥

स आजिसृतामेकः । य एवं विद्वांस्त्रिंशतं वर्षाणि यजते । तस्मादु त्रिंशतमेव वर्षाणि यजेत । यद्यु दाक्षायणयज्ञी स्यात् । अथो अपि पंचदशैव वर्षाणि यजेत । अत्र ह्येव सा संपत्संपद्यते । द्वे हि पौर्णमास्यौ यजते द्वे अमावास्ये । अत्रो एव खलु सा संपद्भवति ॥ १३ ॥

संवत्सरसंबंधिनामह्नामाप्तये पुनः पंचदश वर्षाणि ताभ्यां यष्टव्यमिति विधत्ते-अथापराणीति 'तेषां पंच-दशानां' इत्यादि पूर्ववद्योज्यम् ॥ ११ ॥

एवमुक्तामहोरात्रविभागेन संवत्सरप्राप्तिमनूद्य स्तौति-मर्त्या इति । पुरा खलु मरणधर्माणः 'देवाः' बभूवुः । 'ते' यस्मिन् काल उक्तरीत्या 'संवत्सरमापुः' अथानंतरम् 'अमृताः' ते बभूवुः मर्त्यतां परित्यज्य देवत्वं प्राप्ताः । अतः संवत्सरव्याप्तिरेवामृतत्वप्राप्तिरितिभावः । एतदेवोपपादयति-सर्वं वा इति । सर्ववस्त्वात्मको हि 'संवत्सरः' तत्रैव तस्योत्पत्तेः । सर्वात्मकं हि वस्तु 'अक्षय्यम्' । अक्षयोपेतं कर्म शक्यम् । "क्षय्यजय्यौ शक्यार्थे" (पा. सू. ६।१।८१) इति निपात्यते । एतेन संवत्सरप्रापणेनैव 'अस्य' दर्श-पूर्णमासयाजिनः 'सुकृतमक्षय्यं' क्षयरहितं 'भवति' । तत्फलभूतो लोकश्च तथा भवति ॥ १२ ॥

स च 'आजिसृतां जगद्व्यापारनिर्वाहार्थमुदयाचलादिस्थानविशेषं नियमेन प्राप्नुवतां सूर्यादीनां मध्ये स्वय-मप्येको भवति, 'एवं विद्वान्' उक्तप्रकारेण संवत्सरस्वरूपप्राप्तिं जानन् यो यजमानः त्रिंशद्वर्षपर्यंतं यजेत । प्रतिपादितमर्थं निगमयति-तस्मादु त्रिंशतमेवेति ।

पौर्णमासेनेष्ट्वा । (ष्ट्वेन्द्रा) इन्द्राय विमृधेऽनु निर्व्वपति तेन यथेष्ट्यैवं यजतऽ आमावास्येनेष्ट्वाऽदित्यै चरुमनु निर्व्वपति तेन यथेष्ट्यैवं यजते १॥

स यत्पौर्णमासेनेष्ट्वा(ष्ट्वेन्द्रा)इन्द्राय विमृधेऽनु निर्व्वपतीन्द्रो वै यज्ञस्य देवताऽ यैतदग्नीषोमीयं पौर्णमासꣳ हविर्भवति तत्र नेन्द्राय त्वेति किञ्चन क्रियतऽ एतेनो हास्यै तत्सेन्द्रꣳ हविर्भवत्येतेन सेन्द्रो यज्ञोऽथ यद्विमृधे-त्वेति सर्व्वाऽ उ हि मृधो नाष्ट्राः पौर्णमासेन हन्ति ॥ २ ॥

पौर्णमासेनेष्ट्वा इंद्राय विमृधेऽनु निर्वपति, तेन यथेष्टया एवं यजते । आमावास्येनेष्ट्वा अदित्यै चरुमनु निर्वपति, तेन यथेष्टया एवं यजते ॥ १ ॥

स यत् पौर्णमासेनेष्ट्वा, इंद्राय विमृधेऽनुनिर्वपति । इंद्रो वै यज्ञस्य देवता । अथैतत् अग्नीषोमीयं पौर्णमासं हविर्भवति । तत्र नेंद्रायत्वेति किंचन क्रियते । एतेनो हास्यै तत्सेंद्रं हविर्भवति । एतेन सेंद्रो यज्ञः । अथ यद्विमृधे त्वेति । सर्वा उ हि मृधो नाष्ट्राः पौर्णमासेन हंति ॥ २ ॥

यस्तु दर्शपूर्णमासारंभकाले आवृत्तिगुणविशिष्टौ तौ आरभमाणो दाक्षायणयज्ञयाजी स्यात् तस्य विशेषमाह–यद्यु दाक्षायणयज्ञी स्यादिति । 'यद्यु' यदि तु तदा दाक्षायणेनेष्टवान् स्यात् 'पंचदशैव वर्षाणि यजेत' न हि 'त्रिंशतं वर्षाणि' कुत इत्यत आह–अत्र ह्येवेति । 'सा' प्रागुक्ता अहोरात्रविभागेन संवत्सरप्राप्तिरूपा 'संपत्' तत्रोपपत्तिमाह–द्वे हीति । एवं प्रतिपर्व द्विरावृत्त्या अनुष्ठिते सति त्रिंशद्वर्षानुष्ठानेन या संपत् भवति । अत्र दाक्षायणयज्ञयागे पंचदशवर्षानुष्ठानेऽपि सा संपत्सिध्यतीत्यर्थः॥ १३॥

इति श्रीसायणाचार्यविरचिते माधवीये वेदार्थप्रकाशे माध्यन्दिनीयशतपथब्राह्मणभाष्ये एकादश काण्डे प्रथमाऽध्याये द्वितीयं ब्राह्मणम् ॥ (११–१–२) ॥

पौर्णमासयागे दर्शयागे च निवृत्ते क्रमेणानुनिर्वाप्यं हविर्विधत्ते–पौर्णमासेनेष्ट्वेति । विमृधति शत्रून् हिनस्तीति कृतगुणकायेन्द्राय 'अनु' पौर्णमासयागानंतरं एकादशकपालं पुरोडाशं निर्वपेत् । 'तेन' हविषा 'यथेष्टया' येन प्रकारेण प्राच्यांगकलापेन पूर्णमासेष्टिः क्रियते, एवमनेनैव प्रकारेण यजेत । तथा अमावास्यानुष्ठेयेन दर्शयागेनेष्ट्वा, 'अदित्यै' अदितिदेवताकं 'चरुमनुनिर्वपति' । तेन यथेष्टया इति अनुष्ठानप्रकारोपदेशः । उभयत्र क्त्वा श्रुत्या समानकर्तृकत्वप्रतीतेः । "वाजपेयेनेष्ट्वा बृहस्पतिसवेन यजेत" इत्यादिवत् अंगांगीभावोऽवगंतव्यः ॥ १ ॥

वैमृधस्य हविषोऽनुनिर्वपणमनूद्य स्तौति–स यत्पौर्णमासेनेति । इंद्रो वा इत्यादि । 'इंद्रः' खलु 'यज्ञस्य' प्रधानभूता 'देवता' । अथैवं सति यदेतत् पौर्णमासमग्नीषोमीयदेवताकं हविर्भवति । तत्र 'इंद्राय त्वा' इत्याद्युद्दिश्य 'किंचन' किमपि हविर्न 'क्रियते' अतस्तत्र इंद्रसंबंधविरहात् स यज्ञो देवता-

(न्त्यु) अथ युदामावास्येनेष्ट्वा । (ष्ट्वाऽदि) अदित्यै चरुमनु निर्व्वपत्येष वै सोमो राजा देवानामन्नं यच्चन्द्रमाः स यत्रैषऽएताᳬं रात्रिन्न पुरस्तान्न पश्चाद्ददृशे तेनैतदनद्धेव हविर्भवति तेनाप्रतिष्ठितमियं वै पृथिव्यदितिः सेयमद्धा सेयं प्रतिष्ठितैतेनो हास्यैतदद्धेव हविर्भवत्येतेन प्रतिष्ठितमेतन्नु तद्यस्मादनु निर्व्वपत्यथ यस्मान्नानु निर्व्वपेत् ॥ ३ ॥

(त्स) स यत्पौर्णमासेनेष्ट्वा । (ष्ट्वेन्द्रा) इन्द्राय विमृधेऽनु निर्व्वपति सेन्द्रो मे यज्ञोऽसदिति सर्व्वो वै यज्ञऽ इन्द्रस्यैव स यत्सर्व्वो यज्ञऽ इन्द्रस्यैवैतेनो हास्यैतत्सेन्द्रᳬं हविर्भवत्येतेन सेन्द्रो यज्ञः ॥ ४ ॥

अथ यत्, आमावास्येनेष्ट्वा अदित्यै चरुमनु निर्वपति । एष वै सोमो राजा देवानामन्नम् । यच्चंद्रमाः, स यत्रैष एतां रात्रिं न पुरस्तान्न पश्चाद्ददृशे । तेनैतदनद्धेव हविर्भवति । तेनाप्रतिष्ठितम् । इयं वै पृथिव्यदितिः । सेयमद्धा । सेयं प्रतिष्ठिता । एतेनो हास्यैतदद्धेव हविर्भवति । एतेन प्रतिष्ठितं । एतन्नु तत् । यस्मादनु निर्वपति । अथ यस्मान्नानुनिर्वपेत् ॥ ३ ॥

स यत् पौर्णमासेनेष्ट्वा, इंद्राय विमृधेऽनु निर्वपति । सेन्द्रो मे यज्ञोऽसदिति । सर्वो वै यज्ञ इंद्रस्यैव संपत् । सर्वो यज्ञ इंद्रस्यैव । एतेनो हास्यैतत्सेंद्रं हविर्भवति । एतेन सेंद्रो यज्ञः ॥ ४ ॥

शून्य एव स्यात् । एतेनैव हविषा अस्य पूर्णमाससंबंधिनः एतस्य अग्नीषोमीययागस्य संबंधि हविरैंद्रं इंद्रदैवत्यं भवति । एतेनैव हविषा यज्ञश्च देवतारूपेण इन्द्रसहितो भवति । इत्थं इन्द्रायेति विशेष्याभिप्रायेण स्तुत्वा विशेषणाभिप्रायमाविष्करोति–अथ यद्विमृधे त्वेति । एतेन विशेषणेन सर्वा एव हि मृधो हिंसाः 'नाश्राः' नाशकारिणीः प्रजाः पौर्णमासयागेन हतवान् भवतीत्यर्थः ॥ २ ॥

दर्शयागे विहितमनुनिर्वाप्यं हविरनूद्य स्तौति–अथ यदामावास्येनेति । एष वा इत्यादि । 'एषः' दृश्यमानश्चंद्रमाः खलु लतारूपः 'सोमः' भूत्वा 'देवानामन्नं' भवति । स एषः अन्नरूपश्चंद्रमाः 'यत्र' यस्मिन् हविर्विषये 'एतां रात्रिं' अत्यंतसंयोगे द्वितीया (पा. सू. २ । ३ । ५) । अमावास्यादिवसस्य यावती रात्रिः, तावति काले न पूर्वस्यां दिशि दृश्यते । नापि प्रतीच्यां 'तेन' सोमादर्शननिमित्तेन । एतदामावास्यं हविः 'अनद्धेव' अप्रत्यक्षमिव असत्प्रायमिव 'भवति' तेनैव कारणेन 'अप्रतिष्ठितं' निराधारं च भवति, हविराधारस्य सोमस्यादृश्यमानत्वात् । तस्य दोषद्वयस्य समाधानार्थं आदित्यस्य हविषो निर्वाप इत्याह–इयं वै पृथिव्यदितिरिति । 'अद्धा' प्रत्यक्षतया साक्षिरूपा (सद्रूपा) सर्वाधारत्वात् 'प्रतिष्ठिता' वस्त्वासनात् । अनुनिर्वाप्यपक्षं निगमयति–एतन्नु तदिति । 'यस्मात्' कारणात् उक्तं हविर्द्वयं 'अनुनिर्वपति' तत्कारणम् एतत् समनंतरं प्रतिपादितम् । 'नु शब्दः' पक्षविशेषाविष्करणे । अथानुनिर्वाप्याभावपक्षमभिधत्ते–अथ यस्मादिति । यस्मात् कारणात् उक्तहविर्द्वयस्य अनुनिर्वापो न कर्तव्यः । तत्कारणमुच्यत इति शेषः ॥ ३ ॥

उक्तस्य प्रयोजनस्य अनुनिर्वाप्यमंतरेणापि सिद्धिं वक्तुं तदनुवदति–स यत्पौर्णमासेनेति । 'मे

(ओऽथ) अथ यदामावास्येनेष्ट्वा । (ष्ट्वाऽदि) अदित्यै चरुमनु निर्व्वप-त्यामावास्यं वाऽ अनुनिर्व्वाप्यं पौर्णमासेन वाऽइन्द्रो व्वृत्रमहंस्तस्माऽ एतद्वृत्रं जघ्नुषे देवाऽ एतद्धविरनुनिरवपन्यदामावास्यं किमनुनिर्व्वाप्येऽनु निर्व्वपेदिति तस्मान्नानु निर्व्वपेत् ॥ ५ ॥

(त्स) स यत्पौर्णमासेनेष्ट्वा । (ष्ट्वाऽथा) अथान्यद्धविरनु निर्व्वपत्यामावास्येनेष्ट्वाऽथान्यद्धविरनु निर्व्वपति द्विषन्तꣳ ह स भ्रातृव्यं प्रत्युच्छ्रयतेऽथ यः पौर्णमासेनैव पौर्णमासीं यजतऽ आमावास्येनामावास्यामसपत्ना हैवास्यानुपबाधा श्रीर्भवति ॥ ६ ॥

अथ यत् आमावास्येनेष्ट्वा, अदित्यै चरुमनुनिर्वपति । आमावास्यं वा अनुनिर्वाप्यम् । पौर्णमासेन वा इंद्रो वृत्रमहन् । तस्मा एतद्वृत्रं जघ्नुषे । देवा एतद्धविरनुनिरवपन् । यदामावास्यम् किमनुनिर्वाप्येऽनुनिर्वपेदिति । तस्मान्नानुनिर्वपेत् ॥ ५ ॥

स यत् पौर्णमासेनेष्ट्वा, अथान्यद्धविरनुनिर्वपति । आमावास्येनेष्ट्वा, अथान्यद्धविरनुनिर्वपति । द्विषंतं ह स भ्रातृव्यं प्रत्युच्छ्रयते । अथ यः पौर्णमासेनैव पौर्णमासीं यजते; आमावास्येनामावास्यम् । असपत्ना हैवास्यानुपबाधा श्रीर्भवति ॥ ६ ॥

मदीयः 'यज्ञः' 'सेन्द्रः' इंद्रसहितः असद्भवेत् इत्यनेनाभिप्रायेण हि वैमृधस्यानुनिर्वापः क्रियते । तत्र सेंद्रत्वमन्यथाऽपि सिध्यति । कुतः ? 'सर्वो हि 'यज्ञ इंद्रस्यैव' स्वकः । अथ तस्य न पृथगिन्द्रसंबंधोऽपेक्षितः । एतेनैवास्य यजमानस्य पौर्णमासं हविः सेन्द्रमिन्द्रसंबद्धं भवति । तत्साध्यो यज्ञश्च 'सेन्द्रः' इद्रसहित एव भवति । अत ऐन्द्रस्य हविषः अनुनिर्वापापेक्षा न विद्यत इत्यर्थः ॥ ४ ॥

दर्शयागेऽनुनिर्वाप्यस्यापि प्रयोजनमर्थवादपुरःसरं समर्थयति–अथ यदामावास्येनेति । आमावास्यमित्यादि । पौर्णमासयागेन वृत्रं हतवते इंद्राय देवाः 'एतदामावास्यं' हविरनुनिरवपन् पौर्णमासयागस्यानुनिर्वाप्यं कुर्वन् तस्मादामावास्यं हविरेवानुनिर्वाप्यम् । नह्यनुनिर्वाप्येऽनुनिर्वाप्यांतरमपेक्ष्यते संभवति वा । तस्मादनुनिर्वाप्यस्य सतो दर्शयागस्यानुनिर्वाप्यहविरंतरापेक्षाविरहात् आदित्यं हविर्नानुनिर्वपेदित्यर्थः ॥ ५ ॥

इममेव पक्षमुपोद्बलयितुं अनुनिर्वाप्यपक्षे दोषमाह–स यत्पौर्णमासेनेत्यादि । यजमानस्थानीयौ हि दर्शपूर्णमासौ, भ्रातृव्यस्थानीयमन्यद्धविः, यदि तदनुनिर्वपेत् तर्हि सोऽध्वर्युर्यजमानस्य 'भ्रातृव्यं' 'प्रत्युच्छ्रयते' प्रतिपक्षत्वेनोच्छ्रितमुद्यतं करोति । अतः पौर्णमास्याममावास्यायां च दर्शपूर्णमासयागावेव कर्तव्यौ, नान्यत् किंचिद्धविः । अनुनिर्वाप्यमित्युपसंहरति–अथ यः पौर्णमासेनैवेति । असपत्ना हैवेति । 'असपत्ना' शत्रुरहिता, अत एव 'अनुपबाधा' तत्कृतबाधारहिता च 'अस्य' यजमानस्य यागफलरूपा श्रीर्भवति ॥ ६ ॥

पौर्णमासेन वै देवाः । पौर्णमासीं यजमानाऽआमावास्येनामावास्यां क्षिप्रऽएव पाप्मानमपाघ्नत क्षिप्रे प्राजायंत स यो हैवं विद्वान्पौर्णमासेनैव पौर्णमासीं यजतऽ आमावास्येनामावास्यां क्षिप्रऽएव पाप्मानमपहते क्षिप्रे प्रजायते स यद्यनु निर्व्वपेद्दद्याद्दक्षिणान्नादक्षिणꣳ हविः स्यादिति ह्याहुर्द्दर्शपूर्णमासयोर्ह्येवैषा दक्षिणा यदन्वाहार्य्य ऽइति न्वनुनिर्व्वाप्य-स्याथाभ्युदितस्य ॥ ७ ॥

इति प्रथमप्रपाठके तृतीयं ब्राह्मणम् ॥ ११-१-३ ॥ (१. ३.) ॥

पौर्णमासेन वै देवाः पौर्णमासीं यजमानाः; आमावास्येनामावास्याम् क्षिप्र एव पाप्मानमपाघ्नत । क्षिप्रे प्राजायंत । स यो हैवं विद्वान् पौर्णमासेनैव पौर्णमासीं यजते—आमावास्येनामावास्याम्, क्षिप्र एव पाप्मानमपहते । क्षिप्रे प्रजायते । स यदि अनुनिर्वपेत् दद्याद्दक्षिणाम् । नादक्षिणं हविः स्यात्[१]इति ह्याहुः । दर्शपूर्णमासयोर्ह्येवैषा दक्षिणा यदन्वाहार्यः । इति न्वनुनिर्वाप्यस्य । अथाभ्युदितस्य ॥ ७ ॥

अत एव, अनुनिर्वाप्यरहितयोरेवैतयोरनुष्ठानं पापहतिहेतुत्वेन प्रजातिहेतुत्वेन च प्रशंसति—पौर्णमासेन वै देवा इत्यादि । 'पौर्णमासीममावास्याम्' अत्यंतसंयोगे द्वितीया (पा. सू. २ । ३ । ५) । सर्वासु पौर्णमासीषु पौर्णमासेनैव यागेन नानुनिर्वाप्येन, हविषा । एवं सर्वास्वमावास्यासु आमावास्येनैव हविषा नान्येन । एवं कर्म कुर्वंतो देवाः 'क्षिप्रे' अल्प एव काले कृत्स्नपापक्षयं पुत्रपौत्रादिलक्षणप्रजासमृद्धिं च प्राप्नुवन् । अत इदानीन्तनस्यापि तथा कुर्वाणस्य यजमानस्य तत् फलद्वयं भवतीत्यर्थः । इत्थं पक्षद्वयप्रतिपादनेनानुनिर्वाप्यस्य हविषो विकल्पोऽयं षोडशीग्रहणवत्सिद्धः । तत्रानुनिर्वापपक्षे तस्य प्रातिस्विकं यत्किंचित् दक्षिणात्वेन दातव्यमिति विधत्ते—स यद्यनु निर्वपेदिति । तत्र दक्षिणादाने हेतुरुच्यते—नादक्षिणमिति । 'न' खलु दक्षिणारहितं च 'यत्' किंचिद्धविः 'स्यात् इति' यतः 'आहुः' ब्रह्मवादिनः; अतोऽवश्यं दक्षिणा दातव्येति ।

ननु अनुनिर्वाप्ययोर्वैमृधादित्ययोर्हविषोर्दर्शपूर्णमासकर्मांगत्वात् तद्दक्षिणयैव प्रयाजादिवत् दक्षिणावत्त्वेन पृथग्दक्षिणाकांक्षाविरहात् दक्षिणान्तरविधानमसङ्गतमित्यत आह—दर्शपूर्णमासयोर्ह्येवैषेति । 'अन्वाहार्य इति' या अस्ति । एषा दर्शपूर्णमासयोरेव दक्षिणा, नतु 'अनुनिर्वाप्यस्य' हविषः । तस्य बहिस्तंत्रवर्ति-

---

१-अयं षोडशीग्रहणवत्सिद्ध इति विकल्पो वाजसनेयिसूत्रादादिविकल्पो बोध्यः । तथा कात्यायनः " इंद्राय विमृध एकादशकपालः पौर्णमासमनु, आदिविकल्पः, आदित्यश्चरुरामावास्यम् " (का. श्रौ. सू. ४ । ५ । २१-२५) आदिविकल्प इत्येतस्मिन् सूत्रे कर्कः— स चायं शाखांतरात् आदित एवारभ्य आंताद्विकल्प इति । आदौ आरम्भ एव विकल्पो यस्य सः । आरभ्यते नवेति यदि आरभ्यते तदा यावज्जीवं क्रियत एव । तदुक्तम्—" रूपं कालोऽनुनिर्वापो देवताश्रपणं हविः । आदौ ये विवृताः पक्षास्त इमे सर्वदा मताः " इति ।

तद्धैके दृष्ट्वोपवसंति । श्वो नोदेतेत्यभ्रस्य वा हेतोरनिर्ज्ञाय वाऽथो-तोपवसंत्यथैनमुताभ्युदेति स यद्यगृहीतꣳ हविरभ्युदियात्प्रज्ञातमेव तदे-षैव व्रतचर्य्या यत्पूर्व्वेद्युर्दुग्धं दधि हविरातञ्चनं तत्कुर्व्वंति प्रति प्रमुञ्चन्ति व्वत्साँस्तान्पुनरपाकुर्व्वंति ॥ १ ॥

नैमित्तिकी त्रिहविष्का अभ्युदयेष्टिः ।

तद्धैके दृष्ट्वोपवसंति । श्वोनोदेतेति । अभ्रस्य वा हेतोः । अनिर्ज्ञाय वा । अथ उत उपवसंति । अथैनमुताभ्युदेति । स यद्यगृहीतं हविरभ्युदियात् । प्रज्ञातमेवैतत् । एषैव व्रतचर्या । यत्पूर्वेद्युर्दुग्धं दधि हविः आतंचनं तत्कुर्वंति । प्रति प्रमुंचन्ति वत्सान् तान्पुनरपाकुर्वंति ॥ १ ॥

त्वेन प्रयाजादिवैलक्षण्यात् । ऋत्विगानत्यर्थं पृथगेव दक्षिणा दातव्येत्यभिप्रायः । प्रकृतमर्थमुपसंहरति—इति न्वनुनिर्वाप्यस्येति । ' अनुनिर्वाप्यस्य हविषः ' या मीमांसा ' इति ' अनेन प्रकारेण वृत्तेत्यर्थः । वार्तिष्यमाणप्रयोगजातस्य विषयं दर्शयति—अथाभ्युदितस्येति । आमावास्ये हविषि निरुप्ते सति यदि चंद्रोऽभ्युदियात् तस्याभ्युदितस्य हविषो नैमित्तिकस्य प्रयोग इतः परमधिक्रियत इति वृत्तवर्तिष्यमाणसौकर्यपरिहारार्थो विभागनिर्देशः ॥ ७ ॥

इति श्रीसायणाचार्यविरचिते माधवीये वेदार्थप्रकाशे माध्यन्दिनीयशतपथब्राह्मणभाष्ये एकादशकाण्डे प्रथमेऽध्याये तृतीयं ब्राह्मणम् ॥ (११ । १ । ३) ॥

अभ्युदयनिमित्तं कर्म विधित्सुस्तस्य निमित्तस्य संभवमादौ कथयति—तद्धैके इति । तत्र दर्शपूर्णमासयागविषये ' एके ' शाखिनः चतुर्दशीमिश्रितपर्वणि प्रभातसमये प्राच्यां दिशि चंद्रं ' दृष्ट्वा उपवसंति ' अग्न्यन्वाधानादि उपवसथकर्म निर्वर्तयंति । तेषामयमाशयः ' श्वः ' परस्मिन् दिवसे यागकाले चंद्रः ' नोदेता ' नोदेष्यतीति । भविष्यदनद्यतनेलुट् (पा. सू. ३ । ३ । १५) । तत्र तस्य हेतोः मेघावरणनिमित्तात् । ' अनिर्ज्ञाय ' तिथिनिर्णयमज्ञात्वा ' वा ' । ' अथ उतेति पदच्छेदः । उतशब्दो अप्यर्थे । अथापि कालनिर्णयाभावेऽपि उपवसंति । अकाले यद्युपवसथं कर्म अग्न्यन्वाधानादिकं करोतीति यावत् । अथानंतरं यागदिवसे ' एनं ' यजमानं चंद्रोऽभ्युदेति । चतुर्दशीमिश्रितया चंद्रकलादर्शनं तस्य भवतीत्यर्थः । एवं निमित्तस्य संभावनोक्ता । चंद्रदर्शने सति कालविशेषोपजीवनेन कर्तव्यमुपदिशति स यद्यगृहीतमिति । अगृहीतमनिरुप्तमित्यर्थः । परदिवसे हविर्निर्वापात् पूर्वं अकाले कर्म प्रक्रांतमिति ' यदि ' ज्ञायेत तदा ' प्रज्ञातमेव ' । एतावंतं प्रयोगजातं कृतं निश्चित्य ततस्तूष्णीमासीत । ' एषा ' वक्ष्यमाणैव ' व्रतचर्या ' व्रतस्य नियमस्याचरणं कार्यं । का पुनरसावित्यत आह—यत्पूर्वेद्युरिति । ' पूर्वेद्युः ' सायं ' दुग्धं ' पयो दध्यात्मना विद्यते परस्मिन् दिवसे पुनःकरणीयस्य सायंदोहरूपस्य हविषः ' आतंचनार्थं ' तत्कुर्युः । प्रातर्दोहार्थं येऽप्युपाकृता वत्सास्तान् प्रतिप्रमुंचन्ति पुनर्मातृभिः संसृजेयुः । एवं कृत्वा पुनः सायंदोहार्थं ' तान् वत्सान् ' ' पुनरपाकुर्वंति ' मातृभ्यः पृथक् कुर्युः ॥ १ ॥

तानपराह्णे पर्णशाखयाऽपाकरोति। तद्यथैवादः प्रज्ञातमामावास्यꣳ हविरेवमेव तद्यद्यु व्रतचर्य्यां वा नोदाशꣳसेत गृहीतं वा हविरभ्युदियादितरथो तर्हि कुर्य्यादेतानेव तण्डुलान्त्सुफलीकृतान्कृत्वा स येऽणीयाꣳसस्तानग्नये दात्रेऽष्टाकपालं पुरोडाशꣳ श्रपयति ॥ २ ॥

(त्यु) अथ यत्पूर्व्वेद्युः । (र्दु) दुग्धं दधि तदिन्द्राय प्रदात्रेऽथ तदानीं दुग्धे विष्णवे शिपिविष्टाय ताँस्तण्डुलाञ्छृते चरुꣳ श्रपयति चरुरु ह्येव स यत्र क्व च तण्डुलानावपति ॥ ३ ॥

तानपराह्णे पर्णशाखयाऽपाकरोति । तद्यथैवादः प्रज्ञातम् आमावास्यं हविः । एवमेव तत् । यद्यु व्रतचर्यां वा नोदाशंसेत । गृहीतं वा हविरभ्युदियात् । इतरथो तर्हि कुर्यात् । एतानेव तंडुलान् सुफलीकृतान् कृत्वा स येऽणीयांसः–तानग्नये दात्रेऽष्टाकपालं पुरोडाशं श्रपयति ॥ २ ॥

अथ यत्पूर्वेद्युर्दुग्धं दधि-तदिंद्राय प्रदात्रे । अथ तदानीं दुग्धे विष्णवे शिपिविष्टाय तांस्तंडुलान् शृते चरुं श्रपयति । चरुरु ह्येव सः । यत्र क्व च तंडुलानावपति ॥ ३ ॥

तस्य कालं विधत्ते–तानपराह्ण इति । एवं परस्मिन् दिवसे पुनः सायंदोहार्थं तानपाकृत्य सायंदोहादिकं कृत्वा ततः परदिवसे प्रागनुष्ठितात् प्रज्ञातत्वेन स्थापितात् क्रियाकलापात् आरभ्य आमावास्येन हविषा काले यजेत । एवं सति अकाले प्रक्रमदोषो न भविष्यतीत्याह–तद्यथैवाद इति । तत्तस्यां व्रतचर्यायां सत्याम् 'अदः' प्रज्ञातकाले प्रक्रांतमामावास्यं हविः यथैवाविकलं भवति ' एवमेव तत् ' चंद्रदर्शननिमित्तयुक्तहविर्दोषरहितं भवतीत्यर्थः । यदुक्तव्रतचर्याकरणाशक्तौ हविर्निर्वापोत्तरकाले च कर्तव्यम् तदुपदिशति–यद्यु व्रतचर्यामिति । यदि तु उक्तां ' व्रतचर्यां ' कर्तुं नेच्छेत् । "आङः शसिरिच्छायाम्" (धा. पा. भ्वा.आ. २७) इति धातुः । तदा हविर्निर्वापात् पूर्वमपि वक्ष्यमाणो विधिर्ज्ञातव्यः । यदि ' वा गृहीतं ' निरुप्तं हविरभ्युदियात् निर्वापोत्तरकालं चतुर्दश्यामकाले दर्शयागः प्रक्रांत इति जानीयादित्यर्थः । उभयत्रापि इतरथा उक्तात्प्रकारात्प्रकारांतरेण तर्हि कुर्यात् । तदेव प्रकारांतरमाह–एतानेवेति । य एते प्रकृतिदेवताभ्यो निरुप्ता व्रीहयश्च ते अवहननेन तंडुलाः सुफलीकृताश्च कार्याः । एवं कृत्वा तत्र ये ' अणीयांसः ' कणशः कृताः सूक्ष्मतंडुलाः । उपलक्षणमेतत् । स्थूलतमा मध्यमाः सूक्ष्मतमाश्च इति त्रेधा विभागस्य च । एते त्रिविधाः । तत्र ये मध्यमाः ' तानग्नये दात्रे ' दातृगुणविशिष्टायाग्नये अष्टसु कपालेषु संस्कृतं ' पुरोडाशं ' श्रपयेत् ॥ २ ॥

यत्सायंदोहरूपं ' दधि ' ' तदिंद्राय प्रदात्रे ' प्रदातृगुणविशिष्टायेंद्राय कार्यम् । तत्र दध्नि स्थविष्ठान् तंडुलान् प्रक्षिप्य चरुं श्रपयतीत्यर्थः । अथानंतरम् तदानीं प्रातर्दुग्धे शृते ये अणीयांसस्तंडुलाः तान् समोप्य, शिपिविष्टगुणकाय ' विष्णवे ' ' चरुं श्रपयति ' । (गृह्यं) प्रक्रांतहविषां नैमित्तिको देवतापनयः कृतः । एतत्सर्वं सूत्रकारेणोक्तं " चंद्रमसाऽभ्युदित आमावास्ये पुरस्तात्तद्व्रतः स्यात्, दधिहविरातंचनं निदध्यात्, संसृज्य वत्सान् पुनरपाकरणम्, निरुप्ते व्रताशक्तौ वा त्रेधं तंडुलान् विभज्य मध्यमानग्नये दात्रे

तद्यदेवं भवति। (त्ये) एष वै सोमो राजा देवानामन्नं यच्चन्द्रमास्तमेतदुपैप्सीत्तमपारात्सीत्तमस्माऽअग्निर्दाता ददातीन्द्रः प्रदाता प्रयच्छति तमस्माऽइन्द्राग्नी यज्ञं दत्तस्तेनेन्द्राग्निभ्यां दत्तेन यज्ञेन यजतेऽथ यद्विष्णवे शिपिविष्टायेति यज्ञो वै विष्णुरथ यच्छिपिविष्टायेति यमुपैप्सीत्तमपारात्सीत्तच्छिपितमिव यज्ञस्य भवति तस्माच्छिपिविष्टायेति तत्रो यच्छक्नुयात्तदद्यान्नादक्षिणꣳ हविः स्यादिति ह्याहुरथ यदैव नोदियादथोपवसेत् ॥ ४ ॥

इति प्रथमप्रपाठके चतुर्थं ब्राह्मणम् ॥ ११-१-४ ॥ (१. ४.) ॥

तद्यदेवं भवति। एष वै सोमो राजा देवानामन्नम्-यच्चंद्रमाः, तमेतदुपैप्सीत्-तमपारात्सीत्। तमस्मा अग्निर्दाता ददाति। इंद्रः प्रदाता प्रयच्छति। तमस्मा इंद्राग्नी यज्ञं दत्तः। तेनेंद्राग्निभ्यां दत्तेन यज्ञेन यजते। अथ यद्विष्णवे शिपिविष्टायेति। यज्ञो वै विष्णुः। अथ यच्छिपिविष्टायेति यमुपैप्सीत् तमपारात्सीत्। तच्छिपितमिव यज्ञस्य भवति। तस्माच्छिपिविष्टायेति। तत्रो यच्छक्नुयात्, तदद्यात्। नादक्षिणं हविः स्यात इति ह्याहुः। अथ यदैव नोदियात्। अथोपवसेत् ॥ ४ ॥

इति नैमित्तिकी दर्शयागे पुरस्ताच्चन्द्रदर्शने त्रिहविष्का
अभ्युदयेष्टिसंज्ञिका प्रायश्चित्तेष्टिः ॥

स्थविष्ठानिंद्राय प्रदात्रे दधनि चरुमणिष्ठान् विष्णवे शिपिविष्टाय श्रृते चरुम्, तस्य तंडुलापनयो वचनात्" (का. श्रौ. सू. २५। ९३-९६। ९९) इति। ननु सायंदोहप्रातर्दोहौ स्वतंत्रे हविषी। तयोश्चर्वाधारतया उपसर्जनत्वमयुक्तमित्यत आह-चरुरु ह्येव स यत्रेति। यस्मिन् कस्मिन् दधनि क्षीरे वा तंडुलाः प्रक्षिप्यन्ते चरुरेव स भवति। अतस्तयोः चरुस्वरूपानुप्रवेशान्न प्राधान्यप्रच्युतिः। अत एव तत्र सान्नाय्यधर्माणामननुष्ठानम्। उक्तं हि सूत्रकृता-"संस्कारात्सान्नाय्यम्, अन्यद्वेज्यायोगात्" (का. श्रौ. सू. २५। ९७। ९८।) इति ॥ ३ ॥

विहितां नैमित्तिकीमभ्युदयेष्टिमनूद्य प्रयोजनकथनेन स्तौति-तद्यदेवमिति। तत्त्र एवं त्रिहविष्केष्टिं निर्वपतीति यत्, तस्य प्रयोजनमुच्यत इत्यर्थः। तमेतदुपैप्सीदिति। तं देवान्नभूतं चंद्रमसम् एतत्सगुणकामम् उपाप्तुं ऐच्छत् स चायम् अमावास्यायां भूमौ वसतीति उपाप्तुं शक्यते। अत उपाप्तुमिच्छति। 'तमपारात्सीत्' अपराधात् अकाले कर्मणामारंभात् अपराधप्रच्युतिमकार्षीत्। अतो देवान्नभूतस्य चंद्रमसो ग्रहणाभावान्निरुप्तं हविर्विकलमेव स्यादित्यर्थः। 'तं' तथाविधमन्नरूपं चंद्रमसम् दातृगुणविशिष्टः 'अग्निः' 'अस्मै' यजमानाय ददाति। इंद्रः प्रदातेत्यादि। तमस्मा इंद्राग्नी यज्ञमिति। अविकलं यथाकालमनुष्ठेयो दर्शयागो यज्ञः। तृतीययागस्य देवतां प्रशंसति-अथ यद्विष्णव इति। अवास्त्यो यज्ञ एव विष्णुरिति तस्य हविः प्रति निमित्तत्वेन देवतात्वमत्र युक्तमित्यर्थः।

अथामावास्येति मन्यमानऽउपवसति । (त्यु) अथैष पश्चाद्ददृशे स हैष दिव्यः श्वा स यजमानस्य पशूनभ्युवेक्षते तदपशव्यꣳ स्यादप्रायश्चित्तिकृतऽ एतस्मादु हैतद्भीषाऽवचन्द्रमसादिति ॥ १ ॥

दर्शयागे पश्चाच्चंद्रदर्शने त्रिहविष्का अभ्युदितेष्टिः (प्रायश्चित्तेष्टिः) ।

अथामावास्येति मन्यमान उपवसति । अथैष पश्चाद्ददृशे । स हैष दिव्यः श्वा । स यजमानस्य पशूनभ्यवेक्षते । तदपशव्यं स्यादप्रायश्चित्तिकृतः । एतस्मादु हैतद्भीषाऽवचंद्रमसादिति ॥ १॥

तद्विशेषणप्रयोजनमाह—अथ यच्छिपिविष्टायेति । यं देवान्नरूपं चंद्रमसं अकाले उपाप्तुं ऐच्छत् 'तमपारात्सीत्' अपराधो भ्रंशः तद्विशिष्टमकार्षीत् । तच्चंद्रात्मकमकाले निरुप्तं हविः शिपिस्तदाश्रितो दोषविशेषः, तद्युक्तमिव यज्ञस्य शरीरं भवति । तस्मात् अस्मिन् समये तादृक्शरीरविशिष्टो भवति । अतो यज्ञरूपाय विष्णवे शिपिविष्टायेति विशेषणोपादानमर्थवत्स्यात् ।

अभ्युदयेष्टौ यथाशक्ति दक्षिणां दद्यादिति विधत्ते—तत्रो यच्छक्नुयादिति । (गृह्यं) चंद्रोदये दोषदर्शनात् निर्दिष्टं पक्षमाह—अथेति । यदा खलु चंद्रो 'नोदियात्' पूर्वस्यां दिशि नाविर्भवति । चतुर्दशीसंस्पर्शो यस्मिन् दिने नास्ति तस्मिन्नेव दिवसे अग्न्यन्वाधानादि कर्म औपवसथ्यं कुर्यादित्यर्थः ॥ ४ ॥

इति श्रीसायणाचार्यविरचिते माधवीये वेदार्थप्रकाशे माध्यन्दिनीयशतपथब्राह्मणभाष्ये एकादशकाण्डे प्रथमेऽध्याये चतुर्थं ब्राह्मणम् ॥ (११-१-४) ॥

(गृह्यम्) दर्शयागे पुरस्ताच्चंद्रदर्शने प्रायश्चित्तेष्टिरुक्ता, अथ पश्चात्तद्दर्शने नैमित्तिकीमिष्टिं विधित्सुराह—अथामावास्येति मन्यमान इति । " पर्वणो यश्चतुर्थोंऽश आद्याः प्रतिपदस्त्रयः । यागकालः स विज्ञेयः " (मुरारिकृतपर्वनिर्णये.) इति स्मृत्युक्तकालमतिक्रम्य प्रतिपत्तुरीयपादादिकाले अद्येदानीं अमावास्येति दर्शयागस्यायं काल इति मोहात् 'मन्यमानो' यदा 'उपवसति' औपवसथ्यं कर्म करोति । अथानंतरं सायंकाले 'एषः' चंद्रमाः 'पश्चात्' प्रतीच्यां दिशि 'ददृशे' दृश्यते चोदितं कालमतिक्रम्याकाले कर्म कृतमिति ज्ञायत इत्यर्थः । 'सः' पश्चात् दृश्यमानः 'एषः' चंद्रः 'दिव्यः' दिवि भवः 'श्वा' श्ववत् बाधकः । 'सः' 'अस्य' यजमानस्य पशून् गोऽश्वाविमहिषादीन् 'अभ्यवेक्षते' अभ्यवहर्तुं पश्यति । यथा सालावृको वने संचरतो मेषादीन् पशून् अभ्यवजिहीर्षति, तद्वत् । तस्मात् चंद्रदर्शनं 'अप्रायश्चित्तिकृतः' प्रायो नाम विध्यतिक्रमजनितो दोषः, तस्य चित्तिः, तत्समाधायकं ज्ञानपूर्वकं कर्म तदकुर्वतो यजमानस्य 'अपशव्यं' पशुभ्यो हितं पशव्यं तद्विलक्षणं स्यात् । तच्चंद्रदर्शनं पशुहानिकृदित्यर्थः । एतदेवोपपाद्यते—एतस्मादिति । एतस्मादेव खलु चंद्रसंबंधिधरूपेण पूर्वोक्तात् । अत एव 'अवचंद्रमसात्' अवकृष्टो निकृष्टः चंद्रमाः अवचंद्रमसः । " अनसन्तान्नपुंसकात् " (पा. सू. ५ । ४ । १०३) इति अनपुंसकाल्लिंगादपि व्यत्ययेनाकारः समासांतः । तस्माच्चन्द्रादिति 'भीषा' उक्तरूपया भीत्या ॥ १ ॥

१-काम्या चेयं पशव्येष्टिः ।

छायामुपसर्प्पन्ति । (न्त्ये) एतेनो हैतदुपतपदाचक्षते श्वलुचितमित्येतमु हैवैतदाचक्षते ॥ २ ॥

शशश्चांद्रमस ऽइति । चन्द्रमा वै सोमो देवानामन्नं तं पौर्णमास्यामभिषुण्वन्ति सोऽपरपक्षेऽपऽओषधीः प्रविशति पशवो वाऽअपऽ ओषधीरदन्ति तदेनमेताꣳ रात्रिं पशुभ्यः सन्नयति ॥ ३ ॥

सोऽद्यामावास्येति मन्यमानऽउपवसति । (त्य) अथैष पश्चाद्ददृशे तद्यजमानो यज्ञपथादेति तदाहुः कथं कुर्य्यादित्वा यज्ञपथाद्यजेता३न यजेता३ऽइति यजेत हैव न ह्यन्युदपक्रमणं भवति श्वः श्वऽएवैष ज्यायानुदेति सऽआमावास्यविधेनैवेष्ट्वाऽथेष्टिमनु निर्व्वपति तदहर्व्वैव श्वो वा ॥ ४ ॥

छायामुपसर्पन्ति । एतेनो हैतदुपतपत् आचक्षते श्वलुचितमिति । एतमु हैवैतदाचक्षते ॥ २ ॥

शशश्चांद्रमस इति । चंद्रमा वै सोमो देवानामन्नम् । तं पौर्णमास्यामभिषुण्वंति । सोऽपरपक्षेऽपऽओषधीः प्रविशति । पशवो वा अप ओषधीरदंति । तदेनमेतां रात्रिं पशुभ्यः सन्नयति ॥ ३ ॥

सोऽद्यामावास्येति मन्यमान उपवसति । अथैष पश्चाद्ददृशे । तद्यजमानो यज्ञपथादेति । तदाहुः कथं कुर्यात् इत्वा यज्ञपथाद्यजेता ३ न यजेता ३ इति । यजेत हैव । न ह्यन्यदपक्रमणं भवति । श्वः श्व एवैष ज्यायानुदेति । स आमावास्यविधेनैवेष्ट्वा—अथेष्टिमनुनिर्वपति । तदहर्वैव श्वो वा ॥ ४ ॥

'छायामुपसर्पन्ति' उपगच्छन्ति गवाद्याः पशवस्तिरोहिता यजमानस्य भवंतीत्यर्थः । 'एतेनो ह' एतेनैव प्रकारेण इति 'उपतपत्' पशूनामुपतापकारि यदेतच्चंद्रदर्शनं ततः 'श्वलुचितं' शुना रिक्तीकृतमित्याचक्षते अभिज्ञाः कथयंति । 'एतमु हैवैतत्' एतमेव चंद्रगतदोषम् एवम् 'आचक्षते' ॥ २ ॥

'चन्द्रमसः' संबंधी तन्मण्डलमध्यवर्ती 'शशः' इति । अत एव तस्य शशांक इति प्रसिद्धिः । इतोऽपि चन्द्रदर्शनात्प्रागेव शुद्धायाममावास्यायां उपवसथः कार्य इत्याह—चंद्रमा वा इति । तं पौर्णमास्यामिति । उपचयकाष्ठां गतं तं देवान्नरूपं चंद्रमसं पौर्णमासीकाले 'अभिषुण्वंति' पातुं द्रवीकुर्वंति । स चाभिषवेणेतः अनुष्ठितोऽपरपक्षे अप ओषधीश्च प्रविशति । पशवस्ता ओषधीर्जग्ध्वा अपश्च पीत्वा स्वात्मनि तं चांद्रमसं कृत्स्नं रसममावास्यायां धारयंति । तत 'एनं' रसमेतां रात्रिम् । "अत्यंतसंयोगे द्वितीया"—(पा. सू. २ । ३ । ५) । अमावास्यायाः संबन्धिन्यां रात्रौ 'पशुभ्यः' 'सकाशात् सन्नयति' सम्यक् प्रापयति । तत्सन्नयनं प्रतिपच्चंद्रदर्शने सति नोपपद्यत इत्यर्थः ॥ ३ ॥

दर्शयागस्यातिक्रांतकालत्वे दोषमुपन्यस्य तत्रानुष्ठानप्रकारमाह—सोऽद्यामावास्येति । व्याख्यातार्थः । तत्तथा पश्चाच्चंद्रदर्शने सति यजमानो [1]'यज्ञपथात्' अनुष्ठानमार्गात् 'एति' अपक्रामति "ऋक्पू-

---

१-अयं दर्शिज्ञानार्थः, न प्रेक्षणार्थः । पश्चादभ्युद्दृष्ट इति सूत्रावयवव्याख्याने-तद्दर्शनं च शास्त्रतः प्रतिपद्येव भवति । भ्रात्या प्रतिपदि उपवासोपक्रम एतत् । इति ह.र्क. ।

तस्यै त्रीणि हवीᳬँषि भवन्ति। (न्त्य) अग्नये पथिकृतेऽष्टाकपालं पुरोडाशमिन्द्राय व्वृत्रघ्नऽएकादशकपालमग्नये व्वैश्वानराय द्वादशकपालं पुरोडाशम् ॥ ५ ॥

(ᳬँ) स यदग्नये पथिकृते निर्व्वपति। (त्य) अग्निर्व्वै पथः कर्ता स यस्मादेवादो यजमानो यज्ञपथादेति तमेनमग्निः पन्थानमापादयति ॥ ६ ॥

(त्यु) अथ यदिन्द्राय व्वृत्रघ्ने। पाप्मा वै व्वृत्रो यो भूतेर्व्वारयित्वा तिष्ठति कल्याणात्कर्म्मणः साधोस्तमेतदिन्द्रेणैव व्वृत्रघ्ना पाप्मानं व्वृत्रᳬँ हन्ति तस्मादिन्द्राय व्वृत्रघ्ने ॥ ७ ॥

तस्यै त्रीणि हवींषि भवंति। अग्नये पथिकृतेऽष्टाकपालं पुरोडाशम्, इंद्राय वृत्रघ्न एकादशकपालम्, अग्नये वैश्वानराय द्वादशकपालं पुरोडाशम् ॥ ५ ॥

स यदग्नये पथिकृते निर्वपति। अग्निर्वै पथः कर्ता। स यस्मादेवादो यजमानो यज्ञपथादेति। तमेनमग्निः पंथानमापादयति ॥ ६ ॥

अथ यदिंद्राय वृत्रघ्ने। पाप्मा वै वृत्रः। यो भूतेर्वारयित्वा तिष्ठति कल्याणात्कर्मणः साधोः। तमेतदिंद्रेणैव वृत्रघ्ना पाप्मानं वृत्रं हंति। तस्मादिंद्राय वृत्रघ्ने ॥ ७ ॥

रभ्यः" (पा.सू.५।४।७४) इति अकारः समासांतः। अत्र कर्तव्यविशेषमुपदेष्टुं ब्रह्मवादिनां प्रश्नमुद्भावयति–तदाहुः कथं कुर्यादित्वा यज्ञपथादिति। 'इत्वा' गत्वा प्रच्युतो भूत्वेत्यर्थः। किं प्रक्रांतेन दर्शयागेन 'यजेत न यजेतेति' तेषां मीमांसा। "विचार्यमाणानाम्" (पा. सू. ८।२।९७) इत्युभयत्र प्लुतिः। एवं विचार्य यागपक्षमेव निर्द्धारयंति–यजेत हैवेति। 'अपक्रमणं' दोषनिष्क्रमणद्वारं, तदानीमेव प्रकृतयागनिर्वर्तने कारणमाह–श्वः श्व एवैष इति। 'श्वः श्वः' उत्तरोत्तरदिवसे कलावृद्ध्या 'ज्यायान्' वृद्धतर एव समुदेति। तथा च कालातिक्रम ओषधिगतश्चंद्रः प्रतिक्षणं ततोऽपसर्पतीति प्रकृतो दर्शयागः शीघ्रं समापनीय इत्यर्थः। अनंतरमेवैतद्दोषपरिहाराय प्रायश्चित्तेष्टिः कर्तव्येति विधत्ते–स आमावास्यविधेनैवेति। यथोदितकालेऽनुष्ठितोऽमावास्यायागः, तत्प्रकारेणैव प्रतिपदि प्रक्रांतां दर्शेष्टिं समाप्य, अनंतरमेव एतां त्रिहविष्कां वक्ष्यमाणामिष्टिमनुनिर्वपेत्। सा च सद्यस्काला द्व्यहःकालसाध्या वा कार्येत्याह–तदहर्वैवेति ॥ ४ ॥

कतिहविष्का सेति तत्राह–तस्यै त्रीणीति। षष्ठ्यर्थे चतुर्थी (पा. सू. २। १। ११। वा.)। तान्येव हवींषि दर्शयति–अग्नये पथिकृत इति ॥ ५ ॥

तानि क्रमेणानूद्य व्याचष्टे–स यदग्नये पथिकृत इति। 'पथः' यज्ञमार्गस्य भ्रष्टस्य 'अग्निः' खलु 'कर्ता' पुनः प्रापयिता। अतः सोऽग्निस्तं पंथानम् 'एनं' यजमानं प्रापयति। 'यस्मात्' यज्ञपथादेव 'अदः' अमुत्र 'यजमान एति' अपक्रामति। अतः पथिकृद्विशेषणविशिष्टाग्नेर्यागो युक्त इत्यर्थः ॥ ६ ॥

द्वितीययागदेवताया अपि विशेषणं प्रकृतोपयोगित्वेन समर्थयते–पाप्मा वै वृत्र इति। 'वृत्रघ्ने' इत्यत्र

(अ॒ेऽथ) अथ य॒दग्न॒ये वै॒श्वानरा॒य । द्वा॒दशकपालं पुरोडा॒शं निर्व्व॒पति य॒त्र वाऽइन्द्रो वृ॒त्रम॒हंस्तम॒ग्निना वै॒श्वानरे॒ण समदहत्त॒दस्य स॒र्व्वं पा॒प्मानꣳ समदहत्त॒थोऽ ए॒वैषऽ एतद्दि॒न्द्रेणैव॒ वृ॒त्रघ्ना पा॒प्मानं वृ॒त्रꣳ हत्वा त॒मग्निना वै॒श्वानरे॒ण सं॒दहति त॒दस्य स॒र्व्वं पा॒प्मानꣳ सं॒दहति स यो॒ हैवं॒ वि॒द्वानेतये॒ष्ट्या य॒जते न॒ हास्याल्पश्चन॒ पाप्मा प॒रिशिष्यते ॥ ८ ॥

त॒स्यै सप्त॒दश सामिधे॒न्यो भवन्ति । (न्त्यु) उपाꣳशु॒ दे॒वता य॒जति या॒ः काम॒यते ता॒ याज्याऽनुवा॒क्याः करोत्येवमा॒ज्यभागावे॒वꣳ संया॒ज्ये ॥ ९ ॥

अथ यदग्नये वैश्वानराय द्वादशकपालं पुरोडाशं निर्वपति । यत्र वा इंद्रो वृत्रमहन् । तमग्निना वैश्वानरेण समदहत् । तदस्य सर्वं पाप्मानं समदहत् । तथो एवैष एतदिंद्रेणैव वृत्रघ्ना पाप्मानं वृत्रं हत्वा तमग्निना वैश्वानरेण संदहति । तदस्य सर्वं पाप्मानं संदहति । स यो हैवं विद्वानेतयेष्ट्या यजते । न हास्याल्पश्चन पाप्मा परिशिष्यते ॥ ८ ॥

तस्यै सप्तदश सामिधेन्यो भवंति । उपांशु देवता यजति । याः कामयते, ता याज्याऽनुवाक्याः करोति । एवमाज्यभागौ । एवं संयाज्ये ॥ ९ ॥

हननक्रियां प्रति कर्मभूतो यो वृत्रः सः ' पाप्मा ' । तं विशिनष्टि—यो भूतेरिति । ' साधोः ' यथाकालमनुष्ठितात्, कल्याणाच्छोभनफलसाधनात्, ' कर्म्मणः ' या ' भूतिः ' फलोत्पत्तिः, तां ' वारयित्वा ' यः पाप्मा ' तिष्ठति ' । भूतेरिति कर्मणि षष्ठी (पा. सू. २ । ३ । ५०) । तमेतदित्यादि स्पष्टम् ॥ ७ ॥

वार्त्रघ्नयागानंतरमाग्नेययागस्य कर्तव्यतां प्रतिपादयति—यत्र वा इंद्र इति । हतस्य वृत्रस्य पुनरुद्भवशंकया ' तं ' हतं वृत्रं वैश्वानरगुणकेनाग्निना ' इंद्रः समदहत् ' भस्मसात्कृतवान् । ततः सोऽग्निः अस्येंद्रस्य ' सर्वं ' वृत्ररूपं ' पाप्मानं समदहत् ' । पुरावृत्तसंसिद्धमर्थं प्रकृते योजयति—तथो एवैष इति । ' एषः ' यजमानः तथैव वृत्रहननगुणविशिष्टेन ' इंद्रेणैव ' अयथाकालानुष्ठानजनितं पापरूपं ' वृत्रं हत्वा ' ' तं वैश्वानरेणाग्निना ' सम्यक् ' दहति ' भस्मीकरोति । तदनंतरं सोऽग्निः ' अस्य ' यजमानस्य ' सर्वं पाप्मानं संदहति ' । प्रकृतमुपसंहरति—स यो हैवमिति । अल्पश्चनेति । चनशब्दोऽप्यर्थे ॥ ८ ॥

अथास्यामिष्टौ "प्रकृतिवत् विकृतिः कर्तव्या" इति चोदकप्राप्तेषु अंगेषु विशेषं विधत्ते—तस्यै सप्तदश सामिधेन्य इति । समिदाधानार्था ऋचः ' सामिधेन्यः ' । ताः प्रकृतौ पंचदश । अत्र चोदकप्राप्तास्ताः " पृथुपाजवत्यौ धाय्ये द्वे " इति ' सप्तदश भवंति ' । प्रकृतौ प्रधानयागे उच्चैष्ट्वं धर्मः । अत्र तदपवादेन उपांशुत्वं विधीयते—उपांशु देवता यजतीति । ' देवताः ' प्रधानदेवताः । याः कामयत इत्यादि । प्रकृतदेवतालिंगयुक्ताः चतुःषष्ट्यां दाशतय्यां समाम्नाताः ' याः ' ऋचः ' कामयते ' ताः ' याज्याऽनुवाक्याः ' कुर्यात् । तत्रैता एवेति नियमो नास्तीत्यर्थः । आज्यभागयोः स्विष्टकृद्यागे च याज्याऽनुवाक्यासु याथाकाम्यमतिदिशति—एवमाज्यभागाविति । एवं संयाज्ये इति च ॥ ९ ॥

तिसृधन्वं दक्षिणां ददाति । धन्वना वै श्वानं बाधन्ते तदेतमेवैतद्बाधते यत्तिसृधन्वं दक्षिणां ददाति ॥ १० ॥

दण्डं दक्षिणां ददाति । दण्डेन वै श्वानं बाधंते तदेतमेवैतद्बाधते यद्दण्डं दक्षिणां ददात्येषाऽन्वादिष्टा दक्षिणा दद्यात्त्वेवास्यामप्यन्यद्याऽइतरा दक्षिणास्तासां यत्संपद्येत सा हैषा पशव्येष्टिस्तयाऽप्यनभ्युदृष्टो यजेतैव ॥ ११ ॥

इति प्रथमप्रपाठके पञ्चमं ब्राह्मणम् ॥ ११।१।५ ॥ (१-५) ॥

तिसृधन्वं दक्षिणां ददाति । धन्वना वै श्वानं बाधंते । तदेतमेवैतद्बाधते । यत्तिसृधन्वं दक्षिणां ददाति ॥ १० ॥

दंडं दक्षिणां ददाति । दण्डेन वै श्वानं बाधंते । तदेतमेवैतद्बाधते । यद्दंडं ददाति । एषाऽन्वादिष्टा दक्षिणा । दद्यात्त्वेव अस्यामप्यन्यत् । या इतरा दक्षिणाः । तासां यत्संपद्येत । सा हैषा पशव्येष्टिः । तयाऽप्यनभ्युदृष्टो यजेतैव ॥ ११ ॥

दक्षिणाद्रव्यं विधाय स्तौति–तिसृधन्वमिति । तिसृभिरिषुभिर्युक्तं धन्व 'तिसृधन्वम्'। पूर्ववदकारांतः समासांतः (पा. सू. ५ । ४ । ७४) । धनुषा खलु लोके 'श्वानं बाधंते' । तत्तत 'एत' चंद्रात्मकं दिव्यं श्वानं 'एतत्' एतेन दीयमानेन धनुषा 'बाधते' हिनस्ति ॥ १० ॥

अन्यदपि देयं द्रव्यं दर्शयति–दण्डं दक्षिणां ददातीति । निगदसिद्धोऽर्थः । एतावदेवेति दक्षिणाद्रव्यस्य नियमो नाभिप्रेत इत्याह–एषाऽन्वादिष्टा दक्षिणेति । 'एषा' खलु 'आदिष्टा' अस्या इष्टेर्विशेषविहिता 'दक्षिणा'। अतो दद्यादेव अस्यामिष्टचा 'अन्यदपि' द्रव्यम् । या उक्तव्यतिरिक्ता इष्ट्यंतरेषु देयाः 'दक्षिणाः'। 'तासां' मध्ये यद्द्रव्यं 'संपद्येत' तद्दद्यादिति संबंधः ।

उक्तनिमित्ताभावेऽपि पशुकामेन एषा इष्टिः कार्या इति विधत्ते–सा हैषेति । 'सा' खलु 'एषा' इष्टिः 'पशव्या' पशुभ्यो हिता तया 'अनभ्युद्दष्टोऽपि' अदृश्यमानचंद्रोऽपि यजेतैव ॥ ११ ॥

इति श्रीसायणाचार्यविरचिते माधवीये वेदार्थप्रकाशे माध्यन्दिनीयशतपथब्राह्मणभाष्ये एकादशकाण्डे प्रथमाध्याये पञ्चमं ब्राह्मणम् ॥ (११–१–५) ॥

१-कात्यायनः सर्वमेतदनुसूत्रत् "पश्चादभ्युदृष्ट आमावास्येनेष्ट्वा तदहर्वैव श्वो वाऽग्नये पथिकृत इंद्राय व्रुत्रघ्न एकादशकपालो वैश्वानरश्च । त्रिषुकं धनुर्दक्षिणा दण्डो वा । प्राकृताश्चेच्छन् । अनभ्युद्दृश्यस्यापि पशुकामस्य" इति । का. श्रौ. सू. २५ । १०२-१०६ ।

आपो ह वाऽ इदमग्रे सलिलमेवास । ताऽअकामयंत कथं नु प्रजायेमहीति ताऽ अश्राम्यंस्तास्तपोऽतप्यंत तासु तपस्तप्यमानासु हिरण्मयमाण्डꣳ संबभूवाजातो ह तर्हि संवत्सरऽआस तदिदꣳ हिरण्मयमाण्डं यावत्संव्वत्सरस्य व्वेला तावत्पर्य्यप्लवत ॥ १ ॥

ततः संवत्सरे पुरुषः समभवत् । (त्स) स प्रजापतिस्तस्माद संवत्सरऽएव स्त्री वा गौर्वा व्वडवा वा व्विजायते संवत्सरे हि प्रजापतिरजायत सऽइदꣳ हिरण्मयमाण्डं व्यरुजन्नाह तर्हि काचन प्रतिष्ठाऽऽस तदेनमिदमेव हिरण्मयमाण्डं यावत्संव्वत्सरस्य व्वेलाऽऽसीत्तावद्बिभ्रत्पर्य्यप्लवत ॥ २ ॥

सृष्टिब्राह्मणम् ।

आपो ह वा इदम् अग्रे सलिलमेवास । ता अकामयंत । कथं नु प्रजायेमहीति । ता अश्राम्यन् । तास्तपोऽतप्यंत । तासु तपस्तप्यमानासु हिरण्मयमांडं संबभूव । अजातो ह तर्हि संवत्सर आस । तदिदं हिरण्मयमांडं यावत्संवरस्य वेला तावत्पर्यप्लवत ॥ १ ॥

ततः संवत्सरे पुरुषः समभवत्, स प्रजापतिः । तस्माद् संवत्सर एव स्त्री वा गौर्वा वडवा वा विजायते । संवत्सरे हि प्रजापतिरजायत । स इदं हिरण्मयमांडं व्यरुजत् । नाह तर्हि काचन प्रतिष्ठाऽऽस । तदेनमिदमेव हिरण्मयमांडं यावत्संवत्सरस्य वेलाऽऽसीत्तावद्बिभ्रत्पर्यप्लवत ॥ २ ॥

अथ दर्शपूर्णमासयोः सर्वात्मकलक्षणवैराजपदप्राप्तिसाधनतां वक्ष्यन् तदुपोद्घातत्वेनाख्यायिकया सृष्टिं प्रतिपादयति–आपो ह वा इदमित्यादि । 'इदं' दृश्यमानं सर्वं जगत् 'आपः' एव अबात्मकमेव तत्कार्यत्वात् । कथमिति चेत्, उच्यते । 'अग्रे' सृष्टेः पूर्वं सर्वात्मकमिदं सर्वं 'सलिलमेव' उदकपरिशेषं बभूव । 'आसेति' छांदसो भूभावाभावः । आपः 'अकामयंत' अभिमानिदेवतापेक्षया अचेतनानामपां कामयितृत्वम् । 'कथं नु' केन प्रकारेण विविधजगदात्मना प्रकर्षेण 'जायेमहीति' । 'ताः' कामयमानाः 'अश्राम्यन्' खिन्ना अभूवन् । "श्रमु तपसि खेदे च" (धा. पा. दि. प. ९८) इति धातुः । "शमामष्टानां दीर्घः श्यनि" (पा. सू. ७ । ३ । ७४) इति दीर्घः । 'ताः' श्रांताः आपः 'तपोऽतप्यंत' स्रष्टव्यपर्यालोचनरूपं तपः कृतवत्यः । "तपस्तपःकर्मकस्यैव" (पा. सू. ३ । १ । ८८) इति कर्मवद्भावात् यगात्मनेपदे । अखिलजगत्कारणमयस्य प्रजापतेरुपादानस्याण्डस्योत्पत्तिमाह–तासु तपस्तप्यमानास्विति । 'हिरण्मयं' हिरण्यस्य विकार इत्यर्थे "दांडिनादिसूत्रे" (पा. सू. ६ । ४ । १७४) निपात्यते । हिरण्यनिर्मितमण्डं अप्सु प्रथमं मयूरकुक्कुटांडवत् 'संबभूव' उत्पन्नमभूत् । 'तर्हि' तस्मिन् समये संवत्सराख्यः कालोऽपि 'अजातः' अनुत्पन्न एव बभूव । अतः संवत्सराभावात् यावती 'संवत्सरस्य वेला' प्रांतः संभाव्यते 'तावत् पर्यप्लवत' तदण्डं परिप्लुतमपामुपरि स्थितमासीत् । "प्लुङ् गतौ" (धा. पा. भ्वा. आ. ९८३) इति धातुः ॥ १ ॥

ततस्तस्मादण्डात् संवत्सरकाले गते सति 'पुरुषः' शरीरी कश्चित् 'समभवत्' उदपद्यत । 'सः' पुरुषः 'प्रजापतिः' । लोके शरीरिण उत्पत्तिः अत एव हेतोः संवत्सरकालसाध्या दृश्यत इत्याह-तस्माद्

स सम्वत्सरे व्याजिहीर्षत् । (त्स) स भूरिति व्याहरत्सेयम्पृथिव्यभवद्भुव इति तदिदमन्तरिक्षमभवत्स्वरिति साऽसौ द्यौरभवत्तस्मादु सम्वत्सर एव कुमारो व्याजिहीर्षति संवत्सरे हि प्रजापतिर्व्याहरत् ॥ ३ ॥

(त्स) स वा एकाक्षरद्व्यक्षराण्येव । प्रथमं वदन्प्रजापतिरवदत्तस्मादेकाक्षरद्व्यक्षराण्येव प्रथमं वदन्कुमारो वदति ॥ ४ ॥

तानि वा एतानि पञ्चाक्षराणि । तान्पञ्चर्तूनकुरुत त इमे पञ्चर्तवः स एवमिमांल्लोकाञ्जातान्त्संवत्सरे प्रजापतिरभ्युदतिष्ठत्तस्मादु संवत्सर एव कुमार उत्तिष्ठासति संवत्सरे हि प्रजापतिरुदतिष्ठत् ॥ ५ ॥

स संवत्सरे व्याजिहीर्षत् । स भूरिति व्याहरत् । सेयं पृथिव्यभवत् । भुव इति । तदिदमंतरिक्षमभवत् । स्वरिति । साऽसौ द्यौरभवत् । तस्मादु संवत्सर एव कुमारो व्याजिहीर्षति । संवत्सरे हि प्रजापतिर्व्याहरत् ॥ ३ ॥

स वा एकाक्षरद्व्यक्षराण्येव प्रथमं वदन् प्रजापतिरवदत् । तस्मादेकाक्षरद्व्यक्षराण्येव प्रथमं वदन् कुमारो वदति ॥ ४ ॥

तानि वा एतानि पंचाक्षराणि । तान्पंच ऋतूनकुरुत । त इमे पंच ऋतवः । स एवमिमान् लोकान्

संवत्सर एवेति । यस्मात् प्रजापतिसृष्टिरुक्तविधा तस्मात् लोकेऽपि स्त्र्यादिः संवत्सरपर्यंतं गर्भाशयस्थाने अण्डरूपेण गर्भं धृत्वा तदवसाने 'विजायते' विविधं शरीरद्वयरूपेण उत्पद्यते । संवत्सरे हीत्युक्तस्य कारणस्य पुनर्योजनम् । स इदं हिरण्मयमित्यादि । 'सः' उत्पन्नः प्रजापतिः 'इदं हिरण्मयं' स्वाश्रयभूतमाण्डं 'व्यरुजत्' भग्नं कृतवान् । "रुजो भंगे" (धा. पा. तु. प. १३९) इति धातुः । 'तर्हि' तस्मिन् संवत्सरमये समये आश्रयभूतस्य आण्डस्य विरुग्णत्वात् 'तस्य' प्रजापतेः 'प्रतिष्ठा' आस्पदम् 'काचन' किमपि 'नैवास' न बभूव । स च निराधारत्वात स्थातुमशक्नुवन् इदमेव भिन्नं हिरण्मयमाण्डं पुनः संवत्सरपर्यंतं बिभ्रद्धारयन् तास्वेव अप्सु 'पर्यप्लवत' ॥ २ ॥

'सः' प्रजापतिरुत्पत्त्यनंतरं 'संवत्सरे' गते सति 'व्याजिहीर्षत्' व्याहर्तुं भाषितुमैच्छत् । "हृञ् हरणे" (धा. पा. भ्वा. उ. ८) इत्यस्मात् इच्छासन्नंतात् लङ् । प्रथमं लोकत्रयसृष्टिमाह—भूरिति व्याहरदित्यादिना । भूर्भुवः स्वरित्येतत्पदत्रयं क्रमेण व्याहृतं सत् स्ववाच्यपृथिव्याद्यात्मना जातमित्यर्थः । भुव इति स्वरित्युभयत्र व्याहरदित्यनुषंगः । तस्मादिति पूर्ववल्लोकप्रसिद्धेरुपपादनम् ॥ ३ ॥

प्रजापत्युक्तेः कुमारोक्तेश्चान्यदपि साम्यं कार्यकारणभावेन प्रतिपादयति—स वा इति । भूरित्येकाक्षरं ततो भुवः स्वरिति च अक्षरद्वयात्मकमेव 'प्रथमं वदन्' भाषमाणः सः 'प्रजापतिरवदत्' अन्यत्सर्वमुक्तवान् । तस्मादेव कारणात् कुमारोऽपि "तात" इत्येवंरूपाणि 'एकाक्षरद्व्यक्षराण्येव' पदानि 'प्रथमं' भाषमाणः 'वदति' ॥ ४ ॥

ऋतुसृष्टिमाह—तानि वा इति । भूर्भुवः स्वरिति 'तान्येतानि पंचाक्षराणि' 'तान्' प्रसिद्धान्

(त्सु) सु सहस्रायुर्ज्जज्ञे । स यथा नद्यै पारं परापश्येदेवꣳ स्वस्यायुषः पारं पराचख्यौ ॥ ६ ॥

सोऽर्च्चञ्छ्राम्यँश्चचार प्रजाकामः । सऽ आत्मन्येव प्रजातिमधत्त सऽ आस्येनैव देवानसृजत ते देवा दिवमभिपद्यासृज्यंत तद्देवानां देवत्वं यद्दिवमभिपद्यासृज्यन्त तस्मै ससृजानाय दिवेवास तद्वेव देवानां देवत्वं यदस्मै ससृजानाय दिवेवास ॥ ७ ॥

जातान् संवत्सरे प्रजापतिरभ्युदतिष्ठत् । तस्माद्ध संवत्सर एव कुमार उत्तिष्ठासति । संवत्सरे हि प्रजापतिरुदतिष्ठत् ॥ ५ ॥

स सहस्रायुर्जज्ञे । स यथा नद्यै पारं परापश्येत् एवं स्वस्यायुषः पारं पराचख्यौ ॥ ६ ॥

सोऽर्चन् श्राम्यंश्चचार प्रजाकामः । स आत्मन्येव प्रजातिमधत्त । स आस्येनैव देवानसृजत । ते देवा दिवमभिपद्यासृज्यंत । तद्देवानां देवत्वम्, यद्दिवमभिपद्यासृज्यंत । तस्मै ससृजानाय दिवेव आस । तद्वेव देवानां देवत्वं, यदस्मै ससृजानाय दिवेव आस ॥ ७ ॥

वसंताद्यान् ' पञ्च ऋतूनकुरुत ' । हेमंतशिशिरयोः समासाभिप्रायेण पंचसंख्या । अतस्तैः पंचभिरक्षरैः सृष्टाः ' त एव ' प्रसिद्धा वसंताद्याः ' पंचर्तवः ' पूर्वसृष्टेषु त्रिषु लोकेषु वर्तंते । ' सः ' परिप्लवमानः ' प्रजापतिः ' एकस्मिन् ' संवत्सरे ' गते सति आंडं विहाय ' इमान् ' सृष्टान् पृथिव्यादिलोकान् अवलंब्य ' उदतिष्ठत् ' ऊर्ध्वं स्थितवान् । यस्मादेवं प्रजापतिः, तस्मादेव कारणात् जन्मानंतरं संवत्सरकाले गत एव ' कुमारः ' बालः ' उत्तिष्ठासति ' उत्थातुमिच्छति । संवत्सरे हीत्युक्तेऽर्थे कारणयोजनम् ॥ ५ ॥

स सहस्रायुरित्यादि । ' सः ' प्रजापतिः ' सहस्रायुः ' सहस्रसंवत्सरजीवनोपेतः ' जज्ञे ' जातो बभूव । " जनी प्रादुर्भावे " (धा. पा. दि. आ. ४३) इत्यस्माल्लिट् । यथा दूरदर्शी अत्यंतं विस्तृतायाः ' नद्याः ' ' पारं ' परतीरं ' परापश्यति ' एवं प्रजापतिरपि सहस्रसंवत्सररूपस्य स्वकीयस्यायुषः पारमवसानं ' पराचख्यौ ' परागतेन दूरगमनशीलेन मनसा ददर्श ॥ ६ ॥

ततः ' सः ' प्रजापतिः स्वकीयस्यायुषः परिच्छेदं जानन्, ततः प्रागेव प्रजासर्जनरूपं कृत्स्नं स्वकार्यं निर्वर्तयितुकामः ' अर्चन् ' स्वकर्तव्यं परामृशन् ' श्राम्यन् ' तच्चिंतनेन श्रांतश्च सन् ' चचार ' वव्रते । ततः ' स आत्मनि ' स्वशरीरे ' एव ' 'प्रजातिं' प्रजोत्पत्तिसाधनं योनिं ' अधत्त ' । ततः ' स आस्येन ' मुखेनैव ' देवानसृजत ' । ' ते देवाः ' ' दिवं ' द्युलोकमभिपद्य अवष्टभ्य ' असृज्यंत ' सृष्टा अभवन् । यस्माद्दिवमभिपन्नास्ते तस्मात् द्युसंबंधात् तेषां ' देवानां देवत्वं ' देवशब्दाभिधेयता संपन्ना । यस्मादेव दिवोऽभिपदनात् । ' ससृजानाय ' देवान् सृष्टवते 'तस्मै' प्रजापतये सा देवसृष्टिः ' दिवेव आस ' प्रकाश इव बभूव ॥ ७ ॥

(सुाऽथु) अथु योऽयमुवाङ्प्राणः । (स्ते) तेनुासुरानसृजत तुऽ इमामेवु पृथिवीमभिपुद्यासृज्यंत तुस्मै ससृजानुाय तुमऽइवासु ॥ ८ ॥

सोऽवेत् । (त्पा) पाप्मुानं वुाऽअसृक्षि युस्मै मे ससृजानुाय तुमऽ इवाभूदिति ताँस्तुत ऽएवु पाप्मुनाऽविध्यत्ते तुत ऽएव पुराभवंस्तुस्मा-दाहुर्नैतुदस्ति युद्दैवासुरं युदिदुमन्वाख्यानुे त्वदुद्यतऽइतिहासे त्वत्तुतो ह्येव तान्प्रजापतिः पाप्मनुाऽविध्यत्ते तुतऽएवु पराभवन्निति ॥ ९ ॥

तुस्मादेतदृषिणाऽभ्यनूक्तम् । (न्न) न त्वं युयुत्से कतमच्च नाहर्न्न तेऽमित्रो मघवन् कश्चुनास्ति । मायेत्सा ते युानि युद्धान्याहुर्नाद्य शत्रूंन्नुनु पुरा युयुत्सऽ इति ॥ १० ॥

अथ योऽयमवाङ्प्राणः, तेनासुरानसृजत । त इमामेव पृथिवीमभिपद्यासृज्यंत । तस्मै ससृजानाय तम इवास ॥ ८ ॥

सोऽवेत् । पाप्मानं वा असृक्षि । यस्मै मे ससृजानाय तम इवाभूदिति । तांस्तत एव पाप्मना अविध्यत् । ते तत एव पराभवन् । तस्मादाहुः । नैतदस्ति । यद्दैवासुरम् । यदिदमन्वाख्याने त्वत् । उद्यत इतिहासे त्वत् । ततो ह्येव तान्प्रजापतिः पाप्मना अविध्यत् । ते तत एव पराभवन्निति ॥९॥

तस्मादेतदृषिणाऽभ्यनूक्तम्—" न त्वं युयुत्से कतमच्च नाहर्न्न तेऽमित्रो मघवन् कश्च-नास्ति । मायेत्सा ते यानि युद्धान्याहुर्नाद्य शत्रूंन्ननु पुरा युयुत्से " इति ॥ १० ॥

असुरसृष्टिमाह—अथ योऽयामिति । 'अथ' देवसृष्टयनंतरं योऽयमवाङ्मुखो गुदाख्यः 'प्राणः' 'तेनासुरान्' प्रजापतिरसृजत । ते सृज्यमानाः ' इमां ' पृथिवीमेव अभिपद्याभिप्राप्य ' असृज्यंत ' । ' तस्मै ससृजानाय ' असुरान् सृष्टवते प्रजापतये सा असुरसृष्टिः ' तम इव ' अंधकार इव बभूव ॥ ८ ॥

ततः 'सः' प्रजापतिः 'अवेत्' अजानात् । पापमेव खलु अहमसृक्षि सृष्टवानस्मि, 'यस्मै' सृष्टवते 'मे' इयम-सुरसृष्टिस्तम इवाभूत् अंधकार इव सर्वस्यावरणशीला अभूदिति । एवं पर्यालोच्य तानसुरान् ' तत एव ' तेनैव तमोरूपेण ' पाप्मना ' ' अविध्यत् ' विद्धांस्ताडितानकुरुत । ' ते ' असुरास्तत एव तमसा विद्धाः पराभवं प्राप्ताः । यत एवं प्रजापतिना सृष्टिसमये एव निराकृता असुराः । 'तस्मात्' कारणात् 'आहुः' अभिज्ञाः कथयंति—नैतदस्तीत्यादि । ' यद्दैवासुरं ' देवांश्चासुरांश्चाधिकृत्य प्रवृत्तं युद्धादिकं यदस्ति तन्नैवास्ति । कुत्र तर्हि दैवासुरस्य व्यापारस्य प्रतिपादनमिति । ' अन्वाख्याने ' सृष्ट्यनुक्रमकथनरूपेऽस्मिन् ब्राह्मणे यदिदं देवैः सार्द्धं असुरसृष्टिप्रतिपादनम् । 'त्वत्' एकं तावत् इदमन्यत्राप्युपपद्यते । अत्र प्रवृत्ते ' इतिहासे ' यत् देवा-सुरादिप्रतिपादनम् । ' त्वत् ' एकमिदम् । तदुभयं नैवास्तीत्यत्र उक्तमर्थं हेतुत्वेन योजयति—ततो ह्येव तानिति । सृष्टिसमय एव पाप्मवेधेन तेषां पराभूतत्वादित्यर्थः ॥ ९ ॥

उक्तार्थदार्ढ्याय ऋचमपि संवादयति—तस्मादेतदृषिणाऽभ्यनूक्तमिति । ऋषिर्मंत्रः । स च " न त्वं

स युदस्मै देवान्त्ससृजानाय। दिवेवास तदुहरकुरुताथ युदस्माऽ-
असुरान्त्ससृजानाय तमऽइवास ताᳫँ रात्रिमकुरुत तेऽअहोरात्रे ॥ ११ ॥

सुऽऐक्षत प्रजापतिः। सुर्व्वं वाऽअत्सारिषं युऽइमा देवताऽअसृक्षीति
सु सर्व्वत्सुरोऽभवत्सर्व्वत्सरो ह वै नामैतद्युत्सम्वत्सरऽ इति स यो हैवुमे-
तुत्सम्वत्सरस्य सर्व्वत्सरत्वं व्वेद यो हैनम्पाप्मा मायया त्सरति नु
हैनᳫँ सोऽभिभवत्यथ युमभिचुरत्यभि हैवैनं भवति युऽ एवमेतुत्सम्व-
त्सरस्य सर्व्वत्सरत्वं व्वेद ॥ १२ ॥

यदस्मै देवान् ससृजानाय दिवेव आस। तदहरकुरुत। अथ यदस्मा असुरान् ससृजानाय तम इवास। तां रात्रिमकुरुत। ते अहोरात्रे ॥ ११ ॥

स ऐक्षत प्रजापतिः, सर्वं वा अत्सारिषं य इमा देवता असृक्षीति–स सर्वत्सरोऽभवत्। सर्वत्सरो ह वै नामैतद्यत्संवत्सर इति। स यो हैवमेतत्संवत्सरस्य सर्वत्सरत्वं वेद। यो हैनं पाप्मा मायया त्सरति, न हैनं सोऽभिभवति। अथ यमभिचरति, अभि हैवैनं भवति, य एवमेतत्संवत्सरस्य सर्वत्सरत्वं वेद ॥ १२ ॥

युयुत्से" इत्यादिका ऋक्। हे इन्द्र! 'त्वं न युयुत्से' युद्धं न कृतवान्। त्वत्प्रतिभटानामसुराणामभावात्। 'कतमच्च' किमपि शत्रुसैन्यं 'नाहः' नावधीः। हे मघवन्निद्र! 'ते' तव प्रकृतसृष्टिः 'अमित्रः' शत्रुः 'कश्चन' कोऽपि नास्ति। वृत्रादिभिरसुरैः सह यानि तव युद्धान्याहुः सा 'मायेत्' इच्छब्दोऽवधारणे, तत् मायामात्रम्, न पारमार्थिकम्। तत् कुत इति चेत्? उच्यते–अद्यास्मिन् काले 'पुरा' पूर्वकालेऽपि त्वं शत्रून् 'न युयुत्से' न प्रहृतवानसि। "युध संप्रहारे" (धा. पा. दि. आ. ६७) इति धातुः ॥ १० ॥

अथ प्रकृतसृष्टिमनुसरति–स यदस्मा इति। 'देवान्' सृष्टवते 'अस्मै' प्रजापतये 'यद्दिवेव' प्रकाश इव बभूव। 'सः' प्रजापतिः 'तदहरकुरुत'। असुरसृष्टिसमये 'यत्तमः' आसीत्। 'तां रात्रिमकुरुत'। एवं देवासुरसृष्टिभ्यामेव 'ते अहोरात्रे' सृष्टे भवत इत्यर्थः ॥ ११ ॥

अहोरात्रसमुदायरूपस्य संवत्सरस्य सृष्टिमाह–स ऐक्षतेति। ईक्षणप्रकारमाह–सर्वं वा इति। यः अहं 'इमा देवताः' 'असृक्षि' सृष्टवानस्मि सोऽहं 'सर्वं' स्रष्टव्यं कृत्स्नं जगत् 'अत्सारिषं' छद्मगत्या प्राप्तवानस्मि। 'त्सर छद्मगतौ' (धा. पा. भ्वा. प. ५५५) इति धातुः। यस्मादेव 'सर्वं वा अत्सारिषं' इत्यवबोधयत्। तस्मात् 'सः' प्रजापतिः 'सर्वत्सरः' अभवत्। स एव हि परोक्षवृत्त्या 'संवत्सर' इत्युच्यते। एतद्वेदनस्य फलमाह–स यो हैवमिति। एवमुक्तप्रकारेण। यो हैनमित्यादि। 'यः' खलु 'एनं' वेदितारं 'पाप्मा' पापरूपया 'मायया' मिथ्याकरणशक्त्या 'त्सरति' कौटिल्येन गच्छति। 'स एनं' वेदितारं 'नैवा-

---

१–इयमृक् शांखायनीया वा कण्वमाध्यन्दिनादिपञ्चदशान्यतमशाखीया वा स्यादिति प्रतिभाति। शाकलशाखीयसंहितायां तु–अस्यां ऋचोऽन्ते 'युयुत्से' इत्यत्र 'विवित्से' इति पाठान्तरेण युक्त उत्तरार्धं एवोपलभ्यते। पूर्वार्धस्तु 'कऽउ नु ते महिमानं' इत्यादिरस्ति ॥

स॒ऽ ऐक्षत प्र॒जाप॑तिः । (रि) इ॒मं वा॒ऽआ॒त्मनः प्रति॒माम॑सृक्षि य॒त्सम्व॑त्सरमि॒ति त॒स्मादा॑हुः प्र॒जाप॑तिः संव॒त्सर॒ऽइ॒त्यात्म॒नो ह्ये॒तं प्रति॒माम॑सृजत य॒द्वेव च॒तुर॑क्षरः सम्वत्स॒रश्च॒तुर॑क्षरः प्र॒जाप॑ति॒स्तेनो॑ है॒वास्यै॒ष प्र॒तिमा ॥ १३ ॥

ता वा॒ऽ एता॒ः । प्र॒जाप॑तेर॒धिदे॑वता॒ऽअसृज्यंता॒ग्निरिन्द्रः॒ सोमः॑ परमे॒ष्ठी प्रा॑जाप॒त्यः ॥ १४ ॥

(स्ता॒ः) ता॒ः स॒हस्रा॑युषो जज्ञिरे । ता य॒था न॒द्यै पा॒रं प॑राप॒श्येदेवॅ स्वस्या॒युषः पा॒रं प॒राच॑ख्युः ॥ १५ ॥

(स्ता) ता॒ऽअ॒र्च॑न्त्यः श्राम्य॑न्त्यश्चेरुः । (स्त॒) त॒त॒ऽ ए॒तं प॑रमे॒ष्ठी प्रा॑जा-

---

स ऐक्षत प्रजापतिः, इमं वा आत्मनः प्रतिमामसृक्षि यत्संवत्सरमिति । तस्मादाहुः प्रजापतिः संवत्सर इति । आत्मनो ह्येतं प्रतिमामसृजत । यद्वेव चतुरक्षरः संवत्सरः । चतुरक्षरः प्रजापतिः । तेनो हैवास्यैष प्रतिमा ॥ १३ ॥

ता वा एताः प्रजापतेरधिदेवता असृज्यंत । अग्निरिंद्रः सोमः परमेष्ठी प्राजापत्यः ॥ १४ ॥

ताः सहस्रायुषो जज्ञिरे । ता यथा नद्यै पारं परापश्येत्—एवं स्वस्यायुषः पारं पराचख्युः ॥ १५ ॥

ता अर्चंत्यः श्राम्यंत्यश्चेरुः । तत एतं परमेष्ठी प्राजापत्यो यज्ञमपश्यत्—यद्दर्शपूर्णमासौ ।

भिभवति ' बाधितुं शक्नोति । अथ वेदिता यं शत्रुं बाधितुमिच्छति, तमेनं शत्रुं स्वयमभिभवत्येव । य एवमेतादिति प्रतिज्ञातार्थनिगमनम् ॥ १२ ॥

संवत्सरप्रजापत्योरैकात्म्यं प्रतिपादयति—स ऐक्षतेत्यादिना । ' इमं ' खलु संवत्सरात्मनो मदीयशरीरस्य 'प्रतिमां' प्रतिकृतिम् ' असृक्षि ' सृष्टवानस्मि । यत्संवत्सरमिति । 'इति' यस्मात् ' ऐक्षत ' पर्यालोचितवान् तस्मात्संवत्सरस्य प्रजापतिरूपप्रकृतित्वात् ' प्रजापतिः संवत्सरः ' इति तादात्म्यमाहुः । आत्मनो ह्येतमिति प्रागुक्ततादात्म्यकारणयोजनम् । कथमसौ प्रजापतेः प्रतिमेति तत्राह—यद्वेवेति । यस्मादेव कारणात् तदुभयवाचकयोः संवत्सरप्रजापतिशब्दयोः चतुरक्षरत्वलक्षणं साम्यमस्ति । तेनैव कारणेनास्य प्रजापतेः ' एषः ' संवत्सरः ' प्रतिमा ' प्रतिबिम्बम् ॥ १३ ॥

अथाधिदेवतानां सृष्टिमाह—ता वा एता इति । ' ताः ' प्रसिद्धाः ' एताः ' वक्ष्यमाणाः ' अधिदेवताः ' आधिक्यगुणोपेताः सर्वोत्कृष्टा देवताः प्रजापतेरसृज्यंत । काः पुनस्ता ? इति तत्राह—अग्निरिंद्र इति ' प्राजापत्यः ' इति परमेष्ठिनो विशेषणम् ॥ १४ ॥

' ताः ' अपि प्रजापतिरिव सहस्रसंवत्सरजीविन्यः ' जज्ञिरे ' । प्रजापतिवत् ' ताः ' अग्न्याद्या देवता अपि नद्याः पारमिव स्वकीयस्य सहस्रसंवत्सरपरिमितस्यायुषः अवसानं ददृशुः ॥ १५ ॥

ततस्ता देवता अपि पुरुषार्थं साधयितुमर्थयमानाः प्रजापतिवत् ' अर्चंत्यः श्राम्यंत्यः ' अर्चनश्रमोपेताः

पत्यो यज्ञमपश्यद्यद्दर्शपूर्णमासौ ताभ्यामयजत ताभ्यामिष्ट्वाऽकामयता-
हमेवेदꣳ सर्वꣳ स्यामिति स ऽ आपोऽभवदापो वा ऽ इदꣳ सर्वं ता
यत्परमे स्थाने तिष्ठन्ति यो हीहाभिखनेदप ऽ एवाभिविन्देत्परमाद्वा ऽ
एतत्स्थानाद्वर्षति यद्दिवस्तस्मात्परमेष्ठी नाम ॥ १६ ॥

स परमेष्ठी प्रजापतिं पितरमब्रवीत् । (त्का) कामप्रं वा ऽ अहं यज्ञम-
दर्शं तेन त्वा याजयानीति तथेति तमयाजयत्स ऽ इष्ट्वाऽकामयताहमे-
वेदꣳ सर्वꣳ स्यामिति स प्राणोऽभवत्प्राणो वा ऽ इदꣳ सर्वमयं वै
प्राणो योऽयं पवते स प्रजापतिस्तस्य दृष्टिर्यदेव वेदेत्थाद्वातीति यद्वै
किञ्च प्राणि स प्रजापतिः स यो हैवमेतां प्रजापतेर्दृष्टिं वेदाऽऽविरिव
हैव भवति ॥ १७ ॥

ताभ्यामयजत । ताभ्यामिष्ट्वाऽकामयत—अहमेवेदं सर्वं स्यामिति । स आपोऽभवत् । आपो वा इदं सर्वम् । ता यत्परमे स्थाने तिष्ठंति । यो हीहाभिखनेत्, अप एवाभिविंदेत् । परमाद्वा एतत्स्थानाद्वर्षति यद्दिवः, तस्मात्परमेष्ठी नाम ॥ १६ ॥

स परमेष्ठी प्रजापतिं पितरमब्रवीत्, कामप्रं वा अहं यज्ञमदर्शम्, तेन त्वा याजयानीति । तथेति । तमयाजयत् । स इष्ट्वाऽकामयत, अहमेवेदं सर्वं स्यामिति । स प्राणोऽभवत् । प्राणो वा इदं सर्वम् । अयं वै प्राणः । योऽयं पवते । स प्रजापतिः । तस्य दृष्टिः । यदेव वेद—इत्याद्वातीति । यद्वै किंच प्राणि । स प्रजापतिः । स यो हैवमेतां प्रजापतेर्दृष्टिं वेद, आविरिव हैव भवति ॥ १७ ॥

' चेरुः ' ववृतिरे । ततोऽनंतरं ' एतं ' दर्शपूर्णमासाख्यं ' यज्ञं ' प्रजापतेः पुत्रः ' परमेष्ठी अपश्यत् ' दृष्ट्वा च ' ताभ्यामयजत ' यागानंतरं, ' इदं सर्वं ' जगत् ' अहमेव स्यामिति ' सार्वात्म्यं ' अकामयत ' 'सः' प्रथमं ' आपः अभवत् ' अबात्मकः अभवत् । ननु—कथमस्य सार्वात्म्यम् ? इत्युपपादयति—आपो वा इदं सर्वमिति । ' इदं सर्वं ' जगत् अबात्मकम् । तथाहि—' ताः ' आपो यस्मात् ' परमे ' उत्कृष्टे ' स्थाने ' व्योम्नि ' तिष्ठंति ' । 'इह' पृथिव्यां ' यः ' खलु ' अभिखनति ' अभिखनेत् तत्रापि ' अप एवाभिविंदेत् ' अभितो लभेत । ननु कथं परमे स्थाने अपामवस्थानमिति तदाह—परमाद्वा इति । परमादुत्कृष्टात् सूर्यमंडलाधिष्ठितात् व्योमरूपात् 'स्थानात्' खलु एषः पर्जन्यो 'वर्षति' । ' यद्दिवः ' आकाशाद्वर्षति । तत आपः परमे स्थाने तिष्ठन्ति । तादृगब्रूपताप्राप्तेरयमपि ' परमेष्ठी ' नाम्ना संपन्नः ॥ १६ ॥

इत्थं परमेष्ठी स्वयं सार्वात्म्यं प्राप्य पितुरपि तत्प्राप्तये एतेन अयाजयत् इत्याह—स परमेष्ठीति । 'कामप्रं' कामान् पूरयतीति कामप्रः । "प्रा पूरणे" (धा.पा.अ.प. ५१) इत्यस्माद्धातोः "आतोऽनुपसर्गे कः" (पा. सू. ३।२।३) इति कः । अदर्शमिति । दृशेर्लुङि " इरितो वा "(पा.सू. ३।१।५७) इति च्लेरङा-

स प्रजापतिरिन्द्रं पुत्रमब्रवीत् । (द) अनेन त्वा कामप्रेण यज्ञेन याज-
यानि येन मामिदं परमेष्ठ्यमयीयजदिति तथेति तमयाजयत्स इष्ट्वाऽकाम-
यताहमेवेदꣳ सर्वꣳ स्यामिति स वागभवद्वाग्वा इदꣳ सर्वं तस्मा-
दाहुरिन्द्रो वागिति ॥ १८ ॥ (अर्द्धः प्रपाठकः ६०)॥

सऽइन्द्रोऽग्नीषोमौ भ्रातरावब्रवीत् । (द) अनेन वां कामप्रेण यज्ञेन याज-
यानि येन मामिदं पिता प्रजापतिरयीयजदिति तथेति तावयाजयत्ताविष्ट्वा-
ऽकामयेतामावमेवेदꣳ सर्वꣳ स्यावेति तयोरन्नाद एवान्यतरोऽभवदन्न-
मन्यतरोऽन्नाद एवाग्निरभवदन्नꣳ सोमोऽन्नादश्च वाऽइदꣳ सर्वमन्नं च १९

स प्रजापतिरिन्द्रं पुत्रमब्रवीत्–अनेन त्वा कामप्रेण यज्ञेन याजयानि । येन मामिदं परमेष्ठ्यमयीयजदिति, तथेति, तमयाजयत् । स इष्ट्वाऽकामयत, अहमेवेदं सर्वं स्यामिति । स वागभवत् । वाग्वा इदं सर्वम् । तस्मादाहुरिंद्रो वागिति ॥ १८ ॥

स इंद्रोऽग्नीषोमौ भ्रातरावब्रवीत्–अनेन वां कामप्रेण यज्ञेन याजयानि । येन मामिदं पिता प्रजापतिरयीयजदिति, तथेति, तावयाजयत् । ताविष्ट्वाऽकामयेताम्, आवमेवेदं सर्वं स्यावेति । तयोरन्नाद एवान्यतरोऽभवत् । अन्नमन्यतरः । अन्नाद एवाग्निरभवत् । अन्नं सोमः । अन्नादश्च वा इदं सर्वमन्नं च ॥ १९ ॥

देशः । " ऋदृशोऽङि गुणः " (पा. सू. ७ । ४।१६) इति गुणः । तेन त्वेत्यादि । स्पष्टार्थम् । प्राणो वा इदं सर्वमिति । सूत्रात्मतया सर्वाधारत्वात्तस्य सर्वात्मकत्वम् । ' यः अयं ' बाह्यो वायुः अंतरिक्षे 'पवते' संचरति अयमेव 'सः' प्राणः। स एव 'प्रजापतिः'। 'तस्य' प्रजापतेः 'दृष्टिः' प्राणवायुः शब्दस्पर्शादिविषयसाक्षात्कारहेतुत्वात् । यदेवेत्यादि । ' यत् ' खलु वस्तु ' इत्थात् ' अनेन प्रकारेण असौ प्राणवायुः ' वातीति ' वर्तत इति ' वेद ' जानाति । किमपि तत्सर्वं ' प्राणि ' प्राणवत् भवति । अतः प्राणिसंघः प्रजापतिः । वेदितुः फलमाह–स यो हैवमेतामिति । इत्थं प्राणरूपां प्रजापतेर्दृष्टिं ' यः वेद ' स ' आविरिव ' ' भवति ' प्रकाशत एवेत्यर्थः ॥ १७ ॥

प्राणरूपताप्राप्तिरिव वाग्रूपताप्राप्तिरपि दर्शपूर्णमासयोः फलमित्याह–स प्रजापतिरित्यादिना । ' अयीयजत् ' याजितवान् । यजेर्ण्यंताल्लुङि चङि रूपम् । स्पष्टमन्यत् । स वाग् अभवदिति । 'सः' सर्वजगदात्मकोऽहं स्यामिति कामयमान इंद्रः वाग्रूपः अभवत् । वागात्मकं हि इदं सर्वं जगत् शब्दानुविद्धतया प्रतीयमानत्वात् । तस्मादेव कारणात् इंद्र एव वागात्मक इत्याहुः ॥ १८ ॥

अन्नादादिरूपफलप्राप्तिहेतुतामाह–स इंद्रोऽग्नीषोमावित्यादिना । स्पष्टोऽर्थः । तयोरन्नाद एवान्यतर इत्युक्तमेवार्थं विशदयति–अन्नाद एवाग्निरभवदिति । अन्नमत्तीत्यन्नादः । ' अग्निरेव ' सर्वप्राणिषु जाठररूपेण वर्तमानः सन् ' अन्नादः अभवत् ' । सोमस्तु रसात्मकत्वात् ओषधिवनस्पतिषु प्रविष्टः सन् कृत्स्नान्नरूपः अभवत् । उभयोः कृत्स्नजगदात्मकत्वमाह–अन्नादश्च वा इदं सर्वमिति ॥ १९ ॥

ता वाऽएताः । पञ्च देवताऽएतेन कामप्रेण यज्ञेनायजन्त ता यत्कामा अयजन्त सऽआभ्यः कामः समार्द्ध्यत यत्कामो ह वाऽ एतेन यज्ञेन यजते सोऽस्मै कामः समृध्यते ॥ २० ॥

तऽइष्ट्वा प्राचीं दिशमपश्यन् । (इयँस्ता) ताम्प्राचीमेवाकुर्व्वत सेयं प्राच्येव दिक्तस्मादिमाः प्रजाः प्राच्यः सर्प्पन्ति प्राचीᳬ᳖ ह्येतामकुर्व्वतो-पैनामितः कुर्व्वीमहीति तामूर्ज्जमकुर्व्वतेमां खलूर्ज्जं पश्येमेति साऽसौ द्यौरभवत् ॥ २१ ॥

(द) अथ दक्षिणां दिशमपश्यन् । (इयँस्तां) तां दक्षिणामेवाकुर्व्वत सेयं दक्षिणैव दिक्तस्मादु दक्षिणतऽ एव दक्षिणाऽ उपतिष्ठंते दक्षिणतोऽभ्यु-वाजन्ति दक्षिणाᳬ᳖ ह्येतामकुर्व्वतोपैनामितः कुर्व्वीमहीति तँल्लोकमकु-

---

ता वा एताः पंच देवता एतेन कामप्रेण यज्ञेनायजंत । ता यत्कामा अयजंत, स आभ्यः कामः समार्द्ध्यत । यत्कामो ह वा एतेन यज्ञेन यजते—सोऽस्मै कामः समृध्यते ॥ २० ॥

त इष्ट्वा प्राचीं दिशमपश्यन् । तां प्राचीमेवाकुर्वत । सेयं प्राच्येव दिक् । तस्मादिमाः प्रजाः प्राच्यः सर्पंति । प्राचीं ह्येतामकुर्वत । उपैनामितः कुर्वीमहि इति । तामूर्ज्जमकुर्वत । इमां खलूर्जं पश्येमेति । साऽसौ द्यौरभवत् ॥ २१ ॥

अथ दक्षिणां दिशमपश्यन् । तां दक्षिणामेवाकुर्वत । सेयं दक्षिणैव दिक् । तस्मादु दक्षिणत एव दक्षिणा उपतिष्ठंते । दक्षिणतोऽभ्यवाजंति । दक्षिणां ह्येतामकुर्वत । उपैनामितः कुर्वीमहीति ।

उक्तमर्थजातं संभूयानूद्य इदानीन्तनयजमानस्यापि दर्शपूर्णमासयागेन तादृक्फलप्राप्तिमाह—ता वा एता इति । 'समार्द्ध्यत' समृद्धोऽभवत् । गतमन्यत् ॥ २० ॥

'ते' परमेष्ठ्यादयः दर्शपूर्णमासाभ्यां 'इष्ट्वा' 'प्राचीं दिशं' प्रथममपश्यन् । भाव्यपेक्षया प्राचीमिति विशेषणम । यां 'प्रथममपश्यन्' 'तां प्राचीमेवाकुर्वत' । 'सेयं प्राच्येव' सती 'दिक्' इदानीं दृश्यते । तस्मादिमा इत्यादि । 'प्राच्यः' प्राच्यास्याः पूर्वदिगभिमुखाः स्वपुरस्ताद्भाग एव प्रथमं 'सर्पंति' गच्छंति । प्राचीं ह्येतामिति प्रागुक्तस्य हेतोर्योजनम् । उपैनामित्यादि । 'एनां' प्राचीं दिशमुपेत्य 'इतः' पर 'कुर्वीमहि' कार्यांतरं सृजेमहीति समकल्पयन् । ततस्तामेव दिशमूर्जमकुर्वत । बलकरः अन्नरस उर्क् । उर्क्करणानंतरं 'इमामेव खलु ऊर्जं पश्येम' साक्षात् कुर्याम इत्यवोचन्त । ततः 'सा' ऊर्क् 'असौ' विप्रकृष्टा 'द्यौरभवत्' ॥ २१ ॥

'अथ दक्षिणां दिशमपश्यन्' इत्यादावपि एवमेव योज्यम् । दक्षिणत उपतिष्ठंत इति । ऋत्विक्परि-क्रयहेतुतया दातव्या गावः 'दक्षिणाः' दक्षिणाशब्दाभिधेयायामेव दिशि 'उपतिष्ठंते' दक्षिणाकाले अवतिष्ठंते ।

र्व्वतेमं खलु लोकं पश्येमेति तदिदमन्तरिक्षमभवदेष वै लोकः सा यथा हैवेयं प्रतिष्ठाऽऽविरस्मिंल्लोके पृथिव्येवमु हैवैषा प्रतिष्ठाऽऽविरमुष्मि-ल्लोकऽइदमन्तरिक्षꣳ स यदिह सन्नमुं लोकं न पश्यति तस्मादाहुः परोऽक्ष-मसौ लोकऽइति ॥ २२ ॥

(त्यु) अथ प्रतीचीं दिशमपश्यन् । (श्यैस्ता) तामाशामकुर्व्वत तस्माद्यत्प्राङ्क्सृत्वा विंदतऽएतामेव तेन दिशमेत्याशाꣳ ह्येतामु-कुर्व्वतोपैनामितः कुर्व्वीमहीति ताꣳ श्रियमकुर्व्वतेमां खलु श्रियं पश्ये-मेति सेयं पृथिव्यभवच्छ्रीर्व्वाऽइयं तस्माद्योऽस्यै भूयिष्ठं विन्दते सऽएव श्रेष्ठो भवति ॥ २३ ॥

तं लोकमकुर्वत । इमं खलु लोकं पश्येमेति । तदिदमंतरिक्षमभवत् । एष वै लोकः सा । यथा हैवेयं प्रतिष्ठाऽऽविरस्मिन् लोके पृथिवी । एवमु हैवैषा प्रतिष्ठाऽऽविरमुष्मिन् लोके इदमन्तरिक्षम् । स यदिह सन्नमुं लोकं न पश्यति । तस्मादाहुः परोऽक्षमसौ लोक इति ॥ २२ ॥

अथ प्रतीचीं दिशमपश्यन् । तामाशामकुर्वत । तस्मात् यत् प्राङ् सृत्वा विंदते । एतामेव तेन दिशमेत्याशां ह्येतामकुर्वत । उपैनामितः कुर्वीमहीति । तां श्रियमकुर्वत । इमां खलु श्रियं पश्येमेति । सेयं पृथिव्यभवत् । श्रीर्वा इयम् । तस्माद्योऽस्यै भूयिष्ठं विंदते । स एव श्रेष्ठो भवति ॥ २३ ॥

तथा ‘ दक्षिणतः ’ दक्षिणस्याः दिशः सकाशात् ताः ‘ अभ्यवाजंति ’ अभिगमयंति । “अज गतिक्षेपणयोः” (धा. पा. भ्वा. प. २३०) इति धातुः । उपैनामित्यादि पूर्ववत् । दक्षिणदिक्सृष्ट्यनंतरं यो लोकः कृतः स अंतरिक्षात्मकोऽभवत् । ‘ एषः ’ खलु ‘ लोकः सा ’ दक्षिणा दिक् । यथा हैवेत्यादि । ‘ अस्मिन् लोके ’ यथैव ‘ पृथिवी ’ ‘ आविः ’ आविर्भवति । ‘ एवमेषा ’ दक्षिणा दिक् ‘ प्रतिष्ठा ’ भूत्वा ‘ अमुष्मिन् लोके ’ आविर्भवति ‘ इदमेवांतरिक्षं ’ अन्तरिक्षाख्यो लोकः । तदाधारभूतस्य द्युलोकाख्यस्य परोऽक्षत्व-माह—स यदिहेति । ‘ इह ’ अस्मिन् लोके वर्तमानः ‘सः’ यस्मादमुं लोकं न पश्यति । अंतरिक्षेण व्यवहित-त्वात् तस्मादसौ लोकः परोऽक्षमित्याहुः ॥ २२ ॥

प्रतीच्या दिशः सृष्टिमाह—अथ प्रतीचीमिति । ‘ अथ ’ दक्षिणदिग्दर्शनानंतरम् परमेष्ठ्यादयः पंच देवताः प्रतीचीं दिशमपश्यन्, दृष्ट्वा च ‘ तामाशामकुर्वत । ’ अप्राप्तफलविषयः अभिलाष आशा, तां कृतवंतः । तस्मात् प्रतीची दिक् आशाख्या । ‘ यस्मात् प्राङ् सृत्वा ’ प्राङ्मुखो गत्वा इष्टं फलं ‘ विंदते ’ लभते । तस्मात् प्रतीच्यां दिशि यथास्थानमवस्थितस्य फलप्राप्तिविरहात् आशैव केवलमवशिष्यत इति सा दिक् तदात्मिका इत्यभिप्रायः । तत्रोक्तमर्थं हेतुत्वेन योजयति । ‘ तेन ’ दर्शनहेतुना ‘ एतामेव ’ प्रतीचीं दिशमेत्य एनामाशां कृतवंतः । ‘ हि ’ शब्दो हेतौ । सृष्ट्यन्तरमाह—उपैनामिति । इत ऊर्ध्वम् ‘ एनां ’ आशारूपाम् प्रतीचीं दिशमुपकुर्वीमहि उपेत्य रूपांतरेण कुर्याम इत्यालोचयंतस्ते देवाः, ‘ तामाशां

(त्य) अथोदीचीं दिशमपश्यन् । (इयँस्ता) तामुपरेऽकुर्व्वतोपैना-
मितः कुर्व्वीमहीति तं धर्म्ममकुर्व्वत धर्म्मो वाऽआपस्तस्माद्यदेमं लोक-
मापऽआगच्छन्ति सर्व्वमेवेदं यथाधर्म्मं भवत्यथ यदा वृष्टिर्भवति बली-
यानेव तर्ह्यबलीयसऽआदत्ते धर्म्मो ह्यापः ॥ २४ ॥

(स्ता) ता वाऽएताः । (ऽ) एकादश देवताः पञ्च प्रयाजा द्वावाज्य-
भागौ स्विष्टकृत्त्रयोऽनुयाजाः ॥ २५ ॥

(स्ता) ताऽएकादशाहुतयः । (ऽ) एताभिर्व्वाऽआहुतिभिर्देवाऽ-
इमाँल्लोकानजयन्नेता दिशस्तथोऽएवैषऽएताभिराहुतिभिरिमाँल्लोकाञ्जय-
त्येता दिशः ॥ २६ ॥

अथोदीचीं दिशमपश्यन् । तामपरेऽकुर्वत । उपैनामितः कुर्वीमहीति । तं धर्ममकुर्वत । धर्मो वा आपः । तस्माद्यदेमं लोकमाप आगच्छंति । सर्वमेवेदं यथाधर्मं भवति । अथ यदा वृष्टिर्भवति । बलीयानेव तर्ह्यबलीयस आदत्ते । धर्मो ह्यापः ॥ २४ ॥

ता वा एता एकादश देवताः । पंच प्रयाजाः । द्वावाज्यभागौ । स्विष्टकृत् । त्रयोऽनुयाजाः ॥ २५ ॥

ता एकादशाहुतयः । एताभिर्वा आहुतिभिर्देवा इमान् लोकानजयन्नेता दिशः । तथो एवैष एताभिराहुतिभिरिमान् लोकान् जयत्येता दिशः ॥ २६ ॥

श्रियमकुर्वत ' कृत्वा च खलु ' इमां खलु श्रियं पश्येम ' किंरूपेति साक्षात्करवाम इत्यालोचयन् तस्मादालोचनमात्रात् सेयं श्रीः पृथिव्यात्मिका जाता । तां उपपादयति—श्रीर्वा इयमिति । ' इयं ' सर्वसन्निहिता पृथिवी । तस्माद्योऽस्या इति । षष्ठ्यर्थे चतुर्थी (पा. सू. २ । ३ । ६२ वा.) । अस्याः पृथिव्याः संबंधि ' भूयिष्ठं ' बहुतरं स्थानं यः ' विंदते ' लभते ' स एव श्रेष्ठो भवति ' श्रिया प्रशस्यतमो भवतीत्यर्थः ॥ २३ ॥

उदीच्या दिशः सृष्टिमाह—अथोदीचीमिति । अपश्यन्नित्यनंतरं तां प्राचीमेवाकुर्वतेतिवत् ' ताम् उदीचीमेवाकुर्वतेति ' वाक्यमध्याहृत्य दिक्सृष्टिः प्रतिपादनीया । ' तां ' उदीचीं दिशं ' अपः ' अकुर्वत अपां रूपेण कृतवंतः । कृत्वा च पुनरित्थं संकल्पितवंत इत्याह—उपैनामिति । इत अब्रूपामेनां उदीचीं दिशम् अन्यत् पूर्ववत् । तं धर्ममकुर्वतेति । उद्देश्यविधेययोरेकत्वेन तल्लिंगस्य च पर्यायेणोपादातुं योग्यत्वात् अत्र तमिति विधेयलिंगता । या अब्रूपा उदीची दिक् तं ' धर्मं ' धारणसमर्थं सर्वस्य जगतो वा आसव्यं एकं पदार्थमकुर्वत । कार्यकारणयोरैक्यं प्रतिपादयति—धर्मो वा आप इति । ' यदा ' खलु ' इमं ' भूलोकम् ' आप आगच्छंति ' वृष्ट्यात्मना प्राप्नुवंति । तदा ' सर्वमेवेदं ' जगत् ' यथाधर्मं ' यथावस्थितस्वभावं भवति । एतदेव विशदयति—अथ यदेति । ' यदा ' यस्मिन् काले ' वृष्टिर्भवति ' ' तर्हि ' तस्मिन् समये ' बलीयानेव ' अतिशयबलोपेतः उदकप्रवाह एव ' अबलीयसः ' अतिशयेन बलरहितानादत्ते । ' हि ' यस्मात् ' आपो धर्मः ' धारयितृस्वभावः ॥ २४ ॥

ता वा एता इत्यादि । ' ताः ' अनुक्रांता एकादश देवताः । तथा हि—प्राची दिक् द्युलोकः दक्षिणा

(श्चु) चतस्रोऽवान्तरदिशः । (स्तु) तऽएव चत्वारः पत्नीसंयाजाऽ-अवान्तरदिशो वै देवाश्चतुर्भिः पत्नीसंयाजैरजयन्नवान्तरदिशऽ उऽएवैषऽ-एतैर्जयति ॥ २७ ॥

(त्य) अथेडा । (डाऽन्ना) अन्नाद्यमेवैतया देवाऽअजयँस्तथोऽएवैषऽ-एतयाऽन्नाद्यमेव जयत्येषा नु देवत्रा दर्शपूर्णमासयोः संपत् ॥ २८ ॥

(दु) अथाध्यात्मम् । (म्पु) पञ्चेमे पुरुषे प्राणाऽऋते चक्षुर्भ्यां तऽएव पञ्च प्रयाजाश्चक्षुषीऽआज्यभागौ ॥ २९ ॥

चतस्रोऽवांतरदिशः । त एव चत्वारः पत्नीसंयाजाः । अवांतरदिशो वै देवाश्चतुर्भिः पत्नीसंयाजैरजयन् । अवांतरदिश उ एवैष एतैर्जयति ॥ २७ ॥

अथेडा । अन्नाद्यमेवैतया देवा अजयन् । तथो एवैष एतयाऽन्नाद्यमेव जयति । एषा नु देवत्रा दर्शपूर्णमासयोः संपत् ॥ २८ ॥

अथाऽध्यात्मम् । पंचेमे पुरुषे प्राणा ऋते चक्षुर्भ्याम् । त एव पंच प्रयाजाः । चक्षुषी आज्यभागौ ॥ २९ ॥

दिक्[३] अंतरिक्षलोर्कः प्रतीची दिक्[५] आर्शा श्रीः पृथिवी र्च उदीची दिक्[९] आपो धर्मः इत्येकादश-संख्याका एता एव प्रयाजाद्या एकादशात्मतया वर्तंत इत्यर्थः । 'ताः' प्रयाजाद्या एकादशसंख्या आहुतयः । एताभिरेव खलु 'आहुतिभिः' प्रागुक्ताः परमेष्ठ्याद्यो देवाः 'इमान्' पृथिव्यादिलोकान् 'एताः' प्राच्याद्या दिशश्चतस्रः अजयन् । अतस्तज्जयहेतुत्वात् तेषां तद्रूपतोक्तिः । तथो एवैष इति पुरावृत्तस्य सिद्धस्यार्थस्य प्रकृते योजनम् । एवं प्रागादिचतसृणां मुख्यदिशां पृथिव्यादिलोकानां एकादशभिराहुतिभिर्जयो जातः ॥ २५ ॥ २६ ॥

आग्नेय्याद्यवांतरदिशां कथं जयोपाय इति, तत्राह—चतस्रोऽवांतरदिश इति । 'अवांतरदिशश्चतस्रः' 'त एव चत्वारः पत्नीसंयाजाः' सोमत्वष्टृदेवपत्न्यग्निगृहपतिदेवताकाः पत्नीसंयाजाख्या यागाः । अतस्तेषां यागानां तज्जयहेतुतां प्रतिपादयति—अवांतरदिशो वै देवा इत्यादिना । अवांतरदिश उ एवैष इति । 'एषः' यजमानः 'एतैः' पत्नीसंयाजैः । गतमन्यत् ॥ २७ ॥

इडया जेतव्यं प्रतिपादयति—अथेडेति । इडा अधिक्रियत इत्यर्थः । 'अद्यं' अत्तुं योग्यं यदन्नं तद-न्नाद्यम् । तदेव 'एतया' इडया पुरा 'देवा अजयन्' तथैव 'एषः' यजमानोऽपि 'एतया' 'अन्नाद्य-मेव जयति' प्राप्नोति । उक्तां संपत्तिं निगमयति—एषा नु देवत्रेति । सप्तम्यर्थे (पा. सू. ५ । ४ । ५६) त्राप्रत्ययः । देवेषु विषये एषोक्ता दर्शपूर्णमासयागयोः 'संपत्' ॥ २८ ॥

एवमाधिदैविकीं संपत्तिं प्रदर्श्य अन्यथाह—अथाध्यात्ममिति । 'अध्यात्मं' आत्मशरीरे । विभक्त्यर्थे अव्ययीभावः । दर्शपूर्णमासयोः संपत्तिरधिक्रियते । पंचेम इति । शीर्षण्येषु प्राणेषु चक्षुषी वर्जयित्वा मुखं नासिके कर्णाविति य इमे 'पंच प्राणाः' त इमे 'पंच प्रयाजात्मकाः' 'चक्षुषी आज्यभागौ' ॥ २९ ॥

(गाव) अयुमेवावाङ्प्राणः स्विष्टकृत् । (त्स) स यत्तुमभ्यर्द्धऽइवेत-राभ्यऽआहुतिभ्यो जुहोति तुस्मादेतस्मात्प्राणात्सर्व्वे प्राणा बीभत्सन्तेऽथ यत्स्विष्टकृते सुर्व्वेषाᳫँ हविषाᳫँ समवद्युति तुस्माद्यत्किञ्चेमान्प्राणाना-पद्युतऽएतमेव तत्सुर्व्वᳫँ समुवैति ॥ ३० ॥

त्रीणि शिश्नानि । तऽएव त्रयोऽनुयाजाः स योऽयं व्वर्षिष्ठोऽनुयाज-स्तुदिदं व्वर्षिष्ठमिव शिश्नं तं वाऽ अनवानन्यजेदित्याहुस्तथो हास्यैतद-मृध्रं भवतीति ॥ ३१ ॥

स वै सकृदवान्यात् । (ते) एकुᳫँ ह्येतस्य पर्व्वाथ यदपर्व्वकᳫँ स्यात्प्र-तृण्णं वैव तिष्ठेल्लम्बेत वा तुस्मादेतदुच्च तिष्ठति पद्यते च तुस्मात्स-कृदवान्यात् ॥ ३२ ॥

अयमेवावाङ् प्राणः स्विष्टकृत् । स यत्तमभ्यर्द्ध इवेतराभ्य आहुतिभ्यो जुहोति । तस्मादेतस्मात् प्राणात्सर्वे प्राणा बीभत्संते । अथ यत्स्विष्टकृते सर्वेषां हविषां समवद्यति । तस्माद्यत्किंचेमान्प्रा-णानापद्यते । एतमेव तत्सर्वं समवैति ॥ ३० ॥

त्रीणि शिश्नानि । त एव त्रयोऽनुयाजाः । स योऽयं वर्षिष्ठोऽनुयाजः । तदिदं वर्षिष्ठमिव शिश्नम् । तं वा अनवानन्यजेदित्याहुः । तथो हास्यैतदमृध्रं भवतीति ॥ ३१ ॥

स वै सकृदवान्यात् । एकं ह्येतस्य पर्व । अथ यदपर्वकं स्यात् । प्रतृण्णं वैव तिष्ठेलंबेत वा । तस्मादेतदुच्च तिष्ठति पद्यते च । तस्मात्सकृदवान्यात् ॥ ३२ ॥

'योऽयमवाङ् प्राणः' अन्नमलविसर्जनहेतुः स स्विष्टकृद्यागः । धर्मभेदेनोक्तमर्थं समर्थयते—तमभ्यर्द्ध इवेति । 'इतराभ्य आहुतिभ्यः' प्रधानहविर्भ्यः सकाशात् 'अभ्यर्द्धे' अभिगतः अर्द्धो देशः । यथा प्रधानहविर्भिः संसर्गो न भवति तथाभूतदेशे तं स्विष्टकृतं जुहोति । यस्मादेवं 'तस्मात्सर्वे' शीर्षण्याः 'प्राणाः' एतस्मादवाचः प्राणात् 'बीभत्संते' जुगुप्संते । अपि च 'सर्वेषां' प्रधानहविषां उत्तरा-र्द्धात् स्विष्टकृद्यागाय 'समवद्यति' संभूयावद्यतीति यत्, अतः यस्मात् 'इमान् प्राणान्' शीर्षण्यान् यत्किमपि द्रव्यं पृथक् पृथगापद्यते प्राप्तं भवति तत्सर्वं एतमवांचं प्राणं 'समवैति' संप्राप्नोति ॥ ३० ॥

त्रीणि शिश्नानीत्यादि । अण्डाभ्यां सह त्रित्वम् । 'त एव त्रयोऽनुयाजाः' यज्ञशरीरस्य शिश्नात्मका इत्यर्थः । तत्र 'योऽयं वर्षिष्ठः' वृद्धतमस्तृतीयोऽनुयाजः 'तदिदं वर्षिष्ठमिव' लिंगात्मकं 'शिश्नम्' । तत्रानवानपक्षं योजयति—तं वा अनवानन्निति । 'अनवानन्' अनुच्छ्वसन् । तं तृतीयमनुयाजं वषट्कुर्या-दित्यर्थः । तथैवं सति हि अस्य शरीरस्य एतदंगम् अमृध्रं अविच्छिन्नं 'भवति' इति अनवान-पक्षाभिप्रायः ॥ ३१ ॥

पक्षांतरमाह—स वै सकृदवान्यादिति । "ते होत्रेऽअमत्सत" इत्यत्र सकृदेकवारं 'अवान्यात्'

(द्दौ) द्दौ बाहू द्वाऽऊरू। तुऽएव चत्वारः पत्नीसंयाजाः प्रतिष्ठाऽयमेव प्राणऽइडा यत्तां नाग्नौ जुहोति यत्साऽप्रदग्धेव तुस्मादयमनवतृण्णः प्राणः ३३

(णोऽस्थ्ये)अस्थ्येव याज्याऽनुवाक्याः। (०)माᳬसᳬ हविस्तन्मितं छुन्दो यद्याज्याऽनुवाक्यास्तुस्माद् समावन्त्येवास्थीनि मेद्यतश्च कृश्यतश्च भवन्त्युथ यद्भूयऽ इव च हविर्गृह्णाति कुनीयऽइव च तुस्माद् माᳬसान्येव मेद्यतो मेद्यन्ति माᳬसानि कृश्यतः कृश्यन्ति तेनैतेन यज्ञेन यां कामयते देवतां तां यजति यस्यै हविर्भवति ॥ ३४ ॥

द्वौ बाहू द्वा ऊरू, त एव चत्वारः पत्नीसंयाजाः प्रतिष्ठा। अयमेव प्राण इडा। यत्तां नाग्नौ जुहोति। यत्सा अप्रदग्धेव। तस्मादयमनवतृण्णः प्राणः ॥ ३३ ॥

अस्थ्येव याज्याऽनुवाक्याः। मांसं हविः। तन्मितं छंदः। यद्याज्याऽनुवाक्याः। तस्माद् समावंत्येवास्थीनि मेद्यतश्च कृश्यतश्च भवंति। अथ यद्भूय इव च हविर्गृह्णाति कनीय इव च। तस्माद् मांसान्येव मेद्यतो मेद्यंति, मांसानि कृश्यतः कृश्यंति। तेनैतेन यज्ञेन यां कामयते देवतां तां यजति, यस्यै हविर्भवति ॥ ३४ ॥

शबरयेत्। 'एतस्य' वर्षिष्ठस्य मध्यमस्य शिश्नस्य 'एकं हि पर्व' विद्यते, अतस्तत्सादृश्यात् यन्मध्ये अवसानं कृतम्। 'अथ' यत्तत् 'अपर्वकं स्यात्' पर्वरहितं स्यात् 'प्रतृण्णं वैव' ऊर्ध्वमुखमेवावतिष्ठेत, अथवा 'लंबेत' तत्र तु उभयोः समावेशो न घटते। यस्मादेतत् सपर्वकं तदात्मकस्य तृतीयानुयाजस्य याज्यामध्ये विच्छेदः। तस्मात् कारणात् एतदंगं निमित्तवशात् कदाचिदुत्तिष्ठति कदाचित् व्यापद्यते च। तस्मादिति प्रतिपादितार्थनिगमनम् ॥ ३२ ॥

द्वौ बाहू इत्यादि। बाहुद्वयम्, ऊरुद्वयम्, 'चत्वारः पत्नीसंयाजाः' अतस्ते प्रतिष्ठात्मकाः। 'अयमेव' मध्यमः 'प्राणः' 'इडा'। यद्यस्मात् तामिडामग्नौ न जुहोति 'सा अप्रदग्धेव' प्रदाहरहितेव भवति। 'तस्मादयं' मध्यमः 'प्राणः' 'अनवतृण्णः' अविच्छिन्नः सदा वर्तते ॥ ३३ ॥

याज्यानुवाक्यानां हविषां च क्रमेण धातुद्वयरूपतामाह—अस्थ्येव याज्यानुवाक्या इति। एतेषां यागानां याः 'याज्यानुवाक्याः' तान्यस्थीन्येव। हविस्तु मांसस्थानीयम्। याज्यानुवाक्या ऋच इति यत् 'तन्मितं' परिमितं छंदः। कदाचिदपि न्यूनाधिकभावो न भवति। तस्मात्कारणात् अस्थीन्यपि 'मेद्यतः' स्थूलीभवतः 'कृश्यतः' कृशीभवतश्च शरीरे 'समावंति' समपरिमाणान्येव 'भवंति'। देहवृद्धिक्षयाभ्यां अस्थ्नां वृद्धिक्षयौ न स्त इत्यर्थः। हवीरूपतां मांसस्य प्रतिपादयति—अथ यद्भूय इवेति। यागेषु हि कदाचित् 'हविः' 'भूय इव' अधिकमिव 'कनीय इव' अल्पमिव च गृह्यते। 'तस्मात् मांसानि' 'मेद्यतः' स्निग्धगात्रस्य पुरुषस्य 'मेद्यंति' वर्द्धन्ते। "ञिमिदा स्नेहने" (धा. पा. दि. प. १३७) इति धातुः। 'कृश्यतः' पुरुषस्य 'कृश्यंति' क्षीणानि भवंति। "कृश तनूकरणे" (धा. पा. दि. प. १२१) इति धातुः। एवमधिदेवमध्यात्मं

ता वाऽएताः। (८) अनपोद्धार्य्याऽआहुतयो भवन्ति स युद्धैतासाम-पोद्धरेद्यथैकमङ्गꣳ शृणीयात्प्राणं वा निर्हण्यादेवं तदन्यान्येव हवीꣳष्युप चाह्रियन्तेऽप च ह्रियन्ते ॥ ३५ ॥

ता वाऽएताः। षोडशाहुतयो भवंति षोडशकलो वै पुरुषः पुरुषो यज्ञ-स्तस्मात्षोडशाहुतयो भवन्ति ॥ ३६ ॥

इति प्रथमप्रपाठके षष्ठं ब्राह्मणम् ॥ ११-१-६ ॥ (१. ६.) ॥

ता वा एता अनपोद्धार्या आहुतयो भवंति। स यद्धैतासामपोद्धरेत्। यथैकमंगं शृणियात्प्राणं वा निर्हण्यात्। एवं तत्। अन्यान्येव हवींष्युप चाह्रियंतेऽप च ह्रियंते ॥ ३५ ॥

ता वा एताः षोडशाहुतयो भवंति। षोडशकलो वै पुरुषः। पुरुषो यज्ञः। तस्मात्षोडशाहुतयो भवंति ॥ ३६ ॥

च प्रयाजाज्यभागादीनां तत्तदात्मकतोक्ता। इदानीं तस्य फलमाह—तेनैतेन यज्ञेनेति। उक्तानां देवतानां मध्ये यां यां 'देवतां' यजमानः 'कामयते' 'यस्यै' देवतायै हविर्गृहीतं भवति, 'तां' कामयितव्यदेवता-रूपेण यजते ॥ ३४ ॥

एतासां प्रयाजादीनां अध्यात्ममुक्तेषु अंगेषु मध्ये 'यथा एकमंगं' 'शृणीयात्' हिंस्यात्। 'प्राणं वा निर्हण्यात्' 'एवं तत्' अपोद्धृतमंगं स्यात्। तस्मादेतानि प्रयाजानुयाजादीनि प्राच्योदीच्यानि अंगजातानि तत्प्रतिनियतावयवरूपतया यज्ञशरीरनिष्पादकानि इति सर्वेष्टितंत्रसाधारणानि। अन्येषां प्रधानहविषाम्। आवापोद्धारयोग्यतामाह—अन्यान्येव हवींषीति। 'उपाह्रियंते' आज्यभागानंतरं स्विष्टकृद्यागात् पूर्वं प्रधान-यागस्थाने प्रक्षिप्यन्ते प्रयोगांतरे 'अपह्रियंते च' उद्धार्यंते इत्यर्थः ॥ ३५ ॥

उक्ता अंगाहुतीः संभूय प्रशंसति—ता वा एताः षोडशाहुतय इति। पंच प्रयाजाः, द्वावाज्यभागौ, स्विष्टकृत्, इडा, त्रयोऽनुयाजाः, चत्वारः पत्नीसंयाजाः, इति षोडश सर्वत्र साधारण्येन भवंतीत्यर्थः। षोडश-कलो वै पुरुष इति। सप्त शीर्षण्याः प्राणाः, अवाङ्प्राण एकः, इत्यष्टौ प्राणाः, चत्वारि दोर्बाहवानि, चत्वारि ऊर्वष्ठीवानि च, अष्टावंगानि। एतत् षोडशावयवात्मकं खलु शरीरम्। यद्वा अत्रैव "पञ्चेमे प्राणाः" इत्यादिना अनुक्रांता एव प्राणाद्याः षोडशकला ज्ञातव्याः। यस्मादेवं षोडशकलात्मकस्य यज्ञशरीरस्य षोड-शाहुतिसाध्यता तस्मात् सर्वास्वपीष्टिषु 'एताः षोडशाहुतयः' भवन्तीत्यर्थः ॥ ३६ ॥

इति श्रीसायणाचार्यविरचिते माधवीये वेदार्थप्रकाशे माध्यन्दिनीयशतपथब्राह्मणभाष्ये एकादशकाण्डे प्रथमेऽध्याये षष्ठं ब्राह्मणम् ॥ (११ । १ । ६) ॥

१–पंच शीर्षण्याः प्राणाः ५ द्वे चक्षुषी २ अवाङ्प्राणः १ द्वावाण्डौ २ शिश्नं च १ द्वौ बाहू २ द्वावूरू २ मध्यमः प्राणः १ एवं षोडशकलो वा १६ ॥

तदाहुः । किमयनमिति स्वयꣳ हैवैते रात्रीऽअग्निहोत्रं जुहुयात्स यद्धुत्वा प्राश्नाति तेनापितृदेवत्यो भवत्याहुतिर्वाऽएषा स यदेवैतामात्मन्नाहुतिं जुहोति तेनोऽएतेषां मेधानां नाश्नाति ॥ ३ ॥

(त्ये) एते ह वै रात्री । सर्व्वा रात्रयः समवयंति याऽआपूर्य्यमाणपक्षस्य रात्रयस्ताः सर्व्वाः पौर्णमासीꣳ समवयन्ति याऽअपक्षीयमाणपक्षस्य रात्रयस्ताः सर्व्वाऽअमावास्याꣳ समवयन्ति स यो हैवं विद्वान्त्स्वयमुपवसथे जुहोति सर्व्वदा हैवास्य स्वयꣳ हुतं भवति ॥ ४ ॥

इति प्रथमप्रपाठके सप्तमं ब्राह्मणम् ॥ ११-१-७ ॥ (१. ७.) ॥

तदाहुः किमयनमिति । स्वयं हैवैते रात्री अग्निहोत्रं जुहुयात् । स यद्धुत्वा प्राश्नाति, तेनापितृदेवत्यो भवति । आहुतिर्वा एषा । स यदेवैतामात्मन्नाहुतिं जुहोति । तेनो एतेषां मेधानां नाश्नाति ॥ ३ ॥

एते ह वै रात्री सर्वा रात्रयः समवयंति । या अपूर्यमाणपक्षस्य रात्रयः: ताः सर्वाः पौर्णमासीं समवयंति । या अपक्षीयमाणपक्षस्य रात्रयः; ताः सर्वा अमावास्यां समवयंति । स यो हैवं विद्वान् स्वयमुपवसथे जुहोति । सर्वदा हैवास्य स्वयं हुतं भवति ॥ ४ ॥

नीताः आपः प्रणीता गृह्यंते । अशनपक्षे दोषस्य दुष्परिहारत्वात् अनशनपक्षोक्तदोष एव परिशिष्यत इत्याह—यदि नाश्नातीति ॥ २ ॥

अस्य दोषस्य प्रश्नपूर्वकं परिहारमाह—तदाहुः किमयनमिति । अनुष्ठानमार्गः क इति ब्रह्मवादिनां प्रश्नः । अस्योत्तरं श्रुतिराचष्टे—स्वयम् इति । 'एते रात्री' "अत्यंतसंयोगे द्वितीया" (पा. सू. २।१।२९) । पर्वरात्रौ यजमानः स्वयमेवाग्निहोत्रं जुहुयात् । यजमानो हुतशिष्टं होमानंतरं यत्प्राश्नाति 'तेन' प्राशनेन प्रागुदीरितपितृदेवत्यलक्षणदोषस्तस्य न भवति । मेधाशनलक्षणो दोषोऽपि नास्तीत्याह—आहुतिर्वा एषेति । यदग्निहोत्रहुतशेषभक्षणं, 'एषा आहुतिः' खलु । अत एवान्यत्र श्रूयते—"यच्चतुरुन्नयति द्विर्जुहोति, अथ के द्वे आहुती भवत इति, अग्नावेव वैश्वानरे द्वे आहुती जुहोति" इति । यस्मादेतां प्राशनरूपामाहुतिमेव आत्मरूपे वैश्वानरे अग्नौ जुहोति । अतोऽनेनैव कारणेन एषां प्रागुक्तानां पुरोडाशादीनां यज्ञियसारं न भुक्तवान् भवतीत्यर्थः ॥ ३ ॥

पर्वरात्रौ विहितं स्वयं होमं प्रशंसति—एते ह वै रात्री इति । 'समवयंति' संप्राप्नुवंति एकीभवंतीत्यर्थः । या आपूर्यमाणपक्षस्येत्यादि । यस्मिन्पक्षे चंद्रः कलावृद्ध्या क्रमेणापूर्यते स शुक्लपक्ष आपूर्यमाणपक्षः । तस्य याः प्रतिपदादितिथिषु चतुर्दश 'रात्रयः' 'ताः सर्वाः पौर्णमासी समवयंति' संप्राप्नुवंति । कलाक्षयक्रमेण चंद्रो यस्मिन्नपक्षीयमाणः स अपरपक्षः । तस्य 'या रात्रयः' 'ताः सर्वा अमावास्यां' प्रविशंति ।

तद्वाऽअदो व्व्रतोपायनुऽउद्यते । युदि नाश्नाति पितृदेवुत्यो भवति युद्युऽअश्नाति देवानुत्यश्नातीति तुदारण्युमश्नीयादिति तुत्र स्थापयन्ति॥१॥

स युदि ग्राम्याऽओषधीरश्नाति । पुरोडाशस्य मेुधमश्नाति युद्यारण्याऽओषधीरश्नाति बर्हिषो मेुधमश्नाति युदि व्वानस्पत्युमश्नातीध्मुस्य मेुधमश्नाति युदि पुयः पिबति सान्नाय्युस्य चाुज्यस्य च मेुधमश्नाति युद्यपः पिबति प्रुणीतानां मेुधमश्नाति युदि नाश्नाति पितृदेवुत्यो भवति ॥ २ ॥

तद्वा अदो व्रतोपायन उद्यते । यदि नाश्नाति पितृदेवत्यो भवति । यद्यु अश्नाति देवानत्यश्नाति–इति । तदारण्यमश्नीयादिति तत्र स्थापयंति ॥ १ ॥

स यदि ग्राम्या ओषधीरश्नाति, पुरोडाशस्य मेधमश्नाति । यद्यारण्या ओषधीरश्नाति, बर्हिषो मेधमश्नाति । यदि वानस्पत्यमश्नाति, इध्मस्य मेधमश्नाति । यदि पयः पिबति, सान्नाय्यस्य चाज्यस्य च मेधमश्नाति । यद्यपः पिबति, प्रणीतानां मेधमश्नाति । यदि नाश्नाति पितृदेवत्यो भवति ॥ २ ॥

अथ तत्रैव दर्शपूर्णमासयागे व्रतोपायनविषयां मीमांसां कर्तुं प्रतिजानीते–तद्वा अद इति । तत्तत्र दर्शपूर्णमासयोः । ‘ अदः ’ अमुष्मिन् “व्रतमुपैष्यन्” (श. प. १ । १ । १ । १) इत्यादावेव प्रतिपादिते ‘व्रतोपायने ’ व्रतस्य उपायनं उपगमः तस्मिन् विषये ‘ उद्यते ’ रात्रिभोजनकरणाकरणविषयो विशेषो विचार्यते । वदेः कर्मणि यक् (पा. सू. १ । २ । १३) । तत्र अशनानशनयोस्तावद्दोषमाह–यदि नाश्नातीति । ‘ यदि ’ पर्वरात्रौ यजमानः ‘ नाश्नीयात् ’ तर्हि ‘ पितृदेवत्यः भवेत् ’ । पितॄणां हि भोजनं न रात्रौ भवति । “नच नक्तं श्राद्धं कुर्वीत” इति रात्रौ श्राद्धनिषेधस्मरणात् । अतो यजमानोऽपि रात्रौ अभुंजानस्तत्सदृशो भवेत् । नच एतज्जीवतो युक्तम् । तर्हि एतद्दोषपरिहाराय यदि ‘ अश्नीयात् ’ परेद्युर्यष्टव्यानागतान् देवान् अत्यश्नीयात् अतिक्रम्य भुक्तवान् भवेत् । ‘ इति ’ अनेन प्रकारेण ‘ उद्यते ’ इति पूर्वत्र संबन्धः । कथं तर्हि कर्तव्यमिति तत्राह–तदारण्यमिति । तत्तस्माद्धेतोः आरण्यमरण्यनिष्पन्नं श्यामाकादिकमश्नीयात् इत्येवं ‘तत्र’ व्रतोपायनविषये ‘ स्थापयंति ’ केचिन्निर्णयं कुर्वंति । अत एव तैत्तिरीयके–“ यदश्नन्नुपवसेत्पितृदेवत्यः स्यादत आरण्यमश्नाति ” इति ॥ १ ॥

एतदारण्याशनमपि पूर्वपक्षीकुर्वन् संभवत्पक्षांतराण्युपन्यस्य दूषयति–स यदि ग्राम्या इति । पुरोडाशप्रकृतिभूतानां व्रीहियवानां ग्राम्याणामशने तत्कार्यस्य ‘ पुरोडाशस्य मेधं ’ यज्ञियं सारं भुक्तवान् भवति । एवमुत्तरत्रापि योज्यम् । वानस्पत्यमिति । वनस्पतिविकारभूतं फलादिकं ‘वानस्पत्यम्’ । सान्नाय्यस्य चाज्यस्य चेति । दधिपयोलक्षणं सान्नाय्यं हविः आज्यं च इत्येतदुभयं पयसः कार्यमिति तत्पाने तदुभयस्य यज्ञयोग्यं सारं भुक्तवान् भवतीत्यर्थः । यद्यपः पिबतीत्यादि । हविषः संयवनार्थाः चमसेनाहवनीयसमीपं

देवाश्च वाऽअसुराश्च । (श्चो) उभये प्राजापत्याः पस्पृधिरे ततोऽसुराऽ-अतिमानेनैव कस्मिन्नु वयं जुहुयामेति स्वेष्वेवास्येषु जुह्वतश्चेरुस्तेऽ-तिमानेनैव पराबभूवुस्तस्मान्नातिमन्येत पराभवस्य हैतन्मुखं यदतिमानः १

(नोऽथ) अथ देवाः । (ऽ) अन्योऽन्यस्मिन्नेव जुह्वतश्चेरुस्तेभ्यः प्रजापति-रात्मानं प्रददौ यज्ञो हैषामास यज्ञो हि देवानामन्नम् ॥ २ ॥

(४ँ) स देवेभ्यऽआत्मानं प्रदाय । (या) अथैतमात्मनः प्रतिमामसृजत यद्यज्ञं तस्मादाहुः प्रजापतिर्यज्ञऽइत्यात्मनो ह्येतं प्रतिमामसृजत ॥ ३ ॥

देवाश्च वा असुराश्चोभये प्राजापत्याः पस्पृधिरे । ततोऽसुरा अतिमानेनैव कस्मिन्नु वयं जुहुयामेति–स्वेष्वेवास्येषु जुह्वतश्चेरुः । तेऽतिमानेनैव पराबभूवुः । तस्मान्नातिमन्येत । पराभवस्य हैतन्मुखं यदतिमानः ॥ १ ॥

अथ देवा अन्योन्यास्मिन्नेव जुह्वतश्चेरुः । तेभ्यः प्रजापतिरात्मानं प्रददौ । यज्ञो हैषामास । यज्ञो हि देवानामन्नम् ॥ २ ॥

स देवेभ्य आत्मानं प्रदायाथैतमात्मनः प्रतिमामसृजत यद्यज्ञम् । तस्मादाहुः प्रजापतिर्यज्ञ इति । आत्मनो ह्येतं प्रतिमामसृजत ॥ ३ ॥

एवं विदुषः ' स्वयं ' पर्वणि जुह्वतो यजमानस्य अन्यासु रात्रिषु ऋत्विजा क्रियमाणोऽपि होमः स्वयं होमः संपद्यत इत्यर्थः ॥ ४ ॥

इति श्रीसायणाचार्यविरचिते माधवीये वेदार्थप्रकाशे माध्यन्दिनीयशतपथब्राह्मणभाष्ये एकादश काण्डे प्रथमेऽध्याये सप्तमं ब्राह्मणम् ॥ (११–१–७) ॥

उक्तविधं व्रतम् उपेयुषो यजमानस्य हवीरूपतां ब्रुवन् तस्मिन्निष्क्रयणहेतुतां दर्शपूर्णमासयागस्य प्रतिपादयितुं आख्यायिकया यज्ञोत्पत्तिमाह–देवाश्च वा असुराश्चेति । ' उभये ' ' प्राजापत्याः ' प्रजापतेः पुत्रा अदित्यामुत्पादिताः ' देवाः ' दित्यामुत्पादिताः 'असुराः' 'पस्पृधिरे' स्पर्द्धां कृतवंतः । छांदसः स्पर्द्धधातोः स्पृभावः । ततस्तेषामुभयेषां मध्ये ' असुरा अभिमानेनैव ' अस्मदतिरिक्तः को नाम विद्यते यस्मिन् अस्मद्व्यतिरिक्ते श्रेष्ठे वयं हविर्जुहवाम । स नास्त्येवेति अतिशयेनाहंकारेण ' स्वेष्वेव आस्येषु ' हविर्जुह्वतः चेरुरवर्तंत । तेनाहंकारेण ' ते ' असुराः ' पराबभूवुः ' एवमतिमानस्य पराभवनिमित्तत्वात् स न कार्यः प्रेक्षावतेति प्रसंगादुपदिश्यते–तस्मान्नातिमन्येतेति । पराभवो नाशः तस्यैवैतन्मुखम् उपायः, ' अतिमानः ' अहंकार इति ' यत् ' ॥ १ ॥

इत्थमसुरैः कृतमुक्त्वा देवैः कृतं दर्शयति–अथ देवा इति । ' अन्योऽन्यस्मिन् ' अग्निरिंद्रादौ देवेन्द्र अग्न्यादौ देवे इति परस्परव्यतिहारेण हवींषि ' जुह्वतः ' चेरुरित्यर्थः । ' तेभ्यः ' देवेभ्यः प्रीतः ' प्रजापतिः ' ' आत्मानं ' स्वशरीरं ' प्रददौ ' प्रादित । आत्मा ' एषां ' देवानां यज्ञात्मकः ' आस ' बभूव । तेन क उपयोग ? इति तत्राह–यज्ञो हीति । ' यज्ञः ' खलु ' देवानां ' स्थितिनिमित्तं 'अन्नं' तदात्मकं भागं देवेभ्यः कल्पितवानित्यर्थः ॥ २ ॥

स देवेभ्य इत्यादि । ' सः ' प्रजापतिः एवं ' देवेभ्य आत्मानं ' स्वशरीरं ' प्रदाय ' तन्निष्क्रयणाय

स ऽएतेन यज्ञेन । देवेभ्य ऽआत्मानं निरक्रीणीत स यद्व्रतमुपैति यथैव तत्प्रजापतिर्देवेभ्य ऽआत्मानं प्रायच्छदेवमेवैष ऽएतद्देवेभ्यऽआत्मानं प्रयच्छति तस्मादु संयत ऽएवैताᳬं रात्रिं चिचरिषेद्यथा हविषा चरेदेवᳬं हविर्ह्येष देवानां भवति ॥ ४ ॥

(त्यु) अथ यद्यज्ञं तनुते । यज्ञेनैवैतद्देवेभ्यऽआत्मानं निष्क्रीणीते यथैव तत्प्रजापतिर्निरक्रीणीतैवमथ यद्धविर्निर्वपति हविषैवैतद्यज्ञं निष्क्रीणाति हविरनुवाक्ययाऽनुवाक्यामवदानेनावदानं याज्यया याज्यां व्वषट्कारेण व्वषट्कारमाहुत्या तस्याहुतिरेवानिष्क्रीता भवति ॥ ५ ॥

स एतेन यज्ञेन देवेभ्य आत्मानं निरक्रीणीत । स यत् व्रतमुपैति । यथैव तत्प्रजापतिर्देवेभ्य आत्मानं प्रायच्छत् । एवमेवैष एतद्देवेभ्य आत्मानं प्रयच्छति । तस्मादु संयत एवैतां रात्रिं चिचरिषेत् । यथा हविषा चरेत् एवम् । हविर्हि एष देवानां भवति ॥ ४ ॥

अथ यद्यज्ञं तनुते । यज्ञेनैवैतद्देवेभ्य आत्मानं निष्क्रीणीते । यथैव तत्प्रजापतिर्निरक्रीणीत । एवम् ।

यज्ञरूपामात्मनः प्रतिकृतिम् 'असृजत' सृष्टवान् । यत एवं प्रजापतिशरीरस्य प्रतिमा यज्ञः तस्मात् प्रजापतियज्ञयोः तादात्म्यव्यवहारः इत्याह–तस्मादाहुरिति । आत्मनो ह्येतमिति प्रागुदीरितहेतुयोजनम् । 'प्रतिमा' प्रतिबिंबं प्रतिकृतिरिति पर्यायः ॥ ३ ॥

स एतेन यज्ञेनेत्यादि । 'सः' प्रजापतिः इत्थं सृष्टेन स्वशरीरप्रतिकृतिभूतेन 'एतेन यज्ञेन' 'देवेभ्यः' सकाशात् 'आत्मानं' स्वशरीरं 'निरक्रीणीत' यज्ञतुल्यवेतनं देवेभ्यो दत्त्वा पुनः स्वशरीरं स्वीकृतवानित्यर्थः । इत्थं आख्यायिकया सिद्धमर्थं प्रकृते योजयति–स यत् व्रतमुपैतीति । दर्शपूर्णमासयागे प्रागुक्तलक्षणं 'व्रतमुपैतीति' यदस्ति । एतेन प्रजापतिरिव देवेभ्यः स्वयमपि आत्मानं स्वशरीरं हविष्ट्वेन प्रयच्छति । तस्माद्धविर्दोषपरिहाराय 'एतां' औपवसथीयदिवसस्य रात्रिं 'संयत एव' सम्यक् नियतेंद्रियव्यापार एव सन् 'चिचरिषेत्' चरितुं वर्तितुमिच्छेत् । दृष्टांतेनोपपादयति–यथा हविषेति । 'यथा' संयतः सन् 'हविषा चरेत्' यजेत । एवं पर्वरात्रावपि संयतो भवेदित्यर्थः । तत्र कारणमाह–हविर्ह्येष इति । 'एवं' व्रतं उपेयिवान् यजमानः औपवसथ्यदिवसे देवानां स्वयमेव हविर्भवति । 'हि' यस्मादेवं तस्मात्संयतश्चरेदिति संबंधः ॥ ४ ॥

अथ यद्यज्ञमित्यादि । अथानंतरं परस्मिन् दिवसे 'यत्' यदा 'यज्ञं' दर्शपूर्णमासादिलक्षणं 'तनुते' विस्तारयति । तत्तदा तेनैव 'यज्ञेन' हि मूल्येन 'देवेभ्यः' सकाशात् औपवसथ्यदिवसे दत्तं स्वमात्मानं

१–श. ब्रा. १ । १ । १ । २ । इत्यत्र ॥

स यथाऽग्रप्रशीर्णो वृक्षः । (५) एवमस्यैष यज्ञो भवत्याहुतिमेवान्वाहार्येण निष्क्रीणाति तद्यदेतद्धीनं यज्ञस्यान्वाहरति तस्मादन्वाहार्यो नामैवमु हास्यैष सर्व्वऽएव यज्ञो निष्क्रीतो भवत्येष ह वै यजमानस्यामुष्मिंल्लोकऽआत्मा भवति यद्यज्ञः स ह सर्व्वतनूरेव यजमानोऽमुष्मिंल्लोके सम्भवति यऽएवं विद्वान्निष्क्रीत्या यजते ॥ ६ ॥

इति प्रथमप्रपाठकेऽष्टमं ब्राह्मणम् ॥ ११-१-८ ॥ (१. ८.) ॥

इति प्रथमोऽध्यायः समाप्तः ॥ ११-१ ॥

अथ यद्धविर्निर्वपति । हविषैवैतद्यज्ञं निष्क्रीणाति । हविरनुवाक्यया । अनुवाक्यामवदानेन । अवदानं याज्यया । याज्यां वषट्कारेण । वषट्कारमाहुत्या । तस्याहुतिरेवानिष्क्रीता भवति ॥ ५ ॥

स यथाऽग्रप्रशीर्णो वृक्षः । एवमस्यैष यज्ञो भवति । आहुतिमेवान्वाहार्येण निष्क्रीणाति । तद्यदेतद्धीनं यज्ञस्यान्वाहरति । तस्मादन्वाहार्यो नाम । एवमु ह अस्यैष सर्व एव यज्ञो निष्क्रीतो भवति । एष ह वै यजमानस्यामुष्मिन् लोक आत्मा भवति । यद्यज्ञः । स ह सर्वतनूरेव यजमानोऽमुष्मिन् लोके संभवति । य एवं विद्वान्निष्क्रीत्या यजते ॥ ६ ॥

' निष्क्रीणीते ' पुनः स्वीकरोति । ' यथैव ' खलु ' प्रजापतिः ' पुरा स्वमात्मानं देवेभ्यो दत्त्वा तत्प्रतिनिधित्वेन यज्ञं सृष्ट्वा तं देवेभ्यः प्रदाय पुनः स्वशरीरमगृह्णात् । एवं यजमानोऽपि करोतीत्यर्थः । यज्ञादीनामपि उत्तरेण निष्क्रयणप्रकारमाह—अथ यद्धविरिति । यदा खलु हविर्निर्वपति तेन ' हविषैव ' तं यज्ञं ' निष्क्रीणाति ' । तत्र ' हविरनुवाक्यया ' ' अनुवाक्यामवदानेन ' ' अवदानं याज्यया ' ' याज्यां वषट्कारेण ' ' वषट्कारमाहुत्या, ' सर्वत्र निष्क्रीणातीति संबंधः । तस्याहुतिरेवेत्यादि । ' तस्य ' यज्ञस्य संबंधिनी ' आहुतिरेव ' ' अनिष्क्रीता ' अस्वीकृता भवति इति ॥ ५ ॥

ततो यजमानस्य ' अग्रप्रशीर्णः ' भग्नाग्रः ' वृक्षः ' इव ' यज्ञो भवति ' उपरि अवस्थिताया आहुतेः अनिष्क्रीतत्वात् । अथैतद्दोषपरिहाराय तन्निष्क्रयमाह—आहुतिमेवेति । योऽयमन्वाहार्याख्यो दक्षिणात्वेन देय ओदनः तेन तामाहुतिमेव ' निष्क्रीणाति ' । तन्नामनिर्वचनेन दोषशमनसामर्थ्यं तस्य प्रतिपादयति—तद्यदेतदिति । तत्तत्र ' यज्ञस्य ' संबंधि ' यदेतत् ' ' हीनं ' विलुप्तमंगमस्ति तत् ' अन्वाहरति ' पुनः संदधाति । यस्मादेवं तस्मादयमन्वाहार्यो नाम्ना संपन्नः । अन्वाहरति दोषजातमनेन शमयतीति करणसाधनो ण्यत् । एवमु हास्येति प्रतिपादितकृत्स्नयज्ञनिष्क्रयणनिगमनम् । एवं निष्क्रीतस्य यज्ञस्य क उपयोगः ? इति तत्राह एष ह वा इति । ' एषः ' खलु निष्क्रीतः ' यज्ञः ' अस्य ' यजमानस्य ' ' अमुष्मिन् ' स्वर्गे ' लोके ' ' आत्मा ' देहो ' भवति ' । ' सः ' खलु ' यजमानः सर्वतनूरेव ' सर्वावयवसंपूर्ण एव सन्

'अमुष्मिन्' स्वर्गे ' लोके ' ' संभवति ' उत्पद्यते । ' यः ' एवमुक्तप्रकारं ' विद्वान् ' निष्क्रीत्या ' निष्क्रयणेन दर्शपूर्णमासाभ्यां ' यजते ' स इति संबंधः ॥ ६ ॥

इति श्रीसायणाचार्यविरचिते माधवीये वेदार्थप्रकाशे माध्यन्दिनीयशतपथब्राह्मणभाष्ये
एकादशकाण्डे प्रथमेऽध्याये अष्टमं ब्राह्मणम् ॥ (११-१-८) ॥

वेदार्थस्य प्रकाशेन तमो हार्दं निवारयन् । पुमर्थांश्चतुरो देयाद् विद्यातीर्थमहेश्वरः ॥ १ ॥

ब्रह्माण्डं गोसहस्रं कनकहयतुलापूरुषौ स्वर्णगर्भं,
सप्ताब्धीन्पञ्चसीरींस्त्रिदशतरुलताधेनुसौवर्णभूमीः ।
रत्नोस्रां रुक्मवाजिद्विपमहितरथौ सायणिः सिङ्गणार्यो,
व्यश्राणीद्विश्वचक्रं प्रथितविधिमहाभूतयुक्तं घटं च ॥
धान्याद्रिं धन्यजन्मा तिलभवमतुलः स्वर्णजं वर्णमुख्यः,
कार्पासीयं कृपावान्गुडकृतमजडो राजतं राजपूज्यः ।
आज्योत्थं प्राज्यजन्मा लवणजमनृणः शार्करं चार्कतेजा,
रत्नाढ्यो रत्नरूपं गिरिमकृत मुदा पात्रसात्सिङ्गणार्यः ॥

इति श्रीमद्राजाधिराजपरमेश्वरवैदिकमार्गप्रवर्त्तकश्रीहरिहरमहाराजसाम्राज्यधुरन्धरेण सायणाचार्येण
विरचिते माधवीये वेदार्थप्रकाशे माध्यन्दिनीयशतपथब्राह्मणभाष्ये एकादशकाण्डे
प्रथमोऽध्यायः समाप्तः ॥ (११ । १) ॥

अथ द्वितीयेऽध्याये प्रथमं ब्राह्मणम् ।

प्रथमप्रपाठके च नवमं ब्राह्मणम् ।

त्रिर्ह वै पुरुषो जायते । (तऽए) एतन्न्वेव मातुश्चाधि पितुश्चाग्रे जायतेऽथ यं यज्ञऽउपनमति स यद्यजते तद्द्वितीयं जायतेऽथ यत्र म्रियते यत्रैतमग्ना-वभ्यादधति स यत्ततः सम्भवति तत्तृतीयं जायते तस्मात्त्रिः पुरुषो जायतऽ इत्याहुः ॥ १ ॥

(स्ता) ता वाऽएताः । (ताऽए) एकादश सामिधेनीरन्वाह दश वाऽ इमे पुरुषे प्राणाऽआत्मैकादशो यस्मिन्नेते प्राणाः प्रतिष्ठिताऽएतावान्वै पुरुषस्तदेनं कृत्स्नं जनयत्यथ यदूर्ध्वꣳ सामिधेनीभ्यः सा प्रतिष्ठा तदेनं जनयित्वा प्रतिष्ठापयति ॥ २ ॥

त्रिर्ह वै पुरुषो जायते । एतन्न्वेव मातुश्चाधि पितुश्चाग्रे जायते । अथ यं यज्ञ उपनमति–स यद्यजते तत् द्वितीयं जायते । अथ यत्र म्रियते–यत्रैतमग्नावभ्यादधति–स यत्ततः संभवति–तत् तृतीयं जायते । तस्मात् त्रिः पुरुषो जायत इत्याहुः ॥ १ ॥

ता वा एता एकादश सामिधेनीरन्वाह । दश वा इमे पुरुषे प्राणाः । आत्मैकादशः । यस्मिन्नेते प्राणाः प्रतिष्ठिताः । एतावान् वै पुरुषः । तदेनं कृत्स्नं जनयति । अथ यदूर्ध्वं सामिधेनीभ्यः । सा प्रतिष्ठा । तदेनं जनयित्वा प्रतिष्ठापयति ॥ २ ॥

यस्य निःश्वसितं वेदा यो वेदेभ्योऽखिलं जगत् । निर्ममे तमहं वन्दे विद्यातीर्थमहेश्वरम् ॥ १ ॥

अथ विशिष्टजन्महेतुतया सामिधेनीः प्रशंसन् पुरुषस्य जन्मत्रयमाह–त्रिर्ह वै पुरुष इति । 'पुरुषः' शरीरी त्रिस्त्रिर्वारं खलु 'जायते' । तदेव जन्मत्रित्वं दर्शयति–एतन्न्वेवेति । मातापितृसकाशात् यत् प्रथमं जन्म तदेकम् । अथानंतरं 'यं' पुरुषं 'यज्ञः' सोमयागः 'उपनमति' प्राप्नोति 'सः' यदि तेन 'यजते' तदस्य पुरुषस्य दीक्षारूपं 'द्वितीयं' जन्म भवति । अथानंतरं आयुरवसाने 'यत्र' यजमानः 'म्रियते' पंचत्वं गच्छति, अनंतरं 'यत्र' 'एनमग्नौ अभ्यादधति' अंत्येष्टिविधानेन प्रक्षिपंति, ततोऽनंतर-मेव 'सः' यजमानः अमुष्मिन् लोके अमृतमयशरीरः सन् यतः 'संभवति' उत्पद्यते यज्ञफलोपभोगाय तत् तदस्य 'तृतीयं' जन्म । उक्तेऽर्थे प्रसिद्धिं संवादयति–तस्मात् त्रिः पुरुष इति । 'आहुः' अभिज्ञाः कथयंति (गृह्यम्) ॥ १ ॥

इत्थं त्रीणि जन्मानि प्रदर्श्य यज्ञादेव पुनर्जन्मत्रयं प्रदर्शयन् सामिधेनीसंख्याद्वारा प्रथमं जन्म समर्थयते–ता वा एता इति । 'ताः' प्रसिद्धाः "प्र वो वाजा" इत्याद्याः 'एताः' एकादशर्चः । दश वा इति ।

नुव प्रसवुस्य व्व्याहृतयः । (यो) नुवेमे पुरुषे प्राणास्तुदेनं द्वितीयं जन-
यत्याश्रावणं प्रत्याश्रावणᳫँ सा प्रतिष्ठाऽथ युदेवादः सृष्टौ जुन्मोद्युते
तदेनं तृतीयं जनयति पत्नीसंयाजा ऽएव तुत्र प्रतिष्ठा ॥ ३ ॥

त्रिर्ह वै पुरुषो जायते । (तऽए) एवुमेवैनमेतुद्यज्ञात्त्रिर्जनयति तासामे-
कादशानां त्रिः प्रथमामन्वाह त्रिरुत्तमाम् ॥ ४ ॥

नव प्रसवस्य व्याहृतयः । नवेमे पुरुषे प्राणाः । तदेनं द्वितीयं जनयति । आश्रावणं प्रत्याश्रावणं सा प्रतिष्ठा । अथ यदेवादः सृष्टौ जन्मोद्यते, तदेनं तृतीयं जनयति । पत्नीसंयाजा एव तत्र प्रतिष्ठा ॥ ३ ॥

त्रिर्ह वै पुरुषो जायते । एवमेवैनमेतद्यज्ञात् त्रिर्जनयति । तासामेकादशानां त्रिः प्रथमामन्वाह । त्रिरुत्तमाम् ॥ ४ ॥

सप्त शीर्षण्याः, द्वौ अवांचौ, नाभिर्दशमी । इति दश शरीरे प्राणाः । तेषामात्मा मन एव 'एकादशः' एकादशसंख्यापूरकः । एते 'प्राणाः' यस्मिन् शरीरे वर्तंते । एतत्परिमाण एव खलु 'पुरुषः' भवति । तदेनं अनया सामिधेनीगतैकादशसंख्यया 'कृत्स्नं' सर्वावयवसंपूर्णमेव 'जनयति' । 'अथ यत् सामिधेनीभ्यः ऊर्ध्वं' सामिधेन्यनुवचनादुत्तरकालमनुष्ठेयं प्रयोगजातमस्ति । तदस्य जातस्य पुरुषस्य 'सा प्रतिष्ठा' जीवनास्पदम् । तस्मादेनं पुरुषं सामिधेन्यनुवचनेन कृत्स्नेन 'जनयित्वा' शेषेण प्रयोगजातेन 'प्रतिष्ठापयति' प्रतिष्ठितं करोति ॥ २ ॥

द्वितीयं जन्म प्रतिपादयति—**नव प्रसवस्येति** । प्रसवः सामिधेन्यनुवचने प्रेरणं तच्चेन "समिध्यमानायानुब्रूहि" इत्येवंरूपेण वाक्येन क्रियते तदत्र प्रसवशब्दाभिधेयम् । तस्य 'नव व्याहृतयः' नवाक्षराणि भवंति । ताभिर्नवव्याहृतिभिः नवप्राणात्मकमेव पुरुषं 'द्वितीयं' 'जनयति' । यद्वा "अग्निर्होता वेत्त्वग्निः" इति प्रयाजांगभूतो यः स्रुगादापननिगदः, सोऽत्र प्रसवशब्दाभिधेयः तत्र विद्यमानानि नव वाक्यानि 'नव व्याहृतयः' अन्यत्समानम् । तदनंतरम् यत् "ओ श्रावय" इति आश्रावणं तस्य "अस्तु श्रौषट्" इति यत् 'प्रत्याश्रावणं' तदुभयं अस्य जातस्य पुरुषस्य 'प्रतिष्ठा' जीवनास्पदम् । तृतीयं जन्म प्रतिपादयति—**अथ यदेवाद इति** । अदःशब्देन प्रथमकांडे प्रस्तरप्रहरणविधायकं ब्राह्मणं (श. प. ब्रा. १ । ९ । १–२) परामृश्यते । तत्र 'सृष्टौ' यजमानसंस्तुतस्य प्रस्तरस्य स्वर्गलोकात्मके आहवनीये प्रहरणविधानात् यज्जन्म प्रतिपाद्यते तदत्र तृतीयं जन्म इत्यर्थः । तत्र जन्मनि जातस्य पत्नीसंयाजाख्या यागा एव 'प्रतिष्ठा' जीवनास्पदम् ॥ ३ ॥

एतत् यज्ञसंबंधि जन्मत्रयं पूर्वोक्तजन्मत्रयदृष्टांतेन निगमयति—**त्रिर्ह वा इति** । "मातुरग्रेऽधि पितुश्चाग्रे" इत्यादिना यथा पुरुषस्य त्रीणि जन्मानि प्रतिपादितानि । एवमेतर्हि 'एनं' यजमानं यज्ञादेव त्रिर्जनयति । 'तासां' सामिधेनीनां आद्योत्तमयोस्त्रिरावृत्तिं विधाय प्रशंसति—**तासामेकादशानामिति** । 'प्रथमा' "प्र वो वाजा" इत्येषा । 'उत्तमा' "आजुहोत" इत्येषा ॥ ४ ॥

ताः पञ्चदश सामिधेन्यः । (न्यो) द्वावाघारौ पञ्च प्रयाजाऽइडा त्रयोऽनुयाजाः सूक्तवाकश्च शंयोर्वाकश्च तास्त्रयोदशाहुतयोऽथ यदेवादः पत्नीसंयाजेषु सम्प्रतिगृह्णाति समिष्टयजुश्च ॥ ५ ॥

ताः पञ्चदशाहुतयः । (स्ता) तासां पञ्चदशानामाहुतीनामेताऽअनुवाक्या ऽएताः पञ्चदश सामिधेन्य ऽएतासामनुवाक्यानामेता याज्या यऽएवात्र मन्त्रो यो निगदस्तद्याज्यारूपमेतेनो हास्यैताऽआहुतयोऽनुवाक्यवत्यो भवन्त्येताभिः सामिधेनीभिरेताभिराहुतिभिरेता ऽअनुवाक्या याज्यवत्यश्चाहुतिमत्यश्च भवन्ति ॥ ६ ॥

इति प्रथमप्रपाठके नवमं ब्राह्मणम् ॥ ११-१-९ ॥ (२. १.) ॥

ताः पंचदश सामिधेन्यः । द्वावाघारौ । पंच प्रयाजाः । इडा । त्रयोऽनुयाजाः । सूक्तवाकश्च । शंयोर्वाकश्च । तास्त्रयोदशाहुतयः । अथ यदेवादः पत्नीसंयाजेषु संप्रतिगृह्णाति । समिष्टयजुश्च ॥५॥

ताः पंचदशाहुतयः । तासां पंचदशानामाहुतीनाम् एता अनुवाक्या एताः पंचदश सामिधेन्यः । एतासामनुवाक्यानामेता याज्याः । य एवात्र मंत्रः । यो निगदः-तद्याज्यारूपम् । एतेनो हास्यैता आहुतयोऽनुवाक्यवत्यो भवंति । एताभिः सामिधेनीभिरेताभिराहुतिभिरेता अनुवाक्या याज्यवत्यश्चाहुतिमत्यश्च भवंति ॥ ६ ॥

एवमभ्यस्ताभिः सह " ताः पंचदश सामिधेन्यो भवंति " इमामेव श्रुतिं मनसि निधाय आश्वलायनेनाप्युक्तं सूत्रम्–" एताः पंचदशाभ्यस्ताभिः " (आश्व. श्रौ. सू. १।२।१।२) इति । " द्वावाघारौ " इत्यादिना पंचदशाहुतयः परिगण्यंते । इडोपह्वानमपि यागः । "इडया देव्यज्ययाऽहम्" इति मंत्रलिंगात् । सूक्तवाकोऽपि– " अग्निरिदं हविरजुषत " इत्यादिना प्रस्तरात्मकस्य हविषः । अग्न्यादिदेवतासंबंधप्रतिपादकत्वात् आहुत्यात्मकः । एतदेव मीमांसका आहुः । प्रस्तर आहुतिः सूक्तवाको याज्येति । " तच्छंयोरावृणीमहे " इति शंयोर्वाकोऽपि परिधिप्रहरणसमकालीनत्वात् आहुतिरूपः । ' अदः ' प्रथमकांडे (श. ब्रा. १ । ९ । ३) पत्नीसंयाजेषु कर्तव्येषु सत्सु यत् आहवनीयस्योपरि स्रुचोः संप्रतिग्रहणं विहितं, सा संस्रवरूपा एकाहुतिः । समिष्टयजुराख्या एकेति । एवं पंचदशाहुतयः संपद्यंते ॥ ५ ॥

' तासां पंचदशानामाहुतीनाम् ' 'एताः पंचदश सामिधेन्यः' क्रमेण अनुवाक्यास्थानीयाः । अत्राज्याहुतिषु य एव ' करणमंत्रः, यश्च इडोपह्वानादिनिगदः, ता एव संयाज्याः । तत्तथा सति आसु आहुतिषु याज्यानुवाक्यावत्त्वलक्षणरूपं इतरयागवत् संपन्नमित्यर्थः । एतेनो हास्यैता इत्यादिना परिनिष्ठितस्यार्थस्यानुवादः । ' एताभिः सामिधेनीभिः ' इमाः पंचदशाहुतयः अनुवाक्यवत्यो भवंति । एताश्चानुवाक्यास्तुताः सामिधेन्यः ' एताभिः ' करणमंत्रनिगदसिद्धाभिः ' आहुतिभिः ' याज्योपेताः आहुत्युपेताश्च ' भवंति ' ॥ ६ ॥

इति श्रीसायणाचार्यविरचिते माधवीये वेदार्थप्रकाशे माध्यन्दिनीयशतपथब्राह्मणभाष्ये एकादशकाण्डे द्वितीयेऽध्याये प्रथमं ब्राह्मणम् ॥ (११-२-१) ॥

गायत्रीमनुवाक्यामन्वाह । त्रिपदा वै गायत्री त्रय ऽइमे लोका ऽइमानेवैतु-ल्लोकान्देवाः प्रत्यष्ठापयन् ॥ १ ॥

(न्त्र) अथ त्रिष्टुभा यजति । चतुष्पदा वै त्रिष्टुप्चतुष्पादाः पशवस्तत्प-शूनेवैतदेषु लोकेषु प्रतिष्ठितेषु देवाः प्रत्यष्ठापयन् ॥ २ ॥

(न्द्व्य) द्व्यक्षरो वषट्कारः । (ष्ठो) द्विपाद्वै पुरुषस्तत्पुरुषमेवैतद्वि-पादमेषु पशुषु प्रतिष्ठितेषु देवाः प्रत्यष्ठापयन् ॥ ३ ॥

(न्त्सो) सोऽयं द्विपात्पुरुषः । पशुषु प्रतिष्ठितऽएवमेवैष ऽएतल्लोकान्प्र-तिष्ठापयति लोकेषु प्रतिष्ठितेषु पशून्प्रतिष्ठापयति पशुषु प्रतिष्ठितेष्वात्मानं प्रतिष्ठापयत्येवमेष पुरुषः पशुषु प्रतिष्ठितो यऽएवं विद्वान्यजते ॥ ४ ॥

(तेऽथ) अथ यद्वषट्कृते जुहोति । (त्ये) एष वै वषट्कारो यऽएष तपति सऽएष मृत्युस्तदेनमुपरिष्टान्मृत्योः सꣳस्करोति तदेनमतो जन-यति सऽएतं मृत्युमतिमुच्यते यज्ञो वाऽअस्यात्मा भवति तद्यज्ञऽएव भूत्वैतन्मृत्युमतिमुच्यतऽएतेनो हास्य सर्वे यज्ञक्रतवऽएतं मृत्युमति-मुक्ताः ॥ ५ ॥ शतं ॥ ५६०० ॥

गायत्रीमनुवाक्यामन्वाह । त्रिपदा वै गायत्री । त्रय इमे लोकाः । इमानेवैतल्लोकान् देवाः प्रत्यष्ठापयन् ॥ १ ॥

अथ त्रिष्टुभा यजति । चतुष्पदा वै त्रिष्टुप् । चतुष्पादाः पशवः । तत्पशूनेवैतदेषु लोकेषु प्रतिष्ठितेषु देवाः प्रत्यष्ठापयन् ॥ २ ॥

द्व्यक्षरो वषट्कारः । द्विपाद्वै पुरुषः । तत्पुरुषमेवैतद्द्विपादमेषु पशुषु प्रतिष्ठितेषु देवाः प्रत्यष्ठा-पयन् ॥ ३ ॥

सोऽयं द्विपात्पुरुषः पशुषु प्रतिष्ठितः । एवमेवैष एतल्लोकान् प्रतिष्ठापयति । लोकेषु प्रतिष्ठितेषु पशून्प्रतिष्ठापयति । पशुषु प्रतिष्ठितेष्वात्मानं प्रतिष्ठापयति । एवमेष पुरुषः पशुषु प्रतिष्ठितः । य एवं विद्वान्यजते ॥ ४ ॥

अथ यद्वषट्कृते जुहोति । एष वै वषट्कारो य एष तपति । स एष मृत्युः । तदेनमुपरिष्टा-

---

अथ प्रसंगात्, अनुवाक्यायाज्ययोः छंदोविशेषं विधाय स्तौति—गायत्रीमनुवाक्यामिति । गायत्रीच्छंदस्कां ऋचं होता अनुवाक्यामनुब्रूयात् । त्रिपदा वा इत्यादि स्पष्टम् ॥ १ ॥

तत्पशूनेवैतादित्यादि । तच्चेन 'त्रिष्टुभा' यजनेन गायत्रीपादैः 'प्रतिष्ठितेषु' त्रिषु 'लोकेषु' 'देवाः' 'चतुष्पदा त्रिष्टुप्' 'चतुष्पादाः पशवः' 'तान्' पशून् 'प्रत्यष्ठापयन्' ॥ २ ॥ ३ ॥ ४ ॥

वषट्कारानंतरभाविनं होमविधिमनूद्य प्रशंसति—अथेति । 'य एषः' सूर्यः 'तपति' अंतरिक्षलोके 'एषः'

(क्त्वाऽअ) अथ यामेतामाहुतिं जुहोति । (त्ये) एषा ह वाऽअस्याहुतिरमुष्मिँल्लोकऽआत्मा भवति स यदैवं विदस्माल्लोकात्प्रैत्यथैनमेषाऽऽहुतिरेतस्य पृष्ठे सत्याह्वयत्येहययं वै तऽइहात्माऽस्मीति तद्यदाह्वयति तस्मादाहुतिर्नाम ॥ ६ ॥

इति प्रथमप्रपाठके दशमं ब्राह्मणम् ॥ ११-१-१० ॥ (२. २.)

ब्रह्म वाऽइदमग्रऽआसीत् । (त्तु) तद्देवानसृजत तद्देवान्त्सृष्ट्वैषु लोकेषु व्व्यारोहयदस्मिन्नेव लोकेऽग्निं व्वायुमन्तरिक्षे दिव्येव सूर्यम् ॥ १ ॥

र्मृत्योः संस्करोति । तदेनमतो जनयति । स एतं मृत्युमतिमुच्यते । यज्ञो वा अस्यात्मा भवति । तद्यज्ञ एव भूत्वैतन्मृत्युमतिमुच्यते । एतेनो हास्य सर्वे यज्ञक्रतव एतं मृत्युमतिमुक्ताः ॥ ५ ॥

अथ यामेतामाहुतिं जुहोति । एषा ह वा अस्याहुतिरमुष्मिन् लोक आत्मा भवति । स यदैवं विदस्माल्लोकात्प्रैति । अथैनमेषाऽऽहुतिरेतस्य पृष्ठे सत्याह्वयति । एहि, अयं वै त इहात्माऽस्मीति । तद्यदाह्वयति । तस्मादाहुतिर्नाम ॥ ६ ॥

ब्रह्म वा इदमग्र आसीत् । तद्देवानसृजत । तद्देवान् सृष्ट्वैषु लोकेषु व्यारोहयत् । अस्मिन्नेव लोकेऽग्निम्, वायुमंतरिक्षे, दिव्येव सूर्यम् ॥ १ ॥

एव ' वषट्कारः ' । 'स एषः' वषट्कारात्मकः सूर्यः 'मृत्युः' । तमतिक्रम्य होमेन ' एनं ' यजमानं ' मृत्योरुपरिष्टात् संस्करोति ' । ' तदेनं ' ' अतः ' तस्माद्धोमात् ' जनयति ' जातश्च यजमानः ' एतं मृत्युं ' 'अतिमुच्यते' मृत्युगोचरान्मुक्तो भवति । तत्र कारणमाह—यज्ञो वा अस्येति । ' अस्य ' यजमानस्य ' यज्ञः ' खलु ' आत्मा ' शरीरं ' भवति ' । तत्तस्माद्यज्ञशरीरात्मको ' भूत्वा ' वषट्कारात्मकं ' मृत्युम् अतिमुच्यते ' । यतः सर्वेषु यज्ञक्रतुषु वषट्कृते होमः । एतेनैव हेतुना ' अस्य ' यजमानस्य ' सर्वे यज्ञक्रतवः ' यज्ञा दर्शपूर्णमासादयः, यूपवंतः क्रतवः, उभयविधाश्चैते वषट्कारात्मकाः ' एतं मृत्युम् अतिमुक्ताः ' अतिक्रम्यावस्थिताः ॥ ५ ॥

अथाहुतिशरीरत्वं यजमानस्य प्रतिपादयति—अथ यामेतामिति । स्वाहाकारेण वा वषट्कारेण वा या एषा यज्ञेषु आहुतिर्हूयते । ' एषा ' खलु ' अमुष्मिन् ' स्वर्गे ' लोके ' ' अस्य ' यजमानस्य ' आत्मा ' शरीरम् । ' एवं वित् ' उक्तार्थवित् ' सः ' यजमानः ' यदा ' ' अस्मात् ' भूलोकात् ' प्रैति ' प्रगच्छति । ' अथ ' तदा ' एतस्य ' यजमानस्य ' पृष्ठे ' पश्चाद्भागे सती भवंती ' एषा ' आहुतिः ' आह्वयति ' हे यजमान ! ' एहि ' आगच्छ । ' ते ' त्वदीयः ' आत्मा ' अहं इहास्मिन् स्थाने ' अस्मि ' भवामि । अत आगच्छेति । अत एवाथर्वणिकैराम्नायते " एह्येहीति ता आहुतयः सुवर्चसः सूर्यस्य रश्मिभिर्यजमानं भक्षयंति " इति । आहुतिनामनिर्वचनं करोति—तद्यदाह्वयतीति ॥ ६ ॥

इति श्रीसायणाचार्यविरचिते माधवीये वेदार्थप्रकाशे माध्यन्दिनीयशतपथब्राह्मणभाष्ये एकादशकाण्डे द्वितीयाऽध्याये द्वितीयं ब्राह्मणम् ॥ (११-२-२) ॥

इत्थं सामिधेनीप्रसंगेनागतान् अनुवाक्यावषट्काराहुतिरूपान् पदार्थान् स्तुत्वा, अथ सामिधेन्यनंतरभाविनौ आघारौ नामरूपात्मना स्तोतुं तत्सृष्टिम् आख्यायिकया प्रतिपादयति—ब्रह्म वा इदमिति । ' इदं '

(म) अथ येऽतऽऊर्ध्वा लोकाः । (स्त) तद्याऽअतऽऊर्ध्वा देवतास्तेषु ता देवता व्यारोहयत्स यथा हैवेमऽआविर्लोकाऽइमाश्च देवताऽएवमु हैव तऽआविर्लोकास्ताश्च देवता येषु ता देवता व्यारोहयत् ॥ २ ॥

(द) अथ ब्रह्मैव परार्द्धमगच्छत् । (त्त) तत्परार्द्धं गत्वैक्षत कथन्विमांल्लोकान्प्रत्यवेयामिति तद्द्वाभ्यामेव प्रत्यवैद्रूपेण चैव नाम्ना च स यस्य कस्य च नामास्ति तन्नाम यस्योऽअपि नाम नास्ति यद्वेद रूपेणेदꣳ रूपमिति तद्रूपमेतावद्वाऽइदं यावद्रूपं चैव नाम च ॥ ३ ॥

अथ येऽत ऊर्ध्वा लोकाः । तद्या अत ऊर्ध्वा देवताः । तेषु ता देवता व्यारोहयत् । स यथा हैवेम आविर्लोका इमाश्च देवताः । एवमु हैव त आविर्लोकास्ताश्च देवताः । येषु ता देवता व्यारोहयत् ॥ २ ॥

अथ ब्रह्मैव परार्द्धमगच्छत् । तत्परार्द्धं गत्वैक्षत । कथं न्विमान् लोकान् प्रत्यवेयामिति । तत् द्वाभ्यामेव प्रत्यवैत् । रूपेण चैव नाम्ना च । स यस्य कस्य च नामास्ति तन्नाम । यस्यो अपि नाम नास्ति । यद्वेद रूपेणेदं रूपमिति–तत् रूपम् । एतावद्वा इदं यावद्रूपं चैव नाम च ॥ ३ ॥

नामरूपात्मकं दृश्यं जगत् ' अग्रे ' सृष्टेः पूर्वं सत्प्रज्ञानादिफललक्षणं मायाशक्तिसहितम् अद्वितीयं यज्जगत्कारणं 'ब्रह्म' तदेव 'आसीत्' वटबीजे वटवृक्षवत् तदंतर्लीनमासीदित्यर्थः। तद्ब्रह्म भूतभौतिकात्मकं जगत् प्रथमं सृष्ट्वा तदधिष्ठातॄन् ' देवानसृजत ' ' सृष्ट्वा ' च तान् ' एषु ' पृथिव्यादिलोकेषु विभज्यारोहयत् । कस्मिन् लोके कमिति तदाह–अस्मिन्नेवेति । 'अग्निम्' 'अस्मिन् लोके' लोकाधिष्ठातृत्वेन विभज्यारोहयत् । एवमुपरितनलोकानामपि । अधिष्ठातृदेवतासंबंधसद्भावात् लोकत्रयवत् प्रकाशमानत्वं साधारणम् इत्याह–स यथा हैवेति । 'सः' इति लिंगव्यत्ययः । तद्ब्रह्मेत्यर्थः । यथैव खलु एते पृथिव्यादिलोकाः 'इमाः' अग्न्यादयः ' देवताश्च ' ' आविः ' प्रकाशमानाः अस्माकं अपरोक्षा भवंति । एवमेव खलु एते ऊर्ध्वादिलोकाः तदधिष्ठातृदेवताश्च ' आविः ' प्रकाशंते । तच्छब्दवाच्यं निर्दिशति–येष्विति ॥ १–२ ॥

' अथ ' देवतानां व्यारोहणानंतरं ' तत् ' ' ब्रह्मैव ' ' परार्द्धं ' सत् उत्कृष्टं सर्वलोकावधिभूतं सत्यं सत्यलोकाख्यं स्थानं ' अगच्छत् ' प्राप्नोत् । आत्मीयं स्थानं ' गत्वा ऐक्षत ' व्यचारयत् । केन खलु प्रकारेण ' इमान् ' पृथिव्यादीन् सर्वान् ' लोकान् ' 'प्रत्यवेयां' प्रत्येकं प्राप्नुयामिति । एवं विचार्य ' द्वाभ्यामेव प्रत्यवैत् ' व्याप्नोत् । ते द्वे एव दर्शयति–रूपेण चैव नाम्ना चेति । तयोर्नामरूपयोः स्वरूपमाह–स यस्य कस्य चेति । 'सः' इति पूर्ववत् वाक्यालंकारे । ' यस्य ' कस्यचित् वस्तुनः 'नाम अस्ति' घटः पटः इत्येवमादिवाचकः शब्दो विद्यते ' तन्नाम ' । तथा 'यस्य' वस्तुनः ' नाम नास्ति ' तदभावे ' इदं रूपमिति' स्वरूपेण ' यत् ' वस्तु 'वेद' पुरुषो जानाति । तन्नामशून्यं स्वरूपेण ज्ञायमानं वस्तु 'रूपम्'। इदं कृत्स्नं जगत् एतावदेव परिमाणतः नाम च रूपं चैव इति यावत् । तावदेव कृत्स्नं जगत्, अंतर्भूतत्वात् । न खलु आकारशून्यं नामशून्यं च वस्तु संभवतीत्यर्थः ॥ ३ ॥

ते हैते ब्रह्मणो महती॒ऽअभ्वे । स यो हैते ब्रह्मणो महती॒ऽअभ्वे व्वेद महद्धैवाभ्वं भवति ॥ ४ ॥

ते हैते ब्रह्मणो महती यक्ष्ये । स यो हैते ब्रह्मणो महती यक्ष्ये व्वेद महद्धैव यक्ष्यं भवति तयोरन्यतरज्ज्यायो रूपमेव यद्यपि नाम रूपमेव तत्स यो हैतयोर्ज्यायो व्वेद ज्यायान्ह तस्माद्भवति यस्माज्ज्याया-न्बुभूषति ॥ ५ ॥

मर्त्या ह वाऽअग्रे देवाऽआसुः । स यदैव ते ब्रह्मणाऽऽपुरथामृताऽआसुः स यं मनसऽआधारयति मनो वै रूपं मनसा हि व्वेदेदꣳ रूप-मिति तेन रूपमाप्नोत्यथ यं व्वाचऽआधारयति व्वाग्वै नाम व्वाचा

ते हैते ब्रह्मणो महती अभ्वे । स यो हैते ब्रह्मणो महती अभ्वे वेद । महद्धैवाभ्वं भवति ॥ ४ ॥

ते हैते ब्रह्मणो महती यक्ष्ये । स यो हैते ब्रह्मणो महती यक्ष्ये वेद । महद्धैव यक्ष्यं भवति । तयोरन्यतरत् ज्यायो रूपमेव । यद्यपि नाम रूपमेव तत् । स यो हैतयोर्ज्यायो वेद । ज्यायान् ह तस्मात् भवति । यस्मात् ज्यायान् बुभूषति ॥ ५ ॥

मर्त्या ह वा अग्रे देवा आसुः । स यदैव ते ब्रह्मणाऽऽपुः । अथामृता आसुः । स यं मनस आधारयति । मनो वै रूपम् । मनसा हि वेदेदं रूपमिति । तेन रूपमाप्नोति । अथ यं वाच आधा-

---

तयोर्नामरूपयोर्गुणं विधाय तद्वेदनं प्रशंसति—ते हैते इति । जगत्कारणस्य ‘ ब्रह्मणः ’ ‘ ते एते ’ नाम-रूपे ‘ महती अभ्वे ’ समधिकतरस्वरूपे । अभ्वमिति रूपनाम । महद्धैवाभ्वं भवतीति । अभ्वगुणस्य वेदिता स्वयमपि तादृक् ब्रह्मसंबन्धि ‘ महदभ्वं ’ व्यापकं रूपं भवति । “ तं यथायथोपासते तदेव भवति ”—(श. प. ब्रा. १० । ५ । २) इति श्रुतेः ॥ ४ ॥

यक्ष्यगुणेऽप्येवं योज्यम् । ‘ यक्ष्ये ’ पूज्यस्वरूपे । “ स यो हैवं महद्यक्ष्यं प्रथमजं वेद ” इत्यादौ तथैव व्याख्यानात् । “यक्ष पूजायाम्” (धा. पा. चु. उ. १५९) इति धातोर्निष्पन्नोऽयं यक्ष्यशब्दः । तत्र रूपस्याधि-क्यमाह—तयोरन्यतरज्ज्यायो रूपमिति । ‘ज्यायः’ वृद्धतरम् । ज्यायस्त्वं प्रतिपादयति—यद्यपि नामेति । ‘यत्’ यस्यापि वस्तुनो ‘ नाम ’ अस्ति तद्वस्तु नाम इत्युभयमपि ‘ रूपमेव ’ भवति साकारत्वात् । अतो नाम्नोऽपि रूपानुप्रवेशात् रूपमेव ज्याय इत्यर्थः । एतद्वेदितुः फलमाह—स यो हैतयोरिति । ‘ एतयोः ’ नामरूपयोः । ‘ यस्मात् ’ पुरुषः ‘ ज्यायान् बुभूषति ’ ज्येष्ठः अधिकतरः भवितुमिच्छति । गतमन्यत् ॥ ५ ॥

एतन्नामरूपोपलक्षितव्यापकब्रह्मस्वरूपप्राप्तिरेवामृतत्वकारणमित्याह—मर्त्या ह वा इति । ‘ अग्रे ’ नाम-रूपाभ्यां व्यापनात्पूर्वम् पृथिव्यादिलोकवर्तिनः अग्न्याद्याः ‘ देवाः ’ ‘ मर्त्याः ’ मरणधर्माणः ‘ आसुः ’ बभूवुः । ‘ यदैव ’ खलु ‘ते’ ‘ ब्रह्मणा ’ नामरूपाभ्याम् ‘ आपुः ’ व्याप्ताः ‘ अथ ’ अनंतरं ‘ ते ’ व्यापक-

हि नाम गृह्णाति तेनो नामाप्नोत्येतावद्वाऽइदꣳ सर्व्वं यावद्रूपं चैव नाम च तत्सर्व्वमाप्नोति सर्व्वं वाऽअक्षय्यमेतेनो हास्याक्षय्यꣳ सुकृतं भवत्यक्षय्यो लोकः ॥ ६ ॥

(स्त) तद्वाऽअदऽआग्नेय्यामिष्टाऽउद्यते । यथा तदृषिभ्यो यज्ञः प्रारोचत तं यथाऽतन्वत तद्यज्ञं तन्वानानृषीन्गन्धर्व्वाऽउपनिषेदुस्ते ह स्म संनिदधतीदं वाऽअत्यरीरिचन्निदमूनमक्रन्निति स यदैषां यज्ञः संतस्थेऽथैनांस्तद्दर्शयाञ्चक्रुरिदं वाऽअत्यरीरिचतेदमूनमकर्तेति ॥ ७ ॥

रयति । वाग्वै नाम । वाचा हि नाम गृह्णाति । तेनो नामाप्नोति । एतावद्वा इदं सर्वम् । यावद्रूपं चैव नाम च । तत्सर्वमाप्नोति । सर्वं वा अक्षय्यम् । एतेनो हास्याक्षय्यं सुकृतं भवति । अक्षय्यो लोकः ॥ ६ ॥

तद्वा अद आग्नेय्यामिष्टा उद्यते । यथा तत् ऋषिभ्यो यज्ञः प्रारोचत । तं यथाऽतन्वत । तद्यज्ञं तन्वानानृषीन् गंधर्वा उपनिषेदुः । ते ह स्म सन्निदधति । इदं वा अत्यरीरिचन्, इदमूनमक्रन्निति । स यदैषां यज्ञः संतस्थे । अथैनांस्तद्दर्शयांचक्रुः । इदं वा अत्यरीरिचत, इदमूनमकर्तेति ॥ ७ ॥

ब्रह्मस्वरूपप्राप्त्या 'अमृताः' अमरणधर्माणः बभूवुः । अतोऽत्रापि दर्शपूर्णमासयोः ब्रह्मप्राप्त्युपायतया नामरूपात्मकौ आघारौ क्रियेते इति प्रकृतमनुसरति—**स यं मनस** इति । 'यं' प्रथममाघारं 'मनसः' मंत्राहित्येन आत्मनो व्यापारमात्रेणाघारयति तेन उदीरितलक्षणं रूपमाप्नोति । एतत्सिद्धये मनसो रूपतादात्म्यं प्रतिपादयति—**मनो वै रूपमिति** । 'हि' यस्मात् 'इदं' वस्तु एवंरूपम् एवमाकारमिति मनसा 'वेद' जानाति तस्मात् वेद्यस्य रूपस्य तद्वेदनकरणस्य मनसः तादात्म्योपचार इत्यर्थः ॥

नामरूपात्मकस्य प्रपंचस्य मध्ये प्रथमाघारेण रूपप्राप्तिरुक्ता । तथैव नामावाप्तिरपि द्वितीयाघारेण भवतीत्याह—**अथ यं वाच आघारयतीति** । 'वाचः' वाङ्निर्वर्त्येन मंत्रेण यमाघारयति । तेनैव ब्रह्मणः सम्बन्धिनामप्रपंचमाप्नोति । करणभूताया वाचो नाम्नश्च तादात्म्यमुक्तार्थसिद्धये प्रतिपादयति—**वाग्वै नामेति** । वागिंद्रियमेव हि नाम नामधेयरूपः शब्दः । निर्वर्त्यनिर्वर्तकयोरभेदोपचारादित्यर्थः । इत्थं नामरूपावाप्तिद्वारा यजमानस्य कृत्स्नजगत्प्राप्तिरेव भवतीत्याह—**एतावद्वा** इति । नामरूपात्मकमेवेदं कृत्स्नं जगत् । अतस्तदवाप्त्या सर्व्वं जगदाप्नोतीत्यर्थः । सर्वावाप्तिफलमाह—**सर्वं वा अक्षय्यमिति** । यत् सर्वं जगत् तदक्षय्यं क्षेतुमशक्यम् । "क्षय्यजय्यौ शक्यार्थे" (पा. सू. ६ । १ । ८१) इति निपात्यते । अतः अक्षय्यसर्वजगत्प्राप्त्या यजमानस्य 'सुकृतं' पुण्यं तत्फलभूतो लोकश्च उभयं क्षयरहितं भवतीत्यर्थः ॥ ६ ॥

अथ शंयुवाकांते समंत्रकमभिमर्शनं विधित्सुस्तस्य निमित्तं प्रतिपादयति—**तद्वा अद आग्नेय्यामिष्टा उद्यत** इति । 'अदः' अमुत्र आधानप्रकरणे या आग्नेयी इष्टिरुक्ता तद्विषये किंचिदुच्यते । वदेः कर्मणि यक् (पा. सू. १।३।१३) । तत्तत्र 'यथा' येन प्रकारेण 'ऋषिभ्यः' मंत्रद्रष्टृभ्यः 'यज्ञः प्रारोचत' प्ररोचमानं यज्ञं 'ते' ऋषयः यथा 'अतन्वत' अकुर्वत । एतत्सर्वं तत्र आग्नेय्यामिष्टौ प्रतिपादितम् । तत्र यज्ञं 'तन्वानान्'

स यदतिरेचयांचक्रुः । (यं) यथा गिरिरेवं तदासाथ यदूनं चक्रुर्यथा श्वभ्राः प्रदराऽएवं तदास ॥ ८ ॥

स यत्र शंयोराह । तदभिमृशति यज्ञ नमश्च तऽउप च यज्ञस्य शिवे संतिष्ठस्व स्विष्टे मे संतिष्ठस्वेति स यदतिरेचयति तन्नमस्कारेण शमयत्यथ यदूनं करोत्युप चेति तेन तदन्यूनं भवति यज्ञस्य शिवे संतिष्ठस्वेति यद्वै यज्ञस्यान्यूनातिरिक्तं तच्छिवं तेन तदुभयꣳ शमयति स्विष्टे मे संतिष्ठस्वेति यद्वै यज्ञस्यान्यूनातिरिक्तं तत्स्विष्टं तेनो तदुभयꣳ शमयत्येवमु हास्यैतेन यज्ञेनान्यूनातिरिक्तेनैवेष्टं भवति य ऽएवं विद्वानेवमभिमृशति तस्मादेवमेवाभिमृशेत्ते ह ते गंधर्वाऽआसुः शूर्पं यवमान्कृषिरुद्दालवान्धानान्तर्वान् ॥ ९ ॥

इति प्रथमप्रपाठके एकादशं ब्राह्मणम् ॥११-१-११॥ (२. ३.) ॥

स यदतिरेचयांचक्रुः । यथा गिरिः, एवं तदास । अथ यदूनं चक्रुः । यथा श्वभ्राः प्रदराः, एवं तदास ॥ ८ ॥

स यत्र शंयोराह । तदभिमृशति । "यज्ञ नमश्च त उप च यज्ञस्य शिवे संतिष्ठस्व, स्विष्टे मे संतिष्ठस्व" इति । स यदतिरेचयति । तन्नमस्कारेण शमयति । अथ यदूनं करोति ! उप चेति । तेन तदन्यूनं भवति । यज्ञस्य शिवे संतिष्ठस्वेति । यद्वै यज्ञस्यान्यूनातिरिक्तम् । तच्छिवम् । तेन तदुभयं शमयति । स्विष्टे मे संतिष्ठस्वेति । यद्वै यज्ञस्यान्यूनातिरिक्तम् । तत्स्विष्टम् । तेनो तदुभयं शमयति । एवमु हास्यैतेन यज्ञेनान्यूनातिरिक्तेनैवेष्टं भवति । य एवं विद्वानेवमभिमृशति । तस्मादेवमेवाभिमृशेत् । ते ह ते गंधर्वा आसुः । शूर्पं यवमान् कृषिरुद्दालवान्धानांतर्वान् ॥ ९ ॥

तान् 'ऋषीन्' 'गंधर्वा उपनिषेदुः' उपनिषण्णाः समीपस्था बभूवुः । 'ते' च गंधर्वाः प्रयोगवेलायां 'सन्निदधति स्म' सन्निधानं प्रत्यवेक्षणं कृतवंतः । तत्प्रकारमाह—इदं वा अत्यरीरिचन्निति । 'इदं' खलु ऋषयः 'अत्यरीरिचन्' अतिरिक्तमकुर्वन् । रिचेः ण्यंतस्य चङि रूपम् । 'इदं' खलु अंगं 'ऊनं' विकलं 'अक्रन्' अकुर्वत । कृञो लुङि "मंत्रे घस०" (पा. सू. २।४।८०) इति च्लेर्लुक् । यदा खलु 'स यज्ञः' एषामृषीणां 'संतस्थे' समाप्तो बभूव । "समवप्रविभ्यः स्थः" (पा. सू. १ । ३ । २२) इति आत्मनेपदम् । अथानंतरं तदतिरिक्तं न्यूनमंगं चैतान् 'ऋषीन्' 'दर्शयांचक्रुः' ज्ञापयामासुः । हे ऋषयः ! यूयं इदं खलु 'अत्यरीरिचत' अतिरिक्तमकृद्वम् 'इदमूनमकर्त' अकार्ष्टेति ॥ ७ ॥

एवं गन्धर्वैर्दर्शिते सति ते यदंगं 'अतिरेचयांचक्रुः' तत्पर्वतवत् अधिकपरिमाणं प्रवृद्धं बभूव । यदंगं न्यूनं अकृषत तत् प्रदीर्णाः 'श्वभ्राः' गर्ता इव बभूव । श्वभ्रवदतिनिम्नं बभूवेत्यर्थः ॥ ८ ॥

ततस्ते ऋषयः एतस्य न्यूनातिरिक्तस्य दोषस्य शमनाय यदभिमर्शनं कृतवंतः, तदिदानीं कर्तव्यमिति विधत्ते—स यत्र शंयोराहेति । 'यत्र' यस्मिन् काले 'सः' होता 'शंयोराह' शंयुनाम्नो बार्हस्पत्यस्य

एष वै पूर्णमाः । (०) युऽएष तुपत्यहरहुर्ह्येवैष पूर्णोऽथैषुऽएव दुर्शो-युच्चन्द्रमा ददृशुऽइवु ह्येषुः ॥ १ ॥

(षोऽथो) अथोऽइतरथाऽऽहुः । (रे) एषुऽएवु पूर्णमा युच्चन्द्रमाऽएतुस्य ह्यनु पूरणं पौर्णमासीत्याचुक्षतेऽथैषु ऽएव दुर्शो युऽएष तुपति ददृशुऽ-इवु ह्येषुः ॥ २ ॥

एष वै पूर्णमाः । य एष तपति । अहरहर्ह्येवैष पूर्णः । अथैष एव दर्शः । यच्चंद्रमाः । ददृश इव ह्येषः ॥ १ ॥

अथो इतरथाऽऽहुः । एष एव पूर्णमाः । यच्चंद्रमाः । एतस्य ह्यनु पूरणं पौर्णमासीत्याचक्षते । अथैष एव दर्शो य एष तपति । ददृश इव ह्येषः ॥ २ ॥

संबंधिनं "तच्छंयोः" इत्यनुवाकं ब्रूयात् । तत्तदा "यज्ञस्य नमश्च ते" इति मंत्रेणाभिमर्शनं कुर्यात् । मंत्रस्यायमर्थः—हे यज्ञ ! 'ते' तुभ्यं 'नमः' नमस्कारोऽस्तु । अतिरेकदोषरहितो भव । 'उप' इत्युपसर्ग-श्रवणात् योग्यक्रियाऽध्याहारः । उपचितावयवः सन् न्यूनदोषरहितश्च भवेत्यर्थः । यज्ञसंबंधि यच्छिवं न्यूना-धिकदोषरहितं कल्याणरूपं तत्र 'संतिष्ठस्व' स्वपर्यवसितो भव । तथा 'मे' मदीये 'स्विष्टे' शोभनयजने तादृग्विधे 'संतिष्ठस्व' इत्येतदर्थपरतां व्याचष्टे—स यदित्यादिना । मंत्रार्थव्याजेन ब्राह्मणार्थो व्याख्यातो ज्ञातव्यः । एवमु हास्येति प्रतिपादितार्थनिगमनम् । तस्मादिति विहितं समंत्रकमभिमर्शनं निगमयति—एवमभि-मृशतीति । एवमभिमर्शनेन न्यूनातिरेकदोषपरिहारे सति 'ते गंधर्वाः' शूर्पादिभावमापन्नाः बभूवुः । 'यवमान्' इत्याद्यास्तेषां संज्ञाः ॥ ९ ॥

इति श्रीसायणाचार्यविरचिते माधवीये वेदार्थप्रकाशे माध्यन्दिनीयशतपथब्राह्मणभाष्ये एकादशकाण्डे द्वितीयेऽध्याये तृतीयं ब्राह्मणम् ॥ (११–२–३) ॥

अथ इमावपारौ दर्शपूर्णमासात्मना स्तोष्यन्, अभिहितमन्यात्मं च दर्शपूर्णमासौ प्रतिपादयति—एष वा इत्यादिना । 'य एषः' सूर्यस्तपति । 'एषः' खलु 'पूर्णमाः' संपूर्णमानः । तत्र प्रसिद्धिं प्रमाणयति—अहरहर्ह्येवैष पूर्ण इति । 'अहरहः' प्रतिदिवसं सर्वदा 'एषः' सूर्यः 'पूर्णः' एव भवति । चंद्रमा इति यदेष एव 'दर्शः' । 'हि' यस्मात् 'एष ददृश इव' अमावास्यायामदृश्यमानः प्रतिपदि पश्चात् दृश्यमान इव भवति । तस्मात् दृश्यत इति दर्शश्चंद्रमाः ॥ १ ॥

उक्तवैपरीत्यमाह—अथो इतरथाऽऽहुः इति । 'इतरथा' उक्तात् प्रकारात् इतरेण प्रकारेण 'आहुः' अन्ये कथयंति । 'चंद्रमा एव पूर्णमाः' न सूर्यः । तत्र युक्तिमाह—एतस्य हीति । 'एतस्य' चंद्रमसः यदा सम्यक् 'पूरणं' भवति तदनुलक्ष्य तं कालं 'पौर्णमासीत्याचक्षते' पूर्णमसः चंद्रमसः संबंधिनी पौर्ण-मासीति आचक्षते व्युत्पत्त्या प्रतिपादयंतीत्यर्थः । अथैष एव दर्श इत्यादि स्पष्टम् ॥ २ ॥

(षुङ्ङ्) इयमेव पूर्णमाः । पूर्णेव हीयमसावेव द्यौर्दर्शो ददृशऽ इव ह्यसौ द्यौः ॥ ३ ॥

(०) रात्रिरेव पूर्णमाः । पूर्णेव हीयᳫं रात्रिरहरेव दर्शो ददृशऽइव हीद-महरेषा नु देवत्रा दर्शपूर्णमासयोर्मीमाᳫंसा ॥ ४ ॥

(गाऽथा) अथाध्यात्मम् । (मु) उदानऽ एव पूर्णमाऽउदानेन ह्ययं पुरुषः पूर्य्यतऽइव प्राणऽएव दर्शो ददृशऽइव ह्ययं प्राणस्तदेतावन्नाद-श्चान्नप्रदश्च दर्शपूर्णमासौ ॥ ५ ॥

प्राणऽएवान्नादः । प्राणेन हीदमन्नमद्यतऽउदानऽएवान्नप्रदऽउदानेन हीदमन्नं प्रदीयते स यो हैतावन्नादं चान्नप्रदं च दर्शपूर्णमासौ व्वेदान्नादो हैव भवति प्र हास्माऽअन्नाद्यं दीयते ॥ ६ ॥

इयमेव पूर्णमाः । पूर्णेव हीयम् । असावेव द्यौर्दर्शः । ददृश इव ह्यसौ द्यौः ॥ ३ ॥

रात्रिरेव पूर्णमाः । पूर्णेव हीयं रात्रिः । अहरेव दर्शः । ददृश इव हीदमहः । एषा नु देवत्रा दर्शपूर्णमासयोर्मीमांसा ॥ ४ ॥

अथाध्यात्मम् । उदान एव पूर्णमाः । उदानेन ह्ययं पुरुषः पूर्यत इव । प्राण एव दर्शः । ददृश इव ह्ययं प्राणः । तदेतावन्नादश्चान्नप्रदश्च दर्शपूर्णमासौ ॥ ५ ॥

प्राण एवान्नादः । प्राणेन हीदमन्नमद्यते । उदान एवान्नप्रदः । उदानेन हीदमन्नं प्रदीयते । स यो हैतावन्नादं चान्नप्रदं च दर्शपूर्णमासौ वेद । अन्नादो हैव भवति । प्र हास्मा अन्नाद्यं दीयते ॥६॥

एवं दर्शपूर्णमासौ चंद्रादित्यात्मकौ इत्युक्त्वा तयोर्द्यावापृथिव्यहोरात्ररूपतामाह—इयमेव पूर्णमा इत्यादिना । पूर्णं माः मानं यस्याः सा तथोक्ता । निगदसिद्धोऽर्थः ॥ ३ ॥

अधिदैवं निगमयति—एषा नु देवत्रेति । ' देवत्रा ' देवेषु विषये ' एषा ' खलु ' दर्शपूर्णमासयोः ' यागयोः ' मीमांसा ' अध्ययनप्रकारः ॥ ४ ॥

अथाध्यात्ममित्यादि । ' अध्यात्मम् ' आत्मनि शरीरमध्ये तयोर्मीमांसा अधिक्रियत इत्यर्थः । योऽयं उदानवायुः स ' पूर्णमाः ' तेन हि अयं देहः ' पूर्यत इव ' अंतः पूर्यमाण इव भवति । अंतःपूरणनिमित्तत्वात् स एव पूर्णमाः । मुखनासिकाभ्यां संचरन् यः प्राणवायुः एष एव ' दर्शः ' । ददृश इवेत्यादि पूर्ववत् । तदेतावन्नादश्चेत्यादि । तत्तत्र ' एतौ ' प्राणोदानात्मकौ ' दर्शपूर्णमासौ ' ' अन्नादश्च अन्नप्रदश्च ' भवतः ॥ ५ ॥

तावेतौ इति विविच्य दर्शयति—प्राण एवान्नाद इति । अन्नमत्तीत्यन्नादः । स च प्राणव्यतिरिक्तो भोक्ता जीव इति कथं प्राणस्यान्नादत्वमित्याशंक्याह—प्राणेन हीदमिति । ' प्राणेन ' खलु मुखे संचरता

मनऽएव पूर्णमाः । पूर्णमिव हीदम्मनो व्वागेव दर्शो दद्दशऽइव हीयं व्वाक्तदेतावध्यात्मं प्रत्यक्षं दर्शपूर्णमासौ स यदुपवसथे व्व्रतोपायनीयमश्नाति तेनैतावध्यात्मं प्रत्यक्षं दर्शपूर्णमासौ प्रीणाति यज्ञेन प्रातर्देवौ ॥७॥

तदाहुः । (र्वं) यन्न पूर्णमासायेति हविर्गृह्यते न दर्शायेति हविर्गृह्यते न पूर्णमासायानुब्रूहि न दर्शायानुब्रूहि न पूर्णमासं यज न दर्शं यजेत्यथ केनास्य दर्शपूर्णमासाविष्टौ भवतऽइति स यम्मनसऽआघारयति मनो वै पूर्णमास्तेन पूर्णमासं यजत्यथ यं व्वाचऽआघारयति व्वाग्वै दर्शस्तेनो दर्शं यजत्येतेनो हास्य दर्शपूर्णमासाविष्टौ भवतः ॥ ८ ॥

मन एव पूर्णमाः । पूर्णमिव हीदं मनः । वागेव दर्शः । दद्दश इव हीयं वाक् । तदेतावध्यात्मं प्रत्यक्षं दर्शपूर्णमासौ । स यदुपवसथे व्रतोपायनीयमश्नाति । तेनैतावध्यात्मं प्रत्यक्षं दर्शपूर्णमासौ प्रीणाति । यज्ञेन प्रातर्देवौ ॥ ७ ॥

तदाहुः । यन्न पूर्णमासायेति हविर्गृह्यते । न दर्शायेति हविर्गृह्यते । न पूर्णमासायानुब्रूहि । न दर्शायानुब्रूहि । न पूर्णमासं यज । न दर्शं यजेति । अथ केनास्य दर्शपूर्णमासाविष्टौ भवत इति । स यं मनस आघारयति । मनो वै पूर्णमाः । तेन पूर्णमासं यजति । अथ यं वाच आघारयति । वाग्वै दर्शः । तेनो दर्शं यजति । एतेनो हास्य दर्शपूर्णमासाविष्टौ भवतः ॥ ८ ॥

बाह्यमन्नमद्यते निगीर्यते । अतोऽन्नादनसाधनत्वात् स एव 'अन्नादः' । उद्बलनहेतुभूतः 'उदानः' तेन हि 'इदमन्नं प्रदीयते' प्रकर्षेण भोक्तुमुपविष्टाय दीयते । अतः अन्नप्रद उदान इत्यर्थः । एतद्वेदितुः फलमाह—स यो हैताविति । 'यः' 'एतौ' दर्शपूर्णमासौ प्राणोदानात्मना अन्नादान्नप्रदौ जानाति स स्वयमन्नादो भवति । 'अस्मै' वेदित्रे आद्यम् अत्तुमर्हमन्नमनेन प्रदीयते ॥ ६ ॥

अथ एतयोर्मनोवाग्रूपतामाह--मन एव पूर्णमा इति । पूर्णमिव हीदमिति । 'इदं मनः' शरीरमध्ये नखाग्रलोमपर्यन्तं पूर्णमिव हि भवति चैतन्याभिव्यक्तिहेतुत्वात् । 'वागेव दर्शः' । यतोऽधिवदनव्यापारेण दृश्यमानमेव भवति । तत्तत्र 'अध्यात्मम्' आत्मनि देहमध्ये 'एतौ' मनोवाग्रूपौ प्रत्यक्षमपरोक्षेण भासमानौ 'दर्शपूर्णमासौ' । इत्थमधिदैवमध्यात्मम् आत्मनि देहमध्ये भेदेन द्वैविध्यं दर्शयित्वा तस्य प्रयोजनमाह—स यदुपवसथ इति । उपवसथाख्ये अन्वाधानदिवसे 'सः' यजमानो 'व्रतोपायनीयं' व्रतोपायनांगभूतम् 'अश्नाति' भुंक्ते इति यत् तेनाशनेनैतौ आत्मसमवस्थितौ,मनोवाग्रूपावपरोक्षौ दर्शपूर्णमासौ 'प्रीणाति' तर्पयति । परेद्युः प्रातःकालीनेन क्रियमाणेन यज्ञेन 'देवौ' अधिदैवौ प्रागुक्तौ दर्शपूर्णमासौ तर्पयति ॥ ७ ॥

एतदाक्षिप्य समाधत्ते—तदाहुरिति । ननु--दर्शपूर्णमासशब्दावुच्चार्य हविर्ग्रहणाभावात्, 'अनुब्रूहि' 'यज' इति च संप्रैषयोरदर्शनाच्च कथं दर्शपूर्णमासौ इष्टौ भवत इत्याक्षेपः । स यं मनस इति परिहारः । 'मनः' खलु अध्यात्मं पूर्णमासत्वेनोक्तम् । तथा च—पूर्णमसा पूर्वाघारस्यानुष्ठानात् पूर्णमासेन इष्टवान् भवति ।

(स्त) तद्धैके चरू निर्व्वपंति । पौर्णमास्याᳬं सरस्वतेऽमावास्यायाᳬं सरस्वत्या ऽएतत्प्रत्यक्षं दर्शपूर्णमासौ यजामहऽइति वदंतस्तदु तथा न कुर्यान्मनो वै सरस्वान्वाक्सरस्वती स यदेवैतावाघाराऽवाघारयति तदेवास्य दर्शपूर्णमासाविष्टौ भवतस्तस्मादेतौ चरू न निर्व्वपेत् ॥९॥

(त्त) तदाहुः । (रा) आगूर्ती वाऽएष भवति यो दर्शपूर्णमासाभ्यां यजते पौर्णमासेन हीष्ट्वा वेदामावास्येन यक्ष्यऽइत्यामावास्येनेष्ट्वा वेद पुनः पौर्णमासेन यक्ष्यऽइति सऽआगूर्त्यैवामुं लोकमेति यदाऽमुं लोकमेति कथमनागूर्ती भवतीति स यदेवैताऽउभयत्राघारावाघारयति तदेवास्य दर्शपूर्णमासौ संतिष्ठेते स सᳬंस्थितयोरेव दर्शपूर्णमासयोरथाऽमुं लोकमेति तथाऽनागूर्ती भवति ॥ १० ॥

इति प्रथमप्रपाठके द्वादशं ब्राह्मणम् ॥ ११-१-१२ ॥ (२. ४) ॥

इति प्रथमः प्रपाठकः समाप्तः ॥ ११-१ ॥

कंडिकासंख्या ॥ ११९ ॥

तद्धैके चरू निर्वपंति-पौर्णमास्यां सरस्वते, अमावास्यायां सरस्वत्यै । एतत्प्रत्यक्षं दर्शपूर्णमासौ यजामह इति वदंतः । तदु तथा न कुर्यात् । मनो वै सरस्वान्, वाक् सरस्वती । स यदेवैतावाघारावाघारयति । तदेवास्य दर्शपूर्णमासाविष्टौ भवतः । तस्मादेतौ चरू न निर्वपेत् ॥ ९ ॥

तदाहुः-आगूर्ती वा एष भवति । यो दर्शपूर्णमासाभ्यां यजते । पौर्णमासेन हीष्ट्वा वेद आमावास्येन यक्ष्य इति । आमावास्येनेष्ट्वा वेद पुनः पौर्णमासेन यक्ष्य इति । स आगूर्त्यैवामुं लोक-

---

तथाऽध्यात्मं वागेव दर्शत्वेनोक्ता । तथासत्युत्तराघारस्य 'वाचा' वाग्व्यापारसाध्येन मंत्रेण करणात् साक्षात् दर्शमिष्टवान् भवति । एतेनो हास्येति । एतेनाघारद्वयेन 'अस्य' यजमानस्य 'दर्शपूर्णमासौ इष्टौ भवतः' ॥८॥

अत्र केषांचिच्छाखिनां मतमुपन्यस्य निराचष्टे-तद्धैके चरू निर्वपंतीति । एतत्प्रत्यक्षमिति । "अमावास्या वै सरस्वती पूर्णमासः सरस्वान्" (तै. सं. ३ । ५ । १ । ४) इति श्रुतेः ते देवते 'प्रत्यक्षं' दर्शपूर्णमासात्मके । स्पष्टमन्यत् । मनो वै सरस्वानित्यादि । मनसा वाचा क्रियमाणावाघारावेव सरस्वत्सरस्वत्यात्मकौ ततस्तद्देवत्यचरुद्वयं प्राप्यम् आघाराभ्यामेव सिध्यतीति न युक्तश्चरुपक्ष इति निगमयति-तस्मादिति ॥ ९ ॥

दर्शपूर्णमाससमापनहेतुतयाऽप्याघारौ स्तौति-तदाहुरिति । तत्तत्र दर्शपूर्णमासविषये आहुश्चोदयंति । दर्शपूर्णमासयाजी 'एष आगूर्ती वा' आगूर्तमागूरणं संकल्पः, तद्वानिव खलु भवति । एतदेव प्रतिपाद्यते-पौर्ण-

मेति। यदाऽमुं लोकमेति कथमनागूर्ती भवतीति। स यदेवैता उभयत्राघारावाघारयाति। तदेवास्य दर्शपूर्णमासौ संतिष्ठेते। स संस्थितयोरेव दर्शपूर्णमासयोरथाऽमुं लोकमेति। तथाऽनागूर्ती भवति ॥ १० ॥

मासेनेष्ट्वेति। 'पौर्णमासेन' हविषा 'इष्ट्वा' 'वेद' अनंतरमेव मन्यते—आगामिनि पर्वणि 'आमावास्येन' हविषा यक्ष्य इति; एवं 'आमावास्येन' हविषा 'इष्ट्वा' आगामिनि पर्वणि पुनः 'पौर्णमासेन' हविषा 'यक्ष्य इति' जानाति। अतः असौ संकल्पवान्। इत्थं यावज्जीवं भूत्वा 'अमुं' स्वर्गं 'लोकमेति' तस्मिन् लोके न अनागूर्तिना भवितव्यं तस्य क उपाय इत्यर्थः। स यदेवेति। 'उभयत्र' दर्शपूर्णमासयोः यजमानो यस्मात् 'एतौ' 'आघारौ' वाङ्मानसौ आघारौ 'आघारयति' तत्तदानीमेव 'अस्य' यजमानस्य 'दर्शपूर्णमासौ' मनोवाग्रूपतया 'संतिष्ठेते' समाप्तौ भवतः। ततः 'संस्थितयोरेव दर्शपूर्णमासयोः' यजमानः स्वर्गं 'लोकं' प्रयाति, नासंस्थितयोरिति तस्यानागूर्तित्वलक्षणो दोषो नास्तीत्यर्थः ॥ १० ॥

इति श्रीसायणाचार्यविरचिते माधवीये वेदार्थप्रकाशे माध्यंदिनीयशतपथब्राह्मणभाष्य एकादशकांडे द्वितीयेऽध्याये चतुर्थं ब्राह्मणम् ॥ (११ । २ । ४) ॥

अथ द्वितीयप्रपाठके प्रथमं ब्राह्मणम् ।
द्वितीयेऽध्याये च पञ्चमं ब्राह्मणम् ।

अपि ह वाऽएतर्हि । देवेभ्योऽश्वमेधमालभंते तदाहुः प्राकृतोऽश्वमेध ऽइतीतरऽइन्नूनꣳ स तद्वाऽएषऽएवाश्वमेधो यच्चंद्रमाः ॥ १ ॥

(स्तु) तदाहुः । पदे पदेऽश्वस्य मेध्यस्याहुतिं जुह्वतीति स यत्सायं-प्रातरग्निहोत्रं जुहोति द्वे सायमाहुती जुहोति द्वे प्रातस्ताश्चतस्रऽआहुतय-श्चतुष्पाद्वाऽअश्वस्तदस्य पदे पदऽएवाहुतिर्हुता भवति ॥ २॥

अपि ह वा एतर्हि देवेभ्योऽश्वमेधमालभंते । तदाहुः–प्राकृतोऽश्वमेध इति । इतर इन्नूनं सः। तद्वा एष एवाश्वमेधो यच्चंद्रमाः ॥ १ ॥

तदाहुः–पदे पदेऽश्वस्य मेध्यस्याहुतिं जुह्वतीति । स यत्सायंप्रातरग्निहोत्रं जुहोति । द्वे साय-माहुती जुहोति, द्वे प्रातः–ताश्चतस्र आहुतयः । चतुष्पाद्वा अश्वः । तदस्य पदे पद एवाहुतिर्हुता भवति ॥ २ ॥

अथ दर्शपूर्णमासयागं अश्वमेधात्मना स्तोतुं प्रस्तौति–अपि ह वा एतर्हीति । ' अपि ' खलु एतस्मिन् समये ' देवेभ्यः ' प्रजापतिमुख्येभ्यः ' अश्वमेधं ' अश्वात्मकं मेधं ' पशुम् ' आलभंते । दर्शपूर्णमासयाजिन इति शेषः । तदाहुः प्राकृत इत्यादि । तत्तत्र दर्शपूर्णमासविषये ' आहुः ' प्रतिपादयंति । अयमेव दर्शपूर्ण-मासयागः 'प्राकृतः' प्रकृतिभूतः 'अश्वमेधः' । प्रसिद्धोऽश्वमेधस्तु ' इतर इत् ' वैकृत एव । नूनमित्यवधारणे । उक्तमर्थं प्रतिपादयितुं चंद्रमसम् अश्वमेधत्वेन निरूपयति–तद्वा एष एवेति । दर्शपूर्णमासकालविभागनिमित्त-भूतश्चंद्रमाः इति यदस्ति, अयमेव तदा अश्वमेध इत्यर्थः ॥ १ ॥

मेध्याश्वसादृश्यं चंद्रमसः प्रश्नपूर्वकं संपादयति–तदाहुरिति । ' मेध्यस्य ' मेधार्हस्याश्वस्य ' पदे पदे ' ' आहुतिं जुह्वति ' इति यत् तत्र साक्षादश्वमेधे पदाधिकरणं हवनं विहितम् तदत्र किं ? इति प्रश्नाभिप्रायः । स यत्सायंप्रातरित्यादिना तस्य प्रतिवचनम् । सायंप्रातःकालीनयोरग्निहोत्रयोः ये ' द्वे द्वे आहुती ' प्रतिदिवसं हूयेते ' ताश्चतस्र आहुतयः ' अश्वपदाधिकरणाहुतिचतुष्टयस्थानीयाः । अत एवान्यत्राम्नायते– "इह धृतिः स्वाहेह विधृतिः स्वाहेह रंतिः स्वाहेह रमतिः स्वाहेति चतस्रः पत्सु जुहोति एता वा अश्वस्य बंधनं ताभिरेवैनं बध्नाति " (तै. ब्रा. ३ । ८ । ९ ।)। ' चतुष्पाद्वा अश्वः ' इत्यादि । तत्पादानां चतुःसंख्यया तद्धवनार्थानामाहुतीनामपि चतुष्ट्वम् । अतस्तस्य एकस्मिन्पदे पदे एव एषा अग्निहोत्रसंबंधिनी आहुतिः क्रमेण हुता भवतीत्यर्थः ॥ २ ॥

तदाहुः । (विं) विवृत्तेऽश्वस्येष्टिन्निर्व्वपंतीत्येष वै सोमो राजा देवानामन्नं यच्चन्द्रमाः स यत्रैषऽएताᳬं रात्रिन्न पुरस्तान्न पश्चाद्ददृशे तदिमं लोकमागच्छति सोऽस्मिँल्लोके विवर्तते ॥ ३ ॥

स यदामावास्येन यजते । विवृत्तऽएवास्यैतदिष्टिन्निर्व्वपत्यथ यत्पौर्णमासेन यजतेऽश्वमेधमेवैतदालभते तमालभ्य देवेभ्यः प्रयच्छति संवत्सरे वाऽइतरमश्वमेधमालभन्तऽएष वै मासः परिप्लवमानः संवत्सरं करोति तदस्य संवत्सरे संवत्सरऽएवाश्वमेधऽआलब्धो भवति ॥ ४ ॥

तदाहुर्विवृत्तेऽश्वस्येष्टिं निर्वपंतीति । एष वै सोमो राजा देवानामन्नम्-यच्चंद्रमाः । स यत्रैष एतां रात्रिं न पुरस्तान्न पश्चाद्ददृशे । तदिमं लोकमागच्छति । सोऽस्मिँल्लोके विवर्तते ॥ ३ ॥

स यदामावास्येन यजते । विवृत्त एवास्यैतदिष्टिं निर्वपति । अथ यत्पौर्णमासेन यजते, अश्वमेधमेवैतदालभते-तमालभ्य देवेभ्यः प्रयच्छति । संवत्सरे वा इतरमश्वमेधमालभंते । एष वै मासः परिप्लवमानः संवत्सरं करोति । तदस्य संवत्सरे संवत्सर एवाश्वमेध आलब्धो भवति ॥ ४ ॥

एवमन्यदपि अंगं संपादयति-तदाहुरिति । अश्वस्य ' विवृत्ते ' विवर्तने सति काचित् नैमित्तिकीष्टिः प्रसिद्धा अश्वमेधे क्रियते, सा अत्र चंद्रात्मकस्याश्वस्य विवर्तने कीदृशी ? इति प्रश्नाभिप्रायः । तां विवर्तननिमित्तामिष्टिं दर्शयिष्यन् अस्य चंद्रात्मकस्य अश्वस्य विवर्तनं संपादयति-एष वै सोमो राजा देवानामित्यादिना । यस्मिन् दिवसे देवान्नरूपश्चंद्रमाः ' रात्रिं ' अत्यंतसंयोगे द्वितीया (पा. सू. २ । ३ । ५)। कृत्स्नायां रात्रौ ' पुरस्तात् ' पूर्वस्यां दिशि ' पश्चात् ' प्रतीच्यां दिशि च ' न ' दृश्यते । तत्तदानीं ' सः ' चंद्रः ' इमं ' लोकमेवागच्छति । ' सोऽस्मिन्नेव लोके विवर्तते ' स्थानात् स्थानांतरं प्राप्नोति । इत्थं विवर्तनलक्षणं इष्टिनिमित्तं चंद्ररूपस्याश्वस्य प्रतिपादितम् ॥ ३ ॥

निमित्तोपजीविनीमिष्टिमाह-स यदामावास्येनेति । एवं चंद्रमोविवर्तनानंतरं ' आमावास्येन ' नित्येन दर्शयागेन ' यजते ' इति यदस्ति, एषैव विवर्तननिमित्ता इष्टिर्भवतीत्यर्थः । अथ पूर्णमासयागस्य अश्वमेधयागरूपतामाह-अथ यत्पौर्णमासेनेति । यदा खलु असौ चंद्रः कार्त्स्न्येन पूर्यते तदा तद्रूपोऽश्वः कृत्स्नावयवः संपद्यते । तथा च तस्मिन् समये पौर्णमासाख्येन नित्येन यागेन ' यजते ' इति यदस्ति, ' एतत् ' एतेन अश्वमेधे चन्द्रात्मकं अश्वरूपं पशुमेव ' देवेभ्यः ' ' आलभते ' संज्ञप्तवान् भवति । आङ्पूर्वो लभिर्हिंसायामपि वर्तते । ' तं ' चंद्रात्मकमश्वम् उपवसथे दिवसे आलभ्य हवीरूपेण ' देवेभ्यः ' प्रातः ' प्रयच्छति ' । अत एव चन्द्रं प्रकृत्याम्नायते " घ्नन्ति वा एनं पूर्णमासे " (तै. सं. २।५।२) इति । संवत्सरकालीनतामपि अस्याश्वमेधस्य प्रतिपादयति संवत्सरे वा इति । दीक्षानंतरं अश्वमुत्सृज्य संवत्सरपरिमिते काले समाप्ते समाप्ते सति इतरं प्रसिद्धमश्वमेधमालभन्ते । चंद्रात्मकस्याश्वमेधस्य संवत्सरकालीनता कथं ? इत्यभिप्रायः । एष वै मास इत्यादि । अयं दर्शपूर्णमासेनावच्छिन्नो यो मासः 'एषः' एव 'परिप्लवमानः'

तं वाऽएतम् । (म्मा) मासि मास्येवाश्वमेधमालभन्ते स यो हैवं विद्वानग्नि-
होत्रं च जुहोति दर्शपूर्णमासाभ्यां च यजते मासि मासि हैवास्याश्वमेधे-
नेष्टं भवत्येतदु हास्याग्निहोत्रं च दर्शपूर्णमासौ चाश्वमेधमभिसंपद्येते ॥ ५ ॥

इति द्वितीयप्रपाठके प्रथमं ब्राह्मणम् ॥ ११-२-१ ॥ (२. ५.) ॥

शिरो ह वाऽएतद्यज्ञस्य यत्प्रणीताः । स यत्प्रणीताः प्रणयति शिरऽएवैत-
द्यज्ञस्य सꣳस्करोति स विद्याच्छिरऽएव मऽएतत्सꣳस्क्रियत ऽइति॥ १॥

तं वा एतं मासि मास्येवाश्वमेधमालभंते । स यो हैवं विद्वानाग्निहोत्रं च जुहोति दर्शपूर्ण-
मासाभ्यां च यजते । मासि मासि हैवास्याश्वमेधेनेष्टं भवति । एतदु हास्याग्निहोत्रं च दर्शपूर्ण-
मासौ चाश्वमेधमभिसंपद्येते ॥ ५ ॥

शिरो ह वा एतद्यज्ञस्य—यत्प्रणीताः । स यत्प्रणीताः प्रणयति । शिर एवैतद्यज्ञस्य संस्करोति ।
स विद्याच्छिर एव म एतत्संस्क्रियत इति॥ १ ॥

द्वादशकृत्वः पर्यावृत्तः सन् ' संवत्सरं करोति ' स्वयमेव संवत्सरात्मको भवतीत्यर्थः । यस्मात् एवं मासोऽपि संवत्सरो जातः । तत्तस्मात् ' अस्य ' मासि मासि पौर्णमासयागं कुर्वतो यजमानस्य संवत्सरकालावच्छिन्न एव ' अश्वमेध आलब्धो भवति ' ॥ ४ ॥

इत्थमश्वमेधरूपतां अग्निहोत्रदर्शपूर्णमासयोर्यागयोः प्रतिपाद्य तत्र विदुष एवाधिकार इत्याह—तं वा एत-मित्यादिना । 'मासि मासि' प्रतिमासपौर्णमासमित्यर्थः । "पद्दन्नोमास्"–(पा. सू. ६।१।६३) इत्यादिना मासशब्दस्य मास्भावः । एवं विद्वानिति । उक्तप्रकारेण अश्वमेधसंपत्ति विद्वानित्यर्थः । मासि मासि हैवास्येति । चंद्रस्याश्वरूपत्वं पूर्णमासयागस्याश्वमेधयागरूपत्वं च विदित्वा तदनुतिष्ठतो यजमानस्येत्यर्थः । उक्ताम् अग्निहोत्रदर्शपूर्णमासयागयोरश्वमेधसंपदं निगमयति—एतदु हास्येति । ' एतत् ' एतेन प्रकारेण । स्पष्टमन्यत् ॥ ५ ॥

इति श्रीसायणाचार्यविरचिते माधवीये वेदार्थप्रकाशे माध्यंदिनीयशतपथब्राह्मणभाष्ये
एकादशकांडे द्वितीयेऽध्याये पंचमं ब्राह्मणम् ॥ (११ । २ । ५) ॥

अथोपासनार्थं यज्ञशरीरावयवत्वेन प्रणीतादीनामनुष्ठेयपदार्थानामधियज्ञमध्यात्मं च संपत्तिं कथयति—शिरो ह वा एतद्यज्ञस्येत्यादिना । प्रणीताख्या या आपः आहवनीयस्योत्तरतो निधीयंते ' एतद्यज्ञस्य शिरः ' इति तेन ज्ञातव्यं तत्र । ' सः ' अध्वर्युः ' प्रणीताः प्रणयति ' इति यदस्ति । ' एतत् ' एतेन ' यज्ञस्य शिर एव संस्करोति ' विशिष्टाकृतिमत् करोति । " संपर्युपेभ्यः " (पा. सू. ६ । १ । १३७) इति कृञः सुट् । अध्यात्ममनुसंधानं विधत्ते—स विद्याच्छिर एव म इति । यजमानः ' विद्यात् ' जानीयात् । कथमिति तदुच्यते—' एतत् ' प्रणीतात्मकं संस्क्रियमाणं यज्ञसंबंधि ' शिर एव ' मदीयं शिर इति ॥ १ ॥

प्राणऽएवास्येध्मः । प्राणेन ह्रीदꣳ सर्व्वमिद्धं यत्प्राणभृन्निमिषद्यदेजति स विद्यादहमेवैषऽइध्मऽइति ॥ २ ॥

(त्यु) अनूकमेवास्य सामिधेन्यः । (स्तु) तस्मात्ता ब्रूयात्संतन्वन्निव मेऽनुब्रूहीति सन्ततमिव ह्रीदमनूकं मनश्चैवास्य व्वाक्चाघारौ सरस्वाँश्च सरस्वती च स विद्वान्मनश्चैव मे व्वाक्चाघारौ सरस्वाँश्च सरस्वती चेति ॥ ३ ॥

प्राण एवास्येध्मः । प्राणेन हीदं सर्वमिद्धम् । यत्प्राणभृन्निमिषद्यदेजति । स विद्यादहमेवैष इध्म इति ॥ २ ॥

अनूकमेवास्य सामिधेन्यः । तस्मात्ता ब्रूयात् " संतन्वन्निव मेऽनुब्रूहि " इति । संततमिव हीदमनूकम् । मनश्चैवास्य वाक्चाघारौ सरस्वांश्च सरस्वती च । स विद्वान्मनश्चैव मे वाक्चाघारौ सरस्वांश्च सरस्वती चेति ॥ ३ ॥

इध्मस्य प्राणरूपत्वेनोपासनमाह–**प्राण एवास्येध्म** इति । अस्य यज्ञस्य संबंधी यः 'इध्मः' पंचदशदार्वात्मकः एषः ' प्राण एव ' देहमध्ये संचरन् प्राणवायुरेव, इध्मे प्राणबुद्धिः कार्येत्यर्थः । उभयोः साम्यमाह–**प्राणेन हीति** । इध्मेन यथा अग्निः समिध्यते एवं ' प्राणेन ' ' हि ' यस्मात् ' इदं ' सर्वं शरीरजातं ' इद्धं ' प्रदीप्तं भोगयोग्यं भवति । इदमिति सामान्योक्तमेव विशिनष्टि–**यत्प्राणभृदिति** । प्राणान् बिभर्तीति ' प्राणभृत् ' । ' निमिषत् ' निमीलनव्यापारं करोतीति निमिषत् । पशुपक्षिमनुष्यादिजंगमशरीरस्योपलक्षणमेतत् । स्थावरशरीरस्य परिग्रहार्थं–**यदेजतीति** । यच्च निमेषणादिव्यापारशून्यं तरुगुल्मलताद्यात्मकं शरीरं ' एजति ' एकत्रैव स्थितं सत् केवलं कंपते । एतत्सर्वमन्तः संचरता प्राणेनेद्धम् । तद्विरहितमुभयं शुष्कं भवत् दृश्यते । " एजृ कंपने " (धा. पा. भ्वा. प. २३६) इति धातुः । इत्थमधियज्ञमुक्त्वाऽध्यात्ममाह–**स विद्यादिति** । इध्मस्य प्राणरूपतां ' सः ' यजमानो विद्याज्जानीयात् । अहमेवैष इध्मात्मकेन प्राणेनेद्धः सन् दीप्त इति ॥ २ ॥

अथ सामिधेनीषु सकलमध्यस्थावयवमाह–**अनूकमेवेति** । ' अस्य ' यज्ञस्य सामिधेन्याख्या या ऋचः ताः ' अनूकमेव ' शिरःपक्षपुच्छाद्यवयवसंधिरनूकं तदात्मका ज्ञातव्या इत्यर्थः । यस्मादेवमनूकरूपाः तस्मात् तद्रूपाणां तद्विषये यजमान इत्थं ब्रूयात् हे होतः ! त्वं ' ताः ' सामिधेनीः ' संतन्वन्निव ' परस्परं संयोजयन्निव 'मे' मह्यं अनुब्रूहीति । तत्र कारणमाह–**संततमिव हीति** । 'हि' यस्मात् 'इदं' शरीरं मध्यावयवसंधिरूपमनूकं ' संततमिव ' परस्परं संसक्तमिव दृश्यते । तस्मात् तद्रूपाणां सामिधेनीनामपि सांतत्यं युक्तम् । तल्लक्षणं भगवताऽऽश्वलायनेनोक्तम्–"स्वरादिमृगंतमोंकारं त्रिमात्रं मकारांतं कृत्वोत्तरस्या अर्द्धर्चेऽवस्येत्तत्संततम् " इति (आश्व. श्रौ. सू.) । **मनश्चैवेत्यादि** । ' अस्य ' यज्ञशरीरस्य इमौ ' आघारौ ' मनोवाग्रूपौ ज्ञातव्यौ । तौ क्रमेण ' सरस्वांश्च सरस्वती च ' एतद्धयात्मकौ भवतः । अध्यात्मं तयोरुपासनमाह–**स विद्यादिति** । मम मनश्च वाक् च सरस्वत्सरस्वतीरूपावाघाराविति जानीयादित्यर्थः ॥ ३ ॥

पञ्च प्रयाजाः । (ऽ) इमऽएवास्य ते शीर्षण्याः पञ्च प्राणा मुखमेवास्य प्रथमः प्रयाजो दक्षिणा नासिका द्वितीयः सव्या नासिका तृतीयो दक्षिणः कर्णश्चतुर्थः सव्यः कर्णः पञ्चमोऽथ यच्चतुर्थे प्रयाजे समानयति तस्मादिदᳪं श्रोत्रमन्तरतः सन्तृण्णं चक्षुषीऽआज्यभागौ स विद्याच्चक्षुषीऽएव मऽएताविति ॥ ४ ॥

(त्य) अथ यऽआग्नेयः पुरोडाशः । (शोऽय) अयमेवास्य दक्षिणोऽर्द्धो हृदयमेवास्योपाᳪंशुयाजः स यत्तेनोपाᳪंशु चरति तस्मादिदं गुहेव हृदयम् ॥ ५ ॥

(म) अथ योऽग्नीषोमीयः पुरोडाशः । (शोऽय) अयमेवास्य सऽउत्तरोऽर्द्धऽऐन्द्रं वा सान्नाय्यमन्तराऽᳪंसमेवास्य स्विष्टकृद्द्विषन्प्राशित्रम् ॥ ६ ॥

पंच प्रयाजाः । इम एवास्य ते शीर्षण्याः पंच प्राणाः । मुखमेवास्य प्रथमः प्रयाजः । दक्षिणा नासिका द्वितीयः । सव्या नासिका तृतीयः । दक्षिणः कर्णश्चतुर्थः । सव्यः कर्णः पंचमः । अथ यच्चतुर्थे प्रयाजे समानयति । तस्मादिदं श्रोत्रमंतरतः संतृण्णम् । चक्षुषी आज्यभागौ । स विद्याच्चक्षुषी एव म एताविति ॥ ४ ॥

अथ य आग्नेयः पुरोडाशः, अयमेवास्य दक्षिणोऽर्द्धः । हृदयमेवास्योपांशुयाजः । स यत्तेनोपांशु चरति । तस्मादिदं गुहेव हृदयम् ॥ ५ ॥

अथ योऽग्नीषोमीयः पुरोडाशः, अयमेवास्य स उत्तरोऽर्द्धः । ऐन्द्रं वा सान्नाय्यम्, । अंतरांसमेवास्य स्विष्टकृत् । द्विषन् प्राशित्रम् ॥ ६ ॥

प्रयाजेषु कस्यानवयवानाह–पंच प्रयाजा इति । शिरसि भवाः 'शीर्षण्याः' "ये च तद्धिते"–(पा. सू. ६ । १ । ६१) इति शीर्षन्नादेशः । तत्र कीदृशः प्रयाजः प्राण इति विविनक्ति–मुखमेवास्येति । 'अस्य' शरीरस्य 'प्रथमः' प्रयाजः' एव 'मुखम्' आस्यम् । दक्षिणा नासिकेत्यादि निगदसिद्धम् । चतुर्थपंचमप्रयाजयोः कर्णत्वे लिंगमुपन्यस्यति–अथ यच्चतुर्थे प्रयाज इति । यस्माच्चतुर्थे प्रयाजे औपभृतस्याज्यस्यार्द्धं जुह्वामानयति 'तस्मादिदं' श्रोत्रम् 'अंतरतः' मध्ये 'संतृण्णं सच्छिद्रं' दृश्यते' । एवं पंचसु प्रयाजेषु शीर्षण्यपंचप्राणोपासनमुक्त्वा आज्यभागयोः चक्षुष्ट्वेनोपासनं विधत्ते–चक्षुषी आज्यभागाविति । एतावेवाज्यभागौ मम 'चक्षुषी' इति विद्यादित्यर्थः ॥ ४ ॥

अथ य आग्नेय इत्यादि । अग्निदेवताको यः प्रथमः 'पुरोडाशः' 'अयमेवास्य' यज्ञशरीरस्य 'दक्षिणः अर्द्धः' दक्षिणः पार्श्वः । उपांशुयाजाख्यस्तु यागोऽस्य 'हृदयमेव' । तत्समर्थयते–स यत्तेनेति । तेनोपांशु चरतीति 'यत्' तस्मात् कारणात् तदात्मकमिदं हृदयम् 'गुहेव' गुहासदृशम् अलक्ष्यं भवति ॥ ५ ॥

अग्नीषोमीयदेवताको यः तृतीयो यागः 'स अस्य उत्तरोऽर्द्धः' उत्तरभागः, एषः पौर्णमासयागे ।

(थ्यँ) स यत्प्राशित्रमवद्यति । यथैव तत्प्रजापतेराविद्धं निरकृन्तन्नेवमेवै-
तस्यैतद्यद्वेष्टितं यद्ग्रथितं यद्वरुण्यं तन्निष्कृन्तति स विद्याद्यथैव तत्प्रजा-
पतेराविद्धं निरकृन्तन्नेवमेव म ऽइदं यद्वेष्टितं यद्ग्रथितं यद्वरुण्यं तन्नि-
ष्कृन्ततीति ॥ ७ ॥

(त्यु) उदरमेवास्येडा । तद्यथैवादऽइडायाथ्यँ समवद्यन्त्येवमेवेदं
विश्वरूपमन्नमुदरे समवधीयते ॥ ८ ॥

त्रयोऽनुयाजाः । (जाऽइ) इम ऽएवास्य तेऽवाञ्चस्त्रयः प्राणा बाहू-
ऽएवास्य सूक्तवाकश्च शंयोर्वाकश्च चत्वारः पत्नीसंयाजाश्चतस्रो वै प्रतिष्ठा-
ऽऊरू द्वावष्ठीवन्तौ द्वौ पादावेवास्य समिष्टयजुः ॥ ९ ॥

स यत्प्राशित्रमवद्यति । यथैव तत्प्रजापतेराविद्धं निरकृंतन् । एवमेवैतस्यैतत्–यद्वेष्टितं यद्ग्रथितं यद्वरुण्यम् तन्निष्कृन्तति । स विद्याद्यथैव तत्प्रजापतेराविद्धं निरकृंतन् । एवमेव म इदम् यद्वेष्टितं यद्ग्रथितं यद्वरुण्यं तन्निष्कृंततीति ॥ ७ ॥

उदरमेवास्येडा । तद्यथैवाद इडायां समवद्यंति । एवमेवेदं विश्वरूपमन्नमुदरे समवधीयते ॥ ८ ॥

त्रयोऽनुयाजाः । इम एवास्य तेऽवांचस्त्रयः प्राणाः । बाहू एवास्य सूक्तवाकश्च शंयोर्वाकश्च । चत्वारः पत्नीसंयाजाश्चतस्रो वै प्रतिष्ठा ऊरू द्वावष्ठीवन्तौ द्वौ । पादावेवास्य समिष्टयजुः ॥ ९ ॥

दर्शयागे तु इंद्रदेवताकं ' सान्नाय्यं ' दधिपयोलक्षणं हविरेव देहस्योत्तरभागः । वाशब्दोऽत्र व्यवस्थितविकल्पार्थः । अन्तरांसमेवेति । अंसमध्यमेवास्य स्विष्टकृद्भागः । द्विषन् प्राशित्रमिति । ' द्विषन् ' शत्रुरेव ' प्राशित्रम् ' प्राशित्रे शत्रुबुद्धिः कार्या इत्यर्थः ॥ ६ ॥

अतस्तदवदानं शत्रुनिरसनार्थमिति प्रतिपादयति–स यत्प्राशित्रमिति । प्राशित्राख्यं भागम् ' अवद्यति खण्डयतीति यदस्ति, अस्य वाक्यस्य एवमेवैतस्यैतदित्युपरितनवाक्येन संबन्धः । यथैव तदित्यादि । ' यथैव' खलु पुरा प्रजापतिशरीरे ' आविद्धम् ' शल्यं प्राशित्रावदानेन ' निरकृन्तन् ' निरगमयन् । " कृती छेदने "–(धा. पा. तु. प. १९४) इति धातुः । ' एवमेवैतस्य ' यज्ञशरीरस्य यजमानस्य वा यत्पापं ' वेष्टितं ' वेष्टनशीलं यच्च 'ग्रथितं' ग्रंथिमद्वस्तुभूतम् यच्च 'वरुण्यं ' वरुणसंबंधि हिंसनम् तत्सर्वं प्राशित्रावदानेन ' निष्कृंतति ' निःसारयति । एतस्योपासनमाह–स विद्याद्यथैव तदिति । व्याख्यातप्रायमेतत् ॥ ७ ॥

उदरमेवास्येडेत्यादि । तत्तत्र ' यथैव ' खलु ' इडायां ' च पुरोडाशादीनि सान्नाय्यादीनि सर्वाणि हवींषि सहावद्यंति । ' एवमेवेदं विश्वरूपं ' नानारूपमन्नम् ' उदरे समवधीयते ' सह धार्यंते । अत उदरात्मकत्वमिडाया युक्तमित्यर्थः ॥ ८ ॥

अनुयाजेष्ववयवक्लृतिमाह–त्रयोऽनुयाजा इति । ' ते ' प्रसिद्धाः अवाङ्मुखास्त्रयः ' प्राणाः ' नाभिपायुगुह्यरूपाः । बाहू एवास्येत्यादि । " इदं द्यावापृथिवी भद्रमभूत् " इत्यादिसूक्तवाकः । " तच्छंयो-

(स्ता) ताऽएकविꣳशतिराहुतयः । (यो) द्वावाघारौ पञ्च प्रयाजा द्वावाज्यभागावाग्नेयः पुरोडाशस्तद्दशाग्नीषोमीयऽउपाꣳशुयाजोऽग्नीषोमीयः पुरोडाशोऽग्निः स्विष्टकृदिडा त्रयोऽनुयाजाः सूक्तवाकश्च शंय्योर्वाकश्चाथ यदेवादः पत्नीसंयाजेषु सम्प्रगृह्णाति समिष्टयजुश्च ॥ १० ॥

ताऽएकविꣳशतिराहुतयः । (यो) द्वादश वै मासाः संवत्सरस्य पञ्चर्तवस्त्रयो लोकास्तद्विꣳशतिरेषऽएवैकविꣳशो यऽएष तपति सैषा गतिरेषा प्रतिष्ठा तदेतां गतिमेतां प्रतिष्ठां गच्छति ॥ ११ ॥

ता एकविंशतिराहुतयः । द्वावाघारौ । पंच प्रयाजाः । द्वावाज्यभागौ । आग्नेयः पुरोडाशः, तद्दश । अग्नीषोमीय उपांशुयाजः । अग्नीषोमीयः पुरोडाशः । अग्निः स्विष्टकृत् । इडा । त्रयोऽनुयाजाः । सूक्तवाकश्च । शंयोर्वाकश्च । अथ यदेवादः पत्नीसंयाजेषु संप्रगृह्णाति । समिष्टयजुश्च ॥ १० ॥

ता एकविंशतिराहुतयः । द्वादश वै मासाः संवत्सरस्य । पंचर्तवः । त्रयो लोकाः । तद्विंशतिः । एष एवैकविंशः, य एष तपति । सैषा गतिः, एषा प्रतिष्ठा । तदेतां गतिमेतां प्रतिष्ठां गच्छति॥ ११॥

रावृणीमहे" इति शंयुवाकः । इमावस्य 'बाहू' । सोमत्वष्टृदेवपत्न्यग्निगृहपतिदेवताकाश्चत्वारः 'पत्नीसंयाजाः' अस्य 'चतस्रः' 'प्रतिष्ठाः' प्रकर्षेण स्थितिहेतुभूताः । तत्र द्वौ 'ऊरू' द्वौ 'अष्ठीवंतौ' ऊर्ध्वाधोभागौ अष्ठीवच्छब्द-वाच्यौ । यश्चरमवर्ती समिष्टयजुराख्यो होमः सोऽस्य 'पादावेव' भूतले निक्षेप्तव्यौ चरणौ । कृत्स्नाधारत्वं समिष्टयजुषः पादयोश्च साम्यम् ॥ ९ ॥

एवं शिरःप्रभृतिपादांता अवयवाः अधियज्ञमध्यात्मं च आहुतिभिरेव परिकल्पिताः संतः संभूय एकविंशतिसंख्याकाः, तत्संख्याद्वारेण सूर्यलोकप्राप्तिरूपं फलं वक्ष्यन् ता आहुतीः परिगणयति—**द्वावाघारावि**त्यादिना । **अग्नीषोमीय उपांशुयाज** इति । "विष्णुरुपांशु यष्टव्यः" इतिवत् "अग्नीषोमावुपांशु यष्टव्यौ" इति श्रवणात् उपांशुयाजोऽप्यग्नीषोमीयदेवताको भवति । **अथ यदेवाद** इति । 'अदः' अमुत्र पौरोडाशिककांडपत्नीसंयाजेषु कर्तव्येषु सत्सु शंयुवाकानंतरं यत् स्रुचोः संप्रग्रहणं विहितम्, सा संस्रवाहुतिः परिगणनीयेत्यर्थः ॥ १० ॥

द्वादश वै मासा इत्यादि सुगमम् । **एष एवैकविंश** इति । 'एषः' दृश्यमानः सूर्यः 'एव' एकविंशतिसंख्यापूरकः । एतच्छब्दार्थमाह—**य एष तपतीति** । 'तपति' श्लोकेन दीप्यत इत्यर्थः । 'सैषा' सूर्यरूपैव 'गतिः' गंतव्यभूमिः । एषैव 'प्रतिष्ठा' कृत्स्नफलस्याश्रयः । तदेवं सति उक्तोपासनं विद्वान् 'एतां' सूर्यरूपां 'गतिं' प्रतिष्ठां च आभिरेकविंशतिभिराहुतिभिः प्राप्नोति ॥ ११ ॥

तुद्ध स्मैतदारुणिराह । (ह्रा) अर्द्धमासशो वाऽअहममुनाऽऽदित्येन सलोको भवामि तामहं दर्शपूर्णमासयोः सम्पदं व्वेदेति ॥ १२ ॥

तदाहुः । (रा) आत्मयाजी श्रेया३न्देवयाजी३ ऽइत्यात्मयाजीति ह ब्रूयात्स ह वाऽआत्मयाजी यो व्वेदेदं मेऽनेनाङ्गꣳ सꣳस्क्रियतऽइदं मेऽनेनाङ्गमुपधीयतऽइति स यथाऽहिस्त्वचो निर्मुच्येतैवमस्मान्मर्त्याच्छरीरात्पाप्मनो निर्मुच्यते स ऽऋङ्मयो यजुर्मयः साममयऽआहुतिमयः स्वर्गं लोकमभिसंभवति ॥ १३ ॥

तद्ध स्मैतदारुणिराह–अर्द्धमासशो वा अहममुनाऽऽदित्येन सलोको भवामि । तामहं दर्शपूर्णमासयोः संपदं वेदेति ॥ १२ ॥

तदाहुः–आत्मयाजी श्रेया३न् देवयाजी३ इति । आत्मयाजीति ह ब्रूयात् । स ह वा आत्मयाजी–यो वेदेदं मेऽनेनाङ्गं संस्क्रियते, इदं मेऽनेनाङ्गमुपधीयत इति । स यथाऽहिस्त्वचो निर्मुच्येत, एवमस्मान्मर्त्याच्छरीरात्पाप्मनो निर्मुच्यते । स ऋङ्मयो यजुर्मयः साममय आहुतिमयः स्वर्गं लोकमभिसंभवति ॥ १३ ॥

उक्तोपासनफलयोः साध्यसाधनभावं संपादयति–तद्ध स्मैतदिति । 'आरुणिः' नाम महर्षिः 'आह स्म' 'अर्द्धमासशः' अर्द्धमासे अर्द्धमासे खलु 'अहममुना आदित्येन' 'सलोकः' समानलोको भवामि । तत्कारणभूतां 'दर्शपूर्णमासयोः' तामुक्तरूपां 'संपदं' संपत्तिं यतः अहं 'वेद' जानामि । ततः सलोको भवामीति संबंधः ॥ १२ ॥

उक्तोपासनेन सह दर्शपूर्णमासावनुतिष्ठतो यजमानस्य इतरस्मात् बहुतरफलभाक्त्वं विचारपूर्वकं दर्शयति–तदाहुरिति । तत्तत्र विषये 'आहुः' मीमांसन्ते ब्रह्मवादिनः । किमात्मयाजी श्रेयान् उत देवयाजी इति ? । "विचार्यमाणानाम्" (पा. सू. ८ । २ । ९७) इत्युभयत्र प्लुतिः । तत्र प्रशस्तं पक्षं दर्शयति–आत्मयाजीतीति । हशब्दोऽवधारणे । कः पुनरसावात्मयाजीति तं लक्षयति–स ह वा आत्मयाजीति । 'सः' एव खलु 'आत्मयाजी' यो यजमानः 'इदं' शिरःप्रभृतिकं मदीयमङ्गमनेन यज्ञांगेन 'संस्क्रियते' 'इदं' मदीयमङ्गमनेनोपधीयत उपस्थाप्यत इति 'वेद' जानाति स आत्मयाजी । तस्य सर्वपापक्षयरूपं फलं सदृष्टांतमाह–स यथाऽहिरिति । 'यथा' सर्पस्त्वचो विनिर्मुच्येत एवमात्मयाजी 'अस्मात् मर्त्यात्' मरणधर्मकात् शरीररूपात् 'पाप्मनः' 'निर्मुच्यते' निःशेषेण मुक्तो भवति । न पुनस्तादृक्शरीरसंबंधं प्रतिपद्यत इत्यर्थः । तर्हि कीदृग्रूपः असौ भवतीति तदाह–स ऋङ्मय इति । सूर्यमंडलस्य त्रयीरूपत्वात् तादृङ्मयरूप एव सन् तत्र स्थिताहुतिमयः सन् फलभूतं 'स्वर्गं' दुःखासंस्पृष्टसुखरूपं लोकं अभिलक्ष्य 'संभवति' सन्निधत्ते ॥ १३ ॥

(१४) अथ ह स देवयाजी यो वेद । देवानेवाहमिदं यजे देवान्त्सपर्य्यामीति स यथा श्रेयसे पापीयान्बलिꣳ हरेद्वैश्यो वा राज्ञे बलिꣳ हरेदेवꣳ स स ह न तावन्तं लोकं जयति यावन्तमितरः ॥ १४ ॥

इति द्वितीयप्रपाठके द्वितीयं ब्राह्मणम् ॥ ११-२-२ ॥ (२. ६.) ॥

संवत्सरो यज्ञः । स यो ह वै संवत्सरो यज्ञ ऽइति वेदान्ते हैवास्य संवत्सरस्येष्टं भवत्यथो यत्किञ्च संवत्सरे क्रियते सर्व्वꣳ हैवास्य तदाप्तमवरुद्धमभिजितं भवति ॥ १ ॥

(१५) ऋतवऽऋत्विजः । स यो ह वाऽऋतवऽऋत्विजऽइति वेदान्ते हैवास्यर्तूनामिष्टं भवत्यथो यत्किञ्चर्तुषु क्रियते सर्व्वꣳ हैवास्य तदाप्तमवरुद्धमभिजितं भवति ॥ २ ॥

अथ ह स देवयाजी । यो वेद, देवानेवाहमिदं यजे, देवान्त्सपर्यामीति । स यथा श्रेयसे पापीयान् बलिं हरेत् । वैश्यो वा राज्ञे बलिं हरेत् । एवं सः । स ह न तावन्तं लोकं जयति । यावन्तमितरः ॥ १४

संवत्सरो यज्ञः । स यो ह वै संवत्सरो यज्ञ इति वेद । अंते हैवास्य संवत्सरस्येष्टं भवति । अथो यत्किंच संवत्सरे क्रियते । सर्वं हैवास्य तदाप्तमवरुद्धमभिजितं भवति ॥ १ ॥

ऋतव ऋत्विजः । स यो ह वा ऋतव ऋत्विज इति वेद । अंते हैवास्यर्तूनामिष्टं भवति । अथो यत्किंचर्तुषु क्रियते । सर्वं हैवास्य तदाप्तमवरुद्धमभिजितं भवति ॥ २ ॥

इष्टरूपफलव्यतिरेकं देवयाजिनो दर्शयति—**अथ ह स देवयाजीति** । निगदसिद्धोऽर्थः । 'सपर्यामि' पूजयामि । "सपर पूजायाम्" (कण्ड्वादिगणे.२१) इति धातुः । **स यथा श्रेयस** इत्यादि । 'यथा' खलु 'श्रेयसे' श्रेष्ठाय 'पापीयान्' हीनः पुरुषः बलिमुपहारं 'हरेत्' यथा वा 'वैश्यो राज्ञे' 'बलिं' करं 'हरेत्' एवमेव 'सः' देवयाजी हविषा तोषितैर्देवैः सेवानुसारेण दत्तं फलं लभते । 'यावंतं' लोकं 'इतरः' आत्मयाजी जयति । 'तावंतं लोकं' 'सः' देवयाजी न लभते । उपासनाज्ञानहीनत्वादित्यर्थः ॥ १४ ॥

इति श्रीसायणाचार्यविरचिते माधवीये वेदार्थप्रकाशे माध्यन्दिनीयशतपथब्राह्मणभाष्ये एकादशकाण्डे द्वितीयेऽध्याये षष्ठं ब्राह्मणम् ॥ (११-२-६) ॥

अथ यज्ञादीनां संवत्सराद्यात्मना उपासनं विधाय तत्तद्वैशिष्ट्येन दर्शपूर्णमासयागस्य विशिष्टफलसाधनतां प्रतिपादयति—**संवत्सरो यज्ञ** इत्यादिना । योऽयं प्रकृतो दर्शपूर्णमासात्मकः 'यज्ञः' संवत्सरात्मकः । यज्ञे संवत्सरात्मकत्वमुपासनार्थमारोप्यमित्यर्थः । तदुपासनं विधत्ते—**स यो ह वा** इति । 'यः' खलु एनं यज्ञं संवत्सरं 'वेद' उपास्ते । 'अस्य' यजमानस्य संवत्सरसमीप एव 'इष्टं भवति' यागः कृतो भवति । 'अथो' अपि च संवत्सरसामीप्यलाभात् तस्मिन् संवत्सरमध्ये यत्किमपि कर्मजातम् 'क्रियते' अस्य यजमानस्य तत्सर्वमाप्तं सत् 'अवरुद्धं' लब्धम् 'अभिजितं' स्वाधीनं 'भवति' । एवमुत्तरत्र सर्वत्र योज्यम् ॥ १ ॥

ऋत्विक्षु वसंतादिऋतुरूपत्वोपासनं विधत्ते—**ऋतव ऋत्विज** इति । यज्ञस्य संवत्सरात्मकत्वात् तन्निष्पादकानामृत्विजामृतुत्वाध्यारोपः ॥ २ ॥

मासा हवीꣳषि । स यो ह वै मासा हवीꣳषीति व्वेदान्ते हैवास्य मासानामिष्टं भवत्यथो यत्किञ्च मासेषु क्रियते सर्व्वꣳ हैवास्य तदाप्तमवरुद्धमभिजितं भवति ॥ ३ ॥

(त्य) अर्द्धमासा हविष्पात्राणि । स यो ह वाऽअर्द्धमासा हविष्पात्राणीति व्वेदान्ते हैवास्यार्द्धमासानामिष्टं भवत्यथो यत्किञ्चार्द्धमासेषु क्रियते सर्व्वꣳ हैवास्य तदाप्तमवरुद्धमभिजितं भवति ॥ ४ ॥

(त्य) अहोरात्रे परिवेष्ट्री । स यो ह वाऽअहोरात्रे परिवेष्ट्रीऽइति व्वेदान्ते हैवास्याहोरात्रयोरिष्टं भवत्यथो यत्किञ्चाहोरात्रयोः क्रियते सर्व्वꣳ हैवास्य तदाप्तमवरुद्धमभिजितं भवति ॥ ५ ॥

(ती) इयमेव प्रथमा सामिधेनी । (न्य) अग्निर्द्वितीया व्वायुस्तृतीयाऽन्तरिक्षं चतुर्थी द्यौष्पंचम्यादित्यः षष्ठी चन्द्रमाः सप्तमी मनोऽष्टमी व्वाङ्नवमी तपो दशमी ब्रह्मैकादश्येता इ वाऽइदꣳ सर्व्वꣳ समिंधतऽएताभिरिदꣳ सर्व्वꣳ समिद्धं तस्मात्सामिधेन्यो नाम ॥ ६ ॥

मासा हवींषि । स यो ह वै मासा हवींषीति वेद । अंते हैवास्य मासानामिष्टं भवति । अथो यत्किंच मासेषु क्रियते । सर्वं हैवास्य तदाप्तमवरुद्धमभिजितं भवति ॥ ३ ॥

अर्द्धमासा हविष्पात्राणि । स यो ह वा अर्द्धमासा हविष्पात्राणीति वेद । अंते हैवास्यार्द्धमासानामिष्टं भवति । अथो यत्किंचार्द्धमासेषु क्रियते । सर्वं हैवास्य तदाप्तमवरुद्धमभिजितं भवति ॥ ४ ॥

अहोरात्रे परिवेष्ट्री । स यो ह वा अहोरात्रे परिवेष्ट्री इति वेद । अंते हैवास्याहोरात्रयोरिष्टं भवति । अथो यत्किंचाहोरात्रयोः क्रियते । सर्वं हैवास्य तदाप्तमवरुद्धमभिजितं भवति ॥ ५ ॥

इयमेव प्रथमा सामिधेनी । अग्निर्द्वितीया । वायुस्तृतीया । अंतरिक्षं चतुर्थी । द्यौष्पंचमी ।

हविःषु मासबुद्धिं विधत्ते–मासा हवींषीति । आज्यसान्नाय्यादीनि ' हवींषि ' मासात्मना ध्यातव्यानि । मासानां ऋत्ववयवत्वात् हविषामृत्विक्संपाद्यतया तादात्म्याध्यारोपः । एवमुत्तरत्रापि तादात्म्यमूहनीयम् ॥ ३ ॥

हविषां संबंधीनि यानि उलूखलमुसलादीनि पात्राणि तेषामर्द्धमासात्मनोपासनं विधत्ते–अर्द्धमासा हविष्पात्राणीति ॥ ४ ॥

ये परिवेषणसाधने धृष्टी तयोरहोरात्रबुद्धिं विधत्ते–अहोरात्रे परिवेष्ट्री इति ॥ ५ ॥

अथ सामिधेनीनां पृथिव्यादिदेवतारूपेणोपासनं विधत्ते–इयमेव प्रथमा सामिधेनीति । ' इयं ' पृथिव्येव ' प्रथमा ' " प्र वो वाजाः " इत्येषा ' सामिधेनी ' समिदाधानार्था ऋक्, ' अग्निः ' तदधिष्ठातृदेवता

स वै त्रिः प्रथमामन्वाह । स यत्प्रथममन्वाह प्राचीं तेन दिशं जयति यद्द्वितीयं दक्षिणां तेन दिशं जयति यत्तृतीयमूर्ध्वामेव तेन दिशं जयति॥७॥

त्रिर्वेवोत्तमामन्वाह । स यत्प्रथममन्वाह प्रतीचीं तेन दिशं जयति यद्द्वितीयमुदीचीं तेन दिशं जयति यत्तृतीयमिमामेव तेन प्रतिष्ठां जयत्ये-वमु हाभिरिमाँल्लोकाञ्जयत्येताः दिशः ॥ ८ ॥

(०) ऋतमेव पूर्व्वऽआघारः । सत्यमुत्तरोऽव ह वाऽऋतसत्ये रुन्धेऽथो यत्किञ्चर्तसत्याभ्यां जय्यꣳ सर्व्वꣳ हैव तज्जयति ॥ ९ ॥

आदित्यः षष्ठी । चंद्रमाः सप्तमी । मनोऽष्टमी । वाङ्नवमी । तपो दशमी । ब्रह्मैकादशी । एता हि वा इदं समिंधते । एताभिरिदं सर्वं समिद्धम् । तस्मात्सामिधेन्यो नाम ॥ ६ ॥

स वै त्रिः प्रथमामन्वाह । स यत्प्रथममन्वाह । प्राचीं तेन दिशं जयति । यद्द्वितीयं–दक्षिणां तेन दिशं जयति । यत्तृतीयम्–ऊर्ध्वामेव तेन दिशं जयति ॥ ७ ॥

त्रिर्वेवोत्तमामन्वाह । स यत्प्रथममन्वाह । प्रतीचीं तेन दिशं जयति । यद्द्वितीयम्–उदीचीं तेन दिशं जयति । यत्तृतीयम्–इमामेव तेन प्रतिष्ठां जयति । एवमु हाभिरिमाँल्लोकाञ्जयत्येता दिशः॥८॥

ऋतमेव पूर्व आघारः । सत्यमुत्तरः । अव ह वा ऋतसत्ये रुंधे । अथो यत्किंचर्तसत्याभ्यां जय्यम् । सर्वं हैव तज्जयति ॥ ९ ॥

'द्वितीया' सामिधेनी, वायुरन्तरिक्षाधिदेवता सा 'तृतीया' एवमुत्तरत्रापि संबंधो द्रष्टव्यः । उक्तपृथिव्यादीनां यन्मूलकारणं 'ब्रह्म' सा 'एकादशी' सामिधेनी । एतासां देवतानां सामिधेन्यात्मकत्वं समर्थयते–एता हि वा इति । 'एताः' खलु देवताः 'इदं सर्वं' स्थावरजंगमात्मकं जगत् 'समिंधते' संदीपयंति । तथा च एताभिरेवेदं 'सर्वं समिद्धं' संदीप्तं सत् इदानीं दृश्यते । तस्मात्समिंधनहेतुत्वात् एताः सामिधेनीनाम्ना प्रतिपादयितुमर्हा इत्यर्थः । इत्थं यो यजमानः पृथिव्याद्यात्मना सामिधेनीरुपास्ते स पृथिव्यादीन् लोकान् जयतीत्यभिप्रायः ॥ ६ ॥

तत्र प्रथमोत्तमयोस्त्रिरावृत्तिर्विहिता तया जेतव्यं दर्शयति–स वै त्रिः प्रथमामिति । इमामेव तेनेति । 'तेन' तृतीयेन 'इमां' पृथिवीमेव 'प्रतिष्ठां' प्रतिष्ठाहेतुभूतां तदुपलक्षितां अधोदिशं जयतीत्यर्थः । इत्थं सामिधेन्युपासनस्य प्रतिष्ठाफलं निगमयति–एवमु हाभिरिति । 'आभिः' सामिधेनीभिः 'इमान्' पृथिव्यादीन् अग्न्याद्यधिष्ठातृसहितान् । गतमन्यत् ॥ ७ ॥ ८ ॥

अथाघारयोः ऋतसत्यात्मना उपासनं विधत्ते–ऋतमेवेति । मनसा यथार्थसंकल्पनम् 'ऋतं', यथार्थभाषणं 'सत्यं', एतावाघारौ यथाक्रमं ऋतसत्यात्मना ध्यातव्यावित्यर्थः । तत्फलमाह–अव ह वा इति ॥९॥

त्विषिरेव प्रथमः प्रयाजः । (ज्यो५प) अपचितिर्द्वितीयो यशस्तृतीयो ब्रह्मवर्चसं चतुर्थोऽन्नाद्यं पञ्चमः ॥ १० ॥

स प्रथमं प्रयाजमनुमंत्रयते । त्विषिमान्भूयासमित्यपचितिमान्भूयासमिति द्वितीयं यशस्वी भूयासमिति तृतीयम्ब्रह्मवर्चसी भूयासमिति चतुर्थमन्नादो भूयासमिति पंचमं त्विषिमान्ह वाऽअपचितिमान्यशस्वी ब्रह्मवर्चस्यन्नादो भवति य ऽएवमेतद्वेद ॥ ११ ॥

(दै) एतद्ध स्म वै तद्विद्वानाह । श्वेतकेतुरारुणेयः कुँ स्विद्देवापरीषु महानागमिवाभिसँसारं दिदृक्षितारो य ऽएवमेतत्प्रयाजानां यशो व्वेदितेति ॥ १२ ॥

त्विषिरेव प्रथमः प्रयाजः । अपचितिर्द्वितीयः । यशस्तृतीयः । ब्रह्मवर्चसं चतुर्थः । अन्नाद्यं पंचमः ॥ १० ॥

स प्रथमं प्रयाजमनुमंत्रयते " त्विषिमान् भूयासम् " इति । " अपचितिमान् भूयासम् " इति द्वितीयम् । " यशस्वी भूयासम् " इति तृतीयम् । "ब्रह्मवर्चसी भूयासम्" इति चतुर्थम् । " अन्नादो भूयासम् " इति पंचमम् । त्विषिमान् ह वा अपचितिमान् यशस्वी ब्रह्मवर्चस्यन्नादो भवति, य एवमेतद्वेद ॥ ११ ॥

एतद्ध स्म वै तद्विद्वानाह श्वेतकेतुरारुणेयः । कं स्विद्देवापरीषु महानागमिवाभिसंसारं दिदृक्षितारः । य एवमेतत्प्रयाजानां यशो वेदितेति ॥ १२ ॥

अथ प्रयाजेषु त्विष्याद्युपासनं विधत्ते—त्विषिरेवेति । ' त्विषिः ' शरीरकांतिः, ' अपचितिः ' पूजा, ' यशः ' कीर्तिः, ' ब्रह्मवर्चसं ' श्रुताध्ययनजनितसंपत्तिः ब्राह्मं तेजः, ब्रह्मणो वर्च इति विगृह्य " ब्रह्महस्तिभ्यां वर्चसः " (पा. सू. ५ । ४ । ७८) इति अकारः समासांतः । ' अन्नाद्यं ' अन्नादनसामर्थ्यम् ॥ १० ॥

एतच्चोपासनमनुमंत्रणमंत्रैः कार्यमित्याह—स प्रथमं प्रयाजमिति । एवं अनुमंत्रणमंत्रैः कृतस्य त्विष्याद्युपासनस्य फलमाह—त्विषिमान्ह वा अपचितिमानिति । यशस्वीति । " अस्मायामेधा " (पा. सू. ५ । २ । १२१) इति विनिः । ब्रह्मवर्चसशब्दात् " अत इनिठनौ " (पा. सू. ५ । २ । ११५) इति इनिः ॥ ११ ॥

उक्तमर्थं महर्षिवाक्येन द्रढयति—एतद्ध स्म वै तदिति । ' एतद्ध ' एतदेव उक्तप्रकारेण प्रयाजानां त्विष्याद्यात्मकत्वं ' विद्वान् ' जानन् ' श्वेतकेतुरारुणेयः ' अरुणेः पुत्रः श्वेतकेतुः एतत्संज्ञको महर्षिः पुरा खलु " आह स्म ' उक्तवान् । कथमिति ? ' यः ' पुरुषः एवमुक्तप्रकारेण ' प्रयाजानां ' एतद्यशः त्विष्यादिरूपं माहात्म्यं ' वेदिता ' ज्ञास्यति । " विद ज्ञाने " (धा. पा. अ. प. ५४) इत्यस्मात् लुटि रूपम् । 'कं स्विदेव' कंचिदेव बहूनां मध्ये ज्ञानप्रभावेण असाधारणं संतं महानागमत्यद्भुतं महासर्पमिव ' अभि-

भूतमेव पूर्व्वऽआज्यभागः । (गो) भविष्यदुत्तरोऽव ह वै भूतं च भविष्यच्च रुन्धेऽथो यत्किञ्च भूतेन च भविष्यता च जय्यᳬ सर्व्वᳬ हैव तज्जयति ॥ १३ ॥

ब्रह्माऽऽग्नेयः पुरोडाशः । स यो ह वै ब्रह्माऽऽग्नेयः पुरोडाशऽइति व्वेदाव ह ब्रह्म रुन्धेऽथो यत्किञ्च ब्रह्मणा जय्यᳬ सर्व्वᳬ हैव तज्जयति ॥ १४ ॥

क्षत्रमुपाᳬशुयाजः । स यो ह वै क्षत्रमुपाᳬशुयाजऽइति व्वेदाव ह क्षत्रᳬ रुन्धेऽथो यत्किञ्च क्षत्रेण जय्यᳬ सर्व्वᳬ हैव तज्जयति तद्युदुपाᳬशुयाजं कुर्व्वन्त्येके नैके तस्मादुच्चैश्चोपाᳬशु च क्षत्रायाचक्षते ॥ १५ ॥

भूतमेव पूर्वं आज्यभागः; भविष्यदुत्तरः । अव ह वै भूतं च भविष्यच्च रुंधे । अथो यत्किंच भूतेन च भविष्यता च जय्यम् । सर्वं हैव तज्जयति ॥ १३ ॥

ब्रह्माऽऽग्नेयः पुरोडाशः । स यो ह वै ब्रह्माऽऽग्नेयः पुरोडाश इति वेद । अव ह ब्रह्म रुंधे । अथो यत्किंच ब्रह्मणा जय्यम् । सर्वं हैव तज्जयति ॥ १४ ॥

क्षत्रमुपांशुयाजः । स यो ह वै क्षत्रमुपांशुयाज इति वेद । अव ह क्षत्रं रुंधे । अथो यत्किंच क्षत्रेण जय्यम् । सर्वं हैव तज्जयति । तद्यदुपांशुयाजं कुर्वंत्येके, नैके । तस्मादुच्चैश्चोपांशु च क्षत्रायाचक्षते ॥ १५ ॥

'संसारं' अभिगम्याभिगम्य 'दिदृक्षितारः' दिदृक्षंते । पूर्ववल्लुट् । इत्थं प्रयाजानां त्विष्यादिरूपं विद्वान् यशः अतिशयेन दर्शनीयो भवतीति विदुषः श्वेतकेतोरभिप्रायः ॥ १२ ॥

भूतभविष्यदात्मना आज्यभागयोर्ध्यानं विधत्ते–भूतमेव पूर्वं आज्यभाग इति । भूतकालावच्छिन्नं वस्तु 'भूतं' आगामिकालावच्छिन्नं वस्तु 'भविष्यत्' । भूतभविष्यद्रूपतायाश्चाज्यभागयोर्विधानात् 'भूतं' 'भविष्यच्च' अतीतमनागतं च सकलं वस्तुजातं 'अवरुंधे' अथ ताभ्यां जेतव्यं यत्किमपि फलमस्ति तत्सर्वं जयति ॥ १३ ॥

ब्रह्माग्नेय इत्यादि । 'ब्रह्म' ब्राह्मणजातिरेव 'आग्नेयः पुरोडाशः' । एतद्वेदनस्य फलमाह–स यो ह वा इति । अव ह ब्रह्म रुंध इति । ब्राह्मणजातिरवरुद्धा वेदितुः स्वाधीना भवतीत्यर्थः । ततः किमित्याह–अथो यत्किंचेति ॥ १४ ॥

क्षत्रमुपांशुयाज इति । उपांशुयाजाख्यो यागः क्षत्रियजात्यात्मना ध्यातव्यः । तद्वेदनस्य फलमाह–स यो ह वा इति । पूर्ववद्योज्यम् । क्षत्त्रात्मकत्वमुपांशुयागस्य समर्थयते–तद्यदिति । तत्तत्र यद्यस्मात् 'एके' शाखिनः उपांशुयाजं कुर्वंति । एके न कुर्वंति, अत एवोक्तमाश्वलायनेन–" अग्नीषोमीयेण पौर्णमास्यां वैष्णवममावास्यायामेके नैके " (आश्व. श्रौ. सू.) इति । तस्मादुपांशुयाजस्य पाक्षिकत्वात् 'क्षत्त्राय' क्षत्रियजातये विज्ञापयंतो जनाः 'उच्चैश्चोपांशु च' 'आचक्षते' वाक्यं प्रयुंजते । यद्वा उपांशुयाजाख्यं यागं केचिदुपांशुधर्मेण कुर्वंति, अन्ये तु नोपांशुधर्मेण, तमपि उच्चैरेव कुर्वंति ॥ १५ ॥

विड्डुत्तरः पुरोडाशः । स यो ह वै विड्डुत्तरः पुरोडाशऽइति व्वेदाव ह व्विशꣳ रुन्धेऽथो यत्किञ्च व्विशा जय्यꣳ सर्व्वꣳ हैव तज्जयति तद्यदाग्नेयश्च पुरोडाशऽउपाꣳशुयाजश्च पूर्वौ भवतस्तस्मादुभे ब्रह्म च क्षत्रं च व्विशि प्रतिष्ठिते ॥ १६ ॥

राष्ट्रꣳ सान्नाय्यम् । (ॲं) स यो ह वै राष्ट्रꣳ सान्नाय्यमिति व्वेदाव ह राष्ट्रꣳ रुन्धेऽथो यत्किञ्च राष्ट्रेण जय्यꣳ सर्व्वꣳ हैव तज्जयति तद्यत्सन्नयन्त्येके नैके तस्माद्राष्ट्रꣳ सञ्चैति व्वि च ॥ १७ ॥

तपः स्विष्टकृत् । (त्स) स यो ह वै तपः स्विष्टकृदिति व्वेदाव ह तपो रुन्धेऽथो यत्किञ्च तपसा जय्यꣳ सर्व्वꣳ हैव तज्जयति ॥ १८ ॥

विड्डुत्तरः पुरोडाशः । स यो ह वै विड्डुत्तरः पुरोडाश इति वेद । अव ह विशं रुंधे । अथो यत्किंच विशा जय्यम् । सर्वं हैव तज्जयति । तद्यदाग्नेयश्च पुरोडाश उपांशुयाजश्च पूर्वौ भवतः । तस्मादुभे ब्रह्म च क्षत्रं च विशि प्रतिष्ठिते ॥ १६ ॥

राष्ट्रं सान्नाय्यम् । स यो ह वै राष्ट्रं सान्नाय्यमिति वेद । अव ह राष्ट्रं रुंधे । अथो यत्किंच राष्ट्रेण जय्यम् । सर्वं हैव तज्जयति । तद्यत्सन्नयंत्येके, नैके । तस्माद्राष्ट्रं सं चैति वि च ॥ १७ ॥

तपः स्विष्टकृत् । स यो ह वै तपः स्विष्टकृदिति वेद । अव ह तपो रुंधे । अथो यत्किंच तपसा जय्यम् । सर्वं हैव तज्जयति ॥ १८ ॥

तदेतत् आग्नेयादीनां पौर्वापर्यक्रमं स्तौति—तद्यदाग्नेयश्चेति । यस्मादग्नीषोमीयात् वैश्यजात्यात्मकात् आग्नेयोपांशुयाजौ ब्रह्मक्षत्रात्मकौ पूर्वौ भवतः । तस्मात् ' विशि ' वैश्यजातौ ' ब्रह्म क्षत्रं ' च ' प्रतिष्ठिते ' करोतीत्यर्थः ॥ १६ ॥

अथ दधिपयोलक्षणस्य सान्नाय्यस्य राष्ट्ररूपताध्यानं विधत्ते—राष्ट्रं सान्नाय्यमिति । ' राष्ट्रं सान्नाय्यं ' तदात्मना सान्नाय्यं ध्येयमित्यर्थः । स यो ह वा इत्यादि पूर्ववत् । राष्ट्रात्मकत्वं सान्नाय्यस्य समर्थयते—तद्यत्सन्नयंत्येके नैक इति । तत्तत्र यस्मात् ' एके ' केचन यजमानाः कृतसोमयागाः ' सन्नयंति ' अकृतसोमयागास्त्वेके न सन्नयंति । ' तस्मात् ' कारणात् ' राष्ट्रं ' ' समेति ' च ' व्येति ' च परस्परं संगच्छते विश्लिष्यति चेत्यर्थः ॥ १७ ॥

स्विष्टकृतस्तपोरूपतामाह—तपः स्विष्टकृदिति । कृच्छ्रचांद्रायणादिजन्यमदृष्टं ' तपः ' तदात्मना स्विष्टकृद्यागो ध्यातव्यः । तत्फलमाह—स यो ह वा इति ॥ १८ ॥

लोकः प्राशित्रम् । (यँ) स यो ह वै लोकः प्राशित्रमिति वेदाव ह लोकꣳ रुन्धेऽथो यत्किञ्च लोकेन जय्यꣳ सर्वꣳ हैव तज्जयति नो ह लवेन लोकाद्व्यथते लवेन ह वाऽअमुष्मिँल्लोके लोकाद्व्यथन्तेऽथ यऽएवं वेद न ह बहु चन पापं कृत्वा लोकाद्व्यथते । १९ ॥

श्रद्धेडा । स यो ह वै श्रद्धेडेति वेदाव ह श्रद्धाꣳ रुन्धेऽथो यत्किञ्च श्रद्धया जय्यꣳ सर्वꣳ हैव तज्जयति ॥ २० ॥

(त्य)अशनिरेव प्रथमोऽनुयाजः । (जो) ह्रादुनिर्द्वितीयऽउल्कुषी तृतीयः २१

स प्रथममनुयाजमनुमन्त्रयेत । (ता) अशन्यमुञ्जहीति यं द्विष्याद्ध्रादुन्यमुञ्जहीति द्वितीयमुल्कुष्यमुञ्जहीति तृतीयम् ॥ २२ ॥

लोकः प्राशित्रम् । स यो ह वै लोकः प्राशित्रमिति वेद । अव ह लोकं रुंधे । अथो यत्किंच लोकेन जय्यम् । सर्वं हैव तज्जयति । नो ह लवेन लोकाद्व्यथते । लवेन ह वा अमुष्मिँल्लोके लोकाद्व्यथन्ते । अथ य एवं वेद । न ह बहु चन पापं कृत्वा लोकाद्व्यथते ॥ १९ ॥

श्रद्धेडा । स यो ह वै श्रद्धेडेति वेद । अव ह श्रद्धां रुंधे । अथो यत्किंच श्रद्धया जय्यम् । सर्वं हैव तज्जयति ॥ २० ॥

अशनिरेव प्रथमोऽनुयाजः । ह्रादुनिर्द्वितीयः । उल्कुषी तृतीयः ॥ २१ ॥

स प्रथममनुयाजमनुमंत्रयेत—अशन्यमुं जहीति । यं द्विष्यात् । ह्रादुन्यमुं जहीति द्वितीयम् । उल्कुष्यमुं जहीति तृतीयम् ॥ २२ ॥

लोकः प्राशित्रमित्यादि । यत्प्राशित्राख्यमवदानं क्रियते तल्लोकबुद्ध्योपास्यम् । स यो ह वा इत्यादि । पूर्ववत् । नो ह लवेनेति । लवो लेशः अल्पीयस्त्वमिति यावत् । एवं लोकवित् 'लोकात्' लोक्यमानात् कर्मफलात् लवेनाल्पीयस्त्वेन हेतुना नैव 'व्यथते' न कंपते न बिभेति वा । "व्यथ भयकंपनयोः" (धा. पा. भ्वा.आ. ७६३) इति धातुः । निमित्तसद्भावस्तत्र विद्यते इत्याह—लवेन ह वा इति । 'लवेन' लेशेन खलु हेतुना 'अमुष्मिन्' स्वर्गे 'लोके' 'लोकात्' लोक्यमानात् 'व्यथंते' बिभ्यति । यस्त्वेवंवित् तस्य नोक्तो दोष इत्याह—अथ य एवमिति । अथशब्दस्त्वर्थे । यस्त्वेवं प्राशित्रस्य लोकात्मतां 'वेद' राष्ट्रकृतमपि 'पापं' दुष्कृतं जयति । निमित्तं कृत्वा लोकान्न व्यथते । चनशब्दः अप्यर्थे ॥ १९ ॥

इडायाः श्रद्धारूपेणोपासनं विधत्ते—श्रद्धेडेति । नित्यनैमित्तिकानुष्ठानगोचरः अभिरतिविशेषः 'श्रद्धा' । स्पष्टमन्यत् ॥ २० ॥

अशनिरेव प्रथमोऽनुयाज इति । 'अशनिः' दंभोलिः । 'ह्रादुनिः' विद्युत् । 'उल्कुषी' उल्का । क्रमेण एतत्त्रयात्मकास्त्रयोऽनुयाजा ज्ञातव्याः ॥ २१ ॥

उक्तरूपोपजीवनेनाभिचरतः प्रयोगे अनुयाजानामनुमंत्रणमंत्रान् विधत्ते—स प्रथममिति । यजमानो [६]

(१७) स युऽएष क्षिप्रं म्रियते । (तेऽशु) अशनिर्ह तमनुयाजो हन्त्यथ यो विस्रवन्मिश्रऽइव ह्रादुनिर्ह तमनुयाजो हन्त्यथ योऽभ्युष्टमिश्रऽइवोल्कुषी ह तमनुयाजो हन्ति ॥ २३ ॥

सैषा यज्ञमेनिः । (रे) एतया वै मेन्या देवाऽअसुरान् पराभावयांचक्रुस्तथो ऽएवैवंविद्यजमानः पाप्मानं द्विषन्तं भ्रातृव्यम्पराभावयति ॥ २४ ॥

स यदनुयाजान्तो यज्ञः स्यात् । (द) अशन्यन्तः स्याद्ध्रादुन्यन्तऽ उल्कुष्यंतस्तस्माद्वै देवानां यज्ञऽइडान्तो वैव शंय्वंतो वा ॥ २५ ॥

स य एष क्षिप्रं म्रियते । अशनिर्ह तमनुयाजो हंति । अथ यो विस्रवन्मिश्र इव । ह्रादुनिर्ह तमनुयाजो हंति । अथ योऽभ्युष्टमिश्र इव उल्कुषी ह तमनुयाजो हंति ॥ २३ ॥

सैषा यज्ञमेनिः । एतया वै मेन्या देवा असुरान्पराभावयांचक्रुः । तथो एवैवंविद्यजमानः पाप्मानं द्विषंतं भ्रातृव्यं पराभावयति ॥ २४ ॥

स यदनुयाजांतो यज्ञः स्यात् । अशन्यंतः स्यात्, ह्रादुन्यंत उल्कुष्यंतः । तस्माद्धै देवानां यज्ञ इडांतो वैव । शंय्वंतो वा ॥ २५ ॥

शत्रुं 'द्विष्यात्' तन्नाम मंत्रेषु अमुमित्यस्य स्थाने द्वितीयांतेन निर्देष्टव्यम् । अयमर्थः—हे अशन्यात्मक प्रथमानुयाज ! 'अमुं' देवदत्तं शत्रुं 'जहि' बाधस्व । लोण्मध्यमैकवचने "हंतेर्जः" (पा. सू. ६ । ४ । ३६) इति जादेशः । तस्य "असिद्धवदत्राभात्" (पा. सू. ६ । ४ । २२) इत्यसिद्धत्वेनानकारांतत्वात् हेर्लुगभावः । एवमुत्तरयोरपि मंत्रयोर्योजना ॥ २२ ॥

'स एषः' खलु शत्रुः अनुमंत्रणमंत्रसामर्थ्यात् 'क्षिप्रं म्रियते' नश्यति । तत्र कारणमाह—अशनिर्हेति । 'तं' शत्रुं यस्मात् अनुयाजात्मकः अशनिः 'हंति' हिनस्ति । न खलु अशनिहतो जीवितुमर्हतीत्यर्थः । अथ यो विस्रवन्मिश्र इवेत्यादि । अथशब्दस्तुशब्दार्थः । यस्तु शत्रुः द्वितीयेऽनुमंत्रणमंत्रे निर्दिश्यते । स 'विस्रवन्मिश्र इव' विद्रवन् भयकंपादिभिर्मिश्र इव भवति । तं ह्रादुन्यात्मको द्वितीयोऽनुयाजो हिनस्ति । यस्तु द्वेष्यः 'अभ्युष्टमिश्र इव' अभित ओषणं अभ्युष्टं सर्वतो दाहः तेन मिश्र इव भवति । तमुल्कुष्यात्मकोऽनुयाजस्तृतीयो हन्ति । एवमनुमंत्रणमंत्राणामभिचारप्रयोगविषयं प्रयोजनमुक्तम् ॥ २३ ॥

अथैताननुमंत्रणमंत्रान् विधाय अशन्याद्यात्मकत्ववेदनस्य फलमाह—सैषा यज्ञमेनिरिति । यज्ञरूपा मेनिः आयुधं 'एतया' खलु 'मेन्या' 'देवा असुरान्' 'पराभावयांचक्रुः' पराभूतान् कृतवंतः । तथैव 'एवंवित्' अनुयाजानां शत्रुनिबर्हणायुधरूपतां जानन् यजमानः पापरूपं 'द्विषंतं' द्वेषणं कुर्वंतं 'भ्रातृव्यं' शत्रुं 'पराभावयति' नाशयति ॥ २४ ॥

उदीरिताशन्यादिरूपत्वमुपन्यस्यानुयाजांतत्वं यज्ञस्य निषेधयति—स यदिति । तत्र यदि 'यज्ञः' दर्शपूर्णमासादिलक्षणो यागः 'अनुयाजांतः' स्यात् अनुयाजैरेव समाप्यमानः स्यात् । तदा अशन्यादिरूपेण समापितः

प्रयाजैर्वै देवाः । स्वर्गं लोकमायँस्तानसुराऽअन्वाजिगाᳬँसँस्ताननुयाजैः प्रत्यौहँस्तद्यदनुयाजाऽइज्यंते पाप्मानमेव तद्द्विषंतं भ्रातृव्यं यजमानः प्रत्यूहति ॥ २६ ॥

प्राणा वै प्रयाजाः । (८) अपानाऽअनुयाजास्तस्मात्प्रयाजाः प्राञ्चो हूयंते तद्धि प्राणरूपं प्रत्यञ्चोऽनुयाजास्तदपानरूपमेता ह वै दर्शपूर्णमासयोरुपसदो यदनुयाजास्तस्मात्तऽउपसद्रूपेण प्रत्यञ्चो हूयंते ॥ २७ ॥

सᳬँस्था सूक्तवाकः । स यो ह वै सᳬँस्था सूक्तवाकऽइति वेदाव ह

प्रयाजैर्वै देवाः स्वर्गं लोकमायन् । तानसुरा अन्वाजिगांसन् । ताननुयाजैः प्रत्यौहन् । तद्यदनुयाजा इज्यंते । पाप्मानमेव द्विषन्तं भ्रातृव्यं यजमानः प्रत्यूहति ॥ २६ ॥

प्राणा वै प्रयाजाः । अपाना अनुयाजाः । तस्मात्प्रयाजाः प्रांचो हूयंते; तद्धि प्राणरूपम् । प्रत्यंचोऽनुयाजाः; तदपानरूपम् । एता ह वै दर्शपूर्णमासयोरुपसदो यदनुयाजाः; तस्मात्त उपसद्रूपेण प्रत्यंचो हूयंते ॥ २७ ॥

संस्था सूक्तवाकः । स यो ह वै संस्था सूक्तवाक इति वेद । अव ह संस्थां रुन्धे । अथो यत्किंच संस्थया जय्यम् । सर्वं हैव तज्जयति । गच्छति वयसः संस्थाम् ॥ २८ ॥

स्यात् । तस्मादेव कारणात् देवतासंबन्धी ' यज्ञः ' इडामार्जनान्त एव वा शंयुवाकांत एव वा भवति । अत एव प्रायणीयातिथ्ये तथा संस्थाप्येते । उक्तं ह्याश्वलायनेन—" प्रायणीयातिथ्ये इडांतेति शंय्वंतेति यजमानाज्यभागा " (आश्व. श्रौ. सू.) इति च ॥ २५ ॥

अथैतान् स्वर्गप्राप्तिप्रतिबन्धकपापप्रतिक्षेपहेतुत्वेन स्तौति—प्रयाजैर्वै देवा इत्यादिना । अन्वाजिगांसन्निति । देवाननुप्रविश्य हन्तुं हिंसितुमैच्छन्नित्यर्थः । तानसुरानेतैरनुयाजैर्यागैः ' प्रत्यौहन् ' प्रत्यक्षिपन् । तस्मादिदानीमपि अनुयाजानां करणेन ' द्विषंतं ' द्वेषणशीलं ' भ्रातृव्यं ' तिरस्करोति ॥ २६ ॥

अथ प्रयाजानामनुयाजानां च होमे धर्मविशेषं विधत्ते—प्राणा वै प्रयाजा इति । मुखनासिकाभ्यां प्राक् संचरन् वायुः प्राणः । प्रत्यङ्ङास्याभिमुखः संचरन्नपानः । यतस्ते उभये क्रमेण प्राणापानात्मकौ तस्माद्धेतोः ' प्रयाजाः प्रांचः ' प्रागपवर्गा अग्नौ ' हूयंते ' तादृक् खलु प्रोक्तं प्राणवायो रूपम् । अनुयाजास्तु ' प्रत्यंचः ' प्रत्यगपवर्गा हूयंते तादृक् खल्वपानवायो रूपम् । अथैतेषां प्रत्यक्त्वमुपसद्रूपतयाऽपि प्रतिपादयति—एता ह वा इति । अग्निसोमविष्णुदेवताकाः यास्तिस्रः ' उपसदः ' सोमयागे प्रसिद्धाः तद्रूपत्वेन हि एते ' अनुयाजाः ' ' दर्शपूर्णमासयोः ' इज्यंते । प्रत्यगपवर्गत्वं चोपसद्धर्मः । ' तस्मात् ' कारणात् ' ते ' अनुयाजाः तेन ' उपसद्रूपेण ' प्रत्यगपवर्गाः ' हूयंते ' ॥ २७ ॥

इत्यनुयाजविषयं वक्तव्यं प्रतिपाद्य सूक्तवाकस्य संस्थात्वमाह—संस्था सूक्तवाक इति । ' संस्था ' समाप्तिः ।

सꣳस्थाꣳ रुंधेऽथो यत्किञ्च सꣳस्थया जय्यꣳ सर्वꣳ हैव तज्जयति गच्छति व्वयसः सꣳस्थाम् ॥ २८ ॥

(म्प्र) प्रतिष्ठा शंयोर्व्वाकः । स यो ह वै प्रतिष्ठा शंयोर्व्वाक ऽइति व्वेदाव ह प्रतिष्ठाꣳ रुंधेऽथो यत्किञ्च प्रतिष्ठया जय्यꣳ सर्वꣳ हैव तज्जयति गच्छति प्रतिष्ठाम् ॥ २९ ॥

(न्ते) ते देवाः । (ऽ) एतान्पत्नीसंयाजान्पश्चात्पर्य्यौहन्त मिथुनमेवैतदुपरिष्टाददधत प्रजात्यै तद्यत्पत्नीसंयाजाऽइज्यंते मिथुनमेवैतदुपरिष्टाद्धत्ते प्रजात्यै देवानाꣳ ह वै प्रजातिमनुप्रजायते मिथुनेन मिथुनेन ह प्रजायते यऽएवमेतद्वेद ॥ ३० ॥

(द्रा) अन्नꣳ समिष्टयजुः । स यो ह वाऽअन्नꣳ समिष्टयजुरिति व्वेदाव हान्नꣳ रुंधेऽथो यत्किञ्चान्नेन जय्यꣳ सर्वꣳ हैव तज्जयति ॥ ३१ ॥

प्रतिष्ठा शंयोर्वाकः । स यो ह वै प्रतिष्ठा शंयोर्वाक इति वेद । अव ह प्रतिष्ठां रुन्धे । अथो यत्किंच प्रतिष्ठया जय्यम् । सर्वं हैव तज्जयति । गच्छति प्रतिष्ठाम् ॥ २९ ॥

ते देवा एतान्पत्नीसंयाजान् पश्चात्पर्यौहंत । मिथुनमेवैतदुपरिष्टाददधत प्रजात्यै । तद्यत्पत्नीसंयाजा इज्यंते, मिथुनमेवैतदुपरिष्टाद्धत्ते प्रजात्यै । देवानां ह वै प्रजातिमनुप्रजायते । मिथुनेन मिथुनेन ह प्रजायते । य एवमेतद्वेद ॥ ३० ॥

अन्नं समिष्टयजुः । स यो ह वा अन्नं समिष्टयजुरिति वेद । अव हान्नं रुन्धे । अथो यत्किंचान्नेन जय्यम् , सर्वं हैव तज्जयति ॥ ३१ ॥

एतद्वेदनस्य फलमाह—स यो ह वा इति । अव ह संस्थां रुंध इति । प्रारिप्सितस्य कार्यस्य 'संस्था' समाप्तिः । तामवरुन्धे लभते । स्पष्टमन्यत् । गच्छति वयस इति । 'वयसः' आयुषः 'संस्थां' संपूर्तिं गच्छतीत्यर्थः ॥ २८ ॥

प्रतिष्ठा शंयोर्वाक इत्यादि । " तच्छंयोरावृणीमहे " इत्यनुवाकः शंयुवाकः । 'सः' प्रतिष्ठात्मना ज्ञातव्यः । निगदसिद्धमन्यत् ॥ २९ ॥

अथ पत्नीसंयाजानां मिथुनरूपतया प्रजातिहेतुतामाह—ते देवा एतान् पत्नीसंयाजानित्यादिना । सोमत्वष्टृदेवपत्न्यग्निगृहपतिदेवताकान् चतुरः पत्नीसंयाजाख्यान् यागान् 'पश्चात्' प्रतीच्यां दिशि गार्हपत्यसमीपे 'पर्यौहंत' परिप्रापयन् । 'एतत्' एतेन 'उपरिष्टात्' यज्ञस्योपरिभागे 'मिथुनं' स्त्रीपुंसात्मकम्प्रजातिहेतुमदधत स्थापितवन्तः । अत इदानीमपि तेषां पश्चात् प्रत्यूहनं प्रजातिहेतुभूतस्य मिथुनस्योपरिष्टाद्धारणाय संपद्यते । यतो देवानां प्रजातिमनुसृत्य प्रजातिर्यजमानस्य पुत्रपौत्रादिरूपा प्रजा उत्पद्यते । वेदितुः फलमाह—मिथुनेन मिथुनेनेति । वीप्सया गवाश्वादिसर्वमिथुनस्वीकारः ॥ ३० ॥

समिष्टयजुषोऽन्नरूपतामाह—अन्नं समिष्टयजुरिति । अन्नात्मकत्ववेदनस्य फलमाह—स यो ह वा इति ३१

संवत्सरो युजमानः । (स्तु) तमृतवो याजयंति व्वसंतऽआग्नीध्रस्तु-
स्माद्वसंते दावाश्चरंति तुद्ध्यग्निरूपं ग्रीष्मोऽध्वर्युस्तप्तऽइव वै ग्रीष्मस्त-
प्तमिवाध्वर्युर्निष्क्रामति व्वर्षाऽउद्गाता तुस्माद्यदा बुलवद्वर्षति साम्नऽइवो-
पब्दिः क्रियते शरद्ब्रह्मा तुस्माद्यदा सस्यं पच्यते ब्रह्मण्वत्यः प्रजाऽइत्याहु-
र्हेमंतो होता तुस्माद्धेमन्वुषट्कृताः पशवः सीदंत्येता ह वाऽएनं देवुता
याजयंति स युद्येनमैषावीरा याजुयेयुरेताऽएव देवुता मनसा ध्याये-
देता हैवैनं देवुता याजयंति ॥ ३२ ॥

संवत्सरो यजमानः, तमृतवो याजयंति । वसंत आग्नीध्रः । तस्माद्वसंते दावाश्चरंति । तद्ध्य-
ग्निरूपम् । ग्रीष्मोऽध्वर्युः । तप्त इव वै ग्रीष्मः । तप्तमिवाध्वर्युर्निष्क्रामति । वर्षा उद्गाता । तस्मा-
द्यदा बलवद्वर्षति । साम्न इवोपब्दिः क्रियते । शरद्ब्रह्मा । तस्माद्यदा सस्यं पच्यते । ब्रह्मण्वत्यः प्रजा
इत्याहुः । हेमन्तो होता । तस्माद्धेमन् वषट्कृताः पशवः सीदंति । एता ह वा एनं देवता याज-
यन्ति । स यद्येनमैषावीरा याजयेयुः । एता एव देवता मनसा ध्यायेत् । एता हैवेनं देवता
याजयंति ॥ ३२ ॥

अथ यजमानस्य ऋत्विजां संवत्सराद्यात्मकत्वमाह—**संवत्सरो यजमान** इति । 'यजमानः' संवत्सरात्मकः । 'ऋतवः' वसंताद्या ऋतवो याजकाः । तत्र वसंतः ऋतुरेवाग्नीध्रः । अग्नीन्धनसंयोगाद्धि ऋत्विज आग्नीध्र इति संज्ञा, यस्मात् तादृग् ऋत्विगात्मको वसंतः । 'तस्मात् वसंते' ऋतौ 'दावाः' दावाग्नयश्चरंति तरुगुल्मलतादिकं दहंति । तत्खल्वग्निसंबंधि रूपम् । ग्रीष्मऋतुरध्वर्युः । उभयोस्तादात्म्यनिमित्तं साम्यमाह—**तप्त इव वा** इति । आतपाधिक्यात् ग्रीष्मः ऋतुः 'तप्त इव' भवति । अध्वर्युरपि व्यापारबाहुल्यात् अग्निसमीपे संचरन् तापयुक्तो यथा भवति तथा 'निष्क्रामति' विहाराग्निर्गच्छति । 'वर्षा उद्गाता' । तत्र लिंगमाह—**तस्माद्यदेति** । 'यदा' खलु बलयुक्तमधिकं 'वर्षति' तदा 'साम्न इवोपब्दीरूपः' घोषः क्रियते । तस्मात्सामकत्वस्योद्गातुः वर्षर्तुरूपत्वं युक्तमित्यर्थः । 'शरद्ब्रह्मा' । यस्मात् ब्रह्मणः ऋत्विजः शरत्तादात्म्यं, तस्मात् यदा यस्यां 'शरदि' शरदृतौ व्रीह्यादि 'सस्यं पच्यते' तदा अन्नवत्त्वेन हेतुना सर्वाः 'प्रजाः' 'ब्रह्मण्वत्यः' ब्राह्मणजातिविदो वा तद्वत्यो भवंति इत्येवमाहुः अभिज्ञाः कथयंति । **हेमंतो होतेत्यादि** । यः 'होता' स हेमंतात्मकः । यस्मात् वषट्कर्तुर्होतुः हेमंतस्य च तादात्म्यम्, तस्मात् 'हेमन्' हेमंते । वर्णलोपश्छांदसः । 'पशवः' गोमहिष्याद्याः 'वषट्कृताः' वषट्कारवत् परुषस्वनयुक्ताः संतः 'सीदंति' विशीर्णांगा भवंति । 'एनं' एवंविदं संवत्सरात्मकं यजमानमेता एव वसंताद्या देवताः 'याजयंति' । एतच्च ध्यानलभ्यमित्याह—**स यद्येनमिति** । 'ऐषावीराः' । एषावीरो नाम निंदितो ब्राह्मणजातिविशेषः । तत्संबंधिनः ऋत्विजः । 'यद्येनं' यद्यपि एनं 'याजयेयुः' । 'एता एव' वसंताद्या देवता ऋत्विक्त्वेन 'मनसा ध्यायेत्' । 'एता देवताः' एव 'एनं' 'याजयंति' ॥ ३२ ॥

(न्त्यु) अथ हैषैव तुला । यद्दक्षिणो व्वेद्यन्तः स यत्साधु करोति तुद-न्तर्व्वेद्यथ यदसाधु तुद्बहिर्व्वेदि तुस्माद्दक्षिणं व्वेद्यंतुमधिस्पृश्येवासीत तुलायाᳬं ह वाऽअमुष्मिँल्लोकऽआदधति यतरद्यᳬंस्यति तदन्वेष्यति यदि साधु वाऽसाधु वेत्यथ युऽएवं व्वेदास्मिन्हैव लोके तुलामारो-हत्यत्यमुष्मिँल्लोके तुलाधानं मुच्यते साधुकृत्या हैवास्य यच्छति नु पापकृत्या ॥ ३३ ॥ अर्द्धः प्रपाठकः ॥ ५२ ॥

इति द्वितीयप्रपाठके तृतीयं ब्राह्मणम् ॥ ११-२-३ ॥ (२. ७.) ॥

इति द्वितीयोऽध्यायः समाप्तः ॥ ११-२ ॥

अथ हैषैव तुला । यद्दक्षिणो वेद्यंतः । स यत्साधु करोति तदंतर्वेदि । अथ यदसाधु तद्बहिर्वेदि । तस्माद्दक्षिणं वेद्यंतमधिस्पृश्येवासीत । तुलायां ह वा अमुष्मिँल्लोक आदधति । यतरद्यंस्यति । तदन्वेष्यति । यदि साधु वाऽसाधु वेति । अथ य एवं वेद । अस्मिन् हैव लोके तुलामारोहति । अत्यमुष्मिँल्लोके तुलाधानं मुच्यते । साधुकृत्या हैवास्य यच्छति; न पापकृत्या ॥ ३३ ॥

अथ यजमानस्य वेदेर्दक्षिणभाग उपवेशनं विधित्सुः दक्षिणवेद्यंतस्य तुलादंडरूपतामाह—अथ हैषैव तुलेति । 'अथ' खलु 'दक्षिणः' वेदिप्रांत इति यत् 'एषैव तुला' तत्र स्थितो यजमानः 'यत्साधु' शोभनं विहितं कर्म करोति 'तदंतर्वेदि भवति' । 'अथ' 'यत् असाधु' अशोभनं कर्म करोति 'तद्बहिर्वेदि' वेदिबाह्यदेशे भवति । साध्वसाधुकर्मणी तुलादंडस्योभयतः बद्धशिक्यद्वयस्थानीये भवत इति भावः । यस्मादेवं दक्षिणो वेद्यंतः साध्वसाधुकर्मणोः विभागहेतुः । तस्मात् दक्षिणवेद्यंतमधिस्पृश्येव उपरिसंस्पृशन्निव यजमान आसीत । तुलायाᳬ ह वा इति । 'अमुष्मिन्' परलोके गतं पुरुषं सुकृतदुष्कृतयोराधिक्यज्ञानार्थं 'तुलायां' खलु 'आदधति' प्रक्षिपंति तुलया तोलयंतीत्यर्थः । 'यदि' तत्र 'साधु' सुकृतं वा कर्म 'असाधु' दुष्कृतं वा 'यतरत्' अनयोर्मध्य एकतरं 'यंस्यति' उच्चत्वेन नियमनं करिष्यति 'तत् अन्वेष्यति' पुरुषोऽनुगमिष्यति सुकृतं वा दुष्कृतं वा इति अनेनाभिप्रायेण तुलायाममुष्मिन् लोके प्रक्षिपन्तीत्यर्थः । दक्षिणवेद्यंतस्य तुलारूपतां जानतो यजमानस्य तु नैतदित्याह—अथ य एवं वेदेति । एवमुक्तप्रकारं विद्वान् अस्मिन्नेव 'लोके' सुकृतदुष्कृतविभागं दक्षिणवेद्यंतरूपां तुलामारोहति । 'अमुष्मिन्' कर्मफलभूतस्वर्गाख्ये 'लोके' तुलाधानमतिक्रम्य पापफलान्मुच्यते । तथा चैनं 'साधुकृत्या' सुकृतरूपा अस्यैव 'यच्छति' आश्रयति । तथा 'पापकृत्या' पापं कर्म न स्पृशति ॥ ३३ ॥

इति श्रीसायणाचार्यविरचिते माधवीये वेदार्थप्रकाशे माध्यन्दिनीयशतपथब्राह्मणभाष्ये एकादशकाण्डे द्वितीयेऽध्याये सप्तमं ब्राह्मणम् ॥ (११-२-७) ॥

वेदार्थस्य प्रकाशेन तमो हार्दं निवारयन् । पुमर्थांश्चतुरो देयाद् विद्यातीर्थमहेश्वरः ॥ १ ॥

ब्रह्माण्डं गोसहस्रं कनकहयतुलापूरुषौ स्वर्णगर्भं,
सप्ताब्धीन्पञ्चसीरींस्त्रिदशतरुलताधेनुसौवर्णभूमीः ।
रत्नोस्रां रुक्मवाजिद्विपमहितरथौ सायणिः सिङ्गणार्यो,
व्यश्राणीद्विश्वचक्रं प्रथितविधिमहाभूतयुक्तं घटं च ॥
धान्याद्रिं धन्यजन्मा तिलभवमतुलः स्वर्णजं वर्णमुख्यः,
कार्पासीयं कृपावान्गुडकृतमजडो राजतं राजपूज्यः ।
आज्योत्थं प्राज्यजन्मा लवणजमनृणः शार्करं चार्कतेजा,
रत्नाढ्यो रत्नरूपं गिरिमकृत मुदा पात्रसात्सिङ्गणार्यः ॥

इति श्रीमद्राजाधिराजपरमेश्वरवैदिकमार्गप्रवर्त्तकश्रीहरिहरमहाराजसाम्राज्यधुरन्धरेण सायणाचार्येण विरचिते माधवीये वेदार्थप्रकाशे माध्यन्दिनीयशतपथब्राह्मणभाष्ये एकादशकाण्डे द्वितीयोऽध्यायः समाप्तः ॥ (११ । २) ॥

अथ तृतीयेऽध्याये प्रथमं ब्राह्मणम् ।

द्वितीयप्रपाठके च चतुर्थं ब्राह्मणम् ।

वागघ वाऽएतस्याग्निहोत्रस्याग्निहोत्री । मन ऽएव वत्सस्तदिदम्मनश्च वाक्च समानमेव सन्नानेव तस्मात्समान्या रज्ज्वा वत्सं च मातरं चाभिदधति तेजऽएव श्रद्धा सत्यमाज्यम् ॥ १ ॥

(न्तु) तद्धैतज्जनको वैदेहः । (हो) याज्ञवल्क्यं पप्रच्छ वेत्थाग्निहोत्रं याज्ञवल्क्या३ऽइति वेद सम्राडिति किमिति पयऽएवेति ॥ २ ॥

वाग् ह वा एतस्याग्निहोत्रस्याग्निहोत्री । मन एव वत्सः । तादिदं मनश्च वाक् च समानमेव सन्नानेव । तस्मात्समान्या रज्ज्वा वत्सं च मातरं चाभिदधति । तेज एव श्रद्धा । सत्यमाज्यम् ॥ १ ॥

तद्धैतज्जनको वैदेहो याज्ञवल्क्यं पप्रच्छ । वेत्थाग्निहोत्रं याज्ञवल्क्या ३ इति । वेद सम्राडिति । किमिति । पय एवेति ॥ २ ॥

यस्य निःश्वसितं वेदा यो वेदेभ्योऽखिलं जगत् । निर्ममे तमहं वन्दे विद्यातीर्थमहेश्वरम् ॥ १ ॥

इत्थं दर्शपूर्णमासाववलंब्य तत्प्रशंसाव्याजेन तदंगावबद्धानि उपासनानि विहितानि । अथाग्निहोत्रमाश्रित्य तत्प्रशंसामुखेन तदवयवाश्रितानि उच्यंते–वागघ वा इत्यादिना । अग्निहोत्रमिति कर्मनामधेयम् । अग्नये होत्रं होमोऽस्मिन्निति व्युत्पत्तिः । उपचारात्तदर्थं पयोऽप्यग्निहोत्रम् । तस्य दोग्ध्री धेनुरपि अग्निहोत्रीत्युच्यते । तस्यैतस्याग्निहोत्राख्यस्य कर्मणः वागेव 'अग्निहोत्री' धेनुः । 'मनः' तस्याः 'एव वत्सः' गवि वाग्बुद्धिः, वत्से मनोबुद्धिश्च कार्येत्यर्थः । तदेतत्समानधर्मयोगेन प्रतिपादयति–तादिदमिति । 'तदिदं' वाङ्मनसलक्षणं द्वयं 'समानं' इदंप्रदेश एकीभूतमेव 'सत्' पश्चान्नानेव विभक्तमिव भवति । यस्मादेवं तस्माल्लोके दोग्धारः 'समान्या' एकयैव 'रज्ज्वा' 'वत्सं मातरं च' 'अभिदधति' बध्नंति । तत्र तेजसो हविषश्च श्रद्धासत्यरूपतामाह–तेज एव श्रद्धेति । होमाधिकरणभूतं यत्तेजः तच्छ्रद्धात्मकत्वेन ध्यातव्यम् । तत्र होमद्रव्यमाज्यं तत्सत्यात्मकमिति ॥ १ ॥

इममर्थं जनकयाज्ञवल्क्ययोरुक्तिप्रत्युक्तिभ्यां समर्थयते–तद्धैतदिति । तत्र खलु अग्निहोत्रविषय एतदुक्तं तेजआज्ययोः श्रद्धासत्यरूपत्वं विदेहानां राजा 'वैदेहः' जनकाख्यो राजा 'याज्ञवल्क्यं' महर्षिं 'पप्रच्छ' पृष्टवान् । "प्रच्छ ज्ञीप्सायाम्" (धा. पा. तु. प. १३२) इति धातुः । हे 'याज्ञवल्क्य !' त्वं अग्निहोत्रं वेत्सि जानासि किम् ? इति प्रश्नः । "विचार्यमाणानाम्" (पा. सू. ८ । २ । ९७) इति प्लुतिः । 'सम्राट्'

१—"अग्निहोत्रीं दोहयति पुंवत्साम्" (का. श्रौ. सू. ४ । ३१५) इति सूत्रीयं कर्कभाष्यम् । अग्निहोत्रशब्दः कर्मवाची सन्निहिततत्साधनभूते द्रव्ये द्रष्टव्यः । तदग्निहोत्राख्यं द्रव्यं यस्यां विद्यते सेयमाग्निहोत्रिणी । अत्रापि मतुब्लोपे कृते अग्निहोत्रीमिति भवति । तथा च दृश्यते–यथाऽग्निहोत्री दोह्यमाना वाश्येतेति । पयस्यपि च अग्निहोत्रशब्दो दृश्यते, यस्याग्निहोत्रं दोह्यमानममेध्यमापद्येतेति ।

यत्पयो न स्यात् । (त्के) केन जुहुयाऽइति व्व्रीहियवाभ्यामिति यद्व्री-
हियवौ न स्यातां केन जुहुयाऽइति याऽअन्याऽओषधयऽ इति यदन्या-
ऽओषधयो न स्युः केन जुहुयाऽइति याऽआरण्याऽओषधयऽइति यदा-
रण्याऽओषधयो न स्युः केन जुहुयाऽइति व्वानस्पत्येनेति यद्वानस्पत्यं
न स्यात्केन जुहुयाऽइत्यद्भिरिति यदापो न स्युः केन जुहुयाऽइति ॥ ३ ॥

स होवाच । न वाऽइह तर्हि किञ्चनासीदथैतदहूयतैव सत्यꣳ श्रद्धा-
यामिति व्वेत्थाग्निहोत्रं याज्ञवल्क्य धेनुशतं ददामीति होवाच ॥ ४ ॥

तदप्येते श्लोकाः । किꣳ स्विद्विद्वान्प्रवसत्यग्निहोत्री गृहेभ्यः । कथꣳ

यत्पयो न स्यात्; केन जुहुया इति । व्रीहियवाभ्यामिति । यद्व्रीहियवौ न स्यातां; केन जुहुया इति । या अन्या ओषधय इति । यदन्या ओषधयो न स्युः; केन जुहुया इति । या आरण्या ओषधय इति । यदारण्या ओषधयो न स्युः; केन जुहुया इति । वानस्पत्येनेति । यद्वानस्पत्यं न स्यात्; केन जुहुया इति । अद्भिरिति । यदापो न स्युः; केन जुहुया इति ॥ ३ ॥

स होवाच । न वा इह तर्हि किंचनासीत् । अथैतदहूयतैव । सत्यं श्रद्धायामिति । वेत्थाग्निहोत्रं याज्ञवल्क्य ! धेनुशतं ददामीति होवाच ॥ ४ ॥

तदप्येते श्लोकाः–" किंस्वित् विद्वान्प्रवसत्यग्निहोत्री गृहेभ्यः । कथं स्विदस्य काव्यं कथं सन्ततो अग्निभिः " इति । कथं स्विदस्यानपप्रोषितं भवति–इत्येवैतदाह ॥ ५ ॥

' वेद ' अहं जानामि अग्निहोत्रमिति प्रतिवचनम् । पुनः किन्तदिति प्रश्नः । ' पय एवेति ' तस्योत्तरम् । पयः खलु नित्यतया अग्निहोत्रहोमसाधनत्वेन श्रुतं, अतः पय एवाग्निहोत्रमित्यर्थः ॥ २ ॥

यदि तर्हि ' पयो न स्यात् ' तदा ' केन ' द्रव्येण जुहुया इति प्रश्नस्योत्तरं–व्रीहियवाभ्यामिति । व्रीहियवयोरन्यतरत्साधनमित्यर्थः । एवमुत्तरेष्वपि प्रश्नप्रतिवचनेषु योजना । अन्या ओषधय इति । व्रीहियवातिरिक्ता ग्राम्या ओषधयो होमसाधनमित्यर्थः । आरण्या ओषधय इति । वेणवश्यामाकधान्यादय आरण्याः । वानस्पत्येनेति । वनस्पतिर्वृक्षः, तज्जन्यं फलादिकं वानस्पत्यं तेनेत्यर्थः । तस्याप्यभावे आप एव होमद्रव्यमित्याह–अद्भिरिति ॥ ३ ॥

तासामभावे केन होम इति पृष्टे मनसि रहस्यत्वेन स्थापितमर्थमाह–स होवाचेति । इत्थं खलु याज्ञवल्क्य उवाच–' तर्हि ' तथा सति इहास्मिन् लोके ' किंचन ' किमपि होमसाधनमन्यत् द्रव्यं नैवासीत् । तथापि एतदग्निहोत्रं ' अहूयतैव ' न लुप्यते । तत्किंरूपमित्युच्यते–यत्सत्यवदनरूपो यो धर्मः स एव श्रद्धारूपाग्नौ हूयत इति अंतरतिगूढमर्थमाविष्कृतवान् । विद्योपदेशात्तुष्टस्य जनकस्य वाक्यम्–वेत्थाग्निहोत्रमिति । हे याज्ञवल्क्य ! त्वमेवाग्निहोत्रं जानासि । अतस्तुभ्यं रहस्यवेदिने धेनूनां शतं पारितोषिकं प्रयच्छामीत्यर्थः॥४॥

अथ प्रवसद्विषये अग्निहोत्रहोमस्य मनःप्राणात्मना सातत्यं श्लोकमन्त्रैः प्रतिपादयति–तदप्येते श्लोका

स्विदस्य काव्यं कथꣳ संततोऽअग्निभिरिति कथꣳ स्विदस्यानपप्रोषितं भवतीत्येवैतदाह ॥ ५ ॥

यो जविष्ठो भुवनेषु । स विद्वान्प्रवसन्विदे । तथा तदस्य काव्यं तथा संततोऽअग्निभिरिति मनऽएवैतदाह मनसैवास्यानपप्रोषितं भवतीति ॥६॥

यत्स दूरं परेत्य । (त्या) अथ तत्र प्रमाद्यति । कस्मिन्त्साऽस्य हुताऽऽहुतिर्गृहे यामस्य जुह्वतीति यत्स दूरं परेत्याथ तत्र प्रमाद्यति कस्मिन्नस्य साऽऽहुतिर्हुता भवतीत्येवैतदाह ॥ ७ ॥

"यो जविष्ठो भुवनेषु स विद्वान्प्रवसन्विदे । तथा तदस्य काव्यं तथा संततो अग्निभिः" इति । मन एवैतदाह । मनसैवास्यानपप्रोषितं भवतीति ॥ ६ ॥

"यत्स दूरं परेत्याथ तत्र प्रमाद्यति । कस्मिन् साऽस्य हुताऽऽहुतिः, गृहे यामस्य जुह्वति" इति । यत्स दूरं परेत्याथ तत्र प्रमाद्यति । कस्मिन्नस्य साऽऽहुतिर्हुता भवतीति—एवैतदाह ॥ ७ ॥

इति । तत्तस्मिन्नग्निहोत्रविषये 'अपि' खलु 'एते श्लोकाः' पठ्यंते । तत्तत्र प्रथमेन श्लोकेन प्रवासविषयं प्रश्नमुद्भावयति—किं स्विदिति । 'अग्निहोत्री' यावज्जीवसंकल्पिताग्निहोत्रवान् यजमानः किं विद्वान् किंरूपमग्निहोत्रं जानन् 'गृहेभ्यः' 'प्रवसति' तथा 'अस्य' प्रवसतो यजमानस्य 'कथं' वा तत् 'काव्यं' कविकर्म यावज्जीवमग्निहोत्रं जुहुयादिति वाक्यं समर्थं भवति । तथा 'अग्निभिः' गार्हपत्यादिभिः 'कथं संततः' संबद्धो भवतीति । अस्य मंत्रस्य तात्पर्यार्थमाह—कथं स्विदिति । 'अस्य' प्रवसतो यजमानस्य 'अनपप्रोषितं' प्रवासदोषाभावः कथं सिद्ध्यतीति एतत् प्रथमश्लोकरूपमंत्रवाक्यं प्रतिपादयतीत्यर्थः ॥ ५ ॥

अस्योत्तरं द्वितीयेन श्लोकमंत्रेण प्रतिपादयति—यो जविष्ठ इति । 'यः' यजमानः 'भुवनेषु' लोकेष्वनुष्ठेयपदार्थेषु 'जविष्ठः' अतिशयेन जववान् मनसा कृत्स्नं दूरवर्त्यपि प्रयोगजातमनुसंधातुं कुशल इत्यर्थः । 'स विद्वान्' 'विदे' लाभाय 'प्रवसन्' प्रवासकारी भवति । 'तथा' तेन वेदनेन 'अस्य' प्रवसतः 'तत् काव्यं' यावज्जीववाक्यमपि सार्थकं भवति । 'तथा' तेनैव वेदनेन दूरे वर्तमानोऽपि 'अग्निभिः' 'संततः' अव्यवहितसंबंध एव भवति । इमं मन्त्रं तात्पर्यकथनेन व्याचष्टे—मन एवैतदिति । एतन्मंत्रवाक्यं प्रवासजनितदोषनिवृत्तेः मन एव साधनमिति 'आह' तात्पर्यतो ब्रूत इत्यर्थः । तदेव विवृणोति—मनसैवास्यानपप्रोषितमिति । 'अनपप्रोषितं' प्रवासदोषविरहः ॥ ६ ॥

यत्स दूरमिति तृतीयश्लोकः । यत् यदि 'सः' यजमानः 'दूरं परेत्य' 'अथ तत्र प्रमाद्यति' अनवधानयुक्तो भवति । तदा 'अस्य' यजमानस्य 'गृहे' 'यां' आहुतिं ऋत्विजः 'जुह्वति' 'सा' 'आहुतिरस्य' प्रमाद्यतो यजमानस्य तस्मिन् गृहे एव 'हुता' भवति । न त्वनेन संगच्छत इत्यर्थः । इमं मंत्रं व्याचष्टे—यत्स दूरमिति । निगदसिद्धोऽर्थः ॥ ७ ॥

यो जागार भुवनेषु । विश्वा जातानि योऽबिभः । तस्मिन्त्साऽस्य हुताऽऽहुतिर्गृहे यामस्य जुह्वतीति प्राणमेवैतदाह तस्मादाहुः प्राण ऽएवाग्निहोत्रमिति ॥ ८ ॥

इति द्वितीयप्रपाठके चतुर्थं ब्राह्मणम् ॥ ११-२-४ ॥ (३. १.) ॥

यो ह वाऽअग्निहोत्रे । षण्मिथुनानि वेद मिथुनेन मिथुनेन ह प्रजायते सर्वाभिः प्रजातिभिर्यजमानश्च पत्नी च तदेकम्मिथुनं तस्मादस्य पत्नीवदग्निहोत्रꣳ स्यादेतन्मिथुनमुपाप्रवानीति वत्सश्चाग्निहोत्री च तदेकम्मिथुनं तस्मादस्य पुम्वत्साऽग्निहोत्री स्यादेतन्मिथुनमुपाप्रवानीति स्थाली चाङ्गाराश्च तदेकम्मिथुनꣳ स्रुक्च स्रुवश्च तदेकम्मिथुनमाहवनी-

---

" यो जागार भुवनेषु विश्वा जातानि योऽबिभः । तस्मिन् साऽस्य हुताऽऽहुतिः, गृहे यामस्य जुह्वति " इति । प्राणमेवैतदाह । तस्मादाहुः । प्राण एवाग्निहोत्रमिति ॥ ८ ॥

षण्मिथुनब्राह्मणम् ।

यो ह वा अग्निहोत्रे षण्मिथुनानि वेद । मिथुनेन मिथुनेन ह प्रजायते सर्वाभिः प्रजातिभिः । यजमानश्च पत्नी च तदेकं मिथुनम् । तस्मादस्य पत्नीवदग्निहोत्रं स्यात् । एतन्मिथुनमुपाप्रवानीति ।

एवं हि तन्मनस्कस्य प्रवसतो मनसैवाग्निहोत्रसंपत्तिमभिधाय प्राणरूपतामप्याह—यो जागारेति । ' यः ' प्राणवायुः ' भुवनेषु ' शरीरेषु ' जागार ' जागर्ति अनिद्रः सदा वर्तते । तथा ' विश्वा ' सर्वाणि ' जातानि ' भूतजातानि ' योऽबिभः ' तत्रात्मरूपतया बिभर्ति ' तस्मिन् ' अनिरुक्तरूपिणि तस्मिन् प्राणवायौ ' अस्य ' उक्त प्राणत्वं विदुषः प्रवसतो यजमानस्य ' सा ' अग्निहोत्राहुतिः ' हुता ' भवति । गतमन्यत् । इमं मंत्रं व्याचष्टे—प्राणमेवैतदाहेति । एतन्मंत्रवाक्यं प्राणमेव होमाधारत्वेन प्रतिपादयतीत्यर्थः । अत्र विद्वत्प्रसिद्धिं संवादयति—तस्मादाहुरिति । इत्थमाहुत्यधिकरणत्वात् ' प्राण एव ' अग्निहोत्राख्यं कर्मेति तत्र प्राणबुद्धिः कार्येत्यर्थः । प्राणस्तु सर्वदा यजमानेन संबद्धः इति न प्रवासजनितदोषावकाश इत्यर्थः ॥ ८ ॥

इति श्रीसायणाचार्यविरचिते माधवीये वेदार्थप्रकाशे माध्यन्दिनीयशतपथब्राह्मणभाष्ये एकादशकाण्डे तृतीयेऽध्याये प्रथमं ब्राह्मणम् ॥ (११-३-१) ॥

अथ तस्मिन्नेवाग्निहोत्रे मिथुनवेदनं विधत्ते—यो ह वा इति । ' मिथुनानि ' स्त्रीपुंसरूपाणि द्वंद्वानि । तद्वेदनस्य फलमाह- मिथुनेनेति । वीप्साया अर्थो पिप्रियते—सर्वाभिः प्रजातिभिरिति । पुरुषगोमहिषाश्वादि-

---

१-अत्र अग्निहोत्रगतानि षण्मिथुनान्युपवर्णितानि सन्ति । तानि निम्नदर्शितस्वरूपाणि ।

१-यजमानः, पत्नी ।	४-स्रुक्, स्रुवः ।
२-वत्सः, अग्निहोत्री (धेनुः) ।	५-आहवनीयः, समित् ।
३-स्थाली, अग्निः ।	६-आहुतिः, स्वाहाकारः ॥

यश्च समिच्च तदेकम्मिथुनमाहुतिश्च स्वाहाकारश्च तदेकम्मिथुनमेतानि ह वाऽअग्निहोत्रे षण्मिथुनानि तानि य ऽएवं व्वेद मिथुनेन मिथुनेन ह प्रजायते सर्व्वाभिः प्रजातिभिः ॥ १ ॥

इति द्वितीयप्रपाठके पञ्चमं ब्राह्मणम् ॥ ११-२-५ ॥ (३. २.) ॥

ब्रह्म वै मृत्यवे प्रजाः प्रायच्छत् । (त्तु) तस्मै ब्रह्मचारिणमेव न प्रायच्छत्सोऽब्रवीदस्तु मह्यमप्येतस्मिन्भाग ऽइति यामेव रात्रिꣳ समिधं नाहराताऽइति तस्माद्याꣳ रात्रिम्ब्रह्मचारी समिधन्नाहरत्यायुष ऽएव तामवदाय व्वसति तस्माद्ब्रह्मचारी समिधमाहरेन्नेदायुषोऽवदाय व्वसानीति ॥ १ ॥

वत्सश्चाग्निहोत्री च तदेकं मिथुनम् । तस्मादस्य पुंवत्साऽग्निहोत्री स्यात् । एतन्मिथुनमुपाप्नवानीति । स्थाली चांगाराश्च तदेकं मिथुनम् । स्रुक् च स्रुवश्च तदेकं मिथुनम् । आहवनीयश्च समिच्च तदेकं मिथुनम् । आहुतिश्च स्वाहाकारश्च तदेकं मिथुनम् । एतानि ह वा अग्निहोत्रे षण्मिथुनानि । तानि य एवं वेद । मिथुनेन मिथुनेन ह प्रजायते सर्वाभिः प्रजातिभिः ॥ १ ॥

ब्रह्मचारिधर्मनिरूपकं ब्राह्मणम् ।

ब्रह्म वै मृत्यवे प्रजाः प्रायच्छत् । तस्मै ब्रह्मचारिणमेव न प्रायच्छत् । सोऽब्रवीत् । अस्तु मह्यमप्येतस्मिन् भाग इति । यामेव रात्रिं समिधं नाहराता इति । तस्माद्यां रात्रिं ब्रह्मचारी समिधं

रूपाभिः सर्वाभिरुत्पत्तिभिः प्रजायत इत्यर्थः । तत्र प्रथमं मिथुनं दर्शयति—**यजमानश्चेति** । यस्मादेवं यजमानपत्न्यौ प्रधानमेकं मिथुनम् । 'तस्मादस्य' यजमानस्य 'अग्निहोत्रं' पत्नीयुक्तमेव 'स्यात्' न कदाचित्तया विरहितं भवेत् । 'एतन्मिथुनमुपाप्नवानि' उपगच्छानीत्यनेनाभिप्रायेण । द्वितीयं मिथुनं दर्शयति—**वत्सश्चाग्निहोत्री चेति** । अग्निहोत्रसाधनस्य पयसो दोहनार्था या धेनुः सा 'अग्निहोत्री' यस्मादिदमेकं 'मिथुनं' तस्माद्वत्सस्य पुंस्त्वमावश्यकमित्याह—**तस्मादस्येति** । पुमान् वत्सो यस्याः सा 'पुंवत्सा' । अवशिष्टानि चत्वारि मिथुनानि अनुक्रामति—**स्थाली चांगाराश्चेति** । निगदसिद्धोऽर्थः । तद्वेदनस्य उक्तफलसाधनत्वं निगमयति—**य एवमिति** । उक्तार्थमन्यत् ॥ १ ॥

इति श्रीसायणाचार्यविरचिते माधवीये वेदार्थप्रकाशे माध्यन्दिनीयशतपथब्राह्मणभाष्ये एकादशकाण्डे तृतीयेऽध्याये द्वितीयं ब्राह्मणम् ॥ (११-३-२) ॥

अथाग्निहोत्रादिनियमप्रसंगादागतं ब्रह्मचारिधर्मं निरूपयितुमाख्यायिकामाह—**ब्रह्म वै मृत्यव इति** । जगत्कारणं 'ब्रह्म' सर्वाः 'प्रजाः' सृष्ट्वा तस्मै 'मृत्यवे' ताः 'प्रजाः' 'प्रायच्छत्' । 'तस्मै'

दीर्घसत्रं वाऽएषऽउपैति । यो ब्रह्मचर्य्यमुपैति स यामुपयन्त्समिधमादधाति सा प्रायणीया याᳪ स्नास्यन्त्सोदयनीयाऽथ या ऽअंतरेण सत्र्याऽ एवास्य ता ब्राह्मणो ब्रह्मचर्य्यमुपयन् ॥ २ ॥

(यश्च) चतुर्द्धा भूतानि प्रविशति । (त्य) अग्निम्पदा मृत्युम्पदाऽऽचार्य्यम्पदाऽऽत्मन्येवास्य चतुर्थः पादः परिशिष्यते ॥ ३ ॥

नाहरति। आत्यायुष एव तामवदाय वसति । तस्मात् ब्रह्मचारी समिधमाहरेत् । नेत् आयुषोऽवदाय वसानीति ॥ १ ॥

दीर्घसत्रं वा एष उपैति । यो ब्रह्मचर्यमुपैति । स यामुपयन् समिधमादधाति; सा प्रायणीया । यां स्नास्यन्; सोदयनीया । अथ या अंतरेण सत्र्या एवास्य ताः । ब्राह्मणो ब्रह्मचर्यमुपयन् ॥२॥

चतुर्द्धा भूतानि प्रविशति । अग्निं पदा । मृत्युं पदा । आचार्यं पदा । आत्मन्येवास्य चतुर्थः पादः परिशिष्यते ॥ ३ ॥

ब्रह्मचारिणमेकमेव 'न प्रायच्छत्' । 'सः' मृत्युरब्रवीत् 'एतस्मिन्' ब्रह्मचारिण्यपि 'मह्यं' भागोऽस्त्विति । ततो ब्रह्मणा उक्तम्—'यामेव रात्रिं' असौ ब्रह्मचारी 'समिधं' 'नाहराते' समिदाहरणमग्न्यर्थं न कुर्यात् । सा रात्रिस्तव भागोऽस्त्विति । इत्यमाख्यायिकासिद्धमर्थं श्रुतिः स्वयमेव व्याचष्टे—तस्माद्यां रात्रिमिति । यस्मादेवं ब्रह्मणा भागत्वेन परिकल्पितं 'तस्मात्' 'यां रात्रिं' 'ब्रह्मचारी' समिधमग्न्यर्थं नाहरति 'आयुषः' सकाशादेव तां रात्रिमवदायावखंड्य 'वसति' । यस्मादेवं दोषः, 'तस्माद्ब्रह्मचारी' सर्वदा रात्रौ 'समिधमाहरेत्' नैवायुषो जीवनात् तां रात्रिमवखंड्य वसानीत्यभिप्रायेण ॥ १ ॥

ब्रह्मचर्यधर्माचरणं सत्रयागात्मना निरूपयति—दीर्घसत्रं वा एष उपैतीति । दीर्घं चिरसाध्यं सत्रं यागः 'दीर्घसत्रं' । 'यः' ब्रह्मचर्याश्रमविहितं कर्म 'ब्रह्मचर्यं' तद्ब्रह्मचर्यमुपैति 'एषः' दीर्घसत्रमेवोपैति उपगच्छति । तत्र प्रायणीयोदयनीये संपादयति—स यामुपयन्निति । 'उपयन्' प्रथमं गुरुसमीपमुपगच्छन् उपनयनकाले 'यां' समिधमग्नावादधाति सैव समित्प्रायणीयेष्टिः । 'स्नास्यन्' स्नानं करिष्यन् 'यां' समिधमादधाति सैव समित् उदयनीयेष्टिः । 'अथ' 'याः' समिधः 'अंतरेण' तयोर्मध्ये अग्नावादधाति । 'ताः' 'सत्र्याः' सत्रियाः सत्रसंबंधिन्यः समिधः । एवं समिदाधानं सत्रयागात्मना स्तुत्वा आत्मनिष्क्रयहेतुत्वेनापि स्तौति—ब्राह्मणो ब्रह्मचर्यमुपयन्निति । 'उपयन्' उपगच्छन् 'चतुर्धा' चतुर्विधेन 'पदा' पादेन चतुर्थांशेन 'आचार्यं' सावित्रीप्रदानपुरःसरं अध्यापयितारम् । स्मर्यते हि—"उपनीय गुरुः शिष्यं वेदमध्यापयेद् द्विजम् । सकल्पं सरहस्यं च तमाचार्यं प्रचक्षते" (म. स्मृ. २ । १४० ।) इति । आत्मन्येवेत्यादि । 'आत्मनि' स्वस्मिन्नेव 'अस्य' ब्रह्मचारिणः 'चतुर्थः पादः परिशिष्यते' अतः स्वरूपहानिशंका न कार्येति भावः ॥ २ ॥ ३ ॥

१-अत्र (पार. गृ. सू. २ । ४) इत्येतत्समिदाधानसूत्रमप्यनुसन्धेयम् ॥

स युदग्नये समिधमाहरति। युऽएवास्याग्नौ पादस्तमेव तेन परिक्रीणाति तुᳪं सᳪंस्कृत्यात्मुन्धत्ते सुऽएनमाविशति॥ ४॥

(त्यु) अथ युदात्मानं दरिद्रीकृत्येव। (वाऽ) अह्रीर्भूत्वा भिक्षते युऽएवास्य मृत्यौ पादस्तमेव तेन परिक्रीणाति तुᳪं सᳪंस्कृत्यात्मुन्धत्ते सुऽएनमाविशति॥ ५॥

(त्यु) अथ युदाचार्य्यवचसं करोति। युदाचार्य्याय कुर्म्म करोति युऽएवास्याचार्य्ये पादस्तमेव तेन परिक्रीणाति तुᳪं सᳪंस्कृत्यात्मुन्धत्ते सुऽएनमाविशति॥ ६॥

नु ह वै स्नात्वा भिक्षेत। (ता) अप ह वै स्नात्वा भिक्षां जयत्युप ज्ञातीनामशनायामप पितॄणाᳪं सुऽएवं विद्वान्युस्याऽएव भूयिष्ठᳪं

स यदग्नये समिधमाहरति। य एवास्याग्नौ पादः, तमेव तेन परिक्रीणाति। तं संस्कृत्यात्मन् धत्ते। स एनमाविशति॥ ४॥

अथ यदात्मानं दरिद्रीकृत्येवाह्रीर्भूत्वा भिक्षते। य एवास्य मृत्यौ पादः, तमेव तेन परिक्रीणाति। तं संस्कृत्यात्मन् धत्ते। स एनमाविशति॥ ५॥

अथ यदाचार्यवचसं करोति। यदाचार्याय कर्म करोति। य एवास्याचार्ये पादः, तमेव तेन परिक्रीणाति। तं संस्कृत्यात्मन् धत्ते। स एनमाविशति॥ ६॥

न ह वै स्नात्वा भिक्षेत। अप ह वै स्नात्वा भिक्षां जयत्यप ज्ञातीनामशनायामप पितॄणाम्। स

तत्र समिदाधानेनाग्नौ प्रविष्टस्य चतुर्थांशस्य परिक्रयं दर्शयति—स यदग्नय इति। 'परिक्रीणाति' समिधो मूल्यत्वेन अग्नये समर्प्य स्वकीयं तुरीयमंशं पुनरादत्ते। यतः 'पदा' अंशेन समिदाधानेन च 'संस्कृत्य' उत्कृष्टं कृत्वा पुनः 'आत्मन्' आत्मनि स्वरूपे धारयति। स भागोऽप्यग्नेः सकाशात् प्रतिनिवृत्य 'एनं' ब्रह्मचारिणम् 'आविशति'॥ ४॥

मृत्यौ प्रविष्टस्य पादस्य परिक्रयार्थत्वेन भिक्षाचर्यं विधत्ते—अथ यदात्मानमिति। 'अथ' उपनयनानंतरम् 'आत्मानं' 'दरिद्रीकृत्य' दरिद्रमिव कृत्वा 'अह्रीः' लज्जारहितः 'भूत्वा' 'भिक्षेत' वृत्त्यर्थं याचेत। य एवास्येत्यादि पूर्ववद्योज्यम्॥ ५॥

आचार्यगतस्य पादस्य तत्परिचर्यया परिक्रयणं दर्शयति—अथ यदाचार्यवचसमिति। आचार्यवाक्यं तत्र युक्तायुक्तचिन्ता न कार्येत्यर्थः। तथा तस्मै 'आचार्याय' पादसंवाहनादिलक्षणं परिचर्यारूपं 'कर्म करोति' इति च यदस्ति तेनेति संबंधः। गतमन्यत्॥ ६॥

ब्रह्मचर्यायां क्रियमाणस्य परिचरणस्य परिक्रयार्थत्वमुक्तम्, इदानीं समृद्ध्यादिहेतुतामप्याह—न ह वा इति।

१–भिक्षायां षडधिकारिण इत्याहात्रिः—"यतिश्च ब्रह्मचारी च विद्यार्थी गुरुपोषकः। अध्वगः क्षीणवृत्तिश्च षडेते भिक्षुकाः स्मृताः" (अ. स्मृ. १६२।) इति। तत्रापि—"यतिश्च ब्रह्मचारी च पक्वान्नस्वामिनावुभौ" इति विशेषः। तेनात्र ब्रह्मचारिणा पक्वान्नमेव भिक्षितव्यम्। न कदाचिदप्यामम् इति गम्यते॥

श्लाघेत तां भिक्षेतेत्याहुस्तल्लोक्यमिति स यद्यन्यां भिक्षितव्यान्न विन्देदपि स्वामेवाचार्य्यजायां भिक्षेताथो स्वाम्मातरन्नैनꣳ सप्तम्यभिक्षिताऽतीयात्तमेवं विद्वाꣳसमेवं चरंतꣳ सर्व्वे वेदाऽआविशंति यथा ह वाऽअग्निः समिद्धो रोचतऽएवꣳ ह वै स स्नात्वा रोचते यऽएवं विद्वान् ब्रह्मचर्य्यं चरति ॥ ७ ॥

इति द्वितीयप्रपाठके षष्ठं ब्राह्मणम् ॥ ११।२।६ ॥ (३।३) ॥

इति तृतीयोऽध्यायः समाप्तः ॥ ११-३ ॥

एवं विद्वान्यस्या एव भूयिष्ठं श्लाघेत । तां भिक्षेतेत्याहुः । तल्लोक्यमिति । स यद्यन्यां भिक्षितव्यां न विंदेत् । अपि स्वामेवाचार्यजायां भिक्षेत । अथो स्वां मातरम् । नैनं सप्तम्यभिक्षिताऽतीयात् । तमेवं विद्वांसमेवं चरंतं सर्वे वेदा आविशंति । यथा ह वा अग्निः समिद्धो रोचते । एवं ह वै स स्नात्वा रोचते । य एवं विद्वान् ब्रह्मचर्यं चरति ॥ ७ ॥

'न' खलु 'स्नात्वा' स्नानेन गुरुकुलात् प्रतिनिवृत्य 'भिक्षेत'। कस्य हेतोः ? स्नानानंतरं हि भिक्षाभक्षणं 'अपजयति' अतिक्रामति । पुनस्तस्य याचनखेदो न भवतीत्यर्थः । न केवलं स्वस्यैवैतत्फलम् । अपि तु स्ववंश्यानां सर्वेषामित्याह—अप ज्ञातीनामिति । 'ज्ञातीनां' स्वगोत्रजानां संबंधिनी या 'अशनाया' अशनेच्छा क्षुत्पिपासा तामपि 'अपजयति' तथा 'पितॄणां' संबन्धिनीमपि अशनायामपजयति । अशनशब्दात् क्यचि "अशनायोदन्यधनाया बुभुक्षापिपासा." (पा. सू. ७ । ४ । ३४) इति निपात्यते । स एवं विद्वानित्यादि । 'एवं' उक्तरीत्या भिक्षाचरणस्य प्राशस्त्यं 'विद्वान्' 'सः' ब्रह्मचारी 'यस्याः' एव भिक्षितायाः स्त्रियः सकाशात् 'भूयिष्ठं' बहुतरमन्नं लभ्यत इति 'श्लाघेत' 'तां भिक्षेत' 'इत्याहुः' अभिज्ञाः कथयंति । तत्र निमित्तमप्याह—तल्लोक्यमिति । यद्धि भूयिष्ठमन्नं भिक्षातो लब्धम् । तदेव हि स्नानादूर्ध्वमतिवृद्धं सत् 'लोक्यं' लोकहितं भवति । भिक्षितव्याभावात् भिक्षालोपशंका न कार्येत्याह—स यद्यन्यामिति । निगदसिद्धमेतत् । नैनं सप्तमीत्यादि । 'सप्तमी' सप्तसंख्यापूरणी रात्रिः 'अभिक्षिता' भिक्षाचरणरहिता सती 'एनं' ब्रह्मचारिणं 'नातीयात्' नातिक्रामेत् । स्मर्यते अतिक्रमणे महान् दोषः— "अकृत्वा भैक्ष्यचरणमसमिद्ध्य च पावकम् । अनातुरः सप्तरात्रमवकीर्णिव्रतं चरेत्" (मनुस्मृ. २ । १८७) इति । विदुषो ब्रह्मचारिणः फलमाह—तमेवं विद्वांसमिति । उक्तमर्थजातं 'विद्वांसं' जानंतम् । ज्ञात्वा च एवमेव समिदाहरणादीनि 'चरंतं' कुर्वंतम् । 'स्नात्वा' समावर्तनं कृत्वा । 'रोचते' दीप्यते । स्पष्टमन्यत् ॥ ७ ॥

इति श्रीसायणाचार्यविरचिते माधवीये वेदार्थप्रकाशे माध्यंदिनीयशतपथब्राह्मणभाष्ये एकादशकांडे तृतीयेऽध्याये तृतीयं ब्राह्मणम् ॥ (११ । ३ । ३) ॥

१-त्रिरात्रमत्याख्यायिभ्यः । षड् द्वादशापरिमिता वा । मातरं प्रथमामेके । (पार. गृ. सू. २ । ५ । ५-७) इति ।

वेदार्थस्य प्रकाशेन तमो हार्दं निवारयन् । पुमर्थांश्चतुरो देयाद् विद्यातीर्थमहेश्वरः ॥ १ ॥

ब्रह्माण्डं गोसहस्रं कनकहयतुलापूरुषौ स्वर्णगर्भं,
सप्ताम्भोनिपञ्चसीरींस्त्रिदशतरुलताधेनुसौवर्णभूमीः ।
रत्नोस्रां रुक्मवाजिद्विपमहितरथौ सायणिः सिङ्गणार्यो,
व्यश्राणीद्विश्वचक्रं प्रथितविधिमहाभूतयुक्तं घटं च ॥
धान्याद्रिं धन्यजन्मा तिलमवमतुलः स्वर्णजं वर्णमुख्यः,
कार्पासीयं कृपावान्गुडकृतमजडो राजतं राजपूज्यः ।
आज्योत्थं प्राज्यजन्मा लवणजमनृणः शार्करं चार्कतेजा,
रत्नाढ्यो रत्नरूपं गिरिमकृत मुदा पात्रसात्सिङ्गणार्यः ॥

इति श्रीमद्राजाधिराजपरमेश्वरवैदिकमार्गप्रवर्त्तकश्रीहरिहरमहाराजसाम्राज्यधुरन्धरेण सायणाचार्येण
विरचिते माधवीये वेदार्थप्रकाशे माध्यन्दिनीयशतपथब्राह्मणभाष्ये एकादशकाण्डे
तृतीयोऽध्यायः समाप्तः ॥ (११ । ३) ॥

अथ चतुर्थेऽध्याये प्रथमं ब्राह्मणम् ।
द्वितीयप्रपाठके च सप्तमं ब्राह्मणम् ।

उद्दालको हारुणिः । (रु) उदीच्यान्वृतो धावयाञ्चकार तस्य निष्कऽउपाहितऽआसैतद्ध स्म वै तत्पूर्वेषां वृतानां धावयतामेकधनमुपाहितं भवत्युपवल्हाय बिभ्यतां तान्होदीच्यानां ब्राह्मणान्भीर्विवेद ॥ १ ॥

कौरुपाञ्चालो वाऽअयम्ब्रह्मा ब्रह्मपुत्रः । (त्रो) यद्वै नोऽयमर्द्धन्न पर्य्यादुदीत हन्तैनम्ब्रह्मोद्यमाह्वयामहाऽइति केन वीरेणेति स्वैदायनेनेति शौनको ह स्वैदायनऽआस ॥ २ ॥

उद्दालको हारुणिरुदीच्यान्वृतो धावयांचकार । तस्य निष्क उपाहित आस । एतद्ध स्म वै तत्पूर्वेषां वृतानां धावयतामेकधनमुपाहितं भवति । उपवल्हाय बिभ्यतां तान्होदीच्यानां ब्राह्मणान् भीर्विवेद ॥ १ ॥

कौरुपांचालो वा अयं ब्रह्मा ब्रह्मपुत्रः । यद्वै नोऽयमर्द्धं न पर्यादुदीत । हंतैनं ब्रह्मोद्यमाह्वयामहा इति । केन वीरेणेति । स्वैदायनेनेति । शौनको ह स्वैदायन आस ॥ २ ॥

यस्य निःश्वसितं वेदा यो वेदेभ्योऽखिलं जगत् । निर्ममे तमहं वन्दे विद्यातीर्थमहेश्वरम् ॥ १ ॥

इत्थं तृतीये अग्निहोत्रं प्रशस्य तत्प्रसंगात् ब्रह्मचारिधर्माश्च निरूपिताः । अथ चतुर्थे दर्शपूर्णमासयागस्यैव भावनाविशिष्टाः केचन धर्माः मित्रविंदादयश्च प्रतिपाद्यंते । तत्र प्रथमं विजिगीषुकथारूपेण प्रश्नप्रतिवचनाभ्यां दर्शपूर्णमासावेव सर्वोत्पत्तिनिमित्तत्वेन स्तोतुकामः तत्प्रश्नप्रतिप्रश्नोपयोगिनीमाख्यायिकामवतारयति—उद्दालको हारुणिरिति । पुरा खलु 'आरुणिः' अरुणस्य पुत्रः उद्दालकाख्यः ऋषिः आर्त्विज्यया 'वृतः' सन् 'उदीच्यान्' उदग्देशान् 'धावयांचकार' जगाम । अथ तेषूदीच्यदेशेषु गतस्य उद्दालकस्य 'निष्कः' हिरण्मयो दीनारः 'उपाहितः' तदुपार्जितः 'आस' उपायनत्वेन निक्षिप्तो बभूव । एतस्य प्रयोजनमाह—एतद्ध स्मेति । 'पूर्वेषां' पुरातनानाम् आर्त्विज्याय 'वृतानां' 'धावयतां' जनपदं गच्छतां ब्राह्मणानां श्रेष्ठ्यपरीक्षार्थं 'एकधनं' मुख्यं धनं 'उपाहितं' निक्षिप्तं भवति स्म । तदेतदत्र क्रियत इत्यर्थः । निष्कोपधानस्य कारणमाह—उपवल्हाय बिभ्यतामिति । बहूनां मध्ये कस्यचित् ज्ञानाधिक्यतारतम्येन जयपराजयाध्यवसानहेतुकं प्राधान्यमुपवल्हः । तत्कर्तुं 'बिभ्यतां' भीतिं प्राप्नुवतां 'उदीच्यानां' केवलं निष्क एव 'उपाहित आस' । तद्ग्रहणाय परस्परं विवदमानानां ज्ञानाधिक्यं स्वयमेव ज्ञास्यते इत्यनेनाभिप्रायेणेत्यर्थः । अथोदीच्यदेशसंबन्धिनः 'ब्राह्मणान्' 'भीः' भीतिः 'विवेद' प्राप्नोत् ॥ १ ॥

कौरुपांचालो वा इत्यादि । कुरुपंचालाख्यदेशनिवासी अयमुद्दालकः 'ब्रह्मा' वेदाढ्यः 'ब्रह्मपुत्रः' ब्रह्मिष्ठस्य पुत्रश्च, अतोऽयं महाप्रभाववान् 'नः' अस्माकं 'अर्द्धं' अर्द्धशब्दो देशवाची । अस्मत्समीप-

ते होचुः । स्वैदायन त्वया वीरेणेमं प्रतिसंयतामहा३ इति स होवाचोपात्र खलु रमताहं न्वेनं वेदानीति तꣳ हाभिप्रपेदे तꣳ हाभिप्रपन्नमभ्युवाद स्वैदायना३ऽ इति हो३ गौतमस्य पुत्रेतीतरः प्रतिशुश्राव तꣳ ह तत ऽएव प्रष्टुं दध्रे ॥ ३ ॥

स वै गौतमस्य पुत्र वृतो जनं धावयेत् । (यो) यो दर्शपूर्णमासयोरष्टौ पुरस्तादाज्यभागान्विद्यात्पञ्च मध्यतो हविर्भागान्षट् प्राजापत्यानष्टाऽउपरिष्टादाज्यभागान् ॥ ४ ॥

ते होचुः । स्वैदायन त्वया वीरेणेमं प्रतिसंयतामहा इति । स होवाच–उपात्र खलु रमत । अहं न्वेनं वेदानीति । तं हाभिप्रपेदे । तं हाभिप्रपन्नमभ्युवाद स्वैदायना ३ इति । हो ३ गौतमस्य पुत्रेति इतरः प्रतिशुश्राव । तं ह तत एव प्रष्टुं दध्रे ॥ ३ ॥

स वै गौतमस्य पुत्र वृतो जनं धावयेत् । यो दर्शपूर्णमासयोरष्टौ पुरस्तादाज्यभागान् विद्यात् । पंच मध्यतो हविर्भागान् । षट् प्राजापत्यान् । अष्टा उपरिष्टादाज्यभागान् ॥ ४ ॥

देशं प्राप्य येन हेतुना निष्कं ' न पर्याददीत ' तादृगुपायदर्शनहर्षद्योतको हंतशब्दः । 'हंत' तत्कारणमस्माभिर्दृष्टम् । ' एनं ' उद्दालकं ' ब्रह्मोद्यं ' ब्रह्म वेदः तदेकसमधिगम्यं रहस्यं अर्थं प्रति उद्यम् ' आह्वयामहै इति ' तेन चास्य मुनेः प्राशस्त्यं ज्ञास्यत इत्यर्थः । केन वीरेणेत्यादि । ते ब्राह्मणाः केन वीर्यवता प्रतिवादिना एतत् ब्रह्मोद्यं कर्तुं शक्यत इति विचार्य स्वैदायनाख्येन महर्षिणेति निश्चितवंतः । तत्र शुनकगोत्रजः स्वैदायनाख्यो महर्षिः ' आस ' आगतोऽभवत् ॥ २ ॥

' ते होचुः ' तमवोचन्–हे ' स्वैदायन ! ' 'वीरेण' श्रौताध्ययनजनितवीर्यवता ' त्वया इमम् ' उद्दालकम् ' संयतामहा इति ' प्रतिवादित्वेन सम्यक्प्रपन्नं करवामहा इति । त्वमनेन सर्वं संवदस्वेत्यर्थः । एवमुक्तः ' सः ' खलु स्वैदायनः ' उवाच ' उक्तवान् । अत्रास्मिन् विषये यूयं खलु सर्वे ' उपरमत ' तूष्णीमवस्थिता भवत । ' अहं नु ' अहमेवात्र ' एनम् ' ऋषिं ' वेदानि ' अस्य सामर्थ्यं इयदिति जानामि । एवमुक्त्वा तमुद्दालकम् ' अभिप्रपेदे ' अभिजगाम । ' तम् ' ' अभिप्रपन्नम् ' उद्दालकः ' अभ्युवाद ' स्वैदायनेत्यामंत्रितवान् । " दूराद्धूते च " (पा. सू. ८ । २ । २४) इति प्लुतः । ' इतरः ' स्वैदायनोऽपि तं हो३ ' ' गौतमस्य पुत्रेति ' ' प्रतिशुश्राव ' प्रतिबभाषे । हो इति अभिमुखीकरणार्थो निपातः । अत्रापि प्लुतः पूर्ववत् । ' ततः ' अनन्तरमेव स्वैदायनः तमुद्दालकं ' प्रष्टुम् ' ' दध्रे ' उपचक्रमे ॥ ३ ॥

स वै गौतमस्य पुत्रेत्यादि । हे ' गौतमस्य पुत्र ! ' स खलु आर्त्विज्याय ' वृतः ' सन् ' जनं ' जनपदम् ' धावयेत् ' ' यः ' दर्शपूर्णमासयागयोः ' पुरस्तात् ' पूर्वभागे अनुष्ठेयान् ' आज्यभागान् आज्यहविष्कानष्टौ यागान् ' विद्यात् ' जानीयात् । ' मध्यतः ' मध्यभागे अनुष्ठेयान् ' हविर्भागान् ' पुरोडाशादिहविःसाध्यान् पंचसंख्याकान् विद्यात् । तथा ' प्राजापत्यान् ' प्रजापतिदेवताकान् ' षट् '–संख्याकान् विद्यात् ।

स वै गौतमस्य पुत्र व्वृतो जनं धावयेत् । (ग्र) यस्तद्दर्शपूर्णमासयो-
र्व्विद्याद्यस्मादिमाः प्रजाऽअदंतका जायंते यस्मादासां जायंते यस्मादासां
प्रभिद्यंते यस्मादासाᳬं सन्तिष्ठन्ते यस्मादासां पुनरुत्तमे व्वयसि सर्व्वेऽ
एव प्रभिद्यन्ते यस्मादधरऽ एवाग्रे जायन्तेऽथोत्तरे यस्मादणीयाᳬंसऽ-
एवाधरे प्रथीयाᳬंसऽ उत्तरे यस्माद्दᳬंष्ट्रा व्वर्षीयाᳬंसो यस्मात्समाऽ
एव जम्भ्याः ॥ ५ ॥

स वै गौतमस्य पुत्र व्वृतो जनं धावयेत् । (ग्र) यस्तद्दर्शपूर्णमासयो-
र्व्विद्याद्यस्मादिमाः प्रजा लोमशा जायन्ते यस्मादासां पुनरिव श्मश्रूण्यौ-
पपक्ष्याणि दुर्व्वीरिणानि जायन्ते यस्माच्छीर्षण्येवाग्रे पलितो भवत्यथ
पुनरुत्तमे व्वयसि सर्व्वऽएव पलितो भवति ॥ ६ ॥

स वै गौतमस्य पुत्र वृतो जनं धावयेत् । यस्तद्दर्शपूर्णमासयोर्विद्यात् । यस्मादिमाः प्रजा अदंतका जायंते । यस्मादासां जायंते । यस्मादासां प्रभिद्यंते । यस्मादासां संतिष्ठन्ते । यस्मादासां पुनरुत्तमे वयसि सर्वे एव प्रभिद्यंते । यस्मादधर एवाग्रे जायंते । अथोत्तरे । यस्मादणीयांस एवाधरे । प्रथीयांस उत्तरे । यस्माद्दंष्ट्रा वर्षीयांसः । यस्मात्समा एव जंभ्याः ॥ ५ ॥

स वै गौतमस्य पुत्र वृतो जनं धावयेत् । यस्तद्दर्शपूर्णमासयोर्विद्यात् । यस्मादिमाः प्रजा लोमशा

तथा ' उपरिष्टाद् ' अवसानभागे क्रियमाणान् ' अष्टौ ' ' आज्यभागान् ' यो विद्यात् । स एव जनपदं धावयेदित्येकः प्रश्नः ॥ ४ ॥

अन्यं प्रश्नं दर्शयति—स वा इति । 'तत्' वक्ष्यमाणमर्थजातम् । गतमन्यत् । यस्मादिमाः प्रजा इत्यादि । ' यस्मात् ' कारणात् 'इमाः प्रजाः' ' अदंतकाः ' दंतरहिताः ' जायन्ते ' । ' यस्मात् ' ' आसां ' प्रजानां जननादूर्ध्वं पंचमासेषु गतेषु दन्ता जायन्ते । यस्मादेव कारणात् ' आसां ' प्रजानां सप्तमाष्टमादिवर्षेषु ते दन्ताः ' प्रभिद्यंते ' पततीत्यर्थः । यस्माच्च कारणात् ' आसां ' प्रजानां ' संतिष्ठंते ' दंताः सम्यक् स्थिताः भवंति । यस्मादेव कारणात् ' उत्तमे ' चरमे 'वयसि' 'सर्वे एव' दंताः पतिताः भवंति । उत्पत्त्यवस्थायाम[illegible] प्र' प्रथमं ' यस्मात् ' कारणात् 'अधरे' अधोभागवर्तिन एव दंताः 'जायंते' । अथानंतरं ' उत्तरे ' उपरिभागवर्तिनो दन्ता जायंते । अयं पौर्वापर्यनियमो यस्मादित्यर्थः । यस्मादणीयांस इत्यादि । तेषामधरोत्तरदंतानां यथाक्रममणुतरत्वं स्थूलतरत्वं च किंनिबंधनमिति प्रश्नः । तथा ' यस्मात् ' कारणात् ' दंष्ट्राः ' दशनसाधनीभूताः पुरोवर्तिनो दंताः ' वर्षीयांसः ' वृद्धतराः उन्नततराः । यस्माच्च कारणात् ' जंभ्याः ' पार्श्ववर्तिनो दंताः 'समाः' समानाकृतय एव । यदेतत् कारणजातं दर्शपूर्णमासावयवेषु यो वक्तुं जानाति, स आर्त्विज्यमर्हति । जानासि चेत् ब्रूहि इति प्रश्नाभिप्रायः ॥ ५ ॥

पुनरन्यं प्रश्नमुद्भावयति—स वै गौतमस्य पुत्रेति । यस्मात्कारणात् ' इमाः ' जायमानाः ' प्रजाः ' ' लोमशाः ' केशयुक्ता एव ' जायंते ' । यस्मात्कारणात् 'आसां' प्रजानां ' औपपक्ष्याणि ' उपपक्षो बाहुमूलं

स वै गौतमस्य पुत्र व्वृतो जुनं धावयेत् । (द्य) यस्तुदर्शपूर्णमासुयो-र्व्विद्याद्युस्मात्कुमारुस्य रेतः सिक्तं नु संभुवति युस्मादुस्य मध्यमे व्वुयसि संभुवति युस्मादुस्य पुनरुत्तमे व्वुयसि नु संभुवति ॥ ७ ॥

य्यो गायत्रीᳬ हुरिणीम् । (ञ्ज्यो) ज्योतिष्पक्षां युजमानᳬ स्वर्ग्गु लोकुमभिवुहुंतीं व्विद्यादिति तुस्मै ह निष्कं प्रददावनूचानुः स्वैदाय-नासि सुवुर्णं वाव सुवर्णविुदे ददुतीति तुᳬ होपगुह्य निश्चक्राम तुᳬ ह पप्रच्छुः किमिवैषु गौतमुस्य पुत्रोऽभूदिति ॥ ८ ॥

जायंते । यस्मादासां पुनरिव श्मश्रूण्यौपपक्ष्याणि दुर्बीरिणानि जायंते । यस्माच्छीर्षण्येवाग्रे पलितो भवति । अथ पुनरुत्तमे वयसि सर्व एव पलितो भवति ॥ ६ ॥

स वै गौतमस्य पुत्र वृतो जनं धावयेत् । यस्तद्दर्शपूर्णमासयोर्विद्यात् । यस्मात् कुमारस्य रेतः सिक्तं न संभवति । यस्मादस्य मध्यमे वयसि संभवति । यस्मादस्य पुनरुत्तमे वयसि न संभवति ॥७॥

यो गायत्रीं हरिणीं ज्योतिष्पक्षां यजमानं स्वर्गं लोकमभिवहंतीं विद्यादिति । तस्मै ह निष्कं प्रददौ । अनूचानः स्वैदायनासि । सुवर्णं वाव सुवर्णविदे ददतीति । तं होपगुह्य निश्चक्राम । तं ह पप्रच्छुः । किमिवैष गौतमस्य पुत्रोऽभूदिति ॥ ८ ॥

तत्संबंधीनि रोमाणि, मुखप्रांतवर्तीनि श्मश्रूणि च 'दुर्बीरिणानि' बीरणास्तृणविशेषाः । लुप्तोपममेतत् । दुष्टानि बीरणानीव । पुनरेव यौवनावस्थायां 'अग्रे' प्रथमं 'शीर्षणि' शिरस्येव 'पलितो भवति' केशेषु शौक्ल्यं भवति । अनंतरं 'उत्तमे' चरमे वयसि । सर्वदेहः 'पलितो भवति' श्वेतरोमांकित इत्यर्थः ॥ ६ ॥

अन्यं प्रश्नमुद्भावयति—स वै गौतमस्य पुत्रेति । 'यस्मात्' कुमारावस्थायां 'सिक्तं रेतः' अपत्यरूपेण नोत्पद्यते । 'मध्यमे' यौवने 'वयसि' यस्मादपत्यरूपेण तदुत्पद्यते । यस्मादेव कारणात् पुनः 'उत्तमे' वार्द्धक्ये 'वयसि' पुनरपत्यरूपेण नोत्पद्यते । तत्कारणं कीदृगिति वद ॥ ७ ॥

अपिच 'हरिणीं' हरितवर्णां 'ज्योतिष्पक्षां' ज्योतिर्मयपक्षोपेतां 'यजमानं स्वर्गं लोकमभिवहंतीं' 'गायत्रीं' 'यो विद्यात्' जानीयात् स एवार्त्विजीनो भवति । तस्मै ह निष्कमित्यादि । एवं स्वैदायनेन पृष्टः प्रतिवक्तुमसमर्थः सन्नुद्दालकः स्वस्योपायनत्वेन कल्पितं 'निष्कं' 'तस्मै' स्वैदायनाय 'प्रददौ' । 'स्वैदायन !' त्वम् 'अनूचानः' रहस्यविद्यामधीतवान् भवसि अस्मत्तोऽधिकं जानासि । 'सुवर्णविदे' सुष्ठुवर्ण-नीयमर्थं जानते पुरुषाय 'सुवर्णं' शोभनवर्णयुक्तं हिरण्यं 'ददति' धनिनः प्रयच्छंति । अतो हेतोः हे स्वैदायन ! त्वमेव निष्कमुपादातुमर्हसीत्यर्थः । तं होपगुह्येत्यादि । 'तं' स्वैदायनं 'उपगुह्य' आलिंग्य उद्दालकस्तस्मात् स्थानात् 'निश्चक्राम' निष्क्रान्तवान् । तं ह पप्रच्छुरित्यादि । 'एषः' 'गौतमस्य पुत्रः' उद्दालकः किमात्मकः अभूदिति स्वैदायनं 'पप्रच्छुः' ते उदीच्याः ब्राह्मणाः पृष्टवंतः ॥ ८ ॥

स होवाच । यथा ब्रह्मा ब्रह्मपुत्रो मूर्द्धाऽस्य विपतेद्यऽएनमुपवल्हेतेति ते ह ततऽएव विप्रेयुस्तᳬ᳖ ह ततऽएव समित्पाणिः प्रतिचक्रम ऽउप त्वाऽऽयानीति किमध्येष्यमाणऽइति यानेव मा प्रश्नानप्राक्षीस्तानेव मे विब्रूहीति स होवाचानुपेतायैव तऽएनान्ब्रवाणीति ॥ ९ ॥

तस्माऽउ हैतदुवाच । द्वावाघारौ पञ्च प्रयाजाऽआग्नेयऽआज्यभागोऽष्टमऽएतेऽष्टौ पुरस्तादाज्यभागाः सौम्यऽआज्यभागो हविर्भागाणां प्रथमो हविर्हि सोमऽआग्नेयः पुरोडाशोऽग्नीषोमीयऽउपाᳬ᳖शुयाजोऽग्नीषोमीयः पुरोडाशोऽग्निः स्विष्टकृदेते पञ्च मध्यतो हविर्भागाः ॥ १० ॥

स होवाच—यथा ब्रह्मा ब्रह्मपुत्रः । मूर्द्धाऽस्य विपतेद्, य एनमुपवल्हेतेति । ते ह तत एव विप्रेयुः । तं ह तत एव समित्पाणिः प्रतिचक्रमे, उप त्वाऽऽयानीति । किमध्येष्यमाण इति । यानेव मा प्रश्नानप्राक्षीः । तानेव मे विब्रूहीति । स होवाच—अनुपेतायैव त एनान् ब्रवाणीति ॥ ९ ॥

तस्मा उ हैतदुवाच—द्वावाघारौ पंच प्रयाजा आग्नेय आज्यभागोऽष्टमः, एतेऽष्टौ पुरस्तादाज्यभागाः । सौम्य आज्यभागो हविर्भागाणां प्रथमः । हविर्हि सोमः । आग्नेयः पुरोडाशः । अग्नीषोमीय उपांशुयाजः । अग्नीषोमीयः पुरोडाशः । अग्निः स्विष्टकृत् । एते पंच मध्यतो हविर्भागाः ॥ १० ॥

स होवाचेति । 'स' खलु पृष्टः स्वैदायनः 'उवाच' 'ब्रह्मा' स्वयं वेदाढ्यः 'ब्रह्मपुत्रः' ब्रह्मिष्ठस्य गौतमस्य पुत्रः इत्येतावत् 'यथा' वृत्तमेव । अपितु 'यः' पुरुषः 'एनं' उद्दालकम् 'उपवल्हेत' प्रधानं श्रेष्ठं कुर्यात् । "बर्ह वल्ह प्राधान्ये"—(धा. पा. भ्वा. आ. ६११) इति धातुः । 'अस्य' पुरुषस्य 'मूर्द्धा विपतेत्' अल्पज्ञानस्याधिक्येन विपर्ययग्रहणात् तन्निमित्तं शिरःपतनं भवतीत्यर्थः । ततः 'ते' ब्राह्मणाः 'विप्रेयुः' विविधं स्वकीयं देशं जग्मुरित्यर्थः । तं ह तत एवेत्यादि । ततस्तस्मात्प्रश्नादेव हेतोः उद्दालकः 'समित्पाणिः' हस्ते समिधं धारयन् शिष्यभावं प्राप्तः उपनयनकालेनैव स्वैदायनं 'प्रतिचक्रमे' प्राप । उप त्वेत्यादि । तयोरुक्तिप्रत्युक्ती । यानेवेति । 'यान्' दर्शपूर्णमासयोः अष्टौ पुरस्तादाज्यभागानित्यादिना यानेव प्रश्नान् 'मा' माम् 'अप्राक्षीः' पृष्टवानसि । 'तानेव मे' विविच्य 'ब्रूहि' कथयेति । 'सः' खलु स्वैदायनः 'उवाच' महतस्तव उपनयनमनुचितम् अतः 'अनुपेताय एव' 'ते' तुभ्यं 'एनान्' पृष्टानर्थान् अहं 'ब्रवाणि' इति ॥ ९ ॥

तस्मा उ हैतदुवाचेति । एवमुक्त्वा 'तस्मै' उद्दालकाय 'एतत्' वक्ष्यमाणं सर्वमुवाच । एषा आख्यायिका वक्ष्यमाणविद्यास्तुत्यर्था । तत्र तावदष्टौ पुरस्तादाज्यभागानाह—द्वावाघारावित्यादि । 'पुरस्तात्' प्रधानयागात्पूर्वं अनुष्ठेया आज्यहविष्का यागाः 'आज्यभागाः' । अथ पंच हविर्भागान् दर्शयति—सौम्य आज्यभाग इति । सोमदेवताको द्वितीयः 'आज्यभागः' 'हविर्भागाणां प्रथमः' आदिमः । ननु—आज्यहविष्कस्य सोमयागस्य कथं हविर्भागत्वं तत्राह—हविर्हीति । यद्यपि अस्य आज्यद्रव्यकत्वं तथापि देवता-

प्राशित्रं चेडा च । युच्चाग्नीधऽ आदधाति ब्रह्मभागो यजमानभागो-ऽन्वाहार्य्यंऽएते षट् प्राजापत्यास्त्रयोऽनुयाजाश्चत्वारः पत्नीसंयाजाः समिष्टयजुरष्टममेतेऽष्टाऽ उपरिष्टादाज्यभागाः ॥ ११ ॥

(०) अथ यदपुरोऽनुवाक्यकाः प्रयाजा भवन्ति । तस्मादिमाः प्रजाऽ अदन्तका जायन्तेऽथ यत्पुरोनुवाक्यवन्ति हवीꣳषि भवन्ति तस्मादासां जायन्तेऽथ यदपुरोनुवाक्यका ऽअनुयाजा भवन्ति तस्मादासां प्रभिद्यन्ते-ऽथ यत्पुरोनुवाक्यवन्तः पत्नीसंयाजा भवन्ति तस्मादासाꣳ संतिष्ठन्तेऽथ यदपुरोनुवाक्यकꣳ समिष्टयजुर्भवति तस्मादासां पुनरुत्तमे व्वयसि सर्व्व ऽएव प्रभिद्यन्ते ॥ १२ ॥ शतम् ॥ ८७०० ॥

प्राशित्रं चेडा च यच्चाग्नीध आदधाति ब्रह्मभागो यजमानभागोऽन्वाहार्य एते षट् प्राजापत्याः। त्रयोऽनुयाजाश्चत्वारः पत्नीसंयाजाः समिष्टयजुरष्टममेतेऽष्टा उपरिष्टादाज्यभागाः ॥ ११ ॥

अथ यदपुरोऽनुवाक्यकाः प्रयाजा भवंति । तस्मादिमाः प्रजा अदंतका जायंते । अथ यत्पुरोऽनुवाक्यवंति हवींषि भवंति, तस्मादासां जायंते । अथ यदपुरोऽनुवाक्यका अनुयाजा भवंति, तस्मादासां प्रभिद्यंते । अथ यत्पुरोऽनुवाक्यवंतः पत्नीसंयाजा भवंति, तस्मादासां संतिष्ठंते । अथ यदपुरोऽनुवाक्यकं समिष्टयजुर्भवति, तस्मादासां पुनरुत्तमे वयसि सर्व एव प्रभिद्यंते ॥ १२ ॥

भूतः 'सोमः' स्वयं हविरात्मकः "सोमेन यजेत" इति श्रुतेः । अग्नीषोमीय उपांशुयाज इति । "तावब्रूतामग्नीषोमौ आज्यस्यैव नौ उपांशु पौर्णमास्यां यजेत" इति श्रुतत्वात् उपांशुयाजस्याग्नीषोमदेवताकत्वम् । तथाच स्विष्टकृद्यागांताः 'एते पंच मध्यतः' मध्ये अनुष्ठेया हविर्भागाः' हविः पुरोडाशादि द्रव्यं भागो भागधेयं येषां ते तथोक्ताः ॥ १० ॥

षट् प्राजापत्यानाह–प्राशित्रं चेति । यच्चाग्नीध इति । 'अग्नीधे' आग्नीध्राय यं चतुर्द्धाकृतपुरोडाशभागं 'आदधाति' हस्ते प्रक्षिपति, अयं तृतीयः प्राजापत्यः । 'एते' प्राशित्राद्यन्वाहार्यांताः 'षट् प्राजापत्याः' प्रजापतिदेवताकाः । अथाष्टसंख्यान् उपरिष्टादाज्यभागानाह–त्रयोऽनुयाजा इति । 'अष्टमं' अष्ट-संख्यापूरकम् ॥ ११ ॥

इत्थं प्रथमप्रश्नविषयमुक्त्वा द्वितीयेन प्रश्नेन पृष्टानाह–अथ यदपुरोऽनुवाक्यका इति । यस्मात् पुरोऽनु-

---

१–शतपथश्रुतिमूलककात्यायनश्रौतसूत्रक्रमेण–न चतुर्द्धाकृतः पुरोडाशभागः प्राजापत्यो भवितुमर्हति । तदितरेषां ब्रह्मादि-चतुर्द्धाकृतानां प्राजापत्यत्वानुक्तेः । ब्रह्मभागो यजमानभाग इति भागसाहित्यात् अग्नीत्संप्रदानकः षडवत्तभागस्तृतीयः प्राजापत्यः । तथा च सूत्रक्रमः "संवरमभ्युक्ष्य प्राशित्रमवद्यति यवमात्रं पिप्पलमात्रं वा अन्यतरत आज्यमुभयतो वाऽऽभ्रेयात् । भागांश्च" इत्युपक्रम्य "द्यावापृथिव्योरुपह्वानेऽग्नीधे षडवत्तम्" इति । अत्र कर्कभाष्ये उपन्यस्ता श्रुतिः "अथ यत्राहोपहूते द्यावापृथिवी इति तदग्नीध आदधाति" (का. श्रौ. सू. ३।७२।७३।८८) इति हि श्रूयत इति । अत्रापि "यच्चाग्नीध आदधाति" इति श्रुतिः । उभे अपि श्रुत्यौ समानतिकन्ते इति ॥

(न्तेऽथ) अथ यदनुवाक्यामनूच्य । याज्यया यजति तस्मादधरऽ एवाग्रे जायन्तेऽथोत्तरेऽथ यद्गायत्रीमनूच्य त्रिष्टुभा यजति तस्मादणीयाꣳसऽएवाधरे प्रथीयाꣳसऽउत्तरेऽथ यत्प्राञ्चावाघारावाघारयति तस्माद्दꣳष्ट्रा व्वर्षीयाꣳसोऽथ यत्सच्छन्दसावेव संयाज्ये भवतस्तस्मात्समाऽ एव जंभ्याः ॥ १३ ॥

(ऽ) अथ यद्बर्हि स्तृणाति । तस्मादिमाः प्रजा लोमशा जायन्तेऽथ यत्पुनरिव प्रस्तरꣳ स्तृणाति तस्मादासां पुनरिव श्मश्रूण्यौपपक्ष्याणि

अथ यदनुवाक्यामनूच्य याज्यया यजति । तस्मादधर एवाग्रे जायंते । अथोत्तरे । अथ यद्गायत्रीमनूच्य त्रिष्टुभा यजति । तस्मादणीयांस एवाधरे । प्रथीयांस उत्तरे । अथ यत्प्रांचावाघारावाघारयति, तस्माद्दंष्ट्रा वर्षीयांसः । अथ यत्सच्छंदसावेव संयाज्ये भवतः, तस्मात्समा एव जंभ्याः ॥ १३ ॥

अथ यद्बर्हिः स्तृणाति; तस्मादिमाः प्रजा लोमशा जायंते । अथ यत्पुनरिव प्रस्तरं स्तृणाति; तस्मादासां पुनरिव श्मश्रूण्यौपपक्ष्याणि दुर्वीरिणानि जायंते । अथ यत्केवलमेवाग्रे प्रस्तरमनु-

---

वाक्यारहिताः केवलं याज्यावंतः ' प्रयाजा भवंति ' तस्मात् ' इमाः ' उत्पद्यमानाः ' प्रजा अदंतकाः ' दंतरहिताः ' जायंते । ' यस्मात् ' हवींषि ' आग्नेयादीनि अनुवाक्योपेतानि भवंति ' तस्मादासां ' प्रजानां दंताः ' जायंते ' । पुनरनुयाजा अनुवाक्यारहिता भवंतीति ' यत् ' यस्मात् तस्मादुत्पन्ना दंताः ' प्रभिद्यंते ' । पुनः ' पत्नीसंयाजा ' अनुवाक्योपेता भवंतीति यत् ' तस्मादासां ' प्रजानां पुनरुत्पन्ना दंताः ' संतिष्ठंते ' सम्यक् स्थिता भवंति । अथ समिष्टयजुराख्यं कर्म पुरोऽनुवाक्यारहितमिति यत् ' तस्मादासां ' प्रजानां ' पुनरुत्तमे ' चरमे ' वयसि ' ' सर्वे एव ' दंताः प्रभिन्ना भवन्ति ॥ १२ ॥

यस्मादधर एवाग्रे जायंते इत्यस्योत्तरमाह–अथ यदनुवाक्यामनूच्येति । ' यत् ' यतः पूर्वमनुवाक्यावचनं अधरदंतानां प्रथमोत्पत्तौ निमित्तं, अनुवाक्याया गायत्रीरूपं न्यूनच्छंदस्त्वं तदणीयस्त्वनिमित्त, याज्याना पश्चात्प्रयोगः उपरितनदंतानां पश्चादुत्पत्तौ कारणं, याज्यानां त्रिष्टुप्छंदस्कत्वेनाप्येकादशाक्षरत्वं तत्प्रथीयस्त्वनिमित्तमित्यर्थः । ' यस्मात् दंष्ट्रा वर्षीयांसः ' इत्यस्योत्तरमाह–अथ यत्प्रांचाविति । यद्यस्मात् कारणात् आघाराख्यौ होमौ ' प्रांचौ ' प्रागपवर्गौ दीर्घधारया 'आघारयति' तस्मात्कारणात् दंष्ट्राख्या दंताः द्राघीयांसः । ' अथ ' यद्यस्मात् कारणात् ' संयाज्ये ' स्विष्टकृतो याज्यानुवाक्ये ' सच्छंदसौ ' समानच्छंदस्कर्चौ ' भवतः ' । ते च–" पिप्रीहि देवान्; " " अग्ने यदद्य विशः " इत्यादी । ते ' त्रिष्टुभौ ' यस्मात् तस्मात् कारणात् ' जंभ्याः ' दंताः ' समाः ' समानाकृतयो भवंतीति ॥ १३ ॥

अथ ' यस्मादिमाः प्रजाः लोमशा जायंते ' इत्यस्योत्तरमाह–अथ यद्बर्हिरिति । यद्यस्मात् वेद्यां 'बर्हिः स्तृ-

---

१–तथाऽऽह हौत्रपरिशिष्टे कात्यायनः–" त्रिष्टुभावृतुपत्यौ संयाज्ये, पिप्रीहि देवा २, उशतो यविष्ठाग्ने यदद्य विशो अध्वरस्य " इति दर्शयागे । पौर्णमासे तु–विराजौ संयाज्ये, प्रेद्धो अग्ने, इमो अग्ने इति ॥

दुर्वीरिणानि जायन्तेऽथ यत्केवलमेवाग्रे प्रस्तरमनुप्रहरति तस्माच्छीर्षण्येवाग्रे पलितो भवत्यथ यत्सर्व्वमेव बर्हिरनुप्रहरति तस्मात्पुनरुत्तमे व्वयसि सर्व्वऽ एव पलितो भवति ॥ १४ ॥

(त्यु) अथ यदाज्यहविषः प्रयाजा भवन्ति । तस्मात्कुमारस्य रेतः सिक्तं न सम्भवत्युदकमिवैव भवत्युदकमिव ह्याज्यमथ यन्मध्ये यज्ञस्य दध्ना पुरोडाशेनेति चरन्ति तस्मादस्य मध्यमे व्वयसि सम्भवति द्रप्सीवैव भवति द्रप्सीव हि रेतोऽथ यदाज्यहविषऽ एवानुयाजा भवन्ति तस्मादस्य पुनरुत्तमे व्वयसि न सम्भवत्युदकमिवैव भवत्युदकमिव ह्याज्यम् ॥१५॥

प्रहरति; तस्माच्छीर्षण्येवाग्रे पलितो भवति । अथ यत्सर्वमेव बर्हिरनुप्रहरति; तस्मात्पुनरुत्तमे वयसि सर्व एव पलितो भवति ॥ १४ ॥

अथ यदाज्यहविषः प्रयाजा भवंति; तस्मात्कुमारस्य रेतः सिक्तं न संभवति, उदकमिवैव भवति, उदकमिव ह्याज्यम् । अथ यन्मध्ये यज्ञस्य दध्ना पुरोडाशेनेति चरंति; तस्मादस्य मध्यमे वयसि संभवति, द्रप्सीवैव भवति, द्रप्सीव हि रेतः । अथ यदाज्यहविष एवानुयाजा भवंति; तस्मादस्य पुनरुत्तमे वयसि न संभवति, उदकमिवैव भवति, उदकमिव ह्याज्यम् ॥ १५ ॥

णाति' स्तीर्यमाणं तद्बर्हिर्लोमस्थानीयम् । अत एवान्यत्राम्नातम्–"लोमानि बर्हिर्वेदः शिखा" (तै.आ. अन्तिमानुवाके) इति । श्मश्रूपपक्ष्यरोम्णां जन्मनः पुरस्तादुत्पत्तौ कारणमाह–अथ यत्पुनरिवेति । यद्यस्मात् कारणात् स्तीर्णे बर्हिषि 'पुनरिव' प्रस्तराख्यं दर्भमुष्टिं ' स्तृणाति ' तस्मात् कारणात् ' आसां ' प्रजानां पुनर्यौवने वयसि श्मश्रुप्रभृतीनि उत्पद्यंते । प्रथमं शिरस्येव पलिताविर्भावे निमित्तमाह–अथ यत् केवलमेवेति । यद्यस्मात् 'अग्रे' आदौ बर्हिषः प्रहरणात्पूर्वमेव 'केवलं' प्रस्तरमेव 'अनुप्रहरति' अनूच्यमाने सूक्तवाके अग्नौ प्रक्षिपति । तस्मादित्यादि सिद्धम् । अथ जीर्यदवस्थायां सर्वावयवेषु पलितत्वे कारणमाह–अथ यत्सर्वमेवेति । यद्यस्मात् समिष्टयजुर्होमकाले ' सर्वं ' निःशेषमेव कृत्स्नं स्तीर्णं ' बर्हिः ' अग्नौ ' अनुप्रहरति ' । तस्मादित्यादि गतम् ॥ १४ ॥

अथ यस्मात् कुमारस्य रेतः सिक्तं न संभवतीत्यादेः प्रश्नस्योत्तरमाह–अथ यदाज्यहविष इति । अथेत्यारंभे । यद्यस्मात्प्रयाजाः ' आज्यहविषः ' आज्यहविष्का भवंति, ' तस्मात्कुमारस्य रेतः ' उदकात्मना स्रवति; न तु देहरूपेण घनीभवतीत्यर्थः । अथ मध्यमे वयसि रेतसो देहरूपपरिणामे कारणमाह–अथ यन्मध्य इति । ' यज्ञस्य ' दर्शपूर्णमासाख्यस्य ' मध्ये ' मध्यभागे ' दध्ना ' सान्नाय्येन । इतिशब्दश्चार्थे । आग्नेयादि–' पुरोडाशेन ' च ' चरंति ' यजंति ' तस्मात् ' कारणात् । गतमन्यत् । उक्तं कार्यकारणभावं योजयति–द्रप्सीवैव भवतीति । एवशब्दश्चार्थे । आग्नेयादिपुरोडाशे तद्दध्यादिहविः 'द्रप्सीव' द्रप्साः घनीभूता बिंदवः तद्युक्तमेव भवति । पुनश्च ' रेतः ' सिक्तमपि ' द्रप्सीव ' द्रप्सयुक्तमिव भवति । यस्मादेवमनयोः साम्यं तस्मान्मध्यगतदध्यादियोगेन मध्यमवयस्कस्य रेतः द्रप्सयुक्तं सर्वशरीराकारेण घनीभवतीत्यर्थः । चरमे वयसि निषिक्तरेतसः प्रजारूपानुत्पत्तौ कारणमाह–अथ यदाज्यहविष एवानुयाजा इति । यद्यस्मात्

(म्वे) वेदिरेव गायत्री । तस्यै येऽष्टौ पुरस्तादाज्यभागाः स दक्षिणः पक्षो येऽष्टाऽ उपरिष्टादाज्यभागाः सऽउत्तरः पक्षः सैषा गायत्री हरिणी ज्योतिष्पक्षा यजमानꣳ स्वर्गं लोकमभिवहति यऽएवमेतद्वेद ॥ १६ ॥

इति द्वितीयप्रपाठके सप्तमं ब्राह्मणम् ॥ ११-२-७ ॥ (४. १.) ॥

अथातः स्रुचोरादानस्य । तद्धैतदेके कुशला मन्यमाना दक्षिणेनैव जुहूमाददते सव्येनोपभृतन्न तथा कुर्य्याद्यो हैनं तत्र ब्रूयात्प्रतिप्रतिं न्वाऽ अयमध्वर्य्युर्य्यजमानस्य द्विषन्तं भ्रातृव्यमकत्प्रत्युद्यामिनमितीश्वरो ह तथैव स्यात् ॥ १ ॥

वेदिरेव गायत्री । तस्यै येऽष्टौ पुरस्तादाज्यभागाः; स दक्षिणः पक्षः । येऽष्टा उपरिष्टादाज्यभागाः; स उत्तरः पक्षः । सैषा गायत्री हरिणी ज्योतिष्पक्षा, यजमानं स्वर्गं लोकमभिवहति । य एवमेतद्वेद ॥ १६ ॥

अथातः स्रुचोरादानस्य । तद्धैतदेके कुशला मन्यमाना दक्षिणेनैव जुहूमाददते, सव्येनोपभृतम् । न तथा कुर्यात् । यो हैनं तत्र ब्रूयात्–प्रतिप्रतिं न्वा अयमध्वर्युर्यजमानस्य द्विषंतं भ्रातृव्यमकत्प्रत्युद्यामिनमिति । ईश्वरो ह तथैव स्यात् ॥ १ ॥

कारणात् प्रधानयागानंतरम् अनुष्ठेयाः अनुयाजाख्या यागाः प्रयाजवत् पुनः 'आज्यहविष एव' 'भवंति' । तस्मात् कारणात् अस्य पुरुषस्य बाल्ये वयसीव पुनरपि 'उत्तमे' चरमे 'वयसि' रेतः शरीराकारेण नोत्पद्यते । पूर्ववदेव तदुपपादयति–उदकमिवेति । सिद्धमेतत ॥ १५ ॥

यो गायत्रीमिति प्रश्नस्योत्तरमाह–वेदिरेव गायत्रीति । ज्योतिष्पक्षरूपा या पूर्वं पृष्टा गायत्री सा 'वेदिरेव' । तस्याः पक्षादिकं संपादयति–तस्यै येऽष्टाविति । आधारादयः 'येऽष्टौ पुरस्तादाज्यभागाः' अनुक्रांताः 'तस्यै' षष्ठ्यर्थे चतुर्थी (पा. सू. २।३।६२ वा.) इति । 'तस्याः' गायत्र्याः 'स दक्षिणः पक्षः' । 'उपरिष्टादाज्यभागाः' अनुयाजादयः 'ये अष्टौ' च अनुक्रांताः 'स उत्तरः पक्षः' । 'सैषा' वेदिरूपा 'गायत्री' 'हरिणी' अभितो दीप्यमानैरग्निभिर्हरितवर्णा 'ज्योतिष्पक्षा' ज्योतिर्मयाहुत्यात्मकपक्षोपेता सती 'यजमानं स्वर्गं लोकमभिवहति' अभिलक्ष्य प्रापयति । एतत् कृत्स्नफलं ब्राह्मणार्थवेदिन इत्याह–य एवमेतद्वेदेति । 'एवं' उक्तेन प्रकारेण अष्टौ पुरस्तादाज्यभागानित्यादिनोक्तमर्थजातं 'यः' यजमानः 'वेद' तमेवोपासकमेव गायत्री स्वर्गं वहतीत्यर्थः ॥ १६ ॥

इति श्रीसायणाचार्यविरचिते माधवीये वेदार्थप्रकाशे माध्यन्दिनीयशतपथब्राह्मणभाष्ये एकादशकाण्डे चतुर्थेऽध्याये प्रथमं ब्राह्मणम् ॥ (११-४-१) ॥

इत्थं दर्शपूर्णमासयोः प्रयाजादियागान् शरीरोत्पत्तिनिमित्तत्वेन प्रतिपाद्य, अथ तेषां यागानां स्रुगादानप्रभृतिहोमांताः केचन धर्मा विचार्यंते; तत्र स्रुगादानस्य प्रकारविशेषं दर्शयितुं प्रस्तौति–अथातः स्रुचो-

(दि) इत्थमेव कुर्य्यात् । (दु) उभाभ्यामेव पाणिभ्यां जुहूम्परिगृह्योपभृत्यधिनिदध्यात्तस्य नोपमीमाᳫँसाऽस्ति तत्पशव्यमायुष्यं तेऽअसᳫँशिञ्जयन्नाददीत ते यत्सᳫँशिञ्जयेदयोगक्षेमो यजमानमृच्छेत्तस्मादसᳫँशिञ्जयन्नाददीत ॥ २ ॥

(ता) अथातोऽतिक्रमणस्य । वज्रेण ह वाऽअन्योऽध्वर्य्युर्य्यजमानस्य

इत्थमेव कुर्यात्; उभाभ्यामेव पाणिभ्यां जुहूं परिगृह्योपभृत्यधिनिदध्यात् । तस्य नोपमीमांसाऽस्ति । तत्पशव्यमायुष्यम् । ते असंशिंजयन्नाददीत । ते यत्संशिंजयेत् । अयोगक्षेमो यजमानमृच्छेत् । तस्मादसंशिंजयन्नाददीत ॥ २ ॥

अथातोऽतिक्रमणस्य । वज्रेण ह वा अन्योऽध्वर्युर्यजमानस्य पशून्विधमति । वज्रेण हास्मा

रिति । अथेत्यारंभे आनंतर्ये वा । यतः स्रुगादानविषये वक्ष्यमाणप्रकारेण वैषम्यमस्ति । 'अतः' हेतोः 'स्रुचोः' जुहूपभृतोर्होमार्थं यदादानम्, तस्य विचारः क्रियत इति शेषः । तत्र एकीयमतं दर्शयति—तद्धै-तदिति । तावत् स्रुचोरादानविषये 'एके' याज्ञिकाः 'कुशला मन्यमानाः' युगपत्पात्रद्वयग्रहणे कौशलयुक्त-मात्मानं मन्यमानाः संतो दक्षिणवामहस्ताभ्यां युगपत् जुहूपभृतौ 'आददते' गृह्णंति । तदेतत् दूषयति—न तथा कुर्यादिति । 'तथा' तेनोक्तप्रकारेण स्रुचोरादानं 'न कुर्यात्' । 'तत्र' तस्मिन् विषये 'यो ह' यः कश्चिदभिज्ञः आगत्य एनमध्वर्युं 'ब्रूयात्' किमिति ? 'नु' 'अयमध्वर्युर्यजमानस्य' 'प्रतिप्रतिम्' प्रतिकूलाचरणेन प्रतिभटं 'द्विषन्तं भ्रातृव्यम्' शत्रुं 'प्रत्युद्यामिनं' प्रत्युद्गमनशीलं 'अकत्' कृतवान् । इतिशब्दो वाक्यसमाप्तौ । जुहूर्हि यजमानदेवत्या, उपभृत् भ्रातृव्यरूपा, उभयोर्युगपदेव हस्त-द्वयेन ग्रहणे भ्रातृव्यमपि यजमानवत् संस्कृतवान् भवतीत्यभिप्रायः । ईश्वरो हेति । यथैवमुक्तं 'तथैव' भवितुं यजमानः 'ईश्वरः' समर्थः स्यात् । उक्तदोषः अवश्यं भवेदित्यर्थः ॥ १ ॥

स्वकीयं पक्षमाह—इत्थमेवेति । 'इत्थं' अनेन प्रकारेण वक्ष्यमाणप्रकारेणैव स्रुचोरादानं 'कुर्यात्' । दक्षिणोत्तराभ्यामुभाभ्यामेव 'पाणिभ्यां' 'जुहूं' परिगृह्यादाय 'उपभृत्यधिनिदध्यात्' निक्षिपेत् । विध्यर्थे लिङ् । पश्चात् जुहूसहितामुपभृतं गृह्णीयात् इति । अस्मिन्पक्षे दोषाभावं ब्रुवन् आनुगुण्यमाह—तस्य नोपमीमांसाऽस्तीति । 'तस्य' एवंविधस्य स्रुगादानस्य 'उपमीमांसा' उदीरितदोषोक्तिरिति यावत् । सा नास्ति । न केवलं दोषाभावः, अपि तु तदादानं 'पशव्यं' पशुभ्यो हितं पशुवृद्धिकरमित्यर्थः । 'आयुष्यं' आयुष्करम् । तत्र विशेषमाह—ते असंशिंजयन्निति । 'ते' जुहूपभृतौ 'असंशिंजयन्' "शिजि अव्यक्ते शब्दे" (धा. पा. अ. आ. १७) इति धातुः । परस्परसंघट्टजनितं शब्दमकुर्वन् । 'आददीत' स्वीकुर्यात् । "डुदाञ् दाने" (धा. पा. जु.उ. ९) इति धातुः । अत एवोक्तमापस्तंबेन—" न च शिंजयति " इति । अथ विपक्षे बाधं दर्शयन् निगमयति—अयोगक्षेम इति । अप्राप्तस्य फलस्य प्राप्तिर्योगः । लब्धस्य परिपालनं क्षेमः । तयोरभावो यजमानम् 'ऋच्छेत्' प्राप्नुयात् । गतमन्यत् ॥ २ ॥

अतिक्रमणविषयं विचारं प्रस्तौति—अथातोऽतिक्रमणस्येति । 'अथातः' शब्दावुक्तार्थौ विद्येते । अति-

पशून्विधमति वज्रेण हास्मा ऽ अन्य ऽउपसमूहत्येष ह वा ऽअध्वर्युर्वज्रेण यजमानस्य पशून्विधमति य ऽआश्रावयिष्यन्दक्षिणेनातिक्रामति सव्येनाश्राव्याथ हास्मा ऽ एष ऽ उपसमूहति य ऽआश्रावयिष्यन्त्सव्येनातिक्रामति दक्षिणेनाश्राव्यैष हास्मा ऽउपसमूहति ॥ ३ ॥

(त्य) अथातो धारणस्य । तद्धैतदेके कुशला मन्यमानाः प्रगृह्य बाहू स्रुचौ धारयन्ति न तथा कुर्य्याद्यो हैनं तत्र ब्रूयाच्छूलौ न्वा ऽअयमध्वर्युर्बाहू ऽ अक्रुत शूलबाहुर्भविष्यतीतीश्वरो ह तथैव स्यादथ हैष मध्यमः प्राणस्तस्मादु तमुपन्युच्यैवैव धारयेत् ॥ ४ ॥

अन्य उपसमूहति । एष ह वा अध्वर्युर्वज्रेण यजमानस्य पशून्विधमति, य आश्रावयिष्यन् दक्षिणेनातिक्रामति सव्येनाश्राव्य । अथ हास्मा एष उपसमूहति, यः आश्रावयिष्यन् सव्येनातिक्रामति दक्षिणेनाश्राव्य । एष हास्मा उपसमूहति ॥ ३ ॥

अथातो धारणस्य । तद्धैतत् एके कुशला मन्यमानाः प्रगृह्य बाहू स्रुचौ धारयंति । न तथा कुर्यात् । यो हैनं तत्र ब्रूयात् ; शूलौ न्वा अयमध्वर्युर्बाहू अक्रुत । शूलबाहुर्भविष्यतीति । ईश्वरो ह तथैव स्यात् । अथ हैष मध्यमः प्राणः, तस्माद्दु तमुपन्यच्येवैव धारयेत् ॥ ४ ॥

क्रमणप्रकारविशेष उच्यते इति शेषः । तं दर्शयितुं अध्वर्युद्वैविध्यमाह–**वज्रेण ह वा इति** । 'अन्य' एकोऽध्वर्युः 'यजमानस्य पशून्' गवादीन् 'वज्रेण' खलु 'विधमति' विगमयति यजमानात् वियोजयतीत्यर्थः । 'अन्यः' खलु अध्वर्युः 'अस्मै' यजमानाय । षष्ठ्यर्थे चतुर्थी (पा. सू. २ । ३ । ६२ वा.) । वज्रेणैव तान्पशून् 'उपसमूहति' समीपं प्रापयति । तत्र यो विधमति तं दर्शयति–**एष ह वा अध्वर्युरिति** । 'यः' अध्वर्युः आश्रावणं करिष्यन् 'दक्षिणेन' पदा दक्षिणा 'अतिक्रामति', 'आश्राव्य' आश्रावणं कृत्वा 'सव्येन' पादेनापक्रामति । एषोऽध्वर्युर्विधमति । इत्थं अध्वर्युविशेषप्रदर्शनेन अतिक्रमणविषयं निंदापक्षमुक्त्वा सिद्धांतयति–**अथ हास्मा इति** । अथशब्दः पक्षव्यावृत्त्यर्थः । 'यः' अध्वर्युः उक्तवैपरीत्येन अतिक्रमणं करोति । सः 'अस्मै' यजमानाय पशून् 'उपसमूहति' प्रापयतीत्यर्थः ॥ ३ ॥

अथ स्रुग्धारणविषयं धर्मविशेषं विधातुं प्रस्तौति–**अथातो धारणस्येति** । प्रकार उच्यते इति शेषः । तत्र पूर्वपक्षयति–**तद्धैतदेक इति** । 'तत्' एतस्मिन् स्रुग्धारणविषये 'एके' याज्ञिकाः–कुशलत्वेनात्मानं मन्यमानाः 'प्रगृह्य' प्रकर्षेणोर्ध्वमुद्यम्य तथाविधाभ्यां बाहुभ्यां 'स्रुचौ धारयंति' । तन्निषिद्धं दूषयति–**न तथा कुर्यादिति** । **शूलौ न्वा इति** । नुशब्द उपमार्थः । उक्तं हि यास्केन–"अथाप्युपमार्थे भवति । वृक्षस्य नु ते पुरुहूत वयाः"–(निरु. १ । ४ । १८) इति । 'अयमध्वर्युः' 'बाहू' प्रगृह्य धारयन् तौ शूलाविव 'अक्रुत' कृतवान् । अतो यजमानः 'शूलबाहुर्भविष्यति' इति । गतमन्यत् । कर्तव्यं पक्षमाह–**अथ हैष इति** । यः 'एषः' 'मध्यमः' देहमध्यवर्ती 'प्राणः' वाय्वाधारत्वात् प्राणो नाभिः । 'तस्मात् उ' तस्मात् मध्यमात्प्राणात्

(द्) अथातऽआश्रावणस्य । षड्ढ वाऽ आश्रावितानि न्यक्तिर्य्यगूर्ध्वं कृपणं बहिःश्रयन्तःश्रि ॥ ५ ॥

(श्रे) एतद्ध वै न्यक् । (ग्यो) योऽयमुच्चैरादाय शनैर्निदधाति स यमिच्छेत्पापीयान्त्स्यादिति तस्योच्चैरादाय शनैर्निदध्यात्तेन स पापीयान्भवति ॥ ६ ॥

(त्यु) अथ हैतत्तिर्य्यक् । (ग्यो) योऽयं यावतैवाददीत तावता निदधाति स यमिच्छेन्नैव श्रेयान्त्स्यान्न पापीयानिति तस्य यावतैवाददीत तावता निदध्यात्तेन स नैव श्रेयान्न पापीयान्भवति ॥ ७ ॥

(त्यु) अथ हैतदूर्ध्वम् । योऽयꣳ शनैरादायोच्चैर्न्निदधाति यमिच्छेच्छ्रेयान्त्स्यादिति तस्य शनैरादायोच्चैर्न्निदध्यात्तेन स श्रेयान्भवति ॥ ८ ॥

अथात आश्रावणस्य । षड् ह वा आश्रावितानि । न्यक्[१] तिर्यक्[२] ऊर्ध्वं[३] कृपणं[४] बहिःश्रि[५] अंतःश्रि[६] ॥ ५ ॥

एतद्ध वै न्यक्, योऽयमुच्चैरादाय शनैर्निदधाति । स यमिच्छेत्पापीयान् स्यादिति; तस्योच्चैरादाय शनैर्निदध्यात् । तेन स पापीयान् भवति ॥ ६ ॥

अथ हैतत्तिर्यक्, योऽयं यावतैवाददीत तावता निदधाति । स यमिच्छेन्नैव श्रेयान् स्यान्न पापीयानिति; तस्य यावतैवाददीत तावता निदध्यात् । तेन स नैव श्रेयान्न पापीयान् भवति ॥ ७ ॥

अथ हैतदूर्ध्वम्, योऽयं शनैरादायोच्चैर्निदधाति । स यमिच्छेच्छ्रेयान् स्यादिति; तस्य शनैरादायोच्चैर्निदध्यात् । तेन स श्रेयान् भवति ॥ ८ ॥

' उपन्यच्येवेव ' नीचैः कृत्वैव ' तं ' मध्यमं प्राणं उपनतस्य मध्यमप्राणस्य समीपे धारयेत् । अत एवोक्तं सूत्रकृता—" नाभिदेशे धारणम् "—(का. श्रौ. सू. ३ । ४४) इति ॥ ४ ॥

एवमाश्रावणेऽपि स्वाभिमतं पक्षं दर्शयितुं प्रस्तौति—अथात आश्रावणस्येति । यतो वक्ष्यमाणप्रकारेण तत्र भूयसी विप्रतिपत्तिरस्ति, अतः कारणात् ' अथ ' तस्याश्रावणस्य विशेषानादौ संपरिचष्टे—षड्ढ वा आश्रावणानीति । ' न्यक्, तिर्यग् ' इत्यादिशब्दाः तेषामाश्रावणविशेषाणां क्रमेणान्वर्थसंज्ञाः ॥ ५ ॥

तत्र प्रथमस्वरूपमाह—एतद्ध वा इति । ' योऽयं ' अध्वर्युः ' उच्चैः ' ऊर्ध्वस्वरेणादायाश्रावणं प्रारभ्य ' शनैः ' नीचस्वरेण ' निदधाति ' परिसमापयति । एतत् न्यक्संज्ञकमाश्रावणम् । एतस्य प्रयोगविषयमाह—स यमिच्छेदिति । ' यं ' यजमानं द्वेष्यम् 'पापीयान्' अतिशयेन दरिद्रः ' स्यात् ' इतीच्छेदध्वर्युः ' तस्य ' एतदाश्रावितं येन यजमानः ' पापीयान् भवति ' ॥ ६ ॥

द्वितीयमाश्रावणं लक्षयति—अथ हैतत्तिर्यगिति । ' यः अयम् ' अध्वर्युः ' यावता ' यावत्परिमाणेन स्वरेणाश्रावणम ' आददीत ' आरभते, तावतैव स्वरेण 'निदधाति', तस्य तत् आश्रावणं तिर्यक्संज्ञम् । तस्य प्रयोगफलमाह—स यमिच्छेदिति । श्रेयानपि न स्यात्, पापीयानपि नैव स्यात्, अपि तु मध्यस्थ एव ' भवतु ' इति यं यजमानं कामयेत, तस्य एतत् तिर्यक्संज्ञकमाश्रावणं प्रयोज्यम् । स्पष्टमन्यत् ॥ ७ ॥

अथ तृतीयस्याश्रावणस्य स्वरूपमाह—अथ हैतदूर्ध्वमिति । ' अथ ' खलु ' एतत् ' वक्ष्यमाणं आश्रावणं

(त्यु) अथ हैतत्कृपणम् । (णं यो) योऽयमणु दीर्घमस्वरमाश्रावयति यो हैनं तत्र ब्रूयात्कृपणं न्वाऽअयमध्वर्य्युर्य्यजमानमकद्द्विषतो भ्रातृव्यस्योपावसायिनमितीश्वरो ह तथैव स्यात् ॥ ९ ॥

(द्र) अथ हैतद्बहिःश्रि । योऽयमपव्यादायौष्ठाऽउच्चैरस्वरमाश्रावयति श्रीर्वै स्वरो बाह्यतऽ एव तच्छ्रियं धत्तेऽशनायुको भवति ॥ १० ॥

(त्यु) अथ हैतदन्तःश्रि । योऽयꣳ सन्धायौष्ठाऽउच्चैःस्वरवदाश्रावयति श्रीर्वै स्वरोऽन्तरतऽ एव तच्छ्रियं धत्तेऽन्नादो भवति ॥ ११ ॥

अथ हैतत्कृपणम्, योऽयमणु दीर्घमस्वरमाश्रावयति । यो हैनं तत्र ब्रूयात्; कृपणं न्वा अयमध्वर्युर्यजमानमकत्; द्विषतो भ्रातृव्यस्योपावसायिनमिति । ईश्वरो ह तथैव स्यात् ॥ ९ ॥

अथ हैतत् बहिःश्रि, योऽयमपव्यादायौष्ठा उच्चैरस्वरमाश्रावयति । श्रीर्वै स्वरः । बाह्यत एव तच्छ्रियं धत्ते । अशनायुको भवति ॥ १० ॥

अथ हैतदंतःश्रि, योऽयं संधायौष्ठा उच्चैःस्वरवदाश्रावयति । श्रीर्वै स्वरः । अंतरत एव तच्छ्रियं धत्ते । अन्नादो भवति ॥ ११ ॥

'ऊर्ध्वं' योऽयमध्वर्युः 'शनैरादाय' नीचैः स्वरेणारम्य 'उच्चैर्निदधाति' उन्नतस्वरेण परिसमापयति तदाश्रावणमूर्ध्वम् । एतस्य प्रयोगविषयमाह—स यमिच्छेदिति । स्पष्टोऽर्थः ॥ ८ ॥

चतुर्थं लक्षयति—अथ हैतत् कृपणमिति । 'अथ' खलु एतदाश्रावणं कार्पण्यदोषयुक्तं, यः अयमध्वर्युः 'अणु' अल्पं कंठस्याल्पता यथा भवति तथा, दीर्घमायामवत्, 'अस्वरं' स्वररहितं क्षीणस्वरं च यथा भवति तथा 'आश्रावयति' तस्य तादृगाश्रावणं कृपणमित्युच्यते । एतस्याप्रयोज्यतामभिप्रेत्य दूषणमाह—यो हैनमिति । 'कृपणं नु वै' कृपणं दीनमिव खलु अयमध्वर्युर्यजमानं 'अकत्' कृतवान् । तथा विद्वेषणं कुर्वतः 'भ्रातृव्यस्य' शत्रोः 'उपावसायिनं' समीपे अवस्थायिनं अकार्षीदिति यः कश्चिदभिज्ञो ब्रूयात् तथैव स यजमानो भवितुमीश्वरः 'स्यात्' ॥ ९ ॥

पंचमस्याश्रावितस्य स्वरूपमाह—अथ हैतद्बहिःश्रीति । यः अयमध्वर्युः 'ओष्ठौ अपव्यादाय' अपकृष्य विवृतौ कृत्वा 'अस्वरं' उदात्तादिस्वररहितं यथा भवति तथा केवलं उच्चैर्घोषेण 'आश्रावयति' तस्य तदाश्रावणं 'बहिःश्रि' इत्युच्यते । आस्यबाह्यदेशे श्रयति वर्तते इति शब्दव्युत्पत्तिः । अथैतत् पूर्ववत् दूषयति—श्रीर्वै स्वर इति । उदात्तादिलक्षणः 'स्वरः' स 'श्रीर्वै' वेदवाक्यस्य संपद्रूपः । तत्तथा सति ओष्ठयोरपव्यादानेन स्वरस्य बहिर्भावात् 'बाह्यत एव' यजमानाद्बहिर्भूत एव देशे 'श्रियं' संपदं 'धत्ते' धारयति । स यजमानः 'अशनायुकः' क्षुत्पीडितो 'भवति' तस्मादेतदपि आश्रावणं नोपादेयमिति भावः ॥ १० ॥

षष्ठं लक्षयति—अथ हैतदंतःश्रीति । यः अयमध्वर्युः 'ओष्ठौ' 'संधाय' संकुचितौ कृत्वा 'उच्चैः

स वै मन्द्रमिवोरसि । परास्तभ्योभयतो बार्हतमुच्चैरंततो निदध्यात्तस्य नोपमीमाᳪंसाऽस्ति तत्पशव्यमायुष्यम् ॥ १२ ॥

(म) अथातो होमस्य । तद्धैतदेके कुशला मन्यमानाः प्राचीᳪं स्रुचमुपावहृत्य हुत्वा पर्य्याहृत्योपभृत्यधिनिदधाति न तथा कुर्य्याद्यो हैनं तत्र ब्रूयादनुयुवन्न्वा अयमध्वर्य्युर्य्यजमानमकद्द्विषतो भ्रातृव्यस्यान्ववसायिनमितीश्वरो ह तथैव स्यात् ॥ १३ ॥

स वै मंद्रमिवोरसि परास्तभ्य उभयतो बार्हतम् उच्चैरंततो निदध्यात्; तस्य नोपमीमांसाऽस्ति । तत्पशव्यमायुष्यम् ॥ १२ ॥

अथातो होमस्य । तद्धैतत्, एके कुशला मन्यमानाः प्राचीं स्रुचमुपावहृत्य हुत्वा पर्याहृत्योपभृत्यधिनिदधाति । न तथा कुर्यात् । यो हैनं तत्र ब्रूयात्-अनुयुवन्वा अयमध्वर्युर्यजमानमकत्; द्विषतो भ्रातृव्यस्यान्ववसायिनमिति । ईश्वरो ह तथैव स्यात् ॥ १३ ॥

स्वरवत् ' उदात्तादिविविक्तस्वरयुक्तं यथा भवति तथा उच्चैराश्रावयति । तस्य तदाश्रावणं ओष्ठसंधानेन श्रीरूपस्य स्वरस्यांतर्भावात् ' अंतःश्रि ' इत्युच्यते । एतदेव सर्वत्र प्रयोक्तव्यम् इत्यभिप्रेत्य प्रशंसति-श्रीर्वै स्वर इति । 'तत्' तेन प्रकारेण ओष्ठसंधानेन श्रीरूपस्य स्वरस्य अंतर्धारणात् श्रीकरत्वम् । स्पष्टमन्यत् ॥ ११ ॥

अस्मिन्नेवाश्रावणे स्वरविशेषं विधत्ते-स वै मंद्रमिवेति । ' सः ' खलु आश्रावयन्नध्वर्युः ' उरसि ' उरःप्रदेशे ' मंद्रमिव परास्तभ्य ' गंभीरध्वनियुक्तमिव पराचीनं संस्तभ्य ' उभयतः ' आद्यंतयोः ' बार्हतम् ' बृहत्सामसंबंधी मध्यमस्वरो यथा भवति तथा ' अंततः ' आश्रावणस्यावसाने उच्चैर्निदध्यान्निक्षिपेत् । त्रीणि ह वाचः स्थानानि मंद्रमध्यताराख्यानि, तत्र मंद्रस्वरेणाश्रावणं प्रारभ्य मध्यमस्वरगर्भितेन तारस्वरेण परिसमापयेदित्यर्थः । अस्यैव षष्ठस्याश्रावणस्य दोषाभावं ब्रुवन् पश्वादिहेतुतामाह-तस्य नोपमीमांसाऽस्तीति । व्याख्यातमेतत् ॥ १२ ॥

आश्रावणानंतरंभाविनो होमस्य विशेषं वक्तुं प्रस्तौति-अथातो होमस्येति । ' अथातः ' शब्दौ पूर्ववत् योज्यौ । होमस्य विचारः अधिक्रियते इति शेषः । तत्र एकीयपक्षमाह-तद्धैतदिति । ' तत् ' तत्र होमविषये ' एतत् ' इत्थं ' एके ' केचन याज्ञिकाः कौशलयुक्तमात्मानं मन्यमानाः ' स्रुचं ' जुहूं च ' प्राचीं ' प्रागग्राम् ' उपावहृत्य ' उपभृतः अग्रदेशात् प्रागवरोप्य तया स्रुचा ' हुत्वा ' ' पर्याहृत्य ' उपभृन्मूलदेशात् उपरि नीत्वा तस्यामुपभृति ' निदधति ' स्थापयंति । ' अधिः ' सप्तम्यर्थानुवादी । तन्निषिध्य दूषयति-न तथा कुर्यादिति । अनुयुवन्वा इति । नुशब्द उपमार्थः । यजमानदेवत्यायाः जुह्वाः पर्याहरणात् ' अनुयुवन्निव ' भ्रातृव्येण संमिश्रयन्निव ' अयमध्वर्युः ' ' द्विषतः ' द्वेषणं कुर्वतः ' भ्रातृव्यस्य ' शत्रोः ' अन्ववसायिनं ' अनुगमनशीलं यजमानम् ' अकत् ' अकार्षीत् ' इति ' । इतिशब्दो वाक्यसमाप्तौ ॥ १३ ॥

(त्पा) पार्श्वतऽउ हैके । स्रुचमुपावहृत्य हुत्वा पर्य्याहृत्योपभृत्यधिनि-
दधति न तथा कुर्य्याद्यो हैनं तत्र ब्रूयादतीर्थेन न्वाऽअयमध्वर्युराहुतीः
प्रारौत्सीत्सं वा शरिष्यते घुणिर्वा भविष्यतीतीश्वरो ह तथैव स्यात् ॥ १४ ॥

(दि) इत्थमेव कुर्य्यात् । (त्प्रा) प्राचीमेव स्रुचमुपावहृत्य हुत्वा तेनैवाधि-
हृत्योपभृत्यधिनिदध्यात्तस्य नोपमीमाꣳसाऽस्ति तत्पशव्यमायुष्यम् ॥ १५ ॥

(म्प्र) प्रदग्धाहुतिर्ह वाऽ अन्योऽध्वर्युः । (रा) आहुतीर्हान्यः सन्तर्प्प-
यत्येष ह वै प्रदग्धाहुतिरध्वर्युर्य्योऽयमाज्यꣳ हुत्वाऽवदानानि जुहोत्ये-
तꣳ ह वै तदुद्दश्यमाना व्वागभ्युवाद प्रदग्धाहुतिर्वाऽअयमध्वर्युरित्यथ
हैनाऽ एष सन्तर्प्पयति योऽयमाज्यꣳ हुत्वाऽवदानानि जुहोत्यथ पुन-

---

पार्श्वत उ हैके स्रुचमुपावहृत्य हुत्वा पर्याहृत्योपभृत्यधिनिदधति । न तथा कुर्यात् । यो हैनं तत्र ब्रूयात् ; अतीर्थेन न्वा अयमध्वर्युराहुतीः प्रारौत्सीत् । सं वा शरिष्यते घुणिर्वा भविष्यतीति । ईश्वरो ह तथैव स्यात् ॥ १४ ॥

इत्थमेव कुर्यात् । प्राचीमेव स्रुचमुपावहृत्य हुत्वा तेनैवाधिहृत्योपभृत्यधिनिदध्यात् ; तस्य नोपमीमांसाऽस्ति । तत्पशव्यमायुष्यम् ॥ १५ ॥

प्रदग्धाहुतिर्ह वा अन्योऽध्वर्युः । आहुतीर्हान्यः सन्तर्पयति । एष ह वै प्रदग्धाहुतिरध्वर्युः । योऽयमाज्यं हुत्वाऽवदानानि जुहोति । एतं ह वै तदुद्दश्यमाना वागभ्युवाद । प्रदग्धाहुतिर्वा अय-

---

अन्यं पक्षमुपन्यस्य दूषयति–**पार्श्वत उ हैके** इति । 'एके' याज्ञिकाः 'पार्श्वत उ ह' उपभृतः पार्श्वदेशादेव 'स्रुचं' जुहूम् 'उपावहृत्य' अवरोप्य आहवनीये 'हुत्वा' पुनस्तेनैव 'पर्याहृत्य' 'उपभृति' जुहूं स्थापयंति । **अतीर्थेन न्वा** इत्यादि । 'अयमध्वर्युः' 'अतीर्थेन नु वै' तरति अनेनेति तीर्थं मार्गः । अमार्गेण खलु 'आहुतीः' 'प्रारौत्सीत्' प्रकर्षेण रुद्धगतीरकार्षीत्, तस्मात् कारणात् यजमानः 'संशरिष्यते वा' संशीर्णो भविष्यति । 'घुणिर्वा' भ्रांतो वा 'भविष्यतीति' । अन्यत् पूर्ववत् ॥ १४ ॥

इत्थं पूर्वपक्षमुपन्यस्य दूषयित्वा सिद्धांतयति–**इत्थमेव कुर्यादिति** । इत्थमनेनैव वक्ष्यमाणप्रकारेण होमं 'कुर्यात्' । स प्रदर्श्यते । आदिपक्ष इव 'प्राचीं' प्रागग्रामेव 'स्रुचं' जुहूं 'उपावहृत्य हुत्वा तेनैव' उपभृतोऽग्रप्रदेशेनैव 'अधिहृत्य' उपरि हृत्वा उपभृत्युपरि जुहूं स्थापयेत् । अस्य पक्षस्य उक्तपक्षदोषविरहेण प्राशस्त्यमाह–**तस्य नोपमीमांसाऽस्तीति** ॥ १५ ॥

अथ संतृप्ताहुतीनां फलहेतुतां वदन् तदर्थमध्वर्युद्वैविध्यमाह–**प्रदग्धाहुतिरिति** । 'अन्यः' इत्येकोऽध्वर्युः 'प्रदग्धाहुतिर्वै' प्रकर्षेण दग्धाः भस्मसात्कृताः आहुतयो येन स प्रदग्धाहुतिः । 'अन्यः' अपरोऽध्वर्युः

रंतत॒ऽआज्येनाभि॒जु॑होत्येषु हैनाः सु॒न्तर्प्पयति॒ ता॒सा॒ᳬ सु॒न्तृप्ता॒नां देवा॒ हिर॒ण्मयां॒श्चमसा॒न्पूरयंते ॥ १६ ॥

तदु॑ हो॒वाच॒ या॒ज्ञव॒ल्क्यः । (ल्क्यो) यद्वा॒ऽ उप॒स्ती॒र्य्याव॒दा॒याभि॒घार॒यति॒ तदे॒वैनाः सु॒न्तर्प्पयति॒ ता॒सा॒ᳬ सन्तृप्ता॒नां देवा॒ हिर॒ण्मयां॒श्चमसा॒न्पूरयंतेऽयस्थूणगृहपतीना॒ᳬ ह वै शौल्बायनोऽध्वर्य्युरास ॥ १७ ॥

मध्वर्युरिति । अथ हैना एष सन्तर्पयति । योऽयमाज्यं हुत्वाऽवदानानि जुहोति । अथ पुनरंतत आज्येनाभिजुहोति । एष हैनाः सन्तर्पयति । तासां संतृप्तानां देवा हिरणमयांश्चमसान्पूरयन्ते॥ १६॥

तद्ध होवाच याज्ञवल्क्यः । यद्वा उपस्तीर्यावदायाभिघारयति । तदेवैनाः संतर्पयति । तासां संतृप्तानां देवा हिरणमयांश्चमसान् पूरयन्ते । अयस्थूणगृहपतीनां ह वै शौल्वायनोऽध्वर्युरास॥ १७॥

' आहुतीः ' ' संतर्पयति ' संतृप्ताः करोति । स संतृप्ताहुतिरन्योऽध्वर्युरित्यर्थः । आद्यस्य स्वरूपमाह—एष ह वा इति । ' यः ' खलु अध्वर्युः उपस्तरणाभिघारणसंपन्नमाज्यं प्रथमं जुह्वा ' हुत्वा ' पश्चात् ' अवदानानि जुहोति ' ' एष खलु प्रदग्धाहुतिः ' एष खलु प्रदग्धाहुतिर्नाम अध्वर्युः, पूर्वमेव आज्यस्य हुतत्वात् शुष्कस्यैव पुरोडाशादेः प्रकर्षेण दह्यमानत्वात् । एतदेवोपपादयति—एतं ह वा इति । तत्तत्र ' एतम् ' पूर्वोक्तमेव अध्वर्युम् ' वाग् ' वाद्देवता स्वयमदृश्यमाना सती 'अभ्युवाद' अभिलक्ष्योक्तवती । ' अयमध्वर्युः ' ' प्रदग्धाहुतिर्नै ' प्रदग्धाहुतिः संपन्नः । ' नु अथ वै ' शब्दाः प्रसिद्धौ । यस्मादेवं वाचा अभ्युदितं तस्मात् ईदृशोऽध्वर्युः प्रदग्धाहुतिरित्यर्थः । द्वितीयस्याध्वर्योः स्वरूपमाह—अथ हैना इति । अथशब्दस्तुशब्दार्थे । ' एषः तु ' खलु अध्वर्युः ' एताः ' आहुतीः ' संतर्पयति ' संतृप्ताः स्नेहयुक्ताः करोति । यः अयमध्वर्युः प्रथमं अभिघारणायावत्तं ' आज्यं हुत्वा ' पश्चात् अवत्तद्रव्याणि ' जुहोति ' । अथानंतरं ' अंततः ' अवसाने उपस्तरणलब्धेनावस्थितेनाज्येन हुतं पुरोडाशं पुनरभिजुहोति । अग्नौ प्रक्षितस्यापि पुरोडाशादेरधस्तादुपरिष्टाच्चाज्येन संतर्पणात् संतृप्ताहुतिर्नामाध्वर्युरित्यर्थः । उक्तं सन्तर्पणं उपसंहारव्याजेनानूद्य सन्तृप्ताहुतीनां विशिष्टफलमाह—एष हैना इति । तासां संतृप्तानामाहुतीनां भोक्तारः ' देवाः ' प्रीताः सन्तः ' हिरण्मयान् ' हिरण्यविकारांश्चमसान् यजमानाय दातुं अन्नेन ' पूरयन्ते ' । इममेव होमपक्षमापस्तंबोऽप्याह स्म—" आज्यं प्रश्चोत्यापिदधाति वा प्रक्षिपन् हुतानाज्येनावश्चोतयति " इति ॥ १६ ॥

एवं श्रुतिः स्वाभिमतं आहुतिसंतर्पणं प्रदर्श्य याज्ञवल्कीयं मतं पक्षांतरत्वेन दर्शयति—तदु होवाचेति । ' तद्ध ह ' तत्रैव खलु सन्तर्पणविषये उक्तवान् ' याज्ञवल्क्यः ' । ' यद्वै ' यस्मिन्नेव अवदानकाले प्रथमं जुह्वामुपस्तीर्य तस्मिन्नेवाज्ये पुरोडाशमवदायाभिघारयति तत्तस्मिन्नेव काले ' एताः ' आहुतीः उपस्तरणाभिघारणाभ्यां ' सन्तर्पयति ' । अत्रापि पूर्वोक्तफलमाह—तासां संतृप्तानामिति । गतमेतत् । यदिदं स्रुगादानादि होमांतं कर्म सविशेषं निरूपितं तत्परिज्ञानवतैवाऽध्वर्युणा भवितव्यमिति दर्शयितुं आख्यायिकां प्रस्तौति—अयस्थूणगृहपतीनामिति । अयस्थूणाख्यः कश्चित् ऋषिः । अयस्थूणो गृहपतिर्येषां ते तथोक्ताः । तेषां सत्रयागमनुतिष्ठतां ' शौल्बायनः ' शौल्बायनाख्यः ऋषिः ' अध्वर्युरास ' बभूव ॥ १७ ॥

स होवाच । (चे) इदमहेदꣳ सत्रं कृशपश्वल्पाज्यमथायं गृहपतिरस्मीति मन्यत ऽइति ॥ १८ ॥

स होवाच । (चा) अध्वर्य्यवा वै नोऽक्रुक्षऽ एते वै ते स्रुचौ ये त्वꣳ सम्वत्सरन्नाशकऽ आदातुं यद्वै त्वाऽहमेतयोरनुशिष्याम्प्र प्रजया पशुभिर्ज्जायेथाऽ अभि स्वर्ग्गं लोकं व्वहेरिति ॥ १९ ॥

स होवाच । (चो) उप त्वाऽऽयानीति स होवाचात्र वाव खल्वर्हसि यो नः सम्वत्सरेऽध्वर्य्युरभूरनुपेतायैव तऽ एनद्ब्रवाणीति तस्माऽ उ हैतदेव

स होवाच । इदमहेदं सत्रं कृशपश्वल्पाज्यम् । अथायं गृहपतिरस्मीति मन्यत इति ॥ १८ ॥

स होवाच । अध्वर्यो आ वै नोऽक्रुक्षः । एते वै ते स्रुचौ, ये त्वं संवत्सरन्नाशक आदातुम् । यद्वै त्वाऽहम् एतयोरनुशिष्यां, प्र प्रजया पशुभिर्जायेथाः । अभि स्वर्गं लोकं वहेरिति ॥ १९ ॥

स होवाच । उप त्वाऽऽयानीति । स होवाच–अत्र वाव खल्वर्हसि । यो नः संवत्सरेऽध्वर्युरभूः ।

तत्र तेनाध्वर्युणा कृतं गृहपतेरधिक्षेपं तावदाह–स होवाचेति । 'सः' अध्वर्युः 'उवाच' उक्तवान् । किमिति ? 'इदं सत्रं' अयं प्रारब्धः सत्रयागः 'इदमह' ईदृक्किल ईदृग्लक्षणं 'कृशपश्वल्पाज्यम्' कृशाः अल्पतनवः पशवो यस्मिन्, अल्पमाज्यं यस्मिन्, ईदृशमेव विकलं जातम् । 'अथायं गृहपतिरस्मीति मन्यते' अभिमानयुक्तो भवति । हीनद्रव्यकत्वात् गृहपतित्वाभावात् गार्हपत्याभासो हीत्यधिक्षेपः । इतिशब्दो वाक्यपरिसमाप्तौ ॥ १८ ॥

तस्योत्तरमाह–स होवाचेत्यादि । 'सः' अधिक्षिप्तः गृहपतिः 'उवाच' उक्तवान् । हे 'अध्वर्यो !' 'नः' अस्मान् 'आक्रुक्षः' आक्रोशं कृतवानसि । अस्तु नाम स आक्रोशः । त्वदीयमिति सामर्थ्यं कीदृग् इति निन्दसीत्यभिप्रायः । 'यद्वा' पश्य 'एते' खलु 'ते' 'स्रुचौ' जुहूपभृतौ 'ये त्वं संवत्सरं' "कालाध्वनोरत्यंतसंयोगे" (पा. सू. २ । ३ । ५) इति द्वितीया । संवत्सरपर्यंतं 'आदातुं' उद्यंतुं 'नाशकः' शक्तो नाभवः । संवत्सरकालेनापि स्रुगादानं कर्तुमशक्तोऽसि । ईदृशं स्वदोषमपश्यन् किमिति अस्मदीयं सत्रं कृशपश्वल्पाज्यमिति निन्दसीत्यभिप्रायः । यदि खलु त्वां 'एतयोः' स्रुचोरादाने 'अनुशिष्यां' अनुशिष्टं शिक्षितं कुर्याम् । तदा त्वं 'प्रजया पशुभिः' च 'प्रजायेथाः' तथा यजमानं 'स्वर्गं लोकमभिवहेः' अभिप्रापयेः । इतिशब्दो गृहपतिवाक्यसमाप्तौ ॥ १९ ॥

एवं प्रत्युक्तोऽध्वर्युः किमुक्तवानिति तदाह–स होवाचेति । अथ शौल्बायनः 'उवाच' हे गृहपते ! त्वां 'उपायानि' विद्यार्थमुपगच्छामि । उपगतं मां अनुशाधीति । 'सः' गृहपतिरुवाच । 'अत्र' अस्मिन् काले 'खलु' 'त्वमर्हसि' विद्योपदेशार्हो भवसि । यस्त्वं 'नः' अस्माकं संवत्सरकालसाध्ये सत्रयागे 'अध्वर्युरभूः' । 'अनुपेतायैव' उपनयनसंस्काररहितायैव च तुभ्यं 'एनत्' स्रुगादानं 'ब्रवाणि' उपदिशानीति । एव-

स्रुचोरादानमुवाच यदेतद्व्याख्याम तस्मादेवंविदमेवाध्वर्युं कुर्वीत नानेवंविदम् ॥ २० ॥

इति द्वितीयप्रपाठकेऽष्टमं ब्राह्मणम् ॥ ११-२-८ ॥ (४. २.) ॥

इति द्वितीयः प्रपाठकः समाप्तः ॥ ११-२ ॥

कंडिकासंख्या ॥ १०४ ॥

अनुपेतायैव त एनत् ब्रवाणीति । तस्मा उ हैतदेव स्रुचोरादानमुवाच । यदेतद्व्याख्याम । तस्मादेवंविदमेवाध्वर्युं कुर्वीत । नानेवंविदम् ॥ २० ॥

मुक्त्वा 'तस्मै' शौल्बायनायाध्वर्यवे 'एतदेव स्रुचोरादानं' गृहपतिः 'उवाच' उक्तवान् अवदत् । 'यदेतत्' 'अथातः स्रुचोरादानस्य' इत्यादिना 'व्याख्याम' अवोचाम । ख्यातेर्लुङि "अस्यतिवक्ति"-(पा. सू. ३ । १ । ५२) इत्यादिना च्लेरङादेशः । एतद्ब्राह्मणार्थविदमेवाध्वर्युं वृणीत इति निगमयति— तस्मादिति ॥ २० ॥

इति श्रीसायणाचार्यविरचिते माधवीये वेदार्थप्रकाशे माध्यन्दिनीयशतपथब्राह्मणभाष्ये एकादशकाण्डे चतुर्थेऽध्याये द्वितीयं ब्राह्मणम् ॥ (११ । ४ । २) ॥

द्वितीयः प्रपाठकश्च समाप्तः ॥ ११-२ ॥

अथ तृतीयप्रपाठके प्रथमं ब्राह्मणम् ।

चतुर्थेऽध्याये च तृतीयं ब्राह्मणम् ।

प्रजापतिर्वै प्रजाः सृजमानोऽतप्यत । तस्माच्छ्रांतात्तेपानाच्छ्रीरुद्क्रामत्सा दीप्यमाना भ्राजमाना लेलायन्त्यतिष्ठत्तां दीप्यमानां भ्राजमानां लेलायंतीं देवाऽअभ्यध्यायन् ॥ १ ॥

(यँस्ते) ते प्रजापतिमब्रुवन् । (न्ह) हनामेमामेदमस्या ददामहाऽइति स होवाच स्त्री वाऽएषा यच्छ्रीर्न्न वै स्त्रियं घ्नन्त्युत त्वाऽअस्या जीवंत्याऽ-
एवाददतऽइति ॥ २ ॥

अथ मित्रविन्देष्टिः ।

प्रजापतिर्वै प्रजाः सृजमानोऽतप्यत । तस्माच्छ्रांतात्तेपानाच्छ्रीरुदक्रामत् । सा दीप्यमाना भ्राजमाना लेलायंत्यतिष्ठत् । तां दीप्यमानां भ्राजमानां लेलायंतीं देवा अभ्यध्यायन् ॥ १ ॥

ते प्रजापतिमब्रुवन्; हनामेमाम्; आ इदमस्या ददामहा इति । स होवाच—स्त्री वा एषा यच्छ्रीः । न वै स्त्रियं घ्नंति । उत त्वा अस्या जीवंत्या एवाददत इति ॥ २ ॥

अथ मित्रविंदाख्यां काम्येष्टिं विधास्यन् तत्र हविरुत्पत्तिक्रमं अन्नाद्यादिकामनोपेतं अधिकारिविशेषं च दर्शयितुं आख्यायिकां रचयन् आदौ श्रिय उत्पत्तिं उत्पन्नायाश्च तस्याः देवैरभिध्यानं चाह—प्रजापतिर्वा इति । देवमनुष्यादिरूपाः 'प्रजाः' 'सृजमानः' उत्पादयन् 'प्रजापतिः' तत्कारणेन तपस्तप्तवान् । 'तस्माच्छ्रान्तात्' अखिलसर्जनश्रमोपेतात् तेपानात्तपस्तप्तवतः सकाशात्—'श्रीरुदक्रामत्' सौभाग्यलक्ष्मीरुत्क्रांतवती । तेपानादिति तपेर्लिटः कानचि रूपम् । 'सा' चोत्क्रांता 'दीप्यमाना' अवयवैः शोभमाना 'भ्राजमाना' सर्वं जगत् स्वतेजसा प्रकाशयंती 'लेलायंती' स्वकीयेन तेजःपुंजेन सर्वमाश्लिष्यंती 'अतिष्ठत्' स्थितवती । ईदृग्गुणविशिष्टां श्रियं वक्ष्यमाणा अग्न्यादयो 'देवाः' 'अभ्यध्यायन्' तत्संबद्धान्नाद्यादिस्वीकाराय तां हंतुमैच्छन्नित्यर्थः ॥ १ ॥

ते प्रजापतिमित्यादि । 'इमां' श्रियं 'हनाम' 'अस्याः' संबंधि इदमन्नाद्यादिकं 'आददामहे' स्वीकुर्याम इति 'ते' देवाः 'प्रजापतिमब्रुवन्' । 'सः' प्रजापतिरेवमुक्तवान् । 'यत्' या 'श्री' 'एषा स्त्री' अतो न हननार्हा । 'न' खलु लोके क्रूरकर्माणोऽपि पुरुषाः 'स्त्रियं घ्नन्ति' मारयन्ति । 'उत तु' अपि तु 'जीवंत्याः' एवास्याः संबंधि धनं 'आददते' स्वीकुर्वते इत्यर्थः ॥ २ ॥

१—आख्यं विचार्यप्रयोजनः ।

तस्याऽअग्निरन्नाद्यमादत्त । सोमो राज्यं व्वरुणः साम्राज्यं मित्रः क्षत्रमिन्द्रो बलं बृहस्पतिर्ब्रह्मवर्चसꣳ सविता राष्ट्रम्पूषा भगꣳ सरस्वती पुष्टिं त्वष्टा रूपाणि ॥ ३ ॥

सा प्रजापतिमब्रवीत् । (दा) आ वै मऽइदमदिषतेति स होवाच यज्ञेनै-नान्पुनर्व्याचस्वेति ॥ ४ ॥

सैतां दशहविषमिष्टिमपश्यत् । (दा) आग्नेयमष्टाकपालं पुरोडाशꣳ सौम्यं चरुं व्वारुणं दशकपालं पुरोडाशं मैत्रं चरुमैन्द्रमेकादशकपालं पुरोडाशं बार्हस्पत्यं चरुꣳ सावित्रं द्वादशकपालं वाऽष्टाकपालं वा पुरोडाशं पौष्णं चरुꣳ सारस्वतं चरुं त्वाष्ट्रं दशकपालं पुरोडाशम् ॥ ५ ॥

तस्या अग्निरन्नाद्यमादत्त । सोमो राज्यम् । वरुणः साम्राज्यम् । मित्रः क्षत्रम् । इंद्रो बलम् । बृहस्पतिर्ब्रह्मवर्चसम् । सविता राष्ट्रम् । पूषा भगम् । सरस्वती पुष्टिम् । त्वष्टा रूपाणि ॥ ३ ॥

सा प्रजापतिमब्रवीत् । आ वै म इदमदिषतेति । स होवाच–यज्ञेनैनान्पुनर्याचस्वेति ॥ ४ ॥

सैतां दशहविषमिष्टिमपश्यत् । आग्नेयमष्टाकपालं पुरोडाशम् । सौम्यं चरुम् । वारुणं दशकपालं पुरोडाशम् । मैत्रं चरुम् । ऐंद्रमेकादशकपालं पुरोडाशम् । बार्हस्पत्यं चरुम् । सावित्रं द्वादशकपालं वाऽष्टाकपालं वा पुरोडाशम् । पौष्णं चरुम् । सारस्वतं चरुम् । त्वाष्ट्रं दशकपालं पुरोडाशम् ॥५॥

एवं प्रजापतिनोक्ते केन देवेन किं स्वीकृतमिति तद्दर्शयति–तस्या अग्निरन्नाद्यमिति । 'अन्नाद्यं' अन्नादनसामर्थ्यं, राज्ञः कर्म 'राज्यं' ऐश्वर्यमिति यावत्, सम्राजः कर्म 'साम्राज्यं' आज्ञाशक्तिरित्यर्थः । क्षतत्राणनिमित्तं सामर्थ्यं 'क्षत्रं' शरीरसामर्थ्यं 'बलं' श्रुताध्ययनसंपत्तितेजो 'ब्रह्मवर्चसं' 'राष्ट्रं' देशः, 'भगं' सौभाग्यं, 'पुष्टिः' पोषणं, 'रूपाणि' शोभनावयवरचनानि, स्पष्टमन्यत् ॥ ३ ॥

सा प्रजापतिमित्यादि । एवमग्न्यादिभिः अन्नाद्यादिषु बलात् स्वीकृतेषु सत्सु 'सा' श्रीः 'प्रजापतिमब्रवीत्' 'मे' मदीयं इदमन्नाद्यादिकं 'आदिषत' देवा अहार्षुरिति । "डुदाञ् दाने" (धा. पा. जु. उ. ९) इत्यस्मात् "आङो दोऽनास्यविहरणे" (पा. सू. १ । ३ । २०) इत्यात्मनेपदम् । "स्थाघ्वोरिच्च" (पा. सू. १ । २ । १७) इति इत्वकित्वे । 'सः' प्रजापतिस्तां प्रत्युवाच 'यज्ञेन' मूल्यभूतेन त्वदीयानन्नाद्यादीन् अग्न्यादिभ्यः 'पुनर्याचस्व' साधयेति ॥ ४ ॥

सैतां दशहविषमिति । याचे इत्यंगीकृत्यान्नाद्यादिप्राप्तिनिमित्तभूतां 'एतां' वक्ष्यमाणां दशहविष्कामिष्टिमपश्यत् । तान्येव हवींषि गणयति–आग्नेयमष्टाकपालमित्यादि । सावित्रस्य हविषः द्वादशाष्टौ वेति संख्याविकल्पः । सावित्रादिशब्देषु सर्वत्र "साऽस्य देवता" (पा. सू. ४ । २ । २४) इति देवतार्थे तद्धितोत्पत्तिः ॥ ५ ॥

तानेतयाऽनुवाक्ययाऽन्ववदत् । (द) अग्निः सोमो वरुणो मित्रऽ इन्द्रो बृहस्पतिः सविता यः सहस्री । पूषा नो गोभिरवसा सरस्वती त्वष्टा रूपाणि समनक्तु यज्ञैरिति ते प्रत्युपातिष्ठंत ॥ ६ ॥

तानेतया याज्यया । परस्तात्प्रतिलोमम्प्रत्यैत्त्वष्टा रूपाणि ददती सरस्वती पूषा भगꣳ सविता मे ददातु । बृहस्पतिर्ददिन्द्रो बलं मे मित्रः क्षत्रं वरुणः सोमोऽअग्निरिति ते पुनर्दानायाध्रियन्त ॥ ७ ॥

सैतानुपहोमानपश्यत् । (द) अग्निरन्नादोऽन्नपतिरन्नाद्यमस्मिन्यज्ञे मयि दधातु स्वाहेत्याहुतिमेवाऽऽदायाग्निरुदक्रामत्पुनरस्याऽअन्नाद्यमददात् ॥ ८ ॥

तानेतयाऽनुवाक्ययाऽन्ववदत् । " अग्निः सोमो वरुणो मित्र इंद्रो बृहस्पतिः सविता यः सहस्री । पूषा नो गोभिरवसा सरस्वती त्वष्टा रूपाणि समनक्तु यज्ञैः "–इति । ते प्रत्युपातिष्ठंत ॥ ६ ॥

तानेतया याज्यया परस्तात्प्रतिलोमं प्रत्यैत् । " त्वष्टा रूपाणि ददती सरस्वती पूषा भगं सविता मे ददातु । बृहस्पतिर्ददिंद्रो बलं मे मित्रः क्षत्रं वरुणः सोमो अग्निः "–इति । ते पुनर्दानायाध्रियंत ॥ ७ ॥

सैतानुपहोमानपश्यत् । " अग्निरन्नादोऽन्नपतिरन्नाद्यमस्मिन्यज्ञे मयि दधातु स्वाहा"–इति । आहुतिमेवादायाग्निरुदक्रामत् । पुनरस्या अन्नाद्यमददात् ॥ ८ ॥

हविषां निर्वापादिसंस्कारेषु समिधो यजतीत्यादाविव पाठप्राप्तः क्रमोऽवगंतव्यः । प्रदानं तु सर्वेषां सहैवेत्यभिप्रेत्य अग्न्यादिदशदेवतानामाक्षरवतीमनुवाक्यामाह–तानेतयेति । ' अन्ववदत् ' अग्न्यादिलक्षणेनानुक्रमेणावदत् । एवमेकयैवर्चा समुच्चित्यानुवादे सति ' ते ' अग्न्यादयः ' प्रत्युपातिष्ठंत ' प्रत्यागत्य तत्समीपे अतिष्ठन् । ऋगर्थस्तु–अग्न्यादयो देवाः तदीयैर्यज्ञैः यज्ञसाधनैर्हविर्भिः प्रीताः संतः अन्नाद्यादिभिर्मां प्रत्येकं ' समनक्तु ' संयोजयतु । ' सहस्री ' सहस्रसंख्याकधनवान् एतत्सवितुर्विशेषणम् । पोषणीयैर्गोभिः सहितः ' पूषा ' ' अवसा ' रक्षणेन सहिता ' सरस्वती ' पशुसंबंधीनि रूपाणि विकुर्वन् ' त्वष्टा ' ॥ ६ ॥

तादृशीं याज्यामाह–तानेतयेति । तानुपस्थितान् देवान् ' एतया ' वक्ष्यमाणया ' याज्यया ' परस्तादन्तात् त्वष्टारमारभ्य ' प्रतिलोमं ' प्रातिलोम्येनावरोहक्रमेणाग्निपर्यंतं ' प्रत्यैत् ' प्रत्यगच्छत् । त्वष्टा रूपाणीति तत्साधनभूता याज्या । ' मे ' मह्यं ' त्वष्टा ' देवः ' रूपाणि ' पूर्वं मत्सकाशादुपपन्नानि पुनर्ददातु । तथा ' सरस्वती ' देवी ' ददती ' इति ' पुष्टेः ' पुनर्दात्री भवतु । ' पूषा ' भगं ' ददातु ' । ' सविता राष्ट्रं ' ददातु । ' बृहस्पतिर्ब्रह्मवर्चसं ' ' ददत् ' प्रयच्छन् भवतु । ' इंद्रो बलम् ' मह्यम् ददातु । ' मित्रः क्षत्त्रम् ' मह्यम् ददातु । ' वरुणः ' साम्राज्यम्, ' सोमो ' राज्यम्, अग्निरन्नाद्यम् च मह्यम् प्रयच्छत्वित्यर्थः । एवम् याज्यानुवाक्याभ्याम् प्रार्थितास्ते देवाः अन्नाद्यादीनां पुनः प्रदानाय ' अध्रियंत ' अंगीकृतवंतः ॥ ७ ॥

सैतानुपहोमानित्यादि । प्रधानयागसमीपे स्विष्टकृतः पूर्वं होतव्या होमा उपहोमाः । तानप्येतान् ' सा '

(त्सो) सोमो राजा राजपतिः । (ती) राज्यमस्मिन्यज्ञे मयि दधातु स्वाहेत्याहुतिमेवादाय सोमऽ उदक्रामत्पुनरस्यै राज्यमददात् ॥ ९ ॥

(द्व) वरुणः सम्राट्सम्राट्पतिः । साम्राज्यमस्मिन् यज्ञे मयि दधातु स्वाहेत्याहुतिमेवादाय वरुणऽउदक्रामत्पुनरस्यै साम्राज्यमददात् ॥ १० ॥

(न्मि) मित्रः क्षत्त्रं क्षत्त्रपतिः । क्षत्त्रमस्मिन्यज्ञे मयि दधातु स्वाहेत्याहुतिमेवादाय मित्रऽउदक्रामत्पुनरस्यै क्षत्त्रमददात् ॥ ११ ॥

(दि) इन्द्रो बलं बलपतिः । (बु) बलमस्मिन्यज्ञे मयि दधातु स्वाहेत्याहुतिमेवादायेन्द्रऽउदक्रामत्पुनरस्यै बलमददात् ॥ १२ ॥

" सोमो राजा राजपती राज्यमस्मिन्यज्ञे मयि दधातु स्वाहा "–इति । आहुतिमेवादाय सोम उदक्रामत् । पुनरस्यै राज्यमददात् ॥ ९ ॥

" वरुणः सम्राट् सम्राट्पतिः साम्राज्यमस्मिन्यज्ञे मयि दधातु स्वाहा "–इति । आहुतिमेवादाय वरुण उदक्रामत् । पुनरस्यै साम्राज्यमददात् ॥ १० ॥

"मित्रः क्षत्रं क्षत्त्रपतिः क्षत्त्रमस्मिन्यज्ञे मयि दधातु स्वाहा"–इति । आहुतिमेवादाय मित्र उदक्रामत् । पुनरस्यै क्षत्त्रमददात् ॥ ११ ॥

"इन्द्रो बलं बलपतिर्बलमस्मिन्यज्ञे मयि दधातु स्वाहा"–इति । आहुतिमेवादायेन्द्र उदक्रामत् । पुनरस्यै बलमददात् ॥ १२ ॥

श्रीरपश्यत् । अथ तानुपहोममंत्रान्पठन् तत्तदाहुत्या तस्य तस्यान्नाद्यादेः परिक्रयेण प्रातिमाह–अग्निरन्नाद इत्यादि । अन्नमत्ति जाठररूपेण इति ' अन्नादः ' ' अन्नपतिः ' अन्नस्य प्रतिपालयिता ईदृशः ' अग्निः ' ' अस्मिन् यज्ञे ' मूलभूते सति प्रागुपहृतं मदीयमन्नाद्यम् ' मयि ' पुनर्दधातु धारयतु । तदर्थमिदम् हविः ' स्वाहा ' सुहुतमस्तु । एवं होमे सति ' आहुतिमेव ' स्वीकृत्याग्निरुदक्रामत् उदगच्छत् । ' अस्यै ' श्रियै ' अन्नाद्यम् ' पुनरददात् । एवमुत्तरत्रापि योज्यम् ॥ ८ ॥

सोमो राजेति द्वितीयो मंत्रः । राज्ञां पालयिता ' राजपतिः ' स्वयमपि ' राजा ' निग्रहानुग्रहक्षमः स्वामी तादृशः 'सोमः' । अस्मिन् यज्ञे इत्यादि पूर्ववत् ॥ ९ ॥

वरुणः सम्राडिति तृतीय उपहोममंत्रः । ये हि राजानः स्वाज्ञया कृत्स्नं भूमंडलं शासति ते सम्राजः, तेषां पतिः ' सम्राट्पतिः ' स्वयमपि ' सम्राट् ' ईदृशो ' वरुणः ' । गतमन्यत् ॥ १० ॥

चतुर्थमुपहोममंत्रमाह–मित्रः क्षत्रमिति । क्षत्त्रस्य क्षत्रियजातेः पतिः स्वामी ' क्षत्त्रपतिः ' स्वयमपि ' क्षत्त्रं ' क्षत्रियजात्यात्मकः । ' क्षत्त्रं ' क्षतत्राणसामर्थ्यम् । गतमन्यत् ॥ ११ ॥

इंद्रो बलमिति पंचमो मंत्रः । बलस्य पालयिता ' बलपतिः ' । स्वयमपि बलात्मकः ॥ १२ ॥

(बृ) बृहस्पतिर्ब्रह्म ब्रह्मपतिः । (ब्र) ब्रह्मवर्चसमस्मिन्यज्ञे मयि दधातु स्वाहेत्याहुतिमेवादाय बृहस्पतिरुदक्रामत्पुनरस्यै ब्रह्मवर्चसमददात् ॥ १३ ॥

(त्स) सविता राष्ट्रꣳ राष्ट्रपतिः । (ती) राष्ट्रमस्मिन्यज्ञे मयि दधातु स्वाहेत्याहुतिमेवादाय सवितोदक्रामत्पुनरस्यै राष्ट्रमददात् ॥ १४ ॥

(त्पू) पूषा भगं भगपतिः । (भं) भगमस्मिन्यज्ञे मयि दधातु स्वाहेत्याहुतिमेवादाय पूषोदक्रामत्पुनरस्यै भगमददात् ॥ १५ ॥

(त्स) सरस्वती पुष्टिं पुष्टिपतिः । पुष्टिमस्मिन्यज्ञे मयि दधातु स्वाहेत्याहुतिमेवादाय सरस्वत्युदक्रामत्पुनरस्यै पुष्टिमददात् ॥ १६ ॥

(त्त्व) त्वष्टा रूपाणाꣳ रूपकृद्रूपपतिः । (ती) रूपेण पशूनस्मि-

---

" बृहस्पतिर्ब्रह्म ब्रह्मपतिर्ब्रह्मवर्चसमस्मिन् यज्ञे मयि दधातु स्वाहा "–इति । आहुतिमेवादाय बृहस्पतिरुदक्रामत् । पुनरस्यै ब्रह्मवर्चसमददात् ॥ १३ ॥

" सविता राष्ट्रं राष्ट्रपती राष्ट्रमस्मिन्यज्ञे मयि दधातु स्वाहा "–इति । आहुतिमेवादाय सवितोदक्रामत् । पुनरस्यै राष्ट्रमददात् ॥ १४ ॥

" पूषा भगं भगपतिर्भगमस्मिन्यज्ञे मयि दधातु स्वाहा "–इति । आहुतिमेवादाय पूषोदक्रामत् । पुनरस्यै भगमददात् ॥ १५ ॥

" सरस्वती पुष्टिं पुष्टिपतिः पुष्टिमस्मिन्यज्ञे मयि दधातु स्वाहा "–इति । आहुतिमेवादाय सरस्वत्युदक्रामत् । पुनरस्यै पुष्टिमददात् ॥ १६ ॥

" त्वष्टा रूपाणां रूपकृद् रूपपती रूपेण पशूनस्मिन्यज्ञे मयि दधातु स्वाहा"—इति । आहुतिमेवादाय त्वष्टोदक्रामत् । पुनरस्यै रूपेण पशूनददात् ॥ १७ ॥

बृहस्पतिर्ब्रह्मेति षष्ठो मंत्रः । ब्रह्मणो वेदराशेः ब्राह्मणजातेर्वा पतिर्ब्रह्मपतिः । स्वयमपि ब्रह्मात्मकः । गतमन्यत् ॥ १३ ॥

सविता राष्ट्रमिति सप्तमो मंत्रः । राष्ट्रस्य देशस्य पतिः पालयिता ' राष्ट्रपतिः ' स्वयमपि ' राष्ट्रं ' राष्ट्रात्मकः ॥ १४ ॥

पूषा भगमित्यष्टमो मंत्रः । भगस्य सौभाग्यस्य पतिः ' भगपतिः ' । पूषा यं मदीयं भगं पूर्वमगृह्णात् तं ' भगं ' ' अस्मिन् यज्ञे ' इति सम्बन्धः ॥ १५ ॥

स्वरस्वती पुष्टिमिति नवमो मंत्रः । पुष्टेः पोषस्य पतिः ' पुष्टिपतिः ' । सरस्वती यां मदीयां पुष्टिं अगृह्णीत तां ' पुष्टिं मयि दधातु ' इति संबंधः ॥ १६ ॥

त्वष्टा रूपाणामिति दशमो मंत्रः । गोमहिष्यादिपशुरूपाणां ' रूपकृत् ' अवयवसन्निवेशस्वरूपस्य

न्यङ्गे मयि दधातु स्वाहेत्याहुतिमेवादाय त्वष्टोदक्रामत्पुनरस्यै रूपेण पशूनददात् ॥ १७ ॥

(त्ता) ता वाऽएताः । (०) दश देवता दश हवींᳪषि दशाहुतयो दश दक्षिणा दशंदशिनी विराट्छ्रीर्विराडिच्छ्रियाᳪ हैतद्विराज्यन्नाद्ये प्रतितिष्ठति ॥ १८ ॥

तस्यै पञ्चदश सामिधेन्यो भवन्ति । (न्त्यु) उपाᳪशु देवता यजति पञ्च प्रयाजा भवन्ति त्रयोऽनुयाजाऽ एकᳪ समिष्टयजुः पुष्टिमन्तावाज्यभागा-वग्निना रयिमश्नवत्पोषमेव दिवेदिवे । यशसं वीरवत्तमम् ॥ गयस्फानोऽ अमीवहा वसुवित्पुष्टिवर्द्धनः । सुमित्रः सोम नो भवेति सहस्रवत्यौ संयाज्ये नू नो रास्व सहस्रवत्तोकवत्पुष्टिमद्वसु । द्युमदग्ने सुवीर्य्यं वर्षिष्ठमनु-पक्षितम् ॥ उत नो ब्रह्मन्नविषऽ उक्थेषु देवहूतमः । शन्नः शोचा मरुद्वृधोऽग्ने सहस्रसातमऽइति ॥ १९ ॥

ता वा एता दश देवताः । दश हवींषि । दशाहुतयः । दश दक्षिणाः । दशंदशिनी विराट् । श्रीर्विराट् । श्रियां हैतद्विराज्यन्नाद्ये प्रतितिष्ठति ॥ १८ ॥

तस्यै पंचदश सामिधेन्यो भवंति । उपांशु देवता यजाति । पंच प्रयाजा भवंति । त्रयोऽनुयाजाः । एकं समिष्टयजुः । पुष्टिमंतावाज्यभागौ । "अग्निना रयिमश्नवत्पोषमेव दिवदिवे । यशसं वीरवत्तमम्" । "गयस्फानोऽअमीवहा वसुवित्पुष्टिवर्द्धनः । सुमित्रः सोम नो भव" इति । सहस्रवत्यौ संयाज्ये । "नू नो रास्व सहस्रवत्तोकवत्पुष्टिमद्वसु । द्युमदग्ने सुवीर्यं वर्षिष्ठमनुपक्षितम्" । "उत नो ब्रह्मन्नविषऽउक्थेषु देवहूतमः । शन्नः शोचा मरुद्वृधोऽग्ने सहस्रसातमः" इति ॥ १९ ॥

कर्ता । अत एव रूपाणां पतिः स्वामी ईदृशस्त्वष्टा 'रूपेण' विशिष्टान् 'पशून् मयि दधातु' । गतमन्यत् ॥ १७ ॥

देवताहविरुपहोमे गवां दशसंख्यामनूद्य स्तौति—ता वा एता इति । 'दश दक्षिणाः' आहुतिदक्षिणात्वेन दश गावः अस्यामिष्टौ देया इत्यप्राप्तत्वाद्विधिः । दशंदशिनीति । प्रतिपादं दशभिरक्षरैः संख्यावती 'विराट्' सा च विराट् 'श्रीः' 'एतत्' एतया दशसंख्यविराड्रूपायां तस्यां 'श्रियां' 'अन्नाद्ये' एतदुपलक्षितेषु प्रागुदीरितेषु अन्नाद्यादिफलेषु च अनया इष्ट्या यजमानः 'प्रतितिष्ठति' ॥ १८ ॥

अथ तस्यामिष्टौ चोदकप्राप्तेषु अंगेषु कंचिद्विशेषं दर्शयितुं तान्यनुक्रामति—तस्यै पंचदश इति । विकृतिषु अनारभ्याधीतेन "सप्तदश सामिधेनीरन्वाह" इति वाक्येन सामिधेनीसाप्तदश्यं नियमितम् । अत एवोक्तमापस्तम्बेन—" पंचदश सामिधेन्यो दर्शपूर्णमासयोः सप्तदशेष्टिपशुबंधानाम्" इति । तस्य साप्तदश्यस्य नियमे

ताꣳ हैतां गोतमो राहूगणः । (णो) व्विदाञ्चकार सा ह जनकं व्वैदेहं प्रत्युत्ससाद ताꣳ हाङ्गजिद्ब्राह्मणेष्वन्विियेष तामु ह याज्ञवल्क्ये व्विवेद स होवाच सहस्रं भो याज्ञवल्क्य दद्मो यस्मिन्वयं त्वयि मित्रविन्दामन्वविदामेति व्विन्दते मित्रꣳ राष्ट्रमस्य भवत्यप पुनर्मृत्युं जयति सर्व्वमायुरेति यऽएवं व्विद्वानेतयेष्ट्या यजते यो वैतदेवं व्वेद ॥ २० ॥

इति तृतीयप्रपाठके प्रथमं ब्राह्मणम् ॥ ११-३-१ ॥ (४. ३.) ॥

तां हैतां गोतमो राहूगणो विदांचकार । सा ह जनकं वैदेहं प्रत्युत्ससाद । तां हांगजिद्ब्राह्मणेष्वन्वियेष । तामु ह याज्ञवल्क्ये विवेद । स होवाच—सहस्रं भो याज्ञवल्क्य दद्मः । यस्मिन् वयं

प्राकृतं पांचदश्यमेव प्रतिप्रसवार्थं विधीयते । षष्ठ्यर्थे चतुर्थी (पा. सू. ३ । २ । ६२ । वा.) । उपांशु देवतेति । अग्न्याद्याः प्रधानदेवताः ‘ उपांशु यजति ’ । तद्वाचिनः अग्न्यादिशब्दान् उपांशूच्चरेदित्यर्थः । दर्शपूर्णमासविकृतित्वानयनाय इदमंगानां प्रयाजादीनामत्र सिद्धवदनुवचनम् । न हि प्रयाजादीनां पंचत्वादिसंख्यया नियमवतां मंत्रसंख्यांतरं प्रसक्तमस्ति । ‘पुष्टिमंतौ’ पुष्टिशब्दयुक्तावाज्यभागौ कार्यौ । तयोः पुष्टिमत्त्वं याज्यानुवाक्यालिंगतशान्नामधेयं भवति । ते याज्यानुवाक्ये दर्शयति—अग्निना रयिमिति । ‘अग्निना’ देवतया ‘रयिं’ धनं ‘ अश्नवत् ’ यजमानः प्राप्नुयात् । तस्य धनस्य ‘दिवेदिवे’ प्रतिदिवसं ‘ पोषम् ’ अतिवृद्धिमेव प्राप्नोति । न तु क्षयम् । तथा ‘वीरवत्तमम्’ वीराः पुत्राः तदतिशयेन तद्युक्तम् । ‘यशसं’ यशःशब्दः अंतोदात्तः पुंल्लिंगः । उक्तलक्षणं यशः प्राप्नोतीत्यर्थः । एषा आग्नेयस्याज्यभागस्यानुवाक्या । अथ सौम्यस्य गयस्फान इत्येषा । गय इति गृहनाम । तस्य वर्द्धयिता ‘ अमीवाः ’ रोगास्तेषां हंता । वसुनो धनस्य लंभयिता । पुष्टेः पोषस्य वर्द्धयिता । हे ‘ सोम ! ’ एवंगुणविशिष्टस्त्वं ‘ नः ’ अस्माकं ‘सुमित्रः’ शोभनसख्ययुक्तः ‘ भव ’ । अथास्यामिष्टौ स्विष्टकृद्भागस्य याज्याऽनुवाक्ये विधत्ते—सहस्रवत्यौ संयाज्ये इति । स्विष्टकृद्याज्यानुवाक्ययोः ‘ संयाज्ये ’ इति संज्ञा सूचितेति । संयाज्ये सौविष्टकृती प्रतीयादिति । ते चात्र ‘ सहस्रवत्यौ ’ सहस्रयुक्ते भवतः । ते एव दर्शयति—नू नो रास्वेति । हे ‘ अग्ने ! ’ ‘ नः ’ अस्मभ्यं ‘ नु ’ क्षिप्रं ‘वसु’ धनं ‘ रास्व ’ देहि । “ रा दाने”(धा. पा. अ.प. ४७) इति धातुः । कीदृशं ‘ सहस्रवत् ’ सहस्रसंख्यायुक्तम् । तोकमिति अपत्यनाम । बह्वपत्योपेतम् । पुष्ट्या पोषणेन युक्तम् । द्युमद्दीप्तियुक्तम् । ‘सुवीर्यं’ शोभनवीर्योपेतं ‘वर्षिष्ठं’ वृद्धतरम् ‘अनुपक्षितम्’ उपक्षयरहितम् । उत नो ब्रह्मन्निति याज्या । हे अग्ने ! ‘देवहूतमः’ देवानामाह्वाता त्वं ‘ उक्थेषु ’ शस्त्रेषु सत्सु ‘ नः ’ अस्मान् ‘ अविषः ’ रक्ष । अवतेर्लेटि रूपम् । अपि च ‘मरुद्वृधः’ मरुतां देवानां वर्द्धयिता । यद्वा मरुता वायुना वर्द्धितः ‘ नः ’ अस्मभ्यं ‘ सहस्रसातमः ’ सहस्रसंख्याकस्य धनस्यातिशयेन दाता सन् ‘ शं ’ सुखं यथा भवति तथा ‘ शोच ’ दीप्यस्वेति ॥ १९ ॥

अस्या इष्टेर्मित्रविन्देति नाम निर्वक्तुं संप्रदायागतिमाह—तां हैतामिति । ‘ तां ’ तादृशीं एतामुक्ताम् इष्टिं रहूगणस्य पुत्रो गोतम ऋषिः ‘ विदांचकार ’ प्रथमं ददर्श । ‘ सा ’ च विदेहदेशाधिपतिं जनकाख्यं राजानं

अथातो हविषः समृद्धिः । षुड्ढ वै ब्रह्मणो द्वारोऽग्निर्व्वायुरापश्चन्द्रमा विद्युदादित्यः ॥ १ ॥

स यऽ उपदग्धेन हविषा यजते । (तेऽग्नि) अग्निना ह स ब्रह्मणो द्वारेण प्रतिपद्यते सोऽग्निना ब्रह्मणो द्वारेण प्रतिपद्य ब्रह्मणः सायुज्यॅं सलोकताञ्जयति ॥ २ ॥

त्वयि मित्रविन्दामन्वविदामेति । विन्दते मित्रम् । राष्ट्रमस्य भवति । अप पुनर्मृत्युं जयति । सर्वमायुरेति । य एवं विद्वानेतयेष्ट्या यजते । यो वैतदेवं वेद ॥ २० ॥

हविरादिसमृद्ध्यभिधायकं ब्राह्मणम् ।

अथातो हविषः समृद्धिः । षड् ह वै ब्रह्मणो द्वारः । अग्निर्वायुरापश्चंद्रमा विद्युदादित्यः ॥ १ ॥
स य उपदग्धेन हविषा यजते; अग्निना ह स ब्रह्मणो द्वारेण प्रतिपद्यते । सोऽग्निना ब्रह्मणो द्वारेण प्रतिपद्य ब्रह्मणः सायुज्यं सलोकतां जयति ॥ २ ॥

'प्रति उत्ससाद' उत्सन्ना बभूव । स जनकः तामिष्टिं वेदांगाभिज्ञेषु 'ब्राह्मणेषु' 'अन्वियेष' अन्विष्टवान् । तामिष्टिं 'याज्ञवल्क्ये' महर्षौ 'विवेद' आलेभे । अनंतरं 'सः' खलु जनकः 'उवाच' भो 'याज्ञवल्क्य!' सहस्रसंख्याकं धनं तुभ्यं 'दद्मः' प्रयच्छामः । यस्मिंस्त्वयि मित्रविंदाख्यामिमामिष्टिं 'अन्वविदाम' अन्विष्य आलभामहे अतो 'मित्रं विंदते' लभते अनयेति 'मित्रविंदा' नाम संपन्नम् । पुराकल्पव्याजेन साधारण्येन विहितायामिष्टौ अधिकारिणं उपसंहारव्याजेन दर्शयति–विंदते मित्रमिति । एवमुक्तप्रकारेण ब्राह्मणार्थं 'विद्वान्' 'यः' यजमानः 'एतया इष्ट्या यजते' 'यो वा' एतदर्थजातम् 'एवं वेद' जानाति सः 'मित्रं विंदते' लभते । 'अस्य राष्ट्रं' स्वकीयं 'भवति' । 'पुनर्मृत्युमपजयति' सकृत् मृत्वा पुनरमर्त्यात्मके स्वर्गे लोके सुखेन वर्तते । सर्वमखंडितं आयुर्जीवनं प्राप्नोति ॥ २० ॥

इति श्रीसायणाचार्यविरचिते माधवीये वेदार्थप्रकाशे माध्यंदिनीयशतपथब्राह्मणभाष्ये
एकादशकांडे चतुर्थोऽध्याये तृतीयं ब्राह्मणम् ॥ (११ । ४ । ३) ॥

दाहविपतनादिदोषदुष्टस्यापि हविषः समृद्ध्युपायं उपासनं विधित्सुः प्रतिजानीते–अथातो हविषः समृद्धिरिति । येनोपायेन 'हविषः समृद्धिः' भवति स उच्यत इत्यर्थः । विधित्सितस्योपासनस्य विषयभूतमुपास्यं प्रतिपादयति–षड्ढ वा इति । 'ब्रह्मणः' ब्रह्मलोकस्य 'द्वारः' द्वाराणि 'षट्' भवंति । तानि चाग्न्यादीनि ॥ १ ॥

तत्र यतोऽग्निर्ब्रह्मणो द्वारं ततः तेनोपदग्धो हविर्योगः अग्न्याख्येन 'द्वारेण' ब्रह्मलोकप्राप्त्युपाय इत्याह–स य उपदग्धेनेति । तस्य विदुषो न केवलं ब्रह्मप्रपदनमात्रं, अपि तु तत्सायुज्यादिकमपि फलमित्याह–सोऽग्निना ब्रह्मणो द्वारेणेति ॥ २ ॥

१–मित्रविन्दा श्रीराष्ट्रमित्रायुष्कामस्य । का. श्रौ. सू. ५ । १२० ।

(त्यु) अथ यो व्विपतितेन हविषा यजते । व्वायुना ह स ब्रह्मणो द्वारेण प्रतिपद्यते स व्वायुना ब्रह्मणो द्वारेण प्रतिपद्य ब्रह्मणः सायुज्यꣳ सलोकताञ्जयति ॥ ३ ॥

(त्यु) अथ योऽश्रृतेन हविषा यजते । (तेऽद्भि) अद्भिर्ह स ब्रह्मणो द्वारेण प्रतिपद्यते सोऽद्भिर्ब्रह्मणो द्वारेण प्रतिपद्य ब्रह्मणः सायुज्यꣳ सलोकताञ्जयति ॥ ४ ॥

(त्यु) अथ यऽउपरक्तेन हविषा यजते । चन्द्रमसा ह स ब्रह्मणो द्वारेण प्रतिपद्यते स चन्द्रमसा ब्रह्मणो द्वारेण प्रतिपद्य ब्रह्मणः सायुज्यꣳ सलोकताञ्जयति ॥ ५ ॥

(त्यु) अथ यो लोहितेन हविषा यजते । व्विद्युता ह स ब्रह्मणो द्वारेण प्रतिपद्यते स व्विद्युता ब्रह्मणो द्वारेण प्रतिपद्य ब्रह्मणः सायुज्यꣳ सलोकतां जयति ॥ ६ ॥

अथ यो विपतितेन हविषा यजते; वायुना ह स ब्रह्मणो द्वारेण प्रतिपद्यते । स वायुना ब्रह्मणो द्वारेण प्रतिपद्य ब्रह्मणः सायुज्यं सलोकतां जयति ॥ ३ ॥

अथ योऽश्रृतेन हविषा यजते; अद्भिर्ह स ब्रह्मणो द्वारेण प्रतिपद्यते । सोऽद्भिर्ब्रह्मणो द्वारेण प्रतिपद्य ब्रह्मणः सायुज्यं सलोकतां जयति ॥ ४ ॥

अथ य उपरक्तेन हविषा यजते; चंद्रमसा ह स ब्रह्मणो द्वारेण प्रतिपद्यते । स चंद्रमसा ब्रह्मणो द्वारेण प्रतिपद्य ब्रह्मणः सायुज्यं सलोकतां जयति ॥ ५ ॥

अथ यो लोहितेन हविषा यजते; विद्युता ह स ब्रह्मणो द्वारेण प्रतिपद्यते । स विद्युता ब्रह्मणो द्वारेण प्रतिपद्य ब्रह्मणः सायुज्यं सलोकतां जयति ॥ ६ ॥

वायुर्ब्रह्मद्वारमित्याद्युपासनस्य फलमाह—अथ यो विपतितेनेति । 'यः' यजमानः प्रमादाद्विपतितेन भूमौ पतितेन 'हविषा यजते', तत्र विपतनक्रियाया वाय्वधीनत्वात् वायोर्बुद्धिस्तत्र कार्या । स च वायुलक्षणेन 'ब्रह्मणो द्वारेण' 'प्रतिपद्यते' । तेन ब्रह्मणा 'सायुज्यम्' एकीभावं 'सलोकतां' समानलोकतां 'जयति' । एवमुत्तरत्रापि योज्यम् ॥ ३ ॥

अथ योऽश्रृतेनेति । 'यः' यजमानः अश्रृतेनापक्वेन 'हविषा यजते' । तत्राश्रृतत्वं जलावयवकृतमिति तद्बुद्धिस्तत्र कार्या । तस्य फलमाह—अद्भिर्हेति । गतप्रायमेतत् ॥ ४ ॥

अथ य उपरक्तेनेति । 'अथ यः' यजमानः 'उपरक्तेन' उपांतस्थितरक्तिमगुणेन 'हविषा यजते' । तत्र हविष उपांतरक्तत्वं यत् तत् चंद्रबिंबसदृशमिति, तत्र तद्बुद्धिः कार्या । चंद्रमसा ह स इत्यादि पूर्ववत् योज्यम् ५

अथ यो लोहितेनेत्यादि । 'यः' यजमानः 'लोहितेन' सर्वतो रक्तवर्णेन 'हविषा यजते' । तत्र लोहितत्वं विद्युद्धर्म इति तद्बुद्धिस्तत्र कार्या । विद्युता हेत्यादि पूर्ववत् ॥ ६ ॥

(त्यु) अथ यः सुश्रृतेन हविषा यजते । (तऽ) आदित्येन ह स ब्रह्मणो द्वारेण प्रतिपद्यते सुऽ आदित्येन ब्रह्मणो द्वारेण प्रतिपद्य ब्रह्मणः सायुज्यꣳ सलोकताञ्जयति सैषा हविषः समृद्धिः स यो हैवमेताꣳ हविषः समृद्धिं व्वेद सर्व्वसमृद्धेन हैवास्य हविषेष्टं भवति ॥ ७ ॥

(त्य) अथातो यज्ञस्य समृद्धिः । (यँ) यद्वै यज्ञस्य न्यूनं प्रजननमस्य तदथ यदतिरिक्तं पशव्यमस्य तदथ यत्सङ्कसुकꣳ श्रियाऽअस्य तदथ यत्सम्पन्नꣳ स्वर्ग्यमस्य तत् ॥ ८ ॥

(त्स) स यदि मन्येत । न्यूनम्मे यज्ञोऽभूदिति प्रजननम्मऽ एतत्प्रजनिष्यऽ इत्येव तदुपासीत ॥ ९ ॥

अथ यः सुश्रृतेन हविषा यजते; आदित्येन ह स ब्रह्मणो द्वारेण प्रतिपद्यते । स आदित्येन ब्रह्मणो द्वारेण प्रतिपद्य ब्रह्मणः सायुज्यं सलोकतां जयति । सैषा हविषः समृद्धिः । स यो हैवमेतां हविषः समृद्धिं वेद । सर्वसमृद्धेन हैवास्य हविषेष्टं भवति ॥ ७ ॥

अथातो यज्ञस्य समृद्धिः । यद्वै यज्ञस्य न्यूनं प्रजननमस्य तत् । अथ यदतिरिक्तं पशव्यमस्य तत् । अथ यत्संकसुकं श्रिया अस्य तत् । अथ यत्संपन्नं स्वर्ग्यमस्य तत् ॥ ८ ॥

स यदि मन्येत । न्यूनं मे यज्ञोऽभूदिति । प्रजननं म एतत् । प्रजनिष्य इत्येव तदुपासीत ॥ ९ ॥

इत्थमपाकातिपाकहविषामुपासनानि उक्तानि । सुश्रृतहविर्विषयमाह—**अथ यः सुश्रृतेनेति** । सुष्ठु सम्यक् श्रृतेन 'हविषा' पुरोडाशादिना 'यः यजते' तत्र सम्यक् पाक आदित्यधर्मः, अतस्तत्र हविषि आदित्यबुद्धिः कार्या । आदित्येनेत्यादि पूर्ववत् । एवमुपदग्धादीनां हविषां या इयं अग्न्याद्यात्मकता उक्ता 'सा एषा हविषः समृद्धिः' । सा उपासकस्यैव उक्तफलहेतुरित्याह—**स यो हैवमेतामिति** । उपदाहादिदोषस्यापि समृद्धिरूपेण वेदनात् 'अस्य' विदुषः 'सर्वसमृद्धेनैव हविषा' यागः कृतो भवतीत्यर्थः ॥ ७ ॥

इत्थं हविषः समृद्धिमुपपाद्य, अथ तत्साध्यस्य यज्ञस्यापि न्यूनत्वादिदोषपरिहाराय समृद्धिं वक्तुं प्रतिजानीते—**अथातो यज्ञस्य समृद्धिरिति** । यतो वक्ष्यमाणप्रकारेण न्यूनत्वादिदोषाः परिह्रियंते अतः कारणात् यज्ञस्य समृद्धिरधिक्रियत इत्यर्थः । अथ तां समृद्धिं वक्तुं न्यूनत्वादिधर्माणां तावत् यज्ञावयवत्वमाह—**यद्वै यज्ञस्येति** । 'यद्वै' यत् खलु यज्ञसंबंधि 'न्यूनं' प्रमादादनुष्ठितमङ्गम् । 'तदस्य' यज्ञस्य 'प्रजननं' प्रजोत्पत्तिसाधनमिन्द्रियम् । 'अथ' यज्ञसंबंधि 'यदतिरिक्तं' प्रमादादनुष्ठितमङ्गम् । 'तत्पशव्यं' पशुहितम् । 'यत् संकसुकं' दोषसंमिश्रमङ्गं कृतं 'श्रियै अस्य तत्' । 'अथ यत् संपन्नं' सम्यगनुष्ठितं कर्म 'तदस्य' यज्ञस्य 'स्वर्ग्यं' स्वर्गप्राप्त्युपायभूतं रूपम् ॥ ८ ॥

अथ एतदुपजीवनेन यज्ञसमृद्ध्यर्थं तदुपास्तिमाह—**स यदि मन्येतेति** । 'सः' यजमानः 'यदि मन्येत'

(त्रा) अथ यदि मन्येत । (त्रा) अतिरिक्तं मे यज्ञेऽभूदिति पशव्यम्मऽ एतत्पशुमान्भविष्यामीत्येव तदुपासीत ॥ १० ॥

(त्रा) अथ यदि मन्येत । सङ्कसुकम्मे यज्ञेऽभूदिति श्रियै मऽएतदा मा श्रीस्तेजसा यशसा ब्रह्मवर्चसेन परिवृता गमिष्यतीत्येव तदुपासीत ॥ ११

(त्रा) अथ यदि मन्येत । सम्पन्नम्मे यज्ञेऽभूदिति स्वर्ग्यम्मऽ एतत्स्वर्गंलोको भविष्यामीत्येव तदुपासीत सैषा यज्ञस्य समृद्धिः स यो हैवमेतां यज्ञस्य समृद्धिं वेद सर्व्वसमृद्धेन हैवास्य यज्ञेनेष्टं भवति ॥ १२ ॥

इति तृतीयप्रपाठके द्वितीयं ब्राह्मणम् ॥ ११-३-२ ॥ (४. ४.) ॥

इति चतुर्थोऽध्यायः समाप्तः ॥ ११-४ ॥

अथ यदि मन्येत । अतिरिक्तं मे यज्ञेऽभूदिति । पशव्यं म एतत् । पशुमान् भविष्यामीत्येव तदुपासीत ॥ १० ॥

अथ यदि मन्येत । संकसुकं मे यज्ञेऽभूदिति । श्रियै म एतत् । आ मा श्रीस्तेजसा यशसा ब्रह्मवर्चसेन परिवृता गमिष्यतीत्येव तदुपासीत ॥ ११ ॥

अथ यदि मन्येत । संपन्नं मे यज्ञेऽभूदिति । स्वर्ग्यं म एतत् । स्वर्गलोको भविष्यामीत्येव तदुपासीत । सैषा यज्ञस्य समृद्धिः । स यो हैवमेतां यज्ञस्य समृद्धिं वेद । सर्वसमृद्धेन हैवास्य यज्ञेनेष्टं भवति ॥ १२ ॥

जानीयात् । मदीये 'यज्ञे' 'न्यूनं' किमपि अंगमनुष्ठितमिति । तदानीं स यजमानः 'मे' मदीयं 'एतत् न्यूनं' यज्ञसंबंधि 'प्रजननं' प्रजासाधनम् । अतः अहं 'प्रजनिष्ये' पुत्राद्यात्मना प्रकर्षेण जनिष्ये इति अनेन रूपेण तन्न्यूनमुपासीत जानीयात् ध्यायेद्वा । अनया उपासनया न्यूनत्वदोषपरिहारे सति यज्ञसमृद्धिर्भवतीति भावः ॥ ९ ॥

अथातिरिक्तस्योपास्त्या यज्ञसमृद्धिमाह—अथ यदि मन्येतेति । यज्ञसंबंधिपशव्यरूपेणातिरिक्तस्योपासनात् अतिरेकदोषपरिहारेण यज्ञसमृद्धिर्भवतीत्यर्थः ॥ १० ॥

अथ संकसुकत्वदोषस्य उपास्त्या यज्ञस्य समृद्धिमाह—अथ यदि मन्येतेति । पूर्ववद्योज्यम् । श्रियै म एतदिति । 'एतत्' संकसुकदोषसंमिश्रमंगम् 'मे' मम 'श्रियै' लक्ष्म्यै अतो मां सा 'श्रीः' 'तेजसा' शरीरकांत्या 'यशसा' कीर्त्या 'ब्रह्मवर्चसेन' ब्रह्मतेजसा 'परिवृता' वेष्टिता सती 'आगमिष्यति' इत्यनेन प्रकारेण 'तत्' संकसुकदोषसंमिश्रयज्ञांगम् 'उपासीत' तेन च स दोषो निवर्तेत इत्यर्थः ॥ ११ ॥

इत्थं न्यूनातिरिक्तदोषस्योपासनया समीकरणमुक्त्वा सम्यगनुष्ठितस्यापि अंगस्याधिकफलसिध्यर्थं उपा-

सनमाह—अथ यदि मन्येतेति । स्पष्टमेतत् । प्रतिज्ञातां यज्ञसमृद्धिं निगमयति—सैषा यज्ञस्य समृद्धिरिति । तत्र समृद्धिरूपवेदनस्य फलमाह—स यो हैवमेतामिति । स्पष्टोऽर्थः ॥ १२ ॥

इति श्रीसायणाचार्यविरचिते माधवीये वेदार्थप्रकाशे माध्यन्दिनीयशतपथब्राह्मणभाष्ये
एकादशकाण्डे चतुर्थेऽध्याये चतुर्थं ब्राह्मणम् ॥ (११–४–४) ॥

वेदार्थस्य प्रकाशेन तमो हार्दं निवारयन् । पुमर्थांश्चतुरो देयाद् विद्यातीर्थमहेश्वरः ॥ १ ॥

ब्रह्माण्डं गोसहस्रं कनकहयतुलापूरुषौ स्वर्णगर्भं,
सप्ताब्धीन्पञ्चसीरींस्त्रिदशतरुलताधेनुसौवर्णभूमीः ।
रत्नोस्रां रुक्मवाजिद्विपमहितरथौ सायणिः सिङ्गणार्यो,
व्यश्राणीद्विश्वचक्रं प्रथितविधिमहाभूतयुक्तं घटं च ॥
धान्याद्रिं धन्यजन्मा तिलभवमतुलः स्वर्णजं वर्णमुख्यः,
कार्पासीयं कृपावान्गुडकृतमजडो राजतं राजपूज्यः ।
आज्योत्थं प्राज्यजन्मा लवणजमनृणः शार्करं चार्कतेजा,
रत्नाढ्यो रत्नरूपं गिरिमकृत मुदा पात्रसात्सिङ्गणार्यः ॥

इति श्रीमद्राजाधिराजपरमेश्वरवैदिकमार्गप्रवर्तकश्रीहरिहरमहाराजसाम्राज्यधुरन्धरेण सायणाचार्येण
विरचिते माधवीये वेदार्थप्रकाशे माध्यन्दिनीयशतपथब्राह्मणभाष्ये एकादशकाण्डे
चतुर्थोऽध्यायः समाप्तः ॥ (११ । ४) ॥

अथ पञ्चमेऽध्याये प्रथमं ब्राह्मणम् ।

तृतीयप्रपाठके च तृतीयं ब्राह्मणम् ।

उर्व्वशी हाप्सराः । पुरूरवसमैडञ्चकमे तꣳ ह विन्दमानोवाच त्रिः स्म माऽह्नो व्वैतसेन दण्डेन हतादकामाꣳ स्म मा निपद्यासै मो स्म त्वा नग्नं दर्शमेष वै न स्त्रीणामुपचारऽ इति ॥ १ ॥

सा हास्मिञ्ज्योगुवास । (सा) अपि हास्माद्गर्भिण्यास तावज्ज्योग्घास्मिन्नुवास ततो ह गन्धर्व्वाः समूदिरे ज्योग्वाऽ इयमुर्व्वशी मनुष्येष्ववात्सीदुपजानीत यथेयम्पुनरागच्छेदिति तस्यै हाविर्द्वयुरणा शयनऽ उपबद्धाऽऽस ततो ह गन्धर्व्वाऽअन्यतरमुरणं प्रमेथुः ॥ २ ॥

आश्वत्थ्योररण्योरुत्पत्तिरूयापकं ब्राह्मणम् ।

उर्वशी हाप्सराः पुरूरवसमैडं चकमे । तं ह विंदमानोवाच । त्रिः स्म माऽह्नो वैतसेन दंडेन हतात् । अकामां स्म मा निपद्यासै । मो स्म त्वा नग्नं दर्शम् । एष वै नः स्त्रीणामुपचार इति ॥१॥

सा हास्मिन् ज्योगुवास । अपि हास्माद्गर्भिण्यास तावत् । ज्योग्घास्मिन्नुवास । ततो ह गंधर्वाः

यस्य निःश्वसितं वेदा यो वेदेभ्योऽखिलं जगत् । निर्ममे तमहं वन्दे विद्यातीर्थमहेश्वरम् ॥ १ ॥

इत्थं दर्शपूर्णमासौ प्रशस्य तद्विकृतिभूतान् चातुर्मास्यादीन् प्रशंसिष्यन् तत्राग्निमंथनसद्भावात् तत्साधनभूतयोररण्योरश्वत्थविकृतित्वं विधित्सुः तदर्थमाख्यायिकां रचयति—**उर्वशी हाप्सरा** इति । इडा नाम मनोर्दुहिता । तस्यां सोमपुत्रेण बुधेनोत्पादितं इडायाः पुत्रं ' पुरूरवसं ' राजानं शापवशात् मानुषभावं प्राप्ता उर्वश्याख्या ' अप्सराः ' देवस्त्री ' चकमे ' कामितवती । ततः ' तं ' पुरूरवसं ' विंदमाना उवाच ' उक्तवती । तदुक्तिप्रकारमाह—**त्रिः स्म माऽह्न** इति । हे पुरूरवः ! 'अह्नः' दिवसस्य त्रिस्त्रिवारं 'मा' मां 'वैतसेन' ' दंडेन ' पुंस्प्रजननेन ' हतात् ' उपभुंक्ष्व । वैतस इति पुंस्प्रजननस्य नाम । उक्तं हि यास्केन " शेफो वैतस इति पुंस्प्रजननस्य " (निरु. ३।२१।३) इति । तथा ' अकामां ' कामरहितां सुरताभिलाषरहितां च मां ' मा स्म निपद्यासै ' निगृह्य न प्राप्नुयाः । तथा ' नग्नं ' आच्छादनरहितं त्वां ' मो स्म दर्शम् ' नैव पश्येयम् । एतत् त्रितयं यावन्नियमेन करिष्यसि तावदहं तव जाया भविष्यामि । ' एष वै ' एतादृशः खलु नोऽस्माकं ' स्त्रीणां ' ' उपचारः ' परिचर्या, इतिशब्दः उर्वशीवाक्यपरिसमाप्तौ ॥ १ ॥

सा हास्मिन्नित्यादि । इत्थं कृतनियमा ' सा ' उर्वशी ' अस्मिन् ' पुरूरवसि ' ज्योक् ' चिरकालं ' उवास ' निवासं कृतवती । ' अपि ' खलु अस्मात्पुरूरवसः यावता कालेन ' गर्भिणी आस ' गर्भयुक्ता

सा होवाच । (ञा) अवीरऽ इव बत मेऽजनऽ इव पुत्रꣳ हरन्तीति द्वितीयं प्रमेथुः सा ह तथैवोवाच ॥ ३ ॥

(ञा) अथ हायमीक्षाञ्चक्रे । कथन्नु तदवीरङ्कथमजनꣳ स्याद्यत्राहꣳ स्यामिति स नग्नऽ एवानूत्पपात चिरन्तन्मेने यद्वासः पर्य्यधास्यत ततो ह गन्धर्व्वा विद्युतञ्जनयाञ्चक्रुस्तं यथा दिवैवं नग्नं ददर्श ततो हैवेयं तिरोबभूव पुनरैमीत्येत्तिरोभूताꣳ सऽआध्या जल्पन्कुरुक्षेत्रꣳ समया चचारान्यतःप्लक्षेति बिसवती तस्यै हाध्यन्तेन वव्राज तद्ध ताऽअप्सरसऽ आतयो भूत्वा परिपुप्लुविरे ॥ ४ ॥

समूदिरे । ज्योग्वा इयमुर्वशी मनुष्येष्ववात्सीत् । उपजानीत । यथेयं पुनरागच्छेदिति । तस्यै हाविद्व्युरणा शयन उपबद्धाऽऽस । ततो ह गंधर्वा अन्यतरमुरणं प्रमेथुः ॥ २ ॥

सा होवाच । अवीर इव बत मेऽजन इव पुत्रं हरंतीति । द्वितीयं प्रमेथुः । सा ह तथैवोवाच ॥ ३ ॥

अथ हायमीक्षांचक्रे । कथं नु तदवीरं कथमजनं स्यात्; यत्राहं स्यामिति । स नग्न एवानूत्पपात । चिरं तन्मेने; यद्वासः पर्यधास्यत । ततो ह गंधर्वा विद्युतं जनयांचक्रुः । तं यथा दिवैवं

बभूव । तावत्पर्यंतं चिरकालं अस्मिन्नुवासेत्यर्थः । एवमुर्वश्यां चिरकालं मनुष्यलोकसंस्थायिन्यां तद्विरहमसहमानैर्गंधर्वैः कृतं तद्धरणोपायं दर्शयति–ततो ह गंधर्वा इत्यादिना । ततस्तस्मात् उर्वश्याः मनुष्योपभोगात् हेतोः 'गंधर्वाः' संभूय 'समूदिरे' संवादं मंत्रालोचनं कृतवंतः । कथमियमुर्वशी 'मनुष्येषु' 'ज्योक्' चिरकालं 'अवात्सीत्' वासमकार्षीत् । यथा येन प्रकारेण इयमस्मान्पुनरागच्छेत्, तं प्रकारं 'उपजानीत' पर्यालोचयत । एतस्मिन्नवसरे तस्याः खलु उर्वश्याः शयनप्रदेशे 'द्व्युरणा' द्वावुरणौ बालकौ मेषौ यस्यास्तादृशी अविमेर्षी 'उपबद्धा आस' उपनिबद्धा बभूव । तौ द्वावुरणौ उर्वश्या पुत्रत्वेन पालितौ । 'ततः' संवादानंतरं एतज्जानानाः 'गंधर्वाः' तयोः 'अन्यतरमुरणं' 'प्रमेथुः' अपजह्रुः ॥ २ ॥

सा होवाचेत्यादि । तस्मिन्नुरणे अपहृते सति 'सा' उर्वशी 'उवाच' उक्तवती । 'अवीरे' वीरपुरुषरहिते 'इव' देशे 'अजने' जनरहिते 'इव' देशे मदीयं उरणरूपं 'पुत्रं हरंतीति' 'बत' खेदे । एवमुक्तेऽपि पुरूरवास्तूष्णीं स्थितवान् । ततो गंधर्वा द्वितीयमप्युरणं 'प्रमेथुः' अपजह्रुः । 'सा' खलु उर्वशी पुनरपि 'तथैवोवाच' वीरपुरुषरहिते देशे जनरहितदेशे यथा चौरादयो गवादिधनमपहरंति तथा मदीयं पुत्रत्वेन स्वीकृतं उरणद्वयं गंधर्वा अपजह्रुः इति ॥ ३ ॥

एवमस्यां विलपंत्यां सत्यां पुरूरवाः किं कृतवानिति तदाह–अथ हायमीक्षांचक्रे इति । 'अथ' अनंतरं 'अयं' समीपे शयानः पुरूरवाः 'ईक्षांचक्रे' पर्यालोचितवान् । 'यत्र' यस्मिन् स्थाने 'अहं स्याम्' भवेयम् । तत्स्थानं 'कथं नु' केन खलु प्रकारेण 'अवीरं' वीररहितं तत् 'कथं वा' 'अजनं' जनरहितं 'स्यात्'

१–'ऐत्' इति साधीयान् । 'एत्' इति प्रमादादार्षत्वाद्वा जातं प्रतिभाति ।

तुᳬं ह्रेयं ज्ञात्वोवाच ।(चा) अयं वै स मनुष्यो यस्मिन्नहमवात्समिति ता ह्रोचुस्तस्मै वाऽआविरसामेति तथेति तस्मै ह्राविरासुः ॥ ५ ॥

(स्ताᳬं) ताᳬं ह्रायं ज्ञात्वाऽभिपरोवाद । हये जाये मनसा तिष्ठ घोरे

नग्नं ददर्श । ततो हैवेयं तिरोबभूव । पुनरैमीत्येत् । तिरोभूतां रा आध्या जल्पन् कुरुक्षेत्रं समया चचार । अन्यतःप्लक्षेति । बिसवती । तस्यै हाध्यंतेन वव्राज । तद्ध ता अप्सरस आतयो भूत्वा पुप्लुविरे ॥ ४ ॥

तं हेयं ज्ञात्वोवाच—अयं व स मनुष्यः, यस्मिन्नहमवात्सामिति । ता होचुः । तस्मै वा आविरसामेति । तथेति । तस्मै हाविरासुः ॥ ५ ॥

तां हायं ज्ञात्वाऽभिपरोवाद । “ हये जाये मनसा तिष्ठ घोरे वचांसि मिश्रा कृणवा-

---

एवमीक्षित्वा ‘ सः ’ पुरूरवाः उर्वश्या सह शयनं त्यक्त्वा ‘ नग्नः ’ विवसनः ‘ एव ’ सन् ‘ अनूत्पपात ’ गंधर्वैः सह योद्धुमुपचक्राम । नग्न एवेत्यत्र कारणमाह—चिरं तन्मेन इति । ‘ वासः पर्यधास्यत ’ वासःपरिधानं क्रियते इति यदस्ति, ‘ तच्चिरं मेने ’ कालविलंबः स्यादिति बुध्यते स्म । तस्मान्नग्न एवानूत्पपातेत्यर्थः । ततो ह गंधर्वा इत्यादि । ततोऽनंतरं ‘ गंधर्वाः ’ नग्नमागच्छंतं पुरूरवसं दृष्ट्वा उर्वशीसमयभंगाय नग्नस्यैव तस्य दर्शनार्थं ‘ विद्युतं जनयांचक्रुः ’ । तत्प्रभया ‘ यथा दिवा ’ अहनि ‘ एवं ’ ‘ तं ’ पुरूरवसं ‘ नग्नं ’ उर्वशी ‘ ददर्श ’ दृष्ट्वा च मम समयभंगो जात इति अनंतरमेव इयमुर्वशी ‘ तिरोबभूव ’ अदृश्या बभूव । ‘ पुनरैमि ’ आगच्छामि ‘ इति ’ ब्रुवाणा ‘ एत् ’ स्वर्गलोकमागच्छत् । पुनः पुरूरवसा कृतं दर्शयति—तिरोभूतामिति । ‘ तिरोभूतां ’ अंतर्हितां उर्वशीं ‘ सः ’ पुरूरवाः ‘ आध्या ’ विरहजनिता मनःपीडा आधिः, तया ‘ जल्पन् ’ प्रलपन् ‘ कुरुक्षेत्रं ’ ‘ समया ’ “ अभितःपरितःसमया ” (पा. सू. २।३।२ वा.) इति समयायोगे द्वितीया । कुरुक्षेत्रस्य समीपे ‘ चचार ’ उर्वशीं द्रष्टुकामो भ्रमणं कृतवान् । अन्यतःप्लक्षेत्यादि । तत्र कुरुक्षेत्रे एकत्र देशे ‘ अन्यतःप्लक्षा ’ नाम ‘ बिसवती ’ पद्मिनी सरसी ‘ तस्यै हाधि ’ तस्याः समीपदेशे ‘ अंतेन ’ अंतिकेन तटप्रदेशेन ‘ वव्राज ’ गतवान् । अथोर्वश्याः पुनः प्रादुर्भावमाह—तद्ध ता अप्सरस इति । ‘ तद्ध ’ तत्र खलु अन्यतःप्लक्षाख्ये सरसि ‘ ताः ’ उर्वशीप्रमुखाः ‘ अप्सरसः ’ ‘ आतयः ’ जलचरपक्षिविशेषस्यैषा संज्ञा, तद्रूपाः ‘ भूत्वा ’ ‘ परिपुप्लुविरे ’ परिप्लवनं जलक्रीडां कृतवत्यः ॥ ४ ॥

एतस्मिन्नंतरे तीरदेशे गच्छंतं ‘ तं ’ पुरूरवसं ‘ ज्ञात्वा ’ इयमुर्वशी सखीभिः सह उक्तवती, ‘ अयं ’ खलु ‘ स मनुष्यः ’ ‘ यस्मिन्नहं ’ एतावंतं कालं ‘ अवात्सं ’ जायात्वेन स्थिता “ वस निवासे ” (धा. पा. भ्वा. प. १०३०) इत्यस्माद्धातोर्लुङि सिचि “सः स्यार्धधातुके” (पा. सू. ७ । ४ । ४९) इति तत्वम् । ‘ ताः ’ सख्यः एतद्वाक्यं श्रुत्वा ऊचुरुक्तवत्यः । किमिति ? ‘ तस्मै ’ मनुष्याय वयम् ‘ आविरसाम ’ प्रादुर्भवामेति । ‘ तथेति ’ परस्परमंगीकृत्य ‘ तस्मै ’ पुरूरवसे ‘ आविरासुः ’ पक्षिरूपं विहाय स्वकीयेन रूपेण प्रादुर्बभूवुः ॥ ५ ॥

ततः ‘ अयम् ’ पुरूरवा अप्सरोगणमध्ये तामुर्वशीं ‘ज्ञात्वा’ अभिलक्ष्य परावृत्तः सन्नुवाद ‘ हये जाये ’

व्वचाᳫँसि मिश्रा कृणवावहै नु । न नौ मन्त्राऽअनुदितासऽ एते मयस्करन्परतरे च नाहन्नित्युप नु रम सं नु वदावहाऽ इति हैवैनां तदुवाच ॥ ६ ॥

तᳫँ हेतरा प्रत्युवाच । किमेता व्वाचा कृणवा तवाहं प्राक्रमिषमुषसामग्रियेव । पुरूरवः पुनरस्तम्परेहि दुरापना व्वातऽ इवाहमस्मीति न वै त्वं तदकरोर्य्यदहमब्रवं दुरापा वाऽ अहं त्वयैतर्ह्यस्मि पुनर्गृहानिहीति हैवैनं तदुवाच ॥ ७ ॥

वहै नु । न नौ मंत्रा अनुदितास एते मयस्करन्परतरे च नाहन् "–इति । उप नु रम सं नुवदावहै; इति हैवैनां तदुवाच ॥ ६ ॥

तं हेतरा प्रत्युवाच । " किमेता वाचा कृणवा तवाहं प्राक्रमिषमुषसामग्रियेव । पुरूरवः पुनरस्तं परेहि दुरापना वात इवाहमस्मि"–इति । न वै त्वं तदकरोः । यदहमब्रवम् । दुरापा वा अहं त्वया एतर्ह्यस्मि, पुनर्गृहानिहि; इति हैवैनं तदुवाच ॥ ७ ॥

इति आवभाषे । तदेतत् उर्वशीपुरूरवसोः उक्तिप्रत्युक्तिरूपं पंचदशर्चं सूक्तम् । तत्र " हये जाये " इत्येतत् पुरूरवसो वाक्यम् । अयमर्थः–विरहव्याकुलितमनस्कतया अभिमुखीकरणार्थं हेशब्दं प्रयुंजानः ' हये ' इति विपर्ययं प्रयुक्तवान्, हे 'जाये' 'मनसा' 'घोरे' क्रूरहृदये इत्यर्थः । एवंभूते हे उर्वशि ! ' तिष्ठ ' मा गाः । ' नु ' अद्य ' वचांसि ' पूर्वोक्तशेषाणि वाक्यानि ' मिश्रा ' मिश्राणि उक्तिप्रत्युक्तिरूपेण मिश्रीकृतानि ' कृणवावहै ' आवां करवावहै । ' नौ ' आवयोर्मंत्राः गुप्तभाषितानि रहस्योक्तिविशेषाः ' अनुदितासः ' अनुक्ताः संतः यतः ' मयः ' सुखनामैतत् । (निरु. ३ । १३ । ११) इति । सुखम् ' न करन् ' न कुर्वंति । तथा ' परतरेऽहन् च ' परस्मिन्नप्यहनि अनुक्ता एते सुखम् न कुर्वंति । अतः हेतोस्तिष्ठ मा गा इत्यर्थः । अस्या ऋचस्तात्पर्यं श्रुतिः स्वयम् व्याचष्टे–उप नु रमेति । हे जाये ! 'नु' अद्य ' उपरम ' गमनान्निवर्तस्व । ' नु ' क्षिप्रम् आवाम् ' संवदावहै ' मिश्रसंभाषणं करवावहै ' इति ह ' एवमेव खलु एतया ऋचा एनामुर्वशीं पुरूरवाः ' उवाच ' ॥ ६ ॥

तᳫँ हेतरा इत्यादि । ' इतरा ' उर्वशी पुरूरवसम् ' प्रत्युवाच ' ' किमेता वाचा कृणवा ' इति । हे पुरूरवः ' एता ' एतया त्वदीयया अर्थशून्यया ' वाचा ' ' किं कृणवा ' अहं किं कुर्याम् । समयभंगान्निमित्तात् अहम् त्वत्सकाशात् ' प्राक्रमिषम् ' प्रस्थानमकार्षम् । तत्र दृष्टांतः–सूर्योदयेन विनिवर्त्यानां ' उषसां ' मध्ये ' अग्रिया ' अग्रे भवा पूर्वा उषाः यथा प्रक्रामति न पुनरावर्तते, एवम् प्राक्रमिषमित्यर्थः । अतएवं निराशो भूत्वा ' अस्तम् ' गृहनामैतत् (निरु. ३ । १३ । ९) इति । स्वकीयम् गृहम् ' पुनः परेहि ' पराङ्मुखो निवर्तस्व । अहम् पुनर्दुरापना आप्तुमशक्या । यस्मादहम् देवस्त्री त्वं मनुष्यः । अतः ' वात इव ' यथा वातो गंतुं न शक्यते एवं मत्प्राप्तिस्तव दुष्करेत्यर्थः । इमामृचं श्रुतिर्व्याकरोति–न वै त्वमिति । " मो स्म त्वा नग्नं दर्शम् " इति ' यदहमब्रवम् ' ' न ' खलु 'त्वम्' ' तदकरोः ' । अतस्त्वया ' एतर्हि '

(च्चा) अथ हायं पुरिद्यून उवाच । सुदेवो अद्य प्रपतेदनावृत्परावतं परमां गन्तवा उ । अधा शयीत निर्ऋतेरुपस्थेऽधैनं वृका रभसासो अद्युरिति सुदेवोऽद्योद्बध्नीत प्र वा पतेत्तदेनं वृका वा श्वानो वाऽद्युरिति हैव तदुवाच ॥ ८ ॥

तᳫँ हेतरा प्रत्युवाच । पुरूरवो मा मृथा मा प्रपप्तो मा त्वा वृकासोऽ-अशिवास उ क्षन् । न वै स्त्रैणानि सख्यानि सन्ति सालावृकाणाᳫँ हृदयान्येतेति मैतदादृथा न वै स्त्रैणᳫँ सख्यमस्ति पुनर्गृहानिहीति हैवैनं तदुवाच ॥ ९ ॥

अथ हायं परिद्यून उवाच । "सुदेवो अद्य प्रपते दनावृत्परावतं परमां गंतवा उ । अधा शयीत निर्ऋतेरुपस्थेऽधैनं वृका रभसासो अद्युः"–इति । सुदेवोऽद्योद्बध्नीत । प्र वा पतेत् । तदेनं वृका वा श्वानो वाऽद्युः । इति हैव तदुवाच ॥ ८ ॥

तं हेतरा प्रत्युवाच । "पुरूरवो मा मृथा मा प्रपप्तो मा त्वा वृकासो अशिवास उ क्षन् । न वै स्त्रैणानि सख्यानि संति सालावृकाणां हृदयान्येता"–इति । मैतदादृथाः । न वै स्त्रैणं सख्यमस्ति । पुनर्गृहानिहि । इति हैवैनं तदुवाच ॥ ९ ॥

एतस्मिन् काले 'अहम् दुरापा' आप्तुमशक्या 'अस्मि' अतस्त्वं 'गृहान्' आत्मीयान् 'पुनरिहि' गच्छ । 'इति ह' एवमेव खलु 'एनम्' पुरूरवसम् तत्तदानीं अनयर्चा 'उवाच' उर्वशी ॥ ७ ॥

उर्वश्या एवं निराकृतस्य पुरूरवसो दुःखं दर्शयति–अथ हायमिति । 'अथ ह' एवं प्रत्याख्यानानंतरमेव 'अयं' पुरूरवाः 'परिद्यूनः' प्राप्तपरिदेवनः सन् शोकातुरः 'उवाच' । तां परिदेवनरूपामृचं दर्शयति–सुदेवो अद्येति । 'सुदेवः' सुष्ठु दीप्यमानः अशनिः सः मम मस्तके 'प्रपतेत्' । अथ अयं जनः 'अनावृत्' अनावर्तमानः सन् प्राप्तपरिदेवनः 'परमां' उत्कृष्टां 'परावतं' दूरनामैतत् (निरु. ३।१९।१९) इति । परलोकलक्षणं दूरदेशं 'गन्तवै' गंतुं प्रभवति । अथानंतरमशनिहतः सन् निर्ऋतेर्भूम्याः 'उपस्थे' उत्संगे 'शयीत' । अथानंतरं 'एनं मृतं' 'रभसासः' वेगयुक्ताः 'वृकाः' अरण्यश्वानः 'अद्युः' भक्षयेयुः । यद्वा 'सुदेवः' सुक्रीडोऽयं जनः 'अनावृतः' सन् राज्यभोगं विहाय 'परावतं' अत्यंतदूरदेशं गन्तुं 'प्रपतेत्' प्रगच्छेत् । अन्यत् पूर्ववत् । अस्या ऋचस्तात्पर्यं श्रुतिर्दर्शयति–सुदेवोऽद्येति । 'सुदेवः' सुक्रीडोऽयं जनः अद्येदानीं हे उर्वशि ! त्वद्विरह[illegible]त् 'उद्बध्नीत वा' देहत्यागार्थं पाशेन उद्बंधनं वा कुर्यात् । 'प्रपतेद्वा' प्रपतनं महाप्रस्थानं कुर्याद्वा । ततः परं 'एनं' पुरूरवसं सालावृका वा श्वानो वा अद्युर्भक्षयेयुः । 'इति ह' एवमेव खलु तत्तेन परिदेवनरूपेण मन्त्रेणोक्तवान् ॥ ८ ॥

एवं परिदेवने कृते तन्निवारणार्थं इतरा उर्वशी पुरूरवसं प्रति उक्तवती, तद्वाक्यं–पुरूरवो मा मृथा इति ऋक् । हे 'पुरूरवः !' वृथा 'मा मृथाः' न म्रियस्व । "माङि लुङ्"–(पा. सू. ३ । ३ । १७५)

यद्विरूपाऽचरम् । (म्म) मर्त्येष्ववसꣳ रात्रीः शरदश्चतस्रः । घृतस्य स्तोकꣳ सकृदह्नऽआश्नां तादेवेदं तातृपाणा चरामीति तदेतदुक्तप्रत्युक्तं पञ्चदशर्चम्बह्वृचाः प्राहुस्तस्यै ह हृदयमाव्ययाञ्चकार ॥ १० ॥

" यद्विरूपाऽचरं मर्त्येष्ववसं रात्रीः शरदश्चतस्रः । घृतस्य स्तोकं सकृदह्न

" म्रियतेर्लुङ्लिङोश्च "–(पा. सू. १ । ३ । ६१) इत्यात्मनेपदम् । " ह्रस्वादंगात् "–(पा. सू. ८ । २ । २७) इति सिचो लोपः । एवं ' मा प्रपप्तेः ' प्रपतनं मा कृथाः । " पत्लृ गतौ "–(धा. पा. भ्वा. प. ८७०) इत्यस्मात् " माङि लुङ् "–(पा. सू. ३ । ३ । १७५) इति लुङि लृदित्त्वात् च्लेरङा-देशः । " पतः पुम् " (पा. सू. ७ । ४ । १९) इति पुमागमः । तथा ' अशिवासः ' दुष्टाः ' वृकासः ' वृकाः । उशब्दश्चार्थे । अरण्यश्वानश्च ' त्वा ' त्वां ' मा क्षन् ' मा भक्षयंतु । " अद भक्षणे "–(धा. पा. अ. प. १) इत्यस्माल्लुङि " लुङ्सनोर्घस्लृ "–(पा. सू. २ । ४ । ३७) इति घस्लादेशे " मंत्रे घस "–(पा. सू. २ । ४ । ८०) इत्यादिना च्लेर्लुक् । ततः " गमहनजनखन० " (पा. सू. ६ । ४ । ९८) इत्यादिना उपधालोपः । वर्तमाने " न माङ्योगे " (पा. सू. ६ । ४।७४) इत्यडभावः । ननु–आवयोः पूर्वं महत्सख्यमस्ति स्म तदिदानीं कुत्र गतं इत्याशंक्याह–**न वै स्त्रैणा-नीति** । स्त्रियाः संबंधीनि ' सख्यानि ' सखित्वानि न खलु ' संति ' चिरकालरूढान्यपि सख्यानि स्त्रीषु नावतिष्ठंते इत्यर्थः । कुत एतदित्याह–**सालावृकाणामिति** । ' एता ' एतदीयानि स्त्रीसंबंधीनि मनांसि ' सालावृकाणां ' हृदयानि ' तद्वत् क्रूराणीत्यर्थः । इममर्थं श्रुतिः संगृह्य व्याचष्टे–**मैतदादृथा इति** । ' एतत् ' मत्प्राप्त्युपायचिंतनं मा कृथाः तद्विषयमादरं मा कार्षीः । ' न ' खलु ' स्त्रैणं ' स्त्रीसंबंधि ' सख्य-मस्ति ' स्थिरतरं भवति । अतः पुनरात्मीयान् ' गृहान् ' गच्छेति । गतमन्यत् ॥ ९ ॥

इत्थं सहसा प्राप्तुकामं पुरूरवसं निराकृत्य उर्वशी स्वप्राप्त्युपायांतरं तस्योपदेष्टुं तत्कृतमुपकारं आवि-ष्करोति–**यद्विरूपेत्यादि** । यद्विरूपोत्पन्ना या मानुषसंसर्गात् विगतदेवरूपा सती ' मर्त्येषु ' मनुष्येषु मध्ये ' अचरम् ' अवर्तिषि । तदानीं ' रात्रीः ' रमयित्रीः ' चतस्रः शरदः ' " अत्यंतसंयोगे द्वितीया "(पा. सू. २।३।५) इति संवत्सरचतुष्टयपर्यंतं त्वत्समीपे ' अवसम् ' कृतनिवासाऽस्मि तस्मिन् वा समये ' अह्नः ' एकस्य दिवसस्य सकृदेकवारं ' घृतस्य ' सर्पिषः ' स्तोकं ' बिन्दुं ' आश्नाम् ' अभुंजि । तव स्वभूतं घृतं अपिबम् इत्यर्थः । इदमिदानीं देवे देवत्वेऽपि सति 'तान्' (न्–इ) वर्णलोपश्छांदसः । तस्मादेव घृतस्तोकात् 'तातृपाणा' तृप्ता सती 'चरामि' निवसामि । अतस्त्वां न विस्मरामीत्यर्थः । एवमन्यासु ऋक्षु उर्वशीपुरूरवसोः उक्तिप्रत्युक्ती द्रष्टव्ये इत्याह–**तदेतदुक्तप्रत्युक्तं पंचदशर्चं बह्वृचाः प्राहुरिति** । ' तदेतत् पंचदशर्चं ' सूक्तं "हये जाये मनसा तिष्ठ घोरे" इत्यादिकम् 'उक्तप्रत्युक्तं' पुरूरवस उक्तिः उर्वश्याः प्रत्युक्तिः ताभ्यामुपेतम् ' बह्-वृचाः' ऋक्शाखाध्यायिनः 'प्राहुः' प्रकर्षेणाधीयते । "हये जाये" इत्युदाहृतव्यतिरिक्तास्तत्रत्या अन्या ऋचोऽपि

१–शांखायनानामेतत्सूक्तम् इति प्रतायत " पंचदशर्चम् " इति श्रुतिप्रत्यासत्त्या । आश्वलायनानां तु एतत्सूक्तमष्टादशर्चम् । शाकलसंहितायां तथाऽऽम्नानात् । अत्र तन्मध्यात्पञ्च ऋचः श्रुत्योदाहृताः अन्या अवशिष्टा ऋचस्तु ऋग्वेदे ८।५।३–१३,१७-१८ इत्यतोऽवगन्तव्याः । नात्र विस्तरभियोद्ध्रियन्ते ॥

सा हो॑वाच। संवत्सरतमीᳪं रात्रिमागच्छतात्तन्म ऽ एकाᳪं रात्रिमन्ते शयितासे जातऽउ तेऽयं तर्हि पुत्रो भवितेति स ह संवत्सरतमीᳪं रात्रिमाजगामेद्धिरण्यविमितानि ततो हैनमेकमूचुरेतत्प्रपद्यस्वेति तद्धास्मै तामुपप्रजिग्युः ॥ ११ ॥

सा हो॑वाच। गन्धर्वा वै ते प्रातर्वरं दातारस्तं वृणासाऽ इति तं वै मे त्वमेव वृणीष्वेति युष्माकमेवैकोऽसानीति ब्रूतादिति तस्मै ह प्रातर्गन्धर्वा वरं ददुः स हो॑वाच युष्माकमेवैकोऽसानीति ॥ १२ ॥

आश्नां ता देवेदं तातृपाणा चरामि" इति। तदेतदुक्तप्रत्युक्तं पञ्चदशर्चं बह्वृचाः प्राहुः। तस्यै ह हृदयमाव्ययाञ्चकार ॥ १० ॥

सा होवाच। संवत्सरतमीं रात्रिमागच्छतात्। तन्म एकां रात्रिमन्ते शयितासे। जात उ तेऽयं तर्हि पुत्रो भवितेति। स ह संवत्सरतमीं रात्रिमाजगामेद्धिरण्यविमितानि। ततो हैनमेकमूचुः—एतत्प्रपद्यस्वेति। तद्धास्मै तामुपप्रजिघ्युः ॥ ११ ॥

सा होवाच—गंधर्वा वै ते प्रातर्वरं दातारः। तं वृणासा इति। तं वै त्वमेव वृणीष्वेति। युष्माकमेवैकोऽसानीति ब्रूतादिति। तस्मै ह प्रातर्गन्धर्वा वरं ददुः। स होवाच—युष्माकमेवैकोऽसानीति ॥ १२ ॥

अत्रानुसंधेया इत्यर्थः। समनंतरोक्ता या ऋचः तासां तात्पर्यमाह—**तस्यै ह हृदयमिति**। इत्थं पुरूरवसा स्नेहप्रवाहेन उक्ते सति तस्या उर्वश्याः 'हृदयं' मनः 'आव्ययांचकार' विगतकाठिन्यं बभूव। "घृतस्य स्तोकं सकृदह्न आश्नाम्" इति तत्कृतस्योपकारस्य स्मरणात् ॥ १० ॥

सा होवाचेत्यादि। इत्थमुक्तिप्रत्युक्तिभ्यां विलीनहृदया उर्वशी 'उवाच' पुरूरवसं प्रत्युक्तवती। 'संवत्सरतमीं' संवत्सरस्य पूर्णां अंतिमां रात्रिं 'आगच्छतात्' तत्तत्र 'मे' मम 'अंते' अंतिके निकटे तामेकां रात्रिं 'शयितासे' शयनं करिष्यसि। शीङो लुटि रूपम्। 'तर्हि' तथा सति 'ते' त्वदीयोंऽशोऽयं ममोदरे गर्भरूपेण वर्तमानः 'पुत्रो जातो भविता' भविष्यति। भवतेर्लुट्। एवमुर्वश्योक्तः 'सः' पुरूरवाः संवत्सरतमीं 'रात्रिम् आजगामेत्' संवत्सरकालं स्थित्वा तस्यान्तिमां रात्रिमवगम्य 'हिरण्यविमितानि' हिरण्यविनिर्मितानि सौधानि आजगामेव। ततस्तस्मादागमनादनन्तरम् 'एनं' पुरूरवसं तत्रत्या जनाः 'इदमेकमूचुः' एतत्स्थानं 'प्रपद्यस्व' आरोहेति। तद्धेति। स प्रपद्य स्थितः। तत्तत्र तस्मै पुरूरवसे तामुर्वशीं 'उपप्रजिघ्युः' प्रेषितवंतः। "हि गतौ वृद्धौ च" (धा. पा. स्वा. प. ११) इत्यस्मात् लिटि रूपम् ॥ ११ ॥

सा होवाचेति। 'सा' पुनः पुरूरवसं प्राप्य एवमब्रवीत्—हे पुरूरवः! 'ते' 'प्रातर्गंधर्वाः वरम्' 'दातारः' दास्यंति। 'तं' वरम् त्वदभिलषितमर्थं 'वृणासै' प्रार्थयस्वेति। अथ पुरूरवा आह—तं वा इति। हे उर्वशि! 'मे' मदीयम् 'तं' वरम् अहम् न जानामि त्वमेव मदर्थं 'वृणीष्वेति' येनोपायेन

ते होचुः । (नँ) न वै सा मनुष्येष्वग्नेर्यज्ञिया तनूरस्ति ययेष्ट्वाऽस्माकमेकः स्यादिति तस्मै ह स्थाल्यामोप्याग्निं प्रददुरनेनेष्ट्वाऽस्माकमेको भविष्यसीति तं च ह कुमारं चादायावव्राज सोऽरण्यऽ एवाग्निं निधाय कुमारेणैव ग्राममेयाय पुनरैमीत्येत्तिरोभूतं योऽग्निरश्वत्थं तं या स्थाली शमीं ताᳫँ स ह पुनर्गन्धर्वानेयाय ॥ १३ ॥

ते होचुः । संवत्सरं चातुष्प्राश्यमोदनम्पच स ऽ एतस्यैवाश्वत्थस्य तिस्रस्तिस्रः समिधो घृतेनान्वज्य समिद्वतीभिर्घृतवतीभिर्ऋग्भिरभ्याधत्तात्स यस्ततोऽग्निर्जनिता स ऽ एव स भवितेति ॥ १४ ॥

ते होचुः—न वै सा मनुष्येषु अग्नेर्यज्ञिया तनूरस्ति, ययेष्ट्वाऽस्माकमेकः स्यादिति; तस्मै ह स्थाल्यामोप्याग्निं प्रददुः; अनेनेष्ट्वाऽस्माकमेको भविष्यसीति । तं च ह कुमारं चादायावव्राज । सोऽरण्य एवाग्निं निधाय कुमारेणैव ग्राममेयाय । पुनरैमीत्येत् । तिरोभूतं योऽग्निः अश्वत्थं तं, या स्थाली शमीं ताम् । स ह पुनर्गंधर्वानेयाय ॥ १३ ॥

ते होचुः—संवत्सरं चातुष्प्राश्यमोदनं पच । स एतस्यैवाश्वत्थस्य तिस्रस्तिस्रः समिधो घृतेनान्वज्य समिद्वतीभिर्घृतवतीभिर्ऋग्भिरभ्याधत्तात् । स यस्ततोऽग्निर्जनिता, स एव स भवितेति ॥ १४ ॥

त्वत्प्राप्तिर्मम भवति । तमुपायम् कथय मे इत्यर्थः । सा प्रतिवक्ति—युष्माकमिति । हे गंधर्वाः ! 'युष्माकम्' मध्ये अहमप्येकः 'असानि' भवानीति । एवम् मया प्रार्थनीयो वर इति गंधर्वान् प्रति 'ब्रूतात्' ब्रूहीति । एवं प्रार्थनीयं वरमुपदिश्य सा निर्जगाम । अथ 'तस्मै' पुरूरवसे 'प्रातः' काले 'गंधर्वाः' आगत्य 'वरम् ददुः' । स च उर्वश्योपदिष्टमेव वरमयाचतेत्याह—स होवाचेत्यादि ॥ १२ ॥

एवं गंधर्वरूपत्वे पुरूरवसा प्रार्थिते सति तत्प्राप्त्युपायफलं गंधर्वैरुपदेश्यमनुक्रामति—ते होचुरिति । 'ते' गंधर्वाः 'ऊचुः' 'न' खलु 'अग्नेः' संबंधिनी 'यज्ञिया' यज्ञार्हा सा तादृशी 'तनूः' 'मनुष्येषु' मनुष्यजातावस्ति । 'यया' तन्वा 'इष्ट्वा' यागं कृत्वा 'अस्माकम्' मध्ये अयम् पुरूरवाः 'एकः स्यादिति' विचार्य 'तस्मै' पुरूरवसे यज्ञार्हमग्निं 'स्थाल्यामोप्य' स्थापयित्वा पूरयित्वा 'प्रददुः' दत्तवंतः । अनेनाग्निना 'इष्ट्वा' अस्माकमेकस्त्वं 'भविष्यसीति' । एवं गंधर्वैर्दत्ते सति 'तं' चाग्निं उर्वशीगर्भाज्जातं च 'कुमारमादाय' 'आवव्राज' स्वस्थानमाजगाम । "व्रज गतौ" (धा. पा. भ्वा. प. २१४) इति धातुः । 'सः' पुरूरवाः 'अरण्य एव' स्थालीसहितमग्निं 'निधाय' 'कुमारेणैव' सह 'ग्राममेयाय' आजगाम । ततः 'सः' पुरूरवाः 'पुनरैमि' आगच्छामि, इति अरण्ये अभिनिहितम् तिरोभूतमन्तर्हितमग्निं 'आ ऐत्' आगच्छत् । तत्र योऽग्निर्निहितः तमश्वत्थमपश्यत् । तत्र या तदाधारभूता स्थाली तां शमीमपश्यत् । अग्निरश्वत्थवृक्षात्मना परिणतः, स्थाली तु शमीवृक्षरूपेण परिणता । इत्थमग्नौ तिरोहिते सति 'सः' पुरूरवाः 'पुनर्गन्धर्वानेयाय' आजगाम ॥ १३ ॥

आगमनप्रयोजनं जानानास्ते गंधर्वाः 'ऊचुः' । 'चातुष्प्राश्यं' चतुर्भिर्ऋत्विग्भिः प्राशनीयं ब्रह्मौदनं

ते होचुः । परो॑ऽक्षमिव वा॒ऽ एतदा॑श्वत्थीमे॒वोत्तरार॒णिं कुरुष्व शमीमयी॑मधरार॒णिᳬँ स यस्ततो॑ऽग्निर्ज॒निता स॒ऽ एव स॒ भवि॒तेति ॥ १५ ॥

ते होचुः । परो॑ऽक्षमिव वा॒ऽएतदा॑श्वत्थीमे॒वोत्तरार॒णिं कुरुष्वाश्वत्थी॑मधरार॒णिᳬँ स यस्ततो॑ऽग्निर्ज॒निता स॒ऽ एव स॒ भवि॒तेति ॥ १६ ॥

स॒ऽ आश्वत्थीमे॒वोत्तरार॒णिश्चक्रे । (क्र॒ऽ) आश्वत्थीमधरार॒णिᳬँ स यस्ततो॑ऽग्निर्ज॒ज्ञे स॒ऽएव स॒ऽआस ते॒नेष्ट्वा गन्ध॒र्वाणा॑मे॒कऽ आस तस्मा॑दाश्वत्थीमे॒वोत्तरार॒णिं कुर्वीता॑श्वत्थीमधरार॒णिᳬँ स यस्ततो॑ऽग्निर्जा॒यते स॒ऽ एव स॒ भवति ते॒नेष्ट्वा गन्ध॒र्वाणा॑मे॒को भवति ॥ १७ ॥

इति तृतीयप्रपाठके तृतीयं ब्राह्मणम् ॥ ११–३–३ ॥ (५. १.) ॥

ते होचुः–परोऽक्षमिव वा एतत् । आश्वत्थीमेवोत्तरारणिं कुरुष्व; शमीमयीमधरारणिम् । स यस्ततोऽग्निर्जनिता, स एव स भवितेति ॥ १५ ॥

ते होचुः–परोऽक्षमिव वा एतत् । आश्वत्थीमेवोत्तरारणिं कुरुष्व; आश्वत्थीमधरारणिम् । स यस्ततोऽग्निर्जनिता, स एव स भवितेति ॥ १६ ॥

स आश्वत्थीमेवोत्तरारणिं चक्रे; आश्वत्थीमधरारणिम् । स यस्ततोऽग्निर्जज्ञे । स एव स आस । तेनेष्ट्वा गंधर्वाणामेक आस । तस्मादाश्वत्थीमेवोत्तरारणिं कुर्वीत; आश्वत्थीमधरारणिम् । स यस्ततोऽग्निर्जायते, स एव स भवति । तेनेष्ट्वा गंधर्वाणामेको भवति ॥ १७ ॥

'संवत्सरं पच' पचस्व । तत्रैतस्याश्वत्थस्य 'तिस्रस्तिस्रः समिधः' गृहीत्वा 'घृतेनान्वज्य' मूलादारभ्यांतपर्यंतं आज्येनाक्त्वा 'समिद्वतीभिः' समित्पदयुक्ताभिः 'घृतवतीभिः' घृतशब्दयुक्ताभिः "समिधाऽग्निं दुवस्यत" इत्यादिभिर्ऋग्भिः अभ्याधत्स्व । अस्मिन् व्रते कृते सति 'ततः' समिदाधानान्निमित्तात् 'योऽग्निर्जनिता' जनिष्यते । सोऽयं 'स एव भविता' भविष्यति । योऽस्माभिः पूर्वं दत्त इति ॥ १४ ॥

ते होचुरिति । 'ते' पुनर्गंधर्वा विचार्योचुः । यदेतत् अश्वत्थसमिदाधानेनाग्नेः पुनः संपादनं 'एतत्परोऽक्षमिव' व्यवहितमिव खलु भवति । तस्मादन्य उपायः कथ्यते । हे पुरूरवः ! त्वं 'आश्वत्थीं' अश्वत्थविकृतिजामेवोत्तरारणिं 'कुरुष्व' 'अधरारणिं शमीमयीं' तथा च अग्न्यात्मकस्य उपर्यवस्थानं, स्थाल्यात्मिकायाः शम्या अधस्तात् स्थितिश्चेत्युभयमप्युपपद्यते । ततस्तस्मादरणिद्वयात् मंथनेन यः 'अग्निर्जनिता' इत्यादि पूर्ववत् ॥ १५ ॥

पक्षान्तरमाह–ते होचुरिति । 'ते' गंधर्वाः पुनरप्यूचुः । यदेतत् अधरारण्युत्तरारण्योः वृक्षद्वयजत्वम् । 'एतत्परोऽक्षमिव' अंतर्हितमिव भवति । तस्मादरणिद्वयमपि अश्वत्थवृक्षजं कुर्यात् । स यस्ततोऽग्निरित्यादि पूर्ववत् ॥ १६ ॥

स आश्वत्थीमेवेत्यादि । इत्थं गन्धर्वैरुपदिष्टे सति पुरूरवाः 'आश्वत्थीमेवोत्तरारणिं चक्रे' कृतवान्

प्रजापतिर्ह चातुर्म्मास्यैरात्मानं व्विदधे । सऽ इममेव दक्षिणं बाहुं व्वैश्वदेवꣳ हविरकुरुत तस्यायमेवाङ्गुष्ठऽ आग्नेयꣳ हविरिदꣳ सौम्यमिदꣳ सावित्रम् ॥ १ ॥

(५ꣳ) स वै व्वर्षिष्ठः पुरोडाशो भवति । तस्मादियमासां व्वर्षिष्ठेदꣳ सारस्वतमिदम्पौष्णमथ सऽ एषऽउपरिष्टाद्धस्तस्य सन्धिस्तन्मारुतमिदं व्वैश्वदेवं दोर्घ्यावापृथिवीयं तद्वाऽअनिरुक्तं भवति तस्मात्तदनिरुक्तम् ॥ २ ॥

प्रजापतिर्ह चातुर्मास्यैरात्मानं विदधे । स इममेव दक्षिणं बाहुं वैश्वदेवं हविरकुरुत । तस्यायमेवाङ्गुष्ठ आग्नेयं हविः । इदं सौम्यम् । इदं सावित्रम् ॥ १ ॥

स वै वर्षिष्ठः पुरोडाशो भवति । तस्मादियमासां वर्षिष्ठा । इदं सारस्वतम् । इदं पौष्णम् । अथ स एष उपरिष्टाद्धस्तस्य संधिस्तन्मारुतम् । इदं वैश्वदेवम् । दोर्द्यावापृथिवीयम् । तद्वा अनिरुक्तं भवति । तस्मात्तदनिरुक्तम् ॥ २ ॥

आश्वत्थीमेवाधरारणिं च 'चक्रे' कृतवान् । ततस्ताभ्यां मंथनात् 'सः' तादृशोऽग्निर्जज्ञे यः प्रागरण्ये निहितः । गंधर्वैर्दत्तोऽग्निः 'स एव आस' बभूव । अग्निरूपात्केवलादश्वत्थात् अव्यवधानेन जायमानत्वात् । अथ स पुरूरवाः 'तेन' मथितेनाग्निना 'इष्ट्वा' 'गंधर्वाणामेक आस' बभूव । इत्थमाख्यायिकासिद्धं अरण्योरश्वत्थोपादानत्वं अधुना यजमानस्यापि विधत्ते—तस्मादिति । यस्मादेवं पुरूरवाः अश्वत्थयोन्यग्निना इष्ट्वा स्वाभीष्टमालभत । तस्मादिदानींतनो यजमानोऽपि 'आश्वत्थीमेव अधरारणिमुत्तरारणिं च 'कुर्वीत' । 'ततः' सकाशाद्योऽग्निर्जायते 'स एव' यज्ञार्हो देवेष्ववस्थितोऽग्निर्भवति । गतमन्यत् ॥ १७ ॥

इति श्रीसायणाचार्यविरचिते माधवीये वेदार्थप्रकाशे माध्यन्दिनीयशतपथब्राह्मणभाष्ये एकादशकाण्डे पंचमेऽध्याये प्रथमं ब्राह्मणम् ॥ (११–५–१) ॥

यथा दर्शपूर्णमासयाजिनः आत्मयाजित्वं देवयाजित्वं चेति द्वैविध्यं दर्शितम्, एवं चातुर्मास्ययाजिनोऽपि तथात्वं दर्शयितुं तत्रत्यैर्यागैः शरीरावयवकल्पनं आख्यायिकया रचयति—प्रजापतिर्ह चातुर्मास्यैरिति । चतुर्षु चतुर्षु मासेषु क्रियंत इति चातुर्मास्यानि वैश्वदेववरुणप्रघाससाकमेधशुनासीर्याणि तैरात्मानं शरीरं 'विदधे' कल्पितवान् । तस्य प्रजापतेः दक्षिणहस्तत्वेन वैश्वदेवाख्यं प्रथमं पर्व कल्पयति—स इममेव दक्षिणं बाहुमिति । इममिति इदंशब्देनाभिधाय निर्दिश्यते । आग्नेयादियागात्मकं वैश्वदेवपर्वात्मकं 'हविर्दक्षिणं बाहुमकुरुत' तत्राग्नेयादीनि पंच हवींषि अंगुष्ठाद्यंगुलिपंचकत्वेन कल्पयति—तस्यायमेवांगुष्ठ आग्नेयं हविरिति । इदं सौम्यमित्यादिना तदंगुलीनामभिनयेन निर्देशः ॥ १ ॥

तृतीयस्य हविषो मध्यमांगुलेश्च सारूप्यमाह—स वै वर्षिष्ठ इति । द्वादशसु कपालेषु संस्कार्यतया संख्याधिक्यात् पुरोडाशरूपत्वाच्च हविषो वृद्धतरत्वम् । 'तस्मात्' कारणात् 'इयं' मध्यमांगुलिरपि आसामंगुलीनां

(म) अयमेव दक्षिणऽऊरुर्व्वरुणप्रघासाः । (स्तु) तस्य यानि पञ्च हवीꣳषि समायीनि ताऽ इमाः पञ्चांगुलयः कुल्फावैवैन्द्राग्नꣳ हविस्तद्वै द्विदेवत्यं भवति तस्मादिमौ द्वौ कुल्फाविदं व्वारुणमिदं मारुतमनूकं कायं तद्वाऽअनिरुक्तं भवति तस्मात्तदनिरुक्तम् ॥ ३ ॥

(म्मु) मुखमेवास्यानीकवतीष्टिः । (मुं) मुखꣳ हि प्राणानामनीकमुरः सांतपनीयोरसा हि समिव तप्यतऽउदरं गृहमेधीया प्रतिष्ठा वाऽउदरं प्रतिष्ठित्याऽएव शिश्नान्येवास्य क्रैडिनꣳ हविः शिश्नैर्हि क्रीडतीवायमेवा-वाङ्प्राणऽआदित्येष्टिः ॥ ४ ॥

अयमेव दक्षिण ऊरुर्वरुणप्रघासाः । तस्य यानि पञ्च हवींषि समायीनि । ता इमाः पञ्चाङ्गुलयः । कुल्फावैवैन्द्राग्नं हविः । तद्वै द्विदेवत्यं भवति । तस्मादिमौ द्वौ कुल्फौ । इदं वारुणम् । इदं मारुतम् । अनूकं कायम् । तद्वा अनिरुक्तं भवति । तस्मात्तदनिरुक्तम् ॥ ३ ॥

मुखमेवास्यानीकवतीष्टिः । मुखं हि प्राणानामनीकम् । उरः सांतपनीया । उरसा हि समिव तप्यते । उदरं गृहमेधीया । प्रतिष्ठा वा उदरम् । प्रतिष्ठित्या एव । शिश्नान्येवास्य क्रैडिनं हविः । शिश्नैर्हि क्रीडतीव । अयमेवावाङ् प्राण आदित्येष्टिः ॥ ४ ॥

'वर्षिष्ठा' सारस्वतपौष्णे अनामिकाकनिष्ठिके । उत्तरैस्त्रिभिर्हविर्भिस्त्रीनवयवानाह—**अथ य एष** इति । अंगुलिपंचकोपेतस्य पाणितलस्य उपरिष्टाद्यः 'सधिस्तन्मारुतम्' । इदं कूर्परस्थानं 'वैश्वदेवं' सप्तमं हविः । तदुपरि दोर्दंडः 'द्यावापृथिवीयं' हविः । तयोः साम्यमाह—**तद्वा अनिरुक्तमिति** । द्यावापृथिवीयं हविरुपांशु 'भवति' । 'तस्मात्' 'तत्' करदोःसंधिरूपमंगमपि 'अनिरुक्तं' अविस्पष्टं भवति ॥ २ ॥

अथ वरुणप्रघासाख्यं द्वितीयं पर्व दक्षिणपादत्वेन कल्पयति—**अयमेव दक्षिण ऊरुर्वरुणप्रघासा** इति । ऊरुशब्दः कृत्स्नस्य पादस्योपलक्षकः । 'समायीनि' पर्वचतुष्टयसंचारीणि 'यानि' आग्नेयादीनि 'पंच हवींषि' तानि अंगुष्ठादिपञ्चांगुलित्वेन पूर्ववत् कल्पितानि । 'ऐन्द्राग्नम्' षष्ठम 'हविः' कुल्फावयवरूपम् । जंघापादतलयोः सन्धिः कुल्फः । देवताद्वित्वेन तत्सारूप्यं संपादयति—**तद्वै द्विदेवत्यामिति** । 'इदम्' जंघारूपमंगं वारुणमकुरुत । ऊर्वात्मकमिदमङ्गं 'मारुतम्' । पादस्य मध्यदेहस्य च यः सन्धिस्तदनूकम् 'कायम्' कदेवताकं नवमम् हविरकुरुत । पूर्ववत्तयोरनिरुक्तत्वसाम्यमाह—**तद्वा अनिरुक्तमिति** ॥ ३ ॥

अथ मध्यशरीरं संपादयति—**मुखमेवास्येति** । अथ साकमेधेषु "अग्नयेऽनीकवते" इति या 'अनीकवतीष्टिः' तां 'अस्य' शरीरस्य मुखमेवाकुरुत । 'हि' यस्मात् 'मुखम्' 'प्राणानाम्' चक्षुःश्रोत्रादीनाम् अनीकमास्पदम् । तस्मादनीकवद्गुणविशिष्टावयवत्वेन कल्पयितुं योग्या "मरुद्भ्यः सांतपनेभ्यः" इति विहिता या 'सांतपनीयेष्टिः' तदुरः वक्षःस्थानीयमकुरुत । तयोः साधर्म्यमाह—**उरसा हीति** । 'उरसा' हृदयसंबंधात् जठराग्निसन्निधिविशेषाच्च संतापनविषयत्वम् । **"मरुद्भ्यो गृहमेधिभ्यः"** इति विहिता या '**इयम्**'

(र) अयमेवोत्तरऽ ऊरुर्म्महाहविः । (स्तु) तस्य यानि पञ्च हवीꣳषि समायीनि ताऽ इमाः पञ्चाङ्गुलयः कुल्फावेवैन्द्राग्नꣳ हविस्तद्धि द्विदेवत्यं भवति तस्मादिमौ द्वौ कुल्फाविदं माहेन्द्रमिदं व्वैश्वकर्म्मणं तद्वाऽ-अनिरुक्तं भवति तस्मात्तदनिरुक्तमथ यदिदमन्तरुदरे तत्पितृयज्ञस्तद्वाऽ अनिरुक्तं भवति तस्मात्तदनिरुक्तम् ॥ ५ ॥

(म) अयमेवोत्तरो बाहुः शुनासीरीयम् । (न्तु) तस्य यानि पञ्च हवीꣳषि समायीनि ताऽ इमाः पञ्चाङ्गुलयोऽथ यऽ एषऽ उपरिष्टाद्बाहुस्तस्य सन्धिस्तच्छुनासीरीयमिदं व्वायव्यं दोः सौर्य्यं तद्वाऽअनिरुक्तं भवति तस्मात्तदनिरुक्तम् ॥ ६ ॥

अयमेवोत्तर ऊरुर्महाहविः । तस्य यानि पंच हवींषि समायीनि । ता इमाः पञ्चाङ्गुलयः । कुल्फावेवैन्द्राग्नं हविः । तद्धि द्विदेवत्यं भवति । तस्मादिमौ द्वौ कुल्फौ । इदं माहेन्द्रम् । इदं वैश्वकर्मणम् । तद्वा अनिरुक्तं भवति । तस्मात्तदनिरुक्तम् । अथ यदिदमन्तरुदरे । तत्पितृयज्ञः । तद्वा अनिरुक्तं भवति । तस्मात्तदनिरुक्तम् ॥ ५ ॥

अयमेवोत्तरो बाहुः शुनासीरीयम् । तस्य यानि पञ्च हवींषि समायीनि । ता इमाः पञ्चाङ्गुलयः ।

गृहमेधीयेष्टिः सा 'उदरम्' सा तु खलु 'प्रतिष्ठा' भुक्तस्याहारस्याधारः । तस्मात् गृहमेधीयस्य उदररूपत्वम् 'प्रतिष्ठित्यै एव' प्रतिष्ठारूपफलाय संपद्यत इत्यर्थः । "मरुद्भ्यः क्रीडिभ्यः" इति विहितं यत् 'क्रैडिनं हविः' अस्ति 'शिश्नान्येवास्य' प्रजापतेस्तद्धविः । उभयोः सारूप्यमाह–शिश्नैर्हीति । आंडौ लिंगं चेति त्रीणि शिश्नानि । तैर्हि पुरुषः 'क्रीडतीव' । अतः क्रीडनसंबंधात् क्रैडिनस्य हविषः तद्रूपता युक्तेत्यर्थः । वायुरूपः अयमवाङ्मुखः 'प्राणः' एव 'आदित्येष्टिः' । "आदित्यं घृते चरुम्" इति विहितं हि वायुत्वेन निर्मितमित्यर्थः ॥ ४ ॥

एवं साकमेधेषु बर्हिस्तंत्रवर्तिभिर्यागैर्मध्यशरीरस्य क्लृप्तिं विधाय वामपादस्य क्लृप्तिमाह–अयमेवोत्तर ऊरुर्महाहविरिति । महाहविरिति वैश्वदेववरुणप्रघासशब्दवत् साकमेधाख्यस्य प्रधानस्य पर्वणो नामधेयम् । तस्य यानीत्यादि पूर्ववत् । इदं माहेन्द्रमिदं वैश्वकर्मणमिति । इदंशब्देनाभिनयात् जंघाया ऊरोश्च क्लृप्तिः । वैश्वकर्मणैककपालस्य हविषः ऊरुसंधेश्च अनिरुक्तत्वसाम्यमाह–अनिरुक्तं भवतीति । उक्तार्थमेतत् । अथ यदिदमन्तरुदर इति । 'उदरे' अंतर्मध्ये 'यदिदम्' अंत्रपुरीतदादिकमस्ति 'तत्पितृयज्ञः' उदरमध्यवर्त्यवयवत्वेन पितृयज्ञः कल्पित इत्यर्थः । पितृयज्ञस्योपांशुप्रचरणमुक्तम्, तदनूद्य उक्तावयवसाम्यं संपादयति–तद्वा अनिरुक्तं भवतीति । 'तस्मात्' कारणात् 'तत्' उदरमध्यवर्ति अवयवजातम् । गतमन्यत् ॥ ५ ॥

अथ सव्यबाहोः क्लृप्तिमाह–अयमेवोत्तरो बाहुरिति । यच्छुनासीरीयाख्यं चतुर्थं पर्व स वामबाहुः

(न्ता) तानि वा ऽएतानि । चातुर्म्मास्यानि त्रिषन्धीनि द्विसमस्तानि तस्मादिमानि पुरुषस्याङ्गानि त्रिषन्धीनि द्विसमस्तानि तेषां वै चतुर्णां द्वयोस्त्रीणि त्रीणि हवीꣳष्यनिरुक्तानि भवन्ति द्वे द्वे द्वयोः ॥ ७ ॥

अर्द्धः प्रपाठकः ॥ कंडिकाः ५६ ॥

(स्ते) तेषां वै चतुर्ष्वग्निं मन्थन्ति । तस्माच्चतुर्भिरङ्गैरायुते द्वयोः प्रणयन्ति तस्माद्द्वाभ्यामेत्येवमु ह प्रजापतिश्चातुर्म्मास्यैरात्मानं विदधे तथोऽएवैवंविद्यजमानश्चातुर्म्मास्यैरात्मानं विधत्ते ॥ ८ ॥

अथ य एष उपरिष्टाद्धस्तस्य सन्धिः । तच्छुनासीरीयम् । इदं वायव्यम् । दोः सौर्यम् । तद्वा अनिरुक्तं भवति । तस्मात्तदनिरुक्तम् ॥ ६ ॥

तानि वा एतानि चातुर्मास्यानि त्रिषंधीनि द्विसमस्तानि । तस्मादिमानि पुरुषस्यांगानि त्रिषंधीनि द्विसमस्तानि । तेषां वै चतुर्णाम्–द्वयोस्त्रीणि त्रीणि हवींष्यनिरुक्तानि भवंति । द्वे द्वे द्वयोः ॥ ७ ॥

तेषां वै चतुर्ष्वग्निं मंथंति । तस्माच्चतुर्भिरङ्गैरायुते । द्वयोः प्रणयंति । तस्माद्द्वाभ्यामेति । एवमु ह प्रजापतिश्चातुर्मास्यैरात्मानं विदधे । तथो एवैवंविद्यजमानश्चातुर्मास्यैरात्मानं विधत्ते ॥ ८ ॥

कल्पित इत्यर्थः । तस्य यानीत्यादि पूर्ववत् । 'उपरिष्टाद्धस्तस्येत्यादि । पाणितलस्य ' यदुपरिष्टात्संधिः ' मणिबंधस्थानम् ' तच्छुनासीरीयम् ' हविः । ' इदम् ' कूर्परम् ' वायव्यम् ' वायुदेवताकं हविः । सौर्यमेककपालं हविः ' दोः ' भुजमूलम् । तद्वा अनिरुक्तमित्यादि पूर्ववत् ॥ ६ ॥

तानि वा एतानीत्यादि । ' एतानि ' वैश्वदेवादीनि ' चातुर्मास्यानि ' चतुर्षु चतुर्षु मासेषु क्रियमाणानि चत्वारि पर्वाणि ' त्रिषंधीनि ' त्रयः संधयः अंतरालकालाश्चत्वारो मासाः येषु तानि त्रिषंधीनि । ' द्विसमस्तानि ' शुनासीरीयवैश्वदेवयोः फाल्गुनशुक्लचतुर्दश्यां पौर्णमास्यां च पौर्वापर्येण अनुष्ठानात् तद्वाभ्यां पर्वभ्यां समस्तानि संश्लिष्टानि । तत्रावृत्तिपक्षे " फाल्गुन्युपवसथे शुनासीरीयं प्रातर्वैश्वदेवम् "(का. श्रौ.सू. ५।११.१४) इति सूत्रितम् । एतस्य प्रयोजनमाह–तस्मादिमानीति । यस्मात् उक्तविधानि चातुर्मास्यानि ' तस्मादिमानि ' पुरुषशरीरस्यांगानि बाह्वादीनि ' त्रिषंधीनि ' ' द्विसमस्तानि ' च पाणिपादतलात् अधस्तनोपरितनसंध्योरुभयोः प्रत्यासन्नत्वात् द्विसमस्तत्वम् । तेषां वा इत्यादि । ' तेषां ' वैश्वदेवादीनां ' चतुर्णां ' मध्ये द्वयोर्वरुणप्रघाससाकमेधयोः ' त्रीणि त्रीणि हवींषि ' ' अनिरुक्तानि ' उपांशुप्रचरणीयानि 'भवंति' । ' द्वयोः ' वैश्वदेवशुनासीरीययोराद्यंतपर्वणोः 'द्वे द्वे' हविषी अनिरुक्ते । तथा हि भगवता आश्वलायनेन "एककपालाः सर्वत्र सावित्रश्चातुर्मास्येषु" (आ.श्रौ.सू.) इति च सूत्रितत्वात् चतुर्षु पर्वसु एककपालस्य हविषः सावित्रस्य उपांशुत्वं सिद्धम् । "त्रीणि त्रीणि" इत्यस्मादेव वचनात् मध्यमयोः पर्वणोरन्यदप्येकं हविरुपांशु प्रचरितव्यमिति भावः ॥ ७ ॥

अथ तेषां साधारण्येनाग्निमंथनं विधत्ते–तेषां वा इत्यादि । ' तेषां ' चातुर्मास्यानां चतुर्ष्वपि पर्वसु अग्निमंथनमपरो धर्मः । यस्मादेवं ' तस्मात् ' चतुर्भिर्हस्तपादलक्षणैरंगैरायुते समानपरिमाणैः संयुज्यते । " यु

तदाहुः । सर्व्वंगायत्रं व्वैश्वदेवꣳ हविः स्यात्सर्व्वंत्रैष्टुभं व्वरुणप्रघासाः सर्व्वंजागतं महाहविः सर्व्वानुष्टुभꣳ शुनासीरीयं चतुष्टोमस्याप्त्याऽइति तदु तथा न कुर्य्याद्यत्त्वाऽएतान्यभि संपद्यन्ते तेनैवास्य स कामऽ उपाप्तो भवति ॥ ९ ॥

तानि वाऽएतानि । चातुर्म्मास्यानि द्वाषष्टानि त्रीणि शतानि बृहत्यः संपद्यन्ते तदेभिः संवत्सरं च महाव्व्रतं चाप्नोत्यथो द्विप्रतिष्ठो वाऽ अयं यजमानो यजमानमेवैतत्स्वर्ग्गे लोकऽआयातयति प्रतिष्ठापयति ॥ १० ॥

इति तृतीयप्रपाठके चतुर्थं ब्राह्मणम् ॥ ११-३-४ ॥ (९. २.) ॥

तदाहुः—सर्वगायत्रं वैश्वदेवं हविः स्यात् । सर्वत्रैष्टुभं वरुणप्रघासाः । सर्वजागतं महाहविः । सर्वानुष्टुभं शुनासीरीयम् । चतुष्टोमस्याप्त्या इति । तदु तथा न कुर्यात् । यत्त्वा एतान्यभि संपद्यंते । तेनैवास्य स काम उपाप्तो भवति ॥ ९ ॥

तानि वा एतानि चातुर्मास्यानि द्वाषष्टानि त्रीणि शतानि बृहत्यः संपद्यंते । तदेभिः संवत्सरं च महाव्रतं चाप्नोति । अथो द्विप्रतिष्ठो वा अयं यजमानः। यजमानमेवैतत्स्वर्गे लोक आयातयति, प्रतिष्ठापयति ॥ १० ॥

मिश्रणामिश्रणयोः" (धा. पा. अ. प. २३) इति धातुः । अथ तेषां मध्ये वैश्वदेवशुनासीरीययोर्द्वयोः पर्वणो-रुत्तरवेदिनिवपनं परित्यज्य केवलमग्निमेव प्रणयंति । 'तस्मात्' द्वाभ्यामेव पादाभ्यां पुरुषः 'एति' प्रति-गच्छति । एव मुहेति प्रतिपादितार्थस्य निगमनम् । आख्यायिकासिद्धमर्थं यजमाने योजयति—तथो एवैवं-विदिति । एवमुक्तं ब्राह्मणार्थं विद्वान् 'यजमानः' अनुष्ठीयमानैः 'चातुर्मास्यैरात्मानं' यागमयं शरीरं एव 'विधत्ते' करोति ॥ ८ ॥

अथ गायत्र्यादिसंपत्तिमेषु पर्वसु दर्शयितुं पूर्वपक्षयति—तदाहुरिति । तत्तत्र चातुर्मास्येषु 'आहुः' कथयंति ब्रह्मवादिनः । तत्र वैश्वदेवाख्यं प्रथमं पर्व 'सर्वगायत्रम्' सर्वैर्याज्यानुवाक्यादिभिर्मंत्रैर्गायत्रीच्छंदस्कै-रेव कार्यम् । एवं सर्वत्रैष्टुभमित्यादावपि योज्यम् । वरुणप्रघासाख्या यागा इति यत् तत्सर्वत्रैष्टुभमिति संबंधः । चतुष्टोमस्याप्त्या इति । इत्थं गायत्र्यादीनामनुष्टुबंतानां चतुर्णां छंदसां क्रमेण पर्वचतुष्टये प्रयोगः त्रिवृदादि-स्तोमचतुष्टयोपेतस्य सोमयागस्य प्राप्त्यै संपद्यत इत्यर्थः । तदेव निषिध्य पक्षांतरमाह—तदु तथा न कुर्या-दिति । 'यत्त्वै' यस्मात्खलु 'एतानि' वैश्वदेवादीनि क्रमेण गायत्र्यादिरूपेण 'संपद्यंते' । तस्मात्तेषां सर्वगायत्रत्वादिकं न कार्यम् । 'तेनैव' संपत्तिलभ्येनैव गायत्रत्वादिना 'सः' पूर्वोक्तः 'कामः उपाप्तो भवति' ॥ ९ ॥

अथ चातुर्मास्येषु संख्याविशेषघटितबृहतीसंपत्तिं दर्शयन् संवत्सरात्मकचित्याग्नेर्महाव्रतसाम्नश्च प्राप्तिरूपं फलं दर्शयति—तानि वा एतानीत्यादि । 'द्वाषष्टानि' द्विषष्ट्यधिकानि 'त्रीणि शतानि' एतत्संख्या-

शौचेयो ह प्राचीनयोग्यः । (ऽ) उद्दालकमारुणिमाजगाम ब्रह्मोद्य-मग्निहोत्रं विविदिषिष्यामीति ॥ १ ॥

स होवाच । गौतम का तेऽग्निहोत्री को वत्सः किमुपसृष्टा किꣳ संयोजनं किं दुह्यमानं किं दुग्धं किमाह्रियमाणं किमधिश्रितं किमवज्योत्यमानं किमद्भिः प्रत्यानीतं किमुद्वास्यमानं किमुद्वासितं किमुन्नीयमानं किमुन्नीतं किमुद्यतं किꣳ ह्रियमाणं किन्निगृहीतम् ॥ २ ॥

शौचेयो ह प्राचीनयोग्य उद्दालकमारुणिमाजगाम—ब्रह्मोद्यमग्निहोत्रं विविदिषिष्यामि—इति॥१॥

स होवाच—गौतम का तेऽग्निहोत्री १ । को वत्सः २ । किमुपसृष्टा ३ । किं संयोजनम् ४ । किं दुह्यमानम् ५ । किं दुग्धम् ६ । किमाह्रियमाणम् ७। किमधिश्रितम् ८ । किमवज्योत्यमानम् ९ । किमद्भिः प्रत्यानीतम् १० । किमुद्वास्यमानम् ११ । किमुद्वासितम् १२ । किमुन्नीयमानम् १३ । किमुन्नीतम् १४। किमुद्यतम् १५ । किं ह्रियमाणम् १६ । किन्निगृहीतम् १७ ॥ २ ॥

संख्येया: 'बृहत्यः' 'संपद्यंते' । तदेभिरित्यादि । तत्तस्मात् उक्तसंख्याकबृहतीसंपत्तिहेतोः 'एभिः' चातुर्मास्यैः षष्ट्युत्तरत्रिशतयजुष्मतीष्टकात्मकं संवत्सररूपं चित्याग्निं च 'महाव्रतं' साम च प्राप्नोति । तस्य हि महाव्रतस्य त्रिवृच्छिरः पंचदशसप्तदशौ पक्षौ पंचविंश आत्मा एकविंशं पुच्छं एतेषां संख्याद्वारा अंतर्भावात् महाव्रतफलप्राप्तिरपि चातुर्मास्ययाजिन इत्यर्थः । अवशिष्टयोर्द्वयोः प्रयोजनमाह—अथो द्विप्रतिष्ठ इति । द्वाभ्यां पादाभ्यां प्रतितिष्ठतीति 'द्विप्रतिष्ठः' । तथा च 'एतत्' एतया अवशिष्टया द्विसंख्यया 'यजमानमेव' फलभूते 'स्वर्गे लोके' 'आयातयति' प्रापयति । तत्र 'प्रतिष्ठापयति' प्रतिष्ठितमचलितं करोति ॥ १० ॥

इति श्रीसायणाचार्यविरचिते माधवीये वेदार्थप्रकाशे माध्यन्दिनीयशतपथब्राह्मणभाष्ये एकादशकाण्डे पंचमेऽध्याये द्वितीयं ब्राह्मणम् ॥ (११–५–२) ॥

अथ प्रश्नप्रतिवचनाभ्यां अग्निहोत्रहोमस्य सर्वदेवतातृप्तिकरत्वं प्रतिपादयिष्यन् प्रष्टृप्रतिवक्तारौ दर्शयति—शौचेयो हेति । शुचिनाम्नः पुत्रः 'प्राचीनयोग्यः' नाम महर्षिः 'आरुणिं' अरुणपुत्रं 'उद्दालकं' 'आजगाम' । 'अग्निहोत्रं' अग्निहोत्रविषयं 'ब्रह्मोद्यं' ब्रह्म तत्त्वस्वरूपं उद्यते प्रतिपाद्यते येन तत् 'विविदिषिष्यामि' तद्विषयां वेदनेच्छां करिष्यामि इत्यनेनाभिप्रायेणागत इत्यर्थः ॥ १ ॥

आगत्य च तमुद्दालकं प्रति इमानग्निहोत्रावयवभूतान् पदार्थान् पप्रच्छेत्याह—स होवाचेत्यादिना । 'सः' खलु प्राचीनयोग्यः 'उवाच' उक्तवान् । हे 'गौतम !' गौतमगोत्रोत्पन्न भो उद्दालक ! 'ते' तवाग्निहोत्रकर्मणि 'अग्निहोत्री' होमसाधनस्य पयसो दोग्ध्री धेनुः 'का' किंरूपा ज्ञातव्या ? । 'को वत्सः ?' इत्यादावपि एवं योज्यम् । किमुपसृष्टेति । 'उपसृष्टा' दोहनार्थं वत्सेन संगता धेनुः, सा किंरूपेत्यर्थः । संयुज्यते अनेनेति 'संयोजनं' वत्सबंधनार्थं दाम । किं दुह्यमानमित्यादि । दुह्यमानत्वादयो होमसाधनस्य पयसः अवस्था-

(ङ्काꣳ) काꣳ समिधमादधासि । का पूर्व्वाऽऽहुतिः किमुपासीषदः किमपैक्षिष्ठाः कोत्तराऽऽहुतिः ॥ ३ ॥

किꣳ हुत्वा प्रकम्पयसि । किꣳ स्रुचं परिमृज्य कूर्च्चे न्यमार्ज्जीः किं द्वितीयम्परिमृज्य दक्षिणतो हस्तमुपासीषदः किं पूर्व्वं प्राशीः किं द्वितीयं किमुत्सृप्यापाः किꣳ स्रुच्यपऽ आनीय निरौक्षीः किं द्वितीयं किं तृतीयमेतां दिशमुदौक्षीः किञ्जघनेनाहवनीयमपो न्यनैषीः किꣳ समतिष्ठिपो यदि वाऽ एतद्विद्वानग्निहोत्रमहौषीरथ ते हुतं यद्यु वाऽ अविद्वानहुतमेव तऽ इति ॥ ४ ॥

कां समिधमादधासि १८ । का पूर्वाऽऽहुतिः १९ । किमुपासीषदः २० । किमपैक्षिष्ठाः २१ । कोत्तराऽऽहुतिः २२ ॥ ३ ॥

किं हुत्वा प्रकंपयसि २३ । किं स्रुचं परिमृज्य कूर्चे न्यमार्जीः २४ । किं द्वितीयं परिमृज्य दक्षिणतो हस्तमुपासीषदः २५ । किं पूर्वं प्राशीः २६ । किं द्वितीयम् २७ । किमुत्सृप्यापाः २८ । किं स्रुच्यप आनीय निरौक्षीः २९ । किं द्वितीयं किं तृतीयमेतां दिशमुदौक्षीः ३० । ३१ । किं जघनेनाहवनीयमपो न्यनैषीः ३२ । किं समतिष्ठिपः ३३ । यदि वा एतद्विद्वानग्निहोत्रमहौषीः । अथ ते हुतम् । यद्यु वा अविद्वान्, अहुतमेव त इति ॥ ४ ॥

विशेषाः । तत्र पूर्वपूर्वस्योत्तरोत्तरमवधिः । आह्रियमाणमिति । गोष्ठाद्गार्हपत्यसमीपं प्रति दुग्धस्य पयस आनयनम् । गार्हपत्यस्योत्तरतः पृथक् कृतेषु अंगारेषु ,स्थापनं अधिश्रयणम् । ज्वलता दर्भेणावाङ्मुखेन पयस उपरि द्योतनमवज्योतनम् । उदक्तस्य पयसः उपशमनाय स्रुवेणोदकस्य सेचनं अद्भिः प्रत्यानयनम् । उद्वास्यमानत्वादयः अवस्थाः स्पष्टाः । आहवनीयदेशमभिलक्षीकृत्याहर्तुं गार्हपत्यसमीपादुद्धृतमुद्यतम् । निगृहीतमाहवनीयस्य पश्चात्सादितम् ॥ २ ॥

कां समिधमिति । हे गौतम ! यां ' समिधं ' होमात्पूर्वं अग्नौ ' आदधासि ' सा किमर्थेत्यर्थः । या पूर्वा आहुतिः "अग्निर्ज्योतिः" इति हूयते सा कस्य देवस्य प्रीत्यर्था । एवमुत्तरा । पूर्वानुसारेण प्रश्नार्थो ज्ञातव्यः । ' उपासीषदः ' पूर्वाहुत्यनंतरं स्रुचमुपसादितवानसि । ' अपैक्षिष्ठाः ' गार्हपत्यस्य ईक्षणं कृतवानसि ॥ ३ ॥

द्वितीयामाहुतिं ' हुत्वा ' किंकारणं स्रुचं ' कंपयसि ' चालयसि । ' स्रुचं परिमृज्य ' स्रुङ्मुखलेपस्य परिमार्जनं कृत्वा कुशमये ' कूर्चे न्यमार्जीः ' निमृष्टवानसि । ' दक्षिणतः ' वेदेर्दक्षिणभागे ' हस्तमुपासीषदः ' उपसादितवानसि । ' उत्सृप्य ' वेदिसमीपादुत्सर्पणं कृत्वा ' अपाः ' पानं कृतवानसि । ' निरौक्षीः ' निष्कृष्य उक्षणं सेचनं कृतवानसि । ' न्यनैषीः ' निनयनं कृतवानसि । ' समतिष्ठिपः ' संस्थापितवानसि । स्थापयतेर्लुङि " तिष्ठतेरित् " (पा. सू. ७ । ४ । ५) इतीत्वम् । यदि वा एतदित्यादि । एतत्पृष्टमर्थजातं ' विद्वान् ' जानन् यदग्निहोत्रं ' अहौषीः ' हुतवानसि— अथ तदेव ' ते ' तवाग्निहोत्रं सम्यक् ' हुतं ' भवति । अजानानस्य तु हुतमप्यहुतमेव तद्भवतीत्यर्थः ॥ ४ ॥

स होवाच । (चे) इडैव मे मानव्यग्निहोत्री व्वायव्व्यो व्वत्सः सजूरुपसृष्टा व्विराट् संय्योजनमाश्विनं दुह्यमानं व्वैश्वदेवं दुग्धं व्वायव्व्यमाह्रियमाणमाग्नेयमधिश्रितमैन्द्राग्नमवज्योत्यमानं व्वारुणमद्भिः प्रत्यानीतं व्वायव्व्यमुद्वास्यमानं द्यावापृथिव्व्यमुद्वासितमाश्विनमुन्नीयमानं व्वैश्वदेवमुन्नीतं महादेवायोद्यतं व्वायव्व्यꣳ ह्रियमाणं व्वैष्णवं निगृहीतम् ॥५॥

(मु) अथ याꣳ समिधमादधामि । (म्या) आहुतीनाꣳ सा प्रतिष्ठा या पूर्व्वाऽऽहुतिर्द्देवाँस्तयाऽ प्रैषं यदुपासीषदं बार्हस्पत्यं तद्यदपैक्षिषीमञ्चामुञ्च लोकौ तेन समधां योत्तराऽऽहुतिर्म्मां तया स्वर्ग्गे लोकेऽधाम् ॥६॥

स होवाच–इडैव मे मानव्यग्निहोत्री १ । वायव्यो वत्सः २ । सजूरुपसृष्टा ३ । विराट् संयोजनम् ४ । आश्विनं दुह्यमानम् ५ । वैश्वदेवं दुग्धम् ६ । वायव्यमाह्रियमाणम् ७ । आग्नेयमधिश्रितम् ८ । ऐन्द्राग्नमवज्योत्यमानम् ९ । वारुणमद्भिः प्रत्यानीतम् १० । वायव्यमुद्वास्यमानम् ११ । द्यावापृथिव्यमुद्वासितम् १२ । आश्विनमुन्नीयमानम् १३ । वैश्वदेवमुन्नीतम् १४ । महादेवायोद्यतम् १५ । वायव्यं ह्रियमाणम् १६ । वैष्णवं निगृहीतम् १७ ॥ ५ ॥

अथ यां समिधमादधामि, आहुतीनां सा प्रतिष्ठा १८ । या पूर्वाऽऽहुतिः । देवांस्तयाऽप्रैषम् १९ । यदुपासीषदम्, बार्हस्पत्यं तत् २० । यदपैक्षिषि, इमं चामुं च लोकौ तेन समधाम् २१ । योत्तराऽऽहुतिः । मां तया स्वर्गे लोकेऽधाम् २२ ॥ ६ ॥

एवं प्राचीनयोग्येन पृष्टानर्थान् उद्दालकः क्रमेण प्रतिवक्ति–स होवाचेत्यादिना । 'सः' उद्दालकः 'उवाच' 'मानवी' मनोर्दुहिता 'इडा' सा देवतैव 'मे' ममाग्निहोत्री । 'वत्सो वायव्यः' वायुदेवताकः । 'सजूः' वायुना संसृष्टा द्यौरेव 'उपसृष्टा' धेनुः । इयं दशाक्षरा 'विराट्' एतदेव 'संयोजनं' दाम । दुह्यमानं' दुह्यमानावस्थं पयः 'आश्विनं' अश्विनोः प्रीतिकरम् । एवं 'वैश्वदेवं दुग्धं' इत्यादावपि योज्यम् । वायव्यमाह्रियमाणमिति । वायुर्देवता अस्य तद्वायव्यम् । आग्नेयमधिश्रितमित्यादावपि "साऽस्य देवता"–(पा. सू. ४ । २ । २४) इति देवतार्थे ढगादयस्तद्धिताः । महादेवायोद्यतमिति । महादेवो रुद्रः तदर्थमुद्धृतं गार्हपत्यदेशादुद्धृतावस्थम् ॥ ५ ॥

कां समिधमित्यादेरुत्तरमाह–अथ यां समिधमादधामीति । 'प्रतिष्ठा' आधारः । समिदभावे हि आहुतिद्रव्यं भूमौ पतेत, सत्यां त्वस्यां तदुपरि हूयमाना आहुतिः प्रतिष्ठिता भवति । या पूर्वाऽऽहुतिरित्यादि । अग्निरूपेण स्थितान् 'देवान् तया' पूर्वाहुत्या 'अप्रैषं' तृप्तानकार्षम् । "प्रीञ् तर्पणे"–(धा. पा. क्रया. उ. २) इत्यस्माल्लुङ् । 'यदुपासीषदं' उपासादितवानस्मि स्रुचं 'तद् बार्हस्पत्यं' बृहस्पतिप्रीतिकरम् । 'यदपैक्षिषि' गार्हपत्यस्य ईक्षणं कृतवानस्मि 'तेन इमं' भूलोकम् 'अमुं' द्युलोकं स्वर्लोकं च 'समधाम्' समयोजयम् । या द्वितीया 'आहुतिः' 'तया स्वर्गे लोके' 'मामधाम्' स्थापितवानस्मि ॥ ६ ॥

(मु) अथ यद्धुत्वा प्रकम्पयामि । व्वायव्व्यं तद्यत्स्रुचम्परिमृज्य कूर्चे न्यमार्ज्जिषमोषधिवनस्पतींस्तेनाप्रैषं यद्द्वितीयम्परिमृज्य दक्षिणतो हस्तमुपासीषदम्पितॄँस्तेनाप्रैषं यत्पूर्व्वं प्राशिषं मां तेनाप्रैषं यद्द्वितीयम्प्रजां तेनाथ यदुत्सृप्यापां पशूँस्तेनाप्रैषं यत्स्रुच्यपऽआनीय निरौक्षिषᳪं सर्प्पदेवजनाँस्तेनाप्रैषं यद्द्वितीयं गन्धर्व्वाप्सरसस्तेनाथ यत्तृतीयमेतां दिशमुदौक्षिषᳪं स्वर्ग्गस्य लोकस्य तेन द्वारं व्व्यवारिषं यज्जघनेनाहवनीयमपो न्यनैषमस्मै लोकाय तेन व्वृष्टिमदां यत्समतिष्ठिपं यत्पृथिव्याऽऊनं तत्तेनापूपुरमित्येतन्नौ भगवन्त्सहेति होवाच ॥ ७ ॥

शौचेयो ज्ञप्तः । प्रक्ष्यामि त्वेव भगवन्तमिति पृच्छैव प्राचीनयोग्येति स होवाच यस्मिन्कालऽ उद्धृतास्तेऽग्नयः स्युरुपावहृतानि पात्राणि होष्य-

---

अथ यद्धुत्वा प्रकंपयामि, वायव्यं तत् २३ । यत्स्रुचं परिमृज्य कूर्चे न्यमार्जिषम्, ओषधिवनस्पतींस्तेनाप्रैषम् २४ । यद्द्वितीयं परिमृज्य दक्षिणतो हस्तमुपासीषदं, पितॄँस्तेनाप्रैषम् २५ । यत्पूर्वं प्राशिषं, मां तेनाप्रैषम् २६ । यद्द्वितीयं, प्रजां तेन २७ । अथ यदुत्सृप्यापां, पशूँस्तेनाप्रैषम् २८ । यत्स्रुच्यप आनीय निरौक्षिषं, सर्पदेवजनाँस्तेनाप्रैषम् २९ । यद्द्वितीयं, गन्धर्वाप्सरसस्तेन ३० । अथ यत्तृतीयमेतां दिशमुदौक्षिषं, स्वर्गस्य लोकस्य तेन द्वारं व्यवारिषम् ३१ । यज्जघनेनाहवनीयमपो न्यनैषम्, अस्मै लोकाय तेन वृष्टिमदाम् ३२ । यत्समतिष्ठिपं, यत्पृथिव्या ऊनं तत्तेनापूपुरम् ३३ । इत्येतन्नौ भगवन् सहेति होवाच ॥ ७ ॥

शौचेयो ज्ञप्तः । प्रक्ष्यामि त्वेव भगवन्तमिति । पृच्छैव प्राचीनयोग्येति । स होवाच—यस्मिन् काल ऽउद्धृतास्तेऽग्नयः स्युः; उपावहृतानि पात्राणि होष्यन्त्स्याः । अथ त आहवनीयोऽनु-

---

प्राशनयोः क्रमेण प्रयोजनमाह—यत्पूर्वं प्राशिषमिति । 'अथ' यदुत्सर्पणानंतरं स्रुच्यं हुतशेषं 'अपां' पीतवानस्मि तेन 'पशून्' तृप्तानकार्षम् । प्रथमस्योक्षणस्य प्रयोजनमाह—यत्स्रुच्यप इति । स्रुच्युदकमादाय यन्निरौक्षिषं 'तेन सर्पदेवजनान्' सर्पणशी[illegible] प्राणिनां मध्ये ये देवजना उत्कृष्टाः तानप्रैषम् । द्वितीयतृतीययोरुक्षणयोः प्रयोजनमाह—यद्द्वितीयमिति । एतां दिशमिति । एतच्छब्देन उत्तरा दिगभिधीयते । 'एतां' उदीचीं 'दिशं' 'उदौक्षिषं' उर्ध्वमुक्षणं कृतवानस्मि इति यत् 'तेन स्वर्गस्य लोकस्य द्वारं' प्रवेशनमार्गं 'व्यवारिषं' विवृतमुद्घाटितं कृतवानस्मि । 'आहवनीयं जघनेन' आहवनीयस्य पश्चाद्भागे 'अपो न्यनैषं' इति यत् 'तेनास्मै' भूलोकाय 'वृष्टिमदाम्' दत्तवानस्मि । यदंततः संस्थापनं 'तेन पृथिव्याः' संबंधि 'यत्' किंचिन्न्यूनं तत्सर्वम् 'अपूपुरम्' पूरितवानस्मि । एतन्नौ भगवन्नित्यादि । हे भवन्नुद्दालक ! भवतोक्तमेतत्सर्वं 'नौ' आवयोः 'सह' सहितं समानमेकरूपमिति शौचेयः 'ह' उक्तवान् ॥ ७ ॥

अन्यं प्रश्नं प्रदर्शयितुं प्रस्तौति—शौचेयो ज्ञप्त इति । उक्ताग्निहोत्रविषये 'ज्ञप्तो' बोधितः 'शौचेयः'

न्त्स्याऽअथ तुऽ आहवनीयोऽनुगच्छेद्वेत्थ तद्भयं यदत्र जुह्वतो भवतीति व्वेदेति होवाच पुराऽचिरादस्य ज्येष्ठः पुत्रो म्रियेत यस्यैतदविदितꣳ स्याद्विद्याभिस्त्वेवाहमतारिषमिति किं व्विदितं का प्रायश्चित्तिरिति प्राणऽ-उदानमप्यगादिति गार्हपत्यऽआहुतिं जुहुयाꣳ सैव प्रायश्चित्तिर्न्न तदागः कुर्व्वीयेत्येतन्नौ भगवन्त्सहेति होवाच ॥ ८ ॥

शौचेयो ह्युग्रः । प्रक्ष्यामि त्वेव भगवन्तमिति पृच्छैव प्राचीनयोग्येति स होवाच यत्र तऽएतस्मिन्नेव काले गार्हपत्योऽनुगच्छेद्वेत्थ तद्भयं यदत्र

गच्छेत् । वेत्थ तद्भयम् । यदत्र जुह्वतो भवतीति । वेदेति होवाच । पुराऽचिरादस्य ज्येष्ठः पुत्रो म्रियेत । यस्यैतदविदितं स्यात् । विद्याभिस्त्वेवाहमतारिषमिति । किं विदितम् । का प्रायश्चित्ति-रिति । "प्राण उदानमप्यगात्"—इति गार्हपत्य आहुतिं जुहुयाम् । सैव प्रायश्चित्तिः । न तदागः कुर्वीय । इत्येतन्नौ भगवन्त्सह इति होवाच ॥ ८ ॥

शौचेयो ह्युग्रः । प्रक्ष्यामि त्वेव भगवन्तमिति । पृच्छैव प्राचीनयोग्येति । स होवाच—यत्र त एत-स्मिन्नेव काले गार्हपत्योऽनुगच्छेत् । वेत्थ तद्भयम् । यदत्र जुह्वतो भवतीति । वेदेति होवाच । पुरा-

---

पुनरप्याह—हे उद्दालक ! 'भगवन्तं' त्वां पुनः 'प्रक्ष्यामि' । अभ्यनुज्ञानार्थमेतद्वाक्यम् । सोऽपि प्रश्नान्तरम[illegible] जानादित्याह—पृच्छैव प्राचीनयोग्येति । ममाभ्यनुज्ञानार्थशंकया मा भैषीरित्यर्थः । स होवाचेत्यादि । 'सः' प्राचीनयोग्यः 'उवाच' पप्रच्छ । 'यस्मिन् काले' आहवनीयाद्याः 'अग्नयः' 'ते' तव संबंधिनो गार्हपत्यादुद्धृताः । 'पात्राणि' स्रुक्स्रुवादीनि 'उपावहृतानि' स्वस्थाने आसादितानि । त्वमपि 'होष्यन् स्याः' । 'अथ' अस्मिन् समये 'ते' तव 'आहवनीयोऽनुगच्छेत्' शाम्येत् । अत्रास्मिन् विषये 'जुह्वतः' होमं कुर्वतो यजमानस्य 'यद्भयं भवति' 'तत् किं वेत्थ' जानासि, इत्युद्दालकं संबोध्य कृतः प्रश्नः । तस्योत्तरमुद्दालको ब्रूते-वेदेति होवाचेति । 'वेद' वेद्मि । उत्तमे लटि रूपम् । तदेव भयस्वरूपमाह—पुरा-ऽचिरादिति । 'पुरा' आगामिनि काले अचिरादविलंबनेनैव 'अस्य होतुः' 'ज्येष्ठः पुत्रो म्रियेत' । 'यस्य' यजमानस्य 'एतत्' वक्ष्यमाणं प्रायश्चित्तं 'अविदितं' अविज्ञातं 'स्यात्' तस्यायं दोषः । 'अहम्' तु 'विद्याभिः' प्रायश्चित्तगोचरज्ञानैरेव एतद्भयं 'अतारिषं' अतिक्रांतवानस्मि 'इति' प्राचीनयोग्य-माह । तत्र 'किं विदितं' ज्ञातं एतद्भयनिवारणोपायभूतं कर्म । तेन कर्मणा प्रकृतस्य दोषस्य 'का' प्राय-श्चित्तिभूता शांतिरिति पृष्टः तां प्रायश्चित्तिमाह—प्राण उदानमप्यगादिति । अनेन मंत्रेण 'गार्हपत्ये आहुतिं जुहुयाम्' एतस्मिन्निमित्ते अहं हुतवानस्मि । 'सैव' तस्य दोषस्य 'प्रायश्चित्तिः' भवति । तत्तस्मात् आगोऽपराधं प्रागुक्तलक्षणं 'न कुर्वीय' न करवाणीति । एवं प्रत्युक्ते सति एतदावयोः समानमिति साम्येन प्रत्यवतिष्ठते—एतन्नौ भगवन्त्सहेति । एतदुक्तं अग्निहोत्रहोमकाले आहवनीयानुगतिविषयं प्रायश्चित्तं हे भगवन्नुद्दालक ! 'नौ' आवयोः 'सह' सहितं समानमिति बोधितः शौचेयः पुनरन्यं प्रश्नं पप्रच्छेत्यर्थः ॥ ८ ॥

प्रक्ष्यामि त्वेवेति । शापभयात्प्रश्नानभ्यनुज्ञाने पृच्छैवेति तदभ्यनुज्ञानम् । स होवाचेत्यादिना प्रश्नः ।

जुह्वतो भवतीति व्वेदेति होवाच पुराऽचिरादस्य गृहपतिर्म्म्रियेत यस्यै-
तदविदितᳫँ स्याद्विद्याभिस्त्वेवाहमतारिषमिति किं व्विदितं का प्राय-
श्चित्तिरित्युदानः प्राणमप्यगादित्याहवनीय ऽआहुतिं जुहुयाᳫँ सैव प्राय-
श्चित्तिर्न्न तदागः कुर्व्वीयेत्येतन्नौ भगवन्त्सहेति होवाच ॥ ९ ॥

शौचेयो ज्ञप्तः । प्रक्ष्यामि त्वेव भगवन्तमिति पृच्छैव प्राचीनयोग्येति
स होवाच यत्र तऽएतस्मिन्नेव कालेऽन्वाहार्य्यपचनोऽनुगच्छेद्वेत्थ तद्भयं
यदत्र जुह्वतो भवतीति व्वेदेति होवाच पुराऽचिरादस्य सर्व्वे पशवो म्रियेे-
रन्यस्यैतदविदितᳫँ स्याद्विद्याभिस्त्वेवाहमतारिषमिति किं व्विदितं
का प्रायश्चित्तिरिति व्यानुऽ उदानमप्यगादिति गार्हपत्य ऽआहुतिं जुहु-
याᳫँ सैव प्रायश्चित्तिर्न्न तदागः कुर्व्वीयेत्येतन्नौ भगवन्त्सहेति होवाच॥१०॥

ऽचिरादस्य गृहपतिर्म्रियेत । यस्यैतदविदितं स्यात् । विद्याभिस्त्वेवाहमतारिषमिति । किं विदितम् । का प्रायश्चित्तिरिति । " उदानः प्राणमप्यगात् "–इत्याहवनीय आहुतिं जुहुयाम् । सैव प्रायश्चित्तिः । न तदागः कुर्वीय । इत्येतन्नौ भगवन्त्सह इति होवाच ॥ ९ ॥

शौचेयो ज्ञप्तः । प्रक्ष्यामि त्वेव भगवन्तमिति । पृच्छैव प्राचीनयोग्येति । स होवाच–यत्र त एतस्मिन्नेव कालेऽन्वाहार्यपचनोऽनुगच्छेत् । वेत्थ तद्भयम् । यदत्र जुह्वतो भवतीति । वेदेति होवाच । पुराऽचिरादस्य सर्वे पशवो म्रियेरन्; यस्यैतदविदितं स्यात् । विद्याभिस्त्वेवाहमतारिषमिति । किं विदितम् । का प्रायश्चित्तिरिति । " व्यान उदानमप्यगात् " इति गार्हपत्य आहुतिं जुहुयाम् । सैव प्रायश्चित्तिः । न तदागः कुर्वीय । इत्येतन्नौ भगवन्त्सह इति होवाच ॥ १० ॥

एवमुत्तरेष्वपि पर्यायेषु योज्यम् । यः अयमाहवनीयानुगतौ प्रागुक्तः कालः ' एतस्मिन्नेव काले ' हे उद्दालक ! ' ते ' तव यदि ' गार्हपत्यः अनुगच्छेत् ' शाम्येत् । वेत्थ तद्भयमित्यादि पूर्ववत् । पुराऽचिरादस्येत्यादि । ' पुरा ' पूर्वस्मिन्नागामिनि काले ' अचिरात् ' क्षिप्रमेव ' अस्य ' जुह्वतोऽध्वर्योः ' गृहपतिः ' यजमानः ' म्रियेत ' मृतो भवेत् । यस्यैतदित्यादि गतम् । अस्मिन् गार्हपत्यानुगमने सति " उदानः प्राणमप्यगात् " इत्याहवनीये ' आहुतिं जुहुयाम् ' हुतवानस्मि । ' सैव ' तस्य गार्हपत्यानुगमनस्य ' प्रायश्चित्तिः ' तत्तावदागोऽपराधं ' न कुर्वीयेति ' न कुर्यामिति । अनेनाभिप्रायेणोक्तप्रायश्चित्तकरणम् । एतदपि मया ज्ञातमेव त्वयोच्यते । न तत्र भवत आधिक्यमिति प्रत्यवतिष्ठते–एतन्नौ भगवन्त्सहेति ॥ ९ ॥

पुनरन्यत् प्रष्टुं प्रस्तौति–प्रक्ष्यामि त्वेवेति । यत्र त इत्यादि । ' यत्र ' यस्मिन् ' एतस्मिन्नेव ' प्रागुक्ते होमकाले ' अन्वाहार्यपचनः ' दक्षिणाग्निरनुगच्छेत् । वेत्थेत्यादि पूर्ववत् । भयस्वरूपमाह–पुराऽचिरादस्येति । ' सर्वे ' गवाद्याः ' पशवः । व्याख्यातचरमन्यत् । प्रायश्चित्तस्वरूपमाह–व्यान उदानमप्यगादिति । अनेन मंत्रेण ' गार्हपत्ये ' आज्याहुतिं ' जुहुयाम् ' जुहवानि । सैव प्रायश्चित्तिरित्यादि पूर्ववत् ॥ १० ॥

शौचेयो ज्ञप्तः । प्रक्ष्यामि त्वेव भगवन्तमिति पृच्छैव प्राचीनयोग्येति स होवाच यत्र तऽ एतस्मिन्नेव काले सर्व्वेऽग्नयोऽनुगच्छेयुर्व्वेत्थ तद्भयं यदत्र जुह्वतो भवतीति व्वेदेति होवाच पुराऽचिरादस्यादायादं कुलꣳ स्याद्यस्यैतदविदितꣳ स्याद्विद्याभिस्त्वेवाहमतारिषमिति किं व्विदितं का प्रायश्चित्तिरिति पुराऽचिरादग्निं मथित्वा यां दिशं व्वातो व्वायात्तां दिशमाहवनीयमुद्धृत्य व्वायव्यामाहुतिं जुहुयाꣳ स व्विद्याꣳ समृद्धं मेऽग्निहोत्रꣳ सर्व्वदेवत्यं व्वायुꣳ ह्येव सर्व्वाणि भूतान्यपियन्ति व्वायोः पुनर्व्विसृज्यन्ते सैव प्रायश्चित्तिर्न्न तदागः कुर्व्वीयेत्यतन्नौ भगवन्त्सहेति होवाच ॥ ११ ॥

शौचेयो ज्ञप्तः । प्रक्ष्यामि त्वेव भगवंतमिति । पृच्छैव प्राचीनयोग्येति । स होवाच । यत्र त एतस्मिन्नेव काले सर्वेऽग्नयोऽनुगच्छेयुः । वेत्थ तद्भयम् । यदत्र जुह्वतो भवतीति । वेदेति होवाच । पुराऽचिरादस्याऽदायादं कुलं स्यात्, यस्यैतदविदितं स्यात् । विद्याभिस्त्वेवाहमतारिषमिति । किं विदितम् । का प्रायश्चित्तिरिति । पुराऽचिरादग्निं मथित्वा, यां दिशं वातो वायात्, तां दिशमाहवनीयमुद्धृत्य वायव्यामाहुतिं जुहुयाम् । स विद्यां समृद्धं मेऽग्निहोत्रं सर्वदेवत्यम् । वायुं ह्येव सर्वाणि भूतान्यपियंति । वायोः पुनर्विसृज्यंते । सैव प्रायश्चित्तिः । न तदागः कुर्वीय । इत्येतन्नौ भगवन्त्सह इति होवाच ॥ ११ ॥

एवमेकैकानुगतौ प्रश्नप्रतिवचनाभ्यां प्रायश्चित्तं निरूप्य कृत्स्नानुगतिविषयं प्रायश्चित्तं विवक्षन् प्रस्तौति—प्रक्ष्यामि त्वेवेत्यादिना । 'यत्रैतस्मिन्' प्रागुक्ते होमकाले 'ते' तव आहवनीयादयः 'सर्वेऽग्नयोऽनुगच्छेयुः' शाम्येयुः । वेत्थ तद्भयमित्यादि पूर्ववत् । भयस्वरूपमाह—पुराऽचिरादस्येति । 'पुरा' पूर्वस्मिन्नागामिनि काले 'अस्य' वक्ष्यमाणं सर्वानुगतिविषयं प्रायश्चित्तं अविदुषो यजमानस्य 'कुलमदायादं' दायादा ज्ञातयः तच्छून्यं स्यात् । गोत्रविच्छेदो भवेदित्यर्थः । यस्यैतदित्यादि पूर्ववत् । प्रायश्चित्तस्वरूपमाह—पुराऽचिरादिति । 'पुरा' पूर्वं 'अचिरात्' क्षिप्रम् । भस्मसमारोपणपूर्वमग्निं 'मथित्वा' 'वातः' वायुः 'यां दिशं' 'वायाद्' गच्छेत् । "वा गतिगंधनयोः"—(धा. पा. अ. प. ४०) इति धातुः । 'तां' दिशमभिलक्ष्य आहवनीयमग्निमुद्धृत्य 'वायव्यां' वायुदेवताकां "वायवे स्वाहा" इति मंत्रेणाहुतिं 'जुहुयाम्' जुहवानि । 'समृद्धं' संपूर्णमित्याहुतिक्रियाविशेषणम् । 'अग्निहोत्रं सर्वदेवत्यं' नित्यकालं 'वायुमेव' 'अपियंति' 'भूतानि' लयकाले वायुमेव 'अपियंति' प्राप्नुवंति । सृष्टिकाले तस्माद्वायोः 'पुनर्विसृज्यंते' विविधमुत्पद्यंते अतः सर्वदेवतारूपो वायुः । तद्देवता सा या आहुतिः 'सैव' सर्वानुगमविषये 'प्रायश्चित्तिः' । न तदागः कुर्वीयेत्यादि पूर्ववत् ॥ ११ ॥

शौचेयो ज्ञप्तः । प्रक्ष्यामि त्वेव भगवन्तमिति पृच्छैव प्राचीनयोग्येति स होवाच यत्र त ऽएतस्मिन्नेव काले निवाते सर्व्वेऽग्नयोऽनुगच्छेयुर्वेत्थ तद्भयं यदत्र जुह्वतो भवतीति वेदेति होवाचाप्रियमेवास्मिँल्लोके पश्येताप्रियममुष्मिन्यस्यैतदविदितꣳ स्याद्विद्याभिस्त्वेवाहमतारिषमिति किं विदितं का प्रायश्चित्तिरिति पुराऽचिरादग्निं मथित्वा प्राञ्चमाहवनीयमुद्धृत्य जघनेनाहवनीयमुपविश्याहमेवैनत्पिबेयꣳ स विद्याꣳ समृद्धं मेऽग्निहोत्रꣳ सर्व्वदेवत्यं ब्राह्मणꣳ ह्येव सर्व्वाणि भूतान्यपियंति ब्राह्मणात्पुनर्व्विसृज्यन्ते सैव प्रायश्चित्तिर्न्न तदागः कुर्व्वीयेत्यथ वाऽ अहमेतन्नावेदिषमिति होवाच ॥ १२ ॥

शौचेयो ज्ञप्तः । (ऽ)इमानि समित्काष्ठान्युपायानि भगवन्तमिति स होवाच

शौचेयो ज्ञप्तः । प्रक्ष्यामि त्वेव भगवंतमिति। पृच्छैव प्राचीनयोग्येति । स होवाच—यत्र त एतस्मिन्नेव काले सर्वेऽग्नयोऽनुगच्छेयुः । वेत्थ तद्भयम् । यदत्र जुह्वतो भवतीति। वेदेति होवाच। अप्रियमेवास्मिन् लोके पश्येत, अप्रियममुष्मिन् , यस्यैतदविदितं स्यात् । विद्याभिस्त्वेवाहमतारिषमिति । किं विदितम् । का प्रायश्चित्तिरिति । पुराऽचिरादग्निं मथित्वा प्रांचमाहवनीयमुद्धृत्य जघनेनाहवनीयमुपविश्य अहमेवैनत् पिबेयम् । स विद्यां समृद्धं मेऽग्निहोत्रं सर्वदेवत्यम् । ब्राह्मणं ह्येव सर्वाणि भूतान्यपियंति । ब्राह्मणात्पुनर्विसृज्यन्ते । सैव प्रायश्चित्तिः । न तदागः कुर्वीयेति । अथ वा अहमेतन्नावेदिषम् । इति होवाच ॥ १२ ॥

शौचेयो ज्ञप्तः । इमानि समित्काष्ठान्युपायानि भगवंतमिति । स होवाच—यदेवं नावक्ष्यः।

पूर्वोक्त एव विषये यदि वातो न स्यात् तदा किं कर्तव्यमिति पृच्छति—**यत्र त एतस्मिन्निति** । 'निवाते' वातरहिते देशे । व्याख्यातमन्यत् । भयस्वरूपमाह—**अप्रियमेवास्मिन्निति** । प्रियं सुखं 'अप्रियं' तद्विरुद्धं दुःखमेव 'अस्मिन्' भूलोके 'पश्येत' अमुष्मिन्परलोकेऽपि अप्रियमेव पश्येत । **यस्यैतदविदितमित्यादि** पूर्ववत् । प्रायश्चित्तस्वरूपमाह—**पुराऽचिरादित्यादि** पूर्ववत् । 'अग्निं मथित्वा' वाताभावे प्राग्दिक्संबंधिनमाहवनीयमुद्धृत्य 'जघनेनाहवनीयम्' आहवनीयस्य पश्चाद्भागे 'उपविश्य' 'अहमेव' 'एतत्' अग्निहोत्रार्थं पयः 'पिबेयम्' 'सः' 'अहं' 'विद्याम्' जानीयाम् । 'मे' ममाग्निहोत्रं 'सर्वदेवत्यं' सर्वदेवताप्रीतिकरं सत् 'समृद्धं' संपूर्णमिति । सर्वदेवत्यत्वमुपपादयति—**ब्राह्मणं ह्येवेति** । ब्राह्मणमेव 'हि सर्वाणि भूतानि अपियंति' प्रलयकाले प्राप्नुवंति । सृष्टिकाले तस्मात्पुनर्विसृज्यंते । ब्राह्मणानुष्ठितसत्कर्मपरिपाकवशेन हि अखिलं जगत् सृष्टिप्रलयमेतीत्यभिप्रायः । एवं 'ज्ञप्तः' बोधितः 'शौचेयः' आह स्म । अथ खलु अहमेतत् त्वदुक्तं प्रायश्चित्तं 'नावेदिषम्' नाज्ञासिषमिति ॥ १२ ॥

अत इमां विद्यां भवत्सकाशादधिगन्तुम् 'इमानि' समित्काष्ठादीनि गृहीत्वा 'भगवन्तं' ज्ञानातिशयवंतं

यदेवं नावक्ष्यो मूर्द्धा ते व्यपतिष्यदेह्युपेहीति तथेति तꣳ होपनिन्ये तस्मै हैतां शोकतरां व्याहृतिमुवाच यत्सत्यं तस्मादु सत्यमेव वदेत् ॥ १३॥

इति तृतीयप्रपाठके पञ्चमं ब्राह्मणम् ॥ ११-३-५ ॥ (५. ३.) ॥

ब्रह्मचर्य्यमागामित्याह । ब्रह्मणऽएवैतदात्मानं निवेदयति ब्रह्मचार्य्यसानी-त्याह ब्रह्मण ऽएवैतदात्मानं परिददात्यथैनमाह को नामाऽसीति प्रजा-पतिर्वै कः प्राजापत्यमेवैनं तत्कृत्वोपनयते ॥ १ ॥

मूर्द्धा ते व्यपतिष्यत् । एहि उपेहीति । तथेति तं होपनिन्ये । तस्मै हैतां शोकतरां व्याहृति-मुवाच । यत्सत्यम् । तस्मादु सत्यमेव वदेत् ॥ १३ ॥

उपनयनधर्माभिधायकं ब्राह्मणम् ।

" ब्रह्मचर्यमागाम् "-इत्याह । ब्रह्मण एवैतदात्मानं निवेदयति । " ब्रह्मचार्यसानि "-इत्याह । ब्रह्मण एवैतदात्मानं परिददाति । अथैनमाह-" को नामासि " इति । प्रजापतिर्वै कः । प्राजापत्यमेवैनं तत्कृत्वोपनयते ॥ १ ॥

त्वां ' उपायानि ' उपगच्छामीति । अनंतरमुद्दालकः ' उवाच ' ' यदेवं नावक्ष्यः ' यद्येवमज्ञानं नाविष्करोषि ' ते मूर्द्धा व्यपतिष्यत् ' अधिपतेत् । तन्मूर्द्धपतनं स्वाज्ञानप्रकटनेन अत्रभवता परिहृतमिति भावः । क्रियाति-पत्तौ लृङ् । हे शौचेय ! ' एहि ' आगच्छ, ' उपेहि ' समिद्धस्तः सन् मत्समीपं प्राप्नुहि । इत्थं तथेत्यं-गीकृत्य शौचेयं उद्दालकः ' उपनिन्ये ' उपनीतं कृतवान् । उपनीय च ' तस्मै ' शौचेयाय ' एतां शोक-तरां ' शोकः पापं तत्तरणसमर्थां ' व्याहृतिं ' ' उवाच ' ' यत्सत्यं ' या सत्यवदनरूपा व्याहृतिः तामि-त्यर्थः । अतः सत्यवदनं परमो धर्म इति निगमयति-तस्मादु सत्यमेवेति ॥ १३ ॥

इति श्रीसायणाचार्यविरचिते माधवीये वेदार्थप्रकाशे माध्यंदिनीयशतपथब्राह्मणभाष्ये
एकादशकांडे पंचमेऽध्याये तृतीयं ब्राह्मणम् ॥ (११ । ५ । ३) ॥

" तं होपनिन्ये " इत्युपनयनस्य प्रस्तुतत्वात् तद्धर्मा अस्मिन् ब्राह्मणे निरूप्यन्ते । तत्र गुरुं प्रत्युपनयन-प्रार्थनपरमुपनेतव्यस्य मंत्रं विधाय स्तौति-ब्रह्मचर्यमागामित्याहेति । ब्रह्मचारिणो भावः ' ब्रह्मचर्यं ' तदागां प्राप्नुयाम् । " आशंसायां भूतवच्च " (पा. सू. ३ । ३ । १३२) इति भूतवत्प्रत्ययः । एवमनेन मंत्रेणाह गुरुं प्रार्थयेत् । मंत्रे ब्रह्मशब्दश्रवणात् 'ब्रह्मणे' वेदपुरुषायैव ' एतत् ' एतेन मंत्रेण शिष्यः स्वात्मानं ' निवेद-यति' । द्वितीयमागमनूद्य व्याचष्टे-ब्रह्माचार्यसानीत्याहेति । हे गुरो ! भवत्प्रसादात् 'ब्रह्मचारी' ब्रह्म वेदः तद-भ्यसनशीलो भवानि । एतेन मंत्रभागेन स्वात्मानं परिरक्षणाय तस्मा एव ' ब्रह्मणे ' ' परिददाति ' समर्पयति । अथ गुरोर्मंत्रं विधत्ते-अथैनमाहेति । ' अथ'' शिष्याभिगमनानंतरं एनमुपनेतव्यम् ' को नामासि ' इति

१-ब्रह्मचर्यमागामिति वाचयति ब्रह्मचार्यसानीति च । (पार. गृ. सू. २ । २ । ६) इति ।
२-अथास्य दक्षिणं हस्तं गृहीत्वाऽऽह को नामासीति । (पार. गृ. सू. २ । २ । १७) इति ।

(तेऽथा) अथास्य हस्तं गृह्णाति । (त्री) इन्द्रस्य ब्रह्मचार्य्यस्यग्नि-राचार्य्यस्तवाहमाचार्य्यस्तवासावित्येते वै श्रेष्ठे बलिष्ठे देवतेऽएताभ्या-मेवैनᳩं श्रेष्ठाभ्यां बलिष्ठाभ्यां देवताभ्याम्परिददाति तथा हास्य ब्रह्म-चारी न कांचनार्त्तिमार्च्छति न स य ऽएवं व्वेद ॥ २ ॥

अथास्य हस्तं गृह्णाति । "इंद्रस्य ब्रह्मचार्यस्यग्निराचार्यस्तवाहमाचार्यस्तवासौ"-इति । एते वै श्रेष्ठे बलिष्ठे देवते । एताभ्यामेवैनं श्रेष्ठाभ्यां बलिष्ठाभ्यां देवताभ्यां परिददाति । तथा हास्य ब्रह्मचारी न कां चनार्तिमार्च्छति । न स य एवं वेद ॥ २ ॥

मंत्रेण निरीक्षते । अत्र किंशब्दस्यानिरुक्तार्थत्वात् प्रजापतिवाचकत्वमभिप्रेतं व्याचष्टे-प्रजापतिर्वै क इति । हे शिष्य ! त्वं 'कः' प्रजापतिरेव त्वमसि । नामशब्दः प्रसिद्धौ । तथाच एतेन मंत्रेण 'एनं' माणवकं प्रजापति-संबंधिनमेव 'कृत्वा' 'उपनयते' गुरुः स्वसमीपं प्रापयति । आचार्यकरणे नयतेरात्मनेपदम् (पा. सू. १ । ३ । ३६) इति ॥ १ ॥

अथ समन्त्रकं हस्तग्रहणं विधत्ते-अथास्य हस्तं गृह्णातीति । 'अथास्य' ब्रह्मचारिणो दक्षिणं 'हस्तम्' "इंद्रस्य"[2] इति मंत्रेण आचार्यो गृह्णीयात् । असाविति मंत्रगतादःशब्दस्थाने संबुद्ध्यंतं ब्रह्मचारिणो नाम ग्राह्यम् । हे यज्ञशर्मन् ! त्वं 'इन्द्रस्य' देवतायाः संबंधी 'ब्रह्मचारी' भवसि । तवाग्निरेवाचार्यः । अतस्तव तत्प्रतिनिधित्वादह-मप्याचार्यः इति मंत्रार्थः । इंद्राग्निसंबन्धं प्रशंसति-एते वै श्रेष्ठे इति । 'एते' इंद्राग्नी 'श्रेष्ठे' प्रशस्यतमे 'बलिष्ठे' बलवत्तमे 'देवते' । परिरक्षणाय दानं 'परिदानं' स्पष्टमन्यत् । तस्य परिदानस्य फलमाह-तथा हास्येति । 'तथा ह' तथैव इंद्राग्निभ्यां दत्ते सति अस्याचार्यस्य संबंधी 'ब्रह्मचारी' 'कांचन' कामपि 'आर्तिम्' पीडां 'नार्च्छति' न प्राप्नोति । विदुषोऽप्येतत्फलमाह-न स इति । एवमुक्तार्थं 'यो वेद' जानाति सोऽपि आर्तिम् न प्राप्नोतीत्यर्थः ॥ २ ॥

१-अथैनमाह कस्य ब्रह्मचार्यसीति, भवत इत्युच्यमान इन्द्रस्य, इत्यादि (पार. गृ. सू. २ । २ । १९-२०) इति ।

२-अत्र "इन्द्रस्य ब्रह्मचार्यसि" इत्ययं मंत्रः श्रुत्या ब्रह्मचारिणो हस्तादाने विनियुक्तः । सूत्रकृता तु हस्तादानं तूष्णीं विधाय "कस्य ब्रह्मचारी असि"-"भवतः" इति प्रश्नप्रतिप्रश्नानंतरममुं मन्त्रं ब्रह्मचारिणं प्रति ब्रूयादित्येवं विनियोगो दर्शित इति विरोधः समागच्छति ।

अत्रेत्थं समाहितिः-इयं श्रुतिस्तु केवलामेकां माध्यंदिनीं शाखामधिकरोति, सूत्रं तु पञ्चदश शाखाः । सूत्रस्य पञ्चदशशाखोपनि-बन्धनत्वं प्रत्यपादि कर्कोपाध्यायैः "स्मरन्ति हि पञ्चदशशाखोपनिबंधनं कृतमाचार्येणेति । तस्मान्नास्ति प्रत्यक्षकृतो विशेषः । वच्यते । शाखाद्वयमधिकृत्य तात्पर्येणानुप्रवृत्त आचार्यः ।" (का. श्रौ. सू. २ । २-३) इत्यत्र सूत्रभाष्ये । इति सूत्रस्य पंचदशशाखासाधारण्याद्बहुत्र दृष्टो विनियोगः सूत्रकृतोपनिबद्धः । एतच्छ्रुतिकृतो विनियोगस्तु माध्यंदिनीयशाखामात्रगोचरः । अतश्च माध्यंदिनीयानामुपनयनप्रयोगे श्रुतिबलात् सूत्रापेक्षयाऽयं विशेषो बोद्धव्यः । सौत्रो विनियोगस्तु माध्यंदिनतादितरसाधा-रणः । ततश्च माध्यंदिनैः सूत्रमनुसर्तव्यं श्रुतिर्वा शरणीकर्तव्येति विकल्पः । वैकल्पिके चात्मनस्तुष्टिः प्रमाणमिति न्यायेन प्रयोग-सौकर्याच्च सूत्रमेव समाद्रियते याज्ञिकवृन्देनेत्यन्यदेतत् । अस्तु । व्यवस्थया विरोधपरिहार्तिर्मन्तव्या मतिमद्भिरिति ॥

(द्वा) अथैनम्भूतेभ्यः परिददाति । प्रजापतये त्वा परिददामि देवाय त्वा सवित्रे परिददामीत्येते वै श्रेष्ठे व्वर्षिष्ठे देवते ऽएताभ्यामेवैनꣳ श्रेष्ठाभ्यां व्वर्षिष्ठाभ्यां देवताभ्याम्परिददाति तथा हास्य ब्रह्मचारी न कांचनार्तिमार्च्छति न स यऽएवं व्वेद ॥ ३ ॥

(द्वा) अद्भ्यस्त्वौषधीभ्यः परिददामीति तदेनमद्भ्यश्चौषधीभ्यश्च परिददाति द्यावापृथिवीभ्यां त्वा परिददामीति तदेनमाभ्यां द्यावापृथिवीभ्यां परिददाति ययोरिदꣳ सर्व्वमधि व्विश्वेभ्यस्त्वा भूतेभ्यः परिददाम्यरिष्ट्या ऽइति तदेनꣳ सर्व्वेभ्यो भूतेभ्यः परिददात्यरिष्ट्यै तथा हास्य ब्रह्मचारी न कांचनार्तिमार्च्छति न स य ऽएवं व्वेद ॥ ४ ॥

॥ शतम् ५८०० ॥

अथैनं भूतेभ्यः परिददाति । "प्रजापतये त्वा परिददामि देवाय त्वा सवित्रे परिददामि"–इति । एते वै श्रेष्ठे वर्षिष्ठे देवते । एताभ्यामेवैनं श्रेष्ठाभ्यां वर्षिष्ठाभ्यां देवताभ्यां परिददाति । तथा हास्य ब्रह्मचारी न कां चनार्तिमार्च्छति । न स य एवं वेद ॥ ३ ॥

"अद्भ्यस्त्वौषधीभ्यः परिददामि"–इति । तदेनमद्भ्यश्चौषधीभ्यश्च परिददाति । "द्यावापृथिवीभ्यां त्वा परिददामि"–इति । तदेनमाभ्यां द्यावापृथिवीभ्यां परिददाति । ययोरिदं सर्वमधि । "विश्वेभ्यस्त्वा भूतेभ्यः परिददाम्यरिष्ट्यै"–इति । तदेनं सर्वेभ्यो भूतेभ्यः परिददात्यरिष्ट्यै । तथा हास्य ब्रह्मचारी न कां चनार्तिमार्च्छति । न स य एवं वेद ॥ ४ ॥

एवं लिंगवशात् इंद्राग्निभ्यां परिदानं प्रतिपाद्य, अथ साक्षात्समंत्रकं परिदानं विधत्ते–अथैनं भूतेभ्य इति । 'अथ' हस्तग्रहणानंतरं 'भूतेभ्यः' विद्यमानेभ्यः प्रजापतिप्रमुखेभ्यः 'एनं' ब्रह्मचारिणं परिदद्यात् । "प्रजापतये त्वा" इति मंत्रेण । एते वै श्रेष्ठे इत्यादि । 'एते' प्रजापतिसवितृरूपे 'श्रेष्ठे' प्रशस्यतमे 'वर्षिष्ठे' वृद्धतमे 'देवते' उत्पादकत्वेन प्रेरकत्वेन च प्रामुख्यात् । एताभ्यामेवेत्यादि सिद्धम् ॥ ३ ॥

अपामोषधीनां च सर्वकारणत्वात् ताभ्यः परिदानार्थं द्वितीयो मंत्रभाग इति व्याचष्टे–अद्भ्यस्त्वौषधीभ्य इति । तृतीयभागमनूद्य व्याचष्टे–द्यावापृथिवीभ्यामिति । सर्वाधारत्वात् द्यावापृथिव्योः, द्यावापृथिवीभ्यां परिदानम् । अत एव द्यावापृथिव्यौ विशिनष्टि–ययोरिदं सर्वमधीति । 'ययोः' द्यावापृथिव्योरुपरि । 'इदं सर्वं' जगत् आश्रितं वर्तते तथाभूताभ्यां द्यावापृथिवीभ्यामित्यर्थः । विश्वेभ्यस्त्वा भूतेभ्य इत्यादि । 'अरिष्ट्यै' अहिंसायै । उक्तावशिष्टानि यानि सर्वाणि भूतानि संति तेभ्यः परिरक्षार्थमनेन मन्त्रभागेन ददातीत्यर्थः । अबादिभ्यः परिदानस्य फलमाह–तथा हास्येति । अथास्याद्भ्यस्त्वौषधीभ्यः परिदाने सतीत्यर्थः । गतमन्यत् ॥ ४ ॥

१–अथैनं भूतेभ्यः परिददाति प्रजापतये त्वा० इत्यादि । (पार. गृ. सू. २ । २ । २१) इति ।

ब्रह्मचार्य्यसीत्याह । ब्रह्मणऽएवैनं तत्परिददात्यपोऽशानेत्यमृतं वाऽआपो-ऽमृतमशानेत्येवैनं तदाह कर्म्म कुर्व्विति व्वीर्य्यं वै कर्म्म व्वीर्य्यं कुर्व्वि-त्येवैनं तदाह समिधमाधेहीति समिन्त्स्वात्मानं तेजसा ब्रह्मवर्च्चसेनेत्ये-वैनं तदाह मा सुषुप्थाऽइति मा मृथाऽ इत्येवैनं तदाहापोऽशानेत्य-मृतं वाऽआपोऽमृतमशानेत्येवैनं तदाह तदेनमुभयतोऽमृतेन परिगृह्णाति तथा हास्य ब्रह्मचारी न कांचनार्तिमार्च्छति न स यऽएवं व्वेद ॥ ५ ॥

" ब्रह्मचार्यसि "–इत्याह । ब्रह्मण एवैनं तत्परिददाति । " अपोऽशान "–इति । अमृतं वा आपः । अमृतमशानेत्येवैनं तदाह । " कर्म कुरु "–इति । वीर्यं वै कर्म । वीर्यं कुर्वित्येवैनं तदाह । " समिधमाधेहि "–इति । समिन्त्स्वात्मानं तेजसा ब्रह्मवर्चसेनेत्येवैनं तदाह । "मा सुषुप्थाः"–इति । मा मृथा इत्येवैनं तदाह । "अपोऽशान"–इति । अमृतं वा आपः । अमृतमशानेत्येवैनं तदाह । तदेनमुभयतोऽमृतेन परिगृह्णाति । तथा हास्य ब्रह्मचारी न कां चनार्तिमार्च्छति । न स य एवं वेद ॥ ५ ॥

अथास्य मंत्रेणानुशासनं विधत्ते–ब्रह्मचार्यसीत्याहेत्यादि । हे यज्ञशर्मन् ! त्वं ' ब्रह्मचार्यसि ' ब्रह्मचर्यनियमं प्राप्नोषि अनेनाप्रमत्तो भव । ब्रह्मण एवैनमिति । तत्तेन ब्रह्मचारीति पदेन प्रतीयमानाय ' ब्रह्मणे ' वेदपुरुषायैव ' एनं ' ब्रह्मचारिणं परिददातीति तात्पर्यगम्योऽर्थः । अपोऽशानेति द्वितीयमनुशासनम् । मया अनुज्ञातः सन् ' अपः ' एव ' अशान ' अन्यन्नाकांक्षयेत्यर्थः । तदेव तात्पर्यतो व्याचष्टे–अमृतं वा आप इति । आप्यायनकरत्वात् प्राणिस्थितिनिमित्तत्वाच्चापाममृतत्वम् । अशानेति " अश भोजने " (धा. पा. क्र्या. प. १४) " इत्यस्माल्लोटि " हलः श्नः शानज्झौ " (पा. सू. ३ । १ । ८३) इति शानजादेशः । कर्म कुर्विति तृतीयमनुशासनम् । गुरुशुश्रूषार्हं ब्रह्मचर्याश्रमविहितं यत्कर्मास्ति, तत्कुर्वित्यर्थः । वीर्यं वै कर्मेति । वीर्यहेतुत्वात्कर्मणस्तद्रूपत्वम् । समिधमाधेहीत्युपरितनानुशासनम् । हे ब्रह्मचारिन् ! समिधमग्नावाधेहि । अग्निपरिचर्यां कुर्वित्यर्थः । तत्समिदाधानं आत्मनः समिंधनहेतुत्वेन स्तौति–समिन्त्स्वात्मानमिति । तेजः शरीरकांतिः । ब्रह्मवर्चसं श्रुताध्ययनसंपत्तिजं ब्राह्मं तेजः । उभाभ्यामात्मानं 'समिन्त्स्व' संदीप्तं कुर्विति । एवंरूपमेवार्थमनेन वाक्येन ब्रह्मचारिणमेवाह प्रतिपादयति आचार्यः । पुनरप्यपामशनमनुशास्ति चरमेण भागेनेत्याह–अपोऽशानेति । व्याख्यातमेतत् । ननु–उक्तस्यैवार्थस्य पुनरनुशासनं किमर्थमित्याशंक्याह–तदेनमुभयतोऽमृतेनेति । तत्तेन पुनरनुशासनेन ' उभयतः ' उभयत्र आदावंते च उदकलक्षणेनामृतेन ' एनं ' ब्रह्मचारिणं ' परिगृह्णाति ' वेष्टयति । तथा हास्येत्यादि । तथैवानुशासने सति नियमितत्वेन पीडाहेतुभूतस्य पापस्यानाचरणात् । अस्य ब्रह्मचारीत्यादि सिद्धम् ॥ ५ ॥

१–अथैनं[२] संशास्ति ब्रह्मचार्यस्यपोऽशान कर्म कुरु मा दिवा सुषुप्था वाचं यच्छ समिधमाधेह्यपोऽशानेति । (पार. गृ. सू. २ । ३ । २) इति । २–मा सुषुप्था इति मा मृथा इत्येवैनं तदाहेत्यस्य व्याख्यानं नोपलब्धम् ।

(द्वा) अथास्मै सावित्रीमन्वाह । ताᳪँ ह स्मैताम्पुरा संवत्सरेऽन्वाहुः संवत्सरसम्मिता वै गर्भाः प्रजायन्ते जातऽएवास्मिँस्तद्वाचं दध्मऽइति ॥६॥

(त्यु) अथ षट्सु मासेषु । षड्वाऽऋतवः संवत्सरस्य संवत्सरसम्मिता वै गर्भाः प्रजायन्ते जातऽएवास्मिँस्तद्वाचं दध्मऽइति ॥ ७ ॥

(त्यु) अथ चतुर्विᳪँशत्यहे । चतुर्विᳪँशतिर्वै संवत्सरस्यार्द्धमासाः संवत्सरसम्मिता वै गर्भाः प्रजायन्ते जातऽएवास्मिँस्तद्वाचं दध्मऽ इति ॥८॥

अथास्मै सावित्रीमन्वाह । तां ह स्मैतां पुरा संवत्सरेऽन्वाहुः । संवत्सरसंमिता वै गर्भाः प्रजायंते । जात एवास्मिंस्तद्वाचं दध्म इति ॥ ६ ॥

अथ षट्सु मासेषु । षड्वा ऋतवः संवत्सरस्य । संवत्सरसंमिता वै गर्भाः प्रजायंते । जात एवास्मिंस्तद्वाचं दध्म इति ॥ ७ ॥

अथ चतुर्विंशत्यहे । चतुर्विंशतिर्वै संवत्सरस्यार्द्धमासाः । संवत्सरसंमिता वै गर्भाः प्रजायंते । जात एवास्मिंस्तद्वाचं दध्म इति ॥ ८ ॥

अथ सावित्र्यनुवाचनं विधत्ते—अथास्मा इति । “ ब्रह्मचार्यसि ” इति मंत्रेणानुशासनानंतर्यमथशब्दार्थः । ‘ अस्मै ’ नियमिताय शिष्याय ‘ सावित्रीं ’ सवितृदेवताकां “ तत्सवितुर्वरेण्यम् ” इत्यादिकां गायत्रीं ‘ अन्वाह ’ आचार्योऽनुब्रूयात् । अनुवाचनप्रकारस्त्वग्रे वक्ष्यते । अथ तदनुवाचनस्य उपनयनादूर्ध्वं संवत्सरकाले कर्तव्यतामाह—तां ह स्मैतामिति । ‘ पुरा ’ पूर्वस्मिन् उपनयनादूर्ध्वभाविनि संवत्सरकाले अतीते सति ‘ तामेतां ’ गायत्रीं ‘ अन्वाहुः ’ केचिदाचार्याः उपदिशंति । तेषामभिप्रायमाह—संवत्सरसंमिता वा इति । संवत्सरात्मना कालेन सम्यक् परिच्छिन्नाः खलु ‘ गर्भाः ’ व्यक्तावयवाः संतः ‘ प्रजायंते ’ उत्पद्यंते । अत उपनयनानंतरं आचार्यसमीपे गर्भवदवस्थितः तदुक्तं नियममाचरन् संवत्सरकाले एव पुनर्जायते । अतः ‘ जाते एवास्मिन् ’ ब्रह्मचारिणि तत्तेन सावित्र्यनुवाचनेन ‘ वाचं दध्मः ’ धारयाम इति । अनेनाभिप्रायेण संवत्सरकाले अनुवाचनमिति संबंधः ॥ ६ ॥

अथ षण्मासादिष्वपि कालेषु संवत्सरसंपत्तिं प्रतिपादयन् तदनुवाचनस्य कर्तव्यतामाह—अथ षट्सु मासेष्वित्यादिना । अथेति पक्षांतरप्रदर्शने ‘ षट्सु मासेषु ’ उपनयनादूर्ध्वं गतेषु सत्सु सावित्रीमन्वाहुरित्याद्यनुषंगः । षड्वा ऋतव इति । ‘ षड्वा ऋतवः संवत्सरस्य ’ इति मासगतषट्संख्यया संवत्सरसंपत्तिरुक्ता । अन्यत् व्याख्यातम् ॥ ७ ॥

पक्षांतरमाह—अथ चतुर्विंशत्यह इति । चतुर्विंशतिसंख्याकानामह्नां समाहारश्चतुर्विंशत्यहः कालः । चतुर्विंशतिदिवसपरिमिते काले गते सतीत्यर्थः । चतुर्विंशतिर्वा इति—दिवसगतार्द्धमाससंख्यया संवत्सरसंपत्तिः । गतमन्यत् ॥ ८ ॥

१–अथास्मै सावित्रीमन्वाह, संवत्सरे षण्मास्ये चतुर्विंशत्यहे द्वादशाहे षडहे त्र्यहे वा । (पार. गृ. सू. २ । ३ । १ । ६) इति ।

(त्यु) अथ द्वादशाहे । द्वादश वै मासाः संवत्सरस्य संवत्सरसम्मिता वै गर्भाः प्रजायन्ते जातऽएवास्मिँस्तद्वाचं दध्म ऽइति ॥ ९ ॥

(त्यु) अथ षडहे । षड्वा ऽऋतवः संवत्सरस्य संवत्सरसम्मिता वै गर्भाः प्रजायन्ते जातऽएवास्मिँस्तद्वाचं दध्मऽ इति ॥ १० ॥

(त्यु) अथ त्र्यहे । त्रयो वाऽ ऋतवः संवत्सरस्य संवत्सरसम्मिता वै गर्भाः प्रजायन्ते जातऽ एवास्मिँस्तद्वाचं दध्मऽ इति ॥ ११ ॥

तदपि श्लोकं गायन्ति । (न्त्या) आचार्य्यो गर्भी भवति हस्तमाधाय दक्षिणम् । तृतीयस्याँ स जायते सावित्र्या सह ब्राह्मणऽइति सद्यो ह त्वाव ब्राह्मणायानुब्रूयादाग्नेयो वै ब्राह्मणः सद्यो वाऽ अग्निर्ज्जायते तस्मात्सद्यऽएव ब्राह्मणायानुब्रूयात् ॥ १२ ॥

अथ द्वादशाहे । द्वादश वै मासाः संवत्सरस्य । संवत्सरसंमिता वै गर्भाः प्रजायंते । जात एवास्मिंस्तद्वाचं दध्म इति ॥ ९ ॥

अथ षडहे । षड्वा ऋतवः संवत्सरस्य । संवत्सरसंमिता वै गर्भाः प्रजायंते । जात एवास्मिंस्तद्वाचं दध्म इति ॥ १० ॥

अथ त्र्यहे । त्रयो वा ऋतवः संवत्सरस्य । संवत्सरसंमिता वै गर्भाः प्रजायंते । जात एवास्मिंस्तद्वाचं दध्म इति ॥ ११ ॥

तदपि श्लोकं गायंति—" आचार्यो गर्भी भवति हस्तमाधाय दक्षिणम् । तृतीयस्यां स जायते सावित्र्या सह ब्राह्मणः "—इति । सद्यो ह त्वाव ब्राह्मणायानुब्रूयात् । आग्नेयो वै ब्राह्मणः । सद्यो वा अग्निर्जायते । तस्मात्सद्य एव ब्राह्मणायानुब्रूयात् ॥ १२ ॥

अन्यं पक्षमाह—द्वादशाह इति । अत्र दिवसगतद्वादशसंख्यया मासद्वादशात्मकसंवत्सरसंपत्तिः । गतमन्यत् ॥ ९ ॥

अन्यं पक्षमाह—अथ षडह इति । दिवसगतषट्संख्यया ऋतुद्वारा अत्र संवत्सरसंपत्तिः ॥ १० ॥

चरमं पक्षमाह—अथ त्र्यह इति । ग्रीष्मो वर्षा हेमंत इति ऋतूनां त्रित्वम् ॥ ११ ॥

अस्मिन् त्र्यहपक्षे श्लोकमन्त्रं संवादयति—तदपि श्लोकं गायंतीति । तत्र त्र्यहपक्षे श्लोकरूपं मंत्रमपि ' गायंति ' पठंति । आचार्यो गर्भी भवतीति । ' आचार्यः ' माणवकमुपनीय समीपवर्तिना तेन च ' गर्भी भवति ' गर्भवान् भवति । किं कृत्वा ? आत्मीयं ' दक्षिणं हस्तं ' शिष्यमस्तके ' आधाय ' निक्षिप्य । ' सः ' गर्भरूपो माणवकः ' तृतीयस्यां ' रात्रौ व्यतीतायां ' जायते ' आचार्यत उत्पद्यते । जातश्च आचार्येणोपदिष्टया ' सावित्र्या ' सहितः सन् ' ब्राह्मणः ' भवति । सावित्रीरूपं ब्रह्म अधीते इति ब्राह्मणः, इति

(त्ताꣳ) ताꣳ हैतामेके । सावित्रीमनुष्टुभमन्वाहुर्वाग्वा ऽअनुष्टुप्तदस्मिन्वाचं दध्म ऽइति न तथा कुर्य्याद्यो हैनं तत्र ब्रूयादा न्वा ऽअयमस्य वाचमदित मूको भविष्यतीतीश्वरो ह तथैव स्यात्तस्मादेतां गायत्रीमेव सावित्रीमनुब्रूयात् ॥ १३ ॥

(द) अथ हैके दक्षिणतः । (स्ति) तिष्ठते वाऽऽसीनाय वाऽन्वाहुर्न तथा कुर्य्याद्यो हैनं तत्र ब्रूयाद्बुल्बं न्वा ऽअयमिममजीजनत बुल्बो भविष्यतीतीश्वरो ह तथैव स्यात्तस्मात्पुरस्तादेव प्रतीचे समीक्षमाणायानुब्रूयात् ॥ १४ ॥

तां हैतामेके सावित्रीमनुष्टुभमन्वाहुः । वाग्वा अनुष्टुप् । तदस्मिन्वाचं दध्म इति । न तथा कुर्यात् । यो हैनं तत्र ब्रूयात् । आ न्वा अयमस्य वाचमदित, मूको भविष्यतीति । ईश्वरो ह तथैव स्यात् । तस्मादेतां गायत्रीमेव सावित्रीमनुब्रूयात् ॥ १३ ॥

अथ हैके दक्षिणतस्तिष्ठते वाऽऽसीनाय वाऽऽन्वाहुः । न तथा कुर्यात् । यो हैनं तत्र ब्रूयात् । बुल्बं न्वा अयमिममजीजनत । बुल्बो भविष्यतीति । ईश्वरो ह तथैव स्यात् । तस्मात्पुरस्तादेव प्रतीचे समीक्षमाणायानुब्रूयात् ॥ १४ ॥

व्युत्पत्तेर्ब्राह्मणजातित्वमस्य संपन्नमित्यर्थः । इत्थं त्रैवर्णिकानां साधारणं पक्षमुक्त्वा ब्राह्मणस्य विशेषमाह–**सद्यो ह त्वावेति** । तुशब्दः प्रागुक्तं कालविलंबं व्यावर्तयति । ' सद्यः ' उपनयनानंतरमेव ' ब्राह्मणाय ' सावित्रीमनुब्रूयात्[1] । एतदुपपादयति–**आग्नेयो वा इति** । प्रजापतिमुखात्सहोत्पत्तेः अग्निदेवत्यो ब्राह्मणः । ततः किमित्याह–**सद्यो वा अग्निरिति** । मंथनानंतरं ' सद्यः ' एवाग्निर्जायते, अतस्तत्साम्यात् तद्देवत्याय ब्राह्मणाय सावित्रीं सद्य एवानुब्रूयात् ॥ १२ ॥

का पुनरसौ सावित्रीत्याशंक्य–तत्र एकीयं मतमुपन्यस्यति–**तां हैतामिति** । ' अनुष्टुभं ' अनुष्टुप्छन्दस्कां " तत्सवितुर्वृणीमहे " इत्यादिकाम् । **वाग्वा अनुष्टुबित्यादि** । यस्मात् कृत्स्नवाग्रूपा ' अनुष्टुप् ' तत्तस्मात् जातेऽस्मिन्माणवके ' वाचं दध्मः ' धारयाम इति । अनेनाभिप्रायेणानुष्टुभ ऋचः अनुवचनम् । तदेतन्निषिद्धय दूषयति–**न तथा कुर्यादिति** । ' तत्र ' तस्मिन् विषये ' यः ' नाम कश्चिदभिज्ञ आगत्य एनमाचार्यं ' ब्रूयात् ' । किमिति ? ' अयं ' माणवकः अस्याचार्यस्य 'वाचं' नुशब्दः अद्येत्यर्थे ! अद्य खलु ' आदित ' स्वीकृतवान् । वाग्रूपाया अनुष्टुभः स्वीकारात् । तथा चायमुपदेष्टा ' मूको भविष्यतीति ' तथैव भवितुमयमीश्वरः समर्थः स्यात् । स्वपक्षं सिद्धांतयति–**तस्मादेतामिति** । " तत्सवितुर्वरेण्यम् " इत्यादिकां गायत्रीछंदस्कामेव[2] सावित्रीमृचमनुब्रूयात् । तथा च वाचोऽप्युच्चारान्नोक्तदोष इत्यर्थः ॥ १३ ॥

तत्रानुवचनसमये शाखांतराभिमतं दक्षिणतोऽवस्थानं शिष्यस्य निषेधति–**अथ हैके इति** । ' एके ' शाखिनः

१–सद्यस्त्वेव गायत्रीं ब्राह्मणायानुब्रूयादाग्नेयो वै ब्राह्मण इति श्रुतेः । (पार. गृ. सू. २ । ३ । ७) इति । २–राजन्यवैश्ययोर्विशेष उक्तः सूत्रे–त्रिष्टुभं राजन्यस्य, जगतीं वैश्यस्य, सर्वेषां वा गायत्रीम् । (पार. गृ. सू. २ । ३ । ८–१०) इति ।

(त्तां) ताम्वै पच्छोऽन्वाह । त्रयो वै प्राणाः प्राण ऽउदानो व्व्यानस्तानु-वास्मिँस्तद्दधात्यथार्द्धर्चशो द्वौ वा ऽइमौ प्राणौ प्राणोदानावेव प्राणो-दानावेवास्मिँस्तद्दधात्यथ कृत्स्नामेको वा ऽअयं प्राणः कृत्स्न ऽएव प्राणमेवास्मिँस्तत्कृत्स्नं दधाति ॥ १९ ॥

तदाहुः । (नुं) न ब्राह्मणं ब्रह्मचर्य्यमुपनीय मिथुनं चरेद्गर्भो वा ऽएष भवति यो ब्रह्मचर्य्यमुपैति नेदिमं ब्राह्मणं विषिक्ताद्रेतसो जनयानीति ॥ १६ ॥

तां वै पच्छोऽन्वाह । त्रयो वै प्राणाः । प्राण उदानो व्यानः । तानेवास्मिंस्तद्दधाति । अथार्द्ध-र्चशः । द्वौ वा इमौ प्राणौ । प्राणोदानावेव । प्राणोदानावेवास्मिंस्तद्दधाति । अथ कृत्स्नाम् । एको वा अयं प्राणः कृत्स्न एव । प्राणमेवास्मिंस्तत्कृत्स्नं दधाति ॥ १९ ॥

तदाहुः-न ब्राह्मणं ब्रह्मचर्यमुपनीय मिथुनं चरेत् । गर्भो वा एष भवति । यो ब्रह्मचर्यमुपैति । नेदिमं ब्राह्मणं विषिक्ताद्रेतसो जनयानीति ॥ १६ ॥

आचार्यस्य दक्षिणभागे ' तिष्ठते वा आसीनाय वा ' वाचयंतीति स्थानासनयोर्विकल्पः । **यो हैनमिति** । तत्र दोषोक्तिः । **बुल्बं न्वा अयमिममिति** । नु, वै, अयं, इति पदच्छेदः । अयमाचार्यः इमं शिष्यं अद्य बुल्बं तिरश्चीनं प्राङ्मुखम् 'अजीजनत' अजनयत् । तथाचायं ' बुल्बः ' पराङ्मुखो ' भविष्यतीति ' । गतमन्यत् । स्वपक्षं सिद्धांतयति-**तस्मात्पुरस्तादेवेति** । आचार्यस्य पूर्वभागे ' प्रतीचे ' प्रत्यङ्मुखाय उपविष्टाय आचार्य ' समीक्षमाणाय ' सावित्रीमनुब्रूयात् । तत्र नोक्तदोष इत्यर्थः ॥ १४ ॥

पच्छोऽर्द्धर्चशोऽनवानमिति क्रमेण तस्मिन्ननुवचने धर्मान् विधत्ते-**तां वै पच्छे** इति । ' पच्छः ' पादशः पादे पादे अवसाय । **त्रयो वै प्राणा** इत्यादि स्पष्टम् । ' अर्द्धर्चशः ' ऋचः अर्द्धमर्द्धर्चं तस्मिन्नर्द्धर्चे अवसाये-त्यर्थः । **द्वौ वा इमाविति** । ऊर्ध्वाऽधोभेदेन वृत्तिद्वैविध्यात् प्राणयोर्द्वित्वम् । **अथ कृत्स्नामिति** । अर्द्धर्चे अवसानं परित्यज्य ' कृत्स्नाम् ' अखंडां गायत्रीमंततोऽनुब्रूयात् । **एको वा अयमिति** । अविवक्षितवृत्तिकोऽयं ' प्राणः ' (विरागदोषः वराष्याख्यदेवताकः सन्) 'कृत्स्नः' अविभक्तावयवः 'एव' भवति । तथा च कृत्स्नानु-वचनेन ' कृत्स्नं प्राणमेवास्मिन् ' स्थापयति ॥ १९ ॥

अथ प्रागुक्तसंवत्सरादिपक्षेषु उपनयनानंतरं सावित्रीप्रदानात् पूर्वं आचार्यस्य नियमं दर्शयति-**तदाहुरिति** । तत्रोक्तविषये आहुरभिज्ञाः कथयंति । किमिति ? ' ब्राह्मणं ' शिष्यं ब्रह्मचर्यनियममुपनीय प्राप्य आचार्यः ' न मिथुनं चरेत् ' स्त्रिया सह वासं न कुर्यात् । तत्र कारणमाह-**गर्भो वा एष इति** । ' एषः ' उपनीतः ' गर्भः ' भवति, ' इमं ' गर्भीभूतं ' ब्राह्मणं ' ' विषिक्तात् ' विविधं सिक्ताद्रेतसो ' नेत् ' नैव ' जनयानि ' उत्पादयानि इति ॥ १६ ॥

१-अत्र पारस्करः-अथास्मै सावित्रीमन्वाहोत्तरतोऽग्नेः प्रत्यङ्मुखायापविष्टायोपसन्नाय समीक्षमाणाय समीक्षिताय दक्षिणतस्तिष्ठत आसीनाय वैके (पार. गृ. सू. २ । ३ । ३-४) इति । अत्र अग्नेर्दक्षिणतो दक्षिणस्यां दिशि तिष्ठते स्थिताय ऊर्ध्वीभूताय वा आसीनायोपविष्टाय वेति कर्कादयः सर्वे भाष्यकाराः ।

२-पच्छोऽर्द्धर्चशः सर्वा च तृतीयेन सहानुवर्तयन् । (पार. गृ. सू. २ । ३ । ५) इति ।

तदु वाऽआहुः । काममेव चरेद्द्वय्यो वा ऽइमाः प्रजा दैव्यश्चैव मानुष्यश्च ता वा ऽइमा मानुष्यः प्रजाः प्रजननात्प्रजायंते च्छंदाꣳसि वै दैव्यः प्रजास्तानि मुखतो जनयते तत ऽएतं जनयते तस्मादु काममेव चरेत् ॥ १७ ॥

(तु) तदाहुः । (नं) न ब्रह्मचारी सन्मध्वश्नीयादोषधीनां वाऽएष परमो रसो यन्मधु नेदन्नाद्यस्यान्तं गच्छानीत्यथ ह स्माह श्वेतकेतुरारुणेयो ब्रह्मचारी सन्मध्वश्नँस्त्रय्यै वाऽ एतद्विद्यायै शिष्टं यन्मधु स तु रसो यस्येदृक्छिष्टमिति यथा ह वा ऽऋचं वा यजुर्वा साम वाऽभिव्याहरेत्तादृक्तद्यऽ एवं विद्वान्ब्रह्मचारी सन्मध्वश्नाति तस्मादु काममेवाश्नीयात् ॥ १८ ॥

इति तृतीयप्रपाठके षष्ठं ब्राह्मणम् ॥ ११-३-६ ॥ (५. ४.) ॥

तदु वा आहुः—काममेव चरेत् । द्वय्यो वा इमाः प्रजाः दैव्यश्चैव मानुष्यश्च । ता वा इमा मानुष्यः प्रजाः प्रजननात्प्रजायंते । छन्दांसि वै दैव्यः प्रजाः । तानि मुखतो जनयते, तत एतं जनयते । तस्मादु काममेव चरेत् ॥ १७ ॥

तदाहुः—न ब्रह्मचारी सन्मध्वश्नीयात् । ओषधीनां वा एष परमो रसो यन्मधु । नेदन्नाद्यस्यान्तं गच्छानीति । अथ ह स्माह श्वेतकेतुरारुणेयः । ब्रह्मचारी सन्मध्वश्नन् । त्रय्यै वा एतद्विद्यायै शिष्टं यन्मधु । स तु रसो यस्येदृक् शिष्टमिति । यथा ह वा ऋचं वा यजुर्वा साम वाऽभिव्याहरेत् । तादृक् तत् । य एवं विद्वान् ब्रह्मचारी सन्मध्वश्नाति । तस्मादु काममेवाश्नीयात् ॥ १८ ॥

एवं केषांचिन्मतमुक्त्वा अन्येषां मतमाह—तदु वा आहुरिति । ' तदु ' तत्रैव अपरे अन्यथा ' आहुः ' । 'कामं' यथेच्छमेव ' मिथुनं चरेत् ' । उक्तदोषाभावं व्यवस्थया प्रतिपादयति—द्वय्यो वा इमा इति । द्विविधाः खलु ' इमाः प्रजाः ' दैवमानुषभेदात् । तत्र ' मानुष्यः ' ' प्रजाः ' मिथुनीभवनेन प्रजननादुत्पद्यंते । गायत्र्यादीनि तु ' छंदांसि दैव्यः प्रजाः ' तानि अयं ' मुखतः ' मुखात् ताल्वोष्ठपुटादिव्यापारविशेषादुत्पादयते । ' ततः ' मुखत एव उत्पद्यमानात् गायत्रीच्छंदसः सकाशात् ' एतं ' ब्रह्मचारिणं जनयति । अत एव औपस्थं एनं स हि पिता सद्यस्तं जनयति । तत्र जन्मशरीरमेव मातापितरौ जनयत इति । अतोऽस्य ब्रह्मचारिणः प्रजननादनुत्पत्तेः आचार्यस्य मिथुनमपि न विरुध्यत इत्युपसंहरति—तस्मादु कामगेवेति । उच्चलितरेताश्चेन्मिथुनं चरेत् । न सर्वथा वर्जननियम इत्यर्थः ॥ १७ ॥

इत्थमाचार्यस्य नियममुक्त्वा ब्रह्मचारिणोऽप्याह—तदाहुर्न ब्रह्मचारी सन्निति । तत्र केचिदाहुः—ब्रह्मचर्यधर्मं प्राप्तः सन् ' मधु ' नाश्नीयान्न भक्षयेत् । कुत इत्यत आह—ओषधीनां वा इति । दृष्टसोमौषधीनां संबंधी

देवान्वाऽ ऊर्ध्वान्त्स्वर्गं लोकं यतः । (तोऽ) असुरास्तमसाऽन्तरदधुस्ते
होचुर्न वाऽ अस्यान्येन सत्रादपघातोऽस्ति हंत सत्रमासामहाऽ इति ॥ १ ॥
ते शताग्निष्टोमꣳ सत्रमुपेयुः ।(स्ते)ते यावदासीनः परापश्येत्तावतस्तमो-
ऽपाघ्नतैवमेव शतोक्थ्येन यावत्तिष्ठन्परापश्येत्तावतस्तमोऽपाघ्नत ॥ २ ॥

अथ शतातिरात्रसंज्ञकं सत्रम् ।

देवान्वा ऊर्ध्वान्स्वर्गं लोकं यतोऽसुरास्तमसाऽन्तरदधुः । ते होचुः । न वा अस्यान्येन सत्रादपघातोऽस्ति । हंत सत्रमासामहा इति ॥ १ ॥

ते शताग्निष्टोमं सत्रमुपेयुः । ते यावदासीनः परापश्येत्तावतस्तमोऽपाघ्नत । एवमेव शतोक्थ्येन–यावत्तिष्ठन्परापश्येत्तावतस्तमोऽपाघ्नत ॥ २ ॥

'परमः' उत्कृष्टः 'एष रसः' यदेतन्मधु । अस्य हि भक्षणे सर्वौषधीरस उपभुक्तः स्यात् । तथा च ब्रह्मचर्याश्रम एव सर्वमन्नमुपभुक्तं स्यात् । 'अन्नाद्यस्यांत' अवसानं नैव गच्छानीत्यनेनाभिप्रायेण मध्वशनं न कार्यम् । पक्षांतरमाह–अथ ह स्माहेति । 'अथ' खलु 'आह स्म' श्वेतकेतुरारुणेः पुत्रः ब्रह्मचर्याश्रमस्थ एव मध्वशनं कुर्वन् । किमिति तदुच्यते–त्रय्यै वा एतदिति । वेदत्रयरूपाया विद्यायाः खलु एतच्छिष्टं विशिष्टरूपं (यत् ध्रुवस्य वष्टिंत तच्छिष्टम् ।) अत एव तु वेदत्रयात्मको मधुनो रस इति । यत एवं श्वेतकेतुना मधुरसस्य त्रयीरूपत्वमुक्तम् । ततः कारणात् 'यथा' खलु ऋग्यजुःसाम्नां मध्ये अन्यतरतदभिव्याहारात् उक्तप्रकारेण मधुनः त्रयीशिष्टत्वं विदुषो ब्रह्मचारिणो मध्वशनं तादृगेव भवति । अतो मध्वशननिषेधः अविद्वद्विषय इत्युपसंहरति–तस्मादु काममिति ॥ १८ ॥

इति श्रीसायणाचार्यविरचिते माधवीये वेदार्थप्रकाशे माध्यन्दिनीयशतपथब्राह्मणभाष्ये एकादशकाण्डे पंचमेऽध्याये चतुर्थं ब्राह्मणम् ॥ (११ । ५ । ४) ॥

अथ शतातिरात्राख्यं सत्रं विधास्यन्नाख्यायिकामाह–देवान्वा इति । 'स्वर्गं लोकं' 'यतः' गच्छतो देवानिति संबंधः । 'तमसा' मायात्मकेनान्धकारेण 'अंतरदधुः' यथा स्वर्गो न दृश्यते तथा अंतर्द्धानं व्यवधानं कृतवंतः । तस्य तमसः अपहननसाधनं सत्रयागादन्यन्नास्तीति निश्चितवंत इत्याह–ते होचुरिति । 'अस्य' तमसः 'अपघातः' अपहननं, तमोऽपहननसाधनदर्शनजनितहर्षद्योतको हंतशब्दः । सत्रमासामहा इति । द्वादशरात्रप्रभृतिसहस्रसंवत्सरांता अहीनसोमयागाः । तेषां मध्ये अधिकसंस्थारूपाणां केषांचित्सत्राणां तमोऽपहननहेतुत्वेन कर्तुं 'आसामहै' उपविशामः ॥ १ ॥

ते शताग्निष्टोमामित्यादि । 'ते' देवाः शतसंख्याका अग्निष्टोमसंस्थाः सोमयागा यस्मिन् तच्छताग्निष्टोमं सत्रमुपेयुरुपगतवंतः । 'आसीनः' पुरुषो यावत्प्रदेशं 'परापश्येत्', तावत्प्रदेशे एतेन शताग्निष्टोमसत्रेण असुरकृतं मायामयं 'तमः' 'अपाघ्नत' अपराच्छिन्दन् । ततः कृत्स्नस्य तमसो निर्हरणार्थं अग्निष्टोमादपि अधिकसंस्थारूपं शतोक्थ्यं सत्रमेवान्वतिष्ठन् । तेन 'तिष्ठन्' पुरुषो 'यावत्' स्थानं 'परापश्येत्' 'तावतः' स्थानात्तमोऽपहतवंतः ॥ २ ॥

१-कंसान्तर्गतः पाठश्चिन्त्यः ।

ते होचुः। (रु) अप वाव तमो हन्महे न त्वेव सर्व्वमिव हन्त प्रजापतिं पितरं प्रत्ययामेति ते प्रजापतिम्पितरम्प्रतीत्योचुरसुरा वै नो भगवऽऊर्ध्वान्त्स्वर्ग्गं लोकं यतस्तमसाऽन्तरदधुः ॥ ३ ॥

(स्ते) ते शताग्निष्टोमꣳ सत्रमुपैम। ते यावदासीनः परापश्येत्तावतस्तमोऽपाहन्महयेवमेव शतोक्थ्येन यावत्तिष्ठन्परापश्येत्तावतस्तमोऽपाहन्महि प्र नो भगवञ्छाधि यथाऽसुराँस्तमोऽपहत्य सर्व्वं पाप्मानमपहत्य स्वर्ग्गं लोकं प्रज्ञास्याम ऽइति ॥ ४ ॥

स होवाच। (चा) असर्व्वक्रतुभ्यां वै यज्ञाभ्यामगन्त यदग्निष्टोमेन चोक्थ्येन च शतातिरात्रꣳ सत्रमुपेत तेनासुराँस्तमोऽपहत्य सर्व्वं पाप्मानमपहत्य स्वर्ग्गं लोकं प्रज्ञास्यथेति ॥ ५ ॥

ते होचुः। अप वाव तमो हन्महे। न त्वेव सर्वमिव। हंत प्रजापतिं पितरं प्रत्ययामेति। ते प्रजापतिं पितरं प्रतीत्योचुः। असुरा वै नो भगव ऊर्ध्वान् स्वर्गं लोकं यतस्तमसाऽन्तरदधुः ॥ ३ ॥

ते शताग्निष्टोमं सत्रमुपैम। ते यावदासीनः परापश्येत्तावतस्तमोऽपाहन्महि। एवमेव शतोक्थ्येन। यावत्तिष्ठन्परापश्येत्तावतस्तमोऽपाहन्महि। प्र नो भगवन् शाधि। यथाऽसुरांस्तमोऽपहत्य सर्वं पाप्मानमपहत्य स्वर्गं लोकं प्रज्ञास्याम इति ॥ ४ ॥

स होवाच। असर्वक्रतुभ्यां वै यज्ञाभ्यामगंत। यदग्निष्टोमेन चोक्थ्येन च। शतातिरात्रं सत्रमुपेत। तेनासुरांस्तमोऽपहत्य सर्वं पाप्मानमपहत्य स्वर्गं लोकं प्रज्ञास्यथेति ॥ ५ ॥

ते होचुरित्यादि। 'ते' देवाः 'ऊचुः'। शताग्निष्टोमशतोक्थ्याभ्यां सत्राभ्यां 'तमः' 'अपहन्महे' विनाशयामः। 'न त्वेव सर्वं' तमः अपहंतु सामर्थ्यमस्माकमस्ति। 'हंत! पितरं प्रजापतिं प्रति' 'अयाम' गच्छाम। सोऽस्माकं कृत्स्नस्य तमसः अपहननोपायं वदेदित्यभिप्रायः। 'पितरं प्रतीत्य' प्रतिगम्येत्यर्थः। असुरा वा इत्यादि। हे 'भगवः' भगवन्! नः अस्मान् 'स्वर्गं लोकं यतः' गच्छतः। गतमन्यत् ॥ ३ ॥

एवं तमसा अंतर्धानानंतरं तद्धननहेतुत्वेन कृतं परिहारमपि देवाः पित्रे कथयंति—ते शताग्निष्टोमं सत्रमुपैमेति। 'उपैम' उपागच्छाम। 'अपाहन्महि' व्यनाशयामहि। अन्यत्सर्वं पूर्ववत्। इत्थं स्वकीयं कृत्स्नतमसोऽपहननविषयमसामर्थ्यं विज्ञाप्य तादृगुपायत्वेन इष्टोपवेशनप्रार्थनं दर्शयति—प्र नो भगवन्निति। हे 'भगवन्!' 'नः' अस्मान् 'प्रशाधि' अनुगृहाण। "शासु अनुशिष्टौ" (धा. पा. अ. प. ६९) इत्यस्माल्लोटि "शा हौ" (पा. सू. ६।४।३५) इति शादेशः। तस्यासिद्धत्वात् "हुझल्भ्यो हेर्धिः" (पा. सू. ६।४।८७) इति हेर्धिरादेशः। यथा वयं 'असुरान्' तत्कृतं तमश्चापहत्य तद्धेतुभूतं 'सर्वं पाप्मानं' च 'अपहत्य' विनाश्य 'स्वर्गं लोकं' 'प्रज्ञास्यामः' तथा अनुशाधीत्यर्थः ॥ ४ ॥

इत्थं प्रार्थितः सन् तेषां तदुपायत्वेन शतातिरात्राख्यं सत्रं प्रोक्तवानित्याह—स होवाचेति। अग्निष्टोमोक्थ्य-

ते शतातिरात्रᳪं॑ सत्रमुपेयुः । (स्ते) तेनासुरॉंस्तमोऽपहृत्य सर्व्वं पाप्मान-
मपहत्य स्वर्ग्गं लोकम्प्रजज्ञुस्तेषामर्व्वाक्पञ्चाशेष्वेवाहःस्वहरभि रात्रि-
सामानि परीयू रात्रिमभ्यहःसामानि ॥ ६ ॥

ते होचुः । (२) अमुहाम वै न प्रजानीमो हन्त प्रजापतिमेव पितरं प्रत्यया-
मेति ते प्रजापतिमेव पितरम्प्रतीत्योचुरहन्नो रात्रिसामानि रात्र्यामह्नो
भवन्ति नः । विपश्चिद्यज्ञान्मुग्धान्विद्वान्धीरोऽनुशाधि नऽइति ॥ ७ ॥

ते शतातिरात्रं सत्रमुपेयुः । तेनासुरांस्तमोऽपहत्य सर्वं पाप्मानमपहत्य स्वर्गं लोकं प्रजज्ञुः । तेषामर्वाक् पंचाशेष्वेवाहः स्वहरभि रात्रिसामानि परीयुः । रात्रिमभ्यहःसामानि ॥ ६ ॥

ते होचुः । अमुहाम वै । न प्रजानीमः । हन्त प्रजापतिमेव पितरं प्रत्ययामेति । ते प्रजापतिमेव पितरं प्रतीत्योचुः–"अहन्नो रात्रिसामानि रात्र्यामह्नो भवंति नः । विपश्चिद्यज्ञान्मुग्धान्विद्वान्धीरोऽनुशाधि नः"–इति ॥ ७ ॥

संस्थौ सोमयागौ असर्वक्रतू । अधिकयोः षोडश्यतिरात्रयोर्विद्यमानत्वात् । तथा च 'असर्वक्रतुभ्यां' खलु यज्ञाभ्यां हे देवाः ! यूयं 'अगंत' गमनं कृतवंतः स्थ । अतः सर्वक्रत्वात्मकं शतातिरात्राख्यं 'सत्रं' 'उपेत' उपगच्छत कुरुतेत्यर्थः । 'तेन' शतातिरात्रेण असुरपरिभवेन तमश्चापहत्य तत्कारणभूतं 'सर्वं पाप्मानं' च अपहत्य 'स्वर्गं लोकं' प्रकर्षेण 'ज्ञास्यथ' एवमशेषेण आसुरतमसो निर्हरणोपायं प्रजापतिरुपदिदेश ॥ ५ ॥

देवाः पुनर्यथोपदिष्टं तथा कृत्वा तत्फलं प्राप्नुवंति स्मेत्याह–ते शतातिरात्रमिति । 'प्रजज्ञुः' प्रकर्षेण ज्ञातवंत इत्यर्थः । तत्रानुष्ठानक्रमं दर्शयितुं दोषमुद्भावयति–तेषामर्वागिति । 'तेषां' देवानाम् शतरात्रे यानि अनुष्ठीयमानानि दिनानि पंचाशत्संख्याकानि अहानि तेषु एकैकेन यथावदनुष्ठीयमानेषु सत्सु ततः प्रागेव 'रात्रिसामानि' रात्रौ प्रयोज्यानि पर्यावर्तीनि सामानि तानि 'अहरभिपरीयुः' । तथा यानि 'अहःसामानि' अहनि प्रयोज्यानि बहिष्पवमानादीनि तानि 'रात्रिमभिपरीयुः' । अतिरात्रसंस्थे हि सोमयागे परदिवसे सूर्योदयादनंतरमेवाश्विनशस्त्रस्य परिसमाप्तिः । ततस्तिरोऽह्न्यः सोमयागः, ततो यागः, ततो यज्ञपुच्छम्, इति त्रिचतुर्मुहूर्तकर्तव्यं प्रयोगजातं भवति । तथा च एकैकस्मिन्नहन्यभावात् कालोत्कर्षे सति अहःकर्तव्यं रात्रिं प्राप्नोति । रात्रिकर्तव्यमहरिति विपर्ययो जात इत्यर्थः ॥ ६ ॥

एवं कालविपर्यये सति देवैर्यत्कृतं "अहन्नः" इति मंत्रवाक्येन तद्दर्शयति–ते होचुरिति । 'अमुहाम वै' मोहेनाक्रांता अभूम । मुह्यतेर्लुङि पुषादित्वादङ् । यतो मोहाक्रांताः अतो भूयः कर्तव्यं 'न प्रजानीमः' 'हंत' पुनरेव 'पितरं प्रजापतिं प्रत्ययाम' प्रतिगच्छाम इति विचार्य तं प्रतिगत्योचुः–"अहन्नः" इति मंत्रवाक्येन । हे प्रजापते ! 'नः' अस्माकं 'रात्रिसामानि' 'अहन्' अह्नि 'भवंति' । यानि 'अह्नः' संबधीनि सामानि तानि 'रात्र्यां' भवंति । एतस्य दोषस्य परिहारं

तान्हैतदुपजगौ । महाहिमिव वै ह्रदाद्बलीयानन्ववेत्य । अनुत्त स्वादास्थानात्ततः सत्रं न तायतऽ इति ॥ ८ ॥

(त्या) आश्विनं वै वः शस्यमानम् । (म्प्रा) प्रातरनुवाकमास्थानादनुत्त यमास्थानादनुदूर्ध्वं धीराः सन्तोऽअधीरवत । प्रशास्त्रा तमुपेत शनैरप्रतिशꣳसतेति ॥ ९ ॥

ते होचुः । कथन्नु भगवः शस्तं कथमप्रतिशस्तमिति स होवाच यत्र होताऽऽश्विनꣳ शꣳसन्नाग्नेयस्य क्रतोर्गायत्रस्य च्छन्दसः पारं गच्छा-

---

तान्हैतदुपजगौ–" महाहिमिव वै ह्रदाद्बलीयानन्ववेत्य । अनुत्त स्वादास्थानात्ततः सत्रं न तायते "–इति ॥ ८ ॥

आश्विनं वै वः शस्यमानं प्रातरनुवाकमास्थानादनुत्त । " यमास्थानादनुदूर्ध्वं धीराः संतो अधीरवत् । प्रशास्त्रा तमुपेत शनैरप्रतिशंसत "–इति ॥ ९ ॥

ते होचुः–कथं नु भगवः शस्तं कथमप्रतिशस्तमिति । स होवाच । यत्र होताऽऽश्विनं शंसन्नाग्ने-

---

' विद्वान् ' ' धीरः ' कुशलः ' विपश्चित् ' अप्रतिहतज्ञानः स्वाज्ञानहतान् ' मुग्धान् ' मूढान् ' नः ' अस्मान् ' अनुशाधि ' सौत्येऽहनि प्रवृत्त्युपायमुपदिशेत्यर्थः ॥ ७ ॥

तान्हैतदुपजगाविति । एवं विज्ञापिते सति ' तान् ' देवान् प्रति एतद्वक्ष्यमाणप्रकारेण ' उपजगौ ' उपन्यासपूर्वं मोहकारणमुक्तवान् प्रजापतिः । " कै गै शब्दे " (धा. पा. भ्वा. प. ९४१–९४२) इत्यस्माल्लिट् । महाहिमित्यादि । ह्रदादगाधजलात् शस्यमानं महासर्पमिव स्थितं प्रातरनुवाकम् ' बलीयान् ' बलवत्तरः आश्विनशस्त्राख्यः शत्रुः, ' अन्ववेत्य ' अनुप्राप्य स्वकीयात् स्थानात् ' अनुत्त ' प्रच्युतमकरोत्, ' ततः ' तस्मात् बलवता आश्विनेन प्रातरनुवाकस्य स्वास्थानात् प्रच्यावितत्वात् कालोत्कर्षात् युष्माकं ' सत्रं न तायते ' न विस्तार्यते । अतः सत्रवर्तिनां अह्नां परस्परसांतत्यविरहात् कालोत्कर्षेण भवतामहो... कर्तव्यविपर्ययो जात इति भावः ॥ ८ ॥

अस्य श्लोकमंत्रस्याभिप्रायं श्रुतिराविष्करोति–आश्विनं वै वः शस्यमानमिति । प्रथमांतमेतत् ' शस्यमानमाश्विनं ' शस्त्रं विहितात् स्वस्थानात् ' प्रातरनुवाकम् ' ' अनुत्त ' निरगमयत् इत्युदाहृतमन्त्रस्य तात्पर्यमित्यर्थः । इत्थं देवानां सत्रमासीनानां मोहकारणमभिधाय तत्परिहारायेदमुपदिशति–यमास्थानादनुदूर्ध्वमिति । ' धीराः ' धीमंतः ' संतः ' यूयं ' अधीरवत् ' जडवत् ' यं ' प्रातरनुवाकम् आस्थानादनुदूर्ध्वं स्वस्थानात्प्रच्यावितवन्तः । अथ ' तं ' प्रातरनुवाकं होत्रा आश्विनशस्त्रे शस्यमान एव प्रशास्त्रा मैत्रावरुणेन होतृकार्यम् ' उपेत ' उपगच्छत । ' शनैः ' नीचैःस्वरेण ' अप्रतिशंसत ' तस्याश्विनस्य अप्रतिशंसमं प्रतिध्वनिपराहतिर्यथा न भवति तथा प्रातरनुवाकं नीचैःस्वरेण उपगच्छतेत्यर्थः ॥ ९ ॥

तदेतत् अप्रतिशंसनविषयं देवानां प्रश्नं प्रयोगक्रमस्य कार्त्स्न्येनाभिधानहेतुत्वेनोद्भावयति–ते होचुरिति ।

त्तत्प्रतिप्रस्थाता व्वसतीवरीः परिहृत्य मैत्रावरुणस्य हविर्द्धानयोः प्रातरनुवाकमुपाकुरुतादुच्चैर्होता शᳫँसति शनैरितरो जंजप्यमानऽ इवान्वाह तन्न व्वाचा व्वाचम्प्रत्येति न च्छन्दसा च्छन्दः ॥ १० ॥

परिहिते प्रातरनुवाके । यथायतनमेवोपाᳫँश्वन्तर्य्यामौ हुत्वा द्रोणकलशे पवित्रम्प्रपीड्य निदधाति तिरोऽह्न्यैश्चरित्वा प्रत्यञ्चः प्रतिपरेत्य

यस्य क्रतोर्गायत्रस्य च्छंदसः पारं गच्छात् । तत्प्रतिप्रस्थाता वसतीवरीः परिहृत्य मैत्रावरुणस्य हविर्द्धानयोः प्रातरनुवाकमुपाकुरुतात् । उच्चैर्होता शंसति । शनैरितरो जंजप्यमान इवान्वाह । तन्न वाचा वाचं प्रत्येति । न च्छंदसा च्छंदः ॥ १० ॥

परिहिते प्रातरनुवाके यथायतनमेवोपांश्वंतर्यामौ हुत्वा द्रोणकलशे पवित्रं प्रपीड्य निदधाति । तिरोऽह्न्यैश्चरित्वा प्रत्यंचः प्रतिपरेत्य तिरोऽह्न्यानेव भक्षयाध्वै । अथानुपूर्वं यज्ञपुच्छं

हे ' भगवः ' भगवन् ! षड्गुणैश्वर्यसंपन्न प्रजापते ! 'कथं नु शस्तं' शस्यमानमाश्विनं शस्त्रं केन खलु प्रकारेण सम्यक् शस्तं भवति । कथं वा तत्प्रातरनुवाकेनाप्रतिशस्तं भवतीति । एतत्सर्वं प्रयोगजातमुपदिशेत्यर्थः । अत्र प्रजापतिनोक्तं अह्नां परस्परसंधानप्रकारमनुवदति—स होवाचेत्यादिना । ' सः ' खलु प्रजापतिरेवमुक्तवान् ' यत्र ' यस्मिन् समये ' होता ' ' आश्विनं ' शस्त्रं ' शंसन् ', तदा यस्याग्नेयस्य अग्निदेवताकस्य ' क्रतोः ' ' गायत्रस्य च्छदसः पारम् ' अवसानं 'गच्छात्' गच्छेद् । आश्विनशस्त्रे आग्नेय उषस्य आश्विन इति त्रयः क्रतवः । अनुवाकशब्दः ऋक्संघातवचनः । तत्र एकैकस्मिन् क्रतौ गायत्र्यादीनि सप्त च्छन्दांसि उत्तरोत्तरं चतुरक्षराधिकानि अनूच्यंते । तत्र प्रथमस्य क्रतोर्यत्प्रथमं छन्दो गायत्र्याख्यं तस्य पारं यदा होता प्राप्नोति । तत्तदानीमेव ' प्रतिप्रस्थाता ' परस्याह्नः सोमाभिषवार्था वसतीवर्याख्या अपः ' परिहृत्य ' " व्युत्क्रामतेत्याह त्रिः; शालाद्वार्यमपरेणास्ते पत्न्युत्तरवेदिमपरेण यजमान उपस्थे सोमं कृत्वा; शालाद्वार्यमपरेण वसतीवरीः परिहरति " (का. श्रौ. सू. ८ । २९९–२९७) इति सूत्रोक्तक्रमेण परिहरणं कृत्वेत्यर्थः । अध्वर्योराश्विनशस्त्रप्रगरे व्यापृतत्वात् प्रतिप्रस्थातृग्रहणम् । वसतीवरीपरिहरणानन्तरमेव हविर्द्धानयोर्मध्ये उपविष्टस्य ' मैत्रावरुणस्य ' ' प्रातरनुवाकमुपाकुरुतात् ' प्रतिप्रस्थाता कुर्यादित्यर्थः । " तुह्योस्तातङ् " (पा. सू. ७ । १ । ३५) इति तातङ् । तत्र होतृमैत्रावरुणयोर्मध्ये ' होता उच्चैः ' आश्विनं शस्त्रं ' शंसति ', ' इतरः ' मैत्रावरुणः जंजप्यमान इव जपन्निवेत्यर्थः । शनैरुपांशुस्वरेणान्वाह प्रातरनुवाकम् । तत्तथा सति मैत्रावरुणः स्वकीयवाचा ध्वनिना होतुर्वाचं ध्वनिं 'न प्रत्येति' न प्रतिगच्छति । तथा ' छन्दसा ' स्वप्रयोज्येन गायत्र्यादिना होत्रा प्रयुज्यमानं ' छन्दः ' न प्रत्येति । होतुर्गायत्रस्य छन्दसः परिसमाप्तौ उष्णिक्छन्दसः प्रारम्भे सत्येव मैत्रावरुणस्य प्रातरनुवाकादिभूतस्य गायत्रस्य छन्दसः प्रारम्भविधानादित्यभिप्रायः ॥ १० ॥

एवं प्रातरनुवाकस्य स्वकाले प्रवृत्त्युपायमभिधाय तत उपरितनं प्रयोगजातमपि प्रातरनुवाकसमनंतरं कर्तव्यमित्याह—परिहिते प्रातरनुवाके इति । ' परिहिते ' परिसमाप्ते तत उपरितनं प्रयोगजातमपि प्रकृतिवत्तदानी-

तिरोऽह्न्यानेव भक्षयाध्वाऽ अथानुपूर्व्वं यज्ञपुच्छꣳ सꣳस्थाप्य यऽ ऊर्ध्वाऽअन्तर्य्यामाद्ग्रहास्तान्गृहीत्वा विप्रुषाꣳ होमꣳ हुत्वा सन्तनिं च बहिष्पवमानेन स्तुत्वाऽहरेव प्रतिपद्याध्वाऽइति ॥ ११ ॥

तदेतेऽभि श्लोकाः । (श्र) चतुर्भिः सैन्धवैर्युक्तैर्धीरा व्यजहुस्तमः । विद्वाꣳसो ये शतक्रतु देवाः सत्रमतन्वतेति ॥ १२ ॥

चत्वारो ह्यत्र युक्ता भवन्ति । द्वौ होतारौ द्वावध्वर्यू पर्वेत्तु शकेव हनूनि कल्पयन्नह्नोरन्तौ व्यतिषजन्त धीराः । नु दानवा सत्रियं तन्तुमेषां

संस्थाप्य, य ऊर्ध्वा अंतर्यामाद्ग्रहाः, तान् गृहीत्वा विप्रुषां होमं हुत्वा सन्तनिं च बहिष्पवमानेन स्तुत्वा अहरेव प्रतिपद्याध्वा इति ॥ ११ ॥

तदेतेऽभि श्लोकाः-" **चतुर्भिः सैन्धवैर्युक्तैर्धीरा व्यजहुस्तमः । विद्वांसो ये शतक्रतु देवाः सत्रमतन्वत** "-इति ॥ १२ ॥

चत्वारो ह्यत्र युक्ता भवंति । द्वौ होतारौ । द्वावध्वर्यू । " **पर्वेत्तु शकेव हनूनि कल्पयन्-**

मेव कृत्वा ' उपांश्वतर्यामौ ' ग्रहौ ' यथायतनमेव ' प्रकृतौ यस्मिन् काले हूयेते तथैव ' हुत्वा ' दशापवित्रं ' निष्पीड्य ' ' द्रोणकलशे निदधाति ' । अथ ऐन्द्रवायवादिग्रहणात् पूर्वं ' तिरोऽह्न्यैः ' तिरोहिताहःसम्बन्धिभिः सोमैश्चमसगणैः आश्विनशस्त्रानंतरंभाविभिश्चरित्वा ' प्रत्यंचः ' प्रत्यङ्मुखाः संतः ' प्रतिपरेत्य ' प्रतिनिवृत्य ' तिरोऽह्न्यान् ' हुतशिष्टान् रात्रिपर्युषितान् सोमान् 'भक्षयाध्वै' हे देवाः ! यूयं भक्षयत । अथानंतरं ' अनुपूर्वं ' प्रकृतिवदेव ' यज्ञपुच्छं ' पूर्वस्याह्नः शेषं समाप्य ' अंतर्यामात् ' ' ये ऊर्ध्वाः ' ' ग्रहाः ' ऐन्द्रवायवादयः ' तान् गृहीत्वा ' विप्रुड्ढोमं प्रकृतिवदेव कृत्वा " अग्निः प्रातःसवन " इति सवनसंतन्याख्यं ' होमं ' कुर्यात् । अथ बहिष्पवमानाख्येन स्तोत्रेण ' स्तुत्वा ' उत्तरमहरेव ' प्रतिपद्याध्वै ' प्रतिपद्यध्वं प्रारभध्वम् । एवं पूर्वोत्तरयोरह्नोः आद्यंतवर्तिनामवयवानां व्यतिषज्य सत्रानुष्ठाने सति " अहरभि रात्रिसामानि परीयुः " इति प्रागुक्तो दोषो न प्रसज्यत इत्यर्थः । कात्यायनोऽपि शतातिरात्रं प्रस्तुत्य एवमेव प्रयोगमसूत्रयत्–" आश्विनस्याग्नेयांते प्रतिप्रस्थाता व्युत्क्रामतादि कृत्वा मैत्रावरुणाय प्रातरनुवाकमुपाकृत्यांतर्यामं हुत्वा प्रपीड्य पवित्रं द्रोणकलशे निदधाति; सशेषं होतृचमसं; तिरोऽह्न्यादि करोति पूर्वस्याह्नः; ग्रहग्रहणाद्या विप्रुड्ढोमात्कृत्वा सवनसंतनिं जुहोत्यग्निः प्रातःसवन इति" (का. सौ. सू. २४।१०९–१०८) इति॥११॥

श्रुत्युक्तेऽर्थे श्लोकमंत्रान् संवादयति–**तदेतेऽभि श्लोका इति** । उक्तमर्थमभिलक्ष्य ' एते ' वक्ष्यमाणाः ' श्लोकाः ' गीयंत इत्यर्थः । **चतुर्भिः सैन्धवैरिति** । होत्रध्वर्युप्रशास्तृप्रतिप्रस्थातृलक्षणैर्युक्तैः ' चतुर्भिः ' ' सैन्धवैः ' अश्वैः धीरास्ते देवास्तमः ' व्यजहुः ' विशेषेण त्यक्तवन्तः । उक्तं प्रयोगक्रमं ' विद्वांसः ' जानतः ' ये देवाः ' ' शतक्रतु ' शतं क्रतवः सोमयागा यस्मिन् सत्रे तथाविधं ' सत्रमतन्वत ' सन्ततैः परस्परसम्बद्धैरह्नोभिरकुर्वन्नित्यर्थः ॥ १२ ॥

उक्तार्थपरतां श्लोकस्य व्याचष्टे–**चत्वारो ह्यत्रेति** । द्वौ होताराविति । होतृकार्यापन्नत्वात् प्रशास्ताऽपि

विजानीमो वितत्तं मोहयन्ति नः ॥ पूर्वस्याह्नः परिशिꣳषन्ति कर्म्म तदुत्तरेणाभिवितन्वतेऽह्ना । दुर्विज्ञानं काव्यं देवतानाꣳ सोमाः सोमै-र्व्यतिषक्ताः प्लवंते ॥ समानान्त्सदमुक्षन्ति हयान्काष्ठभृतो यथा । पूर्णान्परि-स्रुतः कुम्भाञ्जनमेजयसादनऽइत्यसुररक्षसान्युपेयुः ॥ १३ ॥

इति तृतीयप्रपाठके सप्तमं ब्राह्मणम् ॥ ११-३-७ ॥ (५. ५.) ॥

ह्नोरंतौ व्यतिषजंत धीराः । न दानवा यज्ञियं तंतुमेषां विजानीमो विततं मोहयन्ति नः ॥ पूर्वस्याह्नः परिशिंषन्ति कर्म तदुत्तरेणाभिवितन्वतेऽह्ना । दुर्विज्ञानं काव्यं देवतानां सोमाः सोमैर्व्यतिषक्ताः प्लवन्ते ॥ समानान् सदमुक्षन्ति हयान् काष्ठभृतो यथा । पूर्णान्परिस्रुतः कुंभान् जनमेजयसादने ॥ "–इत्यसुररक्षसान्यपेयुः ॥ १३ ॥

होता । एवं प्रतिप्रस्थाता अध्वर्युरित्यभिप्रेत्य द्विवचनम् । **पवेर्नु शक्केवेति** द्वितीयः श्लोकः । पवेर्वज्रस्य ' शल्येन ' प्रहरणशक्तिं प्रांतवर्तिनीं धारामिव ' हनूनि ' हनुवत् अहःपार्श्ववर्तीनि प्रातरनुवाकाश्विनादीनि ' कल्पयन् ' । विभक्तिव्यत्ययः । कल्पयंतः । कर्तृद्वयेन सह प्रयुंजानाः पूर्वापरवर्तिनोरह्नोरंतौ 'धीराः' धीमन्तो देवाः ' व्यतिषजंत ' व्यतिषक्ताः । उदीरितरीत्या परस्परसंसृष्टावकुर्वन् । " षंज संगे " (धा. पा. भ्वा. प. १०१२) इति धातुः । **न दानवा** इति । देवानां बाह्यं ' यज्ञियं ' यज्ञसम्बन्धं ' विततं ' विस्तृतं एषा-महां ' तन्तुं ' परस्परसंतानप्रकारं प्रजापत्युपदेशात् वयमिदानीं विशेषेण ' जानीमः ' यतः ' नः ' अस्मान् ' दानवाः ' दनोः पुत्रा असुराः इतः परं ' न मोहयंति ' । **पूर्वस्याह्न** इति तृतीयः श्लोकः । ' पूर्वस्याह्नः ' सवनत्रयात्मकस्य अतिरात्रसंस्थस्याश्विनशस्त्रादिकं ' कर्म ' यदा ' परिशिंषन्ति ' परिशिष्टमवशिष्टं कुर्वन्ति । तदा तत्कर्म ' उत्तरेण ' 'अह्ना' परदिवसे अनुष्ठेयेन सवनत्रयात्मकेन सोमयागेन ' अभिवितन्वते ' अभितो विस्तारयंति । ' काव्यं ' प्रशस्तं ' देवतानां संबन्धि ' तत् ' अह्नोर्व्यतिषंजनं ' दुर्विज्ञानं ' विज्ञातुमशक्यम् । किं पुनर्दुर्विज्ञानमिति तदाह–**सोमाः सोमै**रिति । पूर्वस्याह्नः सम्बन्धिनः ' सोमाः ' उत्तरस्याह्नः सम्बन्धिभिः 'सोमैः' अत्र सोमशब्दः कर्ममात्रोपलक्षणम् । 'व्यतिषक्ताः' व्यतिहारेण परस्परसंसक्ताः सन्तः 'प्लवन्ते' प्रवर्तन्ते, इति यत् तद्दुर्विज्ञानमित्यर्थः । **समानान् सद**मित्यादि । समानानेकविधान् ' काष्ठभृतः ' आज्यन्तः काष्टाः बिभ्रतीति काष्ठभृतः । छांदसं पूर्वपदस्य ह्रस्वत्वम् । आजिधावनं कृतवतो हयानश्वान् ' यथा सद-मुक्षंति ' सदा सिंचंति । कुत्र 'जनमेजयसदने' जनमेजयो नाम राजा तस्य सदने गृहे । किं पुनस्तत्सेक्तव्य-मिति तदाह–**पूर्णान् परिस्रुत** इति । परिस्रवणशीलस्य मधुनः ' पूर्णान् कुंभान् ' अयमभिप्रायः यथा कृतकार्या अश्वाः स्वामिभिः मधुकुंभैरासिच्यमानाः स्वाभीष्टं लभन्ते । एवं देवा अपि शतातिरात्रं सत्रं प्रजा-पत्युपदिष्टमार्गेण सम्यगनुष्ठाय स्वर्गलोकांतरायं आसुरं तमो निरस्य अमृतसेवारूपं स्वर्गफलं प्रापुरिति । ब्राह्म-णार्थमुपसंहरति–इत्यसुररक्षसानीति । अनेन सत्रयागेन असुराश्च रक्षांसि च ' अपेयुः ' अपजग्मुः ॥१३॥

इति श्रीसायणाचार्यविरचिते माधवीये वेदार्थप्रकाशे माध्यन्दिनीयशतपथब्राह्मणभाष्ये एकादशकाण्डे पंचमेऽध्याये पञ्चमं ब्राह्मणम् ॥ (११-५-५) ॥

पञ्चैव महायज्ञाः । (स्तु) तान्येव महासत्राणि भूतयज्ञो मनुष्ययज्ञः पितृयज्ञो देवयज्ञो ब्रह्मयज्ञऽ इति ॥ १ ॥

(त्यु) अहरहर्भूतेभ्यो बलिꣳ हरेत् । (चु) तथैतं भूतयज्ञꣳ समाप्नोत्यहरहर्दद्यादोदपात्रात्तथैतं मनुष्ययज्ञꣳ समाप्नोत्यहरहः स्वधा कुर्य्यादोदपात्रात्तथैतं पितृयज्ञꣳ समाप्नोत्यहरहः स्वाहा कुर्य्यादा काष्ठात्तथैतं देवयज्ञꣳ समाप्नोति ॥ २ ॥

पंचमहायज्ञब्राह्मणम् ।

पंचैव महायज्ञाः । तान्येव महासत्राणि । भूतयज्ञः, मनुष्ययज्ञः, पितृयज्ञः, देवयज्ञः, ब्रह्मयज्ञ इति ॥ १ ॥

अहरहर्भूतेभ्यो बलिं हरेत् । तथैतं भूतयज्ञं समाप्नोति । अहरहर्दद्यादोदपात्रात् । तथैतं मनुष्ययज्ञं समाप्नोति । अहरहः स्वधा कुर्यादोदपात्रात् । तथैतं पितृयज्ञं समाप्नोति । अहरहः स्वाहा कुर्यादा काष्ठात् । तथैतं देवयज्ञं समाप्नोति ॥ २ ॥

अथ सत्रप्रसंगात् यावज्जीवमनुष्ठेयान् पंचमहायज्ञान् महासत्रत्वेन निरूपयितुं प्रस्तौति—**पञ्चैव महायज्ञा इति** । भूतयज्ञादयो वक्ष्यमाणाः 'पंचैव महायज्ञाः' सर्वदा सर्वैरनुष्ठेयत्वात् । न केवलं तेषां महायज्ञत्वमात्रं, अपि तु महासत्रत्वमेवेति विशिनष्टि—**तान्येवेति** । महान्ति निश्चलानि सत्राणि 'महासत्राणि' यावज्जीवमनुष्ठेयत्वादवविगनपेक्षत्वाच्च । तान्येवेति विधेयापेक्षया नपुंसकनिर्देशः । अथ तान् यज्ञाननुदिशति—**भूतयज्ञ इति** । भूतानां तृप्तिकरो यज्ञः 'भूतयज्ञः' । एवं मनुष्ययज्ञादावपि । ब्रह्मणो वेदस्याध्ययनं 'ब्रह्मयज्ञः' तस्य च देवर्षिपितृगणतृप्तिकरत्वात् यज्ञत्वम् ॥ १ ॥

भूतयज्ञस्य स्वरूपमाह—**अहरहर्भूतेभ्य इति** । "इदं भूतेभ्यः" इति संकल्प्य प्रत्यहं यत् 'भूतेभ्यः बलिहरणम्'[1] तथा तेनैव बलिहरणेन एतमुक्तं 'भूतयज्ञं' सम्यक् पुरुषः 'प्राप्नोति' । भूतान्युदिश्य बलिहरणमेव भूतयज्ञ इत्यर्थः । एवमुत्तरत्रापि योज्यम् । अथ मनुष्ययज्ञस्य[2] स्वरूपमाह—**अहरहर्दद्यादिति** । मनुष्यानुद्दिश्य 'आ उदपात्रात्'[3] उदकपूरितं पात्रं उदपात्रं उदकपात्रावधि यदोदनादिकं 'दद्यात्' स मनुष्ययज्ञ इत्यर्थः । पितृयज्ञस्य[4] स्वरूपमाह—**अहरहः स्वधा कुर्यादिति** । पितॄनुद्दिश्य प्रत्यहं स्वधाकारेणान्नादिकमुदपात्रपर्यंतं[5] दद्यादिति यत्स

१–" भूतगृह्येभ्यो मणिके त्रीन्पर्जन्यायाद्भ्यः पृथिव्यै । धात्रे विधात्रे च द्वार्ययोः । प्रतिदिशं वायवे दिशां च । मध्ये त्रीन्ब्रह्मणेऽन्तरिक्षाय सूर्याय विश्वेभ्यो देवेभ्यो विश्वेभ्यश्च भूतेभ्यस्तेषामुत्तरतः । उषसे भूतानां च पतये परम् " । (पार. गृ. सू. २ । ९ । ३-८ ।) इति ।

२–" पात्रं निर्णिज्योत्तरापरस्यां दिशि निनयेद्यक्ष्मैतत्त इति । उद्धृत्यान्नं ब्राह्मणायावनेज्य दद्याद्धन्त ते " । (पार. गृ. सू. २ । ९ । १०–११) इति ।

३–" मनुष्येभ्यश्चोदपात्रात् " (पार. गृ. सू. २ । ९ । १६ ।) इति ।

४–" पितृभ्यः स्वधा नम इति दक्षिणतः " (पार. गृ. सू. २ । ९ । ९ ॥) इति

५–" पितृभ्यश्चोदपात्रात " (पार. गृ. सू. २ । ९ । १६ ।) इति ।

(त्यु) अथ ब्रह्मयज्ञः । स्वाध्यायो वै ब्रह्मयज्ञस्तुस्य वाऽएतुस्य ब्रह्मयज्ञुस्य व्वागेवु जुहूर्म्मनऽ उपभृच्चक्षुर्ध्रुवा मेधा स्रुवः सत्यमवभृथः स्वर्गो लोकुऽउदयनं यावन्तथँ ह वाऽ इमां पृथिवीं व्वित्तेन पूर्णां दुदल्लोकं जयति त्रिस्तावन्तं जयति भूयाथँसञ्चाक्षय्यं युऽ एवं व्विद्वानहरहः स्वाध्यायमधीते तुस्मात्स्वाध्यायोऽध्येतव्यः ॥ ३ ॥

अथ ब्रह्मयज्ञः । स्वाध्यायो वै ब्रह्मयज्ञः । तस्य वा एतस्य ब्रह्मयज्ञस्य–वागेव जुहूः । मन उपभृत् । चक्षुर्ध्रुवा । मेधा स्रुवः । सत्यमवभृथः । स्वर्गो लोक उदयनम् । यावंतं ह वा इमां पृथिवीं वित्तेन पूर्णां ददत् लोकं जयति । त्रिस्तावंतं जयति–भूयांसं चाक्षय्यम्; य एवं विद्वानहरहः स्वाध्यायमधीते । तस्मात् स्वाध्यायोऽध्येतव्यः ॥ ३ ॥

पितृयज्ञ इत्यर्थः । देवयज्ञं लक्षयति–अहरहः स्वाहा कुर्यादिति । प्रत्यहं स्वाहाकारेण देवानुद्दिश्य यत्काष्ठपर्यन्तं हविर्दद्यात् । तेनैतं देवयज्ञमाप्नोति ॥ २ ॥

इत्थं प्रत्यहमनुष्ठेयान् चतुरो महायज्ञान् संग्रहेण प्रतिपाद्य तदुत्तरं बहुवक्तव्यत्वात् ब्रह्मयज्ञं प्रपंचयितुं प्रस्तौति–अथ ब्रह्मयज्ञ इति । इतः परं ब्रह्मयज्ञोऽधिक्रियत इत्यर्थः । तस्य स्वरूपमाह–स्वाध्यायो वै ब्रह्मयज्ञ इति । स्वशाखाध्ययनं ब्रह्मयज्ञ इत्यर्थः । यज्ञसाम्यं संपादयति–तस्य वा एतस्येति । 'तस्य' स्वशाखाध्ययनात्मकस्यैव 'एतस्य' 'ब्रह्मयज्ञस्य' वागिन्द्रियमेव 'जुहूः' । तस्य वाचोऽधिष्ठानरूपं यन्मनः 'सा उपभृत्' मनसा संस्मृतमर्थं हि वाचा व्याहरति । यद्दर्शनसाधनं चक्षुरिंद्रियं तदेव कृत्स्नयज्ञनिवर्तकहविर्धारणार्था 'ध्रुवा' । चक्षुषा दृष्टमर्थं हि मनसा स्मरति । अत उपजीव्यत्वात्तस्य ध्रुवारूपत्वम् । 'मेधा

१–" वैश्वदेवादन्नात्पर्युक्ष्य स्वाहाकारैर्जुहुयाद् ब्रह्मणे प्रजापतये गृह्याभ्यः कश्यपायानुमतये " (पार. गृ. सू. २।९।२) इति ।

२ " अहरहः स्वाहा कुर्यादन्नाभावे केनचिदाकाष्ठाद्देवेभ्यः " (पार. गृ. सू. २।९।१६) इति ।

३– भगवता कात्यायनेन निरग्निकानां विशेषो दर्शितः यज्ञपार्श्वे तथाहि—

सभार्यो योऽगृहीताग्निर्विधुरः स्नातकोऽपि वा । व्याहृतीभिः समस्ताभिर्व्यस्ताभिश्च ततः परम् ॥
हुत्वा तु शाकलैर्मंत्रैः प्राजापत्यं ततः परम् । स्विष्टकृच्च हुनेदंते देवयज्ञोऽयमीरितः ॥
भूतयज्ञं ततः कुर्यात्पर्जन्यादित्रिकं विना । नित्यश्राद्धं निरग्नेः स्यात्स्थाने पित्र्यो बलिः स्मृतः ॥
पितृयज्ञोऽयमाख्यातोऽनग्नेर्वा पैतृको बलिः । निर्णिज्य ब्रह्मयज्ञः स्यात् पञ्चमो मानुषो मतः ॥
अग्निमाननग्निमान् कुर्यादिमांस्तु प्रत्यहं सकृत् । अन्यथा प्रत्यवायी स्याद्रौरवं नरकं व्रजेत् ॥
अकृत्वा वैश्वदेवं तु भुञ्जते ये द्विजातयः । ते न मिथ्याविपाकेन काकयोनिं व्रजंति ते ॥ (इति यज्ञपार्श्वे) ॥
अग्निं विना साग्निकानां निरग्निकानां च प्रवासे तु पृष्ठोदिविविधयुक्तः प्रकारः ॥ इति दिक् ॥

४–ब्रह्मयज्ञस्य कालमधिकृत्य कर्कोपाध्यायैर्विशेषतया किंचिन्निरणायि तत्परिज्ञानायात्रोद्ध्रियते–" हन्तकाराच्च पूर्वं ब्रह्मयज्ञस्य धर्मः । नृयज्ञो हि हन्तकारादिरास्वापात् । रात्रावपि ह्यतिथिपूजा स्मर्यते–अतिथिं प्रकृत्य–" नास्यानश्नन्गृहे वसेत् " इति । तस्माद्ब्रह्मयज्ञोऽनिर्दिष्टकालोऽपि नृयज्ञात्पूर्वमेव " (पार. गृ. सू. २।९।११ इत्यत्र भाष्ये) इति । अस्मिन्भाष्ये नृयज्ञस्य " आस्वापात् " इति कालावधिरपि दर्शित इति ध्येयम् ।

पयऽआहुतयो ह वाऽ एता देवानाम् । यदृचः स यऽएवं विद्वानृचोऽहरहः स्वाध्यायमधीते पयऽआहुतिभिरेव तद्देवाँस्तर्प्पयति तऽ एनं तृप्तास्तर्प्पयन्ति योगक्षेमेण प्राणेन रेतसा सर्व्वात्मना सर्व्वाभिः पुण्याभिः संपद्भिर्घृतकुल्या मधुकुल्याः पितॄन्त्स्वधाऽअभिवहन्ति ॥ ४ ॥

(न्त्या) आज्याहुतयो ह वाऽ एता देवानाम् । यद्यजूꣳषि स यऽ एवं विद्वान्यजूꣳष्यहरहः स्वाध्यायमधीतऽ आज्याहुतिभिरेव तद्देवाँस्त-

---

पयआहुतयो ह वा एता देवानां यदृचः । स य एवं विद्वानृचोऽहरहः स्वाध्यायमधीते; पयआहुतिभिरेव तद्देवांस्तर्पयति । त एनं तृप्तास्तर्पयंति, योगक्षेमेण प्राणेन रेतसा सर्वात्मना सर्वाभिः पुण्याभिः संपद्भिः । घृतकुल्या मधुकुल्याः पितॄन् स्वधा अभिवहंति ॥ ४ ॥

आज्याहुतयो ह वा एता देवानां यद्यजूंषि । स य एवं विद्वान्यजूंष्यहरहः स्वाध्यायमधीते;

स्रुवः' मेधा धारणासामर्थ्यं सैव स्रुवः । यत्सत्यं सत्यवदनं स एव तस्य यज्ञस्यावभृथः । स्वाध्यायेन प्राप्तव्यः फलभूतो यः ' स्वर्गो लोकः ' तदुदयनं तस्य यज्ञस्य समापनं न तु प्रधानफलम् । इत्थं यज्ञात्मना निरूपयित्वा तस्य प्रधानफलमाह—यावंतमिति । ' वित्तेन ' धनेन ' पूर्णां ' ' इमां ' कृत्स्नां ' पृथिवीं ' ब्राह्मणेभ्यः प्रयच्छन् ' यावंतं ' यत्परिमाणं ' लोकं जयति ' ब्रह्मयज्ञयाजी तु ' त्रिस्तावंतं ' त्रिगुणपरिमाणं लोकं जयति । ततोऽपि भूयांसमधिकतरं ' अक्षय्यं ' क्षेतुमशक्यं क्षयरहितं लोकं प्राप्नोति । एवं विद्वानिति । वागादेर्जुह्वादिसंपत्तिपुरःसरं वेदाध्ययनस्य यज्ञरूपतां जानन्नित्यर्थः । इत्थं प्रेक्षावत्प्रवृत्तिप्रयोजनकं फलं प्रतिपाद्य तद्धेतुभूतमध्ययनं विधत्ते—तस्मात्स्वाध्याय इति । यस्मादेवं ब्रह्मयज्ञस्वाध्यायस्यैतावत् फलम् । ' तस्मात्स्वाध्यायः ' अध्ययनेन गुरुमुखादवगन्तव्यः । अध्ययनसंस्कारसंस्कृतो हि तावत्फलं साधयितुं शक्नोति । न तु प्रकारांतरादागत इति विधेरभिप्रायः ॥ ३ ॥

अथ तस्मिन् ब्रह्मयज्ञे ऋचामध्ययनं पयआहुतिरूपत्वेन प्रशंसति—पयआहुतयो ह वा एता इति । क्षीरहविष्का याः ' आहुतयः ' ता एवैताः ' देवानां ऋचः ' इति यत् । ऋचामाहुतितादात्म्यमुक्त्वा तदध्ययनस्य फलमाह—स य एवं विद्वानिति । निगदसिद्धोऽर्थः । त एनं तृप्ता इति । ' एनम् ' अध्येतारम् योगक्षेमादिभिः संतर्पयंतीत्यर्थः । अप्राप्तस्य फलस्य प्राप्तिर्योगः । लब्धपरिपालनं क्षेमः । ' प्राणः ' प्राणनं जीवनम् । ' रेतः ' सुतादिनिमित्तं वीर्यम् । सर्वश्वासावात्मा च सर्वात्मा चक्षुरादीन्द्रियसहितः कृत्स्नो देह इत्यर्थः । ' पुण्याभिः ' प्रशस्याभिः धनसंपत्तिभिरित्यर्थः । अस्य च ऋचामध्येतुः पुरुषस्य पितॄनभिलक्ष्य घृतपूर्णाः मधुपूर्णाः ' कुल्याः ' सरितः स्वधारूपेण ' वहंति ' अन्नात्मना प्रवहंतीत्यर्थः ॥ ४ ॥

यजुरध्ययनमाज्याहुतित्वेन स्तौति—आज्याहुतयो ह वा इति । ' यजूंषि ' यजुर्वेदपठितानि वाक्यानि

र्प्पयति तु ऽएनं तृप्तास्तर्प्पयन्ति योगक्षेमेण प्राणेन रेतसा सर्व्वात्मना सर्व्वाभिः पुण्याभिः संपद्भिर्घृतकुल्या मधुकुल्याः पितॄन्त्स्वधा ऽअभिवहन्ति ॥५॥

सोमाहुतयो ह वा ऽ एता देवानाम् । यत्सामानि स य ऽ एवं विद्वान्त्सामान्यहरहः स्वाध्यायमधीते सोमाहुतिभिरेव तद्देवाँस्तर्प्पयति त ऽएनं तृप्तास्तर्प्पयन्ति योगक्षेमेण प्राणेन रेतसा सर्व्वात्मना सर्व्वाभिः पुण्याभिः सम्पद्भिर्घृतकुल्या मधुकुल्याः पितॄन्त्स्वधा ऽ अभिवहन्ति ॥ ६ ॥

मेद ऽआहुतयो ह वा ऽ एता देवानाम् । यदथर्व्वाङ्गिरसः स य ऽ एवं विद्वानथर्व्वाङ्गिरसोऽहरहः स्वाध्यायमधीते मेद ऽआहुतिभिरेव तद्देवाँस्तर्प्पयति त ऽएनं तृप्तास्तर्प्पयन्ति योगक्षेमेण प्राणेन रेतसा सर्व्वात्मना सर्व्वाभिः पुण्याभिः सम्पद्भिर्घृतकुल्या मधुकुल्याः पितॄन्त्स्वधा ऽअभिवहन्ति ॥ ७ ॥

आज्याहुतिभिरेव तद्देवांस्तर्पयति । त एनं तृप्तास्तर्पयन्ति, योगक्षेमेण प्राणेन रेतसा सर्वात्मना सर्वाभिः पुण्याभिः संपद्भिः । घृतकुल्या मधुकुल्याः पितॄन् स्वधा अभिवहंति ॥ ५ ॥

सोमाहुतयो ह वा एता देवानां यत्सामानि । स य एवं विद्वान् सामान्यहरहः स्वाध्यायमधीते; सोमाहुतिभिरेव तद्देवांस्तर्पयति । त एनं तृप्तास्तर्पयंति, योगक्षेमेण प्राणेन रेतसा सर्वात्मना सर्वाभिः पुण्याभिः संपद्भिः । घृतकुल्या मधुकुल्याः पितॄन् स्वधा अभिवहंति ॥ ६ ॥

मेदआहुतयो ह वा एता देवानां यदथर्वांगिरसः । स य एवं विद्वानथर्वांगिरसोऽहरहः स्वाध्यायमधीते; मेदआहुतिभिरेव तद्देवांस्तर्पयति । त एनं तृप्तास्तर्पयंति, योगक्षेमेण प्राणेन रेतसा सर्वात्मना सर्वाभिः पुण्याभिः संपद्भिः । घृतकुल्या मधुकुल्याः पितॄन् स्वधा अभिवहंति ॥ ७ ॥

इति यदस्ति 'एता देवानामाज्याहुतयः' । तदध्ययनस्य फलमाह—स य एवं विद्वानिति । 'अहरहः स्वाध्याय' इति विशेषेण ग्रहणाध्ययनात् ब्रह्मयज्ञस्वाध्यायाव्यवच्छेदः । योगक्षेमेणेत्यादि उक्तार्थम् ॥ ५ ॥

अथ सामानि सोमाहुतित्वेन स्तौति—सोमाहुतयो ह वा इति । अथैतत्सोमाहुतिरूपतामुपजीव्य तेषां ब्रह्मयज्ञकाले अध्ययनं प्रशंसति—स य एवं विद्वानिति । गतमेतत् ॥ ६ ॥

अथ तुरीयं वेदं मेदआहुतित्वेन निरूपयति—मेदआहुतयो ह वा इति । मेदो हविष्यं मांसं तत्साध्या आहुतयो मेदआहुतयः । अथर्वणा ऋषिणा अंगिरसा च दृष्टाः शाखाः 'अथर्वांगिरसः' । स य एवं विद्वानित्यादि पूर्ववत् ॥ ७ ॥

मध्वाहुतयो ह वाऽ एता देवानाम् । यदनुशासनानि विद्या वाकोवाक्यमितिहासपुराणं गाथा नाराशꣳस्यः स यऽ एवं विद्वाननुशासनानि विद्या वाकोवाक्यमितिहासपुराणं गाथा नाराशꣳसीरित्यहरहः स्वाध्यायमधीते मध्वाहुतिभिरेव तद्देवाँस्तर्प्पयति तऽ एनं तृप्तास्तर्प्पयन्ति योगक्षेमेण प्राणेन रेतसा सर्व्वात्मना सर्व्वाभिः पुण्याभिः संपद्भिर्घृतकुल्या मधुकुल्याः पितॄन्त्स्वधाऽअभिवहन्ति ॥ ८ ॥

तस्य वाऽएतस्य ब्रह्मयज्ञस्य । चत्वारो वषट्कारा यद्वातो वाति

मध्वाहुतयो ह वा एता देवानां यदनुशासनानि विद्या वाकोवाक्यमितिहासपुराणं गाथा नाराशंस्यः । स य एवं विद्वाननुशासनानि विद्या वाकोवाक्यमितिहासपुराणं गाथा नाराशंसीरिति अहरहः स्वाध्यायमधीते । मध्वाहुतिभिरेव तद्देवांस्तर्पयति । त एनं तृप्तास्तर्पयंति योगक्षेमेण प्राणेन रेतसा सर्वात्मना सर्वाभिः पुण्याभिः संपद्भिः । घृतकुल्या मधुकुल्याः पितॄन् स्वधा अभिवहंति ॥ ८ ॥

तस्य वा एतस्य ब्रह्मयज्ञस्य चत्वारो वषट्काराः । यद्वातो वाति । यद्विद्योतते । यत् स्तनयति ।

इत्थं चतुर्णां वेदानां ब्रह्मयज्ञकाले अध्ययनं प्रशस्य तदंगभूतानामन्यासां विद्यानां अध्ययनं वक्तुं ता मध्वाहुतित्वेन निरूपयति—मध्वाहुतयो ह वा इति । 'मधु' माक्षिकम् तत्साध्या आहुतयः 'मध्वाहुतयः'। अनुशासनानीति । अनुशिष्यन्ते व्युत्पाद्यंते एभिरित्यनुशासनानि व्याकरणनिरुक्तादीनि षडंगानि । न्यायमीमांसादयः 'विद्याः' । उक्तिप्रत्युक्तिरूपं प्रकरणं 'वाकोवाक्यम्' । 'इतिहासः' पुरावृत्तप्रतिपादकं भारतादि । 'पुराणं' ब्राह्मवादि । इतिहासः पुराणं चेति द्वंद्वैकवद्भावः । नरा मनुष्याः तत्प्रशंसापादकाः श्लोकाः 'नाराशंस्यः' 'गाथाः'। इत्थं चतुर्दश विद्यास्थानानि ब्रह्मयज्ञकाले अध्येतव्यत्वेन उपलक्षितानि ॥

अन्ये त्वेवं व्याकुर्वते—मन्त्रब्राह्मणभेदेन वेदभागो द्विविधः । तत्र ऋगादिशब्दैर्मंत्रभागस्याध्ययनं प्रतिपादितम् । अधुना ब्राह्मणभागस्याध्ययनं प्रतिपाद्यते । तत्र "स वै संभारान्त्संभरति" (श. प. १४।१।२।१) इत्यादीनि विधिवाक्यानि 'अनुशासनानि'। उपासनाविधिवाक्यानि 'विद्या'। "स वै गौतमस्य पुत्र वृतो जनं धावयेत्"–(श. प. ११।४।१।७) इति उक्तिप्रत्युक्तिरूपं ब्राह्मणं 'वाकोवाक्यम्'। "आपो ह वा इदमग्रे सलिलमेवास"–(श. प. ११।१।६।१) इत्यादिकं सृष्टिप्रतिपादकं ब्राह्मणं इतिहासः । "उर्वशी हाप्सराः पुरूरवसमैडं चकमे"–(श. प. ११।५।१।१) इत्यादीनि पुरातनपुरुषवृत्तांतप्रतिपादकानि 'पुराणं'। "महाहिमिव वै ह्रदात्" (श. प. ११ । ५ । ५ । ८) इत्यादयो मंत्राः 'गाथाः'। "समानात्सदमुक्षंति हयान्"–(श. प. ११ । ५ । ५ । १२) इत्यादिका मनुष्यप्रशंसापरा 'नाराशंस्यः'। एव च "अधीते" इति अध्ययनलिंगमनुगृहीतं भवति । अन्यत्सर्वं पूर्ववत् योज्यम् ॥ ८ ॥

वातादीनि यानि अनध्यायनिमित्तानि तेषु सत्स्वपि ब्रह्मयज्ञस्यानिवृत्तिमभिप्रेत्य तेषां तदङ्गत्वमाह—तस्य वा

१–अत्र याज्ञवल्क्यस्मृतेः आचाराध्यायस्थब्रह्मचारिप्रकरणगताः ४१–४६ श्लोका अनुसंधेयाः ।

युद्विद्योतते युत्स्तनयति युदवस्फूर्जति तुस्मादेवंविद्वाते व्वाति विद्योतमाने स्तनयत्यवस्फूर्जत्युधीयीतैव व्वषट्काराणामुछंबद्कारायाति ह वै पुनर्मृत्युम्मुच्यते गुच्छति ब्रह्मणः सात्मताᳬं स चेदपि प्रबलमिव नु शक्नुयादप्युकं देवपदमुधीयीतैव तुथा भूतेभ्यो नु हीयते ॥ ९ ॥

इति तृतीयप्रपाठकेऽष्टमं ब्राह्मणम् ॥ ११-३-८ ॥ (५. ६.) ॥

इति तृतीयः प्रपाठकः समाप्तः ॥ ११-३ ।

कंडिकासंख्या ॥ ११२ ॥

यद्‌ अवस्फूर्जति । तस्मादेवंविद्वाते वाति, विद्योतमाने, स्तनयति, अवस्फूर्जति अधीयीतैव । वषट्काराणामछंबट्कारराय । अति ह वै पुनर्मृत्युं मुच्यते । गच्छति ब्रह्मणः सात्मताम् । स चेदपि प्रबलमिव न शक्नुयात् । अप्येकं देवपदमधीयीतैव । तथा भूतेभ्यो न हीयते ॥ ९ ॥

एतस्येति । यज्ञत्वात् अस्य वषट्कारापेक्षायामुच्यते—चत्वारो वषट्कारा इति । तानेव चतुरः अनुक्रामति—यद्वातो वातीति । 'वातो' वायुः प्रबलतरं 'वाति' गच्छति इति यत् स प्रथमः 'वषट्कारः' । विद्योतनं विद्युत्, स्तनयित्नुर्मेघगर्जनं, अवस्फूर्जनं ध्वनिः, एते 'चत्वारो वषट्काराः' । यस्मादेवं तस्मादेषां वातादीनां 'एवं' वषट्काररूपतां जानन् वातादिषु सत्सु ब्रह्मयज्ञस्वाध्यायं 'अधीयीतैव' । किमर्थम् ? एषां वषट्काराणां छंबट्कारो वैयर्थ्यं तत्परिहाराय, न तु ग्रहणाध्ययनवत् अस्य नैमित्तिकानध्यायो विद्यत इति भावः । एवं वषट्कारेषु सत्सु यदध्ययनं तस्य फलमाह—अति ह वा इति । एवमधीयानः 'पुनर्मृत्युमतिमुच्यते' । 'ब्रह्मणः सात्मतां' समानरूपतां सायुज्यं 'गच्छति' । अशक्तौ पक्षान्तरमाह—स चेदिति । 'सः' चाधीयानः पुरुषो यदि 'प्रबलमिव' अधिकमध्येतुं 'न शक्नुयात्,' तथापि देवतावाचि 'एकं' वैदिकपदं 'अधीयीतैव' । न तूष्णीमासीत । तथा सति 'भूतेभ्यः' निवृत्तेभ्यस्तेभ्यो वषट्कारेभ्यः 'न हीयते' हीनः प्रच्युतो न भवति ॥ ९ ॥

इति श्रीसायणाचार्यविरचिते माधवीये वेदार्थप्रकाशे माध्यन्दिनीयशतपथब्राह्मणभाष्ये एकादशकाण्डे पंचमेऽध्याये षष्ठं ब्राह्मणम् ॥ (११-५-६) ॥

तृतीयः प्रपाठकश्च समाप्तः ॥ ११-३ ॥

अथ चतुर्थप्रपाठके प्रथमं ब्राह्मणम् ।

पञ्चमेऽध्याये च सप्तमं ब्राह्मणम् ।

अथातः स्वाध्यायप्रशꣳसा । प्रिये स्वाध्यायप्रवचने भवतो युक्तमना भवत्यपराधीनोऽहरहरर्थान्त्साधयते सुखꣳ स्वपिति परमचिकित्सकऽ आत्मनो भवतीन्द्रियसंयमश्चैकारामता च प्रज्ञावृद्धिर्यशोलोकपक्तिः प्रज्ञा वर्द्धमाना चतुरो धर्म्मान्ब्राह्मणमभि निष्पादयति ब्राह्मण्यम्प्रतिरूप-चर्य्यां यशोलोकपक्तिं लोकः पच्यमानश्चतुर्भिर्द्धर्म्मैर्ब्राह्मणं भुनक्त्यर्च्चया च दानेन चाज्येयतया च.. . .तया च ॥ १ ॥

ब्रह्मयज्ञलक्षणस्वाध्यायप्रशंसाख्यं ब्राह्मणम् ।

अथातः स्वाध्यायप्रशंसा । प्रिये स्वाध्यायप्रवचने भवतः । युक्तमना भवति । अपराधीनो-ऽहरहरर्थान् साधयते । सुखं स्वपिति । परमचिकित्सक आत्मनो भवति । इंद्रियसंयमश्च । एकारामता च । प्रज्ञावृद्धिः । यशोलोकपक्तिः । प्रज्ञा वर्द्धमाना चतुरो धर्मान् ब्राह्मणमभि निष्पादयति । ब्राह्मण्यं प्रतिरूपचर्यां यशोलोकपक्तिम् । लोकः पच्यमानश्चतुर्भिर्धर्मैर्ब्राह्मणं भुनक्ति-अर्चया च दानेन चाज्येयतया चावध्यतया च ॥ १ ॥

अथास्मिन् ब्रह्मयज्ञस्वाध्याये पुरुषाणामादरातिशयं जनयितुं प्रशंसां कर्तुं प्रतिजानीते—अथातः स्वाध्यायेति । 'अतः' परं वक्ष्यमाणैः फलैः 'स्वाध्यायस्य प्रशंसा' प्रशंसनमेव क्रियते । तद्धेतुभूतानि फलान्यनुक्रामति—प्रिये इत्यादिना । 'स्वाध्यायः' स्वाध्यायाध्ययनं 'प्रवचनं' अन्यस्याध्यापनम् । ते उभे अपि ब्रह्मयज्ञस्वाध्यायमधीयानस्य 'प्रिये' अनुकूलवेदनीये 'भवतः' । युक्तमविक्षिप्तं एकाग्रं मनो यस्य स 'युक्तमनाः' पराधीनो न भवतीति 'अपराधीनः' अनन्यप्रेर्यः सन् 'अहरहः' प्रत्यहम् योग्यानर्थान् 'साधयते' संपादयति । तथा 'सुखं' यथा भवति तथा अव्याकुलितचित्तः 'स्वपिति' निद्राति । दुःखसंस्पर्शनिमित्ता चिंता अस्य न भवतीत्यर्थः । 'आत्मनः' स्वस्य 'परमचिकित्सको भवति' । अन्ये हि भिषज औषधादिना शरीरस्यैव तात्कालिकीमेव उदरशिरोरोगादिपीडां निवर्तयंति । विद्वांस्तु देहव्यतिरिक्तस्यात्मनः उक्तेन स्वाध्यायेन पुनर्मृत्युप्राप्तिरूपां पीडां सर्वदैव निवर्तयतीति परमचिकित्सकत्वं तस्येत्यर्थः । तथा इंद्रियसंयमश्चास्य भवति । इंद्रियाणां चक्षुःश्रोत्रादीनां संयमः अनर्थहेतुभ्यो विषयेभ्यो व्यावृत्तिः । एक एव सन् आसमंतात् भवतीत्येकारामः तस्य भावः । तथा भूतभविष्यद्वर्तमानकालतयाऽवच्छिन्नकृत्स्नपदार्थविषया बुद्धिः 'प्रज्ञा' तस्या अभिवृद्धिरस्य भवति । 'यशः' कीर्तिः तत्प्रयुक्तो 'लोकः' तस्य 'पक्तिः' परिपाको भवति । अस्य प्रज्ञा वर्द्धमाना सती अध्ययनं, अध्यापनं, यज्ञो, याजनमिति 'चतुरो धर्मान्'

ये ह वै के च श्रमाः । (ऽ) इमे द्यावापृथिवीऽअन्तरेण स्वाध्यायो हैव तेषां परमताकाष्ठा यऽ एवं विद्वान्त्स्वाध्यायमधीते तस्मात्स्वाध्यायोऽध्येतव्यः ॥ २ ॥

(व्यो) यद्यद्ध वाऽअयं छन्दसः । स्वाध्यायमधीते तेन तेन हैवास्य यज्ञक्रतुनेष्टं भवति यऽएवं विद्वान्त्स्वाध्यायमधीते तस्मात्स्वाध्यायोऽध्येतव्यः ॥ ३ ॥

ये ह वै के च श्रमाः, इमे द्यावापृथिवी अंतरेण । स्वाध्यायो हैव तेषां परमताकाष्ठा । य एवं विद्वान् स्वाध्यायमधीते । तस्मात्स्वाध्यायोऽध्येतव्यः ॥ २ ॥

यद्यद्ध वा अयं छंदसः स्वाध्यायमधीते । तेन तेन हैवास्य यज्ञक्रतुनेष्टं भवति । य एवं विद्वान् स्वाध्यायमधीते । तस्मात्स्वाध्यायोऽध्येतव्यः ॥ ३ ॥

ब्राह्मणजातिमभिलक्ष्य 'निष्पादयति' जनयति । तथा 'ब्राह्मण्यं' ब्राह्मणभावं 'प्रतिरूपचर्यां' तदनुरूपमाचरणं च संपादयति । प्रागुक्तां यशोलोकपक्तिमनूद्य तद्धेतुकमन्यत्फलमाह—यशोलोकपक्तिमिति । स च पच्यमानो यशसा युक्तो लोकः 'चतुर्भिः' वक्ष्यमाणैः 'धर्मैर्ब्राह्मणं भुनक्ति' पालयति । "भुजोऽनवने"—(पा. सू. १।३।६६) इति पर्युदस्तत्वात् भुजेरात्मनेपदाभावः । के पुनस्ते चत्वारो धर्माः ? इति तानाह—अर्चया चेति । "अर्च पूजायां"—(धा. पा. भ्वा. प. २०४) इति धातो रूपम् । अर्चा अर्चनं पूजनम् । इष्टस्य धनादेः समर्पणं दानम् । ज्यानिर्हानिः तदविषयत्वं अज्येयता । "ज्या वयोहानौ"—(धा. पा. क्र्या. प. २७) इत्यस्मात् "अचो यत्"—(पा. सू. ३ । १ । ९७) इति कर्मणि यत् । वधं हननमर्हतीति वध्यः तादृशो न भवतीत्यवध्यः तस्य भावस्तत्त्वम । एतैश्चतुर्भिर्धर्मैः सर्वो लोको वेदाध्यायिनमाराधयतीत्यर्थः ॥ १ ॥

अथ उत्कृष्टतपोरूपत्वमध्ययनस्याह—ये ह वै के च श्रमा इति । 'द्यावापृथिवी अंतरेण' अनयोर्द्यावापृथिव्योर्मध्ये 'ये' केचन 'श्रमाः' श्रमसाध्यास्तपोविशेषाः 'तेषां' तपोविशेषाणां 'स्वाध्यायः' एव 'परमताकाष्ठा' परमता परमत्वमुत्कर्षः तस्यावधिभूमिः । एतावंति फलानि विदुष एवाध्येतुरित्याह—य एवं विद्वानिति । तस्मादिति । प्रकृताध्ययनविधेर्निगमनम् ॥ २ ॥

अथ वेदाध्ययनशीलस्य कायिकव्यापारनिर्वर्त्ययागहोमादिफलमपि अयत्नतः सिध्यतीत्याह—यद्यद्ध वा इति । 'यद्यत्' यस्य यस्य यज्ञक्रतोः प्रतिपादकच्छंदसो वेदस्य संबंधिनं 'स्वाध्यायं' स्वशाखासम्बन्धि, स्वाध्यायानुवाकादिकं 'अधीते' 'अस्य' अध्येतुः तत्प्रतिपादेन तेन तेनैव 'क्रतुना' यज्ञकर्मणा 'इष्टं भवति' यागः कृतो भवति । य एवं विद्वानित्यादि पूर्ववत् ॥ ३ ॥

(०ग्यो) यदि ह वाऽअप्यभ्यक्तः । (क्तोऽलं) अलंकृतः सुहितः सुखे शयने शयानः स्वाध्यायमधीतऽ आ हैव स नखाग्रेभ्यस्तप्यते यऽएवं विद्वान्त्स्वाध्यायमधीते तस्मात्स्वाध्यायोऽध्येतव्यः ॥ ४ ॥

(०ग्यो) मधु ह वाऽ ऋचः । (चो) घृतꣳ ह सामान्यमृतं यजूꣳषि यद्ध वाऽअयम्वाकोवाक्यमधीते क्षीरौदनमाꣳसौदनौ हैव तौ ॥ ५ ॥

मधुना ह वाऽ एष देवाँस्तर्प्पयति । यऽएवं विद्वानृचोऽहरहः स्वाध्यायमधीते तऽ एनं तृप्तास्तर्प्पयन्ति सर्व्वैः कामैः सर्व्वैर्भोगैः ॥ ६ ॥

(घृं) घृतेन ह वाऽ एष देवाँस्तर्प्पयति । यऽ एवं विद्वान्त्सामान्यहरहः स्वाध्यायमधीते तऽ एनं तृप्तास्तर्प्पयन्ति सर्व्वैः कामैः सर्व्वैर्भोगैः ॥ ७ ॥

यदि ह वा अप्यभ्यक्तः अलंकृतः सुहितः सुखे शयने शयानः स्वाध्यायमधीते । आ हैव स नखाग्रेभ्यस्तप्यते । य एवं विद्वान् स्वाध्यायमधीते । तस्मात्स्वाध्यायोऽध्येतव्यः ॥ ४ ॥

मधु ह वा ऋचः । घृतं ह सामानि । अमृतं यजूंषि । यद्ध वा अयं वाकोवाक्यमधीते । क्षीरौदनमांसौदनौ हैव तौ ॥ ५ ॥

मधुना ह वा एष देवांस्तर्पयति । य एवं विद्वानृचोऽहरहः स्वाध्यायमधीते । त एनं तृप्तास्तर्पयंति सर्वैः कामैः सर्वैर्भोगैः ॥ ६ ॥

घृतेन ह वा एष देवांस्तर्पयतिं । य एवं विद्वान् सामान्यहरहः स्वाध्यायमधीते । त एनं तृप्तास्तर्पयंति सर्वैः का॰ः सर्वैर्भोगैः ॥ ७ ॥

अथ एतदप्यध्ययनं कृच्छ्रचांद्रायणादितपोरूपत्वेन स्तौति–यदि ह वा इति । 'अभ्यक्तः' तैलादिना कृताभ्यंगः । 'अलंकृतः' स्रक्चंदनादिभिर्भूषितः । 'सुहितः' यथेष्टभोजनेन तृप्तः । 'सुखे' सुखकरे 'शयने' शय्यायां 'शयानः' । एवमभ्यंगादीन् तपसः प्रतिकूलान् चरन्नपि यः 'स्वाध्यायमधीते' 'स आ नखाग्रेभ्यः' नखाग्रपर्यंतं यावच्छरीरपीडनेन तपस्तप्तवान् भवति । य एवं विद्वानित्यादि गतम् ॥ ४ ॥

अथ एतेषामृगादीनां मध्वादिरूपतया तृप्तिहेतुतां वक्तुं सारूप्यमाह–मधु ह वा ऋच इति । या 'ऋचः' तन्मधु । यानि 'सामानि' तत् घृतमाज्यम् । यानि 'यजूंषि' तदमृतम् । 'यत्' खलु 'अयं' अध्येता प्रागुक्तं वाकोवाक्यादिकमधीते 'क्षीरौदनमांसौदनावेव तौ' ॥ ५ ॥

इत्थं मध्वादिरूपतामुक्त्वा तदुपजीवनेन तेषामध्ययनं क्रमेण स्तौति–मधुना ह वा इति । निगदसिद्धोऽर्थः । ऋचामध्ययनं स्तौति–य एवं विद्वानिति । सर्वैः कामैरिति । काम्यमानैः 'सर्वैः' शब्दादिविषयैः तन्निर्वर्त्यैर्भोगैश्चेत्यर्थः ॥ ६ ॥

साम्नामध्ययनं स्तौति–घृतेन ह वा इति ॥ ७ ॥

(३) अमृतेन ह वाऽ एष देवाँस्तर्प्पयति । यऽ एवं विद्वान्यजूꣳष्यहरहः स्वाध्यायमधीते तऽ एनं तृप्तास्तर्प्पयन्ति सर्व्वैः कामैः सर्व्वैर्भोगैः ॥८॥

क्षीरौदनमाꣳसौदनाभ्याꣳ ह वाऽएष देवाँस्तर्प्पयति । यऽ एवं विद्वान्वाकोवाक्यमितिहासपुराणमित्यहरहः स्वाध्यायमधीते तऽएनं तृप्तास्तर्प्पयन्ति सर्व्वैः कामैः सर्व्वैर्भोगैः ॥ ९ ॥

(७४) यन्ति वाऽ आपः । (५) एत्यादित्यऽ एति चन्द्रमा यन्ति नक्षत्राणि यथा ह वाऽ एता देवता नेयुर्न्न कुर्य्युरेवꣳ हैव तदहर्ब्राह्मणो भवति यदहः स्वाध्यायं नाधीते तस्मात्स्वाध्यायोऽध्येतव्यस्तस्मादप्यृचं वा यजुर्व्वा साम वा गाथां वा कुम्ब्यां वाऽभिव्याहरेद्व्रतस्याव्यवच्छेदाय॥१०

इति चतुर्थप्रपाठके प्रथमं ब्राह्मणम् ॥ ११–४–१ ॥ (९. ७.) ॥

अमृतेन ह वा एष देवांस्तर्पयति । य एवं विद्वान् यजूंष्यहरहः स्वाध्यायमधीते । त एनं तृप्तास्तर्पयंति सर्वैः कामैः सर्वैर्भोगैः ॥ ८ ॥

क्षीरौदनमांसौदनाभ्यां ह वा एष देवांस्तर्पयति । य एवं विद्वान् वाकोवाक्यमितिहासपुराणमित्यहरहः स्वाध्यायमधीते । त एनं तृप्तास्तर्पयंति सर्वैः कामैः सर्वैर्भोगैः ॥ ९ ॥

यंति वा आपः । एत्यादित्यः । एति चंद्रमाः । यन्ति नक्षत्राणि । यथा ह वा एता देवता नेयुर्न कुर्युः । एवं हैव तदहर्ब्राह्मणो भवति । यदहः स्वाध्यायं नाधीते । तस्मात्स्वाध्यायोऽध्येतव्यः। तस्मादपि ऋचं वा यजुर्वा साम वा गाथां वा कुम्ब्यां वाऽभिव्याहरेत्–व्रतस्याव्यवच्छेदाय ॥१०॥

यजुषामध्ययनं स्तौति–अमृतेन ह वा इति ॥ ८ ॥

वाकोवाक्यादीनामध्ययनं स्तौति–क्षीरौदनमांसौदनाभ्यामिति । क्षीरमिश्रितमोदनं 'क्षीरौदनम्' । मांसमिश्रं शाल्योदनं 'मांसौदनम्' । गतमन्यत् । 'वाकोवाक्यमितिहासपुराणमिति' । इतिशब्दः प्रकारवाची, कार्यादीनां संग्रहार्थः ॥ ९ ॥

सूर्यादिगतिवत् अखिलजगद्व्यवहारनिर्वर्तकत्वेन ब्रह्मयज्ञस्वाध्यायं स्तौति–यन्ति वा इति । नद्यादिरूपेण स्थिताः 'आपः' खलु 'यंति' गच्छंति । 'एति आदित्यः' गच्छति । 'चंद्रमाः अप्येति' गच्छति । 'नक्षत्राण्यपि यंति' गच्छंति । तत्रापां तिर्यग्गमनं स्नानपानादिकृत्स्नलोकव्यवहारार्थम् । सूर्यगमनं अहनि प्रकाशप्रदानार्थम् । तथा चद्रनक्षत्राणां गमनं रात्रौ प्रकाशप्रदानार्थम् । 'यथा' खलु 'एताः' अबाधाः 'देवता नेयुः' न पुनर्गच्छेयुः । तदानीं 'न कुर्युः' एव स्वस्वव्यवहारम् । ततस्तेषां निष्प्रयोजकत्वम् । एवमेतस्मिन्नहनि ब्राह्मणो निरर्थको भवति, यस्मिन्नहनि 'स्वाध्यायं नाधीते' । तस्मादित्यादि पूर्ववत् । यत

१–(याज्ञ. स्मृ. आ. ब्र. प्र. श्लो. ४७–४८) इत्यत्रत्यावपि श्लोकावत्र द्रष्टव्यौ ।

प्रजापतिर्व्वाऽ इदमग्रऽआसीत् । (दे) एकऽ एव सोऽकामयत स्याम्प्रजायेयेति सोऽश्राम्यत्स तपोऽतप्यत तस्माच्छ्रान्तात्तेपानात्त्रयो लोकाऽअसृज्यन्त पृथिव्यन्तरिक्षं द्यौः ॥ १ ॥

सऽ इमाँस्त्रींल्लोकानभितताप । तेभ्यस्तप्तेभ्यस्त्रीणि ज्योतीᳪंष्यजायन्ताग्निर्य्योऽयं पवते सूर्य्यः ॥ २ ॥

सऽ इमानि त्रीणि ज्योतीᳪंष्यभितताप । तेभ्यस्तप्तेभ्यस्त्रयो व्वेदाऽअजायन्ताग्नेर्ऋग्वेदो व्वायोर्य्यजुर्व्वेदः सूर्य्यात्सामवेदः ॥ ३ ॥

सर्वप्रायश्चित्तविधायकं ब्राह्मणम् ।

प्रजापतिर्वा इदमग्र आसीदेक एव । सोऽकामयत । स्यां प्रजायेयेति । सोऽश्राम्यत् । स तपोऽतप्यत । तस्माच्छ्रांतात्तेपानात्त्रयो लोका असृज्यंत—पृथिव्यन्तरिक्षं द्यौः ॥ १ ॥

स इमांस्त्रीन् लोकानभितताप । तेभ्यस्तप्तेभ्यस्त्रीणि ज्योतींष्यजायंत—अग्निर्योऽयं पवते सूर्यः ॥ २ ॥

स इमानि त्रीणि ज्योतींष्यभितताप । तेभ्यस्तप्तेभ्यस्त्रयो वेदा अजायंत । अग्नेर्ऋग्वेदः । वायोर्यजुर्वेदः । सूर्यात्सामवेदः ॥ ३ ॥

एवं अतोऽनध्यायादिनिमित्तेऽपि अध्यायादिप्रयुक्तसामर्थ्यविरहे च सत्यपि सर्वथा ब्रह्मयज्ञस्य वर्जनमयुक्तमित्युपसंहारव्याजेन प्रकारांतरमाह—तस्मादप्यृचमिति । यस्मादेवं नित्यो ब्रह्मयज्ञस्वाध्यायः तस्मादनध्यायदिवसे अशक्तौ च आदावारभ्य एकामृचं वा 'अभिव्याहरेत्' अधीयीत । एकं वा 'यजुः' । एकं वा 'साम' गाथारूपं मंत्रम् । कुंब्याशब्देन एकार्थस्य प्रतिपादकं विध्यर्थवादात्मकं ब्राह्मणवाक्यमुच्यते । तद्धि अधीयते । सर्वथा लोपो न कार्य इत्यर्थः । किमर्थं ? ब्रह्मयज्ञस्वाध्यायलक्षणस्य 'व्रतस्याव्यवच्छेदाय' व्यवच्छेदाभावाय ॥ १० ॥

इति श्रीसायणाचार्यविरचिते माधवीये वेदार्थप्रकाशे माध्यंदिनीयशतपथब्राह्मणभाष्य एकादशकांडे पंचमेऽध्याये सप्तमं ब्राह्मणम् ॥ (११ । ५ । ७) ॥

इत्थं सत्रप्रसंगात् वेदसारभूताभिर्व्याहृतिभिः सर्वप्रायश्चित्तं होमं विधास्यन् तासामुत्पत्तिं आख्यायिकया प्रतिपादयति—प्रजापतिर्वा इदमित्यादिना । 'इदं' दृश्यमानं सर्वं जगत् 'अग्रे' सृष्ट्यादौ 'प्रजापतिरेवासीत्' कारणात्मना स्थित इत्यर्थः । अतः 'सः' प्रजापतिरेक एव तदानीमासीत् । न हि अनुद्भूतभौतिकात्मकं जगदित्यवधारणाभिप्रायात् । महत्सृष्टिमाह—सोऽकामयतेत्यादिना । 'स्याम्' जगद्रूपेण भवेयम् । तदर्थं 'प्रजायेय' प्रकर्षेण स्वरूपाविरोधेन देवपितृमनुष्यादिप्रजारूपेण उत्पद्येयेत्यर्थः । तत्साधनमाह—सोऽश्राम्यदिति । सृष्टव्यपर्यालोचनं 'तपः' तदन्वेषणहेतुकः शरीरक्लेशः 'श्रमः' । तेपानादिति । तप्तवतः सका-

स॒ऽ इमाँस्त्रीन्वे॒दान॒भित॑ताप । ते॒भ्य॒स्त॒प्ते॒भ्य॒स्त्रीणि शु॒क्रा॒ण्य॒जाय॑न्त भूरि॒-त्यृ॒ग्वे॒दाद्भुव॒ऽ इति यजु॒र्वे॒दात्स्व॒रिति सा॒मवे॒दात्त॒ऽऋग्वे॒दे॒नैव॒ हौत्र॒मकु॒र्वत यजु॒र्वे॒दे॒ना॒ध्व॒र्य॒वँ सा॒मवे॒दे॒नोद्गी॒थं य॒दे॒व॒ त्र॒य्यै वि॒द्या॒यै शु॒क्रं ते॒न ब्र॒ह्म॒त्व॒मथो॒च्च॒क्राम ॥ ४ ॥

ते॒ दे॒वाः प्र॒जा॒प॒ति॒मब्रुवन् । (न्यु) य॒दि न॒ऽ ऋ॒क्तो वा॒ यजु॒ष्टो वा॒ साम॒तो वा॒ य॒ज्ञो ह्वले॒त्के॒नै॒नं भिष॒ज्ये॒मे॒ति ॥ ५ ॥

स इमांस्त्रीन्वेदानभितताप । तेभ्यस्तप्तेभ्यस्त्रीणि शुक्राण्यजायंत । भूरित्यृग्वेदात् । भुव इति यजुर्वेदात् । स्वरिति सामवेदात् । त ऋग्वेदेनैव हौत्रमकुर्वत । यजुर्वेदेनाध्वर्यवम् । सामवेदेनोद्गीथम् । यदेव त्रय्यै विद्यायै शुक्रम्, तेन ब्रह्मत्वम् । अथोच्चक्राम ॥ ४ ॥

ते देवाः प्रजापतिमब्रुवन् । यदि नः ऋक्तो वा यजुष्टो वा सामतो वा यज्ञो ह्वलेत्; केनैनं भिषज्येमेति ॥ ५ ॥

शादित्यर्थः । तपेर्लिटः क्वानचि--(पा. सू. ३ । २ । १०६) एत्वाभ्यासलोपौ । प्रथमं पृथिव्यादीनां त्रयाणां सृष्टिमाह--त्रयो लोका इति । अथैतेषां सारं जिघृक्षुः ' सः ' प्रजापतिः इमानेव 'त्रीन् लोकान् अभितताप' रजतसुवर्णादिलोहपिंडवत् पुटपाकेन तप्तवानित्यर्थः । अग्न्यादयो देवास्तत उत्पन्ना इत्याह--तेभ्यस्तप्तेभ्य इति । त्रीणि ज्योतींषीत्युक्तमेवार्थं विवृणोति--अग्निरिति । योऽयमन्तरिक्षे ' पवते ' संचरते स वायुर्द्वितीयं ज्योतिरित्यर्थः । अथैतेषामपि सारं जिघृक्षुः तप्तवानित्याह--स इमानीति । तत्सकाशात् त्रयाणामुत्पत्तिमाह--तेभ्यस्तप्तेभ्य इति । तत्र कस्माद्देवात्कस्य वेदस्योत्पत्तिः ? इति विविनक्ति--अग्नेर्ऋग्वेद इति ॥ १--३ ॥

अथ व्याहृतीनामुत्पत्तिमाह--स इमाँस्त्रीन्वेदानिति । त्रीणि शुक्राणीति । व्याहृतिरूपाणि तेजांसीत्यर्थः । भूरित्यृग्वेदादित्यादि । प्रजापतिना तप्यमानात् ऋग्वेदात्सकाशात् भूरिति व्याहृतिरुत्पन्ना । एवमुत्तरत्रापि योज्यम् । एवं व्याहृतीनां त्रयीसारत्वं प्रतिपाद्य यज्ञस्यापि त्रयीमयत्वमाह--ऋग्वेदेनैवेति । ' ते ' अग्न्यादयो देवाः ' ऋग्वेदेनैव हौत्रं ' होतृकर्म सामिधेन्यनुवचनयाज्यानुवाक्यापाठशस्त्रशंसनादिकं यज्ञस्य तुरीयं भागं ' अकुर्वत ' कृतवंतः । तथा ' यजुर्वेदेनाध्वर्यवं ' अध्वर्योः कर्म हविःप्रचारादिकं ' अकुर्वत ' । तथा ' सामवेदेनोद्गीथं ' उद्गातृकर्म ' अकुर्वत ' कृतवंतः । ब्रह्मत्वलक्षणस्तुरीयोंऽशः केन वेदेनेत्याशंक्याह--यदेव त्रय्यै विद्यायै शुक्रमिति । त्रयः अवयवा यस्याः सा त्रयी । षष्ठ्यर्थे चतुर्थी--(पा. सू. २।३।६२ वा.) वेदत्रयस्य ' यदेव शुक्रं ' निर्मलरूपं सारभूतोंऽशः ' तेन ब्रह्मत्वं ' ब्रह्मणः कर्म ' अकुर्वत ' । अथानंतरं कृत्स्नयज्ञारंभकः सन् प्रजापतिः ' उच्चक्राम ' उत्क्रांतवान् ॥ ४ ॥

एवं त्रयीनिष्पाद्यत्वं यज्ञस्य प्रतिपाद्य त्रयीसारभूताभिः व्याहृतिभिः तत्तद्वेदोक्तकर्मभ्रेषनिमित्तं प्रायश्चित्तहोमं विधित्सुः प्रश्नमुत्थापयति--ते देवाः प्रजापतिमब्रुवन्निति । ' नः ' अस्माकं ' यज्ञः ' ' ऋक्तः ' ऋग्वेदोक्तात्

स होवाच । यद्यृक्तो भूरिति चतुर्गृहीतमाज्यं गृहीत्वा गार्हपत्ये जुहवथ यदि यजुष्टो भुवऽ इति चतुर्गृहीतमाज्यं गृहीत्वाऽऽग्नीध्रीये जुहवथान्वाहार्य्यपचने वा हविर्य्यज्ञे यदि सामतः स्वरिति चतुर्गृहीतमाज्यं गृहीत्वाऽऽहवनीये जुहवथ यद्युऽअविज्ञातमसत्सर्व्वाण्यनुद्रुत्याहवनीये जुहवथ तदृग्वेदेनैवऽर्ग्वेदं भिषज्यति यजुर्व्वेदेन यजुर्व्वेदꣳ सामवेदेन सामवेदꣳ स यथा पर्व्वणा पर्व्व सन्दध्यादेवꣳ हैव स सन्दधाति यऽएताभिर्भिषज्यत्यथ यो हातोऽन्येन भिषज्यति यथा शीर्णेन शीर्णꣳ सन्धित्सेद्यथा वा शीर्णे गरमभिनिदध्यादेवं तत्तस्मादेवंविदमेव ब्रह्माणं कुर्व्वीत नानेवंविदम् ॥ ६ ॥

स होवाच । यद्यृक्तो भूरिति चतुर्गृहीतमाज्यं गृहीत्वा गार्हपत्ये जुहवथ । यदि यजुष्टो भुव इति चतुर्गृहीतमाज्यं गृहीत्वाऽऽग्नीध्रीये जुहवथ । अन्वाहार्यपचने वा हविर्यज्ञे । यदि सामतः स्वरिति चतुर्गृहीतमाज्यं गृहीत्वाऽऽहवनीये जुहवथ । यद्यु अविज्ञातमसत् । सर्वाण्यनुद्रुत्याहवनीये जुहवथ । तदृग्वेदेनैवर्ग्वेदं भिषज्यति । यजुर्वेदेन यजुर्वेदम् । सामवेदेन सामवेदम् । स यथा पर्वणा पर्व संदध्यात् । एवं हैव स संदधाति । य एताभिर्भिषज्यति । अथ यो हातोऽन्येन भिषज्यति । यथा शीर्णेन शीर्णं संधित्सेत् । यथा वा शीर्णे गरमभिनिदध्यात् । एवं तत् । तस्मादेवंविदमेव ब्रह्माणं कुर्वीत । नानेवंविदम् ॥ ६ ॥

ऋग्मिणः सकाशात् ' यदि ह्वलेत्[1] ' विनश्येत् यजुर्वेदाद्वा सामतो वा । ' एनं ' विकलं यज्ञं ' केन ' प्रायश्चित्तेन ' भिषज्येम ' चिकित्सेमेति । " भिषज् चिकित्सायाम् "–(धा. कण्ड्वा. प. २२) इति धातो रूपम् ॥ ५ ॥

स होवाचेत्यादि । एवं देवैः पृष्टः ' सः ' प्रजापतिः ' उवाच ' उक्तवान् । ' यदि ' ऋग्वेदात्सकाशात् यज्ञो ' ह्वलेत् ' विनश्येत् तदा ' चतुर्गृहीतमाज्यं गृहीत्वा ' ऋग्वेदात् उत्पन्नया 'भूरिति' व्याहृत्या ' गार्हपत्ये जुहवथ ' यज्ञे देवाय जुहुत । लेटि अडागमः । यजुर्भ्रेषप्रायश्चित्तमाह–यदि यजुष्टो भुव इतीति । सोमयागे चेद्यजुर्भ्रेषः तदा आग्नीध्रीये होमः । दर्शपूर्णमासादौ हविर्यज्ञे तदा अन्वाहार्यपचने दक्षिणाग्नौ " भुवः स्वाहा "–इति होमः । सामभ्रेषप्रायश्चित्तमाह–यदि सामत इति । एवं हौत्राध्वर्यवादिज्ञानेन व्यवस्थितं प्रायश्चित्तमुक्त्वा अविज्ञातप्रायश्चित्तमाह–यद्यु अविज्ञातमसदिति । ' यदि ' वेदत्रयस्य संबंधि किंचिदंगं लुप्तं ' अविज्ञातं ' विभागेनाज्ञातं ' असत् ' भवेत् । तदा सर्वाण्येतानि ' अनुद्रुत्य ' उच्चार्य " भूर्भुवः स्वः स्वाहा " इत्येवं

१–यज्ञस्य ह्वलनं चतुर्धा संभवति–न्यूनकरणम्, अकरणम्, अन्यथाकरणम्, अतिरिक्तकरणं चेति बोध्यम् ।

२–हौत्रिके भूरिति गार्हपत्ये दक्षिणाग्नावाध्वर्यवे भुव इति आग्नीध्रीये सोमे स्वरित्यौद्गात्र आहवनीये । चतुर्गृहीतान्येतानि सर्वत्र । अविज्ञाते प्रतिमहाव्याहृति सर्वाभिश्चतुर्थम् । का. श्रौ. सू. २५ । ५–९ । १२ ।

(न्तु) तुदाहुः । (ठ्स्युं) युदृचा हौत्रं क्रियते युजुषाऽऽध्वठ्य॑वᳪं सुाम्नो-द्गीथोऽथ कुेन ब्रह्मत्वमित्यनुया त्रठ्य्या विद्ययेति ह ब्रूयात् ॥ ७ ॥

इति चतुर्थप्रपाठके द्वितीयं ब्राह्मणम् ॥ ११-४-२ ॥ (५. ८.) ॥

प्रजापतिर्ह वाऽ एष युदᳪंशुः । सोऽस्यैषऽ आत्मैवात्मा ह्यंयं प्रजा-

---

तदाहुः । यदृचा हौत्रं क्रियते । यजुषाऽऽध्वर्यवम् । साम्नोद्गीथः । अथ केन ब्रह्मत्वमिति । अनया त्रय्या विद्ययेति ह ब्रूयात् ॥ ७ ॥

प्रजापतिर्ह वा एष, यदंशुः । सोऽस्यैष आत्मैव । आत्मा ह्ययं प्रजापतिः । वागेवादाभ्यः ।

' आहवनीये जुहवथ ' जुहुत । पूर्ववल्लेटि अडागमः । तत्तद्वेदोक्तकर्मप्रायश्चित्तत्वेनोक्तं तत्तद्व्याहृतिहोमं क्रमेण प्रशंसति–तदृग्वेदेनैवेति । भूरिति व्याहृतिः ऋग्वेदादुत्पन्ना, अतस्तन्मंत्रहोमात् ' ऋग्वेदेनैव ऋग्वेदं ' चिकित्सितवान् भवति । एवं यजुर्वेदेनेत्यादावपि । स यथा पर्वणेत्यादि । ' यथा ' खलु लोके भग्नं हस्तपादादि ' पर्व ' यत्सन्निहितेनान्येन ' पर्वणा ' पुरुषाय ' संदध्यात् ' संश्लेषयेत् । एवं ह्यनेन तत्तद्व्याहृतिज्ञानेन तत्तद्वेदोक्तप्रभ्रष्टमंगं पुनः संहितं भवतीत्यर्थः । एतदेव व्यतिरेकेण द्रढयति–अथ यो हेति । ' यः ' खलु ' अतः ' अस्मात् उक्तव्याहृतिहोमरूपात् भेषजात् ' अन्येन ' कर्मणा ' भिषज्यति ' । तत्र दृष्टांतमाह–यथा शीर्णेनेति । ' यथा ' ' शीर्णेन ' भग्नेन अन्यत् ' शीर्णं ' भग्नं वस्तु ' संधित्सेत् ' संधातुमिच्छेत् । ' यथा वा शीर्णे ' रुग्णेऽवयवे ' गरं ' विषं ' अभिनिदध्यात् ' प्रक्षिपेत् । एवमेव तत्तद्व्याहृतिहोमरूपं प्रायश्चित्तमित्यर्थः । उक्तप्रायश्चित्तपरिज्ञानवानेव ब्रह्मा कार्य इति विधत्ते–तस्मादेवंविदमेवेति । ' एवंविदं ' उक्तब्राह्मणार्थपरिज्ञानवंतम् । स्पष्टमन्यत् ॥ ६ ॥

अथ ब्रह्मत्वस्य वेदत्रयप्रतिपाद्यत्वं प्रश्नप्रतिवचनाभ्यामाह–तदाहुरिति । यद्यस्मात् ' ऋचा ' ऋग्वेदेनैव ' हौत्रं ' होतृकर्म ' क्रियते ' । यजुर्वेदेनाध्वर्यवं कर्म क्रियते । सामवेदेनोद्गीथं उद्गानं उद्गातृकर्म क्रियते । तस्मात् ब्रह्मत्वमपि केनचिद्वेदेन क्रियत इति वक्तव्यम् । स वेदः कः ? इति प्रश्नः । उत्तरं तु–अनया त्रय्येति । यैस्त्रिभिर्वेदैः पूर्वोक्तं कर्म क्रियते तैरेव ब्रह्मत्वम् इति ब्रूयादित्यर्थः । अत एव यजुर्वेदसूत्रवत् सर्वसूत्रेषु परस्परनैरपेक्ष्येण तत्तद्वेदोक्तं ब्रह्मत्वं सूत्रितमिति ॥ ७ ॥

इति श्रीसायणाचार्यविरचिते माधवीये वेदार्थप्रकाशे माध्यंदिनीयशतपथब्राह्मणभाष्ये
एकादशकांडे पंचमेऽध्याये अष्टमं ब्राह्मणम् ॥ (११ । ५ । ८) ॥

अथ अंश्वदाभ्याख्यौ सोमग्रहौ विधित्सुः तयोः आत्मवागादिरूपतया समुच्चित्यानुष्ठानं प्रतिपादयति–प्रजापतिर्ह वा इत्यादिना । अंश्वाख्यो ग्रह इति यदस्ति 'एषः' 'प्रजापतिर्ह वै' प्रजापतिरेव । 'सः' खलु प्रजा-

---

१–ब्रह्मा प्रायश्चित्तानि जुहुयादनादिष्टानि । ब्रह्मा विलिष्टं संदधातीति श्रुतेः । त्रिवेदसंयोगाच्च । का. श्रौ. सू. २५ । १९०–१९२ ।

पतिर्व्वागेवादाभ्यः स यदꣳशुं गृहीत्वाऽदाभ्यं गृह्णात्यात्मानमेवास्यै-
तत्सꣳस्कृत्य तस्मिन्नेताम्वाचम्प्रतिष्ठापयति ॥ १ ॥

(त्यु) अथ मनो ह वाऽअꣳशुः । (र्व्वा) व्वागदाभ्यः प्राणऽ एवाꣳशु-
रुदानोऽदाभ्यश्चक्षुरेवाꣳशुः श्रोत्रमदाभ्यस्तद्यदेतौ ग्रहौ गृह्णन्ति सर्व्व-
त्वायैव कृत्स्नतायै ॥ २ ॥

(याऽअु) अथ देवाश्च ह वाऽ असुराश्च । (श्चो) उभये प्राजापत्याऽ
अस्पर्द्धन्त तऽ एतस्मिन्नेव यज्ञे प्रजापतावस्पर्द्धन्तास्माकमयꣳ स्याद-
स्माकमयꣳ स्यादिति ॥ ३ ॥

स यदंशुं गृहीत्वाऽदाभ्यं गृह्णाति । आत्मानमेवास्यैतत्संस्कृत्य तास्मिन्नेतां वाचं प्रतिष्ठा-
पयति ॥ १ ॥

अथ मनो ह वा अंशुः, वागदाभ्यः । प्राण एवांशुः, उदानोऽदाभ्यः । चक्षुरेवांशुः, श्रोत्र-
मदाभ्यः । तद्यदेतौ ग्रहौ गृह्णंति, सर्वत्वायैव कृत्स्नतायै ॥ २ ॥

अथ देवाश्च ह वा असुराश्च उभये प्राजापत्या अस्पर्द्धंत । त एतस्मिन्नेव यज्ञे प्रजापतावस्प-
र्द्धंत । अस्माकमयं स्यादस्माकमयं स्यादिति ॥ ३ ॥

पत्यात्मकः अंशुः 'अस्य' यज्ञस्य 'एष आत्मैव' मध्यमशरीरमेव । तत्समर्थयते—**आत्मा ह्यय-
मिति** । 'हि' यस्मात् एवं प्रजापतिरात्मा तस्मात् तदात्मकः अंशुरपि आत्मैवेत्यर्थः । एवं अंशुग्रहस्यात्म-
रूपतामुक्त्वा अदाभ्यस्य वाग्रूपतामाह—**वागेवादाभ्य इति** । योऽयम् अदाभ्याख्यो ग्रहो वक्ष्यमाणः एष
वागिन्द्रियात्मकः । अनयोर्ग्रहणं विधत्ते—**स यदंशुं गृहीत्वेति** । अंश्वाख्यं ग्रहं प्रथमं 'गृहीत्वा' पश्चात्
'अदाभ्यं' ग्रहं 'गृह्णाति' इति यदस्ति 'एतत्' एतेन प्रथमं 'आत्मानं' शरीरमेव 'संस्कृत्य'
'तस्मिन्' शरीरे 'एतां वाचं' वागिन्द्रियं प्रतिष्ठापयति ॥ १ ॥

एतौ ग्रहौ सह प्रयोक्तव्यौ न पृथक् इत्यनेनाभिप्रायेण मनोवागादिरूपतया च स्तौति—**अथ मनो ह
वा इति** । मनःप्राणचक्षुरात्मकः अंशुग्रहः । वागुदानश्रोत्रात्मकः अदाभ्यः । 'तदेतौ ग्रहौ' सोमयागे 'गृह्णं-
तीति' यदस्ति तद्यज्ञस्य 'सर्वत्वाय' मनोवागादिसर्वावयवसंपूर्णत्वायैव 'कृत्स्नतायै' समग्रतायै सह गृह्येते ॥ २ ॥

अथ कृत्स्नयज्ञस्यासुरेभ्यः सकाशात् आवर्जनसाधनत्वं अदाभ्यग्रहस्याख्यायिकया प्रतिपादयति—**अथ देवा-
श्चेति** । 'अस्पर्द्धन्त' "स्पर्ध संघर्षे"–(धा. पा. भ्वा. प. ३) इति धातुः । एतस्मिन् यज्ञरूपे प्रजापतौ
यतः 'उभये अस्पर्द्धंत' । अस्माकमेवायं यज्ञो भोग्यः स्यात् ; अस्माकमयं यज्ञो भोग्यः स्यादिति । "नित्य-
वीप्सयोः" (पा. सू. १ । ४ । ८) इति द्विर्वचनम् ॥ ३ ॥

ततो देवाः । (८) अर्चन्तः श्राम्यन्तश्चेरुस्तऽ एतं ग्रहं ददृशुरेतमदाभ्यं तमगृह्णत ते सवनानि प्रावृहन्त ते सर्वं यज्ञꣳ समवृञ्जतान्तरायन्न-सुरान्यज्ञात् ॥ ४ ॥

(त्ते) ते होचुः । (र)अदभाम वाऽएनानिति तस्माददाभ्यो न वै नोऽदभन्निति तस्माददाभ्यो वाग्वाऽअदाभ्यः सेयमदब्धा वाक्तस्माद्देवा-दाभ्यऽएवꣳ ह वै द्विषतो भ्रातृव्यस्य सर्वं यज्ञꣳ सम्वृङ्क्तऽ एवं द्विषन्तं भ्रातृव्यꣳ सर्वस्माद्यज्ञान्निर्भजति बहिर्द्धा करोति यऽ उऽ एव-मेतद्वेद ॥ ५ ॥

ततो देवा अर्चंतः श्राम्यंतश्चेरुः । त एतं ग्रहं ददृशुः–एतमदाभ्यम् । तमगृह्णत । ते सवनानि प्रावृहंत । ते सर्वं यज्ञं समवृंजत । अंतरायन्नसुरान् यज्ञात् ॥ ४ ॥

ते होचुः–अदभाम वा एनानिति, तस्माददाभ्यः । न वै नोऽदभन्निति, तस्माददाभ्यः । वाग्वा अदाभ्यः । सेयमदब्धा वाक् । तस्माद्देवादाभ्यः । एवं ह वै द्विषतो भ्रातृव्यस्य सर्वं यज्ञं संवृंक्ते । एवं द्विषंतं भ्रातृव्यं सर्वस्माद्यज्ञान्निर्भजति । बहिर्द्धा करोति । य उ एवमेतद्वेद ॥५॥

एवं विवदमाना देवाः किं कृतवंतः तदाह–ततो देवा इति । ततस्तस्मात् अनंतरं 'देवा अर्चंतः श्राम्यंतः' कृत्स्नयागप्राप्त्यर्थं मनसा अभिलषन्तः तत एव श्राम्यंतश्चेरुः । ' ते ' तथाविधा देवाः ' एतं ' वक्ष्यमाणं अदाभ्यं ' ग्रहं ' ददृशुः ' । दृष्ट्वा च ' तमगृह्णत ' गृहीतवंतः । ततस्ते देवाः तेन ग्रहेण प्रातःसवनादीनि त्रीणि ' सवनानि ' यज्ञसंबंधीनि ' प्रावृहंत ' प्रागृह्णत असुरेभ्यः सकाशात् स्वीकृतवंतः । " वृहू उद्यमने " (धा. पा. तु. आ. ६६) इति । ततस्ते ' सर्वं यज्ञं ' असुरेभ्यः ' समवृंजत ' सम्यक् विजितवंतः । तथा च यज्ञात्सकाशात् ' असुरान् अंतरायन् ' अंतरितान् व्यवहितान् परित्यक्तभागान् अकुर्वन् ॥ ४ ॥

अदाभ्यनामनिर्वचनं करोति–ते होचुरिति । ' ते ' देवाः खलु 'ऊचुः' उक्तवंतः । 'एनान्' असुरान् यतो वयं ' अदभाम ' अहिंसिष्मेति । तस्मात् दभ्यते अनेनेति व्युत्पत्त्या अदाभ्यनामकरणेन ग्रहः संपन्नः । ण्यप्रत्य-योत्पत्तिः । छांदसत्वात् अडागमसहितायाः प्रकृतेः कृत् । प्रकारान्तरेण निर्वक्ति–न वै न इति । 'नः' अस्मान् खलु ते असुराः ' न अदभन् ' नाहिंसिषुरिति यस्मादवदन् तस्मात् न दभ्यते अनेनेति व्युत्पत्त्या अदाभ्यो ग्रहः । स्वयं न दभ्यत इति अदाभ्यः इति कर्मसाधनः क्रम इत्याह–वाग्वा अदाभ्य इति । योऽयमदाभ्यो ग्रहः तस्य वागात्मकत्वं प्रागुक्तम् । ' वागदब्धा ' अहिंसिता । अतस्तदात्मको ग्रहोऽपि अहिंसित इति कृत्वा अदाभ्य इत्युच्यत इत्यर्थः । एतदेव निर्वचनं साधु इति निगमयति–तस्माद्देवेति । उशब्दस्तुशब्दार्थः । पुरा-वृत्तसिद्धमर्थं प्रकृते योजयति–एवं ह वा इति । यथा देवा असुरेभ्यः सकाशात् कृत्स्नं यज्ञमवृंजत; यज्ञभागाच्च असुरानंतरायन् । एवमेव अयं यजमानोऽपि विद्वेषणशीलस्य ' भ्रातृव्यस्य ' संबंधिनं ' सर्वं यज्ञं संवृंक्ते ' वर्जयति । एवमेव तथाविधं ' भ्रातृव्यं सर्वस्मात् यज्ञात् निर्भजति ' भागरहितं करोति । अत एव तस्मात् यज्ञात् ' बहिर्द्धा ' बाह्यं ' करोति ' ' यः ' यजमानः ' एतत् ' उक्तमर्थजातं एवमुक्तप्रकारेण ' वेद ' जानाति ॥ ५ ॥

स येनैव पात्रेणाᳪंशुं गृह्णाति । तस्मिन्नेव पात्रे निग्राभ्याभ्योऽपऽ आनीय तस्मिन्नेतानᳪंशून्गृह्णाति ॥ ६ ॥

(त्यु) उपयामगृहीतोऽसि । (स्य) अग्नये त्वा गायत्रच्छन्दसं गृह्णामीति गायत्रम्प्रातःसवनं तत्प्रातःसवनम्प्रवृहतीन्द्राय त्वा त्रिष्टुप्छन्दसङ्गृह्णामीति त्रैष्टुभम्माध्यन्दिनᳪं सवनं तन्माध्यन्दिनᳪं सवनम्प्रवृहति विश्वेभ्यस्त्वा देवेभ्यो जगच्छन्दसङ्गृह्णामीति जागतं तृतीयसवनं तत्तृतीयसवनं प्रवृहत्यनुष्टुप्तेऽभिगरऽ इति यद्वाऽ ऊर्ध्वᳪं सवनेभ्यस्तदानुष्टुभं तदेवैतत्प्रवृहति तन्नाभिषुणोति वज्रो वै ग्रावा वागदाभ्यो नेद्वज्रेण वाचᳪं हिनसानीति ॥ ७ ॥

स येनैव पात्रेणांशुं गृह्णाति । तस्मिन्नेव पात्रे निग्राभ्याभ्योऽप आनीय, तस्मिन्नेतानंशून् गृह्णाति ॥ ६ ॥

" उपयामगृहीतोऽस्यग्नये त्वा गायत्रच्छंदसं गृह्णामि "—इति गायत्रं प्रातःसवनम् । तत्प्रातःसवनं प्रवृहति । " इंद्राय त्वा त्रिष्टुप्छंदसं गृह्णामि "—इति त्रैष्टुभं माध्यंदिनं सवनम् । तन्माध्यंदिनं सवनं प्रवृहति । " विश्वेभ्यस्त्वा देवेभ्यो जगच्छन्दसं गृह्णामि "—इति जागतं तृतीयसवनम् । तत्तृतीयसवनं प्रवृहति । " अनुष्टुप् तेऽभिगरः "—(वा. सं. ८ । ४७) इति । यद्वा ऊर्ध्वं सवनेभ्यस्तदानुष्टुभम् । तदेवैतत्प्रवृहति । तन्नाभिषुणोति । वज्रो वै ग्रावा । वागदाभ्यः । नेद्वज्रेण वाचं हिनसानीति ॥ ७ ॥

अथ तस्य ग्रहस्य पात्रविशेषे ग्रहणं विधत्ते—स येनैवेति । ' येनैव ' ऊर्ध्वपात्रेण अंश्वाख्यं ग्रहं ' गृह्णाति ' ' तस्मिन्नेव पात्रे निग्राभ्याभ्यः ' निग्राभ्या इति वसतीवरीणां सोमसेकार्थानामपां संज्ञा । ताभ्यो गृहीत्वा ' अप आनीय ' अप आसिच्य ' तस्मिन् ' वसतीवरीभिः परिपूरिते पात्रे ' अंशून् ' सोमलतासंज्ञान् खंडान् ' गृह्णाति ' ॥ ६ ॥

तत्र प्रथमस्यांशोर्मंत्रमाह—उपयामगृहीत इति । हे सोम ! त्वं ' उपयामगृहीतः ' उपयम्यते धार्यते अनेनेति उपयामः पात्रं तेन गृहीतोऽसि । ' अग्नये त्वा ' त्वां ' अग्नये ' प्रातःसवनदेवतायै गृह्णामीत्यर्थः । गायत्रच्छंदसमित्यस्यार्थमाह—गायत्रं प्रातःसवनमिति । गायत्रीच्छंदस्कं हि प्रातःसवनमिति । तत्तेन गायत्रच्छन्दसमिति विशेषणेन प्रातःसवनात्मकं यज्ञस्य भागं ' प्रवृहति ' असुरेभ्यः सकाशात् उद्यम्यति स्वीकरोतीत्यर्थः । " वृहू उद्यमने " (धा. पा. तु. आ. ६६) इति धातुः । द्वितीयस्यांशोर्ग्रहणमंत्रमाह—इंद्राय त्वेति । उपयामगृहीतोऽसीत्यनुषज्यते । अनेन मंत्रेण द्वितीयमंशुं गृह्णीयादित्यर्थः । सूत्रं हि—" बुभूषतोऽदाभ्यं गृह्णाति । आसिच्य निग्राभ्याः पात्रे तस्मिंस्तूष्णीं त्रीन् अंशून् अवधायाग्नये त्वा गायत्रच्छंदसमिति प्रति·

(त्यर्थ्ँ) अर्थ्ँशूनेवाधूनोति । व्रेशीनां त्वा पत्मन्नाधूनोमि कुकूननानां त्वा पत्मन्नाधूनोमि भन्दनानां त्वा पत्मन्नाधूनोमि मदिन्तमानां त्वा पत्मन्नाधूनोमि मधुन्तमानां त्वा पत्मन्नाधूनोमीत्येता वै दैवीरापस्तद्याश्चैव दैवीरापो याश्चेमा मानुष्यस्ताभिरेवास्मिन्नेतदुभयीभी रसं दधाति ॥ ८ ॥

शुक्रं त्वा शुक्रऽ आधूनोमीति । शुक्रर्थ्ँ ह्येतच्छुक्रऽ आधूनोत्यह्नो रूपे सूर्य्यस्य रश्मिष्विति तदह्नश्चैवैनमेतद्रूपे सूर्य्यस्य च रश्मिष्वाधूनोति ॥ ९ ॥

अंशूनेवाधूनोति । " व्रेशीनां त्वा पत्मन्नाधूनोमि, कुकूननानां त्वा पत्मन्नाधूनोमि, भंदनानां त्वा पत्मन्नाधूनोमि, मदिंतमानां त्वा पत्मन्नाधूनोमि, मधुंतमानां त्वा पत्मन्नाधूनोमि "–(वा. सं. ८ । ४८) इति । एता वै दैवीरापः । तद्याश्चैव दैवीरापः । याश्चेमा मानुष्यः । ताभिरेवास्मिन्नेतदुभयीभी रसं दधाति ॥ ८ ॥

" शुक्रं त्वा शुक्र आधूनोमि "–इति । शुक्रं ह्येतच्छुक्र आधूनोति । " अह्नो रूपे

मंत्रम् । उपयामः सर्वत्राविशेषात् " (का. श्रौ. सू. १२ । ६–८) इति । त्रैष्टुभं माध्यंदिनं सवनमित्यादि पूर्ववद्योज्यम् । तृतीयस्यांशोर्ग्रहणमंत्रं व्याचष्टे–विश्वेभ्यस्त्वेति । जगच्छन्दसमिति जगतीछंदस्कम् । तृतीयसवनात्मकत्वादित्यर्थः । 'अनुष्टुप्तेऽभिगरः' इति मन्त्रपाठस्य प्रयोजनमाह–यद्वा ऊर्ध्वमिति । त्रिभ्यः सवनेभ्यः ' ऊर्ध्वं ' उक्थषोडशीसंस्थादिरूपं यदस्ति तत्सर्वं ' आनुष्टुभं ' अनुष्टुप्छंदस्कम् । तदेवानेन मन्त्रेण ' प्रवृहति ' असुरेभ्यः उपादत्ते । मंत्रार्थस्तु हे सोम ! ' ते ' तव अनुष्टुबाख्यं छन्दः ' अभिगरः ' अभिशंसनं स्तावकमित्यर्थः । ग्रहान्तरवत् प्राप्तमभिषवं निषेधति–तन्नाभिषुणोतीति । तत्र कारणमाह–वज्रो वा इति । ग्राव्णः कठिनत्वात् प्रहरणसाधनत्वाच्च वज्रत्वम् । अदाभ्यस्य वाग्रूपत्वमुक्तम् । ' हिनसानि ' हिंसां करवाणि । गतमन्यत् ॥ ७ ॥

अभिषवस्थाने आधवनं विधत्ते–अंशूनेवाधूनोतीति । ग्रहस्योपरि निहितान् त्रीनंशूनेव ' आधूनोति ' कंपयति । " व्रेशीनां त्वा " इत्यादयस्तन्मंत्राः स्तूयंते । "अनुष्टुप्त इत्युक्त्वाऽऽधूनोत्यंशुभिर्व्रेशीनां त्वा"(का. श्रौ. सू. १२ । ११०) इति । व्रेश्यादयः शब्दाः देवलोकस्थानामपां संज्ञाः । व्रेश्यंते सिच्यंते आभिरिति व्रेश्यः तासां व्रेशीनां पत्मन् पतनं मार्गे हे सोम ! त्वाम् ' आधूनोमि ' कंपयामि । " सुपां सुलुक् " (पा. सू. ७ । १ । ३९) इति सप्तम्या लुक् । एवमुत्तरत्रापि योज्यम् । कुत्सितं कूनंति शब्दायन्त इति कुकूननाः । भंदंते भद्रा भवंतीति भंदनाः । अत्यर्थं मदयन्ति तर्पयंतीति मदितमाः । अतिशयेन माधुर्योपेता मधुन्तमाः । एता वै दैवीरित्यादि । ' एताः ' व्रेश्याद्याः ' दैवीः ' देवसंबंधिन्यः ' आपः '। तत्तथा सति दैवीभिरद्भिः पात्रगृहीताभिर्मानुषीभिश्च ' उभयीभिः ' एतस्मिन् ग्रहे ' रसं ' ' दधाति ' स्थापयति ॥ ८ ॥

अंतिमं आधवनमन्त्रमनूद्य व्याचष्टे–शुक्रं त्वेति । हे सोम ! ' शुक्रं ' रसवन्तं त्वां ' शुक्रे ' वसती-

ककुभꣳ रूपम्वृषभस्य रोचते बृहदिति । (त्ये) एतद्वै ककुभꣳ रूपम्वृषभस्य रोचते बृहद्यऽएष तपति शुक्रः शुक्रस्य पुरोगाः सोमः सोमस्य पुरोगाऽ इति तच्छुक्रमेवैतच्छुक्रस्य पुरोगाङ्करोति सोमꣳ सोमस्य पुरोगां यत्ते सोमादाभ्यन्नाम जागृवि तस्मै त्वा गृह्णामीत्येतद्ध वाऽ अस्यादाभ्यन्नाम जागृवि यद्वाक्तद्वाचमेवैतद्वाचे गृह्णाति ॥ १० ॥

(त्यु) अथोपनिष्क्रम्य जुहोति । तस्मै ते सोम सोमाय स्वाहेति तत्सोममेवैतत्सोमाय जुहोति तथो व्वाचमग्नौ न प्रव्वृणक्त्यथ हिरण्यमभिव्यनित्यसावेव बन्धुस्तस्य तावतीरेव दक्षिणा यावतीरꣳशोः ॥ ११ ॥

सूर्यस्य रश्मिषु "- (वा. सं. ८।४८) इति । तदह्नश्चैवैनमेतद्रूपे सूर्यस्य च रश्मिष्वाधूनोति ॥ ९ ॥

"ककुभं रूपं वृषभस्य रोचते बृहत"-इति । एतद्वै ककुभं रूपं वृषभस्य रोचते बृहत् । य एष तपति । " शुक्रः शुक्रस्य पुरोगाः सोमः सोमस्य पुरोगाः "-इति । तच्छुक्रमेवैतच्छुक्रस्य पुरोगां करोति । सोमं सोमस्य पुरोगाम् । " यत्ते सोमादाभ्यन्नाम जागृवि तस्मै त्वा गृह्णामि "-इति । एतद्ध वा अस्यादाभ्यन्नाम जागृवि-यद्वाक् । तद्वाचमेवैतद्वाचे गृह्णाति ॥ १० ॥

अथोपनिष्क्रम्य जुहोति-" तस्मै ते सोम सोमाय स्वाहा "-(वा० सं० ८।४९)

वर्याख्ये रसवत्युदके ' आधूनोमि ' कंपयामि । शुक्रशब्दाभिधेयमाचष्टे-शुक्रं ह्येतदिति । चरमभागमनूद्य व्याचष्टे-अह्नो रूप इति । ' अह्नो ' दिवसस्य संबंधिनि ' रूपे ' वसतीवर्याख्ये सूर्यसंबंधिषु ' रश्मिषु ' किरणेषु तं त्वां आधूनोमीत्यर्थः । सूर्यास्तमयात् पूर्वमेव औपवसथ्येऽहनि वसतीवरीणां ग्रहणात् एवमुच्यते । स्पष्टमन्यत् ॥ ९ ॥

(त्वां गृह्णामीति । किं तत् सत्यं; प्रकृतं तं मंत्रमाह)-ककुभं रूपमिति । व्याचष्टे-एतद्वै ककुभमिति । ' य एषः ' सूर्यस्तपति ' एतत् ' खलु बृहदधिकं ' ककुभं ' प्रशस्यं रूपम् । तत् ' वृषभस्य ' वर्षणशीलस्य सूर्यस्य रोचते । अतोऽयं ' शुक्रः ' देदीप्यमानः सोमः ' शुक्रस्य ' दीप्यमानस्य सूर्यस्य ' पुरोगाः ' पुरतो गंता । तथा होमानन्तरं ' सोमः ' अमृतमयो भूत्वा ' सोमस्य ' दिवि चन्द्रात्मना वर्तमानस्य पुरोगामी भवति । उक्तार्थपरतां मन्त्रस्याह-तच्छुक्रमेवैतदिति । यत्ते सोमादाभ्यमित्यादिमन्त्रभागस्यायमर्थः । हे सोम ! ' ते ' तव ' यत् अदाभ्यं ' अहिंसितं ' नाम जागृवि ' जागरणशीलं ' तस्मै ' नाम्ने, इत्येतद् आह-एतद्ध वा अस्यादाभ्यं नामेति । ' अस्य ' सोमस्य ' वाक् ' इत्येतत् अदाभ्यं नामेत्यर्थः । तस्याः सर्वव्यवहारहेतुत्वेन बाधानर्हत्वात् अदाभ्यत्वम् । तथा च वागात्मकमेव अदाभ्यग्रहरूपं सोमं वाग्देवतायै गृहीतवान् भवतीत्यर्थः ॥ १० ॥

अथास्य ग्रहस्य समंत्रकं होमं विधत्ते-अथोपनिष्क्रम्येति । ' उपनिष्क्रम्य ' हविर्द्धानान्निर्गत्य आह-

(इ) अथाꣳशून्पुनरप्यर्जति। (त्यु) उशिक्त्वं देव सोमाग्नेः प्रियम्पाथोऽपीहि व्वशी त्वं देव सोमेन्द्रस्य प्रियम्पाथोऽपीह्यस्मत्सखा त्वं देव सोम व्विश्वेषां देवानां प्रियम्पाथोऽपीहीति सवनानि वाऽ अदः प्रव्वृहति तान्येवैतत्पुनराप्याययत्ययातयामानि करोति तैरयातयामैर्यज्ञं तन्वते ॥ १२ ॥

इति चतुर्थप्रपाठके तृतीयं ब्राह्मणम् ॥ ११-४-३ ॥ (५. ९.) ॥

इति पञ्चमोऽध्यायः समाप्तः ॥ ११ । ५ ॥

इति। तत्सोममेवैतत्सोमाय जुहोति। तथो वाचमग्नौ न प्रवृणक्ति। अथ हिरण्यमभिव्यनिति। असावेव बंधुः। तस्य तावतीरेव दक्षिणाः। यावतीरंशोः ॥ ११ ॥

अथांशून्पुनरप्यर्जति। "उशिक्त्वं देव सोमाग्नेः प्रियं पाथोऽपीहि, वशी त्वं देव सोमेंद्रस्य प्रियं पाथोऽपीहि, अस्मत्सखा त्वं देव सोम विश्वेषां देवानां प्रियं पाथोऽपीहि"-(वा. सं. ८ । ५०) इति। सवनानि वा अदः प्रवृहति। तान्येवैतत्पुनराप्याययति। अयातयामानि करोति। तैरयातयामैर्यज्ञं तन्वते ॥ १२ ॥

वनीयदेशं गत्वा "तस्मै" ते इति मंत्रेणाहवनीये जुहुयात्। हे 'सोम!' 'तस्मै' वागात्मकाय 'ते' तुभ्यं 'सोमाय' इदं रसात्मकं हविः 'स्वाहा' सुहुतमस्तु, इति मंत्रस्यार्थः। एतदर्थपरतां व्याचष्टे-तत्सोममेवैतदिति। 'एतत्' एतेन मन्त्रेण सोमरसमेव 'सोमाय' हुतवान् भवति। तथा च सति वागात्मकस्य सोमस्य देवतात्वेनावस्थितत्वात् अग्नौ प्रक्षिप्यमाणः सोमरसो न वागात्मक इति 'वाचमग्नौ न प्रवृणक्ति' न दहतीत्यर्थः। अथास्य ग्रहस्य होमकाले ध्रियमाणस्य प्राणवायोर्यदि बलान्निष्क्रमः स्यात्; तदा हिरण्यस्योपरि प्रश्वासः कार्य इत्याह-अथ हिरण्यमिति। 'अभिव्यनिति' उपर्युछ्वासं करोतीत्यर्थः। अस्य स्तावकं वाक्यशेषमतिदिशति-असावेव बंधुरिति। यश्चतुर्थकांडे (श. प. ४ । १।१।६) अंशुग्रहप्रस्तावे हिरण्यस्य उपरि उच्छ्वसनस्य स्तावको वाक्यशेषः सः अत्रापि द्रष्टव्यः। परिमाणविशेषविशिष्टं दक्षिणाद्रव्यं विधत्ते-तस्य तावतीरेवेति। यावतीर्यत्परिमाणविशिष्टा वत्सतर्यः अंशोर्ग्रहस्य देयत्वेनोक्ताः। तस्माददाभ्यग्रहस्यापि तत्परिमाणविशिष्टा वत्सतर्यो दक्षिणात्वेन देयाः। सूत्रे हि-"द्वादश वत्सतर्यो गर्भिण्यो दक्षिणा" (का. श्रौ. सू. १२ । १०९) इति ॥ ११ ॥

अथ एतेषां त्रयाणामंशूनां पुनस्त्रिभिर्मंत्रैः संसर्जनं विधत्ते-अथांशूनिति। 'अथ' एवं होमानंतरं एतान् धूतानंशून् "उशिक्त्वं" इत्यादिभिः प्रतिमंत्रं राजासंदीगते सोमे पुनरपि 'अर्जति' संसृजेत्। सूत्रे हि-"अंशून्सोमे निदधात्युशिक्त्वमिति प्रतिमंत्रम्"-(का. श्रौ. सू. १२ । १११) इति। मंत्राणामयमर्थः-

---

१-तस्मै त इति जुहोति। का० श्रौ० सू० १२ । ११० । २-अंशुवद्दक्षिणा। का० श्रौ० सू० । १२ । ११२ ।

हे 'देव' दानादिगुणयुक्त 'सोम !' 'उशिक्त्वं' कामयमानस्त्वं 'प्रियं पाथः' । अन्ननामैतत् । प्रातः-सवनरूपं हविः 'अपीहि' अपिगच्छ । वशी त्वमिति द्वितीयो मंत्रः । वशः कामो यस्यास्तीति वशी । 'इन्द्रस्य प्रियं पाथः' माध्यंदिनसवनार्थः सोमः । 'अस्मत्सखा' सखिभूतः । 'विश्वेषां देवानां प्रियं पाथः' तृतीयसवनार्थः सोमः । अन्यत्पूर्ववत् योज्यम । मंत्रांस्तान् सवनार्थकथनव्याजेन व्याचष्टे—सवनानि वा अद इति । 'अदः' अदाभ्यस्य ग्रहणकाले अंशुत्रयरूपेण त्रीण्येव 'सवनानि' खलु 'प्रवृहति' आदत्ते । 'तान्येव' एतत्पुनः प्रक्षेपेण इदानीम् 'आप्याययति' वर्द्धयति । 'अयातयामानि' च 'करोति' । ततस्तैः सवनैः 'अयातयामैः' अगतसारैः रसवद्भिः 'यज्ञं तन्वते' विस्तारयंति यज्ञविदः ॥ १२ ॥

इति श्रीसायणाचार्यविरचिते माधवीये वेदार्थप्रकाशे माध्यन्दिनीयशतपथब्राह्मणभाष्ये एकादशकाण्डे पंचमेऽध्याये नवमं ब्राह्मणम् ॥ (११–५–९) ॥

वेदार्थस्य प्रकाशेन तमो हार्दं निवारयन् । पुमर्थांश्चतुरो देयाद् विद्यातीर्थमहेश्वरः ॥ १ ॥

ब्रह्माण्डं गोसहस्रं कनकहयतुलापूरुषौ स्वर्णगर्भं,
सप्ताब्धीन्पञ्चसीरीस्त्रिदशतरुलताधेनुसौवर्णभूमीः ।
रत्नोस्रां रुक्मवाजिद्विपमहितरथौ सायणिः सिङ्गणार्यो,
व्यश्राणीद्विश्वचक्रं प्रथितविभिमहाभूतयुक्तं घटं च ॥
धान्याद्रिं धन्यजन्मा तिलमवमतुलः स्वर्णजं वर्णमुख्यः,
कार्पासीयं कृपावान्गुडकृतमजडो राजतं राजपूज्यः ।
आज्योत्थं प्राज्यजन्मा लवणजमनृणः शार्करं चार्कतेजा,
रत्नाढ्यो रत्नरूपं गिरिमकृत मुदा पात्रसात्सिङ्गणार्यः ॥

इति श्रीमद्राजाधिराजपरमेश्वरवैदिकमार्गप्रवर्त्तकश्रीहरिहरमहाराजसाम्राज्यधुरन्धरेण सायणाचार्येण विरचिते माधवीये वेदार्थप्रकाशे माध्यन्दिनीयशतपथब्राह्मणभाष्ये एकादशकाण्डे पञ्चमोऽध्यायः समाप्तः ॥ ११ । ५ ॥

अथ षष्ठेऽध्याये प्रथमं ब्राह्मणम् ।
चतुर्थप्रपाठके च चतुर्थं ब्राह्मणम् ।

भृगुर्ह वै व्वारुणिः । (वर्रु) व्वरुणम्पितरम्विद्ययाऽतिमेने तद्ध व्वरुणो व्विदाञ्चकारातिं वै मा व्विद्यया मन्यतऽ इति ॥ १ ॥

स होवाच । प्राङ्पुत्रक व्व्रजतात्तत्र यत्पश्येस्तद्दृष्ट्वा दक्षिणा व्व्रजतात्तत्र यत्पश्येस्तद्दृष्ट्वा प्रत्यग्व्रजतात्तत्र यत्पश्येस्तद्दृष्ट्वोदग्व्रजतात्तत्र यत्पश्येस्तद्दृष्ट्वैतयोः पूर्व्वयोरुत्तरमन्ववान्तरदेशम्व्रजतात्तत्र यत्पश्येस्तन्मऽ आचक्षीथाऽ इति ॥ २ ॥

स ह ततऽ एव प्राङ्प्रवव्राज । (जै) एदु पुरुषैः पुरुषान्पर्व्वाण्येषाम्पर्व्वशः सम्व्रश्चम्पर्व्वशो व्विभजमानानिदं तवेदम्ममेति स होवाच भीष्मं

भृगुर्ह वै वारुणिर्वरुणं पितरं विद्ययाऽतिमेने । तद्ध वरुणो विदांचकार । अति वै मा विद्यया मन्यत इति ॥ १ ॥

स होवाच–प्राङ् पुत्रक व्रजतात् । तत्र यत्पश्येः; तत् दृष्ट्वा दक्षिणा व्रजतात् । तत्र यत्पश्येः; तत् दृष्ट्वा प्रत्यग् व्रजतात् । तत्र यत्पश्येः; तत् दृष्ट्वोदग् व्रजतात् । तत्र यत्पश्येः; तत् दृष्ट्वैतयोः पूर्वयोरुत्तरमन्ववांतरदेशं व्रजतात् । तत्र यत्पश्येः; तन्म आचक्षीथा इति ॥ २ ॥

स ह तत एव प्राङ् प्रवव्राजैदु पुरुषैः पुरुषान्पर्वाण्येषां पर्वशः संव्रश्च्यं पर्वशो विभजमानान्,

---

यस्य निःश्वसितं वेदा यो वेदेभ्योऽखिलं जगत् । निर्ममे तमहं वन्दे विद्यातीर्थमहेश्वरम् ॥ १ ॥

अथ समिदाधानादीनां वनस्पत्यादिरूपफलप्राप्तिसाधनतां विवक्षुः आख्यायिकां रचयति–भृगुर्ह वै वारुणिरिति । 'अतिमेने' अतिक्रान्तमात्मानं मन्यते स्मेत्यर्थः । तद्ध वरुण इत्यादि । 'तत्' अतिक्रमणं 'वरुणः' 'विदांचकार' ज्ञातवान् 'विद्यया' खलु 'मां' अयं पुत्रः 'अतिमन्यते' अतिशयितमात्मानं मन्यत इति ॥ १ ॥

अथ तस्य पुत्रस्य अहंकारं खण्डयितुं प्रागादिदिक्षु गत्वा तत्रत्यं दृष्टं ममाचक्ष्वेति पुत्रं नियुंक्ते–स होवाचेति । पुत्रकेति "अनुकंपायाम्"–(पा. सू. ५।३।७६) इति कन् । हे पुत्रक ! प्राङ्मुखः सन् प्राचीं दिशं 'व्रजतात्' व्रज । "तुह्योस्तातङ्" (पा. सू. ७।१।३५) इति तातङादेशः । 'तत्र' प्राच्यां दिशि 'यत्पश्येः' यद्वस्तु द्रक्ष्यसि, 'तत् दृष्ट्वा' 'दक्षिणा व्रजतात्' दक्षिणां दिशं गच्छेत्यर्थः । पूर्ववत् योज्यम् । एतयोरित्यादि । उदीच्यां दिशि प्रस्थितं दृष्ट्वा अनंतरमेव 'एतयोः पूर्वयो' प्रत्यगुदग्देशयोः 'उत्तरमनु' प्राप्तं दृष्ट्वा 'अवांतरदेशं व्रजतात्' । तत्रावांतरदेशे 'यत् पश्येः' । 'तत्' प्रागादिदिक्षु दृष्टं 'आचक्षीथाः' अवब्रूहि ॥ २ ॥

इत्थं वरुणेन निरुक्तः 'सः' भृगुः 'ततः' अनन्तरमेव प्रागादिदिक्षु पर्यटनं कृतवानित्याह–स ह

बत भोः पुरुषान्वाऽएतत्पुरुषाः पुर्व्वाण्येषाम्पर्व्वशः सम्व्रश्चम्पर्व्वशो व्व्यभक्षतेति ते होचुरित्थं वाऽ इमेऽस्मानमुष्मिंल्लोकेऽसचन्त तान्वयमिदमिह प्रतिसचामहाऽइति स होवाचास्तीह प्रायश्चित्ती३रित्यस्तीति काऽति पिता ते व्वेदेति ॥ ३ ॥

स ह ततऽ एव दक्षिणा प्रवव्राज । (जै) एदु पुरुषैः पुरुषान्पर्व्वाण्येषाम्पर्व्वशः सङ्कर्तम्पर्व्वशो व्विभजमानानिदन्तवेदम्ममेति स होवाच भीष्मम्बत भोः पुरुषान्वाऽ एतत्पुरुषाः पर्व्वाण्येषाम्पर्व्वशः सङ्कर्तम्पर्व्वशो व्व्यभक्षतेति ते होचुरित्थम्वाऽ इमेऽस्मानमुष्मिंल्लोकेऽसचन्त

इदं तवेदं ममेति । स होवाच—भीष्मं बत भोः पुरुषान्वा एतत्पुरुषाः पर्वाण्येषां पर्वशः संव्रश्चं पर्वशो व्यभक्षतेति । ते होचुः—इत्थं वा इमेऽस्मानमुष्मिन् लोकेऽसचंत । तान् वयमिदमिह प्रतिसचामहा इति । स होवाच—अस्तीह प्रायश्चित्ती ३ रिति । अस्तीति । काऽति । पिता ते वेदेति ॥ ३ ॥

स ह तत एव दक्षिणा प्रवव्राजैदु पुरुषैः पुरुषान्पर्वाण्येषां पर्वशः संकर्तं पर्वशो विभजमानान्, इदं तवेदम्ममेति । स होवाच—भीष्मं बत भोः पुरुषान् वा एतत् पुरुषाः पर्वाण्येषां

तत एवेत्यादिना । 'प्रवव्राजैत्' प्रवव्राजैव । एच्छब्दोऽवधारणे । उशब्दश्चार्थे । तत् पूर्वस्यां दिशि व्रजित्वा इदमद्राक्षीदित्याह—पुरुषैः पुरुषानिति । 'एषां' पुरुषाणां संबंधीनि 'पर्वाणि' वपूंषि अवयवसंधीन् 'पर्वशः संव्रश्चम्' पर्वणि पर्वणि संवृश्च्य संछिद्य 'पर्वशः' एकैकं पर्व 'तवेदं ममेदं' इत्यन्यैः 'पुरुषैः' 'विभजमानान् पुरुषान्' प्राच्यां दिशि दृष्ट्वा 'सः' खलु भृगुः 'उवाच' उक्तवान् । बतेति खेदे । 'भीष्मं' भयंकरं खलु एतत् भो पुरुषाः ! एवं भयकारणं दृष्टं विधत्ते—'पुरुषाः' यूयं अन्यान् 'पुरुषान् पर्वशः' पर्वणि इदं तवेदं ममेति 'व्यभक्षत' विभक्तवंतः स्थ । किं कृत्वा 'एषां पुरुषाणां 'पर्वाणि' अवयवसंधीन् । 'पर्वशः' पर्वणि पर्वणि 'संवृश्चं' संवृश्च्य । इति भृगुणोक्ते सर्वे 'ते' विभक्तारः पुरुषा जनास्तं प्रत्यूचुः—'इमे' विभज्यमानाः पुरुषाः 'इत्थमेव अस्मान्' 'अमुष्मिन्' परस्मिन् 'लोके' 'असचंत' प्राप्तवंतः "षच समवाये" (धा. पा. भ्वा. आ. १०२२) इति धातुः । अतस्तान् वैरनिर्यातनार्थं इदमिदानीं 'वयं' इहास्मिन् लोके 'प्रतिसचामहे' कृतसंव्रश्चनस्य प्रत्यर्पणेन संप्राप्नवामेत्यर्थः । एवमुक्ते सति 'सः' खलु भृगुरुवाच उक्तवान् । इहास्मिन् विषये का अस्ति प्रायश्चित्तिरिति । प्रश्नार्थे प्लुतिः । 'सा अस्तीति' तस्य प्रतिवचनम् । पुनः पृच्छति—काऽस्तीति । अस्मद्बुद्धिमतिक्रम्य वर्तमाना सा प्रायश्चित्तिः का किंरूपेत्यर्थः । पितेति प्रतिवचनम् । हे भृगो ! 'ते' तव 'पिता वेद' तां प्रायश्चित्तिं जानाति । एवमुत्तरेष्वपि पर्यायेषु योज्यम् ॥ ३ ॥

पर्वशः संकर्तमिति । "कृती छेदने" (धा. पा. तु. प. १५४) इति धातुः । अस्मात् णमुल् । पर्वणि पर्वणि सम्यक् कर्तनं कृत्वेत्यर्थः । अन्यत्समानं पूर्वेण ॥ ४ ॥

तान्वयमिदमिह प्रतिसचामहाऽइति स होवाचास्तीह प्रायश्चित्ती३रित्यस्तीति काऽति पितैव ते व्वेदेति ॥ ४ ॥

स ह ततऽ एव प्रत्यङ्प्रवव्व्राज । (जै) एद पुरुषैः पुरुषाँस्तूष्णीमासीनाँस्तूष्णीमासीनैरद्यमानान्त्स होवाच भीष्मं बत भोः पुरुषान्वाऽएतत्पुरुषास्तूष्णीमासीनाँस्तूष्णीमासीनाऽ अदन्तीति ते होचुरित्थं वाइमेऽस्मानमुष्मिँल्लोकेऽसचन्त तान्वयमिदमिह प्रतिसचामहाऽ इति स होवाचास्तीह प्रायश्चित्ती३रित्यस्तीति काऽति पितैव ते व्वेदेति ॥ ५ ॥

स ह ततऽएवोदङ्प्रवव्व्राज । (जै) एद पुरुषैः पुरुषानाक्रन्दयतऽआक्रन्दयद्भिरद्यमानान्त्स होवाच भीष्मम्बत भोः पुरुषान्वाऽएतत्पुरुषाऽआक्रन्दयतऽआक्रन्दयन्तोऽदन्तीति ते होचुरित्थम्वाऽ इमेऽस्मानमुष्मिँल्लोकेऽसचन्त तान्वयमिदमिह प्रतिसचामहाऽ इति स होवाचाऽस्तीह प्रायश्चित्ती३रित्यस्तीति काऽति पितैव ते व्वेदेति ॥ ६ ॥

पर्वशः संकर्तं पर्वशो व्यभक्षतेति । ते होचुः—इत्थं वा इमेऽस्मानमुष्मिन् लोकेऽसचंत । तान् वयमिदमिह प्रतिसचामहा इति । स होवाच—अस्तीह प्रायश्चित्ती३रिति । अस्तीति । काऽति । पितैव ते वेदेति ॥ ४ ॥

स ह तत एव प्रत्यङ् प्रवव्राजैद पुरुषैः पुरुषांस्तूष्णीमासीनांस्तूष्णीमासीनैरद्यमानान् । स होवाच—भीष्मं बत भोः पुरुषान्वा एतत्पुरुषास्तूष्णीमासीनाँस्तूष्णीमासीना अदंतीति । ते होचुः—इत्थं वा इमेऽस्मानमुष्मिन् लोकेऽसचंत । तान् वयमिदमिह प्रतिसचामहा इति । स होवाच—अस्तीह प्रायश्चित्ती३रिति । अस्तीति । काऽति । पितैव ते वेदेति ॥ ५ ॥

स ह तत एवोदङ् प्रवव्राजैद पुरुषैः पुरुषानाक्रंदयत आक्रंदयद्भिरद्यमानान् । स होवाच—भीष्मं बत भोः पुरुषान् वा आक्रंदयत आक्रंदयंतोऽदंतीति । ते होचुः—इत्थं वा इमेऽस्मानमुष्मिन् लोकेऽसचंत । तान् वयमिदमिह प्रतिसचामहा इति । स होवाच—अस्तीह प्रायश्चित्ती३रिति । अस्तीति । काऽति । पितैव ते वेदेति ॥ ६ ॥

एवं दक्षिणस्यां दिशि गमनमुक्त्वा अनंतरं प्रतीच्यां दिशि आह—स ह तत एवेति । 'ततः' दक्षिणदिग्गमनानंतरमेव । 'सः' खलु भृगुः प्रत्यङ्मुखः सन् प्रतीचीं दिशं 'प्रवव्राज' इत्यादि पूर्ववत् । तूष्णीमासीनानिति । 'तूष्णीं' वाग्व्यवहारपरित्यागेन उपविशतः पुरुषान् तथाविधपुरुषैरद्यमानानित्यर्थः । गतमन्यत् ॥ ५ ॥

अथ उदीच्यां दिशि प्रव्रजनं विधत्ते—स ह तत एवेति । 'उदङ्' उदङ्मुखः । आक्रंदयत इत्यादि । आक्रंदनं आक्रोशनं कुर्वतः पुरुषान् तादृशैः 'पुरुषैः' 'अद्यमानान्' भक्ष्यमाणानित्यर्थः । गतमन्यत् ॥ ६ ॥

स ह तत एवैतयोः पूर्वयोः । (कु) उत्तरमन्ववान्तरदेशम्प्रवव्राजैद्दु स्त्रियौ कल्याणीञ्चातिकल्याणीञ्च तेऽअन्तरेण पुरुषः कृष्णः पिङ्गाक्षो दण्डपाणिस्तस्थौ तꣳ हैनं दृष्ट्वा भीर्विवेद स हेत्य सम्विवेश तꣳ ह पितोवाचाधीष्व स्वाध्यायङ्कस्मान्नु स्वाध्यायं नाधीषऽइति स होवाच किमध्येष्ये न किञ्चनास्तीति तद्ध वरुणो विदाञ्चकाराद्रचग्वाऽइति ॥७॥

स होवाच । यान्वै तत्प्राच्यां दिश्यद्राक्षीः पुरुषैः पुरुषान्पर्व्वाण्येषा-म्पर्व्वशः सम्वृश्च्यं पर्व्वशो विभजमानानिदं तवेदम्ममेति वनस्पतयो वै

स ह तत एवैतयोः पूर्वयोरुत्तरमन्ववांतरदेशं प्रवव्राजैद्दु स्त्रियौ कल्याणीं चातिकल्याणीं च । ते अंतरेण पुरुषः कृष्णः पिंगाक्षो दण्डपाणिस्तस्थौ । तं हैनं दृष्ट्वा भीर्विवेद । स हेत्य संविवेश । तं ह पितोवाच–अधीष्व स्वाध्यायम् । कस्मान्नु स्वाध्यायं नाधीष इति । स होवाच–किमध्येष्ये, न किंचनास्तीति । तद्ध वरुणो विदांचकार–अद्रचग्वा इति ॥ ७ ॥

स होवाच–यान् वै तत् प्राच्यां दिश्यद्राक्षीः, पुरुषैः पुरुषान् पर्वाण्येषां पर्वशः संवृश्च्यं

अथ पूर्वयोरवांतरदेशस्य व्रजनं दर्शयति–स ह तत एवेति । 'सः' खलु भृगुः उदग्गमनानंतरमेव 'एतयोः' पूर्वोक्तयोर्दिशोः । उत्तरभागमवांतरदेशं 'अनु' लक्ष्य 'प्रवव्राजैद्दु' प्रजगामैव । तत्र खलु व्रजित्वा 'कल्याणीं' शोभनां 'अतिकल्याणीं' चाशोभनां द्वे स्त्रियावद्राक्षीत् । 'ते अंतरेण' । "अंतरान्तरेणयुक्ते" (पा. सू. २ । ३ । ४) इति द्वितीया । कश्चित् 'पुरुषः' 'पिंगाक्षः' पिंगे पिंगलवर्णे अक्षिणी यस्येति "बहुव्रीहौ सक्थ्यक्ष्णोः" (पा. सू. ५ । ४ । ११३) इति षच् समासांतः । 'दंडपाणिः' उद्यतदंडहस्तः । 'तस्थौ' स्थितवान् । तं हैनं दृष्ट्वा भीर्विवेदेति । 'तं' पुरुषं 'दृष्ट्वा' 'भीर्विवेद' भीतिं लब्धवान् । "विद्लृ लाभे" (धा. पा. तु. उ. १५१) इत्यस्माल्लिट् । भीरिति "सुपां सुलुक्" (पा. सू. ७ । १ । ३९) इति द्वितीयैकवचनस्य सु आदेशः । एवं चतसृषु दिक्षु उग्रकर्माणि दृष्ट्वा अंते चावांतरदेशे शोभनाशोभनयोः स्त्रियोर्मध्ये स्थितं भयंकरं पुरुषविशेषं च दृष्ट्वा भीतः स किं कृतवान् इति तदाह–स हेत्यादि । 'सः' खलु । एत्यागत्य पितृगृहं प्राप्य 'संविवेश' संवेशनं शयनं कृतवान् । एवं वरुणः । पुत्रस्य भृगोः अहंकारमपनीय तस्मै उपदिदेशेत्याह–तं हेति । 'तं' खलु भृगुं पिता वरुणः 'उवाच' उक्तवान् । किमिति ? हे पुत्र ! 'स्वाध्यायं' स्वशाखामधीष्व पठ । 'कस्मात्' 'स्वाध्यायं' 'नाधीषे' न पठसि । "इङ् अध्ययने" (धा. पा. अ. आ. ३६) इति धातुः । एवं पित्रा उक्ते पुत्रस्य प्रतिवचनं दर्शयति–स होवाचेति । 'सः' खलु पुत्रः 'उवाच' उक्तवान् । 'किमध्येष्ये' कस्य वेदस्याध्ययनं करिष्यामि । 'किंचन' किमपि अनधीतं अध्येतव्यं मम नास्तीति । तद्ध वरुण इति । तत्तत्र भृगुणा एवमुक्ते सति वरुणस्तस्याभिप्रायं 'विदांचकार' ज्ञातवान् । 'अद्रग्वै' अदृष्टः आहितः खलु त्वमसि ॥ ७ ॥

अथ तेन भृगुणा प्रागादिदिक्षु यत् यत् पूर्वं दृष्टं तत्सर्वं तस्योपदिशति–स होवाचेति । 'सः' खलु

तेऽ अभूवन्त्स यद्वनस्पतीनाᳬं समिधमादधाति तेन व्वनस्पतीनवरुन्धे तेन व्वनस्पतीनां लोकं जयति ॥ ८ ॥

(त्यु) अथ यानेतद्दक्षिणायां दिश्यद्राक्षीः । पुरुषैः पुरुषान्पर्व्वाण्येषाम्पर्व्वशः सङ्कर्तम्पर्व्वशो व्विभजमानानिदं तवेदम्ममेति पशवो वै तेऽ अभूवन्त्स यत्पयसा जुहोति तेन पशूनवरुन्धे तेन पशूनां लोकञ्जयति ॥ ९ ॥

(त्यु) अथ यानेतत्प्रतीच्यां दिश्यद्राक्षीः । पुरुषैः पुरुषाँस्तूष्णीमासीनाँस्तूष्णीमासीनैरद्यमानानोषधयो वै ताऽ अभूवन्त्स यत्तृणेनावज्योतयति तेनौषधीरवरुन्धे तेनौषधीनां लोकं जयति ॥ १० ॥

पर्वशो विभजमानान्, इदं तवेदं ममेति । वनस्पतयो वै ते अभूवन् । स यद्वनस्पतीनां समिधमादधाति । तेन वनस्पतीनवरुंधे । तेन वनस्पतीनां लोकं जयति ॥ ८ ॥

अथ यानेतद्दक्षिणायां दिश्यद्राक्षीः, पुरुषैः पुरुषान् पर्वाण्येषां पर्वशः संकर्तं पर्वशो विभजमानान्, इदं तवेदं ममेति । पशवो वै ते अभूवन् । स यत् पयसा जुहोति । तेन पशूनवरुंधे । तेन पशूनां लोकं जयति ॥ ९ ॥

अथ यानेतत् प्रतीच्यां दिश्यद्राक्षीः, पुरुषैः पुरुषान् तूष्णीमासीनान् तूष्णीमासीनैरद्यमानान्, ओषधयो वै ता अभूवन् । स यत् तृणेनावज्योतयति । तेनौषधीरवरुंधे । तेनौषधीनां लोकं जयति ॥ १० ॥

वरुणः 'उवाच' उक्तवान् । 'यान्' खलु पुरुषान् तत्तत्र 'प्राच्यां दिशि' हे पुत्र ! त्वं 'अद्राक्षीः' दृष्टवानसि । पुरुषैः पुरुषानित्यादि पूर्ववत् । वनस्पतयो वै ते इति । 'ते' पर्वशो वृश्च्यमानाः पलाशखदिरादिवनस्पतयः 'अभूवन्' । तथा सति 'सः' यजमानः 'वनस्पतीनां' संबंधिनीं 'समिधं' संवृश्च्य अग्नावादधातीति यदस्ति 'तेन वनस्पतीनवरुंधे' स्वाधीनत्वेन लभते । तेनावरोधेन 'वनस्पतीनां' संबंधी यो लोकः तं 'जयति' प्राप्नोति ॥ ८ ॥

अथ दक्षिणस्यां दिशि दृष्टस्य स्वरूपं कथयति—अथ यानेतदिति । पूर्ववद्योज्यम् । पशवो वै त इति । 'ते' पर्वशः संकृत्यमानाः छिद्यमानाः पुरुषाः 'पशवः' गवादय आसन्नित्यर्थः । तथा सति 'सः' यजमानः 'पयसा' अग्निहोत्रं 'जुहोतीति' यदस्ति 'तेन पशूनवरुंधे' तेन पश्ववरोधनेन 'पशूनां' सम्बन्धिनं 'लोकं जयति' लभते ॥ ९ ॥

अथ प्रतीच्यां दिशि दृष्टस्य स्वरूपमाह-अथ यानेतदिति । तूष्णीमासीनैरद्यमानानित्यंतं पूर्ववत् । ओषधयो वै ता इति । तास्तूष्णीमासीनैरद्यमानाः 'औषधयः' खलु 'अभूवन्' । तासामवरोधोपायमाह—स यदिति । 'सः' यजमानः अग्निहोत्रकर्मणि तत्साधनद्रव्यं तृणेन दर्भात्मकेन 'अवज्योतयति' अवद्योतयति अवाङ्मुखं हविष उपरि द्योतनं करोति इति यदस्ति 'तेन' तज्जातीयाः सर्वाः 'ओषधीरवरुन्धे' । सिद्धमन्यत् ॥ १० ॥

(त्यु) अथ यानेतदुदीच्यां दिश्युद्राक्षीः । पुरुषैः पुरुषानाक्रन्दयतऽ आक्रन्दयद्भिरद्यमानानापो वै ताऽ अभूवन्त्स यदपः प्रत्यानयति तेनापोऽवरुन्धे तेनापां लोकञ्जयति ॥ ११ ॥

(त्यु) अथ येऽ एते स्त्रियावद्राक्षीः । कल्याणीञ्चातिकल्याणीञ्च सा या कल्याणी सा श्रद्धा स यत्पूर्वामाहुतिञ्जुहोति तेन श्रद्धामवरुन्धे तेन श्रद्धाञ्जयत्यथ याऽतिकल्याणी साऽश्रद्धा स यदुत्तरामाहुतिञ्जुहोति तेनाश्रद्धामवरुन्धे तेनाश्रद्धाञ्जयति ॥ १२ ॥

(त्यु) अथ यऽ एते । सोऽन्तरेण पुरुषः कृष्णः पिङ्गाक्षो दण्डपाणिरस्थात्क्रोधो वै सोऽभूत्स यत्स्रुच्यप ऽआनीय यन्निनयति तेन क्रोधमव-

---

अथ यानेतदुदीच्यां दिश्यद्राक्षीः, पुरुषैः पुरुषानाक्रंदयत आक्रंदयद्भिरद्यमानान् । आपो वै ता अभूवन् । स यदपः प्रत्यानयति । तेनापोऽवरुंधे । तेनापां लोकं जयति ॥ ११ ॥

अथ ये एते स्त्रियावद्राक्षीः कल्याणीं चातिकल्याणीं च । सा या कल्याणी सा श्रद्धा । स यत्पूर्वामाहुतिं जुहोति । तेन श्रद्धामवरुंधे । तेन श्रद्धां जयति । अथ याऽतिकल्याणी साऽश्रद्धा । स यदुत्तरामाहुतिं जुहोति । तेनाश्रद्धामवरुंधे । तेनाश्रद्धां जयति ॥ १२ ॥

अथ य एते सोऽन्तरेण पुरुषः कृष्णः पिंगाक्षो दंडपाणिरस्थात् । क्रोधो वै सोऽभूत् । स यत्

अथोत्तरदिशि दृष्टस्य स्वरूपमुपदिशति—**अथ यानेतदिति** । 'अथ यान्' पुरुषान् 'उदीच्यां दिशि अद्राक्षीः' । कथंभूतान् 'आक्रंदयतः' आक्रंदनमाक्रोशनं कुर्वाणान् 'आक्रंदयद्भिः' आक्रोशनं कुर्वद्भिः अन्यैः 'पुरुषैः' 'अद्यमानान्' भक्ष्यमाणान् । **आपो वै ता** इत्यादि । तथाविधाः आक्रंदयद्भिरद्यमानाः पुरुषाः 'आपः' खलु 'ता अभूवन्' । सर्वप्राणिभिरुपभुज्यमाना आप एव आक्रंदयत्पुरुषरूपेण दृष्टा इत्यर्थः । अथ तासामवरोधोपायमाह—**स यदप इति** । 'सः' यजमानः अग्निहोत्रसाधने तप्ते पयसि 'अपः' उदकं 'प्रत्यानयति' उपर्यभिषिंचतीति यदस्ति 'तेन' ताः 'अपः अवरुंधे' ॥ ११ ॥

अथ ये अवांतरदिशि स्त्रियौ दृष्टे तयोः स्वरूपमाह—**अथ ये एते इति** । तत्र 'या' 'कल्याणी' शोभना स्त्री दृष्टा 'सा श्रद्धा' श्रुतिस्मृत्युदितकर्मस्वभिरतिरूपा देवता । तस्या अवरोधोपायमाह—**स यत्पूर्वामिति** । अग्निहोत्रकर्मणि या पूर्वाहुतिः, तया श्रद्धा प्राप्यते इत्यर्थः । 'अथ या अतिकल्याणी' अशोभना स्त्री दृष्टा 'सा अश्रद्धा' श्रद्धाभावरूपा देवता । तस्या अवरोधोपायमाह—**स यदुत्तरामिति** । अग्निहोत्रकर्मणि या उत्तरा आहुतिर्हूयते, तया निंदितकर्मविषयामश्रद्धां पुरुषः प्राप्नोतीत्यर्थः ॥ १२ ॥

अथैनयोर्मध्ये स्थितस्य पुरुषस्य स्वरूपमाह—**अथ य एते इति** । 'अस्थात्' स्थितवान् । '**स कृष्णः**' 'पुरुषः' 'क्रोधः अभूत्' । क्रोधरूपा देवतेत्यर्थः । तस्य जयोपायमाह—**स यदिति** । 'सः' यज-

रुन्धे तेन क्रोधञ्जयति स यऽ एवं विद्वानग्निहोत्रञ्जुहोति तेन सर्व्वञ्जयति सर्व्वमुवरुन्धे ॥ १३ ॥

इति चतुर्थप्रपाठके चतुर्थं ब्राह्मणम् ॥ ११-४-४ ॥ (६. १.) ॥

जनको ह वै व्वैदेहः। (हो) ब्राह्मणैर्द्धावयद्भिः समाजगाम श्वेतकेतुनाऽऽरुणेयेन सोमशुष्मेण सात्ययज्ञिना याज्ञवल्क्येन तान्होवाच कथङ्कथमग्निहोत्रञ्जुहुथेति ॥ १ ॥

स होवाच श्वेतकेतुरारुणेयः। (यो) घर्म्मविव सम्म्राडहमजस्रौ यशसा व्विष्यन्दमानावन्योऽन्यस्मिञ्जुहोमीति कथं तदित्यादित्यो वै घर्म्मस्तᳬं सायमग्नौ जुहोम्यग्निर्वै घर्म्मस्तम्प्रातरादित्ये जुहोमीति किᳬं स भवति

स्रुच्यप आनीय यन्निनयति। तेन क्रोधमवरुंधे। तेन क्रोधं जयति। स य एवं विद्वानग्निहोत्रं जुहोति। तेन सर्वं जयति। सर्वमवरुंधे ॥ १३ ॥

जनको ह वैदेहो ब्राह्मणैर्धावयद्भिः समाजगाम श्वेतकेतुनाऽऽरुणेयेन, सोमशुष्मेण सात्ययज्ञिना, याज्ञवल्क्येन, तान्होवाच कथं कथमग्निहोत्रं जुहुथेति ॥ १ ॥

स होवाच श्वेतकेतुरारुणेयः। घर्माविव सम्राडहमजस्रौ यशसा विष्यंदमानावन्योऽन्यस्मिन् जुहोमीति। कथं तदिति। आदित्यो वै घर्मः। तं सायमग्नौ जुहोमि। अग्निर्वै घर्मः। तं प्रातरादित्ये

मानः अग्निहोत्रकर्मणि आहवनीयहोमानन्तरं 'स्रुचि' अग्निहोत्रहवण्याम् 'अपः' आनीयोदकमासिच्य 'निनयति' सिंचतीति यदस्ति 'तेन क्रोधमवरुन्धे' स्वाधीनं करोति। कृत्वा च तं क्रोधं 'जयति' निराकरोति। एवमाख्यायिकया पितापुत्रसंवादेन अग्निहोत्रसंबंधिनां समिदाधानादीनां वनस्पत्यादिलोकजयप्राप्तिरुक्ता। एतद्विदुषोऽप्यस्त्येवेत्याह-स य एवं विद्वानिति। तेनाग्निहोत्रेण विद्यासहितेन। सिद्धमन्यत् ॥ १३ ॥

इति श्रीसायणाचार्यविरचिते माधवीये वेदार्थप्रकाशे माध्यंदिनीयशतपथब्राह्मणभाष्ये एकादशकाण्डे षष्ठेऽध्याये प्रथमं ब्राह्मणम् ॥ (११।६।१) ॥

तथा अग्निहोत्रहोमे पूर्वोक्तयोराहुत्योरूर्ध्वगत्यादिविषयां विद्यां वक्तुं आख्यायिका प्रस्तूयते-जनको ह वै वैदेह इत्यादिना। 'धावयद्भिः' देशांतरादागतैः ब्राह्मणैः 'समाजगाम' संगतो बभूव। तान् ब्राह्मणानाह-श्वेतकेतुनेति। 'श्वेतकेतुः' नामारुणेः पुत्रः। 'सोमशुष्मः' नाम सत्ययज्ञस्य पुत्रः कश्चित्। याज्ञवल्क्यस्तृतीयः। एवमेतैस्त्रिभिः संगतो जनकः अग्निहोत्रविषयं विचारं कृतवान् इत्याह-तान् होवाचेति। 'तान्' श्वेतकेतुप्रमुखान् ब्राह्मणान् 'उवाच' उक्तवान्। हे ब्राह्मणाः! यूयं केन प्रकारेण अग्निहोत्राख्यं होमं कुरुथ। तत्सर्वं ब्रूतेत्यर्थः ॥ १ ॥

तत्र प्रथमं श्वेतकेतुनोक्तं प्रतिवचनं दर्शयति-स होवाचेति। घर्माविवेत्यादि। श्वेतकेतुवाक्यम्। हे 'सम्राट्'

यऽएवञ्जुहोतीत्यजस्रऽएव श्रिया यशसा भवत्येतयोश्च देवतयोः सायुज्यꣳ सलोकताञ्जयतीति ॥ २ ॥

(त्यु) अथ होवाच सोमशुष्मः सात्ययज्ञिः । (स्ते) तेजऽ एव सम्राडहं तेजसि जुहोमीति कथन्तदित्यादित्यो वै तेजस्तꣳ सायमग्नौ जुहोम्यग्निर्वै तेजस्तं प्रातरादित्ये जुहोमीति किꣳ स भवति यऽ एवञ्जुहोतीति तेजस्वी यशस्व्यन्नादो भवत्येतयोश्चैव देवतयोः सायुज्यꣳ सलोकताञ्जयतीति ॥ ३ ॥

(त्यु) अथ होवाच याज्ञवल्क्यः । (ल्क्यो) यदहमग्निमुद्धराम्यग्निहोत्रमेव तदुद्यच्छाम्यादित्यम्वाऽअस्तं यन्तꣳ सर्वे देवाऽ अनुयन्ति ते मऽएत-

---

जुहोमीति । किं स भवति । य एवं जुहोतीति । अजस्र एव श्रिया यशसा भवति । एतयोश्च देवतयोः सायुज्यं सलोकतां जयतीति ॥ २ ॥

अथ होवाच सोमशुष्मः सात्ययज्ञिः । तेज एव सम्राड् । अहं तेजसि जुहोमीति । कथं तदिति । आदित्यो वै तेजः । तं सायमग्नौ जुहोमि । अग्निर्वै तेजः । तं प्रातरादित्ये जुहोमीति । किं स भवति । य एवं जुहोतीति । तेजस्वी यशस्व्यन्नादो भवति । एतयोश्चैव देवतयोः सायुज्यं सलोकतां जयतीति ॥ ३ ॥

अथ होवाच याज्ञवल्क्यः । यदहमग्निहोत्रमुद्धरामि । अग्निहोत्रमेव तदुद्यच्छामि । आदित्यं वा

जनक ! ' अजस्रौ ' संततौ दीप्यमानौ ' यशसा ' प्रकाशेन 'विष्यन्दमानौ' कृत्स्नं जगत् व्याप्नुवन्तौ प्रकाशयंतौ ' घर्मौ ' अग्न्यादित्यावेव 'अन्योऽन्यस्मिन् जुहोमीति' । कथं तद्भवनमिति जनकेन पृष्टे प्रतिवक्ति— **आदित्यो वै घर्म इति** । दीप्यमानत्वात् घर्म आदित्यः । " घृ क्षरणदीप्त्योः "—(धा. पा. जु. प. १४) इत्यस्मात् औणादिको मप्रत्ययः । तं घर्मशब्दाभिधेयं आदित्यं सायंकाले अग्नावनुप्रविष्टम् ' अहं जुहोमि ' हविषा तर्पयामि । अथाग्निरपि घर्मः । स प्रातरादित्यमनुप्रविशति । तमग्निं प्रातःकाले ' आदित्ये ' स्थितं हविषा प्रीणयामि । एवं विदुषो जुह्वतः प्रश्नपूर्वकं फलमाह—**किं स भवतीति** । यो यजमानः अन्योऽन्यस्मिन्नवस्थितौ घर्मशब्दाभिधेयौ अग्न्यादित्यौ कालद्वये जुहोति । ' सः ' यजमानः किमात्मको भवतीत्यर्थः । **य एवमिति** । ' श्रिया ' लक्ष्म्या ' यशसा ' कीर्त्या च ' अजस्रः ' संततः ' एव भवति ' । एतदैहिकं फलम् । देहावसाने तु एतयोरग्न्यादित्ययोर्देवतयोः ' सायुज्यं ' सयुग्भावम् ' सलोकतां ' समानलोकत्वं च ' जयति ' प्राप्नोति ॥ २ ॥

एवं श्वेतकेतुना स्वाभिमतं अग्निहोत्रहोमस्वरूपमभिहितम् । अथ सोमशुष्मः स्वमतमुक्तवानिति दर्शयति— **अथ होवाचेति** । 'अथशब्दः' आनंतर्ये । हे ' सम्राट् ! ' तेजोरूपमेव मदीयमग्निहोत्रम् । अतोऽहमग्न्यादित्ययोरुभयत्रानुगते ' तेजसि ' तेजोरूपे जुहोमीति । कथं तदित्यादि पूर्ववत् योज्यम् ॥ ३ ॥

अथ याज्ञवल्क्यः स्वमतमुक्तवानित्याह—**अथ होवाचेति** । **यदहमित्यादि** । हे जनक ! ' यत् ' यदा

मग्निमुद्धृतं दृष्ट्वोपावर्तन्तेऽथाहम्पात्राणि निर्णिज्योपवाप्याग्निहोत्रीन्दोहयित्वा पश्यन्पश्यतस्तर्प्पयामीति त्वन्नेदिष्ठं याज्ञवल्क्याग्निहोत्रस्यामीमाᳪँसिष्ठा धेनुशतं ददामीति होवाच न त्वेवैनयोस्त्वमुत्क्रान्तिं न गतिं न प्रतिष्ठां न तृप्तिं न पुनरावृत्तिं न लोकम्प्रत्युत्थायिनमित्युक्त्वा रथमास्थाय प्रधावयाञ्चकार ॥ ४ ॥

ते होचुः । (३) अति वै नोऽयᳪँ राजन्यबन्धुरवादीद्धन्तैनम्ब्रह्मोद्यमाह्वयामहाऽ इति स होवाच याज्ञवल्क्यो ब्राह्मणा वै वयᳪँ स्मो राजन्य-

---

अस्तं यंतं सर्वे देवा अनुयन्ति । ते म एतमाग्निमुद्धृतं दृष्ट्वोपावर्तंते । अथाहं पात्राणि निर्णिज्यो-पवाप्याग्निहोत्रीं दोहयित्वा पश्यन् पश्यतस्तर्पयामीति । त्वं नेदिष्ठं याज्ञवल्क्याग्निहोत्रस्यामीमां-सिष्ठाः । धेनुशतं ददामीति होवाच । न त्वेवैनयोस्त्वमुत्क्रांतिं न गतिं न प्रतिष्ठां न तृप्तिं न पुन-रावृत्तिं न लोकं प्रत्युत्थायिनम्, इत्युक्त्वा रथमास्थाय प्रधावयांचकार ॥ ४ ॥

ते होचुः–अति वै नोऽयं राजन्यबंधुरवादीत् । हंत ! एनं ब्रह्मोद्यमाह्वयामहा इति । स होवाच याज्ञवल्क्यः–ब्राह्मणा वै वयं स्मः । राजन्यबंधुरसौ । यद्यमुं वयं जयेम; कमजैष्मेति ब्रूयाम ।

आहवनीयमग्निं गार्हपत्यादहमुद्धरामि । तत्तदानीं ' कृत्स्नं ' अंगोपांगसहितं ' अग्निहोत्रमेव ' ' उद्यच्छामि ' उद्गृह्णामि । एतदेवोद्यमनं प्रतिपादयति–**आदित्यं वा अस्तं यंत**मित्यादिना । ' अस्तं ' गच्छंतमादित्यं अन्ये ' सर्वे देवाः ' ' अनुयन्ति ' अनुगच्छंति । ' ते ' सर्वे मदीयमेवमग्निमुद्धृतं ' दृष्ट्वा ' नूनमसावग्निहोत्रं होष्यतीत्यभिप्रायेण पुनरावर्तंते । ' अथ ' तेषु उपावृत्तेषु ' अहं पात्राणि ' स्रुक्स्रुवादीनि ' निर्णिज्य ' प्रक्षाल्य ' उपवाप्य ' निधाय ' अग्निहोत्रीं ' गां ' दोहयित्वा ' ' पश्यन् ' सन् तान् देवान् साक्षीकुर्वन् पश्यतस्तान् हविषा ' तर्पयामि ' इत्येवं याज्ञवल्क्येन स्वाभिमते अग्निहोत्रस्वरूपे अभिहिते जनकेन यत् कृतम् तद्दर्शयति–हे याज्ञवल्क्य ! त्वं ' नेदिष्ठं ' अन्तिकतमं अतिशयेन सम्यक् ' अग्निहोत्रस्य ' स्वरूपं ' अमीमांसिष्ठाः ' विचारितवानसि । " मान पूजायाम् " (धा. पा. भ्वा. प. ९९७) इत्यस्मात् " मान्बधदान्शान्भ्यः "(पा. सू. ३।१।६) इति सन्, अभ्यासस्य च दीर्घत्वम् । " मानेर्जिज्ञासायाम् ." (पा. सू. ३।१।६ वा.) इति परिगणनात् विचारार्थता । हे याज्ञवल्क्य ! विदुषे तुभ्यं धेनूनां शतं पारितोषिकं ' ददामि ' ' इति ' खलु तदानीं जनकः ' उवाच ' । एवं त्रिषु ब्राह्मणेषु स्वाभिमतमग्निहोत्ररूपमुक्तवत्सु जनकः स्वावगतं उत्क्रांतिगत्यादिकं याज्ञवल्क्योऽपि न जानातीत्यनुक्रामति–**न त्वेवैनयो**रिति । तुशब्दः पक्षं व्यावर्तयति । नैव ' अनयोः ' अग्निहोत्राहुत्योर्याज्ञवल्क्य ! त्वं ' उत्क्रांतिं ' उत्क्रमणरूपं जानासि । 'न गतिं' गमनम् । ' प्रतिष्ठां ' अनयोरास्पदं न जानासि । तृप्तिस्तर्पणम् । ' पुनरावृत्तिः ' पुनरावर्तनम् । प्रतिलक्ष्योत्थानशीलः प्रत्युत्थायी तादृशलोकं न जानासीति सर्वत्र संबंधः । एवमुक्त्वा ' रथमास्थाय ' अनुरुह्य जनकः ' प्रधावयांचकार ' स्वां पुरीं प्रतिजगामेत्यर्थः ॥ ४ ॥

एवमुक्त्वा यानमारुह्य निर्गते राजनि क्रुद्धा ब्राह्मणाः किं कृतवंत ? इत्याह–ते **होचु**रित्यादिना । निकृष्टो

बन्धुरसौ यद्यमुं वयञ्जयेम कमजैष्मेति ब्रूयामाथ यद्यसावस्माञ्जये-
द्ब्राह्मणान्राजन्यबन्धुरजैषीदिति नो ब्रूयुर्म्मेदमाहद्ध्वमिति तद्धास्य जज्ञु-
रथ ह याज्ञवल्क्यो रथमास्थायानुप्रधावयाञ्चकार तꣳ हान्वाजगाम स
होवाचाग्निहोत्रं याज्ञवल्क्य व्वेदितू ३ मित्यग्निहोत्रꣳ सम्म्राडिति ॥ ५ ॥
ते वाऽ एतेऽ आहुती हुतेऽ उत्क्रामतः । (स्ते) तेऽ अन्तरिक्षमावि-
शतस्तेऽ अन्तरिक्षमेवाहवनीयङ्कुर्व्वाते व्वायुꣳ समिधम्मरीचीरेव शुक्रा-
माहुतिन्तेऽ अन्तरिक्षन्तर्प्पयतस्ते ततऽ उत्क्रामतः ॥ ६ ॥

अथ यद्यसावस्मान् जयेत् । ब्राह्मणान् राजन्यबंधुरजैषीदिति नो ब्रूयुः । मेदमाहद्ध्वमिति । तद्धास्य जज्ञुः । अथ ह याज्ञवल्क्यो रथमास्थायानुप्रधावयांचकार । तं हान्वाजगाम । स होवाच । अग्निहोत्रं याज्ञवल्क्य वेदितू३मिति । अग्निहोत्रं सम्राडिति ॥ ५ ॥

ते वा एते आहुती हुते उत्क्रामतः । ते अंतरिक्षमाविशतः । ते अंतरिक्षमेवाहवनीयं कुर्वाते । वायुं समिधम् । मरीचीरेव शुक्रामाहुतिम् । ते अंतरिक्षं तर्पयतः । ते तत उत्क्रामतः ॥ ६ ॥

राजन्यः ' राजन्यबंधुः ' । क्रोधवशात् तस्य निकृष्टत्वारोपः । ' अयं ' ' राजन्यबंधुः ' ' नः ' अस्माकं यज्ञं ' अत्यवादीत् ' अस्मत्तः अतिशयेनोक्तवान् । ' हंत ' इति खेदे । ' एनं ' राजन्यबंधुम् । ' ब्रह्मोद्यं ' ब्रह्मविषये वादं कर्तुं ' आह्वयामहै ' । तत्र चायं पराजितो भविष्यतीत्यभिप्रायः । **स होवाचे**त्यादि । तेषां मध्ये ' सः ' खलु ' याज्ञवल्क्यः उवाच ' उक्तवान् । वयं ब्राह्मणाः खलु भवामः । ' असौ ' जनकः क्षत्रियः । ' यदि अमुं ' जनकं ब्रह्मोद्येन ' वयं जयेम ' । तर्हि ' कं ' पुरुषं ' अजैष्मेति ब्रूयाम ' । वर्णतो निकृष्टत्वादसौ अस्माभिर्जेतुमनर्ह इत्यर्थः । ' यदि ' चासौ जनक एवास्मान् ' जयेत् ' । तदा ' राजन्यबन्धुः ' क्षत्रियः ' ब्राह्मणान् अजैषीत् ' ' इति नः ' अस्माकं ' अयशः ' सर्वे जना ब्रूयुरित्यर्थः । अतः ' इदं ' ब्रह्मोद्याह्वानं ' मा आहद्ध्वं ' नाद्रियध्वमित्यर्थः । कथं तर्हि राजन्यबंधुनोक्तं अर्थजातं वयं जानीम इति विचार्य तत्कारणं ऋषयो दृष्टवंत इत्याह—**तद्धास्ये**ति । अस्योक्तस्यार्थजातस्यावगमनकारणं ज्ञातवंत इत्यर्थः । तदेव प्रदर्श्यते **अथ ह याज्ञवल्क्य** इति । ' अथ ' एवंविचारानंतरमेव ' याज्ञवल्क्यः ' महर्षिः स्वकीयं रथमारुह्य ' अनुप्रधावयांचकार ' शीघ्रमनुजगाम । ' तं ' जनकं ' अन्वाजगाम ' अनुप्राप । ' सः ' च गत्वा आगतं याज्ञवल्क्यं दृष्ट्वा च उक्तवान् । हे याज्ञवल्क्य ! किमग्निहोत्रं ' वेदितुं ' ज्ञातुं आगतोऽसीति । प्रश्नार्थे वाक्यस्य टेः प्लुतः । हे ' सम्राट् ! ' ' अग्निहोत्रं ' वेदितुं आगतोऽस्मीति याज्ञवल्क्यस्य प्रतिवचनम् ॥ ५ ॥

अथ जनकः प्राक् अज्ञातत्वेन आत्मना उपन्यस्तान् उत्क्रांत्यादीन् तस्मै याज्ञवल्क्याय कथयति—**ते वा एते** इति । ' ते ' त्वया उक्ते ' एते ' सायंप्रातःकालीने अग्निहोत्राहुती 'हुते' अग्नौ प्रक्षिप्ते सत्यौ 'उत्क्रामतः' ऊर्ध्वं गच्छतः । ' ते अंतरिक्षं ' लोकं ' आविशतः ' प्रविशतः । अनंतरं ' ते ' आहुती अंतरिक्षलोकमेव आहवनीयाग्निं ' कुर्वाते ' । अंतरिक्षलोकस्याहवनीयत्वे तत्र यो वायुः तं ' वायुं ' समिद्रूपेण कुरुतः । तथा मरीचयः सूर्यरश्मयः । ता एव ' शुक्रां ' निर्मलां ' आहुतिं ' कुरुतः । एवंभूताः ' ते ' आहुती ' अन्तरिक्षं ' लोकं ' तर्पयतः ' । तस्मादन्तरिक्षात् ' ते ' आहुती ' उत्क्रामतः ' निष्क्रामतः ऊर्ध्वं गच्छतः ॥ ६ ॥

(स्ते) ते दिवमाविशतः । (स्तु) ते दिवमेवाहवनीयङ्कुर्व्वाते ऽआदित्यᳬ समिधश्चन्द्रमसमेव शुक्रामाहुतिन्ते दिवन्तर्प्पयतस्ते तत ऽआवर्तेते ॥ ७ ॥

तऽ इमामाविशतः । (स्तेऽ) तेऽइमामेवाहवनीयङ्कुर्व्वातेऽअग्निᳬ समिधमोषधीरेव शुक्रामाहुतिन्तेऽ इमान्तर्प्पयतस्ते ततऽउत्क्रामतः ॥ ८ ॥

(स्ते) ते पुरुषमाविशतः । (स्तु) तस्य मुखमेवाहवनीयङ्कुर्व्वाते जिह्वाᳬ समिधमन्नमेव शुक्रामाहुतिन्ते पुरुषन्तर्प्पयतः स यऽ एवं विद्वानश्नात्यग्निहोत्रमेवास्य हुतम्भवति ते ततऽउत्क्रामतः ॥ ९ ॥
[अर्द्धप्रपाठकः ॥ कं० ५१ ॥]

ते दिवमाविशतः । ते दिवमेवाहवनीयं कुर्वाते । आदित्यं समिधम् । चन्द्रमसमेव शुक्रामाहुतिम् । ते दिवं तर्पयतः । ते तत आवर्तेते ॥ ७ ॥

ते इमामाविशतः । ते इमामेवाहवनीयं कुर्वाते । अग्निं समिधम् । ओषधीरेव शुक्रामाहुतिम् । ते इमां तर्पयतः । ते तत उत्क्रामतः ॥ ८ ॥

ते पुरुषमाविशतः । तस्य मुखमेवाहवनीयं कुर्वाते । जिह्वां समिधम् । अन्नमेव शुक्रामाहुतिम् । ते पुरुषं तर्पयतः । स य एवं विद्वानश्नाति । अग्निहोत्रमेवास्य हुतं भवति । ते तत उत्क्रामतः ॥ ९ ॥

उत्क्रम्य च 'ते' आहुती 'दिवं' द्युलोकं स्वर्गाख्यं 'आविशतः'। ते दिवमेवेत्यादि । पूर्वेण समानार्थम् । अत्रोत्क्रामत इति उत्क्रांतिरुक्ता । अंतरिक्षमाविशत इति गतिरुक्ता । अंतरिक्षमेवाहवनीयं कुर्वाते इत्यादिना प्रतिष्ठा उक्ता । अंतरिक्षं तर्पयत इति तृप्तिः । अथ पुनरावृत्तिं कथयति । द्युलोकस्य प्रीणनानंतरं ततस्तस्मात् द्युलोकात् 'ते' आहुती 'आवर्तेते' ॥ ७ ॥

आवर्तमाने च ते 'इमां' पृथिवीं 'आविशतः'। ते इमामेवाहवनीयं कुर्वाते इत्यादि व्याख्यातप्रायम् । भूमिरेवाहवनीयोऽग्निः । तदधिष्ठाता अग्निरेव समित् । तत्रत्या औषधय एव शुक्रा शुक्रा आहुतिः । ईदृशी 'ते' आहुती 'इमां' पृथिवीं 'तर्पयतः' ततस्तस्याः पृथिव्याः सकाशात् 'ते' आहुती 'उत्क्रामतः' ॥ ८ ॥

उत्क्रम्य च 'ते' पुरुषं प्रविशतः। 'तस्य' मुखमेवाहवनीयोऽग्निः । जिह्वैव समित् । तेन भुज्यमानमन्नमेव शुक्रा शुद्धा आहुतिः । एतद्वेदनस्यावांतरफलमाह–स य एवं विद्वानिति । एवमनेन प्रकारेण मुखादेराहवनीयादिरूपतां जानन् 'अश्नाति'। 'अस्य' पुरुषस्य तत्सर्वमग्निहोत्रात्मकमेव 'हुतं' भवति । ते तत उत्क्रामत इत्यादि । 'ततः' पुरुषात् 'ते' आहुती 'उत्क्रामतः' ॥ ९ ॥

(स्ते) ते स्त्रियमाविशतः १ (स्तु) तस्याऽ उपस्थमेवाहवनीयङ्कु-र्व्वाते धारकाᳬं समिधन्धारका ह वै नामैषैतया ह वै प्रजापतिः प्रजा धारयाञ्चकार रेतऽ एव शुक्रामाहुतिन्ते स्त्रियन्तर्प्पयतः स युऽ एवं विद्वा-न्मिथुनमुपैत्यग्निहोत्रमेवास्य हुतम्भवति यस्ततः पुत्रो जायते स लोकः प्रत्युत्थाय्येतदग्निहोत्रं याज्ञवल्क्य नातः पुरतरमस्तीति होवाच तस्मै ह याज्ञवल्क्यो व्वरं ददौ स होवाच कामप्रश्नऽ एव मे त्वयि याज्ञवल्क्या-सदिति ततो ब्रह्मा जनकऽ आस ॥ १० ॥

इति चतुर्थप्रपाठके पञ्चमं ब्राह्मणम् ॥ ११-४-५ ॥ (६. २.) ॥

ते स्त्रियमाविशतः । तस्या उपस्थमेवाहवनीयं कुर्वाते । धारकां समिधम् । धारका ह वै नामैषा । एतया ह वै प्रजापतिः प्रजा धारयांचकार । रेत एव शुक्रामाहुतिम् । ते स्त्रियं तर्पयतः । स य एवं विद्वान् मिथुनमुपैति । अग्निहोत्रमेवास्य हुतं भवति । यस्ततः पुत्रो जायते । स लोकःप्रत्युत्थायी । एतदग्निहोत्रं याज्ञवल्क्य ! नातः परतरमस्ति, इति होवाच । तस्मै ह याज्ञवल्क्यो वरं ददौ । स होवाच—कामप्रश्न एव मे त्वयि याज्ञवल्क्यासदिति । ततो ब्रह्मा जनक आस ॥ १० ॥

'ते स्त्रियमाविशतः' । तत्राप्याहवनीयादीन् संपादयति—**तस्या उपस्थमेवेति** । स्त्रीसंबंधि यत्प्रजननं स आहवनीयोऽग्निः । 'धारकां समिधम्' इति । तस्य प्रजननस्य या धारका श्रोणिः ताम् 'समिधं कुर्वाते' । धारकाख्यां निर्ब्रूते—**धारका ह वा** इति । एतया खलु श्रोण्या पुरा प्रजापतिः 'प्रजा धारयांचकार' धारितवान् । अतः अस्याः धारयत्यनयेति व्युत्पत्त्या धारकेति नाम संपन्नम् । तस्मिन्नुपस्थरूपे आहवनीयेऽग्नौ रेत एव 'शुक्रा' निर्मला 'आहुतिः' एवं ते अग्निहोत्राहुती स्त्रियामाविश्य तां 'स्त्रियं तर्पयतः' प्रीण-यतः । एतद्वेदनस्य फलमाह—**स य एवं विद्वानिति** । उपस्थादेराहवनीयादिरूपतां 'विद्वान्' जानन् यः 'मिथुनमुपैति' स्त्रियमुपगच्छति । 'अस्य' तदग्निहोत्रमेव 'हुतं भवति' । ततस्तस्याः स्त्रियाः सकाशात् 'यः पुत्रो जायते' 'सः' प्रत्युत्थानशीलो लोकः । एतेन तं लोकं प्रत्युत्थायिनमिति प्रागुक्तमतिदिष्टं भवति । एवं जनकः स्वाभिमतं अग्निहोत्राहुत्योरुत्क्रांत्यादिकं प्रतिपाद्य उपसंहरति—**एतदग्निहोत्रमिति** । अस्मदुक्त-प्रकारेणानुसधीयमानं एतदेवाग्निहोत्रं कर्म । हे याज्ञवल्क्य ! अतोऽस्मात् 'परतरम्' अधिकं 'नास्तीति होवाच' एवं जनकेन अग्निहोत्रस्वरूपविशेषे कथिते सति 'तस्मै' जनकाय 'याज्ञवल्क्यः' महर्षिः तुष्टः सन् 'वरं ददौ' । जनकः स्वाभिमतं वरं प्रार्थयते—**स होवाचेति** । हे याज्ञवल्क्य ! 'त्वयि' मम 'कामप्रश्नः' एव 'यथाकामं प्रश्नः' 'एवासत्' भवति । प्रष्टव्याप्रष्टव्यविभागो मा भूदित्यर्थः । 'ततः' याज्ञवल्क्यवर-प्रदानादनन्तरं 'सः' जनकः 'ब्रह्मा' ब्रह्मिष्ठः संबभूव ॥ १० ॥

इति श्रीसायणाचार्यविरचिते माधवीये वेदार्थप्रकाशे माध्यंदिनीयशतपथब्राह्मणभाष्ये एकादशकांडे षष्ठेऽध्याये द्वितीयं ब्राह्मणम् ॥ (११ । ६ । २) ॥

जनको ह वैदेहः । (हो) बहुदक्षिणेन यज्ञेनेजे स ह गवाꣳ सहस्र-
मवरुन्धन्नुवाचैता वो ब्राह्मणा यो ब्रह्मिष्ठः सऽ उदजतामिति ॥ १ ॥

स होवाच । याज्ञवल्क्योऽर्वाचीरेताऽ इति ते होचुस्त्वꣳ स्विन्नो
याज्ञवल्क्य ब्रह्मिष्ठोऽसी३ऽ इति स होवाच नमोऽस्तु ब्रह्मिष्ठाय गोकामा-
ऽएव वयꣳ स्मऽ इति ॥ २ ॥

ते होचुः । को नऽ इमम्प्रक्ष्यतीति स होवाच विदग्धः शाकल्यो-
ऽहमिति तꣳ हो प्रतिख्यायोवाच त्वाꣳ स्विच्छाकल्य ब्राह्मणाऽउल्मुका-
वक्षयणमक्रता३ऽइति ॥ ३ ॥

जनको ह वैदेहो बहुदक्षिणेन यज्ञेनेजे । स ह गवां सहस्रमवरुन्धन्नुवाच । एता वो ब्राह्मणा यो ब्रह्मिष्ठः स उदजतामिति ॥ १ ॥

स होवाच याज्ञवल्क्यः–अर्वाचीरेता इति । ते होचुः । त्वं स्विन्नो याज्ञवल्क्य ब्रह्मिष्ठोऽसी३ इति । स होवाच–नमोऽस्तु ब्रह्मिष्ठाय, गोकामा एव वयं स्म इति ॥ २ ॥

ते होचुः–को न इमं प्रक्ष्यतीति, स होवाच विदग्धः शाकल्यः–अहमिति । तं हो प्रतिख्यायोवाच । त्वां स्विच्छाकल्य ! ब्राह्मणा उल्मुकावक्षयणमक्रता ३ इति ॥ ३ ॥

अथ अग्निहोत्रदर्शपूर्णमासादियागदेवतानां तत्त्वतः प्राणशब्दाभिधेयपरमात्मरूपतां विजिगीषुकथामुखेन विवक्षुः आख्यायिकां प्रस्तौति–जनको ह वैदेह इति । विदेहदेशानां राजा 'वैदेहः' । बहुदक्षिणेनेति । सहस्रसर्ववेदसदक्षिणेनेत्यर्थः । 'यज्ञेन ईजे' इष्टवान् । यजेर्लिटि यजादित्वात् संप्रसारणम् । स ह गवामित्यादि । 'सः' खलु जनकः 'गवां सहस्रं' यज्ञसंभाराय 'अवरुन्धन्' स्थापयन्नुवाच । हे ब्राह्मणाः ! 'वः' युष्माकं मध्ये 'यो ब्रह्मिष्ठः' ब्रह्मनिष्ठो विद्यातिशयवान् । 'स एताः' सहस्रसंख्याका गाः 'उदजतां' उत्क्षिपतु स्वगृहं गमयत्वित्यर्थः । "अज गतिक्षेपणयोः" (धा. पा. भ्वा. प. २३०) इति धातुः ॥ १ ॥

एवं स राज्ञो वाक्यमाकर्ण्य याज्ञवल्क्यो मदीयं गृहं प्रति एता गावः प्रस्थापनीया इत्युक्तवानित्याह–स होवाचेति । 'अर्वाचीः' अस्मदभिमुखाः 'एताः' गाः उदजतामित्यनुषंगः । एतत् याज्ञवल्क्यवाक्यं श्रुत्वा क्रुद्धानां अन्येषां ब्राह्मणानां वचनं दर्शयति–त्वं स्विदिति । हे याज्ञवल्क्य ! 'नः' अस्माकं मध्ये 'त्वं स्वित्' स्विदिति वितर्के । त्वं किं ? 'ब्रह्मिष्ठोऽसि' ब्रह्मवित्तमोऽसि इति "क्षियाशीःप्रैषेषु तिङाकांक्षम्" (पा. सू. ८ । २ । १०४) इति निन्दायां प्लुतिः । एवमधिक्षिते सति याज्ञवल्क्येन यदुक्तं तद्दर्शयति–स होवाचेति । युष्माकं मध्ये 'ब्रह्मिष्ठाय' नमोऽस्तु । 'गोकामा एव वयं' केवलं 'स्मः' भवाम इति ॥ २ ॥

एवमुपहसिते सति अन्यैर्ब्राह्मणैर्यत् कृतं तदुपन्यस्यति–ते होचुरिति । 'ते' 'ह' खलु ब्राह्मणाः । 'ऊचुः' उक्तवंतः । 'नः' अस्माकं मध्ये 'कः' 'इमं' याज्ञवल्क्यं 'प्रक्ष्यति' प्रष्टुं समर्थो भवतीति ।

स होवाच । कति देवा याज्ञवल्क्येति त्रयश्च त्री च शता त्रयश्च त्री च सहस्रेत्योमिति होवाच कत्येव देवा याज्ञवल्क्येति त्रयस्त्रिꣳशदित्योमिति होवाच कत्येव देवा याज्ञवल्क्येति त्रयऽ इत्योमिति होवाच कत्येव देवा याज्ञवल्क्येति द्वावित्योमिति होवाच कत्येव देवा याज्ञवल्क्येत्यध्यर्द्धऽ इत्योमिति होवाच कत्येव देवा याज्ञवल्क्येत्येकऽ इत्योमिति होवाच कतमे ते त्रयश्च त्री च शता त्रयश्च त्री च सहस्रेति ॥ ४ ॥

स होवाच । महिमानऽएवैषामेते त्रयस्त्रिꣳशत्त्वेव देवा ऽइति कतमे

स होवाच–कति देवा याज्ञवल्क्य ! इति, त्रयश्च त्री च शता त्रयश्च त्री च सहस्रेति, ओमिति होवाच । कत्येव देवा याज्ञवल्क्य ! इति, त्रयस्त्रिꣳशदिति, ओमिति होवाच । कत्येव देवा याज्ञवल्क्य ! इति, त्रय इति, ओमिति होवाच । कत्येव देवा याज्ञवल्क्य ! इति, द्वाविति, ओमिति होवाच । कत्येव देवा याज्ञवल्क्य ! इति, अध्यर्द्ध इति, ओमिति होवाच । कत्येव देवा याज्ञवल्क्य ! इति, एक इति, ओमिति होवाच । कतमे ते त्रयश्च त्री च शता त्रयश्च त्री च सहस्रेति ॥ ४ ॥

स होवाच–महिमान एवैषामेते, त्रयस्त्रिशत्त्वेव देवा इति । कतमे ते त्रयस्त्रिशदिति । अष्टौ वसवः, एकादश रुद्राः, द्वादशादित्याः, त एकत्रिंशत् । इंद्रश्चैव प्रजापतिश्च त्रयस्त्रिंशाविति ॥ ५ ॥

एतं विचारानस्थायागेव ' विदग्धः ' प्रगल्भः ' शाकल्यः ' नाम प्रसिद्धो महर्षिः ' उवाच ' अहं प्रक्ष्यामीति । ' तं ' शाकल्यं ' प्रतिख्याय ' प्रत्यवेक्ष्य याज्ञवल्क्यः ' उवाच ' । हे शाकल्य ! इमे ' ब्राह्मणाः ' । स्विदिति वितर्के । नूनं ' त्वां ' उल्मुकावक्षयणम् । अर्द्धदग्धकाष्ठमुल्मुकं तस्य बहिर्निरसनं अवक्षयणं विनाशः । तादृग-वक्षयणं तथाविधं त्वां ' अक्रत ' अकृषत । " मन्त्रे घस० "–(पा. सू. २ । ४ । ८०) इत्यादिना च्लेर्लुक् । अत्रापि पूर्ववन्निन्दायां प्लुतिः ॥ ३ ॥

एतद्वाक्यमनादृत्यैव शाकल्यः प्रष्टुमुपचक्रमे इत्याह–**स होवाचेति** । हे याज्ञवल्क्य ! ' कति ' सख्याका 'देवाः' अग्निहोत्रादिषु कर्मसु हविर्भोक्तृत्वेन वर्तंत इति प्रश्नः । ' त्रयस्त्रिंशदिति ' अस्योत्तरं याज्ञवल्क्येनोक्तम् । ओमिति निपात एवंशब्दार्थः । हे याज्ञवल्क्य ! त्वया यदुक्तं त्रयस्त्रिंशत्संख्याका देवा इति एवमेवैतदिति शाकल्योऽङ्गीचकारेत्यर्थः । पुनरपि विशेषजिज्ञासया पृच्छति–**कति देवा** इति । प्रश्नस्य वक्ष्यमाणस्य सर्वस्य एकविषयत्वद्योतनाय सर्वत्र एवकारः । अन्यत् निगदसिद्धम् । द्वितीयप्रश्नस्य 'त्रयः' इत्युत्तरम् । तृतीयस्य ' द्वौ ' इति । ' अध्यर्द्धः ' इति चतुर्थस्य । ' एकः ' इति पंचमप्रश्नस्योत्तरम् । एवं शाकल्ययाज्ञवल्क्ययोः प्रश्नप्रति-वचनाभ्यां पर्यवसितदेवतायाः एकत्वं प्रदर्श्य पुनः शाकल्यस्य उक्ताक्षेपपरं प्रश्नमुद्भावयति–**कतमे ते** इति । वैश्वदेवनिविदि एवमाम्नायते–" त्रयश्च त्री च शता त्रयश्च त्री च सहस्रा " इति । अयमर्थः–अधिकानि त्रीणि शतानि त्रीणि सहस्राणि च । एतत्संख्यासंख्येया विश्वे देवाः । ' ते कतमे ' किंरूपाः । त्रयस्त्रिंशदादिषु त्वयो-क्तेषु यजनीयेष्वनंतर्भावादित्यर्थः ॥ ४ ॥

' सः ' खलु याज्ञवल्क्यः ' उवाच ' ' एषां ' त्रयस्त्रिंशत्संख्याकानां देवानां ' महिमान एव ' त्रयश्च त्री च

ते त्रयस्त्रिꣳशदित्यष्टौ व्वसवऽएकादश रुद्रा द्वादशादित्यास्तऽ एकत्रिꣳशदिन्द्रश्चैव प्रजापतिश्च त्रयस्त्रिꣳशाविति ॥ ५ ॥

कतमे व्वसवऽ इति । (त्य) अग्निश्च पृथिवी च व्वायुश्चान्तरिक्षश्चादित्यश्च द्यौश्च चन्द्रमाश्च नक्षत्राणि चेति व्वसवऽएते हीदꣳ सर्व्वं व्वासयन्ते ते यदिदꣳ सर्व्वं व्वासयन्ते तस्माद्वसवऽ इति ॥ ६ ॥

कतमे रुद्राऽइति । दशेमे पुरुषे प्राणाऽ आत्मैकादशस्ते यदाऽस्मान्मर्त्याच्छरीरादुत्क्रामन्त्यथ रोदयन्ति तद्यद्रोदयन्ति तस्माद्रुद्राऽइति ॥ ७ ॥

कतमऽआदित्याऽ इति । द्वादश मासाः संवत्सरस्यैतऽ आदित्याऽएते हीदꣳ सर्व्वमाददाना यन्ति ते यदिदꣳ सर्व्वमाददाना यन्ति तस्मादादित्या ऽइति ॥ ८ ॥

कतमे वसव इति । अग्निश्च पृथिवी च वायुश्चांतरिक्षं च आदित्यश्च द्यौश्च चंद्रमाश्च नक्षत्राणि च इति वसवः । एते हीदं सर्वं वासयन्ते । यदिदं सर्वं वासयन्ते, तस्माद्वसव इति ॥ ६ ॥

कतमे रुद्रा इति । दशेमे पुरुषे प्राणाः, आत्मैकादशः । ते यदाऽस्मान्मर्त्याच्छरीरादुत्क्रामंति । अथ रोदयंति । तद्यद्रोदयंति तस्माद्रुद्रा इति ॥ ७ ॥

कतम आदित्या इति । द्वादश मासाः संवत्सरस्य एत आदित्याः । एते हीदं सर्वमाददाना यंति, ते यदिदं सर्वमाददाना यंति; तस्मादादित्या इति ॥ ८ ॥

शतेत्यादीनि केवलं माहात्म्यमानान्मन्ये । 'त्रयस्त्रिंशदिति' यदुक्तं स एव परमार्थ इत्याह-**त्रयस्त्रिंशत्त्वेवेति** । के पुनस्ते त्रयस्त्रिंशदिति पृच्छति-**कतमे त इति** । 'अष्टौ वसवः' इत्यादि तस्योत्तरम् । **त्रयस्त्रिंशाविति** । त्रयस्त्रिंशत्संख्यापूरकावित्यर्थः । निगदसिद्धमन्यत् ॥ ५ ॥

प्रश्नपूर्वकं वसूनां स्वरूपमाह-**कतमे वसव इति** । अग्न्यादीनां वसुशब्दाभिधेयत्वं उपपादयति-**एते हीदमिति** । 'हि' यस्मादेते अग्न्यादयः 'इदं सर्वं' जगत् 'वासयन्ते' निवासात्मकं कुर्वंति । तस्माद्वसुहेतुत्वात् 'वसवः' इत्युच्यंते इत्यर्थः ॥ ६ ॥

अथ प्रश्नपूर्वकं रुद्राणां स्वरूपमाह-**कतमे रुद्रा** इति ।**दशेमे पुरुषे प्राणा** इति । सप्त शीर्षण्याः प्राणाः, द्वाववांचौ, दशमः प्राणो नाभिः, तेषां सर्वेषां शब्दानामाश्रयभूतं आत्मशब्दाभिधेयं मन एव 'एकादशः' रुद्रः । तेषां रुद्रशब्दाभिधेयतामाह-**ते यदाऽस्मान्मर्त्या**दिति । 'ते' आत्मैकादशाः प्राणाः 'यदा' यस्मिन् काले 'अस्मान्मर्त्यात्' मरणधर्मकाच्छरीरात् 'उत्क्रामन्ति' निर्गच्छन्ति । अथानन्तरमेव बांधवान् 'रोदयन्ति' एतदपेक्षं रुद्रनामनिर्वचनं करोति-**तद्यद्रोदयंतीति** ॥ ७ ॥

अथ प्रश्नपूर्वकं आदित्यानां स्वरूपमाह-**कतम आदित्या** इत्यादिना । संवत्सरसंबंधिनः चैत्रादयः 'द्वादश मासाः' त एवादित्याः । 'एते' खलु 'इदं सर्वं' चराचरात्मकं जगत् 'आददानाः' स्वीकुर्वन्तो प्रसंतः 'यंति' गच्छंति । **ते यदिदमिति** । आदित्यनामनिरुक्तिः ॥ ८ ॥

कतमऽइन्द्रः कतमः प्रजापतिरिति स्तनयित्नुरेवेन्द्रो यज्ञः प्रजापतिरिति कतम स्तनयित्नुरित्यशनिरिति कतमो यज्ञऽ इति पशवऽइति ॥९॥

कतमे ते त्रयो देवाऽ इति । (ती) इमऽ एव त्रयो लोकाऽ एषु हीमे सर्व्वे देवाऽ इति कतमौ तौ द्वौ देवावित्यन्नं चैव प्राणश्चेति कतमोऽध्यर्द्धऽ इति योऽयम्पवतऽइति यदस्मिन्निदꣳ सर्व्वमध्यार्ध्नोत्तेनाध्यर्द्धऽइति कतमऽ एको देव ऽइति प्राणऽ इति ॥ १० ॥

स होवाच । (चा) अनतिप्रश्न्याम्मा देवतामत्यप्राक्षीः पुरेत्तिथ्यै मरिष्यसि न तेऽस्थीनि चन गृहान्प्राप्स्यन्तीति स ह तथैव ममार तस्य

कतम इंद्रः कतमः प्रजापतिरिति । स्तनयित्नुरेवेन्द्रः, यज्ञः प्रजापतिरिति । कतमः स्तनयित्नुरिति, अशनिरिति । कतमो यज्ञ इति, पशव इति ॥ ९ ॥

कतमे ते त्रयो देवा इति, इम एव त्रयो लोकाः, एषु हीमे सर्वे देवा इति । कतमौ तौ द्वौ देवाविति, अन्नं चैव प्राणश्चेति । कतमोऽध्यर्द्ध इति, योऽयं पवत इति । यदस्मिन्निदं सर्वमध्यार्ध्नोत्, तेनाध्यर्द्ध इति । कतम एको देव इति, प्राण इति ॥ १० ॥

स होवाच । अनतिप्रश्न्यां मा देवतामत्यप्राक्षीः । पुरेत्तिथ्यै मरिष्यसि । न तेऽस्थीनि चन गृहान्

इन्द्रप्रजापत्योः स्वरूपं प्रश्नपूर्वकमाह—**कतम इंद्र** इति । ‘स्तनयित्नुः’ स्तननशीलो गर्जन् पर्जन्य एव ‘इन्द्रः’ । दर्शपूर्णमासादिः ‘यज्ञ एव प्रजापतिरिति’ । एकरूपतां व्युदस्य स्तनयित्नुयज्ञयोः प्रश्नपूर्वकं स्वरूपमाह—**कतमः स्तनयित्नु**रिति । ‘अशनिः’ प्रसिद्धः । यज्ञसाधनत्वात्पशूनां यज्ञत्वम् ॥ ९ ॥

‘कतमे ते त्रयो देवा इति’ प्रागुक्तं विवृणोति—**कतमे ते त्रय** इति । देवानां मध्ये किंलक्षणाः ‘ते त्रयो देवाः’ “वा बहूनां जातिपरिप्रश्ने डतमच्” (पा. सू. ५।३।९३) इति डतमच् प्रत्ययः । ‘इमे’ पृथिव्याद्याः ‘त्रयो लोकाः’ ‘एत एव त्रयो देवाः’ । ‘हि’ यस्मात् ‘एते’ अग्न्यादयो देवाः त्रिषु लोकेषु प्रतिवसंति ‘तस्मात्’ अग्न्यादिदेवैरधिष्ठितत्वात् अभेदोपचारेण लोका एव देवा इत्यर्थः । द्वावित्यस्य प्रश्नपूर्वकमुत्तरमाह—**कतमौ ताविति** । देवमनुष्याद्यात्मकं कृत्स्नं जगत् भोक्तृभोग्यात्मकं अतो भोग्यमन्नं भोक्ता प्राणश्चेति इमावेव द्वौ देवौ । अत एवमाम्नायते—“एतावद्वा इदं सर्वमन्नं चैवान्नादश्च सोम एवान्नमग्निरन्नादः” इति । **कतमोऽध्यर्द्ध** इत्यादि । ‘योऽयं’ अध्यात्ममधियज्ञं च वायुः ‘पवते’ अयमेवाध्यर्द्धो देवः । ननु एकस्यैवास्य कथमध्यर्द्धात्मकत्वमित्याशंक्य अध्यर्द्धशब्दं निर्वक्ति—**यदस्मिन्नि**ति । ‘यत्’ यस्मात् ‘अस्मिन्’ वायौ सूत्रात्मनि आधारभूते ‘इदं सर्वं’ जगत् ‘अध्यार्ध्नोत्’ अधिकमृद्धमभवत् । तस्मात् अधिकर्द्धिहेतुत्वात् सर्वदेवतासमष्टिरूपः प्राणः अध्यर्द्धरूप उच्यत इत्यर्थः । ‘एकः’ इत्येतत् प्रश्नपूर्वकं व्याचष्टे—**कतम एको देव** इति ॥ १० ॥

एवं याज्ञवल्क्यः शाकल्येन पृष्टं देवतास्वरूपमाविष्कृत्य शाकल्यमधिक्षिपति—**स होवाचे**ति । याज्ञवल्क्यः

ह्याप्यन्यन्मन्यमानाः परिमोषिणोऽस्थीन्युपजह्रुस्तस्मान्नोपवादी स्यादुत ह्येवंवित्परो भवति ॥ ११ ॥

इति चतुर्थप्रपाठके षष्ठं ब्राह्मणम् ॥ ११-४-६ ॥ (६. ३.) ॥

षष्ठोऽध्यायश्च समाप्तः ॥ ११ ॥ ६ ॥

माप्स्यन्तीति । स ह तथैव ममार । तस्य हाप्यन्यन्मन्यमानाः परिमोषिणोऽस्थीन्यपजह्नुः । तस्मान्नोपवादी स्यात् । उत हि एवंवित्परो भवति ॥ ११ ॥

'उवाच' किमिति ? हे शाकल्य ! 'अनतिप्रश्न्यां' प्रश्नपदमतिक्रांता प्राणरूपा देवता अनतिप्रश्न्या तां देवतां 'मा अत्यप्राक्षीः' अतिक्रम्य पृष्टवानसि । 'पुरेत्तिथ्यै' पंचम्यर्थे चतुर्थी । आगामिन्यास्तिथेः पुरस्तादेव त्वं देशांतरे 'मरिष्यसि' । 'ते' तव 'अस्थीन्यपि' 'न गृहान् प्राप्स्यंतीति' । एवं याज्ञवल्क्यः शशाप । सोऽपि शाकल्यः 'तथैव' याज्ञवल्क्यशापप्रकारेण 'ममार' मृतो बभूव । तच्छिष्यैः गृहं प्रत्याह्रियमाणानि अस्थीन्यपि 'अन्यन्मन्यमानाः' सुवर्णादिद्रव्यत्वेन जानंतः 'परिमोषिणः' तस्कराः 'अपजह्नुः' । यस्मादेवं 'तस्मात्' विजिगीषुकथारूपेण तत्त्वनिष्ठमुपेत्य वादी न भवेत् । 'उत' अपि तु 'एवंवित्परो भवति' । उक्तप्रकारेण यः प्राणस्वरूपं जानाति तं विद्वांसमुपेत्य तात्पर्येण सेवायुक्तो भवेदित्यर्थः ॥ ११ ॥

इति श्रीसायणाचार्यविरचिते माधवीये वेदार्थप्रकाशे माध्यंदिनीयशतपथब्राह्मणभाष्ये एकादशकाण्डे षष्ठेऽध्याये तृतीयं ब्राह्मणम् ॥ ११ । ६ । ३ ॥

वेदार्थस्य प्रकाशेन तमो हार्दं निवारयन् । पुमर्थांश्चतुरो देयाद् विद्यातीर्थमहेश्वरः ॥ १ ॥

ब्रह्माण्डं गोसहस्रं कनकहयतुलापूरुषौ स्वर्णगर्भं,
सप्ताब्धीन्पञ्चसीरीस्त्रिदशतरुलताधेनुसौवर्णभूमीः ।
रत्नोस्त्रां रुक्मवाजिद्विपमहितरथौ सायणिः सिङ्गणार्यो,
व्यश्राणीद्विश्वचक्रं प्रथितविधिमहाभूतयुक्तं घटं च ॥
धान्याद्रिं धन्यजन्मा तिलमवमतुलः स्वर्णजं वर्णमुख्यः,
कार्पासीयं कृपावान्गुडकृतमजडो राजतं राजपूज्यः ।
आज्योत्थं प्राज्यजन्मा लवणजमनृणः शार्करं चार्कतेजा,
रत्नाढ्यो रत्नरूपं गिरिमकृत मुदा पात्रसात्सिङ्गणार्यः ॥

इति श्रीमद्राजाधिराजपरमेश्वरवैदिकमार्गप्रवर्त्तकश्रीहरिहरमहाराजसाम्राज्यधुरन्धरेण सायणाचार्येण विरचिते माधवीये वेदार्थप्रकाशे माध्यन्दिनीयशतपथब्राह्मणभाष्ये एकादशकाण्डे षष्ठोऽध्यायः समाप्तः ॥ (११ । ६) ॥

१-अत्र (श. प. १४ । ६ । ९) बृहदारण्यकोक्तं शाकल्यब्राह्मणमप्यनुसंधेयम् ।

अथ सप्तमेऽध्याये प्रथमं ब्राह्मणम् ।
चतुर्थप्रपाठके च सप्तमं ब्राह्मणम् ।

पशुबन्धेन यजते । पशवो वै पशुबन्धः स यत्पशुबन्धेन यजते पशुमान-सानीति तेन गृहेषु यजेत गृहेषु पशून्बध्नाऽ इति तेन सुयवसे यजेत सुय-वसे पशून्बध्नाऽ इति जीर्य्यन्ति ह वै जुह्वतो यजमानस्याग्नयोऽग्नीञ्जी-र्य्यतोऽनु यजमानो यजमानमनु गृहाश्च पशवश्च ॥ १ ॥ शतम् ५९०० ॥

स यत्पशुबन्धेन यजते । (तेऽग्नी) अग्नीनेवैतत्पुनर्ण्णवान्कुरुतेऽग्नीनाम्पु-नर्ण्णवतामनु यजमानो यजमानमनु गृहाश्च पशवश्चायुष्यो ह वाऽ अस्यैषऽ

पशुबंधेन यजते । पशवो वै पशुबन्धः । स यत्पशुबंधेन यजते । पशुमानसानीति । तेन गृहेषु यजेत । गृहेषु पशून् बध्ना इति । तेन सुयवसे यजेत । सुयवसे पशून् बध्ना इति । जीर्यन्ति ह वै जुह्वतो यजमानस्याग्नयः । अग्नीन् जीर्यतोऽनु यजमानः । यजमानमनु गृहाश्च पशवश्च ॥ १ ॥

स यत् पशुबंधेन यजते । अग्नीनेवैतत् पुनर्णवान् कुरुते । अग्नीनां पुनर्णवतामनु यजमानः ।

यस्य निःश्वसितं वेदा यो वेदेभ्योऽखिलं जगत् । निर्ममे तमहं वन्दे विद्यातीर्थमहेश्वरम् ॥ १ ॥

अथ दर्शपूर्णमासवत् नित्यं प्रतिसंवत्सरं यष्टव्यं पशुयागं विधत्ते—**पशुबन्धेन** इति । पशुर्बध्यते यज्ञार्थं यस्मिन् कर्मणि स पशुबन्धः । "उद्भिदा यजेत" इतिवत् यजिसमानाधिकृतत्वात् यागनामधेयम् । अयमर्थः—पशुबन्धाख्येन यागेन वक्ष्यमाणं फलं भावयेदित्यर्थः । 'यजते' इति वर्तमानापदेशेऽपि पशुयागस्याप्राप्तत्वेन विधेयत्वात् पंचमलकाराश्रयणेन विधिः । तस्य तावत् पशुफलसाधनत्वमाह—**पशवो वै पशुबन्ध** इति । यः पशुबन्धाख्यो यागः । सोऽव्यभिचारेण पशुसाधनत्वात् 'पशवः' एव । तथा च 'पशुबन्धेन यजते' इति यदस्ति, तेनाहं यजमानः 'पशुमानसानि' बहुपशुको भवानीति । तेनैवाभिप्रायेण पशुयागं कुर्यादित्यर्थः । अर्थात् अनुदवसायापि तेन यष्टव्यमिति विधत्ते—**तेन गृहेष्विति** । 'तेन' पशुबन्धेन देवयजनांतरमनध्यवसाय स्वेष्वेव 'गृहेषु' यष्टव्यम् । एवं यष्टुरभिप्रायमाह—**गृहेषु पशूनिति** । 'गृहेषु' मदीयेषु यागफलभूतान् 'पशून् बध्नै' बध्नानि बद्धान् करवाणि अनेनाभिप्रायेण । देशं विधाय कालं विधत्ते—**तेन सुयवस** इति । शोभनानि यवसानि तृणानि यस्मिन् ऋतौ स कालः सुयवसः । गतमन्यत् । इत्थं पशुबंधस्य फलसाधनतामुक्त्वा दर्शपूर्णमासवन्नित्यत्वं प्रतिपादयितु अकरणे प्रत्यवायमाह—**जीर्यंति ह वा** इति । अग्निहोत्रं 'जुह्वतः' पशुयागमकुर्वतः 'यजमानस्याग्नयः' गार्हपत्याद्याः 'जीर्यंति' जीर्णा भवंति खलु । जीर्यतोऽग्नीननुलक्ष्य 'यजमानः' जीर्यति । यजमानस्य जरानन्तरं तदीयाः 'गृहाः' गवाद्याः 'पशवश्च' जीर्यन्ति ॥ १ ॥

एवं दोषमुपन्यस्य पशुबन्धस्य तत्परिहारहेतुतामाह—**स यत्पशुबन्धेनेति** । वपाहुत्यादिपाशुकेन हविषा अग्नीन्

१-गृहेषु । का. श्रौ. सू. ६ । १ । इति ।

आत्मनिष्क्रयणो भवति माᳬसीयन्ति ह वै जुह्वतो यजमानस्याग्नयस्ते यजमानमेव ध्यायन्ति यजमानᳬ सङ्कल्पयन्ति पचन्ति वाऽ अन्येष्वग्निषु वृथा माᳬसमथैतेषान्नातोऽन्या माᳬसाशा विद्यते यस्यो चैते भवन्ति॥२॥

स यत्पशुबन्धेन यजते । (तऽ) आत्मानमेवैतन्निष्क्रीणीते व्वीरेण व्वीरम्वीरो हि पशुर्व्वीरो यजमानऽ एतदु ह वै परममन्नाद्यं यन्माᳬसᳬ स परमस्यैवान्नाद्यस्यात्ता भवति तम्वै सम्वत्सरो नानीजानमतीयादायुर्वै सम्वत्सरऽ आयुरेवैतदमृतमात्मन्धत्ते ॥ ३ ॥

इति चतुर्थप्रपाठके सप्तमं ब्राह्मणम् ॥ ११-४-७ ॥ (७. १.) ॥

यजमानमनु गृहाश्च पशवश्च । आयुष्यो ह वा अस्यैष आत्मनिष्क्रयणो भवति । मांसीयंति ह वै जुह्वतो यजमानस्याग्नयः । ते यजमानमेव ध्यायन्ति । यजमानं संकलपयन्ति । पचन्ति वा अन्येष्वग्निषु वृथा मांसम् । अथैतेषां नातोऽन्या मांसाशा विद्यते । यस्य उ चैते भवंति ॥ २ ॥

स यत्पशुबंधेन यजते । आत्मानमेवैतन्निष्क्रीणीते । वीरेण वीरम् । वीरो हि पशुः । वीरो यज-

---

तर्पयित्वा 'पुनर्णवान्' जीर्यदवस्थां विहाय पुनरुद्भूतशक्तिकान् 'कुरुते'। 'अग्नीनां' संबंधिनी या 'पुनर्णवता' पुनरुद्भूतशक्तिता तामनुलक्ष्य 'यजमानोऽपि' पुनर्णवो भवति । यजमानानंतरं तत्संभूताः 'गृहाः पशवश्च' पुनर्णवा भवंति । तस्मात्पशुकामनाभावेऽपि अग्नीनां शक्त्युद्बोधनार्थं संवत्सरे संवत्सरे सुर्यवसकाले पशुयागः कर्तव्यः । अथास्यायुर्हेतुतामाह—**आयुष्यो ह वा** इति । 'अस्य' यजमानस्य 'एषः' पशुबन्धः 'आयुष्यः' आयुषे हितः आयुर्वृद्ध्यर्थो भवति । कुत इत्यत आह—**आत्मनिष्क्रयण** इति । यस्मादयं यजमानस्यात्मनः शरीरस्य अग्निभ्यः सकाशात् निष्क्रयणार्थः तस्मादायुष्यः । एतदेव विवृणोति—**मांसीयंतीति** । अग्निहोत्रं 'जुह्वतो यजमानस्य' अग्नयः 'मांसीयन्ति' मांसं खादितुमिच्छंति । इच्छानन्तरं 'ते' अग्नयः कदा असौ पशुना यजते इति 'यजमानमेव' सर्वदा 'ध्यायन्ति'। काले प्राप्ते पशुना यागाकरणे सति तं यजमानं 'संकल्पयंति' भक्षयितुमध्यवस्यंति । ननु—वृथामांसेनैव क्रयलब्धेनाग्नयः कस्मान्न तोषणीया इत्याशंक्याह—**पचंति वा** इति । 'अन्येषु' लौकिकाग्निषु 'वृथामांसं' अवैधं हिंसया संपादितं मांसं 'पचंति'। तेन ते लौकिकाग्नयस्तृप्ता भवन्ति । अथशब्दस्तुशब्दार्थः । 'एतेषां' तु गार्हपत्यादीनां वैदिकानामग्नीनां 'नातोऽन्या' अतोऽस्मात् वैधात्मकहविषः अन्या 'मांसाशा' मांसकामना 'न विद्यते' नास्ति । 'यस्यैते' अग्नयः 'भवंति । अतस्तमेव यजमानं हविष्ट्वेन स्वीकर्तुमुद्युक्ता भवंति ॥ २ ॥

तस्मादयं विद्वान् यजमानः 'पशुबंधेन यजते' इति यदस्ति 'एतत्' एतेन 'आत्मानं' स्वशरीरमेव

१-पशुबन्ध्या संवत्सरे संवत्सरे प्रावृषि । आवृत्तिमुखयोर्वा । का. श्रौ. सू. ६ । १-२ । इति ।

हविर्य्यज्ञविधो ह वाऽअन्यः पशुबन्धः । सवविधोऽन्यः स हैष हविर्य्यज्ञविधो यस्मिन्व्रतमुपनयति यस्मिन्नपः प्रणयति यस्मिन्पूर्णपात्रन्निनयति यस्मिन्विष्णुक्रमान्क्रमयत्यथ हैष सवविधो यस्मिन्नेतानि न क्रियन्ते ॥ १ ॥

मानः । एतद्ध ह वै परममन्नाद्यं यन्मांसम् । स परमस्यैवाऽन्नाद्यस्यात्ता भवति । तं वै संवत्सरो नातीजानमतीयात् । आयुर्वै संवत्सरः । आयुरेवैतदमृतमात्मन् धत्ते ॥ ३ ॥

पशुबन्धस्येष्टिसवविधत्वेन द्वैविध्याभिधायकं ब्राह्मणम् ।

हविर्यज्ञविधो ह वा अन्यः पशुबंधः । सवविधोऽन्यः । स हैष हविर्यज्ञविधः, यस्मिन् व्रतमुपनयति । यस्मिन्नपः प्रणयति । यस्मिन्पूर्णपात्रं निनयति । यस्मिन् विष्णुक्रमान् क्रमयति । अथ हैष सवविधः, यस्मिन्नेतानि न क्रियंते ॥ १ ॥

अग्निभ्यः सकाशात् 'निष्क्रीणीते' । पशुलक्षणं हविः मूल्यत्वेन दत्त्वा पुनः स्वं शरीरं स्वीकरोति । पशोर्वीर्यवत्त्वगुणयोगात् वीर्यवतो यजमानस्य तेन निष्क्रय उपपद्यते इत्याह–**वीरेण वीरमिति** । 'निष्क्रीणीते' इति संबंधः । पशुयजमानयोरुभयोरपि वीर्यवत्त्वात् वीरशब्दाभिधेयता प्रसिद्धा इत्याह–**वीरो हीति** । मांसात्मकं हविः उत्कृष्टान्नत्वेन स्तुवन् तद्यागस्य फलमाह–**एतद्ध ह वा** इति । 'मांसं' इति यदस्ति । एतदेव खलु 'परमं' उत्कृष्टं 'अन्नाद्यम्' । अतस्तेन इष्टवान् यजमानः 'परमस्य' उत्कृष्टस्यैव 'अन्नाद्यस्य' 'अत्ता' भोक्ता 'भवति' । 'तं' तथाविधं यजमानं पशुना इष्टवंतं 'संवत्सरो नातीयात्' नातिक्रामेत् । सर्वथा संवत्सरमध्ये पशुयागः कर्तव्य इत्यर्थः । एवं पशुयागसाधनत्वात् संवत्सरोऽप्यायुरात्मक इत्याह–**आयुर्वै संवत्सर** इति । संवत्सरकालोऽप्यायुरात्मकः । तस्मिन् काले पशुयागं कुर्वन् 'अमृतं' अखिलं एतत्संवत्सरात्मकमायुरेव 'आत्मन्' आत्मनि यजमानः 'धत्ते' धारयति ॥ ३ ॥

इति श्रीसायणाचार्यविरचिते माधवीये वेदार्थप्रकाशे माध्यंदिनीयशतपथब्राह्मणभाष्ये एकादश
कांडे सप्तमेऽध्याये प्रथमं ब्राह्मणम् ॥ (११–७–१ ॥)

अथ इष्टिविधत्वं सवविधत्वं चेति पशुबंधस्य द्वैविध्यं दर्शयति–**हविर्यज्ञविधो ह वा** इति । 'अन्यः' एकः 'पशुबंधः' 'हविर्यज्ञविधः' हविर्यज्ञो दर्शपूर्णमासेष्टिः तत्प्रकारकः । 'अन्यः' एकः 'पशुबन्धः' 'सवविधः' । सवः सोमः अभिषवयुक्तः सोमयागः तत्प्रकारक इत्यर्थः । तत्र हविर्यज्ञविधस्य स्वरूपमाह–**स हैष हविर्यज्ञविध** इति । 'यस्मिन्' पशुबंधकर्मणि 'व्रतमुपनयति' उपगच्छति । प्रणीताख्यानामपां प्रणयनं करोति । अंते पूर्णपात्रनिनयनं विष्णुक्रमणं च यस्मिन् भवति । स पशुबंधो व्रतोपायनादीष्टिधर्माणां योगात् हविर्यज्ञविध इत्यर्थः । एतेषां व्रतोपायनादीनां विरह एव सवविधस्य लक्षणमित्याह–**अथ हैष सवविध** इति ॥ १ ॥

१–व्रतोपायनप्रणीताज्यभागावदानपूर्णपात्रविष्णुक्रमान्कुर्याद्धविर्विधयज्ञविधे । का. श्रौ, सू. ६ । ३८ ।

तदाहुः । (रि) इष्टिः पशुबन्धा३ महायज्ञा३ऽ इति महायज्ञऽ इति ह ब्रूयादिष्टिं वै तर्हि पशुबन्धमकुऽर्य्यैनमकृक्षथाऽ इत्येनं ब्रूयात् ॥ २ ॥

(त्तु) तस्य प्रयाजाऽ एव प्रातःसवनम् । (म) अनुयाजास्तृतीयसवनम्पुरोडाशऽ एव माध्यन्दिनꣳ सवनम् ॥ ३ ॥

(न्त) तद्धैके । वपायाꣳ हुतायान्दक्षिणा नयन्ति तदु तथा न कुर्य्याद्यो हैनन्तत्र ब्रूयाद्बहिर्द्धा न्वाऽअयम्प्राणेभ्यो दक्षिणाऽ अनैषीन्न प्राणानददक्षदन्धो वा स्रामो वा बधिरो वा पक्षहतो वा भविष्यतीतीश्वरो ह तथैव स्यात्॥४॥

तदाहुः-इष्टिः पशुबंधा३ महायज्ञा३ इति । महायज्ञ इति ह ब्रूयात् । इष्टिं वै तर्हि पशुबंधमकः । उ एनमकृक्षथा इत्येवं ब्रूयात् ॥ २ ॥

तस्य प्रयाजा एव प्रातःसवनम् । अनुयाजास्तृतीयसवनम् । पुरोडाश एव माध्यंदिनं सवनम् ॥ ३ ॥

तद्धैके वपायां हुतायां दक्षिणा नयन्ति । तदु तथा न कुर्यात् । यो हैनं तत्र ब्रूयात् । बहिर्द्धा न्वा अयं प्राणेभ्यो दक्षिणा अनैषीत् । न प्राणानददक्षत् । अंधो वा स्रामो वा बधिरो वा पक्षहतो वा भविष्यतीति । ईश्वरो ह तथैव स्यात् ॥ ४ ॥

सवविधत्वमेव सिद्धांतयितुं मीमांसामाह-तदाहुरिति । तत्तत्र पशुयागविषये आहुर्विचारयंति । किमयं पशुयागः 'इष्टिः' उत 'महायज्ञः' ? इति । महांश्चासौ यज्ञश्चेति महायज्ञः सोमयागः । "विचार्यमाणानाम्" (पा. सू. ८ । २ । ९७) इति उभयत्र प्लुतिः । तत्र सिद्धांतमाह-महायज्ञ इति हेति । पशुयागः 'महायज्ञः' इत्येव 'ब्रूयात्' । 'तर्हि' पशुबंधस्य इष्टिरूपत्वे 'पशुबंधं' पशुयागं पुरोडाशसाध्यामिष्टिमेव 'अकः' कृतवान् भवति । उशब्दस्तुशब्दार्थे । अपि तु-'एनं' पशुबंधं 'अकृक्षथाः' कृष्टवानसीति एवमेव खलु एनमिष्टिविधं पशुबंधं कुर्वाणं 'ब्रूयात्' । अतो महायज्ञ एव पशुबंध इति साधीयान् पक्षः॥२॥

ननु-तस्य महायज्ञत्वे कानि पुनस्तत्संबंधीनि त्रीणि सवनानीति तान्याह-तस्य प्रयाजा एवेति । ये इमे एकादश 'प्रयाजाः' पशुयागात्पुरस्तादनुष्ठीयंते । 'त एव' पशुयागसंबंधि 'प्रातःसवनम्' । तथा एकादशानुयाजाः पशुयागस्योपरिष्टात् अनुष्ठीयमाना एव 'तृतीयं सवनम्' प्रयाजादनंतरं अंगयागात्पूर्वं क्षिप्रविधानात् "यद्देवत्यः पशुस्तद्देवत्यः पुरोडाशः कार्यः" इति यः पुरोडाशयागो मध्ये अनुष्ठीयते एतदेव 'माध्यंदिनं सवनम्' ॥ ३ ॥

एवं त्रीणि सवनानि कल्पयित्वा तदुपजीवनेन दक्षिणाकालं विधित्सुः शाखांतरीयं दक्षिणाकालमनुवदति-तद्धैक इति । 'वपायां हुतायां' सत्यां मार्जनं कृत्वा पशुपुरोडाशात् प्रागेव 'एके' शाखिनः पश्वंगभूता 'दक्षिणा नयन्ति' ऋत्विग्भ्यः प्रयच्छंतीत्यर्थः । तदेतन्निराकरोति-तदु तथेति । यो हैनमित्यादि । 'एनं' पूर्वोक्ते काले दक्षिणा नयन्तम् । तत्र कश्चिदभिज्ञ आगत्य 'ब्रूयात्' । किमिति ? 'अयं' यजमानः प्राणेभ्योऽपि 'बहिर्द्धा' बाह्यदेशे 'न्वै' खलु 'दक्षिणाः अनैषीत्' । तया दक्षिणया तान् 'प्राणान्' 'नादद-

---

१-अयं संधिश्छांदस इतिध्येयम् ।

(दि) इत्थमेव कुर्य्यात् । (त्पु) पुरोडाशेडायामेवोपहूतायां दक्षिणा नयेदैन्द्रो वाऽ अयम्मध्यतः प्राणऽइममेवैतदैन्द्रम्मध्यतः प्राणन्दक्षिणाभिर्दक्षयत्यैन्द्रम्वै माध्यन्दिनꣳ सवनम्माध्यन्दिने वै सवने दक्षिणा नीयन्ते तस्मात्पुरोडाशेडायामेवोपहूतायान्दक्षिणा नयेत् ॥ ५ ॥

(त्तु) तदाहुः । (रु) अध्वर्य्यो यद्दीक्षितस्य नानवभृथोऽवकल्पते क्वैनमदिदीक्षऽ इत्यावभृथादनूद्दृꣳहेयुरध्वर्य्युश्च प्रतिप्रस्थाता च होता च मैत्रावरुणश्च ब्रह्मा चाग्नीध्रश्चैतैर्वाऽ एष षड्ढोता तमनुद्रुत्य षड्ढोतारं जुहोत्येकामाहुतिङ्कृत्वा पुञ्च वाऽऽज्याद्द्यौष्पृष्ठमन्तरिक्षमात्माऽङ्गैर्यज्ञम्पृथिवीꣳ शरीरैः ॥ व्वाचस्पतेऽच्छिद्रया व्वाचाऽच्छिद्रया जुह्वा दिवि देवावृधꣳ होत्रामैरयत्स्वाहेति सैव दीक्षा ॥ ६ ॥

इत्थमेव कुर्यात् । पुरोडाशेडायामेवोपहूतायां दक्षिणा नयेत् । ऐंद्रो वा अयं मध्यतः प्राणः । इममेव तदैन्द्रं मध्यतः प्राणं दक्षिणाभिर्दक्षयति । ऐन्द्रं वै माध्यंदिनं सवनम् । माध्यंदिने वै सवने दक्षिणा नीयन्ते । तस्मात्पुरोडाशेडायामेवोपहूतायां दक्षिणा नयेत् ॥ ५ ॥

तदाहुः—अध्वर्यो यद्दीक्षितस्य नानवभृथोऽवकल्पते । क्वैनमदिदीक्ष इति । आवभृथादनूद्दृꣳहेयुः । अध्वर्युश्च प्रतिप्रस्थाता च । होता च मैत्रावरुणश्च । ब्रह्मा चाग्नीध्रश्च । एतैर्वा एष षड्ढोता । तमनु-

---

क्षत्' नावीवृधत् । "दक्ष वृद्धौ" (धा. पा. भ्वा. प. ६०९) इत्यस्माल्लुङि चङि रूपम् । एवं दक्षिणायां प्राणबाह्यदेशस्थायां प्राणवृद्ध्यभावे सति स यजमानः 'अंधो वा' 'स्रामः' व्रणी वा 'बधिरो वा' 'पक्षहतः' एकांगवातेन शुष्कार्द्धकायो वा 'भविष्यतीति' । एवमुक्ते सति 'तथैव' भवितुं अयं 'ईश्वरः स्यात्' ॥ ४ ॥

तर्हि कस्मिन् काले दक्षिणादानमित्याशंक्य स्वमतमाह—**इत्थमेवेति** । 'इत्थं' अनेन वक्ष्यमाणप्रकारेण दक्षिणादानं कुर्यात् । स एव प्रकार उच्यते—**पुरोडाशेडायामिति** । व[illegible]यागानन्तरं क्षिप्रविधानार्थो निरुक्तो यः पुरोडाशः तस्य या इडा तस्यामेवोपहूतायां मार्जनांते पशुयागांगभूता 'दक्षिणा नयेत्' । 'अयं मध्यतः' शरीरमध्ये वर्तमानः 'प्राणः' 'ऐंद्रो वै' इंद्रदेवताकः । 'एतत्' एतर्हि 'इममेवैन्द्रं' मध्यतोऽवस्थितं प्राणं मध्यतो नीयमानाभिः 'दक्षिणाभिः' 'दक्षयति' वर्द्धयति बलयति । अपि च पुरोडाशस्य माध्यंदिनसवनरूपत्वमुक्तम् । तत्सवनं साकल्येन 'ऐंद्रं' इंद्रदेवताकम् । "प्रातःसुतमपिबो हर्यश्व माध्यंदिनं सवनं केवलं ते" इति मंत्रवर्णात् सोमयागे हि 'माध्यंदिने' तदंगभूताः 'दक्षिणाः' ऋत्विगर्थं 'नीयन्ते' । तस्मात् माध्यंदिनसवनत्वेन संस्तुतपुरोडाशेडायामुपहूतायां दक्षिणानयनं कार्यमित्यर्थः ॥ ५ ॥

अथ षड्ढोतृहोमं विधित्सुः तस्य दीक्षारूपतां संपादयितुं प्रश्नमुद्भावयति—**तदाहुरिति** । हे 'अध्वर्यो' । 'दीक्षितस्य' दीक्षया संस्कृतस्य यजमानस्य 'अनवभृथः' अवभृथाभावः 'नावकल्पते'

तदाहुः ।(र) अध्वर्यो यदीक्षितस्य नानवभृथोऽवकल्पते कैनमवभृथमवनेष्यसीति स यद्धृदयशूलेन चरन्ति स हैवैतस्यावभृथः ॥ ७ ॥
(थो) मधुको ह स्माह पैङ्ग्यः । (ङ्ग्यो) विसोमेन वाऽ एके पशु-

हुत्य षड्ढोतारं जुहोति। एकामाहुतिं कृत्वा पंच वाऽऽज्यात्–"द्यौष्पृष्ठमन्तरिक्षमात्माऽङ्गैर्यज्ञं पृथिवीं शरीरैः । वाचस्पतेऽच्छिद्रया वाचाऽच्छिद्रया जुह्वा दिवि देवावृधं होत्रामैरयत्स्वाहा "–इति। सैव दीक्षा ॥ ६ ॥

तदाहुः–अध्वर्यो यद्दीक्षितस्य नानवभृथोऽवकल्पते । कैनमवभृथमवनेष्यसीति । स यत् हृदयशूलेन चरन्ति। स ह एवैतस्यावभृथः ॥ ७ ॥

मधुको ह स्माह पैंग्यः। विसोमेन वा एके पशुबंधेन यजंते । ससोमेनैके । दिवि वै सोम

अवभृथस्य दीक्षामोचनरूपत्वात्। 'एनं' पशुबन्धयाजिनं 'क' कुत्र 'अदिदीक्षः' दीक्षया संस्कृतवानसि । (धा. पा. भ्वा. आ. ६१०) इति दीक्षेर्ण्यंताल्लुङि रूपम् । इतिशब्दो हेतौ । यस्मादेवं पशुबंधयाजिनः अध्वर्युकृता दीक्षा नास्ति, तस्मात् तन्मोचनरूपात् 'अवभृथात्' 'एनं' 'अनूदूहेयुः'। सर्वे जना इति शेषः । षट् ऋत्विजः । एतेन ऋत्विग्भिः 'एषः' वक्ष्यमाणो मन्त्रः 'षड्ढोता' षट् यज्ञहोतारो होमनिष्पादकाः यस्मिन्निति व्युत्पत्तेः । 'षड्ढोतारमनुद्रुत्य' पठित्वा पंचगृहीतेनाज्येन 'एकामाहुतिं' जुहुयात्। **पंच** वेति। एकैकेन स्रुवेण एकैकाहुतिरिति 'पंच वा' आज्याहुतयो होतव्याः । अत एवोक्तं सूत्रकृता " षड्ढोतारं पंचगृहीतं मनसाऽनुद्रुत्य जुहोत्येकामाहुतिं पंच वा "–(का. श्रौ. सू. ६ । ३३) इति। तं षड्ढोतृमन्त्रं पठति–**द्यौष्पृष्ठमि**ति। हे 'वाचस्पते!' ब्रह्मन्! विराडात्मक 'द्यौः' द्युलोकः तव 'पृष्ठं' पृष्ठभागः । अंतरिक्षलोकः 'आत्मा' हृदयस्थानीयः । सः त्वं 'अंगैः' स्वकीयैरवयवैः । 'यज्ञं' च प्राप्नोषि। तथा तव व्यष्टिभूतैर्मनुष्यादिशरीरैः 'पृथिवीं' व्याप्नोषि। व्याप्य च 'अच्छिद्रया वाचा' स्तोत्रशस्त्रादिलक्षणया। तथा च्छिद्ररहितया 'जुह्वा' स्रुचा साधनभूतया । 'दिवि' द्युलोके। 'देवावृधं' देवानां वर्द्धयित्रीम्। 'होत्रां' हूयमानां आहुतिम्। 'ऐरयत्' पुरुषव्यत्ययः। 'अगमयः'। 'स्वाहा' ॐ इदं हविः सुहुतमस्तु। इति मन्त्रार्थः। एषैवाहुतिः पशुबन्धस्य दीक्षा । अतः पशुबन्धात्मकस्य महायज्ञस्य दीक्षाभावादवभृथो न युक्त इति न चोद्यमित्यर्थः ॥ ६ ॥

कः पुनरवभृथ इत्याशंक्य प्रश्नमुद्भावयति–**तदाहु**रिति। तत्तत्र पशुबंधे आहुश्चोदयंति । हे अध्वर्यो ! यद्यस्मात् दीक्षासंस्कृतस्य यजमानस्य महायज्ञस्यावभृथः सन्नवभृथाभावो नावकल्पते । तस्मादवभृथोऽवश्यं संपादनीयः । तमवभृथं 'क' कुत्र प्रदेशे 'एनं' पशुबंधयाजिनं 'अवनेष्यसि' प्रापयिष्यसीति। एवं ब्रह्मवादिनां प्रश्नमुपन्यस्य श्रुतिः स्वयमुत्तरं ब्रूते–**स यत् हृदयशूलेने**ति। हृदयलक्षणमवदानं यस्मिन् काष्ठे प्रतृद्य पच्यते तत् 'हृदयशूलं' तेन 'चरंति' तस्योद्वासनं कुर्वंतीति यदस्ति । 'एतस्य' पशुबंधस्य 'स एवावभृथः' ॥ ७ ॥

निरूढपशुबंधरूपस्य पालाशयूपस्य पालाशवृक्षद्रव्यं विधित्सुः उपोद्घातयति–**मधुको ह स्मे**ति । पैङ्गि-

---

१–पालाशं बहुलपर्णम्। अभावे खदिरबिल्वरौहितकान् खदिराभावे इतरान्। का. श्रौ. सू. ६।८।१० इति ॥

बन्धेन यजन्ते ससोमेनैके दिवि वै सोमऽआसीत्तङ्गायत्री व्वयो भूत्वाऽऽहरत्तस्य यत्पर्णमच्छिद्यत तत्पर्णस्य पर्णत्वमिति न्वाऽएतद्ब्राह्मणमुद्यते व्विसोमेन वाऽ एके पशुबन्धेन यजन्ते ससोमेनैके स हैष व्विसोमेन पशुबन्धेन यजते योऽन्यम्पालाशाद्यूपङ्कुरुतेऽथ हैष ससोमेन पशुबन्धेन यजते यः पालाशं यूपङ्कुरुते तस्मात्पालाशमेव यूपङ्कुर्व्वीत ॥ ८ ॥

इति चतुर्थप्रपाठकेऽष्टमं ब्राह्मणम् ॥ ११-४-८ ॥ (७. २.) ॥

स यऽएष बहुसारः । स हापशव्यस्तस्मात्तादृशम्पशुकामो यूपन्न

आसीत् । तं गायत्री वयो भूत्वाऽऽहरत् । तस्य यत्पर्णमच्छिद्यत, तत्पर्णस्य पर्णत्वम् । इति न्वा एतत् ब्राह्मणमुद्यते । विसोमेन वा एके पशुबंधेन यजंते । ससोमेनैके । स हैष विसोमेन पशुबंधेन यजते । योऽन्यं पालाशाद्यूपं कुरुते । अथ हैष ससोमेन पशुबंधेन यजते । यः पालाशं यूपं कुरुते । तस्मात् पालाशमेव यूपं कुर्वीत ॥ ८ ॥

स य एष बहुसारः स ह अपशव्यः । तस्मात्तादृशं पशुकामो यूपं न कुर्वीत । अथ य एष फल्गुप्रासहः । स ह पशव्यः । तस्मात् तादृशं पशुकामो यूपं कुर्वीत ॥ १ ॥

गोत्रः ' मधुकः ' नाम महर्षिः ' आह स्म ' । ' एके ' केचन यजमानाः ' विसोमेन ' सोमरहितेन ' पशुबन्धेन यजंते ' । इममेव सोमसद्भावं दर्शयितुं पलाशवृक्षस्य सोमविकृतित्वं प्रागुक्तं (श. प. १ । ७ । १ । १; ३ । ३ । ४ । १०) स्मारयति—**दिवि वै सोम** इति । ' दिवि ' द्युलोके खलु पुरा ' सोम आसीत् ' । न पृथिव्यां, नांतरिक्षे । ' तं ' सोमं ' गायत्री ' छंदः ' वयो भूत्वा ' पक्षिरूपमास्थाय ' आहरत् ' आहृतवती । आहरणसमये ' तस्य ' सोमस्य ' यत्पर्णमच्छिद्यत ' । स एव पलाशवृक्षः अभवत् । तस्मादेव कारणात् तस्य ' पर्णवृक्षस्य ' ' पर्णत्वं ' पर्णभावः " पलाशः " इति नाम संपन्नमिति । एवं खलु पुरा ' एतत् ब्राह्मणं ' पलाशोत्पत्तिप्रतिपादकं वाक्यं ' उद्यते ' पठ्यते । एवं पलाशवृक्षस्य सोमविकृतित्वमभिधाय प्रागुक्तमेव द्वैविध्यं अनुवादपूर्वकं विवृणोति—**विसोमेन वा** इति । ' यः ' यजमानः पलाशवृक्षादन्यवृक्षांतरोत्पन्नं ' यूपं कुरुते ' । एष खलु सोमविकृतिभूतपलाशस्य विरहात् सोमविकृतिरहितेन ' पशुबंधेन यजते ' । अथ खलु ' एषः ' वक्ष्यमाणो यजमानः ' ससोमेन पशुबंधेन यजते ' ' यः ' तत्र पालाशवृक्षाद्धं ' यूपं कुरुते ' । पालाशयूपस्य सोमरूपत्वेन तद्वत्पशुबंधस्य ससोमकत्वं प्रतिपाद्य तत्प्रयोजनसिद्ध्यर्थे तमेव पक्षं निगमयति—**तस्मात्पालाशमेवे**ति ॥ ८ ॥

इति श्रीसायणाचार्यविरचिते माधवीये वेदार्थप्रकाशे माध्यंदिनीयशतपथब्राह्मणभाष्ये एकादशकाण्डे सप्तमेऽध्याये द्वितीयं ब्राह्मणम् ॥ ११ । ७ । २ ॥

इत्थं यूपस्य पालाशत्वं प्रतिपाद्य तत्रापि बहुसारस्य पशुविरोधित्वमल्पसारस्य पशुसमृद्धिकारणत्वं च क्रमेण

कुर्व्वीताथ युऽ एषु फल्गुप्रासहः सु ह पशव्यस्तस्मात्तादृशम्पशुकामो यूपङ्कुर्व्वीत ॥ १ ॥

(ता) अथ युस्यैतद्वक्रस्य सतः । शूलऽइवाग्रम्भुवति सु ह कपोती नाम स यो ह तादृशं यूपङ्कुरुते पुरा ह्यायुषोऽमुं लोकमेति तुस्मात्तादृशमायुष्कामो यूपन्न कुर्व्वीत ॥ २ ॥

(ता) अथ युऽएषऽआनतः ।(ऽ) उपुरिष्टादुपनतो मुध्ये सोऽशनायै रूपथ्ँ स यो ह तादृशं यूपं कुरुतेऽशनायुका ह्यस्य भार्य्या भवन्ति तुस्मात्तादृशमन्नाद्यकामो यूपन्न कुर्व्वीताथ युऽ एषऽ आनतऽउपरिष्टादुपनतो मुध्ये सोऽन्नाद्यस्य रूपं तुस्मात्तादृशमन्नाद्यकामो यूपङ्कुर्व्वीत ॥ ३ ॥

इति चतुर्थप्रपाठके नवमं ब्राह्मणम् ॥ ११-४-९ ॥ (७. ३.) ॥

अथ यस्यैतत् वक्रस्य सतः शूल इवाग्रे भवति । स ह कपोती नाम । स यो ह तादृशं यूपं कुरुते । पुरा ह आयुषोऽमुं लोकमेति । तस्मात्तादृशमायुष्कामो यूपं न कुर्वीत ॥ २ ॥

अथ य एष आनत उपरिष्टादपनतो मध्ये । सोऽशनायै रूपम् । स यो ह तादृशं यूपं कुरुते ।

दर्शयति—**स एष बहुसार** इत्यादिना । 'सः अपशव्यः' पशूनामहितः । **अथ य एष फल्गुप्रासह** इति । अथशब्दः उक्तवैलक्षण्यद्योतनार्थ उक्तः । प्रकर्षेण सहते अभिभवतीति 'प्रासहः' बलम् । फल्गु इति तुच्छनाम । अल्पवाचक इत्यर्थः । 'स पशव्यः' । **तस्मात्तादृश**मित्यादि स्पष्टम् ॥ १ ॥

इत्थमल्पसारस्य यूपार्हतामुक्त्वा तस्यैव सन्निवेशविशेषमुपजीव्य दोषमाह—**अथ यस्यैतद्वक्रस्ये**ति । यश्च पलाशवृक्षो वक्रः सन् तीक्ष्णाग्रश्च भवति । 'स ह' स खलु तादृशः 'कपोती' कपोताख्या स्त्री पक्षिसन्निवेशसाम्यात् स पक्षी यथा दुर्निमित्तः स यथा आयुः क्षपयति । एवमेषोऽपीत्यर्थः । तथाविधस्य परिग्रहे सति शतायुर्लक्षणस्य नियतस्य 'आयुषः' मध्ये 'अमुं' 'लोकमेति' म्रियत इत्यर्थः । 'तस्मात्' तादृशः आयुष्कामस्य नेष्ट इत्युक्तं भवति ॥ २ ॥

अथ उक्तयूपवृक्षे अपनत्युपनत्योः क्रमेण अन्नविरोधित्वं अन्नसमृद्धिकरत्वं च दर्शयति—**अथ य एष आनत उपरिष्टा**दित्यादि । अत्यन्तं नम्रः 'अपनतः' । ईषन्नम्र 'उपनतः' । 'भार्याः' भरणीयाः पुत्रभृत्यादयः । ते 'अशनायुकाः' सर्वदा क्षुत्पीडया अशनमेवेच्छन्तो भवन्ति । समानमन्यत् ॥ ३ ॥

इति श्रीसायणाचार्यविरचिते माधवीये वेदार्थप्रकाशे माध्यन्दिनीयशतपथब्राह्मणभाष्ये एकादशकाण्डे सप्तमेऽध्याये तृतीयं ब्राह्मणम् ॥ ११ । ७ । ३ ॥

१–"शूलाग्रं वर्जयेन्नित्यं सर्वयज्ञेषु निन्दितम् । उच्छ्रयणे तथाऽनर्हं यूपं वक्रं तु नाहरेत्" इति । का. यूपलक्षणपरि. सू. ॥ १५ ॥

२–शीर्णाकृतिर्विपर्यस्तस्तथैव धनुराकृतिः । उच्छ्रितो यजमानस्य पशुपुत्रविनाशकृत् ॥ १६ ॥ अव्रणो न च शुष्काग्रो मध्ये चोपनतो भवेत् । अग्राच्चैवोन्नतः किंचिद्यूपो वै यज्ञियः स्मृतः" इति । का. यूपलक्षणपरि. सू. ॥ १६ ॥ १७ ॥

३–अशुष्काग्रमूर्ध्वसकलशाखं मध्याग्रोपनतमव्रणम् । का. श्रौ. सू. ६ । ८ । इति ।

स यत्पशुना यक्ष्यमाणः । (ण८) एकारत्निं यूपङ्कुरुत ऽइममेव तेन लोकञ्जयत्यथ यद्द्व्यरत्निमन्तरिक्षलोकमेव तेन जयत्यथ यत्त्र्यरत्निन्दिवमेव तेन जयत्यथ यच्चतुररत्निन्दिशऽ एव तेन जयति स वाऽएष त्र्यरत्निर्वैव चतुररत्निर्व्वा पशुबन्धयूपो भवत्यथ योऽत ऊर्ध्वः सौम्यस्यैव सोऽध्वरस्य ॥ १ ॥

तदाहुः । (र्ख्ख) यजेदाज्यभागौ ना ३ऽ इति यजेदित्याहुश्चक्षुषी वाऽ एते यज्ञस्य यदाज्यभागौ किमृते पुरुषश्चक्षुर्भ्याᳬ स्यादिति यावद्वै भागिनᳬ स्वेन भागधेयेन न निर्भजन्त्यनिर्भक्तो वै स तावन्मन्यतेऽथ यदैव तᳬ स्वेन भागधेयेन निर्भजन्त्यथैव स निर्भक्तो मन्यते स यत्रे-

---

अशनायुका हास्य भार्या भवन्ति । तस्मात्तादृशमन्नाद्यकामो यूपं न कुर्वीत । अथ य एष आनत उपरिष्टाद्धुपनतो मध्ये । सोऽन्नाद्यस्य रूपम् । तस्मात्तादृशमन्नाद्यकामो यूपं कुर्वीत ॥ ३ ॥

स यत्पशुना यक्ष्यमाण एकारत्निं यूपं कुरुते । इममेव तेन लोकं जयति । अथ यत् द्व्यरत्निम्, अंतरिक्षलोकमेव तेन जयति । अथ यत् त्र्यरत्निं, दिवमेव तेन जयति । अथ यच्चतुररत्निं, दिश एव तेन जयति । स वा एष त्र्यरत्निर्वैव चतुररत्निर्वा पशुबंधयूपो भवति । अथ योऽत ऊर्ध्वः; सौम्यस्यैव सोऽध्वरस्य ॥ १ ॥

तदाहुः—यजेदाज्यभागौ ना३ इति । यजेदित्याहुः । चक्षुषी वा एते यज्ञस्य । यदाज्यभागौ । किमृते पुरुषश्चक्षुर्भ्यां स्यादिति । यावद्वै भागिनं स्वेन भागधेयेन न निर्भजंति ।

इत्थं यूपार्हं वृक्षं तत्स्वरूपं चाभिधाय, अथ यूपप्रमाणमाह—**स यत् पशुना यक्ष्यमाण** इत्यादिना । 'तेन' एकारत्नियूपस्वीकारेण 'इमं लोकं जयति' । परं न स्वर्गमित्यर्थः । एवं 'द्व्यरत्निमंतरिक्षलोकमेव' । एवं त्र्यरत्निचतुररत्निभ्यां द्युलोकं दश दिशश्च जयति । तस्मात्तथाविधोभयजयस्य इष्टत्वात् त्र्यरत्निं चतुररत्निं वा कुर्यात् । ननु—इतः परमपि अरत्निप्रमाणविशेषोऽस्ति; स किं नोपादीयते इत्याकांक्षायां तस्य सोमयागविषयतामाह—**अथ योऽत ऊर्ध्वं** इति ॥ १ ॥

इत्थं यूपस्योपादेयं प्रमाणमभिधाय तस्याज्यभागयोरवश्यकर्तव्यतामाह—**तदाहुर्यजेदाज्यभागौ ना इ**तीति । आज्यभागौ हि यज्ञस्य चक्षुषी । यथा 'चक्षुर्भ्यामृते' दृशोरभावे 'पुरुषः' 'किं स्यात् ?' न किंचिद्भवति । नश्यत्येवेत्यर्थः । तस्मादवश्यमनुष्ठेयौ इत्यभिप्रायः । अथ पशुविशंसनविषयप्रैषमध्ये "अस्ना रक्षः

१–त्र्यरत्निश्चतुररत्निर्वा । एकारत्निप्रभृतीनेके । का. श्रौ. सू. ६ । २४ । २५ । २–पञ्चारत्निः पञ्चदशपर्यन्तः सोमे दशसप्तचतुर्दशवर्जमपरिमितो वा । सप्तदश वाजपेये । एकविंशतिरश्वमेधे । का. श्रौ. सू. ६ । २९–३१ ॥

३–सूत्रे तु विकल्पः । तथाच कात्यायनः—हुत्वा वपामभिघारयति पृषदाज्यं ध्रुवां प्रथममाज्यभागौ चेत् । आज्यभागौ कुर्वन् । का. श्रौ. सू. ६ । १३९–१४० इति ।

तद्धोताऽन्वाहास्ना रक्षः सꣳसृजतादिति तदेनꣳ स्वेन भागधेयेन निर्भजति ॥ २ ॥

(त्ये) एतद्वै पशोः संज्ञप्यमानस्य । हृदयꣳ शुक्समवैति हृदयाच्छूलन्तद्ये सह हृदयेन पशुꣳ श्रपयन्ति पुनः पशुꣳ शुगनुविष्यन्देत पार्श्वतऽ एवैनत्काष्ठे प्रतृद्य श्रपयेत् ॥ ३ ॥

(द्व) उपस्तृणीतऽ आज्यम् । (न्तु) तत्पृथिव्यै रूपङ्करोति हिरण्य-

---

अनिर्भक्तो वै स तावन्मन्यते। अथ यदैव तं स्वेन भागधेयेन निर्भजन्ति । अथैव स निर्भक्तो मन्यते। स यत्रैतद्धोताऽन्वाह । "अस्रा रक्षः संसृजतात् "–इति । तदेनं स्वेन भागधेयेन निर्भजति ॥ २ ॥

एतद्वै पशोः संज्ञप्यमानस्य हृदयं शुक् समवैति। हृदयाच्छूलम् । तत् ये सह हृदयेन पशुं श्रपयंति । पुनः पशुं शुगनुविष्यंदेत । पार्श्वत एवैनत्काष्ठे प्रतृद्य श्रपयेत् ॥ ३ ॥

उपस्तृणीत आज्यम्; तत्पृथिव्यै रूपं करोति । हिरण्यशकलमवदधाति; तदग्ने रूपं करोति ।

सꣳसृजतात् " इति यः प्रैषभागः तेन रक्षोभ्यः स्वभागप्रदानं कृतं भवतीति लोकदृष्टांतेन दर्शयति–**यावद्वै भागिन**मित्यादिना । 'यावद्वै भागिनं' भागार्हं 'स्वेन भागधेयेन' तवायं भागो दत्त इति वा तस्य तदीयं भागं प्रयच्छत इति वा अभिधानपुरःसरं 'न निर्भजंति' निर्णीतभागं कुर्वंति । 'सः' पुमान् 'अनिर्भक्तो वै' भागान्निष्कासितो न भवति खलु । अनिर्भक्तः अहमिति 'तावन्मन्यते' संपूर्णं मन्यते । 'अथ' उक्तवैपरीत्येन 'यदैव' खलु लोभादिना 'तं' भागार्हं पुरुषं 'स्वेन भागधेयेन निर्भजंति' निर्णीतभागं न कुर्वंति । 'अथैव' तदा खलु । 'सः' तु भागान्निर्भक्तोऽहं भागान्निर्गतोऽहं इत्यात्मानं 'मन्यते' । तस्माल्लोके एवं दर्शनात् 'स होता' 'यत्र' यदा एतदिदानीं 'अन्वाह' । कथं ? "अस्रा रक्षः संसृजतात्" इति। 'अस्रा' पशुरक्तेन 'रक्षः' राक्षसं 'संसृजतादिति' ब्रूयात् । 'तदा एनं स्वेन भागधेयेन निर्भजति' अनेन इतरादेयांगविषयप्रैषवत् एतत् प्रैषवाक्यमपि अवश्यं वक्तव्यमिति उक्तं भवति ॥ २१ ॥

अथ पश्ववयवपाकविषये कंचिद्विशेषमाह–**एतद्वै पशोरि**त्यादिना । 'संज्ञप्यमानस्य' पशोः 'शुक्' मरणजन्यः शोकः 'हृदयं' संप्राप्नोति, तस्य सुखदुःखोपलंभनस्थानत्वात् । ततः 'हृदयात्' हृदयशूलं 'समवैति' । तस्मात् 'हृदयेन सह' इतरपश्ववयवानां पाके सति कृत्स्नं पश्ववयवं पुनः पुनः शुचं प्राप्नोति, तत्परिहारोपायमाह–**पार्श्वत एवैनं**दिति । 'एनत्' हृदयपुण्डरीकं 'काष्ठे' शूलाकारे 'प्रतृद्य' प्रविद्धं कृत्वा कुंभ्यां पार्श्वत एव 'श्रपयेत्' ॥ ३ ॥

अथ वपावदानस्य पञ्चावर्त्तत्वप्रकारं संपादयन् पृथिव्यादिलोकत्रयात्मना अग्न्यादित्यात्मना च प्रशंसति–

१–शूले हृदयं प्रतृद्य शामित्रे श्रपयति । का. श्रौ. सू. ६ । १६२ । इति ।

२–वपया चरिष्यन्नुपस्तीर्य हिरण्यमवधाय वपामवद्यन्नाहेन्द्राग्निभ्यां छागस्य वपायै मेदसोऽनुब्रूहीति । हिरण्यमवधाय द्विरभिघारण॰ सोमे । का. श्रौ. सू. ६ । १४१—१४२ । इति ।

शकलमुवदधाति तुदग्ने रूपङ्करोति व्वपामुवदधाति तुदन्तुरिक्षस्य रूपङ्करोति हिरण्यशकलमुवदधाति तुदादित्युस्य रूपङ्करोत्युथ युदुपरिष्टादभिघारुयति तुद्दिवो रूपङ्करोति सा व्वाऽ एषा पञ्चावत्ता व्वपा भवति पाङ्क्तो यज्ञः पाङ्क्तः पशुः पुञ्चर्तुवः सम्वत्सुरस्य तुस्मात्पञ्चावत्ता व्वपा भवति ॥ ४ ॥

इति चतुर्थप्रपाठके दशमं ब्राह्मणम् ॥ ११–४–१० ॥ (७. ४.) ॥
सप्तमोऽध्यायश्च समाप्तः ॥ (११ । ७) ॥

वपामवदधाति; तदन्तरिक्षस्य रूपं करोति । हिरण्यशकलमवदधाति; तदादित्यस्य रूपं करोति । अथ यदुपरिष्टादभिघारयति; तद्दिवो रूपं करोति । सा वा एषा पञ्चावत्ता वपा भवति । पांक्तो यज्ञः, पांक्तः पशुः, पञ्चर्तवः संवत्सरस्य, तस्मात्पञ्चावत्ता वपा भवति ॥ ४ ॥

उपस्तृणीत आज्यमित्यादिना । धानाकरंभादिपञ्चद्रव्यसाध्यत्वात् ‘ यज्ञः पांक्तः ’ । लोमत्वङ्मांसास्थिमज्जाख्यपञ्चधातुमयत्वात् ‘ पशुः पांक्तः ’ । सुगममन्यत् ॥ ४ ॥

इति श्रीसायणाचार्यविरचिते माधवीये वेदार्थप्रकाशे माध्यन्दिनीयशतपथब्राह्मणभाष्ये एकादशकाण्डे सप्तमेऽध्याये चतुर्थं ब्राह्मणम् ॥ ११ । ७ । ४ ॥

वेदार्थस्य प्रकाशेन तमो हार्दं निवारयन् । पुमर्थांश्चतुरो देयाद् विद्यातीर्थमहेश्वरः ॥ १ ॥

ब्रह्माण्डं गोसहस्रं कनकहयतुलापूरुषौ स्वर्णगर्भं,
सप्ताब्धीन्पञ्चसीरींस्त्रिदशतरुलताधेनुसौवर्णभूमीः ।
रत्नोस्रां रुक्मवाजिद्विपमहितरथौ सायणिः सिङ्गणार्यो,
व्यश्राणीद्विश्वचक्रं प्रथितविधिमहाभूतयुक्तं घटं च ॥
धान्याद्रिं धन्यजन्मा तिलभवमतुलः स्वर्णजं वर्णमुख्यः,
कार्पासीयं कृपावान्गुडकृतमजडो राजतं राजपूज्यः ।
आज्योत्थं प्राज्यजन्मा लवणजमनृणः शार्करं चार्कतेजा,
रत्नाढ्यो रत्नरूपं गिरिमकृत मुदा पात्रसात्सिङ्गणार्यः ॥

इति श्रीमद्राजाधिराजपरमेश्वरवैदिकमार्गप्रवर्तकश्रीहरिहरमहाराजसाम्राज्यधुरन्धरेण सायणाचार्येण विरचिते माधवीये वेदार्थप्रकाशे माध्यन्दिनीयशतपथब्राह्मणभाष्ये एकादशकाण्डे सप्तमोऽध्यायः समाप्तः ॥ (११ । ७) ॥

अथाष्टमेऽध्याये प्रथमं ब्राह्मणम् ।
चतुर्थप्रपाठके च एकादशं ब्राह्मणम् ।

तद्यथा ह वै । (वाऽ) इदᳫँ रथचक्रं वा कौलालचक्रम्वा प्रति-
ष्ठितङ्क्रन्देदेवᳫँ हैवेमे लोकाऽ अध्रुवाऽअप्रतिष्ठिताऽ आसुः ॥ १ ॥

स ह प्रजापतिरीक्षाञ्चक्रे । कथन्न्विमे लोका ध्रुवाः प्रतिष्ठिताः स्युरिति
सऽ एभिश्चैव पर्वतैर्न्नदीभिश्चेमामदृᳫँ हद्वयोभिश्च मरीचिभिश्चान्तरिक्ष-
ञ्जीमूतैश्च नक्षत्रैश्च दिवम् ॥ २ ॥

(ᳫँ) स महऽ इति व्याहरत् । (त्प) पशवो वै महस्तस्माद्यस्यै-
ते बहवो भवन्ति भूयिष्ठमस्य कुले महीयन्ते बहवो ह वाऽअस्यैते
भवन्ति भूयिष्ठᳫँ हास्य कुले महीयन्ते तस्माद्येनमायतनाद्धाधेरन्वा
प्र वा सापुयेयुरग्निहोत्रᳫँ हुत्वा महऽ इत्युपतिष्ठेत प्रति प्रजया पशुभि-
स्तिष्ठति नायतनाच्च्यवते ॥ ३ ॥

इति चतुर्थप्रपाठके एकादशं ब्राह्मणम् ॥ ११ । ४ । ११ ॥ (८-१) ॥

अग्निहोत्रे महउपस्थानम् ।

तद्यथा ह वा इदं रथचक्रं वा कौलालचक्रं वा प्रतिष्ठितं क्रंदेत् । एवं हैवेमे लोका अध्रुवा अप्रतिष्ठिता आसुः ॥ १ ॥

स ह प्रजापतिरीक्षांचक्रे । कथं न्विमे लोका ध्रुवाः प्रतिष्ठिताः स्युरिति । स एभिश्चैव पर्वतैर्नदीभिश्चेमामदंहत् । वयोभिश्च मरीचिभिश्चान्तरिक्षम् । जीमूतैश्च नक्षत्रैश्च दिवम् ॥ २ ॥

स मह इति व्याहरत् । पशवो वै महः । तस्माद्यस्यैते बहवो भवन्ति । भूयिष्ठमस्य कुले महीयंते । बहवो ह वा अस्यैते भवंति । भूयिष्ठं हास्य कुले महीयंते । तस्माद्येनमायतनाद्धाधेरन्

यस्य निःश्वसितं वेदा यो वेदेभ्योऽखिलं जगत् । निर्ममे तमहं वन्दे विद्यातीर्थमहेश्वरम् ॥ १ ॥

अग्निहोत्रे कर्मणि मह इत्युपस्थानं तद्दाढर्याय कर्तव्यनिमित्तं विधातुं आख्यायिकामाह—**तद्यथा ह वा इदमित्यादिना** । यथा लोके रथादिचक्रं आलम्बनकाष्ठादिराहित्येन भूमाववस्थितं सन् चलति । 'एवमिमे' त्रयः 'लोकाः' 'अप्रतिष्ठिता आसुः' ॥ १ ॥

तस्य परिहारोपायं प्रजापतिर्विचिन्त्य 'नदीभिः' 'पर्वतैश्च' उर्वीं, पक्षिभिः रश्मिभिश्च 'अन्तरिक्षम्,' मेघैर्नक्षत्रैश्च 'दिवं,' दृढीचकार ॥ २ ॥

'सः' तथा दृढान् दृष्ट्वा 'महः' इत्युवाच । तत्र महःशब्दार्थमाह—**पशवो वै मह इति** । उक्तमर्थं लोकप्रसिद्ध्या प्रमाणयति—**तस्माद्यस्यैते बहव इति** । यत एभिः पशुभिः 'महीयन्ते' । अतः 'एते'

चत्वारो ह वाऽ अग्नयः । (ऽ) आहितऽ उद्धृतः प्रहृतो विहृतोऽयमेव लोक ऽआहितोऽन्तरिक्षलोकऽ उद्धृतो द्यौष्प्रहृतो दिशो विहृतोऽग्निरेवाहितो व्वायुरुद्धृतऽ आदित्यः प्रहृतश्चन्द्रमा विहृतो गार्हपत्यऽ एवाहितऽ आहवनीयऽ उद्धृतोऽथ यमेतमाहवनीयात्प्राञ्चम्प्रणयन्ति स प्रहृतोऽथ यमेतमुदञ्चं पशुश्रपणायाहरन्ति यञ्चोपयड्भ्यः स विहृतस्तस्मात्प्रहार्य्येऽग्नौ पशुबन्धेन यजेत ॥ १ ॥

इति चतुर्थप्रपाठके द्वादशं ब्राह्मणम् ॥ ११-४-१२ ॥ (८. २.) ॥

वा, प्र वा यापयेयुः । अग्निहोत्रं हुत्वा मह इत्युपतिष्ठेत । प्राति प्रजया पशुभिस्तिष्ठति । नायतनाच्च्यवते ॥ ३ ॥

अग्नेश्चातुर्विध्याभिधायकं ब्राह्मणम् ।

चत्वारो ह वा अग्नयः । आहितः, उद्धृतः, प्रहृतः, विहृतः । अयमेव लोक आहितः । अन्तरिक्षलोक उद्धृतः । द्यौष्प्रहृतः । दिशो विहृतः । अग्निरेवाहितः । वायुरुद्धृतः । आदित्यः प्रहृतः । चंद्रमा विहृतः । गार्हपत्य एवाहितः । आहवनीय उद्धृतः । अथ यमेतमाहवनीयात्प्रांचं प्रणयन्ति स प्रहृतः । अथ यमेतमुदंचं पशुश्रपणायाहरंति यं चोपयड्भ्यः स विहृतः । तस्मात्प्रहार्येऽग्नौ पशुबन्धेन यजेत ॥ १ ॥

' महः ' । उक्तार्थज्ञानं प्रशंसति–**बहवो ह वा** इति । एते भवन्ति पशुत्र इत्यर्थः । इदानीं मह इत्युपस्थानं विधत्ते–**तस्माद्यद्येनम**िति । एनमग्निं ' आयतनात् ' स्वस्थानात् ' बाधेरन् ' किंचिदुपद्रवं चक्रुः । ' प्र वा यापयेयुः ' आयतनादन्यत्र गमयेयुर्वा । तदा ' अग्निहोत्रं हुत्वा ' ' महः इत्युपतिष्ठेत ' । तथा सति सोऽग्निः प्रतिष्ठितो भवति । यजमानोऽपि प्रजादिभिः प्रतिष्ठितो भवति । न प्रच्युतो भवति । अथवा ' महः ' इत्युपस्थानविधातुः फलप्रदर्शनपरमिदं वाक्यम् । तस्मिन्पक्षे एवमुक्तविधिना उपस्थानकर्तारम् ' आयतनात् ' स्वगृहक्षेत्रादेः सकाशात् । गतमन्यत् ॥ ३ ॥

इति श्रीसायणाचार्यविरचिते माधवीये वेदार्थप्रकाशे माध्यंदिनीयशतपथब्राह्मणभाष्ये एकादशकाण्डेऽष्टमेऽध्याये प्रथमं ब्राह्मणम् ॥ ११।८।१ ॥

अथाहवनीयात्प्राक्प्रहृते उत्तरवेदिके अग्नौ पशुयागः कर्तव्य इति विधातुं अग्नेराहितादिभेदेन चातुर्विध्यं दर्शयति–**चत्वारो ह वा अग्नय** इत्यादिना । अन्यदायतनं कृत्वा नूतनमुत्पाद्य स्थापितोऽग्निः ' आहितः ' । उद्धरणात्संपादितः ' उद्धृतः ' । प्राकृतप्रणयनात्संपादितः ' प्रहृतः ' । इतस्ततो विहरणात् ' विहृतः ' । उक्तमाहितादिचतुष्टयं भूराद्यात्मना अग्न्याद्यात्मना च स्तौति–**अयमेव लोक** इत्यादिना । भूरादीनामग्न्यादीनां आहितादिरूपत्वकल्पनायां पूर्वं पूर्वं प्रति उत्तरस्योत्तरस्य उपर्युपरि वर्तमानत्वं साम्यम् । इदानीं आहितादीनां अभिप्रेतमर्थं स्वयमेव विवृणोति–**गार्हपत्य एवाहित** इत्यादिना । पशुश्रपणार्थो यः अग्निः स

तदाहुः । किन्देवत्यऽ एष पशुः स्यादिति प्राजापत्यः स्यादित्याहुः प्रजापतिर्वाऽएतमग्रेऽभ्यपश्यत्तस्मात्प्राजापत्यऽ एवैष पशुः स्यादिति॥१॥

(त्यु) अथोऽअप्याहुः । सौर्य्यऽ एवैष पशुः स्यादिति तस्मादेतस्मिन्नस्तमिते पशवो बध्यन्ते बध्नन्त्येकान्यथा गोष्ठमेकऽ उप समायन्ति तस्मात्सौर्य्यऽएवैष पशुः स्यादिति ॥ २ ॥

(त्यु) अथोऽअप्याहुः । (रै) ऐन्द्राग्नऽ एवैष पशुः स्यादित्येते वै देवतेऽ अन्वन्ये देवा यद्यार्तो यजते पारयतऽ एव यदि महसा यजते पारयतऽ एव तस्मादैन्द्राग्नऽ एवैष पशुः स्यादिति ॥ ३ ॥

पशुदेवताविकल्पाभिधायकं ब्राह्मणम् ।

तदाहुः-किंदेवत्य एष पशुः स्यादिति । प्राजापत्यः स्यादित्याहुः । प्रजापतिर्वा एतमग्रेऽभ्यपश्यत् । तस्मात्प्राजापत्य एवैष पशुः स्यादिति ॥ १ ॥

अथो अप्याहुः । सौर्य एवैष पशुः स्यादिति । तस्मादेतस्मिन्नस्तमिते पशवो बध्यन्ते । बध्नन्त्येकान्यथा गोष्ठम् एक उप समायन्ति । तस्मात्सौर्य एवैष पशुः स्यादिति ॥ २ ॥

अथो अप्याहुः । ऐन्द्राग्न एवैष पशुः स्यादिति । एते वै देवते अन्वन्ये देवाः । यद्यार्तो यजते पारयत एव । यदि महसा यजते पारयत एव । तस्मादैन्द्राग्न एवैष पशुः स्यादिति ॥ ३ ॥

शामित्रः, यश्च गुदकांडहोमार्थः सः ' विहृतः ' । उप समीपे अंगयागानन्तरं यष्टव्या गुदहोमा ' उपयजः ' । तदर्थं हृत इत्यर्थः । तदर्थमेव वर्णितं तत्प्रयोजनमाह—**तस्मात् प्रहार्येऽग्नौ पशुबन्धेन यजेतेति** । 'प्रहार्ये' उत्तरवेदिके इत्यर्थः ॥ १ ॥

इति श्रीसायणाचार्यविरचिते माधवीये वेदार्थप्रकाशे माध्यंदिनीयशतपथब्राह्मणभाष्ये एकादशकांडेऽष्टमेऽध्याये द्वितीयं ब्राह्मणम् ॥ ११ । ८ । २ ॥

अथास्य पशोः प्रजापतिः सूर्य इन्द्राग्नी चेति त्रयो देवा विकल्पिता इति दर्शयितुं क्रमेण तं तं पक्षं सोपपत्तिकमाह—**तदाहुः किंदेवत्य एष पशुः स्यादि**त्यादिना । प्रजापतिना आदौ दृष्टत्वात् अस्य पशोः प्रजापतिर्देवतेति केचिदाहुः ॥ १ ॥

अपरे सूर्ये अस्तमिते पशूनां स्वस्वस्थाने बन्धनदर्शनात् सर्वेषां स्वस्वस्थाने प्राप्तेश्च हेतोः सूर्यायत्तस्थितित्वात् ' सौर्य एव ' इत्याहुः ॥ २ ॥

अन्ये तु इन्द्राग्न्योः सर्वदेवताप्राधान्यात् स्वोद्देशेन यागं कृतवतां क्रमेणार्तिनाशकत्वात् महसः प्रापकत्वाच्च पशोरिन्द्राग्नी एव देवते इत्याहुः ॥ ३ ॥

१—ऐन्द्राग्नः सौर्यः प्राजापत्यो वा यमिच्छेत् । का. श्रौ. सू. ६ । ८० ।

प्राणऽ एवु पशुबन्धः । (स्तु) तुस्माद्यावज्जीवति नास्यान्युः पशूना मीष्टे बद्धा ह्यस्मिन्नेते भुवन्ति ॥ ४ ॥

स ह प्रजापतिरग्निमुवाच । यजै त्वया त्वाऽऽलभाऽ इति नेति होवाच वायुम्ब्रूहीति स ह वायुमुवाच यजै त्वया त्वाऽऽलभाऽ इति नेति होवाच पुरुषम्ब्रूहीति स ह पुरुषमुवाच यजै त्वया त्वाऽऽलभाऽ इति नेति होवाच पशून्ब्रूहीति स ह पशूनुवाच यजै युष्माभिरा वो लभाऽ इति नेति होचुश्चन्द्रमसम्ब्रूहीति स ह चन्द्रमसमुवाच यजै त्वया त्वाऽऽलभाऽ इति नेति होवाचादित्यम्ब्रूहीति स हादित्यमुवाच यजै त्वया त्वाऽऽलभा इति तथेति होवाच यऽ उ तऽ एते नाचीकमन्त किमु मऽ एतेषु स्यादिति यद्यत्कामयेथाऽ इति तथेति तमालभत सोऽस्यायम्पशुरालब्धः संज्ञतोऽश्वयत्तमेताभिराप्रीभिराप्रीणात्तद्यदेनमेताभिराप्रीभिराप्रीणात्तस्मा दाप्रियो नाम तस्मादु पशुꣳ संज्ञतं ब्रूयाच्छेतावन्मुहूर्तमिति स यावन्तमश्वमेधेनेष्ट्वा लोकञ्जयति तावन्तमेतेन जयति ॥ ५ ॥

प्राण एव पशुबन्धः । तस्माद्यावज्जीवति । नास्यान्यः पशूनामीष्टे । बद्धा ह्यस्मिन्नेते भवन्ति ॥ ४ ॥

स ह प्रजापतिरग्निमुवाच । यजै त्वया त्वाऽऽलभा इति । नेति होवाच । वायुं ब्रूहीति । स ह वायुमुवाच । यजै त्वया त्वाऽऽलभा इति । नेति होवाच । पुरुषं ब्रूहीति । स ह पुरुषमुवाच । यजै त्वया त्वाऽऽलभा इति । नेति होवाच । पशून् ब्रूहीति । स ह पशूनुवाच । यजै युष्माभिरा वो लभा इति । नेति होचुः । चंद्रमसं ब्रूहीति । स ह चंद्रमसमुवाच । यजै त्वया त्वाऽऽलभा

पशुत्वस्य प्राणात्मकतां तत्परिज्ञातुः पशुना आर्तिहेतुतां समर्थयते—प्राण एव पशुबन्ध इति । तस्मात् पशोः प्राणाभिमानित्वात् स पशुबन्धयाजी यावन्तं कालं 'जीवति' 'अस्य' यजमानस्य 'पशूनाम्' 'नान्यः' तस्करादिः स्वामी भवति । किं तु 'अस्मिन्' संबद्धा एव 'एते' पशवः 'भवन्ति' । तस्मात् प्राणरूपता युक्ता ॥ ४ ॥

विहितस्य पशोः उक्तप्राणरूपतोपपादनाय तस्यैव अग्न्यादिषड्देवतामयत्वोपपादनाय च आख्यायिकामाह—**स ह प्रजापतिरग्निमुवाचे**त्यादिना । पुरा किल 'प्रजापतिरग्निमुवाच' । किमिति ? **यजै त्वये**ति । त्वां पशुं कृत्वा 'यजै' इति । तस्यैव व्याख्यानम्—**त्वाऽऽलभै** इति । पशुभूतस्य तव आलंभं करिष्यामीति स प्रजापतिना पृष्टोऽपि अग्निः 'नेति होवाच' निराचकारेत्यर्थः । हेत्वनेन पुरावृत्तत्वं द्योत्यते । एवं निराकुर्वन्नग्निः अन्ते आदित्य एव पशुर्भविष्यतीति अमुमर्थं मनसि कृत्वा 'वायुं ब्रूहि' इत्युवाच । एवं वायुपुरुषपशुचन्द्राः प्रजापतिना पशुभावाय पृष्टाः स्वं स्वं प्रतिषिध्य उत्तरमुत्तरं पृच्छेत्यूचुः । अथ तेषु निरा-

तम्प्राची दिक् । (कंप्रा) प्राणेत्यनुप्राणत्प्राणमेवास्मिँस्तुदधात्तन्दक्षिणा दिग्व्यानेत्यनुप्राणद्व्यानमेवास्मिँस्तुदधात्तम्प्रतीची दिगपानेत्यनुप्राणदपानमेवास्मिँस्तुदधात्तमुदीची दिगुदानेत्यनुप्राणदुदानमेवास्मिँस्तुदधात्तमूर्ध्वा दिक्समानेत्यनुप्राणंत्समानमेवास्मिँस्तुदधात्तस्मादु पुत्त्रञ्जातमकृत्तनाभिं पुञ्च ब्राह्मणान्ब्रूयादित्येनमनुप्राणितेति यद्यु

इति । नेति होवाच । आदित्यं ब्रूहीति । स हादित्यमुवाच । यजै त्वया त्वाऽऽलभा इति । तथेति होवाच । य उ त एते नाचीकमन्त । किमु म एतेषु स्यादिति । यद्यत्कामयेथा इति । तथेति तमालभत । सोऽस्यायं पशुरालब्धः संज्ञप्तः अश्वयत् । तमेताभिराप्रीभिराप्रीणात् । तद्यदेनमेताभिराप्रीभिराप्रीणात् । तस्मादाप्रियो नाम । तस्मादु पशुं संज्ञप्तं ब्रूयाच्छेतान्नुमुहूर्तमिति । स यावन्तमश्वमेधेनेष्ट्वा लोकं जयति । तावन्तमेतेन जयति ॥ ९ ॥

तं प्राची दिक् प्राणेत्यनुप्राणत्; प्राणमेवास्मिंस्तदधात् । तं दक्षिणा दिग्व्यानेत्यनुप्राणत्; व्यानमेवास्मिंस्तदधात् । तं प्रतीची दिगपानेत्यनुप्राणत्; अपानमेवास्मिंस्तदधात् । तमुदीची दिगुदानेत्यनुप्राणत्; उदानमेवास्मिंस्तदधात् । तमूर्ध्वा दिक् समानेत्यनुप्राणत्; समानमेवास्मिं-

---

कर्तृषु सत्सु चंद्रमसा आदित्यं पृच्छेत्युक्तः प्रजापतिः 'आदित्यमुवाच' 'त्वया यजै' इति । स तु तथेत्युवाच । अंगीकृत्य पुनरब्रवीत् । 'एते' पुनः पशुभावं नाकामयन्त । कामयतः 'मे' एतेष्वन्यादिषु किं स्यात् । एतेषां स्वभूतं वस्तु किं लब्धं भवेदिति । स प्रजापतिरादित्यमुवाच–**यद्यत्कामयेथा** इति । तत्तद्दास्यामीति शेषः । कामितस्वरूपमुपरि वक्ष्यति–"स प्रागमेवाग्नेरादत्त" इत्यादिना । एवमुक्त्वा वाचं स्वीकृत्य तथाऽस्त्वित्युक्ते स प्रजापतिस्तमालभत । 'स आलब्धः' 'संज्ञप्तः' पशुः 'अश्वयत्' उच्छूनः अभवत् । तं उच्छूनं पशुं 'एताभिः' प्रसिद्धाभिः "समिद्धो अद्य" (वा. सं. २९ । २९) इत्यादिभिराप्रीभिः 'आप्रीणात्' अतर्पयत् । प्रसंगादाप्रीशब्दं निर्वक्ति–**तद्यदेनमेताभिरिति** । यस्मादेनं पशुं 'एताभिराप्रीणात्' । आप्रीतं संतुष्टं चक्रे । 'तस्मात्' आप्रीणामन्त्रत्वात् 'आप्रियः' इति 'नाम' संपन्नम् । तदेव प्रीणनजनितं शयनं विधत्ते–'तस्मादु पशुं संज्ञप्तं ब्रूयात्'–**शेतान्नुमुहूर्तमिति** । तदाह 'शेतान्नुमुहूर्तमिति' । मुहूर्तो घटिकाद्वयम् । अत्यंतसंयोगे द्वितीया (पा. सू. २ । ३ । ५) इति । 'शेताम्' तावंतं कालं आप्रीणनेन आत्यन्तिकं सुखं प्राप्त इव अयं पशुः शयनं करोत्वित्यर्थः । अथ यथा अश्वमेधेन इष्टभावनापुरःसरं पशुनेष्टवतः फलमाह–**स यावन्तमश्वमेधेनेष्ट्वा लोकं जयति तावन्तमेतेन जयति** इति । एतेन आदित्यात्मना भावितेन पशुनेत्यर्थः । वेदितुः फलं चैतत् द्रष्टव्यम् । एतेनोक्तार्थज्ञानेनेत्यर्थः ॥ ९ ॥

'तं' निष्प्राणत्वेन उच्छूनं आदित्यलक्षणं पशुं 'प्राची' दिग्देवता हे गतप्राण पशो ! त्वं 'प्राण' प्राणवायुविशिष्टो भव 'इति अनुप्राणत्' । तस्योपरि श्वासं दत्तवतीत्यर्थः । अस्मिन्पशौ 'प्राणमेव' तत्तेनानु-

---

१–"समिद्धोऽद्य" इत्याद्याः–"हविरदन्तु देवाः" इत्यन्ताः (वा. सं. २९ । २५–३६) जमदग्निदृष्टास्त्रिष्टुप्छन्दस्का द्वादश मन्त्रा आप्रिय इत्युच्यन्ते । २–संज्ञप्तः पशुरिति प्रोक्ते शेतान्नु मुहूर्तमित्याहासोमे । का. श्रौ. सू. ६ । ११७ ॥

ताꣳश्चे विन्देदपि स्वयमेवानुपरिक्रामम॒नुप्राण्यात्स स॒र्वमा॒युरे॒त्याहैव ज॒रायै जीवति ॥ ६ ॥

स प्राणमे॒वाग्नेरा॑दत्त । तस्मा॑देष ना॒नुपध्मातो न॒नुपज्वालितो ज्वल॒-त्यात्तो॑ ह्यस्य प्राण॒ऽ आ ह वै द्विषतो भ्रातृव्यस्य प्राण॑न्दत्ते य॒ऽ एवं वे॒द ॥ ७ ॥

रूपमे॒व वा॒योरा॑दत्त । त॒स्मादे॑तस्य लेलयत॒ऽ इवैवोपशृण्वन्ति न॒ त्वेनं पश्यन्त्यात्तꣳ᳖ ह्यस्य रूपमा ह वै द्विषतो भ्रातृव्यस्य रूप॑न्दत्ते य॒ऽएवं वे॒द ॥ ८ ॥

स्तददधात् । तस्मादु पुत्रं जातमकृत्तनाभिं पंच ब्राह्मणान् ब्रूयादित्येनमनुप्राणितेति । यद्युतान्न विंदेत् । अपि स्वयमेवानुपरिक्राममनुप्राण्यात् । स सर्वमायुरेति । आ हैव जरायै जीवति ॥ ६ ॥

स प्राणमेवाग्नेरादत्त । तस्मादेष नानुपध्मा नानुपज्वालितो ज्वलति । आत्तो ह्यस्य प्राणः । आ ह वै द्विषतो भ्रातृव्यस्य प्राणं दत्ते । य एवं वेद ॥ ७ ॥

रूपमेव वायोरादत्त । तस्मादेतस्य लेलयत इवैवोपशृण्वंति । न त्वेनं पश्यंति । आत्तं ह्यस्य रूपम् । आ ह वै द्विषतो भ्रातृव्यस्य रूपं दत्ते । य एवं वेद ॥ ८ ॥

प्राणनेन ‘ अदधात् ’ स्थापितवति । तथा ‘ दक्षिणा दिक् ’ ‘ व्यान ’ इत्युक्त्वा ‘ अनुप्राणत् ’ तेन ‘ व्यानमस्मिन्नदधात् ’ । एवं प्रतीच्युदीच्यूर्ध्वाऽऽख्यास्तिस्रोऽपि दिशः क्रमेण ‘अपानं उदानं समानं’ च ‘ तस्मिन् ’ अदधुः । प्रसंगात् किंचित्पुरुषार्थं प्रयोगमाह—**तस्मादु पुत्रं जातमकृत्तनाभिमिति** । नाभिच्छेदनात्पूर्वं पंच ब्राह्मणान् “ एत्य एनमनुप्राणित ” ‘ इति ब्रूयात् ’ । इतिशब्देन दिक्कृतः प्रकारः प्रदर्श्यते । पंच ब्राह्मणान् पंच दिक्षु अवस्थाप्य प्रागादिक्रमेण प्राणेत्येवमुक्त्वा शिशोरुपरि श्वासं प्रक्षिपेदित्यर्थः । ब्राह्मणानामलाभे कथमिति तत्राह—**यद्यु तानिति** । ब्राह्मणालाभे स्वपितैव सर्वतः परिक्रम्योक्तप्रकारं कुर्यात् । एवं कृते सति शिशुः ‘ सर्वं ’ शतसंवत्सररूपम् ‘ आयुरेति ’ च ‘ आ हैव जरायै जीवति ’ जरापर्यंतं जीवतीत्यर्थः । अनेन प्राण एव पशुबंध इति अधिभावना प्रदर्शिता भवति ॥ ६ ॥

“ किमु म एतेषु स्यात् ” इति आदित्येन उक्ते सति “यद्यत्कामयेथाः” इति प्रजापतिना यत् प्राक् दत्तम्[1], तस्य स्वीकारं दर्शयति—**स प्राणमेवाग्नेरादत्त**त्यादिना । प्राण आत्तोऽग्नेरिति कथं निश्चीयत इति ? । तत्र लिंगमाह—**तस्मादेष** इति । तस्मादात्तप्राणत्वादेव अग्निरनुपध्मातो मुखस्थेन वायुनाऽप्रेर्यमाणः तथा काष्ठादिना उपज्वलनमप्राप्तः कदाचिदपि ‘ न ज्वलति ’ । अतः अविगम्यते प्राण आदित्येन स्वीकृत इति **आ ह वै द्विषत** इति । वेदितुः फलकथनम् ॥ ७ ॥

वायोः सकाशात् रूपादाने कारणमाह—**तस्मादेतस्य लेलयत इवैवोपशृण्वंती**ति । ‘ लेलयतः ’ चलतः

१–प्रतिदिशं पंच ब्राह्मणानवस्थाप्य ब्रूयादिममनुप्राणितेति । पूर्वो ब्रूयात्प्राणेति । व्यानेति दक्षिणः । अपानेत्यपरः । उदानेत्युत्तरः । समानेति पञ्चम उपरिष्टादवेक्षमाणो ब्रूयात् । स्वयं वा कुर्यादनुपरिक्राममविद्यमानेषु । पार. गृ. सू. १ । १६ । १०-१६ ॥ इति ।

चित्तमेव पुरुषस्यादत्त । तस्मादाहुर्दैवचित्तन्त्वाऽवतु मा मनुष्यचित्तमित्यात्तꣳ ह्यस्य चित्तमा ह वै द्विषतो भ्रातृव्यस्य चित्तन्दत्ते यऽएवं वेद ॥ ९ ॥

चक्षुरेव पशूनामादत्त । तस्मादेते चाकश्यमानाऽ इवैव न जानन्त्यथ यदैवोपजिघ्रन्त्यथ जानन्त्यात्तꣳ ह्येषाञ्चक्षुरा ह वै द्विषतो भ्रातृव्यस्य चक्षुर्दत्ते यऽ एवम्वेद ॥ १० ॥

भामेव चन्द्रमस आदत्त । तस्मादेनयोः सदृशयोः सतोर्न्नतराञ्चन्द्रमा भात्यात्ता ह्यस्य भाऽआ ह वै द्विषतो भ्रातृव्यस्य भान्दत्ते यऽ एवं वेद तद्यदादत्त तस्मादादित्यः ॥ ११ ॥

इति चतुर्थप्रपाठके त्रयोदशं ब्राह्मणम् ॥ ११-४-१३ ॥ (८. ३.) ॥

चित्तमेव पुरुषस्यादत्त, तस्मादाहुः, देवचित्तं त्वाऽवतु, मा मनुष्याचित्तामिति । आत्तं ह्यस्य चित्तम् । आ ह वै द्विषतो भ्रातृव्यस्य चित्तं दत्ते, य एवं वेद ॥ ९ ॥

चक्षुरेव पशूनामादत्त, तस्मादेते चाकश्यमाना इवैव न जानन्ति । अथ : यदैवोपजिघ्रन्ति । अथ जानन्ति । आत्तं ह्येषां चक्षुः । आ ह वै द्विषतो भ्रातृव्यस्य चक्षुर्दत्ते, य एवं वेद ॥ १० ॥

भामेव चन्द्रमस आदत्तः तस्मादेनयोः सदृशयोः सतोर्नतरां चन्द्रमा भाति । आत्ता ह्यस्य भाः । आ ह वै द्विषतो भ्रातृव्यस्य भां दत्ते । य एवं वेद । तद्यदादत्त, तस्मादादित्यः ॥ ११ ॥

अस्य श्रृण्वंति । किं त्वेनं अग्न्यादिवन्न साक्षात्पश्यन्ति । **आ ह वा** इति वेदितुः फलश्रुतिः । एवं सर्वत्रादत्त इति संबंधः ॥ ८ ॥

तथा ‘ पुरुषस्य ’ ‘ चित्तमेवादत्त ’ आदित्यः । ‘ तस्मात् ’ कश्चित् आशास्यं पुरुषमाहुः । कथं ? ‘ देवचित्तं त्वाऽवतु, मा मनुष्यचित्तमिति ’ । **आ ह वा** इत्यादि पूर्ववत् ॥ ९ ॥

पशुभ्यः सकाशात् चक्षुष आदाने लिंगमाह-**तस्मादेते चाकश्यमाना इवैव न जानन्ति । अथ यदैवोपजिघ्रंत्यथ जानन्ति** इति । यस्मात्पशवो भृशं पश्यन्त इव वर्तमाना अपि न ‘ जानन्ति ’ । किंतु आघ्राणेन सर्वं ‘ जानन्ति ’ । तस्माच्चक्षुरात्तमिति निश्चीयते । शिष्टं पूर्ववत् ॥ १० ॥

भामेव चन्द्रमस आदत्त इत्यादि । यस्माच्चन्द्रमसः सकाशात् प्रभा आहृता । तस्मात्समानप्रभयोरपि सतोश्चन्द्रसूर्ययोर्मध्ये ‘ चन्द्रमाः ’ ‘ नतरां भाति ’ नैव भाति । आत्तेत्यादि पूर्ववत् । उक्तविधमादानं निमित्तीकृत्य आदित्यशब्दो निष्पन्न इति दर्शयति-**तद्यदादत्त तस्मादादित्य** इति ॥ ११ ॥

इति श्रीसायणाचार्यविरचिते माधवीये वेदार्थप्रकाशे माध्यन्दिनीयशतपथब्राह्मणभाष्ये एकादशकाण्डे अष्टमेऽध्याये तृतीयं ब्राह्मणम् ॥ ११ । ८ । ३ ॥

केशिगृहपतीनामु ह । सम्म्राड्दुघाꣳ शार्दूलो जघान स ह स सत्रिणऽ आमन्त्रयाञ्चक्रे केह प्रायश्चित्तिरिति ते होचुर्नेह प्रायश्चित्तिरस्ति खण्डिक ऽएवौद्भारिरस्य प्रायश्चित्तिम्वेद सऽउ तऽएतादृक्चैव कामयतेऽतश्च पापीयऽइति ॥ १ ॥

स होवाच । संग्रहीतर्युङ्ग्धि मेऽस्यन्त्स्यामि स यद्यह मे व्वक्ष्यति समाप्स्यामि यद्यु मा मारयिष्यति यज्ञम्विकृष्टमनु विक्रक्ष्यऽइति ॥ २ ॥

स ह युक्त्वा ययावाजगाम । तꣳ ह प्रतिख्यायोवाच यन्न्वेतान्येवाजिनानि मृगेषु भवन्त्यथैषाम्पृष्टीरपि शीर्ष्णः पचामहे कृष्णाजिनम्मे ग्रीवास्वाबद्धमित्येव मेदमधृषोऽभ्यवस्यन्तूꣳशमिति ॥ ३ ॥

अथ पशुप्रायश्चित्तीयाः स्पृतिहोमाः ।

केशिगृहपतीनामु ह सम्राड्दुघां शार्दूलो जघान । सह स सत्रिण आमंत्रयांचक्रे; केह प्रायश्चित्तिरिति । ते होचुः—नेह प्रायश्चित्तिरस्ति । खण्डिक एवौद्भारिरस्य प्रायश्चित्तिं वेद । स उ त एतादृक् चैव कामयते । अतश्च पापीय इति ॥ १ ॥

स होवाच—संग्रहीतर्युङ्ग्धि मे । स्यन्त्स्यामि । स यद्यह मे वक्ष्यति । समाप्स्यामि । यद्यु मा मारयिष्यति । यज्ञं विकृष्टमनुविक्रक्ष्य इति ॥ २ ॥

स ह युक्त्वा ययौ । आजगाम । तं ह प्रतिख्यायोवाच । यन्नु एतान्येवाजिनानि मृगेषु

अथ स्पृत्याख्यान् होमान् पशुप्रायश्चित्ततया विधातुं आख्यायिकामाह—**केशिगृहपतीनामु** हेत्यादिना । पुरा किल केशिनो नाम राजानः सत्रयागमनुतिष्ठन्तः गृहपतय आसुः । तेषां 'सम्राड्दुघां' प्रवर्ग्यदोहनार्थां गां 'शार्दूलः' दुष्टमृगः 'जघान' । तेन च 'सह स सत्रिणः' उपेत्य 'आमन्त्रयांचक्रे' । कथमिह घर्मधुग्हननविषये 'का प्रायश्चित्तिरिति' तेन पृष्टास्ते 'नेह प्रायश्चित्तिः अस्ति इति उक्त्वा प्रायश्चित्तज्ञमकथयन् । उद्भारिपुत्रः 'खण्डिक एवास्य प्रायश्चित्तं' जानाति । 'सः' एव 'एतादृक्' एतादृशमेव 'कामयते' । कीदृशमिति तदाह—**अतश्च पापीय** इति । अत्यन्तं पापयुक्तं गोवधादिदोषयुक्तमित्यर्थः । तस्मात्तमेव पृच्छेति ॥ १ ॥

अथ गृहपतिषु प्रधानभूतः केशिराजः रथयंतारमुवाच-मे रथं 'युङ्ग्धि' योजय । 'स्यन्त्स्यामि' गमिष्यामि । 'सः' ह खण्डिकः 'यदि अह मे वक्ष्यति' प्रायश्चित्तिं तर्हि 'समाप्स्यामि' सत्रम् । अथ प्रायश्चित्तिकथनमकृत्वा निराकरिष्यति । तदा 'विकृष्टं' विकारं प्राप्तं 'यज्ञमनु' अहमपि 'विक्रक्ष्ये' विकारं प्राप्स्ये ॥ २ ॥

'स ह' रथमश्वैः संयोज्य खडिकसमीपं 'ययौ' । सोऽपि खण्डिकः 'तं' केशिनं 'आजगाम' । गत्वा च विवक्तुं केशिनं 'प्रतिख्याय' निराकृत्य स्वयमेव प्रथमं 'उवाच' । हे केशिन् ! त्वया यत् घर्मदुघाया

नेति होवाच । सम्म्राड्डुघाम्वै मे भगवः शार्दूलोऽवधीत्स यद्यह मे व्वक्ष्यसि समाप्स्यामि यद्यु मा मारयिष्यसि यज्ञम्विक्रुष्टमनुविक्रक्ष्यऽ इति ४

स होवाच । (चा) आमंत्रणीयान्वामंत्रयाऽ इति तान्हामंत्र्योवाच यद्यस्मै व्वक्ष्याम्यमुष्यैवेदम्प्रजा भविष्यति न मम लोकी त्वहम्भविष्यामि यद्यु वाऽ अस्मै न व्वक्ष्यामि ममैवेदम्प्रजा भविष्यति नामुष्य लोकी त्वसौ भविष्यतीति ते होचुर्म्मा भगवो व्वोचोऽयम्वाव क्षत्रियस्य लोकऽ इति स होवाच व्वक्ष्याम्येवामूर्व्वै रात्रयो भूयस्यऽ इति ॥ ५ ॥

भवन्ति । अथैषां पृष्ठीरपि शीर्यं पचामहे । कृष्णाजिनं मे ग्रीवास्वाबद्धमिति । एव मेदमधृषोऽभ्यवस्यन्तू ३ मिति ॥ ३ ॥

नेति होवाच । सम्राड्दुघां वै मे भगवः शार्दूलोऽवधीत् । स यद्यह मे वक्ष्यसि । समाप्स्यामि । यद्यु मा मारयिष्यसि । यज्ञं विक्रुष्टमनुविक्रक्ष्य इति ॥ ४ ॥

स होवाच–आमंत्रणीयान्वामंत्रया इति । तान् हामंत्र्योवाच । यद्यस्मै वक्ष्यामि; अमुष्यैवेदं प्रजा भविष्यति, न मम, लोकी त्वहं भविष्यामि । यद्यु वा अस्मै न वक्ष्यामि; ममैवेदं प्रजा भविष्यति, नामुष्य, लोकी त्वसौ भविष्यतीति । ते होचुः–मा भगवो वोचः । अयं वाव क्षत्रियस्य लोक इति । स होवाच–वक्ष्याम्येव, अमूर्वै रात्रयो भूयस्य इति ॥ ५ ॥

गोः अजिनं ग्रीवासु धृतम् । 'एतान्येव' एतादृशान्येव 'आजिनानि मृगेषु भवंति' उपलभ्यन्ते । 'अथैषां' मध्ये 'पृष्ठीः' अल्पशरीरा मृगीरपि 'शीर्यं' विशरणं कृत्वा 'पचामहे' । तदीयं 'कृष्णाजिनं मे ग्रीवासु' कण्ठे 'आबद्धं' 'इति' 'अभ्यवस्यन्तुं' हन्तुं 'मा' मां 'इदमधृषः' धाष्टर्यं कृतवान् ॥ ३ ॥

एवं तेन खंडिकेनोक्ते 'सः' 'राजा' 'नेति होवाच' अयमभिप्रायो न भवति । किंतु हे भगवन् ! 'सम्राड्दुघां' 'शार्दूलोऽवधीत्' । तस्मात् 'सः' त्वं 'यद्यह' यदेव 'मे' 'वक्ष्यसि' तस्य समाधानोपायं तर्हि यज्ञं 'समाप्स्यामि' । अथ 'यदि उ' 'मा' मां 'मारयिष्यसि' तदा यज्ञं न समाप्स्यामि । तथा सति तदा स यज्ञो विक्रुष्टो भविष्यति । तं 'विक्रुष्टं यज्ञमनु' अहमपि 'विक्रक्ष्ये' इत्युवाच ॥ ४ ॥

'स होवाच' एवमुक्तः खंडिकः कथनविषये संदिहानः सन् 'आमंत्रणीयान्' आत्मीयान् 'उत्' क्षिप्रं 'आमंत्रयै' आह्वये इत्युवाच । तानामंत्रणीयान् 'आमंत्र्य' इत्थमुवाच । हे विचारकाः ! शृणुत । 'यदि अस्मै' केशिने 'वक्ष्यामि' प्रायश्चित्तविधिं तर्हि 'अमुष्य' केशिनः 'एव' 'इदं' सर्वं 'प्रजा' भविष्यति, 'न मम' भविष्यति प्रजा । विद्याप्राप्तये अस्मत्तोऽपगतत्वात् । परं 'अहं' 'लोकी' विद्याप्रदानसुकृतेन परलोकवानेव भविष्यामि । यदि 'अस्मै न वक्ष्यामि' । तर्हि 'ममैव' 'प्रजा भविष्यति' । 'नामुष्य' राज्ञः, प्रजाफलसाधनविद्याया अप्राप्तत्वात् । न पुनः 'लोकी' लोकवान् 'असौ' राजा 'भविष्यति' । कर्मवैगुण्यस्य अपरिहारिष्यमाणत्वात् । एवं विरोधे उद्भाविते सति 'ते' आप्ता 'ऊचुः'–

तुस्माऽ उ हैतुदुवाच । स्पृतीर्हुत्वाऽन्यामुाजतेति ब्रूतात्सा ते सम्म्राड्-
दुघा स्यादिति चुन्द्रान्त्ते मुनः स्पृणोमि स्वुाहा सूर्य्यात्ते चुक्षु स्पृणोमि
स्वुाहा व्वातात्ते प्राणान्त्स्पृणोमि स्वुाहा दिग्भ्युस्ते श्रोत्रꣳ स्पृणोमि
स्वुाहाऽद्भ्युस्ते लोहितꣳ स्पृणोमि स्वुाहा पृथिव्यै ते शरीरꣳ स्पृणोमि
स्वाहेत्युथान्यामाजतेति ब्रूतात्सा ते सम्म्राड्दुघा स्यादिति तुतो हैव
सऽउत्ससाद कैशिनीरेवेमाऽअप्येतुर्हि प्रजा जायन्ते ॥ ६ ॥

इति चतुर्थप्रपाठके चतुर्दशं ब्राह्मणम् ॥ ११-४-१४ ॥ (८.४.) ॥
इति चतुर्थः प्रपाठकः समाप्तः ॥ ११-४ ॥
कण्डिकासंख्या ॥ १०२ ॥ अष्टमोऽध्यायश्च समाप्तः ॥ ११-८ ॥
अस्मिन्काण्डे कण्डिकासंख्या ॥ ४३७ ॥
इति माध्यन्दिनीये शतपथब्राह्मणे संग्रहापरनामधेयम् अष्टा-
ध्यायीनामकमेकादशं काण्डं समाप्तम् ॥ ११ ॥

तस्मा उ हैतदुवाच—स्पृतीर्हुत्वाऽन्यामाजतेति ब्रूतात् । सा ते सम्राड्दुघा स्यादिति। "चंद्रात्ते मनः स्पृणोमि स्वाहा। सूर्यात्ते चक्षुः स्पृणोमि स्वाहा। वातात्ते प्राणान् स्पृणोमि स्वाहा। दिग्भ्यस्ते श्रोत्रं स्पृणोमि स्वाहा। अद्भ्यस्ते लोहितं स्पृणोमि स्वाहा। पृथिव्यै ते शरीरं स्पृणोमि स्वाहा" इति। अथान्यामाजतेति ब्रूतात्। सा ते सम्राड्दुधा स्यादिति। ततो हैव स उत्ससाद। कैशिनीरेवेमा अप्येतर्हि प्रजा जायन्ते ॥ ६ ॥

हे भगव: ! विद्यां 'मा वोचः'। क्षत्रियस्यास्य लोको न भविष्यतीति। ननु—तवानुशयः स तस्य नास्तीति। 'अयं वाव' अयमेव खलु 'क्षत्रियस्य लोकः'। तस्मात् सोऽस्त्यत्र। तैः एवमुक्ते राति 'राः' खंडिकः तद्वचनमतिक्रम्य 'उवाच'। एतल्लोकसंबंधिन्यो रात्रयः अल्पीयस्यः। 'अमू रात्रयः' परलोकसंबंधिन्यो बह्वयो भवंति। अतः 'वक्ष्याम्येव' इत्युवाच ॥ ५ ॥

एवमुक्त्वा खंडिकः 'तस्मै' खलु 'एतत्' वक्ष्यमाणमुवाच—स्पृतीर्हुत्वेति। होममंत्रेषु "स्पृणोमि"—इति लिंगात् एता आहुतयः स्पृतयः प्रापकत्वात् 'स्पृतीः' ताः 'हुत्वा' 'अन्यां' दोहार्थं 'आजत' दोग्ध्रीमाजत आगमयत 'इति ब्रूतात्'। तथाभिधानस्य प्रयोजनकथनम्—सा त इति। घर्मधुगिति। 'घर्मः' प्रवर्ग्यः तदर्थं गा दुह्यते सा 'घर्मदुघा'। इदानीं स्पृतीराह—चंद्रात्ते मनः स्पृणोमीत्यादिना। प्रस्तुत-

---

१–घर्मधुक्छार्दूलहता चेत्स्पृतीर्जुहुयाच्चन्द्रात्ते मनः स्पृणोमि स्वाहा, सूर्यात्ते चक्षुः स्पृणोमि स्वाहा, वातात्ते प्राणान्स्पृणोमि स्वाहा, दिग्भ्यस्ते श्रोत्रꣳ स्पृणोमि स्वाहा, अद्भ्यस्ते लोहितꣳ स्पृणोमि स्वाहा, पृथिव्यै ते शरीरꣳ स्पृणोमि स्वाहेति। हुत्वाऽन्यामाजतेति ब्रूयात्। का. श्रौ. सू. २५। १४७-१४८। इति ॥

त्वात् घर्मदुघा संबोध्यते । अथवा पशोर्मारणात् संज्ञप्यमानः पशुः संबोध्यते । हे गौः ! हे पशो ! वा 'ते' तव 'मनः' चंद्रात्सकाशात् तेन च मनः 'स्पृणोमि' प्रीणयामि प्रलयामि वा मनसश्चंद्रदेवताकत्वात् । तद्देवताभ्यः एता आहुतयः 'स्वाहा' सुहुता भवन्तु । एवं 'सूर्यात्ते चक्षुः' । 'वातात्ते प्राणान्' । 'दिग्भ्यस्ते श्रोत्रम् ।' 'अद्भ्यस्ते लोहितम्' । 'पृथिव्यै ते शरीरम्' । इति पंचमन्त्रेषु सूर्यादिश्चक्षुराद्यभिमानित्वात् । 'तस्मात्ते' तव चक्षुरादीन् स्पृणोमीति व्याख्येयम् । स्पृतीर्हुत्वाऽन्यामाजतेति वचनं दर्शयति–**अथान्यामाजतेति** । व्याख्यातम् । एवमुपदिष्टः 'सः' केशी 'ततः' देशात् 'उत्ससाद' गतवानभूत् । तस्मात् 'अप्येतर्हि' इदानीमपि इमा वर्तमानाः 'प्रजाः' 'कैशिनीरेव' केशवत्य एव । अथवा केशासंबंधिन्यः 'जायन्ते' । केशिना प्रजाभिवृद्धिकरविद्याया लब्धत्वात् ॥ ६ ॥

इति श्रीसायणाचार्यविरचिते माधवीये वेदार्थप्रकाशे माध्यन्दिनीयशतपथब्राह्मणभाष्ये एकादशकाण्डेऽष्टमेऽध्याये चतुर्थं ब्राह्मणम् ॥ (११ । ८ । ४) ॥

वेदार्थस्य प्रकाशेन तमो हार्दं निवारयन् । पुमर्थांश्चतुरो देयाद् विद्यातीर्थमहेश्वरः ॥ १ ॥

ब्रह्माण्डं गोसहस्रं कनकहयतुलापूरुषौ स्वर्णगर्भं,
सप्ताब्धीन्पञ्चसीरींस्त्रिदशतरुलताधेनुसौवर्णभूमीः ।
रत्नोस्रां रुक्मवाजिद्विपमहितरथौ सायणिः सिङ्गणार्यो,
व्यश्राणीद्विश्वचक्रं प्रथितविधिमहाभूतयुक्तं घटं च ॥
धान्याद्रिं धन्यजन्मा तिलभवमतुलः स्वर्णजं वर्णमुख्यः,
कार्पासीयं कृपावान्गुडकृतमजडो राजतं राजपूज्यः ।
आज्योत्थं प्राज्यजन्मा लवणजमनृणः शार्करं चार्कतेजा,
रत्नाढ्यो रत्नरूपं गिरिमकृत मुदा पात्रसात्सिङ्गणार्यः ॥

इति श्रीमद्राजाधिराजपरमेश्वरवैदिकमार्गप्रवर्तकश्रीहरिहरमहाराजसाम्राज्यधुरन्धरेण सायणाचार्येण विरचिते माधवीये वेदार्थप्रकाशे माध्यन्दिनीयशतपथब्राह्मणभाष्ये एकादशकाण्डे अष्टमोऽध्यायः समाप्तः ॥ (११–८) ॥

इति संग्रहापरनामधेयमष्टाध्यायीनामकम्

एकादशं काण्डं समाप्तम् ॥

ॐ

श्रीमद्वाजसनेयिमाध्यन्दिन-

शतपथब्राह्मणम् ।

हरिस्वामिभाष्यसमेतम् ।

तत्र

द्वादशं काण्डम् १२ ।

अथात्र शतपथब्राह्मणस्य परिशेषाख्यो भागः ।

अथ मध्यमसौत्रामण्युभयनामकं द्वादशं काण्डम् ।

प्रथमोऽध्यायः प्रारभ्यते ।

तत्र प्रथमं ब्राह्मणम् ।

प्रथमप्रपाठके च प्रथमं ब्राह्मणम् ।

अयं वै यज्ञो योऽयम्पवते । तमेतऽ ईप्सन्ति ये संवत्सराय दीक्षन्ते तेषाङ्गृहपतिः प्रथमो दीक्षतेऽयम्वै लोको गृहपतिरस्मिन्वै लोकऽ इदꣳ सर्व्वम्प्रतिष्ठितङ्गृहपताऽउ वै सत्त्रिणः प्रतिष्ठिताः प्रतिष्ठायामेवैतत्प्रतिष्ठाय दीक्षन्ते ॥ १ ॥

गवामयनब्राह्मणम् ।

अयं वै यज्ञो योऽयं पवते । तमेत ईप्सन्ति; संवत्सराय दीक्षन्ते । तेषां गृहपतिः प्रथमो दीक्षते । अयं वै लोको गृहपतिः । अस्मिन् वै लोक इदं सर्वं प्रतिष्ठितम् । गृहपता उ वै सत्त्रिणः प्रतिष्ठिताः । प्रतिष्ठायामेवैतत् प्रतिष्ठाय दीक्षन्ते ॥ १ ॥

हरिस्वामिभाष्यमाकाण्डान्तम् ।

अथ गवामयनम् । तत्रेह यजमानानां दीक्षाक्रम उच्यते । एष श्रुत्यन्तरेपु द्वादशाह एवो यते । अत्रैवं वक्तव्यम् । कथं ? गवामयनं हि संवत्सरसत्रम् । तत्र सत्रात्मकस्य द्वादशाहस्य विकार इति द्वादशाह एवोच्यते । विहितो दीक्षाक्रमः तत एव लभ्यते । ननु—गवामयने क्रमो विहितः सन् द्वादशाहे प्राप्नोति । अपेक्षितश्च तेनापि यजमानानां दीक्षाक्रमः । कथम् ? बहुकर्तृकत्वात्—“ सप्तदशावराश्चतुर्विंशतिपरमाः सत्रमासीरन् ” इति हि वचनात् द्वादशाहो बहुयजमानकः । तेन सर्वे दीक्षणीयाः फलप्रतिग्रहीतृसंस्कारत्वाद्दीक्षायाः । तेषां च यजमानानामेकः क्रत्वर्थान् याजमानान् करोति । स तेनासाधारणात् गृहपतिकर्मणो गृहपतिरिति व्यपदिश्यते । अन्ये तु—“ य उ वा ऋत्विजस्ते यजमानाः” इति तद्वचनात् ब्रह्मत्वादिनिश्चयं कुर्वतस्तन्निमित्तकैः ब्रह्मा उद्गाता इत्यादिविशेषणैः ख्यायन्ते । ततः स्वापेक्षितत्वासम्भवदर्थत्वात् द्वादशाह एव । “ तेषां गृहपतिः प्रथमो दीक्षते अथ ब्रह्माणं दीक्षयति ” इत्यादि क्रमविधानं शाखान्तरोक्तमप्यत्र योज्यत्वात्तद्वेदस्येदमिह पठ्यते । दर्शनं विशेषार्थम् । ‘ अयं वै ’ यज्ञस्य कारणं आश्रयश्चेति ‘ यज्ञः ’ ‘ यः अयं पवते ’ वायुः, स हि सर्वभूतानां साधारणः

१—अनयोर्द्वादशत्रयोदशकाण्डयोः “ परिशेषः ” इति संज्ञान्तरम् । “ ततः षष्टिपथं कृत्स्नं सरहस्यं ससंग्रहम् । चक्रे सपरिशेषं च ” (म. भा. शां. प. मो. ध. ४३ । १६) इत्यत्र प्रतिपादितम् ॥ २—सायणभाष्यं नोपलब्धम् ।

(न्तुऽथ) अथ ब्रह्माणं दीक्षयति । चन्द्रमा वै ब्रह्मा सोमो वै चन्द्रमाः सौम्याऽओषधयऽओषधीस्तदनेन लोकेन सन्दधाति तस्मादेतावन्तरेणान्यो न दीक्षेत स यद्धैतावन्तरेणान्यो दीक्षेतौषधीस्तदनेन लोकेन नाना कुर्य्यादुच्छोषुका ह स्युस्तस्मादेतावन्तरेणान्यो न दीक्षेत ॥ २ ॥

(ता) अथोद्गातारन्दीक्षयति । पर्ज्जन्यो वाऽउद्गाता पर्ज्जन्यादु वै वृष्टिर्ज्जायते वृष्टिं तदोषधिभिः सन्दधाति तस्मादेतावन्तरेणान्यो न दीक्षेत स यद्धैतावन्तरेणान्यो दीक्षेत वृष्टिन्तदोषधिभिर्न्नाना कुर्य्यादवर्षुको ह स्यात्तस्मादेतावन्तरेणान्यो न दीक्षेत ॥ ३ ॥

अथ ब्रह्माणं दीक्षयति । चन्द्रमा वै ब्रह्मा । सोमो वै चन्द्रमाः । सौम्या ओषधयः । ओषधीस्तदनेन लोकेन संदधाति । तस्मादेतावंतरेणान्यो न दीक्षेत । स यद्धैतावन्तरेणान्यो दीक्षेत । ओषधीस्तदनेन लोकेन नाना कुर्यात् । उच्छोषुका ह स्युः । तस्मादेतावन्तरेणान्यो न दीक्षेत ॥ २ ॥

अथोद्गातारं दीक्षयति । पर्जन्यो वा उद्गाता । पर्जन्याद्धु वै वृष्टिर्जायते । वृष्टिं तदोषधिभिः संदधाति । तस्मादेतावंतरेणान्यो न दीक्षेत । स यद्धैतावंतरेणान्यो दीक्षेत । वृष्टिं तदोषधिभिर्नाना कुर्यात् । अवर्षुको ह स्यात् । तस्मादेतावंतरेणान्यो न दीक्षेत ॥ ३ ॥

प्राणः । प्राणेनैव यज्ञस्तायते । प्राण एवामृते संस्काररूपः प्रतितिष्ठति । 'तं' वायुं साधारणमेते आतुमिच्छन्ति । **ये संवत्सराय दीक्षंत** इति । संवत्सरसत्रिण उपन्यास उत्तरवाक्यसंम्बधार्थः । **तेषां गृहपतिरिति** । क्रमनियमवचनम् । 'गृहपतिः' गृहपतिग्रहणं यजमानोपलक्षणार्थम् । यज्ञपतिरित्यर्थः । सर्वे च ते यज्ञस्य पतयः । श्रुत्या च विशेषवचनात् क्रत्वर्थयाजमानकारी गृहपतिर्गृह्यते । 'अयं वै लोको गृहपतिः' । कस्मात् ? सामान्यादित्यत आह–**अस्मिन् वै लोक इदं सर्वं प्रतिष्ठितमित्यादि** ॥ १ ॥

अथ ब्रह्माणमिति । 'ब्रह्माणं' ब्रह्मत्वकारिणं 'दीक्षयति' अध्वर्युः । प्रकृतौ तेन दीक्षितत्वात् । 'चन्द्रमा वै ब्रह्मा' । दैवः 'सोमो वै चन्द्रमाः' सोमरसमयः । 'सौम्याः' सोमदेवत्याः 'ओषधयः' । सोम ओषधीनामधिदैवमित्यर्थः । गृहपतेरनन्तरं ब्रह्माणं दीक्षयति । 'ओषधीस्तदनेन सन्दधाति' । 'उच्छोषुकाः' शोषणधर्मकाः 'स्युः' ॥ २ ॥

अथोद्गातारमिति । प्रसन्नप्रायमतः परम् । 'अवर्षुकः' अवर्षणधर्मकः ॥ ३ ॥

१–अध्वर्युर्दीक्षयति ब्रह्मादीन् । का. श्रौ. सू. १२ । ४१ ।

(तृ) अथ होतारं दीक्षयति । (त्य) अग्निर्वै होताऽधिदेवतं व्वागध्यात्म-मन्नम्वृष्टिरग्निश्च तद्वाचश्चान्नेन सन्दधाति तस्मादेतावन्तरेणान्यो न दीक्षेत स यद्धैतावन्तरेणान्यो दीक्षेताग्निश्च तद्वाचश्चान्नेन नाना कुर्य्यादशनायुका ह स्युस्तस्मादेतावन्तरेणान्यो न दीक्षेतैतांश्चतुरोऽध्वर्य्युर्दीक्षयति ॥ ४ ॥

(त्यु) अथाध्वर्य्युम्प्रतिप्रस्थाता दीक्षयति । मनो वाऽअध्वर्य्युर्व्वाग्घोता मनश्च तद्वाचश्च सन्दधाति तस्मादेतावन्तरेणान्यो न दीक्षेत स यद्धैतावन्तरेणान्यो दीक्षेत मनश्च तद्वाचश्च नाना कुर्य्यात्प्रमायुका ह स्युस्तस्मादेतावन्तरेणान्यो न दीक्षेत ॥ ५ ॥

(तृ) अथ ब्रह्मणे ब्राह्मणाच्छꣳसिनन्दीक्षयति । तꣳ हि सोऽन्वथोद्गात्रे प्रस्तोतारन्दीक्षयति तꣳ हि सोऽन्वथ होत्रे मैत्रावरुणन्दीक्षयति तꣳ हि सोऽन्वेतांश्चतुरः प्रतिप्रस्थाता दीक्षयति ॥ ६ ॥

(त्यु) अथाध्वर्य्यवे प्रतिप्रस्थातारन्नेष्टा दीक्षयति । तꣳ हि सोऽन्वे-

---

अथ होतारं दीक्षयति । अग्निर्वै होताऽधिदेवतम् । वागध्यात्मम् । अन्नं वृष्टिः । अग्निं च तद्वाचं चान्नेन सन्दधाति । तस्मादेतावन्तरेणान्यो न दीक्षेत । स यद्धैतावन्तरेणान्यो दीक्षेत । अग्निं च तद्वाचं चान्नेन नाना कुर्यात् । अशनायुका ह स्युः । तस्मादेतावन्तरेणान्यो न दीक्षेत । एतांश्चतुरोऽध्वर्युर्दीक्षयति ॥ ४ ॥

अथाध्वर्युं प्रतिप्रस्थाता दीक्षयति । मनो वा अध्वर्युः । वाग् होता । मनश्च तद्वाचं च सन्दधाति । तस्मादेतावन्तरेणान्यो न दीक्षेत । स यद्धैतावन्तरेणान्यो दीक्षेत । मनश्च तद्वाचं च नाना कुर्यात् । प्रमायुका ह स्युः । तस्मादेतावन्तरेणान्यो न दीक्षेत ॥ ५ ॥

अथ ब्रह्मणे ब्राह्मणाच्छंसिनं दीक्षयति । तं हि सोऽनु । अथोद्गात्रे प्रस्तोतारं दीक्षयति । तं हि सोऽनु । अथ होत्रे मैत्रावरुणं दीक्षयति । तं हि सोऽनु । एतांश्चतुरः प्रतिप्रस्थाता दीक्षयति ॥ ६ ॥

अथाध्वर्यवे प्रतिप्रस्थातारं नेष्टा दीक्षयति । तं हि सोऽनु । एतेषां वै नवानां क्लृप्तिमन्वितरे

'अशनायुकाः' बहुक्षुधाकुलाः ॥ ४ ॥

'प्रमायुकाः' । "मीञ् हिंसायाम्" (धा. पा. क्र्या. उ. ४) इति धातुः । विनाशधर्माणः ॥ ५ ॥

ब्रह्मणे ब्राह्मणाच्छंसिनमिति । चतुर्थी षष्ठ्यर्थे द्रष्टव्या (पा. सू. २ । ३ । ६२ वा.) कुतः ? चतुर्थ्यनुपपत्तेः । न तावद्देवतावाची, अत एषा चतुर्थी न संप्रदाने । न तादर्थ्ये । न हि ब्रह्मार्थं ब्राह्मणाच्छंसी

१–अध्वर्य्वादीन्प्रतिप्रस्थाता । का. श्रौ. सू. १२ । ४३ । २–प्रतिप्रस्थात्रादीन्नेष्टा । का. श्रौ. सू. १२ । ४३ ॥

तेषाम्वै नवानाङ्क्लृप्तिमन्वितरे कल्पन्ते नव वै प्राणाः प्राणानेवैष्वे-
तद्दधाति तथा सर्व्वमायुर्य्यन्ति तथो ह न पुराऽऽयुषोऽस्माल्लोका-
त्प्रयन्ति ॥ ७ ॥

(त्र्यु) अथ ब्रह्मणे पोतारन्दीक्षयति । तꣳ हि सोऽन्वथोद्गात्रे प्रति-
हर्तारन्दीक्षयति तꣳ हि सोऽन्वथ होत्रेऽच्छावाकन्दीक्षयति तꣳ हि
सोऽन्वेताꣳश्चतुरो नेष्टा दीक्षयति ॥ ८ ॥

(त्र्यु) अथाध्वर्य्यवे नेष्टारमुन्नेता दीक्षयति । तꣳ हि सोऽन्वथ ब्रह्मण-
ऽआग्नीध्रन्दीक्षयति तꣳ हि सोऽन्वथोद्गात्रे सुब्रह्मण्यां दीक्षयति तꣳ हि
सोऽन्वथ होत्रे ग्रावस्तुतन्दीक्षयति तꣳ हि सोऽन्वेताꣳश्चतुरऽउन्नेता
दीक्षयति ॥ ९ ॥

कल्पन्ते । नव वै प्राणाः । प्राणानेवैष्वेतद्दधाति । तथा सर्वमायुर्यन्ति । तथा उ ह न पुराऽऽयुषो-
ऽस्माल्लोकात् प्रयंति ॥ ७ ॥

अथ ब्रह्मणे पोतारं दीक्षयति । तं हि सोऽनु । अथोद्गात्रे प्रतिहर्तारं दीक्षयति । तं हि सोऽनु ।
अथ होत्रेऽच्छावाकं दीक्षयति । तं हि सोऽनु । एतांश्चतुरो नेष्टा दीक्षयति ॥ ८ ॥

अथाध्वर्यवे नेष्टारमुन्नेता दीक्षयति । तं हि सोऽनु । अथ ब्रह्मण आग्नीध्रं दीक्षयति । तं हि
सोऽनु । अथोद्गात्रे सुब्रह्मण्यां दीक्षयति । तं हि सोऽनु । अथ होत्रे ग्रावस्तुतं दीक्षयति । तं हि
सोऽनु । एतांश्चतुर उन्नेता दीक्षयति ॥ ९ ॥

दीक्ष्यते । किं तर्हि ब्राह्मणाच्छंस्यर्थमेव । परिशेषात् संबंधमात्रे षष्ठ्यर्थे यथा चतुर्थी । एवमुद्गात्रे इत्याद-
योऽपि । कः पुनर्ब्रह्मणो ब्राह्मणाच्छंसिनः स्वं प्रत्यात्मिकः संबंधः । न खलु कश्चित्, अस्ति तु प्रकृतौ ज्योतिष्टोमे
तस्यादीक्षितत्वेऽपि । अत्र वाक्योपदेशात् भविष्यति । कः पुनः सः, यावत्यो ब्रह्मणो दक्षिणाः । तावतीनामर्द्धं
ब्राह्मणाच्छंसिनः इत्येषः संबंधः । एतावती तृतीयादेः । तुरीयमग्नीधश्चेति । एष ब्रह्मणस्तत्पुरुषाणां संबंधः ।
एवमुद्गात्रादीनां प्रस्तोत्रादीनां च । वाक्यं शाखांतरेषु स्पष्टमाम्नातम् । चोदितः संबंधः–" ततस्तं प्रति-
प्रस्थाता दीक्षयित्वा; अर्द्धिनो दीक्षयति ब्राह्मणाच्छंसिनं ब्राह्मणम् " इत्यादिना । ननु च–आर्द्धिनः, तृतीयिणः,
तुरीयिणः, इत्येते व्यपदेशाः प्रकृतौ उपयुज्यंते । ब्राह्मणाच्छंस्यादीनां भागविशेषाः कल्प्यन्ते । एते
ब्राह्मणा उद्गातुरित्यादयो व्यपदेशा एते न किंचिदुपयुज्यंते । ब्राह्मणादीनां तुल्यभागत्वात् । एवं
तर्हि अन्येऽप्येवमुपात्ता व्यपदेशा उपयोक्ष्यन्ते । " तत्प्राची दिक् होतुः दक्षिणा ब्रह्मणः " इत्यादीननु-
क्रम्य " तदेवं होत्रिका अन्वाभक्ता " इत्युच्यन्ते । तत्रैतेभ्यो व्यपदेशेभ्यः होतृपुरुषाः प्राच्यां दिशि तु आभ-

---

१-नेष्टादीनुन्नेता । का. श्रौ. सू. १२ । ४३ ॥

(त्यु) अथोन्नेतारम् । (थ्ँ) स्नातको वा ब्रह्मचारी वाऽन्यो वा दीक्षितो दीक्षयति न पूतः पावयेदिति ह्याहुः सैषाऽनुपूर्व्वदीक्षा स यत्र हैवम्विद्वाᳬसो दीक्षन्ते दीक्षमाणा हैव ते यज्ञङ्कल्पयन्ति यज्ञस्य क्लृप्तिमनु सत्रिणां योगक्षेमः कल्पते सत्रिणां योगक्षेमस्य क्लृप्तिमन्वपि तस्यार्द्धस्य योगक्षेमः कल्पते यस्मिन्नर्द्धे यजन्ते ॥ १० ॥

तेषां वा उन्नेतोत्तमो दीक्षते । प्रथमोऽवभृथादुदायतामुदैति प्राणो वाऽउन्नेता प्राणमेवैष्वेतदुभयतो दधाति तथा सर्व्वमायुर्य्यन्ति तथो ह न पुराऽऽयुषोऽस्माल्लोकात्प्रयन्ति सैषाऽनुपूर्व्वदीक्षा स यत्र हैवं विद्वाᳬसो दीक्षेरंस्तदेव दीक्षेत ॥ ११ ॥

इति प्रथमप्रपाठके प्रथमं ब्राह्मणम् ॥ १२।१।१ ॥ (१-१) ॥

अथोन्नेतारं स्नातको वा ब्रह्मचारी वाऽन्यो वा दीक्षितो दीक्षयति । न पूतः पावयेत् इति ह्याहुः । सैषाऽनुपूर्वदीक्षा । स यत्र हैवं विद्वांसो दीक्षन्ते । दीक्षमाणा हैव ते यज्ञं कल्पयन्ति । यज्ञस्य क्लृप्तिमनु सत्रिणां योगक्षेमः कल्पते । सत्रिणां योगक्षेमस्य क्लृप्तिमन्वपि तस्यार्द्धस्य योगक्षेमः कल्पते । यस्मिन्नर्द्धे यजन्ते ॥ १० ॥

तेषां वा उन्नेतोत्तमो दीक्षते । प्रथमोऽवभृथादुदायतामुदैति । प्राणो वा उन्नेता । प्राणमेवै-

---

ज्यन्ते । दक्षिणस्यां ब्राह्मणाच्छंस्यादयो ब्रह्मपुरुषाः । इत्यादि सेत्स्यति । तस्मादुपपन्नमेतत् षष्ठ्यर्थे चतुर्थी । (पा. सू. २ । ३ । ६२ वा.) इति ॥ ६-९ ॥

'स्नातको वा' तस्यैवोन्नेतुः शिष्यः । 'ब्रह्मचारी वा' तस्यैव शिष्यः । कुत एतत् । 'अन्यो वा दीक्षितः' इति पृथगुपदेशात् । यदि तु सामान्येन स्नातको ब्रह्मचारी वा गृह्यते । ततः अन्यो वेति नोपपद्येत । न हि स्नातकब्रह्मचारिभ्यामन्यो दीक्षणयोग्योऽस्ति । न तावदनुपनीतः स्तोत्रियाः पर्युप्ताः ब्रह्मो स्नातको वा निवृत्ताधिकारात् । कात्यायनोऽप्येवं सूत्रयामास "अध्वर्युर्गृहपतिं दीक्षयति ब्रह्मादींश्च इति" ब्रह्मोद्गातृहोतॄन् इत्यर्थः । "अध्वर्य्वादीन् प्रतिप्रस्थाता" । अध्वर्युब्राह्मणाच्छंसिप्रस्तोतृमैत्रावरुणान् इत्यर्थः । "प्रतिप्रस्थात्रादीन्नेष्टा" इति । प्रतिप्रस्थातृपोतृप्रतिहर्त्रच्छावाकान् इत्यर्थः । "नेष्ट्रादीनुन्नेता" इति । नेष्ट्रग्नीत्सुब्रह्मण्याग्रावस्तुत इत्यर्थः । "उन्नेतारं ब्रह्मचारी स्नातकोऽन्यो वा ब्राह्मणो न पूतः पावयेत् इति श्रुतेः" (का. श्रौ. सू. १२ । ४३) इति ॥ १० ॥

प्राणो वा उन्नेता । उन्नेतृत्वपरयोत्तमत्वात् । अनुपूर्वदीक्षेति । 'तदेव दीक्षेत' तत्रैव विद्वद्भिः सह दीक्षेत, नाविद्वद्भिरित्यर्थः ॥ ११ ॥

इति श्रीमदाचार्यहरिस्वामिनः कृतौ माध्यन्दिनीयशतपथब्राह्मणभाष्ये द्वादशकाण्डे प्रथमेऽध्याये प्रथमं ब्राह्मणम् ॥ (१२ । १ । १) ॥

श्रद्धाया वै देवाः । (०) दीक्षान्निरमिमतादित्यै प्रायणीयᳪं सोमात्क्रयम्विष्णोरातिथ्यमादित्यात्प्रवर्ग्यᳪं स्वधाया उपसदोऽग्नीषोमाभ्यामुपवसथमस्माल्लोकात्प्रायणीयमतिरात्रम् ॥ १ ॥

(ᳪं) संवत्सराच्चतुर्विᳪंशमहः । (श्रं) ब्रह्मणोऽभिप्लवं क्षत्त्रात्पृष्ठ्यमग्नेरभिजितमद्भ्यः स्वरसाम्नऽ आदित्याद्विषुवन्तमुक्थाः स्वरसामानऽ इन्द्राद्विश्वजितमुक्थौ पृष्ठ्याभिप्लवौ मित्रावरुणाभ्यां गोऽआयुषी विश्वेभ्यो देवेभ्यो दशरात्रं दिग्भ्यो दाशरात्रिकम्पृष्ठ्यᳪं षडहमेभ्यो लोकेभ्यश्छन्दोमान् ॥ २ ॥

(त्सं) संवत्सराद्दशममहः । प्रजापतेर्म्महाव्व्रतᳪं स्वर्ग्गाल्लोकादुदयनीयमतिरात्रन्तदेतत्संवत्सरस्य जन्म स यो हैवमेतत्सम्वत्सरस्य जन्म व्वेदा हास्माच्छ्रेयाञ्जायते सात्मा भवति संवत्सरो भवति संवत्सरो भूत्वा देवानप्येति ॥ ३ ॥

इति प्रथमप्रपाठके द्वितीयं ब्राह्मणम् ॥ १२।१।२॥ (१-२) ॥

ऽेतदुभयतो दधाति । तथा सर्वमायुर्यन्ति । तथा उ ह न पुराऽऽयुषोऽस्माल्लोकात्प्रयन्ति । सैषाऽनुपूर्वदीक्षा । स यत्र हैवं विद्वांसो दीक्षेरन् । तदेव दीक्षेत ॥ ११ ॥

श्रद्धाया वै देवा दीक्षां निरमिमत । अदित्यै प्रायणीयम् । सोमात् क्रयम् । विष्णोरातिथ्यम् । आदित्यात्प्रवर्ग्यम् । स्वधाया उपसदः । अग्नीषोमाभ्यामुपवसथम् । अस्माल्लोकात् प्रायणीयमतिरात्रम् ॥ १ ॥

संवत्सरात् चतुर्विंशमहः । ब्रह्मणोऽभिप्लवम् । क्षत्त्रात् पृष्ठ्यम् । अग्नेरभिजितम् । अद्भ्यः स्वरसाम्नः । आदित्याद्विषुवंतम् । उक्थाः स्वरसामानः । इंद्राद्विश्वजितम् । उक्थौ पृष्ठ्याभिप्लवौ । मित्रावरुणाभ्यां गोआयुषी । विश्वेभ्यो देवेभ्यो दशरात्रम् । दिग्भ्यो दाशरात्रिकं पृष्ठ्यं षडहम् । एभ्यो लोकेभ्यश्छन्दोमान् ॥ २ ॥

संवत्सराद्दशममहः । प्रजापतेर्महाव्रतम् । स्वर्गाल्लोकादुदयनीयमतिरात्रम् । तदेतत्संवत्सरस्य जन्म । स यो हैवमेतत्संवत्सरस्य जन्म वेद । आ हास्माच्छ्रेयान् जायते । सात्मा भवति । संवत्सरो भवति । संवत्सरो भूत्वा देवानप्येति ॥ ३ ॥

'श्रद्धाया वै' । श्रद्धादिभ्यो देवताभ्यः दीक्षाद्यभिमानिनो विग्रहवन्तो देवाः देवैर्निर्मिताः । सम्भूय च इति प्रादुर्भाविका इत्येषा उपासना अत्र ब्राह्मणे उच्यते । प्रसन्नम् एव ॥ १-३ ॥

इति श्रीमदाचार्यहरिस्वामिनः कृतौ माध्यन्दिनीयशतपथब्राह्मणभाष्ये द्वादशकाण्डे प्रथमेऽध्याये द्वितीयं ब्राह्मणम् ॥ १२ । १ । २ ॥

यद्वै दीक्षन्ते । (न्तेऽग्ना) अग्नाविष्णूऽएव देवते यजन्तेऽग्नाविष्णू देवते भवन्त्यग्नाविष्णवोः सायुज्यꣳ सलोकतां जयन्ति ॥ १ ॥

(न्त्यु) अथ यत्प्रायणीयेन यजन्ते । (न्तेऽदि) अदितिमेव देवतां यजन्तेऽदितिर्देवता भवन्त्यदितेः सायुज्यꣳ सलोकतां जयन्ति ॥ २ ॥

(न्त्यु) अथ यत्क्रयेण चरन्ति । सोममेव देवतां यजन्ते सोमो देवता भवन्ति सोमस्य सायुज्यꣳ सलोकताञ्जयन्ति ॥ ३ ॥

(न्त्यु) अथ यदातिथ्येन यजन्ते । विष्णुमेव देवतां यजन्ते विष्णुर्देवता भवन्ति विष्णोः सायुज्यꣳ सलोकतां जयन्ति ॥ ४ ॥

(न्त्यु) अथ यत्प्रवर्ग्येण यजन्ते । (न्तऽआ) आदित्यमेव देवतां यजन्तऽआदित्यो देवता भवन्त्यादित्यस्य सायुज्यꣳ सलोकतां जयन्ति॥५॥

(न्त्यु) अथ यदुपसदऽ उपयन्ति । (न्त्ये) एताऽ एव देवता यजन्ते याऽएताऽउपसत्स्वेता देवता भवन्त्येतासां देवतानाꣳ सायुज्यꣳ सलोकतां जयन्ति ॥ ६ ॥

देवविद्याब्राह्मणम् ।

यद्वै दीक्षन्ते । अग्नाविष्णू एव देवते यजन्ते । अग्नाविष्णू देवते भवन्ति । अग्नाविष्णवोः सायुज्यं सलोकतां जयन्ति ॥ १ ॥

अथ यत् प्रायणीयेन यजन्ते । अदितिमेव देवतां यजन्ते । अदितिर्देवता भवन्ति । अदितेः सायुज्यं सलोकतां जयन्ति ॥ २ ॥

अथ यत् क्रयेण चरन्ति । सोममेव देवतां यजन्ते । सोमो देवता भवन्ति । सोमस्य सायुज्यं सलोकतां जयन्ति ॥ ३ ॥

अथ यदातिथ्येन यजन्ते । विष्णुमेव देवतां यजन्ते । विष्णुर्देवता भवन्ति । विष्णोः सायुज्यं सलोकतां जयन्ति ॥ ४ ॥

अथ यत्प्रवर्ग्येण यजन्ते । आदित्यमेव देवतां यजन्ते । आदित्यो देवता भवन्ति । आदित्यस्य सायुज्यं सलोकतां जयन्ति ॥ ५ ॥

अथ यदुपसद उपयन्ति । एता एव देवता यजन्ते । या एता उपसत्सु । एता देवता भवन्ति । एतासां देवतानां सायुज्यं सलोकतां जयन्ति ॥ ६ ॥

'यद्वै दीक्षन्ते'। एतदपि कर्मसु देवविद्याब्राह्मणम् । प्रसन्नमेव । 'अग्नाविष्णू देवते भवन्ति' अभेद-

(न्त्यु) अथ यदग्नीषोमीयेण पशुना यजन्ते । (न्तेऽग्नी) अग्नीषोमावेव देवते यजन्तेऽग्नीषोमौ देवते भवन्त्यग्नीषोमयोः सायुज्यꣳ सलोकतां जयन्ति ॥ ७ ॥

(न्त्यु) अथ यत्प्रायणीयमतिरात्रमुपयन्ति । (न्त्य) अहोरात्रऽ एव देवते यजन्तेऽहोरात्रे देवते भवन्त्यहोरात्रयोः सायुज्यꣳ सलोकतां जयन्ति ॥ ८ ॥

(न्त्यु) अथ यच्चतुर्विꣳशमहरुपयन्ति । संवत्सरमेव देवतां यजन्ते संवत्सरो देवता भवन्ति सम्वत्सरस्य सायुज्यꣳ सलोकतां जयन्ति ॥ ९ ॥

(न्त्यु) अथ यदभिप्लवꣳ षडहमुपयन्ति । (न्त्य) अर्द्धमासांश्च मासांश्च देवता यजन्तेऽर्द्धमासाश्च मासाश्च देवता भवन्त्यर्द्धमासानाञ्च मासानाञ्च सायुज्यꣳ सलोकतां जयन्ति ॥ १० ॥

(न्त्यु) अथ यत्पृष्ठ्यꣳ षडहमुपयन्ति । (न्त्यृ) ऋतूनेव देवता यजन्तऽऋतवो देवता भवन्त्यृतूनाꣳ सायुज्यꣳ सलोकतां जयन्ति ॥ ११ ॥

(न्त्यु) अथ यदभिजितमुपयन्ति । (न्त्य) अग्निमेव देवतां यजन्तेऽग्निर्देवता भवन्त्यग्नेः सायुज्यꣳ सलोकतां जयन्ति ॥ १२ ॥

अथ यदग्नीषोमीयेण पशुना यजन्ते । अग्नीषोमावेव देवते यजन्ते । अग्नीषोमौ देवते भवन्ति । अग्नीषोमयोः सायुज्यं सलोकतां जयन्ति ॥ ७ ॥

अथ यत् प्रायणीयमतिरात्रमुपयन्ति । अहोरात्रे एव देवते यजन्ते । अहोरात्रे देवते भवन्ति । अहोरात्रयोः सायुज्यं सलोकतां जयन्ति ॥ ८ ॥

अथ यच्चतुर्विंशमहरुपयन्ति । संवत्सरमेव देवतां यजन्ते । संवत्सरो देवता भवन्ति । संवत्सरस्य सायुज्यं सलोकतां जयन्ति ॥ ९ ॥

अथ यदभिप्लवं षडहमुपयन्ति । अर्द्धमासांश्च मासांश्च देवता यजन्ते । अर्द्धमासाश्च मासाश्च देवता भवन्ति । अर्द्धमासानां च मासानां च सायुज्यं सलोकतां जयन्ति ॥ १० ॥

अथ यत्पृष्ठ्यं षडहमुपयन्ति । ऋतूनेव देवता यजन्ते । ऋतवो देवता भवन्ति । ऋतूनां सायुज्यं सलोकतां जयन्ति ॥ ११ ॥

अथ यदभिजितमुपयन्ति । अग्निमेव देवतां यजन्ते । अग्निर्देवता भवन्ति । अग्नेः सायुज्यं सलोकतां जयन्ति ॥ १२ ॥

दर्शिनः । 'अग्नाविष्णवोः सायुज्यं सलोकतां जयन्ति' देवदर्शिनः । तत्रापि प्रहृष्टविद्याः 'सायुज्यं जयन्ति' । अन्तराः 'सलोकताम्' इति विशेषः । एवमुत्तरत्रापि वाच्यम् ॥ १–२१ ॥

(न्त्यु) अ॒थ य॒त्स्व॒रसा॒म्न॒ऽउ॒पय॒न्ति । (न्त्य) अ॒पऽए॒व दे॒व॒ता य॒जन्त॒ऽआपो॑ दे॒व॒ता भ॒वन्त्य॒पाᳫँ सा॒युज्य॒ᳫँ स॒लोक॒तां जयन्ति ॥ १३ ॥

(न्त्यु) अ॒थ य॒द्वि॒षु॒व॒न्तमु॒पय॒न्ति । (न्त्या) आ॒दि॒त्यमे॒व दे॒व॒तां य॒जन्त॒ऽआ॒दि॒त्यो दे॒व॒ता भ॒वन्त्या॒दि॒त्य॒स्य सा॒युज्य॒ᳫँ स॒लोक॒तां जय॒न्त्यु॒क्ताः स्व॒रसा॒मानः॑ ॥ १४ ॥

(न्तोऽथ) अ॒थ य॒द्वि॒श्व॒जि॒तमु॒पय॒न्ति । (न्ती) इ॒न्द्रमे॒व दे॒व॒तां य॒जन्त॒ऽइ॒न्द्रो दे॒व॒ता भ॒वन्ती॒न्द्र॒स्य सा॒युज्य॒ᳫँ स॒लोक॒तां जय॒न्त्यु॒क्तौ पृ॒ष्ठ्या॒भि॒प्ल॒वौ ॥ १५ ॥

(वावु) अ॒थ य॒द्गो॒ऽआ॒यु॒षी॒ऽउ॒पय॒न्ति । मि॒त्रा॒वरु॑णावे॒व दे॒व॒ते य॒जन्ते॑ मि॒त्रा॒वरु॑णौ दे॒व॒ते भ॒वन्ति मि॒त्रा॒वरु॑णयोः सा॒युज्य॒ᳫँ स॒लोक॒तां जयन्ति ॥ १६ ॥

(न्त्यु) अ॒थ य॒द्द॒श॒रा॒त्रमु॒पय॒न्ति । वि॒श्वाने॒व दे॒वान्दे॒व॒ता य॒जन्ते॒ वि॒श्वे दे॒वा दे॒व॒ता भ॒वन्ति वि॒श्वे॒षान्दे॒वा॒नाᳫँ सा॒युज्य॒ᳫँ स॒लोक॒तां जयन्ति ॥ १७ ॥

(न्त्यु) अ॒थ य॒द्दा॒श॒रा॒त्रि॒कम्पृ॒ष्ठ्यᳫँ ष॒ड॒हमु॒पय॒न्ति । दि॒शऽ ए॒व दे॒व॒ता य॒जन्ते॒ दि॒शो दे॒व॒ता भ॒वन्ति दि॒शाᳫँ सा॒युज्य॒ᳫँ स॒लोक॒तां जयन्ति ॥ १८ ॥

अथ यत् स्वरसाम्न उपयन्ति । अप एव देवता यजन्ते । आपो देवता भवन्ति । अपां सायुज्यं सलोकतां जयन्ति ॥ १३ ॥

अथ यद्विषुवन्तमुपयन्ति । आदित्यमेव देवतां यजन्ते । आदित्यो देवता भवन्ति । आदित्यस्य सायुज्यं सलोकतां जयन्ति । उक्ताः स्वरसामानः ॥ १४ ॥

अथ यद्विश्वजितमुपयन्ति । इन्द्रमेव देवतां यजन्ते । इन्द्रो देवता भवन्ति । इन्द्रस्य सायुज्यं सलोकतां जयन्ति । उक्तौ पृष्ठ्याभिप्लवौ ॥ १५ ॥

अथ यत् गोआयुषी उपयन्ति । मित्रावरुणावेव देवते यजन्ते । मित्रावरुणौ देवते भवन्ति । मित्रावरुणयोः सायुज्यं सलोकतां जयन्ति ॥ १६ ॥

अथ यद्दशरात्रमुपयन्ति । विश्वानेव देवान् देवता यजन्ते । विश्वे देवा देवता भवन्ति । विश्वेषां देवानां सायुज्यं सलोकतां जयन्ति ॥ १७ ॥

अथ यद्दाशरात्रिकं पृष्ठ्यं षडहमुपयन्ति । दिश एव देवता यजन्ते । दिशो देवता भवन्ति । दिशां सायुज्यं सलोकतां जयन्ति ॥ १८ ॥

(न्त्यु) अथ यच्छन्दोमानुपयन्ति । (न्ती) इमानेव लोकान्देवता यजन्तऽइमे लोका देवता भवन्त्येषां लोकानाꣳ सायुज्यꣳ सलोकतां जयन्ति ॥ १९ ॥

(न्त्यु) अथ यद्दशममहरुपयन्ति । संवत्सरमेव देवतां यजन्ते संवत्सरो देवता भवन्ति संवत्सरस्य सायुज्यꣳ सलोकतां जयन्ति ॥ २० ॥

(न्त्यु) अथ यन्महाव्रतमुपयन्ति । प्रजापतिमेव देवतां यजन्ते प्रजापतिर्देवता भवन्ति प्रजापतेः सायुज्यꣳ सलोकतां जयन्ति ॥ २१ ॥

(न्त्यु) अथ यदुदयनीयमतिरात्रमुपयन्ति । संवत्सरमेव तदाप्त्वा स्वर्गे लोके प्रतितिष्ठन्ति तान्यदि पृच्छेयुः कामद्य देवतां यजध्वे का देवता स्थ कस्यान्देवतायां वसथेत्यतऽएवैकतमाम्ब्रूयुर्यस्यै तु नेदिष्ठꣳ स्युरेते ह वै सतिसदऽएते हि सतीषु देवतासु सीदन्तो यन्ति सत्रसदो हैवेतरे स यो हैवं विदुषां दीक्षितानां पापकꣳ सत्रे कीर्तयेदेताभ्यस्त्वा देवताभ्यऽआवृश्चामऽइत्येनम्ब्रूयुः स पापीयान्भवति श्रेयाꣳसऽआत्मना ॥ २२ ॥

अथ यच्छंदोमानुपयन्ति । इमानेव लोकान् देवता यजन्ते । इमे लोका देवता भवन्ति । एषां लोकानां सायुज्यं सलोकतां जयन्ति ॥ १९ ॥

अथ यद्दशममहरुपयन्ति । संवत्सरमेव देवतां यजन्ते । संवत्सरो देवता भवन्ति । संवत्सरस्य सायुज्यं सलोकतां जयन्ति ॥ २० ॥

अथ यन्महाव्रतमुपयन्ति । प्रजापतिमेव देवतां यजन्ते । प्रजापतिर्देवता भवन्ति । प्रजापतेः सायुज्यं सलोकतां जयन्ति ॥ २१ ॥

अथ यदुदयनीयमतिरात्रमुपयन्ति । संवत्सरमेव तदाप्त्वा स्वर्गे लोके प्रतितिष्ठन्ति । तान् यदि पृच्छेयुः । कामद्य देवतां यजध्वे । का देवता स्थ । कस्यां देवतायां वसथेति । अत एवैकतमां ब्रूयुः । यस्यै तु नेदिष्ठं स्युः । एते सतिसदः । एते हि सतीषु देवतासु सीदन्तो यन्ति । सत्रसदो हैवेतरे । स यो हैवं विदुषां दीक्षितानां पापकं सत्रे कीर्तयेत् । "एताभ्यस्त्वा देवताभ्य आवृश्चामः" इत्येनं ब्रूयुः । स पापीयान् भवति । श्रेयांस आत्मना ॥ २२ ॥

'यस्यै' यस्या देवतायाः 'नेदिष्ठं' अन्तिकतमं भवेयुः । तामेव ब्रूयुरग्नाविष्णू अदो यजामहे इति । 'एते ह वै सतिसदः' यदि ते वै उपासका उच्यन्ते । इत्युपासनागुणव्यपदेशेन वचनम् । 'सतीषु देवतासु' सीदन्तीति

सुऽ एषु संवत्सरस्त्रिमहाव्व्रतः । (श्व) चतुर्व्विᳫँशे महाव्व्रतं विषुवुति महाव्व्रतुम्महाव्व्रतुऽ एवु महाव्व्रतन्तुᳫँ ह स्मैतं पूर्व्वऽउपयन्ति त्रिमहाव्व्रतन्ते तु तेजस्विनऽ आसुः सत्यवादिनः सुᳫँशितव्व्रताऽअुथ यु ऽउ हैनमुप्येतुर्हि तुथोपेयुर्य्युथाऽऽमपात्रमुदकऽआसिक्ते व्विम्म्रित्येदेवुᳫँ हैव ते व्विुम्म्रित्येयुरुपर्य्युपयन्ति तुदेषाᳫँ सत्येन श्रमेण तुपसा श्रद्धया यज्ञेनाहुतिभिरवरुद्धम्भवति ॥ २३ ॥

इति प्रथमप्रपाठके तृतीयं ब्राह्मणम् ॥ १२-१-३ ॥ (१. ३.) ॥

पुरुषो वै संवत्सरः । (स्तु) तुस्य पादावेवु प्रायणीयोऽतिरात्रः पादाभ्याᳫँ हि प्रयन्ति तुयोर्य्यच्छुक्लन्तदह्नो रूपं यत्कृष्णं तद्रात्रेर्न्नखान्येवौषधिवनस्पतीनाᳫँ रूपमूरू चतुर्व्विᳫँशमहरुरोऽभिप्लुवः पृष्ठ्यम्पृष्ठ्यः॥१॥

स एष संवत्सरस्त्रिमहाव्रतः । चतुर्विंशे महाव्रतम् । विषुवति महाव्रतम् । महाव्रत एव महाव्रतम् । तं ह स्मैतं पूर्व उपयंति त्रिमहाव्रतं ते । ते तेजस्विन आसुः । सत्यवादिनः । संशितव्रताः । अथ य उ ह एनमप्येतर्हि तथोपेयुः । यथाऽऽमपात्रमुदक आसिक्ते विम्रित्येत् । एवं हैव ते विम्रित्येयुः । उपर्युपयंति । तदेषां सत्येन श्रमेण तपसा श्रद्धया यज्ञेनाहुतिभिरवरुद्धं भवति ॥ २३ ॥

अध्यात्मविद्ब्राह्मणम् ।

पुरुषो वै संवत्सरः । तस्य पादावेव प्रायणीयोऽतिरात्रः । पादाभ्यां हि प्रयन्ति । तयोर्यच्छुक्लं

सतिसदः । सत्रे सीदन्तीति सत्रसदः इतरे केवलं सत्रैककर्मात्मके सीदन्ति । न देवतास्विति सत्रसदः अनुपासकाः ॥ २२ ॥

तमेतं 'त्रिमहाव्रतं' संवत्सरं 'पूर्वे' प्राक्कलियुगादुपयन्ति स्म न संप्रति । किं कारणम् । यस्मात्ते 'तेजस्विनः' बभूवुः ॥

सत्यवादिन इति । तीक्ष्णीकृतव्रताः इति येषां आख्याऽस्ति, ते त्रिमहाव्रतयाजिन इत्येतत् गृह्यते अन्यथा विम्रित्येत् कर्म विनश्येत् तेऽपि विम्रित्येयुः विनश्येयुरित्यर्थः । 'उपरि' उपांत्यदिवसे 'उपयन्ति' यत्तर्हि कलियुगे तत्र कथं ? विनाशदोषो न भविष्यतीत्यत आह–तदुपर्युपगम्यमानमेषां सांप्रतिकानां श्रमादिभिरवरुद्धं भवति । न हिनस्तीति ॥ २३ ॥

इति श्रीमदाचार्यहरिस्वामिनः कृतौ माध्यन्दिनीयशतपथब्राह्मणभाष्ये द्वादशकाण्डे प्रथमेऽध्याये तृतीयं ब्राह्मणम् ॥ १२ । १ । ३ ॥

'पुरुषो वै' । कर्मगतौ अध्यात्मविदां ब्राह्मणमेतत् । प्रसन्नप्रायम् । **पुरुष** इति । 'अध्यात्मं' संवत्सर-

---

१–प्रसाध्यत्वादध्यात्मकः ।

(ष्ट्योऽय) अयमेव दक्षिणो बाहुरभिजित् । (दि) इमुऽ एव दक्षिणे त्रयः प्राणाः स्वरसामानो मूर्द्धा व्विषुवानिमुऽ एवोत्तरे त्रयः प्राणाः स्वरसामानः ॥ २ ॥

(नोऽयु) अयमेवोत्तरो बाहुर्व्विश्वजित् । (दु) उक्तौ पृष्ठ्याभिप्लवौ यावुवाञ्चौ प्राणौ तु गोऽआयुषीऽ अङ्गानि दशरात्रो मुखं महाव्व्रतᳬं हस्तावेवोदयनीयोऽतिरात्रो हस्ताभ्याᳬं ह्युद्यन्ति तयोर्य्यच्छुक्लं तदह्नो रूपं युत्कृष्णं तद्रात्रेर्न्नखान्येव नक्षत्राणाᳬं रूपᳬं सऽएषु संवत्सरो-ऽध्यात्मम्प्रातिष्ठितः स यो हैवमेतᳬं संवत्सरमध्यात्मम्प्रातिष्ठितं व्वेद प्रति-तिष्ठति प्रजया पशुभिरस्मिँल्लोकेऽमृतत्त्वेनामुष्मिन् ॥ ३ ॥

इति प्रथमप्रपाठके चतुर्थं ब्राह्मणम् ॥ १२।१।४ ॥ (१-४)

प्रथमोऽध्यायः समाप्तः ॥ १२ । १ ॥ कण्डिकासंख्या ४० ॥

तदह्नो रूपम् । यत्कृष्णं तद्रात्रेः । नखान्येवौषधिवनस्पतीनां रूपम् । ऊरू चतुर्विंशमहः । उरो ऽभिप्लवः । पृष्ठं पृष्ठ्यः ॥ १ ॥

अयमेव दक्षिणो बाहुरभिजित् । इम एव दक्षिणे त्रयः प्राणाः स्वरसामानः । मूर्द्धा विषुवान् इम एवोत्तरे त्रयः प्राणाः स्वरसामानः ॥ २ ॥

अयमेवोत्तरो बाहुर्विश्वजित् । उक्तौ पृष्ठ्याभिप्लवौ । याववांचौ प्राणौ ते गोआयुषी । अङ्गानि दशरात्रः । मुखं महाव्रतम् । हस्तावेवोदयनीयोऽतिरात्रः । हस्ताभ्यां ह्युद्यन्ति । तयोर्यच्छुक्लं तदह्नो रूपम् । यत्कृष्णं तद्रात्रेः । नखान्येव नक्षत्राणां रूपम् । स एष संवत्सरोऽध्यात्मं प्रतिष्ठितः । स यो हैवमेतं संवत्सरमध्यात्मं प्रतिष्ठितं वेद । प्रतितिष्ठति प्रजया पशुभिरस्मिन् लोके; अमृतत्वेना-मुष्मिन् ॥ ३ ॥

प्रसवत्वादध्यात्मकः, साधिदेवो गृह्यते । कुत एतत् " नखान्यैवौषधिवनस्पतीनां रूपं नक्षत्राणां वेति " वच-नात् । उरोऽभिप्लव इति । दक्षिण उरसो भागः । पृष्ठभागस्य उत्तरः । " उक्तौ पृष्ठ्याभिप्लवौ " इति बामस्य पृथग्वचनात् ॥ १-३ ॥

इति श्रीमदाचार्यहरिस्वामिनः कृतौ माध्यन्दिनीयशतपथब्राह्मणभाष्ये द्वादशकाण्डे प्रथमेऽध्याये चतुर्थं ब्राह्मणम् ॥ १२ । १ । ४ ॥

नागस्वामिसुतोऽवन्त्यां पाराशर्यो वसन् हरिः । श्रुत्यर्थं दर्शयामास शक्तितः पौष्करीयकः ॥

श्रीमतोऽवन्तिनाथस्य विक्रमार्कस्य भूपतेः । धर्माध्यक्षो हरिस्वामी व्याख्यच्छातपथीं श्रुतिम् ॥

भूभर्त्रा विक्रमार्केण क्लृप्तां कनकवेदिकाम् । दानायाध्यस्य कृतवान् श्रुत्यर्थविवृतिं हरिः ॥

इति श्रीसर्वविद्यानिधानकवीन्द्राचार्यसरस्वतीनां श्रीहरिस्वामिनां कृतौ माध्यन्दिनीयशतपथब्राह्मणभाष्ये द्वादशकाण्डे प्रथमोऽध्यायः समाप्तः ॥ (१२-१) ॥

अथ द्वितीयेऽध्याये प्रथमं ब्राह्मणम् ।

प्रथमप्रपाठके च पञ्चमं ब्राह्मणम् ।

समुद्रं वाऽ एते प्रतरन्ति । ये संवत्सराय दीक्षन्ते तस्य तीर्थमेव प्रायणीयोऽतिरात्रस्तीर्थेन हि प्रस्नान्ति तद्यत्प्रायणीयमतिरात्रमुपयन्ति यथा तीर्थेन समुद्रम्प्रस्नायुस्तादृक्तत् ॥ १ ॥

(द्वा) गाधमेव प्रतिष्ठा चतुर्विंशमहः । (र्वी) यथोपपक्षदघ्नम्वा कण्ठदघ्नं वा यतो विश्रम्य प्रस्नान्ति प्रस्नेयोऽभिप्लवः प्रस्नेयः पृष्ठ्यः ॥२॥

(ष्ठ्यो) गाधमेव प्रतिष्ठाऽभिजित् । (द्य) यथोपपक्षदघ्नं वा कण्ठदघ्नं वा यतो विश्रम्योत्क्रामन्त्यूरुदघ्नऽएव प्रथमः स्वरसामा जानुदघ्नो द्वितीयः कुल्फदघ्नस्तृतीयो द्वीपः प्रतिष्ठा विषुवान्कुल्फदघ्नऽएव प्रथमोऽर्वाक्सामा जानुदघ्नो द्वितीयऽऊरुदघ्नस्तृतीयः ॥ ३ ॥

सम्वत्सरे समुद्रप्रतरणोपासनम् ।

समुद्रं वा एते प्रतरन्ति । ये संवत्सराय दीक्षन्ते । तस्य तीर्थमेव प्रायणीयोऽतिरात्रः । तीर्थेन हि प्रस्नांति । तद्यत्प्रायणीयमतिरात्रमुपयन्ति । यथा तीर्थेन समुद्रं प्रस्नायुः । तादृक्तत् ॥ १ ॥

गाधमेव प्रतिष्ठा चतुर्विंशमहः । यथोपपक्षदघ्नं वा कंठदघ्नं वा यतो विश्रम्य प्रस्नांति । प्रस्नेयोऽभिप्लवः । प्रस्नेयः पृष्ठ्यः ॥ २ ॥

गाधमेव प्रतिष्ठाऽभिजित् । यथोपपक्षदघ्नं वा कण्ठदघ्नं वा यतो विश्रम्योत्क्रामन्ति । ऊरुदघ्न एव प्रथमः स्वरसामा । जानुदघ्नो द्वितीयः । कुल्फदघ्नस्तृतीयः । द्वीपः प्रतिष्ठा विषुवान् । कुल्पदघ्न एव प्रथमोऽर्वाक्सामा । जानुदघ्नो द्वितीयः । ऊरुदघ्नस्तृतीयः ॥ ३ ॥

" समुद्रं वा " एताभिः पंचभिः कण्डिकाभिः संवत्सरे समुद्रप्रतरणोपासनमुच्यते । तीर्थगाधोद्वृत्तरणपुनःप्रतरणानि च प्रायणीयादीनां नामान्येतानि प्रदर्श्यन्ते । उपासनारूपत्वाच्च फलम् । संवत्सरोऽप्यत्र ईदृश एव द्रष्टव्यः । ' प्रस्नांति ' " ष्णा शौचे " (धा. पा. अ. प. ४२) इत्येषः प्रपूर्वः प्रतरणे वर्तते । प्रतरतीत्यर्थः । ' प्रस्नायुः ' प्रतरेयुः ॥ १ ॥

गाधमेव ग्राह्यम् अल्पोदकम् । प्रतितिष्ठन्त्यस्यामिति ' प्रतिष्ठा ' । ' उपपक्षदघ्नं ' पक्षयोः समीपमुपपक्षं प्रमाणमस्य उपपक्षदघ्नम् । कण्ठप्रमाणं ' कण्ठदघ्नं ' ।' प्रस्नेयः ' प्रस्नानार्हः प्रतरणार्ह इत्यर्थः ॥ २ ॥

सर्वान् कामान् अर्वाक् सुवृत्तः । अर्वाक् स च साम्ना इत्यत्र प्राप्ते शाकपार्थिवादिवत्तत्पदलोपसमासः ॥ ३ ॥ ४ ॥

(यो) गाधमेव प्रतिष्ठा विश्वजित् । (द्यु) यथोपपक्षदघ्नं वा कण्ठदघ्नं वा यतो विश्रम्य प्रस्नान्ति प्रस्नेयः पृष्ठ्यः प्रस्नेयोऽभिप्लवः प्रस्नेये गोऽआयुषी प्रस्नेयो दशरात्रः ॥ ४ ॥

(त्रो) गाधमेव प्रतिष्ठा महाव्रतम् । यथोपपक्षदघ्नं वा कण्ठदघ्नं वा यतो विश्रम्योत्स्नान्ति तीर्थमेवोदयनीयोऽतिरात्रस्तीर्थेन ह्युत्स्नान्ति तद्य-दुदयनीयमतिरात्रमुपयन्ति यथा तीर्थेन समुद्रम्प्रस्नाय तीर्थेनोत्स्नायु-स्तादृक्तत् ॥ ५ ॥

(चु) तदाहुः । कति सम्वत्सरस्यातिरात्राः कत्यग्निष्टोमाः कत्युक्थ्याः कति षोडशिनः कति षडहा इति द्वावतिरात्रौ षट्शतमग्निष्टोमा द्वे चत्वारिंशे शतेऽ उक्थ्यानामिति नु यऽ उक्थ्यान्त्स्वरसाम्नऽ उपयन्ति ॥ ६ ॥

गाधमेव प्रतिष्ठा विश्वजित् । यथोपपक्षदघ्नं वा कण्ठदघ्नं वा यतो विश्रम्य प्रस्नान्ति । प्रस्नेयः पृष्ठ्यः । प्रस्नेयोऽभिप्लवः । प्रस्नेये गोआयुषी । प्रस्नेयो दशरात्रः ॥ ४ ॥

गाधमेव प्रतिष्ठा महाव्रतम् । यथोपपक्षदघ्नं वा कण्ठदघ्नं वा यतो विश्रम्योत्स्नान्ति । तीर्थमेवो-दयनीयोऽतिरात्रः । तीर्थेन ह्युत्स्नान्ति । तद्यदुदयनीयमतिरात्रमुपयन्ति । यथा तीर्थेन समुद्रं प्रस्नाय तीर्थेनोत्स्नायुः । तादृक्तत् ॥ ५ ॥

तदाहुः—कति संवत्सरस्यातिरात्राः । कत्यग्निष्टोमाः । कत्युक्थ्याः । कति षोडशिनः । कति षडहा इति । द्वावतिरात्रौ । षट्शतमग्निष्टोमाः । द्वे चत्वारिंशे शते उक्थ्यानाम् । इति नु य उक्थ्यान् स्वरसाम्न उपयन्ति ॥ ६ ॥

'उत्स्नांति' उत्तरन्ति ॥ ५ ॥

तदाहुः । 'कति' "श्रद्धाया वै देवाः" इत्यत्र प्रायणीयादीनि सप्तत्रिंशत् सौम्यान्युपक्रम्य " तदेतत्संवत्स-रस्य जन्म " इत्युक्तम् । तथा " यद्दै दीक्षंते " इत्यत्रापि तान्येव सप्तत्रिंशतमुपन्यस्य " स एष संवत्सरस्त्रि-महाव्रतः " इत्युक्तम् । तथा " पुरुषो वै संवत्सरः " इत्यत्रापि तान्येवानुक्रांतानि । तथा " समुद्रं वा एते प्रतरन्ति " इत्यत्रापि तान्येवानुक्रांतानि । न च तावतीभिः संवत्सरः पूर्यते । तत्रावश्यं तेषामभ्यासेन संवत्सरः पूरणीयः प्राप्नोति । सः अभ्यासोऽविशेषात् सर्वेषां तुल्यः प्रसज्यते । तन्निवृत्त्यर्थं पृष्ठ्याभिप्लवयोरेवाभ्यास उच्यते । सोऽपि च प्रतिमासं चतुःकृत्वः अभिप्लवस्य षष्ठसप्तमद्वादशेषु मासेषु त्रिस्त्रिः, पृष्ठ्यस्य तु सकृत् प्रयोगः, इत्येष कल्पः । संख्याप्रश्नप्रतिवचनाभ्यां कथं (विदेशत्रा ?) क्रियते । **द्वावतिरात्रा**वित्यतिरात्रयोरना-वृत्तिं दर्शयति । **षट्शतमाग्निष्टोमा** इति पञ्चचत्वारिंशदभिप्लवाभ्यासाः । तत्र प्रथमांत्यावग्निष्टोमौ उक्थ्या इतरे इति नवतिरभिप्लवाका अग्निष्टोमाः । पार्ष्ठिका द्वादश । प्रतिमासं पृष्ठ्यस्य प्रयोगात् । अभिजित् विश्वजित् महाव्रतं विषुवान् इत्येवं चत्वारोऽग्निष्टोमाः । इत्येतदंगीकृत्याह—**षट्शतमाग्निष्टोमा** इति । चतुर्विंशं

(न्त्यु) अथ येऽग्निष्टोमान्। (न्द्वा) द्वादशशतमग्निष्टोमा द्वे चतुस्त्रिꣳशे शते ऽउक्थ्यानां द्वादश षोडशिनः षष्टिः षडहाऽ इति नु सम्वत्सरस्याप्तिः ॥ ७ ॥

(द्वाँ) द्वादश वै मासाः संवत्सरस्य। तेषामेतत्तेजऽइन्द्रियं यत्पृष्ठानि तद्यन्मासि मासि पृष्ठान्युपयन्ति मासश ऽएव तत्सम्वत्सरस्य तेजऽ आप्नुवन्त्यथ कथं त्रयोदशस्य मासस्य तेजऽ आप्नुवन्तीत्युपरिष्टाद्विषुवतो ऽविश्वजितꣳ सर्व्वपृष्ठमग्निष्टोममुपयन्त्येवमु त्रयोदशस्य मासस्य तेजऽ आप्नुवन्ति ॥ ८ ॥

(न्त्ये) एतद्ध स्म वै तद्विद्वानाह। श्वेतकेतुरारुणेयः संवत्सराय न्वाऽ अहं दीक्षिष्यऽ इति तꣳ ह पितोपेक्ष्योवाच वेत्थ न्वायुष्मन्त्सम्वत्सरस्य गाधप्रतिष्ठाऽइति वेदेति होवाचैतद्ध तद्विद्वानुवाच ॥ ९ ॥

इति प्रथमप्रपाठके पञ्चमं ब्राह्मणम् ॥ १२।१९ ॥ (२-१) ॥

अथ येऽग्निष्टोमान्। द्वादशशतमग्निष्टोमाः। द्वे चतुस्त्रिंशे शते उक्थ्यानाम्। द्वादश षोडशिनः। षष्टिः षडहाः। इति नु संवत्सरस्याप्तिः ॥ ७ ॥

द्वादश वै मासाः संवत्सरस्य। तेषामेतत्तेजः, इंद्रियं–यत्पृष्ठानि। तद्यन्मासि मासि पृष्ठान्युपयन्ति। मासश एव तत्संवत्सरस्य तेज आप्नुवन्ति। अथ कथं त्रयोदशस्य मासस्य तेज आप्नुवन्ति इति। उपरिष्टात् विषुवतो विश्वजितं सर्वपृष्ठमग्निष्टोममुपयन्ति। एवमु त्रयोदशस्य मासस्य तेज आप्नुवन्ति ॥ ८ ॥

एतद्ध स्म वै तद्विद्वानाह श्वेतकेतुरारुणेयः। संवत्सराय न्वा अहं दीक्षिष्य इति। तं ह पितोपेक्ष्योवाच। वेत्थ न्वायुष्मन् संवत्सरस्य गाधप्रतिष्ठा इति। वेदेति होवाच। तद्ध तद्विद्वानुवाच ॥९॥

त्वहः अत्र उक्थ्या एव अभिप्रेतम्। द्वे चत्वारिंशे शते उक्थ्यानाम्। प्रतिमासं विंशतिरुक्थ्या भवन्तीत्यभिप्रायः। चतुरभिप्लविके अर्थे स्पष्टमेव षष्ठे मासेऽत्र छन्दोमाः आयुश्च। अविवाक्यं तु आंतरालिकम्। नोक्थ्येषु नाग्निष्टोमेषु संख्यातम्। एवं तावत् ये उक्थ्याः 'ते स्वरसाम्न उपयन्ति'। तेषां संख्या पूरणीया ॥ ६ ॥

अथ येऽग्निष्टोमानिति। 'ये' तु 'अग्निष्टोमान्' स्वरसाम्न उपयन्ति। तेषां तैः षड्भिरग्निष्टोमैः सह 'द्वादशशतं' अग्निष्टोमानां भवति। तैरेव ऊनाः उक्थ्याः 'द्वे चतुस्त्रिंशे शते' भवन्ति। **द्वादश षोडशिन इति**। तेन द्वादशकृत्वः पृष्ठ्यः अभ्यस्यते इति गम्यते। **षष्टिः षडहा इति**। सप्तपंचाशत् पार्ष्टिकाभिप्लविकास्त्रयः प्रायणीयादिभिः सह भाषिता इत्यभिप्रायः। विषुवांस्तु संवत्सरस्यात्मेति न संख्यातः। 'इति नु' तावत् संवत्सरस्याप्तिः पूरणमित्युपसंहारः ॥ ७ ॥

द्वादश वै मासा इति। 'द्वादश मासाः' प्रकल्प्यंते। पुनः प्रतिमासं 'पृष्ठ्यः' प्रयोक्तव्य इति पाठ

तद्धाहुः । कस्मादुभयतोज्योतिषोऽभिप्लवा भवन्त्यन्यतोज्योतिः पृष्ठ्यऽ इतीमे वै लोकाऽ अभिप्लवाऽ उभयतोज्योतिषो वा ऽइमे लोकाऽ अग्निनेतऽ आदित्येनामुतऽऋतवः पृष्ठ्योऽन्यतोज्योतिषो वाऽ ऋतवऽ एषऽ एषां ज्योतिर्यऽ एष तपति ॥ १ ॥

देवचक्रे वाऽ एते पृष्ठ्यप्रतिष्ठिते । यजमानस्य पाप्मानं तृᳫँहतो परिप्लवेते स यो हैवं विदुषां दीक्षितानां पापकᳫँ सत्रे कीर्तयत्येते हास्य देवचक्रे शिरश्छिन्तो दशरात्रऽ उद्धिः पृष्ठ्याभिप्लवौ चक्रे ॥ २ ॥

तदाहुः—कस्मादुभयतोज्योतिषोऽभिप्लवा भवन्ति । अन्यतोज्योतिः पृष्ठ्य इति । इमे वै लोका अभिप्लवाः । उभयतोज्योतिषो वा इमे लोकाः—अग्निनेतः, आदित्येनामुतः । ऋतवः पृष्ठ्यः । अन्यतोज्योतिषो वा ऋतवः । एष एषां ज्योतिः । य एष तपति ॥ १ ॥

देवचक्रे वा एते पृष्ठ्यप्रतिष्ठिते यजमानस्य पाप्मानं तृंहती परिप्लवेते । स यो हैवं विदुषां

क्रमाच्च पूर्वपक्षे अभिप्लवपूर्वा मासाः । उत्तरपक्षे तु—पृष्ठ्यपूर्वाः सेत्स्यंति । तदाह—द्वादश मासाः । माससम्मिताः त्रिंशत्संख्याका अस्य कर्मसंवत्सरस्य भागाः कल्प्या इति शेषः । तेषां द्वादशानां माससम्मितानां कर्मभागानामन्तःस्थानां ' तेजः ' । " तिज निशाने " । (धा. पा. चु. प. ११९) इति धातुः । अतिशयेन तीक्ष्णं इन्द्रियं वर्द्धयन् स्वकार्यक्षमतममित्यर्थः । ' यत्पृष्ठानि ' पृष्ठस्तोत्रसाधनानि रथंतरादीनि । तैरत्र पृष्ठ्याः षडहमुपयन्ति । तेन ' मासशः ' मासे मासे संवत्सरस्य तेजसि स्थानमंगम् । तदाप्नुवन्तीत्येवं प्रतिमासं पृष्ठस्यावृत्तिरुच्यते । अथ कथमिति । त्रयोदशमासस्य यत् । एतद्ध स्मेति । ' गाधप्रतिष्ठा ' (संवत्सराग्नितेजःस्वयेच्छेति द्रष्टव्यम् १) सर्वेषामेतेषामत्र वचनात् ॥ ८ ॥ ९ ॥

इति श्रीमदाचार्यहरिस्वामिनः कृतौ माध्यन्दिनीयशतपथब्राह्मणभाष्ये द्वादशकाण्डे
द्वितीयेऽध्याये प्रथमं ब्राह्मणम् ॥ (१२ । २ । १) ॥

तदाहुः कस्मादिति । प्रतिमासं पृष्ठ्याभिप्लवौ उपेतव्यावित्युक्तम् । तावेव तु अत्र आधियज्ञिकेन आधिदैविकेन च रूपेण निरूप्येते । ज्योतिःशब्देनाग्निष्टोम उच्यते । ' उभयतः ' अदावन्ते च ज्योतिरग्निष्टोमो यस्य मध्ये, चत्वार उक्थ्याः । एकश्च षोडशी सोऽन्यतोज्योतिः । कुत एतत्, उत्तरत्रास्य ' उभयतोज्योतिः ' । तादृशाश्चत्वारः अभिप्लवाः । ' अन्यतः ' अन्यतरः आदावेव ज्योतिरग्निष्टोमो यस्य अन्ये चत्वार उक्थ्याः, ' एकश्च षोडशी, स ' अन्यतोज्योतिः ' । कुत एतत् । उत्तरस्य क्षीरकरणात् । नव अग्निमा मासि संपद्यन्ते । एकविंशतिरुक्थ्याः । एक उक्थ्यः षोडशिमानिति । सर्वमिदं स्पष्टीकरिष्यते । **इमे वै लोका अभिप्लवा इति** । ज्योतिर्गौरायुरित्येत एव तु ये अनुलोमाः प्रतिलोमाश्च अभिप्लवाः ते त्रित्वसामान्याल्लोका इति अभिप्रायः । ' ऋतवः पृष्ठ्याः ' षट्त्वसामान्यात् ॥ १ ॥

' देवचक्रे ' । ' एते ' यौ पृष्ठ्याभिप्लवौ एते देवानां रथचक्रे । कुत एतत् **रथचक्रे इति** । " दशरात्र

तदाहुः । (य्ये) यत्समेऽएव चक्रे भवतोऽथैते विषमा स्तोमाः कथमस्यैते समा स्तोमाऽउपेता भवन्तीति यदेव षडन्यान्यहानि षडन्यानि तेनेति ब्रूयात् ॥ ३ ॥

(तप्) पृष्ठ्याभिप्लवौ तन्त्रे कुर्व्वीतेति ह स्माह पैङ्ग्यः । (स्तु) तयो स्तोत्राणि च शस्त्राणि च सञ्चारयेदिति स यत्सञ्चारयति तस्मादिमे प्राणा नाना सन्तऽएकोतयः समानमूतिमनु सञ्चरन्त्यथ यन्न सञ्चारयेत्प्रमायुको यजमानः स्यादेष ह वै प्रमायुको योऽन्धो वा बधिरो वा ॥ ४ ॥

दीक्षितानां पापकं सत्रे कीर्तयति । एते हास्य देवचक्रे शिरईछतः । दशरात्र उद्धिः । पृष्ठ्याभिप्लवौ चक्रे ॥ २ ॥

तदाहुः—यत्समे एव चक्रे भवतः । अथैते विषमाः । स्तोमाः । कथमस्यैते समा स्तोमाः । उपेता भवन्तीति । यदेव षडन्यान्यहानि षडन्यानि । तेनेति ब्रूयात् ॥ ३ ॥

पृष्ठ्याभिप्लवौ तन्त्रे कुर्वीत । इति ह स्माह पैंग्यः । तयोः स्तोत्राणि च शस्त्राणि च संचारयेदिति । स यत्संचारयति । तस्मादिमे प्राणा नाना सन्त एकोतयः समानमूतिमनु सञ्चरन्ति । अथ यन्न संचारयेत् । प्रमायुको यजमानः स्यात् । एष ह वै प्रमायुकः । योऽन्धो वा बधिरो वा ॥४॥

उद्धिः" इति वचनात् । **पृष्ठ्यप्रतिष्ठिते** इति । 'पृष्ठ्यप्रतिष्ठिते' 'यजमानस्य पाप्मानम्' पापमपहन्तव्यम् 'तृंहती' यती परिप्लवेते । कथं पुनः पृष्ठ्यप्रतिष्ठिते मासे अभिप्लवे नारभ्ये ? पृष्ठ्ये मासः तिष्ठते । स च बलवत्तर इत्येतत् एतेन प्रकारेणोच्यते च । केनेति च पृष्ठ्यस्य गुरुत्वं चेति । "अंगिरसः सर्वैः स्तोमैः सर्वैः पृष्ठ्यैः गुरुभिः सामभिः स्वर्गं लोकमस्पृशन्" । तस्मात् पृष्ठ्य इति । ततश्च पृष्ठ्यो महावीर्यत्वात् आत्मप्रतिष्ठित इत्येतदभिप्रायं पृष्ठ्यप्रतिष्ठितत्वं द्रष्टव्यम् । 'दशरात्र उद्धिः' दीर्घत्वात् ॥ २ ॥

तदाहुः यत्समे एव चक्रे भवतोऽथ विषमा एते स्तोमा इति । पृष्ठ्याभिप्लवयोः स्तोमाः । पृष्ठ्ये त्रिवृदादयः षट्, प्रतिदिनमेकैकः । अभिप्लवे चत्वार एव त्रिवृदादयः । **यदेव षडन्यानीति** । यद्यपि स्तोमैषून साम एते चक्रे । तथापि अहःसंख्यया समे इत्यर्थः । ततश्च स्तोमसंघाता अपि ते षट् भवन्तीत्यभिप्रायः॥३॥

'पृष्ठ्याभिप्लवौ' न केवलं पृष्ठ्याभिप्लवौ उपेतदेवचक्रे इत्युपासीत किं तर्हि तन्त्रे एते इत्युपासीत नोपेते इति । तन्त्रता च का । (यथा कुर्विंदर्यदंच यतानकं कुर्यात् । तत्र ननलागम् । ते तं भृशं पारयेदेव । तत्रोपृष्ठ्याभिप्लवाश्रयानीववयो न युज्यते । तत्र स्वस्वसाधनभूतान् षडहस्तोत्रियाख्यान् त्रिवृदादयस्ते संचाराः । यद्धोत्रासत्सीर्यः । पूर्वस्मिन् ताः हन्यत रूपस्तमुत्तरतः । स्तोत्रियं कुर्यात् ?) तदनुकाराः पृष्ठ्यादयो नाभिन्नाः स्वरूपैः सन्तः समानमभितः स्वर्गादुदयनाडीमनुसञ्चरन्ति ॥ ४ ॥

नवाग्निष्टोमा मासि संपद्यन्ते । नव वै प्राणाः प्राणानेवैष्वेतद्दधाति तथा सर्व्वमायुर्यन्ति तथो ह न पुराऽऽयुषोऽस्माल्लोकात्प्रयन्ति ॥ ५ ॥

(न्त्ये) एकविꣳशतिरुक्थ्याः । (०) द्वादश वै मासाः सम्वत्सरस्य पञ्चर्तव-स्त्रयो लोकास्तद्विꣳशतिरेषऽएवैकविꣳशो यऽ एष तपत्येतामभिस-म्पदꣳ सऽ एतया सम्पदा मासि मासि स्वर्ग्गं लोकꣳ रोहति मासशः स्वर्ग्गं लोकꣳ समश्नुतऽ एकविꣳशञ्च स्तोमम्बृहतीञ्च छन्दः ॥ ६ ॥

(श्चु) चतुस्त्रिꣳशदग्निष्टोमा मासि सम्पद्यन्ते । त्रयस्त्रिꣳशद्वै देवाः प्रजापतिश्चतुस्त्रिꣳशः सर्व्वासान्देवतानामाप्त्याऽ एकऽ उक्थ्यः षोड-शिमानन्नं वाऽउक्थ्यो व्वीर्यꣳ षोडशी ॥ ७ ॥

(श्ये) एतेन वै देवाः । (०) व्वीर्य्येणान्नेन सर्व्वान्कामानाप्नुवन्त्सर्व्वा-न्कामानाश्नुवत तथोऽएवैषऽएतेन व्वीर्य्येणान्नेन सर्व्वान्कामानाप्नोति

नवाग्निष्टोमा मासि संपद्यन्ते । नव वै प्राणाः । प्राणानेवैष्वेतद्दधाति । तथा सर्वमायुर्यन्ति । तथा उ ह न पुराऽऽयुषोऽस्माल्लोकात्प्रयन्ति ॥ ५ ॥

एकविंशतिरुक्थ्याः । द्वादश वै मासाः संवत्सरस्य । पंचर्तवः । त्रयो लोकाः । तद्विंशतिः । एष एवैकविंशः । य एष तपति एतामभिसंपदम् । स एतया संपदा मासि मासि स्वर्गं लोकं रोहति । मासशः स्वर्गं लोकं समश्नुते । एकविंशं च स्तोमं बृहतीं च च्छन्दः ॥ ६ ॥

चतुर्स्त्रिशदग्निष्टोमा मासि संपद्यन्ते । त्रयस्त्रिंशद्वै देवाः । प्रजापतिश्चतुस्त्रिंशः । सर्वासां देवताना-माप्त्यै । एक उक्थ्यः षोडशिमान् । अन्नं वा उक्थ्यः । वीर्यं षोडशी ॥ ७ ॥

एतेन वै देवा वीर्येणान्नेन सर्वान् कामानाप्नुवन् । सर्वान् कामानाश्नुवत । तथा उ एवैष एतेन

'नवाग्निष्टोमाः' स्पष्टा एव मासे भवन्ति चतुर्थाभिप्लवे पृष्ठौ गार्ष्टिकौ नवमः । 'प्राणानेवैषु'। एतद् एव कुर्वन् आयुर्दधाति ॥ ५ ॥

'एकविंशतिः' आभिप्लवाकाः षोडश उक्थ्याः । पार्ष्ठिकाः पंच । सहषोडशिमानिति चतुस्त्रिंशत् सा एक-विंशतिरुक्थ्याः । तेषां द्वादशभिः स्तोत्रैर्विंशतिरग्निष्टोमो भवति । त्रीणि त्रीणि च स्तोत्राणि अपिशिविना तानि पृष्ठिर्भवन्ति । पूर्वैः सह चतुस्त्रिंशदग्निष्टोमा मासशः संपद्यंते । अपरा एकउक्थ्याः षोडशिनोऽभ्यासे भवन्ति । उक्थ्यस्योपारि षोडश्यतिरिक्तो भवतीत्यर्थः । (अत वै उच्छामूस्य त्रिंशस्त्वो प्रसः ?) स्तोत्रशस्त्राणि भवंति । (मदमद-करोविविराट्विराट् इत्याद्युमिति श्रुतेर्वीर्यषोडश?पर्वाणकवीर्यतद्वानिंद्रो अस्य देवतः सोऽपि वीर्यतदीयं स्तोत्रम् । तदन्वयाः षोडशिनोऽवश्यंस्तदुत्तरवीर्यवदित्यभिप्रायः ?) 'एतेन वैं' वीर्येणान्नेन चेति चशब्दो वक्तव्यः ॥६–८॥

सर्व्वान्कामानश्नुते तस्मात्पृष्ठ्याभिप्लवाऽ उपैवेयात्सम्वत्सराय दीक्षितऽ एतस्मै कामाय ॥ ८ ॥

(यु) अथादित्याश्च ह वाऽ अङ्गिरसश्च । (श्वो) उभये प्राजापत्याऽ अस्पर्द्धन्त व्वयम्पूर्व्वे स्वर्गं लोकमेष्यामो व्वयम्पूर्व्वाऽ इति ॥ ९ ॥

तऽ आदित्याः । (श्व) चतुर्भि स्तोमैश्चतुर्भिः पृष्ठैर्लघुभिः सामभिः स्वर्गं लोकमभ्यप्लवन्त यदभ्यप्लवन्त तस्मादभिप्लवाः ॥ १० ॥

अन्वञ्चऽ इवाङ्गिरसः । सर्व्वैः स्तोमैः सर्व्वैः पृष्ठैर्गुरुभिः सामभिः स्वर्गं लोकमस्पृशन्यदस्पृशँस्तस्मात्पृष्ठ्यः ॥ ११ ॥

(ष्ठ्योऽभि) अभिप्लवः षडहः । षड्ढ्यहानि भवन्त्यभिप्लवः पञ्चाहः पञ्च ह्यहानि भवन्ति यद्ध्येव प्रथममहस्तदुत्तममभिप्लवश्चतुरहश्चत्वारो हि स्तोमा भवन्ति त्रिवृत्पञ्चदशः सप्तदशऽ एकविंशऽ इत्यभिप्लवत्र्यहस्त्र्याव्वृद्धि ज्योतिर्गौरायुरभिप्लवो द्व्यहो द्वे ह्येव सामनी भवतो बृहद्रथन्तरेऽ एवाभिप्लवऽ एकाहऽएकाहस्यो हि स्तोमैस्तायते चतुर्णामुक्थ्यानां द्वादश स्तोत्राणि द्वादश शस्त्राण्यतियन्ति स सप्तमोऽग्निष्टोमऽ एवमु सप्ताग्निष्टोमाः संपद्यन्ते ॥ १२ ॥

वीर्येणान्नेन सर्वान् कामानाप्नोति । सर्वान् कामानश्नुते । तस्मात् पृष्ठ्याभिप्लवाउपैवेयात्–संवत्सराय दीक्षित एतस्मै कामाय ॥ ८ ॥

अथादित्याश्च ह वा अंगिरसश्च उभये प्राजापत्या अस्पर्द्धंत । वयं पूर्वे स्वर्गं लोकमेष्यामो वयं पूर्व इति ॥ ९ ॥

त आदित्याश्चतुर्भिः स्तोमैश्चतुर्भिः पृष्ठैर्लघुभिः सामभिः स्वर्गं लोकमभ्यप्लवन्त । यदभ्यप्लवन्त । तस्मादभिप्लवाः ॥ १० ॥

अन्वंच इवांगिरसः सर्वैः स्तोमैः सर्वैः पृष्ठैर्गुरुभिः सामभिः स्वर्गं लोकमस्पृशन् । यदस्पृशन् । तस्मात् पृष्ठ्यः ॥ ११ ॥

अभिप्लवः षडहः । षड्ढ्यहानि भवन्ति । अभिप्लवः पञ्चाहः । पञ्च ह्यहानि भवन्ति । यद्ध्येव प्रथममहः । तदुत्तमम् । अभिप्लवश्चतुरहः । चत्वारो हि स्तोमा भवन्ति । त्रिवृत् पञ्चदशः सप्तदश

अथादित्याश्चेति । निर्वचनकंडिका एताः प्रश्नांताः । अभिप्लवाः षडहा उपास्या इति शेषः ॥ ९–११ ॥

यद्ध्येव प्रथममहस्तदुत्तममिति । एक एव सोऽग्निष्टोमः चोद्यत इत्यभिप्रायः । ‘ चत्वारो हि स्तोमा भवन्तीति ’ इमामन्तर्भूतस्तोमसंख्यामहर्मध्ये चत्वारि सामान्युपासीतेत्यभिप्रायः । त्र्यावृद्धि त्रयाणामह्नां

प्रोतिर्ह कौशांबेयः । कौसुरिबिन्दिरुद्दालकऽ आरुणौ ब्रह्मचर्य्यमुवास तुᳫँ हाचार्य्यः पप्रच्छ कुमार कति ते पिता सम्वत्सरस्याहान्यमन्यतेति ॥ १३ ॥

दशेति होवाच । दश वाऽइति होवाच दशाक्षरा व्विराड्वैराजो यज्ञः ॥ १४ ॥

एकविंश इति । अभिप्लवरूपहः । ज्यावृद्धि ज्योतिर्गौरायुः । अभिप्लवो द्व्यहः । द्वे ह्येव सामनी भवतः । बृहद्रथन्तरे एव । अभिप्लव एकाहः । एकाहस्य उ हि स्तोमैस्तायते । चतुर्णामुक्थ्यानां द्वादश स्तोत्राणि द्वादश शस्त्राण्यतियन्ति । स सप्तमोऽग्निष्टोमः । एवमु सप्ताग्निष्टोमाः सम्पद्यन्ते ॥ १२ ॥

प्रोतिर्ह कौशांबेयः कौसुरिबिंदिरुद्दालके आरुणौ ब्रह्मचर्यमुवास । तं हाचार्यः पप्रच्छ । कुमार ! कति ते पिता संवत्सरस्याहान्यमन्यतेति ॥ १३ ॥

दशेति होवाच । दश वा इति होवाच । दशाक्षरा विराट् । वैराजो यज्ञः ॥ १४ ॥

आवृत्तिरेषोऽभिप्लवो नाहरंतरं संख्याजनकमस्तीत्यर्थः । केषां पुनरह्नामावृदभिप्लव इत्यत आह—**ज्योतिर्गौरायुः** इति । एत एव त्रय आवृत्ता अभिप्लव इति । **द्वे ह्येव सामनी भवत** इति । अन्तर्भूतसामसंख्यया महास्वरसामोपासीतेत्यभिप्रायः । कथं पुनरभिप्लवे द्वे एव सामनी भवतः । पृष्ठ्यस्थाने नियमोऽयं, वैरूपादीनि भवन्ति । बृहद्रथंतरे एव भवतः । न स्तोत्रांतरे । 'एकाहस्यो हि स्तोमैः' । (श्विशब्दादिभिस्तायते न कृणवादिभिः । ?) स्ववर्णान् ज्यायान्पंचस्तोत्राणां द्वादशस्तोत्रकात् अग्निष्टोमात्तु द्वादश स्तोत्राणि द्वादश शस्त्राणि अतिरिच्यन्ते । स सप्तमोऽग्निष्टोमः अभिप्लवे संपद्यते । एवं ये अभिप्लवस्योपनिषद्यन्ते । तथा संवत्सरे वक्ष्यते । शेषाः संवत्सरस्य । एवमु इति ॥ १२ ॥

प्रोतिर्ह कौशांबेयः इति । 'प्रोतिः' प्रकृष्टभूगतिः 'कौशांबेयः' कोशांबिनिवासी 'कौसुरिबिंदिः' कुसुरिबिंदस्यापत्यम् । 'उद्दालके' अरुणपुत्रे । 'ब्रह्मचर्यं' चरितुमुषितः । किंचित्कालांते 'तं ह आचार्यः पप्रच्छ' तस्यैवात्र वचनं प्रकृतार्थज्ञापनार्थम् 'कुमार !' तव 'पिता' महायाज्ञिकः संवत्सरस्याग्न्य याज्ञिकस्य 'अहानि कति मन्यते स्म' उपास्ते स्मेत्यर्थः ॥ १३ ॥

दशेति । 'दश वा' दशैवामन्यत मम पितेत्येवमुवाच कुमारः । 'दश वै' । स वै एतान्यहानि इत्येवाचार्यः । कथं पुनरेष त्र्यधिकानि त्रीणि शतानि संति । दशैते शतादतिरिच्येरन्नित्यत आह—**दशाक्षरा** इति । (विराट्भम्यन्तम्वयज्ञशतस्व ?) विराडक्षरसंख्यया दशसंख्याहान्युपासितव्यानि । कतमानि पुनस्तानि दशाहान्यनुगृह्यन्ते । प्रायणीयोदयनीयौ दशरात्रश्च चतुर्विंशमहाव्रते पृष्ठ्याभिप्लवौ अभिजिद्विश्वजितौ स्वरसामानि इत्येतानि । कुत एतत् । उत्तरत्र एतेषां परस्परानुप्रवेशनं च । "समानमेतत् अहर्यत् प्रायणीयोदयनीयौ" इत्यादि । ह्येतेषां योन्यंतर्भावा वक्ष्यन्ते । तेनास्यामवस्थायां एतान्यंतर्गतानि गण्यंते इति गम्यते । गोआयुषी तु अभिप्लव एवांतर्गतौ इत्यभिप्रायः । दशरात्रेऽपि वस्तुतः पृष्ठ्यः षडहः । सपृष्ठ्य एव । ये च्छन्दोमाः ते परतन्त्रान्तर्गताः । यद्दशममहः तदग्निष्टोमे । (कश्चिद्वा स्वात्सासंवत्सरस्य शोचयत्वैः सह तैव गण्यत इत्यभिप्रायः ?) ॥ १४ ॥

कुति त्वेवेति । नवेति होवाच नुव वाऽ इति होवाच नुव वै प्राणाः प्राणैरु यज्ञुस्तायते ॥ १५ ॥

कुति त्वेवेति । (त्य) अष्टेति होवाचाष्टौ वा ऽइति होवाचाष्टाक्षरा गायत्री गायत्रो यज्ञः ॥ १६ ॥

कुति त्वेवेति । सप्तेति होवाच सुप्त वाऽइति होवाच सप्त च्छन्दाᳬसि चतुरुत्तराणि च्छन्दोभिरु यज्ञुस्तायते ॥ १७ ॥ (अर्द्धप्रपाठकः ॥ ६६ ॥)

कुति त्वेवेति । षडिति होवाच षड्वा ऽइति होवाच षुडृतवः सम्वत्सरः सम्वत्सरो यज्ञः समानुमेतदुहर्य्युत्प्रायणीयोदयनीयौ ॥ १८ ॥

कति त्वेवेति । नवेति होवाच । नव वा इति होवाच । नव वै प्राणाः । प्राणैरु यज्ञस्तायते ॥ १५ ॥

कति त्वेवेति । अष्टेति होवाच । अष्टौ वा इति होवाच । अष्टाक्षरा गायत्री । गायत्रो यज्ञः ॥ १६ ॥

कति त्वेवेति । सप्तेति होवाच । सप्त वा इति होवाच । सप्त च्छंदांसि चतुरुत्तराणि । छन्दोभिरु यज्ञस्तायते ॥ १७ ॥

कति त्वेवेति । षडिति होवाच । षड्वा इति होवाच । षड् ऋतवः संवत्सरः । संवत्सरो यज्ञः । समानमेतदहः—यत् प्रायणीयोदयनीयौ ॥ १८ ॥

कति त्वेवेति । (अश्वेवन्येदपिसंख्ययदशानममिति मन्यमानः ?) आचार्यः पुनः पुनः पप्रच्छ कति त्वेवेति । पुनरपि कति नव पिता सम्वत्सरस्य अवयवभूतानि अहानि उपास्ते स्मेति । 'नवेति होवाच'। 'नवाहानि संवत्सरस्य मम पिताऽमन्यतेत्युवाच' कुमारः । 'नव वै इति होवाच'। नव वै संवत्सरस्याहानि यथा गुरौ मन्यते तथैव तत् इति आचार्यः परममनुमेने । नव वै प्राणा इत्युपपत्तिमाचार्य एवाह । स च कति प्राणसंख्यया शक्यान्यहानि संग्रहीतुमित्युपपत्तिः । अथ यानि पूर्वकंडिकायां दशाहानि गणितानि । तेषां यत् दशमं तदिदानीं क्वांतर्गच्छति ? उच्यते—उदयनीयः प्रायणीये न भवति अतिरात्रत्वादंतत्वाच्चेत्यभिप्रायः । यतः तच्च वक्ष्यति । "समानमेतदहर्यत्प्रायणीयोदयनीयौ" इति । तत् अत्रैव कण्डिकायां आहृत्य द्रष्टव्यं, तत्रानुपयोगात् । कथमनुपयोगः । प्रायणीयोदयनीययोर्हि अनन्यत्वे सति नवाहानीत्युपपद्यते न षडिति । (सप्तानां ह्येकस्मिन्नंतर्गतषड्भावर्तु दशानां दशवैताननुक्रमिष्यामः । ?) प्रायणीयोदयनीयावित्यादि ॥ १५ ॥

कति त्वेवेति । "समानमेतदहर्यच्चतुर्विंशमहाव्रते"—इत्येतदत्र द्रष्टव्यम् तयोर्ह्येकत्वं सति अहानि भवन्ति ॥ १६ ॥

कति त्वेवेति । "समानमेतदहः यत्पृष्ठ्याभिप्लवौ"—इत्येतदत्र द्रष्टव्यम् । तयोर्ह्येकत्वे सति सप्ताहानि भवन्ति ॥ १७ ॥ १८ ॥

कति त्वेवेति । पञ्चेति होवाच पञ्च वाऽइति होवाच पाङ्क्तो यज्ञः पाङ्क्तः पशुः पञ्चर्त्तवः सम्वत्सरस्य सम्वत्सरो यज्ञः समानमेतदहर्य्यच्चतुर्विᳬशमहाव्व्रते ॥ १९ ॥

कति त्वेवेति । चत्वारीति होवाच चत्वारि वाऽइति होवाच चतुष्पादाः पशवः पशवो यज्ञः समानमेतदहर्य्यत्पृष्ठ्याभिप्लवौ ॥ २० ॥

कति त्वेवेति । त्रीणीति होवाच त्रीणि वाऽइति होवाच त्रीणि च्छन्दाᳬसि त्रयो लोकास्त्रिसवनो यज्ञः समानमेतदहर्य्यदभिजिद्विश्वजितौ ॥ २१ ॥

कति त्वेवेति । द्वेऽइति होवाच द्वे वाऽ इति होवाच द्विपाद्वै पुरुषः पुरुषो यज्ञः समानमेतदहर्य्यत्स्वरसामानः ॥ २२ ॥

कति त्वेवेति । (त्ये) एकमिति होवाचाहरेवेति तदेतदहरहरिति सर्व्वᳬ संवत्सरᳬ सैषा संवत्सरस्योपनिषत्स यो हैवमेताᳬ संवत्सरस्योपनिषदं

कति त्वेवेति । पञ्चेति होवाच । पञ्च वा इति होवाच । पांक्तो यज्ञः । पांक्तः पशुः । पंचर्तवः संवत्सरस्य । संवत्सरो यज्ञः । समानमेतदहः—यत् चतुर्विंशमहाव्रते ॥ १९ ॥

कति त्वेवेति । चत्वारीति होवाच । चत्वारि वा इति होवाच । चतुष्पादाः पशवः । पशवो यज्ञः । समानमेतदहः—यत् पृष्ठ्याभिप्लवौ ॥ २० ॥

कति त्वेवेति । त्रीणीति होवाच । त्रीणि वा इति होवाच । त्रीणि च्छंदांसि । त्रयो लोकाः । त्रिसवनो यज्ञः । समानमेतदहः—यदभिजिद्विश्वजितौ ॥ २१ ॥

कति त्वेवेति । द्वे इति होवाच । द्वे वा इति होवाच । द्विपाद्वै पुरुषः । पुरुषो यज्ञः । समानमेतदहः—यत्स्वरसामानः ॥ २२ ॥

कति त्वेवेति । एकमिति होवाच । अहरेवेति । तदेतदहरहरिति सर्वं संवत्सरम् । सैषा संवत्सर-

---

कति त्वेवेति । " समानमेतदहर्यदभिजिद्विश्वजितौ "—इत्येते स्वरसामान इत्येतदत्र द्रष्टव्यम् । तयोर्हि स मुदितयोरेकत्वे सति पंच वा अहानि भवंति ॥ १९ ॥

कति त्वेवेति । अत्राप्येतत् द्रष्टव्यम् । समानमेतदहर्यदभिजित् । कुतः ? पूर्वेषां समानानुवचनानां प्रदर्शनार्थत्वात् । एवं सति चतुष्कोपपत्तेः ॥ २० ॥

कति त्वेवेति । ' समानमेतदहर्यदभिजिद्विश्वजितौ ' इत्येतदत्र द्रष्टव्यम् । एवं सति त्रित्वोपपत्तेः ॥ २१ ॥

कति त्वेवेति । ' समानमेतदहर्यत् स्वरसामानः ' इति चतुर्विंशाभिप्लवौ इत्येतदत्र द्रष्टव्यम् । एवमेतद्वित्वोपपत्तेः ॥ २२ ॥

कति त्वेवेति । "समानमेतदहर्यत्प्रायणीयश्चतुर्विंशः" इत्येतदत्र द्रष्टव्यम् । एवमेवैकत्वोपपत्तेः । (सर्वेषु । तवैतेष्ठस्तेसिति ?) अहरिति प्रत्यासत्तिकृतमेकत्वमिति वाच्यम् । तदेतदहहररिति सर्वं संवत्सरारंभाय वक्ष्यते प्रति-

व्वेद्। हास्माच्छ्रेयाञ्जायते स्वात्मा भवति सम्वत्सरो भवति सम्वत्सरो भूत्वा देवानप्येति ॥ २३ ॥

इति प्रथमप्रपाठके षष्ठं ब्राह्मणम् ॥ १२-१-६ ॥ (२. २.) ॥

स वा ऽ एष सम्वत्सरो बृहतीमभिसम्पन्नः । (न्नो) द्वावाक्ष्यंतामह्नार्ठ० षडहौ द्वौ पृष्ठ्याभिप्लवौ गोऽआयुषी दशरात्रस्तत्षट्त्रिर्ठ०शत्षट्त्रिर्ठ०श- दक्षरा वै बृहती बृहत्या वै देवाः स्वर्ग्गं लोकेऽयतन्त बृहत्या स्वर्ग्गं लोकमाप्नुवंस्तथोऽ एवैषऽ एतद्बृहत्यैव स्वर्ग्गे लोके यतते बृहत्या स्वर्ग्गं लोकमाप्नोत्यथ यो बृहत्यां कामस्तमेवैतेनैवम्विदवरुन्धे ॥ १ ॥

यद्वै चतुर्विर्ठ०शमहः । (र्द) दशरात्रस्य वै तत्सप्तमं वा नवमं वा- ऽभिप्लवात्पृष्ठ्यो निर्म्मितः पृष्ठ्यादभिजिदभिजितः स्वरसामानः स्वर-

---

स्योपनिषत् । स यो हैवमेतां संवत्सरस्योपानिषदं वेद । आ हास्मात् श्रेयान् जायते । सात्मा भवति । संवत्सरो भवति । संवत्सरो भूत्वा देवानप्येति ॥ २३ ॥

स वा एष संवत्सरो बृहतीमभिसंपन्नः । द्वावाक्ष्यंतामह्नां षडहौ । द्वौ पृष्ठ्याभिप्लवौ । गोआयुषी । दशरात्रः । तत् षट्त्रिंशत् । षट्त्रिंशदक्षरा वै बृहती । बृहत्या वै देवाः स्वर्गे लोकेऽयंतत । बृहत्या स्वर्गं लोकमाप्नुवन् । तथा उ एवैष एतद् बृहत्यैव स्वर्गे लोके यतते । बृहत्या स्वर्गं लोकमाप्नोति । अथ यो बृहत्यां कामः । तमेवैतेनैवम्विदवरुंधे ॥ १ ॥

यद्वै चतुर्विंशमहः । दशरात्रस्य वै तत्सप्तमं वा नवमं वा । अभिप्लवात् पृष्ठ्यो निर्मितः । पृष्ठ्यादभिजित् । अभिजितः स्वरसामानः । स्वरसामभ्यो विषुवान् । विषुवतः स्वरसामानः ।

पत्तिर्वेति प्रत्यभिज्ञायैकमाह–एवं चात्र प्रायणीयेऽतिरात्रे संवत्सर उपसंहृतः । तथा च–" यदेवादः प्रायणीयेऽतिरात्रमुपयन्ति " इत्येतद्दर्शयिष्यति । ' सैषा संवत्सरस्योपनिषत् ' । संक्षिप्ता सा एषा दशरात्रपृष्ठ्यविंशत्यादिः संवत्सरस्योपनिषत् । उप समीपे प्राप्तया सर्तुनियतं सीदंत्यनयेत्युपनिषत् । संक्षिप्तः संवत्सरस्य प्रतिपत्त्युपाय इत्यर्थः । आजायते एवास्मात् श्रेयान् पुत्रः । स्वयं च सात्मा भवति । अहमात्मना स्थिरेण दैवेनेत्यभिप्रायः । संवत्सरः स्वभूत्या देवानां स्वेंद्रियाधिष्ठाता भूत्वा देवानाप्नोति ॥ २३ ॥

इति श्रीमदाचार्यहरिस्वामिनः कृतौ माध्यन्दिनीयशतपथब्राह्मणभाष्ये द्वादशकाण्डे द्वितीयेऽध्याये द्वितीयं ब्राह्मणम् ॥ १२ । २ । २ ॥

' स वा एषः ' । एष एव संवत्सरः संवत्सरदिवससम्मितः श्रुत्युक्तः कर्मराशिः बृहतीच्छंदोऽभिसंपन्नः । यावन्ति बृहतीसु ऋक्षु अक्षराणि तावन्ति अहानि संपन्नतया उपास्यानीति शेषः । बृहत्या असौ उपनिषदित्यर्थः । कथं बृहतीमभिसंपन्न इत्याह–' द्वौ आक्ष्यंतामह्ना षडहौ ' यावन्त्यहानि पृष्ठ्याभिप्लवदशरात्रगोआयुंषि

समभ्यो विषुवान्विषुवतः स्वरसामानः स्वरसामभ्यो विश्वजिद्विश्वजितः पृष्ठ्यः पृष्ठ्यादभिप्लवोऽभिप्लवाद्गोऽआयुषी गोऽआयुर्भ्यां दशरात्रः ॥ २ ॥

(त्रोऽथै) अथैतदहराक्ष्यंत् । (य) यन्महाव्रतं पञ्चविꣳशो ह्येतस्य स्तोमो भवति नाक्षराच्छन्दो व्येत्येकस्मान्न द्वाभ्यान्न स्तोत्रियया स्तोमः ॥ ३ ॥

(मोऽभि) अभिप्लवं पूर्वं पुरस्ताद्विषुवत ऽउपयन्ति । पृष्ठ्यमुत्तरम्पुत्रा वाऽअभिप्लवः पिता पृष्ठ्यस्तस्मात्पूर्ववयसे पुत्राः पितरमुपजीवन्ति पृष्ठ्यमुपरिष्टाद्विषुवतः पूर्वमुपयन्त्यभिप्लवमुत्तरन्तस्मादुत्तर-

---

स्वरसामभ्यो विश्वजित् । विश्वजितः पृष्ठ्यः । पृष्ठ्यादभिप्लवः । अभिप्लवात् गोआयुषी । गोआयुर्भ्यां दशरात्रः ॥ २ ॥

अथैतदहराक्ष्यंत्, यन्महाव्रतम् । पंचविंशो ह्येतस्य स्तोमो भवति । नाक्षराच्छन्दो व्येत्येकस्मात् । न द्वाभ्याम् । न स्तोत्रियया स्तोमः ॥ ३ ॥

अभिप्लवं पूर्वं पुरस्तात् विषुवत उपयन्ति । पृष्ठ्यमुत्तरम् । पुत्रा वा अभिप्लवः । पिता पृष्ठ्यः । तस्मात् पूर्ववयसे पुत्राः पितरमुपजीवन्ति । पृष्ठ्यमुपरिष्टात् विषुवतः पूर्वमुपयन्ति । अभिप्लवमुत्तरम् ।

स्युः । तावती षट्त्रिंशदक्षरा बृहतीत्याचक्षते । (आङ्पूर्वस्य क्रियतेः सतारिणादयः । शभद्रागमच्छांदसः । ?) आकण्ठात्स्वस्थान एवाविक्षिपयति न प्रदेशांतर आवर्तत इत्यर्थः । एतेषां द्वौ षडहौ द्वादशशतानीत्यर्थः । प्रायणीयोदयनीयाभिजिद्विश्वजित्विषुवन्महाव्रतानीत्येकः षडहः । स्वरसामा द्वितीयः । चतुर्विंशो दशरात्रश्च स्वरसामा तृतीयः । (सतमास्वतिरवक्ष्यति ?) ततश्च न द्वावार्क्ष्यतामह्नां षडहावित्युपपन्नाः । अनया 'बृहत्या' 'वै देवाः' स्वर्गे लोके निमित्ते स्वगार्थमित्यर्थः । 'अयतंत' प्रयत्नं कृतवन्तः । अनया बृहत्या आप्नुवंस्ते स्वर्गम् । अथ यो बृहत्यां द्वादशमासाश्चतुर्विंशतिरर्द्धमासा इत्येवमात्मिकाः । समस्तमेव ते बृहतीसंपन्नेन संवत्सरेण 'एवमुपासकोऽवरुंद्धे' स्वीकरोति । यद्वै चतुर्विंशमपि अहः अस्ति । तत्र कथं द्वावार्क्ष्यतामह्नां षडहा इत्युच्यते । कथं वा बृहतीमभिसंपन्न इति अंत आह–**यद्वै चतुर्विंशमहरिति** । दशरात्रप्रबन्धमेतत् । तत्र प्रतिबद्धमार्क्ष्यत् । तेन च बृहती एव प्रतिबद्धेत्यर्थः । अभिप्लवात्पृष्ठ्यो निर्मित (इत्यादिभिर्वाणमागमिक ?) ततश्चातिरात्रस्यांतराले सर्वाण्येवाहानि पृष्ठ्याभिप्लवप्रतिबद्धया निर्मितत्वादिति महाव्रतमेव तत्रैकमार्क्ष्यत् नवममिति दर्शनम् । पंचविंशो ह्येतस्य महाव्रतस्य स्तोमो भवति । नान्यः कस्यचित् । ततश्च स्तोमसामान्येऽपि सैकं तत् क्वचिदन्तर्भवतीत्यभिप्रायः । **नाक्षराच्छन्दो व्येतीति** । (तस्याप्यनन्तनविंचनं यदापि तस्य ये सवितुः स्तोमस्तथापि तयोर्व्येके त्रिणवेऽहनि धोन्योमसाम्यादन्तर्गानमया नह्येकपात्स्तोत्रियया द्वाभ्यां स्वास्तौभिर्वाते यथा च्छन्द एकस्मात् द्वाभ्यामक्षराभ्यामिति । ततश्चाभिप्लवेनैव प्रकृतिभूतेन आत्रिरात्रात् तरन्मभिपूरितं भवतीति दर्शयति ?) ॥ १–३ ॥

अभिप्लवं पूर्वमिति । पूर्वेषु षट्सु मासेषु अभिप्लवः पृष्ठ्यात् पूर्वं विपरीतमुत्तरेषु इत्येतत् । अत्रापि पिता

वयसे पुत्रान्पितोपजीवत्युप ह वा ऽ एनं पूर्व्ववयसे पुत्रा जीवन्त्युपो-
त्तरवयसे पुत्राञ्जीवति यऽएवमेतद्वेद ॥ ४ ॥

तदाहुः । (र्व्वु) यच्चतुर्व्विꣳशमहरुपेत्य प्रेयात्कथमनागूर्ती भव-
तीति यदेवादः प्रायणीयमतिरात्रमुपयन्ति तेनेति ब्रूयात् ॥ ५ ॥

(त्तु) तदाहुः । (र्व्वु) यद्द्वादश मासाः सम्वत्सरस्याथैतदहरत्येति यद्वै-
षुवतमवरेषामेता ३ त्परेषा ३ मित्यवरेषाञ्चैव परेषाञ्चेति ह ब्रूयादात्मा वै
सम्वत्सरस्य विषुवानङ्गानि मासा यत्र वा ऽआत्मा तदङ्गानि यत्रो ऽ
अङ्गानि तदात्मा न वा ऽ आत्मा ऽङ्गान्यतिरिच्यते नात्मानमङ्गान्यतिरि-
च्यन्तऽएवमु हैतदवरेषाञ्चैव परेषाञ्च भवति ॥ ६ ॥

(त्यु) अथ ह वा ऽ एष महासुपर्णऽएव यत्संवत्सरः । (स्तु) तस्य
यान्पुरस्ताद्विषुवतः षण्मासानुपयन्ति सोऽन्यतरः पक्षोऽथ यान्षडुप-
रिष्टात्सोऽन्यतरऽआत्मा विषुवान्यत्र वाऽआत्मा तत्पक्षौ यत्र वा पक्षौ
तदात्मा न वा ऽ आत्मा पक्षावतिरिच्यते नात्मानम्पक्षावतिरिच्येतेऽ-
एवमु हैतदवरेषाञ्चैव परेषाञ्च भवति ॥ ७ ॥

तस्मादुत्तरवयसे पुत्रान् पितोपजीवति । उप ह वा एनं पूर्ववयसे पुत्रा जीवन्ति । उपोत्तरवयसे पुत्रान् जीवति । य एवमेतद्वेद ॥ ४ ॥

तदाहुः—यच्चतुर्विंशमहरुपेत्य प्रेयात् । कथमनागूर्ती भवतीति । यदेवादः प्रायणीयमतिरात्रमुपयन्ति । तेनेति ब्रूयात् ॥ ५ ॥

तदाहुः—यत् द्वादश मासाः संवत्सरस्य । अथैतदहरत्येति । यत् वैषुवतम् । अवरेषामेता ३ त् परेषा ३ मिति । अवरेषां चैव परेषां चेति ह ब्रूयात् । आत्मा वै संवत्सरस्य विषुवान् । अंगानि मासाः । यत्र वा आत्मा तदंगानि । यत्रो अंगानि तदात्मा । न वा आत्मा अंगान्यतिरिच्यते । नात्मानमंगान्यतिरिच्यन्ते । एवमु हैतत् अवरेषां चैव परेषां च भवति ॥ ६ ॥

अथ ह वा एष महासुपर्ण एव । यत् संवत्सरः । तस्य यान् पुरस्तात् विषुवतः षण्मासानुपयन्ति । सः अन्यतरः पक्षः । अथ यान् षडुपरिष्टात् सः अन्यतरः । आत्मा विषुवान् । यत्र वा

पुत्रदर्शनं संयुक्तमुच्यते । तदाहुः—यदेवादः प्रायणीयमिति । प्रायणीय एवातिरात्रः सर्वसंवत्सरसंपादितः "कति त्वेवेत्येकमिति होवाच" इत्यत्राभिप्रायः । तदाहुर्यत् पुरुषविधस्य विषुवान् शरीरलवणोदकबन्धांगभूतेषु पूर्वोत्तरेषु मासेषु अंतर्गतानेव पृथगाक्षिप्यते । पूर्वोत्तरग्रहणाभ्यां च गृह्यते । इत्येतदनुकण्डिकाद्वयेन निद-

तदाहुः । (२४) यत्पुरस्ताद्विषुवत ऽऊर्ध्वान्स्तोमान्षण्मासानुपयन्ति पडुपरिष्टादावृत्तान्कथमस्यैत ऽऊर्ध्वा स्तोमाऽ उपेता भवन्तीति यमेवामुमूर्ध्वस्तोमन्दशरात्रमुपयन्ति तेनेति ब्रूयाद्देवेभ्यो ह वै महाव्रतन्न तस्थे कथमूर्ध्वैस्स्तोमैर्विषुवन्तमुपागातावृत्तैर्म्मामिति ॥ ८ ॥

ते ह देवाऽ ऊचुः । (२५) उप तं यज्ञक्रतुं जानीत यऽऊर्ध्वस्तोमो येनेदमाप्नवामेति तऽ एतमूर्ध्वस्तोमन्दशरात्रमपश्यन्त्सम्वत्सरविधन्तस्य यः पृष्ठ्यः षडहऽ ऋतवः सऽ इमे लोकाश्छन्दोमाः सम्वत्सरो दशममहस्तेनैनदाप्नुवंस्तदेभ्योऽतिष्ठत तिष्ठते ह वा ऽअस्मै महाव्रतं य ऽएवमेतद्वेद ॥ ९ ॥

(२६) अथ वाऽ अतोऽह्नामभ्यारोहः । प्रायणीयेनातिरात्रेणोदयनीयमतिरात्रमभ्यारोहन्ति चतुर्विंशेन महाव्रतमभिप्लवेन परमभिप्लवं पृष्ठ्येन परम्पृष्ठ्यमभिजिता विश्वजितꣳ स्वरसामभिः परान्त्स्वर-

---

आत्मा तत्पक्षौ । यत्र वा पक्षौ तदात्मा । न वा आत्मा पक्षावतिरिच्यते । नात्मानं पक्षावतिरिच्येते । एवमु हैं तत् । अवरेषां चैव परेषां च भवति ॥ ७ ॥

तदाहुः—यत् पुरस्तात् विषुवत ऊर्ध्वान् स्तोमान् षण्मासानुपयन्ति । षडुपरिष्टादावृत्तान् । कथमस्यैत ऊर्ध्वाः स्तोमा उपेता भवंतीति । यमेवामुमूर्ध्वस्तोमं दशरात्रमुपयन्ति । तेनेति ब्रूयात् । देवेभ्यो ह वै महाव्रतं न तस्थे । कथमूर्ध्वैं स्तोमैर्विषुवन्तमुपागात । आवृत्तैर्मामिति ॥ ८ ॥

ते ह देवा ऊचुः । उप तं यज्ञक्रतुं जानीत । य ऊर्ध्वस्तोमः । येनेदमाप्नवामेति । त एतमूर्ध्वस्तोमं दशरात्रमपश्यन् संवत्सरविधन् तस्य यः पृष्ठ्यः षडहः । ऋतवः सः । इमे लोकाश्छन्दोमाः । संवत्सरो दशममहः । तेनैनदाप्नुवन् । तदेभ्योऽतिष्ठत । तिष्ठते ह वा अस्मै महाव्रतम् । य एवमेतद्वेद ॥ ९ ॥

अथ वा अतोऽह्नामभ्यारोहः । प्रायणीयेनातिरात्रेणोदयनीयमतिरात्रमभ्यारोहन्ति । चतुर्विंशेन महाव्रतम् । अभिप्लवेन परमभिप्लवम् । पृष्ठ्येन परं पृष्ठ्यम् । अभिजिता विश्वजितम् । स्वर-

---

र्थ्यते । तदाहुः—पूर्वेषु षट्सु मासेषु त्रिविधा ये स्तोमाः पाष्ठिकेष्वहःसु ऊर्ध्वा भवन्ति । (उत्तरेषु त्रयस्त्रिंशास्तुरणा अर्वा एव १)। दशरात्रे ऊर्ध्वा एव । तैरेवोर्ध्वैरिति । ऊर्ध्वा एवोपासनीया इत्येतदनुकण्डिकाद्वयेन प्रदर्श्यते । तन्महाव्रतमभ्यसेदेव । 'एभ्योऽतिष्ठत' तस्मादावृत्तादात्मानं प्रकाशितवत् । प्रकाशने तिष्ठतेरात्मनेपदम् ॥ ४–९ ॥

"अथ वा" अत ऊर्ध्वं अह्नां अभ्यारोहणसादृश्येनाशीर्विक्ष्यन इति शेषः। प्रायणीयेनातिरात्रेण उदयनीय-

साम्नोऽथैतदहरनभ्यारूढं यद्वैषुवतमभि ह वै श्रेयाꣳसꣳ रोहति नैनम्पापीयानभ्यारोहति य एवमेतद्वेद ॥ १० ॥

(द्वा) अथ वाऽअतोऽह्नान्निवाहः । प्रायणीयोऽतिरात्रश्चतुर्व्विꣳशायाह्ने निवहति चतुर्व्विꣳशमहरभिप्लवायाऽभिप्लवः पृष्ठ्याय पृष्ठ्योऽभिजितेऽभिजित्स्वरसामभ्यः स्वरसामानो विषुवते विषुवान्त्स्वरसामभ्यः स्वरसामानो विश्वजिते विश्वजित्पृष्ठ्याय पृष्ठ्योऽभिप्लवायाभिप्लवो गोऽआयुर्भ्यां गोऽआयुषी दशरात्राय दशरात्रो महाव्व्रताय महाव्व्रतमुदयनीयायातिरात्रायोदयनीयोऽतिरात्रः स्वर्ग्गाय लोकाय प्रतिष्ठायाऽ अन्नाद्याय ॥ ११ ॥

तानि वाऽ एतानि । यज्ञारण्यानि यज्ञकृन्तत्राणि तानि शतꣳ शतꣳ रथाह्न्यान्यन्तरेण तानि ये विद्वाꣳसऽउपयन्ति यथाऽऽरण्यान्यां मुग्धाश्चरतोऽशनाया वा पिपासा वा पाप्मानो रक्षाꣳसि सचेरन्नेवꣳ हैवैनानशनाया वा पिपासा वा पाप्मानो रक्षाꣳसि सचन्तेऽथ ये विद्वाꣳसो

सामभिः परान् स्वरसाम्नः । अथैतदहरनभ्यारूढम् । यत् वैषुवतम् । अभि ह वै श्रेयांसं रोहति । नैनं पापीयानभ्यारोहति । य एवमेतद्वेद ॥ १० ॥

अथ वा अतोऽह्नां निवाहः । प्रायणीयोऽतिरात्रश्चतुर्विंशायाह्ने निवहति । चतुर्विंशमहरभिप्लवाय । अभिप्लवः पृष्ठ्याय । पृष्ठ्योऽभिजिते । अभिजित् स्वरसामभ्यः । स्वरसामानो विषुवते । विषुवान् स्वरसामभ्यः । स्वरसामानो विश्वजिते । विश्वजित् पृष्ठ्याय । पृष्ठ्योऽभिप्लवाय अभिप्लवो गोआयुर्भ्याम् । गोआयुषी दशरात्राय । दशरात्रो महाव्रताय । महाव्रतमुदयनीयायातिरात्राय । उदयनीयोऽतिरात्रः स्वर्गाय लोकाय प्रतिष्ठाया अन्नाद्याय ॥ ११ ॥

तानि वा एतानि यज्ञारण्यानि यज्ञकृंतत्राणि । तानि शतं शतं रथाह्न्यानि । अंतरेण तानि ये विद्वांस उपयन्ति । यथाऽऽरण्यान्यां मुग्धाँश्चरतोऽशनाया वा पिपासा वा पाप्मानो रक्षांसि सचे-

---

सदृशतया यान्यहान्यारोहन्ति प्राप्नुवन्ति सत्रिणः । अथ कस्मादभ्यारोहंति आक्रमन्ति । शरीरैरित्येवन्न गृह्यते । अथैतदहरनभ्यारूढमित्याह—मादृश्येन च वैषुवतमनभ्यारूढम् । स सत्रिभिः कथं तत्राभ्यारुह्येत । तथा च प्रायणीयोऽतिरात्रः चतुर्विंशायाह्ने निवहतीति क्रमांतरेण अभि ह वै श्रेयांसं स्वगुणैरभ्यारोहति । पापतरश्चैनं गुणैर्नाप्नोतीति फलवचनं युज्यते ॥

अथवा अभिशब्दः संशब्दस्यार्थे सम्यग्वचने । (संप्रयाणत्तिर्वाहः ?) । वक्ष्यत इति शेषः । प्रायणीयातिरात्रो देवतारूपः । चतुर्विंशायाह्ने निवहतीत्यादि प्रसन्नम् ॥ १० ॥ ११ ॥

'तानि वा एतानि' यज्ञाश्च ते आरण्यानि च 'यज्ञारण्यानि' । यज्ञाश्च ते कृंतत्राणि च 'यज्ञकृंतत्राणि' ।

यथा प्रवाहात्प्रवाहमभयादभयमेवꣳ हैव ते देवतायै देवतामुपसंयन्ति ते स्वस्ति स्वर्गं लोकꣳ समश्नुवते ॥ १२ ॥

तदाहुः । कति संवत्सरस्याहानि पराञ्चि कत्यर्वाञ्चीति स यानि सकृत्सकृदुपयन्ति तानि पराञ्च्यथ यानि पुनः पुनस्तान्यर्वाञ्च्यर्वाञ्चीति ह त्वेवैनान्युपासीत षडहयोर्ह्यावृत्तिमन्वावर्तन्ते ॥ १३ ॥

इति प्रथमप्रपाठके सप्तमं ब्राह्मणम् ॥ १२-१-७ ॥ (२. ३.) ॥

पुरुषो वै सम्वत्सरः । (स्त) तस्य प्राणऽएव प्रायणीयोऽतिरात्रः प्राणेन हि प्रयन्ति वागेवारम्भणीयमहर्वाचा ह्यारभन्ते यद्यदारभन्ते ॥१॥

(न्तेऽय) अयमेव दक्षिणो हस्तोऽभिप्लवः षडहः । (स्त) तस्येदमेव प्रथममहस्तस्येदमेव प्रातःसवनमिदम्माध्यंदिनꣳ सवनमिदन्तृतीयसवनङ्गायत्र्याऽआयतने तस्मादियमासाꣳ ह्रसिष्ठा ॥ २ ॥

रन् । एवं हैवैनानशनाया वा पिपासा वा पाप्मानो रक्षांसि सचंते । अथ ये विद्वांसो यथा प्रवाहात्प्रवाहं अभयादभयम् । एवं हैव ते देवतायै देवतामुपसंयन्ति । ते स्वस्ति स्वर्गं लोकं समश्नुवते ॥ १२ ॥

तदाहुः-कति संवत्सरस्याहानि पराञ्चि । कत्यर्वांचीति । स यानि सकृत्सकृदुपयन्ति । तानि परांचि । अथ यानि पुनः पुनः । तान्यर्वांचि अर्वांचि इति ह त्वेवैनान्युपासीत । षडहयोर्हि आवृत्तिमन्वावर्तते ॥ १३ ॥

गवामयनीयसंवत्सरस्य पुरुषविधोपासनम् ।

पुरुषो वै संवत्सरः । तस्य प्राण एव प्रायणीयोऽतिरात्रः । प्राणेन हि प्रयन्ति । वागेवारंभणीयमहः । वाचा ह्यारभन्ते । यद्यदारभन्ते ॥ १ ॥

अयमेव दक्षिणो हस्तोऽभिप्लवः षडहः । तस्येदमेव प्रथममहः । तस्येदमेव प्रातःसवनम् । इदं माध्यंदिनं सवनम् । इदं तृतीयसवनम् । गायत्र्या आयतने । तस्मादियमासां ह्रसिष्ठा ॥ २ ॥

अविदुषां कृतत्राणि । तानि तु विधेयजिज्ञासामुपासका उपसंयन्ति एतान् । तात्पद्यात् आरण्यात् महति आरण्ये कांश्चिच्चरतः । अशनाया बुभुक्षा पिपासा वा । पाप्मानश्च पातनीयाः । रक्षांसि सचेरन् । एवं अशनाया वा पिपासा पाप्मानो रक्षांसि सचंते । अथ ये विद्वांस उपसंयन्तीत्यादि प्रसन्नम् ॥ १२ ॥

तदाहुः-'स यानि सकृत्सकृदुपयंति' । प्रायणीयचतुर्विंशाभिजिद्विश्वजिच्छन्दोमाऽविवाक्यमहाव्रतोदयनीयानि पुनःपुनरिदत्राणि 'अर्वाञ्चि' आवृत्तिधर्मकाणीति प्रायणीयादीन्यप्युपासीत । कथम् षडहयोर्हीति । आवृत्तिमनु षडहावृत्त्यैव तान्यप्यावर्तंते । मनःसाम्येन तदभिनिर्माणत्वेन च तदन्तर्भावादित्यर्थाभिप्रायः ॥ १३ ॥

इति श्रीमदाचार्यहरिस्वामिनः कृतौ माध्यन्दिनीयशतपथब्राह्मणभाष्ये द्वादशकांडे द्वितीयेऽध्याये तृतीयं ब्राह्मणम् ॥ (१२ । २ । ३) ॥

'पुरुषो वै' । पुरुषः 'संवत्सरः' उपास्य इति शेषः । गायत्र्येवेन्द्रियात्मिका । 'आरंभणीयं' आर-

(ष्ठेदु) इदुमेवु द्वितीयमुहः । (स्तु) तुस्येदुमेवु प्रातःसवनुमिदम्माध्यन्दिनᳪं सुवनमिदुन्तृतीयसवनुन्त्रिष्टुभऽआयुतने तुस्मादियुमस्यै व्वर्षीयसी ॥ ३ ॥

(सीदु) इदुमेवु तृतीयमुहः । (स्तु) तुस्येदुमेवु प्रातःसवनुमिदम्माध्यन्दिनᳪं सुवनमिदुन्तृतीयसवनं जुगत्याऽ आयुतने तुस्मादियुमासाम्वर्षिष्ठा ॥ ४ ॥

(ष्ठेदु) इदुमेवु चतुर्थमुहः । (स्तु) तुस्येदुमेवु प्रातःसवनुमिदम्माध्यन्दिनᳪं सुवनमिदुन्तृतीयसवनुम्विराजऽ आयुतनेऽन्नम्वै व्विराट्तुस्मादियुमासामन्नादितमा ॥ ५ ॥

(मेदु) इदुमेवु पञ्चममुहः । (स्तु) तुस्येदुमेवु प्रातःसवनुमिदम्माध्यन्दिनᳪं सुवनमिदुन्तृतीयसवनुम्पङ्क्तेरायतने पृथुरिव वै पङ्क्तिस्तुस्मादयुमासाम्प्रथिष्ठः ॥ ६ ॥

(ऽ) इदुमेवु षष्ठमुहः । (स्तु) तुस्येदुमेवु प्रातःसवनुमिदम्माध्यन्दिनᳪं सुवनमिन्दतृतीयसवनमुतिच्छन्दसऽआयुतने तुस्मादयुमासा-

---

इदमेव द्वितीयमहः । तस्येदमेव प्रातःसवनम् । इदं माध्यन्दिनं सवनम् । इदं तृतीयसवनम् । त्रिष्टुभ आयतने । तस्मादियमस्यै वर्षीयसी ॥ ३ ॥

इदमेव तृतीयमहः । तस्येदमेव प्रातःसवनम् । इदं माध्यन्दिनं सवनम् । इदं तृतीयसवनम् । जगत्या आयतने । तस्मादियमासां वर्षिष्ठा ॥ ४ ॥

इदमेव चतुर्थमहः । तस्येदमेव प्रातःसवनम् । इदं माध्यन्दिनं सवनम । इदं तृतीयसवनम् । विराज आयतने । अन्नं वै विराट् । तस्मादियमासामन्नादितमा ॥ ५ ॥

इदमेव पंचममहः । तस्येदमेव प्रातःसवनम् । इदं माध्यन्दिनं सवनम् । इदं तृतीयसवनम् । पंक्तेरायतने । पृथुरिव वै पंक्तिः । तस्मादयमासां प्रथिष्ठः ॥ ६ ॥

इदमेव षष्ठमहः । तस्येदमेव प्रातःसवनम् । इदं माध्यंदिनं सवनम् । इदं तृतीयसवनम् । अति-

---

भ्यते ऽनेन विशेषतः संवत्सरं सत्रमित्यारंभणीयम् । चतुर्विंशमहः वाचा हि पुनरारंभते प्रायः । अयमेव तस्येदमिति कनिष्ठिका । कुत एतत् । "तस्मादियमासां ह्रसिष्ठा" इति वचनात् । 'तस्येदमेव प्रातःसवनं' इति कनिष्ठिकायाः प्रथमं पर्व । 'इदं माध्यन्दिनम्' इति मध्यमं पर्व । 'इदं तृतीयसवनम्' इति अंत्यं पर्व । **गायत्र्या आयतन** इति । यदस्याभिप्लवस्य प्रथमः प्रथमावयवः । (स पृथिव्य अग्रे य आस्व फलम् ?)। माध्यन्दिनं सवनम् । यस्मादिदं षष्ठमहरतिच्छंदसः स्थाने । तस्मादतिच्छन्दसोऽनुकारेण अयं बाहुरासामंगुलीनां

म्वर्षिष्ठो गायत्रमेतदहर्भवति तस्मादिदम्फलकथ्ँ ह्रसिष्ठथ्ँ सऽइतो-ऽभिप्लवः षडहः सऽ इतः स इतः सऽ इतऽ आत्मा पृष्ठ्यः ॥ ७ ॥

(ऽ) एतद्ध स्म वै तद्विद्वानाह पैङ्ग्यः । प्लवन्तऽ इव वाऽ अभिप्लवास्तिष्ठतीव पृष्ठ्यऽ इति प्लवतऽइव ह्ययमङ्गैस्तिष्ठतीवात्मनेति ॥ ८ ॥

शिरऽएवास्य त्रिवृत् । (त्त) तस्मात्तत्त्रिविधं भवति त्वगस्थि मस्तिष्कः ॥ ९ ॥

(ष्को) ग्रीवाः पञ्चदशः । (श्च) चतुर्दश वाऽएतासाङ्करूकराणि व्वीर्य्यम्पञ्चदशन्तस्मादेताभिरण्वीभिः सतीभिर्गुरुं भारथ्ँ हरति तस्माद्ग्रीवाः पञ्चदशः ॥ १० ॥

(ऽ) उरः सप्तदशः । (शोऽष्टा) अष्टावन्ये जत्रवोऽष्टावन्यऽउरः सप्तदशन्तस्मादुरः सप्तदशः ॥ ११ ॥

छंदस आयतने । तस्मादियमासां वर्षिष्ठः । गायत्रमेतदहर्भवति । तस्मादिदं फलकं ह्रसिष्ठम् । स इतोऽभिप्लवः षडहः । स इतः । स इतः । स इत आत्मा पृष्ठ्यः ॥ ७ ॥

एतद्ध स्म वै तद्विद्वानाह पैंग्यः । प्लवन्त इव वा अभिप्लवाः । तिष्ठतीव पृष्ठ्य इति । प्लवत इव ह्ययमंगैः । तिष्ठतीवात्मनेति ॥ ८ ॥

शिर एवास्य त्रिवृत् । तस्मात्तत् त्रिविधं भवति । त्वगस्थि मस्तिष्कः ॥ ९ ॥

ग्रीवाः पंचदशः । चतुर्दश वा एतासां करूकराणि । वीर्यं पंचदशम् । तस्मादेताभिरण्वीभिः सतीभिर्गुरुं भारं हरति । तस्मात् ग्रीवाः पंचदशः ॥ १० ॥

उरः सप्तदशः । अष्टावन्ये जत्रवोऽष्टावन्ये । उरः सप्तदशम् । तस्मादुरः सप्तदशः ॥ ११ ॥

वृद्धतमः । यस्मात् ' गायत्र्या ' गायत्रीच्छन्दसामेतत् षष्ठमहर्भवति । तस्मादिदं फलकं त्रयाणां बाहुपर्वणां ह्रस्वतमम् । स इतराभ्योऽपि दृश्यते । (इत एवमत्र प्रथमयामृभिः ?) । स हि दक्षिणो हस्तोऽभिप्लवः षडहः । स इतो दक्षिणः ऊरुः स इतः सव्य ऊरूः । स इतः (इत्युपाध्या याहस्तपाव्याहस्त ?) आत्मा शरीरं पृष्ठ्यः ॥ १—७ ॥

' एतद्ध स्म ' । एतदभिप्लवागत्वं पृष्ठ्यस्य च । विद्वानात्मतत्त्ववाददर्शी पिंगपुत्र उक्तवान् । प्लवन्त इव वा अभिप्लवाः तिष्ठतीव पृष्ठ्यः । सकृत् प्रयोगादेव तावदेकस्मिन्नेव मासेऽङ्गानि चात्मा च कल्पितः । पुनर्मासान्तरेष्वपि कल्पितेषु पुनश्चोत्तरस्मिन्नपि प्राक् च प्रतिमासं तत्प्राक् च वक्ष्यति । उक्तौ पृष्ठ्याभिप्लवौ । ते इति चलति ह्ययं पुरुषोंऽगैर्वाऽभिप्लवादिभिस्तिष्ठति । शरीरिणामंगापेक्षयाऽऽत्मनः स्थिरत्वात् ॥ ८ ॥

' शिर एव ' तस्यैव पृष्ठ्यस्य यानि अहानि त्रिवृदादीनि शिरआदित्वेन विभजति षड्भिः कंडिकाभिः । ' करूकराणि ' अत्यर्थं ततानि पदानि । (पतनमेवं द्वितीयादयस्तुब्जभादीनां तवंगीकृत्योवाच ?) । ' गायत्र्या

(ऽ) उदुरमेकविꣳशः । (शो) विꣳशतिर्वाऽ अन्तरुदरे कुन्तापान्यु-
दरमेकविꣳशन्तस्मादुदरमेकविꣳशः ॥ १२ ॥

पार्श्वे त्रिणवः । (स्त्र) त्रयोदशान्याः पर्शवस्त्रयोदशान्याः पार्श्वे त्रिणवं
तस्मात्पार्श्वे त्रिणवः ॥ १३ ॥

(त्रोऽनू) अनूकं त्रयस्त्रिꣳशः । (शो) द्वात्रिꣳशद्वाऽ एतस्य करू-
कराण्यनूकं त्रयस्त्रिꣳशन्तस्मादनूकं त्रयस्त्रिꣳशः ॥ १४ ॥

(शोऽयु) अयमेव दक्षिणः कर्णोऽभिजित । (स्त्रु) यदिदमक्ष्णः
शुक्लꣳ स प्रथमः स्वरसामा यत्कृष्णꣳ स द्वितीयो यन्मण्डलꣳ स तृतीयो
नासिके विषुवान्यदिदमक्ष्णो मण्डलꣳ स प्रथमोऽर्वाक्सामा यत्कृष्णꣳ
स द्वितीयो यच्छुक्लꣳ स तृतीयः ॥ १५ ॥

(योऽयु) अयमेवोत्तरः कर्णो विश्वजित् । (दु) उक्तौ पृष्ठ्याभि-
प्लवौ यावुवाञ्चौ प्राणौ ते गोऽआयुषीऽअङ्गानि दशरात्रो मुखम्महा-
व्रतमुदानऽएवोदयनीयोऽतिरात्रऽ उदानेन ह्युद्यन्ति सऽएष सम्वत्सरो-
ऽध्यात्मं प्रतिष्ठितः स यो हैवमेतꣳ सम्वत्सरमध्यात्मं प्रतिष्ठितम्वेद प्रति-
तिष्ठति प्रजया पशुभिरस्मिँल्लोकेऽमृतत्वेनामुष्मिन् ॥ १६ ॥

इति प्रथमप्रपाठकेऽष्टमं ब्राह्मणम् ॥ १२-१-८ ॥ (२. ४.) ॥

द्वितीयोऽध्यायश्च समाप्तः ॥ १२ । २ ॥

कण्डिकासंख्या ॥ ६५ ॥

उदरमेकविंशः । विंशतिर्वा अंतरुदरे कुंतापानि । उदरमेकविंशम् । तस्मादुदरमेकविंशः ॥१२॥

पार्श्वे त्रिणवः । त्रयोदशान्याः पर्शवस्त्रयोदशान्याः । पार्श्वे त्रिणवे । तस्मात्पार्श्वे त्रिणवः ॥ १३॥

अनूकं त्रयस्त्रिंशः । द्वात्रिंशद्वा एतस्य करूकराणि । अनूकं त्रयस्त्रिंशम् । तस्मादनूकं त्रय-
स्त्रिंशः ॥ १४ ॥

अयमेव दक्षिणः कर्णोऽभिजित् । यदिदमक्ष्णः शुक्लम् । स प्रथमः स्वरसामा । यत् कृष्णं, स द्वितीयः । यन्मंडलं, स तृतीयः। नासिके विषुवान् । यदिदमक्ष्णो मंडलम् । स प्रथमोऽर्वाक्सामा । यत् कृष्णं, स द्वितीयः । यत् शुक्लं, स तृतीयः ॥ १५ ॥

अयमेवोत्तरः कर्णो विश्वजित् । उक्तौ पृष्ठ्याभिप्लवौ । यावर्वाञ्चौ प्राणौ, ते गोआयुषी ।

आयतने ' प्रथमे स्थाने इदं प्रथममहारिति । इदमेव नासिका यत् । द्वितीयमहः । इयमनामिका अस्याः कनिष्ठिका न वृद्धतरा । इयमेव मध्यमा तृतीयमहः । इयं मध्यमा आसामंगुलीनां वृद्धतमा । इयमेव प्रदेशिनी

अंगानि दशरात्रः । मुखं महाव्रतम् । उदान एवोदयनीयोऽतिरात्रः । उदानेन ह्युद्यंति । स एष संवत्सरोऽध्यात्मं प्रतिष्ठितः । स यो हैवमेतं संवत्सरमध्यात्मं प्रतिष्ठितं वेद । प्रतितिष्ठति प्रजया पशुभिरस्मिन् लोके, अमृतत्वेनामुष्मिन् ॥ १६ ॥

चतुर्थमहः । इयं प्रदेशिनी आसामंगुलीनां अतिशयेनान्नदितमा प्रायेण ह्यनयैवान्नमदन्ति । तदेव त्वंगीकृत्यान्नादितमत्वमुच्यते । इदमेवांगुष्ठः आसामंगुलीनां पृथुतमः । इदमेव वह्नेः पृथुत्वमाह—तस्येदमेव पाणिफलकं प्रातःसवनं (इदयरतिसंकलिकस्थीनि वीर्यशक्तिजत्रवः । उरस्यस्थीनि कृत्वाप्यभियत्तदादीनि मासानि कल्पितानि नोपयन्तीति कृत्वा यानि ?)॥ ८–१६ ॥

इति श्रीमदाचार्यहरिस्वामिनः कृतौ माध्यन्दिनीयशतपथब्राह्मणभाष्ये द्वादशकाण्डे
द्वितीयेऽध्याये चतुर्थं ब्राह्मणम् ॥ १२ । २ । ४ ॥

नागस्वामिसुतोऽवन्त्यां पाराशर्यो वसन्हरिः ।
श्रुत्यर्थं दर्शयामास शक्तितः पौष्करीयकः ॥ १ ॥
श्रीमतोऽवन्तिनाथस्य विक्रमार्कस्य भूपतेः ।
धर्माध्यक्षो हरिस्वामी व्याख्यच्छातपथीं श्रुतिम् ॥ २ ॥
भूभर्त्रा विक्रमार्केण क्लृप्तां कनकवेदिकाम् ।
दानायाध्यस्य कृतवान् श्रुत्यर्थविवृतिं हरिः ॥ ३ ॥

इति श्रीसर्वविद्यानिधानकवीन्द्राचार्यसरस्वतीनां श्रीहरिस्वामिनां कृतौ माध्यन्दिनीय-
शतपथब्राह्मणभाष्ये द्वादशकाण्डे द्वितीयोऽध्यायः समाप्तः ॥ १२–२ ॥

अथ तृतीयेऽध्याये प्रथमं ब्राह्मणम् ।

प्रथमप्रपाठके च नवमं ब्राह्मणम् ।

यद्वालाके । (कऽइ) इत्त्रिवृदेति सर्वमन्योऽन्यमभिसम्पद्यमानम् ।
कथᳪं स्विद्यज्ञः पुरुषः प्रजापतिरन्योऽन्यन्नातिरिच्यन्तऽ एते ॥ १ ॥
यदूर्ध्वा स्तोमाऽअनुयन्ति । यज्ञमभ्यावर्त्तᳪं सामभिः कल्पमानाः ।
कथᳪं स्वित्ते पुरुषमाविशन्ति कथम्प्राणैः सयुजो भवन्ति ॥ २ ॥
प्रायणीयोऽतिरात्रः । (श्च) चतुर्विᳪंशमहश्चत्वारोऽभिप्लवाः पृष्ठ्यऽ
इत्येते । कथᳪं स्वित्ते पुरुषमाविशन्ति कथम्प्राणैः सयुजो भवन्ति ॥ ३ ॥
अभिजिता स्वरसामानः । (नोऽभि) अभिक्लृप्ता ऽउभयतो विषु-
वन्तमुपयन्ति । कथᳪं स्वित्ते पुरुषमाविशन्ति कथम्प्राणैः सयुजो
भवन्ति ॥ ४ ॥

" यद्वालाके त्रिवृदेति सर्वमन्योन्यमभिसंपद्यमानम् ।
कथं स्विद्यज्ञः पुरुषः प्रजापतिरन्योऽन्यं नातिरिच्यन्त एते ॥ १ ॥
यदूर्ध्वाः स्तोमा अनुयन्ति यज्ञमभ्यावर्तं सामभिः कल्पमानाः ।
कथं स्वित्ते पुरुषमाविशन्ति कथं प्राणैः सयुजो भवन्ति ॥ २ ॥
प्रायणीयोऽतिरात्रश्चतुर्विंशमहश्चत्वारोऽभिप्लवाः पृष्ठ्य इत्येते ।
कथं स्वित्ते पुरुषमाविशन्ति कथं प्राणैः सयुजो भवन्ति ॥ ३ ॥
अभिजिता स्वरसामानोऽभिक्लृप्ता उभयतो विषुवन्तमुपयन्ति ।
कथं स्वित्ते पुरुषमाविशन्ति कथं प्राणैः सयुजो भवन्ति ॥ ४ ॥

अथ ब्राह्मणद्वये गवामयनपुरुषप्रजापतीनां कलासाम्यमुच्यते—प्रश्नप्रतिवचनाभ्यां—**यद्वालाक** इति । श्लोकाः एते नव । बलाकस्यापत्यं वालाकिः । सप्रष्टयतो पृष्टान् अनिर्दिष्टः । हे वालाके ! यदिदं अधियज्ञाध्यात्माधिदैवम् सर्वं त्रिवृत् अन्योऽन्यस्मिन् संपद्यमानम् । एतदनु स्वीक्रियते । ततः कथं यज्ञादयः अन्योऽन्यमतिरिक्ता भवन्तीति प्रश्नः ॥ १ ॥

यदूर्ध्वाः स्तोमाः । अनुयन्ति इति लिङ्गवचनव्यत्ययः । ये ऊर्ध्वाः वर्द्धमानकाः स्तोमाः त्रिवृदादयः आनुपूर्व्येण यन्ति प्रवर्तन्ते । यज्ञमभ्यावर्तं आवृत्त्या इति च स्पष्टमित्यर्थः । सामभिः ससंख्येयैः । ये कल्पमानाः आत्मनो लभमानाः । कथं ते पुरुषमाविशंति ? उपासकैराश्रियमाणा अपि निरालम्बनत्वाद्दुरावेशा इत्यभिप्रायः । कथं च ' प्राणैः ' पुरुषगतैः सयुजः सहयुताः अतिरिक्ता भवन्ति ॥ २ ॥

प्रायणीयः प्रायणीयादिरूपं न किंचित् पुरुषैर्दृश्यते इत्यभिप्रायः ॥ ३ ॥

अभिजिता विश्वजिता वा इति विशेषः । अभिक्लृप्ताः परितो ह्यभिमुखीकृताः । अनुलोमाः इत्यर्थः ।

त्रिवृत्प्रायाः । सप्तदशाभिक्लप्तास्त्रयस्त्रिꣳशान्ताश्चतुरुत्तरेण । कथꣳ स्वित्ते पुरुषमाविशन्ति कथम्प्राणैः सयुजो भवन्तीति ॥ ५ ॥

शिरस्त्रि॒वृत् । (त्प) पञ्चदशोऽस्य ग्रीवाऽ उरऽ आहुः सप्तदशाभिक्लप्तम् । एकविꣳशमुदरङ्कल्पयन्ति पार्श्वे पर्शूस्त्रिणवेनाभिक्लप्ते ॥ ६ ॥

अभिप्लवाऽ उभयतोऽस्य बाहू । पृष्ठ्यम्पृष्ठ्यऽ इति धीरा व्वदन्ति । अनूकमस्य चतुरुत्तरेण संवत्सरे ब्राह्मणाः कल्पयन्ति ॥ ७ ॥

कर्णावस्याभिजिद्विश्वजिच्च । (ज्ञा) अक्ष्या बाहुः स्वरसामाभिक्लप्ते । नस्यम्प्राणम्विषुवन्तमाहुर्गोऽआयुषी प्राणावेतावर्वाञ्चौ ॥ ८ ॥

अङ्गान्यस्य दशरात्रमाहुः । (र्मु) मुखम्महाव्व्रतꣳ सम्वत्सरे

त्रिवृत्प्रायाः सप्तदशाभिक्लप्तास्त्रयस्त्रिंशांताश्चतुरुत्तरेण ।
कथं स्वित्ते पुरुषमाविशन्ति कथं प्राणैः सयुजो भवन्ति"–इति ॥ ५ ॥
" शिरस्त्रिवृत पंचदशोऽस्य ग्रीवा उर आहुः सप्तदशाभिक्लप्तम् ।
एकविंशमुदरं कल्पयन्ति पार्श्वे पर्शूस्त्रिणवेनाभिक्लप्ते ॥ ६ ॥
अभिप्लवा उभयतोऽस्य बाहू पृष्ठ्यं पृष्ठ्य इति धीरा वदन्ति ।
अनूकमस्य चतुरुत्तरेण संवत्सरे ब्राह्मणाः कल्पयन्ति ॥ ७ ॥
कर्णावस्याभिजिद्विश्वजिच्चाक्ष्या बाहुः स्वरसामाऽभिक्लप्ते ।
नस्यं प्राणं विषुवन्तमाहुर्गोआयुषी प्राणावेतावर्वाञ्चौ ॥ ८ ॥
अङ्गान्यस्य दशरात्रमाहुर्मुखं महाव्रतं संवत्सरे ब्राह्मणाः कल्पयन्ति ।

उभयतः पुरस्तात् परस्ताच्च । विषुवन्तं मध्ये स्थितं उपगच्छन्ति । कथं स्वित्ते इति । न च अध्यात्मं किंचित् दृश्यते इत्यभिप्रायः ॥ ४ ॥

'त्रिवृत्प्रायाः' त्रिवृता प्रयन्ति प्रवर्तते इति त्रिवृत्प्रायाः । त्रिवृदादय इत्यर्थः । सप्तदशेन मध्ये स्थितेन अभिक्लृप्ताः अभिगताः 'सप्तदशाभिक्लृप्ताः' । सप्तदशमध्या इत्यर्थः । 'त्रयस्त्रिंशांताः' त्रयस्त्रिंशः अन्तो येषां ते त्रयस्त्रिंशांताः पार्ष्ठिका स्तोमाः । चतुरुत्तरेण स्तोमेन सह ये दशरात्रे वर्तन्ते । छन्दोमेषु हि चतुर्विंशचतुश्चत्वारिंशस्तोमाः । तेषु ये चतुरुत्तरस्तोमाः । तेषु दिवसेषु स्थिता इत्यर्थः । कथं स्वित्ते पुरुषमिति व्याख्यातम् ॥ ५ ॥

'शिरस्त्रिवृत् इति ।' 'त्रिवृत्प्रायाः' इत्येतस्य उत्तरम् । शिरः पुरुषस्य त्रिवृत् स्तोमः । तदपि त्रिवृत्क्रमम् । अन्यानि स्पष्टानि च ॥ ६–९ ॥

इति श्रीमदाचार्यहरिस्वामिनः कृतौ माध्यन्दिनीयशतपथब्राह्मणभाष्ये द्वादशकांडे तृतीयेऽध्याये प्रथमं ब्राह्मणम् ॥ १२ । ३ । १ ॥

ब्राह्मणाः कल्पयन्ति । सर्व्वस्तोमᳪं सर्व्वसामानमेतᳫं सम्वत्सरमध्यात्मम्प्रविष्टम् । समन्धीरऽ आत्मना कल्पयित्वा ब्रध्नस्यास्ते विष्टपेऽजातशोकः ॥ ९ ॥

इति प्रथमप्रपाठके नवमं ब्राह्मणम् ॥ १२-१-९ ॥ (३. १) ॥

पुरुषो वै सम्वत्सरः । पुरुषऽइत्येकᳫं सम्वत्सरऽइत्येकमत्र तत्समन्द्वे वै सम्वत्सरस्याहोरात्रे द्वाविमौ पुरुषे प्राणावत्र तत्समन्त्रयऽ ऋतवः सम्वत्सरस्य त्रयऽइमे पुरुषे प्राणाऽअत्र तत्समञ्चतुरक्षरो वै सम्वत्सरश्चतुरक्षरोऽयं यजमानोऽत्र तत्समम्पञ्चर्त्तवः सम्वत्सरस्य पञ्चेमे पुरुषे प्राणाऽ अत्र तत्समᳪं षडृतवः सम्वत्सरस्य षडिमे पुरुषे प्राणाऽ अत्र तत्समᳫं सप्तर्त्तवः सम्वत्सरस्य सप्तेमे पुरुषे प्राणाऽअत्र तत्समम् ॥ १ ॥

(न्द्वा) द्वादश वै मासाः सम्वत्सरस्य । द्वादशेमे पुरुषे प्राणाऽ अत्र तत्समन्त्रयोदश वै मासाः सम्वत्सरस्य त्रयोदशेमे पुरुषे प्राणा नाभिस्त्रयोदश्यत्र तत्समञ्चतुर्व्विᳪंशतिर्व्वै सम्वत्सरस्यार्द्धमासाश्चतुर्व्विᳫंशोऽयम्पुरुषो व्विᳪंशत्यङ्गुलिश्चतुरङ्गोऽत्र तत्समᳪं षड्विᳪंशतिर्व्वै सम्वत्सरस्यार्द्धमासाः षड्विᳫंशोऽयम्पुरुषः प्रतिष्ठे षड्विᳫंश्यावत्र तत्समम् ॥ २ ॥

सर्वस्तोमं सर्वसामानमेतं संवत्सरमध्यात्मं प्रविष्टम् ।
समं धीर आत्मना कल्पयित्वा ब्रध्नस्यास्ते विष्टपेऽजातशोकः ” ॥ ९ ॥

पुरुषो वै संवत्सरः । पुरुष इत्येकम् । संवत्सर इत्येकम् । अत्र तत्समम् । द्वे वै संवत्सरस्याहोरात्रे । द्वाविमौ पुरुषे प्राणौ । अत्र तत्समम् । त्रय ऋतवः संवत्सरस्य । त्रय इमे पुरुषे प्राणाः । अत्र तत्समम् । चतुरक्षरो वै संवत्सरः । चतुरक्षरोऽयं यजमानः । अत्र तत्समम् । पंचर्तवः संवत्सरस्य । पंचेमे पुरुषे प्राणाः । अत्र तत्समम् । षड् ऋतवः संवत्सरस्य । षडिमे पुरुषे प्राणाः । अत्र तत् समम् । सप्तर्तवः संवत्सरस्य । सप्तेमे पुरुषे प्राणाः । अत्र तत्समम् ॥ १ ॥

द्वादश वै मासाः संवत्सरस्य । द्वादशेमे पुरुषे प्राणाः । अत्र तत्समम् । त्रयोदश वै मासाः संवत्सरस्य । त्रयोदशेमे पुरुषे प्राणाः । नाभिस्त्रयोदशी । अत्र तत्समम् । चतुर्विंशतिर्वै संवत्सरस्यार्द्धमासाः । चतुर्विंशोऽयं पुरुषः । विंशत्यंगुलिः । चतुरंगः । अत्र तत्समम् । षड्विंशतिर्वै संवत्सरस्यार्द्धमासाः । षड्विंशोऽयं पुरुषः । प्रतिष्ठे षड्विंश्यौ । अत्र तत्समम् ॥ २ ॥

(न्त्री) त्रीणि च वै शतानि षष्टिश्च । सम्वत्सरस्य रात्रयस्त्रीणि च शतानि षष्टिश्च पुरुषस्यास्थीन्यत्र तत्समं त्रीणि च वै शतानि षष्टिश्च सम्वत्सरस्याहानि त्रीणि च शतानि षष्टिश्च पुरुषस्य मज्जानोऽत्र तत्समम् ॥ ३ ॥

(ष्टुँ) सप्त च वै शतानि विंशतिश्च । सम्वत्सरस्या होरात्राणि सप्त च शतानि विंशतिश्च पुरुषस्यास्थीनि च मज्जानश्चात्र तत्समम् ॥ ४ ॥

(न्दु) दश च वै सहस्राण्यष्टौ च शतानि । सम्वत्सरस्य मुहूर्ता यावन्तो मुहूर्तास्तावन्ति पञ्चदशकृत्वः क्षिप्राणि यावन्ति क्षिप्राणि तावन्ति पञ्चदशकृत्वऽ एतर्हीणि यावन्त्येतर्हीणि तावन्ति पञ्चदशकृत्व ऽइदानीनि यावन्तीदानीनि तावन्तः पञ्चदशकृत्वः प्राणा यावन्तः प्राणास्तावन्तोऽक्तना यावन्तोऽक्तनास्तावन्तो निमेषा यावन्तो निमेषास्तावन्तो लोमगर्ता यावन्तो लोमगर्तास्तावन्ति स्वेदायनानि यावन्ति स्वेदायनानि तावन्तऽ एते स्तोका वर्षन्ति ॥ ५ ॥

त्रीणि च वै शतानि षष्टिश्च संवत्सरस्य रात्रयः । त्रीणि च शतानि षष्टिश्च पुरुषस्यास्थीनि । अत्र तत्समम् । त्रीणि च वै शतानि षष्टिश्च संवत्सरस्याहानि । त्रीणि च शतानि षष्टिश्च पुरुषस्य मज्जानः । अत्र तत्समम् ॥ ३ ॥

सप्त च वै शतानि विंशतिश्च संवत्सरस्याहोरात्राणि । सप्त च शतानि विंशतिश्च पुरुषस्यास्थीनि च मज्जानश्च । अत्र तत्समम् ॥ ४ ॥

दश च वै सहस्राण्यष्टौ च शतानि संवत्सरस्य मुहूर्ताः । यावन्तो मुहूर्तास्तावन्ति पंचदशकृत्वः क्षिप्राणि । यावन्ति क्षिप्राणि तावन्ति पंचदशकृत्व एतर्हीणि । यावन्त्येतर्हीणि तावन्ति पंचदशकृत्व इदानीनि । यावन्तीदानीनि तावन्तः पंचदशकृत्वः प्राणाः । यावन्तः प्राणास्तावन्तोऽक्तनाः । यावन्तोऽक्तनास्तावन्तो निमेषाः । यावंतो निमेषास्तावंतो लोमगर्ताः । यावंतो लोमगर्तास्तावन्ति स्वेदायनानि । यावंति स्वेदायनानि तावंत एते स्तोका वर्षंति ॥ ५ ॥

मुहूर्तेन समं पुरुषस्य न किंचिदप्यस्ति । बहुतरास्तु लोमगर्ताः सन्ति स्वेदायनान्यपि हि । तैः साम्यं वक्तुं मुहूर्ताः पञ्चदशगुणाः क्षिप्राणि क्रियन्ते । तानि च षोडशायुतानि भवन्ति । द्वे सहस्रे तानि क्षिप्राणि पञ्चदशगुणानि एतर्हीणि भवन्ति । तानि च चतुर्विंशतिर्लक्षाणि भवन्ति । त्रीणि चायुतानि एतर्हीणि पञ्चदशगुणानि इदानीनि भवन्ति । तानि च चतुःषष्टिर्लक्षाणि तिस्रः कोटयः, पञ्चाशत्सहस्राणि । इदानीनि पञ्चदशगुणानि प्राणा भवन्ति । एते च चतुःपञ्चाशत्कोटयः, सप्तषष्टिलक्षाणि, पञ्चाशत्सहस्राणि । एते च प्राणा नोच्छ्वासनिश्वासा व्यस्ताः । वामे हि नैतावन्तः संवत्सरस्य भवन्ति । अष्टाशीतिसहस्राणि अष्टात्रिंशत् सर्वलक्षाणीति समस्तानां तान्येव द्विगुणानि व्यस्तानाम् । केवलं ह्येते प्राणाः सूक्ष्ममर्माभिघातव्यंग्याः । यावन्तः प्राणाः

(न्त्ये) एतुद्ध स्म वै तुद्विद्वानाह वुार्कलिः । सार्व्वभौमं मेघं व्वुर्षन्तं व्वेदाहुमस्यु व्वर्षस्य स्तोकानिति ॥ ६ ॥

तुदेष श्लोकोऽभ्युक्तः । श्रुमादुन्युत्र परिवुर्तमानस्तिुष्ठुन्नासीनो युदि वा स्वुपन्नुपि । अहोरात्राभ्याम्पुरुषः समेन कुतिकृत्वः प्राणिति चाप चानितीति ॥ ७ ॥

तुदेष इलोकः प्रुत्युक्तः । शुतुँ शुतानि पुरुषः समेनाष्टौ शता युन्मितं तुद्वदन्ति । अहोरात्राभ्यां पुरुषः समेन तुावत्कृत्वः प्राणिति चाप चानितीति ॥ ८ ॥

इति प्रथमप्रपाठके दशमं ब्राह्मणम् ॥ १२-१-१० ॥ (३. २.) ॥

एतद्ध स्म वै तद्विद्वानाह वार्कलिः । सार्वभौमं मेघं वर्षंतं वेदाहम् । अस्य वर्षस्य स्तोकानिति ॥ ६ ॥

तदेष श्लोकोऽभ्युक्तः–" श्रमादन्यत्र परिवर्तमानस्तिष्ठन्नासीनो यदि वा स्वपन्नपि । अहोरात्राभ्यां पुरुषः समेन कतिकृत्वः प्राणिति चाप चानिति " इति ॥ ७ ॥

तदेष श्लोकः प्रत्युक्तः–" शतं शतानि पुरुषः समेनाष्टौ शता यन्मितं तद्वदंति । अहोरात्राभ्यां पुरुषः समेन तावत्कृत्वः प्राणिति चाप चानिति " इति ॥ ८ ॥

मर्माभिघाताः । तावन्तः अक्तना अग्निवृत्तयः । तावन्त एव निमेषाः । एतेन संवत्सरस्थाः पुरुषस्था अपि प्राणादयस्तुः काललक्षणार्थमुपात्ता न आध्यात्मिका इति कृत्वा तावन्तो लोमगर्ता स्वेदायनानि चेत्येतत्त्वेन ध्यानम् । अत्र संवत्सरपुरुषावयवानां च साम्यम् । तावन्त एते स्तोकाः विंदवः वर्षंति । सार्वभौमस्य मेघस्य युगपदेकस्मिन् क्षणे । स हि मेघः वृत्रः । तस्यापि यावन्ति स्वेदायनानि तावन्त एते स्तोकाः पतन्तीत्यभिप्रायः । तथा चाह अपां बिलगपिहितं यदासीच्छन्नं (जघन्तं अन्नतदनारेति ?) ॥ १-९ ॥

' एतद्ध स्म ' एतदेव वर्षतो मेघस्य स्वेदायने परिमाणम् वर्कलस्यापत्यं वार्कलिः आह स्म–असावस्यां भूमौ विदितं मेघं वर्षंतमस्य च स्तोकानहं वेद, यावन्तः एकस्मिन् क्षणे पतंतीति । कियंतः पुनः ? मेघस्य तावंतः स्तोका भवंति समे भूमिप्रदेशे स्थितः समः पुरुषो यावत् भूमिमंडलं पश्यति । तत्परिमाणस्य श्रमनवाचा व्यवहारोपपत्तेः ॥ ६ ॥

तदेषः श्लोकः । तत्रैव प्रश्नावेतौ उच्छ्वासनिःश्वासलक्षणौ प्राणापानावधिकृत्य एष संख्याप्रश्नश्लोको वक्तव्यः–**श्रमादन्यत्रेति** । शांतो भूमिस्थमुच्छ्वसिति निःश्वसिति, उच्छ्वासनिःश्वासलक्षणौ प्राणापानावित्यभिप्रायः । ' परिवर्तमानः ' परिभ्रमन् । **समे**नेति । प्राणापानाभ्यां स्वस्थो मध्यमः पुरुष इत्यर्थः । अहोरात्राभ्यां समः । ताभ्यां न प्रत्येकं कतिकृत्वः प्राणिति च उच्छ्वसिति अपानिति च । कर्षति च शब्दात्समः । तं द्वयमपि पृच्छते । कतिकृत्वोऽहोरात्रेण वायुमाकृष्य विमुंचति पुरुष इत्यर्थः ॥ ७ ॥

तदेष श्लोकः–**शतं शतानीति** । दशसहस्राणीत्यर्थः । अष्टौ वै शता शतानि यस्मिंस्तत्स्वाभाविकं तदेव

देवा ह वै सहस्रसम्वत्सराय दिदीक्षिरे । तेषाम्पञ्च शतानि सम्वत्सराणां पर्य्युवेतान्यासुरथेदꣳ सर्व्वमेव शश्राम ये स्तोमा यानि पृष्ठानि यानि च्छन्दाꣳसि ॥ १ ॥

ततो देवाः । (ऽ) एतद्यज्ञस्यायातयामापश्यंस्तेनायातयाम्ना या व्वेदे व्व्यष्टिरासीत्तां व्व्याश्नुवतायातयामा वाऽ अस्य व्वेदाऽ अयातयाम्न्या हास्य त्रय्या व्विद्ययाऽऽर्त्विज्यं कृतं भवति य ऽएवमेतद्वेद ॥ २ ॥

तदेतद्यज्ञस्यायातयाम ।(मौ) ओश्रावयास्तु श्रौषड्यज येयजामहे व्वौषडिति तासाम्वाऽ एतासाम्पञ्चानाम्व्याहृतीनाꣳ सप्तदशाक्षराण्योश्रावयेति चतुरक्षरमस्तु श्रौषडिति चतुरक्षरं यजेति द्व्यक्षरं येयजामह ऽइति पञ्चाक्षरम् ॥ ३ ॥

(न्द्वय) द्व्यक्षरो व्वषट्कारः । सऽ एष सप्तदशः प्रजापतिरधिदेवतं चाध्यात्मञ्च प्रतिष्ठितः स यो हैवमेतꣳ सप्तदशं प्रजापतिमधिदेवतञ्चा-

---

प्रायश्चित्तसत्रम् ।

देवा ह वै सहस्रसंवत्सराय दिदीक्षिरे । तेषां पंच शतानि संवत्सराणां पर्यवेतान्यासुः । अथेदं सर्वमेव शश्राम । ये स्तोमा यानि पृष्ठानि यानि च्छंदांसि ॥ १ ॥

ततो देवा एतद्यज्ञस्यायातयामापश्यन् । तेनायातयाम्ना या वेदे व्यष्टिरासीत्–तां व्याश्नुवत । अयातयामा वा अस्य वेदाः । अयातयाम्न्या हास्य त्रय्या विद्यया आर्त्विज्यं कृतं भवति । य एवमेतद्वेद ॥ २ ॥

तदेतद्यज्ञस्यायातयाम । ओश्रावयास्तु श्रौषड्यज येयजामहे वौषडिति । तासां वा एतासां पंचानां व्याहृतीनां सप्तदशाक्षराणि । ओश्रावयेति चतुरक्षरम् । अस्तु श्रौषडिति चतुरक्षरम् । यजेति द्व्यक्षरम् । येयजामह इति पंचाक्षरम् ॥ ३ ॥

द्व्यक्षरो वषट्कारः । स एष सप्तदशः प्रजापतिः अधिदेवतं चाध्यात्मं च प्रतिष्ठितः । स यो हैवमेतं सप्तदशं प्रजापतिमधिदेवतं चाध्यात्मं च प्रतिष्ठितं वेद । प्रतितिष्ठति प्रजया पशुभिरस्मिन् लोके । अमृतत्वेनामुष्मिन् ॥ ४ ॥

वदन्ति । समेन समवर्तिना समेनेति समः । (पुरुषं मर्त्यालस्थविरोवातिमहात्वाकारिवदित्यर्थः । ?) एतच्च पुरुषस्य प्राणानां संवत्सरस्य च मुहूर्तानां साम्योपदेशतः द्रष्टव्यम् ॥ ८ ॥

इति श्रीमदाचार्यहरिस्वामिनः कृतौ माध्यन्दिनीयशतपथब्राह्मणभाष्ये द्वादशे कांडे तृतीयेऽध्याये द्वितीयं ब्राह्मणम् ॥ १२ । ३ । २ ॥

'देवा ह वै' । प्रसन्नमेतत् । अनेन ब्राह्मणेन प्रायश्चित्तसत्रं विधीयते । तत्र च दर्शनम् । सहस्रसंवत्सरस्य तत्प्रतिमा दीक्षोपसत्सुत्याभिश्च महस्रसंवत्सरस्य पूर्वार्द्धगव्योत्तमार्द्धा अवाप्यंते तैरेव च दीक्षादिभिरन्यवर्षसह्रदु-

ध्यात्मुञ्च प्रतिष्ठितम्वेद प्रतितिष्ठति प्रजया पशुभिरस्मिँल्लोकेऽमृतत्त्वे-
नामुष्मिन् ॥ ४ ॥

(ष्मिँस्ते) ते ह देवा ऊचुः । (रु) उप तं यज्ञक्रतुञ्जानीत यः सहस्र-
सम्वत्सरस्य प्रतिमा को हि तस्मै मनुष्यो यः सहस्रसम्वत्सरेण समा-
प्नुयादिति ॥ ५ ॥

ते व्विश्वजितमेव सर्व्वपृष्ठम् । (स्पृ) पृष्ठ्यस्य षडहस्याञ्जःसवमपश्यंस्ते
हि स्तोमा भवन्ति तानि पृष्ठानि तानि च्छन्दाᳬंसि ॥ ६ ॥

पृष्ठ्यमेव षडहम् । (न्द्वा) द्वादशाहस्याञ्जःसवमपश्यंस्ते हि स्तोमा
भवन्ति तानि पृष्ठानि तानि च्छन्दाᳬंसि ॥ ७ ॥

द्वादशाहमेव । सम्वत्सरस्याञ्जःसवमपश्यंस्ते हि स्तोमा भवन्ति तानि
पृष्ठानि तानि च्छन्दाᳬंसि ॥ ८ ॥

सम्वत्सरमेव । तापश्चितस्याञ्जःसवमपश्यंस्ते हि स्तोमा भवन्ति तानि
पृष्ठानि तानि च्छन्दाᳬंसि ॥ ९ ॥

तापश्चितमेव । सहस्रसम्वत्सरस्याञ्जःसवमपश्यंस्ते हि स्तोमा भवन्ति
तानि पृष्ठानि तानि च्छन्दाᳬंसि ॥ १० ॥

स वै सम्वत्सरन्दीक्षाभिरेति । सम्वत्सरमुपसद्भिः सम्वत्सरᳬं
सुत्याभिः ॥ ११ ॥

ते ह देवा ऊचुः । उप तं यज्ञक्रतुं जानीत । यः सहस्रसंवत्सरस्य प्रतिमा । को हि तस्मै मनुष्यो यः सहस्रसंवत्सरेण समाप्नुयादिति ॥ ५ ॥

ते विश्वजितमेव सर्वपृष्ठं पृष्ठ्यस्य षडहस्यांजःसवमपश्यन् । ते हि स्तोमा भवन्ति । तानि पृष्ठानि । तानि च्छन्दांसि ॥ ६ ॥

पृष्ठ्यमेव षडहं द्वादशाहस्यांजःसवमपश्यन् । ते हि स्तोमा भवन्ति । तानि पृष्ठानि । तानि च्छन्दांसि ॥ ७ ॥

द्वादशाहमेव संवत्सरस्यांजःसवमपश्यन् । ते हि स्तोमा भवंति । तानि पृष्ठानि । तानि च्छंदांसि॥८॥

संवत्सरमेव तापश्चितस्यांजःसवमपश्यन् । ते हि स्तोमा भवन्ति । तानि पृष्ठानि । तानि च्छंदांसि॥९॥

तापश्चितमेव सहस्रसंवत्सरस्यांजःसवमपश्यन् । ते हि स्तोमा भवन्ति । तानि पृष्ठानि । तानि च्छंदांसि ॥ १० ॥

स वै संवत्सरं दीक्षाभिरेति । संवत्सरमुपसद्भिः । संवत्सरं सुत्याभिः ॥ ११ ॥

क्व्या-आप्यंत इति प्रासंगिकेतिहासमुपजीव्य सप्तदशस्य प्रजापतेर्देवा द्रष्टार अयातयामत्वं तदुपासनफलम् ।

स यत्सम्वत्सरन्दीक्षाभिरेति । पूर्व्वार्द्धमेव तेन सहस्रसम्वत्सरस्यावरुन्द्धेऽथ यत्सम्वत्सरमुपसद्भिर्मध्यमेव तेन सहस्रसम्वत्सरस्यावरुन्द्धेऽथ यत्सम्वत्सरꣳ सुत्याभिरुत्तमार्द्धमेव तेन सहस्रसम्वत्सरस्यावरुन्द्धे ॥१२॥

स वै द्वादश मासान्दीक्षाभिरेति । द्वादशोपसद्भिर्द्वादश सुत्याभिस्तत्षट्त्रिꣳशत्षट्त्रिꣳशदक्षरा वै बृहती बृहत्या वै देवाः स्वर्गं लोकेऽयतन्त बृहत्या स्वर्गं लोकमाप्नुवंस्तथोऽ एवैषऽ एतद्बृहत्यैव स्वर्गे लोके यतते बृहत्या स्वर्गं लोकमाप्नोत्यथ यो बृहत्यां कामस्तमेवैतेनैवम्विदवरुन्द्धे ॥१३॥

तद्वाऽ एतत् । (त्र) त्रयꣳ सह क्रियतेऽग्निरर्क्कं महदुक्थ्यꣳ स यत्सम्वत्सरन्दीक्षाभिरेति सम्वत्सरमुपसद्भिस्तेनास्याग्न्यर्क्कावाप्तौ भवतोऽथ यत्सम्वत्सरꣳ सुत्याभिरेति तेनोऽएवास्य महदुक्थ्यमाप्तं भवति स वाऽ एषऽएव सहस्रसम्वत्सरस्य प्रतिमा यत्तापश्चितऽएष प्रजानाम्प्रजात्यै यत्तापश्चितः ॥ १४ ॥

इति प्रथमप्रपाठके एकादशं ब्राह्मणम् ॥ १२-१-११ ॥ (३. ३.) ॥

इति प्रथमप्रपाठकः समाप्तः ॥१२।१॥ कण्डिकासंख्या ॥ १३२ ॥

स यत्संवत्सरं दीक्षाभिरेति । पूर्वार्द्धमेव तेन सहस्रसंवत्सरस्यावरुन्द्धे । अथ यत्संवत्सरमुपसद्भिः मध्यमेव तेन सहस्रसंवत्सरस्यावरुन्धे । अथ यत्संवत्सरं सुत्याभिः। उत्तरार्द्धमेव तेन सहस्रसंवत्सरस्यावरुन्धे ॥ १२ ॥

स वै द्वादश मासान्दीक्षाभिरेति द्वादशोपसद्भिः । द्वादश सुत्याभिः। तत्षट्त्रिंशत् । षट्त्रिंशदक्षरा वै बृहती । बृहत्या वै देवाः स्वर्गे लोकेऽयतंत। बृहत्या स्वर्ग लोकमाप्नुवन् । तथो एवैष एतद्बृहत्यैव स्वर्गे लोके यतते । बृहत्या स्वर्गं लोकमाप्नोति। अथ यो बृहत्यां कामः । तमेवैतेनैवंविदवरुन्धे ॥ १३ ॥

तद्वा एतत्त्रयं सह क्रियते। अग्निरर्क्यं महदुक्थ्यम् । स यत्संवत्सरं दीक्षाभिरेति; संवत्सरमुपसद्भिः। तेनास्याग्न्यर्कावाप्तौ भवतः। अथ यत्संवत्सरं सुत्याभिरेति, तेनो एवास्य महदुक्थ्यमाप्तं भवन्ति । स वा एष एव सहस्रसंवत्सरस्य प्रतिमा, यत्तापश्चितः । एष प्रजानां प्रजात्यै । यत्तापश्चितः ॥ १४ ॥

अधिदैवाध्यात्मप्रतिष्ठा उपासनफलवदेतत् पृष्टमेव द्वादशाहस्य अंजः स्वल्पः सदृशः सवो यस्य सः अंजःसवः । 'ते हि स्तोमाः' इति सादृश्योपपादनम् ॥ १-१० ॥

'स वै' । द्वादश मासानिति बृहतीतत्फलोपासनावत्त्ववचनम् । 'तद्वा एतत्त्रयम्' इति अग्न्यर्क्यमहदुक्थ्योपासनवचनम् ॥ ११-१४ ॥

इति श्रीमदाचार्यहरिस्वामिनः कृतौ माध्यंदिनीयशतपथब्राह्मणभाष्ये द्वादशे कांडे

तृतीयेऽध्याये तृतीयं ब्राह्मणम् ॥ १२ । ३ । ३ ॥

अथ द्वितीयप्रपाठके प्रथमं ब्राह्मणम् ।
तृतीयेऽध्याये च चतुर्थं ब्राह्मणम् ।

पुरुषꣳ ह नारायणम्प्रजापतिरुवाच । यजस्वयजस्वेति स होवाच यजस्वयजस्वेति वाव त्वम्मामात्थ त्रिरयक्षि वसवः प्रातःसवनेनागू रुद्रा माध्यन्दिनेन सवनेनादित्यास्तृतीयसवनेनाथ मम यज्ञवास्त्वेव यज्ञवास्तावेवाहमास ऽ इति ॥ १ ॥

स होवाच । यजस्वैवाहम्वै ते तद्वक्ष्यामि यथा तऽउक्थ्यानि मणिरिव सूत्र ऽ ओतानि भविष्यन्ति सूत्रमिव वा मणाविति ॥ २ ॥

तस्मा ऽ उ हैतदुवाच । प्रातःसवने बहिष्पवमान ऽ उद्गातारमन्वारभासै श्येनोऽसि गायत्रच्छन्दा ऽ अनु त्वाऽऽरभे स्वस्ति मा सम्पारयेति ॥ ३ ॥

(त्यु) अथ माध्यन्दिने पवमाने । (नऽ) उद्गातारमन्वारभासै सुपर्णोऽसि त्रिष्टुप्छन्दाऽअनु त्वाऽऽरभे स्वस्ति मा सम्पारयेति ॥ ४ ॥

(त्यु) अथ तृतीयसवन ऽ आर्भवे पवमाने । (नऽ) उद्गातारमन्वारभासा ऽ ऋभुरसि जगच्छन्दा ऽ अनु त्वाऽऽरभे स्वस्ति मा सम्पारयेति ॥५॥

पुरुषं ह नारायणं प्रजापतिरुवाच यजस्वयजस्वेति । स होवाच । यजस्वयजस्वेति वाव त्वं मामात्थ । त्रिरयक्षि । वसवः प्रातःसवनेनागुः । रुद्रा माध्यंदिनेन सवनेन । आदित्यास्तृतीयसवनेन । अथ मम यज्ञवास्त्वेव । यज्ञवास्तावेवाहमास इति ॥ १ ॥

स होवाच । यजस्वैव । अहं वै ते तद्वक्ष्यामि । यथा त उक्थ्यानि मणिरिव सूत्र ओतानि भविष्यन्ति । सूत्रमिव वा मणाविति ॥ २ ॥

तस्मा उ हैतदुवाच । प्रातःसवने बहिष्पवमान उद्गातारमन्वारभासै । "श्येनोऽसि गायत्रच्छन्दा अनु त्वाऽऽरभे स्वस्ति मा संपारय"–इति ॥ ३ ॥

अथ माध्यन्दिने पवमाने उद्गातारमन्वारभासै । "सुपर्णोऽसि त्रिष्टुप्छन्दा अनु त्वाऽऽरभे स्वस्ति मा संपारय"–इति ॥ ४ ॥

अथ तृतीयसवन आर्भवे पवमाने उद्गातारमन्वारभासै । "ऋभुरसि जगच्छन्दा अनु त्वाऽऽरभे स्वस्ति मा संपारय"–इति ॥ ५ ॥

'पुरुषं' ह अनेनापि ब्राह्मणेन संवत्सरसत्रे पवमानत्रये उद्गातुरन्वारम्भविधेयतावचनम् । संस्थासु च जपाः ।

१–पवमानेषूद्गातारमन्वारभेरन् श्येनोऽसि गायत्रच्छन्दा अनु त्वाऽऽरभे स्वस्ति मा संपारय सुपर्णोऽसि त्रिष्टुप्छन्दा ऋभुरसि जगच्छन्दा इतीतरयोः सवनयोः । का. श्रौ. सू. १२ । २ । ११ ।

(त्यु) अथ सुᳪंस्थितेषु सᳪंस्थितेषु सुवनेषु जपेः । (मं) मुयि भुर्ग्गो मुयि महो मुयि युशो मुयि सुर्व्वमिति ॥ ६ ॥

(त्य) अयम्वै लोको भुर्ग्गः । (ग्गोंऽन्त) अन्तरिक्षलोको मुहो द्यौर्य्युशो येऽन्ये लोकास्तत्सुर्व्वम् ॥ ७ ॥

(म) अग्निर्व्वै भुर्ग्गः । (ग्गों) व्वायुर्म्मुहऽ आदित्यो युशो येऽन्ये देवास्तत्सुर्व्वम् ॥ ८ ॥

(मृ) ऋग्वेदो वै भुर्ग्गः । (गों) यजुर्व्वेदो मुहः सामवेदो युशो येऽन्ये व्वेदास्तत्सुर्व्वम् ॥ ९ ॥

व्वाग्वै भुर्ग्गः । प्राणो मुहश्चक्षुर्य्युशो येऽन्ये प्राणास्तत्सुर्व्वम् ॥ १० ॥

तुद्विद्यात् । (त्सु) सुर्व्वांल्लोकानात्मुन्नधिषि सुर्व्वेषु लोकेुष्वात्मान मधाᳪं सुर्व्वान्देवानात्मुन्नधिषि सुर्व्वेषु देवेुष्वात्मानमधाᳪं सुर्व्वान्व्वेदानात्मुन्नधिषि सुर्व्वेषु व्वेदेष्वात्मानमधाᳪं सुर्व्वान्प्राणानात्मुन्नधिषि सुर्व्वेषु प्राणेुष्वात्मानमधामित्युक्षिता वै लोकाऽ अुक्षिता देवाऽ अुक्षिता व्वेदाऽ अुक्षिताः प्राणाऽअुक्षितᳪं सुर्व्वमक्षिताद्ध वाऽअक्षितमुपसङ्क्रामत्युप पुनर्म्मृत्युञ्जयति सुर्व्वमायुरेति युऽएवुमेतद्वेद ॥ ११ ॥

इति द्वितीयप्रपाठके प्रथमं ब्राह्मणम् ॥ १२।२।१ ॥(३-४) ॥

अथ संस्थितेषु संस्थितेषु सवनेषु जपेः । "मयि भर्गो मयि महो मयि यशो मयि सर्वम्"–इति ॥ ६ ॥

अयं वै लोको भर्गः । अंतरिक्षलोको महः । द्यौर्यशः । येऽन्ये लोकास्तत्सर्वम् ॥ ७ ॥

अग्निर्वै भर्गः । वायुर्महः । आदित्यो यशः । येऽन्ये देवास्तत्सर्वम् ॥ ८ ॥

ऋग्वेदो वै भर्गः । यजुर्वेदो महः । सामवेदो यशः । येऽन्ये वेदास्तत्सर्वम् ॥ ९ ॥

वाग्वै भर्गः । प्राणो महः । चक्षुर्यशः । येऽन्ये प्राणास्तत्सर्वम् ॥ १० ॥

तद्विद्यात् सर्वान् लोकानात्मन्नधिषि । सर्वेषु लोकेषु आत्मानमधाम् । सर्वान् वेदान् आत्मन्नधिषि सर्वेषु वेदेष्वात्मानमधाम् । सर्वान् प्राणानात्मन्नाधिषि । सर्वेषु प्राणेष्वात्मानमधामिति । अक्षिता

तत्र च प्रजापतिरुवाचेति । 'अधिषि' अयक्षि । "डुधाञ् धारणपोषणयोः"–(धा. पा. जु. उ. १०)

१–सवनांतेषु जपन्ति मयि भर्गो मयि महो मयि यशो मयि सर्वमिति । सर्वत्रैके यजतिशब्दात् । न प्रकरणात् । का. श्रौ. सू. १२ । ३ । १३-१४ ।

सावित्रꣳ ह स्मैतम्पूर्वे पशुमालभन्ते । (न्तेऽथै) अथैतर्हि प्राजापत्यं यो ह्येव सविता स प्रजापतिरिति व्वदन्तस्तस्मात्सन्न्युप्याग्नींस्तेन यजेरन्गृहपतेरेवाग्निषु ययेदञ्जाघन्या पत्नीः संयाजयन्ति तस्यान्नोऽप्यसदिति ते ततो यदानिकामन्दीक्षन्ते ॥ १ ॥

वै लोकाः । अक्षिता देवाः । अक्षिता वेदाः । अक्षिताः प्राणाः । अक्षितं सर्वम् । अक्षिताद्ध वा अक्षितमुपसंक्रामति । अप पुनर्मृत्युं जयति । सर्वमायुरेति । य एवमेतद्वेद ॥ ११ ॥

सावित्रं ह स्मैतं पूर्वे पशुमालभन्ते । अथैतर्हि प्राजापत्यम् । यो ह्येव सविता स प्रजापतिरिति वदन्तः । तस्मात् संन्युप्याग्नीन् तेन यजेरन् । गृहपतेरेवाग्निषु । ययेदं जाघन्या पत्नीः संयाजयन्ति । तस्यां नोऽप्यसदिति । ते ततो यदानिकामं दीक्षन्ते ॥ १ ॥

इत्यस्य धातोरनद्यतने भूते काले लुट् । हितवान् स्थापितवान् । सर्वमित्यर्थः । अक्षिताः अक्षीणाः ॥ १–११ ॥

इति श्रीमदाचार्यहरिस्वामिनः कृतौ माध्यन्दिनशतपथब्राह्मणभाष्ये द्वादशकांडे तृतीयेऽध्याये चतुर्थं ब्राह्मणम् ॥ १२ । ३ । ४ ॥

'सावित्रं ह' अत्र ब्राह्मणे श्रीकामानां सत्रिणाम् एककल्पो गवामयनोऽभिगम्यते । यज्ञक्रतूनां च संवत्सरस्य पक्षयोः समता । एतमिष्टकापशुं गवामयने सावित्रं पूर्वे सत्रिण आलभन्ते स्म, इति पुराकल्पः । अथ अधुना वर्तमाने युगे प्राजापत्यमेवालभन्ते । संवत्सरसत्रेऽपि न केवलम्, इतरत्र साग्निचित्ये क्रतावित्यभिप्रायः । तस्मात् संन्युप्येति वक्ष्यमाणहेतुत्वेन परामर्शेन पूर्वोक्तस्य हेतुत्वानुपपत्तेः । यदि हि पूर्वैः सावित्र आलब्धः अधुना च प्राजापत्य आलभ्यते । ततः किमिति अग्नयः सन्ति । उपपत्तेः कस्तर्ह्यत्र हेतुः । वक्ष्यमाणं "ययेदं जाघन्या" इदं प्रसिद्धम् । पत्नीः संयाजयन्ति पत्नीसंयाजान् कुर्वंति । तस्यामपि जाघन्यां नः अस्माकं भागः स्यादित्येवम् । यस्मात् सत्रिणो गृहपतिव्यतिरिक्ताः अकामयन्त तस्मात् संवत्सरसदः नीचैः स्थापयित्वा अग्नीन् सर्वेषां सत्रिणां 'संन्युप्याग्नीन्' गृहपतेरेवाग्निषु जातं गृहपतेर्गार्हपत्ये प्रास्येत्यर्थः । गार्हपत्यसन्निवापेनैव सर्वेष्वग्निषु संन्युप्ता भवन्तीत्यभिप्रायः । गृहपतेरेवारण्योः सन्निवापोक्तिः । तथापि हि गृहपतेरेवाग्निषु संन्युप्ता एव भवन्ति । नानागार्हपत्यपक्षनिवृत्तिमात्रमेव ह्यत्र विवक्षितं वाक्यशेषात् । तेनेष्टकाश्रयणीया यजेरन् कस्मादेवं न संबध्यते । गृहपतेरेवाग्निषु यजेरन्निति नैवं संबध्यते सन्निवापवचनात् । संन्युप्ताः साधारणाश्च एतेऽग्नयो भवन्ति । कथं गृहपतेरेवेत्युच्यते । 'ययेदं जाघन्येति' कः अभिप्रायः । यदि किल अग्नयः संन्युप्येरन् । ततः पृथग्गार्हपत्या भवेयुः । तदा च गृहपतेरेव गार्हपत्ये जाघन्या पत्नीः संयाजयन्त्याज्यं नेतरे प्रतियजंत आसत इत्येष कल्पः स्यात् । तथा च सति जाघन्या सत्रिणोऽन्तरिताः स्युरिति । ते सत्रिणस्ततः इष्टकापशोः परतो यदानिकामम् । निशब्दः संशब्दस्यार्थे यथा संगतः । एकार्थत्वात्सर्वेषां (कतेमामवंतत्यदा वयं दीक्षाम इति ?) यदा दीक्षन्ते तदा निकामस्तदेत्येतस्मिन्नर्थे यदानिकाममित्यव्ययीभावसमासः ॥ १ ॥

तदु वा ऽ आहुः । (न्नौ) नानाधिष्ण्या ऽ एव स्युर्य्यदि दीक्षितस्योपतपेत्पार्श्वतोऽग्निहोत्रञ्जुह्वद्वसेत्स यद्यगदो भवति सᳪंसृज्यैनम्पुनरुपह्वयन्ते यद्यु म्रियते स्वैरेव तमग्निभिर्दहन्त्यशवाग्निभिरितरे यजमाना ऽ आसत ऽ इति तदुहैवाहिताग्नेः कर्म्म समानधिष्ण्यास्त्वेव भवन्ति तस्य तदेव ब्राह्मणं यत्पुरश्चरणे ॥ २ ॥

तदाहुः । (र्य्यु) यत्सम्वत्सराय सम्वत्सरसदो दीक्षन्ते कथमेषामग्निहोत्रमनन्तरितं भवतीति व्रतेनेति ब्रूयात् ॥ ३ ॥

(त्तु) तदाहुः । (र्य्यु) यत्सम्वत्सराय सम्वत्सरसदो दीक्षन्ते कथमेषाम्पौर्णमासᳪं हविरनन्तरितम्भवतीत्याज्येन च पुरोडाशेन चेति ब्रूयात् ॥ ४ ॥

तदु वा आहुः । नानाधिष्ण्या एव स्युः । यदि दीक्षितस्योपतपेत् । पार्श्वतः अग्निहोत्रं जुह्वत् वसेत् । स यद्यगदो भवति । संसृज्यैनं पुनरुपह्वयन्ते । यद्यु म्रियते । स्वैरेव तमग्निभिर्दहन्ति । अशवाग्निभिरितरे यजमाना आसत इति । तदहैवाहिताग्नेः कर्म । समानधिष्ण्यास्ते भवन्ति । तस्य तदेव ब्राह्मणं यत् पुरश्चरणे ॥ २ ॥

तदाहुः—यत् संवत्सराय संवत्सरसदो दीक्षन्ते । कथमेषामग्निहोत्रमनन्तरितं भवतीति । व्रतेनेति ब्रूयात् ॥ ३ ॥

तदाहुः—यत्संवत्सराय संवत्सरसदो दीक्षन्ते । कथमेषां पौर्णमासं हविरनन्तरितं भवतीति । आज्येन च पुरोडाशेन चेति ब्रूयात् ॥ ४ ॥

' तदु वा आहुः ' । ' नानाधिष्ण्या एव स्युः ' इति कल्पांतरोपन्यासः । तेषां समान आहवनीयो भवति । नानागार्हपत्याः इत्येष कल्पः स्यादित्यर्थः । यदि दीक्षितस्योपतपेदिति । (दीक्षितास्तौ नांसं कंदारमेव परिवृत्तं भविष्यतीत्युपपत्तिवचनं ।) यदि दीक्षितस्य किंचिदंगं व्याधिना उपतपेत् । ततः स तत एव प्रत्यात्मिकात् गार्हपत्यादाहवनीयमुद्धृत्य पार्श्वे आहवनीये अग्निहोत्रं जुह्वत् वसेत् । यदि अगदः आरोग्यं भवति । ततः संसृज्याग्निं गार्हपत्यं स्वस्थानमानीयेत्यर्थः । एनमातुरं पुनरुपह्वयंते यागेन याजयंते । यदि तु स म्रियते । ततः संसृष्टैरग्निभिः तत्पुत्रादयो दहंति । इतरे तु सत्रिणः अशवाग्निभिः शुद्धैरेव यजमानाः संतु । आसत इति संकटपरिहारः । तदहैवाहिताग्नेः कर्म । तदेतत् यथोक्तं आहिताग्नेरेव । (सत्रस्य विना सत्राकर्म उक्तम् ?) न सत्रिणः । अस्य हि गार्हपत्ये भिन्नेऽपि आहवनीयादिसर्वं संसृष्टमेवास्ते । तत्र कुत इतरे अशवाग्निभिर्यजमाना आसीरन् । समानधिष्ण्याः साधारणगार्हपत्या एव ते सर्वे सत्रिणो भवंति । यथोक्तेन सन्निवापेन तस्य तु समानधिष्ण्यत्वम् । तस्य तदेव ब्राह्मणं यत्पुरश्चरणे । सत्रान्ते अग्निब्राह्मणे । तदपेक्षया सत्रान्तः पुरश्चरणमुच्यते ॥ २ ॥

'तदाहुर्यत्' प्रसन्नप्रायमतः परम् । यत् यदा संवत्सराय सत्रात्मकाय संवत्सरं सीदन्ति यांति इति संवत्सरसदः

(त्तु) तुदाहुः । (ठ्युँ) युत्सम्वत्सराय सम्वत्सरसदो दीक्षन्ते कथ-मेषाम्पितृयज्ञोऽनन्तरितो भवतीत्यौपासनैरिति ब्रूयात् ॥ ५ ॥

(त्तु) तुदाहुः । (ठ्युँ) युत्सम्वत्सराय सम्वत्सरसदो दीक्षन्ते कथ-मेषामामावास्यꣳ हविरनन्तरितम्भवतीति दध्ना च पुरोडाशेन चेति ब्रूयात् ॥ ६ ॥

(त्तु) तुदाहुः । (ठ्युँ) युत्सम्वत्सराय सम्वत्सरसदो दीक्षन्ते कथमेषा-माग्रयणेष्टिरनन्तरिता भवतीति सौम्येन चरुणेति ब्रूयात् ॥ ७ ॥

(त्तु) तुदाहुः । (ठ्युँ) युत्सम्वत्सराय सम्वत्सरसदो दीक्षन्ते कथ-मेषाञ्चातुर्म्मास्यान्यनन्तरितानि भवन्तीति पयस्ययेति ब्रूयात् ॥ ८ ॥

(त्तु) तुदाहुः । (ठ्युँ) युत्सम्वत्सराय सम्वत्सरसदो दीक्षन्ते कथ-मेषाम्पशुबन्धोऽनन्तरितो भवतीति पशुना च पुरोडाशेन चेति ब्रूयात् ॥ ९ ॥

तदाहुः—यत्संवत्सराय संवत्सरसदो दीक्षन्ते । कथमेषां पितृयज्ञोऽनन्तरितो भवतीति । औपासनैरिति ब्रूयात् ॥ ५ ॥

तदाहुः—यत्संवत्सराय संवत्सरसदो दीक्षन्ते । कथमेषामामावास्यं हविरनन्तरितं भवतीति । दध्ना च पुरोडाशेन चेति ब्रूयात् ॥ ६ ॥

तदाहुः—यत्संवत्सराय संवत्सरसदो दीक्षन्ते । कथमेषामाग्रयणेष्टिरनन्तरिता भवतीति । सौम्येन चरुणेति ब्रूयात् ॥ ७ ॥

तदाहुः—यत्संवत्सराय संवत्सरसदो दीक्षन्ते । कथमेषां चातुर्मास्यान्यनन्तरितानि भवन्तीति । पयस्ययेति ब्रूयात् ॥ ८ ॥

तदाहुः—यत्संवत्सराय संवत्सरसदो दीक्षन्ते । कथमेषां पशुबन्धोऽनन्तरितो भवतीति । पशुना च पुरोडाशेन चेति ब्रूयात् ॥ ९ ॥

संवत्सरसत्रिणः दीक्षंते तदा कथमेषां सत्रिणां अग्निहोत्रं नित्यं सत् अनंतरितं सत्रेऽन्तर्गतमास्ते भवतीति प्रश्नः । कोऽभिप्रायः ? " दीक्षितो न ददाति न यजते न जुहोति नानृतं वदति " इति सर्वाण्येव नित्यानि कर्माणि दीक्षितस्य पर्युदस्तानि । ततश्च सत्रिणो बहुतराश्च यागा हीयेरन् इति । व्रतेनेति ब्रुवति । दीक्षितव्रतेनाग्निहोत्र-मनंतरितं भवति । तत्र ह्युक्तम् । " एष ह्यस्यात्र यज्ञो भवत्येतद्धविर्यथा पुराऽग्निहोत्रम् " इति ॥ ३ ॥ ४ ॥

औपासनैः पुरोडाशमात्रा अनुदकाः पिंडपितृयज्ञवत् यथास्वं चमसेषु उप अस्यंते इत्युपासनानि, तेषु भवानि कर्माणि औपासनानि । तैः पितृयज्ञोऽनंतरितो भवति ॥ ५ ॥ ६ ॥

सौम्येन चरुणा तार्तीयसवनिकेन ॥ ७ ॥

पयस्यया प्रातःसवनीयाऽनूबंध्यास्थाने या पयस्या सा अनित्यत्वादत्र गृह्यते । भवत्येता अस्य उपासकस्य स्वाग्नेः विकल्पके ॥ ८–१० ॥

(त्तु) तुदाहुः । (र्स्यु) युत्सम्वत्सराय सम्वत्सरसुदो दुीक्षन्ते कथु- मेषाᳪ सोमोऽनन्तरितो भवतुीति सुवनैरिति ब्रूयात् ॥ १० ॥

(त्ते) ते वुाऽ एवुमेतु यज्ञक्रतुवः । सम्वत्सरमुपियन्ति स यो हैवुमेतां यज्ञक्रतूनाᳪ सम्वत्सरेऽपीतिम्वेदाप्यस्य स्वर्गे लोके भवति ॥ ११ ॥

सम्वत्सरस्य समुता व्वेदितव्व्या । (व्यैकं) एकम्पुरस्ताद्विषुवतो- ऽतिरात्रमुपयन्त्येकमुपरिष्टात्त्रयःपञ्चाशतम्पुरस्ताद्विषुवतोऽग्निष्टोमानुप- यन्ति त्रयःपञ्चाशतमुपरिष्टाद्विᳪशतिशतम्पुरस्ताद्विषुवतऽ उुक्थ्यान्यु- हान्युपयन्ति व्विᳪशतिशतमुपरिष्टादिति नु यऽ उुक्थ्यान्त्स्वरसाम्नऽ उपयन्ति ॥ १२ ॥

(न्त्यु) अथु येऽग्निष्टोमान् । (न्ष) षुट्पञ्चाशतम्पुरस्ताद्विषुवतोऽग्निष्टोमानु- पयन्ति षुट्पञ्चाशतमुपरिष्टात्सप्तदशᳪ शतम्पुरस्ताद्विषुवतऽ उुक्थ्यान्यु- हान्युपयन्ति सप्तदशमुपरिष्टात्षट्पुरस्ताद्विषुवतः षोडशिनऽ उपयन्ति षडुपरिष्टात्त्रिᳪशतम्पुरस्ताद्विषुवतः षडहान्युपयन्ति त्रिᳪशतमुपरिष्टा-

---

तदाहुः—यत् संवत्सराय संवत्सरसदो दीक्षंते । कथमेषां गोमोऽनन्तरितो भवतीति । सवनैरिति ब्रूयात् ॥ १० ॥

ते वा एवमेते यज्ञक्रतवः संवत्सरमपियन्ति । स यो हैवमेतां यज्ञक्रतूनामपीतिं वेद । अप्यस्य स्वर्गे लोके भवति ॥ ११ ॥

संवत्सरस्य समता वेदितव्या । एकं पुरस्तात् विषुवतोऽतिरात्रमुपयन्ति । एकमुपरिष्टात् । त्रयःपञ्चाशतं पुरस्ताद्विषुवतोऽग्निष्टोमानुपयन्ति । त्रयःपंचाशतमुपरिष्टात् । विंशतिशतं पुरस्तात् विषुवत उक्थ्यान्यहान्युपयन्ति । विंशतिशतमुपरिष्टात् । इति नु य उक्थ्यान् स्वरसाम्न उपयन्ति ॥ १२ ॥

अथ येऽग्निष्टोमान् षट्पंचाशतं पुरस्तात् विषुवतोऽग्निष्टोमानुपयंति । षट्पंचाशतमुपरिष्टात् ।

अपीतिमिति । संवत्सरसापेक्षयोः संबंधतुल्यत्वं वेदितव्यम् ॥ ११ ॥

उपयन्ति इति विधिः समेन वा अस्योपासकस्यात्रायनेन कर्मानुष्ठानेन इतम् ईप्सितं नूनं भवति । य एवमेतद्वेद उपास्ते इति वचनात् ॥ १२ ॥ १३ ॥

देषा हास्य समता समेन ह वाऽ अस्या व्यृद्धेनान्यूनेनानतिरिक्तेनायनेने-तम्भवति यऽ एवमेतद्वेद ॥ १३ ॥

इति द्वितीयप्रपाठके द्वितीयं ब्राह्मणम् ॥ १२।२।२ ॥ (३-५)

तृतीयोऽध्यायः समाप्तः ॥ १२।३ ॥ कण्डिकासंख्या ॥ ५५ ॥

सप्तदशं शतं पुरस्तात् विषुवत उक्थ्यान्यहान्युपयंति । सप्तदशमुपरिष्टात् । षट् पुरस्ताद्विषुवतः षोड-शिन उपयंति । षडुपरिष्टात् । त्रिंशतं पुरस्ताद्विषुवतः षडहान्युपयंति । त्रिंशतमुपरिष्टात् । एषा हास्य समता । समेन ह वा अस्या व्यृद्धेनान्यूनेनानतिरिक्तेनायनेनेतं भवति । य एवमेतद्वेद ॥ १३ ॥

इति श्रीमदाचार्यहरिस्वामिनः कृतौ माध्यन्दिनीयशतपथब्राह्मणभाष्ये द्वादशकांडे
तृतीयेऽध्याये पञ्चमं ब्राह्मणम् ॥ १२ । ३ । ५ ॥

नागस्वामिसुतोऽवन्त्यां पाराशर्यो वसन्हरिः ।
श्रुत्यर्थं दर्शयामास शक्तितः पौष्करीयकः ॥ १ ॥
श्रीमतोऽवन्तिनाथस्य विक्रमार्कस्य भूपतेः ।
धर्माध्यक्षो हरिस्वामी व्याख्यत्स्वातपथीं श्रुतिम् ॥ २ ॥
भूमत्रा विक्रमार्केण कल्पतां कनकवेदिकाम् ।
दानायाध्यक्ष कृतवान् श्रुत्यर्थविवृतिं हरिः ॥ ३ ॥

इति श्रीसर्वविद्यानिधानकवीन्द्राचार्यसरस्वतीना श्रीहरिस्वामिना कृतौ माध्यन्दिनीयश-
तपथब्राह्मणभाष्ये द्वादशकाण्डे तृतीयोऽध्यायः समाप्तः ॥ १२ । ३ ॥

अथ चतुर्थेऽध्याये प्रथमं ब्राह्मणम् ।

द्वितीयप्रपाठके च तृतीयं ब्राह्मणम् ।

दीर्घसत्त्रᳩ ह वाऽ एतऽ उपयन्ति । येऽग्निहोत्रञ्जुह्वत्येतद्वै जरामर्य्यᳩ सत्रं यदग्निहोत्रञ्जरया वा ह्येवास्मान्मुच्यन्ते मृत्युना वा ॥ १ ॥

तदाहुः । (ऊर्ध्व) यदेतस्य दीर्घसत्त्रिणोऽग्निहोत्रञ्जुह्वतोऽन्तरेणाग्नी युक्तम्वा विवायात्सम्वा चरेयुः किन्तत्र कर्म्म का प्रायश्चित्तिरिति कुर्व्वीत हैव निष्कृतिमपीष्ट्या यजेत तदु तन्नाद्रियेतेमान्वाऽ एष लोकाननु वितनुते योऽग्नीऽ आधत्ते ॥ २ ॥

तस्यायमेव लोको गार्हपत्यः । (त्र्योऽन्त) अन्तरिक्षलोकोऽन्वाहार्य्यपचनोऽसौ लोकऽ आहवनीयः कामन्वाऽ एषु लोकेषु वयाᳩसि युक्तञ्चायुक्तञ्च सञ्चरन्ति स यदि हास्याप्यन्तरेण ग्रामोऽग्नीन्वियायान्नैव मे काचनाऽऽर्त्तिरस्ति न रिष्टिरिति हैव विद्यात ॥ ३ ॥

(त्र्यो) त्रयो ह त्वाव पशवोऽमेध्याः । (०) दुर्व्वराहऽ एडकः श्वा तेषां यद्यधिश्रितेऽग्निहोत्रेऽन्तरेण कश्चित्सञ्चरेत्किन्तत्र कर्म्म का प्रायश्चित्तिरिति तद्धैके गार्हपत्याद्भस्मापहृत्याहवनीयान्निवपन्तो यन्तीदम्विष्णुर्व्विचक्रमऽइत्येतयर्चा यज्ञो वै विष्णुस्तद्यज्ञेनैव यज्ञमनुसन्तन्मो भस्म-

---

दीर्घसत्रं वा एत उपयंति । येऽग्निहोत्रं जुह्वति । एतद्वै जरामर्यं सत्रम् । यदग्निहोत्रम् । जरया वा ह्येवास्मान्मुच्यंते मृत्युना वा ॥ १ ॥

तदाहुः—यदेतस्य दीर्घसत्रिणोऽग्निहोत्रं जुह्वतोऽन्तरेणाग्नी । युक्तं वा विवायात् । सं वा चरेयुः । किं तत्र कर्म । का प्रायश्चित्तिरिति । कुर्वीत हैव निष्कृतिम् । अपीष्ट्या यजेत । तदु तन्नाद्रियेत । इमान्वा एष लोकाननु वितनुते । योऽग्नी आधत्ते ॥ २ ॥

तस्यायमेव लोको गार्हपत्यः । अन्तरिक्षलोकोऽन्वाहार्यपचनः । असौ लोक आहवनीयः । कामं वा एषु लोकेषु वयांसि युक्तं चायुक्तं च संचरन्ति । स यदि हास्याप्यंतरेण ग्रामोऽग्नीन् वियायात् । नैव मे काचनार्तिरस्ति । न रिष्टिः । इति हैव विद्यात् ॥ ३ ॥

त्रयो ह त्वाव पशवोऽमेध्याः—दुर्वराहः, एडकः, श्वा । तेषां यद्यधिश्रितेऽग्निहोत्रेऽन्तरेण कश्चित्सं-

---

१–अंतरा गमनेऽनाद्रियेत । का. श्रौ. सू. २५-७३ ।

२–ऐडकवराहेषूदधारा प्राचीदं विष्णुरिति । भस्मना वा । का. श्रौ. सू. २५ । ७४-७६ ।

नाऽस्य पदमपि वपामऽ इति वदन्तस्तदु तथा न कुर्य्याद्यो हैनन्तत्र ब्रूयादामान्त्वाऽ अयं यजमानस्यावाप्सीत्क्षिप्रे परमा सा नावप्स्यते ज्येष्ठगृहम्ँ रात्स्यतीतीश्वरो ह तथैव स्यात् ॥ ४ ॥

(दि) इत्थमेव कुर्य्यात् । (दु) उदस्थालीम्वोदकमण्डलुम्वाऽऽदाय गार्हपत्यादग्रऽ आहवनीयान्निनयादिदं विष्णुर्व्विचक्रमऽइत्येतयैवर्चा यज्ञो वै विष्णुस्तद्यज्ञेनैव यज्ञमनुसन्तनोति यद्वै यज्ञस्य रिष्टं यदशांतमापो वै तस्य सर्व्वस्य शान्तिरद्भिरेवैनत्तच्छान्त्या शमयत्येतदेव तत्र च कर्म्म ॥ ५ ॥

तदाहुः । (दे) यस्याग्निहोत्रन्दोह्यमानम्ँ स्कन्देत्किन्तत्र कर्म्म का प्रायश्चित्तिरिति स्कन्नप्रायश्चित्तेनाभिमृश्याद्भिरुपनिनीय परिशिष्टेन जुहुयाद्यद्यु नीची स्थाली स्याद्यदि वा भिद्येत स्कन्नप्रायश्चित्तेनैवाभिमृश्याद्भिरुपनिनीय यदन्यद्विन्देत्तेन जुहुयात् ॥ ६ ॥ शतम् ६१०० ॥

(दै) अथ यत्र स्कन्नम्ँ स्यात् । (दो) तदभिमृशेदस्कन्नमधित प्राजनीति यदा वै स्कन्दत्यथ धीयते यदा धीयतेऽथ प्रजायते योनिर्व्वाऽ इयम्ँ

चरेत् ; किं तत्र कर्म, का प्रायश्चित्तिरिति । तद्धैके—गार्हपत्याद्भस्मापहृत्याहवनीयान्निवपन्तो यंति । " इदं विष्णुर्विचक्रमे " (वा. सं. ५ । १५) इत्येतयर्चा । यज्ञो वै विष्णुः । तद्यज्ञेनैव यज्ञमनुसन्तन्मः । भस्मनाऽस्य पदमपि वपाम इति वदन्तः । तदु तथा न कुर्यात् । यो हैनं तत्र ब्रूयात् । आमं त्वा अयं यजमानस्यावाप्सीत् । क्षिप्रे परमा सा नावप्स्यते । ज्येष्ठगृह्यं रोत्स्यतीति । ईश्वरो ह तथैव स्यात् ॥ ४ ॥

इत्थमेव कुर्यात् । उदस्थालीं वोदकमण्डलुं वाऽऽदाय । गार्हपत्यादग्र आहवनीयान्निनयन्निनयात् । " इदं विष्णुर्विचक्रमे " (वा. सं. ५ । १५) इत्येतयैवर्चा । यज्ञो वै विष्णुः । तद्यज्ञेनैव यज्ञमनुसंतनोति । यद्वै यज्ञस्य रिष्टम् । यदशान्तम् । आपो वै तस्य सर्वस्य शान्तिः । अद्भिरेवैनत्तच्छान्त्या शमयति । एतदेव तत्र च कर्म ॥ ५ ॥

तदाहुः—यस्याग्निहोत्रं दोह्यमानं स्कन्देत् । किं तत्र कर्म । का प्रायश्चित्तिरिति । स्कन्नप्रायश्चित्तेनाभिमृश्य । अद्भिरुपनिनीय परिशिष्टेन जुहुयात् । यद्यु नीची स्थाली स्यात् । यदि वा भिद्येत । स्कन्नप्रायश्चित्तेनैवाभिमृश्य अद्भिरुपनिनीय । यदन्यद्विन्देत्—तेन जुहुयात् ॥ ६ ॥

अथ यत्र स्कन्नं स्यात् । तदभिमृशेत् " अस्कन्नमधित प्राजनि "—इति । यदा वै स्कन्दति ।

१—स्कन्देच्चेदस्कन्नमधित प्राजनीत्यभिमृश्य शेषं जुहुयात् । का. श्रौ. सू. २५ । २४ ।

२—भिद्येत चेदनापन्नं स्कन्नप्रायश्चित्तेनाभिमृश्य व्याहृतिभिरद्भिरुपनिनीय कपालानि भस्माद्वापं कुर्यात् । का. श्रौ. सू. २५ । २५ ।

रेतः पयस्तदस्यां योनौ रेतो दधात्यनुष्ठ्या हास्य रेतः सिक्तम्प्रजायते य एवमेतद्वेदामुतो वै दिवो वर्षतीहौषधयो वनस्पतयः प्रजायन्ते पुरुषाद्रेतः स्कन्दति पशुभ्यस्तत इदꣳ सर्वम्प्रजायते तद्विद्याद्भूयसी मे प्रजातिरभूद्बहुः प्रजया पशुभिर्भविष्यामि श्रेयान्भविष्यामीति ॥ ७ ॥

(त्यु) अथ यत्रावभिन्नꣳ स्यात् । (त्तु) तदुदस्थालीं वैवोदकमण्डलुम्वा निनयेद्यद्वै यज्ञस्य रिष्टं यदशान्तमापो वै तस्य सर्वस्य शान्तिरद्भिरेवैनत्तच्छान्त्या शमयति भूर्भुवः स्वरित्येताभिर्व्याहृतिभिरेता वै व्याहृतयः सर्वप्रायश्चित्तीस्तदनेन सर्वेण प्रायश्चित्तिं कुरुते तानि कपालानि संश्रित्य यत्र भस्मोद्धतꣳ स्यात्तन्निवपेदेतदेव तत्र कर्म्म ॥ ८ ॥

तदाहुः । (र्थ्यु) यस्याग्निहोत्री दोह्यमानोपविशेत्किन्तत्र कर्म्म का प्रायश्चित्तिरिति ताꣳ हैक यजुषोत्थापयन्त्युदस्थाद्देव्यदितिरितीयम्वाऽ अदितिरिमामेवास्माऽ एतदुत्थापयामऽ इति वदन्तऽआयुर्यज्ञपतावधादित्यायुरेवास्मिंस्तद्दध्मऽ इति वदन्तऽ इन्द्राय कृण्वती भागमितीन्द्रियमेवास्मिंस्तद्दध्मऽ इति वदन्तो मित्राय वरुणाय चेति प्राणोदानौ

अथ धीयते । यदा धीयते । अथ प्रजायते । योनिर्वा इयम् । रेतः पयः । तदस्यां योनौ रेतो दधाति । अनुष्ठ्या हास्य रेतः सिक्तं प्रजायते । य एवमेतद्वेद । अमुतो वै दिवो वर्षति । इहौषधयो वनस्पतयः प्रजायन्ते । पुरुषाद्रेतः स्कन्दति । पशुभ्यस्तत इदं सर्वं प्रजायते । तद्विद्यात् । भूयसी मे प्रजातिरभूत् । बहुः प्रजया पशुभिर्भविष्यामि । श्रेयान् भविष्यामीति ॥ ७ ॥

अथ यत्रावभिन्नं स्यात् । तदुदस्थालीं वै वा उदकमण्डलुं वा निनयेत् । यद्वै यज्ञस्य रिष्टम् । यदशान्तम् । आपो वै तस्य सर्वस्य शान्तिः । अद्भिरेवैनत्तच्छांत्या शमयति । "भूर्भुवः स्वः" (वा. सं. ३।५) इत्येताभिर्व्याहृतिभिः । एता वै व्याहृतयः सर्वप्रायश्चित्तीः । तदनेन सर्वेण प्रायश्चित्तिं कुरुते । तानि कपालानि संचित्य । यत्र भस्मोद्धृतं स्यात् । तन्निवपेत् । एतदेव तत्र कर्म ॥ ८ ॥

तदाहुः—यस्याग्निहोत्री दोह्यमानोपविशेत् । किं तत्र कर्म । का प्रायश्चित्तिरिति । तां हैके यजुषोत्थापयन्ति । "उदस्थाद्देव्यदितिः"—इति । इयं वा अदितिः । इमामेवास्मा एतदुत्था-

---

१–भिद्यत चेदवापयेत स्कन्नप्रायश्चित्तेनाभिमृश्य व्याहृतिभिश्चाद्भिरुपनिनीय कपालानि भस्मोद्वापे कुर्यात् । का. श्रौ. सू. २५-२५ ।

२–अग्निहोत्री चेद्दुह्यमानोपविशेद्यजुषोत्थापनमेक उदस्थाद्देव्यदितिरायुर्यज्ञपतावधादिन्द्राय कृण्वती भागं मित्राय वरुणाय चेति । दुग्ध्वा ब्राह्मणायैनां दद्यादमनस्थामिच्छन् स्यात् । का. श्रौ. सू. २५ । १४-१५ ।

वै मित्रावरुणौ प्राणोदानावेवास्मिँस्तद्दध्मऽ इति वदन्तस्तां तस्या-
माहुत्याम्ब्राह्मणाय दद्याद्यमनभ्यागमिष्यन्मन्येतार्त्तिर्व्वाऽ एषा पाप्मानं
यजमानस्य प्रतिदृश्योपाविक्षदार्त्तिमेवास्मिँस्तत्पाप्मानम्प्रतिमुञ्चामऽइति
वदन्तः ॥ ९ ॥

(स्तु) तदु होवाच याज्ञवल्क्यः । (ल्क्योऽश्र) अश्रद्दधानेभ्यो
हैभ्यो गौरुपक्रामत्यार्त्यो वाऽ आहुतिम्विध्यन्तीत्थमेव कुर्य्याद्दण्डेनैवै-
नाम्विपिष्योत्थापयेदिति तद्यथैवादो धावयतोऽश्वो वाऽश्वतरो वा गदा-
येत बलीवर्द्दो वा युक्तस्तेन दण्डप्रजितेन तोत्त्रप्रजितेन यमध्वानꣳ
समीप्सति तꣳ समश्नुतऽ एवमेवैतया दण्डप्रजितया तोत्त्रप्रजितया यꣳ
स्वर्गं लोकꣳ समीप्सति तꣳ समश्नुते ॥ १० ॥

(तेऽथ) अथ होवाचारुणिः । (द्यौं) द्यौर्व्वाऽ एतस्याग्निहोत्रस्याग्नि-
होत्र्ययमेव वत्सो योऽयम्पवतऽ इयमेवाग्निहोत्रस्थाली न वाऽ एवंवि-
दुषोऽग्निहोत्री नश्यति क्व ह्यसौ नश्येन्नैवंविदुषोऽग्निहोत्री वत्सो
नश्यति क्व ह्येष नश्येन्नैवंविदुषोऽग्निहोत्रस्थाली भिद्यते क्व हीयं
भिद्येत श्रियो वै पर्ज्जन्यो वर्षति तद्विद्याच्छ्रेमाणम्मे महिमानमधारय-

---

पयाम इति वदन्तः । " आयुर्यज्ञपतावधात् "–इति । आयुरेवास्मिंस्तद्दध्म इति वदन्तः । " इन्द्राय कृण्वती भागम् "–इति । इन्द्रियमेवास्मिंस्तद्दध्म इति वदन्तः । " मित्राय वरुणाय च "–इति । प्राणोदानौ वै मित्रावरुणौ । प्राणोदानावेवास्मिंस्तद्दध्म इति वदन्तः । तां तस्यामाहुत्यां ब्राह्मणाय दद्यात्; यमनभ्यागमिष्यन्मन्येत । आर्तिं वा एषा पाप्मानं यजमानस्य प्रतिदृश्योपाविक्षत् । आर्तिमेवास्मिंस्तत्पाप्मानं प्रतिमुंचाम इति वदन्तः ॥ ९ ॥

तदु होवाच याज्ञवल्क्यः । अश्रद्दधानेभ्यो हैभ्यो गौरपक्रामति । आर्त्यो वा आहुतिं विध्यन्ति । इत्थमेव कुर्यात् । दण्डेनैवैनां विपिष्योत्थापयेदिति । तद्यथैवादः धावयतोऽश्वो वाऽश्वतरो वा गदायेत । बलीवर्दो वा युक्तः । तेन दण्डप्रजितेन तोत्रप्रजितेन यमध्वानं समीप्सति तं समश्नुते । एवमेवैतया दण्डप्रजितया तोत्रप्रजितया यं स्वर्गं लोकं समीप्सति तं समश्नुते ॥ १० ॥

अथ होवाचारुणिः । द्यौर्वा एतस्याग्निहोत्रस्याग्निहोत्री । अयमेव वत्सः । योऽयं पवते । इयमेवाग्निहोत्रस्थाली । न वा एवं विदुषोऽग्निहोत्री नश्यति । क्व ह्यसौ नश्येत् । नैवं विदुषोऽग्निहोत्री । वत्सो नश्यति । क्व ह्येष नश्येत् । नैवं विदुषोऽग्निहोत्रस्थाली भिद्यते । क्व हीयं भिद्येत । श्रियो

१–दंडेन वाऽनुपिष्योत्थाप्य वा दोहनम् । अदानं च । का. श्रौ. सू. २५ । १६–१७ ।

माणोपाविक्षच्छ्रेयान्भविष्यामीति तामात्मन्येव कुर्व्वीतात्मन्येव तच्छ्रियन्धत्तऽइति ह स्माहारुणिरेतदेव तत्र कर्म्म ॥ ११ ॥

तदाहुः । (ऽर्ध्वं) यस्याग्निहोत्री दोह्यमाना व्वाश्येत किन्तत्र कर्म्म का प्रायश्चित्तिरिति स्तम्बमाच्छिद्य ग्रासयेदेतदेव तत्र कर्म्म ॥ १२ ॥

इति द्वितीयप्रपाठके तृतीयं ब्राह्मणम् ॥ १२।२।३ ॥ (४-१ ॥

तदाहुः । (ऽर्ध्वं) यस्याग्निहोत्री लोहितं दुहीत किन्तत्र कर्म्म का प्रायश्चित्तिरिति व्व्युत्क्रामतेत्युक्त्वा मेक्षणङ्कृत्वाऽन्वाहार्य्यपचनम्परिश्रयितवै ब्रूयात्तस्मिन्नेनच्छ्रपयित्वा तस्मिंस्तूष्णीञ्जुहुयादनिरुक्तो वै प्रजापतिः प्राजापत्यमग्निहोत्रꣳ सर्व्वम्वाऽ अनिरुक्तन्तदनेन सर्व्वेण प्रायश्चित्तिं कुरुते तान्तस्यामाहुत्याम्ब्राह्मणाय दद्याद्यमनभ्यागमिष्यन्मन्येतार्त्तिम्वाऽ एषा पाप्मानं यजमानस्य प्रतिदृश्य दुहे या लोहितन्दुहऽ आर्त्तिमेवास्मिंस्तत्पाप्मानम्प्रतिमुञ्चत्यथ यदन्यद्विंदेत्तेन जुहुयादनार्त्तेनैव तदार्त्तं यज्ञस्य निष्करोत्येतदेव तत्र कर्म्म ॥ १ ॥

वै पर्जन्यो वर्षति । तद्विद्यात् । श्रेमाणं मे महिमानमधारयमाणोपाविक्षत् । श्रेयान् भविष्यामीति । तामात्मन्येव कुर्वीत । आत्मन्येव तच्छ्रियं धत्ते । इति ह स्माहारुणिः । एतदेव तत्र कर्म ॥ ११ ॥

तदाहुः—यस्याग्निहोत्री दोह्यमाना वाश्येत । किं तत्र कर्म । का प्रायश्चित्तिरिति । स्तंबमाच्छिद्य ग्रासयेत् । एतदेव तत्र कर्म ॥ १२ ॥

तदाहुः—यस्याग्निहोत्री लोहितं दुहीत । किं तत्र कर्म । का प्रायश्चित्तिरिति । व्युत्क्रामतेत्युक्त्वा मेक्षणं कृत्वा । अन्वाहार्यपचनं परिश्रयितवै ब्रूयात् । तस्मिन्नेतच्छ्रपयित्वा । तस्मिंस्तूष्णीं जुहुयात् । अनिरुक्तो वै प्रजापतिः । प्राजापत्यमग्निहोत्रम् । सर्वं वा अनिरुक्तम् । तदनेन सर्वेण प्रायश्चित्तिं कुरुते । तां तस्यामाहुत्यां ब्राह्मणाय दद्यात् यमनभ्यागमिष्यन्मन्येत । आर्तिं वा एषा पाप्मानं यजमानस्य प्रतिदृश्य दुहे । या लोहितं दुहे । आर्तिमेवास्मिंस्तत्पाप्मानं प्रतिमुञ्चति । अथ यदन्यद्विंदेत । तेन जुहुयात् । अनार्तेनैव तदार्तं यज्ञस्य निष्करोति । एतदेव तत्र कर्म ॥ १ ॥

१–वाश्येत चेत्तृणान्याछिद्य ग्रासयेत् । सूयवसाद्भगवति हि भूया अथो वयं भगवंतः स्याम । आद्धि तृणमघ्न्ये विश्वदानीं पिब शुद्धमुदकमाचरंतीति । का. श्रौ. सू. २५ । १९ ।

२–लोहितदोहे दक्षिणाग्निं परिश्रित्य व्युत्कामतेत्युक्त्वोष्णे भस्मनि स्थाप्य हुत्वा पूर्ववद्दानम् । का. श्रौ. सू. २५ । २१ ।

तदाहुः । (ख्यु) यस्याग्निहोत्रन्दोह्यमानममेध्यमापद्येत किन्तत्र कर्म्म का प्रायश्चित्तिरिति तद्धैके होतव्यम्मन्यन्ते प्रयतमेतन्नैतस्या होमोऽवकल्पते न वै देवाः कस्माच्चन बीभत्सन्ते बीभत्सन्ता३ऽइ तु देवाऽ इत्थमेव कुर्य्याद्गार्हपत्यादुष्णम्भस्म निरुह्य तस्मिन्नेनदुष्णे भस्मंस्तूष्णीन्निनयेदद्भिरुपानिनयत्यद्भिरेनदाप्नोत्यथ यदन्यद्विन्देत्तेन जुहुयादेतदेव तत्र कर्म्म ॥ २ ॥

तदाहुः । (ख्यु) यस्याग्निहोत्रन्दोहितममेध्यमापद्येत किन्तत्र कर्म्म का प्रायश्चित्तिरिति यऽ एवैतेऽङ्गारा निरूढा येष्वधिश्रयिष्यन्भवति तान्प्रत्युह्य तस्मिन्नेनदुष्णे भस्मंस्तूष्णीन्निनयेदद्भिरुपानिनयत्यद्भिरेनदाप्नोत्यथ यदन्यद्विन्देत्तेन जुहुयादेतदेव तत्र कर्म्म ॥ ३ ॥

तदाहुः । (ख्यु) यस्याग्निहोत्रमधिश्रितममेध्यमापद्येत किन्तत्र कर्म्म का प्रायश्चित्तिरिति यऽ एवैतेऽङ्गारा निरूढा येष्वधिश्रितं भवति तेष्वेनत्तूष्णीञ्जुहुयात्तद्धुतमहुतं यदु हैनत्तेषु जुहोति तेन हुतं यद्वेनाँस्तन्नैवानुगमयति तेनाहुतमद्भिरुपानिनयत्यद्भिरेनदाप्नोत्यथ यदन्यद्विन्देत्तेन जुहुयादेतदेव तत्र कर्म्म ॥ ४ ॥

तदाहुः-यस्याग्निहोत्रं दोह्यमानममेध्यमापद्येत । किं तत्र कर्म । का प्रायश्चित्तिरिति । तद्धैके होतव्यं मन्यन्ते । प्रयतमेतत् । नैतस्या होमोऽवकल्पते । न वै देवाः कस्माच्चन बीभत्संते । बीभत्संता ३ इ तु देवाः । इत्थमेव कुर्यात् । गार्हपत्यादुष्णं भस्म निरुह्य । तस्मिन्नेनदुष्णे भस्मंस्तूष्णीं निनयेत् । अद्भिरुपानिनयति । अद्भिरेनदाप्नोति । अथ यदन्यद्विंदेत् । तेन जुहुयात् । एतदेव तत्र कर्म ॥ २ ॥

तदाहुः-यस्याग्निहोत्रं दोहितममेध्यमापद्येत । किं तत्र कर्म । का प्रायश्चित्तिरिति । य एवैतेऽङ्गारा निरूढाः । येष्वधिश्रयिष्यन् भवति । तान्प्रत्युह्य तस्मिन्नेनदुष्णे भस्मंस्तूष्णीं निनयेत् । अद्भिरुपानिनयति । अद्भिरेनदाप्नोति । अथ यदन्यद्विंदेत् । तेन जुहुयात् । एतदेव तत्र कर्म ॥ ३ ॥

तदाहुः-यस्याग्निहोत्रमधिश्रितममेध्यमापद्येत । किं तत्र कर्म । का प्रायश्चित्तिरिति । य एवैतेऽङ्गारा निरूढाः । येष्वधिश्रितं भवति । तेष्वेनत्तूष्णीं जुहुयात् । तद्धुतमहुतम् । यदु हैनत्तेषु

१-दुह्यमानमाश्विनम् । का. श्रौ. सू. २५ । २२ । २-दोहितं गाश्विमम् । का. श्रौ. सू. २५ । २२ ।
३-अधिश्रितं वारुणम् । का. श्रौ. सू. २५ । २२ ।

तदाहुः । (ख्युं) यद्यधिश्रितेऽग्निहोत्रे यजमानो म्रियेत किन्तत्र कर्म्म का प्रायश्चित्तिरिति तदेवैनदभिपर्य्याधाय विष्यन्दयेदथो खल्वाहुरेतावती सर्व्वस्य हविर्य्यज्ञस्य प्रायश्चित्तिरित्येतदेव तत्र कर्म्म ॥ ५ ॥

तदाहुः । (ख्युं) यस्याग्निहोत्रꣳ स्रुच्युन्नीतꣳ स्कन्देत्किन्तत्र कर्म्म का प्रायश्चित्तिरिति स्कन्नप्रायश्चित्तेनाभिमृश्याद्भिरुपनिनीय परिशिष्टेन जुहुयाद्यद्यु नीची स्रुक्स्याद्यदि वा भिद्येत स्कन्नप्रायश्चित्तेनैवाभिमृश्याद्भिरुपनिनीय यत्स्थाल्याम्परिशिष्टꣳ स्यात्तेन जुहुयात् ॥ ६ ॥

(त्तु) तद्धैके प्रतिपरेत्य । यत्स्थाल्याम्परिशिष्टम्भवति तेन जुह्वति तदु तथा न कुर्य्यात्स्वर्ग्यं वा एतद्यदग्निहोत्रं यो हैनन्तत्र ब्रूयात्प्रति त्वा अयꣳ स्वर्गाल्लोकादवारुक्षन्नास्येदꣳ स्वर्ग्यमिव भविष्यतीतीश्वरो ह तथैव स्यात् ॥ ७ ॥

(दि) इत्थमेव कुर्य्यात् । (त्तु) तदेवोपविशेद्यत्स्थाल्याम्परिशिष्टꣳ

जुहोति । तेन हुतम् । यद्येनांस्तेनैवानुगमयति । तेनाहुतम् । अद्भिरुपनिनयति । अद्भिरेनदाप्नोति । अथ यदन्यद्विन्देत् । तेन जुहुयात् । एतदेव तत्र कर्म ॥ ४ ॥

तदाहुः–यदधिश्रितेऽग्निहोत्रे यजमानो म्रियेत । किं तत्र कर्म । का प्रायश्चित्तिरिति । तदेवैनदभिपर्याधाय विष्यंदयेत् । अथो खल्वाहुः–एतावती सर्वस्य हविर्यज्ञस्य प्रायश्चित्तिरिति । एतदेव तत्र कर्म ॥ ५ ॥

तदाहुः–यस्याग्निहोत्रं स्रुच्युन्नीतं स्कन्देत् । किं तत्र कर्म । का प्रायश्चित्तिरिति । स्कन्नप्रायश्चित्तेनाभिमृश्य अद्भिरुपनिनीय परिशिष्टेन जुहुयात् । यद्यु नीची स्रुक् स्यात् । यदि वा भिद्येत । स्कन्नप्रायश्चित्तेनैवाभिमृश्य अद्भिरुपनिनीय यत्स्थाल्यां परिशिष्टं स्यात् । तेन जुहुयात् ॥ ६ ॥

तद्धैके प्रतिपरेत्य यत् स्थाल्यां परिशिष्टं भवति तेन जुह्वति । तदु तथा न कुर्यात् । स्वर्ग्यं वा एतत् । यदग्निहोत्रम् । यो हैनं तत्र ब्रूयात् । प्रति त्वा अयं स्वर्गाल्लोकादवारुक्षत् । नास्येदं स्वर्ग्यमिव भविष्यतीति । ईश्वरो ह तथैव स्यात् ॥ ७ ॥

इत्थमेव कुर्यात् । तदेवोपविशेत् । यत् स्थाल्यां परिशिष्टं स्यात् । तदस्मा उन्नीयाहरेयुः । तद्धैक

१–हविष्यवद्धोम्यम् । का. श्रौ. सू. २५ । १६ । हविष्येषु चर्दाश्रियमाणेषु मरणं दक्षिणाग्निनान्न गदहेत । न वाऽयुक्तत्वात् । गार्हपत्ये ग्रहणादि प्रागासादनात् । आसादनाद्याहवनीये । का. श्रौ. सू. २५ । १७–१८ । २–उन्नीत बार्हस्पत्यम् । का. श्रौ. सू. २५ । २२ । स्कन्देच्चेदस्कन्नमसीति प्राजनीत्यभिमृश्य शेषेण जुहुयात् । का. श्रौ. सू. २५ । २४ । ३–भिन्ने । चेदवापद्येत स्कन्नप्रायश्चित्तेनाभिमृश्य व्याहृतिभिश्चाद्भिरुपनिनीय कपालानि भस्मोद्वापं कुर्यात् । का. श्रौ. सू. २५ । २५ ।

४–उन्नीतसर्वस्कन्दनस्रुग्भेदयोस्तत्रैवासनम् । अन्यदुन्नीयान्योऽस्मै प्रयच्छेत्तेन होमः । का. श्रौ. सू. २५ । २९–३० ।

स्यात्तदस्माऽ उन्नीयाहरेयुस्तद्धैकऽ उपवल्हन्ते हुतोच्छिष्टम्वाऽ एतद्या-
तयाम वाऽ एतन्नैतस्य होतव्यमिति तदु तन्नाद्रियेत यदा वाऽ एतदया-
तयामाथैनद्धविरातञ्चनङ्कुर्वते तस्माद्यत्स्थाल्याम्परिशिष्टꣳ स्यात्त-
दस्माऽ उन्नीयाहरेयुर्यद्यु तत्र न स्याद्यदन्यद्विन्देत्तदग्नावधिश्रित्यावज्यो-
त्यापः प्रत्यानीयोद्वास्य तदद्दो हैवोन्नेष्यामीत्युक्तम्भवत्यथात्र यथोन्नीत-
मेवास्माऽ उन्नीयाहरेयुस्तेन काममजुहुयादेतदेव तत्र कर्म्म ॥ ८ ॥

तदाहुः । (ऱ्यु) यस्याग्निहोत्रꣳ स्रुच्युन्नीतममेध्यमापद्येत किन्तत्र
कर्म्म का प्रायश्चित्तिरिति तद्धैके होतव्यम्मन्यन्ते प्रयतमेतन्नैतस्या
होमोऽवकल्पते न वै देवाः कस्माच्चन बीभत्सन्तऽ इति तद्धैकऽ उत्सिच्य
च्छर्दयन्ति तदु तथा न कुर्याद्यो हैनन्तत्र ब्रूयात्परासिचत न्वाऽ अय-
मग्निहोत्रं क्षिप्रेऽयं यजमानः परासेक्ष्यतऽ इतीश्वरो ह तथैव स्यादित्थ-
मेव कुर्य्यादाहवनीये समिधमभ्याधायाहवनीयादेवोष्णम्भस्म निरुह्य
तस्मिन्नेनदुष्णे भस्मँस्तूष्णीन्निनयेदद्भिरुपनिनयत्यद्भिरेनदाप्नोत्यथ यद-
न्यद्विन्देत्तेन जुहुयादेतदेव तत्र कर्म्म ॥ ९ ॥

तदाहुः । (ऱ्यु) यस्याग्निहोत्रꣳ स्रुच्युन्नीतमुपरिष्टादववर्षेत्किन्तत्र

उपवल्हन्ते । हुतोच्छिष्टं वा एतत् । यातयाम वा एतत् । नैतस्य होतव्यमिति । तदु तन्नाद्रियेत । यदा वा एतदयातयाम । अथैनद्धविरातंचनं कुर्वते । तस्माद्यत्स्थाल्यां परिशिष्टं स्यात् । तदस्मा उन्नीयाहरेयुः । यद्यु तत्र न स्यात् । यदन्यत् विंदेत् । तदग्नावधिश्रित्यावज्योत्यापः प्रत्यानीयोद्वास्य । तदद्दो हैवोन्नेष्यामीत्युक्तं भवति । अथात्र यथोन्नीतमेवास्मा उन्नीयाहरेयुः । तेन कामं जुहुयात् । एतदेव तत्र कर्म ॥ ८ ॥

तदाहुः—यस्याग्निहोत्रं स्रुच्युन्नीतममेध्यमापद्येत । किं तत्र कर्म । का प्रायश्चित्तिरिति । तद्धैके होतव्यं मन्यंते । प्रयतमेतत् । नैतस्या होमोऽवकल्पते । न वै देवाः कस्माच्चन बीभत्संत इति । तद्धैक उत्सिच्य च्छर्दयन्ति । तदु तथा न कुर्यात् । यो हैनं तत्र ब्रूयात् । परासिचत न्वा अयमग्निहोत्रम् । क्षिप्रेऽयं यजमानः परासेक्ष्यत इति । ईश्वरो ह तथैव स्यात् । इत्थमेव कुर्यात् । आहवनीये समिधमभ्याधाय आहवनीयादेवोष्णं भस्म निरुह्य तस्मिन्नेनदुष्णे भस्मंस्तूष्णीं निनयेत् । अद्भिरुपनिनयति । अद्भिरेनदाप्नोति । अथ यदन्यत् विंदेत्, तेन जुहुयात् । एतदेव तत्र कर्म ॥ ९ ॥

तदाहुः—यस्याग्निहोत्रं स्रुच्युन्नीतमुपरिष्टादववर्षेत् । किं, तत्र कर्म । का प्रायश्चित्तिरिति ।

कर्म्म का प्रायश्चित्तिरिति तद्विद्यादुपरिष्टान्मा शुक्रमागन्नुप मान्देवाः प्राभूवञ्छ्रेयान्भविष्यामीति तेन काममाजुहुयादेतदेव तत्र कर्म्म ॥ १० ॥

इति द्वितीयप्रपाठके चतुर्थं ब्राह्मणम् ॥ १२।२।४ ॥ (४–२) ॥

तदाहुः । (ऊर्ध्वं) यत्पूर्व्वस्यामाहुत्याᳬं हुतायामथाग्निरनुगच्छेत्किन्तत्र कर्म्म का प्रायश्चित्तिरिति यम्प्रतिवेशᳬं शकलम्विन्देत्तमभ्युस्याभिजुहुयाद्दारौ दारावग्निरिति व्वदन्दारौ दारौ ह्येवाग्निरथो य ऽ अस्य हृदयं व्व्येव लिखेद्धिरण्यमभिजुहुयादग्नेर्व्वा ऽ एतद्रेतो यद्धिरण्यं य ऽ उ वै पुत्रः स पिता यः पिता स पुत्रस्तस्माद्धिरण्यमभिजुहुयादेतदेव तत्र कर्म ॥ १ ॥

तदाहुः । (अथ) यस्याहवनीय ऽ उद्धृतः पुराऽग्निहोत्रादनुगच्छेत्किन्तत्र कर्म्म का प्रायश्चित्तिरिति गार्हपत्यादेवैनम्प्राञ्चमुद्धृत्योपसमाधायाग्निहोत्रञ्जुहुयात्स यद्यपि शतमेव कृत्वः पुनः पुनरुद्धृतोऽनुगच्छेद्गार्हपत्यादेवैनम्प्राञ्चमुद्धृत्योपसमाधायाग्निहोत्रञ्जुहुयादेतदेव तत्र कर्म्म ॥ २ ॥ (अर्द्धः प्रपाठकः कं० ४८) ॥

तद्विद्यात् । उपरिष्टान्मा शुक्रमागन्नुप मां देवाः प्राभूवन् श्रेयान् भविष्यामि इति । तेन कामं जुहुयात् । एतदेव तत्र कर्म ॥ १० ॥

तदाहुः—यत् पूर्वस्यामाहुत्यां हुतायाम् । अथाग्निरनुगच्छेत् । किं तत्र कर्म । का प्रायश्चित्तिरिति । यं प्रतिवेशं शकलं विन्देत् । तमभ्यस्याभिजुहुयात् । "दारौ दारावग्निः"—इति । वदन् । दारौ दारौ ह्येवाग्निम् । यद्वा अस्य हृदयं व्येव लिखेत् । हिरण्यमभिजुहुयात् । अग्नेर्वा एतद्रेतः, यद्धिरण्यम् । य उ वै पुत्रः, स पिता । यः पिता, स पुत्रः । तस्माद्धिरण्यमभिजुहुयात् । एतदेव तत्र कर्म ॥ १ ॥

तदाहुः- यस्याहवनीय उद्धृतः । पुराऽग्निहोत्रादनुगच्छेत् । किं तत्र कर्म । का प्रायश्चित्तिरिति । गार्हपत्यादेवैनं प्राञ्चमुद्धृत्य, उपसमाधाय, अग्निहोत्रं जुहुयात् । स यद्यपि शतमेव कृत्वः पुनः पुनरुद्धृतोऽनुगच्छेत् । गार्हपत्यादेवैनं प्राञ्चमुद्धृत्योपसमाधायाग्निहोत्रं जुहुयात् । एतदेव तत्र कर्म ॥२॥

१—पूर्वाहुतौ हुतायां यद्याहवनीयोऽनुगच्छेत्तदुष्णम् । काष्ठं हिरण्यं वाऽभिजुहुयाच्छुतः । का. श्रौ. सू. २५ । ३१–३२ ।

२—निरुद्धृतश्चेदाहवनीयोऽनुगच्छेदुदक् स्थानान्युपलिप्य निमथ्य सकृदुद्धृते तस्मिन् सायंप्रातर्होममेके । का. श्रौ. सू. २५।३१ ।

तदाहुः । (१) यस्य गार्हपत्योऽनुगच्छेत्किन्तत्र कर्म्म का प्रायश्चित्तिरिति तँ हैकऽ उल्मुकादेव निर्म्मन्थन्ति यतो वै पुरुषस्यान्ततो नश्यति ततो वै स तस्य प्रायश्चित्तिमिच्छतऽ इति वदन्तस्तदु तथा न कुर्य्यादुल्मुकँ ह वैवादाय चरेयुरुल्मुकस्य वाऽवक्षश्चमित्थमेव कुर्य्यादुल्मुकादङ्गारमादाय तमरण्योरभिविमर्थीयादुप ह तङ्कामममाप्नोति यऽउल्मुकमथ्यऽ उपो तं योऽरण्योरेतदेव तत्र कर्म्म ॥ ३ ॥

तदाहुः । (१) यस्याग्नावग्निमभ्युद्धरेयुः किन्तत्र कर्म्म का प्रायश्चित्तिरितीश्वरौ वाऽ एतौ सम्पाद्याशान्तौ यजमानस्य प्रजाञ्च पशूँश्च निर्द्दहतस्तदभिमन्त्रयेत समितँ सङ्कल्पेथाँ सम्प्रियौ रोचिष्णू सुमनस्यमानौ । इषमूर्ज्जमभिसम्वसानौ ॥ सम्वाम्मनाँसि सम्व्रता समु चित्तान्याकरम् अग्ने पुरीष्याधिपा भव त्वन्नऽइषमूर्ज्जं यजमानाय धेहीति शान्तिमेवाभ्यामेतद्ददति यजमानस्य प्रजायै पशूनामहिँसायै ॥ ४ ॥

यद्यु अस्य हृदयं व्येव लिखेत् । (२) अग्नयेऽग्निमतेऽष्टाकपालम्पुरोडाशन्निर्व्वपेत्तस्यावृत्सप्तदश सामिधेनीरनुब्रूयाद्वार्त्रघ्नावाज्यभागौ वि-

---

तदाहुः–यस्य गार्हपत्योऽनुगच्छेत् । किं तत्र कर्म । का प्रायश्चित्तिरिति । तं हैक उल्मुकादेव निर्मन्थन्ति । यतो वै पुरुषस्यांततो नश्यति । ततो वै स तस्य प्रायश्चित्तिमिच्छते इति वदन्तः । तदु तथा न कुर्यात् । उल्मुकं ह वैवादाय चरेयुः । उल्मुकस्य वाऽवक्षश्चम् । इत्थमेव कुर्यात् । उल्मुकादंगारमादाय । तमरण्योरभिविमर्शीयात् । उप ह तं काममाप्नोति । य उल्मुकमथ्ये । उपो तं. योऽरण्योः । एतदेव तत्र कर्म ॥ ३ ॥

तदाहुः–यस्याग्नावग्निमभ्युद्धरेयुः । किं तत्र कर्म । का प्रायश्चित्तिरिति । ईश्वरौ वा एतौ संपाद्याशांतौ यजमानस्य प्रजां च पशूंश्च निर्दहतः । तदभिमन्त्रयेत । "समितꣳ संकल्पेथाꣳ संप्रियौ रोचिष्णू सुमनस्यमानौ । इषमूर्जमभिसंवसानौ ॥ सं वां मनाꣳसि संव्रता समु चित्तान्याकरम् । अग्ने पुरीष्याधिपा भव त्वन्न इषमूर्जं यजमानाय धेहि"–(वा. सं. १२ । ५७–५८) इति । शांतिमेवाभ्यामेतद्ददति । यजमानस्य प्रजायै पशूनामहिंसायै ॥ ४ ॥

यद्यु अस्य हृदयं व्येव लिखेत् । अग्नयेऽग्निमतेऽष्टाकपालं पुरोडाशं निर्वपेत् । तस्यावृत् । सप्तदश सामिधेनीरनुब्रूयात् । वार्त्रघ्नावाज्यभागौ । विराजौ संयाज्ये । अथैते याज्यानुवाक्ये ।

१–गार्हपत्येऽनुगते भस्मनाऽरणी संस्पृश्य मन्थनम् । का. श्रौ. सू. २५ । ३४ ।

२–अग्निनिधानेऽग्नयेऽग्निमते पुरोडाशः । समितमिति वोपस्थानं द्वाभ्याम् । का. श्रौ. सू. २५ । ४३–४४

राजौ संयाज्येऽ अथैते याज्याऽनुवाक्येऽ अग्निनाऽग्निः समिध्यते कविर्गृहपतिर्युवा। हव्यवाड्जुह्वास्यऽ इत्यथ याज्या त्वꣳ ह्यग्नेऽ अग्निना विप्रो विप्रेण सन्त्सता। सखा सख्या समिध्यसऽ इति शान्तिमेवाभ्यामेतद्दधाति यजमानस्य प्रजायै पशूनामहिꣳसायाऽ एतदेव तत्र कर्म्म ॥ ५ ॥

तदाहुः। (१ख) यस्याहवनीयेऽननुगते गार्हपत्योऽनुगच्छेत्किन्तत्र कर्म्म का प्रायश्चित्तिरिति तꣳ हैके ततऽ एव प्राञ्चमुद्धरन्ति प्राणा वाऽ अग्नयः प्राणानेवास्माऽ एतदुद्धरामऽ इति वदन्तस्तदु तथा न कुर्य्याद्यो हैनन्तत्र ब्रूयात्प्राचो न्वाऽ अयं यजमानस्य प्राणान्प्रारौत्सीन्मरिष्यत्ययं यजमानऽइतीश्वरो ह तथैव स्यात् ॥ ६ ॥

(ग) अथ हैके प्रत्यञ्चमाहरन्ति। प्राणोदानाविमाविति वदन्तस्तदु तथा न कुर्य्यात्स्वर्ग्यं वाऽ एतद्यदग्निहोत्रं यो हैनन्तत्र ब्रूयात्प्रति न्वाऽ अयꣳ स्वर्गाल्लोकादवारुक्षन्नास्येदꣳ स्वर्ग्यमिव भविष्यतीतीश्वरो ह तथैव स्यात् ॥ ७ ॥

(घ) अथ हैकेऽन्यङ्गार्हपत्यम्मन्थन्ति। तदु तथा न कुर्य्याद्यो हैनन्तत्र

"अग्निनाऽग्निः समिध्यते कविर्गृहपतिर्युवा। हव्यवाड् जुह्वास्यः"—इति। अथ याज्या। "त्वꣳ ह्यग्नेऽअग्निना विप्रो विप्रेण सन्त्सता। सखा सख्या समिध्यसे"—इति। शांतिमेवाभ्यामेतद्दधाति। यजमानस्य प्रजायै पशूनामहिंसायै। एतदेव तत्र कर्म ॥ ५ ॥

तदाहुः—यस्याहवनीयेऽननुगते गार्हपत्योऽनुगच्छेत्। किं तत्र कर्म। का प्रायश्चित्तिरिति। तं हैके तत एव प्रांचमुद्धरन्ति। प्राणा वा अग्नयः। प्राणानेवास्मा एतदुद्धराम इति वदंतः। तदु तथा न कुर्यात्। यो हैनं तत्र ब्रूयात्। प्राचो न्वा अयं यजमानस्य प्राणान् प्रारौत्सीत्। मरिष्यत्ययं यजमानः। इति ईश्वरो ह तथैव स्यात् ॥ ६ ॥

अथ हैके प्रत्यंचमाहरन्ति। प्राणोदानाविमाविति वदंतः। तदु तथा न कुर्यात्। स्वर्ग्यं वा एतत्, यदग्निहोत्रम्। यो हैनं तत्र ब्रूयात्। प्रति न्वा अयं स्वर्गाल्लोकादवारुक्षत्। नास्येदं स्वर्ग्यमिव भविष्यति इति। ईश्वरो ह तथैव स्यात् ॥ ७ ॥

अथ हैकेऽन्यं गार्हपत्यं मन्थन्ति। तदु तथा न कुर्यात्। यो हैनं तत्र ब्रूयात्। अग्नेर्वा अथ-

---

१—आहवनीयजागरणं वा तत एवोद्धरणम्। आहृत्य वा। चपलराज्यागताद्वा। निर्मथ्य वा। समारोप्यसमारोप्य पूर्वमुपशमय्य पूर्ववद्धोमः। का. श्रौ. सू. २५। ३५-३९।

ब्रूयादग्नेर्वाऽ अयमधि द्विषन्तम्भ्रातृव्यमजीजनत क्षिप्रेऽस्य द्विषन्भ्रातृव्यो जनिष्यते प्रियतमꣳ रोत्स्यतीतीश्वरो ह तथैव स्यात् ॥ ८ ॥

(ड) अथ हैकेऽनुगमय्यान्यम्मन्थन्ति । तस्याशान्नेयादपि यत्परिशिष्टमभूत्तदजीजनत नास्य दायादश्चन परिशेक्ष्यतऽ इतीश्वरो ह तथैव स्यात् ॥ ९ ॥

(दि) इत्थमेव कुर्यात् । (द) अरण्योरग्नी समारोह्योदङ्ङुद्वसाय निर्मथ्य जुहुद्रसेत्तथा ह न काञ्चन परिचक्षाङ्करोति नवावमानुऽ उऽ अस्याभितो रात्रꣳ हुतम्भवति ॥ १० ॥

इति द्वितीयप्रपाठके पंचमं ब्राह्मणम् ॥ १२ । २ । ५ ॥ (४–३) ॥

अथ प्रातर्भस्मान्युद्धृत्य । गोमयेनालिप्यारण्योरेवाग्नी समारोह्य प्रत्यवस्यति मथित्वा । गार्हपत्यमुद्धृत्याहवनीयमाहृत्यान्वाहार्यपचनमग्नये पथिकृतेऽष्टाकपालम्पुरोडाशन्निर्वपेत्तस्यावृत्ताऽ एव सप्तदश सामिधेनीरनुब्रूयाद्वार्त्रघ्नावाज्यभागौ विराजौ संयाज्येऽ अथैते याज्याऽनुवाक्ये वेत्था हि वेधोऽ अध्वनः पथश्च देवाञ्जसा । अग्ने यज्ञेषु सुक्रत·

मधिद्विषन्तं भ्रातृव्यमजीजनत । क्षिप्रेऽस्य द्विषन् भ्रातृव्यो जनिष्यते । प्रियतमं रोत्स्यति । इति । ईश्वरो ह तथैव स्यात् ॥ ८ ॥

अथ हैके अनुगमय्यान्यं मन्थन्ति । तस्याशां नेयात् । अपि यत्परिशिष्टमभूत् । तदजीजनत । नास्य दायादश्चन परिशेक्ष्यत इति । ईश्वरो ह तथैव स्यात् ॥ ९ ॥

इत्थमेव कुर्यात् । अरण्योरग्नी समारोह्य उदङ्ङुद्वसाय निर्मथ्य जुहुद्रसेत् । तथा ह न कांचन परिचक्षां करोति । नवावमान उ अस्याभितो रात्रं हुतं भवति ॥ १० ॥

अथ प्रातर्भस्मान्युद्धृत्य, गोमयेनालिप्य, अरण्योरेवाग्नी समारोह्य प्रत्यवस्यति । मथित्वा गार्हपत्यम् , उद्धृत्याहवनीयम् , आहृत्यान्वाहार्यपचनम् , अग्नये पथिकृतेऽष्टाकपालं पुरोडाशं निर्वपेत् । तस्यावृत् । ता एव सप्तदश सामिधेनीरनुब्रूयात् । वार्त्रघ्नावाज्यभागौ । विराजौ संयाज्ये । अथैते याज्यानुवाक्ये–" वेत्था हि वेधो अध्वनः पथश्च देवांजसा । अग्ने यज्ञेषु सुक्रतो "– इति । अथ याज्या–" देवानामपि पन्थामगन्म यच्छक्नवाम तदनु प्रवोढुम् । अग्निर्वि-

१–चर्क्रावत्यग्नये पथिकृते । प्रज्ञातेष्टशीतागन्नौ च नियतानावनिपान्निशुनेः । नोत्पन्नेऽ अवस्य च । जनमरणे च । उपपातस्याम-र्यात्स्वजने । नित्यस्वाश्च । चर्कावान ऽगमः । तदन्तागमने इयम् । तदन्तागमनं गर्वविपर्यामिति कर्कः । प्रज्ञाता नित्याः । का. श्रौ. सू. २५ । ७६–८२ ।

वित्यथ याज्या देवानामपि पन्थामगन्म यच्छक्नवाम तदनुप्रवोढुम् । अग्निर्विद्वान्त्स यजात्सेदु होतासोऽ अध्वरान्त्सऽ ऋतून्कल्पयातीत्यग्निर्वै पथिकृत्पथामपिनेता सऽ एवैनं यज्ञपथमपिनयत्येतदेव तत्र कर्म्म ॥ १ ॥

तदाहुः । (१४) यस्याग्नयः सꣳसृज्येरन्किन्तत्र कर्म्म का प्रायश्चित्तिरिति स यदि परस्तादहं न भीयात्तद्विद्यात्परस्तान्मा शुक्रमागन्नुपमान्देवाः प्राभूवञ्छ्रेयान्भविष्यामीति यद्युऽ अस्य हृदयम्व्यथेव लिखेदग्नये विविचयेऽष्टाकपालम्पुरोडाशन्निर्वपेत्तस्यावृत्ताऽ एव सप्तदश सामिधेनीरनुब्रूयाद्वार्त्रघ्नावाज्यभागौ विराजौ संयाज्येऽ अथैते याज्याऽनुवाक्ये वि ते विष्वग्वातजूतासोऽ अग्ने भामासः शुचे शुचयश्चरन्ति । तुविम्रक्षासो दिव्या नवग्वा वना वनन्ति धृषता रुजन्तऽ इत्यथ याज्या त्वामग्ने मानुषीरीडते विशो होत्राविदम्विविचिꣳ रत्नधातमम् । गुहा सन्तꣳ सुभग विश्वदर्शतन्तुविष्वणसꣳ सुयजङ्घृतश्रियमित्यथो ह यो द्विषतो भ्रातृव्याद्व्याविवृत्सेत तत्कामऽ एतया यजेत वि हैवास्माद्वर्त्तते एतदेव तत्र कर्म्म ॥ २ ॥

द्वान्त्स यजात्सेदु होतासो अध्वरान्त्स ऋतून्कल्पयाति"–इति। अग्निर्वै पथिकृत्। पथामपि नेता। स एवैनं यज्ञपथमपिनयति। एतदेव तत्र कर्म ॥ १ ॥

तदाहुः--यस्याग्नयः संसृज्येरन्। किं तत्र कर्म। का प्रायश्चित्तिरिति। स यदि परस्तादहं न भीयात्। तद्विद्यात्। परस्तान्मा शुक्रमागन्नुप मां देवाः प्राभूवन् श्रेयान् भविष्यामि इति। यद्यु अस्य हृदयं व्यथेव लिखेत्। अग्नये विविचयेऽष्टाकपालं पुरोडाशं निर्वपेत्। तस्यावृत्। ता एव सप्तदश सामिधेनीरनुब्रूयात्। वार्त्रघ्नावाज्यभागौ। विराजौ संयाज्ये। अथैते याज्याऽनुवाक्ये-- "वि ते विष्वग्वातजूतासो अग्ने भामासः शुचे शुचयश्चरन्ति। तुविम्रक्षासो दिव्या नवग्वा वना वनन्ति धृषता रुजन्तः" इति। अथ याज्या-- "त्वामग्ने मानुषीरीडते विशो होत्राविदं विविचिꣳ रत्नधातमम्। गुहा संतꣳ सुभग विश्वदर्शतं तुविष्वणसꣳ सुयजं घृतश्रियम्" इति। अथो ह यो द्विषतो भ्रातृव्याद्व्याविवृत्सेत। तत्काम एतया यजेत। वि हैवास्माद्वर्तते। एतदेव तत्र कर्म ॥ २ ॥

१–संसर्गे नाद्रियेत। अग्नये विविचये मिथश्चेत्। का. श्रौ. सू. २५। ८५–८७।

यद्व्ययमितोऽदहन्न भीयात्। (च) तद्विद्यादभि द्विषन्तम्भ्रातृव्यम्भविष्यामि श्रेयान्भविष्यामीति यद्यु ऽअस्य हृदयं व्येव लिखेदग्नये सम्वर्गायाष्टाकपालम्पुरोडाशन्निर्व्वपेत्तस्यावृत्ता ऽ एव सप्तदश सामिधेनीरनुब्रूयाद्वार्त्रघ्नावाज्यभागौ विराजौ संय्याज्येऽअथैते याज्याऽनुवाक्ये परस्याऽअधि सम्वतोऽवराँ२ऽ अभ्यातर । यत्राहमस्मि ताँ२ऽ अवेत्यथ याज्या मा नोऽअस्मिन्महाधने परावग्भारभृद्यथा। सम्वर्गंᳪं सᳪं रयिञ्जयेत्यथो ह यो द्विषतो भ्रातृव्यात्सम्विवृक्षेत तत्कामऽ एतया यजेत सᳪं हैवास्माद्वृङ्क्तऽ एतदेव तत्र कर्म्म ॥ ३ ॥

तदाहुः। (स्म) यस्य वैद्युतो दहेत्किन्तत्र कर्म्म का प्रायश्चित्तिरिति तद्विद्यादुपरिष्टान्मा शुक्रमागन्नुप मान्देवाः प्राभूवञ्छ्रेयान्भविष्यामीति यद्यु ऽ अस्य हृदयम्व्येव लिखेदग्नयेऽप्सुमतेऽष्टाकपालम्पुरोडाशन्निर्व्वपेत्तस्यावृत्ताऽ एव सप्तदश सामिधेनीरनुब्रूयाद्वार्त्रघ्नावाज्यभागौ विराजौ संय्याज्येऽ अथैते याज्याऽनुवाक्येऽ अप्स्वग्ने सधिष्टव सौषधीरनुरुध्यसे। गर्भे सञ्जायसे पुनरित्यथ याज्या गर्भोऽ अस्योषधीनाङ्गर्भो व्वनस्पतीनाम्। गर्भो व्विश्वस्य भूतस्याग्ने गर्भोऽ अपामसीति

यद्व्ययमितोदहं न भीयात्। तद्विद्यात्। अभि द्विषंतं भ्रातृव्यं भविष्यामि, श्रेयान् भविष्यामीति यद्यु अस्य हृदयं व्येव लिखेत्। अग्नये संवर्गायाष्टाकपालं पुरोडाशं निर्वपेत्। तस्यावृत्। ता एव सप्तदश सामिधेनीरनुब्रूयात्। वार्त्रघ्नावाज्यभागौ। विराजौ संयाज्ये। अथैते याज्यानुवाक्ये- "परस्या अधि संवतोऽवराँ२ऽ अभ्यातर। यत्राहमस्मि ताँ२ऽ अव"-(वा. सं. ११। ७१) इति। अथ याज्या- 'मा नो अस्मिन्महाधने परावग्भारभृद्यथा। संवर्गं संरयिं जय"-इति। अथो ह यो द्विषतो भ्रातृव्यात् संविवृक्षेत। तत्काम एतया यजेत। सं हैवास्मात् वृंक्ते। एतदेव तत्र कर्म ॥ ३ ॥

तदाहुः-यस्य वैद्युतो दहेत्। किं तत्र कर्म। का प्रायश्चित्तिरिति। तद्विद्यात्। उपरिष्टान्मा शुक्रमागन्नुप मां देवाः प्राभूवन् श्रेयान् भविष्यामि इति। यद्यु अस्य हृदयं व्येव लिखेत्। अग्नयेऽप्सुमतेऽष्टाकपालं पुरोडाशं निर्वपेत्। तस्यावृत्। ता एव सप्तदश सामिधेनीरनुब्रूयात्। वार्त्रघ्नावाज्यभागौ। विराजौ संयाज्ये। अथैते याज्याऽनुवाक्ये-

---

१-अग्नये संवर्गाय प्रदव्याच्चेत्। का. श्रौ. सू. २५। ८८। २-अग्नयेऽप्सुमते वैद्युताच्चेत्। का. श्रौ. सू. २५। ८९।

शान्तिमेवाभ्यामेतद्ददाति यजमानस्य प्रजायै पशूनामहिꣳसाया ऽ एत-देव तत्र कर्म्म ॥ ४ ॥

तदाहुः । (१) यस्याग्नयोऽमेध्यैरग्निभिः सꣳसृज्येरन्किन्तत्र कर्म्म का प्रायश्चित्तिरित्यग्नये शुचयेऽष्टाकपालम्पुरोडाशन्निर्व्वपेत्तस्यावृत्ताऽ एव सप्तदश सामिधेनीरनुब्रूयाद्वार्त्रघ्नावाज्यभागौ विराजौ संय्याज्ये ऽ अथैते याज्याऽनुवाक्येऽ अग्निः शुचिव्रततमः शुचिर्व्विप्रः शुचिः कविः । शुची रोचतऽआहुतऽइत्यथ याज्योदग्ने शुचयस्तव शुक्रा भ्राजन्तऽईरते । तव ज्योतीꣳष्यर्च्चयऽ इति शान्तिमेवाभ्यामेतद्ददाति यजमानस्य प्रजायै पशूनामहिꣳसाया ऽएतदेव तत्र कर्म्म ॥ ५ ॥

तदाहुः । (१) यस्याहवनीयमनुद्धृतमादित्योऽभ्यस्तमियात्किन्तत्र कर्म्म का प्रायश्चित्तिरित्येते वै रश्मयो विश्वे देवास्तेऽस्मादपप्रयन्ति तदस्मै व्व्यृध्यते यस्माद्देवाऽ अप प्रयन्ति तामनु व्व्यृद्धिं यश्च व्वेद यश्च न ताऽ उभावाहतुरनुद्धृतमस्याभ्यस्तमगादिति तत्रेत्थङ्कुर्य्याद्ध-

---

" अप्स्वग्ने सधिष्टव सौषधीरनुरुध्यसे । गर्भे सञ्जायसे पुनः "–इति । अथ याज्या–" गर्भो अस्योषधीनां गर्भो वनस्पतीनाम । गर्भो विश्वस्य भूतस्याग्ने गर्भो अपामसि "–(वा. सं. १२ । ३६–३७) इति । शांतिमेवाभ्यामेतद्ददाति । यजमानस्य प्रजायै पशूनामहिंसायै । एतदेव तत्र कर्म ॥ ४ ॥

तदाहुः–यस्याग्नयोऽमध्यैरग्निभिः मंसृज्येरन् । किं तत्र कर्म । का प्रायश्चित्तिरिति । अग्नये शुचयेऽष्टाकपालं पुरोडाशं निर्वपेत् । तस्यावृत् । ता एव सप्तदश सामिधेनीरनुब्रूयात् । वार्त्रघ्नावाज्यभागौ । विराजौ संयाज्ये । अथैते याज्याऽनुवाक्ये–" अग्निः शुचिव्रततमः शुचिर्विप्रः शुचिः कविः । शुची रोचत आहुतः "–इति । अथ याज्या–" उदग्ने शुचयस्तव शुक्रा भ्राजंत ईरते । तव ज्योतींष्यर्चयः "–इति । शांतिमेवाभ्यामेतद्ददाति । यजमानस्य प्रजायै पशूनामहिंसायै । एतदेव तत्र कर्म ॥ ५ ॥

तदाहुः–यस्याहवनीयमनुद्धृतमादित्योऽभ्यस्तमियात् । किं तत्र कर्म । का प्रायश्चित्तिरिति । एते वै रश्मयो विश्वे देवाः । तेऽस्मादपप्रयन्ति । तदस्मै व्यृध्यते । यस्माद्देवा अपप्रयन्ति । तामनुव्यृद्धिं यश्च वेद । यश्च न । ता उभावाहतुः । अनुद्धृतमस्याभ्यस्तमगादिति । तत्रेत्थं कुर्यात् । हरितं हिरण्यं दर्भे प्रबध्य पश्चाद्धर्तवै ब्रूयात् । तदेतस्य रूपं क्रियते । य एष तपति । अहर्वा

१–अग्नये शुचयेऽशुच्यायतनाग्नेन । का. श्रौ. सू. २५ । १० ।

रितꣳ हिरण्यन्दर्भे प्रबध्य पश्चाद्धर्त्तवै ब्रूयात्तदेतस्य रूपङ्क्रियत यऽ
एष तपत्यहर्व्वाऽ एष तदह्नो रूपङ्क्रियते पवित्रन्दर्भाः पवयत्येवैनन्त-
दथेध्ममादीप्य प्राञ्चꣳ हर्त्तवै ब्रूयाद्ब्राह्मणऽ आर्षेयऽ उद्धरेद्ब्राह्मणो वाऽ
आर्षेयः सर्व्वा देवताः सर्व्वाभिरेवैनन्तद्देवताभिः समर्द्धयति तमुपसमा-
धाय प्रतिपरेत्य गार्हपत्यऽ आज्यमधिश्रित्योद्वास्योत्पूयावेक्ष्य चतुर्गृहीत-
माज्यङ्गृहीत्वा समिधमुपसंगृह्य प्राङुदाद्रवत्यथाहवनीये समिधमभ्या-
धाय दक्षिणञ्जान्वाच्य जुहोति विश्वेभ्यो देवेभ्यः स्वाहेति स यथा
ब्राह्मणमावसथवासिनङ्क्रुद्धं यन्तमुक्षवे हतोपमन्त्रयेतैवमेवैतद्विश्वान्देवा-
नुपमन्त्रयते जानन्ति हैनमुप हैनमावर्त्तन्तऽ एतदेव तत्र कर्म्म ॥ ६ ॥

तदाहुः । (ख्यु) यस्याहवनीयमनुद्धृतमादित्योऽभ्युदियात्किन्तत्र
कर्म्म का प्रायश्चित्तिरित्येते वै रश्मयो विश्वे देवास्तेऽस्मादूषिवाꣳसो-
ऽपप्रयन्ति तदस्मै व्यृध्यते यस्माद्देवाऽ अपप्रयन्ति तामनुव्यृद्धिं
यश्च वेद यश्च न ताऽ उभावाहतुरनुद्धृतमस्याभ्युदगादिति तत्रेत्थङ्कु-
र्याद्रजतꣳ हिरण्यन्दर्भे प्रबध्य पुरस्ताद्धर्त्तवै ब्रूयात्तच्चन्द्रमसो रूप-
ङ्क्रियते रात्रिर्वै चन्द्रमास्तद्रात्रे रूपङ्क्रियते पवित्रन्दर्भाः पवयत्ये-
वैनन्तदथेध्ममादीप्यान्वञ्चꣳ हर्त्तवै ब्रूयाद्ब्राह्मणऽआर्षेयऽ उद्धरेद्ब्रा-
ह्मणो वाऽआर्षेयः सर्व्वा देवताः सर्व्वाभिरेवैनन्तद्देवताभिः समर्द्धयति

एषः । तदह्नो रूपं क्रियते । पवित्रं दर्भाः । पवयत्येवैनं तत् । अथेध्ममादीप्य प्रांचं हर्तवै ब्रूयात् । ब्राह्मण आर्षेय उद्धरेत् । ब्राह्मणो वा आर्षेयः सर्वा देवताः । सर्वाभिरेवैनं तद्देवताभिः समर्द्धयति । तमुपसमाधाय प्रतिपरेत्य गार्हपत्य आज्यमधिश्रित्य उद्वास्योत्पूयावेक्ष्य चतुर्गृहीतमाज्यं गृहीत्वा समिधमुपसंगृह्य प्राङुदाद्रवति । अथाहवनीये समिधमभ्याधाय दक्षिणं जान्वाच्य जुहोति—"विश्वेभ्यो देवेभ्यः स्वाहा"—इति । स यथा, ब्राह्मणमावसथवासिनं क्रुद्धं यंतमुक्षये हतोपमन्त्रयेत । एवमेवैतत् विश्वान्देवानुपमन्त्रयते । जानन्ति हैनम् । उप हैनमावर्तंते । एतदेव तत्र कर्म ॥ ६ ॥

तदाहुः—यस्याहवनीयमनुद्धृतम् आदित्योऽभ्युदियात् । किं तत्र कर्म । का प्रायश्चित्तिरिति । एते वै रश्मयो विश्वे देवाः । तेऽस्मादूषिवांसोऽपप्रयंति । तदस्मै व्यृध्यते । यस्माद्देवा अपप्रयंति । तामनुव्यृद्धिं यश्च वेद । यश्च न । ता उभावाहतुः । अनुद्धृतमस्याभ्युदगादिति । तत्रेत्थं कुर्यात् । रजतं हिरण्यं दर्भे प्रबध्य पुरस्ताद्धर्तवै ब्रूयात् । तच्चंद्रमसो रूपं क्रियते । रात्रिर्वै चंद्रमाः । तद्रात्रे रूपं क्रियते । पवित्रं दर्भाः । पवयत्येवैनं तत् । अथेध्ममादीप्य अन्वंचं हर्तवै ब्रूयात् । ब्राह्मण

तमुपसमाधाय प्रतिपरेत्य गार्हपत्यऽआज्यमधिश्रित्योद्वास्योत्पूयावेक्ष्य यथागृहीतमाज्यं गृहीत्वा समिधमुपसंगृह्य प्राङुदाद्रवत्यथाहवनीये समिधमभ्याधाय दक्षिणं जान्वाच्य जुहोति विश्वेभ्यो देवेभ्यः स्वाहेति सोऽसावेव बन्धुर्न्न ह वै तत्र काचनार्तिर्न्न रिष्टिर्भवति यत्रैषा प्रायश्चित्तिः क्रियतऽ एतदेव तत्र कर्म्म ॥ ७ ॥

इति द्वितीयप्रपाठके षष्ठं ब्राह्मणम् ॥ १२-२-६ ॥ (४. ४.) ॥

चतुर्थोऽध्यायश्च समाप्तः ॥ १२ । ४ ॥

कण्डिकासंख्या ॥ ३९ ॥

आर्षेय उद्धरेत् । ब्राह्मणो वा आर्षेयः सर्वा देवताः । सर्वाभिरेवैनं तद्देवताभिः समर्द्धयति । तमुपसमाधाय प्रतिपरेत्य गार्हपत्य आज्यमधिश्रित्य उद्वास्योत्पूयावेक्ष्य यथागृहीतमाज्यं गृहीत्वा समिधमुपसंगृह्य प्राङुदाद्रवति । अथाहवनीये समिधमभ्याधाय दक्षिणं जान्वाच्य जुहोति– "विश्वेभ्यो देवेभ्यः स्वाहा"–इति । सोऽसावेव बंधुः । न ह वै तत्र काचनार्तिः । न रिष्टिर्भवति । यत्रैषा प्रायश्चित्तिः क्रियते । एतदेव तत्र कर्म ॥ ७ ॥

इति श्रीमदाचार्यहरिस्वामिनः कृतौ माध्यन्दिनीयशतपथब्राह्मणभाष्ये द्वादशकाण्डे
चतुर्थेऽध्याये चतुर्थं ब्राह्मणम् ॥ (१२ । ४ । ४) ॥

नागस्वामिसुतोऽवन्त्यां पाराशर्यो वसन् हरिः । श्रुत्यर्थं दर्शयामास शक्तितः पौष्करीयकः ॥
श्रीमतोऽवन्तिनाथस्य विक्रमार्कस्य भूपतेः । धर्माध्यक्षो हरिस्वामी व्याख्यच्छातपथीं श्रुतिम् ॥
भूभर्त्रा विक्रमार्केण क्लृप्तां कनकवेदिकाम् । दानायाध्यस्य कृतवान् श्रुत्यर्थविवृतिं हरिः ॥

इति श्रीसर्वविद्यानिधानकवीन्द्राचार्यसरस्वतीनां श्रीहरिस्वामिनां कृतौ माध्यन्दिनीयशतपथब्राह्मणभाष्ये द्वादशकाण्डे चतुर्थोऽध्यायः समाप्तः ॥ (१२-४) ॥

१-अजकर्णे वा दक्षिणे । अभांजनं तस्य । कुशस्तम्बे वा अनामनं तस्मिन् अप्सु वा नाऽश्यो बीभत्सेतेति श्रुतेः । अहुताभ्युदित उन्नीयातमितोरासति । हुत्वा भूरित्यनुमंत्रणम् , वरदानं च । का. श्रौ. सू. । २५ । ६०-६८ ।

अथ पञ्चमेऽध्याये प्रथमं ब्राह्मणम् ।
द्वितीयप्रपाठके च सप्तमं ब्राह्मणम् ।

तदाहुः । (य्यु) यदेष दीर्घसत्त्र्यग्निहोत्रं जुह्वत्प्रवसन्म्रियेत जुहुयुरस्मा३ऽइ ना३ऽ इति तद्धैके होतव्यम्मन्यन्तऽ आगन्तोरिति तदु तथा न कुर्य्यादतस्थानो वाऽ एष तस्मै यदेनᳪं शवदह्याया ऽइव जुहुयुर्य्यज्ञाय वाऽ एषऽ आहुतिभ्यस्तस्थानः स हैनममृष्यमाणस्तृप्रᳪं सचते १॥

(तेऽथ) अथ हैकऽ आहुः । (रे) एवमेवान्वाहिताऽ अहूयमानाः शयीरन्निति तदु तथा न कुर्य्यादतस्थानो वाऽ एष तस्मै यदेनᳪं शवदह्यायाऽ इवेन्धीरन्यज्ञाय वाऽ एषऽ आहुतिभ्यस्तस्थानः स हैनममृष्यमाणस्तृप्रᳪं सचते ॥ २ ॥

(तेऽथ) अथ हैकेऽरण्योः । (र) अग्नी समारोह्य निदधति तमाहृते निर्म्मन्थन्ति तदु तथा न कुर्य्यादतस्थानो वाऽ एष तस्मै यदेनᳪं शवदह्यायाऽ इव निर्म्मन्थेयुर्य्यज्ञाय वाऽ एषऽ आहुतिभ्यस्तस्थानः स हैनममृष्यमाणस्तृप्रᳪं सचते ॥ ३ ॥

तदाहुः—यदेष दीर्घसत्त्र्यग्निहोत्रं जुह्वत् प्रवसन् म्रियेत । जुहुयुरस्मा ३ इ । ना ३ इति । तद्धैके होतव्यं मन्यन्ते । आगन्तोरिति । तदु तथा न कुर्यात् । अतस्थानो वा एष तस्मै । यदेनं शवदह्याया इव जुहुयुः । यज्ञाय वा एष आहुतिभ्यस्तस्थानः । स हैनममृष्यमाणस्तृप्रं सचते ॥ १ ॥

अथ हैक आहुः । एवमेवान्वाहिता अहूयमानाः शयीरन्निति । तदु तथा न कुर्यात् । अतस्थानो वा एष तस्मै । यदेनं शवदह्याया इवेन्धीरन् । यज्ञाय वा एष आहुतिभ्यस्तस्थानः । स हैनममृष्यमाणस्तृप्रं सचते ॥ २ ॥

अथ हैके । अरण्योरग्नी समारोह्य निदधति तम् । आहृते निर्मन्थन्ति । तदु तथा न कुर्यात् । अतस्थानो वा एष तस्मै । यदेनं शवदह्याया इव निर्मन्थेयुः । यज्ञाय वा एष आहुतिभ्यस्तस्थानः । स हैनममृष्यमाणस्तृप्रं सचते ॥ ३ ॥

तदाहुः—प्रोषितस्याग्निहोत्रिणः प्रेतस्य प्रागौर्ध्वदेहिककर्मणः किं ? गृहे अग्निहोत्रं होतव्यम्, तन्नेष्टं निवान्याः पयसा होतव्यमित्येतत् एताभिर्द्वादशभिः कण्डिकाभिरुच्यते प्रसङ्गप्रायाभिरेव । अस्मै इत्यत्र ऐकारस्य " विचार्यमाणानाम् "—(पा. सू. ८ । २ । ९७) इति प्लुतिः । " एचोऽप्रगृह्यस्यादूराद्-

(तऽइ) इत्थमेव कुर्य्यात् । (त्रि) निवान्यवत्सामेष्ट्वै ब्रूयात्तस्यै पयसा जुहुयादार्त्तम्वाऽ एतत्पयो यन्निवान्यवत्सायाऽआर्त्तमेतदग्निहोत्रं यन्मृतस्य तदार्त्तेनैव तदार्त्तन्निष्कृत्य श्रेयान्भवति ॥ ४ ॥

तदप्युपमाऽस्ति । यद्द्वौ रथौ मृदितौ समागच्छेतांᳪ स्यादेवान्यतरः स्यदयिति ॥ ५ ॥

तस्य वाऽ एतस्याग्निहोत्रस्योपचारः । प्राचीनावीती दोहयति यज्ञोपवीती वै देवेभ्यो दोहयत्यथैवम्पितॄणाम् ॥ ६ ॥

(न्त्रा) नाङ्गारेष्वधिश्रयति । यद्धाङ्गारेष्वधिश्रयेद्देवत्रा कुर्य्याद्गार्हपत्यादुष्णं भस्म दक्षिणा निरुह्य तस्मिन्नेनदधिश्रयति पितृदेवत्यमेवैनत्तत्करोति ॥ ७ ॥

नावज्योतयति नापः प्रत्यानयति । यद्धावज्योतयेद्यदपः प्रत्यानयेद्देवत्रा कुर्य्यान्न त्रिः प्रतिष्ठापᳪ हरति यत्त्रिः प्रतिष्ठापᳪ हरेद्देवत्रा कुर्य्यात्सकृदेव निकर्षन्हरति पितृदेवत्यमेवैनत्तत्करोति ॥ ८ ॥

इत्थमेव कुर्यात् । निवान्यवत्सामेष्टवै ब्रूयात् । तस्यै पयसा जुहुयात् । आर्तं वा एतत्पयः । यन्निवान्यवत्सायाः । आर्तमेतदग्निहोत्रम् । यन्मृतस्य तत् । आर्तेनैव तदार्तं निष्कृत्य श्रेयान् भवति ॥ ४ ॥

तदपि उपमाऽस्ति । यत् द्वौ रथौ मृदितौ समागच्छेताम् । स्यादेवान्यतरः स्यदयिति ॥ ५ ॥

तस्य वा एतस्याग्निहोत्रस्योपचारः । प्राचीनावीती दोहयति । यज्ञोपवीती वै देवेभ्यो दोहयति । अथैवं पितॄणाम् ॥ ६ ॥

नांगारेष्वधिश्रयति । यद्धांगारेष्वधिश्रयेत् । देवत्रा कुर्यात् । गार्हपत्यादुष्णं भस्म दक्षिणा निरुह्य । तस्मिन्नेनदधिश्रयति । पितृदेवत्यमेवैनत् तत्करोति ॥ ७ ॥

नावज्योतयति । नापः प्रत्यानयति । यद्धावज्योतयेत्, यदपः प्रत्यानयेत् । देवत्रा कुर्यात् । न त्रिः प्रतिष्ठापं हरति । यत् त्रिः प्रतिष्ठापं हरेत् । देवत्रा कुर्यात् । सकृदेव निकर्षन् हरति । पितृदेवत्यमेवैनत् तत्करोति ॥ ८ ॥

भूते पूर्वस्यार्द्धस्याऽऽदुत्तरस्येदुतौ "—(पा. सू. ८ । २ । ९७) इति इभावः । ना३इत्यत्रापि " विचार्यमाणानाम् "—(पा. सू. ८ । २ । ९७) इत्येव प्लुतिः । आ आगन्तोः होतव्यमग्निहोत्रं मन्यन्ते । अतस्थानः । " प्रकाशनस्थेयाख्ययोश्च " (पा. सू. १ । ३ । २३) इति प्रकाशने तिष्ठतेरात्मनेपदम् । आत्मानं तादर्थ्येन प्रकाशितत्वात्तप्रमिति वेदितवान् । न तस्थानः अतस्थानः । एषः अग्निराहवनीयः । गार्हपत्यस्य तदर्थे-

नोन्नेष्यामीत्याह । न चतुरुन्नयति यद्धोन्नेष्यामीति ब्रूयाद्यच्चतुरुन्नयेद्देवत्रा कुर्य्यात्सकृदेव तूष्णीन्न्यक्पर्य्यस्यति पितृदेवत्यमेवैनत्तत्करोति ॥९॥

नोपरिष्टात्समिधमभ्युस्य हरति । यद्धोपरिष्टात्समिधमभ्युस्य हरेद्देवत्रा कुर्य्यादधस्तादुपास्य हरति पितृदेवत्यमेवैनत्तत्करोति ॥ १० ॥

नोत्तरेण गार्हपत्यमेति । यद्धोत्तरेण गार्हपत्यमियाद्देवत्रा कुर्य्याद्दक्षिणेन गार्हपत्यमेति पितृदेवत्यमेवैनत्तत्करोति ॥ ११ ॥

(त्यु) अथ यान्यमून्युदीचीनाग्राणि तृणानि भवन्ति । दक्षिणाग्राणि तानि करोति पितृदेवत्यमेवैनत्तत्करोत्यथाहवनीये समिधमभ्याधाय सव्यञ्जान्वाच्य सकृदेव तूष्णीन्न्यक्पर्य्यस्यति पितृदेवत्यमेवैनत्तत्करोति नोदिङ्गयति नोपमृष्टेन प्राश्नाति नोदुक्षति पितृदेवत्यमेवैनत्तत्करोति ॥ १२ ॥

नोन्नेष्यामीत्याह । न चतुरुन्नयति । यद्धोन्नेष्यामीति ब्रूयात् । यच्चतुरुन्नयेत् । देवत्रा कुर्यात् । सकृदेव तूष्णीं न्यक् पर्यस्यति । पितृदेवत्यमेवैनत् तत्करोति ॥ ९ ॥

नोपरिष्टात् समिधमभ्यस्य हरति । यद्धोपरिष्टात् समिधमभ्यस्य हरेत् । देवत्रा कुर्यात् । अधस्तादुपास्य हरति । पितृदेवत्यमेवैनत् तत्करोति ॥ १० ॥

नोत्तरेण गार्हपत्यमेति । यद्धोत्तरेण गार्हपत्यमियात् । देवत्रा कुर्यात् । दक्षिणेन गार्हपत्यमेति । पितृदेवत्यमेवैनत् तत्करोति ॥ ११ ॥

अथ यान्यमून्युदीचीनाग्राणि तृणानि भवन्ति दक्षिणाग्राणि तानि करोति । पितृदेवत्यमेवैनत् तत्करोति । अथाहवनीये समिधमभ्याधाय । सव्यं जान्वाच्य । सकृदेव तूष्णीं न्यक् पर्यस्यति । पितृदेवत्यमेवैनत् तत्करोति । नोदिङ्गयति । नोपमृष्टेन प्राश्नाति । नोदुक्षति । पितृदेवत्यमेवैनत् तत्करोति ॥ १२ ॥

त्वात् व्यपदेशः । अनिग्नहोम.वाच । कस्मै पुनः कर्मणे अतस्थान आहवनीयः । अतः तस्मैपदेन आहवनीयस्य दाहायाह । शवदह्या "छन्दसि निष्टर्क्यदेवहूय०"—(पा. सू. ३ । १ । १२३) इत्यादिषु शवदह्या द्रष्टव्या । शवदह्यार्थ इव शवदाहार्थेव केवलाय ते एनमाहवनीयं जुहुयुः पुत्रादयः । समाप्तेऽपि यावज्जीविकेऽग्निहोत्रे इत्येतस्मै कर्मणे अतस्थान एष आत्मानमत्राधितवानित्यर्थः । तस्थे इति तस्थानः । यज्ञाय आहुतिभ्यः । क्रव्यादाम्य आहुतिभ्यः इत्यर्थः । स्वक्तुरेव प्रेतत्वात् । स एवं सत्याहवनीयः अमृष्यमाणः । "मृष तितिक्षायाम्"—(धा.पा.चु.उ.३१६) अमृष्यमाण एवमकार्ये नियोगे एनं प्रेतं तृप्रं तृपेर्हिंसार्थत्वात् दुःखं सचते सेवते । एवमेव यथा होमवेलायां तथा अन्वाहिता इध्मैः समाहिताः सन्दीपिताः । अहूयमानाः शयीरन् निश्चेष्टाः सन्तः कालं

तदाहुः । (ख्खु) यदेष दीर्घसत्र्यग्निहोत्रञ्जुह्वत्प्रवसन्म्रियेत कथमेनमग्निभिः कुर्युरिति तꣳ हैकेऽदग्ध्वाऽऽहरन्ति तमाहृतमग्निभिः सम्प्रापयन्ति तदु तथा न कुर्याद्यथाऽन्यस्यां योनौ रेतः सिक्तन्तदन्यस्यां प्रजिजनयिषेत्तादृक्तदस्थीन्येतान्याहृत्य कृष्णाजिने न्युप्य पुरुषविधिं विधायोर्णाभिः प्रच्छाद्याज्येनाभिघार्य तमग्निभिः समुपोषेत्तदेनꣳ स्वाद्योनेः प्रजनयतीति ॥ १३ ॥

तꣳ हैके ग्राम्याग्निना दहन्ति । तदु तथा न कुर्यादेष वै विश्वात्क्रव्यादग्निः स हैनमीश्वरः सपुत्रꣳ सपशुꣳ समत्तोः ॥ १४ ॥

(रु) अथ हैके प्रदव्येन दहन्ति । तदु तथा न कुर्यादेष वाऽअशान्तोऽग्निः स हैनमीश्वरः सपुत्रꣳ सपशुम्प्रदग्धोः ॥ १५ ॥

तदाहुः—यदेष दीर्घसत्र्यग्निहोत्रं जुह्वत् प्रवसन् म्रियेत । कथमेनमग्निभिः कुर्युरिति । तं हैकेऽदग्ध्वाऽऽहरन्ति । तमाहृतमग्निभिः संप्रापयन्ति । तदु तथा न कुर्यात् । यथाऽन्यस्यां योनौ रेतः सिक्तम् । तदन्यस्यां प्रजिजनयिषेत् । तादृक्तत् । अस्थीन्येतान्याहृत्य । कृष्णाजिने न्युप्य । पुरुषविधिं विधाय । ऊर्णाभिः प्रच्छाद्य । आज्येनाभिघार्य । तमग्निभिः समुपोषेत् । तदेनं स्वाद्योनेः प्रजनयतीति ॥ १३ ॥

तं हैके—ग्रामाग्निना दहन्ति । तदु तथा न कुर्यात् । एष वै विश्वात् क्रव्यादग्निः । स हैनमीश्वरः सपुत्रं सपशुं समत्तोः ॥ १४ ॥

अथ हैके—प्रदव्येन दहन्ति । तदु तथा न कुर्यात् । एष वा अशान्तोऽग्निः । स हैनमीश्वरः सपुत्रं सपशुं प्रदग्धोः ॥ १५ ॥

प्रतीक्षिग्न् निर्वति आहार्गगानयनात् । ते आहवनीयं आहवं अंगारं निर्मथन्ति गार्हपत्ये गच्छन् द्वारेण । निवान्यः सवन्धनीयः परवत्सो यस्याः सा निवान्या अवत्सा गौः । तां पृष्ठे गवेषणीयान् ब्रूयादादिशो निवान्यामानयतेति । कः पुनरेतत् कुर्यात् । यस्तस्य यजमानस्य प्राप्यतरो ज्येष्ठपुत्रो रिक्थहरः पिंडप्रदः संप्रीतिभाजनं च स एव कुर्यात् तस्योक्तं कर्म पूरयति । यत् यदि द्वौ रथौ मृदितौ भग्नौ समागच्छेतां सज्जनार्थं कुशलैः समीपमानीतौ स्यातामेव तयोरेकः स्यदयिति यजमानाय भमनक्षमः स्यादित्येवं वक्तारो भवन्ति जनाः । "प्राचीनावीती"— इत्यादयो विधयः " यज्ञोपवीती देवेभ्यः " इत्यादयोऽपि ये अप्रातार्थाः ते जीवदग्निहोत्रे विषय एव । ये तु प्रामार्थाः " अवज्योतयति " इत्यादयस्ते अर्थवादाः ॥ १–१२ ॥

' तदाहुर्यत् ' एताभिः पञ्चभिः कण्डिकाभिः अदग्ध्वाऽऽहृतस्य दाहकल्प एकैः विधीयते । तस्यैव निरसनं कुर्वन्त्यन्ये । संप्रापयन्ति "घ्रा गन्धोपादाने" (धा. पा.भ्वा.प. ९९१) दग्धप्राय एव । पुनर्मृता गृह्णन्तीत्येवं

(३) अथ हैक ऽउल्मुक्येन दहन्ति । तदु तथा न कुर्य्यादेष वै रुद्रियो-ऽग्निः स हैनमीश्वरः सपुत्रꣳ सपशुमभिमन्तोः ॥ १६ ॥

(३) अथ हैकेऽन्तरेणाग्नींश्चितिञ्चित्वा तमग्निभिः समुपोषन्त्येतद्वै यज-मानस्यायतनं यदन्तरेणाग्नीनिति तदु तथा न कुर्य्याद्यो हैनन्तत्र ब्रूया-न्मध्ये न्वाऽ अयङ्ग्रामस्याशसनमजीजनत क्षिप्रेऽस्याशसनञ्जनिष्यते प्रियतमꣳ रोत्स्यतीतीश्वरो ह तथैव स्यात् ॥ १७ ॥

इति द्वितीयप्रपाठके सप्तमं ब्राह्मणम् ॥ १२-२-७ ॥ (५. १) ॥

अथ ह स्माह नाको मौद्गल्यः । (ल्या) मरिष्यन्तञ्चेद्यजमानम्मन्येत यत्रैवास्माऽ आशसनञ्जोषितꣳ स्यात्तदरण्योरग्नी समारोह्य निर्म्मथ्य जुह्वद्वसेत्स यदाऽस्माल्लोकाद्यजमानः प्रेयात् ॥ १ ॥

अथ हैके—उल्मुक्येन दहन्ति । तदु तथा न कुर्यात् । एष वै रुद्रियोऽग्निः । स हैनमीश्वरः सपुत्रं सपशुमभिमन्तोः ॥ १६ ॥

अथ हैके—अन्तरेणाग्नींश्चितिं चित्वा तमग्निभिः समुपोषन्ति । एतद्वै यजमानस्यायतनम् । यद-न्तरेणाग्नीनिति । तदु तथा न कुर्यात् । यो हैनं तत्र ब्रूयात् । मध्ये न्वा अयं ग्रामस्याशसनमजी-जनत । क्षिप्रेऽस्याशसनं जनिष्यते । प्रियतमं रोत्स्यतीति । ईश्वरो ह तथैव स्यात् ॥ १७ ॥

अथ ह स्माह नाको मौद्गल्यः । मरिष्यंतं चेद्यजमानं मन्येत । यत्रैवास्मा आशसनं जोषितं स्यात् । तदरण्योरग्नी समारोह्य निर्मथ्य जुह्वद्वसेत । स यदाऽस्माल्लोकाद्यजमानः प्रेयात् ॥ १ ॥

संध्रापणेन लक्ष्यते । प्रजिजनयिषेत् । प्रजनयितुमिच्छेत् । न समुपोषेत् । "उष दाहे" (धा. पा. भ्वा. प. ६९०) । "तं हैके प्रवमन्त्रियेत" इत्युक्तविधानमुक्तम् । अतः प्रवसति अन्ये (वृत्तं वचा?) "दीर्घसत्त्य-ग्निहोत्रं जुह्वत्प्रवसन् म्रियेत कशमेनगाग्निभिः कुर्यु." इत्येतावदनिविवर्ततेऽतश्च प्रोषितविषयोऽयं पक्षः । तत्र पश्चदाहपक्षान् दूषयित्वा "इत्थमेव कुर्यात्" (श. प. १२ । ५ । २ । ३) इत्युपसंहारे उल्मुक्येन स समन्तोः संभक्षयः (नुमास्वरः?) । प्रदग्धोः प्रदग्धः । अभिमन्तोरभिमन्तुमर्हः । मध्ये अयमग्निर्ग्रामस्य अग्निसमूहस्य आश-सनम् । "शसु हिंसायाम्" (धा. पा. भ्वा. प. ७२८) इति । आशस्यते आलभ्यते दह्यते प्रेतोऽस्मि-न्नित्याशसनम् । प्रियतमं पुत्रादिमेव आत्मनः रोत्स्यति मरणायति । तथा कात्यायनोऽसूत्रयत् । "प्रोषित-श्चेत्प्रेयात् प्राचीनावीती निवान्यां दुग्ध्वा दक्षिणतोऽग्निश्रियणोद्वासने । तत एव हरणम् । अधस्तात् समिधं धारयन् । उदगग्रान् कुशान् दक्षिणाग्रान् कृत्वा । सकृद्वा पितृवत् पर्यस्य । शरीराण्याहृत्य कृष्णाजिने पुरुषविधिं विधायोर्णाभिः प्रच्छाद्याज्येनाभिघार्य पूर्ववद्दाहः" (का. श्रौ. सू. २५ । १९८-२०२) इति ॥ १२-१७ ॥

इति श्रीमदाचार्यहरिस्वामिनः कृतौ माध्यन्दिनीयशतपथब्राह्मणभाष्ये द्वादशकाण्डे पञ्चमेऽध्याये प्रथमं ब्राह्मणम् ॥ १२ । ५ । १ ॥

'अथ ह स्माह' । अप्रोषितस्यैव प्रेतस्य अंत्यकर्म । अत्र ब्राह्मणे प्रसन्नम् । प्रसन्नमेव प्रायः उच्यते ।

(इ) अथैनमन्तरेणाग्नींश्चितिञ्चित्वा । तमग्निभिः समुपोषेदिति तदु तथा न कुर्य्यादतस्थानो वाऽएष तस्मै यदेनꣳ शवदह्यायाऽइव जुहुयुरयज्ञाय वाऽएषऽआहुतिभ्यस्तस्थानः स हैनममृष्यमाणस्तृप्रꣳ सचते २ ॥

(तऽइ) इत्थमेव कुर्य्यात् । (त्ति) तिस्रऽ एव स्थालीरेष्टवै ब्रूयात्तासु गोमयानि च शुम्बलानि चावधाय नाना त्रिष्वग्निषु प्रवृञ्ज्यात्ते ये ततः सन्तापादग्नयो जायेरंस्तैरेनं दहेयुस्तथा ह तैरेव दग्धो भवति नो प्रत्यक्षमिव ॥ ३ ॥

तस्मादप्येतदृषिणाऽभ्युनूक्तम् । यो ऽअग्निरग्नेरध्यजायत शोकात्पृथिव्याऽउत वा दिवस्परि । येन प्रजा विश्वकर्म्मा जजान तमग्ने हेडः परि ते वृणक्त्विति यथर्क्तथा ब्राह्मणम् ॥ ४ ॥

अथैनमन्तरेणाग्नींश्चितिं चित्वा । तमग्निभिः समुपोषेदिति । तदु तथा न कुर्यात् । अतस्थानो वा एष तस्मै । यदेनं शवदह्याया इव जुहुयुः । यज्ञाय वा एषः । आहुतिभ्यस्तस्थान स हैनममृष्यमाणस्तृप्रं सचते ॥ २ ॥

इत्थमेव कुर्यात् । तिस्र एव स्थालीरेष्टवै ब्रूयात् । तासु गोमयानि च शुंबलानि चावधाय । नाना त्रिष्वग्निषु प्रवृंज्यात् । ते ये ततः सन्तापादग्नयो जायेरन् । तैरेनं दहेयुः । तथो ह तैरेव दग्धो भवति । नो प्रत्यक्षमिव ॥ ३ ॥

तस्मादपि एतत् ऋषिणाऽभ्यनूक्तम्–" यो अग्निरग्नेरध्यजायत शोकात्पृथिव्या उत वा दिवस्परि । येन प्रजा विश्वकर्मा जजान तमग्ने हेडः परि ते वृणक्तु"–(वा.सं.१३। ४९) इति । यथा ऋक् तथा ब्राह्मणम् ॥ ४ ॥

तत्राद्ययोः कण्डिकयोः । समारूढनिर्मथितैः अग्निभिर्दग्धव्यः इत्येष कल्प उपन्यस्य निरस्यते नाको नाम मुद्गलस्यापत्यं स आह स्म । यदि मरिष्यंतं प्रत्यासन्नमरणं यजमानं मन्येत पुत्रादिरंत्यकर्मयोग्यम्। अतोऽरण्योरग्नी समारोह्य यत्रैव देशे अस्मै यजमानाय आशसनं दाहस्थानं जोषितं आचितं स्यात्। इह स्थाने यत्र मृतः तत्र स्थाने निर्मथ्य जुह्वत् वसेत् । यावत्स प्रेयात् । स यदाऽस्मात् लोकात् यजमानः पुष्करेण लोकान्तरं गच्छेत् ॥ १ ॥

अथ तदा एनं अंतरेणाग्नीन् चितिं काष्ठमयीं चित्वा । तमिति तत्रेत्यर्थे लिंगविभक्तिव्यत्ययः । तत्राग्निभिः संदहेदिति ॥ २ ॥

इत्थमेव संताप्यैरग्निभिर्दग्धव्यः ते चैवमुत्पाद्याः इत्येतत् अत्र कंडिकाद्वये उच्यते । शुंबलानि तृणानि अल्पतृणानि ॥ ३ ॥ ४ ॥

(मु) अथैनम्विपुरीषङ्कृत्वा । (त्वाऽस्या) अस्याम्पुरीषम्प्रतिष्ठापयति पुरीषम्वाऽ इयन्तत्पुरीषऽ एवैतत्पुरीषन्दधाति या ह वाऽ अस्यैषा वृकला सपुरीषा तस्यै ह विदग्धायै सृगालः संभवति नेत्सृगालः संभवदिति तदु तथा न कुर्य्यात्क्षोधुका हास्य प्रजा भवति तमन्तरतः प्रक्षाल्याज्येनान्वनक्ति मेध्यमेवैनन्तत्करोति ॥ ५ ॥

(त्यु) अथास्य सप्तसु प्राणायतनेषु । सप्त हिरण्यशकलान्प्रत्यस्यति ज्योतिर्व्वाऽ अमृतꣳ हिरण्यं ज्योतिरेवास्मिंस्तदमृतन्दधाति ॥ ६ ॥

(त्यु) अथैनमंतरेणाग्नींश्चितिश्चित्वा । कृष्णाजिनमुत्तरलोम प्राचीनग्रीवम्प्रस्तीर्य्य तस्मिन्नेनमुत्तानन्निपाद्य जुहूङ्घृतेन पूर्णान्दक्षिणे पाणावादधाति सव्यऽ उपभृतमुरसि ध्रुवाम्मुखेऽग्निहोत्रहवणीन्नासिकयोः स्रुवौ कर्ण्णयोः प्राशित्रहरणे शीर्षंश्चमसम्प्रणीताप्रणयनम्पार्श्वयोः शूर्प्पेऽ उदरे पात्रीꣳ समवत्तधानीम्पृषदाज्यवतीꣳ शिश्नस्यान्ते शम्म्या-

---

अथैनं विपुरीषं कृत्वा अस्यां पुरीषं प्रतिष्ठापयति । पुरीषं वा इयम् । तत्पुरीष एवैतत्पुरीषं दधाति । या ह वा अस्यैषा वृकला सपुरीषा । तस्यै ह विदग्धायै सृगालः संभवति । नेत् सृगालः संभवदिति । तदु तथा न कुर्यात् । क्षोधुका हास्य प्रजा भवति । तमंतरतः प्रक्षाल्य, आज्येनान्वनक्ति । मेध्यमेवैनं तत्करोति ॥ ५ ॥

अथास्य सप्तसु प्राणायतनेषु सप्त हिरण्यशकलान् प्रास्यति । ज्योतिर्वा अमृतं हिरण्यम् । ज्योतिरेवास्मिंस्तदमृतं दधाति ॥ ६ ॥

अथैनमंतरेणाग्नीन् चितिं चित्वा । कृष्णाजिनमुत्तरलोम प्राचीनग्रीवं प्रस्तीर्य । तस्मिन्नेनमुत्तानं निपाद्य । जुहूं घृतेन पूर्णां दक्षिणे पाणावादधाति । सव्य उपभृतम् । उरसि ध्रुवाम् । मुखेऽग्निहोत्रहवणीम् । नासिकयोः स्रुवौ । कर्णयोः प्राशित्रहरणे । शीर्षंश्चमसं प्रणीताप्रणयनम् ।

अथैनं विपुरीषं एनं यजमानं कृत्वा अस्यां पृथिव्यां पुरुषं प्रतिष्ठापयति । या ह वै अस्य यजमानस्य । एषा वृकला वृक्का अन्त्रा कला वृकला । सपुरीषा अंत्रात्मिका । तस्यै तस्याः विदग्धायाः सकाशात् सृगालः संभवति । तस्याहारेण पुष्टतरेण (उत्कोचेन ?) सृगालः संभवतीति युक्तं, नेत्सृगालः संभवन् शरीरजन्म परिहरणीयमित्यभिप्रायः । क्षोधुका " क्षुध बुभुक्षायाम् " (धा. पा. दि. प. ८४) अल्पान्ना बुभुक्षाशीला प्रजा भवति । यं विपुरीषं कुर्वंति । यदि तु विपुरीषं कुर्यात् । ततः तमंतरतः प्रक्षाल्य, आज्येनान्वनक्ति ॥ ५ ॥ १ ॥

शूर्पे द्वे ऐष्टिकं शूर्पं कर्मपात्रशूर्पं च । उदरे पात्रीम् इडापात्रीम् । समवत्तं धीयते यस्यामिति समवत्तधानी

माण्डयोरन्ते वृषास्वावन्वगुलूखलं च मुसलञ्चान्तरेणोरूऽ अन्यानि यज्ञपात्राणि दक्षिणे पाणौ स्फ्यम् ॥ ७ ॥

(स॒) सऽ एष यज्ञायुधी यजमानः । (नो) यथा बिभ्यदामोषमतीयादेवमेव योऽस्य स्वर्गे लोको जितो भवति तमभ्युत्येति तमेते सन्ताप्याऽ अग्नयो यथा पुत्राः पितरम्प्रोषुषमागतꣳ शिवमुपस्पृशन्त्येवꣳ शिवꣳ हैवैनमुपस्पृशन्ति प्र हैवैनङ्कल्पयन्ति ॥ ८ ॥

तं यदि गार्हपत्यः पूर्वः प्राप्नुयात् । (त्त) तद्विद्यात्प्रतिष्ठऽ एनमाग्निः पूर्वः प्रापत्प्रतिष्ठास्यति प्रत्येव तेऽस्मिंल्लोके स्थास्यन्ति येऽस्मात्प्रत्यञ्चऽ इति ॥ ९ ॥

(त्यु) अथ यद्याहवनीयः । (स्त) तद्विद्यान्मुख्यऽएनमाग्निः पूर्वः प्रापन्मुखतो लोकानजैषीन्मुखमेव तेऽस्मिंल्लोके भविष्यन्ति येऽस्मात्प्रत्यञ्चऽइति ॥ १० ॥

पार्श्वयोः शूर्पे । उदरे पात्रीं समवत्तधानीं पृषदाज्यवतीम् । शिश्नस्यांते शम्याम् । आंडयोरंते वृषास्वौ । अन्वगुलूखलं च मुसलं च । अंतरेणोरू अन्यानि यज्ञपात्राणि । दक्षिणे पाणौ स्फ्यम् ॥७॥

स एष यज्ञायुधी यजमानः यथा बिभ्यदामोपमतीयात् । एवमेव । योऽस्य स्वर्गे लोको जितो भवति । तमभ्यत्येति । तमेते संताप्या अग्नयो यथा पुत्राः पितरं प्रोषुषमागतं शिवमुपस्पृशंति । एवं शिवं हैवैनमुपस्पृशंति । प्र हैवैनं कल्पयंति ॥ ८ ॥

तं यदि गार्हपत्यः पूर्वः प्राप्नुयात् । तद्विद्यात् । प्रतिष्ठ एनमग्निः पूर्वः प्रापत् । प्रतिष्ठास्यति । प्रत्येव तेऽस्मिन् लोके स्थास्यंति । येऽस्मात्प्रत्यंच इति ॥ ९ ॥

अथ यद्याहवनीयः । तद्विद्यात । मुख्य एनमग्निः पूर्वः प्रापत् । मुखतो लोकानजैषीत् । मुखमेव तेऽस्मिन् लोके भविष्यंति । येऽस्मात्प्रत्यंच इति ॥ १० ॥

तां पृषदाज्यवतीं च । शिश्नस्यांते समीपे शम्याम् । आंडयोः समीपे वृषाम्नौ अरणी । वृषा उत्तरारणिः आसीनास्मिन्नित्यास्वः अधरारणिः । तावन्वक् उलूखलं च मुसलं च ॥ ७ ॥

स एष यज्ञायुधीनि । यज्ञायुधानि यज्ञसाधनानि तानि आयुधस्थानीयानि यस्य स यज्ञायुधी इति प्राप्ते उत्तरपदलोपः । आमोषम् । "मुष स्तेये" (धा. पा. क्र्या. प. ५८) आमुष्यंतेऽस्मिन्निति आमोषः अक्षेमः प्रदेशो यः । सः अस्य यजमानस्य कर्मभिर्लोको जितो भवति । 'तमभ्यत्येति' अतिक्रम्य एति । तमेते संतापजाः संताप्याः । प्रोषुषं प्रोषितम् । एवमुपस्पृशंतीति क्रियाविशेषणम् । एवं वै शांतमेव । एनमुपस्पृशंति अतोऽत्र हिंसंतीत्यर्थः । प्रकृष्टमेनं स्वर्गं कल्पयंति ॥ ८ ॥

प्रतिष्ठः, नित्यस्थितत्वात् पृथिवीशक्तित्वात् प्रतिष्ठो गार्हपत्यः । ये पुत्रादयः अस्मात् यजमानात् प्रत्यंचः पृष्ठतः श्रिताः ॥ ९ ॥

मुख्यस्थानीये पूर्वार्द्धे आहृतः आहवनीयः ॥ १० ॥

(त्यु) अथ यदन्वाहार्यपचनः । (स्तु) तद्विद्यादन्नाद एनमग्निः पूर्वः प्रापदन्नमत्स्यत्यन्नमेव तेऽस्मिँल्लोकेऽत्स्यन्ति येऽस्मात्प्रत्यञ्च इति ॥ ११ ॥

(त्यु) अथ यदि सर्वे सकृत । (त्तु) तद्विद्यात्कल्याणं लोकमजैषीदित्येतान्यस्मिन्विज्ञानानि ॥ १२ ॥

ताम्वाऽएताम् । यजमानात्माहुतिमन्ततो जुहोति स योऽस्य स्वर्गो लोको जितो भवति ततऽआहुतिमयोऽमृतः सम्भवति ॥ १३ ॥

(त्यु) अथ यान्यश्ममयानि च मृन्मयानि च भवन्ति । तानि ब्राह्मणाय दद्याच्छवोद्वहमु ह तम्मन्यन्ते यस्तानि प्रतिगृह्णात्यपऽ एवैनान्यभ्युवहरेयुरापो वाऽ अस्य सर्वस्य प्रतिष्ठा तदेनमप्स्वेव प्रतिष्ठापयति ॥ १४ ॥

(त्यु) अथैतामाहुतिञ्जुहोति । पुत्रो वा भ्राता वा यो वाऽन्यो ब्राह्मणः

अथ यद्यन्वाहार्यपचनः । तद्विद्यात् । अन्नाद एनमग्निः पूर्वः प्रापत् । अन्नमत्स्यति । अन्नमेव तेऽस्मिन् लोकेऽत्स्यन्ति । येऽस्मात्प्रत्यंच इति ॥ ११ ॥

अथ यदि सर्वे सकृत् । तद्विद्यात् । कल्याणं लोकमजैषीदिति । एतान्यस्मिन् विज्ञानानि ॥ १२ ॥

तां वा एतां यजमानात्माहुतिमंततो जुहोति । स योऽस्य स्वर्गे लोको जितो भवति । तत आहुतिमयोऽमृतः संभवति ॥ १३ ॥

अथ यान्यश्ममयानि च मृन्मयानि च भवन्ति । तानि ब्राह्मणाय दद्यात् । शवोद्वहमु ह तं मन्यन्ते । यस्तानि प्रतिगृह्णाति । अप एवैनान्यभ्यवहरेयुः । आपो वा अस्य सर्वस्य प्रतिष्ठा । तदेनमप्स्वेव प्रतिष्ठापयति ॥ १४ ॥

अथैतामाहुतिं जुहोति । पुत्रो वा भ्राता वा यो वाऽन्यो ब्राह्मणः स्यात्—" अस्मात्त्व-

---

' अन्नादः ' पुरुषाणामन्नमन्वाहार्यमत्ति पचतीति अन्वाहार्यपचनः ॥ ११ ॥ १२ ॥

यजमानस्यात्मा शरीरम् । तदेवाहुतिः तां जुहोति । यः अस्य स्वर्गे लोकः स्थानं जितो भवति कर्मभिः । ततस्तत्र आहुतिपरिणाममयः अमृतः स्थिरशरीरः संभवति ॥ १३ ॥

अश्ममयानि दृषदुपलादीनि । लौहानि तप्योपरवादीनि । मृन्मयानि आज्यस्थाली उखा अग्निहोत्रस्थाली च । शवोद्वहम् । शवद्रव्यस्य उद्वहनरतं तं मन्यन्ते । न च सत्यां गतौ ब्राह्मणः संकटमापद्यत इत्यर्थः ॥ १४ ॥

अथैतामाहुतिं जुहोति । एतामिति सन्निहितपरामर्शात् पूर्वैव यजमानशरीराहुतिरिति केचित् । न तु

स्यादस्मात्त्वमधि जातोऽसि त्वदयञ्जायताम्पुनः । असौ स्वर्ग्गाय लोकाय स्वाहेत्युनपेक्षमेत्यापऽउपस्पृशन्ति ॥ १५ ॥

इति द्वितीयप्रपाठकेऽष्टमं ब्राह्मणम् ॥ १२।२।८ ॥ (५-२)

पंचमोऽध्यायः समाप्तः ॥ १२।५ ॥ कण्डिकासंख्या ॥ ३२ ॥

द्वितीयः प्रपाठकश्च समाप्तः ॥ कण्डिकासंख्या ॥९५॥

मधि जातोऽसि त्वदयं जायतां पुनः । असौ स्वर्गाय लोकाय स्वाहा "–(वा. सं. ३५ । २२) इति । अनपेक्षमेत्य अप उपस्पृशंति ॥ १५ ॥

साहुतित्वम् । पुत्रादेवोदितत्वात्तैरेव न दहेयुरिति दाहमात्रस्य चोदितत्वात् । अथ तस्यैव शरीरस्याहुतित्वमुच्यते । न तु आहुतित्वे पुत्रादयो विधीयन्ते । इति वाक्यं भिद्येत । तस्मात् प्राच्यैवैवमपूर्वाज्याहुतिर्विधीयते । तस्यां मांत्रवार्णिक्यग्निर्देवता द्रष्टव्या । अनपेक्षम् । अपेक्षं न भवति इति अनपेक्षम् अनवलोकम् । एत्य अपः उपस्पृशन्ति । तदेतत्सर्वं कात्यायनोऽसूत्रयत्–" संदीपनवतीः प्रत्यगन्यविश्रयंत्युखाः । संतापजानग्नीनादाय सशरीरा दक्षिणा गच्छन्ति । अनसा । वितानः साधयित्वा समे बहुलतृणेऽन्तराग्नी चितिं चिनोति । उद्धृत्य क्षीरिणीः पुरुषाहुतीः । विशाखशराश्मगन्धापृश्निपर्ण्यध्यांडाश्च । केशश्मश्रुनखलोमनिकृन्तनानि कृत्वा विपुरीषं चेच्छन् । केशादि निखाय सर्पिषाऽन्तरक्त्वा चितावेनमादधाति कृष्णाजिनमास्तीर्य प्राक्शिरसम् । सप्तसु प्राणायतनेषु सप्त हिरण्य शकलान् प्रास्यति मुखे प्रथमम् । दक्षिणहस्ते जुहूं सादयति घृतपूर्णाम् । स्फ्यं च । उपभृतं सव्ये । उरसि ध्रुवाम् । मुखेऽग्निहोत्रहवणीम् । नासिकयोः स्रुवौ । कर्णयोः प्राशित्रहरणे शिरसि चमसं प्रणीताप्रणयनम् । कपालानि चैके । पार्श्वयोः शूर्पे । उदरे पात्रीं समवत्तधानीं पृषदाज्यवतीम्, शिश्ने शम्याम्, अरणी वृषणयोः । अन्तरोरू यज्ञपात्राण्यन्यानि । अप्स्ववहरणं मृन्मयाश्ममयानाम् । अयस्मयानि वा ब्राह्मणाय दद्यात् । आहुतिं जुहोति पुत्रो भ्राताऽन्यो वा ब्राह्मणोऽस्मात्त्वमधि जातोऽसि त्वदयं जायतां पुनः । असौ स्वर्गाय लोकाय स्वाहेति । अनपेक्षमेत्योपस्पृशंत्यपः । (का. श्रौ. सू. २५ । १६२ । १८३ । १८८ । १८९ ।) ॥ १५ ॥

इति श्रीमदाचार्यहरिस्वामिनः कृतौ माध्यन्दिनीयशतपथब्राह्मणभाष्ये द्वादशकांडे पञ्चमेऽध्याये द्वितीयं ब्राह्मणम् ॥ (१२ । ५ । २) ॥

नागस्वामिसुतोऽवन्त्यां पाराशर्यो वसन्हरिः । श्रुत्यर्थं दर्शयामास शक्तितः पौष्करीयकः ॥ १ ॥
श्रीमतोऽवन्तिनाथस्य विक्रमार्कस्य भूपतेः । धर्माध्यक्षो हरिस्वामी व्याख्यच्छातपथीं श्रुतिम् ॥ २ ॥
भूभर्त्रा विक्रमार्केण क्लृप्तां कनकवेदिकाम् । दानायाध्यस्य कृतवान् श्रुत्यर्थविवृतिं हरिः ॥ ३ ॥

इति श्रीसर्वविद्यानिधानकवीन्द्राचार्यसरस्वतीनां श्रीहरिस्वामिनां कृतौ माध्यन्दिनीयशतपथब्राह्मणभाष्ये द्वादशकाण्डे पञ्चमोऽध्यायः समाप्तः ॥ १२–५ ॥

१–एकः खादिर ऐध्मिकः, अपरो वैकंकतः अग्निहोत्रहोमार्थः । २–एकमैष्टिकं द्वितीयं वारुणप्रघासिकं प्रतिप्रस्थातुः । अकृतचातुर्मास्ये तु ऐष्टिकमेव द्वेधा क्रियते । ३–समवत्तधानी इडापात्री ।

अथ षष्ठेऽध्याये प्रथमं ब्राह्मणम् ।

तृतीयप्रपाठके च प्रथमं ब्राह्मणम् ।

सोमो वै राजा यज्ञः प्रजापतिः । (स्तु) तस्यैतास्तन्वो याऽएता देवता याऽएताऽआहुतीर्जुहोति ॥ १ ॥

स यद्यज्ञस्याच्छैत् । (द्या) यान्तत्प्रति देवताम्मन्येत तामनुसमीक्ष्य जुहुयाद्यदि दीक्षोपसत्स्वाहवनीये यदि प्रसुतऽआग्नीध्रे वि वाऽएतद्यज्ञस्य पर्व स्रꣳसते यद्ध्वलति सा यैव तर्हि तत्र देवता भवति तयैवैतद्देवतया यज्ञम्भिषज्यति तया देवतया यज्ञम्प्रतिसन्दधाति ॥ २ ॥

अथ ज्योतिष्टोमप्रायश्चित्तब्राह्मणम् ।

सोमो वै राजा यज्ञः प्रजापतिः । तस्यैतास्तन्वः । या एता देवताः । या एता आहुतीर्जुहोति ॥ १ ॥

स यद्यज्ञस्याच्छेंत् । यां तत्प्रति देवतां मन्येत । तामनुसमीक्ष्य जुहुयात् । यदि दीक्षोपसत्स्वाहवनीये । यदि प्रसुत आग्नीध्रे । वि वा एतत् यज्ञस्य पर्व स्रंसते–यत् ह्वलति । सा यैव तर्हि तत्र देवता भवति । तयैवैतत् देवतया यज्ञं भिषज्यति । तया देवतया यज्ञं प्रतिसंदधाति ॥ २ ॥

'सोमो वै राजा' । सोमप्रायश्चित्तब्राह्मणमेतत् । प्रायश्चित्तसम्बन्धार्थमेव पुनः सोमयागः प्रक्रियते । सोमो वै राजेति । सोमः अनंतौषधीषनां राजा । देवराजचंद्रमसो न न्यूनभूतः । तेनात्र यज्ञसामानाधिकरण्यान्मत्वर्थो लक्ष्यते । सोमसाधनको यज्ञः प्रजापतिरित्यधिदैवमित्यध्याहार्यम् । सोमसाधनको यज्ञः प्रजापतिः । तस्य एतास्तन्वः शरीराणि । या एता देवता वक्ष्यमाणाः परमेष्ठ्यादयः । प्रजापत्यात्मकस्य सोमस्येति विशेषाः । इत्यधिदैवम् ॥

याश्चैता आहुतीः । आहूयन्त इत्याहुतयः । परमेष्ठ्याद्याः ताः सोमद्रव्यात्मकस्य यज्ञस्य तन्वः । जुहोतीति क्रियात्मकस्य यज्ञस्य हवनक्रियास्तन्वः । एवं द्रव्यं देवता क्रिया च । पुनः यज्ञस्य द्रव्यदेवताक्रियाविशेषात्मिका एव प्रायश्चित्तीयास्तन्वः इत्युपन्यासः ॥ १ ॥

'स यद्यज्ञस्य' । किं पुनर्नित्या एवैतास्तन्वः ? नेत्याह–यत्सोमयज्ञस्यांगम् आर्च्छेत् विनश्येत् । तदंगं तत्प्रति तस्मिन्नंगे यां देवतां परमेष्ठ्यादिकां मन्येत । "परमेष्ठ्यभिधीतः" (वा. सं. ८ । ५४) इत्यादेरागमात् । अवगच्छेत् । तामनुपूर्वं सम्यक् ज्ञात्वा तस्यै देवतायै आज्याहुतिं जुहुयात् । यदि दीक्षोपसत्सु यज्ञस्य किंचिदार्च्छेत् तदा आहवनीये जुहुयात् । यदि तु प्रसुत्यायां तत आग्नीध्रीये । प्रायणीयापूर्वं प्राक् सुत्यायाः क्व होतव्यं ? आहवनीये, कुतः ? "दीक्षोपसत्स्वाहवनीये" इत्यनुवादत एव प्राप्तत्वात् । एतावदेव ह्यनुविधीयते–"प्रसुत आग्नीध्रे" जुहोतीति । ततश्च सुत्यायामेव आग्नीध्रता प्राप्तेति । विस्रंसते

स यद्येनम्मनसाऽभिध्यातः । (तो) यज्ञो नोपनमेत्परमेष्ठिने स्वाहेति जुहुयात्परमेष्ठी हि स तर्हि भवत्यप पाप्मानꣳ हतऽ उपैनं यज्ञो नमति ॥ ३ ॥ कांडस्यार्द्धम् २३० ॥

(त्यु) अथ यद्येनम्वाचाऽभिव्याहृतः । (तो) यज्ञो नोपनमेत्प्रजापतये स्वाहेति जुहुयात्प्रजापतिर्हि स तर्हि भवत्यप पाप्मानꣳ हतऽ उपैनं यज्ञो नमति ॥ ४ ॥

(त्यु) अथ यस्य राजानमुच्छेत्त्वा । नाहरन्तऽ एयुरन्धसे स्वाहेति जुहुयादन्धो हि स तर्हि भवत्यप पाप्मानꣳ हतऽउपैनं यज्ञो नमति ॥ ५ ॥

(त्यु) अथ यदि सातः । किञ्चिदापद्येत सवित्रे स्वाहेति जुहुयात्सविता हि स तर्हि भवत्यप पाप्मानꣳ हतऽ उपैनं यज्ञो नमति ॥ ६ ॥

(त्यु) अथ यदि दीक्षासु । किञ्चिदापद्येत विश्वकर्म्मणे स्वाहेति जुहुयाद्विश्वकर्म्मा हि स तर्हि भवत्यप पाप्मानꣳ हतऽ उपैनं यज्ञो नमति ॥ ७ ॥

स यद्येनं मनसाऽभिध्यातो यज्ञो नोपनमेत् । "परमेष्ठिने स्वाहा"–इति जुहुयात् परमेष्ठी हि स तर्हि भवति । अप पाप्मानं हते । उपैनं यज्ञो नमति ॥ ३ ॥

अथ यद्येनं वाचाऽभिव्याहृतो यज्ञो नोपनमेत् । "प्रजापतये स्वाहा"–इति जुहुयात् । प्रजापतिर्हि स तर्हि भवति । अप पाप्मानं हते । उपैनं यज्ञो नमति ॥ ४ ॥

अथ यस्य राजानमच्छेत्त्वा नाहरन्त एयुः । "अन्धसे स्वाहा"–इति जुहुयात् । अन्धो हि स तर्हि भवति । अप पाप्मानं हते । उपैनं यज्ञो नमति ॥ ५ ॥

अथ यदि सातः किंचिदापद्येत । "सवित्रे स्वाहा"–इति जुहुयात । सविता हि स तर्हि भवति । अप पाप्मानं हते । उपैनं यज्ञो नमति ॥ ६ ॥

अथ यदि दीक्षासु, किंचिदापद्येत । "विश्वकर्मणे स्वाहा"–इति जुहुयात् । विश्वकर्मा हि स तर्हि भवति । अप पाप्मानं हते । उपैनं यज्ञो नमति ॥ ७ ॥

वै एतद्यज्ञस्य पर्व अंगं यत् ह्वलति । स्वभावाद्विगुणं भवतीत्यर्थः । ततश्च 'या' एव पर्वपर्वणि अभिध्यानादौ देवता परमेष्ठ्यादिर्भवति । तस्या देवताया एतदेव कुर्वन् यज्ञं भिषंज्यति संदधाति । इति संक्षेपवचनम् ॥ २ ॥

'स यद्येनम्' । विशेषवचनानि एतानि प्रसन्नानि । परमेष्ठी हि स यज्ञस्तदा भवति । अन्यया वाऽऽहुत्या प्रतिबन्धकं पाप्मानं अपहन्ति यज्ञश्च तस्मिन्नपहते एनं यजमानं उपनमति ॥ ३–३७ ॥

(त्यु) अथ यदि सोमक्रयण्याम् । (क्लि) किञ्चिदापद्येत पूष्णे स्वाहेति जुहुयात्पूषा हि स तर्हि भवत्युप पाप्मानꣳ हतऽ उपैनं यज्ञो नमति ॥ ८ ॥

(त्यु) अथ यदि क्रयायोपोत्थितः । किञ्चिदापद्येतेन्द्राय च मरुद्भ्यश्च स्वाहेति जुहुयादिन्द्रश्च हि स तर्हि मरुतश्च भवत्युप पाप्मानꣳ हतऽउपैनं यज्ञो नमति ॥ ९ ॥

(त्यु) अथ यदि पण्यमानः । किञ्चिदापद्येतासुराय स्वाहेति जुहुयादसुरो हि स तर्हि भवत्युप पाप्मानꣳ हतऽ उपैनं यज्ञो नमति ॥ १० ॥

(त्यु) अथ यदि क्रीतः । किञ्चिदापद्येत मित्राय स्वाहेति जुहुयान्मित्रो हि स तर्हि भवत्युप पाप्मानꣳ हतऽउपैनं यज्ञो नमति ॥ ११ ॥

(त्यु) अथ यद्यूरावासन्नः । किञ्चिदापद्येत विष्णवे शिपिविष्टाय स्वाहेति जुहुयाद्विष्णुर्हि स तर्हि शिपिविष्टो भवत्युप पाप्मानꣳ हतऽ उपैनं यज्ञो नमति ॥ १२ ॥

(त्यु) अथ यदि पर्युह्यमाणः । किञ्चिदापद्येत विष्णवे नरन्धिषाय स्वाहेति जुहुयाद्विष्णुर्हि स तर्हि नरन्धिषो भवत्युप पाप्मानꣳ हतऽ उपैनं यज्ञो नमति ॥ १३ ॥

अथ यदि सोमक्रयण्यां किंचिदापद्येत । "पूष्णे स्वाहा"–इति जुहुयात् । पूषा हि स तर्हि भवति । अप पाप्मानं हते । उपैनं यज्ञो नमति ॥ ८ ॥

अथ यदि क्रयायोपोत्थितः किंचिदापद्येत । "इन्द्राय च मरुद्भ्यश्च स्वाहा"–इति । जुहुयात् । इन्द्रश्च हि स तर्हि मरुतश्च भवति । अप पाप्मानं हते । उपैनं यज्ञो नमति ॥ ९ ॥

अथ यदि पण्यमानः किंचिदापद्येत । "असुराय स्वाहा"–इति जुहुयात् । असुरो हि स तर्हि भवति । अप पाप्मानं हते । उपैनं यज्ञो नमति ॥ १० ॥

अथ यदि क्रीतः किंचिदापद्येत । "मित्राय स्वाहा"–इति जुहुयात् । मित्रो हि स तर्हि भवति । अप पाप्मानं हते । उपैनं यज्ञो नमति ॥ ११ ॥

अथ यद्यूरावासन्नः किंचिदापद्येत । "विष्णवे शिपिविष्टाय स्वाहा"–इति जुहुयात् । विष्णुर्हि स तर्हि शिपिविष्टो भवति । अप पाप्मानं हते । उपैनं यज्ञो नमति ॥ १२ ॥

अथ यदि पर्युह्यमाणः किंचिदापद्येत । "विष्णवे नरन्धिषाय स्वाहा"–इति जुहुयात् । विष्णुर्हि स तर्हि नरन्धिषो भवति । अप पाप्मानं हते । उपैनं यज्ञो नमति ॥ १३ ॥

(त्यु) अथ यद्यागतः । किञ्चिदापद्येत सोमाय स्वाहेति जुहुयात्सोमो हि स तर्हि भवत्युप पाप्मानꣳ हतऽउपैनं यज्ञो नमति ॥ १४ ॥

(त्यु) अथ यद्यासन्द्यामासन्नः । किञ्चिदापद्येत वरुणाय स्वाहेति जुहुयाद्वरुणो हि स तर्हि भवत्युप पाप्मानꣳ हतऽउपैनं यज्ञो नमति ॥ १५ ॥

(त्यु) अथ यद्याग्नीध्रगतः । किञ्चिदापद्येताग्नये स्वाहेति जुहुयादग्निर्हि स तर्हि भवत्युप पाप्मानꣳ हतऽउपैनं यज्ञो नमति ॥ १६ ॥

(त्यु) अथ यदि हविर्द्धानगतः । किञ्चिदापद्येतेन्द्राय स्वाहेति जुहुयादिन्द्रो हि स तर्हि भवत्युप पाप्मानꣳ हतऽउपैनं यज्ञो नमति ॥ १७ ॥

(त्यु) अथ यद्युपावह्रियमाणः । किञ्चिदापद्येताथर्वणे स्वाहेति जुहुयादथर्वा हि स तर्हि भवत्युप पाप्मानꣳ हतऽउपैनं यज्ञो नमति ॥ १८ ॥

(त्यु) अथ यद्यꣳशुषु न्युप्तः । किञ्चिदापद्येत विश्वेभ्यो देवेभ्यः स्वाहेति जुहुयाद्विश्वे हि स तर्हि देवा भवत्युप पाप्मानꣳ हतऽउपैनं यज्ञो नमति ॥ १९ ॥

(त्यु) अथ यद्याप्याय्यमानः । किञ्चिदापद्येत विष्णवऽआप्रीतपाय

अथ यद्यागतः किंचिदापद्येत । "सोमाय स्वाहा"–इति जुहुयात् । सोमो हि स तर्हि भवति । अप पाप्मानं हते । उपैनं यज्ञो नमति ॥ १४ ॥

अथ यद्यासंद्यामासन्नः किंचिदापद्येत । "वरुणाय स्वाहा"–इति जुहुयात् । वरुणो हि स तर्हि भवति । अप पाप्मानं हते । उपैनं यज्ञो नमति ॥ १५ ॥

अथ यद्याग्नीध्रगतः किंचिदापद्येत । "अग्नये स्वाहा"–इति जुहुयात् । अग्निर्हि स तर्हि भवति । अप पाप्मानं हते । उपैनं यज्ञो नमति ॥ १६ ॥

अथ यदि हविर्द्धानगतः किंचिदापद्येत । "इन्द्राय स्वाहा"–इति जुहुयात् । इन्द्रो हि स तर्हि भवति । अप पाप्मानं हते । उपैनं यज्ञो नमति ॥ १७ ॥

अथ यद्युपावह्रियमाणः किंचिदापद्येत । "अथर्वणे स्वाहा"–इति जुहुयात् । अथर्वा हि स तर्हि भवति । अप पाप्मानं हते । उपैनं यज्ञो नमति ॥ १८ ॥

अथ यद्यंशुषु न्युप्तः किंचिदापद्येत । "विश्वेभ्यो देवेभ्यः स्वाहा"–इति जुहुयात् । विश्वे हि स तर्हि देवा भवति । अप पाप्मानं हते । उपैनं यज्ञो नमति ॥ १९ ॥

अथ यद्याप्याय्यमानः किंचिदापद्येत । "विष्णव आप्रीतपाय स्वाहा"–इति जुहुयात् । विष्णुर्हि स तर्ह्याप्रीतपा भवति । अप पाप्मानं हते । उपैनं यज्ञो नमति ॥ २० ॥

स्वाहेति जुहुयाद्विष्णुर्हि स तर्ह्यप्रीतपा भवत्युप पाप्मानꣳ हतऽ
उपैनं यज्ञो नमति ॥ २० ॥

(त्यु) अथ यद्यभिपूयमाणः । किञ्चिदापद्येत यमाय स्वाहेति जुहुया
द्यमो हि स तर्हि भवत्युप पाप्मानꣳ हतऽ उपैनं यज्ञो नमति ॥ २१ ॥

(त्यु) अथ यदि सम्भ्रियमाणः । किञ्चिदापद्येत विष्णवे स्वाहेति
जुहुयाद्विष्णुर्हि स तर्हि भवत्युप पाप्मानꣳ हतऽ उपैनं यज्ञो नमति ॥ २२ ॥

(त्यु) अथ यदि पूयमानः । किञ्चिदापद्येत वायवे स्वाहेति जुहुया
द्वायुर्हि स तर्हि भवत्युप पाप्मानꣳ हतऽ उपैनं यज्ञो नमति ॥ २३ ॥

(त्यु) अथ यदि पूतः । किञ्चिदापद्येत शुक्राय स्वाहेति जुहुयाच्छुक्रो
हि स तर्हि भवत्युप पाप्मानꣳ हतऽ उपैनं यज्ञो नमति ॥ २४ ॥

(त्यु) अथ यदि क्षीरश्रीः । किञ्चिदापद्येत शुक्राय स्वाहेति जुहुया
च्छुक्रो हि स तर्हि भवत्युप पाप्मानꣳ हतऽ उपैनं यज्ञो नमति ॥ २५ ॥

(त्यु) अथ यदि सक्तुश्रीः । किञ्चिदापद्येत मन्थिने स्वाहेति जुहुया-
न्मन्थी हि स तर्हि भवत्युप पाप्मानꣳ हतऽ उपैनं यज्ञो नमति ॥ २६ ॥

(त्यु) अथ यदि चमसेषून्नीतः । किञ्चिदापद्येत विश्वेभ्यो देवेभ्यः

अथ यद्यभिपूयमाणः किंचिदापद्येत । "यमाय स्वाहा"–इति जुहुयात् । यमो हि स तर्हि भवति । अप पाप्मानं हते । उपैनं यज्ञो नमति ॥ २१ ॥

अथ यदि संभ्रियमाणः किञ्चिदापद्येत । "विष्णवे स्वाहा"–इति जुहुयात् । विष्णुर्हि स तर्हि भवति । अप पाप्मानं हते । उपैनं यज्ञो नमति ॥ २२ ॥

अथ यदि पूयमानः किंचिदापद्येत । "वायवे स्वाहा"–इति जुहुयात् । वायुर्हि स तर्हि भवति । अप पाप्मानं हते । उपैनं यज्ञो नमति ॥ २३ ॥

अथ यदि पूतः किंचिदापद्येत । "शुक्राय स्वाहा"–इति जुहुयात् । शुक्रो हि स तर्हि भवति । अप पाप्मानं हते । उपैनं यज्ञो नमति ॥ २४ ॥

अथ यदि क्षीरश्रीः किंचिदापद्येत । "शुक्राय स्वाहा"–इति जुहुयात् । शुक्रो हि स तर्हि भवति । अप पाप्मानं हते । उपैनं यज्ञो नमति ॥ २५ ॥

अथ यदि सक्तुश्रीः किंचिदापद्येत । "मंथिने स्वाहा"–इति जुहुयात् । मंथी हि स तर्हि भवति । अप पाप्मानं हते । उपैनं यज्ञो नमति ॥ २६ ॥

अथ यदि चमसेषून्नीतः किंचिदापद्येत । "विश्वेभ्यो देवेभ्यः स्वाहा"–इति जुहुयात् । विश्वे हि स तर्हि देवा भवति । अप पाप्मानं हते । उपैनं यज्ञो नमति ॥ २७ ॥

स्वाहेति जुहुयाद्विश्वे हि स तर्हि देवा भवत्युप पाप्मानꣳ हतऽ उपैनं यज्ञो नमति ॥ २७ ॥

(त्यु) अथ यदि होमायोद्यतः । किञ्चिदापद्येतासवे स्वाहेति जुहुयादसुर्हि स तर्हि भवत्युप पाप्मानꣳ हतऽ उपैनं यज्ञो नमति ॥ २८ ॥

(त्यु) अथ यदि हूयमानः । किञ्चिदापद्येत रुद्राय स्वाहेति जुहुयाद्रुद्रो हि स तर्हि भवत्युप पाप्मानꣳ हतऽउपैनं यज्ञो नमति ॥२९॥

(त्यु) अथ यद्यभ्यावृत्तः । किञ्चिदापद्येत वाताय स्वाहेति जुहुयाद्वातो हि स तर्हि भवत्युप पाप्मानꣳ हतऽउपैनं यज्ञो नमति ॥ ३० ॥

(त्यु) अथ यदि प्रतिख्यातः । किञ्चिदापद्येत नृचक्षसे स्वाहेति जुहुयान्नृचक्षा हि स तर्हि भवत्युप पाप्मानꣳ हतऽउपैनं यज्ञो नमति ॥ ३१ ॥

(त्यु) अथ यदि भक्ष्यमाणः । किञ्चिदापद्येत भक्षाय स्वाहेति जुहुयाद्भक्षो हि स तर्हि भवत्युप पाप्मानꣳ हतऽउपैनं यज्ञो नमति ॥३२

(त्यु) अथ यदि नाराशꣳसेषु सन्नः । किञ्चिदापद्येत पितृभ्यो नाराशꣳसेभ्यः स्वाहेति जुहुयात्पितरो हि स तर्हि नाराशꣳसा भवत्युप पाप्मानꣳ हतऽउपैनं यज्ञो नमति ॥ ३३ ॥

अथ यदि होमायोद्यतः किंचिदापद्येत । "असवे स्वाहा"–इति जुहुयात् । असुर्हि स तर्हि भवति । अप पाप्मानं हते । उपैनं यज्ञो नमति ॥ २८ ॥

अथ यदि हूयमानः किंचिदापद्येत । "रुद्राय स्वाहा"–इति जुहुयात् । रुद्रो हि स तर्हि भवति । अप पाप्मानं हते । उपैनं यज्ञो नमति ॥ २९ ॥

अथ यद्यभ्यावृत्तः किंचिदापद्येत । "वाताय स्वाहा"–इति जुहुयात् । वातो हि स तर्हि भवति । अप पाप्मानं हते । उपैनं यज्ञो नमति ॥ ३० ॥

अथ यदि प्रतिख्यातः किंचिदापद्येत । "नृचक्षसे स्वाहा"–इति जुहुयात् । नृचक्षा हि स तर्हि भवति । अप पाप्मानं हते । उपैनं यज्ञो नमति ॥ ३१ ॥

अथ यदि भक्ष्यमाणः किंचिदापद्येत । "भक्षाय स्वाहा"–इति जुहुयात् । भक्षो हि स तर्हि भवति । अप पाप्मानं हते । उपैनं यज्ञो नमति ॥ ३२ ॥

अथ यदि नाराशंसेषु सन्नः किंचिदापद्येत । "पितृभ्यो नाराशंसेभ्यः स्वाहा"–इति जुहुयात् । पितरो हि स तर्हि नाराशंसा भवति । अप पाप्मानं हते । उपैनं यज्ञो नमति ॥ ३३ ॥

(त्यु) अथ युद्यवभृथायोद्यतः । किञ्चिदापद्येत सिन्धवे स्वाहेति जुहुयात्सिन्धुर्हि स तर्हि भवत्युप पाप्मानꣳ हतऽउपैनं यज्ञो नमति ॥ ३४ ॥

(त्यु) अथ यद्यभ्यवह्रियमाणः । किञ्चिदापद्येत समुद्राय स्वाहेति जुहुयात्समुद्रो हि स तर्हि भवत्युप पाप्मानꣳ हतऽ उपैनं यज्ञो नमति ॥ ३५ ॥ (शतम् ६२००) ॥

(त्यु) अथ यदि प्रप्लुतः । किञ्चिदापद्येत सलिलाय स्वाहेति जुहुयात्सलिलो हि स तर्हि भवत्युप पाप्मानꣳ हतऽ उपैनं यज्ञो नमति ॥ ३६ ॥

ता वाऽ एताः । (श्रु) चतुस्त्रिꣳशतमाज्याहुतीर्जुहोति त्रयस्त्रिꣳशद्वै देवाः प्रजापतिश्चतुस्त्रिꣳशऽ एतदु सर्व्वैर्देवैर्यज्ञम्भिषज्यति सर्व्वैर्देवैर्यज्ञम्प्रतिसन्दधाति ॥ ३७ ॥

ता ब्रह्मैव जुहुयात् । (ब्रा) नाब्रह्मा ब्रह्मा वै यज्ञस्य दक्षिणतऽआस्ते ब्रह्मा यज्ञन्दक्षिणतो गोपायति यदि तु ब्रह्मा न विद्यादपि यऽएव कश्च विद्यात्स जुहुयाद्ब्राह्मणन्त्वामन्त्र्य ब्रह्मणाऽतिसृष्टस्तासाम्वाऽएतासामाहुतीनाम्बन्धुता व्वसिष्ठो ह विराजम्विदाञ्चकार ताꣳ हेन्द्रोऽभिदध्यौ ॥ ३८ ॥

अथ यद्यवभृथायोद्यतः किंचिदापद्येत । "सिंधवे स्वाहा"–इति जुहुयात् । सिंधुर्हि स तर्हि भवति । अप पाप्मानं हते । उपैनं यज्ञो नमति ॥ ३४ ॥

अथ यद्यभ्यवह्रियमाणः किंचिदापद्येत । "समुद्राय स्वाहा"–इति जुहुयात् । समुद्रो हि स तर्हि भवति । अप पाप्मानं हते । उपैनं यज्ञो नमति ॥ ३५ ॥

अथ यदि प्रप्लुतः किंचिदापद्येत । "सलिलाय स्वाहा"–इति जुहुयात् । सलिलो हि स तर्हि भवति । अप पाप्मानं हते । उपैनं यज्ञो नमति ॥ ३६ ॥

ता वा एताश्चतुस्त्रिंशतमाज्याहुतीर्जुहोति । त्रयस्त्रिंशद्वै देवाः । प्रजापतिश्चतुस्त्रिंशः । एतदु सर्वैर्देवैर्यज्ञं भिषज्यति । सर्वैर्देवैर्यज्ञं प्रतिसंदधाति ॥ ३७ ॥

ता ब्रह्मैव जुहुयात् । नाब्रह्मा । ब्रह्मा वै यज्ञस्य दक्षिणत आस्ते । ब्रह्मा यज्ञं दक्षिणतो गोपा-

---

बन्धुता ब्राह्मणसमूहः । तां इन्द्रः अभिध्यातवान् । यदि मह्यं विराजं ब्रवीषि, तर्हि ममाहंजातीयं रूपं अहं त्वा

१–अत्रैताः परमेष्ठ्यादिविक्रिकान्ताश्चतुस्त्रिंशत्प्रमायश्चित्ताहुतयो वाजसनेयसंहितायां (८ । ५४–५९) मंत्रेषु समाम्नाता इति बोध्यम् ।

स होवाच । (ऽ)ऋषे व्विराजᳪं ह वै व्वेत्थ ताम्मे ब्रूहीति स होवाच किम्मम ततः स्यादिति सर्व्वस्य च ते यज्ञस्य प्रायश्चित्तिम्ब्रूयाᳪं रूपञ्च त्वा दर्शयेयेति स होवाच यन्नु मे सर्व्वस्य यज्ञस्य प्रायश्चित्तिम्ब्रूयाः किमु स स्याद्यन्त्वᳪं रूपन्दर्शयेथाऽइति जीवस्वर्गᳪंऽएवास्माल्लोकात्प्रेयादिति ॥ ३९ ॥

ततो हैतामृषिरिन्द्राय व्विराजमुवाच । (चे) इयम्वै विराडिति तस्माद्योऽस्यै भूयिष्ठं लभते सऽएव श्रेष्ठो भवति ॥ ४० ॥

(त्य) अथ हैतामिन्द्रऽ ऋषये । प्रायश्चित्तिमुवाचाग्निहोत्रादग्रऽ आमहतऽ उक्थात्ता ह स्मैताः पुरा व्याहृतीर्व्वसिष्ठाऽ एव व्विदुस्तस्माद्ध स्म पुरा व्वासिष्ठऽ एव ब्रह्मा भवति यतस्त्वेनाऽ अप्येतर्हि यऽ एव कश्चाधीते ततोऽप्येतर्हि यऽ एव कश्च ब्रह्मा भवति स ह वै ब्रह्मा भवितुमर्हति स वा ब्रह्मन्नित्यामन्त्रितः प्रतिशृणुयाद्यऽ एवमेता व्याहृतीर्व्वेद ॥ ४१ ॥

इति तृतीयप्रपाठके प्रथमं ब्राह्मणम् ॥ १२–३–१ ॥ (६. १.) ॥

षष्ठोऽध्यायश्च समाप्तः ॥ १२ । ६ ॥ कण्डिकासंख्या ४१ ॥

यति । यदि तु ब्रह्मा न विद्यात् । अपि य एव कश्च विद्यात् । स जुहुयात् । ब्रह्माणं त्वामंत्र्य । ब्रह्मणाऽतिसृष्टः । तासां वा एतासां व्याहृतीनां बन्धुता । वसिष्ठो ह विराजं विदांचकार । तां हेन्द्रोऽभिदध्यौ ॥ ३८ ॥

स होवाच–ऋषे विराजं ह वै वेत्थ । तां मे ब्रूहीति । स होवाच–किं मम ततः स्यादिति । सर्वस्य च ते यज्ञस्य प्रायश्चित्तिं ब्रूयाम् । रूपं च त्वा दर्शयेय इति । स होवाच–यन्नु मे सर्वस्य यज्ञस्य प्रायश्चित्तिं ब्रूयाः । किमु स स्यात् । यं त्वं रूपं दर्शयेथा इति । जीवस्वर्ग एवास्माल्लोकात्प्रेयादिति ॥ ३९ ॥

ततो हैतामृषिरिन्द्राय विराजमुवाच । इयं वै विराडिति । तस्माद्योऽस्यै भूयिष्ठं लभते । स एव श्रेष्ठो भवति ॥ ४० ॥

अथ हैतामिंद्र ऋषये प्रायश्चित्तिमुवाच । अग्निहोत्रादग्र आ महत उक्थात् । ता ह स्मैताः

दर्शयेयेति । तथा करोमि यथा मदीयं रूपं अवश्यं त्वां दर्शयेय तथा सर्वस्य यज्ञस्य प्रायश्चित्तिं च ब्रूयात् । त्वयोक्तं रूपं दर्शयिष्यामीति । किन्त्वेव त्वदीयरूपेण दृष्टेनेत्येतदाह–किं सः स्यात् । कीदृशः स स्यात् । यं मां त्वमध्यात्मं रूपं दर्शयेथाः । तत्राह–जीवस्वर्ग इति । जीवतां स्वर्गो जीवस्वर्गः तस्मिन् जीवस्वर्गे एव स प्रेयात् प्रगच्छेत् ।

पुरा व्याहृतीर्वसिष्ठा एव विदुः । तस्माद्ध स्म पुरा वासिष्ठ एव ब्रह्मा भवति । यतस्त्वेना अप्येतर्हि य एव कश्चाधीते । ततोऽप्येतर्हि य एव कश्च ब्रह्मा भवति । स ह वै ब्रह्मा भवितुमर्हति । स वा ब्रह्मन्नित्यामन्त्रितः प्रतिशृणुयात् । य एवमेता व्याहृतीर्वेद ॥ ४१ ॥

समाप्तानि प्रायश्चित्तानि ॥

तस्माल्लोकात् येन यत्र स्वर्गो शक्यं गन्तुम् । तत्र मद्दशां गच्छेदित्यर्थः । इयं वै पृथिवी दिग्भेदेन दशाक्षरात्मकं छन्दः विराजोऽधिदैवतम् । इत्येतां विराजमुवाच । अग्निहोत्रमारभ्य दीर्घसत्रं ह वा एत उपयन्ति इति या एताः सौमिक्यः प्रायश्चित्तयः प्रकृतिप्रविष्टाः सन्ति । ताः चोदकपरंपरया संवत्सरसत्रेष्वतिदिष्टाः तत्र च महदुक्थ्यम्–उपांत्ये दिवसे । तेन एतदुक्तं भवति । आ संवत्सरसत्रेभ्य इति[1] ॥ ३८–४१ ॥

इति श्रीमदाचार्यहरिस्वामिनः कृतौ माध्यन्दिनीयशतपथब्राह्मणभाष्ये द्वादशकांडे षष्ठेऽध्याये प्रथमं ब्राह्मणम् ॥ १ ॥

नागस्वामिसुतोऽवन्त्यां पाराशर्यो वसन् हरिः । श्रुत्यर्थं दर्शयामास शक्तितः पौष्करीयकः ॥
श्रीमतोऽवन्तिनाथस्य विक्रमार्कस्य भूपतेः । धर्माध्यक्षो हरिस्वामी व्याख्यच्छातपथीं श्रुतिम् ॥
भूभर्त्रा विक्रमार्केण क्लृप्तां कनकवेदिकाम् । दानायाध्यस्य कृतवान् श्रुत्यर्थविवृतिं हरिः ॥

इति श्रीसर्वविद्यानिधानकवीन्द्राचार्यसरस्वतीनां श्रीहरिस्वामिनां कृतौ माध्यन्दिनीय-शतपथब्राह्मणभाष्ये द्वादशकाण्डे षष्ठोऽध्यायः समाप्तः ॥ १२–६ ॥

उत्तरक्रतुनिरूपकं प्रकरणं समाप्तम् ॥

१–महर्षिः कात्यायनः श्रुत्यनुयायिसूत्रजातमरीचत् । परमेष्ठ्यादिश्चतुस्त्रिंशतं जुहोति । घर्मदुग्धवाले चादोहे च । उदीच्या दोहस्थानेऽन्यस्याः । शालाया वा पुरस्तात्प्राच्याः । पुच्छकोडाद्दक्षिणेऽस्थनि हुत्वा दोहयेत् । पृषदाज्यस्कन्दने चैके । सोमेज्योपपाते चैकैकां यथाकालं हुत्वा यज्ञस्य दोह इति वाचयति । आग्नीध्रीये सुत्यासु । का. श्रौ. सू. २५ । १३७–१४४ ।

अत्रादितः शतपथब्राह्मणस्याशीतिपथसंज्ञको ऽशीत्यध्यायात्मक उत्तरक्रतुनिरूपणान्तो विभागः सम्पूर्णः ॥

अथ सप्तमेऽध्याये प्रथमं ब्राह्मणम् ।
तृतीयप्रपाठके च द्वितीयं ब्राह्मणम् ।

व्विश्वरूपम्वै त्वाष्ट्रमिन्द्रोऽहन् । (हंस्त) तन्त्वष्टा हतपुत्रोऽभ्यचरु-
त्सोऽभिचरणीयमुपेन्द्रꣳ सोममाहरत्तस्येन्द्रो यज्ञवेशसङ्कृत्वा प्रासहा
सोममपिबत्स व्विष्वङ्व्याच्छंत्तस्येन्द्रियम्वीर्य्यमङ्गादङ्गादस्रवत् ॥ १ ॥

(त्त)तस्याक्षिभ्यामेव तेजोऽस्रवत् । (त्सो) सोऽजः पशुरभवद्धूम्रोऽथ
यत्पक्ष्मभ्यस्ते गोधूमा यदश्रुभ्यस्तत्कुवलम् ॥ २ ॥

(न्ना) नासिकाभ्यामेवास्य व्वीर्य्यमस्रवत् । (त्सो) सोऽविः पशुरभ-
वन्मेषोऽथ यच्छ्लेष्मणस्ताऽउपवाका यत्स्नीहा तद्बदरम् ॥ ३ ॥

(म्मु) मुखादेवास्य बलमस्रवत् । (त्स) स गौः पशुरभवदृषभोऽथ
ये फेनास्ते यवा यत्स्नेहस्तत्कर्कन्धु ॥ ४ ॥

श्रोत्रादेवास्य यशोऽस्रवत । (त्त) तदेकशफमभवदश्वोऽश्व-
तरो गर्द्दभः ॥ ५ ॥

अथ सौत्रामणी यागः ।

विश्वरूपं वै त्वाष्ट्रमिन्द्रोऽहन् । तं त्वष्टा हतपुत्रोऽभ्यचरत् । सोऽभिचरणीयमपेन्द्रꣳ सोममाहरत् । तस्येन्द्रो यज्ञवेशसं कृत्वा प्रासहा सोममपिबत् । स विष्वङ्व्याच्छंत् । तस्येन्द्रियं वीर्यमङ्गादङ्गादस्रवत् ॥ १ ॥

तस्याक्षिभ्यामेव तेजोऽस्रवत्; सोऽजः पशुरभवद्धूम्रः । अथ यत्पक्ष्मभ्यस्ते गोधूमाः । यदश्रुभ्यस्तत्कुवलम् ॥ २ ॥

नासिकाभ्यामेवास्य वीर्यमस्रवत्; सोऽविः पशुरभवन्मेषः । अथ यत् श्लेष्मणस्ता उपवाकाः । यत् स्नीहा तद्बदरम् ॥ ३ ॥

मुखादेवास्य बलमस्रवत्; स गौः पशुरभवदृषभः । अथ ये फेनास्ते यवाः । यत् स्नेहः तत्कर्कन्धु ॥ ४ ॥

श्रोत्रादेवास्य यशोऽस्रवतः तदेकशफमभवत्, अश्वोऽश्वतरो गर्द्दभः ॥ ५ ॥

विश्वरूपं वै इति सौत्रामणीब्राह्मणमेतत् त्रयोऽध्यायाः । (एतवाग्निब्राह्मणानन्तरमेवमनुक्तमंवमादात्तात्तं-युक्तस्वेदस्यतुपर्यन् योत्वत्पादाध्यानदर्शपूर्णमासाग्निहोत्रखिलैर्वातहितमधुनांत ?) । तत्रेह ब्राह्मणे सौत्रा-

(स्त॒नु) स्त॒नाभ्या॑मे॒वास्य शु॒क्रम॑स्रवत् । (त्त) तत्प॒योऽभवत्प॒शू॒ना-ञ्ज्योति॑रु॒रस॒ऽ ए॒वास्य॒ हृ॒दया॒त्त्वि॒षि॒रस्र॑वत्स॒ श्ये॒नोऽपाष्ठि॒हाऽभवद्व॒यसा॑ᳪ॒ राजा॑ ॥ ६ ॥

ना॒भ्याऽ ए॒वास्य॑ शू॒षोऽस्र॑वत् । (त्त) तत्सी॒सम॑भव॒न्नायो॒ न हिर॑ण्यᳪ॒ रेत॑सऽ ए॒वास्य॑ रू॒पम॑स्रव॒त्तत्सु॒वर्ण॑ᳪ॒ हिर॑ण्यमभव॒च्छि॒श्नाद॑ेवास्य र॒सो-ऽस्र॑वत्सा प॑रि॒स्रुद॑भव॒त्स्फ॒ग्भ्या॑मे॒वास्य॒ भामो॑ऽस्रव॒त्सा सु॒राऽभ॑व॒दन्न॑स्य र॒सः ॥ ७ ॥

स्तनाभ्यामेवास्य शुक्रमस्रवत्; तत्पयोऽभवत्, पशूनां ज्योतिः । उरस एवास्य हृदयात्त्विषि-रस्रवत्; स श्येनोऽपाष्ठिहाऽभवत्, वयसां राजा ॥ ६ ॥

नाभ्या एवास्य शूषोऽस्रवत्; तत्सीसमभवत्, नायः, न हिरण्यम् । रेतस एवास्य रूपमस्र-

मण्याः । सौत्रामणीत्वोद्भावनार्थं विश्वरूपेतिहासेन सौत्रामण्युपकरणानामजाविगवां त्रयाणां च पशुयागानामुत्पत्तिः सौत्रामणीशब्दनिर्वचनं दक्षिणाधिकारविधिश्च । (परतमुनिमित्त फलग्रहणसंयोगाः) प्रसन्नं प्रायः । विशेषं तु दर्श-यिष्यामः । अभिचरत्यनेनेति अभिचरणीयम् । करणे कृत्यः । स्नानीयं चूर्णमिति यथा । अपेत इन्द्रोऽस्मादित्यपेन्द्रम् । सोमं यागतस्त्वष्टा आहृतवान् । तस्य च स इन्द्रो यज्ञविनाशं कृत्वा प्रासहा प्रसहनेन, प्रसह्य वा सोमं पीतवान् । स च सोमः विष्वङ् विषुशब्दो व्याप्तिवचनः । सर्वाभिः शरीरनाडीभिः गत्वा । अधि आच्र्छेत् । (इतश्चेतश्च सफलं भवद्विपसस्विपूर्वतम ऐंस्वतारेभ्यः अतनरोविसण्डवायाः स्वर्गो द्रष्टव्यः ?) सर्वः स रसः । ताभिर्निर्गतस्तस्य चेन्द्रस्य तेन सोमेन सह इन्द्रियमिन्द्रियकारणं तेजःप्रभृति वीर्यं वीरयति विक्रमयते कार्येणेष्टेनेति वीर्य-वत्तेज अंगादंगादवयवादस्रवदिति सामान्यसृष्टिः । तस्याक्षिभ्यामेव तेजः सोमेन सह व्यस्रवत् । तेजः स्नुतं भवितव्यं वाव सा देवता महाभाग्या च । अजः पशुः धूम्रवर्णो भारं वहति । प्रेरयति न च प्रेर्यते । यत् स्नेहः स्नुतं तच्च कर्कन्धुकल्पतरं बदराकारम् । यशः यशसः कारणम् । भूतविशेषा एव दशः । कोऽपि यो यशस्वी भवति । (तयान्न लणं ?) जातमात्रस्यैव छायामन्यां स्वभूतविशेषानेव दष्टाः स्रवन्तीत्युपपद्यते । (तामृर्त्ता ऐशवादयः ?) । तदेकशफानां—अश्वादीनामपि तु प्रदेशस्थानामुपयोक्ष्यते ॥ १–५ ॥

तत्पयोऽभवदिति पयसः सृष्टिः पयोग्रहेषूपयोक्ष्यते । उरसः उरःस्थानात् । हृदयात् त्विषिर्दीप्तिः । श्येनः पक्षी । स्वानपहन्तीति अपाष्ठिहाऽस्य पत्रे भवतीति वयसः सृष्टिः ॥ ६ ॥

सृष्टः बलविशेषः परिशोषयिता । रस आपः परिस्पन्दनस्य परिपक्ष्याः । स्फिग्भ्यां[1] भामः क्रोधः । सुरा-पक्षोऽन्न जयहेतुः ॥ ७ ॥

[1]—स्त्रियां स्फिचौ कटिप्रोथाविस्यमरः ।

(सो) मूत्रादेवास्यौजोऽस्रवत् । (त्स) स वृकोऽभवदारण्यानाम्प-
शूनाञ्जूतिरूवध्यादेवास्य मन्युरस्रवत्स व्याघ्रोऽभवदारण्यानाम्पशूनाᳫं
राजा लोहितादेवास्य सहोऽस्रवत्स सिᳫंहोऽभवदारण्यानाम्पशूना-
मीशः ॥ ८ ॥

(शो) लोमभ्यऽएवास्य चित्तमस्रवत् । (ते) ते श्यामाकाऽअभवं-
स्त्वचऽएवास्यापचितिरस्रवत्सोऽश्वत्थो वनस्पतिरभवन्माᳫंसेभ्यऽएवा-
स्योर्गस्रवत्सऽउदुम्बरोऽभवदस्थिभ्यऽएवास्य स्वधाऽस्रवत्स न्यग्रोधो-
ऽभवन्मज्जभ्यऽएवास्य भक्षः सोमपीथोऽस्रवत्ते व्रीहयोऽभवन्नेवमस्ये-
न्द्रियाणि वीर्य्याणि व्युदक्रामन् ॥ ९ ॥

(न्तु) अथ ह वै तर्हि । नमुचिनैवासुरेण सह चचार सऽऐक्षत नमुचि-
रपुनर्वाऽअयमभूद्धन्तास्येन्द्रियं वीर्य्यᳫं सोमपीथमन्नाद्यᳫं हराणीति
तस्यैतयैव सुरयेन्द्रियं वीर्य्यᳫं सोमपीथमन्नाद्यमहरत्स ह न्यर्णः शिश्ये

वत्; तत् सुवर्णं हिरण्यमभवत् । शिश्नादेवास्य रसोऽस्रवत्; सा परिस्रुदभवत् । स्फिगीभ्यामेवास्य भामोऽस्रवत्, सा सुराऽभवत्; अन्नस्य रसः ॥ ७ ॥

मूत्रादेवास्यौजोऽस्रवत्; स वृकोऽभवत्, आरण्यानां पशूनां जूतिः । ऊवध्यादेवास्य मन्युरस्रवत्; स व्याघ्रोऽभवत्, आरण्यानां पशूनां राजा । लोहितादेवास्य सहोऽस्रवत्; स सिंहोऽभवत्, आरण्यानां पशूनामीशः ॥ ८ ॥

लोमभ्य एवास्य चित्तमस्रवत्; ते श्यामाका अभवन् । त्वच एवास्यापचितिरस्रवत्; सोऽश्वत्थो वनस्पतिरभवत् । मांसेभ्य एवास्योर्गस्रवत्; स उदुंबरोऽभवत् । अस्थिभ्य एवास्य स्वधाऽस्रवत्; स न्यग्रोधोऽभवत् । मज्जभ्य एवास्य भक्षः सोमपीथोऽस्रवत्; ते व्रीहयोऽभवन् । एवमस्येन्द्रियाणि वीर्याणि व्युदक्रामन् ॥ ९ ॥

अथ ह वै तर्हि नमुचिनैवासुरेण सह चचार । स ऐक्षत नमुचिः, अपुनर्वा अयमभूत् । हंत ! अस्ये-

---

आरण्यानां पशूनां मध्यत इति द्वारेण । षष्ठीतिर्गतिमान् वेगादस ऊवध्यमजीर्णम् आहो मन्युः सप्रयः कोशः । सहः पराभवहेतुर्बलविशेषः । ईशा ईश्वरः ॥ ८ ॥

चित्तं चिद्धेतुः । अपचितिरादरकृतो भूतोपचयविशेषः । ऊर्क् बलकरो रसः । स्वधा पित्रन्नम् ॥ ९ ॥

अथ तर्हि तदा नमुचिनाऽसुरेण सह चचारेन्द्रः स नमुचिः ऐक्षत । अपुनर्भावी तु ·पुनः अयं इन्द्रः अभूद्धंत अस्य इन्द्रियाणि संहराणीति यदवशिष्टं तदपीत्यभिप्रायः । स इन्द्रः न्यर्णः । अणअर्दगतौ ।

तन्देवाऽ उपसञ्जग्मिरे श्रेष्ठो वै नोऽयमभूत्तमिमम्पाप्माऽविदद्धन्तेमं भिषज्यामेति ॥ १० ॥

तेऽश्विनावब्रुवन्। (न्यु) युवम्वै ब्रह्माणौ भिषजौ स्थो युवमिमम्भिषज्यतमिति तावब्रूतामस्तु नौ भागऽ इति तेऽब्रुवन्यऽ एषोऽजः स वां भागऽइति तथेति तस्मादाश्विनो धूम्रो भवति ॥ ११ ॥

ते सरस्वतीमब्रुवन्। (वंस्त्वं) त्वम्वै भैषज्यमसि त्वमिमम्भिषज्येति साऽब्रवीदस्तु मे भागऽ इति तेऽब्रुवन्यऽ एषोऽविः स ते भागऽ इति तथेति तस्मात्सारस्वतो मेषो भवति ॥ १२ ॥

(त्यु) अथाब्रुवन्। (न्ने) एतावद्वाऽ अस्मिन्नेतर्हि यावदयमृषभोऽस्यैवायमस्त्विति तथेति तस्मादैन्द्रऽ ऋषभो भवति ॥ १३ ॥

तावश्विनौ च सरस्वती च। (चे) इन्द्रियम्वीर्य्यन्नमुचेराहृत्य तदस्मिन्पुनरदधुस्तम्पाप्मनोऽत्रायन्त सुत्रातम्बतैनम्पाप्मनोऽत्रास्महीति

न्द्रियं वीर्यं सोमपीथमन्नाद्यं हराणीति। तस्यैतयैव सुरयेन्द्रियं वीर्यं सोमपीथमन्नाद्यमहरत्। स ह न्यर्णः शिश्ये। तं देवा उपसंजग्मिरे। श्रेष्ठो वै नोऽयमभूत्। तमिमं पाप्माऽविदत्। हन्त! इमं भिषज्यामेति ॥ १० ॥

तेऽश्विनावब्रुवन्। युवं वै ब्रह्माणौ भिषजौ स्थः। युवमिमं भिषज्यतमिति। तावब्रूताम्। अस्तु नौ भाग इति। तेऽब्रुवन्। य एषोऽजः, स वां भाग इति। तथेति। तस्मादाश्विनो धूम्रो भवति ॥ ११ ॥

ते सरस्वतीमब्रुवन्। त्वं वै भैषज्यमसि। त्वामिमं भिषज्येति। साऽब्रवीत्। अस्तु मे भाग इति। तेऽब्रुवन्। य एषोऽविः, स ते भाग इति। तथेति। तस्मात्सारस्वतो मेषो भवति ॥ १२ ॥

अथाब्रुवन्। एतावद्वा अस्मिन् एतर्हि। यावत् अयमृषभः। अस्यैवायमस्त्विति। तथेति। तस्मादैन्द्र ऋषभो भवति ॥ १३ ॥

तावश्विनौ च सरस्वती च इंद्रियं वीर्यं नमुचेराहृत्य तदस्मिन्पुनरदधुः। तं पाप्मनोऽत्रायंत। सुत्रातं बतैनं पाप्मनोऽत्रास्महीति। तद्वाव सौत्रामण्यभवत्। तत्सौत्रामण्यै सौत्रा-

---

नितरां निःशेषम् शयितवान्। तं देवा उपसंगताः किं? वदन्तः। अयमिन्द्रोऽस्माकं प्रशस्यतम आसीत्। अधुना त्वयं पाप्मानं प्राप्तः। हन्त इमं भिषिज्यामेति ॥ १० ॥

तस्मादाश्विनो धूम्रो भवतीत्यादीनि उत्पत्तिवाक्यानि पशुयागांगानि ॥ ११–१३ ॥

तावश्विनौ च सरस्वती च यथा यथा स्रुतं तत्सर्वं नमुचेः सकाशादाहृत्य तदिन्द्रे पुनरदधुः। तदा त्विंद्रः पुनः

तद्वाव सौत्रामुण्यभवत्तुत्सौत्रामण्यै सौत्रामणीत्वं त्रायते मृत्योरात्मानमुप पाप्मानꣳ हते यु एवमेतुत्सौत्रामण्यै सौत्रामणीत्वम्वेद त्रयस्त्रिꣳशद्दक्षिणा भवन्ति त्रयस्त्रिꣳशद्धि तुन्देवताऽ अभिषज्यंस्तुस्मादाहुर्भैषजन्दक्षिणाऽइति ॥ १४ ॥

इति तृतीयप्रपाठके द्वितीयं ब्राह्मणम् ॥ १२।३।२ ॥ (७-१)

अुप वुाऽ एतुस्मात् । (तु) तेजऽइन्द्रियुम्वीर्य्यमुत्क्रामति यꣳ सुोमोऽतिपुवतऽऊर्ध्वम्वुाऽवाञ्चम्वा ॥ १ ॥

तुदाहुः । (रु) अन्नम्वुाऽ एतुद्ब्राह्मणुस्य यत्सुोमो न वै सोमेन ब्राह्मणः सोमवामी स यो वाऽअुलम्भूत्यै सम्भूतिन्न प्राप्नोति यो वुाऽलम्पशुभ्यः सन्पशून्न विन्दते स सोमवामी पशवो हि सोमऽइति ॥ २ ॥

मणीत्वम् । त्रायते मृत्योरात्मानम् । अप पाप्मानं हते । य एवमेतत्सौत्रामण्यै सौत्रामणीत्वं वेद । त्रयस्त्रिंशद्दक्षिणा भवंति । त्रयस्त्रिंशद्धि तं देवता अभिषज्यन् । तस्मादाहुः । भैषजं दक्षिणा इति ॥ १४ ॥

अप वा एतस्मात्तेज इंद्रियं वीर्यं क्रामति । यं सोमोऽतिपवते–ऊर्ध्वं वा, अवांचं वा ॥ १ ॥

तदाहुः–अन्नं वा एतद् ब्राह्मणस्य–यत्सोमः । न वै सोमेन ब्राह्मणः सोमवामी सः । यो वा अलं भूत्यै सम्भूतिं न प्राप्नोति । यो वाऽलं पशुभ्यः सन्पशून्न विंदते । स सोमवामी । पशवो हि सोम इति ॥ २ ॥

स्थापितः । तद् वदन्ति स्म । ततस्तमिन्द्र पाप्मनस्त्रातवन्तः (अत्रास्माहि तावत्तोरयामेति । यस्मादेव विभधुसुत्रमां सौत्रामणीनेत्राजायता । प्रकृतात्त्रयः । पमधगास्तादनन्तरमेव स्ववचनात् १)॥ १२–१४ ॥

इति श्रीमदाचार्यहरिस्वामिनः कृतौ माध्यन्दिनीयशतपथब्राह्मणभाष्ये द्वादशकाण्डे सप्तमेऽध्याये प्रथमं ब्राह्मणम् ॥ १२ । ७ । १ ॥

अप वा एतस्मात् । सोमोऽतिपवते । ऊर्ध्वमधस्ताद्वा अतिवर्तते । ततः तेज इन्द्रियं अपक्रामति । प्रकृतान्येव सन्निधानात् । तानि च यजमानस्यैव सोमपीथेन क्रियंते । तदर्थत्वात् कर्मण. । न ऋत्विजां अतदर्थत्वात् । ततश्च यजमान एवातिपूतः । सौत्रामणीं कुर्वन् । नर्त्विग् अतोऽयं सोमोऽतिपवते । स एतं आश्विनं धूम्रमालभेतेति संबंधः । एवं तावत् सोमातिपवनं निमित्तं प्रकल्प्य स्थापितम् ॥ १ ॥

अधुना निमित्तान्तरं प्रकल्पयति । तदाहुरन्नमेवैतद्ब्राह्मणस्य यत्सोमः । नित्यत्वादित्यभिप्रायः । ब्राह्मण-

---

१-त्रयस्त्रिंशतं दक्षिणा ददात्यनुदिष्टं च वडवधेनुम् का. श्रौ. सू. १९ । ८८ ।

स ऽएतमाश्विनन्धूम्रमालभेत । सारस्वतम्मेषमैन्द्रमृषभमश्विनौ वै देवानाम्भिषजौ ताभ्यामेवैनम्भिषज्यति सरस्वती भेषजन्तयैवास्मै भेषजङ्करोतीन्द्र ऽइन्द्रियम्वीर्य्यन्तेनैवास्मिन्निन्द्रियम्वीर्य्यन्दधाति ॥ ३ ॥

चक्षुर्वा अश्विनौ तेजः । (जो) यदाश्विनो भवति चक्षुरेवास्मिंस्तत्तेजो दधात्यथो श्रोत्रᳫँ समानᳫँ हि चक्षुश्च श्रोत्रञ्च ॥ ४ ॥

प्राणः सरस्वती वीर्य्यम् । यत्सारस्वतो भवति प्राणमेवास्मिंस्तद्वीर्य्यन्दधात्यथोऽपानᳫँ समानᳫँ हि प्राणश्चापानश्च ॥ ५ ॥ (अर्द्धः प्रपाठकः) ॥

वागिन्द्रो बलम् । यदैन्द्रो भवति वाचमेवास्मिंस्तद्बलन्दधात्यथो मनः समानᳫँ हि वाक्च मनश्च ॥ ६ ॥

(श्वा) आश्विनीरजाः । सारस्वतीरवीरैन्द्रीर्गाव ऽ इत्याहुर्य्यदेते पशव ऽ आलभ्यन्त ऽ एताभिरेव देवताभिरेतान्पशूनवरुन्धे ॥ ७ ॥

---

(१) स एतमाश्विनं धूम्रमालभेत । (२) सारस्वतं मेषम् । (३) ऐन्द्रमृषभम् । अश्विनौ वै देवानां भिषजौ । ताभ्यामेवैनं भिषज्यति । सरस्वती भेषजम् । तयैवास्मिन् भेषजं करोति । इंद्र इंद्रियं वीर्यम् । तेनैवास्मिन्निन्द्रियं वीर्यं दधाति ॥ ३ ॥

चक्षुर्वा अश्विनौ तेजः । यदाश्विनो भवति । चक्षुरेवास्मिंस्तत्तेजो दधाति, अथो श्रोत्रम् । समानं हि चक्षुश्च श्रोत्रं च ॥ ४ ॥

प्राणः सरस्वती वीर्यम् । यत्सारस्वतो भवति । प्राणमेवास्मिंस्तद्वीर्यं दधाति, अथो अपानम् । समानं हि प्राणश्चापानश्च ॥ ५ ॥

वागिंद्रो बलम् । यदैंद्रो भवति । वाचमेवास्मिंस्तद्बलं दधाति, अथो मनः । समानं हि वाक् च मनश्च ॥ ६ ॥

आश्विनीरजाः सारस्वतीरवीरैंद्रीर्गाव इत्याहुः । यदेते पशव आलभ्यंते । एताभिरेव देवताभिरेतान्पशूनवरुन्धे ॥ ७ ॥

ग्रहणं क्षत्रियवैश्ययोरसोमत्वोपप्रदर्शनार्थम् । तत्तूचिनमेव । अनुचितेनापि सोमपानेन सोमवामी भवति, इतरयोः सोमवमनेऽप्रायश्चित्तार्थतेत्यभिप्रायः । कस्तर्हि सोमवामीत्यभिप्रायः । यो वा अलं भूत्यै सन् भूतिं न प्राप्नोति । यो वाऽलं पशुभ्यः सन् पशून्न विंदते । स सोमवामीति गौणं सोमवमनं निमित्तमुपन्यस्तम् । तौ अधुना द्वावप्येतौ मुख्य गौणौ सोमवामिनौ स इत्यनेन शब्देन परामृशति । द्विर्निमित्तिका सौत्रामणी । तत्र द्विप्रकारेणापि निमित्ते स

१–आश्विनोऽजो धूम्रः । सारस्वतो मेषः, ऐंद्र ऋषभः । का. श्रौ. सू. १९ । ५८–५९ ।

वडवाऽनु शिशुर्भवति । अश्वऽ एवैकशफमवरुन्धऽ आरण्यानाम्पशूनां लोमानि भवन्त्यारण्यानाम्पशूनामवरुद्ध्यै वृकलोमानि भवन्त्योजऽ एव जूतिमारण्यानाम्पशूनामवरुन्धे व्याघ्रलोमानि भवन्ति मन्युमेव राज्यमारण्यानाम्पशूनामवरुन्धे सिꣳहलोमानि भवन्ति सहऽ एवेशामारण्यानाम्पशूनामवरुन्धे ॥ ८ ॥

व्रीहयश्च श्यामाकाश्च भवन्ति । गोधूमाश्च कुवलानि चोपवाकाश्च बदराणि च यवाश्च कर्कन्धूनि च शष्पाणि च तोक्मानि चोभयमेव ग्राम्यञ्चान्नमारण्यञ्चावरुन्धेऽथोऽउभयेनैवान्नेन यथा रूपमिन्द्रियम्वीर्य्यमात्मन्धत्ते ॥ ९ ॥

सीसेन शष्पाणि क्रीणाति । (ह्यू) ऊर्णाभिस्तोक्मानि सूत्रैर्व्रीहीनुभयोर्वाऽ एतद्रूपमयसश्च हिरण्यस्य च यत्सीसमुभयꣳ सौत्रामणीष्टिश्च पशुबन्धश्चोभयस्यावरुद्ध्यै ॥ १० ॥

(ह्याऽऊ) ऊर्णासूत्रेण क्रीणाति । तद्वाऽ एतत्स्त्रीणाङ्कर्म्म यदूर्णा-

---

(४) वडवाऽनुशिशुर्भवति । अश्व एवैकशफमवरुंधे । आरण्यानां पशूनां लोमानि भवंति । आरण्यानां पशूनामवरुद्धयै । (५) वृकलोमानि भवंति । ओज एव जूतिमारण्यानां पशूनामवरुंधे । (६) व्याघ्रलोमानि भवंति । मन्युमेव राज्यमारण्यानां पशूनामवरुंधे । (७) सिंहलोमानि भवंति । सह एवेशामारण्यानां पशूनामवरुन्धे ॥ ८ ॥

(८) व्रीहयश्च (९) श्यामाकाश्च भवन्ति । (१०) गोधूमाश्च (११) कुवलानि च । (१२) उपवाकाश्च (१३) बदराणि च । (१४) यवाश्च (१५) कर्कन्धूनि च । (१६) शष्पाणि च (१७) तोक्मानि च । उभयमेव ग्राम्यं चान्नमारण्यं चावरुन्धे । अथो उभयेनैवान्नेन यथा रूपमिन्द्रियं वीर्यमात्मन्धत्ते ॥ ९ ॥

(१८) सीसेन शष्पाणि क्रीणाति । (१९) ऊर्णाभिस्तोक्मानि । (२०) सूत्रैर्व्रीहीन् । उभयोर्वा एतद्रूपम् । अयसश्च हिरण्यस्य च । यत्सीसम् । उभयं सौत्रामणी । इष्टिश्च पशुबन्धश्च । उभयस्यावरुद्धयै ॥ १० ॥

(२१) ऊर्णासूत्रेण क्रीणाति । तद्वा एतत् स्त्रीणां कर्म, यदूर्णासूत्रम् । कर्म वा इन्द्रियं वीर्यम् । तदेतदुत्सन्नं स्त्रीषु । तद्यदेवेन्द्रियं वीर्यमुत्सन्नं स्त्रीषु तदेवावरुन्धे ॥ ११ ॥

एतमाश्विनमित्यादि चक्षुर्वा अश्विनौ तेज इत्यादिना कण्डिकात्रयेण । देवतास्वाख्यानमाह—का अश्विनी ? अश्विन्यः अश्विभक्तास्तदनूक्ताः प्रत्याहुरिति संबन्धः । सारस्वत्यः अवय इत्याहुः । ऐन्द्रो गाव इत्याहुः । यदेते धूम्रादयः पशव आलभ्यन्ते । तदेताभिरेवैतानजादीन्पशून् अवरुन्धे इति धूम्रादीनामधिभूतवचनम् ॥ २–७ ॥

वडवाऽनुशिशुर्भवतीत्यादि सौत्रामण्याम् ॥ ८–११ ॥

सूत्रं कुम्भं वाऽ इन्द्रियं वीर्यं तदेतदुत्सन्नꣳ स्त्रीषु तद्यदेवेन्द्रियं वीर्य-
मुत्सन्नꣳ स्त्रीषु तदेवावरुन्धे ॥ ११ ॥

तद्धैतदन्येऽध्वर्यवः । सीसेन क्लीबाच्छष्पाणि क्रीणन्ति तत्तदिति न
वाऽएष स्त्री न पुमान्यत्क्लीबो नेष्टिर्न पशुबन्धः सौत्रामणीति वदन्त-
स्तदु तथा न कुर्यादुभयं वै सौत्रामणीष्टिश्च पशुबन्धश्च व्यृद्धमु वाऽएत-
न्मनुष्येषु यत्क्लीबो यज्ञमुखऽ एव ते यज्ञस्य व्यृद्धिं दधति ये तथा
कुर्वन्ति सोमविक्रयिणऽएव क्रीणीयात्सोमो वै सौत्रामणी यज्ञमुखऽएव
तत्सोमरूपं करोति यज्ञस्य समृद्ध्यै ॥ १२ ॥

शतातृण्णा कुम्भी भवति । बहुधेव हि स व्यस्रवदथो शतोन्मानो वै
यज्ञो यज्ञमेवावरुन्द्धे सतम्भवति सदेवावरुन्धे चप्यम्भवत्यन्नाद्यस्यैवाव-
रुद्ध्यै पवित्रम्भवति पुनन्ति ह्येनम्वालो भवति पाप्मनो व्यावृत्त्यै
सुवर्णꣳ हिरण्यं भवति रूपस्यैवावरुद्ध्यै शतमानं भवति शतायुर्वै
पुरुषः शतेन्द्रियऽ आयुरेवेन्द्रियं वीर्यमात्मन्धत्ते ॥ १३ ॥

तद्धैतत् अन्येऽध्वर्यवः–सीसेन क्लीबाच्छष्पाणि क्रीणंति । तत्तदिति । न वा एष स्त्री, न पुमान् । यत् क्लीबः । नेष्टिर्न पशुबंधः सौत्रामणीति वदंतः । तदु तथा न कुर्यात् । उभयं वै सौत्रामणी । इष्टिश्च पशुबंधश्च । व्यृद्धमु वा एतन्मनुष्येषु । यत् क्लीबः । यज्ञमुख एव ते यज्ञस्य व्यृद्धिं दधति । ये तथा कुर्वन्ति । सोमविक्रयिण एव क्रीणीयात् । सोमो वै सौत्रामणी यज्ञमुख एव तत्सोमरूपं करोति । यज्ञस्य समृद्ध्यै ॥ १२ ॥

(२२) शतातृण्णा कुंभी भवति । बहुधेव स व्यस्रवत् । अथो शतोन्मानो वै यज्ञो यज्ञमेवावरुंधे । (२३) सतं भवति । सदेवावरुंधे । (२४) चप्यं भवति । अन्नाद्यस्यैवावरुद्ध्यै (२५) पवित्रं भवति । पुनंति ह्येनम् । (२६) वालो भवति । पाप्मनो व्यावृत्त्यै । (२७) सुवर्ण (२८) हिरण्यं भवति । रूपस्यैवावरुद्ध्यै । (२९) शतमानं भवति । शतायुर्वै पुरुषः शतेंद्रियः । आयुरेवेन्द्रियं वीर्यमात्मन्धत्ते ॥ १३ ॥

अन्येऽध्वर्यवश्चरकाः । सीसेन क्लीबात् शष्पाणि क्रीणन्ति । न केवलं तर्हि तत्तत् अनेन निमित्तशब्द एवमर्थेन वा । (एषष्ठीत्यादिवत् १) ॥ १२ ॥

'शतातृण्णा' शतमातृण्णानि छिद्राणि यस्याः सा शतातृण्णा । बहुधा हि सुतः सोमः । अथो अपि च 'शतोन्मानः, शतं उन्मानानि दक्षिणा अस्येति शतोन्मानः 'यज्ञः' ऊर्ध्वं मीयते । यजनार्थे

१–अंतःपात्यस्थाने चर्मणि सुरासोमविक्रयिणः सीसेन शष्पक्रयस्तोक्मनामूर्णाभिर्लाजानाः सूत्रैः सुरासोमविक्रयिन् कप्यास्ते सुरासोमा इत्यामन्त्र्यामन्त्र्य सर्वेषु । क्लीबादेके का. श्रौ. सू. १९ । ८ १९ ।

(त्तऽश्वा) आश्वत्थम्पात्रं भवति । (त्यु) अपचितिमेवावरुन्द्धऽ औदुम्बरं भवत्यूर्ज्जमेवावरुन्द्धे नैयग्रोधम्भवति स्वधामेवावरुन्द्धे स्थाल्यो भवन्ति पृथिव्याऽ एवान्नाद्यमवरुन्द्धे ॥ १४ ॥

पालाशान्युपशयानि भवन्ति । ब्रह्म वै पलाशो ब्रह्मणैव स्वर्गं लोकं जयत्यपाष्ठिहस्य पत्रे भवतस्त्विषिमेव राज्यम्वयसामवरुन्धे षट्त्रिꣳशदेतानि भवन्ति षट्त्रिꣳशदक्षरा वै बृहती बार्हताः पशवो बृहत्यैवास्मै पशूनवरुन्धे ॥ १५ ॥

तदाहुः । (२) अन्यदेवत्याः पशवो भवन्त्यन्यदेवत्याः पुरोडाशा

---

(३०) आश्वत्थं पात्रं भवति । अपचितिमेवावरुंधे । (३१) औदुंबरं भवति । ऊर्जमेवावरुंधे । (३२) नैयग्रोधं भवति । स्वधामेवावरुंधे । (३३) स्थाल्यो भवंति । पृथिव्या एवान्नाद्यमवरुंधे ॥ १४ ॥

(३४) पालाशान्युपशयानि भवंति । ब्रह्म वै पलाशः । ब्रह्मणैव स्वर्गं लोकं जयति । अपाष्ठिहस्य (३५,३६) पत्रे भवतः । त्विषिमेव राज्यं वयसामवरुंधे । षट्त्रिंशदेतानि भवंति । षट्त्रिंशदक्षरा वै बृहती । बार्हताः पशवः । बृहत्यैवास्मै पशूनवरुंधे ॥ १५ ॥

तदाहुः—अन्यदेवत्याः पशवो भवंति । अन्यदेवत्याः पुरोडाशाः । विलोमैतत्क्रियते । कथमेत-

---

भवति सुरायाः पयसोऽपि वा । सत्सतं सतशब्द उभयलिंग इति प्रदर्शितम् । वै भत्सः । सत इनि अहिवल्लिगः । कबंधं वेति । सुरापचनार्थमेव सच्छब्दः । इति च लोके प्रसिद्धम् । शतमानं शतकृष्णलम् ॥ १३ ॥

आश्वत्थं पात्रं भवतीत्यादि । अश्वत्थादीनां विकारार्थवचनम् । स्थाल्यो मार्तिक्यः सुराग्रहणार्थाः ॥ १४ ॥

पालाशान्युपशयानि भवंति । सुराग्रहाणां होमार्थानि पात्राणि । अस्य पार्ष्णिना हीनादित्याम्नातात् । अपाष्ठिहा । आशिषि हनः डप्रत्ययः । अपाष्ठिहेत्यत्र क्विप् । अपाष्ठिहस्य पत्रे यजमानपावनार्थं भवतः । षट्त्रिंशत् । सर्वाण्येवैतानि द्रव्याणि धूम्रादारभ्य भवंति ॥ १५ ॥

अन्यदेवत्याः पशवः अन्यदेवत्याः पुरोडाशाः । इत्येतद्विलोम क्रियते । कथमेतत् सलोम भवतीति पशुपुरो-

---

१–आश्विनमाश्वत्थेन । का. श्रौ. सू. १९ । ४२ । ग्रहं गृह्णीयादित्यर्थः । एवमग्रेऽपि ।

२–सारस्वतमौदुंबरेण । का. श्रौ. सू. १९ । ४४ । ३—ऐन्द्रं नैयग्रोधेन । का. श्रौ. सू. १९ । ४५ ।

४–आश्विनो धूम्रोऽजः १ सारस्वतो मेषः २ ऐंद्र ऋषभः ३ अनुशिशुर्वडवा ४ वृकलोमानि ५ व्याघ्रलोमानि ६ सिंहलोमानि ७ व्रीहयः ८ श्यामाकाः ९ गोधूमाः १० कुवलानि ११ उपवाकाः १२ बदराणि १३ यवाः १४ कर्कन्धूनि १५ शष्पाणि १६ तोक्मानि १७ सीसम् १८ ऊर्णाः १९ सूत्राणि २० ऊर्णासूत्रम् २१ शतातृण्णा कुंभी २२ सतम् २३ चप्पम् २४ पवित्रम् २५ वालः २६ सुवर्णम् २७ हिरण्यम् २८ शतमानम् २९ आश्वत्थं पात्रम् ३० औदुंबरं पात्रम् ३१ नैयग्रोधं पात्रम् ३२ पार्थिव्यः स्थाल्यः ३३ पालाशानि उपशयानि ३४ श्येनपत्रे ३५–३६ इति षट्त्रिंशत् द्रव्याणि ।

व्विलोमैतत्क्रियते कथमेतत्सुलोम भवतीत्यैन्द्रः पशूनामुत्तमो भवत्यैन्द्रः पुरोडाशानां प्रथमऽइन्द्रियम्वै व्वीर्य्यमिन्द्रऽ इन्द्रियेणैवास्माऽ इन्द्रियं व्वीर्य्यꣳ सन्दधातीन्द्रियेणेन्द्रियम्वीर्य्यमवरुन्धे ॥ १६ ॥

सावित्रः पुरोडाशो भवति । सवितृप्रसूततायै व्वारुणो भवति व्वरुणो वाऽएतङ्गृह्णाति यः पाप्मना गृहीतो भवति व्वरुणेनैवैनम्वरुण्यान्मुञ्चत्यन्त्यो भवत्यन्ततऽएवैनम्वरुणपाशात्प्रमुञ्चति ॥ १७ ॥

(त्ये) एकादशकपालऽऐन्द्रो भवति । (त्ये) एकादशाक्षरा वै त्रिष्टुबिन्द्रियमु वै व्वीर्य्यं त्रिष्टुबिन्द्रियस्यैव व्वीर्य्यस्यावरुद्ध्यै ॥ १८ ॥

द्वादशकपालः सावित्रो भवति । द्वादश वै मासाः सम्वत्सरस्य सम्वत्सरम्वाऽ अन्नाद्यमन्वायत्तꣳ सम्वत्सरादेवास्माऽअन्नाद्यमवरुन्धे ॥ १९ ॥

दशकपालो व्वारुणो भवति । दशाक्षरा वै व्विराडन्नं व्विराड्वरुणोऽन्नपतिर्व्वरुणेनैवास्माऽअन्नमवरुन्धे मध्यतऽएतैः पुरोडाशैः प्रचरति मध्यम्वाऽ एतेषां योनिः स्वादेवैनान्योनेः प्रजनयति ॥ २० ॥

त्सलोम भवतीति । ऐंद्रः पशूनामुत्तमो भवति । ऐंद्रः पुरोडाशानां प्रथमः । इंद्रियं वै वीर्यम् इंद्रः । इंद्रियेणैवास्मा इंद्रियं वीर्यं संदधाति । इंद्रियेणेंद्रियं वीर्यमवरुंधे ॥ १६ ॥

सावित्रः पुरोडाशो भवति । सवितृप्रसूततायै । वारुणो भवति । वरुणो वा एतं गृह्णाति । यः पाप्मना गृहीतो भवति । वरुणेनैवैनं वरुण्यान्मुंचति । अंत्यो भवति । अंतत एवैनं वरुणपाशात्प्रमुंचति ॥ १७ ॥

एकादशकपाल ऐंद्रो भवति । एकादशाक्षरा वै त्रिष्टुप् । इंद्रियमु वै वीर्यं त्रिष्टुप् । इन्द्रियस्यैव वीर्यस्यावरुद्ध्यै ॥ १८ ॥

द्वादशकपालः सावित्रो भवति । द्वादश वै मासाः संवत्सरस्य । संवत्सरं वा अन्नाद्यमन्वायत्तम् । संवत्सरादेवास्मा अन्नाद्यमवरुंधे ॥ १९ ॥

दशकपालो वारुणो भवति । दशाक्षरा वै विराट् । अन्नं विराट् । वरुणोऽन्नपतिः । वरुणेनै-

---

डाशानामुपन्यासो देवतांतरसंबन्धार्थः । इतरथा तु ऐन्द्रः पुरोडाशः सावित्रो वारुण इत्युक्ते कर्मान्तराणि वा प्राप्तान्येतानि । अनियमेन वा पशुपुरोडाशेषु देवताविचारः । न च प्रथमो देवताविधिः । प्रथमे पशुपुरोडाशे द्वितीयतृतीयः युज्यते । इह पुरोडाशानां क्रमाभावात् कर्मणश्च क्रमो विनियोजको भवति । पुनः पुरोडाशानां विशेषकस्तस्मादुपपन्नम् । गुणादसंबन्धार्थोऽयमुपन्यास इति । तत्रैन्द्रः प्रथमः । सावित्रो द्वितीयः । वारुणस्तृतीय इति देवता विधाय एकादशकपाल इति विधेयम् । मध्यत एतैरित्यनुवाद एव ॥ १६-२० ॥

१-पशुपुरोडाशान्निर्वपत्यैन्द्रं सावित्रं वारुणं दशकपालम् । का. श्रौ. सू. १९-८४ ।

वुडवाऽनुशिशुर्दक्षिणा भवति । (त्यु) उभुयम्वाऽएुषा जनयत्युश्वञ्चा-श्वतरुञ्चोभुयथ्ँ सौत्रामणीष्टिश्च पशुबन्धुश्चोभुयस्यैवावरुद्ध्यै ॥ २१ ॥

इति तृतीयप्रपाठके तृतीयं ब्राह्मणम् ॥ १२ । ३ । ३ ॥ (७-२)

इन्द्रुस्येन्द्रियमुन्नस्य रुसम् । (थ्ँ) सोमस्य भक्षथ्ँ सुरयाऽऽसुरो नमुचिरहरुत्सोऽश्विनौ च सरस्वतीञ्चोपाधावच्छेपानोऽस्मि नमुचये न त्वा दिवा न नक्तथ्ँ हनानि न दण्डेन न धन्वना न पृथेन न मुष्टिना न शुष्केण नार्द्रेणाथ मऽ इदमहार्षीदिदम्मऽआजिहीर्षथेति ॥ १ ॥

तेऽब्रुवन् । (ब्रु) अस्तु नोऽत्राप्यथाहरामेति सह नऽएतदथाहरतेत्यब्रवीदिति ॥ २ ॥

तावश्विनौ च सरस्वती च । (चा) अपाम्फेनं वज्रमसिञ्चन्न शुष्को

वास्मा अन्नमवरुन्धे । मध्यत एतैः पुरोडाशैः प्रचरति । मध्यं वा एतेषां योनिः । स्वादेवैनान् योनेः प्रजनयति ॥ २० ॥

वडवाऽनुशिशुर्दक्षिणा भवति । उभयं वा एषा जनयति । अश्वं चाश्वतरं च । उभयं सौत्रा-मणी । इष्टिश्च पशुबन्धश्च । उभयस्यैवावरुद्ध्यै ॥ २१ ॥

इन्द्रस्येन्द्रियम् अन्नस्य रसम्, सोमस्य भक्षं सुरयाऽऽसुरो नमुचिरहरत् । सोऽश्विनौ च सरस्वतीं चोपाधावत् । शेपानोऽस्मि नमुचये । न त्वा दिवा न नक्तं हनानि । न दंडेन । न धन्वना । न पृथेन । न मुष्टिना । न शुष्केण । नार्द्रेण । अथ म इदमहार्षीत् । इदं म आजि-हीर्षथेति ॥ १ ॥

तेऽब्रुवन् । अस्तु नोऽत्रापि । अथाहरामेति । सह न एतत् अथाहरतेत्यब्रवीदिति ॥ २ ॥

ताविश्विनौ च सरस्वती च अपां फेनं वज्रमसिञ्चन् । न शुष्को नार्द्र इति । तेनेंद्रो नमुचे-रासुरस्य व्युष्टायां रात्रौ, अनुदित आदित्ये, न दिवा न नक्तमिति शिर उदवासयत् ॥ ३ ॥

वडवाऽनुशिशुरिति । यदि गुणविधिः । यदि विशिष्टविधिः । उभयथा त्रयस्त्रिंशद्दक्षिणा भवन्तीत्यनेन (श. प. १२ । ७ । १ । १४) सह विकल्पे प्राप्ते सति षट्त्रिंशदेतानि भवन्तीति नित्यवत् वडवा॰ संख्यानात् समुच्चयो गम्यते ॥ २१ ॥

इति श्रीमदाचार्यहरिस्वामिनः कृतौ माध्यन्दिनीयशतपथब्राह्मणभाष्ये द्वादशे कांडे सप्तमेऽध्याये द्वितीयं ब्राह्मणम् ॥ १२ । ७ । २ ॥

इन्द्रस्येन्द्रियमिति । "स यो भ्रातृव्यवान् स्यात् स सौत्रामण्या यजेत" इति । अयमपरो विनियोगः

१-अवभिर शतं दक्षिणा ददात्यनुशिशुं च वडवधेनुम् । का. श्रौ. सू. । १९-८८ ।

नार्द्रं॑ऽइति तेने॒न्द्रो न॒मुचे॑रासु॒रस्य॒ व्यु॑ष्टाया॒ᳫं॑ रा॒त्राव॑नु॒दि॑तऽ आदि॒त्ये न दि॒वा न न॒क्तमि॒ति शि॒रऽउद॑वासयत् ॥ ३ ॥

(ऋ) त॒स्मादे॒तदृ॑षिणाऽभ्यनू॒क्तम् । (म) अ॒पां फे॑नेन॒ नमु॑चेः शि॒रऽ इन्द्रो॒दव॑र्तयः । वि॒श्वा यदज॑य॒ स्पृध॑ऽ इति पा॒प्मा वै न॒मुचिः॑ पा॒प्मान॑म्वाव तद्द्वि॑ष॒न्तं भ्रातृ॑व्य॒ᳫं ह॒त्वेन्द्रि॒यम्वी॒र्य्यम॒स्यावृ॑ङ्क्त स यो भ्रातृ॑व्यवान्त्स्या॒त्स सौ॑त्राम॒ण्या य॑जेत पा॒प्मान॑मेव त॒द्द्वि॑ष॒न्तं भ्रातृ॑व्य॒ᳫं ह॒त्वेन्द्रि॒यम्वी॒र्य्यम॒स्य वृ॑ङ्क्ते त॒स्य शी॒र्षऽइ॑च्छि॒न्ने लोहि॒तमि॑श्रः सो॒मोऽति॑ष्ठत्त॒स्माद॑बीभत्स॒न्त तऽ ए॒तद॑न्ध॒सो वि॒पान॑मपश्य॒न्त्सोमो॒ रा॒जाऽमृ॒तᳫं॑ सु॒तऽ इति॒ ते॒नैन॒ᳫं॑ स्वद॒यि॒त्वाऽऽत्मन्न॑दधत ॥ ४ ॥

स्वा॒द्वीन्त्वा॑ स्वा॒दु॑नेति॒ सु॒राᳫं॑ सन्द॑धाति । स्वद॑यत्ये॒वैनां॑ ती॒व्रान्ती॒व्रेणे॑ती॒न्द्रि॒यमे॒वास्मि॒न्दधा॑त्य॒मृता॑मृ॒तेने॒त्यायु॑रे॒वास्मि॒न्दधा॑ति मधु॑मती॒म्मधु॑मतेति॒ र॒समे॒वास्या॒न्दधा॑ति सृ॒जामि॒ सᳫं॑ सो॒मेने॒ति सोम॑रू॒पमे॒वैनाङ्क॑रोति ॥ ५ ॥

तस्मादेतदृषिणाऽभ्यनूक्तम् । " अपां फेनेन नमुचेः शिर इन्द्रोदवर्तयः । विश्वा यदजयः स्पृधः "–(वा. सं. १९ । ७१) इति । पाप्मा वै नमुचिः । पाप्मानं वाव तद्द्विषंतं भ्रातृव्यं हत्वा, इन्द्रियं वीर्यमस्यावृंक्त । स यो भ्रातृव्यवान् स्यात् । स सौत्रामण्या यजेत । पाप्मानमेव तद्द्विषंतं भ्रातृव्यं हत्वा, इन्द्रियं वीर्यमस्य वृंक्ते । तस्य शीर्षेश्छिन्ने लोहितमिश्रः सोमोऽतिष्ठत् । तस्मादबीभत्संत । त एतदन्धसो विपानमपश्यन् । "सोमो राजाऽमृतं सुतः" (वा. सं. १९ ७२ । ७९) इति । तेनैनं स्वदयित्वाऽऽत्मन्नदधत ॥ ४ ॥

"स्वाद्वीं त्वा स्वादुना"–इति सुरां सन्दधाति । स्वदयत्येवैनाम् । " तीव्रां तीव्रेण "–इति । इन्द्रियमेवास्मिन् दधाति । "अमृताममृतेन"–इति । आयुरेवास्मिन् दधाति । "मधुमतीं

एतेन इतिहासेन दर्श्यते । तस्य नमुचेः शिरसि च्छिन्ने लोहितमिश्रः सोमः स्थितः । तस्मात् सोमात् देवा अबीभत्सन्त उद्विग्नाः । ते देवा एतत् शुक्रम् अन्धसः विपानं दृष्टवन्तः । दोषाद् विविच्य पीयते पानयोग्यं क्रियते अनेनेति विपानम् । कतमः । सोमो राजाऽमृतं सुत इति । तयोरेव वा सोमलोहिताधारत्वाय विपानं अपश्यन् । तेन एनं सोमं स्वदयित्वा अदनयोग्यं कृत्वा । आत्मनि अदधत स्थापितवन्तः । तद्वै देवा

१–ओदनौ चूर्णमासरैः सꣳसृज्य स्वाद्वीं त्वाऽꣳस्वादुना त इति त्रिरात्रं निदधाति । का. श्रौ. सू. १९–२१ ।

सोमोऽस्यश्विभ्याम्पच्यस्व । सरस्वत्यै पच्यस्वेन्द्राय सुत्राम्णे पच्यस्वेत्येता वाऽएतन्देवताऽअग्रे यज्ञꣳ समभरंस्ताभिरेवैनꣳ सम्भरत्यथोऽएताऽएवैतद्देवता भागधेयेन समर्द्धयत्यासुनोति सुत्यायै तिस्रो रात्रीर्व्वसति तिस्रो हि रात्रीः सोमः क्रीतो व्वसति सोमरूपमेवैनाङ्करोति ॥ ६ ॥

द्वे व्वेदी भवतः । (तौ) द्वौ वाव लोकावित्याहुर्देवलोकश्चैव पितृलोकश्चेत्युत्तराऽन्या भवति दक्षिणाऽन्योत्तरो वै देवलोको दक्षिणः पितृलोकऽउत्तरयैव देवलोकमवरुन्धे दक्षिणया पितृलोकम् ॥ ७ ॥

(म्पु) पयश्च सुरा च भवतः । सोमो वै पयोऽन्नꣳ सुरा पयसैव सोमपीथमवरुन्धे सुरयाऽन्नाद्यं क्षत्त्रम्वै पयो व्विट् सुरा सुराम्पूत्वा पयः पुनाति व्विशऽएव तत्क्षत्त्रञ्जनयति व्विशो हि क्षत्त्रञ्जायते ॥ ८ ॥

मधुमता"–इति । रसमेवास्यां दधाति । " सृजामि सं सोमेन "–(वा. सं. १९ । १) इति । सोमरूपमेवैनां करोति ॥ ५ ॥

"सोमोऽस्यश्विभ्यां पच्यस्व, सरस्वत्यै पच्यस्व, इन्द्राय सुत्राम्णे पच्यस्व"–(वा. सं. १९।१) इति । एता वा एतं देवता अग्रे यज्ञं समभरन् । ताभिरेवैनं संभरति । अथो एता एवैतद्देवता भागधेयेन समर्द्धयति । आसुनोति सुत्यायै । तिस्रो रात्रीर्वसति । तिस्रो हि रात्रीः सोमः क्रीतो वसति । सोमरूपमेवैनां करोति ॥ ६ ॥

द्वे वेदी[1] भवतः । द्वौ वाव लोकावित्याहुः । देवलोकश्चैव पितृलोकश्चेति । उत्तराऽन्या भवति । दक्षिणाऽन्या । उत्तरो वै देवलोकः । दक्षिणः पितृलोकः । उत्तरयैव देवलोकमवरुन्धे । दक्षिणया पितृलोकम् ॥ ७ ॥

पयश्च सुरा च भवतः । सोमो वै पयः । अन्नं सुरा । पयसैव सोमपीथमवरुन्धे । सुरयाऽन्ना-

---

अद्यापि " सोमो राजा "–(वा. सं. १९ । ७२–७९) इत्यनुवाकेन पयोग्रहांश्चोपतिष्ठमानाः स्वदयन्तीत्युपसंहारो द्रष्टव्यः । स सवग्रहणोत्तरकालमेव वक्तव्यः । स तत्रेतिहासप्रसङ्गात् अकृत । " स्वाद्वीं त्वा स्वादुना " इत्यनेन मन्त्रेण " अꣳशुना ते अꣳशुः"–(वा. सं. २० । २७) इत्यनेन च लिंगकरणाभ्यां पुरा कृतमिति शेषः । सुरार्थानि ओदनचूर्णमासराणि सन्दधाति स्थापयति ॥ १–५ ॥

आसुनोति । तानि च द्रवद्रव्याणि । किमर्थं ? सुत्यायै अभिषवाय सौमिकाय । सोमो हि संपाद्यते इत्यभिप्रायः ॥ ६–१२ ॥

१–वेदी मिमीते वरुणप्रघासवत् । प्रक्रमतृतीयेनाग्रतोऽनोत्तरा ? सोमवत् । का. श्रौ. सू. १९ । १८–२१ ।

वायोः पूतः पवित्रेण । प्रत्यङ्क्सोमोऽअतिद्रुतऽइति सोमातिपूतस्य पुनाति यथारूपमेवैनम्पुनातीन्द्रस्य युज्यः सखेति यदेवास्य तेनेन्द्रियम्वीर्य्यमतिक्रान्तं भवति तदस्मिन्पुनर्दधाति ॥ ९ ॥

वायोः पूतः पवित्रेण । प्राङ्क्सोमोऽअतिद्रुतऽइति सोमवामिनः पुनाति यथारूपमेवैनम्पुनातीन्द्रस्य युज्यः सखेति यदेवास्य तेनेन्द्रियम्वीर्य्यमतिक्रान्तम्भवति तदस्मिन्पुनर्दधाति ॥ १० ॥

पुनाति ते परिस्रुतमिति । समृद्धिकामस्य पुनाति समृद्ध्यै सोमꣳ सूर्य्यस्य दुहितेति श्रद्धा वै सूर्य्यस्य दुहिता श्रद्धयैष सोमो भवति श्रद्धयैवैनꣳ सोमङ्करोति वारेण शश्वता तनेति वालेन ह्येषा पूयते ॥ ११ ॥

ब्रह्म क्षत्त्रम्पवतऽइति पयः पुनाति । ब्रह्मणऽएव तत्क्षत्त्रञ्जनयति ब्रह्मणो हि क्षत्त्रञ्जायते तेजऽइन्द्रियमिति तेजऽएवास्मिन्निन्द्रियम्वीर्य्यन्दधाति सुरया सोमऽइति सुरया हि सोमः सुतऽआसुतऽइत्यासुताद्धि सूयते मदायेति मदाय वाव सोमो मदाय सुराभावेव सोममदश्च सुरा-

---

द्यम् । क्षत्त्रं वै पयः । विद् सुरा । सुरां पूत्वा पयः पुनाति । विश एव तत् क्षत्त्रं जनयति । विशो हि क्षत्त्रं जायते ॥ ८ ॥

" वायोः पूतः पवित्रेण प्रत्यङ्क्सोमो अतिद्रुतः "–इति सोमातिपूतस्य पुनाति । यथारूपमेवैनं पुनाति । " इन्द्रस्य युज्यः सखा "–(वा. सं. १९ । ३) इति । यदेवास्य तेनेन्द्रियं वीर्यमतिक्रान्तं भवति । तदस्मिन् पुनर्दधाति ॥ ९ ॥

" वायोः पूतः पवित्रेण प्राङ्क्सोमो अतिद्रुतः "–इति सोमवामिनः पुनाति । यथारूपमेवैनं पुनाति । " इन्द्रस्य युज्यः सखा "–(वा० सं० १९ । ३) इति । यदेवास्य तेनेन्द्रियं वीर्यमतिक्रान्तं भवति । तदस्मिन्पुनर्दधाति ॥ १० ॥

"पुनाति ते परिस्रुतम्"–इति समृद्धिकामस्य पुनाति । समृद्ध्यै । "सोमं सूर्यस्य दुहिता"–इति । श्रद्धा वै सूर्यस्य दुहिता । श्रद्धयैष सोमो भवति । श्रद्धयैवैनं सोमं करोति । " वारेण शश्वता तना "–(वा० सं० १९ । ४) इति । वालेन ह्येषा पूयते ॥ ११ ॥

" ब्रह्म क्षत्त्रं पवते "–इति पयः पुनाति । ब्रह्मण एव तत्क्षत्त्रं जनयति । ब्रह्मणो हि क्षत्त्रं जायते । " तेज इन्द्रियम् "–इति । तेज एवास्मिन्निन्द्रियं वीर्यं दधाति । "सुरया सोमः"–

१–वायोः पूत इति सोमातिपूतस्य । का. श्रौ. सू. १९ । ३५ । २–प्राङिति तद्वामिनः । का. श्रौ. सू. १९ । ३६ ।
३–सते पुनाति गोऽश्ववाल्लेन पुनाति ते परिस्रुतमिति (का. श्रौ. सू. १९ । ३४) समृद्धिकामस्येति अग्रत्यक्षुतेरेव ॥
४–वसतरस्यां पयो वैतसेऽजाविलोमपवित्रेण ब्रह्म क्षत्त्रमिति । का. श्रौ. सू. १९ । ३७ ।

मदश्चावरुन्धे शुक्रेण देव देवताः पिपृग्धीति शुक्रेण देव देवताः प्रीणीहीत्येवैतदाह रसेनान्नं यजमानाय धेहीति रसमेवान्नं यजमाने दधाति पूर्वे पयोग्रहा गृह्यन्ते परे सुराग्रहा विशन्तत्क्षत्त्रस्यानुवर्त्मानङ्करोति ॥ १२ ॥

कुविदङ्ग यवमन्तो यवञ्चिदिति । पयोग्रहान्गृह्णाति सोमाꣳशवो वै यवाः सोमः पयः सोमेनैवैनꣳ सोमङ्करोत्येकया गृह्णात्येकधैव यजमाने श्रियन्दधाति श्रीर्हि पयः ॥ १३ ॥

(यो) नाना हि वान्देवहितꣳ सदस्कृतमिति । सुराग्रहान्गृह्णाति नाना हि सोमश्च सुरा च देवहितमिति देवहिते ह्येते नाना सदस्कृतमिति द्वे हि वेदी भवतो मा सꣳसृक्षाथाम्परमे व्योमन्निति पाप्मनैवैनं व्यावर्त्तयति सुरा त्वमसि शुष्मिणीति सुरामेव सुराङ्करोति सोमऽ एषऽ इति सोममेव सोमङ्करोति मा मा हिꣳसीः स्वां योनिमाविशन्तीति यथायोन्येवैनां व्यावर्त्तयत्यात्मनोऽहिꣳसायाऽ एकया गृह्णात्येकधैव यजमाने यशो दधाति यशो हि सुरा ॥ १४ ॥

इति । सुरया हि सोमः । " स्रुत आस्रुतः "–इति । आस्रुताद्धि सूयते । " मदाय "–इति । मदाय वाव सोमः । मदाय सुरा । उभावेव सोममदं च सुरामदं चावरुन्धे । " शुक्रेण देव देवताः पिपृग्धि "–इति । शुक्रेण देव देवताः प्रीणीहीत्येवैतदाह । " रसेनान्नं यजमानाय धेहि "–(वा० सं० १९ । ५) इति । रसमेवान्नं यजमाने दधाति । पूर्वे पयोग्रहा गृह्यन्ते । परे सुराग्रहाः । विशं तत्क्षत्त्रस्यानुवर्त्मानं करोति ॥ १२ ॥

" कुविदंग यवमन्तो यवं चित "–(वा० सं० १९ । ६) इति पयोग्रहान् गृह्णाति । सोमांशवो वै यवाः । सोमः पयः । सोमेनैवैनं सोमं करोति । एकया गृह्णाति । एकधैव यजमाने श्रियं दधाति । श्रीर्हि पयः ॥ १३ ॥

" नाना हि वां देवहितं सदस्कृतम् "–इति सुराग्रहान् गृह्णाति । नाना हि सोमश्च सुरा च । देवहितमिति । देवहिते ह्येते । नाना सदस्कृतमिति । द्वे हि वेदी भवतः । " मा सं-

---

कुविदंग यवमन्तो यवं चिदिति पयोग्रहान् गृह्णातीति, पयोग्रहाणामुत्पत्तिवाक्यम् । मान्त्रवर्णिक्य एव सुरासोमादयो देवताः ॥ १३ ॥

नाना हि वां देवहितं सदस्कृतमिति सुराग्रहान् गृह्णातीति, सुराग्रहाणामुत्पत्तिवाक्यम् । मान्त्रवर्णिक्य एव सुरासोमादयो देवताः ॥ १४ ॥

१–पयोग्रहान् गृह्णाति कुविदंगेति । पृथगुपयामयोनी । का. श्रौ. सू. १९ । ३९ । ४० ।

२–स्थालीभिः सौरान्नाना हि वामिति । व्यत्यासम् । पयोग्रहान्वा पूर्वम् । का. श्रौ. सू. १९ । ४७ । ४८ ।

क्षत्त्रम्वै पयोग्ग्रहाः । (०) व्विट् सुराग्ग्रहा यद्व्यतिषक्तान्गृह्णीयाद्विशं क्षत्त्राद्व्युवच्छिन्द्यात्क्षत्त्रम्विशः पापवस्यसङ्कुर्य्याद्यज्ञस्य व्यृद्धिं व्युतिषक्तान्गृह्णाति व्विशमेव क्षत्त्रेण सुन्दधाति क्षत्त्रम्विशा पापवस्यसुस्य व्युावृत्त्यै यज्ञस्य सुमृद्ध्यै ॥ १५ ॥

प्राणा वै पयोग्ग्रहाः । शरीरᳩ सुराग्ग्रहा यद्व्यतिषक्तान्गृह्णीयाच्छुरीरम्प्राणेभ्यो व्युवच्छिन्द्यात्प्राणाञ्छुरीरात्प्रमायुको युजमानः स्याद्व्युतिषक्तान्गृह्णाति शुरीरमेव प्राणैः सुन्दधाति प्राणाञ्छुरीरेणाथोऽआयुरेवास्मिन्दधाति तुस्मात्सौत्रामुण्येजानः सुर्व्वमायुरेत्युथो युऽएवुमेतद्वेद ॥ १६ ॥

सोमो वै पयोग्ग्रहाः । (ऽ) अन्नᳩ सुराग्ग्रहा युत्पयोग्ग्रहाश्च सुराग्ग्रहाश्च गृह्युन्ते सोमपीथं चैवान्नाद्यञ्चावरुन्धे ॥ १७ ॥

सृक्षाथां परमे व्योमन् "–इति । पाप्मनैवैनं व्यावर्तयति । " सुरा त्वमसि शुष्मिणी "–इति । सुरामेव सुरां करोति । " सोम एषः "–इति । सोममेव सोमं करोति । " मा मा हिंसीः स्वां योनिमाविशन्ती "–(वा. सं. १९ । ७) इति । यथायोन्येवैनां व्यावर्तयति । आत्मनोऽहिंसायै । एकया गृह्णाति । एकधैव यजमाने यशो दधाति । यशो हि सुरा ॥ १४ ॥

क्षत्त्रं वै पयोग्रहाः । विद् सुराग्रहाः । यद्व्यतिषक्तान् गृह्णीयात् । विशं क्षत्त्रात् व्यवच्छिन्द्यात् । क्षत्त्रं विशः पापवस्यसं कुर्यात् । यज्ञस्य व्यृद्धिम् । व्यतिषक्तान् गृह्णाति । विशमेव क्षत्त्रेण सन्दधाति । क्षत्त्रं विशा । पापवस्यसस्य व्यावृत्त्यै । यज्ञस्य समृद्ध्यै ॥ १५ ॥

प्राणा वै पयोग्रहाः । शरीरं सुराग्रहाः । यद्व्यतिषक्तान् गृह्णीयात् । शरीरं प्राणेभ्यो व्यवच्छिन्द्यात् । प्राणान् शरीरात् । प्रमायुको यजमानः स्यात् । व्यतिषक्तान् गृह्णाति । शरीरमेव प्राणैः सन्दधाति । प्राणान् शरीरेण । अथो आयुरेवास्मिन् दधाति । तस्मात् सौत्रामण्येजानः सर्वमायुरेति । अथो य एवमेतद्वेद ॥ १६ ॥

सोमो वै पयोग्रहाः । अन्नं सुराग्रहाः । यत्पयोग्रहाश्च सुराग्रहाश्च गृह्यन्ते । सोमपीथं चैवान्नाद्यं चावरुन्धे ॥ १७ ॥

व्यतिषक्ताः अन्योऽन्यमतिक्रान्ताः । सक्तांश्च गृह्णाति । पयोग्रहं गृहीत्वा सुराग्रहं गृह्णाति । सुराग्रहं गृहीत्वा पयोग्रहान् गृह्णाति । पुनरप्येवमेव । इत्येवं ग्राह्यमेव ॥ १५ ॥

गोधूमोपवाकयवचूर्णैः आरण्येन कुवलबदरकर्कन्धुचूर्णैः । अथ पिप्पली वचा वली हंत्री । देवता रुद्रः । घोराः

१–गोधूमकुवलचूर्णानि चावपति तेजोऽसीति । (आश्विने ग्रहे) उपवाकबदरचूर्णानि च वीर्यमसीति । (सारस्वते ग्रहे) यवकर्कन्धुचूर्णानि बलमसीति । (ऐन्द्रे ग्रहे) का. श्रौ. सू. १९ । ४३–४४–४६ ।

२ सर्जत्वक् त्रिफला चैव शुण्ठी चैव पुनर्भवा । चतुर्जातकसंयुक्तं पिप्पली गजपिप्पली । वंशो वका बृहच्छत्रा चित्रकं चेन्द्रवारुणी अश्वगन्धा समुत्पाद्य मूलान्येतानि निर्दिशेत् । धान्यकं च यवानी च जीरकं कृष्णजीरकम् । द्वे हरिद्रे वचा चैवेति ॥

पशवो वै पयोग्रहाः । (ऽ) अन्नꣳ सुराग्रहा यत्पयोग्रहाश्च सुराग्रहाश्च गृह्यन्ते पशूꣳश्चैवान्नाद्यञ्चावरुन्धे ॥ १८ ॥

ग्राम्या वै पशवः पयोग्रहाः । (ऽ) आरण्याः सुराग्रहा यत्पयोग्रहाश्च सुराग्रहाश्च गृह्यन्ते ग्राम्यांश्चैव पशूनारण्यांश्चावरुन्धे ग्राम्येण चान्नेनारण्येन च पयोग्रहाञ्छ्रीणाति तस्माद्ग्राम्याणाम्पशूनाङ्ग्राम्यञ्चैवान्नाद्यमारण्यञ्चावरुद्धम् ॥ १९ ॥

(न्तु) तदाहुः । (रे) एतस्यै वाऽ एतदघलायै देवतायै रूपं यदेते घोराऽ आरण्याः पशवो यदेतेषाम्पशूनां लोमभिः पयोग्रहाञ्छ्रीणीयाद्रुद्रस्यास्ये पशूनपिदध्यादपशुर्य्यजमानः स्याद्यन्न श्रीणीयादनवरुद्धाऽ अस्य पशवः स्यू रुद्रो हि पशूनामीष्टऽ इति सुराग्रहानेवैतेषाम्पशूनां लोमभिः श्रीणाति सुरायामेव तद्रौद्रन्दधाति तस्मात्सुराम्पीत्वा रौद्रमनाऽ अथोऽ आरण्येष्वेव पशुषु रुद्रस्य हेतिन्दधाति ग्राम्याणाम्पशूनामहिꣳसायाऽ अवरुद्धाऽ अस्य पशवो भवन्ति न रुद्रस्यास्ये पशूनपिदधाति ॥ २० ॥

पशवो वै पयोग्रहाः । अन्नं सुराग्रहाः । यत्पयोग्रहाश्च सुराग्रहाश्च गृह्यन्ते । पशूंश्चैवान्नाद्यं चावरुन्धे ॥ १८ ॥

ग्राम्या वै पशवः पयोग्रहाः । आरण्याः सुराग्रहाः । यत्पयोग्रहाश्च सुराग्रहाश्च गृह्यन्ते । ग्राम्यांश्चैव पशूनारण्यांश्चावरुन्धे । ग्राम्येण चान्नेनारण्येन च पयोग्रहान् श्रीणाति । तस्मात् ग्राम्याणां पशूनां ग्राम्यं चैवान्नाद्यमारण्यं चावरुद्धम् ॥ १९ ॥

तदाहुः-एतस्यै वा एतदघलायै देवतायै रूपम् । यदेते घोरा आरण्याः पशवः । यदेतेषां पशूनां लोमभिः पयोग्रहान् श्रीणीयात् । रुद्रस्यास्ये पशूनापिदध्यात् । अपशुर्यजमानः स्यात् । यन्न

हर्तारः आरण्याः पशवः सिंहवृकव्याघ्राः । रुद्रस्य आरण्यपशुलोमानि ! वृकस्य आस्ये मुखे । पशून् ग्रहान् । यान्युग्ररूपार्थत्वात् । अपिदध्यात् संस्थापयेत् । (तृयावत्यः ?)। अपशुर्यजमानः स्यात् । आरण्यानां लोमभिः किंचिदपि श्रीणीयात् । ततः अनवरुद्धाः अस्वीकृताः । अनादृताः अस्य यजमानस्य अनवरुद्धाः पशवः स्युः । (क्वचिदपि रुद्रस्य नक्तावक्तत्वाच्छाणं सुलोमद्वारेण मन्वीभक्ष्याराच्यं)। तदधीनान् पशूनवसेत्स्यतीत्यभिप्रायः । कथं पुना रुद्रे आभक्षायास्ये पशवोऽवरुद्धा भवन्तीत्यर्थः । सुराग्रहानेव एतेषामारण्यानां लोमभिः श्रीणाति श्रयति ।

१-सुराग्रहान् श्रीणात्योजोऽसीति वृकव्याघ्रसिंहलोमभिः प्रतिमन्त्रं मिश्रैः । एके यथासंख्यम् । का. श्रौ, सू. १९ । ४२।५० ।

या व्व्याघ्रम्विषूचिका । (को) उभौ व्वृकञ्च रक्षति । श्येनम्पतत्रिणꣳ सिꣳहꣳ सेमम्पात्वꣳहसः ॥ यदापिपेष मातरम्पुत्रः प्रमुदितो धयन् । एतत्तदग्ने ऽ अनृणो भवाम्यहतौ पितरौ मयेति ॥ २१ ॥

(त्य) अध्वर्य्युश्च प्रतिप्रस्थाता च । जघनेन व्वेदिं प्राञ्चमावृत्तं यजमानꣳ श्येनपत्राभ्यामूर्ध्वञ्चावाञ्चञ्च पावयतः प्राणोदानयोस्तद्रूपम्प्राणोदानावेवावरुन्धऽऊर्ध्वश्च ह्ययमवाङ्च प्राणऽ आत्मानमनुसञ्चरति सम्पृच स्थ सम्मा भद्रेण पृङ्क्तेति पयोग्रहान्त्सम्मृशति श्रियैवैनं यशसा समर्द्धयति विपृच स्थ व्वि मा पाप्मना पृङ्क्तेति सुराग्रहान्पाप्मनैवैनं व्व्यावर्तयति ॥ २२ ॥

इति तृतीयप्रपाठके चतुर्थं ब्राह्मणम् ॥ १२-३-४ ॥ (७. ३.) ॥

सप्तमोऽध्यायश्च समाप्तः ॥ १२ । ७ ॥

कण्डिकासंख्या ॥ ८७ ॥

श्रीणीयात् । अनवरुद्धा अस्य पशवः स्युः । रुद्रो हि पशूनामीष्टे इति । सुराग्रहानेवैतेषां पशूनां लोमभिः श्रीणाति । सुरायामेव तत् रौद्रं दधाति । तस्मात् सुरां पीत्वा रौद्रमनाः । अथो आरण्येष्वेव पशुषु रुद्रस्य हेतिं दधाति । ग्राम्याणां पशूनामहिंसायै । अवरुद्धा अस्य पशवो भवंति । न रुद्रस्यास्ये पशूनपिदधाति ॥ २० ॥

" यां व्याघ्रं विषूचिकोभौ वृकं च रक्षति । श्येनं पतत्रिणं सिंहं सेमं पात्वंहसः ॥ यदापिपेष मातरं पुत्रः प्रमुदितो धयन् । एतत्तदग्ने अनृणो भवाम्यहतौ पितरौ मया " (वा. सं. १९ । १० । ११) इति ॥ २१ ॥

अध्वर्युश्च प्रतिप्रस्थाता च जघनेन वेदिं प्रांचमावृत्तं यजमानं श्येमपत्राभ्यामूर्ध्वं चावांचं च पावयतः । प्राणोदानयोस्तत् रूपम् । प्राणोदानावेवावरुंधे । ऊर्ध्वश्च ह्ययमवाङ्च प्राण आत्मानमनु संचरति । " संपृन्तः स्थ सं मा भद्रेण पृंक्त "-इति पयोग्रहान् संमृशति । श्रियैवैनं

सुरायामेवैतत् रौद्रं रूपं दधाति । तस्मात् यज्ञानुकारेण लोकेऽपि सुरां पीत्वा रौद्रचित्तः जिघांसुः पुरुषो भवतीति । अथ अथो आरण्येष्वेव पशुमृगवराहमहिषगवयादिषु रुद्रस्य स्वभूतं हेतिमायुधम्, सिंहस्य वृकव्याघ्रात्मकं दधाति । किमर्थं ? ग्राम्याणां गवादीनां पशूनामहिंसायै । व्याघ्रादयः सामान्यतः एनानारण्यानिव हिंसिष्यंति । न ग्राम्यान्हित्वा हिंसाभिप्रायः । कथं पुनः । सुराग्रहान् श्रीणन्ति । आस्येषु रुद्रस्य हि निदधाति ।

---

१ दीक्षान्तेऽपावयतोऽन्तःपात्ये श्येनपत्राभ्यां या व्याघ्रमिति । अग्निं प्रेक्षयति यदापिपेषेति । पयोग्रहसंमर्शनः संपृच स्थेति । विपृच स्थेति सौराणाम् का. श्रौ. सू. १९ । ५३-५६ ।

यशसा समर्द्धयति । "विपृचः स्थ वि मा पाप्मना पृंक्त"–(वा. सं. १९ । ११) इति सुराग्रहान् । पाप्मनैवैनं व्यावर्तयति ॥ २२ ॥

ग्राम्या वै पशवः पयोग्रहा आरण्याः सुराग्रहा इति । सुराग्रहाणामारण्यपशुत्ववचनात् । एवं हि पशुपतिमाभजतोऽस्य यजमानस्यावरुद्धा अस्य पशवो भवंति पशवो गृहपतिव्यवहाराच्च । न रुद्रस्य मुखे पशून्दधाति । या व्याघ्रमिति द्वाभ्यामृग्भ्यां यजमानं यावतः पाप्मनो व्यावर्तयति नियोजयति ॥ १६–२२ ॥

इति श्रीमदाचार्यहरिस्वामिनः कृतौ माध्यन्दिनीयशतपथब्राह्मणभाष्ये द्वादशकाण्डे सप्तमेऽध्याये तृतीयं ब्राह्मणम् ॥ १२ । ७ । ३ ॥

नागस्वामिसुतोऽवन्त्यां पाराशर्यो वसन्हरिः ।
श्रुत्यर्थं दर्शयामास शक्तितः पौष्करीयकः ॥ १ ॥
श्रीमतोऽवन्तिनाथस्य विक्रमार्कस्य भूपतेः ।
धर्माध्यक्षो हरिस्वामी व्याख्यच्छातपथीं श्रुतिम् ॥ २ ॥
भूभर्त्रा विक्रमार्केण क्लृप्तां कनकवेदिकाम् ।
दानायाभ्यस्य कृतवान् श्रुत्यर्थविवृतिं हरिः ॥ ३ ॥

इति श्रीसर्वविद्यानिधानकवीन्द्राचार्यसरस्वतीनां श्रीहरिस्वामिनां कृतौ माध्यन्दिनीयशतपथब्राह्मणभाष्ये द्वादशकाण्डे सप्तमोऽध्यायः समाप्तः ॥ १२–७ ॥

अथाष्टमेऽध्याये प्रथमं ब्राह्मणम्

तृतीयप्रपाठके च पञ्चमं ब्राह्मणम् ।

इन्द्रस्य वै यत्र । (त्रे) इन्द्रियाणि वीर्याणि व्युदक्रामंस्तानि देवाऽ एतेनैव यज्ञेन पुनः समदधुर्यत्पयोग्रहाश्च सुराग्रहाश्च गृह्यन्तऽ इन्द्रियाण्येवास्मिंस्तद्वीर्याणि पुनः सन्दधत्युत्तरेऽग्नौ पयोग्रहाञ्जुह्वति शुक्रेणैवैनन्तत्सोमपीथेन समर्द्धयति ॥ १ ॥

स जुहोति । सुरावन्तम्बर्हिषदᳫँ सुवीरमिति सुरावान्वाऽ एष बर्हिषद्यज्ञो यत्सौत्रामणी बर्हिषैवैनं यज्ञेन समर्द्धयति यज्ञᳫँ हिन्वन्ति महिषा नमोभिरित्यृत्विजो वै महिषा यज्ञो नम ऽऋत्विग्भिरेव यज्ञᳫँ समर्द्धयति यज्ञेन यजमानन्दधानाः सोममिति सोमपीथमेवास्मिन्दधाति दिवि देवतास्वित्ति दिव्येवैनन्देवतासु दधाति मदेमेन्द्रमिति मदाय वाव सोमो मदाय सुराभावेव सोममदश्च सुरामदश्चावरुन्धे यजमानाः स्वर्काऽइत्यर्को वै देवानामन्नमन्नं यज्ञो यज्ञेनैवैनमन्नाद्येन समर्द्धयति हुत्वा भक्षयन्ति समृद्धमेवास्य तद्वर्द्धयन्ति ॥ २ ॥

इन्द्रस्य वै यत्रेन्द्रियाणि वीर्याणि व्युदक्रामन् । तानि देवा एतेनैव यज्ञेन पुनः समदधुः । यत्पयोग्रहाश्च सुराग्रहाश्च गृह्यन्ते । इन्द्रियाण्येवास्मिन् तद्वीर्याणि सन्दधति । उत्तरेऽग्नौ पयोग्रहान् जुह्वति । शुक्रेणैवैनं तत्सोमपीथेन समर्द्धयति ॥ १ ॥

स जुहोति "सुरावन्तं बर्हिषदᳫँ सुवीरम्"–इति । सुरावान्वा एष बर्हिषद्यज्ञो यत्सौत्रामणी । बर्हिषैवैनं यज्ञेन समर्द्धयति । "यज्ञं हिन्वन्ति महिषा नमोभिः"–इति । ऋत्विजो वै महिषाः । यज्ञो नमः । ऋत्विग्भिरेव यज्ञं समर्द्धयति । यज्ञेन यजमानम् । "दधानाः सोमम्"–इति । सोमपीथमेवास्मिन् दधति । "दिवि देवतासु"–इति । दिव्येवैनं देवतासु दधाति । "मदेमेन्द्रम्"–

इंद्रस्य वै यत्र । उत्तरेऽग्नौ पयोग्रहान् दक्षिणे सुराग्रहान् हुत्वा भक्षयन्ति । परिक्रीतो वा भक्षयेत् ।

१–सुरावन्तमिति जुहोति । (का. श्रौ. सू. १९ । ६४) त्रीनपि पयोग्रहान् सहैवाध्वर्युः ॥

२–पालाशैः सौरान् न मृन्मयमाहुतिमानश इति श्रुतेर्यस्त इति । (का. श्रौ. सू. १९।६५) पालाशैरुलूखलैः प्रतिप्रस्थाताऽत्र ।

३–अध्वर्युप्रतिप्रस्थाताऽग्नीध्रमश्विनेत्याश्विनं भक्षयन्ति द्विर्द्विरावर्तम् । का. श्रौ. सू. १९ । ६६ । होतृब्रह्ममैत्रावरुणाः सारस्वतमाश्विनवत् । शेषᳫँ शेषमासिंचत्युत्तरे पूर्वस्य । ऐन्द्रं यजमानः । का. श्रौ. सू. १९ । ६७–६९ ।

४–यदत्रेति सौरान् भक्षयन्ति यथाभक्षितं प्राचीनावीतिनो दक्षिणतः । दक्षिणतो विहारस्य । प्राणभक्षमेके । का. श्रौ. सू. १९ । ७० । ७१ ।

५–परिक्रीतो वा वैश्यराजन्ययोरन्यतरः । का. श्रौ. सू. १९ । ७२ ।

स भक्षयति । यमश्विना नमुचेरासुरादधीत्यश्विनौ ह्येतन्नमुचेरध्या-हरताᳫँ सरस्वत्यसुनोदिन्द्रियायेति सरस्वती ह्येतमसुनोदिन्द्रियाये-मन्तᳫँ शुक्रम्मधुमन्तमिन्दुमिति शुक्रो वाऽ एष मधुमानिन्दुर्यत्सोमः सोमᳫँ राजानमिह भक्षयामीति सोमऽएवास्य राजा भक्षितो भवति दक्षिणेऽग्नौ सुराग्रहाञ्जुह्वति पाप्मनैवैनं तद्व्यावर्तयन्ति ॥ ३ ॥

इति । मदाय वाव सोमः । मदाय सुरा । उभावेव सोममदं च सुरामदं चावरुन्धे । " यजमानाः स्वर्काः "–(वा० सं० १९ । ३२) इति । अर्को वै देवानामन्नम् । अन्नं यज्ञः । यज्ञेनैवैनमन्नाद्येन समर्द्धयति । हुत्वा भक्षयन्ति । समृद्धमेवास्य तद् वर्द्धयन्ति ॥ २ ॥

स भक्षयति " यमश्विना नमुचेरासुरादधि "–इति । अश्विनौ ह्येतन्नमुचेरध्याहरताम् । " सरस्वत्यसुनोदिन्द्रियाय "–इति । सरस्वती ह्येतमसुनोत् इंद्रियाय । " इमन्तं शुक्रं मधुमंतमिंदुम् "–इति । शुक्रो वा एष मधुमानिन्दुः यत्सोमः । " सोमं राजानमिह भक्षयामि "–(वा० सं० १९ । ३४ ।) इति । सोम एवास्य राजा भक्षितो भवति । दक्षिणेऽग्नौ सुराग्रहान् जुह्वति । पाप्मनैवैनं तद् व्यावर्तयंति ॥ ३ ॥

अंगारेषु[1] वा जुहोति । प्रक्षालनेनोपसिंचति[2] पितरः[3] शुंधध्वमिति जपति । परिस्रुच्छेषं[4] शतातृण्णाऽधिक्षारयति पुनंतुमेति नवर्चं वाचयन् क्षारपाते यजमानश्च[5] दक्षिणेऽग्नावाज्याहुतिं च जुहोति । उत्तरेऽग्नौ[6] पयआहुतिं च । भक्षयति[7] । हिरण्येन[8] च मार्जयंते । इत्येतदत्र ब्राह्मणे प्रसन्नप्रायमेव । उत्तरेऽग्नौ पयोग्रहान् जुह्वतीति बहुवचनं होत्रादिसहकार्यपेक्षम् । शुक्रेणैवैनं तत्सोमपीथेनेति । न पुनः पयआत्मकेनासोमपीथेन । एवं यजमानः समर्द्धयति । सुराबंध एष पथः । या सौत्रामणी नाम्नः । तत्र ग्रहद्वारेण सुराः । तास्त्रिपशुबार्हिषदः । यद्वर्हिरेव एनं यजमानं समर्द्धयति । ऋत्विजो वै महिषाः महांतः । यज्ञः यज्ञसाधनं मनस्वतीर्वा । ऋत्विग्भिरेव यज्ञं समर्द्धयति यज्ञं हविर्ऋत्विग्भिर्वर्द्धयति । महिषा ऋत्विज इति कथं । ते चाधियज्ञेन यजमानं समर्द्धयंति । तादर्थत्वात् । दधानाः । सोमं पयआत्मकमिति सोमपीथमेवमवहितमस्मिन् यजमाने दधति । एवमेनं सोमपीथं पयोरूपं

१–अंगारेषु वा बर्हिष्परिधि दक्षिणतो जुहोत्याश्विनमुत्तरे मध्यमे सारस्वतमैन्द्रं दक्षिणे पितृभ्य इति प्रतिमन्त्रम् । का. श्रौ. सू. १९ । ७३ ।

२–अक्षन्पितर इति प्रक्षालनेनोपसिञ्चति । का. श्रौ. सू. १९ । ७४ ।

३–पितरः शुंधध्वमिति जपति । का. श्रौ. सू. १९ । ७५ ।

४–कुंभीमासज्य कुंभपञ्छतावितृण्णां नालपतित्रहिरण्यान्यन्तर्द्धाय नवर्चं वाचयति पुनंतु मेति । सोमवतां बर्हिषदामग्निष्वात्तानां च । (नवर्चमिति शेषः) । पूर्ववत्सोमातिपूतश्चेत् (पूर्ववदिति चरकसौत्रामणीवत् सोमवदादितृचैः । कुंभ्याः स्रवन्तीं सुरामुपतिष्ठेतेत्यर्थः) । का. श्रौ. सू. १९ । ७६–७८ ।

५–ये समाना इति यजमानो जुहोति (दक्षिणेऽग्नौ) का. श्रौ. सू. १९ । ७९ ।

६–उत्तरे च यज्ञोपवीत्युत्तरया । (उत्तरेऽग्नौ) । अन्वारब्धेषु पयो जुहोति द्वे स्रुती इति । का. श्रौ. सू. १९ । ८० । ८१

७–शेषं यजमानो भक्षयतीदᳫँ हविरिति । का. श्रौ. सू. १९ । ८२ ।

८–चात्वाले मार्जयन्ते सपत्नीका हिरण्यमन्तर्द्धाय । का. श्रौ. सू. १९ । ८३ ।

स जुहोति। यस्ते रसः सम्भृतऽ ओषधीष्वित्यपाञ्च वाऽ एषऽ ओषधीनाञ्च रसो यत्सुराऽपाञ्चैवैनमेतदोषधीनाञ्च रसेन समर्द्धयति सोमस्य शुष्मः सुरया सुतस्येति यऽ एव सोमे शुष्मो यः सुरायान्तमेवावरुन्द्धे तेन जिन्व यजमानम्मदेनेति तेन प्प्रीणीहि यजमानम्मदेनेत्येवैतदाह सरस्वतीमश्विनाविन्द्रमग्निमिति देवताभिरेव यज्ञꣳ समर्द्धयति देवताभिर्यज्ञेन यजमानꣳ हुत्वा भक्षयन्ति व्यृद्धमेवास्य तत्समर्द्धयति ॥ ४ ॥

स भक्षयति। यदत्र रिप्तꣳ रसिनः सुतस्येति सुतासुतयोरेव रसमव-

स जुहोति "यस्ते रसः संभृत ओषधीषु"–इति। अपां च वा एष ओषधीनां च रसः। यत्सुरा। अपां चैवैनमेतदोषधीनां च रसेन समर्द्धयति। "सोमस्य शुष्मः सुरया सुतस्य"–इति। य एव सोमे शुष्मः। यः सुरायाम्। तमेवावरुंधे। "तेन जिन्व यजमानं मदेन"–इति। तेन प्रीणीहि यजमानं मदेन इत्येवैतदाह। "सरस्वतीमश्विनाविंद्रमग्निम्"–(वा० सं० १९। ३३) इति। देवताभिरेव यज्ञं समर्द्धयति। देवताभिर्यज्ञेन यजमानम्। हुत्वा भक्षयंति। व्यृद्धमेवास्य तत्समर्द्धयति ॥ ४ ॥

स भक्षयाति "यदत्र रिप्तं रसिनः सुतस्य"–इति। सुतासुतयोरेव रसमवरुंधे।

देवतासु अश्विसरस्वतीन्द्राख्यासु दधति। तदनुकरणेन एनं यजमानं देवतामध्ये दधति। मदाय वाव सोमः पयोलक्षणः। मदाय सुरा। उभावेव मदाववरुंधे इति। द्वयोर्होममंत्रेऽपि मदशब्देन सुरामदोऽवरुद्ध इत्यर्थः। अर्को वै देवानामन्नम्। यद्देवानामन्नं हविः तत् स्वर्के इति अर्कोऽभिप्रेतः तच्च हविर्लक्षणमन्नं यज्ञसाधनम्। यज्ञसाधनत्वात् यज्ञः। तेन यज्ञेनान्नाद्येन समर्द्धयति। हुत्वा भक्षयंति पयोग्रहान् यजमानसप्तमाः। समृद्ध मेव यः स्वभावादस्य यजमानस्य वर्द्धयति। एवं च सति अयं मंत्रार्थो द्रष्टव्यः। अंशुसुरामध्वादिगुणं यज्ञं सौत्रामण्यात्मकं तन्वन्ति महिषा उ। स हि ससत्रयज्ञे सोमपयोलक्षणो दिवि देवतासु, देवताश्च अश्विसरस्वतीन्द्राः संस्कार्यास्त्रयः वयं यजमाना इति। दक्षिणेऽग्नौ पयोग्रहान् जुह्वतीति तत्तेन यानेव पयोलक्षणं सोमसुरालक्षणेन पाप्मना व्यावर्तयति। नानादेशं वर्तयति। न संसृजति। एवं तदनुकारेण यजमानमपि पाप्मनैव व्यावर्तयति ॥ १–३ ॥

स जुहोति यस्ते रस इति। ते तव सोमस्य सोमात्मिकायाः सुरायाः सुतस्य त्वदात्मना सुतस्य। शुष्मः बलवान्। रसः संभृतः ओषधीषु। तेन रसेन त्वं उदकाकारेण तर्पय सरस्वत्यादीन्। तद्द्वारेण यजमानमपि प्रीणीहि। सोमाधारमित्येवं मन्त्रार्थमादरीकृत्य यजमानमेव ओषधीनां च रसेन समर्द्धयतीत्याद्याह। देवताभिरेवाश्व्यादिभिर्यज्ञं समर्द्धयति। देवताभिर्यज्ञेन च यजमानम्। तदर्थत्वात् यज्ञस्य। हुत्वा सुरां भक्षयन्ति यजमानसप्तमा ऋत्विज एव इति यत् तत्तेन व्यृद्धेनैव लोकदृष्ट्या अस्य यजमानस्य समर्द्धयति। सोमं राजानमिह भक्षयामीत्यनयोपासनयेत्यभिप्रायः ॥ ४ ॥

स भक्षयति। आश्विनं तावदध्वर्युः प्रतिप्रस्थाता आग्नीध्रः, सारस्वतं होता ब्रह्मा मैत्रावरुणः, ऐन्द्रं यज-

रुन्द्धे यदिन्द्रोऽ अपिबच्छचीभिरितीन्द्रो ह्येतदपिबच्छचीभिरहन्तदस्य मनसा शिवेनेत्यशिवऽ इव वा ऽएष भक्षो यत्सुरा ब्राह्मणस्य शिवमेवैन-मेतत्कृत्वाऽऽत्मन्धत्ते सोमꣳ राजानमिह भक्षयामीति सोमऽ एवास्य राजा भक्षितो भवति ॥ ५ ॥

तद्धैतदन्येऽध्वर्य्यवः । (वो) राजन्यम्वा वैश्यम्वा परिक्रीणन्ति सऽ एतद्भक्षयिष्यतीति तदु तथा न कुर्य्याद्यो ह वा ऽएतद्भक्षयति तस्य हैवं पितॄन्पितामहानेष सोमपीथोऽन्वेति दक्षिणस्यैवाग्नेस्त्रीनङ्गारान्निर्वर्त्य बहिष्परिधि तदेताभिर्व्याहृतिभिर्जुहुयात् ॥ ६ ॥

(त्रि) पितृभ्यः स्वधायिभ्यः स्वधा नमऽइति पितॄनेव पितृलोके स्वधायान्दधाति पितामहेभ्यः स्वधायिभ्यः स्वधा नम ऽइति पितामहा-नेव पितामहलोके स्वधायान्दधाति प्रपितामहेभ्यः स्वधायिभ्यः स्वधा नमऽइति प्रपितामहानेव प्रपितामहलोके स्वधायान्दधाति ॥ ७ ॥

"यदिंद्रो अपिबच्छचीभिः"–इति । इंद्रो ह्येतदपिबत् शचीभिः । "अहं तदस्य मनसा शिवेन"–इति । अशिव इव वा एष भक्षः । यत्सुरा ब्राह्मणस्य । शिवमेवैनमेतत् कृत्वा-ऽऽत्मन्धत्ते । "सोमं राजानमिह भक्षयामि"–(वा. सं. १९ । ३५) इति । सोम एवास्य राजा भक्षितो भवति ॥ ५ ॥

तद्धैतत् अन्येऽध्वर्यवः राजन्यं वा वैश्यं वा परिक्रीणंति । स एतत् भक्षयिष्यतीति । तदु तथा न कुर्यात् । यो ह वा एतद् भक्षयति । तस्य हैव पितॄन् पितामहान् एष सोमपीथोऽन्वेति । दक्षिणस्यैवाग्नेस्त्रीनंगारान्निर्वर्त्य बहिष्परिधि । तदेताभिर्व्याहृतिभिर्जुहुयात् ॥ ६ ॥

"पितृभ्यः स्वधायिभ्यः स्वधा नमः"–(वा० सं० १९ । ३६) इति । पितॄनेव पितृ-लोके स्वधायां दधाति । "पितामहेभ्यः स्वधायिभ्यः स्वधा नमः"–इति । पितामहानेव पितामहलोके स्वधायां दधाति ।"प्रपितामहेभ्यः स्वधायिभ्यः स्वधा नमः"–इति । प्रपि-तामहानेव प्रपितामहलोके स्वधायां दधाति ॥ ७ ॥

माण इति वचनात् तत्र यो नाम भक्षयति सः अनेन मन्त्रेणेति प्रत्येकं मन्त्रो वर्तत इत्यैवैकवचनम् । सुतः सोमः, असुतः सुरा, तयो रसमवरुन्धे इति सुरायाः साक्षात्सोमस्याप्युपासनम् " यदत्र रिप्तं रसिनः सुतस्य " इति वचनात् । इन्द्रो हि एतत् सुरालिप्तं सोमलिप्तं सोमममत्रापि पीतवान् । शचीभिः कर्मभिर्हेतुभूतैः । पुन-रिन्द्रकर्तृकं कर्म करिष्यामीत्येवमर्थम् ॥ ५ ॥

तद्धैतदिति । एतत् मन्त्रसुरापाने कर्तव्ये । यो ह वै एतत् हुतोच्छिष्टं भक्षयति । तस्यैव पितृषु एष

(त्य) अपऽआनीय निनयति । (त्य) अक्षन्पितरऽ इत्यन्नाद्यमेवैषु दधात्यमीमदन्त पितर ऽइति मदयत्येवैनानतीतृपन्त पितर ऽइति तर्प्पयत्येवैनान्पितरः शुन्धध्वमित्यनुपूर्व्वमेवैनान्त्सर्वान्पावयति पवित्रम्वै सौत्रामणी ॥ ८ ॥

त्रिभिः पवित्रैः पावयन्ति । त्रयो वा इमे लोकाऽएभिरेवैनं लोकैः पुनन्ति ॥ ९ ॥

पावमानीभिः पावयन्ति । पवित्रम्वै पावमान्यः पवित्रेणैवैनम्पुनन्ति ॥ १० ॥

तिसृभिस्तिसृभिः पावयन्ति । त्रयो वै प्राणाः प्राणऽ उदानो व्यानस्तैरेवैनम्पुनन्ति ॥ ११ ॥

अप आनीय निनयति । " अक्षन्पितरः "–इति । अन्नाद्यमेवैषु दधाति । " अमीमदन्त पितरः "–इति । मदयत्येवैनान् । " अतीतृपन्त पितरः "–इति । तर्पयत्येवैनान् । "पितरः शुंधध्वम्"–(वा० सं० १९ । ३६)–इति अनुपूर्वमेवैनान् सर्वान्पावयति । पवित्रं वै सौत्रामणी ॥ ८ ॥

त्रिभिः पवित्रैः पावयन्ति । त्रयो वा इमे लोकाः । एभिरेवैनं लोकैः पुनन्ति ॥ ९ ॥

पावमानीभिः पावयन्ति । पवित्रं वै पावमान्यः । पवित्रेणैवैनं पुनन्ति ॥ १० ॥

तिसृभिस्तिसृभिः पावयन्ति । त्रयो वै प्राणाः । प्राण उदानो व्यानः । तैरेवैनं पुनन्ति ॥ ११ ॥

सोमपीथः सोमपानं मन्त्रवर्णिकं अस्त्येवेति । न च राजन्यवैश्ययोः सोमपीथोऽस्तीत्यभिप्रायः । दक्षिणस्यैवाग्नेरेकदेशभूतानंगारान्निर्वर्त्य बहिःकृत्वा । पितृवद्दक्षिणोत्तरात् तत् तेषु एताभिर्व्याहृतिभिर्जुहुयात् । " पितृभ्यः स्वधायिभ्यः स्वधानमः " इत्याश्विनशेषमुत्तरार्द्धे जुहोति । एतेन च पितॄनेव यजमानस्य पितृलोके दधातिस्थापयति । पितामहेभ्य इति सारस्वतं मध्यमे । प्रपितामहेभ्य इत्यैन्द्रं दक्षिणे ॥ ६–७ ॥

अप आनीय ग्रहपात्रेषु । ततस्तत् होमदेशे च यथाक्रमं निनयति । अन्नाद्यमेवैषु दधातीत्येतदन्नस्यादनविषयत्वादपक्वं नित्यमनेनैवान्नाद्यमुपात्तमित्यभिप्रायः । पितरः शुंधध्वमिति जपति क्रियांतरस्यानुपदेशात् । अनुपूर्वमेव एनान् पित्रादीन् पावयति तर्पयति इति ॥ ८ ॥

त्रिभिः पवित्रैः । गोऽश्ववालपवित्रेण, अजाविलोमपवित्रेण, हिरण्येन, इत्येतैस्त्रिभिः पवित्रैः । परिस्रुच्छेषं शतातृण्णायां दक्षिणेऽग्नौ कार्यमाणं पुनस्तदनुकारेण यजमानं पावयन्ति अध्वर्य्वादयः सहचारिणः पावमानीभिः । " पुनन्तु मा पितरः "–(वा. सं. १९ । ३७–४४) इत्याभिः सहकारिणः पावयन्ति । अध्वर्युर्वाचयत्येनं पावमानम् । (कवनवद्यामनेक्षमाणः ?) ॥ ९ ॥ १० ॥

तिसृभिस्तिसृभिर्ऋग्भिः पावयन्तीत्यनुवाद एवाभिप्रायः । नवभिः प्राणेषु पूतं पूतत्वेन प्रतिष्ठापयन्ति । ते

नवुभिः पावयन्ति । नुव वै प्प्राणाः प्प्राणैरेवैनम्पुनन्ति प्प्राणेषु पुनः पूतम्प्रतिष्ठापयन्ति ॥ १२ ॥

पवित्रेण पावयन्ति । (न्त्य) अजाविकुस्य वाऽ एतद्रूपं यत्पवित्रमजाविकेनैवैनम्पुनन्ति ॥ १३ ॥

व्वालेन पावयन्ति । गोऽश्वुस्य वाऽ एतद्रूपं यद्वालो गोऽश्वेनैवैनम्पुनन्ति ॥ १४ ॥

हिरण्येन पावयन्ति । देवानाम्वाऽ एतद्रूपं यद्धिरण्यन्देवानामेवैनर्ठ० रूपेण पुनन्ति ॥ १५ ॥

सुरया पावयन्ति । सुरा हि पूता पूतयैवैनम्पुनन्ति तद्यथा सुरा पूयमाना वुल्कसेन व्विविच्यतऽ एवमेवैतद्यजमानः सुर्व्वस्मात्पाप्मनो निर्म्मुच्यते यऽ एवं व्विद्वान्त्सौत्रामण्या यजते यो वैतदेवम्वेद ॥ १६ ॥

तदाहुः । (र्याँ) याजयितव्यर्ठ० सौत्रामण्या ३ न याजयितव्या३मित्युनन्तरायर्ठ० ह्येवास्मात्सुर्व्वम्पाप्मानमपघ्नन्तीति तदु ह स्माह

नवभिः पावयन्ति । नव वै प्राणाः । प्राणैरेवैनं पुनन्ति । प्राणेषु पुनः पूतं प्रतिष्ठापयन्ति॥१२॥

पवित्रेण पावयन्ति । अजाविकस्य वा एतद् रूपम् । यत् पवित्रम् । अजाविकेनैवैनं पुनन्ति ॥ १३ ॥

वालेन पावयन्ति । गोश्वस्य वा एतद् रूपम् । यद्वालः । गोश्वेनैवैनं पुनन्ति ॥ १४ ॥

हिरण्येन पावयन्ति । देवानां वा एतद्रूपम् । यद्धिरण्यम् । देवानामेवैनं रूपेण पुनन्ति ॥ १५ ॥

सुरया पावयन्ति । सुरा हि पूता । पूतयैवैनं पुनन्ति । तद्यथा सुरा पूयमाना वल्कसेन विविच्यते । एवमेवैतद् यजमानः सर्वस्मात् पाप्मनो निर्मुच्यते । य एवं विद्वान् सौत्रामण्या यजते । यो वैतदेवं वेद ॥ १६ ॥

तदाहुः—याजयितव्यं सौत्रामण्या ३ न याजयितव्या३मिति । अनन्तरायं ह्येवास्य सर्वं पाप्मान-

---

अपि इन्द्रियसंस्कृताः प्राणात्मको हि भवति । पवित्रेण अजाविलोममयेन वाक्यशेषात् । वालेन गोऽश्ववालेन वाक्यशेषात् । हिरण्येन एतानि त्रीण्यन्तर्धाय सुरां क्षारयन्तो वाचयन्ति । सुरया पावयन्ति । सुरया यजमानस्य प्रकृतपूतया वालपवित्रहिरण्यैः पूयमानया यजमानं वाचयन्ति । बल्कसेन किट्टिसेन विविच्यते । तस्मात् पृथक् भवति ॥ ११–१६ ॥

तदाहुर्याजयितव्यमिति । 'अनन्तरायं ह्येवास्य, अन्तरायं न भवतीत्यनन्तरायं किंचिदपि पाप्मानं न

१-(वा. सं. १९ । ३७-४४) इत्येतैर्नवभिर्मन्त्रैरिति ।

रेवोत्तरास्थपतिः पाटवश्चाक्रोऽपि प्रदानम्प्रदाय याजयितव्यमेवात्मा वै यज्ञस्य यजमानोऽङ्गान्यृत्विजो यत्र वा ऽआत्मा पूतः पूतानि तत्राङ्गान्युभय ऽएव पुनत ऽउभये पाप्मानमपघ्नते तस्मादपि प्रदानम्प्रदाय याजयितव्यमेवेति ॥ १७ ॥

पितृलोकम्वाऽ एतेऽन्ववयन्ति । ये दक्षिणेऽग्नौ चरन्त्याज्याहुतिञ्जुहोति यज्ञो वाऽआज्यं यज्ञादेव यज्ञे प्रतितिष्ठन्ति ॥ १८ ॥

स जुहोति । ये समानाः सुमनसः पितरो यमराज्ये । तेषां लोकः स्वधा नमो यज्ञो देवेषु कल्पतामिति पितॄनेव यमे परिदधात्यथो पितृलोकमेव जयति सर्व्वे यज्ञोपवीतानि कृत्वोत्तरमग्निमुपसमायन्त्ययम्वै लोक ऽउत्तरोऽग्निरस्मिन्नेव लोके प्रतितिष्ठन्त्याज्याहुतिञ्जुहोति यज्ञो वाऽआज्यं यज्ञादेव यज्ञे प्रतितिष्ठन्ति ॥ १९ ॥

मपघ्नन्तीति । तद्ध ह स्माह रेवोत्तरास्थपतिः पाटवश्चाक्रोऽपि । प्रदानं प्रदाय याजयितव्यमेव । आत्मा वै यज्ञस्य यजमानः । अंगानि ऋत्विजः । यत्र वा आत्मा पूतः । पूतानि तत्रांगानि । उभय एव पुनते । उभये पाप्मानमपघ्नते । तस्मादपि प्रदानं प्रदाय याजयितव्यमेवेति ॥ १७ ॥

पितृलोकं वा एतेऽन्ववयन्ति । ये दक्षिणेऽग्नौ चरन्ति । आज्याहुतिं जुहोति । यज्ञो वा आज्यम् । यज्ञादेव यज्ञे प्रतितिष्ठन्ति ॥ १८ ॥

स जुहोति । "ये समानाः समनसः पितरो यमराज्ये । तेषां लोकः स्वधा नमो यज्ञो देवेषु कल्पताम्"–(वा० सं० १९ । ४५) इति । पितॄनेव यमे परिदधाति । अथो पितृलोकमेव जयति । सर्वे यज्ञोपवीतानि कृत्वा उत्तरमग्निमुपसमायन्ति । अयं वै लोक उत्तरोऽग्निः । अस्मिन्नेव लोके प्रतितिष्ठन्ति । आज्याहुतिं जुहोति । यज्ञो वा आज्यम् । यज्ञादेव यज्ञे प्रतितिष्ठन्ति ॥ १९ ॥

विमुंचयन्तीत्यर्थः । यस्माच्चास्य यजमानस्य सर्वं पाप्मानमपघ्नन्ति सौत्रामण्या याजयन्तः । तस्मात्त्वनया याजयितव्यम् । पावयतामालेयस्यावश्यंभावित्वादित्यभिप्रायः । तस्मादुत्तरत्र विचारे आह स्म उक्तवान् । रेवोत्तराश्चक्रिः स्थपतिः बृहस्पतिसवयाजयितुः पटोरपत्यं चाक्रः । प्रदानमपि प्रदाय याजयितव्यमेवेत्युत्तरपक्षो विद्वद्विषयः पूर्वस्तु केवलयाज्ञिकविषयः ॥ १७ ॥

'पितृलोकं' ये दक्षिणेऽग्नौ चरन्ति ते पितृलोकमनुयन्ति दक्षिणात्वसामान्यात् । यज्ञो वै यज्ञसाधनं वै आज्यम् तत् हुत्वा । प्रत्यायन्त यज्ञादेवाज्याहुतिमदत्त । यज्ञादेव यज्ञे प्रतितिष्ठन्ति ॥ १८ ॥

स जुहोति । पितॄनेवानयाऽऽहुत्या तर्पयित्वा । यमे यमाय परिदधाति परित्राणायार्पयति । अथो पितॄंस्तर्पयित्वा पितृलोकमेव जयति । यजमानो जुहोति लिङ्गात् ॥ १९ ॥

स जुहोति । ये समानाः सुमनसो जीवा जीवेषु मामकाः । तेषाᳪ श्रीर्म्मयि कल्पतामस्मिँल्लोके शतᳪ समाऽ इति स्वानामेव श्रियमवरुन्द्धेऽथो ज्ज्योग्जीवातुमेवैषु दधाति पयः समन्वारब्धेषु जुहोति प्राणो वा ऽअन्नम्पयः प्प्राण ऽएवान्नाद्येऽन्ततः प्रतितिष्ठन्ति ॥ २० ॥

स जुहोति । द्वे सृतीऽ अशृणवम्पितॄणामहमिति द्वे वाव सृती ऽइत्याहुर्द्देवानाञ्चैव पितॄणाञ्चेति ताभ्यामिदम्विश्वमेजत्समेतीति ताभ्याᳪ हीदᳪ सर्व्वमेजत्समेति यदन्तरा पितरम्मातरञ्चेत्यसौ वै पितेयम्माताऽऽभ्यामेव पितॄन्देवलोकमपिनयत्येकाकी हुतोच्छिष्टम्भक्षयत्येकधैव श्रियमात्मन्धत्ते श्रीर्हि पयः ॥ २१ ॥

स भक्षयति । (ती) इदᳪ हविः प्रजननम्मे ऽअस्त्विति प्रजननᳪ हि यदि पयो यदि सोमो दशवीरमिति प्राणा वै दश व्वीराः प्राणानेवात्मन्धत्ते सर्व्वगणमित्यङ्गानि वै सर्व्वे गणा ऽअङ्गान्येवात्मन्धत्ते

स जुहोति । " ये समानाः समनसो जीवा जीवेषु मामकाः । तेषां श्रीर्मयि कल्पतामस्मिन् लोके शतᳪ समाः "-(वा० सं० १९ । ४६) इति । स्वानामेव श्रियमवरुन्धे । अथो ज्योग् जीवातुमेवैषु दधाति । पयः समन्वारब्धेषु जुहोति । प्राणो वा अन्नं पयः । प्राण एव अन्नाद्येऽन्ततः प्रतितिष्ठन्ति ॥ २० ॥

स जुहोति । " द्वे सृती अशृणवं पितॄणामहम् "-इति । द्वे वाव सृती इत्याहुः । देवानां चैव पितॄणां चेति । " ताभ्यामिदं विश्वमेजत् समेति "-इति । ताभ्यां हीदं सर्वमेजत्समेति । " यदन्तरा पितरं मातरं च "-(वा० सं० १९ । ४७) इति । असौ वै पिता । इयं माता । आभ्यामेव पितॄन् देवलोकमपिनयति । एकाकी हुतोच्छिष्टं भक्षयति । एकधैव श्रियमात्मन् धत्ते । श्रीर्हि पयः ॥ २१ ॥

स भक्षयति । " इदं हविः प्रजननं मे अस्तु "-इति । प्रजननं हि । यदि पयो यदि सोमः । " दशवीरम् "-इति । प्राणा वै दश वीराः । प्राणानेवात्मन्धत्ते । " सर्वगणम् "-

---

स्वानां ज्ञातीनां या श्रीः तामवरुन्धे । यष्ठुरवस्थितामात्मोपकारिणीं तर्पयित्वा करोति । तेषां विधेयत्वात् । अथो ज्योक् चिरं जीविकां यजमानस्य एषु ज्ञातिषु दधाति । ज्ञातिमध्ये यजमानश्चिरं जीवतीत्यर्थः । श्रीरेव चास्य होमस्य मन्त्रवर्णाद् देवता । समन्वारब्धेषु ऋत्विक्षु यजमानः पयः उत्तरया जुहोति ॥ २० ॥

स जुहोति । ताभ्यामिदं द्यावापृथिव्योः सकाशात् पितॄन् देवलोकमपिनयत्यनेन देवयानपितृयाणौ तर्पयित्वा । ततश्च द्वे एव सृती, ये अत्र देवते । एकाकी असहायः हुतोच्छिष्टं भक्षयति ॥ २१ ॥

प्रजननं हि हविः यदि पयो लोकदृष्ट्या । यदि सोम उपासनया । प्राणा वै दश विक्रान्ता वीराः । ते तर्पयि-

स्वस्तय ऽआत्मसनीत्यात्मानमेव सनोति प्रजासनीति प्रजामेव सनोति पशुसनीति पशूनेव सनोति लोकसनीति लोकाय वै यजते तमेव जयत्यभयसनीति स्वर्गो वै लोकोऽभयँ स्वर्ग ऽ एव लोकेऽन्ततः प्रतितिष्ठत्यग्निः प्रजाम्बहुलाम्मे करोत्वन्नम्पयो रेतो ऽअस्मासु धत्तेति तद्य ऽएवैनमेते याजयन्ति तानेतदाहैतन्मयि सर्वन्धत्तेति हिरण्येन मार्ज्जयन्तेऽमृतम्वै हिरण्यममृतऽ एवान्ततः प्रतितिष्ठन्ति ॥ २२ ॥

इति तृतीयप्रपाठके पञ्चमं ब्राह्मणम् ॥ १२।३।५ ॥ (८-१)

इति तृतीयः प्रपाठकः समाप्तः ॥८।३॥ कण्डिकासंख्या ॥१२०॥

इति । अङ्गानि वै सर्वे गणाः । अंगान्येवात्मन् धत्ते । "**स्वस्तय आत्मसनि**"–इति । आत्मानमेव सनोति । "**प्रजासनि**"–इति । प्रजामेव सनोति । "**पशुसनि**"–इति । पशूनेव सनोति । "**लोकसनि**"–इति । लोकाय वै यजते । तमेव जयति । "**अभयसनि**"–इति । स्वर्गो वै लोकोऽभयम् । स्वर्ग एव लोकेऽन्ततः प्रतितिष्ठति । "**अग्निः प्रजां बहुलां मे करोत्वन्नं पयो रेतो अस्मासु धत्त**"–(वा० सं० १९ । ४८) इति हिरण्येन मार्जयन्ते । अमृतं वै हिरण्यम् । अमृत एवांततः । प्रतितिष्ठन्ति ॥ २२ ॥

तव्या अस्य संतीति दशवीरम् । एवं सर्वाण्यंगानि तर्पयितव्यानि अस्य विद्यन्ते इति सर्वगणम् । अंगान्येवात्मनि धत्ते । स्वस्तये अविनाशायेति च्छेदः । आत्मानमेव यजमानोऽमृतं करोति । "षण संभक्तौ"–(धा. पा. भ्वा. प. ४६५) ददाति हविः । एवं प्रजासनीत्यादि द्रष्टव्यम् ॥ २२ ॥

इति श्रीमदाचार्यहरिस्वामिनः कृतौ माध्यन्दिनीयशतपथब्राह्मणभाष्ये द्वादशकाण्डे
अष्टमेऽध्याये प्रथमं ब्राह्मणम् ॥ (१२ । ८ । १) ॥

अथ चतुर्थप्रपाठके प्रथमं ब्राह्मणम् ।
अष्टमेऽध्याये च द्वितीयं ब्राह्मणम् ।

प्रजापतिर्य्यज्ञमसृजत । (त्त) तमाहरत्तेनायजत तेनेष्ट्वा रिरिचानुऽइवामन्यत सऽ एतं यज्ञक्रतुमपश्यत्सौत्रामणीन्तेनायजत ततो वै स पुनराप्यायत रिच्यतऽइव वा ऽएष यः सोमेन यजते व्वीव ह्यस्य व्वित्तं व्वेदो हरन्ति ॥ १ ॥

सोमेनेष्ट्वा सौत्रामण्या यजेत यथा धेनुर्दुग्धा पुनराप्यायेतैवꣳ हैव पुनराप्यायतऽ आ प्प्रजया पशुभिः प्यायते प्रत्यस्मिँल्लोके तिष्ठत्यभि स्वर्गं लोकञ्जयति यऽ एवं व्विद्वान्त्सौत्रामण्या यजते यो वैतदेवम्वेद ॥ २ ॥

अथ सौत्रामण्यां सोमसम्पत्तिः ।

प्रजापतिर्यज्ञमसृजत् । तमाहरत् । तेनायजत । तेनेष्ट्वा रिरिचान इवामन्यत । स एतं यज्ञक्रतुमपश्यत् सौत्रामणीम् । तेनायजत । ततो वै स पुनराप्यायत । रिच्यत इव वा एषः-यः सोमेन यजते । वीव ह्यस्य वित्तं वेदो हरन्ति ॥ १ ॥

सोमेनेष्ट्वा सौत्रामण्या यजेत । यथा धेनुर्दुग्धा पुनराप्यायेत । एवं हैव पुनराप्यायते । आ प्रजया पशुभिः प्यायते । प्रत्यस्मिन् लोके तिष्ठति । अभि स्वर्गं लोकं जयति । य एवं विद्वान् सौत्रामण्या यजते । यो वैतदेवं वेद ॥ २ ॥

प्रजापतिर्यज्ञमसृजदिति । यज्ञं सोमयागं 'यः सोमेन यजते' इति वाक्यशेषात् । रिरिचानः रिक्तः । वीव ह्यस्य वित्तं वेदो हरंति । अस्यर्त्विजः सदस्याश्च वित्तं लब्धं वेदो धनं हरन्ति ॥ १ ॥

सोमेनेष्ट्वेति । सोमयागांगत्वेन सौत्रामणी विधीयते । कुतः ? न तावत्सोमयागस्य सौत्रामण्या निमित्तत्वं प्रमाणाभावात् । यत्तु, रेचनाप्यायनार्थत्ववचनम् । यद्ददाति तमेवातस्त्रिभिः पुनराप्याययतीति । अथ सोमयाग एव सौत्रामण्याः कस्मादंगं न भवति ? तथा हि-सौत्रामण्याः प्रकरणमनुग्रहीष्यते । नैतदेवमिष्टमिति । सोमयागः सिद्ध एवमुपात्तस्य प्रयोजनापेक्षया विधेयत्वं नास्ति । न सौत्रामणी अनुविधीयमाना प्रयोजनमपेक्षत इति तस्या एवांगत्वं युक्तम् । यथा वाजपेयेनेष्ट्वा बृहस्पतिसवेन यजेतेति वाजपेयांगत्वं बृहस्पतिसवस्य । तथा च रिरिचानाप्यायनमुपकारविशेषः सौत्रामणीकार्यम् । एवं च श्रूयते । तस्मात्सोमांगं सौत्रामणीत्युपपन्नम् । स च सोमयागो ज्योतिष्टोमः । स हि प्रकृतिः । प्रकृतिगामिनश्चानारभ्यविषया भवंति । अयं चापि सोमोऽनारभ्यविधिः । एवं च सति सांगज्योतिष्टोमदक्षिणाभिरेव च सौत्रामण्या दक्षिणार्थः सिद्ध इति न पृथक् सौत्रामण्यां दक्षिणा देया । न च तदंगविधिप्रत्यक्षश्रुतौ त्रयस्त्रिंशद्दक्षिणा देयाः । तस्य वचनस्य स्वतन्त्रप्रयोगकृतार्थत्वात् । "स यो भ्रातृव्यवान् स्यात् स सौत्रामण्या यजेत"-इत्येवमादयो हि स्वतन्त्रा एवं सौत्रामण्याः प्रयोगा इति तेषां दक्षिणा । एवमेव च अग्निचितः सोमातिपूतस्य सोमवामिनश्च सौत्रामणीप्रयोग अदक्षिणाः । वचनादन्यत्र कर्तव्यं विज्ञायते चेत्तत्रैव दक्षिणेति ॥ २ ॥

तुद्धैतत्पप्रच्छ । सुप्ला सार्ञ्जयः प्रतीदर्शमैभावतं यत्र दीक्षयैव दीक्षते
न सोमाꣳशवऽ इव न्युप्यन्तेऽथ कथꣳ सौत्रामणी सोमयज्ञो भवतीति ॥ ३ ॥

स होवाच । शिरो वाऽ एतद्यज्ञस्य यद्व्रतमात्मा दीक्षैतत्खलु वै व्रतस्य
रूपं यत्सत्यमेतद्दीक्षायै यच्छ्रद्धा मनो यजमानस्य रूपं वाग्यज्ञस्येति ॥ ४ ॥

स यद्वाचा व्रतमुपैति । (त्या) आत्मन्येवैतद्यज्ञस्य शिरः प्रतिदधाति
सत्यꣳ श्रद्धायान्दधाति यजमानं यज्ञे ॥ ५ ॥

तस्मादेतस्य यज्ञस्य व्रतमेव दीक्षा वृषो वै व्रतं योषा दीक्षा वृषा
सत्यं योषा श्रद्धा वृषा मनो योषा वागवृषा पत्न्यै यजमानस्तस्माद्य-
त्रैव पतिस्तत्र जायाऽथो यज्ञमुख ऽएव तन्मिथुनानि करोति प्रजात्यै ॥ ६ ॥

तद्धैतत् पप्रच्छ सुप्ला सार्ञ्जयः प्रतीदर्शमैभावतम् । यत्र दीक्षयैव दीक्षते । न सोमांशव इव न्युप्यंते । अथ कथं सौत्रामणी सोमयज्ञो भवतीति ॥ ३ ॥

स होवाच । शिरो वा एतद्यज्ञस्य । यद् व्रतम् । आत्मा दीक्षा । एतत् खलु वै व्रतस्य रूपम् । यत् सत्यम् । एतद्दीक्षायै । यत् श्रद्धा । मनो यजमानस्य रूपम् । वाग् यज्ञस्येति ॥ ४ ॥

स यत् वाचा व्रतमुपैति । आत्मन्येवैतद्यज्ञस्य शिरः प्रतिदधाति । सत्यं श्रद्धायां दधाति । यजमानं यज्ञे ॥ ५ ॥

तस्मात् एतस्य यज्ञस्य व्रतमेव दीक्षा । वृषा उ वै व्रतम् । योषा दीक्षा । वृषा सत्यम् । योषा श्रद्धा । वृषा मनः । योषा वाग् । वृषा पत्न्यै यजमानः । तस्माद् यत्रैव पतिस्तत्र जाया । अथो यज्ञमुख एव तन्मिथुनानि करोति प्रजात्यै ॥ ६ ॥

तद्धैतत्पप्रच्छ । तत्र सौत्रामण्यां एतत् वक्ष्यमाणं पप्रच्छ पृष्टवान् । सुप्ला नाम राजपुत्रो याज्ञिकः । सार्ञ्जयः सृंजयस्यापत्यम् । प्रतीदर्शं नाम राजानमिभावतोऽपत्यमैभावतम् । किं पृष्टवान् इत्यत आह—**यत्र दीक्षयैवेति** । अत्र सौत्रामण्यां न दीक्षते नापि तद्दीक्षादिक्रिया । नैव सोमांशवः । अभिषवार्थं अधिषवणे न्युप्यन्ते । अथ ततः कथं सौत्रामण्यां सोमयज्ञो भवतीति अवयवाः पृष्टाः । दीक्षासोमांशुग्रहणं च प्रदर्शनार्थम् । किमस्य व्रतस्य शिरः । क आत्मा । इत्येतदपि पृष्टम् । प्रतिद्रव्यं प्रतिवचनदर्शनात् ॥ ३ ॥

स होवाच—ज्योतिष्टोम एव तद्दीक्षाव्रतयोरध्यात्ममाह—शिर एव तद्यज्ञस्य । यद्दीक्षितव्रतं सत्यवदनादि । आत्मा दीक्षा । सोमयज्ञस्यात्मा शरीरान्तस्थः । स च तादृशस्य ज्योतिष्टोमिकस्याध्यात्मकस्य व्रतस्यैतद्रूपं यत्सत्यं सौत्रामण्यामेतच्च दीक्षाया रूपं या श्रद्धा । अथ यजमानस्य किमत्राध्यात्मिकं रूपं किं वा यज्ञस्येत्यत आह—यजमानस्याध्यात्मं रूपं मनः पिंडस्थलिंगं च तत्प्रधानत्वात् । वागिंद्रियं यज्ञस्याध्यात्ममिह रूपम् । वागभिद्वारा मन्त्रसाध्यत्वाद्यज्ञस्य ॥ ४ ॥

स यद्वाचा व्रतमिति । यदत्र सौत्रामण्यां वागिन्द्रियेण व्रतमुपवसथलक्षणम् ॥ ५ ॥

दीक्षा कथम् । वृषा उ वै व्रतम् । योषा दीक्षा । वृषयोषयोश्च संसर्गादभेद इत्यभिप्रायः । वृषा सत्यम् । अस्त्रीलिंगस्य

(त्याऽए) एते खलु वा ऽएतस्य यज्ञस्य । सोमाꣳशव ऽइत्याहुर्यच्छष्पाणि तोक्मानि लाजा ऽइति ॥ ७ ॥

प्रातःसवनस्यैतद्रूपम् । यच्छष्पाण्ययम्वै लोकः प्रातःसवनꣳ स ऽआश्विन ऽआश्विनेन पयसा प्रथमाꣳ रात्रिम्परिषिञ्चति स्वेनैवैनमेतल्लोकेन स्वया देवतया स्वेन रूपेण प्रातःसवनेन समर्द्धयति ॥ ८ ॥

माध्यन्दिनस्यैतत्सवनस्य रूपम् । यत्तोक्मान्यन्तरिक्षम्वै माध्यन्दिनꣳ सवनं तत्सारस्वतꣳ सारस्वतेन पयसा द्वितीयाꣳ रात्रिम्परिषिञ्चति स्वेनैवैनमेतल्लोकेन स्वया देवतया स्वेन रूपेण माध्यन्दिनेन सवनेन समर्द्धयति ॥ ९ ॥

तृतीयसवनस्यैतद्रूपम् । यल्लाजा द्यौर्वै तृतीयसवनꣳ सैन्द्र्यैन्द्रेण पयसा तृतीयाꣳ रात्रिम्परिषिञ्चति स्वेनैवैनमेतल्लोकेन स्वया देवतया स्वेन रूपेण तृतीयसवनेन समर्द्धयति ॥ १० ॥

एते खलु वा एतस्य यज्ञस्य सोमांशव इत्याहुः । यच्छष्पाणि तोक्मानि लाजा इति ॥ ७ ॥

प्रातःसवनस्यैतद् रूपं यच्छष्पाणि । अयं वै लोकः प्रातःसवनम् । स आश्विनः । आश्विनेन पयसा प्रथमां रात्रिं परिषिंचति । स्वेनैवैनमेतल्लोकेन स्वया देवतया स्वेन रूपेण प्रातःसवनेन समर्द्धयति ॥ ८ ॥

माध्यंदिनस्यैतत्सवनस्य रूपं यत्तोक्मानि । अंतरिक्षं वै माध्यंदिनं सवनम् । तत्सारस्वतम् । सारस्वतेन पयसा द्वितीयां रात्रिं परिषिंचति । स्वेनैवैनमेतल्लोकेन स्वया देवतया स्वेन रूपेण माध्यंदिनेन सवनेन समर्धयति ॥ ९ ॥

तृतीयसवनस्यैतद् रूपं यत् लाजाः । द्यौर्वै तृतीयसवनम् । सैन्द्री । ऐंद्रेण पयसा तृतीयां रात्रिं परिषिंचति । स्वेनैवैनमेतल्लोकेन स्वया देवतया स्वेन रूपेण तृतीयसवनेन समर्द्धयति ॥ १० ॥

चाऽव्ययत्वात् । ततश्च संपर्काच्छ्रद्धायाः सत्यस्याभेदः । श्रद्धायै दीक्षाया रूपमित्युक्तम् । तस्याश्चाभिन्नत्वात् । अन्यत्रतमपि दीक्षेत्युपपन्नम् । वृषा मनः । ततश्च वृषात्वेन व्रतादभिन्नयोषावान् । ततश्च योषात्वेन दीक्षया संसर्गाच्च तया सह समासः । एकत्वाच्च मनोऽपि दीक्षा । वृषा पत्न्यै यजमानः । वृषा पत्नी च योषा दीक्षाया अभेदाच्च यजमानोऽपि दीक्षा । यस्माच्चैवम् तस्मात् मिथुनभेदात् । यत्रैव पतिस्तत्र जायेति मिथुनैकत्वम् । अथो यज्ञमुख एव तन्मिथुनानि करोति । यद्वाचा व्रतमुपैति । तेनाऽऽत्मादिषु शिरआदिषु दीक्षामादधाति । एतानि च मिथुनानि यज्ञमुखे व्रतमुपैति करोत्युपासकः ॥ ६ ॥

एते खलु वा । सोमोपपादनमेतत् ॥ ७ ॥

प्रातःसवनस्येति पंचभिः कण्डिकाभिः परिषेक उच्यते । प्रातःसवनस्य शष्पाणि रूपं क्रयसामान्यात् ।

१-अत्र "देवा यज्ञमतन्वत" इत्यादयः-"सौत्रामणी सुते" इत्यन्ताः (वा. सं. १९ । १२-३१) विंशतिकंडिकाः सौत्रामण्यां सोमावयवसंपत्त्यभिधायिका अनुसन्धेयाः ।

(त्यै) एकस्यै दुग्धेन प्रथमाᳯं रात्रिम्परिषिञ्चति द्वयोर्दुग्धेन द्वितीयां तिसृणां दुग्धेन तृतीयां यथारूपमेवैनं यथादेवतᳯं सवनैः समर्द्धयति ॥ ११ ॥

परीतो षिञ्चता सुतमिति । परिषिञ्चति सुत्यायै सोमो य ऽउत्तमᳯं हविरित्युत्तमम्वा ऽएतद्धविर्य्यत्सोमऽ उत्तममेवैनᳯं हविष्करोति दधन्वा यो नर्य्योऽअप्स्वन्तरेत्यद्भिश्च ह्येषोऽन्तरेण च सूयते सुषाव सोममद्रिभिरित्यद्रिभिर्व्वै सोमः सूयतेऽद्रिभिरेवैनᳯं सुनोति सोमसुत्यायै ॥ १२ ॥

तदाहुः । (रु) उभयोर्व्वा ऽएतद्रूपᳯं सुतस्य चासुतस्य च यत्सौत्रामण्यपामेष ऽओषधीनाᳯं रसो यत्पयस्तत्सुतस्य रूपमन्नस्यैष रसो यत्परिस्रुत्तदासुतस्य रूपमुभाभ्यामेवैनᳯं सवाभ्याᳯं सुनोत्युभाभ्याᳯं सवाभ्यामवरुन्द्धे ॥ १३ ॥

एकस्यै दुग्धेन प्रथमां रात्रिं परिषिंचति । द्वयोर्दुग्धेन द्वितीयाम् । तिसृणां दुग्धेन तृतीयाम् । यथारूपमेवैनं यथादेवतं सवनैः समर्द्धयति ॥ ११ ॥

"परीतो षिंचता सुतम्"—इति परिषिंचति सुत्यायै । "सोमो य उत्तमं हविः"—इति । उत्तमं वा एतद्धविः । यत्सोमः । उत्तममेवैनं हविष्करोति । "दधन्वा यो नर्यो अप्स्वंतरा"—इति । अद्भिश्च ह्येषोऽन्तरेण च सूयते । "सुषाव सोममद्रिभिः"—(वा० सं० १९ । २) इति । अद्रिभिर्वै सोमः सूयते । अद्रिभिरेवैनं सुनोति । सोमसुत्यायै ॥ १२ ॥

तदाहुः । उभयोर्वा एतद् रूपम् । सुतस्य चासुतस्य च । यत् सौत्रामणी । अपामेष ओषधीनां रसः । यत्पयः । तत्सुतस्य रूपम् । अन्नस्यैष रसः । यत्परिस्रुत् । तदासुतस्य रूपम् । उभाभ्यामेवैनं सवाभ्यां सुनोति । उभाभ्यां सवाभ्यामवरुन्धे ॥ १३ ॥

एवमेवायं लोकः प्रातःसवनम् । **स आश्विन** इति । आश्विनेन पयसा सत्यपि क्रयसामान्यादेव गौणं आश्विनत्वम् । तत्त यागादेव मुख्यमुपपद्यते । सूत्रकारेण तु एकस्याः पयसा अपाकृतेन आश्विनेन परिषिंचतीत्युक्तम् । तद्वचनान्त .त् विज्ञेयम् । एवं सारस्वतेनैन्द्रेणेत्यपि ज्ञातव्यम् । शष्पादीनां च प्रातःसवनरूपत्वं वचनात् । शष्पान्यपि परिषेककाले आवपतीति गम्यते । "परीतो षिंचता सुतम्" इत्यनेन मन्त्रेण परिषिंचति । किमर्थं ? सुत्यायै । एतेन हि परिषिच्यमाने सोमे स तु सुत्यायै भवति । (इयं समादातेसोमाभिषवत्वादस्य?) । अद्रिभिः सह संसर्गिभिः । एषोऽन्तरेण च । अन्तर्वर्तिना रसेन भूयात् कार्यत इत्यत आह—सोमसुत्यायै । अस्यैव गम्यामानार्थवचनम् ॥ ८—१२ ॥

तदाहुरिति । उभयोः सुतस्यासुतस्य च सवस्याविकृतस्यासुतस्य सत्त्वात् परिस्रुद्रसस्य रूपं सौत्रामणी । कथम् ? अपामोषधीनां चैष रसः । असंहितः अतीव्रीकृतः । यत्पयस्तत्सुतस्य असंहितस्य सवस्य रूपम् ।

तदाहुः । (र्व्व) यद्ग्रावभिः सोमः सूयतेऽथ कथꣳ सौत्रामणीति प्प्रैषाप्प्री-भीरिति ब्रूयाद्बार्हता वै प्प्रैषा बार्हता ग्ग्रावाणो ग्ग्रावभिर्व्वै सोमः सूयते ग्ग्रावभिरेवैनꣳ सुनोति सोमसुत्यायै ॥ १४ ॥

सर्व्वे पयस्वन्तो भवन्ति । पयसा हि सूयते सर्व्वे सोमवन्तो भवन्ति सोमरूपतायै सर्व्वे परिस्रुन्मन्तो भवन्ति परिस्रुता हि सूयते सर्व्वे घृतवन्तो भवन्त्येतद्वै प्प्रत्यक्षाद्यज्ञरूपं यद्घृतम्प्रत्यक्षादेवैनं यज्ञरूपङ्करोति सर्व्वे मधुमन्तो भवन्त्येतद्वै प्प्रत्यक्षात्सोमरूपं यन्मधु प्प्रत्यक्षादेवैनꣳ सोम-रूपङ्करोति ॥ १५ ॥

तदाहुः—यद् ग्रावभिः सोमः सूयते । अथ कथं सौत्रामणीति । प्रैषाप्रीभिरिति ब्रूयात् । बार्हता वै प्रैषाः । बार्हता ग्रावाणः । ग्रावभिर्वै सोमः सूयते । ग्रावभिरेवैनं सुनोति । सोमसुत्यायै ॥१४॥

सर्वे पयस्वन्तो भवन्ति । पयसा हि सूयते । सर्वे सोमवन्तो भवन्ति । सोमरूपतायै । सर्वे परि-स्रुन्मन्तो भवन्ति । परिस्रुता हि सूयते । सर्वे घृतवन्तो भवन्ति । तद्वै प्रत्यक्षाद्यज्ञरूपम् । यद् घृतम् । प्रत्यक्षादेवैनं यज्ञरूपं करोति । सर्वे मधुमन्तो भवन्ति । तद्वै प्रत्यक्षात्सोमरूपम् । यन्मधु । प्रत्यक्षा-देवैनं सोमरूपं करोति ॥ १५ ॥

अतश्चान्नस्य एष रसः या परिस्रुत् । य आसुतस्य सन्धानजस्य रूपमेतत् । उभाभ्यामपि सवाभ्यामेनं सोमं सुनोति स्रावयति अवरुन्धे च ॥ १३ ॥

तदाहुर्यदिति । 'प्रैषाः'[1] । "होता यक्षत्समिधाग्निम्" (वा. सं. २१ । २९–४०) इत्येवमादयः । 'आप्रियः'[2] । "समिद्धो अग्निरश्विना"–(वा. सं. २० । ३६–३६) इत्येवमादयः । कथं पुनः प्रैषा-प्रीभिर्ब्रूयादित्यत आह—'बार्हताः' बृहत्या संमिताः बार्हताः । बृहद्रथन्तरयोर्हि रथन्तरमल्पं संक्षिप्तम् । बृहच्च विलम्बितं महत् । तदनुकारेण यदल्पं संक्षिप्तं च तत् रथन्तरमुच्यते । यत्तु महत् विलम्बितं तत् बार्हत-मुच्यते । प्रैषास्तु महान्तः, ग्रावोल्लेखसामान्यात् । एवं संभावना ॥ १४ ॥

तयाऽपि च संभावनेत्याह—'सर्वे पयस्वंतः' । यज्ञाः पयस्वंतो भवन्ति । पयः सोमः परिस्रुत् इत्याद्युक्तमि-त्यर्थः । पयसा हि ग्रहगतेन परिषेकेनाभिवपवमानपूते सौत्रामणी सोमो जन्यत इत्यर्थः । एवं परिस्रुत उपायभूतः सौत्रामणिकः सोमः सूयते । प्रत्यक्षमिव प्रथमाया आदादेशः । प्रत्यक्षं साक्षात् । तत् परोऽक्षं यज्ञसाधनं घृतम् । प्रायेण घृतस्य यज्ञसाधनत्वात् । प्रत्यक्षः सौम्यरूपो यन्मधु ओषधिवनस्पतिरसत्वात् ॥ १५ ॥

१–होता यक्षत्समिधाऽग्निमिति प्रयाजप्रैषान्त्रिपशोः । का. श्रौ. सू. १९ । १४४ । २–आप्रियश्च समिद्धो अग्निरश्विनेति । चशब्दात्रिपशोरेव । का. श्रौ. सू. १९ । १४५ ।

सुर्व्वऽ आश्विनुा भवन्ति । भैषज्याय सुर्व्वे सारस्वतुाऽअन्नाद्यस्यै-वुावरुद्ध्यै सुर्व्वं ऽऐन्द्रा ऽइन्द्रियुस्यैवु व्वीुर्य्यस्यावरुद्ध्यै ॥ १६ ॥

युद्धेव सुर्व्वऽ आश्विना भुवन्ति । सुर्व्वे सारस्वताः सुर्व्वं ऽऐन्द्रा ऽएता वुा ऽएतुन्देवुता ऽअुग्रे यज्ञँ सुमभरंस्तुाभिरेुवैनँ सुम्भरत्युथो ऽएतुाऽ एुवैतुद्देवुता भागधेुयेन सुमर्द्धयति ॥ १७ ॥

सुन्तता याज्यापुरोऽनुवुाक्या भवन्ति । समानदेवुत्याः प्रजुानाँ सुन्तत्या ऽअुव्यवच्छेदाय सुर्व्वाऽ आश्विुन्यो भुवन्ति सुर्व्वाः सारस्वुत्यः सुर्व्वाऽ ऐन्द्र्यः समानुी बन्धुता ॥ १८ ॥

सर्वं आश्विना भवन्ति । भैषज्याय । सर्वे सारस्वताः । अन्नाद्यस्यैवावरुद्ध्यै । सर्वे ऐन्द्राः । इन्द्रियस्यैव वीर्यस्यावरुद्ध्यै ॥ १६ ॥

यद्धेव सर्वे आश्विना भवन्ति । सर्वे सारस्वताः । सर्व ऐन्द्राः । एता वा एतं देवता अग्रे यज्ञं समभरन् । ताभिरेवैनं संभरति । अथो एता एवैतद्देवता भागधेयेन समर्द्धयति ॥ १७ ॥

सन्तता याज्यापुरोऽनुवाक्या भवन्ति समानदेवत्याः । प्रजानां सन्तत्या अव्यवच्छेदाय । सर्वा आश्विन्यो भवन्ति । सर्वाः सारस्वत्यः । सर्वा ऐन्द्र्यः । समानी बन्धुता ॥ १८ ॥

आश्विना इत्यादयोऽनुपदं दर्शितार्थाः । लिंगक्रमादेव एवंरूपाणां प्रयाजैस्ते प्रैषाः प्राप्ताः । ततश्च अश्वि-सरस्वतीन्द्राः श्रुत्या प्रयाजप्रैषेषु देवतात्वेन न विहिताः । नैतद्युक्तमुपपद्यत इति प्राकृत्य एव प्रयाजेषु समिदादयो देवताः । नाश्व्यादयः । तद्धितोऽपि च "तस्येदम्" (पा. सू. ४ । ३ । १२०) इत्येवं द्रष्टव्यः । न "साऽस्य देवता"–(पा. सू. ४ । २ । २४) इति । एवमाप्रीष्वपि । नैतदुक्ता अश्व्यादयः । भैषज्या-येति । अश्विनौ देवानां भिषजावित्यभिप्रायः । अन्नाद्यस्यैवावरुद्ध्यै चरौ सरस्वतीति वाचा तान् चरध्वे इत्यभिप्रायः । तस्मात् यो वाचा प्रशाम्यान्नादो हैव भवतीति ॥ १६ ॥

यथाह–**यद्धेव सर्व** इति । ताभिर्यज्ञः संभवति । अथो एता एव तेन संकीर्त्यमानेन भागधेयेन एतदुक्ताभिः समर्द्धयन् । वचनादेव देवता विधीयते । तन्मन्यते । प्रैषवत्स्वादिप्रधानेनाचक्षते ॥ १७ ॥

संतता याज्येति । वपानां तावत्तिसृणामपि "आश्विना हविः" (वा. सं. २० । ६७–६९) इत्येताः याज्यानुवाक्याः संतता अविच्छिन्ना भवंति । प्रथमामनूच्य द्वितीया याज्या । द्वितीयामनूच्य तृतीया याज्या । तृतीयामनूच्य प्रथमा याज्या । इत्येवमेव "य इंद्र इंद्रियम्" (वा. सं. २० । ७०–७२) इत्येतास्तिस्त्रः । त्रयाणामपि पशुपुरोडाशानां संतता याज्याः । तृतीयामनूच्य प्रथमा याज्येत्येवम् । एवं "अश्विना गोभिः" (वा. सं. २० । ७३–७५) इत्येतास्तिस्त्रो हविषां संतता याज्यापुरोऽनुवाक्या भवंति । 'समानदेवत्याः' ।

१–अश्विना हविरिति तिस्रो वपानां याज्यानुवाक्याः । प्रथमामनूच्य द्वितीया याज्या, द्वितीयामनूच्य तृतीया याज्या, तृतीयामनूच्य प्रथमा याज्या । य इंद्र इति पुरोडाशानां पूर्ववत् (पूर्ववदिति प्रथमामनूच्येत्येवमादि सर्वम्) अश्विना गोभिरिति च हविषाम् । (चकारात्प्रथमामनूच्येत्यादि) का. श्रौ. सू. १९ । १४६–१४९ ।

(ता॒ऽअ॒नु) अ॒नु॒ष्टु॒भ॒ऽआ॒प्रि॒यो भ॒व॒न्ति॒ वाग्वा॒ ऽअ॒नु॒ष्टु॒ब्वा॒चो वै सोमः॒ सूय॒ते वा॒चैवै॒न॑ꣳ सु॒नो॒ति॒ सो॒म॒सु॒त्या॒यै॒ स॒र्व्वाऽआ॒श्वि॒न्यो भ॒व॒न्ति॒ स॒र्व्वाः॒ सा॒र॒स्व॒त्यः॒ स॒र्व्वा ऽऐ॒न्द्र्यः स॒मा॒नी ब॒न्धु॒ता ॥ १९ ॥

जा॒ग॒ताऽअ॒नु॒प्रै॒षा भ॒व॒न्ति । (न्ती) इ॒यम्वै ज॒ग॒त्य॒न॒या वै सोमः॒ सूय॒तेऽ- न॒यै॒वै॒न॑ꣳ सु॒नो॒ति॒ सो॒म॒सु॒त्या॒यै॒ स॒र्व्वऽआ॒श्वि॒ना भ॒व॒न्ति॒ स॒र्व्वे सा॒र॒स्व॒ताः॒ स॒र्व्वे ऽऐ॒न्द्राः स॒मा॒नी ब॒न्धु॒ता ॥ २० ॥

स वा॒ऽए॒ष प्र॒त्य॒क्षा॒त्सो॒म॒य॒ज्ञ॒ऽए॒व य॒त्सौ॒त्रा॒म॒णी । तं य॒द्ये॒का॒की य॒ज॒मा॒नो भ॒क्ष॒ये॒दि॒ष्टि॒र्व्वै॒व स्या॒त्प॒शु॒ब॒न्धो वा॒ स॒र्व्वऽऋ॒त्वि॒जो भ॒क्ष॒य॒न्ति॒ स॒र्व्वे वा॒ऽ ऋ॒त्वि॒जः॒ सो॒मम्भ॒क्ष॒य॒न्ति॒ सो॒म॒रू॒प॒ता॒यै ॥ २१ ॥

अनुष्टुभ आप्रियो भवन्ति । वाग्वा अनुष्टुप् । वाचा वै सोमः सूयते । वाचैवैनं सुनोति । सोमसुत्यायै । सर्वा आश्विन्यो भवन्ति । सर्वाः सारस्वत्यः । सर्वा ऐन्द्र्यः । समानी बन्धुता ॥१९॥

जागता अनुप्रैषा भवन्ति । इयं वै जगती । अनया वै सोमः सूयते । अनयैवैनं सुनोति । सोमसुत्यायै । सर्वे आश्विना भवन्ति । सर्वे सारस्वताः । सर्व ऐन्द्राः । समानी बन्धुता ॥ २० ॥

स वा एष प्रत्यक्षात् सोमयज्ञ एव । यत् सौत्रामणी । तं यद्येकाकी यजमानो भक्षयेत् । इष्टिर्वैव स्यात्पशुबन्धो वा । सर्वे ऋत्विजो भक्षयन्ति । सर्वे वा ऋत्विजः सोमं भक्षयन्ति । सोमरूपतायै ॥ २१ ॥

समाना अग्न्यादयो देवता आसामिति समानदेवत्याः । सर्वा आश्विन्य इत्यादिर्वपाहविषां च पुरोडाशानां च याज्यानुवाक्या भवंति । एवमेव तासामिंद्रसवितृवरुणदेवताः । 'समानी बंधुता' । "एता वा एतं देवता अग्रे यज्ञं समभरन्" इत्यादिब्राह्मणसमूहस्तुल्यप्रैषैः सह याज्यानुवाक्यानाम् ॥ १८ ॥

अनुष्टुभः आप्रियः[1] । "समिद्धो अग्निरश्विना" (वा. सं. २० । ५५–६६) इत्यादय अनुष्टुभः ॥१९॥

जागताः । जगत्यां भवा जागताः । अनुयाजप्रैषाः[2] "देवं बर्हिः सरस्वती" (वा. सं. २१ । ४७–५८) इत्येते । वकारद्वयविश्लेषेण तेषां पूर्वार्द्धा अष्टादशाक्षराः संपद्यंते । उत्तरार्द्धास्त्रयस्त्रिंशदक्षराः । 'इयं वै जगती' दूरंगतत्वात् । भूतानि चास्या गच्छंति द्वादश एवाभिन्नेति । अनया वै पृथिव्या सोमः सूयते । ग्राव्णां पार्थिवत्वात् ॥ २० ॥

'स वा एषः' । यस्मादेव मंत्रदीक्षादयः समग्राः तस्मादेषः प्रत्यक्षं सोमयज्ञ एव सौत्रामणीत्युपसंहारश्चो- त्तरोपन्यासश्च । न सोमयज्ञं सौत्राम्ण्याख्यम् । तेनात्र तदंशसाधनग्रहद्रव्यं पयः सुरा चोपलक्ष्यते । तं ग्रहशेषं सोमसुतं यदा उपहवो यजमान उपह्वयस्व । उपहूत इति । ताभ्यां विना भक्षयेत् । न इष्टिर्वा एषा स्यात्

१-आप्रियश्च समिद्धे अग्निरश्विनेति । का. श्रौ. सू. १९ । १४६ । २-अनुयाजप्रैषा देवं बर्हिरिति । याज्याश्च । देवं बर्हि- रित्यादयः प्रैषा एव याज्याः इत्यर्थः । का. श्रौ. सू. १९ । १६३ ।

(याऽआ) आश्विनमध्वर्य्यवो भक्षयन्ति । (न्त्य) अश्विनौ वै देवाना-
मध्वर्य्यू स्वमेवैतद्भागधेयꣳ स्वऽ आयतने भक्षयन्ति ॥ २२ ॥

सारस्वतꣳ होता ब्रह्मा मैत्रावरुणः । (णो) व्वाग्वै यज्ञस्य होता हृदय-
म्ब्रह्मा मनो मैत्रावरुणः स्वमेवैतद्भागधेयꣳ स्वऽआयतने भक्ष-
यन्ति ॥ २३ ॥

(न्त्यै) ऐन्द्रं यजमानो भक्षयति । (त्यै) ऐन्द्रो वाऽएष यज्ञो
यत्सौत्रामणीन्द्रायतनऽ एष ऽएतर्हि यो यजते स्वमेवैतद्भागधेयꣳ स्व
ऽआयतने भक्षयति ॥ २४ ॥

चक्षुर्व्वा ऽआश्विनो ग्ग्रहः । प्राणः सारस्वतो व्वागैन्द्र ऽआश्विनात्सार-
स्वतेऽवनयति चक्षुरेवास्य तत्प्राणैः सन्दधाति सारस्वतादैन्द्रे प्राणाने-

---

आश्विनमध्वर्यवो भक्षयन्ति । अश्विनौ वै देवानामध्वर्यू । स्वमेवैतत् भागधेयं स्व आयतने भक्षयन्ति ॥ २२ ॥

सारस्वतं होता ब्रह्मा मैत्रावरुणः । वाग्वै यज्ञस्य होता । हृदयं ब्रह्मा । मनो मैत्रावरुणः । स्वमेवैतत् भागधेयं स्व आयतने भक्षयन्ति ॥ २३ ॥

ऐन्द्रं यजमानो भक्षयति । ऐन्द्रो वा एष यज्ञः । यत्सौत्रामणी । इन्द्रायतन एष एतर्हि । यो यजते । स्वमेवैतत् भागधेयं स्व आयतने भक्षयति ॥ २४ ॥

चक्षुर्वा आश्विनो ग्रहः । प्राणः सारस्वतः । वागैन्द्रः । आश्विनात्सारस्वतेऽवनयति । चक्षु-

---

पशुबंधो वा तत्र हि-यथा सर्वर्त्विजः शेषं भक्षयंतः परस्परानपेक्षाः असहाया एव भक्षयंति । तथा यजमानोऽप्यसहायो भक्षयति । सोमे त्वनुज्ञाप्य यदा सहाया भक्षयंति तदा इत्यभिप्रायः ॥ २१ ॥

'आश्विनमध्वर्यवः' अध्वर्युः प्रतिप्रस्थाताऽग्नीध्र इत्येते आध्वर्यववेदात्मकं कर्म कुर्वन्तीत्येतेऽत्राध्वर्यवो गृह्यंते । आश्विनं पयोग्रहं वाक्यशेषात् ॥ २२ ॥

'सारस्वतम्' वाग्वै वागिंद्रियं 'यज्ञस्य होता' तेन च वागिंद्रियेण प्रायो यज्ञो व्याप्रियते । हृदयस्थानात् हृदयस्थो न बहिर्ब्रह्मा । स हि बुद्धिप्रधानः अप्रत्यक्षत्वात् । मनो मैत्रावरुणः । स हि मनसि वसत्यतस्तद्धोत्रा प्रेष्यते चान्वाहरंतश्च सहसैव सैव भेदेन दर्शी । तं होता वाग्भूतः अनुवदति । इति मनो मैत्रावरुण इत्यापाद्यते ॥ २३ ॥

'ऐन्द्रं यजमानः' । ऐन्द्रो वै स एष यज्ञः सौत्रामणी इंद्रस्य । संस्कार्यत्वादिन्द्रस्य स्थानं यजमानत्वं इंद्रायतनम् । तस्मिन्निन्द्रायतने एषोऽधुना वर्तते यो यजते ॥ २४ ॥

'चक्षुर्वा आश्विनः' । आश्विने ग्रहे त्रिभिरप्यध्वर्युभिर्भक्षिते स सनिःशेषं सारस्वते अवनयति । चक्षुरेवास्य यज्ञस्याश्विनात्मकम् । तत् प्राणैः प्राणोदानव्यानैः संदधाति । सारस्वतोऽपि यदा अग्नीधेत्र भक्षितः । सदा

वास्य तद्वाचा सन्दधात्यथो प्राणानेवास्य तद्वाचि प्रतिष्ठापयति तस्मा-
त्सर्वे प्राणा वाचि प्रतिष्ठिताः ॥ २५ ॥

(सु) त्रयऽ आश्विनम्भक्षयन्ति (न्त्य) अध्वर्युः प्रतिप्रस्थाताऽऽग्नीध्रस्त्रि-
वृद्वा ऽइदञ्चक्षुः शुक्लं कृष्णङ्कनीनका यथारूपमेवास्मिँश्चक्षुर्दधाति ॥ २६ ॥

त्रयः सारस्वतम् । (ष्टँ) होता ब्रह्मा मैत्रावरुणस्त्रेधाविहितो वा ऽअयं
म्प्राणः प्राणऽ उदानो व्यानऽ इति यथारूपमेवास्मिन्प्राणन्दधाति ॥ २७ ॥

(त्ये) एकाक्यैन्द्रं यजमानो भक्षयति । (त्ये) एकधा वा ऽएषा प्राणानाँ
श्रीर्यद्वागेकधैव वाचँ श्रियमात्मन्धत्ते तस्मात्सौत्रामण्येजानऽएकधा
स्वानाँ श्रेष्ठो भवत्यथो य ऽएवमेतद्वेद ॥ २८ ॥

(ऽ) ऋतवो वाऽऋत्विजः । (जो) मासा भक्षाः षडृत्विजो
भक्षयन्ति षड्वाऽ ऋतवऽ ऋत्विग्भिरेवर्तूनवरुन्धे ॥ २९ ॥

रेवास्य तत्प्राणैः सन्दधाति । सारस्वतादैन्द्रे । प्राणानेवास्य तद्वाचा सन्दधाति । अथो प्राणानेवास्य तद्वाचि प्रतिष्ठापयति । तस्मात्सर्वे प्राणा वाचि प्रतिष्ठिताः ॥ २५ ॥

त्रय आश्विनं भक्षयन्ति । अध्वर्युः प्रतिप्रस्थाताऽऽग्नीध्रः । त्रिवृद्वा इदं चक्षुः । शुक्लं कृष्णं कनीनका । यथारूपमेवास्मिन् चक्षुर्दधाति ॥ २६ ॥

त्रयः सारस्वतम् । होता ब्रह्मा मैत्रावरुणः । त्रेधाविहितो वा अयं प्राणः । प्राण उदानो व्यान इति । यथारूपमेवास्मिन् प्राणं दधाति ॥ २७ ॥

एकाक्यैन्द्रं यजमानो भक्षयति । एकधा वा एषा प्राणानां श्रीः । यद् वाक् । एकधैव वाचं श्रियमात्मन्धत्ते । तस्मात्सौत्रामण्येजान एकधा स्वानां श्रेष्ठो भवति । अथो य एवमेतद्वेद ॥ २८ ॥

ऋतवो वा ऋत्विजः । मासा भक्षाः । षड् ऋत्विजो भक्षयन्ति । षड्वा ऋतवः । ऋत्विग्भिरेव ऋतूनवरुन्धे ॥ २९ ॥

भक्षितशेषम् अभक्षिते ऐन्द्रे आनयति । प्राणोदानव्यानानेवास्य यजमानस्य तेन वाचा वागिन्द्रियेण संदधाति । अथो प्राणोदानव्यानानेवास्य तेन वागिन्द्रियेण प्रतिष्ठापयति । तस्मात् सर्वे प्राणाः वागिन्द्रिये प्रतिष्ठिताः । स्वेन ह्येतदपि दधते । तदधीनस्थितयः सर्वे प्राणाः ॥ २५ ॥

त्रय आश्विनम् । प्रगते द्वे ॥ २६ ॥ २७ ॥

'एकाक्यैन्द्रम्' एकधा एकाधिकरणा । एषा प्राणानां श्रीः श्रयणीया उपजीव्या वाक् । तदधीनस्थितित्वात् । एकधा एव यतः तां श्रयतीति श्रियं वाचं एव श्रियं उपजीव्यामात्मनि स्थापयति । तस्मात्सौत्रामण्या इष्ट्वा तुलीकृतो ज्ञातीनां श्रेष्ठः प्रशस्यतमो भवति ॥ २८ ॥

'ऋतवो वा ऋत्विजः' ऋतव ऋत्विजः । 'मासा भक्षाः' । संख्यासामान्यात् ॥ २९ ॥

द्वादश भक्षा भवन्ति । द्वादश वै मासा भक्षैरेव मासानवरुन्द्धे पुनःपुनरभिनिवर्त्तमृत्विजो भक्षयन्ति तस्मादृतवश्च मासाश्चान्योऽन्यमभिनिवर्त्तन्ते ॥ ३० ॥

त्रयोदशं यजमानो भक्षयति । यो ह वाऽएष त्रयोदशो मासऽएषऽएव प्रत्यक्षात्सम्वत्सर ऽएतमेवाप्त्वाऽवरुन्द्धे स वाऽ एष सम्वत्सरऽएव यत्सौत्रामणी तेन सर्व्वञ्जयति सर्व्वमवरुन्द्धे ॥ ३१ ॥

त्रयः पशवो भवन्ति । त्रयो वाऽइमे लोका ऽइमानेव तैर्ल्लोकानवरुन्द्ध ऽइममेव लोकमाश्विनेनान्तरिक्षᳬं सारस्वतेन दिवमैन्द्रेण यथारूपमेव यथादेवतमिमाँल्लोकाञ्जयति चाव च रुन्द्धे ॥ ३२ ॥

त्रयः पुरोडाशा भवन्ति । त्रयो वा ऽऋतव ऽऋतूनेवैतैरवरुन्द्धे ग्रीष्ममेवैन्द्रेण व्वर्षाः सावित्रेण हेमन्तं व्वारुणेन यथारूपमेव यथादेवतमृतूञ्जयति चाव च रुन्द्धे ॥ ३३ ॥

द्वादश भक्षा भवन्ति । द्वादश वै मासाः । भक्षैरेव मासानवरुन्धे । पुनःपुनरभिनिवर्तमृत्विजो भक्षयन्ति । तस्मात् ऋतवश्च मासाश्चान्योऽन्यमभिनिवर्तन्ते ॥ ३० ॥

त्रयोदशं यजमानो भक्षयति । यो ह वा एष त्रयोदशो मासः । एष एव प्रत्यक्षात्संवत्सरः । एतमेवाप्त्वाऽवरुन्धे । स वा एष संवत्सर एव । यत्सौत्रामणी । तेन सर्वं जयति । सर्वमवरुन्धे ॥ ३१ ॥

त्रयः पशवो भवन्ति । त्रयो वा इमे लोकाः । इमानेव तैर्लोकानवरुन्धे । इममेव लोकमाश्विनेन । अन्तरिक्षं सारस्वतेन । दिवमैन्द्रेण । यथारूपमेव यथादेवतमिमान् लोकान् जयति चाव च रुन्धे ॥ ३२ ॥

त्रयः पुरोडाशा भवन्ति । त्रयो वा ऋतवः । ऋतूनेवैतैरवरुन्धे । ग्रीष्ममेवैन्द्रेण । वर्षाः सावित्रेण । हेमन्तं वारुणेन । यथारूपमेव यथादेवतमृतून् जयति चाव च रुन्धे ॥ ३३ ॥

' द्वादश भक्षाः ' अभिनिवर्त्याभिनिवर्त्याभिनिवर्त त्रयोऽप्याश्विनं भक्षयित्वा । पुनश्चैवाभिनिवर्तन्ते आलंभयन्ते । एवं सारस्वतम् । एवं सुराग्रहान् । तस्मादेते ऋतवश्च मासाश्च अन्योऽन्यमृतवो मासान्मासाश्च ऋतूनभिनिवर्तंते ते त्रयः फाल्गुनमभिनिवर्तन्ते ॥ ३० ॥

' त्रयोदशम् ' ' यो ह वा एष त्रयोदशो मासः ' । अधिमासः । को नाम । यः क्षयात् संवत्सरः समाप्यते, नेतरेष्वित्यभिप्रायः । एतमेव प्राप्यानपायिनं वाऽस्य करोति । ततश्च संवत्सर एवैष (करेरुषो । या सौत्रामणी । तेन सौत्रामणीरूपेण संवत्सरेण सर्वं जगत्कार्यं संवत्सराष्टकम् । यजतित्वात् वरुणत्वे च भयं करोति ?) ॥ ३१ ॥

' त्रयः पशवः ' । प्रसन्नास्तिस्रः ॥ ३२–३४ ॥

षड्ग्रहा भवन्ति । षड्वाऽ ऋतवऽ ऋतूनेवैतैरवरुन्द्धे व्वसन्तग्ग्रीष्मावेवाश्विनाभ्याम्वर्षाशरदौ सारस्वताभ्याᳯं हेमन्तशिशिरावैन्द्राभ्यां यथारूपमेव यथादेवतमृतूञ्जयति चाव च रुन्द्धे ॥ ३४ ॥

सन्तता याज्यापुरोऽनुवाक्या भवन्ति । समानदेवत्याऽ ऋतूनाᳯं सन्तत्या ऽअव्यवच्छेदाय सर्व्वाः पुरोऽनुवाक्या भवन्ति सर्व्वा याज्यास्तस्मादृतवः सर्व्वे पराञ्चः सर्व्वे प्रत्यञ्चः सर्व्वाः प्रथमा भवन्ति सर्व्वा मध्यमाः सर्व्वा ऽउत्तमास्तस्मादृतवः सर्व्वे प्रथमाः सर्व्वे मध्यमाः सर्व्वेऽ उत्तमाः सर्व्वेषां ग्रहाणां द्वे याज्यापुरोऽनुवाक्ये भवतोऽहोरात्रयोस्तद्रूपमहोरात्रे ऽएवावरुन्द्धे तस्मादृतवश्च मासाश्चाहोरात्रयोरेव प्रतिष्ठिताः॥३५॥

षड् ग्रहा भवन्ति । षड्वा ऋतवः । ऋतूनेवैतैरवरुन्धे । वसन्तग्रीष्मावेवाश्विनाभ्याम् । वर्षाशरदौ सारस्वताभ्याम् । हेमन्तशिशिरावैन्द्राभ्याम् । यथारूपमेव यथादेवतमृतून् जयति चाव च रुन्धे ॥ ३४ ॥

संतता याज्यापुरोऽनुवाक्या भवन्ति समानदेवत्याः । ऋतूनां संतत्या अव्यवच्छेदाय । सर्वाः पुरोऽनुवाक्या भवन्ति । सर्वा याज्याः । तस्मात् ऋतवः सर्वे परांचः । सर्वे प्रत्यंचः । सर्वाः प्रथमा भवन्ति । सर्वा मध्यमाः । सर्वा उत्तमाः । तस्मात् ऋतवः सर्वे प्रथमाः । सर्वे मध्यमाः । सर्वे उत्तमाः । सर्वेषां ग्रहाणां द्वे याज्यापुरोऽनुवाक्ये भवतः । अहोरात्रयोस्तद्रूपम् । अहोरात्रे एवावरुन्धे । तस्मात् ऋतवश्च मासाश्चाहोरात्रयोरेव प्रतिष्ठिताः ॥ ३५ ॥

'सन्तता याज्यापुरोऽनुवाक्याः' । संतताः । प्रथमस्य याज्या द्वितीयस्यानुवाक्या क्रियते, पूर्वोत्तरयोर्युगलयोः सन्तत्यै । एवं द्वितीयस्य याज्या तृतीयस्यानुवाक्या । तृतीयस्य प्रथमा याज्या । एवं सन्ततास्ता भवन्ति । एवमेव च सर्वाः पर्यायेण पुरोऽनुवाक्या याज्याश्च भवन्ति । तस्मात् ऋतवः सर्वे परांचः स्वस्थानेनावर्तंते । ग्रीष्मणोऽनन्तरं वर्षा भवन्ति । न पुनः ग्रीष्मः । एवं वर्षाणामनन्तरं हेमन्तो भवति । न पुनर्वर्षाः । इत्येवं सर्वे परांचः । सर्वे प्रत्यंचः पुनरावर्तंत इत्यर्थः । सर्वाः प्रथमा इति । प्रथमाद्वितीयायोगयोस्तिस्र ऋचः प्रयुज्यन्ते । तत्रैका प्रथमा भवति, द्वितीया मध्यमा, तृतीया चोत्तमा । द्वितीयातृतीययोगयोः प्रयोगेणाभिषवस्य मध्यमा सा प्रथमा भवति । या अन्त्या सा मध्यमा भवति । या अन्त्या द्वितीयाऽन्त्या सा प्रथमा भवति । तस्मादृतवः सर्वे प्रथमाः । यो हेमन्तस्तस्य हेमन्तादय इत्यर्थः । सर्वेषामपि ग्रहाणां द्वे एव याज्यानुवाक्ये । सर्वदेवत्येषु "युवᳯं सुरामं, पुत्रमिव" (वा. सं. २० । ७६–७७) इत्येते भवतः । तस्य देवतात्रयस्य युगपदेव आह्वानोपदेशाच्च प्रदानमपि सहैव युगपदेव कार्यम् । पयोग्रहाणामध्वर्युः । सुराग्रहाणां प्रतिप्रस्थाता । तस्मात् ऋतवश्च मासाः अहोरात्रयोरेव प्रतिष्ठिता इति । तत्राहोरात्राभ्यामृतवो मासाश्च वर्तन्त इत्यर्थः ॥ ३५ ॥

स वा ऽएष सम्वत्सर ऽएव यत्सौत्रामणी । चन्द्रमा ऽएव प्रत्यक्षादादित्यो यजमानस्तस्येयमेव पृथिवी व्वेदिरन्तरिक्षमुत्तरवेदिर्द्यौर्बर्हिर्दिश ऽऋत्विजो व्वनस्पतय ऽइध्मऽआपऽ आज्यमोषधय ऽआहुतयोऽग्निरेवाग्निः सम्वत्सरः सꣳस्था तद्वाऽ इदꣳ सर्व्वꣳ सम्वत्सर ऽएव यदिदं किञ्च तस्मात्सौत्रामण्येजानः सर्व्वञ्जयति सर्व्वमवरुन्द्धे ॥ ३६ ॥

इति चतुर्थप्रपाठके प्रथमं ब्राह्मणम् ॥ १२।४।१ ॥ (८-२) ॥

त्वष्टा हतपुत्रः । (त्रोऽभि) अभिचरणीयमपेन्द्रꣳ सोममाहरत्तस्येन्द्रो यज्ञ-

---

स वा एष संवत्सर एव । यत्सौत्रामणी । चंद्रमा एव प्रत्यक्षात् आदित्यो यजमानः । तस्येयमेव पृथिवी वेदिः । अंतरिक्षमुत्तरवेदिः । द्यौर्बर्हिः । दिश ऋत्विजः । वनस्पतय इध्मः । आप आज्यम् । ओषधय आहुतयः । अग्निरेवाग्निः । संवत्सरः संस्था । तद्वा इदं सर्वं संवत्सर एव । यदिदं किंच । तस्मात् सौत्रामण्येजानः सर्वं जयति । सर्वमवरुन्धे ॥ ३६ ॥

त्वष्टा हतपुत्रोऽभिचरणीयमपेन्द्रं सोममाहरत् । तस्येन्द्रो यज्ञवेशसं कृत्वा प्रासहा सोम-

---

' स वा एष संवत्सर एव ' । एषा सौत्रामणी । उपासने विशेषः । कीदृशः ? संवत्सर एव यत्सौत्रामणी । चन्द्रमा एव प्रत्यक्षात् । चन्द्रो हि वृद्धिक्षयविशिष्ट आवर्तमानः न क्रीतेन सोमेन स एव संवत्सरः स पशुमत्सौत्रामणीत्युक्तम् । पयःसुरयोः सोमत्वात् । यदा चंद्रमाः सौत्रामणी । ततस्तदा आदित्यो यजमानः द्वयोः सामान्यात् । पृथिवी वेदिः, आधारत्वात् । अन्तरिक्षमुत्तरवेदिः, पृथिव्या उत्तरत्वात् । तथैव द्यौर्बर्हिः । दिश ऋत्विजः । वनस्पतय इध्मः, इन्धनत्वात् । आप आज्यं, द्रवत्वात् । ओषधय आहुतयः, आहुतिप्रकृतित्वात् । संवत्सर एव संस्था समाप्तिः । संवत्सरे हि सर्वमिदं सन्तिष्ठते । तद्वा इदमिति संवत्सरोपासनावचनम् ॥ ३६ ॥

इति श्रीमदाचार्यहरिस्वामिनः कृतौ माध्यंदिनीयशतपथब्राह्मणभाष्ये द्वादशे कांडे

अष्टमेऽध्याये द्वितीयं ब्राह्मणम् ॥ १२ । ८ । २ ॥

त्वष्टा हतपुत्रः । प्रसन्नप्रायमेव ब्राह्मणम् । वैसाहोमः[1] । तेच्छेषेणाभिषेकः[2] । अंगालम्भः[3] । अभिषिक्तस्य[4]

१-शामित्रनुशासनप्रभृति वनस्पत्यन्तं कृत्वा सोमासन्दीवदासंदीं जानुमात्रपादीं वेद्योर्निदधाति क्षत्रस्य योनिरिति । कृष्णाजिनमस्यामास्तृणाति मा त्वेति । तस्मिन्नास्ते यजमानो निषसादेति । पादयो रुक्मा उपास्यति राजतः सव्ये मृत्योरिति । खुरैर्वसाग्रहान् द्वात्रिंशतं जुहोति सीसेनेति प्रत्यृचम् । (खुराश्चार्षभाः । सीसेन तन्त्रमित्यारभ्य तेजः पशूनामित्यन्ताः षोडश मन्त्राः । एकैकेन मंत्रेण द्वयोर्द्वयोर्होमः इत्यर्थः ।) द्वौ द्वौ हुत्वा शेषान् सते करोति । (सतं पात्रं तच्च वैतसम्) । का. श्रौ. सू. १९ । ९०-९६ ।

२-सर्वसुरभ्युन्मृदितः शेषैरभिषिंचत्यामुखादवस्रावयन् प्रतिदिशं सर्वत्र सावित्रमश्विनोः सरस्वत्या इन्द्रस्येति प्रतिमन्त्रम् । सर्वाभिश्चतुर्थम् । महाव्याहृतिभिरेके । उत्तमेन वा । उन्मर्दनमभिषेकेऽवनीयैके । । यजमानमालभते कोऽसीति । सुश्लोकेत्यालब्धो ह्वयति का. श्रौ. सू. १९ । ९७-१०३ ।

३-अंगानि चालभते यथालिंगं शिरो म इति प्रतिमन्त्रम् । का. श्रौ. सू. १९ । -१०४ ।

४-उद्यच्छन्त्येनं शतरुद्रियवत्प्रमाणेषु । (आहूताः सुश्लोकसुमंगलादयः कर्तारः । कृष्णाजिनेऽवरोहति प्रतिक्षत्र इति । (अवरोहणं अवतरणं आसन्दीतः कृष्णाजिनेऽवतरणमित्यर्थः ।) का. श्रौ. सू. १९ । १०५-१०६ ।

वेशसं कृत्वा प्रासहा सोममपिबत्स विष्वङ्व्याच्छंत्तस्य मुखा-त्प्राणेभ्यः श्रीयशसान्यूर्ध्वान्युदक्रामंस्तानि पशून्प्राविशंस्तस्मात्पशवो यशो यशो ह भवति यऽ एवं विद्वान्त्सौत्रामण्याऽभिषिच्यते ॥ १ ॥

ततोऽस्माऽएतमश्विनौ च सरस्वती च। यज्ञᳪ᳖ समभरन्त्सौत्रामणीम्भैषज्याय तयैनमभ्यषिञ्चंस्ततो वै स देवानाᳪ᳖ श्रेष्ठोऽभवच्छ्रेष्ठः स्वानाम्भवति यऽ एनयाऽभिषिच्यते ॥ २ ॥

कृष्णाजिनेऽभिषिञ्चति । यज्ञो वै कृष्णाजिनं यज्ञ ऽएवैनमेतदभिषिञ्चति लोमतश्छन्दाᳪ᳖सि वै लोमानि च्छन्दःस्वेवैनमेतदभिषिञ्चति ॥ ३ ॥

मपिबत् । स विष्वङ् व्याच्छंत् । तस्य मुखात् प्राणेभ्यः श्रीयशसान्यूर्ध्वान्युदक्रामन् । तानि पशून् प्राविशन् । तस्मात्पशवो यशः । यशो ह भवति । य एवं विद्वान् सौत्रामण्याऽभिषिच्यते ॥ १ ॥

ततोऽस्मा एतमश्विनौ च सरस्वती च यज्ञं समभरन् सौत्रामणीं भैषज्याय । तयैनमभ्यषिंचन् । ततो वै स देवानां श्रेष्ठोऽभवत् । श्रेष्ठः स्वानां भवति । य एनयाऽभिषिच्यते ॥ २ ॥

कृष्णाजिनेऽभिषिंचति । यज्ञो वै कृष्णाजिनम् । यज्ञ एवैनमेतदभिषिंचति । लोमतः । छन्दांसि वै लोमानि । छन्दस्स्वेवैनमेतदभिषिंचति ॥ ३ ॥

उद्ग्रहणावतरणे अंगालंभाः । त्रयस्त्रिंशद्वसाग्रहग्रहणहोमभक्षाः । मुखात्प्राणेभ्यश्च इति चशब्दो द्रष्टव्यः । मुखा-न्नदितरेभ्यश्चेत्यर्थः । श्रीयशसानि इति श्रेयस्यः सुवनीयाः । कायस्य साराः । ताः यशांसि च । लोके अगर्हितानि यशस्वीनि तेजआदीनि यशोक्तानि । ऊर्ध्वानि उत्क्रांतानि सोमेन सह । तानि पशून् सोममित्र आत्तप्रभावान् पशुषु प्रविविशुः । तैरेवोपेतास्ते पशवो जायन्त इत्यर्थः । यस्मात्तानि पशून् अजात्सोममिश्रत्वा-त्प्रतिष्ठानि । तस्मात्ते पशवो यशस्विनः अभ्यर्हिताः लोको यशस्वी एव सम्बंधनीय इति एवमुपासीत ॥१-४॥

१–त्रयस्त्रिंशं वसाग्रहं गृह्णाति यो भूतानामिति । (आर्षभेण स्रुवेण) आज्यग्रहमाध्वर्य्येणैके । (ततश्चाहवनीयजातित्वात् ध्रुवायाः सवषट्कारत्वात् चतुर्ग्रहणमाप्यायनं चेति कर्कः । (का. श्रौ. सू. १९ । १०७–१०८ ।

२–साम प्रेष्यति । (साम गाय साम ब्रूहीति वा प्रैषः ।) ऐंद्रयां बृहत्यां गायति । (ब्रह्मा गायतीति कर्कः ।) ऐंद्री बृहती "बृहदिंद्राय गायत" (वा. सं. २० । ३०) इयं ऋक् बृहत्साम्नो योनिः । सत्श्रवसे, विश्रवसे, सत्यश्रवसे, श्रवसे इति सर्वे निधनमुपयंति । (सर्वे ऋत्विग्यजमानाः । उपयंति पठंतीत्यर्थः ।) संजित्यै, त्रिजित्यै सत्यजित्यै, जित्या इति क्षत्रियस्य । रांपुष्ट्यै, निपुष्ट्यै, सत्यपुष्ट्यै, पुष्ट्या इति वैश्यस्य । यथाम्नातं वा सर्वेषाम् । आस्ते प्रतिगरिष्यन् । (सामगानानंतरं होता शस्त्रं शंसति । तत्र प्रतिगरदानार्थं अध्वर्युर्होतुरग्रत उपविशति । (आस उपवेशने इति धात्वर्थः ।) त्रया देवा इति शस्त्रांते जुहोति । (त्रयस्त्रिंशं वसाग्रहम् । स च होमः अनुवाचनयजप्रैषपूर्वकम् । देवताश्चात्र प्रकृता एव । "अश्विना तेजसा" "अश्विना पिबतम्" (वा. सं. २० । ८०–९०) इति याज्यानुवाक्ययोरभिधानादिति कर्कः ।) का. श्रौ, सू. १९ । १०९–११६ ।

३–शेषमृत्विजः प्राणभक्षं भक्षयंति प्राणपा म इति । (शेषस्त्रयस्त्रिंशद्वसाग्रहहोमशेषः । प्रत्यक्षभक्षं यजमानो लोमानि प्रयातीरिति । का. श्रौ. सू. १९ । ११७–११८ ।

(त्या) आसन्द्यामभिषिञ्चति (त्या) आसन्दीसद्वै साम्राज्यꣳ साम्राज्ये-नैवैनꣳ साम्राज्यङ्गमयति ॥ ४ ॥

(त्यौ) औदुम्बरी भवति । (त्यू) ऊर्ग्वा ऽउदुम्बर ऽऊर्ज्यैवाध्यभि-षिच्यते जानुसम्मिता भवति जानुसम्मितो वा ऽअयं लोकोऽस्माऽउ वै लोकाय क्षत्रियोऽभिषिच्यते क्षत्त्रमु वा ऽएष भवति यः सौत्रामण्या-ऽभिषिच्यते तस्माज्जानुसम्मिता परिमिता तिरश्ची ॥ ५ ॥

राष्ट्रम्वा ऽआसन्दी । (न्द्य) अपरिमितसमृद्धमु वै राष्ट्रं मुञ्जविवयना भवति यज्ञिया हि मुञ्जा द्वा ऽउत्तरस्याम्वेद्याम्पादौ भवतो द्वौ दक्षि-णस्यामयम्वै लोकऽ उत्तरा व्वेदिर्दक्षिणा पितृलोकस्तदेनमुभयोर्ल्लोकयो-रध्यभिषिञ्चति ॥ ६ ॥

(त्ये) एतद्ध स्म वै तद्विद्वानाह । गोरीवीतिः शात्त्यः क्षत्त्रमिवाह किल व्वयममुष्मिंल्लोके भवितास्म ऽइति शश्वद्धास्माऽ ऋषभो याज्ञतुरः प्प्रोवाच श्विक्नानाꣳ राजा ॥ ७ ॥

आसंद्यामभिषिंचति । आसंदीसद्वै साम्राज्यम् । साम्राज्येनैवैनं साम्राज्यं गमयति ॥ ४ ॥

औदुम्बरी भवति । ऊर्ग्वा उदुम्बरः । ऊर्ज्यैवाध्यभिषिच्यते । जानुसंमिता भवति । जानु-संमितो वा अयं लोकः । अस्मा उ वै लोकाय क्षत्रियोऽभिषिच्यते । क्षत्त्रमु वा एष भवति । यः सौत्रामण्याऽभिषिच्यते । तस्मात् जानुसंमिता । परिमिता तिरश्ची ॥ ५ ॥

राष्ट्रं वा आसंदी । अपरिमितसमृद्धमु वै राष्ट्रम् । मुंजविवयना भवति । यज्ञिया हि मुंजाः । द्वा उत्तरस्यां वेद्यां पादौ भवतः । द्वौ दक्षिणस्याम् । अयं वै लोक उत्तरवेदिः । दक्षिणा पितृलोकः । तदेनमुभयोर्लोकयोरध्यभिषिंचति ॥ ६ ॥

एतद्ध स्म वै तद्विद्वानाह गोरीनीतिः शात्त्यः । क्षत्त्रमिवाह किल वयममुष्मिन् लोके भवि-तास्म इति । शश्वद्धास्मा ऋषभो याज्ञतुरः प्रोवाच श्विक्नानां राजा ॥ ७ ॥

सौत्रामण्या अभिषिच्यते । सौत्रामण्या यजत इत्याह—क्षत्त्रमु वा एष भवति । क्षत्रियो वै । (क्षत्रियपदा-दिति सितान्येषां भवति ?) । ततश्चैश्वर्यं तस्मिन्नेव लोके इत्यभिप्रायः ॥ ५ ॥

'राष्ट्रं वा आसंदी' । राष्ट्रं जनपदः । तत् आसंदी उपास्या । ततः किं ? अपरिमितं बहुना अपरिमितेन गृहक्षत्त्रपशुहिरण्यादिना समृद्धं राष्ट्रं भवति । ततो यज्ञेऽपि राष्ट्रात्मिका दीप्तिरपरिमितैव स्यादिति । विधिवदू-ह्यते । मुंजानि विवयनानि यस्यामेव मुंजविवयना ॥ ६ ॥

एतद्ध स्म । उभयोर्लोकयोरेनमभिषिंचति । क्षत्त्रं वैष भवति यः सौत्रामण्याऽभिषिच्यते । एतद्वि-

सुऽ आसन्दीमास्तृणाति । क्षत्त्रस्य योनिरसि क्षत्त्रस्य नाभिरसीति क्षत्त्रस्य वाऽ एषा योनिः क्षत्त्रस्य नाभिः ॥ ८ ॥

(रु) अथैनाङ्कृष्णाजिनेनास्तृणाति । मा त्वा हिꣳसीन्मा मा हिꣳसीरिति यज्ञो वै कृष्णाजिनं यज्ञस्य चैवात्मनश्चाहिꣳसायै ॥ ९ ॥

(याऽअ) अथाधिरोहति । वारुण्यर्चा वरुणो वै देवानाꣳ राजा स्वयैवैनमेतद्देवतयाऽभिषिञ्चति निषसाद धृतव्रतो वरुणः पस्त्यास्वा । साम्राज्याय सुक्रतुरिति ॥ १० ॥

(त्यु) अथ सुवर्णरजतौ रुक्मौ व्युपास्यति । मृत्योः पाहि विद्योत्पाहीति वृष्टिर्वै विराट्तस्याऽ एते घोरे तन्वौ विद्युच्च ह्रादुनिश्च ततः सुवर्णऽएव रुक्मो विद्युतो रूपꣳ रजतो ह्रादुनेस्ताभ्यामेवास्मै देवताभ्याꣳ शर्म्म यच्छति तस्मात्सौत्रामण्येजानस्यैताभ्यां देवताभ्यां न शङ्का भवत्यथो यऽ एवमेतद्वेद ॥ ११ ॥

पशूनाम्वसयाऽभिषिञ्चति । श्रीर्वै पशूनाम्वसा श्रियैवैनमेतत्पशूनाꣳ

स आसंदीमास्तृणाति। "क्षत्त्रस्य योनिरसि क्षत्त्रस्य नाभिरसि"–इति । क्षत्त्रस्य वा एषा योनिः। क्षत्त्रस्य नाभिः ॥ ८ ॥

अथैनां कृष्णाजिनेनास्तृणाति । "मा त्वा हिंसीन्मा मा हिंसीः"–(वा. सं. २० । १) इति । यज्ञो वै कृष्णाजिनम् । यज्ञस्य चैवात्मनश्चाहिंसायै ॥ ९ ॥

अथाधिरोहति वारुण्यर्चा । वरुणो वै देवानां राजा । स्वयैवैनमेतद्देवतयाऽभिषिंचति । " निषसाद धृतव्रतो वरुणः पस्त्यास्वा । साम्राज्याय सुक्रतुः "–(वा. सं. २० । २) इति ॥ १० ॥

अथ सुवर्णरजतौ रुक्मौ व्युपास्यति । " मृत्योः पाहि विद्योत्पाहि "–(वा. सं २० । २) इति । वृष्टिर्वै विराट् । तस्या एते घोरे तन्वौ । विद्युच्च–ह्रादुनिश्च । ततः सुवर्ण एव रुक्मो विद्युतो रूपम् । रजतो ह्रादुनेः । ताभ्यामेवास्मै देवताभ्यां शर्म यच्छति । तस्मात् सौत्रामण्येजानस्यैताभ्यां देवताभ्यां न शंका भवति । अथो य एवमेतद्वेद ॥ ११ ॥

पशूनां वसयाऽभिषिंचति । श्रीर्वै पशूनां वसा । श्रियैवैनमेतत् पशूनां रसेनाभिषिंचति । अथो परमं वा एतदन्नाद्यम् । यद्वसा । परमेणैवैनमेतदन्नाद्येनाभिषिंचति ॥ १२ ॥

द्वानाह–गोरीवीतस्यापत्यं गोरीवीतिः । शक्तस्यापत्यं शात्त्यः । सौत्रामणीयाजी राजा आह, उक्तवान् । क्षत्त्रं किल वयममुष्मिन् लोके पतिर्भवितास्म इत्येतदुक्तवान् । केभ्यः स्वयं. दृष्टे अह किलशब्दौ अवधारणार्थौ । कुतः ? पुनः शक्यत एव श्रुतत्वात् । मनः क्षत्रियभवनमित्यत आह शश्वच्च बहुकृत्वः । अस्मै ऋषभो यज्ञतुरस्यापत्यम् ॥ ७–१२ ॥

रसेनाभिषिञ्चत्यथो परमम्वा ऽ एतदन्नाद्यं यद्रसा परमेणैवैनमेतदन्नाद्येनाभिषिञ्चति ॥ १२ ॥

शफग्रहा भवन्ति। शफैर्व्वै पशवः प्रतितिष्ठन्ति प्रतिष्ठामेवैनङ्गमयति त्रयस्त्रिँशद्ग्रहा भवन्ति त्रयस्त्रिँशद्वै सर्व्वा देवताः सर्व्वाभिरेवैनमेतद्देवताभिरभिषिञ्चति जगतीभिर्ज्जुहोति जागता वै पशवो जगत्यैवास्मै पशूनवरुन्द्धे षोडशभिर्ऋग्भिर्ज्जुहोति षोडशकला वै पशवोऽनुकलमेवास्मिञ्छ्रियन्दधाति ॥ १३ ॥

सीसेन तन्त्रम्मनसा मनीषिण ऽइति। द्वौ द्वौ समासँ हुत्वा सुते सँस्रवान्त्समवनयत्यहोरात्राण्येवैतदर्द्धमासान्मासानृतून्त्सम्वत्सरे प्रतिष्ठापयति तानीमान्यहोरात्राण्यर्द्धमासा मासा ऽ ऋतवः सम्वत्सरे प्रतिष्ठिताः ॥ १४ ॥

(०) व्वैतसः सुतो भवति। (त्य) अप्सुयोनिर्व्वै व्वेतसऽ आपो वै सर्व्वा देवताः सर्व्वाभिरेवैनमेतद्देवताभिरभिषिञ्चति ॥ १५ ॥

शफग्रहा भवंति। शफैर्वै पशवः प्रतितिष्ठंति। प्रतिष्ठामेवैनं गमयति। त्रयस्त्रिंशत् ग्रहा भवंति। त्रयस्त्रिंशद्वै सर्वा देवताः। सर्वाभिरेवैनमेतद्देवताभिरभिषिंचति। जगतीभिर्जुहोति। जागता वै पशवः। जगत्यैवास्मै पशूनवरुंधे। षोडशभिर्ऋग्भिर्जुहोति। षोडशकला वै पशवः। अनुकलमेवास्मिन् श्रियं दधाति ॥ १३ ॥

"सीसेन तंत्रं मनसा मनीषिणः"–(वा. सं. १९। ८०) इति द्वौ द्वौ समासं हुत्वा। सते संस्रवान् समवनयति। अहोरात्राण्येवैतदर्धमासान् मासान् ऋतून् संवत्सरे प्रतिष्ठापयति। तानीमान्यहोरात्राण्यर्द्धमासा मासा ऋतवः संवत्सरे प्रतिष्ठिताः ॥ १४ ॥

वैतसः सतो भवति। अप्सुयोनिर्वै वेतसः। आपो वै सर्वा देवताः। सर्वाभिरेवैनमेतद्देवताभिरभिषिंचति ॥ १५ ॥

शफैर्वसाग्रहा गृह्यंते। प्रत्यर्चं द्वौ द्वौ हुत्वा। तेच्छेषान्वैतसे सते पात्रे समवनीय। तैस्तैः संस्रवैः सः संहितो यजमानोऽभिषिच्यत इत्येतत् अतः परमुच्यते–त्रयस्त्रिंशद्ग्रहा इति। यः अभिषेकोत्तरकालं सस्तोत्रशस्त्रो वसाग्रहो गृह्यते स त्रयस्त्रिंशः ॥ १३ ॥

समस्य समस्य समासम्। अहोरात्राण्येवैतदर्धमासान्। अहोरात्राभ्यामहोरात्रं चतुर्विंशत्यर्द्धमासान्। तेषामेव द्वादशभिर्युगलैर्मासान्। षड्भिर्मासयुगलैः षड्ऋतूनित्यभिप्रायः ॥ १४ ॥ १५ ॥

सर्व्वसुरभ्युन्मर्द्दनम्भवति । परमो वा ऽएष गन्धो यत्सर्व्वसुरभ्युन्मर्द्दनङ्गन्धेनैवैनमेतदभिषिञ्चति ॥ १६ ॥

पुरस्तात्प्रत्यङ्ङभिषिञ्चति । पुरस्ताद्धि प्रत्यगन्नमद्यते शीर्षतः शीर्षतो ह्यन्नमद्यत ऽआ मुखादन्ववस्रावयति मुखेन ह्यन्नमद्यते सर्व्वतः परिक्रामथ्ँ सर्व्वाभ्य ऽ एवास्मिन्नेतद्दिग्भ्योऽन्नाद्यन्दधाति तस्मात्सौत्रामण्येजानस्य सर्व्वासु दिक्ष्वन्नाद्यमवरुद्धम्भवत्यथो य ऽ एवमेतद्वेद ॥ १७ ॥

(दा) आश्विनेन प्रथमेन यजुषाऽभिषिञ्चति । (त्य) अथ सारस्वतेनाथैन्द्रेणैताभिरेवैनमेतद्देवताभिरभिषिञ्चति तथ्ँ हैक ऽएताभिश्च देवताभिरभिषिञ्चन्ति भूर्भुवः स्वरित्येताभिरु च व्याहृतिभिरेता वै व्याहृतय ऽइदथ्ँ सर्व्वं तदेनमनेन सर्व्वेणाभिषिञ्चाम ऽइति न तथा कुर्य्यादेताभिरेवैनन्देवताभिरभिषिञ्चेदेता ऽउ ह्येव देवता ऽइदथ्ँ सर्व्वम् ॥ १८ ॥

सर्वसुरभ्युन्मर्द्दनं भवति । परमो वा एष गंधः । यत्सर्वसुरभ्युन्मर्द्दनम् । गंधेनैवैनमेतदभिषिंचति ॥ १६ ॥

पुरस्तात्प्रत्यङ्ङभिषिंचति । पुरस्ताद्धि प्रत्यगन्नमद्यते शीर्षतः । शीर्षतो ह्यन्नमद्यते । आ मुखादन्ववस्रावयति । मुखेन ह्यन्नमद्यते । सर्वतः परिक्रामम् । सर्वाभ्य एवास्मिन्नेतद्दिग्भ्योऽन्नाद्यं दधाति । तस्मात्सौत्रामण्येजानस्य सर्वासु दिक्ष्वन्नाद्यमवरुद्धं भवति । अथो य एवमेतद्वेद ॥ १७ ॥

आश्विनेन प्रथमेन यजुषाऽभिषिंचति । अथ सारस्वतेन । अथैन्द्रेण एताभिरेवैनमेतद्देवताभिरभिषिंचति । तं हैके—एताभिश्च देवताभिरभिषिंचन्ति । भूर्भुवः स्वरित्येताभिरु च व्याहृतिभिः । एता वै व्याहृतय इदं सर्वम् । तदेनमनेन सर्वेणाभिषिंचाम इति । न तथा कुर्यात् । एताभिरेवैनं देवताभिरभिषिंचेत् । एता उ ह्येव देवता इदं सर्वम् ॥ १८ ॥

सर्वसुरभि चंदनादि उन्मर्दनं उद्वर्तनं यजमानस्य भवति । तेनोन्मृदितसर्वगात्रोऽभिषेक्तव्य इत्यभिप्रायः ॥ १६ ॥

'पुरस्तात्प्रत्यङ्' । यजमानस्य पुरस्तात् । उदङ्मुखः सन्नध्वर्युः यजमानमभिषिंचति । तैः पुरस्ताद्धि अग्रतः अवस्थितमन्नं प्रत्यक् समीपमद्यते । अभिषेकस्यापि यज्ञे अन्नादनादित्यभिप्रायः । 'शीर्षतः' । शिरसि अभिषिंचति । शिरसा हि मुखेनान्नमद्यते ॥ १७ ॥

आश्विनेन "अश्विनोर्भैषज्येन" (वा. सं. २० । ३) इत्यनेन । अथ सारस्वतेन । "सरस्वत्यै भैषज्येन" (वा. सं. २० । ३) इति । ऐन्द्रेण । "इन्द्रस्येन्द्रियेण" (वा. सं. २० । ३) इति । एताभिरेवैनमेतद्देवताभिरिति । यत्तदश्विनोः सरस्वत्या भैषज्यम् । यच्च तदिन्द्रस्येन्द्रियम् । एताभ्यो देवताभ्यः अन्यत् व्यतिरिक्तमात्मा वै देवस्य देवतेत्यभिप्रायः । 'इदं सर्वं' त्रैलोक्यं (कोऽविवादनिप्रायस्य विविधयगामत्वादित्यभिप्रायः?) ॥ १८ ॥

(म्पु) पुरस्तात्स्विष्टकृतोऽभिषिञ्चति । क्षत्त्रम्वै स्विष्टकृत्क्षत्त्रेणैवैनमेतदभिषिञ्चत्यन्तरा व्वनस्पतिञ्च स्विष्टकृतञ्चाभिषिञ्चति सोमो वै व्वनस्पतिरग्निः स्विष्टकृदग्नीषोमाभ्यामेवैनमेतत्परिगृह्याभिषिञ्चति तस्माद्ये चैतद्विदुर्ये च न त ऽआहुः क्षत्रियो वाव क्षत्रियस्याभिषेक्तेति ॥ १९ ॥

(त्यु) अथैनञ्जानुमात्रे धारयन्ति । (न्त्यु) अथ नाभिमात्रेऽथ मुखमात्र ऽएष्वेवास्माऽएतल्लोकेष्वायतनानि कल्पयत्यभिषेको वा ऽएष यद्वाजपेयमभिषेकः सौत्रामणी तद्यथैवादो व्वाजपेये यूपꣳ रोहति तदेवैतद्रूपं क्रियते ॥ २० ॥ (अर्द्धः प्रपाठकः ॥ कं. ५६ ॥)

तदाहुः । प्रेव वा ऽ एषोऽस्माल्लोकाच्च्यवते यः सौत्रामण्याऽभिषिच्यत ऽइति कृष्णाजिने प्रत्यवरोहति यज्ञो वै कृष्णाजिनं यज्ञ ऽएवान्ततः प्रतितिष्ठति ॥ २१ ॥

प्रति क्षत्त्रे प्रतितिष्ठामि राष्ट्रऽइति क्षत्त्रऽएव राष्ट्रे प्रतितिष्ठति क्षत्त्राद्राष्ट्रादनभ्रꣳशाय प्रत्यश्वेषु प्रतितिष्ठामि गोष्वित्ति गोऽश्व ऽएव प्रतितिष्ठति गोऽश्वादनभ्रꣳशाय प्रत्यङ्गेषु प्रतितिष्ठाम्यात्मान्नि-

---

पुरस्तात् स्विष्टकृतोऽभिषिंचति । क्षत्त्रं वै स्विष्टकृत् । क्षत्त्रेणैवैनमेतदभिषिंचति । अंतरा वनस्पतिं च स्विष्टकृतं चाभिषिंचति। सोमो वै वनस्पतिः । अग्निः स्विष्टकृत् । अग्नीषोमाभ्यामेवैनमेतत्परिगृह्याभिषिंचति । तस्मात् ये चैतद्विदुः । ये च न । त आहुः । क्षत्रियो वाव क्षत्रियस्याभिषेक्तेति ॥ १९ ॥

अथैनं जानुमात्रे धारयंति । अथ नाभिमात्रे । अथ मुखमात्रे । एष्वेवास्मा एतल्लोकेष्वायतनानि कल्पयति । अभिषेको वा एषः । यत् वाजपेयम् । अभिषेकः सौत्रामणी । तद्यथैवादो वाजपेये यूपं रोहति । तदेवैतत् रूपं क्रियते ॥ २० ॥

तदाहुः-प्रेव वा एषोऽस्माल्लोकाच्च्यवते । यः सौत्रामण्याऽभिषिच्यत इति । कृष्णाजिने प्रत्यवरोहति । यज्ञो वै कृष्णाजिनम् । यज्ञ एवांततः प्रतितिष्ठति ॥ २१ ॥

"प्रति क्षत्त्रे प्रतितिष्ठामि राष्ट्रे"-इति । क्षत्त्र एव राष्ट्रे प्रतितिष्ठति । क्षत्त्रात् राष्ट्रादभ्रंशाय । " प्रत्यश्वेषु प्रतितिष्ठामि गोषु "-इति । गोऽश्व एव प्रतितिष्ठति । गोऽश्वादभ्रं-

---

' पुरस्तात्स्विष्टकृतः' । ' क्षत्त्रं वै स्विष्टकृत् ' । आयतनाद्योत्तरत उपेत्याद इति हि वीर्येण स्विष्टकृतो भागः कल्पित इति क्षत्त्रमित्युच्यते । क्षत्त्रियेण राज्ञा ह्यभिषिक्तो भवति । पूर्वो हि राजैव वृद्धः कुमारं चाभिषिंचतीत्यर्थः ॥ १९-२२ ॥

त्युङ्गेष्वेवात्मन्प्प्रतितिष्ठत्युङ्गेभ्यऽआत्मनोऽप्रभ्रꣳशाय प्प्रति प्प्राणेषु प्प्रतितिष्ठामि पुष्टऽइति प्प्राणेष्वेवु पुष्टे प्प्रतितिष्ठति प्प्राणेभ्यः पुष्टा-दुप्रभ्रꣳशाय प्प्रति द्यावापृथिव्योः प्प्रतितिष्ठामि यज्ञऽ इति तुद-नुयोर्द्यावापृथिव्योः प्प्रतितिष्ठति ययोरिदꣳ सुर्व्वमधि ॥ २२ ॥

(द्वत्रु) अुथ सुाम गायति । क्षत्त्रम्वै सुाम क्षत्त्रेणैवैनमेतदभिषिञ्चत्युथो सुाम्म्राज्यम्वै सुाम सुाम्म्राज्येनैवैनꣳ सुाम्म्राज्यङ्गमयति सुर्व्वेषा-म्वा ऽएष व्वेदानाꣳ रुसो यत्सुाम सुर्व्वेषामेुवैनमेतद्वेदानाꣳ रुसेना-भिषिञ्चति ॥ २३ ॥

बृहत्युाङ्गायति । बृहत्याम्वा ऽअसुावादित्युः श्श्रियाम्प्रतिष्ठायाम्प्रति-ष्ठितस्तपति बृहत्युामेुवैनमेतुच्छ्रियाम्प्रतिष्ठायां प्रतिष्ठापयति ॥ २४ ॥

शाय । "प्रत्यंगेषु प्रतितिष्ठाम्यात्मन्"–इति । अङ्गेष्वेवात्मन्प्रतितिष्ठति । अंगेभ्य आत्मनो-ऽप्रभ्रंशाय । " प्रति प्राणेषु प्रतितिष्ठामि पुष्टे "–इति । प्राणेष्वेव पुष्टे प्रतितिष्ठति । प्राणेभ्यः पुष्टादप्रभ्रंशाय । " प्रति द्यावापृथिव्योः प्रतितिष्ठामि यज्ञे "–(वा. सं. २० । १०) इति । तदनयोर्द्यावापृथिव्योः प्रतितिष्ठति । ययोरिदं सर्वमधि ॥ २२ ॥

अथ साम गायति । क्षत्त्रं वै साम । क्षत्त्रेणैवैनमेतदभिषिंचति । अथो साम्राज्यं वै साम । साम्राज्येनैवैनं साम्राज्यं गमयति । सर्वेषां वा एष वेदानां रसः । यत्साम । सर्वेषामेवैनमेतद् वेदानां रसेनाभिषिंचति ॥ २३ ॥

बृहत्यां गायति । बृहत्यां वा असावादित्यः श्रियां प्रतिष्ठायां प्रतिष्ठितस्तपति । बृहत्यामेवैन-मेतच्छ्रियां प्रतिष्ठायां प्रतिष्ठापयति ॥ २४ ॥

त्रयस्त्रिंशत् वसाग्रहा भवन्तीत्युक्तम् । तेषां त्रयस्त्रिंशत् ग्रहाः सुरग्रहीताः । " सीसेन तंत्रम् " (वा. सं. १९ । ८०–९०) इत्येताभिश्च षोडशभिर्ऋग्भिर्द्वौ द्वौ हुताः । तच्छेषेण च यजमानोऽभिषिक्तः । त्रयस्त्रिंशस्य तु " त्रया देवा एकादश " (वा. सं. २० । ११) इत्येष होममंत्रो वक्ष्यते । " लोमानि प्रयतिः " (वा. सं. २० । १३) इति भक्षमंत्रः । ततश्च लिंगक्रमाभ्यां सौत्रामणौ समाख्याभावाच्च " यो भूतानाम् " (वा. सं. २० । ३२) इत्ययमपि तस्यैव ग्रहणमंत्रः । ततश्च क्रमादिदमपि सामगानं च तस्यैव ग्रहस्येति गम्यते । क्षत्त्रं वै सामेति । " सुक्षत्त्रं तस्माद् ह एततः सर्वः कृत्स्नो मन्यते गायति चैव गीतेन रमते " इति वचनात् । अथो साम्राज्यं एकैश्वर्यरूपम । सम्राडेव हि कृत्स्नमात्मानं मन्यते । न तस्य परतंत्रं राज्यमित्य-भिप्रायः । सर्वेषां वेदानां रस इति प्रगीत इति प्रथमस्य प्रीत्यभिप्रायहेतुत्वात् । एतानि च संज्ञानाख्यानि चत्वारि सामानि भिन्ननिधनानि दर्शयिष्यते । ततश्च सामेत्येकवचनं ऋच एकत्वात् द्रष्टव्यम् ॥ २३ ॥

बृहत्यां गायति । बृहत्यां वा असावादित्य इति । द्वादश मासाश्चतुर्विंशतिरर्द्धमासा इति अस्या बृहत्या एवोपजीवित्वाच्छ्रीः । एषैव भूतानां प्रतिष्ठा ॥ २४ ॥

(त्यै) ऐन्द्र्याम्बृहत्याङ्गायति । (त्यै) ऐन्द्रो व्वाऽ एष यज्ञो यत्सौत्रामणीन्द्रायतनऽ एषऽ एतर्हि यो यजते स्वऽ एवैनमेतदायतनेऽभिषिञ्चति ॥ २५ ॥

(त्यु) अथ यस्मात्सꣳशानानि नाम । (मै) एतैर्व्वै सामभिर्द्देवाऽ इन्द्रमिन्द्रियाय व्वीर्य्याय समश्यंस्तथोऽ एवैतमृत्विजो यजमानमेतैरेव सामभिरिन्द्रियाय व्वीर्य्याय सꣳश्यन्ति सꣳश्रवसे व्विश्रवसे सत्यश्रवसे श्रवस ऽइति सामानि भवन्त्येष्वेवैनमेतल्लोकेषु श्रावयन्ति चतुर्न्निधनम्भवति चतस्रो वै दिशः सर्व्वास्वेवैनमेतद्दिक्षु प्प्रतिष्ठापयन्ति सर्व्वं निधनमुपावयन्ति सम्विदाना ऽएवास्मिꣳश्रियन्दधाति ॥ २६ ॥

तदाहुः । (र्व्वु) यदेतत्साम गीयतेऽथ क्वैतस्य साम्न ऽउक्थङ्का प्प्रतिष्ठा व्यृद्धꣳ हि तद्यत्स्तुतमननुशस्तमिति ॥ २७ ॥

त्रया देवाऽ एकादशेति । (त्ये) एतद्वा ऽएतस्य साम्नऽउक्थमेषा प्प्रतिष्ठा ॥ २८ ॥

ऐंद्र्यां बृहत्यां गायति । ऐंद्रो वा एष यज्ञः । यत्सौत्रामणी । इंद्रायतन एष एतर्हि । यो यजते । स्व एवैनमेतदायतनेऽभिषिंचति ॥ २५ ॥

अथ यस्मात् संशानानि नाम । एतैर्वै सामभिर्देवा इंद्रमिंद्रियाय वीर्याय समश्यन् । तथो एवैतमृत्विजो यजमानमेतैरेव सामभिरिंद्रियाय वीर्याय संश्यंति । संश्रवसे विश्रवसे सत्यश्रवसे श्रवस इति सामानि भवंति । एष्वेवैनमेतल्लोकेषु श्रावयंति । चतुर्निधनं भवति । चतस्रो वै दिशः । सर्वास्वेवैनमेतद्दिक्षु प्रतिष्ठापयंति । सर्वं निधनमुपावयंति । संविदाना एवास्मिन् श्रियं दधाति ॥ २६ ॥

तदाहुः—यदेतत् साम गीयते । अथ क्वैतस्य साम्न उक्थम् । का प्रतिष्ठा । व्यृद्धं हि तत् । यत् स्तुतम् अननुशस्तम् इति ॥ २७ ॥

त्रया देवा एकादशेति । एतद्वा एतस्य साम्न उक्थम् । एषा प्रतिष्ठा ॥ २८ ॥

'ऐन्द्र्यां बृहत्याम्' । "बृहदिंद्राय गायत" (वा. सं. २० । ३० ।) इत्येतस्याम् ॥ २५ ॥

अथ यस्मात् एतैः सामभिः इन्द्रं संशितवन्त इति संशानानि । संश्रवसे विश्रवसे सत्यश्रवसे श्रवसे इत्यभिप्रायः ॥ २६ ॥ २७ ॥

त्रया देवाः । "अश्विना तेजसा" (वा. सं. २० । ८०–९०) इत्यनुवाकं शंसति । वचनांतरात्तु । "त्रया देवा एकादश" इत्येषा निविद्विर्वचनांतरादेतमारभते । तां प्रकृत्याह—एतद्वा एतस्य साम्नः उक्थं शस्त्रम् । एषा च प्रतिष्ठेति ॥ २८ ॥

(ष्ट्वाऽथो) अथो त्रया देवाऽएकादशेति । त्रयस्त्रिꣳशङ्ग्रहञ्जुहोति त्रया हि देवाऽएकादश त्रयस्त्रिꣳशाः सुराधसऽइति त्रयस्त्रिꣳशद्धि देवा बृहस्पतिपुरोहिताऽ इति ब्रह्म वै बृहस्पतिर्ब्रह्मपुरोहिताऽइत्येवैतदाह देवस्य सवितुः सवऽ इति देवेन सवित्रा प्रसूता ऽइत्येवैतदाह देवा देवैरवन्तु मेति देवा ह्येतन्देवैरभिषिञ्चन्ति ॥ २९ ॥

प्रथमा द्वितीयैरिति । प्रथमा ह्येतन्द्वितीयैरभिषिञ्चन्ति द्वितीयास्तृतीयैरिति द्वितीया ह्येतन्तृतीयैरभिषिञ्चन्ति तृतीयाः सत्येनेति तृतीया ह्येतꣳ सत्येनाभिषिञ्चन्ति सत्यं यज्ञेनेति सत्यꣳ ह्येतं यज्ञेनाभिषिञ्चति यज्ञो यजुर्भिरिति यज्ञो ह्येतं यजुर्भिरभिषिञ्चति यजूꣳषि सामभिरिति यजूꣳषि ह्येतꣳ सामभिरभिषिञ्चन्ति सामान्यृग्भिरिति सामानि ह्येतमृग्भिरभिषिञ्चन्त्यृचः पुरोऽनुवाक्याभिरित्यृचो ह्येतम्पुरोऽनुवाक्याभिरभिषिञ्चन्ति पुरोऽनुवाक्या याज्याभिरिति पुरोऽनुवाक्या ह्येतं याज्याभिरभिषिञ्चन्ति याज्या व्वषट्कारैरिति याज्या ह्येतम्वषट्कारैरभिषिञ्चन्ति व्वषट्काराऽ आहुतिभिरिति व्वषट्कारा ह्येतमाहुतिभिरभिषिञ्चन्त्याहुतयो मे कामान्त्समर्द्धयन्तु भूः स्वाहेति तदेनमेताभि-

---

अथो " त्रया देवा एकादश "-इति त्रयस्त्रिंशं ग्रहं जुहोति । त्रया हि देवा एकादश । " त्रयस्त्रिंशाः सुराधसः "-इति । त्रयस्त्रिंशद्धि देवाः । " बृहस्पतिपुरोहिताः "-इति । ब्रह्म वै बृहस्पतिः । ब्रह्मपुरोहिताः इत्येवैतदाह । " देवस्य सवितुः सवे "-इति । देवेन सवित्रा प्रसूता इत्येवैतदाह । " देवा देवैरवंतु मा "-(वा० सं० २० । ११) इति । देवा ह्येतं देवैरभिषिंचन्ति ॥ २९ ॥

" प्रथमा द्वितीयैः "-इति । प्रथमा ह्येतं द्वितीयैरभिषिंचन्ति । " द्वितीयास्तृतीयैः "-इति । द्वितीया ह्येतं तृतीयैरभिषिंचन्ति । " तृतीयाः सत्येन "-इति । तृतीया ह्येतं सत्येनाभिषिंचन्ति । " सत्यं यज्ञेन "-इति । सत्यं ह्येतं यज्ञेनाभिषिंचति । " यज्ञो यजुर्भिः "-इति । यज्ञो ह्येतं यजुर्भिरभिषिंचति । " यजूंषि सामभिः "-इति । यजूंषि ह्येतं सामभिरभिषिंचन्ति । " सामानि ऋग्भिः "-इति । सामानि ह्येतमृग्भिरभिषिञ्चन्ति । " ऋचः पुरोऽनुवाक्याभिः "-इति । ऋचो ह्येतं पुरोऽनुवाक्याभिरभिषिंचन्ति । " पुरोऽनु-

---

अथो त्रया देवाः । त्रया हि ते देवा एकादश त्रिभागाः । एकादश त्रयस्त्रिंशदित्यर्थः । देवा हि एतं देवाः अप्सु आहितवीर्यैः अभिषिंचन्ति ॥ २९ ॥

प्रथमा द्वितीयैरिति । परोऽवरं परावरया आद्यया परया चेत्येवं परोऽवरम् । अभिषिच्य । अथर्त्विक्षु

देवताभिः परोऽवरमभिषिच्याथास्माऽ आहुतिभिः सर्व्वान्कामान्त्सु-मर्द्धयन्त्यथर्त्विक्षूपहवमिष्ट्वा भक्षयत्यृतवो वाऽ ऋत्विज ऽऋतुष्वेवै-तदुपहवमिच्छते ॥ ३० ॥

स भक्षयति लोमानि । प्प्रयतिर्म्मम त्वङ्मऽ आनतिरागतिः । माꣳसं म्म ऽउपनतिर्व्वस्वस्थि मज्जा मऽआनतिरिति प्प्रेव वा ऽएष लोकांश्च देवताश्च व्विशति यः सौत्रामण्याऽभिषिच्यते तदेतदवान्तरामात्मान-मुपह्वयते तथा कृत्स्न ऽएव सर्व्वतनूः साङ्गः सम्भवति ॥ ३१ ॥

इति चतुर्थप्रपाठके द्वितीयं ब्राह्मणम् ॥ १२-४-२ ॥ (८. ३.) ॥

इत्यष्टमोऽध्यायः समाप्तः ॥१२।८॥ कण्डिकासंख्या ॥ ८९ ॥

वाक्या याज्याभिः "-इति । पुरोऽनुवाक्या ह्येतं याज्याभिरभिषिंचन्ति । "याज्या वषट्-कारैः "-इति । याज्या ह्येतं वषट्कारैरभिषिंचन्ति । " वषट्कारा आहुतिभिः "-इति । वषट्कारा ह्येतमाहुतिभिरभिषिंचन्ति । "आहुतयो मे कामान् समर्द्धयन्तु भूः स्वाहा "-(वा० सं० २० । १२) इति । तदेनमेताभिर्देवताभिः परोऽवरमभिषिच्य, अथास्मा आहुतिभिः सर्वान् कामान् समर्द्धयन्ति । अथर्त्विक्षूपहवमिष्ट्वा भक्षयति । ऋतवो वा ऋत्विजः । ऋतुष्वे-वैतदुपहवमिच्छते ॥ ३० ॥

स भक्षयति । " लोमानि प्रयतिर्मम त्वङ्म आनतिरागतिः । मांसं म उपनति-र्वस्वस्थि मज्जा म आनतिः "- । (वा० सं० २० । १३) इति प्रेव वा एष लोकांश्च देवताश्च विशति । यः सौत्रामण्याऽभिषिच्यते । तदेतदवांतरामात्मानमुपह्वयते । तथा कृत्स्न एव सर्वतनूः सांगः संभवति ॥ ३१ ॥

ऋत्विक्षु विषयभूतेषु उपहवमिष्ट्वा " ब्रह्मन्नुपह्वयस्व " " होतरुपह्वयस्व " इत्येवमिष्ट्वा प्रार्थयित्वा भक्ष-यति यजमानः ॥ ३० ॥

'स भक्षयति' । यः सौत्रामण्या अभिषिच्यते । स लोकान् देवताश्च प्रविशति विशति । (तास्वउपवेशा ?) इत्यागे त्वपहगत इति संप्रदानविशेषेण सौत्रामण्या यागेनादः पुरुषस्यागं संस्कृतमन्यूनं संभवति ॥ ३१ ॥

इति श्रीमदाचार्यहरिस्वामिनः कृतौ माध्यन्दिनीयशतपथब्राह्मणभाष्ये द्वादशकाण्डे अष्टमेऽध्याये तृतीयं ब्राह्मणम् ॥ १२ । ८ । ३ ॥

नागस्वामिसुतोऽवन्त्यां पाराशर्यो वसन्हरिः । श्रुत्यर्थं दर्शयामास शक्तितः पौष्करीयकः ॥ १ ॥

श्रीमतोऽवन्तिनाथस्य विक्रमार्कस्य भूपतेः । धर्माध्यक्षो हरिस्वामी व्याख्यच्छातपथीं श्रुतिम् ॥ २ ॥

भूमर्त्रा विक्रमार्केण क्लृप्तां कनकवेदिकाम् । दानायाध्यस्य कृतवान् श्रुत्यर्थविवृतिं हरिः ॥ ३ ॥

इति श्रीसर्वविद्यानिधानकवीन्द्राचार्यसरस्वतीनां श्रीहरिस्वामिनां कृतौ माध्यन्दिनीयशत-पथब्राह्मणभाष्ये द्वादशकाण्डेऽष्टमोऽध्यायः समाप्तः ॥ १२-८ ॥

अथ नवमेऽध्याये प्रथमं ब्राह्मणम् ।

चतुर्थप्रपाठके च तृतीयं ब्राह्मणम् ।

एतस्माद्वै यज्ञात्पुरुषो जायते । स यद्ध वाऽअस्मिँल्लोके पुरुषोऽन्नमत्ति तदेनममुष्मिँल्लोके प्रत्यत्ति स वाऽ एष परिस्रुतो यज्ञस्तायते ऽन्नाद्या वै ब्राह्मणेन परिस्रुत्स ऽएतस्मादन्नाद्याज्जायते तँ᳖ हामुष्मिँल्लोकेऽन्नं न प्रत्यत्ति तस्मादेष ब्राह्मणयज्ञ ऽएव यत्सौत्रामणी ॥ १ ॥

तस्य लोमान्येव शष्पाणि त्वक्तोक्मानि माँ᳖सं लाजाऽअस्थि कारोतरो मज्जा मासरँ᳖ रसः परिस्रुन्नग्नहुल्लोहितँ᳖ रेतः पयो मूत्रँ᳖ सुरोवध्यं बल्कसम् ॥ २ ॥

अथ सौत्रामणीयज्ञात्पुरुषोत्पत्तिः ।

एतस्मात् वै यज्ञात् पुरुषो जायते । स यत् ह वा अस्मिन् लोके पुरुषोऽन्नमत्ति । तदेनममुष्मिन् लोके प्रत्यत्ति । स वा एष परिस्रुतो यज्ञस्तायते । अन्नाद्या वै ब्राह्मणेन परिस्रुत् । स एतस्मादन्नाद्यात् जायते । तं हामुष्मिन्लोकेऽन्नं न प्रत्यत्ति । तस्मादेष ब्राह्मणयज्ञ एव । यत्सौत्रामणी ॥ १ ॥

तस्य लोमान्येव शष्पाणि । त्वक् तोक्मानि । मांसं लाजाः । अस्थि कारोतरः । मज्जा मासरम् । रसः परिस्रुत् । नग्नहुर्लोहितम् । रेतः पयः । मूत्रं सुरा । ऊवध्यं बल्कसम् ॥ २ ॥

'एतस्माद्वा' । प्रकृतात्सौत्रामणीयज्ञात् पुरुषो यजमानो जायत इत्युपन्यासः । स वा एष परिस्रुतो यज्ञस्तायते । स[1] वा एष ब्राह्मणस्यैव क्रतुर्यज्ञो यत्सौत्रामणीति कर्तुर्नियमः "दुष्टरीतुर्ह पौंसायनो दशपुरुषं राज्यादपरुद्ध आस स हि एतेन यजेत" (श. प. १२।९।३।१) इत्यनेन वक्ष्यमाणेन इतिहासेन अपरुद्धस्य राज्ञोऽयं भविष्यति । सोमयाजिनां त्रयाणामपि वर्णानां भविष्यति । ब्राह्मणस्य नियमेन । काम्यं तु योगानुबंधात् । निधनं[2]विशेषस्य प्रयोगेऽपि दर्शनात् ॥ १ ॥

तस्य[3] लोमान्येव शष्पाणि । आत्मकलासु यज्ञकलान्यासः । कारोतरः सच्छिद्रं पात्रम् । परिस्रुतः सुरायाः

१-ब्राह्मणयज्ञः सौत्रामण्यृद्धिकामस्य । (ऋद्धिकामस्येति शाखांतरादिति कर्कः । साऽपि ऋद्धिकामस्य ब्राह्मणस्यैव । नेतरयोर्वर्णयोरिति च कर्कः ।) का. श्रौ. सू. १९।१।

२-निधनविशेषस्तु संजित्यै, विजित्यै, सत्यजित्यै, जित्यै, इति क्षत्रियस्य । नपृष्ठ्यै, विपृष्ठ्यै, [illegible], पृष्ठ्यै इति वैश्यस्येति, अयं निधनविशेषः [illegible] । इति । का. श्रौ. सू. १९।११३।

३-अत्र "सीसेन तन्त्रम्" इत्यादि "सोम इन्दुः" इत्यन्तोऽनुवाको (वा. सं. १९। ८०-९५) ध्येयः ।

(३) हृदयमेवास्यैन्द्रः पुरोडाशः । (शो) यकृत्सावित्रः क्लोमा व्वारुणो मतस्नेऽएवास्याश्वत्थश्च पात्रमौदुम्बरश्च पित्तन्नैय्यग्ग्रोधमान्त्राणि स्थाल्यो गुदाऽउपशयानि श्येनपत्रे प्लीहाऽऽसन्दी नाभिः कुम्भो व्वनिष्ठुः प्लाशिः शतातृण्णा तद्यत्सा बहुधा व्वितृण्णा भवति तस्मात्प्लाशिर्बहुधा व्विकृतो मुखᳯं सतं जिह्वा पवित्रञ्चप्यम्पायुर्बस्तिर्व्वालः ॥ ३ ॥

(लोऽङ्गा) अङ्गान्येवास्याश्विनः पशुः । (रा) आत्मा सारस्वतो रूपमैन्द्र ऽऋषभस्तस्मादाहुग्ग्रीवः पुरुषस्य रूपमित्यायुर्हिरण्यन्तच्छतमानम्भवति तस्माच्छतायुः पुरुषः ॥ ४ ॥

(श्च) चक्षुषीऽ एवास्याश्विनौ ग्ग्रहौ । पक्ष्माणि गोधूमसक्तवश्च कुवलसक्तवश्च नासिकेऽ एवास्य सारस्वतौ ग्ग्रहावथ यानि नासिकयोर्ल्लोमानि तान्युपवाकसक्तवश्च बदरसक्तवश्च श्रोत्रेऽ एवास्यैन्द्रौ ग्ग्रहावथ यानि कर्णयोर्ल्लोमानि यानि च भ्रुवोस्तानि यवसक्तवश्च कर्कन्धुसक्तवश्च ॥५॥

हृदयमेवास्यैन्द्रः पुरोडाशः । यकृत् सावित्रः । क्लोमा वारुणः । मतस्ने एवास्याश्वत्थं च पात्रमौदुम्बरं च । पित्तं नैयग्रोधम् । आंत्राणि स्थाल्यः । गुदा उपशयानि । श्येनपत्रे प्लीहा । आसन्दी नाभिः । कुंभो वनिष्ठुः । प्लाशिः शतातृण्णा । तद्यत् सा बहुधा वितृण्णा भवति । तस्मात् प्लाशिर्बहुधा विकृता उ । मुखं सतम् । जिह्वा पवित्रम् । चप्पं पायुः । बस्तिर्वालः ॥ ३ ॥

अंगान्येवास्याश्विनः पशुः । आत्मा सारस्वतः । रूपमैन्द्र ऋषभः । तस्मादाहुर्गीवः पुरुषस्य रूपमिति । आयुर्हिरण्यम् । तत् शतमानं भवति । तस्मात् शतायुः पुरुषः ॥ ४ ॥

चक्षुषी एवास्याश्विनौ ग्रहौ । पक्ष्माणि गोधूमसक्तवश्च कुवलसक्तवश्च । नासिके एवास्य सारस्वतौ ग्रहौ । अथ यानि नासिकयोर्लोमानि तान्युपवाकसक्तवश्च बदरसक्तवश्च । श्रोत्रे एवास्यैन्द्रौ ग्रहौ । अथ यानि कर्णयोर्लोमानि । यानि च भ्रुवोः । तानि यवसक्तवश्च कर्कन्धुसक्तवश्च ॥ ५ ॥

पात्रमेकम् । व्रीहिश्यामाकौदनयोः पृथगाचामौ निषिच्य चूर्णैः संसृज्य निदधाति तन्मासरम् । यस्तु श्लेष्मणो रसः । स परिस्रुत् । ऊवध्यं भक्षितमपरिणतमामाशयस्थमन्नम् । हृदयं सुषिरावंसमीपम् । यकृत् कालेयम् । क्लोमा लोहितावारः । मतस्ने वृक्कौ वर्तुलौ । पित्तं नैयग्रोधं पात्रम् । प्लाशिः प्राकारके उपस्थादिकम् । शतातृण्णा च । तस्यां छिद्रक सुष्यावनम् ॥ २–४ ॥

पक्ष्माणि अक्षिलोमानि ॥ ९–१० ॥

(अथ) अथ यान्युपस्थे लोमानि । यानि चाधस्तात्तानि वृकलोमान्यथ यान्युरसि लोमानि यानि च निकक्षयोस्तानि व्याघ्रलोमानि केशाश्च श्मश्रूणि च सिᳬंहलोमानि ॥ ६ ॥

त्रयः पशवो भवन्ति । त्रेधाविहितो वाऽअयम्पुरुषस्यात्माऽऽत्मानमेवास्य तैः स्पृणोति यदवाङ्नाभेस्तदाश्विनेन यदूर्ध्वन्नाभेरवाचीनᳬं शीर्ष्णस्तत्सारस्वतेन शिर ऽऐन्द्रेण यथारूपमेव यथादेवतमात्मानम्मृत्योः स्पृत्वाऽमृतङ्कुरुते ॥ ७ ॥

त्रयः पुरोडाशा भवन्ति । त्रेधाविहितम्वाऽइदम्पुरुषस्य वयो वयऽएवास्य तैः स्पृणोति पूर्ववयसमैन्द्रेण मध्यमवयसᳬं सावित्रेणोत्तमवयसम्वारुणेन यथारूपमेव यथादेवतम्वयो मृत्योः स्पृत्वाऽमृतङ्कुरुते ॥ ८

षड्ग्रहा भवन्ति । षड्वाऽइमे शीर्षन्प्राणाः प्राणानेवास्य तैः स्पृणोति चक्षुषी ऽएवाश्विनाभ्यान्नासिके सारस्वताभ्याᳬं श्रोत्रे ऽऐन्द्राभ्यां यथारूपमेव यथादेवतं प्राणान्मृत्योः स्पृत्वाऽमृतान्कुरुते ॥ ९ ॥

सन्तता याज्यापुरोऽनुवाक्या भवन्ति । समानदेवत्याः प्राणानाᳬं सन्तत्याऽअव्यवच्छेदाय सर्व्वाः पुरोऽनुवाक्या भवन्ति सर्व्वा याज्यास्तस्मात्प्राणाः सर्व्वे पराञ्चः सर्व्वे प्रत्यञ्चः सर्व्वाः प्रथमा भवन्ति

अथ यान्युपस्थे लोमानि । यानि चाधस्तात् । तानि वृकलोमानि । अथ यान्युरसि लोमानि । यानि च निकक्षयोः । तानि व्याघ्रलोमानि । केशाश्च श्मश्रूणि च सिंहलोमानि ॥ ६ ॥

त्रयः पशवो भवन्ति । त्रेधाविहितो वा अयं पुरुषस्यात्मा । आत्मानमेवास्य तैः स्पृणोति । यदवाङ् नाभेः । तदाश्विनेन । यदूर्ध्वं नाभेः । अवाचीनं शीर्ष्णः । तत्सारस्वतेन । शिर ऐन्द्रेण । यथारूपमेव यथादेवतमात्मानं मृत्योः स्पृत्वा, अमृतं कुरुते ॥ ७ ॥

त्रयः पुरोडाशा भवन्ति । त्रेधाविहितं वा इदं पुरुषस्य वयः । वय एवास्य तैः स्पृणोति । पूर्ववयसमैन्द्रेण । मध्यमवयसं सावित्रेण । उत्तमवयसं वारुणेन । यथारूपमेव यथादेवतं वयो मृत्योः स्पृत्वा, अमृतं कुरुते ॥ ८ ॥

षड् ग्रहा भवंति । षड् वा इमे शीर्षन्प्राणाः । प्राणानेवास्य तैः स्पृणोति । चक्षुषी एवाश्विनाभ्याम् । नासिके सारस्वताभ्याम् । श्रोत्रे ऐन्द्राभ्याम् । यथारूपमेव यथादेवतं प्राणान् मृत्योः स्पृत्वा, अमृतान् कुरुते ॥ ९ ॥

संतता याज्यापुरोऽनुवाक्या भवंति । समानदेवत्याः । प्राणानां संतत्या अव्यवच्छेदाय । सर्वाः पुरोऽनुवाक्या भवंति । सर्वा याज्याः । तस्मात् प्राणाः सर्वे परांचः सर्वे प्रत्यंचः । सर्वाः

सर्व्वा मध्यमाः सर्व्वाऽउत्तमास्तस्मात्प्राणाः सर्व्वे प्रथमाः सर्व्वे
मध्यमाः सर्व्वे ऽउत्तमाः सर्व्वेषाङ्ग्रहाणान्द्वे याज्यापुरोऽनुवाक्ये भवतः
प्राणोदानयोस्तद्रूपम्प्राणोदानावेवावरुन्द्धे तस्मात्सर्व्वे प्राणाः प्राणो-
दानयोरेव प्रतिष्ठिताः ॥ १० ॥

स वाऽएषऽआत्मैव यत्सौत्रामणी । मनऽएव प्रत्यक्षाद्वाग्यजमान-
स्तस्यात्मैव व्वेदिः प्रजोत्तरवेदिः पशवो बर्हिरङ्गान्यृत्विजोऽस्थीनीध्म
ऽआज्यम्मज्जा मुखमग्निरन्नमाहुतिर्व्वयः सँस्था तस्मात्सौत्रामण्ये-
जानो व्वयऽउपगच्छति ॥ ११ ॥

तयौ ह वाऽइमौ पुरुषाविवाक्ष्योः । (२) एतावेवाश्विनावथ यत्कृष्णं
तत्सारस्वतं यच्छुक्लन्तदैन्द्रन्तद्यदाश्विने पशौ सत्यथैता देवताः सह
यजत्येतान्येवैतत्सार्द्धङ्कृत्वाऽऽत्मन्धत्ते ॥ १२ ॥

मनऽएवेन्द्रः । (न्द्रो) व्वाक्सरस्वती श्रोत्रेऽअश्विनौ यद्वै मनसा
ध्यायति तद्वाचा व्वदति यद्वाचा व्वदति तत्कर्णाभ्याँ शृणोति

थमा भवंति । सर्वा मध्यमाः । सर्वा उत्तमाः । तस्मात् प्राणाः सर्वे प्रथमाः । सर्वे मध्यमाः । र्वे उत्तमाः । सर्वेषां ग्रहाणां द्वे याज्यापुरोऽनुवाक्ये भवतः । प्राणोदानयोस्तद्रूपम् । प्राणोदाना-वेवावरुंधे । तस्मात् सर्वे प्राणाः प्राणोदानयोरेव प्रतिष्ठिताः ॥ १० ॥

स वा एष आत्मैव । यत्सौत्रामणी । मन एव प्रत्यक्षात् । वाक् यजमानः । तस्यात्मैव वेदिः । प्रजोत्तरवेदिः । पशवो बर्हिः । अंगानि ऋत्विजः । अस्थीनीध्मः । आज्यं मज्जा । मुखमग्निः । अन्नमाहुतिः । वयः संस्था । तस्मात् सौत्रामण्येजानो वय उपगच्छति ॥ ११ ॥

तयौ ह वा इमौ पुरुषाविवाक्ष्योः । एतावेवाश्विनौ । अथ यत् कृष्णम् । तत्सारस्वतम् । यच्छु-क्लम् । तदैन्द्रम् । तद्यदाश्विने पशौ सति, अथैता देवताः सह यजति । एतान्येवैतत् सार्द्धं कृत्वाऽऽत्मन् धत्ते ॥ १२ ॥

मन एवेन्द्रः । वाक् सरस्वती । श्रोत्रे अश्विनौ । यद् वै मनसा ध्यायति । तद्वाचा वदति ।

स वा एष आत्मैव यत्सौत्रामणी । निदर्शनांतरोपन्यासः । मन एव प्रत्यक्षाद्वाग्यजमानः स हि यज्ञे वागा-त्मापि मनोभिगंतृ इत्याभिप्रायः । वाक्पतिरिति शेषाल्लभ्यत इति न पठितम् । सा हि स्त्री । वाक्कारि-णीति । तस्यात्मैव शरीरं वेदिः । वयः स्थाविरं संस्था ॥ ११ ॥

तयौ ह वा इमाविति । पशुदेवतानां संसृष्टानां संसृष्टान्येव आध्यात्मिकानि त्रीणि रूपाणि ॥ १२–१४ ॥

तद्यत्सारस्वते पशौ सत्यथैता देवताः सह यजत्येतान्येवैतत्सार्द्धं-ङ्कृत्वाऽऽत्मन्धत्ते ॥ १३ ॥

प्राणऽ एवेन्द्रः। (न्द्रो) जिह्वा सरस्वती नासिकेऽअश्विनौ यद्वै प्राणेनान्नमात्मन्प्रणयते तत्प्राणस्य प्राणत्वं जिह्वया वाऽअन्नस्य रसम्विजानाति नासिके ऽउ वै प्राणस्य पन्थास्तद्यदैन्द्रे पशौ सत्यथैता देवताः सह यजत्येतान्येवैतत्सार्द्धङ्कृत्वाऽऽत्मन्धत्ते ॥ १४ ॥

हृदयमेवेन्द्रः। (न्द्रो) यकृत्सविता क्लोमा वरुणस्तद्यदैन्द्रे पुरोडाशे सत्यथैता देवताः सह यजत्येतान्येवैतत्सार्द्धङ्कृत्वाऽऽत्मन्धत्ते ॥ १५ ॥

प्राणऽ एव सविता। व्यानो वरुणः शिश्नमिन्द्रो यद्वै प्राणेनान्नमत्ति तद्व्यानेन व्यनिति शिश्नेन वाऽ अन्नस्य रसꣳ रेतः सिञ्चति तद्यत्सा-वित्रे पुरोडाशे सत्यथैता देवताः सह यजत्येतान्येवैतत्सार्द्धङ्कृत्वा-ऽऽत्मन्धत्ते ॥ १६ ॥

योनिरेव वरुणः। (णो) रेतऽ इन्द्रः सवितैव रेतसः प्रजनयिता तद्य-द्वारुणे पुरोडाशे सत्यथैता देवताः सह यजत्येतान्येवैतत्सार्द्धङ्कृत्वा-ऽऽत्मन्धत्ते स य ऽएवमेतद्वेदैताऽएव देवताऽअनुसम्भवत्येता देवताऽ-

---

यद्वाचा वदति। तत् कर्णाभ्यां शृणोति। तद् यत् सारस्वते पशौ सति, अथैता देवताः सह यजति। एतान्येवैतत् सार्धं कृत्वाऽऽत्मन् धत्ते ॥ १३ ॥

प्राण एवेन्द्रः। जिह्वा सरस्वती। नासिके अश्विनौ। यद्वै प्राणेनान्नमात्मन् प्रणयते। तत् प्राणस्य प्राणत्वम्। जिह्वया वा अन्नस्य रसं विजानाति। नासिके उ वै प्राणस्य पंथाः। तद्यदैन्द्रे पशौ सति, अथैता देवताः सह यजति। एतान्येवैतत्सार्द्धं कृत्वाऽऽत्मन् धत्ते ॥ १४ ॥

हृदयमेवेन्द्रः। यकृत् सविता। क्लोमा वरुणः। तद्यदैन्द्रे पुरोडाशे सति, अथैता देवताः सह यजति। एतान्येवैतत्सार्द्धं कृत्वाऽऽत्मन् धत्ते ॥ १५ ॥

प्राण एव सविता। व्यानो वरुणः। शिश्नमिन्द्रः। यत् वै प्राणेनान्नमत्ति। तत् व्यानेन व्यनिति। शिश्नेन वा अन्नस्य रसं रेतः सिंचति। तद्यत् सावित्रे पुरोडाशे सति, अथैता देवताः सह यजति। एतान्येवैतत् सार्द्धं कृत्वाऽऽत्मन् धत्ते ॥ १६ ॥

योनिरेव वरुणः। रेत इन्द्रः। सवितैव रेतसः प्रजनयिता। तद्यत् वारुणे पुरोडाशे सति, अथैता देवताः सह यजति। एतान्येवैतत् सार्द्धं कृत्वाऽऽत्मन् धत्ते। स य एवमेतत् वेद। एता

हृदयमेवेन्द्र इति। पुरोडाशदेवतानाम् ॥ १५–१७ ॥

अनुप्प्रजायत ऽआ प्प्रजया पशुभिः प्प्यायते प्प्रत्यस्मिँल्लोके तिष्ठत्यभि स्वर्गँ लोकञ्जयति यऽएवं विद्वान्त्सौत्रामण्या यजते यो वैतदेवं व्वेद ॥ १७ ॥

इति चतुर्थप्रपाठके तृतीयं ब्राह्मणम् ॥ १२ । ४ । ३ ॥ (९-१)

अवभृथमिष्ट्वा यन्ति । (न्त्य) अवभृथम्वै सोमेनेष्ट्वा यन्ति सोमऽ एष यत्सौत्रामणी ॥ १ ॥

यद्देवा देवहेडनमिति । देवकृतादेवैनमेनसो मुञ्चति यदि दिवा यदि नक्तमिति यदेवाहोरात्राभ्यामेनः करोति तस्मादेवैनम्मुञ्चति यदि जाग्रद्यदि स्वप्नऽ इति मनुष्या वै जागरितम्पितरः सुप्तम्मनुष्यकिल्बिषाच्चैवैनम्पितृकिल्बिषाच्च मुञ्चति ॥ २ ॥

एव देवता अनुसंभवति । एता देवता अनुप्रजायते । आ प्रजया पशुभिः प्यायते । प्रत्यस्मिन् लोके तिष्ठति । अभि स्वर्गं लोकं जयति । य एवं विद्वान् सौत्रामण्या यजते । यो वैतदेवं वेद ॥ १७ ॥

अथ सौत्रामण्यामवभृथः ।

अवभृथमिष्ट्वा यन्ति । अवभृथं वै सोमेनेष्ट्वा यन्ति । सोम एषः । यत्सौत्रामणी ॥ १ ॥

" यद्देवा देवहेडनम् "-(वा. सं. २० । १४) इति । देवकृतादेवैनमेनसो मुंचति । " यदि दिवा यदि नक्तम् "-(वा. सं. २० । १५) इति । यदेवाहोरात्राभ्यामेनः करोति । तस्मादेवैनं मुंचति । " यदि जाग्रत यदि स्वप्ने "-(वा. सं. २० । १६) इति । मनुष्या वै जागरितम् । पितरः सुप्तम् । मनुष्यकिल्बिषाच्चैवैनं पितृकिल्बिषाच्च मुंचति ॥ २ ॥

इति श्रीमदाचार्यहरिस्वामिनः कृतौ माध्यन्दिनीयशतपथब्राह्मणभाष्ये द्वादशकांडे नवमेऽध्याये प्रथमं ब्राह्मणम् ॥ १२ ॥ ९ ॥ १ ॥

अवभृथमिष्ट्वा यन्ति । त्रिपशूनिष्ट्वा अवभृथयागं कर्तुं यन्तीत्यवभृथविधिः ॥ १ ॥

यद्देवा देवहेडनमिति । इत्येतैर्मंत्रैः मासरकुंभं प्लावयति इति शाखांतरात् ॥ २ ॥

१-स्विष्टकृत्प्रभृत्याबर्हिर्होमात्कृत्वा परिस्रुत् क्षीरलिप्तान्यादायावभृथवद्गमनम् । (शूलावभृथेन व्यवधानादवभृथवद्गमनमिति वचनम् ।) आशूलाभिमन्त्रणात् कृत्वोदकाधिष्ठानप्रभृत्यावभृथेष्टेः । (हृदयशूलमुपगूहतीत्यारभ्य शूलाभिमन्त्रणांतं कृत्वा उदकाधिष्ठानमुदके प्रवेशनं इत्यत उपक्रम्य आ अवभृथेष्टेः ।) का. श्रौ. सू. १९ । ११९ । १२० ।

२-मासरकुंभं प्लावयति यद्देवा इति । (मासरकुंभः सुराकुंभः । यद्देवा इति सार्द्धकंडिकाचतुष्कात्मको व्वरुण नो मुंचेत्यंतो मन्त्रः । प्लावयति तारयति ।) पूर्ववन्मज्जनम् । (पूर्ववदिति । मासरकुंभस्यैवावभृथेति जले मज्जनम् ।) का. श्रौ. सू. १९ । १२१ । १२२ ।

यद्ग्रामे यदरण्यऽ इति । ग्रामे वा ह्यरण्ये वैनः क्रियते तस्मा-
द्देवैनं मुञ्चति यत्सभायामिति सभ्याद्देवैनमेनसो मुञ्चति यदिन्द्रियऽ
इति दैवाद्देवैनमेनसो मुञ्चति यच्छूद्रे यदर्य्ये यदेनश्चकृमा व्वयं यदेक-
स्याधि धर्म्मणि तस्यावयजनमसीति सर्व्वस्माद्देवैनमेतस्मादेनसो मुञ्चति ३

यदापोऽ अघ्न्याः । (ऽ) इति व्वरुणेति शपामहे ततो व्वरुण नो
मुञ्चेति व्वरुण्याद्देवैनमेनसो मुञ्चत्यवभृथ निचुम्पुण निचेरुरसि निचु-
म्पुणऽ इति यो ह वाऽ अयमपामावर्त्तः स हावभृथः स हैष व्वरुणस्य
पुत्रो वा भ्राता वा तमेवैतत्स्तौत्यव देवैर्देवकृतमेनोऽयक्षीति देवकृत-
मेवैनोऽवयजतेऽव मर्त्यैर्म्मर्त्यकृतमिति मर्त्यकृतमेवैनोऽवयजते पुरु-
राव्णो देव रिषस्पाहीति सर्व्वाभ्यो माऽऽर्त्तिभ्यो गोपायत्येवैतदाह ॥ ४ ॥

समुद्रे ते हृदयमप्स्वन्तरिति । (त्या) आपो वै समुद्रो रसो वा ऽआप-
स्तदेनमेतेन रसेन सꣳसृजति सन्त्वा व्विशन्त्वोषधीरुताप ऽइति तदेन-
मेतेनोभयेन रसेन सꣳसृजति यश्चौषधिषु यश्चाप्सु द्वौ व्विक्रमाऽ उदङ्-
त्क्रामत्येतावती वै मनुष्ये जूतिर्य्यावान्विक्रमस्तद्यावत्येवास्मिञ्जूतिस्त-
यैव पाप्मानव्विजहाति ॥ ५ ॥

“ यत ग्रामे यदरण्ये ”–इति । ग्रामे वा ह्यरण्ये वैनः क्रियते । तस्मादेवैनं मुंचति । “ यत् सभायाम् ”–इति । सभ्यादेवैनमेनसो मुंचति । “यदिन्द्रिये”–इति । दैवादेवैनमेनसो मुंचति । “ यत् शूद्रे यदर्ये यदेनश्चकृमा वयं यदेकस्याधि धर्मणि तस्यावयजनमसि ”–(वा. सं. २० । १७) इति । सर्वस्मादेवैनमेतस्मादेनसो मुंचति ॥ ३ ॥

“ यदापो अघ्न्या इति वरुणेति शपामहे ततो वरुण नो मुंच ”–इति । वरुण्यादेवैनमेनसो मुंचति । “ अवभृथनिचुंपुण निचेरुरसि निचुंपुणः ”–इति । यो ह वा अयमपामावर्तः । स हावभृथः । स हैष वरुणस्य पुत्रो वा भ्राता वा । तमेवैतत् स्तौति । “ अव देवैर्देवकृतमेनोऽयक्षि ”–इति । देवकृतमेवैनोऽवयजते । “ अव मर्त्यैर्मर्त्यकृतम् ”– इति । मर्त्यकृतमेवैनोऽवयजते । “ पुरुराव्णो देव रिषस्पाहि ”–(वा. सं. २० । १८) इति । सर्वाभ्यो माऽऽर्तिभ्यो गोपायत्येवैतदाह ॥ ४ ॥

“ समुद्रे ते हृदयमप्स्वंतः ” इति । आपो वै समुद्रः । रसो वा आपः । तदेनमेतेन रसेन संसृजति । “ सं त्वा विशंत्वोषधीरुतापः ”–(वा. सं. २० । १९) इति तदेनमेतेन

प्रसन्नं ब्राह्मणम् ॥ ३–९ ॥

सुमित्रिया नऽ आपऽओषधयः सन्त्विति । (त्य) अञ्जलिनाऽपऽ उपाचति व्वज्रो वाऽआपो व्वज्रेणैवैतन्मित्रधेयङ्कुरुते दुर्म्मित्रियास्तस्मै सन्तु योऽस्मान्द्वेष्टि यञ्च व्वयन्द्विष्मऽइति यामस्य दिशन्द्वेष्यः स्यात्तान्दिशम्परासिञ्चेत्तेनैव तम्पराभावयति ॥ ६ ॥

द्रुपदादिव मुमुचानः । स्विन्नः स्नातो मलादिव । पूतम्पवित्रेणेवाज्यमापः शुन्धन्तु मैनसऽ इति व्वासोऽपप्लावयति यथेषीकां मुञ्जाद्विवृहेदेवमेनꣳ सर्व्वस्मात्पाप्मनो व्विवृहति स्नाति तमऽएवापहते ॥ ७ ॥

उद्वयन्तमसस्परीति । पाप्मा वै तमः पाप्मानमेव तमोऽपहते स्वः पश्यन्त ऽउत्तरमित्ययम्वै लोकोऽद्भ्यऽ उत्तरोऽस्मिन्नेव लोके प्रतितिष्ठति देवन्देवत्रा सूर्य्यमगन्म ज्ज्योतिरुत्तममिति स्वर्ग्गो वै लोकः सूर्य्यो ज्ज्योतिरुत्तमꣳ स्वर्ग्गऽ एव लोकेऽन्ततः प्रतितिष्ठत्यनपेक्षमेत्याहवनीयमुपतिष्ठते ॥ ८ ॥

उभयेन रसेन संसृजति । यश्च ओषधिषु, यश्चाप्सु । द्वौ विक्रमा उदङ्ङुत्क्रामति । एतावती वै मनुष्ये जूतिः । यावान् विक्रमः । तत् यावत्येवास्मिन् जूतिः । तयैव पाप्मानं विजहाति ॥ ५ ॥

"सुमित्रिया न आप ओषधयः सन्तु"–इति अंजलिना अप उपाचति । वज्रो वा आपः । वज्रेणैवैतन्मित्रधेयं कुरुते । "दुर्मित्रियास्तस्मै सन्तु योऽस्मान् द्वेष्टि यं च वयं द्विष्मः"–(वा. सं. २० । १९) इति यामस्य दिशं द्वेष्यः स्यात्, तां दिशं परासिंचेत् । तेनैव तं पराभावयति ॥ ६ ॥

"द्रुपदादिव मुमुचानः स्विन्नः स्नातो मलादिव । पूतं पवित्रेणेवाज्यमापः शुन्धन्तु मैनसः"–(वा. सं. २० । २०) इति वासोऽपप्लावयति । यथेषीकां मुंजात् विवृहेत् । एवमेनं सर्वस्मात् पाप्मनो विवृहति । स्नाति । तम एवापहते ॥ ७ ॥

"उद्वयं तमसस्परि"–इति । पाप्मा वै तमः । पाप्मानमेव तमोऽपहते । "स्वः पश्यन्त

उपाचति उपगच्छति ॥ ६ ॥

विवृहति विमुंचति । स्नाति । तूष्णीमेव ॥ ७ ॥

उद्वयन्तमसस्परीति । प्रतितिष्ठति उत्तिष्ठति ॥ ८–१० ॥

१–सुमित्रिया न इत्यपोऽञ्जलिनाऽऽदाय दुर्म्मित्रिया इति द्वेष्यं परिषिंचति द्वौ विक्रमा उदङ् गत्वा । का. श्रौ.सू. १९।१२३।

२–अवभृथवत्स्नात्वा वासाऽपासनं द्रुपदादिवेति । (अपासनं प्रक्षेपणं असु क्षेपणे) का. श्रौ. सू. १९ । १२४ ।

३–सोमवदुत्क्रमणमागमनं च । (सोमवदिति उद्वयमिति जलान्निष्क्रमणं आमहीयमन्त्रजपवदागमनम्) का.श्रौ.सू.१९।१२५।

(तेऽपो) अपोऽ अद्यान्वचारिषमिति । (त्य) अपामेव रसमवरुन्द्धे रसेन समसृक्ष्महीत्यपामेव रसमात्मन्धत्ते पयस्वानग्नऽआगमन्तम्मा सꣳसृज व्वर्च्चसा प्रजया च धनेन चेत्याशिषमेवैतदाशास्ते ॥ ९ ॥

(स्तऽ) एधोऽस्येधिषीमहीति समिधमादत्ते (त्तऽ) एधो ह वाऽ अग्नेः समित्समिदसि तेजोऽसि तेजो मयि धेहीत्याहवनीये समिधमभ्यादधात्यग्निमेवैतया समिन्धे स ऽएनꣳ समिद्धस्तेजसा समिन्द्धे ॥ १० ॥

(न्द्धऽआ) आदित्यञ्चरुं यक्ष्यमाणो निर्व्वपति । (त्या) आदित्यमीजान ऽइयम्वाऽ अदितिरस्यामेव यज्ञन्तनुतेऽस्यामिष्ट्वा प्रतितिष्ठति धेनुर्द्दक्षिणेयम्वै धेनुरिमामेव सर्व्वान्कामान्दुहे व्वत्सम्पूर्व्वस्यान्ददाति मातरमुत्तरस्यां यदा वै व्वत्सो मातरन्धयत्यथ सा प्रत्ता दुहे प्रत्तामेवैमाꣳ सर्व्वान्कामान्दुहे ॥ ११ ॥

उत्तरम्''–इति। अयं वै लोकोऽद्वय उत्तरः। अस्मिन्नेव लोके प्रतितिष्ठति। "देवं देवत्रा सूर्यमगन्म ज्योतिरुत्तमम्"–(वा. सं. २० । २१) इति। स्वर्गो वै लोकः सूर्यो ज्योतिरुत्तमम्। स्वर्ग एव लोकेऽन्ततः प्रतितिष्ठति। अनपेक्षमेत्य आहवनीयमुपतिष्ठते ॥ ८ ॥

"अपो अद्यान्वचारिषम्"–इति। अपामेव रसमवरुन्धे। "रसेन समसृक्ष्महि"–इति। अपामेव रसमात्मन् धत्ते। "पयस्वानग्न आगमं तं मा संसृज वर्चसा प्रजया च धनेन च"–(वा. सं. २० । २२) इति। आशिषमेवैतदाशास्ते ॥ ९ ॥

"एधोऽस्येधिषीमहि"–इति समिधमादत्ते। एधो ह वा अग्नेः समित्। "समिदसि तेजोऽसि तेजो मयि धेहि"–(वा. सं. २० । २३) इति। आहवनीये समिधमभ्यादधाति। अग्निमेवैतया समिन्धे। स एनं समिद्धस्तेजसा समिन्धे ॥ १० ॥

आदित्यं चरुं यक्ष्यमाणो निर्वपति। आदित्यमीजानः। इयं वा अदितिः। अस्यामेव यज्ञं

प्रत्ता प्रसूता ॥ ११ ॥ १२ ॥

इति श्रीमदाचार्यहरिस्वामिनः कृतौ माध्यन्दिनीयशतपथब्राह्मणभाष्ये द्वादशकाण्डे नवमेऽध्याये द्वितीयं ब्राह्मणम् ॥ १२ । ९ । २ ॥

१–आहवनीयमुपतिष्ठतेऽपोऽभ्येति। का. श्रौ. सू. १९ । १२६ ।

२–एधोऽसीति समिधमादायाहवनीयेऽभ्यादधाति समिदसीति। (शूलावभृथसमिदाधानं सौत्रामणिकं च तन्त्रेण कालेकृत्वादिति। कर्कः।) जुहोति च समावर्तीति। (चशब्दाच्छेषपरिग्रहमाशिंगिति कर्कः।) का. श्रौ. सू. १९ । १२७–१२८ ।

३–आदित्यश्चरुः। अन्ते च। आमिक्षाया वा पूर्वः। का. श्रौ. सू. १९ । ५–७

तदाहुः । प्रेव वाऽ एषोऽस्माल्लोकाच्च्यवते योऽपोऽवभृथमभ्यवैतीत्यवभृथादुदेत्य मैत्रावरुण्या पयस्यया यजतेऽयम्वै लोको मित्रोऽसौ व्वरुणो यदेवेदमन्तरेण तत्पयस्या तद्यन्मैत्रावरुण्या पयस्यया यजत ऽएष्वेवैतल्लोकेषु प्प्रतितिष्ठति प्प्राणो वै मित्रोऽपानो व्वरुणोऽन्नमेव पयस्या तद्यन्मैत्रावरुण्या पयस्यया यजते प्प्राणऽ एवान्नाद्येऽन्ततः प्प्रतितिष्ठति १२

इति चतुर्थप्रपाठके चतुर्थं ब्राह्मणम् ॥ १२-४-४ ॥ (९.२.) ॥

दुष्टरीतुर्हं पौᳬंसायनः । (नो) दशपुरुषᳬं राज्यादपरुद्ध आस रेवोत्तरसमु ह पाटवञ्चाक्रᳬं स्थपतिᳬं सृञ्जया ऽअपरुरुधुः ॥ १ ॥

तनुते । अस्यामिष्ट्वा प्रतितिष्ठति । धेनुर्दक्षिणा । इयं वै धेनुः । इमामेव सर्वान् कामान् दुहे वत्सं पूर्वस्यां दधाति । मातरमुत्तरस्याम् । यदा वै वत्सो मातरं धयति । अथ सा प्रत्ता दुहे प्रत्तामेवैमां सर्वान् कामान् दुहे ॥ ११ ॥

तदाहुः । प्रेव वा एषोऽस्मात् लोकात् च्यवते । योऽपोऽवभृथमभ्यवैतीति । अवभृथादुदेत्य मैत्रावरुण्या पयस्यया यजते । अयं वै लोको मित्रः । असौ वरुणः । यदेवेदमन्तरेण । तत्पयस्या तत् यत् मैत्रावरुण्या पयस्यया यजते । एष्वेवैतल्लोकेषु प्रतितिष्ठति । प्राणो वै मित्रः । अपानो वरुणः । अन्नमेव पयस्या । तद्यत् मैत्रावरुण्या पयस्यया यजते । प्राण एवान्नाद्येऽन्ततः प्रतितिष्ठति ॥ १२ ॥

दुष्टरीतुर्हं पौंसायनो दशपुरुषं राज्यादपरुद्ध आस । रेवोत्तरसम् उ ह पाटवं चाक्रं स्थपतिं सृंजया अपरुरुधुः ॥ १ ॥

दुष्टरीतुर्हं पौंसायनः । दर्शनानि अत्र सौत्रामण्यंगगतानि इतिहासेनोच्यन्ते । त्रिपंशोर्दक्षिणोत्तरेण च ऐन्द्रवायोधँसयोः पशू । दुष्टरीतुर्नाम पुंसोऽपत्यं पौंसायनः । दशपुरुषम् । पूर्वपुरुषादेव । यस्मिन्नेव काले राज्यादपरुद्धः । अपनीतस्वामित्वः आस बभूव । अथ तस्मिन्नेव काले । रेवोत्तरसं नाम ब्राह्मणम् पटोरपत्यं चाक्रं सृंजया राजानः स्वराष्ट्रात् अपरुरुधुः अपरुद्धवंतः ॥ १ ॥

१-धेनुर्दक्षिणा । का. श्रौ. सू. १९ । ८ ।
२-वत्सः पूर्वे । का. श्रौ. सू. १९ । ९ ।
३-मातोत्तरे । का. श्रौ. सू. १९ । १० ।
४-उदवसाय पयस्या मैत्रावरुणी । उदवसानं त्रिपशुदेशाद्देशांतरे गमनम् । का. श्रौ. सू. १९ । १२९ ।
५-मध्ये यूपः दक्षिणोत्तरावैन्द्रवायोधसयोः । का. श्रौ. सू. १९ । ५९ ।
६-ऐन्द्रः पशुः । चरुपश्वोर्विपर्यासमेके । (चरुरादित्यः) का. श्रौ. सू. १९ । १९ १७ ।
७-तदन्त पशुरिन्द्राय वयोधसे । (तच्छब्देन पयस्यायाः परामर्शः) का. श्रौ. सू. १९ । १३० ।

स ह्वोवाच । दुष्टरीतुं पौᳫँसायनᳫँ सौत्रामण्या त्वा याजयानि युदि-दᳫँ सृञ्जयेषु राष्ट्रन्तत्त्वयि धास्यामीति तथेति तयैनमयाजयत् ॥ २ ॥

(त्रु) तदु ह बल्हिकः प्रातिपीयः शुश्राव । कौरव्यो राजा यो ह वा ऽअयन्दुष्टरीतुः पौᳫँसायनो दशपुरुषᳫँ राज्यादपरुद्धोऽभूत्तमयञ्चाक्र स्थपतिः सौत्रामण्या याजयिष्यति यदिदᳫँ सृञ्जयेषु राष्ट्रन्तद्धास्मि-न्धास्यतीति ॥ ३ ॥

स होवाच । तन्न्वाऽअहन्तं व्वेदिष्यामि यदि स तस्मिन्राष्ट्रन्धास्यति बहिर्द्धा वैनᳫँ राष्ट्राद्धास्यतीति सऽआजगाम यस्याम्वेलायां ग्रहा गृह्यन्ते ॥ ४ ॥

स होवाच । स्थपते चाक्र नाहवनीये सुरा होतव्व्येत्याहुर्नान्यत्राहव-नीयाद्यद्याहवनीये सुराᳫँ होष्यसि पापवस्यसङ्करिष्यसि जामि यज्ञस्य यद्यन्यत्राहवनीयाद्बहिर्द्धैनᳫँ राष्ट्राद्धास्यसि नैनᳫँ राष्ट्रे धास्यसि नास्मि-न्राष्ट्रन्धास्यसीति ॥ ५ ॥

स होवाच दुष्टरीतुं पौंसायनम् । सौत्रामण्या त्वा याजयानि । यदिदं संजयेषु राष्ट्रम् । तत् त्वयि धास्यामीति । तथेति । तयैनमयाजयत् ॥ २ ॥

तदु ह बल्हिकः प्रातिपीयः शुश्राव कौरव्यो राजा । यो ह वा अयं दुष्टरीतुः पौंसायनो दश-पुरुषं राज्यादपरुद्धोऽभूत् । तमयं चाक्रः स्थपतिः सौत्रामण्या याजयिष्यति । यदिदं सृञ्जयेषु राष्ट्रम् । तद्धास्मिन् धास्यतीति ॥ ३ ॥

स होवाच । तन्वा अहं तं वेदिष्यामि । यदि स तस्मिन् राष्ट्रं धास्यति । बहिर्धा वैनं राष्ट्रात् धास्यतीति । स आजगाम । यस्यां वेलायां ग्रहा गृह्यन्ते ॥ ४ ॥

स होवाच । स्थपते चाक्र नाहवनीये सुरा होतव्येत्याहुः । नान्यत्राहवनीयात् । यद्याहव-नीये सुरां होष्यसि । पापवस्यसं करिष्यसि । जामि यज्ञस्य । यद्यन्यत्राहवनीयात् । बहिर्धैनं राष्ट्रात् धास्यसि । नैनं राष्ट्रे धास्यसि । नास्मिन् राष्ट्रं धास्यसीति ॥ ५ ॥

स होवाच । स खेोत्तराः । दुष्टरीतुं पौंसायनम् । इत्यादि स्पष्टम् ॥ २ ॥

तदु ह बल्हिकः । तत्तथा वृत्तम् । बल्हिको नाम राजा कुरुवंशजः । शुश्राव श्रुत्वा ऊचे । एत्य आख्याय ग्रहग्रहणवेलायाम् ॥ ३ ॥ ४ ॥

ततो यज्ञगृहमागत्य स्थपतिः सुराहोमस्याग्निप्रतिपत्तिं उक्तवान् । आहवनीये तस्याहोमे दोषदर्शनम् ।

स होवाच । नाहवनीये सुराᳪं᳭ होष्यामि नान्यत्राहवनीयान्न पापवस्यसङ्करिष्यामि न जामि यज्ञस्य नैनं बहिर्द्धा राष्ट्राद्धास्यामि राष्ट्रऽएनन्धास्यामि राष्ट्रमस्मिन्धास्यामीति ॥ ६ ॥

स होवाच । कथᳪं᳭ हि करिष्यसी३ ऽइति स हैतदुवाचासुरेषु वा ऽएषोऽग्रे यज्ञ ऽआसीत्सौत्रामणी स देवानुपप्रैत्सोऽपऽ आगच्छत्तमापः प्रत्यनन्दंस्तस्मादु श्रेयाᳪं᳭समागतम्प्रत्येव नन्दन्ति तᳪं᳭ होचुरेह्येव भगव ऽइति ॥ ७ ॥

स होवाच । बिभेमि वै प्रणयत मेति कस्माद्भगवो बिभेषीत्यसुरेभ्य ऽइति तथेति तमापः प्राणयंस्तस्माद्यो व्वधत्रो भवति स बिभ्यतं प्रणयति यदापः प्राणयंस्तस्मादापः प्रणीतास्तत्प्रणीतानाम्प्रणीतात्वं प्रति ह तिष्ठति यऽएवमेतत्प्रणीतानाम्प्रणीतात्वम्वेद ॥ ८ ॥

तदिष्टाः प्रयाजाऽआसुः । (१) अपर्य्यग्निकृतमथासुरा ऽअन्वाजग्मुस्ते देवाः पर्य्यग्निनैवासुरान्त्सपत्नान्भ्रातृव्यान्यज्ञादन्तरायंस्तथोऽएवैष ऽएतत्पर्य्यग्निनैव द्विषन्तं भ्रातृव्यं यज्ञादन्तरेति ॥ ९ ॥

स होवाच । नाहवनीये सुरां होष्यामि । नान्यत्राहवनीयात् । न पापवस्यसं करिष्यामि । न जामि यज्ञस्य । नैनं बहिर्द्धा राष्ट्रात् धास्यामि । राष्ट्र एनं धास्यामि । राष्ट्रमस्मिन् धास्यामीति ॥६॥

स होवाच । कथं हि करिष्यसी३ इति । स हैतदुवाच । असुरेषु वा एषोऽग्रे यज्ञ आसीत् सौत्रामणी । स देवानुपप्रैत् । सोऽप आगच्छत् । तमापः प्रत्यनंदन् । तस्मात् उ श्रेयांसमागतं प्रत्येव नंदंति । तं होचुः । एह्येव भगव इति ॥ ७ ॥

स होवाच । बिभेमि वै । प्रणयत मेति । कस्मात् भगवो बिभेषीति । असुरेभ्य इति । तथेति । तमापः प्राणयन् । तस्मात् यो वधत्रो भवति । स बिभ्यतं प्रणयति । यदापः प्राणयन् । तस्मादापः प्रणीताः । तत् प्रणीतानां प्रणीतात्वम् । प्रति ह तिष्ठति । य एवमेतत् प्रणीतानां प्रणीतात्वं वेद ॥ ८ ॥

तदिष्टाः प्रयाजा आसुः । अपर्यग्निकृतम् । अथासुरा अन्वाजग्मुः १ ते देवाः पर्यग्निनैवासुरान् सपत्नान् भ्रातृव्यान् यज्ञादंतरायन् । तथो एवैष एतत् पर्यग्निनैव द्विषन्तं भ्रातृव्यं यज्ञादंतरेति ॥९॥

स्थपतिरपि उभयदोषपरिहारं प्रतिज्ञाय कथं करिष्यसीत्यनुयुक्तः सन्नसुरेषु सौत्रामणीयज्ञः आसीत्स देवान् नुपागच्छत् देवाः पर्यग्निकृता अपाघ्नन्नित्याख्याय ॥ ६–९ ॥

देवयोनिर्व्वाऽएष यदाहवनीयः । (स्तु) तस्यैतावमृतपक्षौ यावेतावभितो-
ऽग्नी तद्यदाहवनीये यज्ञन्तन्वते देवयोनावेवैतद्देवेभ्यो यज्ञन्तन्वतऽउप हैन-
म्पुनर्य्यज्ञो नमति नास्माद्यज्ञो व्व्यवच्छिद्यते यऽएवमेतद्वेद यस्य वैवं
विदुषऽएतत्कर्म्म क्रियते ॥ १० ॥

(तऽउ) उत्तरेऽग्नौ पयोग्रहाञ्जुहोति । (त्यु) उत्तरेऽग्नौ पशूञ्छ्र-
पयन्ति पशूनेव तन्मर्त्यान्त्सतोऽमृतयोनौ दधाति मर्त्यान्त्सतोऽमृत-
योनेः प्प्रजनयत्यप ह वै पशूनाम्पुनर्म्मृत्युञ्जयति नास्माद्यज्ञो व्व्यवच्छि-
द्यते य ऽएवमेतद्वेद यस्य वैवम्विदुषऽएतत्कर्म्म क्रियते ॥ ११ ॥

दक्षिणेऽग्नौ सुराग्रहाञ्जुहोति । दक्षिणेऽग्नौ पावयन्ति पवित्राभि-
स्त्रिषंयुक्ताभिः पितॄनेव तन्मर्त्यान्त्सतोऽमृतयोनौ दधाति मर्त्यान्त्सतो-
ऽमृतयोनेः प्प्रजनयत्यप ह वै पितॄणाम्पुनर्मृत्युञ्जयति नास्माद्यज्ञो व्व्यव-
च्छिद्यते यऽएवमेतद्वेद यस्य वैवम्विदुष ऽएतत्कर्म्म क्रियते ॥ १२ ॥

तद्यदेतावग्नीऽआहवनीयाद्विह्रियेते । तेनाहवनीयावथ यदाहवनीय-

देवयोनिर्वा एषः । यदाहवनीयः । तस्यैतावमृतपक्षौ । यावेतावभितोऽग्नी । तत् यदाहवनीये यज्ञं तन्वते । देवयोनावेवैतद्देवेभ्यो यज्ञं तन्वते । उप हैनं पुनर्यज्ञो नमति । नास्मात् यज्ञो व्यवच्छिद्यते । य एवमेतद्वेद । यस्य वैवं विदुष एतत् कर्म क्रियते ॥ १० ॥

उत्तरेऽग्नौ पयोग्रहान् जुहोति । उत्तरेऽग्नौ पशून् श्रपयंति । पशूनेव तन्मर्त्यान् सतोऽमृतयोनौ दधाति । मर्त्यान् सतोऽमृतयोनेः प्रजनयति । अप ह वै पशूनां पुनर्मृत्युं जयति । नास्मात् यज्ञो व्यवच्छिद्यते । य एवमेतद्वेद । यस्य वैवं विदुष एतत् कर्म क्रियते ॥ ११ ॥

दक्षिणेऽग्नौ सुराग्रहान् जुहोति । दक्षिणेऽग्नौ पावयंति पवित्राभिस्त्रिषंयुक्ताभिः । पितॄनेव तन्मर्त्यान् सतोऽमृतयोनौ दधाति । मर्त्यान् सतोऽमृतयोनेः प्रजनयति । अप ह वै पितॄणां पुनर्मृत्युं जयति । नास्मात् यज्ञो व्यवच्छिद्यते । य एवमेतद्वेद । यस्य वैवं विदुष एतत् कर्म क्रियते ॥ १२ ॥

तद्यदेतावग्नी आहवनीयात् विह्रियेते । तेनाहवनीयौ । अथ यदाहवनीयं पुनर्नाश्नुवाते । तेना-

---

देवानां योनिः स्थानं आहवनीयः । तत्र यदन्या यज्ञम्नायत । देवस्थान एवं नाश्नुते । सौत्रामण्यां तु आहवनीयाच्चोपाहृताग्न्योरुत्तरदक्षिणयोस्तायते । तौ तु आहवनीयायतनौ द्वौ तेनाभिन्नाविति दक्षिणाग्नौ सुरायां हूयमानायां उभावपि दोषौ न भविष्यत इत्युवाच ॥ १०–१२ ॥

पुनर्हार्यमित्वोवाचेति । त्वष्टिकः चाक्रस्थपतिवृत्तांतमाचष्टे– त्वष्टिकः स्वगृहमागत्योवाच । न तदस्ति

म्पुनर्न्नाशनुवाते तेनानाहवनीयौ तेनोभौ होमाऽ उपाप्नोति यश्चाहवनीये यश्चानाहवनीये यच्च हुतं यच्चाहुतम्पुनर्हायमित्त्वोवाच न तदस्ति यत्सृञ्जयानाᳬं राष्ट्रं दुष्टरीतोस्तदद्य तथाऽयञ्चाक्रः स्थपतिर्य्यज्ञेऽकरिति १३

(त्यु) उत्तरेऽग्नौ पशुभिः पुरोडाशैः पयोग्रहैरिति चरन्ति । यदु चान्यत्तेन देवानेव तद्देवलोके प्रीणाति तऽएनम्प्रीताः प्रीणन्त्यथो देवलोकमेव जयति ॥ १४ ॥

दक्षिणेऽग्नौ सुराग्रहाञ्जुहति । दक्षिणेऽग्नौ पावयन्ति पवित्राभिस्त्रिषंयुक्ताभिः पितॄनेव तत्पितृलोके प्रीणाति तऽएनम्प्रीताः प्रीणन्त्यथो पितृलोकमेव जयति ॥ १५ ॥

स वा ऽएषऽ आत्मैव यत्सौत्रामणी । तस्मात्सा निरुक्ता निरुक्तो ह्यात्मा लोको व्वयोधास्तस्मात्सोऽनिरुक्तोऽनिरुक्तो हि लोकऽआत्मा

नाहवनीयौ । तेनोभौ होमा उपाप्नोति । यश्चाहवनीये । यश्चानाहवनीये । यच्च हुतम् । यच्चाहुतम् । पुनर्हायमित्वोवाच । न तदस्ति यत् संजयानां राष्ट्रम् । दुष्टरीतोस्तत् । अद्य तथाऽयं चाक्रस्थपतिर्यज्ञेऽकरिति ॥ १३ ॥

उत्तरेऽग्नौ पशुभिः पुरोडाशैः पयोग्रहैरिति चरन्ति । यदु चान्यत् । तेन देवानेव तद्देवलोके प्रीणाति । त एनं प्रीताः प्रीणन्ति । अथो देवलोकमेव जयति ॥ १४ ॥

दक्षिणेऽग्नौ सुराग्रहान् जुहति । दक्षिणेऽग्नौ पावयन्ति पवित्राभिस्त्रिषंयुक्ताभिः । पितॄनेव तत्पितृलोके प्रीणाति । त एनं प्रीताः प्रीणन्ति । अथो पितृलोकमेव जयति ॥ १५ ॥

स वा एष आत्मैव । यत्सौत्रामणी । तस्मात् सा निरुक्ता । निरुक्तो ह्यात्मा । लोको वयोधाः । तस्मात् सोऽनिरुक्तः । अनिरुक्तो हि लोकः । आत्मा वै यज्ञस्य यत्सौत्रामणी । बाहू

यदस्माभिः समीहितम् । सृंजयानां राज्यमिति शेषः । कथं प्रसक्त अस्ति । अत आह यत् सृंजयानां राष्ट्रमिति । दुष्टरीतोस्तत् कथं दुष्टरीतोर्जातम् । इत्यत आह—अद्य तथा अयं चाक्रः स्थपतिर्यज्ञं कृतवान् । (आहवनीयप्रथमयोर्ग्नौ सौत्रामणीनां तद्वितीत्यभिप्रायः ?) ॥ १३ ॥ १४ ॥

दक्षिणेऽग्नौ यावंति सुरानुकारेण यजमानपवित्राणि । तिस्रस्तिस्रः संयुक्तास्तिस्रः ऋचः ताभिः पावयंति ॥ १५ ॥

'स वै' । आत्मा यजमान एव । या सौत्रामणी त्रिपशुः । तस्मात्साऽनिरुक्ता उच्चैर्धर्मिका । निरुक्तो हि

१–सौत्रामणीति कर्मनामधेयम् । तच्च त्रिपशोरेव । नैन्द्रवायोधसपश्वोः प्रयोजनम् । त्रिपशोरेवांतराये प्रयोक्तृत्वमिति कर्कः या तु उभय वै सौत्रामण्यौ इष्टिश्च पशुबन्धश्चेति लिंगश्रुतिः । सा इतरेषामंगत्वेऽपि संभवत्येव । यद्वा पयोग्रहसुराग्रहसंबंधेनोभयरूपा सौत्रामणाति कर्कः । यत्तु–सौत्रामण्यामिष्टिपशवो भिन्नतन्त्राः कालभेदादित्याचार्यभस्थानं तत्तु प्रकरणांतरोपलक्षणार्थमिति कर्कः । का. श्रौ. सू. १९ । १ । इत्यत्र भाष्ये ।

वै यज्ञस्य सौत्रामणी बाहूऽऐन्द्रश्च वयोधाश्च तद्यदेतावभितः पशू भवतस्तस्मादिमावात्मानमभितो बाहू यथो वै पशुरेवं यूपस्तद्यदेतꣳ सौत्रामणिकं यूपमेतौ यूपावभितो भवतस्तस्मादिमावात्मानमभितो बाहू १६

इति चतुर्थप्रपाठके पञ्चमं ब्राह्मणम् ॥ १२-४-५ ॥ (९. ३.) ॥

इति चतुर्थः प्रपाठकः समाप्तः ॥ १२-४ ॥

कण्डिकासंख्या ॥ ११२ ॥

नवमोऽध्यायश्च समाप्तः ॥ १२-९ ॥

कंडिकासंख्या ॥ ४५ ॥

अस्मिन्काण्डे काण्डिकासंख्या ॥ ४५९ ॥

ऐन्द्रश्च वयोधाश्च। तद्यदेतावभितः पशू भवतः। तस्मादिमावात्मानमभितो बाहू। यथा उ वै पशुः। एवं यूपः। तद्यदेतं सौत्रामणिकं यूपमेतौ यूपावभितो भवतः। तस्मादिमावात्मानमभितो बाहू ॥१६॥

स्प...क्राशो यजमानः। (प्रामियकर्महिते वयोधा वायोधीयो पशुः। तस्माल्लोकवायोऽनधासः ?) । अनिरुक्तः उपांशुधर्मकः। अनिरुक्तो हि स्वर्लोकः। किंच। (लागनगमाः ?)। आत्मा शरीरं वै यज्ञस्य सौत्रामणी। (विपस्वः?)। बाहू ऐंद्रश्च पशुवयोधाश्च (स्वौति तद्धितलोपः?)। एष एव ऐंद्रवायोधसयोर्वितद्यदेतौ पशुसौत्रामणी सुहितः कालतो देशतश्च भवतः। तस्मादिमौ शरीरमभितो बाहू। यथा च पशुस्तथैव एतौ भवतः ॥ १६ ॥

इति श्रीमदाचार्यहरिस्वामिनः कृतौ माध्यन्दिनीयशतपथब्राह्मणभाष्ये द्वादशकांडे नवमेऽध्याये तृतीयं ब्राह्मणम् ॥ (१२ । ९ । ३) ॥

नागस्वामिसुतोऽवन्त्यां पाराशर्यो वसन्हरिः।
श्रुत्यर्थं दर्शयामास शक्तितः पौष्करीयकः ॥ १ ॥
श्रीमतोऽवन्तिनाथस्य विक्रमार्कस्य भूपतेः।
धर्माध्यक्षो हरिस्वामी व्याख्यच्छातपथीं श्रुतिम् ॥ २ ॥
भूभर्त्रा विक्रमार्केण क्लृप्तां कनकवेदिकाम्।
दानायाध्यस्य कृतवान् श्रुत्यर्थविवृतिं हरिः ॥ ३ ॥

इति श्रीसर्वविद्यानिधानकवीन्द्राचार्यसरस्वतीनां श्रीहरिस्वामिनां कृतौ माध्यन्दिनीयशतपथ-ब्राह्मणभाष्ये द्वादशकाण्डे नवमोऽध्यायः समाप्तः ॥ १२-९ ॥

इति शतपथब्राह्मणस्य परिशेषाख्ये भागे सौत्रामण्यपरनामकं मध्यमं नाम द्वादशं काण्डं समाप्तम् ॥ १२ ॥

१-आश्विनोऽजो धूम्रः सारस्वतो मेष ऐन्द्र ऋषभः मध्ये यूपो दक्षिणोत्तरावैन्द्रवायोधसयोः। का. श्रौ. सू. १९। ५३।

इति माध्यन्दिनीये शतपथब्राह्मणे परिशेषाख्ये भागे
सौत्रामण्यपरनामकं मध्यमं नाम द्वादशं
काण्डं समाप्तम् ॥ १२ ॥

ॐ

श्रीमद्वाजसनेयिमाध्यन्दिन-

शतपथब्राह्मणम् ।

हरिस्वामिभाष्यसमेतम् ।

तत्र

त्रयोदशं काण्डम् १३ ।

अथ परिशेषाख्ये भागे अश्वमेधसंज्ञकं त्रयोदशं काण्डम् ।

प्रथमोऽध्यायः प्रारभ्यते ।

तत्र प्रथमं ब्राह्मणम् ।

प्रथमप्रपाठके च प्रथमं ब्राह्मणम् ।

ब्रह्मौदनम्पचति । रेतऽ एव तद्धत्ते यदाज्यमुच्छिष्यते तेन रशनामभ्यज्यादत्ते तेजो वाऽ आज्यम्प्राजापत्योऽश्वः प्रजापतिमेव तेजसा समर्द्धयत्यपूतो वाऽ एषोऽमेध्यो यदश्वः ॥ १ ॥

ब्रह्मौदनं पचाति । रेत एव तद्धत्ते । यदाज्यमुच्छिष्यते । तेन रशनामभ्यज्यादत्ते । तेजो वा आज्यम् । प्राजापत्योऽश्वः । प्रजापतिमेव तेजसा समर्द्धयाति । अपूतो वा एषोऽमेध्यो यदश्वः ॥ १ ॥

हरिस्वामिभाष्यम् ।

इदानीमश्वमेधस्य यत् अप्रसन्नं तत् दर्शयिष्यामः । तत्राश्वमेधोत्पत्तिः फलं च "प्रजापतिरकामयत सर्वान्कामानाप्नुयाम्" (श. प. १३।४।१।१) इत्यत्र कंडिकायाम् । अवशिष्टेषु पंचस्वध्यायेषु ४–८ तस्य धर्मविधयः । आध्वर्यवहौत्रौद्गात्रब्रह्मत्वयाजमानविषयाः । तत्र च त्रिभिरध्यायैः सह मन्त्रव्याख्यानेन विशेषधर्मा अनुक्रांताः । पुनरध्यायद्वयेन त एव धर्मान्तरसहिता अनुक्रांताः । अपर्यनुयोज्यत्वाद्वेदस्य । ब्रह्मभ्यो ब्राह्मणेभ्य ऋत्विग्भ्यो देय ओदनो ब्रह्मौदनः । तमध्वर्युः पचति । तस्य कालादीन् विशेषान् वक्ष्यति । "सा याऽसौ फाल्गुनी पौर्णमासी भवति तस्यै पुरस्तात् षडहे वा सप्ताहे वा ऋत्विजः उपसमायंत्यध्वर्युश्च होता च ब्रह्मा चोद्गाता चैतान्वा अन्वन्य ऋत्विजस्तेभ्योऽध्वर्युश्चातुष्प्राश्यं ब्रह्मौदनं निर्वपति" इत्यादि (श. प. १३।४।१।४–५) । **रेत एव तद्धत्त** इति । ऋत्विजः किल अन्यं च यजमानस्यात्मानं यज्ञं ऋगादिना संस्कुर्वंति । एतेन ब्रह्मौदनेन ऋगादिप्रयोगसामर्थ्यात्मकं कुर्वंत्ति । रेतो देवतेत्याह–यदाज्यमुच्छिष्यते । यदाज्यं ब्रह्मौदने ऋत्विग्भिर्भुज्यमाने परिशिष्यते । तेनोत्तरेद्युः पौष्ण्या इष्टेरनंतरं अश्वाभिधानिकां रशनां तेनाज्यशेषेणाभ्यज्य देवस्य त्वेत्यादत्ते । तेन च प्राजापत्योऽश्वः । तेन रशनाद्वारेण प्रजापतिमेव तेजसा समर्द्धयति । एतस्मादेवाज्योच्छेषणवचनादाज्यमिश्रः स ओदनः ऋत्विग्भ्यो देय इति गम्यते । अपूतश्चामेध्यश्चाश्वो भवति । प्राग्दर्भरशनासंपर्कादिति शेषः ॥ १ ॥

१–अक्त्वाऽऽज्यशेषेण रशनाम् । आदानं काले वाऽञ्जनम् । (वाशब्दः पक्षव्यावृत्तौ । पौष्णीष्टेरनन्तरं रशनाऽऽदानकालः, अतस्तदर्थं आज्यशेषरक्षणम् ।) का. श्रौ. सू. २० । ७ । ८ ।

(श्वो) दर्भ्भमुयी रशुना भवति । पवित्रम्वै दर्भ्भाः पुनात्येवैनम्पूत-मेवैनम्मेध्यमालभते ॥ २ ॥

(तेऽश्व) अश्वस्य वाऽ आलब्धस्य रेतऽउदक्रामत् । (त्त) तत्सु-वर्ण्णꣳ हिरण्यमभवद्यत्सुवर्ण्णꣳ हिरण्यं ददात्यश्वमेव रेतसा सम-र्द्धयति ॥ ३ ॥ (शतम् ६४००) ॥

प्प्रजापतिर्य्यज्ञमसृजत । तस्य महिमाऽपाक्रमत्स महर्त्त्विजः प्प्रावि-शत्तम्महर्त्त्विग्भिरन्वैच्छत्तम्महर्त्त्विग्भिरन्वविन्दद्यन्महर्त्त्विजो ब्रह्मौदनम्प्रा-श्नन्ति महिमानमेव तद्यज्ञस्य यजमानोऽवरुन्धे ब्रह्मौदने सुवर्ण्णꣳ हिर-ण्यन्ददाति रेतो वाऽओदनो रेतो वा हिरण्यꣳ रेतसैवास्मिँस्तद्रेतो दधाति शतमानम्भवति शतायुर्व्वै पुरुषः शतेन्द्रियऽआयुरेवेन्द्रियं व्वीर्य्य-मात्मन्धत्ते चतुष्टयीरपो वसतीवरीर्म्मध्यमायाह्न गृह्णाति ता दिग्भ्यः समाहृता भवन्ति दिक्षु वाऽ अन्नमन्नमापोऽन्नेनैवास्माऽअन्नमवरुन्द्धे ॥ ४ ॥

इति प्रथमप्रपाठके प्रथमं ब्राह्मणम् ॥ १३-१-१ ॥ (१. १.) ॥

दर्भमयी रशना भवति । पवित्रं वै दर्भाः । पुनात्येवैनम् । पूतमेवैनं मेध्यमालभते ॥ २ ॥

अश्वस्य वा आलब्धस्य रेत उदक्रामत् । तत्सुवर्णं हिरण्यमभवत् । यत्सुवर्णं हिरण्यं ददाति । अश्वमेव रेतसा समर्द्धयति ॥ ३ ॥

प्रजापतिर्यज्ञमसृजत । तस्य महिमाऽपाक्रमत् । स महर्त्विजः प्राविशत् । तं महर्त्विग्भिरन्वै-च्छत् । तं महर्त्विग्भिरन्वविंदत् । यन्महर्त्विजो ब्रह्मौदनं प्राश्नंति । महिमानमेव तद्यज्ञस्य यजमानो-ऽवरुन्धे । ब्रह्मौदने सुवर्णं हिरण्यं ददाति । रेतो वा ओदनः । रेतो हिरण्यम् । रेतसैवास्मिं-स्तद्रेतो दधाति । शतमानं भवति । शतायुर्वै पुरुषः शतेन्द्रियः । आयुरेवेन्द्रियं वीर्यमात्मन् धत्ते ।

तस्य मेध्यतायै[1] दर्भमयी रशना भवतीति संबंधः ॥ २ ॥

यत्सुवर्णं हिरण्यं ब्रह्मौदनेन तमात्मानमेकैकस्मै महर्त्विजे ददातीति वचनांतरेभ्यः ॥ ३ ॥

महिमा महत्त्वस्य कारणं वाक् ऋगादिलक्षणा । तथा चोक्तम् "कदाऽस्य तेन प्राणा" इति । ब्रह्मौदने अंगिनि सुवर्णं हिरण्यं ददाति । "न रूपशतमानं भवत्येकैकस्मै चत्वारि सुवर्णानि शतमानानि" इति वचनात् । शतायुर्वर्षशतायुः । शतेन्द्रियः अवस्थाभेदात् प्रतिवर्षमिन्द्रीयते इत्यभिप्रायः । चतुष्टयीश्चतुरवयवाः ॥ ४ ॥

इति श्रीमदाचार्यहरिस्वामिनः कृतौ माध्यन्दिनीयशतपथब्राह्मणभाष्ये त्रयोदशकाण्डे

प्रथमेऽध्याये प्रथमं ब्राह्मणम् ॥ (१३ । १ । १) ॥

१-वसतीवरीर्गृहीत्वा प्रतिदिशम् समासिच्य परिहरति । का. श्रौ. सू. २० । ११२ ।

व्यृद्धम्वा॒ऽ एतद्य॒ज्ञस्य॑ । यद॑यजु॒ष्केण॒ क्रि॒यत॑ऽइ॒माम॑गृभ्णन्रश॒ना-मृ॒तस्येत्यश्वाभिधानीमादत्ते यजु॑ष्कृत्यै य॒ज्ञस्य॒ समृ॑द्ध्यै द्वाद॑शारत्नि-र्भ॑वति॒ द्वाद॑श॒ मासाः॑ सम्वत्स॒रः सम्वत्स॒रमे॒व य॒ज्ञमा॑प्नोति ॥ १ ॥

तदा॑हुः । (द्वा॒)द्वाद॑शारत्नी रश॒ना काऱ्यां३ त्र॒योद॑शारत्नी३ ई॑त्यृष॒भो वा॒ऽ ए॒षऽऋ॒तूनां॒ यत्सम्वत्स॒रस्तस्य॑ त्रयोद॒शो मा॒सो वि॒ष्टप॑मृष॒भऽए॒ष य॒ज्ञानां॒ यद॑श्वमे॒धो यथा॒ वा॒ऽ ऋ॑ष॒भस्य॒ वि॒ष्टप॑मे॒वमे॒तस्य॑ वि॒ष्टप॑न्त्रयोद॒शम॑र-त्नि॒ꣳ रश॒नाया॒मुपा॑दध्यात्तद्य॒थऽ ऋष॒भस्य॒ वि॒ष्टप॒ꣳ स॒ꣳस्क्रि॒यते॑ ता॒दृक्त॒त् ॥ २ ॥

(द) अ॒भि॒धाऽ अ॒सीति॑ । तस्मा॑दश्वमेधया॒जी सर्वा॒ दि॒शोऽभि॒जय॑ति भुव॑नम॒सीति॒ भुव॑नन्त॒ज्जय॑ति य॒न्ताऽसि॒ धर्त्तेति॑ य॒न्तार॑मे॒वैनं॒ धर्त्तार॑-ङ्करोति॒ स त्वम॒ग्निं वैश्वान॒रमि॒त्य॒ग्निमे॒वैनं॒ वैश्वान॒रङ्ग॑मयति॒ सप्र॑थसं ग॒च्छेति॑ प्र॒जयै॒वैन॑म्प॒शुभिः॒ प्रथ॑यति स्वा॒हा॒कृत॒ऽइति॒ वष॑ट्का॒रऽ ए॒वास्यै॒ष स्व॒गा त्वा॑ दे॒वेभ्य॒ऽ इति॑ दे॒वेभ्य॒ऽ ए॒वैन॒ꣳ स्व॒गा करो॑ति प्र॒जा-प॑तय॒ऽ इति॑ प्राजाप॒त्योऽश्वः॒ स्वयै॒वैन॒न्दे॒वत॑या॒ सम॑र्द्धयति ॥ ३ ॥

चतुष्टयीरपो वसतीवरीर्मध्यमायाह्ने गृह्णाति । ता दिग्भ्यः समाहृता भवन्ति । दिक्षु वा अन्नम् । अन्नमापः । अन्नेनैवास्मा अन्नमवरुंधे ॥ ४ ॥

व्यृद्धमु वा एतद्यज्ञस्य । यदयजुष्केण क्रियते । " इमामगृभ्णन् रशनामृतस्य "–(वा० सं० २२ । २) इत्यश्वाभिधानीमादत्ते । यजुष्कृत्यै, यज्ञस्य समृद्ध्यै । द्वादशारत्निर्भवति । द्वादश मासाः संवत्सरः । संवत्सरमेव यज्ञमाप्नोति ॥ १ ॥

तदाहुः–द्वादशारत्नी रशना कार्या३त्रयोदशारत्नी३रिति । ऋषभो वा एष ऋतूनां यत्संवत्सरः । तस्य त्रयोदशो मासो विष्टपम् । ऋषभ एष यज्ञानां यदश्वमेधः । यथा वा ऋषभस्य विष्टपम् । एवमेतस्य विष्टपम्, त्रयोदशमरत्निं रशनायामुपादध्यात् । तद्यथा ऋषभस्य विष्टपं संस्क्रियते । तादृक् तत् ॥ २ ॥

" अभिधा असि "–इति । तस्मादश्वमेधयाजी सर्वा दिशोऽभिजयति । " भुवनमसि "–इति । भुवनं तज्जयति । "यन्ताऽसि धर्त्ता"–इति । यन्तारमेवैनं धर्तारं करोति । "स त्वमग्निं

व्यृद्धमु वा इति अत्र ब्राह्मणे रशनादानादिमन्त्रव्याख्यानम् । रशनापरिमाणम् । वचनानुज्ञापनम् । अनुज्ञातं प्रोक्षणम् । शुन उपप्लावनम् । एतदुच्यते ॥ १–८ ॥

१–रशनां द्वादशारत्निं त्रयोदशारत्निं वा निदधाति । का. श्रौ. सू. २० । ७ ।

(ती) ईश्वरो वाऽ एषः । (ऽ) आर्त्तिमार्त्तोर्यो ब्रह्मणे देवेभ्योऽप्रति-प्रोच्याश्वं बध्नाति ब्रह्मन्नश्वम्भन्त्स्यामि देवेभ्यः प्रजापतये तेन राध्यासमिति ब्रह्माणमामन्त्रयते ब्रह्मणऽएवैनं प्रतिप्रोच्य बध्नाति नार्त्तिमार्च्छति तम्बधान देवेभ्यः प्रजापतये तेन राध्नुहीति ब्रह्मा प्रसौति स्वयैवैनन्देवतया समर्द्धयत्यथ प्रोक्षत्यसावेव बन्धुः ॥ ४ ॥

स प्रोक्षति । प्रजापतये त्वा जुष्टम्प्रोक्षामीति प्रजापतिर्वै देवानाम्वीर्य्यवत्तमो वीर्य्यमेवास्मिन्दधाति तस्मादश्वः पशूनाम्वीर्य्यवत्तमः ॥५॥
(ऽ) इन्द्राग्निभ्यां त्वा जुष्टम्प्रोक्षामीति । (ती) इन्द्राग्नी वै देवानामोजस्वितमाऽ ओजऽ एवास्मिन्दधाति तस्मादश्वः पशूनामोजस्वितमः६॥
(मो) वायवे त्वा जुष्टम्प्रोक्षामीति । वायुर्वै देवानामाशिष्ठो जवमेवास्मिन्दधाति तस्मादश्वः पशूनामाशिष्ठः ॥ ७ ॥

वैश्वानरम् "–इति । अग्निमेवैनं वैश्वानरं गमयाति । " सप्रथसं गच्छ "–इति । प्रजयैवैनं पशुभिः प्रथयति । " स्वाहाकृतः "–(वा. सं. २२ । ३) इति । वषट्कार एवास्यैषः । " स्वगा त्वा देवेभ्यः "–इति । देवेभ्य एवैनं स्वगा करोति । " प्रजापतये "–(वा. सं. २२ । ४) इति । प्राजापत्योऽश्वः । स्वयैवैनं देवतया समर्द्धयाति ॥ ३ ॥

ईश्वरो वा एष आर्तिमार्तोः । यो ब्रह्मणे देवेभ्योऽप्रतिप्रोच्याश्वं बध्नाति । " ब्रह्मन्नश्वं भन्त्स्यामि देवेभ्यः प्रजापतये तेन राध्यासम् "–इति ब्रह्माणमामंत्रयते । ब्रह्मण एवैनं प्रतिप्रोच्य बध्नाति । नार्तिमार्च्छति । " तं बधान देवेभ्यः प्रजापतये तेन राध्नुहि "–(वा. सं. २२ । ४) इति ब्रह्मा प्रसौति । स्वयैवैनं देवतया समर्द्धयति । अथ प्रोक्षति । असावेव बन्धुः ॥ ४ ॥

स प्रोक्षति । " प्रजापतये त्वा जुष्टं प्रोक्षामि "–इति । प्रजापतिर्वै देवानां वीर्यवत्तमः । वीर्यमेवास्मिन् दधाति । तस्मादश्वः पशूनां वीर्यवत्तमः ॥ ५ ॥

" इन्द्राग्निभ्यां त्वा जुष्टं प्रोक्षामि "–इति । इन्द्राग्नी वै देवानामोजस्वितमौ । ओज एवास्मिन् दधाति । तस्मादश्वः पशूनामोजस्वितमः ॥ ६ ॥

" वायवे त्वा जुष्टं प्रोक्षामि "–इति । वायुर्वै देवानामाशिष्ठः । जवमेवास्मिन् दधाति । तस्मादश्वः पशूनामाशिष्ठः ॥ ७ ॥

१–देवस्य त्वेति रशनामादाय ब्रह्मन्नश्वं भन्त्स्यामीत्याह । का. श्रौ. सू. २० । २६ । २–तं बधानेति ब्रह्मानुज्ञातोऽभिधा असीति बध्नात्यश्वम् । का. श्रौ. सू. २० । २७ । ३–प्रजापतये त्वेति प्रोक्षत्यश्वं प्रतिमन्त्रम् । का. श्रौ. सू. २० । ३६ ।

(घ्रो) व्विश्वेभ्यस्त्वा देवेभ्यो जुष्टम्प्रोक्षामीति व्विश्वे वै देवा देवानां यशस्वितमा यशऽ एवास्मिन्दधाति तस्मादश्वः पशूनां यशस्वितमः सर्व्वेभ्यस्त्वा देवेभ्यो जुष्टम्प्रोक्षामीति ॥ ८ ॥

तदाहुः । (र्ध्यु) यत्प्राजापत्योऽश्वोऽथ कथाऽप्यन्याभ्यो देवताभ्यः प्प्रोक्षतीति सर्व्वा वै देवताऽ अश्वमेधेऽन्वायत्ता यदाह सर्व्वेभ्यस्त्वा देवेभ्यो जुष्टम्प्रोक्षामीति सर्व्वाऽएवास्मिन्देवताऽ अन्वायातयति तस्मा-दश्वमेधे सर्व्वा देवताऽ अन्वायत्ताः पाप्मा वाऽ एतम्भ्रातृव्व्यऽ ईप्सति योऽश्वमेधेन यजते व्वज्रोऽश्वः परो मर्त्तः परः श्वेति श्वानं चतुरक्षꣳ हत्वाऽधस्पदमश्वस्योपप्लावयति व्वज्रेणैवैनमवक्रामति नैनम्पाप्मा भ्रातृव्व्यऽआप्नोति ॥ ९ ॥

इति प्रथमप्रपाठके द्वितीयं ब्राह्मणम् ॥ १३।१।२ ॥ (१-२) ॥

" विश्वेभ्यस्त्वा देवेभ्यो जुष्टं प्रोक्षामि "–इति । विश्वे वै देवा देवानां यशस्वितमाः । यश एवास्मिन् दधाति । तस्मादश्वः पशूनां यशस्वितमः । " सर्वेभ्यस्त्वा देवेभ्यो जुष्टं प्रोक्षामि "–(वा. सं. २२ । ५) इति ॥ ८ ॥

तदाहुः–यत्प्राजापत्योऽश्वः । अथ कथाऽप्यन्याभ्यो देवताभ्यः प्रोक्षतीति । सर्वा वै देवता अश्वमेधेऽन्वायत्ताः । यदाह । " सर्वेभ्यस्त्वादेवेभ्योजुष्टंप्रोक्षामि " इति । सर्वा एवास्मिन् देवता अन्वायातयति । तस्मादश्वमेधे सर्वा देवता अन्वायत्ताः । पाप्मा वा एतं भ्रातृव्य ईप्सति योऽश्वमेधेन यजते । वज्रोऽश्वः । " परो मर्तः परः श्वा "–(वा. सं. २२।५) इति श्वानं चतुरक्षं हत्वा, अधस्पदमश्वस्योपप्लावयति । वज्रेणैवैनमवक्रामति । नैनं पाप्मा भ्रातृव्य आप्नोति ॥ ९ ॥

यस्याक्षिसमीपे द्वे पौण्ड्रे अक्षिरूपवद्दिक्कोणके स चतुरक्षः श्वा । अधस्पदमश्वस्येति पादानामधस्तात् अधस्पदम् । न च पादानामधस्ताच्छक्येत आप्लावयितुम् । इत्यधस्पदमित्यनेनात्र पादांतरालं लक्ष्यते ॥ ९ ॥

इति श्रीमदाचार्यहरिस्वामिनः कृतौ माध्यन्दिनीयशतपथब्राह्मणभाष्ये त्रयोदशकाण्डे प्रथमाध्याये द्वितीयं ब्राह्मणम् ॥ १३ । १ । २ ॥

१–आयोगवमाह श्वानं चतुरक्षमभिहन्यास्येति । पुंश्चलूमके । सिध्रकमुसलेनेन २ हंति । बेतसकटेनाधोऽश्वं प्लावयति परो मर्त्त इति । का. श्रौ. सू. २० । ३७, ३९, ४१ ।

यथा वै हविषोऽ हुतस्य स्कन्देत् । (दे) एवमेतत्पशोः स्कन्दति यन्नि-
क्तमनालब्धमुत्सृजन्ति यत्स्तोकीया जुहोति सर्वहुतमेवैनञ्जुहोत्य-
स्कन्दायास्कन्नꣳ हि तद्यद्धुतस्य स्कन्दति सहस्रञ्जुहोति सहस्र-
सम्मितो वै स्वर्गो लोकः स्वर्गस्य लोकस्याभिजित्यै ॥ १ ॥

तदाहुः । (स्वं) यन्मिता जुहुयात्परिमितमवरुन्धीतेत्यमिता जुहोत्य-
परिमितस्यैवावरुद्ध्याऽ उवाच ह प्रजापति स्तोकीयासु वाऽअहमश्व-
मेधꣳ सꣳस्थापयामि तेन सꣳस्थितेनैवातऽ ऊर्ध्वञ्चरामीति ॥ २ ॥

(त्य) अग्नये स्वाहेति । (त्य) अग्नयऽ एवैनञ्जुहोति सोमाय स्वाहेति सोमा-

---

यथा वै हविषोऽहुतस्य स्कन्देत् । एवमेतत्पशोः स्कन्दति । यन्निक्तमनालब्धमुत्सृजन्ति । यत् स्तोकीया जुहोति । सर्वहुतमेवैनं जुहोति, अस्कन्दाय । अस्कन्नं हि तत् । यद्धुतस्य स्कंदति । सहस्रं जुहोति । सहस्रसम्मितो वै स्वर्गो लोकः । स्वर्गस्य लोकस्याभिजित्यै ॥ १ ॥

तदाहुः—यन्मिता जुहुयात् । परिमितमवरुन्धीत । इत्यमिता जुहोति । अपरिमितस्यैवावरुद्ध्यै । उवाच ह प्रजापतिः । स्तोकीयासु वा अहमश्वमेधं संस्थापयामि । तेन संस्थितेनैवात ऊर्ध्वं चरामीति ॥ २ ॥

"अग्नये स्वाहा"–इति । अग्नय एवैनं जुहोति । "सोमाय स्वाहा"–इति । सोमा-

---

हविषः अहुतस्य स्कन्देदप्यथ चेत्तत्र चावश्यं प्रतिक्रियते । एवमेतत् । अश्वस्य पशोः स्कन्दति । निक्तं प्रक्षालितम् । अनालब्धं पोषणाय । उत्सृजन्ति । त्वचम् । तत्र कः प्रतीकार इत्यपेक्षिते आह–यत् स्तोकीयाः । स्तोकमानां प्रस्रवणबिन्दूनां निष्क्रयणतया संबन्धिनीराहुतीर्जुहोति । सर्वहुतमेव एनमश्वं जुहोति अस्कन्दाय हविषः अविप्रणाशाय । (किमेतास्वाहुतिषु जुह्वता स नो विन्दते । न वै श्रोतून स्वपितु हविषः स्कन्दनेति?) । अस्कन्नं हि तद्यस्य हुतस्य स्कन्दति । एताभिश्च निष्क्रयणीभिराहुतिभिस्तद्धुतमेव भवतीत्यभिप्रायः । सहस्रं जुहोति । अग्नये स्वाहेत्येताः दशाहुतीः शतकृत्व आवृत्ता जुहोति । तथा जुहोति यथा आवृत्त्या सहस्रं भवतीत्यर्थः । सहस्रसंमितो वै स्वर्गो लोक इति । गायत्रीरात्रे गोसहस्रं प्रकृत्याह–"यावदस्य सहस्रस्योत्तरा गौर्गतिप्रतिष्ठा भवति । तावत् अस्माल्लोकात् असौ लोक इत्येवं सहस्रसंमितः स्वर्गलोकः" इति ॥ १ ॥

अमिता जुहोतीति कल्पान्तरम् । स्तोकीयासु वा अहमिति । सर्वेभ्यः अश्व आलभ्यत इति तेषां निष्क्रयणीभिराहुतिभिः संस्थापित एवाश्वमेधो भवतीत्यभिप्रायः । अथ सर्वाभ्यो वै देवताभ्यः अश्व आलभ्यते । एतावंतश्च सर्वे देवाः यावंतोऽग्न्यादयः तेभ्यो हुतः संस्थापित एव भवतीति ॥ २ ॥

अग्नय एवैनमिति । नाग्नये एनमेवाश्वं जुहोति न केवलमाज्यमिति । एवं सोमायैवैनमश्वं जुहोतीत्या-

---

१–अग्निसमीपमानीयाग्नये स्वाहेति जुहोत्यनुवाकेन प्रतिमन्त्रम् । का. श्रौ. सू. २० । ४२ ।

२–सहस्रं वाऽऽवर्तम् । आऽश्वस्रवणविरमणाद्वा । (इति तु शाखान्तरादिति देवयाज्ञिकः ।) का. श्रौ. सू. २० । ४३ । ४४

एवैनं जुहोत्यपाम्मोदाय स्वाहेत्यद्भ्यऽ एवैनं जुहोति सवित्रे स्वाहेति सवित्रऽ एवैनञ्जुहोति व्वायवे स्वाहेति व्वायवऽ एवैनञ्जुहोति व्विष्णवे स्वाहेति व्विष्णवऽ एवैनञ्जुहोतीन्द्राय स्वाहेतीन्द्रायैवैनञ्जुहोति बृहस्पतये स्वाहेति बृहस्पतयऽ एवैनञ्जुहोति मित्राय स्वाहेति मित्रायैवैनञ्जुहोति व्वरुणाय स्वाहेति व्वरुणायैवैनञ्जुहोत्येतावन्तो वै सर्व्वे देवास्तेभ्यऽ एवैनं जुहोति पराचीर्जुहोति पराङिव वै स्वर्गो लोकः स्वर्गस्य लोकस्या-
भिजित्यै ॥ ३ ॥

(त्याऽई) ईश्वरो वाऽ एषः । (ष) पराङ्प्रदघोर्य्यः पराचीराहुतीर्जुहोति पुनरावर्त्ततेऽस्मिन्नेव लोके प्रतितिष्ठत्येताँ ह वाव स यज्ञस्य सँस्थिति-
मुवाचास्कन्दायास्कन्नँ हि तद्यद्धुतस्य स्कन्दति ॥ ४ ॥

यथा वै हविषोऽहुतस्य स्कन्देत् । (दे) एवमेतत्पशोः स्कन्दति यम्प्रो-
क्षितमनालब्धमुत्सृजन्ति यद्रूपाणि जुहोति सर्व्वहुतमेवैनञ्जुहोत्यस्क-

---

यैवैनं जुहोति । " अपां मोदाय स्वाहा "-इति । अद्भ्य एवैनं जुहोति । "सवित्रे स्वाहा"-इति । सवित्र एवैनं जुहोति । " वायवे स्वाहा "-इति । वायव एवैनं जुहोति । " विष्णवे स्वाहा "-इति । विष्णव एवैनं जुहोति । " इंद्राय स्वाहा "-इति । इंद्रायैवैनं जुहोति । " बृहस्पतये स्वाहा "-इति । बृहस्पतय एवैनं जुहोति । " मित्राय स्वाहा "-इति । मित्रायैवैनं जुहोति । " वरुणाय स्वाहा "-(वा. सं. २२ । ६) इति । वरुणायैवैनं जुहोति । एतावन्तो वै सर्वे देवाः । तेभ्य एवैनं जुहोति । पराचीर्जुहोति । पराङिव वै स्वर्गो लोकः । स्वर्गस्य लोकस्याभिजित्यै ॥ ३ ॥

ईश्वरो वा एष पराङ्प्रदघोः । यः पराचीराहुतीर्जुहोति । पुनरावर्तते । अस्मिन्नेव लोके प्रतितिष्ठति । एतां ह वाव स यज्ञस्य संस्थितिमुवाचास्कंदाय । अस्कन्नं हि तत् । यद्धुतस्य स्कन्दति ॥ ४ ॥

यथा वै हविषोऽहुतस्य स्कन्देत् । एवमेतत्पशोः स्कन्दति । यं प्रोक्षितमनालब्धमुत्सृजन्ति । यद्रूपाणि जुहोति । सर्वहुतमेवैनं जुहोत्यस्कन्दाय । अस्कन्नं हि तत् । यद्धुतस्य स्कन्दति । "हिंका-

---

वृत्त्या पराचीरनावृत्ताः सकृदेव दर्शिता आहुतीरिति कल्पान्तरम् । पराङ् स्वर्गो लोक इति परतः श्रेय इत्यभिप्रायः ॥ ३ ॥

प्रदघोरिति प्राप्ते तोसुन आदिलोपः । हकारस्य धत्वम् । पराचीराहुतीर्जुहोतीत्यावृत्तिपक्षस्य निन्दा । पुनरावर्तत इत्यावृत्तिपक्षस्योपसंहारः । तेन च पुनरावर्तनेन अस्मिन्नेव लोके प्रतितिष्ठति । न पराङेव प्रैतीत्यर्थः । एतां ह वाव । एतामेव च स प्रजापतिः आवृतिमत्तां यज्ञस्य संस्थितिं स्तोकीयास्वाह ताः पराचीः ॥ ४ ॥

यथा वै हविषः इति । चतसृभिरेताभिः कंडिकाभिः अश्वरूपाणां हिंकारादीनां निष्क्रयणात्मिका रूपाख्या

न्दायास्कन्नꣳ हि तद्यद्धुतस्य स्कन्दति हिङ्काराय स्वाहा हिङ्कृताय स्वाहेत्येतानि वा अश्वस्य रूपाणि तान्येवावरुन्द्धे ॥ ५ ॥

तदाहुः । (३) अनाहुतिर्वै रूपाणि नैता होतव्याऽइत्यथो खल्वाहुरत्र वाऽअश्वमेधः सन्तिष्ठते यद्रूपाणि जुहोति होतव्याऽएवेति बहिर्द्धा वाऽएतमायतनात्करोति भ्रातृव्यमस्मै जनयति यस्यानायतनेऽन्यत्राग्नेराहुतीर्जुहोति ॥ ६ ॥

सावित्र्याऽएवेष्टेः । पुरस्तादनुद्रुत्य सकृदेव रूपाण्याहवनीये जुहोत्यायतनऽएवाहुतीर्जुहोति नास्मै भ्रातृव्यञ्जनयति यज्ञमुखे यज्ञमुखे जुहोति यज्ञस्य सन्तत्याऽअव्यवच्छेदाय ॥ ७ ॥

तदाहुः । (४) यद्यज्ञमुखेयज्ञमुखे जुहुयात्पशुभिर्व्यृध्येत पापीयान्त्स्यात्सकृदेव होतव्या न पशुभिर्व्यृध्यते न पापीयान्भवत्यष्टाचत्वारिꣳशतञ्जुहोत्यष्टाचत्वारिꣳशदक्षरा जगती जागताः पशवो जगत्यैवास्मै पशूनवरुन्द्धऽ एकमतिरिक्तञ्जुहोति तस्मादेकः प्रजास्वर्द्धुकः ॥ ८ ॥

इति प्रथमप्रपाठके तृतीयं ब्राह्मणम् ॥ १३।१।३ ॥ (१-३) ॥

राय स्वाहा हिंकृताय स्वाहा "–(वा. सं. २२ । ७) इति । एतानि वा अश्वस्य रूपाणि । तान्येवावरुन्धे ॥ ५ ॥

तदाहुः–अनाहुतिर्वै रूपाणि । नैता होतव्या इति । अथो खल्वाहुः । अत्र वा अश्वमेधः संतिष्ठते । यद्रूपाणि जुहोति । होतव्या एवेति । बहिर्द्धा वा एतमायतनात्करोति । भ्रातृव्यमस्मै जनयति । यस्यानायतनेऽन्यत्राग्नेराहुतीर्जुहोति ॥ ६ ॥

सावित्र्या एवेष्टेः पुरस्तादनुद्रुत्य सकृदेव रूपाण्याहवनीये जुहोति । आयतन एवाहुतीर्जुहोति । नास्मै भ्रातृव्यं जनयति । यज्ञमुखे यज्ञमुखे जुहोति । यज्ञस्य संतत्या अव्यवच्छेदाय ॥ ७ ॥

तदाहुः–यद्यज्ञमुखे यज्ञमुखे जुहुयात् । पशुभिर्व्यृध्येत । पापीयान् स्यात् । सकृदेव होतव्याः । न पशुभिर्व्यृध्यते । न पापीयान् भवति । अष्टाचत्वारिंशतं जुहोति । अष्टाचत्वारिंशदक्षरा

आहुतय उच्यन्ते । ता एवात्र प्रक्रम्या इति वक्ष्यंते । यस्यास्यानायतने आहुतीर्जुहोतीति । किं पुनस्तदायतनम् । अत आह–**अन्यत्राग्नेरिति** । अन्वाहार्यपचने वा अश्वपदे वा परिलिखिते । वक्ष्यमाणकल्पांतरनिन्दा ॥ ५ ॥ ६ ॥

सावित्र्या एवेष्टेः पुरस्तात् । स्तोकीयानंतरमेवेत्यर्थः । ननु च–प्रागदेववत् तत्स्थानं प्राप्नोति । किं ? तदर्थवचनेन । नैष दोषः कल्पांतरं हि वक्ष्यते । सावित्रीष्टिषु संस्थितासु प्रयुंक्तेऽश्वे पारिप्लव आख्याते वीणा–

प्रजापतिरश्वमेधमसृजत । सोऽस्मात्सृष्टः पराङैत्स दिशोऽनुप्रा-
विशत्तन्देवाः प्रैषमैच्छंस्तामिष्टिभिरनुप्रायुञ्जत तामिष्टिभिरन्वैच्छंस्तामि-
ष्टिभिरन्वविन्दन्यदिष्टिभिर्यजतेऽश्वमेव तन्मेध्यं यजमानोऽन्विच्छति ॥१॥

सावित्र्यो भवन्ति (न्ती) इयं वै सविता यो वाऽअस्यान्निलयते योऽन्यत्रै-
त्यस्याम्वाव तमनुविन्दन्ति न वाऽइमां कश्चन तिर्य्यङ्नोर्द्ध्वोऽत्येतु-
मर्हति यत्सावित्र्यो भवन्त्यश्वस्यैवानुवित्त्यै ॥ २ ॥

जगती । जागताः पशवः । जगत्यैवास्मै पशूनवरुन्धे । एकमतिरिक्तं जुहोति । तस्मादेकः प्रजास्वर्द्धुकः ॥ ८ ॥

प्रजापतिरश्वमेधमसृजत । सोऽस्मात्सृष्टः पराङैत् । स दिशोऽनुप्राविशत् । तं देवाः प्रैषमैच्छन् । तामिष्टिभिरनुप्रायुंजत । तामिष्टिभिरन्वैच्छन् । तामिष्टिभिरन्वविन्दन् । यदिष्टिभिर्यजते । अश्वमेव तन्मेध्यं यजमानोऽन्विच्छति ॥ १ ॥

सावित्र्यो भवन्ति । इयं वै सविता । यो वा अस्यां निलयते । योऽन्यत्रैति । अस्यां वाव तमनुविन्दन्ति । न वा इमां कश्चन तिर्यङ् नोर्ध्वोऽत्येतुमर्हति । यत्सावित्र्यो भवन्ति । अश्वस्यैवानुवित्त्यै ॥ २ ॥

गाथिनः संप्रेष्य अध्वर्युः प्रक्रमान् जुहोति, अन्वाहार्यपचनं वा अश्वस्य पदं वा परिलिख्येति । तस्य वाचनिकस्य क्रमस्य बाधनार्थं पुरस्तादित्याह । सूत्रकारेण तु स एव कल्पः सूत्रितः । नायम् । अनुद्रुत्य आनुपूर्व्येणोचार्य "हिंकाराय स्वाहा" इत्यादिकं आज्येनैव जुहुयादित्यभिप्रायः । सकृदेवेति न स्तोकीयावदावर्तयेदित्यर्थः । आहवनीये इति । न पदे अन्वाहार्यपचने वेत्यर्थः । यज्ञमुखे यज्ञमुख इति । दीक्षणीया प्रायणीया आतिथ्या प्रवर्ग्य उपसदः अग्नीषोमीयाः सुत्या अवभृथ उदयनीया अनूबंध्या उदवसानीया इत्येतेषु एकरूपमष्टाचत्वारिंशतम् । अतिरिक्तं जुहोति । तस्मादेकः प्रजासु अर्द्धुकः साधु समृद्धो भवति । अनेन तु तमनुवर्तते ॥ ७ ॥ ८ ॥

इति श्रीमदाचार्यहरिस्वामिनः कृतौ माध्यन्दिनीयशतपथब्राह्मणभाष्ये त्रयोदशकाण्डे प्रथमेऽध्याये तृतीयं ब्राह्मणम् ॥ १३ । १ । ३ ॥

प्रजापतिरश्वमेधमसृजत । सृष्टः भ्रष्टः । अस्मात्प्रजापतेः । पराङ् पराङ्मुखः । ऐत् गतः । स दिशः अनुप्राविशत् प्रविष्टः । अस्तं गत इत्यर्थः । तं देवास्तदीया ऋत्विजः । प्रैषं द्रष्टुं अन्वेषणे प्रकर्षेण अन्विष्यान्विष्य ऐच्छन् । तं इष्टिभिः सावित्रीभिः । अनु पश्चात् प्रकर्षेणायुंजत । ताभिः यथा न प्रणश्यति तथा अकुर्वत । तं इष्टिभिरन्वियेषुः । अन्वविन्दंश्च ॥ १ ॥

इयं वै सविता अनुज्ञाता । कथं ? यो वै अस्यां पृथिव्यां निलयते गृहाद्बहिर्भूमिं गच्छति । पश्चादंतरिक्षं गच्छति । अस्यामेव च तमनुविन्दंति लभंते । न च इमां कश्चिदपि तिर्यगूर्ध्वं च अतिवर्तते ॥ २ ॥

तदाहुः । प्र वाऽ एतदश्वो मीयते यत्पराङेति न ह्येनं प्रत्यावर्तयन्तीति यत्सायं धृतीर्जुहोति क्षेमो वै धृतिः क्षेमो रात्रिः क्षेमेणैवैनं दाधार तस्मात्सायम्मनुष्याश्च पशवश्च क्षेम्या भवन्त्यथ यत्प्रातरिष्टिभिर्यजतऽइच्छत्येवैनन्तत्तस्माद्दिवा नष्टैषऽ एति यद्धेव सायं धृतीर्जुहोति प्रातरिष्टिभिर्यजते योगक्षेममेव तद्यजमानः कल्पयते तस्माद्यत्रैतेन यज्ञेन यजन्ते कॢप्तः प्रजानां योगक्षेमो भवति ॥ ३ ॥

इति प्रथमप्रपाठके चतुर्थं ब्राह्मणम् ॥ १३।१।४ ॥ (१-४)

अप वाऽ एतस्मात् । (च्छ्री) श्री राष्ट्रङ्क्रामति योऽश्वमेधेन यजते यदा वै पुरुषः श्रियं गच्छति वीणाऽस्मै वाद्यते ब्राह्मणौ वीणागाथिनौ सम्वत्सरं गायतः श्रियै वाऽ एतद्रूपं यद्वीणा श्रियमेवास्मिंस्तद्धत्तः ॥ १ ॥

तदाहुः—प्र वा एतदश्वो मीयते । यत्पराङेति । न ह्येनं प्रत्यावर्तयन्तीति । यत्सायं धृतीर्जुहोति । क्षेमो वै धृतिः । क्षेमो रात्रिः । क्षेमेणैवैनं दाधार । तस्मात्सायं मनुष्याश्च पशवश्च क्षेम्या भवन्ति । अथ यत्प्रातरिष्टिभिर्यजते । इच्छत्येवैनं तत् । तस्माद्दिवा नष्टैष एति । यद्धेव सायं धृतीर्जुहोति । प्रातरिष्टिभिर्यजते । योगक्षेममेव तद्यजमानः कल्पयते । तस्माद्यत्रैतेन यज्ञेन यजन्ते । कॢप्तः प्रजानां योगक्षेमो भवति ॥ ३ ॥

अप वा एतस्माच्छ्री राष्ट्रं क्रामति । योऽश्वमेधेन यजते । यदा वै पुरुषः श्रियं गच्छति । वीणाऽस्मै

तदाहुः । धृतयो विधीयंते । प्रमीयते हिंस्यते । "मीञ् हिंसायाम्" (धा.पा. क्र्या.आ.४) हिंसने न हि तमश्वं हिंस्रेभ्योऽपि प्रत्यावर्तयंतीति यत्सायं धृतीः । यदवधारणार्थः । "इह रतिरिह रमताम्" इत्येता आहुतीर्जुहोतीति तत्क्षणेनैव रात्रिलक्षणेन एनमश्वं दाधार धारयत्यध्वर्युः । तस्मात् सायं मनुष्याश्च पशवश्चक्षेम्याः क्षेमसंबद्धा भवंति । कथं ? पुनः क्षेमेण एनं धारयतीत्यत आह—क्षेमो वै धृतिर्धारणम् । गृहेषु यदिह धृतिरस्तु इत्येवं प्रार्थ्यते । क्षेमो रात्रिः । तत्र हि गृहे स्थितानां सर्वतो भयं न भवति । ततश्च तस्यां धृतीराहुतीर्जुहोति । जुह्वतः प्रकर्षोऽर्थः । इच्छत्येवेति । अन्विच्छति । गवेषत इत्यर्थः । तस्मात्तदनुकारेण दिवा नष्टैष एति गच्छति । नष्टमन्विच्छति गवेषयति इति नष्टैषः । योगक्षेमं योगसहितं क्षेमम् । इष्टिभिः सावित्रीभिः योगम् । धृतिभिः क्षेमम् । यजमानं प्रजाभ्यः कल्पयते ॥ ३ ॥

इति श्रीमदाचार्यहरिस्वामिनः कृतौ माध्यन्दिनीयशतपथब्राह्मणभाष्ये त्रयोदशकाण्डे प्रथमेऽध्याये चतुर्थं ब्राह्मणम् ॥ १३ ॥ १ ॥ ४ ॥

अप वा एतस्मात् । एतेभ्यो योऽश्वमेधेन यजते । तस्मात् श्रीश्च समृद्धिः राष्ट्रं च जनपदः अपक्रामति ।

(स्तु) तदाहुः । (र्ख्रु) यदुभौ ब्राह्मणौ गायेतामुपास्मात्क्षत्त्रङ्क्रामे-द्ब्रह्मणो वाऽएतद्रूपं यद्ब्राह्मणो न वै ब्रह्मणि क्षत्त्रꣳ रमतऽइति ॥ २ ॥

यदुभौ राजन्यौ । (न्यावु) अपास्माद्ब्रह्मवर्चसङ्क्रामेत्क्षत्त्रस्य वाऽ एतद्रूपं यद्राजन्यो न वै क्षत्त्रे ब्रह्मवर्चसꣳ रमतऽ इति ब्राह्मणोऽन्यो गायति राजन्योऽन्यो ब्रह्म वै ब्राह्मणः क्षत्त्रꣳ राजन्यस्तदस्य ब्रह्मणा च क्षत्त्रेण चोभयतः श्रीः परिगृहीता भवति ॥ ३ ॥

तदाहुः । (र्ख्रु) यदुभौ दिवा गायेताम्प्रभ्रꣳशुकाऽस्माच्छ्रीः स्याद्ब्रह्मणो वाऽ एतद्रूपं यदहर्यदा वै राजा कामयतेऽथ ब्राह्मणं जिनाति पापीयांस्तु भवति ॥ ४ ॥

यदुभौ नक्तम् । (मु) अपास्माद्ब्रह्मवर्चसङ्क्रामेत्क्षत्त्रस्य वाऽएतद्रूपं यद्रात्रिर्न वै क्षत्त्रे ब्रह्मवर्चसꣳ रमत ऽइति दिवा ब्राह्मणो गायति

बाध्यते । ब्राह्मणौ वीणागाथिनौ संवत्सरं गायतः । श्रियै वा एतद्रूपम् । यद्वीणा । श्रियमेवास्मिंस्तद्धत्तः ॥ १ ॥

तदाहुः—यदुभौ ब्राह्मणौ गायेताम् । अपास्मात्क्षत्त्रं क्रामेत् । ब्रह्मणो वा एतद्रूपम् । यद् ब्राह्मणः । न वै ब्रह्मणि क्षत्त्रं रमत इति ॥ २ ॥

यदुभौ राजन्यौ । अपास्माद् ब्रह्मवर्चसं क्रामेत् । क्षत्त्रस्य वा एतद्रूपम् । यद्राजन्यः । न वै क्षत्त्रे ब्रह्मवर्चसं रमत इति । ब्राह्मणोऽन्यो गायति । राजन्योऽन्यः । ब्रह्म वै ब्राह्मणः । क्षत्त्रं राजन्यः । तदस्य ब्रह्मणा च क्षत्त्रेण चोभयतः श्रीः परिगृहीता भवति ॥ ३ ॥

तदाहुः—यदुभौ दिवा गायेताम् । प्रभ्रंशुकाऽस्माच्छ्रीः स्यात् । ब्रह्मणो वा एतद्रूपम् । यदहः । यदा वै राजा कामयते । अथ ब्राह्मणं जिनाति । पापीयांस्तु भवति ॥ ४ ॥

यदुभौ नक्तम् । अपास्माद्ब्रह्मवर्चसं क्रामेत् । क्षत्त्रस्य वा एतद्रूपम् । यद्रात्रिः । न वै क्षत्त्रे ब्रह्मवर्चसं

(ऋस्त्यौदीयानम् ।?) तत्प्रतीकाराय । ब्राह्मणौ वीणागाथिनौ संवत्सरं गायतः । श्रियो ह्येतत् रूपम् । या वीणा । श्रियमेवास्मिन्नेव धत्तः । कथं पुरा एतत् श्रियो रूपम्, इत्यत आह—यदा वै पुरुष इति । अर्थवादार्थ एवायमुपन्यासः । तस्यै प्रयाजेषु तायमानेषु । (अथ सायं धृतिषु हूयमानास्वश्विनोपबंधने च गुणत्वाद्गानोत्पत्तौ वाक्ये द्रष्टव्ये इतरे तावृत्तिवाक्यविशिष्टयोर्ब्राह्मणयोरन्यतरेऽन्ये राजन्येन कथं बाध्येत !) ॥ १–३ ॥

प्रभ्रंशुका प्रकर्षेण भ्रंशनधर्मिका इत्येवंबहुलक्षणं बहुलमभक्षत् । बहुभिर्क्रतुभिरयं राजा अयजत इष्टवान्

नक्तꣳ राजन्यस्तथो हास्य ब्रह्मणा च क्षत्त्रेण चोभयतः श्रीः परिगृहीता भवतीति—॥ ५ ॥

(त्य) अयजतेत्यददादिति । ब्राह्मणो गायतीष्टापूर्तम्वै ब्राह्मणस्येष्टापूर्त्तेनैवैनꣳ समर्द्धयतीत्ययुध्यतेत्यमुꣳ सङ्ग्राममजयादिति राजन्यो युद्धं वै राजन्यस्य व्वीर्य्यम्वीर्य्येणैवैनꣳ समर्द्धयति तिस्रोऽन्यो गाथा गायति तिस्रोऽन्यः षट्सम्पद्यन्ते षड्ऋतवः सम्वत्सरऽऋतुष्वेव सम्वत्सरे प्प्रतितिष्ठति ताभ्याꣳ शतं ददाति शतायुर्वै पुरुषः शतेन्द्रियऽआयुरेवेन्द्रियम्वीर्यमात्मन्धत्ते ॥ ६ ॥

इति प्रथमप्रपाठके पञ्चमं ब्राह्मणम् ॥ १३।१।५ ॥ (१-५)

व्विभूर्मात्रा प्प्रभूः पित्रेति । (ती) इयम्वै माताऽसौ पिताऽऽभ्यामेवैनम्परिददात्यश्वोऽसि हयोऽसीति शास्त्येवैनन्तत्तस्माच्छिष्टाः प्प्रजा जायं-

---

रमत इति । दिवा ब्राह्मणो गायति । नक्तं राजन्यः । तथो हास्य ब्रह्मणा च क्षत्त्रेण चोभयतः श्रीः परिगृहीता । भवति इति—॥ ५ ॥

अयजतेत्यददादिति ब्राह्मणो गायति । इष्टापूर्तं वै ब्राह्मणस्य । इष्टापूर्तेनैवैनं समर्द्धयति । इत्ययुध्यतेत्यमुं संग्राममजयादिति राजन्यः । युद्धं वै राजन्यस्य वीर्यम् । वीर्येणैवैनं समर्द्धयति । तिस्रोऽन्यो गाथा गायति । तिस्रोऽन्यः । षट् संपद्यन्ते । षट् ऋतवः संवत्सरः । ऋतुष्वेव संवत्सरे प्रतितिष्ठति । ताभ्यां शतं ददाति । शतायुर्वै पुरुषः । शतेन्द्रियः । आयुरेवेन्द्रियं वीर्यमात्मन्धत्ते ॥ ६ ॥

" विभूर्मात्रा प्रभूः पित्रा "—इति । इयं वै माता । असौ पिता । आभ्यामेवैनं परिददाति । " अश्वोऽसि हयोऽसि "—इति । शास्त्येवैनं तत् । तस्माच्छिष्टाः प्रजा जायन्ते ।

इति । एव प्रभूतं सारं अचितमक्लिष्टं सात्विकं पात्रेषु अददात् दत्तवानिति ब्राह्मणो गायति । एवं बहुभिः शूरैः सह निर्यात्यम्, जयोत्तरमविक्रव्यं अयुध्यत इति । एवं चतुरंगेण बलेन वक्रादिना व्यूहेन अनीकोरः-कक्ष्यादिमबध्नन् । असुं चतुर्दत्तकूटयुद्धादिकं संग्रामम् । अथवा कुरुसंग्रामं बालसंग्रामं प्राच्यसंग्रामं उदीच्यमपीत्यादिकं अजयज्जितवान् । अयं राजेति राजन्यो गायति । नान्यं प्रत्येकं शतं ददाति । परिक्रीयमाणयोस्तयोः प्राधान्यात् । ऋत्विजां तु क्रतुदक्षिणोक्तपरिमाणा दीयते । इति न प्रत्येकं सकला दीयते ॥ ४-६ ॥

इति श्रीमदाचार्यहरिस्वामिनः कृतौ माध्यन्दिनीयशतपथब्राह्मणभाष्ये त्रयोदशकाण्डे प्रथमेऽध्याये पञ्चमं ब्राह्मणम् ॥ १३ । १ । ५ ॥

विभूर्मात्रेति । तृतीयायां सावित्र्यामिष्टौ " संस्थितायामुपोत्थायाध्वर्युश्च यजमानश्चाश्वस्य दक्षिणे कर्णे

---

१ 'इत्यपचत्' 'इत्याजि नात्' इति क्रमेण ब्राह्मणराजन्यगान शाखान्तरीयवाक्ययोजननोक्तषट्त्वसंपत्तिर्द्रष्टव्या ।

२—वीणागाथिभ्यां पृथक् शतं ददाति । का. श्रौ. सू. २०।६८ ॥

गुन्तिरिह रमतामिह धृतिरिह स्वधृतिः स्वाहेति सम्वत्सरमाहुतीर्ज्जुहोति षोडश नवतीरेता वाऽअश्वस्य बन्धनन्ताभिरेवैनम्बध्नाति तस्मादश्वः प्रमुक्तो बन्धनमागच्छति षोडश नवतीरेता वाऽ अश्वस्य बन्धनन्ताभिरेवैनम्बध्नाति तस्मादश्वः प्रमुक्तो बन्धनन्न जहाति ॥ २ ॥

राष्ट्रम्वाऽ अश्वमेधः । (धो) राष्ट्रऽ एते व्व्यायच्छन्ति येऽश्वꣳ रक्षन्ति तेषां यऽ उदृचङ्गच्छन्ति राष्ट्रेणैव ते राष्ट्रम्भवन्त्यथ ये नोदृचङ्गच्छन्ति राष्ट्रात्ते व्व्यवच्छिद्यन्ते तस्माद्राष्ट्र्यश्वमेधेन यजेत परा वाऽएष सिच्यते योऽबलोऽश्वमेधेन यजते यद्यमित्राऽ अश्वम्विन्देरन्यज्ञोऽस्य व्विच्छिद्येत पापीयान्त्स्याच्छतङ्कवचिनो रक्षन्ति यज्ञस्य सन्तत्याऽअव्यवच्छेदाय न पापीयान्भवत्यथान्यमानीय प्प्रोक्षेयुः सैव तत्र प्प्रायश्चित्तिः ॥ ३ ॥

इति प्रथमप्रपाठके षष्ठं ब्राह्मणम् ॥ १३-१-६ ॥ (१. ६.) ॥

पालाः । तेभ्य एवैनं परिददाति । " इह रन्तिरिह रमतामिह धृतिरिह स्वधृतिः स्वाहा "- (वा. सं. २२ । १९ ।) इति । संवत्सरमाहुतीर्जुहोति षोडश नवतीः । एता वा अश्वस्य बन्धनम् । ताभिरेवैनं बध्नाति । तस्मादश्वः प्रमुक्तो बन्धनमागच्छति । षोडश नवतीः । एता वा अश्वस्य बन्धनम् । ताभिरेवैनं बध्नाति । तस्मादश्वः प्रमुक्तो बन्धनं न जहाति ॥ २ ॥

राष्ट्रं वा अश्वमेधः । राष्ट्र एते व्यायच्छन्ति । येऽश्वं रक्षन्ति । तेषां य उदृचं गच्छन्ति । राष्ट्रेणैव ते राष्ट्रं भवन्ति । अथ ये नोदृचं गच्छन्ति । राष्ट्रात्ते व्यवच्छिद्यन्ते । तस्माद्राष्ट्र्यश्वमेधेन यजेत । परा वा एष सिच्यते । योऽबलोऽश्वमेधेन यजते । यद्यमित्रा अश्वं विन्देरन् । यज्ञोऽस्य विच्छिद्येत ।

एवैनं परिददातीति । ब्रुवन् देवशब्द इष्टे गौणं दर्शयति । अथैते देवा इत्यत्र तु देवा आशापाला लक्ष्यन्ते । " इह रंतिरिह रमताम् " इति क्रमप्राप्तमंत्रानुक्रमणार्थं पुनर्वचनम् । षोडश नवतीरिति । ता एताः संवत्सरे संपद्यन्ते । एतामिति । इह रंतिरित्येवं प्रार्थना । ' बन्धनं ' बध्यतेऽस्मिन्निति बंधनं स्थानं तस्मात्प्रमुक्तः स्वयमप्यागच्छति । (सत्ये च सत्यजन्यम् ?) ॥ २ ॥

राष्ट्रं जनपदम् । अश्वमेधकारणम् । कथं ? यस्मात् राष्ट्रे एते विविधं आयच्छन्ते व्याप्रियंते । तेषां ये राजपुत्रादयो राजन्यादयः उदृचं समाप्तिं गच्छंति । अश्वमात्राद्रक्षंति । ते राष्ट्रेणैवाश्वमेधेन हेतुना राष्ट्रं राष्ट्रात् स्वं रक्षंति राजपुत्रादयो भवंति । तथैव सेवया देशा आत्माश्च प्राप्नुवंतीत्यर्थः । तस्मात् राष्ट्री राष्ट्रपतिः । अश्वमेधेन यजेतेति विधिः । परा बहिः । परासिच्यते क्षीयंतेऽरातयः । अबलो मंदबलः सामंतेभ्यः । अश्वमेधेन यजते ॥ ३ ॥

इति श्रीमदाचार्यहरिस्वामिनः कृतौ माध्यन्दिनीयशतपथब्राह्मणभाष्ये त्रयोदशकाण्डे प्रथमेऽध्याये षष्ठं ब्राह्मणम् ॥ १३ । १ । ६ ॥

प्रजापतिरकामयत । (ता) अश्वमेधेन यजेयेति सोऽश्राम्यत्स तपोऽतप्यत तस्य श्रान्तस्य तप्तस्य सप्तधाऽऽत्मनो देवताऽ अपाक्रामन्त्सा दीक्षाऽभवत्सऽ एतानि वैश्वदेवान्यपश्यत्तान्यजुहोत्तैर्वै स दीक्षामवारुन्ध यद्वैश्वदेवानि जुहोति दीक्षामेव तैर्यजमानोऽवरुन्धेऽन्वहञ्जुहोत्यन्वहमेव दीक्षामवरुन्धे सप्त जुहोति सप्त वै ता देवताऽअपाक्रामंस्ताभिरेवास्मै दीक्षामवरुन्धे ॥ १ ॥

(न्धेऽप) अप वाऽ एतेभ्यः प्राणाः क्रामन्ति । ये दीक्षामतिरेचयन्ति सप्ताहम्प्रचरन्ति सप्त वै शीर्षण्याः प्राणाः प्राणा दीक्षा प्राणैरेवास्मै प्राणान्दीक्षामवरुन्धे त्रेधा विभज्य देवताञ्जुहोति त्र्यावृतो वै देवास्त्र्यावृतऽ इमे लोकाऽ ऋध्यामेव वीर्य्यऽएषु लोकेषु प्रतितिष्ठति ॥ २ ॥

पापीयान् स्यात् । शतं कवचिनो रक्षन्ति । यज्ञस्य सन्तत्या अव्यवच्छेदाय । न पापीयान् भवति । अथान्यमानीय प्रोक्षेयुः । सैव तत्र प्रायश्चित्तिः ॥ ३ ॥

प्रजापतिरकामयत । अश्वमेधेन यजेयेति । सोऽश्राम्यत् । स तपोऽतप्यत । तस्य श्रान्तस्य तप्तस्य सप्तधाऽऽत्मनो देवता अपाक्रामन् । सा दीक्षाऽभवत् । स एतानि वैश्वदेवान्यपश्यत् । तान्यजुहोत् । तैर्वै स दीक्षामवारुन्ध । यत् वैश्वदेवानि जुहोति । दीक्षामेव तैर्यजमानोऽवरुन्धे । अन्वहं जुहोति । अन्वहमेव दीक्षामवरुन्धे । सप्त जुहोति । सप्त वै ता देवता अपाक्रामन् । ताभिरेवास्मै दीक्षामवरुन्धे ॥ १ ॥

अप वा एतेभ्यः प्राणाः क्रामन्ति । ये दीक्षामतिरेचयन्ति। सप्ताहं प्रचरन्ति । सप्त वै शीर्षण्याः प्राणाः । प्राणा दीक्षा । प्राणैरेवास्मै प्राणान् दीक्षामवरुन्धे । त्रेधा विभज्य देवतां जुहोति । त्र्यावृतो वै देवाः । त्र्यावृत इमे लोकाः । ऋध्यामेव वीर्य एषु लोकेषु प्रतितिष्ठति ॥ २ ॥

प्रजापतिः इति । तस्य य आत्मा शरीरम् । तस्मात्सप्तभेदात् चक्षुरादिभिश्छिद्रैः देवता अपक्रान्ताः सा च दीक्षा देवता आश्वमेधिकी अभवत् । स प्रजापतिः तस्या अवरोधार्थम् एतानि वक्ष्यमाणानि " काय स्वाहा " इत्यादिमंत्रकाणि अपक्रांतसप्तदेवताकानि वैश्वदेवानि नामानि हवनानि अपश्यत् । अन्वहमहन्यहनि जुहोति । न तु सर्वाणि । किंतु, वक्ष्यमाणेन विभागेन सप्त जुहोति । समानदेवतानि त्रीण्येकीकृत्य एवं सप्तेति । ताभिरेव देवताभिस्तर्पिताभिः अस्मै यजमानाय दीक्षामवरुन्धे ॥ १ ॥

अप वा एतेभ्यः । ये दीक्षामवरुध्य वैश्वदेवानि अतिरेचयन्ति । एकाहदीक्षया सप्ताहदीक्षया प्रचरन्ति । सप्त वैश्वदेवानि जुह्वति । दीक्षायाः सकाशात् वैश्वदेवानि व्यतिरेचयन्ति । तेभ्यः प्राणा अपक्रामन्ति । तत्प्रतीकाराय सप्ताहं दीक्षया प्रचरन्ति । सप्त ये शीर्षण्याः प्राणास्ते आश्वमेधिकीदीक्षाभूताः । ततश्च प्राणैरेव

(त्ये) एकविꣳशतिः सम्पद्यन्ते । द्वादश मासाः पञ्चर्तवस्त्रयऽइमे लोकाऽ असावादित्यऽ एकविꣳशस्तदैवं क्षत्रꣳ सा श्रीस्तदाधिपत्यन्तद्ब्रध्नस्य विष्टपन्तत्स्वाराज्यमश्नुते ॥ ३ ॥

त्रिꣳशतमौद्ग्रभणानि जुहोति । त्रिꣳशदक्षरा विराड्विराडु कृत्स्नमन्नं कृत्स्नस्यैवान्नाद्यस्यावरुद्ध्यै चत्वार्यौद्ग्रभणानि जुहोति त्रीणि वैश्वदेवानि सप्त सम्पद्यन्ते सप्त वै शीर्षण्याः प्राणाः प्राणा दीक्षा प्राणैरेवास्मै प्राणान्दीक्षामवरुन्धे पूर्णाहुतिमुत्तमाञ्जुहोति प्रत्युत्तब्ध्यै सयुक्त्वाय ॥ ४ ॥

इति प्रथमप्रपाठके सप्तमं ब्राह्मणम् ॥ १३।१।७ ॥ (१-७ ॥)

एकविंशतिः संपद्यन्ते । द्वादश मासाः । पञ्चर्तवः । त्रय इमे लोकाः । असावादित्य एकविंशः । तद्दैवं क्षत्रं । सा श्रीः । तदाधिपत्यम् । तत् ब्रध्नस्य विष्टपम् । तत् स्वाराज्यमश्नुते ॥ ३ ॥

त्रिंशतमौद्ग्रभणानि जुहोति । त्रिंशदक्षरा विराट् । विराडु कृत्स्नमन्नम् । कृत्स्नस्यैवान्नाद्यस्यावरुद्ध्यै । चत्वार्यौद्ग्रभणानि जुहोति । त्रीणि वैश्वदेवानि । सप्त संपद्यन्ते । सप्त वै शीर्षण्याः प्राणाः । प्राणा दीक्षा । प्राणैरेवास्मै प्राणान्दीक्षामवरुन्धे । पूर्णाहुतिमुत्तमां जुहोति । प्रत्युत्तब्ध्यै सयुक्त्वाय ॥ ४ ॥

दीक्षात्मकैः प्राणात्मिकां दीक्षामवरुन्धे । त्रेधा त्रीणि रूपाणि विभज्य देवतां जुहोति । "काय स्वाहा कस्मै स्वाहा" इत्येवमादिना । त्र्यावृतो वसुरुद्रादित्यात्मकैरवयवैस्त्रिगुणा देवाः । अग्निः सोम इन्द्र इत्येवमाद्यात्मिकास्त्र्यावृतो वा । एवं लोका अपि त्रिगुणाः । समस्ताः प्रत्येकं चादिमध्यान्तविभागेन त्र्यावृतः । ततश्च त्रिगुणाभिर्देवताभिरिष्टाभिः त्रिगुणश्च दीर्घवत्सु समृद्धेषु एषु लोकेषु प्रतितिष्ठति ॥ २ ॥

तानि च सप्त । सप्त त्रिकाणि । एकविंशतिः संगच्छन्ते । अथ तैः किमधिदैवमपि इत्यत आह–द्वादश मासा इत्यादि । उत्तरत्र तच्छब्दश्च अतो यच्छब्दः अध्याहार्यः । यदेव द्वादश मासा इत्यादि तद्दैवं देवेषु भवं क्षत्रं । मासादींस्तान् देवानभिप्रेत्याह–सा श्रीरिति । तत्सौभाग्यतामाश्रित्याह–तदेव ब्रध्नस्यादित्यस्य संबन्धि प्रकाश्यम् । तत् आधिपत्यं अधिपतिभवम् । तत् स्वाराज्यमेकैश्वर्यम् अश्नुते ॥ ३ ॥

तैरेकविंशत्या वैश्वदेवैस्त्रिंशतमौद्ग्रभणानि जुहोति । सप्तभिर्दिवसैः कृते एकविंशतिः संपद्यते इति संपदभिकारात् । चत्वारि औद्ग्रभणानि जुहोतीति च एतस्मिन्नहनि चतुर्होमयपनाय । चत्वारि औद्ग्रभणानि प्रत्यहं जुहोति । प्रागल्भ्येन सप्तमे तु षडाग्निकानि जुहोति । कुत एवम् । त्रिंशत्संपद्वचनात्तेषां च साग्निचित्ये अवश्यं होम्यत्वात् । अध्वरस्य तु अनग्नेरित्येतेनापि तत्प्राप्तेः । शीर्षण्याः शिरसि भवाः । यति तद्धिते शिरसः शीर्षन्नादेशः । प्राणा दीक्षेति । याः सप्त प्राणदेवता अपाक्रामन् । सा दीक्षाऽभवदित्येवं प्राणदीक्षया प्राणैरेव सप्तभिरधियज्ञियैः प्राणान् दीक्षात्मकान् अधिदैवकान् अवरुन्धे । पूर्णाहुतिं "विश्वो देवस्य" इत्येता-

प्प्रजापतिरश्वमेधमसृजत। सु सृष्टः प्प्रर्चम्मुल्लीनात्प्र साम तुम्वैश्वदेवा-
न्युदयच्छन्युद्वैश्वदेवानि जुहोत्यश्वमेधुस्यैवोद्यत्यै ॥ १ ॥
काय स्वाहा । कुस्मै स्वाहा कतमुस्मै स्वाहेति प्प्राजापत्यम्मुख्य-
ङ्करोति प्प्रजापतिमुखाभिरेवैनन्देवुताभिरुद्यच्छति ॥ २ ॥
स्वाहाऽऽधिमाधीताय स्वाहा। मुनः प्प्रजापतये स्वाहा चित्तम्विज्ञा-
तायेति युदेव पूर्व्वासाम्ब्राह्मणन्तदत्र ॥ ३ ॥
(त्रा) अदित्यै स्वाहा। (ह्राऽदि) अदित्यै मह्यै स्वाहाऽदित्यै सुमृ-
डीकायै स्वाहेतीयम्वाऽअदितिरनयैवैनमुद्यच्छति ॥ ४ ॥
सुरस्वत्यै स्वाहा। सुरस्वत्यै पावकायै स्वाहा सुरस्वत्यै बृहत्यै स्वाहेति
व्वाग्वै सुरस्वती व्वाचैवैनमुद्यच्छति ॥ ५ ॥

प्रजापतिरश्वमेधमसृजत। स सृष्टः प्रर्चमल्लीनात्प्र साम। तं वैश्वदेवान्युदयच्छन्। यद्वैश्वदेवानि जुहोति। अश्वमेधस्यैवोद्यत्यै ॥ १ ॥

"काय स्वाहा कस्मै स्वाहा कतमस्मै स्वाहा"–इति प्राजापत्यं मुख्यं करोति। प्रजापतिमुखाभिरेवैनं देवताभिरुद्यच्छति ॥ २ ॥

"स्वाहाऽऽधिमाधीताय स्वाहा मनः प्रजापतये स्वाहा चित्तं विज्ञाताय"–इति। यदेव पूर्वासां ब्राह्मणम्। तदत्र ॥ ३ ॥

"अदित्यै स्वाहाऽदित्यै मह्यै स्वाहाऽदित्यै सुमृडीकायै स्वाहा"–इति। इयं वा अदितिः। अनयैवैनमुद्यच्छति ॥ ४ ॥

"सरस्वत्यै स्वाहा सरस्वत्यै पावकायै स्वाहा सरस्वत्यै बृहत्यै स्वाहा"–इति। वाग्वै सरस्वती। वाचैवैनमुद्यच्छति ॥ ५ ॥

मुत्तमां जुहोति। किमर्थं ? प्रत्युत पूर्वेषामौद्ग्रभणानाम्। उत्तब्ध्यै मह्यै। कथं नाम। प्रतिष्टंभः स्यात्। प्रतिस्तब्धानि च सयुंजि समानयोगीनि कथं स्युरिति। प्रतिस्तब्धानि हि वर्तुलानि हि संहत्यकारीणि भवंतीत्यर्थः ॥ ४ ॥

इति श्रीमदाचार्यहरिस्वामिनः कृतौ माध्यन्दिनीयशतपथब्राह्मणभाष्ये प्रथमेऽध्याये
सप्तमं ब्राह्मणम् ॥ १३ । १ । ७ ॥

प्रजापतिः अश्वमेधं यजुरात्मकं विग्रहवन्तं सृष्टवान्। स एव सृष्टः सन् यजुषामपूर्वाणां बहुत्वाद्बलवत्त्वाद्बलवत्तर इति कृत्वा ऋचं ऋग्यजुषमश्वमेधं 'साम' सामयजुषं च 'प्राव्लीनात्'। "व्ली वरणे" (धा. पा. क्र्या. प. ३०) प्राव्रणोत् अवष्टभ्य संकोचितवान्। तं यजुरात्मकमश्वमेधमतिगुरुमपाक्रामंतिवैश्वदेवानि होमकर्माणि उत्तंभनस्थानीयानि भूत्वा उत् ऊर्ध्वं अयच्छन्। उद्यतवंति उत्क्षिप्तवंति ॥ १ ॥

प्राजापत्यं वैश्वदेवं त्रिप्रभेदं मुख्यं मुखमिव प्रथमं करोति। यदेव पूर्वासां व्याहृतीनां वा प्राजापत्यानां

पू॒ष्णे स्वाहा॑ । पू॒ष्णे प्र॑प॒थ्या॑य॒ स्वाहा॑ पू॒ष्णे न॒रन्धि॑षाय॒ स्वाहेति॑ प॒शवो॒ वै पू॒षा प॒शुभि॑रे॒वैन॒मुद्य॑च्छति ॥ ६ ॥

त्वष्ट्रे॒ स्वाहा॑ । त्वष्ट्रे॑ तु॒रीपा॑य॒ स्वाहा॑ त्वष्ट्रे॑ पुरु॒रूपा॑य॒ स्वाहेति॒ त्वष्टा॒ वै प॒शूना॑म्मिथु॒नाना॑ᳪ रूप॒कृद्रू॒पैरे॒वैन॒मुद्य॑च्छति ॥ ७ ॥

विष्ण॑वे॒ स्वाहा॑ । विष्ण॑वे निभूय॒पाय॒ स्वाहा॑ विष्ण॑वे शिपिवि॒ष्टाय॒ स्वाहेति॑ य॒ज्ञो वै विष्णु॑र्य॒ज्ञेनै॒वैन॒मुद्य॑च्छति विश्वो॑ दे॒वस्य॑ ने॒तुरिति॑ पूर्णाहु॒तिमु॑त्त॒माञ्जु॑होती॒यम्वै पू॒र्णाहु॑तिर॒स्यामे॒वान्त॑तः प्र॒तिति॑ष्ठति ॥८॥

इति प्रथमप्रपाठकेऽष्टमं ब्राह्मणम् ॥ १३।१।८ ॥ (१-८) ॥

आ ब्रह्म॑न् । (न्ब्रा) ब्रा॒ह्म॒णो ब्र॑ह्मवर्च॒सी जा॑यता॒मिति॑ ब्राह्म॒णऽ ए॒व ब्र॑ह्मवर्च॒सन्द॑धाति॒ तस्मा॑त्पु॒रा ब्रा॑ह्म॒णो ब्र॑ह्मवर्च॒सी ज॑ज्ञे ॥ १ ॥

" पूष्णे स्वाहा पूष्णे प्रपथ्याय स्वाहा पूष्णे नरंधिषाय स्वाहा "-इति । पशवो वै पूषा । पशुभिरेवैनमुद्यच्छति ॥ ६ ॥

"त्वष्ट्रे स्वाहा त्वष्ट्रे तुरीपाय स्वाहा त्वष्ट्रे पुरुरूपाय स्वाहा"-इति । त्वष्टा वै पशूनां मिथुनानां रूपकृत् । रूपैरेवैनमुद्यच्छति ॥ ७ ॥

" विष्णवे स्वाहा विष्णवे निभूयपाय स्वाहा विष्णवे शिपिविष्टाय स्वाहा "-(वा. सं. २२।२०) इति । यज्ञो वै विष्णुः । यज्ञेनैवैनमुद्यच्छति । " विश्वो देवस्य नेतुः "-(वा. सं. २२।२१) इति पूर्णाहुतिमुत्तमां जुहोति । इयं वै पूर्णाहुतिः । अस्यामेवान्ततः प्रतितिष्ठति ॥ ८ ॥

" आ ब्रह्मन्ब्राह्मणो ब्रह्मवर्चसी जायताम् "-इति । ब्राह्मण एव ब्रह्मवर्चसं दधाति । तस्मात्पुरा ब्राह्मणो ब्रह्मवर्चसी जज्ञे ॥ १ ॥

ब्राह्मणं-" प्रजापतिमुखाभिरेवैनं देवताभिरुद्यच्छति " इति । तदत्र ब्राह्मणमिति ब्रुवत आह । " आधिमाधीताय मनश्चित्तम् " इत्येता द्वितीयाहे पूर्वोत्तरेष्टौ हूयमाना चतुर्थी द्रष्टव्या ॥ २-६ ॥

' त्वष्टा वै ' । आत्मिकं वाऽऽत्मकः । पशूनां मिथुनानाम् । आध्यात्मिकं तावत् रूपकृत् । रूपाणि नानाविधानि करोति इति ॥ ७ ॥ ८ ॥

इति श्रीमदाचार्यहरिस्वामिनः कृतौ माध्यन्दिनीयशतपथब्राह्मणभाष्ये प्रथमेऽध्याये-ऽष्टमं ब्राह्मणम् ॥ १३ । १ । ८ ॥

आ ब्रह्मन् । ओं समिदाधानात् कृत्वा आब्रह्मन्निति अध्वर्युर्जपति । आशीरूपत्वात् क्रियांतरे चाविनियोगात् ।

१-कृष्णाजिनं वासमिदाधानात्कृत्वाऽब्रह्मन्निति जपति । (आ समिदाधानात्-उखायां त्रयोदशसमिदाधानांतम् ।) उत्सर्गकाल एके । का. श्रौ. सू. २० । ९२ । ९३ ॥ उपातिष्ठत उत्सर्गैः का. श्रौ. सू. १७ । ११८ (इत्युत्सर्गोपस्थानकालः ।) पशुबन्धुत्सर्जनं निरष्टेऽश्वशंते । का. श्रौ. सू. २० । ४९ । इत्यश्वोत्सर्गकालो वा ।

(ब्रऽआ) आ राष्ट्रे राजन्यः । शूरऽइषव्योऽतिव्याधी महारथो जायतामिति राजन्यऽ एव शौर्य्यम्महिमानन्दधाति तस्मात्पुरा राजन्यः शूरऽ इषव्योऽतिव्याधी महारथो जज्ञे ॥ २ ॥

दोग्ध्री धेनुरिति । धेन्वामेव पयो दधाति तस्मात्पुरा धेनुर्दोग्ध्री जज्ञे ॥ ३ ॥

वोढाऽनड्वानिति । (त्य) अनुडुह्येव बलन्दधाति तस्मात्पुराऽनड्वान्वोढा जज्ञे ॥ ४ ॥

(ब्रऽआ) आशुः सप्तिरिति । (त्य) अश्वऽ एव जवन्दधाति तस्मात्पुराऽश्वः सर्त्ता जज्ञे ॥ ५ ॥

पुरन्धिर्य्योषेति । योषित्येव रूपन्दधाति तस्माद्रूपिणी युवतिः प्रिया भावुका ॥ ६ ॥

जिष्णू रथेष्ठाऽइति । राजन्यऽ एव जैत्रम्महिमानन्दधाति तस्मात्पुरा राजन्यो जिष्णुर्ज्जज्ञे ॥ ७ ॥

सभेयो युवेति । (त्ये) एष वै सभेयो युवा यः प्रथमवयसी तस्मात्प्रथमवयसी स्त्रीणाम्प्रियो भावुकः ॥ ८ ॥

" आ राष्ट्रे राजन्यः शूर इषव्योऽतिव्याधी महारथो जायताम् "–इति । राजन्य एव शौर्यं महिमानं दधाति । तस्मात्पुरा राजन्यः शूर इषव्योऽतिव्याधी महारथो जज्ञे ॥ २ ॥

" दोग्ध्री धेनुः "–इति । धेन्वामेव पयो दधाति । तस्मात्पुरा धेनुर्दोग्ध्री जज्ञे ॥ ३ ॥

" वोढाऽनड्वान् "–इति । अनडुह्येव बलं दधाति । तस्मात्पुराऽनड्वान्वोढा जज्ञे ॥ ४ ॥

" आशुः सप्तिः "–इति । अश्व एव जवं दधाति । तस्मात्पुराऽश्वः सर्ता जज्ञे ॥ ५ ॥

" पुरंधिर्योषा "–इति । योषित्येव रूपं दधाति । तस्मात् रूपिणी युवतिः प्रिया भावुका ॥ ६ ॥

" जिष्णू रथेष्ठाः "–इति । राजन्य एव जैत्रं महिमानं दधाति । तस्मात्पुरा राजन्यो जिष्णुर्जज्ञे ॥ ७ ॥

" सभेयो युवा "–इति । एष वै सभेयो युवा । यः प्रथमवयसी । तस्मात् प्रथमवयसी स्त्रीणां प्रियो भावुकः ॥ ८ ॥

एवमाशासानोऽध्वर्युः ब्राह्मणे ब्रह्मवर्चसं दधाति, तस्माच्च पुरा यदा राजानः अश्वमेधैरीजिरे । तदा ब्रह्मवर्चसी जज्ञे । य एष एव तस्मात् एवमन्यानि ईदृशानि वचनानि व्याख्येयानि । शूरयतीति शूरः पराक्रमी ।

(८) आऽस्य युजमानस्य व्वीरो जायतामिति युजमानस्यैवु प्प्रजा- याम्वीर्य्यन्दधाति-तुस्मात्पुरेजानुस्य व्वीरो जज्ञे ॥ ९ ॥ अर्द्धः प्रपाठकः ॥ ६४ ॥

निकामेनिकामे नः पुर्ज्जुन्यो व्वर्षत्विति । निकामेनिकामे वै तुत्र पुर्ज्जुन्यो व्वर्षति युत्रैतेन युज्ञेन युजन्ते फुलवत्यो नऽओषधयः पुच्य- न्तामिति फुलवत्यो वै तत्रौषधयः पुच्यन्ते युत्रैतेन युज्ञेन युजन्ते योग- क्षेमो नः कल्पतामिति योगक्षेमो वै तुत्र कल्पते युत्रैतेन युज्ञेन युजन्ते तुस्माद्युत्रैतेन युज्ञेन युजन्ते क्लृप्तः प्प्रजानां योगक्षेमो भवति ॥ १० ॥

इति प्रथमप्रपाठके नवमं ब्राह्मणम् ॥ १३।१।९॥(१-९) ॥

प्रथमोऽध्यायश्च समाप्तः ॥ १३ । १ ॥

कण्डिकासंख्या ॥ ५५ ॥

" आऽस्य यजमानस्य वीरो जायताम् "-इति । यजमानस्यैव प्रजायां वीर्यं दधाति । तस्मात्पुरेजानस्य वीरो जज्ञे ॥ ९ ॥

" निकामेनिकामे नः पर्जन्यो वर्षतु "-इति । निकामेनिकामे वै तत्र पर्जन्यो वर्षति । यत्रैतेन यज्ञेन यजन्ते । " फलवत्यो न ओषधयः पच्यन्ताम् "-इति । फलवत्यो वै तत्रौ- षधयः पच्यन्ते । यत्रैतेन यज्ञेन यजन्ते । "योगक्षेमो नः कल्पताम्"-(वा. सं. २२ । २२) इति । योगक्षेमो वै तत्र कल्पते । यत्रैतेन यज्ञेन यजन्ते । तस्माद्यत्रैतेन यज्ञेन यजन्ते । क्लृप्तः प्रजानां योगक्षेमो भवति ॥ १० ॥

" शूरविक्रांतौ " (धा. पा. चु. प. ३६९) ' इषव्यः ' इषुषु साधुः । ' अतिव्याधी ' अतिक्रम्य अन्येषां लक्ष्यं विध्यतीति अतिव्याधी । दोग्ध्री साधुदुग्धा । वोढा साधु वहति । जिष्णुः साधु जयति । सभेयः सभायां साधुः । ' प्रथमवयसी ' प्रथमं वयः तदस्य विद्यते स प्रथमवयसी । तस्मात् पुरा ईजानस्य अश्वमेधेन इष्टवतः वीरो जायते स्म । सस्यानुपरोधादिनियतः कामः ॥ १-१० ॥

इति श्रीमदाचार्यहरिस्वामिनः कृतौ माध्यन्दिनीयशतपथब्राह्मणभाष्ये त्रयोदशे काण्डे प्रथमेऽध्याये नवमं ब्राह्मणम् ॥ १३ । १ । ९ ॥

नागस्वामिसुतोऽवन्त्यां पाराशर्यो वसन्हरिः । श्रुत्यर्थं दर्शयामास शक्तितः पौष्करीयकः ॥ १ ॥
श्रीमतोऽवन्तिनाथस्य विक्रमार्कस्य भूपतेः । धर्माध्यक्षो हरिस्वामी व्याख्यच्छातपथीं श्रुतिम् ॥ २ ॥
भूभर्त्रा विक्रमार्केण क्लृप्तां कनकवेदिकाम् । दानायाध्यस्य कृतवान् श्रुत्यर्थविवृतिं हरिः ॥ ३ ॥

इति श्रीसर्वविद्यानिधानकवीन्द्राचार्यसरस्वतीनां श्रीहरिस्वामिनां कृतौ माध्यन्दिनीयशतपथब्राह्मणभाष्ये त्रयोदशकाण्डे प्रथमोऽध्यायः समाप्तः ॥ (१३-१) ॥

अथ द्वितीयेऽध्याये प्रथमं ब्राह्मणम् ।

प्रथमप्रपाठके च दशमं ब्राह्मणम् ।

प्रजापतिर्देवेभ्यो यज्ञान्व्यादिशत् । (तस) सऽआत्मन्नश्वमेधमधत्त ते देवाः प्रजापतिमब्रुवन्नेष वै यज्ञो यदश्वमेधोऽपि नोऽत्रास्तु भागऽ इति तेभ्यऽएतानन्नहोमानकल्पयद्यदन्नहोमाञ्जुहोति देवानेव तत्प्रीणाति ॥ १ ॥

(त्या) आज्येन जुहोति । तेजो वाऽआज्यन्तेजसैवास्मिंस्तत्तेजो दधात्याज्येन जुहोत्येतद्वै देवानां प्रियन्धाम यदाज्यं प्रियेणैवैनान्धाम्ना समर्द्धयति ॥ २ ॥

सक्तुभिर्जुहोति । देवानाम्वाऽएतद्रूपं यत्सक्तवो देवानेव तत्प्रीणाति ॥ ३ ॥

धानाभिर्जुहोति । (त्य) अहोरात्राणाम्वाऽएतद्रूपं यद्धानाऽअहोरात्राण्येव तत्प्रीणाति ॥ ४ ॥

लाजैर्जुहोति । नक्षत्राणाम्वाऽ एतद्रूपं यल्लाजा नक्षत्राण्येव तत्प्रीणाति प्राणाय स्वाहाऽपानाय स्वाहेति नामग्राहञ्जुहोति नामग्राहमु्वै-

---

अथान्नहोमब्राह्मणम् ।

प्रजापतिर्देवेभ्यो यज्ञान् व्यादिशत् । स आत्मन्नश्वमेधमधत्त । ते देवाः प्रजापतिमब्रुवन् । एष वै यज्ञः यदश्वमेधः । अपि नोऽत्राऽस्तु भाग इति । तेभ्य एतान् अन्नहोमान् अकल्पयत् । यदन्नहोमान् जुहोति । देवानेव तत्प्रीणाति ॥ १ ॥

आज्येन जुहोति । तेजो वा आज्यम् । तेजसैवास्मिंस्तत्तेजो दधाति । आज्येन जुहोति एतद्वै देवानां प्रियं धाम, यदाज्यम् । प्रियेणैवैनान् धाम्ना समर्द्धयति ॥ २ ॥

सक्तुभिर्जुहोति । देवानां वा एतद्रूपम्, यत्सक्तवः । देवानेव तत्प्रीणाति ॥ ३ ॥

धानाभिर्जुहोति । अहोरात्राणां वा एतद्रूपम्, यद्धानाः । अहोरात्राण्येव तत्प्रीणाति ॥ ४ ॥

लाजैर्जुहोति । नक्षत्राणां वा एतद्रूपम्, यल्लाजाः । नक्षत्राण्येव तत्प्रीणाति । "प्राणाय स्वाहाऽपानाय स्वाहा"-(वा० सं० २२ । २३) इति नामग्राहं जुहोति । नाम ग्राह-

---

प्रजापतिरिति । अन्नहोमब्राह्मणमेतत् । देवानां सक्तवो रूपं संततत्वात् । नक्षत्राणां लाजा रूपं समर्थत्वात् । प्राणादीनां नामगृहीतत्वात् नामग्राहम् । एकैक उत्तरद्रष्टव्यो देवो यास्वाहुतिषु ता एकोत्तरा

१-आज्यसक्तुधानालाजानामेकैकं जुहोति प्राणाय स्वाहेति प्रतिमंत्रं सर्वरात्रमावर्तन् व्युष्टा इति व्युष्टायाम् । स्वर्गायेत्युदिते । का. श्रौ. सू. २० । ११३-११५ ॥

नांस्तत्प्रीणात्येकस्मै स्वाहा द्वाभ्याᳬ स्वाहा शताय स्वाहैकशताय स्वाहेत्यनुपूर्व्वञ्जुहोत्यनुपूर्व्वमेवैनांस्तत्प्रीणात्येकोत्तरा जुहोत्येकवृद्वै स्वर्गो लोकऽ एकधैवैनᳬ स्वर्गं लोकङ्गमयति पराचीर्ज्जुहोति पराङिव वै स्वर्गो लोकः स्वर्गस्य लोकस्याभिजित्यै ॥ ५ ॥

(त्याऽई) ईश्वरो वाऽएषः (०) पराङ्प्रदघोर्य्यः पराचीराहुतीर्ज्जुहोति नैकशतमत्येति यदेकशतमतीयादायुषा यजमानं व्यर्द्धयेदेकशतञ्जुहोति शतायुर्व्वै पुरुषऽआत्मैकशतऽआयुष्येवात्मन्प्रतितिष्ठति व्युष्ट्यै स्वाहा स्वर्गाय स्वाहेत्युत्तमेऽ आहुती जुहोति रात्रिर्व्वै व्युष्टिरहः स्वर्गोऽहोरात्रेऽ एव तत्प्रीणाति ॥ ६ ॥

तदाहुः। (र्य्यु) यदुभे दिवा वा नक्तम्वा जुहुयादहोरात्रे मोहयेद्व्युष्ट्यै स्वाहेत्यनुदितऽ आदित्ये जुहोति स्वर्गाय स्वाहेत्युदितेऽहोरात्रयोरव्यतिमोहाय ॥ ७ ॥

इति प्रथमप्रपाठके दशमं ब्राह्मणम् ॥ १३ । १ । १० ॥ (२-१)

मेवैनांस्तत्प्रीणाति । "एकस्मै स्वाहा द्वाभ्यां स्वाहा शताय स्वाहैकशताय स्वाहा"-(वा. सं. २२ । २४) इत्यनुपूर्वं जुहोति । अनुपूर्वमेवैनांस्तत्प्रीणाति । एकोत्तरा जुहोति । एकवृद्वै स्वर्गो लोकः । एकधैवैनं स्वर्गं लोकं गमयति । पराचीर्जुहोति । पराङ्, इव वै स्वर्गो लोकः । स्वर्गस्य लोकस्याभिजित्यै ॥ ५ ॥

ईश्वरो वा एष पराङ् प्रदघोः । यः पराचीराहुतीर्जुहोति । नैकशतमत्येति । यदेकशतमतीयात् । आयुषा यजमानं व्यर्द्धयेत् । एकशतं जुहोति । शतायुर्वै पुरुषः । आत्मैकशतः । आयुष्येवात्मन्प्रतितिष्ठति । "व्युष्ट्यै स्वाहा स्वर्गाय स्वाहा"-(वा. सं. २२ । २४) इत्युत्तमे आहुती जुहोति । रात्रिर्वै व्युष्टिः । अहः स्वर्गः । अहोरात्रे एव तत्प्रीणाति ॥ ६ ॥

तदाहुः-यदुभे दिवा वा नक्तं वा जुहुयात् । अहोरात्रे मोहयेत् । व्युष्ट्यै स्वाहेत्यनुदित आदित्ये जुहोति । स्वर्गाय स्वाहेत्युदिते । अहोरात्रयोरव्यतिमोहाय ॥ ७ ॥

आहुतीर्जुहोतीति विधिः । पूर्वपूर्वमनूत्तरस्मै इत्येतस्मिन्नर्थे अनुपूर्वमित्यव्ययीभावः । एषोऽपि विधिरभावः । ततश्च "त्रिभ्यः स्वाहा, चतुर्भ्यः स्वाहा, पंचभ्यः स्वाहा" इत्यादि तावज्जुहुयात् । यावच्छताय स्वाहैकशताय स्वाहेति । पराचीः वृत्ताः । सर्वां रात्रिं जुहोति । द्विशताय चतुःशताय स्वाहेत्यादिका इति हेयः कल्पः ॥ १-५ ॥

ईश्वरो वा पराङ् प्रदघोः । यः पराचीराहुतीर्जुहोति । नैकशतमतिक्रामतीति स्थितिकल्पः ॥ ६ ॥ ७ ॥

इति श्रीमदाचार्यहरिस्वामिनः कृतौ माध्यन्दिनीयशतपथब्राह्मणभाष्ये त्रयोदशकाण्डे द्वितीयेऽध्याये प्रथमं ब्राह्मणम् ॥ (१३ । २ । १) ॥

१-"त्रिभ्यः स्वाहा" इत्यारभ्य-"नवनवतिभ्यः स्वाहा" इत्यन्तः स्वाध्यायः उपसंहतस्वाध्यायः क्वचिच्च लुप्तस्वाध्याय इत्युच्यते । स च जपपारायणहवनादिकर्मस्वनुसंधेयः ॥

राजा वा॑ऽ एष य॒ज्ञानां॒ यद॑श्वमे॒धः । (घो) यज॑मानो॒ वा॒ऽअ॑श्वमे॒धो यज॑मानो य॒ज्ञो यद॒श्वे प॒शून्नि॑यु॒नक्ति॑ य॒ज्ञऽए॒व तद्य॒ज्ञमा॒रभ॑ते ॥ १ ॥

(ते॑ऽश्वं) अ॒श्वन्तू॑प॒रङ्गो॑मृ॒गमि॑ति । ता॒न्मध्य॑मे यू॒पऽ आ॒लभ॑ते सेनामु॒ख॒मे॒वास्यै॑तेन॒ सꣳश्य॑ति त॒स्माद्रा॒ज्ञः सेनामु॒खम्भी॒ष्मम्भा॒वु॑कम् ॥ २ ॥

(कङ्क्रु) कृ॒ष्ण॒ग्री॒वमा॑ग्ने॒यꣳ र॒राटे॑ पु॒रस्ता॑त् । (त्पू) पूर्व्वा॒ग्निमे॒व तं कु॑रुते त॒स्माद्रा॒ज्ञः पूर्व्वा॒ग्निर्भा॒वु॑कः ॥ ३ ॥

सारस्व॒तीम्मे॒षीम॒धस्ता॒द्धन्वोः॑ । स्त्रीरे॒व त॒दनु॒गाः कु॑रुते॒ त॒स्मात्स्त्रियः॒ पुꣳ॒सो॑ऽनु॒वर्त्मा॑नो भा॒वु॑काः ॥ ४ ॥

राजा वा एष यज्ञानां यदश्वमेधः । यजमानो वा अश्वमेधः । यजमानो यज्ञः । यदश्वे पशून्नियुनक्ति । यज्ञ एव तद्यज्ञमारभते ॥ १ ॥

अश्वं तूपरं गोमृगमिति । तान्मध्यमे यूप आलभते । सेनामुखमेवास्यैतेन संश्यति । तस्माद्राज्ञः सेनामुखं भीष्मं भावुकम् ॥ २ ॥

कृष्णग्रीवमाग्नेयं रराटे पुरस्तात् । पूर्वाग्निमेव तं कुरुते । तस्माद्राज्ञः पूर्वाग्निर्भावुकः ॥ ३ ॥

सारस्वतीं मेषीमधस्ताद्धन्वोः । स्त्रीरेव तदनुगाः कुरुते । तस्मात् स्त्रियः पुंसोऽनुवर्त्मानो भावुकाः ॥ ४ ॥

राजा वा एषः । राजेव राजा । अनुचरभूतानां तूपरादीनां अग्रे सरत्वत्याः संस्कार........ रेकाच्च । एष यज्ञानां यज्ञसाधनानां पशूनां यदश्वमेधः । अश्वश्चासौ मेधश्च । यज्ञसाधनमश्वमेधः । अश्वः पशूनां राजेव राजते इत्यर्थः । ततश्च " सेनामुखमेवास्यैतेन संश्यति " इत्यादिभी राजोपकरणैर्योक्ष्यते । यजमानो वा अश्वमेधः पशुर्यज्ञसाधनभूतः । यज्ञसाधनत्वात् यजमान एव । ततश्च यज्ञात्मकाद्यजमानादभिन्नत्वात् अश्वोऽपि यज्ञः । तूपरादयोऽपि इति कृत्वा यदश्वे पशून् कृष्णग्रीवादीन्नियुनक्ति, तद्यज्ञ एव । कृष्णग्रीवात्मके यज्ञमश्वात्मकमारभते प्राप्नोति । उपकरणभूत उपकार्यभूतम् ॥ १ ॥

अश्वम् । तूपरं । अशृंगमजम् । गोमृगं मृगाकारं गाम् । इत्येवमेव यथा निर्दर्शितान् । तानिति एतद: स्थाने तदः प्रयोगः । एतान् मध्यमे यूपे आलभते । सेनामुखमेव अस्याश्वस्य राजभूतस्य एतेन रूपेण मध्यमे यूपे आलब्धानेतान् संश्यति संस्करोति । राजभूतमप्यश्वं सेनामुख एव करोतीत्यर्थः ॥ २ ॥

कृष्णग्रीवमजमग्निदेवत्यम् । रराटे ललाटे अश्वस्य यूपभूते उपायेनालभते नियुनक्ति । पुरस्तात् अग्रतोऽश्वस्येत्यर्थः । ननु—पूर्वस्यां दिशि पशूनां प्रत्यङ्मुखानां सामर्थ्यादेवालंभ सति पूर्वस्यां दिश्यालंभानुपपत्तेः पूर्वाग्निमेव त्रेतायाः प्रथमतरं भवतीत्यावसथ्यः । पूर्वाग्निमेव तं अश्वस्य राजभूतस्य कुरुते । तस्मात्तदनुकारेण राज्ञः पूर्वाग्निः साधुर्भवति । तत्राहितस्य शांतिकपौष्टिकाभिचारिकादीनि बहूनि कर्माणि क्रियन्ते ॥ ३ ॥

सारस्वतीं मेषीं हन्वोर्यूपभूतयोः उपायेनालभते । हन्वोर्हि मेष्यालंभ्या सा चाधस्तादेव भवति । स्त्रीरेव

१-(कं० २-९) इत्यत्र (वा. सं. २४ । १) इत्ययं मन्त्रोऽनुसंधेयः ।

(ऽ) आश्विनावधोरामौ बाह्वोः । (वां) बाह्वोरेव बलन्धत्ते तस्माद्राजा
बाहुबली भावुकः ॥ ५ ॥

सौमापौष्णᳯँ श्यामन्नाभ्याम् । (म्प्र) प्रतिष्ठामेव ताङ्कुरुतऽइयम्वै
पूषाऽस्यामेव प्रतितिष्ठति ॥ ६ ॥

सौर्य्ययामौ श्वेतञ्च कृष्णञ्च पार्श्वयोः । कवचेऽएव ते कुरुते तस्मा-
द्राजा सन्नद्धो वीर्य्यङ्करोति ॥ ७ ॥

त्वाष्ट्रौ लोमशसक्थौ सक्थ्योः । (रू) ऊर्वोरेव बलन्धत्ते तस्माद्रा-
जोरुबली भावुकः ॥ ८ ॥

(को) वायव्यᳯँ श्वेतम्पुच्छे । (च्छऽउ) उत्सेधमेव तङ्कुरुते तस्मादुत्सेधम्
प्रजा भयेऽभिसᳯँश्रयन्तीन्द्राय स्वपस्याय वेहतं यज्ञस्य सेन्द्रतायै
वैष्णवो वामनो यज्ञो वै विष्णुर्यज्ञऽएवान्ततः प्रतितिष्ठति ॥ ९ ॥

आश्विनावधोरामौ बाह्वोः । बाह्वोरेव बलं धत्ते । तस्मात् राजा बाहुबली भावुकः ॥ ५ ॥

सौमापौष्णं श्यामं नाभ्याम् । प्रतिष्ठामेव तां कुरुते । इयं वै पूषा । अस्यामेव प्रतितिष्ठति ॥६॥

सौर्ययामौ श्वेतं च कृष्णं च पार्श्वयोः । कवचे एव ते कुरुते । तस्माद्राजा सन्नद्धो वीर्यं करोति ॥ ७ ॥

त्वाष्ट्रौ लोमशसक्थौ सक्थ्योः । ऊर्वोरेव बलं धत्ते । तस्माद्राजोरुबली भावुकः ॥ ८ ॥

वायव्यं श्वेतं पुच्छे । उत्सेधमेव तं कुरुते । तस्मादुत्सेधं प्रजा भयेऽभिसंश्रयन्ति । इन्द्राय स्वपस्याय वेहतम् । यज्ञस्य सेन्द्रतायै । वैष्णवो वामनः । यज्ञो वै विष्णुः । यज्ञ एवान्ततः प्रतितिष्ठति ॥ ९ ॥

तत्तेन अनुगाः अनुगामिनीः पुंसः कुरुते । तस्मात् स्त्रियः पुरुषस्यानुवर्तमानाः साधु भवंति । अनुवर्त्मत्वेन कृतानुकारता । अनुकारकारिणीति आनुकूल्यं लक्ष्यते ॥ ४ ॥

'बाहुबली' बाहुबलमस्यास्तीति बाहुबली ॥ ५–८ ॥

उत्सेधमुच्छ्रायं पर्वतादिकं स्थलं प्रासादं वा तत्कुरुते । गयुर्हि स्कंधस्य उच्छ्रित इत्यभिप्रायः । तस्मादुत्सेधं स्थलं प्रासादं वा पर्वतं सप्रोदं भये सति प्रजा अभिसंश्रयन्ति । स हि राजसंबंधो राजवत्पालयतीति मन्यमाने । वेहतं गर्भघातिनम् ॥ ९ ॥

ते वाऽ एते । पञ्चदश पर्य्यङ्ग्याः पशवो भवन्ति पञ्चदशो वै व्वज्रो व्वीर्य्यम्वज्रो व्वज्रेणैवैतद्वीर्य्येण यजमानः पुरस्तात्पाप्मानमपहते ॥ १० ॥

पञ्चदश पञ्चदशोऽ एवेतरेषु । पञ्चदशो वै व्वज्रो व्वीर्य्यम्वज्रो व्वज्रेणैवैतद्वीर्य्येण यजमानोऽभितः पाप्मानमपहते ॥ ११ ॥

तदाहुः । (२) अपाहैवैतैः पाप्मानꣳ हताऽइत्यकृत्स्नञ्च त्वै प्रजापतिꣳ सꣳस्करोति न चेदꣳ सर्व्वमवरुन्द्धे ॥ १२ ॥

सप्तदशैव पशून्मध्यमे यूपऽआलभेत । सप्तदशो वै प्रजापतिः प्रजापतिरश्वमेधोऽश्वमेधस्यैवाप्त्यै षोडश षोडशेतरेषु षोडशकलम्वाऽइदꣳ सर्व्वन्तदिदꣳ सर्व्वमवरुन्द्धे ॥ १३ ॥

ते वा एते पंचदश पर्यंग्याः पशवो भवन्ति । पंचदशो वै वज्रः । वीर्यं वज्रः । वज्रेणैवैतद्वीर्येण यजमानः पुरस्तात्पाप्मानमपहते ॥ १० ॥

पंचदश पंचदश उ एवेतरेषु । पंचदशो वै वज्रः । वीर्यं वज्रः । वज्रेणैवैतद्वीर्येण यजमानोऽभितः पाप्मानमपहते ॥ ११ ॥

तदाहुः । अपाहैवैतैः पाप्मानं हता इति । अकृत्स्नं च त्वै प्रजापतिं संस्करोति । न चेदं सर्वमवरुन्धे ॥ १२ ॥

सप्तदशैव पशून्मध्यमे यूप आलभेत । सप्तदशो वै प्रजापतिः । प्रजापतिरश्वमेधः । अश्वमेधस्यैवाप्त्यै । षोडश षोडशेतरेषु । षोडशकलं वा इदं सर्वम् । तदिदं सर्वमवरुन्धे ॥ १३ ॥

ते वा एते पर्यंग्याः । राज्ञः पर्यंगानि सेनापत्यादीनि यूपेषु सर्वेषु पंचदशसु एव नियुज्यन्त इत्यर्थः । अश्वो ह्यग्निष्ठे नियुज्यते इत्यर्थः । (कृष्णग्रीवादयोऽप्यश्व इतिषु नदाः पर्यंग्या एव ह्री ते च विंशदश्वस्तूपरगोमृगैर्भवन्ति ?) । यदि पुनरश्वस्य पर्यंगानि रराटादीनि तेषु भवाः पर्यंग्या इति स्यात् । ततः कृष्णग्रीवादयो द्वादशैव पर्यंग्याः स्युः । पंचदशैव पशव इतरेषु नियुज्यंते नियुक्ता भवन्ति । तेन विधीयमानत्वात्तत्र दुरितशयहतैरपहतैरेव केवलमेतैः पंचदशभिः पाप्मानं हताः इतिकरणं उत्तरकंडिकाया इति वाक्यसमाप्त्यर्थो द्रष्टव्यः । अकृत्स्नं तु प्रजापतिं संस्करोति । न चेदं सर्वमवरुंध इति दूषणम् । कथं तर्हि कुर्यात् ? इत्यत एवाहुः ॥ १०–१२ ॥

सप्तदशैवेत्यादि । पंचदश पर्यंग्याः । द्वौ चाग्नेयावैकादशिनौ । एते सप्तदश मध्यमे । इतरेषु पंचदश पंचदश रोहितादयः । एकैकश्चैकादशिनः । एवं षोडश षोडश भवन्ति । इत्येवं कात्यायनो मेने । एतदेवांगीकृत्याऽन्येऽप्याहुः । षट्शतानि नियुज्यन्ते पशूनां मध्यमेऽहनि । अश्वमेधस्य यज्ञस्य न्यूनानि पशुभिस्त्रिभिरिति । एवं वर्ण्यमाने द्वादश पशवोऽतिरिच्येरन् । अश्वादयो ह्येकोनविंशतिः । पंचदशकाः पठ्यन्ते । चत्वारश्च

१–कंडिका इत्यर्थः । तत्र पंचदशकंडिकाः पंचदशकाः । ततश्चतस्रः कंडिकास्त्रिकाः १५–४–१९ । इत्यर्थः । चतसृषु कंडिकासु त्रिकाः पशवश्चत्वारः । द्वादशेत्यर्थः ।

तान्कथमाप्प्रीणीयादित्याहुः । समिद्धोऽअञ्जन्कृदरम्मतीनामिति बार्हदुक्थीभिराप्प्रीणीयाद्बृहदुक्थो ह वै व्वामदेव्योऽश्वो वा सामुद्रिरश्वस्याप्प्रीर्ददर्श ताऽएतास्ताभिरेवैनमेतदाप्प्रीणीमऽइति व्वदन्तो न तथा कुर्य्याज्जामदग्नीभिरेवाप्प्रीणीयात्प्रजापतिर्व्वै जमदग्निः सोऽश्वमेधः स्वयैवैनन्देवतया समर्द्धयति तस्माज्जामदग्नीभिरेवाप्प्रीणीयात् ॥१४॥

(त्त) तद्धैके । (क्ऽए) एतेषाम्पर्य्यङ्ग्याणां नाना याज्यापुरोऽनुवाक्याः कुर्वन्ति व्विन्दामऽएतेषामवित्येतरेषान्न कुर्म्मऽइति न तथा कुर्य्यात्क्षत्रम्वाऽअश्वो व्विडितरे पशवः प्प्रतिप्प्रतिनीᳫं ह ते प्प्रत्युद्यामिनीं क्षत्राय व्विशङ्कुर्वन्त्यथोऽआयुषा यजमानं व्व्यर्द्धयन्ति ये तथा कुर्वन्ति तस्मात्प्राजापत्यऽएवाश्वो देवदेवत्या ऽइतरे क्षत्रायैव तद्विशङ्कृतानुकरामनुवर्त्मानङ्करोत्यथोऽआयुषैव यजमानᳫं समर्द्धयति ॥ १५ ॥

तान्कथमाप्रीणीयादित्याहुः-" समिद्धो अंजन्कृदरं मतीनाम् "-(वा. सं. २९ । १) इति बार्हदुक्थीभिराप्रीणीयात् । बृहदुक्थो ह वै वामदेव्योऽश्वो वा सामुद्रिरश्वस्याप्रीर्ददर्श । ता एताः । ताभिरेवैनमेतदाप्रीणीमः, इति वदन्तः । न तथा कुर्यात् । जामदग्नीभिरेवाप्रीणीयात् । प्रजापतिर्वै जमदग्निः । सोऽश्वमेधः । स्वयैवैनं देवतया समर्द्धयति । तस्माज्जामदग्नीभिरेवाप्रीणीयात् ॥ १४ ॥

तद्धैके । एतेषां पर्यंग्याणां नाना याज्यापुरोऽनुवाक्याः कुर्वंति । विन्दाम एतेषामविति (?) । आ (?) इतरेषां न कुर्म इति । न तथा कुर्यात् । क्षत्रं वा अश्वः । विडितरे पशवः । प्रतिप्रतिनीं ह ते प्रत्युद्यामिनीं क्षत्राय विशं कुर्वंति । अथो आयुषा यजमानं व्यर्द्धयन्ति । ये तथा कुर्वंति । तस्मात्प्राजापत्य एवाश्वः । देवदेवत्या इतरे । क्षत्रायैव तद्विशं कृतानुकरामनुवर्त्मानं करोति । अथो आयुषैव यजमानं समर्द्धयति ॥ १५ ॥

त्रिकाः । ततश्च एते चत्वारस्त्रिकाः । तेषां यूपो नोक्तः स्यात् । मध्यमे च यूपे साक्षात् सप्तदशैवालम्भयेरन् । तत्र सप्तदशैव पशून्मध्यमे यूप आलभेतेति गौणो मध्यमस्याधिकरणभावो द्वादशसु स्यात् । तस्मादेवमवगच्छामः । त्रयः अश्वादयो द्वादश रोहितादयो द्वौ चाग्नेयौ इत्येते सप्तदश मध्यमे यूपे । षोडश षोडशेति तु यथोक्तमेवेति॥ १३॥

जामदग्नीभिः । जामदग्न्यः " समिद्धो अद्य मनुषो दुरोणे " इत्येताः (वा. सं. २९ । २५–३६) ॥ १४॥

तद्धैके । एतेषामश्वादीनां एके नाना पृथक् पृथक् याज्यापुरोऽनुवाक्याः कुर्वंति । भिन्नदेवत्यानामिति द्रष्टव्यम् । ये तु समानदेवा अश्वतूपरगोमृगाः, तेषां तन्त्रेणैव प्रदानम् । याज्यापुरोऽनुवाक्याभेदद्वारेण च प्रदानभेद एवायमुपन्यस्तो द्रष्टव्यः । एष एव प्रदानभेदो वपानामप्युपन्यस्तः । पुरोडाशानामपि अंगानामपीति वाच्यमविशेषात् । विंदामः लभामहे " विद्लृ लाभे "-(धा. पा. तु. उ. १९१)-एषामश्वादीनां प्राजापत्या-

---

१-अत्र मूलमेवान्यथा जातमिति प्रतीयते । परं त्वादर्शपुस्तकेषु सर्वेष्वयमेव पाठ उपलभ्यते । अतः स एवात्र स्थापितः । इति ध्येयम् ।

हिरण्मयोऽश्वस्य शासो भवति । लोहमयाः पर्य्यङ्ग्याणामायसाऽ इतरेषाञ्ज्योतिर्व्वै हिरण्यꣳ राष्ट्रमश्वमेधो ज्योतिरेव तद्राष्ट्रे दधात्यथो हिरण्यज्योतिषैव यजमानः स्वर्गं लोकमेत्यथोऽ अनूकाशमेव तत्कुरुते स्वर्गस्य लोकस्य समष्ट्यै ॥ १६ ॥

(षष्ठ्याऽत्र) अथो क्षत्रम्वाऽ अश्वः । क्षत्रस्यैतद्रूपं यद्धिरण्यं क्षत्रमेव तत्क्षत्रेण समर्द्धयति ॥ १७ ॥

हिरण्मयोऽश्वस्य शासो भवति । लोहमयाः पर्यंग्याणाम् । आयसा इतरेषाम् । ज्योतिर्वै हिरण्यम् । राष्ट्रमश्वमेधः । ज्योतिरेव तद्राष्ट्रे दधाति । अथो हिरण्यज्योतिषैव यजमानः स्वर्गं लोकमेति । अथो अनूकाशमेव तं कुरुते । स्वर्गस्य लोकस्य समष्ट्यै ॥ १६ ॥

अथो क्षत्रं वा अश्वः । क्षत्रस्यैतद् रूपम् । यद्धिरण्यम् । क्षत्रमेव तत्क्षत्रेण समर्द्धयति ॥ १७ ॥

दिका याज्याऽनुवाक्याः । ताः किमिति न पृथक्कुर्मः । इतरेषां तु रोहितादीनां न विदामः । त्र्यवयो गायत्र्य इत्यादयो देवताः । तद्देवत्याश्च दुर्लभाः लक्षणोपेता याज्याऽनुवाक्या इत्यभिप्रायः । क्षत्रं वै अश्वः, महत्त्वात् बहूपकरणत्वात् एकत्वाद्वा । विडितरे पशवः, अल्पत्वात् अल्पोपकरणत्वाच्च । 'प्रतिप्रतिनीं' प्रतिप्रति वर्तत इति प्रतिप्रति प्रतिस्पर्द्धा, सा अस्यां विद्यत इति प्रतिप्रतिनी विट् । "व्रीह्यादिभ्यश्च"–(पा. सू. ५–२–११६) इति इनिर्मत्वर्थे द्रष्टव्यः । प्रत्युद्यामिनी प्रत्युद्गमनशीला । क्षत्रस्येति प्राप्ते क्षत्रायेति षष्ठ्यर्थे छन्दसि चतुर्थी (पा. सू. २।३।६२ वा.) यद्येवं न कुर्यात् । कथं ? तर्हि कुर्यादित्यत आह–तस्मात्प्राजापत्य एवाश्वः कर्तव्य इति शेषः। देवदेवत्या इतरे । कर्तव्या इति शेषः । एतदुक्तं भवति–प्राजापत्यस्याश्वादेः पृथक् याज्याऽनुवाक्ये कर्तव्ये । इतरेषां सर्वेषां साधारण्यौ देवदेवत्ये द्वे एव कार्ये । ततश्च भिन्नदेवत्या अपि ते सहैव प्रदेय इति । अश्वग्रहणं चाशेषाणां प्राजापत्यानां दर्शनार्थम् । ततश्च सर्वे प्राजापत्या अश्वेनैव सह प्रदेयाः । तथा च वक्ष्यति–"सकृदेव प्राजापत्याभिः प्रचरेयुः सकृद्देवदेवत्याभिः"–(श. प. १३ । ९ । ३ । ६ ।) इति । तत्र च वपाग्रहणं मुख्यत्वाद्धविषामपि प्रदर्शनार्थम् । एवं ह्यपेक्षितम् । न तु विशेषमेतद्वचनं वक्ष्यति ॥ १९ ॥

हिरण्मयः । हिरण्यपरिष्कृतं शासम् । लोहमयाः लोहं ताम्रम् । ताम्रपरिष्कृताः स्वरवः शासाः । कुत एतत् । तथैव विशसनसामर्थ्यात् । यदि तु ताम्रहिरण्यगर्भधारा एव स्युः । ततो विशसनमेव तैर्न शक्यते कर्तुम् । पर्यंग्याश्चात्राश्वव्यतिरिक्ता द्रष्टव्याः, अश्वस्य पृथग्वचनात् । आयसाः अयस एव अयोविकारास्त एव । न तत्परिष्कृताः । इतरेषां रोहितादीनां ज्योतिष्मद्धिरण्यं ज्योतिरेव । दीप्तिः शोभा राष्ट्रे स्वानुकारेण ज्योतिः । तेन युक्तो यजमानः स्वर्गं लोकं गच्छति । अपि च अनूकाशमालोकमनातपं कुरुते स्वर्गस्य प्राप्तये । पशवः पशून्मध्यमे यूपे ॥ १६ ॥

अथो क्षत्रं वै अश्वः, अभ्यर्हितत्वात् । हिरण्यमपि अभ्यर्हितत्वादेव क्षत्रस्य रूपम् ॥ १७ ॥

(त्यु) अथ यल्लोहमयाः पर्य्यङ्ग्याणाम् । यथा वै राज्ञोऽराजानो राजकृतः सूतग्रामण्य ऽएवम्वाऽएतेऽश्वस्य यत्पर्य्यङ्ग्याऽ एवमु वाऽएतद्धिरण्यस्य यल्लोहꣳ स्वेनैवैनांस्तद्रूपेण समर्द्धयति ॥ १८ ॥

(त्यु) अथ यदायसाऽ इतरेषाम् । (म्वि) विड्वाऽइतरे पशवो विशऽ एतद्रूपं यदयो विशमेव तद्दिशा समर्द्धयति वैतसऽइटसूनऽ उत्तरतोऽश्वस्यावद्यन्त्यानुष्टुभो वाऽअश्वऽआनुष्टुभैषा दिक्स्वायामेवैनन्तद्दिशि दधात्यथ यद्वैतसऽ इटसूनेऽप्सुयोनिर्व्वाऽअश्वोऽप्सुजा वेतसः स्वयैवैनं योन्या समर्द्धयति ॥ १९ ॥

इति प्रथमप्रपाठके एकादशं ब्राह्मणम् ॥ १३।१।११ ॥ (२–२) ॥

देवा वाऽअश्वमेधे पवमानम् । (थ्ꣳ) स्वर्ग्गं लोकन्न प्राजानंस्तमश्वः

अथ यल्लोहमयाः पर्यंग्याणाम् । यथा वै राज्ञोऽराजानो राजकृतः सूतग्रामण्यः । एवं वा एतेऽश्वस्य यत्पर्यंग्याः । एवमु वा एतद्धिरण्यस्य यल्लोहम् । स्वेनैवैनांस्तद्रूपेण समर्द्धयति ॥ १८ ॥

अथो यदायसा इतरेषाम् । विड्वा इतरे पशवः । विश एतद् रूपं यदयः । विशमेव तद्दिशा समर्द्धयति । वैतस इटसूने । उत्तरतोऽश्वस्यावद्यान्ति । आनुष्टुभो वा अश्वः । आनुष्टुभैषा दिक् । स्वायामेवैनं तद्दिशि दधाति । अथ यद्वैतस इटसूने । अप्सुयोनिर्वा अश्वः । अप्सुजा वेतसः । स्वयैवैनं योन्या समर्द्धयति ॥ १९ ॥

देवा वा अश्वमेधे पवमानं स्वर्गं लोकं न प्राजानन् । तमश्वः प्राजानात् । यदश्वमेधेऽश्वेन पव-

---

अथ यत् । यथा वै राज्ञः । अराजानः राजकृतः मंत्रिपुरोहितस्वभूताः अराजानः । सूतग्रामण्यश्चोपकरणभूताः ये तूपरादयः पर्यंग्याः । एवमेवैतद्धिरण्यस्योपकरणभूतं यत्ताम्रम् । तत्र हि तत् प्रतिबाध्यते तेन च रक्ष्यते ॥ १८ ॥

विड्वै इतरे पशवः, बहुत्वात् । विश एतद्रूपं यदयः । तद्वत्वात्सर्वकर्मकरणत्वाच्च । वैतसे वेतसविकारे । 'इटसूने' इटः कटः । इटश्चासौ सूनं च इटसूनम् । तस्मिन्नेव शाखामयं कटे । उत्तरत उत्तरपार्श्वे आहवनीयस्य अश्वस्य यान्यवदानानि तान्यवद्यंति । 'आनुष्टुभः' अनुष्टुभा सम्मितास्तस्य हि चत्वारः खुरा भवंति । अनुष्टुबपि चतुष्पदा । 'आनुष्टुभा' अनुष्टुभा सम्मिता एषा उत्तरा दिक् । एषा हि प्राच्या आरभ्य चतुर्थी भवति । अनुष्टुबपि चतुष्पदा । आनुष्टुभीति प्राप्ते छांदसः । य एव 'अप्सुयोनिः' आपो योनिरस्य सः अप्सुयोनिः । अब्योनिरिति प्राप्ते प्रथमायाः सप्तमी । तस्यां छांदसः अप्सु जायत इत्यत्र लुकि प्राप्ते "तत्पुरुषे कृति बहुलम्" (पा. सू. ६ । ३ । १४) इति सप्तम्या अलुक् ॥ १९ ॥

इति श्रीमदाचार्यहरिस्वामिनः कृतौ माध्यन्दिनीयशतपथब्राह्मणभाष्ये त्रयोदशकाण्डे द्वितीयाऽध्याये द्वितीयं ब्राह्मणम् ॥ (१३ । २ । २) ॥

'देवा वा अश्वमेधे' अश्वमेधे मध्यमेऽहनीति शेषः । कुत एतत् अधिकारात् । तथा च उत्तरांश्वमेधे

प्प्राजानाद्युदश्वमेधेऽश्वेन पवमानाय सुर्प्पन्ति स्वर्गस्य लोकुस्य प्रज्ञात्यै पुच्छमन्वारभन्ते स्वर्गस्यैव लोकुस्य सुमष्ट्यै न वै मनुष्यः स्वर्गं लोकमञ्जसा व्वेदाश्वो वै स्वर्गं लोकमञ्जसा व्वेद ॥ १ ॥

यदुद्गातोद्गायेत् । (द्य) यथाऽक्षेत्रज्ञोऽन्येन पथा नयेत्तादृक्तदथ यदुद्गातारमवरुध्याश्वमुद्गीथाय व्वृणीते यथा क्षेत्रज्ञोऽञ्जसा नयेदेवमेवैतद्यजमानमश्वः स्वर्गं लोकमञ्जसा नयति हिङ्करोति सामैव तद्धिङ्करोत्युद्गीथऽएव स व्वडवाऽउपरुन्धन्ति सᳬंशिञ्जते यथोपगातारऽउपगायन्ति तादृक्तद्धिरण्यन्दक्षिणा सुवर्णᳬं शतमानन्तस्योक्तं ब्राह्मणम् ॥ २॥

इति प्रथमप्रपाठके द्वादशं ब्राह्मणम् ॥ १३।१।१२ ॥ (२–३ ॥)

मानाय सर्प्पन्ति । स्वर्गस्य लोकस्य प्रज्ञात्यै। पुच्छमन्वारभन्ते । स्वर्गस्यैव लोकस्य समष्ट्यै । न वै मनुष्यः स्वर्गं लोकमञ्जसा वेद । अश्वो वै स्वर्गं लोकमञ्जसा वेद ॥ १ ॥

यदुद्गातोद्गायेत् । यथाऽक्षेत्रज्ञोऽन्येन पथा नयेत् । तादृक्तत् । अथ यदुद्गातारमपरुध्याश्वमुद्गीथाय वृणीते । यथा क्षेत्रज्ञोऽञ्जसा नयेत् । एवमेवैतत् यजमानमश्वः स्वर्गं लोकमञ्जसा नयति । हिं करोति । सामैव तत् । हिं करोति । उद्गीथ एव सः वडवा उपरुन्धन्ति संशिञ्जते । यथोपगातार उपगायन्ति । तादृक्तत् । हिरण्यं दक्षिणा । सुवर्णं शतमानम् । तस्योक्तं ब्राह्मणम् ॥ २ ॥

"एकविंशं मध्यममहर्भवति" इत्येवमेव प्रकृत्य वक्ष्यति यत् "अश्वं निक्तोदानयन्ति" इति (श. प. १३। ५।१।९-१६) पवमानं प्रातःसवनिकं बहिष्पवमानम् । कुत एतत् । स हि नौर्ह वा एषोऽस्य ज्योतिःसंस्तुत इह च स्वर्गं लोकमित्याह–स एष जीवत्यश्वे वर्तते । उत्तरौ तु पवमानौ संज्ञप्तेऽश्वे वर्तेते । तदर्थं कथमश्वेन सर्पेत् । यः स्वर्गं लोकं स्वर्गलोकसंस्तुतं प्रज्ञातवंतः । बहिष्पवमानं च स्वर्गं लोकमश्वः प्रज्ञातवान् । यदश्वमेधे मध्यमेऽहनि अश्वेनोद्गातृस्थानीयेन सह बहिष्पवमानायाश्वाय यजमानो ब्रह्माऽऽवसथात्सर्पति, तत्स्वर्गस्य प्रज्ञात्यै पुच्छमन्वारभंते स्वर्गस्यैव । अश्वो वै स्वर्गं लोकं अंजसा ऋजुना मार्गेण वेद । स हि प्रजापतिरित्यभिप्रायः॥ १॥

यद्यदि उद्गाता स्तोतृप्रतिहर्तृभ्यां सह उद्गायेत् स्तोत्रं कुर्यात् । ततो यथा अक्षेत्रज्ञः अन्येन पथा गंतव्ये नयेत् । तद्वत्तेऽन्येन गच्छंति स्वदर्शनप्राप्तायाः तादृक्तत् । अथ यत् उद्गातारं ससहायमपरुध्यापनीय अश्वमुद्गीथाय स्तोत्राय वृणते । तद्यथा क्षेत्रज्ञः देशज्ञः अंजसा नयेत् । एवं यजमानमश्वः स्वर्गं पवमानमंजसा नयति । 'हिं करोति' हेषितशब्दं करोति । सोऽश्वः बहिष्पवमानदेशं गत्वा यत्र हिं करोति । तत्साम हिं करोति । साम एव तत् हिंकारं करोतीत्यर्थः । उद्गीथ एव स इति । न

१– बहिष्पवमानाय सर्पणमश्वमालभ्य । का. श्रौ. सू. २० । ११८ ।

प्रजापतिरकामयत । (तो) उभौ लोकावभिजयेयन्देवलोकम्मनुष्य-
लोकञ्चेति सऽएतान्पशूनपश्यद्ग्राम्याँश्चारण्यांश्च तानालभत तैरिमौ
लोकाववारुन्ध ग्राम्यैरेव पशुभिरिमं लोकमवारुन्द्धारण्यैरमुमयम्वै लोको
मनुष्यलोकोऽथासौ देवलोको यद्ग्राम्यान्पशूनालभतऽ इममेव तैर्ल्लोकं
यजमानोऽवरुन्धे यदारण्यानमुन्तैः ॥ १ ॥

स यद्ग्राम्यैः सꣳस्थापयेत् । (त्स) समध्वानः क्रामेयुः समन्तिक-
ङ्ग्रामयोर्ग्रामान्तौ स्यातां नऽर्क्षीकाः पुरुषव्याघ्राः परिमोषिणऽ
आव्याधिन्यस्तस्कराऽअरण्येष्वाजायेरन्यदारण्यैर्व्व्यध्वानः क्रामेयु-
र्व्विदूरङ्ग्रामयोर्ग्रामान्तौ स्यातामृक्षीकाः पुरुषव्याघ्राः परिमोषिणऽ
आव्याधिन्यस्तस्कराऽअरण्येष्वाजायेरन् ॥ २ ॥

प्रजापतिरकामयत । उभौ लोकावभिजयेयम् । देवलोकं मनुष्यलोकं चेति । स एतान्पशून-पश्यत् । ग्राम्यांश्चारण्यांश्च । तानालभत । तैरिमौ लोकाववारुन्ध । ग्राम्यैरेव पशुभिरिमं लोकम-वारुन्ध; आरण्यैरमुम् । अयं वै लोको मनुष्यलोकः । अथासौ देवलोकः । यद्ग्राम्यान्पशूना-लभते । इममेव तैर्लोकं यजमानोऽवरुन्धे । यदारण्यान् । अमुं तैः ॥ १ ॥

स यत् ग्राम्यैः संस्थापयेत् । समध्वानः क्रामेयुः । समन्तिकं ग्रामयोर्ग्रामान्तौ स्याताम् । नऽर्क्षीकाः पुरुषव्याघ्राः परिमोषिण आव्याधिन्यस्तस्करा अरण्येष्वाजायेरन् । यदारण्यैः व्यध्वानः क्रामेयु-र्विदूरं ग्रामयोर्ग्रामान्तौ स्याताम् । ऋक्षीकाः पुरुषव्याघ्राः परिमोषिण आव्याधिन्यस्तस्करा अरण्येष्वाजायेरन् ॥ २ ॥

हिंकारमात्रं तत् । किं तर्हि सकलमेव तत्स्तोत्रं द्रष्टव्यमित्यर्थः । वडवा उप अस्याश्वस्य समीपे रुंधंति । यजमानपुत्रा अश्वाश्च तेन संशिजते । अव्यक्तं स्वनंति । तथा कार्गम्, गथा ताः संशिञ्जंते । अथ कस्मात् उद्गीथभक्तेरेवायं विकारो न भवति । नैतदेवम् । उपक्रमे हि पवमानस्तोत्रमेव देवा न प्राजानंस्तमश्वः प्राजानादित्याह—ततश्च स्तोत्रविकार एवायं लक्षणया गम्यते । तेन च स्वभक्तिमात्रविकारः । अन्ये त्वाहुः अश्वस्य पुच्छमन्वारभ्य बहिष्पवमानाय सर्पंति । वडवा दर्शयति । अभिरसं शिंजाना इत्येतावदनुविधीयते । तत्रोद्गीथोपगीतवचनं भक्तिमात्रमिति तेषामुद्गातारः स्तुवंत एवेति ॥ २ ॥

इति श्रीमदाचार्यहरिस्वामिनः कृतौ माध्यन्दिनीयशतपथब्राह्मणभाष्ये त्रयोदशकाण्डे द्वितीयेऽध्याये तृतीयं ब्राह्मणम् ॥ १३ । २ । ३ ॥

प्रजापतिरिति । आरण्यान्पशून्पर्यग्निकृतानेवोत्सृजंति ग्राम्यैः संस्थापयतीत्येतावदत्र विधीयते । पश्वालं-भस्तु सत्रयागादेव प्राप्तोऽनूच्यते । स यदि ग्राम्यैः पशुभिः अश्वादिभिर्यज्ञं ब्राह्मणतर्पणांतं संस्थापयेत् । आर-ण्यान्पर्यग्निकृतानुत्सृज्य ततः पूर्वदेशपश्चाद्देश उत्तरापथदक्षिणापथ इत्येवमादयः परस्परं संक्रामयेयुः । संचरेयु-

---

१–वडवा दर्शयत्यभिरसति तत्स्तोत्रम् । का. श्रौ. सू. २० । ११९ । २–शतमानं ददाति । का. श्रौ. सू. २० । १२१ ।

(रंस्तु) तुदाहुः । (३) अपशुर्व्वाऽएष युदारण्यो नैतुस्य होतुव्यं युज्जुहुयात्क्षिप्प्रं युजमानमुरण्यम्मृतुᳬ हरेयुरुरण्यभागा ह्यारण्याः पशुवो यन्न जुहुयाद्यज्ञवेशसᳬ स्यादिति पुर्य्यग्निकृतानेवोत्सृजन्ति तुन्नैव हुतन्नाहुतन्न युजमानमुरण्यम्मृतुᳬ हरन्ति नु यज्ञवेशसं भवति ॥ ३ ॥

ग्ग्राम्यैः सᳬस्थापयति । वि पितापुत्राववस्यतः समुध्वानः क्रामन्ति सुमंतिकङ्ग्ग्रामयोर्ग्ग्रामान्तौ भवतो नर्क्षीकाः पुरुषव्याघ्राः परिमोषिणऽआव्याधिन्यस्तुस्कराऽ अरण्येष्वाजायन्ते ॥ ४ ॥

इति प्रथमप्रपाठके त्रयोदशं ब्राह्मणम् ॥ १३।१।१३ ॥ (२-४) ॥

तदाहुः—अपशुर्वा एष यदारण्यः । नैतस्य होतव्यम् । यत् जुहुयात् । क्षिप्रं यजमानमरण्यं मृतं हरेयुः । अरण्यभागा ह्यारण्याः पशवः । यन्न जुहुयात् । यज्ञवेशसं स्यात् इति । पर्यग्निकृता-नेवोत्सृजंति । तन्नैव हुतम् । नाहुतम् । न यजमानमरण्यं मृतं हरंति । न यज्ञवेशसं भवति ॥ ३ ॥

ग्राम्यैः संस्थापयति । वि पितापुत्राववस्यतः । समध्वानः क्रामंति । समंतिकं ग्रामयोर्ग्रामांतौ भवतः । नर्क्षीकाः पुरुषव्याघ्राः परिमोषिणः आव्याधिन्यस्तस्करा अरण्येष्वाजायंते ॥ ४ ॥

रित्यर्थः । अध्वभिरत्रार्द्रस्थलना लक्ष्यन्ते । क्षेमे सति मनुष्याः सर्वान् देशान् संचरेयुरित्यभिप्रायः । क्षेम एव सति निमित्तांत्तरे विप्रिये च वसति । समंतिकं समीपे ग्रामयोः ग्रामांतौ सीमान्तौ स्याताम् । अन्यासु हि सीमासु ग्रामस्य समीप एव सीमांतो भवति । नर्क्षा एव नर्क्षीकाः । पुरुषाश्च ते व्याघ्राश्च पुरुषव्याघ्राः । म्लेच्छा हि व्याघ्ररूपाः पुरुषा वदन्ति ते पुरुषव्याघ्राः । परिमोषिणश्चौराः । ' आव्याधिन्यः ' आविध्यंत्या-युधैरित्याव्याधिन्यः चोरसेनाः । तस्करास्तत्पापं कुर्वंतीत्यतोऽन्ये चौराः । न आजायेरन् क्षमत्वाद्राष्ट्रस्य । यत् यदि आरण्यैः संस्थापयेत् । तत अध्वानः पूर्वदेशादयो विक्रामेयुः विरुद्धं क्रामयेयुः । स्वदेश एव मनुष्याः संचरेयुः, न देशांतरेषु अंतरालानामभिन्नत्वात् अक्षेमत्वाच्च । विदूरं ग्रामयोर्ग्रामांतौ स्याताम् । अक्षेमे हि सति प्रविरला ग्रामा भवन्ति । तेषां च सीमांता दूरे भवंति ॥ १ ॥ २ ॥

कथं पुनरालब्धैरारण्यैर्न संस्थाप्यते यज्ञ इत्यत आह-तदाहुरिति । तत्रारण्यैरसंस्थापने आह-अपशुर्वा । यान्वा पशूनपेक्ष्य न्यूनगुण एष स आरण्यः । नैतस्यारण्यस्य त्रिर्हविर्पाभिर्होतव्यम् । यदि जुहुयादयं दोषः स्यात् । यदि न जुहुयात्, यज्ञविनाशः स्यात् । कथं हि देवतायै संकल्पः । सर्वं तदीयेन तेनैव तद्धुतमिति । साक्षादभाव-पक्षे यन्न हुतम् । पर्यग्निकरणेन तु ग्रसितमिति भवतीति । नाहुतम् । यथा संकल्पितानां च त्यागांते यज्ञ-विनाशः । वचनाच्च पर्यग्निकरणम् । तरेवांगैर्वैगुण्यमित्यभिप्रायः ॥ ३ ॥

ग्राम्यैः संस्थापयति । पितापुत्रौ वै पृथग्व्यवस्यतः । क्षेमे हि सति विपृथग्वसतः । अक्षेमे तु संबद्धावप्येकत्र वसतः ॥ ४ ॥

इति श्रीमदाचार्यहरिस्वामिनः कृतौ माध्यन्दिनीयशतपथब्राह्मणभाष्ये त्रयोदशकाण्डे

द्वितीयेऽध्याये चतुर्थं ब्राह्मणम् ॥ १३ । २ । ४ ॥

प्रजापतिरश्वमेधमसृजत । सोऽस्मात्सृष्टः पराङैत्स पङ्क्तिर्भूत्वा सम्वत्सरं प्राविशत्तेऽर्द्धमासा अभवंस्तं पञ्चदशिभिरनु प्रायुङ्क्त तमाप्नोत्तमाप्त्वा पञ्चदशिभिरवारुन्द्धार्द्धमासानाम्वा एषा प्रतिमा यत्पञ्चदशिनो यत्पञ्चदशिन आलभतेऽर्द्धमासानेव तैर्यजमानोऽवरुन्धे ॥ १ ॥

तदाहुः । (२) अनवरुद्धो वा एतस्य सम्वत्सरो भवति योऽन्यत्र चातुर्मास्येभ्यः सम्वत्सरन्तनुत इत्येष वै साक्षात्सम्वत्सरो यच्चातुर्मास्यानि यच्चातुर्मास्यान्पशूनालभते साक्षादेव तत्सम्वत्सरमवरुन्द्धे वि

प्रजापतिरश्वमेधमसृजत । सोऽस्मात्सृष्टः पराङैत् । स पंक्तिर्भूत्वा संवत्सरं प्राविशत् । तेऽर्द्धमासा अभवन् । तं पंचदशिभिरनु प्रायुंक्त । तमाप्नोत् । तमाप्त्वा पंचदशिभिरवारुन्ध । अर्द्धमासानां वा एषा प्रतिमा । यत्पंचदशिनः । यत्पंचदशिन आलभते । अर्द्धमासानेव तैर्यजमानोऽवरुन्धे ॥ १ ॥

तदाहुः–अनवरुद्धो वा एतस्य संवत्सरो भवति । योऽन्यत्र चातुर्मास्येभ्यः संवत्सरं तनुत इति । एष वै साक्षात्संवत्सरः । यच्चातुर्मास्थानि । यच्चातुर्मास्यान्पशूनालभते । साक्षादेव तत् संवत्सरमवरुन्धे ।

प्रजापतिरिति–पञ्चदशिनश्चातुर्मास्या एकादशिना इत्येव त्रिधा ग्राम्यान्पशूनवस्थाप्य त्रीणि दर्शनानि । तेष्वत्रोच्यते तत्र पंचदशसु तावत् अर्द्धमासातिमाह–प्रजापतिः अश्वमेधं अश्वमेधयज्ञसाधनं दृष्टवान् । सोऽस्मात् प्रजापतेः पराङ्मुखो गतः । देवतामहाभाग्येन स पंक्तिः पंचविभागो भूत्वा संवत्सरं प्रविष्टः । ये पंच विभागास्ते अर्धमासाभिमानिनः अभवन् । एतस्मादेव अर्द्धमासांतर्भावात् ते विभागाः प्रत्येकं त्रिभेदा बभूवुरिति गम्यते । तं पंचदशिभिरनुप्रायुंक्त । तमश्वमेधं अर्द्धमासतां प्राप्तं पंचदशिभिरहोरात्रादिभिरन्वेष्टुं प्रयुक्तवान् । पंचदशसंख्या प्रमाणं येषां ते पंचदशिनः । पंचदशशब्दात् "शन्शतोर्डिनिश्छन्दसि तदस्य परिमाणमित्यर्थे वाच्यः" इति वार्तिकात् डिनिप्रत्ययः । कासुचित् कंडिकासु (वा. सं. २४ । १९) पंचदश पशवः पठ्यन्ते । कासुचिदधिकाः । कासुचिदूनाः । तत्र यासु पञ्चदश पठयन्ते । तासु ये पशवः ते पंचदशिन इत्युच्यंते । तमाप्नोत् । तमश्वं अर्द्धमासाख्यं च प्रविष्टः सः प्रजापतिः पंचदशिभिः पशुभिः आप्तवान् । यद्देवतामहाभाग्येनाश्वार्द्धमासेषु अश्ववीर्यं प्रवेशयति । प्रजापतिः पंचदश पशुयागैः प्रत्याहरत । वशीकृतश्चेत्यर्थः । अर्द्धमासानां वै एषा प्रतिमा ये पंचदशिनः । ते हि पंचदशवत्स्वर्द्धमासेष्वपि पंचदशरात्रिका इत्यभिप्रायः ॥ १ ॥

तदाहुः–तत्र पंचदशभिः संवत्सरातो य आहुः आप्नोति संवत्सरस्य । एतस्यानवरुद्धः । अनवरुद्धः । अवश्यंपुनरपापी भवति । यश्चातुर्मास्येभ्यो वैश्वदेववरुणप्रघाससाकमेधशुनासीरीयात्मकेभ्यः अन्यत्र संवत्सरं तनुते । ततश्च पञ्चदशभिरनवरुद्धो भवति । संवत्सरो नात्र रुध्यतेत्यर्थः । कथं हि संवत्सरो रुध्यत इत्यत

१–२७ । २–१२६ । ३–२२ । शेषा ग्राम्याः । १५२ । ४–४३१७ इति ।

व्वाऽएषु प्प्रजुया पशुभिर्ऋध्यतेऽप स्वर्ग्गु लोकुᳯ राध्नोति योऽन्युत्रैका-दशिनेभ्यः सम्वत्सरुन्तनुतऽइत्येष वै सम्प्रति स्वर्ग्गो लोको युदेकाद-शिनी प्प्रजा वै पशवऽएकादशिनी यदैकादशिनान्पशूनालुभते नु स्वर्ग्गु लोकुमपराध्नोति नु प्प्रजुया पशुभिर्व्व्यृध्यते ॥ २ ॥

प्प्रजुापतिर्व्विराजमसृजत । साऽस्मात्सृष्टा पुराच्यैत्साऽश्वम्मेध्यं प्राविशत्तां दशिभिरनु प्प्रायुङ्क्त तामाप्नोत्तामाप्त्वा दशिभिरवारुन्द्ध युद्दशिनऽआलुभते व्विराजमेव तैर्य्युजमानोऽवरुन्द्धे शतमालभते शता-युर्व्वै पुरुषः शतेन्द्रियऽआयुरेवेन्द्रियं वीर्य्यमात्मन्धत्ते ॥ ३ ॥

वि वा एष प्रजया पशुभिर्ऋध्यते । अप स्वर्गं लोकं राध्नोति । योऽन्यत्रैकादशिनेभ्यः संवत्सरं तनुत इति । एष वै संप्रति स्वर्गो लोकः । यदेकादशिनी । प्रजा वै पशवः एकादशिनी । यदै-कादशिनान्पशूनालभते । न स्वर्गं लोकमपराध्नोति । न प्रजया पशुभिर्व्यृध्यते ॥ २ ॥

प्रजापतिर्विराजमसृजत । साऽस्मात्सृष्टा पराच्यैत् । साऽश्वं मेध्यं प्राविशत् । तां दशिभिरनु प्रायुंक्त । तामाप्नोत् । तामाप्त्वा दशिभिरवारुन्ध । यद्दशिन आलभते । विराजमेव तैर्यजमानो-ऽवरुन्धे । शतमालभते । शतायुर्वै पुरुषः । शतेन्द्रियः । आयुरेवेन्द्रियं वीर्यमात्मन्धत्ते ॥ ३ ॥

आह–एष वै साक्षात्संवत्सरः । यानि चातुर्मास्यानि । चातुर्मास्यदेवताकान्पशून् "कृष्णग्रीवा आग्नेया बभ्रवः सौम्या उपध्वस्ता सावित्राः" (वा. सं. २४ । १४) इत्यादीन् एकादशिनान्पशूनालभन्ते । साक्षादेव संवत्सरमवरुन्धे इति चातुर्मास्यदेवतापशुषु दर्शनम् । वि वै एष प्रजया पशुभिश्च ऋध्यते । य एकादशिनेभ्यः अन्यत्र पञ्चदशिभिश्चातुर्मास्यैश्च केवलं संवत्सरं तनुते इत्याहुरिति वर्तते । कथं ? पुनरेष दोषो न भवतीत्यत आह–एष वै संप्रति स्वर्गो लोकः । या एकादशिनी, स्वर्गस्य कारणमेकादशिनीत्यर्थः । यदैकादशिनान्पशून् "आग्नेयः कृष्णग्रीवः" (वा. सं. २९ । ५८ । ५९) इत्यादीनालभते । तेन च न स्वर्गं लोकमपरा-प्नोति । इत्येकादशिनां विधिनैव द्वे एकादशिन्यौ द्रष्टव्ये । "सप्तदशैव पशून्मध्यमे यूप आलभेत" "षोडश षोडशेतरेषु" इति वचनात् । (श. प. १३ । २ । २ । १३) ॥ २ ॥

प्रजापतिर्विराजं विराडभिमानिनीं दशावयवां देवतां असृजत । देवतामहाभाग्येन तमेव प्राजापत्यमेत्य प्रविष्टां तां तत्रैव स्थितां दशिभिः पशुभिरन्वेष्टुं प्रयुक्तवान् । दशसंख्या प्रमाणं येषां ते दशिनः पशवः । "प्रजापतये च वायवे च गोमृगः" इत्येवमादयः (वा. सं. २४ । ३०) (तेनान्यत्तवानवषाद्ववाश्च । ?) शतमालभते । दशिनां तत्र शतं यदपि दशोत्तरं, तथापि शतसुष्टा (!) दशनार्थं शतमित्याह ॥ ३ ॥

(त्तऽए) एकादश दशतऽआलभते । (तऽए) एकादशाक्षरा वै त्रिष्टुबिन्द्रियमु वै व्वीर्य्यन्त्रिष्टुबिन्द्रियस्यैव व्वीर्य्यस्यावरुद्ध्याऽएकादश दशतऽआलभते दश वै पशोः प्प्राणाऽआत्मैकादशः प्प्राणैरेव पशून्त्समर्द्धयति व्वैश्वदेवा भवन्ति व्वैश्वदेवो वाऽअश्वोऽश्वस्यैव सर्व्वत्वाय बहुरूपा भवन्ति तस्माद्बहुरूपाः पशवो नानारूपा भवन्ति तस्मान्नानारूपाः पशवः ॥ ४ ॥

इति प्रथमप्रपाठके चतुर्दशं ब्राह्मणम् ॥ १३।१।१४ ॥ (२।५) ॥

युञ्जन्ति ब्रध्नमरुषञ्चरन्तमिति । (त्य) असौ वाऽआदित्यो ब्रध्नोऽरुषोऽमुमेवास्माऽ आदित्यं युनक्ति स्वर्ग्गस्य लोकस्य समष्ट्यै ॥ १ ॥

तदाहुः । पराङ्वाऽएतस्माद्यज्ञऽएति यस्य पशुरुपाकृतोऽन्यत्र व्वेदे-

---

एकादश दशत आलभते । एकादशाक्षरा वै त्रिष्टुप् । इंद्रियमु वै वीर्यं त्रिष्टुप् । इन्द्रियस्यैव वीर्यस्यावरुद्ध्यै । एकादश दशत आलभते । दश वै पशोः प्राणाः । आत्मैकादशः । प्राणैरेव पशून्त्समर्द्धयति । वैश्वदेवा भवन्ति । वैश्वदेवो वा अश्वः । अश्वस्यैव सर्वत्वाय । बहुरूपा भवन्ति । तस्माद्बहुरूपाः पशवः । नानारूपा भवन्ति । तस्मान्नानारूपाः पशवः ॥ ४ ॥

" युंजंति ब्रध्नमरुषं चरंतम् "–(वा० सं० २३ । ५) इति । असौ वा आदित्यो ब्रध्नोऽरुषः । अमुमेवास्मा आदित्यं युनक्ति । स्वर्गस्य लोकस्य समष्ट्यै ॥ १ ॥

तदाहुः–पराङ्वा एतस्माद्यज्ञ एति । यस्य पशुरुपाकृतोऽन्यत्र वेदेरेति । इति । " एतं स्तोतरनेन

एकादश दशत इति । " प्रजापतये च वायवे च " इत्यत आरभ्य एकादशैवैताः कंडिकाः । (वा. सं. २४ । ३०–४०) यासु दश दश पशवः ॥ ४ ॥

इति श्रीमदाचार्यहरिस्वामिनः कृतौ माध्यन्दिनीयशतपथब्राह्मणभाष्ये त्रयोदशे काण्डे द्वितीयेऽध्याये पञ्चमं ब्राह्मणम् ॥ १३ । २ । ५ ॥

युंजंतीति[1] । " अमुमेवास्मा आदित्यं युनक्ति " इति वाक्यशेषात् मंत्रवर्णात् शाखांतरवचनाच्च अश्वं रथेन युनक्तीति गम्यते । " युंजंत्यस्य[2] " इत्यनेनान्यान् त्रीन् युनक्ति । तेन च रथेनापो गच्छति । अवगाढेषु अश्वेषु " यद्वातः[3] " इति वाचयति ॥ १–३ ॥

१–युनक्त्येनं युंजन्ति ब्रध्नमिति । का. श्रौ. सू. २० । १२५ । २–इतरांश्च युंजंत्यस्येति । अश्वाः सौवर्णालंकाराः । रथश्च । का. श्रौ. सू. २० । १२६–१२८ । ३–अपो यात्वाऽवगाढेषु वाचयति यद्वात इति । का. श्रौ. सू. २० । १२९ ।

रेतीत्येतुष्ठुँ स्तोतरनेन पथा पुनरश्वमावर्तयासि नऽइति वायुर्व्वै स्तोता तमेवास्माऽएतत्परस्ताद्दधाति तथा नात्येति ॥ २ ॥

(त्यु) अप वाऽएतस्मात् । (त्ते) तेजऽ इन्द्रियम्पशवः श्रीः क्रामन्ति योऽश्वमेधेन यजते ॥ ३ ॥

वसवस्त्वाऽञ्जन्तु । गायत्रेण च्छन्दसेति महिष्यभ्यनक्ति तेजो वाऽआज्यन्तेजो गायत्री तेजसीऽएवास्मिन्न्त्समीची दधाति ॥ ४ ॥

रुद्रास्त्वाऽञ्जन्तु त्रैष्टुभेन च्छन्दसेति वावाता तेजो वाऽआज्यमिन्द्रियन्त्रिष्टुप्तेजश्चैवास्मिन्निन्द्रियञ्च समीची दधाति ॥ ५ ॥

(त्या) आदित्यास्त्वाऽञ्जन्तु । जागतेन च्छन्दसेति परिवृक्ता तेजो वाऽआज्यं पशवो जगती तेजश्चैवास्मिन्पशूंश्च समीचो दधाति ॥ ६ ॥

पत्न्योऽभ्यञ्ज्यन्ति । श्रियै वाऽएतद्रूपं यत्पत्न्यः श्रियमेवास्मिंस्तद्दधति नास्मात्तेजऽइन्द्रियं पशवः श्रीरपक्रामन्ति ॥ ७ ॥

पथा पुनरश्वमावर्तयासि नः "–(वा० सं० २३ । ७) इति । वायुर्वै स्तोता । तमेवास्मा एतत्परस्ताद्दधाति । तथा नात्येति ॥ २ ॥

अप वा एतस्मात्तेज इंद्रियं पशवः श्रीः क्रामंति । योऽश्वमेधेन यजते ॥ ३ ॥

"वसवस्त्वाऽञ्जन्तु गायत्रेण च्छन्दसा "–इति महिष्यभ्यनक्ति । तेजो वा आज्यम् । तेजो गायत्री । तेजसी एवास्मिन् समीची दधाति ॥ ४ ॥

"रुद्रास्त्वाऽञ्जन्तु त्रैष्टुभेन च्छन्दसा "–इति वावाताः । तेजो वा आज्यम् । इंद्रियं त्रिष्टुप् । तेजश्चैवास्मिन्निंद्रियं च समीची दधाति ॥ ५ ॥

"आदित्यास्त्वाऽञ्जन्तु जागतेन च्छन्दसा "–(वा० सं० २३ । ८) इति परिवृक्ता । तेजो वा आज्यम् । पशवो जगती । तेजश्चैवास्मिन्पशूंश्च समीचो दधाति ॥ ६ ॥

पत्न्योऽभ्यंज्यंति । श्रियै वा एतद्रूपम् । यत्पत्न्यः । श्रियमेवास्मिंस्तद्दधति । नास्मात्तेज इन्द्रियं पशवः श्रीरपक्रामन्ति ॥ ७ ॥

"वसवस्त्वेति" तिसृभिरेताभिरश्वस्योभ्यंजनमुच्यते । महिषी प्रथमोढा । वावाता प्रिया । परिवृक्ता परिवित्ता दुर्भगा ॥ ४ –७ ॥

१–आयाय विमुक्तमश्वं महिषी वावाता परिवृक्ताऽऽज्येनाभ्यंज्यंति पूर्वकायमध्यापरकायान्यथादेशं वसवस्त्वेति प्रतिमंत्रम् । का. श्रौ. सू. २० । १३० ॥

यथा वै हविषो हुतस्य स्कन्देत् । (दे) एवमेतत्पशो स्कन्दति यस्य निक्तस्य लोमानि शीयन्ते यत्काचानावयन्ति लोमान्येवास्य सम्भरन्ति हिरण्मया भवन्ति तस्योक्तं ब्राह्मणमेकशतमेकशतङ्काचानावयन्ति शतायुर्वै पुरुषऽआत्मैकशतऽआयुष्येवात्मन्प्रतितिष्ठति भूर्भुवः स्वरिति प्राजापत्याभिरावयन्ति प्राजापत्योऽश्वः स्वयैवैनन्देवतया समर्द्धयन्ति लाजी३ञ्छाची ३ न्यव्ये गव्यऽइत्यतिरिक्तमन्नमश्वायोपावहरति प्रजामेवान्नादीं कुरुतऽ एतदन्नमत्त देवाऽएतदन्नमद्धि प्रजापतऽइति प्रजामेवान्नाद्येन समर्द्धयति ॥ ८ ॥

(त्यु) अप वाऽ एतस्मात् । (त्ते) तेजो ब्रह्मवर्चसमुत्क्रामति योऽश्वमेधेन यजते होता च ब्रह्मा च ब्रह्मोद्यम्वदतऽआग्नेयो वै होता बार्हस्पत्यो ब्रह्मा ब्रह्म बृहस्पतिस्तेजश्चैवास्मिन्ब्रह्मवर्चसञ्च समीची धत्तो

यथा वै हविषो हुतस्य स्कन्देत् । एवमेतत्पशोः स्कंदति । यस्य निक्तस्य लोमानि शीर्यंते । यत् काचानावयंति । लोमान्येवास्य संभरंति । हिरण्मया भवन्ति । तस्योक्तं ब्राह्मणम् । एकशतमेकशतं काचानावयन्ति । शतायुर्वै पुरुषः । आत्मैकशतः । आयुष्येवात्मन्प्रतितिष्ठति । " भूर्भुवः स्वः "–इति प्राजापत्याभिरावयन्ति । प्राजापत्योऽश्वः । स्वयैवैनं देवतया समर्द्धयन्ति । "लाजी ३ञ्छाची ३ न्यव्ये गव्ये"–इत्यतिरिक्तमन्नमश्वायोपावहरति । प्रजामेवान्नादीं कुरुते । " एतदन्नमत्त देवा एतदन्नमद्धि प्रजापते "–(वा. सं. २३ । ८) इति । प्रजामेवान्नाद्येन समर्द्धयति ॥ ८ ॥

अप वा एतस्मात्तेजो ब्रह्मवर्चसं क्रामति । योऽश्वमेधेन यजते । होता च ब्रह्मा च ब्रह्मोद्यं

निक्त इति वक्तव्ये प्रथमास्थाने षष्ठी छांदसी । शीर्यंते सदशानने पतंति । काचा मणयः । तस्योक्तं ब्राह्मणम्–" ज्योतिर्वै हिरण्य राष्ट्रमश्वमेधः " इत्यादि (१३ । २ । २ । १६ । एकशतमेकशतम् । एकैका पत्नी आवयति आबध्नाति । केसरपुच्छेषु भूर्भुवः स्वरित्येताभिर्व्याहृतिभिर्यथासंख्यम् । प्रथमया महिषी, द्वितीयया वावाता, तृतीयया परिवृक्ता, अतिरिक्तमन्नं आज्यसक्तुलाजाधानालाजात्मकं रात्रिहुतशेषं अश्वायोपावहरति अश्वार्थं तत्समीपमवनयति । यथा स तद्भक्षयति तथा ढौकयतीत्यर्थः ॥ ८ ॥

अप वा एतस्मात् । ब्रह्मणि वेदे वदनं ब्रह्मोद्यं प्रश्नप्रतिवचनात्मकम् । आग्नेयः अग्नेराधिदैवात्मकस्याधिष्ठेयो

१–अभ्रंश्यमानान्मणीन्सौवर्णानेकशतमेकशतं केसरपुच्छेष्वावयन्ति भूर्भुवः स्वरिति प्रतिमहाव्याहृति । अनुचर्यस्य तूष्णीमेकेषाम् । का. श्रौ. सू. २० । १३१ । १३२ ।

२–अश्वाय रात्रिहुतशेषं प्रयच्छति लाजी ३ञ्छाची ३ न् इति । अप्स्ववहरणमखादति । का. श्रौ. सू. । २० । १३३ । १३४ । (शाखांतरादिदम् ।)

यूपमभितो व्वदतो यजमानो वै यूपो यजमानमेवैतत्तेजसा च ब्रह्मवर्च्च-सेन चोभयतः परिधत्तः ॥ ९ ॥

कः स्विदेकाकी चरतीति । (त्य) असौ वाऽआदित्यऽएकाकी चर-त्येषु ब्रह्मवर्च्चसं ब्रह्मवर्च्चसमेवास्मिंस्तद्धत्तः ॥ १० ॥

कुऽउ स्विज्जायते पुनरिति । चन्द्रमा वै जायते पुनरायुरेवास्मि-स्तद्धत्तः ॥ ११ ॥

किꣳ स्विद्धिमस्य भेषजमिति । (त्य) अग्निर्वै हिमस्य भेषज-न्तेजऽएवास्मिंस्तद्धत्तः ॥ १२ ॥ शतम् ६८०० ॥

किम्वाऽऽवपनम्महदिति । (त्य) अयम्वै लोकऽआवपनम्महदस्मि-न्नेव लोके प्रतितिष्ठति ॥ १३ ॥

वदतः । आग्नेयो वै होता । बार्हस्पत्यो ब्रह्मा । ब्रह्म बृहस्पतिः । तेजश्चैवास्मिन् ब्रह्मवर्चसं च समीची धत्तः । यूपमभितो वदतः । यजमानो वै यूपः । यजमानमेवैतत्तेजसा च ब्रह्मवर्चसेन चोभयतः परिधत्तः ॥ ९ ॥

" कः स्विदेकाकी चरति "–इति । असौ वा आदित्य एकाकी चरति । एष ब्रह्मवर्च-सम् । ब्रह्मवर्चसमेवास्मिंस्तद्धत्तः ॥ १० ॥

" क उ स्विज्जायते पुनः "–इति । चंद्रमा वै जायते पुनः । आयुरेवास्मिंस्तद्धत्तः ॥ ११ ॥

" किं स्विद्धिमस्य भेषजम् "–इति अग्निर्वै हिमस्य भेषजम् । तेज एवास्मिंस्तद्धत्तः ॥ १२ ॥

" किं वाऽऽवपनं महत् "–(वा सं. २३ । ९) इति । अयं वै लोक आवपनं महत् । अस्मिन्नेव लोके प्रतितिष्ठति ॥ १३ ॥

होता । बार्हस्पत्यो बृहस्पतेरधिदैवभूतस्याधिष्ठेयो ब्रह्मा । ब्रह्म किं ? इत्यत आह–ब्रह्म बृहस्पतिः । इति तु प्रसिद्धत्वात्तेनोक्तम् । ततश्च तेजश्च ब्रह्मवर्चसं च अस्मिन् यजमाने धत्त इत्युपपन्नम् ॥ ९ ॥

कः स्विदेकाकी चरति । ब्रह्मा पृच्छति होतारम् । कुत एतत् शाखांतरात् । असौ वा आदित्य एकाकी चरतीति प्रतिवचनार्थः । एवं प्रश्नप्रतिप्रश्नान् विवृणोति । वचनान्यपि व्याचष्टे । तेनैव वचनानि न पुनर्वि-वृणोति । एकाकी असहाय आदित्यो भ्रमति । तेन सहान्यस्य कस्यचिददर्शनात् । अस्मिन् यजमाने ॥ १० ॥

चन्द्रमा वै जायते पुनः । मासांतर इत्यभिप्रायः । यश्च पुनःपुनर्नवो जायते स आयुष्मानिति गम्यते । ततश्च तत्प्रश्नप्रतिवचनाभ्यामायुरेवास्मिन् यजमाने ब्रह्महोतारौ धत्तः ॥ ११ ॥ १२ ॥

अस्मिन्नेव लोके प्रतितिष्ठति । एताभ्यां प्रश्नप्रतिवचनाभ्याम् ॥ १३ ॥

का स्विदासीत्पूर्व्वचित्तिरिति । द्यौर्व्वै व्वृष्टिः पूर्व्वचित्तिर्द्दिवमेव व्वृष्टिमुवरुन्धे ॥ १४ ॥

कि॒ᳪं स्विदासीद्बृहद्वयऽइति । (त्य) अश्वो वै बृहद्वय ऽआयुरेवावरुन्धे ॥ १५ ॥

का स्विदासीत्पिलिप्पिलेति । श्रीर्व्वै पिलिप्पिला श्रियमेवावरुन्धे ॥ १६ ॥

का स्विदासीत्पिशङ्गिलेति । (त्य) अहोरात्रे वै पिशङ्गिलेऽ अहोरात्रयोरेव प्रतितिष्ठति ॥ १७ ॥

इति प्रथमप्रपाठके पञ्चदशं ब्राह्मणम् ॥ १३।१।१५ ॥ (२-६) ॥

इति प्रथमः प्रपाठकः समाप्तः ॥ १३-१ ॥

कण्डिकासंख्या ॥ १०८ ॥

" का स्विदासीत् पूर्वचित्तिः "-इति । द्यौर्वै वृष्टिः पूर्वचित्तिः । दिवमेव वृष्टिमवरुन्धे ॥ १४ ॥

" किं स्विदासीद् बृहद्वयः "-इति । अश्वो वै बृहद्वयः । आयुरेवावरुन्धे ॥ १५ ॥

" का स्विदासीत्पिलिप्पिला "-इति । श्रीर्वै पिलिप्पिला । श्रियमेवावरुन्धे ॥ १६ ॥

" का स्विदासीत्पिशंगिला "-(वा. सं. २३ । ११) इति । अहोरात्रे वै पिशंगिले । अहोरात्रयोरेव प्रतितिष्ठति ॥ १७ ॥

का स्विदासीत्पूर्वचित्तिरिति । " होता ब्रह्माणं पृच्छति " इति शाखांतरात् । द्यौर्वै वृष्टेर्हेतुः । ततश्च राष्ट्रोपकाराय दिवं वृष्टिमेवावरुंधे यजमानः । एताभ्यां प्रश्नप्रतिवचनाभ्याम् ॥ १४ ॥

अश्वो वै बृहद्वयः । महान् पशुरिति ब्रुवद्भ्यां शब्दसामान्यात् महद्वयः शतार्द्धकं आयुः यजमानः अवरुन्धे ॥ १५ ॥

श्रीर्वै पिलिप्पिला । रूपानुकरणशब्दोऽयम् बहुरूपविलासोद्द्योतनवती श्रीः । मंत्रे तु (वा. सं. २३।१२) अविः पिलिप्पिला उक्ता । सा तु श्रीरेवेति ब्राह्मणे विवृतम् । कथमियं वै अविः पृथिवी । सा च श्रीः । " श्रीर्वा इयम् " इति वचनात् ॥ १६ ॥

अहोरात्रे वै पिशंगिले इति । मंत्रे (वा. सं. २३ । १२) रात्रिग्रहणेनैव अहरपि संगृहीतमिति दर्शयति । ततश्च एताभ्यां प्रश्नप्रतिवचनाभ्याम् । अहोरात्रयोर्यजमानः प्रतितिष्ठति । उभयोरपि राज्यं करोतीत्यर्थः ॥ १७ ॥

इति श्रीमदाचार्यहरिस्वामिनः कृतौ माध्यन्दिनीयशतपथब्राह्मणभाष्ये त्रयोदशे कांडे
द्वितीयेऽध्याये षष्ठं ब्राह्मणम् ॥ १३ ॥ २ ॥ ६ ॥

अथ द्वितीयप्रपाठके प्रथमं ब्राह्मणम् ।
द्वितीयेऽध्याये च सप्तमं ब्राह्मणम् ।

नियुक्तेषु पशुषु । प्रोक्षणीरध्वर्युरादत्तेऽश्वं प्रोक्षिष्यन्नन्वारब्धे यजमान-ऽआध्वरिकं यजुरनुद्रुत्याश्वमेधिकं यजुः प्रतिपद्यते ॥ १ ॥

वायुष्ट्वा पचतैरवत्विति । वायुरेवैनं पचत्यसितग्रीवश्छागैरित्यग्निर्वा-ऽअसितग्रीवोऽग्निरेवैनञ्छागैः पचति ॥ २ ॥

न्यग्रोधश्चमसैरिति । यत्र वै देवा यज्ञेनायजन्त तऽएतांश्चमसान्न्यौ-ब्जंस्ते न्यञ्चोऽरोहंस्तस्मान्न्यञ्चो न्यग्रोधा रोहन्ति ॥ ३ ॥

नियुक्तेषु पशुषु प्रोक्षणीरध्वर्युरादत्ते । अश्वं प्रोक्षिष्यन्नन्वारब्धे यजमान आध्वरिकं यजुरनुद्रुत्याश्वमेधिकं यजुः प्रतिपद्यते ॥ १ ॥

" वायुष्ट्वा पचतैरवतु "–इति । वायुरेवैनं पचति । " असितग्रीवश्छागैः "–इति । अग्निर्वा असितग्रीवः । अग्निरेवैनं छागैः पचति ॥ २ ॥

" न्यग्रोधश्चमसैः "–इति । यत्र वै देवा यज्ञेनायजंत । त एतांश्चमसान्न्यौब्जन् । ते न्यंचोऽरोहन् । तस्मान्न्यंचो न्यग्रोधा रोहन्ति ॥ ३ ॥

नियुक्तेषु पशुषु । अन्वारब्धे यजमाने । आध्वरिकं प्रोक्षणयजुः " अद्भ्यस्त्वौषधीभ्यः " इत्येतत् (वा. सं. ६ । ९) अनुद्रुत्योच्चार्य । " वायुष्ट्वा " इत्येतदारभ्यते । यजुरिति चैकवचनाच्चतस्रोऽप्येता मंत्रकंडिकाः (वा. सं. २३ । १३–१६) एकं वाक्यमिति दर्शयति–वायुष्ट्वेति । वायुरेवैनमश्वं पचति अग्निमुपोद्बलयति इति ध्रुवत्पाकैर्वायुस्तावन्नित्ये तमर्थं दर्शयति । अग्निर्वै कृष्णग्रीवः, धूममिश्रत्वात् । स च एनं छागैः सह पचति ॥ १ ॥ २ ॥

' न्यग्रोधश्चमसैः ' । न्यग्रोधः स्वकीयैश्चमसैः सोमांगभूतैश्चावत्विति मंत्रार्थः प्रसिद्ध एवेति न व्याख्यातः । चरकाणां हि नैयग्रोधाश्चमसाः पच्यंते तेषु च सत्सु अश्वं आलभते नासत्स्विति । तानुपपादयन् न्यग्रोधाश्चमुपाकरोति । चमसभवत्वं न्यग्रोधस्याह । कथं नाम देवचमसप्रकृतिकन्यग्रोधविकाराश्चमसा मंस्यते । न्यौब्जन् । " उब्ज आर्जवे "–(धा. पा. तु. प. २३) अधोमुखांश्चक्रुरित्यर्थः ॥ ३ ॥

१–अश्वप्रोक्षणमद्भ्यस्त्वा वायुष्ट्वेति । का. श्रौ. सू. २० । १४ । १ ।

शल्मलिर्व्वृध्येति । शल्मलौ व्वृद्धिन्दधाति तस्माच्छल्मलिर्व्वनस्पतीनां व्वर्षिष्ठं व्वर्द्धते ॥ ४ ॥

(तऽएष) एष स्य राथ्यो व्वृषेति । (स्य) अश्वेनैव रथꣳ सम्पादयति तस्मादश्वो नान्यद्रथाद्वहति ॥ ५ ॥

पड्भिश्चतुर्भिरेदगान्निति । तस्मादश्वस्त्रिभिस्तिष्ठंस्तिष्ठत्यथ युक्तः सर्वैः पद्भिः समममायुते ॥ ६ ॥

ब्रह्माऽकृष्णश्च नोऽवत्विति । चन्द्रमा वै ब्रह्माऽकृष्णश्चन्द्रमसऽएवैनम्परिददाति नमोऽग्नयऽइत्यग्नयऽएव नमस्करोति ॥ ७ ॥

सꣳशितो रश्मिना रथऽ इति । रश्मिनैव रथꣳ सम्पादयति तस्माद्रथः पर्युतो दर्शनीयतमो भवति ॥ ८ ॥

सꣳशितो रश्मिना हयऽ इति । रश्मिनैवाश्वꣳ सम्पादयति तस्मादश्वो रश्मिना प्रतिहतो भूयिष्ठꣳ रोचते ॥ ९ ॥

"शल्मलिर्व्वृध्या"—इति । शलमलौ वृद्धिं दधाति । तस्माच्छलमलिर्वनस्पतीनां वर्षिष्ठं वर्द्धते ॥४॥

"एष स्य राथ्यो वृषा"—इति । अश्वेनैव रथं संपादयति । तस्मादश्वो नान्यद्रथाद्वहति ॥५॥

" पद्भिश्चतुर्भिरेदगन् " इति । तस्मादश्वस्त्रिभिस्तिष्ठंस्तिष्ठति । अथ युक्तः सर्वैः पद्भिः सममायुते ॥ ६ ॥

" ब्रह्माऽकृष्णश्च नोऽवतु "—इति । चन्द्रमा वै ब्रह्माऽकृष्णः । चन्द्रमस एवैनं परिददाति । " नमोऽग्नये "—(वा. सं. २३ । १३) इति । अग्नय एव नमस्करोति ॥ ७ ॥

" संशितो रश्मिना रथः "—इति । रश्मिनैव रथं संपादयति । तस्माद्रथः पर्युतो दर्शनीयतमो भवति ॥ ८ ॥

" संशितो रश्मिना हयः "—इति । रश्मिनैवाश्वं संपादयति । तस्मादश्वो रश्मिना प्रतिहतो भूयिष्ठं रोचते ॥ ९ ॥

शल्मलिः । शल्मलिरुपमानभूतः । वृध्या त्वां चतुःसंस्करोति । शाल्मलिरिव कायतो वर्द्धस्वेति मंत्रार्थः । नाप उद्वृद्धे शल्मलिमुपाददानः शल्मलौ वृद्धिं दधातीति गम्यते । नानार्थकार्यवचनम् ॥ ४ ॥

एष स्य राथ्यः । रथे साधुः रथाय हितः राथ्य इत्युक्तेः श्वेतरथस्य संपत्तिर्गम्यते ॥ ५ ॥

आयुते आगच्छति ॥ ६ ॥ ७ ॥

पर्युतः परिवेष्टितः रज्जुभिः परितः प्रतिक्षतः । प्रति ....॥ ८ ॥ ९ ॥

१–" पिच्छिला पूरणी मोचा स्थिरायुः शाल्मलिर्द्वयोः "—(२ । ४ । ४६) इत्यमरः । शल्मलिरित्यपि । षष्टिर्वर्षसहस्राणि वने जीवति शाल्मलिरिति तट्टीकायाम् । (सांवरी) इति महाराष्ट्रभाषायामुच्यते ॥

सुꣳशितोऽअप्स्वप्सुजाऽइति । (त्य) अप्सुयोनिर्वाऽअश्वः स्वयैवैनं योन्या समर्द्धयति ब्रह्मा सोमपुरोगवऽ इति सोमपुरोगवमेवैनꣳ स्वर्गं लोकं गमयति ॥ १० ॥

स्वयम्वाजिंस्तन्वं कल्पयस्वेति । स्वयꣳ रूपं कुरुष्व यादृशमिच्छसीत्येवैनं तदाह स्वयं यजस्वेति स्वाराज्यमेवास्मिन्दधाति स्वयं जुषस्वेति स्वयं लोकꣳ रोचयस्व यावन्तमिच्छसीत्येवैनन्तदाह महिमा तेऽन्येन न सन्नशऽइत्यश्वमेव महिम्ना समर्द्धयति ॥ ११ ॥

न वाऽ उऽ एतन्म्रियसे न रिष्यसीति । प्रश्वासयत्येवैनन्तद्देवाँ २॥ऽ इदेषि पथिभिः सुगेभिरिति देवयानानेवैनम्पथो दर्शयति यत्रासते सुकृतो यत्र ते ययुरिति सुकृद्भिरेवैनꣳ सलोकङ्करोति तत्र त्वा देवः सविता दधात्विति सवितैवैनꣳ स्वर्गे लोके दधाति प्रजापतये त्वा जुष्टम्प्रोक्षामीत्युपाꣳश्वथोपगृह्णाति ॥ १२ ॥

"संशितो अप्स्वप्सुजाः"-इति । अप्सुयोनिर्वा अश्वः । स्वयैवैनं योन्या समर्द्धयति । "ब्रह्मा सोमपुरोगवः"-इति । सोमपुरोगवमेवैनं स्वर्गं लोकं गमयति ॥ १० ॥

"स्वयं वाजिंस्तन्वं कल्पयस्व"-इति । स्वयं रूपं कुरुष्व यादृशमिच्छसीत्येवैनं तदाह-"स्वयं यजस्व"-इति । स्वाराज्यमेवास्मिन्दधाति । "स्वयं जुषस्व"-इति । स्वयं लोकं रोचयस्व । यावन्तमिच्छसीत्येवैनं तदाह-"महिमा तेऽन्येन न सन्नशे"-(वा. सं. २३ । १५) इति । अश्वमेव महिम्ना समर्द्धयति ॥ ११ ॥

"न वा उ एतन्म्रियसे न रिष्यसि"-इति । प्रश्वासयत्येवैनं तत् । "देवाँ २ इदेषि पथिभिः सुगेभिः"-इति । देवयानानेवैनं पथो दर्शयति । "यत्रासते सुकृतो यत्र ते ययुः"-इति । सुकृद्भिरेवैनं सलोकं करोति । "तत्र त्वा देवः सविता दधातु"-(वा. सं. २३।१६) इति । सवितैवैनं स्वर्गे लोके दधाति । "प्रजापतये त्वा जुष्टं प्रोक्षामि"-इत्युपांशु । अथोपगृह्णाति ॥ १२ ॥

सोमपुरोगवम् । पूर्वं सोमः प्रदीयते पश्चादश्व इत्येतदभिप्रायमेतत् ॥ १० ॥

स्वयं वाजिंस्तन्वम् यजस्व यजिर्दानकर्मा । यः स्वयं ददाति स्वशरीरादि चेत्यभिप्रायः । "महिमा तेऽन्येन न सन्नशे" इति ब्रुवन् अश्वमेव केवलं महिम्ना समर्द्धयति ॥ ११ ॥

प्रजापतये त्वा जुष्टं प्रोक्षामीति । एनं देवतादेशमस्मिन् कुरुते । उपांशु ब्रूयात् । क्रमार्थं चेदं वचनं अप्राप्तत्वात् । आध्वरिकत्वाद्धि पूर्वमेवायं देवतादेशः प्राप्नुयात् । उपांशुत्वं तु सर्वेषां यजुषां सिद्धमनूद्यते ।

(त्य) अग्निः पशुरासीत् । (त्ते) तेनायजन्त सऽ एतं लोकमजयद्यस्मिन्नग्निः स ते लोको भविष्यति तञ्जेष्यासि पिबैताऽअपऽइति यावानग्नेर्व्विजयो यावांल्लोको यावदैश्वर्य्यं तावांस्ते व्विजयस्तावांल्लोकस्तावदैश्वर्य्यम्भविष्यतीत्त्येवैनन्तदाह ॥ १३ ॥

व्वायुः पशुरासीत् । (त्ते) तेनायजन्त सऽ एतं लोकमजयद्यस्मिन्वायुः स ते लोको भविष्यति तञ्जेष्यासि पिबैताऽअपऽइति यावान्वायोर्व्विजयो यावांल्लोको यावदैश्वर्य्यं तावांस्ते विजयस्तावांल्लोकस्तावदैश्वर्य्यम्भविष्यतीत्त्येवैनन्तदाह ॥ १४ ॥

सूर्य्यः पशुरासीत् । (त्ते) तेनायजन्त सऽएतं लोकमजयद्यस्मिन्त्सूर्य्यः स ते लोको भविष्यति तञ्जेष्यासि पिबैताऽअपऽइति यावान्त्सूर्य्यस्य व्विजयो यावांल्लोको यावदैश्वर्य्यं तावांस्ते व्विजयस्तावांल्लोकस्तावदैश्वर्य्यम्भविष्यतीत्त्येवैनन्तदाह तर्प्पयित्वाऽश्वम्पुनः सꣳस्कृत्य प्प्रोक्षणीरितरान्पशून्प्रोक्षति तस्यातः ॥ १५ ॥

इति द्वितीयप्रपाठके प्रथमं ब्राह्मणम् ॥ १३।२।१ ॥ (२-७) ॥

"अग्निः पशुरासीत् । तेनायजंत । स एतं लोकमजयत् । यस्मिन्नग्निः । स ते लोको भविष्यति । तं जेष्यासि । पिबैता अपः "-इति । यावानग्नेर्विजयः । यावान् लोकः । यावदैश्वर्यं तावांस्ते विजयः । तावान् लोकः । तावदैश्वर्यं भविष्यतीत्येवैनं तदाह ॥ १३ ॥

" वायुः पशुरासीत् । तेनायजंत । स एतं लोकमजयत् । यस्मिन् वायुः । स ते लोको भविष्यति । तं जेष्यासि । पिबैता अपः "-इति । यावान् वायोर्विजयः । यावान् लोकः । यावदैश्वर्यम् । तावांस्ते विजयः । तावान् लोकः । तावदैश्वर्यं भविष्यतीत्येवैनं तदाह ॥ १४ ॥

"सूर्यः पशुरासीत् । तेनायजंत । स एतं लोकमजयत । यस्मिन् सूर्यः । स ते लोको भविष्यति । तं जेष्यासि । पिबैता अपः "-(वा० सं० २३।१७)-इति । यावान् सूर्यस्य

अथोपगृह्णाति । आध्वरिकं यजुरनुद्रुत्येति वर्तते । "आध्वरिकमपां पेरुः" (वा. सं.६ । १०) इत्युक्त्वा । अग्निः पशुरिति (वा. सं. २३ । १७ ।) आश्वमेधिकेरुपगृह्णाति ॥ १२ ॥

विजयः विजितः । लोकः स्थानं ऐश्वर्यमिच्छानुविधानम् । पुनः संस्कृत्येति वचनं अप्राप्तत्वात् तस्य प्रोक्षणीनां पुनः संस्करणस्यातः परं ब्राह्मणं वक्ष्यत इति शेषः । " अन्यैरेवैनं तत्पशुभिर्व्याकुर्वंति " (श. प.

१-अथोपगृह्णात्यपां पेरुरग्निः पशुरिति का. श्रौ. २० । १४६ ॥

देवा वाऽउुदश्चः । स्वर्गं लोकन्न प्प्राजानंस्तमश्वः प्राजानाद्यदश्वेनोदश्चो युन्ति स्वर्ग्गस्य लोकस्य प्प्रज्ञात्यै व्वासोऽधिवासꣳ हिरण्यमित्यश्वायोपस्तृणन्ति युथा नान्यस्मै पशवे तुस्मिन्नेनमधि संज्ञपयन्त्यन्यैरेवैनन्तुत्पशुभिर्व्व्याकुर्व्वन्ति ॥ १ ॥

घ्नन्ति वाऽएतत्पशुम् । युदेनꣳ संज्ञपयन्ति प्प्राणाय स्वाहाऽपानाय स्वाहा व्व्यानाय स्वाहेति संज्ञप्यमानऽआहुतीर्ज्जुहोति प्प्राणानेवास्मिन्नेतद्दधाति तथो हास्यैतेन जीवतैव पशुनेष्टम्भवति ॥ २ ॥

विजयः । यावान् लोकः । यावदैश्वर्यं तावांस्ते विजयः । तावान् लोकः । तावदैश्वर्यं भविष्यतीत्येवैनं तदाह । तर्पयित्वाऽश्वम् । पुनः संस्कृत्य प्रोक्षणीरितरान्पशून्प्रोक्षति । तस्यातः ॥ १९ ॥

देवा वा उदंचः स्वर्गं लोकं न प्राजानन् । तमश्वः प्राजानात् । यदश्वेनोदंचो यंति । स्वर्गस्य लोकस्य प्रज्ञात्यै । वासोऽधिवासं हिरण्यमित्यश्वायोपस्तृणन्ति । यथा नान्यस्मै पशवे । तस्मिन्नेनमधि संज्ञपयन्ति । अन्यैरेवैनं तत्पशुभिर्व्याकुर्वन्ति ॥ १ ॥

घ्नन्ति वा एतत्पशुं यदेनं संज्ञपयन्ति । "**प्राणाय स्वाहाऽपानाय स्वाहा व्यानाय स्वाहा**"–(वा. सं.२३ । १८) इति संज्ञप्यमान आहुतीर्जुहोति । प्राणानेवास्मिन्नेतद्दधाति । तथो हास्यैतेन जीवतैव पशुनेष्टं भवति ॥ २ ॥

---

१३ । २ । ८ । १) इति तदत्रापि द्रष्टव्यम् । तर्पयित्वाऽश्वम् । पुनः संस्कृत्य प्रोक्षणीरितरान् पशून् प्रोक्षति । अन्यैरेवैनं तत्पशुभिर्व्याकुर्वंति । इति ॥ १३–१९ ॥

इति श्रीमदाचार्यहरिस्वामिनः कृतौ माध्यन्दिनीयशतपथब्राह्मणभाष्ये त्रयोदशे काण्डे द्वितीयेऽध्याये सप्तमं ब्राह्मणम् ॥ १३ ॥ २ ॥ ७ ॥

देवा वा उदंचः । यदश्वेनोदंचो यंतीत्यनुवाद एव । वासोऽधिवासं हिरण्यमित्येतत् त्रयमश्वायोपस्तृणंतीत्येतत्संबंधार्थम् । वासो यदंतर्द्धानायालम् । अधिवासो यत् आच्छादनायाप्यलम् । तच्च वास उपर्यास्तरणीयम् । तयोरुपरि हिरण्यम् । तस्मिन् त्रय एनं अधि उपरि संज्ञपयन्ति । अन्यैरेव एनमश्वं तत् पशुभिर्विलक्षणं तेभ्यः अधिकं कुर्वंति । एतेन च त्रयेण दर्भो न निवर्त्यते भिन्नार्थत्वात् । एतद्धि तस्मिन्नेनमधि संज्ञपयंतीति संज्ञपनार्थः । "तद्यदेवास्यात्र विशस्यमानस्य किंचित्स्कंदति तदेतस्मिन् प्रतितिष्ठति" इति वचनात् ॥ १ ॥

घ्नंति वा एतत् पशुं यदेनम् । "संज्ञप्यमाने" इति वचनात् परिपशव्यान्तराल इति प्राप्नोति । सूत्रकारस्तु–"परिपशव्ये हुत्वा प्राणाय स्वाहेति तिस्रोऽपरां जुहोति" (का. श्रौ. सू. २० । १४९) इत्याह ।

१–एतत्सूत्रकारेणानुपनिबद्धमप्यनुष्ठेयमिति, अत्र सूत्रे देवयाज्ञिकः ।

२–"हिरण्यवासोऽधिवासेऽश्वसंज्ञपनम्" (हिरण्यस्याभ्यर्हितत्वात्सूत्रे पूर्वमुच्चारणमिति देवयाज्ञिकभाष्यं । अतः श्रुत्युक्तः क्रमः) का. श्रौ. सू. २० । १४८ ॥

३–"पश्चात्तृणमुपास्यति वर्षो वर्षीयसीति" (का. श्रौ. सू. ६ । ४ । १४) इति संज्ञपनतृणः ।

(त्यु) अम्बे॒ऽअम्बि॑केऽम्बालिके । नु मा नयति कश्चनेति पत्नीरुदानयत्यह्वतैवैनाऽएतदुथो मेध्याऽएवैनाः करोति ॥ ३ ॥

गणानां त्वा गणपतिᳬं हवामहऽइति । पत्न्यः परियन्त्युपह्नुवतऽएवास्माऽएतदतो न्वेवाऽस्मै ह्नुवतेऽथो धुवतऽ एवैनन्त्रिः परियन्ति त्रयो वाऽइमे लोकाऽएभिरेवैनं तल्लोकैर्धुवते त्रिः पुनः परियन्ति षट् सम्पद्यन्ते षड्वा ऋतवऽ ऋतुभिरेवैनन्धुवते ॥ ४ ॥

" अम्बे अम्बिकेऽम्बालिके न मा नयति कश्चन "–(वा. सं. २३।१८) इति पत्नीरुदानयति । अह्वतैवैना एतत् । अथो मेध्या एवैनाः करोति ॥ ३ ॥

" गणानां त्वा गणपतिं हवामहे "–(वा. सं. २३ । १९) इति पत्न्यः परियन्ति । अपह्नुवत एवास्मा एतत् । अतो न्वेवाऽस्मै ह्नुवते । अथो धुवत एवैनम् त्रिः परियन्ति ।

तस्याभिप्रायः–संज्ञप्यमाने इति " वर्तमानसामीप्ये वर्तमानवद्वा " (पा. सू. ३ । ३ । १३१) इत्येवं वर्तमानोपदेशोऽयमिति । कुतः ? " प्राणानेवास्मिन्नेतद्दधाति " इति वाक्यशेषात् । उत्क्रांतानां हि प्राणानां पुनर्विधानं युक्तं, नानुत्क्रांतानामिति ॥ २ ॥

अंबेऽअंबिके इति । "उदानयति" इति वचनात् उदानकरण एष मंत्रः प्रतिभाति । सूत्रकारस्त्वाह–"वाचयति पत्नीर्नयत्यमस्तेऽम्ब इति "–(का. श्रौ. सू. २० । १५०) तस्याभिप्रायः । इति वाचयन् पत्नीरुदानयतीत्येष श्रुत्यर्थ इति । कुतः ? लिप्सन्तावदेष पत्नीकर्तृकः प्राप्नोति । कथं ? एकैका हि पत्नी इतरास्तिस्र आमंत्र्य शेषाः परिदेवयमाना दृश्यंते । हे अंबे ! हे अंबिके ! हे अंबालिके ! (यूयमपुण्यानीषदोत्वस्य ?) समीपम् । स च पक्षपाती कुत्सितोऽश्वः । कामपि युष्माकं ससस्ति । सुभद्रिकां सुष्ठु भद्रिकां कांपीलवासिनीमिव सुरूपाम् । न तु मां तत्र कश्चिन्नयतीति सप्तमीत्यर्थः । " वर्तमानसामीप्ये वर्तमानवद्वा "–(पा. सू. ३ । ३ । १३१) इत्यासन्नसेवने द्रष्टव्यः । एषः ससस्ति । " सस्ति स्वप्ने "–(धा. पा. अ. प. ६९) इति धातुः सुप्तिः स्वप्नवचनः सर्वान् लक्षयति । एवं तावत्पत्नीकर्तृकत्वमस्य मंत्रस्य सिद्धम् । अनेनापि तु वाचयतीति वाक्यशेषाद्गम्यते । एवं ह्याह–अह्वत । "ह्वेञ् स्पर्द्धायां शब्दे च"–(धा. पा. भ्वा. उ. १०३३) एवैना एतदिति मेध्यतामुच्चारयतश्च उपपन्नं वाचनम् । अथो मेध्याः मेधार्हा एव एनाः करोति मंत्रेण वाचनेनेत्यभिप्रायः । एतदपि वाचने लिंगम् ॥ ३ ॥

गणानां त्वा गणपतिमिति । अनेन मंत्रेण सकृदेव अर्थात्सर्वाः पत्न्यः अश्वं परिभ्रमंति । अपन्हवते विस्मरंत्येवास्मै । एतत्प्रदक्षिणावर्तनेन संज्ञपनमुन्नयतीत्यर्थः । अपिवाऽविस्मृतमपि निह्नुवति क्षमयंति च ऋत्विग्यजमानाः । एतत्संज्ञपने प्रदक्षिणकरणेन । अथो धुवते । " धूञ् विधूनने "–(धा. पा. तु. उ.

१–पत्नीरिति बहुवचनात् सर्वाः पत्नीरिति, अत्रैव सूत्रे देवयाज्ञिकः । अत्रैव सूत्रे कर्कदेवयाज्ञिकौ । " पात्नेजनहस्ता वाचयंति नयत्यमस्त आतानेति " का. श्रौ. सू. ६ । ७ । १ । इति प्राकृतवैकृतमंत्रयोर्वाचने समुच्चय इति ।

(तेऽप) अप वाऽएतेभ्यः प्राणाः क्रामन्ति । ये यज्ञे धुवनन्तन्वते नवकृत्वः परियन्ति नव वै प्राणाः प्राणानेवात्मन्दधते नैभ्यः प्राणाऽअपक्रामन्त्याहमजानि गर्भधमा त्वमजासि गर्भधमिति प्रजा वै पशवो गर्भः प्रजामेव पशूनात्मन्धत्ते ताऽउभौ चतुरः पदः सम्प्रसारयावेति मिथुनस्यावरुद्ध्यै स्वर्गे लोके प्रोर्ण्णुवाथामित्येष वै स्वर्गो लोको यत्र पशुꣳ संज्ञपयन्ति तस्मादेवमाह वृषा वाजी रेतोधा रेतो दधात्विति मिथुनस्यैवावरुद्ध्यै ॥ ९ ॥

इति द्वितीयप्रपाठके द्वितीयं ब्राह्मणम् ॥ १३।२।२ ॥ (२–८)

त्रयो वा इमे लोकाः । एभिरेवैनं तल्लोकैर्धुवते । त्रिः पुनः परियन्ति । षट् संपद्यन्ते । षड्वा ऋतवः । ऋतुभिरेवैनं धुवते ॥ ४ ॥

अप वा एतेभ्यः प्राणाः क्रामन्ति । ये यज्ञे धुवनं तन्वते । नवकृत्वः परियन्ति । नव वै प्राणाः । प्राणानेवात्मन्दधते । नैभ्यः प्राणा अपक्रामन्ति । " आऽहमजानि गर्भधमा त्वमजासि गर्भधम् "–(वा. सं. २३ । १९) इति । प्रजा वै पशवो गर्भः । प्रजामेव पशूनात्मन्धत्ते । " ता उभौ चतुरः पदः संप्रसारयाव "–इति । मिथुनस्यावरुद्ध्यै । " स्वर्गे लोके प्रोर्णुवाथाम् "–इति । एष वै स्वर्गो लोकः । यत्र पशुं संज्ञपयन्ति । तस्मादेवमाह–" वृषा वाजी रेतोधा रेतो दधातु "–(वा. सं. २३ । २०) इति । मिथुनस्यैवावरुद्ध्यै ॥ ९ ॥

---

११७) धवित्रैरुपवाजयंति एनमश्वं राजानमिव व्यजनैरेतत् । त्रिः पुनः परियन्ति पत्न्यः । प्रियाणां त्वा प्रियमिति । कुतः १ मंत्रक्रमात् ॥ ४ ॥

अप वा एतेभ्यः । ये यज्ञे धुवनं तन्वते ऋत्विग्यजमानाः । पत्नीप्रयोगद्वारेण तेषामयं दोषः । नवकृत्वः परियन्ति । पत्न्यः पुनरपि त्रिः परियंतीत्यर्थः । नैभ्यः ऋत्विग्यजमानेभ्यः प्राणा अपक्रामति पत्नीष्वेवं परियंतीषु । आहमजानि गर्भधमिति, महिषी अश्वमुपसंविशति लिंगात् । स्वर्गे लोके प्रोर्णुवाथामिति । एतावपि अधिवासे न संप्रोर्णुवंति यस्मादेष स्वर्गो लोको यत्र पशुं संज्ञपयन्ति तस्मादेवमाह–स्वर्गे लोके प्रोर्णुवाथामिति, वृषा वाजी रेतोधा इति, महिषी अश्वशिश्नमुपस्थे कुरुते ॥ ९ ॥

इति श्रीमदाचार्यहरिस्वामिनः कृतौ माध्यन्दिनीयशतपथब्राह्मणभाष्ये त्रयोदशकाण्डे द्वितीयेऽध्याये अष्टमं ब्राह्मणम् ॥ १३ । २ । ८ ॥

१–अश्वं त्रिस्त्रिः परियंति पितृवन्मध्ये गणानां प्रियाणां निधीनामिति । (का. श्रौ. सू. २० । ६ । १३) अत्र कर्कः–गणानां त्वेति त्रिः प्रदक्षिणं, प्रियाणामिति त्रिरप्रदक्षिणं, निधीनां त्वेति च त्रिः प्रदक्षिणं, वसो ममेति च सर्वत्रानुषंगः, तुल्ययोगादिति । सर्वाः पात्नीजनहस्ता एवेति देवयाज्ञिकः ॥

अप वा॒ऽ एत॒स्मात् । (च्छ्री) श्री रा॒ष्ट्रङ्क्रा॑मति॒ योऽश्वमे॒धेन॒ यज॑ते ॥ १ ॥

(तऽऊ) ऊ॒र्ध्वामे॒नामु॒च्छ्रापयेति । श्रीर्वै॑ रा॒ष्ट्रमश्वमेधः श्रियमे॒वास्मै॑ रा॒ष्ट्रमू॒र्ध्वमु॒च्छ्रयति ॥ २ ॥

गि॒रौ भा॒रꣳ᳭ ह॒रन्नि॒वेति । श्रीर्वै॑ रा॒ष्ट्रस्य भा॒रः श्रि॒यमे॒वास्मै॑ रा॒ष्ट्रꣳ᳭ स॒न्नह्य॒त्यथो॑ श्रि॒यमे॒वास्मि॑न्रा॒ष्ट्रमधि॒ नि॒दधाति ॥ ३ ॥

(त्यु) अ॒थास्यै॒ मध्य॑मेधता॒मिति । श्रीर्वै॑ रा॒ष्ट्रस्य॒ मध्य॒ꣳ᳭ श्रि॒यमे॒व रा॒ष्ट्रे॒ मध्य॒तोऽन्ना॒द्यन्द॒धाति ॥ ४ ॥

शी॒ते॒ वा॒ते पु॒नन्नि॒वेति । क्षेमो॒ वै॒ रा॒ष्ट्रस्य॒ शी॒तं क्षेम॑मे॒वास्मै॒ करोति ॥ ५ ॥

अप वा एतस्माच्छ्री राष्ट्रं क्रामति । योऽश्वमेधेन यजते ॥ १ ॥

“ ऊर्ध्वामेनामुच्छ्रापय ”–इति । श्रीर्वै राष्ट्रमश्वमेधः । श्रियमेवास्मै राष्ट्रमूर्ध्वमुच्छ्रयति ॥ २ ॥

“ गिरौ भारं हरन्निव ”–इति । श्रीर्वै राष्ट्रस्य भारः । श्रियमेवास्मै राष्ट्रं सन्नह्यति । अथो श्रियमेवास्मिन् राष्ट्रमधि निदधाति ॥ ३ ॥

“ अथास्यै मध्यमेधताम् ”–इति । श्रीर्वै राष्ट्रस्य मध्यम् । श्रियमेव राष्ट्रे मध्यतोऽन्नाद्यं दधाति ॥ ४ ॥

“ शीते वाते पुनन्निव ”–(वा. सं. २३ । २६) इति । क्षेमो वै राष्ट्रस्य शीतम् । क्षेममेवास्मै करोति ॥ ५ ॥

अप वा एतस्मात् । “ तयोः शयानयोरश्वं यजमानोऽभिमेथत्युत्सक्थ्या अवगुदं धेहीति ” (श. प. १३ । ५ । २ । ३ ।) “ अथाध्वर्युः कुमारीमभिमेथति ” (श. प. १३ । ५ । २ । ४) इत्यादि वक्ष्यते । तत्र यासु अभिमेथिकासु किंचिद्दर्शनं गूढमस्ति । तासु तदत्र ब्राह्मणमुच्यते । अपक्रामति वै एतस्मात् श्रीः राष्ट्रात्मिका ऋत्विग्भ्यो दीयमाना । यः अश्वमेधेन यजते । तत्प्रतिसमाधौ भार्या अभिमेथिका कर्त्तव्या । तासु एतानि वचनानि संति ॥ १ ॥

ऊर्ध्वामेनामुच्छ्रापयेत्यादि । तैश्चलं श्रियोऽपक्रमणं चेति प्रतिसमाधीयते इति ब्राह्मणस्य समस्तस्यार्थः ऊर्ध्वामेनां योनिकां शाटिकां वा । उच्छ्रापयेति बाह्यः प्रसिद्ध एव अभिमेथिकार्थः । आंतरस्तु श्रीर्वै राष्ट्रं अश्वमेधश्रियः कारणमित्यर्थः । ततश्च श्रियमेव राष्ट्रमस्मै यजमानाय दृहता ऊर्ध्वमुच्छ्रयतोऽवक्रवत ॥ २ ॥

एवं गिरौ भारं हरन्निवेत्यादिष्वपि आंतरार्थं ब्राह्मणं व्याख्येयम् ॥ ३–९ ॥

यकाऽसकौ शकुंतिकेति । विड्वै शकुन्तिकाऽऽहलगिति वञ्चतीति विशो वै राष्ट्राय वञ्चन्त्याहन्ति गभे पसो निगल्गलीति धारकेति विड्वै गभो राष्ट्रम्पसो राष्ट्रमेव विश्याहन्ति तस्माद्राष्ट्री विशङ्घातुकः ॥ ६ ॥

(को) माता च ते पिता च तऽ इति । (ती) इयम्वै माताऽसौ पिताऽऽभ्यामेवैनꣳ स्वर्गं लोकङ्गमयत्यग्रम्वृक्षस्य रोहतऽइति श्रीर्वै राष्ट्रस्याग्रꣳ श्रियमेवैनꣳ राष्ट्रस्याग्रङ्गमयति प्रतिलामीति ते पिता गभे मुष्टिमतꣳसयदिति विड्वै गभो राष्ट्रं मुष्टी राष्ट्रमेव विश्याहन्ति तस्माद्राष्ट्री विशङ्घातुकः ॥ ७ ॥

(को) यद्धरिणो यवमत्तीति । विड्वै यवो राष्ट्रꣳ हरिणो विशमेव राष्ट्रायाद्याङ्करोति तस्माद्राष्ट्री विशमत्ति न पुष्टम्पशु मन्यतऽइति तस्माद्राजा पशून्न पुष्यति शूद्रा यदर्य्यजारा न पोषाय धनायतीति तस्माद्वैशीपुत्रन्नाभिषिञ्चति ॥ ८ ॥

(त्यु) अप वाऽ एतेभ्यः प्राणाः क्रामन्ति । ये यज्ञे पूताम्वाचं वदन्ति

"यकाऽसकौ शकुन्तिका"–इति । विड्वै शकुन्तिका । "आहलगिति वञ्चति"–इति । विशो वै राष्ट्राय वञ्चन्ति । "आहन्ति गभे पसो निगल्गलीति धारका"–(वा. सं. २३ । २२) इति । विड्वै गभः । राष्ट्रं पसः । राष्ट्रमेव विश्याहन्ति । तस्माद्राष्ट्री विशं घातुकः ॥ ६ ॥

"माता च ते पिता च ते"–इति । इयं वै माता । असौ पिता । आभ्यामेवैनं स्वर्गं लोकं गमयति । "अग्रं वृक्षस्य रोहतः"–इति । श्रीर्वै राष्ट्रस्याग्रम् । श्रियमेवैनं राष्ट्रस्याग्रं गमयति । "प्रतिलामीति ते पिता गभे मुष्टिमतंसयत्" (वा. सं. २३ । २४) इति । विड्वै गभः । राष्ट्रं मुष्टिः । राष्ट्रमेव विश्याहन्ति । तस्मात् राष्ट्री विशं घातुकः ॥ ७ ॥

"यद्धरिणो यवमत्ति"–इति । विड् वै यवः । राष्ट्रं हरिणः । विशमेव राष्ट्रायाद्यां करोति । तस्माद्राष्ट्री विशमत्ति । "न पुष्टं पशु मन्यते"–इति । तस्मात् राजा पशून्न पुष्यति । "शूद्रा यदर्यजारा न पोषाय धनायति"–(वा. सं. २३ । ३०) इति । तस्माद्वैशीपुत्रं नाभिषिञ्चति ॥ ८ ॥

अप वा एतेभ्यः प्राणाः क्रामन्ति । ये यज्ञे पूतां वाचं वदन्ति । "दधिक्राव्णो अकारि-

दधिक्राव्णोऽअकारिषमिति सुरभिमतीमृचमन्ततोऽन्वाहुर्व्वाचमेव पुनते नैभ्यः प्राणाऽअपक्रामन्ति ॥ ९ ॥

इति द्वितीयप्रपाठके तृतीयं ब्राह्मणम् ॥ १३।२।३ ॥ (२-९ ॥)

यदासिपथान्कल्पयन्ति । सेतुमेव तँ सङ्क्रमणं यजमानः कुरुते स्वर्गस्य लोकस्य समष्ट्यै ॥ १ ॥

सूचीभिः कल्पयन्ति । विशो वै सूच्यो राष्ट्रमश्वमेधो विशञ्चैवास्मि-न्राष्ट्रञ्च समीची दधाति हिरण्मय्यो भवन्ति तस्योक्तं ब्राह्मणम् ॥ २ ॥

(न्त्र)त्रय्यः सूच्यो भवन्ति । लोहमय्यो रजता हरिण्यो दिशो वै लोहमय्यो-ऽवान्तरदिशो रजताऽऊर्ध्वा हरिण्यस्ताभिरेवैनङ्कल्पयन्ति तिरश्चीभिश्चो-र्ध्वाभिश्च बहुरूपा भवन्ति तस्माद्बहुरूपा दिशो नानारूपा भवन्ति तस्मान्नानारूपा दिशः ॥ ३ ॥

इति द्वितीयप्रपाठके चतुर्थं ब्राह्मणम् ॥ १३-२-४ ॥ (२-१०) ॥

षम् "-(वा. सं. २३ । ३२) इति सुरभिमतीमृचमन्ततोऽन्वाहुः । वाचमेव पुनते । नैभ्यः प्राणा अपक्रामन्ति ॥ ९ ॥

यदासिपथान् कल्पयन्ति । सेतुमेव तं संक्रमणं यजमानः कुरुते । स्वर्गस्य लोकस्य समष्ट्यै ॥ १ ॥

सूचीभिः कल्पयन्ति । विशो वै सूच्यः । राष्ट्रमश्वमेधः । विशं चैवास्मिन् राष्ट्रं च समीची दधाति । हिरण्मय्यो भवन्ति । तस्योक्तं ब्राह्मणम् ॥ २ ॥

त्रय्यः सूच्यो भवन्ति । लोहमय्यो रजता हरिण्यः । दिशो वै लोहमय्यः । अवान्तरादिशो रजताः । ऊर्ध्वा हरिण्यः । ताभिरेवैनं कल्पयन्ति । तिरश्चीभिश्चोर्ध्वाभिश्च । बहुरूपा भवन्ति । तस्माद्बहुरूपा दिशो नानारूपा भवन्ति । तस्मान्नानारूपा दिशः ॥ ३ ॥

इति श्रीमदाचार्यहरिस्वामिनः कृतौ माध्यन्दिनीयशतपथब्राह्मणभाष्ये त्रयोदशे कांडे द्वितीयेऽध्याये नवमं ब्राह्मणम् ॥ १३ । २ । ९ ॥

यदसिपथान् । असेः शास्त्रस्य मार्गाः असिपथाः, तान् सूचीभिः लौहादिभिः कल्पयंति । इत्येतदत्र ब्राह्मणमुच्यते ॥ १ ॥

विशो वै सूच्यः । बहुत्वात् क्षुद्रत्वाच्च । तास्ताम्रमय्यः । रजतमय्यः । हिरण्यलोहमय्यः । दिशो वै लोहमय्यः । इत्याद्यागामिकाः ॥ २ ॥ ३ ॥

इति श्रीमदाचार्यहरिस्वामिनः कृतौ माध्यन्दिनीयशतपथब्राह्मणभाष्ये त्रयोदशे काण्डे द्वितीयेऽध्याये दशमं ब्राह्मणम् ॥ १३ । २ । १० ॥

प्रजापतिरकामयत । महान्भूयान्त्स्यामिति स एतावश्वमेधे महिमानौ ग्रहावपश्यत्तावजुहोत्ततो वै स महान्भूयानभवत्स यः कामयेत महान्भूयान्त्स्यामिति स एतावश्वमेधे महिमानौ ग्रहौ जुहुयान्महान्हैव भूयान्भवति ॥ १ ॥

वपामभिजुहोति । यजमानो वा अश्वमेधो राजा महिमा राज्येनैवैनमुभयतः परिगृह्णाति पुरस्तात्स्वाहाकृतयो वाऽअन्ये देवाऽउपरिष्टात्स्वाहाकृतयोऽन्ये तानेवैतत्प्रीणाति स्वाहा देवेभ्यो देवेभ्यः स्वाहेति राज्ञा वपाम्परियजति ये चैवास्मिँल्लोके देवा यऽउ चामुष्मिँस्तानेवैतत्प्रीणाति तऽएनमुभये देवाः प्रीताः स्वर्गं लोकमभिवहन्ति ॥ २ ॥

इति द्वितीयप्रपाठके पञ्चमं ब्राह्मणम् ॥ १३।२।५ ॥ (२–११)

इति द्वितीयोऽध्यायः समाप्तः ॥ १३–२ ॥

कंडिकासंख्या ॥ ८७ ॥

प्रजापतिरकामयत । महान् भूयान् स्यामिति । स एतावश्वमेधे महिमानौ ग्रहावपश्यत् तावजुहोत् । ततो वै स महान् भूयानभवत् । स यः कामयेत–महान् भूयान् स्यामिति । स एतावश्वमेधे महिमानौ ग्रहौ जुहुयात् । महान् हैव भूयान् भवति ॥ १ ॥

वपामभिजुहोति । यजमानो वा अश्वमेधः । राजा महिमा । राज्येनैवैनमुभयतः परिगृह्णाति । पुरस्तात्स्वाहाकृतयो वा अन्ये देवाः । उपरिष्टात्स्वाहाकृतयोऽन्ये । तानेवैतत्प्रीणाति । "स्वाहा देवेभ्यः, देवेभ्यः स्वाहा"–(वा० सं० २३ । २ । ४) इति राज्ञा वपां परियजति । ये चैवास्मिन् लोके देवाः । य उ चामुष्मिन् । तानेवैतत्प्रीणाति । त एनमुभये देवाः प्रीताः स्वर्गं लोकमभिवहन्ति ॥ २ ॥

प्रजापतिः महान् व्यापिशरीरः । यद्वक्ष्यति–"सर्वा व्यष्टीर्व्यश्नुवीयेति"–(श. प. १३ । ४ । १ । १) तदेतद्यूपात्प्रागवस्थायाः बहुतरः कामः । यद्वक्ष्यति–"सर्वान्कामानाप्नुयामिति"–(श. प. १३ । ४ । १ । १) तदेतत् महिमानौ महिमप्राप्त्यर्थौ ग्रहौ–"हिरण्यगर्भो, यः प्राणतः"–(वा. सं. २३ । १–३) इत्येतन्मंत्रकौ । "स यः कामयेत" इति तु क्रतुफलानुवाद एव प्राप्तत्वात् । "महिमानौ ग्रहौ जुहुयात्" इति ग्रहयोर्होमोत्पत्तिवाक्यम् ॥ १ ॥

वपामभिजुहोति । वपाहोममभितो महिमानौ जुहोतीति क्रमवचनम् । यजमानो वै । अश्ववपाहोमः अश्वमेधः । राजा राज्यकारणं महिमा ग्रहः । राज्येनैव महिमात्मकेन एनं यजमानमुभयतः परिगृह्णाति । पुरस्तात्स्वाहाकृतयश्च केचिद्देवाः । उपरिष्टात्स्वाहाकृतयः केचित् । तानेव एतत्प्रीणाति । महिमानौ "स्वाहा देवेभ्यो

देवेभ्यः स्वाहा " इत्येवं जुहोति । राज्ञा च महिमावपां परियजति इति परिगृह्य, यजति इति यत्; तेन च अस्मिन् लोके काले वा ये देवाः चामुष्मिन् तानेवैतत्प्रीणातीति दर्शनांतरम् ॥ २ ॥

इति श्रीमदाचार्यहरिस्वामिनः कृतौ माध्यन्दिनीयशतपथब्राह्मणभाष्ये त्रयोदशे काण्डे द्वितीयेऽध्याये एकादशं ब्राह्मणम् ॥ (१३ । २ । ११) ॥

नागस्वामिसुतोऽवन्त्यां पाराशर्यो वसन्हरिः ।
श्रुत्यर्थं दर्शयामास शक्तितः पौष्करीयकः ॥ १ ॥

श्रीमतोऽवन्तिनाथस्य विक्रमार्कस्य भूपतेः ।
धर्माध्यक्षो हरिस्वामी व्याख्यच्छातपथीं श्रुतिम् ॥ २ ॥

भूभर्त्रा विक्रमार्केण क्लृप्तां कनकवेदिकाम् ।
दानायाध्यस्य कृतवान् श्रुत्यर्थविवृतिं हरिः ॥ ३ ॥

इति श्रीसर्वविद्यानिधानकवीन्द्राचार्यसरस्वतीनां श्रीहरिस्वामिनां कृतौ माध्यन्दिनीयशतपथ-ब्राह्मणभाष्ये त्रयोदशे काण्डे द्वितीयोऽध्यायः समाप्तः ॥ १३–२ ॥

अथ तृतीयेऽध्याये प्रथमं ब्राह्मणम् ।
द्वितीयप्रपाठके च षष्ठं ब्राह्मणम् ।

प्प्रजापतेरुक्ष्यश्वयत् । (त्त) तत्पुरापतत्ततोऽश्वः सुमभवद्यदुश्वयत्तदुश्वस्याश्वत्वन्तुद्देवुाऽअश्वमेधेनैव प्प्रत्यदधुरेषु ह वै प्प्रजापतिᳫँ सुर्व्वङ्करोति यो़ऽश्वमेधेन युजते सुर्व्वऽएवु भवति सुर्व्वस्य वुाऽएषा प्प्रायश्चित्तिः सुर्व्वस्य भेषजᳫँ सुर्व्वम्वुाऽएतेन पाप्मानन्देवुाऽ अतरन्नपि वुाऽएतेन ब्रह्महत्यामतरंस्तुरति सुर्व्वम्पाप्मानन्तुरति ब्रह्महत्यां योऽश्वमेधेन युजते ॥ १ ॥

(तऽउ) उुत्तरम्वै तुत्प्रजापतेरुक्ष्यश्वयत् । (त्तु) तुस्मादुत्तरतोऽश्वस्यावद्यन्ति दक्षिणतोऽन्येषाम्पशूनाम् ॥ २ ॥

अथाश्वस्य प्राजापत्याक्षिप्रभवत्वं, ब्रह्महत्याप्रायश्चित्तिश्च ।

प्रजापतेरक्ष्यश्वयत् । तत्परापतत् । ततोऽश्वः समभवत् । यदश्वयत् । तदश्वस्याश्वत्वम् । तद्देवा अश्वमेधेनैव प्रत्यदधुः । एष ह वै प्रजापतिं सर्वं करोति । योऽश्वमेधेन यजते । सर्व एव भवति । सर्वस्य वा एषा प्रायश्चित्तिः । सर्वस्य भेषजम् । सर्वं वा एतेन पाप्मानं देवा अतरन् । अपि वा एतेन ब्रह्महत्यामतरन् । तरति सर्वं पाप्मानम् । तरति ब्रह्महत्याम् । योऽश्वमेधेन यजते ॥ १ ॥

उत्तरं वै तत्प्रजापतेरक्ष्यश्वयत् । तस्मादुत्तरतोऽश्वस्यावद्यन्ति । दक्षिणतोऽन्येषां पशूनाम् ॥२॥

प्रजापतेरक्षीति । "सोऽकामयत मेध्यं म इदं स्यादात्मन्व्यनेन स्यामिति ततोऽश्वः समभवत्" (श. प. १० । ६ । ५ । ७ ।) इति सकलप्राजापत्यकायात्मता अश्वस्य दर्शिता । "उषा वा अश्वस्य मेध्यस्य शिरः" (श. प. १० । ६ । ४ । १) इति तस्यैवावयवा दर्शिताः । तस्यैव सर्वप्राप्तिफलं वक्ष्यते । इह तु प्राजापत्याक्षिप्रभवत्वं ब्रह्महत्याप्रायश्चित्तं चोच्यते । कथं नाम ? अनेनैव दर्शनेन प्रायश्चित्तिं प्रयुञ्जीत । अश्वयत् । स्वतंत्रतया बहिः पतितं गतम् । ततः अक्ष्णः देवतामहाभाग्यात् अश्वः संबभूव । यत् अश्वशब्दनिर्वचनम् । दर्शनार्थं तत् । तत् अक्षि देवा अश्वमेधेन क्रतुना तस्मिन्प्रजापतौ प्रतीपं स्थापितवन्तः । एष एव प्रजापतिं सर्वमविकलं अधियज्ञं करोति । योऽश्वमेधेन क्रतुना यजते । स च तदनुकारेणाविकल एव भवति । सर्वस्य च सर्वप्रकारस्य पातकोपपातकादेः पापस्य एषा अश्वमेधात्मिका प्रायश्चित्तिः । सर्वस्य भेषजम् । सर्वस्य जन्मान्तरकृतपापप्रभवव्याधेः एषः अश्वमेधः भेषजम् । "तरति ब्रह्महत्याम्" इति प्रायश्चित्तान्तरैः सह विकल्पसिद्ध्यर्थः । इतरत् सर्वं पाप्मानमित्येव तरति ॥ १ ॥

उत्तरं वै । "तस्मादुत्तरतोऽश्वस्यावद्यन्ति" इति पुनर्वचनं दर्शनसंबंधार्थम् ॥ २ ॥

१–उत्क्रांते यजमाने पापकृतोऽभ्यवयंत्यचागित्ना व्रतानि । अश्वमेधपूताख्यास्ते । का. श्रौ. सू. २० । २०४ । २०५ ॥

(म्वै) व्वैतसः कुटो भवति । (त्य) अप्सुयोनिर्व्वाऽअश्वोऽप्सुजा व्वेतसः स्वयैवैनं योन्या सुमर्द्धयति ॥ ३ ॥

चतुष्टोम स्तोमो भवति । सरड्वाऽअश्वस्य सक्थ्यावृहत्तद्देवाश्चतुष्टोमेनैव स्तोमेन प्प्रत्यदधुर्य्यच्चतुष्टोम स्तोमो भवत्यश्वस्यैव सर्व्वत्वाय सर्व्वस्तोमोऽतिरात्रऽउत्तममहर्भवति सर्व्वम्वै सर्व्वस्तोमोऽतिरात्रः सर्व्वमश्वमेधः सर्व्वस्याप्त्यै सर्व्वस्यावरुद्ध्यै ॥ ४ ॥

इति द्वितीयप्रपाठके षष्ठं ब्राह्मणम् ॥ १३।२।६ ॥ (३–१) ॥

परमेण वाऽ एष स्तोमेन जित्वा । चतुष्टोमेन कृतेनायानामुत्तरेऽहन्नेकविꣳशे प्प्रतिष्ठायाम्प्रतितिष्ठत्येकविꣳशात्प्रतिष्ठायाऽ उत्तरमहरृतून्नारोहत्यृतवो वै पृष्ठान्यृतवः सम्वत्सरऽ ऋतुष्वेव सम्वत्सरे प्रतितिष्ठति ॥ १ ॥

वैतसः कटो भवति । अप्सुयोनिर्वा अश्वः । अप्सुजा वेतसः । स्वयैवैनं योन्या समर्द्धयति ॥३॥

चतुष्टोमः स्तोमो भवति । सरड्वा अश्वस्य सक्थ्यावृहत् । तद्देवाश्चतुष्टोमेनैव स्तोमेन प्रत्यदधुः । यच्चतुष्टोमः स्तोमो भवति । अश्वस्यैव सर्वत्वाय सर्वस्तोमोऽतिरात्र उत्तममहर्भवति । सर्वं वै सर्वस्तोमोऽतिरात्रः । सर्वमश्वमेधः सर्वस्याप्त्यै । सर्वस्यावरुद्ध्यै ॥ ४ ॥

परमेण वा एष स्तोमेन जित्वा चतुष्टोमेन कृतेनायानाम् उत्तरेऽहन्नेकविंशे प्रतिष्ठायां प्रति-

---

वैतसः कटो भवति । अश्ववैतसावप्सुयोनी इति यत्र वदंतीत्यपि दर्शनसम्बधार्थमेव पुनर्वचनम् ॥ ३ ॥

चतुष्टोमः । " चतुरुत्तर स्तोमोः भवति तस्य चतस्रुु बहिःपवमानमध्यास्तष्टास्ताम्याति "–(श. प. १३ । ५ । १ । १) इत्यादिश्चतुष्टोमः । उत्तरपदलोपात् । स चतुरुत्तरः स्तोमः । अश्वमेधस्य प्रथमेऽहनि भवति । कुतः ? " एकविंशं मध्यममहः "–(श. प. १३ । ३ । ३ । ३) "सर्वस्तोमोऽतिरात्र उत्तममहः "–(श. प. १३ । ३ । ३ । ६ ।) इत्युत्तरयोरह्नोः स्तोमांतरवचनात् । " अथ प्रातर्गोतमस्य चतुरुत्तरस्तोमो भवति"–(श. प. १३ । ५ ।१।१) इति सरट् कृकलासः । अश्वस्य सक्थि आवृहत् आवृढवान् अर्चनात् । सर्वं वै सर्वस्तोमोऽतिरात्रः । स्तोमात्मनैव सर्वम् । सर्वमश्वमेधः सर्वाप्तिकारणत्वात् ॥ ४ ॥

इति श्रीमदाचार्यहरिस्वामिनः कृतौ माध्यन्दिनीयशतपथब्राह्मणभाष्ये त्रयोदशे काण्डे तृतीयेऽध्याये प्रथमं ब्राह्मणम् ॥ १३ । ३ । १ ॥

परमेण वा इति । एष प्रकृतो यजमानः परमेण उत्कृष्टेन स्तोमेन एनं लोकं प्रथमेऽहनि जित्वा, उत्तरे

१–वेतसशाखासु प्राजापत्यानाम् । अश्वस्य वा । का. श्रौ. सू. २० । १८९ । १९० ॥ (वाऽवधारणे, अश्वस्यैवावघतीत्यर्थः । न प्राजापत्यानामिति सूत्रार्थः ।)

शुक्कर्य्यः पृष्ठम्भवन्ति । (न्त्य) अन्युदन्यच्छुन्दोऽन्येऽन्ये वाऽ अुत्र पशुवऽ आुलभ्यन्तऽ उुतेव ग्ग्राम्युाऽ उुतेवारण्या यच्छुक्कर्य्यः पृष्ठम्भुव-न्त्युश्वस्यैवु सर्व्वंत्त्वायान्युे पशुवऽ आुलभ्यन्तुेऽन्येऽन्ये हि स्तुोमाः क्रियुन्ते ॥ २ ॥

तुदाहुः । (न्नैं) नैते सुर्व्वे पशवो युदजावुयश्चारण्याश्चैते वै सुर्व्वे पशुवो युद्गव्याऽइुति गव्यानुत्तमेऽहन्नालभतऽ एते वै सुर्व्वे पशुवो युद्गव्याः

तिष्ठति । एकविंशात्प्रतिष्ठाया उत्तरमहर्ऋतूनन्वारोहति । ऋतवो वै पृष्ठानि । ऋतवः संवत्सरः । ऋतुष्वेव संवत्सरे प्रतितिष्ठति ॥ १ ॥

शक्कर्यः पृष्ठं भवन्ति । अन्यदन्यच्छन्दः । अन्येऽन्ये वा अत्र पशव आलभ्यन्ते । उतेव ग्राम्याः । उतेवारण्याः । यच्छक्कर्यः पृष्ठं भवन्ति । अश्वस्यैव सर्वत्वायान्ये पशव आलभ्यन्ते । अन्येऽन्ये हि स्तोमाः क्रियन्ते ॥ २ ॥

तदाहुः—नैते सर्वे पशवः । यदजाऽवयश्च आरण्याश्च ।·एते वै सर्वे । पशवः । यद्गव्या इति ।

अहनि एकविंशे प्रतितिष्ठतीति संबंधः । कीदृशेन ? पुनः परमेण स्तोमेन इत्यत आह चतुष्टोमेन वक्ष्यमाणेन चतुरक्षराधिकेनेत्यर्थः । किंच—कृतेनायानाम् । अधर्मपादाः कलिद्वापरत्रेताकृताख्या द्यूतानुरूपेण जयाय पराजयाय द्यूतपरावर्ताय परिवस्थानं यंति य इति अयाः । तेषां मध्ये यश्चातुष्कात्मकः अयः । स चतुष्पादधर्मकस्य कृतयुगस्य प्रतिरूपमिति स चतुष्कसामान्यात् कृतमित्युच्यते लोके । अत्र चतुष्कसामान्या-देव चतुरुत्तरस्तोमः कृतमित्युक्तः । तेन कृतस्थानीयेन स्तोमेन जित्वा अधियज्ञमुत्तरेऽहनि एकविंशे स्तोमको अधिदैवम्—"द्वादश मासाः पंचर्तवस्त्रयो लोका आदित्य एकविंशः"–(श. प. १३ । ६ । ४ । २६) इत्येतस्मिन्नेकविंशे सर्वभूतप्रतिष्ठात्मके प्रतितिष्ठति । एकविंशाद्वितीयायाः बहुप्रतिष्ठात्मकात् उत्तरं उत्तर तृतीयमहः उच्चरन् आरोहति । ऋत्वात्मके तृतीये अहन्यारोहति । कथं ? पुनस्तदृतव इत्यत आह—'ऋतवो वै पृष्ठानि' पृष्ठसाधनानि रथंतरादीनि सामानि षट्सामान्यात् । ऋतवः किमित इत्यत आह—ऋतवः संवत्सरः ऋतुष्वेव संवत्सरे औद्गात्रेणानेन प्रतितिष्ठति ॥ १ ॥

शक्कय इति । शक्कर्यः, पृथक्कार्यां महानाम्न्यः सीमा इत्येवमाख्याः "विदामघवन्"—इत्यादयः । ताभिः अत्र तत्स्थं शाक्करं नाम साम लक्ष्यते । शक्कर्यः स्वसामप्रतीताः । पृष्ठं भवन्ति । शाक्कर साम स्वासु ऋक्षु गीतं पृष्ठसाधनं भवतीत्यर्थः । अन्यदन्यच्छन्दः शक्करीषु । अन्ये अन्ये वा अत्र मध्यमे अहनि पशव आलभ्यंते उत ग्राम्या उतारण्याः । तत्र यत् शक्कर्यः पृष्ठं भवंति । तत् अश्वस्य सर्वत्वाय शक्तयो हि शक्कर्यः । तासु क्रियमाणासु शक्तिमान् सकलो अश्वो भवतीत्यभिप्रायः । अन्ये पशव आलभ्यंते । कस्मादिति शेषः । अन्ये अन्ये हि स्तोमाः अश्वमेधे क्रियन्ते चतुष्टोमाः एकविंशत्रिवृदादयः । ततश्चाध्वर्यवेऽपि पशुभि-रन्यैर्भाव्यमित्यभिप्रायः ॥ २ ॥

ये पूर्वयोरह्नोरालभ्यंते अजावयः । ते न सर्वे पशवः । एते त्रयः प्रतितिष्ठाः सर्वे पशवो वै गव्याः ।

सर्व्वानेव पशूनालभते व्वैश्वदेवा भवन्ति व्वैश्वदेवो वाऽअश्वोऽश्वस्यैव सर्व्वत्वाय बहुरूपा भवन्ति तस्माद्बहुरूपाः पशवो नानारूपा भवन्ति तस्मान्नानारूपाः पशवः ॥ ३ ॥

इति द्वितीयप्रपाठके सप्तमं ब्राह्मणम् ॥ १३-२-७ ॥ (३-२) ॥

यत्तिस्रोऽनुष्टुभो भवन्ति । तस्मादश्वस्त्रिभिस्तिष्ठंस्तिष्ठति यच्चतस्रो गायत्र्यस्तस्मादश्वः सर्व्वैः पद्भिः प्प्रतिदधत्पलायते परमम्वाऽ एतच्छन्दो यदनुष्टुप्परमोऽश्वः पशूनाम्परमश्चतुष्टोम स्तोमानाम्परमेणैवैनम्परमतां गमयति ॥ १ ॥

गव्यानुत्तमेऽहन्नालभते । एते वै सर्वे पशवः । यद्गव्याः । सर्वानेव पशूनालभते । वैश्वदेवा भवन्ति । वैश्वदेवो वा अश्वः । अश्वस्यैव सर्वत्वाय । बहुरूपा भवन्ति । तस्माद्बहुरूपाः पशवः । नानारूपा भवन्ति । तस्मान्नानारूपाः पशवः ॥ ३ ॥

यत्तिस्रोऽनुष्टुभो भवन्ति । तस्मादश्वस्त्रिभिस्तिष्ठंस्तिष्ठति । यच्चतस्रो गायत्र्यः । तस्मादश्वः सर्वैः पद्भिः प्रतिदधत्पलायते । परमं वा एतच्छन्दः । यदनुष्टुप् । परमोऽश्वः पशूनाम् । परमश्चतुष्टोमः स्तोमानाम् । परमेणैवैनं परमतां गमयति ॥ १ ॥

गाव इति प्राप्ते स्वार्थिकस्तद्धितः क्रियते । पुनस्तानालभत इति वक्ष्यति । "चतुर्विंशतिं त्वेवैतान् गव्यानालभेत द्वादशभ्यो देवताभ्यः"–(श. प. १३ । ९ । ३ । ११) इति । एकादशिन्यौ द्वे द्वौ च प्राजापत्यौ गावौ चेत्यभिप्रायः । वैश्वदेवाः ते गव्याः भवन्ति । ता एव द्वादश देवताः वैश्वदेवा इत्यनुवाद एव । वैश्वदेवो वै अश्वः । (सादोदयः । तस्मिन् या देवता नंता भक्ता इत्यभिप्रायः । ?) बहुरूपाः । यः एकैकः पशुर्बहुरूपः । नैकवर्ण इत्यर्थः । नानारूपाः यादृश एको न तादृशः अन्य इत्यर्थः ॥ ३ ॥

इति श्रीमदाचार्यहरिस्वामिनः कृतौ माध्यन्दिनीयशतपथब्राह्मणभाष्ये त्रयोदशे काण्डे तृतीयेऽध्याये द्वितीयं ब्राह्मणम् ॥ १३ । ३ । २ ॥

यत्तिस्रोऽनुष्टुभः । चतुष्टोमः स्तोमो भवतीत्यत्रैव दर्शनान्तरमुच्यते । तस्मिन् हि चतुष्टोमे चतसृषु गायत्रीषु बहिष्पवमानो भवति । याश्च तिस्रोऽनुष्टुभो भवंति । तत्रेदमुच्यते । यस्मात् तिस्रः अनुष्टुभस्तद्बहिष्पवमानो भवति । तस्मात्तदनुकारेण अश्वस्त्रिभिः पादैस्तिष्ठति । यस्मात्तु स्तोभातिरिक्ताश्चतस्रो गायत्र्यः । तस्मादश्वः चतुर्भिः पादैः पलायते धावति । परमं वा एतच्छंद इति दर्शनान्तरम् । वाग्वै अनुष्टुप् वाक् सर्वाणि च्छन्दांसि । इत्येवमनुष्टुप् परमं छन्दः । परमोऽश्वः पशूनां महोपकारकत्वात् प्रजापतिकायावयवत्वाच्च । परमश्चतुष्टोमः कृतात्मकत्वात्, अश्वसक्थिप्रतिसमाधानकरणत्वाच्च । परमणैवैनं एतेन त्रयेण एनं यजमानं परमतां श्रेष्ठतां गमयत्युद्गाता ॥ १ ॥

शुक्क्वर्य्यः पृष्ठम्भवन्ति । (न्त्य) अन्युदन्यच्छन्दोऽन्येऽन्ये हि स्तोमाः क्रियन्ते यच्छुक्कर्य्यः पृष्ठम्भुवन्त्युश्वस्यैवु सर्व्वत्वाय ॥ २ ॥

(यै) एकविᳬँशम्मध्यमुमुहर्भवति । (त्य) असौ वाऽ आदित्युऽ-एकविᳬँशुः सोऽश्वमेधः स्वेनैवैनᳬँ स्तोमेन स्वायान्देवुतायाम्प्रतिष्ठा-पयति ॥ ३ ॥

व्वामदेव्व्युम्मैत्रावरुणसाम भवति । प्प्रजापतिर्व्वै व्वामदेव्व्युम्प्राजा-पत्योऽश्वः स्वयैवैनन्देवुतया सुमर्द्धयति ॥ ४ ॥

पार्थुरश्मं ब्रह्मसाम भवति । रश्मिना वाऽ अश्वो यतुऽ ईश्वरो वाऽ अश्वोऽयतोऽधृतोऽप्रतिष्ठितः पुराम्परावुतङ्गन्तोर्य्यत्पार्थुरश्मं ब्रह्मसाम भुवत्यश्वस्यैव धृत्यै ॥ ५ ॥

शक्वर्यः पृष्ठं भवन्ति । अन्यदन्यच्छन्दः । अन्येऽन्ये हि स्तोमाः क्रियन्ते । यच्छक्वर्यः पृष्ठं भवन्ति । अश्वस्यैव सर्वत्वाय ॥ २ ॥

एकविंशं मध्यममहर्भवति । असौ वा आदित्य एकविंशः । सोऽश्वमेधः । स्वेनैवैनं स्तोमेन स्वायां देवतायां प्रतिष्ठापयति ॥ ३ ॥

वामदेव्यं मैत्रावरुणसाम भवति । प्रजापतिर्वै वामदेव्यम् । प्राजापत्योऽश्वः । स्वयैवैनं देवतया समर्धयति ॥ ४ ॥

पार्थुरश्मं ब्रह्मसाम भवति । रश्मिना वा अश्वो यतः । ईश्वरो वा अश्वोऽयतोऽधृतोऽप्रतिष्ठितः परां परावतं गन्तोः । यत्पार्थुरश्मं ब्रह्मसाम भवति । अश्वस्यैव धृत्यै ॥ ५ ॥

शक्वर्याः पुनर्वचनं ब्राह्मणेष्वनुरूपसिद्ध्यर्थम् । नार्थांतरमाशंकनीयम् ॥ २ ॥

एकविंशं एकविंशस्तोमकं मध्यममहर्भवति । सर्वाणि स्तोत्राणि एकविंशानि तस्येत्यर्थः । असौ वा आदित्य एकविंशः स्तोमसंख्यासाम्यात् (नत्तु लोकेषु हिष्वमणुलौकैकविंशति वा) । तस्य विभक्तं तेजः । स चासौ मेध्यः । ' एष वा अश्वमेधो य एष तपति "–(श. प. १० । ६ । ५ । ८) इति दर्शनात् । स्वेनैवैनं स्तोमेन एनमश्वम् स्वायां देवतायां सूर्ये प्रतिष्ठापयति ॥ ३ ॥

वामदेव्यं वामदेवेन दृष्टं साम " कया नश्चित्र आभुवन् "–इत्येतत् मैत्रावरुणसाम भवति माध्यंदिने सवने प्रथमे उक्थ्यविग्रहे मैत्रावरुणः शंसति । तेन स्तोत्रं व्यपदिश्यते । तत् मैत्रावरुणशस्त्रसंबद्धं स्तोत्रं वाम-देव्यसाम्साधनकं भवतीत्यनुवाद एव । दर्शनसंबद्धः स्वार्थप्रकृतिभाव एव प्राप्तत्वात् । प्रजापतिर्वै वामदेव्यम् । अनिरुक्तायां हि तदुत्पन्नम् । कद्वत्यां वा ॥ ४ ॥

पार्थुरश्मं ब्रह्मसाम । ब्राह्मणाच्छंस्यत्र ब्रह्मा नैकम् । नापि तत्कर्तृकं द्वितीयमुक्थ्यविग्रहशस्त्रं लक्ष्यते । नापि तत्संबद्धं स्तोत्रं व्यपदिश्यते । ब्राह्मणाच्छंसिशस्त्रसंबद्धं स्तोत्रं पार्थुरश्मसाधनकं भवतीत्यर्थः । रश्मिना वै अश्वः

सुङ्क्रृत्यच्छावाकसामु भवति । (त्यु) उत्सन्नयज्ञ्ऽ इव वुाऽ एष युदश्वमेधः क्रिम्वुा ह्येतुस्य क्रियुते क्रिम्वा न यत्सुङ्क्रृत्यच्छावाकसाम भुवत्युश्वस्यैवु सर्व्वत्वुाय सुर्व्वस्तोमोऽतिरात्रुऽ उत्तममुहर्भ्भवति सुर्व्वम्वै सुर्व्वस्तोमोऽतिरात्रः सुर्व्वमश्वमेधः सुर्व्वस्युाप्त्यै सुर्व्वस्युावरुद्ध्यै ॥ ६ ॥

(द्व्याऽए) एकवि꣡ꣳशोऽग्निर्भुवति । (त्ये) एकवि꣡ꣳश स्तोमऽ एक विꣳशतिर्य्यूपा युथा वुाऽ ऋषभुा वा व्वृषाणो वा सꣳस्फुरेरन्नेवुमेते स्तुोमाः सुमृच्छन्ते युदेकविꣳशास्तान्युत्समर्प्पुयेदार्तिमुाच्छेंद्युजमानो हन्युतास्य युज्ञः ॥ ७ ॥

संक्रृत्यच्छावाकसाम भवति । उत्सन्नयज्ञ इव वा एष यदश्वमेधः । किं वा ह्येतस्य क्रियते किं वा न । यत्संक्रृत्यच्छावाकसाम भवति । अश्वस्यैव सर्वत्वाय । सर्वस्तोमोऽतिरात्र उत्तममहर्भवति सर्वं वै सर्वस्तोमोऽतिरात्रः । सर्वमश्वमेधः । सर्वस्याप्त्यै । सर्वस्यावरुद्ध्यै ॥ ६ ॥

एकविंशोऽग्निर्भवति । एकविंशः स्तोमः । एकविंशतिर्यूपाः । यथा वा ऋषभा वा वृषाणो वा संस्फुरेरन् । एवमेते स्तोमाः समृच्छन्ते । यदेकविंशाः । तान्यत्समर्पयेत् । आर्तिमार्च्छेद्यजमानः । हन्येतास्य यज्ञः ॥ ७ ॥

यतः बद्धः । सम्यक् प्रवर्तत इति शेषः । कथमित्यत आह । ईश्वरः ईशिता समर्थः दूरं गन्तुम् । अयतः अबद्धो रश्मिनेत्यर्थः । ततः किं इत्यत आह—यत् पृथुरश्मिसंबद्धं साम भवति तत् अश्वस्य धृत्यै धारणाय ॥ ५ ॥

संक्रृत्यच्छावाकसाम । उच्चैः कलापग्रामादौ सिद्धस्थाने सत्रस्थिताद् ग्रन्थतः अर्थतश्च विच्छिन्नः यज्ञः उत्सन्नयज्ञः एष यः अश्वमेधः । कथमुत्सन्न इत्यत आह—किं वा हीति । यस्य धर्मापूर्वयोः युगयोस्तौ प्रयुज्येते स्म तेषां किंचित् कलौ क्रियते किंचिन्न क्रियते । ततश्च यत्संक्रृत्यच्छावाकसाम भवति तत् ॥ ६ ॥

एकविंशः । एकविंशतिः पुरुषाः परिमाणमस्याग्नेरित्येतस्मिन्नर्थे एकविंशतिशब्दात् डप्रत्ययोऽयं द्रष्टव्यः । ततश्चैकविंशतिविधोऽग्निरश्वमेधे स्यादित्यर्थः । ननु च अनेन वाक्येन अग्नेः परिमाणमश्वमेधे नियम्यते । नाग्निरित्ययं साग्निरश्वमेधः स्यात् । नैतदेवं, वचनांतरेण चाग्निर्नियतः । तौ एतौ अर्काश्वमेधौ । तौ पुनरेकैव देवता भवति । मृत्युरेवाग्निः । एकविंशतिपरिमाणमस्य स्तोमस्येत्येतस्मिन्नर्थे एकविंशतिशब्दादुपसंख्यानात् "स्तोमे डविधिः पंचदशाद्यर्थः" इति स्तोमस्तोत्रियसंख्या सर्वाऽपि एकविंशस्तोमकानि मध्यमेऽहनि भवंतीत्यर्थः । ऋषभाः प्रजननसमर्था अनुत्सृष्टाः । वृषाणः उत्सृष्टाः सेक्तारः । गोवृषाः । ते यथा परस्परविरुद्धं संस्फुरंति । एवमेते त्रय एकमुख्या एव स्तोमाः । इतरे त्वेकविंशतिसामान्याः स्तोमाः । एवं त्रयः एकविंशकाः संघा इत्यर्थः ।

१-नित्योदकं देवयजनं पुरस्तात्'। का. श्रौ. सू. २० । ९५ । (तत्र देवयजने अग्निप्रमाणम् आह ।) अश्वोऽग्निर्द्विगुणत्रिगुण एकविंशतिविधो वा । का. श्रौ. सू. २० । ९६ । (द्विगुणत्रिगुणो वेति विकल्पः शाखांतरादिति कर्कः ।) (द्विगुणत्रिगुणैकविंशतिविधानां क्लृप्तिप्रकारः शुल्बे पंचम्यां कंडिकायां कात्यायनेनाभिहितः ।)

(ज्ञो) द्वादशऽ एवाग्निः स्यात् । (दे) एकादश यूपा यद्द्वादशोऽग्निर्भवति द्वादश मासाः सम्वत्सरः सम्वत्सरमेव यज्ञमाप्नोति यदेकादश यूपा विराड्वाऽ एषा सम्मीयते यदेकादशिनी तस्यै यऽ एकादश स्तनऽ एवास्यै स दुह ऽएवैनान्तेन ॥ ८ ॥

तदाहुः । (र्ख्रु) यद्द्वादशोऽग्निः स्यादेकादश यूपा यथा स्थूरिणा यायात्तादृक्तदित्येकविंशऽ एवाग्निर्भवत्येकविंश स्तोमऽ एकविंशतिर्यूपास्तद्यथा प्रष्टिभिर्यायात्तादृक्तत् ॥ ९ ॥

(च्छि) शिरो वाऽ एतद्यज्ञस्य यदेकविंशः । (ज्ञो) यो वाऽ अश्वमेधे त्रीणि शीर्षाणि वेद शिरो ह राज्ञाम्भवत्येकविंशोऽग्निर्भवत्येकविंश स्तोमऽएकविंशतिर्यूपाऽ एतानि वाऽ अश्वमेधे त्रीणि

द्वादश एवाग्निः स्यात् । एकादश यूपाः । यद्द्वादशोऽग्निर्भवति । द्वादश मासाः संवत्सरः । संवत्सरमेव यज्ञमाप्नोति । यदेकादश यूपाः । विराड्वा एषा संमीयते । यदेकादशिनी । तस्यै य एकादशः । स्तन एवास्यै सः । दुह एवैनां तेन ॥ ८ ॥

तदाहुः—यद्द्वादशोऽग्निः स्यात् । एकादश यूपाः । यथा स्थूरिणा यायात् । तादृक्तत् । इत्येकविंश एवाग्निर्भवति । एकविंशः स्तोमः । एकविंशतिर्यूपाः । तद्यथा प्रष्टिभिर्यायात् । तादृक्तत् ॥९॥

शिरो वा एतद्यज्ञस्य यदेकविंशः । यो वा अश्वमेधे त्रीणि शीर्षाणि वेद । शिरो ह राज्ञां भवति । एकविंशोऽग्निर्भवति । एकविंशः स्तोमः । एकविंशतिर्यूपाः । एतानि वा अश्वमेधे त्रीणि शीर्षाणि ।

तान् एकविंशान् यत्समर्पयेद्यजमानः । ततः आर्तिम् आर्च्छेत्प्राप्नुयात् । स्वयं यज्ञस्तु अस्य हन्येत । इत्येकविंशत्रयस्य निंदा कल्पांतरोपन्यासार्था ॥ ७ ॥

द्वादश एवाग्निः । अग्नौ यूपेषु कल्पांतरोपन्यासो यस्तस्य च प्रशंसा निंदा च । पूर्वकल्पप्रशंसेत्यर्थः । द्वादशपुरुषपरिमाणो द्वादशः । एकविंशतिविधादारभ्य द्वादशानां पूरणो द्वादशः । सप्तविध एतद्भवति । एकविंशे एव वाच्यम् । विराड्रूपा एषा अविर्यूपं संमीयते । एकत्र देशे यूपैकादशिनी । ननु च-दशात्मिका विराट् दशभिरेव यूपैः संपद्यते । किं तत्रैकादशिन्या ? इत्यत आह—तस्याः एकादशिन्याः य एकादशो यूपः । सः स्तनः एवास्या विराजः । दुहे दुग्धे एनां विराजं तेन स्तनेन यजमान इति ॥ ८ ॥

'तदाहुर्यत्' । यत् यदि । द्वादशोऽग्निः स्यात् एकादश च यूपाः । तत एव एकविंशस्य अनेन चैकेन यथा कश्चित् स्थूरिणा । (नु सहाये । मीयते अनेन दुहा वा दुःखं ?) गच्छेत् । तादृक् तत्स्यात् । इत्येवमाहुः । कथं हि न दोष इत्यत आह—एकविंशतिर्यूपाः । तद्व यथा कश्चित्प्रष्टिभिः अपि अक्लेशेन यायात् । तादृक्तत् । बहवो हि तदा एकविंशतिर्भवंति । ते चालं धुर्यतायै इत्यभिप्रायः ॥ ९ ॥

शिरो वा एतत् । एतेष्वेकविंशेषु शिरसां दर्शनं ककुदां दर्शनं चात्रोच्यते । शिर एकविंशो यज्ञस्य

शीर्षाणि तानि यऽ एवम्वेद शिरो ह राज्ञाम्भवति यो वाऽ अश्वमेधे तिस्रः ककुदो व्वेद ककुद्ध राज्ञां भवत्येकविꣳशोऽग्निर्भवत्येकविꣳश स्तोमऽएकविꣳशतिर्यूपाऽएता वाऽ अश्वमेधे तिस्रः ककुदस्ता यऽ एवम्वेद ककुद्ध राज्ञां भवति ॥ १० ॥

इति द्वितीयप्रपाठकेऽष्टमं ब्राह्मणम् ॥ १३।२।८ ॥ (३-३) ॥

सर्व्वाभ्यो वै देवताभ्योऽश्वऽआलभ्यते । यत्प्राजापत्यङ्कुर्य्याद्या देवताऽअपिभागास्ता भागधेयेन व्यर्द्धयेच्छादन्दद्भिरवकां दन्तमूलै-रित्याज्यमवदानी कृत्वा प्रत्याख्यायन्देवताभ्यऽआहुतीर्ज्जुहोति याऽ एव देवताऽअपिभागास्ता भागधेयेन समर्द्धयत्यरण्येऽनूच्यान्हुत्वा द्यावापृथिव्यामुत्तमामाहुतिं जुहोति द्यावापृथिव्योर्वै सर्व्वा देवताः प्रतिष्ठितास्ताऽएवैतत्प्रीणाति देवासुराः संयत्ताऽआसन् ॥ १ ॥

तानि य एवं वेद । शिरो ह राज्ञां भवति । यो वा अश्वमेधे तिस्रः ककुदो वेद । ककुद्ध राज्ञां भवति । एकविंशोऽग्निर्भवति । एकविंशः स्तोमः । एकविंशतिर्यूपाः । एता वा अश्वमेधे तिस्रः ककुदः । ता य एवं वेद । ककुद्ध राज्ञां भवति ॥ १० ॥

सर्वाभ्यो वै देवताभ्योऽश्व आलभ्यते । यत् प्राजापत्यं कुर्यात् । या देवता अपिभागास्ता भागधेयेन व्यर्द्धयेत्–" शादं दद्भिरवकां दन्तमूलैः "–(वा. सं. २५ । १) इत्याज्य-मवदानी कृत्वा प्रत्याख्यायं देवताभ्य आहुतीर्जुहोति । या एव देवता अपिभागास्ता भागधेयेन समर्द्धयति । अरण्येऽनूच्यान् हुत्वा । द्यावापृथिव्यामुत्तमामाहुतिं जुहोति । द्यावापृथिव्योर्वै सर्वा देवताः प्रतिष्ठिताः । ता एवैतत्प्रीणाति । देवासुराः संयत्ता आसन् ॥ १ ॥

प्रकृतौ यज्ञायज्ञियम् । तेन त्रिवृदादीनां चतुर्णां मध्ये महत्त्वात् । एतानि वा अश्वमेधे त्रीणि शीर्षाणीति । एकविंशस्तोमतुल्यत्वात् । इतरे अपि शिरसी इत्यभिप्रायः । एता वा अश्वमेधे तिस्रः ककुद इति । उत्तुंगत्वात् मध्यमाहर्वर्तित्वाच्च । ककुद इव ककुदः ॥ १० ॥

इति श्रीमदाचार्यहरिस्वामिनः कृतौ माध्यन्दिनीयशतपथब्राह्मणभाष्ये त्रयोदशे कांडे तृतीयेऽध्याये तृतीयं ब्राह्मणम् ॥ १३ । ३ । ३ ॥

सर्वाभ्यो वै इति । सर्वाभ्यो देवताभ्यः अश्व आलभ्यत । " स्वगा त्वा देवेभ्यः " " तं बधान देवेभ्यः " " विश्वेभ्यस्त्वा देवेभ्यो जुष्टं प्रोक्षामि " " सर्वेभ्यस्त्वा देवेभ्यो जुष्टं प्रोक्षामि "–(वा. सं. २२ । ४ । ५) इति मंत्रवर्णेभ्य इत्यभिप्रायः । तं यद्यदि प्राजापत्यमेव कुर्यात् । तत्प्रदानकाले " तस्मात्प्राजा-पत्य एवाश्वः "– इति वचनात् । ततः याः देवता अश्वेऽपिभागाः संसृष्टभागाः ता अपि तेन

(सुंस्ते) तेऽब्रुवन् । (न्न) अग्नयः स्विष्टकृतोऽश्वस्य व्वयमुद्धारमुद्धरामहै तेनासुरानभिभविष्यामऽइति ते लोहितमुदहरन्त भ्रातृव्याभिभूत्यै यत्स्विष्टकृद्भ्यो लोहितञ्जुहोति भ्रातृव्याभिभूत्यै भवत्यात्मना पराऽस्य द्विषन्भ्रातृव्यो भवति यऽ एवम्वेद ॥ २ ॥

तेऽब्रुवन्नग्नयः स्विष्टकृतः–अश्वस्य वयमुद्धारमुद्धरामहै, तेनासुरानभिभविष्यामः, इति। ते लोहितमुदहरन्त, भ्रातृव्याभिभूत्यै। यत् स्विष्टकृद्भ्यो लोहितं जुहोति, भ्रातृव्याभिभूत्यै। भवत्यात्मना। पराऽस्य द्विषन् भ्रातृव्यो भवति, य एवं वेद ॥ २ ॥

भागेन मंत्रवर्णावगतेन व्यर्द्धयेत् ऋद्ध्या वियोजयेत्। ततश्च प्राजापत्यमेवाश्वं कृत्वा उक्तदोषपरिहाराय शादं नाम देवं दद्भिर्दन्तैः अश्वस्य प्रीणामीति वाक्यशेषः। स्वाहाकारश्च प्रदानार्थः। अवका नाम देवता दंतमूलैः अश्वस्य प्रीणामि स्वाहेति। एवमन्यान्यपि मांत्रवर्णिकानि अवदानानि। आज्यमवदानी कृत्वा मन्त्रवचनेन ध्यानेन वा आज्यमेव अश्वांगत्वेन परिकल्प्य। 'प्रत्याख्यायन्' अवदानमवदानं प्रति आख्यायाख्याय देवतां शादादिकाम्। ताभ्यो देवताभ्यः आहुतीर्जुहोति आज्यमयी संकल्पिताश्वांगता वा। तथा च कुर्वन् या देवता अश्वसंसृष्टभागा मांत्रवर्णिक्यः। ताः भागधेयेन समर्द्धयति। ताश्च तावत् जुहोति। यावत् "पृथिवीं त्वचा प्रीणामि स्वाहा"(वा.सं.२५।९) इति। "जुंबकाय स्वाहा"(वा.सं.२५।९) इत्यवभृथे होष्यते। ततः अरण्येऽनूच्यान् अरण्ये पठितव्यान् "अग्निꣳ हृदयेनाशनिꣳ हृदयाग्रेण" इत्यादीन् "विश्वेभ्यो देवेभ्यः स्वाहा" (वा. सं. ३९। ८–१३) इत्येवमंतान् होमान् हुत्वा। द्यावापृथिव्यामुत्तमामाहुतिं जुहोति। (वा. सं. ३९। १३)। अत्र च शादः अवकाः शैवालानि। तेगाः गोकंटकाः इत्यादिदेवतारूपाणि निगमेभ्य अवगमयेत्। बर्स्वानि दंतपीठानि। अग्रजिह्वं जिह्वाग्रम् इत्येवमादीनि चाश्वांगानि। काश्चिचात्र प्रसिद्धा एव देवता आदित्यादयः। काश्चित् अप्रसिद्धाः शादादयः। काश्चित्तु अश्वांगात्मिका एव देवताः। "कर्णाभ्याꣳ श्रोत्रꣳ श्रोत्राभ्यां कर्णौ" (वा. सं. २५। २) इत्यादयः। काश्चित्तत्र चतुर्थ्या निर्दिश्यंते। तत्र सरस्वत्यै अग्रजिह्वं ददामीति शेषः। क्वचित् षष्ठ्या अश्वांगानि निर्दिश्यंते। देवता द्वितीयया। तत्र विभक्तिर्द्रष्टव्या। जिह्वया उत्सादं प्रीणामीति। क्वचित् देवतायाश्च तृतीया अवक्रंदेनेति। अश्वांगे द्वितीया। तालुविति। तत्रापि व्यत्ययः। अवक्रंदं तालुनेति। क्वचिदश्वांगमेव चतुर्थीनिर्दिष्टमस्ति न पृथग्देवता। "शुक्राय स्वाहा" (वा. सं. २५। १) "लोमभ्यः स्वाहा" (वा. सं. ३९। १०) इत्यादौ। तत्र तदेव शुक्रादिहैरण्यगर्भदेवता चतुर्थ्या निर्दिष्टा। प्रकृताश्वांगं तु तदेव हविः। तादर्थ्ये चतुर्थी। शुक्राय शुक्रं जुहोमीत्यर्थः। क्वचित् तद्धितेन देवतासंयोगः। पारदेवत्यानि पार्याणि पक्ष्माणि। संतीत्यत्र शेषः। क्वचित् षष्ठ्या देवता। प्रथमया चाङ्गम्। "अग्नेः पक्षतिः" (वा. सं. २५। ४) अस्त्वित्यत्र शेषः। क्वचित्तु "यमाय स्वाहा" (वा. सं. ३९। १३) इत्यादौ आज्याहुतिः शुद्धैव हूयते। अश्वांगस्याभावात् इति द्रष्टव्यम्। देवासुराः संयत्ता इत्यादि तिसृणां लोहिताहुतीनां ब्राह्मणम् ॥ १ ॥

उद्धारं असाधारणमतिरिक्तं भागं उत्कृष्टमुद्धरामहै। ते लोहितमुदहरंत भ्रातृव्याभिभवाय। अधुनाऽपि यत् "अग्निभ्यः स्विष्टकृद्भ्यः स्वाहा" इति लोहितं जुहोति तत् भ्रातृव्याभिभवायैव ॥ २ ॥

गोमृगकण्ठेन प्रथमामाहुतिञ्जुहोति । पशवो वै गोमृगा रुद्रः स्विष्टकृत्पशूनेव रुद्रादन्तर्द्दधाति तस्माद्यत्रैषाऽश्वमेधऽआहुतिर्हूयते न तत्र रुद्रः पशूनभिमन्यते ॥ ३ ॥

(तेऽश्व) अश्वशफेन द्वितीयामाहुतिञ्जुहोति । पशवो वाऽएकशफा रुद्रः स्विष्टकृत्पशूनेव रुद्रादन्तर्द्दधाति तस्माद्यत्रैषाऽश्वमेधऽआहुतिर्हूयते न तत्र रुद्रः पशूनभिमन्यते ॥ ४ ॥

(तेऽय) अयस्मयेन चरुणा तृतीयामाहुतिञ्जुहोति । (त्या) आयास्या वै प्रजा रुद्रः स्विष्टकृत्प्रजाऽएव रुद्रादन्तर्द्दधाति तस्माद्यत्रैषाऽश्वमेधऽआहुतिर्हूयते न तत्र रुद्रः प्रजाऽअभिमन्यते ॥ ५ ॥

इति द्वितीयप्रपाठके नवमं ब्राह्मणम् ॥ १३।२।९ ॥ (३-४) ॥

गोमृगकण्ठेन प्रथमामाहुतिं जुहोति । पशवो वै गोमृगाः । रुद्रः स्विष्टकृत् । पशूनेव रुद्रादन्तर्दधाति । तस्माद्यत्रैषाऽश्वमेध आहुतिर्हूयते । न तत्र रुद्रः पशूनभिमन्यते ॥ ३ ॥

अश्वशफेन द्वितीयामाहुतिं जुहोति । पशवो वा एकशफाः । रुद्रः स्विष्टकृत् । पशूनेव रुद्रादन्तर्दधाति । तस्माद्यत्रैषाऽश्वमेध आहुतिर्हूयते । न तत्र रुद्रः पशूनभिमन्यते ॥ ४ ॥

अयस्मयेन चरुणा तृतीयामाहुतिं जुहोति । आयास्या वै प्रजाः । रुद्रः स्विष्टकृत् । प्रजा एव रुद्रादन्तर्दधाति । तस्माद्यत्रैषाऽश्वमेध आहुतिर्हूयते । न तत्र रुद्रः प्रजा अभिमन्यते ॥ ५ ॥

गोमृगस्य कंठेन पात्रेण प्रथमां लोहिताहुतिं जुहोति । पशूनेव रुद्रादंतर्दधाति । किंनिमित्तपशुसंबद्धानेवोपयोगिं रुद्रस्य चित्तं प्रसादयतीत्यर्थः । यस्मादेव पशून् रुद्रादंतर्द्धत्ते । तस्माद्यत्र राष्ट्रे काले च एषा लोहिताहुतिरश्वमेधांतर्गता हूयते । तत्र राष्ट्रे काले च रुद्रः पशून्नाभिमन्यते । अभिपूर्वो मन्यतिर्वधे वर्तते ॥ ३ ॥ ४ ॥

'अयस्मयेन' । आयास्याः प्रजाः । अयास्यो मध्यमः प्राणः, तन्मय्यः, तदात्मिकाः प्रजाः, शब्दसारूप्याच्च अयः अपि आयास्य एव इति कृत्वा एतेन संबंधेनैव अयस्मयचरू रुद्रस्योपयुंक्ते । रुद्रः प्रजापतावन्तर्हितः । तेनोपचारेण भवति । एताश्च शाखांतरवचनात् स्विष्टकृदंते होतव्याः । स्विष्टकृदवदानसामान्याद्वा प्राधान्यात् रुद्रत्वे सिद्धे आगन्तुत्वात् स्विष्टकृत ऊर्ध्वं भविष्यति ॥ ५ ॥

इति श्रीमदाचार्यहरिस्वामिनः कृतौ माध्यन्दिनीयशतपथब्राह्मणभाष्ये त्रयोदशे काण्डे तृतीयेऽध्याये चतुर्थं ब्राह्मणम् ॥ (१३ । ३ । ४) ॥

सुर्व्वेषु वै लोकेषु । मृत्यवोऽन्वायत्तास्तेभ्यो यदाहुतीर्न्न जुहुयाल्लोके लोकऽ एनं मृत्युर्व्विन्देद्यन्मृत्युभ्यऽआहुतीर्ज्जुहोति लोके लोकऽएव मृत्युमुपजयति ॥ १ ॥

तुदाहुः । (ख्खं) यदमुष्मै स्वाहाऽमुष्मै स्वाहेति जुह्वत्सञ्चक्षीत बहुम्मृत्युममित्रङ्कुर्व्वीत मृत्यव ऽआत्मानमपिदध्यादिति मृत्यवे स्वाहेत्येकस्माऽ एवैकामाहुतिं जुहोत्येको ह वाऽ अमुष्मिल्लोके मृत्युरशनायैव तमेवामुष्मिंल्लोकेऽपजयति ॥ २ ॥

ब्रह्महत्यायै स्वाहेति द्वितीयामाहुतिञ्जुहोति । (त्यु) अमृत्युर्ह वाऽअन्यो ब्रह्महत्यायै मृत्युरेष ह वै साक्षान्मृत्युर्य्यद्ब्रह्महत्या साक्षादेव मृत्युमुपजयति ॥ ३ ॥ (अर्द्धः प्रपाठकः ॥ कण्डिकाः ॥ ५९ ॥)

सर्वेषु वै लोकेषु मृत्यवोऽन्वायत्ताः । तेभ्यो यदाहुतीर्न जुहुयात् । लोके लोक एनं मृत्युर्विन्देत् । यन्मृत्युभ्य आहुतीर्जुहोति । लोके लोक एव मृत्युमपजयति ॥ १ ॥

तदाहुः—यत् " अमुष्मै स्वाहाऽमुष्मै स्वाहा " इति जुह्वत्संचक्षीत । बहुं मृत्युममित्रं कुर्वीत । मृत्यव आत्मानमपिदध्यात्, इति । " मृत्यवे स्वाहा "–(वा. सं. ३९।१३) इत्येकस्मा एवैकामाहुतिं जुहोति । एको ह वा अमुष्मिल्लोके मृत्युः–अशनायैव । तमेवामुष्मिन् लोकेऽपजयति २॥

" ब्रह्महत्यायै स्वाहा " (वा. सं. ३९।१३) इति द्वितीयामाहुतिं जुहोति । अमृत्युर्ह वा अन्यो ब्रह्महत्यायै मृत्युः । एष ह वै साक्षान्मृत्युः, यद्ब्रह्महत्या । साक्षादेव मृत्युमपजयति ॥ ३ ॥

सर्वेषु वै इति । अरण्येऽनूच्यान् हुत्वा । एतदंगतां गता " मृत्यवे स्वाहा " इत्याहुतिः " ब्रह्महत्यायै स्वाहा " (वा. सं. ३९।१३) इति च । तयोरेतद्दर्शनार्थं ब्राह्मणम् । सर्वेषु पितृलोकादिषु । मृत्यवः विनाशकाः अन्वायत्ता अनुबद्धा इति सर्वे लोका अशाश्वताः समियश्चेति दर्शयति । यन्मृत्युभ्यो बहुभ्यो बह्वीराहुतीर्जुहोति । शाखान्तरीयाणां निंदार्थ उपन्यासः । तद्द्वियां चैकत्वप्रशंसार्थः ॥ १ ॥

तदाहुर्यत् । अमुष्मै पितृलोकाय मृत्यवे इत्येवं यदि जुह्वत् संचक्षीत मृत्युं परिगणयेत् । तं बहुं मृत्युं अमित्रं यजमानः कुर्वीत । तस्मै मृत्यवे अमित्रभूताय आत्मानमपि च दध्यात संपीडितमर्पयेत् । तत्परिहाराय " मृत्यवे स्वाहा " इत्येवमेकस्मा एव एतामाहुतिं जुहोति । एको ह वै अमुष्मिन् लोके मृत्युरिति स्थितिहेतुः । कर्म देहिनं तर्पयति । तस्मिन् क्षीणे जिघत्साप्रत्ययेन प्रच्यवन्ते प्राणिनः । स सामान्यः सर्वमृत्युः । तस्मिन्प्रतिहते सर्वे तद्विशेषाः प्रतिहताः भवंतीत्यभिप्रायः ॥ २ ॥

ब्रह्महत्यायै । ब्रह्महत्यैव मृत्युर्नान्यः । स्वस्यावीच्यादौ नरके अतिमहत्तरं दुःखं करोति । न तादृगशनायाकृतं दुःखमित्यभिप्रायः ॥ ३ ॥

(त्ये) एताᳪं᳭ ह वै मुण्डिभऽऔदन्युः । (न्यो) ब्रह्महत्यायै प्रायश्चित्तिं विदाञ्चकार यद्ब्रह्महत्याया ऽआहुतिं जुहोति मृत्युमेवाहुत्या तर्प्पयित्वा परिपाणं कृत्वा ब्रह्मघ्ने भेषजं करोति तस्माद्यस्यैषाऽश्वमेधऽआहुतिर्हूयतेऽपि योऽस्यापरीषु प्रजायां ब्राह्मणᳪं᳭ हन्ति तस्मै भेषजं करोति ॥ ४ ॥

इति द्वितीयप्रपाठके दशमं ब्राह्मणम् ॥ १३।२।१० ॥ (३-५) ॥

अश्वस्य वाऽआलब्धस्य । मेधऽउदक्रामत्तदश्वस्तोमीयमभवद्यदश्वस्तोमीयं जुहोत्यश्वमेव मेधसा समर्द्धयति ॥ १ ॥

(त्या) आज्येन जुहोति । मेधो वाऽआज्यम्मेधोऽश्वस्तोमीयम्मेधसैवास्मिंस्तन्मेधो दधात्याज्येन जुहोत्येतद्वै देवानाम्प्रियन्धाम यदाज्यम्प्रियेणैवैनान्धाम्ना समर्द्धयति ॥ २ ॥

एतां ह वै मुण्डिभ औदन्यो ब्रह्महत्यायै प्रायश्चित्तिं विदांचकार । यद्ब्रह्महत्याया आहुतिं जुहोति । मृत्युमेवाहुत्या तर्पयित्वा परिपाणं कृत्वा ब्रह्मघ्ने भेषजं करोति । तस्मात् यस्यैषाऽश्वमेध आहुतिर्हूयते । अपि योऽस्यापरीषु प्रजायां ब्राह्मणं हन्ति । तस्मै भेषजं करोति ॥ ४ ॥

अश्वस्तोमीयद्विपदाहोमब्राह्मणम् ।

अश्वस्य वा आलब्धस्य मेध उदक्रामत् । तदश्वस्तोमीयमभवत् । यदश्वस्तोमीयं जुहोति । अश्वमेव मेधसा समर्द्धयति ॥ १ ॥

आज्येन जुहोति । मेधो वा आज्यम् । मेधोऽश्वस्तोमीयम् । मेधसैवास्मिन् तन्मेधो दधाति । आज्येन जुहोति । एतद्वै देवानां प्रियं धाम—यदाज्यम् । प्रियेणैवैनान् धाम्ना समर्द्धयति ॥ २ ॥

एतां ह वै । मुंडिभो नाम उदनस्यापत्यम् औदन्यः । स एतामेवाहुतिं अश्वमेधान्तर्गतां ब्रह्महत्यायाः प्रायश्चित्तिं मेने । ततश्च ब्रह्महत्यायै आहुतिं जुहोति । तत् मृत्युमेव तर्पयित्वा परिशिष्टं पानं तं मृत्यवे कृत्वा ब्राह्मणं हतवते भेषजं चिकित्सां करोति । यस्मादेवमेव तद्भेषजं क्रियते । तस्मात् यस्य राज्ञः अश्वमेधे एषा आहुतिर्हूयते । तस्य प्रजायां राष्ट्रे योऽपि अपरीषु अपक्रांतासु अतीतासु समासु ब्राह्मणं हंति । तस्मै अपि चिरकृतपापस्य भेषजं चिकित्सां करोति । सोऽपि हि तस्यावभृथे स्नातः शुध्यतीत्यभिप्रायः ॥ ४ ॥

इति श्रीमदाचार्यहरिस्वामिनः कृतौ माध्यन्दिनीयशतपथब्राह्मणभाष्ये त्रयोदशे काण्डे तृतीयेऽध्याये पञ्चमं ब्राह्मणम् ॥ (१३ । ३ । ५) ॥

अश्वस्य वा इति—अश्वस्तोमीयद्विपदाहोमब्राह्मणमेतत् । अश्वस्य प्राजापत्यात्मकस्यालब्धस्य मेधो यज्ञसाधनभूतो रसः सार उत्क्रांतः । तत् अश्वस्तोमीयहोमः अभवत् । स मेधः अश्वस्तोमीयः प्रतिसमाधेयः

(त्य) अश्वस्तोमीयꣳ हुत्वा द्विपदा जुहोति । (त्य) अश्वो वाऽ अश्वस्तोमीयम्पुरुषो द्विपदा द्विपाद्वै पुरुषो द्विप्प्रतिष्ठस्तदेनम्प्रतिष्ठया समर्द्धयति ॥ ३ ॥

तदाहुः । (र) अश्वस्तोमीयम्पूर्वꣳ होतव्यां ३ द्विपदा ३ ऽइति पशवो वाऽअश्वस्तोमीयम्पुरुषो द्विपदा यदश्वस्तोमीयꣳ हुत्वा द्विपदा जुहोति तस्मात्पुरुषऽउपरिष्टात्पशूनधितिष्ठति ॥ ४ ॥

षोडशाश्वस्तोमीया जुहोति । षोडशकला वै पशवः सा पशूनाम्मात्रा पशूनेव मात्रया समर्द्धयति यत्कनीयसीर्व्वा भूयसीर्व्वा जुहुयात्पशून्मात्रया व्यर्द्धयेत्षोडश जुहोति षोडशकला वै पशवः सा पशूनाम्मात्रा

अश्वस्तोमीयं हुत्वा द्विपदा जुहोति । अश्वो वा अश्वस्तोमीयम् । पुरुषो द्विपदाः । द्विपाद्वै पुरुषो द्विप्रतिष्ठः । तदेनं प्रतिष्ठया समर्द्धयति ॥ ३ ॥

तदाहुः—अश्वस्तोमीयं पूर्वं होतव्यां ३ द्विपदाः ३ इति । पशवो वा अश्वस्तोमीयम् । पुरुषो द्विपदाः । यदश्वस्तोमीयं हुत्वा द्विपदा जुहोति । तस्मात् पुरुष उपरिष्टात् पशूनधितिष्ठति ॥ ४ ॥

षोडशाश्वस्तोमीया जुहोति । षोडशकला वै पशवः । सा पशूनां मात्रा । पशूनेव मात्रया समर्द्धयति । यत्कनीयसीर्वा भूयसीर्वा जुहुयात् । पशून् मात्रया व्यर्द्धयेत् । षोडश जुहोति ।

अभवदित्यर्थः । तदनुकारेण योऽपि यदश्वस्तोमीयं जुहोति । तेन अश्वं मेधसा समर्द्धयति । अश्वस्य स्तुतिः अश्वस्तोमः, अश्वस्तोमः अस्मिन् सूक्ते अस्तीत्यश्वस्तोमीयं "मा नो मित्रः" (वा. सं. २९ । २४–३९) इति । "मतौ छः" । सूक्तसाम्नोः (पा.सू.) संबंधात् तत्साध्यं होमजातमपि अश्वस्तोमीयम् । जुहोतीति विधिः ॥ १ ॥ २ ॥

अश्वस्तोमीयं हुत्वा द्विपदा जुहोति । "इमानुकम्" इत्येता ऋचो (वा० सं० २९।४६।४७) द्विपदाः । तत्संबंधात् तत्साध्या आहुतयोऽपि द्विपदाः । ता जुहोतीति विधिः । अश्वो वै अश्वस्तोमीयं अश्वप्रधानत्वात् । पुरुषो द्विपदाः द्विपात्त्वादेव । द्विपाच्च पुरुषो द्विप्रतिष्ठः । यदश्वस्तोमीयं हुत्वा द्विपदा जुहोति । तदेवमश्वं तदनुकारेण यजमानं प्रतिष्ठया समर्द्धयति । एताश्च पूर्वा आहुतयो मंत्रब्राह्मणपाठक्रमेण संलग्ना एव प्राप्नुवंति । सूत्रकारेण तु शाखांतरात्[1] क्रमांतरं लब्धम् । "विमुखाय परेभ्यः मा नो मित्रः" इति च प्रत्यृचमनुवाकाभ्याम्, अन्त्यां द्यावापृथिवीयाम्, स्विष्टकृदंतेऽग्निभ्यः स्विष्टकृद्भ्यः स्वाहेति लोहितं जुहोति यथावत्तम्, अश्वशफेन वाऽनुयाजांते, "अयस्मयेन पत्नीसंयाजांते, इमानुकमिति च द्विपदाः" इति (का. श्रौ. सू. २०।८।१९२–१९८) ॥ ३ ॥ ४ ॥

खलतेः पतितकेशस्य विक्लिधस्य[2] दंतुरस्य पुरुषस्य मूर्द्धनि जुहोति ॥ ५ ॥

१–शाखान्तरं चात्र माध्यन्दिनव्यतिरिक्तं कण्वादिशुक्लयजुःपंचदशशाखाऽन्यान्तरशाखात्मकं विज्ञेयम् । न त्वन्यद्दग्वादिरूपमिति ॥ २–विक्लिधशुक्लस्य मूर्द्धनि जुहोति जुम्बकाय स्वाहेति । का. श्रौ. सू. २० । २०३ ।

पशूनेव मात्रया समर्द्धयति नान्यामुत्तमामाहुतिञ्जुहोति यदन्यामुत्तमामाहुतिञ्जुहुयात्प्र प्रतिष्ठायै च्यवेत द्विपदाऽउत्तमा जुहोति प्रतिष्ठा वै द्विपदाः प्रत्येव तिष्ठति जुम्बकाय स्वाहेत्यवभृथऽ उत्तमामाहुतिञ्जुहोति व्वरुणो वै जुम्बकः साक्षादेव व्वरुणमवयजते शुक्लस्य खलतेर्व्विक्लिधस्य पिङ्गाक्षस्य मूर्द्धनि जुहोत्येतद्वै व्वरुणस्य रूपꣳ रूपेणैव व्वरुणमवयजते ॥ ५ ॥

द्वादश ब्रह्मौदनानुत्थाय निर्व्वपति । द्वादशभिर्व्वेष्टिभिर्य्यजते तदाहुर्य्यज्ञस्य वाऽ एतद्रूपं यदिष्टयो यदिष्टिभिर्य्यजेतोपनामुकऽएनं यज्ञः स्यात्पापीयांस्तु स्याद्यातयामानि वाऽ एतदीजानस्य च्छन्दाꣳसि भवन्ति तानि किमेतावदाशु प्रयुञ्जीत सर्व्वा वै सꣳस्थिते यज्ञे व्वागाप्यते साऽत्राऽऽप्ता यातयाम्नी भवति क्रूरीकृतेव हि भवत्यरुष्कृता व्वाग्वै यज्ञस्तस्मान्न प्रयुञ्जीतेति ॥ ६ ॥

द्वादशैव ब्रह्मौदनानुत्थाय निर्व्वपेत् । (त्प्र) प्रजापतिर्व्वाऽओदनः

षोडशकला वै पशवः । सा पशूनां मात्रा । पशूनेव मात्रया समर्द्धयति । नान्यामुत्तमामाहुतिं जुहोति । यदन्यामुत्तमामाहुतिं जुहुयात् । प्र प्रतिष्ठायै च्यवेत । द्विपदा उत्तमा जुहोति । प्रतिष्ठा वै द्विपदाः । प्रत्येव तिष्ठति । "जुंबकाय स्वाहा"–(वा० सं० २५ । ९) इत्यवभृथ उत्तमामाहुतिं जुहोति । वरुणो वै जुंबकः । साक्षादेव वरुणमवयजते । शुक्लस्य खलतेर्विक्लिधस्य पिंगाक्षस्य मूर्द्धनि जुहोति । एतद्वै वरुणस्य रूपम् । रूपेणैव वरुणमवयजते ॥ ५ ॥

द्वादश ब्रह्मौदनानुत्थाय निर्वपति । द्वादशभिर्वेष्टिभिर्यजते । तदाहुः–यज्ञस्य वा एतद्रूपम्, यदिष्टयः । यदिष्टिभिर्यजेत । उपनामुक एनं यज्ञः स्यात् । पापीयांस्तु स्यात् । यातयामानि वा एतदीजानस्य च्छन्दांसि भवंति । तानि किमेतावदाशु प्रयुंजीत । सर्वा वै संस्थिते यज्ञे वागाप्यते । साऽत्राऽऽप्ता यातयाम्नी भवति । क्रूरीकृतेव हि भवत्यरुष्कृता । वाग्वै यज्ञः । तस्मान्न प्रयुंजीतेति ॥ ६ ॥

द्वादशैव ब्रह्मौदनानुत्थाय निर्वपेत् । प्रजापतिर्वा ओदनः । प्रजापतिः संवत्सरः । प्रजापतिर्यज्ञः । संवत्सरमेव यज्ञमाप्नोति । उपनामुक एनं यज्ञो भवति । न पापीयान् भवति ॥ ७ ॥

द्वादश ब्रह्मौदनान् । प्रसन्ने द्वे ॥ ६ ॥ ७ ॥

प्प्रजापतिः सम्वत्सरः प्प्रजापतिर्य्यज्ञः सम्वत्सरमेव यज्ञमाप्नोत्युपनामुक-
ऽएनं यज्ञो भवति न पापीयान्भवति ॥ ७ ॥

इति द्वितीयप्रपाठके एकादशं ब्राह्मणम् ॥ १३।२।११ ॥ (३-६ ॥)

एष वै प्प्रभूर्न्नाम यज्ञः । (ज्ञो) यत्रैतेन यज्ञेन यजन्ते सर्व्वमेव प्प्रभूत-
म्भवति ॥ १ ॥

(त्ये) एष वै व्विभूर्न्नाम यज्ञः । (ज्ञो) यत्रैतेन यज्ञेन यजन्ते सर्व्व-
मेव व्विभूतम्भवति ॥ २ ॥

(त्ये) एष वै व्यष्टिर्न्नाम यज्ञः । (ज्ञो) यत्रैतेन यज्ञेन यजन्ते सर्व्व-
मेव व्यष्टम्भवति ॥ ३ ॥

(त्ये) एष वै व्विधृतिर्न्नाम यज्ञः । (ज्ञो) यत्रैतेन यज्ञेन यजन्ते सर्व्व-
मेव व्विधृतम्भवति ॥ ४ ॥

(त्ये) एष वै व्यावृत्तिर्न्नाम यज्ञः । (ज्ञो) यत्रैतेन यज्ञेन यजन्ते सर्व्व-
मेव व्यावृत्तम्भवति ॥ ५ ॥

अथाश्वमेधस्य यौगिकसंज्ञाद्वादशकाभिधायकं ब्राह्मणम् ।

एष वै प्रभूर्नाम यज्ञः । यत्रैतेन यज्ञेन यजंते । सर्वमेव प्रभूतं भवति ॥ १ ॥
एष वै विभूर्नाम यज्ञः । यत्रैतेन यज्ञेन यजंते । सर्वमेव विभूतं भवति ॥ २ ॥
एष वै व्यष्टिर्नाम यज्ञः । यत्रैतेन यज्ञेन यजंते । सर्वमेव व्यष्टं भवति ॥ ३ ॥
एष वै विधृतिर्नाम यज्ञः । यत्रैतेन यज्ञेन यजंते । सर्वमेव विधृतं भवति ॥ ४ ॥
एष वै व्यावृत्तिर्नाम यज्ञः । यत्रैतेन यज्ञेन यजंते । सर्वमेव व्यावृत्तं भवति ॥ ५ ॥

इति श्रीमदाचार्यहरिस्वामिनः कृतौ माध्यन्दिनीयशतपथब्राह्मणभाष्ये त्रयोदशे काण्डे
तृतीयेऽध्याये षष्ठं ब्राह्मणम् ॥ १३ । ३ । ६ ॥

एष वै प्रभूर्नामेति । अत्र ब्राह्मणे अश्वमेधस्य द्वादश नामानि यौगिकानि इति दर्शनार्थं तानि प्रदर्श्यन्ते यत्र देशे काले च एतेनाश्वमेधेम यजंते । तत्र सर्वमेव प्रभूतं बहु भवति । यदिष्टं प्राणिनामन्नपानाच्छादनांग पुष्ट्यादीति शेषः ॥ १ ॥

विभूतं सर्वकार्येभ्यः ॥ २ ॥

व्यष्टं प्राप्तं यजमानेन ॥ ३ ॥

विधृतं स्वकर्मसु विभागेन स्थापितम् ॥ ४ ॥

व्यावृत्तं अकार्येभ्यः ॥ ५ ॥

(त्ये) एष वाऽऊर्ज्जस्वान्नाम यज्ञः । (ज्ञो) यत्रैतेन यज्ञेन यजन्ते सुर्व्वमेवोर्ज्जस्वद्भवति ॥ ६ ॥

(त्ये) एष वै पयस्वान्नाम यज्ञः । (ज्ञो) यत्रैतेन यज्ञेन यजन्ते सुर्व्वमेव पुयस्वद्भवति ॥ ७ ॥

(त्ये) एष वै ब्रह्मवर्च्चसी नाम यज्ञः । (ज्ञो) यत्रैतेन यज्ञेन यजन्तऽआ ब्राह्मणो ब्रह्मवर्च्चसी जायते ॥ ८ ॥

(तऽए) एष वाऽ अतिव्याधी नाम यज्ञः । (ज्ञो) यत्रैतेन यज्ञेन यजन्तऽ आ राजन्योऽतिव्याधी जायते ॥ ९ ॥

(तऽए) एष वै दीर्घो नाम यज्ञः । (ज्ञो) यत्रैतेन यज्ञेन यजन्तऽआ दीर्घारण्युआयते ॥ १० ॥

(तऽए) एष वै क्लृप्तिर्न्नाम यज्ञः । (ज्ञो) यत्रैतेन यज्ञेन यजन्ते सुर्व्वमेव क्लृप्तम्भवति ॥ ११ ॥

(त्ये) एष वै प्प्रतिष्ठा नाम यज्ञः । (ज्ञो) यत्रैतेन यज्ञेन यजन्ते सुर्व्वमेव प्प्रतिष्ठितम्भवति ॥ १२ ॥

इति द्वितीय प्रपाठके द्वादशं ब्राह्मणम् ॥ १३।२।१२ ॥ (३–७) ॥

एष वा ऊर्जस्वान्नाम यज्ञः । यत्रैतेन यज्ञेन यजंते । सर्वमेवोर्जस्वद्भवति ॥ ६ ॥
एष वै पयस्वान्नाम यज्ञः । यत्रैतेन यज्ञेन यजंते । सर्वमेव पयस्वद्भवति ॥ ७ ॥
एष वै ब्रह्मवर्चसी नाम यज्ञः । यत्रैतेन यज्ञेन यजंते । आ ब्राह्मणो ब्रह्मवर्चसी जायते ॥ ८ ॥
एष वा अतिव्याधी नाम यज्ञः । यत्रैतेन यज्ञेन यजंते । आ राजन्योऽतिव्याधी जायते ॥ ९ ॥
एष वै दीर्घो नाम यज्ञः । यत्रैतेन यज्ञेन यजंते । आ दीर्घारण्यं जायते ॥ १० ॥
एष वै क्लृप्तिर्नाम यज्ञः । यत्रैतेन यज्ञेन यजंते । सर्वमेव क्लृप्तं भवति ॥ ११ ॥
एष वै प्रतिष्ठा नाम यज्ञः । यत्रैतेन यज्ञेन यजंते । सर्वमेव प्रतिष्ठितं भवति ॥ १२ ॥

ऊर्जस्वत् रसवत् । यत्संभाव्यरसमौषध्यादि ॥ ६ ॥

पयस्वत् । प्यायत्ववत् संभाव्यवर्द्धनम् ॥ ७ ॥

आजायते ॥ ८ ॥ ९ ॥

दीर्घारण्यम् उत्तरकालमिति शेषः । कुत एतत्, प्रभूतं भवतीत्यादिविधानात् ॥ १० ॥

क्लृप्तं सज्जनभोग्यम् ॥ ११ ॥

भोगेभ्यः प्रतिष्ठितं स्वायतने ॥ १२ ॥

इति श्रीमदाचार्यहरिस्वामिनः कृतौ माध्यन्दिनीयशतपथब्राह्मणभाष्ये त्रयोदशे काण्डे तृतीयेऽध्याये सप्तमं ब्राह्मणम् ॥ १३ । ३ । ७ ॥

अथातः प्रायश्चित्तीनाम् । यद्यश्वो वडवाꣳ स्कन्देद्वायव्यम्पयोऽनुनिर्व्वपेद्वायुर्व्वै रेतसाम्विकर्त्ता प्राणो वै वायुः प्राणो हि रेतसाम्विकर्त्ता रेतसैवास्मिंस्तद्रेतो दधाति ॥ १ ॥

(त्यु) अथ यदि स्रामो विन्देत् । (त्पौ) पौष्णं चरुमनुनिर्व्वपेत्पूषा वै पशूनामीष्टे स यस्यैव पशवो यः पशूनामीष्टे तमेवैतत्प्रीणात्यगदो हैव भवति ॥ २ ॥

(त्यु) अथ यद्यक्षतामयो विन्देत् । (द्वै) वैश्वानरन्द्वादशकपालम्भूमिकपालम्पुरोडाशमनुनिर्व्वपेदियम्वै वैश्वानरऽइमामेवैतत्प्रीणात्यगदो हैव भवति ॥ ३ ॥

अथाश्वमेधीयप्रायश्चित्तानि ।

अथातः प्रायश्चित्तीनाम् । यद्यश्वो वडवां स्कन्देत् । वायव्यं पयोऽनुनिर्वपेत् । वायुर्वै रेतसां विकर्ता । प्राणो वै वायुः । प्राणो हि रेतसां विकर्ता । रेतसैवास्मिंस्तद्रेतो दधाति ॥ १ ॥

अथ यदि स्रामो विंदेत् । पौष्णं चरुमनुनिर्वपेत् । पूषा वै पशूनामीष्टे । स यस्यैव पशवः । यः पशूनामीष्टे । तमेवैतत्प्रीणाति । अगदो हैव भवति ॥ २ ॥

अथ यद्यक्षतामयो विंदेत् । वैश्वानरं द्वादशकपालं भूमिकपालं पुरोडाशमनुनिर्वपेत् । इयं वै वैश्वानरः । इमामेवैतत्प्रीणाति । अगदो हैव भवति ॥ ३ ॥

अथातः प्रायश्चित्तीनामिति । वडवां स्कंदेत् । "स्कंदिर् गतिशोषणयोः"–(धा. पा. भ्वा. प. १००४) । वडवां गच्छेत् । तस्यां रेतः सिंचेदित्यर्थः । रेतसा वायव्येन पयसा अस्मिन्नश्वे तद्रेतो दधाति । यद्वायव्यं पयो निर्वपति ॥ १ ॥

स्रामः प्रतिश्र्यः । यत् यदि प्राप्नुयात् । 'अगदः' । गदो रोगः । अरोगः अश्वो भवति ॥ २ ॥

अक्षतस्य आमयो रोगो ज्वरादिः अक्षतामयः । स यदश्व प्राप्नुयात् । भूमिरेव द्वादशविभागा लोष्टा वा द्वादश कपालकार्ये यस्य स भूमिकपालः ॥ ३ ॥

१–अश्वापदीज्याचरुभिः साविश्यन्ते । का. श्रौ. सू. २० । ७३ ।

२–प्रजाते वायव्यम् । का. श्रौ. सू. २० । ८१ । प्रजातो वडबायां कृतरेतःस्कन्दनः इति देवयाज्ञिकः ॥

३–पौष्णः स्रामे । का. श्रौ. सू. २० । ७४ ।

४–भूमिकपालो वैश्वानरोऽक्षत्यामये । लोष्टकपालं जातूकर्ण्यो भेदात् । का. श्रौ. सू. २० । ७७ । ७८ ।

(त्यु) अथ यद्यक्ष्यामयो विन्देत् । (त्सौ) सौर्य्यञ्चरुमनुनिर्व्वपे-
त्सूर्य्यो वै प्रजानाञ्चक्षुर्य्यदा ह्येवैषऽ उदेत्यथैतᳪं सर्व्वञ्चरति चक्षुषैवा-
स्मिंस्तच्चक्षुर्दधाति स यच्चरुर्भवति चक्षुषा ह्ययमात्मा चरति ॥ ४ ॥

(त्यु) अथ यद्युदके म्रियेत । व्वारुणं यवमयञ्चरुमनुनि-
र्व्वपेद्वरुणो वाऽएतङ्गृह्णाति योऽप्सु म्रियते सा यैवैनन्देवता गृह्णाति
तामेवैतत्प्रीणाति साऽस्मै प्प्रीताऽन्यमालम्भायानुमन्यते तयाऽनुमत-
मालभते स यद्यवमयो भवति व्वरुण्या हि यवाः ॥ ५ ॥

(वाऽअ) अथ यदि नश्येत् । (त्रि) त्रिहविषमिष्टिमनुनिर्व्वपेद्द्यावा-
पृथिव्यमेककपालम्पुरोडाशम्वायव्यम्पयः सौर्य्यञ्चरुं यद्वै किञ्च नश्यत्य-
न्तरैव तद्द्यावापृथिवी नश्यति तद्वायुरुपवात्यादित्योऽभितपति नैताभ्यो
देवताभ्यऽऋते किञ्चन नश्यति सैषा पृथगेव नष्टवेदनी स यद्यस्याप्य-

---

अथ यद्यक्ष्यामयो विन्देत् । सौर्यं चरुमनुनिर्वपेत् । सूर्यो वै प्रजानां चक्षुः । यदा ह्येवैष उदेति । अथैतं सर्वं चरति । चक्षुषैवास्मिंस्तच्चक्षुर्दधाति । स यच्चरुर्भवति । चक्षुषा ह्यय-मात्मा चरति ॥ ४ ॥

अथ यद्युदके म्रियेत । वारुणं यवमयं चरुमनुनिर्वपेत् । वरुणो वा एतं गृह्णाति । योऽप्सु म्रियते । सा यैवैनं देवता गृह्णाति । तामेवैतत्प्रीणाति । साऽस्मै प्रीताऽन्यमालंभायानुमन्यते । तयाऽनुमतमालभते । स यद्यवमयो भवति । वरुण्या हि यवाः ॥ ५ ॥

अथ प्रायश्चित्तीया त्रिहविर्षोष्टिः ।

अथ यदि नश्येत् । त्रिहविषमिष्टिमनुनिर्वपेत् । द्यावापृथिव्यमेककपालं पुरोडाशम् । वायव्यं पयः । सौर्यं चरुम् । यद्वै किंचन नश्यति । अंतरैव तद् द्यावापृथिवी नश्यति । तद्वायुरुपवाति । आदित्योऽभितपति । नैताभ्यो देवताभ्य ऋते किंचन नश्यति । सैषा पृथगेव नष्टवेदनी । स यद्य-

---

अक्ष्णोरामयो रोगः अक्ष्यामयः । स यद्यश्वमाप्नुयात् ॥ ४ ॥ ५ ॥

सा एषा त्रिहविरिष्टिः पृथगेव अश्वमेधात्पृथगपि बहिरपि भवति । एवशब्दः अपिशब्दस्यार्थे । कुत एतत् । "स यद्यस्याप्यन्यन्नश्येत् " ततः " एतयैव यजेत " इत्युत्तरत्र अपिशब्दश्रवणात् । नष्टं विन्दते अनयेति

१–वारुणोऽप्सु मृते । का. श्रौ. सू. २० । ७६ । २–नाशे तंत्रेण द्यावापृथिव्यः पयो वायव्यं सौर्यः । अन्यत्रापि । का. श्रौ. सू. २० । ७३ । ८० । ३–सौर्योऽक्ष्यामये । का. श्रौ. सू. २० । ७५ ।

न्यन्नुश्येदेतयैव यजेतानु हैवैनद्विन्दत्यथ यद्यमित्राऽअश्वं विन्देरन्यदि वा म्रियेत यदि वाऽप्स्वन्यमानीय प्रोक्षेयुः सैव तत्र प्रायश्चित्तिः ॥ ६ ॥

इति द्वितीयप्रपाठके त्रयोदशं ब्राह्मणम् ॥ १३।२।१३ ॥ (३-८) ॥

इति तृतीयोऽध्यायश्च समाप्तः ॥ १३ । ३ ॥

कण्डिकासंख्या ॥ ५१ ॥

स्याप्यन्यन्नश्येत् । एतयैव यजेत । अनु हैवैनद्विन्दति । अथ यद्यमित्रा अश्वं विन्देरन् । यदि वा म्रियेत । यदि वाऽप्सु अन्यमानीय प्रोक्षेयुः । सैव तत्र प्रायश्चित्तिः ॥ ६ ॥

नष्टवेदनी । स यदि अस्याहिताग्नेः अन्यत् अपि अश्वाद्धिरण्यादि किंचित्पुरुषार्थं नश्येत् । तत एतयैव त्रिहविषा यजेत । अनुविन्दत्येव तन्नष्टं लभत एव । इति पुरुषार्थो विधिः पृथक् वचनादर्थवत्त्वात् । यदि तु आश्वमेधिके एव अन्यस्मिन्नपि नष्टे विधीयते सा । तेनैषा अश्वमेधात्पृथक् स्यात् ॥ ६ ॥

इति श्रीमदाचार्यहरिस्वामिनः कृतौ माध्यन्दिनीयशतपथब्राह्मणभाष्ये त्रयोदशे काण्डे तृतीयेऽध्याये अष्टमं ब्राह्मणम् ॥ १३ । ३ । ८ ॥

नागस्वामिसुतोऽवन्त्यां पाराशर्यो वसन्हरिः । श्रुत्यर्थं दर्शयामास शक्तितः पौष्करीयकः ॥ १ ॥
श्रीमतोऽवन्तिनाथस्य विक्रमार्कस्य भूपतेः । धर्माध्यक्षो हरिस्वामी व्याख्यच्छातपथीं श्रुतिम् ॥ २ ॥
भूभर्त्रा विक्रमार्केण क्लृप्तां कनकवेदिकाम् । दानायाध्यस्य कृतवान् श्रुत्यर्थविवृतिं हरिः ॥ ३ ॥

इति श्रीसर्वविद्यानिधानकवीन्द्राचार्यसरस्वतीनां श्रीहरिस्वामिनां कृतौ माध्यन्दिनीयशतपथब्राह्मणभाष्ये त्रयोदशे काण्डे तृतीयोऽध्यायः समाप्तः ॥ (१३-३) ॥

१-मृतादर्शनयोरन्यस्य रशनादानादि करोत्यश्वयुक्तम् । का. श्रौ. सू. २० । ८२ ।

अथ चतुर्थेऽध्याये प्रथमं ब्राह्मणम् ।

द्वितीयप्रपाठके च चतुर्दशं ब्राह्मणम् ।

प्रजापतिरकामयत । सर्व्वान्कामानाप्नुयाᳫं सर्व्वा व्व्यष्टीर्व्व्यश्नुवीयेति सऽएतमश्वमेधं त्रिरात्रं यज्ञक्रतुमपश्यत्तमाहरत्तेनायजत तेनेष्ट्वा सर्व्वान्कामानाप्नोत्सर्व्वा व्व्यष्टीर्व्व्याश्नुत सर्व्वान्ह वै कामानाप्नोति सर्व्वा व्व्यष्टीर्व्व्यश्नुते योऽश्वमेधेन यजते ॥ १ ॥

तदाहुः । कस्मिन्नृतावभ्यारम्भऽइति ग्रीष्मेऽभ्यारभेतेत्यु हैकऽआहुर्ग्ग्रीष्मो वै क्षत्रियस्यर्त्तुः क्षत्रिययज्ञऽउ वाऽएष यदश्वमेधऽइति ॥ २ ॥

अथाश्वमेधस्य फलाधिकारिकालादिकम् ।

प्रजापतिरकामयत । सर्वान्कामानाप्नुयाम् । सर्वा व्यष्टीर्व्यश्नुवीयेति । स एतमश्वमेधं त्रिरात्रं यज्ञक्रतुमपश्यत् । तमाहरत् । तेनायजत । तेनेष्ट्वा सर्वान्कामानाप्नोत् । सर्वा व्यष्टीर्व्याश्नुत । सर्वान् ह वै कामानाप्नोति । सर्वा व्यष्टीर्व्यश्नुते । योऽश्वमेधेन यजते ॥ १ ॥

तदाहुः-कस्मिन् ऋतौ अभ्यारंभ इति । ग्रीष्मेऽभ्यारभेत-इत्यु हैक आहुः । ग्रीष्मो वै क्षत्रियस्यर्तुः । क्षत्रिययज्ञ उ वा एषः । यदश्वमेध इति ॥ २ ॥

प्रजापतिरकामयत । सर्वान्कामान् जगद्गतानाप्नुयाम्, सर्वा व्यष्टीः व्याप्या अवस्थाः विभागेनाश्नुवीयेति । सर्वान् ह वै कामानाप्नोति इति फलत एवाश्वमेधस्योत्पत्तिः ॥ १ ॥

ग्रीष्मो वै क्षत्रियस्य उचितऋतुः स हि तत्राग्नी आधत्ते । ग्रीष्मवच्च करैः संतापयति । अर्थवादोऽयम् । क्षत्रियस्य चैष यज्ञो यः अश्वमेधः । एतस्मादेव वचनात् राष्ट्री अश्वमेधेन यजेत । "प्राची दिग्घोतुर्दक्षिणा" (श. प. १३ । ५ । ४ । २४) इत्यादिवचनसामर्थ्याच्च क्षत्रियस्य हि राज्यमुचितम् । राजा च राष्ट्री भवति । ननु च-अन्ये अपि महीं पालयंतो दृश्यंते । सत्यम् । न च ते वृत्तच्युताः शास्त्रेणाधिक्रियंते । तच्चापदि प्रायोऽनन्तरावृत्तिर्विहिता । सत्यम् । तावदेव तु सा । यावत् तया दीनमात्मानमुद्धरति । नित्यानि च कर्माणि करोति । काम्यस्तु अश्वमेधो महाप्रपंचश्च । न तम् आपत्कल्पचोदना क्षमते । न चान्यः अश्वमेधचोदनायां विशेषः अस्ति । येन एषा प्रायश्चित्तचोदनैव अश्वविषये स्यात् । तस्मात् क्षत्रियस्यैवाश्वमेध इत्युपपन्नम् । अत एव कारणात् प्रायश्चित्तभूतोऽप्येष क्षत्रियस्यैव, नान्यस्य । अवभृथस्नानप्रायश्चित्तं तु सर्ववर्णानां अविशेषात् ॥ २ ॥

१-राजयज्ञोऽश्वमेधः सर्वकामस्य का. श्रौ. सू. २० । १ । (सर्वकामस्येति, सर्वकामावाप्तिश्च परमात्माख्यसत्त्वप्राप्तिमन्तरेण न भवति, यावच्छरीरकालभाविनो हि कामा इति तेन सर्वकामस्येति मुमुक्षोरित्येतदुक्तं भवतीत्यत्र कर्कः ।)

२-राजशब्दो अभिषेकवति क्षत्रिये वर्तते इत्युक्तं प्रदेशांतरे । तथा च "क्षत्रिययज्ञ उ वा एष यदश्वमेधः तस्माद्राष्ट्र्यश्वमेधेन यजेत" इति । राज्ञो यज्ञः राजयज्ञः न ब्राह्मणवैश्ययोः इत्यत्र कर्कः ।

तद्धै व्वसन्तऽएवाभ्यारभेत । व्वसन्तो वै ब्राह्मणस्यर्त्तुर्य्यऽउ वै कश्च यजते ब्राह्मणीभूयेवैव यजते तस्माद्वसन्तऽ एवाभ्यारभेत ॥ ३ ॥

सा याऽसौ फाल्गुनी पौर्णमासी भवति । तस्यै पुरस्तात्षडहे वा सप्ताहे वर्त्त्विजऽउपसमायन्त्यध्वर्य्युश्च होता च ब्रह्मा चोद्गाता चैतान्वाऽअन्वन्युऽऋत्विजः ॥ ४ ॥

(स्तेु) तेभ्योऽध्वर्य्युश्चातुष्प्राश्यम्ब्रह्मौदनन्निर्व्वपति । तस्योक्तम्ब्राह्मणश्चतुरः पात्रांश्चतुरोऽञ्जलींश्चतुरः प्प्रसृतान्द्वादशविधन्द्वादश मासाः सम्वत्सरः सर्व्वँ सम्वत्सरः सर्व्वमश्वमेधः सर्व्वस्याप्त्यै सर्व्वस्यावरुद्ध्यै ॥ ५ ॥

तद्वै वसंत एवाभ्यारभेत । वसंतो वै ब्राह्मणस्यर्तुः । य उ वै कश्च यजते । ब्राह्मणीभूयेवैव यजते । तस्माद्वसंत एवाभ्यारभेत ॥ ३ ॥

सा याऽसौ फाल्गुनी पौर्णमासी भवति। तस्यै पुरस्तात् षडहे वा सप्ताहे वा ऋत्विज उपसमायंति। अध्वर्युश्च होता च ब्रह्मा चोद्गाता च । एतान्वा अन्वन्य ऋत्विजः ॥ ४ ॥

तेभ्योऽध्वर्युश्चातुष्प्राश्यं ब्रह्मौदनं निर्वपति । तस्योक्तं ब्राह्मणम् । चतुरः पात्रांश्चतुरोऽञ्जलींश्चतुरः प्रसृतान् द्वादशविधम् । द्वादश मासाः संवत्सरः । सर्वं संवत्सरः । सर्वमश्वमेधः । सर्वस्याप्त्यै सर्वस्यावरुद्ध्यै ॥ ५ ॥

तद्वै वसंते । वसंतप्रत्यासन्नः फाल्गुनीशुक्ल एवात्र वसंत उक्तः । "सा याऽसौ फाल्गुनी"—इत्युत्तरवचनानुरोधात् । तथा च सति तत एव वचनात् ऋतुर्मासः पक्षस्तिथिरपि एतत्सर्वं विशेषतः सिद्धमित्ययं दर्शनार्थमुपन्यासः । एवं विधेरन्वारंभश्चात्र ब्रह्मौदनपाकादिरेवेत्यभिप्रायः । वसंतो वै ब्राह्मणस्यर्तुः । स हि तत्राधानोपनयनादि करोति । स स्पर्शतो दमत्वाच्च ब्राह्मण इव शांतः । य उ वै कश्च यजते । यश्च वै कश्च यजते । स दीक्षया ब्राह्मणीभूय एव यजते । तथा च "दीक्षयेद्ब्राह्मण इत्याह" इत्यत्रोक्तम् ॥ ३ ॥

सा याऽसौ फाल्गुनी । तस्यैतस्याः पुरस्तात्षडहे वा सप्ताहे । षडहे नवम्याम् । सप्ताहे अष्टम्याम् । एतान् अध्वर्य्वादीन् अनु अन्ये ऋत्विजस्त्रयस्त्रयः प्रतिप्रस्थात्रादयः उपसमायन्ति । तदनुगुणवचनम् । तैः समक्ष्या इत्यर्थः ॥ ४ ॥

तेभ्यः आध्वर्यवेभ्यः अध्वर्य्वादिभ्यश्चतुर्भ्यः अध्वर्युः चतुर्भिः प्राश्यः चतुष्प्राश्यः । स एव चातुष्प्राश्यः । स्वार्थिकस्तद्धितः । चातुर्वर्ण्यादिवत् । ब्राह्मणेभ्य ओदनो ब्रह्मौदनः । तस्योक्तं ब्राह्मणम् । "रेत एव तद्धत्ते" (श. प. १३।१।१।१।) इति चतुरः पात्रान् शेनिकान्निर्वपति ॥ ५ ॥

१-अष्टम्यां नवम्यां वा फाल्गुनीशुक्लस्य ग्रीष्म एके । का. श्रौ. सू. २० । २ । ३ । ग्रीष्मेऽभ्यारभेतेत्यु हैक आहुर्ग्रीष्मो वै क्षत्रियस्यर्तुः (श. प. १३ । ४ । १ । २ ।) इति श्रुतेः ॥

२-ब्रह्मौदनं पचति चतुर्णां पात्राणामंजलिप्रसृतानां च । का. श्रौ. सू. २०।४।

तुमेते चत्वारऽऋत्विजः प्प्राश्नन्ति । तेषामुक्तम्ब्राह्मणं तेभ्यश्चत्वारि सहस्राणि ददाति सर्व्वं वै सहस्रᳪ सर्व्वमश्वमेधः सर्व्वस्याप्त्यै सर्व्वस्यावरुद्ध्यै चत्वारि च सुवर्णानि शतमानानि हिरण्यानि तस्यो ऽएवोक्तम् ॥ ६ ॥

(मु) अथास्माऽ अध्वर्युर्न्निष्कम्प्रतिमुञ्चन्वाचयति । तेजोऽसि शुक्रममृतमिति तेजो वै शुक्रममृतᳪ हिरण्यन्तेजऽएवास्मिञ्छुक्रममृतं दधात्यायुष्पाऽआयुर्म्मे पाहीत्यायुरेवास्मिन्दधात्यथैनमाह व्वाचं यच्छेति व्वाग्वै यज्ञो यज्ञस्यैवाभ्यारम्भाय ॥ ७ ॥

चतस्रो जायाऽ उपक्लृप्ता भवन्ति । महिषी व्वावाता परिवृक्ता पाला-

---

तमेते चत्वार ऋत्विजः प्राश्नन्ति । तेषामुक्तं ब्राह्मणम् । तेभ्यश्चत्वारि सहस्राणि ददाति । सर्वं वै सहस्रम् । सर्वमश्वमेधः । सर्वस्याप्त्यै सर्वस्यावरुद्ध्यै । चत्वारि सुवर्णानि शतमानानि हिरण्यानि । तस्य उ एवोक्तम् ॥ ६ ॥

अथास्मै अध्वर्युर्निष्कं प्रतिमुञ्चन् वाचयति । " तेजोऽसि शुक्रममृतम् " इति । तेजो वै शुक्रम् । अमृतं हिरण्यम् । तेज एवास्मिञ्छुक्रममृतं दधाति । " आयुष्पा आयुर्मे पाहि " (वा. सं. २२ । १) इति । आयुरेवास्मिन्दधाति । अथैनमाह वाचं यच्छेति । वाग्वै यज्ञः । यज्ञस्यैवाभ्यारंभाय ॥ ७ ॥

चतस्रो जाया उपक्लृप्ता भवंति । महिषी वावाता परिवृक्ता पालागली । सर्वा निष्किण्यो-

---

तमेते चत्वार ऋत्विजः अध्वर्य्वादयः प्राश्नन्ति । तेषामुक्तं ब्राह्मणम् । "यन्महर्त्विजो ब्रह्मौदनं प्राश्नंति महिमानमेव तद्यज्ञस्य यजमानोऽवरुंधे " (श.प. १३।१।१।४) इति । तेभ्यः चत्वारि सहस्राणि गवां ददाति। तस्यो एवोक्तं--" रेतो वा ओदनो रेतो हिरण्यम् " (श. प. १३।१।१।४) इति ॥ ६ ॥

अथास्मा अध्वर्युः । अस्मै यजमानाय अध्वर्युः निष्कं सौवर्णमलंकारं प्रतिमुंचन् गले आबध्नन् वाचयति । अस्मिन् यजमाने दधाति । अथैनं यजमानं आह वाचं यच्छेति ॥ ७ ॥

चतस्रो जायाः भार्याः उप समीपे क्लृप्ताः स्थिता भवन्ति । पालागली दूतदुहिता ॥ ८ ॥

१-अक्तैनमार्त्विग्भ्यः प्रयच्छति । का. श्रौ. सू. २०।५ ।

२-तेभ्यश्चत्वारि सहस्राणि ददाति शतमानांश्च तावतः । का. श्रौ. सू. २०।६ । तावतः तावत्संख्यान् हिरण्यस्य शतमानांश्चेत्यर्थः, ब्रह्मौदने सुवर्णं हिरण्यं ददाति शतमानं भवतीति च श्रुतेः । श. प. १३ । १ । १ । ४ । सुवर्णरक्तिकाशतानि शतमानं इति कर्कः ॥

३-निष्कं प्रतिमुंचन्वाचयति तेजोऽसीति का. श्रौ. सू. २० । ९ । चतुःसौवर्णिकः आभरणविशेषो निष्कः इति कर्कः ॥

४-वाचं यच्छेति चाह आवरदानाद्वाग्यमनम् । का. श्रौ. सू. २०।१०।११ ॥

५-पत्न्यश्चायंरयलंकृता निष्किण्यो महिषी १ वावाता २ परिवृक्ता ३ पालागलीति । का. श्रौ. सू. २० । १२ । (महिषी प्रथमपरिणीता पत्नी १, वावाता वल्लभा २, परिवृक्ता अवल्लभा ३ पालागली दूतपुत्री ।

गली सुर्व्वा निष्किण्योऽलङ्कृता मिथुनस्यैव सर्व्वत्वाय ताभिः सुहाग्न्य-
गारम्प्रपद्यते पूर्व्वया द्वारा यजमानो दक्षिणया पत्न्यः ॥ ८ ॥

सायमाहुत्याᳪं हुतायाम् । (ञ) जघुनेनः गार्हपत्यमुदङ्वावातया सह
सम्विशति तुदेवापीतराः सम्विशन्ति सोऽन्तरोरूऽअसम्वर्त्तमानः शेते-
ऽनेन तपसा स्वस्ति संवत्सरस्योदृचᳪं समश्नवाऽइति ॥ ९ ॥

प्रातराहुत्याᳪं हुतायाम् । (म) अध्वर्य्युः पूर्णाहुतिञ्जुहोति सुर्व्वम्वै
पूर्णᳪं सुर्व्वमश्वमेधः सुर्व्वस्याप्त्यै सुर्व्वस्यावरुद्ध्यै तुस्याम्वरेण व्वाच-
म्विसृजते व्वरन्ददामि ब्रह्मणऽइति सुर्व्वम्वै व्वरः सुर्व्वमश्वमेधः सुर्व्व-
स्याप्त्यै सुर्व्वस्यावरुद्ध्यै ॥ १० ॥　　॥ शतम् ६६०० ॥

(द्वचाऽञ) अथ योऽस्य निष्कः प्रतिमुक्तो भवति । तमध्वर्य्यवे ददात्य-
ध्वर्य्युवे ददद्मृतमायुरात्मन्धत्तेऽमृतᳪं ह्यायुर्हिरण्यम् ॥ ११ ॥

ऽलंकृताः । मिथुनस्यैव सर्वत्वाय । ताभिः सहाग्न्यगारं प्रपद्यते पूर्वया द्वारा यजमानः । दक्षिणया पत्न्यः ॥ ८ ॥

सायमाहुत्यां हुतायां जघनेन गार्हपत्यमुदङ् वावातया सह संविशति । तदेवापीतराः संविशंति । सोऽतरोरू असंवर्तमानः शेते । अनेन तपसा स्वस्ति संवत्सरस्योदचं समश्नवा इति ॥ ९ ॥

प्रातराहुत्यां हुतायामध्वर्युः पूर्णाहुतिं जुहोति । सर्वं वै पूर्णम् । सर्वमश्वमेधः । सर्वस्याप्त्यै । सर्वस्यावरुद्ध्यै । तस्यां वरेण वाचं विसृजते । वरं ददामि ब्रह्मण इति । सर्वं वै वरः । सर्वमश्वमेधः । सर्वस्याप्त्यै । सर्वस्यावरुद्ध्यै ॥ १० ॥

अथ योऽस्य निष्कः प्रतिमुक्तो भवति । तमध्वर्यवे ददाति । अध्वर्यवे दददमृतमायुरात्मन्धत्ते । अमृतं ह्यायुर्हिरण्यम् ॥ ११ ॥

सायमाहुत्यां हुतायां जघनेन गार्हपत्यं पश्चाद्गार्हपत्यस्य समीपे । उदङ् उदक्शिराः । तदेव तत्रैव इतरा अपि जायाः संविशंति । ता अंतरोरू शेते । असंवर्तमानः मैथुनमनुपगच्छन् । अनेन तपसा सन्निहित-प्रियाऽनुपगमनेन स्वस्ति क्षेमेण अश्वरक्षणसंवत्सरस्य उदचं समाप्तिं सम्यक् अश्नवै । "अशू व्याप्तौ"—(धा. पा. स्वा. आ. १८) प्राप्नुयाम् । इति प्रार्थयमानः शेते ॥ ९ ॥

प्रातराहुत्यां हुतायाम् ॥ १० ॥ ११ ॥

१—अग्न्याधेयवत्प्रविश्य हुतेऽग्निहोत्रेऽपरेण गार्हपत्यमुदक्शिराः संविशति । ऊर्वन्तरे वावातायाः ब्रह्मचारी । इतराश्चान्वक् इति च । का. श्रौ. सू. २० । १७—१९ ।

२—प्रातराहुत्यां हुतायां पूर्णाहुत्यंते वरदानं ब्रह्मणे । का. श्रौ. सू. २० । १९ । २० । आवरदानाद्वाग्यमनम् । का. श्रौ. सू. २० । ११ । अध्वर्यवे च प्रतिमुक्तं निष्कम् । का. श्रौ. सू. २० । २१ ।

(मू) अथाग्नेयीमिष्टिन्निर्व्वपति । पथश्च कामाय यज्ञमुखस्य चाछ-
म्बट्कारायाथोऽअग्निमुखाऽउ वै सर्व्वा देवताः सर्व्वे कामाऽअश्व-
मेधे मुखतः सर्व्वान्देवान्प्रीत्वा सर्व्वान्कामानाप्नवानीति ॥ १२ ॥
तस्यै पञ्चदश सामिधेन्यो भवन्ति । पञ्चदशो वै व्वज्रो व्वीर्य्यंम्वज्रो
व्वज्रेणैवैतद्वीर्य्येण यजमानः पुरस्तात्पाप्मानमपहते व्वार्त्रघ्नावाज्यभागौ
पाप्मा वै व्वृत्रः पाप्मनोऽपहत्याऽअग्निर्म्मूर्द्धा दिवः ककुद्भुवो यज्ञस्य
रजसश्च नेतेत्युपाᳪंशु हविषो याज्याऽनुवाक्ये मूर्द्धन्वत्यन्या भवति सद्व-
त्यन्यैष वै मूर्द्धा यऽएष तपत्येतस्यैवावरुद्ध्याऽअथ यत्सद्वती सदेवा-
वरुन्द्धे व्विराजौ संयाज्ये सर्व्वदेवत्यम्वाऽएतच्छन्दो यद्विराट् सर्व्वे
कामाऽअश्वमेधे सर्व्वान्देवान्प्रीत्वा सर्व्वान्कामानाप्नवानीति हिरण्यं
दक्षिणा सुवर्णᳪं शतमानन्तस्योक्तम्ब्राह्मणम् ॥ १३ ॥

अथाग्नेयीष्टिः ।

अथाग्नेयीमिष्टिं निर्वपति । पथश्च कामाय । यज्ञमुखस्य चाछंवट्काराय । अथो अग्निमुखा उ वै सर्वा देवताः । सर्वे कामा अश्वमेधे । मुखतः सर्वान्देवान्प्रीत्वा । सर्वान्कामानाप्नवानीति॥१२॥

तस्यै पंचदश सामिधेन्यो भवंति । पंचदशो वै वज्रः । वीर्यं वज्रः । वज्रेणैवैतद्वीर्येण यजमानः पुरस्तात्पाप्मानमपहते । वार्त्रघ्नावाज्यभागौ । पाप्मा वै वृत्रः । पाप्मनोऽपहत्यै । " अग्निर्मूर्द्धा दिवः ककुत "–(वा. सं. १३ । १४) " भुवो यज्ञस्य रजसश्च नेता "–(वा. सं १३ । १५) इति उपांशु हविषो याज्याऽनुवाक्ये । मूर्द्धन्वत्यन्या भवति । सद्वत्यन्या । एष वै मूर्द्धा । य एष तपति । एतस्यैवावरुद्धयै । अथ यत्सद्वती । सदेवावरुन्धे । विराजौ संयाज्ये । सर्वदेवत्यं वा

अथाग्नेयीमिष्टिमिति । पुरोडाशहविषम् । पथः यज्ञपथस्य कामाय प्राप्तये । न यज्ञपथादयानीति । इत्येवाग्नेयः क्रियत इत्यर्थः । यज्ञमुखस्य चारंभस्य । अछंवट्काराय अनंतरा कथं हि यज्ञमुखं यज्ञशून्यं स्यादित्यर्थः ॥ १२ ॥

तस्यै पंचदश । मूर्द्धन्वत्यन्या । एते हविषो याज्याऽनुवाक्ये उपांशु भवतः । मूर्द्धन्वती एव । न सद्वती । अन्या एका च प्रथमा भवति । सा सद्वती अन्या " भुवो यज्ञस्य "–इत्येषा । भुवः भवसि इत्यनेन पादसत्ता भवन-

---

१–पुरोडाशोऽग्नये पथिकृते । का. श्रौ. सू. २० । २२ ।

२–कर्कः–स चोपांशुर्भवतीति अत्रैव सूत्रे व्याख्यत् । का. श्रौ. सू. २० । २२ भाष्ये । शतमानं दक्षिणा सौवर्णम् । का. श्रौ. सू. २० । २३ । (शतमाने सौवर्णमानं न राजतं, इति अत्रैव कर्कः । सौवर्णं शतमानं सुवर्णरक्तिकाशतानि, इति कर्कः)। हिरण्यपरिमाणेऽन्यत्रापि । का. श्रौ. सू. २० । २४ । (अन्यत्रापि दाक्षायणादावपि सौवर्णमेव न राजतम्)।

३–पादसत्ताभवनमुपात्तम् । एकादशाक्षरात्मकपादचतुष्केण चतुश्चत्वारिंशदक्षरायाश्चतुष्पदाया भुवो यज्ञस्येति त्रिष्टुभः प्रथमे पादे 'भवसि' 'भविता' वा इत्यस्य स्थाने 'भुवः' इति एकाक्षरसंकोचात्मकपदविन्यासेन, एकादशाक्षरात्मकपादन्यासस्थितिसंपादनमिति भावः ॥

(मु) अथ पौष्णीन्निर्व्वपति । पूषा वै पथीनामधिपतिरश्वायैवैतत्स्वस्त्ययनङ्करोत्यथोऽइयम्वै पूषेमामेवास्माऽ एतद्गोप्त्रीङ्करोति तस्य हि नार्त्तिरस्ति न ह्वला यमियमध्वन्गोपायतीमामेवास्माऽएतद्गोप्त्रीङ्करोति ॥ १४ ॥

तस्यै सप्तदश सामिधेन्यो भवन्ति । सप्तदशो वै प्रजापतिः प्रजापतिरश्वमेधोऽश्वमेधस्यैवाप्त्यै वृधन्वन्तावाज्यभागौ यजमानस्यैव वृद्ध्यै पूषँस्तव व्रते वयम्पथस्पथः परिपतिम्वचस्येत्युपाꣳशु हविषो याज्याऽनुवाक्ये व्रतवत्यन्या भवति पथन्वत्यन्या व्वीर्य्यम्वै व्रतम्वीर्य्यस्याप्त्यै व्वीर्य्यस्यावरुद्ध्याऽअथ यत्पथन्वत्यश्वायैवैतत्स्वस्त्ययनङ्करोत्यनुष्टुभौ संयाज्ये व्वाग्वाऽअनुष्टुब्वाग्वै प्रजापतिः प्रजापतिरश्वमेधोऽश्वमेधस्यैवाप्त्यै व्वासःशतन्दक्षिणा रूपम्वाऽएतत्पुरुषस्य यद्वासस्तस्माद्यमेव कञ्च सुवाससमाहुः को न्वयमिति रूपसमृद्धो हि भवति रूपेणैवैनꣳ

एतच्छंदः । याद्विराट् । सर्वे कामा अश्वमेधे । सर्वान् देवान्प्रीत्वा । सर्वान्कामानाप्नवानीति । हिरण्यं दक्षिणा । सुवर्णं शतमानम् । तस्योक्तं ब्राह्मणम् ॥ १३ ॥

अथ पौष्णीष्टिः ।

अथ पौष्णीं निर्वपति । पूषा वै पथीनामधिपतिः । अश्वायैवैतत्स्वस्त्ययनं करोति । अथो इयं वै पूषा । इमामेवास्मा एतत् गोप्त्रीं करोति । तस्य हि नार्तिरस्ति । न ह्वला । यमियमध्वन् गोपायति । इमामेवास्मा एतत् गोप्त्रीं करोति ॥ १४ ॥

तस्य सप्तदश सामिधेन्यो भवन्ति । सप्तदशो वै प्रजापतिः । प्रजापतिरश्वमेधः । अश्वमेधस्यैवाप्त्यै । वृधन्वन्तावाज्यभागौ । यजमानस्यैव वृद्ध्यै । " पूषंस्तव व्रते वयम् " । " पथस्पथः

मुपात्तम् । भविता वा " अग्निस्तिग्मेन "–(वा. सं. १७ । ७६) सा या सद्वती एका । मूर्धन्वत्यपि तु भवत्येव सा " मूर्द्धानं दधिषे " इत्यनेन मूर्धन्वत्येव अन्यां भवति । न सद्वती । इत्येवमवधृतम् । नत्वेव सर्वं धार्यते । इत्येव मूर्द्धन्वती भवति । सदेवेति ॥ १३ ॥

अथ पौष्णीम् । पौष्णं चरुमित्यर्थः । पूषा वै पथीनां पथां यः अधिपतिः ॥ १४ ॥ १५ ॥

इति श्रीमदाचार्यहरिस्वामिनः कृतौ माध्यन्दिनीयशतपथब्राह्मणभाष्ये त्रयोदशे कांडे चतुर्थेऽध्याये प्रथमं ब्राह्मणम् ॥ १३ ॥ ४ ॥ १ ॥

१–पौष्णं चरुं निर्व्वपति व्वासःशतं दक्षिणा का. श्रौ. सू. २० । २५ । (अयमप्युपांश्वेव) तथाऽस्यां कंडिकायां श्रुतिः " पूषंस्तव व्रते व्वयं पथस्पथः परिपतिं वचस्येति उपांशु हविषो याज्यानुवाक्ये व्रतवत्यन्या भवति पथन्वत्यन्येति । व्रतवती पूषंस्तव व्रते व्वयमिति वा. सं. ३४–४१ । पथन्वती पथस्पथः परिपतिं व्वचस्येति वा. सं. ३४–४२ ॥

सुमर्द्धयति शुतम्भवति शुतायुर्व्वै पुरुषः शुतेन्द्रियऽआयुरेवेन्द्रियम्वीर्य्य-मात्मुन्धत्ते ॥ १९ ॥

इति द्वितीयप्रपाठके चतुर्दशं ब्राह्मणम् ॥ १३।२।१४ ॥ (४।१) ॥

एतुस्यान्तायुमानायाम् । (म) अश्वन्निक्त्वोदानयन्ति युस्मिन्त्सर्व्वाणि रूपाणि भवन्ति यो वा जवसमृद्धः सहस्राहंम्पूर्व्व्यं यो दक्षिणायां धुर्य्य-म्प्रतिधुरः ॥ १ ॥

(स्त) तद्युत्सर्व्वरूपो भवति । सुर्व्वं वै रूपछं सुर्व्वमश्वमेधः सुर्व्व-स्याप्त्यै सुर्व्वस्यावरुद्ध्याऽअथ युज्जवसमृद्धो व्वीर्य्यम्वै जवो व्वीर्य्य-

---

परिपातिं वचस्या "-(वा. सं. ३४ । ४१ । ४२) इत्युपांशु हविषो याज्यानुवाक्ये । व्रतवत्यन्या भवति । पथन्वत्यन्या । वीर्यं वै व्रतम् । वीर्यस्याप्त्यै । वीर्यस्यावरुद्ध्यै । अथ यत्पथ-न्वती । अश्वायैवैतत्स्वस्त्ययनं करोति । अनुष्टुभौ संयाज्ये । वाग्वा अनुष्टुप् । वाग्वै प्रजापतिः । प्रजापतिरश्वमेधः । अश्वमेधस्यैवाप्त्यै । वासःशतं दक्षिणा । रूपं वा एतत्पुरुषस्य—यद्वासः । तस्माद्यमेव कं च सुवाससमाहुः । को न्वयमिति । रूपसमृद्धो हि भवति । रूपेणैवैनं समर्द्धयति । शतं भवति । शतायुर्वै पुरुषः शतेन्द्रियः । आयुरेवेन्द्रियं वीर्यमात्मन्धत्ते ॥ १९ ॥

एतस्यां तायमानायामश्वं निक्त्वोदानयन्ति । यस्मिन्सर्वाणि रूपाणि भवन्ति । यो वा जवसमृद्धः । सहस्राहं पूर्व्यम् । यो दक्षिणायां धुर्यप्रतिधुरः ॥ १ ॥

तद्यत्सर्वरूपो भवति । सर्वं वै रूपम् । सर्वमश्वमेधः । सर्वस्याप्त्यै । सर्वस्यावरुद्ध्यै । अथ यत् जवसमृद्धः । वीर्यं वै जवः । वीर्यस्याप्त्यै । वीर्यस्यावरुद्ध्यै । अथ यत्सहस्राहः । सर्वं वै सहस्रम् । सर्वमश्वमेधः । सर्वस्याप्त्यै । सर्वस्यावरुद्ध्यै । अथ यत् पूर्व्यः । एष वा अपरिमितं वीर्यमभिवर्धते । यत् पूर्व्यः । अपरिमितस्यैव वीर्यस्यावरुद्ध्यै । अथ यद्दक्षिणायां धुर्यप्रतिधुरः । एष वा एषः । य एष तपति । न वा एतं कश्चन प्रतिप्रतिः । एतस्यैवावरुद्ध्यै ॥ २ ॥

एतस्यां तायमानायामिति । एतस्यां पौष्ण्यामिष्टौ तायमानायां निक्त्वा अश्वं स्नापयित्वा आनयंति यज-मानपुरुषाः । यस्मिन्नश्वे सर्वाणि शुक्लरक्तपीतकृष्णानि रूपाणि भवंति । यो वा जवसमृद्धः । सर्वसमुच्चये वा-शब्दः । इति स्वभावेन वेगेन जवनत्वेन समृद्धः स्यादित्यवधारणं विरुध्येत । सहस्राहं सहस्रं गवां मूल्यं यः अर्हति स सहस्राहः । पूर्व्यं प्रथमे वयसि वर्तमानायां प्रथमायां जातम् । दक्षिणायां धुरि अप्रतिधुरः । प्रति-धारयिता प्रतिधुरः । नास्ति प्रतिधुरो यस्येति अप्रतिधुरः । अन्येभ्यो दक्षिणधुर्येभ्य उत्कृष्ट इत्यर्थः ॥ १ ॥

य एष तपति । य एषः अश्वो मध्यः आदित्यः अधिदैवमित्यर्थः । न वा एतमादित्यं कश्चिदपि प्रतिप्रतिः (मासाम्यः ?) समोऽस्तीत्यर्थः ॥ २ ॥ ३ ॥

१-सर्वरूपं वा । का. श्रौ. सू. २० । २७ । २-शीघ्रम् । का. श्रौ. सू. २० । २८ । ३-साहस्रम् । का. श्रौ. सू. २० । ३० । ४-दक्षिणाधुर्यसमम् । का. श्रौ. सू. २० । २९ ॥

स्याप्त्यै व्विश्वस्यावरुद्धचाऽअथ यत्सहस्रार्हः सर्व्वम्वै सहस्रꣳ सर्व्व-मश्वमेधः सर्व्वस्याप्त्यै सर्व्वस्यावरुद्धचाऽअथ यत्पूर्व्यऽ एष वाऽ अप-रिमितम्वीर्य्यमभिवर्द्धते यत्पूर्व्योऽपरिमितस्यैव व्वीर्य्यस्यावरुद्धचाऽ अथ यद्दक्षिणायान्धुर्य्यप्प्रातिधुर ऽएष वाऽएष यऽ एष तपति न वाऽ एतं कश्चन प्प्रातिप्प्रातिरेतस्यैवावरुद्धचै ॥ २ ॥

तदु होवाच भाल्लवेयः । (यो) द्विरूपऽएवैषोऽश्वः स्यात्कृष्णसारङ्गः प्प्रजापतेर्व्वा एषोऽक्ष्णः समभवद्द्विरूपम्वाऽ इदञ्चक्षुः शुक्लञ्चैव कृष्णञ्च तदेनꣳ स्वेन रूपेण समर्द्धयतीति ॥ ३ ॥

(त्यु) अथ होवाच सात्ययज्ञिः । (स्त्रि) त्रिरूपऽएवैषोऽश्वः स्यात्तस्य कृष्णः पूर्व्वार्द्धः शुक्लोऽपरार्द्धः कृत्तिकाञ्जिः [1]पुरस्तात्तद्य-त्कृष्णः पूर्व्वार्द्धो भवति यदेवेदङ्कृष्णमक्ष्णस्तदस्य तदथ यच्छु-क्लोऽपरार्द्धो यदेवेदꣳ शुक्लमक्ष्णस्तदस्य तदथ यत्कृत्तिकाञ्जिः पुर-स्तात्सा कनीनका सऽ एव रूपसमृद्धोऽतो यतमोऽस्योपकल्पेत बहुरूपो वा द्विरूपो वा त्रिरूपो वा कृत्तिकाञ्जिस्तमालभेत जवेन त्वेव समृद्धः स्यात् ॥ ४ ॥

तदु होवाच भाल्लवेयः । द्विरूप एवैषोऽश्वः स्यात्, कृष्णसारङ्गः । प्रजापतेर्वा एषोऽक्ष्णः सम-भवत् । द्विरूपं वा इदं चक्षुः—शुक्लं चैव कृष्णं च । तदेनं स्वेन रूपेण समर्धयतीति ॥ ३ ॥

अथ होवाच सात्ययज्ञिः । त्रिरूप एवैषोऽश्वः स्यात् । तस्य कृष्णः पूर्वार्धः । शुक्लोऽपरार्द्धः । कृत्तिकांजिः पुरस्तात् । तद्यत् कृष्णः पूर्वार्द्धो भवति । यदेवेदं कृष्णमक्ष्णः । तदस्य तत् । अथ यत् शुक्लोऽपरार्द्धः । यदेवेदं शुक्लमक्ष्णः । तदस्य तत् । अथ यत् कृत्तिकांजिः पुरस्तात् । सा कनी-नका । स एव रूपसमृद्धः । अतो यतमोऽस्योपकल्पेत । बहुरूपो वा द्विरूपो वा त्रिरूपो वा कृत्तिकांजिः । तमालभेत । जवेन त्वेव समृद्धः स्यात् ॥ ४ ॥

कृत्तिकांजिः कृत्तिका शकटं अंजि पुंड्रं यस्य सः कृत्तिकांजिः ॥ ४ ॥

१—त्रिरूपं वा ललामम् । कृत्तिकांजिं वा । पूर्वकायकृष्णं शुक्लापरम् कृष्णसारंगं वा । का. श्रौ. सू. २०।२७.३०–३५ ॥

(त्तु) तस्यैते पुरस्ताद्रक्षितारऽ उपक्लृप्ता भवन्ति । राजपुत्राः कवचिनः शतꣳ राजन्या निषङ्गिणः शतꣳ सूतग्रामण्याम्पुत्राऽ इषुपर्षिणः शतं क्षात्त्रसंग्रहीतॄणाम्पुत्रा दण्डिनः शतमश्वशतन्निरष्टन्निरमणं यस्मिन्नेनमपिसृज्य रक्षन्ति ॥ ५ ॥

(न्त्यु) अथ सावित्रीमिष्टिन्निर्व्वपति । सवित्रे प्रसवित्रे द्वादशकपालम्पुरोडाशꣳ सविता वै प्प्रसविता सविता मऽ इमं यज्ञम्प्रसुवादिति ॥ ६ ॥

तस्यै पञ्चदश सामिधेन्यो भवन्ति । व्वार्त्रघ्नावाज्यभागौ यऽइमा व्विश्वा जातान्या देवो यातु सविता सुरत्नऽइत्युपांꣳशु हविषो याज्याऽनु-

---

तस्यैते पुरस्तात् रक्षितार उपक्लृप्ता भवंति । राजपुत्राः कवचिनः शतम् । राजन्या निषंगिणः शतम् । सूतग्रामण्यां पुत्रा इषुपर्षिणः शतम् । क्षात्त्रसंग्रहीतॄणां पुत्रा दंडिनः शतम् । अश्वशतं निरष्टं निरमणम् । यस्मिन्नेनमपिसृज्य रक्षंति ॥ ५ ॥

अथ सावित्रीष्टिः ।

अथ सावित्रीमिष्टिं निर्वपति । सवित्रे प्रसवित्रे द्वादशकपालं पुरोडाशम् । सविता वै प्रसविता । सविता म इमं यज्ञं प्रसुवादिति ॥ ६ ॥

तस्यै पंचदश सामिधेन्यो भवंति । वार्त्रघ्नावाज्यभागौ । " य इमा विश्वा जातानि "

राजपुत्राः अभिषिक्तपुत्राः । कवचः सन्नाहः तद्वंतः कवचिनः । राजन्याः क्षत्रियाः । निषंगिणः खड्गिनः । इषुपर्षिणः " पृषु वृषु मृषु सेचने " (धा. पा. भ्वा. प. ७०६) इषून् साधु पर्षंति अस्यंतीति इषुपर्षिणः । क्षत्तारः आयव्ययाध्यक्षाः तेषां समूहः क्षात्रम् । संग्रहीतारः स्वभूताः । क्षात्रं च संग्रहीतारश्च तेषां पुत्रा दंडिनः । अश्वशतं यस्मिन्नेनमश्वं संसृज्य रक्षंति । कीदृशं तत् । निरष्टम् । अश्वस्य दंतगतानि अष्टौ वयोव्यंजनानि भवंति । तेषामेषां त्रीणि त्रीणि पर्वाण्यनुवर्तंते । तानि अष्टौ व्यंजनानि निर्गतानि यस्मात् शतात् इति निरष्टम् । अतीतचतुर्विंशतिवर्षमित्यर्थः । पुनः कीदृशं ? निरमणम् निर्गतं रमणं क्रीडनं वृद्धतया यस्मात् इति निरमणं गतयौवनम् ॥ ५ ॥ ६ ॥

" य इमा३ विश्वा जातानि " " आ देवो यातु सविता सुरत्नः " इत्याद्याः तिसृष्वपीष्टिषु याज्याऽनु-

---

१–द्वादशकपालान्निर्वपति मित्रतंत्राञ्छतमानदक्षिणान् मध्यमस्य राजतः सवित्रे प्रसवित्रे सवित्र आसवित्रे सवित्रे सत्यप्रसवायेति । का. श्रौ. सू. २०।४५। आश्वलायनश्रौतसूत्रे तु सावित्र्यस्तिस्र इष्टयोऽहरहर्वं राजतंत्राः सविता सत्यप्रसवः प्रसावित आसावीतेति । उ. ष. ६।४।६ । इतीष्टीनां व्युत्क्रमः प्रतिपादितः ॥

२–देवा आशापाला इति रक्षिणोऽस्यादिशत्यनुचरीजातीयांस्तावतस्तावतः । कवचिनिषंगिकलापिदंडिनो यथासंख्यम् । का. श्रौ. सू. २०।५० । अनुचरीजातयस्तु " राजदुहितरः प्रथमायाः " । " राजन्यानां द्वितीयायाः " । " सूतग्रामण्यां तृतीयायाः " । " क्षात्रसंग्रहीतॄणां चतुर्थ्याः " । का. श्रौ. सू. २०।१३–१६। तावतस्तावतः शतं शतमित्यर्थः ॥

३–ऋग्वेद–अ. ४ अ. ४ व. २६ ऋ. ४ " य इमा विश्वा जातान्याश्रावयति श्लोकेन । प्र च सुवाति सविता । १ । ऋग्वे. ५।४।१२।१। आ देवो याति सविता सुरत्नोऽन्तरिक्षप्रा वहमानो अश्वैः । हस्ते दधानो नर्या पुरूणि निवेशयंच प्रसुवं च भूम ।२।

वाक्ये विराजौ संयाज्ये हिरण्यन्दक्षिणा सुवर्णꣳ शतमानन्तस्योक्त-म्ब्राह्मणम् ॥ ७ ॥

(न्तु) तस्यै प्रयाजेषु तायमानेषु । ब्राह्मणो वीणागाथी दक्षिणत ऽउत्तरमन्द्रामुदाघ्नंस्तिस्रः स्वयꣳ सम्भृता गाथा गायतीत्ययजतेत्यददा-दिति तस्योक्तम्ब्राह्मणम् ॥ ८ ॥

(मु) अथ द्वितीयान्निर्वपति । सवित्र ऽआसवित्रे द्वादशकपालम्पु-रोडाशꣳ सविता वाऽआसविता सविता मऽइमं यज्ञमासुवादिति ॥ ९ ॥
कांडस्यार्द्धम् ॥ २१६ ॥

तस्यै सप्तदश सामिधेन्यो भवन्ति । सद्वन्तावाज्यभागौ सदेवावरुन्द्धे विश्वानि देव सवितः सधा नो देवः सविता सहावेत्युपाꣳशु हविषो याज्याऽनुवाक्येऽअनुष्टुभौ संयाज्ये रजतꣳ हिरण्यन्दक्षिणा नानारूप-

---

" आदेवो यातु सविता सुरत्नः " इत्युपांशु हविषो याज्याऽनुवाक्ये । विराजौ संयाज्ये । हिरण्यं दक्षिणा । सुवर्णं शतमानम् । तस्योक्तं ब्राह्मणम् ॥ ७ ॥

तस्यै प्रयाजेषु तायमानेषु ब्राह्मणो वीणागाथी दक्षिणत उत्तरमंद्रामुदाघ्नन् तिस्रः स्वयं-संभृता गाथा गायति, इत्ययजत, इत्यददादिति । तस्योक्तं ब्राह्मणम् ॥ ८ ॥

अथ द्वितीयां निर्वपति । सवित्र आसवित्रे द्वादशकपालं पुरोडाशम् । सविता वा आसविता । सविता म इमं यज्ञमासुवादिति ॥ ९ ॥

तस्यै सप्तदश सामिधेन्यो भवन्ति । सद्वन्तावाज्यभागौ । सदेवावरुन्धे । " विश्वानि देव सवितः " " सधा नो देवः सविता सहाव " इत्युपांशु हविषो याज्याऽनुवाक्ये । अनु-

---

वाक्याः ब्राह्मणे समाम्नाताः । तासां एषः लिंगक्रमसमाख्यानैरेव विनियोगो द्रष्टव्यः । न वाचनिकः । तथा हि सति " तत्सवितुर्वरेण्यम् " (वा.सं. ३।२) इत्यादयो गायत्र्यो मंत्रसमाम्नायपठिता याज्याऽनुवाक्याकार्ये एतास्ताभिः सह विकल्पमाना अर्थवत्यो भविष्यंति । इतरथा तु अनवकाशा एव स्युः ॥ ७–९ ॥

सद्वंतावाज्यभागौ । नानारूपतायै । मध्ये रजतं अभितः सुवर्णं, इत्येवं क्रियमाणे नानारूपास्तिस्रोऽपीष्ट्यो

१–प्रयाजेषु दक्षिणतो ब्राह्मणो यजमानस्य यज्ञदानयुक्ताः स्वयं कृतास्तिस्रो गाथा गायत्युत्तरमंद्रायाम् । का.श्रौ.सू. २०।२।७। ब्राह्मणग्रहणात् ऋत्विग्व्यतिरिक्तो ब्राह्मणः,उत्तरमन्द्रा गाऩ्नप्रसिद्धा उत्तरमंद्रानाम्नी वीणा, तस्योक्तं ब्राह्मणम् । श. प. १३ । १ । ५ । १–६ । २–ऋग्वे. ४ । ४ । २५ । ५ । विश्वानि देव सवितर्दुरितानि परा सुव । यद्भद्रं तन्न आसुव ॥ १ ॥ ऋग्वे. । ५ । ४।१२।३। सधा नो देवः सविता सहावासाविषद्वसु पतिर्वसूनि ॥ विश्रयमाणो अमतिमुरूचीं मर्तभोजनमध रासते नः ॥ २ ॥
३–वा. सं. २२।९।१४ । तत्सवितुः हिरण्यपा देवस्यचे सुष्टुतिम् रातिश्स० देवस्य स० ६ ।

ताया ऽ अथो ऽ उत्क्रमायानपक्रमाय शतमानं भवति शतायुर्वै पुरुषः शतेन्द्रिय ऽ आयुरेवेन्द्रियम्वीर्य्यमात्मन्धत्ते ॥ १० ॥

तस्यै प्रयाजेषु तायमानेषु । ब्राह्मणो वीणागाथी दक्षिणत ऽ उत्तरमन्द्रामुदाघ्नंस्तिस्रः स्वयꣳ सम्भृता गाथा गायतीत्ययजतेत्यददादिति तस्योक्तम्ब्राह्मणम् ॥ ११ ॥

(म) अथ तृतीयान्निर्व्वपति । सवित्रे सत्यप्रसवाय द्वादशकपालम्पुरोडाशमेष ह वै सत्यः प्रसवो यः सवितुः सत्येन मे प्रसवेनेमं यज्ञम्प्रसुवादिति ॥ १२ ॥

तस्यै सप्तदशैव सामिधेन्यो भवन्ति । रयिमन्तावाज्यभागौ व्वीर्य्यं वै रयिर्व्वीर्य्यस्याप्त्यै व्वीर्य्यस्यावरुद्ध्या ऽ आ विश्वदेवꣳ सत्पतिम्न प्रमिये सवितुर्दैव्यस्य तदित्युपाꣳशु हविषो याज्याऽनुवाक्ये नित्ये संयाज्ये नेद्यज्ञपथादयानीति क्लृप्त ऽ एव यज्ञोऽन्ततः प्रतितिष्ठति त्रिष्टुभौ भव-

---

ष्टुभौ संयाज्ये । रजतं हिरण्यं दक्षिणा । नानारूपतायै । अथो उत्क्रमायानपक्रमाय । शतमानं भवति । शतायुर्वै पुरुषः शतेन्द्रियः । आयुरेवेन्द्रियं वीर्यमात्मन् धत्ते ॥ १० ॥

तस्यै प्रयाजेषु तायमानेषु । ब्राह्मणो वीणागाथी दक्षिणत उत्तरमंद्रामुदाघ्नन् तिस्रः स्वयं संभृता गाथा गायति, इत्ययजत, इत्यददादिति । तस्योक्तं ब्राह्मणम् ॥ ११ ॥

अथ तृतीयां निर्वपति । सवित्रे सत्यप्रसवाय द्वादशकपालं पुरोडाशम् । एष ह वै सत्यः प्रसवः । यः सवितुः । सत्येन मे प्रसवेनेमं यज्ञं प्रसुवादिति ॥ १२ ॥

तस्यै सप्तदशैव सामिधेन्यो भवंति । रयिमंतावाज्यभागौ । वीर्यं वै रयिः । वीर्यस्याप्त्यै । वीर्यस्यावरुद्ध्यै । "आ विश्वदेवं सत्पतिम्"। "न प्रमिये सवितुर्दैव्यस्य तत्" इत्युपांशु हविषो याज्याऽनुवाक्ये । नित्ये संयाज्ये । नेद्यज्ञपथादयानीति । क्लृप्त एव यज्ञोऽन्ततः प्रतिति-

---

भवंति । अथो उत्क्रमाय । सुवर्णं प्रथमामिष्टिमुत्क्रम्य उत्तमायां वर्तते इत्युक्तः सः किमर्थं ? अनपक्रमाय । एवं रजतान्तरितम्[२] ॥ १०–१९ ॥

१–ऋग्वे. । ४ । ४ । २६ । २ । आ विश्वदेवं सत्पतिं सूक्तैरद्या वृणीमहे ॥ सत्यसवं सवितारम् ॥ १ ॥ न प्रमिये सवितुर्दैव्यस्य तद्यथा विश्वं भुवनं धारयिष्यति ॥ यत्पृथिव्या वरिमन्नास्वंगुरिर्वर्ष्मन्दिवः सुवति सत्यमस्य तत् ॥ २ ॥ अ. ३ अ. ८ व. ५ ऋ. । ४ । शांखायनानां वर्ष्मन् इत्यत्र चर्ष्मन् इति पाठः ।

२–राजतं शतमानं, देवयाज्ञिकभाष्ये । द्वे कृष्णले समधृते विज्ञेयो रूप्यमाषकः ॥ तैः षोडशभिर्धरणम् । धरणानि दशैव स्यात् शतमानं तु राजतमिति ॥

तऽ इन्द्रियम्वै व्वीर्य्यं त्रिष्टुबिन्द्रियस्यैव व्वीर्य्यस्यावरुद्ध्यै हिरण्यन्दक्षिणा सुवर्ण्णᳯं शतमानं तस्योक्तम्ब्राह्मणम् ॥ १३ ॥

(न्तु) तस्यै प्रयाजेषु तायमानेषु । ब्राह्मणो व्वीणागाथी दक्षिणतऽ-उत्तरमन्द्रामुदाघ्नंस्तिस्रः स्वयᳯं सम्भृता गाथा गायतीत्ययजतेत्यदद्-दादिति तस्योक्तम्ब्राह्मणम् ॥ १४ ॥

(मे) एतस्याᳯं सᳯंस्थितायाम् । (मु) उपोत्थायाध्वर्य्युश्च यज-मानश्चाश्वस्य दक्षिणे कर्ण्णऽआजपतो व्विभूर्म्मात्रा प्प्रभूः पित्रेति तस्योक्त-म्ब्राह्मणमथैनमुदञ्चम्प्राञ्चम्प्रसृजतऽ एषा ह्युभयेषान्देवमनुष्याणां दिग्य-दुदीची प्राची स्वायामेवैनं तद्दिशि धत्तो न वै स्वऽआयतने प्प्रतिष्ठितो रिष्यत्यरिष्ट्यै ॥ १५ ॥

सऽआह देवाऽआशापालाः । (ऽ) एतन्देवेभ्योऽश्वम्मेधाय प्प्रोक्षि-तᳯं रक्षतेत्युक्ता मानुषाऽआशापालाऽअथैते देवाऽआप्याः साध्याऽ

छाति । त्रिष्टुभौ भवतः । इंद्रियं वै वीर्यं त्रिष्टुप् इन्द्रियस्यैव वीर्यस्यावरुद्ध्यै । हिरण्यं दक्षिणा । सुवर्णं शतमानम् । तस्योक्तं ब्राह्मणम् ॥ १३ ॥

तस्यै प्रयाजेषु तायमानेषु ब्राह्मणो वीणागाथी दक्षिणत उत्तरमंद्रामुदाघ्नन् तिस्रः स्वयं संभृता गाथा गायति, इत्ययजत, इत्यददादिति । तस्योक्तं ब्राह्मणम् ॥ १४ ॥

एतस्यां संस्थितायाम्, उपोत्थायाध्वर्युश्च यजमानश्च अश्वस्य दक्षिणे कर्णं आजपतः । " विभूर्मात्रा प्रभूः पित्रा "-(वा.सं.२२।१९) इति । तस्योक्तं ब्राह्मणम् । अथैनमुदंचं प्रांचं प्रसृजतः । एषा ह उभयेषां देवमनुष्याणां दिक् । यदुदीची प्राची । स्वायामेवैनं तद्दिशि धत्तः । न वै स्व आयतने प्रतिष्ठितो रिष्यत्यरिष्ट्यै ॥ १५ ॥

स आह-" देवा आशापाला एतं देवेभ्योऽश्वं मेधाय प्रोक्षितं रक्षत "-(वा. सं.

मानुषा दिक्पालाः राजपुत्राः कवचिन इत्यादयः । अथ एते वक्ष्यमाणाः देवा दिक्पालाः । आप्याः साध्या इत्यादयः ॥ १६ ॥

१-तस्योक्तं ब्राह्मणम् श. प. १३ । १ । १ । ३ । ४ ॥ १३ । १ । ५ । ६ । आ. श्रौ. सू. उ. ष. ६ । ४ । ६ । " य इमा विश्वा जातानि " " आ देवो यातु सविता सुरत्नः" इति । १ । ५ । ४ । १२ । ३ । सघा नो देवः सविता सहावेति द्वे, इत्येवं सावित्रीष्टीनां याज्यापुरोऽनुवाक्याः ॥ २ ॥ ऋग्वे० । ५ । ४ । १२ । ४ । इमा गिरः सवितारं सुजिह्वं पूर्णगभस्तिमीळते सुपाणिम् ॥ चित्रं नमो बृहदस्मे दधातु यूयं पात स्वस्तिभिः सदा नः । २ । इति सघा नो देव इत्यस्या द्वितीया ऋक् ॥

२-अध्वर्युयजमानौ दक्षिणेऽश्वकर्णे जपतो व्विभूर्मात्रेति । का. श्रौ. सू. २० । ४८ । व्विभूर्मात्रा (वा. सं. २२ । १९) तस्योक्तं ब्राह्मणम् (श. प. १३ । १ । ६ । १ । २ ।) पशुवदुत्सर्जनं निरष्टेऽश्वशते । का. श्रौ. सू २० । ४९ । प्रागुदीचीति उत्तरपूर्वा दिक् । ३-देवा आशापाला इति रक्षिणोऽस्यादिशति । का. श्रौ. सू. २० । ५० ।

अन्वाध्या मरुतस्तमेतऽ उभये देवमनुष्याः सम्विदानाऽ अप्रत्यावर्त्तयन्तः सम्वत्सरꣳ रक्षन्ति तद्यन्न प्रत्यावर्त्तयन्त्येष वाऽएष यऽएष तपति कऽ उ ह्येतमर्हति प्रत्यावर्त्तयितुं यद्धचेनम्प्रत्यावर्त्तयेयुः परागेवेदꣳ सर्वꣳ स्यात्तस्मादप्रत्यावर्त्तꣳ रक्षन्ति ॥ १६ ॥

सऽआहाशापालाः । (०) ये वाऽ एतस्योदृचङ्गमिष्यन्ति राष्ट्रन्ते भविष्यन्ति राजानो भविष्यन्त्यभिषेचनीयाऽअथ यऽ एतस्योदृचन्न गमिष्यन्त्यराष्ट्रन्ते भविष्यन्त्यराजानो भविष्यन्ति राजन्या विशोऽनभिषेचनीयास्तस्मान्मा प्रमदत स्नात्वाञ्चैवैनमुदकान्निरुन्धीध्वम्वडबाभ्यश्च ते यद्यद्ब्राह्मणजातमुपनिगच्छेत तत्तत्पृच्छेत ब्राह्मणाः कियद्यूयमश्वमेधस्य वित्थेति ते ये न विद्युर्ज्जिनीयात तान्त्सर्व्वं वाऽअश्वमेधः सर्व्वस्यैष न वेद यो ब्राह्मणः सन्नश्वमेधस्य न वेद सोऽब्राह्मणो ज्येयऽ-

---

२२।१९) इति उक्ता मानुषा आशापालाः । अथो ते देवा आप्याः साध्या अन्वाध्या मरुतः । समेत उभये देवमनुष्याः संविदाना अप्रत्यावर्तयंतः संवत्सरं रक्षंति । तद्यन्न प्रत्यावर्तयंति । एष वा एषः । य एष तपति । क उ ह्येतमर्हति प्रत्यावर्तयितुम् । यद्धचेनं प्रत्यावर्तयेयुः । परागेवेदं सर्वं स्यात् । तस्मादप्रत्यावर्तं रक्षंति ॥ १६ ॥

स आह–आशापाला ये वा एतस्योदृचं गमिष्यंति । राष्ट्रं ते भविष्यंति । राजानो भविष्यंत्यभिषेचनीयाः । अथ य एतस्योदृचं न गमिष्यंति । अराष्ट्रं ते भविष्यंति । अराजानो भविष्यन्ति । राजन्या विशोऽनभिषेचनीयाः । तस्मान्मा प्रमदत । स्नात्वाञ्चैवैनमुदकान्निरुंधीध्वम् । वडवाभ्यश्च । ते यद्यत् ब्राह्मणजातमुपनिगच्छेत । तत्तत्पृच्छेत । ब्राह्मणाः कियद्यूयमश्वमेधस्य वित्थेति । ते

सोऽध्वर्युराह । हे आशापालाः ! युष्माकं मध्ये एतस्य कर्मणः उदृचं समाप्तिं ये गमिष्यंति ते राष्ट्रवंतो भविष्यंति राजानश्च । अराजानः अनीश्वराः । राजन्याः संतो विशः कुटुंबिनः अनभिषेकार्हा भविष्यंति । यस्मादेवं तस्मात्प्रमादं मा कुरुध्वम् । स्नौत्वाञ्चैवैनम् । स्नात्वात् स्नानार्हात्प्रस्नेयादुदकात् एनमश्वं निरुन्धीध्वम् । वडवाभ्यश्चैनं निरुन्धीध्वम् । ब्राह्मणजातं ब्राह्मणसमूहं तत्तत्र ये ब्राह्मणाः अश्वमेधस्य न किञ्चिदपि

१–प्रस्नेयाच्चोदकात् । का. श्रौ. सू. २० । ५२ । पूर्वसूत्रात् वारणमित्यनुवर्तते तदश्वस्येत्यार्थिकम् । यत् स्नानार्हं तोयं ततोऽपि प्रकृष्टं मज्जनपर्याप्तं यत्तोयं तत्प्रस्नेयमुच्यते इति देवयाज्ञिकाः ।

२–वडवाभ्यो वारणम् । का. श्रौ. सू. २० । ५१ । अश्वस्येत्यार्थिकम् ।

एव स पानङ्करवाथ खादन्निवपाथाथ यत्किञ्च जनपदे ऽकृतान्नꣳ सर्व्वं वस्तत्सुतन्तेषाꣳ रथकारकुलऽएव वो व्वसतिस्तद्ध्यश्वस्यायतनमिति॥१७

इति द्वितीयप्रपाठके पञ्चदशं ब्राह्मणम् ॥ १३।२।१५ ॥ (४-२ ॥)

इति द्वितीयः प्रपाठकः समाप्तः ॥ १३-२ ॥

कण्डिकासंख्या ॥ ११७ ॥

ये न विद्युः । जिनीयात तान् । सर्वं वा अश्वमेधः । सर्वस्यैष न वेद । यो ब्राह्मणः सन्नश्वमेधस्य न वेद । सोऽब्रह्मणः । ज्येय एव सः । पानं करवाथ । खादं न्निवपाथ । अथ यत्किंच जनपदे । अकृतान्नम् । सर्वं वस्तत्सुतम् । तेषां रथकारकुल एव वो वसतिः । तद्धचश्वस्यायतनमिति ॥ १७ ॥

आध्वर्यवं हौत्रं औद्गात्रं वा तदेकदेशं वा किंचिन्न विद्युः न जानीयुः । किं कारणं ? यस्माद‌श्वमेधः सर्वं सर्वाण्येव ऐष्टिकपाशुकसौमिकदार्विहोमिकानि कर्माणि तत्रांतर्गतानि तन्मंत्रब्राह्मणानि चेत्यर्थः । ततश्चांततः सावित्री तत्र विद्यते । तामपि यो न वेद । स ब्राह्मणो न । ब्राह्मणः सन्नपि अब्राह्मणः व्रात्यः पतितसावित्रीकः सः । यथा पुत्रः कार्यहीनः पुत्रोऽपि अपुत्र उच्यते । एवं स ब्राह्मणः अब्राह्मण उच्यते । ततश्च ज्येय एव सः ।"ज्या वयोहानौ"-(धा.पा.क्र्या.प.२८) हानिमात्रे वर्तते । वित्तमानादिना वैश्यवत् हापनीयः । सर्वप्रकारमुपजीव्य इत्यर्थः। पानमुदकं करवाथ कुर्वीत । यूयं अश्वाय खादम् । खाद्यत इति खादः यवसादिः । तं नीचैरश्वाय वपाथ । लिङर्थे लेट् । निवपाथ निक्षिपतेत्यर्थः । यत्किंच, यत्किंचित् जनपदे अकृतान्नं असंस्कृतमन्नं सक्तुतंडुलादि । तत्सर्वं युष्मभ्यं सुतं संस्तुतं तदपि भवदुपयोज्यमित्यर्थः । तेषां यजमानानां मध्ये रथकारो यः । तस्य गृहे युष्माकं वसतिः । तद्धयश्वस्यायतनमिति । तद्धि (अश्वस्य स्थानस्तरांदत्वं वसंतो रिनिसृतं तो रथकारवदिति निगमो भवति ?) ॥ १७ ॥

इति श्रीमदाचार्यहरिस्वामिनः कृतौ माध्यन्दिनीयशतपथब्राह्मणभाष्ये त्रयोदशे काण्डे चतुर्थेऽध्याये द्वितीयं ब्राह्मणम् ॥ १३ ॥ ४ ॥ २ ॥

१--ब्राह्मणोऽश्वमेधाऽविद्वान् वृत्तिः सवः । का. श्रौ. सू. २० । ५३ । वृत्तिर्जीविकोपायः ।

२--पक्वान्नं च सर्वेषु । का. श्रौ. सू. २० । ५४ ।

३--रथकारगृहवासाश्च । अभिषेक्त्या भविष्यत समाप्नुवंतमित्याह राजपुत्रान् । का. श्रौ. सू. २० । ५५ । ५६ ।

अथ तृतीयप्रपाठके प्रथमं ब्राह्मणम् ।
चतुर्थेऽध्याये च तृतीयं ब्राह्मणम् ।

प्रमुच्याश्वन्दक्षिणेन व्वेदिम् । (४ँ) हिरण्मयङ्कशिपूपस्तृणाति तस्मिन्होतोपविशति दक्षिणेन होतारᳪ हिरण्मये कूर्च्चे यजमानो दक्षिणतो ब्रह्मा चोद्गाता च हिरण्मय्योः कशिपुनोः पुरस्तात्प्रत्यङ्ङध्वर्य्युर्हिरण्मये वा कूर्च्चे हिरण्मये वा फलके ॥ १ ॥

समुपविष्टेष्वध्वर्य्युः सम्प्रेष्यति । होतर्भूतान्याचक्ष्व भूतेष्विमं यजमानमध्यूहेति सम्प्रेषितो होताऽध्वर्य्युमामन्त्रयते पारिप्लवमाख्यानमाख्यास्यन्नध्वर्य्यवित्ति हवै होतरित्यध्वर्य्युः ॥ २ ॥

पारिप्लवाख्यानब्राह्मणम् ।

प्रमुच्याश्वं दक्षिणेन वेदिं हिरण्मयं कशिपूपस्तृणाति । तास्मिन् होतोपविशति । दक्षिणेन होतारं हिरण्मये कूर्चे यजमानः । दक्षिणतो ब्रह्मा चोद्गाता च हिरण्मयोः कशिपुनोः पुरस्तात् । प्रत्यङ्ङध्वर्युर्हिरण्मये वा कूर्चे हिरण्मये वा फलके ॥ १ ॥

समुपविष्टेष्वध्वर्युः संप्रेष्यति–"**होतर्भूतान्याचक्ष्व, भूतेष्विमं यजमानमध्यूह**"–इति । संप्रेषितो होताऽध्वर्युमामंत्रयते । पारिप्लवमाख्यानमाख्यास्यन् "**अध्वर्यो**"–इति । "**हवै होतः**"–इत्यध्वर्युः ॥ २ ॥

प्रमुच्याश्वमिति । पारिप्लवाख्यानब्राह्मणमेतत् । दक्षिणेन वेदिम् । कशिपु आसनविशेषः । (पावणिन्मुख्यानां भवति ?) । कूर्चः कूर्चाकृतिपीठमात्रम् ॥ १ ॥

आख्यास्यन् । तत्कथं ? अध्वर्यो इति । हवै । "ह्वेञ् स्पर्द्धायां शब्दे च" (धा.पा.भ्वा.उ. १०३२) तस्य लोडुत्तमपुरुषैकवचने संप्रसारणे कृते एतद्रूपं भवति । अहमेव त्वां प्रतिह्वये । सज्जोऽहं प्रतिगराय त्वं वदेत्यर्थः । एतदध्वर्युराह प्रतिगरार्थम् ॥ २ ॥

१–पारिप्लवं कृत्स्नमाख्यानम् । २–दक्षिणतो वेदेर्हिरण्मयेषूपविशति । का. श्रौ. सू. २० । ५७ ॥ तात्कालिकाभावात् भूतकालीना वेदिरिति कर्कः ॥ ३–अध्वर्युयजमानौ कूर्चयोः फलकयोर्वा का. श्रौ. सू. २० । ५८ । ५९ । अध्वर्युब्रह्मोद्गातारः कशिपुषु । का. श्रौ. सू. २० । ६० ।

४–होतर्भूतान्याचक्ष्व भूतेष्विमं यजमानमध्यूहेति पारिप्लवं प्रेष्यति । का. श्रौ सू. २० । ६१ । ६२ । अध्वर्युरिति शेषः । पारिप्लवाख्यानप्रैषोऽयम् ॥

५–हवै होतरिति प्रतिगृणाति तदंते प्रेष्यति वीणागणगिनो राजर्षिभिर्यजमानं संगायतेति । का. श्रौ. सू. २० । ६३ । तदंते पारिप्लवांते राजर्षिभिः संगायत याया संगायनमादीक्षणीयायाः का. श्रौ. सू. २० । ६९ । पारिप्लवे शस्यमाने । अध्वर्युरिति शेषः । का. श्रौ. सू. २० । २ । २३ ॥ "कशिपुर्मसूरकः"–इति निगमे कात्यायनः । "कूर्चः सपादं कूर्चाकृतिपीठम्" "कूर्चः सिंहासनम्" इति निगमे कात्यायनः "फलकं पादरहितं पीठम्" इति निगमे कात्यायनः ।

(ह्र्मु) मनुर्वैवस्वतो राजेत्याह । तस्य मनुष्या विशस्तऽइमऽ
आसतऽइत्यश्रोत्रिया गृहमेधिनऽउपसमेता भवन्ति तानुपदिश-
त्यृचो वेदः सोऽयमित्यृचाᳪं सूक्तं व्याचक्षाणऽइवानुद्रवेद्वीणागणगिनऽ-
उपसमेता भवन्ति तानध्वर्युः सम्प्रेष्यति वीणागणगिनऽ इत्याह पुराणै-
रिमं यजमानᳪं राजभिः साधुकृद्भिः सङ्गायतेति तन्ते तथा सङ्गा-
यन्ति तद्यदेनमेवᳪं सङ्गायन्ति पुराणैरेवैनन्तद्राजभिः साधुकृद्भिः
सलोकङ्कुर्वन्ति ॥ ३ ॥

सम्प्रेष्याध्वर्युः प्रक्रमाञ्जुहोति । (त्य) अन्वाहार्यपचने वाऽश्वस्य वा
पदं परिलिख्य यतरथाऽस्य तत्रावृद्भवति पूर्वा त्वेव स्थितिः ॥ ४ ॥

सावित्र्याऽएवेष्टेः । पुरस्तादनुद्रुत्य सकृदेव रूपाण्याहवनीये जुहो-

---

मनुर्वैवस्वतो राजेत्याह । तस्य मनुष्या विशः । त इम आसत इति । अश्रोत्रिया गृहमेधिन उपसमेता भवन्ति । तानुपदिशति । ऋचो वेदः सोऽयमिति । ऋचां सूक्तं व्याचक्षाण इवानुद्रवेत् । वीणागणगिन उपसमेता भवन्ति । तानध्वर्युः संप्रेष्यति । वीणागणगिन इत्याह । पुराणैरिमं यजमानं राजभिः साधुकृद्भिः संगायतेति । तं ते तथा संगायन्ति । तद्यदेनमेवं संगायन्ति । पुराणैरेवैनं तद्राजभिः साधुकृद्भिः सलोकं कुर्वंति ॥ ३ ॥

संप्रेष्याध्वर्युः प्रक्रमान् जुहोति । अन्वाहार्यपचने वा, अश्वस्य वा पदं परिलिख्य । यतरथाऽस्य तत्रावृत् भवति । पूर्वा त्वेव स्थितिः ॥ ४ ॥

सावित्र्या एवेष्टेः पुरस्तादनुद्रुत्य । सकृदेव रूपाण्याहवनीये जुहोति । अथ सायंधृतिषु हूय-

---

मनुर्वैवस्वतो राजेत्याह । होता । अश्रोत्रियाः सकलवेदानध्यायिनः । गृहमेधिनः पाकयज्ञयाजिनः । व्याचक्षाण इवेति । वाक्यशश्छिन्दन् । अंगैश्चामिन्दन्नित्यर्थः । वीणानां अलाबुवीणा त्रितंतिः सततंतिः शततंतिरित्यादीनां गणः वीणागणः । तेन वीणागणसंघातं ये गायन्ति शब्दयंति ते वीणागणगाः । ते शिष्यभूता येषां गायनाचार्यादीनां सन्ति ते वीणागणगिनः । संगायंतीति उपमानभूतैः पुराणैः राजर्षिभिः सह उपमेयभूतं यजमानं गायंतीत्यर्थः ॥ ३ ॥

संप्रेष्य गायनान् अध्वर्युः । न होता । प्रक्रमान् " हिंकाराय स्वाहा " (वा. सं. २२।७।८।४९) इत्येतान् होमान् जुहोति । अन्वाहार्यपचने वा । दक्षिणाग्नौ वा । अश्वस्य वा पदं परिलिख्य ; अश्वपदे वा परिलिखिते । यतरथा एतयोरन्यतरेण प्रकारेण अस्य यजमानस्य तत्रावृत् कर्म आदावेवांगीकृतं भवति । तथा जुहोति इति शेषः । पूर्वा त्वेव स्थितिः । पूर्वैव तु स्थितिः या प्रथमाध्याये पठिता (श. प. १३ । १ । ३ । ६–७) ॥ ४ ॥

काऽसावित्यत आह सावित्र्या एवेष्टेः । पुरस्तान् अनुपूर्वमुच्चार्य । सकृदेव प्रथमे दिवसे । न प्रतिदिनम् ।

त्यथ सायन्धृतिषु हूयमानासु राजन्यो व्वीणागाथी दक्षिणतऽउत्तरमन्द्रा-मुदाघ्नंस्तिस्रः स्वयꣳ सम्भृता गाथा गायतीत्ययुद्ध्यतेत्यमुꣳ सङ्ग्राम-मजयदिति तस्योक्तम्ब्राह्मणम् ॥ ५ ॥

(मु) अथ श्वोभूते द्वितीयेऽहन् । (न्ने) एवमेवैतासु सावित्रीष्टिषु सꣳस्थितास्वेषैवावृदध्वर्य्यविति हवै होतरित्येवाध्वर्य्युर्य्यमो व्वैवस्वतो राजेत्याह तस्य पितरो व्विशस्तऽ इमऽ आसतऽ इति स्थविराऽ उपसमेता भवन्ति तानुपदिशति यजूꣳषि व्वेदः सोऽयमिति यजुषा-मनुवाकम्व्याचक्षाणऽइवानुद्रवेदेवमेवाध्वर्य्युः सम्प्रेष्यति न प्रक्रमा-ञ्जुहोति ॥ ६ ॥

(त्यु) अथ तृतीयेऽहन् । (न्ने) एवमेवैतास्विष्टिषु सꣳस्थि-तास्वेषैवावृदध्वर्य्यविति हवै होतरित्येवाध्वर्य्युर्व्वरुणऽआदित्यो राजे-त्याह तस्य गन्धर्व्वा व्विशस्तऽइमऽआसतऽ इति युवानः शोभनाऽ उपसमेता भवन्ति तानुपदिशत्यथर्व्वाणो व्वेदः सोऽयमित्यथर्व्वणामेकं

मानासु राजन्यो वीणागाथी दक्षिणत उत्तरमन्द्रामुदाघ्नन् तिस्रः स्वयं संभृता गाथा गायति । इत्ययुध्यत, इत्यमुं संग्राममजयदिति । तस्योक्तं ब्राह्मणम् ॥ ५ ॥

अथ श्वोभूते द्वितीयेऽहन्नेवमेव । एतासु सावित्रीष्टिषु संस्थितासु । एषैवावृदध्वर्यविति । हवै होतरित्येवाध्वर्युः । यमो वैवस्वतो राजेत्याह । तस्य पितरो विशः । तत इम आसत इति । स्थविरा उपसमेता भवन्ति । तानुपदिशति । यजूंषि वेदः सोऽयमिति । यजुषामनुवाकं व्याचक्षाण इवानुद्र-वेत् । एवमेवाध्वर्युः संप्रेष्यति । न प्रक्रमान् जुहोति ॥ ६ ॥

अथ तृतीयेऽहन्नेवमेव । एतास्विष्टिषु संस्थितासु । एषैवावृदध्वर्यविति । हवै होतरित्येवाध्वर्युः । वरुण आदित्यो राजेत्याह । तस्य गंधर्वा विशः । त इम आसत इति । युवानः शोभना उपस-

---

रूपाणि हिंकारादीनि आज्यमयानि परिकल्प्य आहवनीये जुहोति । न पदे अन्वाहार्यपचने वा ॥ ५ ॥

एवमेवाध्वर्युः संप्रेष्यति वीणागणगिनः । न प्रक्रमान् जुहोति । इत्यनुवाद एव ॥ ६ ॥

अथर्वणा प्रोक्ता मंत्रा ब्राह्मणानुवाकाश्च अथर्वाणः ॥ ७ ॥

१--आहवनीयेऽस्तमिते चतस्रो धृतीरिह रंतिरिति । (वा. सं. २२--१९ ।) राजन्यो धृतिषु युद्धजययुक्ताः । का. श्रौ. सू. २० । ६५ । ४७ । गाथा गायतीत्यर्थः ।

२--तस्योक्तं ब्राह्मणम् । श. प. १३ । १ । ३ । ५-८ । । (१३।१।३।४।१-३ ।) (१३।१।५।१--६ ।)

३--कात्यायनस्तु " दक्षिणाग्नौ जुहोति हिंकाराय स्वाहेति प्रक्रमान् " का. श्रौ. सू. २० ।३।३ इति दक्षिणाग्नौ प्रक्रमहोममाह । न पदे नाहवनीये वेति । प्रक्रमहोमाश्चैकोनपंचाशत् (वा. सं. अ. २२ । ७ । ८ ।)

पुर्व्वं व्याचुक्षाणऽ इवानुद्रवेदेवमेवाध्वर्य्युः सम्प्रेष्यति न प्रक्रमा-
ञ्जुहोति ॥ ७ ॥

(त्यु) अथ चतुर्थेऽहन् । (न्ने) एवमेवैतास्विष्टिषु सुᳬँस्थितास्वेषै-
वावृदध्वर्य्यविति हवै होतारित्येवाध्वर्य्युः सोमो वैष्णवो राजेत्याह
तस्याप्सरसो विशस्ताऽइमाऽ आसतऽ इति युवतयः शोभनाऽउप-
समेता भवन्ति ताऽउपादिशत्यङ्गिरसो वेदः सोऽयमित्यङ्गिरसामेक-
म्पुर्व्वं व्याचक्षाणऽ इवानुद्रवेदेवमेवाध्वर्य्युः सम्प्रेष्यति न प्रक्रमा-
ञ्जुहोति ॥ ८ ॥

(त्यु) अथ पञ्चमेऽहन् । (न्ने) एवमेवैतास्विष्टिषु सुᳬँस्थितास्वे-
षैवावृदध्वर्य्यविति हवै होतारित्येवाध्वर्य्युरर्बुदः काद्रवेयो राजेत्याह तस्य
सर्प्पा विशस्तऽइमऽ आसतऽइति सर्प्पाश्च सर्प्पविदश्चोपसमेता भवन्ति
तानुपदिशति सर्प्पविद्या वेदः सोऽयमिति सर्प्पविद्यायाऽएकम्पुर्व्वं
व्याचक्षाणऽइवानुद्रवेदेवमेवाध्वर्य्युः सम्प्रेष्यति न प्रक्रमाञ्जुहोति ॥ ९ ॥

मेता भवन्ति । तानुपदिशति । अथर्वाणो वेदः सोऽयमिति । अथर्वणामेकम्पर्व्वं व्याचक्षाण इवानुद्रवेत् । एवमेवाध्वर्युः संप्रेष्यति । न प्रक्रमान् जुहोति ॥ ७ ॥

अथ चतुर्थेऽहन्नेवमेव । एतास्विष्टिषु संस्थितासु । एषैवावृदध्वर्यविति । हवै होतरित्येवाध्वर्युः । सोमो वैष्णवो राजेत्याह । तस्याप्सरसो विशः । ता इमा आसत इति । युवतयः शोभना उपसमेता भवंति । ता उपदिशति । अंगिरसो वेदः सोऽयमिति । अंगिरसामेकं पर्व व्याचक्षाण इवानुद्रवेत् । एवमेवाध्वर्युः संप्रेष्यति । न प्रक्रमान् जुहोति ॥ ॥

अथ पंचमेऽहन्नेवमेव । एतास्विष्टिषु संस्थितासु । एषैवा[illegible]ध्वर्यविति । हवै होतरित्येवाध्वर्युः । अर्बुदः काद्रवेयो राजेत्याह । तस्य सर्पा विशः । त[illegible] आसत इति । सर्पाश्च सर्पविदश्चोपसमेता भवंति । तानुपदिशति । सर्पविद्या वेदः सोऽय[illegible] । सर्पविद्याया एकं पर्व व्याचक्षाण इवानुद्रवेत् । एवमेवाध्वर्युः संप्रेष्यति । न प्रक्रमान् जुहो[illegible] ॥ ९ ॥

एवमंगिरसा प्रोक्ता अंगिरसः ॥ ८ ॥

कद्रोरपत्यं काद्रवेयः ॥ ९ ॥

(त्यु) अथ षष्ठेऽहन् । (न्ने) एवमेवैतास्विष्टिषु सꣳस्थितास्वेषैवावृद-
ध्वर्य्यविति हवै होतारित्येवाध्वर्य्युः कुबेरो वैश्रवणो राजेत्याह तस्य
रक्षाꣳसि विशस्तानीमान्यासतऽइति सेलगाः पापकृतऽउपसमेता
भवन्ति तानुपदिशति देवजनविद्या वेदः सोऽयमिति देवजनविद्याया
ऽएकम्पर्व्व व्याचक्षाणऽइवानुद्रवेदेवमेवाध्वर्य्युः सम्प्रेष्यति न प्रक्रमा-
ञ्जुहोति ॥ १० ॥

(त्यु) अथ सप्तमेऽहन् । (न्ने) एवमेवैतास्विष्टिषु सꣳस्थितास्वेषै-
वावृदध्वर्य्यविति हवै होतारित्येवाध्वर्य्युरसितो धान्वो राजेत्याह तस्या-
सुरा विशस्तऽइमऽआसतऽइति कुसीदिनऽउपसमेता भवन्ति तानु-
पदिशति माया वेदः सोऽयमिति काञ्चिन्मायां कुर्य्यादेवमेवाध्वर्य्युः
सम्प्रेष्यति न प्रक्रमाञ्जुहोति ॥ ११ ॥

(त्यु) अथाष्टमेऽहन् । (न्ने) एवमेवैतास्विष्टिषु सꣳस्थितास्वेषैवा-
वृदध्वर्य्यविति हवै होतारित्येवाध्वर्य्युर्म्मत्स्यः साम्मदो राजेत्याह तस्यो-

---

अथ षष्ठेऽहन्नेवमेव । एतास्विष्टिषु संस्थितासु । एषैवावृदध्वर्यविति । हवै होतरित्येवाध्वर्युः । कुबेरो वैश्रवणो राजेत्याह । तस्य रक्षांसि विशः । तानीमान्यासत इति । सेलगाः पापकृत उपसमेता भवंति । तानुपदिशति । देवजनविद्या वेदः सोऽयमिति । देवजनविद्याया एकं पर्व व्याचक्षाण इवानुद्रवेत् । एवमेवाध्वर्युः संप्रेष्यति । न प्रक्रमान् जुहोति ॥ १० ॥

अथ सप्तमेऽहन्नेवमेव । एतास्विष्टिषु संस्थितासु । एषैवावृदध्वर्यविति । हवै होतरित्येवाध्वर्युः । असितो धान्वो राजेत्याह । तस्यासुरा विशः । त इम आसत इति । कुसीदिन उपसमेता भवन्ति । तानुपदिशति । माया वेदः सोऽयमिति । कांचिन्मायां कुर्यात् । एवमेवाध्वर्युः संप्रेष्यति । न प्रक्रमान् जुहोति ॥ ११ ॥

अथाष्टमेऽहन्नेवमेव । एतास्विष्टिषु संस्थितासु । एषैवावृदध्वर्यविति । हवै होतरित्येवाध्वर्युः । मत्स्यः साम्मदो राजेत्याह । तस्योदकेचरा विशः । त इम आसत इति । मत्स्याश्च मत्स्यहन-

---

विश्रवसः अपत्यं वैश्रवणः । विश्रवसः अणि शिवादिगणत्वात् (पा. सू. ४ । १ । ११२) विश्रवण-रवणावादेशौ भवतः । सेलगाः सेलं गायन्तीति सेलगाः । सेलो वंशग्रामरागसदृशो वंशमुखेन आश्वासोच्छ्वासैः क्रियते गोपालादिभिः । देवजनविद्या भूतविद्या ॥ १०–१३ ॥

१–"अष्टमेऽहनि पुराणविद्या वेदः सोऽयमिति पुराणमाचक्षीत" इति । व्यत्यासः । आ. श्रौ. सू. उ. ष. ४ । ७ ।

दकेचरा विशस्त इम आसत इति मत्स्याश्च मत्स्यहनश्चोपस-
मेता भवन्ति तानुपदिशतीतिहासो वेदः सोऽयमिति कञ्चिदितिहास-
माचक्षीतैवमेवाध्वर्युः सम्प्रेष्यति न प्रक्रमाञ्जुहोति ॥ १२ ॥

(त्यु) अथ नवमेऽहन् । (न्ने) एवमेवैतास्विष्टिषु सꣳस्थितास्वेषै-
वावृदध्वर्यविति हवै होतरित्येवाध्वर्युस्तार्क्ष्यो वैपश्यतो राजेत्याह
तस्य वयाꣳसि विशस्तानीमान्यासत इति वयाꣳसि च वायो-
विधिकाश्चोपसमेता भवन्ति तानुपदिशति पुराणं वेदः सोऽयमिति
किञ्चित्पुराणमाचक्षीतैवमेवाध्वर्युः सम्प्रेष्यति न प्रक्रमाञ्जुहोति ॥ १३ ॥

(त्यु) अथ दशमेऽहन् । (न्ने) एवमेवैतास्विष्टिषु सꣳस्थितास्वेषैवा-
वृदध्वर्यविति हवै होतरित्येवाध्वर्युर्धर्म इन्द्रो राजेत्याह तस्य देवा
विशस्त इम आसत इति श्रोत्रिया अप्रतिग्राहका उपसमेता
भवन्ति तानुपदिशति सामानि वेदः सोऽयमिति साम्नां दशतं ब्रूयादे-
वमेवाध्वर्युः सम्प्रेष्यति न प्रक्रमाञ्जुहोतीति ॥ १४ ॥

श्चोपसमेता भवंति । तानुपदिशति । इतिहासो वेदः सोऽयमिति । कंचिदितिहासमाचक्षीत । एवमेवाध्वर्युः संप्रेष्यति । न प्रक्रमान् जुहोति ॥ १२ ॥

अथ नवमेऽहन्नेवमेव । एतास्विष्टिषु संस्थितासु । एषैवावृदध्वर्यविति । हवै होतरित्येवाध्वर्युः । तार्क्ष्यो वैपश्यतो राजेत्याह । तस्य वयांसि विशः । तानीमान्यासत इति । वयांसि च वायोविधिकाश्चोपसमेता भवंति । तानुपदिशति । पुराणं वेदः सोऽयमिति । किंचित् पुराणमाचक्षीत । एवमेवाध्वर्युः संप्रेष्यति । न प्रक्रमान् जुहोति ॥ १३ ॥

अथ दशमेऽहन्नेवमेव । एतास्विष्टिषु संस्थितासु । एषैवावृदध्वर्यविति । हवै होतरित्येवाध्वर्युः । धर्म इंद्रो राजेत्याह । तस्य देवा विशः । त इम आसत इति । श्रोत्रिया अप्रतिग्राहका उपसमेता भवन्ति । तानुपदिशति । सामानि वेदः सोऽयमिति । साम्नां दशतं ब्रूयात् । एवमेवाध्वर्युः संप्रेष्यति । न प्रक्रमान् जुहोतीति ॥ १४ ॥

अनुज्ञा धर्मः धर्मवान् । इंद्रः शक्रो राजा तस्य देवाः विशः सेवकाः । त इम आसत इति । श्रोत्रियाः अप्रतिग्राहकाः । तानुपदिशति अभिनयति । होता । सामानि वेदः । तस्येन्द्रस्येति वर्तते । सोऽयं वेदः अतः परमुच्यत इति शेषः ॥ १४ ॥

१–नवमेऽहनि इतिहासो वेदः सोऽयमितीतिहासमाचक्षीतेति व्यत्यासः । आ. श्रौ. सू. व. ष. ४–७ ।

(त्ये)एतत्पारिप्लवम्।(र्ठ॰)सुर्वाणि राज्यान्याचष्टे सुर्व्वा विुशः सुर्व्वान्वेदा-न्त्सुर्व्वान्देवान्त्सुर्व्वाणि भूतानि सुर्व्वेषा(र्ठ॰) ह वै सुऽएतेषा(र्ठ॰) राज्याना(र्ठ॰) सायुज्य(र्ठ॰) सलोकुतामश्नुते सुर्व्वासाम्विशामैश्वर्य्यमाधिपत्यङ्गच्छति सुर्व्वान्वेदानुवरुन्द्धे सुर्व्वान्देवान्प्रीत्वा सुर्व्वेषु भूतेष्वन्ततः प्प्रतितिष्ठति युस्यैवम्विदेतद्धोता पारिप्लवमाख्यानमाचष्टे यो वैतुदेवम्वेदैतदेवु समानुमाख्यानम्पुनःपुनः सम्वत्सरम्पुरिप्लवते तद्यत्पुनःपुनः परिप्लुवते तुस्मात्पारिप्लव(र्ठ॰) षट्त्रि(र्ठ॰)शतन्दशाहानाचष्टे षट्त्रि(र्ठ॰)शदक्षरा बृहती बार्हताः पशवो बृहुत्यैवास्मै पशूनवरुन्द्धे ॥ १५ ॥

इति तृतीयप्रपाठके प्रथमं ब्राह्मणम् ॥ १३-३-१ ॥ (४-३) ॥

एतत्पारिप्लवम् । सर्वाणि राज्यान्याचष्टे । सर्वा विशः । सर्वान् वेदान् । सर्वान् देवान् । सर्वाणि भूतानि । सर्वेषां ह वै स एतेषां राज्यानां सायुज्यं सलोकतामश्नुते । सर्वासां विशामैश्वर्यमाधिपत्यं गच्छति । सर्वान् वेदानवरुन्धे । सर्वान् देवान् प्रीत्वा । सर्वेषु भूतेष्वंततः प्रतितिष्ठति । यस्यैवंवित् एतद्धोता पारिप्लवमाख्यानमाचष्टे । यो वैतदेवं वेद । एतदेव समाख्यानं पुनःपुनः संवत्सरं परिप्लवते । तद्यत् पुनःपुनः परिप्लवते । तस्मात्पारिप्लवम् । षट्त्रिंशतं दशाहानाचष्टे । षट्त्रिंशदक्षरा बृहती । बार्हताः पशवः । बृहत्यैवास्मै पशूनवरुन्धे ॥ १५ ॥

एतत्पारिप्लवम् आख्यानम् इत्युपसंहारः । सर्वाणि राज्यान्याचष्टे होता । तत्र पारिप्लवमिति दर्शनार्थानुवादः । एतदेव तु आवृत्तिविधिः । तद्यत्पुनःपुनरिति । पारिप्लवमिति सावनसंवत्सरपरिग्रहार्थं वचनम् । इतरथा पार्वणो वा सौरो वा नाक्षत्रो वा संवत्सरः पक्षे परिगृह्येत । अथवा दर्शनार्थ एतागमनुवादः । ततः श्रुतिवाक्यशेषबलादेव सावनः संवत्सरो नियम्यते । बार्हताः पशवः । बृहतीतृचमध्ये अन्वयत् द्रष्टव्यम् । संवत्सरे सावने " षट्त्रिंशतं दशाहानाचष्टे "-इति वचनात् । स च अश्वोत्सर्गदिवसादारभ्य गणनीयः । न ब्रह्मौदनदिवसात् । कुतः ? " संवत्सरमश्वं रक्षंति "-इत्यस्य क्लृप्तत्वात् (श. प. १३।४।२।१६।) ॥१५॥

इति श्रीमदाचार्यहरिस्वामिनः कृतौ माध्यन्दिनीयशतपथब्राह्मणभाष्ये त्रयोदशे काण्डे

चतुर्थेऽध्याये तृतीयं ब्राह्मणम् ॥ १३ । ४ । ३ ॥

---

१ -चात्रालामंत्रेशनमाविश्युत्तरमन्द्रागानपारिप्लवभृतः संवत्सरम् । का. श्रौ. सू. २० । ६६ । वावातासंवेशनं सावित्रीणां चान्द्रमसः संवत्सरः तेन हि सर्वत्र व्यवहारः पारिप्लवभृतीनां तु सावनः इति कर्कः । अर्द्धमासमासत्रैमास्यषाण्मास्यानि चैके । का० श्रौ. सू, २० । ६७ । (शाखांतरादिदमिति कर्कः ।) सावनस्य दिनानि षष्ट्यधिकात्रिशतानि ।

संवत्सरे पर्य्युवेते दीक्षा । प्राजापत्यमालभ्योत्सीदन्तीष्टयः पुरोहितस्याग्निषु यजेतेत्यु हैकऽआहुः किमु दीक्षितो यजेत द्वादश दीक्षा द्वादशोपसदस्तिस्रः सुत्यास्तत्त्रिणवमभिसम्पद्यते व्वज्रो वै त्रिणवः क्षत्त्रमश्वः क्षत्त्रꣳ राजन्यो व्वज्रेण खलु वै क्षत्त्रꣳ स्पृतन्तद्वज्रेणैव क्षत्त्रꣳ स्पृणोति ॥ १ ॥

दीक्षणीयायाꣳ सꣳस्थितायाम् ।(ꣳ) सायम्वाचि व्विसृष्टायां व्वीणागणगिनऽउपसमेता भवन्ति तानध्वर्य्युः सम्प्रेष्यति व्वीणागणगिनऽ इत्याह देवैरिमं यजमानꣳ सङ्गायतेति तन्ते तथा सङ्गायन्ति ॥ २ ॥

(न्त्यु) अहरहर्व्वाचि व्विसृष्टायाम् । (म) अग्नीषोमीयाणामन्ततः सꣳस्थायाम्परिहृतासु व्वसतीवरीषु तद्यदेनन्देवैः सङ्गायन्ति देवैरेवैनन्तत्सलोकङ्कुर्व्वन्ति ॥ ३ ॥

संवत्सरे पर्यवेते दीक्षा । प्राजापत्यमालभ्य, उत्सीदन्तीष्टयः । पुरोहितस्याग्निषु यजेतेत्यु हैक आहुः । किमु दीक्षितो यजेत । द्वादश दीक्षाः । द्वादशोपसदः । तिस्रः सुत्याः । तत्त्रिणवमभिसंपद्यते । वज्रो वै त्रिणवः । क्षत्रमश्वः । क्षत्रं राजन्यः । वज्रेण खलु वै क्षत्रं स्पृतम् । तद्वज्रेणैव क्षत्रं स्पृणोति ॥ १ ॥

दीक्षणीयायां संस्थितायाम् । सायं वाचि विसृष्टायाम् । वीणागणगिन उपसमेता भवंति । तानध्वर्युः संप्रेष्यति । वीणागणगिन इत्याह–" देवैरिमं यजमानं संगायत "–इति । तं ते तथा संगायंति ॥ २ ॥

अहरहर्वाचि विसृष्टायाम् । अग्नीषोमीयाणामंततः संस्थायाम् । परिहृतासु वसतीवरीषु । तद्यदेनं देवैः संगायंति । देवैरेवैनं तत्सलोकं कुर्वंति ॥ ३ ॥

संवत्सरे सावने पर्यवेते समाप्ते अश्वोत्सर्गदिवसादारभ्य संवत्सरे अतिक्रांते प्राजापत्यम् इष्टकापशुम् । न वायव्यं न वा पञ्च पशून् । आलभ्य स्वकाल एव । उत्तरस्यां फाल्गुन्यां तद्बाधकारणाभावात् । दीक्षा कर्तव्येति

१–दीक्षांते देवैरौपवसथ्यात् । का. श्रौ. सू. २० । ७० । देवैर्यजमानꣳ संगायतेति प्रैषः । एतत्संगायनं आ औपवसथ्यात् अग्नीषोमीयसमाप्तिं यावदित्यर्थः । पश्चादौ प्रजापतिना सुत्यासु का. श्रौ. सू. २० । ७१ । पश्चादौ सवनीयपश्वादौ प्रजापतिना यजमानꣳ संगायतेति प्रैषः इत्यर्थः । अंते च " का. श्रौ. सू. २० । ७२ । (अंतग्रहणेनोदवसानीयांत उच्यते । एवमेव अहरहः परिहृतास्वेव वसतीवरीष्वपि तत् अंतग्रहणेन सूचितं इति कर्कः) प्रजापतिना यजमानꣳ संगायतेति प्रैष इत्यर्थः ।)

२–पश्वालंभनाध्वरदीक्षणीयायाः कृत्वा चत्वार्यौदृग्रभणानि जुहोत्याध्वरिकाणि । (का. श्रौ. सू. २० । ८३ ।) कर्कमतं त्वत्र च,–चैत्र्यां पौर्णमास्यां पश्वालंभनादि चैत्रकृष्णाष्टम्यां सप्तमी दीक्षणीया ततः प्रभृति द्वादश दीक्षाः ततो वैशाखशुक्लतृतीयायां

प्रजापतिना सुत्यासु । (स्वे) एवमेवाहरहः परिहृतास्वेव व्वसतीवरीषूदवसानीयायामन्ततः सᳬस्थितायान्तद्यदेनम्प्रजापतिना सङ्गायन्ति प्प्रजापतिनैवैनन्तदन्ततः सलोकङ्कुर्व्वन्ति ॥ ४ ॥

(न्त्ये) एकविᳬशतिर्य्यूपाः । सर्व्वऽएकविᳬशत्यरत्नयो रज्जुदालोऽग्निष्ठो भवति पैतुदारवावभितः षड्बैल्वास्त्रयऽइत्थात्त्रयऽइत्थात्षट् खादिरास्त्रयऽ एवेत्थात्त्रयऽइत्थात्षट्पालाशास्त्रयऽ एवेत्थात्त्रयऽइत्थात् ५॥

(त्त) तद्यदेतऽएवं यूपा भवन्ति । प्प्रजापतेः प्प्राणेषूत्क्रान्तेषु शरी-

---

प्रजापतिना सुत्यास्वेवमेव । अहरहः परिहृतास्वेव वसतीवरीषु । उदवसानीयायामंततः संस्थितायाम् । तद्यदेनं प्रजापतिना संगायन्ति । प्रजापतिनैवैनं तदन्ततः सलोकं कुर्वंति ॥ ४ ॥

एकविंशतिर्यूपाः । सर्वे एकविंशत्यरत्नयः । रज्जुदालोऽग्निष्ठो भवति । पैतुदारवावभितः । षड्बैल्वाः । त्रय इत्थात् त्रय इत्थात् । षट् खादिराः । त्रय एवेत्थात् । त्रय इत्थात् । षट् पालाशाः । त्रय एवेत्थात् । त्रय इत्थात् ॥ ५ ॥

तद्यदेत एवं यूपा भवंति । प्रजापतेः प्राणेषूत्क्रांतेषु शरीरं श्वयितुमध्रियत । तस्य यः

शेषः । सा च अष्टम्यां—उखां संभृत्य इष्टकाः कृत्वा उत्तरस्याममावास्यायामामावास्येनेष्ट्वा आरभ्याव्या प्रतिदिनं च आग्नावैष्णवम् औद्ग्रभणानि आध्वरिकाणि चत्वारि त्रीणि आश्वमेधिकानि, कृष्णाजिनदीक्षां च

–त्रयः वैशाखशुक्लचतुर्दश्याममर्भार्षोर्मायः वैशाख्यां च प्रथमा सुत्येति । काय स्वाहेति चाश्वमेधिकानि त्रीणि का. श्रौ. सू. २० । ८४ । अत्र ब्राह्मणम्–“ अन्वहं जुहोति ” “ सप्त जुहोति ” “ काय स्वाहा कस्मै स्वाहा कतमस्मै स्वाहेत्यादि ” श. प. १३।१।७।८।१–४ । १–८।९ कृष्णाजिनदीक्षाऽन्तः । का. श्रौ. सू. २० । ८५ । अत औद्ग्रभणहोमानंतरं दीक्षा तत्रोपवेशनांता । अध्वरदीक्षणीयायाश्चत्वारि त्रीणि त्रीणि चाश्वमेधिकानि । का. श्रौ. सू. २० । ८६ । सप्ताहं प्रचरतीति श्रुतेः श. प. १३ । १ । ७ । २ । सप्ताहं दीक्षणीया तत्र प्रत्यहं एवमौद्ग्रभणहोमः । कृष्णाजिनांतमन्वहं का. श्रौ. सू. २० । ८६ । दीक्षणीयेष्ट्यादिकं प्रत्यहं षट्स्वपि दीक्षणीयासु इत्यर्थः । “ प्राकृतव्रतोऽकृतत्वात् ”–(का. श्रौ. सू. २० । ८७) प्राकृतव्रतः प्राकृतभोजनः इष्टाश्येव । न पयोव्रतीत्यर्थः । सप्तम्यां दीक्षणीयायां विशेषः । “आग्निके च सप्तम्यां निर्वपति । ” का. श्रौ. सू. २० । ८८ । आग्निके हविषी “ वैश्वानरो द्वादशकपालो घृते चरुरादित्येभ्यः । इति का. श्रौ. सू. १६ । १२८–१२९ । चकारात् आध्वरिक आग्नावैष्णवश्च सप्तम्यामपरो विशेषः । अभ्यंजनप्रभृति करोति का. श्रौ. सू. २० । ८९ । सप्तम्यामभ्यंजनविधानापूर्वासु षट्सु नवनीतेनाभ्यंजनं नेति निष्कर्षः । सप्तम्यामेव विशेषः । षडाग्निकानि चतुःस्थाने । दशमं विश्वो देवस्येति । का. श्रौ. सू. २० । ९० । ९१ । चतुर्णामाध्वरिकाणामौद्ग्रभणानां स्थाने षडाग्निकान्यौद्ग्रभणानि आकूतिमग्निमित्यादीनि त्रीणि चाश्वमेधिकानि एवं नव, दशमं विश्वो देवस्येतीत्यर्थः । दीक्षा द्वादशोपसदश्च का. श्रौ. सू. २० । ९४ । सुत्याश्च तिस्रः तथा च श्रुतिः–“ द्वादश दीक्षा द्वादशोपसदास्तिस्रः सुत्या इति ” । श. प. १३ । ४ । ४ । १ ।

१–एकादशिनीवदेकविंशतिर्यूपाः । का. श्रौ. सू. २० । ९७ सर्वे । एकविंशत्यरत्नयः । तथाह कात्यायनः–“एकविंशतिरश्वमेधे । का. श्रौ. सू. ६ । ३१ पूर्वसूत्रात् अरत्निपदमनुवर्तते एकादशिनीवदित्यतिदेशेन रथाक्षमात्राण्यंतराणि पूर्वार्द्धे वा सर्वं विभज्य पक्षसम्मितावाऽग्नौ यूपाहुत्ययभ्यादानादि यथाखातमुच्छ्रयतीत्यंतमतिदिश्यते । का. श्रौ. सू. ८ । २१२ । २१३ । रज्जुदालो मध्ये । का. श्रौ. सू. २० । ९८ । रज्जुदालः श्लेष्मातकः । अभितः पैतुदारवौ । २० । ४ । १८ । पीतुदारुर्देवदारुः । षड्बैल्वखादिरपालाशाः का. श्रौ. सू. २० । १०० । त्रयस्त्रयोऽभितः । का. श्रौ. सू. २० । १०१ ।

रथँ शुषितुमध्रियत तस्य यः श्लेष्माऽऽसीत्स सार्द्धंᳪँ समवद्रुत्य मध्यतो नस्तऽउदभिनत्सऽएष वनस्पतिरभवद्रज्जुदालस्तस्मात्स श्लेष्मणः श्लेष्मणो हि समभवत्तेनैवैनन्तद्रूपेण समर्द्धयति तद्यत्सोऽग्निष्ठो भवति मध्यम्वाऽएतद्यूपानां यदग्निष्ठो मध्यमेतत्प्राणानां यन्नासिके स्वऽएवैनन्तदायतने दधाति ॥ ६ ॥

(त्य) अथ यदापोमयन्तेजऽऽआसीत् । (ग्रो) यो गन्धः स सार्द्धंᳪँ समवद्रुत्य चक्षुष्टऽउदभिनत्सऽएष वनस्पतिरभवत्पीतुदारुस्तस्मात्स सुरभिर्गन्धाद्धि समभवत्तस्मादुज्ज्वलनस्तेजसो हि समभवत्तेनैवैनन्तद्रूपेण समर्द्धयति तद्यत्तावभितोऽग्निष्ठम्भवतस्तस्मादिमेऽ अभितो नासिकाञ्चक्षुषी स्वऽएवैनौ तदायतने दधाति ॥ ७ ॥

(त्य) अथ यत्कुन्तापमासीत् । (ग्रो) यो मज्जा स सार्द्धंᳪँ समवद्रुत्य श्रोत्रतऽउदभिनत्सऽएष वनस्पतिरभवद्बिल्वस्तस्मात्तस्यान्तरतः सर्व्वमेव फलमाद्यम्भवति तस्मादु हारिद्रऽइव भवति हारिद्र-

---

श्लेष्माऽऽसीत् । स सार्द्धं समवद्रुत्य मध्यतो नस्त उदभिनत् । स एष वनस्पतिरभवत् रज्जुदालः । तस्मात्स श्लेष्मणः । श्लेष्मणो हि समभवत् । तेनैवैनं तद्रूपेण समर्द्धयति । तद्यत्सोऽग्निष्ठो भवति । मध्यं वा एतद्यूपानां यदग्निष्ठः । मध्यमेतत्प्राणानां, यन्नासिके । स्वे एवैनं तदायतने दधाति ॥ ६ ॥

अथ यदापोमयं तेज आसीत् । यो गंधः । स सार्द्धं समवद्रुत्य चक्षुष्ट उदभिनत् । स एष वनस्पतिरभवत् पीतुदारुः । तस्मात्स सुरभिः । गंधाद्धि समभवत् । तस्मादुज्वलनः । तेजसो हि समभवत् । तेनैवैनं तद्रूपेण समर्द्धयति । तद्यत्तावभितोऽग्निष्ठं भवतः । तस्मादिमे अभितो नासिकां चक्षुषी । स्व एवैनौ तदायतने दधाति ॥ ७ ॥

अथ यत् कुंतापमासीत् । यो मज्जा । स सार्धं समवद्रुत्य श्रोत्रत उदभिनत् । स एष वनस्पतिरभवत् बिल्वः । तस्मात्तस्यांतरतः सर्वमेव फलमाद्यं भवति । तस्मादु हारिद्र इव भवति ।

कुर्वद्भिः सप्तम्यां संस्थापनीया । ततश्चैत्रकृष्णद्वितीयायां दीक्षां समाप्य चैत्रांतचतुर्दश्यामुपवसथः कार्यः, चैत्रांतामावास्यादिषु सुत्याः । ततो ब्रह्मौदनाः ऋतुपशवश्च कार्याः । उत्सीदंति नानुष्ठीयन्ते इष्टयः सावित्र्यः । संवत्सरे पर्यवेते इत्यनुवर्तते । पुरोहितस्य भूतेषु अग्निषु यजेतैव सावित्रीभिरिष्टिभिः । पूर्णेऽपि संवत्सरे चैव । ता उत्सीदेयुरित्यन्ये शाखिन आहुः । वाजिनस्त्वाहुः किमु दीक्षितो यजेत । किं क्षेपे । उशब्दस्तुशब्दस्थाने । किंतु कस्मात् कारणात् । न कुतश्चिदपीत्यर्थः । दीक्षितः सावित्रीभिर्विशेषेण विहिताभिर्यजेत ॥ १–९ ॥

दीक्षितस्य हि यागदानहोमाः सामान्येन प्रतिषिद्धाः । अयं च इष्टकापशून् दीक्षित एवेत्यभिप्रायः । तथा

ऽइव हि मज्जा तेनैवैनन्तद्रूपेण समर्द्धयत्यन्तरे पैतुदारवौ भवतो बाह्ये बैल्वाऽअन्तरे हि चक्षुषी बाह्ये श्रोत्रे स्वऽएवैनांस्तदायतने दधाति ॥ ८ ॥

(त्यु) अस्थिभ्यऽ एवास्य खदिरः समभवत् । (त्तु) तस्मात्स दारुणो बहुसारो दारुणमिव ह्यस्थि तेनैवैनन्तद्रूपेण समर्द्धयत्यन्तरे बैल्वा भवन्ति बाह्ये खादिराऽअन्तरे हि मज्जानो बाह्यान्यस्थीनि स्वऽएवैनांस्तदायतने दधाति ॥ ९ ॥

माᳫँसेभ्यऽएवास्य पलाशः समभवत् । (त्तु) तस्मात्स बहुरसो लोहितरसो लोहितमिव हि माᳫँसन्तेनैवैनं तद्रूपेण समर्द्धयत्यन्तरे खादिरा भवन्ति बाह्ये पालाशाऽअन्तराणि ह्यस्थीनि बाह्यानि माᳫँसानि स्वऽएवैनांस्तदायतने दधाति ॥ १० ॥

(त्यु) अथ यदेकविᳫँशतिर्भवन्ति । (न्त्ये) एकविᳫँशत्यरत्नयऽ एकविᳫँशो वाऽ एष यऽएष तपति द्वादश मासाः पञ्चर्त्तवस्त्रयऽइमे लोकाऽअसावादित्यऽएकविᳫँशः सोऽश्वमेधऽएष प्रजापतिरेवमेतम्प्रजापतिं यज्ञङ्कृत्स्नᳫँ सᳫँस्कृत्य तस्मिन्नेकविᳫँशतिमग्नीषोमीयान्पशूनालभते तेषाᳫँ समानङ्कर्म्मेत्येतत्पूर्व्वैर्धुः कर्म्म ॥ ११ ॥

इति तृतीयप्रपाठके द्वितीयं ब्राह्मणम् ॥ १३।३।२ ॥ (४-४) ॥

इति चतुर्थोऽध्यायः समाप्तः ॥ १३-४ ॥

कण्डिकासंख्या ॥ ५८ ॥

हारिद्र इव हि मज्जा । तेनैवैनं तद्रूपेण समर्द्धयति । अंतरे पैतुदारवौ भवतः । बाह्ये बैल्वाः । अंतरे हि चक्षुषी । बाह्ये श्रोत्रे । स्व एवैनांस्तदायतने दधाति ॥ ८ ॥

अस्थिभ्य एवास्य खदिरः समभवत् । तस्मात् स दारुणो बहुसारः । दारुणमिव ह्यस्थि । तेनैवैनं तद्रूपेण समर्द्धयति । अंतरे बैल्वा भवन्ति । बाह्ये खादिराः । अंतरे हि मज्जानः । बाह्यान्यस्थीनि । स्व एवैनांस्तदायतने दधाति ॥ ९ ॥

मांसेभ्य एवास्य पलाशः समभवत् । तस्मात् स बहुरसो लोहितरसः । लोहितमिव हि मांसम् । तेनैवैनं तद्रूपेण समर्द्धयति । अंतरे खादिरा भवन्ति । बाह्ये पालाशाः । अंतराणि ह्यस्थीनि । बाह्यानि मांसानि । स्व एवैनांस्तदायतने दधाति ॥ १० ॥

अथ यदेकविंशतिर्भवंति । एकविंशत्यरत्नयः । एकविंशो वा एषः । य एष तपति । द्वादश

आह—पूर्वा दीक्षा वा एष पशुः । अहीनत्वाद्धि द्वादशैव दीक्षा उपसदश्च प्राप्ताः । सुत्याश्च तिस्र उत्पत्तावेव

मासाः । पंच ऋतवः । त्रय इमे लोकाः । असावादित्य एकविंशः । सोऽश्वमेधः । एष प्रजापतिः । एवमेतं प्रजापतिं यज्ञं कृत्स्नं संस्कृत्य तस्मिन्नेकविंशतिमग्नीषोमीयान्पशूनालभते । तेषां समानं कर्म । इत्येतत्पूर्वेद्युः कर्म ॥ ११ ॥

सिद्धाः । तत्सर्वं दीक्षादि त्रिणवं स्तोममभिसंपद्यते । स च वज्रसंस्तुतः । वज्रेण खलु वै क्षत्रं स्पृतम् । "स्पृ प्रीतिपालनयोः" (धा. पा. स्वा.प.१३ ।) क्षत्रिया आयुधैर्वज्ररूपै रक्षिताः । दीक्षणीयायाम् ॥७–११॥

इति श्रीमदाचार्यहरिस्वामिनः कृतौ माध्यन्दिनीयशतपथब्राह्मणभाष्ये त्रयोदशे काण्डे
चतुर्थेऽध्याये चतुर्थं ब्राह्मणम् ॥ (१३ । ४ । ४) ॥

नागस्वामिसुतोऽवन्त्यां पाराशर्यो वसन्हरिः ।
श्रुत्यर्थं दर्शयामास शक्तितः पौष्करीयकः ॥ १ ॥
श्रीमतोऽवन्तिनाथस्य विक्रमार्कस्य भूपतेः ।
धर्माध्यक्षो हरिस्वामी व्याख्यच्छातपथीं श्रुतिम् ॥ २ ॥
भूभर्त्रा विक्रमार्केण क्लृप्तां कनकवेदिकाम् ।
दानायाध्यस्य कृतवान् श्रुत्यर्थविवृतिं हरिः ॥ ३ ॥

इति श्रीसर्वविद्यानिधानकवीन्द्राचार्यसरस्वतीनां श्रीहरिस्वामिनां कृतौ माध्यन्दिनीयशतपथ-
ब्राह्मणभाष्ये त्रयोदशे काण्डे चतुर्थोऽध्यायः समाप्तः ॥ १३–४ ॥

अथ पञ्चमेऽध्याये प्रथमं ब्राह्मणम् ।

तृतीयप्रपाठके च तृतीयं ब्राह्मणम् ।

अथ प्रातर्गौतमस्य । चतुरुत्तर स्तोमो भवति तस्य चतसृषु बहिष्पवमानमष्टास्वष्टास्वाज्यानि द्वादशसु माध्यन्दिनः पवमानः षोडशसु पृष्ठानि विꣳशत्यामार्भवः पवमानश्चतुर्विꣳशत्यामग्निष्टोमसाम ॥ १ ॥

तस्य हैके । (केऽग्नि) अग्निष्टोमसाम चतुःसाम कुर्वन्ति नाग्निष्टोमो नोक्थ्यऽ इति वदन्तस्तद्यदि तथा कुर्युः सार्द्धꣳ स्तोत्रियꣳ शस्त्वा सार्द्धमनुरूपꣳ शꣳसेद्रथन्तरम्पृष्ठꣳ राथन्तरꣳ शस्त्रमग्निष्टोमो यज्ञस्तेनेमं लोकमृध्नोति ॥ २ ॥

(त्ये) एकविꣳशतिः सवनीयाः पशवः । सर्वेऽआग्नेयास्तेषाꣳ समानङ्कर्मेत्यु हैकऽ आहुर्द्वे त्वेवैतेऽएकादशिन्यावालभेत यऽएवैकादशिनेषु कामस्तस्य कामस्याप्त्यै ॥ ३ ॥

अथ प्रातर्गौतमस्य चतुरुत्तरः । स्तोमो भवति । तस्य चतसृषु बहिष्पवमानम् । अष्टास्वष्टास्वाज्यानि । द्वादशसु माध्यन्दिनः पवमानः । षोडशसु पृष्ठानि । विंशत्यामार्भवः पवमानः । चतुर्विंशत्यामग्निष्टोमसाम ॥ १ ॥

तस्य हैकेऽग्निष्टोमसाम चतुःसाम कुर्वंति । नाग्निष्टोमः । नोक्थ्य इति वदंतः । तत् यदि तथा कुर्युः । सार्धं स्तोत्रियं शस्त्वा सार्द्धमनुरूपं शंसेत् रथंतरं पृष्ठम् । राथंतरं शस्त्रम् । अग्निष्टोमो यज्ञः । तेनेमं लोकमृध्नोति ॥ २ ॥

एकविंशतिः सवनीयाः पशवः । सर्वं आग्नेयाः । तेषां समानं कर्म । इति उहैक आहुः । द्वे त्वेव एते एकादशिन्यौ आलभेत । य एवैकादशिनेषु कामः । तस्य कामस्याप्त्यै ॥ ३ ॥

अथ प्रातर्गोतमस्य स एष स पूर्वापत्यः । त एवं उक्थ्यानुरूपैः सार्द्धं सह एकीभूय एव शंसेत् । तथाहि—त्रीण्यपि आध्वर्यवौद्गात्रहौत्राणि अविलक्षणानि भवन्तीत्यभिप्रायः ॥ १ ॥

रथंतरं पृष्ठसाधनम् । तच्च प्रथमेऽहनि भवति न बृहत् इति नियमवचनम् । राथंतरं च शस्त्रं रथंतरपृष्ठसंबद्धं यादृशं निष्केवल्यशस्त्रं तादृशमत्र भवति । अग्निष्टोमः अग्निष्टोमसंस्थोऽयं यज्ञो भवति । न उक्थ्यादिसंस्थः ॥ २ ॥

एकविंशतिः सवनीयाः आग्नेयाः समानकर्माणः अत्र प्रथमे अहनि भवन्तीत्येके आहुः । न तु तथा

१–प्रातरग्निष्टोमः । का. श्रौ. सू. २० । १०३ ।

सु॒ᳪस्थि॑ते॒ऽग्नि॒ष्टो॒मे । परि॑हृतासु वसती॒वरी॑ष्व॒ध्वर्यु॑रन्न॒होमा॑ञ्जु॒होति॒ तेषा॑मु॒क्तम्ब्रा॒ह्मणम्प्रा॒णाय॒ स्वाहा॑ऽपा॒नाय॒ स्वाहे॒ति द्वाद॑शभिरनुवा॒कैर्द्वा॑दश॒ मासा॑: सम्वत्स॒रः सर्व॑ᳪ सम्वत्स॒रः सर्व॑मश्वमे॒धः सर्व॑स्या॒प्त्यै सर्व॑स्या॒वरु॑द्ध्यै ॥ ४ ॥

संस्थितेऽग्निष्टोमे । परिहृतासु वसतीवरीषु । अध्वर्युरन्नहोमान् जुहोति । तेषामुक्तं ब्राह्मणम् । " प्राणाय स्वाहाऽपानाय स्वाहा "-(वा. सं. २२ । २३) इति द्वादशभिरनुवाकैः[1] द्वादश मासाः संवत्सरः । सर्वं संवत्सरः । सर्वमश्वमेधः । सर्वस्याप्त्यै । सर्वस्यावरुद्ध्यै ॥ ४ ॥

कुर्यात् । कथं तर्हि कुर्यात् ? द्वे त्वेवैते । सहिते आश्वमेधिके । किं खिलपरिपठिते ऐकादशिन्यौ-" आग्नेयः कृष्णग्रीवः, अग्नयेऽनीकवते, रोहिताञ्जिरनड्वान् " इत्येते (वा. सं. २९ । ५८ । ५९) आलमेत य एवैकादशिनेषु कामः आपन्नः । तस्मै काममेकादशिन्या यजेतेत्यादि । यदेकादशिनान्पशूनालभते न स्वर्गं लोकमपराप्नोति । न प्रजया पशुभिर्व्यृद्ध्यते इत्यादिश्च, तस्याप्त्यै ॥ ३ ॥

संस्थितेऽग्निष्टोमे । क्रमार्थमिदं पुनर्वचनम् । अध्वर्युग्रहणं औद्गात्रहौत्रव्यवधानार्थम् ॥ ४ ॥

१-एकादशिन्यौ सवनीयाः पशवो भवंति । का. श्रौ. सू. २० । १०४ । (द्वे एकादशिन्यौ, खिलपरिपठिते, इति हरिस्वामिनः । खिलपरिपठिता प्रथमैवैकादशिनी द्विरावृत्ता भवतीति कर्कसंप्रदायकारौ ।) उत्तरयोश्च । का. श्रौ. सू. २० । १०६ । (उत्तरयोर्द्वितीयतृतीययोरह्नोर्द्वे द्वे एकादशिन्यौ खिलपरिपठिते सवनीयाः पशवो भवंतीत्यर्थः ।) उत्तमे गावो बहुरूपाः । का. श्रौ. सू. २० । १०७ । (उत्तमेऽहनि सर्वस्तोमातिरात्रे गावो गोजातीयाः बहुरूपा विचित्रवर्णाः एकादशिन्यः पशवो भवंतीत्यर्थः । तत्र च द्वयोरेकादशिन्योर्द्वाविंशतिर्द्वौ च प्राजापत्यौ एवं चतुर्विंशतिपशवः । मध्यम आग्नेयौ । का. श्रौ. सू. २० । १०५ । इति सवनीयानां यूपेषु नियोजनक्रमः । स चेत्थं-मध्यमे अग्निष्ठे यूपे द्वावाग्नेयौ, दक्षिणोत्तरयोर्द्वौ सारस्वतौ चतुर्थपंचमयोर्द्वौ सौम्यौ षष्ठसप्तमयोर्द्वौ पौष्णौ अष्टमनवमयोर्द्वौ बार्हस्पत्यौ दशमैकादशयोर्द्वौ वैश्वदेवौ द्वादशत्रयोदशयोर्द्वावैन्द्रौ चतुर्दशपंचदशयोर्द्वौ मारुतौ षोडशसप्तदशयोर्द्वावैंद्राग्नौ अष्टादशैकोनविंशयोर्द्वौ सावित्रौ विंशैकविंशयोर्द्वौ वारुणौ । इति एकविंशतियूपेषु द्वाविंशतिपशूनां नियोगक्रमः । अथ प्रत्यभिज्ञानार्थं सवनीयानां वर्णाः । तत्र प्रथमैकादशनीपशुवर्णाः । १ अग्नये=कृष्णवर्णकंठश्छागः, २ सरस्वत्यै मेषी, ३ सोमाय बभ्रुः कपिलवर्णश्छागः, ४ पूष्णे श्यामः कृष्णलोमश्छागः, ५ बृहस्पतये शितिपृष्ठः श्यामपृष्ठश्छागः, ६ विश्वेभ्यो देवेभ्यः शिल्पः विचित्रवर्णश्छागः, ७ इंद्राय अरुणः व्यक्तरक्तवर्णश्छागः, ८ मरुद्भ्यः कल्माषः कर्बुरश्छागः, ९ इंद्राग्निभ्यां संहितः स्थूलांगश्छागः, १० सवित्रे अधोरामः अधोदेशे श्वेतश्छागः, ११ वरुणाय कृष्णः एकशितिपात् पेत्वः एकपदे श्वेतः अन्येषु त्रिषु पदेषु कृष्णः पेत्वः पतनशीलो वेगवान् छागः, इति प्रथमैकादशिनीपशुवर्णाः । अथ द्वितीयैकादशिनी । १ अग्नयेऽनीकवते रोहिताञ्जिः रक्तपुंड्रोऽनड्वान्, २ सवित्रे अधोरामौ अधोदेशे श्वेतौ छागौ, २ पूष्णे रजतनाभी रजतवर्णनाभी छागौ, २ विश्वेभ्यो देवेभ्यः पिशंगौ पीतवर्णौ तूपरौ शृंगहीनौ छागौ, १ मरुद्भ्यः कल्माषः विचित्रवर्णश्छागः, १ अग्नये कृष्णः कृष्णवर्णः अजो मेषः, १ सरस्वत्यै मेषी, १ वरुणाय पेत्वः पीतवर्णः छागः । इति द्वितीयैकादशिनी । उत्तमेऽहनि सर्वस्तोमातिरात्रे तु, सर्वे सवनीयाः पशवः गोजातीया एव बहुरूपा विचित्रवर्णा एवेति ।

१-वसतीवरीर्गृहीत्वा गृहीत्वा प्रतिदिशं समासिच्य परिहरति । आज्यसक्तुधानालाजानामेकैकं जुहोति प्राणाय स्वाहेति प्रतिमंत्रं सर्वरात्रमावर्तम् । का. श्रौ. सू. २० । ११२ । ११३ । इह च एकस्मै स्वाहा द्वाभ्यां स्वाहा वा. सं. २२ । ३४ । इत्येवमादौ त्रिभ्यः स्वाहा चतुर्भ्यः स्वाहा पंचभ्यः स्वाहा इत्येवमादिः, आ एकशतात् लुप्तः स्वाध्यायो द्रष्टव्यः । तथा च श्रुतिः-" एकस्मै स्वाहा द्वाभ्यां स्वाहा शताय स्वाहैकशताय स्वाहेत्यनुपूर्वं जुहोति, एकोत्तरा जुहोति नैकशतमत्यंतीति च "-(श. प. १३ । २ । १ । ५ । ६) व्युष्ट्या इति व्युष्टायां स्वर्गायेत्युदिते । (का. श्रौ. सू. २० । ११४ । ११५) । इत्येवमन्नहोमः ॥

(द्व्याऽए) एकविꣳशम्मध्यममहर्ब्भवति । (त्य) असौ वाऽआदित्यऽएकविꣳशः सोऽश्वमेधः स्वेनैवैनꣳ स्तोमेन स्वायां देवतायाम्प्रतिष्ठापयति तस्मादेकविꣳशम् ॥ ५ ॥

यद्वेवैकविꣳशम् । (मे) एकविꣳशो वै पुरुषो दश हस्त्याऽअङ्गुलयो दश पाद्याऽआत्मैकविꣳशस्तदनेनैकविꣳशेनात्मनैतस्मिन्नेकविꣳशे प्रतिष्ठायाम्प्रतितिष्ठति तस्मादेकविꣳशम् ॥ ६ ॥

यद्वेवैकविꣳशम् । (मे) एकविꣳशो वै स्तोमानाम्प्रतिष्ठा बहु खलु वाऽएतदेतस्मिन्नहन्युच्चावचमिव कर्म्म क्रियते तद्यदेतदेतस्मिन्नहन्युच्चावचम्बहु कर्म्म क्रियते तदेतस्मिन्नेकविꣳशे प्रतिष्ठायाम्प्रतिष्ठितं क्रियाताऽइति तस्मादु हैवैतदेकविꣳशमहः ॥ ७ ॥

(स्त) तस्य प्रातःसवनम् । (म) अग्निं तम्मन्ये यो वसुरिति होता पाङ्क्तमाज्यꣳ शस्त्वैकाहिकमुपसꣳशꣳसति बार्हतञ्च प्रउगम्माधुच्छन्दसञ्च त्रिचशऽउभे सꣳशꣳसति यश्च बार्हते प्रउगे कामो यऽ उ च माधुच्छन्दसे तयोरुभयोः कामयोराप्त्यै क्लृप्तम्प्रातःसवनम् ॥ ८ ॥

एकविंशं मध्यममहर्भवति । असौ वा आदित्य एकविंशः । सोऽश्वमेधः । स्वेनैवैनं स्तोमेन स्वायां देवतायां प्रतिष्ठापयति । तस्मादेकविंशम् ॥ ५ ॥

यद्वेवैकविंशम् । एकविंशो वै पुरुषः । दश हस्त्या अंगुलयः । दश पाद्याः । आत्मैकविंशः । तदनेनैकविंशेनात्मनैतस्मिन्नेकविंशे प्रतिष्ठायां प्रतितिष्ठति । तस्मादेकविंशम् ॥ ६ ॥

यद्वेवैकविंशम् । एकविंशो वै स्तोमानां प्रतिष्ठा । बहु खलु वा एतत् एतस्मिन्नहन्युच्चावचमिव कर्म क्रियते । तद्यदेतदेतस्मिन्नहन्युच्चावचं बहु कर्म क्रियते । तदेतस्मिन्नेकविंशे प्रतिष्ठायां प्रतिष्ठितं क्रियाता इति । तस्मात् उ एवैतदेकविंशमहः ॥ ७ ॥

तस्य प्रातःसवनम् । " अग्निं तं मन्ये यो वसुः "–(वा. सं. १५ । ४१ ।) इति होता पाङ्क्तमाज्यं शस्त्वा ऐकाहिकमुपसंशंसति । बार्हतं च प्रउगं माधुच्छन्दसं च । त्रिचशः

एकविंशमिति । औद्गात्रमेतत् दर्शनार्थं पुनरुच्यते । नान्येन च । स्वायां देवतायां आदित्ये प्रतिष्ठापयति ॥ ५ ॥

यद्वेवैकविंशम् । तत् अनेन एकविंशतिविभागेन आत्मना प्रागेन तम् एतस्मिन्नादित्ये एकविंशे एव ॥ ६ ॥ सामान्यात् प्रकृतौ च । स्तोमानाम् अन्यद्वा । यत् उच्चावचं नानारूपम् ॥ ७ ॥

तस्य प्रातःसवनम् । तस्य मध्यमाह्नः हौत्रे प्रातःसवनं विशेषेण कल्पयिष्ये इति शेषः । " अग्निं तं

(म) अथातो माध्यान्दिनꣳ सुवनम्। (मु) अतिच्छन्दाः प्रतिपन्मरुत्वतीयस्य त्रिकद्रुकेषु महिषो युवाशिरमित्यतिष्ठा वाऽएषा छन्दसां यदतिच्छन्दाऽअतिष्ठाऽअश्वमेधो यज्ञानामश्वमेधस्यैवाप्त्यै सैषैव त्रिः शस्ता त्रिचः सम्पद्यते तेनो तं काममाप्नोति यस्त्रिचऽइदं वसो सुतमन्धऽइत्यनुचरऽएषऽएव नित्यऽएकाहातानऽ इत्था हि सोमऽइन्मदेऽवितासि सुन्वतो वृक्तबर्हिषऽइति पङ्क्तीश्च षट्पदाश्च शस्त्वैकाहिके निविदन्दधातीति मरुत्वतीयम्॥ ९॥

उभे संशंसति। यश्च बार्हते प्रउगे कामः। य उ च माधुच्छन्दसे। तयोरुभयोः कामयोराप्त्यै। क्लृप्तं प्रातःसवनम्॥ ८॥

अथातो माध्यंदिनं सवनम्। अतिच्छंदाः प्रतिपन्मरुत्वतीयस्य। "त्रिकद्रुकेषु महिषो यवाशिरम्"–इति। अतिष्ठा वा एषा छंदसां यदतिच्छंदाः। अतिष्ठा अश्वमेधो यज्ञानाम्। अश्वमेधस्यैवाप्त्यै। सैषैव त्रिः शस्ता त्रिचः संपद्यते। तेन उ तं काममाप्नोति। यस्त्रिचे। "इदं

मन्ये यो वसुः" इत्येतत्सूक्तम्। पांक्तं पंक्तीनां समूहः। आज्यं आज्यशस्त्रात्मकमाश्वमेधिकं शस्त्वा ऐकाहिकं ज्यौतिष्टोमिकमाज्यमाज्यसूक्तं उप उपचिन्वन् स एकाहादपूर्वेण आश्वमेधिकेन शंसति एष तावत् आज्ये प्रथमे शस्त्रे विशेषः। अथ द्वितीये शस्त्रे विशेषमाह–बार्हतं च। "आ नो यज्ञं दिविस्पृशं" बृहतीनां समूहः। प्रउगं शस्त्रं माधुच्छंदसं मधुच्छंदस आर्षं ज्यौतिष्टोमिकम्। प्रउगं "वायुरग्रेगाः" इत्येतत्, त्रिचर्शः तृचं तृचं शंसति। माधुच्छंदसे हि वाय्वादयः सप्त तृचाः सप्तैव बार्हताः। तेषामेकं बार्हतं एकं च माधुच्छंदसं समानेन शंसति। एवं सर्वान्। यश्च बार्हते प्रउगे कामो ब्राह्मणे पठितः। यश्च माधुच्छंदसे च। तयोरुभयोराप्त्यै। क्लृप्तं प्रातःसवनं एतवानेवात्र विशेषः नान्योऽस्तीत्यर्थः॥ ८॥

अथातो माध्यंदिनं सवनं, विशेषयतीति शेषः। मरुत्वतीयस्य शस्त्रस्य "त्रिकद्रुकेषु महिषः" इत्येषा [6]अतिच्छन्दाः [7]प्रतिपत्प्रथमा च भवति। "इदं वसो सुतमंधः" इत्यनुचरस्तृचः प्राकृत एव। एष एव नित्यः

१–शांखायनीयं दशर्चम्। अग्निं तं मन्ये १ सो अग्निर्यो २ अग्निर्हि वाजिनं ३ आ ते अग्न इधीमहि ४ आ ते अग्न ऋचा हविः ५ प्रोत्ये अग्नयो ६ तवत्ये अग्ने ७ नवानो अग्न आ भर ८ अभे सुश्चंद्र ९ एवा अग्निर्मनुः १० इति। आश्वलायनीयं दशर्चं चेदमेव। २–शांखायनीयं सप्तर्चम्। प्र वो देवायाग्नये १ ऋतावा यस्य २ स यंता विप्र ३ स नः शर्माणि ४ दीदिवांसं ५ उत नो ब्रह्मन् ६ नूनो रास्व ७ इति। आश्वलायनीयं च सप्तर्चं चेदमेव। आ. श्रौ. सू. उ. ष. ६। ४। १०। अग्निं तम्मन्य इत्याज्यं तस्यैकाहिकमुपरिष्टादिति। ३–आ नो यज्ञं दिविस्पृशमिति द्वे आ नो वायो महेतन इत्येका रथेन पृथुपाजसा बह्वः सूर चक्षस इमा उ वां दिविष्टयः। पिबासुतस्य रसिनो देवंदेवं वोऽवसे देवंदेवं बृहदु गा.येषे वच इति बार्हतं प्रउगमिति। आ. श्रौ. सू. उ. ष. ६। १। २॥ ४–तृचाः प्रउगे सर्वाः। इति आ. श्रौ. सू. उ. ष. ६। १। १॥

५–"त्रिकद्रुकेषु महिषो यवाशिरं तुविशुष्म (१) स्तृपत्सोममपिबद्विष्णुना सुतं यथा वशत् (२) स ईं ममाद महि कर्म कर्तवे महामरुं (३) सैनं सश्चद्देवोदेवं (४) सत्यमिंद्रं सत्य इंदुः" (५)।१। "ऋग्वेदः" अ. २ अ. ६ व. २८मं. १। सू. २२।

६–सप्तविधेषु अतिच्छंदस्सु चतुःषष्ट्यक्षरा ६४ अष्टिर्नाम्नी अतिच्छंदस्का। ७–प्रतिपत् प्रारंभरूपा प्रथमा ऋक्। प्रतिपद्यते प्राप्यते शस्त्रं येन तृचेन सोऽयं प्रतिपत्। ८–"इदं वसो सुतमंधः" ऋ. सं. मं. ८ सू. २ अ. १। प्रतिपदमनुचरतीत्यनुचरः अनंतरं पठनीयः इत्यर्थः।

(म) अथातो निष्केवल्यम् । (म्म) महानाम्न्यः पृष्ठम्भवन्ति सानुरूपाः सप्रगाथाः शꣳसति सर्वे वै कामा महानाम्नीषु सर्वे कामाऽअश्वमेधे सर्वेषाङ्कामानामाप्त्याऽइन्द्रो मदाय वावृधे प्रेदम्ब्रह्म वृत्रतूर्य्येष्वाविथेति पङ्क्तीश्च षट्पदाश्च शस्त्वैकाहिके निविदन्दधाति क्लृप्तम्माध्यन्दिनꣳ सवनम् ॥ १० ॥

वसो सुतमंधः"–इत्यनुचरः। एष एव नित्य एकाहातानः। "इत्था हि सोम इन्मदे अवितासि सुन्वतो वृक्तबर्हिषः"–इति पंक्तीश्च षट्पदाश्च शस्त्वा ऐकाहिके निविदं दधाति। इति मरुत्वतीयम् ॥ ९ ॥

अथातो निष्केवल्यम्। महानाम्न्यः पृष्ठं भवंति। सानुरूपाः सप्रगाथाः शंसति। सर्वे वै

एकाहातानः। एकाहे आतानः "इंद्र नेदीयः" इत्यादिः। एकाहातानादूर्ध्वम् "इत्था हि सोम इन्मदे" इति पंक्तीः शंसति। ततः "अवितासि सुन्वतो वृक्तबर्हिषः" इति षट्पदाः। ततः "ऐकाहिकं सूक्तं" शंसति। तत्र च प्रागुत्तमाया ऋचो निविदं दधाति। इति मरुत्वतीयम्–इत्युपसंहारः ॥ ९ ॥

अथातो निष्केवल्यमिति। निष्केवल्यं माहेंद्रशस्त्रं तत् विशेषयिष्यत इति शेषः। महानाम्न्यः शक्वर्यः। सिमास्वसाक्षरस्य। ताभिः शाक्वरं लक्ष्यते। शाक्वरं मध्यमे अहनि पृष्ठं भवति। पुरविवक्षयोपन्यासः। एषः अंगं तस्य ता महानाम्नीः स्तोत्रियाः। सहानुरूपेण तृचेन "स्वादोः" "इत्था" "विषूवतः" इति सह च प्रगाथेन होता शंसति। सर्वे कामा महानाम्नीषु। आयताः सर्वकामप्रदास्ता इत्यर्थः। "इन्द्रो मदाय" इति पंक्तीः। "प्रेदं ब्रह्म" इति षट्पदाः शस्त्वा ऐकाहिके "इंद्रस्य नु वीर्याणि प्रवोचम्" इत्येतस्मिन् सूक्ते निविदं दधाति ॥ १० ॥

१–"इंद्र नेदीयः" ऋ. सं. मं. ८ सू. ५३ ऋ. ५। आतानः, पुनरपि विस्तारः। २–"इत्था हि सोम इन्मदे" ऋ. सं. मं. १ सू. ८ ऋ. १ पंक्तिच्छंदस्केयमृक्। पंक्तीः पंक्तिच्छंदस्काः ॥ ३–"अवितासि सुन्वतो" ऋ. सं. मं. ९ सू. ७ अ. ४३ ॥ ४–षट्पदाः महापंक्तिच्छंदस्काः। तथा च का. सर्वा. अ. ५ कं. ८ "अष्टकौ सप्तकः षट्को दशको नवकश्च षडष्टका महापंक्तिः" इति। तत्रैव भाष्ये–"आदावष्टाक्षरो यस्याः सप्तकोऽथ षडक्षरः। दशाक्षरोऽथ नवकः सा महापंक्तिरुच्यते। अष्टाक्षरा वा यस्याः पद सा महापंक्तिरेवहि"। इति। पादा इति शेषः। अष्टाचत्वारिंशदक्षरेति यावत्। ५–ऐकाहिकं सूक्तं "जनिष्ठा उग्रः सहसे तुरायेति" इत्यादिकमेकादशर्चं सूक्तं एकाहे मूलप्रकृतिरूपे अग्निष्टोमे समुत्पन्नमिति ऐकाहिकमित्युच्यते। ऋ. सं. मं. १० सू. ७३ ऋ. १। ६–मूलप्रकृतिरूपे अग्निष्टोमे षण्णामृचां शंसनं कृत्वा तत ऊर्ध्वं "इंद्रो मरुत्वान्" इत्यादीनि निवित्पदानि सूक्तमध्ये धीयंते तस्मादेतत् ऐकाहिकं निविद्धानमित्यप्युच्यते। अत्र तु तानि निवित्पदानि सूक्तस्य उत्तमाया "मन्योरियायः" इत्यस्या ऋचः प्राक् निवित्पदानि धीयंते इति विशेषः। ९। ७–"महानाम्न्यः विदामघवन्" इत्याद्या नव ऋचः। ऐतरेयारण्यके ४।१।१। ताः शक्वर्यः शाक्वरपृष्ठसंपादिन्यः न तु शक्वरीच्छंदस्काः। ८–शाक्वरं शाक्वरनाम्नः साम्नः पृष्ठस्तोत्रं तस्य महानाम्न्यः स्तोत्रियाः। ९–अनुरूपः एकं साम तृचे गीयते तत् तृचं स्तोत्रियम्। स प्रथमस्तृचस्तोत्रियः शस्त्रस्यादौ प्रयोक्तव्यः। तत् तृचमनुपश्चात् रूप्यते पठ्यते यो द्वितीयस्तृचः स अनुरूप इत्युच्यते एवं च द्वावेतौ तृचौ शस्त्रस्यादौ पठेदित्यर्थः। स्वादोः स्वादीयः स्वादुना। ऋ. सं. मं. १० सू. १२ ऋ. ३ "इत्था हि सोम" ऋ. सं. मं. १ सू. ८० ऋ. १ विषुवत्। १०–प्रगाथः अनुरूपमनुपठ्यमानः द्व्यर्चः प्रगाथः। ११–"इंद्रो मदाय" ऋ. सं. मं. १ सू. १ अ. ६। १२–"प्रेदं ब्रह्म" ऋ. सं. मं. ९ सू. ८ अ. ४३ ॥ १३–"इंद्रस्य नु वीर्याणि" ऋ.। सं. मं १ सू. ३२ ऋ. १। इतीदं सूक्तं पंचदशर्चम् ॥

(म) अथातस्तृतीयसवनम् । (मु) अतिच्छन्दाऽएव प्रतिपद्वैश्वदेवस्याभि त्यन्देवꣳ सवितारमोण्योरिति तस्याऽएतदेव ब्राह्मणं यत्पूर्वस्याऽअभि त्वा देव सवितरित्यनुचरोऽभिवानभिभूत्यै रूपमुदुष्य देवः सविता दमूनाऽइति सावित्रꣳ शस्त्वैकाहिके निविदन्दधाति मही द्यावापृथिवीऽइह ज्येष्ठेऽइति चतुर्ऋचन्द्यावापृथिवीयꣳ शस्त्वैकाहिके निविदन्दधात्यृभुर्विभ्वा वाजऽइन्द्रो नोऽअच्छेत्यार्भवꣳ शस्त्वैकाहिके निविदन्दधाति को नु वां मित्रावरुणावृतायन्निति वैश्वदेवꣳ शस्त्वैकाहिके निविदन्दधातीति वैश्वदेवम् ॥ ११ ॥

(म) अथातऽआग्निमारुतम् । (म्मू) मूर्द्धानन्दिवोऽअरतिम्पृथिव्याऽइति वैश्वानरीयꣳ शस्त्वैकाहिके निविदन्दधात्या रुद्रासऽइन्द्रवन्तः सजोषसऽइति मारुतꣳ शस्त्वैकाहिके निविदन्दधातीममूषु-

---

कामा महानाम्नीषु । सर्वे कामा अश्वमेधे । सर्वेषां कामानामाप्त्यै । " इन्द्रो मदाय वावृधे श्रेदं ब्रह्म वृत्रतूर्येष्वाविथ "–इति पंक्तीश्च पदपदाश्च शस्त्वा ऐकाहिके निविदं दधाति । क्लृप्तं माध्यंदिनं सवनम् ॥ १० ॥

अथातस्तृतीयसवनम् । अतिच्छन्दा एव प्रतिपत् वैश्वदेवस्य । " अभि त्यं देवꣳ सवितारमोण्योः "–(वा. सं. ४ । २५) इति । तस्या एतदेव ब्राह्मणम्, यत्पूर्वस्याः । " अभि त्वा देव सवितः "–इत्यनुचरः । अभिवानभिभूत्यै रूपम् । " उदुष्य देवः सविता दमूनाः "–इति सावित्रं शस्त्वा ऐकाहिके निविदं दधाति । " मही द्यावापृथिवी इह ज्येष्ठे "–इति चतुर्ऋचं द्यावापृथिवीयं शस्त्वा ऐकाहिके निविदं दधाति । " ऋभुर्विभ्वा वाज इंद्रो नो अच्छ "–इत्यार्भवं शस्त्वा ऐकाहिके निविदं दधाति । " को नु वां मित्रावरुणावृतायन् "–इति वैश्वदेवं शस्त्वा ऐकाहिके निविदं दधाति । इति वैश्वदेवम् ॥ ११ ॥

अथात आग्निमारुतम् । " मूर्द्धानं दिवो अरतिं पृथिव्याः "–(वा. सं. ७ । २४) इति वैश्वानरीयं शस्त्वा ऐकाहिके निविदं दधाति । " आ रुद्रास इंद्रवंतः सजोषसः "–

अथातस्तृतीयसवनम् । " अभि त्वा देव सवितः " इत्येषः अनुचरस्तृचः अभिवान्, शत्रूणां अभिभवस्य रूपम् । " उदुष्य देवः सविता दमूनाः " इत्यादीनि चत्वारि आश्वमेधिकानि सूक्तानि ऐकाहिकानां पुरस्तात्

१–' अभि त्यꣳ सावित्र्यष्टिः " इति सर्वानुक्रमे कात्यायनः । " अभित्यं देवꣳ सवितारमोण्योः इति ऋक् सप्तस्वतिच्छंदस्सु चतुःषष्ट्यक्षरा अष्टिर्नाम्नी अतिच्छंदस्केयं प्रतिपदभिधेया भवति ।

२–उदुष्य देवः सविता दमूनाः । ५ । १ । १५ । ४ । इति सावित्रम् । (१) मही द्यावापृथिवी इह ज्येष्ठे० । ३ । ८ । ८ । १ । इति चतुर्ऋचं द्यावापृथिवीयम् । (२) ऋभुर्विभ्वा वाज इंद्रो नो अच्छ ० । ३ । ७ । ३ । १ । इत्यार्भवम् । (३) को नु वां मित्रावरुणावृतायन्० । ४ । २ । २ । १ । इति वैश्वदेवम् । (४) ।

वोऽअतिथिमुषर्ब्बुधमिति नवर्च्चञ्जातवेदसीयᳬं शस्त्वैकाहिके निविदन्दधाति तद्यदैकाहिकानि निविद्धानानि भवन्ति प्रतिष्ठा वै ज्योतिष्टोमः प्प्रतिष्ठायाऽअप्रच्युत्यै ॥ १२ ॥

तस्यैते पशवो भवन्ति । (न्त्यु) अश्वस्तूपरो गोमृगऽइति पञ्चदश पर्य्यङ्ग्यास्तेषामुक्तम्ब्राह्मणमथैतऽआरण्या व्वसन्ताय कपिञ्जलानालभते ग्ग्रीष्माय कलविङ्कान्वर्षाभ्यस्तित्तिरीनिति तेषाम्वेवोक्तम् ॥१३॥

(मु) अथैतानेकविᳬंशतये । चातुर्म्मास्यदेवताभ्यऽ एकविᳬंशतिमेकविᳬंशतिम्पशूनालभतऽएतावन्तो वै सर्व्वे देवा यावत्यश्चातुर्मास्यदेवताः सर्व्वे कामाऽअश्वमेधे सर्व्वान्देवान्प्रीत्वा सर्व्वान्कामानाप्नवानीति न तथा कुर्य्यात् ॥ १४ ॥

इति मारुतं शस्त्वा ऐकाहिके निविदं दधाति । "इममूषु वो अतिथिमुषर्बुधम्"-इति । नवर्चं जातवेदसीयं शस्त्वा ऐकाहिके निविदं दधाति । तद्यत् ऐकाहिकानि निविद्धानानि भवंति । प्रतिष्ठा वै ज्योतिष्टोमः । प्रतिष्ठाया अप्रच्युत्यै ॥ १२ ॥

तस्यैते पशवो भवंति । "अश्वः तूपरः गोमृगः"-(वा. सं. २४ । १) इति पंचदश पर्यंग्याः । तेषामुक्तं ब्राह्मणम् । अथैत आरण्याः । "वसंताय कपिंजलानालभते, ग्रीष्माय कलविंकान्, वर्षाभ्यस्तित्तिरीन्"-(वा. सं. २४ । २०) इति । तेषाम् उ एवोक्तम् ॥१३॥

अथैतानेकविंशतये चातुर्मास्यदेवताभ्य एकविंशतिमेकविंशतिं पशूनालभते । एतावन्तो वै सर्वे देवाः । यावत्यश्चातुर्मास्यदेवताः । सर्वे कामा अश्वमेधे । सर्वान् देवान् प्रीत्वा सर्वान् कामानाप्नवानीति । न तथा कुर्यात् ॥ १४ ॥

शंसनीयान्येव । साग्निमारुतैर्द्वैइत्यादीनि त्रीणि आश्वमेधिकानि ऐकाहिकेनैव निविद्धानीयैः समुच्चिनोति ॥ ११ ॥ १२ ॥

तस्यैते पशवः । तस्य मध्यमस्याह्नः एते अश्वादयः पशवो भवंति । इति कंडिकाद्वयेन ऐकः पशुकल्पः उपन्यस्य प्रतिषिद्धः ॥ १३ ॥ १४ ॥

१-" तेषामुक्तं ब्राह्मणम् " । (श. प. १३ । २ । १ । १२ ।)

२-तेषाम्वेवोक्तम् । ब्राह्मणमिति शेषः । (श. प. १३ । २ । ४ । १--४ ।)

३-साग्निमारुतैर्द्वै इत्यादीनि । त्रीणि सूक्तानि । (५)

४-" वैश्वदेवस्य " इत्युपक्रम्य सूक्तेषु च ऐकाहिकान्युपसंशस्य तेषु निविदो दध्यात् । आश्व. श्रौ. सू. उ. प. ६ । ४ । १० ।

५-आरण्यकः पशुकल्पः । पर्यग्निकरणांतं संस्कुर्यात् । ततस्तेषां नालंभः । किंतूत्सर्गः । तथा च कात्यायनः-कपिंजलादीनुत्सृजंति पर्यग्निकृतानिति । का. श्रौ. सू. २० । १४७ ।

(त्स) सप्तदशैव पशून्मध्यमे यूपऽआलभेत । प्रजापतिः सप्तदशः सर्वꣳ सप्तदशः सर्वमश्वमेधः सर्वस्याप्त्यै सर्वस्यावरुद्ध्यै षोडश षोडशेतरेषु षोडशकलं वाऽइदꣳ सर्वꣳ सर्वमश्वमेधः सर्वस्याप्त्यै सर्वस्यावरुद्ध्यै त्रयोदश त्रयोदशारण्यानाकाशेष्वालभते त्रयोदश मासाः सम्वत्सरः सर्वꣳ सम्वत्सरः सर्वमश्वमेधः सर्वस्याप्त्यै सर्व-स्यावरुद्ध्यै ॥ १५ ॥

(द्व्याऽअ) अथ पुरा बहिष्पवमानात् । (द) अश्वन्निक्त्वोदानयन्ति तेन पवमानाय सर्पन्ति तस्योक्तं ब्राह्मणꣳ स्तुते बहिष्पवमानेऽश्वमास्तावमाक्रमयन्ति स यद्यव वा जिघ्रेद्वि वा वर्तेत समृद्धो मे यज्ञऽइति ह विद्यात्तमुपाकृत्याध्वर्युराह होतरभिष्टुहीति तमेकादशभिर्होता-ऽभिष्टौति ॥ १६ ॥

सप्तदशैव पशून्मध्यमे यूप आलभेत । प्रजापतिः सप्तदशः । सर्वं सप्तदशः । सर्वमश्वमेधः । सर्व-स्याप्त्यै । सर्वस्यावरुद्ध्यै । षोडश षोडशेतरेषु । षोडशकलं वा इदं सर्वम् । सर्वमश्वमेधः । सर्व-स्याप्त्यै । सर्वस्यावरुद्ध्यै । त्रयोदश त्रयोदशारण्यानाकाशेष्वालभते । त्रयोदश मासाः संवत्सरः । सर्वं संवत्सरः । सर्वमश्वमेधः । सर्वस्याप्त्यै । सर्वस्यावरुद्ध्यै ॥ १५ ॥

अथ पुरा बहिष्पवमानात् अश्वं निक्त्वोदानयन्ति । तेन पवमानाय सर्पन्ति । तस्योक्तं ब्राह्मणम् । स्तुते बहिष्पवमानेऽश्वमास्तावमाक्रमयन्ति । स यद्यव वा जिघ्रेत् । वि वा वर्तेत । समृद्धो मे यज्ञ इति ह विद्यात् तमुपाकृत्य, अध्वर्युराह । "होतरभिष्टुहि"—इति । तमेकादशभिर्होताऽभिष्टौति ॥ १६ ॥

सप्तदशैव पशून् इति कल्पान्तरं पूर्वोपसंहृतम् ॥ १५ ॥

अथ पुरा बहिष्पवमानात् । अथ पुरा तेनानेनाश्वेन सह सर्पन्ति । स्तुते बहिष्पवमाने उद्गातृभिः अस्मा-देव वचनात् "यदुद्गातोद्गायेत्" इत्यत्र च । उद्गातुरपरः अवजिघ्रन् वा विवर्तेन तत्र लोठेन् । ततः समृद्धं यज्ञं विद्यात् ॥ १६ ॥

१–"तस्योक्तं ब्राह्मणम् ।" (श. प. १३ । १ । ३ । १–२ ।) २–स्तुवीरन्वा । का. श्रौ. सू. २० । १२० ।

३–अश्वेनाक्रामयंत्यास्तावम् । (का. श्रौ. सू. २० । १२२ ।) आस्तावो बहिष्पवमानस्तवनप्रदेशः । ऐकादशिनानुपाकृत्या-श्वार्थिश्च । होतरश्वमभिष्टहीति प्रेष्यति । (का. श्रौ. सू. २० । १२३ । १२४) "तमेकादशभिरिति" अग्रिमकंडिकायां वक्ष्य-माणाभिः "यदक्रंदः प्रथमं जायमानः" इत्याद्याभिः "तव शरीरं पतयिष्णु" (वा. सं. २९ । १२-२२ । इत्यंताभिः एका-दशभिर्ऋग्भिः । तथा च सर्वानुक्रमण्यां कात्यायनः–" यदक्रंदस्त्रयोदशाश्वस्तुतिस्त्रिष्टुभो भार्गवो जमदग्निर्ददर्श दीर्घतमाश्चेति "। अश्वसूक्ते त्रयोदशर्चेऽपि "उप प्रागाच्छसनम्वाज्यर्वोप प्रागात्परमं यत्सधस्थम्" (वा. सं. २९ । २३ । २४) इत्येते उद्धृत्येति अग्रिमकंडिकोक्तश्रुतेर्द्वयोर्द्वादशीत्रयोदश्योर्ऋचोरश्वसूक्तादुद्धृतयोः सत्योरेकादशभिरेवेत्यर्थः ।

यदक्रन्दः प्रथमं जायमानऽइति । त्रिः प्रथमया त्रिरुत्तमया ताः पञ्चदश सम्पद्यन्ते पञ्चदशो वै वज्रो वीर्यं वज्रो वज्रेणैवैतद्वीर्येण यजमानः पुरस्तात्पाप्मानमपहते तद्वै यजमानायैव वज्रः प्रदीयते योऽस्य स्तृत्यस्तꣳ स्तर्तवाऽउप प्रागाच्छसनं वाज्यर्वोप प्रागात्परमं यत्सधस्थमिति ॥ १७ ॥

(त्ये) एतेऽउद्धृत्य । मा नो मित्रो वरुणोऽअर्यमाऽऽयुरित्येतत्सूक्तमधिगावावपति चतुस्त्रिꣳशद्वाजिनो देवबन्धोरित्युहैकऽएतां वङ्क्रीणां पुरस्ताद्दधति नेदनायतने प्रणवं दधामेत्यथो नेदेकवचनेन बहुवचनं व्यवायामेति न तथा कुर्यात्साध्वेव सूक्तमावपेदुप प्रागाच्छसनं वाज्यर्वोप प्रागात्परमं यत्सधस्थमिति ॥ १८ ॥

इति तृतीयप्रपाठके तृतीयं ब्राह्मणम् ॥ १३।३।२ ॥ (५-१) ॥

" यदक्रंदः प्रथमं जायमानः "-(वा. सं. २९ । १२ । २२) इति त्रिः प्रथमया, त्रिरुत्तमया, ताः पंचदश संपद्यन्ते । पंचदशो वै वज्रः । वीर्यं वज्रः । वज्रेणैवैतद्वीर्येण यजमानः पुरस्तात्पाप्मानमपहते । तद्वै यजमानायैव वज्रः प्रदीयते । योऽस्य स्तृत्यः । तं स्तर्तवे । " उप प्रागाच्छसनं वाज्यर्वा, उप प्रागात्परमं यत्सधस्थम् "-(वा. सं. २९ । २३ । २४) इति ॥ १७ ॥

एते उद्धृत्य । "मा नो मित्रो वरुणो अर्यमाऽऽयुः"-(वा. सं. २५ । २४-४०) इत्येतत्सूक्तमधिगावावपति । " चतुस्त्रिंशद्वाजिनो देवबंधोः "-(वा. सं. २५ । ४१) इति उ हैके । एतां वंक्रीणां पुरस्ताद्दधति । नेदनायतने प्रणवं दधामेति । अथो नेत् एकवचनेन बहुवचनं

तद्वै यजमानायैव । तद्वै इत्यत्र स वै इति लिंगव्यत्ययः । पंचदशो वज्रः यजमानायैव प्रदीयते । किमर्थं ? यः अस्य यजमानस्य स्तृत्यः । "स्तृ हिंसायाम्"-(धा. पा. स्वा. प. ६) हिंसनीयः शत्रुः सन् वर्तते । तुमर्थे तवेङ् प्रत्ययः । तं स्तर्तुं स्तरीतुं हंतुमित्यर्थः । " उप प्रागात् " इत्येते उद्धृत्य अश्वसूक्तात् । " यदक्रंदः " इत्येतत् एकादशभिरयं होता अभिष्टौति इति संबंधः ॥ १७ ॥

एते उद्धृत्य । " मा नो मित्रः " इत्येतत्सूक्तं होता वाचयति " अध्रिगो शमीध्वं " इत्येतस्मात् प्राक् । अत्र सूक्ते उच्यमाने " चतुस्त्रिंशद्वाजिनः " इत्येतामृचं स्वस्थानादपनीय वंक्रीणां पुरस्तात् आवपति ।

१-सर्वानुक्रमण्यां कात्यायनः-मा नोऽश्वस्तोमीयं दीर्घतमास्त्रैष्टुभं द्वाविंशत्यृचमश्वस्तुतिरिति । (वा० सं० २५।२४-४५) अध्रिगो शमीध्वमिति होतुर्वचनम् ।

२-चतुस्त्रिंशद्वाजिनः । (वा० सं० २५ । ४१) मा नो मित्रो वरुण इत्येतत्सूक्तातगतवक ।

व्यवायामेति । न तथा कुर्यात् । सार्द्धमेव सूक्तमावपेत् । " उप प्रागाच्छसनं वाज्यर्वा, उप प्रागात्परमं यत्सधस्थम् "–(वा. सं. २९ । २३ । २४ ।) इति ॥ १८ ॥

" षड्विंशतिरस्य वंक्रयस्ता अनुष्ठ्योच्च्यावयतात् " इत्येतस्य वंक्रीवचनस्य पुरस्ताद्दधाति । वंक्रीभिः अत्र तदर्थं वचनं लक्ष्यते । कुतः ? वंक्रीणां पुरस्ताद्देशे पुरस्तात् काले वा ऋचो धातुमशक्यत्वात्केन पुनरभिप्रायेण तामृचं वंक्रीवचनस्य पुरस्तात् दधाति इयत आह–तत्रानायतने अस्थाने प्रणवं दधाम इत्यनेनाभिप्रायेण । यदि किल एषा स्वक्रम एव सूक्तांतर्गता पुरस्तात्कृता । ततः प्रणवः अस्या अंते कृतेन प्रणवेनार्द्धर्चशः संदध्यादिति । तस्य च प्रणवस्यानायतनमस्थानमेषा । कुतः ? प्रैषात्मिका ह्येषा । कथं ह्येवं ह्यत्र शमितारः अनुशिष्यंति हि शमितारः । अश्वस्य चतुःस्त्रिंशद्वंक्रीत्वविच्छिन्दः संप्राप्नोति । न पश्वंतराणां एष तावत् विशसति । एतद्विदित्वा अच्छिद्रे अखंडे गात्रे पार्श्वे वयुना प्रज्ञया कुरुत । एकैकं पार्श्वं सप्तदशपर्शुकं पूरणीयमिति परुःपरुः पर्व पर्व पशूनामनुघुष्यात् । " घुषिरविशब्दने "–(धा. पा. चु. प. १९३) अनुपूर्वं विशब्दा गणयित्वा विशस्ति । एवं स्वे यथा अन्यानि प्रैषवचनानि प्रणवस्यानायतनम् । एवमेषामपीत्यभिप्रायः । अथो अपि । नेत् एकवचनेन एकस्याश्वस्य वंक्रीवचने एकवचनम् । चतुस्त्रिंशद्वाजिन इत्येतत् । नैकवचनेन बहूनां पशूनां वंक्रीवचनं बहुवचनं षड्विंशतिः षड्विंशतिरित्येषा ब्रहवस्ता अनुष्ठ्योच्च्यावयतादिति । एतत् तन्मा एतत्रेता (?) वंक्रीः व्यवायाम व्यवहितं विच्छिन्नं करवाम । वंक्रीयत्ताप्रकाशनमेकदेशमयुक्तम् । तथैकमेकदेशं भवति । यदि एषा ऋक् वंक्रीवचनस्य पुरस्ताद्धीयते । तद्विप्रकृतौ कृतदेशमेषा नु ऋगपूर्वा अकृतस्थाना । तस्यास्तत्देशता युक्ता न विपर्यय इत्यभिप्रायः । न तथा कुर्यात् । चतुस्त्रिंशद्वाजिन इत्येतां न सूक्तात् अपनयेत् । न च वंक्रीणां पुरस्ताद्दध्यादित्यर्थः । कथं कुर्यात् । सार्धमेव सूक्तं सकलमेव सूक्तं सह तया ऋचा आवपेत् । आवापस्थाने प्रसिद्धे धीयन्ते इत्यर्थः । अत्र प्रैषरूपा एषा ऋक् आयतनं प्रणवस्येति । ऋक्त्वादायतनं प्रवोकजात (?) इति वचनादभविष्यत् । यदप्युक्तं वंक्रीप्रकाशनं समानदेशयुक्तमिति तदपि वचनात् भिन्नदेशं भविष्यतीति श्रुतेरभिप्रायः । एतच्च " मा नो मित्रः " इति सूक्तं परिसमाप्य " उप प्रागात् " इत्येवैते च तत्रैवाभिगावावपेत् ॥ १८ ॥

इति श्रीमदाचार्यहरिस्वामिनः कृतौ माध्यन्दिनीयशतपथब्राह्मणभाष्ये त्रयोदशे काण्डे पंचमेऽध्याये प्रथमं ब्राह्मणम् ॥ (१३ । ५ । १) ॥

1–षड्विंशतिरस्य वंक्रय इति होतुर्वचनम् । आश्वलायनः–तमवस्थितमुपाकरणाय यदक्रंद इत्येकादशभिः स्तौत्यप्रणुवन्नुत्वाध्यायमित्येकेऽध्रिगो शमीध्वमिति शिष्ट्वा षड्विंशतिरस्य वंक्रय इति वा मा नो मित्र इत्यावपेतोप प्रागाच्छसनं वाज्यर्वेति चेति । आ. श्रौ. सू. उ. ष. ६ । ४ । ८ ।

एतेऽउक्त्वा । यदध्रिगोः परिशिष्टम्भवति तदाह व्वासोऽधिवासँ हिरण्यमित्यश्वायोपस्तृणन्ति तस्मिन्नेनमधि संज्ञपयन्ति संज्ञप्तेषु पशुषु पत्न्यः पान्नेजनैरुदायन्ति चतस्रश्च जायाः कुमारी पञ्चमी चत्वारि च शतान्यनुचरीणाम् ॥ १ ॥

(त्रि) निष्ठितेषु पान्नेजनेषु । महिषीमश्वायोपनिपादयन्त्यथैनावधिवासेन सम्प्रोर्णुवन्ति स्वर्गे लोके प्रोर्णुवाथामित्येष वै स्वर्गो लोको यत्र पशुँ संज्ञपयन्ति निरायत्याश्वस्य शिश्नम्महिष्युपस्थे निधत्ते व्वृषा व्वाजी रेतोधा रेतो दधात्विति मिथुनस्यैव सर्वत्वाय ॥ २ ॥

तयोः शयानयोः । (३) अश्वं यजमानोऽभिमेथत्युत्सक्थ्याऽ अव गुदन्धेहीति तन्न कश्चन प्रत्यभिमेथति नेद्यजमानं प्रतिप्रतिः कश्चिदसदिति ॥ ३ ॥

एते उक्त्वा यदध्रिगोः परिशिष्टं भवति तदाह । वासोऽधिवासं हिरण्यमित्यश्वायोपस्तृणंति । तस्मिन्नेनमधि संज्ञपयन्ति । संज्ञप्तेषु पशुषु पत्न्यः पान्नेजनैरुदायंति । चतस्रश्च जायाः । कुमारी पंचमी । चत्वारि च शतान्यनुचरीणाम ॥ १ ॥

निष्ठितेषु पान्नेजनेषु । महिषीमश्वायोपनिपादयंति । अथैनावधिवासेन संप्रोर्णुवंति । " स्वर्गे लोके प्रोर्णुवाथाम् "-(वा० सं० २३ । २०) इति । एष वै स्वर्गो लोकः । यत्र पशुं संज्ञपयंति । निरायत्याश्वस्य शिश्नं महिष्युपस्थे निधत्ते । " वृषा वाजी रेतोधा रेतो दधातु "-(वा० सं० २३ । २०) इति । मिथुनस्यैव सर्वत्वाय ॥ २ ॥

तयोः शयानयोः अश्वं यजमानोऽभिमेथति । " उत्सक्थ्या अव गुदं धेहि "-(वा. सं. २३ । २१) इति । तं न कश्चन प्रत्यभिमेथति । नेद्यजमानं प्रतिप्रतिः कश्चिदसदिति ॥ ३ ॥

एते उक्त्वा । " उप प्रागात् " इत्येते उक्त्वा अध्रिगो शमीध्वमित्येतदाहं ॥ १ ॥

निरायत्य वहिरायम्याकृष्य अश्वस्य शिश्नं महिषी आत्मनः उपस्थे स्त्रीप्रजनने प्रदेशे स्थापयति ॥ २ ॥ ३ ॥

१–क्वचित् " पशुषु महिषीमश्वायोपरि पातयन्ति " इति पाठो दृश्यते । परं नायं बहुसंमतः पाठः । यतो बहुषु पुस्तकेषु मूले स्थापित एव पाठो वरीवर्ति । यतश्च वैदिकैरपि मूले स्थापित एव पाठोऽधीयते । इति ॥

२–सानुचर्यः शतेन शतेन । २० । ११ । १२ ।

३–" प्रक्षालितेषु महिष्यश्वमुपसंविशत्याहमजानीति " । " अधिवासेन प्रच्छादयति स्वर्गे लोक इति " । " अश्वशिश्नमुपस्थे करोति वृषा वाजीति " । "उत्सक्थ्या इत्यश्वं यजमानोऽभिमंत्रयते" । का० श्रौ० सू० २० । १५२–१५५ । अत्र सूत्रत्रय्यां ब्राह्मणम् । श. प. १३ । २ । ८ । ४ । ५ ।

(त्यु) अथाध्वर्युः कुमारीमभिमेथति । कुमारि हयेहये कुमारि युका- ऽसकौ शकुन्तिकेति तङ्कुमारी प्रत्यभिमेथत्यध्वर्यो हयेहयेऽध्वर्यो यको- ऽसकौ शकुन्तकऽइति ॥ ४ ॥

(त्यु) अथ ब्रह्मा महिषीमभिमेथति । महिषि हयेहये महिषि माता च ते पिता च तेऽग्रम्वृक्षस्य रोहतऽ इति तस्यै शतᳬं राजपुत्र्योऽनु- चर्य्यो भवन्ति ता ब्रह्माणम्प्रत्यभिमेथन्ति ब्रह्मन्हयेहये ब्रह्मन्माता च ते पिता च तेऽग्रे वृक्षस्य क्रीडतऽइति ॥ ५ ॥

(त्यु) अथोद्गाता वावातामभिमेथति । वावाते हयेहये वावातऽ ऊर्ध्वामेनामुच्छ्रापयेति तस्यै शतᳬं राजन्याऽअनुचर्य्यो भवन्ति ताऽ- उद्गातारम्प्रत्यभिमेथन्त्युद्गातर्हयेहयऽउद्गातरूर्ध्वमेनमुच्छ्रयतादिति ॥ ६ ॥

अथाध्वर्युः कुमारीमभिमेथति । कुमारि हयेहये कुमारि ! "यकाऽसकौ शकुंतिका"–(वा. सं. २३ । २२) इति । तं कुमारी प्रत्यभिमेथति । अध्वर्यो हयेहयेऽध्वर्यो "यको- ऽसकौ शकुंतकः"–(वा. सं. २३ । २३) इति ॥ ४ ॥

अथ ब्रह्मा महिषीमभिमेथति । महिषि हयेहये महिषि ! "माता च ते पिता च तेऽग्रं वृक्षस्य रोहतः"–(वा. सं. २३ । २४) इति । तस्यै शतं राजपुत्र्योऽनुचर्या भवंति । ता ब्रह्माणं प्रत्यभिमेथंति । ब्रह्मन् हयेहये ब्रह्मन् ! "माता च ते पिता च तेऽग्रे वृक्षस्य क्रीडतः"–(वा. सं. २३ । २५) इति ॥ ५ ॥

अथोद्गाता वावातामभिमेथति । वावाते हयेहये । वावाते ! "ऊर्ध्वामेनामुच्छ्रापय"–(वा. सं. २३ । २६) इति । तस्यै शतं राजन्या अनुचर्या भवंति । ता उद्गातारं प्रत्यभिमे- थंति । उद्गातर्हयेहय उद्गातः ! "ऊर्ध्वमेनमुच्छ्रयतात्"–(वा. सं. २३ । २७) इति ॥ ६ ॥

हयेहये इति । हयेशब्दस्य अपूज्यामंत्रणार्थस्य कुत्सायां द्विर्वचनम् । मेथति आक्रोशति । मेथति- राक्रोशकर्मा ॥ ४–१९ ॥

१–राजदुहितरः प्रथमायाः । का. श्रौ. सू. २० । १३ ।

२–राजन्या द्वितीयायाः । का. श्रौ. सू. २० । १४ ।

३–अध्वर्युब्रह्मोद्गातृहोतृक्षत्तारः कुमारीपत्नीभिः संवदन्ते यकाऽसकाविति दशर्चस्य द्वाभ्यां द्वाभ्याः हयेहयेऽसावित्यामंत्र्या- मंत्र्य । सानुचर्यः प्रत्याहुः । अनुचर्य एकेषाम् । का. श्रौ. सू. २० । १५६–१५८ । अत्र ब्राह्मणम् । (श० प० १३।२।९।१-८) तत्र प्रत्यभिमेथने सानुचर्यः प्रत्याहुरिति पक्षः शाखान्तरीयः । तथाहि–"सा होतारं प्रत्यभिमेथत्यनुचर्यश्च शतं राजपुत्र्यः" इति (आश्व. श्रौ. सू. उ. ष. ६ । ४ । ८ ।) अनुचर्य एकेषामिति पक्षस्तु स्वश्रुतिसमतः "तस्यै शतं राजपुत्र्योऽनुचर्यो भवंति ता ब्रह्माणं प्रत्यभिमेथन्ति" इत्येवंविधस्यैव अत्रैव ब्राह्मणे तत्र तत्र (५-६-७-८) कंडिकासु दृष्टत्वादिति देवया- ज्ञिकः । कर्कस्तु विकल्प इत्याह ॥

(त्यु) अथ होता परिवृक्तामभिमेथति । परिवृक्के हयेहये परिवृक्के यदस्याऽअꣳहुभेद्याऽइति तस्यै शतꣳ सूतग्रामण्यां दुहितरोऽनुचर्य्यो भवन्ति ता होतारम्प्रत्यभिमेथन्ति होतर्हयेहये होतर्यद्देवासो ललामगुमिति ॥ ७ ॥

(त्यु) अथ क्षत्ता पालागलीमभिमेथति । पालागलि हयेहये पालागलि यद्धरिणो यवमत्ति न पुष्टं पशु मन्यतऽइति तस्यै शतं क्षात्रसङ्ग्रहीतॄणान्दुहितरोऽनुचर्य्यो भवन्ति ताः क्षत्तारम्प्रत्यभिमेथन्ति क्षत्तर्हयेहये क्षत्तर्य्यद्धरिणो यवमत्ति न पुष्टम्बहु मन्यतऽइति ॥ ८ ॥

सर्व्वाप्तिर्व्वाऽएषा व्वाचः । (चो) यदभिमेथिकाः सर्व्वे कामाऽअश्वमेधे सर्व्वया व्वाचा सर्व्वान्कामानाप्नवामेत्युत्थापयन्ति महिषीं ततस्ता यथेतम्प्रतिपरायन्त्यथैतरे सुरभिमतीमृचमन्ततोऽन्वाहुर्दधिक्राव्णोऽअकारिषमिति ॥ ९ ॥ अर्द्धः प्रपाठकः ॥ ६३ ॥

(त्यु) अप वाऽएतेभ्यऽआयुर्द्देवताः क्रामन्ति । ये यज्ञेऽपूताम्वाचम्वदन्ति व्वाचमेवैतत्पुनते देवयज्यायै देवतानामनपक्रमाय या च गोमृगे

अथ होता परिवृक्तामभिमेथति । परिवृक्के हयेहये परिवृक्के ! "यदस्या अंहुभेद्याः"-(वा. सं. २३ । २८) इति । तस्यै शतं सूतग्रामण्यां दुहितरोऽनुचर्यो भवंति । ता होतारं प्रत्यभिमेथंति । होतर्हयेहये होतः ! "यद्देवासो ललामगुम्"-(वा. सं. २३।२९) इति ॥७॥

अथ क्षत्ता पालागलीमभिमेथति । पालागलि हयेहये पालागलि ! "यद्धरिणो यवमत्ति न पुष्टं पशु मन्यते"-(वा. सं. । २३ । ३०) इति । तस्यै शतं क्षात्रसंग्रहीतॄणां दुहितरोऽनुचर्यो भवंति । ताः क्षत्तारं प्रत्यभिमेथंति । क्षत्तर्हयेहये क्षत्तः ! "यद्धरिणो यवमत्ति न पुष्टं बहु मन्यते"-(वा. सं. २३ । ३१) इति ॥ ८ ॥

सर्वाप्तिर्वा एषा वाचः । यदभिमेथिकाः । सर्वे कामा अश्वमेधे । सर्वया वाचा सर्वान्कामानाप्नवामेति । उत्थापयंति महिषीम् । ततस्ता यथेतं प्रतिपरायंति । अथेतरे सुरभिमतीमृचमंततोऽन्वाहुः-"दधिक्राव्णो अकारिषम्"-(वा. सं. २३ । ३२) इति ॥ ९ ॥

अप वा एतेभ्य आयुर्देवताः क्रामंति । ये यज्ञेऽपूतां वाचं वदंति । वाचमेवैतत्पुनते । देवय-

---

१-सूतग्रामण्यो तृतीयायाः । का. श्रौ. सू. २० । १५ ।

२-क्षात्रसंग्रहीतॄणां चतुर्थ्याः । का. श्रौ. सू. २० । १६ ।

३-"महिषीमुत्थाप्य पुरस्ता दधिक्राव्ण इत्याहुः" (का. श्रौ. सू. २० । १५९) (महिष्युत्थापनं पत्न्यनुचरीकर्तृकं पुरुषाः अध्वर्युब्रह्मोद्गात्रादयः । वा. सं. कं. २३-३२ । अत्र ब्राह्मणम् (श. प. १३ । २ । ९ । ९ ।)

व्वपा भुवति या चाजे तूपरे तेऽ अश्वे प्रत्यवधायाहरन्ति नाश्वस्य व्वपाऽस्तीति व्वदन्तो न तथा कुर्य्यादश्वस्यैव प्रत्यक्षम्मेदऽ आहरेत्प्रज्ञाताऽइतराः ॥ १० ॥

शृतासु व्वपासु । स्वाहाकृतिभिश्चरित्वा प्रत्यञ्चः प्रतिपरेत्य सदास ब्ब्रह्मोद्यम्वदन्ति पूर्व्वया द्वारा प्रपद्य यथाधिष्ण्यमभ्युपविशन्ति ॥ ११ ॥

स होताऽध्वर्य्युम्पृच्छति । कः स्विदेकाकी चरतीति तम्प्रत्याह सूर्य्यऽ एकाकी चरतीति ॥ १२ ॥

(त्यु) अथाध्वर्य्युर्होतारम्पृच्छति । किꣳ स्वित्सूर्य्यसमञ्ज्योतीरिति तम्प्रत्याह ब्रह्म सूर्य्यसमञ्ज्योतिरिति ॥ १३ ॥

(त्यु) अथ ब्रह्मोद्गातारम्पृच्छति । पृच्छामि त्वा चितये देवसखेति तम्प्रत्याहापि तेषु त्रिषु पदेष्वस्मीति ॥ १४ ॥

(त्यु) अथोद्गाता ब्रह्माणम्पृच्छति । केष्वन्तः पुरुषऽआविवेशेति तम्प्रत्याह पञ्चस्वन्तः पुरुषऽ आविवेशेति ॥ १५ ॥

ज्यायं । देवतानामनपक्रमस्य । या च गोमृगे वपा भवति । या चाजे । तूपरे । ते अश्वे प्रत्यवधायाहरंति । नाश्वस्य वपाऽस्तीति वदंतः । न तथा कुर्यात् । अश्वस्यैव प्रत्यक्षं मेद आहरेत । प्रज्ञाता इतराः ॥ १० ॥

शृतासु वपासु स्वाहाकृतिभिश्चरित्वा प्रत्यंचः प्रतिपरेत्य सदसि ब्रह्मोद्यं वदंति । पूर्वया द्वारा प्रपद्य यथाधिष्ण्यं व्युपविशंति ॥ ११ ॥

अथ ब्रह्मोद्यम् ।

स होताऽध्वर्युं पृच्छति–" कः स्विदेकाकी चरति "–(वा. सं. २३ । ४५) इति । तं प्रत्याह–" सूर्य एकाकी चरति "–(वा. सं. २३ । ४६) इति ॥ १२ ॥

अथाध्वर्युर्होतारं पृच्छति–" किं स्वित्सूर्यसमं ज्योतिः "–(वा. सं. २३ । ४७) इति । तं प्रत्याह–" ब्रह्म सूर्यसमं ज्योतिः "–(वा. सं. २३ । ४८) इति ॥ १३ ॥

अथ ब्रह्मोद्गातारं पृच्छति–" पृच्छामि त्वा चितये देवसख "–(वा. सं. २३ । ४९) इति । तं प्रत्याह–" अपि तेषु त्रिषु पदेष्वस्मि "–(वा. सं. २३ । ५०) इति ॥ १४ ॥

अथोद्गाता ब्रह्माणं पृच्छति–" केष्वंतः पुरुष आविवेश "–(वा. सं. २३ । ५१) इति । तं प्रत्याह–" पंचस्वंतः पुरुष आविवेश " (वा. सं. २३ । ५२) इति ॥ १५ ॥

१–" मेदोऽस्योद्धरति वपार्थे " का० श्रौ० सू० २० । १६६ । मेदो नाम घनीभूतं घृतसदृशमुदरमध्यवर्ति श्वेतं मांसम् ।

२–प्राग्वपाहोमाद्धोताऽध्वर्यू च सदसि संवदेते चतसृभिः कः स्विदेकाकीति पूर्ववत् । का. श्रौ. सू. २० । १६९ । " कः स्विदेकाकी " इत्यारभ्य " इयं वेदिः परो अंतः " इत्यन्तम् । अष्टादशर्च ब्रह्मोद्यं उक्तिप्रत्युक्तिरूपः परस्परं संवाद इत्यर्थः ॥

३–ब्रह्मोद्गातारौ पृच्छामि त्वेति । का. श्रौ. सू. २० । १७० ।

(त्ये) एतुस्यामुक्तायामुत्थाय । सुदसोऽधि प्राञ्चो युजमानमभ्या- यन्त्युग्रेण हविर्द्धानेऽआसीनमेत्य यथायतनम्पर्य्युपविशन्ति ॥ १६ ॥

स होताऽध्वर्य्युम्पृच्छति । का स्विदासीत्पूर्व्वचित्तिरिति तम्प्रत्याह द्यौरासीत्पूर्व्वचित्तिरिति ॥ १७ ॥

(त्यु) अथाध्वर्य्युर्होतारम्पृच्छति । कऽ ईमरे पिशङ्गिलेति तम्प्रु- त्याहाजाऽरे पिशङ्गिलेति ॥ १८ ॥

(त्यु) अथ ब्रह्मोद्गातारम्पृच्छति । कुत्यस्य विष्ठाः कुत्यक्षराणीति तम्प्रत्याह षुडस्य विष्ठाः शतमक्षराणीति ॥ १९ ॥

(त्यु) अथोद्गाता ब्रह्माणम्पृच्छति । कोऽअस्य व्वेद भुवनस्य नाभि- मिति तम्प्रत्याह व्वेदाहमस्य भुवनस्य नाभिमिति ॥ २० ॥

(त्यु) अथाध्वर्य्युं युजमानः प्पृच्छति । पृच्छामि त्वा पुरमन्तम्पृ- थिव्या ऽइति तम्प्रत्याहेयम्वेदिः पुरोऽअन्तः प्पृथिव्याऽइति ॥ २१ ॥

एतस्यामुक्तायां उत्थाय सदसो अधि प्रांचो यजमानमभ्यायंति । अग्रेण हविर्द्धाने आसीन- मेत्य, यथायतनं पर्युपविशंति ॥ १६ ॥

स होताऽध्वर्युं पृच्छति–" का स्विदासीत्पूर्वचित्तिः "–(वा. सं. २३ । ५३) इति । तं प्रत्याह–" द्यौरासीत्पूर्वचित्तिः "–(वा. सं. २३ । ५४) इति ॥ १७ ॥

अथाध्वर्युर्होतारं पृच्छति–" का ईमरे पिशंगिला "–(वा. सं. २३ । ५५) इति । तं प्रत्याह–" अजाऽरे पिशंगिला "–(वा. सं. २३ । ५६) इति ॥ १८ ॥

अथ ब्रह्मोद्गातारं पृच्छति–" कत्यस्य विष्ठाः कत्यक्षराणि "–(वा. सं. २३ । ५७) इति । तं प्रत्याह–" षडस्य विष्ठाः शतमक्षराणि "–(वा. सं. २३ । ५८) इति ॥ १९ ॥

अथोद्गाता ब्रह्माणं पृच्छति–" को अस्य वेद भुवनस्य नाभिम् "–(वा. सं. २३।५९) इति । तं प्रत्याह–" वेदाहमस्य भुवनस्य नाभिम् "–(वा. सं. २३ । ६०) इति ॥२०॥

अथाध्वर्युं यजमानः पृच्छति–" पृच्छामि त्वा परमन्तं पृथिव्याः" (वा, सं. २३।६१) इति । तं प्रत्याह–"इयं वेदिः परो अंतः पृथिव्याः"–(वा. सं. २३।६२) इति ॥ २१ ॥

एतस्यां वाचि उक्तयां सदस उत्थाय प्रांचः अग्रेण हविर्द्धाने आसीनं यजमानं अभिश्रयन्ति । एत्य च

१–पुनः पूर्वावपरेणोत्तरवेदिं का स्विदासीदिति । का. श्रौ. सू. २० । १७१ । (पूर्वौ होत्रध्वर्यू)

२–उत्तरौ च कत्यस्येति । का. श्रौ. सू. २० । १७२ । (उत्तरौ पश्चादुक्तौ ब्रह्मोद्गातारौ ।)

३–"यजमानोऽध्वर्युं पृच्छामि त्वेति " " इयं वेदिरित्यध्वर्युः " (प्रत्याहेत्यर्थः ।) का. श्रौ. सू. २० । १७३ । १७४ ।

सर्व्वांस्तिर्व्वाऽ एषा व्वाचः । (`यो) यद्ब्रह्मोद्यꣳ सर्व्वे कामाऽ अश्वमेधे सर्व्वया व्वाचा सर्व्वान्कामानाप्नवामेति ॥ २२ ॥

(त्यु) उदिते ब्रह्मोद्ये । प्रपद्याध्वर्य्युर्हिरण्मयेन पात्रेण प्राजापत्यम्महिमानङ्ग्रहं गृह्णाति तस्य पुरोरुग्घिरण्यगर्ब्भः समवर्त्तताग्रऽइत्युथास्य पुरोऽनुवाक्या सुभूः स्वयम्भूः प्प्रथमऽइति होता यक्षत्प्रजापतिमिति प्रैषः प्रजापते न त्वदेतान्यन्यऽइति होता यजति व्वषट्कृते जुहोति यस्तेऽहन्त्सम्वत्सरे महिमा सम्बभूवेति नानुवषट्करोति सर्व्वहुतꣳ हि जुहोति ॥ २३ ॥

इति तृतीयप्रपाठके चतुर्थं ब्राह्मणम् ॥ १३।३।४॥ (८–२) ॥

सर्वांस्तिर्वा एषा वाचः । यत् ब्रह्मोद्यम् । सर्वे कामा अश्वमेधे । सर्वया वाचा । सर्वान् कामानाप्नवामेति ॥ २२ ॥

अथ पूर्वोमहिमग्रहः ।

उदिते ब्रह्मोद्ये । प्रपद्याध्वर्युः । हिरण्मयेन पात्रेण प्राजापत्यं महिमानं ग्रहं गृह्णाति । तस्य पुरोरुक्–" हिरण्यगर्भः समवर्तताग्रे "–(वा. सं. २३ । १) इति । अथास्य पुरोऽनुवाक्या–" सुभूः स्वयंभूः प्रथमः "–(वा. सं. २३ । ६३) इति । " होता यक्षत्प्रजापतिम् "–(वा. सं. २३ । ६४) इति प्रैषः । " प्रजापते न त्वदेतान्यन्यः "–(वा. सं. २३ । ६५) इति होता यजति । वषट्कृते जुहोति–" यस्तेऽहन्संवत्सरे महिमा संबभूव "–(वा. सं. २३ । २) इति । नानुवषट्करोति । सर्वहुतं हि जुहोति ॥ २३ ॥

यथायतनं यत् यस्यायतनं स तत्रोपविशति । न चात्र देशे पूर्वकल्पितानि आयतनानि संतीति यथार्थमत एव वचनात् कल्पनीयानि ॥ १६–२३ ॥

इति श्रीमदाचार्यहरिस्वामिनः कृतौ माध्यन्दिनीयशतपथब्राह्मणभाष्ये त्रयोदशे काण्डे पञ्चमेऽध्याये द्वितीयं ब्राह्मणम् ॥ १३ । ५ । २ ॥

१–" सर्वहुतेन महिम्ना चरति यस्तेऽहन्निति जुहोति "। " अत्र वा ग्रहणम् "। का. श्रौ. सू. २० । १७५ । १७६ । (वाशब्दो ऽवधारणे) " महिमानौ गृह्णाति सौवर्णेन पूर्वं हिरण्यगर्भ इति द्वितीयं राजतेन यः प्राणत इति "। (का. श्रौ. सू. २० । १७७ ।) " सुभूः स्वयंभूः प्रथमः " इति प्रथमस्य महिम्नो ग्रहस्य पुरोऽनुवाक्या । " होता यक्षत्प्रजापतिमिति "। मैत्रावरुणप्रैषः । " प्रजापते न त्वदेतान्यन्यः " इति प्रथमस्य महिम्नो ग्रहस्य याज्या । आश्वलायनस्तु–"तवेमे लोकाः प्रदिशो दिशश्चेति याज्या "। आ, श्रौ. सू. उ. ष. ६ । ४ । ९ । इत्याह ॥

अथातो व्वपानाᳪं होमः । (मो) नानैव चरेयुरा व्वैश्वदेवस्य व्वपायै व्वैश्वदेवस्य व्वपायाᳪं हुतायां तदन्वितरा जुहुयुरिति ह स्माह सत्यकामो जाबालो व्विश्वे वै सर्व्वे देवास्तदेतान्यथादेवतम्प्रीणातीति ॥ १ ॥

(त्यै) ऐन्द्राग्नस्य व्वपायाᳪं हुतायाम् । (न्त) तदन्वितरा जुहुयुरिति ह स्माहतुः सौमापौ मानुतन्तव्याविन्द्राग्नी वै सर्व्वे देवास्तदेवैनान्यथादेवतम्प्रीणातीति ॥ २ ॥

कायस्य व्वपायाᳪं हुतायाम् । (न्त) तदन्वितरा जुहुयुरिति ह स्माह शैलालिः प्रजापतिर्व्वै कः प्रजापतिमु वाऽअनु सर्व्वे देवास्तदेवैनान्यथादेवतम्प्रीणातीति ॥ ३ ॥

अथ वपाप्रचरणम् ।

अथातो वपानां होमः । नानैव चरेयुः आ वैश्वदेवस्य वपायै । वैश्वदेवस्य वपायां हुतायाम् । तदनु इतरा जुहुयुः; इति ह स्माह सत्यकामो जावालः । विश्वे वै सर्वे देवाः । तदेतान् यथादेवतं प्रीणातीति ॥ १ ॥

ऐन्द्राग्नस्य वपायां हुतायाम् । तदनु इतरा जुहुयुः; इति ह स्माहतुः सौमापौ मानुतंतव्यौ । इन्द्राग्नी वै सर्वे देवाः । तदेवैनान् यथादेवतं प्रीणातीति ॥ २ ॥

कायस्य वपायां हुतायाम् । तदनु इतरा जुहुयुः इति ह स्माह शैलालिः । प्रजापतिर्वै कः । प्रजापतिं उ वा अनु सर्वे देवाः । तदेवैनान् यथादेवतं प्रीणातीति ॥ ३ ॥

अथातो वपानामिति—आ वैश्वदेवस्य वपाया इत्यत्र "बहुरूपा वैश्वदेवाः" इत्येषः (श. प. १३ । २ । ९ । ४ ॥ १३ । ३ । २ । ७) वैश्वदेवोऽवधिः "न शिल्पा वैश्वदेव्यः"—(वा. सं. २४ । ५) इति । कुतः? पुंलिंगनिर्देशात् कायैन्द्राग्नसाहचर्यात्, अतो हि चातुर्मास्यदेवतापशुसाहचर्यात्, एषोऽपि चातुर्मास्यदेवता-पशुरेवेति गम्यते ॥ १ ॥

सौमापौ । सोमापस्य अपत्ये सौमापौ । मनुतंतोरपत्ये मानुतंतव्यौ । इंद्राग्न्योर्विश्वेषां देवानां कस्य च सर्व-देवतात्मकत्वात् तेभ्यो हुता वपा यथादेवतमेव हुता भवतीत्यभिप्रायः । पूर्वम् "एकविंशतिधा कृत्वा

१-वपाभिश्चरति । का. श्रौ. सू. २० । १७७ । प्रथमं एकादशिन्योः पशूनां वपाभिः । ततः अश्वतूपरगोमृगानां वपाभिस्तंत्रेण । ततः क्रमेण पृथक् पृथक् "कृष्णग्रीव आग्नेयो रराटे" इत्यादीनां "श्वेताः सौर्याः" इत्यंतानां वपाभिः । तत्रापि समानदेवत्यानां तिसृणां तिसृणां वपानां प्रचारस्तंत्रेण । अयं प्रकारः "नानैव चरेयुरिति" अग्रिमपंचमकंडिकानुसारी बोध्यः। अयमेको वपाप्रचारपक्षः ॥ ऐंद्राग्नवैश्वदेवकायानेके । (का. श्रौ. सू. २० । १८२) ऐंद्राग्नो वारुणप्रघासिकः । वैश्वदेवो वैश्वदेवपर्वसंबंधी । कायश्च वारुणप्रघासिकः । अयमभिप्रायः—आदित आरभ्य वारुणप्रघासिकैन्द्राग्नपर्यंतं क्रमेण पृथक् पृथक् वपाप्रचारं कृत्वा ऐंद्राग्नस्य वपायां हुतायां अवशिष्टाः सर्वा वपाः अनुहोतव्याः । अयं द्वितीयो वपाप्रचारपक्षः । एवं वैश्वदेवकाययोः इमौ तृतीयचतुर्थौ वपाप्रचारपक्षौ ॥ एकविंशतिप्रदानानेकेऽन्वक् चातुर्मास्यदेवताः पित्र्यत्र्यंबकपुनरुक्तवर्जम् । का. श्रौ. सू. २० । ८१ । अयं पंचमो वपाप्रचारपक्षः ।

(त्ये) एकविꣳशतिञ्चातुर्मास्यदेवता ऽअनुद्रुत्य । (त्यै) एकविꣳशतिधा कृत्वा प्रचरेयुरिति ह स्माह भाल्लवेयुऽएतावन्तो वै सर्व्वे देवा यावत्यश्चातुर्म्मास्यदेवतास्तदुदेवैनान्यथादेवतम्प्रीणातीति ॥ ४ ॥

नानैव चरेयुः । (रि) इतीन्द्रोतः शौनकः किमु त्वरेरंस्तदुदेवैनान्यथादेवतम्प्रीणातीत्येतदुह तेषाम्वचो ऽन्या त्वेवात स्थितिः ॥ ५ ॥

(रु) अथ होवाच याज्ञवल्क्यः । सकृदेव प्राजापत्याभिः प्रचरेयुः सकृद्देवदेवत्याभिस्तदुदेवैनान्यथादेवतम्प्रीणात्यञ्जसा यज्ञस्य सꣳस्थामुपैति न ह्वलतीति ॥ ६ ॥

एकविंशतिं चातुर्मास्यदेवता अनुद्रुत्य, एकविंशतिधा कृत्वा प्रचरेयुः; इति ह स्माह भाल्लवेयः । एतावंतो वै सर्वे देवाः । यावत्यश्चातुर्मास्यदेवताः । तदेवैनान् यथादेवतं प्रीणातीति ॥ ४ ॥

नानैव चरेयुः; इतींद्रोतः शौनकः । किमुत त्वरेरन् । तदेवैनान् यथादेवतं प्रीणातीति । एतदह तेषां वचः । अन्या त्वेवातः स्थितिः ॥ ५ ॥

अथ होवाच याज्ञवल्क्यः । सकृदेव प्राजापत्याभिः प्रचरेयुः । सकृद्देवदेवत्याभिः । तदेवैनान्यथादेवतं प्रीणाति । अंजसा यज्ञस्य संस्थामुपैति । न ह्वलतीति ॥ ६ ॥

प्रचरेयुः" इति (४ कं.) प्रचरणवचनात् यागत्वं प्रतीयते । इह तु "तदन्वितरा जुहुयुः"—इति (२ कं.) होमत्वमिति भेदः ॥ २ ॥ ३ ॥

एकविंशतिं चातुर्मास्यदेवताः । पित्र्यत्रैयंबकपुनरुक्तवर्जिताः । कुत एतत् ? पितॄणामदेवत्वात् । त्र्यंबकस्याप्रधानदेवतात्वात् । पुनरुक्तानामनन्यदेवतात्वात् । "अनुद्रुत्य" अनुपूर्वमनुदिश्य । एकविंशतिधा कृत्वा एकविंशतिं च वपाराशीः कृत्वा । एकैकं राशिं एकैकां चातुर्मास्यदेवतां संकीर्त्य जुहुयात् । तद्यथा—सर्वमेव वपानामेकविंशतिभागम् अग्निदेवत्याग्नेययाज्यया अंते जुहुयात् । अपरं एकविंशतितमं भागं सोमोद्देशेनेत्येवं सर्वेषां राशीनां ज्ञेयम् ॥ ४ ॥

नाना पृथक्पृथक् यथाप्राप्तमेव चरेयुः । किं कारणम् ? येन त्वरमाणाः संकल्पनमयथा कुर्युः । प्रकृतिवैलक्षण्यं चेति । एवमेव हि अनुप्रचारितया वृत्त्या यथादेवतं द्रव्यदेवतोच्चारणेन देवताः प्रीणातीति । इतरथा उपचारेणेत्यभिप्रायः ॥ ५ ॥

अथ होवाच याज्ञवल्क्यः । यावत्यः प्राजापत्याः ताभिः । सकृदेव सह प्रचरेयुः । सकृदेव सहाग्न्यादि-

---

१—देवता तंत्रेण तु । (का. श्रौ. सू. २० । १८३) विश्वेभ्यो देवेभ्य इत्येवं सर्वासां देवतानां तंत्रेणोच्चारणं कृत्वा सर्ववपानां सकृदेव प्रचारः सदैव कर्तव्यः । अयं षष्ठः सर्ववपानां सह प्रचारपक्षः । अयं षष्ठः पक्षः पक्षांतरेभ्यो विशिष्टः स्वश्रुतिसंमतश्चेति तुना बोध्यते । अस्मिन्नपि पक्षे एकादशिन्योः पशूनां कृष्णग्रीवादिभिः सह एकतन्त्रेण प्रचारो न भवति । तत्कारणमाह कात्यायनः—न कालभेदात् । (का. श्रौ. सू. २० । १८४) कालभेदश्च अश्वादिदेवतांतरव्यवधानरूपः । अत एकादशिन्यीवपानां प्रथमं पृथक् पृथक् प्रचारः । तेषामपि मध्ये द्वयोर्द्वयोरेकदेवत्ययोस्तंत्रेण प्रचारः । ततोऽश्वतूपरगोमृगाणां, ततः कृष्णग्रीवादीनां सर्वेषां तन्त्रेण ।

॥ [illegible] ॥

हुतासु व्वपासु । प्रपद्याध्वर्य्यू रजतेन पात्रेण प्राजापत्यम्महिमानमुत्तरङ्ग्रहङ्गृह्णाति तस्य पुरोरुग्यः प्राणतो निमिषतो महित्वेति व्विपर्य्यस्ते याज्याऽनुवाक्येऽअयातयामतायाऽएषऽएव प्रैषो व्वषट्कृते जुहोति यस्ते रात्रौ सम्वत्सरे महिमा सम्बभूवेति नानुवषट्करोति तस्योक्तम्ब्राह्मणम् ॥ ७ ॥

(ब्रा) नान्येषाम्पशूनान्तेदन्याऽअवद्यन्ति । (न्त्य) अवद्यन्त्यश्वस्य दक्षि-

---

हुतासु वपासु प्रपद्याध्वर्युः रजतेन पात्रेण प्राजापत्यं महिमानमुत्तरं ग्रहं गृह्णाति । तस्य पुरोरुक्–" यः प्राणतो निमिषतो महित्वा "–(वा. सं. २३ । ३) इति । विपर्यस्ते याज्याऽनुवाक्ये । अयातयामतायै । एष एव प्रैषः । वषट्कृते जुहोति–" यस्ते रात्रौ संवत्सरे महिमा संबभूव "–(वा. सं. २३ । ४) इति । नानुवषट्करोति । तस्योक्तं ब्राह्मणम् ॥ ७ ॥

नान्येषां पशूनां तेदन्या अवद्यंति । अवद्यंत्यश्वस्य । दक्षिणतोऽन्येषां पशूनामवद्यंति । उत्तरतोऽश्वस्य । प्लक्षशाखास्वन्येषां पशूनामवद्यंति । वेतसशाखास्वश्वस्य ॥ ८ ॥

देवताभिः, तदेव तेनैव एनान् देवान्, यथादेवतं प्रीणाति देवग्रहणेन हि ते सर्वेऽप्यग्न्यादयः, शक्यंते ग्रहीतुमित्यर्थः । अंजसा ऋजुमार्गेण सवनकालमनतिक्रमेण यज्ञस्य समाप्तिं प्राप्नोति । न ह्वलति न चलति, कर्म कालात् । इति ब्रुवन्, ह्रदयाद्यंगानां प्रचारमपि एवमेव दर्शयति । तथाच प्रागुक्तम्–" प्राजापत्य एवाश्वो देवदेवत्या इतरे " इति ॥ ६ ॥

अथोत्तरो महिमग्रहः ।

हुतासु वपासु । रजतेन पात्रेण प्राजापत्यं महिमानमुत्तरं ग्रहं गृह्णाति । एतावत् अनुविधीयते अन्यत् लिंगादिभिरपि प्राप्तमनूद्यते । विपर्यस्ते याज्याऽनुवाक्ये । इत्येतदपि विधीयते[१] ॥ ७ ॥

तेदन्या तेदनी लोहितं तस्यास्तेदन्याः एकदेशमेवद्यन्ति । अश्वस्येति विधिः ईतरं अनुवादाः ॥ ८ ॥

१–व्वपाते द्वितीयेन पूर्ववद्यस्ते रात्राविति जुहोति । (का. श्रौ. सू. २० । १८५) द्वितीयेन राजतेन महिम्ना ग्रहेण । पूर्ववदिति सर्वहुतेन अत्र वा ग्रहणमित्याद्यतिदिश्यते । यस्ते रात्राविति राजतेन " यः प्राणतः " इति पुरोरुक् । विपर्यस्ते याज्याऽनुवाक्ये प्रथमस्य महिम्नो या याज्या " प्रजापते न त्वदेतान्यन्यः " इति । सा द्वितीयस्य महिम्नः पुरोऽनुवाक्या । या प्रथमस्य पुरोऽनुवाक्या "सुभूः स्वयंभूः प्रथमम्" इति । सा द्वितीयस्य याज्येत्यर्थः । प्रैषस्तु प्रथममहिम्नः संबंधी " होता यक्षत्प्रजापतिमिति " तस्योक्तं ब्राह्मणम् (श. प. १३।२।११।१–३) आश्वलायनस्तु उभयोर्महिम्नोर्याज्याऽनुवाक्ये प्रैषं च समानमाह । महिम्ना पुरस्तादुपरिष्टाच्च वपानां चरंति सुभूः स्वयंभूः प्रथममंतर्महत्यर्णवे ॥ दधे ह गर्भमृत्वियं यतो जातः प्रजापतिः ॥ होता यक्षत्प्रजापतिं महिम्नो जुषतां वेतु पिबतु सोमं होतर्यजेति प्रैषस्तवेमे लोकाः प्रदिशो दिशश्चेति याज्या । आश्व. श्रौ. सू. उ. ष. ६ । ४ । ९ ।

२–" सर्पेणपभृत्या [illegible] लोहितमवद्यति गोमृगकंठाश्वशफयोरयस्मयं चरौ " (का. श्रौ. सू. २० । १८८ ।) इति । अश्वस्येति शेषः । गोमृगो गवयः । अयस्मये चरौ आयसे पात्रे । " गोमृगकंठेन प्रथमामाहुतिं जुहोति " " अश्वशफेन द्वितीयामाहुतिं जुहोति " " अयस्मयेन चरुणा तृतीयामाहुतिं जुहोति " (श. प. । १३ । ३ । ४ । ३ । ४ । ५) इति श्रुत्या एभिः पात्रैर्होमविधानात् । एतेषु तेदन्या अवदानग्रहणम् ।

३–" वेतसशाखासु प्राजापत्यानाम् " । " अश्वस्य वा " । (का. श्रौ. सू. २० । १८९ । १९०) वाशब्दोऽत्रधारणे । वेतसशाखा वेतसकटः ॥

णुतोऽन्न्येषाम्पशूनामवघ्नन्त्युत्तरतोऽश्वस्य प्लुक्षशाखास्वन्न्येषाम्पशूनामवघ्नन्ति व्वेतसशाखास्वश्वस्य ॥ ८ ॥

तुदु होवाच सात्ययज्ञिः । (रि) इतरथैव कुर्य्युः पथऽएव नापोदित्यमिति पूर्व्वा त्वेव स्थितिरुक्थ्यो यज्ञस्तेनान्तरिक्षलोकमृध्नोति सुर्व्वस्तोमोऽतिरात्रऽउत्तममहर्भ्भवति सुर्व्वम्वै सुर्व्वस्तोमोऽतिरात्रः सुर्व्वमश्वमेधः सुर्व्वस्याप्त्यै सुर्व्वस्यावरुद्धचै ॥ ९ ॥

तुस्य त्रिवृद्बहिष्पवमानुम् । (म्प) पञ्चदशान्याज्यानि सप्तदशो माध्यन्दिनः पवमानऽ एकविꣳशानि पृष्ठानि त्रिणवस्तृतीयः पवमानस्त्रयस्त्रिꣳशमग्निष्टोमसामैकविꣳशान्युक्थान्येकविꣳशः षोडशी पञ्चदशी रात्रिस्त्रिवृत्सन्धिर्य्यद्द्वितीयस्याह्नः पृष्ठ्यस्य षडहस्य तुच्छन्नमतिरात्रो यज्ञस्तेनामुं लोकमृध्नोति ॥ १० ॥

(त्ये) एकविꣳशतिः सवनीयाः पशवः । सुर्व्वऽआग्नेयास्तेषाꣳ

तदु होवाच सात्ययज्ञिः । इतरथैव कुर्युः । पथ एव नापोदित्यमिति । पूर्वा त्वेव स्थितिः । उक्थ्यो यज्ञः । तेनांतरिक्षलोकमृध्नोति । सर्वस्तोमोऽतिरात्र उत्तममहर्भवति । सर्वं वै सर्वस्तोमोऽतिरात्रः । सर्वमश्वमेधः । सर्वस्याप्त्यै । सर्वस्यावरुद्ध्यै ॥ ९ ॥

तस्य त्रिवृद्बहिष्पवमानम् । पंचदशान्याज्यानि । सप्तदशो माध्यंदिनः पवमानः । एकविंशानि पृष्ठानि । त्रिणवस्तृतीयः पवमानः । त्रयस्त्रिंशमग्निष्टोमसाम । एकविंशान्युक्थानि । एकविंशः षोडशी । पंचदशी रात्रिः । त्रिवृत्संधिः । यत् द्वितीयस्याह्नः पृष्ठ्यस्य षडहस्य तच्छन्नम् । अतिरात्रो यज्ञः । तेनामुं लोकमृध्नोति ॥ १० ॥

एकविंशतिः सवनीयाः पशवः । सर्वे आग्नेयाः । तेषां समानं कर्म । इति उ हैक आहुः । चतुर्विं-

---

कल्पान्तरोपन्यासः । तदु होवाच सात्ययज्ञिः । इतरथा यथा अन्येषां पशूनां तथा कुर्युः । पश्वंतरकर्ममार्गादेव प्रसिद्धात् । 'अपोदित्यमिति' अप उत् इत्यम् इति । उत्कर्षेण अपक्रमितव्यम् । इण् । "एतिस्तुशास्वृदृजुषः क्यप्"—(पा. सू. ३ । १ । १०९) "ह्रस्वस्य पिति कृति तुक्"—(पा. सू. ६ । १ । ७१) इति इत्यम् । एवं च न एतव्यम् । पूर्वा त्वेव स्थितिः । पूर्वा तु स्थितिरेव सात्ययज्ञिमतम् । ततश्च आदेयमेव लोहितस्येति । उत्तरतश्च वेतसशाखास्विति कुर्युः । उक्थ्यो यज्ञः । इत्येतदेकविंशं मध्यममहरुपन्यस्तम् । तदुक्थ्यसंस्थं भवतीत्यर्थः । तेन मध्यमेन अह्ना अंतरिक्षलोकमृध्नोति ॥ ९ ॥ १० ॥

चतुर्विंशतिं त्वेवैतान् गव्यानालभेत । एतान् "आग्नेयः कृष्णग्रीवः" इत्यादीन् द्वाविंशतिं च द्वौ च

१-प्रतलक्ष्यः । का. श्रौ. सू. २० । ११६ ।

समानं कर्मेत्यु हैकऽआहुश्चतुर्विᳪं शतिन्त्वेवैतान्गव्यानालभेत द्वाद-
शभ्यो देवताभ्यो द्वादश मासाः संवत्सरः सर्व्वᳪं संवत्सरः सर्व्वमश्वमेधः
सर्व्वस्याप्त्यै सर्व्वस्यावरुद्ध्यै ॥ ११ ॥

इति तृतीयप्रपाठके पञ्चमं ब्राह्मणम् ॥ १३।३।५ ॥ (५-३ ।)

एतेन हेन्द्रोतो दैवापः शौनकः । (को) जनमेजयम्पारिक्षितं याज-
याञ्चकार तेनेष्ट्वा सर्व्वाम्पापकृत्याᳪं सर्व्वाम्ब्रह्महत्यामपजघान सर्व्वाᳪं
ह वै पापकृत्याᳪं सर्व्वाम्ब्रह्महत्यामपहन्ति योऽश्वमेधेन यजते ॥ १ ॥

तदेतद्गाथयाऽभिगीतम् । (मा) आसन्दीवति धान्यादᳪं रुक्मिणᳪं
हरितस्रजम् । आबध्नादश्वᳪं सारङ्गन्देवेभ्यो जनमेजयऽइति ॥ २ ॥

(त्ये) एतेऽएव पूर्व्वेऽअहनी । ज्योतिरतिरात्रस्तेन भीमसेनमेते

शतिं त्वेवैतान् गव्यानालभेत द्वादशभ्यो देवताभ्यः । द्वादश मासाः संवत्सरः । सर्वं संवत्सरः । सर्वमश्वमेधः । सर्वस्याप्त्यै । सर्वस्यावरुद्ध्यै ॥ ११ ॥

एतेन ह इन्द्रोतो दैवापः शौनको जनमेजयं पारिक्षितं याजयांचकार । तेनेष्ट्वा सर्वां पापकृत्यां सर्वां ब्रह्महत्यामपजघान । सर्वां ह वै पापकृत्यां सर्वां ब्रह्महत्यामपहंति । योऽश्वमेधेन यजते ॥ १ ॥

तदेतत् गाथयाऽभिगीतम्–" आसंदीवति धान्यादं रुक्मिणं हरितस्रजम् । आबध्ना-दश्वं सारङ्गं देवेभ्यो जनमेजयः "–इति ॥ २ ॥

एते एव पूर्वे अहनी । ज्योतिरतिरात्रः । तेन भीमसेनम् । एते एव पूर्वे अहनी । गौरतिरात्रः ।

प्राजापत्यौ इति श्रुत्यन्तरात् गव्यान् गोमयात्मकानालभते द्वादशभ्यो देवताभ्यः । एकादशिनी देवता एकादश द्वादशी प्रजापतिः इत्येताभ्यः ॥ ११ ॥

इति श्रीमदाचार्यहरिस्वामिनः कृतौ माध्यन्दिनीयशतपथब्राह्मणभाष्ये त्रयोदशं काण्डे पंचमेऽध्याये तृतीयं ब्राह्मणम् ॥ १३ । ५ । ३ ॥

एतेन हेन्द्रोतः । इंद्रोतो नाम देवापेरपत्यं दैवापः । शुनकस्य गोत्रापत्यं शौनकः । याजितवान् ॥ १ ॥

तदेतद्गाथयाऽभिगीतम्-आसंदीवति नगरे । धान्याद धान्याशनम् । बलिनम् । रुक्मिणं रुक्मललाटम् । हरितस्रजं सुवर्णमालिनम् । आबध्नात् बद्धवान् । अश्वं जनमेजयः ॥ २ ॥

एते एव पूर्वे । अत आरभ्य तृतीयदिवसस्य इदानीं कल्पान्तराण्युच्यंते । एते भीमसेनादयः पारिक्षितीयाः

१–अतिरात्र उत्तमः । सर्वस्तोमो ज्योतिर्गौरायुरभिजिद्विश्वजिन्महाव्रतमप्तोर्यामो वा । का. श्रौ. सू. २० । १९९ । ३००
(उत्तमस्तृतीयमहरतिरात्रसंस्थं भवतीत्यर्थः, अतिरात्रसंस्थस्य तृतीयस्याह्न अष्टौ विकल्पा इत्यर्थश्च ।)

ऽएव पूर्व्वेऽअहनी गौरतिरात्रस्तेनोग्रसेनमेते ऽएव पूर्व्वेऽअहनी ऽआयुरतिरात्रस्तेन श्रुतसेनमित्येते पारिक्षितीयास्तदेतद्गाथयाऽभिगीतम्पारिक्षिता यजमानाऽअश्वमेधैः परोऽवरम् । अजहुः कर्म्म पापकम्पुण्याः पुण्येन कर्मणेति ॥ ३ ॥

(त्ये)एतेऽएव पूर्व्वेऽअहनी । (नीऽअ) अभिजिदतिरात्रस्तेन ह परऽआह्लारऽईजे कौसल्यो राजा तदेतद्गाथयाऽभिगीतमह्लारस्य परः पुत्रोऽश्वम्मेध्यमबन्धयत् । हैरण्यनाभः कौसल्यो दिशः पूर्णाऽअमᳪहतेति ॥ ४ ॥

(त्ये) एतेऽएव पूर्व्वेऽअहनी । विश्वजिदतिरात्रस्तेन ह पुरुकुत्सो दौर्ग्गहेणेजऽऐक्ष्वाको राजा तस्मादेतदृषिणाऽभ्यनूक्तमस्माकमत्र पितरस्तऽआसन्त्सप्तऽऋषयो दौर्ग्गहेण बध्यमानऽइति ॥ ५ ॥

तेनोग्रसेनम् । एते एव पूर्वे अहनी । आयुरतिरात्रः । तेन श्रुतसेनम् । इत्येते पारिक्षितीयाः । तदेतद्गाथयाऽभिगीतम्-" पारिक्षिता यजमाना अश्वमेधैः परोऽवरम् । अजहुः कर्म पापकं पुण्याः पुण्येन कर्मणा "-इति ॥ ३ ॥

एते एव पूर्वे अहनी । अभिजिदतिरात्रः । तेन ह पर आह्लार ईजे कौसल्यो राजा । तदेतद्गाथयाऽभिगीतम्-" अह्लारस्य परः पुत्रोऽश्वं मेध्यमबंधयत् । हैरण्यनाभः कौसल्यो दिशः पूर्णा अमंहत "-इति ॥ ४ ॥

एते एव पूर्वे अहनी । विश्वजिदतिरात्रः । तेन ह पुरुकुत्सो दौर्ग्रहेणेज ऐक्ष्वाको राजा । तस्मादेतदृषिणाऽभ्यनूक्तम्-" अस्माकमत्र पितरस्त आसन् सप्त ऋषयो दौर्ग्रहे बध्यमाने "-इति ॥ ५ ॥

परिक्षितस्येमे भ्रातरः पारिक्षितीयाः । अश्वमेधविशेषा इत्यपरे । परोऽवरम् । परे परे ततः अवरेऽवरे इत्येतस्मिन्नर्थे अव्ययीभावसमासत्वमित्यर्थः । सततं यजमानाः पुण्याः भवंतः कर्म पापकम् अजहुः त्यक्तवंतः ॥ ३ ॥

परो नामतः अह्लारपुत्रः कौसल्यो गोत्रतः । हिरण्यनाभस्यापत्यं अबंधयत् । दिशः पूर्णाः ऋत्विजि योजितवान् । दिशो वित्तस्य पूर्णाः अमंहत मंहतिर्दानकर्मा ऋत्विग्भ्यो दत्तवानित्यर्थः ॥ ४ ॥

[1]तेन क्रतुना । पुरुकुत्सः इक्ष्वाकोरपत्यं ऐक्ष्वाकः दौर्ग्रहो नामतः दौर्ग्रहेणाश्वेन संहतेन क्रतुना ईजे । अश्वमेधेन ईजे इत्यर्थः । तस्मादेतदृषिणा मनुदृशा अभिनययुक्तमुक्तम् । ये अस्माकं पितरः पूर्वजाः गोतमादयः अत्र स्थाने आसन् । दौर्ग्रहे अश्वे बध्यमाने पुरुकुत्सेन ते आयजंत । त्रसदस्युं अस्या इन्द्रं न वृत्रतुरमर्धदेवं ते सप्तर्षय आयजंत आभिमुख्येन याजितवंतः । कं त्रसदस्युं नाम राजानम् । कीदृशं अस्याः पृथिव्या अर्धदेवम् । पूर्वदेवताभागानां देवं ईश्वरं वृत्रस्य पाप्मनः हंतारं इंद्रं न इंद्रमिव वृत्रतुरं अयाजयन् ॥ ५ ॥

१-अत्र उत्तरार्धं न दृश्यते । भाष्ये अर्थाविक्यवर्णनं दृश्यते अतश्च विचारणीयमिदम् ।

(त्ये) एतेऽ एव पूर्व्वेऽ अहनी । महाव्व्रतमतिरात्रस्तेन ह मरुत्तऽ आविक्षितऽ ईजऽआयोगवो राजा तस्य ह ततो मरुतः परिवेष्टारोऽग्निः क्षत्ता व्विश्वे देवाः सभासदो बभूवुस्तदेतद्गाथयाऽभिगीतम्मरुतः परिवेष्टारो मरुत्तस्यावसन्गृहे । आविक्षितस्याग्निः क्षत्ता व्विश्वे देवाः सभासदऽ इति मरुतो ह वै तस्य परिवेष्टारोऽग्निः क्षत्ता व्विश्वे देवाः सभासदो भवन्ति योऽश्वमेधेन यजते ॥ ६ ॥

(तऽए) एतेऽएव पूर्व्वेऽअहनी । (नीऽ अ) अतोर्य्यामोऽतिरात्रस्तेन हैतेन क्रैव्यऽईजे पाञ्चालो राजा क्रिवयऽइति ह वै पुरा पञ्चालानाचक्षते तदेतद्गाथयाऽभिगीतमश्वम्मेध्यमालभते क्रिवीणामतिपूरुषः । पाञ्चालः परिवक्रायाथ्ँ सहस्रशतदक्षिणमिति ॥ ७ ॥

(त्यु) अथ द्वितीयया । सहस्रमासन्नयुता शता च पञ्चविथ्ँशतिः । दिक्तो दिक्तः पञ्चालानाम्ब्राह्मणा या व्विभेजिरऽ इति ॥ ८ ॥

एते एव पूर्वे अहनी । महाव्रतमतिरात्रः । तेन ह मरुत्त आविक्षित ईज आयोगवो राजा । तस्य ह ततो मरुतः परिवेष्टारोऽग्निः क्षत्ता विश्वे देवाः सभासदो बभूवुः । तदेतद्गाथयाऽभिगीतम्– "मरुतः परिवेष्टारो मरुत्तस्यावसन् गृहे । आविक्षितस्याग्निः क्षत्ता विश्वे देवाः सभासदः"–इति । मरुतो ह वै तस्य परिवेष्टारोऽग्निः क्षत्ता विश्वे देवाः सभासदो भवन्ति । योऽश्वमेधेन यजते ॥ ६ ॥

एते एव पूर्वे अहनी । अप्तोर्यामोऽतिरात्रः । तेन हैतेन क्रैव्य ईजे पांचालो राजा । क्रिवय इति ह वै पुरा पंचालानाचक्षते । तदेतद्गाथयाऽभिगीतम्– "अश्वं मेध्यमालभते क्रिवीणामतिपूरुषः । पांचालः परिवक्रायां सहस्रशतदक्षिणम्"–इति ॥ ७ ॥

अथ द्वितीयया– "सहस्रमासन्नयुता शता च पंचविंशतिः । दिक्तो दिक्तः पंचालानां ब्राह्मणा या विभेजिरे"–इति ॥ ८ ॥

मरुत्तः मरुत्तो नाम राजा अविक्षितस्यापत्यं आविक्षितः । आयोगवो भोजयितारः । अग्निः क्षत्ता । सन्निधाता कोशाध्यक्षः । अवसन् उषिताः गृहे ॥ ६ ॥

परिवक्रायां नगर्याम् ॥ ७ ॥

सहस्रमयुतानि गवां कोटीरित्यर्थः । शतानि पंचविंशतिर्गृहाणां एकैकस्याः दिशः आहृता ब्राह्मणा ऋत्विजः । यानि अयुतानि शतानि शतानि विभक्तवंतः स्वैः स्वैः पुरुषैः सह ॥ ८ ॥

त्रिवृदग्निष्टोमः पञ्चदशऽउक्थ्यः सप्तदशन्तृतीयमहः सोक्थकमेकविꣳशः षोडशी पञ्चदशी रात्रिस्त्रिवृत्सन्धिरित्येषोऽनुष्टुप्सम्पन्नस्तेन हैतेन ध्वसा द्वैतवन ऽईजे मात्स्यो राजा यत्रैतद्द्वैतवनꣳ सरस्तदेतद्गाथयाऽभिगीतञ्चतुर्दश द्वैतवनो राजा सङ्ग्रामजिद्धयान् । इन्द्राय वृत्रघ्नेऽबध्नात्तस्माद्द्वैतवनꣳ सर ऽइति ॥ ९ ॥

चतुर्विꣳशाः पवमानाः । (त्रि) त्रिवृदभ्यावर्त्तश्चतुश्चत्वारिꣳशाः पवमानाऽएकविꣳशमभ्यावर्त्तमष्टाचत्वारिꣳशाः पवमानास्त्रयस्त्रिꣳशमभ्यावर्त्तमाऽग्निष्टोमसामाद्द्वात्रिꣳशान्युक्थान्येकविꣳशः षोडशी पञ्चदशी रात्रिस्त्रिवृत्सन्धिरिति ॥ १० ॥

त्रिवृदग्निष्टोमः । पंचदश उक्थ्यः । सप्तदशं तृतीयमहः सोक्थकम् । एकविंशः षोडशी । पंचदशी रात्रिः । त्रिवृत्संधिः । इत्येषोऽनुष्टुप् संपन्नः । तेन हैतेन ध्वसा द्वैतवन ईजे मात्स्यो राजा । यत्रैतत् द्वैतवनं सरः । तत् एतद्गाथयाऽभिगीतम्–" चतुर्दश द्वैतवनो राजा संग्रामजिद्धयान् । इंद्राय वृत्रघ्नेऽबध्नात तस्मात् द्वैतवनं सरः "–इति ॥ ९ ॥

चतुर्विंशाः पवमानाः । त्रिवृदभ्यावर्तम् । चतुश्चत्वारिंशाः पवमानाः । एकविंशमभ्यावर्तम् । अष्टाचत्वारिंशाः पवमानाः । त्रयस्त्रिंशमभ्यावर्तम् । आ अग्निष्टोमसामाद् । द्वात्रिंशान्युक्थानि । एकविंशः षोडशी । पंचदशी रात्रिः । त्रिवृत् संधिरिति ॥ १० ॥

त्रिवृदग्निष्टोमः । अत्र त्रिष्वपि दिवसेषु स्तोमांतराणि उच्यन्ते । तच्च कल्पांतरमश्वमेधम् । सप्तदशं तृतीयमहः सोक्थकं उत्थानमित्यर्थः । षोडशिस्तोत्रं चैकविंशम् । सन्धिस्तोत्रं त्रिवृदेव । एषः अश्वमेधः स्तोत्रियाणां अनुष्टुब्भिः पंचविंशत्या संपन्नः । कथं ? अत्र हिं सर्वा एव स्तोत्रियाः अपि गण्यमानाः सप्त शतानि अष्टानवत्यधिकानि (७९८) भवंति । तासां तासां द्वात्रिंशता (३२) भागे अपहृते पंचविंशतिः अनुष्टुभो लभ्यन्ते । अन्या तु ततः द्वाभ्याम् ऊना अनुष्टुप् भवति । तत्रापि " नाक्षराच्छंदो व्येत्येकस्मान्न द्वाभ्यां "–(श.प.७-१-२ २२)इत्यभिप्रायः । तेन हैतेन । अनुष्टुप्संपन्नेनाश्वमेधेन च ध्वसा प्रापध्वंसनः द्वैतवनो राजा ईजे इष्टवान् । यत्र स्थाने प्रसिद्धमेव एतत् सर्वदा द्वैतवनाख्यं सरः । तत् तद्देशे हयान् द्वैतवनः द्वैतवनीयः राजा संग्रामजितः इंद्राय अबध्नात् । प्राजापत्यानेव चाबध्नात् । सोमैस्तर्पयतीति कृत्वा इंद्रायाबध्नादित्याह । तस्मात् द्वैतवनं सरः सर्वनामव्यत्ययो विभक्तिव्यत्ययश्च द्रष्टव्यः । यस्मिन् द्वैतवनं सरः तत्राबध्नादित्यर्थः ॥ ९ ॥

चतुर्विंशाः पवमानाः । पंचभिरेताभिः कंडिकाभिः कल्पांतरं प्रपंच्यते । तत्र प्रथमे तावदहनि त्रयोऽपि पवमानाश्चतुर्विंशाः । यत्तु अभ्यावर्तयन्ति अभ्यावर्तं धुर्यैः स्तुवते तत् त्रिवृत् पवमानव्यतिरिक्तानि आवृत्तिस्तोत्राणि त्रिवृंति भवन्तीत्यर्थः । द्वितीये त्वहनि चतुश्चत्वारिंशाः पवमानाः एकविंशमभ्यावर्तम् । तृतीये त्वहनि अष्टाचत्वारिंशाः पवमानाः त्रयस्त्रिंशमभ्यावर्तम् इत्यादि ॥ १० ॥

(त्ये) एतद्विष्णोः क्रान्तम् । (न्तु) तेन हैतेन भरतो दौःष्यन्तिरीजे तेनेष्ट्वेमां व्यष्टिं व्यानशे येयम्भरतानान्तदेतद्गाथयाऽभिगीतमष्टास-प्ततिम्भरतो दौःष्यन्तिर्यमुनामनु । गङ्गायाम्वृत्रघ्नेऽबध्नात्पञ्चपञ्चा-शतꣳ हयानिति ॥ ११ ॥

(त्य) अथ द्वितीयया । त्रयस्त्रिꣳशꣳ शतꣳ राजाऽश्वान्बध्वाय मेध्यान् । सौद्युम्निरत्यष्ठादन्यानमायान्मायवत्तरऽ इति ॥ १२ ॥

(त्यु) अथ तृतीयया । शकुन्तला नाडपित्यप्सरा भरतन्दधे । परः सहस्रानिन्द्रायाश्वान्मेध्यान्यऽआहरद्विजित्य पृथिवीꣳ सर्वामिति ॥ १३ ॥

एतत् विष्णोः क्रांतम् । तेन हैतेन भरतो दौःष्यंतिरीजे । तेनेष्ट्वा, इमां व्यष्टिं व्यानशे । येयं भरतानाम् । तदेतत् गाथयाऽभिगीतम्–" अष्टासप्ततिं भरतो दौःष्यंतिर्यमुनामनु । गंगायां वृत्रघ्नेऽबध्नात् पंचपंचाशतं हयान् "–इति ॥ ११ ॥

अथ द्वितीयया–" त्रयस्त्रिंशं शतं राजाऽश्वान् बध्वाय मेध्यान् । सौद्युम्निरत्यष्टा-दन्यानमायान्मायवत्तरः "–इति ॥ १२ ॥

अथ तृतीयया–" शकुंतला नाडपित्यप्सरा भरतं दधे । परः सहस्रानिंद्रायाश्वान् मेध्यान् य आहरत् विजित्य पृथिवीं सर्वाम् "–इति ॥ १३ ॥

एतद्विष्णोः क्रांतम् । एतत् स्थानविशेषः । क्रान्तं विक्रमणम् । विप्रकृष्टांतरत्वसामान्यात् । यथा हि विष्णोः क्रममाणस्य महांतराणि पदानि भवंति । एवं महांतराः स्तोमाः । इमां व्यष्टिमानशे । भरत-कालादारभ्य कलियुगं यावत् वशे राज्यानुवृत्तिरित्येषा भरतानामिह आनुषंगिकी व्यष्टिः । या तु द्वात्रिंशतं वै देवरथाः तत्पर्यालोक इत्यादि व्यष्टिः । सा विदुषः क्रतुफलरूपा इति द्रष्टव्यम् । अष्टासप्ततिं हयान् अश्वान् यमुनामनु यमुनातीरे अबध्नात् । भरतः दुःष्यंतपुत्रः । वृत्रघ्ने इंद्राय गंगायां तु गंगातीरे । पंचपंचाशतम् । सः अबध्नात् । स किल हिमवत्तलादारभ्य उभयोर्नद्योस्तीराभ्यां अश्वमेधैः यजमानः " तावंतो यावत्प्रतिष्ठामिति "– तदिदमुच्यते ॥ ११ ॥

अथ द्वितीयया । यमुनातीरे बद्धास्त उभये अपि । ये त्रयस्त्रिंशं शतं भवंति । तान् त्रयस्त्रिंशं शतं अश्वान् बध्वाय । य इत्यनर्थकः । राजा सुद्युम्नस्यापत्यम् । मायवत्तरः प्रज्ञावत्तरः । अत्यष्टान् अतीत्य स्थितः । अन्यानमायान् अप्रज्ञान् राज्ञः ॥ १२ ॥

अथ तृतीयया । शकुंतला नामाप्सराः नाडपिती । सा पक्षस्थाने कण्वाश्रमे भरतं पुत्रं दधे । तं लब्ध्वा दधे धारितवती यश्चक्रवर्ती सन् सकलां पृथिवीं विजित्य मेध्यानश्वान् अष्टवारं सहस्रादधिकान् आहृतवान् यागार्थं तैरिष्टवानित्यर्थः । तत्र च त्रयस्त्रिंशं शतं गंगायमुनयोराबध्य शेषांस्त्वन्यत्रेति विरोधपरिहारः ॥ १३ ॥

१-ऐतरेय ब्राह्मणे तु " बध्वाऽयम् " इति पाठः । ऐ. ब्रा. ३९ । ९ । ४ । इत्यत्र ॥ मूलोक्तपाठे तु " क्त्वो यक् " (पा. सू. ७ । १ । ४७) इति यगागमः । " सौभाग्यमस्यै दत्त्वाय " इत्यत्रेव ।

(त्यु) अथ चतुर्थ्या । महदद्य भरतस्य न पूर्वे नापरे जनाः । दिवम्मर्त्यऽइव बाहुभ्यान्नोदापुः पञ्च मानवाऽइति ॥ १४ ॥

(त्ये) एकविꣳशस्तोमेन । (ऽ) ऋषभो याज्ञतुरऽईजे श्विक्नानाꣳ राजा तदेतद्गाथयाऽभिगीतं याज्ञतुरे यजमाने ब्रह्माणऽऋषभे जनाः । अश्वमेधे धनं लब्ध्वा विभजन्ते स्म दक्षिणाऽ इति ॥ १५ ॥

त्रयस्त्रिꣳशस्तोमेन । शोणः सात्रासाहऽ ईजे पाञ्चालो राजा तदेतद्गाथयाऽभिगीतꣳ सात्रासाहे यजमानेऽश्वमेधेन तौर्वशाः । उदीरते त्रयस्त्रिꣳशाः षट्सहस्राणि वर्म्मिणामिति ॥ १६ ॥

(त्यु) अथ द्वितीयया । षट्षट् षड्ढा सहस्राणि यज्ञे कोकपितुस्तव । उदीरते त्रयस्त्रिꣳशाः षट्सहस्राणि वर्म्मिणामिति ॥ १७ ॥

अथ चतुर्थ्या–"महदद्य भरतस्य न पूर्वे नापरे जनाः । दिवं मर्त्य इव बाहुभ्यां नोदापुः पंच मानवाः"–इति ॥ १४ ॥

एकविंशस्तोमेन ऋषभो याज्ञतुर ईजे श्विक्नानां राजा । तदेतत् गाथयाऽभिगीतम्–"याज्ञतुरे यजमाने ब्रह्माण ऋषभे जनाः। अश्वमेधे धनं लब्ध्वा विभजंते स्म दक्षिणाः"–इति१५

त्रयस्त्रिंशस्तोमेन शोणः सात्रासाह ईजे पांचालो राजा। तदेतद्गाथयाऽभिगीतम्–"सात्रासाहे यजमानेऽश्वमेधेन तौर्वशाः। उदीरते त्रयस्त्रिंशाः षट्सहस्राणि वर्मिणाम्"–इति॥१६॥

अथ द्वितीयया–"षट्षट् षड्ढा सहस्राणि यज्ञे कोकपितुस्तव । उदीरते त्रयस्त्रिंशाः षट्सहस्राणि वर्मिणाम्"–इति ॥ १७ ॥

अथ चतुर्थ्या । महत्त्वामहत्त्वाभ्यां भरतस्याद्यापि पंच मानवाः उच्चैराहुः । कीदशाः न पूर्वे तस्मात् भरतात् न वा परे अर्वाचः कथमापुर्दिवं इव बाहुभ्यां मर्त्यः ॥ १४ ॥

एकविंशस्तोमेन । तत्र त्रिष्वपि दिवसेषु एकविंशः स्तोमो यस्य क्रतोस्तेनैकविंशस्तोमेन ऋषभः इष्टवान् । याज्ञतुरे ऋषभे यजमाने ब्रह्माणो ब्राह्मणजनाः अश्वमेधे धनं लब्ध्वा विभक्तवंतो दक्षिणाः ॥ १५ ॥

त्रयस्त्रिंशस्तोमेन । त्रिष्वपि दिवसेषु त्रयस्त्रिंशः स्तोमः अस्येति त्रयस्त्रिंशः स्तोमः तेन सकृत् शोणो नाम सत्रासहस्यापत्यम् । पंचालाभिजन इष्टवान् । सत्रासहीये अश्वमेधेन यजमाने उत् ईरते उद्गच्छन्ति । के ? तौर्वशाः अश्वाः । ज्येष्ठे तमपिसृज्येरन्निति । त्रयस्त्रिंशाः स्तोमा उद्गच्छंति । स हि शोणः त्रयस्त्रिंशानेव स्तोमान् त्रिष्वपि दिवसेषु प्रयुंक्ते नान्यानिति । उद्गच्छंतीत्याह–षट्कृतुषु सहस्राणि । वर्मिणां राजपुत्राणां कवचिनां अश्वपालानां उदीरते इति वर्तते । वार्षप्राप्ता एव द्रष्टव्याः । राजपुत्राः कवचिनः शतमित्यतोऽनियतपरिमाणा अन्य एव ॥ १६ ॥

अथ द्वितीयया । कोको नाम्नेत्यर्थः । के ते अश्वा उदीरते इति प्रथमायां गाथायामुक्तम् । तदप्यत्रानु-

(त्यु) अथ तृतीयया । सात्रासाहे यजमाने पाञ्चाले राज्ञि सुम्रजि । अमाद्यदिन्द्रः सोमेनातृप्यन्ब्राह्मणा धनैरिति ॥ १८ ॥

गोविनतेन शतानीकः । सात्राजितऽ ईजे काश्यस्याश्वमादाय ततो हैतद्दर्वाक्काशयोऽग्नीऽन्नादधत आत्तसोमपीथाः स्मऽइति वदन्तः ॥ १९ ॥

(स्तु) तस्य विधा । चतुर्विंᳪशाः पवमानास्त्रिवृदभ्यावर्त्तश्चतुश्चत्वारिᳪशाः पवमानाऽ एकविᳪशान्याज्यानि त्रिणवान्युक्थान्येकविᳪशानि पृष्ठानि षट्त्रिᳪशाः पवमानास्त्रयस्त्रिᳪशमभ्यावर्त्तमाग्निष्टोमसामादेकविᳪशान्युक्थान्येकविᳪशः षोडशी पञ्चदशी रात्रिस्त्रिवृत्सन्धिः ॥ २० ॥

अथ तृतीयया–"सात्रासाहे यजमाने पांचाले राज्ञि सुस्रंजि । अमाद्यदिंद्रः सोमेनातृप्यन् ब्राह्मणा धनैः"–इति ॥ १८ ॥

गोविनतेन शतानीकः सात्राजित ईजे काश्यस्याश्वमादाय । ततो हैतदर्वाक् काशयोऽग्नीन्नादधत । आत्तसोमपीथाः स्मः । इति वदंतः ॥ १९ ॥

तस्य विधा । चतुर्विंशाः पवमानाः । त्रिवृदभ्यावर्तम् । चतुश्चत्वारिंशाः पवमानाः । एकविंशान्याज्यानि । त्रिणवान्युक्थानि । एकविंशानि पृष्ठानि । षट्त्रिंशाः पवमानाः । त्रयस्त्रिंशमभ्यावर्तम् । आ अग्निष्टोमसामात् । एकविंशान्युक्थानि । एकविंशः षोडशी । पंचदशी रात्रिः । त्रिवृत्संधिः ॥ २० ॥

वर्तंते, तेषां तत्र परिमाणं नोक्तम् । अत्र षट्त्रिंशदश्वसहस्राणि रक्षिणां अनुचरभूतानि उद्गच्छंतीत्याह–त्रयस्त्रिंशा अश्वा उदीरते षट्सहस्राणि वर्मिणां यदानेतासु गच्छंतीति ॥ १७ ॥ १८ ॥

गोविनतेन । गोविनतो नाम वक्ष्यमाणस्तोमविशेषः अश्वमेधः । तेन शतानीको नाम सत्राजितोऽपत्यम् ईजे । काशेरपत्यं काश्यः काश्यस्य स्वभूतं तेनाश्वमेधार्थं कल्पितमश्वमादाय युद्धे विजित्य ततश्चारभ्य तदद्यापि काशयः काशीवास्या राजानः अग्नीन्नादधते । किम् ? आत्तः अपहृतः सोमपीथो येषां ते आत्तसोमपीथाः आत्तसोमाः स्मः भवामः । किमस्माकं अग्निभिः ये अश्वमेधे एव परतः सोमपीथाद्यः तस्मिन्नपहृते सर्व एव सोमपीथो ऽपहृत इत्यभिप्रायः ॥ १९ ॥

तस्य विधा । तस्य गोविनतस्य विधा विधानं स्तोमप्रकारो वक्ष्यत इति शेषः । चतुर्विंशाः पवमानाः । इत्यादि प्रथमेऽहनि । चतुश्चत्वारिंशा इत्यादि द्वितीयेऽहनि । तृचान्युक्त्वा एकविंशानि पृष्ठानि इति क्रमभेदो ब्राह्मणः । स तावदपर्यनुयोज्यः । षट्त्रिंशाः पवमाना इति तृतीयेऽहनि । तथा इयम् (?) ॥ २० ॥

(स्तु) तुदेतद्गुाथयाऽभिगीतम् । (ष्ठँ) शतानीकः सुमन्तासु मेध्यर्ठँ सात्राजितो हुयम् । आुदत्त यज्ञङ्काशीनाम्भरतुः सत्वुतामिवेुति ॥ २१ ॥

(त्यु) अुथ द्वितीयया । श्वेतर्ठँ सुमन्तासु वशञ्चुरन्तर्ठँ शतानीको धृतुराष्ट्रस्य मेुध्यम् । आदाय सुह्वा दुशमास्यमुश्वर्ठँ शतानीको गोविनतेन हेजऽ इुति ॥ २२ ॥

(त्यु) अुथ चतुर्थ्या । महुदद्य भरतानान्न पूर्व्वे नुापरे जुनाः । द्विवं मुर्त्यऽ इव पक्षुाभ्यान्नोदापुः सप्त मानवाऽइुति ॥ २३ ॥

(त्य) अथुातो दुक्षिणानाम् । (म्मु) मुध्यम्प्रतिराष्ट्रस्य युदन्यद्भूमेश्च पुरुषेभ्यश्च ब्राह्मणस्य च व्वित्तात्प्राची दिग्घोतुर्दक्षिणा ब्रह्मणः प्प्रतीच्यध्वर्य्योरुदीच्युद्गातुस्तुदेव होतृकाऽअन्वुाभक्ताः ॥ २४ ॥

तदेतद्गाथयाऽभिगीतम्–" शतानीकः समंतासु मेध्यं सात्राजितो हयम् । आदत्त यज्ञं काशीनां भरतः सत्वतामिव "–इति ॥ २१ ॥

अथ द्वितीयया–" श्वेतं समंतासु वशं चरंतं शतानीको धृतराष्ट्रस्य मेध्यम् । आदाय सह्वा दशमास्यमश्वं शतानीको गोविनतेन ह ईजे "–इति ॥ २२ ॥

अथ चतुर्थ्या–" महदद्य भरतानां न पूर्वे नापरे जनाः । दिवं मर्त्य इव पक्षाभ्यां नोदापुः सप्त मानवाः "–इति ॥ २३ ॥

अथातो दक्षिणानाम् । मध्यं प्रति राष्ट्रस्य । यदन्यत् भूमेश्च पुरुषेभ्यश्च ब्राह्मणस्य च वित्तात् । प्राची दिक् होतुः दक्षिणा ब्रह्मणः, प्रतीचीः अध्वर्योः, उदीची उद्गातुः, तदेव । होतृका अन्वाभक्ताः ॥ २४ ॥

शतानीको राजा । संगच्छन्तेऽन्ताः " सताहं प्रचरंति " इति वचनात् इति समन्तास्तासु संगतान्तासु अटविषु चरंतं हयं मेध्यं यज्ञं यज्ञसाधनं काशीनां स्वभूतं कथं ? भरतः सत्वतामिव सत्वतो यथा स्वभूतमश्वं भरतः अपहृतवान् । एवम् शतानीकः काशीनां श्वेतवर्णं समंतासु अटवीषु वशं वशिनं कामिकं कामतश्चरन्तम् आदत्त आहृतवान् ॥ २१ ॥

धृतराष्ट्रस्य स्वभूतं मेध्यं अश्वमादाय शतानीकः । सह्वा " षह मर्षणे " (धा. पा. भ्वा. आ. ८७७) इत्यस्य वनिप् । सह्वा अभिभविता परेषां दशमास्यमश्वं गोविनतेन इष्टवान् ॥ २२ ॥

अथ चतुर्थ्या । तृतीयामपठित्वा चतुर्थी इति अतिद्रष्टव्या तु तृतीया अपि ॥ २३ ॥

अथातो दक्षिणानाम् । प्रति मध्यात् राष्ट्रस्य विजितस्य । ब्राह्मणे वित्तप्रतिष्ठितात् अन्येषां वित्तं दीयते इति

१–विजयमध्याद्धोतुः प्राची दिक् दक्षिणा ब्रह्मणः, अध्वर्योः प्रतीची, उद्गातुरुदीची तृतीयं तृतीयमन्वहं ददाति भूमिपुरुषब्राह्मणः स्ववर्ज्यम् । (का. श्रौ. सू. २० । १०८ । १०९ ।) (ब्राह्मणस्वं यद्दंडादुत्पन्नं तन्न देयम् । तस्य हि ब्राह्मणेष्वेव विनियोगः स्मृतौ विहित इति कर्कः ।)

(ऽ) उदयनीयायाᳪं सᳪंस्थितायाम् । (मु) एकविᳪंशतिम्वशाऽ अनूबन्ध्याऽ आलभते मैत्रावरुणीर्व्वैश्वदेवीर्ब्बार्हस्पत्याऽएतासान्देवतानामाप्त्यै तद्यद्बार्हस्पत्याऽअन्त्या भवन्ति ब्रह्म वै बृहस्पतिस्तदु ब्रह्मण्येवान्ततः प्रतितिष्ठति ॥ २५ ॥

(त्यु) अथ यदेकविᳪंशतिर्भ्भवन्ति । (न्त्ये) एकविᳪंशो वाऽएष यऽ एष तपति द्वादश मासाः पञ्चर्त्तवस्त्रयऽ इमे लोकाऽअसावादित्यऽ एकविᳪंशऽ एतामभिसम्पदम् ॥ २६ ॥

(मु) उदवसानीयायाᳪं सᳪंस्थितायाम् । (भ्रु) चतस्रश्च जायाः कुमारीम्पञ्चमीञ्चत्वारि च शतान्यनुचरीणां यथासमुदितन्दक्षिणान्ददाति ॥ २७ ॥

(त्य) अथोत्तरᳪं सम्वत्सरमृतुपशुभिर्य्यजते । षड्भिराग्नेयैर्व्वसन्ते षड्भिरैन्द्रैर्ग्ग्रीष्मे षड्भिः पार्जन्यैर्व्वा मारुतैर्व्वा व्वर्षासु षड्भिर्म्मैत्रा-

---

उदयनीयायां संस्थितायाम्, एकविंशतिं वशा अनूबन्ध्या आलभते । मैत्रावरुणीः, वैश्वदेवीः, बार्हस्पत्याः । एतासां देवतानामाप्त्यै । तद्यत् बार्हस्पत्या अंत्या भवंति । ब्रह्म वै बृहस्पतिः । तदु ब्रह्मण्येवांततः प्रतितिष्ठति ॥ २५ ॥

अथ यदेकविंशतिर्भवंति । एकविंशो वा एषः । य एष तपति । द्वादश मासाः । पंचर्तवः । त्रय इमे लोकाः । असावादित्य एकविंशः । एतामभिसंपदम् ॥ २६ ॥

उदवसानीयायां संस्थितायाम्, चतस्रश्च जायाः, कुमारीं पंचमीम्, चत्वारि च शतान्यनुचरीणां यथासमुदितम् । दक्षिणां ददाति ॥ २७ ॥

अथोत्तरं संवत्सरमृतुपशुभिर्यजते । षड्भिराग्नेयैर्वसंते । षड्भिरैन्द्रैर्ग्रीष्मे । षड्भिः पार्जन्यैर्वा मारु-

---

गम्यते । प्राची दिक् होतुर्दक्षिणा ब्रह्मण इति । संवत्सरे दक्षिणाश्चात्र तत्स्थं वित्तं लक्ष्यते (?) तदेव तत्रैव होतृकाः महर्त्विग्भ्योऽन्ये पुरुषाः अन्वाभक्ताः यथा आसां द्वौ होत्रादीननु मैत्रावरुणादय आभक्ता इत्यर्थः ॥ २४–२६ ॥

जाया महिष्यादिकाः । यथासमुदितम् । येन सह यया अभिमैथिकः कामुकसंवादः कृतः तास्तेभ्य इत्यस्मिन्नर्थे

१–एकविंशतिरनूबन्ध्याऽअतः । (का. श्रौ. सू. २० । २१० ।) सप्त मैत्रावरुण्यः सप्त वैश्वदेव्यः सप्त बार्हस्पत्या एवमेकविंशतिः ॥

२–द्वादशाहमाग्नेयः पुरोडाशः । ब्रह्मौदनो वा । (का. श्रौ. सू. २० । २१५ । २१६ ।) अत्र श्रुतिः–" द्वादश ब्रह्मौदनानुत्थाय निर्व्वपति द्वादशभिर्वैष्टिभिर्यजते इति । (श. प. १३ । ३ । ६ । ६ ।) प्रत्यृतु पशूनालभते षट्षड्वसंताद्याग्नेयानैन्द्रान्पार्जन्यान्मारुतान्वा मैत्रावरुणानैन्द्रावैष्णवानैन्द्राबार्हस्पत्यान् । (का. श्रौ. सू. २० । २१७ ।)

वरुणैः शुरदि षड्भिरैन्द्राविष्णवैर्हेमन्तु षड्भिरैन्द्राबार्हस्पत्यैः शिशिरे षुडृतवः सम्वत्सरुऽऋतुष्वेवु सम्वत्सरे प्रतितिष्ठति षुट्त्रिꣳशदेते पशवो भवन्ति षुट्त्रिꣳशदक्षरा बृहती बृहत्यामधि स्वर्गो लोकः प्रतिष्ठितस्तुद्धन्ततो बृहत्यैव च्छन्दसा स्वर्गे लोके प्रतितिष्ठति ॥ २८ ॥

इति तृतीयप्रपाठके षष्ठं ब्राह्मणम् ॥ १३।३।६ ॥ (५–४) ॥

इति पञ्चमोऽध्यायः समाप्तः ॥ १३ । ५ ॥

कण्डिकासंख्या ॥ ८० ॥

इति तृतीयः प्रपाठकश्च समाप्तः ॥ १३–३ ॥

कण्डिकासंख्या ॥ १०६ ॥

तैर्वा वर्षासु । षड्भिर्मैत्रावरुणैः शरदि । षड्भिरैन्द्रावैष्णवैर्हेमन्ते । षड्भिरैन्द्राबार्हस्पत्यैः शिशिरे । षद् ऋतवः संवत्सरः । ऋतुष्वेव संवत्सरे प्रतितिष्ठति । षट्त्रिंशदेते पशवो भवंति । षट्त्रिंशदक्षरा बृहती । बृहत्यामधि स्वर्गो लोकः प्रतिष्ठितः । तद्धंततो बृहत्यैव च्छंदसा स्वर्गे लोके प्रतितिष्ठति ॥ २८ ॥

यथासमुदितमिति अव्ययीभावसमासः । वचनाच्च भार्याणां सानुचरीणां दानम् । पालागली तु क्षत्तुः प्राप्ता, वचनांतरेण अध्वर्यवे दीयते ॥ २७ ॥ २८ ॥

इति श्रीमदाचार्यहरिस्वामिनः कृतौ माध्यन्दिनीयशतपथब्राह्मणभाष्ये त्रयोदशे काण्डे पञ्चमेऽध्याये चतुर्थं ब्राह्मणम् ॥ (१३ । ५ । ४) ॥

नागस्वामिसुतोऽवन्त्यां पाराशर्यो वसन्हरिः ।
श्रुत्यर्थं दर्शयामास शक्तितः पौष्करीयकः ॥ १ ॥
श्रीमतोऽवन्तिनाथस्य विक्रमार्कस्य भूपतेः ।
धर्माध्यक्षो हरिस्वामी व्याख्यच्छातपथीं श्रुतिम् ॥ २ ॥
भूभर्त्रा विक्रमार्केण क्लृप्तां कनकवेदिकाम् ।
दानायाध्यस्य कृतवान् श्रुत्यर्थविवृतिं हरिः ॥ ३ ॥

इति श्रीसर्वविद्यानिधानकवीन्द्राचार्यसरस्वतीनां श्रीहरिस्वामिनां कृतौ माध्यन्दिनीयशतपथब्राह्मणभाष्ये त्रयोदशे काण्डे पञ्चमोऽध्यायः समाप्तः ॥ १३–५ ॥

१–उदवसानीयांते भार्या ददाति यथासंवादं सानुचरीः । (का. श्रौ. सू. २० । २११ ।) (उदवसानीया त्रैधातवी ।) कुमारीं पालागलीं चाध्वर्यवे । अनुचर्यो वा फलाधिकारादितरासाम् । अनारभ्यत्वाच्च (का. श्रौ. सू. २० । २१२–११४ ।) अत्र कर्कभाष्यम्–वाशब्दः पक्षव्यावृत्तौ । न भार्या ददाति । अनुचरीरेव दद्यात् । कुत एतत् ? फलाधिकाराद्भार्याणाम् । यजमानतुल्या एवैता इति । माध्यमिकं हि यजमानस्य पत्नीनां च द्रव्यं साधारणत्वाचोत्सर्गः सहैव भवति नान्यथेति । तत्कथं तर्हि वेदवाक्यं नेयम् । चतस्रश्च जाया यजमानश्च चत्वारि च शतान्यनुचरीणां कुमारीं पंचमीं यथासंवादं दक्षिणां ददाति इति । अपि च यथा पत्न्यो यजमानदाने असमर्थाः एवं यजमानोऽपि पत्नीनाम् । तस्मादनारभ्योऽसमर्थ इति कर्कभाष्यम् । देवयाज्ञिकभाष्यमप्येवमेव ।

अथ षष्ठेऽध्याये प्रथमं ब्राह्मणम् ।
चतुर्थप्रपाठके च प्रथमं ब्राह्मणम् ।

पुरुषो ह नारायणोऽकामयत । (ता) अतितिष्ठेयꣳ सर्व्वाणि भूतान्यहमेवेदꣳ सर्व्वꣳ स्यामिति स एतम्पुरुषमेधम्पञ्चरात्रं यज्ञक्रतुमपश्यत्तमाहरत्तेनायजत तेनेष्ट्वाऽत्यतिष्ठत्सर्व्वाणि भूतानीदꣳ सर्व्वमभवदतितिष्ठति सर्व्वाणि भूतानीदꣳ सर्व्वम्भवति यऽएवं विद्वान्पुरुषमेधेन यजते यो वैतदेवम्वेद ॥ १ ॥

तस्य त्रयोविꣳशतिर्दीक्षाः । (०) द्वादशोपसदः पञ्च सुत्याः सऽएष चत्वारिꣳशद्रात्रः सदीक्षोपसत्कश्चत्वारिꣳशदक्षरा विराट्तद्विराजमभिसम्पद्यते ततो विराडजायत विराजोऽअधि पूरुष ऽइत्येषा वै सा विराडेतस्याऽ एवैतद्विराजो यज्ञम्पुरुषञ्जनयति ॥ २ ॥

अथ पुरुषमेधः ।

पुरुषो ह नारायणोऽकामयत । अतितिष्ठेयं सर्वाणि भूतानि । अहमेवेदं सर्वं स्यामिति । स एतं पुरुषमेधं पंचरात्रं यज्ञक्रतुमपश्यत् । तमाहरत् । तेनायजत । तेनेष्ट्वा, अत्यतिष्ठत् सर्वाणि भूतानि । इदं सर्वमभवत् । अतितिष्ठति सर्वाणि भूतानि । इदं सर्वं भवति । य एवं विद्वान् पुरुषमेधेन यजते । यो वा एतदेवं वेद ॥ १ ॥

तस्य त्रयोविंशतिर्दीक्षाः । द्वादशोपसदः । पंच सुत्याः । स एष चत्वारिंशद्रात्रः सदीक्षोपसत्कः । चत्वारिंशदक्षरा विराट् । तद्विराजमभिसंपद्यते । "ततो विराडजायत विराजो अधि पूरुषः"-(वा. सं. ३१ । ५) इति । एषा वै सा विराट् । एतस्या एवैतद्विराजो यज्ञं पुरुषं जनयति ॥ २ ॥

पुरुषो ह नारायणोऽकामयत । अत्राध्याये पुरुषमेध उच्यते । परत्र सर्वमेधः । अधुना उपन्यस्तसंख्याकः चत्वारिंशतां रात्रीणां समूहः सह दीक्षोपसद्रात्रिभिः चत्वारिंशद्रात्रो भवति । ततस्तत्पूर्वोपन्यस्तपंचरात्रत्वेन विनिहन्यत इत्यभिप्रायः । चत्वारिंशदक्षरा विराट् यतः । तत् विराजमभिसंपद्यत इति । तत् तेन चत्वारिंशद्रात्रं विराजमुपपद्यते । संगच्छते च राजा मंत्रब्राह्मण इति सहस्रपुराणाधिमहाभाग्यः सर्गान्तरे शयनावस्थायां कामितवान् । सर्वाणि भूतानि । धर्मज्ञानवैराग्यैश्वर्यप्राप्तिप्राकाम्यादिभिश्च गुणैः अतीत्य तिष्ठेयम् । कृतकर्तव्यः सन्नमेध्यस्वः स्यामित्यर्थः । अहमेव च इदं सर्वं चेतनाचेतनं स्यां भवेयम्, मम चित्तानुविधायि इदं सर्वं स्यादित्यर्थः । स एतं प्रकारे प्रमाणं पुरुषमेधाख्यं यज्ञक्रतुं एतच्छास्त्रानुसारेणैव, नारायणत्वं प्राप्नुयाम् यं अपश्यत्,

ता वाऽ एताः । (श्रु) चतस्रो दशतो भवन्ति तद्यदेताश्चतस्रो दशतो भवन्त्येषां चैव लोकानामाप्त्यै दिशां चेममेव लोकम्प्रथमया दशताऽऽप्नुवन्नन्तरिक्षं द्वितीयया दिवन्तृतीयया दिशश्चतुर्थ्या तथैवैतद्यजमानऽ इममेव लोकम्प्रथमया दशताऽऽप्नोत्यन्तरिक्षं द्वितीयया दिवन्तृतीयया दिशश्चतुर्थ्यैतावद्वाऽ इदᳪं सर्व्वं यावदिमे च लोका दिशश्च सर्व्वम्पुरुषमेधः सर्व्वस्याप्त्यै सर्व्वस्यावरुद्ध्यै ॥ ३ ॥

(द्व्याऽए) एकादशाग्नीषोमीयाः पशवऽउपवसथे । तेषाᳪं समानं कर्मैकादश यूपाऽएकादशाक्षरा त्रिष्टुब्वज्रस्त्रिष्टुब्वीर्य्यं त्रिष्टुब्वज्रेणैवैतद्वीर्य्येण यजमानः पुरस्तात्पाप्मानमपहते ॥ ४ ॥

ता वा एताः । चतस्रो दशतो भवंति । तद्यदेताश्चतस्रो दशतो भवंति । एषां चैव लोकानामाप्त्यै । दिशां च । इममेव लोकं प्रथमया दशताऽऽप्नुवन् । अंतरिक्षं द्वितीयया । दिवं तृतीयया । दिशश्चतुर्थ्या । तथैवैतद्यजमान इममेव लोकं प्रथमया दशताऽऽप्नोति । अंतरिक्षं द्वितीयया । दिवं तृतीयया । दिशश्चतुर्थ्या । एतावद्वा इदं सर्वम् । यावदिमे च लोका दिशश्च । सर्वं पुरुषमेधः । सर्वस्याप्त्यै । सर्वस्यावरुद्ध्यै ॥ ३ ॥

एकादशाग्नीषोमीयाः पशव उपवसथे । तेषां समानं कर्म । एकादश यूपाः । एकादशाक्षरा त्रिष्टुप् । वज्रस्त्रिष्टुप् । वीर्यं त्रिष्टुप् । वज्रेणैवैतद्वीर्येण यजमानः पुरस्तात्पाप्मानमपहते ॥ ४ ॥

शास्त्रचक्षुषा ददर्शेत्यर्थः । तमाहरन् । तत्साधनानि उपादत्त । तेनायमयजत । तेन समीहितं फलं साधितवानित्यर्थः । किं पुनः तत् साधितवान् इत्यत आह—अत्यतिष्ठत् सर्वाणि भूतानीत्यादि । एतदितिहासेन क्रतूत्पत्तिवचनम् । अतितिष्ठति सर्वाणि भूतानीति फलवत् प्रयोगवाक्यम् । यो वा एतदेवं वेद उपास्ते इत्युपासनाफलवचनम् । त्रयोविंशतिदीक्षाणां द्वादशोपसदां संख्या विधीयते । सुत्यानां तु संख्यानुवादः । विराजा समानः पुरुषमेधो भवतीत्यर्थः । विराट्संख्याभिधानेन तु संख्यासामान्यात् अभ्यस्तः पुरुषमेधः सुखमुपास्यत इत्यभिप्रायः । " ततो विराडजायत विराजो अधि पूरुषः "—इति मंत्रेणापि विराडुपासनं पुरुषमेधे दर्शितमिति मंत्रोपादानम् । एषा वै सा विराडिति या मंत्रे विराडुपात्ता । एषैव सा आधियज्ञिकी विराट् । एतस्या एव च विराजः सकाशात् यज्ञं यज्ञाभिमानिनं पुरुषं नारायणं जनयति यजमान इति ब्रुवन् एतन्मंत्रार्थं दर्शयति । ततश्च पुरुषाणां नारायणात् भाविनः विराट् आधियाज्ञिकी चत्वारिंशद्रात्रात्मिका तस्मिन् यजमानोऽजायत विराजस्तस्या आधियाज्ञिक्याः सकाशात् तदपूर्वसंस्कृतात्मा सर्वभागावशेषु पुरुषो नारायणः अजायतेति । यस्तु पौराणिकदृश्यो मंत्रार्थः । ततो हिरण्यगर्भाद्विराट् त्रैलोक्यशरीरः अजायत । विराजोऽपि सकाशात् तच्छरीरार्द्धयुगलरूपः स्वायंभुवो मनुः सर्वस्य जातिपिंडसर्गस्य प्रथमोऽजायतेति । स तु ज्ञातत्वान्नात्राख्यातः । न प्रतिषिद्धः ॥ १ ॥ २ ॥

ता वा एताश्चतस्रो दशतः । चत्वारोऽत्र दशकवर्गाः इति आध्यात्मिका विराजः अधिदैवोपन्यासः । इममेव

१–पुरुषमेधस्त्रयोविंशतिदीक्षोऽतिष्ठाकामस्य । का. श्रौ. सू. २१ । १ । सर्वाण्यतिक्रम्यावस्थानमतिष्ठा ।

(त)ऽऐ)ऐकादशिनाः सुत्यासु पशवो भवन्ति । एकादशाक्षरा त्रिष्टुब्वज्ज्र-स्त्रिष्टुब्वीर्य्यन्त्रिष्टुब्वज्ज्रेणैवैतद्वीर्य्येण यजमानः पुरस्तात्पाप्मानमपहते ॥ ५ ॥

यद्वेवैकादशिना भवन्ति । (न्त्ये) एकादशिनी वा ऽइदꣳ सर्व्वं प्रजा-पतिर्ह्येकादशिनी सर्व्वꣳ हि प्रजापतिः सर्व्वं पुरुषमेधः सर्व्वस्याप्त्यै सर्व्वस्यावरुद्ध्यै ॥ ६ ॥

स वाऽएष पुरुषमेधः । पञ्चरात्रो यज्ञक्रतुर्ब्भवति पाङ्क्तो यज्ञः पाङ्क्तः पशुः पञ्चर्त्तवः सम्वत्सरो यत्किञ्च पञ्चविधमधिदेवतमध्यात्मन्तदेनेन सर्व्वमाप्नोति ॥ ७ ॥

तस्याग्निष्टोमः प्रथममहर्ब्भवति ।(त्यु) अथोक्थ्योऽथातिरात्रोऽथोक्थ्यो-ऽथाग्निष्टोमः स वाऽ एषऽ उभयतोज्योतिरुभयतऽउक्थ्यः ॥ ८ ॥

ऐकादशिनाः सुत्यासु पशवो भवंति । एकादशाक्षरा त्रिष्टुप् । वज्रस्त्रिष्टुप् । वीर्यं त्रिष्टुप् । वज्रेणैवैतद्वीर्येण । यजमानः * पाप्मानमपहते ॥ ५ ॥

यद्वेवैकादशिना भवंति । एकादशिनी वा इदं सर्वम् । प्रजापतिर्ह्येकादशिनी । सर्वं हि प्रजा-पतिः । सर्वं पुरुषमेधः । सर्वस्याप्त्यै । सर्वस्यावरुद्ध्यै ॥ ६ ॥

स वा एष पुरुषमेधः पंचरात्रो यज्ञक्रतुर्भवति । पांक्तो यज्ञः । पांक्तः पशुः । पंचर्तवः संवत्सरः । यत्किंच पंचविधमधिदेवतमध्यात्मम् । तदेनेन सर्वमाप्नोति ॥ ७ ॥

तस्याग्निष्टोमः प्रथममहर्भवति । अथोक्थ्यः । अथातिरात्रः । अथोक्थ्यः । अथाग्निष्टोमः । स वा एष उभयतोज्योतिः । उभयतउक्थ्यः ॥ ८ ॥

लोकं प्रथमया दशताऽऽप्नुवन्निति । ते पूर्वे अपि पुरुषाः । एतयैव यज्ञविराजा इमां दैवीं विराजमाप्नुवंस्ततः तस्यापि यजमानस्य युज्यते तदर्थ उत्साह इत्यभिप्रायः । "तथैवैतद्यजमानः" इत्युपसंहारपचनम् । एतावद्वा इदं सर्वं पुरुषमेध इति सोऽपि दिक्दशकसामान्यात् दिग्लोकात्मक एवेत्यभिप्रायः ॥ ३–५ ॥

प्रथममंत्रवाचनीयं सर्वं भवतीति तस्यैवायमुपसंहारः । न तु फलांतरं इति दर्शयति—**सर्वं पुरुषमेध** इति । सोऽपि दशकक्रतुचतुष्टयसमाप्त्या दिगध्यात्मक एवेत्यभिप्रायः ॥ ६ ॥

स वा एष पुरुषमेधः । अत्र सफलाकांक्षत्वोपासना उच्यते ॥ ७ ॥

तस्याग्निष्टोमः । अत्र कंडिकाद्वये अह्नां संस्था आध्यात्माधिदैवोपासना उच्यंते । **उभयतोज्योति**रिति । अग्निसंबंधादग्निष्टोमो ज्योतिरित्यभिप्रायः । **उभयतउक्थ्य** इति । मध्यापेक्षया उभयत उक्थ्यौ इत्याशयः ॥ ८ ॥

---

* "यजमानः पाप्मानम्" इत्यनयोः पदयोर्मध्ये "पुरस्तात्" इति पदं जर्मनदेशीयमुद्रितपुस्तकेऽधिकं वर्तते अस्मदुप-लब्धयावल्लिखितादर्शपुस्तकेषु तु नास्ति । अतस्तच्चिन्त्यम् ।

१—अग्निष्टोमाद्यन्तरेणातिरात्र उक्थ्यपक्षः । (का. श्रौ. सू. २१ । ३ ।) (एतानि सौत्यान्यहानि । १ अग्निष्टोमः २ उक्थ्यः ३ अतिरात्रः ४ उक्थ्यः ५ अग्निष्टोम इति यावत् ।) यूपैकादशिनी भवति । "तावन्तोऽग्नीषोमीयाः"। (का. श्रौ. सू. २१।४।५।) (प्रत्यहं सुत्यासु भवंतीत्यर्थः ।)

(क्थ्यो) यवमध्यः पञ्चरात्रो भवति । (तौ) इमे वै लोकाः पुरुषमेधऽउभयतोज्योतिषो वाऽ इमे लोकाऽ अग्निनेतऽआदित्येनामुतस्तस्मादुभयतोज्योतिरन्नमुक्थ्यऽआत्माऽतिरात्रस्तद्यदेताऽउक्थ्यावतिरात्रमभितो भवतस्तस्मादयमात्माऽन्नेन परिवृढोऽथ यदेष व्वर्षिष्ठोऽतिरात्रोऽह्नाꣳ स मध्ये तस्माद्यवमध्यो युते ह वै द्विषन्तम्भ्रातृव्यमयमेवास्ति नास्य द्विषन्भ्रातृव्यऽइत्याहुर्य्यऽएवम्वेद ॥ ९ ॥

तस्यायमेव लोकः प्रथममहः । (र) अयमस्य लोको व्वसन्तऽऋतुर्य्यदूर्ध्वमस्माल्लोकादर्व्वाचीनमन्तरिक्षात्तद्द्वितीयमहस्तद्वस्य ग्रीष्मऽ ऋतुरन्तरिक्षमेवास्य मध्यममहरन्तरिक्षमस्य व्वर्षाशरदावृतू यदूर्ध्वमन्तरिक्षादर्व्वाचीनन्दिवस्तच्चतुर्थमहस्तद्वस्य हेमन्तऽऋतुर्द्यौरेवास्य पञ्चममहर्द्यौरस्य शिशिरऽऋतुरित्यधिदेवतम् ॥ १० ॥

(मु) अथाध्यात्मम् । (म्प्र) प्प्रतिष्ठैवास्य प्प्रथममहः प्रतिष्ठोऽअस्य व्वसन्तऽऋतुर्य्यदूर्ध्वम्प्रतिष्ठायाऽअवाचीनम्मध्यात्तद्द्वितीयमहस्तद्वस्य ग्ग्रीष्मऽऋतुर्म्मध्यमेवास्य मध्यममहर्म्मध्यमस्य व्वर्षाशरदावृतू यदूर्ध्वं

यवमध्यः पंचरात्रो भवति । इमे वै लोकाः पुरुषमेधः । उभयतोज्योतिषो वा इमे लोकाः । अग्निनेतः । आदित्येनामुतः । तस्मादुभयतोज्योतिः । अन्नमुक्थ्यः । आत्माऽतिरात्रः । तद्य-देता उक्थ्यावतिरात्रमभितो भवतः । तस्मादयमात्माऽन्नेन परिवृढः । अथ यदेव वर्षिष्ठोऽतिरात्रः । अह्नां स मध्ये । तस्माद्यवमध्यः । युते ह वै द्विषंतं भ्रातृव्यम् । अयमेवास्ति । नास्य द्विषन् भ्रातृव्य इत्याहुः । य एवं वेद ॥ ९ ॥

तस्यायमेव लोकः प्रथममहः । अयमस्य लोको वसंत ऋतुः । यदूर्ध्वमस्माल्लोकादर्वाचीनमं-तरिक्षात् । तत् द्वितीयमहः । तद्वस्य ग्रीष्म ऋतुः । अंतरिक्षमेवास्य मध्यममहः । अंतरिक्षमस्य वर्षाशरदावृतू । यदूर्ध्वमन्तरिक्षादर्वाचीनं दिवः । तच्चतुर्थमहः । तद्वस्य हेमंत ऋतुः । द्यौरेवास्य पंचममहः । द्यौरस्य शिशिर ऋतुः । इत्यधिदेवतम् ॥ १० ॥

अथाध्यात्मम् । प्रतिष्ठैवास्य प्रथममहः । प्रतिष्ठो अस्य वसंत ऋतुः । यदूर्ध्वं प्रतिष्ठाया अवा-चीनं मध्यात् । तत् द्वितीयमहः । तद्वस्य ग्रीष्म ऋतुः । मध्यमेवास्य मध्यममहः । मध्यमस्य वर्षाशरदावृतू । यदूर्ध्वं मध्यादवाचीनं शीर्ष्णः । तच्चतुर्थमहः । तद्वस्य हेमन्त ऋतुः । शिशिर

'यवमध्यः' । यवस्येव गुरुर्मध्योऽस्येतीति, इमे वै लोकाः पुरुषमेध इति विधिमात्र इत्यधिदैववचनम् । अन्न-मुक्थ्यः, आत्माऽतिरात्र इत्याध्यात्मवचनम् । अन्नमुक्थ्यः परिबृंहणभूतत्वात् । आत्मा अतिरात्रः मध्यत्वात्

मुध्यादवाचीनꣳ शीर्षणस्तच्चतुर्थमुहस्तदस्य हेमन्तऽऋतुः शिरऽएवास्य पञ्चममुहः शिरोऽस्य शिशिरऽऋतुरेवमिमे च लोकाः सम्वत्सरश्चात्मा च पुरुषमेधमभिसम्पद्यन्ते सर्व्वम्वाऽइमे लोकाः सर्व्वꣳ सम्वत्सरः सर्व्वमात्मा सर्व्वम्पुरुषमेधः सर्व्वस्याप्त्यै सर्व्वस्यावरुद्ध्यै ॥ ११ ॥

इति चतुर्थप्रपाठके प्रथमं ब्राह्मणम् ॥ १३।४।१ ॥ (६।१) ॥

अथ यस्मात्पुरुषमेधो नाम । (मे) इमे वै लोकाः पूरयमेव पुरुषो योऽयम्पवते सोऽस्याम्पुरि शेते तस्मात्पुरुषस्तस्य यदेषु लोकेष्वन्नन्तदस्यान्नम्मेधस्तद्यदस्यैतदन्नम्मेधस्तस्मात्पुरुषमेधोऽथो यदस्मिन्मेध्यान्पुरुषानालभते तस्माद्वेव पुरुषमेधः ॥ १ ॥

(स्ता) तान्वै मध्यमेऽहन्नालभते । (तेऽन्तु) अन्तरिक्षम्वै मध्यममहरन्तरिक्षमु वै सर्व्वेषाम्भूतानामायतनमथोऽअन्नम्वाऽएते पशवऽउदरम्मध्यममहरुदरे तदन्नन्दधाति ॥ २ ॥

एवास्य पंचममहः । शिरोऽस्य शिशिर ऋतुः । एवमिमे च लोकाः संवत्सरश्च आत्मा च पुरुषमेधमभिसंपद्यंते । सर्वं वा इमे लोकाः । सर्वं संवत्सरः । सर्वमात्मा । सर्वं पुरुषमेधः । सर्वस्याप्त्यै । सर्वस्यावरुद्ध्यै ॥ ११ ॥

अथ यस्मात् पुरुषमेधो नाम । इमे वै लोकाः पूः । अयमेव पुरुषः । योऽयं पवते । सोऽस्यां पुरि शेते । तस्मात् पुरुषः । तस्य यदेषु लोकेष्वन्नम् । तदस्यान्नं मेधः । तद्यदस्यैतदन्नं मेधः । तस्मात् पुरुषमेधः । अथो यदस्मिन्मेध्यान्पुरुषानालभते । तस्माद्वेव पुरुषमेधः ॥ १ ॥

तान्वै मध्यमेऽहन्नालभते । अंतरिक्षं वै मध्यममहः । अंतरिक्षमु वै सर्वेषां भूतानामायतनम् । अथो अन्नं वा एते पशवः । उदरं मध्यममहः । उदरे तदन्नं दधाति ॥ २ ॥

महत्वाच्च अग्रे अन्योऽन्येन । अथ यदेव वर्षिष्ठ इति यवमध्यशब्दनिर्वचनम् । युते ह वै इत्युपासनाफलवचनम् । युते आत्मना मिश्रयति स्वीयं करोति भ्रातृव्यम् अयमेवोपासकोऽस्ति । त्रिवर्गसंपन्नः । अस्य द्विषन् भ्रातृव्यो नास्ति निरतिहीनत्वात् । इत्येवमन्ये आहुः ॥ ९-११ ॥

इति श्रीमदाचार्यहरिस्वामिनः कृतौ माध्यन्दिनीयशतपथब्राह्मणभाष्ये त्रयोदशे काण्डे षष्ठेऽध्याये प्रथमं ब्राह्मणम् ॥ १३ । ६ । १ ॥

अथ यस्मात् । अथाधिदैविकं आधियज्ञिकं च निर्वचनं पुरुषमेधशब्दस्य क्रियते ॥ १ ॥ २ ॥

131

तान्वै दशदशालभते । दशाक्षरा विराड्विराडु कृत्स्नमन्नं कृत्स्नस्यै-वान्नाद्यस्यावरुद्ध्यै ॥ ३ ॥

(द्व्याऽए) एकादश दशतऽआलभते । (तऽए) एकादशाक्षरा त्रिष्टु-ब्वज्रस्त्रिष्टुब्वीर्यं त्रिष्टुब्वज्रेणैवैतद्वीर्येण यजमानो मध्यतः पाप्मान-मपहते ॥ ४ ॥

(तेऽष्टा) अष्टाचत्वारिꣳशतम्मध्यमे यूपऽआलभते । (तेऽष्टा) अष्टा-चत्वारिꣳशदक्षरा जगती जागताः पशवो जगत्यैवास्मै पशूनवरुन्द्धे ॥५॥

(न्द्वऽए) एकादशैकादशेतरेषु । (ष्वे) एकादशाक्षरा त्रिष्टुब्वज्र-स्त्रिष्टुब्वीर्यं त्रिष्टुब्वज्रेणैवैतद्वीर्येण यजमानोऽभितः पाप्मानमपहते ॥६॥

तान्वै दशदशालभते । दशाक्षरा विराट् । विराडु कृत्स्नमन्नम् । कृत्स्नस्यैवान्नाद्यस्यावरुद्ध्यै ॥ ३ ॥

एकादश दशत आलभते । एकादशाक्षरा त्रिष्टुप् । वज्रस्त्रिष्टुप् । वीर्यं त्रिष्टुप् । वज्रेणैवैतद्वीर्येण यजमानो मध्यतः पाप्मानमपहते ॥ ४ ॥

अष्टाचत्वारिंशतं मध्यमे यूप आलभते । अष्टाचत्वारिंशदक्षरा जगती । जागताः पशवः । जगत्यैवास्मै पशूनवरुंधे ॥ ५ ॥

एकादशैकादशेतरेषु । एकादशाक्षरा त्रिष्टुप् । वज्रस्त्रिष्टुप् । वीर्यं त्रिष्टुप् । वज्रेणैवैतद्वीर्येण यजमानोऽभितः पाप्मानमपहते ॥ ६ ॥

दशदशेति दशार्थानुवादः, ये दशदश, एकैकस्यां कंडिकायां ब्राह्मणादयः पठ्यंते तानालभत इत्यर्थः । न पुनरयमर्थः–दशदश एकस्मिन् यूप आलभते इति । कुतः ? "अष्टाचत्वारिंशतं मध्यमे यूप आलभते"–इति । "एकादशैकादशेतरेषु"–इत्यनेन विरोधात् ॥ ३ ॥

एकादश दशत आलभते । "सरोभ्यो धैवरम्"–(वा. सं. ३० । १६) इत्येतस्याः कंडिकायाः प्राक्, या दशतः तासामयं दर्शनार्थोऽनुवादः । एतस्यां तु (वा. सं. ३० । १६) द्वादश पुरुषाः पठ्यंते परासु (वा.सं.३०।५।२१) पुनर्दशदशा अन्त्यायां तु (वा.सं.३०।२२) अष्टौ पठिताः तेषां चायमनुवादः ॥ ४ ॥

अष्टाचत्वारिंशतम् अतिक्रमणकारणाभावात् यानेव अष्टाचत्वारिंशतं मध्यमे आलभते ॥ ५ ॥

ऐकादश एकादश इतरेषु यूपेषु च "वर्णायानुरुधम्" (वा. सं. ३० । ९)–इति । "अविशस्तांस्तु द्वितीयोच्छ्रिते यूपे"–इति श्रुत्यंतरात् ॥ ६ ॥

१–नियोजनकालेऽष्टाचत्वारिंशतमाग्नेयानाग्निष्ठे । (का. श्रौ. सू. २१ । ८) "आद्यान् ब्रह्मणे ब्राह्मणम्" इत्यादीन् प्रकामोद्यायोपसदम्" इत्यंतान् ४८ । अतः कात्यायन इतः प्राक् सूत्रयामास–ऐकादशिनानुपाकृत्य ब्राह्मणादीश्चेति (का. श्रौ. सू. २१ । ७) । उपाकरोतीत्यर्थः । ब्रह्मणे ब्राह्मणमित्यादीन् आ अध्यायांतम् ॥

२–इतरेष्वेकादशैकादश । (का. श्रौ. सू. २१ । ९) अग्निष्ठादितरेषु दशसु यूपेषु । तत्रायं विवेकः । मध्यमे अग्निष्ठे यूपे "ब्रह्मणे ब्राह्मणम्" इत्यादयः "प्रकामोद्यायोपसदम्" इत्यंता अष्टाचत्वारिंशत् ४८, द्वितीये "वर्णायानुरुधम्" इत्यादयः

(तेऽष्टौ) अष्टाऽउत्तमानालभते । (तेऽष्टौ) अष्टाक्षरा गायत्री ब्रह्म गायत्री तद्ब्रह्मैवैतदस्य सर्व्वस्योत्तमं करोति तस्माद्ब्रह्मास्य सर्व्वस्योत्तममित्याहुः ॥ ७ ॥

(स्ते) ते वै प्राजापत्या भवन्ति । ब्रह्म वै प्रजापतिर्ब्राह्मो हि प्रजापतिस्तस्मात्प्राजापत्या भवन्ति ॥ ८ ॥

स वै पशूनुपाकरिष्यन् । (न्ने) एतास्तिस्रः सावित्रीराहुतीर्जुहोति देव सवितस्तत्सवितुर्व्वरेण्यम्विश्वानि देव सवितरिति सवितारम्प्रीणाति सोऽस्मै प्रीतऽएतान्पुरुषान्प्रसौति तेन प्रसूतानालभते ॥ ९ ॥

अष्टा उत्तमानालभते । अष्टाक्षरा गायत्री । ब्रह्म गायत्री । तत् ब्रह्मैवैतदस्य सर्वस्योत्तमं करोति । तस्मात् ब्रह्मास्य सर्वस्योत्तममित्याहुः ॥ ७ ॥

ते वै प्राजापत्या भवंति । ब्रह्म वै प्रजापतिः । ब्राह्मो हि प्रजापतिः । तस्मात् प्राजापत्या भवंति ॥ ८ ॥

स वै पशूनुपाकरिष्यन् एतास्तिस्रः सावित्रीराहुतीर्जुहोति । " देव सवितः । तत्स-

---

" अष्टौ विरूपानुत्तमानालभते " इति दर्शनार्थः अनुवादः । मागधाद्यस्तु पूर्वोक्ता एव गुणार्थं पुनः पठिता नापूर्वाः ॥ ७ ॥

" ते प्राजापत्याः " (वा. सं. ३०।२२) इति मंत्रपाठात् प्राप्तानामनुवादो दर्शनार्थः ॥ ८ ॥

स वै पशूनुपाकरिष्यन् एतास्तिस्रः सावित्रीराहुतीर्जुहोतीति । " देव सवितः, तत्सवितुर्वरेण्यं, विश्वानि देव सवितः " इति । ताश्चाज्येन जुहोतीति वक्ष्यति (११ कं.) ॥ ९ ॥

एकादश, तृतीये " मर्यादायै प्रश्नविवाकम् " इत्यादय एकादश, चतुर्थे " भार्यै दार्वाहारम् " इत्यादय एकादश, पंचमे " वैरहत्याय पिशुनम् " इत्यादय एकादश, षष्ठे " योगाय योक्तारम् " इत्यादय एकादश, सप्तमे " परिवत्सराय विजाताम् " इत्यादय एकादश, अष्टमे " पाराय मार्गारम् " इत्यादय एकादश, नवमे " पश्चादोषाय ग्लाविनम् " इत्यादय एकादश, दशमे "आस्कंदाय सभास्थाणुम्" इत्यादय एकादश, एकादशे "महसे वीणावादम्" इत्यादयो ग्रामण्यं गणकमभिक्रोशकं तान्महसे " इत्यंता एकादश । द्वितीयोच्छ्रिते शेषान् । (का. श्रौ. सू. २१ । १० ।) द्वितीयोच्छ्रिते यूपे अवशिष्टाः " वीणावादं पाणिघ्नं तूणवध्मं तान्नृत्ताय " इत्यादयः " रात्र्यै कृष्णं पिंगाक्षम् " इत्यंताश्चतुर्दश । ततः " अथैतानष्टौ विरूपानालभते " इत्यादयः अष्टौ एवं द्वाविंशतिः । ततश्च हरिस्वामिमते मागधादिचतुर्णामनुवाददर्शनार्थत्वात् द्वितीयोच्छ्रिते यूपे पूर्वोक्तैरेकादशभिः सह अवशिष्टा द्वाविंशतिः मिलित्वा त्रयस्त्रिंशत् भवंति ॥

१–अत्र याज्ञिकानां सिद्धांतः । याज्ञिकैस्तु–मागधादयोऽपि अपूर्वा एव विधीयन्ते । अतिदीर्घादयोऽष्टौ प्राजापत्याः शूद्रब्राह्मणव्यतिरिक्ताः । मागधादयोऽप्येवंविधाः प्राजापत्या एव चत्वारः । एवं षड्विंशतिः शेषाः । पूर्वोक्तैरेकादशभिः सह सप्तत्रिंशत् द्वितीयोच्छ्रिते भवंति । युक्ततरं चेदम् । प्राजापत्या इति पुनर्दैवतासंबंधात् । पूर्वविहितेष्वेव मागधादिगुणविधानेनैवैतच्चोपपद्यते । तेषां देवतासंबंधस्य पूर्वमेव विहितत्वादित्याहुः । मिलित्वा ४८–११०–२६–१८४ ।

२–पशूनुपाकरिष्यन्नतिरात्रे देव सवितरिति प्रत्यृचं तिस्रो जुहोति (का. श्रौ. सू. २१ । ६)

ब्रह्मणे ब्राह्मणमालभते । ब्रह्म वै ब्राह्मणो ब्रह्मैव तद्ब्रह्मणा समर्द्धयति क्षत्त्राय राजन्यं क्षत्त्रम्वै राजन्यः क्षत्त्रमेव तत्क्षत्त्रेण समर्द्धयति मरुद्भ्यो व्वैश्यम्विशो वै मरुतो व्विशमेव तद्विशा समर्द्धयति तपसे शूद्रन्तपो वै शूद्रस्तपऽएव तत्तपसा समर्द्धयत्येवमेता देवता यथारूपम्पशुभिः समर्द्धयति ताऽ एनᳫँ समृद्धाः समर्द्धयन्ति सर्व्वैः कामैः ॥ १० ॥

(ग्रा) आज्येन जुहोति तेजो वाऽआज्यन्तेजसैवास्मिंस्तत्तेजो दधात्याज्येन जुहोत्येतद्वै देवानाम्प्रियन्धाम यदाज्यम्प्रियेणैवैनान्धाम्ना समर्द्धयति तऽ एनᳫँ समृद्धाः समर्द्धयन्ति सर्व्वैः कामैः ॥ ११ ॥

([१]नि) नियुक्तान्पुरुषान् । ब्रह्मा दक्षिणतः पुरुषेण नारायणेनाभिष्टौति सहस्रशीर्षा पुरुषः सहस्राक्षः सहस्रपादित्येतेन षोडशर्चेन षोडशकल-

---

वितुर्वरेण्यम् । विश्वानि देव सवितः "–(वा. सं. ३० । १–३) इति । सवितारं प्रीणाति । सोऽस्मै प्रीत एतान् पुरुषान् प्रसौति । तेन प्रसूतानालभते ॥ ९ ॥

"ब्रह्मणे ब्राह्मणम्"–आलभते । ब्रह्म वै ब्राह्मणः । ब्रह्मैव तद् ब्रह्मणा समर्धयति । "क्षत्त्राय राजन्यम् " । क्षत्त्रं वै राजन्यः । क्षत्त्रमेव तत्क्षत्त्रेण समर्धयति । "मरुद्भ्यो वैश्यम्" । विशो वै मरुतः । विशमेव तत् विशा समर्धयति । " तपसे शूद्रम् " (वा. सं. ३०।४) तपो वै शूद्रः । तप एव तत्तपसा समर्धयति । एवमेता देवता यथारूपं पशुभिः समर्धयति । ता एनं समृद्धाः समर्धयंति सर्वैः कामैः ॥ १० ॥

आज्येन जुहोति । तेजो वा आज्यम् । तेजसैवास्मिन् तत् तेजो दधाति । आज्येन जुहोति । एतद्वै देवानां प्रियं धाम–यदाज्यम् । प्रियेणैवैनान् धाम्ना समर्धयति । त एनं समृद्धाः समर्धयंति सर्वैः कामैः ॥ ११ ॥

नियुक्तान् पुरुषान् ब्रह्मा दक्षिणतः पुरुषेण नारायणेन अभिष्टौति–" सहस्रशीर्षा पुरुषः सहस्राक्षः सहस्रपात "–(वा. सं. ३१।१–१६) इत्येतेन षोडशर्चेन । षोडशकलं वा

' ब्रह्मणे ब्राह्मणम् ' यत् ब्रह्म दैवं ब्राह्मणजात्याधिदैवतात्मकं तदनु देवता ब्राह्मणजात्यनुगतस्तु मानुषपिंडपशुः । एवं क्षत्त्रादिष्वपि द्रष्टव्यम् । ब्रह्म वै ब्राह्मण इति । ब्रह्मजातीयो ब्राह्मण इत्यर्थः । ब्रह्मैव तत् आधिदैविकं ब्रह्मणा पशुरूपेण तदेन समर्द्धयति स्वजातीयेन । तपो वै शूद्रः । " तप संतापे " (धा. पा. भ्वा. प. १०११) तपस्वी कर्मत्वात् नित्यं संतप्त इत्यर्थः । एवमेता देवता इति ब्रुवन् ब्राह्मण्यादिशरीरे अभिमानिन्यो देवता इति दर्शयति ॥ १० ॥

आज्येन जुहोति । यास्तिस्रः सावित्रीर्जुहोति ता आज्येन ॥ ११ ॥

नियुक्तान् पुरुषान् । नारायणेन पुरुषाः स्तोतुं शक्यते कथं ? "सहस्रशीर्षा पुरुषः" (वा.सं.३१।१–१६)

१–नियुक्तान् ब्रह्माऽभिष्टौति होतृवदनुवाकेन सहस्रशीर्षेति । का. श्रौ. सू. २१ । ११ । (होतृवत् त्रिः प्रथमां त्रिरुत्तमां ऋगंते प्रणवः इत्यादि शस्त्रधर्मवदित्यर्थः ।)

म्वाऽ इदᳯ सर्व्वᳯ सर्व्वम्पुरुषमेधः सर्व्वस्याप्त्यै सर्व्वस्यावरुद्ध्याऽ-
इत्थमसीत्थमसीत्युपस्तौत्येवैनमेतन्महयत्येवाथो यथैव तथैनमेतदाह
तत्पर्व्यग्निकृताः पशवो बभूवुरसंज्ञप्ताः ॥ १२ ॥

(५) अथ हैनम्वागभ्युवाद । पुरुष मा सन्तिष्ठिपो यदि सᳯस्थापयि-
ष्यसि पुरुषऽएव पुरुषमत्स्यतीति तान्पर्व्यग्निकृतानेवोदसृजत्तद्देवत्याऽ
आहुतीरजुहोत्ताभिस्ता देवताऽअप्रीणात्ताऽएनम्प्रीताऽअप्रीणन्त्सर्व्वैः
कामैः ॥ १३ ॥

इदं सर्वम् । सर्वं पुरुषमेधः । सर्वस्याप्त्यै । सर्वस्यावरुद्ध्यै । इत्थमसीत्थमसीत्युपस्तौत्येवैनमेतन्महय-
त्येव । अथो यथैव तथैनमेतदाह । तत्पर्यग्निकृताः पशवो बभूवुः असंज्ञप्ताः ॥ १२ ॥

अथ हैनं वागभ्युवाद । पुरुष मा सन्तिष्ठिपः । यदि संस्थापयिष्यसि । पुरुष एव पुरुष-
मत्स्यतीति । तान् पर्यग्निकृतानेवोदसृजत् । तद्देवत्या आहुतीर्जुहोत् । ताभिस्ता देवता अप्री-
णात् । ता एनं प्रीता अप्रीणन् सर्वैः कामैः ॥ १३ ॥

इत्यनेन नारायणेन सूक्तेन पुरुषपशवोऽभिष्टोतुं शक्यंते । उच्यते नारायणः एतेन सूक्तेन साक्षात्
स्तूयते सर्वभावायावयवशः । तत्र च पुरुषपशूनां तादात्म्यं गम्यते । " पुरुष एवेदं सर्वं " " पशूंस्तांश्चक्रे "
" ब्राह्मणोऽस्य मुखमासीत् " इत्यादिवचनैः । ततश्च अनेन सूक्तेन नारायणाभिष्टवद्वारेणैव तदात्मानः तदभि-
जना वा पुरुषाः पशवः अभिष्टूयंते इत्युपपन्नमेतत् । पुरुषेण नारायणेनाभिजनान्पुरुषानभिष्टौतीति । अन्ये तु
मन्यन्ते नारायणार्थं सूक्तमेवेदं नारायणम् । ततश्चायमर्थः–" सहस्रशीर्षा पुरुषः " इत्यनेन सूक्तेन पुरुषेण
नारायणेनाभिष्टौति । तत्र अपि तु दर्शने प्रकृतिभूमिमभित एव पुरुषाणामयमभिष्टव इति वाच्यम् । इत्थमसीत्थ-
मसीत्युपस्तौत्येवैनमेतन्महयत्येव तु प्रथमव्याख्याने समर्थं भवति । इत्थमेव अभिमतोऽसि सहस्रशिराः सहस्राक्षः
भवसि भूमिं सर्वतः स्पृत्वा दशांगुलमतितिष्ठसि । इत्यादि कर्म तत्तत् उपन्यस्य स्तौति नारायणं एतत् ।
एतेन सूक्तेन महयत्येव पूजयति । केनचित् वृत्तिसामान्येन "सिंहो देवदत्त" इत्यादिवत् गौणाः सहस्रशीर्षादि-
शब्दाः प्रयुज्यंते इत्यर्थः । एतत्तावत् तार्किकदृष्ट्यनुगतं सूक्तस्य संक्षेपेण व्याख्यानम् । अधुना व्युत्पादनदृष्ट्या
अनुगतमाह यथैवेषः । परमार्थेन एव भगवान्नारायणः "सहस्रशीर्षा" इत्यादि पदुक्तं वचनं (?) नारायणमेतदाह ।
यथा च यास्क आह " अपि वा सम्प्रत्यय एव स्यान्महाभाग्यात् देवतायाः " (निरु.) इति । ततश्चेत्थमसीति
प्रत्यक्षमिव नारायणं सूक्ते अभिधेयं दर्शयति । " अत्यतिष्ठत् " इत्यादिवचनं परोक्षवदुच्यते । तत्र कथमेत-
त्सूक्तं सूक्तव्यवचनं स्यात् । उच्यते एतस्मादेवाविरोधात् पुरुषव्यत्ययोऽत्र द्रष्टव्यः । इत्थमासि नारायण इति ।
तत्पर्यग्निकृताः । यदा नारायणः पुरुषमेधेनायजत तदा पर्यग्निकृतेषु पुरुषपशुषु ॥ १२ ॥

एनं नारायणं अशरीरा वाक् उक्तवती पुरुष ! एतान् पुरुषपशून् मा संतिष्ठिपः उदङ्निनयनादि-
कान्यंगानि एषां मा कृथा इत्यर्थः । यदि संस्थापयिष्यसि । ततः शेषभक्षानुकारेण लोकेऽपि पुरुषः पुरुषं

(गु) आज्येन जुहोति । तेजो वाऽआज्यन्तेजसैवास्मिंस्तत्तेजो दधाति ॥ १४ ॥

(त्यै) एकादशिनैः सꣳस्थापयति । (त्ये) एकादशाक्षरा त्रिष्टुब्वज्र-स्त्रिष्टुब्वीर्य्यन्त्रिष्टुब्वज्रेणैवैतद्वीर्य्येण यजमानः पाप्मानमपहते ॥ १५ ॥

(तऽउ) उदयनीयायाꣳ सꣳस्थितायाम् । (मे) एकादश वशा-ऽअनूबन्ध्याऽआलभते मैत्रावरुणीर्वैश्वदेवीर्बार्हस्पत्याऽएतासान्देवताना-माप्त्यै तद्यद्बार्हस्पत्याऽअन्त्या भवन्ति ब्रह्म वै बृहस्पतिस्तदु ब्रह्मण्ये-वान्ततः प्रतितिष्ठति ॥ १६ ॥

(त्यु) अथ यदेकादश भवन्ति । (न्त्ये) एकादशाक्षरा त्रिष्टुब्वज्र-स्त्रिष्टुब्वीर्य्यन्त्रिष्टुब्वज्रेणैवैतद्वीर्य्येण यजमानोऽन्ततः पाप्मानमपहते त्रैधा-तव्युदवसानीयाऽसावेव बन्धुः ॥ १७ ॥

आज्येन जुहोति । तेजो वा आज्यम् । तेजसैवास्मिन् तत्तेजो दधाति ॥ १४ ॥

ऐकादशिनैः संस्थापयति । एकादशाक्षरा त्रिष्टुप् । वज्रस्त्रिष्टुप् । वीर्यं त्रिष्टुप् । वज्रेणैवै-तद्वीर्येण यजमानः पाप्मानमपहते ॥ १५ ॥

उदयनीयायां संस्थितायाम्, एकादश वशा अनूबंध्या आलभते–मैत्रावरुणीः, वैश्व-देवीः, बार्हस्पत्याः । एतासां देवतानामाप्त्यै । तत् यत् बार्हस्पत्या अंत्या भवंति । ब्रह्म वै बृहस्पतिः । तत् उ ब्रह्मण्येवांततः प्रतितिष्ठति ॥ १६ ॥

अथ यदेकादश भवंति । एकादशाक्षरा त्रिष्टुप् । वज्रस्त्रिष्टुप् । वीर्यं त्रिष्टुप् । वज्रेणैवैतद्वी-र्येण यजमानोऽन्ततः पाप्मानमपहते । त्रैधातव्युदवसानीया । असावेव बंधुः ॥ १७ ॥

भक्षयिष्यति । तच्चायुक्तमित्यभिप्रायः । तान्पर्यग्निकृतानेवोदसृजदित्यादि एवमुपसंहर्तव्यम् । तानेतान् पर्यग्नि-कृतानेवोत्सृजति । तद्देवत्या आहुतीर्जुहोति इत्यादि याश्च तद्देवत्या आहुतयः ताः आज्येन जुहोति स्विष्ट-कृद्वनस्पत्यंतरे जुहोतीत्येवं तु वचनांतरात् ॥ १३ ॥ १४ ॥

ऐकादशिनैः पशुभिः यथाप्रकृति पाशुकं कर्म समापयतीत्यनुवादः । तत्र पर्यग्निकरणांतः अयं विध्य-भावात् ॥ १५ ॥

उदयनीयायां संस्थितायां प्रतिदैवतं तिस्रस्तिस्र इति पूर्वयोः समो विभागः । उत्तमायां तु पंच ॥ १६ ॥

एकादशसंख्यापूरणार्थः ॥ १७–१९ ॥

१–कपिञ्जलादिवदुत्सृजंति ब्राह्मणादीन् । का. श्रौ. सू. २० । १२ ।

२–स्विष्टकृद्वनस्पत्यंतरे पुरुषदेवताभ्यो जुहोति । का. श्रौ. सू. २० । १३ । आज्येनेति शेषः । " आज्येन जुहोति " इति अत्रैव चतुर्दश्यां कंडिकायां श्रुतेः ।

३–प्रतिदेवतं तिस्रस्तिस्रोऽनूबंध्याः पंचोत्तमायाम् । का. श्रौ. सू. २० । १६ ।

(२) अथातो दक्षिणानाम् । (म्मु) मध्यम्प्रति राष्ट्रस्य यदन्यद्भूमेश्च
ब्राह्मणस्य च वित्तात्सपुरुषम्प्राची दिग्घोतुर्दक्षिणा ब्रह्मणः प्रतीच्यध्व-
र्य्योरुदीच्युद्गातुस्तदेव होतृकाऽअन्वाभक्ताः ॥ १८ ॥

(ऽ) अथ यदि ब्राह्मणो यजेत । सर्व्ववेदसन्दद्यात्सर्व्वम्वै ब्राह्मणः
सर्व्वꣳ सर्व्ववेदसꣳ सर्व्वम्पुरुषमेधः सर्व्वस्याप्त्यै सर्व्वस्या-
वरुद्ध्यै ॥ १९ ॥

(द्ध्याऽअ) अथात्मन्नग्नी समारोह्य । (ह्यो) उत्तरनारायणेनादित्य-
मुपस्थायानपेक्षमाणोऽरण्यमभिप्रेयात्तदेव मनुष्येभ्यस्तिरोभवति यद्यु
ग्रामे विवत्सेदरण्योरग्नी समारोह्योत्तरनारायणेनैवादित्यमुपस्थाय

अथातो दक्षिणानाम् । मध्यं प्रति राष्ट्रस्य । यदन्यत् भूमेश्च, ब्राह्मणस्य च वित्तात्, स-पुरुषम् । प्राची दिग् होतुः दक्षिणा ब्रह्मणः । प्रतीच्यध्वर्योः । उदीच्युद्गातुः । तदेव होतृका अन्वाभक्ताः ॥ १८ ॥

अथ यदि ब्राह्मणो यजेत । सर्ववेदसं दद्यात् । सर्वं वै ब्राह्मणः । सर्वं सर्ववेदसम् । सर्वं पुरुषमेधः । सर्वस्याप्त्यै । सर्वस्यावरुद्ध्यै ॥ १९ ॥

अथात्मन्नग्नी समारोह्य, उत्तरनारायणेनादित्यमुपस्थाय, अनपेक्षमाणोऽरण्यमभिप्रेयात् । तदेव मनुष्येभ्यस्तिरोभवति । यद्यु ग्रामे विवत्सेत् । अरण्योरग्नी समारोह्य उत्तरनारायणेनैवादित्यमुप-स्थाय । गृहेषु प्रत्यवस्येत् । अथ तान् यज्ञक्रतूनाहरेत् । यानभ्याप्नुयात् । स वा एष न सर्वस्मा

अथात्मन्नग्नी समारोह्य आत्मनि शरीरे, अग्नी समारोप्य, "अयं ते योनिः"–(वा.सं. ३ । १४) इति मंत्रेण ऊष्माणं आस्ये, कोष्ठे वा आवेश्य । उत्तरनारायणेन नारायणार्थः "अद्भ्यः संभृतः" (वा.सं.३१।१७–२२)

१–सपुरुषमश्वमेधवद्दक्षिणा । (का. श्रौ. सू २१ । १४ ।) राज्ञोऽयं दक्षिणादानविधिः । अश्वमेधे भूमिपुरुषब्राह्मणस्व-वर्जम् (का. श्रौ. सू. २० । १०९) इत्युक्तम् । अत्र तु भूमिब्राह्मणस्ववर्जं पुरुषा अपि दीयंते । तथा अश्वमेधे अह्नां त्रिसंख्यत्वात्तृतीयं तृतीयमित्युक्तम् । अत्र तु अह्नां पंचसंख्यत्वात् प्रत्यहं प्राच्यादिदिगुत्पन्नद्रव्यस्य पंचमं पंचममंशं ददातीति विशेषः ।

२–सर्वस्वं ब्राह्मणस्य । (का. श्रौ. सू. २१ । १५ ।) ब्राह्मणस्यायं दक्षिणादानविधिः । अतो हेतोः कात्यायनः–अधिकार-सूत्रं द्वितीयं रचयामास " ब्राह्मणराजन्ययोः " इति । (का. श्रौ. सू. २१ । २ ।)

३–त्रैधातव्यंते समारोह्यात्मन्नग्नी सूर्यमुपस्थायाद्भ्यः संभृत इत्यनुवाकेनानपेक्षमाणोऽरण्यं गत्वा न प्रत्येयात् । (का. श्रौ. सू. २१ । १७ ।) न प्रत्येयात् पुनर्गृहं गतीत्यर्थः । किंतु अरण्यमियात् । ततश्चाश्रमांतरप्राप्तिरियमिति कर्कः । अत्र सूत्रे कर्क-भाष्ये स्मृतिविहितप्राजापत्येष्टिनिर्णयः । यच्च स्मृतिरुच्यते " प्राजापत्यां निरुप्येष्टिं सर्ववेदसदक्षिणाम् । आत्मन्नग्नी समारोप्य ब्राह्मणः प्रव्रजेत् गृहात् " (म. स्मृ. ६ । ३८ ।) इति ॥ सा चेयं पुरुषमेधाख्या सर्वस्वदक्षिणा प्राजापत्येष्टिः । तां निरुप्य पारिव्रज्यं ब्राह्मणस्य । एवं च " यावज्जीवमग्निहोत्रं जुहुयात् " इतिश्रुतिरनया श्रुत्या विकल्प्यते । अथ स्मार्तेष्टिः प्राजापत्या स्यात् । तदानीं स्मृत्या श्रुतिर्बाधिता स्यात् । न चैतदिष्यते । पुरुषमेधः कथं प्राजापत्येष्टिरिति चेत् । संति हि अत्र प्राजापत्याः पशवः । तदुपलक्षिता प्राजापत्येत्युक्तेति ॥

गृहेषु प्रत्युवस्येदुथ तान्यज्ञक्रतूनाहरेत यानभ्याप्नुयात्स वाऽएष न सर्व्वस्माऽअनुवक्तव्यः सर्व्वँ हि पुरुषमेधो नेत्सर्व्वस्माऽइव सर्व्वम्ब्रवाणीति योऽन्वेव ज्ञातस्तस्मै ब्रूयादथ योऽनूचानोऽथ योऽस्य प्रियः स्यान्नेत्त्वेव सर्व्वस्माऽइव ॥ २० ॥

इति चतुर्थप्रपाठके द्वितीयं ब्राह्मणम् ॥ १३।४।२ ॥ (६–२) ॥

इति षष्ठोऽध्यायः समाप्तः ॥ १३–६ ॥

कण्डिकासंख्या ॥ २१ ॥

अनुवक्तव्यः । सर्वं हि पुरुषमेधः । नेत् सर्वस्मा इव सर्वं ब्रवाणीति । योऽन्वेव ज्ञातः । तस्मै ब्रूयात् । अथ योऽनूचानः । अथ योऽस्य प्रियः स्यात् । नेत्त्वेव सर्वस्मा इव ॥ २० ॥

इति पुरुषमेधः ।

इत्यनुवाको नारायणः । स पूर्वस्मान्नारायणादुत्तर इत्युत्तरनारायणः । तेनादित्यमुपस्थाय अनपेक्षमाणः अरण्यं गच्छेत् । तदेव तत्रैव मनुष्येभ्यस्तिरोभवति अंतर्द्धीयते । ग्रामं न पुनः प्रविशति । वन एव वैखानसवृत्तेन वर्तेत इत्यर्थः । स वा एष न सर्वस्मै । ज्ञातप्रियानूचानेभ्य एव पुरुषमेधो ग्रंथतश्चार्थतश्चानुवक्तव्यो हिरण्यगर्भलक्षणः । ततः प्रागवस्थाभ्यः पुरुषार्थः अयं प्रतिषेधः ॥ २० ॥

इति श्रीमदाचार्यहरिस्वामिनः कृतौ माध्यन्दिनीयशतपथब्राह्मणभाष्ये त्रयोदशे काण्डे षष्ठेऽध्याये द्वितीयं ब्राह्मणम् ॥ (१३ । ६ । २) ॥

नागस्वामिसुतोऽवन्त्यां पाराशर्यो वसन्हरिः । श्रुत्यर्थं दर्शयामास शक्तितः पौष्करीयकः ॥ १ ॥
श्रीमतोऽवन्तिनाथस्य विक्रमार्कस्य भूपतेः । धर्माध्यक्षो हरिस्वामी व्याख्यच्छातपथीं श्रुतिम् ॥ २ ॥
भूभर्त्रा विक्रमार्केण क्लृप्तां कनकवेदिकाम् । दानायाध्यस्य कृतवान् श्रुत्यर्थविवृतिं हरिः ॥ ३ ॥

इति श्रीसर्वविद्यानिधानकवीन्द्राचार्यसरस्वतीनां श्रीहरिस्वामिनां कृतौ माध्यन्दिनीयशतपथब्राह्मणभाष्ये त्रयोदशे काण्डे षष्ठोऽध्यायः समाप्तः ॥ (१३–६) ॥

१–अत्र देवयाज्ञिकाः–चतुर्थाश्रमे हि भिक्षार्थी ग्रामं प्रविशेदिति विहितत्वात् न प्रत्येयादिति विरुध्यते । अतः पाक्षिकस्तृतीयाश्रमपरिग्रह एवायम् । न चतुर्थस्येति । ग्रामे वा विवत्सभरण्योः । का. श्रौ. सू. २१ । १८ ।

अथ सप्तमेऽध्याये प्रथमं ब्राह्मणम्।

चतुर्थप्रपाठके च तृतीयं ब्राह्मणम्।

ब्रह्म वै स्वयंभु तपोऽतप्यत। तदैक्षत न वै तपस्यानन्त्यमस्ति हन्ताह-
म्भूतेष्वात्मानञ्जुहवानि भूतानि चात्मनीति तत्सर्व्वेषु भूतेष्वात्मानꣳ
हुत्वा भूतानि चात्मनि सर्व्वेषाम्भूतानाꣳ श्रैष्ठ्यꣳ स्वाराज्यमाधिपत्य-
म्पर्य्यैत्तथैवैतद्यजमानः सर्व्वमेधे सर्व्वान्मेध्यान्हुत्वा सर्व्वेषाम्भूतानाꣳ
श्रैष्ठ्यꣳ स्वाराज्यमाधिपत्यम्पर्य्येति ॥ १ ॥

स वाऽएष सर्व्वमेधो दशरात्रो यज्ञक्रतुर्भवति। दशाक्षरा विराड्वि-
राडु कृत्स्नमन्नङ्कृत्स्नस्यैवान्नाद्यस्यावरुद्ध्यै तस्मिन्नग्निम्पराद्ध्यञ्चिनोति
परमो वाऽएष यज्ञक्रतूनां यत्सर्व्वमेधः परमेणैवैनम्परमताङ्गमयति ॥ २ ॥

अथ सर्वमेधः।

ब्रह्म वै स्वयंभु तपोऽतप्यत। तदैक्षत। न वै तपस्यानंत्यमस्ति। हंत। अहं भूतेष्वात्मानं जुहवानि। भूतानि चात्मनीति। तत्सर्वेषु भूतेष्वात्मानं हुत्वा, भूतानि चात्मनि, सर्वेषां भूतानां श्रैष्ठ्यं, स्वाराज्यम्, आधिपत्यं पर्यैत्। तथैवैतत् यजमानः सर्वमेधे सर्वान्मेध्यान् हुत्वा सर्वेषां भूतानां श्रैष्ठ्यं स्वाराज्यम्, आधिपत्यं, पर्येति ॥ १ ॥

स वा एष सर्वमेधो दशरात्रो यज्ञक्रतुर्भवति। दशाक्षरा विराट्। विराड् उ कृत्स्नमन्नम्। कृत्स्नस्यैवान्नाद्यस्यावरुद्ध्यै। तस्मिन्नग्निं पराद्ध्यं चिनोति। परमो वा एष यज्ञक्रतूनाम्। यत्सर्वमेधः। परमेणैवैनं परमतां गमयति ॥ २ ॥

'ब्रह्म वै स्वयंभु'। यत् एतत् अधुना ब्रह्म सर्वस्वभूतानां कर्तृ स्वयंभु हिरण्यगर्भलक्षणं ततः प्रागवस्थायां तपस्तप्त्वा तपसि निमित्ते आनंत्यं द्वित्वैकलक्षणं नास्तीति अपश्यत् सर्वमेव पूर्विकया सर्वात्मकभावनया सर्वेषां भूतानां श्रैष्ठ्यं, स्वाराज्यम्, अन्यानधीनत्वं आधिपत्यं वृत्तमात्रेण प्रयोक्तृत्वं तथैवेति फलवचनम्। मेध्यान् मेधार्हान् यज्ञियान् स्थावरजंगमात्मकान् अर्थान् यज्ञात्मके आत्मनि हुत्वा तदनुकारेण द्वित्वैकत्वं भावयित्वा सर्वात्मकत्व-भावनया सर्वेषां भूतानां श्रेष्ठ्यादि परिगच्छतीति ॥ १ ॥

स वा एष सर्वमेध इति। स वा एष इति वक्ष्यमाणसमुदायानुवादः। परस्मिन्नर्द्धे भागे भवः पराद्ध्यः एकशतविधः अग्निः ॥ २ ॥

१–सर्वमेधः सर्वकामस्य। (का. श्रौ. सू. २१। १९।) सर्वकामस्य मुक्तिमिच्छोः।

२–दशरात्रः। (का. श्रौ. सू. २१। २०) दश सुत्याहानि भवंतीत्यर्थः।

३–अग्निरुत्तमः। (का. श्रौ. सू. २१। २१) उत्तमः एकशतविधोऽग्निरत्रेत्यर्थः।

तस्याग्निष्टुदग्निष्टोमः प्रथममहर्भवति । (त्य) अग्निर्वा ऽअग्निष्टुदग्निष्टोमोऽग्निमुखा ऽउ वै सर्वे देवाः सर्वेषान्देवानामाप्त्यै तस्याग्नेया ग्रहा भवन्त्याग्नेय्यः पुरोरुचः सर्वमाग्नेयमसदिति ॥ ३ ॥

(तीं) इन्द्रस्तुदुक्थ्यो द्वितीयमहर्भवति । (ती) इन्द्रो वै सर्वे देवाः सर्वेषान्देवानामाप्त्यै तस्यैन्द्रा ग्रहा भवन्त्यैन्द्र्यः पुरोरुचः सर्वमैन्द्रमसदिति ॥ ४ ॥

सूर्यस्तुदुक्थ्यस्तृतीयमहर्भवति । सूर्यो वै सर्वे देवाः सर्वेषां देवानामाप्त्यै तस्य सौर्या ग्रहा भवन्ति सौर्य्यः पुरोरुचः सर्वꣳ सौर्यमसदिति ॥ ५ ॥

वैश्वदेवश्चतुर्थमहर्भवति । विश्वे वै सर्वे देवाः सर्वेषान्देवानामाप्त्यै तस्य वैश्वदेवा ग्रहा भवन्ति वैश्वदेव्यः पुरोरुचः सर्वं वैश्वदेवमसदिति ॥ ६ ॥

तस्याग्निष्टुदग्निष्टोमः प्रथममहर्भवति । अग्निर्वा अग्निष्टुदग्निष्टोमः । अग्निमुखा उ वै सर्वे देवाः । सर्वेषां देवानामाप्त्यै । तस्याग्नेया ग्रहा भवंति । आग्नेय्यः पुरोरुचः । सर्वमाग्नेयमसदिति ॥ ३ ॥

इंद्रस्तुदुक्थ्यो द्वितीयमहर्भवति । इंद्रो वै सर्वे देवाः । सर्वेषां देवानामाप्त्यै । तस्यैन्द्रा ग्रहा भवंति । ऐन्द्र्यः पुरोरुचः । सर्वमैन्द्रमसदिति ॥ ४ ॥

सूर्यस्तुदुक्थ्यस्तृतीयमहर्भवति । सूर्यो वै सर्वे देवाः । सर्वेषां देवानामाप्त्यै । तस्य सौर्या ग्रहा भवंति । सौर्य्यः पुरोरुचः । सर्वं सौर्यमसदिति ॥ ५ ॥

वैश्वदेवश्चतुर्थमहर्भवति । विश्वे वै सर्वे देवाः । सर्वेषां देवानामाप्त्यै । तस्य वैश्वदेवा ग्रहा भवंति । वैश्वदेव्यः पुरोरुचः । सर्वं वैश्वदेवमसदिति ॥ ६ ॥

अग्निष्टुन्नामा एकाहः अग्निष्टोमसंस्थ एषः । ग्रहाः " उपयामगृहीतोऽस्यग्नये त्वा जुष्टं गृह्णाम्येष ते योनिरग्नये त्वा " इत्येवं यजुष्टाः । आग्नेय्यः पुरोरुचः " अस्याजरासो दमामरित्राः "–(वा. सं. ३३ । १–१७) इत्यादयः । एवमुत्तरेष्वपि वाच्याः ॥ ३–६ ॥

१–अग्निष्टुत् त्रय उक्थ्या इंद्रस्तुत्सूर्यस्तुद्वैश्वदेवस्तुद्व्रतं वाजपेयोऽप्तोर्यामः सर्वमस्मिन्नालभते । (का. श्रौ. सू. २१ । २२) अग्निष्टुन्नामा एकाहः । इंद्रस्तुत् सूर्यस्तुत् वैश्वदेवस्तुत् इतीमे त्रय उक्थ्या उक्थ्यसंस्थाः । व्रतं महाव्रतं तच्च " महाव्रतमग्निष्टोमः " " प्राजापत्य उपालंभ्यः " (का. श्रौ. सू. १३ । २९ । ३०) इत्यादिना " मार्जालीये पूर्णाग्निंदधाति " इत्यंतं का. श्रौ. सू. १३ । ५९ । गवामयने उक्तम् । वाजपेयः " वाजपेयः शरदि " इत्यादिनोक्तः । का. श्रौ. सू. १४ । १ । अप्तोर्यामः अस्मिंस्तिरोह्निययेभ्य ऊर्ध्वं रात्रिपर्याय उत्तमो भवति सः अप्तोर्यामः ।

(त्या) आश्वमेधिकं मध्यमं पञ्चममहर्भवति । तस्मिन्नश्वम्मेध्यमा-
लभतेऽश्वमेधस्यैवाप्त्यै ॥ ७ ॥

पौरुषमेधिकम्मध्यमꣳ षष्ठमहर्भवति । तस्मिन्मेध्यान्पुरुषानालभते
पुरुषमेधस्यैवाप्त्यै ॥ ८ ॥

(प्त्याऽअ) अप्तोर्य्यामः सप्तममहर्भवति । सर्व्वेषां यज्ञक्रतूनामाप्त्यै
तस्मिन्त्सर्व्वान्मेध्यानालभते यच्च प्राणि यच्चाप्राणम्वपा व्वपावताञ्जु-
होति त्वचऽउत्कर्त्तमवपाकानाꣳ सम्व्रश्चमोषधिवनस्पतीनाम्प्रकि-
रन्ति शुष्काणाञ्चार्द्राणाञ्चान्नमन्नञ्जुहोत्यन्नस्यान्नस्याप्त्यै सर्व्वञ्जुहोति
सर्व्वस्मै जुहोति सर्व्वस्याप्त्यै सर्व्वस्यावरुद्ध्यै प्रातःसवने हुतासु
व्वपास्वेवमेव तृतीयसवने हुतेषु हविःषु ॥ ९ ॥

आश्वमेधिकं[1] पंचममहर्भवति । तस्मिन्नश्वं मेध्यमालभते । अश्वमेधस्यैवाप्त्यै ॥ ७ ॥
पौरुषमेधिकं[2] मध्यमं षष्ठमहर्भवति । तस्मिन्मेध्यान् पुरुषानालभते । पुरुषमेधस्यैवाप्त्यै ॥ ८ ॥
अप्तोर्यामः सप्तममहर्भवति । सर्वेषां यज्ञक्रतूनामाप्त्यै । तस्मिन् सर्वान्मेध्यानालभते । यच्च प्राणि । यच्चाप्राणम् । वपा वपावतां जुहोति । त्वच उत्कर्तमवपाकानाम् । संव्रश्चमोषधिवनस्पतीनां प्रकिरंति-शुष्काणां चार्द्राणां च । अन्नमन्नं जुहोति । अन्नस्यान्नस्याप्त्यै । सर्वं जुहोति । सर्वस्मै जुहोति । सर्वस्याप्त्यै । सर्वस्यावरुद्ध्यै । प्रातःसवने हुतासु वपासु । एवमेव तृतीयसवने हुतेषु हविःषु ॥ ९ ॥

तस्मिन् अश्वं मेध्यमालभत इत्यनुवादः सर्वेषामेव मेधार्हाणां प्राप्तत्वात् । एवमेव तस्मिन्मेध्याना-लभत इति ॥ ७ ॥ ८ ॥

' अप्तोर्यामः ' । अप्तोर्यामो नाम क्रतुः यस्मिन् तिरोह्नीयेभ्यः ऊर्ध्वं रात्रिपर्यायः उत्तमो भवति । **सर्वेषां यज्ञक्रतूनामिति** । सर्वाणि अग्निष्टोमोक्थ्यषोडश्यतिरात्रप्रदानानि स्तोत्रशस्त्राणि चाप्तोर्यामेऽन्तर्भवंतीत्यभिप्रायः । तस्मिन् सर्वान् मेध्यान् यज्ञार्हान् पदार्थान् स्थावरजंगमान् सर्वान् आलभते होमार्थमुपकल्पयति न त्वालभत इति । चोदनासामान्यात् पशुप्रकृतयो यागा एते चोद्यंते नादेवतासंबंधात् तमालभते इत्यादिवत् । ननु सर्वस्मै जुहोतीत्यस्ति देवतासंबंधः । सत्यमस्ति स तु होमे न यागे, तेन तदुक्ता होमा एव एते न यागाः । अत एव "तथैवैतद्यजमानः सर्वमेधे सर्वान्मेध्यान्हुत्वा" (श.प.१३।७।१।१) इति सर्वमेध्यानां होम एवोत्पत्तिवाक्येऽपि श्रुतः । न तु सर्वैर्मेध्यैरिष्टेरोवं यागः । ततश्च वपावतां सः । उभयोरपि सवनयोर्वपा एव होतव्याः न हृदयादीन्यवदानानि । ताश्च जुहोतिकल्पेनैव न यजतिकल्पेन याज्यानुवाक्यादिनेति । यच्च प्राणि सोच्छ्वासनिश्वासम् ।

१–आश्वमेधिकं मध्यमं व्रतस्थाने । का. श्रौ. सू. २१ । २७ ।
२–पौरुषमेधिकं वाजपेयस्य । का. श्रौ. सू. २१ । १८ ।

त्रिणवमष्टममुहर्ब्भवति । व्वज्रो वै त्रिणवो व्वज्रेण खलु वै क्षत्त्रꣳ स्पृत न्तद्वज्रेणैव क्षत्त्रꣳ स्पृणोति ॥ १० ॥

त्रयस्त्रिꣳशन्नवममुहर्ब्भवति । प्रतिष्ठा वै त्रयस्त्रिꣳशः प्रतिष्ठित्यै ॥ ११ ॥

त्रिणवमष्टममहर्भवति । वज्रो वै त्रिणवः । वज्रेण खलु वै क्षत्रं स्पृतम् । तत् वज्रेणैव क्षत्रं स्पृणोति ॥ १० ॥

त्रयस्त्रिंशं नवममहर्भवति । प्रतिष्ठा वै त्रयस्त्रिंशः । प्रतिष्ठित्यै ॥ ११ ॥

संभ्रश्चं ओषधिवनस्पतीनां प्रकिरंति । कीदृशीनां शुष्काणां चार्द्राणां च प्रकिरंति । अन्नमन्नं यवादि जुहोति पृथक् जुहोति न सह तानि सकलान्येव जुहोति न त्वगादीत्यर्थः । सर्वं सर्वजातीयं जुहोति सर्वासां स्थावर-जंगमजातीनां एकैकां व्यक्तिं सूक्ष्माणां च धान्यानां अवदानमात्रं जुहोति । न तु सर्वा व्यक्तीः अशक्यत्वात् । धान्येन जात्यात्मना सर्वा एव व्यक्तीर्जुहोति । सर्वस्मै सर्वात्मने प्रधानपुरुषहिरण्यगर्भाय जुहोति ' तदेवाग्निस्त-दादित्यः " इत्यनेनाध्यायेन (वा. सं. ३२) कुतः ? सर्वमेध इति समाख्यानात् तद्देव सर्वमेधोऽध्याय इति । क्रमलिंगाच्च सर्वस्मै होतव्यं सर्वात्मानं चैषोऽध्यायः अभिदधाति न चान्यत्र क्वचिदपि विनियुक्तः । परतश्च सार्व-मेधिक्य एव पुरोरुचः पठ्यंते "अस्याजरासः" इत्यादयः (वा. सं ३३) बैजपायनेन च अत्रैव एषः अध्यायो विनियुक्तः । एतेन च प्रातःसवने होतव्यम् हुतासु वपासु एवमेव तृतीयसवने हुतेषु पाशुकेषु हविःषु जुहोति तत्तु "यज्जाग्रतः" (वा. सं. ३४) इत्यध्यायेन क्रमलिंगाभ्यां तत्र हि वह्निर्देवता अनुक्रम्यते "य इमा विश्वाः" (वा. सं. १७।१७) "विश्वकर्मा" (वा. सं. १७।२६।१७।३२) "यो नः पिता" (वा. सं. १७।२७) "अन्नपतेऽन्नस्य नो देहि" (वा. सं. ११।८३) इति सर्वात्मैव अंते विश्वकर्मा पठितः । न च एषः अन्यत्र श्रुत्या विनियुक्तः । तस्मादेवं होतव्यमिति मन्ये । कात्यायनेन न तत्सूत्रितं कस्यापि हेतोः इति त्रिधः ॥ ९ ॥

त्रिणवं सप्तविंशस्तोमकम् ॥ १० ॥

त्रयस्त्रिंशं नवममहर्भवति ॥ ११ ॥

१-अवपाकानां त्वचो जुहोति । ओषधिवनस्पतीनाꣳ संभ्रश्चम् । अन्नमन्नं जुहोति । वपांते । तृतीयसवने च हुतेषु हविःषु (का. श्रौ. सू. २१ । २३-२६)

२-अस्मिन् विषये "अप्तोर्यामः सर्वमस्मिन्नालभते" (का. श्रौ. सू. २१ । २२) इति सूत्रव्याख्यान कर्कसिद्धांतस्तु-अस्मिन्नप्तोर्यामे सर्वमालभ्यते "तस्मिन् सर्वान्मेध्यानालभते" इति श्रुतेः (श प. १३ । ७ । १ । ९) अशक्यार्थोपदेश इति चेत् । न हि निरवग्रहः सर्वालंभः शक्यते कर्तुम् एवं चेत् । येषामेवोपालंभो दृष्टः । तेषां सर्वता उच्यते । ते च-"पुरुषोऽश्वो गौरविरजः" इति प्रकृत्य एतावन्तो वै सर्वे पशवः । तस्मात्सर्वशब्देन पंचपश्वालंभ उच्यते । अतिरात्रविकारत्वाच्चाप्तोर्यामे तत्स्तोमायनदेवताभ्य आलभ्यंते । एकैकस्यै देवतायै पंचपंच पशव आलभ्यंते विभागाभावात् । लिंगाच्च । अवपाकानां त्वचो जुहोतीति (का. श्रौ. सू. २१ । २३) ; यदि पंचैते पशव एते स्युः । ततोऽवपाकानां त्वचो जुहोतीति बहुवचनमुपपन्नम् । तस्मात्प्रतिदेवतं पंच पंच पशवः । सर्वे चैते यूपे नियुज्यंते । स्तोमायनं ह्येतदिति सर्वत्र चात्र स्तोमायनम् । नह्येकादशिनी विहृता संभवति । न चैन्द्राग्नः कश्चित्प्रत्यक्षविधानादिति कर्कभाष्यम् । अस्मिन्नेव विषये देवयाज्ञिकाः स्वाशयमाहुः-सर्वस्मिन्नालभत इत्यादिसूत्राणां कर्कादिकृतस्य व्याख्यानस्याभिप्रायं कर्कादय एव विदुः । अस्मत्कृतं व्याख्यानं श्रुत्यनुसारि हरिस्वामिसंमतं चेति सूक्ष्मार्थदर्शिनः स्वयमेव ज्ञास्यंतीति ।

३-"त्रिणवत्रयस्त्रिंशावुक्थ्यौ" । (का. श्रौ. सू. २१ । २९)

विश्वजित्सर्व्वपृष्ठोऽतिरात्रो दशममहर्भवति । सर्व्वं वै विश्वजित्स-र्व्वपृष्ठोऽतिरात्रः सर्व्वᳬं सर्व्वमेधः सर्व्वस्याप्त्यै सर्व्वस्यावरुद्ध्यै ॥१२॥

(द्व्याऽअ) अथातो दक्षिणानाम् । (म्म) मध्यम्प्रति राष्ट्रस्य यद-न्यद्ब्राह्मणस्य वित्तात्सभूमि सपुरुषम्प्राची दिग्घोतुर्दक्षिणा ब्रह्मणः प्रती-च्यध्वर्य्योरुदीच्युद्गातुस्तदेव होतृकाऽअन्वाभक्ताः ॥ १३ ॥

(स्ते) तेन हैतेन विश्वकर्मा भौवनऽईजे । तेनेष्ट्वाऽत्यतिष्ठत्सर्व्वाणि भूतानीदᳬं सर्व्वमभवदतितिष्ठति सर्व्वाणि भूतानीदᳬं सर्व्वम्भवति यऽएवम्विद्वान्त्सर्व्वमेधेन यजते यो वैतदेवम्वेद ॥ १४ ॥

तᳬं ह कश्यपो याजयाञ्चकार । तदपि भूमिः श्लोकं जगौ न मा मर्त्यः

विश्वजित् सर्वपृष्ठोऽतिरात्रो दशममहर्भवति । सर्वं वै विश्वजित् सर्वपृष्ठोऽतिरात्रः । सर्वं सर्वमेधः । सर्वस्याप्त्यै । सर्वस्यावरुद्ध्यै ॥ १२ ॥

अथातो दक्षिणानाम् । मध्यं प्रति राष्ट्रस्य । यदन्यत् ब्राह्मणस्य वित्तात् । सभूमि । सपुरुषम् । प्राची दिग् होतुः दक्षिणा ब्रह्मणः । प्रतीच्यध्वर्योः । उदीच्युद्गातुः । तदेव होतृका अन्वाभक्ताः ॥ १३ ॥

तेन हैतेन विश्वकर्मा भौवन ईजे । तेनेष्ट्वा अत्यतिष्ठत् सर्वाणि भूतानि । इदं सर्वमभवत् । अतितिष्ठति सर्वाणि भूतानि । इदं सर्वं भवति । य एवं विद्वान् सर्वमेधेन यजते । यो वा एतदेवं वेद ॥ १४ ॥

तं ह कश्यपो याजयांचकार । तदपि भूमिः श्लोकं जगौ–" न मा मर्त्यः कश्चन दातु-

---

विश्वजिन्नाम एकाहः । सर्वाणि पृष्ठसाधनानि रथंतरादीनि यस्य संति स सर्वपृष्ठः । तेषां तु पवमाने रथंतरं कुर्वन्ति आर्भवे बृहत् मध्ये इतराणि ॥ १२ ॥

सपुरुषमिति । दासाः पुरुषाः । तेषां दानसंभवात् ॥ १३ ॥

तेन हैतेन । विश्वकर्मा नाम्ना राजा । भुवनस्यापत्यम् । हिरण्यगर्भो वा विश्वकर्मा । भुवनेषु भूतेषु सर्वावेशी स प्रागवस्थायाम् एतेन सर्वमेधेन ईजे ॥ १४ ॥

तं ह कश्यप ऋषिः याजितवान् । अस्मै च विश्वकर्मा भूमिं दातुं इयेष । तत्र च काले भूमिरपि इमं

१-अतिरात्रो विश्वजित् । (का. श्रौ. सू. २१ । ३०) स विश्वजित् सर्वपृष्ठोऽतिरात्रः ।

२-पुरुषमेधवद्दक्षिणा सभूमि । का. श्रौ. सू. २१ । ३१ । पुरुषमेधदक्षिणासूत्रम् । सपुरुषमश्वमेधवद्दक्षिणा । " सर्वस्वं ब्राह्मणस्येति च । " (का. श्रौ. सू. २१ । १४ । १५) अत्र सर्वमेधे तु ब्राह्मणस्वमेव न देयं, भूमिपुरुषदानं तु भवत्येव यदन्यद्ब्राह्मणस्य वित्तात्सभूमि सपुरुषमिति (श. प. १३ । ७ । १ । १३) श्रुतेरिति सूत्रार्थः ।

कुश्चन दातुमर्हति विश्वकर्मन्भौवन मन्द ऽआसिथ । उपमङ्क्ष्यति स्या सलिलस्य मध्ये मृषैषु ते सङ्गरः कश्यपायेति ॥ १९ ॥

इति चतुर्थप्रपाठके तृतीयं ब्राह्मणम् ॥ १३-४-३ ॥ (७-१) ॥

इति सप्तमोऽध्यायः समाप्तः ॥ १३-७ ॥

कंडिकासंख्या ॥ १९ ॥

मर्हति विश्वकर्मन् भौवन मंद आसिथ । उपमंक्ष्यति स्या सलिलस्य मध्ये मृषैष ते संगरः कश्यपाय "-इति ॥ १९ ॥

श्लोकं गीतवती । न मां मर्त्यो मनुष्यः कश्चिदपि सकलां दातुमर्हति । हे विश्वकर्मन्! भौवन! त्वं तु मंदः मंदमतिर्जनः आसिथ बभूविथ जात इत्यर्थः । अस्तेर्भूरादेशः खलु न कृतः लिटः अनार्द्धधातुकत्वाश्रवणात् । इडागमस्तु आर्धधातुकत्वात् छन्दस्युभयथेति । कथं स मंद इत्यत आह-उपमंक्ष्यति स्या । उपशब्दो निशब्दस्यार्थे । " स्या सा त्वया दित्सिताऽहं सलिलस्य मध्ये निमग्ना भवितुमिच्छामि, ततश्च ते एष संगरः प्रतिज्ञा मृषा अशक्य इत्यर्थः । यश्च अशक्यं प्रतिजानीते स कथं न मन्दः इत्यभिप्रायः ॥ १९ ॥

इति श्रीमदाचार्यहरिस्वामिनः कृतौ माध्यन्दिनीयशतपथब्राह्मणभाष्ये त्रयोदशे काण्डे सप्तमेऽध्याये प्रथमं ब्राह्मणम् ॥ १३ ॥ ७ ॥ १ ॥

नागस्वामिसुतोऽवन्त्यां पाराशर्यो वसन्हरिः ।
श्रुत्यर्थं दर्शयामास शक्तितः पौष्करीयकः ॥ १ ॥
श्रीमतोऽवन्तिनाथस्य विक्रमार्कस्य भूपतेः ।
धर्माध्यक्षो हरिस्वामी व्याख्यच्छातपथीं श्रुतिम् ॥ २ ॥
भूभर्त्रा विक्रमार्केण क्लृप्तां कनकवेदिकाम् ।
दानायाध्यस्य कृतवान् श्रुत्यर्थविवृतिं हरिः ॥ ३ ॥

इति श्रीसर्वविद्यानिधानकवीन्द्राचार्यसरस्वतीनां श्रीहरिस्वामिनां कृतौ माध्यन्दिनीयशतपथब्राह्मणभाष्ये त्रयोदशे काण्डे सप्तमोऽध्यायः समाप्तः ॥ १३-७ ॥

अथाष्टमेऽध्याये प्रथमं ब्राह्मणम् ।

चतुर्थप्रपाठके च चतुर्थं ब्राह्मणम् ।

अथास्मै श्मशानं कुर्वन्ति । गृहान्वा प्रज्ञानं वा यो वै कश्च म्रियते स शवस्तस्मा एतदन्नं करोति तस्माच्छवान्नꣳ शवान्नꣳ ह वै तच्छ्मशानमित्याचक्षते परोक्षꣳ श्मशा उ हैव नाम पितॄणामत्तारस्ते हामुष्मिँल्लोकेऽकृतश्मशानस्य साधुकृत्यामुपदम्भयन्ति तेभ्य एतदन्नं करोति तस्माच्छ्मशान्नꣳ श्मशान्नꣳ ह वै तच्छ्मशानमित्याचक्षते परोऽक्षम् ॥ १ ॥

अथ पितृमेधः ।

अथास्मै श्मशानं कुर्वंति । गृहान्वा प्रज्ञानं वा । यो वै कश्च म्रियते । स शवः । तस्मा एतदन्नं करोति । तस्मात् शवान्नम् । शवान्नं ह वै तत् श्मशानमित्याचक्षते । परो श्मशा उ हैव नाम पितॄणां अत्तारः ते ह अमुष्मिन् लोकेऽकृतश्मशान्नस्य साधुकृत्यामुपदंभयन्ति । तेभ्य एतदन्नं करोति । तस्मात् श्मशान्नम् । श्मशान्नं ह वै तत् श्मशानमित्याचक्षते परोऽक्षम् ॥१॥

अथास्मै श्मशानमिति । अथशब्दः अधिकारार्थः । नानंतर्यार्थः । कुतः ? सर्वमेधेन सह श्मशानकरणस्यानंतर्यानुपपत्तेः । कथं ? सर्वमेधानंतर्ये हि गृह्यमाणे अस्मै इति सर्वमेधयाजी परामृष्टव्यः । न च सर्वमेधयाजी सर्वमेधानंतरं म्रियते । अथापि कथंचित् म्रियेत । तथापि "यो वै कश्च म्रियते स शवस्तस्मा एतदन्नं करोति" इति अविशेषवचनात् अनग्निचितोऽपि श्मशानदर्शनार्थत् । क्षत्रियस्य च सर्वमेधयाजिन एवैतत् श्मशानकरणं, किं तर्हि अविशेषेण । ततश्च सर्वमेधिना सहानंतर्यं नोपपद्यते । परिशेषात्, अधिकारार्थोऽथशब्दः । वाक्योपन्यासार्थो वा । अस्मै इति मृतः प्रतिनिर्दिश्यते । न सर्वमेधयाजी । यो वैश्यादेरुक्थ्यात्करणात् (?) । श्मशानं प्रसिद्धमेव । अस्थिसंरक्षणाय वाऽस्तु । तत् कुर्वंति । य तस्य प्रेतस्य सक्थ्यतायाः (?) । किमात्मकं तत् कुर्यात् इत्यत आह—गृहान्वा । प्रेतस्य गृहान्वै तत्कुर्वंति, यथैवेह तेनास्थीनि रक्ष्यंते एवममुत्र तदपूर्वेण प्रेतो रक्ष्यते गृहैरिवेत्यभिप्रायः । प्रज्ञानं वा । अमुष्य देवदत्तादेरत्रास्थीनि गुप्तानि इत्येतत् प्रज्ञायते येन तत् प्रज्ञानं च कीर्तिवर्द्धनं करणीयमित्यभिप्रायः । यो वै कश्च म्रियते इति प्रयोजनांतरवचनं च । तस्मै एतदन्नं करोति । अस्मिन् कृते एतद्धेतुकं तस्यान्नं भवतीत्यभिप्रायः । तस्माच्च शवान्नम् । तत् शवान्नं च श्मशानमित्याचक्षते परोऽक्षम् । वर्णलोपागमविचारादिनेत्यर्थः । श्मशा नाम पितॄणां दंडपाशिकस्वरूपा अत्तारस्ते च अकृतश्मशानस्य अमुष्मिन् लोके पुण्यकृत्यां उपहिंसंति ॥ १ ॥

१–अत्र "श्मशानम्" इत्यस्य स्थाने "कल्याणं" इति उत्सर्गोपाकर्मादौ परिपठंति याज्ञिक गणाः । तत्तेषामज्ञानं यतस्ते गृहे श्मशानशब्दो नो वाच्य इति हेतुनैव "कल्याणं" इति पठंति । परं चेत्थं भावना श्रुतेः परिवर्तते नालम् अतो मूले स्थापितः "श्मशानम्" इत्येव वैदिकः पाठ साधीयान् । इति मन्तव्यम् ॥

(न्त) तद्वै नु क्षिप्रं कुर्य्यात् । (न्ने) नेन्नवमघुङ्करवाणीति चिरऽएव कुर्य्यादघुमेव तुत्तिरः करोति युत्र समा नानु चन स्मुरेयुरश्रुतिमेव तुदघुङ्गमयति युद्यनुस्मुरेयुः ॥ २ ॥

(रु) अयुग्मेषु सम्वत्सरेषु कुर्य्यात् । (द) अयुग्मथ्ँ हि पितॄणामेकनक्षत्रऽएकनक्षत्रथ्ँ हि पितॄणाममावास्यायाममावास्या वाऽएकनक्षत्रमेको हि युद्धेताथ्ँ रात्रिथ्ँ सर्व्वाणि भूतानि सम्वसन्ति तेनो तङ्काममाप्नोति यः सर्व्वेषु नुक्षत्रेषु ॥ ३ ॥

तत् वै न क्षिप्रं कुर्यात् । नेन्नवमघं करवाणीति । चिर एव कुर्यात् । अघमेव तत्तिरः करोति । यत्र समा नानु चन स्मरेयुः । अश्रुतिमेव तदघं गमयति । यद्यनु स्मरेयुः ॥ २ ॥

अयुंगेषु संवत्सरेषु कुर्यात् । अयुंगं हि पितॄणाम् । एकनक्षत्रे । एकनक्षत्रं हि पितॄणाम् । अमावास्यायाम् । अमावास्या वा एकनक्षत्रम् । एको हि । यत् उ एतां रात्रिं सर्वाणि भूतानि संवसंति । तेन उ तं काममाप्नोति । यः सर्वेषु नक्षत्रेषु ॥ ३ ॥

तद्वै न क्षिप्रम्[1] । क्षिप्रं अचिरमृते न कुर्यात् । नेन्नवं प्रत्यग्रम् अघं पापं करवाणि, प्रत्यग्रे हि अघे स्मर्यमाणे महत् दुःखं भवतीत्यभिप्रायः । तिरः करोति । कालेनान्तर्वर्तते । तथाच–स्मर्यमाणानामपि महत् दुःखं भवतीति । यत्र काले समाः संवत्सरान् नानुस्मरेयुरपि । अश्रुतिमेव तदघं गमयति । न श्रुतिः श्रुत्यभावः । तत्तेन चिरकरणेन अघं पापकरणं गमयति । चिरात् श्मशानं कुर्वन् मरणं जनवादो न शृणोतीत्यर्थः । **यद्यनुस्मरेयुरिति**–यदि चिरादपि कुर्वतः स्मरेयुरेव समाः । ततः ॥ २ ॥

अयुंगेषु[2] । अयुग्मेषु संवत्सरेषु । अयुंगं हि । सर्वमेवोपकरणं पिंडादि, पितॄणाम् । ते अपि हि पितृपितामहप्रपितामहाः अयुग्मा एवेति । एकनक्षत्रे[3] । एकं च नक्षत्रं च एकनक्षत्रं, पुष्यः स्वातिर्हस्त इत्यादि । यत्तु द्विवचनबहुवचनांतशब्दादिवाक्यप्रसिद्धं, पुनर्वसू विशाखे कृत्तिका भरण्योऽनूराधा इत्यादि तदनेकनक्षत्रम् । कथं ? पुनरमावास्या[4] । एकनक्षत्रं, इत्यत आह–**एको हीति** । मासे एका अमावास्या भवति । न यथा प्रतिपदो द्वितीये इत्याद्याः । अथवा एका हि सा, उभयोरपि चंद्रार्कयोरायतनं ग्रहायतनत्वसामान्यादेव नक्षत्रमित्युच्यते । ननु च श्रद्धानांतरनिमित्ता अपि कामाः निमित्तेऽत्र कथमापद्येरन् इत्यत आह–**यद्धेतामिति** । कथं पुनरेतां रात्रिं सर्वाणि भूतानि संवसंति, तत्र तत् अग्नीषोमात्मकं सर्वमेवेदं भूतम् । सूर्यश्चाग्नेयः, चन्द्रमाः सौम्यभूतः सूर्याचन्द्रमसोः संवासे सर्वाणि भूतानि संवसंतीत्युपपन्नम् ॥ ३ ॥

१–पितृमेधः संवत्सरास्मृतौ । का. श्रौ. सू. २१ । ३२ ।

२–अयुग्मेषु वा । (का. श्रौ. सू. २१ । ३३ ।) व्यवस्थितविकल्पोऽयमस्मर्यमाणेष्वयुग्मेषु । अस्मर्यमाणेषु यदा कदा चेति देवयाज्ञिकाः ।

३–एकनक्षत्रे । का. श्रौ. सू. २१ । ३४ ।

४–अमावास्यायां वा । का. श्रौ. सू. २१ । ३५ ॥

शरदि कुर्व्यात् । (त्स्व) स्वधा वै शरत्स्वधो वै पितॄणामन्नं तदेनमन्ने स्वधायान्दधाति माघे वा मा नोऽघम्भूदिति निदाघे वा नि नोऽघं धीयाताऽइति ॥ ४ ॥

चतुःस्रक्ति । देवाश्चासुराश्चोभये प्प्राजापत्या दिक्ष्वस्पर्द्धन्त ते देवाऽअसुरान्त्सपत्नान्भ्रातृव्यान्दिग्भ्योऽनुदन्त तेऽदिक्काः पराभवं-स्तस्माद्या दैव्यः प्रजाश्चतुःस्रक्तीनि ताः श्मशानानि कुर्व्वतेऽथ या-ऽआसुर्य्यः प्राच्यास्त्वद्ये त्वत्परिमण्डलानि तेऽनुदन्त ह्येनान्दिग्भ्यऽउभे दिशावन्तरेण विदधाति प्राचीञ्च दक्षिणाञ्चैतस्याᳬं ह दिशि पितृलो-कस्य द्वारं द्वारैवैनम्पितृलोकम्प्रपादयति स्रक्तिभिर्दिक्षु प्रतितिष्ठतीतरे-णात्मनाऽवान्तरदिक्षु तदेनᳬं सर्व्वासु दिक्षु प्रतिष्ठापयति ॥ ५ ॥

शरदि कुर्यात् । स्वधा वै शरत् । स्वधा उ वै पितॄणामन्नम् । तदेनमन्ने स्वधायां दधाति । माघे वा । मा नोऽघं भूदिति । निदाघे वा । नि नोऽघं धीयाता इति ॥ ४ ॥

चतुःस्रक्ति । देवाश्चासुराश्च उभये प्राजापत्या दिक्ष्वस्पर्द्धंत । ते देवा असुरान् सपत्नान् भ्रातृव्यान् दिग्भ्योऽनुदंत । तेऽदिक्काः पराभवन् । तस्मात् या दैव्यः प्रजाः । चतुःस्रक्तीनि ताः श्मशानानि कुर्वते । अथ या आसुर्यः । प्राच्यास्त्वद्ये त्वत्परिमंडलानि । तेऽनुदंत ह्येनान् दिग्भ्यः । उभे दिशावंतरेण विदधाति । प्राचीं च दक्षिणां च । एतस्यां हि दिशि पितृलोकस्य द्वारम् । द्वारैवैनं पितृलोकं प्रपादयति । स्रक्तिभिर्दिक्षु प्रतितिष्ठति । इतरेणात्मनाऽवांतर-दिक्षु । तदेनं सर्वासु दिक्षु प्रतिष्ठापयति ॥ ५ ॥

शरदि कुर्यात् । स्वधा वै शरत् । स्वधेत्यन्ननाम । स्वधा ऋतुः शरत् । तस्यां हि ग्राम्या आरण्या ओषधयः पच्यंते । स्वधा च पितॄणामन्नम् । ततश्च स्वधान्नसामान्यात् शरदि कुर्वंति । मंत्रे, अलं स्वधा मासमानः (?) । माघे वा मा नोऽघं भूदिति माघशब्दो वैशब्देन सादृश्यमस्तीत्यभिप्रायमेतत् (?) । एवं अस्माकम अघं वीर्येऽतिर्जीवे द्वितीये तत् स्थाप्येत मा उद्भवेत् इत्येतत्प्रार्थयमानः ॥ ४ ॥

चतुःस्रक्ति । चतुरस्रं श्मशानं कुर्यादिति वर्तते । दिग्भ्योऽनुदंत दिगाधिपत्यादेव । असुराः अदिक्काः दिगाधिपत्यरहिताः परभूताः । तस्माच्च अद्यापि तदनुकारेण या दैव्यः प्रजा देवा भक्तिर्यासां त्रैविद्यालक्षणाः ताः चतुःस्रक्तीनि कुर्वते । अथशब्दः विशेषणार्थः । आसुर्यः । असुरभक्तयः देववेदयज्ञ-विप्रविद्वेषिण्यः पाखंडागमहेतुवादकुशलाः । प्राच्याश्च जनपदाः ये चान्ये उदीच्यादयः ते परिमंड-लानि स्तूपाख्यानि कुर्वते । यस्मात्ते देवा एनानसुरान्दिग्भ्योऽनुदन्त दिक्षु भागरहितानेव चक्रुः ।

१–निदाघशरन्माघेषु । का. श्रौ. सू. २१ । ३६ ॥
२–दिक्स्रक्ति पुरुषमात्रं मिमीते । का. श्रौ. सू. २१ । ५९ ॥

(त्य) अथातो भूमिजोषणस्य । (स्यो) उदीचीनप्रवणे करोत्युदीची वै मनुष्याणान्दिक्तदेनं मनुष्यलोकऽआभजत्येतद्ध वै पितरो मनुष्यलोकऽआभक्ता भवन्ति यदेषाम्प्रजा भवति प्रजा हास्य श्रेयसी भवति ॥ ६ ॥

दक्षिणाप्रवणे कुर्य्यादित्याहुः । (ई) दक्षिणाप्रवणो वै पितृलोकस्तदेनम्पितृलोकऽआभजतीति न तथा कुर्य्यादामीवद्ध नाम तच्छ्मशानकरणं क्षिप्रे हैषामपरोऽनुप्रैति ॥ ७ ॥

दक्षिणाप्रवणस्य प्रत्यर्षे कुर्य्यादित्यु हैकऽआहुः । (स्त) तत्प्रत्युच्छ्रितमघम्भवतीति नोऽएव तथा कुर्य्याद्यद्वाऽउदीचीनप्रवणे करोति तदेव प्रत्युच्छ्रितमघम्भवति ॥ ८ ॥

अथातो भूमिजोषणस्य । उदीचीनप्रवणे करोति । उदीची वै मनुष्याणां दिक् । तदेनं मनुष्यलोक आभजति । एतत् ह वै पितरो मनुष्यलोक आभक्ता भवंति । यदेषां प्रजा भवति । प्रजा ह आस्य श्रेयसी भवति ॥ ६ ॥

दक्षिणाप्रवणे कुर्यादित्याहुः । दक्षिणाप्रवणो वै पितृलोकः । तदेनं पितृलोक आभजतीति । न तथा कुर्यात् । आमीवत् ह नाम तत् श्मशानकरणम् । क्षिप्रे ह एषामपरोऽनुप्रैति ॥ ७ ॥

दक्षिणाप्रवणस्य प्रत्यर्षे कुर्यादिति उ ह एक आहुः । तत् प्रत्युच्छ्रितमघं भवतीति । नो एव तथा कुर्यात् । यद्वा उदीचीनप्रवणे करोति । तदेव प्रत्युच्छ्रितमघं भवति ॥ ८ ॥

तदनुकारेण च तद्वंश्याः प्रजाः कुर्वंति । उभे दिशावंतरेण । यामदक्षिणपूर्वस्यां दिशीत्यर्थः । भक्तिभिर्दिक्षु प्रतितिष्ठति । यथा श्मशानं तथा कार्यम् । एवं कुर्वता तेन प्रेतं सर्वासु दिक्षु प्रतिष्ठापयति ॥ ५ ॥

अथातो भूमिजोषणस्य । प्रजा ह अस्य प्रेतस्य श्रेयसी भवति ॥ ६ ॥

दक्षिणाप्रवणे । आमीवत् । आङ् आभिमुख्ये " मीङ् हिंसायाम् "—(धा. पा. दि. आ. ३१) तस्मात् भावे क्विप् । अभिमुखगामि मयनं मरणम् आशीतनं ह्यस्य कार्यंतथाऽस्ति तत् आमीवत्, तस्मिन् कृते क्षिप्रमेव एषां कर्तॄणामपि कश्चित् अनुप्रैति परलोकम् ॥ ७ ॥

दक्षिणाप्रवणस्य 'प्रत्यर्षे' प्रतिः समीपे । " ऋषी गतौ " (धा. पा. तु. ५. ७) समीपं गतं प्रत्यासन्नमित्यर्थः । तस्मिन् दक्षिणासन्ने कुर्यात् । तत्प्रत्युच्छ्रितम् उच्छ्रितेन प्रतीतं प्रत्युच्छ्रितम् । उच्छ्रूते नष्टे चेत्युभयमप्रसरणं दिङ्निमित्तं भवति छन्नं च । तदयुक्तं अनिष्टचिह्नत्वात् इत्यभिप्रायः । यद्वै उदीचीनप्रवणेन क्रियमाणं दक्षिणेनोच्छ्रितेन देशेन क्रियत एवेत्यभिप्रायः ॥ ८ ॥

१–दक्षिणाप्रवण एके । का. श्रौ. सू. २१ । ४८ ।
२–उदक्प्रवणं । का. श्रौ. सू. २१ । ४७ ।

यस्यैव समस्य सतः । (तो) दक्षिणतः पुरस्तादापऽएत्य सꣳस्थाया-प्रघ्नत्यऽएतान्दिशमभिनिष्पद्याक्षय्याऽआपोऽपिपद्येरंस्तत्कुर्य्यादन्नम्वाऽआपोऽन्नाद्यमेवास्माऽएतत्पुरस्तात्प्रत्यग्दधात्यमृतमु वाऽआपऽएषो ह जीवानां दिगन्तरेण सप्तर्षीणाञ्चोदयनमादित्यस्य चास्तमयनममृतमेव तज्जीवेषु दधाति तद्धैतत्प्रतिमीवन्नाम श्मशानकरणं जीवेभ्यो हितं यद्वाव जीवेभ्यो हितन्तत्पितृभ्यः ॥ ९ ॥

कुम्वति कुर्य्यात् । (त्कु) कुम्मेऽसदित्यथो शम्वति शम्मेऽसदिति नाधिपथङ्कुर्य्यान्नाकाशे नेदाविरघङ्करवाणीति ॥ १० ॥

यस्यैव समस्य सतो दक्षिणतः पुरस्तादाप एत्य । संस्थाय । अप्रघ्नतः । एतां दिशमभिनिष्पद्य । अक्षय्या आपोऽपिपद्येरन् । तत् कुर्यात् । अन्नं वा आपः । अन्नाद्यमेवास्मै एतत् पुरस्तात् प्रत्यग्दधाति । अमृतम् उ वा आपः । एषा उ ह जीवानां दिगंतरेण । सप्तर्षीणां चोदयनम् । आदित्यस्य चास्तमयनम् । अमृतमेव तज्जीवेषु दधाति । तद्धैतत् प्रतिमीवन्नाम श्मशानकरणं जीवेभ्यो हितम् । यद्वाव जीवेभ्यो हितम् तत्पितृभ्यः ॥ ९ ॥

कंवति कुर्यात् । कं मेऽसदिति । अथो शंवति । शं मेऽसदिति । नाधिपथं कुर्यात् । नाकाशे । नेदाविरघं करवाणीति ॥ १० ॥

यस्यैव समस्य सतः । यस्य देशस्य दक्षिणपार्श्वादादः पुरस्तादागत्य तत्रैव संस्थाय । अप्रघ्नतः । भूमिम् अप्रविशत्यः । शनैः पश्चिमोत्तरां दिशं प्रतिपन्नया दिशा निष्पद्य निर्गम्य अक्षय्याः अनात्ययावत्ति या न क्षीयंते आपः ता अपः अपिपद्येरन् प्राप्नुयुः संगच्छेयुः । तत्कुर्यात् । एवं कुर्वन्नन्नाद्यमेवास्मै प्रेताय ताभिः एतत् पुरस्तात् प्रत्यक् प्रति संभोक्तुरभिमुखं दधाति । एषा उ ह । एषा च जीवानां जीवतां हि हिता दिक् पश्चिमा । (ईश्वरः तस्यां हि प्रायणमयात् कायात् चिरायुषः समृद्धाश्च मनुष्या हूणादयो भवंति ?) । तद्धैतत् प्रतिमीवन्नाम । प्रतिगतं समीपभागमवपन्नं तथा, आगामि प्रतिमीनं यस्य कार्यतया तत् प्रतिमीवत् । ईदृशं च जीवेभ्यो हि हितं जीवहितं च पितृभ्यो हितम् । जीवोऽपि जीवित्वात् पितॄणाम् ॥ ९ ॥

कंवति । कर्षवति । शंवति सुखवति वा । यत्र तिष्ठति सुखं भवति शमीवति मनुरागतानां दुःखस्यान्येति(१) नाधिपथम् । षष्ठीविभक्त्यर्थे अधिशब्दः पथिशब्देन च समस्यते । अव्ययीभावश्च समासो भवति । आकाशे वृक्षगुल्मादिभी रहिते । नेत् आविः सर्वलोकप्रकाशं अघं अप्सु चिह्नं करवाणीति ॥ १० ॥

१–समे वा । शंवति कंवति वा । का. श्रौ. सू. २१ । ५३ ।

२–अदर्शनाद्ग्रामात् । आरात्पथः । का. श्रौ. सू. २१ । ५० ।

गुहा सुदवताप्रि स्यात् । (त्त) तद्यद्गुहा भुवत्यघुमेव तद्गुहा करो-
त्युथ युदवताप्यसौ वाऽआदित्युः पाप्मुनोऽपहन्ता सुऽएुवास्मात्पाप्मान-
मुपहन्त्युथोऽआदित्युज्योतिषमुेवैनङ्करोति ॥ ११ ॥

न तुस्मिन्कुर्य्यात् । (त्यु) युस्येत्थादनूकाशः स्याद्याचमानुꣳ ह नाम तुत्क्षिप्रे हैषामुपरोऽनुप्रैति ॥ १२ ॥

चित्रं पश्चात्स्यात् । (त्प्र) प्रजा वै चित्रं चित्रꣳ हास्य प्रजा भवति युदि चित्रन्न स्यादापः पश्चाद्वोत्तरतो वा स्युरापो ह्येव चित्रञ्चित्रꣳ हैवास्य प्रजा भवति ॥ १३ ॥

(त्यू) ऊषरे करोति । रेतो वाऽ ऊषाः प्रजननन्तुदेनम्प्रुजननऽआभ-
जत्येतुद्ध वै पितुरः प्रजुननऽआभक्ता भवन्ति युदेषाम्प्रजा भुवति प्रजा हास्य श्रेयसी भवति ॥ १४ ॥

गुहा सदवतापि स्यात् । तद्यत् गुहा भवति । अघमेव तत् गुहा करोति । अथ यदवतापि । असौ वा आदित्यः पाप्मनोऽपहंता । स एवास्मात्पाप्मानमपहंति । अथो आदित्यज्योतिषमेवैनं करोति ॥ ११ ॥

न तस्मिन् कुर्यात् । यस्येत्थादनूकाशः स्यात् । याचमानं ह नाम तत् । क्षिप्रे ह ए षामपरोऽनुप्रैति ॥ १२ ॥

चित्रं पश्चात् स्यात् । प्रजा वै चित्रम् । चित्रं ह अस्य प्रजा भवति । यदि चित्रं न स्यात् आपः पश्चाद्वोत्तरतो वा स्युः । आपो ह्येव चित्रम् । चित्रं हैवास्य प्रजा भवति ॥ १३ ॥

ऊषरे करोति । रेतो वा ऊषाः प्रजननम् । तदेनं प्रजनन आभजति । एतत् ह वै पितरः प्रजनन आभक्ता भवंति । यदेषां प्रजा भवति । प्रजा ह अस्य श्रेयसी भवति ॥ १४ ॥

गुहा सत् । गुहाग्रं वृक्षगुल्मादिसंवृतं सत् अवतापि स्यात् अधोतापि स्यात् । गहनप्रदेशम पि अतील ततापं अतः सः अस्मिन् विद्यत इति अवतापि । तस्मिन् कुर्यात् ॥ ११ ॥

इत्थात्पार्श्वतः यस्य श्मशानस्य अनूकाशः अवकाशः स्यात् । तस्मिन् कुर्यात् ॥ १२ ॥

चित्रं दर्शनीयं वनगिरिदेवगृहादि । प्रजा वै चित्रं दर्शनीयत्वसामान्यात् ॥ १३ ॥

(ततो) मन्वचीयः ऊषरे ऊषाः क्षारमृत्तिकाः संति यत्र तत् ऊषरम् । रेतः रेतसः कारणं वै ऊषाः । ऊषैर्हि पशवः पुष्यंति । पुष्टानां रेतो भवति तच्च प्रजननम् ॥ १४ ॥

१–कक्षेऽवतापिनि । का. श्रौ. सू. २१। ४६ ।

२–चित्रं पश्चात् । तदभावे उदकम् । उत्तरतो वा । का. श्रौ. सू. २१ । ५४–५६ ।

३–ऊषरे । का. श्रौ. सू. २१ । ४८ ।

सुमूले । सुमूलꣳ हि पितॄणाम्वीरिणमिश्रऽएतुद्धास्याः पित्र्यमनति-
रिक्तमुथोऽअघुमेव तुद्बद्ध्रु करोति ॥ १५ ॥

नु भूमिपाशमभिविदध्यात् । (नु) नु शरन्नाश्मगन्धान्नाध्याण्डान्नु
पृश्निपर्णीन्नाश्वत्थस्यान्तिकुङ्कुर्य्यान्नु बिभीतकस्य न तिल्वकस्य न
स्फूर्जकस्य नु हारिद्रोर्न्नु न्यग्रोधस्य ये चान्ये पापनामानो मङ्गलोपेप्सया
नाम्नामेव परिहाराय ॥ १६ ॥

(याथा) अथातऽआवृदेव । (वा) अग्निविधयाऽग्निचितः श्मशानङ्क-
रोति यद्वै यजमानोऽग्निञ्चिनुतेऽमुष्मै तल्लोकाय यज्ञेनात्मानꣳ सꣳ-
स्कुरुतऽएतदु ह याज्ञियङ्कर्मासꣳस्थितमा श्मशानकरणात्तद्यदग्निविधया-
ऽग्निचितः श्मशानङ्करोत्यग्निचित्यामेव तत्सꣳस्थापयति ॥ १७ ॥

समूले । समूलं हि पितॄणाम् । वीरिणमिश्रे । एतत् ह अस्याः पित्र्यमनतिरिक्तम् । अथो अघमेव तत् बद्ध्रु करोति ॥ १५ ॥

न भूमिपाशमभिविदध्यात् । न शरत् । नाश्मगन्धान् । नाध्यांडान् । न पृश्निपर्णीन् । नाश्वत्थस्यांतिकं कुर्यात् । न बिभीतकस्य । न तिल्वकस्य । न स्फूर्जकस्य । न हारिद्रोः । न न्यग्रोधस्य । ये चान्ये पापनामानः । मंगलोपेप्सया नाम्नामेव परिहाराय ॥ १६ ॥

अथात आवृदेव । अग्निविधयाऽग्निचितः श्मशानं करोति । यत् वै यजमानोऽग्निं चिनुते । अमुष्मै तल्लोकाय यज्ञेनात्मानं संस्कुरुते । एतत् उ ह याज्ञियं कर्म असंस्थि तम् आ श्मशानकरणात् । तत् यदग्निविधयाऽग्निचितः श्मशानं करोति । अग्निचित्यामेव तत् संस्थापयति ॥ १७ ॥

'समूले' सन्ति यत्रौषधीनां मूलानि तत् समूलम् । (हि योग्यमित्याग. ?) । पित्र्यं पितृदेवत्यम् । अनतिरिक्तं अन्यस्यासाधारणं, पितॄणामित्यर्थः । बद्ध्रु साधु । भूमिं वीरिणवत् बध्नातीति बद्ध्रु च्छिद्रमसंवारीत्यर्थः (?) ॥ १५ ॥

न भूमिपाशम् । पूर्ववत् भूमौ विशेषः । तमति न विद्यात् । तद्वति देशे न कुर्यात् । औध्यांडाशनसदृशफलो गुच्छः । पापनामानः । एते श्लेष्मातककोविदारादयः । मंगलानां प्राप्तीच्छया । नामान्यपि अमंगलानि परिहर्तुं एतेषामंतिकं न कुर्यात् ॥ १६ ॥

अथात आवृदेव । **अग्निविधयेति** । अस्याग्नेर्विधा प्रकारः तया अग्निचितः श्मशानं करोति वक्ष्यमाणं

१-कर्पूवीरिणवति । का. श्रौ. सू. २१ । ५७ ।

२--चितिवच्च । (का. श्रौ. सू. २१ । ५२ ।) वितानं साधयित्वा समे बहुलतृणेऽन्तराग्नी चितिं चिनोति । उद्धृत्य क्षीरिणीः परषाह्वर्ताः । विशाखशराश्मगंधापृश्निपर्ण्यध्याण्डाश्च । का. श्रौ. सू. २५ । १६५-१६७ ।

३--न्यग्रोधाश्वत्थतिल्वकहरिद्रुस्फूर्जकबिभीतकपापनामभ्यश्च । का. श्रौ. सू. २१ । ५१ ।

तद्वै नु मह॒त्कु॒र्य्यात् । (न्ने) नेन्मह॒द॑घङ्क॑रवा॒णीति॒ यावा॑नपक्षपु॒च्छो॑ऽग्निस्ता॒वत्कु॑र्य्या॒दित्यु॑ हैक॑ऽआहुः समा॒नो ह्य॑स्यै॒षऽआ॒त्मा य॒थैवाग्ने॑स्तथे॒ति ॥ १८ ॥

पुरुषमात्रं त्वे॒वु कु॒र्य्यात् । (त्त) तथा॑ऽ पर॒स्मा॑ऽअवका॒शन्न कर॑ोति प॒श्चाद्व॒रीयः प्र॒जा वै॑ प॒श्चात्प्र॒जामे॑व तद्व॒रीय॑सीङ्कुरुत॒ऽउत्तर॒तो व॑र्षीयः प्र॒जा वा॑ऽउत्तरा प्र॒जामे॑व तद्व॒र्षीय॑सीङ्कुरुते तु॒द्विधा॒याप॑सलवि सृ॒ष्टाभि॑ स्पन्द्या॒भिः पर्य्य॒तनो॒त्यप॑सलवि पि॒त्र्यᳫँ हि कर्म॑ ॥ १९ ॥

तद्वै न महत् कुर्यात् । नेन्महदघं करवाणीति । यावानपक्षपुच्छोऽग्निः । तावत् कुर्यादिति उ ह एक आहुः । समानो ह्यस्यैष आत्मा यथैवाग्नेस्तथेति ॥ १८ ॥

पुरुषमात्रं त्वेव कुर्यात् । तथाऽ परस्मा अवकाशं न करोति । पश्चाद्वरीयः । प्रजा वै पश्चात् । प्रजामेव तद्वरीयसीं कुरुते । उत्तरतो वर्षीयः । प्रजा वा उत्तरा । प्रजामेव तद्वर्षीयसीं कुरुते । तद्विधाय, अपसलवि सृष्टाभिः स्पंद्याभिः पर्यातनोत्यपसलवि पित्र्यं हि कर्म ॥ १९ ॥

आग्नेयाग्निविधानं कर्षणपरिश्रित्परिश्रयणसर्वौषधवपनेष्टकोधरेधानादीनां अग्निविधानां अग्निचिद्विषयत्ववचनं नान्यस्य अग्निविधाप्रापणार्थं हि एक एवार्थो विधीयत इति तथा अग्निचित इति वा । अग्निविधयेति वा अर्थद्वयं विधीयते । साप्तविध्यादीनां वा । अत्र बहूनामग्निकर्मणामसंभव इति । अग्निचित इति च प्रकृतस्यैव प्रकारस्याग्निचिद्विषयत्वं उपसंहारिष्यति । यज्ञियं यज्ञसंबद्धं कर्म । कर्मसमूहः अपरिसमाप्तः इति ब्रुवन् प्रेतार्थमेवेदमिति दर्शयति । ननु च असंस्थितवचनान्नीति कर्मांगमेवेदमिति विज्ञायेत । नैतदेवं न हि उत्पत्तिवाक्ये श्मशानकरणे येन वा शेषात्कर्मांगता तस्येति । किंतु “ तस्मै एतदन्नं करोति ” (कं. १) इत्यवगम्यते प्रयोजनम् । प्रयोगांगेषु च समाप्तेषु कर्मसु यदसंस्थितवचनं यथा “ अग्निचित्यामेव तत् संस्थापयति ” इति संस्थापनवचनं तत् संस्थासादृश्यात् भाक्तमिति गम्यते ॥ १७ ॥

तद्वै न महत् । अर्थप्राप्तस्य महत्त्वस्य प्रतिषेधानुवादः । उत्तरविध्युपन्यासार्थः ॥ १८ ॥

पश्चाद्वरीयः । उरुतरं पृथुतरं करोतीति । उत्तरतो वर्षीयः । वृद्धतरं दीर्घतरं कुर्यात् । तद्विधाय, पुरुषमात्रं स्थानं दिक्स्रक्ति कल्पयित्वा । अपसलवि सृष्टाभिर्हि ताभिः स्पंद्याभिः रज्जुभिः पर्यातनोति परिवेष्टयति कथं अपसलवि अप्रदक्षिणं पर्यातनोति कस्मात् पित्र्यमिदं कर्म ॥ १९ ॥

१--दिक्स्रक्ति पुरुषमात्रं मिमीते । उत्तरतः पृथु पश्चाच्च । (का. श्रौ. सू. २१ । ५९ । ६० ।) अत्रोत्तरपश्चाच्छब्दौ ईशानवायव्यपार्श्वयोर्लक्षकौ । क्षेत्रस्य दिक्कोणत्वात् प्राणभृदुपधानवत् । यथा अथ पश्चादिति विहिताः प्राणभृतो वायव्यकोण उपधीयन्ते । अथोत्तरत इति विहिताश्चैशानकोणे । एवमत्रापीत्यर्थः । इति देवयाज्ञिकभाष्यम् ।

(र्म्मा) अथोद्धन्तवा ऽआह । स यावत्येव निवप्स्यन्त्स्यात्तावदुद्धन्यात्पुरुषमात्रं त्वेवोद्धन्यात्तथा ऽपरस्मा ऽअवकाशन्न करोत्यथो ऽओषधिलोको वै पितर ऽओषधीनाᳬ ह मूलान्युपसर्प्पन्त्यथो नेदस्या ऽअन्तर्हितो ऽसदिति ॥ २० ॥

इति चतुर्थप्रपाठके चतुर्थं ब्राह्मणम् ॥ १३।३।४ ॥ (८-१)

अन्तर्द्धायो हैके निवपन्ति । देवाश्चासुराश्चोभये प्राजापत्या ऽअस्मिँल्लोके ऽस्पर्द्धन्त ते देवा ऽअसुरान्त्सपत्नान्भ्रातृव्यानस्माल्लोकादनुदन्त तस्माद्या दैव्यः प्रजा ऽअनन्तर्हितानि ताः श्मशानानि कुर्वते ऽथ या ऽआसुर्य्यः प्राच्यास्त्वद्ये त्वदन्तर्हितानि ते चम्वान्त्वद्यस्मिंस्त्वत् ॥ १ ॥

अथोद्धंतवा आह । स यावत्येव निवप्स्यन् स्यात् । तावदुद्धन्यात् । पुरुषमात्रं त्वेवोद्धन्यात् । तथाऽपरस्मा अवकाशन्न करोति । अथो ओषधिलोको वै पितरः । ओषधीनां ह मूलान्युपसर्पंति । अथो नेदस्या अंतर्हितोऽसादिति ॥ २० ॥

अंतर्द्धाय उ ह एके निवपंति । देवाश्चासुराश्च उभये प्राजापत्या अस्मिन् लोकेऽस्पर्द्धंत । ते देवा असुरान् सपत्नान् भ्रातृव्यान् अस्माल्लोकादनुदंत । तस्मात् या दैव्यः प्रजाः । अनंत-

---

अथोद्धंतवै । तदूर्ध्वं हंतवै हंतव्यं श्मशानस्थानं आह ब्रूयात् । स यावति एतद्देशे महति वा अपक्षपुच्छकाग्निमात्रे वा अस्थीनि निवप्स्यन् स्यात् तावदुद्धन्यात् । लांगलेन कृषेदिति हेयकल्पोपन्यासः । पुरुषमात्रं त्वेवोद्धन्यात् । यावत्येव हि निवपति तावदेव च करोतीति स्थितकल्पः । तथाऽपरस्मै अपरस्मै प्रेताय अवकाशं न करोति । यदि कुर्यात् । ततः कृतावकाशोऽन्योऽपि प्रेयादित्यभिप्रायः । अथो ओषधिलोको वै पितर इति । उद्धननार्थवादः । ओषधिस्थानाः पितरः । कथं ? ओषधीनां हि लाभे उपगच्छंति पितरः । कथं ? ते हि धूमादिक्रमेण चंद्रं प्राप्य प्रत्यावृत्ता आकाशवायुवृष्टिक्रमेण पृथिवीं प्राप्य स्थावरजंगमरूपेण वर्तमाना ओषधीनां मूलान्युपसर्पंति । तेभ्योऽपि मूलेभ्यस्ताः प्ररोहन्ति अपि तु शीघ्रमेव पुष्यंति । वेवपतः प्ररोहंतीत्यभिप्रायः(?) । ततश्च ओषधिमूले शरीरात्पूर्वावस्थितान् पितॄन् तस्मात् स्थानादधीतीयत्तत्रान्यन्विवेशयतीत्यभिप्रायः (?) । यथोक्तं–" तद्यद्व्युदूहत्यवसितानेव तद्व्युदूहति नेदवसितानध्यवस्यानीति " (श. प. ७ । १।१।१) इति । अथो नेदस्याः । अस्याः पृथिव्याः ओषधीभिः अंतर्हितोऽयं प्रेतः नेत् असदिति । अतो वै द्रववत्या एव विकर्षणार्थोऽर्थवादः । (अतोऽन्ये वेद किंचिदुक्तदमन्त्रस्य विधानात्) । अस्य वचनस्यान्यपरत्वात् ॥ १० ॥

इति श्रीमदाचार्यहरिस्वामिनः कृतौ माध्यन्दिनीयशतपथब्राह्मणभाष्ये त्रयोदशे काण्डे

अष्टमेऽध्याये प्रथमं ब्राह्मणम् ॥ १३ । ८ । १ ॥

अंतर्द्धायो हैके । पृथिव्यां किंचिद्वस्त्रैरिष्टकान्तर्द्धानमभिधाय तस्मिन्नेकस्था निनिपंति वृतवस्त्रपृथिव्यां वा कस्मिंश्चित्पर्वणि ॥ १ ॥

(द) अथैनत्परिश्रिद्भिः परिश्रयति । या एवामूः परिश्रितस्ता एता यजुषा ताः परिश्रयति तूष्णीमिमा दैवञ्चैव तत्पित्र्यञ्च व्याकरोत्यपरिमिताभिरपरिमितो ह्यसौ लोकः ॥ २ ॥

(कोऽथै) अथैनत्पलाशशाखया व्युदूहति । यदेवादो व्युदूहनन्तदेतदपेतो यन्तु पणयोऽसुम्ना देवपीयवऽइति पणीनेवैतदसुम्नान्देवपीयूनसुररक्षसान्यस्माल्लोकादपहन्त्यस्य लोकः सुतावतऽइति सुतवान्हि यऽईजानो द्युभिरहोभिरक्तुभिर्व्यक्तमिति तदेनमृतुभिश्चाहोरात्रैश्च सलोकङ्करोति ॥ ३ ॥

यमो ददात्ववसानमस्माऽइति । यमो ह वाऽअस्यामवसानस्येष्टे तमेवास्माऽअस्यामवसानं याचति तान्दक्षिणोदस्यत्युदगितरान्दैवञ्चैव तत्पित्र्यञ्च व्याकरोति ॥ ४ ॥

(त्य) अथ दक्षिणतः सीरं युनक्ति । (त्य) उत्तरतऽइत्यु हैकऽआहुः स यथा कामयेत तथा कुर्य्याद्युङ्क्तेति सम्प्रेष्याभिमन्त्रयते सविता ते शरीरेभ्यः पृथिव्यां लोकमिच्छत्विति सवितैवास्यैतच्छरीरेभ्यः पृथिव्यां

हितानि ताः श्मशानानि कुर्वते । अथ आसुर्यः । प्राच्यास्त्वद्ये त्वदंतर्हितानि । ते चम्वां त्वद् यस्मिस्त्वत् ॥ १ ॥

अथैनत् परिश्रिद्भिः परिश्रयति । या एवामूः परिश्रितः । ता एताः । यजुषा ताः परिश्रयति । तूष्णीमिमाः । दैवं चैव तत्पित्र्यं च व्याकरोति । अपरिमिताभिः । अपरिमितो ह्यसौ लोकः ॥ २ ॥

अथैनत्पलाशशाखया व्युदूहति । यदेवादो व्युदूहनं–तदेतत्–" अपेतो यंतु पणयोऽसुम्ना देवपीयवः " इति । पणीनेवैतदसुम्नान्देवपीयूनसुररक्षसान्यस्माल्लोकादपहंति–" अस्य लोकः सुतावतः "–(वा. सं. ३५ । १) इति । सुतवान् हि य ईजानः । " द्युभिरहोभिरक्तुभिर्व्यक्तम् "–इति । तदेनमृतुभिश्चाहोरात्रैश्च सलोकं करोति ॥ ३ ॥

"यमो ददात्ववसानमस्मै"–(वा. सं.३५।१) इति । यमो ह वा अस्यामवसानस्येष्टे । तमेवास्मा अस्यामवसानं याचति । तां दक्षिणोदस्यति । उदगितराम् । दैवं चैव तत्पित्र्यं च व्याकरोति ४

अथ दक्षिणतः सीरं युनक्ति । उत्तरत इति उ ह एक आहुः । स यथा कामयेत तथा कुर्यात् । युंक्तेति संप्रेष्य अभिमंत्रयते–" सविता ते शरीरेभ्यः पृथिव्यां लोकमिच्छतु " इति । सवितैवास्यैतच्छरीरेभ्यः पृथिव्यां लोकमिच्छति–" तस्मै युज्यंतामुस्रियाः "–(वा.सं. ३५।२) इति । एतस्मा उ हि कर्मण उस्रिया युज्यंते ॥ ५ ॥

अथैनत्परिश्रिद्भिः परिश्रयति । या एवामूः परिश्रितः । यत्प्रयोजना एवामूः आग्निक्यः परिश्रितः तत्प्रयोजना एवैताः ॥ २ ॥

अथैनत्पलाशशाखया व्युदूहति । यदेवादः । यत्प्रयोजनमेवाग्निकं व्युदूहनं तत्प्रयोजनमेवैतत् । पणयः

लोकमिच्छति तस्मै युज्यन्तामुस्रिया ऽइत्येतस्मा ऽउ हि कर्म्मण ऽ उस्रिया युज्यन्ते ॥ ५ ॥

षड्गवम्भवति । षड्ऋतवः सम्वत्सर ऽऋतुष्वेवैनमेतत्सम्वत्सरे प्रतिष्ठायाम्प्रतिष्ठापयति तदपसलवि पर्य्याहृत्योत्तरतः प्रतीचीम्प्रथमाँ सीताङ्कृषति व्वायुः पुनात्विति सविता पुनात्विति जघनार्द्धेन दक्षिणा ऽग्नेर्भ्राजसेति दक्षिणार्द्धेन प्राचीँ सूर्य्यस्य व्वर्चसेत्यग्रेणोदीचीम् ॥ ६ ॥ शतम् ६८०० ॥

(अ)चतस्रः सीता यजुषा कृषति । तद्यच्चतसृषु दिक्ष्वन्नन्तस्मिन्नेवैनमेतत्प्रतिष्ठापयति तद्वै यजुषा ऽद्धा वै तद्यद्यजुरद्धो तद्यदिमा दिशः ॥ ७ ॥

(शो ऽथा) अथात्मानम्विकृषति । तद्यदेव सम्वत्सरे ऽन्नन्तस्मिन्नेवैनमेतत्प्रतिष्ठापयति तूष्णीमपरिमिताभिरपरिमितो ह्यसौ लोकः ॥ ८ ॥

(को ऽथै) अथैनद्विमुञ्चति । कृत्वा तत्कर्म्म यस्मै कर्म्मण ऽएनद्युङ्क्ते व्विमुच्यन्तामुस्रिया ऽइत्येतस्मा ऽउ हि कर्म्मण ऽ उस्रिया युज्यन्ते तद्दक्षिणोदस्यत्युदगितरद्दैवञ्चैव तत्पित्र्यञ्च व्व्याकरोति ॥ ९ ॥

इति चतुर्थप्रपाठके पञ्चमं ब्राह्मणम् ॥ १३।४।५ ॥ (८-२)

षड्गवं भवति । षड् ऋतवः संवत्सरः । ऋतुष्वेवैनमेतत् संवत्सरे प्रतिष्ठायां प्रतिष्ठापयति । तदपसलवि पर्याहृत्य उत्तरतः प्रतीचीं प्रथमां सीतां कृषति–" वायुः पुनातु "–इति । " सविता पुनातु "–इति जघनार्द्धेन दक्षिणा । " अग्नेर्भ्राजसा "–इति दक्षिणार्द्धेन प्राचीम् । " सूर्यस्य वर्चसा "–(वा. सं. ३५ । ३ ।) इत्यग्रेणोदीचीम् ॥ ६ ॥

चतस्रः सीता यजुषा कृषति । तत् यत् चतसृषु दिक्ष्वन्नम् । तस्मिन्नेवैनमेतत् प्रतिष्ठापयति । तत् वै यजुषा । अद्धा वै तत् । यत् यजुः । अद्धा उ तत् । यत् इमा दिशः ॥ ७ ॥

अथात्मानं विकृषति । तद्यदेव संवत्सरेऽन्नम् । तस्मिन्नेवैनमेतत् प्रतिष्ठापयति । तूष्णीमपरिमिताभिः । अपरिमितो ह्यसौ लोकः ॥ ८ ॥

अथैनत् विमुञ्चति । कृत्वा तत्कर्म । यस्मै कर्मण एनत् युंक्ते–" विमुच्यंतामुस्रियाः " (वा. सं. ३५।२) इति । एतस्मा उ हि कर्मण उस्रिया युज्यंते । तद्दक्षिणोदस्यति । उदगितरत् । दैवं चैव तत्पित्र्यं च व्याकरोति ॥ ९ ॥

"पण व्यवहारे" (धा.पा.भ्वा.उ. ४४०) व्यवहारप्रधानाः । देवपीयवः पीयनं पीयुः " पीयतिर्हिंसाकर्मा " देवानां (निंदादिति ।) हिंसाकर्तॄन् ॥ ३-९ ॥

इति श्रीमदाचार्यहरिस्वामिनः कृतौ माध्यन्दिनीयशतपथब्राह्मणभाष्ये त्रयोदशे काण्डे

अष्टमेऽध्याये द्वितीयं ब्राह्मणम् ॥ १३ । ८ । २ ॥

अथ सर्व्वौषधुम्वपति । युदेवादुः सर्व्वौषधन्तुदेतुद्बह्वीभिस्तद्वपत्येकये-दन्दैवञ्चैव तत्पित्र्यञ्च व्व्याकरोत्यश्वत्थे वो निषुदनम्पर्णे वो व्वसतिष्कृतेति ज्योग्जीवातुमेवैभ्य एतदाशास्ते तथो हैषामेकैकोऽपरो जरसाऽनुप्रैति ॥ १ ॥

(त्यु) अथैनन्निवपति । (ती) इयम्वै पृथिवी प्रतिष्ठाऽस्यामेवैनमेतुत्प्रतिष्ठायाम्प्रतिष्ठापयति पुराऽऽदित्यस्योदयात्तिरऽइव वै पितरस्तिरऽइव रात्रिस्तिरऽएव तत्करोति यथा कुर्व्वतोऽभ्युदियात्तदेनमुभयोरहोरात्रयोः प्रतिष्ठापयति ॥ २ ॥

अथ सर्वौषधं वपति । यदेवादः सर्वौषधम् । तदेतत् । बह्वीभिस्तद्वपति । एकयेदम् । दैवं चैव तत् पित्र्यं च व्याकरोति–" अश्वत्थे वो निषदनं पर्णे वो वसतिष्कृता "–(वा. सं. ३५।४) इति । ज्योग्जीवातुमेवैभ्य एतदाशास्ते । तथा उ ह एषामेकैकोऽपरो जरसाऽनुप्रैति ॥ १ ॥

अथ ह एनं निवपति । इयं वै पृथिवी प्रतिष्ठा । अस्यामेवैनमेतत् प्रतिष्ठायां प्रतिष्ठापयति । पुराऽऽदित्यस्योदयात् । तिर इव वै पितरः । तिर इव रात्रिः । तिर एव तत् करोति । यथा कुर्वतोऽभ्युदियात् । तदेनमुभयोरहोरात्रयोः प्रतिष्ठापयति ॥ २ ॥

अथ सर्वौषधं वपति । यदेवादः आग्निकम् । बह्वीभिर्ऋग्भिः " या ओषधीः " इत्येताभिः (वा. सं. १२ । ७५–८९) यद्वपति तत् । एकया " अश्वत्थे वः " इत्येतया इदं वपति । ज्योक् चिरं जीवातुं जीवनम् एभ्यो जीवेभ्यः । एतत् आशास्ते प्रार्थयते । यददः ओषधीरेवमाह । चंद्रमसि युष्माकं धामानीति । एवं च (पूर्वकल्पितापुरुषसंतमजनार्थं तु पृथिवी तु पृथिवीभाजो यूयं भूता इति ?) तथा च कृते एषां जीवानां मध्ये एकैकः अपरः अन्यः जरसा जरया हेतुना जीर्णः सन् अनुक्रमेण प्रैति । न च–बहवो युगपत्, न वा अस्थविराः, न वा अक्रमेण इत्यर्थः ॥ १ ॥

अथैनं निवपति । एनं प्रेतमस्थिनिधानं कुम्भान्ते श्मशानक्षेत्रमध्ये नीचैर्वपति क्षिपति, कुतः एतदस्थ्यवस्थमिति श्मशानस्यास्थिरक्षणार्थत्वात् । चिरप्रेतस्यास्थ्यवस्थैव संभवति नान्या ॥ २ ॥

१–अश्वत्थे व इति सर्वौषधं वपति । का. श्रौ. सू. २१ । ७० ।

२–सविता त इति शरीराणि निवपति मध्ये । का. श्रौ. सू. २१ । ७१ । मध्ये कृष्टमध्ये इत्यर्थः । यथा कुर्वतोऽभ्युदियात्सूर्यः । का. श्रौ. सू. २१ । ४५ । कृष्टमध्ये सविता त इति शरीरनिवपनं सूर्योदयसमकालं कर्तव्यम् । अर्थाच्चातः पूर्वं कर्म प्राक् सूर्योदयाद्यथा भवेत्तथा यत्नः कर्तव्यः ॥

सविता ते शरीराणि । मातुरुपस्थऽआवपन्त्विति सवितैवास्यैतच्छरीराण्यस्यै पृथिव्यै मातुरुपस्थऽआवपति तस्मै पृथिवि शम्भवेति यथैवास्माऽइयꣳ शꣳ स्यादेवमेतदाह प्रजापतौ त्वा देवतायामुपोदके लोके निदधाम्यसाविति नाम गृह्णात्ययम्वै लोकऽउपोदकस्तदेनम्प्रजापतौ देवतायामुपोदके लोके निदधाति ॥ ३ ॥

(१)अथ कञ्चिदाह । (२) एतान्दिशमनवानन्त्सृत्वा कुम्भम्प्रक्षीयानपेक्षमाणऽएहीति तत्र जपति परं मृत्योऽअनुपरेहि पन्थां यस्तेऽ अन्यऽइतरो देवयानात् । चक्षुष्मते शृण्वते ते ब्रवीमि मा नः प्रजाꣳ रीरिषो मोत वीरानिति ज्योग्जीवातुमेवैभ्यऽ एतदाशास्ते तथो हैषामेकैकोऽपरो जरसाऽनुप्रैति ॥ ४ ॥

" सविता ते शरीराणि मातुरुपस्थ आवपतु "–इति । सवितैवास्यैतच्छरीराण्यस्यै पृथिव्यै मातुरुपस्थ आवपति । " तस्मै पृथिवि शं भव "–(वा. सं. ३५ । ५ ।) इति । यथैवास्मा इयं शं स्यात् । एवमेतदाह–" प्रजापतौ त्वा देवतायामुपोदके लोके निदधामि, असौ "–(वा. सं. ३५ । ६) इति नाम गृह्णाति । अयं वै लोक उपोदकः । तदेनं प्रजापतौ देवतायामुपोदके लोके निदधाति ॥ ३ ॥

अथ कंचिदाह–एतां दिशमनवानन् सृत्वा, कुंभं प्रक्षीय, अनपेक्षमाण एहीति । तत्र जपति–" परं मृत्यो अनुपरेहि पंथां यस्ते अन्य इतरो देवयानात् । चक्षुष्मते शृण्वते ते ब्रवीमि मा नः प्रजां रीरिषो मोत वीरान् "–(वा.सं.३५।७) इति । ज्योग्जीवातुमेवैभ्य एतदाशास्ते । तथा उ ह एषामेकैकोऽपरो जरसाऽनुप्रैति ॥ ४ ॥

' सविता ते ' । सविता ते शरीराणि आवपतु । " अथैनं यथाङ्गं कल्पयति " इति (कं.४) वचनात् । यथा एतस्मै प्रेताय इयं पृथिवी शं सुखं सुखहेतुः स्यात् । एवमेतदाह–तस्मै पृथिवि शं भवेति ॥ ३ ॥

अथ कंचिदाह–कंचित् प्रकृतं पुरुषमाह प्रेष्येत् । एतां दक्षिणां दिशम् अनवानन् अनुच्छ्वसन् सृत्वा गत्वा अस्थिकुंभं प्रक्षीय । "क्षि हिंसायाम्" (धा. पा. स्वा. प. ३१) प्रपूर्वः अत्र प्रक्षेपे वर्तते । प्रक्षिप्यानपेक्षमाण एहीति । स वै तद्यथाप्रेषितं करोति । तत्र च प्रत्यागते जपति " परं मृत्यो " इति ॥ ४ ॥

१–तूष्णीमन्यः कुम्भमाश्नौति दक्षिणाऽनवानन् सृत्वा । (का. श्रौ. सू. २१ । ७२ ।) ॥

२–प्रत्यागते परं मृत्यविति जपति (का. श्रौ. सू. २१ । ७३ ।) ॥

(त्यु) अथैनं यथाङ्गङ्कल्पयति । शम्वातः शꣳ हि ते घृणिः शन्ते भवन्त्विष्टकाः । शन्ते भवन्त्वग्नयः पार्थिवासो मा त्वाऽभिशूशुचन् ॥ कल्पन्तान्ते दिशस्तुभ्यमापः शिवतमास्तुभ्यम्भवन्तु सिन्धवः । अन्तरिक्षꣳ शिवन्तुभ्यं कल्पन्तां ते दिशः सर्वाऽइत्येतदेवास्मै सर्वङ्कल्पयत्येतदस्मै शिवङ्करोति ॥ ५ ॥

(त्यु) अथ त्रयोदश पादमात्र्यऽ इष्टकाऽअलक्षणाः कृता भवन्ति । याऽएवामूरग्नाविष्टकास्ताऽएता यजुषा ताऽउपदधाति तूष्णीमिमा दैवञ्चैव तत्पित्र्यञ्च व्याकरोति ॥ ६ ॥

त्रयोदश भवन्ति । त्रयोदश मासाः सम्वत्सरऽऋतुष्वेवैनमेतत्सम्वत्सरे प्रतिष्ठायाम्प्रतिष्ठापयति ॥ ७ ॥

पादमात्र्यो भवन्ति । प्रतिष्ठा वै पादः प्रतिष्ठामेवास्मै करोत्यलक्षणा भवन्ति तिरऽइव वै पितरस्तिरऽइव तद्यदलक्षणन्तिर एव तत्तिरः करोति ॥ ८ ॥

अथैनं यथाङ्गं कल्पयति–" शं वातः शं हि ते घृणिः शं ते भवंत्विष्टकाः । शं ते भवंत्वग्नयः पार्थिवासो मा त्वाऽभिशूशुचन् " " कल्पयन्तां ते दिशः तुभ्यमापः शिवतमाः तुभ्यं भवंतु सिंधवः । अंतरिक्षं शिवं तुभ्यं कल्पंतां ते दिशः सर्वाः "– इति । एतदेवास्मै सर्वं कल्पयति । एतदस्मै शिवं करोति ॥ ५ ॥

अथ त्रयोदश पादमात्र्य इष्टका अलक्षणाः कृता भवंति । या एवामूरग्नाविष्टकाः । ता एताः । यजुषा ता उपदधाति । तूष्णीमिमाः । दैवं चैव तत्पित्र्यं च व्याकरोति ॥ ६ ॥

त्रयोदश भवंति । त्रयोदश मासाः संवत्सरः । ऋतुष्वेवैनमेतत्संवत्सरे प्रतिष्ठायां प्रतिष्ठापयति ॥ ७ ॥

पादमात्र्यो भवंति । प्रतिष्ठा वै पादः । प्रतिष्ठामेवास्मै करोति । अलक्षणा भवंति । तिर इव वै पितरः । तिर इव तत् । यदलक्षणम् । तिर एव तत् तिरः करोति ॥ ८ ॥

अथैनं यथाङ्गं कल्पयति । एनमस्थ्यात्मकं प्रेतं यथांगं येषु अंगेषु यथा अयं बभूव तेषु तथैव इत्यस्मिन्नर्थे अव्ययीभावः समासः । ' एतदेवास्मै ' एतत् अस्मै प्रेताय सर्वं कल्पयति शिवं च करोति ॥ ५ ॥

अथ त्रयोदश । अलक्षणाः तल्लक्षणं लेखाः तद्रहिताः ॥ ६ ॥ ७ ॥ ८ ॥

१–शं वात इति यथांगं कल्पयित्वा निदधाति मध्ये तूष्णीम् । (का. श्रौ. सू. २१ । ७४ ।) ॥

तासामेकाम्मध्ये प्राचीमुपदधाति । सऽ आत्मा तिस्रः पुरस्तान्मूर्द्धसꣳहितास्तच्छिरस्तिस्रो दक्षिणतः स दक्षिणः पक्षस्तिस्रऽउत्तरतः सऽ उत्तरः पक्षस्तिस्रः पश्चात्तत्पुच्छꣳ सोऽस्यैष पक्षपुच्छवानात्मा यथैवाग्नेस्तथा ॥ ९ ॥

(थाऽथ) अथ प्रदरात्पुरीषमाहर्त्तवाऽ आह । (है) एतद्धास्याः पित्र्यमनतिरिक्तमथोऽअघमेव तद्बद्ध्रं करोत्यस्मिन्नु हैकेऽवान्तरदेशे कर्षूं खात्वा ततोऽभ्याहारङ्कुर्वन्ति परिकृषन्त्यु हैके दक्षिणतः पश्चादुत्तरतस्ततोऽभ्याहारङ्कुर्वन्ति स यथा कामयेत तथा कुर्य्यात् ॥ १० ॥

तासामेकां मध्ये प्राचीमुपदधाति, स आत्मा । तिस्रः पुरस्तात् मूर्द्धसंहिताः, तच्छिरः । तिस्रो दक्षिणतः, स दक्षिणः पक्षः । तिस्र उत्तरतः, स उत्तरः पक्षः । तिस्रः पश्चात्, तत्पुच्छम् । सोऽस्यैष पक्षपुच्छवानात्मा । यथैवाग्नेः तथा ॥ ९ ॥

अथ प्रदरात् पुरीषमाहर्तवा आह । एतत् ह अस्याः पित्र्यमनतिरिक्तम् । अथो अघमेव तत् बद्ध्रं करोति । अस्मिन्नु हैके–अवांतरदेशे कर्षूं खात्वा । ततोऽभ्याहारं कुर्वंति । परिकृर्षंति उ ह एके दक्षिणतः पश्चादुत्तरतः । ततोऽभ्याहारं कुर्वंति । स यथा कामयेत । तथा कुर्यात् ॥ १० ॥

तासामेकां मध्ये क्षेत्रस्य । प्राचीं प्राङ्मुखीम् । ननु च अलक्षणा एताः तासां कुतः प्राङ्मुखता स्यादेवं तर्हि प्राचीत्वेनात्रावांतरदिक्संक्तिमुपदधातीत्यर्थः । तिस्रः पुरस्तात् तस्या मध्यमायाः मूर्ध्ना शिरसा प्रेतस्य संहिताः सहिताः ताश्च पूर्वापराः परोचीः उपदधाति । तिस्रो दक्षिणोत्तराः पराचीः । एवं तिस्र उत्तरतः । तिस्रः पश्चात् पूर्वापराः ॥ ९ ॥

अथ[3] प्रदरात् पुरीषमाहर्तवा आहेति । प्रकर्षेण स्वयमेव दीर्णो भूप्रदेशः प्रदरः । तस्मात् पुरीषमाहर्तव्यमिति इत्येवं प्रेष्यते च । तथैतत् प्रेष्यः कुर्यात् । तेन च पुरीषेण श्मशानं कुर्यादिति गम्यते । एतद्ध अस्याः पृथिव्याः पित्र्यं पितृदेवत्यं अनतिरिक्तं असाधारणं स्थानं यः प्रदरः ।अघमेव अघचिह्नं बद्ध्रं आत्मनः गर्तमचलमेष करोतीत्यर्थः । अस्मिन् पूर्वदक्षिणमवान्तरदेशश्मशानमिते कर्षूं गर्तं खात्वा ततः 'अभ्याहारं' अभ्याहृत्याभ्याहृत्याभ्याहारं तेनाभ्याहृतेन पुरीषेण, एके श्मशानं कुर्वंति । उपहरणकालतश्चाभ्याहारं श्मशानं कुर्वंति ॥ १० ॥

१–इष्टकां मध्ये निदधाति तूष्णीम् । (का. श्रौ. सू. २१ । ७४) ॥

२–प्रतिदिशमन्तेषु पराचीस्तिस्रस्तिस्रोऽलक्षणाः पादमात्रीः । (का. श्रौ. सू. २१।७५) पराची रिति नाभ्यात्ममित्यर्थः ॥

३–प्रदरात्पुरीषमाहृत्य परिकृष्य वा सर्वतोऽपुरस्तात् । का. श्रौ. सू. । २१ । ७६ ।

(त्त) तद्वै नु महत्कुर्य्यात्। (न्ते) नेन्महदघङ्करवाणीति यावानुद्बाहुः पुरुषस्तावत्क्षत्त्रियस्य कुर्य्यान्मुखदघ्नं ब्राह्मणस्योपस्थदघ्नᳪँ स्त्रियाऽऊरुदघ्नम्वैश्यस्याष्ठीवदघ्नᳪँ शूद्रस्यैवम्वीर्य्या ह्येतऽइति ॥ ११ ॥

(त्यु) अधोजानु त्वेव कुर्य्यात्। (त्त) तथाऽपरस्माऽअवकाशन्न करोति तस्य क्रियमाणस्य तेजनीमुत्तरतो धारयन्ति प्रजा ह सा प्रजामेव तदुत्तरतो धारयन्ति तान्न न्यस्येद्धृत्वा वैनामूढ्वा वा गृहेषूच्छ्रयेत्प्रजामेव तद्गृहेषूच्छ्रयति ॥ १२ ॥

तद्वै न महत् कुर्यात्। नेन्महदघं करवाणीति। यावानुद्बाहुः पुरुषः। तावत् क्षत्रियस्य कुर्यात्। मुखदघ्नं ब्राह्मणस्य। उपस्थदघ्नं स्त्रियाः। ऊरुदघ्नं वैश्यस्य। अष्ठीवदघ्नं शूद्रस्य। एवंवीर्या ह्येत इति ॥ ११ ॥

अधोजानु त्वेव कुर्यात्। तथाऽपरस्मा अवकाशं न करोति। तस्य क्रियमाणस्य तेजनीमुत्तरतो धारयंति। प्रजा ह सा। प्रजामेव तदुत्तरतो धारयंति। तां न न्यस्येत्। धृत्वा वैनाम् ऊढ्वा वा गृहेषूच्छ्रयेत्। प्रजामेव तत् गृहेषूच्छ्रयति ॥ १२ ॥

तद्वै न महत्। उत्सेधवचनमेतत्। अष्ठीवदघ्नं शूद्रस्येति। यद्यपि शूद्रः अग्निचिन्नास्ति अग्निचितश्चायमधिकारः, तथापि परिमाणप्रसंगात्। अतः प्राप्तस्यामंत्रकस्य परिमाणमाह—एवंवीर्या ह्येत इति। उद्बाहुमात्रादिप्रकारं वीर्यं येषां ते एवंवीर्याः। यस्य यादृग्वीर्यं तस्य तस्य तादृगेव श्मशानं युक्तम् इत्यभिप्रायः ॥ ११ ॥

अधोजान्विति। अधोजानु कुर्यात् सर्वेषामेव। तथा अपरस्मै प्राप्यमाणाय अवकाशं न करोति। अत्युच्चैरपि हि जानुमात्रादूर्ध्वमतः तस्यैवावकाशः स्यात् इत्यभिप्रायः। तेजनीं वीरणमूलम्। प्रजा ह सा बहुप्रसवत्वात् बहुमूलत्वात्। प्रजामेव तदुत्तरतो धारयंतीति। उत्तरत एव हि पितृलोकस्य जीवलोक इति। तां तेजनीं समाप्ते कर्मणि नीचैः क्वचिदेव न क्षिपेत्। प्रजैव हि तथा क्षिप्ता स्यादित्याशयः। कथं तर्हि कुर्यात्। धृत्वा वा भूमिगतां तामाकृष्य। ऊढ्वा वा स्कंधेन। गृहेषूच्छ्रयेत् तस्मिन्नेव प्रकृते श्मशाने ॥ १२ ॥

१–ऊर्ध्वप्रमाणमास्यं ब्राह्मणस्य। उरः क्षत्रियस्य ऊर्ध्वबाहु वा। ऊरू वैश्यस्य। उपस्थः स्त्रियाः। जानु शूद्रस्य का. श्रौ. सू. ७८–८३। शूद्रो रथकार इति तु देवयाज्ञिकः। क्षत्रियस्योरुप्रमाण तु शाखांतरात्।

२–सर्वेषां वाऽधोजानु। का. श्रौ. सू. २१। ८४।

३–आमतस्तेजनीमुच्छ्रित्य न न्यस्येयद्गृहेषूच्छ्रयेत्। का. श्रौ. सू. २१। ५८।

कृत्वा युवान्वपति । (त्व) अघं मे यवयानित्यवकाभिः प्रच्छादयति कुम्मेऽसदिति दर्भैः प्रच्छादयत्यरूक्षताये ॥ १३ ॥

इति चतुर्थप्रपाठके षष्ठं ब्राह्मणम् ॥ १३।४।६॥ (८-३) ॥

अथैनच्छङ्कुभिः परिणिहन्ति । पालाशं पुरस्ताद्ब्रह्म वै पलाशो ब्रह्म-पुरोगवमेवैनꣲ स्वर्ग्गं लोकङ्गमयति शमीमयमुत्तरतः शं मेऽसदिति वारणम्पश्चादघं मे वारयाताऽइति वृत्रशङ्कुन्दक्षिणतोऽघस्यैवानत्ययाय ॥ १॥

कृत्वा यवान्वपति । अघं मे यवयानिति । अवकाभिः प्रच्छादयति । कं मेऽसदिति । दर्भैः प्रच्छादयति अरूक्षतायै ॥ १३ ॥

अथैनच्छंकुभिः परिणिहन्ति । पालाशं पुरस्तात् । ब्रह्म वै पलाशः । ब्रह्मपुरोगवमेवैनं स्वर्गं लोकं गमयति । शमीमयमुत्तरतः । शं मेऽसदिति । वारणं पश्चात् । अघं मे वारयाता इति । वृत्रशंकुं दक्षिणतः । अघस्यैवानत्ययाय ॥ १ ॥

यवान्वपति अघं मे । (कर्षनामयष्माये यूपरिति ?) । सूत्रकारस्तु–परिकर्षणपक्षे परिकृष्टे एव यवान् वपेदिति मेने । अवकाभिः कुशैश्च प्रच्छादयति प्रकृतं श्मशानम् ॥ १३ ॥

इति श्रीमदाचार्यहरिस्वामिनः कृतौ माध्यन्दिनीयशतपथब्राह्मणभाष्ये त्रयोदशे काण्डे अष्टमेऽध्याये तृतीयं ब्राह्मणम् ॥ १३ । ८ । ३ ॥

' अथैनत् ' । एनत् श्मशानम् । शंकुभिः परिणिहंति । हंतिः परिपूर्वो वेष्टने वर्तते । शंकुभिः निखातैः समंतात् वेष्टयति । कथं पुनस्तत् शंकुभिः परिणिहंतीत्यत आह । पालाशं शंकुं पुरस्तान्निहन्ति । ' ब्रह्मपुरोगवम् ' ब्रह्म पुरोगवमस्येति ब्रह्मपुरोगवः । पुरोगवं पुरोगामि । गमेर्डप्रत्ययोऽन्त्यलोपश्च द्रष्टव्यः । शं मे असदिति । शं सुखं मे मम असत् स्यात् इति प्रार्थयमानः । अघं मे वारयाता इति प्रार्थयमानः । वृत्रशंकुं "वृत्रो वै सोम आसीत्तस्यैतच्छरीरं बह्वीरापो यदश्मानः" इति वचनात् वृत्रः अश्मा अश्ममयः शंकुः वृत्रशंकुः । अघस्य श्मशानात्मकस्य अनत्ययाय स्थिरो ह्यश्मा तत् प्रतिबध्नातीत्यभिप्रायः ॥ १ ॥

१–परिकृष्टे चेद्यवान्वपेत् । का. श्रौ. सू. २१ । ८६ । यदि परिकृष्टात्पुरीषमाहृतं ततश्च तत्र यवानां वापः श्रुतिक्रमेणेति कर्कः अर्थात्प्रदरात्पुरीषाहरणपक्षे नेत्याशयः ।

२–अवकाभिः कुशैश्च प्रच्छाद्य । का. श्रौ. सू. २१ । ८५ ।

३–विहृत्य स्रक्तिषु शंकूनाहंति । का. श्रौ. सू. २१ । ६१ ।

४–पालाशं पुरस्ताच्छामीलवारणदेहशंकूनन्यासु । का. श्रौ. सू २१ । ६२ ।

(१ाथ) अथ दक्षिणतः परिवक्के खनन्ति । ते क्षीरेण चोदकेन च पूरयन्ति ते हैनममुष्मिँल्लोकेऽक्षिते कुल्येऽउपधावतः सप्तोत्तरतस्ता-ऽउदकेन पूरयन्ति न ह वै सप्त स्रवन्तीरघमत्येतुमर्हत्यघस्यैवान-त्ययाय ॥ २ ॥

(२ाश्म) अश्मनस्त्रींस्त्रीन्प्रकिरन्ति । ताऽअभ्युत्तरन्त्यश्मन्वती रीयते सꣳरभध्वमुत्तिष्ठत प्रतरता सखायः । अत्रा जहीमो ऽशिवा येऽअसञ्छि-वान्वयमुत्तरेमाभिवाजानिति यथैव यजुस्तथा बन्धुः ॥ ३ ॥

(३) अपामार्गैरपमृजते । (४तेऽघ) अघमेव तदपमृजतेऽपाघमप किल्बिषमप कृत्यामपो रपः । अपामार्ग त्वमस्मदप दुःष्वप्न्यꣳ सुवेति यथैव यजुस्तथा बन्धुः ॥ ४ ॥

अथ दक्षिणतः परिवक्के खनंति। ते क्षीरेण चोदकेन च पूरयन्ति। ते ह एनममुष्मिन् लोके-ऽक्षिते कुल्ये उपधावतः। सप्तोत्तरतः। ता उदकेन पूरयन्ति। न ह वै सप्त स्रवंतीरघमत्येतु-मर्हति। अघस्यैवानत्ययाय ॥ २ ॥

अश्मनस्त्रींस्त्रीन् प्रकिरंति। ता अभ्युत्तरन्ति–"अश्मन्वती रीयते संरभध्वमुत्तिष्ठत प्रतरता सखायः। अत्रा जहीमोऽशिवा ये असञ्छिवान्वयमुत्तरेमाभिवाजान्"–(वा. सं. ३५। १०) इति। यथैव यजुः। तथा बंधुः ॥ ३ ॥

अपामार्गैरपमृजते। अघमेव तदपमृजते। "अपाघमप किल्बिषमप कृत्यामपो रपः। अपामार्ग त्वमस्मदप दुःष्वप्न्यं सुव"–(वा. सं. ३५। ११) इति। यथैव यजुः। तथा बंधुः ॥ ४ ॥

अथ दक्षिणतः। श्मशानस्य परिवक्के ईषद्वक्रे कर्षू खनंति। ते ह एनं प्रेतं अमुष्मिन्परलोके अन्वागच्छतः। सप्त कर्षूरुत्तरतः श्मशानस्य खनंति ॥ २ ॥

अश्मनस्त्रींस्त्रीन्। अश्मनः पाषाणान् त्रीन् त्रीन् एकैकस्यां कर्ष्वां प्रक्षिपंति। ताः कर्षूः अभि तासामु-परिष्टात् उत्तरन्ति उल्लंघंति ग्रामं प्रति ॥ ३ ॥

अपामार्गैः। हस्तगृहीतैः। स्वशरीरं अपमृजते। "मृजू शुद्धौ" (धा. पा. अ. प. ५६) विकरण-व्यत्ययः पदव्यत्ययश्चात्र द्रष्टव्यः। आत्मानं शोधयंति। प्रकृताः पुरुषाः ॥ ४–७ ॥

१–दक्षिणतः कुटिले कर्षू खात्वा क्षीरोदकाभ्यां पूरयंति सप्तोत्तरतः प्राचीरुदकस्य। का. श्रौ. सू. २१। ८७।

२–त्रींस्त्रीनावपंत्यश्मनः। का. श्रौ. सू. २१। ८८। कर्षूष्विति शेषः यजमानामात्या इति च।

३–अभ्यधि गच्छंत्यश्मन्वतीति। का. श्रौ. सू. २१। ८९। कर्षूषु यजमानामात्याः ग्रामं प्रति च इति शेषत्रिकम्।

४–अपाघमित्यपामार्गैरपमृजते (का. श्रौ. सू. २१।९०) ॥

(ष्षु) यत्रोदकम्भवति तत्स्नान्ति । सुमित्रिया न ऽआपऽओषधयः सन्त्वित्यञ्जलिनाऽपऽउपाचति व्वज्रो वा ऽआपो व्वज्रेणैवैतन्मित्रधेयङ्कुरुते दुर्म्मित्रियास्तस्मै सन्तु योऽस्मान्द्वेष्टि यञ्च व्वयन्द्विष्मऽइति यामस्य दिशन्द्वेष्यः स्यात्तान्दिशम्परासिञ्चेत्तेनैव तम्पराभावयति ॥ ५ ॥

स यदि स्थावराऽआपो भवन्ति । स्थापयन्त्येषाम्पाप्मानमथ यदि व्वहन्ति व्वहन्त्येवैषाम्पाप्मानꣳ स्नात्वाऽहतानि व्वासाꣳसि परिधाया-नडुहः पुच्छमन्वारभ्यायन्त्याग्नेयो वाऽअनड्वानाग्निमुखाऽएव तत्पितृलो-काज्जीवलोकमभ्यायन्त्यथोऽअग्निर्व्वै पथोऽतिवोढा सऽएनानतिवहति ॥६॥

(त्यु) उद्वयन्तमसस्परीति । (त्ये) एतामृचञ्जपन्तो यन्ति तत्तमसः पितृलोकादादित्यञ्ज्योतिरभ्यायन्ति तेभ्यऽआगतेभ्यऽआञ्जनाभ्यञ्जने प्रय-च्छन्त्येष ह मानुषोऽलङ्कारस्तेनैव तम्मृत्युमन्तर्द्धते ॥ ७ ॥

यत्रोदकं भवति। तत् स्नांति। " सुमित्रिया न आप ओषधयः संतु "–इत्यंजलिना-ऽपउपाचति। वज्रो वा आपः। वज्रेणैवैतन्मित्रधेयं कुरुते। " दुर्मित्रियास्तस्मै संतु योऽस्मान् द्वेष्टि यं च वयं द्विष्मः "–(वा. सं. ३५।१२) इति। यामस्य दिशं द्वेष्यः स्यात्। तां दिशं परासिंचेत्। तेनैव तं पराभावयति ॥ ५ ॥

स यदि स्थावरा आपो भवंति। स्थापयंत्येषां पाप्मानम्। अथ यदि वहंति। वहंत्येवैषां पाप्मा-नम्। स्नात्वाऽहतानि वासांसि परिधाय। अनडुहः पुच्छमन्वारभ्यायंति। आग्नेयो वा अनड्वान्। अग्निमुखा एव तत् पितृलोकाज्जीवलोकमभ्यायंति। अथो अग्निर्वै पथोऽतिवोढा। स एना-नतिवहति ॥ ६ ॥

उद्वयं तमसस्परीत्येतामृचं जपंतो यंति। तत्तमसः पितृलोकादादित्यं ज्योतिरभ्यायंति। तेभ्य आगतेभ्य आंजनाभ्यंजने प्रयच्छंति। एष ह मानुषोऽलंकारः। तेनैव तं मृत्युमतं-र्दधते ॥ ७ ॥

१–सुमित्रिया न इति स्नात्वाऽहतवाससोऽनडुत्पुच्छमन्वारभ्यानडूवाहामिति (का. श्रौ. सू. २१।६१)

२–उद्वयमित्यागच्छंति। (ग्रामं प्रतीत्यध्याहारः।) का. श्रौ. सू. २१। ६१। आंजनाभ्यंजने कृत्वा। का. श्रौ. सू. २१।६३। आंजनमक्ष्णोरभ्यंजनं च पादयोरिति कर्कः।

(ते॒ऽथ) अथ॑ गृ॒हेष्व॒ग्नि॒ꣳ समाधाय । वारणान्परिधीन्परिधाय वार॑-
णेन स्रुवेणाग्नय॑ऽआयुष्मत॑ऽआहुतिं जुहोत्य॒ग्निर्वाऽआयुष्मानायुष॑ऽईष्टे
तमेवैभ्य॑ऽआयुर्याचत्यग्न॒ऽआयूꣳषि पवस॑ऽइति पुरो॒ऽनुवाक्याभा-
जनम् ॥ ८ ॥

(मु) अथ॑ जुहोति । (त्या) आयुष्मानग्ने ह॒विषा वृधानो घृतप्र॑-
तीको घृतयोनिरेधि । घृतम्पीत्वा मधु चारु गव्यम्पितेव पुत्रमभिरक्षता-
दिमान्त्स्वाहेति यथै॒वैनानभिरक्षेद्यथाऽभिगोपायेदेवमेतदाह ॥ ९ ॥

तस्य॑ पुराणो॒ऽनड्वान्दक्षिणा । पुराणा यवाः पुराण्यासन्दी सोपबर्हणै-
षाऽन्वादिष्टा दक्षिणा कामं यथाश्रद्धम्भूयसीर्दद्यादिति न्वग्निचितः ॥ १० ॥

अथ गृहेष्वग्निं समाधाय, वारणान्परिधीन्परिधाय, वारणेन स्रुवेणाग्नय आयुष्मत आहुतिं जुहोति। अग्निर्वा आयुष्मान् आयुष ईष्टे। तमेवैभ्य आयुर्याचति। "अग्न आयूंषि पवसे"–(वा. सं. ३५ । १६) इति पुरोऽनुवाक्याभाजनम् ॥ ८ ॥

अथ जुहोति–" आयुष्मानग्ने हविषा वृधानो घृतप्रतीको घृतयोनिरेधि । घृतं पीत्वा मधु चारु गव्यं पितेव पुत्रमभिरक्षतादिमान्त्स्वाहा "–(वा. सं. ३५ । १७) इति। यथैवैनानभिरक्षेत् । यथाऽभिगोपायेत् । एवमेतदाह ॥ ९ ॥

तस्य पुराणोऽनड्वान् दक्षिणा । पुराणा यवाः । पुराण्यासंदी सोपबर्हणा । एषाऽन्वादिष्टा दक्षिणा । कामं यथाश्रद्धं भूयसीर्दद्यात् । इति नु अग्निचितः ॥ १० ॥

अथ गृहेष्वग्निम्[२]। अग्निस्तस्यैव प्रेतस्यौपासनः[३] । स हि एवमर्थमेव धारणीयः । अद्वारेण[४] च प्रेतस्यैवौपासनः सकलो निरसनीयः इति श्रुत्यंतरात् ॥ ८ ॥ ९ ॥

तस्य पुराणोऽनड्वान् दक्षिणा[५] । तस्य कर्मणः पुराणो वृद्धः अनड्वान् दक्षिणा । सोपबर्हणा । उप-बर्हणं येन उपबृह्यते तदपि पुराणमेव जीर्णं यस्या आसंद्याः सा दक्षिणा इति च । एवं तावदग्निचितः श्मशान-करणमुक्तम् ॥ १० ॥

१–भूयसीश्चेच्छन् का. श्रौ. सू. २१ । ९८ ।

२–औपासनं परिस्तीर्य वारणान्परिधीन्परिधाय वारणेन स्रुवेणैकामाहुतिं जुहोत्यग्न आयु... का. श्रौ. सू. २१ । ९३ ।

३–अत्र कर्कस्तु औपासनश्चात्र कर्तृसंबंधी न प्रेतसंबंधी । तेन हि असौ विहितकर्मानुष्ठानसाधनभावायाहित इति ।

४–अद्वारेणौपासनं निरस्यति क्रव्यादमिति । (का. श्रौ. सू. २१ । ९५ ।) कर्कस्तु–औपासनश्च यस्मिन्नाहुतिर्हुता स ... ग्रहीतव्यो न प्रेतौपासनः । तस्यैकदेशं निरस्यतीति ।

५–आसन्दी सोपधाना दक्षिणाऽनड्वान्यवाश्च सर्वे पुराणम् । (का. श्रौ. सू. २१ । ९७) ॥

(तोऽथा) अथानग्निचितः । (तुऽए) एतदेव भूमिजोषणमेतत्समानं कर्म्म यदन्यदग्निकर्म्मणः कुर्य्यादाहिताग्नेः शर्कराऽइत्यु हैकऽआहुर्य्याऽएवामूरग्न्याधेयशर्क्करास्ताऽएताऽइति न तथा कुर्य्यादित्येकऽईश्वरो हैताऽअनग्निचितꣳ सन्तप्तोरिति स यथा कामयेत तथा कुर्य्यात् ॥ ११ ॥

(न्म) मर्य्यादायाऽ एव लोष्टमाहृत्य । (त्या) अन्तरेण निदधातीमञ्जीवेभ्यः परिधिन्दधामि मैषान्नु गादपरोऽअर्थमेतम् । शतञ्जीवन्तु शरदः पुरूचीरन्तर्मृत्युन्दधतां पर्व्वतेनेति जीवेभ्यश्चैवैताम्पितृभ्यश्च मर्य्यादाङ्करोत्यसम्भेदाय तस्मादु हैतज्जीवाश्च पितरश्च न सन्दृश्यन्ते ॥ १२ ॥

इति चतुर्थप्रपाठके सप्तमं ब्राह्मणम् ॥ १३।४।७ ॥ (८–४) ॥

इति चतुर्थप्रपाठकः समाप्तः ॥ १३–४ ॥ कण्डिकासंख्या ॥ १०० ॥

इत्यष्टमोऽध्यायश्च समाप्तः ॥ १३ । ८ ॥ कण्डिकासंख्या ॥ ९४ ॥

अस्मिन्काण्डे कण्डिकासंख्या ४३१ ॥ ब्राह्मणानि च ॥ ४३ ॥

इत्यश्वमेधसंज्ञकं त्रयोदशं काण्डं समाप्तम् ॥ १३ ॥

अथानग्निचितः । एतदेव भूमिजोषणम् । एतत् समानं कर्म । यदन्यदग्निकर्मणः कुर्यात् । आहिताग्नेः शर्करा इत्यु हैक आहुः । या एवामूरग्न्याधेयशर्कराः । ता एता इति । न तथा कुर्यादित्येके । ईश्वरो हैता अनग्निचितं संतप्तोरिति । स यथा कामयेत । तथा कुर्यात् ॥ ११ ॥

मर्यादाया एव लोष्टमाहृत्य अंतरेण निदधाति–" इमं जीवेभ्यः परिधिं दधामि मैषां नु गादपरो अर्थमेतम् । शतं जीवंतु शरदः पुरूचीरंतर्मृत्युं दधतां पर्वतेन "–(वा. सं. ३५ । १५) इति । जीवेभ्यश्चैतां पितृभ्यश्च मर्यादां करोति । असंभेदाय । तस्मादु ह एतत् जीवाश्च पितरश्च न संदृश्यंते ॥ १२ ॥

अथानग्निचितः । वक्ष्यति शेषं अग्निकरणं परिश्रित्परिधानं सर्वौषधवपनं इष्टकोपधानं च, एतस्मादन्यत् यत् तत् समानं, (ससर्वता आहिताग्नेस्तु १.) । अनग्निचितः श्मशाने शर्करा इष्टकास्थाने उपधेया इत्येके ॥ ११ ॥ १२ ॥

१–ग्रामश्मशानान्तरे मर्यादालोष्टं निदधाति–इमं जीवेभ्य इति । अनेन मन्त्रेण । (का. श्रौ. सू. २१ । ९२)

२–शर्करा अनग्निचितः । का. श्रौ. सू. २१ । ७७ ।

इति श्रीमदाचार्यहरिस्वामिनः कृतौ माध्यन्दिनीयशतपथब्राह्मणभाष्ये त्रयोदशे काण्डे अष्टमेऽध्याये चतुर्थं ब्राह्मणम् ॥ (१३ । ८ । ४) ॥

नागस्वामिसुतोऽवन्त्यां पाराशर्यो वसन्हरिः ।
श्रुत्यर्थं दर्शयामास शक्तितः पौष्करीयकः ॥ १ ॥
श्रीमतोऽवन्तिनाथस्य विक्रमार्कस्य भूपतेः ।
धर्माध्यक्षो हरिस्वामी व्याख्यच्छातपथीं श्रुतिम् ॥ २ ॥
भूभर्त्रा विक्रमार्केण क्लृप्तां कनकवेदिकाम् ।
दानायाध्यस्य कृतवान् श्रुत्यर्थविवृतिं हरिः ॥ ३ ॥

इति श्रीसर्वविद्यानिधानकवीन्द्राचार्यसरस्वतीनां श्रीहरिस्वामिनां कृतौ माध्यन्दिनीयशतपथब्राह्मणभाष्ये त्रयोदशे काण्डेऽष्टमोऽध्यायः समाप्तः ॥ १३–८ ॥

इति परिशेषाख्ये भागेऽश्वमेधसंज्ञकं त्रयोदशं काण्डं समाप्तम् ॥ १३ ॥

इति माध्यन्दिनीये शतपथब्राह्मणे परिशेषाख्ये भागे हरिस्वामिभाष्यसमेते अश्वमेधनामकं त्रयोदशं काण्डं समाप्तम् ॥ १३ ॥

ॐ

श्रीमद्वाजसनेयिमाध्यन्दिन-

शतपथब्राह्मणम् ।

सायणभाष्यसमेतम् ।

तत्र

चतुर्दशे काण्डे १४-

आद्यं प्रवर्ग्यकाण्डम् ।

अथोत्तराख्ये भागे बृहदारण्यकाख्यं चतुर्दशं काण्डम्।

तत्रावान्तरभूतं प्रथमम् अध्यायत्रयात्मकं द्विप्रपाठकं प्रवर्ग्यनामकं काण्डम्।

अथ प्रथमोऽध्यायः प्रारभ्यते।

तत्र प्रथमं ब्राह्मणम्।

प्रथमप्रपाठके च प्रथमं ब्राह्मणम्।

देवा ह वै सत्रं निषेदुः। (१) अग्निरिन्द्रः सोमो मखो विष्णुर्विश्वे देवाऽअन्यत्रैवाश्विभ्याम् ॥ १ ॥

(न्ते) तेषाङ्कुरुक्षेत्रन्देवयजनमास। तस्मादाहुः कुरुक्षेत्रन्देवानान्देवयजनमिति तस्माद्यत्र क्व च कुरुक्षेत्रस्य निगच्छति तदेव मन्यतऽइदं देवयजनमिति तद्धि देवानान्देवयजनम् ॥ २ ॥

अथ-प्रवर्ग्यसृष्टिप्रतिपादकं ब्राह्मणम्।

देवा ह वै सत्रं निषेदुः। अग्निरिन्द्रः सोमो मखो विष्णुर्विश्वे देवाः। अन्यत्रैवाश्विभ्याम् ॥१॥ तेषां कुरुक्षेत्रं देवयजनमास। तस्मादाहुः। कुरुक्षेत्रं देवानां देवयजनमिति। तस्माद्यत्र क्व च

श्रीसायणाचार्यकृतं भाष्यम्।

यस्य निःश्वसितं वेदा यो वेदेभ्योऽखिलं जगत्। निर्ममे तमहं वन्दे विद्यातीर्थमहेश्वरम् ॥ १ ॥

१-अस्य चतुर्दशकाण्डस्य "उत्तरकाण्डम्" इति नामान्तरम्। "ततः षष्टिपथं कृत्स्नं सरहस्यं ससंग्रहम्। चक्रे सपरिशेषं च सोत्तरं च प्रहर्षतः" ॥ (म. भा. शां. प. मो. ध. ४३। १६) इत्यत्र प्रतिपादितम् ॥

२-अस्य प्रवर्ग्यकाण्डस्य कर्मशेषत्वेऽपि बृहदारण्यके पाठः, दिवाकीर्त्यमानत्वारण्येऽनूच्यमानत्वादिधर्मविशेषप्राप्त्यर्थामिति विज्ञेयम् ॥

३-चतुर्दशकाण्डे केवलं तदन्तर्गतस्य प्रवर्ग्यकाण्डस्य भाष्यमुपलब्धम्। तदग्रिममधुयाज्ञवल्क्यखिलेतिकाण्डत्रयस्य भाष्यं विद्यत इति "उषा वा अश्वस्य" "नैवेह किञ्चनाग्रे" (श.प १०।६।४।५) इत्येतद्ब्राह्मणद्वयमधिकृत्य "अक्षरार्थस्तु उत्तरत्र बृहदारण्ये" इति सायणाचार्यैरेवमुक्तत्वाज्ज्ञायते। तच्च काण्वपाठानुसारि वा माध्यन्दिनपाठानुसारीति न निश्चेतुं शक्यते। इदानीं तदनुपलब्धेः। यदि पुनर्लभ्येत तदा पुनर्मुद्रणावसरे संयोजयिष्याम इति ॥

४-अस्य ब्राह्मणस्य प्रथमादिद्वादश्यन्तानां कण्डिकानां सायणभाष्यं महता प्रयत्नेनान्विष्यापि नाधिगतम्। एतदपि केषांचन महाभागानां सविधेऽस्ति चेत्प्रेषयन्तु ते पुनर्मुद्रणावसरेऽवश्यं संयोजयिष्यामः। इति ॥

(न्तु) तुऽ आसत । श्रियङ्गच्छेम युशः स्यामान्नादाः स्यामेति तथोऽ-
एवेमे सत्रमासते ये सत्रमासते श्रियङ्गच्छेम यशः स्यामान्नादाः स्यामेति॥३॥

ते होचुः । (य्यो) यो नः श्रमेण तपसा श्रद्धया यज्ञेनाहुतिभिर्य्यज्ञ-
स्योदृचम्पूर्व्वोऽवगच्छात्स नः श्रेष्ठोऽसत्तदु नः सर्व्वेषाᳪं सहेति
तथेति ॥ ४ ॥

तद्विष्णुः प्रथमः प्राप । स देवानाᳪं श्रेष्ठोऽभवत्तस्मादाहुर्व्विष्णु-
र्देवानाᳪं श्रेष्ठऽ इति ॥ ५ ॥

स यः स व्विष्णुर्य्यज्ञः सः । (स) स यः स यज्ञोऽसौ सऽ आदित्यस्तद्धेदं
यशो व्विष्णुर्न्न शशाक संयन्तुं तदिदमप्येतर्हि नैव सर्व्वऽइव यशः
शक्नोति संयन्तुम् ॥ ६ ॥

(ᳪं) स तिसृधन्वमादायापचक्राम । स धनुरार्त्न्या शिरऽउपस्तभ्य
तस्थौ तन्देवाऽअनभिधृष्णुवन्तः समन्तम्परिण्यविशन्त ॥ ७ ॥

ता ह व्वम्र्यऽ ऊचुः । (रि) इमा वै व्वम्र्यो यदुपदीका योऽस्य ज्याम-
प्यद्यात्किमस्मै प्रयच्छेतेत्यन्नाद्यमस्मै प्रयच्छेमाऽपि धन्वन्नपोऽधि-
गच्छेत्तथाऽस्मै सर्व्वमन्नाद्यं प्रयच्छेमेति तथेति ॥ ८ ॥

कुरुक्षेत्रस्य निगच्छति । तदेव मन्यते इदं देवयजनमिति । तद्धि देवानां देवयजनम् ॥ २ ॥

त आसत । श्रियं गच्छेम । यशः स्याम । अन्नादाः स्यामेति ॥ ३ ॥

ते होचुः । यो नः श्रमेण तपसा श्रद्धया यज्ञेनाहुतिभिर्यज्ञस्योदृचं पूर्वोऽवगच्छात् । स नः श्रेष्ठोऽसत् । तदु नः सर्वेषां सहेति । तथेति ॥ ४ ॥

तद्विष्णुः प्रथमः प्राप । स देवानां श्रेष्ठोऽभवत् । तस्मादाहुः—विष्णुर्देवानां श्रेष्ठ इति ॥ ५ ॥

स यः स विष्णुः । यज्ञः सः । स यः स यज्ञः । असौ सऽ आदित्यः । तद्धेदं यशो विष्णुर्न शशाक संयंतुम् तदिदमप्येतर्हि नैव सर्व इव यशः शक्नोति संयन्तुम् ॥ ६ ॥

स तिसृधन्वमादायापचक्राम । स धनुरार्त्न्या शिर उपस्तभ्य तस्थौ । तं देवा अनभिधृष्णुवंतः समंतं परिण्यविशंत ॥ ७ ॥

ता ह वम्र्य ऊचुः । इमा वै वम्र्यो यदुपदीकाः । योऽस्य ज्यामप्यद्यात् । किमस्मै प्रयच्छे-तेति । अन्नाद्यमस्मै प्रयच्छेम । अपि धन्वन्नपोऽधिगच्छेत् । तथाऽस्मै सर्वमन्नाद्यं प्रयच्छेमेति । तथेति ॥ ८ ॥

तस्योपपरासृत्य । ज्यामपि जक्षुस्तस्याञ्छिन्नायान्धनुरात्न्यौ विष्फुरन्त्यौ विष्णोः शिरः प्रचिच्छिदतुः ॥ ९ ॥

(स्त) तद्घृङ्ङिति पपात । तत्पतित्वाऽसावादित्योऽभवदथेतरः प्राङेव प्रावृज्यत तद्यद्घृङ्ङित्यपतत्तस्माद्घर्म्मोऽथ यत्प्रावृज्यत तस्मात्प्रवर्ग्यः ॥ १० ॥

(स्तु) ते देवाऽअब्रुवन् । (न्म) महान्बत नो वीरोऽपादीति तस्मान्महावीरस्तस्य यो रसो व्यक्षरत्तम्पाणिभिः सम्ममृजुस्तस्मात्सम्राट् ॥ ११ ॥

(द्तं) तन्देवाऽअभ्यसृज्यन्त । यथा वित्तिं वेत्स्यमानाऽ एवन्तमिन्द्रः प्रथमः प्राप तमन्वङ्गमनु न्यपद्यत तम्पर्य्यगृह्णात्तम्परिगृह्येदं यशोऽभवद्यदिदमिन्द्रो यशो यशो ह भवति यऽएवम्वेद ॥ १२ ॥

सऽउऽएव मखः स विष्णुः । (स्तु) ततऽइन्द्रो मखवानभवन्मखवान्ह वै तम्मघवानित्याचक्षते परोऽक्षम्परोऽक्षकामा हि देवाः ॥ १३ ॥

तस्योपपरासृत्य ज्यामपि जक्षुः । तस्यां छिन्नायां धनुरात्न्यौ विष्फुरंत्यौ विष्णोः शिरः प्रचिच्छिदतुः ॥ ९ ॥

तद्घृङ्ङिति पपात । तत्पतित्वाऽसावादित्योऽभवत् । अथेतरः प्राङेव प्रावृज्यत । तद्यद्घृङ्ङित्यपतत् । तस्माद्घर्मः । अथ यत्प्रावृज्यत । तस्मात्प्रवर्ग्यः ॥ १० ॥

ते देवा अब्रुवन् । महान्बत नो वीरोऽपादीति । तस्मान्महावीरः । तस्य यो रसो व्यक्षरत् । तं पाणिभिः संममृजुः । तस्मात्सम्राट् ॥ ११ ॥

तं देवा अभ्यसृज्यंत । यथा विर्त्तिं वेत्स्यमानाः । एवम् तमिन्द्रः प्रथमं प्राप । तमन्वंगमनु न्यपद्यत । तं पर्यगृह्णात् । तं परिगृह्य इदं यशोऽभवत् । यदिदमिन्द्रो यशः । यशो ह भवति । य एवमेतद्वेद ॥ १२ ॥

स उऽ एव मखः । स विष्णुः । तत इन्द्रो मखवानभवत् । मखवान् ह वै । तं मघवानित्याचक्षते परोऽक्षम् परोऽक्षकामा हि देवाः ॥ १३ ॥

तमिन्द्रं मघवानिति वर्गद्वितीयस्य स्थाने वर्गचतुर्थमक्षरं प्रक्षिप्य 'परोऽक्षं' पारोक्ष्येण 'आचक्षते' लोकाः कथयन्ति । 'हि' यस्मात् 'देवाः परोऽक्षकामाः' परोऽक्षं कामयमानाः भवंति । तस्मात्परोऽक्षमाचक्षते । लोकेऽपि वयोविद्यादिना महीयांसः प्रत्यक्षं स्वनामग्रहणे कुप्यंति । अतस्तत्प्रतिहाराय औपचारिकं नामांतरं एकं पारिभाषिकं शिष्यादयो व्यवहरंति । तस्माद्देवानामपि मुखतो नामग्रहणे प्रीत्यभावस्य संभाव्यमानत्वात्

(स्ता) ताभ्यो वम्रीभ्योऽन्नाद्यम्प्रायच्छन् । (न्ना) आपो वै सर्व्वमन्नं ताभिर्हीदमभिक्नूयमिवादन्ति यदिदं किञ्चादन्ति ॥ १४ ॥

(त्यु) अथेमं विष्णुं यज्ञं त्रेधा व्यभजन्त । वसवः प्रातःसवनꣳ रुद्रा माध्यन्दिनꣳ सवनमादित्यास्तृतीयसवनम् ॥ १५ ॥

(म) अग्निः प्रातःसवनम् । (मि) इन्द्रो माध्यन्दिनꣳ सवनं विश्वे देवास्तृतीयसवनम् ॥ १६ ॥

(ङ्गा) गायत्री प्रातःसवनम् । (न्त्रि) त्रिष्टुम्माध्यन्दिनꣳ सवनं जगती तृतीयसवनं तेनापशीर्ष्णा यज्ञेन देवा ऽअर्चन्तः श्राम्यन्तश्चेरुः ॥ १७ ॥

ताभ्यो वम्रीभ्योऽन्नाद्यं प्रायच्छन् । आपो वै सर्वमन्नम् । ताभिर्हीदमभिक्नूयमिवादंति । यदिदं किंचादंति ॥ १४ ॥

अथेमं विष्णुं यज्ञं त्रेधा व्यभजंत । वसवः प्रातःसवनम् । रुद्रा माध्यंदिनं सवनम् । आदित्यास्तृतीयसवनम् ॥ १५ ॥

अग्निः प्रातःसवनम् । इन्द्रो माध्यंदिनं सवनम् । विश्वे देवास्तृतीयसवनम् ॥ १६ ॥

गायत्री प्रातःसवनम् । त्रिष्टुप् माध्यंदिनं सवनम् । जगती तृतीयसवनम् । तेनापशीर्ष्णा यज्ञेन देवा अर्चंतः श्राम्यंतश्चेरुः ॥ १७ ॥

तदानीं नाम केनचिदक्षरेण व्यत्यस्य प्रयोक्तव्यमित्यर्थः । एवं कृतकार्याणां वम्रीणां देवैः यथाप्रतिज्ञातं वरो दत्त इत्याह ॥ १३ ॥

ताभ्यो वम्रीभ्योऽन्नाद्यं प्रायच्छन्नापो वै सर्वमन्नं ताभिर्हीदमभिक्नूयमिवादंतीति । 'ताभ्यः' धनुश्छिद्भ्यः 'वम्रीभ्यः' वमनशीलाभ्यः उपदीकाभ्यः 'अन्नाद्यं' अत्तुमर्हं अन्नम् पूर्वं प्रतिज्ञातं देवाः 'प्रायच्छन्' दत्तवंतः । किं तत् अन्नाद्यम् इत्युच्यते । 'आपो वै' आपो वै 'सर्वमन्नम्' । सर्वेषामन्नानां अविकारत्वात् कारणभूतासु अप्सु सर्वमन्नमवस्थितम् । तथाच अब्रूपमेव अन्नाद्यं दत्तमित्यर्थः । इतरथा व्रीहियवानामेकैकस्य प्रदाने तस्यान्नस्य कार्त्स्न्यं न स्यात् । कथमेतदवगम्यत इत्युच्यते । ताभिरद्भिर्हि 'इदं' सर्वं वस्तुजातं 'अभिक्नूयमिव' "क्नूयी शब्दे उन्दे च" (धा.पा.भ्वा.आ.४८६) आर्द्रीकृत्यैव 'अदंति' भक्षयंति । 'यदिदं किंच' वस्तुजातं इदानीम् उपदीका 'अदंति' । तत्सर्वं उदकैः संसिच्य भक्षयंति । तस्मात् सर्वान्नकारणभूतमुदकं देवैः पाक् आभ्यो दत्तमिति गम्यते ॥ १४ ॥

एवमुपायेन प्राप्तस्य यज्ञस्य देवैः कृतं विभागं दर्शयति—**अथेमं विष्णुं यज्ञं त्रेधा व्यभजंत । वसवः प्रातःसवनमिति** । अथानंतरं 'इमं' छिन्नशिरस्कं विष्ण्वात्मकं 'यज्ञं' देवास्त्रेधा 'व्यभजंत' । तत्र 'वसवः' 'प्रातःसवनं' स्वभागत्वेन स्वीकृतवंतः । तत्रापि 'अग्निः' प्राधान्येन तत् 'प्रातःसवनं' पर्यगृह्णात् । तथा छंदसां मध्ये 'गायत्री' छंदोऽभिमानिनी देवता तत्प्रातःसवनं स्वभागत्वेन स्वीकृतवती ।

दध्यङ्ह वाऽआथर्व्वणः । (ऽ) एतच्छुक्रमेतं यज्ञम्विदाञ्चकार यथायथैतद्यज्ञस्य शिरः प्रतिधीयते यथैष कृत्स्नो यज्ञो भवति ॥ १८ ॥

स हेन्द्रेणोक्तऽआस । (सै) एतञ्चेदन्यस्माऽअनुब्रूयास्ततऽएव ते शिरश्छिन्द्यामिति ॥ १९ ॥

तदु हाश्विनोरनुश्रुतमास । दध्यङ्ङु ह वाऽआथर्व्वणऽएतच्छुक्र-

दध्यङ् ह वा आथर्वण एतं शुक्रमेतं यज्ञं विदाञ्चकार । यथायथैतद्यज्ञस्य शिरः प्रतिधीयते । यथैष कृत्स्नो यज्ञो भवति ॥ १८ ॥

स हेन्द्रेणोक्त आस । एतं चेदन्यस्मा अनुब्रूयाः । तत एव ते शिरश्छिन्द्यामिति ॥ १९ ॥

तदु हाश्विनोरनुश्रुतमास । दध्यङ् उ ह वा आथर्वण एतं शुक्रमेतं यज्ञं वेद । यथायथैतद्यज्ञस्य शिरः प्रतिधीयते । यथैष कृत्स्नो यज्ञो भवतीति ॥ २० ॥

एवमेवोत्तरयोरपि सवनयोः गणदेवताप्रधानदेवताछंदसां संबंधः प्रतिपत्तव्यः । स्पष्टमन्यत् । एवं यज्ञं विभज्य देवैः कृतं दर्शयति–**तेनापशीर्ष्णा यज्ञेन देवा अर्चंतः श्राम्यंतश्चेरुरि**ति । 'अपशीर्ष्णा' अपगतशिरस्केन प्रवर्ग्यविरहितेन विभक्तेन सवनेन 'अर्चंतः' पूजयंतः 'देवाः' सत्रासनं कुर्वंतः फलाभावात् केवलं 'श्राम्यंतः' प्रयासमेव प्राप्नुवंतः चेरुश्चरितवंतः । फलप्राप्त्यक्षमं अपगतशिरस्कं तं यज्ञं एवं सवनशो विभज्य अतिष्ठन्नित्यर्थः । तदेतत् स्पष्टीकृतं तैत्तिरीयेण–"तेनापशीर्ष्णा यज्ञेन यजमाना नाशिषोऽवारुंन्धत । न सुवर्गं लोकमभ्यजयन्" (तै. आ. ५ । १ । ५) इति ॥ १५–१७ ॥

ननु–एवं छिन्नशिरसो यज्ञस्य फलसाधनत्वाभावात् तदनुष्ठानमेव सर्वत्र उत्सीदेत् इत्याशंक्य कश्चित् ऋषिः तत्संधानविद्याकुशल आसीदित्याह–**दध्यङ् ह वा** इति । 'आथर्वणः' अथर्वणः पुत्रः 'दध्यङ् ह' एतत्संज्ञः खलु पुरा ऋषिः 'शुक्रं' निर्मलं सूर्यात्मना दीप्यमानं 'एतं' प्रवर्गाख्यं यज्ञस्य मूर्द्धानं 'एतं' सवनत्रयात्मकं प्रागुक्तं अपगतशिरस्कं यज्ञं 'विदांचकार' सम्यक् अजानात् । 'यथायथा' येनयेन च उपायेन 'एषः' यज्ञः 'कृत्स्नः' संपूर्णावयवः शिरश्छेदात् प्रागिव सम्यक् फलजनको भवति । तथा 'एतत्' उभयं पुरा ज्ञातवान् इत्यर्थः ॥ १८ ॥

स च पुरा आदित्यात्मना यज्ञशिरःसंधानविद्याम् इंद्राय उपदिदेश । स च इंद्रः एवं अजानात् । यदि अयम् इमां विद्यामन्यस्मै अपि उपदिशेत् । सोऽपि मद्विधः स्यादिति । ततस्तमपि इतः परं एषा न कस्यापि उपदेष्टव्या इति आज्ञापितवान् इत्याह–**स हेन्द्रेणोक्त आस । एतं चेदन्यस्माऽअनुब्रूयाः । तत एव ते शिरश्छिन्द्यामिती**ति । 'स' खलु 'दध्यङ्' पुरा इंद्रस्य विद्यामुपदिश्य तेनेन्द्रेणोक्तः 'आस' बभूव । कथमिति तदुच्यते 'एतं' प्रवर्ग्यं 'अन्यस्मै' मद्व्यतिरिक्ताय कस्मैचित् 'अनुब्रूयाश्चेत्' 'तत एव' अनंतरमेव आगत्य ते तव 'शिरश्छिन्द्याम्' छिन्नं कुर्यामिति ॥ १९ ॥

तद्ध हाश्विनोरनुश्रुतमासेति । तत्तस्मात् इंद्रोपदेशात् पुरैव खलु अश्विनोरश्विदेवयोः तद्विद्यादानं 'अनु-

मेतं युज्ञम्वेद युथायथैतद्यज्ञस्य शिरः प्रतिधीयते युथैष कृत्स्नो यज्ञो भवतीति ॥ २० ॥

तौ हैत्योचतुः । (रु) उुप त्वाऽयावेति किमनुवक्ष्यमाणावित्येतꣳ शुक्र-मेतं यज्ञं युथायथैतद्यज्ञस्य शिरः प्रतिधीयते युथैष कृत्स्नो यज्ञो भवतीति ॥ २१ ॥

सु होवाचु । (चे) इन्द्रेण वुाऽउक्तोऽस्म्येतञ्चेदन्युस्माऽअनुब्रूयास्तत-

---

तौ हैत्योचतुः । उप त्वाऽयावेति । किमनुवक्ष्यमाणाविति । एतं शुक्रमेतं यज्ञम् । यथायथैतद्यज्ञस्य शिरः प्रतिधीयते । यथैष कृत्स्नो यज्ञो भवतीति ॥ २१ ॥

स होवाच । इंद्रेण वा उक्तोऽस्मि । एतं चेदन्यस्मा अनुब्रूयाः । तत एव ते शिरश्छिन्द्या-मिति । तस्माद्वै बिभेमि । यद्वै मे स शिरो न च्छिन्द्यात् न वामुपनेष्य इति ॥ २२ ॥

श्रुतं ' प्रतिश्रुतं ' आस ' अश्विनौ हि पुरा बाल्यावस्थायां दधीचः चिकित्सां कृत्वा युवाभ्यां किं दातव्यं इति पृष्टौ एवमन्वब्रूताम् । हे महर्षे ! त्वयि नानाविधा विद्याः संति । तासां मध्ये या सारतः सा आवाभ्यां उप-देष्टव्येति । तर्हि मयि सारतः द्वे मधुविद्ये स्तः । ते युवाभ्यां उपदेक्ष्यामि । इदानीं युवयोरस्ति बाल्यम् । बाल्यात्तदवसरो न भवति । अतः कालांतरे समागंतव्यमिति । एवं विद्यादानं अश्विभ्यां इंद्रोपदेशात् प्राक्काल-मेव प्रतिश्रुतं आस प्रतिशुश्रावेत्यर्थः । एवं स्थिते यज्ञानुष्ठानेन फलप्राप्तिरहितेन श्राम्यंतो देवाः अश्विनौ आहूय एवमब्रुवन् । युवां हि अस्माकं भिषजौ । अस्मदीयो यज्ञः छिन्नशिरस्कः सन् फलजननाशक्तः अभवत् । तस्य शिरसा संधानं भवद्भ्यां कार्यमिति । तदेतदुक्तं तित्तिरिणा–" ते देवा अश्विनावब्रुवन् । भिषजौ वै स्थः । इदं यज्ञस्य शिरः प्रतिधत्तमिति " (तै. आ. ५।१।६) इति । एवमुक्तौ अश्विनौ कथमेतस्य संधानं इत्यालोचयंतौ दधीचा पूर्वमुक्तं अस्मरतामित्याह–**दध्यङ् ह वा आथर्वण एतं शुक्रमेतं यज्ञं वेद यथा-यथैतद्यज्ञस्य शिरः प्रतिधीयते यथैष कृत्स्नो भवतीति** । ' ह ' इति स्मरणे । स खलु अथर्वणः पुत्रः ' दध्यङ् ' नामा ऋषिः, ' एतं शुक्रं ' प्रवर्ग्यं ' एतं यज्ञं ' सवनत्रयात्मकं ' वेद ' जानाति । यथायथेत्यादि पूर्ववत् । इत्यनेन प्रकारेण ऋषिं अश्विनौ सस्मरतुः ॥ २० ॥

एवं स्मृतवतोस्तयोः दधीचश्च उक्तिप्रत्युक्ती दर्शयति–**तौ हैत्योचतु**रिति । ' तौ ' खलु अश्विनौ पुरा विद्यादानं प्रतिश्रुतवंतं दध्यंचं ' एत्य ' प्राप्य ऊचतुरुक्तवंतौ । किमिति ? **उप त्वाऽयावेति** । उपगतवंतौ ' त्वा ' इति । ततः स ऋषिरब्रवीत्–**किमनुवक्ष्यमाणाविति** । किमुद्दिश्य युवां अनुवचनेन मया शिक्षणीयौ । मया युवाभ्यां किमुपदेष्टव्यमित्यर्थः । अथाश्विनौ अब्रूताम् । ' एतं शुक्रम् एतं यज्ञं ' अनु-वक्ष्यमाणाविति । यत् भवता विज्ञातं प्रवर्ग्याख्यं यज्ञशिरः यश्च तत्संबंधो यज्ञः एतत् उभयं त्वत्तः अध्येष्यमाणौ आवां आगतावित्यर्थः । अन्यत् पूर्ववत् योज्यम् ॥ २१ ॥

एवं अश्विभ्यां प्रवर्ग्यविद्याया उपदेशो प्रार्थिते सति दधीचा एवमुक्तम् इत्याह–**स होवाच न वामुपनेष्य**

ऽएव ते शिरश्छिन्द्यामिति तस्माद्वै बिभेमि यद्वै मे स शिरो न छिन्द्यान्न वामुपनेष्यऽइति ॥ २२ ॥

तौ होचतुः । (रा) आवान्त्वा तस्मात्त्रास्यावहेऽइति कथम्मा त्रास्येथेऽइति यदा नाऽउपनेष्यसेऽथ ते शिरश्छित्त्वाऽन्यत्रापनिधास्यावोऽथाश्वस्य शिरऽआहृत्य तत्ते प्रतिधास्यावस्तेन नावनुवक्ष्यसि स यदा नावनुवक्ष्यस्यथ ते तदिन्द्रः शिरश्छेत्स्यत्यथ ते स्वꣳ शिरऽआहृत्य तत्ते प्रतिधास्यावऽइति तथेति ॥ २३ ॥

तौ होचतुः । आवां त्वा तस्मात्त्रास्यावहे इति । कथं मा त्रास्येथे इति । यदा ना उपनेष्यसे । अथ ते शिरच्छित्त्वा अन्यत्रापनिधास्यावः । अथाश्वस्य शिर आहृत्य तत्ते प्रतिधास्यावः । तेन नावनुवक्ष्यसि । स यदा नावनुवक्ष्यसि । अथ ते तदिन्द्रः शिरश्छेत्स्यति । अथ ते स्वं शिर आहृत्य तत्ते प्रतिधास्याव इति । तथेति ॥ २३ ॥

इतीति । 'सः' खलु दध्यङ् अश्विभ्यां विद्योपदेशम् उद्दिश्य प्रार्थ्यमानः 'उवाच' उक्तवान् । उक्तिप्रकारमाह—इंद्रेणेति । अहं पुरा 'इंद्रेण' खलु एवं 'उक्तोऽस्मि' भवामि । 'एतं' प्रवर्ग्याख्यं यज्ञस्य शिरः 'चेत्' यदि 'अन्यस्मै' मद्व्यतिरिक्ताय ' अनुब्रूयाः ' उपदिशेः । ' तत एव ' अनंतरमेव आगत्य ' ते ' तव ' शिरः छिद्याम् ' वज्रेण छिनद्मि इति । यस्मात् मां प्रति एवं इंद्र उक्तवान् । तस्मादेव निमित्तात् ' बिभेमि ' भीतोऽस्मि । ' यद्वै ' यदि खलु ' सः ' इंद्रः ' मे ' मदीयं ' शिरः न छिंद्यात् ' । तर्हि ततो न बिभेमि । अभीतश्च ' वां ' युवां ' उपनेष्ये ' । विद्योपदेशाय मत्समीपं प्रापयामीति ॥ २२ ॥

एवं प्रथमं ऋषिणा उक्ते अश्विनोः स्वस्य च परस्परं संजातं संवादमाह—तौ होचतुः० तथेतीति । इंद्रनिमित्ते आत्मीये भये ऋषिणा उक्ते तावश्विनौ ' ऊचतुः ' खलु । ' आवां ' ' त्वा ' त्वां दध्यंचं 'तस्मात्' इंद्रात् ' त्रास्यावहे ' रक्षिष्यावः ' इति ' । ततः स ऋषिः अब्रवीत् । ' मा ' मां युवां ' कथं ' ' त्रास्येथे ' केनोपायेन तस्मादिन्द्रात् रक्षिष्यथः ' इति ' । अथाश्विनोर्वचनं ' यदा ' यस्मिन् काले ' नौ ' आवां ' उपनेष्यसे ' विद्योपदेशाय त्वत्समीपं प्रापयिष्यसि । अथानंतरमेव ' ते ' तव मानुषं ' शिरश्छित्त्वा ' अन्यत्रान्यस्मिन्देशे ' उपनिधास्यावः ' । अथानंतरं अस्मत्पुरतो वर्तमानस्य ' अश्वस्य शिर आहृत्य ' छित्त्वा आनीय । ' तत् ' आश्वं ' शिरः ' ' ते ' तव शिरस्त्वेन ' प्रतिधास्यावः ' । त्वदीये गले निधाय संधास्यावः । तेन च अश्वसंबंधिना शिरसा ' नौ ' आवां ' अनुवक्ष्यसि ' आवयोः प्रवर्ग्यविद्यां उपदेक्ष्यसीत्यर्थः । तथाविधस्त्वं ' यदा ' यस्मिन् काले ' नौ अनुवक्ष्यसि ' । अथानंतरमेव इंद्र आगत्य अनुवचनसाधनं आश्वं 'शिरः' छेत्स्यति । अथानंतरं आवां ' ते ' तव ' स्वं ' स्वकीयं पूर्वं छित्त्वा अन्यत्र स्थापितं मानुषं ' शिरः ' ' आहृत्य ' ' ते ' तव ' तत् ' ' प्रतिधास्यावः इति ' । एवं अश्विभ्यां उपाये कथिते तयोः तादृशं सामर्थ्यं अस्त्येवेति संभाव्य स ऋषिः तथेत्यंगीकृतवान् ॥ २३ ॥

तौ हो॒पनि॑न्ये । तौ॒ य॒दो॒पनि॒न्ये॑ऽथा॑स्य॒ शिर॑श्छि॒त्त्वाऽन्य॒त्रा॑पनि॒द॑धतु-
र॒थाश्व॑स्य॒ शिर॒ऽआहृ॒त्य त॒द्धा॑स्य॒ प्र॒ति॑द॑धतु॒स्ते॑न हा॒भ्याम॑नू॒वाच॒ स॒ य॒दा-
भ्याम॑नू॒वाचा॒था॑स्य॒ तदि॑न्द्रः॒ शिर॑श्चिच्छे॒दा॒था॑स्य॒ स्वᳪं॒ शिर॑ऽआहृ॒त्य
त॒द्धा॑स्य॒ प्र॒ति॑द॑धतुः ॥ २४ ॥

(स्तु) त॒स्मा॑दे॒तदृ॒षि॑णाऽभ्यनू॒क्तम् । (न्द) द॒ध्यङ् ह॒ यन्म॒ध्वाथ॑र्व॒णो
वा॒म॒श्व॑स्य॒ शी॒र्ष्णा॑ प्र य॒दी॑मु॒वाचे॒त्यय॒तं त॒दु॑वाचे॒ति है॒वैत॒दु॑क्तम् ॥ २५ ॥

तौ होपनिन्ये । तौ यदोपनिन्ये । अथास्य शिरश्छित्त्वाऽन्यत्रापनिदधतुः । अथाश्वस्य शिर आहृत्य तद्धास्य प्रतिदधतुः । तेन हाभ्यामनूवाच । स यदाभ्यामनूवाच । अथास्य तदिन्द्रः शिरश्चिच्छेद । अथास्य स्वं शिर आहृत्य तद्धास्य प्रतिदधतुः ॥ २४ ॥

तस्मादेतदृषिणाऽभ्यनूक्तम् । " दध्यङ् ह यन्मध्वाथर्वणो वामश्वस्य शीर्ष्णा प्र यदी-
मुवाच "-इति । अयतं तदुवाच । इति हैवैतदुक्तम् ॥ २५ ॥

अंगीकृत्य च तौ अश्विनौ विद्यामुपदिदिक्षुः स्वसमीपं प्रापितवानित्याह-**तौ होपनिन्य** इति । अथ पूर्वं अश्विभ्यां यथा प्रतिज्ञातं तथैव कृतम् इत्याह-**तौ यदोपनिन्ये० निदधतुरि**ति । तावश्विनौ ' यदा ' यस्मिन् काले ' दध्यङ् ' आथर्वणः स्वसमीपं प्रापितवान् । तदनंतरं तानश्विनौ ' अस्य ' दधीचो मानुषं ' शिरश्छित्त्वा ' अन्यत्र स्थापितवंतौ स्थापयित्वा कस्यचिदश्वस्य शिरश्छित्त्वा ' आहृत्य ' ' अस्य ' ऋषेः शिरस्त्वेन तत् संयोजितवंतौ ऋषिश्च आश्वेन ' तेन ' शिरसा आभ्यामश्विभ्यां प्रवर्ग्याख्यमधुविद्याम् ' अनूवाच ' उपदिदेश । स च ऋषिः ' यत् ' येन शिरसा आभ्यामश्विभ्यां ' अनूवाच ' अथानंतरं ' अस्य ' ऋषेः तच्छिरः ' इंद्रः ' ' चिच्छेद ' । अथानंतरं आश्वे शिरसि छिन्ने सति अश्विनौ ' अस्य ' दधीचः ' स्वं ' स्वकीयं पूर्वमन्यत्र स्थापितं मानुषं ' शिर आहृत्य ' आनीय ' अस्य ' ऋषेः तदेव ' प्रतिदधतुः ' प्रतिहितं पूर्ववत् अविकलं अव्रणं च यथा भवति तथा संयुक्तं चक्रतुः ॥ २४ ॥

उक्तेऽर्थे कंचिन्मंत्रं संवादयति-**तस्मादेतदृषिणाऽभ्यनूक्तं०प्र यदीमुवाचे**ति । यस्मात् एवं पुरा वृत्तांतो जातः । तस्मादेव कारणात् ' ऋषिणा ' कक्षीवन्नाम्ना अतीन्द्रियदर्शिनाऽपि एतदुक्तमर्थजातं अभिलक्ष्य ' अनूक्तं ' अनुवचनं अध्ययनं कृतम् । यद्वा अलौकिकस्यार्थस्य प्रकाशनात्, ऋषिरिति वेद एवोच्यते । कथमनूक्तं तदाह-**दध्यङ् हे**ति । अयमुत्तरः अर्द्धर्चः । अस्य पूर्वार्द्धस्तु-" तद्वान्नरा सनये दंस उग्रमाविष्कृणोमि तन्यतुर्न वृष्टिम् " इति पंचमे मधुब्राह्मणे (श. प. १४ । ५ । ५ । १६ ।) तदाहरिष्यते । अयमर्थः-हे नरौ नृतारावश्विनौ ! ' वां ' युवयोः, तत् ' उग्रं ' क्रूरं ' दंसः ' कर्म ' सनये ' धनानां लाभार्थं ' आविष्कृणोमि ' प्रकटीकरोमि । ' न ' इत्युपमार्थे । ' तन्यतुर्न ' यथा तन्यतुः स्तनयित्नुर्मेघो न पिहितां वृष्टिमाविष्करोति । सर्वत्र लोके बिंदुशो विस्तारयति । किं तदुग्रमित्युच्यते । ' आथर्वणः ' अथर्वणः पुत्रः ' दध्यङ् ' नाम ऋषिः खलु पुरा ' वां ' युवाभ्यां ' यत् ' प्रवर्ग्याख्यं ' मधु ' लोके प्रसिद्धम् ' अश्वस्य शीर्ष्णा ' शिरसा प्रतिहितेन ' प्रोवाच ' प्रोक्तवान् ' इति ' । यत् कर्म तदिति । अथास्य मंत्रस्य तात्पर्य-

(न्त) तन्न सर्व्वस्मा॒ऽअनुब्रूयात् । (दे) एनुस्यꣳ हि तदुथो नेन्मऽ
इन्द्रः शिरश्छिनुदादिति योऽन्वेवु ज्ञातस्तस्मै ब्रूयादुथ योऽनूचानोऽथु
योऽस्य प्रियः स्यान्नु त्वेव सर्व्वस्माऽइव ॥ २६ ॥

सम्वत्सरवासिनेऽनुब्रूयात्। (दे) एष वै सम्वत्सरो यऽएष तपत्येषुऽउ
प्रवुर्ग्यस्तुदेतमेवैतत्प्रीणाति तस्मात्सम्वत्सरवासिनेऽनुब्रूयात् ॥ २७ ॥

तन्न सर्वस्मा अनुब्रूयात् । एनस्यं हि तत् । अथो नेन्म इंद्रः शिरश्छिनददिति । योऽन्वेव ज्ञातः । तस्मै ब्रूयात् । अथ योऽनूचानः । अथ योऽस्य प्रियः स्यात् । न त्वेव सर्वस्मा इव ॥ २६ ॥

संवत्सरवासिनेऽनुब्रूयात् । एष वै संवत्सरः । य एष तपति । एष उ प्रवर्ग्यः । तदेतमेवैतत्प्रीणाति । तस्मात्संवत्सरवासिनेऽनुब्रूयात् ॥ २७ ॥

माह—अयतं तदुवाचेति । इंद्रेण पुरा मा अन्यस्मै वोचः इति प्रतिषिद्धमपि तन्मधु, ' अयतं ' अनियमितं मन्वानः ' उ ' एव दध्यङ् ताभ्यामश्विभ्यां 'उवाच' उक्तवानिति यत् एतत्तदेव खलु ऋषिणा मंत्रेणोक्तं प्रतिपादितम् । मदीयं मानुषं शिरस्तु अश्विभ्यामन्यत्र निक्षितम् । येन शिरसा ताभ्यां विद्या उपदिश्यते । काममिंद्रस्तच्छिनत्तु । पुनः प्रतिहितेन मदीयेन मानुषशिरसा विद्याया अनुपदिष्टत्वात् तस्य छेदनशंकाऽपि न संभवतीति । एवं विश्रंभेण अश्विभ्यां विद्यामुपदिदेशेति तात्पर्यप्रतिपादकस्य ब्राह्मणस्याभिप्रायः ॥ २५ ॥

इदं प्रवर्ग्याख्यं मधु साधारण्येन सर्वेषां नोपदेष्टव्यम् इत्याह—**तन्न सर्वस्मा अनुब्रूयादिति** । ' तत् ' पूर्वोक्तं इंद्रेण गोपितं प्रवर्ग्याख्यं मधु ' सर्वस्मै ' ये विशिष्टमातापितृजन्याः आचारवंतश्च । ये च तद्विलक्षणाः तस्मै सर्वस्मै जनाय अविशेषेण ' नानुब्रूयात् ' नोपदिशेत् नाध्यापयेद्वा । कुत इत्येतत् ? आह—**एनस्य९ हि तदथो नेन्म इंद्रः शिरश्छिनददिति** । यत् अविशेषेण सर्वेषामुपदेशनमध्यापनं तत् ' एनस्यं ' एनसे हितं पापकारि भवति खलु अतो न ब्रूयात् । ' अथो ' अपि च ' मे ' मदीयं विद्योपदेशसाधनं ' शिरः ' ' इंद्रः छिनदत् ' छिंद्यात् । यथा पुरा अश्विभ्यामुपदिष्टवतो दधीचः शिरः चिच्छेद । नेदिति परिभये (निरु. १ । ११।१) यदि अहम् अविशेषेण सर्वस्मै उपदेक्ष्यामि । तर्हि इंद्र आगत्य मदीयं शिरः छिन्द्यात् इति परिभयेनापि यस्मै कस्मैचिदपि अविज्ञातकुलगोत्राय नोपदेष्टव्यमित्यर्थः । यद्वा नेति प्रतिषेधे (निरु. १ । ४।७) । इदित्यवधारणे । नैव मदीयं शिरः इंद्रः छिंद्यादिति । अनेनाभिप्रायेण । " छिदिर्द्वैधीकरणे " (धा. पा. रु. उ. ३) इत्यस्मात् लोटि अडागमः । "इतश्च लोपः" (पा. सू. ३।४। ९७) इतीकारलोपः । रुधादित्वात् श्नम् । तर्हि, कस्मै विद्या उपदेष्टव्या इत्यत आह—**योऽन्वेव ज्ञातस्तस्मै० इवेति** । ' यः ' खल्वेव, शिष्यः ' ज्ञातः ' विशिष्टमातापितृजन्यत्वेनावगतः ' तस्मै ' प्रवर्ग्याख्यमधुविद्यां ' ब्रूयात् ' उपदिशेत् । अथवा ' यः अनूचानः ' सांगवेदाध्यायी तस्मै ब्रूयात् । अथवा ' यः अस्य प्रियः ' इष्टतमो बंधुः स्यात् । तस्मै ब्रूयात् । एवं एतेषामेव विद्यामुपदिशेत् । ' न तु ' अविशेषेणैव ' सर्वस्मै ' शिष्यजनाय उपदेष्टव्यैव भवेत् । साधारण्येन सर्वेषामुपदेष्टा एनस्वी भवति । तथा न भवेदित्यर्थः ॥ २६ ॥

अथ ये पूर्वोक्ता उपदेशार्हाः शिष्याः तेषामपि झटिति विद्योपदेशो न कार्यः इत्याह—संवत्सरवा[illegible]े

(त्ति) तिस्रो रात्रीर्व्व्रतञ्चरति । त्रयो वाऽऋतवः संवत्सरस्य संवत्सरऽ एष वाऽएष तपत्येषऽउ प्रवर्ग्यस्तदेतमेवैतत्प्रीणाति तस्मात्तिस्रो रात्रीर्व्व्रतञ्चरति ॥ २८ ॥

तिस्रो रात्रीर्व्रतं चरति । त्रयो वा ऋतवः संवत्सरस्य । संवत्सर एषः । य एष तपति । एष उ प्रवर्ग्यः । तदेतमेवैतत्प्रीणाति । तस्मात्तिस्रो रात्रीर्व्रतं चरति ॥ २८ ॥

अनुब्रूयादिति । संवत्सरपर्यंतं स्वसमीपे निवासेन शिष्यस्य आचारादिकं परीक्ष्य तस्मै संवत्सरं समीपे कृतनिवासाय शिष्याय ततः परं 'अनुब्रूयात्' उपदिशेत् । अथ एतदुपपादयति–**एष वै संवत्सरो य एष तपतीति** । 'य एषः' सूर्यो दिवि वर्तमानस्तपति सर्वं जगत् भासयते । 'एषः' एव संवत्सरात्मकः कालः । तद्गत्यधीनत्वात् । 'प्रवर्ग्यः' प्रवर्ग्याख्यं यज्ञशिरःसंस्तुतं कर्मापि 'एषः' उद्दिश्यमान आदित्य एव । "तत्पतित्वाऽसावादित्योऽभवत्" (श.प.१४।१।१।१०) इति पूर्वं आम्नातत्वात् । यतः एवं संवत्सरप्रवर्ग्यौ उभावपि सूर्यात्मकौ । 'तत्' तस्मात् । 'एतत्' एतेन संवत्सरमुषिताय प्रवर्ग्यानुवचनेन एतमेवादित्यं 'प्रीणाति' तर्पयति । "प्रीञ् तर्पणे" (धा. पा. भ्वा. उ. ९) इति धातुः । उक्तमर्थं निगमयति–**तस्मात्संवत्सरवासिनेऽनुब्रूयादिति** । इत्थं पूर्वोक्तप्रकारेण प्रवर्ग्याख्यस्य यज्ञशिरसः प्रतिपादकं समंत्रकं ब्राह्मणं दधीचा अश्विभ्यामुपदिष्टम् । तच्च शीघ्रं यस्मै कस्मैचित् अन्यस्मै अद्यतनैरपि आचार्यैर्नोपदेष्टव्यम् । अपि तु कुलशीलाचारसंपन्नाय संवत्सरं गुरुशुश्रूषां कृतवते पुरुषायैव उपदेष्टव्यमित्युक्तम् ॥ २७ ॥

अथ तदध्ययनस्य व्रतानि वक्ष्यन् तत्कालेमानमाह–**तिस्रो रात्रीर्व्रतं चरतीति** । प्रवर्ग्यकांडाध्ययने प्रारब्धे अध्येता अध्यापकश्च 'तिस्रो रात्रीः' त्रिरात्रपर्यंतं वक्ष्यमाणं 'व्रतं चरति' अनुतिष्ठेत् । अथैतदुपपादयति–**त्रयो वा ऋतवः०चरतीति** । 'त्रयः' संवत्सरस्य खलु 'ऋतवः' । ग्रीष्मो वर्षा हेमंत इति यास्केनोक्ताः । अवशिष्टास्त्रयस्तु तत्रैवांतर्भवंति । वसंतो ग्रीष्मे शरत् वर्षतौ शिशिरो हेमंते । तापवृष्टिहिमादिभिः ग्रीष्मादिधर्मैः अल्पतरैः तेषां वसंतादीनामपि योगात् । **संवत्सर एषः** । इत्यादि पूर्ववत् । इयांस्तु विशेषः । तत्तस्मात् 'एतत्' एतेन त्रिरात्रव्रताचरणेन त्रित्वसंख्योपेतऋतुद्वारा 'एतं' संवत्सरं प्रवर्ग्यात्मकं आदित्यमेव 'प्रीणाति' तर्पयतीति । तदेतन्निगमयति–**तस्मात्तिस्रो रात्रीर्व्रतं चरतीति** । अयमभिप्रायः–यद्यपि संवत्सरपर्यंतं एतत् कांडम् अध्यापयीत अधीयीत वा । तथापि संवत्सरस्य ऋतुत्रयात्मकत्वात् त्रित्वसंख्यायोगेन तिसृणां रात्रीणां तत्प्रत्याम्नायत्वात् त्रिरात्रव्रताचरणेन संवत्सरपर्यंतं व्रतं चरितं भवति इत्यर्थः ॥ २८ ॥

१–तिस्रो रात्रीर्व्रतं चरेत् १ अधः शायी २ अमृण्मयपायी ३ स्त्रीशूद्रशवकृष्णशकुनिशूनां चादर्शनमसंभाषा च तैः ४ शवशूद्रसूतकान्नानि च नाद्यात् ५ मूत्रपुरीषे ष्ठीवनं चातपे न कुर्यात् ६ सूर्याच्चात्मानं नांतर्दधीत ७ तप्तेनोदकार्थान् कुर्यात् ८ अवज्योत्य रात्रौ भोजनम् ९ सत्यवदनमेव वा १० दीक्षितोऽप्यातपादीनि कुर्यात् प्रवर्ग्यवांश्चेदिति ११ । पार. गृ. सू. कां. २ खं. ८ स्नातकधर्मप्रकरणे । कृष्णशकुनिः काकः । शवान्नं क्रीत्वा लब्ध्वा वा यदद्यते तत्प्रतिषेधः । शूद्रान्नं भोज्यान्नस्यापि नापितादेः प्रतिषिध्यते । सूतकान्नं अर्वाक् दशाहात्प्रसवे सति । अंतर्द्धानं छत्रादिना । तप्तेनोदकेन । अवज्योतनं प्रदीपोल्कादिनाऽन्यतरेण । सत्यवदनमेव वा कर्तव्यम् । नाधस्तना नियमाः । यदि प्रवर्ग्यवान् दीक्षितः ततोऽत्र मूत्रपुरीषे ष्ठीवनं चातपं न कुर्यादित्यवमादीनि करोतीति कर्कः ॥

तप्तमाचामति । तपस्व्यनुब्रवाऽइत्यमाᳫँसाश्यनुब्रूते तपस्व्यनुब्रवाऽइति ॥ २९ ॥

(त्यु) अमृण्मयपायी । (ऽम) अस्ति वाऽअस्याᳫँ सᳫँसृष्टमिव यदस्यामनृतम्वदति तस्मादमृण्मयपायी ॥ ३० ॥

(ऽथु) अशूद्रोच्छिष्टी । (ष्टचे) एष वै घर्मो यऽ एष तपति सैषा श्रीः सत्यं ज्योतिरनृतᳫँ स्त्री शूद्रः श्वा कृष्णः शकुनिस्तानि न प्रेक्षेत नेच्छ्रियञ्च पाप्मानञ्च नेज्ज्योतिश्च तमश्च नेत्सत्यानृते सᳫँसृजानीति॥३१॥

तप्तमाचामति । तपस्व्यनुब्रवा इति । अमांसाश्यनुब्रूते । तपस्व्यनुब्रवा इति ॥ २९ ॥

अमृण्मयपायी । अस्ति वा अस्यां संसृष्टमिव । यदस्यामनृतं वदति । तस्मादमृण्मयपायी ॥३०॥

अशूद्रोच्छिष्टी । एष वै घर्मः । य एष तपति । सैषा श्रीः । सत्यं ज्योतिः । अनृतं स्त्री शूद्रः श्वा कृष्णः शकुनिः । तानि न प्रेक्षेत । नेच्छ्रियं च पाप्मानं च । नेज्ज्योतिश्च तमश्च । नेत्सत्यानृते संसृजानीति ॥ ३१ ॥

किं पुनस्तत् व्रतमिति तदाह—तप्तमाचामतीति । 'तप्तं' उष्णजलं 'आचामति' यद्यत् आचमनादिकं उदककार्यं तत्सर्वं उष्णजलेनैव कुर्यात् इत्यर्थः । किमर्थमिदं तप्ताचमनम् ? 'तपस्वी' संतापयुक्तः अहं 'अनुब्रवै' प्रवर्ग्यब्राह्मणं अनुब्रवाणि इत्येवमर्थम् । सूर्यात्मको हि अयं प्रवर्ग्यः । तस्य शीतोदकस्य स्पर्शने सति औष्ण्यं विहन्येतेति । तत् अध्येतॄणामपि शीतोदकासंस्पर्शाय उष्णजलाचमनविधानम् । तथा 'अमांसाशी'। मांसमश्नातीति मांसाशी तद्विलक्षणः, मांसभक्षणमकुर्वन्, एतत् ब्राह्मणं 'अनुब्रूते' अधीयीत । अस्यापि प्रयोजनं पूर्ववदेवाह—तपस्वीति । मांसभक्षणस्य तपोविरोधित्वं प्रसिद्धम् । अतः तद्वर्जनात् 'तपस्वी' तपसा नियमेन अभोज्यपरित्यागलक्षणेन युक्तः सन् 'अनुब्रवै' अनुब्रवाणीति ॥ २९ ॥

तथा 'अमृण्मयपायी' भवति । मृण्मयेन मृद्विकारेण पात्रेण पानशीलो न भवेत् । मृण्मयपात्रेण उदकादिकं न पिबेदित्यर्थः । तदेतत् उपपादयति—अस्ति वा अस्यां संसृष्टमिव यदस्यामनृतं वदतीति । 'अस्यां' पृथिव्यां संसृष्टमिव दोषसंयुक्तमिव अवयवजातमस्ति वै अस्ति खलु । कुतः ? 'यत्' यस्मात् अस्यामासीनः सर्वो जनः प्रायेण अनृतमसत्यं वदति । 'तस्मात्' हेतुभूतः पापसंसर्गोऽस्यां विद्यते इति गम्यते । तस्मात् पार्थिवेन शरावादिना पानं न कार्यमिति निगमयति—तस्मादमृण्मयपायीति ॥ ३० ॥

तथा 'अशूद्रोच्छिष्टी'। छांदसः सुलोपः । शूद्राय दत्वा यद्भांडे अवशिष्टं तत् शूद्रोच्छिष्टं तद्रहितो भवेत् । तद्भुक्तावशेषितं न भुंजीतेत्यर्थः । 'य एषः' सूर्यः 'तपति' सः 'एषः' खलु 'घर्मः' प्रवर्ग्यः । अतस्तत्प्रतिपादकं ब्राह्मणं अधीयानेन ब्राह्मणेन शुद्धेन भवितव्यमित्यर्थः । अपि च—'सैषा श्रीः'। स पूर्वोक्त एष प्रवर्ग्यः यज्ञशिरोरूपत्वात् 'श्रीः' संपत् । विधेयापेक्षया सैषेति स्त्रीलिंगता । तथा अवितथफलहेतुत्वात् 'सत्यं' यथार्थभाषणरूपम्, सूर्यात्मकत्वात् 'ज्योतिः' तेजोरूपम् । 'कृष्णः शकुनिः' कृष्णवर्णः

(त्यु) अथैष वाव यशः । (शो) यऽएष तपति तद्यत्तदादित्यो यशो यज्ञो हैव तद्यशस्तद्यत्तद्यज्ञो यशो यजमानो हैव तद्यशस्तद्यत्तद्यजमानो यशऽऋत्विजो हैव तद्यशस्तद्यत्तदृत्विजो यशो दक्षिणा हैव तद्यशस्तस्माद्यामस्मै दक्षिणामानयेयुर्न्नताᳪं* सद्योऽन्यस्माऽअतिदिशेन्नेद्यन्मेदं यशऽआगंस्तत्सद्योऽन्यस्माऽअतिदिशानीति श्वो वैव भूते व्यहे वा तदात्मन्येवैतद्यशः कृत्वा यदेव तद्भवति तत्सद्ददाति हिरण्यं गाम्वासोऽश्वम्वा ॥ ३२ ॥

अथैष वाव यशः । य एष तपति । तद्यत् तदादित्यो यशः । यज्ञो हैव तद्यशः । तद्यत् तद्यज्ञो यशः । यजमानो हैव तद्यशः । तद्यत् तद्यजमानो यशः । ऋत्विजो हैव तद्यशः । तद्यत् तदृत्विजो यशः । दक्षिणा हैव तद्यशः । तस्माद्यामस्मै दक्षिणामानयेयुः । न तां सद्योऽन्यस्मा अतिदिशेत् । नेद्यन्मेदं यश आगन् । तत्सद्योऽन्यस्मा अतिदिशानीति । श्वो वैव भूते व्यहे वा । तदात्मन्येवैतद्यशः कृत्वा यदेव तद्भवति । तत्सद्ददाति । हिरण्यं गां वासोऽश्वं वा ॥ ३२ ॥

पक्षी काक इत्यर्थः । स्त्रीशूद्रादय एते 'अनृतं' अनृतात्मकाः । स्त्रीणां वेदाध्ययनाद्यभावात् कामचारसंभवाच्चानृतत्वम् । शूद्रस्य संस्कारविहीनत्वात् सृष्ट्यादौ प्रजापतेः पादादुत्पन्नत्वात् च अनृतत्वम् । श्वकृष्णशकुन्योः जन्मान्तरकृतमहापापपरिणामरूपत्वात् अनृतत्वम् । एतदनृतप्रतिपादनमुपलक्षणं पापतमसोरिति । स्त्रीशूद्राणां तमोरूपत्वं पापरूपत्वं च एवमेवावगंतव्यम् । पूर्वं प्रवर्ग्यस्य श्रीः, सत्यं, ज्योतिः, इति गुणत्रयप्रतिपादनात् तत्प्रतिपक्षेऽपि तत्प्रतियोगिनः त्रयो गुणाः वक्तव्याः । अतस्तत्रैकप्रतिपादनं इतरयोरपि उपलक्षणमिति । अस्त्वेवं प्रवर्ग्यस्य च स्त्रीशूद्रादीनां च परस्परविरोधिस्वभावता । किं तत इत्यत आह—**तानि न प्रेक्षेतेति** । 'तानि' स्त्रीशूद्रादीनि पापानृततमोरूपाणि प्रवर्ग्यमधीयानः 'न प्रेक्षेत' नावलोकयेत् । अप्रेक्षितुः कोऽभिप्रायः ? इत्युच्यते—यदि अहं प्रवर्ग्यमधीयानः स्त्र्यादीनि प्रेक्षेय तर्हि श्रियं यशश्च ऐश्वर्यरूपं प्रवर्ग्यं च पाप्मानं च स्त्रीशूद्रात्मकं पापं दारिद्र्यं च, 'संसृजानि' संसृष्टं कुर्याम् । नेदिति परिभये । अहो महदेतत् कष्टम् । तस्मात् विरुद्धस्वभावयोः अनयोः संसर्गाभावाय न प्रेक्षेत इत्यभिप्रायः । अथवा श्रियं च पाप्मानं च दारिद्र्यं पापफलं च नैव संसृजानि संसृष्टं करवाणीत्यनेनाभिप्रायेण । 'नेत् ज्योतिश्च तमश्च' 'नेत्सत्यानृते' इत्यनयोरपि पर्याययोरेवमेव योजनीयम् ॥ ३१ ॥

अथैतत् प्रवर्ग्याख्यं कर्म यशोरूपेण स्तौति—**अथैष वाव यशः० अतिदिशानीती**ति । 'अथ' प्रवर्ग्यस्य श्रीरूपत्वसत्यात्मकत्वज्योतीरूपत्वप्रतिपादनानंतरं यतः एवम् अयं श्रीसत्याद्यात्मकः अतः कारणात् 'एष वाव' एष एव प्रवर्ग्यः यशोरूपः, 'य एषः' दृश्यमानः 'आदित्यः' भूत्वा दिवि 'तपति' प्रकाशते । एष एव 'यशः' इत्यभिनयः । इत्थं यशोरूपस्य आदित्यात्मकस्य प्रवर्ग्यस्य संबंधात् यज्ञादीनां दक्षिणापर्यंतानां वक्ष्यमाणानां यशस्वित्वमित्याह—**तद्यत्तदादित्यो यश** इति । तत्तत्र 'यत्' यदा 'तत्' सः 'आदित्यः'

---

* "न ता इत्सद्यः" इति क्वचित् पाठान्तरम् ।

(युऽथै) अुथैतद्वै । (द्वाऽआ) आयुरेतज्ज्योतिः प्रविशाति युऽएत-मुनु वा ब्रूतु भक्षुयति वा तुस्य व्रतचर्य्यां नातुपाति प्रुच्छादयेत नुेदेतुस्मा-त्तिरुोऽसानुीति नातुपाति निुष्ठीवेन्नुेदेतुमभिनिष्ठीवानुीति नातुपाति प्रस्रा-वयेत नुेदेतुमभिप्रस्रावुयाऽइुति युावद्वाऽएषुऽआतुपाति तुावानेष नुेदेतु-

---

अथ एतद्वा आयुः, एतज्ज्योतिः प्रविशाति । य एतमनु वा ब्रूते । भक्षयति वा । तस्य व्रतचर्या । नातपति प्रच्छादयेत । नेदेतस्मात्तिरोऽसानीति । नातपाति निष्ठीवेत् । नेदेतमभिनिष्ठीवानीति । नातपाति प्रस्रावयेत । नेदेतमभिप्रस्रावयै इति । यावद्वा एष आतपाति । तावानेषः ।

प्रवर्ग्यात्मकः 'यशः' यशस्वी यशोरूपेण संपन्न इत्यर्थः । तत्तदा 'यज्ञो हैव' तच्छिरस्कः सवनत्रयात्मकः सोमयाग एव यज्ञरूप एव संपन्नः । तत्तथा च 'यत्' यदा 'तत्' सः 'यज्ञः' 'यशः' यशस्वी जातः । 'तत्' तदा 'यजमान' एव खलु 'यशः' यशस्वी भवति यशोरूपयज्ञसंबन्धात् । तत्तथा च 'यत्' यदा 'तत्' सः 'यजमानः' 'यशः' तदा तस्य याजकाः 'ऋत्विजः' एव यशस्विनो भवंति । तत्तथा च 'यत्' यदा 'तत्' ते ऋत्विजः 'यशः' यशोरूपाः संपद्यंते । 'तत्' तदा दक्षिणैव खलु यशोरूपऋत्विक्संबंधात् 'यशः' यशस्विनी भवति । एवं परंपरया आदित्यात्मकस्य प्रवर्ग्यस्य यश एव प्रसृतमित्यर्थः । अथ प्रसंगात् दक्षिणाविषये किंचित् विवक्ते–**तस्माद्यामस्मै० श्वं** वेति । यस्मात् उक्तप्रकारेण दक्षिणा यशोरूपा । 'तस्मात्' कारणात् 'अस्मै' ऋत्विजे 'यां दक्षिणां' गोहिरण्यादिकां यजमानाः 'आनयेयुः' परिक्रयार्थमानीय दद्युः । 'तां' दक्षिणां 'सद्यः' शीघ्रं, दानानंतरमेव 'अन्यस्मै' पुरुषांतराय 'न अतिदिशेत्' न प्रदद्यात् । 'नेत्' नैव तद्दक्षिणारूपं यशः 'सद्यः' शीघ्रं 'अन्यस्मै' 'अतिदिशानि' प्रयच्छानि । 'यत् यशः' दक्षिणारूपं 'मा' मामृत्विजमागन् इति अनेनाभिप्रायेण न कस्मैचित् अन्यस्मै प्रतिग्रहीता तां दक्षिणां सद्यो दद्यादित्यर्थः । आगन्निति गमेर्लटि छांदसः शपो लुक् इलोपश्च "हल्ङ्याभ्यः" (पा. सू. ६।१।६८) इति तलोपे "मो नो धातोः" (पा. सू. ८।२।६४) इति नत्वम् । नेदित्यस्य परिभयार्थोऽपि पूर्ववत् योज्यः । इतः परं सर्वत्र निषेधार्थ एव व्याख्यायते । तर्हि सर्वदैव प्रतिग्रहीत्रा दक्षिणा न दातव्येति न इत्याह–**श्वो वैव भूते द्व्यहे** वा इति । 'श्वोभूते' प्रतिग्रहदिवसात् परस्मिन् दिवसे एव 'वा' 'द्व्यहे वा' । द्वयोरह्नोः समाहारः द्व्यहः । "राजाहःसखिभ्यः" (पा. सू. ५।४।९१) इति टच् समासांतः । "न संख्यादेः समाहारे" (पा. सू. ५।४।८९) इति अह्नादेशप्रतिषेधः । एकदिनं द्विदिनं तदेतत् प्रतिगृहीतं दक्षिणारूपं 'यशः' 'आत्मन्येव कृत्वा' स्वस्मिन्नेव स्थापयित्वा तदीयं सर्वं यशः स्वीकृत्य 'यदेव' केवलं दक्षिणाद्रव्यं भवति 'सत्' विद्यमानं तद्दक्षिणाद्रव्यं इच्छया 'ददाति' अन्यस्मै प्रयच्छेत् हिरण्यादीनामन्यतमम् ॥ ३२ ॥

अथ एतस्य प्रवर्ग्यस्य अनुष्ठानकाले, क्रतुनियमविशेषं विधित्सुराह–**अथैतद्वै० व्रतचर्येति** । अथेत्यारंभे यत् प्रागुक्तं प्रवर्ग्याख्यं मधु 'एतद्वै' एतदेव 'आयुः' जीवनं तद्धेतुभूतमित्यर्थः । अतः तस्य व्रताचरणेन रक्षा कार्या इति भावः । कुतोऽस्य रक्षणापेक्षा ? इति तदाह–**एतज्ज्योतिरिति** । 'यः' खलु पुमान् 'एतं' प्रवर्ग्यं 'अनुब्रूते' कर्मकालेऽधीते वा तत्रत्यं हुतशिष्टं 'भक्षयति वा' सः 'एतत् ज्योतिः' द्युलोके

मैतैर्हिंनुसानीत्यवज्योत्य रात्रावश्नीयात्तदेतस्य रूपं क्रियते य ऽ एष तपति तदु होवाचासुरिरेकᳪं᳭ ह वै देवा व्रतञ्चरन्ति यत्सत्यं तस्मादु सत्यमेव वदेत् ॥ ३३ ॥

इति प्रथमप्रपाठके प्रथमं ब्राह्मणम् ॥ १४।१।१ ॥ (१-१) ॥

नेदेतमेतैर्हिंनसानीति । अवज्योत्य रात्रावश्नीयात् । तदेतस्य रूपं क्रियते । य एष तपति । तदु-वाचासुरिः । एकं ह वै देवा व्रतं चरंति यत्सत्यम् । तस्मादु सत्यमेव वदेत् ॥ ३३ ॥

दृश्यमानं सौरं तेजः ‘ प्रविशति ’ प्रवर्ग्यस्य सूर्यात्मनाऽवस्थानस्य प्रागुक्तत्वात् । अतस्तस्य पुंसः आयुषो रक्षणाय ‘ व्रतचर्या ’ व्रतस्याचरणं कार्यमनुष्ठेयम् । किं पुनस्तत् व्रतमिति तदाह–**नातपति०वदेदि**ति । ‘आतपति’ आसमंतात् तापं कुर्वति सति सूर्ये आत्मानं उष्णकिरणसंपर्कतया ‘न प्रच्छादयेत’ न वस्त्रादिभिरावृणुयात् ‘ एतस्मात् ’ दृश्यमानात् प्रवर्ग्यात्मकात् सूर्यात् नेन्नैव ‘ तिरोऽसानि ’ तिरोहितोऽन्तर्हितो भवानि इति । अनेनाभिप्रायेण प्रवर्ग्यकर्मणि वर्तमानः स्वशरीरस्य आच्छादनं न कुर्यात् । तथा, तस्मिन् आतपकारिणि सति ‘ न निष्ठीवेत् ’ आस्यगतमुदकादिकं न बहिस्त्यजेत् । “ ष्ठिवु निरसने ”–(धा. पा. भ्वा. प. ५६१) इति धातुः । ‘ एतं ’ प्रवर्ग्यात्मकं सूर्यं नेन्नैव ‘ अभिनिष्ठीवानि ’ अभिलक्ष्य निष्ठीवनं करवाणि इत्यनेनाभिप्रायेण । तथा सूर्ये ‘आतपति ’ सति ‘ न प्रस्रावयेत ’ मूत्रविसर्जनमपि न कुर्यात् । ‘ एतं ’ प्रवर्ग्यात्मकं सूर्यमभिलक्ष्य ‘ नेत् प्रस्रावयै ’ प्रस्रावणं न करवाणि इत्यनेनाभिप्रायेण । सूर्योदयमारभ्य यावदस्तमयं आतपवत्प्रदेशे यजमानेन एतानि आच्छादनादीनि प्रवर्ग्यानुष्ठानदिवसेषु न कार्याणीत्यर्थः । आतपवत्प्रदेशे क्रियमाणैः एतैः प्रवर्ग्यस्य को दोषः आपतेत् ? इत्यत आह–**यावद्वा** इति । यावत्कालं ‘ एषः ’ सूर्यः ‘ आतपति ’ आसमंतात्तपं करोति । ‘ तावान् ’ तावत्कालव्यापी ‘ एषः ’ प्रवर्ग्यः । यद्वा ‘ यावत् ’ यावति देशे सूर्यः ‘ आतपति ’ । ‘ तावान् ’ तावद्देशव्यापी ‘ एषः ’ अनुष्ठीयमानः प्रवर्ग्यः । एवं च उदया-स्तमययोर्मध्ये आतपवत्प्रदेशे प्राक् निषिद्धानि आच्छादनादीनि यदि कुर्याम् ‘ एतं ’ प्रवर्ग्यं, ‘ हिनसानि ’ हिंसितं करवाणि नेन्नैव तत् युक्तमित्यनेनाभिप्रायेण । आच्छादनादिकं न कुर्यात् । अपि च ‘ रात्रौ ’ ‘ अव-ज्योत्य ’ काष्ठैरग्निं प्रज्वाल्य ‘ अश्नीयात् ’ भुंजीत । ‘तत्’ अवज्योत्याशनं ‘ एतस्य ’ प्रवर्ग्यस्य सूर्यात्मनः ‘ रूपं क्रियते ’ “अग्निं वावादित्यः सायं प्रविशति” (तै. ब्रा. २।१।२।९) इति श्रुतेः । आदित्यस्य रात्रौ अग्न्यात्मना अवस्थानात् । ‘ य एषः ’ आदित्यस्तपति प्रकाशते द्युलोके एतस्येति संबंधः, एवं अनाच्छादनादीनि कानिचित् व्रतानि उक्तानि । आसुरिराचार्यः दुष्करमेकमेव व्रतं कर्तव्यमिति मन्यते–**तदु** हेत्यादिना । ‘ तत् उ ’ तत्र खलु ‘ आसुरिः ’ एतत्संज्ञ ऋषिः ‘ उवाच ह ’ उक्तवान् खलु ‘ देवाः ’ पुरा सत्रयागकाले ‘ एकं ह वै ’ एकमेव खलु ‘ व्रतं चरंति ’ अनुतिष्ठंति । किं तत् ? ‘ यत् सत्यं ’ सत्यवदनं यथार्थभाषणम् । यस्मादेवं ‘ तस्मात् ’ अवश्यं ‘ सत्यमेव वदेत् ’ । अनाच्छादनादिकं तु, यथासंभवं कर्तव्यमिति तस्याभिप्रायः ॥ ३३ ॥

इति श्रीसायणाचार्यविरचिते माधवीये वेदार्थप्रकाशे माध्यन्दिनीयशतपथब्राह्मणभाष्ये चतुर्दशे काण्डे तदन्तर्भूते प्रथमे प्रवर्ग्यकाण्डे प्रथमेऽध्याये प्रथमं ब्राह्मणम् ॥ १४ । (१)१ । १ ॥

स वै सम्भारान्त्सम्भरति । स यद्वाऽएनानित्था चेत्था च सम्भरति तत्सम्भाराणाᳬं सम्भारत्वᳬं स वै यत्रयत्र यज्ञस्य न्यक्तन्तत-स्ततः । सम्भरति ॥ १ ॥

कृष्णाजिने सम्भरति । यज्ञो वै कृष्णाजिनं यज्ञऽएवैनमेतत्सम्भरति लोमतश्छन्दाᳬंसि वै लोमानि च्छन्दःस्वेवैनमेतत्सम्भरत्युत्तरतऽउदीची हि मनुष्याणान्दिक्प्राचीनग्रीवे तद्धि देवत्रा ॥ २ ॥

महावीरादिप्रवर्ग्यपात्रसंभरणब्राह्मणम् ।

स वै संभारान् संभरति । स यद्वा एनानित्था चेत्था च संभरति । तत्संभाराणां संभारत्वम् । स वै यत्रयत्र यज्ञस्य न्यक्तम् । ततः संभरति ॥ १ ॥

कृष्णाजिने संभरति । यज्ञो वै कृष्णाजिनम् । यज्ञ एवैनमेतत्संभरति । लोमतः । छंदांसि वै लोमानि । छंदःस्वेवैनमेतत्संभरति । उत्तरतः । उदीची हि मनुष्याणां दिक् । प्राचीनग्रीवे । तद्धि देवत्रा ॥ २ ॥

इत्थं आख्यायिकया प्रवर्ग्यस्य विधित्सितस्य यज्ञशिरस्त्वम्, तद्रहितस्य च अग्निष्टोमादेः फलजननासामर्थ्य-मपि उक्त्वा । तस्यावश्यानुष्ठेयस्य प्रतिपादककाण्डाध्यायिनः तदनुष्ठातुश्च व्रतानि दर्शितानि प्रथमब्राह्मणे । अथ द्वितीयेन तत्कर्मनिर्वर्तकानां मृद्दारुमयाणां पात्राणां निष्पत्तिः प्रतिपाद्यते । तत्र महावीरादीनि मृण्मयानि पात्राणि निर्मातुं मृद्वल्मीकवपादयः संभाराः अग्रे विधास्यन्ते । प्रथमं तावत् तेषां संभारसंज्ञां निर्वक्ति–**स यद्वा एनानित्था चेत्था च संभरति तत्संभाराणां संभारत्वमिति** । इतः परं वक्ष्यमाणासु सर्वासु क्रियासु आध्वर्यवसमाख्यावशेन अध्वर्युरेव सामान्यतः कर्तृतया संबध्यसे । वचनात् तद्व्यतिरिक्तानामिति सर्वत्रानुसंधेयम् । सोऽध्वर्युः दीक्षादिवसेषु ' यद्वै ' यस्मात् खलु ' एनान् ' वक्ष्यमाणान् मृदादिसंभारान् ' इत्था चेत्था च ' इत्थं चेत्थं च, इत्थाशब्दद्वयं वक्ष्यमाणसंभाराहरणप्रकारस्य हस्तेन अभिनयप्रदर्शनार्थम् । नानादिगवस्थितान् बहुप्रकारेण ' संभरति ' एकत्र आनीय समूहीकरोति । तत्तस्मात् इतस्ततः संभ्रियमाणत्वात् तेषां ' संभाराणां संभारत्वं ' संभारसंज्ञा निष्पन्ना । अनेन च प्रवर्ग्यं चिकीर्षुः अध्वर्युः आदौ वक्ष्यमाणान् मृदादिपंचसंभारान् संभरेदिति विधिरुन्नेतव्यः । कुतो देशात् संभारा आहर्तव्याः इति तदाह–**स वै यत्रयत्र यज्ञस्य न्यक्तं ततः संभरतीति** । ' सः ' खलु अध्वर्युः ' यत्रयत्र ' यस्मिन् यस्मिन् देशे ' यज्ञस्य ' शिरः ' न्यक्तं ' संसृष्टं 'ततस्ततः' तस्मात्तस्मात् देशात् ' संभरति ' । यज्ञशिरःसारान् मृदादिरूपान् संभारान् एकत्र समुहीकरोति । अनेन इत्था चेत्था चेति प्रागुक्तं बहुप्रकारत्वमपि उपपादितं भवति ॥ १ ॥

कस्मिन् वा अजिने तत्संभरणमिति तदाह–**कृष्णाजिने संभरतीति** । कृष्णः कृष्णमृगः तस्याजिने चर्मणि वक्ष्यमाणाम् संभारान् ' संभरति ' । अथैतत् प्रशंसति–**यज्ञो वै कृष्णाजिनं यज्ञ एवैनमेतत्संभरतीति** ।

(ऋाऽभ्र्या) अभ्र्या । व्वज्रो वाऽअभ्रिर्व्वीर्य्यम्वै व्वज्रो व्वीर्य्येणैवैन-मेतत्समर्द्धयति कृत्स्नङ्करोति ॥ ३ ॥

अभ्र्या । वज्रो वा अभ्रिः । वीर्यं वै वज्रः । वीर्येणैवैनमेतत्समर्द्धयति । कृत्स्नं करोति ॥ ३ ॥

यदेतत् कृष्णाजिनं असौ ' यज्ञो वै ' यज्ञ एव खलु । यज्ञस्य कस्माच्चिन्निमित्तात् देवेभ्यः पलायमानस्य कृष्ण-मृगरूपेणावस्थानात् तच्चर्मणो यज्ञत्वम् । तथा च तैत्तिरीयकं–" यज्ञो देवेभ्यो निलायत । कृष्णो रूपं कृत्वा । यत् कृष्णाजिने हविरध्यवहंति " इति । तथा सति साक्षात् यज्ञे शिरसा संवित्स्यमान एव 'एनं' प्रवर्ग्यं ' एतत् संभरति ' एतेन संभरणेन संयोजयति । अथ तस्य लोमवद्भागे संभरणं कार्यं इति विधाय स्तौति–**लोमत-श्छंदांसि वै लोमानि छंदःस्वेवैनमेतत्संभरतीति** । कृष्णाजिनस्य यस्मिन्परिपार्श्वे लोमानि भवंति तस्मिन् ' लोमतः ' लोम्नि लोमवत्प्रदेशे संभरतीत्यनुषंगः । कुत एतत् अलोमके विशसनप्रदेशे वा कस्मान्न भवतीति चेत् उच्यते । छंदांसि गायत्र्यादीनि छंदोयुक्ता ऋचः सामानि च खलु कृष्णाजिनस्य लोमानि । तथा च तैत्तिरीय-कम्–" एष वा ऋचो वर्णो यच्छुक्लं कृष्णाजिनस्यैष साम्नो यत् कृष्णम् " (तै. सं. ६ । १ । ३) इति । कृष्णाजिनस्य लोमानि शुक्लानि कृष्णानि च भवंति । तत्र शुक्लानि ऋगात्मकानि कृष्णानि सामात्मिकानीति तस्यार्थः। एवं लोम्नां छंदोरूपत्वात् कृष्णाजिनस्य लोमभागे संभारान् संभरन् 'छंदःस्वेव' गायत्र्यादिच्छंदःस्वेव गायत्र्यादिष्वेव ' एनं ' प्रवर्ग्यमुद्दिश्य एतत् ' संभरति ' । वक्ष्यमाणं एतत्संभरणं कृतवान् भवति । अथ दिङ्नियमं विधाय स्तौति–**उत्तरत उदीची हि मनुष्याणां दिक्** इति । ' उत्तरतः ' उदीच्यां दिशि गत्वा संभारान् संभरति ' हि ' यस्मात् सा 'उदीची दिक् मनुष्याणां' दुःखोपशमनहेतुत्वेन संबंधिनी । तथा च–तैत्तिरीयकम् "उदीच उत्सृजत्येषा वै देवमनुष्याणां शांता दिगिति " (तै. सं. ५ । २ । ५) अथ तस्य कृष्णाजिनस्यास्त-रणप्रकारं विधत्ते–**प्राचीनग्रीवे तद्धि देवत्रेति** । प्राचीना प्राच्यां दिशि अवस्थिता ग्रीवा यस्य तथाविधे कृष्णाजिने आस्तीर्णे संभरति । ' तद्धि ' प्राग्दिक्संबद्धं खलु ' देवत्रा ' देवेषु प्रसिद्धम् । तस्या दिशो देवानां स्वभूतत्वात् । तच्च तैत्तिरीयके स्पष्टमाम्नायते–" देवमनुष्या दिशो व्यभजंत प्राचीं देवा दक्षिणा पितरः " (तै. सं. ६ । १ । १) इति । " देवमनुष्यपुरुषपुरुमर्त्येभ्यः " (पा. सू. ५ । ४ । ५६) इत्यादिना सप्तम्यर्थे त्राप्रत्ययः ॥ २ ॥

अथ तत्र खननं विधाय स्तौति–**अभ्र्या वज्रो०करोतीति** । अभ्रिः खननसाधनं काष्ठं तया संभारान्

१–अत्रैव " अथ कृष्णाजिनमादत्ते यज्ञस्यैव सर्वत्वाय यज्ञो ह देवेभ्योऽपचक्राम स [illegible]गो भूत्वा चचार तस्य देवा अनुविद्य त्वचमेवावच्छायाजह्रुः । " इति । (श. प. १ । १ । ४ । १) ।

२–अत्रैव " तस्य यानि शुक्लानि च कृष्णानि च लोमानि तान्यृचां च साम्नां च रूपं यानि शुक्लानि तानि साम्नाᳪं रूपं यानि कृष्णानि तान्यृचां यदि वेतरथा यान्येव कृष्णानि तानि साम्नाᳪं रूपं यानि शुक्लानि तान्यृचां यान्येव बभ्रूणीव हरीणि तानि यजुषाᳪं रूपम् । " इति । (श. प. १ । १ । ४ । २) ।

३–अत्रैव " सा व प्राक्प्रवणा स्यात्प्राची हि देवानां दिगथोऽ उदक्प्रवणोदीची हि मनुष्याणां दिग्दक्षिणतः पुरीषं प्रत्युदूहत्येषा वै दिक् पितृणाᳪं सा यद्दक्षिणाप्रवणा स्यात्क्षिप्रे ह यजमानोऽमुं लोकमियात्तथो ह यजमानो ज्योग्जीवाति । " तथा " तस्मादु ह न प्रतीचीनशिराः शयीत नेद्देवानभिप्रसार्य शया इति या दक्षिणा दिक् सा पितृणां या प्रतीची सा सर्पाणां यतो देवाऽउच्चक्रमुः सैषा हीना योदीची दिक् सा मनुष्याणां तस्मान्मानुषऽउदीचीनवᳪंशामेव शालां वा विमितं वा मिन्वंत्यु–

(त्यौ) औदुम्बरी भवति । (त्यू) ऊर्ग्वै रसऽउदुम्बरऽऊर्ज्जैवैनमेतद्र-
सेन समर्द्धयति कृत्स्नङ्करोति ॥ ४ ॥

(त्यु) अथो वैकङ्कती । प्रजापतिर्य्यां प्रथमामाहुतिमजुहोत्स हुत्वा यत्र
न्यमृष्ट ततो विकङ्कतः समभवद्यज्ञो वाऽआहुतिर्य्यज्ञो विकङ्कतो यज्ञे-
नैवैनमेतत्समर्द्धयति कृत्स्नङ्करोति ॥ ५ ॥

औदुंबरी भवति । ऊर्ग् वै रस उदुंबरः । ऊर्जैवैनमेतद्रसेन समर्द्धयति । कृत्स्नं करोति ॥ ४ ॥

अथो वैकंकती । प्रजापतिर्यां प्रथमामाहुतिमजुहोत् । स हुत्वा यत्र न्यमृष्ट । ततो विकंकतः समभवत् । यज्ञो वा आहुतिः । यज्ञो विकंकतः । यज्ञेनैवैनमेतत्समर्द्धयति । कृत्स्नं करोति ॥ ५ ॥

संभरति । सा खलु 'अग्निः' 'वज्रो वै' वज्रवत्तीक्ष्णाग्रत्वात् ताच्छब्द्यम् । वज्रश्च इंद्रायुधत्वात् 'वीर्यं वै' वीर्यरूप एव । तथा च 'एतत्' एतेन अग्निसंभरणेन 'एनं' प्रवर्ग्यं वीर्येणैव फलजननसामर्थ्येनैव 'समर्द्धयति' समृद्धं करोति । तत्समृद्धौ सत्यां प्रवर्ग्यशिरस्कं यज्ञमपि 'कृत्स्नं' सकलं संपूर्णावयवं 'करोति' ॥ ३ ॥

अथ तस्या अग्नेः वृक्षविशेषं विधाय स्तौति--औदुंबरी भवति० करोतीति । सा अग्निः 'औदुंबरी' उदुंबरवृक्षजा 'भवति' । वृक्षांतरेभ्यः तस्य कोऽतिशयः [illegible] उच्यते--'ऊर्ग्वै' "ऊर्ज बलप्राणनयोः"--(धा. पा. चु. उ. १६) इति धातुः । बलकरः [illegible] स एव 'उदुंबरः' तस्मादुत्पन्नत्वात् । तथा च तैत्तिरीयकम्--"देवा वा ऊर्जं व्यभजंत तत उदुंबर उदतिष्ठत् । उर्ग्वा ऊदुंबरः" इति । तथा च--'ऊर्जा' बलकरेणैव अन्नरसेन 'एनं' प्रवर्ग्यं 'समर्द्धयति' । अन्यत् पूर्ववत् ॥ ४ ॥

अथ विकल्पेनाग्नेर्वृक्षविशेषं विधत्ते--अथो वैकंकतीति । 'अथो' अपि च सा अग्निः 'वैकंकती' विकंकतवृक्षजा वा कार्या । अथैतत्प्रशंसति--प्रजापतिर्यां० करोतीति । 'प्रजापतिः' प्रजानां पालयिता आदि-

---

-दीची हि मनुष्याणां दिक् दीक्षितस्यैव प्राचीनवंशा नादीक्षितस्य" । इति च (श. प. १।२।५।१६ । श. प. ३।१।१।७) तथा दिक्प्रसंगात् ऐशानीदिक्संस्तवोऽप्यत्र प्रदर्श्यते । "उदङ्प्राङ्तिष्ठन्नुदङ्वै प्राङ्तिष्ठन्प्रजापतिः प्रजाऽअसृजत" "यद्वेवोदङ्प्राङ्तिष्ठन्नेषा ह्युभयेषां देवमनुष्याणां दिग्यदुदीची प्राची" ॥ "यद्वेवोदङ्प्राङ्तिष्ठन्नेतस्यां हि दिशि स्वर्गस्य लोकस्य द्वारं तस्मादुदङ्प्राङ्तिष्ठन्नाहुतीर्जुहोत्युदङ्प्राङ्तिष्ठन् दक्षिणा नयति द्वारैतत्स्वर्गस्य लोकस्य वित्तं प्रपादयतीति" (श. प. ६ । १ । २ । २-४) इति ।

४--अत्रैव--"अथौदुंबरीमादधाति देवाश्चासुराश्चोभये प्राजापत्या अस्पर्द्धंत ते ह सर्व्वऽएव व्वनस्पतयोऽसुरानभ्युपेयुरुदुंबरो हैव देवान्न जहौ ते देवा असुरान् जित्वा तेषां व्वनस्पतीनवृञ्जत । ते होचुर्हंत येषु व्वनस्पतिषूर्ग्यो रसऽउदुंबरे तं दधाम ते यद्यपक्रामेयुर्यातयामाऽअपक्रामेयुर्यथा धेनुदुग्धा यथाऽनड्वानूहिवानिति तद्येषु व्वनस्पतिषूर्ग्यो रसऽ आसीदुदुंबरे तमदधुस्त-यैतदूर्जा सर्व्वान्व्वनस्पतीन्प्रतिपच्यते तस्मात्स सर्व्वदाऽऽर्द्रः सर्व्वदा क्षीरी तदेतत्सर्व्वमन्नं यदुदुंबरः सर्व्वे व्वनस्पतयः सर्व्वेणैवैनमेतदन्नेन प्रीणाति सर्व्वैर्व्वनस्पतिभिः समिंद्धे" । इति । तथा "औदुंबरी भवति । ऊर्ग्वै रसऽ उदुंबर ऽऊर्जैवैनमेतद्रसेन बिभर्त्यथो सर्व्वेऽ एते व्वनस्पतयो यदुदुंबरः सर्व्वे वाऽ एतं व्वनस्पतयो यंतुमर्हंति सर्व्वैरेतं व्वनस्पतिभिर्देवाऽ अबिभरुः सर्व्वैरेवैनमेतद्वनस्पतिभिर्बिभर्ति" । (श. प. ६ । ६ । ३ । २-३ । श. प. ६ । ७ । १ । १३ ।) इति च ।

(त्य) अरत्निमात्री भवति । बाहुर्व्वाऽअरत्निर्बाहुनो वै व्वीर्यङ्क्रियते व्वीर्य्यसंमितैव तद्भवति व्वीर्य्येणैवैनमेतत्समर्द्धयति कृत्स्नङ्करोति ॥६॥

तामादत्ते । देवस्य त्वा सवितुः प्प्रसवेऽश्विनोर्ब्बाहुभ्याम्पूष्णो हस्ताभ्यामाददे नारिरसीत्यसावेव बन्धुः ॥ ७ ॥

(स्तां) ताᳪं सव्ये पाणौ कृत्वा । दक्षिणेनाभिमृश्य जपति युञ्जते मनऽउत युञ्जते धियो व्विप्रा व्विप्रस्य बृहतो व्विपश्चितः । व्वि होत्रा दधे व्वयुनाविदेकऽइन्मही देवस्य सवितुः परिष्टुतिरित्यसावेव बन्धुः ॥८॥

अरत्निमात्री भवति । बाहुर्वा अरत्निः । बाहुना उ वै वीर्यं क्रियते । वीर्यसंमितैव तद्भवति । वीर्येणैवैनमेतत्समर्द्धयति । कृत्स्नं करोति ॥ ६ ॥

तामादत्ते–" देवस्य त्वा सवितुः प्रसवेऽश्विनोर्बाहुभ्यां पूष्णो हस्ताभ्यामाददे नारिरसि " (वा. सं. ३७।१) इति । असावेव बंधुः ॥ ७ ॥

तां सव्ये पाणौ कृत्वा दक्षिणेनाभिमृश्य जपति–" युंजते मन उत युंजते धियो विप्रा विप्रस्य बृहतो विपश्चितः । वि होत्रा दधे वयुनाविदेक इन्मही देवस्य सवितुः परिष्टुतिः " (वा. सं. ३७।२) इति । असावेव बंधुः ॥ ८ ॥

कर्ता श्रेष्ठः जगत्सृष्ट्यर्थं ' यां प्रथमां ' ' आहुतिं अजुहोत् ' हुतवान् । ' हुत्वा ' च ' सः ' प्रजापतिः ' यत्र ' यस्मिन्देशे ' यमृष्ट ' लेपनिर्माजर्नं कृतवान । ' ततः ' तस्मात् स्थानात् सः ' विकंकतो ' वृक्षः ' समभवत् ' उदपद्यत । एवमाहुतिसकाशाज्जातत्वात् स ' विकंकतो ' वृक्षः ' यज्ञो वै ' यज्ञात्मक एव । अन्यत् पूर्ववत् योज्यम् । क्रियापदात् पूर्वं पठितं ' एतत् ' इति पदं सर्वत्र क्रियाविशेषणत्वेन योज्यम् ॥ ५ ॥

अथ तस्याः परिमाणं विधत्ते–**अरत्निमात्री भवतीति** । चतुर्विंशत्यंगुलपरिमितः कूर्परादारभ्य कनिष्ठिकाग्रपर्यंतः बाह्वोरेकदेशोऽरत्निः । अरत्निमात्रपरिमिता सा अभ्रिः कार्या । तदेतत् स्तौति–**बाहुर्वा अरत्नि० कृत्स्नं करोतीति** । यः अयमरत्निः स पूर्वोक्तप्रकारेण ' बाहुर्वै ' हस्त एव खलु ' बाहुना उ ' बाहुद्वयाद्धि ' वीर्यं ' लोके ' क्रियते ' । अतस्तत् सा अभ्रिः बाह्वेकदेशारत्निपरिमिता ' वीर्यसंमितैव भवति ' अन्यत् पूर्ववत् योज्यम् ॥ ६ ॥

अथ संभारानाहर्तुं तस्या आहरणं विधत्ते–**तामादत्ते देवस्य त्वा० बंधुरिति** । ' तां ' तथाविधां उक्तलक्षणां अभ्रिम् देवस्य त्वेत्यादिना नारिरसीत्यंतेन मंत्रेण ' आदत्ते ' दक्षिणहस्तेन गृह्णीयात् । मंत्राः सर्वे संहितायामेव व्याख्याताः इति तन्मंत्रव्याख्यानाय न प्रयते । येषां मंत्राणां ब्राह्मणमेव पदतः तात्पर्येण व्याख्यानं करोति । ते अस्माभिरपि व्याकरिष्यंते । ' असावेव ' खलु मंत्रः ' बंधुः ' बंधकः छिन्नस्य यज्ञशिरसः पुनः संधायकः । सवित्रश्विपूष्णां देवानां सम्बन्धात् । यद्वा आदीयमाना सैवाभ्रिः ' बंधुः ' । संभारा (हरा: ?) प्रवर्ग्यस्य यज्ञशिरसः बंधुर्मैत्री । अतः तां अनेन मंत्रेणाददीतेत्यर्थः ॥ ७ ॥

यदुक्तं कात्यायनेन सूत्रकृता–" देवस्य त्वेत्यभ्रिमादायौदुंबरीं वैकंकतीं वाऽरत्निमात्रीᳪं सव्ये कृत्वा दक्षिणे-

(९) अथ मृत्पिण्डम्परिगृह्णाति । (तथ) अभ्र्या च दक्षिणतो हस्तेन च हस्तेनैवोत्तरतो देवी द्यावापृथिवी ऽइति यज्ञस्य शीर्षच्छिन्नस्य रसो व्व्यक्षरत्सऽइमे द्यावापृथिवीऽअगच्छद्यन्मृदियन्तद्यदापोऽसौ तन्मृदश्चापश्च महावीराः कृता भवन्ति तेनैवैनमेतद्रसेन समर्द्धयति कृत्स्नङ्करोति तस्मादाह देवी द्यावापृथिवीऽइति मखस्य वामद्य शिरो राध्यासमिति यज्ञो वै मखो यज्ञस्य वामद्य शिरो राध्यासमित्येवैतदाह देवयजने हि पृथिव्यै सम्भरति मखाय त्वा मखस्य त्वा शीर्ष्णे ऽइति यज्ञो वै देवयजने पृथिव्या ऽइति मखो यज्ञाय त्वा यज्ञस्य त्वा शीर्ष्णे-ऽइत्येवैतदाह ॥ ९ ॥

अथ मृत्पिण्डं परिगृह्णाति । अभ्र्या च दक्षिणतो हस्तेन च । हस्तेनैवोत्तरतः । "देवी द्यावापृथिवी इति । यज्ञस्य शीर्षच्छिन्नस्य रसो व्यक्षरत् । स इमे द्यावापृथिवी अगच्छत् । यन्मृत् । इयं तत् । यदापः । असौ तत् । मृदश्चापां च महावीराः कृता भवंति । तेनैवैनमेतद्रसेन समर्द्धयति । कृत्स्नं करोति । तस्मादाह–" देवी द्यावापृथिवी "–इति । " मखस्य वामद्य शिरो राध्यासम् "–इति । यज्ञो वै मखः । यज्ञस्य वामद्य शिरो राध्यासम् । इत्येवैतदाह " देवयजने पृथिव्याः "–इति । देवयजने हि पृथिव्यै संभवति । " मखाय त्वा मखस्य त्वा शीर्ष्णे "–(वा. सं. ३७ । ३) इति । यज्ञो वै मखः । यज्ञाय त्वा यज्ञस्य त्वा शीर्ष्णे इत्येवैतदाह ॥ ९ ॥

नालभ्य जपति युञ्जत" इति । (का. श्रौ. सू. २६।१।४) इति तदेतद्विधीयते–ताᳪ सव्ये पाणौ कृत्वा० बंधुरिति । ' ताम् ' दक्षिणहस्तेन गृहीत्वा ततः ' सव्ये पाणौ कृत्वा सव्यहस्तेनादाय तत्र धृत्वा ' दक्षिण-हस्तेनाभिमृश्य संस्पृश्य ' जपति ' " युंजते मन " इति ऋचम् ' सवितुः परिष्टुतिरिति ' सर्वप्रेरकस्य सवितुः श्रवणात् ' असावेव मंत्रः ' बंधुः ' छिन्नस्य यज्ञशिरसः बंधकः ॥ ८ ॥

अथ तया आभ्र्या खातां जलेनासिक्तां मृदमाहरेदिति विधत्ते–अथ मृत्पिण्ड० द्यावापृथिवी इति । ' अथ ' अभ्रिस्पर्शनानंतरं तया चाभ्र्या दक्षिणहस्तेन च दक्षिणतो दक्षिणभागेन गृह्णन् सव्यहस्तेनैव केवलेन ' उत्तरतः ' उत्तरभागे गृह्णन् " देवी द्यावापृथिवी " इति मंत्रेण ' मृत्पिंडं ' जलेन मिश्रीकृतं मृत्तिकावनं ' गृह्णाति ' महावीराख्यमृण्मयपात्रपर्याप्तं स्वीकुर्यात् । परिगृह्य च तं मृत्पिंडं उत्तरत आस्तीर्णे कृष्णाजिने निदधाति । तथा चाह स्म सूत्रकारः–" मृदमादत्ते पिण्डवद्देवी द्यावापृथिवी इति " " कृष्णाजिने निदधात्युत्तरतः "–(का. श्रौ. सू. २६ । ९ । ६) इति । मंत्रस्य चतुर्द्धा विभक्तस्य प्रथमभागः प्रतीकत्वेन गृहीतः । तं तात्पर्यतो व्याचष्टे–यज्ञस्य शीर्षच्छिन्नस्य० कृत्स्नं करोतीति । शीर्षं शिरः छिन्नं यस्य असौ शीर्षच्छिन्नः तथाविधस्य यज्ञस्य छेदनप्रदेशात् यः ' रसः ' लोहितरूपः ' व्यक्षरत् ' विविधं स्तुतः अभूत्, । ' सः ' रसः ' इमे ' सर्वप्राणिसन्निहिते ' द्यावापृथिवी ' द्यां च पृथिवीं च ' अगच्छत् प्राप्नोत् । आह्रिय०

(ह्रा) अथ व्वल्मीकवपाम् । (न्दे) देव्व्यो व्वम्र्यऽइत्येता वाऽएतद्-कुर्व्वत यथायथैतद्यज्ञस्य शिरोऽच्छिद्यत ताभिरेवैनमेतत्समर्द्धयति कृत्स्नङ्करोति भूतस्य प्रथमजाऽइतीयम्वै पृथिवी भूतस्य प्रथमजा तद्-

---

अथ वल्मीकवपाम् । "देव्यो वम्र्यः"–इति । एता वा एतदकुर्वत । यथायथैतद्यज्ञस्य शिरोऽच्छिद्यत । ताभिरेवैनमेतत्समर्द्धयति । कृत्स्नं करोति । "भूतस्य प्रथमजाः"–इति । इयं

माणा मृदिति 'यत्' तदेव 'इयं' यज्ञरसयुक्ता पृथिवी । मृदा संसृष्टा आपः इति 'यत्' तदेव 'असौ' द्युलोकः । द्युलोकजनितया हि वृष्ट्या आपो जायंते इति । यस्मात् एवं महावीराः 'मृदः' मृत्तिकायाश्च 'अपां' उदकानां च संमेलनात् 'कृताः' उत्पादिताः 'भवंति' । तस्मात् 'तेनैव' द्यावापृथिव्यौ प्राप्तेनैव पुरातनेन रसेन 'एनं' प्रवर्ग्यं 'एतत् समर्द्धयति' । तत्समृद्धया न गन्नमपि 'कृत्स्नं' संपूर्णावयवं 'करोति' । प्रादेशमात्रोन्नतानि पर्वत्रयवंति घुंटिकाकाराणि घर्महविःसंतापार्थानि त्रीणि मृण्मयपात्राणि महावीरा इत्युच्यंते । "महान् वत नो वीरोऽपादीति तस्मान्महावीरः" । (श.प. १४।१।१।११) इत्यादिना प्रवर्ग्यस्य तावन्महावीरशब्दाभिधेयत्वमुक्तम् । तत्साधनेषु पात्रेषु तच्छब्दप्रवृत्तिः उपचारात् इति द्रष्टव्यम् । उक्तमर्थं निगमयति–तस्मादाह देवी द्यावापृथिवी इतीति । यस्मात् यज्ञरसः द्यावापृथिव्यौ प्राप्नोत् । मृज्जलात्मको मृत्पिण्डश्च द्यावापृथिव्यात्मकः । 'तस्मात्' "द्यावापृथिवी" इति मंत्रभागे समवेतार्थत्वात् अध्वर्युराह मृत्पिण्डं स्वीकुर्वन् ब्रूयात् । द्वितीयं भागमनूद्य व्याचष्टे–मखस्य वामद्य शिरो० राध्यासमित्येवैतदाहेति । मखस्य वामिति द्वितीयो भागः । तत्र यो मखशब्दाभिधेयः स 'यज्ञो वै' यज्ञः खलु । एवं मखशब्दार्थे सति यो वाक्यार्थः संपद्यते तं दर्शयति–यज्ञस्य वामिति । अयमर्थः- हे 'देवी' देव्यौ देवनशीले हे 'द्यावापृथिवी' द्यावापृथिव्यौ ! 'वां' युवयोः सकाशात् । 'अद्य' अस्मिन् काले 'मखस्य' यज्ञस्य 'शिरः' प्रवर्ग्यं 'राध्यासं' कर्तुं शक्तो भूयासम् । कुत्रेति चेत् कर्तुं शक्तो भूयासमिति इममेवार्थं एतच्च मंत्रवाक्यमाह प्रतिपादयति । अथ तृतीयमागमनूद्य प्रसिद्धत्वेव व्याचष्टे–देवयजने० संभरतीति । 'पृथिव्यै,' षष्ठ्यर्थे चतुर्थी । पृथिव्याः संबंधिनि 'देवयजने' देवा इज्यंते अस्मिन्निति देवयजनं यागाधिकरणभूतो देशः । तत्र हि संभरति, मृदादिसंभारानाहरति । तस्मात् अप्रसिद्धं व्याख्येयं पदं तृतीयभागे नास्तीत्यर्थः । अथ चतुर्थभागमनूद्य, व्याख्यानसापेक्षस्य पदस्यार्थमुक्त्वा निष्पन्नं वाक्यार्थमप्याह–मखाय त्वा० त्येवैतदाहेति । मखाय त्वेत्यस्मिन् चतुर्थभागे मखशब्दस्य पूर्ववत् यज्ञ एवार्थः । तथा च "यज्ञाय त्वा यज्ञस्य त्वा शीर्ष्णे" इति इममेवार्थं एतन्मंत्रवाक्यमाह । अयमर्थः-हे मृत्पिण्ड ! 'त्वां' 'मखाय' यज्ञाय यज्ञार्थं आददे । तथा 'मखस्य' यज्ञस्य 'शीर्ष्णे' शिरसे 'त्वां' परिगृह्णामीति एतमर्थं चतुर्थभागः प्रतिपादयतीत्यर्थः ॥ ९ ॥

अथ संभारांतरस्याहरणं विधत्ते–अथ वल्मीकवपां देव्यो व्वम्र्य इतीति । 'अथ' मृत्संभरणानंतरं "देव्यो वम्र्यः" इति मंत्रेण 'वल्मीकवपां' वल्मीकस्य अंतः वपावत् अवस्थितां मृत्तिकां संभरति मंत्रेणा-

---

१–देव्यो व्वम्र्य इति वल्मीकवपाम् । का. श्रौ. सू. २६ । ७ ।

नयैवैनमेतत्समर्द्धयति कृत्स्नं करोति मखस्य वोऽद्य शिरो राध्यासं देवयजने पृथिव्या मखाय त्वा मखस्य त्वा शीर्ष्णऽइत्यसावेव बन्धुः ॥ १० ॥

(३) अथ वराहविहतम् । (मि) इयत्यग्रऽआसीदितीयती ह वाऽइयमग्रे पृथिव्यास प्रादेशमात्री तामेमूषऽइति वराहऽउज्जघान सोऽस्याः पतिः प्रजापतिस्तेनैवैनमेतन्मिथुनेन प्रियेण धाम्ना समर्द्धयति कृत्स्नं करोति मखस्य तेऽद्य शिरो राध्यासं देवयजने पृथिव्या मखाय त्वा मखस्य त्वा शीर्ष्णऽइत्यसावेव बन्धुः ॥ ११ ॥

वै पृथिवी भूतस्य प्रथमजा । तदनयैवैनमेतत्समर्द्धयति । कृत्स्नं करोति । " मखस्य वोऽद्य शिरो राध्यासं देवयजने पृथिव्याः, मखाय त्वा मखस्य त्वा शीर्ष्णे "-(वा. सं. ३७।४) इति । असावेव बंधुः ॥ १० ॥

अथ वराहविहतम् । " इयत्यग्र आसीत् "-इति । इयती ह वा इयमग्रे पृथिव्यास प्रादेशमात्री । ताम् ए मूष इति वराह उज्जघान । सोऽस्याः पतिः प्रजापतिः । तेनैवैनमेतन्मिथुनेन प्रियेण धाम्ना समर्द्धयति । कृत्स्नं करोति । " मखस्य तेऽद्य शिरो राध्यासं देवयजने पृथिव्याः, मखाय त्वा मखस्य त्वा शीर्ष्णे "-(वा. सं. ३७।५) इति । असावेव बंधुः ॥ ११ ॥

दाय कृष्णाजिने निदधाति । मंत्रं त्रेधाकृत्य प्रथमभाग उपात्तः । तस्य तावत्तात्पर्यमाह-एता वा एतदकुर्वत यथायथैतद्यज्ञस्य० कृत्स्नं करोतीति । ' देव्यो वम्र्यः ' ' इति ' याः वमनशीलाः उपदीकाः प्रतिपाद्यंते । ' एताः ' खलु पुरा ' एतत् ' कर्म ' अकुर्वत ' । ' यथायथा ' येनयेन प्रकारेण ' यज्ञस्यैतच्छिरः अच्छिद्यत ' छिन्नमभवत् । एवमेतत् कर्म ज्याभक्षणरूपं कृतवत्यः इत्यर्थः । अतस्ताभिरेव ' एनं ' प्रवर्ग्यं ' एतत् समर्द्धयति ' । अन्यत् पूर्ववत् योज्यम् । द्वितीयभागमनूद्य व्याचष्टे-भूतस्य प्रथमजा इति । इयं वै पृथिवी भूतस्य० कृत्स्नं करोतीति । ' इयं ' खलु ' पृथिवी ' स्वकार्यस्य प्राणिजातस्य ' प्रथमजा ' कारणत्वेन प्रथमं पुरस्ताज्जाता । तत्संबंधात् वम्र्योऽपि मंत्रे प्रथमजा इत्युच्यंते । तत्तथा च ' अनयैव ' पृथिव्या 'एनं' प्रवर्ग्यमेव समर्द्धयति । व्याख्यातमन्यत् । अथ तृतीयभागमनूद्य पूर्वव्याख्याततत्वेन पुनर्व्याख्याननैरपेक्ष्यात् तात्पर्यलभ्यमर्थमाह-मखस्य वोऽद्य शिरो० इत्यसावेव बंधुरिति । हे ' वम्र्यः ' ' वः ' युष्माकं संबंधिन्या वल्मीकमृत्तिकया इत्येतावान् तत्र विशेषः । अन्यत् सर्वं पूर्वमंत्रब्राह्मणे व्याख्यातम् । ' मखस्य शीर्ष्णे ' इति समवेतार्थप्रकाशत्वात् ' असावेव ' मंत्रः ' बंधुः ' तस्य छिन्नस्य यज्ञशिरसो बन्धकः ॥ १० ॥

अथ संभारांतरस्याहरणं विधत्ते-अथ वराहविहतमियत्यग्रऽआसीदितीति । ' अथ ' वल्मीकवपासंभरणानंतरं ' वराहविहतं ' वराहेण खातं मृत्पिंडं " इयत्यग्रऽ आसीत् " इति मंत्रेण आहृत्य उत्तरतः कृष्णाजिने निदध्यात् । अस्मिन् मंत्रभागे इयतीशब्दसूचितमर्थं प्रदर्शयन् अस्य मंत्रभागस्य प्रकृते संगतिमाह-इयती ह वा० कृत्स्नं करोतीति । इयतीति प्रादेशमात्रस्याभिनयेन प्रदर्शनम् । इदं परिमाणं अस्याः इयती ।

१-इयत्यग्र इति वराहविहतम् । का. श्रौ. सू. २६ । ८ ।

(र) अथादाराञ् । (नि) इन्द्रस्यौज स्थेति यत्र वाऽएनमिन्द्रऽ ओजसा पर्य्यगृह्णात्तदस्य परिगृहीतस्य रसो व्यक्षरत्स पूयान्निवाशेत सोऽब्रवीदादीर्य्येव बत मऽएष रसोऽस्त्रौपीदिति तस्मादादाराऽअथ यत्पूयन्निवाशेत तस्मात्पूतीकास्तस्मादग्नावाहुतिरिवाभ्याहिता ज्वलन्ति तस्मादु सुरभयो यज्ञस्य हि रसात्संभूताऽअथ यदेनन्तदिन्द्रऽओजसा पर्य्यगृह्णात्तस्मादाहेन्द्रस्यौज स्थेति मखस्य वोऽद्य शिरो राद्ध्यासन्देवयजने पृथिव्या मखाय त्वा मखस्य त्वा शीर्ष्णऽइत्यसावेव बन्धुः ॥ १२ ॥

अथादारान्–" इंद्रस्यौजः स्थ "–इति । यत्र वा एनमिंद्र ओजसा पर्यगृह्णात् । तदस्य परिगृहीतस्य रसो व्यक्षरत् । स पूयन्निवाशेत । सोऽब्रवीत् । आदीर्येव बत म एष रसोऽस्त्रौपीदिति । तस्मादादाराः । अथ यत्पूयन्निवाशेत । तस्मात्पूतीकाः । तस्मादग्नावाहुतिरिवाभ्याहिता ज्वलन्ति । तस्मादु सुरभयः । यज्ञस्य हि रसात्संभूताः । अथ यदेनं तदिन्द्र ओजसा पर्यगृह्णात् । तस्मादाह । " इंद्रस्यौजः स्थ "–इति । " मखस्य वोऽद्य शिरो राध्यासं देवयजने पृथिव्याः, मखाय त्वा मखस्य त्वा शीर्ष्णे "–(वा. सं. ३७।६) इति । असावेव बंधुः ॥ १२ ॥

तस्य व्याख्यानं–प्रादेशमात्रीति । अयमर्थः–' अग्रे ' सृष्टेः प्राक्काले या उदकमध्ये कृत्स्ना पृथिवी निमग्ना आसीत् ' तां ' प्रजापतिः ' वराहः ' भूत्वा, दंष्ट्राभ्यां उद्धृतवान् । इत्याख्याता । अतः तस्यां अवस्थायां ' इयं ' दृश्यमाना सर्वा पृथिवी तद्दंष्ट्राग्रप्रोता ' इयती ह वै ' इयती खलु प्रादेशमात्रपरिमितैव आसीत् । ' तां ' तथावस्थितां पृथिवीं वराहरूपः प्रजापतिः ' उज्जघान ' उद्धृतां जलमध्यात् समुद्धृतां कृतवान् । किं ब्रुवन् ? एमूष इतीति । ' ए ' अरे पृथिवि ! ' मूषः ' अमुष्याः स्तेयकादिवत् त्वं अदृश्या भवसि इति वदन्, स च, वराहरूपः प्रजापतिः ' अस्याः ' पृथिव्याः ' पतिः ' भर्ता । अतः ' तेन ' महीवराहरूपेण ' मिथुनेनैव ' ' एतत् ' एतर्हि ' एनं ' प्रवर्ग्यं ' प्रियेण धाम्ना ' इष्टतमेन तेजसा ' समर्द्ध-यति ' । ततश्च यज्ञमपि संपूर्णावयवं कृतवान् भवति । हे ' पृथिवि ! ' त्वं ' अग्रे ' वराहेण उद्धरणसमये ' इयती ' एतत्परिमाणा, प्रादेशमात्रपरिमितैव आसीः । अत एवं विशिष्टार्थस्य प्रतिपादकत्वात् अयं मंत्रभागो वराहविहतसंभरणे संगत इत्यर्थः । मन्त्रशेषं पूर्ववत् अनूद्य तात्पर्यमाह–मखस्य तेऽद्य० बंधुरिति । हे ' पृथिवि ! ' ' ते ' तव सम्बन्धिना वराहविहतेनेति शेषः । शिष्टं सिद्धम् ॥ ११ ॥

अथ पूतीकरससंभाराहरणं विधत्ते–अथादारानिन्द्रस्यौजः स्थेतीति । ' अथ ' वराहविहतसंभरणानंतरं 'आदारान्' आदीर्यावस्थितान् पूतीकशब्दाभिधेयान् सोमप्रतिनिधित्वेन चोदितान् लताविशेषान् "इंद्रस्यौजः स्थ" इति मंत्रेण संभृत्य कृष्णाजिने निदधाति । हे पूतीकाः ! ' इंद्रस्य ' 'ओजः' बलं ' स्थ ' भवथेति । कथं एतेषां

१–इंद्रस्यौजः स्थेति पूतीका । का. श्रौ. सू. २६।१ ॥

(उ) अथाजाक्षीरम् । (र) यज्ञस्य शीर्षच्छिन्नस्य शुगुदक्रामत्ततोऽजा समभवत्तयैवैनमेतच्छुचा समर्द्धयति कृत्स्नङ्करोति मखाय त्वा मखस्य त्वा शीर्ष्णऽइत्यसावेव बन्धुः ॥ १२ ॥

अथाजाक्षीरम् । यज्ञस्य शीर्षच्छिन्नस्य शुगुदक्रामत् । ततोऽजा समभवत् । तयैवैनमेतच्छुचा समर्द्धयति । कृत्स्नं करोति । "मखाय त्वा मखस्य त्वा शीर्ष्णे"–(वा. सं. ३७।६) इति । असावेव बंधुः ॥ १२ ॥

इंद्रसंबंध्योजोरूपता इत्याशंक्य तत् उपपादयितुमाह–यत्र वा एनं तदिन्द्र ओजसा० संभूता इति । 'तत्' तदानीं 'यत्र' यस्मिन् देशे खलु 'एनं' पलायमानं विष्ण्वात्मकं यज्ञं 'इंद्रः ओजसा' बलेन 'पर्यगृह्णात्' परिगृहीतवान् । 'तत्' तत्र परिगृहीतस्य स्वीकृतस्य 'अस्य' यज्ञस्य 'रसः' सारः 'व्यक्षरत्' विविध-क्षरणेन भूमिं प्राप्नोत् । 'सः' च रसः तत्र 'पूयन्निव' रसांतरं प्राप्तं पर्युषितं ओदनादिकमिव विरसो भवन् इव 'अशेत' अतिष्ठत् । एवं स्थिते 'सः' इंद्रः 'अब्रवीत्' । 'बत' इति खेदे । 'मे' मदीयः 'एषः' यज्ञरसः 'आर्दार्येव' विभिद्येव 'अस्रौषीत्' स्रुतोऽभूत् । यथा उदकपूर्णपात्रं विभिन्नं सत् स्रवति एवं एषः यज्ञरसोऽपि स्रुतः इति खेदं प्राप्तवानित्यर्थः । 'इति' हेतौ । यस्मात् एवमुक्तवान् 'तस्मात्' एते लताविशेषाः 'आदाराः' इत्युच्यंते । 'अथ' स्रवणानंतरं 'यत्' यस्मात् 'पूयन्निव' 'अशेत' 'तस्मात् पूतीकाः' पूतीकशब्दाभिधेयाश्च । यस्मात् एते यज्ञरसात् जाताः । तस्मादेव कारणात् अग्नौ प्रक्षिप्ता-हुतिवत् होमसाधनं आज्यादिद्रव्यमिव 'अभ्याहिताः' 'अग्नौ' प्रक्षिप्ताः 'ज्वलंति' । तस्मादेव कारणात् एताः 'सुरभयः' सुगंधयुक्ताः । 'हि' यस्मात् इमे उक्तप्रकारेण 'यज्ञस्य रसात् संभूताः' उत्पन्नाः । यत एवं पुरावृत्तम्, अतः पूतीकाहरणे अयमेव मंत्रो वक्तव्यः इत्याह–अथ यदेनं तदिन्द्र ओजसा०स्यौजः स्थेति । 'अथ' एवं सति यद्यस्मात् 'एनं' रसात्मना स्रुतं यज्ञं 'इंद्रः ओजसा पर्यगृह्णात्' तत्तस्मात् तत्परिणामरूपाणां पूतीकानां संभरणे इंद्रस्यौजः स्थेति मन्त्रं अध्वर्युः 'आह' ब्रूयात् । यद्वा "इंद्रस्यौजः स्थेति" अयं मंत्रः अमुमर्थमाह प्रतिपादयति इति योज्यम् । अथ पूर्ववत् मंत्रशेषं पठित्वा छिन्नस्य यज्ञशिरसः संबंध-हेतुत्वमाह–मखस्य वोऽद्य शिरो०बंधुरिति । पूर्ववत् व्याख्येयम् ॥ १२ ॥

अथ यदुक्तं कात्यायनेन–"मखायेति पयः" "तूष्णीं गवेधुकाः" (का. श्रौ. सू. २६।१०।११) इति तदेतत् विदधाति–अथाजाक्षीरमिति । 'अथ' पूतीकसंभरणानंतरं 'अजाक्षीरं' अजश्छागः तस्य स्त्री अजा तस्याः क्षीरं पयः "मखाय त्वा" इत्यादिना मंत्रेण संभृत्य कृष्णाजिनस्थे मृत्पिण्डे अवनयेत् । अथास्य प्रवर्ग्यसंबं-धार्थतामाह–यज्ञस्य शीर्षच्छिन्नस्य०कृत्स्नं करोतीति । 'शीर्षच्छिन्नस्य' छिन्नशिरस्कस्य 'यज्ञस्य, 'शुक्' शोकः 'उदक्रामत्' तस्माच्छरीरान्निरगात् । 'ततः' तस्याः शुचः सकाशात् 'अजा समभवत्' संभूता । तत्पयसः अवनयने सति 'एतत्' एतर्हि यथा प्रागुक्तं 'तथैव' शुचा 'एनं समर्द्धयति' । ततो यज्ञ-मपि संपूर्णावयवं कृतवान् भवति । अथ पयःसंभरणमंत्रं विधाय तात्पर्यमाह–मखाय त्वा० बंधुरिति । मखाय त्वेत्यनेन मंत्रेण अजाक्षीरस्य संभरणं कार्यमित्यर्थः । अन्यत्पूर्ववत् ॥ १२ ॥

(स्ता) तान्वाऽएतान्पञ्च सम्भारान्त्सम्भरति । पाङ्क्तो यज्ञः पाङ्क्तः पशुः पञ्चर्त्तवः सम्वत्सरस्य सम्वत्सरऽएष यऽएष तपत्येषऽ उ प्रवर्ग्यस्तदेतमेवैतत्प्रीणाति तान्त्सम्भृतानभिमृशति मखाय त्वा मखस्य त्वा शीर्ष्णऽइत्यसावेव बन्धुः ॥ १४ ॥

(१)अथोत्तरतः परिश्रितम्भवति । तदभिप्रयन्तो जपन्ति प्रैतु ब्रह्मणस्पतिरित्येष वै ब्रह्मणस्पतिर्यऽएष तपत्येषऽउ प्रवर्ग्यस्तदेतमेवैतत्प्रीणाति तस्मादाह प्रैतु ब्रह्मणस्पतिरिति प्र देव्येतु सूनृतेति देवी ह्येषा सूनृताऽच्छा वीरन्नर्य्यं पङ्क्तिराधसमित्युपस्तौत्येवैनमेतन्महयत्येव देवा यज्ञन्नयन्तु नऽइति सर्व्वानेवास्माऽएतद्देवानभिगोप्तॄन्करोति ॥ १५ ॥

तान्वा एतान्पंच संभारान्त्संभरति । पाङ्क्तो यज्ञः । पाङ्क्तः पशुः । पंचर्तवः संवत्सरस्य । संवत्सर एषः । य एष तपति । एष उ प्रवर्ग्यः । तदेतमेवैतत्प्रीणाति । तान्संभृतानभिमृशति–"मखाय त्वा मखस्य त्वा शीर्ष्णे"–(वा. सं. ३७ । ६) इति । असावेव बंधुः ॥ १४ ॥

अथोत्तरतः परिश्रितं भवति । तदभिप्रयंतो जपंति–"प्रैतु ब्रह्मणस्पतिः"–इति । एष वै ब्रह्मणस्पतिः । य एष तपति । एष उ प्रवर्ग्यः । तदेतमेवैतत्प्रीणाति । तस्मादाह–"प्रैतु ब्रह्मण-

---

अथ एतान् मृदादिसंभारान् विहितान् संहृत्य स्तौति–तान्वाऽएतान्पञ्च संभारान्० प्रीणातीति । 'तान्' पूर्वोक्तान् खलु एतान्मृद्वल्मीकवपादीन्पञ्च 'संभारान् संभरति' न तु चतुरः षड् वा । कुतः ? 'यज्ञः पाङ्क्तो वै' पङ्क्तिशब्देन छंदोवाचिना पादगता पंचसंख्या लक्ष्यते । पंचसंख्यासंबद्धः खलु, देवयज्ञः पितृयज्ञो भूतयज्ञो मनुष्ययज्ञो ब्रह्मयज्ञ इति पांचविध्यदर्शनात् । यद्वा धानाः करंभः परिवापः पुरोडाशः पयस्या चेति पंचहविर्योगात् यज्ञस्य पाङ्क्तत्वम् । इष्टिपशुदर्वीहोमैकाहाहीनभेदेन वा । तथा गवाद्याः पशवश्च पाङ्क्ताः पंचसंख्यासंबद्धाः, पादचतुष्टयमध्यदेशभेदेन । तस्मात् संभारगता पंचसंख्या यज्ञार्हपशुप्राप्तिहेतुः इत्यर्थः । अपि च संवत्सरस्य द्वादशमासात्मकस्य वसंताद्याः 'पञ्चर्तवः' हैमंतशिशिरयोः समासेन । स च 'संवत्सरः' 'एषः' दृश्यमानः सूर्यः । 'य एषः' दिवि 'तपति' सर्वं जगत्प्रकाशयति । 'एषः' एव प्रवर्ग्यः । प्रवर्ग्याख्यस्य छिन्नस्य यज्ञशिरसः सूर्यात्मना परिणामस्य प्राक् दर्शितत्वात् । एवं पारंपर्येण तत्तस्मात् एतमेव प्रवर्ग्यं पंचसंख्यया 'एतत्' एतर्हि 'प्रीणाति' । अथ एकस्मिन् कृष्णाजिने संभृतानां संभाराणां समंत्रकमभिमर्शनं विधत्ते–तान्त्संभृतानभिमृशति० बंधुरिति । 'तान् संभृतान्' कृष्णाजिने समाहृत्य स्थापितान् मृदादिसंभारान् 'अभिमृशति' अभितः सर्वतः स्पृशति मखाय त्वेति मंत्रेण । गतमन्यत् ॥ १४ ॥

अथ महावीरादिनिर्माणाय देवयजनस्योत्तरतः परिश्रितं भवतीत्याह–अथोत्तरतः परिश्रितं भवतीति । अथेत्यानंतर्ये । एवं संभाराहरणानंतरं 'उत्तरतः' देवयजनस्योत्तरस्यां दिशि 'परिश्रितं' कटादिभिः सर्वतो

१–संभृतानभिमर्शयति मखायेति । का. श्रौ. सू. २६ । १२ ॥

परिश्रितम्भवति । (त्ये) एतद्धै देवाऽअबिभयुर्य्यद्धै नऽइममिह रक्षाᳩसि नाष्ट्रा नु हन्युरिति तस्माऽएताम्पुरम्पुर्य्यश्रयंस्तथैवास्माऽअयमेताम्पुरम्परिश्रयति ॥ १६ ॥

स्पतिः "-इति । " प्र देव्येतु सूनृता "-इति । देवी ह्येषा सूनृता । " अच्छा वीरं नर्यं पंक्तिराधसम् "-इति । उपस्तौत्येवैनमेतत् महयत्येव । " देवा यज्ञं नयंतु नः "-(वा. सं. ३७ । ७) इति । सर्वानेवास्मा एतद्देवानभिगोप्तॄन्करोति ॥ १५ ॥

परिश्रितं भवति । एतद्धै देवा अबिभयुः । यद्धै न इममिह रक्षांसि नाष्ट्रा न हन्युरिति । तस्मा एतां पुरं पर्यश्रयन् । तथैवास्मा अयमेतां पुरं परिश्रयति ॥ १६ ॥

वेष्टितं स्थानं कुर्यात् । अथ तं देशं प्रति संभाराणां समंत्रकमानयनं विधत्ते-**तदभिप्रयन्तो जपन्ति प्रैतु ब्रह्मणस्पतिरिति** । ' तत् ' परिश्रितं स्थानं संभारैः सह ' अभिप्रयन्तः ' अभिगच्छन्तः प्रवर्ग्यकर्तारः " प्रैतु ब्रह्मणस्पतिः " इति । इमं मन्त्रं ' जपन्ति ' । तदेतत् स्पष्टीकृतं सूत्रकारेण-" कृष्णाजिनं परिगृह्योत्तरतः परिवृतं गच्छन्ति प्रैतु ब्रह्मणस्पतिरिति " (का. श्रौ. सू. २६।१३) । अथ एतस्य मन्त्रभागस्य तात्पर्यमाह-**एष वै ब्रह्मणस्पति० तत्प्रीणातीति** । ' एष वै ' दृश्यमान एव सूर्यः मन्त्रप्रतिपाद्यो ब्रह्मणस्पतिः ' ब्रह्मणो वेदस्य पतिः इति तच्छब्दव्युत्पत्तेः । सूर्यस्य च त्रयीमयत्वात् तत्पतित्वं प्रसिद्धम् । अन्यत् पूर्ववत् योज्यम् । एवं समवेतार्थत्वात् अयं मन्त्रः प्रवर्ग्यप्रयोज्यः इति निगमयति-**तस्मादाह प्रैतु ब्रह्मणस्पतिरितीति** । अथ द्वितीयभागमनूद्य प्रसिद्ध्या व्याचष्टे-**प्र देव्येतु सूनृतेति** । ' एषा ' प्रसिद्धा ' सूनृता ' प्रियसत्यात्मिका वाग् ' देवी हि ' खलु अस्मिन्मन्त्रभागे ' देवी सूनृता इति प्रतिपाद्यते । सा च सूनृता ' देवी ' ' प्रैतु ' प्रगच्छतु इति मन्त्रार्थः । अथ तृतीयभागमनूद्य व्याचष्टे-**अच्छा वीरन्नर्यं० तन्महयत्येवेति** । अस्य भागस्यायमर्थः । ' वीरं ' शूरं, ' नर्यं ' नरेभ्यो हितं ' पङ्क्तिराधसं ' पंक्तिशो निविष्टधनयुक्तं यज्ञम् । इत्येवं गुणिनिष्ठगुणकीर्तनात् अनेन भागेन ' एनं ' प्रवर्ग्यं ' उपस्तौत्येव ' उपश्लोकयत्येव । ' एतत् ' एतेन च उपस्तवनेन ' तं महयति ' पूजयत्येव । अथ चतुर्थभागमनूद्य व्याचष्टे-**देवा यज्ञं नयंतु न इति । सर्वानेवास्मा एतद्देवानभिगोप्तॄन्करोतीति** । अस्य मन्त्रभागस्यायमर्थः । अविशेषात्, सर्वे ' देवाः ' पूर्वोक्तगुणविशिष्टं यज्ञावयवं प्रवर्ग्यं ' नः ' अस्मान् ' नयंतु ' प्रापयन्तु । इत्यनेन मन्त्रभागेन अस्मै षष्ठ्यर्थे चतुर्थी (पा. सू. २ । ३ । ६२ । वा.) इति । अस्य प्रवर्ग्यस्य ' सर्वानेव ' एतान् ' देवान् ' ' अभिगोप्तॄन्' अभितो रक्षकान् ' करोति ' ॥ १५ ॥

अथ पूर्वोक्तं यत् उत्तरतः परिश्रयणं तत् अनूद्य उपपादयति-**परिश्रितं भवति, एतद्धै देवा अबिभयुः० परिश्रयतीति** । देवयजनस्य उत्तरतः ' परिश्रितं ' कटादिभिः परिवेष्टितं स्थानं ' भवति ' । किमर्थं तस्य परिश्रयणं ? इति चेत् उच्यते-' एतद्धै ' एतस्मिन् खलु समये पुरा सत्रमासीना देवाः ' अबिभयुः ' यज्ञविघातकात् रक्षसो निमित्तात् भीतवंतः । ' यद्धै ' यस्मिन् खलु ' इह ' अस्मिन् स्थाने ' नः ' अस्मदीयं ' इमं ' प्रवर्ग्यं ' रक्षांसि ' यज्ञविघातिनो राक्षसाः ' नाष्ट्राः ' नाशकारिण्यः तत्सेनाश्च ' न हन्युः ' न हिंस्युः इति मन्वानाः 'तस्मै' प्रवर्ग्याय, तेभ्यो रक्षणार्थं 'एतां' देवयजनस्य उत्तरदिग्वस्थितां ' पुरं ' निवास-

(त्यु) अथ खुरे सादयति । मखाय त्वा मखुस्य त्वा शीर्ष्णऽइत्यसावेव बुन्धुरथ प्रयौति मखाय त्वा मखुास्य त्वा शीर्ष्णऽइत्यसावेव बुन्धुरथ मृत्तिपण्डमुपादाय महावीरङ्करोति मखाय त्वा मखुस्य त्वा शीर्ष्णऽइत्यसावेव बुन्धुः प्रादेशमात्रम्प्रादेशमात्रमिव हि शिरो मुध्ये सुङ्गृहीतं मध्ये सङ्गृहीतुमिव हि शिरोऽथास्योपरिष्टात्त्यङ्गुलं मुखमुन्नयति नासिकामेवास्मिन्नेतुद्दधाति तन्निष्ठितमभिमृशति मखुस्य शिरोऽसीति मखुस्य ह्येतुत्सौम्युस्य शिरऽएवमितरौ तूष्णीं पिन्वने तूष्णीᳬं रौहिणकपाले ॥ १७ ॥

अथ खरे सादयति–" मखाय त्वा मखस्य त्वा शीर्ष्णे "–इति । असावेव बन्धुः । अथ प्रयौति–"मखाय त्वा मखस्य त्वा शीर्ष्णे "–इति । असावेव बन्धुः । अथ मृत्पिण्डमुपादाय महावीरं करोति–" मखाय त्वा मखस्य त्वा शीर्ष्णे "–(वा. सं. ३७ । ७) इति । असावेव बन्धुः । प्रादेशमात्रम् । प्रादेशमात्रमिव हि शिरः । मध्ये संगृहीतम् । मध्ये संगृहीतमिव हि शिरः । अथोपरिष्टात्त्र्यंगुलं मुखमुन्नयति । नासिकामेवास्मिन्नेतद्दधाति । तं निष्ठितमभिमृशति–" मखस्य शिरोऽसि "–(वा. सं. ३७ । ८) इति । मखस्य ह्येतत्सौम्यस्य शिरः । एवमितरौ । तूष्णीं पिन्वने । तूष्णीं रौहिणकपाले ॥ १७ ॥

भूमिं ' पर्यश्रयन् ' पर्यवेष्टयन् रक्षःप्रभृतीनां तिरोधानाय । यथैव देवा अकुर्वन् ' तथैव ' ' अयं ' अद्यतनोऽपि यजमानः अध्वर्युर्वा 'अस्मै' प्रवर्ग्याय रक्षःप्रभृतिभ्यो रक्षणार्थं 'एतां पुरं परिश्रयति' परिवेष्टयति॥ १६॥

मंत्रेण स्वीकृतं संभारजातं " प्रैतु ब्रह्मणस्पतिः " इति मंत्रेण प्रापितं तस्मिन्परिश्रिते प्रदेशे निदध्यादित्याह–**अथ खरे सादयति० बंधुरिति** । इत्थं परिश्रितदेशं प्राप्य अथानंतरं तन्मध्यगते ' खरे ' धिष्ण्ये, तत् संभारजातं ' सादयति ' निदधाति " मखाय त्वेति " अनेनैव मंत्रेण । तदेतत् स्पष्टीकृतं सूत्रकारेण–" परिवृते निदधाति संभारानुद्धतावोक्षिते सिकतोपकीर्णे प्राग्द्वारे मखाय त्वेति " (का. श्रौ. सू. २६ । १४ ।) गतमन्यत् । अथ तेषां कृष्णाजिनस्थानां संभाराणां संसर्जनं[1] विधत्ते–**अथ प्रयौति मखाय त्वा० बंधुरिति** । ' अथ ' निधानानंतरं ' प्रयौति ' मिश्रीकरोति मृद्वल्मीकवपावराहविहतपूतीकाजाक्षीरलक्षणान् आहृतान् संभारान् यथा परस्परसंमेलनेन श्लक्ष्णं भवति तथा " मखाय त्वा " इत्यनेन मंत्रेण संसृजतीत्यर्थः । गतमन्यत् । अथ तया संसृष्टया मृदा महावीरनिर्माणं[2] विधत्ते-**अथ मृत्पिण्डमादाय० बंधुरिति** । ' अथ ' संसर्जनानंतरं संसृष्टं ' मृत्पिण्डं ' ' उपादाय ' हस्ताभ्यां स्वीकृत्य " मखाय त्वेति " मंत्रेण ' महावीरं ' घर्महविःसंतापसाधनं पात्रं ' करोति ' । गतमन्यत् । अथास्य पात्रस्य लक्षणं दर्शयति–**प्रादेशमात्रं प्रादेशमात्रमिव० तद्दधातीति** । तं महावीरं ' प्रादेशमात्रं ' ऊर्ध्वप्रमाणेन प्रादेशपरिमितं कुर्यात् । ' हि ' यस्मात्

१–संभारैः स॰सृजति मखायेति । का. श्रौ. सू. २६ । १५ ।
२–मृदमादाय मखायेति महावीरं करोति । का. श्रौ. सू. २६ । १६ ।

प्रजापतिर्व्वाऽएष यज्ञो भवति । (त्यु) उभयम्वाऽएतत्प्रजापतिर्न्निरुक्त-श्चानिरुक्तश्च परिमितश्चापरिमितश्च तद्यद्यजुषा करोति यदेवास्य निरुक्तं परिमितꣳ रूपन्तदस्य तेन सꣳस्करोत्यथ यत्तूष्णीं यदेवास्यानिरुक्त-मपरिमितꣳ *रूपन्तदस्यैतेन सꣳस्करोति स ह वाऽएतꣳ सर्व्व-

---

प्रजापतिर्वा एष यज्ञो भवति । उभयं वा एतत्प्रजापतिः । निरुक्तश्चानिरुक्तश्च । परिमितश्चा-परिमितश्च । तद्यद्यजुषा करोति । यदेवास्य निरुक्तं परिमितं रूपम् । तदस्य तेन संस्करोति । अथ यत्तूष्णीम् । यदेवास्यानिरुक्तमपरिमितं रूपम् । तदस्यैतेन संस्करोति । स ह वा एतं सर्वं कृत्स्नं

'शिरो' मूर्द्धा लोके 'प्रादेशमात्रमिव' प्रादेशपरिमितमेव दृश्यते। तस्मात् प्रादेशमात्रं महावीरं कुर्यात् । तया तं 'मध्ये' 'संगृहीतं' सन्नतं कुर्यात् । लोके हि शिरः 'मध्ये संगृहीतमिव हि' सन्नतमिव खलु दृश्यते । 'अथ' अनंतरमेवं कृत्वा अस्य महावीरस्य 'उपरिष्टात्' उपरिभागे 'त्र्यंगुलं' अंगुलत्रयपरिमितं मुख-मास्यं 'उन्नयति' । ऊर्ध्वं प्रापयति । 'एतत्' एतेन मुखोन्नयनेन 'अस्मिन्' महावीरे यज्ञशिरसि 'नासिकामेव दधाति' स्थापितवान् भवति । सूत्रकारेण च एतन्महावीरलक्षणं स्पष्टीकृतम्—"प्रादेशमात्रमूर्ध्वमासेचनवंतं मेख-लावन्तं मध्यसंगृहीतमूर्ध्वं मेखलायास्त्र्यंगुलम्" (का. श्रौ. सू. २६।१७) इति । एवं उक्तलक्षणसंपन्नं महावीरं कृत्वा, अथ तस्य समंत्रकं अभिमर्शनं विधत्ते—**तं निष्ठितमभिमृशति० शिरः** इति । 'तं' महावीरं 'निष्ठितं' निःशेषेण स्थितं सर्वलक्षणयुक्तत्वेन निष्पन्नं "मखस्य शिरोऽसि" इति मन्त्रेण 'अभिमृशति' । 'सौम्यस्य मखस्य' सोमयागस्य 'एतत्' एषः महावीरः 'शिरो हि' शिरः खलु मूर्द्धा खलु। "महान् वंत नो वीरोऽशादि" इति निर्वच-नस्य दर्शितत्वात् (श. प. १४ । १ । १ । ११ ।) । अतः तदभिमर्शने "मखस्य शिरोऽसि" इति मंत्रः संगतः इत्यर्थः । एवं प्रचरणीयस्य महावीरस्य निर्माणमुक्तम् । अथ अप्रचरणीययोः उपशययोः महावीरयोरपि एतदति-दिशति—**एवमितरावि**ति । मृत्पिण्डोपादानादिना निष्ठिताभिमर्शनान्तेन येन प्रकारेण प्रथमो महावीरः कृतः । एवमनेनैव प्रकारेण द्वितीयतृतीयावपि महावीरौ कार्यौ । अथ एतयैव मृदा प्रवर्ग्योपयुक्तं अन्यदपि मृण्मयपात्रजातं कर्तव्यमित्याह—**तूष्णीं पिन्वने तूष्णीं रौहिणकपाले** इति । पिन्वति सिंचति अनयोरिति पिन्वने । गोपयसः अजापयसश्च दोहनपात्रे । "पिवि सेचने"—(धा. पा. भ्वा प. ५८९) इत्यस्मात् "करणाधिकरण-योश्च (पा. सू. ३।३।११७) इति ल्युट् । एते 'पिन्वने' 'तूष्णीं' मंत्रवर्ज्यं महावीरावशिष्टया एतयैव मृदा कर्तव्ये । तथा 'रौहिणकपाले' रौहिणौ पुरोडाशौ अग्रे विधास्येते । तयोरधिश्रयणार्थं द्वे कपाले 'तूष्णीं' मन्त्रवर्जं कर्तव्ये । एतयोः पिन्वनयोः कपालयोश्च लक्षणं सूत्रकारेण एवमुक्तम्—"स्रुक्पुष्कराकृती पिन्वने रौहिण-कपाले परिमण्डले"—(का. श्रौ. सू. २६ । २१) इति ॥ १७॥

यत् एतत् समन्त्रकं महावीरनिर्माणं अमन्त्रकं पिन्वनादिनिर्माणं च उक्तम् । तदेतत् उभयं संहत्य स्तौति—**प्रजापतिर्वाऽएष यज्ञो०तदेवं करोती**ति । 'एषः' क्रियमाणः 'यज्ञः प्रजापतिर्वै' प्रजापत्यात्मको वा

---

* 'रूपन्तदस्य तेन' इति मुद्रिते पाठः ।

१—निष्ठितमभिमृशति मखस्य शिर इति । आदानमेके । का. श्रौ. सू. २६ । १८ । १९ ।

२—एवमितरौ प्रतिमन्त्रम् । का. श्रौ. सू. । २६ । २० ।

कृत्स्नम्प्रजापतिꣳ सꣳस्करोति स ऽएवम्विद्वानेतदेवङ्करोत्यथोपशयायै पिण्डम्परिशिनष्टि प्रायश्चित्तिभ्यः ॥ १८ ॥

(भ्यो ऽथ) अथ गवेधुकाभिर्हिन्वति । यज्ञस्य शीर्षच्छिन्नस्य रसो व्यक्षरत्तत ऽएता ऽओषधयो जज्ञिरे तेनैवैनमेतद्रसेन समर्द्धयति कृत्स्नङ्क-

---

प्रजापतिं संस्करोति । य एवं विद्वानेतदेवं करोति । अथोपशयायै मृत्पिण्डं परिशिनष्टि प्रायश्चित्तिभ्यः ॥ १८ ॥

अथ गवेधुकाभिर्हिन्वति । यज्ञस्य शीर्षच्छिन्नस्य रसो व्यक्षरत् । तत एता ओषधयो जज्ञिरे ।

'भवति' ओश्रावयेत्यादिसप्तदशाक्षरसमुदायात्मना प्रजापतेः यज्ञे प्रविष्टत्वात् । तथा च आश्रावयेत्यादीनि प्रकृत्य तैत्तिरीयके "एष वै सप्तदशः प्रजापतिर्यज्ञमन्वायत्तः" (तै. सं. १ । ६ । ११) इति । स च प्रजापतिः एतच्च वक्ष्यमाणं 'उभयं वै' उभयात्मकः । तदेव उभयविधत्वं दर्शयति–निरुक्तश्चानिरुक्तश्चेति । तस्य जगदात्मनो परिणतो यो भागः सः 'निरुक्तः' आकाशवाय्वादिभूतभौतिकप्रपंचात्मना विशेषेण उक्तः प्रकटीकृतो भवति । यस्तु कार्यात्मकः कारणरूपो भागः सः 'अनिरुक्तः' । अस्मदादिभिः दुरधिगमत्वात् निर्वचनानर्हः । तथा एतावेव भागौ परिच्छिन्नत्वापरिच्छिन्नत्वाभ्यां 'परिमितश्चापरिमितश्च' भवतः । एवं प्रजापतिः उभयात्मकः । किं तत इत्याह–तद्यदिति । तत्तथा सति यत्कर्म 'यजुषा' मन्त्रेण 'करोति' । 'यदेवास्य' प्रजापतेर्निरुक्तं परिमितं रूपं प्राक् दर्शितं आकाशवाय्वादिभूतात्मकं जगत् 'अस्य' प्रजापतेः तद्रूपं 'तेन' समन्त्रकेण कर्मणा 'संस्करोति' संस्कृतं सातिशयं करोति । अथेति उक्तवैलक्षण्ये । यत्कर्म तूष्णीममन्त्रकं यज्ञे क्रियते । 'अस्य' प्रजापतेः 'यदेवानिरुक्तं अपरिमितं रूपं' कारणावस्थम् । 'अस्य' प्रजापतेः तद्रूपं 'तेन' तन्मन्त्रकेण कर्मणा 'संस्करोति' । किं अविशेषेण सर्वो यजमानः इत्थं प्रजापतिं संस्करोति नेत्याह–स हेति । 'यः' यजमानः 'एवं' उक्तं ब्राह्मणार्थं 'विद्वान्' जानन् 'एतत्' यज्ञकर्म 'एवं' समन्त्रकममन्त्रकं च करोति' । 'स हैव' । स खलु 'एतं' प्रजापतिं कृत्स्नं संपूर्णावयवं 'सर्वं सर्वात्मना निरवशेषं 'संस्करोति ।' अथ शिष्टस्य मृत्पिंडस्य उपयोगाभावात् परित्यागप्रसक्तौ तद्वारयति–अथोपशयायै० प्रायश्चित्तिभ्यः इति । उप समीपे शय्यते प्रयोजनाभावेन स्थाप्यते अनया इत्युपशया । महावीरादिभ्यः अतिरिक्ता मृत् । षष्ठ्यर्थे चतुर्थी (पा. सू. २ । ३ । ६२ वा.) । 'अथ' रौहिणकपालनिर्माणानंतरं 'उपशयायै' अवशिष्टायाः मृदः पिंडं 'परिशिनष्टि' परिशेषयति सुगुप्तं धारयतीत्यर्थः । किमर्थं 'प्रायश्चित्तिभ्यः' प्रायश्चित्तार्थं यदि प्रवर्ग्यप्रचरणसमये महावीरादीनां मृण्मयानां अन्यतमं भिद्येत । तदा तस्य पुनर्निर्माणाय मृत् अपेक्ष्यते । तदर्थं मंत्रसंस्कृतं मृत्पिंडं अवशिष्टं धारयेत् इत्यर्थः ॥ १८ ॥

अथ यदुक्तं सूत्रकारेण–"गवेधुकाभिः श्लक्ष्णयति" (का. श्रौ. सू. २६ । २३) इति । तदेतत्

१–"ता वा एताः पंच व्याहृतयो भवंति ओश्रावयास्तु श्रौषड् यज ये यजामहे वौषडिति, पाङ्क्तो यज्ञः, पाङ्क्तः पशुः पंचर्तवः संवत्सरस्य एषैका यज्ञस्य मात्रा एषा संपत्" । इति पंक्तिसंपदमनूद्य तदग्रतः कंडिकायाम्–"तासां सप्तदशाक्षराणि, सप्तदशो वै प्रजापतिः प्रजापतिर्यज्ञः एषैका यज्ञस्य मात्रा एषा संपत्" । (श. प. ५ । २ । १६–१७) इति ॥

२–मृदमुपशयां निदधाति । (का. श्रौ. सू. २६ । २२ ।)

ङ्करोति मखाय त्वा मखस्य त्वा शीर्ष्णऽइत्यसावेव बन्धुरेवमितरौ तूष्णी-म्पिन्वने तूष्णीᳫँ रौहिणकपाले ॥ १९ ॥

(५) अथैनान्धूपयति । (त्यु) अश्वस्य त्वा व्वृष्णः शक्ना धूपया-मीति व्वृषा वाऽअश्वो व्वीर्य्यम्वै व्वृषा व्वीर्य्येणैवैनमेतत्समर्द्धयति कृत्स्नङ्करोति देवयजने पृथिव्या मखाय त्वा मखस्य त्वा शीर्ष्णऽइत्यसावेव बन्धुरेवमितरौ तूष्णीम्पिन्वने तूष्णीᳫँ रौहिणकपाले ॥ २० ॥

तेनैवैनमेतद्रसेन समर्द्धयति । कृत्स्नं करोति । "मखाय त्वा मखस्य त्वा शीर्ष्णे "–(वा. सं. ३७ । ८) इति । असावेव बंधुः । एवमितरौ । तूष्णीं पिन्वने । तूष्णीं रौहिणकपाले ॥ १९ ॥

अथैनान् धूपयति–" अश्वस्य त्वा वृष्णः शक्ना धूपयामि "–इति । वृषा वा अश्वः । वीर्यं वै वृषा । वीर्येणैवैनमेतत्समर्द्धयति । कृत्स्नं करोति । " देवयजने पृथिव्या मखाय त्वा मखस्य त्वा शीर्ष्णे "–(वा. सं. ३७ । ९) इति । असावेव बन्धुः । एवमितरौ । तूष्णीं पिन्वने । तूष्णीं रौहिणकपाले ॥ २० ॥

विधाय स्तौति–अथ गवेधुकाभिः० बंधुरेवमितराविति । ' अथ ' निर्माणानंतरं प्रथमकृतं महावीरं ' गवेधुकाभिः ' गवेधुका आरण्यगोधूमाख्या ओषधयः ताभिर्हिन्वति श्लक्ष्णयति । पुरा खलु छिन्नशिरस्कस्य ' यज्ञस्य रसः ' स्रुतोऽभवत् । ततस्तस्माद्रसात् ' एताः ' गवेधुकाख्याः ' ओषधयः जज्ञिरे ' जाताः । ' एतत् ' एतेन गवेधुकाभिः हिन्वनेन ' तेनैव ' प्राक्स्रुतेन ' रसेन एनं ' यज्ञं ' समर्द्धयति ' । गतमन्यत् । अथ पूर्ववत् पिन्वनयोः रौहिणकपालयोश्च मंत्रवर्जं गवेधुकाभिः श्लक्ष्णीकरणं विधत्ते–तूष्णीं पिन्वने तूष्णीᳫँ रौहिणकपाले इति । सिद्धमेतत् ॥ १९ ॥

अथ एतेषां अश्वशकृता धूपनं विधत्ते–अथैनान् धूपयत्यश्वस्य त्वा व्वृष्णः शक्ना धूपयामीतीति । ' अथ ' हिन्वनानन्तरं ' एनान् ' महावीरादीन् ' धूपयति ' अग्नौ अश्वशकृत्प्रक्षिप्य तद्धूमेन वासयति । तत्र प्रथमकृतं महावीरं " अश्वस्य त्वेति " मन्त्रेण प्रथमं धूपयेत् । अस्य मन्त्रप्रथमभागस्य यज्ञसमृद्धिहेतुमाह–व्वृषा वा अश्वो व्वीर्यं० कृत्स्नं करोतीति । ' वृषा वै ' सेचनसमर्थः खलु ' अश्वः ' । अतः ' वृष्णः ' अश्वस्येति विशेष्यते, स च ' वृषा ' ' वीर्यं वै ' वीर्यात्मकः । निर्वीर्याणां सेचनसामर्थ्याभावात् । तथा च ' एतत् ' एतेन वर्षणसमर्थाश्वशकृद्धूपनेन ' वीर्येणैव ' ' एनं ' प्रवर्ग्यं ' समर्द्धयति ' । गतमन्यत् । अवशिष्टं मन्त्रभागमनूद्य तात्पर्यमाह–देवयजने पृथिव्या० बन्धुः इति । व्याख्यातमेतत् । द्वितीयतृतीययोरपि महावीरयोः उक्तं धूपनं अतिदिशति–एवमितराविति । सिद्धमेतत् । तथा च सूत्रितम्–" अश्वशकृता धूपयत्यश्वस्य त्वेति प्रतिमन्त्रम् " (का. श्रौ. सू. २६ । २४) इति । अथ पिन्वनादीनां पूर्ववत् अमन्त्रकं धूपनं विधत्ते–तूष्णीं पिन्वने तूष्णीᳫँ रौहिकपाले इति । सिद्धमेतत् ॥ २० ॥

(८) अथैनाञ्छ्रपयति । श्रृतꣳ हि देवानामिष्टकाभिः श्रपयन्त्येता वाऽएतदकुर्व्वत यथायथैतद्यज्ञस्य शिरोऽच्छिद्यत ताभिरेवैनमेतत्समर्द्धयति कृत्स्नङ्करोति तदु येनैव सुश्रृताः स्युस्तेन श्रपयेदथ पचनमवधाय महावीरमवदधाति मखाय त्वा मखस्य त्वा शीर्ष्णऽइत्यसावेव बन्धुरेवमितरौ तूष्णीम्पिन्वने तूष्णीꣳ रौहिणकपाले तान्दिवैवोपवपेद्दिवोद्वपेदहर्हि देवानाम् ॥ २१ ॥

अथैनान् श्रपयति । श्रृतं हि देवानाम् इष्टकाभिः श्रपयति । एता वा एतदकुर्वत । यथायथैतद्यज्ञस्य शिरोऽच्छिद्यत । ताभिरेवैनमेतत्समर्द्धयति । कृत्स्नं करोति । तदु येनैव सुश्रृताः स्युः । तेन श्रपयेत् । अथ पचनमवधाय महावीरमवदधाति–"मखाय त्वा मखस्य त्वा शीर्ष्णे"–(वा. सं. ३७ । ९) इति । असावेव बन्धुः । एवमितरौ । तूष्णीं पिन्वने तूष्णीं रौहिणकपाले । तान्दिवैवोपवपेत् । दिवोद्वपेत् । अहर्हि देवानाम् ॥ २१ ॥

अथ एतेषां महावीरादीनां श्रपणं विधत्ते–अथैनाञ्छ्रपयति श्रृतꣳ हि देवानाम् इति । 'अथ धूप॰ नानन्तरं 'एनान्' महावीरादीन् 'श्रपयति' दक्षिणाग्निसमीपे चतुरस्रं अवटं खात्वा तत्र निधाय आपाकं पक्वान् करोति । 'हि' यस्मात् । 'श्रृतं' पक्वं खलु 'देवानां' योग्यम् । "यो विदग्धः स नैर्ऋतः । योऽश्रृतः स रौद्रो यः श्रृतः स देवस्तस्मादविदहता श्रृतंकृत्यः स देवत्वाय" (तै. सं. २।६।३) इति श्रुतेः । अथ एतेषां पचनद्रव्याणि विधाय स्तौति–इष्टकाभिः श्रपयन्त्येता वा एतदकुर्व्वत यथायथैत॰ कृत्स्नं करोतीति । अत्र इष्टकानां पचनसाधनत्वानुपपत्तेः, तद्वाचिना इष्टकाशब्देन तत्पचनसाधकानि इक्षुपर्णकरीषादीनि द्रव्याणि लक्ष्यन्ते । 'इष्टकाभिः' इष्टकापचनसाधनैर्द्रव्यैः 'एतान्' महावीरादीन् 'श्रपयति' पचति । 'एता वै' एताः खलु इष्टकाः 'एतदकुर्वत' एवंविधं यज्ञं कृतवत्यः । 'यथायथा' येनयेन प्रकारेण 'यज्ञस्य एतच्छिरः अच्छिद्यत' छिन्नमभवत् । इष्टकापचनद्रव्याश्रिताः हि वम्र्यः यज्ञात्मकस्य विष्णोः ज्याभक्षणेन शिरः चिच्छिदुः इति तदभिप्रायमिदम् । यद्वा घर्माख्ये कुलायिन्याद्या इष्टकाः ताभिः सह एनान् महावीरादीन् श्रपयतीति नियोजना द्रष्टव्या । गतमन्यत् । अन्येनापि येन द्रव्येण सम्यक् पाको भवति तेनापि श्रपणं कार्यमित्याह–तदु येनैव सुश्रृताः स्युस्तेन श्रपयेत् इति । 'तत् उ' तत्रापि 'येनैव' पचनद्रव्येण 'सुश्रृताः' सुपक्वाः खंडकृष्णादिदोषरहिताः लोहितवर्णा स्युः महावीरादयो भवेयुः । 'तेन' द्रव्येण 'श्रपयेत्' एतान् पचेत् । अथ पचनप्रकारमाह–अथ पचनमवधाय॰ रौहिणकपाले इति । 'अथ' धूपनानन्तरं पच्यते अनेनेति 'पचनं' पाकसाधनं द्रव्यं करीषेक्षुपर्णादिकं तत् 'अवधाय' अवटे प्रक्षिप्य महावीरं प्रथमकृतं 'अवदधाति' प्रक्षिपति "मखाय त्वा" इति । मन्त्रेण । अवशिष्टं सर्वं पूर्ववत् योज्यम् । अथ एतेषां आवापोद्वरणयोः कालविशेषमाह–तान्दिवैवोपवपेद्दिवोद्वपेदहर्हि देवानाम् इति । 'तान्' पक्तव्यान् महावीरा-

---

१–उखावदग्निः । का. श्रौ. सू. २६ । २४ । उखावदिति "सप्तभिरश्वशकृद्भिरुखां धूपयति दक्षिणाग्न्यादीपैरेकैकेनेति का. श्रौ. सू. १६ । १०८ ।

२–प्रदहनं च मखाय त्वेति प्रतिमन्त्रम् । का. श्रौ. सू. २६ । २४ ।

(ध्रुँ) सऽउद्वपति । (त्यृ) ऋजवे त्वेत्यसौ वै लोकुऽऋजुः सत्यध्रुँ ह्यृजुः सत्यमेष युऽएष तुपत्येषुऽउ प्रथमुः प्रवुर्ग्यस्तुदेतुमेवैतुत्प्रीणाति तुस्मादाहर्जवे त्वेति ॥ २२ ॥

साधुवे त्वेति । (त्य) अयम्वै साधुर्योऽयम्पुवतऽएषु हीमाँल्लोका-न्त्सिुद्धोऽनुपुवतऽएषुऽउ द्वितीयः प्रवुर्ग्यस्तुदेतुमेवैतुत्प्रीणाति तुस्मादाह साधुवे त्वेति ॥ २३ ॥

स उद्वपति–"**ऋजवे त्वा**"–इति । असौ वै लोक ऋजुः । सत्यं हि ऋजुः । सत्यमेषः । य एष तपति । एष उ प्रथमः प्रवर्ग्यः । तदेतमेवैतत्प्रीणाति । तस्मादाह–"**ऋजवे त्वा**"–इति ॥२२॥

"**साधवे त्वा**" इति । अयं वै साधुः । योऽयं पवते । एष हीमाँल्लोकान्त्सिद्धोऽनुपवते । एष उ द्वितीयः प्रवर्ग्यः । तदेतमेवैतत्प्रीणाति । तस्मादाह–"**साधवे त्वा**"–इति ॥ २३ ॥

दीन् 'दिवेव' अह्नयेव सूर्यप्रकाशयुक्ते एव 'उपवपेत्' पाकार्थं अवटे प्रक्षिपेत् । सुपक्वांश्च तान् "दिवैव उद्वपेत्' अवटात् उद्धरेत् । 'अहः' खलु 'देवानां' स्वभूतः कालः । तथा च तैत्तिरीयके "अहर्देवानामासीद्रात्रिरसुराणाम्" (तै. सं. १ । ५ । ९) इति ॥ २१ ॥

एवमुद्वपनस्य कालमुक्त्वा अनु समंत्रकं तद्विधत्ते–**स उद्वपत्यृजवे त्वेतीति** । 'सः' महावीरादीनां पाचकोऽध्वर्युः प्रथमकृतं महावीरं "ऋजवे त्वेति" मन्त्रेण 'उद्वपति' अवटात्पाकस्थानादुद्धरति । अथ एतस्य मन्त्रस्य प्रथमेन महावीरेण संगतिमुपपादयति–**असौ वै लोकः० प्रीणातीति** । 'असौ वै' दूरे वर्तमानः द्युलोकः खलु 'ऋजुः' आर्जवयुक्तत्वात् मन्त्रे ऋजुशब्देन वाच्यः । 'ऋजुः' आर्जवगुणश्च 'सत्यं' यथार्थभाषणं 'हि' आर्जवरहितस्य कुटिलस्य अनृतवादित्वदर्शनात् । तच्च सत्यमेव 'एषः' आदित्यः अबाधितस्वभावत्वात् । 'यः एषः' आदित्यः दिवि 'तपति' दीप्यते । 'एषः' एव 'प्रथमः प्रवर्ग्यः' महावीरः । 'तत्' तथा च 'एतत्' एतेन ऋजुशब्दयुक्तेन मन्त्रेण 'एतमेव' सूर्यात्मकं प्रथमं प्रवर्ग्यं 'प्रीणाति' प्रीतिं करोति । उक्तमर्थं निगमयति–**तस्मादाहर्जवे त्वेति** इति ॥ २२ ॥

अथ द्वितीयस्य महावीरस्य उद्वपनं विधत्ते–**साधवे त्वेतीति** । स उद्वपतीत्यनुषज्यते । "साधवे त्वा" इत्यनेन मन्त्रेण द्वितीयं महावीरं सः अध्वर्युः उद्वपति उद्धरेत् । अथ एतस्य मन्त्रस्य द्वितीयेन महावीरेण संगतिमाह–**अयं वै साधुर्यो० साधवे त्वेतीति** । 'अयं' खलु 'साधुः' मन्त्रे साधुशब्देनाभिधेयः । 'यः' अयमन्तरिक्षे वायुः 'पवते' सततं गच्छति । कथमस्य साधुशब्दाभिधेयतेति चेत् उच्यते । 'एषः' खलु 'सिद्धः' निष्पन्नस्वरूपः वायुः 'इमान्' परिदृश्यमानान् पृथिव्यादीन् सर्वान् 'लोकान्' 'अनुपवते' अनुप्रविश्य व्याप्य वर्तते । एवं वर्तमानो यः अयं अन्तरिक्षगतो वायुः 'एषः' एव 'द्वितीयः प्रवर्ग्यः' महावीरः, अन्यत् पूर्ववत् ॥ २३ ॥

१–"अहरेव देवा रात्रिः पितरः" इति । श. प. २ । १ । ३ । १ ।

२ पक्वानुद्धरत्यृजवे त्वेति प्रतिमन्त्रम् । का. श्रौ. सू. २६ । २५ ।

सुक्षित्यै त्वेति । (त्य) अयम्वै लोकः सुक्षितिरस्मिन्हि लोके सर्व्वाणि भूतानि क्षियन्त्यथोऽ अग्निर्वै सुक्षितिरग्निर्ह्येवास्मिँल्लोके सर्व्वाणि भूतानि क्षियत्येषुऽउ तृतीयः प्रवर्ग्यस्तदेतमेवैतत्प्रीणाति तस्मादाह सुक्षित्यै त्वेति तूष्णीम्पिन्वने तूष्णीᳪं रौहिणकपाले ॥ २४ ॥

(ऽ) अथैनानाच्छृणत्ति । (त्य) अजायै पयसा मखाय त्वा मखस्य त्वा शीर्ष्णऽइत्यसावेव बन्धुरेवमितरौ तूष्णीम्पिन्वने तूष्णीᳪं रौहिणकपाले २५

(ऽ) अथैतद्वै । (द्वाऽआ) आयुरेतज्ज्योतिः प्रविशति यऽएतमनु वा ब्रूते भक्षयति वा तस्य व्रतचर्य्या या सृष्टौ ॥ २६ ॥

इति प्रथमप्रपाठके द्वितीयं ब्राह्मणम् ॥ १४।१।२ ॥ (१-२)

" सुक्षित्यै त्वा "-(वा. सं. ३७।१०) इति । अयं वै लोकः सुक्षितिः । अस्मिन् हि लोके सर्वाणि भूतानि क्षियन्ति । अथो अग्निर्वै सुक्षितिः । अग्निर्ह्येवास्मिँल्लोके सर्वाणि भूतानि क्षियति । एष उ तृतीयः प्रवर्ग्यः । तदेतमेवैतत्प्रीणाति । तस्मादाह-" सुक्षित्यै त्वा "-इति । तूष्णीं पिन्वने । तूष्णीं रौहिणकपाले ॥ २४ ॥

अथैनानाच्छृणत्ति । अजायै पयसा-" मखाय त्वा मखस्य त्वा शीर्ष्णे "-(वा. सं ३७ । १०) इति । असावेव बंधुः । एवमितरौ । तूष्णीं पिन्वने । तूष्णीं रौहिणकपाले ॥ २५ ॥

अथ एतद्वा आयुः, एतज्ज्योतिः प्रविशति । य एतमनु वा ब्रूते । भक्षयति वा । तस्य व्रतचर्या, या सृष्टौ ॥ २६ ॥

अथ तृतीयस्य महावीरस्योद्वपनमाह-**सुक्षित्यै त्वेती**ति । अत्रापि उद्वपतीति पूर्ववत् अनुषज्यते । " सुक्षित्यै त्वेति " मन्त्रेण अध्वर्युः तृतीयं महावीरं उद्वपेत् इत्यर्थः । अथ अस्य मंत्रस्य अनेन तृतीयेन महावीरेण संगतिमाह-**अयं वै लोकः सुक्षितिः० सुक्षित्यै त्वेती**ति । 'अयं' खलु सर्वेषामाधारभूतो भूलोकः 'सुक्षितिः' । तस्य सुक्षितित्वं उपपादयति-**अस्मिन् ही**ति । 'अस्मिन्' खलु 'लोके' 'सर्वाणि' भूतजातानि पशुपक्षिमृगादीनि 'क्षियन्ति' निवसन्ति । अतो भूलोकः सुक्षियन्ति अस्मिन्निति व्युत्पत्त्या सुक्षितिः। 'अथो' इति पक्षान्तरे अग्निः खलु सुक्षितिः । कुतः ? अग्निरेव खलु अस्मिन् भूलोके वर्तमानानि सर्वाणि भूतानि क्षियति जाठरादिरूपेणाश्रित्य वर्तते । 'एष उ' एतदात्मक एव 'तृतीयः प्रवर्ग्यः' । अन्यत् पूर्ववत् योज्यम् । एवमेव पिन्वनयोः कपालयोः अमन्त्रकः उद्वापः कार्यः इत्याह-**तूष्णीं पिन्वने तूष्णीᳪं रौहिणकपाले** इति ॥ २४ ॥

अथ तेषां आवापात् उद्धृतानामजाक्षीरेण आसेचनं विधत्ते -**अथैनानाच्छृणत्ति० कपाले** इति । 'अथ' उद्वपनानंतरं 'एनान्' महावीरादीन् संततान् पात्रविशेषान् 'अजायै' षष्ठ्यर्थे चतुर्थी । (पा.सू. २।३।६२वा.) अजायाः 'पयसा' क्षीरेण "मखायत्वा" इति मन्त्रेण 'आच्छृणत्ति' आसिक्तान् करोति । अन्यत् पूर्ववत् योज्यम् २५

प्रवर्ग्यसृष्टिप्रतिपादकप्रथमब्राह्मणे " नाऽतपति प्रच्छादयेत " (कं. २३) इत्यादिना या व्रतचर्या उपदिष्टा

१-अजापयसाऽवसिंचति मखायेति प्रतिमन्त्रम् । तूष्णीं पिन्वनादीनां करणाभिमर्शनञ्जनधूपनप्रदहनोद्धरणावसेचनानि का. श्रौ. सू. २६ । २७ ॥

स यदैतदातिथ्येन प्रचरति । (त्यु) अथ प्रवर्ग्येण चरिष्यन्पुरोपसदोऽग्रेण गार्हपत्यम्प्राचः कुशान्त्सꣳस्तीर्य्य द्वन्द्वम्पात्राण्युपसादयत्युपयमनीं महावीरम्परीशासौ पिन्वने रौहिणकपाले रौहिणहवन्यौ स्रुचौ यदु चान्यद्भवति तद्दश दशाक्षरा वै विराड्विराड्वै यज्ञस्तद्विराजमेवैतद्यज्ञमभिसम्पादयत्यथ यद्द्वन्द्वन्द्वन्द्वम्वै वीर्य्यं यदा वै द्वौ सꣳरभेतेऽथ तौ वीर्य्यङ्कुरुतो द्वन्द्वम्वै मिथुनम्प्रजननम्मिथुनेनैवैनमेतत्प्रजननेन समर्द्धयति कृत्स्नङ्करोति ॥ १ ॥

घर्मसन्दीपनं ब्राह्मणम् ।

स यदैतदातिथ्येन प्रचरति । अथ प्रवर्ग्येण चरिष्यन् पुरोपसदोऽग्रेण गार्हपत्यं प्राचः कुशान्त्संस्तीर्य द्वंद्वं पात्राण्युपसादयति । उपयमनीं महावीरं परीशासौ पिन्वने रौहिणपाले रौहिणहवन्यौ स्रुचौ । यदु चान्यद्भवति । तद्दश । दशाक्षरा वै विराट् । विराड् वै यज्ञः । तद्विराजमेवैतद्यज्ञमभिसंपादयति । अथ यद्द्वंद्वम् । द्वंद्वं वै वीर्यम् । यदा वै द्वौ संरभेते । अथ तौ वीर्यं कुरुतः । द्वंद्वं वै मिथुनं प्रजननम् । मिथुनेनैवैनमेतत्प्रजननेन समर्द्धयति । कृत्स्नं करोति ॥ १ ॥

सा न केवलं तद्ब्राह्मणार्थस्यैव शेषभूता । किंतु अध्यायद्वयप्रतिपाद्यस्य प्रवर्ग्यस्य तदनुवचनस्य च शेषभूतेति वक्तुं तत्तद्ब्राह्मणावसाने पुनः पुनः अतिदिश्यते–अथैतद्वै० सृष्टाविति । 'सृष्टौ' सृष्टिप्रतिपादके प्रवर्ग्यस्वरूपोत्पत्तिप्रतिपादके प्रथमब्राह्मणे 'या' व्रतचर्या प्रतिपादिता । सैव एतद्ब्राह्मणाध्यायिनः तत्प्रतिपाद्यार्थानुष्ठायिनश्च द्रष्टव्या । अन्यत् प्रथमब्राह्मणवत् योज्यम् ॥ २६ ॥

इति श्रीसायणाचार्यविरचिते माधवीये वेदार्थप्रकाशे माध्यन्दिनीयशतपथब्राह्मणभाष्ये चतुर्दशे काण्डे तदन्तर्भूते प्रथमे प्रवर्ग्यकाण्डे प्रथमेऽध्याये द्वितीयं ब्राह्मणम् ॥ १४ (१) । १ । २ ॥

इत्थं द्वितीयेन ब्राह्मणेन प्रवर्ग्यपात्राणां महावीरादीनां संभरणमुक्तम् । अथ तृतीयादिभिः सेतिकर्तव्यताकः प्रवर्ग्यः प्रतिपाद्यते । तत्र तावत् घर्मसंदीपनं तृतीयेन ब्राह्मणेन प्रतिपाद्यम् । अस्य च प्रवर्ग्यस्य अनारभ्याधीतत्वेन स्वातंत्र्यमाशंक्य वाक्यात् क्रतुप्रवेशमाह–स यदैतदातिथ्येन० पुरोपसद इति । 'सः' अध्वर्युः 'यदा' यस्मिन्काले 'एतत्' एतेन 'आतिथ्येन' अतिथिभूतस्य सोमराजस्य प्रीत्यर्थं क्रियमाणेन नवकपालेन पुरोडाशेन 'चरति' यजति । तदा 'उपसदः पुरा' उपसद्यागस्य पुरस्तात् एतेन उत्तरावधिनिर्देशेन आतिथ्येष्ट्यनंतरं तानूनप्त्रस्पर्शनादिकमपि कृत्वा 'प्रवर्ग्येण' वक्ष्यमाणेन प्रवर्ग्यप्रयोगेण 'चरिष्यन्' आचरिष्यन् अनुष्ठास्यन् भवेत् इत्युक्तं भवति । उपसदां पुरस्तात् प्रवर्ग्यः कर्तव्य इति विधिः अर्थात्सिद्धो भवति । तत्र तावत् असंस्कृतानां पात्राणां यागानर्हत्वात् तत्संस्काराय पात्रासादनमाह–अग्रेण गार्हपत्यं० तद्दशेति ।

१–उपसदा चरिष्यंश्चरिष्यन्प्रवर्ग्येण चरति सप्रवर्ग्यं । का. श्रौ. सू. २६ । २८ ।
२–पूर्वेण गार्हपत्यं प्राचः कुशानास्तीर्य पात्रासादनं द्वन्द्वम् । का. श्रौ. सू. २६ । ३६ ।

(त्यु) अथाध्वर्युः। प्रोक्षणीरादायोपोत्तिष्ठन्नाह ब्रह्मन्प्रचरिष्यामो होत-रभिष्टुहीति ब्रह्मा वै यज्ञस्य दक्षिणतऽआस्तेऽभिगोप्ता तमेवैतदाहाप-

अथाध्वर्युः प्रोक्षणीरादायोपोत्तिष्ठन्नाह । ब्रह्मन्प्रचरिष्यामः, होतरभिष्टुहीति । ब्रह्मा वै यज्ञस्य

'गार्हपत्यमग्रेण' गार्हपत्यस्यादूरेण पुरस्तात् 'प्राचः' प्रागग्रान् 'कुशान्' संस्तीर्य तेषु पात्राणि 'द्वंद्वं' द्विशो द्विशः उपसादयति । उपयमनम् अधस्ताद्धारणं ततस्य महावीरस्य अधः धारणार्था औदुंबरी द्राघीयसी स्रुक् उपयमनी ताम् । प्रथमक्रतं महावीरं एकं द्वंद्वमासादयेत् । अथ 'परीशासौ' अप्रचरणीयौ महावीरौ द्वितीयं द्वंद्वम् । 'पिन्वने रौहिणकपाले' । रौहिणौ पुरोडाशौ हूयेते आभ्यामिति 'रौहिणहवन्यौ' औदुंबर्यौ अबिले 'स्रुचौ' च । एतानि त्रीणि द्वंद्वानि आसादनीयानि । 'यदु च' यच्चान्यत् उक्तव्यतिरिक्तं पात्रजातं अपेक्षितं भवति । तदन्यदपि सर्वमासादनीयमित्यर्थः । तच्चावशिष्टं पात्रजातं सूत्रकारेण प्रदर्शितम्-"स्थूणां-मयूखं, धृष्टी, शतमाने, मुंजप्रलवान् विकंकतशकलान् विंशतिं प्रादेशमात्रान् स्रुवं मुञ्जवेदं धवित्राणि परिधींश्च, रज्जुसंदानं आसंदीं कृष्णाजिनं अग्निं सिकताः खरार्थाः अर्थवच्च "-(का. श्रौ. सू. २६ । ३७) इति । अथ ब्राह्मणोपात्तानां उपयमन्यादीनां दशसंख्यां विधाय स्तौति-**तद्दश दशाक्षरा वै० संपादयतीति** । उपय-मन्यादीनि यानि आसादनीयानि प्रत्यक्षाम्नातानि पात्राणि तानि 'दश' भवंति । विराट्छंदश्च 'दशाक्षरा' त्रिंशदक्षरायाः विराजः त्रिपाद्त्वेन प्रतिपादं दशाक्षरत्वात् । सैव 'विराट् यज्ञः' अग्निष्टोमः । तस्य द्वादशस्तो-त्रस्य स्तोत्रियापरिगणनायां नवतिशतं स्तोत्रियाः संपद्यन्ते । तत्र दशसंख्यया विभागे सति विराट्संपत्तेः यज्ञस्य विराडात्मकत्वम् । तत्तथा सति 'एतत्' एतेन पात्रदशकासादनेन 'इमं' यज्ञं प्रवर्ग्यानुष्ठानकाल एव विराजं 'अभिसंपादयति' प्रापयति । अथ तेषां द्वंद्वश आसादनं प्रशंसति-**अथ यद्द्वंद्वं० करोतीति** । 'अथ' अपि च 'यत् द्वंद्वं' पात्राणां द्वंद्वश आसादनं तेन प्रवर्ग्यं वीर्यवंतं करोति । कुत एतत् ? 'द्वंद्वं वै' सर्व-भावानां मध्ये यः द्वंद्वलक्षणो धर्मः तदेव 'वीर्यं' वीर्यात्मकम् । अथैतदुपपाद्यते-'यदा' खलु 'द्वौ' पुरुषौ 'संरभेते' संरब्धौ संयुक्तौ भवतः । 'अथ' अनंतरं 'तौ' संरब्धौ पुरुषौ 'वीर्यं' सामर्थ्यं 'कुरुतः' न तु असहायः कश्चित् वीर्यं कर्तुं शक्नोति । तस्मात् द्वंद्वं वीर्यात्मकम् । तेन च पात्रमपि तेन प्रवर्ग्योऽपि वीर्यवान् भवतीत्युपपन्नम् । अपि च 'द्वंद्वं वै' द्वंद्वमेव खलु 'मिथुनं' स्त्रीपुंसात्मकं 'प्रजननं' 'प्रजननेन' स्त्रीपुंसात्मरूपेणैव प्रजासाधनेन 'एनं' प्रवर्ग्यं 'समर्द्धयति' 'कृत्स्नं' संपूर्णावयवं च यज्ञं कृतवान् भवति ॥ १ ॥

अथ यदुक्तं कात्यायनेन-"प्रोक्षणीः संस्कृत्योद्यम्योत्थायाह ब्रह्मन्प्रचरिष्यामो होतरभिष्टुहि प्रस्तोतः सामानि

१-उपयमनीम्महावीरम् । का. श्रौ. सू. २६ । ३७ । २-परीशासौ । का. श्रौ. सू. २६ । ३७ । ३-पिन्वने । का. श्रौ. सू. २६ । ३७ । ४-रौहिणकपाले । का. श्रौ. सू. २६ । ३७ । ५-रौहिणहवन्यौ च स्रुवावनुत्कीर्णे । का. श्रौ. सू. २६ । ३७ । ६-स्थूणा च, मयूखश्च, इत्येकवद्भावी द्वंद्वः । गोबंधनार्था स्थूणा, स्तंभः । भाषायां खंदुवा खुंटा इति । मयूखः अजाबंध-नार्थः स्तभः । भाषायामर्थ उक्त एव । ७-धृष्टी उपवेषौ । ८-शतमाने राजतं सौवर्णं च इति द्वे । ९-धवित्राणि कृष्णाजिनखंड-निर्मिताः त्रयो व्यजनाः । परिधयश्च । १०-रज्जू च संदानं चेति इत्येकवद्भावी द्वंद्वः । रज्जू गोबंधनार्था अजाबंधनार्था चेति द्वे । संदानं दोहनकाले गोः पादबंधनार्था रज्जुः । ११-अर्थवच्च स्फ्य एक एव आसाद्यते । प्रकृतौ तस्य दशगणे पाठात् । पवित्रच्छेदनानि । पवित्रे । अग्निहोत्रहवणी । आज्यस्थाली । बहुलमाज्यं शूर्पम् । पात्री पिष्टम् । उपसर्जनीपात्रं उपशया । इतरौ महावीरौ होतृषदनम् । मौंजः कूर्चः, औदुंबरी समित् । इत्यर्थवत्पात्रासादनम् । १२-तत्र दशैकादशद्वादशाक्षराणां वैराजत्रैष्टुभ-जागता इति संज्ञाः । इति सर्वानुक्रमः । ५ । १ । दशकाक्षयौ विराट् । इति च । ५ । ४ । पादा इति शेषः ।

मत्तऽआस्स्व यज्ञस्य शिरः प्रतिधास्यामऽइति होतरभिष्टुहीति यज्ञो वै होता तमेवैतदाह यज्ञस्य शिरः प्रतिधेहीति प्रतिपद्यते होता ॥ २ ॥

ब्रह्म जज्ञानम्प्रथमम्पुरस्तादिति । (त्य) असौ वाऽआदित्यो ब्रह्माहरहः पुरस्ताज्जायतऽएषुऽउ प्रवर्ग्यस्तदेतमेवैतत्प्रीणाति तस्मादाह ब्रह्मजज्ञानम्प्रथमम्पुरस्तादित्यथ प्रोक्षत्यसावेव बन्धुः ॥ ३ ॥

दक्षिणत आस्तेऽभिगोप्ता । तमेवैतदाह । अप्रमत्त आस्स्व । यज्ञस्य शिरः प्रतिधास्याम इति । होतरभिष्टुहीति । यज्ञो वै होता । तमेवैतदाह । यज्ञस्य शिरः प्रतिधेहीति । प्रतिपद्यते होता ॥ २ ॥

"**ब्रह्म जज्ञानं प्रथमं पुरस्तात**"–(वा. सं. १३ । ३) इति । असौ वा आदित्यो ब्रह्माहरहः पुरस्ताज्जायते । एष उ प्रवर्ग्यः । तदेतमेवैतत्प्रीणाति । तस्मादाह–"**ब्रह्म जज्ञानं प्रथमं पुरस्तात्**"–इति । अथ प्रोक्षति । असावेव बन्धुः ॥ ३ ॥

गायेति" (का. श्रौ. सू. २६ । ३८) इति । तत् विदधाति–**अथाध्वर्युः प्रोक्षणी० रभिष्टुहीति**। प्रोक्ष्यते आभिरिति प्रोक्षण्यः उत्पवनादिसंस्कृताः प्रोक्षणार्थाः आपः । ताः संस्कृत्य 'आदाय' हस्ते धारयित्वा 'उपोत्तिष्ठन्नध्वर्युः' 'ब्रह्मन्प्रचरिष्यामः' इति प्रैषमाह ब्रूयात् । तस्य प्रैषस्यायमर्थः । हे ब्रह्मन् ! वयं प्रवर्ग्येण 'प्रचरिष्यामः' अस्मभ्यमनुज्ञां देहि । त्वं च सावधानो भव । 'हे होतः !' त्वं घर्मं 'अभिष्टुहि' अभि उद्दिश्य स्तोत्रं कुरु । "ब्रह्म जज्ञानम्" इत्यादिकं अभिष्टवं ब्रूहीत्यर्थः । हे प्रस्तोतः ! त्वं घर्मलिंगकानि सामानि गायेति । तत्र ब्रह्मन्प्रचरिष्यामः होतरभिष्टुहि इत्यनयोः तात्पर्यलभ्यं अर्थमाह–**ब्रह्म वै यज्ञ० धास्यामः** इति । 'ब्रह्मा' खलु ऋत्विजां मध्ये यज्ञस्याभिगोप्ता सर्वतो रक्षिता सन् 'दक्षिणतः' दक्षिणभागे 'आस्ते' । यत एवं अतस्तमेव ब्रह्माणमुद्दिश्य एतद्वक्ष्यमाणं 'आह' प्रैषमन्त्रं ब्रूयात् 'हे ब्रह्मन् !' त्वं 'अप्रमत्तः' प्रमादोऽनवधानता तद्रहितः सन् प्रयोगं सम्यग् अनुसंदधानः 'आस्स्व' उपविश । वयं 'यज्ञस्य' छिन्नं 'शिरः' 'प्रतिधास्यामः' संदधाम इति 'ब्रह्मन्प्रचरिष्यामः' इति प्रैषभागस्यार्थः । **होतरभिष्टुहीति** पुनरुपादानं व्याख्यानार्थम् । यः अयं होता असौ साक्षात् यज्ञः । वषट्कर्तृत्वेन अत्यन्तं अंतरंगत्वात् । 'तमेव' यज्ञात्मकं होतारं एतद्वक्ष्यमाणं 'आह' होतरभिष्टुहीतीति अनेन ब्रूते । एतदित्युक्तं किमित्याह–हे होतः ! त्वं 'यज्ञस्य' छिन्नं 'शिरः' 'प्रतिधेहि' संधत्स्व इति । एवं अध्वर्युणा प्रार्थितस्य होतुः अभिष्टवं प्रतिपदं विदधाति–**प्रतिपद्यते होता । ब्रह्म जज्ञानं प्रथमं पुरस्तादिति** । अध्वर्युप्रैषानंतरं होता ब्रह्म जज्ञानमित्यभिष्टववाक्यं ऋक्संघं वक्तुं प्रतिपद्यते । अथ अस्य होतुः अभिष्टवेन यज्ञशिरःसंधाने सामर्थ्यं अस्तीति दर्शयितुं अस्याः प्रतिपदं तात्पर्यगम्यं अर्थं आह–**असौ वा० दिती**ति । 'असौ' द्युलोकस्थः खलु 'आदित्यः' 'ब्रह्म' अस्यां ऋचि ब्रह्मशब्देन प्रतिपाद्यते । स आदित्यः 'अहरहः' प्रतिदिनं प्रत्यहं 'पुरस्तात्' पूर्वस्यां दिशि 'जायते' उदेति । 'एषः' उद्यन्नादित्यः 'प्रवर्ग्यः' "तत्पतित्वाऽसावादित्योऽभवत्" (श. प. १४ । १ । १ । १०) इति प्राक् आम्नातत्वात् । भक्त्या च 'एतमेव' सूर्यात्मकं प्रवर्ग्यं 'एतत्' "ब्रह्म जज्ञानं प्रथमं पुरस्तात्"

स प्रोक्षति । यमाय त्वेत्येष वै यमो य ऽएष तपत्येष हीदᳬं सर्वं यमयत्येतेनेदᳬं सर्वं यतमेष ऽ उ प्रवर्ग्यस्तदेतमेवैतत्प्रीणाति तस्मादाह यमाय त्वेति ॥ ४ ॥

मखाय त्वेति । (त्ये) एष वै मखो य ऽएष तपत्येष ऽउ प्रवर्ग्यस्तदेतमेवैतत्प्रीणाति तस्मादाह मखाय त्वेति ॥ ५ ॥

स प्रोक्षति । " यमाय त्वा "-(वा. सं. ३७ । ११) इति । एष वै यमः । य एष तपति । एष हीदं सर्वं यमयति । एतेनेदं सर्वं यतम् । एष उ प्रवर्ग्यः । तदेतमेवैतत्प्रीणाति । तस्मादाह-" यमाय त्वा "-इति ॥ ४ ॥

" मखाय त्वा " इति । एष वै मखः । य एष तपति । एष उ प्रवर्ग्यः । तदेतमेवैतत्प्रीणाति । तस्मादाह-" मखाय त्वा "-इति ॥ ५ ॥

इत्येतेन 'प्रीणाति' तर्पयति । यस्मादित्थं समवेतार्थप्रकाशिका एषा । तस्मात् " ब्रह्म जज्ञानं प्रथमं पुरस्तात् " इत्येतामृचमाह-अनया प्रवर्ग्यमभिष्टोतुं प्रवर्तते इत्यर्थः । अथ आसादितानां पात्राणां प्रोक्षणं विधत्ते-**अथ प्रोक्षत्यसावेव बंधुरिति** । एवं ब्रह्मणे विज्ञाप्य 'अथ' तस्यानुज्ञानंतरं प्रागासादितानि उपयमनीमहावीरादीनि धर्मपात्राणि 'प्रोक्षति' प्रोक्षणेन संस्कुर्यात् । 'असावेव' खलु प्रोक्षणसंस्कारः बंधुर्बंधकः प्रोक्षितानां यागार्हत्वसंपादनेन छिन्नस्य यज्ञशिरसः संधानहेतुः इत्यर्थः ॥ २ ॥ ३ ॥

अथ एतत् प्रोक्षणं अनूद्य मंत्रं विधत्ते-**स प्रोक्षति यमाय त्वेतीति** । अयमर्थः । " यमाय त्वा १ मखाय त्वा २ सूर्यस्य त्वा तपसे ३ " इति वाक्यत्रयात्मकेन मन्त्रेण 'सः' अध्वर्युः प्रत्येकं महावीरान् 'प्रोक्षति' यद्वा त्रिभिर्वाक्यैः त्रीन् महावीरान् यथासंख्यं 'प्रोक्षति' । तथा च सूत्रितं कात्यायनेन " ब्रह्मणाऽनुज्ञातो यमाय त्वेति महावीरं प्रोक्षति । प्रतिमंत्रं वा वाक्यभेदात् " (का. श्रौ. सू. २६ । ३९ । ४०) इति । तत्र प्रथममन्त्रस्य प्रवर्ग्येण संगतिं दर्शयति-**एष वै० प्रीणातीति** । 'य एषः' सूर्यः 'तपति' । 'एष' खलु 'यमः' । कुतः अस्य यमशब्दाभिधेयता ? इति चेत् । 'हि' यस्मात् 'इदं सर्वं' भूतजातं 'एषः' 'यमयति' स्वव्यापारेषु नियमयति । यस्माच्च 'एतेन' सूर्येण 'इदं सर्वं' जगत् 'यतं' सृष्ट्वा आदावपि परस्परसांकर्याभावेन व्यवस्थितं इदं कृतम् । तस्मात् असौ मन्त्रे यमशब्देन उच्यते । 'एष उ' एष एव 'प्रवर्ग्यः' । गतमन्यत् । यस्मादेव असौ मन्त्रः समवेतार्थः । तत् अनेन मन्त्रेण प्रोक्षेत् इति निगमयति-**तस्मादाह यमाय त्वेतीति** ॥ ४ ॥

अथ द्वितीयमहावीरस्य प्रोक्षणमन्त्रमनूद्य व्याचष्टे-**मखाय त्वेति० मखाय त्वेतीति** । 'एष वै' एष खलु सूर्यः 'मखः' मखशब्दाभिधेयस्य यज्ञात्मकस्य शिरस एव रूपत्वात् । अन्यद्गतम् ॥ ५ ॥

१--अत्र कर्कः ब्रह्मानुज्ञातग्रहणं प्राक् अनुज्ञायाः सर्वप्रैषोच्चारणप्रज्ञप्त्यर्थमिति ।

२--अत्र कर्कः प्रतिमंत्रमेवं वा प्रोक्षणम् । कुत एतत् । वाक्यभेदात, भिन्नानि हि वाक्यानि । यमाय त्वा १ मखाय त्वा २ सूर्यस्य त्वा तपसे ३ इति । न च समुच्चयो न्याय्यः । न च विकल्पः दृष्टार्थत्वात् । तस्मात् प्रतिवाक्यमेव प्रोक्षणम् । इति । ततश्च वा अवधारणे इति राद्धान्तः ॥

सूर्य्यस्य त्वा तपसऽइति । (त्ये) एष वै सूर्य्यो यऽएष तपत्येषऽउ प्रवर्ग्यस्तदेतमेवैतत्प्रीणाति तस्मादाह सूर्य्यस्य त्वा तपसऽइति ॥ ६ ॥

पूर्व्वया द्वारा स्थूणान्निर्हृत्य । दक्षिणतो निमिन्वन्ति यथैनाᳬं होताऽभिष्टुवन्परापश्येद्यज्ञो वै होता सऽएवास्यामेतद्यज्ञम्प्रतिदधाति तथैषा घर्मम्पिन्वते ॥ ७ ॥ अर्द्धः प्रपाठकः ॥ कण्डिकाः ॥ ६६ ॥

(तेऽग्रे) अग्रेणाहवनीयम् । (ᳬं) सम्म्राडासन्दीम्पर्य्याहृत्य दक्षिणतः प्राचीमासादयत्युत्तराᳬं राजासन्द्यै ॥ ८ ॥

" सूर्यस्य त्वा तपसे "–(वा. सं. ३७।११) इति । एष वै सूर्यः । य एष तपति । एष उ प्रवर्ग्यः । तदेतमेवैतत्प्रीणाति । तस्मादाह–सूर्यस्य त्वा तपसे इति ॥ ६ ॥

पूर्वया द्वारा स्थूणां निर्हृत्य दक्षिणतो निमिन्वंति । यथैनां होताऽभिष्टुवन्परापश्येत् । यज्ञो वै होता । स एवास्यामेतद्यज्ञं प्रतिदधाति । तथैषा घर्मं पिन्वते ॥ ७ ॥

अग्रेणाहवनीयम् । सम्म्राडासंदीं पर्याहृत्य दक्षिणतः प्राचीमासादयाति। उत्तरां राजासंद्यै॥८॥

अथ तृतीयमहावीरप्रोक्षणमन्त्रमनूद्य व्याचष्टे–सूर्यस्य त्वा०तपस इतीति । सिद्धप्रायमेतत् ॥ ६ ॥

अथ घर्मदुहो धेनोर्बंधनाय स्थूणानिखननं विधत्ते–पूर्व्वया द्वारा०परापश्येदिति । प्राग्वंशस्य पूर्वद्वारेण ' स्थूणां ' घर्मदुहो गोः बंधनार्थं स्तंभं ' निर्हृत्य ' निर्गमय्य ' दक्षिणतः ' प्राचीनवंशस्य दक्षिणदिग्भागे 'निमिन्वंति ' अवटं खात्वा तस्मिन्निक्षिपंति । ' एनां ' स्थूणां ' अभिष्टुवन् ' अभिष्टवं पठन् ' होता ' ' यथा ' येन प्रकारेण ' परापश्येत् ' समीक्षेत । तथा स्थूणा निखातव्येत्यर्थः । अथ एतत् होतुः दर्शनमुपपादयति–यज्ञो वै होता०घर्मं पिन्वत इति । वषट्कर्तृत्वेन यागे अंतरंगत्वात् ' होता यज्ञो वै ' यज्ञ एव । ' सः ' तथाविधः निखातां स्थूणां पश्यन्नेव ' अस्यां ' स्थूणायां ' एतत् ' एतेन ईक्षणेन ' यज्ञं प्रतिदधाति ' संदधाति । तथा सति ' एषा ' घर्मदुघा धेनुः ' घर्मं पिन्वते ' घर्मं हवीरूपं पयः सिंचति स्रवति । " पिवि सेचने "–(धा. पा. भ्वा. आ. ५८९) इति धातुः ॥ ७ ॥

अथ आसादितायाः संम्राडासंद्याः देशविशेषे स्थापनं विधत्ते–अग्रेणाहवनीयं०राजासंद्यै इति । सम्राट् प्रवर्ग्यः महावीरः इति पर्यायाः । तस्यासंदी आसनभूता मंचिका ' संम्राडासंदी ' तां ' आहवनीयमग्रेण ' आहवनीयस्य अदूरेण प्राग्भागेन ' पर्याहृत्य ' परित आनीय आहवनीयस्य ' दक्षिणतः ' ' प्राचीं '

१–परिघर्म्यं च तूष्णीम् । का. श्रौ. सू २६ । ४१ । घर्मसंबंधि यत् आसादितं पात्रजातं तच्च तूष्णीं प्रोक्षतीत्यर्थः ।
२–पूर्वया द्वारा स्थूणामयूखं निर्हृत्य दक्षिणतो निखनाति होतुः संदर्शने । का. श्रौ. सू. २६ । ४२ ।
३–पूर्व्वेणाहवनीयः सम्म्राडासंदीं पर्याहृत्य दक्षिणतः प्राचीमासादयति राजासंद्या उत्तरतः। का. श्रौ. सू. २६ । ४४ ।

(न्याऽऔ) औदुम्बरी भवति । (त्यू) ऊर्ग्वै रसऽउदुम्बरऽऊर्ज्जैवैनमेतद्रसेन समर्द्धयति कृत्स्नुङ्करोति ॥ ९ ॥

(त्यॳ) अॳसदघ्ना भवति । (त्यु) अॳसयोर्व्वाऽइदॳ शिरः प्रतिष्ठितं तदॳसयोरेवैतच्छिरः प्रतिष्ठापयति ॥ १० ॥

बाल्वजीभी रज्जुभिर्व्युता भवति। यज्ञस्य शीर्षच्छिन्नस्य रसो व्यक्षरत्तऽएताऽओषधयो जज्ञिरे तेनैवैनमेतद्रसेन समर्द्धयति कृत्स्नुङ्करोति ॥ ११ ॥

औदुंबरी भवति । ऊर्ग्वै रस उदुंबरः । ऊर्जैवैनमेतद्रसेन समर्द्धयति । कृत्स्नं करोति ॥ ९ ॥

अंसदघ्ना भवति । अंसयोर्वा इदं शिरः प्रतिष्ठितम् । तदंसयोरेवैतच्छिरः प्रतिष्ठापयति ॥ १० ॥

बाल्वजीभी रज्जुभिर्व्युता भवति । यज्ञस्य शीर्षच्छिन्नस्य रसो व्यक्षरत् । तत एता ओषधयो जज्ञिरे । तेनैवैनमेतद्रसेन समर्द्धयति । कृत्स्नं करोति ॥ ११ ॥

प्रागायताम् । राजासंद्याः क्रीतः सोमो यस्यामासंद्यां आस्ते सा राजासंदी । तस्याः सकाशात् ' उत्तरां ' उन्नततरां वर्षीयसीम् । यद्वा उत्तरभागावस्थितां ' आसादयति ' स्थापयति ॥ ८ ॥

अथ एतस्याः वृक्षविशेषं विधाय स्तौति–**औदुंबरी भवति०कृत्स्नं करोति** इति । सा च संम्राडासंदी ' औदुंबरी ' उदुंबरविकारा उदुंबरवृक्षजैः फलकैः निर्मिता ' भवति ' । उदुंबरवृक्षस्य ऊर्ग्रसरूपत्वं अन्यत्र औदुंबरत्वविधायके वाक्ये (श.प.१४ । १ । २ । ४) पूर्वमेव दर्शितम् । अतः तद्वदेव सर्वं व्याख्येयम् ॥९॥

अथ एतस्याः संम्राडासंद्याः उच्छ्राय[3]परिमाणं आह–**अंसदघ्ना भवती**ति । सा संम्राडासंदी ' अंसदघ्ना ' ऊर्ध्वपरिमाणेन अंसमात्री ' भवति ' । अथ एतत् अंसदघ्नत्वं स्तौति–**अंसयोर्वा० प्रतिष्ठापयती**ति । ' इदं ' अस्मदादीनां ' शिरः ' ' अंसयोर्वै ' अंसयोरुपरि खलु ' प्रतिष्ठितं ' संबद्धम् । तत्तस्मात् ' एतत् ' एतेन राजासंद्याः अंसदघ्नत्वकरणेन यज्ञस्य अंसयोरेव एतत् महावीरशिरः प्रतिष्ठापयति ॥ १० ॥

अथ एतस्या आवेयनं विदधाति–**बाल्वजीभिः० भवती**ति । बल्वजाः तृणविशेषाः । तन्निर्मिताभिः

१–पूर्वेणाहवनीयम् का. श्रौ. सू. २६।२।२९ । इति सूत्रे सूत्रकारेण " उत्तरा२ राजासंद्यै " इतीमां श्रुतिमनुसृत्य उत्तरत इति दिङ्निर्देशात् उत्तरभागावस्थितां आसादयतीति राद्धांतिकं भाष्यं प्रागुपन्यस्तं "तस्याः सकाशात् 'उन्नताम्' उन्नततरां वर्षीयसीं " इति तु अनैकांतिकं बोध्यम् " अथ यदुत्तरत आसादयति यज्ञो वै सोमः शिरः प्रवर्ग्यः उत्तरं वै शिरः तस्मादुत्तरत आसादयति अथो राजा वै सोमः संम्राट् प्रवर्ग्यः उत्तरं वै राज्यात्साम्राज्यं तस्मादुत्तरत आसादयति उत्तरो वै प्रजापतिः तस्मादुत्तरत आसादयति " इति अस्मिन् ब्राह्मणे द्वादश्यां कंडिकायां वाक्यशेषात् ।

२–परिधर्म्यमौदुंबरम् । का. श्रौ. सू. २६ । ४१ ।

३–" बाल्वजं विवानमासंद्यौदुंबर्याः स्कंधमात्र्याः " इति । का. श्रौ. सू. २६ । ३५ ।

४–" बाल्वजं विवानम् " इत्युक्तं सूत्रम् । अस्मिन्नेव सूत्रे कर्कः " परिधर्म्यमौदुंबरम् " का. श्रौ. सू. २६ । ३३ । इत्युक्तेऽपि पुनरुच्यते । अरत्निमात्राङ्गोपलक्षणार्थम् । तथा शाखांतरात् दृष्टा हि औदुंबरी ज्योतिष्टोमे अरत्निमात्रांगी (आप. श्रौ. सू. १० । २९ । ७) इति । तथा सूत्रकारोऽपि ज्योतिष्टोमे सूत्रयामास–" औदुंबरीमासंदीं नाभिदघ्नामरत्निमात्रांगीमूतामाहरंति चत्वारः " । का. श्रौ. सू. ७।९।२४। अन्यत्परिधर्म्यं तु " मौंजं त्रिवृद्दक्षिणाव्यम् । का. श्रौ. सू. २६ । ३४ । इत्याह कात्यायनः ।

(त्यु) अथ यदुत्तरतऽआसादयति । यज्ञो वै सोमः शिरः प्रवर्ग्यऽउत्तरम्वै शिरस्तस्मादुत्तरतऽआसादयत्यथो राजा वै सोमः सम्राट् प्रवर्ग्यऽउत्तरम्वै राज्यात्साम्राज्यन्तस्मादुत्तरतऽआसादयत्युत्तरो वै प्रजापतिस्तस्मादुत्तरतऽआसादयति ॥ १२ ॥

स यत्रैताꣳ होताऽन्वाह । (ह्रा) अञ्जन्ति यम्प्रथयन्तो न विप्राऽइति

अथ यदुत्तरत आसादयति । यज्ञो वै सोमः । शिरः प्रवर्ग्यः । उत्तरं वै शिरः । तस्मादुत्तरत आसादयति । अथो राजा वै सोमः । संम्राट् प्रवर्ग्यः । उत्तरं वै राज्यात्सांम्राज्यम् । तस्मादुत्तरत आसादयति । उत्तरो वै प्रजापतिः । तस्मादुत्तरत आसादयति ॥ १२ ॥

स यत्रैतां होताऽन्वाह । " अंजंति यं प्रथयंतो न विप्राः "–इति । तदेतं प्रचरणीयं महा-

---

रज्जुभिः पाशैः ' व्युता ' अनेन संतता संस्यूता भवति । अथ एतत् स्तौति–**यज्ञस्य० करोतीति** । छिन्नात् यज्ञशिरसः यः ' रसः ' क्षरणेन भूमिं प्राप्नोत् । ' ततः ' सकाशात् बल्वजाख्याः ' ओषधयः ' ' जज्ञिरे ' जाता बभूवुः । सिद्धमन्यत् ॥ ११ ॥

" उत्तरां राजासंद्यै " इति (श. प. १४ । १ । ३ । ९) यत्पूर्वमुक्तं संम्राडासन्द्याः । तत् अनूद्य स्तौति–**अथ यदुत्तरत आसादयतीति** । ' अथ ' अपि च ' उत्तरतः ' सोमस्य उपरिभागे उत्तरस्यां दिशि वा ' आसादयति ' महावीरायैव आसनार्थां आसंदीं स्थापयति इति यत् तत्किमर्थं ? इति चेत्; उच्यते–योऽयं राजासंद्यां निविष्टः सोमः । असौ ' यज्ञो वै ' यज्ञः खलु, तत्साधनत्वात् । प्रवर्ग्यश्च तस्य यज्ञस्य ' शिरः ' । यस्माच्छिरः इतरस्मादवयवजातात् 'उत्तरं वै' उपरिभागे स्थितम् । यस्मादेवं ' तस्मादुत्तरत आसादयति ' । अथ प्रकारांतरेण उत्तरतः आसादनं स्तौति–**अथो राजा वै० आसादयतीति** । 'अथो' अपि च ' राजा वै ' राजा खलु ' सोमः ' राजासंद्यां अवस्थितः । " सोमोऽस्माकं ब्राह्मणानां राजा "–(श. प. ९ । ३ । ३ । १२) इति श्रुतेः । ' प्रवर्ग्यः संम्राट् ' " तं पाणिभिः संममृजुस्तस्मात्संम्राट् "–(श. प. १४ । १ । १ । ११ ।) इति प्राक् निर्वचनस्य दर्शितत्वात् । किं तत इत्याह–**उत्तरं वा** इति । लोके हि राजशब्देन प्रणताशेषसामंतः सार्वभौमो नृप उच्यते । संम्राट्शब्देन तु उक्तलक्षणः सन् यो राजसूयेन ईजे सः अभिधेयः । अतः ' राज्यात् ' राजत्वात् ' सांम्राज्यं ' संम्राट्त्वं ' उत्तरं वै ' उत्तरं उपर्यवस्थितं श्रेष्ठं खलु । तस्मात्संम्राजः प्रवर्ग्यस्य तां आसनभूतां आसंदीं ' आसादयति ' । यद्वा राजा सोमः तदंगत्वात् प्रवर्ग्यः प्रजास्थानीयः, प्रजा च पितृस्थानीयात् राज्ञः उत्तरतः । पितृस्थानीयो राजा तु ' उत्तरो वै ' उपरिभावी खलु । गतमन्यत् ॥ १२ ॥

अथ प्रचरणीयस्य महावीरस्य घृतेन समंजनं विधत्ते–**स यत्रैतां०मध्वा नक्त्विति** । " अञ्जंति " इत्येतां

१–एतदन्तैवेयं कण्डिका क्वचित्पुस्तके ।

२–इतः प्राक्तनौ वाक्यशेषौ " श्रेष्ठं खलु " इति भाष्यकृदुक्त्यैव श्रेष्ठताप्रतिपादकावर्थवादौ बोध्यौ । यद्वा इति तृतीयवाक्यशेषस्तु " राजासंद्या उत्तरतः " इति उत्तरादिग्विषयार्थः, इत्यवगंतव्यमिति ॥

३–" अन्यो वा परिघर्म्ययोजनमध्वर्योः कालसंपत्तेः " । का. श्रौ सू. २६ । ४५ । इति । परिघर्म्ययोजनं स्थूणामयूखनिर्हरणादि अन्यः प्रतिप्रस्थाता करोति नाध्वर्युः । स यत्रैता २ होताऽन्वाहेति कालसंपत्तिवचनात् । परिघर्म्ययोजने अध्वर्योः कर्तृत्वे तु स यत्रैतां होताऽन्वाहेति कालस्यासंभव इति सूत्रार्थः ।

तदेतम्प्रचरणीयम्महावीरमाज्येन समनक्ति देवस्त्वा सविता मध्वाऽन-क्त्विति सविता वै देवानाम्प्रसविता सर्वम्वाऽइदम्मधु यदिदं किञ्च तदेनमनेन सर्वेण समनक्ति तदस्मै सविता प्रसविता प्रसौति तस्मादाह देवस्त्वा सविता मध्वाऽनक्त्विति ॥ १३ ॥

(त्यु) अथोत्तरतः सिकताऽउपकीर्णा भवन्ति । तद्रजतᳩ हिरण्यम-धस्तादुपास्यति पृथिव्याः सᳩस्पृशस्पाहीत्येतद्वै देवाऽअबिभयुर्यद्वै नऽ इममधस्ताद्रक्षाᳩसि नाष्ट्रा न हन्युरित्यग्नेर्वाऽएतद्रेतो यद्धिरण्यन्नाष्ट्रा-णाᳩ रक्षसामपहत्याऽअथो पृथिव्यु ह वाऽएतस्माद्बिभयाञ्चकार यद्वैमा-ऽयन्तप्तः शुशुचानो न हिᳩस्यादिति तदेवास्याऽएतदन्तर्दधाति रजतं भवति रजतेव हीयम्पृथिवी ॥ १४ ॥

वीरमाज्येन समनक्ति—" देवस्त्वा सविता मध्वाऽनक्तु "—(वा. सं. ३७ । ११) इति । सविता वै देवानां प्रसविता । सर्वं वा इदं मधु । यदिदं किंच । तदेनमनेन सर्वेण समनक्ति । तदस्मै सविता प्रसविता प्रसौति । तस्मादाह— 'देवस्त्वा सविता मध्वाऽनक्तु" इति ॥ १३ ॥

अथोत्तरतः सिकता उपकीर्णा भवंति । तद्रजतं हिरण्यमधस्तादुपास्यति—" पृथिव्याः संस्पृशस्पाहि "—(वा. सं. ३७।११) इति । एतद्वै देवा अबिभयुः । यद्वै न इममधस्ताद्रक्षांसि नाष्ट्रा न हन्युरिति । अग्नेर्वा एतद्रेतः—यद्धिरण्यम् । नाष्ट्राणां रक्षसामपहत्यै । अथो पृथिव्यु ह वा एतस्माद्बिभयाञ्चकार । यद्वै माऽयं तप्तः शुशुचानो न हिंस्यादिति । तदेवास्या एतदंतर्दधाति । रजतं भवति । रजतेव हीयं पृथिवी ॥ १४ ॥

ऋचं ' सः ' अभिष्टुद्धोता ' यत्र ' यस्मिन् काले ' आह ' ब्रूयात् । तत्र तस्मिन् काले ' एनं ' प्रथमं कृत प्रचरणीयं ' प्रचरणसाधनं ' महावीरं आज्येन ' स्रुवपूरितेन ' समनक्ति ' सम्यक् अक्तं करोति । " देवस्त्वा सविता " इति मन्त्रेण । अथ अस्मिन्मन्त्रे मधुसवितृशब्दयोः तात्पर्यगम्यमर्थं दर्शयन् अनेनैव मन्त्रेण समंजनं कार्यमिति निगमयति—**सविता वा** इति । मन्त्रे समंजनकर्तृत्वेन यः ' सविता ' उपात्तः । स खलु ' देवानां ' मध्ये ' प्रसविता ' यजमानानां कर्मसु प्रेरयिता । तथा ' यदिदं किंच ' यत् किमपि लोके दृश्यमानं मधु अस्ति । ' इदं ' मन्त्रे समंजनकरत्वेन उच्यमानमाज्यलक्षणं 'मधु' 'सर्वं तत्' लोके विद्यमानं सर्वं मध्वात्मकम् । तत्तस्मात् "देवस्त्वा सविता मध्वाऽनक्तु " इति ' अनेन ' मन्त्रवर्णेन ' एनं ' महावीरं ' सर्वेण ' निरवशेषेण अनेन कृत्स्नजगद्वर्तिना मधुना ' समनक्ति ' समक्तवान् भवति । यस्मिन्मन्त्रे सविता प्रतिपाद्यते । तत्तस्मात् ' अस्मै ' महावीराय सः ' सविता ' ' प्रसविता ' प्रेरकः सन् ' प्रसौति ' अनुष्ठाने प्रेरयति । ' तस्मात् ' इत्यादि निगमनम् ॥ १३ ॥

अथ प्रवृंजनार्थे खरे रजतशतमानरुक्मस्य प्रक्षेपं विधत्ते—**अथोत्तरतः०संस्पृशस्पाहीतीति** । ' अथ ' समंजनानंतरं गार्हपत्यस्योत्तरतः उत्तरस्यां दिशि ' सिकताः उपकीर्णाः ' उपक्षिप्ताः ' भवंति ' । सिकताभिः

स युत्रैताॅं होताऽन्वाह । सुॅंसीदस्व महाँ ३ असीति तुदुभयुत आदीप्ता मौञ्जाः प्रलवा भवन्ति तानुपास्य तेषु प्रवृणक्ति यज्ञस्य शीर्षच्छिन्नस्य रसो व्यक्षरत्तुत एता ओषधयो जज्ञिरे तेनैवैनमेतद्रसेन सुमर्द्धयति कृत्स्नङ्करोति ॥ १९ ॥

स यत्रैतां होताऽन्वाह–" संसीदस्व महाँ ३ असि "–(वा. सं. ३८ । १७) इति । तदुभयत आदीप्ता मौंजाः प्रलवा भवन्ति । तानुपास्य तेषु प्रवृणक्ति । यज्ञस्य शीर्षच्छिन्नस्य रसो व्यक्षरत् । तत एता ओषधयो जज्ञिरे । तेनैवैनमेतद्रसेन समर्द्धयति । कृत्स्नं करोति ॥ १९ ॥

चतुरस्रं खरं कुर्यात् इत्यर्थः । तत्तत्र सिकतोपकीर्णे देशे 'रजतं हिरण्यं' हिरण्यशब्दस्य रूप्यसुवर्णयोः साधारणत्वात् तद्व्यावृत्त्यर्थं रजतमिति विशेषणम् । ' रजतं हिरण्यं ' रजतशतमाननिर्मितं रुक्मं स्थाप्यमानस्य महावीरस्य ' अधस्तात् ' अधोभागे ' उपास्यति ' उपक्षिपति । " पृथिव्याः " इति मन्त्रेण । तथा च कात्यायनः " अञ्जन्तीत्युच्यमाने देवस्त्वेत्यनक्ति महावीरमाज्यꣳ संस्कृत्य रजतशतमानं खरऽउपगूहति पृथिव्याः सꣳ स्पृशः इति " (का.श्रौ.सू. २६।४६।४७) । अथ एतस्य अधस्तात् हिरण्योपासनस्य प्रयोजनमाह–एतद्धै०मपहत्या इति । ' एतद्धै ' एतस्मिन्काले खलु ' देवाः ' पुरा ' अबिभयुः ' भीतवंतः । किं कारणमिति तदुच्यते– ' यद्वै ' यदि खलु ' नः' अस्माकं 'इमं' महावीरं अधस्तादधोभागे ' रक्षांसि ' यज्ञनिहंतॄणि ' नाष्ट्राः ' नाशकारिण्यः तत्सेनाः ' न हन्युः ' हननं माऽकार्षुः तर्हि यज्ञः संपूर्यते । ते च राक्षसादयः अवश्यम् इमं हनिष्यंति इत्यनेन कारणेन भीतवंत इत्यर्थः । भीताश्च ते रजतशतमानं तद्रक्षणाय महावीरस्य अवस्तात् निहितवंत इत्यर्थः । तदेतत् उपपादयति–अग्नेरिति । ' हिरण्यमिति ' यदग्नेः खलु ' एतत् रेतो ' वीर्यम् । " आपो वरुणस्य पत्नय आसन् ता अग्निरभ्यध्यायत्ताः समभवत् तस्य रेतः परापतत्तद्धिरण्यमभवत् " इति श्रुतेः । तस्मात् रजतलक्षणं हिरण्यं अग्नेर्वीर्यत्वात् ' नाष्ट्राणां रक्षसां ' अपहननाय विनाशाय समर्थम् । तस्मादधस्तात् तस्योपासनं कार्यमित्यर्थः । प्रयोजनांतरमाह–अथो पृथिव्यु ह वा०न्तर्दधातीति । ' अथो ' अपि च एतस्मात्तप्तात्प्रवर्ग्यात् ' पृथिवी ' खलु ' बिभयांचकार ' भीता बभूव । ' यद्वै ' यदि खलु ' मा ' मां ' अयं ' प्रवर्ग्यः ' तप्तः ' संतप्तः ' शुशुचानः ' दीप्यमानः ' न हिंस्यात् ' । तदा मया धारयितुं सह्यते । अयं तु सर्वथा मां हिंस्यात् इति भीता बभूवेत्यर्थः । तत्तस्मादेव कारणात् ' अस्याः ' पृथिव्याः हिंसाऽभावार्थं एतद्धिरण्यं ' अंतर्दधाति ' अंतर्हितं करोति । अत एव मन्त्रे "पृथिव्याः संस्पृशस्पाहि" इति पृथिवीसंस्पर्शाभावाय रक्षणं प्राथ्यते । तदेतत् तैत्तिरीयके स्पष्टमाम्नातम्–" पृथिवीं तपसस्त्रायस्वेति हिरण्यमुपास्यति अस्या अनतिदाहाय " । अथास्य रजतत्वमनूद्य स्तौति–रजतं भवति०पृथिवीति । तच्च हिरण्यं 'रजतं' रजतात्मकं 'भवति' (तै. आ. ५।४।९) इति । ' इयं पृथिवी ' 'रजतेव हि' रजतवच्छुक्लभास्वरा हि । तस्मात्तदंतर्द्धाने रजतमेव योग्यमित्यर्थः ॥१४॥

यदुक्तं सूत्रकारेण–" सꣳसीदस्वेत्युच्यमाने मुंजप्रलवान्द्विगुणानादीप्य प्रतिदिशं खरे करोति " (का. श्रौ. सू. २६ । ९०) इति । तद्विधत्ते–स यत्रैतां० प्रवृणक्तीति । 'यत्र' यस्मिन् काले ' होता ' " सꣳ

१–गार्हपत्याहवनीया वुत्तरेण खरौ निवपति दक्षिणतोऽनुभित्युच्छिष्टखरम् । का. श्रौ. सू. २६ । ४३ ।

(त्यु) अथ यदुभयतऽआदीप्ता भवन्ति । सर्व्वाभ्यऽएवैतद्दिग्भ्यो रक्षाᳬंसि नाष्ट्राऽअपहन्ति तस्मिन्प्रवृज्यमाने पत्नी शिरः प्रोर्ण्णुते तप्तो वाऽएष शुशुचानो भवति नेन्मेऽयन्तप्तः शुशुचानश्चक्षुः प्रमुष्णादिति ॥ १६ ॥

स प्प्रवृणक्ति । (क्त्य) अर्च्चिरसि शोचिरसि तपोऽसीत्येष वै घर्म्मो यऽ एष तपति सर्व्वम्वाऽएतदेष तदेतमेवैतत्प्रीणाति तस्मादाहार्च्चिरसि शोचिरसि तपोऽसीति ॥ १७ ॥

अथ यदुभयत आदीप्ता भवन्ति। सर्वाभ्य एवैतद्दिग्भ्यो रक्षांसि नाष्ट्रा अपहंति । तस्मिन्प्रवृज्यमाने पत्नी शिरः प्रोर्णुते। तप्तो वा एष शुशुचानो भवति। नेन्मेऽयं तप्तः शुशुचानश्चक्षुः प्रमुष्णादिति ॥ १६ ॥

स प्रवृणक्ति–" अर्चिरसि शोचिरसि तपोऽसि "–(वा. सं. ३७ । ११) इति । एष वै

सीदस्व " इत्येतामृचं अनुब्रूयात् । तत्तदा ' उभयतः ' आद्यंतयोः ' आदीप्ताः ' प्रज्वालिताः ' मौञ्जाः ' मुञ्जविकाराः ' प्रलवा. ' प्रकर्षेण लूनाः तृणविशेषाः ' भवन्ति ' । ' तान् ' खरे ' उपास्य ' प्रक्षिप्य ' तेषु ' महावीरमासाद्य ' प्रवृणक्ति ' प्रवृंजनं करोति । मुञ्जतृणानां मुष्टिद्वयमानीय अग्रमूलयोः आदीप्य चतुर्दिक्षु यथा ज्वाला भवति तथा न्यस्तस्य खरस्थे रजतशातमाने विधाय तत्र महावीरं स्थापयेदित्यर्थः । अथ एतदादीपने मुञ्जप्रलवानाम् उपादानं समर्थयते–यज्ञस्य शीर्ष० करोतीति । ' एताः ' मुञ्जाख्याः ' ओषधयः ' । सिद्धमन्यत् ॥ १९ ॥

अथ उभयत आदीपनं स्तौति–अथ यदुभयत० अपहन्तीति । ' अथ ' अपि च ' यत् ' यस्मात् एते मुञ्जप्रलवाः ' उभयत आदीप्ताः ' अग्रमूलयोः अग्निसंबद्धाः ' भवन्ति ' । तत्तेन ' सर्वाभ्यः ' प्राच्यादिभ्यः ' दिग्भ्यः ' सकाशादेव ' रक्षांसि ' नाष्ट्राश्च ' अपहन्ति ' चतुर्दिगवस्थितया ज्वालया विनाशयति । आदीपनप्रभृतिप्रवृंजनसमये पत्नीमुखस्य वेष्टनं विधत्ते–तस्मिन्प्रवृ० प्रोर्णुते इति । ' तस्मिन् ' महावीरे संतप्ते ' प्रवृज्यमाने ' पयआसेचनेन विक्रियमाणे ' पत्नी ' स्वकीयं ' शिरः ' मुखं ' प्रोर्णुते ' वस्त्रादिना आच्छादयेत् । " ऊर्णुञ् आच्छादने " (धा. पा. अ. उ. २९) इति धातुः । किमर्थमेतत् ? इत्यत आह–तप्तो वा० प्रमुष्णादितीति । ' एषः ' महावीरः ' तप्तो वै ' तप्तः खलु ' शुशुचानः ' अत्यर्थं दीप्यमानः ' भवति ' । ' अयं तप्तः शुशुचानः ' ' मे ' मदीयं ' चक्षुः ' ' नेत् प्रमुष्णात् ' नैव प्रमृज्यात् । इत्यनेनाभिप्रायेण स्वकीयमुखं वेष्टयेदित्यर्थः ॥ १६ ॥

अथ मुञ्जप्रलवेषु विहितं प्रवृंजनार्थं महावीरासादनं अनूद्य तत्र मंत्रं विधत्ते–स प्रवृणक्ति० तपोऽसीतीति ।

१–पत्न्यदर्शनम् । अननूक्तिभिश्च । का. श्रौ. सू. १६ । ३० । ३१ । न अनूक्तिरनुवचनं वेदाध्ययनं येषां तैरननूक्तिभिः अवैदिकैरपीत्यर्थः । पत्नी शिरः प्रोर्णुते । का. श्रौ. सू. २६ । ४९ ।

२–तेषु महावीरमाज्यवन्तमर्चिरसीति । का. श्रौ. सू. २६ । ५१ ।

(त्यु) अथास्यामाशिषऽआशास्ते । (स्त॒ऽइ) इयम्वै यज्ञोऽस्यामेवै-
तदाशिषऽआशास्ते ताऽअस्माऽइयᳪं सर्व्वाः समर्द्धयति ॥ १८ ॥

(त्यु) अनाधृष्टा पुरस्तादिति । (त्यु) अनाधृष्टा ह्येषा पुरस्ताद्रक्षो-
भिर्नाष्ट्राभिरग्नेराधिपत्यऽइत्यग्निमेवास्याऽअधिपतिङ्करोति नाष्ट्राणाᳪं
रक्षसामपहत्याऽआयुर्म्मे दाऽइत्यायुरेवात्मन्धत्ते तथो ह सर्व्वमा-
युरेति ॥ १९ ॥

घर्मः। य एष तपति । सर्वं वा एतदेषः। तदेतमेवैतत्प्रीणाति। तस्मादाह-"अर्चिरसि शोचिरसि तपोऽसि ॥ १७ ॥

अथास्यामाशिष आशास्ते । इयं वै यज्ञः । अस्यामेवैतदाशिष आशास्ते । ता अस्मा इयं सर्वाः समर्द्धयति " इति ॥ १८ ॥

" अनाधृष्टा पुरस्तात् "-इति । अनाधृष्टा ह्येषा पुरस्ताद्रक्षोभिर्नाष्ट्राभिः । " अग्नेराधिपत्ये "-इति । अग्निमेवास्या अधिपतिं करोति-नाष्ट्राणां रक्षसामपहत्यै । " आयुर्मे दाः "- इति । आयुरेवात्मन्धत्ते । तथो ह सर्वमायुरेति ॥ १९ ॥

' सः ' अध्वर्युः ' प्रवृणक्ति ' प्रवृंजनाय महावीरं आज्यपूर्णम् उभयत आदीप्तेषु मुञ्जप्रलवेषु खरे निहितेषु " अर्चिरसि शोचिरसि तपोऽसि " इति मन्त्रेण स्थापयति । अथ तत्प्रशंसन्ति-एष वै घर्मो० तपोऽसीतीति । ' य एषः ' दिवि ' तपति ' सूर्यः । ' एषः ' खलु ' घर्मः ' प्रवर्ग्यः । ' एषः ' च सूर्यः ' सर्वमेतद्' दृश्यमानसर्वजगदात्मकः । तस्मात् घर्मरूपिणं जगदात्मकं ' एतं ' सूर्यमेव एतदेतेन अर्चिरसीत्यादिनानारूपत्वप्रतिपादनेन ' प्रीणाति ' तर्पयति । ' तस्मात् ' इत्यादि निगमनम् ॥ १७ ॥

" अनाधृष्टा पुरस्तात् " इत्यादीनि पृथिवीदेवत्यानि यजमानवाचनार्थानि आशिषः प्रतिपादकानि यजूंषि तानि व्याख्यातुकामः पृथिविसंबंधि यदाशीःप्रतिपादनं तत्सर्वं यज्ञस्यैव इत्याह-अथास्यामाशिष० समर्द्धयतीति । ' अथ ' शब्द आनंतर्यार्थः । अर्चिरसीति महावीरस्थापनानंतरं ' अस्यां ' महावीरलक्षणायां पृथिव्यां ' आशिषः आशास्ते ' यजमानः फलानि आशंसति । ' इयं ' पृथिव्येव खलु ' यज्ञः ' । तस्मात् यज्ञात्मिकायां ' अस्यां ' पृथिव्यामेव ' एतत् ' एतेन " अनाधृष्टा पुरस्तात् " इत्यादिवक्ष्यमाणाः जन्माशिषः यजमानः ' आशास्ते ' । सा ' इयं ' आशीर्भिर्युक्ता पृथिवी ' अस्मै ' यजमानाय ' ताः सर्वाः ' आशिषः ' समर्द्धयति ' समृद्धाः करोति ॥ १८ ॥

यदुक्तं कात्यायनेन-" अनाधृष्टेति वाचयति प्रादेशमभ्यधि धारयंतम्" । " प्रतिदिशमेके "- (का. श्रौ. सू. २६ । ९२-९३) इति । अयमर्थः-महावीरस्य उपरिष्टात् समीपे प्रादेशं धारयंतं यजमानं अना-

---

१-वाचनं च शाखांतरात् इति कर्कः ॥

पुत्रवती दक्षिणतऽइति । नात्र तिरोहितमिवास्तीन्द्रस्याधिपत्यऽइतीन्द्रमेवास्याऽअधिपतिङ्करोति नाष्ट्राणाᳯँ रक्षसामपहत्यै प्रजाम्मे दाऽइति प्रजामेव पशूनात्मन्धत्ते तथो ह पुत्री पशुमान्भवति ॥ २० ॥

सुषदा पश्चादिति । नात्र तिरोहितमिवास्ति देवस्य सवितुराधिपत्यऽ

" **पुत्रवती दक्षिणतः** "–इति । नात्र तिरोहितमिवास्ति । " **इंद्रस्याधिपत्ये** "–इति । इंद्रमेवास्या आधिपतिं करोति–नाष्ट्राणां रक्षसामपहत्यै । " **प्रजां मे दाः** "–इति । प्रजामेव पशूनात्मन्धत्ते । तथो ह पुत्री पशुमान् भवति ॥ २० ॥

" **सुषदा पश्चात्** "–इति । नात्र तिरोहितमिवास्ति । " **देवस्य सावितुराधिपत्ये** "

धृष्टेत्यादीनि यजूंषि अध्वर्युर्वाचयति । एके शाखिनस्तु मंत्रलिंगानुसारेण प्रतिदिशं प्रादेशं धारयंतं वाचयीत इत्याहुः । इति सर्वं क्रमेण ' प्रतिपिपादयिषुः तत्र प्राचीदिक्संबद्धं मंत्रं त्रेधाकृत्य प्रथमभागं प्रदर्श्य व्याचष्टे–**अनाधृष्टा० नाष्ट्राभिरिति** । यजमानं वाचयति । ' एषा ' पृथिवी ' पुरस्तात् ' महावीरस्य प्रच्यां दिशि ' रक्षोभिः ' राक्षसैः ' नाष्ट्राभिः ' नाशकारिणीभिः तत्सेनाभिश्च 'अनाधृष्टा' अबाधिता ' हि ' । यस्मादेवं तस्मात् " अनाधृष्टा पुरस्तात् " इति मंत्रभागः संगत इत्यर्थः । अथ द्वितीयभागमनूद्य व्याचष्टे–**अग्नेराधिपत्य** इति । " अग्नेराधिपत्ये " इत्यनेन मंत्रभागेन ' अस्याः ' पृथिव्याः ' अग्निमेव अधिपतिं करोति ' । किमर्थं ' नाष्ट्राणां रक्षसां ' च अपहननार्थम् । " अग्निर्हि रक्षसामपहंता " (श. प. १ । १ । ६–९ ।) इति श्रुतेः । अथ तृतीयभागमनूद्य व्याचष्टे–**आयुर्म्मे दाः० मायुरेतीति** । " आयुर्मे दाः " इत्यनेन मंत्रभागेन ' आत्मन् ' आत्मनि स्वस्मिन् आयुर्जीवनमेव ' धत्ते ' धारयति । ' तथो ह ' तथा च खलु स यजमानः ' सर्वं ' संपूर्णं ' आयुः ' ' एति ' प्राप्नोति ॥ १९ ॥

अथ दक्षिणदिक्संबद्धस्य मंत्रस्य प्रथमभागम् अनूद्य स्पष्टोऽर्थ इत्याह–**पुत्रवती द० वास्तीति** । " पुत्रवती दक्षिणतः " इति महावीरदक्षिणभागे यजमानवाचनमंत्रस्य योऽयं प्रथमभागः ' अत्र ' अस्मिन् ' तिरोहितं ' अस्पष्टं व्याख्यानसापेक्षं नैवास्ति । ' दक्षिणतः ' महावीरदक्षिणदिग्भागे एषा पृथिवी ' पुत्रवती ' पुत्रैर्युक्ता इत्यस्य अर्थस्य स्पष्टत्वात् । अथ द्वितीयतृतीयभागावनूद्य व्याचष्टे–**इन्द्रस्याधिपत्य इति० पशुमान्भवतीति** । " इन्द्रस्याधिपत्ये " इति द्वितीयभागेन ' अस्याः ' पृथिव्याः ' इन्द्रं ' स्वामिनं ' करोति ' । " प्रजां मे दाः " इति तृतीयभागेन ' प्रजां ' पुत्रादिरूपामेव ' पशूंश्च ' गवादिलक्षणान् स्वस्मिन् धारयति । तथा च स यजमानः ' पुत्री ' पुत्रवान् ' पशुमांश्च भवति ' ॥ २० ॥

अथ महावीरपश्चिमभागे यजमानवाचनमंत्रं पूर्ववत्त्रेधाकृत्य अनूद्य व्याचष्टे–**सुषदा० स्तीति** । पश्चात्

१–" प्रतिदिशमेके " । मंत्रलिंगात् अनाधृष्टा पुरस्तात् पुत्रवती दक्षिणतः इत्येवमादि । यद्येवं तदा वचने सति लिंगात् विभागो न अवगम्यते । अथ तु वचनं इदं तदा विकल्प इति कर्कः ॥

इति देवमेवास्यै सवितारमधिपतिङ्करोति नाष्ट्राणाᳪं रक्षसामपहत्यै चक्षुर्मे दाऽइति चक्षुरेवात्मन्धत्ते तथो ह चक्षुष्मान्भवति ॥ २१ ॥

(त्वा) आश्रुतिरुत्तरतऽइति । (त्वा) आश्रावयन्नुत्तरतऽइत्येवैतदाह धातुराधिपत्यऽइति धातारमेवास्याऽअधिपतिङ्करोति नाष्ट्राणाᳪं रक्षसामपहत्यै रायस्पोषम्मे दाऽइति रयिमेव पुष्टिमात्मन्धत्ते तथो ह रयिमान्पुष्टिमान्भवति ॥ २२ ॥

विधृतिरुपरिष्टादिति । विधारयन्नुपरिष्टादित्येवैतदाह बृहस्पतेराधिपत्यऽइति बृहस्पतिमेवास्याऽअधिपतिङ्करोति नाष्ट्राणाᳪं रक्षसामपहत्याऽओजो मे दाऽइत्योजऽएवात्मन्धत्ते तथौजस्वी बलवान्भवति ॥ २३ ॥

इति । देवमेवास्यै सवितारमधिपतिं करोति । नाष्ट्राणां रक्षसामपहत्यै । "**चक्षुर्मे दाः**"–इति । चक्षुरेवात्मन्धत्ते । तथा उ ह चक्षुष्मान्भवति ॥ २१ ॥

"**आश्रुतिरुत्तरतः**"–इति । आश्रावयन्नुत्तरत इत्येवैतदाह । "**धातुराधिपत्ये**"–इति । धातारमेवास्या अधिपतिं करोति । नाष्ट्राणां रक्षसामपहत्यै । "**रायस्पोषं मे दाः**"–इति । रयिमेव पुष्टिमात्मन्धत्ते । तथा उ ह रयिमान्पुष्टिमान्भवति ॥ २२ ॥

"**विधृतिरुपरिष्टात्**"–इति । विधारयन्नुपरिष्टादित्येवैतदाह–"**बृहस्पतेराधिपत्ये**" इति । बृहस्पतिमेवास्या अधिपतिं करोति । नाष्ट्राणां रक्षसामपहत्यै । "**ओजो मे दाः**"–इति । ओज एवात्मन्धत्ते । तथौजस्वी बलवान् भवति ॥ २३ ॥

प्रतीच्यां दिशि पृथिवी 'सुषदा' सुखेनासाद्येति अस्यार्थस्य सुगमत्वात् न व्याख्यांतरमपेक्षते इत्युक्त–नात्रेति । अवशिष्टयोर्भागयोस्तु पूर्ववद्योज्यम् । इन्द्रस्य स्थाने "देवं सवितारं" इत्यस्य प्रक्षेपः । "अस्यै" इति षष्ठ्यर्थे चतुर्थी (पा. सू. २ । ३ । ६२ वा.) । "प्रजां मे दाः" इत्यस्य स्थाने 'चक्षुः' इत्यस्य प्रक्षेपः । अन्यत् सर्वं पूर्ववदेव ॥ २१ ॥

अथ महावीरस्य उत्तरदिग्भागे यजमानवाचनमन्त्रस्य प्रथमभागमनूद्य तात्पर्यमाह–**आश्रुतिरुत्तर० तदाहेति** । "आश्रुतिरुत्तरतः" इति यत् मन्त्रवाक्यं 'एतत्' 'उत्तरतः' वेद्याः उत्तरदिग्भागे स्थित्वा अध्वर्युः प्रवरार्थं 'आश्रावयन्' आश्रावणं कुर्वन् भवतीति अमुमेवार्थमाह प्रतिपादयति । अथ द्वितीय-तृतीयभागौ पूर्ववत् अनूद्य व्याचष्टे–**धातुराधि० भवतीति** । "धातुराधिपत्ये" इति ब्रुवन् 'धातारं' सर्वस्य धारयितारं प्रजापतिमेव 'अस्याः' पृथिव्याः स्वामिनं 'करोति' । "रायस्पोषं मे दाः" इति ब्रुवन् पदद्वयसूचितम् 'रयिं' धनमेव 'पुष्टिं' तत्कृतां विभूतिं च स्वस्मिन् 'धत्ते' । तथा च असौ 'रयिमान्' धनवान् 'पुष्टिमान्' धनसाध्या या गवादिपशूनाम् अभिवृद्धिः तद्वांश्च 'भवति' ॥ २२ ॥

अथ ऊर्ध्वदिशि यजमानमंत्रं त्रेधाकृत्य अनूद्य व्याचष्टे–**विधृतिरुप० भवतीति** । हे पृथिवि ! त्वं 'उपरिष्टात्' ऊर्ध्वदिशि 'विधृतिः' परमेश्वरेण विधार्यमाणा असि इति प्रथमभागार्थः । तथा च

(त्यु) अथ दक्षिणतऽउत्तानेन पाणिना निह्नुते । विश्वाभ्यो मा नाष्ट्राभ्यस्पाहीति सर्व्वाभ्यो माऽऽर्त्तिभ्यो गोपायेत्येवैतदाह यज्ञस्य शीर्षच्छिन्नस्य रसो व्यक्षरत्स पितॄनगच्छत्त्रया वै पितरस्तैरेवैनमेतत्समर्द्धयति कृत्स्नङ्करोति ॥ २४ ॥

(त्यु) अथेमामभिमृश्य जपति । मनोरश्वाऽसीत्यश्वा ह वाऽइयम्भूत्वा मनुमुवाह सोऽस्याः पतिः प्रजापतिस्तेनैवैनमेतन्मिथुनेन प्रियेण धाम्ना समर्द्धयति कृत्स्नङ्करोति ॥ २५ ॥

अथ दक्षिणत उत्तानेन पाणिना निह्नुते–" विश्वाभ्यो मा नाष्ट्राभ्यस्पाहि "–इति । सर्वाभ्यो माऽऽर्तिभ्यो गोपाय इत्येवैतदाह । यज्ञस्य शीर्षच्छिन्नस्य रसो व्यक्षरत् स पितॄनगच्छत् त्रया वै पितरः । तैरेवैनमेतत्समर्द्धयति । कृत्स्नं करोति ॥ २४ ॥

अथेमामभिमृश्य जपति–" मनोरश्वाऽसि "–(वा. सं. ३७ । १२) इति । अश्वा ह वा इयं

एतन्मंत्रवाक्यं ' उपरिष्टात् ' ऊर्ध्वदिशि इमां पृथिवीं ' विधारयन् ' भवति इममर्थमाह । ' ओजः ' बलम् ' ओजस्वी ' इत्यस्य व्याख्यानं ' बलवान् ' इति । शिष्टं पूर्ववत् योज्यम् ॥ २३ ॥

अथ यदुक्तं कात्यायनेन–"विश्वाभ्यो मेति दक्षिणत उत्तानं पाणिं निदधाति" (का. श्रौ. सू. २६।५४) इति । तत् विधत्ते–**अथ दक्षिणत०स्पाहीतीति** । एवं पंचसु दिक्षु प्रादेशकरणानंतरं ' दक्षिणतः ' महावीरस्य दक्षिणदेशे ' उत्तानेन पाणिना ' दक्षिणहस्तेन " विश्वाभ्यः " इति मन्त्रेण ' निह्नुते ' इत्युक्तं महावीररक्षणप्रार्थनं अपलपति । अस्य भागस्य तात्पर्यगम्यमर्थमाह–**सर्वाभ्यो मा० तदाहेति** । हे पृथिवि ! ' सर्वाभ्य आर्तिभ्यः ' हिंसाभ्यः ' मा ' मां 'गोपाय' रक्ष इति अमुमेवार्थं "विश्वाभ्यो मा" इत्येतन्मंत्रवाक्यं ' आह ' प्रतिपादयति । न तु पूर्ववत् नाष्ट्राशब्देन नाशकारिण्यो राक्षस्यः सेनाः उच्यंते इत्यर्थः । दक्षिणस्याः दिशः पितॄणां संबंधित्वात् दक्षिणतः हस्तनिधानेन पितृभिरपि ' एनं ' समृद्धं कृतवान्, भवतीत्याह–**यज्ञस्य० करोतीति** । छिन्नशिरस्कस्य ' यज्ञस्य ' रसः पुरा ' पितॄन् अगच्छत् ' पितृदेवताः प्राप्नोत् । ते पितरः ' त्रया वै ' पितृपितामहप्रपितामहभेदेन त्रिविधाः खलु । तत् त्रैविध्यं सवनत्रयात्मकयज्ञरससंबंधात् जातमित्यवगंतव्यम् । अतः ' एतत् ' एतेन " विश्वाभ्यः " इति मंत्रेण दक्षिणतः क्रियमाणेन उत्तानपाणिनिधानेन दक्षिणदिक्संबद्धैः ' तैरेव ' पितृभिः ' एनं ' प्रवर्ग्यं ' समर्द्धयति ' समृद्धं करोति । तथा च यज्ञं ' कृत्स्नं ' संपूर्णावयवं कृतवान् भवति ॥ २४ ॥

अथ अन्यत् कर्म विधत्ते–**अथेमामभि० रश्वाऽसीति** । ' अथ ' निह्नवानंतरं महावीरस्योत्तरतः ' इमां ' भूमिं प्रादेशेनाभिमृश्योपस्पृश्य " मनोरश्वाऽसि " इति मंत्रं ' जपति ' । हे पृथिवि ! त्वं ' मनोः ' प्रजा-

---

१–मनोरश्वेति प्रादेशमुत्तरतः । का. श्रौ. सू. २६ । ५५ ।

(त्यु) अथ वैकङ्कतौ शकलौ परिश्रयति प्राञ्चौ । स्वाहा मरुद्भिः परिश्रीयस्वेत्यवरꣳ स्वाहाकारङ्करोति परां देवतामेष वै स्वाहाकारो यऽएष तपत्येषऽउ प्रवर्ग्यस्तदेतमेवैतत्प्रीणाति तस्मादवरꣳ स्वाहाकारङ्करोति परां देवताम् ॥ २६ ॥

(म्म) मरुद्भिः परिश्रीयस्वेति । विशो वै मरुतो विशैवैतत्क्षत्त्रं परिबृꣳहति तदिदङ्क्षत्त्रमुभयतो विशा परिबृढन्तूष्णीमुदञ्चौ तूष्णीम्प्राञ्चौ तूष्णीमुदञ्चौ तूष्णीम्प्राञ्चौ ॥ २७ ॥

भूत्वा मनुमुवाह । सोऽस्याः पतिः प्रजापतिः । तेनैवैनमेतन्मिथुनेन प्रियेण धाम्ना समर्द्धयति । कृत्स्नं करोति ॥ २५ ॥

अथ वैकंकतौ शकलौ परिश्रयति प्राञ्चौ--"स्वाहा मरुद्भिः परिश्रीयस्व"-इति । अवरं स्वाहाकारं करोति । परां देवताम् । एष वै स्वाहाकारः । य एष तपति । एष उ प्रवर्ग्यः । तदेतमेवैतत्प्रीणाति । तस्मादवरं स्वाहाकारं करोति परां देवताम् ॥ २६ ॥

"मरुद्भिः परिश्रीयस्व"-इति । विशो वै मरुतः । विशैवैतत्क्षत्त्रं परिबृंहति । तदिदं क्षत्त्रमुभयतो विशा परिबृढम् । तूष्णीमुदंचौ । तूष्णीं प्रांचौ । तूष्णीमुदञ्चौ । तूष्णीं प्राञ्चौ॥२७॥

पतेः 'अश्वा' भवसि इति मंत्रार्थः । इममर्थं आख्यायिकया उपपादयन् मंत्रस्य संमृद्धिहेतुत्वं आह-अश्वा ह वा० करोतीति । पुरा खलु 'इयं' पृथिवी 'अश्वा' वडवा 'भूत्वा' 'मनुं' प्रजापतिं 'उवाह' ऊढवती । 'सः प्रजापतिः' 'अस्याः' पृथिव्याः पतिर्भर्ता संबद्धः 'एतत्' एतेन "मनोरश्वाऽसि" इति पृथिव्यभिमर्शनेन 'तेनैव' मिथुनेन 'स्त्रीपुंसात्मकेन 'प्रियेण धाम्ना' धारकेण तेजसा 'एनं' प्रवर्ग्यं 'समर्द्धयति' । गतमन्यत् ॥ २५ ॥

अथ त्रयोदशभिर्वैकंकतसमिद्भिः महावीरस्य परिश्रयणं विधित्सुः तासु द्वाभ्यां समिद्भ्यां समंत्रकाभ्यां प्रथमं परिश्रयणं कार्यमित्याह-अथ वैकंकतौ० करोतीति । 'अथ' अभिमर्शनानंतरं 'वैकंकतौ' विकंकतवृक्षसंबंधिनौ द्वौ 'शकलौ प्राञ्चौ' प्रागग्रौ महावीरस्य दक्षिणतः उत्तरतश्च 'परिश्रयति' निदधातीत्यर्थः । "स्वाहा मरुद्भिः" इति अस्य मंत्रः । अथ तस्मिन् स्वाहाशब्दस्य अर्थं दर्शयन् तत्कृतं प्रवर्ग्यस्य अतिशयं दर्शयति-अवरं० देवतामिति । 'अवरं' अधस्ताद्वर्तमानं 'स्वाहाकारं' स्वाहेत्युच्चारणं 'करोति' । 'परां' परस्ताद्वर्तमानां अस्माभिः दुरधिगमां 'देवतां' स्मर्तुमिति शेषः । तस्मात् उत्कृष्टं देवतात्मकं स्वाहाकारं करोतीति योजना । कथं स्वाहाकारस्य परदेवतात्मकता ? इति तत्राह-एष वा इति । 'य एषः' सूर्यस्तपति 'एषः' खलु 'स्वाहाकारः' स्वाहाशब्दप्रतिपाद्यः स्वाहाकारात्मको वा । अन्यद्गतम् । 'तस्मादवरम्' इत्यादिपूर्वोक्तस्य निगमनम् । यद्वा 'अवरं' अवस्तात् अधोभागे 'स्वाहाकारं' 'करोति' । तत्संबंधिनीं 'देवतां' 'परां' परस्तात् निर्दिशति । यथा "अग्नये स्वाहा" इत्यादौ प्रथमं देवतापदं पश्चात् स्वाहाकारः । तद्विपरीत्येन अत्र प्रथमं स्वाहाकारः पश्चात् देवतापदं इति योजना ॥ २६ ॥

अथ द्वितीयभागमनूद्य व्याचष्टे-मरुद्भिः परि० परिबृढमिति । मरुद्भिरिति पठ्यमानाः ये मरुतः ते

त्रयोदश सम्पादयति । त्रयोदश वै मासाः सम्वत्सरस्य सम्वत्सरऽएष सऽएष तपत्येषऽउ प्रवर्ग्यस्तदेतमेवैतत्प्रीणाति तस्मात्त्रयोदश सम्पादयति ॥ २८ ॥

(त्यु) अथ सुवर्णꣳ हिरण्यमुपरिष्टान्निदधाति । दिवः सꣳस्पृशस्पाहीत्येतद्वै देवाऽअबिभयुर्यद्वै नऽइममुपरिष्टाद्रक्षाꣳसि नाष्ट्रा न हन्युरित्यग्नेर्वाऽएतद्रेतो यद्धिरण्यं नाष्ट्राणाꣳ रक्षसामपहत्याऽअथो द्यौर्ह वाऽएतस्माद्विभयाञ्चकार यद्वै माऽयन्तप्तः शुशुचानो न हिꣳस्यादिति तदेवास्याऽएतदन्तर्दधाति हरितम्भवति हरिणीव हि द्यौः ॥ २९ ॥

त्रयोदश संपादयति । त्रयोदश वै मासाः संवत्सरस्य । संवत्सर एषः । य एष तपति । एष उ प्रवर्ग्यः । तदेतमेवैतत्प्रीणाति । तस्मात्त्रयोदश संपादयति ॥ २८ ॥

अथ सुवर्णं हिरण्यमुपरिष्टान्निदधाति-**" दिवः संस्पृशस्पाहि "**-(वा. सं. ३७ । १३) इति । एतद्वै देवा अबिभयुः । यद्वै न इम मुपरिष्टाद्रक्षांसि नाष्ट्रा न हन्युरिति । अग्नेर्वा एतद्रेतः,

---

' विशः ' देवानां मध्ये वैश्याः " मरुतो वै देवानां विशः " (तै. सं. २।२।५) इति श्रुत्यन्तरात् । महावीरश्च सम्राट्शब्दाभिधेयत्वात् क्षत्रियजातिस्थानीयः । अतः ' एतत् ' एतेन "मरुद्भिः परिश्रीयस्व" इत्यनेन ' विशैव क्षत्रं परिबृंहति ' वर्द्धयति । " बृहि वृद्धौ (धा. पा.भ्वा.प. ७३७) इति धातुः । तत्तस्मात् ' इदं ' लौकिकं ' क्षत्रं ' क्षत्रियजातिः ' विशा ' वैश्यजात्या ' परिबृढं ' प्रवर्द्धितम् । तथा अवशिष्टैः शकलैः परिश्रयणं विधत्ते-**तूष्णीमुदञ्चौ० तूष्णीं प्राञ्चाविति** । पूर्वं मन्त्रेण द्वौ वैकंकतशकलौ महावीरस्य दक्षिणोत्तरभागयोः प्रागग्रौ निहितौ । अथ तस्य पश्चात् पुरस्ताच्च द्वौ शकलौ ' उदंचौ ' उदगग्रौ ' तूष्णीं ' निधातव्यौ । ततः ' तूष्णीमेव ' द्वौ ' प्रांचौ ' पूर्ववत् निधेयौ । एवं व्यत्यासेन ' त्रयोदश ' शकलान् ' संपादयति ' । प्रागग्राः षट् उदगग्राः षट् । अवशिष्टं दक्षिणतः प्रागग्रं निदध्यात् । तथा चोक्तं कात्यायनेन-" धृष्टिभ्यां भस्मना परिकीर्याङ्गारैश्च विकंकतशकलैः परिश्रयति त्रयोदशभिः प्रागुदग्भिः स्वाहा मरुद्भिरिति । अधिकं दक्षिणतो द्वौ मन्त्रेणेति " (का. श्रौ. सू. २६ । ५६ । ५७) ॥ २७ ॥

तदेतत् त्रयोदशसंपादनं प्रशस्य निगमयति-**त्रयोदश० संपादयतीति** । ' त्रयोदश वै ' त्रयोदशसंख्याकाः खलु ' मासाः ' संवत्सरस्य भवंति । द्वादश चैत्राद्या मलिम्लुचाख्य एकः । संवत्सरश्च एष सूर्यात्मकः, तद्व्यवसानानिष्पत्तिमत्त्वात् । सिद्धमन्यत् । ' तस्मात्त्रयोदश ' इति निगमनम् ॥ २८ ॥

अथ महावीरस्य उपरि सुवर्णशतमानस्य रुक्मस्य स्थापनं विधत्ते-**अथ सुवर्णं० स्पाहीति** । ' अथ ' विकंकतशकलैः परिश्रयणानंतरं ' सुवर्णं ' सुवर्णमयं हिरण्यं हिरण्यशब्दस्य रजतेऽपि प्रसिद्धत्वात् तद्व्यावृत्त्यर्थं

---

१ " सुवर्णशतमानेनापिदधाति दिवः सꣳस्पृश इति " (का. श्रौ. सू. २६।५७) ।

(३) अथ धवित्रैराधूनोति । मधु मध्विति त्रिः प्राणो वै मधु प्राणमेवास्मिन्नेतद्दधाति त्रीणि भवन्ति त्रयो वै प्राणाः प्राण उदानो व्यानस्तानेवास्मिन्नेतद्दधाति ॥ ३० ॥

(३१) अथापसलवित्त्रिर्धुन्वन्ति । यज्ञस्य शीर्षच्छिन्नस्य रसो व्यक्षरत्स पितॄनगच्छत्त्रया वै पितरस्तैरेवैनमेतत्समीरयति ॥ ३१ ॥

यद्धिरण्यम् । नाष्ट्राणां रक्षसामपहत्यै । अथो द्यौर्ह वा एतस्माद्बिभयांचकार । यद्वै माऽयं तप्तः शुशुचानो न हिंस्यादिति । तदेवास्या एतदन्तर्दधाति । हरितं भवति । हरिणीव हि द्यौः ॥ २९ ॥

अथ धवित्रैराधूनोति । " मधु मधु "–(वा. सं. ३७ । १३) इति त्रिः । प्राणो वै मधु । प्राणमेवास्मिन्नेतद्दधाति । त्रीणि भवंति । त्रयो वै प्राणाः । प्राण उदानो व्यानः । तानेवास्मिन्नेतद्दधाति ॥ ३० ॥

अथापसलवित् त्रिर्धून्वंति । यज्ञस्य शीर्षच्छिन्नस्य रसो व्यक्षरत्–स पितॄनगच्छत् । त्रया वै पितरः । तैरेवैनमेतत्समीरयति ॥ ३१ ॥

विशेषणम् । शोभनवर्णयुक्तं हिरण्यनिर्मितं कांचनमयं रुक्मं " दिवः सꣳस्पृशः " इति मन्त्रेग महावीरस्य 'उपरिष्टात् निदधाति '। अथ एतत् उपरिष्टाद्धिरण्यनिधानं रक्षोभिः अबाधनार्थं द्युलोकस्य तप्तेन घर्मेण तापाभावार्थं च इत्याह–एतद्वै देवा० द्यौरिति । " अथोत्तरतः सिकता० " इति खंडे (श. प. १४।१।३।१४) रजतशतमाननिधानवाक्यशेषवत् एतत्सर्वं व्याख्येयम् । पृथिवीस्थाने द्यौरित्येतावान् विशेषः । तच्च शतमानं ' हरितं ' हरिद्वर्णं स्वर्णमयं ' भवति ' हरितवर्णेव खलु द्यौरिति अंतिमवाक्यस्यार्थः ॥ २९ ॥

अथ यदुक्तं कात्यायनेन–" कृष्णाजिनावकृत्तैर्धवित्रैरुपवाजयति त्रिभिर्दण्डवद्भिर्मधु मध्विति " (का. श्रौ. सू. २६ । ५९) इति, तद्विधत्ते–अथ धवित्रै० त्रिरिति । कृष्णाजिननिर्मितानि व्यजनानि दंडवंति धवत्राणि उच्यंते । 'अथ' सुवर्णशतमाननिधानानंतरं अध्वर्युः तैः ' धवित्रैः ' " मधु मध्विति " मंत्रेण ' त्रिः आधूनोति '। महावीरस्याधूननं वीजनं करोति । यथा अग्नेः ज्वाला भवति तथा समिंधीत इत्यर्थः । अथ एतन्मंत्रं प्रशंसति–प्राणो वै० दधातीति । ' प्राणो वै ' प्राणापानादिपंचवृत्त्यात्मकः प्राणवायुः हि मधुमंत्रे मधुशब्दाभिधेयः । मधुवत्तस्य प्रियतमत्वात् तथा च ' एतत् ' एतेन मधु मध्वित्यनेन अस्मिन् प्रवर्ग्ये ' प्राणमेव दधाति ' स्थापयति । अथ धवित्राणां त्रित्वसंख्यामनूद्य स्तौति–त्रीणि भवंति० दधातीति । तानि धवित्राणि ' त्रीणि भवंति ' प्राण उदानो व्यान इति ' त्रयः ' एव ' प्राणाः ' अपानस्य प्राणावान्तरव्यापारत्वेन प्राणांतर्भावात्, समानस्य च व्यानेऽन्तर्भावात् तेषां त्रित्वम् । गतमन्यत् ॥ ३० ॥

यदुक्तं सूत्रकारेण–" एकं प्रयच्छति प्रतिप्रस्थात्रेऽपरमग्नीधे धुन्वंतस्त्रिस्त्रिः परिक्रमंति पितृवद्देववच्च " इति (का. श्रौ. सू. २६ । ६०) तत् विधाय स्तौति–अथापसलवि त्रिर्धून्वंतीति । अध्वर्युः त्रिभिर्धवित्रैः " मधु मधु " इति मंत्रेण त्रिराधूय, अथानंतरमेकं धवित्रं प्रतिप्रस्थात्रे प्रयच्छति एकमाग्नीध्राय । ततः ते अध्वर्युप्रभृतयस्त्रयः गृहीतधवित्राः ' अपसलवित् ' अपसलवेदनं अपसव्यं अप्रदक्षिणं त्रिः परिक्रामंतः

(त्यु) अप वाऽएतेभ्यः प्राणाः क्क्रामन्ति । ये यज्ञे धुवनं तन्वते पुनः प्रसलवि त्रिर्धून्वन्ति षट्सम्पद्यन्ते षड्वाऽइमे शीर्षन्प्राणास्तानेवास्मिन्नेतद्दधाति श्रपयन्ति रौहिणौ स यदाऽर्चिर्ज्जायतेऽथ हिरण्यमादत्ते ॥ ३२ ॥

स यत्रैताᳪं होताऽन्वाह । (ह्रा) अभ्रस्वतीमश्विना व्वाचमस्मेऽइति तदध्वर्य्युरुपोत्तिष्ठन्नाह रुचितो घर्मऽइति स यदि रुचितः स्याच्छ्रेया-

---

अप वा एतेभ्यः प्राणाः क्रामंति । ये यज्ञे धुवनं तन्वते । पुनः प्रसलवित् त्रिर्धून्वंति । षट् संपद्यंते । षड्वा इमे शीर्षन्प्राणाः । तानेवास्मिन्नेतद्दधाति । श्रपयंति रौहिणौ । स यदाऽर्चिर्जायते । अथ हिरण्यमादत्ते ॥ ३२ ॥

स यत्रैतां होताऽन्वाह–" अभ्रस्वतीमश्विना वाचमस्मे "–(वा. सं. ३४ । २९) इति । तदध्वर्युरुपोत्तिष्ठन्नाह–"**रुचितो घर्मः**" इति । स यदि रुचितः स्यात् । श्रेयान् यजमानो भवि-

---

' धून्वंति ' उपवाजयंति । अथ अप्रादक्षिण्येन परिक्रमणं स्तौति–**यज्ञस्य शीर्षच्छिन्नस्ये**त्यादिना । अप्रदक्षिणकरणं हि पैतृको धर्मः । अतः ' एतत् ' एतेन अप्रदक्षिणपरिक्रमणेन ' तैरेव ' पितृभिः ' एनं ' महावीरं ' समीरयति ' संगमयति । अन्यद्गतम् ॥ ३१ ॥

पुनस्त्रिः प्रदक्षिणं परिक्रामद्भिः धूननं कार्यमति विधित्सुराह–**अप वा एतेभ्य** इत्यादि । ' ये ' खलु ' यज्ञे ' अध्वर्युप्रभृतयः ' धुवनं ' कंपनं उक्तं वीजनं ' तन्वते ' कुर्वंति । ' एतेभ्यः ' सकाशात्, ' प्राणाः ' ' अपक्रामंति वै' वेगेन आधूनने क्रियमाणे शरीरान्तर्वर्तमानाः प्राणा अपि श्रमातिशयेन निर्गच्छन्तीत्यर्थः । अतस्तत्परिहाराय ' पुनः ' तत् ' प्रसलवित् ' प्रसलवेदनं प्रदक्षिणं ' त्रिः ' परिक्रामंतः ' धून्वंति ' चालयंति । कथं अनेन उक्तदोषपरिहारः ? इति तत्राह-**षट् संपद्यंत** इति । एवं अपसव्यप्रदक्षिणकृताभ्यां पर्यायाभ्यां ' षट् ' परिक्रमाः ' संपद्यंते ' निष्पद्यंते । ' शीर्षन् ' शीर्ष्णि शिरसि ' षट् वा इमे प्राणाः ' ' इमे ' इति इदंशब्दः अभिनयप्रदर्शनार्थः । द्वे चक्षुषी, द्वे नासिके, द्वे श्रोत्रे, इति । एवं षट् प्राणाः इंद्रियाधिष्ठानानि शिरसि समवेतानि । तानेवात्मनि प्रथमं धारयित्वा, ' अस्मिन् ' प्रवर्ग्ये अपि ' एतद्दधाति ' । अथ रौहिणपुरोडाशयोः श्रपणं विधत्ते–**श्रपयंति रौहिणाविति** । लौकिकपिष्टमानीय रौहिणाख्यौ पुरोडाशौ तूष्णीं ' श्रपयंति ' पचंति अध्वर्युपुरुषाः । तदुक्तं सूत्रकारेण " रौहिणावधिश्रपयति तूष्णीं ग्रामपिष्टानाम् " (का. श्रौ. सू. २६ । ६३) इति । अथ उपरि निहितस्य सुवर्णशतमानस्य आदानं विधत्ते–**स यदाऽर्चि॰ मादत्ते** इति । ' यदा ' यस्मिन्काले अर्चिर्ज्वाला महावीरस्य परितः ' जायते ' । अथानंतरं ' सः ' अध्वर्युः उपरि निहितं ' हिरण्यं ' ' आदत्ते स्वीकरोति ॥ ३२ ॥

अथ धवित्रैः आधूननेन संतापितस्य घर्मस्य वेदनार्थं कालविशेषे कश्चित् प्रैषमन्त्रं ब्रूयात् इति विधित्सु-

---

१–अर्चिषि प्राप्ते सुवर्णशतमानं निधायाज्येन महावीरं परिषिंचति स्रुवेण प्रतिप्रणवम् । का श्रौ. सू. २६ । ६२ । निधाय अपनीय इति कर्कः ॥

२–" अभ्रस्वतीमित्युच्यमाने रुचितो घर्म इत्याहोपोत्तिष्ठन् " । इति का. श्रौ. सू. २६ । ६७ ।

न्युजमानो भविष्यतीति विद्यादुथ यद्युरुचितः पापीयान्भविष्यतीति विद्यादुथ यदि नैवु रुचितो नारुचितो नैव श्रेयान्न पापीयान्भविष्यतीति विद्याद्युथा त्वेवु रुचितः स्यात्तुथा धवितुव्यम् ॥ ३३ ॥

(मु) अथैतद्वै । (द्वाऽआ) आयुरेतज्ज्योतिः प्रविशति युऽएतमनु वा ब्रूते भक्षुयति वा तुस्य व्रतचर्य्या या सृष्टौ ॥ ३४ ॥

इति प्रथमप्रपाठके तृतीयं ब्राह्मणम् ॥ १४।१।३॥ (१-३) ॥

ष्यतीति विद्यात् । अथ यद्यरुचितः । पापीयान् भविष्यतीति विद्यात् । अथ यदि नैव रुचितो नारुचितः । नैव श्रेयान्न पापीयान् भविष्यतीति विद्यात् । यथा त्वेव रुचितः स्यात् । तथा धवितव्यम् ॥ ३३ ॥

अथ एतद्वा आयुः, एतज्ज्योतिः प्रविशति । य एतमनु वा ब्रूते । भक्षयति वा । तस्य व्रतचर्या—या सृष्टौ ॥ ३४ ॥

राह—स यत्रैतां० घर्म इति । "अप्रस्वतीमश्विना" इत्येतामृचं 'स होता' यस्मिन् काले अनुब्रूयात् । तत्तस्मिन् काले 'उपोत्तिष्ठन्' आसनादुद्गच्छन्, "रुचितो घर्मः" इति प्रैषं प्रस्तोत्रभिमुखः 'आह' ब्रूयात् । 'रुचितः' संदीप्तः महावीरः इति तस्यार्थः । अथ एतस्य रुचितारुचितयोः यजमानस्य गुणदोषान् उक्त्वा सर्वथा रुचितकरणमेव श्रेयः इत्याह—स यदि रुचितः स्या० तथा धवितव्यमिति । 'सः' घर्मः 'यदि रुचितः' सम्यक् तप्तः 'स्यात्' । तर्हि 'यजमानः' 'श्रेयान्' प्रशस्यतमः अतिशयेन सुकृती 'भविष्यतीति' विद्याज्जानीयात् । 'अथ' तु 'यदि' 'अरुचितः' अतप्तः । तर्हि 'पापीयान्' अतिशयेन पापग्रस्तः 'भविष्यति इति' जानीयात् । 'अथ यदि' यदि तु रुचितोऽपि नैव भवति अरुचितोऽपि नैव भवति । अपि तु रुचितारुचितमध्यस्थो भवेत् । तर्हि यजमानोऽपि श्रेयानपि नैव भवति । पापीयानपि नैव भवति । अपि तु मध्यावस्थः 'भविष्यतीति' जानीयात् । यस्मादेवं तस्मात् 'यथा त्वेव' येनैव खलु प्रकारेण घर्मः 'रुचितः' सम्यग् दीप्तः 'स्यात्' 'तथा' धवित्रैर्धवितव्यम् । सर्वप्रयत्नेन अवश्यं घर्मस्य सम्यक् संदीपनं कार्यमित्यर्थः ॥ ३३ ॥

अथ प्रथमब्राह्मणावसाने दर्शिता या व्रतचर्या तस्याः सर्वप्रवर्ग्यशेषत्वं दर्शयितुं अस्य तृतीयब्राह्मणस्य तदर्थस्य वा अध्ययनानुष्ठानयोः तां अतिदिशति—अथैतद्वै० सृष्टाविति । सिद्धमेतत् ॥ ३४ ॥

इति श्रीसायणाचार्यविरचिते माधवीये वेदार्थप्रकाशे माध्यन्दिनीयशतपथब्राह्मणभाष्ये
चतुर्दशे काण्डे तदन्तर्भूते प्रथमे प्रवर्ग्यकाण्डे प्रथमेऽध्याये तृतीयं
ब्राह्मणम् ॥ १४ । (१) १ । ३ ॥

स यदैतदध्वर्युः । (रु) उपोत्तिष्ठन्नाह रुचितो घर्मऽइति तदुपोत्थाया-
वकाशैरुपतिष्ठन्ते प्राणा वाऽअवकाशाः प्राणानेवास्मिन्नेतद्दधाति षडुप-
तिष्ठन्ते षड्वाऽइमे शीर्षन्प्राणास्तानेवास्मिन्नेतद्दधाति ॥ १ ॥

गर्भो देवानामिति । (त्ये) एष वै गर्भो देवानां यऽएष तपत्येष
हीदꣳ सर्वं गृभ्णात्येतेनेदꣳ सर्वं गृभीतमेषऽउ प्रवर्ग्यस्तदेतमेवैतत्प्री-
णाति तस्मादाह गर्भो देवानामिति ॥ २ ॥

अथ प्रवर्ग्येऽवकाशोपस्थानं ब्राह्मणम् ।

स यदैतदध्वर्युरुपोत्तिष्ठन्नाह–" रुचितो घर्मः " इति । तदुपोत्थाय अवकाशैरुपतिष्ठते । प्राणा वा अवकाशाः । प्राणानेवास्मिन्नेतद्दधाति । षडुपतिष्ठंते । षड् वा इमे शीर्षन्प्राणाः । तानेवास्मिन्नेतद्दधाति ॥ १ ॥

" गर्भो देवानाम् "–इति । एष वै गर्भो देवानाम् । य एष तपति । एष हीदं सर्वं गृभ्णाति । एतेनेदं सर्वं गृभीतम् । एष उ प्रवर्ग्यः । तदेतमेवैतत्प्रीणाति । तस्मादाह–गर्भो देवानाम् इति ॥२॥

इत्थं तृतीये ब्राह्मणे घर्मसंदीपनमुक्तम् । अथ चतुर्थे प्रवर्ग्यकर्तॄणां अवकाशाख्यैः मंत्रैरुपस्थानं विधत्ते–**स यदै०दधातीति** । उपस्थानस्य कालविधानाय रुचितो घर्मः इत्यन्तं वृत्तानुवादः । ' सः ' अध्वर्युर्यदा ' उपोत्तिष्ठन् ' " रुचितो घर्मः " इत्याह । तत् तदानीं सर्वे घर्मोपयुक्ताः ऋत्विजः ' उपोत्थाय ' स्वकीयात् आसनात् उत्थाय तत्र तत्र स्थित्वा अवकाशाख्यैर्मंत्रैः " गर्भो देवानाम् " इत्यादिभिः घर्मं ' उपतिष्ठंते ' एते अवकाशाख्या मन्त्राः प्राणात्मकाः । तैरुपस्थानेन ' अस्मिन् ' घर्मे ' प्राणानेव दधाति ' धारयति । अथोपस्थातॄणां संख्याम् उपजीव्य स्तौति–**षडुपति०दधातीति** । होता अध्वर्युः ब्रह्मा प्रतिप्रस्थाता अग्नीत् इति पंच ऋत्विजो यजमानषष्ठाः षट्पुरुषाः एतैरवकाशैः ' उपतिष्ठंते, । गतमन्यत् ॥ १ ॥

अथ तानवकाशान् वाक्यशः अनूद्य व्याचष्टे–**गर्भो देवानामितीति** । गर्भो देवानामिति आख्यानार्थमुपादानम् । ' य एषः ' सूर्यस्तपति ' एषः ' खलु ' देवानाम् ' मध्ये ' गर्भः ' । कुत इत्यत आह–**एष हीदमिति** । ' हि ' यस्मात् । ' इदं ' 'सर्वं' जगत् ' एष सूर्यः गृभ्णाति ' " हृग्रहोर्भश्छंदसि " (पा. सू. ३।१।८४ वा.) इति भत्वम् । जगति विद्यमानं सर्वं रसं स्वकिरणैरुपादत्ते सर्वमनुगृह्णाति वा । यत एवं अतः ' एतेन ' सूर्येण ' इदं सर्वं जगत् ' गृभीतं गृहीतं अनुगृहीतम् तस्मादेष गर्भः । अन्यद्गतम् । **तस्मादाहेति** निगमनम् ॥ २ ॥

१–" परिक्रम्योपतिष्ठंतेऽकृतं चेद्गर्भो देवानामिति " । का. श्रौ. सू. २६ । ६८ । अकृतं चेदिति उत्तरं देववत्परिक्रमणं पितृवत्परिक्रमणानंतरं अकृतं चेत् तदुत्तरं परिक्रमणं, इह रुचिते घर्मे अवसरे कृत्वा अवकाशैरुपस्थेयम् तथा च सूत्रकारेण उत्तरपरिक्रमणस्य कालविकल्पः प्रावादि । " रुचिते वोत्तरम् । " का. श्रौ. सू. २६।६१। रुचिते घर्मे सतीत्यर्थः । अवकाशाख्या मंत्रास्तु सप्त । गर्भो देवानां इत्यारभ्य वा. सं. ३७–१४ त्वष्टृमंतः इत्यतः प्राक् (वा. सं. ३७–२०) मा मा हिंसीदित्यंताः ।

पिता मतीनामिति । पिता ह्येष मतीनाम्पतिः प्रजानामिति पतिर्ह्येष प्रजानाम् ॥ ३ ॥

(४ँ) सन्देवो देवेन सवित्रा गतेति । सᳫँ हि देवो देवेन सवित्रा गत सᳫँ सूर्य्येण रोचतऽइति सᳫँ हि सूर्य्येण रोचते ॥ ४ ॥

सम॒ग्निर॒ग्निना गतेति । सᳫँ ह्यग्निरग्निना गत सन्दैवेन सवित्रेति सᳫँ हि दैवेन सवित्रा गत सᳫँ सूर्य्येणारोचिष्टेति सᳫँ हि सूर्य्येणारोचिष्ट ॥५॥

" पिता मतीनाम् "–इति । पिता ह्येष मतीनाम् । " पतिः प्रजानाम् "–इति । पतिर्ह्येष प्रजानाम् ॥ ३ ॥

" सं देवो देवेन सवित्रा गत "–इति । सं हि देवो देवेन सवित्रा गत । " सं सूर्येण रोचते "–(वा. सं. ३७।१४) इति । सं हि सूर्येण रोचते ॥ ४ ॥

" समग्निरग्निना गत "–इति । सं ह्यग्निरग्निना गत । " सं दैवेन सविन्रा "–इति । सं हि दैवेन सवित्रा गत ।-" सं सूर्येणारोचिष्ट "–इति । सं हि सूर्येणारोचिष्ट ॥ ५ ॥

अथ वाक्यांतरमुपादाय प्रसिद्धया व्याचष्टे–पिता मतीनामितीति । 'हि' यस्मात् 'एषः' सूर्यः 'मतीनां' बुद्धीनां 'पिता' उत्पादयिता । सूर्योदये सति हि सुप्तानां सर्वेषां प्राणिनां प्रबोधेन सर्वाणि ज्ञानान्युत्पद्यंते । अतः सूर्यस्य तत्पितृत्वम् । " एष उ प्रवर्ग्यस्तदेतमेवैतत् " इति प्रकृतो वाक्यशेषः अतः प्रभृति सर्वत्र अनुषंजनीयः । अथ अन्यवाक्यमुपादाय व्याचष्टे–पतिः प्रजानामिति । 'एषः' सूर्यः 'प्रजानां' प्रजायमानानां प्राणिनां वृष्ट्यादिप्रदानेन पालयिता हि । अन्यत् पूर्ववत् ॥ ३ ॥

वाक्यांतरमुपादाय व्याचष्टे–सं देवो०गतेति । 'हि' यस्मात् देवनशीलो घर्मः देवयजनेन वर्तमानः देवेन देवनशीलेन 'सवित्रा' सर्वस्य प्रेरकेण दिवि वर्तमानेन सूर्येण 'संगत' समगच्छत । संपूर्वात् गमेः " समो गम्यृच्छिभ्याम् "-(पा. सू. १।३।२९) इत्यात्मनेपदम् । छांदसः शपो लुक् । "अनुदात्तोपदेश०" (पा. सू. ६।४।३७) इत्यादिना अनुनासिकलोपः । तस्मात् " सं देवो देवेन " इति मन्त्रवाक्यं संगतमित्यर्थः। अथ अन्यद्वाक्यमनूद्य व्याचष्टे–सᳫँ सूर्येण रोचत इति । अयं संततो घर्मः 'सूर्येण' द्युस्थेन 'संरोचते' संगतो दीप्यते । 'हि' यस्मात् " सं सूर्येण " इति वाक्यं समवेतार्थमित्यर्थः ॥ ४ ॥

एवं वर्तमानकाले घर्मस्य सूर्येण संरोचनं उक्त्वा, अथ भूतकालेऽपि " समग्निरग्निना गत " इति द्वितीयेन अवकाशमन्त्रेण तदाह–समग्निरग्निना गतेति । 'अग्निः' अग्निवर्णः संतप्तो घर्मः 'अग्निना' आहवनीयलक्षणेन 'संगत' समगच्छत यागार्थम् । 'हि' यस्मात् एवं " समग्निरग्निना " इति मन्त्रवाक्यं संगतमित्यर्थः । अथ अन्यद्वाक्यमनूद्य व्याचष्टे–सं दैवेन० गतेति । 'दैवेन' देवेषु प्रसिद्धेन सर्वत्र हि अयं प्रवर्ग्यः समगच्छत । तस्मात् 'सं दैवेन' इत्याम्नातम् । अथ मन्त्रप्रतिपादितां रोचनस्य भूतकालसत्ताम् उपपादयितुं वाक्यांतरमनूद्य व्याचष्टे–सᳫँ सूर्येणारोचिष्टेति । " रुचितो घर्मः " इति प्रैषमन्त्रोच्चारणेन

स्वाहा सुमग्निस्तुपसा गतेति । सुꣳ ह्ययग्निस्तुपसा गताऽवरꣳ स्वाहाकारङ्करोति पुरान्देवुतामसावेव बुन्धुः सन्दैव्येन सवित्रेति सꣳ हि दैव्येन सवित्रा गत सꣳ सूर्य्येणारूरुचतेति सꣳ हि सूर्य्येणारूरुचत ॥ ६ ॥

ते वाऽएते त्रयोऽवकाशा भवन्ति । त्रयो वै प्राणाः प्राणऽउदानो व्यानस्तानेवास्मिन्नेतद्दधाति ॥ ७ ॥

धर्त्ता दिवो व्विभाति तुपसस्पृथिव्यामिति । धर्त्ता ह्येषु दिवो व्विभाति तुपसस्पृथिव्यान्धर्त्ता देवो देवानाममर्त्त्यस्तपोजाऽइति धर्त्ता

" स्वाहा समग्निस्तपसा गत "–इति । सं ह्यग्निस्तपसा गत । अवरं स्वाहाकारं करोति । परां देवताम् । असावेव बंधुः । " सं दैव्येन सवित्रा "–इति । सं हि दैव्येन सवित्रा गत । " सं सूर्येणारूरुचत "–(वा. सं. ३७ । १५) इति । सं हि सूर्येणारूरुचत ॥ ६ ॥

ते वा एते त्रयोऽवकाशा भवंति । त्रयो वै प्राणाः–प्राण उदानो व्यानः । तानेवास्मिन्नेतद्दधाति ॥ ७ ॥

" धर्ता दिवो विभाति तपसस्पृथिव्याम् "–इति । धर्ता ह्येष दिवो विभाति तपसस्पृथिव्याम् । " धर्ता देवो देवानाममर्त्यस्तपोजाः "–इति । धर्ता ह्येष देवो देवाना-

---

घर्मरोचनस्य निष्पन्नत्वात् तादृशो घर्मः सूर्येण ' समरोचिष्ट हि ' संगत्य दीप्तः अभूत् । तस्मात् " सꣳ सूर्येणारोचिष्ट " इति रोचनस्य भूतकालसत्ताप्रतिपादनं युक्तम् । " रुच दीप्तौ " (धा. पा. भ्वा. आ. ७४६) इति धातुः ॥ ५ ॥

अथ तृतीयमवकाशमंत्रं वाक्यशः अनूद्य व्याचष्टे–स्वाहा समग्नि० रूरुचतेति । ' हि ' यस्मात् अयमग्निरग्निवर्णः प्रवर्ग्यः ' तपसा ' तापेन ' संगत ' समगच्छत । तस्मात् " समग्निस्तपसा गत " इत्ययमंशः संगतः । अवरमधस्तात् आदौ वर्तमानं ' स्वाहाकारं ' स्वाहेति शब्दस्य करणं उच्चारणं ' करोति ' । ' परां ' सूर्यरूपां ' देवतां ' । स्वाहाशब्दप्रतिपाद्यं संस्मर्तुं ' असावेव ' खलु देवता बंधुः छिन्नस्य यज्ञशिरसः बंधनहेतुः । तथा ' दैव्येन ' देवतासंबंधिना ' सवित्रा ' प्रेरकेण सूर्येण दिवि प्रकाशमानेन सार्द्धम् अयं तप्तो घर्मः ज्वालाद्वारेण ' समरूरुचत ' सम्यगदीप्यत । तस्मात् " सꣳ सूर्येणारूरुचत " इति मन्त्रभागः समवेतार्थः ॥ ६ ॥

एवं " गर्भो देवानां " १ " समग्निरग्निना गत " २ " स्वाहा समग्निः " ३ इति ' त्रयः अवकाशाः ' उक्ताः । अथैतान् संहृत्य स्तौति–ते वा एते० दधातीति । ' ते ' खलु ' एते ' अवकाशाख्याः " गर्भो देवानां " इत्याद्याः त्रयो मन्त्रा भवन्ति । अन्यत् त्रित्वविधिशेष (श. प. १४ । १ । ३ । ३० ।) व्याख्याने व्याख्यातम् ॥ ७ ॥

अथ चतुर्थमवकाशमन्त्रं वाक्यशः अनूद्य व्याचष्टे–धर्ता दिवो० तदाहेति । ' एषः ' खलु सूर्यः ' दिवः '

ह्येषु देवो देवानाममर्त्यस्तपोजा व्वाचमस्मे नियच्छ देवायुवमिति यज्ञो वै व्वाग्यज्ञमस्मभ्यम्प्रयच्छ येन देवान्प्रीणामेत्येवैतदाह ॥ ८ ॥

(ह्रा) अपश्यङ्गोपामनिपद्यमानमिति । (त्ये) एष वै गोपा यऽएष तपत्येष हीदᳬ सर्वङ्गोपायत्यथो न निपद्यते तस्मादाहापश्यङ्गोपाम- निपद्यमानमिति ॥ ९ ॥

(त्या) आ च परा च पथिभिश्चरन्तमिति । (त्या)आ च ह्येष परा च देवैः पथिभिश्चरति स सध्रीचीः स व्विषूचीर्व्वसानऽइति सध्रीचीश्च ह्येष व्विषू- चीश्च दिशो व्वस्तेऽथो रश्मीनावरीवर्त्ति भुवनेष्वन्तरिति पुनः पुनर्ह्येषु- ऽएषु लोकेषु व्वरीवर्त्यमानश्चरति ॥ १० ॥

ममर्त्यस्तपोजाः । " **वाचमस्मे नियच्छ देवायुवम्** "–(वा. सं. ३७ । १६) इति । यज्ञो वै वाग् । यज्ञमस्मभ्यं प्रयच्छ । येन देवान्प्रीणाम इत्येवैतदाह ॥ ८ ॥

" **अपश्यं गोपामनिपद्यमानम्** "–इति । एष वै गोपाः । य एष तपति । एष हीदं सर्वं गोपायाति । अथो न निपद्यते । तस्मादाह–" **अपश्यं गोपामनिपद्यमानम्** "–इति ॥ ९ ॥

" **आ च परा च पथिभिश्चरंतम्** "–इति । आ च ह्येष परा च देवैः पथिभिश्चराति । " **स सध्रिचीः स विषूचीर्वसानः** "–इति । सध्रीचीश्च ह्येष विषूचीश्च दिशो वस्ते । अथो

द्युलोकस्य ' धर्ता ' । तथा तपसस्तापकस्य रश्मिजालस्य च धर्ता सन् ' पृथिव्यां ' भूम्यां ' विभाति ' विशेषेण दीप्यते । अतः तदात्मके प्रवर्ग्ये " धर्ता दिवः " इति मन्त्रः समवेतार्थ इत्यर्थः । तथा 'एषः ' सूर्यो देवनशीलः ' देवानां ' स्वव्यतिरिक्तानामिन्द्रादीनां ' धर्ता ' धारयिता सूर्यगत्यधीनत्वाद्धविर्दानस्य इति सूर्यस्य हविर्भुजां धारकत्वं द्रष्टव्यम् । तथा ' अमर्त्यः ' मरणरहितः ' तपोजाः ' तपसः तप्यमानात् ब्रह्मणो जातः । ' हि ' यस्मादेवं तस्मात् तदात्मकं प्रवर्ग्यं " धर्ता दिवः " इति मन्त्रभागेन स्तौतीत्यर्थः । तथा " वाचमस्मे नियच्छ " इति समनन्तरो मन्त्रभागः । तत्र वाक्शब्देन यज्ञ एव उच्यते । स्तुतशस्त्ररूपया वाचा निर्वर्त्यत्वात् । एवं च निष्पन्नं वाक्यार्थमाह–' वाचं ' यज्ञं ' अस्मे ' अस्मभ्यं हे घर्म ! ' नियच्छ ' प्रयच्छ देहि ' येन ' यज्ञेन ' देवान् ' प्रीणाम ' तर्पयामेति अमुमेवार्थमेतन्मन्त्रवाक्यमाह प्रतिपादयति ॥ ८ ॥

अथान्यमवकाशमन्त्रं वाक्यशः अनूद्य व्याचष्टे–**अपश्यं गोपा० चरती**ति । ' एषः ' सूर्यः ' देवानां ' मध्ये ' गोपाः ' गोपायिता । ' हि ' यस्मात् ' एषः ' ' सर्वमिदं ' जगत् ' गोपायति ' प्रकर्षेण प्रकाश- नादिना रक्षति । ' अथो ' अपि च ' न निपद्यते ' न निपतति । किंतु उच्चैः सर्वदा दिवि वर्तते । ' तस्मात् ' ' अनिपद्यमानं ' ' गोपां ' सूर्यं ' अपश्यं ' अदर्शम् इति ऋषिः कृतसाक्षात्कारः आह । अथवा तदात्मकं प्रवर्ग्यं स्तोतुं–**अपश्यं गोपा**मिति अध्वर्युराह ॥ ९ ॥

अपि च ' एष हि ' सूर्यः ' देवैः ' देवसंबंधिभिः ' पथिभिः ' मार्गैः मध्याह्नात् पूर्वं ' आचरति ' अभि- मुखेन गच्छति च । ततः परस्तात् ' पराचरति ' पराङ्मुखः संचरति । तस्मात् " आ च परा च " इति

विश्वासाम्भुवाम्पते । विश्वस्य मनसस्पते विश्वस्य वचसस्पते सर्वस्य वचसस्पतऽ इत्येतस्य सर्वस्य पतऽइत्येतद्देवश्रुत्त्वन्देव घर्म्म देवो देवान्पाहीति नात्र तिरोहितमिवास्ति ॥ ११ ॥

(स्त्यु) अत्र प्रावीरनु वान्देववीतयऽइति । (त्य) अश्विनावेवैतदाहाश्विनौ वाऽएतद्यज्ञस्य शिरः प्रत्यधत्तान्तावेवैतत्प्रीणाति तस्मादाहात्र प्रावीरनु वान्देववीतयऽ इति ॥ १२ ॥

रश्मीन् । " आवरीवर्ति भुवनेष्वंतः "–(वा. सं. ३७ । १७) इति । पुनः पुनर्ह्येष एषु लोकेषु वरीवर्त्यमानश्चरति ॥ १० ॥

" विश्वासां भुवां पते विश्वस्य मनसस्पते । विश्वस्य वचसस्पते सर्वस्य वचसस्पते "–इति । एतस्य सर्वस्य पत इत्येतत् । " देवश्रुत्त्वं देव घर्म देवो देवान्पाहि "–इति । नात्र तिरोहितमिवास्ति ॥ ११ ॥

" अत्र प्रावीरनु वां देववीतये "–इति । अश्विनावेवैतदाह–अश्विनौ वा एतद्यज्ञस्य शिरः प्रत्यधत्ताम् । तावेवैतत्प्रीणाति । तस्मादाह–"अत्र प्रावीरनु वां देववीतये"–इति॥१२॥

मन्त्रवाक्यं संगतमित्यर्थः । अपि च 'सध्रीचीः' सहाञ्चतीः 'विषूचीः' विष्वगञ्चतीः सर्वाः 'दिशः' प्राच्याद्याः 'एषः' सूर्यः स्वतेजसा 'वस्ते' आच्छादयति । 'अथो' अपि च 'रश्मीन्' स्वकिरणान् 'वस्ते' सर्वत्र प्रसारयति । तस्मात् 'स सध्रीचीः" इति मन्त्रः सूर्ये संगतः । तदात्मकत्वात् प्रवर्ग्येऽपि संगत इत्यर्थः । अपि च 'एषः' खलु सूर्यः 'एषु लोकेषु' पृथिव्यादिषु सर्वेषु लोकेषु 'वरीवर्त्यमानः' अत्यर्थं वर्तमानः पुनःपुनश्चरति । तस्मादाह–" आ वरीवर्ति भुवनेष्वन्तः " इति ॥ १० ॥

अथान्यमवकाशमंत्रभागं संहत्यानूद्य, तात्पर्यमाह–विश्वासां भुवां० इत्येतदिति । " विश्वासां भुवां " इत्यादिषष्ठ्यन्तैः प्रतिपाद्यस्य 'एतस्य सर्वस्य' कृत्स्नस्य जगतः 'पते' स्वामिन् ! 'इति' इममर्थम् एतन्मंत्रवाक्यमाह । अथ अन्यं मंत्रभागमनूद्य स्पष्टार्थत्वात् व्याख्यानं नापेक्षते इत्याह–**देवश्रुत्त्वं० मिवास्तीति** । अत्रास्मिन् " देवश्रुत्त्वं " इति मंत्रभागे 'तिरोहितमिव' अंतर्हितमिव व्याख्यानसापेक्षं किमपि नास्तीत्यर्थः ॥ ११ ॥

अथान्यद्वाक्यमनूद्य व्याचष्टे–**अत्र प्रावीरनु वां देववीतय इति** । " अत्र प्रावीः " इत्यस्मिन्मंत्रभागे 'वामिति' युष्मदादेशे तद्द्विवचनेन 'अश्विनौ' अश्विनावेव एतन्मंत्रवाक्यं 'आह' आचष्टे । अश्विनोः प्रतिपादने का अत्र प्रसक्तिः, इति तां दर्शयति–**अश्विनाविति** । 'अश्विनौ' खलु पुरा 'यज्ञस्य' एतत्प्रवर्ग्याख्यं 'शिरः प्रत्यधत्ताम्' प्रतिहितवन्तौ छिन्नस्य पुनः सन्धानं कृतवन्तौ । तस्मात् 'एतत्' एतेन मन्त्रभागेन तावेवाश्विनौ 'प्रीणाति' तर्पयति । 'तस्मात्' इत्यादि निगमनम् ॥ १२ ॥

मधु माध्वीभ्याम्मधु माधूचीभ्यामिति । दध्यङ् ह वाऽ आभ्यामाथर्व्वणो मधु नाम ब्राह्मणमुवाच तदेनयोः प्रियन्धाम तदेवैनयोरेतेनोपगच्छति तस्मादाह मधु माध्वीभ्याम्मधु माधूचीभ्यामिति ॥ १३ ॥

हृदे त्वा मनसे त्वा दिवे त्वा सूर्य्याय त्वा । ऊर्ध्वोऽ अध्वरन्दिवि देवेषु धेहीति नात्र तिरोहितमिवास्ति ॥ १४ ॥

पिता नोऽसि पिता नो बोधीति । (त्ये) एष वै पिता यऽएष तपत्येषऽ उ प्रवर्ग्यस्तदेतमेवैतत्प्रीणाति तस्मादाह पिता नोऽसि पिता नो बोधीति नमस्तेऽअस्तु मा मा हिꣳसीरित्याशिषमेवैतदाशास्ते ॥ १५ ॥

(स्तेऽथ) अथ पत्न्यै शिरोऽपावृत्य । महावीरमीक्षमाणाम्वाचयति

" मधु माध्वीभ्यां मधु माधूचीभ्याम् "–(वा. सं. ३७ । १८) इति । दध्यङ् ह वा आभ्यामाथर्वणो मधु नाम ब्राह्मणमुवाच । तदेनयोः प्रियं धाम । तदेवैनयोरेतेनोपगच्छति । तस्मादाह–" मधु माध्वीभ्यां मधु माधूचीभ्याम् "–इति ॥ १३ ॥

" हृदे त्वा मनसे त्वा दिवे त्वा सूर्याय त्वा । ऊर्ध्वो अध्वरं दिवि देवेषु धेहि "–(वा. सं. ३७ । १९) इति । नात्र तिरोहितमिवास्ति ॥ १४ ॥

" पिता नोऽसि पिता नो बोधि "–इति । एष वै पिता । य एष तपति । एष उ प्रवर्ग्यः । तदेतमेवैतत्प्रीणाति । तस्मादाह । "पिता नोऽसि पिता नो बोधि"–इति । "नमस्ते अस्तु मा मा हिंसीः "–इति । आशिषमेवैतदाशास्ते ॥ १५ ॥

अथ पत्न्यै शिरोऽपावृत्य । महावीरमीक्षमाणां वाचयति–" त्वष्टृमंतस्त्वा सपेम "–(वा. सं. ३७।२०) इति । वृषा वै प्रवर्ग्यः । योषा पत्नी । मिथुनमेवैतत्प्रजननं क्रियते ॥ १६ ॥

अथान्यद्वाक्यमनूद्य व्याचष्टे–मधु मा०चीभ्यामिति इति । 'आथर्वणः' अथर्वणः पुत्रः 'दध्यङ्' नाम ऋषिः पुरा, आभ्यामश्विभ्यां 'मधु नाम ब्राह्मणं' मधुविद्याप्रतिपादकं ब्राह्मणं 'उवाच' उपदिदेश । तच्च 'एनयोः' 'प्रियं' प्रेमास्पदं 'धाम' धारकं स्थानं 'एतेन' "मधु माध्वीभ्याम्" इत्यनेन 'एनयोः' अश्विनोः 'तदेव' प्रियं धाम 'उपगच्छति' प्राप्नोति । 'तस्मात्' इत्यादि निगमनम् ॥ १३ ॥

अथ मन्त्रांतरमनूद्य स्पष्टार्थत्वात् न व्याख्यानसापेक्षमित्याह–हृदे त्वा मनसे० मिवास्तीति । हृदयाद्यर्थं त्वां स्तुमः । अत एव त्वं 'दिवि' द्युलोके 'देवेषु' मध्ये उत्कृष्टः सन् 'अध्वरं' अस्मदीयं यज्ञं 'धेहि' स्थापयेति अस्यार्थस्य स्पष्टत्वात् 'तिरोहितं' किमपि नास्तीत्यर्थः ॥ १४ ॥

अथान्यद्वाक्यमनूद्य व्याचष्टे–पिता नोऽसि०बोधीतीति । 'य एषः' 'सूर्यः' 'तपति' 'एष वै पिता' सर्वेषां पालयिता । अन्यद्गतम् । अथान्यं मन्त्रभागमनूद्य व्याचष्टे–नमस्ते० शास्ते इति । 'एतत्' एतेन मन्त्रवाक्येन हिंसाभावलक्षणां 'आशिषमेव आशास्ते' प्रार्थयते ॥ १५ ॥

अथ यदुक्तं कात्यायनेन–" अपोर्णौति पत्नीशिरः । त्वष्टृमंतऽइत्येनां वाचयति महावीरमीक्षमाणाम् "

१–" अथ पत्न्यै शिरोऽपावृत्य " (श. प. १४ । १ । ४ । १६) इति श्रुतिवाक्यात् 'पत्नीशिरः' इति समासोऽवगंतव्यः । 'न वाक्यं' इति कर्काशयः ॥

त्वुष्टृमन्तस्त्वा सपेमेति ॑वृषा वै प्रवुर्ग्यो योषा पत्नी मिथुनुमेवैतुत्प्रजुन-
नङ्क्रियते ॥ १६ ॥

(तेऽथै) अुथैतद्वै । (द्वाऽआ) आुयुरेतज्ज्योतिः प्रविशति युऽएत-
मुनु वा ब्रूतु भक्षुयति वा तुस्य व्वतचर्य्या या सृष्टौ ॥ १७ ॥

इति प्रथमप्रपाठके चतुर्थं ब्राह्मणम् ॥ १४।१।४ ॥ (१-४) ॥

इति प्रथमोऽध्यायः समाप्तः ॥ १४-१ ॥ कण्डिकासंख्या ॥ ११० ॥

अथ एतद्वा आयुः, एतज्ज्योतिः प्रविशति । य एतमनु वा ब्रूते । भक्षयाति वा । तस्य व्रत-चर्या-या सृष्टौ ॥ १७ ॥

(का. श्रौ. सू. २६।६।७०) इति । तदेतद्विधत्ते- अथ पत्न्यै शिरो०सपेमेतीति । अथावकाशोपस्थाना-नंतरं पत्न्याः शिरःप्रावरणं 'अपावृत्य' विसृज्य 'महावीरमीक्षमाणां' पश्यन्तीं "त्वष्टृमन्तः" इति मन्त्रं 'वाचयति'। अथैतत् स्तौति-व्वृषा वै प्रवर्ग्यो योषा पत्नी मिथुनमेवैतत्प्रजननं क्रियते इति । 'वृषा' वर्षणसमर्थः पुमान् प्रवर्ग्यः । 'पत्नी योषा' स्त्री । तथा च 'एतत्' एतेन मिथुनेन 'प्रजननं' प्रजोत्पत्ति-साधनं 'क्रियते'। प्रजोत्पत्तिसाधनेन 'एनं' प्रवर्ग्यं समर्द्धयति । ततो यज्ञमपि कृत्स्नं संपूर्णं करोति ॥१६॥

ब्राह्मणांतरावसानवत् अत्रापि पूर्वोक्तां व्रतचर्यामतिदिशति-अथैतद्वै०सृष्टाविति । एतत्प्रथमब्राह्मणावसाने व्याख्यातम् । 'या' सृष्टिप्रतिपादके तस्मिन् ब्राह्मणे 'व्रतचर्या' आम्नाता सैव एतत् ब्राह्मणं अधीयानस्य अनुतिष्ठतश्च व्रतचर्या ॥ १७ ॥

इति श्रीसायणाचार्यविरचिते माधवीये वेदार्थप्रकाशे माध्यन्दिनीयशतपथब्राह्मणभाष्ये
चतुर्दशकाण्डे तदन्तर्भूते प्रथमे प्रवर्ग्यकाण्डे प्रथमेऽध्याये
चतुर्थं ब्राह्मणम् ॥ १४ । (१) १ । ४ ॥

वेदार्थस्य प्रकाशेन तमो हार्दं निवारयन् । पुमर्थांश्चतुरो देयाद् विद्यातीर्थमहेश्वरः ॥ १ ॥

ब्रह्माण्डं गोसहस्रं कनकहयतुलापूरुषौ स्वर्णगर्भं,
सप्ताब्धीन्पञ्चसीरीं स्त्रिदशतरुलताधेनुसौवर्णभूमीः ।
रत्नोस्रां रुक्मवाजिद्विपमहितरथौ सायणिः सिङ्गणार्यो,
व्यश्राणीद्विश्वचक्रं प्रथितविधिमहाभूतयुक्तं घटं च ॥
धान्याद्रिं धन्यजन्मा तिलभवमतुलः स्वर्णजं वर्णमुख्यः,
कार्पासीयं कृपावान्गुडकृतमजडो राजतं राजपूज्यः ।
आज्योत्थं प्राज्यजन्मा लवणजमनृणः शार्करं चार्कतेजा,
रत्नाढ्यो रत्नरूपं गिरिमकृत मुदा पात्रसात्सिङ्गणार्यः ॥

इति श्रीमद्राजाधिराजपरमेश्वरवैदिकमार्गप्रवर्त्तकश्रीहरिहरमहाराजसाम्राज्यधुरन्धरेण सायणाचार्येण
विरचिते माधवीये वेदार्थप्रकाशे माध्यन्दिनीयशतपथब्राह्मणभाष्ये चतुर्दशकाण्डे तदन्तर्भूते
प्रथमे प्रवर्ग्यकाण्डे प्रथमोऽध्यायः समाप्तः ॥ (१४ (१)-१) ॥

अथ द्वितीयेऽध्याये प्रथमं ब्राह्मणम् ।

प्रथमप्रपाठके च पञ्चमं ब्राह्मणम् ।

अथातो रौहिणौ जुहोति । (त्यु) अहः केतुना जुषताᳬ सुज्योतिर्ज्योतिषा स्वाहेत्युभावेतेन यजुषा प्राता रात्रिः केतुना जुषताᳬ सुज्योतिर्ज्योतिषा स्वाहेत्युभावेतेन यजुषा सायम् ॥ १ ॥

(न्त) तद्यद्रौहिणौ जुहोति । (त्य) अग्निश्च ह वाऽआदित्यश्च रौहिणावेताभ्याᳬ हि देवताभ्यां यजमानाः स्वर्गं लोकᳬ रोहन्ति ॥ २ ॥

अथ गवाजपयोऽवसेचनं ब्राह्मणम् ।

अथातो रौहिणौ जुहोति । " अहः केतुना जुषतां सुज्योतिर्ज्योतिषा स्वाहा "–इति । उभावेतेन यजुषा प्रातः । " रात्रिः केतुना जुषतां सुज्योतिर्ज्योतिषा स्वाहा "–(वा. सं. ३७।२१) इति । उभावेतेन यजुषा सायम् ॥ १ ॥

तद्यद्रौहिणौ जुहोति । अग्निश्च ह वा आदित्यश्च रौहिणौ । एताभ्यां हि देवताभ्यां यजमानाः स्वर्गं लोकं रोहन्ति ॥ २ ॥

यस्य निश्वसितं वेदा यो वेदेभ्योऽखिलं जगत् । निर्ममे तमहं वन्दे विद्यातीर्थमहेश्वरम् ॥ १ ॥

धर्मस्य सृष्टिसंभारौ तथा घर्मसमिंधनम् । अवकाशोपस्थितिश्च प्रथमेऽध्याय ईरिताः ॥ २ ॥

अथ द्वितीयाध्यायस्य प्रथमब्राह्मणेन आज्यपूर्णे महावीरे गवाजयोः पयसोः आसेचनं विधत्ते तत्र तयोर्दोहनात्पूर्वं तदासेचनोत्तरकालं च होतव्ययोः रौहिणपुरोडाशयोः होमं विधत्ते–**अथातो रौहिणौ जुहोतीति** । ' अथ ' पत्नीवाचनानंतरं यतः एतौ रौहिणहोमौ प्रवर्ग्यस्य आज्यभागवत् चक्षुष्ट्वेन वक्ष्यमाणप्रकारेण संस्तुतौ । ' अतः ' अस्मात्कारणात् प्रवृंजनात् पूर्वं ' रोहिणौ ' पुरोडाशौ ' जुहोति ' । तत्र प्रातःकालीने प्रवर्ग्ये " अहः केतुना " इत्येतेन ' यजुषा ' ' उभौ ' पुरोडाशौ जुहोति । सायंकालीने तु प्रवर्ग्ये " रात्रिः केतुना " इत्येतेन ' यजुषा ' ' उभौ ' रौहिणौ जुहोति ॥ १ ॥

अथ एतौ पुरोडाशौ अग्न्यादित्यात्मना स्तौति–**तद्यद्रौहिणौ जुहोतीति** । तत्तत्र ' यत् ' यस्मात् ' रौहिणौ ' पुरोडाशौ ' जुहोति ' । तस्मात् ' एताभ्यां ' साधनाभ्यां यजमानः ' स्वर्गं लोकं आरोहति ' इति वाक्य

१–अहः केतुनेति दक्षिणः रौहिणं जुहोति । का. श्रौ. सू २६ । ७१ ।

२–रात्रिरिति सायम् । का. श्रौ. सू. २६ । ७१ ।

(न्त्यु) अथोऽअहोरात्रे वै रौहिणौ । (णावा) आदित्यः प्रवर्ग्योऽमुन्त-दादित्यमहोरात्राभ्याम्परिगृह्णाति तस्मादेषोऽहोरात्राभ्याम्परिगृहीतः ॥ ३ ॥

(तोऽथो) अथोऽइमौ वै लोकौ रौहिणौ । (णावा) आदित्यः प्रवर्ग्योऽमुं तदादित्यमाभ्यां लोकाभ्याम्परिगृह्णाति तस्मादेषऽआभ्यां लोकाभ्याम्परिगृहीतः ॥ ४ ॥

(तोऽथो) अथो चक्षुषी वै रौहिणौ । शिरः प्रवर्ग्यः शीर्षंस्तच्चक्षुर्दधाति ॥ ५ ॥

अथो अहोरात्रे वै रौहिणौ । आदित्यः प्रवर्ग्यः । अमुं तदादित्यमहोरात्राभ्यां परिगृह्णाति । तस्मादेषोऽहोरात्राभ्यां परिगृहीतः ॥ ३ ॥

अथो इमौ वै लोकौ रौहिणौ । आदित्यः प्रवर्ग्यः । अमुं तदादित्यमाभ्यां लोकाभ्यां परिगृह्णाति । तस्मादेष आभ्यां लोकाभ्यां परिगृहीतः ॥ ४ ॥

अथो चक्षुषी वै रौहिणौ । शिरः प्रवर्ग्यः । शीर्षंस्तच्चक्षुर्दधाति ॥ ५ ॥

शेषोऽध्याहर्तव्यः । अथैतदुपपाद्यते—यौ एतौ ' रौहिणौ ' तौ क्रमेण ' अग्निश्चादित्यश्च ' खलु देवताद्वयात्मकौ । ' एताभ्यां हि ' सायंप्रातःकालीनाग्निहोत्रदेवताभ्यां अग्निहोत्रानुष्ठायिनो ' यजमानाः ' तत्फलभूतं ' स्वर्गं लोकं रोहंति ' आरोहन्ति । तस्मात् रोहणसाधनत्वात् अग्न्यादित्यावेव रौहिणौ । अतः तदात्मकरौहिणहोमात् यजमानोऽपि स्वर्गं लोकं प्राप्नोतीत्यर्थः ॥ २ ॥

अथ अहोरात्रात्मना रौहिणौ स्तौति—**अथो अहोरात्रे वै रौहिणाविति** । ' अथो ' अपि च ' अहोरात्रे वै ' अहोरात्रात्मकौ खलु रौहिणपुरोडाशौ । तयोर्मध्ये वर्तमानः उद्यन् अस्तं गच्छन् ' आदित्यः प्रवर्ग्यः ' । तत्ततः ' अमुं ' आदित्यात्मकं प्रवर्ग्यम् अहोरात्राभ्यामेव ' परिगृह्णाति ' । यस्मादेवं ' तस्मात् ' ' एषः ' दिवि वर्तमान आदित्यः ' अहोरात्राभ्यां परिगृहीतः ' पुरतः पृष्ठतश्च परिवृतः ॥ ३ ॥

अथ द्यावापृथिव्यात्मना रौहिणौ स्तौति—**अथोऽ इमौ वै लोकौ रौहिणाविति** । ' अथो ' अपि च ' इमौ ' द्यावापृथिव्यात्मकौ ' लोकौ ' खलु ' रौहिणौ ' रौहिणपुरोडाशौ । प्रवर्ग्यस्तु तयोर्मध्ये वर्तमानः ' आदित्यः ' । ' तत् ' ततः ' अमुमादित्यं ' आदित्यात्मकं प्रवर्ग्यम् आभ्यामेव ' लोकाभ्यां परिगृह्णाति ' परितः उभयतः गृह्णाति । यस्मात् एव प्रवर्ग्यः पुरोडाशाभ्यां परिगृहीतः, तस्मादेव कारणात् ' एषः ' आदित्यः आभ्यामेव लोकाभ्यां ' परिगृहीतः ' अधस्तात् उपरिष्टाच्च संवृतो वर्तते ॥ ४ ॥

अथ एतौ चक्षुष्ट्वेन स्तौति—**अथो चक्षुषी वै रौहिणाविति** । ' अथो ' अपि च एतौ रौहिणपुरोडाशौ यज्ञस्य चक्षुःस्थानीयौ । तस्य ' शिरः प्रवर्ग्यः ' । तत्तथा च ' शीर्षन् ' शिरसि ' चक्षुर्दधाति ' धारितवान् स्थापितवान् भवति ॥ ५ ॥

(त्यु) अथ रज्जुमादत्ते । देवस्य त्वा सवितुः प्रसवेऽश्विनोर्बाहुभ्यां पूष्णो हस्ताभ्यामाददेऽदित्यै रास्नाऽसीत्यसावेव बन्धुः ॥ ६ ॥

(रु) अथ गामाह्वयति । जघनेन गार्हपत्यं यन्निड एह्यदित एहि सरस्वत्येहीतीडा हि गौरदितिर्हि गौः सरस्वती हि गौरथोच्चैराह्वयति नाम्नाऽसावेह्यसावेह्यसावेहीति * त्रिः ॥ ७ ॥

अथ रज्जुमादत्ते–" देवस्य त्वा सवितुः प्रसवेऽश्विनोर्बाहुभ्यां पूष्णो हस्ताभ्यामाददेऽदित्यै रास्नाऽसि । "–(वा. सं. ३८ । १) इति । असावेव बंधुः ॥ ६ ॥

अथ गामाह्वयति जघनेन गार्हपत्यं यन्–"इड एहि, अदित एहि, सरस्वत्येहि"–इति । इडा हि गौः । अदितिर्हि गौः । सरस्वती हि गौः । अथोच्चैराह्वयति नाम्ना–" असावेहि, असावेहि * "–(वा० सं० ३८ । २) इति त्रिः ॥ ७ ॥

अथ दोहनार्थं समन्त्रकं रज्ज्वादानं विधत्ते–अथ रज्जुमादत्ते० बन्धुरिति । 'अथ' रौहिणहोमानन्तरं "देवस्य त्वेति" मन्त्रेण गोर्बंधनार्थं रज्जुमादत्ते । सवित्रश्व्यादिबहुदेवताप्रकाशकत्वात् 'असावेव' मन्त्रः 'बन्धुः' । छिन्नस्य यज्ञशिरसः बन्धकः ॥ ६ ॥

अथ दैवीभिः संज्ञाभिः घर्मदुहो गोराह्वानं विधत्ते–अथ गामाह्वयति० सरस्वत्येहीतीति । 'अथ' रज्ज्वादानानन्तरं ' जघनेन गार्हपत्यं यन् ' गार्हपत्यस्यादूरेण पश्चिमदेशेन गच्छन् अध्वर्युः " इड एहि " इत्यादिभिः त्रिभिर्वाक्यैरुपांशु गामाह्वयति । इडाऽदितिसरस्वतीशब्दाः गोर्वैदिकाः संज्ञाः । तथा च तैत्तिरीयके गर्गत्रिरात्रे सहस्रतमीं गां प्रस्तुत्य एवमाम्नायते–" इडे रंतेऽदिते सरस्वति प्रिये प्रेयसि महि विश्रुति एतानि ते अघ्निये नामानि" (तै.सं. ७।१।६!) " इति । इमां प्रसिद्धिं हिशब्देन द्योतयन् इडादिशब्दाः गोर्नामानीति व्याचष्टे–इडा हि० हि गौरिति । अथ लौकिकेन नाम्ना तस्या आह्वानं विधत्ते–अथोच्चैराह्वयति० त्रिरिति । 'अथ' देवनामभिराह्वानानन्तरं ' असावेहि ' इति लौकिकेन नाम्ना त्रिरुच्चैराह्वयति । " असौ " इति अदस्शब्दः संबुद्ध्यन्तनामसामान्यनिर्देशार्थः । त्रिराह्वानस्याभिनयार्थमसावेहीति त्रिर्वचनम् । अयमर्थः–यत् गोः नाम व्यावहारिकं गंगादिकं नाम तत्संबुद्ध्यन्तमुक्त्वा तेन एहीति पदं संयोज्य " गंगे एहि " इत्येवंप्रकारेण त्रिराह्वानं कार्यमिति । एवं द्विविधैर्नामभिर्घर्मदुहोगोराह्वानं तित्तिरिणा स्पष्टमाम्नातम्–" इड एह्यदित एहि सरस्व-

---

* असावेहि इत्यस्य त्रिवारमुच्चारणं मंत्रपाठानुसारेण " नाम्ना च त्रिरुच्चैः " इति कातीयसूत्रीयप्रयोगप्रदर्शनार्थं भाष्यकारैर्भाष्ये प्रदर्शितम् । मूले ब्राह्मणे तु द्विवारमेव पाठः आदर्शपुस्तकेषु सर्वेष्वपि द्विवारमेव पाठोऽस्ति ।

१–देवस्य त्वेति रज्जुसंदानमादाय । का. श्रौ. सू. २६ । ७१ । रज्जुसंदानं घर्मधुग्बन्धनार्था या पाशवती रज्जुः तस्या एव पश्चात्पादबंधनार्थं संदानं तदादायेति कर्कः ।

२–इड एहीति गामाह्वयति । अपरेण गार्हपत्यं गच्छन् का. श्रौ. सू. २६ । ७१ ।

३–शतपथेऽपि गर्गत्रिरात्रे " तद्यत्रैतत्त्रिरात्रे सहस्रं ददाति " इत्युपक्रम्य " अथ दक्षिणे कर्ण आजपति इडे रन्ते हव्ये काम्ये चन्द्रे ज्योतेऽदिति सरस्वति महि विश्रुति । एता ते अघ्न्ये नामानि देवेभ्यो मा सुकृतम्ब्रूतादिति वोचेरिति वैतानि ह वा अस्यै देवत्रा नामानि सा यानि ते देवत्रा नामानि तैर्मा देवेभ्यः सुकृतं ब्रूतादित्येवैतदाह " श. प. ४।५ । ८ । १० । इति । " इडे रंते० " । वा. सं. ८ । ४३ ।

४–नाम्ना च त्रिरुच्चैः । अपरेण गार्हपत्यं गच्छन् । का. श्रौ. सू. २६ । ७२ ।

(स्ता) तामागतामभिदधाति । (त्यु) अदित्यै रास्नाऽसीन्द्राण्याऽ उष्णीषऽ इतीन्द्राणी ह वाऽइन्द्रस्य प्रिया पत्नी तस्याऽ उष्णीषो विश्वरूपतमः सोऽसीति तदाह तमेवैनमेतत्करोति ॥ ८ ॥

(त्यु) अथ वत्समुपार्जति । पूषाऽसीत्ययम्वै पूषा योऽयम्पवतऽएष हीदᳬ सर्वम्पुष्यत्येषऽ उ प्रवर्ग्यस्तदेतमेवैतत्प्रीणाति तस्मादाह पूषाऽसीति ॥ ९ ॥

तामागतामभिदधाति–" अदित्यै रास्नाऽसीन्द्राण्या उष्णीषः "–इति । इन्द्राणी ह वा इन्द्रस्य प्रिया पत्नी । तस्या उष्णीषो विश्वरूपतमः । सोऽसीति तदाह । तमेवैनमेतत्करोति ॥८॥

अथ वत्समुपार्जति–"पूषाऽसि"–इति । अयं वै पूषा । योऽयं पवते । एष हीदं सर्वं पुष्यति । एष उ प्रवर्ग्यः । तदेतमेवैतत्प्रीणाति । तस्मादाह–" पूषाऽसि "–इति ॥ ९ ॥

त्येहीत्याह । एतानि वा अस्यै देवनामानि । देवनामैरेवैनामाह्वयति । असावेह्यसावेह्यसावेहीत्याह । एतानि वा अस्यै मनुष्यनामानि । मनुष्यनामैरेवैनामाह्वयति " तै. आ. ५।७।१) इति ॥ ७ ॥

एवं उभयविधैर्नामभिराहूतायाः आगतायास्तस्याः बन्धनं विधत्ते–तामागतामभिदधाति० उष्णीष इतीति । 'तां' घर्मदुघां धेनुं 'आगतां' देवयजनदेशं प्राप्तां " अदित्यै रास्नाऽसि " इति मन्त्रेण पूर्वमुपात्तया रज्ज्वा 'अभिदधाति' बध्नाति । " इन्द्राण्या उष्णीषः " इति मन्त्रभागस्य तात्पर्यमाह–इन्द्राणी ह वा० तत्करोतीति । 'इन्द्राणी' नाम इन्द्रस्य प्रियतमा 'पत्नी' जाया । 'तस्याः' 'उष्णीषः' शिरोवेष्टनं 'विश्वरूपतमः' अतिशयेन सर्वरूपयुक्तः शुक्लकृष्णपीतादिनानावर्णयुक्तत्वेन चित्रभूत इत्यर्थः । तत्तेन मन्त्रभागेन हे रज्जो ! 'सः' उक्तलक्षणः उष्णीषः 'असि' भवसि इत्याह प्रतिपादयति । अध्वर्युश्च 'एतत्' एतेन मन्त्रेण अस्या धेनोः 'तमेव' उष्णीषं 'करोति' मन्त्रपाठेन निर्वर्तयति ॥ ८ ॥

अथ दोहनाय वत्सविसर्जनं विधत्ते–अथ वत्स० पूषाऽसीतीति । 'अथ' रज्ज्वा बन्धनानन्तरं 'वत्सं उपार्जति' उपसृजति "पूषाऽसि" इत्यनेन मन्त्रेण । एतन्मन्त्रप्रयोगमुपपाद्य उपसंहरति–अयं वै० पूषाऽसीतीति । 'यः अयमंतरिक्षे' वायुः 'पवते' 'अयं' खलु 'पूषा' । कुत एतदिति चेदुच्यते । 'एषः' खलु वायुः 'इदं सर्वं' जगत् 'पुष्यति' पोषयति । यदिदं किंच जगद्वर्षति मेघैश्च आत्मना प्रेरितैः वृष्टिं उत्पन्न सिंचति । तस्मात्पोषकत्वात् वायुरेव पूषा इत्युच्यते । अपि च एष एव वायुः एतासां गवां पोषयिता वर्द्धयिता । तथा च तैत्तिरीयके वत्सापाकरणमन्त्रव्याख्यानरूपे ब्राह्मणे पशूनां वाय्वधीनत्वं स्पष्टमवगम्यते–"वायव स्थेत्याह । वायुर्वाऽअंतरिक्षस्याध्यक्षः । अंतरिक्षदेवत्याः खलु वै पशवः । वायव एवैनान् परिददाति " इति । यस्मादेवं तस्माद्वत्समुपसृजन् अध्वर्युः " पूषाऽसि " इति मन्त्रं ब्रूयात् ॥ ९ ॥

१–अदित्यै रास्नेति गां पाशेन प्रतिमुच्य स्थूणायां रुध्वा का. श्रौ. सू. २६ । ७४ ।
२–पूषाऽसीति वत्समुत्सृजति । का. श्रौ. सू. २६ । ७४ । वत्सं तदीयम् इति कर्कः ।

(त्य) अथोन्नयति । घर्मा॑य दीष्वेत्येष वा॒ऽअत्र घ॒र्मो र॒सो भवति य॒मेषा पिन्वते त॒स्मै दयस्वे॒त्ये॒वैतदाह ॥ १० ॥

(द्वा) अथ पि॒न्वने पिन्वयति । (त्यु) अ॒श्विभ्या॒म्पिन्वस्वे॒त्याश्विना-वे॒वैतदाहाश्वि॒नौ वा॒ऽ एत॒द्यज्ञस्य शिरः प्र॒त्यधत्ता॒न्तावे॒वैत॒त्प्रीणाति त॒स्मादाहाश्वि॒भ्या॒म्पिन्वस्वे॒ति ॥ ११ ॥

स॒रस्वत्यै पिन्वस्वे॒ति । व्वाग्वै स॒रस्वती व्वा॒चा वा॒ऽएत॒दश्विनौ य॒ज्ञस्य शिरः प्र॒त्यधत्ता॒न्तावे॒वैत॒त्प्रीणाति त॒स्मादाह स॒रस्वत्यै पिन्वस्वे॒ति ॥ १२ ॥

अथोन्नयति–" **घर्माय दीष्व** "–(वा. सं. ३८।३) इति । एष वा अत्र घर्मो रसो भवति । यमेषा पिन्वते । तस्मै दयस्वेत्येवैतदाह ॥ १० ॥

अथ पिन्वने पिन्वयाति–" **अश्विभ्यां पिन्वस्व** "–इति । अश्विनावेवैतदाह । अश्विनौ वा एतद्यज्ञस्य शिरः प्रत्यधत्ताम् । तावेवैतत्प्रीणाति । तस्मादाह–"**अश्विभ्यां पिन्वस्व**"–इति॥११॥

" **सरस्वत्यै पिन्वस्व** "–इति । वाग्वै सरस्वती । वाचा वा एतदश्विनौ यज्ञस्य शिरः प्रत्य-धत्ताम् । तावेवैतत्प्रीणाति । तस्मादाह–" **सरस्वत्यै पिन्वस्व** " इति ॥ १२ ॥

अथ वत्सस्य पुनर्बंधनं विधत्ते–**अथोन्नयति घर्म्माय दीष्वेती**ति । वत्समुपसृज्य प्रस्नुतायां गवि ' अथ ' अनंतरं " घर्म्माय दीष्व " इति मन्त्रेण तं वत्सं ' उन्नयति ' उत्कृष्य ऊधःप्रदेशात् अन्यत्र नयति पुरतो बध्नातीत्यर्थः । अथ एतत् व्याचष्टे–**एष वा अत्र घर्मो रसो भवति०तदाहे**ति । 'यं' पयआत्मकं रसं ' एषा ' गौः ' पिन्वते ' सिंचति दुग्धे 'एष एव रसोऽत्र' अस्मिन्मन्त्रे ' घर्मः ' घर्मशब्दाभिधेयः ' भवति ' ' तस्मै ' रसाय, तादर्थ्ये चतुर्थी, रसात्मकं घर्मोपयुक्तं पयः ' दयस्व ' देहीति इममेवार्थं एतन्मन्त्रवाक्यमाह । " दय दानगतिरक्षणहिंसाऽऽदानेषु " (धा. पा. भ्वा. आ. ४८२) इति धातुः । एवं " घर्माय दीष्व " इति मन्त्रावयवयोः पदयोः समवेतार्थत्वं भवतीत्यर्थः ॥ १० ॥

अथ दोहनं विधत्ते-**अथ पिन्वने पिन्वयत्याश्विभ्यां पिन्वस्वेती**ति । ' अथ ' वत्सोन्नयनानंतरं 'पिन्वने' दोहनपात्रे ' पिन्वयति ' सेचयति गां दोग्धि " अश्विभ्याम् " इति मन्त्रेण । अस्य मन्त्रप्रथमभागस्य तात्पर्यमाह–**अश्विनावेवै० पिन्वस्वे**ति । ' यज्ञस्य ' एतत् ' छिन्नं ' शिरः ' ' अश्विनौ ' खलु देवौ पुरा ' प्रत्यधत्तां ' संधानं कृतवन्तौ 'एतत्' एतेन मन्त्रवाक्येन 'तावेव प्रीणाति' तर्पयति । यस्मादेवं तस्मात्कारणात् " अश्विभ्यां " इति वाक्यं ब्रूयात् ॥ ११ ॥

अथ द्वितीयं भागमनूद्य व्याचष्टे--**सरस्वत्यै पिन्वस्वेती**ति । अत्र ' सरस्वत्यै ' इति सरस्वतीशब्देन वागेव

१–संदाय घर्माय दीष्वेति वत्समुन्नयति । का. श्रौ. सू. २६ । ७५ । संदानं घर्मदुहो गोः पश्चात् पादयोर्नियुज्येति संदायेत्यस्यार्थः । २–अश्विभ्यां पिन्वस्वेति पिन्वने दोग्धि । का. श्रौ. सू. २६ । ७६ । घर्मदुहं गामिति शेषः ।

(त्री) इन्द्राय पिन्वस्वेति । (त्री) इन्द्रो वै यज्ञस्य देवता सा यैव यज्ञस्य देवता तयैवैतदश्विनौ यज्ञस्य शिरः प्रत्यधत्तान्तावेवैतत्प्रीणाति तस्मादाहेन्द्राय पिन्वस्वेति ॥ १३ ॥

(त्यु) अथ विप्रुषोऽभिमन्त्रयते । स्वाहेन्द्रवत्स्वाहेन्द्रवदितीन्द्रो वै यज्ञस्य देवता सा यैव यज्ञस्य देवता तामेवैतत्प्रीणाति तस्मादाह स्वाहेन्द्रवत्स्वाहेन्द्रवदिति त्रिष्कृत्वऽआह त्रिवृद्धि यज्ञोऽवरᳬं स्वाहाकारङ्करोति परान्देवतामसावेव बन्धुः ॥ १४ ॥

"इन्द्राय पिन्वस्व"–इति । इन्द्रो वै यज्ञस्य देवता । सा यैव यज्ञस्य देवता । तयैवैतदश्विनौ यज्ञस्य शिरः प्रत्यधत्ताम् । तावेवैतत्प्रीणाति । तस्मादाह–" **इन्द्राय पिन्वस्व** "–इति ॥ १३ ॥

अथ विप्रुषोऽभिमन्त्रयते–" **स्वाहेन्द्रवत्स्वाहेन्द्रवत्** "–(वा. सं. ३८ । ४) इति । इन्द्रो वै यज्ञस्य देवता । सा यैव यज्ञस्य देवता । तामेवैतत्प्रीणाति । तस्मादाह–" **स्वाहेन्द्रवत् स्वाहेन्द्रवत्** "–इति । त्रिष्कृत्व आह । त्रिवृद्धि यज्ञः । अवरं स्वाहाकारं करोति । परां देवताम् । असावेव बंधुः ॥ १४ ॥

उच्यते । 'अश्विनौ' हि 'वाचा' मन्त्ररूपया खलु पुरा 'यज्ञस्य' 'एतच्छिरः' 'प्रत्यधत्ताम्' । अतः यज्ञशिरःसंधानसाधनभूतां तामेव वाचं 'एतत्' एतेन "सरस्वत्यै पिन्वस्व" इति मन्त्रभागेन 'प्रीणाति' तर्पयति । "तस्मात्" इत्यादि पूर्ववन्निगमनम् ॥ १२ ॥

अथ तृतीयभागमनूद्य व्याचष्टे–**इन्द्राय पिन्वस्वेती**ति । 'इन्द्रः' एव खलु 'यज्ञस्य' सोमयागस्य प्रधानभूता 'देवता' । कार्त्स्न्येन माध्यंदिनसवनभाक्त्वात् । तद्धि यज्ञस्य शरीरम् । गृहस्य पृष्ठवंशस्थानीयैः पृष्ठस्तोत्रैः उपेतत्वात् । तस्मात् 'सा' तादृशी 'या एव' यज्ञस्य'देवता' 'तयैव' देवतया साधनभूतया 'अश्विनौ' एतत् 'यज्ञस्य शिरः प्रत्यधत्ताम्' । अतस्तामेव देवतां एतदेतेन मन्त्रभागेन 'प्रीणाति' तर्पयति । यस्मादेवं 'तस्मात्' देवताप्रतिपादकं "इन्द्राय पिन्वस्व" इति मन्त्रवाक्यं ब्रूयात् ॥ १३ ॥

अथ दोहनसमये सर्वतः प्रसृतानां विप्रुषामभिमन्त्रणं विधत्ते–**अथ विप्रुषो० वदितीति** । "स्वाहेन्द्रवत्" इति मंत्रं त्रिर्ब्रुवन् 'विप्रुषः' दोहनसमयोत्पन्नान् बिंदून् 'अभिमन्त्रयते' । तत्रेन्द्रशब्दस्य तात्पर्यमाह–**इन्द्रो वै यज्ञस्य देवता० तामेवैतत्प्रीणातीति** । व्याख्यातमेतत् । उक्तमर्थं हेतूकृत्य निगमयति–**तस्मादाह० न्द्रवदितीति** । अथैतत्पाठप्राप्तं त्रिर्वचनमनूद्य स्तौति–**त्रिष्कृत्व आह त्रिवृद्धि यज्ञ इति** । त्रिष्कृत्वस्त्रिवारं 'स्वाहेन्द्रवदिति' मंत्रं ब्रूयात् । 'हि' यस्मात् यज्ञस्त्रिवृत् त्रिगुणितः गार्हपत्याहवनीयदक्षिणाग्निरूपेण प्रातःसवनादिभेदेन वा । अथ मन्त्रादौ वर्तमानं स्वाहाकारं प्रशंसति–**अवरᳬं स्वाहाकारं० बंधुरिति** । सिद्धमेतत् ॥ १४ ॥

१–स्वाहेन्द्रवदिति विप्रुषोऽभिमंत्रयते । का. श्रौ. सू. २६ । ७७ ।

(१) अथास्यै स्तनमभिपद्यते । यस्ते स्तनः शशयो यो मयोभूरिति यस्ते स्तनो निहितो गुहायामित्येवैतदाह यो रत्नधा वसुविद्यः सुदत्रऽइति यो धनानान्दाता वसुवित्पणाय्यऽइत्येवैतदाह येन विश्वा पुष्यसि वार्य्याणीति येन सर्व्वान्देवान्त्सर्व्वाणि भूतानि बिभर्षीत्येवैतदाह सरस्वति तमिह धातवेऽकारिति वाग्वै सरस्वती सैषा घर्मदुघा यज्ञो वै वाग्यज्ञमस्मभ्यम्प्रयच्छ येन देवान्प्रीणामेत्येवैतदाहाथ गार्हपत्यस्यार्द्धमैत्युर्व्वन्तरिक्षमन्वेमीत्यसावेव बन्धुः ॥ १९ ॥

अथास्यै स्तनमभिपद्यते–" यस्ते स्तनः शशयो यो मयोभूः "–इति । यस्ते स्तनो निहितो गुहायाम् इत्येवैतदाह । " यो रत्नधा वसुविद्यः सुदत्रः "–इति । यो धनानां दाता वसुवित्पणाय्यः । इत्येवैतदाह । "येन विश्वा पुष्यसि वार्याणि"–इति । येन सर्वान्देवान्त्सर्वाणि भूतानि बिभर्षि । इत्येवैतदाह । " सरस्वति तमिह धातवेऽकः "–इति । वाग्वै सरस्वती । सैषा घर्मदुघा । यज्ञो वै वाक् । यज्ञमस्मभ्यं प्रयच्छ । येन देवान्प्रीणाम । इत्येवैतदाह । अथ गार्हपत्यस्यार्द्धमैति । " उर्वन्तरिक्षमन्वेमि "–(वा. सं. ३८ । ९) इति । असावेव बंधुः॥ १९॥

यदुक्तं सूत्रकारेण–"यस्ते स्तन इति स्तनमालभते " (का. श्रौ. सू. २६ । ७८) इति, तद्विधत्ते–**अथास्यै स्तन० मयोभूरितीति** । ' अथ ' विप्रुडभिमन्त्रणानंतरं ' अस्यै ' अस्याः धेनोः ' स्तनं अभिपद्यते ' आलभेत । " यस्ते स्तनः " इति मन्त्रेणाभिमृशेदित्यर्थः । अथ अस्य उपात्तस्य मन्त्रप्रथमभागस्य तात्पर्यं व्याचष्टे–**यस्ते स्तनो० तदाहेति** । हे घर्मधुक् धेनो ' ते ' तव ' स्तनः गुहायां ' अस्माभिरदृश्ये दिव्येऽवस्थाने ' निहितः ' निक्षिप्तो बभूवेति । योऽयमर्थः, इममेवार्थं एतन्मंत्रवाक्यमाह । अथ द्वितीयभागमनूद्य व्याचष्टे–**यो रत्नधा० तदाहेति** ' यः ' स्तनः ' रत्नधा ' रत्नानां रमणीयानां धनानां धाता दाता । ' वसुवित् ' वसूनां कनकरजतादीनां वेदिता लंभयिता । ' यः सुदत्रः ' शोभनदाता । अत एव ' पणाय्यः ' स्तुत्यः एवं गुणविशिष्टो हि पुरुषो लोके स्तूयते इति एवंरूपमेवार्थमेतन्मंत्रवाक्यमाह । अथ तृतीयभागमनूद्य व्याचष्टे–**येन विश्वा० तदाहेति** । ' येन ' खलु स्तनेन ' सर्वान्देवान् ' हविर्भागार्हान् ' सर्वाणि च भूतानि ' पशुपक्षिमृगमनुष्यादीनि ' बिभर्षि ' पोषयसि इति इममेवार्थमेतन्मंत्रवाक्यमाह । अथ चतुर्थपादमनूद्य व्याचष्टे–**सरस्वति तमिह० तदाहेति** । अत्र प्रतिपाद्यमाना ' सरस्वती ' ' वाग्वै ' वागात्मिकैव न तु नदीरूपा । सैव सरस्वती ' एषा घर्मदुघा ' घर्मस्य घर्मार्थस्य पयसः दोग्ध्री धेनुः । " सरस्वत्येहि " इत्याह्वानमन्त्रे तस्यास्तादात्म्यप्रतिपादनात् साऽत्र वाक् ' यज्ञो वै ' यज्ञ एव । स्तुतशस्त्रादिरूपया तयैव तस्य निष्पाद्यत्वात् । अतः ' यज्ञं अस्मभ्यं प्रयच्छ ' । ' येन ' खलु यज्ञेन वयं ' देवान् ' हविर्भुजः ' प्रीणाम '

१–अत्र कर्कः-काण्वपाठे स्तनानालभते इति । तथा च सर्वेषामालंभः युगपत्, शक्यत्वात् । इति । एवं प्रतिप्रस्थानाऽजां मयूखे तूष्णीम् । का. श्रौ. सू. २६ । ७९ । दोग्धीति शेषः । कर्मपरिपाटी चैवम् । पाशप्रतिमोकः मयूखे बंधनं बर्करोत्सर्गः पश्चात्पादयोः संदानं बर्करोपनयनं पिन्वने दोहनं विप्रुडभिमंत्रणं सर्वस्तनालंभो युगपत् । इति ।

(ग) अथ शफावादत्ते। गायत्रमसि छन्दोऽसि त्रैष्टुभमसि छन्दोऽसीति गायत्रेण चैवैनावेतत्त्रैष्टुभेन च च्छन्दसाऽऽदत्ते द्यावापृथिवीभ्यां त्वा परिगृह्णामीतीमे वै द्यावापृथिवी परीशासावादित्यः प्रवर्ग्योऽमुन्तदादित्यमाभ्यां द्यावापृथिवीभ्याम्परिगृह्णात्यथ मौञ्जेन वेदेनोपमार्ष्ट्यसावेव बन्धुः ॥ १६ ॥

अथ शफावादत्ते-" गायत्रं छंदोऽसि त्रैष्टुभं छंदोऽसि "-इति। गायत्रेण चैवैनावेतत्त्रैष्टुभेन च च्छंदसाऽऽदत्ते-"द्यावापृथिवीभ्यां त्वा परिगृह्णामि" इति। इमे वै द्यावापृथिवी परीशासौ। आदित्यः प्रवर्ग्यः। अमुं तदादित्यमाभ्यां द्यावापृथिवीभ्यां परिगृह्णाति। अथ मौञ्जेन वेदेनोपमार्ष्टि। असावेव बंधुः ॥ १६ ॥

तर्पयाम इति अमुमेवार्थमेतन्मन्त्रवाक्यं सरस्वतिशब्देन प्रतिपादयति। यद्यपि इह " हे सरस्वति ! तथाविधम् उक्तलक्षणं त्वदीयं स्तनं इहास्मिल्लोके ' धातवे ' धातुं पातुं ' अकः ' कुरु " इति मन्त्रार्थः प्रतीयते। तथापि सरस्वतिशब्दसूचितः अर्थः ब्राह्मणे व्याख्यायते इति द्रष्टव्यम्। एवं दुग्ध्वा उत्थाय होत्रा " उपद्रव पयसा " इत्युच्यमाने गार्हपत्यसमीपं गच्छेत् इत्याह-**अथ गार्हपत्यस्या० बंधुरिति**। ' अथ ' दोहनानंतरं ' गार्हपत्यं ' " उर्वंतरिक्षं " इति मन्त्रेण गच्छेत्। 'असावेव' खलु अग्निः बंधुर्बंधकः। तथा च कात्यायनेनोक्तम्-" उपद्रव पयसेत्युच्यमाने गच्छेत्युर्व्वन्तरिक्षमिति " (का. श्रौ. सू. २६ । ८२) इति ॥ १९ ॥

अथैतस्य महावीरस्य ग्रहणसाधनयोः शफयोरादानं विधत्ते-**अथ शफा० छन्दसाऽऽदत्ते** इति। ' एतत् ' एवं च ' गायत्रेण ' छंदसा चतुर्विंशत्यक्षरेण। ' त्रैष्टुभेन ' ' छंदसा ' चतुश्चत्वारिंशदक्षरेण। आभ्यां छन्दोभ्यामेव ' आदत्ते ' आदानं कृतवान् भवति। अथ यदुक्तं कात्यायनेन-" ताभ्यां महावीरं परिगृह्णाति द्यावापृथिवीभ्यां त्वा परिगृह्णामीति " (का. श्रौ. सू. २६।८९) इति, तद्विधत्ते-**द्यावापृथिवी० परिगृह्णातीति**। यौ

१-उत्तिष्ठ ब्रह्मणस्पत इत्युच्यमान उपोत्तिष्ठति। का. श्रौ. सू. २६। ८१। गोसमीपात् इति शेषः।

२-विमितं प्रति गच्छतीति कर्कः।

३-परीशासावादत्ते गायत्रं छंदोऽसीति प्रतिमन्त्रम्। का. श्रौ. सू. २६। ८३ ॥

४-गायत्र्युष्णिगनुष्टुब्बृहतीपंक्तित्रिष्टुब्जगत्यतिजगतीशक्वर्यतिशक्वर्यष्ट्यत्यष्टिधृत्यतिधृतयः, कृतिप्रकृत्याकृतिविकृतिसंकृत्यभिकृत्युत्कृतयः। चतुर्विंशत्यक्षरादीनि चतुरुत्तराणि इति च सर्वानुक्रमे ५। १। ३। सूत्रार्थस्तु गायत्र्यादीनि उत्कृत्यंतानि एकविंशतिच्छंदांसि चतुर्विंशत्यक्षरादीनि चतुर्विंशत्यक्षरं गायत्रीसंज्ञं छंद उपक्रम्य चतुरुत्तराणि पूर्वपूर्वच्छन्दोऽपेक्षया उत्तरमुत्तरं छंदः चतुर्भिश्चतुर्भिरक्षरैः अधिकं भवतीत्यर्थः ॥

१	२४	अक्षरा	गायत्री	८	५२	अक्षरा	अतिजगती	१५	८०	अक्षरा	कृति
२	२८	,,	उष्णिक्	९	५६	,,	शक्वरी	१६	८४	,,	प्रकृति
३	३२	,,	अनुष्टुप्	१०	६०	,,	अतिशक्वरी	१७	८८	,,	आकृति
४	३६	,,	बृहती	११	६४	,,	अष्टि	१८	९२	,,	विकृति
५	४०	,,	पंक्ति	१२	६८	,,	अत्यष्टि	१९	९६	,,	संकृति
६	४४	,,	त्रिष्टुप्	१३	७२	,,	धृति	२०	१००	,,	अभिकृति
७	४८	,,	जगती	१४	७६	,,	अतिधृति	२१	१०४	,,	उत्कृति

(३) अथोपयमन्योपगृह्णाति । (त्य) अन्तरिक्षेणोपयच्छामीत्यन्तरिक्षम्वाऽउपयमन्यन्तरिक्षेण हीदꣳ सर्व्वमुपयतमथोऽउदरम्वाऽउपयमन्युदरेण हीदꣳ सर्व्वमन्नाद्यमुपयतन्तस्मादाहान्तरिक्षेणोपयच्छामीति ॥ १७ ॥

(त्यु) अथाजाक्षीरमानयति । तप्तो वाऽएष शुशुचानो भवति तमेवैतच्छमयति तस्मिञ्छान्ते गोक्षीरमानयति ॥ १८ ॥

अथोपयमन्योपगृह्णाति–" **अंतरिक्षेणोपयच्छामि** "–इति । अंतरिक्षं वा उपयमनी । अंतरिक्षेण हीदं सर्वमुपयतम् । अथो उदरं वा उपयमनी । उदरेण हीदं सर्वमन्नाद्यमुपयतम् । तस्मादाह–" **अंतरिक्षेणोपयच्छामि** " इति ॥ १७ ॥

अथाजाक्षीरमानयति । तप्तो वा एष शुशुचानो भवति । तमेवैतच्छमयति । तस्मिन् शांते गोक्षीरमानयति ॥ १८ ॥

' परीशासौ ' परितः शासकौ शफौ ' इमे वै ' इमे खलु ' द्यावापृथिवी ' द्यावापृथिव्यौ । शफौ द्यावापृथिव्यात्मकावित्यर्थः । ' प्रवर्ग्यः आदित्यः ' । तत्तेन शफाभ्यां महावीरस्य परिग्रहणेन ' अमुं ' आदित्यमेव ' आभ्यां द्यावापृथिवीभ्यां परिगृह्णाति ' । तस्मात् अनेन मन्त्रेण शफाभ्यां महावीरं परिगृह्णीयात् इति विधिरुन्नेतव्यः । अथ वेदेनोपमार्जनं विधत्ते–**अथ मौंजेन० बंधुरिति** । ' अथ ' परिग्रहणानंतरं ' मौंजेन ' मुंजतृणनिर्मितेन ' वेदेन ' महावीरस्य अधोभागे ' उपमार्ष्टि ' उपमार्जनेन तस्माद्व्यपनयति । ' असावेत्र ' खलु वेदः ' बन्धुः ' छिन्नस्य यज्ञशिरसो बन्धकः । तथा च तैत्तिरीयकम् " ऊर्ङ्मुञ्जाः । यन्मौञ्जो वेदो भवति । ऊर्जैव यज्ञस्य शिरः समर्द्धयति " इति ॥ १६ ॥

अथोपयमन्या स्रुचा महावीराधोभागस्य परिग्रहणं विधत्ते–**अथोपयमन्योप० यच्छामीतीति** । अथोपमार्जनानंतरं 'उपयमन्या' उपयमनसाधनभूतया औदुंबर्या स्रुचा उपगृह्णाति अधस्ताद्धारयति । " अंतरिक्षेण " इति मन्त्रेण । अथैतदुपपादयति–**अंतरिक्षं० पयच्छामीतीति** । ' अंतरिक्षं ' द्यावापृथिव्योर्मध्यवर्ती लोकः । तद्रूपा खलु एषा ' उपयमनी ' । ' इदं सर्वं ' जगत् अंतरिक्षेणाकाशेनैव ' उपयतं ' सर्वतो धृतम् । ' हि ' यस्मादेवं उपयमनसाधनमन्तारिक्षं तस्मात् अंतरिक्षोपयमन्योः परस्परात्मकता । ' अथो ' अपि च ' उदरं वै उदरात्मिका खलु ' उपयमनी ' । ' हि ' यस्मात् ' उदरेण इदं ' भुक्तं ' सर्वमन्नाद्यं ' अन्नपानादिकम् ' उपयतं ' धृतम् । तस्मादेव कारणात् " अंतरिक्षेणोपयच्छामि " इत्यनेन मन्त्रेण उपयमन्या महावीरं अधस्ताद्धारयेदित्यर्थः ॥ १७ ॥

अथ, एवंस्थिते महावीरे अजापयस आसेचनं विधत्ते–**अथाजाक्षीर० भवतीति** । अथोपयमनानंतरं

१–उद्यम्य मुंजवेदेनोपमृज्य । (का. श्रौ. सू. २६ । ८६ । उद्यम्य महावीरं परीशासाभ्यामुत्क्षिप्येत्यर्थः ॥

२–बंधुः मुंजब्राह्मणं, अत्र तु शतपथे १४ । १ । ३ । १६ कंडिकायां प्रवर्ग्यप्रकरणे उक्त एव । " तदुभयतऽआदीप्ता मौञ्जाः प्रलवा भवंति " इत्यादि ॥

३–उपयमन्योपगृह्णात्यंतरिक्षेणोपयच्छामीति । (का. श्रौ. सू. २६।८६) ॥

४–अजापयसाऽवसिच्य । का. श्रौ. सू. २६ । ८७ ।

(त्री) इन्द्राश्विनेति । (त्री) इन्द्रो वै यज्ञस्य देवता सा यैव यज्ञस्य देवता तामेवैतत्प्रीणात्यश्विनेत्यश्विनावेवैतदाहाश्विनौ वाऽएतद्यज्ञस्य शिरः प्रत्यधत्तान्तावेवैतत्प्रीणाति तस्मादाहेन्द्राश्विनेति ॥ १९ ॥

मधुनः सारघस्येति । (त्ये) एतद्वै मधु सारघं घर्मम्पातेति रसम्पातेत्येवैतदाह व्वसवऽइत्येते वै व्वसवऽएते हीदꣳ सर्व्वं वासयन्ते यजत व्वाडिति तद्यथा व्वषट्कृतꣳ हुतमेवमस्यैतद्भवति ॥ २० ॥

" **इन्द्राश्विना** "–इति । इन्द्रो वै यज्ञस्य देवता । सा यैव यज्ञस्य देवता । तामेवैतत्प्रीणाति । अश्विनेति । अश्विनावेवैतदाह । अश्विनौ वा एतद्यज्ञस्य शिरः प्रत्यधत्ताम् । तावेवैतत्प्रीणाति । तस्मादाह–" **इन्द्राश्विना** "–इति ॥ १९ ॥

" **मधुनः सारघस्य** "–इति । एतद्वै मधु सारघम् । " **घर्मं पात** "–इति । रसं पातेत्येवैतदाह । " **वसवः** "–इति । एते वै वसवः । एते हीदं सर्वं वासयन्ते । " **यजत वाट्** "–(वा. सं. ३८ । ६) इति । तद्यथा वषट्कृतं हुतम् । एवमस्यैतद्भवति ॥ २० ॥

' अजाक्षीरं ' अजायाः क्षीरं तूष्णीं दोहनेकाले दुग्धं तत् तस्मिन् तप्ते महावीरे तूष्णीमानयति प्रतिप्रस्थाता आसिंचति । एतत् किमर्थम् ? इति चेत् एष महावीरः अग्निना संततः ' शुशुचानः ' अत्यर्थं दीप्यमानः दुरासदः ' भवति ' । अतस्तमेव दीप्यमानम् ' एतत् ' एतेनाजापयसा ' शमयति ' शांतमुपशांतं करोति । एवंमप्रसाधनस्यापि अजापयसः प्रयोजनवशेन प्रथमं आसेचनं कार्यमित्युक्तं भवति । अथ गोपयसः समंत्रकमासेचनं विधत्ते–तस्मिन् शान्ते० नयतीति । ' तस्मिन् ' महावीरे संतप्ते ' शांते ' अजापयसा उपशांते, प्रशमिते औष्ण्ये सति "इन्द्राश्विना" इति मंत्रेण गोक्षीरमानयति अवनयति आसिञ्चतीत्यर्थः॥ १८॥

अथास्मिन्मंत्रे ' इंद्राश्विनेति ' संबुद्ध्यंतं पदद्वयम् । तत्र इंद्रशब्देन पूर्वपदेन प्रतिपाद्यां देवतां स्तौति–**इंद्रो वै० त्प्रीणातीति** । व्याख्यातमेतत्पूर्वम् । अथोत्तरपदमनूद्य व्याचष्टे–**अश्विनेत्य० त्प्रीणातीति** । ' एतत् ' अश्विनेत्येतेनोत्तरपदेन । गतमन्यत् । यस्मादेवं ' तस्मात् ' देवताद्वयप्रतिपादकं पदं प्रथमतो वक्तव्यं इति निगमयति–**तस्मादाहेन्द्राश्विनेति** इति ॥ १९ ॥

अथ समनंतरभावि पदद्वयं उपादाय व्याचष्टे–**मधुनः सार० सारघमिति** । ' एतद्वै ' एतदेव खलु महावीरस्य रुचिः ' सारघं ' सरघा मधुमक्षिका तत्संबंधि ' मधु ' । अतो मधुनः सारघस्येति विशेष्यत इत्यर्थः । अथान्यत् पदद्वयमुपादाय व्याचष्टे–**घर्म्मं पाते० तदाहेति** । घर्म्मशब्दाभिधेयस्य हविषः षष्ठ्यंतेन " मधुनः सारघस्य " इत्यनेन उक्तत्वात् अयं द्वितीयांतो घर्मशब्दः " घृ क्षरणदीप्त्योः " (धा. पा.

१–" अश्विभ्यां पिन्वस्वेति पिन्वने दोग्धि । " का. श्रौ. सू. २६ । ७६ ।) इत्युपक्रम्य " एवं प्रतिप्रस्थाताऽजां मयूखे तूष्णीम् " इति । का. श्रौ. सू. २६ । ७९ । प्रपंचितं चैतत्सूत्रं पंचदशीकण्डिकायां भाष्यटिप्पण्याम् ॥

२–शांते गोः पयोऽवनयतीन्द्राश्विनेति । का. श्रौ. सू. २६ । ८७ ॥

स्वाहा सूर्य्यस्य रश्मये वृष्टिवनयऽइति । सूर्य्यस्य ह वाऽएको रश्मि-र्वृष्टिवनिर्न्नाम येनेमाः सर्व्वाः प्रजा बिभर्त्ति तमेवैतत्प्रीणाति तस्मादाह स्वाहा सूर्य्यस्य रश्मये वृष्टिवनयऽइत्यवरᳬ स्वाहाकारङ्करोति परान्दे-वतामसावेव बन्धुः ॥ २१ ॥

(२) अथैतद्वै । (द्वाऽआ) आयुरेतज्ज्योतिः प्रविशति यऽएतमनु वा ब्रूते भक्षयति वा तस्य व्रतचर्य्या या सृष्टौ ॥ २२ ॥

इति प्रथमप्रपाठके पञ्चमं ब्राह्मणम् ॥ १४–१–५ ॥ (२–१) ॥

इति प्रथमः प्रपाठकः समाप्तः ॥ १४–१ ॥

कंडिकासंख्या ॥ १३२ ॥

“ स्वाहा सूर्यस्य रश्मये वृष्टिवनये ”–(वा. सं. ३८ । ९) इति । सूर्यस्य ह वा एको रश्मिर्वृष्टिवनिर्नाम । येनेमाः सर्वाः प्रजाः बिभर्ति । तमेवैतत्प्रीणाति । तस्मादाह–“ स्वाहा सूर्यस्य रश्मये वृष्टिवनये ”–इति । अवरं स्वाहाकारं करोति । परां देवताम् । असावेव बंधुः ॥ २१ ॥

अथ एतद्वा आयुः, एतज्ज्योतिः प्रविशति । य एतमनु वा ब्रूते । भक्षयति वा । तस्य व्रतचर्या–या सृष्टौ ॥ २२ ॥

शु. प. १४) इत्यवयवप्रसिद्ध्या रसपरः । अतः “घर्मं पात” इत्यस्य “रसं पात” इत्येवात्र व्याख्यानम् । अथ ‘वसवः’ इति पदमुपादाय व्याचष्टे–**वसवऽइत्येते० वासयन्त** इति । ‘ हि ’ यस्मात् ‘ इदं सर्वं ’ जगत् इन्द्रश्च अश्विनौ च ‘ एते ’ देवाः ‘ वासयंते ’ प्रवर्षणप्रकारादिना स्वे स्वे कर्मणि निवेशयंति । तस्मादेते खलु ‘ वसवः ’ । अतो वसव इति तेषां संबन्धनम् । यद्वा वसवो नाम गणशो वर्तमानाः अन्ये देवाः तत्परत्वेनापि व्याख्येयः । **यजत वाडिति** । वाट्शब्दस्याप्रसिद्धत्वात् विवक्षितमर्थमाह–**यजत वाडि०द्भवतीति** । ऋत्विजो यूयं देवान् ‘ यजत ’ । तत्तत्र साक्षात् वषट्कारेण दत्तं हविः यथा ‘ हुतं ’ भवति । एवं वाडिति परोऽक्षवषट्कारे-णापि दत्तं हविः हुतमेव भवतीत्यर्थः । ततो वाट्शब्देन पारोक्ष्येण वषट्कारो निर्दिश्यते इत्यर्थः । तथा च तैत्तिरीयके अस्य मन्त्रस्य याख्यानावसरे “ यदि वषट्कुर्याद्यातयामाऽस्य ” इत्यादिना प्रत्यक्षवषट्कारं पूर्वपक्षीकृत्य “ वाडित्याह परोक्षमेव वषट्करोति ” (तै. आ. ५ । ६) इति सिद्धांतितम् ॥ २० ॥

अथान्यं मन्त्रभागमुपादाय व्याचष्टे–**स्वाहा सूर्यस्य० बंधुरिति** । ‘ सूर्यस्य ’ खलु रश्मीनां मध्ये एको रश्मिः ‘ वृष्टिवनिः ’ वृष्टेर्वर्षस्य वनिता संभक्ता दाता । नामशब्दः प्रसिद्ध्यर्थः । तामेव प्रसिद्धिमाह–**येनेति** । ‘ येन ’ खलु रश्मिना वृष्टिप्रदानसमर्थेन ‘ इमाः सर्वाः प्रजाः बिभर्ति ’ पोषयति । ‘ तमेव ’ रश्मिं ‘ एतत् ’ एतेन “ स्वाहा सूर्यस्य ” इति मन्त्रशेषेण ‘ प्रीणाति ’ तर्पयति । “ तस्मात् ” इत्यादि निगमनम् । सिद्धमन्यत् ॥ २१ ॥

पूर्वाध्यायप्रथमब्राह्मणावसानोक्तां व्रतचर्यां अतीतेषु ब्राह्मणेष्विव एतद्ब्राह्मणाध्ययनतदर्थानुष्ठानयोरंगत्वेनाति-

अथ द्वितीयप्रपाठके प्रथमं ब्राह्मणम् ।

द्वितीयेऽध्याये च द्वितीयं ब्राह्मणम् ।

स यत्रैताꣳ होताऽन्वाह । प्रैतु ब्रह्मणस्पतिः प्र देव्येतु सूनृतेति तद-ध्वर्युः प्राङुदायन्वातनामानि जुहोत्येतद्वै देवाऽअबिभयुर्यद्वै नऽइम-मन्तरा रक्षाꣳसि नाष्ट्रा न हन्युरिति तमेतत्पुरैवाहवनीयात्स्वाहाकारेणा-जुहवुस्तꣳ हुतमेव सन्तमग्नावजुहवुस्तथोऽएवैनमेषऽएतत्पुरैवाहवनीया-त्स्वाहाकारेण जुहोति तꣳ हुतमेवसन्तमग्नौ जुहोति ॥ १ ॥

अथ घर्मप्रचरणम् ।

स यत्रैतां होताऽन्वाह–"प्रैतु ब्रह्मणस्पतिः प्र देव्येतु सूनृता"–(वा. सं. ३७।७) इति । तदध्वर्युः प्राङुदायन् वातनामानि जुहोति । एतद्वै देवा अबिभयुः । यद्वै न इममन्तरा रक्षांसि नाष्ट्रा न हन्युरिति । तमेवैतत्पुरैवाहवनीयात्स्वाहाकारेणाजुहवुः । तं हुतमेव संतमग्नावजुहवुः । तथा उ एवैनमेष एतत्पुरैवाहवनीयात्स्वाहाकारेण जुहोति । तं हुतमेव संतमग्नौ जुहोति ॥ १ ॥

दिशति–अथैतद्वा० सृष्टाविति । 'या' सृष्टिब्राह्मणे उक्ता 'व्रतचर्या' "नातपति प्रच्छादयेत" (श. प. १४ । १ । १ । ३३) इत्यादिका । सैव एतद्ब्राह्मणं अधीयानस्य तदर्थानुष्ठायिनश्च कर्तव्येत्यर्थः॥ ३२॥

इति श्रीसायणाचार्यविरचिते माधवीये वेदार्थप्रकाशे माध्यन्दिनीयशतपथब्राह्मणभाष्ये चतुर्दशे काण्डे तदन्तर्भूते प्रथमे प्रवर्ग्यकाण्डे द्वितीयेऽध्याये प्रथमं ब्राह्मणम्॥ १४ (१) । २ । १ ॥

एवं तते साज्ये महावीरे पयोऽवनयनेन प्रवृंजनमुक्तम् । अथ द्वितीयब्राह्मणे तेन हविषा प्रचार उच्यते । तत्रादौ वातनामसंज्ञकानां मन्त्राणां जपं विधत्ते–स यत्रैतां० जुहोतीति । 'यत्र' यस्मिन् काले 'सः' होता "प्रैतु ब्रह्मणस्पतिः" इत्येतामृचमनुब्रूयात् । 'तत्' तत्र तस्मिन् समये अध्वर्युः शफाभ्यां महावीरं धृत्वा 'प्राङुदायन्' आहवनीयं प्रति प्राङ्मुखो गच्छन् "समुद्राय त्वा" इत्यादीनि 'वातनामानि' यजूंषि 'जुहोति'। मन्त्रगतैः स्वाहाकारैः मनसा घर्मं जुह्वत् वातनामानि जपतीत्यर्थः । तथा च सूत्रकृतोक्तम्–"प्रैतु ब्रह्मणस्पति-रित्युच्यमाने समुद्राय त्वेति वातनामानि जपति गच्छन्नाहवनीयम् (का. श्रौ. सू. २६ । ८८) इति । तदेतत् आख्यायिकया उपपादयति–एतद्वै० जुहोतीति । "एतद्वा०" इत्यादि "न हन्युः" इत्यंतं पूर्वं व्याख्यातम् । एवं नाष्ट्रासुरेभ्यो भीता देवाः तं घर्माख्यं आहवनीयप्राप्तेः पुरस्तादेव गार्हपत्याहवनीययोर्मध्यदेशे गच्छन्त एव "समुद्राय त्वा वाताय स्वाह" इत्यादिना 'स्वाहाकारेण' 'अजुहवुः' हुतवन्तः देवतामुद्दिश्य मनसा त्यक्तवन्त इत्यर्थः । एवं सकृद्धुतमेव 'संतं' आहवनीयेऽग्नौ पश्चाद्वषट्कारेणाजुहवुः । यत एवं 'पुरा' देवा अकुर्वन् । तथैव खलु 'एषः' अध्वर्युः 'एनं' घर्मं 'एतत्' एतर्हि आहवनीयप्राप्तेः पूर्वमेव स्वाहाकारेण 'जुहोति' मनसा देवतार्थं हुतमिति भावयति । स्पष्टमन्यत् ॥ १ ॥

समुद्राय त्वा व्वाताय स्वाहेति । (त्य) अयम्वै समुद्रो योऽयम्पवतऽ एतस्माद्वै समुद्रात्सर्व्वे देवाः सर्व्वाणि भूतानि समुद्द्रवन्ति तस्माऽएवैनञ्जुहोति तस्मादाह समुद्राय त्वा व्वाताय स्वाहा ॥ २ ॥

सरिराय त्वा व्वाताय स्वाहेति । (त्य) अयम्वै सरिरो योऽयम्पवतऽ एतस्माद्वै सरिरात्सर्व्वे देवाः सर्व्वाणि भूतानि सहेरते तस्माऽएवैनञ्जुहोति तस्मादाह सरिराय त्वा व्वाताय स्वाहा ॥ ३ ॥

"**समुद्राय त्वा वाताय स्वाहा**"-(वा. सं. ३८ । ७) इति । अयं वै समुद्रः । योऽयं पवते । एतस्माद्धि समुद्रात् सर्वे देवाः सर्वाणि भूतानि समुद्द्रवन्ति । तस्मा एवैनं जुहोति । तस्मादाह- "**समुद्राय त्वा वाताय स्वाहा**" ॥ २ ॥

"**सरिराय त्वा वाताय स्वाहा**"-इति । अयं वै सरिरः । योऽयं पवते । एतस्माद्धि सरिरात् सर्वे देवाः सर्वाणि भूतानि सहेरते । तस्मा एवैनं जुहोति । तस्मादाह-"**सरिराय त्वा वाताय स्वाहा**" ॥ ३ ॥

ननु कथं एतेषां वातनामत्वं समुद्रादिशब्दानां रूढ्या अर्थांतराभिधायकत्वात् ? इत्याशंक्य सर्वेषां वातपरत्वं विवक्षुः तावत् प्रथममन्त्रमनूद्य तस्य वातनामत्वं उपपादयति-**समुद्राय त्वा० स्वाहेती**ति । 'यः अयं' वायुः 'पवते' सततं गच्छति 'अयं वै' अयमेव खलु 'समुद्रः' । कस्मादसौ समुद्रः इति चेत् ? उच्यते । एतस्मात्खलु समुद्रात्समुद्रशब्दाभिधेयात् वायोः सकाशात् 'सर्वे देवाः' 'सर्वाणि' इमानि च भूतजातानि 'समुद्द्रवन्ति' सम्यगुद्गच्छंति उत्पद्यन्ते । लिंगशरीरभूतप्राणवाय्वधीनत्वात् सर्वदेवानाम् । "व्वायुर्व्वै गौतम तत्सूत्रं वायुना वै गौतम सूत्रेणायञ्च लोकः परश्च लोकः सर्वाणि च भूतानि सन्दब्धानि भवंति" । (श. प. १४ । ६ । ७ । ६) इति श्रुतेः । सूत्रात्मनि तस्मिन्वायौ कृत्स्नजगतः अवस्थानात् । अतः समुद्द्रवंत्यस्मादिति व्युत्पत्त्या समुद्रवत्सर्वाश्रयत्वेन वा समुद्रशब्देन वायुरेवोच्यते । अतस्तस्मै एव वायवे 'एनं' घर्मं "समुद्राय त्वा" इति मन्त्रेण 'जुहोति' । "तस्मात्" इत्यादि निगमनम् ॥ २ ॥

अथ द्वितीयस्य यजुषः वातनामत्वमुपपादयन् तस्य तात्पर्यमाह-**सरिराय० स्वाहेती**ति । आद्यंतयोरुपादानोपसंहारार्थं द्विर्मन्त्रपाठः । 'यः अयं' वायुः 'पवते' । अयमेव खलु 'सरिरः' सरणशीलः मन्त्रे सरिरशब्दवाच्यः । श्रुतिस्तु "सहेरणात्" सरिर इति वातस्य सरिरसंज्ञां निर्वक्ति । एतस्मात्खलु 'सरिरात्' सरिरशब्दाभिधेयाद्वायोः सकाशात्सर्वे 'देवाः' अग्न्यादयः 'सर्वाणि' च भूतजातानि 'सहेरते' सहिताश्चेष्टन्ते । अतः अयं सहेरणत्वात्सरिरः । अन्यद्गतम् ॥ ३ ॥

१-उवटमहीधरादिभाष्येषु "सहेरते" इति श्रुतिमनुसृत्य सरिरशब्दार्थो भाषितः । सरिराय एतस्मात्सरिरात् सर्वाणि भूतानि लब्धकार्याणि संति सह ईरते गच्छंति इति उवटः । सरिराय सह ईरते गच्छंति सर्वभूतानि सिद्धार्थानि यस्मात् स सरिरः तस्मै वातायेति महीधरः ॥

(ह्राऽना) अनाधृष्याय त्वा व्वाताय स्वाहाऽप्रतिधृष्याय त्वा व्वाताय स्वाहेति । (त्य) अयम्वाऽअनाधृष्योऽप्रतिधृष्यो योऽयम्पवते तस्माऽएवैनञ्जुहोति तस्मादाहानाधृष्याय त्वा व्वाताय स्वाहाऽप्रतिधृष्याय त्वा व्वाताय स्वाहेति ॥ ४ ॥

(त्य) अवस्यवे त्वा व्वाताय स्वाहाऽशिमिदाय त्वा व्वाताय स्वाहेति । (त्य) अयम्वाऽअवस्युरशिमिदो योऽयम्पवते तस्माऽएवैनञ्जुहोति तस्मादाहावस्यवे त्वा व्वाताय स्वाहाऽशिमिदाय त्वा व्वाताय स्वाहेति ॥ ५ ॥

(त्री) इन्द्राय त्वा व्वसुमते रुद्रवते स्वाहेति । (त्य) अयम्वाऽइन्द्रो योऽयम्पवते तस्माऽएवैनञ्जुहोति तस्मादाहेन्द्राय त्वेति व्वसुमते

" अनाधृष्याय त्वा वाताय स्वाहाऽप्रतिधृष्याय त्वा वाताय स्वाहा "–इति । अयं वा अनाधृष्योऽप्रतिधृष्यः । योऽयं पवते । तस्मा एवैनं जुहोति । तस्मादाह–" अनाधृष्याय त्वा वाताय स्वाहाऽप्रतिधृष्याय त्वा वाताय स्वाहा " इति ॥ ४ ॥

"अवस्यवे त्वा वाताय स्वाहाऽशिमिदाय त्वा वाताय स्वाहा"–(वा.सं.३८।७) इति । अयं वा अवस्युरशिमिदः । योऽयं पवते । तस्मा एवैनं जुहोति । तस्मादाह–" अवस्यवे वाताय स्वाहाऽशिमिदाय त्वा वाताय स्वाहा " इति ॥ ५ ॥

" इन्द्राय त्वा वसुमते रुद्रवते स्वाहा "–इति । अयं वा इन्द्रः । योऽयं पवते । तस्मा-

---

अथान्ययोर्यजुषोर्वातनामत्वं निर्ब्रुवन् पूर्ववत् वाक्यतात्पर्यमाह–अनाधृष्याय०स्वाहेतीति । पूर्ववत् उपक्रमोपसंहारयोर्द्विर्मन्त्रपाठः । ' यः अयं ' वायुः ' पवते ' । अयमेव खलु ' अनाधृष्यः ' आधर्षितुमशक्यः स्प्रष्टुमशक्य इत्यर्थः । ' अप्रतिधृष्यः ' प्रतिधर्षणं प्रतिकूलाचरणं तद्विषयोऽपि न भवति । न हि कश्चित् वायुं आधर्षितुं प्रतिधर्षितुं वा शक्नोति । गतमन्यत् ॥ ४ ॥

अथ अन्यस्य नामद्वयस्य वायुपरत्वं सिद्धवत् अनूद्य तात्पर्यमाह–अवस्यवे त्वा० स्वाहेतीति । ' यः अयं ' वायुः ' पवते ' । अयं खलु ' अवस्युः ' अवनेच्छुः । यद्वा अवति तृप्यति अनेनेति अवनं तदिच्छुः । प्राणभावमापन्नस्य वायोः तदिच्छोः अन्नं तत्राम्नास्यते । " अथात्मनेऽन्नाद्यमागायत् " (श.प.१४।४।१।१८) इत्यादिना । तथा अयमेव वायुः ' अशिमिदः ' अशनं न प्राप्तः सर्वदा संचरणशील इत्यर्थः । यद्वा शिमीति कर्मनाम । शिमि कर्म[1] ददातीति शिमिदः नास्ति अस्मादन्यः शिमिदः इत्यशिमिदः । तस्मादेतौ शब्दौ उक्तव्युत्पत्त्या वायोर्नामनी । गतमन्यत् ॥ ५ ॥

अथान्यद्यजुरनूद्य तस्य वातपरत्वं दर्शयन् पूर्ववद्वाक्यार्थमाह–इन्द्राय त्वा वसु० हेन्द्राय त्वेतीति ।

१–तच्च कर्म क्लेशात्मकं बोध्यम् । शिमीति कर्मनाम क्लेशात्मकं चैतत् अक्लेशदाय इति उवटभाष्यात् क्लेशात्मकं कर्म शिमि तन्न ददातीति अशिमिदः तस्मै क्लेशनिवर्तकाय वाताय इति महीधरभाष्याच्च ॥

रुद्रवतऽइति तदिन्द्रमेवानु वसूंश्च रुद्रांश्चाभजत्यथो प्रातःसवनस्य चैवै-
तन्माध्यन्दिनस्य च सवनस्य रूपङ्क्रियते ॥ ६ ॥

(तऽइ) इन्द्राय त्वाऽऽदित्यवते स्वाहेति । (त्य) अयम्वाऽइन्द्रो योऽय-
म्पवते तस्माऽएवैनञ्जुहोति तस्मादाहेन्द्राय त्वेत्यादित्यवतऽइति तदिन्द्र-
मेवान्वादित्यानाभजत्यथो तृतीयसवनस्यैवैतद्रूपङ्क्रियते ॥ ७ ॥

एवैनं जुहोति । तस्मादाह—" इन्द्राय त्वा "—इति । " वसुमते रुद्रवते "—इति । तदिन्द्रमेवानु वसूंश्च रुद्रांश्चाभजाति । अथो प्रातःसवनस्य चैवैतन्माध्यंदिनस्य च सवनस्य रूपं क्रियते ॥ ६ ॥

" इन्द्राय त्वाऽऽदित्यवते स्वाहा "—इति । अयं वा इन्द्रः । योऽयं पवते । तस्मा एवैनं जुहोति । तस्मादाह—" इन्द्राय त्वा "—इति । " आदित्यवते "—इति । तदिन्द्रमेवान्वादित्यानाभजति । अथो तृतीयसवनस्यैवैतद्रूपं क्रियते ॥ ७ ॥

अयमेव वायुः ' इन्द्रः ' परमैश्वर्ययोगादिन्द्रशब्दाभिधेयः । यः अयमंतरिक्षे ' पवते ' ज्योतिश्चक्रप्रवहण-रूपेण वर्तते ' तस्मै ' एव वायवे ' एनं ' घर्मं ' जुहोति ' स्वाहाकारेण हुतवान् भवति । तस्मात् " इन्द्राय त्वा " इत्यमुं मंत्रभागं ब्रूयात् । अथ इंद्रविशेषणयोः तात्पर्यं प्रयोजनं चाह—**वसुमते रुद्रवते० क्रियते**—इति । यत् एतत् ' वसुमते, रुद्रवते ' इति विशेषणद्वयं, तत्तेन इंद्रमेव वस्वाख्यान्देवान् रुद्राख्यान् देवांश्च ' अन्वाभजति ' प्रापयति । यथेन्द्रशब्दाभिधेयस्य मघवतः वस्वाख्याः सेवकाः । एवं इंद्रशब्दाभिधेयस्य अस्य वायोरपि ताननुचरान् करोतीत्यर्थः । यद्वा इंद्रमनु इंद्रस्य घर्मप्राप्तेः पश्चात् वस्वादीनपि घर्मं ' आभजति ' भागयुक्तान् करोति । ' अथो ' अपि च यदेतत् देवगणद्वयकीर्तनं तत् ' प्रातःसवनस्य माध्यंदिनसवनस्य च ' ' रूपं ' स्वरूपं अस्मिन् प्रवर्ग्ये ' क्रियते ' । " वसवः प्रातःसवनꣳ रुद्रा माध्यंदिनꣳ सवनम् "—(श. प. १४ । १ । १ । १९) इति द्वयोः सवनयोः तद्भागत्वस्य प्रागाम्नातत्वात् । अतः वसुसंबंधः रुद्रसंबंधश्च सवनद्वयलिंगम् । तस्मादेव सौत्येऽहनि आवाहननिगदे " इंद्रं वसुमंतमावह, इंद्रं रुद्रवंतमावह "—इति वसुरुद्रविशिष्टेन्द्रस्यावाहनं च श्रूयते । एवं चात्रापि " वसुमते रुद्रवते " इति विशेषणद्वयेन भाविसवनद्वयस्य रूपं कृतं भवति इत्यर्थः ॥ ६ ॥

अथ मंत्रांतरस्य वायुपरत्वं दर्शयन् तत्रत्यविशेषणेन तृतीयसवनस्यापि प्रवर्ग्ये रूपं क्रियते इत्याह—**इन्द्राय त्वाऽऽदित्यव० दित्यवत इतीति** । " अयं वा इंद्रः " इत्यादि " इंद्राय त्वा " इत्यंतं पूर्ववत् । आदित्य-वत इति यत् इंद्रविशेषणं तत्तेन ' इंद्रमनु ' इंद्रस्य पश्चात् देवानादित्यान् ' आभजति ' घर्मे भागयुक्तान् करोति । ' अथो ' अपि च ' तृतीयसवनस्यैव एतत् ' रूपं ' स्वरूपं ' क्रियते ' " आदित्यास्तृतीय-सवनम् "—(श. प. १४ । १ । १ । १९) इति श्रुतिः । तृतीयसवनस्य आदित्यसंबंधं लिंगम् । अतः ' आदित्यवते ' इति विशेषणेन तृतीयसवनस्यैव लिंगं प्रवर्ग्ये कृतं भवति ॥ ७ ॥

१—व्यक्तार्था अपराऽपि श्रुतिः । त्रया वै देवाः वसवो रुद्रा आदित्याः तेषां विभक्तानि सवनानि वसूनामेव प्रातःसवनꣳ रुद्राणाम्माध्यंदिनꣳ सवनमादित्यानां तृतीयसवनं तद्वा अमिश्रमेव वसूनाम्प्रातःसवनमामिश्रꣳ रुद्राणाम्माध्यंदिनꣳ सवनमामिश्र-मादित्यानां तृतीयसवनम् "—इति । श. प. ४ । ३ । ५ । १ ॥

(तऽइ) इन्द्राय त्वाऽभिमातिघ्ने स्वाहेति । (त्य) अयम्वाऽइन्द्रो योऽयम्पवते तस्माऽएवैनञ्जुहोति तस्मादाहेन्द्राय त्वेत्यभिमातिघ्नऽइति सपत्नो वाऽअभिमातिरिन्द्राय त्वा सपत्नघ्नऽइत्येवैतदाह सोऽस्योद्धारो यथा श्रेष्ठस्योद्धारऽएवमस्यैषऽऋते देवेभ्यः ॥ ८ ॥

सवित्रे त्वऽऋभुमते विभुमते व्वाजवते स्वाहेति । (त्य) अयम्वै सविता योऽयम्पवते तस्माऽ एवैनञ्जुहोति तस्मादाह सवित्रे त्वेत्यृभुमते व्विभुमते व्वाजवत ऽइति तदस्मिन्विश्वान्देवानन्वाभजति ॥ ९ ॥

" इन्द्राय त्वाऽभिमातिघ्ने स्वाहा "-इति । अयं वा इन्द्रः । योऽयं पवते । तस्मा एवैनं जुहोति । तस्मादाह-"इन्द्राय त्वा"-इति । "अभिमातिघ्ने"-इति । सपत्नो वा अभिमातिः । इन्द्राय त्वा सपत्नघ्न इत्येवैतदाह । सोऽस्योद्धारः । यथा श्रेष्ठस्योद्धारः । एवमस्यैषः । ऋते देवेभ्यः ॥ ८ ॥

" सवित्रे त्वा-ऋभुमते विभुमते वाजवते स्वाहा "-इति । अयं वै सविता । योऽयं पवते । तस्मा एवैनं जुहोति । तस्मादाह-" सवित्रे त्वा "-इति । " ऋभुमते विभुमते वाजवते " -इति । तदस्मिन् विश्वान्देवानन्वाभजति ॥ ९ ॥

अथ उत्तरस्मिन् मंत्रे अभिमातिघ्न इति विशेषणस्य तात्पर्यं व्याचक्षाणो मंत्रस्य वातनामत्वं उपपादयति-**इन्द्राय त्वाऽभिमातिघ्ने० तदाहेति** । इंद्राय त्वेत्यादि इंद्राय त्वेत्यंतं पूर्ववत् । " अभिमातिघ्ने " इति व्याख्यानार्थमुपादानम् । तत्र पदार्थमाह-**सपत्नो वाऽअभिमातिरिति** । ' यः अयं ' सपत्नः शत्रुः । असावत्र अभिमातिशब्दार्थः । तथा च यः अर्थः संपद्यते तं दर्शयति-**इंद्राय त्वेति** । " इंद्राय त्वाऽभिमातिघ्ने " इति यदेत् वाक्यमेतत् । " इंद्राय त्वा सपत्नघ्ने " इत्यमुमेवार्थमाह प्रतिपादयति । अन्यान् देवान् परित्यज्य समुद्रादिसर्वशब्दैः वायुरेव प्रतिपाद्यते । तस्यैव धर्मभाक्त्वे च कारणमाह-**सोऽस्योद्धारो० देवेभ्य इति** । ' सोऽस्य ' धर्मस्य वायोरुद्धारः । उद्धृत्य स्थापितः उत्कृष्टो भागः, ' यथा ' शौर्यादिगुणैः ' श्रेष्ठस्य ' राजपुरुषादेः उद्धार उत्कृष्टो धनभागः शस्यते, एवं ' अस्य ' वायोः ' देवेभ्य ऋते ' अन्यान् देवान् वर्जयित्वा, ' एषः ' धर्मः ' उद्धारः ' उद्धृत्य भागत्वेन क्रियते । देवांतरात् अस्य को विशेषः ? इति तत्रोक्तम् " अभिमातिघ्ने " इति । यतः अयम् अभिमातिहा अतः अयम् उत्कृष्टः धर्मतः कृपया लोके शत्रुं हतवान् उत्कृष्टं वस्त्रधनादिकं लभते तथेत्यर्थः ॥ ८ ॥

अथान्यमंत्रस्य वातनामत्वं दर्शयति-**सवित्रे त्वऽऋभुमते० सवित्रे त्वेति इति** । यः अयं वायुः ' पवते ' अयमेव खलु प्रेरयितृत्वात्सविता । अन्यत्पूर्ववत् । ऋभुमत इत्यादिविशेषणत्रयेण लभ्यमर्थमाह-**ऋभुमते विभुमते० भजतीति** । ऋभुर्विभुर्वाज इति सुधन्वन आंगिरसस्य पुत्राः तपसा देवत्वं प्राप्ताः तृतीयसवनभाजो देवाः । तैर्योगस्य सवितुः प्रतिपादकं यत् एतत् विशेषणत्रयम् । ' तत् ' तेन ' अस्मिन् ' धर्मे ' विश्वान् ' सर्वान् ' देवान् ' ऋभुप्रभृतीन् " अन्वाभजति " सवितुः पश्चात् भागयुक्तान् करोति ॥ ९ ॥

बृहस्पतये त्वा व्विश्वदेव्यावते स्वाहेति । (त्य) अयम्वै बृहस्पति-र्य्योऽयम्पवते तस्माऽएवैनञ्जुहोति तस्मादाह बृहस्पतये त्वेति व्विश्वदेव्या-वतऽइति तदस्मिन्विश्वान्त्सर्वान्देवानन्वाभजति ॥ १० ॥

यमाय त्वाऽङ्गिरस्वते पितृमते स्वाहेति । (त्य) अयम्वै यमो योऽय-म्पवते तस्माऽएवैनञ्जुहोति तस्मादाह यमाय त्वेत्यङ्गिरस्वते पितृमत-ऽइति यज्ञस्य शीर्षच्छिन्नस्य रसो व्यक्षरत्स पितॄनगच्छत्त्रया वै पितर-स्तानेवैतदन्वाभजति ॥ ११ ॥

द्वादशैतानि नामानि भवन्ति । द्वादश वै मासाः सम्वत्सरस्य सम्वत्सरऽ-

---

" बृहस्पतये त्वा विश्वदेव्यावते स्वाहा "–(वा. सं. ३८ । ८) इति । अयं वै बृहस्पतिः । योऽयं पवते । तस्मा एवैनं जुहोति । तस्मादाह–" बृहस्पतये त्वा "–इति । " विश्वदेव्यावते "–इति । तदस्मिन् विश्वान्देवानन्वाभजति ॥ १० ॥

" यमाय त्वाऽङ्गिरस्वते पितृमते स्वाहा "–इति । अयं वै यमः । योऽयं पवते । तस्मा एवैनं जुहोति । तस्मादाह–" यमाय त्वा "–इति । " अंगिरस्वते पितृमते" इति । यज्ञस्य शीर्षच्छिन्नस्य रसो व्यक्षरत् स पितॄनगच्छत् । त्रया वै पितरः । तानेवैतदन्वाभजति ॥ ११ ॥

द्वादशैतानि नामानि भवन्ति । द्वादश वै मासाः संवत्सरस्य । संवत्सर एषः । य एष तपति । एष उ प्रवर्ग्यः । तदेतमेवैतत्प्रीणाति । तस्माद्द्वादश भवन्ति ॥ १२ ॥

अथ मंत्रांतरस्य देवतांतररूढत्वात् वातनामत्वं न संभवति इत्याशंक्य तत् उपपादयति–बृहस्पतये त्वा० नन्वाभजतीति । 'यः अयं' वायुः 'पवते' । अयमेव बृहस्पतिः बृहतां महतां सर्वेषां भूतजातानां पतिरधिपतिः । गतमन्यत् । अथ विशेषणलभ्यमर्थमाह–विश्वदेव्यावत० भजतीति । ' ऋभुमते, विभुमते ' इत्यादिपूर्वोक्तविशेषणवाक्यशेषवत् व्याख्येयम् । इयांस्तु विशेषः " विश्वदेव्यावते " इति विश्वे देवाः गणशो वर्तमाना देवाः तद्योगात् बृहस्पतेर्विशेषेण मान्यता इति ॥ १० ॥

अथ अंतिमस्य यजुषः वातनामत्वं उपपादयति–यमाय त्वा० यमाय त्वेतीति । नियमनात् अयमेव वायुर्यमः । गतमन्यत् । विशेषणयोस्तात्पर्यमाह–अंगिरस्वते पि०नन्वाभजतीति । यमस्य अंगिरोभिः पितृभिश्च योगः अनेन विशेषणद्वयेन प्रतिपाद्यते । छिन्नशिरस्कस्य ' यज्ञस्य ' रसः पुरा ' पितॄन् ' प्राप्नोत् । ते च ' पितरः ' ' त्रयाः ' त्रिविधाः अंगिरस्वद्बर्हिषदग्निष्वात्तभेदेन पितृपितामहादिभेदेन वा । ' एतत् ' एतेन विशेषणद्वयेन ' तानेव ' पितॄन् अस्मिन् धर्मे ' अन्वाभजति ' । यमस्यानंतरं भागयुक्तान् करोति । एवं द्वादशसु मन्त्रेषु अर्थांतरे प्रसिद्धा अपि शब्दा योगवृत्त्या वायुपरत्वेन ब्राह्मणेन व्याख्याताः । अतः एतानि वातनामानि यजूंषि जपन् तत्तच्छब्दाभिधेये वायौ तेन तेन स्वाहाकारेण धर्मं जुहोमीति गार्हपत्याहवनीययोरंतराले गच्छन् अध्वर्युश्चिंतयेत् इति तात्पर्यार्थः ॥ ११ ॥

अथ एतानि संहृत्य अनूद्य स्तौति–द्वादशैतानि नामानि भवन्ति० प्रीणातीति । ' द्वादश एतानि '

एष युऽएष तुपत्येषुऽउ प्रवुर्ग्यस्तुदेतुमेवैतुत्प्रीणाति तुस्माद्द्वादश भवन्ति ॥ १२ ॥

(न्त्यु) अुथोपयुमन्या महावीरऽआनयति । स्वाहा घर्मायेत्येष वै घर्मो युऽएष तुपत्येषुऽउ प्रवुर्ग्यस्तुदेतमेवैतुत्प्रीणाति तुस्मादाह स्वाहा घर्मायेत्युवरꣳ स्वाहाकारङ्करोति पुरान्देवुतामसावेव बुन्धुः ॥ १३ ॥

(गु) आनीते जपति । स्वाहा घर्मुः पित्रऽइति युज्ञस्य शीर्षच्छिन्नुस्य रुसो व्यक्षरत्सु पितॄनगच्छत्त्रया वै पितुरस्तानेवैतुत्प्रीणात्युवरꣳ स्वाहाकारङ्करोति पुरान्देवुतामसावेव बुन्धुः ॥ १४ ॥

अथोपयमन्या महावीर आनयति–" स्वाहा घर्माय "–इति । एष वै घर्मः । य एष तपति । एष उ प्रवर्ग्यः । तदेतमेवैतत्प्रीणाति । तस्मादाह–" स्वाहा घर्माय "–इति । अवरं स्वाहाकारं करोति । परां देवताम् । असावेव बंधुः ॥ १३ ॥

आनीते जपति–" स्वाहा घर्मः पित्रे "–(वा. सं. ३८।९) इति । यज्ञस्य शीर्षच्छिन्नस्य रसो व्यक्षरत् । स पितॄनगच्छत् । त्रया वै पितरः । तानेवैतत्प्रीणाति । अवरं स्वाहाकारं करोति । परां देवताम् । असावेव बंधुः ॥ १४ ॥

" समुद्राय त्वा " इत्यादीनि वातनामानि ' भवंति ' । ' संवत्सरस्य ' अवयवभूताः मासाश्चैत्राद्या द्वादशसंख्याकाः खलु । अतो द्वादशभिर्मासस्थानीयैः संवत्सरः संपद्यते । स च ' संवत्सरः एषः ' सूर्यात्मकः । सिद्धमन्यत् । " तस्मात् " इत्यादि निगमनम् ॥ १२ ॥

यदुक्तं सूत्रकारेण " स्वाहा घर्म्मायेत्युपयमन्या सिञ्चति घर्म्मे " (का. श्रौ. सू. २६ । ८९) इति । तद्विधत्ते–अथोपयमन्या महावीरे० घर्म्मायेति । ' अथ ' वातनामजपानंतरं ' उपयमन्या ' स्रुचा ' महावीरे ' प्रत्यानयति पुनरासिञ्चति । पयआसेचनसमये महावीरात् विष्यन्दनेन निर्गतं यत् हविर्घृतं आसीत् तदिदानीं " स्वाहा घर्म्माय " इति मन्त्रेण महावीरे पुनरासिंचेदित्यर्थः । अथैतत् स्तौति–एष वै घर्म्मो० वेव बंधुरिति । घर्म्मशब्दस्य दीप्यमानसूर्यवाचकत्वात् प्रवर्ग्यस्य च तदात्मकत्वात्, " घर्म्माय " इत्यनेन प्रवर्ग्यमेव तर्प्पयति । " तस्मादाह " इति निगमनम् । " अवरꣳ स्वाहाकारम् " इत्यादि मन्त्रादिगतस्वाहाकारप्रशंसा । एतत्सर्वं व्याख्यातम् ॥ १३ ॥

इत्थं प्रत्यानयनानंतरं आम्नातस्य मन्त्रस्य विनियोगमाह–आनीते जपति स्वाहा घर्म्मः पित्र इति । उपयमन्या महावीरे प्रत्यानीते सति " स्वाहा घर्म्मः पित्रे " इति मंत्रं ' जपति ' । अस्य मन्त्रस्य पितृसंबंधं पुरस्तात् स्वाहाकारं च प्रशंसति–यज्ञस्य शीर्ष०वेव बंधुरिति । व्याख्यातमेतत् ॥ १४ ॥

१–" स्वाहा घर्म्मः पित्रे " इति जपित्वा । का. श्रौ. सू. २६ । ९० ।

(न्नाँ) नानुवाक्यामुन्वाह । सुकृदु ह्येव पुराञ्चः पितुरस्तुस्मान्नानुवाक्या-
मुन्वाहातिक्रुम्याश्रुाव्याह घर्म्मुस्य यजेति व्वुषट्कृते जुहोति ॥ १९ ॥

व्विुश्वाऽआशा दक्षिणसदिति । सुर्व्वाऽआशा दक्षिणसदित्युेवैतुदाह
व्विुश्वान्देवुानयाडिहेति सुर्व्वान्देवुानयाक्षीदिहेत्युेवैतुदाह स्वुाहाकृतस्य
घर्म्मुस्य मुधोः पिबतमश्विुनेत्यश्विुनावुेवैतुदाहाश्विुनौ ह्येतद्यज्ञस्य शिरः
प्रुत्यधत्तां तुावुेवैतुत्प्रीणात्युवरꣳ स्वाहाकारङ्करोति पुरान्देवुतामसावेव
बुन्धुः ॥ १६ ॥

नानुवाक्यामन्वाह । सकृत उ ह्येव परांचः पितरः । तस्मान्नानुवाक्यामन्वाह । अतिक्रम्याश्रा-
व्याह । घर्मस्य यजेति । वषट्कृते जुहोति ॥ १९ ॥

" **विश्वा आशा दक्षिणसत्** "-इति । सर्वा आशा दक्षिणसत् इत्येवैतदाह । " **विश्वा-न्देवानयाडिह** "-इति । सर्वान्देवानयाक्षीदिह इत्येवैतदाह । " **स्वाहाकृतस्य घर्मस्य मधोः पिबतमश्विना** "-(वा. सं. ३८।१०) इति । अश्विनावेवैतदाह । अश्विनौ ह्येतद्यज्ञस्य शिरः प्रत्यधत्ताम् । तावेवैतत्प्रीणाति । अवरं स्वाहाकारं करोति । परां देवताम् । असावेव बंधुः ॥ १६ ॥

अथ अस्य घर्मयागस्य वषट्कारप्रदानत्वात् प्रसक्तामनुवाक्यां निषेधति-**नानुवाक्यामन्वाहेति** । 'पराञ्चः' पराङ्मुखाः ' पितरः ' ' सकृत् उ ' सकृत् खलु सकृत्करणप्रियाः एकवारानुष्ठानेनैव तृप्यंति । अत्र च याज्ययैव तत्स्मरणसिद्धौ पुनरनुवाक्यायामनूच्यमानायां सकृत्वनियमो भज्येत । ' तस्मात् ' ' अनुवाक्यां न ब्रूयात् । अथ महावीरस्थेन हविषा होमं विवक्ते-**अतिक्रम्याश्राव्या० जुहोतीति** । "विश्वा आशा दक्षिणसत्" इति । अपरेणाहवनीयं दक्षिणा 'अतिक्रम्य आश्राव्य' आश्रावणं कृत्वा ' घर्मस्य यजेति ' होतारमुद्दिश्याह । तेन च याज्यांते ' वषट्कृते ' वषट्कारे उक्ते सति " विश्वाऽआशाः " इति मन्त्रेण घर्मं जुहोति ॥ १९ ॥

विश्वा आशा दक्षिणसदिति । अथोपात्तस्यास्य मन्त्रस्य प्रथमभागस्य तात्पर्यमाह-**सर्वा आशा० तदाहेति** । ' दक्षिणसत् ' आहवनीयस्य दक्षिणदेशे सीदन् ब्रह्मा अध्वर्युर्वा ' विश्वाः ' सर्वाः ' आशाः ' प्रीणाति इममेवार्थमेतदाह । विश्वशब्दः सर्वशब्दपर्याय इति ब्राह्मणाभिप्रायः । अथ द्वितीयपादमनूद्य व्याचष्टे-**विश्वान्देवानयाडि० तदाहेति** । अयाडिति पदस्य 'अयाक्षीत्' इष्टवानसीत्यर्थः इति श्रुतेरभिप्रायः । स्पष्टमन्यत् । अथोत्तरार्द्धमनूद्य व्याचष्टे-**स्वाहाकृतस्य घर्मस्य तदाहेति** । हे 'अश्विनौ' युवां ' स्वाहा-कृतस्य ' स्वाहाकारेण हुतस्य घर्मलक्षणस्य ' मधोः ' मधुनः रसं पिबतमिति अश्विनावेव हविर्भोक्तारौ एतन्मन्त्र-वाक्यं ' आह ' ब्रूते सत्स्वपि अन्येषु देवेषु । तस्मात् इमावश्विनौ अत्र प्रतिपाद्येते । अस्यार्द्धर्चस्यादौ किमर्थः स्वाहाशब्दप्रयोगः ? इति तत्राह-**अश्विनौ ह्येत० वेव बंधुरिति** । सिद्धमेतत् ॥ १६ ॥

१-अतिक्रम्याश्राव्याह घर्मस्य यजेति । व्वषट्कृते जुहोति व्विश्वा आशा इति । का. श्रौ. सू. २६ । ९० । ९१ ।

(२) अथ हुत्वोर्ध्वमुत्कम्पयति । दिवि धाऽइमं यज्ञमिमं यज्ञन्दिवि धाऽइत्यसौ वाऽआदित्यो घर्मो यज्ञो दिवि वाऽएष हितो दिवि प्रतिष्ठितस्तमेवैतत्प्रीणाति तस्मादाह दिवि धाऽइमं यज्ञमिमं यज्ञन्दिवि धाऽ इत्यनुवषट्कृते जुहोति ॥ १७ ॥

स्वाहाऽग्नये यज्ञियायेति । तत्स्विष्टकृद्भाजनमग्निर्हि स्विष्टकृच्छं यजुर्भ्यऽ इति यजुर्भिर्ह्येषोऽस्मिँल्लोके प्रतिष्ठितस्तान्येवैतत्प्रीणात्यवरँ स्वाहाकारङ्करोति परान्देवतामसावेव बन्धुः ॥ १८ ॥

अथ हुत्वोर्ध्वमुत्कंपयति–" **दिवि धा इमं यज्ञमिमं यज्ञं दिवि धाः** "–इति । असौ वा आदित्यो घर्मो यज्ञः दिवि वा एष हितः दिवि प्रतिष्ठितः । तमेवैतत्प्रीणाति । तस्मादाह–" **दिवि धा इमं यज्ञमिमं यज्ञं दिवि धाः** "–इति । अनुवषट्कृते जुहोति ॥ १७ ॥

" **स्वाहाऽग्नये यज्ञियाय** "–इति । तत्स्विष्टकृद्भाजनम् । अग्निर्हि स्विष्टकृत् । " **शं यजुर्भ्यः** "–(वा. सं. ३८ । ११) इति । यजुर्भिर्ह्येषोऽस्मिंल्लोके प्रतिष्ठितः । तान्येवैतत्प्रीणाति । अवरं स्वाहाकारं करोति । परां देवताम् । असावेव बंधुः ॥ १८ ॥

अथोत्कंपनं विधत्ते–**अथ हुत्वोर्ध्व० दिवि धा इतीति** । ' अथ हुत्वा ' होमानंतरं " दिवि धा इमम् "–इति ' मंत्रेण ऊर्ध्वं ' ऊर्ध्वाभिमुखं अग्निं त्रिः ' उत्कम्पयति ' उज्ज्वालयति । तथा च कात्यायनः–" दिवि धा इति त्रिरुत्कम्पयति " (का. श्रौ. सू. २६ । ९२)। अथ मन्त्रं व्याचष्टे–**असौ वा आदित्यो घर्म्मो० दिवि धा इतीति** । असावादित्यः खलु घर्मात्मको यज्ञः । ' दिवि ' अंतरिक्षे खलु ' एषः ' आदित्यः ' हितः ' निहितः तस्मिन्नेव द्युलोके प्रतिष्ठितश्च । अतः ' इमं ' प्रवर्ग्यात्मकं ' यज्ञं, दिवि, धाः ' धेहि स्थापय इति । इत्थं तमेवादित्यं एतेन ' प्रीणाति ' । " तस्मात् " इत्यादि निगमनम् । अथानुवषट्कारे होमं विधत्ते—**अनुवषट्कृते जुहोति स्वाहाऽग्नये यज्ञियायेतीति** । ' अनुवषट्कृते ' " घर्म्मस्याग्ने व्वीहि ३ वौ ३ षट् " इति होत्रा अनुवषट्कारे कृते " स्वाहाऽग्नये " इति मंत्रेण जुहोति ॥ अयमनुवषट्कारे यो होमः स स्विष्टकृत्स्थानीयः, इति वदन् अत्र तात्पर्यमाचष्टे–**तत्स्विष्टकृद्भाजन० वेव बंधुरिति** । ' तत् ' अनुवषट्कारेण हवनं ' स्विष्टकृद्भाजनं ' स्विष्टकृद्यागस्थानीयम् । ' अग्निः ' खलु ' स्विष्टकृत् ' स्विष्टकृद्यागदेवता स चाग्निः अस्मिन्मंत्रे दृश्यते इति यागमन्त्रयोः संगतिः । " शं यजुर्भ्यः " व्याख्यानार्थमुपादानम् । ' शं ' सुखं यजुर्मंत्रेभ्यः अस्त्विति तदर्थः । ' एषः ' प्रवर्ग्यः यजुर्मंत्रैः ' हि ' ' अस्मिन् लोके प्रतिष्ठितः ' यजमानेषु लब्धास्पदो वर्तते । अतः तत्प्रतिष्ठाहेतून् ' तानि ' यजूंषि एव अनेन मन्त्रभागेन ' प्रीणाति ' । गतमन्यत् ॥ १७ ॥ १८ ॥

१–दिवि धा इति त्रिरुत्कंपयति । का. श्रौ. सू. २६ । ९२ । इति सूत्रव्याख्याने महावीरं इति कर्कदेवयाज्ञिकमहीधरादयो भाष्यकृतः ।

२–स्वाहाऽग्नयऽ इत्यनुवषट्कृते । का. श्रौ. सू. २६ । ९३ । जुहोतीत्यर्थः ।

(रु) अथ ब्रह्माऽनुमन्त्रयते । ब्रह्मा वाऽऋत्विजाम्भिषक्तमस्तद्यऽएव-र्त्विजाम्भिषक्तमस्तेनैवैनमेतद्यज्ञम्भिषज्यति ॥ १९ ॥

(त्यु) अश्विना घर्म्मम्पातमिति । (त्य) अश्विनावेवैतदाहाश्विनौ ह्येतद्यज्ञस्य शिरः प्रत्यधत्तान्तावेवैतत्प्रीणाति ॥ २० ॥

हार्द्दानमहर्द्दिवाभिरूतिभिरिति । (त्यु) अनिरुक्तमनिरुक्तो वै प्रजा-पतिः प्रजापतिर्य्यज्ञस्तत्प्रजापतिमेवैतद्यज्ञम्भिषज्यति ॥ २१ ॥

तन्त्रायिणऽइति । (त्ये) एष वै तन्त्रायी यऽएष तपत्येष हीमाँल्लोकाँ-स्तन्त्रमिवानुसञ्चरत्येषऽउ प्रवर्ग्यस्तदेतमेवैतत्प्रीणाति तस्मादाह तन्त्रा-यिणऽइति ॥ २२ ॥

अथ ब्रह्माऽनुमंत्रयते । ब्रह्मा वा ऋत्विजां भिषक्तमः । तद्य एवर्त्विजां भिषक्तमः । तेनैवैनमेत-द्यज्ञं भिषज्यति ॥ १९ ॥

"अश्विना घर्मं पातम्"–इति । अश्विनावेवैतदाह । अश्विनौ ह्येतद्यज्ञस्य शिरः प्रत्यधत्ताम् । तावेवैतत्प्रीणाति ॥ २० ॥

"हार्द्वानमहर्दिवाभिरूतिभिः"–इति । अनिरुक्तम् अनिरुक्तो वै प्रजापतिः । प्रजापतिर्यज्ञः । तत्प्रजापतिमेवैतद्यज्ञं भिषज्यति ॥ २१ ॥

"तंत्रायिणे"–इति । एष वै तंत्रायी । य एष तपति । एष हीमांल्लोकांस्तंत्रमिवानुसंचरति । एष उ प्रवर्ग्यः । तदेतमेवैतत्प्रीणाति । तस्मादाह–"तंत्रायिणे"–इति ॥ २२ ॥

अथ यदुक्तं सूत्रकारेण–"अश्विना घर्म्ममिति ब्रह्माऽनुमंत्रयते" (का.श्रौ.सू.२६।९४) इति, तद्विधत्ते–अथ ब्रह्माऽनुमंत्रयते इति । अथानुवषट्कारमन्त्रानंतरं 'ब्रह्मा' वक्ष्यमाणेन मन्त्रेण घर्म्ममनुमन्त्रयते । ननु सन्ति अन्ये बहव ऋत्विजः, किमिति स एवानुमन्त्रणे विधीयते ? इत्यत आह–ब्रह्मा वा० भिषज्यतीति । 'ऋत्विजां' अध्वर्युप्रभृतीनां मध्ये 'ब्रह्मा' खलु 'भिषक्तमः' अतिशयेन भैषज्यकरः । छेदनभेदनविस्मरणादिना यज्ञस्य यदंगं दूषितं तस्य सर्वस्य तत्प्रायश्चित्तकरणेन समाधातृत्वात् । 'तत्' तथा च 'ऋत्विजां' मध्ये 'यः एव' 'भिषक्तमः' । 'तेनैव' 'यज्ञं' छिन्नशिरस्कं एतेनानुमन्त्रणेन 'भिषज्यति' चिकित्सति । पुनः समादधातीत्यर्थः । "भिषज् चिकित्सायाम्" (धा.पा. कण्ड्वा. २२) इति धातुः ॥ १९ ॥

अथ मंत्रस्य प्रथमभागमनूद्य व्याचष्टे–अश्विना घर्म्मं० त्प्रीणातीति । 'अश्विना घर्म्ममिति अश्विशब्द-योगात् अनेनाश्विनावेव 'प्रीणाति' । सिद्धमन्यत् ॥ २० ॥

अथ द्वितीयभागमनूद्य व्याचष्टे–हार्द्वानमह० भिषज्यतीति । "हार्द्वानम्"–इति मंत्रभागे देवता-वाचकशब्दाभावात् "अनिरुक्तं" निःशेषेणोक्तं निरुक्तं तद्विलक्षणं एतन्मंत्रवाक्यम् । प्रजापतिश्च सर्वात्मक-त्वात् केनचित् आकारविशेषेण 'अनिरुक्तः' निरुक्तिरहितः । स एव प्रजापतिर्यज्ञः । तत्तस्मात् अनिरुक्तेन अनिरुक्तं प्राजापत्यात्मकं इमं यज्ञमेव 'भिषज्यति' चिकित्सति ॥ २१ ॥

अथ तृतीयभागमनूद्य व्याचष्टे–तंत्रायिण० तंत्रायिण इतीति 'य एषः' सूर्यस्तपति 'एषः' खलु

नमो द्यावापृथिवीभ्याम्मिति । तदाभ्यान्द्यावापृथिवीभ्यान्निह्नुते ययो-रिदᳫँ सर्व्वमधि ॥ २३ ॥

(द्व्यु) अथ यजमानः । (नो) यज्ञो वै यजमानो यज्ञेनैवैतद्यज्ञ-म्भिषज्यति ॥ २४ ॥

(त्यु) अपातामश्विना घर्म्ममिति । (त्य) अश्विनावेवैतदाहाश्विनौ ह्येतद्यज्ञस्य शिरः प्रत्यधत्तान्तावेवैतत्प्रीणाति ॥ २५ ॥

" नमो द्यावापृथिवीभ्याम् "-(वा. सं. ३८ । १२) इति । तदाभ्यां द्यावापृथिवीभ्यां निह्नुते । ययोरिदं सर्वमधि ॥ २३ ॥

अथ यजमानः । यज्ञो वै यजमानः । यज्ञेनैवैतद्यज्ञं भिषज्यति ॥ २४ ॥

" अपातामश्विना घर्मम् "-इति । अश्विनावेवैतदाह । अश्विनौ ह्येतद्यज्ञस्य शिरः प्रत्यधत्ताम् । तावेवैतत्प्रीणाति ॥ २५ ॥

' तंत्रायी ' तन्यते अनेनेति व्युत्पत्त्या तंत्रमिति तंतुपूर्णा तुरी अभिधीयते । सा यथा वस्त्रवानसमये प्रतिसूत्रं दक्षिणोत्तरभागौ अभिलक्ष्य पुनः पुनरावर्तते । एवमयते सर्वान् लोकान् गच्छतीति तंत्रायी सूर्यः । इममेवार्थं स्वयमेव व्याचष्टे-**एष हीति** । ' एषः ' खलु ' इमान् ' पृथिव्यादीन् ' लोकान् ' ' तंत्रमिव ' तंतुसाधनभूता तुरीव ' अनुसंचरति ' क्रमेण पर्यावर्तते । गतमन्यत् ॥ २२ ॥

अथ चतुर्थभागमनूद्य व्याचष्टे-**नमो द्यावापृथिवी० सर्वमधीति** । " नमो द्यावापृथिवीभ्याम् " इति यद्वाक्यं तत्तेन ' आभ्यां ' द्यावापृथिवीभ्यां ' नमस्करोति । सुखावस्थानार्थं ययोर्द्यावापृथिव्योः ' अधि ' उपरि ' सर्वमिदं ' भूतजातं वर्तते ॥ २३ ॥

अथ यजमानकर्तृकमनुमंत्रणं विधत्ते-**अथ यजमान इति** । ' अनुमंत्रयते ' इत्यनुषंगः । ' अथ ' अनु-वषट्कारहोमानंतरं, ' यजमानः ' " अपातामश्विना " इति मंत्रेण अनुमंत्रयते । तदुक्तं कात्यायनेन-" अश्विना घर्ममिति ब्रह्माऽनुमंत्रयते अपातामिति यजमानः " (का. श्रौ. सू. २६ । ९४ । ९५) इति । अथैतदनु मंत्रणमुपपादयति-**यज्ञो वै यज० भिषज्यतीति** । ' यज्ञः ' एव खलु ' यजमानः ' तत्स्वामित्वात् । तत्तस्मात्-यजमानेनानुमंत्रणे ' यज्ञेनैव ' यजमानलक्षणेन ' यज्ञं भिषज्यति ' चिकित्सति ॥ २४ ॥

अथ मन्त्रस्य प्रथमभागमनूद्य व्याचष्टे-**अपातामश्विना० प्रीणातीति** । " अपातामश्विना घर्म्मम् " इति एतद्वाक्यं अश्विनावेव ' आह ' प्रतिपादयति । गतमन्यत् ॥ २५ ॥

१-वानशब्दार्थः सीवनम् । " वानं शुष्कफले शुष्के सीवने गमने कटे । जलसंप्लुतवातोर्मिसुरंगासौरभीषु च । " इति हैमात् । सीवनं नाम स्यूतिः । " सेवनं सीवनं स्यूतिः " इत्यमरात् ॥

२-हुतं घर्ममेवानुमंत्रयत इत्यर्थः ।

(त्यु) अनु द्यावापृथिवीऽअमᳪ᳖सातामिति । तदिमे द्यावापृथिवीऽ-आह ययोरिदᳪ᳖ सर्व्वमधीहैव रातयः सन्त्विति इहैव नो धनानि सन्त्वि-त्येवैतदाह ॥ २६ ॥

(ह्वा) अथ पिन्वमानमनुमन्त्रयते । (तऽइ) इषे पिन्वस्वेति वृष्ट्यै तदाह यदाहेषे पिन्वस्वेत्यूर्ज्जे पिन्वस्वेति यो वृष्टादूर्ग्रसो जायते तस्मै तदाह ब्रह्मणे पिन्वस्वेति तद्ब्रह्मणऽआह क्षत्त्राय पिन्वस्वेति तत्क्षत्त्रा-याह द्यावापृथिवीभ्याम्पिन्वस्वेति तदाभ्यान्द्यावापृथिवीभ्यामाह ययोरि-दᳪ᳖ सर्व्वमधि ॥ २७ ॥

"अनु द्यावापृथिवी अमंसाताम्"–इति। तदिमे द्यावापृथिवी आह । ययोरिदं सर्वमधि । "इहैव रातयः सन्तु" (वा. सं. ३८ । १३) इति । इहैव नो धनानि सन्तु इत्येवै-तदाह ॥ २६ ॥

अथ पिन्वमानमनुमन्त्रयते । "इषे पिन्वस्व"–इति । वृष्ट्यै तदाह । यदाह । "इषे पिन्वस्व"–इति । "ऊर्जे पिन्वस्व"- इति । यो वृष्टादूर्ग्रसो जायते । तस्मै तदाह । "ब्रह्मणे पिन्वस्व"- इति । तत् ब्रह्मण आह । "क्षत्राय पिन्वस्व"–इति । तत् क्षत्रायाह । "द्यावा-पृथिवीभ्यां पिन्वस्व"-(वा. सं. ३८ । १४) इति । तदाभ्यां द्यावापृथिवीभ्यामाह । ययो-रिदं सर्वमधि ॥ २७ ॥

अथ द्वितीयभागमनूद्य व्याचष्टे–अनु द्यावापृथिवी० सर्व्वमधीति । "अनु द्यावापृथिवी" इत्येतद्वाक्यं 'तत् इमे' दृश्यमाने 'द्यावापृथिवी' द्यावापृथिव्यौ 'आह' प्रतिपादयति । अन्यद्गतम् । अथ तृतीय-भागमनूद्य तात्पर्यमाह–इहैव रातयः सं० तदाहेति । "रा दाने" (धा. पा. अ. प. ४७) इति धातुः । रायन्ते दीयन्ते इति रातयो धनानि । तथा च "इहैव" इत्येतद्वाक्यम् इहैवास्मिन्नेव लोके 'नः' अस्माकं 'धनानि सन्तु' भवन्तु इति इममेवार्थम् 'आह' प्रतिपादयति ॥ २६ ॥

एवं वषट्कारानुवषट्कारयोः महावीरस्थं हविः हुत्वा यत् तत्र अवशिष्टं तेन प्रतिदिशं पिन्वनं कार्यम् । तस्मिन् समये यजमानस्य पिन्वमानानुमंत्रणं विधत्ते–अथ पिन्वमानमनुमन्त्रयते इति । 'अथ' होमानंतरं पिन्वमानं "पिवि सेचने" (धा. पा. भ्वा. आ. ५८९) आहवनीये सिच्यमानं घर्म्मं "इषे पिन्वस्व" इति मन्त्रेण अनुमन्त्रयते । अथ तस्य प्रथमभागमनूद्य व्याचष्टे–इषे पिन्वस्वेति । "इषे पिन्वस्व" इति अनुमन्त्रणमन्त्रप्रतीकग्रहणम् । तत्र इषे पिन्वस्वेति यदाह । इष्यते सर्वप्राणिभिः इति इट् । तथा च 'वृष्ट्यै' वर्षणार्थं 'पिन्वस्व' सिञ्चस्व इत्येवार्थमेतत् वाक्यमाह । अथ द्वितीयभागमनूद्य व्याचष्टे–ऊर्ज्जे पिन्वस्व०

१–इषे पिन्वस्वेति पिन्वमानमनुमन्त्रयते । का. श्रौ. सू. २६ । ६६ । हुतं घर्ममेव ।

स य॒दू॒र्द्ध्वः पि॒न्वते । तद्य॑जमानाय॒ पिन्वते यत्प्राङ्तद्दे॒वेभ्यो य॒द्दक्षिणा त॒त्पि॒तृभ्यो य॒त्प्रत्यङ्त॒त्पशु॒भ्यो य॒दु॒दङ्त॒त्प्रजा॒याऽअनपराद्धुन्वेव य॒जमा॑नस्योद्ध्वौं ह्ये॒षु पि॒न्वि॒त्वाऽथ या॒न्दि॒शम्पि॒न्वते ता॒म्पिन्वते य॒दा शाम्यन्ति वि॒प्रुषः ॥ २८ ॥

स यदूर्ध्वः पिन्वते । तद्यजमानाय पिन्वते । यत्प्राङ् तद्देवेभ्यः । यद्दक्षिणा तत्पितृभ्यः । यत्प्रत्यङ् तत्पशुभ्यः । यदुदङ् तत्प्रजायै । अनपराद्धं न्वेव यजमानस्योर्ध्वो ह्येषः । पिन्वित्वाऽथ यां दिशं पिन्वते । तां पिन्वते । यदा शाम्यंति विप्रुषः ॥ २८ ॥

तद्याहेति । मेघैः 'वृष्टात' भूम्यां सिक्तात् उदकात् यः 'ऊर्क् रसः' अन्नरसः 'जायते' उत्पद्यते । तत् अस्मिन्मंत्रे ऊर्क्शब्देनोच्यते । अतः 'तस्मै' तथाविधाय 'ऊर्जे' रसाय 'पिन्वस्व' इति तद्वाक्यमाह । तृतीयभागमनूद्य व्याचष्टे—**ब्रह्मणे पिन्वस्वेति** । "ब्रह्मणे पिन्वस्व" इति यद्वाक्यं तत् 'ब्रह्मणे' ब्राह्मणजातये तं ऊर्ग्रसं पिन्वस्व इति अमुमर्थमाह । अथ चतुर्थभागमनूद्य व्याचष्टे—**क्षत्राय पिन्वस्वेति तत् क्षत्रायाहेति** । "क्षत्राय पिन्वस्व" इति यत् तत् 'क्षत्राय' क्षत्रियजातये 'पिन्वस्व' इत्याह । अथ पंचमभागमनूद्य व्याचष्टे—**द्यावापृथिवीभ्यां पिन्वस्वेति० सर्वमधीति** । "द्यावापृथिवीभ्यां पिन्वस्व" इति यद्वाक्यं तत् 'आभ्यां' दृश्यमानाभ्यां 'द्यावापृथिवीभ्यां द्यावापृथिव्योः अर्थं लोकद्वयप्रीणनार्थं पिन्वस्वेति अमुमर्थमाह ॥ २७ ॥

अथ प्रागादिदिक्षु मध्ये च पिन्वनं अर्थवादेन उन्नयति—**स यदूर्ध्वः पिन्वते** इति । यद्यदि 'सः' घर्मः 'ऊर्ध्वः' ऊर्ध्वाभिमुखः मध्ये 'पिन्वते' । तत्तदा 'यजमानाय' यजमानस्य श्रेयोऽर्थमेव 'पिन्वते' । यद्यदि 'प्राङ्' प्राङ्मुखः प्राग्दिगवस्थितः पिन्वते, तत्तदा 'देवेभ्यः' हविर्भोक्तृभ्यः एष घर्मः पिन्वते इति विद्यात् । यद्यदि 'दक्षिणा' दक्षिणतः दक्षिणदिग्भागे पिन्वते, तत्तदा 'पितृभ्यः' पितृप्रीत्यर्थं पिन्वते इति विद्यात् । यद्यदि 'प्रत्यङ्' प्रत्यङ्मुखः पश्चिमदिग्भागे पिन्वते तत्तदा 'पशुभ्यः' गवादिपशुतृप्त्यर्थं पिन्वते इति विद्यात् । यद्यदि 'उदङ्' उदङ्मुख उत्तरदिग्भागे घर्मः पिन्वते, तत्तदा 'प्रजायै' पुत्रपौत्रादिरूपायै तद्वर्द्धनार्थम् पिन्वते इति विद्यात् । एवं अनेन क्रमेण पिन्वने सति यजमानस्य "अनपराद्धं न्वेव" अपराधरहितमेव तु कर्म कृतं भवति । कुतः ? यतः 'एषः' यजमानः 'ऊर्ध्वः' ऊर्ध्वदेशावस्थितः स्वर्गाभिमुखः । तस्मात् यजमानार्थम् ऊर्ध्वं पिन्वते इत्येव युक्तम् । अन्यथाकरणे अपराधः स्यादिति भावः । यस्मादेवं तस्मादेव कारणात्, एतत् ऊर्ध्वाभिमुखं प्रथमं 'पिन्वित्वा' पिन्वनं कृत्वा अथानंतरमेव 'यां दिशं पिन्वते' । प्राच्यादिषु यस्यां दिशि पिन्वनं करोति 'तां पिन्वते' तस्यां दिशि घर्मं सिंचेत् । यजमानफलार्थं प्रथमम् ऊर्ध्वं पिन्वनं कृत्वा पश्चात्प्रागादिदिक्षु देवादितृप्त्यर्थं पिन्वनं कुर्यात् । इति विधिरुन्नीतो भवति । एवं कुर्वतो दक्षिणतोऽवस्थितस्याध्वर्योः प्रत्याक्रमणं विधत्ते—**यदा शाम्यन्ति विप्रुषः** इति । 'यदा' यस्मिन् काले 'विप्रुषः' महावीरस्था बिंदवः कथिताः 'शाम्यन्ति' शांताः उपरताः भवंति ॥ २८ ॥

(घो॒ऽथ) अथ प्राङ्ङिवोदङ्ङुत्क्रामति। धर्म्मा॑ऽसि सुधर्म्मेत्येष वै धर्म्मो॒ य॒ऽएष तपत्येषु हीदꣳ सर्वं धारयत्येतेनेदꣳ सर्व्वन्धृतमेषुऽउ प्रवर्ग्यस्तदेतमेवैतत्प्रीणाति तस्मादाह धर्म्मा॑ऽसि सुधर्म्मेति ॥ २९ ॥

(त्यु) अथ खरे सादयति। (त्य) अमेन्यस्मे नृम्णानि धारयेत्युक्रुध्यन्नो धनानि धारयेत्येवैतदाह ब्रह्म धारय क्षत्त्रन्धारय विशन्धारयेत्येतत्सर्व्वन्धारयेत्येवैतदाह ॥ ३० ॥

अथ प्राङ्ङिवोदङ्ङुत्क्रामति–" धर्माऽसि सुधर्मा "–इति। एष वै धर्मः। य एष तपति। एष हीदं सर्वं धारयति। एतेनेदं सर्वं धृतम्। एष उ प्रवर्ग्यः। तदेतमेवैतत्प्रीणाति। तस्मादाह–" धर्माऽसि सुधर्मा "–इति ॥ २९ ॥

अथ खरे सादयति–" अमेन्यस्मे नृम्णानि धारय "–इति। अक्रुध्यन्नो धनानि धारय। इत्येवैतदाह। " ब्रह्म धारय क्षत्त्रं धारय विशन्धारय "–(वा. सं. ३८। १४) इति। एतत्सर्वं धारयेत्येवैतदाह ॥ ३० ॥

अथ प्राङ्ङिवोदङ्ङुत्क्रामति धर्म्माऽसि सुधर्म्मेतीति 'अथ प्राङ्ङिवोदङ्' प्राङ्मुख इव भूत्वा उदङ्मुखः 'उत्क्रामति' आहवनीयदक्षिणदेशात् वेदिमतिक्रम्य वेदेरुत्तरतो गच्छेत् " धर्माऽसि " इति मन्त्रेण। अथ अस्योपात्तस्य मन्त्रभागस्य तात्पर्यगम्यमर्थं दर्शयन् प्रवर्ग्ये संगतिमाह–एष वै धर्म्मो० सुधर्म्मेतीति। 'यः एषः' सूर्यस्तपति 'एषः' खलु धर्मः धर्मशब्दाभिधेयः। कुत इति चेत्? उच्यते–'हि' यस्मात् 'इदं सर्वं' जगत् 'एष धारयति' प्रवर्षणप्रकाशादिना पोषयति। 'इदं सर्वं' च जगत् 'एतेनैव' सूर्येण 'धृतं' पोषितं दृश्यते। तस्मात् एष एव धारकत्वात् धर्म्मः। गतमन्यत् ॥ २९ ॥

एवमुत्तरत अतिक्रम्य आहवनीयस्योत्तरस्यां दिशि सिकतया उत्ते स्थले महावीरस्य सादनं विधत्ते–अथ खरे सादयति० तदाहेति। 'अथ' अनंतरं 'खरे' आहवनीयमुत्तरेण सिकताभिः कृते धिष्ण्ये 'सादयति' महावीरं निदधाति " अमेन्यस्मे " इति मन्त्रेण। " अक्रुध्यन् " इत्याद्यस्य व्याख्यानम्–" अमेनि " शब्दस्य कोऽर्थः तमाह–'अमेनि' अक्रुध्यन् " मीञ् हिंसायाम् " (धा. पा. क्र्या. उ. ४) मीनाति हिनस्तीति मेनिः न मेनिरमेनिः " सुपां सुलुक् " (पा. सू. ७। १। ३९) इति सुलोपः। 'अमेनि' अहिंसन् अक्रुध्यन् सन्। 'अस्मे' इति चतुर्थीबहुवचनस्य शे आदेशे रूपम्। 'नः' अस्मभ्यं 'नृम्णानि' धनानि 'धारय' दातुं हस्ते गृहाण इति इममेवार्थम् एतन्मन्त्रवाक्यं 'आह'। अथावशिष्टं मन्त्रभागमनूद्य व्याचष्टे–ब्रह्म धारय० तदाहेति। 'ब्रह्म' ब्राह्मणजातिः। 'क्षत्त्रं' क्षत्रियजातिः 'विट्' वैश्यजातिः। 'एतत्' वर्णत्रयोपलक्षितं 'सर्वं' जगत् हे घर्म्म! धारय इति एतमेवार्थमेतन्मंत्रवाक्यमाह ॥ ३० ॥

१–धर्म्माऽसीत्युत्क्रामत्युत्तरपूर्वार्द्धम्। का. श्रौ. सू. २६। १७।

२–अमेन्यस्मे इति खरे करोति। का. श्रौ. सू. २६। १८। महावीरं करोति आसादयतीत्यर्थः।

(ह्याऽथ) अथ शाकलैर्ज्जुहोति । प्राणा वै शाकलाः प्राणानेवास्मिन्नेतुद्दधाति ॥ ३१ ॥

स्वाहा पूष्णे शुरसऽ इति । (त्य) अयम्वै पूषा योऽयम्पवतऽएष हीदᳪं सुर्व्वम्पुष्यत्येषुऽउ प्राणः प्राणमेवास्मिन्नेतुद्दधाति तुस्मादाह स्वाहा पूष्णे शुरसऽइत्यवरᳪं स्वाहाकारङ्करोति पुरान्देवतामसावेव बुन्धुर्हुत्वा मध्यमे परिधाऽउपश्रयति ॥ ३२ ॥

स्वाहा ग्ग्रावभ्यऽइति । प्राणा वै ग्ग्रावाणः प्राणानेवास्मिन्नेतुद्दधाति हुत्वा मध्यमे परिधाऽउपश्रयति ॥ ३३ ॥

अथ शाकलैर्जुहोति । प्राणा वै शाकलाः । प्राणानेवास्मिन्नेतद्दधाति ॥ ३१ ॥

" स्वाहा पूष्णे शरसे "–इति । अयं वै पूषा । योऽयं पवते । **एष हीदं सर्वं पुष्यति । एष** उ प्राणः । प्राणमेवास्मिन्नेतद्दधाति । तस्मादाह–**" स्वाहा पूष्णे शरसे "**–इति । अवरं स्वाहाकारं करोति परां देवताम् । असावेव बंधुः । हुत्वा मध्यमे परिधा उपश्रयति ॥ ३२ ॥

" स्वाहा ग्रावभ्यः "–इति । प्राणा वै ग्रावाणः । प्राणानेवास्मिन्नेतद्दधाति । हुत्वा मध्यमे परिधा उपश्रयति ॥ ३३ ॥

अथ कात्यायनेन यदुक्तं–" विकङ्कतशकलैर्जुहोति वर्म्मे न्यज्य न्यज्य स्वाहा पूष्णे शरस इति प्रतिमंत्रम् । हुत्वा हुत्वा प्रथमपरिधाऽउपश्रयति " (का. श्रौ. सू. २६।९९।१००) इति च । तदाह–**अथ शाकलैर्जुहोतीति** । ' अथ ' खरे सादनानंतरं ' शाकलैः ' शाकलहोमसाधनैर्मंत्रैः "स्वाहा पूष्णे शरसे" इत्यादिभिः सप्तभिः शकलैर्जुहोति । तदेतत्स्तौति–**प्राणा वै शाकलाः० तद्दधातीति** । ' शाकलाः ' शकलहोमार्था मंत्राः ' प्राणा वै ' प्राणप्रतिपादकत्वात् तदात्मकाः खलु । तस्मात् हुतेऽस्मिन् घर्म्मे ' एतत् ' एतेन शाकलहोमेन ' प्राणान् ' शीर्षण्यान् सप्त प्राणान् चक्षुःश्रोत्रप्रमुखानेव ' दधाति ' स्थापयति ॥ ३१ ॥

तदेतत्प्रतिमंत्रं दर्शयितुकामः तावत् प्रथममंत्रं दर्शयति–**स्वाहा पूष्णे शरसे० तद्दधातीति** । ' योऽयं ' वायुः पवते ' ' अयं ' खलु वृष्ट्यादिना जगत्पोषकत्वात् ' पूषा ' ' एष उ ' एष एव ' प्राणः ' । " यो वायुः स प्राणः " इति श्रुतेः । अतः ' एतत् ' एतेन पूषदेवताकेन मंत्रेण 'अस्मिन्' घर्म्मे ' प्राणमेव ' ' दधाति ' स्थापयति । उक्तमर्थं हेतूकृत्य मंत्रपाठं निगमयंस्तस्य पुरस्तात्स्वाहाकारत्वं पूर्ववत्स्तौति--**तस्मादाह स्वाहा पूष्णे शरसे० मसावेव बंधुरिति** । गतमेतत् । अथ पूर्वोक्तं लेपनिमार्जनं विधत्ते–**हुत्वा मध्यमे परिधा उपश्रयतीति** । " स्वाहा पूष्णे " इति मंत्रेण घर्म्मरसे अभ्यक्तं शकलं हुत्वा अग्नौ प्रक्षिप्य हस्तगतं लेपं ' परिधौ उपश्रयति ' निर्मार्ष्टि ॥ ३२ ॥

अथ द्वितीयमन्त्रस्य प्राणपरत्वं दर्शयन् तत्रापि लेपनिमार्जनं विधत्ते–**स्वाहा ग्रावभ्य० उपश्रयतीति** । " स्वाहा ग्रावभ्यः " इति द्वितीयः शकलहोममन्त्रः । शरणस्वभावत्वात् ' प्राणाः ' एव खलु ' ग्रावाणः ' अस्मिन्मंत्रे ग्रावशब्दाभिधेयाः । शिष्टं पूर्वेण समानम् ॥ ३३ ॥

स्वाहा प्रातिरवेभ्यऽइति । प्राणा वै प्रतिरवाः प्राणान्हीदꣳ सर्वं प्रातिरतं प्राणानेवास्मिन्नेतद्दधाति हुत्वा मध्यमे परिधाऽउपश्रयति ॥ ३४ ॥

स्वाहा पितृभ्यऽऊर्ध्वबर्हिभ्यो घर्मपावभ्यऽइति । (त्यु) अहुत्वैवोदङ्ङीक्षमाणो दक्षिणार्द्धे बर्हिषऽउपगूहति यज्ञस्य शीर्षच्छिन्नस्य रसो व्यक्षरत्स पितॄनगच्छत्त्रया वै पितरस्तानेवैतत्प्रीणात्यथ यन्न प्रेक्षते सकृदु ह्येव पराञ्चः पितरः ॥ ३५ ॥

स्वाहा द्यावापृथिवीभ्यामिति । प्राणोदानौ वै द्यावापृथिवी प्राणोदानावेवास्मिन्नेतद्दधाति हुत्वा मध्यमे परिधाऽउपश्रयति ॥ ३६ ॥

"**स्वाहा प्रतिरवेभ्यः**"–इति । प्राणा वै प्रतिरवाः । प्राणान् हीदं सर्वं प्रति रतम् । प्राणानेवास्मिन्नेतद्दधाति । हुत्वा मध्यमे परिधा उपश्रयति ॥ ३४ ॥

"**स्वाहा पितृभ्य ऊर्ध्वबर्हिभ्यो घर्मपावभ्यः**"–इति । अहुत्वैव उदङ्ङीक्षमाणो दक्षिणार्द्धे बर्हिष उपगूहति । यज्ञस्य शीर्षच्छिन्नस्य रसो व्यक्षरत् । स पितॄनगच्छत् । त्रया वै पितरः । तानेवैतत्प्रीणाति । अथ यन्न प्रेक्षते । सकृत् उ ह्येव परांचः पितरः ॥ ३५ ॥

"**स्वाहा द्यावापृथिवीभ्याम्**"–इति । प्राणोदानौ वै द्यावापृथिवी । प्राणोदानावेवास्मिन्नेतद्दधाति । हुत्वा मध्यमे परिधा उपश्रयति ॥ ३६ ॥

अथ तृतीयस्य शकलहोममन्त्रस्य प्राणपरत्वं होमानंतरं लेपनिर्मार्गं च दर्शयति–**स्वाहा प्रतिरवेभ्य इति० उपश्रयतीति** । "स्वाहा प्रतिरवेभ्यः" इति तृतीयः शकलहोममंत्रः । तत्र देवतात्वेन निर्दिष्टाः 'प्रतिरवाः' 'प्राणा वै' प्रतिरवशब्देन प्राणा एवोच्यंते इत्यर्थः । 'हि' यस्मात् 'इदं सर्वं' जगत् 'प्राणान् प्रति रतं' प्राणेषु रममाणं सत् दृश्यते । तस्मात् प्रतिरवशब्देन प्राणा अभिधेयाः । अन्यत्पूर्ववत् ॥ ३४ ॥

अथ यदुक्तं कात्यायनेन–"चतुर्थमहुतमुदङ्ङीक्षमाणो दक्षिणतो बर्हिष्युपगूहति" (का. श्रौ. सू. २६ । १०१) इति । अयमर्थः–चतुर्थशकलं घर्मे अभ्यज्य अग्नावहुतं संतं वेद्यामास्तीर्णे बर्हिषि दक्षिणभागे स्वयं उदीचीं दिशमीक्षमाणः 'उपगूहति' संवृणोति । यथा शकलो न दृश्यते तथा बर्हिषः अधस्तात् निदध्यादित्यर्थः । तदेतत् विधित्सुराह–**स्वाहा पितृभ्य०त्प्रीणातीति** । "स्वाहा पितृभ्यः" इत्यनेन मन्त्रेण चतुर्थशकलं अग्नौ 'अहुत्वा' अप्रक्षिप्यैव स्वयमुदङ्मुखः 'ईक्षमाणः' शकलमपश्यन् 'बर्हिषः' वेद्यामास्तीर्णस्य दर्भमुष्टेः 'दक्षिणाऽर्द्धे उपगूहति' अदृश्यं करोति । गतमन्यत् । अथ शकलस्य प्रोक्षणमनूद्य स्तौति–**अथ यन्न प्रेक्षते०पितर इति** । 'अथ' च 'न प्रेक्षते' शकलस्य प्रेक्षणं न कुर्यादिति 'यत्' यदुक्तं तत्रहेतुः–'पराञ्चः' स्वतः पराङ्मुखलोकाः अभिमुखं पितरः "सकृदु हि" सकृद्भूताः खलु । एकवारकरणमेव तेषां प्रियं तच्छकलस्य पुनः पुनः प्रेक्षणे क्रियमाणे तत् व्याहन्येतेति । तस्मादादानसमये शकलं प्रेक्षित्वा पश्चात् उद्वूहनसमये पुनर्न प्रेक्षेतेत्यर्थः ॥ ३५ ॥

अथ पंचमशकलहोममन्त्रमनूद्य व्याचष्टे–**स्वाहा द्यावापृथिवी० दधातीति** । "स्वाहा द्यावापृथिवीभ्यां"

स्वाहा विश्वेभ्यो देवेभ्यऽइति । प्प्राणा वै विश्वे देवाः प्प्राणानेवास्मि-न्नेतद्दधाति हुत्वा मध्यमे परिधाऽउपश्रयति ॥ ३७ ॥

स्वाहा रुद्राय रुद्रहूतयऽइति । (तम्) अहुत्वैव दक्षिणेक्षमाणः प्प्रति-प्प्रस्थात्रे प्प्रयच्छति तᳫं सऽउत्तरतः शालायाऽउदञ्चन्निरस्यत्येषा ह्येतस्य देवस्य दिक्स्वायामेवैनमेतद्दिशि प्प्रीणात्यथ यन्न प्प्रेक्षते नेन्मा रुद्रो हिनसदिति ॥ ३८ ॥

" स्वाहा विश्वेभ्यो देवेभ्यः "–(वा. सं. ३८।१५) इति । प्राणा वै विश्वे देवाः । प्राणा-नेवास्मिन्नेतद्दधाति । हुत्वा मध्यमे परिधा उपश्रयति ॥ ३७ ॥

" स्वाहा रुद्राय रुद्रहूतये "–इति । अहुत्वैव दक्षिणेक्षमाणः प्रतिप्रस्थात्रे प्रयच्छति । तं स उत्तरतः शालाया उदंचं निरस्यति । एषा ह्येतस्य देवस्य दिक् । स्वायामेवैनमेतद्दिशि प्रीणाति । अथ यन्न प्रेक्षते । नेन्मा रुद्रो हिनसदिति ॥ ३८ ॥

इत्यस्मिन्मन्त्रे द्यावापृथिवीशब्देन शरीरस्थौ प्राणोदानवायू उच्येते । हृदि वर्तमानः प्राणवायुरेव पृथिवी । कंठे वर्तमान उदानवायुरेव द्यौः । उभयोरधऊर्ध्वसाम्यात् द्यावापृथिव्यात्मकत्वम् । तथैव च अनयोः अवरोत्तरस्थभावेन अवस्थानमुक्तमभिज्ञैः । " हृदि प्राणो गुदेऽपानः समानो नाभिमंडले । उदानः कंठदेशस्थो व्यानः सर्वशरीरगः " इति । तथा च अनेन मन्त्रेण ' अस्मिन् ' वर्मे ' प्राणोदानावेव ' वायू ' दधाति ' स्थापयति । अथ पूर्ववल्ले-पस्य निर्माजनं विधत्ते–हुत्वा मध्यमे परिधाऽउपश्रयतीति ॥ ३६ ॥

अथ षष्ठमन्त्रस्य शकलहोमार्थस्य प्राणपरत्वं दर्शयन् पूर्ववल्लेपनिमार्जनं विधत्ते–स्वाहा विश्वेभ्यो देवेभ्य इति० उपश्रयतीति । अत्र ' विश्वे देवाः ' ' प्राणा वै ' देवनशीलत्वात् विषयाभियोतीनि चक्षुरादीनीन्द्रियाणि विश्वेदेवशब्दवाच्यानि । तथा च " प्राणानेव " इत्यादि पूर्ववत् ॥ ३७ ॥

अथ सप्तमस्य शकलस्य होमं निषिध्य निरसनं विधित्सुराह–स्वाहा रुद्राय रुद्र०निरस्यतीति । " स्वाहा रुद्राय " इति मन्त्रं पठन् सर्वेषु लेपेषु अक्तं सप्तमं शकलं अग्नौ ' अहुत्वैव ' दक्षिणां दिशमीक्ष-माणः स्वयं शकलमपश्यन् अध्वर्युः ' प्रतिप्रस्थात्रे ' 'प्रयच्छति ' । स च प्रतिप्रस्थाता ' तं ' शकलं शालायाः ' उत्तरतः ' प्राग्वंशगृहस्योत्तरभागे ' उदञ्चं ' उदगग्रं ' निरस्यति ' क्षिपेत् । कुतः उदीच्यामेव दिशि निर-सनं, कस्माच्च शकलस्य न प्रेक्षणम् ? इति तदुभयमुपपादयति–एषा ह्येतस्य देव० हिनसदितीति । ' एषा ' खलु उदीची ' एतस्य ' रुद्रस्य ' देवस्य दिक् ' । उत्तरपूर्वार्द्धाया दिशो रुद्रेण पाल्यमानत्वाच्च उत्तराऽपि दिक् तत्संबंधिनी इत्यभिप्रायः । 'अथ' रुद्रार्थं निरस्यमानं शकलमध्वर्युः ' न प्रेक्षते ' इति ' यत् ' तत् 'मा' मां अध्वर्युं ' रुद्रः ' रोदनकारी उग्रो देवः ' नेत् ' नैव ' हिनसत् ' हिंस्यात् इत्यनेनाभिप्रायेण ॥ ३८ ॥

१–सप्तमं सर्वलेपाक्तं दक्षिणेक्षमाणः प्रतिप्रस्थात्रे प्रयच्छति । का. श्रौ. सू. २६ । १०२ ।
२–तं स ऽउत्तरतः शालायाऽ उदञ्चन्निरस्यति । का. श्रौ. सू. २६ । १०३ ।

सुप्तैताऽआहुतयो भवन्ति । सप्त वाऽइमे शीर्षन्प्राणास्तानेवास्मिन्ने-तुद्दधाति ॥ ३९ ॥

(त्यु) अथ महावीरादुपयमन्याम्प्रत्यानयति । स्वाहा सं ज्योतिषा ज्योतिरिति ज्योतिर्व्वाऽ इतरस्मिन्पयो भवति ज्योतिरितरस्यां ते ह्येतदुभे ज्योतिषी संगच्छेते ऽअवरꣳ स्वाहाकारङ्करोति पुरान्देवता मसावेव बन्धुः ॥ ४० ॥

(रु) अथ रौहिणौ जुहोति । (त्यु) अहः केतुना जुषताꣳ सुज्योतिर्ज्योतिषा स्वाहेत्यसावेव बन्धू रात्रिः केतुना जुषताꣳ सुज्योतिर्ज्योतिषा स्वाहेत्यसावेव बन्धुः ॥ ४१ ॥

सप्तैता आहुतयो भवन्ति । सप्त वा इमे शीर्षन्प्राणाः । तानेवास्मिन्नेतद्दधाति ॥ ३९ ॥

अथ महावीरादुपयमन्यां प्रत्यानयति–" स्वाहा सं ज्योतिषा ज्योतिः "–(वा. सं. ३८ । १६) इति । ज्योतिर्वा इतरस्मिन्पयो भवति । ज्योतिरितरस्याम् । ते ह्येतदुभे संगच्छेते । अवरं स्वाहाकारं करोति । परां देवताम् । असावेव बन्धुः ॥ ४० ॥

अथ रौहिणौ जुहोति–" अहः केतुना जुषतां सुज्योतिर्ज्योतिषा स्वाहा "–इति । असावेव बंधुः । " रात्रिः केतुना जुषतां सुज्योतिर्ज्योतिषा स्वाहा "–(वा. सं. ३८।१६) इति । असावेव बंधुः ॥ ४१ ॥

अथैतान् संहृत्य स्तौति-सप्तैताऽ आहुतयो० दधातीति । ' एताः ' " स्वाहा पूष्णे शरसे " इत्यादि-मन्त्रसाध्याः शकलद्रव्यकाः ' आहुतयः ' सप्तसंख्याः खलु भवन्ति । 'इमे शीर्षन्' शीर्ष्णि चक्षुरादिषु शकल-गणेषु सप्तसु अवच्छेदकेषु वर्तमानाः प्राणाः । गतमन्यत् ॥ ३९ ॥

अथ महावीरे वर्तमानस्य शिष्टस्य हविषः उपयमन्यामासेचनं विधत्ते–अथ महावीरादुपयमन्यां० ज्योतिरितीति । " स्वाहा सञ्ज्योतिषा " इत्यनेन मन्त्रेण महावीरसकाशाद्धुतशिष्टं घर्मरसं ' उपयमन्यां ' स्रुचि ' प्रत्यानयति आसिञ्चति । अथैतत् मन्त्राभिप्रायकथनेन स्तौति- ज्योतिर्वाऽ इतर० बन्धुरिति । ' इतरस्मिन् ' अन्यतरस्मिन्महावीरे ज्योतिस्तेजोरूपं खलु ' पयो भवति ' । ' इतरस्याम् ' उपयमन्याम् आज्य-लक्षणं ज्योतिर्भवति । ' एतत् ' एतेनासेचनेन ' ते ' एव ' ज्योतिषी ' ' संगच्छेते ' परस्परं संयुज्येते । तथा च ' ज्योतिषा ' उक्तलक्षणेन महावीरस्थेन ज्योतिरुपयमनीस्थं संगच्छते इति मन्त्रो व्याख्यातो भवति । अन्यत् पूर्ववत् ॥ ४० ॥

अथ सायंप्रातःकालयोः प्रवृंजनोपरिष्टात्काले होतव्यत्वेन विहितौ रौहिणपुरोडाशौ, तौ अस्मिन् काले होतव्यौ

१-स्वाहा सं ज्योतिषत्युपयमन्यामासिञ्चति घर्मम् । का. श्रौ. सू. २६ । १०४ ।

(१) अथ युजमानाय घर्म्मोच्छिष्टम्प्रयच्छति । सुऽउपहवमिष्ट्वा भक्षयति मधु हुतमिन्द्रतमेऽअग्नाविति मधु हुतमिन्द्रियवत्तमेऽग्नावित्येवै-तदाहाश्याम ते देव घर्म्म नुमस्तेऽअस्तु मा मा हिꣳसीरित्याशिषमे-वैतद्दाशास्ते ॥ ४२ ॥

(स्तेऽथ) अथ दक्षिणतः सिकताऽउपकीर्ण्णा भवन्ति । तन्मार्ज्जयन्ते युऽ एव मार्ज्जालीये बुन्धुः सोऽत्रानुप्रहरति शाकलानुथोपसदा चुरन्त्ये-तदु यज्ञस्य शिरः सꣳस्कृतं युथायथैनत्तदश्विनौ प्रत्युधत्ताम् ॥ ४३ ॥

अथ यजमानाय घर्मोच्छिष्टं प्रयच्छति । स उपहवमिष्ट्वा भक्षयति-" मधु हुतमिन्द्रतमे अग्नौ "-इति । मधु हुतमिन्द्रियवत्तमेऽग्नौ, इत्येवैतदाह । "अश्याम ते देव घर्म नमस्ते अस्तु मा मा हिंसीः "-(वा. सं. ३८ । १६) इति, आशिषमेवैतदाशास्ते ॥ ४२ ॥

अथ दक्षिणतः सिकता उपकीर्णा भवंति, तन्मार्जयन्ते । य एव मार्जालीये बंधुः । सोऽत्र ।

इत्यभिप्रेत्य आह-अथ रौहिणा जुहोति० बंधुरिति । ' अथ ' प्रत्यानयनानंतरं सायंप्रातःकालीनयोः प्रवर्ग्ययोः उत्तरौ रौहिणपुरोडाशौ तयोरेकः घर्मदुहो दोहनात्प्राकाले हुतः । अपरस्त्वस्मिन् काले होतव्य इति तयोः सायंप्रातःकालभेदेन यौ मंत्रौ विहितौ । तावेवात्रानूद्य पुनः स्तूयते-यः अयं " अहः केतुना ", इति मत्रः ' असावेव ' खलु ' बंधुः ' छिन्नस्य यज्ञशिरसो बंधकः । एवमुत्तरमंत्रस्यापि तात्पर्यं प्रतिपादनीयम् ॥ ४१ ॥

अथोपयमन्यामानीतस्यावशिष्टस्य घर्म्मस्य यजमानेन सह भक्षणं विधत्ते-अथ यजमानाय घर्म्मोच्छिष्टं० अग्नावितीति । अथोत्तररौहिणहोमानंतरं ' यजमानाय ' यजमानार्थं ' घर्म्मोच्छिष्टं ' होमातिरिक्तं घर्म्मं ' प्रयच्छति ' अध्वर्युः प्रदद्यात् । ' सः ' यजमानः ' उपहवमिष्ट्वा ' " अध्वर्य उपह्वयस्व " इत्यादिना उपहवयाचनं कृत्वा " मधु हुतम् " इति मंत्रेण तं ' भक्षयति ' । अथास्य मंत्रस्य विवक्षितमर्थमाह-मधु हुत० तदाहेति । " इंद्रतमे अग्नौ " इति कोऽर्थः । ' इंद्रतमे ' इंद्रियवत्तमे ' अग्नौ ' तदीये जाठरे तेजसि ' मधु ' मधुरं ' हुतं ' शिष्टं हविर्हुतमस्तु इत्येवार्थं एतन्मंत्रवाक्यमाह । अवशिष्टं मंत्रमनूद्य तस्य आशीराशासनपरत्वं आह-अश्याम ते० तदाशास्ते इति । ' हे घर्म्म ! ' ' ते ' तुभ्यं ' नमः अस्तु ' ' मा ' मां मा ' हिंसीः ' इति अहिंसाप्रतिपादनपरेण एतद्वाक्येन आशिषं अभीप्सितफलमेव आशास्ते ॥ ४२ ॥

अथ प्राग्वंशस्य दक्षिणदिग्भागे प्रवर्ग्यकर्तॄणां मार्जनं विधत्ते-अथ दक्षिणतः सिकता० बंधुः सोऽत्रेति ।

१-रौहिणं जुहोति । का. श्रौ. सू. २६ । १०५ । मन्त्रक्रमेणोत्तरः रात्रिरिति सायम् । का. श्रौ. सू. २६ । ७१ । इति यत्प्रागुक्तं तस्यायं मन्त्रपाठक्रमप्राप्तो होमकालः । अतः " अहः केतुना " इति द्वितीयं रौहिणं प्रातर्जुहोति । " रात्रिः केतुना " इति सायं जुहोतीति सूत्रार्थः ।

२-" अग्निहोत्रावृता हुत्वा व्वाजिनवद्भक्षयन्ति मधु हुतमिति । का. श्रौ. सू. २६ । १०७ । बहुवचनोपदेशात् घर्मर्त्विजः । वाजिनवदिति च समुपहावं भक्षणमिति कर्कः ।

३-"मार्ज्जालीये पात्रप्रक्षालनम् " का. श्रौ. स. ९ । १९ ।

(न्त) तन्न प्रथमयज्ञे प्रवृञ्ज्यात् । (दे) एनस्यꣳ हि तदथो नेन्मऽ इन्द्रः शिरश्छिनददिति द्वितीये वैव तृतीये वाऽपशीर्ष्णा ह्येवाग्रे यज्ञेन

अनुप्रहरति शाकलान् । अथोपसदा चरंति । एतत् उ यज्ञस्य शिरः संस्कृतम् । यथायथैनत्तदश्विनौ प्रत्यधत्ताम् ॥ ४३ ॥

तं न प्रथमयज्ञे प्रवृंज्यात् । एनस्यं हि तत् । अथो नेन्म इन्द्रः शिरश्छिनद्दिति । द्वितीये

'अथ' यजमानस्य घर्म्मभक्षणानंतरं 'दक्षिणतः' दक्षिणभागे 'सिकताः' वालुकाः 'उपकीर्णाः' धिष्ण्याकारेण क्षिप्ताः 'भवंति' 'तत्' तत्र सिकताभिर्निर्मिते धिष्ण्ये सर्वे प्रवर्ग्यकर्तारः 'मार्जयंते' । सौत्ये अहनि 'मार्ज्जालीये' एतत्संज्ञे भक्षितानां सोमपात्राणां प्रक्षालनस्थाने 'य एव बंधुः' बंधनसामर्थ्यं, 'सः अत्र' अस्मिन् सिकतोपकीर्णे स्थाने द्रष्टव्यः । यथा सोमलिप्तानि ग्रहचमसादीनि पात्राणि मार्ज्जालीये प्रक्षाल्यन्ते, एवं उपयमन्यादि घर्म्मलिप्तं पात्रं अत्र प्रक्षालनीयं इत्यभिप्रायः । अथावशिष्टानां वैकंकतशकलानां प्रहरणं विधत्ते–**अनुप्रहरति शाकलानिति** । पूर्वं "स्वाहा पूष्णे" इत्यादिमंत्रैर्हुताः शकलाः तत्संबंधिनः अन्ये 'शाकलाः' परिश्रयणादयः । तानग्नौ प्रक्षिपेदित्यर्थः । इत्थं सोमयागे प्रवर्ग्याख्यं कर्म निर्वर्त्य तदनंतरं उपसदाख्यं कर्म कर्तव्यं इत्याह–**अथोपसदा चरंतीति** । 'अथ' प्रवर्ग्यानुष्ठानानंतरमेव 'उपसदा' उपसदाख्येन कर्मणा 'चरंति' अध्वर्युप्रभृतयश्चरेयुः । एवं प्रवर्ग्ये अनुष्ठिते सति छिन्नं यज्ञस्य शिरः पुनः संहितं भवतीति अमुमर्थं उपसंहरति–**एतदु यज्ञस्य० प्रत्यधत्तामिति** । तदेनद्यज्ञस्य 'शिरः' 'यथायथा' येन येन प्रकारेण पुराऽश्विनौ 'प्रत्यधत्तां' प्रतिहितवंतौ संयोजितवंतौ । तेनैव प्रकारेणानुष्ठितं कर्म 'यज्ञस्य शिरः संस्कृतं' संस्कारेण संयोजितं भवति ॥ ४३ ॥

इत्थं प्रवर्ग्याख्यं कर्म सांगमुक्तम् । तच्च "पुरस्तादुपसदां प्रवर्ग्यं प्रवृणक्ति" इति वाक्यात् सर्वेषु सोमयागेषु उपसद्यागात्पूर्वं अनुष्ठेयमिति चोक्तम् । अथ तस्य क करणं क्वचित् विषयविशेषे निषेधति–**तन्न प्रथमयज्ञे प्रवृंज्यादिति** । "चतुःसंस्थस्य ज्योतिष्टोमस्य प्रथमकर्तव्यो योऽतिरात्रसंस्थो यज्ञः तस्मिन् 'तं'

१–"उपश्रितानि च प्रहरति" । का. श्रौ. सू. २६ । १०६ ।

२–उपसदन्ते प्रवर्ग्योत्सादनम् । का. श्रौ. सू. २६ । ११५ ।

३–शतपथे अस्मिन्नेव कांडे "स यदैतदातिथ्येन प्रचरति । अथ प्रवर्ग्येण चरिष्यन्पुरोपसदः" (श. प. १४ । १ । ३ । १) इति । "स प्रवृणक्त्यर्चिरसि" इति च । (श. प. १४ । १ । ३ । १७)

४–"चतुःसंस्थस्य" तथा च सूत्रयामास कात्यायनः–"एष प्रथमः सोमः" । "षड्डुत्तरेऽत्यग्निष्टोम उक्थ्यः षोडशी व्वाजपेयोऽतिरात्रोऽप्तोर्यामः" इति च । १० । ९ । २५ । २७ ॥ "एष वाव प्रथमो यज्ञानां यज्ज्योतिष्टोमः" (तां. ब्रा. १६ । १ । २) इति तांड्यब्राह्मणश्रुतेरयं सर्वविकाराणां प्रथमः सोम इति । २५ । षड्डुत्तरे षट्संस्था विकारा इति । तत्रोक्थ्यषोडश्यतिरात्राणां अग्निष्टोमविकारत्वम् । अत्यग्निष्टोमस्यापि अग्निष्टोमसंशब्दनात् अग्निष्टोमविकारत्वम् । ४ । षोडशिविकारो वाजपेयः । अतिरात्रविकारोऽप्तोर्यामः । ७ । अत एव च सूत्रकारेण अत्यग्निष्टोमः अग्निष्टोमानंतरं पठितः । षोडश्यनंतरं वाजपेयः । अतिरात्रसमनंतरमप्तोर्यामः । इति स्वप्रकृत्यपेक्षया क्रतुकरणं यथा स्यादिति पाठप्रयोजनम् । तेन न क्रमार्थमिदं सूत्रम् । किंतु केषुचित्साक्षात् केषुचिच्च परंपरया अग्निष्टोमविकारप्रज्ञप्त्यर्थकमिति कर्कः ।

५–"प्रथमकर्तव्यः" इति । अप्तोर्यामप्रकृतिभूतो यः प्रथमकर्तव्यः अतिरात्रसंस्थो ज्योतिष्टोमः क्रतुः ।

देवाऽअर्चन्तः श्राम्यन्तश्चेरुस्तस्माद्द्वितीये वैव तृतीये वाऽथो तप्तो वाऽ एष शुशुचानो भवति ॥ ४४ ॥

तं यत्प्रथमयज्ञे प्रवृञ्ज्यात् । (३) एषोऽस्य तप्तः शुशुचानः प्रजाश्च पशूँश्च प्रदहेदथोऽआहुः प्रमायुको यजमानः स्यात्तस्माद्द्वितीये वैव तृतीये वा ॥ ४५ ॥

वैव तृतीये वा । अपशीर्ष्णा ह्येवाग्रे यज्ञेन देवा अर्चंतः श्राम्यंतश्चेरुः । तस्मात् द्वितीये वैव तृतीये वा । अथो तप्तो वा एष शुशुचानो भवति ॥ ४४ ॥

तं यत्प्रथमयज्ञे प्रवृंज्यात् । एषोऽस्य तप्तः शुशुचानः प्रजां च पशूंश्च प्रदहेत् । अथो आहुः । प्रमायुको यजमानः स्यात् । तस्मात् द्वितीये वैव तृतीये वा ॥ ४५ ॥

प्रवर्ग्यं 'न प्रवृंज्यात्' प्रवृंजनं न कुर्यात् । अग्निष्टोमसंस्थे तु प्रथमयज्ञे अयं प्रतिषेधो न भवति । "अग्निष्टोमे प्रवृणक्ति" इति वाक्यान्तरेण प्रवृंजनस्य कठोक्तत्वात् इति मीमांसकानां मतम् । प्रथमयज्ञे प्रवृंजने को दोषः इत्यत आह–एनस्यꣳ हि तद॰छिनददिति । तत्प्रवर्ग्यानुष्ठानं 'एनस्यं हि' पापार्हं पापावहं खलु आथर्वणेन दधीचा अत्यंतं सुगुप्तत्वात् इतः पूर्वं केनचिदपि यज्ञेन असंस्कृतस्य यजमानस्य प्रथममनुष्ठीयमाने यज्ञे प्रवर्ग्यानर्हक्रतौ तस्य करणं पापहेतुर्भवतीत्यर्थः । 'अथो' अपि च 'मे' मम अध्वर्योः 'नेत्' नैव 'शिरः छिनदत्' छिन्द्यात् इति भयेनापि 'प्रथमयज्ञे न प्रवृंज्यात्' । आथर्वणं दध्यञ्चं प्रति पुरा एवं खलु इंद्रेणोक्तं यदि इमां प्रवर्ग्यविद्यां अन्यस्मै उपदिशसि अथवा तत्प्रतिपाद्यं प्रवर्ग्याख्यं कर्म अन्यस्य यजमानस्य करोषि । तर्हि अहमागत्य तव शिरः छिन्द्यामिति । एवं सुगुप्तकर्म यदि अध्वर्युः अन्यदीये प्रथमयज्ञे प्रकटयति । तदा हि इन्द्र आगत्य तच्छिरः छिन्द्यात् । तस्मात् एतद्भयेनापि प्रथमयज्ञे न कुर्यादित्यर्थः । नन्वेवं सर्वत्रैव प्रवर्ग्यं न कार्यं ? नेत्याह–द्वितीये वैव तृतीये वा इति । द्वितीय एव वा तृतीय एव वा यज्ञे प्रवृंज्यात् । प्रथमं सोमयागमनुष्ठाय पुनः क्रियमाणे संस्थांतरे द्वितीये सोमयागे तृतीये वा प्रवृंजनं कार्यमित्यर्थः । अथैतदुपपाद्यते– 'अग्रे' पुरा खलु 'देवाः' 'अपशीर्ष्णा' अपगतशिरस्केन खलु 'यज्ञेन' 'अर्चन्तः' पूजयंतः 'श्राम्यंतः' श्रांताश्च संतः प्रथमं चेरुश्चरितवंतः । पश्चात्प्रवर्ग्यलक्षणशिरसा युक्तेनायजन् । तत्साम्यात् अस्मिन् कालेऽपि प्रथमयज्ञमप्रवर्ग्यं कृत्वा द्वितीय एव वा तृतीय एव वा यज्ञे प्रवर्ग्यं कुर्यात् । अथ विपक्षे बाधमुक्त्वा एतदेवोपसंहरति–तस्माद्द्वितीये वैव तृतीये वा इति । 'एष' घर्मस्तप्तः अग्निज्वालया संततः 'शुशुचानः' शोचनशीलः भवति ॥ ४४ ॥

यद्यदि 'तं' तथाविधं घर्मं 'प्रथमयज्ञे' प्रवृंज्यात् 'एष तप्तः' शोचनशीलो घर्मः तर्हि अस्य यजमा-

---

१ इति मीमांसकानां मतमिति । तथा चात्र शास्त्रदीपिका (अ. ३ पा. ३ अ. १२ सू. ३२ । ३ ।) "तस्मात्प्रयोगांगं प्रथमयज्ञप्रयोगे न प्रवृंज्यादिति । यत्तु "अग्निष्टोमे प्रवृणक्ति" इति वाक्यांतरं तत् अनन्यार्थत्वात प्रतिषिद्धप्रथमप्रयोगविषयमेव प्रतिप्रसवार्थम् । तेनाग्निष्टोमप्रथमप्रयोगे विकल्पः । स च व्यवस्थितः । वचनांतरवशात् । तथाहि श्रूयते–कामं तु योऽनूचानः स्यात्तस्य प्रवृंज्यात् इति । तेनाग्निष्टोमप्रथमप्रयोगे अनूचानस्य नित्यं प्रयोगः । अन्येषां नित्यमप्रयोगः । अतिरात्रे प्रथमाहारे तु–

तन्न सुर्व्वस्माऽइव प्प्रुव्वृञ्ज्यात् । (त्सु) सुर्व्वम्वै प्प्रवुर्ग्यो नेत्सुर्व्वस्माऽइव सुर्व्वङ्करवाणीति य्योऽन्वेवु ज्ञातस्तुस्मै प्प्रुव्वृञ्ज्याद्यो वाऽस्य प्प्रियः स्याद्यो वाऽनूचानोऽनूक्तेनैनम्प्राप्नुयात् ॥ ४६ ॥

(त्स) सहुस्रे प्प्रुव्वृञ्ज्यात् । (त्सु) सुर्व्वम्वै सहुस्रꣳ सुर्व्वमेषु सर्व्व-

---

तं न सर्वस्मा इव प्रवृंज्यात् । सर्वं वै प्रवर्ग्यः । नेत्सर्वस्मा इव सर्वं करवाणीति । योऽन्वेव ज्ञातः । तस्मै प्रवृंज्यात् । यो वाऽस्य प्रियः स्यात् । यो वाऽनूचानः अनूक्तेनैनं प्राप्नुयात् ॥ ४६ ॥

सहस्रे प्रवृंज्यात् । सर्वं वै सहस्रम् । सर्वमेषः । सर्ववेदसे प्रवृंज्यात् । सर्वं वै सर्ववेदसम् ।

नस्य पुत्रादिरूपां 'प्रजां च' गवाश्वादिरूपान्पशूंश्च 'प्रदहेत्' प्रदग्धुं शक्नुयात् । 'अथो' अपि च अभिज्ञाः ब्रह्मवादिनः 'आहुः' कथयन्ति । 'यजमानः' सः 'प्रमायुकः' मरणशीलः 'स्यात्' इति । यस्मात् प्रथमयज्ञे प्रवृंजनस्य एवं दोषजातमस्ति । तस्मात् द्वितीय एव वा तृतीय एव वा सोमयागे प्रवर्ग्यं कुर्यात् ॥ ४५ ॥

द्वितीयतृतीयादिष्वपि किं सर्वेषां यजमानानां अविशेषेण एतत्कर्तव्यं नेत्याह—**तन्न सर्वस्माऽइव प्रवृंज्या**दिति । 'तं' प्रवर्ग्यं 'सर्वस्मै' यजमानजनाय 'न प्रवृंज्यात्' । दीक्षणीयाद्यंगकलापवत् अविशेषेण यजमानजनानां प्रवृंजनं न कार्यमित्यर्थः । कुतोऽसौ नियमः ? इत्यत आह—**सर्वम्वै०करवाणीति** । 'प्रवर्ग्यः' खलु सूर्यात्मकत्वात् 'सर्वं वै' सर्वजगदात्मकः खलु । तादृशोऽसौ यदि अविशेषेण सर्वयजमानजने प्रयुज्येत । तदा सर्वमेव सर्वस्य सर्वाकांक्षाया अभावात् असंगतं स्यात् । एकदेशं हि तस्य सार्वात्म्यमन्विच्छति । तस्मात् नेत्स्वैव सर्वस्यैव यजमानजनस्य 'सर्वं' सर्वात्मकं प्रवर्ग्यं 'करवाणि' कुर्याम् । इतिशब्दो हेतौ । अस्माद्धेतोः 'सर्वस्मै' एव न प्रवृंज्यादित्यर्थः । तर्हि कीदृशाय यजमानजनाय प्रवृंजनं कार्यमिति तदाह—**योऽन्वेव ज्ञात० नूक्तेनैनं प्राप्नुयादिति** ॥ ४६ ॥

सहस्रे प्रवृञ्ज्यात्०नान्यत्रेति । 'सहस्रे' गोसहस्रदक्षिणे क्रतौ प्रवृंजनं कुर्यात् । 'सहस्रं सहस्रदक्षिणाकं

—तत्प्रथममाह्रियते क्रियते यः स प्रथमाहारः तस्मिन् प्रथमकर्तव्ये इत्यर्थः । सर्वेषामेवाप्रयोगः प्रतिप्रसवाभावात्'' इति । इत्थं मीमांसकमतं काठकादिशाखांतरपरं व्यक्तीकृत्य वाजसनेयिपरं शातपथिकं मतं व्यनक्ति—'' प्रथमयज्ञे प्रवृंजने को दोष इत्यत आहेत्यादिना ।

१—'' तस्माद्वितीय एव वा तृतीय एव वा '' इत्यत्र अग्निष्टोमसंस्थे इत्यर्थोऽवसीयताम् ।

२—''कीदृशाय यजमानजनाय प्रवृंजनम्'' इत्यत्रापि अग्निष्टोमसंस्थे इति न विस्मर्तव्यमिति । तथाऽऽह कात्यायनोऽपि—''अवकाश्यस्य प्रवृंज्यात्' । न प्रवृंज्यात् । का. श्रौ. सू. २६ । ७ । ५२ । ५.३ इति च । अवकाश एवावकाश्यः । तस्य यज्ञे प्रवर्ग्यं कुर्यात् । न सर्वस्य । तथा च श्रुतिः—'' तन्न सर्वस्माऽ इव प्रवृंज्यात् '' (श. प. १४ । २ । २ । ४६) इति । ५२ । अवकाश्यस्येति पूर्वसूत्रादनुवर्तते । अवकाश्यस्यापि प्रथमप्रयोगे न प्रवृंज्यात् । तथाच श्रुतिः—' तं न प्रथमयज्ञे प्रवृंज्यात् ' (श. प. १४ । २ । २ । ४४) इति कर्कः । अवकाश्यस्यापीत्यपिना अनवकाश्यस्यापि प्रथमप्रयोगे प्रवृंजननिषेधो व्यक्तीकृतः । शतपथमनुसृत्य मीमांसकमते अपि मीमांसासारसंग्रहकृच्छंकरभट्टाः । '' नाद्ये प्रयोगे प्रवृञ्ज्यात्'' । अ. ३ । पा. ३ । श्लो.४३। इति शातपथिकं सिद्धांतमाहुः । अवकाश्योऽनवकाश्यश्चेत्युभयाविधः कर्ता इति शेषः । आद्ये अग्निष्टोमसंस्थे इत्यर्थः ॥

३—'' त्र्यहाः पंच गर्गवैदच्छंदोमान्तर्वसुपराकाः '' का. श्रौ. सू. २३ । २ । ८ । इति त्रिरात्राः पंच क्रतवो गोसहस्रदक्षिणाकाः । तथाह कात्यायनः—'' सहस्रदक्षिणे त्रिरात्रे प्रतिविभज्य नयन् '' । का. श्रौ. सू. १३ । ४ । १४ । इत्युपक्रम्य '' दश दशाऽभेदेन दक्षिणा दद्यात् '' । का. श्रौ. सू. १३ । ४ । २२ । इति ।

वेदसे प्रव्वृञ्ज्यात्सर्व्वम्वै सर्व्ववेदसꣳ सर्व्वमेषु विश्वजिति सर्व्वपृष्ठे प्रव्वृञ्ज्यात्सर्व्वम्वै विश्वजित्सर्व्वपृष्ठः सर्व्वमेषु व्वाजपेये राजसूये प्रव्वृञ्ज्यात्सर्व्वꣳ हि तत्सत्रे प्रव्वृञ्ज्यात्सर्व्वम्वै सत्त्रꣳ सर्व्वमेषुऽ एतान्यस्य प्रवर्ज्जनान्यतो नान्यत्र ॥ ४७ ॥

सर्वमेषः । विश्वजिति सर्वपृष्ठे प्रवृंज्यात् । सर्वं वै विश्वजित्सर्वपृष्ठः । सर्वमेषः । वाजपेये राजसूये प्रवृंज्यात् । सर्वं हि तत् । सत्रे प्रवृंज्यात् । सर्वं वै सत्रम् । सर्वमेषः । एतान्यस्य प्रवर्जनानि । अतो नान्यत्र ॥ ४७ ॥

कर्म 'सर्वं वै' सर्वात्मकं बहुदक्षिणाकत्वात्, 'सर्वं' सर्वजगदात्मकः । अत उभयोः साम्येन संबंधयोग्यत्वात् सहस्रे प्रवृंजनं युक्तमित्यर्थः । एवमुत्तरेष्वपि वाक्यविशेषेषु योजना । वेदः इति धननाम । सर्वं यजमानधनं यस्मिन् क्रतौ दक्षिणात्वेन विधीयते तस्मिन् सर्ववेदसे क्रतावपि प्रवृंजनं कार्यम् । सर्ववेदसं सर्वस्वदक्षिणं कर्म 'सर्वं वै' सर्वात्मकं खलु । अपरिमितधनयुक्तत्वात् । तथा 'सर्वपृष्ठे' रथंतर-बृहत्-वैरूप-वैराज-शाकर-रैवतानि पृष्ठसामानि यस्मिन् संहन्यंते तादृशे 'विश्वजिति' एतत्संज्ञके एकाहे प्रवृंजनं कुर्यात् । सर्वपृष्ठो विश्वजित् पृष्ठसामबाहुल्यात् 'सर्वं' सर्वात्मकं खलु । तथा वाजपेयराजसूययोः क्रत्वोः प्रवृंजनं कुर्यात् । 'क्रतुद्वयं' 'सर्वं' सर्वात्मकं खलु । आग्नेयाद्यग्निष्टोमादिसवनीयपशुभिः सर्वात्मकप्रजापतिदैवत्यैः पशुभिश्च यागात् वाजपेयस्य सर्वत्वम् । राजसूयस्य च इष्टिपशुदर्वीहोमसोमसमुदायरूपत्वात् सर्वेषां कर्मभेदानामंतर्भावात् सर्वत्वम् । तथा 'सत्रे' बहुयजमानकर्तृके सत्रयागे प्रवृंजनं कुर्यात् । 'सत्रं' सत्रयागः बहुकर्तृकत्वात् 'सर्वं' सर्वात्मकं खलु । 'एतानि' सहस्रादीनि स्थानानि 'अस्य' प्रवर्ग्यस्य नित्यप्रवृंजनस्थानानि । 'अतः' एभ्यः 'अन्यत्र' न नित्यं प्रवृंजनमित्यर्थः ॥ ४७ ॥

१-एकः सर्ववेदसः क्रतुर्ब्राह्मणकर्तृकः पुरुषमेधः । "पुरुषमेधस्त्रयोविंशतिदीक्षोऽतिष्ठाकामस्य" । "ब्राह्मणराजन्ययोः" । "सर्वस्वं ब्राह्मणस्य" । का. श्रौ. सू. २१ । १ । १ । २ । १५ इति ब्राह्मणकर्तृके पुरुषमेधे सर्वस्वं दक्षिणात्वेन देयमिति विधिः । तथा अपरः सर्ववेदसः क्रतुः सर्वमेधः । "सर्वमेधः सर्वकामस्य" । "पुरुषमेधवद्दक्षिणा सभूमि" इति च । का. श्रौ. सू. २१ । २ । १-१३ ॥

२-बृहत् रथंतरं वैरूपं वैराजं शाकरं रैवतं इति षट्सामानि पृष्ठशब्दानूच्यमानानि । तांडयब्राह्म. । ७ । ६ । ७ । तै. ब्रा. । १ । २ । २ । ३ । छंदोगानां निदानसूत्रं च-"बृहद्रथन्तरवैराजशाकरवैरूपरैवतानि वैश्वजितानि पृष्ठानीति ।

३-"अतिरात्रपशूनुपाकृत्य वशां पृश्निं मरुद्भ्य उज्जेषेभ्यः" । का. श्रौ. सू. १४ । २ । ११ । "तदभावेऽपृश्निं" का. श्रौ. सू. १४ । २ । १२ । "प्राजापत्यांश्च सप्तदश श्यामतूपरान् बातान्" । का. श्रौ. सू. १४ । २ । १२ । अतिरात्रपशवः कात्यायनेनोक्ताः । ते च "आग्नेयोऽग्निष्टोमे सवनीयः पशुः" । "ऐन्द्राग्नश्चोक्थ्ये द्वितीयः" । "ऐन्द्रो वृष्णिः षोडशिनि तृतीयः" । "सरस्वत्यै चतुर्थोऽतिरात्रे मेषी वा" । का. श्रौ. सू. ९ । ८ । २ । ३ । ४ । ५ ।

४-"इष्टिसोमपशवो भिन्नतन्त्राः कालभेदात्" । का. श्रौ. सू. १५ । १ । २ । "चातुर्मास्यप्रयोगः फाल्गुन्याम्" का. श्रौ. सू. । १५ । १ । १५ । एतत्सूत्रोल्लेखस्तु चातुर्मास्यांतर्भूतदर्वीहोमप्रदर्शको ज्ञेयः ।

५-"यजमानाः सर्वे सत्रेषु" का. श्रौ. सू. १२ । १ । ७ ॥

तुदाहुः । (८४) यदुपशिराऽअप्रवर्ग्योऽथ केनास्याग्निहोत्रꣳ शीर्षण्वुद्भवतीत्याहवनीयेनेति ब्रूयात्कथं दर्शपूर्णमासावित्याज्येन च पुरोडाशेन चेति ब्रूयात्कथश्चातुर्मास्यानीति पयस्ययेति ब्रूयात्कथम्पशुबन्धऽइति पशुना च पुरोडाशेन चेति ब्रूयात्कथꣳ सौम्योऽध्वरऽइति हविर्द्धानेनेति ब्रूयात् ॥ ४८ ॥

तदाहुः—यदपशिरा अप्रवर्ग्यः । अथ केनास्याग्निहोत्रं शीर्षण्वद्भवतीति ?; आहवनीयेनेति ब्रूयात् । कथं दर्शपूर्णमासाविति ?; आज्येन च पुरोडाशेन चेति ब्रूयात् । कथं चातुर्मास्यानीति ?; पयस्ययेति ब्रूयात् । कथं पशुबंध इति ?; पशुना च पुरोडाशेन चेति ब्रूयात् । कथं सौम्योऽध्वर इति ?; हविर्द्धानेनेति ब्रूयात् ॥ ४८ ॥

नन्वेवं अप्रवर्ग्यस्य यज्ञस्याशिरस्कत्वे कथमग्निहोत्रस्य सशिरस्त्वम् इत्याशंक्य तदुपपादयति—**तदाहु० हवनीयेनेति ब्रूयादिति ।** तत्तत्र आहुश्चोदयंति ब्रह्मवादिनः । 'अप्रवर्ग्यः' प्रवर्ग्यरहितः क्रतुः यद्यदि 'अपशिराः' अपगतशिरस्कः स्यात् । 'अथ' तर्हि 'अग्निहोत्रं' सायंप्रातःकालयोरनुष्ठीयमानं हविर्यज्ञानामादिभूतं कर्म 'अस्य' यजमानस्य 'केन' किंलक्षणेन शिरसा 'शीर्षण्वत्' शिरसा युक्तं भवतीति । एवं ब्रुवतां तेषां आहवनीयेनाग्निना अग्निहोत्रं सशिरस्कं इत्युत्तरं ब्रूयात् । अथ दर्शपूर्णमासयोरपि अग्निहोत्रवत् सशिरस्कत्वमाह—**कथं दर्शपूर्ण० ब्रूयादिति ।** 'दर्शपूर्णमासौ' अप्रवर्ग्यत्वात् 'कथं' सशिरस्काविति ब्रह्मवादिनां प्रश्नः । तस्य 'आज्येन च पुरोडाशेन च' इत्युत्तरं 'ब्रूयात्' । तथा च पुरोडाशस्य[1] यज्ञशिरस्त्वं तैत्तिरीयके स्पष्टमाम्नायते—"मखस्य शिरोऽसीत्याह । यज्ञो वै मखः । तस्यैतच्छिरः । यत्पुरोडाशः । तस्मादेवमाह" इति । तथा आधारानंतरं तच्छेषेणाज्येन ध्रुवासमंजने विनियुक्ते मंत्रे—"मखस्य शिरोऽसि सञ्ज्योतिषा ज्योतिरङ्क्ताम्" इति श्रवणात् आज्यस्यापि तच्छिरस्त्वमवगंतव्यम् । अथ चातुर्मास्यानामपि सशिरस्कत्वमाह—**कथश्चातुर्मास्यानीति पयस्ययेति ब्रूयादिति ।** चतुर्षु चतुर्षु मासेषु क्रियंत इति 'चातुर्मास्यानि' वैश्वदेवादीनि चत्वारि पर्वाणि । तानि कथमप्रवर्ग्यत्वात्सशिरस्कानीति प्रश्नस्योत्तरं 'पयस्ययेति ब्रूयात्' । तत्र या वैश्वदेवी आमिक्षा सैव पयस्या इत्युच्यते । तया चातुर्मास्यानि सशिरस्कानीत्यर्थः । पशुबंधस्यापि प्रवर्ग्यराहित्यादशिरस्कत्वमाशंक्याह—**कथं पशुबंध इति पशुना च पुरोडाशेन चेति ब्रूयादिति ।** पशुः पशुपुरोडाशश्च पशुयागस्य शिरःस्थानीय इत्यर्थः । स्पष्टमन्यत् । अप्रवर्ग्यो यः सोमयागः स किं आशिरस्क एव ? नेत्याह—**कथꣳ सौम्योऽध्वरऽइति हविर्द्धानेनेति ब्रूयादिति ।** 'सौम्योऽध्वरः' प्रवर्ग्यरहितः सोमयागः 'कथं' केन खलु शिरसा सशिरस्क इति प्रश्नः । हविर्द्धानेनेति तस्योत्तरम् । ग्रहचमसादीनां सोमपूर्णानां आसादनस्थानं हविर्द्धानम् । तेन अप्रवर्ग्योऽपि सोमयागः सशिरस्कः इत्यर्थः । हविर्द्धानस्य यज्ञशिरस्त्वं[2] तैत्तिरीये स्पष्टमाम्नातम्—"शिरो वाऽएतद्यज्ञस्य यद्धविर्द्धानम्" (तै. सं. ६ । २ । ११) इति ॥ ४८ ॥

१—"शिरो ह वा एतद्यज्ञस्य यत्पुरोडाशः । स यान्येवेमानि शीर्ष्णः कपालानि । एतान्येवास्य कपालानि । मस्तिष्क एव पिष्टानि ।" श. प. १ । २ । १ । २ । इति शतपथेऽपि मास्तिष्कश्रुतौ पुरोडाशस्य यज्ञशिरस्त्वं स्पष्टमेवास्तीति बोध्यम् ।

२—"शिरो वै यज्ञस्य हविर्द्धानं ०००" श. प. ३ । ६ । १ । १ इति शतपथेऽपि हविर्द्धानस्य यज्ञशिरस्त्वं व्यक्तमेव ।

(तु) अथोऽआहुः । (र्य्य) यज्ञस्य शीर्षच्छिन्नस्य शिरऽएतद्देवाः प्रत्यदधुर्य्यदातिथ्यन्न ह वाऽअस्यापशीर्ष्णा केनचन यज्ञेनेष्टम्भवति यऽएवमेतद्वेद ॥ ४९ ॥

तदाहुः । (र्य्य) यत्प्रणीताः प्प्रणयन्ति यज्ञेऽथ कस्मादत्र न प्प्रणयतीति शिरो वाऽ एतद्यज्ञस्य यत्प्रणीताः शिरः प्प्रवर्ग्यो नेच्छिरसा शिरोऽभ्यारोहयाणीति ॥ ५० ॥

अथो आहुः । यज्ञस्य शीर्षच्छिन्नस्य शिर एतद्देवाः प्रत्यदधुः; यदातिथ्यम् । न ह वा अस्यापशीर्ष्णा केनचन यज्ञेनेष्टं भवति । य एवमेतद्वेद ॥ ४९ ॥

तदाहुः–यत्प्रणीताः प्रणयन्ति यज्ञे । अथ कस्मादत्र न प्रणयतीति । शिरो वा एतद्यज्ञस्य । यत्प्रणीताः । शिरः प्रवर्ग्यः । नेच्छिरसा शिरोऽभ्यारोहयाणीति ॥ ५० ॥

अथ प्रकारांतरेण सशिरस्कत्वमाह–**अथो आहुर्यज्ञस्य० यदातिथ्यमिति** । अथोशब्दः पक्षांतरपरिग्रहे । 'आहुः' अभिज्ञा ब्रह्मवादिनः कथयन्ति । किमिति चेत्; उच्यते–'शीर्षच्छिन्नस्य' छिन्नशिरस्कस्य 'यज्ञस्य' एतदेव 'शिरः' पुरा 'देवाः' 'प्रत्यदधुः' संदधुः । 'यत्' आतिथ्याख्यं हविः क्रियते, एतदेव यज्ञस्य शिरः । तेन देवैः पुरा प्रतिहितमित्यर्थः । अत एव तैत्तिरीयैकं–"शिरो वा एतद्यज्ञस्य यदातिथ्यं नवकपालः पुरोडाशो भवति तस्मान्नवधा शिरो विष्यूतम् (तै. सं. ६।२।१)" इति । अथ एतद्वेदनफलमाह–**न ह वाऽ अस्या० मेतद्वेदेति** । 'यः' यजमानः 'एवं' उक्तप्रकारेण 'एतत्' अग्निहोत्रादीनां सशिरस्त्वं 'वेद' जानाति । 'अस्य' यजमानस्य 'अपशीर्ष्णा' अपगतशिरस्केन 'केनचन' केनापि 'यज्ञेन' 'इष्टं' यजनं 'न ह वै' खलु 'भवति' अग्निहोत्रादिकम् एवं यज्ञं सशिरस्कमेव कृतवान् भवतीत्यर्थः ॥ ४९ ॥

सोमयागांगभूतेषु दीक्षणीयादिषु कर्मसु प्रणीता आपः प्रणीयन्ते । तथा च तदंगभूते प्रवर्ग्येऽपि तासामपि प्रणयनेन भवितव्यमित्याशंक्याह–**तदाहुर्यत्प्रणीता० रोहयाणीतीति** । तत्तत्र प्रवर्ग्ये 'आहुः' कथयन्ति ब्रह्मवादिनः । 'यज्ञे' दर्शपूर्णमासादौ दीक्षणीयादौ च यद्यस्मात् 'प्रणीताः' अपः 'प्रणयन्ति' यज्ञरक्षोर्थम् । तस्मात्प्रवर्ग्याख्ये यज्ञेऽपि प्रणीताप्रणयनं कार्यम् । 'अथ' च कस्मादेव कारणात् 'अत्र' प्रवर्ग्ये कर्मणि अध्वर्युस्ताः 'न प्रणयतीति' प्रश्नः । तस्योत्तरमेतत् "शिरो वा[३]" इत्यादिकम् । प्रणीता आप इति यत् 'एतद्यज्ञस्य' 'शिरो वै' प्रवर्ग्यश्च यज्ञस्य शिरः । न खलु शिरस उपरि अन्यच्छिरो भवति । एवं च

१–"शिरो वै यज्ञस्यातिथ्यम् । बाहू प्रायणीयोदयनीयौ । अभितो वै शिरो बाहू भवतः । तस्मादभितऽ आतिथ्यम् । एते हविषी भवतः । प्रायणीयश्चोदयनीयश्च" । श. प. ३ । २ । ३ । २० । इति शतपथेऽपि आतिथ्यस्य यज्ञशिरस्त्वं व्यक्तमेव ।

२–"यद्वेवापः प्रणयति । देवान् ह वै यज्ञेन यजमानांस्तानसुररक्षसानि ररक्षुः । न यक्ष्यध्व इति" । (श. प. १।१।१।१६।) इति शतपथे प्रणीताप्रणयनब्राह्मणे प्रणीतानां यज्ञरक्षार्थत्वं स्फुटम् ।

३–शिरो ह वाऽ एतद्यज्ञस्य यत्प्रणीताः । स यत्प्रणीताः प्रणयति । शिर एवैतद्यज्ञस्य संस्करोति । स विद्याच्छिरऽ एव मऽ एतत्संस्क्रियत इति" । (श, प. ११ । २ । ६ । १) इति शतपथे प्रणीतानां यज्ञशिरस्त्वं व्यक्तमस्ति ।

तदाहुः । (४थं) यत्प्रयाजानुयाजाऽ अन्यत्र भवन्त्यथ कस्मादत्र न भवन्तीति प्राणा वै प्रयाजानुयाजाः प्राणाऽअवकाशाः प्राणाः शाकला नेत्प्राणैः प्राणानभ्यारोहयाणीति ॥ ५१ ॥

तदाहुः । (५थं) यदाज्यभागावन्यत्र जुह्वत्यथ कस्मादत्र न जुहोतीति चक्षुषी वाऽ एते यज्ञस्य यदाज्यभागौ चक्षुषी रौहिणौ नेच्चक्षुषा चक्षुरभ्यारोहयाणीति ॥ ५२ ॥

तदाहुः–यत्प्रयाजानुयाजा अन्यत्र भवन्ति । अथ कस्मादत्र न भवन्तीति । प्राणा वै प्रयाजानुयाजाः । प्राणा अवकाशाः । प्राणाः शाकलाः । नेत्प्राणैः प्राणानभ्यारोहयाणीति ॥ ५१ ॥

तदाहुः–यदाज्यभागावन्यत्र जुह्वति । अथ कस्मादत्र न जुहोतीति । चक्षुषी वा एते यज्ञस्य–यदाज्यभागौ । चक्षुषी रौहिणौ । नेच्चक्षुषा चक्षुरभ्यारोहयाणीति ॥ ५२ ॥

'नेद्' नैव 'शिरसा' अन्यच्छिरः 'अभ्यारोहयाणि' अधिरोहणं करवाणि इत्यनेनाभिप्रायेण प्रवर्ग्ये प्रणीतानां अप्रणयनम् ॥ ५० ॥

अथ प्रयाजानुयाजानां अभावकृतं यज्ञान्तरवैषम्यम् आशंक्य परिहरति–**तदाहुर्यत्प्रयाजानुयाजा० भ्यारोहयाणीतीति** । 'अन्यत्र' दीक्षणीयादौ यद्यस्मात् 'प्रयाजानुयाजा भवन्ति' तस्मात्प्रवर्ग्येऽपि तैर्भवितव्यम् । तथापि कस्मादेव कारणात् 'अत्र' प्रवर्ग्ये प्रयाजा अनुयाजाश्च 'न भवंति' नानुष्ठीयंते इति ब्रह्मवादिनामाक्षेपः । तस्यायं परिहारः । प्राणात्मकाः खलु प्रयाजानुयाजाः । तथा ".गर्भो देवानाम्"–इत्याद्याः अत्र क्रियमाणाः अवकाशाख्या मंत्राश्च प्राणात्मकाः । तथा 'शाकलाः' शकलहोममंत्राश्च "स्वाहा पूष्णे" इत्याद्याः प्राणात्मकाः । न हि प्राणेषूपरि प्राणा भवंति । अतः नेन्नैव 'प्राणैः' अन्यैः प्राणांतरैः अन्यान् 'प्राणान्' 'अभ्यारोहयाणि' अध्यारूढान् करवाणि इत्यनेनाभिप्रायेण प्राणसंस्तुतावकाशादियुक्ते प्रवर्ग्यकर्मणि प्राणसंस्तुताः प्रयाजानुयाजाः न क्रियंत इत्यर्थः ॥ ५१ ॥

अथ यज्ञान्तरवत् कस्मात् अत्राज्यभागौ न भवतः इत्याशंक्याह–**तदाहुर्यदाज्यभागा० भ्यारोहयाणीतीति** । तत्तत्र प्रवर्ग्ये पुनरन्यत् चोदयंति ब्रह्मवादिनः । यद्यस्मात्, 'अन्यत्र' स्थलांतरे दीक्षणीयादौ आग्नेयश्च सौम्यश्च इति द्वावाज्यभागौ 'जुह्वति' । अग्निं सोमं चोद्दिश्य आज्यभागाख्यं यागद्वयं कुर्वंति । एवं सति 'कस्मात्' कारणात् 'अत्र' प्रवर्ग्ये तौ न जुहोतीति । अस्योत्तरं 'यत्' यावेतौ 'आज्यभागौ' 'एते' यज्ञस्य 'चक्षुषी वै' तथा प्रवर्ग्ये क्रियमाणे रौहिणहोमौ च यज्ञस्य 'चक्षुषी' । न खलु चक्षुर्युक्तस्य

१–" पंच प्रयाजाः । इमऽ एवास्य ते शीर्षण्याः पंच प्राणाः । मुखमेवास्य प्रथमः प्रयाजः । दक्षिणा नासिका द्वितीयः । सव्या नासिका तृतीयः । दक्षिणः कर्णश्चतुर्थः । सव्यः कर्णः पंचमः " (श. प. । ११ । २ । ६ । ४) इति । तथा " त्रयोऽनुयाजाः । इमऽ एवास्य तेऽवाञ्चस्त्रयः प्राणाः " (श. प. ११ । २ । ६ । ९) इति शतपथे प्रयाजानुयाजानां प्राणात्मकत्वं व्यक्तमेव ।

२–" चक्षुषी आज्यभागौ । स यद्वियाचक्षुषीऽ एव मऽ एतावित्ति " (श. प. ११ । २ । ६ । ४) इति शतपथे आज्यभागयोश्चक्षुष्ट्वं व्यक्तम् ।

तदाहुः । (ठ्यु) यद्वानस्पत्यैर्देवेभ्यो जुह्वत्यथ कस्मादेतन्मृण्मयेनैव जुहोतीति यज्ञस्य शीर्षच्छिन्नस्य रसो व्यक्षरत्सऽइमे द्यावापृथिवीऽअगच्छद्यन्मृदियन्तद्यदापोऽसौ तन्मृदश्चापाञ्च महावीराः कृता भवन्ति तेनैवैनमेतद्रसेन समर्द्धयति कृत्स्नङ्करोति ॥ ५३ ॥

स यद्वानस्पत्यः स्यात् । (त्यु) प्प्रदह्येत यद्धिरण्मयः स्यात्प्रलीयेत यल्लोहमयः स्यात्प्रसिच्येत यदयस्मयः स्यात्प्रदहेत्परीशासावथैषऽएवै-तस्माऽअतिष्ठत तस्मादेतन्मृण्मयेनैव जुहोति ॥ ५४ ॥

तदाहुः-यद्वानस्पत्यैर्देवेभ्यो जुह्वति । अथ कस्मादेतन्मृण्मयेनैव जुहोतीति । यज्ञस्य शीर्षच्छिन्नस्य रसो व्यक्षरत् । स इमे द्यावापृथिवी अगच्छत् । यन्मृत् । इयं तत् । यदापः । असौ तत् । मृदश्चापां च महावीराः कृता भवंति । तेनैवैनमेतद्रसेन समर्द्धयति । कृत्स्नं करोति ॥ ५३ ॥

स यद्वानस्पत्यः स्यात्; प्रदह्येत । यद्धिरण्मयः स्यात्; प्रलीयेत । यल्लोहमयः स्यात्; प्रसिच्येत । यदयस्मयः स्यात्; प्रदहेत् परीशासौ । अथैष एवैतस्मा अतिष्ठत । तस्मादेतन्मृण्मयेनैव जुहोति ॥ ५४ ॥

पुनश्चक्षुरंतरमपेक्षितम् । अतो नेनैव 'चक्षुषा' चक्षुरंतरं 'अभ्यारोहयाणि' अध्यारूढं करवाणि इत्यनेनाभिप्रायेण आज्यभागयागावपि प्रवर्ग्ये न क्रियेते इत्यर्थः ॥ ५२ ॥

अथ मृण्मयपात्रस्य होमानर्हतामाशंक्य घर्महोमे तदेव योग्यमित्युपपादयति—तदाहुर्यद्वानस्पत्यै० कृत्स्नं करोतीति । 'तत्' तत्र प्रवर्ग्यविषये 'आहुः' पुनरन्यच्चोदयंति । यद्यस्मात् 'देवेभ्यः' देवानामर्थं 'वानस्पत्यैः' वनस्पतिविकारैः दारुमयैः पात्रैः 'जुह्वति' । 'अथ कस्मात्' कारणात् अत्र 'एतत्' घर्मलक्षणं हविः 'मृण्मयेन' मृद्विकारेणैव महावीरादिना पात्रेण 'जुहोति' । न च एतत् युक्तम् । "न हि मृन्मयमाहुतिमानशे" (तै. सं. २।५।४) इति श्रुत्यंतरे मृण्मयस्य आहुत्यनर्हतायाः प्रतिपादितत्वादिति शंका । तस्योत्तरं—'यज्ञस्य शीर्षच्छिन्नस्य' इत्यादिकम् । एतच्च प्रथमाध्यायस्य द्वितीयब्राह्मणे मृदाहरणप्रस्तावे व्याख्यातम् ॥ ५३ ॥

अथ विपक्षे बाधमुक्त्वा मृण्मयेनैव होतव्यमित्युपसंहरति—स यद्वानस्पत्य० जुहोतीति । 'सः' होमसाधनभूतो महावीरः यद्यदि 'वानस्पत्यः' वनस्पतिविकारो दारुमयः 'स्यात्' तदा तस्य तपने सति 'प्रदह्येत' प्रदग्धो भवेत् । यद्यदि 'हिरण्मयः' सुवर्णनिर्मितो महावीरः 'स्यात्' तदा तापात् 'प्रलीयेत' घृतवत् निलीनो भवेत् । यद्यदि 'लोहमयः' कांस्यादिनिर्मितः 'रपात्' तदा 'प्ररिच्येत' प्रकर्षेण सिक्तो द्रुतो भवेत् । यद्यदि च 'अयस्मयः' अयसा निर्मितः 'स्यात्' तदा 'परीशासौ' महावीरपरिग्रहार्थौ संदंशौ 'प्रदहेत्' प्रदग्धौ कुर्यात् । 'अथ' यस्मात् कारणात् 'एषः' मृण्मय एव महावीरः 'एतस्मै' घर्माय 'अतिष्ठत' तापादिक्षमत्वेन स्थितः अभूत् । 'तस्मात्' कारणात् 'एतत्' घर्माख्यं हविः 'मृण्मयेन' मृद्विकारेण पात्रेण महावीराख्येनैव 'जुहोति' ॥ ५४ ॥

(त्यु) अथैतद्द्वै । (द्वाऽआ) आयुरेतज्ज्योतिः प्रविशति युऽएतमनु वा ब्रूते भक्षयति वा तस्य व्रतचर्य्या या सृष्टौ ॥ ५५ ॥

इति द्वितीयप्रपाठके प्रथमं ब्राह्मणम् ॥ १४।२।१ ॥ (२-२) ॥

इति द्वितीयोऽध्यायः समाप्तः ॥ १४-२ ॥

कण्डिकासंख्या ॥ ७७ ॥

अथ एतद्वा आयुः, एतज्ज्योतिः प्रविशति । य एतमनु वा ब्रूते, भक्षयति वा । तस्य व्रतचर्या या सृष्टौ ॥ ५५ ॥

अथ पूर्वब्राह्मणावसानेष्विव एतद्ब्राह्मणाध्येतुः तदर्थानुश्रोतुश्च प्रागुक्तां व्रतचर्यामादिशति—अथैतद्वै० सृष्टाविति । सिद्धमेतत् ॥ ५५ ॥

इति श्रीसायणाचार्यविरचिते माधवीये वेदार्थप्रकाशे माध्यन्दिनीयशतपथब्राह्मणभाष्ये
चतुर्दशकाण्डे तदन्तर्भूते प्रथमे प्रवर्ग्यकाण्डे द्वितीयेऽध्याये
द्वितीयं ब्राह्मणम् ॥ १४।(१)२।२ ॥

वेदार्थस्य प्रकाशेन तमो हार्दं निवारयन् । पुमर्थांश्चतुरो देयाद् विद्यातीर्थमहेश्वरः ॥ १ ॥

ब्रह्माण्डं गोसहस्रं कनकइय[illegible]क्ष्मौ स्वर्णगर्भं,
सप्ताब्धीन्पञ्चसीरीङ्क्षि[illegible]शतक[illegible]तुर्सौवर्णभूर्भाः ।
रत्नोस्रां रुक्मवाजिद्विपमहितरथौ सायणिः सिङ्गणार्यो,
व्यश्राणीद्विश्वचक्रं प्रथितविधिमहाभूतयुक्तं वटं च ॥
धान्याद्रिं धन्यजन्मा तिलभवमतुलः स्वर्णजं वर्णमुख्यः,
कार्पासीयं कृपावान्गुडकृतमजडो राजतं राजपूज्यः ।
आज्योत्थं प्राज्यजन्मा लवणजमनृणः शार्करं चार्कतेजा,
रत्नाढ्यो रत्नरूपं गिरिमकृत मुदा पात्रसात्सिङ्गणार्यः ॥

इति श्रीमद्राजाधिराजपरमेश्वरवैदिकमार्गप्रवर्त्तकश्रीहरिहरमहाराजसाम्राज्यधुरन्धरेण सायणाचार्येण विरचिते माधवीये वेदार्थप्रकाशे माध्यन्दिनीयशतपथब्राह्मणभाष्ये चतुर्दशकाण्डे तदन्तर्भूते प्रथमे प्रवर्ग्यकाण्डे द्वितीयोऽध्यायः समाप्तः ॥ (१४(१)-२) ॥

अथ तृतीयेऽध्याये प्रथमं ब्राह्मणम् ।
द्वितीयप्रपाठके च द्वितीयं ब्राह्मणम् ।

स वै तृतीयेऽहन् । (न्ष) षष्ठे वा द्वादशे वा प्प्रवर्ग्योपसदौ समस्य प्प्रवर्ग्यमुत्सादयत्युत्सन्नमिव हीदᳫं शिरस्तद्यदेतमभितो भवति तत्सर्वᳫं समादायाग्ग्रेण शालामन्तर्व्वेद्युपसमायन्ति ॥ १ ॥

अथ घर्मोद्वासनम् ।

स वै तृतीयेऽहन् षष्ठे वा द्वादशे वा प्रवर्ग्योपसदौ समस्य प्रवर्ग्यमुत्सादयति । उत्सन्नमिव हीदं शिरः । तद्यदेतमभितो भवति । तत्सर्वं समादाय । अग्रेण शालामन्तर्वेद्युपसमायन्ति ॥ १ ॥

यस्य निश्वसितं वेदा यो वेदेभ्योऽखिलं जगत् । निर्ममे तमहं वन्दे विद्यातीर्थमहेश्वरम् ॥ १ ॥

इत्थं द्वितीयाध्याये घर्म्मस्य प्रवृंजनमुक्तम् । अथ तृतीये तदुद्वासनमुच्यते । अत्र तावत् कस्मिन् काले तत् कर्तव्यमिति तदाह–**स वै तृतीयेऽहन्०हीदᳫं शिर** इति । एकाहानां[2] त्र्युपसत्कत्वात् त्रिरात्रं सायंप्रातः-कालयोः प्रवर्ग्यानुष्ठानम् । साग्निचित्यानां[3] तु तेषां षडुपसत्कत्वेन तत्र षट्सु अहःसु कालद्वये प्रवर्ग्यानुष्ठानम् । अहीनानां[4] द्वादशोपसत्कत्वात् द्वादशरात्रे सायंप्रातःकालयोः प्रवर्ग्यः कर्तव्यः । तथा चायमर्थः–'स वै' स खलु अध्वर्युः तृतीयेऽहनि षष्ठेऽहनि वा द्वादशेऽहनि वा पौर्वाह्णिकाभ्यां प्रवर्ग्योपसद्भ्यां चरित्वा तदानीमेव आपराह्णिकौ 'प्रवर्ग्योपसदौ समस्य' एकीकृत्य अनुष्ठाय 'प्रवर्ग्यमुत्सादयति'[5] उत्सन्नं उद्वासितं करोति । ननु–यज्ञांतरस्य उद्वासनादर्शनात् कुत उद्वासनम् ? इति चेत् उच्यते–'इदं' यज्ञशिरः प्रवर्ग्याख्यं 'उत्सन्नमिव हि' तिरोहितमिव हि । तस्मात् अस्य तिरोधानापेक्षणात् तदर्थमुद्वासनं कार्यमित्यर्थः । तत्र प्रवर्ग्यं उद्वासयितुं घर्मोपयुक्तानां द्रव्याणां एकीकरणं विधत्ते–**तद्यदेतमभितो भवति० द्युपसमायंतीति** । 'एतं' प्राग्वंशं 'अभितः' परितः सर्वासु दिक्षु 'तत् यत्' यत् किमपि घर्मोपयुक्तं वस्तुजातं भवति 'तत्सर्वं समादाय' एकीकृत्य 'शालामग्रेण' प्राचीनवंशगृहस्य पुरस्तादंतर्वेदि[6] सौमिकवेद्यां मध्ये 'उपसमायन्ति' सर्वे प्रवर्ग्य-कर्तारः उपागच्छेयुः ॥ १ ॥

१–अत्र "प्रवृञ्जनं प्रवर्ग्यस्य तथागोद्वासने तथा । तत्स्तुतिश्चेत्यमी अर्थास्तृतीयेऽध्याय ईरिताः" ॥ १ ॥ अयं श्लोकः क्वचिदुपलभ्यते स च काण्वपाठाभिप्रायिको न तु माध्यन्दिनपाठाभिप्रायिकः । इति बोध्यम् ॥

२–एकाहस्त्र्युपसत्कः । का. श्रौ. सू. ८ । ५४ ।

३–सपुरीषा षट्स्वेकैका । का. श्रौ. सू. १७ । १४३ ।

४–द्वादश वा । का. श्रौ. सू. ८ । ५४ । "तिस्र एव साह्नस्योपसदो द्वादशाहीनस्य" इति (तै. सं. ६ । २ । ५) शाखांतरीयवाक्यात् ॥

५–उभाभ्यां चरिते प्रवर्ग्यमुत्सादयति यथोक्तं कुर्याच्चेत् । का. श्रौ. सू. ८ । ७२ । "उपसदन्ते प्रवर्ग्योत्सादनम् ।

६–अंतःपात्ये परिघर्म्यं निधाय दक्षिणेन निर्हृत्योच्छिष्टखरम् । का. श्रौ. सू. २६ । ११५ । ११६ । इति ॥

(न्त्यु) अथाग्नीध्रः । (ऽ) आहवनीये त्रीञ्छालाकानुपकल्पयते तेषामेकमुज्ज्वलय्य मुखदघ्ने धारयमाणो जुहोति यज्ञस्य शीर्षच्छिन्नस्य शुगुदक्रामत्सेमांल्लोकानाविशत्तयैवैनमेतच्छुचा समर्द्धयति कृत्स्नङ्करोति ॥ २ ॥

(त्यु) अथ यन्मुखदघ्ने । (घ्रुऽउ) उपरीव वै तद्यन्मुखदघ्नमुपरीव तद्यदसौ लोकस्तद्याऽमुं लोकꣳ शुगाविशत्तयैवैनमेतच्छुचा समर्द्धयति कृत्स्नङ्करोति ॥ ३ ॥

या ते घर्म दिव्या शुगिति । यैव दिव्या शुग्या गायत्र्याꣳ हविर्द्धानऽ

अथाग्नीध्रः आहवनीये त्रीञ्छालाकानुपकल्पयते । तेषामेकमुज्ज्वलय्य मुखदघ्ने धारयमाणो जुहोति । यज्ञस्य शीर्षच्छिन्नस्य शुगुदक्रामत् । सेमांल्लोकानाविशत् । तयैवैनमेतच्छुचा समर्द्धयति । कृत्स्नं करोति ॥ २ ॥

अथ यन्मुखदघ्ने । उपरीव वै तत् । यन्मुखदघ्नम् । उपरीव तत् । यदसौ लोकः । तद्याऽमुं लोकं शुगाविशत् । तयैवैनमेतच्छुचा समर्द्धयति । कृत्स्नं करोति ॥ ३ ॥

"या ते घर्म दिव्या शुक्"–इति । यैव दिव्या शुक् । "या गायत्र्यां हविर्द्धाने"–

अथ घर्मोद्वासनांगत्वेनाहुतित्रयं विधित्सुः तदर्थं दर्भमुष्टित्रयोपकल्पनमाह–**अथाग्नीध्रऽआहवनीये० कल्पयते** इति । 'अथ' सर्वेषां समागमनानंतरं 'आग्नीध्रः' आहवनीयदेशे गत्वा तत्र 'त्रीन् शालाकान्' दर्भशलाकामुष्टीन् 'उपकल्पयते' संपाद्य धारयेदित्यर्थः । अथ तेषां एकं प्रज्वाल्य तद्गतेऽग्नौ प्रथमाहुतिर्होतव्येति विधत्ते–**तेषामेकमुज्ज्वलय्य० जुहोतीति** । 'तेषां' शलाकामुष्टीनां मध्ये 'एकं' मुष्टिमुज्ज्वलय्य आहवनीये आदीप्य तं 'मुखदघ्ने' मुखप्रमाणे उन्नतदेशे मुखसमं 'धारयमाणः' तद्गतेऽग्नौ "या ते घर्म दिव्या शुक्" इति मन्त्रेण प्रथमाहुतिं 'जुहोति' । अस्य होमस्य किं प्रयोजनमित्यत आह–**यज्ञस्य शीर्ष० करोतीति** । छिन्नशिरस्कस्य 'यज्ञस्य' सकाशात् 'शुक्' शोकः उदक्रामदुदगच्छत् । 'सा' उत्क्रांता सती 'इमान्' पृथिव्यंतरिक्षद्युलोकान् 'आविशत्' आविष्टवती । 'एतत्' एतैर्होमैः 'तयैव' लोकत्रयगतया 'शुचा' 'एनं' यज्ञं 'समर्द्धयति' । अनेन होमेन लोकत्रयसकाशात् शुचमाकृष्य पुनः यज्ञे एव स्थापितवान् भवति । तथा च तं यज्ञं 'कृत्स्नं' संपूर्णं 'करोति' ॥ २ ॥

ननु–प्रथमया आहुत्या कुतः सकाशात् शुक् अपनीयते इत्यत आह–**अथ यन्मुखदघ्न० करोतीति** । 'अथ' इत्यारंभे । 'मुखदघ्ने' मुखप्रमाणं आस्यसम्मितं धारणमिति यत् तत् उपपाद्यत इति शेषः । 'यन्मुखदघ्नं' मुखप्रमाणं तत् 'उपरीव वै' उन्नतमिव खलु । 'असौ' द्युलोकः इति यत् 'तत्' 'उपरीव' उपरिष्टात् स्थितः खलु । तत्तथा च मुखदघ्नधारणविशिष्टस्य प्रथमहोमस्य द्युलोकस्य च उपरिष्टाद्देशत्वसाम्यं सति पुरा या शुक् यज्ञसकाशात् अपगता अमुं स्वर्गं लोकं 'आविशत्' आविष्टवती । सिद्धमन्यत् ॥ ३ ॥

अथ मन्त्रस्य प्रथमभागमनूद्य व्याचष्टे–**या ते घर्म० शुगिति** । "या ते घर्म्म" इत्यनेन मंत्रावयवेन

इति यैव गायत्र्याꣳ हविर्द्धाने सा तऽआप्यायतान्निष्ट्यायतान्तस्यै ते स्वाहेति नात्र तिरोहितमिवास्ति ॥ ४ ॥

(स्त्यु) अथ द्वितीयमुज्ज्वलय्य । नाभिदघ्ने धारयमाणो जुहोति मध्यमिव वै तद्यन्नाभिदघ्नम्मध्यमिवान्तरिक्षलोकस्तद्याऽन्तरिक्षलोकꣳ शुगाविशत्तयैवैनमेतच्छुचा समर्द्धयति कृत्स्नङ्करोति ॥ ५ ॥

या ते घर्मान्तरिक्षे शुगिति । यैवान्तरिक्षे शुग्या त्रिष्टुभ्याग्नीध्रऽइति यैव त्रिष्टुभ्याग्नीध्रे सा तऽआप्यायतान्निष्ट्यायतान्तस्यै ते स्वाहेति नात्र तिरोहितमिवास्ति ॥ ६ ॥

इति । यैव गायत्र्यां हविर्द्धाने । "सा त आप्यायतां निष्ट्यायतां तस्यै ते स्वाहा"-इति । नात्र तिरोहितमिवास्ति ॥ ४ ॥

अथ द्वितीयमुज्ज्वलय्य नाभिदघ्ने धारयमाणो जुहोति । मध्यमिव वै तत् । यन्नाभिदघ्नम् । मध्यमिवान्तरिक्षलोकः । तद्याऽन्तरिक्षलोकं शुगाविशत् । तयैवैनमेतच्छुचा समर्द्धयति । कृत्स्नं करोति ॥ ५ ॥

"या ते घर्मान्तरिक्षे शुक्"-इति । यैवान्तरिक्षे शुक् । "या त्रिष्टुभ्याग्नीध्रे"-इति । यैव त्रिष्टुभ्याऽग्नीध्रे । "सा त आप्यायतां निष्ट्यायतां तस्यै ते स्वाहा"-इति । नात्र तिरोहितमिवास्ति ॥ ६ ॥

'दिव्या' दिवि भवा घर्मस्वभूता 'यैव' शुगिति अयमर्थः प्रतिपाद्यते । अथ द्वितीयभागमनूद्य व्याचष्टे-या गायत्र्या०ऽ० द्धांने इति । पूर्ववाक्यवद्योज्यम् । अथ तृतीयभागमनूद्य स्पष्टार्थत्वात् न व्याख्यानांतरमपेक्षते इत्याह-सा त'आप्यायतां० तिरोहितमिवास्तीति । अयमर्थः-हे घर्म्म ! 'ते' त्वदीया द्युप्रभृतिषु आश्रिता या शुक् 'सा' 'आप्यायतां' शाम्यतु । तथा 'निष्ट्यायतां' "स्त्यै ष्ट्यै शब्दसंघातयोः"-(धा. पा. भ्वा. प. ९३५ । ९३६) इति धातुः । नितरांस्त्यायतां संघीभवतु । 'तस्यै' शुचे तद्रूते 'ते' तुभ्यं 'स्वाहा' इत्यस्यार्थस्य प्रसिद्धत्वात् तिरोहितमप्रसिद्धमत्रास्मिन्मंत्रभागे नास्तीत्यर्थः ॥ ४ ॥

अथ द्वितीयामाहुतिं विधत्ते-अथ द्वितीयमुज्ज्वलय्य नाभि० जुहोतीति । 'अथ' प्रथमाहुत्यनंतरं 'द्वितीयं' दर्भशलाकामुष्टिं उज्ज्वलय्यादीप्य 'नाभिदघ्ने' नाभिप्रमाणे 'धारयमाणः' तद्रूते अग्नौ "या ते घर्म्मांतरिक्षे" इति मंत्रेण जुहोति । अनेन मंत्रहोमेन अंतरिक्षस्थायाः शुचः अपनयनमाह-मध्यमिव० करोतीति । 'यत् नाभिदघ्नं' नाभिप्रमाणं तत् 'मध्यमिव वै' देहस्य मध्यदेशः खलु । अंतरिक्षलोकोऽपि 'मध्यमिव' भूलोकस्वर्लोकयोर्मध्ये वर्तमानत्वात् । 'तत्' तथा च द्वितीयाहुत्या अंतरिक्षलोकस्य च मध्यत्वसाम्यात्, या शुक् अंतरिक्षलोकं पूर्वं प्राप्नोत् । गतमन्यत् ॥ ५ ॥

अथ होममंत्रं पूर्वमंत्रवत्रेधाकृत्य व्याचष्टे-या ते घर्म्मांतरिक्षे० तिरोहितमिवास्तीति । "या ते घर्म्म दिव्या शुक्" इति मंत्रव्याख्यानेन ब्राह्मणेन एतदपि व्याख्यातप्रायम् ॥ ६ ॥

(स्त्यु) अुथ तृुतीयमभ्याधाय । तुस्मिन्नासीनो जुहोत्यधऽइव वै त-द्यदासीनोऽधुऽइव तद्युदयं लोकस्तुद्येमं लोकꣳ शुगाविशत्तुयैवैनमेतु-च्छुचा सुमर्द्धयति कृत्स्नुङ्करोति ॥ ७ ॥

यु ते घर्म्म पृथिव्याꣳ शुुगिति । यैव पृथिव्याꣳ शुग्या जुगत्याꣳ सदस्येति यैव जुगत्याꣳ सदुस्या सा तऽआप्यायतान्निष्ट्यायतान्तुस्यै ते स्वाहेति नात्र तिरोहितमिवास्ति ॥ ८ ॥

(स्त्यु) अुथोपनिुष्क्रामति । क्षत्त्रुस्य त्वा परस्पायेत्येतद्वै दैवं क्षत्त्रं युऽएष तुपत्यस्यु त्वा मानुुषस्य क्षत्त्रुस्य परस्पायत्वायेत्युवैतुदाह ब्रह्मणस्तुन्वम्पाहीति ब्रुह्मणऽआत्मानङ्गोपायेत्युवैतुदाह विुशस्त्वा

अथ तृतीयमभ्याधाय तस्मिन्नासीनो जुहोति । अध इव वै तत् । यदासीनः । अध इव तत् । यदयं लोकः । तयेमं लोकं शुगाविशत् । तयैवैनमेतच्छुचा समर्द्धयति । कृत्स्नं करोति ॥ ७ ॥

" या ते घर्म पृथिव्यां शुक् "–इति । यैव पृथिव्यां शुक् । " या जगत्यां सदस्या "–इति । यैव जगत्यां सदस्या । " सा त आप्यायतां निष्ट्यायतां तस्यै ते स्वाहा "–(वा. सं. ३८ । १८) इति । नात्र तिरोहितमिवास्ति ॥ ८ ॥

अथोपनिष्क्रामति । " क्षत्रस्य त्वा परस्पाय "–इति । एतद्वै दैवं क्षत्रम् । य एष तपति । अस्य त्वा मानुषस्य क्षत्रस्य परस्पायत्वाय इत्येवैतदाह । " ब्रह्मणस्तन्वं पाहि "–

तृतीयामाहुतिं विधत्ते–अथ तृतीयम० जुहोतीति । अथानंतरं 'तृतीयं' दर्भशलाकामुष्टिं 'अभ्याधाय' अग्नौ प्रक्षिप्य स्वयमासीनः तस्मिन्नग्नौ " या ते घर्म्म पृथिव्याम् "–इति मंत्रेण तृतीयामाहुतिं 'जुहोति' । अनेन मंत्रहोमेन भूलोक्यायाः घर्म्मस्य शुचः अपनयनं क्रियते इत्याह–अध इव वै० करोतीति । 'आसीनः' इति यत् तत् 'अध इव वै' अधस्तादिव खलु । तथा 'अयं लोकः' इति यत् तदपि 'अध इव' अधस्तादेव खलु । 'तत्' तस्मात् उभयोः साम्यात् । अन्यत्पूर्ववत् ॥ ७ ॥

अथ पूर्ववन्मंत्रं त्रेधाकृत्य व्याचष्टे–या ते घर्म्म पृथिव्याꣳ शुगिति० मिवास्तीति । 'हे घर्म्म !' 'पृथिव्यां' वर्तमाना त्वदीया 'यैव' शुक् इति द्वितीयभागस्यार्थः । गतमन्यत् । एतत् विहितं आहुतित्रयं कात्यायनेन स्पष्टीकृतम्–" आहवनीये त्रीञ्छालाकान्प्रदाप्याग्नीध्रो धारयति शतरुद्रियवत्प्रतिलोमं प्रमाणेषु । " चतुर्गृहीतेनाभिजुहोति या ते घर्म्म दिव्या शुगिति प्रतिमंत्रम् " । " प्रास्य तृतीयमुपविश्य " (का. श्रौ. सू. २६ । ११७–११८) इति ॥ ८ ॥

अथ घर्म्मोद्वासनदेशं प्रति गमनं विधत्ते–अथोपनिष्क्रामति० परस्पायेति । एवमंतर्वेदि सर्वं परि-

---

१–क्षत्रस्य त्वेति निष्क्रमणं पुरस्तात्पत्नीमन्तर्धाय । का. श्रौ. सू. २६ । ११९ । पत्नीमन्तर्धाय अग्रतः कृत्वेति कर्कः ।

धर्म्मणा व्वयमिति यज्ञो वै व्विड्यज्ञस्य त्वाऽरिष्ट्याऽइत्येवैतदाहानुक्रामाम सुविताय नुव्यसऽइति यज्ञस्य त्वाऽरिष्ट्याऽअह्वलायाऽइत्येवैतदाह ॥ ९ ॥

(ह्य) अथाह साम गायेति । साम ब्रूहीति वा गायेति त्वेव ब्रूयाद्गायन्ति हि साम तद्यत्साम गायति नेदिमान्बहिर्द्धा यज्ञाच्छरीरान्नाष्ट्रा रक्षाᳪंसि हिनसन्निति साम हि नाष्ट्राणाᳪं रक्षसामपहन्ता ॥ १० ॥

इति । ब्रह्मण आत्मानं गोपाय इत्येवैतदाह । " विशस्त्वा धर्मणा वयम् "-इति । यज्ञो वै विट् । यज्ञस्य त्वाऽरिष्ट्यै इत्येवैतदाह । " अनुक्रामाम सुविताय नव्यसे "(वा. सं. ३८-१९)-इति । यज्ञस्य त्वाऽरिष्ट्या अह्वलायै इत्येवैतदाह ॥ ९ ॥

अथाह साम गायेति । साम ब्रूहीति वा । गायेति त्वेव ब्रूयात् । गायंति हि साम । तद्यत्साम गायति । नेदिमान्बहिर्द्धा यज्ञाच्छरीरान्नाष्ट्रा रक्षांसि हिनसन्निति । साम हि नाष्ट्राणां रक्षसामपहंता ॥ १० ॥

घर्म्यमेकीकृत्य निधाय आहवनीये आहुतित्रयं हुत्वा, अथानंतरं "क्षत्रस्य त्वा" इति मंत्रेण ' उपनिष्क्रामति ' प्राङ्मुखो गच्छति । उपात्तस्य मंत्रभागस्य तात्पर्यं व्याचष्टे-एतद्वै दैवं० तदाहेति । ' य एषः ' सूर्यस्तपति ' एतद्वै ' एतत् खलु ' दैवं ' देवसंबंधि देवानां मध्ये वर्तमानं ' क्षत्रं ' क्षत्रियजातिः । स एव सूर्यो घर्मः । तथा च घर्मस्य क्षत्रियजात्यभिमानित्वात् ' अस्य मानुषस्य ' मनुष्यसंबंधिनः ' क्षत्रस्य ' क्षत्रियजातेः, ' परस्पायत्वाय ' अतिशयेन रक्षणाय हे घर्म ! त्वां ' अनुक्रामाम ' इति अमुमेवार्थं एतन्मंत्रवाक्यमाह । अथ द्वितीयं भागमनूद्य व्याचष्टे-ब्रह्मणस्तन्वं० तदाहेति । ' ब्रह्मणः ' ब्राह्मणजातेः ' आत्मानं ' शरीरं ' गोपाय ' रक्ष इति अमुमेवार्थं " ब्रह्मणस्तन्वं पाहि " इति एतद्वाक्यमाह । अथ तृतीयभागमनूद्य व्याचष्टे-विशस्त्वा धर्म्मणा० तदाहेति । ' विट् ' वैश्यजातिः ' यज्ञो वै ' यज्ञात्मिका खलु तत्साधनाज्यक्षीरहविःसंपादकत्वात् । तथा च " व्विशस्त्वा धर्म्मणा " इत्यस्यायमर्थ इत्याह-यज्ञस्य त्वेति । यज्ञात्मिकायाः वैश्यजातेः ' अरिष्ट्यै ' अहिंसायै त्वां वयमनुक्रामामेति । गतमन्यत् । अथ चतुर्थभागमनूद्य व्याचष्टे-अनुक्रामाम सुविताय० तदाहेति । ' सुविताय ' शोभनप्राप्तये ' यज्ञस्यारिष्ट्यै ' अहिंसायै ' नव्यसे ' नवीयसे यज्ञस्य ' अह्वलायै ' " ह्मल ह्वल चलने "-(धा. पा. भ्वा. प. ८०७ । ८०८) इति धातुः । चलनाभावाय स्थैर्यार्थं त्वां अनुक्रामामेति इममेवार्थमेतदाह ॥ ९ ॥

एवमनेन मन्त्रेण सर्वं प्रवर्ग्यसंभारमादाय उपनिष्क्रम्य प्रस्तोतारं प्रेष्येदिति विधत्ते-अथाह साम गायेतीति । ' अथ ' उपनिष्क्रमणानंतरं ' साम ' रक्षोहननअंगं साम हे प्रस्तोतः ! ' गायेति ' एतं प्रैषमन्त्रमाह इति ब्रूयात् । अथ पक्षांतरमुपन्यस्य इममेव पक्षं निगमयति-साम ब्रूहीति०हि सामेति । " साम ब्रूहि " इत्येवं

१-" साम प्रेष्याति गाय तू ३ हीति वा " । का. श्रौ. सू. १०।१७० । साम प्रेष्यत्यवभृथवद्देशाः । का. श्रौ. सू. २६।१२० । प्रतिपत्तव्या इति शेषः । देशानाह कात्यायनः । " व्यध्वोदकांतयोश्च " । का. श्रौ. सू. १० । १७१ । ततश्चादौ अंतःपात्यदेशे तत अर्द्धमार्गे तत उत्सादनदेशे इति यावत् ।

(न्ताऽऽग्ने) आग्नेय्यामृङ्गायति । (त्य) अग्निर्हि रक्षसामपहन्ताऽतिच्छन्दसि गायत्येषा वै सर्वाणि च्छन्दाᳬसि यदतिच्छन्दास्तस्मादतिच्छन्दसि गायति ॥ ११ ॥

स गायति । (त्य) अग्निष्टपति प्रतिदहत्यहावोऽहावऽइति तन्नाष्ट्राऽएवैतद्रक्षाᳬस्यतोऽपहन्ति ॥ १२ ॥

आग्नेय्यां गायति । अग्निर्हि रक्षसामपहंता । अतिच्छन्दसि गायति । एषा वै सर्वाणि च्छन्दांसि । यदतिच्छन्दाः । तस्मादतिच्छन्दसि गायति ॥ ११ ॥

स गायति-" अग्निष्टपति प्रतिदहत्यहावोऽहावः "-इति । तन्नाष्ट्रा एवैतद्रक्षांस्यतोऽपहंति ॥ १२ ॥

वा प्रैषं ब्रूयात् । तुशब्दः पक्षव्यावृत्त्यर्थः । साम गायेत्येव ब्रूयात् । न ब्रूहीति । कुतः ' हि ' यस्मात् ' साम गायन्ति ' गानेनोच्चरंति । न तु केवलं ऋगादिवत्पठंति । तस्मात् साम्नो गीत्यात्मकत्वात् ' साम गाय ' इत्येव प्रेष्येदित्यर्थः । अथ सामगानस्य प्रयोजनमाह-**तद्यत्साम गायति० रक्षसामपहंते**ति । ' तत् ' तत्र गमनकाले ' यत्साम गायति ' । तत् किमर्थमिति चेत्; उच्यते-' शरीरात् ' शरीरभूतात् यज्ञात् ' बहिर्द्धा ' बाह्यदेशे ' नाष्ट्राः ' नाशकारिण्यः राक्षस्यः प्रजाः अन्यानि च 'रक्षांसि' 'न हिनसन्' न हिंस्युः इत्येवमर्थम् । ननु-अन्येष्वपि मन्त्रेषु सत्सु किमिति साम्नो गानमिति चेत् उच्यते-' साम ' खलु तेजोरूपत्वात् ' नाष्ट्राणां रक्षसामपहंता ' विनाशकम् । तस्य च तेजोरूपत्वं तैत्तिरीयके स्पष्टमाम्नायते-"सर्वं तेजः सामरूप्यᳬ ह शश्वत्" (तै. का. प्र. ३ अनु. अन्त्य.) इति । अयमर्थः-सूर्यस्य यत्तेजोमंडलं तत्सर्वं सामात्मकमेवेति ॥ १० ॥

अथ विहितस्य साम्नः आधारभूतमन्त्रलिंगद्वारेणापि रक्षोनिबर्हकत्वमाह-**आग्नेय्यां गायति०मपहंते**ति । आग्नेय्यामग्निदेवतायां " अग्निᳬ होतारं मन्ये " इत्यस्यामृचि तत्साम गायति । ' अग्निः ' खलु ' रक्षसां ' राक्षसानां 'अपहंता' विनाशकः । अथ तस्या अतिच्छंदस्त्वं स्तौति-**अतिच्छन्द० गाय**तीति । ' अतिच्छन्दसि ' छंदःपरिमाणमतीत्य वर्तमानं छन्दो यस्याः सा अतिच्छन्दाः तथाविधायामृचि एतत्साम 'गायति' । ' एषा वै ' एषा खलु अतिच्छन्दस्का ऋक् 'सर्वाणि छन्दांसि' सर्वच्छन्दोरूपा गायत्र्यादीनामन्येषां तत्रान्तर्भावात् । 'यत्' या अतिच्छन्दस्का । अन्यच्छन्दस्कायामृचि गाने तु अस्मात् अधिकाक्षराणामनंतर्भावात् सर्वेषां छन्दसां परिग्रहो न सिध्येत् । यस्मादेवं ' तस्मात् ' ' अतिच्छन्दसि ' " अग्निᳬ होतारं " इत्यस्यामेव अतिच्छन्दस्कायामृचि तत्साम गायेत् ॥ ११ ॥

तत्साम्नः आद्यं स्तोभपदं उदाहृत्य रक्षोविनाशहेतुत्वमाह-**स गायत्यग्निष्ट०स्यतोऽपहंती**ति । ' सः '

१-शतपथेऽपि स्पष्टम् । मंडलब्राह्मणे-" अथ यदेतदर्चिर्दीप्यते तन्महाव्रतं तानि सामानि स साम्नां लोकः " । (श. प. १० । ५ । २ । १ ।)

२-" ऋचां यदधिकं किंचित् द्विरुक्तं वाऽपि दृश्यते । स्तोभत्वं तस्य मन्यन्ते कागशः शास्त्रचिंतकाः " । १ । १६ । इति स्तोभानुसंहारे निशिष्टम् । स च स्तोभस्त्रिप्रकारः । वर्णस्तोभः १ पदस्तोभः २ वाक्यस्तोभः ३ इति । वर्णस्तोभः इकारादिः १ ।-

तऽउदञ्चो निष्क्रामन्ति । जघनेन चात्वालमग्रेणाग्नीध्रमेषा हि यज्ञस्य द्वाः स यस्यान्ततो दिश्यापो भवन्ति तद्यन्ति ॥ १३ ॥

तम्वै परिष्यन्दऽउत्सादयेत् । (त्त) तप्तो वाऽएष शुशुचानो भवति तं यदस्यामुत्सादयेदिमामस्य शुगृच्छेद्यदप्सूत्सादयेदपोऽस्य शुगृच्छेदथ यत्परिष्यन्दऽउत्सादयति तथो ह नैवापो हिनस्ति नेमां यदुहाप्सु न ग्रस्याति तेनापो न हिनस्त्यथ यत्समन्तमापः परियन्ति शान्तिर्वाऽआपस्तेनोऽइमान्न हिनस्ति तस्मात्परिष्यन्दऽउत्सादयेत् ॥ १४ ॥

त उदंचो निष्क्रामन्ति । जघनेन चात्वालम् । अग्रेणाग्नीध्रम् । एषा हि यज्ञस्य द्वाः । स यस्यां ततो दिश्यापो भवंति । तद्यंति ॥ १३ ॥

तं वै परिष्यन्द उत्सादयेत् । तप्तो वा एष शुशुचानो भवति । तं यदस्यामुत्सादयेत् । इमा-

---

प्रेषितः प्रस्तोता गायेति " अग्निष्टपति " इत्यादि स्तोममारभ्य । तत्र च ' अग्निष्टपति प्रतिदहति ' इत्यग्निकर्तृकस्य तापस्य दाहस्य च श्रवणात् ' तत् ' साम ' नाष्ट्रा एव ' ' रक्षांसि ' च एतेनापहंति तापेन दाहेन च नाशयति ॥ १२ ॥

अथ प्रवर्ग्यमुद्वासयिष्यतामध्वर्युप्रभृतीनां गमनमार्गं विधत्ते—त उदञ्चो०यज्ञस्य द्वारिति । 'तें' अध्वर्युप्रभृतयः प्रथमं " क्षत्रस्य त्वा " इति मन्त्रेण त्रिचतुराणि पदानि प्रांचो गत्वा पश्चात् ' उदंचः ' उदङ्मुखाः संतः ' निष्क्रामन्ति ' वेदीसकाशात् निर्गच्छेयुः । केन मार्गेण इति चेत् उच्यते ' चात्वालं जघनेन ' चात्वालस्य पश्चात् ' आग्नीध्रमग्रेण ' आग्नीध्रीयचात्वालीययोर्मध्यदेशेनेत्यर्थः । ' एष हि ' एष खलु देश. ' यज्ञस्य द्वाः । यज्ञगृहस्य द्वारं यो य ऋत्विक् देवयजनं प्रविशति निर्गच्छति वा स सर्वोऽपि अनेनैव प्रवेशनिर्गमने करोति ' तस्मात् अनेनैव पथा उदंचो बहिः प्रवर्ग्यकर्तारो निर्गच्छेयुरित्यर्थः । अथोदकसमीपगमनं विधत्ते—स यस्यां० तद्यंतीति । ' सः ' व्यत्ययेनैकवचनम् । वेदेर्निष्क्रांतास्ते सर्वे प्रवर्ग्यकर्तारः । ' ततः ' अनंतरं ' यस्यां ' दिशि ' आपो भवन्ति ' नदीतडागाद्या वर्तंते तत्तत्र ' यन्ति ' गच्छेयुः ॥ १३ ॥

परितो जलयुक्ते द्वीपे घर्मोद्वासनं विधाय विपक्षे बाधोपन्यासपुरःसरं तदुपपाद्य निगमयति—तं वै परिष्यंद उत्सादयेदिति । ' परिष्यंदः ' परितः स्यंदते प्रभूतं जलमस्मिन्निति परिष्यंदः

–पदस्तोभः हाई-हाउ-आदिः २ । वाक्यस्तोभो नवविधः । अशास्तिः १ स्तुतिः २ संख्यानं ३ पल्गः ४ परिदेवनं ५ प्रैषः ६ अन्वेषणं ७ सृष्टिः ८ आख्यानं ९ इति । ततश्चायं द्वितीयः स्तुतिर्वाक्यस्तोमः ॥

१ · विकारः १ विश्लेषः २ विकर्षणं ३ विरामः ४ अभ्यासः ५ लोपः ६ · आगमः ७ स्तोभः ८ इति गानसमये मन्त्राणां स्वरूपपरिवर्तने अष्टौ कारणानि । एभिः कारणैः परिवर्तितो मन्त्रसमुदायो गानम् । तच्च गानं चतुर्द्धा । वेयं १ ऊहः २ ऊह्यं ३ आरण्यकं ४ चेति । विद्यमानस्य वर्णस्य स्थाने वर्णांतरोच्चारणं विकारः १ संधिविच्छेदो विश्लेषः २ ह्रस्वस्थाने दीर्घस्योच्चारणं दीर्घस्थाने प्लुतस्योच्चारणं विकर्षणं ३ विश्रामो विरामः त्रिस्त्रिरुच्चारणं अभ्यासः ५ वर्णस्यानुच्चारणं लोपः ६ अधिकवर्णस्योच्चारणं आगमः ७ स्तोभस्तूक्तः ८ (१०३ पृष्ठ द्वितीयटिप्पण्याम् ।) ॥

(दु) उत्तरवेदौ त्वेवोत्सादयेत् । (द्य) यज्ञो वा उत्तरवेदिः शिरः प्रवर्ग्यो यज्ञऽएवैतच्छिरः प्रतिदधाति ॥ १५ ॥

(त्यु) उत्तरनाभ्या सꣳस्पृष्टम्प्रथमं प्रवर्ग्यमुत्सादयति । वाग्वाऽ उत्तरनाभिः शिरः प्रवर्ग्यः शीर्षंस्तद्वाचन्दधाति ॥ १६ ॥

मस्य शुगृच्छेत् । यदप्सूत्सादयेत् । अपोऽस्य शुगृच्छेत् । अथ यत्परिष्यंद उत्सादयति । तथा उ ह नैवापो हिनस्ति, नेमाम् । यदहाप्सु न प्रास्यति । तेनापो न हिनस्ति । अथ यत्समन्तमापः परियन्ति । शांतिर्वा आपः । तेन उ न इमान् हिनस्ति । तस्मात्परिष्यंद उत्सादयेत् ॥ १४ ॥

उत्तरवेदौ त्वेवोत्सादयेत् । यज्ञो वा उत्तरवेदिः । शिरः प्रवर्ग्यः । यज्ञ एवैतच्छिरः प्रतिदधाति ॥ १५ ॥

उत्तरनाभ्या संस्पृष्टं प्रथमं प्रवर्ग्यमुत्सादयति । वाग्वा उत्तरनाभिः । शिरः प्रवर्ग्यः । शीर्षंस्तद्वाचं दधाति ॥ १६ ॥

द्वीपः । तस्मिन् ' तं ' प्रवर्ग्यं ' उत्सादयेत् ' उत्सादनं उद्वासनं कुर्यात् । अथ परिष्यंदव्यतिरिक्तभूभाग एव कस्मादसौ नोद्वास्यते, कस्माच्च उदकेषु च नोद्वासनम् ? इति चेत् अत्र उच्यते-अग्निना संततः ' एषः ' घर्मः ' शुशुचानः ' शोचनशीलः दाहशीलः दग्धुं समर्थो भवति । ' तं ' तथाविधं प्रवर्ग्यं यद्यदि ' अस्यां ' पृथिव्यां ' उत्सादयेत् ' तर्हि ' इमां ' पृथिवीं ' अस्य ' घर्मस्य ' शुक् ' शोको दाहः ऋच्छेत्प्राप्नुयात् । तथा यद्यदि ' अप्सु ' उदकेषु ' उत्सादयेत् ' तदा 'अस्य शुक्' शोकः ' अपः ' उदकानि ' ऋच्छेत् ' गच्छेत् । यद्वा अयमाङुपसर्गरहितोऽपि ऋच्छतिरत्र हिंसार्थः । आर्तिं प्राप्नुयात् । ' अथ ' एवं सति यद्यस्मात् ' परिष्यंदे ' परिष्यंदनयुक्ते द्वीपे ' उत्सादयति ' तं प्रवर्ग्यं उद्वासयति । ' तथा उ ह ' तस्मादेव अपोऽपि ' नैव हिनस्ति ' ' इमां ' पृथिवीमपि ' नैव हिनस्ति ' । एतदेव विव्रियते-' यदह ' यस्मादेव अप्सूदकेषु प्रवर्ग्यं ' न प्रास्यति ' न प्रक्षिपति । ' तेन ' कारणेन ' अपः ' उदकानि ' न हिनस्ति ' अपां प्रवर्ग्यसंबन्धाभावात् । ' अथ ' यद्यपि पृथिव्यां प्रास्यति तथापि ' समन्तम् ' अभितः ' आपः ' परियन्ति ' परिवेष्ट्य गच्छन्तीति यत् ' तेन ' तेनैव कारणेन 'इमां' पृथिवीं ' न हिनस्ति ' न बाधते । कुतः ? ' शांतिर्वा आपः ' यतः तापस्य शमनहेतुत्वेन आपः प्रसिद्धाः । तस्मात् पृथिव्या घर्मसंस्पर्शकृतस्तापः अभितो वर्तमानैरुदकैः परिह्रियते इत्यर्थः । यस्मादेवं तस्मादेव कारणात् ' परिष्यन्दे ' परिष्यंद एव ' उत्सादयेत् ' ॥ १४ ॥

इत्थं नदीद्वीपे उत्सादनमुक्त्वा पक्षांतरमाह—उत्तरवेदौ त्वेवोत्सादयेदिति । तुशब्दः पक्षव्यावृत्यर्थः । उत्तरवेद्यामेवोत्सादयेत् । न तु परिष्यंदे इत्यर्थः । अथैतदुपपादयति—यज्ञो वा उत्तरवेदि० दधातीति । या इयमुत्तरवेदिः महावेदेः पूर्वभागे वर्तते । एषा यज्ञः खलु सर्वाहुत्याधारत्वात् यज्ञात्मकत्वम् । 'प्रवर्ग्यः' अस्य यज्ञस्य ' शिरः ' तथा च उत्तरवेद्यां उद्वासनेन ' यज्ञ एव ' एतत्प्रवर्ग्याख्यं 'शिरः' ' प्रतिदधाति ' संदधाति ॥१५॥

अथ प्रथमस्य महावीरस्य उद्वासनप्रकारमाह—उत्तरनाभ्या संस्पृष्टं० मुत्सादयतीति । महावीरादिभिः

१-उत्सादनदेशं गच्छंत्यनग्नाऽउत्तरवेदिम् । का. श्रौ. सू. २६ । १२२ ।

२-नाभिस्पृष्टं प्रवृंजनीयं निदधाति चतुःस्रक्तिरिति । का. श्रौ. सू. २६ । १२५ ।

चतुःस्रक्तिरिति । (त्ये) एष वै चतुःस्रक्तिर्य्यऽएष तपति दिशो ह्येतस्य स्रक्तयस्तस्मादाह चतुःस्रक्तिरिति ॥ १७ ॥

नाभिर्ऋतस्य सप्रथाऽइति । सत्यम्वाऽऋतꣳ सत्यस्य नाभिः सप्रथाऽ इत्येवैतदाह स नो विश्वायुः सप्रथाऽइति स नः सर्व्वायुः सप्रथाऽइत्ये-वैतदाह ॥ १८ ॥

"चतुःस्रक्तिः"–इति । एष वै चतुःस्रक्तिः । य एष तपति । दिशो ह्येतस्य स्रक्तयः । तस्मादाह–"चतुःस्रक्तिः"–इति ॥ १७ ॥

"नाभिर्ऋतस्य सप्रथाः"–इति । सत्यं वा ऋतम् । सत्यस्य नाभिः सप्रथाः इत्येवै-तदाह । "स नो विश्वायुः सप्रथाः"–इति । स नः सर्वायुः सप्रथाः इत्येवैतदाह ॥ १८ ॥

घर्मसाधनैः स्पृष्ट्वा उत्तरवेदिं प्राप्य तदुद्वासनं कार्यं इत्युक्तम् । तत्र 'प्रथमं' प्रवर्ग्यप्रवृंजनसाधनं महा-वीरं 'उत्तरनाभ्या' उत्तरवेद्या मध्ये प्रादेशमात्रेण कृता चतुरस्रभूमिः उत्तरनाभिरित्युच्यते । तया 'संस्पृष्टं' संबद्धं 'उत्सादयति' उद्वासयति निदधातीत्यर्थः । तदेतत् स्तौति–**वाग्वा उत्तर० दधाती**ति । या 'वाक् उत्तरनाभिः' सा चाग्नेः पुरुषावयवस्य नाभिस्थानस्य शब्दोत्पत्तिस्थानत्वात् तत्सामान्येन उत्तरनाभेरपि तदुत्पत्ति-स्थानत्वेन वागात्मकत्वम् । प्रवर्ग्यश्च यज्ञशिरः । तत् तथा च उत्तरवेद्यां प्रवर्ग्यसंस्पर्शने सति 'शीर्षन्' यज्ञस्य शीर्ष्णि शिरस्येव 'वाचं दधाति' वागिन्द्रियं तद्व्यवहार्यं शब्दं वा, तया च धारित-वान् भवति ॥ १६ ॥

अथैतन्महावीरोत्सादनमन्त्रं पंचधा कृत्वा व्याचष्टे–**चतुःस्रक्तिरित्येष** इति । "चतुःस्रक्तिर्नाभिः" इत्यनेन मन्त्रेण प्रथमस्य महावीरस्य उत्सादनं कुर्यात् । तत्र चतुःस्रक्तिरिति कोऽर्थः इत्याशंक्य व्याचष्टे–**एष वा** इति । 'य एषः' सूर्यस्तपति 'एषः' खलु 'चतुःस्रक्तिः' । चतस्रः स्रक्तयः अस्राणि यस्य स तथोक्तः । काः पुनरस्य स्रक्तयः इति तदुच्यते–'एतस्य' सूर्यस्य प्राच्याद्याश्चतस्रो महादिशः खलु स्रक्तयः एव । सूर्ये समवेतार्थत्वेन तदात्मके महावीरे संबन्धो योग्यः । यस्मादेवं 'तस्मात्' "चतुःस्रक्तिः" इति मन्त्रभागं 'आह' अध्वर्युर्ब्रूयात् । अथवा मन्त्र एव चतुःस्रक्तिरिति अनेन पदेन इममर्थं 'आह' प्रतिपादयति ॥ १७ ॥

"नाभिर्ऋतस्य" इति द्वितीयभागे ऋतशब्दस्य तावत्पदार्थमाह–**सत्यं वा** इति । सत्यमनश्वरं सूर्यस्य रूपं खलु अत्र 'ऋतं' ऋतशब्दवाच्यम् । अथ वाक्यार्थमाह–'सत्यस्य' 'नाभिः' बंधकः 'सप्रथाः' सर्वतः पृथुः 'इति' इममेवार्थं एतन्मंत्रवाक्यमाह । अथ "स नो विश्वायुः" इति तृतीयभागे विश्वायुरिति शब्दस्य पदार्थं ब्रुवन् वाक्यार्थमाह–**स नः सर्वायुरि**ति । अयमर्थः–'सः' सूर्यात्मको घर्मः 'सर्वायुः' 'नः' अस्मदर्थं सर्वायुः संपूर्णायुष्ट्वयुक्तः । 'सप्रथाः' सर्वतः प्रख्यातः भवतु इत्येवार्थं एतन्मंत्रवाक्यमाहेति ॥ १८ ॥

(ह्वा) अप द्वेषोऽअप ह्वरऽइति । नात्र तिरोहितमिवास्त्यन्यव्रतस्य सश्चिमेत्यन्यद्वाऽएतस्य व्रतमन्यन्मनुष्याणान्तस्मादाहान्यव्रतस्य सश्चिमेत्येवमितरौ प्राञ्चौ तत्त्रिवृत्त्रिवृद्धीदᳪं शिरः ॥ १९ ॥

पुरस्तादुपशयाम्मृदम् । (म्माᳪं) माᳪंसमेवास्मिन्नेतद्दधाति तदभितः परीशासौ बाहूऽएवास्मिन्नेतद्दधात्यभितः पुरे रौहिणहवन्यौ स्रुचौ हस्तावेवास्मिन्नेतद्दधाति ॥ २० ॥

" अप द्वेषो अप ह्वरः "-इति । नात्र तिरोहितमिवास्ति । " अन्यव्रतस्य सश्चिम "-(वा. सं. ३८ । २०) इति । अन्यद्वा एतस्य व्रतम् । अन्यन्मनुष्याणाम् । तस्मादाह-" अन्यव्रतस्य सश्चिम "-इति । एवमितरौ प्रांचौ । तत्त्रिवृत् । त्रिवृद्धीदं शिरः ॥ १९ ॥

पुरस्तादुपशयां मृदम् । मांसमेवास्मिन्नेतद्दधाति । तदभितः परीशासौ । बाहू एवास्मिन्नेतद्दधाति । अभितः परे रौहिणहवन्यौ स्रुचौ । हस्तावेवास्मिन्नेतद्दधाति ॥ २० ॥

चतुर्थभागं अनूद्य स्पष्टार्थतामाह-' द्वेषः ' द्वेष्टॄन् ' ह्वरः ' कुटिलान् ' अपजहि ' इत्यस्यार्थस्य स्पष्टत्वात् । अत्रास्मिन्मंत्रभागे तिरोहितमंतर्हितमिव किमपि व्याख्यानापेक्षं नास्तीत्यर्थः । " अन्यव्रतस्य " इति मंत्रभागस्य कोऽर्थः इति चेत्; उच्यते-' एतस्य ' सूर्यात्मकस्य धर्मस्य 'व्रतं' कर्म अतोऽन्यत् । अन्यत् व्रतं यस्य असावन्यव्रतः इति पदार्थः । कर्मणि षष्ठी । अन्यव्रतं सूर्यात्मकं धर्मं वयं ' सश्चिम ' संभजेमहि इत्ययमर्थः सिद्धो भवति । यस्मादेवं ' तस्मात् ' " अन्यव्रतस्य " इति मंत्रभागमाह । एवमुत्तरयोरपि महावीरयोरुत्सादनं कार्यं इति विधाय संहृत्य स्तौति-**एवमितरौ० दᳪ शिर** इति । एवमनेनैव प्रकारेण ' इतरौ ' द्वितीयतृतीयावपि महावीरौ ' प्राञ्चौ ' प्राङ्मुखौ ' उद्वासयति ' । तन्महावीरत्रितयं मिलित्वा ' त्रिवृत् ' त्रिगुणितं भवति । ' हि ' यस्मात् ' इदं ' मनुष्यादिसंबंधि ' शिरः ' ' त्रिवृत् ' त्रिगुणितं लोमास्थित्वचां समुदायात्मकम् । तथा च तैत्तिरीयके श्रूयते-" त्रैधाविहितᳪ हि शिरः । लोम च्छविरस्थि " इति । तस्मादनेन महावीरत्रितयेनोद्वासितेन त्रिवृच्छिर एव यज्ञस्य संपादितं भवति ॥ १९ ॥

या पूर्वं महावीरादिनिर्म्माणकाले अवशिष्टा मृत् निहिता तस्यां अपि अत्र निधानं विधाय स्तौति-**पुरस्तादुपशयां मृदं माᳪसमेवास्मिन्नेतद्दधाती**ति । प्रयोजनाभावेन उपशेते इत्युपशया । महावीरादिनिर्माणावशिष्टामेतामुपशयां ' मृदं ' महावीराणां पुरस्तात्पूर्वभागे उत्सादयतीति वर्तते स्थापयतीत्यर्थः । ' एतत् ' एतेन अस्मिन्महावीरलक्षणे यज्ञशिरसि ' मांसमेव ' ' दधाति ' स्थापितवान् भवति । सा मृत् शिरसोऽन्तर्वर्तमानमांसस्थानीयेत्यर्थः । अथान्यैरपि प्रवर्ग्यसाधनैः शिरोव्यतिरिक्तं सर्वमवयवजातं रूपकत्वेन संपादयन् एकैकस्योद्वासनं विधाय तन्निष्पाद्यमवयवमपि दर्शयति-**तदभितः परीशासौ० दधाती**ति । तन्महावीरलक्षणशिरोऽभितः तस्याधस्तात् पार्श्वयोः ' परीशासौ ' स वै ' निदधाति ' अस्मिन्प्रवर्ग्ये ' बाहू ' बाहुदंडावेव एतेन ' दधाति ' धारितवान् भवति । अथ रौहिणपुरोडाशहोमार्थयोः स्रुचोरुद्वासनं ताभ्यां संपादितं अवयवं च दर्शयति-

---

१-प्रांचावितरौ । २-उपशयां च तूष्णीम् । ३-परीशासावभितः । ४-रौहिणहवन्यौ चावकृष्टे बाह्ये । (का. श्रौ. सू. २६ । १२६-१२९) ।

(त्यु) उत्तरतोऽभ्रिम् । (न्त) तद्धि तस्याऽआयतनं दक्षिणतः सम्म्राडासन्दीन्तद्धि तस्याऽआयतनमुत्तरतः कृष्णाजिनन्तद्धि तस्यायतनꣳ सर्व्वतो धवित्राणि प्प्राणा वै धवित्राणि प्प्राणानेवास्मिन्नेतद्दधाति त्रीणि भवन्ति त्रयो वै प्प्राणाः प्प्राणऽउदानो व्व्यानस्तानेवास्मिन्नेतद्दधाति॥२१॥

(त्यु) अथैतद्रज्जुसन्दानम् । (मु) उपयमन्यामाधाय पश्चात्प्राचीमासादयत्युदरमेवास्मिन्नेतद्दधाति तदभितः पिन्वनेऽआण्डावेवास्मिन्ने-

---

उत्तरतोऽभ्रिम् । तद्धि तस्या आयतनम् । दक्षिणतः संम्राडासंदीम् । तद्धि तस्या आयतनम् । उत्तरतः कृष्णाजिनम् । तद्धि तस्या यतनम् । सर्वतो धवित्राणि । प्राणा वै धवित्राणि । प्राणानेवास्मिन्नेतद्दधाति । त्रीणि भवंति । त्रयो वै प्राणाः । प्राण उदानो व्यानः । तानेवास्मिन्नेतद्दधाति ॥ २१ ॥

अथैतद्रज्जुसंदानम् उपयमन्यामाधाय पश्चात्प्राचीमासादयति । उदरमेवास्मिन्नेतद्दधाति । तदभितः पिन्वने । आण्डावेवास्मिन्नेतद्दधाति। आण्डाभ्यां हि वृषा पिन्वते । पश्चात्स्थूणामयूखम् ।

अभितः परे रौहिणहव० तद्दधातीति । 'अभितः' पार्श्वद्वये 'रौहिणहवन्यौ' रौहिणपुरोडाशहोमार्थौ 'स्रुचौ' 'परे' शफयोः पाश्चात्ये 'निदधाति' । अस्मिन् प्रवर्ग्ये 'हस्तावेव दधाति' । अंगुलिभिर्युक्तः अरत्निर्हस्तः । तत ऊर्ध्वभागो बाहुरिति तयोर्विवेकः ॥ २० ॥

अथाभ्रेरुद्वासनं विधत्ते—उत्तरतोऽभ्रि० आयतनमिति । 'उत्तरतः' महावीरस्योत्तरभागे 'अभ्रिं' मृत्खननार्थमानीतां काष्ठमयीं 'निदधाति' । 'तद्धि' तत् खलु 'तस्या' अभ्रेः 'आयतनं' स्थानम् । खाताया मृदः उत्तरस्यां दिशि अवस्थानात् तत्साधनभूताया अपि अभ्रेः तदायतनत्वम् । अथ संम्राडासंद्याः उद्वासनं विधत्ते-दक्षिणतः संम्राडा० आयतनमिति । 'दक्षिणतः' महावीरस्य दक्षिणभागे 'संम्राडासंदीं' निदधाति । 'तद्धि' तत्खलु 'तस्याः' संम्राडासंद्याः 'आयतनं' स्थानम् । आहवनीयस्य दक्षिणतः दक्षिणभागे हि पूर्वं स्थापिता । अतः दक्षिणा दिक् तस्याः स्थानमित्यर्थः । अथ कृष्णाजिनस्योद्वासनं विधत्ते—उत्तरतः कृष्णाजिनं० स्यायतनमिति 'उत्तरतः' उत्तरभागे, 'कृष्णाजिनं' संम्राडासंद्या उपरिष्टात्पूर्वमास्तीर्णं कृष्णमृगस्याजिनं निदधाति ! 'तद्धि' तत्खलु 'तस्य' कृष्णाजिनस्य 'आयतनं' स्थानम् । हविरवहननादिषु उत्तरतः कृष्णाजिनस्य स्तीर्यमाणत्वात् उत्तरदिशस्तदायतनत्वम् । अथ धवित्राणामुद्वासनं विधत्ते—सर्वतो धवित्राणि० तद्दधातीति । 'धवित्राणि' घर्मसमिंधनार्थानि व्यजनानि कृष्णाजिननिर्मितानि 'सर्वतः' सर्वमहावीरादिपात्रसमुदायस्य उपरि निदध्यात् । तानि 'धवित्राणि' 'प्राणा वै' वायुजनकत्वात् प्राणवाय्वात्मकानि । तथा च अस्मिन्प्रवर्ग्ये सर्वत्र प्राणानेव धारितवान् भवति ॥ २१ ॥

अथ उपयमन्या सार्द्धं गवादिबंधनार्थाया रज्जोरुद्वासनं विधत्ते—अथैतद्रज्जुसंदानं० तद्दधातीति ।

१–अभ्रिमुत्तरतः । २–आसंदीं दक्षिणतः । ३–कृष्णाजिनमुत्तरतः । ४–सर्वतो धवित्राणि । परिशिष्टं ॥ का. श्रौ. सू. २६ । १३० ॥ ५–रज्जुसंदानं वेदमुपयमन्यामाधाय पश्चात् । का. श्रौ. सू. २६ । १३० ।

तद्दधात्याण्डाभ्याᳬं हि वृषा पिन्वते पश्चात्स्थूणामयूखमूरूऽएवास्मिन्नेतद्दधाति पश्चाद्रौहिणकपाले जानुनीऽएवास्मिन्नेतद्दधाति ते यदेककपाले भवतऽएककपालेऽइव हीमे जानुनी पश्चाद्धृष्टी पादावेवास्मिन्नेतद्दधाति पादाभ्याᳬं हि धृष्टम्प्रहरत्युत्तरतः खरौ प्रचरणीयौ तद्धि तयोरायतनन्दक्षिणतो मार्ज्जालीयन्तद्धि तस्यायतनम् ॥ २२ ॥

ऊरू एवास्मिन्नेतद्दधाति । पश्चाद्रौहिणकपाले । जानुनी एवास्मिन्नेतद्दधाति । ते यदेककपाले भवतः । एककपाले इव हीमे जानुनी । पश्चाद्धृष्टी । पादावेवास्मिन्नेतद्दधाति । पादाभ्यां हि धृष्टं प्रहरति । उत्तरतः खरौ प्रचरणीयौ । तद्धि तयोरायतनम् । दक्षिणतो मार्जालीयम् । तद्धि तस्यायतनम् ॥ २२ ॥

अथानंतरं रज्जुश्च संदानानि च रज्जुसंदानं एतत्सर्वं वर्मोपयुक्तं गृहीत्वा 'उपयमन्यां' स्रुचि 'आधाय' प्रक्षिप्य. 'पश्चात्' महावीरस्य पश्चाद्भागे 'प्राचीं' प्रागग्रां तां 'आसादयति' निदधाति । 'एतत्' एतेन आंत्रैर्युक्तमुदरमेव अस्मिन्प्रवर्ग्ये धारितवान् भवति । अथ दोहनार्थयोः पात्रयोरुद्वासनं विधत्ते—तदभितः पिन्वने० वृषा पिन्वते इति । 'तदभितः' तस्योदरस्य पार्श्वयोः 'पिन्वने' दोहनसाधने मृण्मयपात्रे 'निदधाति' स्थापयति । ताभ्यां पात्राभ्यां 'अस्मिन्' प्रवर्ग्ये पुंसि 'आंडौ' मुष्कावेव धारितवान् भवति । कुतः ? 'हि' यस्मात् 'वृषा' सेचनसमर्थो युवा 'आंडाभ्यां' 'पिन्वते' रेतः सिंचति । तस्मात्पिन्वनसाधनत्वसाम्यात्पिन्वने पात्रे आंडस्थानीये इत्यर्थः । अथ गवादिबंधनार्थानां स्थूणादीनामुद्वासनं विधाय तन्निर्वर्त्यावयवसंपादनमाह—पश्चात्स्थूणामयूख० तद्दधातीति । पिन्वनयोः पश्चात्पश्चिमभागे गोबंधनार्थाः स्थूणा वत्सादिबंधनार्था मयूखशब्दाभिधेयाः शंकवः तत् 'स्थूणामयूखं' तन्निदधाति । तथा च 'ऊरू एव' 'अस्मिन्' प्रवर्ग्ये धारितवान् भवति । अथ रौहिणपुरोडाशयोरुद्वासनं विधाय अवयवोक्तिमाह पश्चाद्रौहिणकपाले० दधातीति । स्थूणामयूखानां 'पश्चात्' पश्चिमभागे रौहिणपुरोडाशाधिश्रपणार्थे 'कपाले' 'निदधाति' । तेनास्मिन्प्रवर्ग्ये 'जानुनी एव' स्थापितवान् भवति । रौहिणकपालयोर्जान्वोश्च साम्यं ब्रुवन् उक्तमर्थं उपपादयति—ते यदेककपाले० जानुनी इति । 'ते' रौहिणकपाले यद्यस्मात् 'एककपाले' एकैककपालात्मके भवतः । तस्मादेव खलु 'इमे जानुनी' 'एककपाले इव' दृश्येते । अथ धृष्ट्योरुद्वासनं विधत्ते—पश्चाद्धृष्टी पादावे० प्रहरतीति । 'पश्चात्' रौहिणकपालयोः पश्चिमभागे अंगारविहरणार्थे 'धृष्टी' निदधाति । 'एतत्' एतेन 'अस्मिन्' प्रवर्ग्ये जान्वोरधस्तनौ 'पादावेव' स्थापितवान् भवति । धृष्ट्योः पादयोश्च कथं साम्यं इति चेदुच्यते—'धृष्टं' प्रगल्भं 'पादाभ्यां' खलु 'प्रहरति' । अतः धृष्ट्योः पादयोश्च कर्षणसाधनत्वसाम्यात् धृष्टी पादस्थानीये

१–पश्चात्पिन्वने चाभितो दंडम् । दंडं दीक्षादंडम् । का. श्रौ. सू. २६ । १३१ ।
२–स्थूणामयूखम् । का. श्रौ सू. २६ । १३२ ।
३–पश्चात् रौहिणकपाले । का. श्रौ. सू. २६ । १३३ ।
४–धृष्टी च । मध्येऽन्यत् । का. श्रौ. सू. २६ । १३४ । १३५ ।

(मु) अथास्मिन्पयऽआनयति । घर्म्मैतत्ते पुरीषमित्यन्नम्वै पुरीषमन्नमेवास्मिन्नेतद्दधाति तेन व्वर्द्धस्व चा च प्यायस्वेति नात्र तिरोहितमिवास्ति व्वर्द्धिषीमहि च व्वयमा च प्यासिषीमहीत्याशिषमेवैतदाशास्ते ॥ २३ ॥

स वै न सर्व्वमिवानयेत् । (न्ने) नेद्यजमानात्पुरागन्नमसदित्यर्द्धम्वा भूयो वा परिशिनष्टि तस्मिन्नपराह्णे यजमानाय व्व्रतमभ्युत्सिच्य प्रयच्छति तद्यजमानऽएवैतदन्नाद्यन्दधाति तथो ह यजमानान्न परागन्नम्भवति ॥२४॥

अथास्मिन्पय आनयति " घर्मैतत्ते पुरीषम् "–इति । अन्नं वै पुरीषम् । अन्नमेवास्मिन्नेतद्दधाति । " तेन वर्धस्व चा च प्यायस्व "–इति । नात्र तिरोहितमिवास्ति । " वर्द्धिषीमहि च वयमा च प्यासिषीमहि "–(वा. सं. ३८।२१) इति । आशिषमेवैतदाशास्ते ॥२३॥

स वै न सर्वमिवानयेत् । नेद्यजमानात्परागन्नमसदिति । अर्द्धं वा भूयो वा परिशिनष्टि ।

इत्यर्थः । अथ खरत्रयस्यापि उद्वासनं विधत्ते–उत्तरतः खरौ प्र० यतनमिति । 'उत्तरतः' महावीरस्योत्तरदेशे 'प्रचरणीयौ' प्रवर्ग्यप्रचरणोपयुक्तौ 'खरौ' निदधाति । यौ पूर्वं गार्हपत्याहवनीययोरुत्तरतः सिकताभिः निर्मितौ तावपि उद्धृत्य आनीय महावीरोत्तरभागे निदध्यादित्यर्थः । 'तत्' खलु 'तयोः' खरयोः 'आयतनं' स्थानं प्रवर्ग्यप्रचरणसमये गार्हपत्याहवनीययोः उत्तरतः तयोर्निर्मितत्वात् । योऽयं उच्छिष्टखराख्यो धिष्ण्यं 'मार्जालीयं' तद्दक्षिणतः मार्ज्जालीयस्य दक्षिणभागे निदध्यात् । तत्खलु तस्योच्छिष्टखरस्यायतनम् । प्राग्वंशस्य दक्षिणभागे । तस्य पुराऽवस्थितत्वात् । इत्थं धर्मोपयुक्तानां पात्राणामुद्वासनं तैश्च पुरुषाकृतिनिर्माणं च प्रतिपादितम् ॥ २२ ॥

अथ प्रचरणीये महावीरे पयस आसेचनं विधत्ते–अथास्मिन् पय आनयति० तद्दधातीति । 'अथ' एवं सर्वपात्रोद्वासनानंतरं अस्मिन्प्रचरणीये प्रथमे महावीरे " घर्मैतत्ते " इति मंत्रेण 'पयः' क्षीरं 'आनयति' आसिंचति । अथास्मिन्मंत्रभागे पुरीषशब्दस्यार्थं ब्रुवन् स्तौति–अन्नं वै पुरीष० तद्दधातीति । 'अन्नं' अदनीयं वस्तु हि कृत्स्नदेहपूरकत्वात् पुरीषमित्युच्यते । अतः एतेन मन्त्रभागेन अस्मिन्महावीरे अन्नमेव निदधाति । अथ द्वितीयभागमनूद्य स्पष्टार्थमाह–तेन वर्द्धस्व० मिवास्तीति । गतमेतत् । अथ तृतीयभागमनूद्याशीःप्रतिपादनमनेन क्रियते इत्याह–वर्द्धिषीमहि० तदाशास्ते इति । 'वर्द्धिषीमहि' एवं वृद्धाः भूयास्मेति एतादृशीमाशिषमेव 'एतत्' एतेन मंत्रभागेन 'आशास्ते' ॥ २३ ॥

अथानेतव्यस्य पयसः परिमाणमाह–स वै न सर्व्वं० परिशिनष्टीति । 'स वै' स खलु अध्वर्युः ।

१–खरा उत्तरतः । का. श्रौ. सू. २६ । १३६ । खरौ प्रचरणीयौ खरौ ।

२–दक्षिणतो मार्जालीयस्य वहिर्वेदुच्छिष्टखरम् । का. श्रौ. सू. २६ । १३६ । शांतिकरणमाद्यंतयोः । स्वाध्यायदर्शनात्स्वाध्यायदर्शनात् । का. श्रौ. सू. २६ । १५५ । १५६ । तच्च शांतिकरणं द्वारापिधानोत्तरकाले आदिमं अंत्यं च । पात्राणामासंद्यामासादनानंतरं " ऋचं वाचम् " इत्यादि [illegible] ॥

३–आसेचनवन्ति पयसः पूरयति [illegible] इति । का. श्रौ. सू. २६ । १३७ । आसेचनवन्ति गर्तवन्ति तानि च पात्राणि सप्त त्रयो महावीराः द्वे पिन्वने उपयमनी स्रुक् [illegible] सप्त । पयस इति तृतीयार्थे षष्ठी पयसेत्यर्थः ॥

(त्यु) अथैनमद्भिः परिषिञ्चति शान्तिर्वाऽआपः शमयत्येवैनमेतत्स-र्वतः परिषिञ्चति सर्वतऽएवैनमेतच्छमयति त्रिष्कृत्वः परिषिञ्चति त्रिवृद्धि यज्ञः ॥ २५ ॥

(ज्ञोऽथा) अथाह वार्षाहरꣳ साम गायेति । (त्ये) एष वै वृषा

तस्मिन्नपराह्णे यजमानाय व्रतमभ्युत्सिच्य प्रयच्छति । तद्यजमान एवैतदन्नाद्यं दधाति । तथा उ ह यजमानान्न परागन्नं भवति ॥ २४ ॥

अथैनमद्भिः परिषिंचति । शांतिर्वा आपः । शमयत्येवैनमेतत् । सर्वतः परिषिंचति । सर्वत एवैनमेतच्छमयति । त्रिष्कृत्वः परिषिंचति । त्रिवृद्धि यज्ञः ॥ २५ ॥

अथाह वार्षाहरं साम गायेति । एष वै वृषा हरिः । य एष तपति । एष उ प्रवर्ग्यः । तदेतमे-वैतत्प्रीणाति । तस्मादाह-वार्षाहरं साम गायेति ॥ २६ ॥

'सर्वमिव' सकलमेव पयो महावीरे 'नानयेत्' नासिञ्चेत् । 'नेत्' नैव 'यजमानात्' 'अन्नं पराक्' परागतं वियुक्तं असद्भवेत् इति अनेनाभिप्रायेण । तर्हि कियत् आनेतव्यमिति चेत् उच्यते-'अर्द्धं वा' पयसोऽर्द्धभागं वा 'भूयो वा' ततोऽप्यधिकं वा 'परिशिनष्टि' अवशेषयति । घर्म्मदुघायाः धेनोः पयसः अर्द्धभागं ततोऽपि किंचिन्न्यूनं वा महावीरे अवनयेदित्यर्थः । अथ परिशेषितस्य पयसः कदोपयोगः ? इत्यत आह-तस्मिन्नपराह्णे० भवतीति । तस्मिन्नवशिष्टे पयसि अपराह्णकाले दातव्यं सायंकालीयं 'व्रतं' व्रतार्थं पयः 'अभ्युत्सिच्य' उपर्यासिच्य 'यजमानाय' प्रयच्छेत् । तथा च सति तत्तेन घर्मावशेषितस्य पयसः व्रतपयसा मिश्रणेन 'एतदन्नाद्यं' घर्म्मदुघायाः पयोलक्षणं 'यजमान एव दधाति' स्थापयति । तथैव च सति यजमानसकाशात् 'अन्नं पराक्' पराग्भूतं परागतं वियुक्तं 'न भवति' ॥ २४ ॥

अथोद्वासितस्य घर्मस्य परिषेचनं विधत्ते-अथैनमद्भिः परिषिञ्चतीति । 'अथ' एवमुद्वासनानंतरं 'एनं' प्रवर्ग्यं अद्भिरुदकैः 'परिषिंचति' । तदुक्तं सूत्रकृता "उत्तरवेदिं त्रिः परिषिच्याचिक्रंददिति" (का. श्रौ. सू. २६ । २३) इति । अथ एतस्य परिषेचनस्य शमनहेतुत्वमाह-शांतिर्वा आप० त्येवैनमे-तदिति । 'शांतिर्वै' शांतिहेतवः शांता आपः । किं तत इति चेत्; उच्यते-'एतत्' एतेन अद्भिः परिषेचनेन 'एनं' तप्तं घर्म्मं 'शमयत्येव' उपशांतं करोत्येव । अथास्य परिषेचनस्य सर्वदिक्संबंधमनूद्य स्तौति-सर्वतः परि० च्छमयतीति । 'सर्वतः' सर्वासु दिक्षु उत्तरवेदिं 'परिषिंचति' । 'एतत्' 'सर्वतः' सर्वाभ्य एव दिग्भ्यः 'एनं' घर्म्मं 'शमयति' शांतं करोति । अथ तस्य परिषेचनस्यावृत्तिं विधाय स्तौति-त्रिष्कृत्वः परिषिञ्चति त्रिवृद्धि यज्ञ इति । त्रिष्कृत्वस्त्रिवारं 'परिषिंचति' 'त्रिवृद्धि' त्रिगुणितः खलु 'यज्ञः' सवनत्रयादिभिन्नत्वात् ॥ २५ ॥

अथ परिषेचनं क्रियमाणे प्रस्तोतारं प्रति सामगानार्थं प्रैषं इत्याह-अथाह वा० साम-

---

१-शेषं व्रतमिश्रं दीक्षिताय प्रयच्छति । पर्यं चेत्केवलम् । का. श्रौ. सू. २६ । [illegible] । १३९ ।

२-अत्र वा परिषेचनम् । का. श्रौ. सू. २६ । १४० ।

३-वार्षाहरेणाहोत्रीये सामनी गायेति प्रष्यति । का. श्रौ. सू. २६ । १४१ ।

ह्रुरिरित्युऽएष तुपत्येषुऽ उ प्रवुर्ग्यस्तुदेतुमेवैतत्प्रीणाति तुस्मादाह व्वार्षाहरꣳ सामं गायेति ॥ २६ ॥

(त्यु) अथ चुात्वाले मार्ज्जयन्ते । सुमित्रिया नऽआपऽओषधयः सन्त्वि- त्यञ्जलिनाऽपऽउुपाचाति व्वुज्रो वा आपो व्वुज्रेणैवैतुन्मित्रधेयङ्कुरुते दुर्म्मित्रियास्तुस्मै सन्तु योऽस्मान्द्वेष्टि युञ्च व्वयन्द्विष्मऽइुति युामस्य द्विशन्द्वेष्यः स्यात्तान्दिुशम्पुरासिञ्चेत्तेनैव तम्पुराभावयति ॥ २७ ॥

(त्यु)अथ प्राङिवोदङ्ङुत्क्रामति । (त्यु)उुद्वयन्तुमसस्परीति पाप्मा वै तुमः पाप्मानमेव तमोऽपहतुे स्वः पुश्यन्तऽउुत्तरमित्ययम्वै लोकोऽध्यऽउुत्तरो-

---

अथ चात्वाले मार्जयंते–" सुमित्रिया न आप ओषधयः संतु "–इति अंजलिनाऽप उपाचति । वज्रो वा आपः । वज्रेणैवैतन्मित्रधेयं कुरुते । " दुर्मित्रियास्तस्मै संतु योऽस्मान् द्वेष्टि यं च वयं द्विष्मः "–(वा. सं. ३८ । २३) इति । यामस्य दिशं द्वेष्यः स्यात् । तां दिशं परासिंचेत् । तेनैव तं पराभावयति ॥ २७ ॥

अथ प्राङिवोदङ्ङुत्क्रामति–" उद्वयं तमसस्परि "–इति । पाप्मा वै तमः । पाप्मानमेव

गायेतीति । वार्षाहराख्यं 'साम' हे प्रस्तोतः 'गाय' इति अध्वर्युर्ब्रूयात् । तच्च "अचिक्रदद्वृषा हरिः" इत्यस्यां गीयते, तदेतत् स्तौति–एष वै वृषा० गायेतीति । 'एष वै' एष खलु सूर्यः मंत्रे वृषा हरिरित्युच्यते । वर्षणात्, रसहरणाच्च 'एषः' एव सूर्यः प्रवर्ग्यः । गतमन्यत् । यस्मादेवं " अचिक्रदद्वृषा हरिः " इति मंत्रः समवेतार्थः । 'तस्मात्' "वार्षाहरꣳ साम गाय" इति अध्वर्युर्ब्रूयात् ॥ २६ ॥

अथ चात्वाले प्रवर्ग्यकर्तॄणां मार्जनं विधत्ते–अथ चात्वाले मार्ज्जयन्ते०सन्त्विततीति[1] । अयानंतरं चात्वालनामके अवटे अपः उपस्पृशंति अद्भिर्मार्जयन्त इत्यर्थः । " सुमित्रिया नः " इति तत्र मन्त्रः । (तदेतत्स्तौति[2]– 'यावत्' यावंतं कालं 'एतेन' प्रवर्ग्येण प्रचरंति तावत्पर्यंतं अस्मात् स्थानात् आपश्च ओषधयश्च अपक्रम्य निर्गम्येव तिष्ठंति । 'तदु' तेनापामुपस्पर्शनेन अपक्रांताभिस्ताभिः 'मित्रधेयं' मैत्रीं 'कुरुते' कृतवान् भवति ।) अथ मार्जनशेषस्योदकस्य सेचनं विधत्ते–दुर्म्मित्रिया०तं पराभावयतीति । 'अस्य' यजमानस्य 'द्वेष्यः' शत्रुः 'यां दिशं' प्राप्तः 'स्यात्' । 'तां दिशं परासिंचेत्' तस्यां दिशि मार्जनशिष्टमुदकं "दुर्मित्रियाः" इत्यनेन मन्त्रेण पराचीनं निनयेत । 'तेन' परासेचनेन तमेव शत्रुं 'पराभावयति' पराभूतं कृतवान् भवति ॥ २७ ॥

अथ मार्जनदेशान्निर्गमनं विधत्ते–अथ प्राङिवोदङ्ङुत्क्रामतीति । 'प्राङिव' प्राङ्मुख इव 'उदङ्' उदङ्-

---

१–चात्वाले मार्जयन्ते सपत्नीकाः सुमित्रिया न इति । का. श्रौ. सू. २६ । १४२ ।

२–तदेतत्स्तौतीत्यारभ्य कृतवान्भवतीत्यंतं काण्वश्रुतिमनुसृत्य भाष्यं ज्ञेयम् । काण्वपाठश्च–" यावद्वाऽ एतेन प्रचरन्त्यापश्च ह वा अस्मात्तावदोषधयश्चापक्रम्येव तिष्ठंति तदु ताभिर्मित्रधेयं कुरुते " इति ।

ऽस्मिन्नेव लोके प्रतितिष्ठति देवन्देवत्रा सूर्य्यमगन्म ज्योतिरुत्तममिति स्वर्गो वै लोकः सूर्य्यो ज्योतिरुत्तमꣳ स्वर्गऽएव लोकेऽन्ततः प्रतितिष्ठ-त्यनपेक्षमेत्याहवनीये समिधमभ्यादधाति समिदसि तेजोऽसि तेजो मयि धेहीत्याशिषमेवैतदाशास्ते ॥ २८ ॥

(स्तेऽथ) अथ प्रसुते दधिघर्म्मेण प्रचरन्ति। यज्ञो वै सोमः शिरः प्रवर्ग्यो यज्ञऽएवैतच्छिरः प्रतिदधाति माध्यन्दिने सवनऽएतद्वाऽइन्द्रस्य

तमोऽपहते। "स्वः पश्यंत उत्तरम्"–इति। अयं वै लोकोऽद्भ्य उत्तरः। अस्मिन्नेव लोके प्रतितिष्ठति। "देवं देवत्रा सूर्यमगन्म ज्योतिरुत्तमम्"–(वा. सं. ३८।२४) इति। स्वर्गो वै लोकः सूर्यो ज्योतिरुत्तमम्। स्वर्ग एव लोकेऽन्ततः प्रतितिष्ठति। अनपेक्षमेत्य आहवनीये समिधमभ्यादधाति–"समिदसि तेजोऽसि तेजो मयि धेहि"–(वा. सं. ३८।२५) इति। आशिषमेवैतदाशास्ते ॥ २८ ॥

अथ प्रवर्ग्यशेषो दधिघर्मः।

अथ प्रसुते दधिघर्मेण प्रचरंति। यज्ञो वै सोमः। शिरः प्रवर्ग्यः। यज्ञ एवैतच्छिरः प्रतिदधाति।

मुखः उत्तरपूर्वदिगभिमुखः "उद्वयमिति" मन्त्रेण 'उत्क्रामति' उत्प्लुत्य गच्छति। सर्वे प्रवर्ग्यकर्तारोऽनेन मन्त्रेणोत्क्रामेयुरित्यर्थः। अथास्य मन्त्रभागस्य तात्पर्यमाह–पाप्मा वै तमः पाप्मानमेव तमोऽपहते इति। मालिन्यहेतुत्वात् पाप्मैवात्र तमःशब्देनोच्यते। 'वयं तमसः' उपरि उत्क्रांताः अभूमेति तद्वाक्यस्यार्थः। अतः 'पाप्मानं' पापरूपमेव 'तमः अपहते' विनाशयति। अथ द्वितीयपादमनूद्य व्याचष्टे–स्वः पश्यंतऽउत्तर॰प्रतितिष्ठतीति। 'अयं वै' अयं खलु भूलोकः 'अद्भ्यः' सामुद्रीभ्यः सकाशात् 'उत्तरः' उपरिदेशस्थः। तस्मादत्रोत्तरशब्देनायमेव लोकः प्रतिपाद्यत इति द्यौः 'अस्मिन्नेव लोके प्रतितिष्ठति' प्रतिष्ठिता भवति। अथोत्तरार्द्धमनूद्य व्याचष्टे–देवन्देवत्रा॰प्रतितिष्ठतीति। अस्मिन् घर्मे प्राप्यत्वेन निर्दिष्टं यत्सूर्यात्मकमुत्तमं 'ज्योतिः' असावेव स्वर्गो लोकः। तथा च अंततोऽवसाने यागफलभूते स्वर्गलोक एव 'प्रतितिष्ठति' प्रतिष्ठितो भवति। अनेन[3] मन्त्रेण चात्वालदेशादुत्क्रांतानां समिदाधानं विधत्ते–अनपेक्षमेत्याहव॰ समिधमिति। 'अनपेक्षं' अपेक्षां पृष्ठभागस्यावेक्षणमकृत्वा एत्याहवनीयदेशं प्राप्य तस्मिन्नाहवनीये एकां 'समिधं' "समिदसि" इत्यनेन मन्त्रेणाभ्यादधाति। एतया समिधा अग्निमेव समिंधे संदीपयति। स च समिद्धोऽग्निः एनं यजमानं तेजसा दीप्त्या समिंद्धे प्रकाशयति, यजमानस्तेजस्वी भवतीत्यर्थः ॥ २८ ॥

इत्थं प्रवर्ग्यतदुद्वासने उक्ते, अथ सौत्ये अहनि कर्तव्यं दधिघर्माख्यं यागं विधत्ते–अथ प्रसुते दधिघर्म्मेण

१–२–३–"सर्वे प्रवर्ग्यकर्तारोऽनेन मन्त्रेणोत्क्रामेयुरित्यर्थ इति, वयं तमस उपरि उत्क्रांता अभूमेति, अनेन मन्त्रेण चात्वालदेशादुत्क्रांतानाम्" इमास्तिस्रः पंक्तयः श्रुतिसूत्रपरिपठितेन "उत्क्रामति अभ्यादधाति" इत्येकवचनेनानन्वितार्थाः। तथा च कात्यायनसूत्रं–"उद्वयमित्युत्क्रामत्युत्तरपूर्वार्द्धम्। अनपेक्षमेत्यैधोऽसीति समिधमादायाहवनीयेऽभ्यादधाति समिदसीति। पत्नी च गार्हपत्ये तूष्णीम्" इति। का. श्रौ. सू. २६। १४१। परं उद्वयमिति मन्त्रगतं वयं उदगन्म इति बहुवचनेनान्वितार्थाः। तथापि मन्त्रलिंगाच्छ्रुतेर्बलीयस्त्वेनात्र यजमानस्यैकस्यैव समंत्रं उत्क्रमणं समिदाधानं चेति विधिः न सर्वेषाम्। इति ॥

निष्केवल्यꣳ सवनं यन्माध्यन्दिनꣳ सवनꣳ स्वऽएवैनमेतद्भागे प्रीणाति स्तुते माध्यन्दिने पवमाने प्राणो वै माध्यन्दिनः पवमानः प्राणमेवास्मिन्नेतद्दधात्यग्निहोत्रहवण्या मुखम्वाऽएतद्यज्ञानां यदग्निहोत्रꣳ शीर्षंस्तन्मुखन्दधाति ॥ २९ ॥

माध्यंदिने सवने । एतद्वा इन्द्रस्य निष्केवल्यं सवनम् । यन्माध्यंदिनं सवनम् । स्व एवैनमेतद्भागे प्रीणाति । स्तुते माध्यंदिने पवमाने । प्राणो वै माध्यंदिनः पवमानः । प्राणमेवास्मिन्नेतद्दधाति । अग्निहोत्रहवण्या । मुखं वा एतद्यज्ञानाम । यदग्निहोत्रम् । शीर्षंस्तन्मुखं दधाति ॥ २९ ॥

प्रचरन्तीति । ' प्रसुते ' अभिषुते सोमे सुत्यादिवसे ' दधिघर्म्मेण ' तमदधिद्रव्यकेण दधिघर्म्माख्येन यागेन अध्वर्युप्रभृतयः ' प्रचरंति ' चरेयुः । सुत्यादिवसानुष्ठेयस्याप्यत्रानुविधानं दधिघर्म्मस्य प्रवर्ग्यशेषत्वद्योतनार्थम् । तेन प्रवर्ग्यप्रवृत्तौ अस्यापि प्रवृत्तिः । अत एवापस्तंबेन दधिघर्म्मं प्रस्तुत्योक्तं—"निः प्रवर्ग्योऽस्यादित्यपरम्"—इति तदेतत् सोमयागानां मध्ये घर्म्मानुष्ठानं स्तौति—यज्ञो वै सोमः शि० प्रतिदधातीति । यज्ञात्मक एव सोमः प्राधान्येन यज्ञनिष्पादकत्वात् । प्रवर्ग्यश्च यज्ञस्य शिरः इत्युक्तम् । तथा च—दधिघर्म्मोऽपि प्रवर्ग्यशिर एवेति सोमयाग एव एतच्छिरः प्रतिहितं भवति । तत्रापि माध्यंदिनसवने एव दधिघर्मः कार्यः इत्याह—माध्यंदिने सवन इति । दधिघर्म्मेण प्रचरंतीत्यनुवर्तते । तदेतत् स्तौति—एतद्वाऽइन्द्रस्य० प्रीणातीति । ' एतत् ' खलु सवनं ' इन्द्रस्य निष्केवल्यं ' केवलमिंद्रस्यैव निष्कृष्य स्वभूतं माध्यंदिनं ' सवनं ' इति यत् । अतस्तेन दधिघर्म्मेण हविषा ' स्वे ' स्वकीये ' एव भागे ' भागभूते एव सवने ' एनं ' इंद्रं ' प्रीणाति ' तर्पयति । तत्रापि पवमानस्यानंतरं दधिघर्म्मः कार्य इत्याह—स्तुते माध्यंदिने पवमाने इति । माध्यंदिनाख्ये पवमानस्तोत्रे ' स्तुते ' सति दधिघर्म्मेण चरितव्यं, तदेतत्स्तौति—प्राणो वै माध्यंदि० तद्दधातीति । प्राणात्मकः खलु ' माध्यंदिनः पवमानः, ' गायत्रामहीयवरौरवयौधाजयौशनसाख्यैः पंचभिः सामभिः प्राणापानादिपंचवृत्त्यात्मकैः उपेतत्वात् । अतः पंचवृत्त्यात्मकं मुख्यं ' प्राणमेव ' ' अस्मिन् ' घर्म्मे स्थापितवान् भवति । अथ तस्मिन् दधिघर्म्मे साधनत्वेन पात्रविशेषं विधाय स्तौति—अग्निहोत्रहवण्या० तन्मुखं दधातीति । अग्निहोत्रहोमो यया स्रुचा हूयते सा अग्निहोत्रहवणी तया दधिघर्माख्यं हविर्जुहोति । अग्निहोत्रमिति यत्कर्म ' एतद्यज्ञानां मुखं वै ' वक्त्रस्थानीयं तत्संबंधात्स्रुगपि मुखस्थानीया । अतः तत्तया ' अग्निहोत्रहवण्या ' स्रुचा होमेन ' शीर्षन् ' शीर्ष्णि यज्ञस्य शिरसि मुखमेव ' दधाति ' स्थापितवान् भवति ॥ २९ ॥

१—सप्रवर्ग्ये दधिघर्मः । का. श्रौ. सू. १० । १८ ।

२—सदसि पवमानोपाकरणम् । अहर्गणे च सर्वत्र प्रायणीयोदयनीयवर्जम् । का. श्रौ. सू. १० । १५–१७ । पशुनेहीत्यपकम्य दधिघर्म्माय दध्याहर दक्षिणा उपावर्तयेति प्रैषाः पञ्चयः ।

३—उच्चा त इत्येततृचं गायत्रम् । पुनरुच्चा त इत्येतत् तृचसामहीयवम् । पुनानः सोमेति रौरवम् । पुनानः सोमेति यौधाजयम् । प्र तु द्रवेत्यौशनसम् । एतानि पंच सामानि तृचात्मकानि स्तुवन्ति यत्र स माध्यन्दिनः पवमानः इत्युच्यते ।

४—उपविश्य सदसः पुरस्तात्सपवित्रायामग्निहोत्रहवण्यां ग्रहणं यथाक्तम् । का. श्रौ. सू. २६ । १९ । यावतीं द्यावापृथिवीइ इति दधिघर्मग्रहणम् । का. श्रौ. सू. २६ । १५२ ।

स॒ऽआनी॒यमा॑नऽआह । होत॒र्व्वद॑स्व॒ यत्ते॑ व्वा॒द्यमि॒ति॒ व्व॒द॑ते॒ ह्यत्र॒ होता॒ऽथोपो॒त्तिष्ठ॑न्नाह श्रा॒तᳫं᳖ ह॒वि॒रिति॒ श्रा॒तᳫं᳖ हि भ॒वत्य॒तिक्र॒म्याश्रा॒व्याह॒ द॒धि॒घर्म्म॒स्य॒ यजे॒ति॒ व्वष॒ट्कृ॒ते जु॑हो॒त्यनु॒वष॒ट्कृ॒तऽआ॒हर॑ति भ॒क्षं तं य॒जमा॑नाय॒ प्रय॑च्छति ॥ ३० ॥

स॒ऽउ॒प॒ह॒वमि॒ष्ट्वा भ॒क्षय॑ति । म॒यि॒ त्यदि॑न्द्रि॒यम्बृ॒हदि॒त्ये॒तद्वाऽइ॑न्द्रि॒य-

स आनीयमान आह–" होतर्वदस्व यत्ते वाद्यम् "–इति । वदते ह्यत्र होता । अथोपोत्तिष्ठन्नाह–" श्रातं हविः "–इति । श्रातं हि भवति । अतिक्रम्याश्राव्याह । दधिघर्मस्य यजेति । वषट्कृते जुहोति । अनुवषट्कृते आहरति भक्षम् । तं यजमानाय प्रयच्छति ॥ ३० ॥

स उपहवमिष्ट्वा भक्षयति–" मयि त्यदिंद्रियं बृहत् "–इति । एतद्वा इंद्रियं बृहत् । य एष

इत्थं दधिघर्मयागस्य कालः साधनं चोक्तम् । अथ तस्य यागभक्षणे विधिरनुराह–सऽ आनीयमान० यजमानाय प्रयच्छतीति । सोऽध्वर्युः 'आनीयमाने' दधिधर्मे स्रुच्यासिच्यमाने "होतर्वदस्व यत्ते वाद्यम्" इति ब्रूयात् । अस्यायमर्थः–हे होतः ! तद्वदस्व ब्रूहि । 'ते' तव दधिघर्मग्रहणसमये 'यत्' 'वाद्यं' वक्तव्यं अस्तीति । प्रैषांतरवत् ब्रूहीति चोदनां परित्यज्य किं कारणं वदस्वेति चोद्यते ? इत्याशंक्याह–अत्रास्मिन् समये 'होता वदते हि' केवलं वृत्तमर्थं कथयति हि । न तु अनुवक्ति यजति वा । तथाहि–" होतर्वदस्व " इत्युक्ते होता " उत्तिष्ठतावपश्यत " इत्येतामृचं ब्रूते । तस्याश्चायमर्थः–हे अध्वर्युप्रभृतयः 'उत्तिष्ठत' उत्थिता भवत । ततश्च 'अवपश्यत' अधिश्रितं दधिघर्ममवाङ्मुखं आलोकयत । यदि असौ श्रातः पक्वः तर्हि जुहुत । यदि अश्रातः अपक्वः । तदा सुखेन तूष्णीमुपविशतेति । तथा चाभिवदनमात्रस्य होत्रा क्रियमाणत्वात् " होतर्वदस्व " इत्येव प्रैषं ब्रूयात् । अथानंतरं अध्वर्युः 'उपोत्तिष्ठन्' आसनादूर्ध्वं तिष्ठन् " श्रातᳫं हविः " इति होतारं प्रत्याह । हे होतः ! श्रातं पक्वं हविरिति हि तस्यार्थः । 'हि' यस्मात्, दधिघर्माख्यं हविः 'श्रातं' परिपक्वं 'भवति' । 'तस्मात्' श्रातं हविरिति होत्रे निवेदयेदित्यर्थः । एवमुक्त्वा दक्षिणा 'अतिक्रम्य' आश्राव्याश्रावणं कृत्वा प्रत्याश्राविते सति "दधिघर्मस्य यज" इति इमं प्रैषमाह ब्रूयात् । ततो याज्यांते 'वषट्कृते' सति अग्निहोत्रहवण्या तद्धविः 'जुहोति' । एवं वषट्कारानुवषट्कारयोः किंचित्किंचिद्धुत्वा शिष्टं 'भक्षं' भक्षणार्थमाहरति । यजमानसमीपं गमयति । आहृत्य च 'तं' भक्षं 'यजमानाय प्रयच्छति' ददाति ॥ ३० ॥

'सः' यजमानः अध्वर्योरुपहवमिष्ट्वा " अध्वर्य उपह्वयस्व " इत्येवमुपहवं याच्ञां कृत्वा " मयि त्यदि-

१–होतर्वदस्व यत्ते वाद्यमित्याह वाद्यांते श्रातᳫं हविरित्युत्तिष्ठन्नाह । दधिघर्मस्य यजेति । का. श्रौ सू. १० । २० ।

२–शेषं व्रतमिश्रं दीक्षिताय प्रयच्छति । प्रत्तं चेत्केवलम् । का. श्रौ. सू. २६ । १३८ । १३९ ।

३–हुतशेषं घर्मर्त्विजः सयजमानाः समुपहावं भक्षयन्ति यथोक्तम् । का. श्रौ. सू. १० । २२ । मयि त्यदिति भक्षणम् । त्रिभिः संग्रागिति महाव्रतीये । का. श्रौ. सू. २६ । १५२ । १५३ । प्राणभक्षं वाऽदीक्षिताः । का. श्रौ. सू. १० । २३ । अदीक्षितानां प्रत्यक्षभक्षः प्राणभक्षो वेति विकल्पः । दीक्षितानां तु प्रत्यक्षभक्ष एव न प्राणभक्ष इत्यर्थः ।

म्बृहद्य्यऽएष तुपति मुयि दुक्षो मुयि क्रतुरिति क्रतूदक्षावेवात्मुन्धत्ते घुर्म्मास्त्रिशुग्विराजतीति घुर्म्मो ह्येषु त्रिशुग्विराजति व्विराजा ज्योतिषा सहेति व्विराजा ह्येष ज्योतिषा सुह ब्रह्मणा तेजसा सहेति ब्रह्मणा ह्येष तेजसा सुह पयसो रेतऽआभृतमिति पयसो ह्येतद्रेतऽआभृतन्तुस्य दोहमशीमह्युत्तरामुत्तराꣳ समामित्याशिषमेवैतदाशास्तेऽथ चात्वाले मार्ज्जयन्तेऽसावेव बन्धुः ॥ ३१ ॥

तपति । "मयि दक्षो मयि क्रतुः"–इति । क्रतूदक्षावेवात्मन्धत्ते । "घर्मस्त्रिशुग्विराजति"–इति । घर्मो ह्येष त्रिशुग्विराजति । "विराजा ज्योतिषा सह"–इति । विराजा ह्येष ज्योतिषा सह । "ब्रह्मणा तेजसा सह"–(वा. सं. ३८ । २७) इति । ब्रह्मणा ह्येष तेजसा सह । "पयसो रेत आभृतम्"–इति । पयसो ह्येतद्रेत आभृतम् । "तस्य दोहमशीमह्युत्तरामुत्तरां समाम्"–(वा. सं. ३८ । २८) इति । आशिषमेवैतदाशास्ते । अथ चात्वाले मार्जयन्ते । असावेव बंधुः ॥ ३१ ॥

न्द्रियं" इति मन्त्रेण 'भक्षयति' । अथैतन्मन्त्रवाक्यं समुपादाय व्याचष्टे–एतद्वाऽइंद्रियं० तदाशास्ते इति । 'य एषः' सूर्यस्तपति एतत्खलु 'बृहत्' परिवृढं 'इन्द्रियं' वीर्यात्मकम् । अतः ईदग्विधमिन्द्रियं 'मयि' भवतु इति प्रथमवाक्यस्यार्थः । "प्राणो वै दक्षोऽपानः क्रतुः" इति (तै सं.२।५।२) तैत्तिरीयश्रुतेः 'क्रतूदक्षौ' प्राणापानौ । अतः "मयि दक्षो मयि क्रतुः" इति मन्त्रभागेन तावेवात्मनि स्वस्मिन् यजमानः 'धत्ते' धारयति । 'एषः' खलु घर्म्मः 'त्रिशुक्' त्रिविधं शोचमानः वैद्युतपार्थिवाग्निसूर्यात्मना त्रेधा दीप्यमानो 'विराजति' । अतस्त्रिशुग्विराजतीति वाक्यं समवेतार्थमित्यर्थः । छंदसां मध्ये विराट् खलु ज्योतिः तेजोरूपा । "अग्निर्देवानांज्योतिर्विराट्छन्दसाञ्ज्योतिः" (तै.सं.७।१।१) इति तैत्तिरीयश्रुतेः । अतः 'विराजा' विराडात्मकेन 'ज्योतिषा' यस्मादेष घर्म्मो विराजति । तस्मात् "विराजा ज्योतिषा सह" इति वाक्यमपि समवेतार्थम् । यद्वा 'विराजा' विराजमानेन 'ज्योतिषा' सूर्यात्मनेति योज्यम् । तथा 'ब्रह्मणा' ब्रह्मजात्या त्रयीरूपेण वा 'तेजसा सह' एष सूर्यात्मको घर्म्मो विराजति । सूर्यस्य च त्रयीसाहित्यं तैत्तिरीयके स्पष्टमाम्नायते–"ऋग्भिः पूर्वाह्णे दिवि देव ईयते, यजुर्वेदे तिष्ठति मध्येऽह्नः, सामवेदेनास्तमये महीयते" (तै.का.प्र. ३ अनु. अन्त्य.) इत्यादि । तथा 'पयसः' क्षीरसकाशात् खलु 'एतद्रेतः' वीर्यहेतुभूतं दधिघर्माख्यं हविः 'आभृतं' संपादितम् । अतः "पयसो रेत आभृतम्" इति एतमर्थं प्रतिपादयति । 'तस्य' तथाविधस्योक्तलक्षणस्य दधिघर्म्मस्य 'दोहं' दोहनीयं भागं 'अशीमहि' प्राप्नुयाम । 'उत्तरामुत्तराः समाम्' एतस्मिन् संवत्सरे इव आगामिन्यपि सर्वस्मिन् संवत्सरे तत्प्राप्नुयामेति

१–"सा वाऽ एषा वाक् त्रेधाविहिता ऋचो यजूꣳषि सामानि मण्डलमेवर्चोऽर्चिः सामानि पुरुषो यजूꣳषीति" । (श. प. । १० । ५ । १ । ५ ।) तथा "यदेतन्मंडलं तपति तन्महदुक्थं ताऽ ऋचः सऽ ऋचां लोकोऽथ यदेतदर्चिर्दीप्यते तन्महाव्रतं तानि सामानि स साम्नां लोकोऽथ यऽ एषऽ एतस्मिन्मंडले पुरुषः सोऽग्निस्तानि यजूꣳषि स यजुषां लोकः सैषा त्रय्येव विद्या तपति तद्धैतदप्यविद्वाꣳस आहुस्त्रयी वाऽ एषा विद्या तपतीति" । (श. प. । १० । २ । १ । १ । २)

(र) अथातो दक्षिणानाम्। (नाधूँ) सुवर्णधूँ हिरण्यधूँ शतमानम्ब्रह्मणे ददात्यासीनो वै ब्रह्मा यशः शयानधूँ हिरण्यन्तस्मात्सुवर्णधूँ हिरण्यधूँ शतमानम्ब्रह्मणे ददाति ॥ ३२ ॥

(त्यु) अथ यैषा घर्म्मदुघा। तामध्वर्य्यवे ददाति तप्तऽइव वै घर्म्मस्तप्तमिवाध्वर्य्युर्निष्क्रामति तस्मात्तामध्वर्य्यवे ददाति ॥ ३३ ॥

अथ प्रवर्ग्याङ्गभूतं दक्षिणाद्रव्यदानम्।

अथातो दक्षिणानाम्। सुवर्णं हिरण्यं शतमानं ब्रह्मणे ददाति। आसीनो वै ब्रह्मा। यशः शयानं हिरण्यम्। तस्मात्सुवर्णं हिरण्यं शतमानं ब्रह्मणे ददाति ॥ ३२ ॥

अथ यैषा घर्मदुघा। तामध्वर्यवे ददाति। तप्त इव वै घर्मः। तप्तमिवाध्वर्युर्निष्क्रामति। तस्मात्तामध्वर्यवे ददाति ॥ ३३ ॥

एतादृशीं 'आशिषमेव' 'एतत्' एतेन मन्त्रभागेन यजमानः 'आशास्ते' आशंसते। अथ सर्वेषामृत्विजां चात्वाले मार्जनं[1] विधत्ते—अथ चात्वाले मा० बंधुरिति। स्पष्टोऽर्थः ॥ ३१ ॥

अथ प्रवर्ग्यकर्तॄणां ऋत्विजां प्रवर्ग्याङ्गभूतदक्षिणानां दानमाह—अथातो दक्षिणानामिति। 'अथ' दधिघर्मयागानंतरं यतो दक्षिणारहितो यज्ञो निर्वीर्यः अतः कारणात् 'दक्षिणानां' द्रव्याणां दानम् इतः परं प्रस्तूयते इति शेषः। तत्र तावद्ब्रह्मणो यज्ञभिषक्त्वेन मुख्यत्वात् तस्मै दातव्यदक्षिणामाह—सुवर्णं[2] हिर० ददातीति। 'सुवर्णं' सुवर्णविकारं हेममयं 'शतमानं' रुक्मं 'हिरण्यं' रजतं 'शतमानं' च 'ब्रह्मणे ददाति'। तदेतदुपपाद्य निगमयति—आसीनो वै० ददातीति। ब्रह्मा सर्वर्त्विजां मध्ये सर्वेषु कर्मसु दक्षिणतः आस्ते। अतः प्राचुर्येण 'ब्रह्मा आसीनः' सर्वत्रोपविष्ट एव भवति। तथा सौवर्णं राजतं च शयनशालीनं भवति चोरादिभयात् सौवर्णराजतादीनि सर्वदा गृहेषु गूढं स्थाप्यत एव। न तत् द्रव्यांतरवत् प्रकटं व्यवह्रियते। 'तस्मात्' प्रतिग्राह्यप्रतिग्रहीत्रोः साधर्म्येण संबंधार्थत्वात्। गतमन्यत् ॥ ३२ ॥

अथाध्वर्यवे दातव्यां दक्षिणां विधाय तदुपपाद्य निगमयति—अथ यैषा घर्म्म० ददातीति[3]। 'अथ' सौवर्णराजतशतमानयोर्दानानंतरं 'या एषा' गौः 'घर्म्मदुघा' प्रवर्ग्यार्थस्य पयसो दोग्ध्री 'तामध्वर्यवे' दद्यात्। किमनयोः साधर्म्यमिति चेत्; उच्यते—घर्म्मस्तावत् 'तप्त इव वै' अंगारैः संततोऽग्निवर्ण इव भवति। अध्वर्युश्च घर्मसंदीपनादौ ततं तं घर्म्मं 'निष्क्रामति' नितरां प्राप्य स्वयमपि तदौष्ण्येन तप्त इव भूत्वा उत्क्रामति। तत्कृतं तापम् अतिक्रामति। तस्मादुभयोः तप्तत्वसाधर्म्यात् तप्यमानघर्मसंबंधिनीं 'तां' गामध्वर्यवे दद्यात् ॥ ३३ ॥

१—चात्वाले मार्जनम्। का. श्रौ. सू. २६। १५४।

२—प्रवृंजनीयौ शतमानौ ब्रह्मणे ददाति। का. श्रौ. सू. २६। १४२।

३—घर्मदुघामध्वर्यवे। का. श्रौ. सू. २६। १४३। गामिति शेषः।

(त्यु) अथ यैषा यजमानस्य व्रतदुघा । ताᳬं होत्रे ददाति यज्ञो वै होता यज्ञो यजमानस्तस्मात्ताᳬं होत्रे ददाति ॥ ३४ ॥

(त्यु) अथ यैषा पत्न्यै व्रतदुघा । तामुद्गातृभ्यो ददाति पत्नीकर्म्मैव वाऽएतेऽत्र कुर्वन्ति यदुद्गातारस्तस्मात्तामुद्गातृभ्यो ददाति ॥ ३५ ॥

(त्यु) अथैतद्वै । (द्वाऽआ) आयुरेतज्ज्योतिः प्रविशति यऽएतमनु वा ब्रूते भक्षयति वा तस्य व्रतचर्य्या या सृष्टौ ॥ ३६ ॥

इति द्वितीयप्रपाठके द्वितीयं ब्राह्मणम् ॥ १४।२।२ ॥ (३-१) ॥

अथ यैषा यजमानस्य व्रतदुघा । तां होत्रे ददाति । यज्ञो वै होता । यज्ञो यजमानः । तस्मात्तां होत्रे ददाति ॥ ३४ ॥

अथ यैषा पत्न्यै व्रतदुघा । तामुद्गातृभ्यो ददाति । पत्नीकर्मैव वा एतेऽत्र कुर्वंति—यदुद्गातारः । तस्मात्तामुद्गातृभ्यो ददाति ॥ ३५ ॥

अथैतद्वा आयुः, एतज्ज्योतिः प्रविशति । य एतमनु वा ब्रूते । भक्षयति वा । तस्य व्रतचर्या—या सृष्टौ ॥ ३६ ॥

अथे होत्रे देयां दक्षिणामाह—अथ यैषा यजमान० होत्रे ददातीति । 'अथ' अध्वर्यवे दानानंतरं 'या एषा यजमानस्य व्रतदुघा' व्रतार्थस्य पयसो दोग्ध्री धेनुः 'तां होत्रे' दद्यात् । अथैतयोः साधर्म्यमभिधाय, उक्तमर्थं निगमयति—यज्ञो वै होता० होत्रे ददातीति । वषट्कारेण हि सर्वाणि हवींषि हूयंते । अतस्तस्य प्राधान्येन तत्कर्तुरपि प्राधान्यात् 'होता यज्ञो वै' यज्ञात्मक एव । यजमानोऽपि फलस्य स्वामित्वात् यज्ञात्मकः । अतो यजमानार्था गौरपि यज्ञात्मिका । तस्याः उभयोर्यज्ञात्मकत्वसाम्यात् । गतमन्यत् ॥ ३४ ॥

अथोद्गातॄणां दक्षिणादानं विधाय तदुपपाद्य निगमयति—अथ यैषा पत्न्यै व्रतदुघा० ददातीति । 'अथ' होत्रे दानानंतरं 'पत्न्यै' पत्न्यर्थं 'व्रतदुघा' व्रतार्थस्य पयसः दोग्ध्री 'या एषा' गौः 'तामुद्गातृभ्यः' प्रस्तोतृप्रमुखेभ्यः सामगेभ्यो दद्यात् । 'यत्' ये 'उद्गातारः' अत्रास्मिन्प्रवर्ग्ये 'पत्नीकर्मैव' खलु स्वकीयं कर्माचरंति । यद्वा मुखवेष्टनादिकं पत्नीसंबद्धं कर्म 'एते कुर्वंति' अतः पत्नीसंबंधात् गौः तेषां योग्या । 'तस्मात्' प्रतिग्राह्यप्रतिग्रहीत्रोः पत्नीसंबंधसाम्यात् 'तां' गां 'उद्गातृभ्यः' दद्यात् ॥ ३५ ॥

ब्राह्मणान्तरवत् एतद्ब्राह्मणाध्ययनतदर्थानुष्ठानयोरंगत्वेन पूर्वोक्तां व्रतचर्यामत्राप्यतिदिशति—अथैतद्वाऽ आ० व्रतचर्या या सृष्टाविति । सिद्धमेतत् ॥ ३६ ॥

इति श्रीसायणाचार्यविरचिते माधवीये वेदार्थप्रकाशे माध्यन्दिनीयशतपथब्राह्मणभाष्ये चतुर्दशे काण्डे तदन्तर्भूते प्रथमे प्रवर्ग्यकाण्डे तृतीयेऽध्याये प्रथमं ब्राह्मणम् ॥ १४ (१) । ३ । १ ॥

१—यजमानव्रतदुघाः होत्रे । का. श्रौ. सू. २६ । १४३ । गामिति शेषः ।

२—पत्न्याऽ उद्गात्रे । का. श्रौ. सू. २६ । १४३ । व्रतदुघां गामित्यर्थः । " अग्नीधेऽजाम् । का. श्रौ. सू. २६ । १४३ ।

स॒र्व्वेषाम्वा॒ऽए॒ष भू॒ता॒नाम् । (५॒) स॒र्व्वेषान्दे॒वा॒नामा॒त्मा य॒ज्ञस्त॒स्य स॒म्मृद्धि॒मनु॒ यज॑मानः प्प्र॒जया॑ प॒शुभि॒र्ऋ॑ध्यते॒ वि वा॒ऽए॒ष प्प्र॒जया॑ प॒शुभि॒र्ऋ॑ध्यते॒ य॒स्य घ॒र्म्मो॒ व्विदी॒र्य्य॑ते॒ त॒त्र प्प्राय॑श्चि॒त्तिः ॥ १ ॥

अथ घर्मभेदे प्रायश्चित्तम् ।

सर्वेषां वा एष भूतानां सर्वेषां देवानामात्मा–यद्यज्ञः । तस्य समृद्धिमनु यजमानः प्रजया पशुभिर्ऋध्यते । वि वा एष प्रजया पशुभिर्ऋध्यते- यस्य घर्मो विदीर्यते । तत्र प्रायश्चित्तिः ॥ १ ॥

इत्थं तृतीये घर्म्मोत्पादनमुक्तम् । अथ चतुर्थे तत्प्रायश्चित्तमुच्यते। तत्र तावत् प्रायश्चित्तं कर्तव्यमिति विधित्सुः, उपोद्घातत्वेन तदुपपादयति–**सर्वेषां वाऽएष भूतानां० तत्र प्रायश्चित्तिरिति** । 'यत्' यः अयं 'यज्ञः' 'एषः सर्वेषां' खलु भूतानां भूतजातानां मनुष्यपश्वादीनां प्राणिनां 'सर्वेषां देवानां' इंद्रादीनां च 'आत्मा' स्वरूपं यज्ञक्रियापरिणामरूपत्वात्तेषाम् । तथा च स्मर्यते–" अग्नौ प्रास्ताऽऽहुतिः सम्यगादित्यमुपतिष्ठते । आदित्याज्जायते वृष्टिर्वृष्टेरन्नं ततः प्रजाः "–(म. स्मृ. ३ । ७६) इति। 'तस्य' तथाविधस्य यज्ञस्य 'समृद्धिं' संपूर्तिं 'अनु' पश्चात् 'यजमानः' यज्ञफलभूतया 'प्रजया' पुत्राद्यात्मिकया गवादिभिः 'पशुभिश्च' 'ऋध्यते' समृद्धो भवति । 'यस्य' खलु यजमानस्य यज्ञे 'घर्म्मः' महावीरः 'विदीर्यते' भिद्यते । 'एषः' यजमानः यज्ञांगवैकल्येन समृद्ध्यभावात् स्वयमपि प्रजापश्वादिभिः 'व्यृध्यते' ऋद्धेर्विहीनो भवति । तस्मात् महावीरे विदीर्णे सति 'प्रायश्चित्तिः' विकलस्य समाधानलक्षणं प्रायश्चित्ताख्यं कर्म वक्ष्यमाणं कुर्यात् । तदुक्तं कात्यायनेन सूत्रकृता–" घर्मभेदे यथोक्तम् । उखावच्चान्यं कुर्यात् । अभिन्नेन चरेत् । स्वाहा प्राणेभ्यः साधिपतिकेभ्य इति पूर्णाहुतिमाद्यामुत्तमां च मनसः काममाकूतिमिति "–(का. श्रौ. सू. २६ । १४४–१४७) इति । अस्यायमर्थः–प्रचरणीयस्य महावीरस्य भेदे सति तं संपिष्य अन्यया मृदा संसृज्य अन्यं महावीरं पूर्ववत् कुर्यात् । अभिन्नेन द्वितीयेन तृतीयेन वा महावीरेण तु प्रवृंजनं कुर्यात् ।

१–तृतीये इति काण्वपाठमनुसृत्य बोध्यम् ।

२–चतुर्थे इत्यपि काण्वपाठमनुसृत्यैवेति ज्ञेयम् ।

३–घर्मभेदे यथोक्तम् । का. श्रौ. सू. २६ । १४४ । यथोक्तमित्यप्याह कात्यायनः–" य ऋते चिदभिश्रिषः पुरा जत्रुभ्य आतृदः । संधाता संधिं मघवा पुरूवसुरिष्कर्ता विह्रुतं पुनरिति च घर्म्यम् " । का. श्रौ. सू. २५।१३६। चकारात् भूमिर्भूमिमिति च । तदपि आह कात्यायनः–" भूमिर्भूमिमवागान्माता मातरमप्यगात् । भूयाम पुत्रैः पशुभिर्यो नो द्वेष्टि स भिद्यतामिति मृण्मयं भिन्नमभिमृशेत् " । का. श्रौ. सू. २५ । १३५ । " परमेष्ठ्यादींश्च चतुस्त्रिंशतं जुहोति " । का. श्रौ. सू. २५ । १३७ । चकारादभिमर्शनानंतरं चतुस्त्रिंशद्धोम इत्यर्थः । तांश्च (३४ मा. सं. अ. ८ कं. ५४) " परमेष्ठ्यभिधीतः " इत्यारभ्य " सलिलः प्रप्लुतः " (५९ ।) इत्यंताः । चतुस्त्रिंशद्धोमस्तु आदेश एवेत्यध्वर्युकर्तृकः । आदेशो नाम यत्र नामनिमित्तादेशपूर्वकं नैमित्तिकमादिश्यते । यथा " पृषदाज्यस्कंदने जुहुयादस्या विष्ठा जनयान्निति " । का. श्रौ. सू. २५ । १४६ । पृषदाज्यस्कन्दनेऽभिमृशेदिति च । का. श्रौ. सू. २५ । १४२ । स आदेशः इति " सोमेज्योपपाते " का. श्रौ. सू. २५ । १४३ । इति सूत्रभाष्ये कर्कः । " प्रजापतिः संभ्रियमाण इति च यथाकालम् " । "सविता प्रथमेऽहन्निति च प्रत्यहम् " । का. श्रौ. सू. २६ । १४८ । १४९ । " सोमेज्योपपाते चैकैकां यथाकालं हुत्वा यज्ञस्य दोह इति वाचयति । आग्नीध्रीये सुत्यासु " का. श्रौ. सू. २५ । १४३।१४४ । सोमेज्यायामुपपातः सोमेज्योपपातः । न सोमयागोपपातः । इति कर्कः । सुत्यासु वर्तमानासु कालाहुतिराग्नीध्रीये । आहवनीयापवादोऽयमिति कर्कः ।

पूर्णाहुतिञ्जुहोति । सर्व्वम्वै पूर्णꣳ सर्व्वेणैवैतद्भिषज्यति यत्किञ्च विव्वृढं यज्ञस्य ॥ २ ॥

स्वाहा प्प्राणेभ्यः साधिपतिकेभ्यऽइति । मनो वै प्प्राणानामधिपतिर्म्मनसि हि सर्व्वे प्प्राणाः प्प्रतिष्ठितास्तन्मनसैवैतद्भिषज्यति यत्किञ्च विव्वृढं यज्ञस्य ॥ ३ ॥

प्पृथिव्यै स्वाहेति । प्पृथिवी वै सर्व्वेषान्देवानामायतनन्तत्सर्व्वाभिरेवैतद्देवताभिर्भिषज्यति यत्किञ्च विव्वृढं यज्ञस्य ॥ ४ ॥

पूर्णाहुतिं जुहोति । सर्वं वै पूर्णम् । सर्वेणैवैतद्भिषज्यति । यत्किंच विवृढं यज्ञस्य ॥ २ ॥

"**स्वाहा प्राणेभ्यः साधिपतिकेभ्यः**"—इति । मनो वै प्राणानामधिपतिः । मनसि हि सर्वे प्राणाः प्रतिष्ठिताः । तन्मनसैवैतत् भिषज्यति । यत्किंच विवृढं यज्ञस्य ॥ ३ ॥

"**पृथिव्यै स्वाहा**"—इति । पृथिवी वै सर्वेषां देवानामायतनम् । तत् सर्वाभिरेवैतद्देवताभिर्भिषज्यति । यत्किंच विवृढं यज्ञस्य ॥ ४ ॥

भेदनप्रायश्चित्त्यर्थं "स्वाहा प्राणेभ्यः" इत्यादिभिः द्वादशसंख्याका आहुतीः जुहोति । तासामाद्यामुत्तमां च "मनसः काममाकूतिम्" इति मंत्राभ्यां, आज्यपूर्णया स्रुचा पूर्णाहुतिं जुहोतीति ॥ १ ॥

तत्राद्यां पूर्णाहुतिं विधाय स्तौति—**पूर्णाहुतिञ्जुहोति० यज्ञस्येति** । अस्याः पूर्णाहुतेः अयं मंत्रः दर्शयिष्यते । तेन मंत्रेण आज्यपूर्णया स्रुचा 'पूर्णाहुतिं' जुहोति । 'पूर्णं' परिपूर्णं यत्तत्त्वं तत्सर्वं वै सर्वजगदात्मकम् । अतः पूर्णत्वगुणविशिष्टया आहुत्या प्रायश्चित्तं कुर्वन्; यज्ञसंबंधि यत् किंचित् अंगजातं 'विवृढं' विकलं भग्नं आसीत् । 'एतत् सर्वेणैव' वस्तुजातेन 'भिषज्यति' चिकित्सति । "भिषज् चिकित्सायां"—(धा. पा. कण्ड्वा० २४) इति धातुः ॥ २ ॥

अस्याः पूर्णाहुत्या अनंतरं "त्रयोदशैता आहुतीर्जुहोति" इति काण्वपाठः (अ. २ । ४ । १९) इति वाक्येन त्रयोदशाहुतयो होतव्या इति विधास्यति । तासामाद्या पूर्णाहुतिश्चतुर्दशी । प्रथमं तावन्मंत्राणां महावीरभेदलक्षणवैकल्यसमाधानक्षमं सामर्थ्यमस्तीति दर्शयितुं तान् क्रमेणानूद्य व्याचष्टे—तत्र प्रथमं मंत्रं पूर्णाहुतौ करणभूतं अनूद्य तेन भैषज्यप्रकारमाह—**स्वाहा प्राणेभ्यः साधिपतिके० यज्ञस्येति** । अधिपतिसहितेभ्यः 'प्राणेभ्यः' इदं हविः त्यजामि इति मंत्रार्थः । तत्र कोऽसौ प्राणानामधिपतिरिति चेत् उच्यते—'मनो वै' सुखाद्यपरोक्षसाधनं आंतरं इंद्रियं खलु 'प्राणानां' चक्षुरादीनामधिपतिः ईशिता । तेषामन्वयव्यतिरेकाभ्यां मनःसाहित्येनैव विषयप्रकाशनसामर्थ्यदर्शनात् । तत्तस्मात् मंत्रे अधिपतिशब्देन मनसो निर्दिष्टत्वात् 'मनसैव' साधनेन । शिष्टं पूर्वेण समानम् ॥ ३ ॥

अथ द्वितीयमंत्रभागमनूद्य व्याचष्टे—**पृथिव्यै स्वाहेति० यज्ञस्येति** । "पृथिव्यै स्वाहा" इति द्वितीयो मंत्रः । तत्प्रतिपाद्या 'पृथिवी' । सा तु 'सर्वेषां देवानामायतनं' निवासस्थानं हविःस्वीकरणाय तैस्तत्र सर्वदा अवस्थानात् पृथिव्यास्तदायतनत्वम् । तत्तस्मात् पृथिव्यै स्वाहा इति मंत्रेण सर्वाभिरेव देवताभिरित्यादि गतम् ॥ ४ ॥

(स्या) अग्नये स्वाहेति । (त्य) अग्निर्वै सर्वेषान्देवानामात्मा तत्सर्वाभिरेवैतद्देवताभिर्भिषज्यति यत्किञ्च विवृढं यज्ञस्य ॥ ५ ॥

(स्या) अन्तरिक्षाय स्वाहेति । (त्य) अन्तरिक्षम्वै सर्वेषान्देवानामायतनन्तत्सर्वाभिरेवैतद्देवताभिर्भिषज्यति यत्किञ्च विवृढं यज्ञस्य ॥ ६ ॥

वायवे स्वाहेति । वायुर्वै सर्वेषान्देवानामात्मा तत्सर्वाभिरेवैतद्देवताभिर्भिषज्यति यत्किञ्च विवृढं यज्ञस्य ॥ ७ ॥

दिवे स्वाहेति । द्यौर्वै सर्वेषान्देवानामायतनन्तत्सर्वाभिरेवैतद्देवताभिर्भिषज्यति यत्किञ्च विवृढं यज्ञस्य ॥ ८ ॥

सूर्याय स्वाहेति । सूर्यो वै सर्वेषान्देवानामात्मा तत्सर्वाभिरेवैतद्देवताभिर्भिषज्यति यत्किञ्च विवृढं यज्ञस्य ॥ ९ ॥

"**अग्नये स्वाहा**"–इति । अग्निर्वै सर्वेषां देवानामात्मा । तत् सर्वाभिरेवैतद्देवताभिर्भिषज्यति । यत्किंच विवृढं यज्ञस्य ॥ ५ ॥

"**अंतरिक्षाय स्वाहा**"–इति । अंतरिक्षं वै सर्वेषां देवानामायतनम् । तत्सर्वाभिरेवैतद्देवताभिर्भिषज्यति । यत्किंच विवृढं यज्ञस्य ॥ ६ ॥

"**वायवे स्वाहा**"–इति । वायुर्वै सर्वेषां देवानामात्मा । तत् सर्वाभिरेवैतद्देवताभिर्भिषज्यति । यत्किंच विवृढं यज्ञस्य ॥ ७ ॥

"**दिवे स्वाहा**"–इति । द्यौर्वै सर्वेषां देवानामायतनम् । तत् सर्वाभिरेवैतत् देवताभिर्भिषज्यति । यत्किंच विवृढं यज्ञस्य ॥ ८ ॥

"**सूर्याय स्वाहा**"–(वा. सं. ३९।१) इति । सूर्यो वै सर्वेषां देवानामात्मा । तत् सर्वाभिरेवैतत् देवताभिर्भिषज्यति । यत्किंच विवृढं यज्ञस्य ॥ ९ ॥

अथ तृतीयं मंत्रमनूद्य व्याचष्टे–**अग्नये स्वाहेति० यज्ञस्येति** । 'अग्निः' खलु 'सर्वषां देवानामात्मा' स्वरूपभूतः । तथा च तैत्तिरीयके–" ते देवा बिभ्यतोऽग्निं प्राविशन् तस्मादाहुरग्निः सर्वा देवता इति । (तै. सं. ६ । २ । २) तत्तथा च "अग्नये स्वाहा" इति मंत्रेण सर्वाभिरेव देवताभिरित्यादि गतम् ॥ ५ ॥

अथ चतुर्थं मंत्रमनूद्य व्याचष्टे–**अंतरिक्षाय स्वा० यज्ञस्येति** ॥ ६ ॥

अथ पंचमं मंत्रमनूद्य व्याचष्टे–**वायवे स्वा० यज्ञस्येति** । 'वायुः' खलु 'सर्वेषां' देवानामात्मा स्वरूपम् । तस्य सर्वदा तदावासहेतुत्वात् ॥ ७ ॥

अथ षष्ठं मंत्रमनूद्य व्याचष्टे–**दिवे स्वाहे० यज्ञस्येति** । तत्तथा च "दिवे स्वाहा" इति मंत्रेणेत्यादि पूर्ववत् ॥ ८ ॥

अथ सप्तमं मंत्रमनूद्य व्याचष्टे–**सूर्याय स्वाहे० यज्ञस्येति** । 'सूर्यो वै' प्रेरक आदित्यः खलु 'सर्वेषां

दिग्भ्यः स्वाहेति । दिशो वै सर्व्वेषान्देवानामायतनन्तत्सर्व्वाभिरेवैतु- द्देवताभिर्भिषज्यति यत्किञ्च विवृढं यज्ञस्य ॥ १० ॥

चन्द्राय स्वाहेति । चन्द्रो वै सर्व्वेषान्देवानामात्मा तत्सर्व्वाभिरेवैतद्दे- वताभिर्भिषज्यति यत्किञ्च विवृढं यज्ञस्य ॥ ११ ॥

नक्षत्रेभ्यः स्वाहेति । नक्षत्राणि वै सर्व्वेषान्देवानामायतनन्तत्सर्व्वाभि- रेवैतद्देवताभिर्भिषज्यति यत्किञ्च विवृढं यज्ञस्य ॥ १२ ॥

(स्या) अद्भ्यः स्वाहेति । (त्या) आपो वै सर्व्वेषान्देवानामायतन- न्तत्सर्व्वाभिरेवैतद्देवताभिर्भिषज्यति यत्किञ्च विवृढं यज्ञस्य ॥ १३ ॥

" दिग्भ्यः स्वाहा "-इति । दिशो वै सर्वेषां देवानामायतनम् । तत् सर्वाभिरेवैतत् देवताभि- र्भिषज्यति । यत् किंच विवृढं यज्ञस्य ॥ १० ॥

" चंद्राय स्वाहा "-इति । चंद्रो वै सर्वेषां देवानामात्मा । तत् सर्वाभिरेवैतत् देवताभि- र्भिषज्यति । यत्किञ्च विवृढं यज्ञस्य ॥ ११ ॥

" नक्षत्रेभ्यः स्वाहा "-इति । नक्षत्राणि वै सर्वेषां देवानामायतनम् । तत् सर्वाभिरेवैतत् देवताभिर्भिषज्यति । यत्किंच विवृढं यज्ञस्य ॥ १२ ॥

" अद्भ्यः स्वाहा "-इति । आपो वै सर्वेषां देवानामायतनम् । तत् सर्वाभिरेवैतत् देवताभि- र्भिषज्यति । यत् किंच विवृढं यज्ञस्य ॥ १३ ॥

देवानामात्मा' स्वरूपभूतः । तथा च मंत्रांतरं " सूर्यऽआत्मा जगतस्तस्थुषश्च " (मां. सं. । १३।४६) इति । गतमन्यत् ॥ ९ ॥

इत्थं पृथिव्यादयस्त्रयो लोकाः तदधिष्ठायकाः अग्निर्वायुः सूर्यश्चेत्येते त्रयो देवाः गतैर्मंत्रैः प्रतिपादिताः । अथ तेषु लोकेषु व्याप्य वर्तमानानां दिगादीनां चेति संपादनमुत्तरैर्मंत्रैः क्रियते । तत्र "दिग्भ्यः स्वाहा" इति मंत्रस्य तात्पर्यं व्याचष्टे-**दिग्भ्यः स्वाहेति० यज्ञस्येति** । प्राच्याद्याः ' दिशः ' खलु ' सर्वेषां देवानामायतनं ' स्थानम् । प्राक्पश्चिमादिव्यवहारार्थमपेक्षितत्वात् । अथवा इंद्रादीनां प्रागादिदिगीशत्वात् दिशां देवायतनत्वम् । गतमन्यत् ॥ १० ॥

चंद्राय स्वाहेति यज्ञस्येति । 'चंद्रः' सोमराजः खलु 'सर्वेषां देवानां' 'आत्मा' स्वरूपभूतः अमृतमयत्वेन तैरुपभोग्यत्वात् । तथा च मंत्रान्तरं " यमादित्याऽ अंशुमाप्याययंति यमक्षितमक्षितयः पिबंति " इति ॥ ११ ॥

अथान्यं मंत्रमनूद्य व्याचष्टे-**नक्षत्रेभ्यः स्वाहेति० यज्ञस्येति** । ' नक्षत्राणि ' तारकाः खलु ' सर्वेषां देवानामात्मा ' स्वरूपभूताः तेषां तद्गृहात्मकत्वात् । तथा च श्रूयते " देवगृहा वै नक्षत्राणि " इति । अन्ये तु सुकृतवशेन देवत्वं प्राप्तानां जनानां ज्योतींषि नक्षत्राणि इति वर्णयंति । तत्र श्रुतिमप्युदाहरंति-" सुकृतां वा एतानि ज्योतींषि यन्नक्षत्राणि " (तै. सं. ५ । ४ । १ । ३) इति वर्णयंति । तदानीं तज्ज्योतीरूपत्वात् नक्षत्राणां तदात्मत्वम् । गतमन्यत् ॥ १२ ॥

अथ समनंतरं मंत्रमनूद्य व्याचष्टे-**अद्भ्यः स्वाहेत्यापो० यज्ञस्येति** । ' आपः ' उदकं खलु ' सर्वेषां ' देवानामायतनं ' निवासस्थानं तेषाममृतमयशरीरत्वात् । अमृतस्य चाब्विकारित्वात् । गतमन्यत् ॥ १३ ॥

व्वरुणाय स्वाहेति। व्वरुणो वै सर्व्वेषान्देवानामात्मा तत्सर्व्वाभिरेवै-तद्देवताभिर्ब्भिषज्यति यत्किञ्च व्विवृढं यज्ञस्य ॥ १४ ॥

नाभ्यै स्वाहा पूताय स्वाहेति। (त्यु) अनिरुक्तमनिरुक्तो वै प्प्रजापतिः प्प्रजापतिर्य्यज्ञस्तत्प्रजापतिमेवैतद्यज्ञम्भिषज्यति ॥ १५ ॥

त्रयोदशैताऽ आहुतयो भवन्ति। त्रयोदशवै मासाः सम्वत्सरस्य सम्वत्सरः प्प्रजापतिः प्प्रजापतिर्य्यज्ञस्तत्प्रजापतिमेवैतद्यज्ञम्भिषज्यति ॥१६॥

" वरुणाय स्वाहा "–इति। वरुणो वै सर्वेषां देवानामात्मा। तत् सर्वाभिरेवैतत् देवताभिभिषज्यति। यत्किंच विवृढं यज्ञस्य ॥ १४ ॥

" नाभ्यै स्वाहा पूताय स्वाहा "–(वा. सं. ३९। २) इत्यनिरुक्तम्। अनिरुक्तो वै प्रजापतिः। प्रजापतिर्यज्ञः। तत् प्रजापतिमेवैतद्यज्ञं भिषज्यति ॥ १५ ॥

त्रयोदशैता आहुतयो भवंति। त्रयोदश वै मासाः संवत्सरस्य। संवत्सरः प्रजापतिः। प्रजापतिर्यज्ञः। तंत् प्रजापतिमेवैतत् यज्ञं भिषज्यति ॥ १६ ॥

अथान्यं मंत्रमनूद्य व्याचष्टे–**वरुणाय स्वाहेति० यज्ञस्ये**ति। वरुणः 'खलु देवः दुष्टनिग्राहकत्वात् 'सर्वेषां देवानामात्मा' स्वरूपभूतः। गतमन्यत्। यद्वा " पृथिव्यै स्वाहा " इत्यादयो मंत्राः एवं व्याख्येयाः। पृथिव्यंतरिक्षद्युदिगपां " पृथिव्यै स्वाहा " इत्यादिमंत्रव्याख्याने सर्वदेवायतनत्वं प्रतिज्ञातं तदुपपादनं " अग्नये स्वाहा " इत्यादिमंत्रव्याख्यानेन क्रियते अग्निवायुसूर्यचंद्रनक्षत्रवरुणानां पृथिव्याद्यधिष्ठातृत्वात् उक्तप्रकारेण इतरेषां सर्वेषां देवानां तत्तादात्म्यात्। अग्न्याद्यायतनानि पृथिव्यादीनि सर्वेषां देवानामायतनानि भवंतीति। एवं च तैः सर्वैर्मंत्रैः सर्वदेवतासंबद्धैः होमं कुर्वन् 'सर्वाभिरेव देवताभिः' विकलस्यांगस्य भैषज्यं कृतवान् भवतीत्यर्थः ॥ १४ ॥

अथान्यमंत्रद्वयमनूद्य व्याचष्टे–**नाभ्यै स्वाहा पूताय स्वाहेति० भिषज्यती**ति। " नाभ्यै स्वाहा " " पूताय स्वाहा " इति मंत्रयोः पूर्वमंत्रेष्विव कश्चित्प्रसिद्धतरः अर्थो न प्रतीयते। अतः एतन्मंत्रद्वयं अनिरुक्तं अविस्पष्टार्थम्। प्रजापतिश्च 'अनिरुक्तो वै' सर्वजगदात्मकत्वात्, एकरूपत्वेन निर्वक्तुमशक्यः। अतः अनिरुक्तेन अनेन मंत्रद्वयेन 'अनिरुक्तः' प्रजापतिरुच्यते। स एव प्रजापतिर्यज्ञः ओश्रावयादिसप्तदशाक्षर रूपेण यज्ञे अवस्थानात्। तत्तथा च 'एतत्' एतेन मंत्रद्वयेन प्राजपत्यात्मकमेव 'यज्ञं भिषज्यति' चिकित्सति ॥ १५ ॥

इत्थं "पृथिव्यै स्वाहा" इति त्रयोदशमन्त्राणां भैषज्यहेतुत्वव्याख्यानेन प्रायश्चित्तविनियोगमात्रत्वमुक्तम्। अथ तन्मंत्रसाध्यहोमं विधाय स्तौति–**त्रयोदशैताऽ आहुतयो भवंति० भिषज्यती**ति। 'एताः' " पृथिव्यै स्वाहा " इत्यादिमन्त्रसाध्यास्त्रयोदशाज्याहुतीर्जुहोति। महावीरभेदनप्रायश्चित्तार्थं कुर्यादित्यर्थः। 'संवत्सरस्य

१–अयं माध्यंदिनीयः पाठः।

२–अयं तु काण्वीयः पाठः। " त्रयोदशैताऽ आहुतीर्जुहोति " इति।

व्वृता करोत्याव्वृता पचत्युत्सादनार्थमुथ यऽ उपशयुयोर्दृढः स्यात्तेन प्प्रचरेत् ॥ २१ ॥

(तस) सम्वत्सरो वै प्रवुर्ग्यः सुर्व्वम्वै सम्वत्सरः सुर्व्वम्प्रवुर्ग्यः स यत्प्र-व्वृक्तस्तुद्वसन्तो युद्रुचितस्तुद्ग्रीष्मो युत्पिन्वितस्तुद्वर्षा यदा वै व्वर्षाः पिन्वन्तेऽथैनाः सुर्व्वे देवाः सुर्व्वाणि भूतान्युपजीवन्ति पिन्वन्ते ह वाऽ अस्मै व्वर्षा युऽ एवमेतद्वेद ॥ २२ ॥

अथ प्रवर्ग्यस्तुतिः ।

संवत्सरो वै प्रवर्ग्यः । सर्वं वै संवत्सरः । सर्वं प्रवर्ग्यः । स यत् प्रवृक्तः, तद्वसंतः । यत् रुचितः, तत् ग्रीष्मः । यत् पिन्वितः, तद्वर्षाः । यदा वै वर्षाः पिन्वन्ते । अथैनाः सर्वे देवाः सर्वाणि भूतान्यु-पजीवंति । पिन्वन्ते ह वा अस्मै वर्षाः । य एवमेतद्वेद ॥ २२ ॥

तं चोपशयां च पिष्ट्वा० तेन प्रचरेदिति । ' अथ ' एवं प्रायश्चित्तकरणानंतरं ' तं च ' भिन्नं महावीरं ' उपशयां च ' पुरा महावीरनिर्माणकाले या मृत् तदर्थकत्वेन स्थापिता तां च ' पिष्ट्वा ' चूर्णीकृत्य ' मार्त्स्नया मृदा ' घटशरावाद्युपादानभूता लौकिकी मृत् मृत्स्ना तत्संबंधिन्या ' मृदा ' चूर्णीकृतं ' संसृज्य ' मिश्रीकृत्य ' आवृता ' क्रियया ' करोति ' । येन प्रकारेण पूर्वं महावीरः कृतः तेनैव प्रकारेण तं भिन्नं महावीरं पुनः कुर्यादित्यर्थः । " आवृता पचति " इत्येतदप्येवं योज्यम् । तत्किमर्थं पुनः तस्य करण-मिति चेदुच्यते–' उत्सादनार्थं ' उद्वासनार्थम् । एवं महावीरं पुनः कृत्वा अथानंतरं ' यः ' महावीरः उप-शयासमीपे शयानः यः प्रचरणीयः द्वितीयस्तृतीयो वा महावीरः ' दृढः ' प्रचरणसमर्थो दृढावयवः स्यात् तेनो-पशयेन महावीरेण भेदनात् ऊर्ध्वभाविना प्रवर्ग्येण ' प्रचरेत्[1] ' ॥ २१ ॥

अथैतं प्रवर्ग्यं संवत्सरात्मना स्तौति–संवत्सरो वै प्रवर्ग्यः० न्युपजीवंतीति । संवत्सरात्मकः खलु अयं ' प्रवर्ग्यः ' । स च संवत्सरः ' सर्वं वै ' सर्ववस्त्वात्मकः । कृत्स्नस्य जगतः कालनिवर्त्यत्वात् । अथवा कलामुहूर्तादिसर्वकालावयवसमुदायात्मकः खलु स संवत्सरः । तदात्मकोऽयं ' प्रवर्ग्यः ' । कुत इत्यत आह–स यत्प्रवृक्त इत्यादि । ' सः ' प्रवर्ग्यः यद्यदा ' प्रवृक्तः ' पयस आसेचनेन प्रवृज्यते तत्तदा ' वसंतः ' संवत्सरावयवभूतवसंतर्त्वात्मको भवति । यद्यदा ' रुचितः ' समिंधनेन संदीपितः तत्तदा असौ प्रवर्ग्यः ' ग्रीष्मः ' ग्रीष्मर्त्वात्मको भवति । यद्यदा स घर्म्मः 'पिन्वितः' आहवनीये पिन्वनेन हुतो भवति । तत्तदा 'वर्षाः' वर्षर्त्वा-त्मको भवति । " अप्सु मनस्समासिकतावर्षाणां बहुत्वं च " (पा. लि. अ. २९) इति लिङ्गविकारे वचनात् एक-स्मिन्नपि ऋतौ वर्षा इति बहुवचनम् । 'यदा वै' यस्मिन् काले खलु 'वर्षाः' 'पिन्वंते' वर्षर्तुः सिंचति वृष्टिम् । अथानन्तरमेव ' एनाः ' वर्षोद्भवा अपः ' सर्वे देवाः ' ' सर्वाणि ' चान्यानि पशुपक्षिमृगादीनि भूतजातानि ' उपजीवन्ति ' । पिबन्ति एवमेव पिन्वितं घर्मं सर्वे देवा उपजीवन्तीत्यर्थः । अथैतद्वेदितुः फलमाह–

1-अभिन्नेन चरेत् । का. श्रौ. सू. २६ । १४६ ।

(दे) इमे वै लोकाः प्प्रवुर्ग्यः । सुर्व्वम्वाऽ इमे लोकाः सुर्व्वम्प्रवुर्ग्यः स यत्प्रुव्वृक्तस्तुदयं लोको यद्रुचितस्तुदन्तरिक्षलोको युत्पिन्वितस्तुदसौ लोको यदा वाऽ असौ लोकः पिन्वतेऽथैनᳬं सुर्व्वे देवाः सुर्व्वाणि भूतान्युपजीवन्ति पिन्वते ह वाऽ अस्माऽ असौ लोको युऽ एवमेतद्वेद॥२३॥

(दे) एता वै देवुताः प्प्रवुर्ग्यः।(ग्यौऽग्नि) अग्निर्व्वायुरादित्यः सुर्व्वम्वाऽएता देवुताः सुर्व्वम्प्रवुर्ग्यः स यत्प्रुव्वृक्तस्तुदग्निर्य्यद्रुचितस्तुद्वायुर्य्युत्पिन्वितस्तुदसावादित्यो यदा वाऽ असावादित्यः पिन्वतेऽथैनᳬं सुर्व्वे देवाः सुर्व्वाणि भूतान्युपजीवन्ति पिन्वते ह वाऽ अस्माऽ असावादित्यो युऽ एवमेतद्वेद ॥ २४ ॥

इमे वै लोकाः प्रवर्ग्यः । सर्वं वा इमे लोकाः । सर्वं प्रवर्ग्यः । स यत् प्रवृक्तः, तदयं लोकः यद्रुचितः, तदन्तरिक्षलोकः । यत् पिन्वितः, तदसौ लोकः । यदा वा असौ लोकः पिन्वते । अथैनं सर्वे देवाः सर्वाणि भूतान्युपजीवंति । पिन्वते ह वा अस्मा असौ लोकः । य एवमेतद्वेद ॥ २३ ॥

एता वै देवताः प्रवर्ग्यः । अग्निर्वायुरादित्यः । सर्वं वा एता देवताः । सर्वं प्रवर्ग्यः । स यत् प्रवृक्तः, तदग्निः । यद्रुचितः, तद्वायुः । यत् पिन्वितः, तदसावादित्यः । यदा वा असावादित्यः पिन्वते । अथैनं सर्वे देवाः सर्वाणि भूतान्युपजीवंति । पिन्वते ह वा अस्मा असावादित्यः । य एवमेतद्वेद ॥ २४ ॥

पिन्वन्ते ह वा० मेतद्वेदेति । 'अस्मै' वेदित्रे 'वर्षाः पिन्वन्ते' वर्षर्तुः वृष्ट्युदकं सिंचति खलु । 'यः' एवमुक्तप्रकारेण घर्म्मस्य 'एतत्' वर्षर्त्वात्मकत्वं 'वेद' ॥ २२ ॥

अथैतं प्रवर्ग्यं लोकत्रयात्मना स्तौति–इमे वै लोकाः प्रवर्ग्यः सर्वं वा० जीवन्तीति । 'इमे' पृथिव्यादयः 'लोकाः' खलु 'प्रवर्ग्यः' । कथं लोकत्रयस्य प्रवर्ग्यस्य च तादात्म्यमुच्यते ? इति ब्रूमः । 'इमे' पृथिव्यादयः 'लोकाः' 'सर्वं वै' संपूर्णं सर्ववस्त्वाश्रयभूता इत्यर्थः । प्रवर्ग्यश्च 'सर्वं' सर्वजगदात्मकः । अतः सर्वात्मकत्वसाम्यात् उभयोस्तादात्म्यमेव । अपि च–यद्यदा 'प्रवृक्तः' तत्तदा 'अयं लोकः' पृथिव्यात्मको भवति । यद्यदा 'रुचितः' तदा अंतरिक्षलोकात्मको भवति । यद्यदा 'पिन्वितः' तदा 'असौ' द्युलोकात्मको भवति । प्रवृक्तरुचितपिन्वितशब्दानामर्थाः पूर्वमेवोक्ताः । 'यदा' खलु 'असौ' द्युलोकः 'पिन्वते' स्वसंबंधिफलमुत्पादयति । अथानंतरं 'एनं' द्युलोकात्मकं प्रवर्ग्यं 'सर्वे देवाः' 'सर्वाणि' च 'भूतान्युपजीवन्ति' । अथैतद्वेदितुः फलमाह–पिन्वते ह वा० तद्वेदेति । पूर्ववत् योज्यम् ॥ २३ ॥

अथेमं प्रवर्ग्यं अग्निवाय्वादित्यात्मना स्तौति–एता वै देवताः प्रव० जीवन्तीति । अग्निर्वायुरादित्य इति पूर्वोक्तलोकत्रयाभिमानिन्यो या देवताः । 'एताः' खलु 'देवताः' 'प्रवर्ग्यः' । एतद्देवतात्रयात्मक इत्यर्थः । कुतः ? 'एताः' अग्न्यादिदेवताः 'सर्वं वै' स्वमहिम्ना सर्वजगदात्मिकाः । प्रवर्ग्यश्च सर्वम् । अतः सार्वा-

यजमानो वै प्रवर्ग्यः । (स्तु) तस्यात्मा प्रजा पशवः सर्व्वम्वै यजमानः सर्व्वम्प्रवर्ग्यः स यत्प्रवृक्तस्तदात्मा यद्रुचितस्तत्प्रजा यत्पिन्वितस्तत्पशवो यदा वै पशवः पिन्वन्तेऽथैनान्त्सर्व्वे देवाः सर्व्वाणि भूतान्युपजीवन्ति पिन्वन्ते ह वाऽअस्मै पशवो यऽएवमेतद्वेद ॥ २५ ॥

(दा) अग्निहोत्रम्वै प्रवर्ग्यः । सर्व्वम्वाऽअग्निहोत्रँ सर्व्वम्प्रवर्ग्यः स यदधिश्रितन्तत्प्रवृक्तो यदुन्नीतन्तद्रुचितो यद्धुतन्तत्पिन्वितो यदा वाऽअग्निहोत्रम्पिन्वतेऽथैनत्सर्व्वे देवाः सर्व्वाणि भूतान्युपजीवन्ति पिन्वते ह वाऽअस्माऽअग्निहोत्रं यऽएवमेतद्वेद ॥ २६ ॥

यजमानो वै प्रवर्ग्यः । तस्यात्मा प्रजा पशवः । सर्वं वै यजमानः । सर्वं प्रवर्ग्यः । स यत् प्रवृक्तः, तदात्मा । यद्रुचितः, तत् प्रजा । यत्पिन्वितः, तत्पशवः । यदा वै पशवः पिन्वंते । अथैनान् सर्वे देवाः सर्वाणि भूतान्युपजीवंति । पिन्वंते ह वा अस्मै पशवः । य एवमेतद्वेद ॥ २५ ॥

अग्निहोत्रं वै प्रवर्ग्यः । सर्वं वा अग्निहोत्रम् । सर्वं प्रवर्ग्यः । स यदधिश्रितं, तत् प्रवृक्तः । यदुन्नीतं, तद्रुचितः । यद्धुतं, तत्पिन्वितः । यदा वा अग्निहोत्रं पिन्वते । अथैनत् सर्वे देवाः सर्वाणि भूतान्युपजीवंति । पिन्वते ह वा अस्मा अग्निहोत्रम् । य एवमेतद्वेद ॥ २६ ॥

त्म्येन तादात्म्यम् । अपि च–'सः' घर्म्मो यद्यदा 'प्रवृक्तः' तत्तदा 'अग्निः' अग्न्यात्मको भवति । यद्यदा 'रुचितः' तत्तदा वाय्वात्मकः । यद्यदा 'पिन्वितः' तत्तदा असावादित्यात्मकः द्युलोकस्थः सूर्य एव भवति । 'यदा' खलु 'असौ' आदित्यात्मकः प्रवर्ग्यः 'पिन्वते' । अथानन्तरमेवेत्यादि पूर्ववत् । अथैतद्वेदनफलमाह–पिन्वते ह वा० तद्वेदेति । गतमेतत् ॥ २४ ॥

अथैतं प्रवर्ग्यं यजमानात्मना स्तौति–यजमानो वै प्रवर्ग्य० न्युपजीवन्तीति । यजमानात्मकः खलु अयं 'प्रवर्ग्यः' । 'तस्य' च यजमानस्य 'आत्मा प्रजा पशवः' इति वस्तुत्रयमस्ति । तद्वस्तुत्रयात्मको 'यजमानः' 'सर्वं वै' संपूर्णः खलु । प्रवर्ग्यश्च सर्वम् । अनयोः सर्वत्वसाम्यात् तादात्म्यम् । अपि च–यद्यदा 'सः' प्रवर्ग्यः 'प्रवृक्तः' तत्तदा यजमानस्यात्मा भवति । यदा असौ 'रुचितः' तदा यजमानस्य प्रजात्मको भवति । यदा 'पिन्वितः' तदा प्रवर्ग्यो यजमानस्य पश्वात्मको भवति । 'यदा' खलु प्रवर्ग्यतादात्म्यमापन्नाः 'पशवः पिन्वन्ते' पयो दुहन्ति । अथानन्तरमेव 'एनान्पशून्' क्षीराद्युपभोगद्वारेण 'सर्वे देवाः' इत्यादि गतम् । अथैतद्वेदनफलमाह–पिन्वन्ते ह वा० तद्वेद इति । पूर्ववत् व्याख्येयम् ॥ २५ ॥

अथेमं अग्निहोत्रात्मना स्तौति–अग्निहोत्रं वै प्रवर्ग्य० न्युपजीवन्तीति । अग्निहोत्रात्मकं यत् कर्म सायंप्रातःकालयोरनुष्ठेयम्, तदात्मकः खलु असौ प्रवर्ग्यः । सर्वदेवताप्रीतिकरत्वात् 'अग्निहोत्रं सर्वं' सर्वात्मकम् । प्रवर्ग्यश्च यज्ञसाकल्यार्थत्वात् 'सर्वं' सर्वावस्थात्मकः । अत उभयोः सर्वत्वसाम्यात् तादात्म्यव्यपदेशः । अपि च–यद्यदा तु अग्निहोत्रार्थं पयः पाकार्थं अग्नावधिश्रितं भवति । तत्तदा 'सः' घर्मः 'प्रवृक्तः' । यद्यदा

दर्शपूर्णमासौ वै प्प्रवर्ग्यः । सर्व्वम्वै दर्शपूर्णमासौ सर्व्वम्प्रवर्ग्यः स यद-धिश्रितन्तत्प्रव्वृक्तो यदासन्नं तद्रुचितो यद्धुतं तत्पिन्वितो यदा वै दर्शपूर्ण-मासौ पिन्वेतेऽथैनौ सर्व्वे देवाः सर्व्वाणि भूतान्युपजीवन्ति पिन्वेते ह वाऽअस्मै दर्शपूर्णमासौ यऽएवमेतद्वेद ॥ २७ ॥

चातुर्म्मास्यानि वै प्प्रवर्ग्यः । सर्व्वम्वै चातुर्म्मास्यानि सर्व्वम्प्रवर्ग्यः स यदधिश्रितन्तत्प्रव्वृक्तो यदासन्नन्तद्रुचितो यद्धुतन्तत्पिन्वितो यदा वै चातुर्म्मास्यानि पिन्वन्तेऽथैनानि सर्व्वे देवाः सर्व्वाणि भूतान्युपजीवन्ति पिन्वन्ते ह वाऽअस्मै चातुर्म्मास्यानि यऽएवमेतद्वेद ॥ २८ ॥

दर्शपूर्णमासौ वै प्रवर्ग्यः । सर्वं वै दर्शपूर्णमासौ । सर्वं प्रवर्ग्यः । स यदधिश्रितं, तत् प्रवृक्तः । यदासन्नं, तत् रुचितः । यद्धुतं, तत्पिन्वितः । यदा वै दर्शपूर्णमासौ पिन्वेते । अथैनौ सर्वे देवाः सर्वाणि भूतान्युपजीवंति । पिन्वेते ह वा अस्मै दर्शपूर्णमासौ । य एवमेतद्वेद ॥ २७ ॥

चातुर्मास्यानि वै प्रवर्ग्यः । सर्वं वै चातुर्मास्यानि । सर्वं प्रवर्ग्यः । स यदधिश्रितं, तत् प्रवृक्तः ।

स्रुचि 'उन्नीतं' उन्नयनेन गृहीतं भवति । तत्तदा असौ 'रुचितः' भवति । यद्यदा तदग्निहोत्रार्थं पयः 'हुतं' भवति । तत्तदा असौ घर्मः 'पिन्वितः' सिक्तो भवति । अधिश्रयणोन्नयनहोमरूपेणाग्निहोत्रकर्मणोऽनुष्ठानेन सायंप्रातःकालयोः प्रवृञ्जनरोचनपिन्वनात्मकः प्रवर्ग्य एवानुष्ठितो भवतीत्यर्थः । एवमग्निहोत्रस्य प्रवर्ग्यात्मना स्तुतौ सत्यां प्रवर्ग्यस्यापि अग्निहोत्रतादात्म्येन स्तुतिः सिद्धा भवति । सायंप्रातःकालयोः यदग्निहोत्रमनुष्ठीयते असावेव घर्म इति । 'यदा' खलु एतदग्निहोत्रात्मकं प्रवर्ग्यहविः 'पिन्वते' सिच्यते । अथानन्तरमेव 'एनत्' हविः 'सर्वे देवाः' इत्यादि समानं पूर्वेण । अथैतद्वेदितुः फलमाह—पिन्वते ह वा० तद्वेदेति । 'यः' खलु 'एवं' उक्तप्रकारेण 'एतत्' प्रवर्ग्यस्याग्निहोत्रात्मकत्वं 'वेद' जानाति 'अस्मै' तदग्निहोत्रं 'पिन्वते' फलं सिंचति प्रयच्छतीत्यर्थः ॥ २६ ॥

अथ दर्शपूर्णमासात्मना प्रवर्ग्यं स्तौति—दर्शपूर्णमासौ वै प्रव०न्युपजीवंतीति । दर्शपूर्णमासाख्यौ यौ यागौ तदात्मकः खलु अयं 'प्रवर्ग्यः' । तौ दर्शपूर्णमासयागौ 'सर्वं वै' सर्ववस्त्वात्मकौ । प्रवर्ग्यश्च 'सर्वं' सर्ववस्त्वात्मकः । ततः उभयोः साम्यात् परस्परतादात्म्यम् । यद्यदा तद्दर्शपूर्णमाससंबंधि हविरग्नावधिश्रितं भवति तत्तदा स घर्मः 'प्रवृक्तः' भवति । अधिश्रयणं प्रवृंजनस्थानीयमित्यर्थः । यद्यदा 'आसन्नं' तद्धविर्वेद्यामासादितं भवतिः तत्तदानीं प्रवर्ग्यः 'रुचितः' भवति । यद्यदा तद्धविर्हुतमग्नौ प्रक्षिप्तं भवति तदानीमसौ 'पिन्वितः' भवति । एतौ 'दर्शपूर्णमासौ' प्रवर्ग्यात्मकौ यतो भवतः । अत एव प्रवर्ग्योऽपि दर्शपूर्णमासात्मक इत्येवमर्थोऽर्थादुपपादितो भवति । यदा च 'दर्शपूर्णमासौ' प्रवर्ग्यात्मकौ 'पिन्वेते' । यदा स्वफलसंप्रदानाय संपद्यते । अथानंतर 'एनौ' दर्शपूर्णमासौ । अन्यदुक्तम् । अथैतद्वेदितुः फलमाह—पिन्वेते ह वा [illegible] पूर्ववद्योज्यम् ॥ २७ ॥

अथैतं चातुर्मास्यात्मना स्तौति—चातुर्मास्यानि वै प्रव०न्युपजीवंतीति । चतुर्षु मासेषु क्रियंत इति

पशुबन्धो वै प्प्रवर्ग्यः सुर्व्वम्वै पशुबन्धः सुर्व्वम्प्रवर्ग्यः स यदधिश्रितस्त-त्प्रव्वृक्तो यदासन्नस्तद्रुचितो युद्धुतस्तुत्पिन्वितो यदा वै पशुबन्धः पिन्वतेऽथैनꣳ सर्व्वे देवाः सुर्व्वाणि भूतान्युपजीवन्ति पिन्वते ह वाऽ अस्मै पशुबन्धो युऽएवमेतद्वेद ॥ २९ ॥

सोमो वै प्प्रवर्ग्यः । सुर्व्वम्वै सोमः सुर्व्वम्प्रवर्ग्यः स यदभिषुतस्तत्प्रु-व्वृक्तो यदुन्नीतस्तद्रुचितो युद्धुतस्तुत्पिन्वितो यदा वै सोमः पिन्वते-ऽथैनꣳ सर्व्वे देवाः सुर्व्वाणि भूतान्युपजीवन्ति पिन्वते ह वाऽ अस्मै सोमो युऽएवमेतद्वेद नु ह वाऽ अस्याप्रवर्ग्येण केनचनु यज्ञेनेष्टम्भवति युऽएवमेतद्वेद ॥ ३० ॥

यदासन्नं, तत् रुचितः । यद्धुतं, तत् पिन्वितः । यदा वै चातुर्मास्यानि पिन्वन्ते । अथैनानि सर्वे देवाः सर्वाणि भूतान्युपजीवंति । पिन्वंते ह वा अस्मै चातुर्मास्यानि । य एवमेतद्वेद ॥ २८ ॥

पशुबंधो वै प्रवर्ग्यः । सर्वं वै पशुबंधः । सर्वं प्रवर्ग्यः । स यदधिश्रितः, तत्प्रवृक्तः । यदासन्नः, तत् रुचितः । यत् हुतः, तत् पिन्वितः । यदा वै पशुबंधः पिन्वते । अथैनं सर्वे देवाः सर्वाणि भूता-न्युपजीवंति । पिन्वते ह वा अस्मै पशुबंधः । य एवमेतत् वेद ॥ २९ ॥

सोमो वै प्रवर्ग्यः । सर्वं वै सोमः । सर्वं प्रवर्ग्यः । स यदभिषुतः, तत्प्रवृक्तः । यदुन्नीतः, तद् रुचितः । यद्धुतः, तत् पिन्वितः । यदा वै सोमः पिन्वते । अथैनं सर्वे देवाः सर्वाणि भूतान्युप-

---

वैश्वदेववरुणप्रघाससाकमेधशुनासीरीयाख्यानि चातुर्म्मास्यानि तदात्मकः खलु अयं 'प्रवर्ग्यः' । तानि च प्रवर्ग्या-त्मकानि इति परस्परतादात्म्येन स्तुतिः । तानि च 'चातुर्मास्यानि' 'सर्वं वै' बहुप्रदानकत्वात् सर्वात्मकानि । अन्यत्सर्वं पूर्ववद्योज्यम् । अथैतद्वेदितुः फलमाह—पिन्वंते ह वा० तद्वेदेति । 'अस्मै' वेदित्रे 'चातुर्मा-स्यानि' कर्माणि वैश्वदेवादीनि 'पिन्वंते ह वै' स्वफलं प्रयच्छंति । गतमन्यत् ॥ २८ ॥

अथैनं पशुबंधात्मना स्तौति—पशुबंधो वै प्रव०न्युपजीवंतीति । पशुर्बध्यते यज्ञार्थे यस्मिन् कर्मविशेषे । असौ पशुबंधाख्यः । तदात्मकः खलु अयं 'प्रवर्ग्यः' । प्रवर्ग्यश्च सः । इति परस्परतादात्म्येन स्तुतिः । स च 'पशुबन्धः' 'सर्वं वै' संपूर्णावयवत्वात् सर्वात्मकः । अतः सर्वत्वसाम्यात् उभयोस्तादात्म्यव्यपदेशः । तत्र यदा हविर्भूतपशुरधिश्रितः पाकार्थमग्नौ तदा स घर्म्मः 'प्रवृक्तः' । यद्यदा 'आसन्नः' पाकानंतरं वेद्यामासादितः पशुः तदा असौ घर्मः 'रुचितः' भवति । यद्यदा 'हुतः' तदा असौ घर्मः 'पिन्वितः' पिन्वनेन सिक्तो भवति । अन्यत्सर्वं पूर्ववद्योज्यम् । अथैतद्वेदनफलमाह—पिन्वते ह वा० तद्वेदेति । गतमेतत् ॥ २९ ॥

अथेमं प्रवर्ग्यं सोमात्मना स्तौति—सोमो वै प्रव०न्युपजीवंतीति । यः अयं लताभूतो यागसाधनभूतः 'सोमः' तदात्मकः खलु अयं 'प्रवर्ग्यः' । कुतः इति चेत् उच्यते—सर्वं वै सर्वमेव खलु वस्तु सोमः सकल-

(द्वा) अथैतद्वै । (द्वा॒ऽअ॒) आयुरेतज्ज्योतिः प्रविशति य॒ऽएतमनु वा ब्रूते भक्षयति वा तस्य व्रतचर्या या सृष्टौ ॥ ३१ ॥

इति द्वितीयप्रपाठके तृतीयं ब्राह्मणम् ॥ १४-२-३ ॥ (३-२) ॥

इति द्वितीयप्रपाठकः समाप्तः ॥ १४-२ ॥

कंडिकासंख्या ॥ १२२ ॥

इति तृतीयोऽध्यायः समाप्तश्च ॥१४-३॥ कण्डिकासंख्या ॥ ६७ ॥

इति प्रथमं प्रवर्ग्यकाण्डं समाप्तम् ॥ १४-१ ॥

जीवंति । पिन्वते ह वा अस्मै सोमः । य एवमेतद्वेद । न ह वा अस्याप्रवर्ग्येण केनचन यज्ञेनेष्टं भवति । य एवमेतद्वेद ॥ ३० ॥

अथ एतद्वै आयुः, एतज्ज्योतिः प्रविशति । य एतमनु वा ब्रूते भक्षयति वा । तस्य व्रतचर्या- या सृष्टौ ॥ ३१ ॥

इति सोमादिकर्मशेषाभिधायकं प्रवर्ग्यकाण्डं समाप्तम् ॥

यागसाधनत्वात् । यद्वा आहुतिद्वारा सर्वस्य जगतः तत्परिणामत्वात् तस्य सर्वात्मकत्वम् । अत एव प्रवर्ग्योऽपि 'सर्वम्' तस्मादुभयोः सर्वत्वसाम्यात् तादात्म्येन स्तुतिः । अपि च-यदा 'सः' सोमः 'अभिषुतः' अभिषवसंस्कारेण द्रवीकृतः भवति तदा असौ 'प्रवृक्तः' भवति । यदा तूष्णीतः अभिषवानंतरं चमसेषु गृहीतो भवति तदा असौ प्रवर्ग्यः 'रुचितः' भवति । यदा तु अग्नौ स सोमः 'हुतः' भवति तदा अयं 'पिन्वितः' सिक्तो भवति । एतदुक्तं भवति । सोमस्याभिषवोन्नयनहोमाः प्रवृंजनरोचनपिन्वनात्मकाः । अत एव एतानि प्रवृंजना- दीनि तदात्मकानि । अन्यत् पूर्ववद्योज्यम् । अथैतद्वेदनफलमाह-**पिन्वते ह वा० तद्वेदेति** । एवमुक्तप्रकारेण 'यः' खलु 'एतत्' प्रवर्ग्यस्य सोमात्मकत्वं 'वेद' जानाति । 'अस्मै' जानते सः 'सोमः' 'पिन्वते' फलप्रदो भवति । इत्थं प्रवर्ग्यस्याग्निहोत्राद्यात्मकत्वमुक्त्वा तद्वेदितुः फलमुक्तम् । अथ तेषामग्निहोत्रादीनामपि यत्प्र- वर्ग्यात्मकत्वमुक्तम् । तद्वेदनफलमाह-**न ह वा अस्या०तद्वेदेति** । 'यः' एवमुक्तप्रकारेण अग्निहोत्रादिकर्मसु अधिश्रयणादौ प्रवृंजनादिसंपादनेन यत्प्रवर्ग्यात्मकत्वमुक्तम् । तद्वेद जानीयात् । 'अस्य' वेदितुः 'केनचन' केनापि अग्निहोत्रादिना 'यज्ञेन' 'अप्रवर्ग्येण' प्रवर्ग्यरहितेन खलु 'न इष्टं' भवति । सर्वेष्वपि यज्ञेषु उक्त- प्रकारेण प्रवर्ग्यस्य संपादनात् सप्रवर्ग्येणैव सर्वेण यज्ञजातेन इष्टवान् भवतीत्यर्थः ॥ ३० ॥

एतद्ब्राह्मणाध्ययनतदर्थानुष्ठानयोः कर्तुः प्रागुक्तां व्रतचर्यां पूर्ववदतिदिशति-**अथैतद्वा आ० सृष्टाविति** । अथेत्यारंभे । यतः प्रागुक्तं प्रवर्ग्याख्यं तथैतच्च ब्राह्मणे स्तूयते । एतदुभयं आयुर्जीवनं तद्वेदभूतमित्यर्थः । अतस्तस्य व्रताचरणेन रक्षा कार्या इति भावः । कुतोऽस्य रक्षणापेक्षेति तत्राह-**एतज्ज्योतिरिति** । 'यः' खलु पुमान् 'एतं' प्रवर्ग्यं 'अनुब्रूते' कर्मकाले अधीते वा । तत्रत्यं हुतशिष्टं हविर्भक्षयति वा । स एतज्ज्योतिः द्युलो